LA BIBLE

TRADUCTION ŒCUMÉNIQUE DE LA BIBLE

comprenant

l'Ancien et le Nouveau Testament

traduits sur les textes
originaux
hébreu et grec

avec introduction, notes,
références et glossaire

ALLIANCE BIBLIQUE UNIVERSELLE — LE CERF
TORONTO — MONTRÉAL

Diffusion: La Société biblique canadienne
et
Le Cerf — Arc-en-Ciel International

Imprimé au Canada par
la Société biblique canadienne
ISBN 0-88834-226-8   SBC 1977 - 60M - TOB 063

ORDRE ALPHABÉTIQUE DES LIVRES BIBLIQUES

SIGLES ET ABRÉVIATIONS

*	l'astérisque (avant un mot) renvoie au *glossaire* en fin de volume
+	indique qu'on trouvera à cette référence un groupe de références utiles pour la compréhension du texte
par.	ce sigle renvoie, en même temps qu'au texte indiqué, aux passages *parallèles* à celui-ci (évangiles)
grec	la référence précédente ne porte pas sur le texte hébreu, mais sur la
ou	
gr.	traduction grecque (*Septante*)
litt.	traduction littérale
chap.	chapitre
v.	verset

RÉFÉRENCES BIBLIQUES

Dans les références les titres des livres sont *abrégés* comme indiqué dans l'encart.

18.2 : chap. 18, v. 2 *dans le livre étudié*
Lc 5.12 : Évangile de Luc chap. 5, v. 12
Jr 1.4-10 : Jérémie chap. 1, du v. 4 au v. 10
Jg 3.9, 15 : Juges chap. 3 versets 9 et 15
Es 36—39 : Esaïe chap. 36, 37, 38 et 39
Jn 18.28—19.16 : Evangile de Jean, du chap. 18 v. 28 au chap. 19 v. 16

Plusieurs citations successives sont séparées par un *point-virgule*

Exemples : Rm 6.15-20 ; 15.18.
Jg 3.9, 15 ; 6.7-8 ; ...

PRÉSENTATION
DE LA TRADUCTION ŒCUMÉNIQUE
DE LA BIBLE

Le projet d'une traduction française de la Bible commune aux diverses confessions chrétiennes n'est pas entièrement nouveau. Déjà, au XVIIᵉ siècle, le théologien catholique Richard SIMON, de la Congrégation de l'Oratoire et, au siècle dernier, la *Société Nationale pour une traduction nouvelle des Livres saints en langue française* avaient fait des tentatives dans ce sens. Cependant, les conditions n'étaient pas encore réunies pour le succès de telles entreprises. Aujourd'hui, par contre, la réalisation d'une traduction œcuménique de la Bible est chose possible. Le succès rencontré par la publication du *Nouveau Testament* paru en 1972, puis de l'*Ancien Testament* publié trois ans plus tard, en fait foi.

Trois facteurs historiques principaux ont permis de mener à bien la présente publication.

D'abord, le développement spectaculaire des sciences bibliques, une même soumission aux disciplines de l'analyse philologique, littéraire et historique, des contacts et des échanges personnels au cours de rencontres internationales et interconfessionnelles permettent désormais aux spécialistes de l'étude de la Bible d'être très proches dans les méthodes de travail et les conceptions générales. L'expérience de traductions communes s'est alors naturellement imposée à eux, en même temps que, dans un très large public, se faisait sentir le besoin d'éditions répondant aux exigences scientifiques actuelles, telles qu'on les trouve réalisées, par exemple, dans les versions protestante de la *Bible du Centenaire* (1917-1948) et catholique de *la Sainte Bible traduite en français sous la direction de l'Ecole biblique de Jérusalem* (1947-1955 ; 2ᵉ édition 1973).

En second lieu, les progrès du mouvement œcuménique sous ses multiples formes ont créé dans les Eglises un climat favorable de dialogue dans une commune référence à l'Ecriture ; d'où l'intérêt et l'urgence de l'effort visant à offrir aux chrétiens encore divisés une version nouvelle, vraiment œcuménique, du texte de l'Ecriture. Certes, la présente traduction n'entend nullement mettre un terme à la recherche d'une meilleure compréhension du texte dans les diverses confessions, pas plus qu'elle ne vise à éliminer les traductions en usage aujourd'hui. Elle n'implique pas qu'une fin ait été mise aux divergences doctrinales qui séparent les Eglises. Elle atteste seulement qu'il est devenu possible d'établir aujourd'hui un texte œcuméniquement traduit de la Bible.

Enfin, évangélisation et mission ne peuvent atteindre leur vraie dimension sans la diffusion et la lecture effectives des Ecritures. Cette vérité, remise en lumière au siècle dernier par le mouvement missionnaire protestant, a été soulignée, du côté catholique, dans les décrets du dernier Concile du Vatican où la collaboration œcuménique dans ce domaine est également mentionnée. Qui dit « traduction œcuménique » dit donc, par là même, perspective *missionnaire* : bien des hommes dans le monde entier ne lisent pas la Bible parce qu'elle leur est présentée dans des versions différentes par des Eglises séparées. Qui sait si une version œcuménique de l'Ecriture ne sera pas, pour eux, un signe que les divisions des chrétiens n'arrêtent pas la Parole de Dieu et que l'Esprit Saint, qui a guidé les auteurs bibliques, inspire aujourd'hui encore un témoignage commun ?

Les *Editions du Cerf* et les *Sociétés bibliques*, pressenties en 1963 par les promoteurs du projet de traduction œcuménique de la Bible, donnèrent leur accord et s'engagèrent à en assurer la publication. Les *Editions du Cerf* avaient déjà l'expérience de la « *Bible de Jérusalem* » qui, par sa présentation, devait servir de modèle à la nouvelle traduction. De même, les Sociétés bibliques, fédérées dans l'*Alliance Biblique Universelle,* avaient été invitées en diverses régions du monde à participer à la réalisation de projets de traduction œcuménique. Malgré des différences considérables dans leurs habitudes et leurs principes, les deux éditeurs parvinrent à un accord complet assurant l'équilibre administratif et financier de l'entreprise.

D'une part, du côté catholique les *Editions du Cerf* et du côté protestant les Editions *Les Bergers et les Mages* ont assumé la responsabilité de publier cette traduction dans une édition dite « intégrale », *en deux volumes*, comportant des introductions et un appareil de notes assez développés. Introductions et annotation apportent une information sur l'état actuel du dialogue œcuménique en matière d'histoire, d'exégèse et de théologie biblique, et indiquent les diverses options possibles dans la traduction et l'interprétation d'un texte donné.

D'autre part *l'Alliance Biblique Universelle*, avec l'agrément des Eglises protestantes intéressées, a pris la responsabilité de publier cette nouvelle version accompagnée d'un minimum d'aides indispensables à tout lecteur de la Bible et a confié cette tâche à une équipe interconfessionnelle de biblistes. La présente édition de la TOB, *en un volume*, reproduit donc la traduction proposée dans l'édition dite « intégrale » et elle l'assortit

a) d'un appareil original de NOTES, conformes à l'accord établi en 1968 entre *l'Alliance Biblique Universelle* et le *Secrétariat romain pour l'Unité des chrétiens*. Ces notes portent sur les difficultés que peut présenter le *texte* biblique, sur les problèmes de *traduction* et sur les particularités d'ordre *historique, géographique* ou *culturel* propres au texte et au milieu bibliques ;

b) d'un système de RÉFÉRENCES PARALLÈLES dans lequel, pour chaque verset retenu, les références choisies ont été groupées par *mots* ou par *thèmes*. L'appareil de références parallèles figure en bas de page ;

c) enfin d'un GLOSSAIRE pour l'explication des mots techniques les plus fréquents. On y renvoie par un astérisque (*) placé avant le mot. Les termes retenus ont été classés par ordre alphabétique ; leurs divers emplois ont été analysés selon les principes de la sémantique moderne.

Pour la *traduction*, la méthode de travail adoptée dès l'origine a tenu compte de deux exigences fondamentales :

a) la rigueur scientifique d'une traduction nouvelle établie sur la base des meilleures éditions critiques des textes bibliques : *Biblia Hebraïca* (Rud. KITTEL, P. KAHLE, 7ᵉ édition revue et augmentée par A. ALT et O. EISSFELDT) pour l'Ancien Testament ; *Novum Testamentum Graece* (Erw. NESTLÉ et K. ALAND) et *The Greek New Testament* (ALLIANCE BIBLIQUE UNIVERSELLE) pour le Nouveau Testament ;

b) la nécessité d'un travail véritablement commun pour chacun des livres bibliques. Chaque texte a été traduit par une équipe œcuménique qui s'est efforcée à autant d'exactitude et de clarté que possible. Les différentes équipes ont bénéficié des services de quatre coordinateurs, protestants et catholiques : deux pour l'Ancien Testament et deux pour le Nouveau. La première traduction a été soumise à deux biblistes orthodoxes de langue française, puis à l'ensemble des traducteurs de la TOB et à nombres de lecteurs, théologiens spécialistes ou non, d'Europe et d'Outre-Mer, à des réviseurs littéraires et liturgiques et aux membres des Comités de coordination du Nouveau et de l'Ancien Testament, ainsi qu'aux responsables de *l'Alliance Biblique Universelle* et du *Secrétariat français pour l'Unité des chrétiens*, en tout plus d'une centaine de critiques. La version définitive a été finalement mise au point par les traducteurs de chaque livre, compte tenu des remarques recues et de l'avis des coordinateurs.

Cette traduction est donc à la fois moins originale et plus nouvelle que les autres, anciennes ou contemporaines. *Moins originale*, parce que ·le risque de l'entreprise et le caractère collectif du travail ont exclu dès le départ certaines options personnelles et certaines libertés dans la traduction qui font l'intérêt d'autres versions. *Plus nouvelle*, parce que les vérifications impitoyables auxquelles ont été soumises les différentes traductions ont fait surgir des exigences qui ont eu leur répercussion dans la manière de formuler la traduction.

En achevant leur œuvre, avec le sentiment d'en avoir été les premiers bénéficiaires, l'ensemble des artisans de la TOB s'est réjoui de constater qu'il est désormais possible d'établir un texte commun, sans qu'apparaissent les signes de division et de désaccords confessionnels que certains annonçaient et que beaucoup redoutaient.

Ils espèrent aujourd'hui que cette nouvelle présentation de la TOB, en un volume, servira à faire connaître et aimer ces Ecritures où le peuple de Dieu entend la Parole de son Seigneur et où tous les hommes sont appelés à trouver le sens de leur vie.

ABRÉVIATIONS ET SIGLES UTILISÉS

DANS LE TEXTE

Sous-titres

Ils n'appartiennent pas au texte biblique, mais sont proposés par la rédaction. On y a parfois ajouté une ou plusieurs références à des passages parallèles.

Appels de notes

Exemple : J'avais consacré mon premier livre *a*... Le sigle *a* renvoie à une *note en bas de page,* qu'on trouvera en face du signe *a*.
On rencontrera parfois un appel de note doublé : *mm*. La note correspondante figure après la note *m*.

Renvois au glossaire

Exemple : ... et non pas comme leurs *scribes...
Un astérisque * devant un mot renvoie au *glossaire en fin de volume.* Les mots expliqués dans le glossaire sont classés par ordre alphabétique.

Citations d'un texte biblique

Il arrive qu'un livre biblique cite tel ou tel passage d'un autre livre biblique. Par exemple Jr 26.18 cite Mi 3.12. Le cas est surtout fréquent dans le Nouveau Testament, qui cite l'Ancien. Dans tous les cas le passage cité est noté en *caractères italiques.* La référence exacte du texte cité est indiquée soit dans les notes, soit dans l'appareil de références parallèles, en bas de page.

Paroles citées

Des guillemets bas « ... » signalent qu'on cite les paroles de quelqu'un.
Des guillemets hauts "..." indiquent que la personne qui parle cite elle-même les paroles d'une autre personne.

RÉFÉRENCE A UN PASSAGE BIBLIQUE

Lc 5.12

renvoie à l'Evangile selon Luc, chapitre 5, verset 12.

Jr 1.4-10

renvoie au livre de Jérémie, chapitre 1, du verset 4 au verset 10 inclus.

Es 36—39

renvoie aux chapitres 36 ; 37 ; 38 ; 39 du livre d'Esaïe.

Jn 18.28—19.16

renvoie, dans l'Evangile selon Jean, au passage qui commence au chapitre 18, verset 28, et s'achève au chapitre 19, verset 16.

Divers passages bibliques cités successivement sont séparés par un *point-virgule.*
Ainsi Rm 6.15-20 ; 15.18
Ph 2.9 ; 1 P 1.21

DANS LES NOTES

A.T.	Ancien Testament
ap. J.C.	après Jésus-Christ
av. J.C.	avant Jésus Christ
chap.	chapitre
litt.	littéralement
N.T.	Nouveau Testament
v.	verset. Exemple : v. 13 signifie *verset 13*

DANS L'APPAREIL DE RÉFÉRENCES PARALLÈLES

Pour un certain nombre de passages bibliques on a indiqué d'*autres passages* où se retrouve tel mot, telle expression ou tel thème. Ce sont les *références parallèles*. Celles-ci sont indiquées en bas de page ; elles ont été regroupées par mots ou par thèmes.

+	Ce sigle, placé après une référence, indique qu'on y trouvera *d'autres références sur le même mot ou le même thème.* *Exemple :* Dans les parallèles indiqués pour Jr 50.29 on peut lire : le Saint d'Israël Es 1.4 +. Cela signifie qu'aux références parallèles retenues pour Es 1.4 on trouvera une série de textes comprenant la même expression.
cf.	signifie *comparez avec.*
(grec) ou (gr.)	Placé après un renvoi à l'A.T., ce sigle indique que la référence porte non pas sur le texte hébreu mais sur la traduction *grecque* de l'A.T., appelée habituellement traduction des *Septante*.
par.	signifie : *et les passages parallèles.* Ce sigle est employé exclusivement pour les évangiles. Les passages parallèles d'un paragraphe sont en général indiqués avec le sous-titre de ce paragraphe. *Exemple :* Mc 4.30-32 correspond au paragraphe intitulé LA PARABOLE DE LA GRAINE DE MOUTARDE. Les passages parallèles sont Mt 13.31-32 et Lc 13.18-19.

ABRÉVIATIONS POUR LES LIVRES BIBLIQUES

ANCIEN TESTAMENT

Ab	Abdias		Ir	Jérémie
Ag	Aggée		Lm	Lamentations
Am	Amos		Lv	Lévitique
1 Ch	Premier livre des Chroniques		Mi	Michée
2 Ch	Deuxième livre des Chroniques		Ml	Malachie
Ct	Cantique des Cantiques		Na	Nahoum
Dn	Daniel		Nb	Nombres
Dt	Deutéronome		Ne	Néhémie
Es	Esaïe		Os	Osée
Esd	Esdras		Pr	Proverbes
Est	Esther		Ps	Psaumes
Ex	Exode		Qo	Qohéleth (Ecclésiaste)
Ez	Ezéchiel		1 R	Premier livre des Rois
Gn	Genèse		2 R	Deuxième livre des Rois
Ha	Habaquq		Rt	Ruth
Jb	Job		1 S	Premier livre de Samuel
Jg	Juges		2 S	Deuxième livre de Samuel
Jl	Joël		So	Sophonie
Jon	Jonas		Za	Zacharie
Jos	Josué			

Livres deutérocanoniques ou apocryphes

Ba	Baruch	1 M	Premier livre des Maccabées
Dn grec	Daniel grec	2 M	Deuxième livre des Maccabées
Est grec	Esther grec	Sg	Sagesse
Jdt	Judith	Si	Siracide (Ecclésiastique)
Lt-Jr	Lettre de Jérémie	Tb	Tobit

NOUVEAU TESTAMENT

Ac	Actes des Apôtres	Lc	Evangile selon Luc
Ap	Apocalypse	Mc	Evangile selon Marc
1 Co	Première épître aux Corinthiens	Mt	Evangile selon Matthieu
2 Co	Deuxième épître aux Corinthiens	1 P	Première épître de Pierre
Col	Epître aux Colossiens	2 P	Deuxième épître de Pierre
Ep	Epître aux Ephésiens	Ph	Epître aux Philippiens
Ga	Epître aux Galates	Phm	Epître à Philémon
He	Epître aux Hébreux	Rm	Epître aux Romains
Jc	Epître de Jacques	1 Th	Première épître aux Thessaloniciens
Jn	Evangile selon Jean	2 Th	Deuxième épître aux Thessaloniciens
1 Jn	Première épître de Jean		
2 Jn	Deuxième épître de Jean	1 Tm	Première épître à Timothée
3 Jn	Troisième épître de Jean	2 Tm	Deuxième épître à Timothée
Jude	Epître de Jude	Tt	Epître à Tite

INTRODUCTION A LA BIBLE

I

La BIBLE se présente extérieurement comme une collection de livres d'époques et d'auteurs très divers : de la rédaction des plus anciens passages à celle des plus récents, au moins dix siècles se sont écoulés. Le nom grec de la collection (ta biblia, les livres) est à l'origine du nom qu'on lui donne aujourd'hui, la Bible.

Les Eglises chrétiennes classent les livres de la Bible en deux grands ensembles, l'Ancien Testament et le Nouveau Testament. Le mot testament employé ici provient du latin testamentum, utilisé dans l'ancienne version latine de la Bible pour désigner l'alliance de Dieu avec les hommes. On pourrait donc dire aussi : les livres de l'« Ancienne Alliance » et ceux de la « Nouvelle Alliance ».

Les livres de l'Ancienne Alliance, ou Ancien Testament, concernent les relations de Dieu et du peuple d'Israël. C'est à ce dernier, en effet, que Dieu s'est d'abord fait connaître, en le sauvant de l'esclavage, en se liant à lui par une alliance au mont Sinaï, en lui révélant sa volonté, en lui donnant la Terre Promise et en l'accompagnant de génération en génération tout au long de son histoire.

A travers cette longue et difficile histoire, le peuple d'Israël a été conduit à attendre de son Dieu un Sauveur, le Messie. Au début de notre ère certains Juifs, puis des non-Juifs en nombre grandissant, ont reconnu en la personne de Jésus de Narazeth ce messie attendu. Ils lui ont donné le titre de Christ, équivalent grec du titre hébreu Messie. Ils ont également reconnu que, par l'intervention de Jésus, en particulier par sa mort et sa résurrection, Dieu avait élargi son alliance à l'ensemble de l'humanité. C'est pourquoi les témoignages écrits concernant Jésus, le Christ, ont été regroupés sous le titre de livres de la « Nouvelle Alliance » ou Nouveau Testament.

Le Dieu que découvre le lecteur de la Bible apparaît, dès la première page de l'Ancien Testament, comme un Dieu qui agit par la parole. A sa parole, en effet, des hommes se mettent en route, d'autres passent à l'action, des événements nouveaux surgissent. Dieu se fait entendre ainsi à Abraham, à Moïse, aux Juges, aux prophètes, ... et même à des étrangers comme le roi de Perse Cyrus (Es 45.1). Sa parole prend forme dans des mots humains, que transmettent les hommes qu'il a choisis comme messagers. Certaines pages du Nouveau Testament (évangile de Jean, épître aux Hébreux) vont même jusqu'à présenter Jésus comme « la Parole de Dieu » par excellence : en quelque sorte, tout ce que Dieu a voulu communiquer aux hommes se trouve condensé en la personne de Jésus de Nazareth.

Les auteurs bibliques, tant de l'Ancien que du Nouveau Testament, apparaissent donc comme les témoins de la Parole de Dieu. C'est à travers leur témoignage, souvent resté anonyme pour nous, que cette Parole, toujours vivante, peut parvenir encore aux hommes d'aujourd'hui pour les interpeller, les éclairer et proposer à leur vie un sens nouveau.

II

L'ANCIEN TESTAMENT est donc le premier et le plus ancien recueil de témoignages concernant la Parole de Dieu. Mais il ne représente qu'une sélection parmi tous les livres écrits dans l'ancien Israël (voir Nb 21.14 ; Jos 10.13 ; 1 Ch 29.29).

A. – C'est, semble-t-il, au temps d'Esdras (deuxième moitié du cinquième siècle avant Jésus-Christ) qu'apparaît le premier CANON de l'Ancien Testament, c'est-

à-dire la première liste de livres reconnus officiellement comme faisant autorité pour la foi et la vie pratique : La Loi *(voir* Ne 8), *titre recouvrant les cinq premiers livres de la Bible. Plus tard on ajouta le recueil des* Prophètes *(voir p. 15), considéré comme une sorte de commentaire et de prolongement de la Loi ; d'où l'expression la Loi et les* Prophètes *employée au temps de Jésus pour désigner l'ensemble des Ecritures saintes (Mt 5.17; 7.12, etc.). Le Canon s'enrichit aussi des* Psaumes *(Lc 24.44), étant donné leur usage officiel au *Temple et dans les *synagogues. Mais l'autorité d'un certain nombre d'autres livres restait encore discutée. C'est seulement aux environs de l'année 90 de notre ère que les Docteurs de la Loi (voir au glossaire* LÉGISTES), *réunis à Jamnia en Palestine, établirent la liste officielle des livres constituant les Ecritures saintes du *Judaïsme palestinien. Cette liste comprenait trois ensembles : la* Loi, *les* Prophètes *et les* Autres Ecrits *(voir p. 16), ces derniers incluant les* Psaumes. *Tous ces livres étaient écrits en hébreu, sauf quelques passages en araméen, langue voisine de l'hébreu.*

Mais de nombreux Juifs vivaient à cette époque hors de Palestine. Dès le troisième siècle avant Jésus-Christ ceux qui s'étaient installés à Alexandrie en Egypte avaient éprouvé le besoin de traduire les livres de la Loi, puis des Prophètes et des Psaumes, et enfin quelques autres dans la langue qu'ils parlaient usuellement, comme tous les habitants du bassin oriental de la Méditerranée, le grec. C'est ainsi que se constitua la version grecque dite des Septante. *Celle-ci comprenait des livres qui ne furent pas retenus comme canoniques à Jamnia, par exemple les livres de Tobit et du Siracide. On y adjoignit même certains livres rédigés directement en grec, comme le second livre des Maccabées et la Sagesse de Salomon. C'est cette Bible grecque qui devint plus tard l'Ecriture sainte des premières générations chrétiennes de culture grecque.*

*Dans le Judaïsme ce fut finalement le canon de la Bible hébraïque, établi à Jamnia, qui prévalut. C'est lui qu'adoptèrent les Protestants au XVI*e *siècle. Du côté catholique, le canon, officiellement fixé dès le IV*e *siècle (Synode romain, 382) fut confirmé lors du concile de Trente (1546). Il inclut un certain nombre de livres propres à la Bible grecque, groupés habituellement sous le nom de* livres deutérocanoniques. *Ceux-ci figurèrent d'ailleurs dans les éditions protestantes de la Bible jusqu'au XIX*e *siècle, sous l'appellation d'apocryphes, bien que les Eglises issues de la Réforme ne leur aient pas reconnu de valeur normative. A leur sujet la confession de foi dite de La Rochelle déclare en effet : «... encore qu'ils soient utiles, on ne peut fonder (sur eux) aucun article de foi». Les Eglises orthodoxes, quant à elles, n'ont jamais pris de décision officielle à leur sujet.*

Conformément à l'accord établi en 1968 entre l'Alliance Biblique Universelle *et le Secrétariat romain pour l'Unité des chrétiens, les livres deutérocanoniques ont été compris dans l'Ancien Testament de la TOB, mais regroupés après les Autres Ecrits. Le cas du livre d'Esther soulevait une difficulté particulière : les parties deutérocanoniques, propres à la forme grecque du livre, étaient trop entremêlées au texte d'origine hébraïque pour avoir un sens en elles-mêmes. Les éditeurs ont été donc amenés à proposer une double traduction du livre d'Esther, l'une selon l'hébreu, l'autre selon le grec, la seconde étant classée parmi les livres deutérocanoniques.*

Pour les livres de l'Ancien Testament considérés comme canoniques par toutes les Eglises chrétiennes, l'ordre suivi par la Traduction Oecuménique est celui des Bibles hébraïques actuelles : Pentateuque, Livres Prophétiques, Autres Ecrits. Cette disposition risque de déconcerter les lecteurs familiers des éditions traditionnelles de la Bible, habitués à une classification empruntée aux anciennes versions grecque et latine : Pentateuque, Livres historiques, Livres poétiques, Livres prophétiques[1]. *Outre que l'on a ainsi l'avantage de conserver l'ordre du texte en langue originale, on bénéficie aussi d'une classification qui, à certains égards, respecte mieux le genre des divers livres bibliques*[2].

[1] Pour la place de chaque livre le lecteur pourra se référer à l'encart.
[2] Par exemple : dans la Bible classée dans l'ordre hébraïque, le lecteur est invité à lire des livres comme ceux de Josué, des Juges ou des Rois non plus dans une perspective « historique », au sens moderne du mot (bien que ces livres soient remplis de précisions historiques fort précieuses), mais comme un message « prophétique », qui dévoile le *sens* de l'histoire du peuple de Dieu. Des remarques du même genre pourraient être faites pour les livres comme Ruth, Esther ou Daniel, que la tradition hébraïque a classés non pas comme livres « historiques » ou « prophétiques » mais parmi les Autres Ecrits (voir p. 16), marquant ainsi qu'ils sont d'un autre genre que les livres de la Loi ou les Prophètes.

B. – *Les cinq premiers LIVRES DE LA BIBLE forment un tout, que la tradition juive nomme « la Loi», et que l'on désigne aussi parfois d'un terme savant, le* PENTATEUQUE *(c'est-à-dire les* cinq *étuis, qui renfermaient les rouleaux correspondants). Les noms de ces livres, empruntés pour certains d'entre eux au grec, signalent un des thèmes dominants de chacun d'eux :* LA GENÈSE (= *commencement) s'intéresse aux* origines *du monde et de l'humanité, puis à celles du peuple d'Israël en la personne de ses ancêtres Abraham, Isaac, Jacob et Joseph.* — L'EXODE (= *sortie) est consacrée à la sortie d'Israël hors d'Egypte sous la direction de Moïse.* — LE LÉVITIQUE *détaille les lois religieuses (rituel des sacrifices, règles de pureté, célébration des fêtes, etc.) et sociales, dont les prêtres, descendants de Lévi, étaient les gardiens.* — *Le livre des* NOMBRES *tire son nom de deux* dénombrements *des tribus d'Israël effectués lors de leur séjour au désert.* — *Enfin* LE DEUTÉRONOME *(deuxième loi ou copie de la Loi) se présente comme une série d'exhortations adressées au peuple d'Israël pour lui rappeler le sens des expériences qu'il a vécues au désert et la Loi de Dieu qu'il devra observer une fois installé en Palestine. A partir de l'Exode les livres du Pentateuque permettent de suivre la marche du peuple d'Israël depuis la sortie d'Egypte jusqu'aux portes de la « Terre Promise».*

Les LIVRES PROPHÉTIQUES constituent le deuxième grand ensemble composant l'Ancien Testament. Ils sont répartis en deux séries : les prophètes premiers *(Josué, Juges, Samuel et les Rois) et les* prophètes derniers *(Esaïe, Jérémie, Ezéchiel et le recueil des douze « petits» prophètes* [3].)

Le livre de JOSUÉ *présente la conquête de la Palestine sous la direction de Josué, successeur de Moïse, et la répartition du territoire entre les douze tribus d'Israël.* — *Cette installation fut suivie d'une période difficile pour Israël : tentation d'idolâtrie, oppression de la part des populations locales ou voisines. Au cours de cette période Dieu délivra maintes fois son peuple en suscitant des libérateurs, les* JUGES. *D'où le titre du livre qui relate ces alternances de malheur et de délivrance.* — *Les deux livres de* SAMUEL *formaient à l'origine un seul ouvrage, divisé ultérieurement pour la commodité. Ils racontent les débuts de la royauté israélite, d'abord avec Saül puis surtout avec David.* — *Comme les livres de Samuel, les deux livres des* ROIS *forment un tout. Jugeant les rois à la mesure de leur fidélité à la loi de Dieu, ils analysent le règne de Salomon, fils et successeur de David, puis, après le schisme qui suivit la mort de Salomon, ceux des rois d'Israël au nord (jusqu'à la ruine de Samarie en 722/721 avant J.C.), et de Juda au sud (jusqu'à la ruine de Jérusalem en 587 avant J.C.). Au passage ils introduisent les récits qu'ils ont pu recueillir concernant le ministère de prophètes comme Elie ou Elisée.*

Les livres des prophètes derniers *sont d'un genre différent: ils rapportent le message des hommes qui sont intervenus en Israël comme porte-parole de Dieu.* — *Le prophète* ÉSAIE *fut messager de Dieu à Jérusalem à l'époque de la suprématie assyrienne (deuxième moitié du huitième siècle avant J.C.). Il fut un champion intransigeant du Dieu saint et souverain, invitant le roi et la population de Jérusalem à faire confiance à Dieu et à lui rester soumis en toute circonstance. La deuxième partie du livre (chap. 40—55) est parfois appelée « le livre de la consolation d'Israël» ; les messages qu'il contient concernent les Israélites déportés à Babylone.* — JÉRÉMIE *fut aussi prophète à Jérusalem, mais à la fin du septième siècle et au début du sixième. Animé d'un profond amour pour son peuple, il resta un homme solitaire, mal aimé et persécuté. C'est contre son gré qu'il dut être messager d'une Parole de Dieu annonçant la catastrophe à un peuple profondément rebelle. Il fut témoin de la chute de Jérusalem et de la fin du royaume de Juda.* — ÉZÉCHIEL *était un prêtre du temple de Jérusalem. Il exerça son ministère prophétique au début du sixième siècle en Babylonie auprès des déportés israélites. Son message, d'abord sévère pour ceux-ci, jugés responsables des malheurs de Jérusalem, change brusquement à la nouvelle de la ruine de la ville et devient un message de résurrection et de salut.*

AMOS, *un Judéen, fut prophète dans le royaume du Nord vers le milieu du huitième siècle avant J.C. Intervenant de la part de Dieu dans une période de grande prospérité, il dénonce le culte formaliste et l'injustice subie par les pauvres.* — OSÉE *suit Amos*

---

[3] Ceux-ci sont déclarés *petits* pour la seule raison que les livres portant leur nom sont relativement courts.

de peu. Au cœur d'une situation intérieure et extérieure profondément dégradée, il est le prophète de l'amour déçu et blessé de Dieu pour son peuple. — *Il est difficile de situer dans le temps le livre de* JOËL, *qui annonce l'arrivée du* *Jour du Seigneur *et appelle ses auditeurs au* *jeûne *et à la repentance.* — *Le livre d'*ABDIAS *annonce le châtiment des Edomites après leur intervention contre Jérusalem en 587 avant J.C.* — *Le livre de* JONAS *est d'un genre tout différent : il raconte les mésaventures d'un prophète récalcitrant, que Dieu chargeait d'aller à Ninive, capitale du royaume assyrien, pour y appeler la population à la repentance.* — MICHÉE *est un prophète contemporain d'Esaïe. Comme lui il s'adresse aux Judéens, plaidant le procès que Dieu intente à son peuple, et annonçant le règne d'un nouveau David.* — *Le livre de* NAHOUM *contient plusieurs poèmes qui applaudissent par avance à la fin de l'oppression assyrienne et à la chute de Ninive.* — *Le difficile livre d'*HABAQUQ *se présente comme un dialogue tendu entre le prophète et Dieu, au sujet de l'oppression exercée par les Chaldéens. On peut le situer à la fin du septième siècle ou au début du sixième siècle avant J.C.* — SOPHONIE *fut prophète en Juda peu avant Jérémie (et peut-être aussi en même temps que lui), en une époque particulièrement dramatique. Il répond à ceux qui se demandent si, dans ces conditions, Dieu s'intéresse vraiment encore aux hommes et s'il mène l'Histoire.* — AGGÉE *et* ZACHARIE *sont des prophètes contemporains d'après l'exil. Le premier encouragea la reconstruction du Temple à Jérusalem. Le second, davantage tourné vers l'avenir, appela le peuple de Dieu à la fidélité.* — *Quant à* MALACHIE, *également prophète d'après l'exil, il intervint vers le milieu du cinquième siècle avant J.C., peu avant le retour de Néhémie, pour lutter contre le découragement et l'indifférence qui avaient gagné les Juifs rentrés d'exil.*

Les AUTRES ÉCRITS, troisième partie de l'Ancien Testament, regroupent des livres de genres très divers. D'abord les PSAUMES, *recueil de poèmes chantés en usage dans le culte d'Israël. On les classe en louanges (hymnes, chants du Règne du Seigneur, cantiques de* *Sion, *psaumes royaux), en prières personnelles ou communautaires (appel au secours, confiance, reconnaissance) et en instructions (évocation de l'histoire sainte, liturgie de l'entrée au sanctuaire, exhortations prophétiques, instructions proprement dites).* — *Le livre de* JOB *est un long poème sous forme de dialogue entre Job et ses amis. Il pose la question de savoir si un homme peut être fidèle à Dieu pour rien (1.9), c'est-à-dire sans y trouver aucun avantage.* — *Le livre des* PROVERBES *rassemble plusieurs collections de sentences destinées à enseigner la sagesse, c'est-à-dire l'art de se conduire conformément à la volonté du Seigneur dans les diverses circonstances de la vie. Selon le livre des Proverbes cette conduite « sage » est d'ailleurs la seule réellement profitable.*

Suivent les cinq Rouleaux, livres relativement brefs, dont on fait lecture lors des principales fêtes juives : RUTH *raconte comment une jeune femme moabite est devenue la bisaïeule du roi David.* — LE CANTIQUE DES CANTIQUES *se présente comme une collection de poèmes d'amour. Son interprétation reste très controversée. Les traditions catholique et orthodoxe le lisent comme une allégorie, le sens étant caché sous des symboles à interpréter ; les protestants s'en tiennent en général au sens naturel.* — QOHÉLETH *est le nom hébreu, de sens incertain, du livre traditionnellement appelé l'Ecclésiaste. Il présente une réflexion non conformiste sur le sens de la vie humaine.* — *Le livre des* LAMENTATIONS *comprend cinq poèmes déplorant devant Dieu la ruine de Jérusalem.* — *Le livre d'*ESTHER *raconte comment une jeune Juive de la déportation devint reine de Perse, et comment elle parvint à déjouer un complot visant à l'extermination des Juifs.*

Il y a deux parties distinctes dans le livre de DANIEL; *d'abord des récits dont le genre s'apparente à la* *parabole : *le but visé est d'aider les fidèles persécutés à tenir bon dans la foi. Ensuite des visions, chargées de nombreux motifs symboliques et dévoilant le plan de Dieu à travers les bouleversements de l'Histoire ; ici encore le but visé est de rendre au lecteur l'espérance de la victoire définitive de Dieu.*

*Les deux livres d'*ESDRAS *et de* NÉHÉMIE *forment un tout qui représente la suite normale des deux livres des Chroniques. Utilisant les mémoires d'Esdras et de Néhémie et des documents officiels, ils s'intéressent au retour des exilés et aux efforts entrepris pour restaurer le culte à Jérusalem (*ESDRAS*) ou reconstruire les murailles de la ville (*Néhémie*).* — *Les livres des* CHRONIQUES *présentent un vaste panorama historique, depuis la création du monde jusqu'à l'exil à Babylone.*

Les *ÉCRITS DEUTÉROCANONIQUES appartiennent eux aussi à des genres très divers.* JUDITH *et* TOBIT, *comme Ruth, Esther ou Daniel 1—6, sont des récits populaires montrant comment la fidélité au Dieu d'Israël peut se manifester en des circonstances difficiles. — Les deux livres des* MACCABÉES *ne forment pas une suite. Tous deux cependant rapportent les épisodes marquants du long conflit qui opposa, au deuxième siècle avant J.C., les Juifs de Palestine aux souverains grecs Séleucides, qui tenaient le pays sous leur domination. — Les livres de la* SAGESSE *et du* SIRACIDE *appartiennent au même genre que celui des Proverbes. A l'intention des membres du peuple de Dieu ils développent un enseignement sur les problèmes de la destinée humaine et de la conduite quotidienne. — Le livre de* BARUCH, *assez composite, semble adressé par des Juifs encore exilés à leurs compagnons revenus à Jérusalem. —* LA LETTRE DE JÉRÉMIE *se présente comme un avertissement adressé aux Judéens qui vont être déportés, et les met en garde contre le culte idolâtrique qu'ils vont découvrir à Babylone. — Enfin les* COMPLÉMENTS GRECS AU LIVRE DE DANIEL *comprennent d'abord la prière d'Azaria et l'hymne des trois jeunes gens dans la fournaise, que la version grecque a insérés dans le chapitre 3 du livre de Daniel ; ensuite trois récits édifiants :* l'histoire de Suzanne, Daniel et les prêtres de Bel, Daniel et le dragon.

C. – *Le* TEXTE *de l'Ancien Testament a une longue histoire, dont beaucoup de points sont encore à découvrir. Il est cependant indispensable d'en connaître les grandes lignes, pour comprendre certaines difficultés rencontrées dans le travail de traduction et mentionnées dans les notes, ainsi que les solutions adoptées pour les résoudre.*

On ne possède aucun original des livres de l'Ancien Testament, mais seulement des copies, les manuscrits. *Les plus anciens manuscrits hébreux complets qui ont été conservés datent du neuvième ou du dixième siècle après J.C. Ils reproduisent un texte traditionnel, que des savants juifs, les « Massorètes », ont soigneusement inventorié pour s'assurer qu'il ne subirait pas de changement. Comme à leur époque l'hébreu biblique était devenu depuis longtemps une langue morte, comprise seulement des spécialistes, ils ont muni le texte de signes facilitant la lecture, en particulier de marques indiquant les voyelles et la ponctuation* [4]. *Du même coup ils fixaient définitivement la manière de comprendre les phrases. En effectuant ce travail ils n'innovaient pas, mais fixaient une tradition restée jusqu'alors simplement orale.*

Le texte dont se sont occupés les Massorètes avait déjà bénéficié du travail d'un autre groupe de savants, des Docteurs de la Loi (voir au glossaire LÉGISTES), *à la fin du premier siècle de notre ère. Ceux-ci avaient constaté que les manuscrits dont ils disposaient n'étaient pas strictement identiques. Pour remédier à cet inconvénient ils établirent un texte officiel, en procédant par comparaison de quelques manuscrits existants. Après quoi ils firent détruire les manuscrits non conformes au texte qu'ils avaient retenu.*

En 1947 cependant on a retrouvé près de la mer Morte quelques manuscrits antérieurs au travail des Docteurs de la Loi (les textes de Qumrân). D'autre part plusieurs versions anciennes, version grecque dite des Septante (voir p. 14), Pentateuque samaritain, certaines versions araméennes ou Targoums, ont été faites également sur des textes plus anciens. On a pu constater que les différences avec le texte traditionnel étaient pour la plupart de faible portée : orthographe, correction grammaticale. Mais dans certains cas ces formes plus anciennes du texte proposent un sens plus clair.

C'est en recourant à ces formes plus anciennes du texte hébreu que les traducteurs ont pu surmonter un certain nombre de difficultés du texte traditionnel, s'appuyant alors sur cette version ancienne ou sur le texte de Qumrân. Devant une très grande difficulté et quand ces formes anciennes du texte n'offraient pas de solution satisfaisante, il est même arrivé qu'ils recourent à une traduction « conjecturale ». Dans ce cas ils ont proposé de lire le texte hébreu soit avec d'autres voyelles que celles du texte traditionnel, soit selon un autre découpage des mots. Ces solutions extrêmes sont restées exceptionnelles et sont toutes signalées dans les notes.

D'une façon générale cependant les responsables de la Traduction Oecuménique de la Bible ont pris le texte traditionnel comme base de leur travail, indiquant en note

---

[4] Tant que l'hébreu biblique est resté une langue vivante, les Israélites se sont contentés de noter les consonnes des mots. Cela suffisait en général, mais entraînait parfois des ambiguïtés, les mots (non séparés dans l'écriture) pouvant être découpés autrement ou lus avec d'autres voyelles, ce qui pouvait changer le sens.

les points sur lesquels ils croyaient devoir s'en écarter. Dans l'état présent de la science des textes de l'Ancien Testament, c'est en effet le seul texte hébreu solidement établi. Par ailleurs c'est aussi le texte officiel du Judaïsme. En lui donnant la priorité les responsables de la TOB ont placé un jalon sur la route d'une traduction encore plus « œcuménique », puisqu'elle pourrait être entreprise conjointement par des spécialistes juifs et chrétiens.

Le cas des livres deutérocanoniques *est différent. Etant donné qu'ils n'ont pas été retenus dans la liste officielle des livres saints du Judaïsme, ils n'ont pas bénéficié comme eux des mêmes garanties de conservation. Ils ne nous sont parvenus complets qu'en grec, bien que la plupart aient été rédigés en hébreu. Pour certain d'entre eux (le Siracide en particulier) on possède une partie du texte hébreu. La traduction a cependant été faite sur le grec ; on n'a recouru à l'hébreu que pour éclairer les passages trop obscurs du grec.*

III

LE NOUVEAU TESTAMENT a été rédigé en grec, la langue commune parlée dans tout le bassin oriental de la Méditerranée au premier siècle de notre ère.

A. – Il comprend 27 livres, reconnus comme canoniques [5] par toutes les Eglises chrétiennes. Les décisions officielles concernant le CANON du Nouveau Testament ont été assez tardives ; elles n'ont fait qu'entériner un usage déjà admis. En d'autres termes la plupart des livres du Nouveau Testament se sont imposés d'eux-mêmes aux Eglises des premiers siècles comme livres saints.

Comme pour l'Ancien Testament ce canon du Nouveau Testament s'est constitué par étapes. Le plus ancien groupe de livres reconnus comme faisant autorité pour la foi est l'ensemble des épîtres de Paul *(voir 2 P 3.16), auxquelles s'adjoignirent bientôt les* évangiles *(milieu du deuxième siècle après J.C.). Plus tard, et non sans discussions, furent admis des écrits comme l'épître aux Hébreux, l'épître de Jacques, la seconde de Pierre, celle de Jude et l'Apocalypse. L'usage de tous ces livres pour la lecture publique lors du culte finit par prévaloir sur celui d'autres écrits, qui furent écartés parce qu'on ne pouvait garantir qu'ils remontent aux apôtres.*

B. – Comme l'Ancien Testament le Nouveau Testament comprend plusieurs catégories de LIVRES. Les uns sont en forme de récit (les quatres Evangiles, les Actes des Apôtres), d'autres en forme de lettre (les épîtres de Paul, de Pierre, de Jean...) ; le dernier, l'Apocalypse, expose une série de visions dans le genre de celles qu'on peut lire en Dn 7—12.

Le mot Evangile, *directement dérivé du grec* euangelion *(= bonne nouvelle), désigne à l'origine le message de salut annoncé par Jésus (Mc 1.14) ou concernant Jésus (Mc 1.1). Il a servi ensuite à désigner les quatre livres qui rapportent un certain nombre de paroles et d'actes de Jésus. Ces évangiles ne sont pas des biographies de Jésus, mais des* témoignages *le concernant : à partir de ce que Jésus a dit et de ce qu'il a fait, les quatre évangiles veulent apporter, chacun à sa manière, une réponse à la question : « Qui est Jésus ? »*

Les trois premiers, Matthieu, Marc et Luc, peuvent être groupés sous le titre de synoptiques, *c'est-à-dire susceptibles d'être examinés ensemble. Leur plan général et les nombreux points de détail qu'ils ont en commun permettent, en effet, de les disposer en colonnes parallèles pour les comparer.*

Chacun des évangiles a son objectif propre. L'évangile selon MARC, *le plus ancien et le plus bref, a pu être composé trente ou quarante ans après la mort de Jésus à l'intention de non-Juifs vivant hors de Palestine. Il invite ses lecteurs à* suivre *Jésus, le Fils de Dieu, qui reste à l'œuvre par l'Evangile au milieu des hommes. — Dans l'évangile selon* MATTHIEU, *l'essentiel de l'enseignement de Jésus a été regroupé en cinq grands « discours » (chap. 5—7 ; 10 ; 13 ; 18 ; 24—25). En particulier cet évangile souligne comment Jésus est celui qui* accomplit *les Ecritures de l'Ancien Testament. Il semble*

---

[5] Sur la définition du *canon* biblique voir la présente introduction pp. 13-14.

avoir été rédigé pour une communauté chrétienne formée principalement de croyants venus du Judaïsme. — *L'évangile selon* LUC *n'est que la première partie d'un ouvrage qui se continue par les* Actes des Apôtres *(comparer Lc 1.1-4 et Ac 1.1). L'ensemble paraît avoir été destiné à des lecteurs de culture grecque. L'évangile s'attache à présenter Jésus comme le Sauveur de tous les hommes, avec une attention particulière pour les petits, les marginaux et les païens. Il le montre montant à Jérusalem pour y subir la mort et ressusciter. Ce mystère de la mort et de la résurrection de Jésus, qui est au centre de l'Evangile, est le message qui va être annoncé «jusqu'aux extrémités de la terre» (Ac 1.1). Le livre des* ACTES DES APOTRES *le montre porté à partir de Jérusalem vers la Judée et la Samarie, puis gagnant la Phénicie, Chypre et la Syrie, d'où il repart pour l'Asie Mineure et la Grèce, avant de parvenir à Rome, capitale du monde romain. Les acteurs de cette progression de l'Evangile, mobilisés et animés par l'Esprit Saint, sont tour à tour les apôtres (Pierre, Jean...), puis les Sept (Etienne, Philippe... ; voir Ac 6.1-6) et enfin Paul.*

Par rapport aux évangiles synoptiques l'évangile selon JEAN *est particulièrement original. Il a voulu retenir, en les développant, un nombre restreint d'enseignements de Jésus et d'épisodes de son ministère. Visant probablement des lecteurs qui vivaient au carrefour des cultures grecque et orientale, il leur présente l'Evangile dans leur propre langage. Son but est d'appeler tous ses lecteurs à croire en Jésus et à découvrir ainsi la vraie vie (Jn 20.30-31).*

Les épîtres de Paul *sont des lettres de circonstance, que cet apôtre adressa à des églises qu'il avait fondées lors de ses voyages missionnaires (Thessalonique, Philippes, Corinthe, etc.) ou qu'il se proposait de visiter (Rome). Certaines sont adressées à tel de ses collaborateurs (Timothée, Tite) ou de ses amis (Philémon). Elles sont actuellement classées par ordre de longueur décroissante.*

Dans sa lettre aux ROMAINS *l'apôtre s'adresse à une église qu'il ne connaît pas encore, et à laquelle il se présente en développant d'une manière méthodique les grands thèmes de son message : puissance de la grâce de Dieu, malédiction du péché, justification par la foi, mort et vie avec le Christ ressuscité, action de l'Esprit, etc.* — *La* PREMIÈRE ÉPÎTRE AUX CORINTHIENS *est adressée à l'église que l'apôtre a fondée lors d'un séjour de dix-huit mois qu'il fit à Corinthe (Ac 18.11). Paul écrit pour rétablir la paix dans une communauté divisée, remédier à certains abus et répondre à des questions qu'on lui avait posées par lettre concernant des problèmes de vie et de foi.* — *La* DEUXIÈME ÉPÎTRE AUX CORINTHIENS *traite d'abord des relations difficiles entre l'apôtre et la communauté chrétienne de Corinthe, puis d'une collecte qu'il organise en faveur des chrétiens de Jérusalem, et elle se termine par un plaidoyer dans lequel Paul défend l'authenticité de son ministère.* — *La lettre aux* GALATES *veut, elle aussi, remédier à une crise. Mais c'est une crise de la foi, causée par le passage de contre-missionnaires porteurs d'un évangile perverti.* — *Quant à la lettre aux* ÉPHÉSIENS, *elle est centrée sur le thème du dessein de Dieu, réalisé en la personne de Jésus-Christ, révélé à l'apôtre et actualisé dans l'Eglise.* — *Paul écrit aux* PHILIPPIENS *pour donner de ses nouvelles et pour remercier ses correspondants de l'aide matérielle qu'ils lui ont fait parvenir. Il se trouve en effet en prison et en instance de jugement à cause de son activité missionnaire.* — *La lettre aux* COLOSSIENS *évoque d'abord le ministère de l'apôtre, avant de mettre en garde les destinataires contre les falsifications de l'Evangile par certains prédicateurs nouvellement arrivés et prétendant apporter mieux que l'Evangile révélé aux apôtres.* — *La* PREMIÈRE ÉPÎTRE AUX THESSALONICIENS *est la plus ancienne des lettres connues de l'apôtre. Paul l'écrivit pour fortifier une communauté chrétienne qu'il avait dû quitter prématurément, et qui se trouvait en butte à des persécutions de la part des milieux juifs de la ville.* — *Quant à la* DEUXIÈME ÉPÎTRE AUX THESSALONICIENS, *elle répond aux préoccupations de chrétiens inquiets de ne pas voir arriver l'avènement glorieux du Seigneur.*

Les deux épîtres à TIMOTHÉE *et celle à* TITE *peuvent être groupées sous le titre d'épîtres pastorales, car elles apportent à deux collaborateurs de l'apôtre les conseils nécessaires pour conduire les églises dont ils ont la responsabilité.*

Dans le billet qu'il adresse à PHILÉMON, *Paul recommande d'accueillir comme un frère en Christ l'esclave fugitif Onésime, qui est devenu chrétien auprès de l'apôtre.*

L'épître aux HÉBREUX *dont l'auteur et les destinataires nous restent inconnus, est plus une prédication qu'une lettre proprement dite. En se référant à l'Ancien Testament elle présente l'œuvre du Christ comme celle du Grand Prêtre par excellence.*

Les sept petites épîtres qui suivent sont dites aussi épîtres catholiques, c'est-à-dire universelles. Sauf la deuxième et la troisième de Jean, elles sont en effet adressées à un cercle beaucoup plus large de fidèles que les autres épîtres. — Celle de JACQUES développe les conséquences pratiques de la foi, en particulier en ce qui concerne les relations humaines à l'intérieur de la communauté chrétienne et le problème de la richesse. — Les chrétiens auxquels est adressée la PREMIÈRE ÉPITRE DE PIERRE sont tentés de se laisser aller au découragement et de se relâcher du fait des persécutions dirigées contre eux. Par cette lettre l'apôtre veut raviver et fortifier leur foi. — La DEUXIÈME ÉPITRE DE PIERRE et celle de JUDE mettent leurs lecteurs en garde contre des propagateurs de fausses doctrines infiltrés dans l'Eglise. — C'est également pour aider des communautés chrétiennes en difficulté qu'ont été rédigées les trois ÉPITRES DE JEAN. Les adversaires qu'elles démasquent sont d'anciens membres de la communauté, qui prétendent dissocier le Jésus de l'Histoire et le Fils de Dieu. D'autre part, ils se déclarent sans péché et libres à l'égard du commandement d'amour. Face à cette grave déviation l'apôtre indique à quels signes on reconnaît les vrais enfants de Dieu.

Le Nouveau Testament se termine par l'APOCALYPSE, dont le titre, tiré du grec, signifie la révélation ou le dévoilement. Après sept courtes lettres adressées à des églises d'Asie Mineure, elle rapporte une succession de visions, composées de nombreux symboles. Celles-ci veulent révéler le plan de Dieu pour sauver le monde et montrent comment ce plan s'achemine vers l'avènement glorieux du Christ. Il s'agit ici encore d'un écrit de circonstance dont le but est de fortifier les chrétiens soumis à la persécution.

C. – En ce qui concerne le TEXTE du Nouveau Testament, on se trouve devant le même problème global que pour l'Ancien Testament : connaître le libellé original, alors qu'on ne possède que des copies, les manuscrits. Le travail des spécialistes est cependant beaucoup plus avancé que pour l'Ancien Testament. Il a bénéficié de plusieurs facteurs favorables. D'abord les manuscrits dont on dispose sont, dans le temps, plus proches de l'original : les plus anciens manuscrits complets datent en effet du quatrième siècle après J.C., mais on possède de nombreux fragments plus anciens. Ensuite ces manuscrits sont beaucoup plus nombreux : on en compte plus de 5000.

Pour obtenir la copie exacte d'un original on peut recourir aujourd'hui à la photocopie. Mais les meilleurs copistes humains sont inévitablement sujets à des défaillances : l'attention la plus soutenue finit par se relâcher. Malgré un travail remarquablement soigné les copistes anciens n'ont pu éviter les fautes. Or chacune d'elles était enregistrée par le copiste suivant. On ne saurait donc s'étonner que les nombreux manuscrits bibliques présentent des différences.

Mais, par un patient travail de classement et de comparaison, il a été possible de repérer ces fautes de copie et de les éliminer au profit des formes du texte correctement conservées. Ce long travail des spécialistes, entrepris depuis environ un siècle et demi, a ainsi permis de reconstituer un texte beaucoup plus proche de l'original que les meilleurs manuscrits conservés. Aujourd'hui on peut estimer le texte du Nouveau Testament comme très solidement établi, infiniment mieux, par exemple, que les textes classiques de l'antiquité grecque ou latine. C'est ce texte qui a évidemment servi de base à la présente traduction.

IV

Le lecteur de la Bible peut donc rendre grâce à Dieu pour la somme prodigieuse de travail qui, directement ou indirectement, a permis d'aboutir à cette édition : copistes appliqués de jadis, spécialistes modernes du texte, grammairiens et lexicologues de l'hébreu, de l'araméen et du grec bibliques (et de nombreuses autres langues anciennes), biblistes exégètes, traducteurs ou annotateurs, sans oublier éditeurs, imprimeurs et correcteurs. Tous ont en commun une grande passion pour ces vieux textes. Cette passion commune est suscitée et entretenue par une conviction : c'est que ces textes recèlent un merveilleux secret, celui de l'amour que Dieu porte à l'humanité, qu'il a manifesté en la personne de Jésus-Christ, et qui, par la force de l'Esprit, triomphera tôt ou tard sur la terre des hommes. En publiant cette nouvelle édition de la Bible, les Sociétés Bibliques espèrent que chaque lecteur découvrira ce secret à son tour, et qu'il y trouvera le sens de sa vie.

ANCIEN TESTAMENT

Le Pentateuque

LA GENÈSE

Dieu crée l'univers et l'humanité

1 ¹ Lorsque Dieu commença la création du ciel et de la terre ᵃ, ² la terre était déserte et vide, et la ténèbre à la surface de l'*abîme ; le souffle ᵇ de Dieu planait à la surface des eaux, ³ et Dieu dit : « Que la lumière soit ! » Et la lumière fut. ⁴ Dieu vit que la lumière était bonne. Dieu sépara la lumière de la ténèbre. ⁵ Dieu appela la lumière « jour » et la ténèbre il l'appela « nuit ». Il y eut un soir ᶜ, il y eut un matin : premier jour.

⁶ Dieu dit : « Qu'il y ait un firmament ᵈ au milieu des eaux et qu'il sépare les eaux d'avec les eaux ! » ⁷ Dieu fit le firmament et il sépara les eaux inférieures au firmament d'avec les eaux supérieures. Il en fut ainsi. ⁸ Dieu appela le firmament « ciel ». Il y eut un soir, il y eut un matin : deuxième jour.

⁹ Dieu dit : « Que les eaux inférieures au ciel s'amassent en un seul lieu et que le continent paraisse ! » Il en fut ainsi. ¹⁰ Dieu appela « terre » le continent : il appela « mer » l'amas des eaux. Dieu vit que cela était bon.

¹¹ Dieu dit : « Que la terre se couvre de verdure, d'herbe qui rend féconde sa semence, d'arbres fruitiers qui, selon leur espèce, portent sur terre des fruits ayant en eux-mêmes leur semence ! » Il en fut ainsi. ¹² La terre produisit de la verdure, de l'herbe qui rend féconde sa semence selon son espèce, des arbres qui portent des fruits ayant en eux-mêmes leur semence selon leur espèce. Dieu vit que cela était bon. ¹³ Il y eut un soir, il y eut un matin : troisième jour.

¹⁴ Dieu dit : « Qu'il y ait des luminaires ᵉ au firmament du ciel pour séparer le jour de la nuit, qu'ils servent de signes tant pour les fêtes que pour les jours et les années, ¹⁵ et qu'ils servent de luminaires au firmament du ciel pour illuminer la terre. » Il en fut ainsi. ¹⁶ Dieu fit les deux grands luminaires, le grand luminaire pour présider au jour, le petit pour présider à la nuit, et les étoiles. ¹⁷ Dieu les établit dans le firmament du ciel pour illuminer la terre, ¹⁸ pour présider au jour et à la nuit et séparer la lumière de la ténèbre. Dieu vit que cela était bon. ¹⁹ Il y eut un soir, il y eut un matin : quatrième jour.

²⁰ Dieu dit : « Que les eaux grouillent de bestioles vivantes et que l'oiseau vole au-dessus de la terre face au firmament du ciel. » ²¹ Dieu créa les grands monstres marins, tous les êtres vivants et remuants selon leur espèce, dont grouillèrent les eaux, et tout oiseau ailé selon son espèce. Dieu vit que cela était bon. ²² Dieu les bénit ᶠ en disant : « Soyez féconds et prolifiques, remplissez les eaux dans les mers, et que l'oiseau prolifère sur la terre ! » ²³ Il y eut un soir, il y eut un matin : cinquième jour.

---

a Autre traduction *Au commencement, Dieu créa le ciel et la terre.* — Le mot hébreu traduit par *créer* se réfère toujours à une action de Dieu. Il est parfois appliqué à l'intervention de Dieu dans l'histoire de son peuple (voir Es 43.1, 7, 15) ● b *le souffle de Dieu* ou *l'Esprit de Dieu*, ou encore *un vent violent* ● c Pour les Israélites, la journée commence au coucher du soleil ● d Voûte solide qui, selon une conception ancienne, séparait les eaux supérieures des eaux inférieures (v. 7) ● e En donnant aux astres le nom de *luminaires*, le texte biblique indique leur fonction essentielle qui est d'éclairer la terre. Il s'oppose ainsi aux religions qui divinisaient les astres ● f La bénédiction de Dieu est comprise comme une puissance qui donne la vie (30.27, 30 ; Jb 1.10 ; 42.12)

1.1 la création 2.4-25 ; Es 42.5 ; Ps 8 ; 89.10-13 ; 104 ; Jb 26.7-14 ; 38-39 ; Si 16.26—17.10. — est l'œuvre de Dieu 1.21, 27 ; 2.3-4 ; 5.1-2 ; 6.7 ; Dt 4.32 ; Mc 13.19 ; Ep 3.9 ; Ap 4.11 ; 10.6 ; cf. *2 M* 7.28. — par sa parole Ps 33.9 ; Jn 1.3 ; He 11.3 ; cf. Jr 10.12 ; *8 P* 8.22-31. **1.3** lumière Ps 27.1+ ; 104.2. **1.5** lumière et ténèbre Es 45.7 ; 60.19 ; 2 Co 4.6 ; Ap 22.5. **1.7** firmament Ez 1.22-25 ; 2 P 3.5 **1.9** les eaux s'amassent Jb 26.8-10 ; 38.8. **1.14** luminaires au firmament Es 40.26 ; Jr 31.35 ; *Ba* 3.33-35. **1.16** deux grands luminaires Ps 104.19 ; 136.7-9 ; *Si* 43.1-10.

²⁴ Dieu dit : « Que la terre produise des êtres vivants selon leur espèce : bestiaux, petites bêtes, et bêtes sauvages selon leur espèce ! » Il en fut ainsi. ²⁵ Dieu fit les bêtes sauvages selon leur espèce, les bestiaux selon leur espèce et toutes les petites bêtes du sol selon leur espèce. Dieu vit que cela était bon.

²⁶ Dieu dit : « Faisons l'homme à notre image, selon notre ressemblance et qu'il soumette les poissons de la mer, les oiseaux du ciel, les bestiaux, toute la terre et toutes les petites bêtes qui remuent sur la terre ! »

²⁷ Dieu créa l'homme à son image,
à l'image de Dieu il le créa ;
mâle et femelle il les créa.

²⁸ Dieu les bénit et Dieu leur dit : « Soyez féconds et prolifiques, remplissez la terre et dominez-la. Soumettez les poissons de la mer, les oiseaux du ciel et toute bête qui remue sur la terre ! » ²⁹ Dieu dit : « Voici, je vous donne toute herbe qui porte sa semence sur toute la surface de la terre et tout arbre dont le fruit porte sa semence ; ce sera votre nourriture ᵍ. ³⁰ A toute bête de la terre, à tout oiseau du ciel et à tout ce qui remue sur la terre et qui a un souffle de vie, je donne pour nourriture toute herbe mûrissante. » Il en fut ainsi. ³¹ Dieu vit tout ce qu'il avait fait. Voilà, c'était très bon. Il y eut un soir, il y eut un matin : sixième jour.

2 ¹ Le ciel, la terre et tous leurs éléments ʰ furent achevés.

² Dieu acheva au septième jour l'œuvre qu'il avait faite, il arrêta au septième jour toute l'œuvre ⁱ qu'il faisait.

³ Dieu bénit le septième jour et le consacra car il avait alors arrêté toute l'œuvre que lui-même avait créée par son action. ⁴ Telle est la naissance du ciel et de la terre lors de leur création.

Le jardin d'Eden

Le jour où le SEIGNEUR Dieu fit la terre et le ciel, ⁵ il n'y avait encore sur la terre aucun arbuste des champs et aucune herbe des champs n'avait encore germé, car le SEIGNEUR Dieu n'avait pas fait pleuvoir sur la terre et il n'y avait pas d'homme pour cultiver le sol ; ⁶ mais un flux ʲ montait de la terre et irriguait toute la surface du sol. ⁷ Le SEIGNEUR Dieu modela l'homme avec de la poussière prise du sol. Il insuffla dans ses narines l'haleine de vie ᵏ, et l'homme devint un être vivant. ⁸ Le SEIGNEUR Dieu planta un jardin en Eden ˡ, à l'orient, et il y plaça l'homme qu'il avait formé. ⁹ Le SEIGNEUR Dieu fit germer du sol tout arbre d'aspect attrayant et bon à manger, l'arbre de vie au milieu du jardin et l'arbre de la connaissance du bonheur et du malheur.

¹⁰ Un fleuve sortait d'Eden pour irriguer le jardin ; de là il se partageait pour former quatre bras. ¹¹ L'un d'eux s'appelait Pishôn ; c'est lui qui entoure tout le pays de Hawila ᵐ où se trouve l'or ¹² — et l'or de ce pays est bon — ainsi que le bdellium et la pierre d'onyx ⁿ. ¹³ Le deuxième fleuve s'appelait Guihôn ; c'est lui qui entoure tout le pays de Koush ᵒ. ¹⁴ Le troisième fleuve s'appelait

g La *nourriture* donnée à l'homme est présentée ici comme d'origine exclusivement végétale. Après le déluge, elle comportera aussi la viande (9.3) ● h Le mot *éléments* doit être compris ici en un sens très large et désigne tout ce que le ciel et la terre contiennent ● i Autre traduction *il se reposa au septième jour de toute l'œuvre.* — Le repos de Dieu *au septième jour* fonde le repos hebdomadaire de l'homme (Ex 20.8-11; 23.12; Dt 5.12-15). Le *sabbat rappelle l'achèvement de la création (Ex 20.11); il est aussi le signe de l'alliance entre Dieu et son peuple (Ex 31.12-17) ● j Il s'agit probablement de l'eau que Dieu fait jaillir sur la terre sèche et non cultivée, pour rendre la vie possible ● k L'*homme* (en hébreu *âdâm*) est tiré du *sol* (en hébreu *adâmâ*). — L'*haleine de vie* anime la vie naturelle de l'homme (Jb 27.3; Pr 20.27) ● l Ce mot hébreu, qui désigne une région ou un pays non identifié, a un homonyme signifiant « jouissance », d'où l'idée que le *jardin en Eden* était le « paradis » ● m *Pishôn:* fleuve inconnu; *Hawila:* d'après 10.29, il s'agirait d'une région d'Arabie; d'après 25.18, d'une région proche de l'Egypte, au sud de la Palestine ● n *bdellium:* résine odoriférante de couleur jaune; *onyx:* pierre précieuse (voir Ex 28.20; Jb 28.16) ● o *Guihôn:* fleuve inconnu, à distinguer de la source de *Guihôn*, proche de Jérusalem (1 R 1.33, 38); *Koush* désigne d'ordinaire la Nubie ou l'Ethiopie, mais il y avait peut-être aussi une région portant ce nom-là en Madiân, au sud-est de la Palestine (voir Nb 12.1; Ha 3.7 et les notes).

1.25 les bêtes sauvages Ps 50.10-11. **1.27** à l'image de Dieu 9.6; *Sg* 2.23; *Si* 17.3; 1 Co 11.7; Col 3.10; Jc 3.9. — mâle et femelle 5.2; Mt 19.4 par.; cf. Ga 3.28. **1.28** Dieu les bénit 9.1; cf. 1.22. — soyez féconds et prolifiques 8.17; 9.1, 7; cf. 1.22. — soumettez... 9.2; Ps 8.7-9; *Sg* 9.2; 10.2; Jc 3.7. **1.31** c'était très bon Ps 104.24; *Si* 39.33-35; 1 Tm 4.4. **2.2** septième jour Ex 20.8-11; 31.12; He 4.4, 10. **2.4** Dieu fit la terre et le ciel 1.1+. **2.7** l'homme, fait de poussière, reçoit le souffle et la vie Ps 104.29-30; Jb 33.4; 34.14-15; Qo 3.20; 12.7; 1 Co 15.45-49. **2.8** Eden 3.23-24; 4.16; Es 51.3; Ez 28.13; 31.9, 16, 18; 36.35; Jl 2.3. **2.9** arbre de vie Pr 3.18; Ap 2.7; 22.2, 14. — bonheur et malheur 3.5, 22; Dt 1.39; 2 S 14.17; 1 R 3.9; Es 7.15-16. **2.11** Pishôn *Si* 24.25. **2.13** Guihôn *Si* 24.27.

Tigre ; il coule à l'orient d'Assour. Le quatrième fleuve, c'était l'Euphrate *p*.

¹⁵ Le Seigneur Dieu prit l'homme et l'établit dans le jardin d'Eden pour cultiver le sol et le garder. ¹⁶ Le Seigneur Dieu prescrivit à l'homme : « Tu pourras manger de tout arbre du jardin, ¹⁷ mais tu ne mangeras pas de l'arbre de la connaissance du bonheur et du malheur car, du jour où tu en mangeras, tu devras mourir. »

¹⁸ Le Seigneur Dieu dit : « Il n'est pas bon pour l'homme d'être seul. Je veux lui faire une aide qui lui soit accordée *q*. » ¹⁹ Le Seigneur Dieu modela du sol toute bête des champs et tout oiseau du ciel qu'il amena à l'homme pour voir comment il les désignerait. Tout ce que désigna l'homme avait pour nom « être vivant » ; ²⁰ l'homme désigna par leur nom *r* tout bétail, tout oiseau du ciel et toute bête des champs, mais pour lui-même, l'homme ne trouva pas l'aide qui lui soit accordée. ²¹ Le Seigneur Dieu fit tomber dans une torpeur *s* l'homme qui s'endormit ; il prit l'une de ses côtes et referma les chairs à sa place. ²² Le Seigneur Dieu transforma la côte qu'il avait prise à l'homme en une femme qu'il lui amena. ²³ L'homme s'écria :

« Voici cette fois l'os de mes os et la chair de ma chair,

celle-ci, on l'appellera femme car c'est de l'homme qu'elle a été prise *t*. »

²⁴ Aussi l'homme laisse-t-il son père et sa mère pour s'attacher à sa femme, et ils deviennent une seule chair.

Adam et Eve chassés du jardin d'Eden

²⁵ Tous deux étaient nus, l'homme et sa femme, sans se faire mutuellement honte.

3 ¹ Or le serpent était la plus astucieuse de toutes les bêtes des champs que le Seigneur Dieu avait faites.

Il dit à la femme : « Vraiment ! Dieu vous a dit : "Vous ne mangerez pas de tout arbre du jardin *u*"... » ² La femme répondit au serpent : « Nous pouvons manger du fruit des arbres du jardin, ³ mais du fruit de l'arbre qui est au milieu du jardin, Dieu a dit : "Vous n'en mangerez pas et vous n'y toucherez pas afin de ne pas mourir." » ⁴ Le serpent dit à la femme : « Non, vous ne mourrez pas, ⁵ mais Dieu sait que le jour où vous en mangerez, vos yeux s'ouvriront et vous serez comme des dieux possédant la connaissance du bonheur et du malheur. »

⁶ La femme vit que l'arbre était bon à manger, séduisant à regarder, précieux pour agir avec clairvoyance. Elle en prit un fruit dont elle mangea, elle en donna aussi à son mari qui était avec elle et il en mangea. ⁷ Leurs yeux à tous deux s'ouvrirent et ils surent qu'ils étaient nus. Ayant cousu des feuilles de figuier, ils s'en firent des pagnes.

⁸ Or ils entendirent la voix du Seigneur Dieu qui se promenait dans le jardin au souffle du jour *v*. L'homme et la femme se cachèrent devant le Seigneur Dieu au milieu des arbres du jardin. ⁹ Le Seigneur Dieu appela l'homme et lui dit : « Où es-tu ? » ¹⁰ Il répondit : « J'ai entendu ta voix dans le jardin, j'ai pris peur car j'étais nu, et je me suis caché. » — ¹¹ « Qui t'a révélé, dit-il, que tu étais nu ? Est-ce que tu as mangé de l'arbre dont je t'avais prescrit de ne pas manger ? » ¹² L'homme répondit : « La femme que tu as mise auprès de moi, c'est elle qui m'a donné du fruit de l'arbre, et j'en ai mangé. » ¹³ Le Seigneur Dieu dit à la femme : « Qu'as-tu fait là ! » La femme répondit : « Le serpent m'a trompée et j'ai mangé. » ¹⁴ Le Seigneur Dieu dit au serpent : « Parce que tu as fait cela, tu seras maudit entre tous les bestiaux et toutes les bêtes des champs ; tu marcheras sur ton

---

p Le *Tigre* et l'*Euphrate* sont les deux grands fleuves entre lesquels s'étend la Mésopotamie. — La région d'*Assour* (= l'Assyrie) est située en Haute-Mésopotamie ● *q accordée* ou *assortie, semblable* ● *r* En donnant un *nom* aux animaux, l'homme manifeste sa supériorité et sa domination sur eux (voir 1.26, 28) ● *s une torpeur* ou *un profond sommeil* ● *t* Ce bref poème exprime de deux manières différentes la parenté fondamentale existant entre l'*homme* et la *femme* : premièrement par la formule *os de mes os, chair de ma chair* (comparer 2 S 5.1) ; deuxièmement par l'emploi du vocabulaire, car en hébreu *homme* se dit *ish* et *femme*, *isha* ● *u* On peut aussi comprendre *Vous ne mangerez (les fruits) d'aucun arbre du jardin.* C'est de cette seconde manière que la femme comprend la parole, volontairement ambiguë, du serpent ● *v la voix* ou *le bruit (des pas,* comparer 2 S 5.24 ; 1 R 14.6). — *au souffle du jour* ou *au vent du jour* : il s'agit de la brise qui souffle au moment du coucher du soleil

2.17 tu devras mourir Rm 6.23 ; cf. *Sg* 1.12-15. **2.18** une aide Pr 18.22 ; Si 36.29. **2.21** torpeur 15.12 ; 1 S 26.12 ; Es 29.10 ; Jb 4.13 ; 33.15. **2.22** la femme créée pour l'homme 1 Co 11.8-9. **2.23** mes os... ma chair 29.14 ; Jg 9.2 ; 2 S 5.1 ; 19.13-14 ; cf. Gn 37.27. **2.24** une seule chair Ml 2.14-15 ; Mt 19.5 +. — l'homme et la femme Ps 15.20 ; 31.10-31 ; Qo 9.9. **3.1** le serpent Jn 8.44 + ; Ap 20.2. **3.5** comme des dieux 3.22 ; cf. Es 14.14 ; Ez 28.2 ; 2 Th 2.4. **3.6** la tentation séduit Jc 1.13-15. **3.8** la honte de la nudité 2 S 10.4-5 ; Ap 3.18 ; 16.15. **3.13** le serpent m'a trompée 2 Co 11.3 ; 1 Tm 2.14. **3.14** manger de la poussière (signe de défaite) Es 49.23 ; Mi 7.17.

ventre [10] et tu mangeras de la poussière tous les jours de ta vie. [15] Je mettrai l'hostilité entre toi et la femme, entre ta descendance et sa descendance. Celle-ci te meurtrira à la tête et toi, tu la meurtriras au talon. »

[16] Il dit à la femme : « Je ferai qu'enceinte, tu sois dans de grandes souffrances ; c'est péniblement que tu enfanteras des fils. Tu seras avide de ton homme et lui te dominera. »

[17] Il dit à Adam [x] : « Parce que tu as écouté la voix de ta femme et que tu as mangé de l'arbre dont je t'avais formellement prescrit de ne pas manger, le sol sera maudit à cause de toi. C'est dans la peine que tu t'en nourriras tous les jours de ta vie, [18] il fera germer pour toi l'épine et le chardon et tu mangeras l'herbe des champs [y]. [19] A la sueur de ton visage tu mangeras du pain jusqu'à ce que tu retournes au sol car c'est de lui que tu as été pris. Oui, tu es poussière et à la poussière tu retourneras. »

[20] L'homme appela sa femme du nom d'Eve — c'est-à-dire La Vivante —, car c'est elle qui a été la mère de tout vivant. [21] Le SEIGNEUR Dieu fit pour Adam et sa femme des tuniques de peau dont il les revêtit. [22] Le SEIGNEUR Dieu dit : « Voici que l'homme est devenu comme l'un de nous [z] par la connaissance du bonheur et du malheur. Maintenant qu'il ne tende pas la main pour prendre aussi de l'arbre de vie, en manger et vivre à jamais ! » [23] Le SEIGNEUR Dieu l'expulsa du jardin d'Eden pour cultiver le sol d'où il avait été pris. [24] Ayant chassé l'homme, il posta les *Chérubins à l'orient du jardin d'Eden avec la flamme de l'épée foudroyante pour garder le chemin de l'arbre de vie.

Caïn et Abel

4 [1] L'homme connut Eve sa femme. Elle devint enceinte, enfanta Caïn et dit : « J'ai procréé un homme, avec le SEIGNEUR [a]. » [2] Elle enfanta encore son frère Abel.

Abel faisait paître les moutons, Caïn cultivait le sol. [3] A la fin de la saison, Caïn apporta au SEIGNEUR une offrande de fruits de la terre ; [4] Abel apporta lui aussi des *prémices de ses bêtes et leur graisse. Le SEIGNEUR tourna son regard vers Abel et son offrande, [5] mais il détourna son regard de Caïn et de son offrande.

Caïn en fut très irrité et son visage fut abattu. [6] Le SEIGNEUR dit à Caïn : « Pourquoi t'irrites-tu ? Et pourquoi ton visage est-il abattu ? [7] Si tu agis bien, ne le relèveras-tu pas ? Si tu n'agis pas bien, le péché, tapi à ta porte, est avide de toi. Mais toi, domine-le [b]. »

[8] Caïn parla à son frère Abel [c] et, lorsqu'ils furent aux champs, Caïn attaqua son frère Abel et le tua. [9] Le SEIGNEUR dit à Caïn : « Où est ton frère ? » — « Je ne sais, répondit-il. Suis-je le gardien de mon frère ? » — [10] « Qu'as-tu fait ? reprit-il. La voix du sang [d] de ton frère crie du sol vers moi. [11] Tu es maintenant maudit du sol qui a ouvert la bouche pour recueillir de ta main le sang [e] de ton frère. [12] Quand tu cultiveras le sol, il ne te donnera plus sa force [f]. Tu seras errant et vagabond sur la terre. »

[13] Caïn dit au SEIGNEUR : « Ma faute est trop lourde à porter. [14] Si tu me chasses aujourd'hui de l'étendue de ce sol, je serai caché à ta face, je serai errant et vagabond sur la terre, et quiconque me trouvera me tuera. » [15] Le SEIGNEUR lui dit : « Eh bien ! Si l'on tue Caïn, il

---

w tu marcheras sur ton ventre: le fait de ramper, qui est naturel pour le serpent, est présenté comme un signe de malédiction ● *x à Adam:* autre traduction *à l'homme;* mais l'absence d'article devant le mot hébreu semble montrer qu'il s'agit ici d'un nom propre ● *y l'herbe des champs* ou *ce qui pousse dans les champs* (y compris les moissons) par opposition aux fruits des arbres (2.16). Les versets 17-19 décrivent la condition pénible du paysan palestinien ● *z l'un de nous,* c'est-à-dire Dieu lui-même et sa cour céleste (1 R 22.19; Jb 1.6) ● *a connut:* tournure hébraïque signifiant *eut des relations sexuelles avec.* — *J'ai procréé un homme, avec le Seigneur:* autre traduction *J'ai acquis un homme, avec l'aide du Seigneur;* en hébreu, il y a jeu de mots entre le nom de *Caïn* et le verbe signifiant soit *procréer,* soit *acquérir* ● *b* Le texte hébreu du v. 7 est obscur et la traduction incertaine ● *c* Les versions anciennes ont un texte plus développé: *Caïn dit à son frère Abel: « Allons aux champs »,* et, *lorsqu'ils...* ● *d La voix du sang:* autre traduction *Ecoute! Le sang* ● *e qui a ouvert la bouche... le sang,* c'est-à-dire *qui a bu le sang* ou *qui est imprégné du sang* ● *f sa force* ou *ses produits*

3.15 l'hostilité Ap 12.17. **3.16** les souffrances de l'enfantement 35.16-18; Jn 16.21+. **3.17** le sol maudit 4.11; 5.29; Os 4.3; Rm 8.20; cf. Gn 8.21. — la peine du cultivateur 4.12; Qo 2.22-23. **3.18** épine et chardon He 6.8. **3.19** tu es poussière cf. 2.7+. — tu retourneras à la poussière Ps 90.3; Jb 3. **3.22** comme l'un de nous 3.5+. **3.23** Eden 2.8+. **4.4-5** les offrandes d'Abel et Caïn He 11.4. **4.8** Caïn tue Abel 1 Jn 3.12; Jude 11. **4.10** le sang d'Abel crie Mt 23.35 par.; He 12.24. **4.14** angoisse de Caïn Jb 15.20-24. **4.15** signe de protection Ex 12.7, 13; Ez 9.4-6; Ap 7.3; 9.4.

sera vengé sept fois *g*. » Le SEIGNEUR mit
un signe sur Caïn pour que personne en
le rencontrant ne le frappe. ¹⁶ Caïn s'éloigna de la présence du SEIGNEUR et habita
dans le pays de Nod *h* à l'orient d'Eden.

Les descendants de Caïn

¹⁷ Caïn connut sa femme, elle devint
enceinte et enfanta Hénok. Caïn se mit
à construire une ville et appela la ville
du nom de son fils Hénok *i*. ¹⁸ Irad naquit à Hénok et Irad engendra Mehouyaël ; Mehiyyaël *j* engendra Metoushaël
et Metoushaël engendra Lamek.
¹⁹ Lamek prit deux femmes ; l'une s'appelait Ada et l'autre Cilla. ²⁰ Ada enfanta
Yabal ; ce fut lui le père de ceux qui habitent des tentes avec des troupeaux. ²¹ Son
frère s'appelait Youbal ; ce fut lui le père
de tous ceux qui jouent de la cithare et
du chalumeau. ²² Cilla, quant à elle, enfanta Toubal-Caïn qui aiguisait tout soc
de bronze et de fer *k* ; la sœur de Toubal-
Caïn était Naama.
²³ Lamek dit à ses femmes :
« Ada et Cilla, écoutez ma voix !
Femmes de Lamek, tendez l'oreille à
mon dire !
Oui, j'ai tué un homme pour une
blessure
un enfant pour une meurtrissure.
²⁴ Oui, Caïn sera vengé sept fois
mais Lamek soixante-dix-sept fois. »
²⁵ Adam connut encore sa femme, elle
enfanta un fils et le nomma Seth, « car
Dieu m'a suscité *l* une autre descendance
à la place d'Abel, puisque Caïn l'a tué ».
²⁶ A Seth, lui aussi, naquit un fils qu'il
appela du nom d'Enosh. On commença
dès lors à invoquer le nom du SEIGNEUR.

Liste des patriarches d'Adam à Noé

5 ¹ Voici le livret de famille *m*
d'Adam.
Le jour où Dieu créa l'homme, il le
fit à la ressemblance de Dieu, ² mâle et
femelle il les créa, il les bénit et les

appela du nom d'homme au jour de leur
création.
³ Adam vécut cent trente ans, à sa ressemblance et selon son image il engendra
un fils qu'il appela du nom de Seth.
⁴ Après qu'Adam eut engendré Seth, ses
jours durèrent huit cents ans et il engendra des fils et des filles. ⁵ Adam vécut en
tout neuf cent trente ans et mourut.
⁶ Seth vécut cent cinq ans et engendra
Enosh. ⁷ Après avoir engendré Enosh,
Seth vécut huit cent sept ans et engendra
des fils et des filles. ⁸ Seth vécut en tout
neuf cent douze ans et mourut.
⁹ Enosh vécut quatre-vingt-dix ans et
engendra Qénân. ¹⁰ Après avoir engendré
Qénân, Enosh vécut huit cent quinze ans
et engendra des fils et des filles. ¹¹ Enosh
vécut en tout neuf cent cinq ans et mourut.
¹² Qénân vécut soixante-dix ans et engendra Mahalalel. ¹³ Après avoir engendré
Mahalalel, Qénân vécut huit cent quarante
ans et engendra des fils et des filles.
¹⁴ Qénân vécut en tout neuf cent dix ans
et mourut.
¹⁵ Mahalalel vécut soixante-cinq ans et
engendra Yèred. ¹⁶ Après avoir engendré
Yèred, Mahalalel vécut huit cent trente
ans et engendra des fils et des filles.
¹⁷ Mahalalel vécut en tout huit cent quatre-vingt-quinze ans et mourut.
¹⁸ Yèred vécut cent soixante-deux ans
et engendra Hénok. ¹⁹ Après avoir engendré Hénok, Yèred vécut huit cents ans et
engendra des fils et des filles. ²⁰ Yèred
vécut en tout neuf cent soixante-deux
ans et mourut.
²¹ Hénok vécut soixante-cinq ans et engendra Metoushèlah. ²² Après avoir engendré Metoushèlah, Hénok suivit les voies
de Dieu pendant trois cents ans et engendra des fils et des filles. ²³ Hénok vécut en
tout trois cent soixante-cinq ans. ²⁴ Ayant
suivi les voies de Dieu, il disparut car
Dieu l'avait enlevé.
²⁵ Metoushèlah vécut quatre-vingt-
sept ans et engendra Lamek. ²⁶ Après
avoir engendré Lamek, Metoushèlah vécut

g C'est la loi antique de la vengeance qui est formulée ainsi (comparer v. 24); par la suite, la loi
du talion (voir Ex 21.23-25) a considérablement limité l'étendue de la vengeance ● *h Nod*: pays
inconnu; en hébreu, il y a jeu de mots entre ce nom et l'adjectif traduit par *vagabond* dans les v. 12
et 14 ● *i connut*: voir v. 1 et la note. — *Hénok*: ville inconnue ● *j Mehouyaël* et *Mehiyyaël* sont
deux variantes orthographiques du même nom ● *k Toubal-Caïn... de fer*: autre traduction *Toubal-
Caïn. Il fut l'ancêtre de tous les forgerons en bronze ou en fer* ● *l* En hébreu, il y a jeu de mots
entre le nom de *Seth* et le verbe traduit par *a suscité* ● *m le livret de famille*, c'est-à-dire une liste
de descendants. Cette liste établit le lien entre l'histoire d'Adam et celle de Noé

4.24 soixante-dix-sept fois 4.15. **4.26** Enosh, fils de Seth 5.6; Lc 3.38. **5.1-32** liste généalogique
1 Ch 1.1-4; Lc 3.36-38. **5.1-3** l'homme, Adam 1.26, 27+. **5.21-24** Hénok He 11.5+; Jude 14.

sept cent quatre-vingt-deux ans et engendra des fils et des filles. [27] Metoushèlah vécut en tout neuf cent soixante-neuf ans et mourut.

[28] Lamek vécut cent quatre-vingt-deux ans et engendra un fils. [29] Il l'appela du nom de Noé en disant : « Celui-ci nous réconfortera de nos labeurs et de la peine qu'impose à nos mains un sol maudit [n] par le SEIGNEUR. » [30] Après avoir engendré Noé, Lamek vécut cinq cent quatre-vingt-quinze ans et engendra des fils et des filles. [31] Lamek vécut en tout sept cent soixante-dix-sept ans et mourut.

[32] Noé était âgé de cinq cents ans quand il engendra Sem, Cham et Japhet...

Dieu décide d'anéantir l'humanité

6 [1] Alors que les hommes avaient commencé à se multiplier sur la surface du sol et que des filles leur étaient nées, [2] les fils de Dieu [o] virent que les filles d'homme étaient belles et ils prirent pour femmes celles de leur choix. [3] Le SEIGNEUR dit : « Mon Esprit ne dirigera pas toujours l'homme, étant donné ses erreurs : il n'est que chair [p] et ses jours seront de cent vingt ans. »

[4] En ces jours, les géants étaient sur la terre et ils y étaient encore lorsque les fils de Dieu vinrent trouver des filles d'homme et eurent d'elles des enfants. Ce sont les héros d'autrefois, ces hommes de renom.

[5] Le SEIGNEUR vit que la méchanceté de l'homme se multipliait sur la terre : à longueur de journée, son cœur n'était porté qu'à concevoir le mal [6] et le SEIGNEUR se repentit d'avoir fait l'homme sur la terre. Il s'en affligea [7] et dit : « J'effacerai [q] de la surface du sol l'homme que j'ai créé, homme, bestiaux, petites bêtes

et même les oiseaux du ciel, car je me repens de les avoir faits. » [8] Mais Noé trouva grâce aux yeux du SEIGNEUR.

Dieu décide d'épargner Noé

[9] Voici la famille de Noé :

Noé, homme juste, fut intègre au milieu des générations de son temps. Il suivit les voies de Dieu, [10] il engendra trois fils : Sem, Cham et Japhet. [11] La terre s'était corrompue devant Dieu et s'était remplie de violence.

[12] Dieu regarda la terre et la vit corrompue, car toute chair [r] avait perverti sa conduite sur la terre. [13] Dieu dit à Noé : « Pour moi la fin de toute chair est arrivée !

Car à cause des hommes la terre est remplie de violence

et je vais les détruire avec la terre. »

[14] « Fais-toi une arche [s] de bois résineux. Tu feras l'arche avec des cases. Tu l'enduiras de bitume à l'intérieur et à l'extérieur. [15] Cette arche, tu la feras longue de trois cents coudées [t], large de cinquante et haute de trente. [16] Tu feras à l'arche un toit à pignon que tu fixeras à une coudée au-dessus d'elle. Tu mettras l'entrée de l'arche sur le côté, puis tu lui feras un étage inférieur, un second et un troisième.

[17] « Moi, je vais faire venir le Déluge — c'est-à-dire les eaux — sur la terre, pour détruire sous les cieux toute créature animée de vie ; tout ce qui est sur terre expirera. [18] J'établirai mon *alliance avec toi.

« Entre dans l'arche, toi, et avec toi, tes fils, ta femme, et les femmes de tes fils. [19] De tout être vivant, de toute chair, tu introduiras un couple dans l'arche pour les faire survivre avec toi ; qu'il y ait

---

[n] *réconfortera*: en hébreu, il y a jeu de mots entre le nom de *Noé* et le verbe ainsi traduit. — *un sol maudit*: voir 3.17 ● [o] Les *fils de Dieu* sont probablement des êtres supérieurs aux hommes, dont les païens faisaient des dieux, mais que l'auteur biblique subordonne au Dieu unique. — A plusieurs reprises, le texte hébreu de 6.1-4 est obscur ● [p] *étant donné ses erreurs: il n'est que chair*: autre traduction *puisqu'il n'est que chair*. — *il n'est que chair*, c'est-à-dire qu'il n'est qu'un être humain, faible, face au Dieu puissant ● [q] Ou *J'exterminerai* ● [r] *toute chair*, c'est-à-dire tous les êtres humains ● [s] La traduction traditionnelle *arche* rend un mot hébreu qui désigne une sorte de caisse capable de flotter sur l'eau ; le même terme hébreu désigne aussi l'objet dans lequel Moïse fut déposé avant d'être placé au bord du Nil (voir Ex 2.3). Par contre, c'est un autre mot hébreu qui est traditionnellement rendu par *arche* (de l'alliance), objet sacré décrit en Ex 25.10-16. — La description de l'*arche* de Noé (v.14-16) contient plusieurs termes techniques dont le sens précis n'est plus connu ● [t] *coudées*: voir au glossaire POIDS ET MESURES

5.32 Sem, Cham et Japhet 6.10; 7.13; 9.18; 10.1. **6.2** fils de Dieu Ps 82.1, 6; Jb 1.6; 2.1; 38.7; Dn 3.25. **6.3** il n'est que chair Jn 3.5-6. **6.4** les géants Nb 13.32-33; Dt 2.10; Si 16.7; Ba 3.26-28. **6.5** la méchanceté augmente 6.11-13; 18.20; Jr 5.1-5; 6.28; Jon 1.2; Ps 14.2-3. — porté au mal 8.21. **6.6** le Seigneur se repentit Ex 32.12-14; 1 S 15.11, 35; Jr 18.8-10. **6.8** trouver grâce 19.19; Ex 33.12-17; 34.9; Nb 11.15; Lc 1.30. **6.9** Noé Si 44.17-18; He 11.7. — homme juste 7.1; Ez 14.14, 20; Sg 10.4. **6.10** Sem, Cham, Japhet 5.32+. **6.11** la terre remplie de violence 6.5+. **6.14** arche Mt 24.38; 1 Pi 3.20. **6.17** Déluge Ps 29.10; 93.2-4; Sg 10.4. **6.18** mon alliance 9.9; 15.18; 17.2.

un mâle et une femelle ! [20] De chaque espèce d'oiseaux, de chaque espèce de bestiaux, de chaque espèce de petites bêtes du sol, un couple de chaque espèce viendra à toi pour survivre. [21] Et toi, prends de tout ce qui se mange et fais-en pour toi une réserve ; ce sera ta nourriture et la leur. »

[22] C'est ce que fit Noé ; il fit exactement ce que Dieu lui avait prescrit.

Noé entre dans l'arche

7 [1] Le SEIGNEUR dit à Noé : « Entre dans l'arche, toi et toute ta maison, car tu es le seul juste que je vois en cette génération. [2] Tu prendras sept couples de tout animal *pur, un mâle et sa femelle — et d'un animal impur un couple, un mâle et sa femelle — [3] ainsi que des oiseaux du ciel, sept couples, mâle et femelle, pour en perpétuer la race sur toute la surface de la terre. [4] Car dans sept jours, je vais faire pleuvoir sur la terre pendant quarante jours et quarante nuits, j'effacerai [u] de la surface du sol tous les êtres que j'ai faits. »

[5] Noé se conforma à tout ce que le SEIGNEUR lui avait prescrit.

[6] Noé était âgé de six cents ans quand eut lieu le Déluge — c'est-à-dire les eaux — sur la terre.

Le déluge

[7] A cause des eaux du Déluge, Noé entra dans l'arche et avec lui ses fils, sa femme et les femmes de ses fils. [8] Des animaux *purs et des animaux impurs, des oiseaux et de tout ce qui remue sur le sol, [9] couple par couple, mâle et femelle vinrent à Noé dans l'arche comme Dieu l'avait prescrit à Noé. [10] Sept jours passèrent et les eaux du Déluge submergèrent la terre.

[11] En l'an six cent de la vie de Noé, au deuxième mois, au dix-septième jour du mois, ce jour-là tous les réservoirs du grand *Abîme furent rompus et les ouvertures [v] du ciel furent béantes.

[12] La pluie se déversa sur la terre pendant quarante jours et quarante nuits.

[13] En ce même jour, Noé entra dans l'arche avec ses fils, Sem, Cham et Japhet, et avec eux, la femme de Noé et les trois femmes de ses fils [14] ainsi que toutes les espèces de bêtes, toutes les espèces de bestiaux, toutes les espèces de petites bêtes qui remuent sur la terre, toutes les espèces d'oiseaux, tout volatile, toute bête ailée. [15] Ils vinrent à Noé dans l'arche, couple par couple, de toute créature animée de vie. [16] C'étaient un mâle et une femelle de toute chair [w] qui entraient. Ils entrèrent comme Dieu l'avait prescrit à Noé.

Le SEIGNEUR ferma la porte sur lui.

[17] Le Déluge eut lieu sur la terre pendant quarante jours.

Les eaux grossirent et soulevèrent l'arche qui s'éleva au-dessus de la terre. [18] Les eaux furent en crue, formèrent une masse énorme sur la terre, et l'arche dériva à la surface des eaux. [19] La crue des eaux devint de plus en plus forte sur la terre et, sous toute l'étendue des cieux, toutes les montagnes les plus élevées furent recouvertes [20] par une hauteur de quinze coudées [x]. Avec la crue des eaux qui recouvrirent les montagnes, [21] expira toute chair qui remuait sur la terre, oiseaux, bestiaux, bêtes sauvages, toutes les bestioles qui grouillaient sur la terre, et tout homme.

[22] Tous ceux qui respiraient l'air par une haleine de vie [y], tous ceux qui vivaient sur la terre ferme moururent. [23] Ainsi le SEIGNEUR effaça [z] tous les êtres de la surface du sol, hommes, bestiaux, petites bêtes, et même les oiseaux du ciel. Ils furent effacés, il ne resta que Noé et ceux qui étaient avec lui dans l'arche.

[24] La crue des eaux dura cent cinquante jours sur la terre.

Noé sort de l'arche

8 [1] Dieu se souvint de Noé, de toutes les bêtes et de tous les bestiaux qui étaient avec lui dans l'arche ; il fit alors passer un souffle sur la terre et les eaux se calmèrent. [2] Les réservoirs de l'*Abîme se fermèrent ainsi que les ouvertures [a] du ciel.

---

u Ou j'exterminerai • v Ces ouvertures permettent à l'eau retenue par le firmament (voir 1.6-7 et la note) de se déverser sur la terre • w toute chair, c'est-à-dire toute espèce animale vivante (comparer 6.19) • x coudées: voir au glossaire POIDS ET MESURES • y Tous ceux... de vie ou Tous ceux qui étaient animés d'un souffle de vie • z Ou extermina • a ouvertures: voir 7.11 et la note

---

7.1 seul juste 6.9+. 7.2-3 animaux purs et impurs Lv 11; Dt 14. 7.4 quarante jours et quarante nuits Ex 24.18+. 7.7 Noé entra dans l'arche Mt 24.38 par. 7.11 les ouvertures du ciel 8.2; 2 R 7.2, 19; Es 24.18; Ml 3.10. 7.13 Sem, Cham, Japhet 5.32+. 8.2 les ouvertures du ciel 7.11+.

La pluie fut retenue au ciel [3] et les eaux se retirèrent de la terre par un flux et un reflux.

Au bout de cent cinquante jours les eaux diminuèrent [4] et, au septième mois le dix-septième jour du mois, l'arche reposa sur le mont Ararat [b]. [5] Les eaux continuèrent à diminuer jusqu'au onzième jour du dixième mois et les cimes des montagnes apparurent.

[6] Or au bout de quarante jours, Noé ouvrit la fenêtre de l'arche qu'il avait faite. [7] Il lâcha le corbeau qui s'envola, allant et revenant, jusqu'à ce que les eaux découvrent la terre ferme. [8] Puis il lâcha la colombe pour voir si les eaux avaient baissé sur la surface du sol. [9] Mais la colombe ne trouva pas où poser la patte ; elle revint à lui vers l'arche car les eaux couvraient toute la surface de la terre. Il tendit la main et la prit pour la faire rentrer dans l'arche. [10] Il attendit encore sept autres jours et lâcha à nouveau la colombe hors de l'arche. [11] Sur le soir elle revint à lui, et voilà qu'elle avait au bec un frais rameau d'olivier ! Noé sut ainsi que les eaux avaient baissé sur la terre. [12] Il attendit encore sept autres jours et lâcha la colombe qui ne revint plus vers lui.

[13] Or, en l'an six cent un, au premier jour du premier mois, les eaux découvrirent la terre ferme.

Noé retira le toit de l'arche et vit alors que la surface du sol était ferme.

[14] Au deuxième mois, le vingt-septième jour du mois, la terre était sèche. [15] Dieu dit à Noé : [16] « Sors de l'arche, toi, ta femme, tes fils et les femmes de tes fils avec toi. [17] Toutes les bêtes qui sont avec toi, de tout ce qui est chair en fait d'oiseaux, bestiaux, toutes les petites bêtes qui remuent sur la terre, fais-les sortir avec toi et qu'ils grouillent sur la terre, qu'ils soient féconds et prolifiques sur la terre. » [18] Noé sortit, et avec lui ses fils, sa femme et les femmes de ses fils ; [19] toutes les bêtes, toutes les petites bêtes, tous les oiseaux et tout ce qui remue sur la terre sortirent de l'arche par familles.

[20] Noé éleva un *autel pour le SEIGNEUR. Il prit de tout bétail *pur, de tout oiseau pur et il offrit des holocaustes [c] sur l'autel. [21] Le SEIGNEUR respira le parfum apaisant et se dit en lui-même : « Je ne maudirai plus jamais le sol à cause de l'homme. Certes, le cœur de l'homme est porté au mal dès sa jeunesse, mais plus jamais je ne frapperai tous les vivants comme je l'ai fait.

[22] « Tant que la terre durera,
semailles et moissons,
froid et chaleur,
été et hiver,
jour et nuit
jamais ne cesseront. »

Dieu fait alliance avec Noé

9 [1] Dieu bénit [d] Noé et ses fils, il leur dit :
« Soyez féconds et prolifiques, remplissez la terre. [2] Vous serez craints et redoutés de toutes les bêtes de la terre et de tous les oiseaux du ciel. Tout ce qui remue sur le sol et tous les poissons de la mer sont livrés entre vos mains. [3] Tout ce qui remue et qui vit vous servira de nourriture comme déjà l'herbe mûrissante [e], je vous donne tout. [4] Toutefois vous ne mangerez pas la chair avec sa vie, c'est-à-dire son sang [f]. [5] Et de même, de votre sang, qui est votre propre vie, je demanderai compte à toute bête et j'en demanderai compte à l'homme : à chacun je demanderai compte de la vie de son frère.

[6] « Qui verse le sang de l'homme,
par l'homme verra son sang versé ;
Car à l'image de Dieu,
Dieu a fait l'homme.

[7] « Quant à vous, soyez féconds et prolifiques, pullulez sur la terre, et multipliez-vous sur elle. »

[8] Dieu dit à Noé accompagné de ses fils :
[9] « Je vais établir mon *alliance avec vous, avec votre descendance après vous [10] et avec tous les êtres vivants qui sont

---

b *le mont Ararat* ou *les monts d'Ararat:* région montagneuse du nord de l'Assyrie, au sud-ouest de l'actuel Caucase ● c *holocaustes:* voir au glossaire SACRIFICES ● d Voir 1.22 et la note ● e *l'herbe mûrissante* ou *les végétaux.* Comparer 1.29, 30 et la note ● f Lv 17.11, 14 assimile aussi *le sang à la vie.* Mais ici comme là, le texte hébreu n'est pas absolument clair

8.17 soyez féconds et prolifiques 1.28+. 8.20 un autel Ex 20.24. 8.21 je ne maudirai plus le sol cf. 3.17+. 8.22 jamais ne cesseront... Jr 31.35-36; 33.20-26; Mt 5.45. 9.1 soyez féconds et prolifiques 1.28+. 9.2 livrés entre vos mains 1.28+. 9.4 ne pas manger le sang Lv 3.17; 7.26; 17.10-14; Dt 12.16, 23; 15.23; Ac 15.20, 29. 9.6 qui verse... versé Lv 24.19+. — à l'image de Dieu 1.26+. 9.9-10 mon alliance avec vous 6.18+; *Si* 44.18. — avec les animaux Ez 34.25; Os 2.20; Jb 5.23.

avec vous : oiseaux, bestiaux, toutes les bêtes sauvages qui sont avec vous, bref tout ce qui est sorti de l'arche avec vous, même les bêtes sauvages. [11] J'établirai mon alliance avec vous : aucune chair [g] ne sera plus exterminée par les eaux du Déluge, il n'y aura plus de Déluge pour ravager la terre. »

[12] Dieu dit : « Voici le signe de l'alliance que je mets entre moi, vous et tout être vivant avec vous, pour toutes les générations futures.

[13] « J'ai mis mon arc [h] dans la nuée pour qu'il devienne un signe d'alliance entre moi et la terre. [14] Quand je ferai apparaître des nuages sur la terre et qu'on verra l'arc dans la nuée, [15] je me souviendrai de mon alliance entre moi, vous et tout être vivant quel qu'il soit ; les eaux ne deviendront plus jamais un Déluge qui détruirait toute chair. [16] L'arc sera dans la nuée et je le regarderai pour me souvenir de l'alliance perpétuelle entre Dieu et tout être vivant, toute chair qui est sur la terre. »

[17] Dieu dit à Noé : « C'est le signe de l'alliance que j'ai établie entre moi et toute chair qui est sur la terre. »

Les trois fils de Noé

[18] Sem, Cham et Japhet étaient les fils de Noé qui sortirent de l'arche ; Cham, c'est le père de Canaan.

[19] Ce furent les trois fils de Noé, c'est à partir d'eux que toute la terre fut peuplée.

[20] Noé fut le premier agriculteur. Il planta une vigne [21] et il en but le vin, s'enivra et se trouva nu à l'intérieur de sa tente. [22] Cham, père de Canaan, vit la nudité de son père et il en informa ses deux frères au-dehors. [23] Sem et Japhet prirent le manteau de Noé qu'ils placèrent sur leurs épaules à tous deux et, marchant à reculons, ils couvrirent la nudité de leur père. Tournés de l'autre côté, ils ne virent pas la nudité de leur père.

[24] Lorsque Noé, ayant cuvé son vin, sut ce qu'avait fait son plus jeune fils, [25] il s'écria :

« Maudit soit Canaan,
qu'il soit le dernier des serviteurs de ses frères ! »
[26] Puis il dit :
« Béni soit le SEIGNEUR, le Dieu de Sem,
que Canaan en soit le serviteur !
[27] Que Dieu fasse sa part à Japhet [i],
mais qu'il demeure dans les tentes de Sem
et que Canaan en soit le serviteur ! »

[28] Noé vécut trois cent cinquante ans après le Déluge. [29] Il vécut en tout neuf cent cinquante ans et mourut.

Les peuples de la terre

10 [1] Voici la famille [j] des fils de Noé, Sem, Cham et Japhet. Il leur naquit des fils après le Déluge :

[2] Fils de Japhet [k] : Gomer, Magog, Madaï, Yavân, Toubal, Mèshek et Tirâs. — [3] Fils de Gomer : Ashkénaz, Rifath et Togarma. — [4] Fils de Yavân : Elisha, Tarsis, Kittim et Rodanim. [5] C'est à partir d'eux que se fit la répartition des nations dans les îles. Chacun eut son pays suivant sa langue et sa nation selon son clan.

[6] Fils de Cham [l] : Koush, Miçraïm, Pouth et Canaan. — [7] Fils de Koush : Séva, Hawila, Savta, Raéma, Savteka. — Fils de Raéma : Saba et Dedân.

[8] Koush engendra Nemrod. Il fut le premier héros sur la terre, [9] lui qui fut un chasseur héroïque devant le SEIGNEUR. D'où le dicton : « Tel Nemrod, être un chasseur héroïque devant le SEIGNEUR. » [10] Les capitales de son royaume furent Babel, Erek, Akkad, toutes villes [m] du pays de Shinéar. [11] Il sortit de ce pays pour Assour et bâtit Ninive, la ville aux

---

g aucune chair, c'est-à-dire aucun être vivant ● *h* Il s'agit de *l'arc-en-ciel* ● *i* En hébreu, il y a jeu de mots entre le nom de *Japhet* et le verbe traduit par *fasse sa part* ● *j* Cette liste de descendants de Noé (comparer 5.1 et la note) présente une répartition en groupements ethniques et géographiques des peuples connus autrefois ● *k* Dans la mesure où l'on peut identifier les noms propres qui suivent, les *fils de Japhet* sont des peuples habitant surtout au nord de la Méditerranée ● *l* D'après le passage qui suit, les *fils de Cham* sont des peuples habitant au sud et à l'est de la Méditerranée, et jusque dans la plaine mésopotamienne ● *m toutes villes :* autre traduction *Kalné*, nom d'une ville inconnue en Mésopotamie

9.12 signe de l'alliance 17.11; Nb 17.25. **9.13** arc-en-ciel Ez 1.28; *Si* 43.11-12; 50.7; Ap 4.3. **9.15** plus jamais un Déluge Es 54.9. **9.18** Sem, Cham, Japhet 5.32+. **9.21** ivresse Pr 23.29-35; *Jdt* 13.2; *Si* 31.25-31; Ep 5.18. **9.25** maudit soit Canaan Ex 21.17; Lv 20.9; Dt 27.16. **9.26** Canaan serviteur Jos 16.10; Jg 1.28. **10.2** Gomer Ez 38.6. — Yavân, Toubal, (Mèshek) Es 66.19; Ez 27.13. **10.8** Nemrod Mi 5.5. **10.11** Ninive Jon 1—4; Na 1—3.

larges places, Kalah *n* ¹² la grande ville, et
Rèsèn entre Ninive et Kalah.

¹³ Miçraïm engendra les gens de Loud,
de Einâm, de Lehav et de Naftouah, ¹⁴ les
gens du pays du Sud, ceux de Kaslouah
d'où sortirent les Philistins et ceux de
Kaftor.

¹⁵ Canaan engendra Sidon son premier-
né et Heth, ¹⁶ le Jébusite, l'Amorite, le
Guirgashite, ¹⁷ le Hivvite, le Arqite, le
Sinite, ¹⁸ l'Arvadite, le Cemarite, le Hamatite. Les clans des Cananéens se dis-
séminèrent ensuite ¹⁹ et le territoire cananéen s'étendit de Sidon vers Guérar jusqu'à Gaza, vers Sodome et Gomorrhe,
Adma et Cevoïm jusqu'à Lèsha.

²⁰ Tels furent les fils de Cham selon
leurs clans et leurs langues, groupés en
pays et nations.

²¹ De Sem, le frère aîné de Japhet,
naquit aussi le père de tous les fils de
Eber *o*.

²² Fils de Sem *p* : Elam, Assour, Arpakshad, Loud et Aram. ²³ — Fils
d'Aram : Ouç, Houl, Guètèr et Mash.

²⁴ Arpakshad engendra Shèlah et Shèlah
engendra Eber. ²⁵ A Eber naquirent deux
fils. Le premier s'appelait Pèleg, car en
son temps la terre fut divisée *q* et son
frère s'appelait Yoqtân. ²⁶ Yoqtân engendra Almodad, Shèlef, Haçarmaweth,
Yèrah, ²⁷ Hadorâm, Ouzal, Diqla, ²⁸ Oval,
Avimaël, Saba, ²⁹ Ofir, Hawila, Yovav. Ce
sont là tous les fils de Yoqtân ; ³⁰ leur
habitat s'étendait de Mésha vers Sefar,
la montagne de l'orient.

³¹ Tels furent les fils de Sem selon leurs
clans et leurs langues, groupés en
selon leurs nations. ³² Tels furent les clans
des fils de Noé selon leurs familles groupées en nations. C'est à partir d'eux que
se fit la répartition des nations sur la terre
après le Déluge.

La tour de Babel

11 ¹ La terre entière se servait de la
même langue et des mêmes mots.
² Or en se déplaçant vers l'orient, les

hommes découvrirent une plaine dans le
pays de Shinéar *r* et y habitèrent. ³ Ils se
dirent l'un à l'autre : « Allons ! Moulons
des briques et cuisons-les au four. » Les
briques leur servirent de pierre et le
bitume leur servit de mortier. ⁴ « Allons !
dirent-ils, bâtissons-nous une ville et une
tour dont le sommet touche le ciel. Faisons-nous un nom afin de ne pas être dispersés sur toute la surface de la terre. »

⁵ Le SEIGNEUR descendit pour voir la
ville et la tour que bâtissaient les fils
d'Adam *s*. ⁶ « Eh, dit le SEIGNEUR, ils ne
sont tous qu'un peuple et qu'une langue
et c'est là leur première œuvre ! Maintenant, rien de ce qu'ils projetteront de
faire ne leur sera inaccessible ! ⁷ Allons,
descendons et brouillons ici leur langue,
qu'ils ne s'entendent plus les uns les autres ! » ⁸ De là, le SEIGNEUR les dispersa
sur toute la surface de la terre et ils cessèrent de bâtir la ville. ⁹ Aussi lui donna-
t-on le nom de Babel car c'est là que le
SEIGNEUR brouilla *t* la langue de toute la
terre, et c'est de là que le SEIGNEUR dispersa les hommes sur toute la surface de
la terre.

Liste des patriarches de Sem à Abram

¹⁰ Voici la famille *u* de Sem :

Sem était âgé de cent ans quand il
engendra Arpakshad deux ans après le
Déluge. ¹¹ Après avoir engendré Arpakshad, Sem vécu cinq cents ans, il engendra des fils et des filles.

¹² Arpakshad avait vécu trente-cinq ans
quand il engendra Shèlah. ¹³ Après avoir
engendré Shèlah, Arpakshad vécut quatre
cent trois ans, il engendra des fils et des
filles.

¹⁴ Shèlah avait vécu trente ans quand il
engendra Eber. ¹⁵ Après avoir engendré
Eber, Shèlad vécut quatre cent trois ans,
il engendra des fils et des filles.

¹⁶ Eber vécut trente-quatre ans et engendra Pèleg. ¹⁷ Après avoir engendré Pèleg,
Eber vécut quatre cent trente ans, il
engendra des fils et des filles.

---

n Ninive: ville proche de l'emplacement actuel de Mossoul (Iraq); *Kalah:* ville située au sud-
est de Ninive • *o Eber* (qui réapparaît au v. 24) est l'ancêtre des Hébreux • *p Les fils de
Sem* sont des peuples habitant à l'est de la Méditerranée (Syrie, Jordanie, Arabie Saoudite actuelles) • *q* En hébreu, il y a jeu de mots entre le nom de *Pèleg* et le verbe traduit par *fut divisée*
• *r pays de Shinéar:* désignation ancienne de la Mésopotamie • *s les fils d'Adam,* c'est-à-dire *les
hommes* • *t* En hébreu, il y a jeu de mots entre le nom de *Babel* (= Babylone) et le verbe
traduit par *brouilla* • *u la famille,* c'est-à-dire *les descendants.* Cette liste, dans le même style
que celle du chap. 5, établit le lien entre l'histoire de Noé et celle d'Abraham

10.19 Sodome et Gomorrhe 18.16+. **10.32** la répartition des nations Dt 32.8; Ac 17.26.
11.1-9 la tour de Babel Ac 2.1-11. **11.3** briques et mortier Ex 1.14. **11.4** touche le ciel
Es 14.12-14; Jr 51.53. **11.9** brouilla la langue (ou mit la confusion dans la langue) Sg 10.5. —
le Seigneur dispersa cf. Jn 11.52. **11.10-32** liste généalogique 1 Ch 1.24-27; Lc 3.34-36.

18 Pèleg vécut trente ans et engendra Réou. 19 Après avoir engendré Réou, Pèleg vécut deux cent neuf ans, il engendra des fils et des filles.

20 Réou vécut trente-deux ans et engendra Seroug. 21 Après avoir engendré Seroug, Réou vécut deux cent sept ans, il engendra des fils et des filles.

22 Seroug vécut trente ans et engendra Nahor. 23 Après avoir engendré Nahor, Seroug vécut deux cents ans, il engendra des fils et des filles.

24 Nahor vécut vingt-neuf ans et engendra Tèrah. 25 Après avoir engendré Tèrah, Nahor vécut cent dix-neuf ans, il engendra des fils et des filles.

26 Tèrah vécut soixante-dix ans et engendra Abram, Nahor et Harân. 27 Voici la famille de Tèrah :

Tèrah engendra Abram, Nahor et Harân. 28 Harân engendra Loth. Harân mourut avant son père Tèrah dans le pays de sa famille, à Our des Chaldéens v. 29 Abram et Nahor prirent femme ; l'épouse d'Abram s'appelait Saraï et celle de Nahor Milka, fille de Harân, père de Milka et de Yiska. 30 Saraï était stérile, elle n'avait pas d'enfant.

31 Tèrah prit son fils Abram, son petit-fils Loth, fils de Harân, et sa bru Saraï, femme de son fils Abram, qui sortirent avec eux d'Our des Chaldéens pour aller au pays de Canaan. Ils gagnèrent Harrân w où ils habitèrent. 32 Tèrah vécut deux cent cinq ans et il mourut à Harrân.

ABRAHAM

Dieu appelle Abram à quitter son pays

12 1 Le SEIGNEUR dit à Abram : « Pars de ton pays, de ta famille et de la maison de ton père vers le pays que je te ferai voir.

2 Je ferai de toi une grande nation et je te bénirai.

Je rendrai grand ton nom.

Sois en bénédiction.

3 Je bénirai ceux qui te béniront, qui te bafouera je le maudirai ; en toi seront bénies toutes les familles de la terre. »

4 Abram partit comme le SEIGNEUR le lui avait dit, et Loth x partit avec lui.

Abram avait soixante-quinze ans quand il quitta Harrân. 5 Il prit sa femme Saraï, son neveu Loth, tous les biens qu'ils avaient acquis et les êtres y qu'ils entretenaient à Harrân. Ils partirent pour le pays de Canaan.

Abram en Canaan et en Egypte

Ils arrivèrent au pays de Canaan. 6 Abram traversa le pays jusqu'au lieu dit Sichem z, jusqu'au chêne de Moré. Les Cananéens étaient alors dans le pays, 7 le SEIGNEUR apparut à Abram et dit : « C'est à ta descendance que je donnerai ce pays » ; là, celui-ci éleva un *autel pour le SEIGNEUR qui lui était apparu. 8 De là il gagna la montagne à l'est de Béthel. Il dressa sa tente entre Béthel à l'ouest et Aï à l'est, il y éleva un autel pour le SEIGNEUR et il y fit une invocation en Son nom a. 9 Puis, d'étape en étape, Abram se déplaça vers le Néguev b.

10 Il y eut une famine dans le pays et Abram descendit en Egypte pour y séjourner car la famine sévissait sur le pays. 11 Or, au moment d'atteindre l'Egypte, il dit à sa femme Saraï : « Vois, je sais bien

---

v *Our des Chaldéens* (= *des Babyloniens*): ville de Basse-Mésopotamie, à 230 km environ au sud-est de Babylone ● w *Harrân:* ville de Haute-Mésopotamie, à 180 km environ au nord-est de l'actuelle Alep (Syrie). Des relations économiques et religieuses existaient entre Our et Harrân ● x *Loth:* neveu d'Abram (v. 5; voir aussi 11.27-32) ● y *les êtres:* les serviteurs, les esclaves et les troupeaux ● z *Sichem:* localité située à 50 km environ au nord de Jérusalem ● a *Béthel, Aï:* localités situées à 15 km environ au nord de Jérusalem. — *fit une invocation en Son nom:* autre traduction *invoqua Son nom* ● b Le *Néguev* est la région semi-désertique du sud de la Palestine, approximativement entre Hébron et Qadesh

11.30 Saraï stérile 16.1; 17.17. **12.1** Abram (= Abraham) Jos 24.3; Es 51.2; Sg 10.5; Si 44.19-21; Ac 7.2-4; He 11.8-10. **12.2** une grande nation 13.16; 15.5; 17.4-5; 22.17; 26.4, 24; 35.11; 47.27; 48.4; Ga 3.16; He 11.12. **12.3** je bénirai ceux... 27.29; Nb 24.9. — toutes les familles seront bénies 18.18; 22.18; 26.4; 28.14; Ac 3.25; Ga 3.8-9. **12.6** Sichem 33.18-20; Jos 24; 1 R 12.1-16; Jn 4.5 (= Sychar). **12.7** promesse du pays 13.15; 15.18; 17.8; 26.3; 28.13; 35.12; 48.4; Dt 1.8; 34.4; Ps 105.11; Ac 7.5. **12.8** Béthel 28.10-22; Jg 1.22-26; 20.26-27; 1 R 12.29—13.34; Am 4.4; 5.5-6; 7.10-13. **12.10-20** séjour en Egypte 20; 26.1-11; Ps 105.13-15.

que tu es une femme belle à voir. ¹² Alors, quand les Egyptiens te verront et diront : "C'est sa femme", ils me tueront et te laisseront en vie. ¹³ Dis, je te prie, que tu es ma sœur *c* pour que l'on me traite bien à cause de toi et que je reste en vie grâce à toi. » ¹⁴ De fait, quand Abram atteignit l'Egypte, les Egyptiens virent que cette femme était fort belle. ¹⁵ Des officiers de *Pharaon la regardèrent, chantèrent ses louanges à Pharaon, et cette femme fut prise pour sa maison. ¹⁶ A cause d'elle, on traita bien Abram qui reçut petit et gros bétail, ânes, esclaves et servantes, ânesses et chameaux. ¹⁷ Mais le SEIGNEUR infligea de grands maux à Pharaon et à sa maison à cause de Saraï, la femme d'Abram ; ¹⁸ Pharaon convoqua Abram pour lui dire : « Que m'as-tu fait là ! Pourquoi ne m'as-tu pas déclaré qu'elle était ta femme ? ¹⁹ Pourquoi m'as-tu dit : "C'est ma sœur" ? Et je me la suis attribuée pour femme. Maintenant, voici ta femme, reprends-la et va-t'en ! » ²⁰ Pharaon ordonna à ses gens de le renvoyer, lui, sa femme, et tout ce qu'il possédait,

13 ¹ et Abram monta d'Egypte au Néguev, lui, sa femme et tout ce qu'il possédait — Loth était avec lui.

Abram et Loth se séparent

² Abram était très riche en troupeaux, en argent et en or. ³ Il alla par étapes du Néguev jusqu'à Béthel, jusqu'au lieu où il avait d'abord campé entre Béthel et Aï *d*. ⁴ A l'endroit où il avait précédemment élevé un *autel, Abram fit une invocation *e* au nom du SEIGNEUR.

⁵ Loth, qui accompagnait Abram, possédait lui aussi du petit et du gros bétail, ainsi que des tentes. ⁶ Le pays n'assura pas les besoins de leur vie commune, car leurs biens étaient trop considérables pour qu'ils puissent vivre ensemble. ⁷ Une querelle éclata entre les bergers des troupeaux

d'Abram et les bergers des troupeaux de Loth — Cananéens et Perizzites *f* habitaient alors le pays — ⁸ et Abram dit à Loth : « Qu'il n'y ait pas de querelle entre moi et toi, mes bergers et les tiens : nous sommes frères *g*. ⁹ Tout le pays n'est-il pas devant toi ? Sépare-toi donc de moi. Si tu prends le nord, j'irai au sud ; si c'est le sud, j'irai au nord. » ¹⁰ Loth leva les yeux et regarda tout le district du Jourdain : il était tout entier irrigué. Avant que le SEIGNEUR n'eût détruit Sodome et Gomorrhe, il était jusqu'à Çoar *h* comme le jardin du SEIGNEUR, comme le pays d'Egypte. ¹¹ Loth choisit pour lui tout le district du Jourdain et se déplaça vers l'orient. Ils se séparèrent l'un de l'autre, ¹² Abram habita dans le pays de Canaan et Loth dans les villes du District *i*. Celui-ci vint camper jusqu'à Sodome ¹³ dont les gens étaient des scélérats qui péchaient gravement contre le SEIGNEUR.

¹⁴ Le SEIGNEUR dit à Abram après que Loth se fut séparé de lui : « Lève donc les yeux et, du lieu où tu es, regarde au nord, au sud, à l'est et à l'ouest. ¹⁵ Oui, tout le pays que tu vois, je te le donne ainsi qu'à ta descendance, pour toujours. ¹⁶ Je multiplierai ta descendance comme la poussière de la terre au point que, si l'on pouvait compter la poussière de la terre, on pourrait aussi compter ta descendance. ¹⁷ Lève-toi, parcours le pays en long et en large, car je te le donne. » ¹⁸ Abram vint avec ses tentes habiter aux chênes de Mambré qui sont à Hébron *j* ; il y éleva un autel pour le SEIGNEUR.

Abram, les rois et Melkisédeq

14 ¹ Or, aux jours d'Amraphel roi de Shinéar, Aryok roi d'Ellasar, Kedorlaomer roi d'Elam et Tidéal roi de Goïm *k* ² firent la guerre à Béra roi de Sodome, à Birsha roi de Gomorrhe, à Shinéav roi d'Adma, à Shèmévèr roi de

---

c D'après 20.12, Saraï était une demi-sœur d'Abram ● *d* Néguev: Voir 12.9 et la note; Béthel, Aï: voir 12.8 et la note ● *e* Voir 12.8 et la note ● *f* Voir au glossaire AMORITES ● *g* Par le mot frères, Abram souligne la proche parenté qui les unit, puisqu'ils sont oncle et neveu (voir 12.5) ● *h* Sodome et Gomorrhe: deux villes situées probablement au sud de la mer Morte, et dont la destruction est racontée aux chap. 18—19; Çoar: petite ville moabite à proximité des deux précédentes ● *i* du District (du Jourdain, voir v. 11): il semble que ce nom commun soit employé ici comme nom propre géographique; comparer 19.17 ● *j* Hébron: localité située à 30 km environ au sud-ouest de Jérusalem. Le sanctuaire de Mambré, à 3 km au nord, joua un rôle important dans la vie d'Abram ● *k* Seuls quelques-uns de ces noms de personnes et de lieux sont identifiés: Shinéar: Mésopotamie; Ellasar: peut-être Larsa, ville de Basse-Mésopotamie; Elam: royaume situé à l'est de la Babylonie; Tidéal: probablement Toudhaliya, roi hittite

---

13.2 très riche 24.35; 30.43; 32.6; Ps 112.1-3; Jb 1.3, 10; Pr 3.9-10. **13.7** querelle entre bergers 26.20. **13.10** Sodome et Gomorrhe 18.16+. **13.13** des scélérats 18.20; 19.4-11. **13.15** promesse du pays 12.7+. **13.18** Mambré 18.1; 23.17-19; 25.9; 49.30; 50.13. — Hébron Nb 13.22; 2 S 2.1; 3.2-5; 5.1-5;15.7-10; *1 M* 5.65. **14.2** Sodome et Gomorrhe 18.16+.

Cevoïm et au roi de Bèla, c'est-à-dire Çoar [l].

[3] Ces derniers devaient tous faire leur jonction vers la vallée de Siddim, c'est-à-dire la mer Salée [m]. [4] Pendant douze ans, ils avaient servi Kedorlaomer, mais ils s'étaient révoltés la treizième année. [5] La quatorzième année, Kedorlaomer vint avec les rois qui l'accompagnaient. Ils battirent les Refaïtes [n] à Ashtaroth-Qarnaïm, les Zouzites à Hâm, les Emites à Shawé-Qiryataïm, [6] les Horites dans leur montagne en Séïr jusqu'à Eil-Parân qui est près du désert. [7] Puis ils revinrent vers Ein-Mishpath, c'est-à-dire Qadesh, ils ravagèrent toute la campagne amalécite et même les Amorites habitant Haçaçôn-Tamar.

[8] Alors le roi de Sodome s'avança, et les rois de Gomorrhe, d'Adma, de Cevoïm et de Bèla, c'est-à-dire Çoar ; ils se disposèrent à combattre contre eux dans la vallée de Siddim, [9] contre Kedorlaomer roi d'Elam, Tidéal roi de Goïm, Amraphel roi de Shinéar, Aryok roi d'Ellasar : quatre rois contre cinq. [10] La vallée de Siddim était creusée de puits de bitume ; dans leur fuite, les rois de Sodome et de Gomorrhe y tombèrent, ceux qui restèrent s'enfuirent dans la montagne. [11] On prit tous les biens de Sodome et de Gomorrhe, tous leurs vivres, et on partit. [12] On prit Loth, le neveu d'Abram, avec ses biens, et on partit.

Loth habitait à Sodome, [13] et un fuyard s'en vint porter la nouvelle à Abram l'Hébreu, qui demeurait aux chênes de Mambré [o] l'Amorite, frère d'Eshkol et de Aner ; ils étaient les alliés d'Abram. [14] Dès que celui-ci apprit la capture de son frère, il mit sur pieds trois cent dix-huit de ses vassaux, liés de naissance à sa maison. Il mena la poursuite jusqu'à Dan [p]. [15] Il répartit ses hommes pour assaillir de nuit les ennemis. Il les battit et les poursuivit jusqu'à Hova qui est au nord de Damas. [16] Il ramena tous les biens, il ramena aussi son frère Loth et ses biens, ainsi que les femmes et les parents.

[17] Le roi de Sodome s'avança vers la vallée de Shawé, c'est-à-dire la vallée du roi, à la rencontre d'Abram qui revenait victorieux de Kedorlaomer et des rois qui l'accompagnaient. [18] C'est Melkisédeq, roi de Salem [q], qui fournit du pain et du vin. Il était prêtre de Dieu, le Très-Haut, [19] et il bénit Abram en disant :

« Béni soit Abram par le Dieu Très-Haut
qui crée ciel et terre !
[20] Béni soit le Dieu Très-Haut
qui a livré tes adversaires entre tes mains ! »

Abram lui donna la dîme [r] de tout.

[21] Le roi de Sodome dit à Abram : « Donne-moi les personnes, et reprends tes biens. » [22] Abram lui répondit : « Je lève la main vers le SEIGNEUR, Dieu Très-Haut qui crée ciel et terre : [23] pas un fil, pas même une courroie de sandale ! Je jure de ne rien prendre de ce qui est à toi. Tu ne pourras pas dire : "C'est moi qui ai enrichi Abram." [24] Cela ne me concerne en rien, sauf la nourriture de mes jeunes ; quant à la part des hommes qui m'ont accompagné, Aner, Eshkol et Mambré, ils la prendront eux-mêmes. »

Dieu fait alliance avec Abram

15 [1] Après ces événements, la parole du SEIGNEUR fut adressée à Abram dans une vision. Il dit : « Ne crains pas, Abram, c'est moi ton bouclier ; ta solde [s] sera considérablement accrue. » [2] Abram répondit : « Seigneur DIEU, que me donneras-tu ? Je m'en vais sans enfant, et l'héritier de ma maison, c'est Eliézer de Damas [t]. »

---

[l] *Bèra, Birsha* : ces deux noms propres ont probablement une valeur symbolique, puisqu'ils pourraient signifier respectivement «dans le mal » et « dans la méchanceté ». — *Sodome, Gomorrhe, Çoar* : voir 13.10 et la note ; *Adma, Cevoïm* : localités non identifiées, mais associées par Dt 29.22 à Sodome et Gomorrhe ● [m] *la mer Salée* : la mer Morte ● [n] Dans les v. 5-8, les localités identifiées se situent entre Damas et le sud du Néguev, en passant par Moab. Les peuples mentionnés sont d'anciennes populations de ces régions ; voir aussi au glossaire AMORITES ● [o] Voir 13.18 et la note ● [p] *son frère* : voir 13.8 et la note. — *vassaux* : autre traduction *serviteurs*. — *Dan* : ville située tout au nord de la Palestine ● [q] *Melkisédeq* était à la fois roi et prêtre, comme de nombreux souverains de l'ancien Orient. — *Salem* est généralement identifié à Jérusalem ● [r] Dans l'AT, la *dîme* (= dixième) était l'offrande de la dixième partie des produits de l'agriculture (à l'origine) et de l'élevage (par la suite). Cette offrande était présentée à Dieu, par l'intermédiaire des prêtres et des *lévites. Ici, Abram donne la dîme de tout ce qu'il a ● [s] *ta solde* : autre traduction *ta récompense* ● [t] *et l'héritier... Damas* : texte hébreu obscur ; il est probable que le v. 3 en donne le sens général

---

14.7 amalécite 36.12, 16; Ex 17.8+. **14.18** Melkisédeq Ps 110.4; He 5.5-10; 6.20; 7.1, 17. **14.19** qui crée ciel et terre 1.1+. **14.20** la dîme 28.22; Lv 27.30-33; Nb 18.21-32; Dt 14.22-29; Ne 19.37-38; Lc 18.12. **15.1** Dieu est un bouclier Ps 3.4+. **15.2** sans enfant 16.1; Ac 7.5.

³ Abram dit : « Voici que tu ne m'as pas donné de descendance et c'est un membre de ma maison qui doit hériter de moi. » ⁴ Alors le SEIGNEUR lui parla en ces termes : « Ce n'est pas lui qui héritera de toi, mais celui qui sortira de tes entrailles *u* héritera de toi. » ⁵ Il le mena dehors et lui dit : « Contemple donc le ciel, compte les étoiles si tu peux les compter. » Puis il lui dit : « Telle sera ta descendance. » ⁶ Abram eut foi dans le SEIGNEUR, et pour cela le SEIGNEUR le considéra comme juste *v*.

⁷ Il lui dit : « C'est moi le SEIGNEUR qui t'ai fait sortir d'Our des Chaldéens *w* pour te donner ce pays en possession. » — ⁸ « Seigneur DIEU, répondit-il, comment saurai-je que je le posséderai ? » ⁹ Il lui dit : « Procure-moi une génisse de trois ans, une chèvre de trois ans, un bélier de trois ans, une tourterelle et un pigeonneau. » ¹⁰ Abram lui procura tous ces animaux, les partagea par le milieu et plaça chaque partie en face de l'autre *x* ; il ne partagea pas les oiseaux. ¹¹ Des rapaces fondirent sur les cadavres, mais Abram les chassa.

¹² Au coucher du soleil, une torpeur saisit Abram. Voici qu'une terreur et une épaisse ténèbre tombèrent sur lui. ¹³ Il dit à Abram : « Sache bien que ta descendance résidera dans un pays qu'elle ne possédera pas. On en fera des esclaves, qu'on opprimera pendant quatre cents ans *y*. ¹⁴ Je serai juge aussi de la nation qu'ils serviront, ils sortiront *z* alors avec de grands biens. ¹⁵ Toi, en paix, tu rejoindras tes pères *a* et tu seras enseveli après une heureuse vieillesse. ¹⁶ A la quatrième génération, ta descendance reviendra ici car l'iniquité de l'*Amorite n'a pas atteint son comble. » ¹⁷ Le soleil se coucha, et dans l'obscurité voici qu'un four fumant et une torche de feu passèrent entre les morceaux *b*. ¹⁸ En ce jour, le SEIGNEUR conclut une *alliance avec Abram en ces termes :

« C'est à ta descendance que je donne ce pays,
du fleuve d'Egypte au grand fleuve, le fleuve Euphrate —
¹⁹ les Qénites, les Qenizzites, les Qadmonites, ²⁰ les Hittites, les Perizzites, les Refaïtes, ²¹ les Amorites, les Cananéens, les Guirgashites et les Jébusites. »

Naissance d'Ismaël

16 ¹ Saraï, femme d'Abram, ne lui avait pas donné d'enfant. Elle avait une servante égyptienne du nom de Hagar, ² et Saraï dit à Abram : « Voici que le SEIGNEUR m'a empêchée d'enfanter. Va donc vers ma servante, peut-être que par elle j'aurai un fils *c*. » Abram écouta la proposition de Saraï. ³ Dix ans après qu'Abram se fut établi dans le pays de Canaan, Saraï sa femme prit Hagar, sa servante égyptienne, pour la donner comme femme à Abram son mari. ⁴ Il alla vers Hagar qui devint enceinte. Quand elle se vit enceinte, sa maîtresse ne compta plus à ses yeux. ⁵ Saraï dit à Abram : « Tu es responsable de l'injure qui m'est faite. C'est moi qui ai mis sur ton sein ma servante. Dès qu'elle s'est vue enceinte, je n'ai plus compté à ses yeux. Que le SEIGNEUR décide entre toi et moi ! » ⁶ Abram répondit à Saraï : « Voici ta servante en ton pouvoir, fais-lui ce qui est bon à tes yeux. » Saraï la maltraita et celle-ci prit la fuite.

⁷ L'*ange du SEIGNEUR la trouva près d'une source dans le désert, celle qui est sur la route de Shour *d*, ⁸ et il dit : « Hagar, servante de Saraï, d'où viens-tu et où vas-tu ? » Elle répondit : « Je fuis devant Saraï ma maîtresse. » ⁹ L'ange du SEIGNEUR lui dit : « Retourne vers ta maîtresse et plie-toi à ses ordres. » ¹⁰ L'ange du SEIGNEUR lui dit : « Je multiplierai tellement ta descendance qu'on ne pourra la compter. »

---

u celui qui sortira de tes entrailles: tournure hébraïque pour désigner un enfant à naître ● *v* Le terme hébreu traduit par *juste* désigne un accord complet avec la volonté de Dieu plutôt que la rectitude morale ● *w Our des Chaldéens*: voir 11.28 et la note ● *x* Sur ce cérémonial, voir Jr 34.18 et la note ● *y esclaves... pendant quatre cents ans*: allusion aux événements racontés en Ex 1—12; Ex 12.40 parle plus précisément de 430 ans ● *z ils sortiront*: voir Ex 12.37—15.21 ● *a tu rejoindras tes pères* (ou *tes ancêtres*): euphémisme pour *tu mourras* (comparer Nb 20.24; 1 R 1.21 et les notes) ● *b Le four* et *la torche* symbolisent la présence de Dieu. — Les *morceaux* désignent les animaux partagés (v. 10). ● *c* Comparer 30.1-13. Cette coutume est aussi attestée dans le droit mésopotamien ● *d Shour*: voir Ex 15.22 et la note

15.5 compte les étoiles 22.17; 26.4; Dt 1.10; He 11.12. — ta descendance 12.2+; Rm 4.18. **15.6** la foi d'Abram Rm 4.3+. **15.7** promesse du pays 12.7+. **15.12** une torpeur 2.21+. **15.13** des esclaves Ex 1.11-14; Jdt 5.10-11; Ac 7.6-7. **15.14** ils sortiront Ex 12.40-41; Ac 7.7 — avec de grands biens Ex 3.22+. **15.18** une alliance 6.18+. — promesse du pays 12.7+. **16.1** pas d'enfant 15.2+. — Sara(ï) et Hagar 21.9-21; Ga 4.21-31. **16.9** retourne vers ta maîtresse Phm 8-21; 1 P 2.18-20. **16.10** ta descendance 17.20; 21.13, 18; 25.12-18; cf. 12.2+.

[11] L'ange du SEIGNEUR lui dit :
« Voici que tu es enceinte et tu vas
enfanter un fils,
tu lui donneras le nom d'Ismaël
car le SEIGNEUR a perçu [e] ta détresse.
[12] Véritable âne sauvage, cet homme !
Sa main contre tous, la main de tous
contre lui,
à la face de tous ses frères, il
demeure. »
[13] Hagar invoqua le nom du SEIGNEUR
qui lui avait parlé : « Tu es Dieu qui me
vois. » Elle avait en effet dit : « Est-ce
bien ici que j'ai vu jusqu'à celui qui m'a vue ? »
[14] C'est pourquoi on appela le puits : « Le
puits de Lahaï qui me voit » ; on le trouve
entre Qadesh et Bèred [f].
[15] Hagar enfanta un fils à Abram ; il
appela Ismaël le fils que Hagar lui avait
donné.

Abram devient Abraham

[16] Abram avait quatre-vingt-six ans
quand Hagar lui donna Ismaël.

17 [1] Il avait quatre-vingt-dix-neuf ans
quand le SEIGNEUR lui apparut et
lui dit : « C'est moi le Dieu Puissant [g].
Marche en ma présence et sois intègre.
[2] Je veux te faire don de mon *alliance
entre toi et moi, je te ferai proliférer à
l'extrême. »
[3] Abram tomba sur sa face, Dieu parla
avec lui et dit : [4] « Pour moi, voici mon
alliance avec toi : tu deviendras le père
d'une multitude de nations. [5] On ne t'appellera plus du nom d'Abram, mais ton
nom sera Abraham car je te donnerai de
devenir le père d'une multitude [h] de nations [6] et je te rendrai fécond à l'extrême :
je ferai que tu donnes naissance à des
nations, et des rois sortiront de toi.
[7] J'établirai mon alliance entre moi, toi,
et après toi les générations qui descendront

de toi ; cette alliance perpétuelle fera de
moi ton Dieu et Celui de ta descendance
après toi. [8] Je donnerai en propriété perpétuelle à toi et à ta descendance après
toi le pays de tes migrations [i], tout le
pays de Canaan. Je serai leur Dieu. »

La circoncision, signe de l'alliance

[9] Dieu dit à Abraham : « Toi, tu garderas mon *alliance, et après toi, les
générations qui descendront de toi. [10] Voici mon alliance que vous garderez entre
moi et vous, c'est-à-dire ta descendance
après toi : tous vos mâles seront *circoncis : [11] vous aurez la chair de votre prépuce circoncise, ce qui deviendra le signe
de l'alliance entre moi et vous. [12] Seront
circoncis à l'âge de huit jours tous vos
mâles de chaque génération ainsi que les
esclaves nés dans la maison ou acquis
à prix d'argent d'origine étrangère quelle
qu'elle soit, qui ne sont pas de ta descendance. [13] L'esclave né dans la maison ou
acquis à prix d'argent devra être circoncis. Mon alliance deviendra dans votre
chair une alliance perpétuelle, [14] mais l'incirconcis, le mâle qui n'aura pas été circoncis de la chair de son prépuce, celui-ci
sera retranché d'entre les siens [j]. Il a
rompu mon alliance. »
[15] Dieu dit à Abraham : « Tu n'appelleras plus ta femme Saraï du nom de
Saraï, car elle aura pour nom Sara. [16] Je
la bénirai et même je te donnerai par elle
un fils. Je la bénirai, elle donnera naissance à des nations ; des rois de peuples
sortiront d'elle. » [17] Abraham tomba sur
sa face et il rit ; il se dit en lui-même :
« Un enfant naîtrait-il à un homme de
cent ans ? Ou Sara avec ses quatre-vingt-
dix ans pourrait-elle enfanter ? » [18] Abraham dit à Dieu : « Puisse Ismaël vivre en
ta présence ! » [19] Dieu dit : « Mais non !

---

[e] En hébreu, il y a jeu de mots entre le nom d'Ismaël (signifiant « Dieu entend ») et le verbe
traduit par a perçu (ou a entendu) ● [f] Lahaï qui me voit (en hébreu Lahaï Roï) : c'est probablement
un ancien nom de puits, que l'auteur biblique explique par un jeu de mots sur le verbe hébreu
signifiant voir (v. 13). — Qadesh : localité située à 150 km environ au sud-ouest de Jérusalem ;
Bèred : localité non identifiée, probablement à proximité de Qadesh ● [g] Le sens du mot hébreu
traduit par Puissant est discuté ; la traduction suit ici l'interprétation donnée par les anciennes
versions grecque et latine ● [h] En hébreu, il y a jeu de mots entre le nom d'Abraham et l'expression signifiant père d'une multitude ● [i] le pays de tes migrations ou le pays où tu séjournes ●
[j] retranché d'entre les siens : cette expression semble désigner l'exclusion de la communauté tri-
bale et religieuse. Il en va de même pour les expressions voisines : retranché d'Israël (Ex 12.15),
retranché de sa parenté (Ex 30.33).

16.15 un fils Ga 4.22.　**17.1** le Dieu Puissant 28.3 ; 35.11 ; 43.14 ; 48.3 ; 49.25 ; Ex 6.3 ; Nb 24.4,
16.　**17.2** mon alliance 6.18+.　**17.4-5** père d'une multitude de nations 12.2+ ; Ne 9.7 ; Rm 4.17.
— changement de nom 17.15 ; 32.29 ; 35.18 ; 41.45 ; 2 R 23.34 ; 24.17 ; Dn 1.7.　**17.8** promesse du
pays 12.7+.　**17.10-14** la circoncision 17.23-27 ; 34.14-17 ; Ex 4.24-26 ; 12.48 ; *1 M* 1.60-61 ;
Ac 7.8 ; Rm 4.11 ; cf. 1 S 14.6 ; Jr 4.4 ; 9 25 ; Ph 3.2-3 ; Col 2.11-13.　**17.11** signe de l'alliance
9.12+.　**17.12** à l'âge de huit jours 21.4 ; Lv 12.3 ; Lc 2.21.　**17.13** alliance perpétuelle Ez 37.26 ;
Ps 105.8-10 ; Lc 1.72-73.　**17.18** Ismaël 16.11, 15-16.

Ta femme Sara va t'enfanter un fils et tu lui donneras le nom d'Isaac *k*. J'établirai mon alliance avec lui comme une alliance perpétuelle pour sa descendance après lui. [20] Pour Ismaël, je t'exauce *l*. Vois, je le bénis, je le rends fécond, prolifique à l'extrême ; il engendrera douze princes et je ferai sortir de lui une grande nation. [21] Mais j'établirai mon alliance avec Isaac que Sara te donnera l'année prochaine à cette date. » [22] Quand Dieu eut achevé de parler avec Abraham, il s'éleva loin de lui.

[23] Abraham prit son fils Ismaël, tous les esclaves nés dans sa maison ou acquis à prix d'argent, tous les mâles de sa maisonnée ; il circoncit la chair de leur prépuce le jour même où Dieu avait parlé avec lui. [24] Abraham avait quatre-vingt-dix-neuf ans quand fut circoncise la chair de son prépuce, [25] et Ismaël avait treize ans quand fut circoncise la chair de son prépuce. [26] C'est le même jour qu'Abraham et son fils Ismaël furent circoncis ; [27] toute sa maisonnée, les esclaves nés dans sa maison ou acquis à prix d'argent d'origine étrangère furent circoncis avec lui.

Dieu annonce que Sara aura un fils

18 [1] Le SEIGNEUR apparut à Abraham aux chênes de Mambré *m* alors qu'il était assis à l'entrée de la tente dans la pleine chaleur du jour. [2] Il leva les yeux et aperçut trois hommes *n* debout près de lui. A leur vue il courut de l'entrée de la tente à leur rencontre, se prosterna à terre [3] et dit : « Mon Seigneur, si j'ai pu trouver grâce à tes yeux, veuille ne pas passer loin de ton serviteur *o*. [4] Qu'on apporte un peu d'eau pour vous laver les pieds, et reposez-vous sous cet arbre. [5] Je vais apporter un morceau de pain pour vous réconforter avant que vous alliez plus loin, puisque vous êtes passés près de votre serviteur. » Ils répondirent : « Fais comme tu l'as dit. »

[6] Abraham se hâta vers la tente pour dire à Sara : « Vite ! Pétris trois mesures de fleur de farine et fais des galettes ! » [7] et il courut au troupeau en prendre un veau bien tendre. Il le donna au garçon qui se hâta de l'apprêter. [8] Il prit du caillé, du lait et le veau préparé qu'il plaça devant eux ; il se tenait sous l'arbre, debout près d'eux. Ils mangèrent [9] et lui dirent : « Où est Sara ta femme ? » Il répondit : « Là, dans la tente. » [10] Le SEIGNEUR reprit : « Je dois revenir au temps du renouveau *p* et voici que Sara ta femme aura un fils. » Or Sara écoutait à l'entrée de la tente, derrière lui. [11] Abraham et Sara étaient vieux, avancés en âge, et Sara avait cessé d'avoir ce qu'ont les femmes. [12] Sara se mit à rire *q* en elle-même et dit : « Toute usée comme je suis, pourrais-je encore jouir ? Et mon maître est si vieux ! » [13] Le SEIGNEUR dit à Abraham : « Pourquoi ce rire de Sara ? Et cette question : "Pourrais-je vraiment enfanter, moi qui suis si vieille ?" [14] Y a-t-il une chose trop prodigieuse pour le SEIGNEUR ? A la date où je reviendrai vers toi, au temps du renouveau, Sara aura un fils. » [15] Sara nia *r* en disant : « Je n'ai pas ri », car elle avait peur. « Si ! reprit-il, tu as bel et bien ri. »

Abraham intercède pour Sodome

[16] Les hommes se levèrent de là et portèrent leur regard sur Sodome *s* ; Abraham marchait avec eux pour prendre congé. [17] Le SEIGNEUR dit : « Vais-je cacher à Abraham ce que je fais ?

---

k En hébreu, il y a jeu de mots entre le nom d'*Isaac* et le verbe traduit par *il rit* au v. 17 (comparer 18.12-15) ● *l Pour Ismaël, je t'exauce*: même jeu de mots qu'en 16.11 (le même verbe hébreu peut se traduire par *percevoir, entendre, exaucer*) ● *m* Voir 13.18 et la note ● *n trois hommes*: dans la suite du récit, il est tantôt question des *hommes* (v. 16, 22), tantôt du *Seigneur* (v. 10, 20, 33), tantôt de *deux anges* (19.1). Il s'agit donc du Seigneur accompagné de deux anges, qu'Abraham croit être de simples voyageurs et qu'il reçoit avec la proverbiale hospitalité des nomades ● *o ton serviteur*, c'est-à-dire *moi* ● *p au temps du renouveau*, c'est-à-dire *au printemps*, ou peut-être à *l'automne*, époque des pluies permettant un *renouveau* de la nature; autres traductions *l'an prochain*, ou à *la même époque* (de l'année prochaine) ● *q se mit à rire*: voir 17.19 et la note ● *r nia* ou *mentit* ● *s Sodome*: voir 13.10 et la note

---

17.20 une grande nation 16.10+. **17.21** l'année prochaine 18.14. **18.4-5** hospitalité 19.2-3; 24.31-33; 43.24; Jg 19.20; Rm 12.13; He 13.2; 1 P 4.9. **18.10** Sara aura un fils 15.4; 17.16-21; Rm 9.9. **18.12** mon maître 1 P 3.6. **18.14** une chose trop prodigieuse pour le Seigneur ? Jr 32.17, 27; Jb 42.2; Mt 19.26; Lc 1.36-37; He 11.11-12. **18.16-33** intercession d'Abraham Ex 32.11-14; Nb 11.2; 1 S 7.8-10; 12.19-25; Jr 15.1; Am 7.1-6; Ps 106.23; *2 M* 15.12-14; Jn 17.20; Jc 5.16. **18.16** Sodome (et Gomorrhe) 10.19; 13.10; 14.1; 19.1-29; Dt 29.22; Es 13.19; Ez 16.46, 53-58; Lm 4.6; Mt 10.15 par.; 11.23-24; Jude 7; Ap 11.8. **18.17** vais-je cacher... Am 3.7; Jn 15.15.

¹⁸ Abraham doit devenir une nation grande et puissante en qui seront bénies toutes les nations de la terre, ¹⁹ car j'ai voulu le connaître *t* afin qu'il prescrive à ses fils et à sa maison après lui d'observer la voie du SEIGNEUR en pratiquant la justice et le droit ; ainsi le SEIGNEUR réalisera pour Abraham ce qu'il a prédit de lui. »

²⁰ Le SEIGNEUR dit : « La plainte contre Sodome et Gomorrhe est si forte, leur péché est si lourd ²¹ que je dois descendre pour voir s'ils ont agi en tout comme la plainte en est venue jusqu'à moi. Oui ou non, je le saurai. »

²² Les hommes se dirigèrent de là vers Sodome. Abraham se tenait encore devant le SEIGNEUR, ²³ il s'approcha et dit : « Vas-tu vraiment supprimer le juste *u* avec le coupable ? ²⁴ Peut-être y a-t-il cinquante justes dans la ville ! Vas-tu vraiment supprimer cette cité ? Ou lui pardonner à cause des cinquante justes qui s'y trouvent ? ²⁵ Loin de toi une telle conduite ! Faire mourir le juste avec le coupable ? Il en serait du juste comme du coupable ? Loin de toi ! Le juge de toute la terre n'appliquerait-il pas le droit ? » ²⁶ Le SEIGNEUR dit : « Si je trouve à Sodome cinquante justes au sein de la ville, à cause d'eux je pardonnerai à toute la cité. »

²⁷ Abraham reprit et dit : « Je vais me décider à parler à mon Seigneur, moi qui ne suis que poussière et cendre. ²⁸ Peut-être à cinquante justes en manquera-t-il cinq ! Pour cinq, détruiras-tu toute la ville ? » Il dit : « Je ne la détruirai pas si j'y trouve quarante-cinq justes. »

²⁹ Abraham reprit encore la parole et lui dit : « Peut-être là s'en trouvera-t-il quarante ! » Il dit : « Je ne le ferai pas à cause de ces quarante. »

³⁰ Il reprit : « Que mon Seigneur ne s'irrite pas si je parle ; peut-être là s'en trouvera-t-il trente ! » Il dit : « Je ne le ferai pas si j'y trouve ces trente. »

³¹ Il reprit : « Je vais me décider à parler à mon Seigneur : peut-être là s'en trouvera-t-il vingt ! » Il dit : « Je ne détruirai pas à cause de ces vingt. »

³² Il reprit : « Que mon Seigneur ne s'irrite pas si je parle une dernière fois : peut-être là s'en trouvera-t-il dix ! » — « Je ne détruirai pas à cause de ces dix. »

³³ Le SEIGNEUR partit lorsqu'il eut achevé de parler à Abraham et Abraham retourna chez lui.

Loth échappe à la destruction de Sodome

19 ¹ Les deux *anges arrivèrent le soir à Sodome alors que Loth était assis à la porte de Sodome *v*. Il les vit, se leva pour aller à leur rencontre et se prosterna face contre terre. ² Il dit : « De grâce, mes seigneurs, faites un détour par la maison de votre serviteur *w*, passez-y la nuit, lavez-vous les pieds et de bon matin vous irez votre chemin. » Mais ils lui répondirent : « Non ! Nous passerons la nuit sur la place. » ³ Il les pressa tant qu'ils firent un détour chez lui et arrivèrent à sa maison. Il leur prépara un repas, fit cuire des pains sans *levain et ils mangèrent.

⁴ Ils n'étaient pas encore couchés que la maison fut cernée par les gens de la ville, les gens de Sodome, du plus jeune au plus vieux, le peuple entier sans exception. ⁵ Ils appelèrent Loth et lui dirent : « Où sont les hommes qui sont venus chez toi cette nuit ? Fais-les sortir vers nous pour que nous les connaissions *x*. » ⁶ Loth sortit vers eux sur le pas de sa porte, il la ferma derrière lui ⁷ et dit : « De grâce, mes frères, ne faites pas de malheur. ⁸ J'ai à votre disposition deux filles qui n'ont pas connu d'homme, je puis les faire sortir vers vous et vous en ferez ce que bon vous semblera. Mais ne faites rien à ces hommes puisqu'ils sont venus à l'ombre de mon toit *y*. » ⁹ Ils répondirent : « Tire-toi de là ! » et ils dirent : « Cet individu est venu en émigré et il fait le redresseur de torts ! Nous allons lui faire plus de mal qu'à eux. » Ils poussèrent Loth avec violence et s'approchèrent pour enfoncer la porte. ¹⁰ Mais les deux hommes tendirent la main pour faire rentrer Loth à la maison, près d'eux. Ils fermèrent la porte, ¹¹ et frappèrent de cécité les gens qui

t j'ai voulu le connaître: autres traductions *je l'ai distingué* ou *je l'ai choisi* ● *u le juste*: » voir 15.6 et la note ● *v Les deux anges*: voir 18.2 et la note. — *Loth à la porte de Sodome*: voir 13.12-13 ● *w la maison de votre serviteur*, c'est-à-dire *ma maison* ● *x pour que nous les connaissions*: tournure hébraïque signifiant *pour que nous ayons des relations sexuelles avec eux* ● *y La loi sacrée de l'hospitalité l'emportait pour Loth sur toute autre considération*

18.18 toutes les nations seront bénies 12.3+. **18.19** justice et droit 2 S 8.15; Es 9.6; Jr 22.3, 15; Ps 89.15; Pr 16.12. **18.25** le juge de toute la terre 1 S 2.10; Es 2.4; Ps 94.2. **18.32** seulement dix Jr 5.1; Ez 22.30; Mi 7.2; Ps 14.2; Lc 18.8. **19.1** Sodome 18.16+. **19.2-3** hospitalité 18.4-5+. **19.4** la maison cernée Jg 19.22. **19.5** que nous les connaissions Lv 18.22+. **19.8** deux filles Jg 19.24-25. **19.11** cécité 2 R 6.18; Sg 19.17; Ac 13.11.

étaient devant l'entrée de la maison, depuis le plus petit jusqu'au plus grand ; ils ne purent trouver l'entrée.

¹² Les deux hommes dirent à Loth : « Qui as-tu encore ici ? Un gendre ? Tes fils ? Tes filles ? Tout ce que tu as dans la ville, fais-le sortir de cette cité. ¹³ Nous allons en effet la détruire car elle est grande devant le SEIGNEUR, la plainte qu'elle provoque. Il nous a envoyés pour la détruire. » ¹⁴ Loth sortit pour parler à ses gendres, ceux qui allaient épouser ses filles, et il leur dit : « Debout ! Sortez de cette cité car le SEIGNEUR va détruire la ville. » Mais aux yeux de ses gendres, il parut plaisanter.

¹⁵ Lorsque pointa l'aurore, les anges insistèrent auprès de Loth en disant : « Debout ! Prends ta femme et tes deux filles qui se trouvent ici de peur que tu ne périsses par la faute de cette ville. » ¹⁶ Comme il s'attardait, les deux hommes le tirèrent par la main, lui, sa femme et ses deux filles car le SEIGNEUR avait pitié de lui ; ils le firent sortir pour le mettre hors de la ville. ¹⁷ Comme ils le menaient dehors, ils dirent à Loth : « Sauve-toi, il y va de ta vie. Ne regarde pas derrière toi, ne t'arrête nulle part dans le District *ᶻ* ! Fuis vers la montagne de peur de périr. » ¹⁸ Loth leur dit : « A Dieu ne plaise ! *ᵃ* ¹⁹ Voici, ton serviteur a trouvé grâce à tes yeux et tu as usé envers moi d'une grande amitié en me conservant la vie. Mais moi, je ne pourrai pas fuir à la montagne sans être atteint par le fléau et mourir. ²⁰ Voici cette ville, assez proche pour y fuir, et insignifiante. Je voudrais m'y réfugier. N'est-ce pas demander peu de chose pour rester en vie ? » ²¹ Il lui répondit : « Vois ! je te fais encore cette faveur et je ne bouleverserai pas la ville dont tu me parles. ²² Réfugie-toi là-bas au plus vite, car je ne peux rien faire jusqu'à ce que tu y sois arrivé. » C'est pourquoi on appelle cette ville Çoar *ᵇ*.

²³ Le soleil se levait sur la terre et Loth entrait à Çoar ²⁴ quand le SEIGNEUR fit pleuvoir sur Sodome et Gomorrhe du soufre et du feu. Cela venait du ciel et du SEIGNEUR. ²⁵ Il bouleversa ces villes, tout le District, tous les habitants des villes et la végétation du sol. ²⁶ La femme de Loth regarda en arrière et elle devint une colonne de sel *ᶜ*. ²⁷ Abraham se rendit de bon matin au lieu où il s'était tenu devant le SEIGNEUR, ²⁸ il porta son regard sur Sodome, Gomorrhe et tout le territoire du District ; il regarda et vit qu'une fumée montait de la terre comme la fumée d'une fournaise.

²⁹ Or, quand Dieu détruisit les villes du District, il se souvint d'Abraham, et il retira Loth au cœur du fléau quand il bouleversa les villes où Loth habitait.

Loth et ses filles

³⁰ Loth monta de Çoar pour loger à la montagne et ses deux filles l'accompagnaient. Il craignait en effet d'habiter Çoar et il logea dans une caverne, lui et ses deux filles. ³¹ L'aînée dit à la cadette : « Notre père est vieux et il n'y a pas d'homme dans le pays pour venir à nous suivant la coutume de tout le pays. ³² Allons ! Faisons boire du vin à notre père et nous coucherons avec lui pour donner vie à une descendance issue de notre père. » ³³ Elles firent boire du vin à leur père cette nuit-là, et l'aînée vint coucher avec son père qui n'eut conscience ni de son coucher ni de son lever.

³⁴ Or, le lendemain, l'aînée dit à la cadette : « Vois ! J'ai couché la nuit dernière avec mon père. Faisons-lui boire du vin cette nuit encore, et tu iras coucher avec lui. Nous aurons donné vie à une descendance issue de lui. » ³⁵ Cette nuit encore, elles firent boire du vin à leur père. La cadette alla coucher avec lui ; il n'eut conscience ni de son coucher ni de son lever.

³⁶ Les deux filles de Loth devinrent enceintes de leur père. ³⁷ L'aînée donna naissance à un fils qu'elle appela Moab ; c'est le père des Moabites *ᵈ* d'aujourd'hui. ³⁸ La cadette, elle aussi, donna naissance à un fils qu'elle appela Ben-Ammi ; c'est le père des fils d'Ammon *ᵉ* d'aujourd'hui.

---

z *le District :* voir 13.12 et la note ● a *A Dieu ne plaise !:* autre traduction *Oh ! non, Seigneur !* ● b *Çoar :* voir 13.10 et la note. — En hébreu, il y a jeu de mots entre le nom de Çoar et l'adjectif traduit par *insignifiante* au v. 20 ● c *une colonne de sel :* au sud de la mer Morte, certaines formations géologiques font penser à des statues ● d *le père* ou *l'ancêtre.* — Les *Moabites* occupaient la région située à l'est de la mer Morte ● e *Les fils d'Ammon* ou *Ammonites* occupaient une région située à l'est du Jourdain, sur le plateau transjordanien

---

19.13 nous allons la détruire 2 P 2.6-8; Jude 7. **19.17** fuis vers la montagne Mt 24.16. **19.24** soufre et feu Dt 29.22; Ez 38.22; Ps 11.6; Lc 17.29; Ap 14.10; 19.20; 20.10; 21.8. **19.26** la femme de Loth Sg 10.7; Lc 17.32. **19.33** coucher avec son père Lv 18.6-7.

Abraham et Abimélek

20 ¹ De là Abraham partit pour la région du Néguev, il habita entre Qadesh et Shour puis vint séjourner à Guérar ᶠ. ² Abraham dit de sa femme Sara : « C'est ma sœur », et Abimélek, roi de Guérar, la fit enlever. ³ Mais Dieu vint trouver Abimélek en songe pendant la nuit et lui dit : « Tu vas mourir à cause de la femme que tu as enlevée, car elle appartient à son mari. » ⁴ Abimélek, qui ne s'était pas encore approché d'elle, s'écria : « Mon Seigneur ! Ferais-tu périr une nation, même si elle est juste ? ⁵ N'est-ce pas lui qui m'a dit : "C'est ma sœur" ? Elle disait elle-même : "C'est mon frère". J'ai agi avec un cœur intègre et des mains innocentes. » ⁶ Dieu lui répondit en songe : « Moi aussi, je sais que tu as agi avec un cœur intègre, et c'est encore moi qui t'ai retenu de pécher contre moi ; c'est pourquoi je ne t'ai pas laissé la toucher. ⁷ Rends maintenant à cet homme sa femme, car c'est un *prophète ᵍ qui intercédera en ta faveur pour que tu vives. Si tu ne la rends pas, sache qu'il te faudra mourir, toi et tous les tiens. »

⁸ Abimélek se leva de bon matin, convoqua tous ses serviteurs et les mit au courant de toute cette affaire ; ces gens eurent grand-peur. ⁹ Puis Abimélek convoqua Abraham et lui dit : « Que nous as-tu fait ! En quoi ai-je péché contre toi pour que tu nous aies exposés, moi et mon royaume, à un si grave péché ? Tu as agi avec moi comme on n'agit pas. » ¹⁰ Abimélek reprit : « Qu'avais-tu en vue en faisant cela ? » ¹¹ Abraham répondit : « Je m'étais dit : "Il n'y a pas la moindre crainte de Dieu dans ce lieu, ils me tueront à cause de ma femme." ¹² D'ailleurs elle est vraiment ma sœur, fille de mon père sans être fille de ma mère, et elle est devenue ma femme. ¹³ Lorsque la divinité ʰ me fit errer loin de la maison de mon père, je dis à Sara : "Fais-moi l'amitié de dire partout où nous irons : C'est mon frère". » ¹⁴ Abimélek prit du petit et du gros bétail, des serviteurs et des servantes ; il les donna à Abraham, lui rendit sa femme Sara ¹⁵ et dit : « Voici devant toi mon pays, habite où bon te semble. » ¹⁶ Puis il dit à Sara : « Voici que je donne mille sicles ⁱ d'argent à ton frère ; ce sera pour toi comme un voile aux yeux de tous tes compagnons et, vis-à-vis de tous, tu seras réhabilitée. »

¹⁷ Abraham intercéda auprès de Dieu, et Dieu guérit Abimélek, sa femme et ses servantes, qui eurent des enfants. ¹⁸ En effet, Dieu avait rendu stériles toutes les femmes de la maison d'Abimélek à cause de Sara, la femme d'Abraham.

Naissance d'Isaac

21 ¹ Le Seigneur intervint en faveur de Sara comme il l'avait dit, il agit envers elle selon sa parole. ² Elle devint enceinte et donna un fils à Abraham en sa vieillesse à la date que Dieu lui avait dite ʲ. ³ Abraham appela Isaac le fils qui lui était né, celui que Sara lui avait enfanté. ⁴ Il *circoncit son fils Isaac à l'âge de huit jours comme Dieu le lui avait prescrit. ⁵ Abraham avait cent ans quand lui naquit son fils Isaac.

⁶ Sara s'écria :

« Dieu m'a donné sujet de rire !
Quiconque l'apprendra rira ᵏ à mon sujet. »

⁷ Elle reprit : « Qui aurait dit à Abraham que Sara allaiterait des fils ? Et j'ai donné un fils à sa vieillesse ! »

Hagar et Ismaël sont chassés

⁸ L'enfant grandit et fut sevré. Abraham fit un grand festin le jour où Isaac fut sevré. ⁹ Sara vit s'amuser le fils que Hagar l'Egyptienne avait donné à Abraham. ¹⁰ Elle dit à ce dernier : « Chasse la servante et son fils, car le fils de cette servante ne doit pas hériter avec mon fils Isaac. » ¹¹ Cette parole fâcha beaucoup Abraham parce que c'était son fils. ¹² Mais Dieu lui dit : « Ne te fâche pas à propos du garçon et de la servante. Ecoute tout ce que te dit Sara, car c'est par Isaac qu'une descendance portera ton nom. ¹³ Mais du fils de la servante, je

---

ᶠ *Néguev*: voir 12.9 et la note; *Qadesh*: voir 16.14 et la note; *Shour*: voir Ex 15.22 et la note; *Guérar*: localité située à 80 km environ au sud-ouest de Jérusalem ● g Ici c'est Abraham lui-même qui est appelé *prophète* ● ʰ *la divinité*: autre traduction *Dieu* ● ⁱ *sicles*: voir au glossaire POIDS ET MESURES ● ʲ Voir 18.10 et la note; 18.14 ● ᵏ Voir 17.19 et la note

20.1-18 séjour à Guérar 12.10-20+. **20.3** en songe 31.24; 46.2; 1 R 3.5; Mt 1.20; 2.13, 19; 27.19. **20.6** je t'ai retenu 31.7; 1 S 25.26; Ps 105,14; Jude 24. **20.11** la crainte de Dieu 42.18; Ps 111.10; Jb 28.28; Pr 1.7; Si 1.14-16. **20.12** fille de mon père Lv 18.9+. **20.17** Abraham intercéda 18.16-33+. **21.2** Sara devint enceinte He 11.11. **21.4** à l'âge de huit jours 17.12+. **21.9-21** Sara et Hagar 16.1+. **21.10** chasse ... son fils Jn 8.33-35; Ga 4.30. **21.12** c'est par Isaac... Rm 9.7; He 11.18. **21.13** aussi une nation 16.10+.

ferai aussi une nation, car il est de ta descendance. » ¹⁴ Abraham se leva de bon matin, prit du pain et une outre d'eau qu'il donna à Hagar. Il mit l'enfant sur son épaule et la renvoya. Elle s'en alla errer dans le désert de Béer-Shéva *l*. ¹⁵ Quand l'eau de l'outre fut épuisée, elle jeta l'enfant sous l'un des arbustes. ¹⁶ Puis elle alla s'asseoir à l'écart, à la distance d'une portée d'arc. Elle disait en effet : « Que je n'assiste pas à la mort de l'enfant ! » Assise à l'écart, elle éleva la voix et pleura. ¹⁷ Dieu entendit la voix du garçon et, du ciel, l'*ange de Dieu appela Hagar. Il lui dit : « Qu'as-tu, Hagar ? Ne crains pas, car Dieu a entendu la voix du garçon, là où il est. ¹⁸ Lève-toi ! Relève l'enfant et tiens-le par la main, car de lui je ferai une grande nation. » ¹⁹ Dieu lui ouvrit les yeux et elle aperçut un puits avec de l'eau. Elle alla remplir l'outre et elle fit boire le garçon. ²⁰ Dieu fut avec le garçon qui grandit et habita au désert. C'était un tireur d'arc ; ²¹ il habita dans le désert de Parân *m*, et sa mère lui fit épouser une femme du pays d'Egypte.

Abraham fait alliance avec Abimélek

²² Or, en ce temps-là, Abimélek *n* avec Pikol, le chef de son armée, dit à Abraham : « Dieu est avec toi en tout ce que tu fais. ²³ Jure-moi par Dieu, ici et maintenant, de ne trahir ni moi, ni ma lignée, ni ma postérité : tu agiras envers moi et le pays où tu séjournes avec la même amitié dont j'ai usé envers toi. » ²⁴ Abraham répondit : « Je le jure. » ²⁵ Abraham porta plainte devant Abimélek au sujet du puits que les serviteurs de ce dernier avaient accaparé. ²⁶ Abimélek s'écria : « Je ne sais qui a fait cette chose ; tu ne m'en avais pas même informé et moi-même je n'en ai entendu parler qu'aujourd'hui. » ²⁷ Abraham prit du petit et du gros

bétail qu'il donna à Abimélek et tous deux conclurent une alliance.

²⁸ Abraham mit à part sept agnelles du troupeau. ²⁹ Abimélek dit à Abraham : « Que font ici les sept agnelles que tu as mises à part ? » ³⁰ Il répondit : « Pour que tu reçoives de ma main sept agnelles. Elles me serviront de témoignage que j'ai creusé ce puits. » ³¹ C'est pourquoi on appela ce lieu Béer-Shéva *o* car c'est là que tous deux avaient prêté serment.

³² Ils conclurent une alliance à Béer-Shéva. Abimélek se leva et, avec Pikol le chef de son armée, il retourna au pays des Philistins *p*.

³³ Il planta un tamaris à Béer-Shéva où il fit une invocation au nom du SEIGNEUR *q*, le Dieu éternel. ³⁴ Abraham résida longtemps au pays des Philistins.

Abraham est prêt à sacrifier Isaac

22 ¹ Or, après ces événements, Dieu mit Abraham à l'épreuve et lui dit : « Abraham » ; il répondit : « Me voici ». ² Il reprit : « Prends ton fils, ton unique, Isaac, que tu aimes. Pars pour le pays de Moriyya et là, tu l'offriras en holocauste sur celle des montagnes que je t'indiquerai *r*. » ³ Abraham se leva de bon matin, sangla son âne, prit avec lui deux de ses jeunes gens et son fils Isaac. Il fendit les bûches pour l'holocauste. Il partit pour le lieu que Dieu lui avait indiqué. ⁴ Le troisième jour, il leva les yeux et vit de loin ce lieu. ⁵ Abraham dit aux jeunes gens : « Demeurez ici, vous, avec l'âne ; moi et le jeune homme, nous irons là-bas pour nous prosterner ; puis nous reviendrons vers vous. »

⁶ Abraham prit les bûches pour l'holocauste et en chargea son fils Isaac ; il prit

---

l du pain... la renvoya: autre traduction *du pain et une outre d'eau qu'il confia à Hagar, en les lui mettant sur l'épaule. Il lui confia aussi l'enfant et la renvoya*. — *Béer-Shéva*: une des localités les plus méridionales de la Palestine, située à 70 km environ au sud-ouest de Jérusalem ● *m désert de Parân*: désert de la péninsule du Sinaï, au sud de Qadesh (voir 16.14 et la note) ● *n* Sur *Abimélek*, voir le chap. 20 ● *o* Sur cette localité, voir le v. 14 et la note. — En hébreu, il y a un double jeu de mots dans le v. 28-31, car le nom de *Béer-Shéva* peut se traduire par *Puits-des-Sept* ou par *Puits-du-Serment* ● *p pays des Philistins*, c'est-à-dire le pays où les Philistins devaient s'établir plus tard: voir 26.1 et la note ● *q il fit une invocation...*: autre traduction *il invoqua le nom du Seigneur* ● *r* On ignore où se trouvait exactement *le pays de Moriyya*: l'ancienne version syriaque parle du *pays des *Amorites*, tandis qu'une vieille tradition juive déjà représentée en 2 Ch 3.1 l'identifie à la région de Jérusalem, la montagne indiquée étant la colline de *Sion. — *holocauste*: voir au glossaire SACRIFICES

21.19 un puits 16.7, 13-14. **21.22** Abimélek et Pikol 26.26. **21.23** avec la même amitié 20.14-16. **21.25** affaires de puits 26.15-25. **21.27** une alliance 26.28; 31.44-45. **21.31** Béer-Shéva 22.19; 26.23, 33; 1 S 8.2; Am 5.5; 8.14. **21.33** le Dieu éternel Es 40.28; Jr 10.10. **22.1-18** Sacrifice d'Isaac He 11.17-19; Jc 2.21-23. **22.1** à l'épreuve *1* M 2.52; Sg 10.5; Si 44.20. **22.2** offre ton fils en sacrifice Lv 18.21; 2 R 16.3; Mi 6,7; cf. Mt 10.37.

en main la pierre à feu [8] et le couteau, et tous deux s'en allèrent ensemble. [7] Isaac parla à son père Abraham : « Mon père » dit-il, et Abraham répondit : « Me voici, mon fils. » Il reprit : « Voici le feu et les bûches ; où est l'agneau pour l'holocauste ? » [8] Abraham répondit : « Dieu saura voir l'agneau [t] pour l'holocauste, mon fils. » Tous deux continuèrent à aller ensemble.

[9] Lorsqu'ils furent arrivés au lieu que Dieu lui avait indiqué, Abraham y éleva un *autel et disposa les bûches. Il lia son fils Isaac et le mit sur l'autel au-dessus des bûches. [10] Abraham tendit la main pour prendre le couteau et immoler son fils. [11] Alors l'*ange du SEIGNEUR l'appela du ciel et cria : « Abraham ! Abraham ! » Il répondit : « Me voici ». [12] Il reprit : « N'étends pas la main sur le jeune homme. Ne lui fais rien, car maintenant je sais que tu crains Dieu, toi qui n'as pas épargné ton fils unique pour moi. » [13] Abraham leva les yeux, il regarda, et voici qu'un bélier était pris par les cornes dans un fourré. Il alla le prendre pour l'offrir en holocauste à la place de son fils. [14] Abraham nomma ce lieu « le SEIGNEUR voit » ; aussi dit-on aujourd'hui : « C'est sur la montagne que le SEIGNEUR est vu [u]. »

[15] L'ange du SEIGNEUR appela Abraham du ciel une seconde fois [16] et dit : « Je le jure par moi-même, oracle du SEIGNEUR. Parce que tu as fait cela et n'as pas épargné ton fils unique, [17] je m'engage à te bénir, et à faire proliférer ta descendance autant que les étoiles du ciel et le sable au bord de la mer. Ta descendance occupera la Porte de ses ennemis [v] ; [18] c'est en elle que se béniront toutes les nations de la terre parce que tu as écouté ma voix. »

[19] Abraham revint vers les jeunes gens ; ils se levèrent et partirent ensemble pour Béer-Shéva [w]. Abraham habita à Béer-Shéva.

Les descendants de Nahor

[20] Or, après ces événements, on annonça à Abraham : « Voilà que Milka, elle aussi, a donné des fils à ton frère Nahor : [21] Ouç son premier-né, Bouz son frère, Qemouël père d'Aram, [22] Kèsed, Hazo, Pildash, Yidlaf et Betouël. » [23] Betouël engendra Rébecca. Ce sont les huit que Milka donna à Nahor, le frère d'Abraham. [24] Sa concubine, nommée Réouma, eut aussi des enfants : Tèvah, Gaham, Tahash et Maaka [x].

Mort de Sara.
Abraham achète un tombeau

23 [1] La vie de Sara dura cent vingt-sept ans. [2] Sara mourut dans le pays de Canaan, à Qiryath-Arba, c'est-à-dire Hébron [y]. Abraham vint célébrer les funérailles de Sara et la pleurer. [3] Puis il se releva et s'éloigna de la morte pour parler aux fils de Heth. [4] « Je vis avec vous, dit-il, comme un émigré et un hôte. Cédez-moi une propriété funéraire parmi vous pour que j'enterre la morte qui m'a quitté. » [5] Les fils de Heth répondirent à Abraham en ces termes : [6] « Ecoute-nous, mon seigneur. Dieu a fait de toi un chef au milieu de nous, enterre ta morte dans le meilleur de nos tombeaux. Aucun de nous ne t'interdira son tombeau pour la sépulture de ta morte. » [7] Abraham se leva pour se prosterner devant le peuple du pays, les fils de Heth. [8] Il leur parla en ces termes : « Si réellement la morte qui m'a quitté doit être avec vous dans un tombeau, écoutez-moi et intercédez pour moi auprès d'Ephrôn fils de Çohar [9] pour qu'il me cède la caverne de Makpéla qui lui appartient à l'extrémité de son champ. Qu'il me la cède pour sa pleine valeur à titre de propriété funéraire parmi vous. » [10] Ephrôn était assis parmi les fils de Heth ; Ephrôn le Hittite répondit à Abraham au su des fils de

---

s il prit... : autre traduction il emporta le feu (c'est-à-dire des braises contenues dans un récipient) ● t Dieu saura voir l'agneau : autre traduction Dieu se pourvoira lui-même de l'agneau. Voir v. 14 et la note ● u le Seigneur voit... C'est sur la montagne que le Seigneur est vu : autre traduction le Seigneur pourvoira... Sur la montagne du Seigneur il sera pourvu (voir v. 8) ● v la Porte de ses ennemis, c'est-à-dire l'autorité gouvernementale chez ses ennemis. On pourrait aussi traduire tes descendants occuperont les portes (des villes, donc les villes elles-mêmes) de leurs ennemis ● w Béer-Shéva : voir 21.14 et la note ● x L'intérêt principal des v. 20-24 semble résider dans la mention de Rébecca (v. 23), qui jouera un rôle important à partir du chap. 24 ● y Hébron : voir 13.18 et la note.

22.12 tu n'as pas épargné ton fils unique Jn 3.16 ; Rm 8.32 ; 1 Jn 4.9-10. **22.13** un bélier (pour le sacrifice) 1 Co 10.13. **22.16** je le jure par moi-même He 6.13. **22.17** ta descendance 12.2+. — comme les étoiles 15.5+. — comme le sable 32.13 ; 41.49 ; Jg 7.12 ; 1 S 13.5 ; 2 S 17.11 ; 1 R 4.20 ; Es 10.22 ; Jr 15.8 ; Os 2.1 ; Ps 78.27 ; Jb 6.3 ; He 11.12. **22.18** les nations se béniront 12.3+. **22.21** Ouç Jb 1.1. **23.4** un émigré He 11.9, 13. — une propriété funéraire Ac 7.16. **23.10** à la porte Dt 21.19 ; 22.15 ; 25.7 ; Jr 17.19 ; Ps 9.15.

Heth, à savoir de tous ceux qui venaient à la porte de sa ville *z*, et il dit : [11] « Non, mon seigneur, écoute-moi : le champ, je te le donne ! La caverne qui s'y trouve, je te la donne ! Au su des fils de mon peuple je te la donne, enterre ta morte. » [12] Abraham se prosterna devant le peuple du pays [13] et dit à Ephrôn au su du peuple du pays : « O toi, si seulement tu voulais m'écouter ! Je te donnerais le prix du champ ! Reçois-le de moi, et c'est là que j'enterrerai la morte. » [14] Ephrôn répondit à Abraham et lui dit : [15] « Mon seigneur, écoute-moi. Une terre de quatre cents sicles *a* d'argent, qu'est-ce entre toi et moi ? Ta morte, enterre-la ! » [16] Abraham s'entendit avec Ephrôn. Il lui pesa le prix que les fils de Heth l'avaient entendu déclarer, quatre cents sicles d'argent, au taux du marché.

[17] Le champ d'Ephrôn à Makpéla devant Mambré *b*,

le champ et la caverne incluse,

y compris tous les arbres dans le champ,

dans tout son périmètre,

on en garantit [18] l'acquisition à Abraham, au vu des fils de Heth, de tous ceux qui venaient à la porte de sa ville.

[19] Après quoi, Abraham enterra sa femme Sara dans la caverne du champ de Makpéla devant Mambré ; c'est Hébron au pays de Canaan. [20] Les fils de Heth garantirent à Abraham la propriété funéraire du champ et de la caverne qui s'y trouvait.

Le mariage d'Isaac et de Rébecca

24 [1] Abraham était vieux, avancé en âge, et le SEIGNEUR l'avait béni en tout. [2] Abraham dit au plus ancien serviteur de sa maison, qui régissait tous ses biens : « Mets ta main sous ma cuisse *c* [3] et jure-moi par le SEIGNEUR, Dieu du ciel et Dieu de la terre, que tu ne feras pas épouser à mon fils une fille des Cananéens *d* parmi lesquels j'habite. [4] Mais tu

iras dans mon pays et dans ma famille prendre une femme pour mon fils Isaac. » [5] Le serviteur lui répondit : « Peut-être cette femme ne consentira-t-elle pas à me suivre dans ce pays-ci ; devrai-je ramener ton fils au pays d'où tu es sorti ? » [6] Abraham lui dit : « Garde-toi d'y ramener mon fils. [7] Le SEIGNEUR, Dieu du ciel, m'a pris de la maison de mon père et du pays de ma famille, il m'a parlé et m'a fait ce serment : "Je donnerai ce pays à ta descendance" ; et c'est lui qui enverra son *ange devant toi ; là-bas, tu prendras une femme pour mon fils. [8] Si la femme ne consent pas à te suivre, tu seras quitte de ce que tu m'as juré, mais ne ramène pas mon fils là-bas. » [9] Le serviteur mit la main sous la cuisse de son maître Abraham et lui prêta serment pour cette affaire.

[10] Le serviteur prit dix des chameaux de son maître et il partit. Ayant en mains tout ce que son maître avait de meilleur, il se leva pour aller dans l'Aram-des-deux-fleuves à la ville de Nahor *e*. [11] Il fit s'accroupir les chameaux à l'extérieur de la ville près du puits, à l'heure du soir, l'heure où les femmes sortent pour puiser. [12] Il dit : « SEIGNEUR, Dieu de mon maître Abraham, permets que je fasse aujourd'hui une heureuse rencontre et montre ton amitié envers mon maître Abraham. [13] Me voici debout près de la source et les filles des gens de la ville sortent pour puiser l'eau. [14] Eh bien ! La jeune fille à qui je dirai : "Penche ta cruche que je boive" et qui répondra : "Bois, et j'abreuverai aussi tes chameaux", c'est elle que tu auras destinée à ton serviteur Isaac ; par là je saurai que tu as montré de l'amitié envers mon maître. »

[15] Or, il n'avait pas fini de parler que Rébecca *f* — elle était la fille de Betouël fils de Milka, elle-même femme de Nahor, le frère d'Abraham — sortit avec une cruche sur l'épaule. [16] La jeune fille était très charmante à voir ; elle était vierge et nul homme ne l'avait connue *g*. Elle

---

z *Hittite*: voir au glossaire AMORITES. — *à la porte de sa ville*: la place située près de *la porte de la ville* était un lieu de réunion publique, où l'on traitait les affaires et rendait la justice ● *a sicles*: voir au glossaire POIDS ET MESURES ● *b Mambré*: voir 13.18 et la note ● *c mets ta main sous ma cuisse*: geste pouvant accompagner un serment solennel; comparer 47.29 ● *d Cananéens*: voir au glossaire AMORITES ● *e Aram-des-deux-fleuves*: désignation fréquenté de la région de Haute-Mésopotamie, entre le Tigre et l'Euphrate. On l'appelle aussi *plaine d'Aram* (25.20; 28.2). — *Nahor*: il peut s'agir ici soit d'un nom de ville (mentionné dans des documents assyriens), soit du nom du frère d'Abraham (v. 15; 11.27; 22.20). Dans ce dernier cas, la *ville de Nahor* serait *Harrân* (voir 11.31 et la note) ● *f* Voir 22.43 ● *g connue*: voir 4.1 et la note

23.13 payer le prix 2 S 24.24. **23.16** peser le prix Jr 32.9. **24.3** ne pas épouser une Cananéenne 26.34-35; 27.46; 28.6-9; 36.2-3; Ex 34.16; Dt 7.1-4; Esd 10; Ne 13.23-30; **24.4** dans mon pays et dans ma famille 28.2. **24.7** Dieu du ciel Dn 2.18, 28; Ne 1.4-5. — promesse du pays 12.7+. **24.11** près du puits 29.2; Ex 2.15; Jn 4.6. **24.15** pa fini de parler Es 65.24; Ps 139.4.

descendit vers la source, remplit sa cruche et remonta. ¹⁷ Le serviteur courut à sa rencontre et dit : « De grâce, donne-moi à boire une gorgée d'eau de ta cruche. » — ¹⁸ « Bois, mon seigneur », répondit-elle et, de la main, elle abaissa la cruche au plus vite pour le désaltérer. ¹⁹ Quand elle eut fini de le faire boire, elle dit : « Pour tes chameaux aussi, j'irai puiser jusqu'à ce qu'ils aient bu à leur soif. » ²⁰ Elle s'empressa de vider la cruche dans l'abreuvoir et courut de nouveau chercher de l'eau au puits ; elle puisa pour tous les chameaux. ²¹ Cet homme la suivait des yeux, silencieux, pour savoir si oui ou non le SEIGNEUR avait fait réussir son voyage.

²² Dès que les chameaux eurent fini de boire, l'homme prit un anneau d'or pesant un demi-sicle ʰ et deux bracelets d'or pesant dix sicles pour ses poignets ²³ et lui dit : « De qui es-tu la fille ? De grâce, fais-moi savoir si la maison de ton père serait pour nous un lieu d'hébergement. » ²⁴ Elle lui répondit : « Je suis fille de Betouël, le fils que Milka donna à Nahor. » ²⁵ Puis elle lui dit : « La paille autant que le fourrage abondent chez nous, et même la place pour loger. » ²⁶ L'homme s'agenouilla et se prosterna devant le SEIGNEUR ²⁷ en disant : « Béni soit le SEIGNEUR, Dieu de mon maître Abraham, dont l'amitié et la fidélité n'ont pas quitté mon maître tandis que je voyageais, conduit par le SEIGNEUR à la maison des frères de mon maître. »

²⁸ La jeune fille court annoncer à la maison de sa mère ce qui venait d'arriver. ²⁹ Rébecca avait un frère du nom de Laban. Il courut vers l'homme, dehors, à la source. ³⁰ Dès qu'il eut vu l'anneau et les bracelets aux bras de sa sœur, et entendu sa sœur Rébecca lui dire : « C'est ainsi qu'il m'a parlé », il s'en alla vers l'homme qui se tenait avec les chameaux près de la source. ³¹ « Viens, dit-il, béni du SEIGNEUR. Pourquoi te tiendrais-tu dehors alors que dans la maison j'ai fait place nette pour les chameaux. » ³² L'homme entra dans la maison et débâta les chameaux. On leur donna de la paille et du fourrage et, pour lui et ses compagnons, de l'eau pour se laver les pieds. ³³ On lui présenta de quoi manger, mais il s'écria : « Je ne mangerai pas avant d'avoir dit ce que j'ai à dire. » — « Parle », répondit-on.

³⁴ Il reprit : « Je suis serviteur d'Abraham. ³⁵ Le SEIGNEUR a comblé de bénédictions mon maître qui est devenu un grand personnage. Il lui a donné petit et gros bétail, argent et or, serviteurs et servantes, chameaux et ânes. ³⁶ Sara, la femme de mon maître, lui a enfin donné un fils en ses vieux jours. Mon maître lui a transmis tous ses biens ³⁷ et m'a fait prêter serment en ces termes : "Tu ne feras pas épouser à mon fils une fille des Cananéens dont j'habite le pays. ³⁸ Jure d'aller vers ma famille, vers la maison de mon père, prendre un femme pour mon fils." ³⁹ Je dis alors à mon maître : "Peut-être cette femme ne me suivra-t-elle pas ?" ⁴⁰ Il me répondit : "Le SEIGNEUR en présence duquel j'ai marché enverra son ange avec toi et fera réussir ton voyage : tu prendras pour mon fils une femme de ma famille et de la maison de mon père. ⁴¹ Tu ne seras quitte de mon adjuration que si tu vas chez les miens ; de même, si on ne te la donne pas, tu en seras quitte." ⁴² Aujourd'hui, je suis arrivé près de cette source et j'ai dit : "SEIGNEUR, Dieu d'Abraham mon maître, si vraiment tu daignes faire réussir le voyage que je poursuis, ⁴³ me voici près de la source : eh bien ! la jeune fille qui sortira pour puiser et à qui je dirai : "Donne-moi à boire un peu d'eau de ta cruche", ⁴⁴ si elle me répond : "Bois toi-même, et je puiserai aussi pour tes chameaux", ce sera la femme que le SEIGNEUR a destinée au fils de mon maître." ⁴⁵ Je n'avais pas fini de parler en moi-même que Rébecca est sortie la cruche sur l'épaule ; elle est descendue à la source pour puiser. Je lui ai dit : "De grâce, donne-moi à boire." ⁴⁶ Elle s'est empressée d'abaisser la cruche et a dit : "Bois, et j'abreuverai aussi tes chameaux." J'ai bu et elle a abreuvé les chameaux. ⁴⁷ Je l'ai interrogée : "De qui es-tu la fille ?" Elle a répondu : "Je suis la fille de Betouël, le fils que Milka donna à Nahor." J'ai mis alors l'anneau à ses narines et les bracelets à ses poignets. ⁴⁸ Je me suis agenouillé et prosterné devant le SEIGNEUR ; j'ai béni le SEIGNEUR, Dieu d'Abraham mon maître, qui avait fidèlement conduit mon voyage afin que je prenne la nièce de mon maître pour son fils. ⁴⁹ Et maintenant, si vous voulez montrer de l'amitié et de la fidélité envers mon maître, déclarez-le-moi. Sinon, faites-le-moi savoir et je me dirigerai soit à droite, soit à gauche. »

h sicle: voir au glossaire POIDS ET MESURES

24.17 donne-moi à boire Jn 4.7. **24.31-33** hospitalité 18.4-5+. **24.35** richesse d'Abraham 13.2+.

⁵⁰ Laban prit la parole. Lui et Betouël s'écrièrent : « C'est du SEIGNEUR qu'est venue cette affaire et nous n'avons rien à t'en dire, ni en bien, ni en mal. ⁵¹ Rébecca est là devant toi : prends-la et va. Qu'elle soit la femme du fils de ton maître comme le SEIGNEUR l'a dit. » ⁵² Lorsque le serviteur d'Abraham entendit ces paroles, il se prosterna à terre devant le SEIGNEUR. ⁵³ Le serviteur sortit des objets d'argent, des objets d'or et des vêtements qu'il donna à Rébecca, ainsi que de riches présents qu'il offrit à son frère et à sa mère. ⁵⁴ Ils mangèrent et burent, lui et ses compagnons, et passèrent la nuit.

Le matin quand ils furent levés, il dit : « Laissez-moi aller vers mon maître. » ⁵⁵ Le frère et la mère de la jeune fille répondirent : « Qu'elle demeure avec nous quelque temps, une dizaine de jours, ensuite elle partira. » — ⁵⁶ « Ne me retardez pas ! leur dit-il. Le SEIGNEUR a fait réussir mon voyage, laissez-moi donc partir chez mon maître. » ⁵⁷ Ils reprirent : « Appelons la jeune fille et demandons-lui son avis. » ⁵⁸ Ils appelèrent Rébecca : « Veux-tu partir avec cet homme ? » Elle répondit : « Oui. » ⁵⁹ Ils laissèrent partir leur sœur Rébecca et sa nourrice, le serviteur d'Abraham et ses gens.

⁶⁰ Ils la bénirent alors en lui disant :
« Toi, notre sœur, deviens des milliers de myriades,
que ta descendance occupe la Porte de ses adversaires ᶦ ! »
⁶¹ Rébecca se leva avec ses servantes. Elles montèrent sur les chameaux et suivirent l'homme. Le serviteur prit Rébecca et partit.

⁶² Au coucher du soleil, Isaac s'en revenait au puits de Lahaï-Roï. Il habitait alors dans la région du Néguev ʲ ⁶³ et était sorti se promener ᵏ dans la campagne à la tombée du soir. Il leva les yeux et vit les chameaux qui arrivaient. ⁶⁴ Rébecca leva les yeux, vit Isaac, sauta de chameau ⁶⁵ et dit au serviteur : « Quel est cet homme qui marche dans la campagne à notre rencontre ? » — « C'est mon maître », répondit-il. Elle prit son voile et s'en couvrit. ⁶⁶ Le serviteur raconta à Isaac tout ce qu'il avait fait. ⁶⁷ Isaac la fit entrer dans sa tente. Il avait eu Sara pour mère ; il prit Rébecca et elle devint sa femme. Isaac l'aima et fut réconforté après la disparition de sa mère.

La mort d'Abraham. Ses autres descendants

25 ¹ Abraham prit encore une femme ; elle s'appelait Qetoura. ² Elle lui donna Zimrân, Yoqshân, Medân, Madiân, Yishbaq et Shouah. ³ Yoqshân engendra Saba et Dedân. Dedân eut pour fils les Ashourites, les Letoushites et les Léoummites. ⁴ Madiân eut pour fils Eifa, Efèr, Hanok, Avida et Eldaa. Ce sont là tous les fils de Qetoura ˡ.

⁵ Abraham donna tous ses biens à Isaac. ⁶ Aux fils de ses concubines, Abraham fit des donations. Mais, de son vivant, il les éloigna de son fils Isaac, vers le pays de Qèdèm ᵐ.

⁷ Voici le nombre des années de la vie d'Abraham : cent soixante-quinze ans. ⁸ Puis Abraham expira ; il mourut dans une heureuse vieillesse, âgé et comblé. Il fut réuni aux siens ⁿ. ⁹ Ses fils Isaac et Ismaël l'enterrèrent dans la caverne de Makpéla ᵒ, au champ d'Ephrôn fils de Çohar, le Hittite, en face de Mambré, ¹⁰ au champ qu'Abraham avait acquis des fils de Heth. C'est là qu'on enterra Abraham et sa femme Sara. ¹¹ Après la mort d'Abraham, Dieu bénit son fils Isaac. Il habitait à côté du puits de Lahaï-Roï ᵖ.

¹² Voici la famille d'Ismaël fils d'Abraham, celui que donna à Abraham Hagar, l'Egyptienne servante de Sara. ¹³ Voici les noms des fils d'Ismaël, leurs noms selon leurs familles : Nebayoth l'aîné d'Ismaël, Qédar, Adbéel, Mivsâm, ¹⁴ Mishma, Douma et Massa, ¹⁵ Hadad, Téma, Yetour, Nafish et Qédma. ¹⁶ Ce sont eux les fils d'Ismaël, et tels sont leurs noms ; établis en douars ᑫ et campements, ils avaient douze chefs pour autant de groupes. ¹⁷ Voici les années de la vie d'Ismaël : cent trente-sept ans ; puis il expira. Il

---

ᶦ *la Porte de ses adversaires:* voir 22.17 et la note ● ʲ *Lahaï-Roï:* voir 16.14 et la note. — *Néguev:* voir 12.9 et la note ● ᵏ *se promener:* traduction incertaine d'un verbe hébreu qui n'apparaît qu'ici. L'ancienne version latine a comme *méditer* ● ˡ Des noms mentionnés dans les v. 1-4, seul celui *Madiân* est bien connu ; voir Ex 2.15 et la note ● ᵐ *le pays de Qèdèm* désigne peut-être une région au sud de Damas. Autre traduction *le* (ou *les*) *pays d'Orient* ● ⁿ *réuni aux siens:* l'expression tire son origine du fait que le mort était habituellement enseveli dans la sépulture familiale ● ᵒ *Makpéla:* voir chap. 23 ● ᵖ Voir 16.14 et la note ● ᑫ *douars:* villages de tentes chez les nomades

25.5 tous ses biens 24.36. **25.8** heureuse vieillesse 15.15. **25.12** Ismaël 16.11; 1 Ch 1.29-31.

mourut et fut réuni aux siens. [18] Les Ismaélites demeurèrent de Hawila à Shour, aux confins de l'Egypte, jusqu'à Ashour [r], chacun face à tous ses frères prêt à leur tomber dessus.

JACOB

Esaü et Jacob

[19] Voici la famille d'Isaac, fils d'Abraham.

Après qu'Abraham eut engendré Isaac, [20] celui-ci, à quarante ans, prit pour femme Rébecca, fille de Betouël, l'Araméen de la plaine d'Aram [s], et sœur de Laban l'Araméen. [21] Isaac implora le SEIGNEUR pour sa femme, car elle était stérile. Le SEIGNEUR eut pitié de lui, sa femme Rébecca devint enceinte, [22] mais ses fils se heurtaient en son sein et elle s'écria : « S'il en est ainsi, à quoi suis-je bonne ? [t] » Elle alla consulter le SEIGNEUR [23] qui lui répondit :

« Deux nations sont dans ton sein, deux peuples se détacheront de tes entrailles.
L'un sera plus fort que l'autre et le grand servira le petit. »

[24] Quand furent accomplis les temps où elle devait enfanter, des jumeaux se trouvaient en son sein. [25] Le premier qui sortit était roux, tout velu comme une fourrure de bête : on l'appela Esaü [u]. [26] Son frère sortit ensuite, la main agrippée au talon d'Esaü : on l'appela Jacob [v]. Isaac avait soixante ans à leur naissance. [27] Les garçons grandirent. Esaü était un chasseur expérimenté qui courait la campagne ; Jacob était un enfant raisonnable qui habitait sous les tentes. [28] Isaac préférait Esaü, car il appréciait le gibier : Rébecca préférait Jacob.

[29] Un jour que Jacob préparait un brouet, Esaü revint des champs. Il était épuisé [30] et dit à Jacob : « Laisse-moi avaler de ce roux, de ce roux-là, car je suis épuisé. » C'est pourquoi on l'appela Edom — c'est-à-dire le Roux [w]. [31] Jacob répondit : « Vends-moi aujourd'hui même ton droit d'aînesse [x]. » [32] Esaü reprit : « Voici que je vais mourir, à quoi me sert mon droit d'aînesse ? » [33] Jacob dit : « Aujourd'hui même, jure-le-moi. » Esaü le lui jura, il vendit son droit d'aînesse à Jacob, [34] qui lui donna du pain et du brouet de lentilles. Il mangea et but, il se leva et partit. Esaü méprisa son droit d'aînesse.

Isaac et Abimélek

26 [1] Il y eut une famine dans le pays, distincte de la première qui avait eu lieu au temps d'Abraham. Isaac partit pour Guérar chez Abimélek, roi des Philistins [y]. [2] Le SEIGNEUR lui apparut et dit : « Ne descends pas en Egypte, mais demeure dans le pays que je t'indiquerai. [3] Séjourne dans ce pays, je serai avec toi et je te bénirai. A toi et à la descendance, en effet, je donnerai ces terres et je tiendrai le serment que j'ai prêté à ton père Abraham. [4] Je ferai proliférer ta descen-

---

[r] Hawila : voir 2.11 et la note; Shour : voir Ex 15.22 et la note ; Ashour : région non identifiée, mentionnée également en Nb 24.22 ● s plaine d'Aram : voir 24.10 et la note ● t à quoi suis-je bonne ? : le sens de l'expression hébraïque n'est pas clair; autres traductions à quoi bon vivre ? ou pourquoi cela m'arrive-t-il ? ● u En hébreu, il y a jeu de mots entre le nom d'Esaü et l'adjectif traduit par velu ● v En hébreu, il y a jeu de mots entre le nom de Jacob et le mot traduit par talon. Voir aussi 27.36 et la note ● w de ce roux : du brouet (v. 29) de couleur rousse (des lentilles, v. 34) préparé par Jacob. En hébreu, il y a jeu de mots entre le nom d'Edom (= roux, adjectif) et le nom traduit par ce roux ● x Le droit d'aînesse impliquait un droit à une part privilégiée de l'héritage familial (Dt 21.17) et à une bénédiction paternelle particulière (voir chap. 27) ● y la première : voir 12.10. — Guérar, Abimélek : voir chap. 20, en particulier 20.1 et la note. Abimélek était précisément roi de Guérar (20.2), dans le pays où les Philistins devaient venir plus tard s'implanter (comparer 21.32). En effet, les Philistins, originaires de Crète ou d'Asie mineure, sont venus vers le 12e siècle av. J.C. s'installer sur la côte est de la Méditerranée, dans la région s'étendant actuellement de Jaffa à Gaza.

25.21 stérile 11.30; 29.31; Jg 13.2-3; 1 S 1.5-6; Lc 1.7. **25.23** le grand servira le petit 27.29, 37; Rm 9.12; cf. Gn 48.19; Ml 1.2-3. **25.26** agrippée au talon d'Esaü Os 12.4. **25.28** Isaac appréciait le gibier 27.3-10. **25.34** il mangea et but Es 22.13. — Esaü méprisa... He 12.16. **26.1-14** séjour à Guérar 12.10-20+. **26.3** je serai avec toi 26.28; 28.15; 31.3, 5; 35.3; 39.3, 21; Ac 7.9. — promesse du pays 12.7+; 22.16-18; Si 44.22. **26.4** ta descendance 12.2+. — comme les étoiles 15.5+. — toutes les nations se béniront 12.3+.

dance autant que les étoiles du ciel, je lui donnerai toutes ces terres et, en elle, se béniront toutes les nations de la terre. [5] parce qu'Abraham a écouté ma voix et qu'il a gardé mon observance, mes commandements, mes décrets et mes lois. »

[6] Isaac habita à Guérar. [7] Les gens du lieu l'interrogèrent sur sa femme. « C'est ma sœur », répondit-il. Il craignait de dire qu'elle était sa femme par peur d'être tué par les gens du lieu à cause de Rébecca qui était charmante à voir. [8] Il avait passé là de longs jours lorsqu'Abimélek, roi des Philistins, regarda par la fenêtre et vit qu'Isaac s'amusait avec Rébecca sa femme. [9] Abimélek convoqua Isaac et lui dit : « C'est sûrement ta femme ! Pourquoi as-tu dit : "C'est ma sœur" ? » Isaac lui répondit : « Je l'ai dit par peur de mourir à cause d'elle. » [10] Abimélek reprit : « Que nous as-tu fait là ! Peu s'en est fallu qu'un homme de ce peuple ne couche avec ta femme et tu nous aurais rendus coupables. » [11] Abimélek donna cet ordre à tout le peuple : « Quiconque touchera à cet homme et à sa femme sera puni de mort. » [12] Isaac fit des semailles dans ce pays et moissonna au centuple cette année-là. Le SEIGNEUR le bénit [13] et il devint un grand personnage ; il continua à s'élever jusqu'à atteindre une position éminente. [14] Il devint propriétaire d'un cheptel de petit et de gros bétail, et d'une nombreuse domesticité.

Isaac fait alliance avec Abimélek

Les Philistins [z] en furent jaloux, [15] ils comblèrent tous les puits qu'avaient creusés les serviteurs de son père, au temps de son père Abraham, et les remplirent de terre. [16] Abimélek dit à Isaac : « Va-t-en loin de nous car tu es devenu beaucoup plus puissant que nous. » [17] Isaac partit de là et campa dans l'oued de Guérar et y habita. [18] Isaac creusa de nouveau les puits qu'on avait creusés au temps d'Abraham son père et que les Philistins avaient comblés après la mort d'Abraham. Il leur donna les mêmes noms que son père leur avait donnés.

[19] Les serviteurs d'Isaac creusèrent dans l'oued et trouvèrent là un puits d'eaux vives. [20] Les bergers de Guérar entrèrent en contestation avec les bergers d'Isaac en leur disant : « Ces eaux sont à nous. » Il appela ce puits Eseq parce qu'ils lui avaient fait échec [a]. [21] Ils creusèrent un autre puits qui fut aussi contesté ; il l'appela Sitna. [22] De là il se déplaça pour creuser un autre puits qui ne fut pas contesté et qu'il appela Rehovoth en disant : « Maintenant en effet, le SEIGNEUR nous a laissé le champ libre et nous avons eu des fruits du pays [b]. »

[23] De là, il monta à Béer-Shéva [c]. [24] Le SEIGNEUR lui apparut cette nuit-là et dit :

« Je suis le Dieu d'Abraham ton père ;
Ne crains pas, car je suis avec toi.
Je te bénirai et rendrai prolifique ta descendance
à cause de mon serviteur Abraham. »

[25] Là, Isaac éleva un *autel et fit une invocation au nom du SEIGNEUR [d]. Il y dressa sa tente et les serviteurs d'Isaac forèrent un puits.

[26] Abimélek partit de Guérar pour le rencontrer avec Ahouzzath son conseiller et Pikol le chef de son armée. [27] Isaac leur dit : « Pourquoi êtes-vous venus à moi ? Vous me détestez et vous m'avez renvoyé de chez vous. » [28] Ils répondirent : « Nous sommes obligés de constater que le SEIGNEUR est avec toi et nous nous sommes dit : Qu'il y ait un serment de part et d'autre, entre nous et toi ; concluons une alliance avec toi ! [29] Jure de ne pas mal agir envers nous, de même que nous ne te maltraiterons pas, comme nous ne t'avons fait que du bien et t'avons renvoyé sain et sauf, toi qui es maintenant le béni du SEIGNEUR. » [30] Il leur servit un festin ; ils mangèrent et burent, [31] ils se levèrent de bon matin, et chacun prêta serment à l'autre. Isaac les congédia et ils le quittèrent en paix. [32] Or, ce jour même, les serviteurs d'Isaac vinrent lui apporter des nouvelles du puits qu'ils creusaient. Ils lui dirent : « Nous avons trouvé de l'eau. » [33] Il ap-

---

z Voir v. 1 et la note. Le texte appelle déjà *Philistins* les habitants de cette région • a Dans le texte hébreu des v. 20-22, il y a des jeux de mots entre les noms des divers puits et les verbes employés : *Eseq — faire échec* ; *Sitna — contester* (v. 21) ; *Rehovoth — laisser le champ libre* (v. 22) • b *et nous avons eu des fruits du pays*: autre traduction *pour que nous prospérions dans le pays* • c Voir 21.14 et la note • d *y fit une invocation...*: autre traduction *y invoqua le nom du Seigneur*

26.12 moissonna au centuple Mt 13.8, 23 par. **26.13-14** grand personnage, gros propriétaire Jb 1.1-3. **26.15-25** affaires de puits 21.25. **26.16** plus puissant que nous Ex 1.9 ; 12.31-33 ; Mt 8.34 ; Lc 8.37. **26.22** des fruits du pays Lv 26.3-4 ; Dt 28.4, 8 ; Ps 144.13. **26.24** ta descendance 12.2+. **26.26** Abimélek et Pikol 21.22. **26.28** le Seigneur est avec toi 26.3+ ; 1 S 3.19 ; 18.14. — une alliance 21.27+. **26.33** Béer-Shéva 21.31+.

pela ce puits Shivéa ; c'est pourquoi, aujourd'hui encore, la ville a pour nom Béer-Shéva. — c'est-à-dire le Puits-du-Serment [e].

Mariage d'Esaü

[34] Esaü avait quarante ans quand il épousa Yehoudith, fille de Bééri le Hittite [f], et Basmath, fille d'Elôn le Hittite. [35] Elles rendirent l'ambiance pénible à Isaac et à Rébecca.

Jacob usurpe la bénédiction promise à Esaü

27 [1] Isaac était devenu vieux, ses yeux s'éteignaient et il n'y voyait plus. Il appela Esaü son fils aîné et lui dit : « Mon fils ! » — « Me voici », répondit-il. [2] Il reprit : « Tu vois que je suis devenu vieux et j'ignore le jour de ma mort. [3] Il est temps, emporte donc tes armes, ton carquois et ton arc ; cours la campagne et chasse du gibier pour moi. [4] Prépare-moi un mets comme je l'aime, apporte-le-moi et je le mangerai pour te bénir moi-même avant de mourir. »
[5] Rébecca écoutait pendant qu'Isaac parlait à son fils Esaü. Celui-ci partit dans la campagne pour chasser et rapporter du gibier. [6] Rébecca dit à Jacob son fils : « Voici que j'ai entendu ton père parler à Esaü ton frère ; il lui disait : [7] "Apporte-moi du gibier et prépare-moi un mets pour que j'en mange. Je te bénirai en présence du SEIGNEUR avant de mourir." [8] Maintenant, mon fils, écoute-moi et fais ce que je t'ordonne : [9] va donc au troupeau, prends-y pour moi deux beaux chevreaux, et j'en préparerai pour ton père un mets comme il l'aime. [10] Tu l'apporteras à ton père, et il mangera pour te bénir avant sa mort. »
[11] Jacob répondit à Rébecca sa mère : « Si mon frère Esaü est un homme velu [g], moi je n'ai pas de poil. [12] Il est possible que mon père me palpe et me considère comme un imposteur. J'attirerais sur moi une malédiction et non une bénédiction. »
— [13] « Vienne sur moi ta malédiction, mon fils, lui dit sa mère. Ecoute-moi seulement, va me prendre ce que je t'ai dit. » [14] Il alla le prendre et revint à sa mère qui prépara un mets comme son père l'aimait. [15] Rébecca prit ensuite les vêtements d'Esaü son fils aîné, les plus précieux qu'elle avait avec elle à la maison, et elle en revêtit Jacob son fils cadet. [16] Elle recouvrit de peau de chevreau ses mains et la partie lisse de son cou. [17] Dans les mains de son fils Jacob, elle déposa le mets et le pain qu'elle avait préparés.
[18] Il entra chez son père et dit : « Mon père ! » — « Me voici, répondit-il ; qui es-tu, mon fils ? » [19] Jacob dit à son père : « Je suis Esaü ton aîné. J'ai fait ce que tu m'as dit. Lève-toi, je t'en prie, assieds-toi et mange de mon gibier pour me bénir toi-même. » [20] Isaac répondit à son fils. « Comme tu as vite trouvé, mon fils ! »
— « C'est que le SEIGNEUR ton Dieu m'a porté chance. » [21] Isaac dit alors à Jacob : « Viens plus près, mon fils, que je te palpe. Es-tu bien mon fils Esaü ou non ? » [22] Jacob s'approcha de son père Isaac qui le palpa et dit : « La voix est celle de Jacob, mais les mains sont celles d'Esaü. » [23] Il ne le reconnut pas car ses mains étaient velues comme celles d'Esaü son frère ; il le bénit.
[24] Il lui dit : « C'est bien toi, mon fils Esaü ? » — « C'est moi », répondit-il. [25] Il reprit : « Sers-moi, mon fils, que je mange du gibier et que je te bénisse moi-même. » Jacob le servit et il mangea ; il lui apporta du vin et il but. [26] C'est alors que son père Isaac lui dit : « Viens donc plus près et embrasse-moi, mon fils. » [27] Il s'approcha et l'embrassa. Isaac huma l'odeur de ses vêtements et le bénit en disant :

> « Oh ! l'odeur de mon fils est comme l'odeur d'un champ que le SEIGNEUR a béni.
[28] Que Dieu te donne de la rosée du ciel et de gras terroirs,
du froment et du vin nouveau en abondance !
[29] Que des peuples te servent et que des populations se prosternent devant toi !
Sois chef pour tes frères et que les fils de ta mère se prosternent devant toi !
Maudit soit qui te maudira, béni soit qui te bénira ! »
[30] A peine Isaac avait-il achevé de bénir

---

e *Shivéa, Béer-Shéva:* voir 21.31 et la note ● f *Hittite:* voir au glossaire AMORITES ● g *Esaü, velu:* voir 25.25 et la note

26.34 mariage avec des étrangères 24.3+. **27.3** du gibier 25.28. **27.4** la bénédiction d'un vieillard 48—49; Dt 33. **27.27** il bénit He 11.20. **27.28** la rosée Dt 33.13, 28; Es 18.4; Os 14.6; Mi 5.6; Ps 133.3; Jb 29.19; Pr 19.12. **27.29** sois chef pour tes frères 25.23+. — maudit soit... béni soit... 12.3+.

Jacob, et à peine Jacob avait-il quitté son père, que son frère Esaü revint de la chasse. [31] Lui aussi prépara un mets qu'il apporta à son père. Puis il lui dit : « Que mon père se lève et mange du gibier de son fils ; ainsi pourras-tu me bénir toi-même. » [32] Son père Isaac répondit : « Qui es-tu ? » — « Je suis Esaü, ton fils aîné », dit-il. [33] Isaac fut saisi d'un tremblement extrêmement violent et dit : « Quel est donc celui qui a été à la chasse et m'a rapporté du gibier ? J'ai mangé de tout avant que tu n'entres. Je l'ai béni et béni il sera [h]. »

[34] Lorsqu'Esaü entendit les paroles de son père, il poussa un grand cri, au comble de l'amertume, et il dit à son père : « O mon père, bénis-moi, moi aussi ! » [35] Il répondit : « Ton frère est venu en fraude et il a capté ta bénédiction [i]. » [36] Esaü reprit : « Est-ce parce qu'il s'appelle Jacob que, par deux fois, il m'a supplanté [j] ? Il a capté mon droit d'aînesse et voici que maintenant il a capté ma bénédiction. Ne m'as-tu pas réservé une bénédiction ? » [37] Isaac prit la parole et dit à Esaü : « Vois ! J'ai fait de lui ton chef, je lui ai donné tous ses frères pour serviteurs. Je l'ai pourvu de froment et de vin nouveau. Que puis-je faire pour toi mon fils ? » [38] Esaü répondit à son père : « N'as-tu qu'une seule bénédiction, mon père ? Bénis-moi, moi aussi ! » Esaü éleva la voix et pleura. [39] Alors Isaac prit la parole et dit :

« Vois, hors du gras terroir sera ton habitat
et loin de la rosée qui est au ciel.
[40] De ton épée tu vivras,
mais tu serviras ton frère
et, au cours de tes randonnées, tu briseras son *joug de dessus ton cou. »

Jacob s'enfuit chez son oncle Laban

[41] Esaü traita Jacob en ennemi à cause de la bénédiction qu'il avait obtenue de son père. Il se dit en lui-même : « L'épo-que du deuil de mon père s'approche et je pourrai tuer mon frère Jacob. » [42] On informa Rébecca des propos d'Esaü, son fils aîné. Elle fit appeler Jacob, son fils cadet, et lui dit : « Voici que ton frère Esaü veut se venger de toi en te tuant. [43] Maintenant, mon fils, écoute-moi ; debout ! Fuis chez mon frère Laban à Harrân [k]. [44] Tu habiteras avec lui quelque temps jusqu'à ce que ton frère revienne de sa colère. [45] Quand la fureur de ton frère se sera détournée de toi et qu'il aura oublié ce que tu lui as fait, je t'enverrai chercher là-bas. Pourquoi serais-je privée de mes deux fils en un seul jour [l] ? »

[46] Rébecca dit à Isaac : « Je suis dégoûtée de la vie à cause de ces filles de Heth [m]. Si Jacob en épouse une comme celles-ci parmi les filles du pays, à quoi bon vivre ? »

28 [1] Isaac appela Jacob et le bénit. Il lui donna cet ordre : « Tu n'épouseras pas une fille de Canaan [n], lui dit-il. [2] Debout ! Va en plaine d'Aram à la maison de Betouël, le père de ta mère. Prends là-bas pour femme une des filles de Laban [o], le frère de ta mère. [3] Que le Dieu Puissant [p] te bénisse,
te rende fécond et prolifique
pour que tu deviennes une communauté de peuples !
[4] Qu'il te donne la bénédiction d'Abraham,
à toi et à ta descendance,
pour que tu possèdes le pays de tes migrations,
le pays que Dieu a donné à Abraham. »

[5] Isaac fit partir Jacob pour la plaine d'Aram auprès de Laban, fils de Betouël l'Araméen, frère de Rébecca, la mère de Jacob et d'Esaü. [6] Esaü vit qu'Isaac avait béni Jacob et l'avait envoyé en plaine d'Aram pour y prendre femme et qu'en le bénissant il lui avait donné cet ordre : « Tu n'épouseras pas une fille de Canaan. » [7] Or Jacob avait obéi à son père et à sa mère et il était

---

h béni il sera: la bénédiction paternelle était considérée comme efficace par elle-même et irrévocable ● *i ta bénédiction*, c'est-à-dire la bénédiction qui devait te revenir ● *j* En hébreu, il y a jeu de mots entre le nom de *Jacob* et le verbe traduit par *a supplanté*. Voir aussi 25.26 et la note ● *k* Voir 11.31 et la note ● *l* Après avoir tué son frère, le meurtrier devrait quitter son clan et donc sa mère ● *m ces filles de Heth*: Rébecca fait allusion aux femmes d'Esaü, voir 26.34-35 ● *n une fille de Canaan* ou *une Cananéenne* ● *o plaine d'Aram*: voir 24.10 et la note. — *Betouël, Laban*: voir 24.15, 29 ● *p Puissant*: voir 17.1 et la note

27.30 bénir Jacob Si 44. 23; He 11.20.   27.35 il a capté ta bénédiction 25.26, 29-34; Os 12.4.   27.38 Esaü pleura He 12.17.   27.39 Isaac « bénit » Esaü He 11.20.   27.40 tu briseras son joug 2 R 8.20.   27.43 chez Laban 24.29.   27.45 privée de mes deux fils 4.8-16; 2 S 14.1-11.   27.46 ces filles de Heth 24.3+.   28.2 une des filles de Laban 24.4.   28.3 une communauté de peuples 48.4; cf. 12.2+.   28.4 promesse du pays 12.7+.

parti en plaine d'Aram. ⁸ Esaü comprit que les filles de Canaan déplaisaient à son père Isaac, ⁹ il alla trouver Ismaël et, en plus de ses femmes, il épousa Mahalath fille d'Ismaël fils d'Abraham, la sœur de Nebayoth.

Le songe de Jacob

¹⁰ Jacob sortit de Béer-Shéva et partit pour Harrân ᑫ. ¹¹ Il fut surpris par le coucher du soleil en un lieu où il passa la nuit. Il prit une des pierres de l'endroit, en fit son chevet et coucha en ce lieu. ¹² Il eut un songe : voici qu'était dressée sur terre une échelle ʳ dont le sommet touchait le ciel ; des *anges de Dieu y montaient et y descendaient. ¹³ Voici que le SEIGNEUR se tenait près de lui et dit : « Je suis le SEIGNEUR, Dieu d'Abraham ton père et Dieu d'Isaac. La terre sur laquelle tu couches, je la donnerai à toi et à ta descendance. ¹⁴ Ta descendance sera pareille à la poussière de la terre. Tu te répandras à l'ouest, à l'est, au nord et au sud ; en toi et en ta descendance seront bénies toutes les familles de la terre. ¹⁵ Vois ! Je suis avec toi et je te garderai partout où tu iras et je te ferai revenir vers cette terre car je ne t'abandonnerai pas jusqu'à ce que j'aie accompli tout ce que je t'ai dit. »

¹⁶ Jacob se réveilla de son sommeil et s'écria : « Vraiment, c'est le SEIGNEUR qui est ici et je ne le savais pas ! » ¹⁷ Il eut peur et s'écria : « Que ce lieu est redoutable ! Il n'est autre que la maison de Dieu, c'est la porte du ciel. » ¹⁸ Jacob se leva de bon matin, il prit la pierre dont il avait fait son chevet, l'érigea en stèle et versa de l'huile au sommet ˢ. ¹⁹ Il appela ce lieu Béthel ᵗ — c'est-à-dire Maison de Dieu — mais auparavant le nom de la ville était Louz.

²⁰ Puis Jacob fit ce vœu : « Si Dieu est avec moi et me garde dans le voyage que je poursuis, s'il me donne du pain à manger et des habits à revêtir, ²¹ si je reviens sain et sauf à la maison de mon père —

le SEIGNEUR deviendra mon Dieu — ²² cette pierre que j'ai érigée en stèle sera une maison de Dieu et, de tout ce que tu me donneras, je te compterai la dîme ᵘ. »

Jacob rencontre Rachel

29 ¹ Jacob se mit en marche et partit pour le pays des fils de Qèdem ᵛ. ² Il regarda, et voici qu'i l y avait un puits dans la campagne. Il y avait là trois troupeaux de moutons, couchés près du puits car les troupeaux s'y abreuvaient. Une grande pierre fermait l'orifice du puits. ³ Quand tous les troupeaux y étaient rassemblés, on roulait la pierre de dessus l'orifice du puits, on faisait boire le petit bétail et l'on remettait la pierre en place sur l'orifice du puits.

⁴ Jacob dit aux gens . « Mes frères, d'où êtes-vous ? » — « Nous sommes de Harrân ʷ », répondirent-ils. ⁵ Il leur dit : « Connaissez-vous Laban, fils de Nahor ˣ ? » — « Nous le connaissons », répondirent-ils. ⁶ Il leur dit : « Va-t-il bien ? » — « Il va bien, répondirent-ils, voici sa fille Rachel qui arrive avec les moutons. » ⁷ Il reprit : « Voyez ! il fait encore grand jour ; ce n'est pas le moment de rassembler le bétail. Faites boire les moutons et allez les faire paître. » ⁸ Ils répondirent : « Nous ne le pouvons pas tant que les troupeaux ne sont pas tous rassemblés ; alors on roule la pierre de dessus l'orifice du puits et nous abreuvons les moutons. »

⁹ Il parlait encore avec eux lorsque Rachel arriva avec les moutons qui appartenaient à son père, car elle était bergère. ¹⁰ Dès que Jacob vit Rachel, la fille de Laban frère de sa mère, et les moutons de Laban frère de sa mère, il s'avança, roula la pierre de dessus l'orifice du puits et fit boire les moutons de Laban, frère de sa mère. ¹¹ Jacob embrassa Rachel, il éleva la voix et pleura. ¹² Jacob apprit à Rachel qu'il était le parent de son père et le fils de Rébecca. Elle courut en informer son père. ¹³ Dès que Laban entendit par-

---

ᑫ *Béer-Shéva:* voir 21.14 et la note; *Harrân:* voir 11.31 et la note ● ʳ *une échelle:* c'est la traduction traditionnelle d'un terme hébreu qui semble désigner plutôt une sorte d'escalier monumental ● ˢ Une *stèle* était en général un simple pierre dressée, symbolisant la présence d'une divinité. En *versant de l'huile* dessus, Jacob la consacre et fait de cet endroit un lieu de culte ● ᵗ Voir 12.8 et la note ● ᵘ Sur la *dîme,* voir 14.20 et la note ● ᵛ *Qèdem:* voir 25.6 et la note. Les *fils de Qèdem* sont les habitants de cette région ● ʷ Voir 11.31 et la note ● ˣ *fils* ou *descendant; Laban* était un petit-fils de *Nahor*

28.8 les filles de Canaan 24.3+.   **28.12** songe de Jacob Os 12.5; Sg 10.10. — les anges Jn 1.51.   **28.13** promesse du pays 12.7+.   **28.14** comme la poussière de la terre cf. 22.17+. — toutes les familles seront bénies 12.3+.   **28.15** je suis avec toi 26.3+.   **28.17** ce lieu est redoutable Ex 3.5; 19.12.   **28.18** érection d'une stèle 31.13, 45; 35.14; 2 S 18.18.   **28.19** Béthel-Louz 35.6; 48.3; Jg 1.22-23; cf. Gn 12.8+.   **29.2** un puits 24.11+.

ler de Jacob, fils de sa sœur, il courut à sa rencontre. Il l'étreignit, l'embrassa, l'amena chez lui ; Jacob lui raconta toute l'affaire. 14 Laban lui dit : « Tu es sûrement mes os et ma chair *y* », et Jacob habita pendant un mois avec lui.

Le double mariage de Jacob

15 Laban dit à Jacob : « Me serviras-tu gratuitement parce que tu es mon frère *z* ? Indique-moi quels seront tes gages. » 16 Or Laban avait deux filles, l'aînée s'appelait Léa et la cadette Rachel. 17 Léa avait le regard tendre *a* et Rachel était belle à voir et à regarder. 18 Jacob aimait Rachel, il dit : « Je te servirai sept ans pour Rachel, ta fille cadette. » 19 Laban reprit : « Pour moi, il vaut mieux te la donner que la donner à un autre ; reste avec moi. » 20 Jacob servit sept ans pour Rachel, et ils lui parurent quelques jours tant il l'aimait. 21 Jacob dit alors à Laban : « Donne-moi ma femme. Mon temps est accompli et je veux aller vers elle. »

22 Laban rassembla tous les gens du lieu et fit un banquet. 23 Le soir venu, Laban prit sa fille Léa et l'amena à Jacob pour qu'il allât vers elle. 24 Laban donna à sa fille sa servante Zilpa qui devint la servante de sa fille Léa. 25 Et au matin... surprise, c'était Léa ! Et Jacob dit à Laban : « Que m'as-tu fait là ? Ne t'ai-je pas servi pour Rachel ? Pourquoi m'as-tu trompé ? » 26 Laban répondit : « Ce n'est pas la coutume chez nous de donner la cadette avant l'aînée. 27 Achève la semaine de noces de celle-ci et l'autre te sera aussi donnée pour le service que tu feras encore chez moi pendant sept autres années. » 28 C'est ce que fit Jacob. Il termina la semaine de noces de Léa, et Laban lui donna sa fille Rachel pour femme. 29 Laban donna pour servante à sa fille Rachel sa servante Bilha. 30 Jacob vint aussi vers Rachel et il aimait Rachel bien plus que Léa : il servit encore Laban pendant sept autres années.

Les enfants de Jacob

31 Quand le SEIGNEUR vit que Léa n'était pas aimée, il la rendit féconde alors que Rachel restait stérile. 32 Léa devint enceinte et enfanta un fils qu'elle appela Ruben car, dit-elle, « le SEIGNEUR a regardé *b* mon humiliation et maintenant mon époux m'aimera ». 33 Elle devint à nouveau enceinte, enfanta un fils et dit : « Oui, le SEIGNEUR a perçu que je n'étais pas aimée et il m'a aussi donné celui-ci », et elle l'appela Siméon *c*. 34 Elle devint à nouveau enceinte, enfanta un fils et dit : « Cette fois-ci, mon époux s'attachera désormais à moi puisque je lui ai donné trois fils » ; c'est pourquoi il l'appela Lévi *d*. 35 Elle devint à nouveau enceinte, enfanta un fils et s'écria : « Cette fois je louerai le SEIGNEUR ! » C'est pourquoi elle l'appela Juda *e*. Elle s'arrêta d'enfanter.

30 1 Voyant qu'elle ne donnait pas d'enfants à Jacob, Rachel devint jalouse de sa sœur. Elle dit à Jacob : « Donne-moi des fils ou je meurs ! » 2 Jacob s'irrita contre Rachel et s'écria : « Suis-je, moi, à la place de Dieu ? Lui qui n'a pas permis à ton sein de porter son fruit ! » 3 Elle reprit : « Voici ma servante Bilha, va vers elle, et qu'elle enfante sur mes genoux ; d'elle j'aurai, moi aussi, un fils *f*. » 4 Elle lui donna pour femme Bilha sa servante et Jacob vint à elle. 5 Bilha devint enceinte et donna un fils à Jacob. 6 Rachel s'écria : « Dieu m'a fait justice ! Il m'a aussi exaucée et m'a donné un fils. » C'est pourquoi elle l'appela Dan *g*. 7 Bilha, servante de Rachel, devint à nouveau enceinte et donna un second fils à Jacob. 8 Rachel s'écria : « J'ai été liée à ma sœur dans les ligues de Dieu ; j'ai même vaincu », et elle l'appela Nephtali *h*.

9 Lorsque Léa vit qu'elle s'était arrêtée d'enfanter, elle prit sa servante Zilpa qu'elle donna pour femme à Jacob. 10 Zilpa, servante de Léa, donna un fils

---

y mes os et ma chair: voir 2.23 et la note ● *z mon frère* ou *mon parent* ● *a le regard tendre:* autre traduction *les yeux faibles* ou *délicats* ● *b* Dans ce récit (29.31—30.24), à la naissance de chaque garçon, il y a un jeu de mots en hébreu sur le nom de l'enfant. Ici le jeu de mots porte sur *Ruben* et le verbe traduit par *a regardé* ● *c* Jeu de mots entre *Siméon* et *a perçu* (comparer 16.11 et la note) ● *d* Jeu de mots entre *Lévi* et *s'attachera* ● *e* Jeu de mots entre *Juda* et *je louerai* ● *f* Prendre un enfant sur ses *genoux* était un rite d'adoption (voir 48.12); *d'elle j'aurai un fils:* voir 16.2 et la note ● *g* Jeu de mots entre *Dan* et *a fait justice* ● *h* Jeu de mots entre *Nephtali* et *j'ai été liée* dans *les ligues*

29.15-30 mariage de Jacob Os 12.13. **29.20** quelques jours, tant il l'aimait Ct 8.6-7; cf. Ps 90.4; 2 P 3.8. **29.25** pourquoi m'as-tu trompé ? 27.35-36. **29.30** il aimait Rachel plus que Léa Dt 21.15; 1 S 1.2-8. **29.31** stérile 25.21+. **30.2** suis-je à la place de Dieu ? 2 R 5.7.

à Jacob. [11] Léa s'écria : « Quelle chance ! » Elle l'appela Gad [i]. [12] Puis Zilpa, servante de Léa, donna un second fils à Jacob [13] et Léa s'écria : « Quel bonheur pour moi ! Car les filles m'ont proclamée heureuse », et elle l'appela Asher [j].

[14] Au temps de la moisson des blés, Ruben partit dans les champs en quête de pommes d'amour [k]. Il en rapporta à sa mère Léa. Rachel dit à Léa : « Donne-moi des pommes d'amour de ton fils. » [15] Léa répondit : « Ne te suffit-il pas de m'avoir pris mon époux que tu me prennes aussi les pommes d'amour de mon fils ? » Rachel reprit : « Eh bien ! Que Jacob couche avec toi cette nuit en échange des pommes d'amour de ton fils. » [16] Le soir, Jacob revint des champs, Léa sortit à sa rencontre et dit : « Tu viendras à moi, car je t'ai pris à gages contre les pommes d'amour de mon fils. » Il coucha avec elle cette nuit-là.

[17] Dieu exauça Léa, elle devint enceinte et donna un cinquième fils à Jacob. [18] Léa s'écria : « Dieu m'a donné mes gages parce que j'ai donné ma servante à mon époux. » Elle l'appela Issakar [l]. [19] Léa devint à nouveau enceinte et donna un sixième fils à Jacob. [20] Elle s'écria : « Dieu m'a fait un beau cadeau ! Cette fois-ci, mon époux reconnaîtra mon rang car je lui ai donné six fils », et elle l'appela Zabulon [m]. [21] Puis elle enfanta une fille qu'elle appela Dina.

[22] Dieu se souvint de Rachel, Dieu l'exauça et la rendit féconde. [23] Elle devint enceinte, enfanta un fils et s'écria : « Dieu a enfin enlevé mon opprobre ! » [24] Elle l'appela Joseph [n] en disant : « Que le SEIGNEUR m'ajoute un autre fils ! »

Jacob s'enrichit

[25] Dès que Rachel eut enfanté Joseph, Jacob dit à Laban : « Laisse-moi partir pour aller chez moi, en mon pays. [26] Donne-moi mes enfants et mes femmes, celles pour lesquelles je t'ai servi, et je m'en irai. Tu sais bien quel travail j'ai fait à ton service. » [27] Laban lui dit : « Si j'ai donc trouvé grâce à tes yeux... J'ai appris par divination [o] que le SEIGNEUR m'a béni à cause de toi. » [28] Laban reprit : « Fixe-moi ton salaire et je te le donnerai. » [29] Il lui répondit : « Tu sais toi-même comme je t'ai servi et ce qu'est devenu ton cheptel avec moi. [30] Ton bien n'était que peu de chose avant moi, il s'est étonnamment accru sous ma direction et le SEIGNEUR t'a béni. Et maintenant, quand travaillerai-je, moi aussi, pour ma maison ? » [31] Laban dit : « Que te donnerai-je ? » — « Tu ne me donneras rien, répondit Jacob. Si tu m'accordes ce que je vais dire, je reviendrai paître et garder tes moutons. [32] Je passerai aujourd'hui à travers tout le petit bétail et j'en retirerai tout agneau moucheté ou tacheté — toute brebis féconde [p] parmi les moutons — toute chèvre tachetée ou mouchetée, et ce sera mon salaire. [33] Demain, lorsque tu viendras vérifier mon salaire, tout ce qui ne sera pas moucheté ou tacheté parmi les chèvres et — fécond — parmi les moutons me convaincra d'injustice ; ce sera chez moi du vol. » [34] Laban dit : « C'est bien, qu'il en soit comme tu l'as dit. »

[35] Ce même jour, Laban retira les boucs rayés et mouchetés, toutes les chèvres tachetées et mouchetées ; tout ce que Laban eut saisi — et les bêtes fécondes parmi les moutons — il le confia à ses fils [36] et il mit trois jours de marche entre lui et Jacob.

Jacob faisait paître le reste du troupeau de Laban. [37] Il se procura de fraîches baguettes de peuplier, d'amandier et de platane. Il y fit des raies blanches en mettant à nu la couche d'aubier des baguettes. [38] Il exposa les baguettes rayées en face des bêtes dans les auges des

---

i Jeu de mots entre *Gad* et *Quelle chance !* ● *j* Jeu de mots entre *Asher* et *Quel bonheur, heureuse* ● *k* Dans l'antiquité on pensait que les *pommes d'amour* (ou *mandragores*) favorisaient la fécondité ● *l* Jeu de mots entre *Issakar* et *mes gages* (et *je t'ai pris à gages*, v. 16) ● *m* Jeu de mots entre *Zabulon* et *reconnaîtra mon rang* ● *n* Jeu de mots entre *Joseph* et *ajoute* (et *a enlevé*, v. 23) ● *o* *si j'ai donc trouvé grâce à tes yeux...*: la phrase n'est pas terminée ; on peut sous-entendre quelque chose comme *écoute-moi !* ou *ne pars pas !* — *J'ai appris par divination* (qui a traduction *Je me suis enrichi* (parce que) ● *p* *féconde*: autre traduction *noire* (de même aux v. 33, 35, 40). — Dans les v. 32-42, les détails concernant le pelage des animaux et les procédés auxquels Jacob a recours ne sont pas toujours très clairs, mais le sens général est sans équivoque: par ses astuces, Jacob se montre plus rusé que son beau-père qui « a changé dix fois mes gages » (31.7, 41)

30.13 proclamée heureuse Pr 31.28; Ct 6.9; Lc 1.48. **30.14** pommes d'amour Ct 7.14. **30.22** Dieu se souvint de Rachel 1 S 1.27; Lc 1.48. **30.24** un autre fils 35.17. **30.27** béni à cause de toi 28.14. **30.36** trois jours de marche Ex 3.18+. **30.43** regorgea de biens 13.2+.

abreuvoirs où les brebis venaient boire ; elles entraient en chaleur quand elles venaient boire. 39 Les bêtes s'accouplaient devant les baguettes ; les femelles mettaient bas des petits rayés, mouchetés ou tachetés.

40 Quant aux moutons que Jacob mit de côté, il les orienta vers ce qui était rayé — tout ce qui était fécond dans le troupeau de Laban — et il se constitua des troupeaux séparés qu'il ne mit pas au compte des bêtes de Laban. 41 Chaque fois que les bêtes robustes du troupeau s'accouplaient, Jacob mettait les baguettes sous leurs yeux, dans les auges, pour qu'elles s'accouplent devant les baguettes ; 42 il ne les mettait pas quand il s'agissait de bêtes chétives. Les bêtes chétives étaient pour Laban et les robustes pour Jacob.

Jacob s'enfuit de chez Laban

43 Cet homme regorgea de biens, il posséda de nombreux troupeaux, des servantes et des serviteurs, des chameaux et des ânes.

31 1 Il apprit que les fils de Laban disaient : « Jacob s'est emparé de tout ce qui appartenait à notre père, et c'est aux dépens de notre père qu'il s'est donné toute cette opulence. » 2 Jacob observa le visage de Laban et vit que leurs relations n'étaient plus celles des jours précédents. 3 Le SEIGNEUR dit à Jacob : « Retourne au pays de tes pères et de ta famille : je serai avec toi. » 4 Jacob fit appeler Rachel et Léa aux champs où il était avec le bétail. 5 Il leur dit : « Je vois que le visage de votre père n'est plus envers moi comme précédemment ; mais le Dieu de mon père a été avec moi. 6 Vous savez, vous, que j'ai servi votre père de toutes mes forces. 7 Votre père s'est joué de moi, il a changé dix fois mes gages, mais Dieu ne l'a pas laissé me nuire. 8 Quand il déclarait : "Tu auras pour salaire les bêtes mouchetées", tout le bétail produisait des mouchetées ; et quand il déclarait : "Tu auras pour salaire les rayées", tout le bétail produisait des rayées. 9 Dieu a enlevé à votre père son troupeau et me l'a donné. 10 Or, au temps où les bêtes s'accouplent, je levai les yeux et je vis en songe les boucs rayés, mouchetés et bigarrés qui couvraient les bêtes. 11 L'*ange de Dieu me dit en songe : "Jacob" — "Me voici", ai-je répondu. 12 Il reprit : "Lève les yeux et regarde tous ces boucs rayés, mouchetés et bigarrés qui couvrent les bêtes, car j'ai vu ce que Laban te fait. 13 Je suis le Dieu pour lequel, à Béthel, tu as oint une stèle q et tu m'y as fait un vœu. Maintenant, lève-toi, quitte ce pays et retourne au pays de ta famille." »

14 Rachel et Léa lui firent cette réponse : « Avons-nous encore une part et un héritage dans la maison de notre père ? 15 Ne nous a-t-il pas considérées comme des étrangères, puisqu'il nous a vendues et qu'il a même mangé notre argent r ? 16 Aussi toute la fortune que Dieu a enlevée à notre père est-elle à nous et à nos fils. Fais maintenant tout ce que Dieu t'a dit. »

17 Jacob se leva et emmena ses fils et ses femmes sur les chameaux. 18 Il emmena tout son cheptel — et tous les biens qu'il avait acquis, le cheptel étant l'acquisition qu'il avait faite en plaine d'Aram s — pour revenir chez son père Isaac au pays de Canaan. 19 Laban était allé tondre son bétail quand Rachel déroba les idoles t qui étaient à son père. 20 Jacob trompa la vigilance de Laban l'*Araméen en se gardant de le prévenir de sa fuite. 21 Il s'enfuit avec ce qui lui appartenait, il se leva, il passa le Fleuve et se dirigea vers les monts de Galaad u. 22 Le troisième jour on informa Laban que Jacob s'était enfui. 23 Il prit avec lui ses frères v, il le poursuivit pendant sept jours de marche et le rejoignit aux monts de Galaad.

Laban rattrape Jacob

24 Dieu vint trouver de nuit, en songe, Laban l'*Araméen, il lui dit : « Garde-toi de ne rien dire à Jacob en bien ou en mal. »

25 Laban rattrapa Jacob qui avait planté sa tente dans la montagne ; Laban fit de même avec ses frères dans les monts de

---

q stèle : voir 28.18 et la note ● r mangé mon argent : il semble que Laban n'avait pas donné à ses filles la dot habituelle ● s plaine d'Aram : voir 24.10 et la note ● t Les idoles mentionnées ici sont de petites figurines représentant les dieux protecteurs de la maison familiale ● u le Fleuve, c'est-à-dire l'Euphrate ; les monts de Galaad : région montagneuse à l'est du Jourdain ● v ses frères, c'est-à-dire probablement les gens de sa parenté (comparer 13.8 et la note)

31.1 Jacob s'est emparé 30.42 ; cf. Qo 4.4. 31.3 je serai avec toi 26.3+. 31.19 les idoles 31.34 ; 35.2-4 ; Jos 24.23 ; 1 S 7.3. 31.24 en songe 20.3+.

Galaad *w*. ²⁶ Laban dit à Jacob : « Qu'as-tu fait ! Tu as trompé ma vigilance et tu as emmené mes filles comme des captives de guerre. ²⁷ Pourquoi as-tu caché ta fuite et m'as-tu leurré au lieu de me prévenir ? Je t'aurais laissé partir dans la joie et les chants, le tambourin et la lyre ! ²⁸ Tu ne m'as pas laissé embrasser mes fils et mes filles *x*. Là, tu as agi sottement ²⁹ et il est en mon pouvoir de vous faire du mal. Mais le Dieu de vos pères m'a dit la nuit dernière : "Garde-toi de ne rien dire à Jacob en bien ou en mal !" ³⁰ Maintenant que tu t'en es allé parce que tu soupirais après la maison de ton père, pourquoi m'as-tu dérobé mes dieux *y* ? » ³¹ Jacob répondit à Laban *z* : « Parce que j'ai eu peur et que je me suis dit que tu m'enlèverais tes filles. ³² Celui chez qui tu trouveras tes dieux perdra la vie. En présence de nos frères, reconnais chez moi ce qui est à toi et reprends-le. » Jacob ignorait que Rachel les avait dérobés.

³³ Laban entra dans la tente de Jacob, puis dans celle de Léa, puis dans celle des deux servantes, et il ne trouva rien. Il sortit de la tente de Léa pour entrer dans celle de Rachel. ³⁴ Rachel avait pris les idoles et les avait mises dans le bât du chameau. Elle s'était assise dessus et Laban fouilla toute la tente sans rien trouver. ³⁵ Elle dit alors à son père : « Que mon seigneur ne m'en veuille pas si je ne puis me lever devant toi, car j'ai ce qui arrive aux femmes. » Il fouilla sans trouver les idoles.

³⁶ Jacob s'échauffa et prit Laban à partie ; il s'écria : « Quelle est ma faute ? Quel est mon délit, que tu fulmines contre moi ? ³⁷ En fouillant toutes mes affaires, as-tu trouvé une seule des affaires de ta maison ? Produis-la en présence de mes frères et de tes frères *a*, et qu'ils décident entre nous deux ! ³⁸ Cela fait vingt ans que je suis avec toi, et jamais tes brebis ni tes chèvres n'ont avorté ! Je n'ai pas mangé les béliers de ton bétail. ³⁹ La bête lacérée, je ne te la rapportais pas, j'en supportais la perte *b* ! La bête qu'on avait volée, de jour comme de nuit, tu me la réclamais ! ⁴⁰ J'ai été dévoré le jour par la chaleur, la nuit par le froid, et le sommeil a fui mes yeux ! ⁴¹ Cela fait vingt ans que je suis dans ta maison, je t'ai servi quatorze ans pour tes deux filles et six ans pour ton bétail ! Dix fois tu as changé mes gages ! ⁴² Si le Dieu de mon père, le Dieu d'Abraham et la Terreur d'Isaac *c*, n'avait été avec moi, tu m'aurais laissé partir les mains vides. Mais Dieu a regardé mon humiliation et la lassitude de mes mains ; la nuit dernière il a décidé. »

Laban et Jacob concluent une alliance

⁴³ Laban répondit à Jacob et dit : « Ces filles sont mes filles, ces fils sont mes fils, ces moutons sont mes moutons, tout ce que tu vois est à moi. Que vais-je faire pour mes filles ? Pour elles aujourd'hui ou pour les fils qu'elles ont enfantés ? ⁴⁴ Allons, il est temps de conclure une alliance, moi et toi, et qu'il y ait un témoin entre moi et toi. »

⁴⁵ Jacob prit une pierre et l'érigea en stèle *d*. ⁴⁶ Jacob dit à ses frères : « Ramassez des pierres », et ils prirent des pierres dont ils firent un tas. Ils mangèrent là sur ce tas. ⁴⁷ Laban l'appela Yegar Sahadouta, et Jacob l'appela Galéed *e*. ⁴⁸ Laban dit : « Ce tas est aujourd'hui témoin entre moi et toi » ; c'est pourquoi on l'appela Galéed — c'est-à-dire le Tas-du-témoin — ⁴⁹ et le Miçpa *f* — c'est-à-dire le Lieu-du-guet — dont il avait dit : « Que le SEIGNEUR fasse le guet entre moi et toi quand nous serons hors de vue l'un de l'autre. ⁵⁰ Si tu humilies mes filles, et si tu prends des femmes en plus de mes filles, vois que, même si personne n'est avec moi, Dieu est témoin entre nous. »

⁵¹ Laban dit à Jacob : « Voici ce tas de pierres que j'ai jetées entre moi et toi, voici cette stèle. ⁵² Ce tas de pierres

---

w ses frères: voir v. 23 et la note. — *monts de Galaad :* voir v. 21 et la note ● *x mes fils et mes filles,* c'est-à-dire *mes descendants* ● *y mes dieux:* voir v. 19 et la note ● *z* Au v. 31, Jacob répond à la question du v. 27 ; au v. 32, à celle du v. 30 ● *a mes frères et tes frères:* voir v. 23 et la note ; il doit s'agir d'ailleurs des mêmes personnes, vu la parenté de Jacob avec Laban ● *b* Comparer Ex 22.12; Am 3.12: le berger qui *rapportait* les restes d'une *bête lacérée* n'avait pas à en *supporter la perte* ● *c Terreur d'Isaac :* autre traduction *Parent d'Isaac;* il s'agit d'un titre donné à Dieu ● *d stèle:* voir 28.18 et la note ● *e* Jeu de mots entre le nom de *Galaad* (v. 25) et celui de *Galéed* (qui signifie *tas du témoin,* v. 48); *Yegar Sahadouta* est la traduction araméenne de *Galéed* ● *f* En hébreu, il y a jeu de mots entre le nom de *Miçpa* et le verbe traduit par *fasse le guet* d'une part et d'autre part entre *Miçpa* et le mot traduit par *stèle* aux v. 45, 51 et 52

31.26 comme des captives de guerre Dt 21.10-14; 1 S 30.2; 2 R 5.2. **31.31** tu m'enlèverais tes filles Ex 4 21. **31.35** il fouilla sans trouver Lv 15.19-20. **31.44** une alliance 21.27+. **31.50** Dieu est témoin Jg 11.10; 1 S 12.5; Jr 42.5.

est témoin, cette stèle est témoin. Moi, je jure de ne pas dépasser ce tas dans ta direction et toi, tu jures de ne pas dépasser ce tas dans ma direction — et cette stèle — sous peine de malheur *g*. [53] Que le Dieu d'Abraham et le Dieu de Nahor protègent le droit entre nous.» — C'était le Dieu de leur père — Jacob jura par la Terreur d'Isaac *h*, son père. [54] Jacob offrit un *sacrifice dans la montagne. Il invita ses frères *i* au repas ; ils mangèrent le repas et passèrent la nuit dans la montagne.

32 [1] Laban se leva de bon matin, il embrassa ses fils et ses filles *j*, il les bénit et retourna chez lui.

Jacob se prépare à rencontrer Esaü

[2] Jacob allait son chemin quand des messagers *k* de Dieu survinrent. [3] Dès qu'il les vit, il s'écria : « C'est un camp de Dieu», et il appela ce lieu Mahanaïm *l*.

[4] Jacob envoya devant lui des messagers vers son frère Esaü au pays de Séïr dans la campagne d'Edom *m*. [5] Il leur donna des ordres et dit : « Vous parlerez ainsi à mon seigneur Esaü : "Ainsi parle ton serviteur Jacob : J'ai séjourné chez Laban et m'y suis attardé jusqu'à présent. [6] Je possède taureaux et ânes, petit bétail, serviteurs et servantes, et j'ai tenu à envoyer des messagers pour informer mon seigneur Esaü afin de trouver grâce à ses yeux".» [7] Les messagers revinrent vers Jacob et dirent : « Nous sommes allés chez ton frère Esaü. Lui aussi marche à ta rencontre, et quatre cents hommes avec lui. » [8] Jacob eut très peur et l'angoisse le saisit *n*. Il répartit en deux camps les gens qui étaient avec lui, le petit et le gros bétail, et les chameaux, [9] en disant : « Si Esaü parvient à l'un des camps et le saccage, le camp restant pourra s'échapper. »

[10] Puis Jacob s'écria : « Dieu de mon père Abraham, Dieu de mon père Isaac, toi le SEIGNEUR qui m'as dit : "Retourne vers ton pays et ta famille et je te ferai du bien", [11] je suis trop petit pour toutes les faveurs et toute la fidélité dont tu as usé envers ton serviteur ! Car je n'avais passé le Jourdain qu'avec mon seul bâton et maintenant je forme deux camps. [12] De grâce, sauve-moi de la main de mon frère, de la main d'Esaü car j'ai peur de lui, j'ai peur qu'il ne vienne et ne nous frappe, moi, la mère avec les enfants. [13] Toi, tu m'as dit : "Je veux te faire du bien et je multiplierai ta descendance comme le sable de la mer qu'on ne peut compter tant il y en a !"» [14] Il demeura cette nuit-là en ce lieu.

Des bêtes dont il disposait, Jacob préleva un présent pour son frère Esaü : [15] deux cents chèvres, vingt boucs, deux cents brebis et vingt béliers, [16] trente chamelles laitières avec leurs petits, quarante vaches et dix taureaux, vingt ânesses et dix ânes. [17] Il remit aux mains de ses serviteurs chaque troupeau séparément et leur dit : « Passez devant moi et laissez un espace entre chaque troupeau. » [18] Puis il donna cet ordre au premier serviteur : « Lorsque mon frère Esaü te rencontrera et t'interrogera en disant : "A qui es-tu ? Où vas-tu ? A qui est ce troupeau qui te précède ?" [19] tu répondras : "A ton serviteur Jacob. C'est un présent qu'il envoie à mon seigneur Esaü et lui-même vient derrière nous".» [20] Il donna le même ordre au second serviteur, puis au troisième, puis à tous ceux qui marchaient derrière les troupeaux : « C'est de la même manière, dit-il, que vous parlerez à Esaü quand vous le trouverez [21] et vous lui direz : "Ton serviteur Jacob vient lui aussi derrière nous".» Il se disait en effet : « J'adoucirai son humeur en me faisant précéder de ce présent ; après quoi je le verrai en face et peut-être me fera-t-il bon accueil.» [22] Le présent passa en avant, lui-même demeura cette nuit-là au camp.

Jacob lutte avec Dieu

[23] Cette même nuit, il se leva, prit ses deux femmes, ses deux servantes, ses onze

---

g sous peine de malheur : autre traduction *pour faire du mal* ● *h Terreur d'Isaac :* voir v. 42 et la note ● *i ses frères :* voir v. 23 et la note ● *j ses fils et ses filles,* c'est-à-dire *ses descendants* ● *k messagers* ou **anges* ● *l* Le nom de *Mahanaïm* signifie *deux camps;* l'auteur biblique le rapproche de l'exclamation qui précède, ainsi que des v. 8-9. La localité de Mahanaïm, située en Transjordanie, n'est pas identifiée avec certitude ; on la place soit au nord, soit au sud du torrent du Yabboq (v. 23) ● *m pays de Séïr* et *campagne d'Edom* sont des désignations équivalentes de la région située au sud et sud-est de la mer Morte ● *n* Jacob craint les représailles d'Esaü, après ce qu'il lui a fait vingt ans plus tôt (voir 25.29-34; 27.1-45)

32.6 la richesse de Jacob 13.2+. **32.10** retourne vers ton pays 31.3, 13. **32.12** sauve-moi Ps 31.2-3; 59.2. **32.13** ta descendance 12.2+. — comme le sable 22.17+. **32.14** un présent 33.10; 1 S 25.18-19. **32.23-33** Jacob lutte avec Dieu Os 12.4-5; cf. 2 Co 12.7-10.

enfants, et il passa le gué du Yabboq *o*.
²⁴ Il les prit et leur fit passer le torrent,
puis il fit passer ce qui lui appartenait,
²⁵ et Jacob resta seul. Un homme *p* se
roula avec lui dans la poussière jusqu'au
lever de l'aurore. ²⁶ Il vit qu'il ne pouvait
l'emporter sur lui, il heurta Jacob à la
courbe du fémur *q* qui se déboîta alors
qu'il roulait avec lui dans la poussière.
²⁷ Il lui dit : « Laisse-moi car l'aurore
s'est levée. » — « Je ne te laisserai pas,
répondit-il, que tu ne m'aies béni. »
²⁸ Il lui dit : « Quel est ton nom ? » —
« Jacob », répondit-il. ²⁹ Il reprit : « On
ne t'appellera plus Jacob, mais Israël *r*,
car tu as lutté avec Dieu et avec les
hommes et tu l'as emporté. » ³⁰ Jacob
lui demanda : « De grâce, indique-moi
ton nom. » — « Et pourquoi, dit-il, me
demandes-tu mon nom ? » Là-même, il le
bénit. ³¹ Jacob appela ce lieu Peniël —
c'est-à-dire Face-de-Dieu — car « j'ai vu
Dieu face à face et ma vie a été sauve ».
³² Le soleil se levait quand il passa
Penouël *s*. Il boitait de la hanche. ³³ C'est
pourquoi les fils d'Israël ne mangent pas
le muscle de la cuisse qui est à la courbe
du fémur, aujourd'hui encore. Il avait
en effet heurté Jacob à la courbe du
fémur, au muscle de la cuisse.

Jacob rencontre Esaü

33 ¹ Jacob leva les yeux et vit qu'Esaü
arrivait, ayant avec lui quatre cents
hommes. Il répartit les enfants entre Léa,
Rachel et les deux servantes. ² Il mit en
tête les servantes et leurs enfants, puis
Léa et ses enfants, puis Rachel et Joseph. ³ Lui-même passa devant eux et se
prosterna sept fois à terre jusqu'à ce qu'il
se fût approché de son frère. ⁴ Esaü
courut à sa rencontre, l'étreignit, se jeta
à son cou et l'embrassa ; ils pleurèrent.
⁵ Puis Esaü leva les yeux et vit les femmes
et les enfants. Il dit : « Qui as-tu là ? »
— « Les enfants que Dieu a accordés à
ton serviteur *t* », répondit Jacob. ⁶ Les servantes s'approchèrent, elles et leurs en-

fants, puis se prosternèrent. ⁷ Léa s'approcha aussi avec ses enfants, ils se prosternèrent. Puis Joseph s'approcha avec Rachel et ils se prosternèrent aussi.
⁸ Esaü dit : « Qu'as-tu à faire avec tout
ce camp que j'ai croisé ? » — « Je voulais
trouver grâce aux yeux de mon seigneur *u* », répondit Jacob. ⁹ Esaü reprit :
« J'ai amplement pour moi, mon frère ;
que ce qui est à toi reste à toi ! » ¹⁰ Jacob
s'écria : « Non, je t'en prie ! Si j'ai pu
trouver grâce à tes yeux, tu accepteras
de ma main mon présent. En effet, puisque j'ai vu ta face comme on voit la face
de Dieu et que tu m'as agréé, ¹¹ reçois
donc de moi le bienfait qui t'a été apporté, car c'est Dieu qui m'en a gratifié ;
j'ai tout à moi. » Il le pressa et l'autre
accepta.
¹² Esaü dit : « Levons le camp et partons. Je marcherai à tes côtés. » ¹³ Jacob
lui répondit : « Mon seigneur sait que les
enfants sont délicats et que j'ai à ma
charge des brebis et des vaches qui allaitent ; si on les bousculait, ne fût-ce qu'un
seul jour, tout le petit bétail mourrait.
¹⁴ Que mon seigneur veuille passer devant
son serviteur. Moi, je cheminerai doucement au pas du convoi qui me précède
et au pas des enfants jusqu'à ce que j'arrive près de mon seigneur en Séïr *v*. »
¹⁵ Esaü dit : « Je laisse laisser avec toi
quelques-uns de ceux qui m'accompagnent. » — « A quoi bon ? répondit-il.
Il me suffit de trouver grâce aux yeux de
mon seigneur ! »
¹⁶ Ce jour même, Esaü reprit sa route
vers Séïr ¹⁷ tandis que Jacob gagnait
Soukkoth *w* où il se bâtit une maison et
où il fit des huttes pour son troupeau ;
c'est pourquoi il appela ce lieu Soukkoth
— c'est-à-dire les Huttes.

Jacob s'installe près de Sichem

¹⁸ Jacob, revenant de la plaine d'Aram,
arriva sain et sauf à la ville de Sichem *x*
qui est au pays de Canaan et il campa
devant la ville. ¹⁹ Pour cent pièces d'ar-

---

o Yabboq: affluent de la rive orientale du Jourdain ● *p un homme:* selon Os 12.5, il s'agit
d'un *ange; le présent texte (v. 31) laisse entendre qu'il s'agit de Dieu lui-même ● *q à la courbe
du fémur:* autre traduction *à l'articulation de la hanche* ● *r* En hébreu, il y a jeu de mots entre
le nom d'*Israël* et l'expression traduite par *tu as lutté avec Dieu.* — Le nouveau nom donné à
Jacob marque un changement profond dans son existence ● *s Penouël:* variante orthogra-
phique de *Peniël* (v.31) ● *t* C'est-à-dire *m'a accordé* ● *u* C'est-à-dire *tes yeux* ● *v Séïr:* voir
32.4 et la note ● *w* Localité située à l'est du Jourdain (55 km environ au nord-est de Jérusalem).
Le mot désigne des *huttes* faites avec des branchages ● *x plaine d'Aram:* voir 24.10 et la note.
— *Sichem:* voir 12.6 et la note

32.29 changement de nom 17.5+.   **32.30** indique-moi ton nom Ex 3.13-14; Jg 13.17-18; cf. Jn
17.6, 26; Ap 19.13.   **32.31** j'ai vu Dieu... Ex 33.20+.   **33.1-17** Jacob rencontre Esaü Pr 16.7.
33.10 mon présent 32.14.   **33.19** une parcelle de champ 48.22; Jos 24.32; Jn 4.5.

gent, il acquit de la main des fils de Hamor, père de Sichem, une parcelle du champ où il avait planté sa tente. [20] Il érigea là un *autel qu'il appela « El, Dieu d'Israël ».

Siméon et Lévi vengent leur sœur déshonorée

34 [1] Dina, la fille que Léa avait donnée à Jacob, sortait pour retrouver les filles du pays. [2] Sichem, fils de Hamor le Hivvite [y], chef du pays, la vit, l'enleva, coucha avec elle et la viola. [3] Il s'attacha de tout son être à Dina, la fille de Jacob, il se prit d'amour pour la jeune fille et lui parla cœur à cœur. [4] Sichem s'adressa à son père Hamor et lui dit : « Prends-moi cette enfant pour femme. »

[5] Jacob avait appris qu'il avait souillé sa fille Dina ; mais comme ses fils étaient à la campagne avec le troupeau, il se tut jusqu'à leur retour. [6] Hamor, père de Sichem, sortit pour parler à Jacob. [7] Les fils de Jacob revinrent de la campagne. Dès qu'ils l'apprirent, ces hommes se sentirent outragés et s'en irritèrent violemment, car Sichem avait commis une infamie en Israël en couchant avec la fille de Jacob ; on ne doit pas agir ainsi. [8] Hamor parla avec eux en ces termes : « Sichem, mon fils, est épris de votre fille de tout son être, donnez-la-lui pour femme. [9] Alliez-vous par mariage avec nous : vous nous donnerez vos filles et vous prendrez pour vous les nôtres. [10] Vous habiterez avec nous, le pays vous sera ouvert : habitez-y, faites-y vos affaires et devenez-y propriétaires. »

[11] Sichem s'adressa au père de la jeune fille et à ses frères : « Que je trouve grâce à vos yeux et je vous donnerai ce que vous me direz. [12] Imposez-moi lourdement pour la dot et la donation [z], je paierai exactement ce que vous me direz, mais donnez-moi la jeune fille pour femme. » [13] Les fils de Jacob répondirent à Sichem et à Hamor son père. Non sans fraude, ils parlèrent à celui qui avait souillé leur sœur Dina. [14] Ils leur dirent : « Nous ne pouvons faire ce que tu dis et donner notre sœur à un homme *incirconcis car ce serait pour nous un opprobre. [15] Nous ne vous donnerons notre consentement que si vous devenez pareils

à nous en faisant circoncire tous vos mâles. [16] Nous vous donnerons nos filles, nous prendrons pour nous les vôtres, nous habiterons avec vous et nous formerons un seul peuple. [17] Si vous n'acceptez pas de nous la circoncision, nous reprendrons notre fille et nous partirons. » [18] Leurs propos plurent à Hamor et à son fils Sichem. [19] Le jeune homme ne tarda pas à exécuter ce qui avait été dit, car il voulait la fille de Jacob. Il était des plus influents dans la maison de son père.

[20] Hamor et son fils Sichem se vinrent à la porte de leur ville [a] et parlèrent en ces termes à leurs concitoyens : [21] « Ces gens sont en paix avec nous, qu'ils habitent dans notre pays et qu'ils y fassent des affaires et que ce pays leur soit largement ouvert ; épousons leurs filles et donnons-leur les nôtres. [22] Toutefois ces gens ne consentiront à habiter avec nous pour former un seul peuple que si tous nos mâles sont circoncis comme les leurs. [23] Leur cheptel, leurs biens et tout leur bétail ne seront-ils pas à nous si seulement nous leur donnons ce consentement pour qu'ils puissent habiter avec nous ? » [24] Tous ceux qui sortaient à la porte de la ville écoutèrent Hamor et son fils Sichem ; tous les mâles furent circoncis, tous ceux qui sortaient à la porte de la ville.

[25] Or, le troisième jour, alors que les hommes étaient souffrants, les deux fils de Jacob, Siméon et Lévi, frères de Dina, entrèrent l'épée à la main dans la ville à coup sûr et tuèrent tous les mâles. [26] Ils passèrent au tranchant de l'épée Hamor et son fils Sichem, ils reprirent Dina dans la maison de Sichem et en ressortirent. [27] Les fils de Jacob s'en prirent aux blessés et pillèrent la ville parce qu'on avait souillé leur sœur. [28] Ils s'emparèrent de leur petit et de leur gros bétail, de leurs ânes, de ce qui était dans la ville et dans la campagne ; [29] ils capturèrent toutes leurs richesses, tous leurs enfants, leurs femmes, et ils pillèrent tout ce qui était à la maison.

[30] Jacob dit à Siméon et à Lévi : « Vous m'avez porté malheur en me rendant odieux aux habitants du pays, Cananéens et Perizzites. Nous ne sommes qu'un petit nombre, ils vont s'unir contre moi et m'abattre, je serai exterminé, moi et

---

y *Hivvite:* voir au glossaire AMORITES ● z La *dot* était versée par le fiancé aux parents de la jeune fille ; la *donation* constituait le bien propre de celle-ci ● a *à la porte de leur ville:* voir 23.10 et la note

34.1 Dina 30.21. 34.2-3 s'attacha à Dina Ex 22.15-16 ; Dt 22.28-29. 34.5 il se tut Am 5.13 ; Qo 3.7. 34.7 commis une infamie 2 S 13.12-13. 34.15 circoncision 17.10-14+. 34.25 souffrants Jos. 5.8. 34.30 qu'un petit nombre Dt 7.7 ; 26.5 ; 1 R 20.27 ; Ps 105.12.

ma maison *b*. » ³¹ Ils répondirent : « Devait-on traiter notre sœur en prostituée ? »

Jacob quitte Sichem pour Béthel

35 ¹ Dieu dit à Jacob : « Debout, monte à Béthel *c* et arrête-toi là. Elèves-y un *autel pour le Dieu qui t'est apparu lorsque tu fuyais devant ton frère Esaü. » ² Jacob dit à sa maison et à tous ceux qui l'accompagnaient : « Enlevez les dieux de l'étranger *d* qui sont au milieu de vous. *Purifiez-vous et changez vos vêtements. ³ Debout ! Montons à Béthel et j'y élèverai un autel pour le Dieu qui m'a répondu au jour de ma détresse. Il a été avec moi sur la route où j'ai marché. » ⁴ Ils livrèrent à Jacob les dieux de l'étranger qu'ils avaient en mains et les anneaux qu'ils portaient aux oreilles ; Jacob les enfouit sous le térébinthe près de Sichem *e*. ⁵ Ils quittèrent la place et Dieu sema la terreur dans les villes des environs : nul ne poursuivit les fils de Jacob.

⁶ Jacob arriva à Louz qui est au pays de Canaan — c'est-à-dire Béthel — lui et tous les gens qui l'accompagnaient. ⁷ Il éleva là un autel et appela ce lieu « El-Béthel » car c'est là que la divinité *f* s'était révélée à lui quand il fuyait devant son frère.

⁸ Débora, la nourrice de Rébecca, mourut et fut enterrée au-dessous de Béthel, au pied du chêne que Jacob appela « le Chêne des Pleurs ».

⁹ Dieu apparut encore à Jacob quand il revint de la plaine d'Aram *g* et il le bénit. ¹⁰ Dieu lui dit :

« Ton nom est Jacob.
On ne t'appellera plus du nom de
   Jacob,
mais Israël sera ton nom. »

Et il l'appela du nom d'Israël. ¹¹ Dieu lui dit :

« Je suis le Dieu Puissant *h*.
Sois fécond et prolifique :
une nation et une assemblée de nations viendront de toi
et des rois sortiront de tes reins. »

¹² Le pays que j'ai donné à Abraham et à Isaac, je te le donne ;
à ta descendance après toi je donnerai ce pays. »

¹³ Dieu s'éleva loin de lui, du lieu où il lui avait parlé.

¹⁴ Jacob érigea une stèle dans le lieu où Dieu avait parlé avec lui, une stèle de pierre sur laquelle il fit une libation et versa de l'huile *i*. ¹⁵ Jacob appela Béthel le lieu où Dieu avait parlé avec lui *j*.

Naissance de Benjamin et mort de Rachel

¹⁶ Ils quittèrent Béthel. Il y avait encore une certaine distance avant d'arriver à Ephrata *k* quand Rachel enfanta ; et ses couches furent pénibles. ¹⁷ Or, comme elle accouchait difficilement, la sage-femme lui dit : « Ne crains pas, car tu as un fils de plus. » ¹⁸ Dans son dernier souffle, au moment de mourir, elle l'appela Ben-Oni — c'est-à-dire Fils-du-deuil — mais son père l'appela Benjamin — c'est-à-dire Fils-de-la-droite *l*. ¹⁹ Rachel mourut et fut enterrée sur la route d'Ephrata, c'est-à-dire Bethléem. ²⁰ Jacob érigea une stèle *m* sur sa tombe : c'est la stèle de la tombe de Rachel, aujourd'hui encore.

²¹ Israël quitta la place et dressa sa tente au-delà de Migdal-Eder *n*. ²² Or, tandis qu'Israël demeurait dans cette région, Ruben alla coucher avec Bilha, concubine de son père, et Israël l'apprit.

Les fils de Jacob étaient au nombre de douze :

---

b Cananéens, Perizzites: voir au glossaire AMORITES. — *ma maison* ou *ma famille* ● *c* Béthel: voir 12.8 et la note; 28.10-22 ● *d* sa maison ou sa famille. — *les dieux de l'étranger* ou *les dieux étrangers* ; il s'agissait par exemple des idoles volées par Rachel, voir 31.19 ● *e* Les anneaux ou pendants d'oreille pouvaient être des symboles divins. — *Sichem*: voir 12.6 et la note ● *f la divinité* ou *Dieu* ● *g* plaine d'Aram: voir 24.10 et la note ● *h* Puissant voir 17.1 et la note ● *i* stèle, huile: voir 28.18 et la note. — *libation*: voir au glossaire SACRIFICES ● *j* Voir 28.19 ● *k* Béthel: voir v. 1. — *Ephrata*: autre nom de *Bethléem*, au sud de Jérusalem (voir v. 19; Mi 5.1) ● *l* Jacob change son nom de mauvaise augure (*Ben-Oni*) en un nom de bonne augure: *la droite* est le côté favorable ● *m* une stèle ou une pierre dressée ● *n* Migdal-Eder se trouvait, d'après Mi 4.8, tout près de la colline de *Sion, à Jérusalem. Le nom signifie « Tour du troupeau »

35.2 purifiez-vous... Ex 19.10-15; Nb 31.21-24. **35.3** il a été avec moi 26.3+. **35.8** Débora 24.59. **35.10** Jacob – Israël 32.29. **35.11** une assemblée de nations 12.2+. **35.12** promesse du pays 12.7+. **35.14** érection d'une stèle 28.18+. **35.17** un fils de plus 30.24. **35.18** Fils-du-deuil 1 S 4.20-21; 1 Ch 4.9; 7.23. — changement de nom 17.5+. **35.19** Ephrata – Bethléem Mi 5.1; Rt 1.2; Mt 2.6. — tombe de Rachel Jr 31.15; Mt 2.18. **35.22** inceste de Ruben 49.3-4; Lv 18.8+.

²³ Fils de Léa : Ruben, le premier-né de Jacob, Siméon, Lévi, Juda, Issakar, Zabulon. ²⁴ Fils de Rachel : Joseph et Benjamin. ²⁵ Fils de Bilha, servante de Rachel : Dan et Nephtali. ²⁶ Fils de Zilpa, servante de Léa : Gad et Asher.

Ce sont les fils de Jacob qui lui naquirent en plaine d'Aram *o*.

²⁷ Jacob arriva chez son père Isaac, à Mambré de Qiryath-Arba, c'est-à-dire Hébron *p*, où avaient séjourné Abraham et Isaac. ²⁸ Les jours d'Isaac furent de cent quatre-vingts ans ; ²⁹ Isaac expira, il mourut et fut réuni aux siens *q*, âgé et comblé de jours. Ses fils Esaü et Jacob l'enterrèrent.

Esaü s'installe au pays d'Edom

36 ¹ Voici la famille d'Esaü qui est Edom.
² Esaü épousa des filles de Canaan : Ada fille d'Elôn le Hittite, Oholivama fille de Ana, fille de Civéôn le Hivvite *r*, ³ et Basmath fille d'Ismaël et sœur de Nebayoth. ⁴ Ada donna à Esaü Elifaz et Basmath lui donna Réouël. ⁵ Oholivama lui donna Yéoush, Yaélâm, Qorah. Ce sont les fils d'Esaü qui lui naquirent au pays de Canaan.

⁶ Esaü prit ses femmes, ses fils, ses filles, toutes les personnes de sa maison, son cheptel, tout son bétail et toutes les acquisitions qu'il avait faites au pays de Canaan, puis il partit pour un pays hors de la présence de son frère. ⁷ Leurs biens étaient en effet trop considérables pour qu'ils puissent habiter ensemble et le pays où ils émigraient ne pouvait subvenir à leurs besoins à cause de leurs troupeaux. ⁸ Esaü habita dans la montagne de Séïr : Esaü, c'est Edom *s*.

Les descendants d'Esaü

⁹ Voici la famille d'Esaü père d'Edom dans la montagne de Séïr :
¹⁰ Voici les noms des fils d'Esaü : Elifaz, fils de Ada, femme d'Esaü et Réouël, fils de Basmath, femme d'Esaü. ¹¹ Les fils d'Elifaz furent Témân, Omar, Cefo, Gaétâm et Qenaz. ¹² Timna fut la concubine d'Elifaz, fils d'Esaü, et lui donna un fils Amaleq. Ce sont les fils de Ada, femme d'Esaü.

¹³ Voici les fils de Réouël : Nahath, Zérah, Shamma et Mizza. Ce sont les fils de Basmath, femme d'Esaü. ¹⁴ Voici quels furent les fils d'Oholivama, fille de Ana, fille de Civéôn et femme d'Esaü ; elle lui donna Yéoush, Yaélâm et Qorah.

¹⁵ Voici les chefs des fils d'Esaü *t* : Fils d'Elifaz, premier-né d'Esaü : chef Témân, chef Omar, chef Cefo, chef Qenaz, ¹⁶ chef Qorah, chef Gaétâm, chef Amaleq. Ce sont les chefs d'Elifaz dans le pays d'Edom, ce sont les fils de Ada.

¹⁷ Voici les fils de Réouël, fils d'Esaü : chef Nahath, chef Zérah, chef Shamma, chef Mizza. Ce sont les chefs de Réouël dans le pays d'Edom ; ce sont les fils de Basmath, femme d'Esaü.

¹⁸ Voici les fils d'Oholivama, femme d'Esaü : chef Yéoush, chef Yaélâm, chef Qorah. Ce sont les chefs d'Oholivama, fille de Ana, femme d'Esaü.

¹⁹ Ce sont les fils d'Esaü et ce sont leurs chefs. C'est Edom.

²⁰ Voici les fils de Séïr le Horite *u*, habitants du pays : Lotân, Shoval, Civéôn, Ana, ²¹ Dishôn, Ecèr et Dishân. Ce sont les chefs horites, fils de Séïr, dans le pays d'Edom. ²² Les fils de Lotân furent Hori et Hémâm, la sœur de Lotân fut Timna. ²³ Voici les fils de Shoval : Alwân, Manahath, Eval, Shefo et Onâm. ²⁴ Voici les fils de Civéôn : Ayya et Ana. Ce fut Ana qui trouva les eaux *v* dans le désert en faisant paître les ânes pour Civéôn son père. ²⁵ Voici les enfants de Ana : Dishôn et Oholivama, fille de Ana. ²⁶ Voici les fils de Dishân : Hèmdân, Eshbân, Yitrân et Kerân. ²⁷ Voici les fils d'Ecèr : Bilhân, Zaawân, Aqân. ²⁸ Voici les fils de Dishân : Ouç et Arân.

²⁹ Voici les chefs horites : chef Lotân, chef Shoval, chef Civéôn, chef Ana, ³⁰ chef Dishôn, chef Ecèr, chef Dishân. Ce sont les chefs horites selon leurs clans dans le pays de Séïr.

³¹ Voici les rois qui ont régné au pays d'Edom avant que ne règne un roi israé-

---

o plaine d'Aram: voir 24.10 et la note ● *p Mambré, Hébron:* voir 13.18 et la note ● *q réuni aux siens:* voir 25.8 et la note ● *r fille de Canaan* ou *Cananéenne.* — *Hittite, Hivvite:* voir au glossaire AMORITES ● *s Séïr, Edom:* voir 32.4 et la note ● *t* Il s'agit des chefs de tribus édomites ● *u Horite:* descendant d'un peuple qui avait précédemment dominé le pays de Canaan. Comparer au glossaire AMORITES ● *v les eaux:* d'après l'ancienne version syriaque; ancienne version latine: *eaux chaudes;* le sens du mot hébreu correspondant est inconnu

36.2 des filles de Canaan 24.3+. **36.7** leurs biens étaient trop considérables... 13.2+ ; 13.6. **36.9-14** famille d'Esaü 36.15-19; 1 Ch 1.35-37. **36.12** Amaleq Ex 17.8+. **36.15-19** fils d'Esaü 36.9-14+. **36.31-39** les rois d'Edom 1 Ch 1.43-50.

lite : ³² Bèla, fils de Béor, régna sur Edom et le nom de sa ville était Dinhava. ³³ Bèla mourut et Yovav, fils de Zérah de Boçra, régna à sa place. ³⁴ Yovav mourut et Houshâm, du pays des Témanites, régna à sa place. ³⁵ Houshâm mourut et Hadad, fils de Bedad, régna à sa place. Il battit Madiân dans la campagne de Moab ; le nom de sa ville était Awith. ³⁶ Hadad mourut et Samla de Masréqa régna à sa place. ³⁷ Samla mourut et Shaoul de Rehovoth sur l'Euphrate régna à sa place. ³⁸ Shaoul mourut et Baal-Hanân, fils de Akbor, régna à sa place. ³⁹ Baal-Hanân, fils de

Akbor, mourut et Hadar régna à sa place ; le nom de sa ville était Paou. Le nom de sa femme était Mehétavéel, fille de Matred, fille de Mê-Zahav.

⁴⁰ Voici les noms des chefs d'Esaü selon leurs clans et leurs localités, à savoir : chef Timna, chef Alwa, chef Yeteth, ⁴¹ chef Oholivama, chef Ela, chef Pinôn, ⁴² chef Qenaz, chef Témân, chef Mivçar, ⁴³ chef Magdiël, chef Irâm. Ce sont les chefs d'Edom selon leurs habitats au pays dont ils avaient la propriété. C'est Esaü le père d'Edom ʷ.

JOSEPH

Les songes de Joseph

37 ¹ Jacob habita au pays où son père avait émigré, le pays de Canaan. ² Voici la famille de Jacob ˣ.

Joseph, âgé de dix-sept ans, faisait paître les moutons avec ses frères.

Joseph était un enfant qui accompagnait les fils de Bilha et les fils de Zilpa, femmes de son père. Il rapporta à leur père leurs dénigrements ʸ.

³ Israël préférait Joseph à tous ses frères car il l'avait eu dans sa vieillesse. Il lui fit une tunique princière ᶻ ⁴ et ses frères virent qu'il le préférait à eux tous ; ils le prirent en haine et ne pouvaient plus lui parler amicalement.

⁵ Joseph eut un songe qu'il fit connaître à ses frères et ils le haïrent encore davantage. ⁶ « Ecoutez donc, leur dit-il, le songe que j'ai eu. ⁷ Nous étions en train de lier les gerbes en plein champ quand ma gerbe se dressa et resta debout. Vos gerbes l'entourèrent et se prosternèrent devant elle. » ⁸ Ses frères lui répondirent : « Voudrais-tu régner sur nous en roi ou nous dominer en maître ? » Ils le haïrent encore davantage pour ses songes et pour ses propos.

⁹ Joseph eut encore un autre songe qu'il raconta à ses frères : « Voici, dit-il,

j'ai eu encore un songe : le soleil, la lune et onze étoiles se prosternaient devant moi. » ¹⁰ Il le raconta à son père comme à ses frères ; son père le gronda et lui dit : « Quel songe as-tu eu là ! Aurons-nous, moi, ta mère et tes frères, à venir nous prosterner à terre devant toi ? » ¹¹ Ses frères le jalousèrent, mais son père retint la chose.

Joseph est vendu par ses frères

¹² Ses frères s'en allèrent à Sichem ᵃ paître le troupeau de leur père. ¹³ Celui-ci dit alors à Joseph : « Tes frères ne sont-ils pas au pâturage à Sichem ? Va, je t'envoie avec eux. » — « Me voici, répondit-il — ¹⁴ « Va voir, lui dit-il, comment se portent tes frères, comment va le troupeau, et rapporte-moi des nouvelles. » C'est de la vallée d'Hébron ᵇ qu'il l'envoya et Joseph s'en vint à Sichem.

¹⁵ Un homme le trouva en train d'errer dans la campagne et cet homme lui demanda : « Que cherches-tu ? — ¹⁶ « Je cherche mes frères, répondit-il. Indique-moi donc où ils font paître. » ¹⁷ L'homme lui répondit : « Ils sont partis d'ici car je les ai entendu dire : Allons à Dotân ᶜ. » Joseph suivit ses frères qu'il trouva à Dotân. ¹⁸ Ils le virent de loin. Avant qu'il

---

ʷ *C'est Esaü le père d'Edom*, c'est-à-dire Esaü est l'ancêtre des Edomites ● ˣ *Voici la famille de Jacob:* ces mots, qui introduisent l'ensemble des chap. 37—50, sont l'équivalent de *Voici l'histoire des fils de Jacob* ● ʸ *leurs dénigrements:* soit « la façon dont ils dénigraient les autres », soit « la façon dont on les dénigrait » ● ᶻ *princière:* traduction incertaine d'un mot qui n'apparaît que dans ce chapitre et en 2 S 13.18 où il est traduit par *à longues manches* ● ᵃ Voir 12.6 et la note ● ᵇ Voir 13.18 et la note ● ᶜ Localité située à 25 km environ au nord de Sichem

36.40-43 les chefs d'Esaü 1 Ch 1.51-54. **37.2** Joseph 30.22-24. — les fils de Bilha et de Zilpa 30.1-13. **37.5-8** un songe 37.9-11, 19; 40.4-19; 41.1-32; Dn 2; 4. **37.8** voudrais-tu régner sur nous ? Ex 2.14; 1 S 10.27; Lc 19.14. **37.11** ils le jalousèrent Ac 7.9. **37.18** ils complotèrent 1 S 19.1; Jr 11.18-21; Mt 27.1.

ne fût près d'eux, ils complotèrent de le faire mourir. ¹⁹ Ils se dirent l'un à l'autre : « Voici venir l'homme aux songes. ²⁰ C'est le moment ! Allez ! Tuons-le et jetons-le dans des fosses *d*. Nous dirons qu'une bête féroce l'a dévoré et nous verrons ce qu'il advient de ses songes ! » ²¹ Ruben entendit et voulut le délivrer de leurs mains : « Ne touchons pas à sa vie », dit-il.

²² Pour le délivrer de leurs mains et le rendre à son père, Ruben leur dit : « Ne répandez pas le sang, jetez-le dans cette fosse au désert, et ne portez pas la main sur lui. »

²³ Or, au moment où Joseph arriva près de ses frères, ils lui ôtèrent sa tunique, la tunique princière qu'il avait sur lui. ²⁴ Ils se saisirent de lui et le jetèrent dans la fosse ; cette fosse était vide, elle ne contenait pas d'eau. ²⁵ Puis ils s'assirent pour manger.

Levant les yeux, ils virent une caravane d'Ismaélites qui arrivaient de Galaad et dont les chameaux transportaient de la gomme adragante, de la résine et du ladanum pour les importer en Egypte *e*. ²⁶ Juda dit à ses frères : « Quel profit y aurait-il à tuer notre frère et à cacher son sang *f* ? ²⁷ Allons le vendre aux Ismaélites et ne portons pas la main sur lui, car notre frère, c'est notre chair. » Ses frères l'écoutèrent.

²⁸ Des marchands madianites qui passèrent hissèrent Joseph hors de la fosse et le vendirent pour vingt sicles *g* d'argent aux Ismaélites, qui le menèrent en Egypte. ²⁹ Quand Ruben revint à la fosse, Joseph n'y était plus. Il *déchira ses vêtements, ³⁰ et retourna vers ses frères en disant : « L'enfant n'est plus là ! Et moi, où vais-je aller ? »

³¹ Ils prirent la tunique de Joseph et, ayant égorgé un bouc, ils la trempèrent dans le sang. ³² Ils envoyèrent porter la tunique princière à leur père et lui dirent : « Nous avons trouvé cela. Reconnais si c'est la tunique de ton fils ou non. » ³³ Il la reconnut et s'écria : « La tunique de

mon fils ! Une bête féroce l'a dévoré, Joseph a été mis en pièces ! » ³⁴ Jacob déchira ses vêtements, mit un *sac à ses reins et prit le deuil de son fils pendant de longs jours. ³⁵ Quand tous ses fils et ses filles vinrent pour le consoler, il refusa de se consoler car, disait-il, « c'est en deuil que je descendrai vers mon fils au *séjour des morts ».

Son père le pleura ³⁶ et les Madianites le vendirent en Egypte à Potiphar, *eunuque de *Pharaon, grand sommelier *h*.

Juda et Tamar

38 ¹ Or, en ce temps-là, Juda descendit de chez ses frères et se rendit chez un homme d'Adoullam *i* du nom de Hira. ² Là, Juda vit la fille d'un Cananéen nommé Shoua. Il la prit et vint à elle, ³ elle devint enceinte et enfanta un fils qu'il appela Er. ⁴ Elle devint à nouveau enceinte et enfanta un fils qu'il appela Onân. ⁵ Puis, une fois encore, elle enfanta un fils qu'elle appela Shéla.

Juda était à Keziv *j* quand elle enfanta Shéla ⁶ et il prit pour Er, son premier-né, une femme du nom de Tamar. ⁷ Er, premier-né de Juda, déplut au SEIGNEUR qui le fit mourir. ⁸ Juda dit alors à Onân : « Va vers la femme de ton frère. Agis envers elle comme le proche parent du mort et suscite une descendance à ton frère *k*. » ⁹ Mais Onân savait que la descendance ne serait pas sienne ; quand il allait vers la femme de son frère, il laissait la semence se perdre à terre pour ne pas donner de descendance à son frère. ¹⁰ Ce qu'il faisait déplut au SEIGNEUR qui le fit mourir, lui aussi. ¹¹ Juda dit alors à Tamar sa bru : « Reste veuve dans la maison de ton père jusqu'à ce que mon fils Shéla ait grandi. » Il disait en effet : « Il ne faudrait pas que celui-ci meure aussi comme ses frères ! » Tamar s'en alla demeurer dans la maison de son père.

¹² Bien des jours passèrent et la fille de Shoua, la femme de Juda, mourut. Quand il fut consolé, Juda monta à Timna *l* avec

---

d dans des fosses ou *dans une de ces fosses* ● *e gomme adragante, résine, ladanum:* traduction de trois termes techniques hébreux dont le sens précis n'est plus connu. Il s'agit en tout cas de produits végétaux odoriférants, qu'on utilisait en *Egypte* pour les soins médicaux et pour l'embaumement des momies ● *f à cacher son sang:* pour qu'il ne « crie pas vers Dieu » (voir 4.10), c'est-à-dire qu'il ne réclame pas justice ● *g sicles:* voir au glossaire MONNAIES ● *h grand sommelier:* titre d'un haut fonctionnaire égyptien ● *i* Localité située à 25 km environ au sud-ouest de Jérusalem ● *j Keziv:* il s'agit probablement de la même localité qu'*Akziv* citée en Mi 1.14, et située dans les environs d'Adoullam ● *k* Application de la loi du « lévirat », formulée en Dt 25.5-6 ● *l Timna:* localité située à 20 km au sud-ouest de Jérusalem

---

37.20 tuons-le... Jr 38.4.   37.22 dans une fosse Jr 38.6.   37.28 ils le vendirent Za 11.12; Mt 26.15; Ac 7.9.   38.1-30 les descendants de Juda 46.12; Nb 26.19-21; 1 Ch 2.3-4.   38.11 reste veuve... Rt 1.11-13.

son ami Hira l'Adoullamite chez les tondeurs de son troupeau. 13 On informa
Tamar en ces termes : « Voici que ton
beau-père monte à Timna pour la tonte
de son troupeau. » 14 Elle retira ses habits
de veuve, se couvrit d'un voile et, s'étant
rendue méconnaissable, elle s'assit à l'entrée d'Einaïm [m] qui est sur le chemin de
Timna. Elle voyait bien en effet que Shéla
avait grandi sans qu'elle lui soit donnée
pour femme.
15 Juda la vit et la prit pour une prostituée puisqu'elle avait couvert son visage.
16 Il obliqua vers elle sur le chemin et dit :
« Eh ! je viens à toi ! » Car il n'avait pas
reconnu en elle sa bru. Elle répondit :
« Que me donnes-tu pour venir à moi ? »
— 17 « Je vais t'envoyer un chevreau du
troupeau », dit-il. Elle reprit : « D'accord,
si tu me donnes un gage jusqu'à cet
envoi. » — 18 « Quel gage te donnerai-je ? » dit-il. — « Ton sceau, ton cordon [n] et le bâton que tu as à la main »,
répondit-elle. Il les lui donna, vint à elle,
et elle devint enceinte de lui. 19 Elle se
leva, s'en alla, retira son voile et reprit
ses habits de veuve.
20 Juda envoya le chevreau par l'intermédiaire de son ami d'Adoullam pour
reprendre le gage des mains de la femme.
Celui-ci ne la trouva pas 21 et interrogea
les indigènes : « Où est la courtisane qui
était sur le chemin à Einaïm ? » — « Il
n'y a jamais eu là de courtisane », répondirent-ils. 22 Il revint à Juda et lui dit :
« Je ne l'ai pas trouvée et les indigènes
ont même déclaré qu'il n'y avait pas là de
courtisane. » 23 Juda reprit : « Elle sait s'y
prendre ! [o] Ne nous rendons pas ridicules,
moi qui lui ai envoyé un chevreau et toi
qui ne l'as pas trouvée ! »
24 Or, trois mois après, on informa
Juda : « Ta bru Tamar s'est prostituée.
Bien plus, la voilà enceinte de sa prostitution ! » — « Qu'on la mette dehors et
qu'on la brûle ! » repartit Juda. 25 Tandis
qu'on la mettait dehors, elle envoya dire
à son beau-père : « C'est de l'homme à
qui ceci appartient que je suis enceinte. »
Puis elle dit : « Reconnais donc à qui
appartiennent ce sceau, ces cordons, ce
bâton ! » 26 Juda les reconnut et dit : « Elle
a été plus juste que moi, car, de fait, je
ne l'avais pas donnée à mon fils Shéla. »
Mais il ne la connut [p] plus.
27 Or, au temps de ses couches, il y avait
des jumeaux dans son sein. 28 Pendant
l'accouchement, l'un d'eux présenta une
main que prit la sage-femme ; elle y attacha un fil écarlate en disant : « Celui-ci
est sorti le premier. » 29 Puis il rentra sa
main et c'est son frère qui sortit. « Qu'est-
ce qui t'arrivera pour la brèche que tu as
faite ! » dit-elle. On l'appela du nom de
Pèrèç — c'est-à-dire la Brèche. 30 Son
frère sortit ensuite, lui qui avait à la main
le fil écarlate ; on l'appela du nom de
Zérah.

Joseph chez l'Egyptien Potiphar

39 1 Joseph étant descendu en Egypte,
Potiphar, * eunuque de * Pharaon,
le grand sommelier, un Egyptien, l'acquit
des mains des Ismaélites qui l'y avaient
amené [q]. 2 Le SEIGNEUR fut avec Joseph
qui s'avéra un homme efficace.
Il fut à demeure chez son maître l'Egyptien. 3 Celui-ci vit que le SEIGNEUR était
avec lui et qu'il faisait réussir entre ses
mains tout ce qu'il entreprenait. 4 Joseph
trouva grâce aux yeux de son maître qui
l'attacha à son service. Il le prit pour
majordome et lui mit tous ses biens entre
les mains.
5 Or, dès qu'il l'eut préposé à sa maison et à tous ses biens, le SEIGNEUR bénit
la maison de l'Egyptien à cause de Joseph ; la bénédiction du SEIGNEUR s'étendit à tous ses biens, dans sa maison
comme dans ses champs. 6 Il laissa alors
tous ses biens entre les mains de Joseph
et, l'ayant près de lui, il ne s'occupait plus
de rien sinon de la nourriture qu'il mangeait [r].

Joseph et la femme de son maître

Or Joseph était beau à voir et à regarder 7 et, après ces événements, la femme
de son maître leva les yeux sur lui et lui
dit : « Couche avec moi. » 8 Mais il refusa

m s'étant rendue méconnaissable ou *s'étant fardée.* — *Einaïm:* probablement la même localité que celle nommée *Einâm* en Jos 15.34, et située dans les environs d'Adoullam • *n* Le *sceau* (voir Ex 28.11 et la note) était souvent porté autour du cou au moyen d'un *cordon* • *o Elle sait s'y prendre!:* autre traduction *Qu'elle garde ce qu'elle a!* • *p plus juste:* Tamar a eu plus de souci que Juda de respecter la loi du « lévirat » (voir v. 8 et la note). — *connut:* voir 4.1 et la note • *q* Voir 37.36 et la note • *r* Sur les préoccupations alimentaires des Egyptiens, voir 43.32

38.24 qu'on la brûle Lv 21.9; Jr 29.22-23. **38.26** plus juste que moi 1 S 24.18. **38.29** Pèrèç Rt 4.12, 18; Mt 1.3. **39.1** Joseph en Egypte Ps 105.16-19; *Sg* 10.13-14; Ac 7.9-10. **39.3** le Seigneur était avec lui 26.3+. — il faisait réussir 39.23; 1 S 18.14; Ps 1.3. **39.6** beauté de Joseph 1 S 16.12. **39.7** couche avec moi Pr 7.1-27; Qo 7.26; 1 Co 6.13.

et dit à la femme de son maître : « Voici
que mon maître m'a près de lui et ne
s'occupe plus de rien dans la maison. Il a
remis tous ses biens entre mes mains.
[9] Dans cette maison même, il ne m'est
pas supérieur et ne m'a privé de rien
sinon de toi qui es sa femme. Comment
pourrais-je commettre un si grand mal et
pécher contre Dieu ? » [10] Chaque jour, elle
parlait à Joseph de se coucher à côté d'elle
et de s'unir à elle mais il ne l'écoutait
pas. [11] Or, le jour où il vint à la maison
pour remplir son office sans qu'il s'y
trouve aucun domestique, [12] elle le saisit
par son vêtement en disant : « Couche
avec moi ! » Il lui laissa son vêtement
dans la main, prit la fuite et sortit de la
maison.
[13] Quand elle vit entre ses mains le
vêtement qu'il lui avait laissé en s'en-
fuyant au-dehors, [14] elle appela ses domestiques et leur dit : « Ça ! On nous a
amené un Hébreu pour s'amuser de nous !
Il est venu à moi pour coucher avec
moi et j'ai appelé à grands cris. [15] Alors,
dès qu'il m'a entendu élever la voix et
appeler, il a laissé son vêtement à côté
de moi, s'est enfui et est sorti de la maison. » [16] Elle déposa le vêtement de Joseph
à côté d'elle jusqu'à ce que son mari
revienne chez lui. [17] Elle lui tint le même
langage en disant : « Il est venu à moi
pour s'amuser de moi, cet esclave hébreu
que tu nous as amené. [18] Dès que j'ai
élevé la voix et appelé, il a laissé son vêtement à côté de moi et s'est enfui au-
dehors. » [19] Quand le maître entendit ce
que lui disait sa femme — « Voilà de
quelle manière ton esclave a agi envers
moi » —, il s'enflamma de colère. [20] Il fit
saisir Joseph pour le mettre en forteresse [s], lieu de détention pour les prisonniers du roi.

Joseph en prison

Tandis qu'il était là, en forteresse, [21] le
SEIGNEUR fut avec lui. Il se pencha amicalement vers lui et lui accorda la faveur
du commandant de la forteresse. [22] Ce
commandant remit aux mains de Joseph
tous les prisonniers de la forteresse ; tout
ce qu'on y faisait, c'était lui qui le faisait

faire. [23] Le commandant de la forteresse
ne regardait rien de ce qui était confié à
Joseph car le SEIGNEUR était avec lui ; ce
qu'il entreprenait, le SEIGNEUR le faisait
réussir.

40 [1] Or, après ces événements, l'échanson et le panetier du roi d'Egypte
commirent une faute à l'égard de leur
maître, le roi d'Egypte.
[2] *Pharaon s'irrita contre deux de ses
*eunuques, le grand échanson et le grand
panetier, [3] et il les mit aux arrêts dans la
maison du grand sommelier, dans la forteresse, le lieu même où Joseph était
détenu. [4] Le grand sommelier leur proposa
Joseph qui fut attaché à leur service.

Joseph interprète les songes de deux prisonniers

Ils étaient depuis un certain temps aux
arrêts [5] quand eux deux, l'échanson et
le panetier du roi d'Egypte, détenus dans
la forteresse, eurent la même nuit un
songe. Chacun eut son propre songe avec
sa propre signification. [6] Au matin, Joseph
vint à eux et les trouva tout moroses.
[7] Il interrogea donc les *eunuques de
*Pharaon qui étaient avec lui aux arrêts
dans la maison de son maître : « Pourquoi avez-vous triste mine aujourd'hui ? »
— [8] « Nous avons eu un songe, répondirent-ils, et personne ne peut l'interpréter. » Alors Joseph leur dit : « N'est-ce
pas à Dieu d'interpréter ? Faites-m'en le
récit. »
[9] Le grand échanson raconta à Joseph
le songe qu'il avait eu : « Je rêvais, une
vigne était devant moi [10] avec trois sarments sur le cep. Elle bourgeonna, sa fleur
s'ouvrit et les grappes donnèrent des raisins mûrs. [11] J'avais en main la coupe de
Pharaon. Je saisis les grappes, les pressai
au-dessus de la coupe de Pharaon que je
remis entre ses mains. »
[12] Joseph lui dit : « En voici l'interprétation. Les trois sarments font trois jours.
[13] Encore trois jours et Pharaon te relèvera la tête [t]. Il te rétablira dans ta charge
et tu mettras la coupe aux mains de Pharaon selon le statut d'échanson que tu
avais auparavant. [14] Mais si tu te souviens

---

s forteresse: le sens du terme hébreu correspondant est mal connu, mais éclairé par les mots
suivants ● *t relèvera la tête:* c'était le geste par lequel un supérieur exprimait qu'il accordait son pardon à un subordonné prosterné devant lui

39.9 pécher contre Dieu 2 S 12.13; Ps 51.6. **39.12** il sortit de la maison Pr 5.8. **39.15** élever
la voix Dn 13.24. **39.19** il s'enflamma de colère Pr 6.29-35. **39.21** le Seigneur fut avec lui
26.3+. **40.4-19** les songes 37.5-8+. **40.8** à Dieu d'interpréter 41.16; Dn 2.11, 18, 28; Mt 10.20;
2 Co 3.5. **40.14** parle de moi à Pharaon 40.23; 41.9-13.

que j'ai été avec toi, lorsque tu seras bien traité, fais-moi l'amitié de parler de moi à Pharaon et de me faire sortir de cette maison. ¹⁵ On m'a en effet enlevé du pays des Hébreux et, même ici, je n'ai rien fait pour qu'on me mette en geôle. »

¹⁶ Voyant que Joseph avait donné une interprétation favorable, le grand panetier lui dit : « Moi aussi, je rêvais, trois corbeilles de gâteaux étaient sur ma tête. ¹⁷ Dans la corbeille supérieure, il y avait de toutes les pâtisseries que mange Pharaon, et les oiseaux becquetaient dans la corbeille posée sur ma tête. » ¹⁸ Joseph prit la parole et dit : « En voici l'interprétation. Les trois corbeilles font trois jours. ¹⁹ Encore trois jours et Pharaon t'enlèvera la tête du corps. Il te suspendra à un arbre et les oiseaux becquetteront ta chair. »

²⁰ Or, le troisième jour, qui se trouvait être l'anniversaire ᵘ de Pharaon, celui-ci offrit un festin à tous ses serviteurs, et parmi eux mit en évidence le grand échanson et le grand panetier. ²¹ Il rétablit dans sa charge le grand échanson qui lui mettait la coupe en mains ²² et il pendit le grand panetier. Ainsi l'avait interprété Joseph ; ²³ mais le grand échanson ne parla pas de Joseph et l'oublia.

Les songes de Pharaon

41 ¹ Or, au bout de deux ans, *Pharaon eut un songe. Il se tenait au bord du Nil ² et voici que du Nil montaient sept vaches belles d'aspect et bien en chair. Elles se mirent à paître dans les fourrés. ³ Puis sept autres vaches montèrent du Nil après elles, vilaines d'aspect et efflanquées. Elles se tinrent à côté des premières sur la rive du Nil, ⁴ et les sept vaches vilaines d'aspect et efflanquées dévorèrent les sept vaches belles d'aspect et grasses. Alors Pharaon s'éveilla.

⁵ Il se rendormit et rêva une seconde fois Voici que sept épis montaient d'une seule tige, gras et appétissants ᵛ. ⁶ Puis sept épis grêles et brûlés par le vent d'est ʷ germèrent après eux, ⁷ et les épis grêles absorbèrent les sept épis gras et gonflés. Alors Pharaon s'éveilla : c'était un songe.

⁸ Au matin, Pharaon, l'esprit troublé, fit appeler tous les prêtres et tous les sages

d'Egypte. Il leur raconta ses songes, mais personne ne put les interpréter à Pharaon. ⁹ C'est alors que le grand échanson s'adressa à Pharaon : « Je dois aujourd'hui avouer ma faute. ¹⁰ Pharaon s'était irrité contre ses serviteurs et m'avait mis aux arrêts dans la maison du grand sommelier, moi ainsi que le grand panetier. ¹¹ Nous avons eu un songe la même nuit, moi et lui, et chaque songe avait sa propre signification. ¹² Il y avait là avec nous un jeune Hébreu, esclave du grand sommelier. Nous lui avons fait le récit de nos songes. Il les interpréta et donna à chacun son interprétation. ¹³ Or il en advint précisément comme il nous les avait interprétés : moi, on me rétablit dans ma charge, et l'autre, on le pendit. »

Joseph interprète les songes de Pharaon

¹⁴ *Pharaon fit appeler Joseph qu'on tira précipitamment de geôle. On le rasa, il changea de vêtement et se rendit chez Pharaon. ¹⁵ Celui-ci dit à Joseph : « J'ai eu un songe et personne n'a pu l'interpréter. Mais j'ai entendu dire de toi qu'en entendant le récit des songes, tu étais à même de les interpréter. » ¹⁶ Joseph répondit ainsi à Pharaon : « Même sans moi, Dieu saurait ˣ donner une réponse salutaire à Pharaon. »

¹⁷ Pharaon dit alors à Joseph : « Je rêvais et je me voyais debout sur la rive du Nil. ¹⁸ Voici que du Nil montaient sept vaches bien en chair et belles de forme. Elles se sont mises à paître dans les fourrés. ¹⁹ Puis sept autres vaches montèrent après elles, maigres, très vilaines de forme et malingres, comme je n'en ai jamais vu d'aussi vilaines dans tout le pays d'Egypte. ²⁰ Les vaches malingres et vilaines dévorèrent les sept vaches grasses du début. ²¹ Une fois entrées dans leurs panses, on ne se doutait pas qu'elles y fussent, tant leur aspect restait aussi vilain qu'avant. Alors je me suis éveillé, ²² mais pour voir encore en songe sept épis qui montaient d'une seule tige, gonflés et appétissants. ²³ Puis sept épis durcis, grêles et brûlés par le vent d'est, germèrent après eux. ²⁴ Les épis grêles absorbèrent les

---

u anniversaire: probablement de son couronnement ● *v gras et appétissants* ou *gros et beaux* ● *w vent d'est:* vent très sec, soufflant du désert ● *x Même sans moi, Dieu saurait:* autre traduction *Ce n'est pas moi, mais Dieu qui saura*

40.19 il te suspendra à un arbre Dt 21.22.   **40.20** festin d'anniversaire Mc 6.21.   **40.23** il oublia Joseph 40.14; Qo 9.15-16; Lm 3.25-27.   **41.1-32** les songes de Pharaon 37.5-8+.   **41.8** Pharaon troublé Dn 2.1. — tous les sages Ex 7.11, 22; 8.3; Dn 2.2, 27; 4.4; 5.7, 11.   **41.9-13** le grand échanson 40.14+.   **41.14** Joseph devant Pharaon Ps 105.20-21; Dn 2.25; Ac 7.10; cf. 1 S 2.8. **41.16** Dieu peut répondre 40.8+.

sept bons épis ! J'en ai parlé aux prêtres et personne n'a pu m'éclairer. »

[25] Joseph répondit à Pharaon : « Pour Pharaon, il n'y a là qu'un seul songe. Dieu vient d'informer Pharaon de ce qu'il va faire. [26] Les sept bonnes vaches font sept années, les sept bons épis font sept années : il n'y a là qu'un songe. [27] Les sept vaches malingres et vilaines qui montèrent après font sept années, ainsi que les sept épis malingres et brûlés par le vent d'est [y] ; ce seront sept années de famine. [28] Voilà la parole que j'avais à dire à Pharaon, Dieu a révélé à Pharaon ce qu'il va faire. [29] Sept années de grande abondance vont venir dans tout le pays d'Egypte. [30] Puis surviendront après elles sept années de famine et l'on perdra le souvenir de toute cette abondance au pays d'Egypte. La famine épuisera le pays [31] et on ne saura plus ce qu'est l'abondance dans le pays à cause de la famine qui suivra, tant elle sévira durement. [32] Si le songe a été répété par deux fois à Pharaon, c'est que la chose a été décidée par Dieu et que Dieu va se hâter de l'accomplir.

[33] « Et maintenant, que Pharaon découvre un homme intelligent et sage pour le préposer au pays d'Egypte. [34] Que Pharaon mette en place des commissaires sur le pays pour taxer au cinquième le pays d'Egypte pendant les sept années d'abondance ! [35] Ils collecteront tous les vivres de ces sept bonnes années à venir et entreposeront du froment sous l'autorité de Pharaon comme réserves de vivres dans les villes. [36] Ce sera une réserve pour le pays en vue des sept années de famine qui surviendront au pays d'Egypte : ainsi la famine ne dépeuplera pas le pays. »

Joseph devient ministre de Pharaon

[37] Cette proposition plut à *Pharaon et à tous ses serviteurs. [38] Pharaon leur dit : « Trouverons-nous un homme en qui soit comme en celui-ci l'Esprit de Dieu ? » [39] Et Pharaon dit à Joseph : « Puisque

Dieu t'a instruit de tout cela, il n'y a personne qui puisse être aussi intelligent et aussi sage que toi. [40] C'est toi qui seras mon majordome. Tout mon peuple se soumettra à tes ordres et par le trône seulement je te serai supérieur. » [41] Pharaon dit à Joseph : « Vois : je t'établis sur tout le pays d'Egypte. » [42] Il retira de sa main l'anneau [z] qu'il passa à la main de Joseph, il le revêtit d'habits de lin fin et lui mit au cou le collier d'or. [43] Puis il le fit monter sur son deuxième char et on criait devant lui : « Attention ! [a] »

Pharaon l'établit donc sur tout le pays d'Egypte [44] et il dit à Joseph : « Je suis Pharaon. Mais sans toi, personne ne lèvera le petit doigt dans tout le pays d'Egypte. » [45] Puis Pharaon donna à Joseph le nom de Çafnath-Panéah et lui donna pour femme Asenath fille de Poti-Phéra prêtre de One [b]. Joseph partit inspecter le pays d'Egypte.

[46] Joseph avait trente ans quand il se tint en présence de Pharaon, roi d'Egypte. Il prit congé de lui pour parcourir tout le pays d'Egypte.

[47] Pendant les sept années d'abondance, le pays produisit à plein. [48] Joseph collecta tous les vivres pendant les sept années qui se succédèrent au pays d'Egypte et les entreposa dans les villes ; il entreposa dans les centres urbains les vivres produits dans la campagne environnante. [49] Puis Joseph accumula du froment en quantités énormes, tel le sable de la mer, au point qu'il cessa d'en faire le compte, car ce n'était plus mesurable.

[50] Avant l'année où survint la famine, deux fils naquirent à Joseph, que lui enfanta Asenath, fille de Poti-Phéra, prêtre de One. [51] Il appela l'aîné Manassé car, dit-il, « Dieu m'a crédité de toutes mes peines [c] et de toute la maison de mon père ». [52] Le cadet, il l'appela Ephraïm car, dit-il, « Dieu m'a rendu fécond [d] dans le pays de ma misère ».

[53] Les sept années d'abondance au pays d'Egypte prirent fin [54] et les sept années de famine commencèrent à venir comme

y vent d'est: voir v. 6 et la note ● *z L'anneau* est probablement le sceau du roi, lequel pouvait avoir la forme d'une bague (voir Ex 28.11 et la note) ● *a Attention!:* autre traduction *A genoux!* ● *b Çafnath-Panéah:* on ignore le sens précis de ce nom, dans lequel entre un élément signifiant *vie.* — *One* est le nom égyptien de la ville d'*Héliopolis,* proche du Caire, et célèbre par le culte du Soleil ● *c* En hébreu, il y a jeu de mots entre le nom de *Manassé* et *le verbe* traduit par *m'a crédité de* (ou, autre traduction *m'a fait oublier*) ● *d* Jeu de mots entre *Ephraïm* et *m'a rendu fécond*

41.25 informer Pharaon Am 3.7; Dn 2.28; Mc 13.23. **41.27** sept années de famine 2 R 8.1; Ac 7.11. **41.33** un homme intelligent et sage Ex 31.1-3; 35.30-31; Dt 1.13; 1 R 7.13-14. **41.38** en qui soit l'Esprit de Dieu 1 S 10.6; 11.6; 16.13; Dn 4.15; 5.11-14; *Dn* 13. 45. **41.42** l'anneau Est 3.10; 8.2. — collier d'or Dn 5.7, 29. **41.49** comme le sable 22.17+. **41.51-52** Manassé et Ephraïm 48.1-22.

Joseph l'avait prédit. La famine sévissait dans tous les pays mais dans l'Egypte tout entière il y avait du pain. [55] Tout le pays d'Egypte fut affamé et le peuple réclama à grands cris du pain à Pharaon. A tous les Egyptiens, il répondit : « Allez trouver Joseph, faites ce qu'il vous dira.» [56] La famine sévissait sur toute la surface du pays. Joseph ouvrit tous les dépôts stockés dans les villes pour vendre du grain aux Egyptiens. La famine se fit rigoureuse dans le pays d'Egypte. [57] Tout le monde venait en Egypte pour acheter du grain à Joseph car la famine était rigoureuse sur la terre entière.

Jacob envoie ses fils en Egypte

42 [1] Voyant qu'il y avait du grain en Egypte, Jacob dit à ses fils : « Qu'avez-vous à vous regarder ? » [2] Il s'écria : « J'ai entendu dire qu'il y avait du grain en Egypte. Descendez-y ; et là, achetez-nous du grain pour notre subsistance et pour nous éviter de mourir.» [3] Dix des frères de Joseph descendirent acheter du grain d'Egypte, [4] mais Jacob n'envoya pas avec ses frères Benjamin, le frère de Joseph, car, disait-il, « il ne faut pas qu'il lui arrive malheur ».

[5] Comme faisaient d'autres, les fils d'Israël vinrent acheter du grain car la famine sévissait au pays de Canaan.

Joseph traite durement ses frères

[6] Joseph était le potentat du pays et vendait du grain à toute sa population. Les frères de Joseph arrivèrent et se prosternèrent devant lui [e], face contre terre. [7] Joseph vit ses frères et les reconnut, mais il leur cacha son identité et parla durement avec eux : « D'où venez-vous ? » leur dit-il. « Du pays de Canaan, répondirent-ils, pour acheter des vivres.» [8] Joseph reconnut ses frères, mais eux ne le reconnurent pas. [9] Alors Joseph se rappela les songes [f] qu'il avait eus à leur sujet et leur dit : « Vous êtes des espions et vous êtes venus pour repérer les points faibles du pays.» — [10] « Non, mon seigneur, répondirent-ils, tes serviteurs sont venus pour acheter des vivres. [11] Nous sommes tous les fils du même homme, nous sommes dignes de foi, tes serviteurs ne sont pas des espions.» — [12] « Non ! leur répliqua-t-il ; vous êtes venus pour repérer les points faibles du pays.» [13] Ils reprirent : « Nous, tes serviteurs, nous étions douze frères, fils d'un même homme au pays de Canaan. Le plus jeune est aujourd'hui avec notre père et l'un de nous n'est plus.» — [14] « Je vous ai bien dit que vous étiez des espions, s'écria Joseph. [15] Voici l'épreuve que vous allez subir : aussi vrai que *Pharaon est vivant [g], vous ne sortirez pas d'ici que votre plus jeune frère n'y vienne. [16] Envoyez l'un d'entre vous prendre votre frère. Pour vous, restez prisonniers, et vos dires seront éprouvés : la vérité serait-elle avec vous ? Sinon, aussi vrai que Pharaon est vivant, vous êtes vraiment des espions ! »

[17] Il les mit ensemble aux arrêts pendant trois jours. [18] Le troisième jour, Joseph leur dit : « Voici ce que vous allez faire pour rester en vie. Je crains Dieu, moi. [19] Seriez-vous dignes de foi ? Qu'un de vos frères reste prisonnier dans la maison où vous êtes aux arrêts. Vous autres, allez porter du grain aux maisons affamées. [20] Puis, amenez-moi votre plus jeune frère. Vos dires seront vérifiés et vous ne mourrez pas.» C'est ce qu'ils firent. [21] Ils se dirent entre eux : « Hélas ! Nous nous sommes rendus coupables envers notre frère quand nous avons vu sa propre détresse. Il nous demandait grâce et nous ne l'avons pas écouté. Voilà pourquoi cette détresse nous atteint.» [22] Ruben s'adressa à eux : « Ne vous avais-je pas dit : "Ne faites aucun tort à cet enfant !" Et vous ne m'avez pas écouté. Il est maintenant demandé compte de son sang [h]. » [23] Ils ne savaient pas que Joseph comprenait, car l'interprète servait d'intermédiaire. [24] Alors Joseph s'écarta d'eux pour pleurer, puis il revint à eux et leur parla.

Les fils de Jacob retournent en Canaan

Il prit parmi eux Siméon et le fit lier sous leurs yeux. [25] Puis Joseph ordonna

---

e se prosternèrent devant lui: voir 37.7, 9 ● *f les songes:* voir 37.5-9 ● *g aussi vrai que Pharaon est vivant* est une formule égyptienne introduisant un serment; elle rappelle la formule fréquente chez les prophètes israélites *aussi vrai que le Seigneur est vivant* (ou *par la vie du Seigneur):* 1 R 17.1; Jr 4.2; Os 4.15 ● *h Il est maintenant...:* les frères croient que Joseph est mort et que « son sang a crié vers Dieu » (voir 37.26 et la note)

41.55 faites ce qu'il vous dira Jn 2.5. **42.2** descendez-y Ac 7.11-12. **42.4** Benjamin 35.16-18. **42.13** l'un de nous n'est plus 37.28-35; 44.28. **42.18** je crains Dieu 20.11+. **42.21** nous ne l'avons pas écouté Pr 21.13. **42.24** pour pleurer 43.30; 45.2, 14-15; 46.29; 50.17.

de mettre plein de blé dans leurs bagages, de remettre l'argent de chacun dans son sac et de leur donner des provisions de route. C'est ainsi qu'il agit envers eux. ²⁶ Ils chargèrent leur grain sur leurs ânes et partirent. ²⁷ A la halte, l'un deux ouvrit son sac pour donner du fourrage à son âne et il vit son argent ! Voilà qu'il était à l'ouverture du sac à blé ! ²⁸ « On m'a rendu mon argent, dit-il à ses frères. Le voilà dans mon sac à blé ! » Le cœur leur manqua et, terrifiés, ils se dirent entre eux : « Qu'est-ce que Dieu nous a fait là ! »

²⁹ Ils arrivèrent auprès de leur père Jacob au pays de Canaan et l'informèrent de tout ce qui leur était arrivé. ³⁰ « L'homme qui est le maître du pays, dirent-ils, nous a parlé durement. Il nous a traités comme si nous espionnions le pays. ³¹ Nous lui avons répondu : "Nous sommes des gens dignes de foi et non des espions. ³² Nous étions douze frères fils de notre père ; l'un de nous n'est plus et le plus jeune est aujourd'hui avec notre père en pays de Canaan." ³³ Cet homme, le maître du pays, nous a dit alors : "Voici comment je saurai que vous êtes dignes de foi : laissez moi l'un de vos frères, prenez ce qu'il faut pour vos maisons affamées et partez. ³⁴ Amenez-moi alors votre plus jeune frère, ainsi je saurai que vous n'êtes pas des espions, mais des gens dignes de foi. Je vous rendrai votre autre frère et vous pourrez faire vos affaires dans le pays." »

³⁵ Ils se mirent à vider leurs sacs ; dans chaque sac, il se trouvait une bourse avec l'argent de chacun. Quand ils virent, eux et leur père, les bourses avec leur argent, ils eurent peur.

³⁶ Leur père Jacob leur dit : « Vous voulez me priver d'enfant ! Joseph n'est plus, Siméon n'est plus, et Benjamin vous me le prenez ! Tout est contre moi. » ³⁷ Ruben dit alors à son père : « Tu pourras faire mourir mes deux fils si je ne te le ramène pas. Tiens-m'en pour responsable, et moi, je te le ramènerai. » — ³⁸ « Mon fils ne descendra pas avec vous, répliqua-t-il. Son frère est mort, il est resté seul. S'il lui arrivait malheur sur la route par où vous allez partir, vous feriez descendre dans l'affliction ma tête chenue au *séjour des morts. »

Benjamin part en Egypte avec ses frères

43 ¹ La famine s'appesantissait sur le pays. ² Quand ils eurent achevé de manger le grain qu'ils avaient rapporté d'Egypte, leur père leur dit : « Retournez nous acheter quelques vivres. » ³ Juda lui répondit : « L'homme nous a expressément stipulé : "Vous ne serez pas admis en ma présence si votre frère n'est pas avec vous." ⁴ Si tu décides d'envoyer avec nous notre frère, nous descendrons t'acheter des vivres ; ⁵ mais si tu ne l'envoies pas, nous ne descendrons pas puisque l'homme nous a dit : "Vous ne serez pas admis en ma présence si votre frère n'est pas avec vous." »

⁶ Israël reprit : « Pourquoi m'avoir fait du tort en informant cet homme que vous aviez encore un frère ? » ⁷ Ils répondirent : « L'homme nous a pressés de questions sur nous et sur notre famille : "Votre père est-il encore en vie ? disait-il. Avez-vous un frère ?" Nous devions le renseigner sur ces points. Pouvions-nous savoir qu'il nous dirait : "Faites descendre ici votre frère" ? » ⁸ Juda dit alors à son père Israël : « Laisse aller le garçon avec moi. Debout ! Partons si nous voulons survivre et ne mourir, nous-mêmes, toi-même et même nos enfants. ⁹ Je m'en porte garant, moi, et tu pourras m'en demander compte si je ne te le ramène pas ; si je ne le remets pas en ta présence, j'en porterai tous les jours la faute envers toi. ¹⁰ Si nous n'avions pas tant tardé, nous serions déjà de retour pour la seconde fois. »

¹¹ Leur père Israël s'écria : « S'il en est ainsi, faites ceci. Prenez pour les descendre dans vos bagages des cueillettes du pays pour les offrir à cet homme : un peu de résine, un peu de miel, de la gomme adragante et du ladanum ⁱ, des pistaches et des amandes. ¹² Prenez avec vous une seconde somme d'argent tout en rapportant avec vous l'argent déposé à l'ouverture de vos sacs à blé ; c'était peut-être une erreur. ¹³ Prenez votre frère et partez, retournez chez cet homme. ¹⁴ Que le Dieu Puissant ^j émeuve cet homme en votre faveur, qu'il laisse aller votre autre frère, et Benjamin ! Moi, je vais rester privé d'enfant comme si je n'en avais jamais eu. »

---

i résine, gomme adragante, ladanum: voir 37.25 et la note ● *j Puissant:* voir 17.1 et la note

42.37 si je ne te le ramène pas 43.9 ; 44.23. **42.38** vous feriez descendre... 44.29, 31 ; 1 R 2.6, 9; **43.3** vous ne serez pas admis 42.15-20 ; 44.23. **43.9** si je ne te le ramène pas 42.37+. **43.11** pour les offrir Pr 17.8 ; 18.16.

Joseph offre un banquet à ses frères

[15] Ces hommes emportèrent le présent, ils prirent avec eux la seconde somme d'argent et Benjamin. Ils partirent, descendirent en Egypte et se présentèrent à Joseph. [16] Voyant Benjamin avec eux, Joseph dit à son majordome : « Amène ces hommes à la maison, tue une bête et apprête-la, car ces hommes mangeront avec moi à midi. » [17] L'homme exécuta ce qu'avait dit Joseph et introduisit les hommes dans la maison de Joseph.

[18] Ils furent effrayés d'être introduits dans la maison de Joseph. « C'est à cause de l'argent remis dans nos sacs à blé lors du précédent voyage, s'écrièrent-ils. On nous emmène avec nos ânes pour nous malmener, pour nous tomber dessus et nous traiter en esclaves. » [19] Ils s'approchèrent du majordome de Joseph et s'adressèrent à lui à l'entrée de la maison : [20] « Pardon, mon seigneur, dirent-ils. Nous sommes descendus lors d'un précédent voyage pour acheter des vivres. [21] Or, quand nous sommes arrivés à la halte et que nous avons ouvert nos sacs à blé, l'argent de chacun se trouvait près de l'ouverture de son sac. C'est notre argent à chacun, bien pesé, que nous rapportons avec nous [22] et nous sommes descendus en ayant avec nous une autre somme pour l'achat des vivres. Nous ne savons pas qui avait remis notre argent dans nos sacs à blé. » — [23] « Soyez tranquilles et ne craignez rien, répondit-il. C'est votre Dieu, le Dieu de votre père, qui vous a mis un trésor dans vos sacs. J'avais reçu votre argent. » Puis il leur relâcha Siméon. [24] L'homme introduisit nos gens dans la maison de Joseph. Il leur apporta de l'eau pour se laver les pieds et donna du fourrage à leurs ânes. [25] Ils préparèrent le présent en attendant pour midi l'arrivée de Joseph ; ils avaient en effet compris qu'ils prendraient là leur repas.

[26] Quand Joseph rentra chez lui, ils lui présentèrent le don qu'ils avaient avec eux dans cette maison et ils se prosternèrent devant lui [k] jusqu'à terre. [27] Il leur demanda comment ils allaient, puis il dit : « Comment va votre vieux père dont vous m'aviez parlé ? Est-il encore en vie ? » —

[28] « Ton serviteur, notre père, va bien, répondirent-ils ; il est encore en vie. » Ils s'inclinèrent et se prosternèrent. [29] Levant les yeux, Joseph vit Benjamin son frère, le fils de sa mère. « Est-ce là, dit-il, votre plus jeune frère dont vous m'avez parlé ? » Puis il dit : « Dieu te fasse grâce, mon fils. » [30] Emu jusqu'aux entrailles à la vue de son frère, il se hâta de chercher un endroit pour pleurer. Il gagna la chambre privée. Là, il pleura. [31] Il se lava le visage et ressortit. S'étant dominé, il dit alors : « Servez le repas. » [32] Lui, on le servit à part, et eux de leur côté. Les Egyptiens mangeaient avec lui, à part, car les Egyptiens n'ont pas le droit de manger avec les Hébreux. Ce serait pour eux une abomination. [33] Ces Hébreux s'assirent devant lui, l'aîné selon son droit d'aînesse et le plus jeune d'après son jeune âge, en se regardant les uns les autres avec stupeur. [34] Il leur fit porter des plats qu'il avait devant lui, mais le plat de Benjamin fut cinq fois plus copieux que celui de tous les autres.

Avec lui ils burent tout leur soûl.

Benjamin est accusé de vol

44 [1] Joseph donna ses ordres à son majordome : « Remplis de vivres les sacs à blé de ces gens, dit-il, autant qu'ils peuvent en porter, et mets l'argent de chacun près de l'ouverture du sac. [2] Près de l'ouverture du sac à blé du plus jeune, tu mettras mon bol [l], le bol d'argent, ainsi que le prix de son grain. » Il exécuta ce que Joseph lui avait dit.

[3] Dès que brilla le matin, on laissa partir ces gens, eux et leurs ânes. [4] Ils avaient quitté la ville sans en être encore très loin quand Joseph dit à son majordome : « Debout ! Cours après ces gens, rattrape-les et dis-leur : "Pourquoi avez-vous rendu le mal pour le bien ? [5] N'y a-t-il pas ici ce qui sert à mon seigneur pour boire et pour pratiquer la divination [m] ? Ce que vous avez fait est mal." »

[6] Le majordome les rattrapa et leur redit ces paroles. [7] Ils lui répondirent : « Comment mon seigneur peut-il dire pareille chose ? Tes serviteurs sont [n] loin de com-

---

k *se prosternèrent devant lui:* voir 37.7, 9; 42.6 • l *mon bol* ou *ma coupe* • m Le *bol d'argent* de Joseph servait à une forme de *divination*, appelée «lécanomancie», qui consistait à interpréter la forme prise par une goutte d'huile lâchée dans un récipient contenant de l'eau • n *mon seigneur peut-il dire* ou *peux-tu dire; Tes serviteurs sont* ou *Nous sommes*

43.24 de l'eau, du fourrage 18.4-5+. **43.25** le présent 43.11+. **43.29** Dieu te fasse grâce Nb 6.25. 43.30 pour pleurer 42.24+. **43.32** problèmes alimentaires 39.6. — une abomination 46.34. **43.34** cinq fois plus copieux 45.22; 48.22; 1 S 1.5; 9.22-24. **44.1** l'argent dans les sacs 42.25. **44.4** le mal pour le bien 1 S 25.21; Jr 18.20; Ps 35.12; Pr 17.13; cf. 1 S 24.18; Pr 20.22; Mt 5.40, 44; Rm 12.17; 1 Th 5.15; 1 P 3.9.

mettre de telles actions ! [8] L'argent que nous avons trouvé près de l'ouverture de nos sacs à blé, ne te l'avons-nous pas rapporté du pays de Canaan ? Comment pourrions-nous voler argent ou or de la maison de ton maître ? [9] Celui de tes serviteurs chez lequel on trouverait l'objet, qu'il meure ! Et nous serons les esclaves de mon seigneur. »

— [10] « Eh bien, dit-il, qu'il en soit comme vous dites. Celui chez lequel on fera la trouvaille deviendra mon esclave et vous serez quittes. » [11] Vite, ils posèrent leurs sacs à terre, chacun le sien, et ils l'ouvrirent. [12] Le majordome commença la fouille par le plus grand, il l'acheva par le plus petit et on trouva le bol dans le sac de Benjamin. [13] Ils *déchirèrent leurs vêtements, chacun rechargea son âne et ils retournèrent dans la ville.

Juda intervient en faveur de Benjamin

[14] Juda et ses frères arrivèrent à la maison de Joseph, Joseph était encore là, ils tombèrent à terre devant lui. [15] « Quel acte avez-vous commis là ! leur dit-il. Ne savez-vous pas qu'un homme tel que moi pratique la divination [o] ? » [16] Juda répondit : « Que pourrions-nous dire à mon seigneur ? Quelles paroles prononcer ? Quelles justifications présenter ? C'est Dieu qui a mis à nu la faute de tes serviteurs [p]. Nous voici les esclaves de mon seigneur, nous-mêmes et celui chez lequel on a trouvé le bol. » — [17] « Loin de moi d'agir ainsi, répondit-il. L'homme chez qui on a trouvé le bol sera mon esclave ; vous, remontez sains et saufs chez votre père. »

[18] Juda s'approcha de lui et s'écria : « Pardon, mon seigneur ! Laisse ton serviteur faire entendre une parole à mon seigneur sans qu'il s'irrite contre lui ! Tel est *Pharaon, tel tu es. [19] C'est mon seigneur qui a interrogé tes serviteurs et leur a dit : "Avez-vous un père et un frère ?" [20] Nous avons répondu à mon seigneur : "Nous avons un vieux père et l'enfant qu'il a eu dans sa vieillesse est tout jeune. Son frère est mort, il est resté le seul de sa mère et son père le chérit." [21] Alors tu as dit à tes serviteurs : "Amenez-le-moi, je veux veiller sur lui." [22] Nous avons répondu à mon seigneur : "Ce garçon ne peut quitter son père, car celui-ci mourra s'il le quitte." [23] Alors tu as dit à tes serviteurs : "Si votre plus jeune frère ne descend pas avec vous, vous ne serez plus jamais admis en ma présence."

[24] « Or, lorsque nous sommes remontés vers mon père, ton serviteur, nous l'avons informé des paroles de mon seigneur. [25] Notre père a dit : "Retournez nous acheter des vivres." — [26] "Nous ne pouvons descendre, lui avons-nous répondu ; si notre plus jeune frère est avec nous, nous descendrons ; car nous ne serons pas admis en présence de cet homme, si notre plus jeune frère n'est pas avec nous." [27] Mon père, ton serviteur, nous a dit alors : "Vous savez que ma femme [q] ne m'a donné que deux fils. [28] L'un m'a quitté, et j'ai dit : Il a sûrement été mis en pièces. Et je ne l'ai jamais revu. [29] Vous voulez encore m'enlever celui-ci ! S'il lui arrivait malheur, vous feriez descendre misérablement ma tête chenue au *séjour des morts." »

[30] « Si j'arrive maintenant chez mon père, ton serviteur, sans que ce garçon soit avec nous, sa vie est tellement liée à la sienne [31] qu'il mourra, à peine aura-t-il constaté son absence. Tes serviteurs auront fait descendre au séjour des morts, dans l'affliction, la tête chenue de notre père, ton serviteur. [32] Sache que ton serviteur s'est porté garant du garçon devant son père : "Si je ne le ramène pas, ai-je dit, j'en porterai tous les jours la faute envers mon père." [33] Laisse maintenant ton serviteur demeurer l'esclave de mon seigneur [r] à la place du garçon ! Qu'il remonte avec ses frères ! [34] Comment, en effet, pourrais-je remonter vers mon père si ce garçon n'est pas avec moi ? Que je ne voie pas le malheur qui atteindrait mon père ! »

Joseph se fait reconnaître

45 [1] Joseph ne put se dominer devant tous ceux qui se tenaient près de lui. « Faites sortir tous mes gens », s'écria-t-il. Nul d'entre eux n'était présent quand il se fit reconnaître de ses frères. [2] Il sanglota si fort que les Egyptiens l'entendirent, même la maison de *Pharaon.

---

o Voir v. 5 et la note ● p dire à mon seigneur ou te dire ; la faute de tes serviteurs ou notre faute ● q ma femme: Rachel, la femme préférée de Jacob ● r C'est-à-dire Laisse-moi maintenant demeurer ton esclave

44.21 je veux veiller sur lui Jr 39.12 ; 40.4 ; Ps 33.18. 44.28 l'un m'a quitté 42.13+. 44.29 vous feriez descendre... 42.38+. 44.32 si je ne le ramène pas 42.37+. 44.33 à la place du garçon Rm 5.7-8 ; 9.3. 45.1 il se fit reconnaître Ac 7.13. 45.2 il sanglota 42.24+.

³ « Je suis Joseph, dit-il à ses frères. Mon père est-il encore en vie ? » Mais ses frères ne purent lui répondre, tant ils tremblaient devant lui. ⁴ Joseph dit à ses frères : « Venez près de moi. » Ils s'approchèrent. « Je suis Joseph votre frère, dit-il, moi que vous avez vendu en Egypte. ⁵ Mais ne vous affligez pas maintenant et ne soyez pas tourmentés de m'avoir vendu ici, car c'est Dieu qui m'y a envoyé avant vous pour vous conserver la vie. ⁶ C'est en effet la seconde année que la famine sévit au cœur du pays et, pendant cinq ans encore, il n'y aura ni labours ni moissons. ⁷ Dieu m'a envoyé devant vous pour vous constituer des réserves de nourriture dans le pays, vous permettre de vivre et à beaucoup d'entre vous d'en réchapper. ⁸ Ce n'est donc pas vous qui m'avez envoyé ici, mais Dieu. Il m'a promu Père de Pharaon, maître de toute sa maison et régent de tout le pays d'Egypte ˢ.

⁹ « Dépêchez-vous de remonter vers mon père pour lui dire : "Ainsi parle Joseph ton fils : Dieu m'a promu seigneur de toute l'Egypte, descends vers moi sans t'arrêter. ¹⁰ Tu demeureras dans le pays de Goshèn ᵗ et tu seras près de moi, toi, tes enfants et tes petits-enfants, ton petit et ton gros bétail et tout ce qui est à toi. ¹¹ C'est là que je pourvoirai à ta subsistance pour que tu ne sois pas privé de ressources, toi, ta maison et tous les tiens, car il y aura encore cinq années de famine."

¹² « Vous le voyez de vos propres yeux, et mon frère Benjamin le voit des siens, que je vous parle de ma propre bouche. ¹³ Faites savoir à mon père toute l'importance que j'ai en Egypte et tout ce que vous avez pu y voir ; dépêchez-vous de faire descendre ici mon père. »

Jacob est invité à venir en Egypte

¹⁴ Il se jeta au cou de son frère Benjamin en pleurant et Benjamin pleura à son cou. ¹⁵ Il embrassa tous ses frères et les couvrit de larmes, puis ses frères s'entretinrent avec lui. ¹⁶ La rumeur s'en fit entendre dans la maison de *Pharaon : « Les frères de Joseph sont arrivés ! » dit-on. Or Pharaon et ses serviteurs virent cela d'un bon œil ¹⁷ et Pharaon dit à Joseph : « Dis à tes frères : "Faites ceci : aiguillonnez vos bêtes, allez, gagnez le pays de Canaan ¹⁸ et prenez votre père et les vôtres, puis revenez vers moi pour que je vous offre les délices du pays d'Egypte et pour que vous mangiez le suc du pays ᵛ."

¹⁹ « Quant à toi, transmets cet ordre : "Faites ceci : prenez des chariots en terre d'Egypte pour vos enfants et vos femmes, transportez votre père et revenez ; ²⁰ ne jetez pas de regard attristé sur vos affaires ʷ, car les délices de tout le pays d'Egypte seront à vous." »

²¹ C'est ce que firent les fils d'Israël. Sur l'ordre de Pharaon, Joseph leur donna des chariots et des provisions de route. ²² A chacun il donna des vêtements de rechange, mais à Benjamin il donna trois cents sicles ˣ d'argent et cinq vêtements de rechange. ²³ Il envoya également à son père dix ânes chargés des délices d'Egypte et dix ânesses chargées de froment, de nourriture et de victuailles pour le voyage de son père. ²⁴ Il laissa alors partir ses frères et leur dit au départ : « Ne vous laissez pas ébranler sur la route ʸ. »

²⁵ Remontant d'Egypte, ils arrivèrent au pays de Canaan chez Jacob leur père ²⁶ et lui annoncèrent : « Joseph est encore en vie et voilà qu'il est régent sur tout le pays d'Egypte ! » Mais le cœur de Jacob demeura insensible, car il ne les croyait pas. ²⁷ Ils lui répétèrent alors toutes les paroles que Joseph leur avait dites. Puis il vit les chariots que Joseph avait envoyés pour le transporter, et l'esprit de leur père Jacob se ranima. ²⁸ « Il suffit, s'écria Israël, mon fils Joseph est encore en vie ; je veux partir et le voir avant de mourir. »

ˢ Les trois titres dont Joseph s'honore sont connus par des textes égyptiens. Ils correspondent à des fonctions très élevées dans la cour royale ● ᵗ On situe traditionnellement *Goshèn* dans la région orientale du delta du Nil, bien que le nom n'ait pas été retrouvé de manière certaine dans les textes égyptiens ● ᵛ *les délices d'Egypte, le suc du pays:* Pharaon promet à Jacob de l'installer dans une région riche et favorable ● ʷ *vos affaires,* c'est-à-dire ce que vous ne pourrez pas emporter ● ˣ *sicles:* voir au glossaire POIDS ET MESURES ● ʸ Le sens de cette recommandation n'est pas clair ; on a aussi traduit *Ne vous querellez* (ou *excitez*) *pas en chemin*

45.3 ils tremblaient devant lui 50.15. **45.**4 vendu en Egypte 37.38 ; Ps 105.17. **45.**5 c'est Dieu qui... 45.8 ; 50.20 ; Rm 8.28. **45.**6 encore cinq ans 41.27. **45.**8 régent de toute l'Egypte 41.41 ; 45.26. **45.**10 Goshèn 46.28, 34 ; 47.1-6, 27 ; 50.8 ; Ex 8.18 ; 9.26. **45.**13 faire descendre mon père 45.13+. — le suc du pays 47.6, 11. **45.**22 cadeau à Benjamin 43.34+. **45.**26 régent de toute l'Egypte 45.8+. — il ne les croyait pas Ps 126.1 ; Jb 9.16 ; Lc 16.31 ; 24.11. **45.**28 le voir avant de mourir 46.30.

Jacob retrouve son fils Joseph

46 ¹ Israël se mit en route avec tout ce qui lui appartenait.

Il arriva à Béer-Shéva ᶻ et offrit des *sacrifices au Dieu de son père Isaac. ² Dans une vision nocturne, Dieu s'adressa à Israël : « Jacob, Jacob. » — « Me voici », répondit-il. ³ Il dit alors : « Je suis El, le Dieu de ton père. Ne crains pas de descendre en Egypte, car je ferai là-bas de toi une grande nation. ⁴ Moi, je descendrai avec toi en Egypte et c'est moi aussi qui t'en ferai remonter ᵃ. Joseph te fermera les yeux. » ⁵ Jacob quitta Béer-Shéva.

Les fils d'Israël transportèrent leur père Jacob, leurs enfants et leurs femmes dans les chariots que Pharaon avait envoyés pour les transporter. ⁶ Ils prirent leur cheptel et les biens qu'ils avaient acquis dans le pays de Canaan. Jacob se rendit en Egypte avec tous ses descendants, ⁷ ses fils et les fils de ses fils avec lui, ses filles et les filles de ses fils. Il fit venir avec lui toute sa descendance en Egypte.

⁸ Voici les noms des fils ᵇ d'Israël qui vinrent en Egypte :

Jacob et ses fils :

Premier-né de Jacob : Ruben. ⁹ Fils de Ruben : Hanok, Pallou, Hèçrôn, Karmi. ¹⁰ Fils de Siméon : Yemouël, Yamîn, Ohad, Yakîn, Çohar, Shaoul, le fils de la Cananéenne. ¹¹ Fils de Lévi : Guershôn, Qehath et Merari. ¹² Fils de Juda : Er, Onân, Shéla, Pèrèç, Zérah. Er et Onân moururent au pays de Canaan. Les fils de Pèrèç furent Hèçrôn et Hamoul. ¹³ Fils d'Issakar : Toła, Pouwa, Yov, Shimrôn. ¹⁴ Fils de Zabulon : Sèred, Elôn, Yahléel. ¹⁵ Ce furent les fils que Léa donna à Jacob dans la plaine d'Aram ᶜ, ainsi que sa fille Dina. Ses fils et ses filles comptaient au total trente-trois personnes.

¹⁶ Fils de Gad : Cifiôn et Haggui, Shouni et Eçbôn, Eri, Arodi et Aréli. ¹⁷ Fils.d'Asher : Yimna, Yishwa, Yishwi, Beria et leur sœur Sèrah. Fils de Beria : Héber et Malkiël. ¹⁸ Ce furent les fils de Zilpa que Laban avait cédée à sa fille Léa pour qu'elle les donne à Jacob : seize personnes.

¹⁹ Fils de Rachel, femme de Jacob : Joseph et Benjamin. ²⁰ Il naquit à Joseph au pays d'Egypte Manassé et Ephraïm que lui avait donnés Asenath, fille de Poti-Phéra, prêtre de One ᵈ. ²¹ Fils de Benjamin : Bèla, Bèker et Ashbel, Guéra et Naamân, Ehi et Rosh, Mouppîm, Houppîm et Ard. ²² Ce furent les fils de Rachel qui furent donnés à Jacob, au total quatorze personnes.

²³ Fils de Dan : Houshîm. ²⁴ Fils de Nephtali : Yahcéel, Gouni, Yécèr, Shillem. ²⁵ Ce furent les fils de Bilha que Laban avait cédée à sa fille Rachel pour qu'elle les donne à Jacob. Au total : sept personnes.

²⁶ Total des personnes appartenant à Jacob et issues de lui, qui vinrent en Egypte, sans compter les femmes de ses fils : soixante-six en tout. ²⁷ Fils de Joseph qui lui furent donnés en Egypte : deux personnes. Le total des personnes de la maison de Jacob qui vinrent en Egypte fut de soixante-dix ᵉ.

²⁸ Jacob envoya devant lui Juda vers Joseph pour le précéder à Goshèn ᶠ.

Quand ils arrivèrent en terre de Goshèn, ²⁹ Joseph attela son char et monta à Goshèn à la rencontre de son père Israël. A peine celui-ci l'eut-il vu que Joseph se jeta à son cou, à son cou encore, il pleura. ³⁰ Israël lui dit alors : « Cette

---

z Voir 21.14 et la note ● a *ferai remonter:* allusion au récit de 50.5-7; mais on pressent aussi déjà le récit de la sortie d'Egypte (Ex 3.8) ● b *fils* ou *descendants* ● c *plaine d'Aram:* voir 24.10 la note ● d *One:* voir 41.45 et la note ● e *soixante-dix:* au v. 26, on trouve un total de soixante-six personnes, qui peut s'expliquer par le fait que ce chiffre ne comprend ni Er et Onân, morts en Canaan (v. 12), ni Manassé et Ephraïm, nés en Egypte (v. 20). Par ailleurs, l'ancienne version grecque donne au v. 27 un total de *soixante-quinze;* cela vient de ce qu'au v. 20 elle ajoute les noms de cinq descendants de Manassé et Ephraïm. Ce dernier chiffre de *soixante-quinze* se retrouve dans une partie de la tradition d'Ex 1.5 (voir la note) et en Ac 7.14. ● f *le précéder:* autre traduction *le prévenir qu'il arrivait. — Goshèn:* voir 45.10 et la note

46.2 dans une vision nocturne 20.3+ ; 28.12. **46.3** une grande nation 12.2+. **46.4** Joseph te fermera les yeux 50.1. **46.6** Jacob se rendit en Egypte Nb 20.15; Dt 26.5; Jos 24.4; Es 52.4; Ps 105.23; Ac 7.14-15. **46.8-27** Jacob et ses descendants Ex 1.1-5; Nb 26; 1 Ch 2—8. **46.12** Juda et ses fils 38.3-10. **46.15** les fils de Léa 29.31-35; 30.17-21. **46.18** les fils de Zilpa 30.9-13. **46.20** les fils de Joseph 41.45, 50-52. **46.22** les fils de Rachel 30.22-24; 35.16-18. **46.25** les fils de Bilha 30.1-8. **46.29** il pleura 42.24+. **46.30** j'accepte de mourir 45.28.

fois-ci, après avoir revu ton visage, j'accepte de mourir puisque tu es encore en vie. »

Jacob s'installe en Egypte

[31] Joseph dit à ses frères et à la maison de son père : « Je vais monter prévenir *Pharaon et lui dire : "Mes frères et la maison de mon père qui étaient au pays de Canaan sont venus à moi. [32] Ces hommes sont des *bergers et ils étaient éleveurs de troupeaux. Ils ont amené leur petit et leur gros bétail, et tout ce qui était à eux." [33] Aussi, lorsque Pharaon vous convoquera et vous demandera quel métier est le vôtre, [34] vous répondrez : "Tes serviteurs ont été éleveurs de troupeaux depuis leur jeunesse jusqu'à maintenant ; nous le sommes comme nos pères l'ont été." Vous pourrez ainsi habiter au pays de Goshèn *g*, car l'Egyptien abomine tout berger. »

47 [1] Joseph vint donc prévenir Pharaon et lui dire : « Mon père et mes frères sont venus du pays de Canaan avec leur petit et leur gros bétail et tout ce qui était à eux ; ils se trouvent en terre de Goshèn. » [2] Puis, dans le groupe de ses frères, il prit cinq hommes qu'il présenta à Pharaon. [3] Celui-ci dit aux frères de Joseph : « Quel est votre métier ? » — « Tes serviteurs sont des bergers, répondirent-ils, nous le sommes comme nos pères l'ont été. »

[4] Ils dirent à Pharaon : « Nous sommes venus pour séjourner dans le pays, car il n'y avait plus de pâture pour les moutons de tes serviteurs et la famine pesait sur le pays de Canaan. Permets que tes serviteurs habitent maintenant dans la terre de Goshèn. »

[5] Pharaon dit à Joseph : « Ton père et tes frères sont venus à toi. [6] Le pays d'Egypte est devant toi, installe ton père et tes frères dans le meilleur endroit. Qu'ils habitent dans la terre de Goshèn. Si tu connais parmi eux des hommes capables, fais-en des métayers pour mes propres troupeaux. »

[7] Joseph amena son père Jacob et le présenta à Pharaon. Jacob bénit Pharaon [8] qui lui dit : « Combien d'années a duré ta vie ? » — [9] « La durée de mes migrations a été de cent trente ans ! répondit

Jacob. Ce fut un temps bref et mauvais que les années de ma vie, elles n'ont pas atteint la durée des années qu'ont vécues mes pères au temps de leurs migrations. » [10] Ayant béni Pharaon, Jacob prit congé de lui.

[11] Joseph installa son père et ses frères et leur donna une propriété dans le meilleur endroit du pays d'Egypte, au pays de Ramsès *h*, comme l'avait prescrit Pharaon. [12] Joseph pourvut à la subsistance de son père, de ses frères et de toute la maison de son père, selon le nombre des enfants à nourrir.

La politique de Joseph pendant la famine

[13] Il n'y eut plus de nourriture dans tout le pays car la famine y avait lourdement pesé. Le pays d'Egypte et le pays de Canaan ne savaient plus que faire devant cette famine. [14] Joseph ramassa tout l'argent qui se trouvait aux pays d'Egypte et de Canaan en leur vendant *i* du grain et il draina cet argent dans le palais de *Pharaon. [15] L'argent disparut des pays d'Egypte et de Canaan.

Tous les Egyptiens vinrent trouver Joseph et dirent : « Donne-nous de quoi manger. Pourquoi devrions-nous mourir devant toi, faute d'argent ? » — [16] « Donnez-moi vos troupeaux, répondit Joseph, et si l'argent manque, c'est au prix de vos troupeaux que je vous livre de quoi manger. » [17] Ils amenèrent leurs troupeaux à Joseph qui leur livra de quoi manger en échange des chevaux, des troupeaux de petit et de gros bétail et des ânes. Au prix de tous leurs troupeaux, il leur assura de quoi manger cette année-là.

[18] Cette année écoulée, ils vinrent le trouver l'année suivante et lui dirent : « Nous ne cacherons pas à mon seigneur que l'argent a disparu et que les troupeaux de bestiaux appartiennent à mon seigneur. Il ne reste devant mon seigneur que nos corps et notre sol. [19] Pourquoi devrions-nous mourir sous tes yeux ? Notre sol n'est rien sans nous. Achète-nous, nous et notre sol, contre de la nourriture ; nous et notre sol nous serons au service de Pharaon. Donne de la semence, nous vivrons et ne mourrons pas, le sol ne sera pas désolé. » [20] Et Joseph acheta au profit

g Goshèn: voir 45.10 et la note ● h Ramsès: voir Ex 1.11 et la note ● i en leur vendant: aux habitants de ces deux pays

46.32 des bergers 31.38 ; 37.12. 46.34 abomination 43.32. 47.6 le meilleur endroit 45.18. 47.9 cent trente ans 47.28 ; cf. 25.7 ; 35.28 ; 50.26. — temps bref et mauvais Ps 90.9-10 ; Jb 14.1-2. 47.17 il leur assura de quoi manger Pr 11.26. 47.20 vendit son champ Ne 5.3.

de Pharaon toute la terre d'Egypte, car chaque Egyptien vendit son champ, si rigoureuse était pour eux la famine. Le pays appartint à Pharaon.

²¹ Quant au peuple, il le fit émigrer vers les villes ʲ d'un bout à l'autre du territoire.

²² Toutefois Joseph n'acheta pas la terre des prêtres car il y avait en leur faveur un décret de Pharaon. Ils se nourrissaient des rations que leur donnait Pharaon et ils n'eurent pas à vendre leur terre.

²³ Joseph dit au peuple : « Aujourd'hui donc, je vous ai acquis au profit de Pharaon, vous et votre terre. Vous aurez de la semence et vous pourrez ensemencer la terre. ²⁴ Sur les récoltes, vous donnerez un cinquième à Pharaon et vous aurez les quatre autres pour ensemencer les champs et pour vous nourrir ainsi que ceux qui vivent chez vous, et vos enfants. » — ²⁵ « Tu nous as sauvés la vie, répondirent-ils. Puissions-nous trouver grâce aux yeux de mon seigneur et être les esclaves de Pharaon. » ²⁶ Joseph fit un décret, en vigueur encore aujourd'hui, imposant d'un cinquième la terre d'Egypte au profit de Pharaon. Seule la terre des prêtres n'appartient pas à Pharaon.

Les dernières volontés de Jacob

²⁷ Israël habita au pays d'Egypte en terre de Goshèn ᵏ, les Israélites y devinrent propriétaires, ils y furent féconds et très prolifiques. ²⁸ Jacob vécut dix-sept ans au pays d'Egypte, et la durée de la vie de Jacob fut de cent quarante-sept ans. ²⁹ Quand les jours de la mort d'Israël s'approchèrent, il appela son fils Joseph et lui dit : « Si j'ai trouvé grâce à tes yeux, mets ta main sous ma cuisse ˡ, fais preuve d'amitié et de fidélité envers moi en ne m'enterrant pas en Egypte. ³⁰ Je me coucherai avec mes pères ᵐ, tu m'emporteras hors d'Egypte et tu m'enterreras dans leur tombeau. » — « Je ferai comme tu l'as dit », répondit-il. ³¹ Jacob reprit : « Jure-le-moi. » Joseph le lui jura et Israël se prosterna au chevet de son lit ⁿ.

Jacob bénit les fils de Joseph

48 ¹ Or, après ces événements, on dit à Joseph : « Voici que ton père est malade. » Il prit ses deux fils avec lui, Manassé et Ephraïm. ² On informa Jacob en disant : « Voici que ton fils Joseph vient à toi. » Israël fit un effort et s'assit sur le lit.

³ Jacob dit à Joseph : « Le Dieu Puissant m'est apparu à Louz ᵒ dans le pays de Canaan. Il m'a béni ⁴ et m'a dit : "Je vais te rendre fécond et prolifique pour faire de toi une communauté de peuples. Je donnerai ce pays à ta descendance après toi en propriété perpétuelle." ⁵ Et maintenant, ces deux fils qui te sont nés au pays d'Egypte avant que je ne sois venu à toi en Egypte, ils sont miens. Ephraïm et Manassé seront miens comme Ruben et Siméon ᵖ. ⁶ Mais les enfants que tu as engendrés après eux ᑫ seront tiens et c'est au nom de leurs frères qu'on les convoquera pour leur part d'héritage. ⁷ Quant à moi, à mon retour de la plaine, la mort de Rachel me frappa au pays de Canaan sur la route, à quelque distance de l'entrée d'Ephrata. C'est là que je l'ai enterrée sur la route d'Ephrata, qui est à Bethléem ʳ. »

⁸ Israël vit les fils de Joseph et s'écria : « Qui est-ce ? » ⁹ Joseph répondit à son père : « Ce sont les enfants que Dieu m'a donnés ici. » — « Tiens-les donc près de moi que je les bénisse », reprit-il.

¹⁰ L'âge avait alourdi le regard d'Israël, il ne pouvait plus voir. Quand Joseph les fit approcher, Israël les embrassa et les étreignit, ¹¹ puis il dit à Joseph :

ʲ *il le fit émigrer vers les villes*: texte hébreu peu clair et construction de phrase inhabituelle; le texte samaritain et l'ancienne version grecque disent *il en fit des esclaves* ● k *Goshèn*: voir 45.10 et la note ● l *d'Israël* ou *de Jacob*. — *mets ta main sous ma cuisse*: voir 24.2 et la note ● m *Je me coucherai avec mes pères*: voir 1 R 1.21 et la note ● n *au chevet de son lit*: l'ancienne version grecque présente un texte légèrement différent *appuyé sur l'extrémité de son bâton*; c'est ce texte-là qui est cité en He 11.21 ● o *Puissant*: voir 17.1 et la note. — *Louz*: ancien nom de Béthel, voir 28.19; 12.8 et la note ● p *Allusion au fait qu'Ephraïm et Manassé seront les ancêtres de deux tribus israélites au même titre que Ruben et Siméon*, tandis qu'il n'y aura jamais de tribu de Joseph ● q *La Bible ne mentionne nulle part ailleurs ces autres fils de Joseph* ● r *de la plaine* c'est-à-dire *de la plaine d'Aram*, voir 24.10 et la note. — *Ephrata ... Bethléem*: voir 35.16 et la note

---

47.26 impôt d'un cinquième 41.34. — exemption des prêtres Esd 7.24. **47.27** féconds et prolifiques 12.2+. **47.28** cent quarante-sept ans 47.9+. **47.30** dans leur tombeau 23.19. **47.31** Israël se prosterna 1 R 1.47. **48.1** ses deux fils 41.50-52. **48.4** une communauté de peuples 28.3; 12.2+. — promesse du pays 12.7+. **48.6** pour leur part d'héritage Jos 13—19. **48.9** que je les bénisse He 11.21.

« J'avais jugé impossible de revoir ton visage, et voici que Dieu m'a fait voir même ta descendance ! » [12] Joseph les retira des genoux [s] de son père et se prosterna face contre terre.

[13] Joseph prit ses deux fils, Ephraïm à sa droite, donc à la gauche d'Israël, et Manassé à sa gauche, donc à la droite d'Israël. Il les approcha de lui. [14] Israël tendit sa main droite et la posa sur la tête d'Ephraïm qui était le cadet, et sa main gauche sur la tête de Manassé. Il avait interverti ses mains [t], puisque Manassé était l'aîné. [15] Il bénit Joseph en disant :

« Le Dieu en présence de qui ont marché mes pères Abraham et Isaac,
le Dieu qui fut mon *berger depuis que j'existe jusqu'à ce jour,
[16] l'*ange qui m'a délivré de tout mal,
qu'il bénisse ces garçons,
que grâce à eux mon nom soit invoqué ainsi que ceux de mes pères, Abraham et Isaac,
et qu'ils foisonnent en multitudes au milieu du pays. »

[17] Joseph vit que son père avait posé la main droite sur la tête d'Ephraïm et cela lui déplut. Il saisit la main de son père pour la détourner de la tête d'Ephraïm vers celle de Manassé. [18] « Pas ainsi, mon père, lui dit-il, car c'est celui-ci l'aîné. Pose ta main droite sur sa tête. » [19] Mais son père refusa en disant : « Je sais, mon fils. Je sais que lui aussi deviendra un peuple, lui aussi sera grand. Pourtant son petit frère sera plus grand que lui, et sa descendance sera plénitude de nations. »

[20] Il les bénit ce jour-là en disant :

« Par toi Israël prononcera cette bénédiction :
Que Dieu te rende comme Ephraïm et comme Manassé ! »

Il plaça Ephraïm avant Manassé.

[21] Israël dit à Joseph : « Je vais mourir, mais Dieu sera avec vous et vous fera revenir au pays de vos pères. [22] Moi, je te donne Sichem [u], une part de plus qu'à tes frères, que j'ai enlevée au pouvoir des *Amorites par l'épée et par l'arc. »

Jacob bénit ses douze fils

49 [1] Jacob convoqua ses fils et leur dit : « Rassemblez-vous pour que je vous annonce ce qui vous arrivera dans l'avenir.

[2]   Réunissez-vous et écoutez, fils de Jacob,
écoutez Israël votre père.

[3]   Ruben, tu es mon premier-né,
ma vigueur et les prémices de ma virilité,
débordant d'énergie, débordant de puissance.

[4]   Ne déborde pas comme des eaux qui bouillonnent !
Puisque tu es monté sur la couche de ton père [v],
tu as alors profané le lit sur lequel je suis.

[5]   Siméon et Lévi sont frères,
leurs accords [w] ne sont qu'instruments de violence.

[6]   Je ne veux pas venir à leur conseil,
je ne veux pas me réjouir à leur rassemblement ;
car dans leur colère ils ont tué des hommes,
et dans leur frénésie mutilé des taureaux [x].

[7]   Maudite soit leur colère, si violente !
Et leur emportement, si brutal !
Je les répartirai en Jacob,
je les disperserai en Israël [y].

---

[s] Jacob, en prenant Ephraïm et Manassé sur ses *genoux*, a accompli à leur égard le rite d'adoption; comparer 30.3; 48.5 et les notes ● [t] Joseph avait placé Manassé, son fils aîné, du côté droit par rapport à Jacob (v. 13), parce que l'aîné recevait normalement la meilleure part de la bénédiction, donnée avec la *main* droite (comparer 35.18 et la note). Le mouvement de Jacob n'est donc pas naturel (comparer v. 17) ● [u] *Sichem*: voir 12.6 et la note; c'est la ville, au cœur des futurs territoires d'Ephraïm et Manassé, où Joseph sera enterré (Jos 24.32); mais l'auteur joue aussi sur le sens du nom (Sichem = épaule), car l'épaule (ou le gigot) d'un animal était un morceau de choix (1 S 9.24). L'idée est donc que Jacob donne à Joseph une part privilégiée parmi ses frères ● [v] Voir 35.22 ● [w] *accords*: autre traduction *épées* ● [x] *tué des hommes*; *mutilé des taureaux*: allusion à un événement inconnu; sur ce type de mutilation, voir Jos 11.6, 9; 2 S 8.4 ● [y] *je les disperserai en Israël*: la tribu de Siméon, installée dans le sud de la Palestine, a très tôt disparu de la scène politique, assimilée par sa puissante voisine Juda; la tribu de Lévi n'a jamais eu de territoire propre, mais son rôle sacerdotal, non mentionné ici, sera capital pour l'ensemble du peuple, voir Dt 33.8-11

48.15 il bénit Joseph 49.22-26. — Dieu berger Ps 23.1+.   **48.19** le cadet l'emporte sur l'aîné 25.23+.   **48.21** au pays de vos pères 15.16; 46.4.   **48.22** une part de plus 43.34+.   **49.1-27** bénédictions Dt 33; Jg 5.   **49.3-4** Ruben 29.32; 35.22; Dt 33.6; Jos 13.15-23; Jg 5.15-16.   **49.5-7** Siméon et Lévi 29.33-34; 34.25-31; Dt 33.8-11; Jos 13.14; 19.1-9.

8 Juda, c'est toi que tes frères célébreront *z*.
Ta main pèsera sur la nuque de tes
ennemis,
les fils de ton père se prosterneront
devant toi.
9 Tu es un lionceau, ô Juda,
ô mon fils, tu es revenu du carnage !
Il a fléchi le genou et s'est couché
tel un lion
et telle une lionne, qui le fera lever ?
10 Le sceptre ne s'écartera pas de Juda,
ni le bâton de commandement d'entre
ses pieds
jusqu'à ce que vienne celui auquel il
appartient *a*
et à qui les peuples doivent obéissance.
11 Lui qui attache son âne à la vigne
et au cep le petit de son ânesse,
il a foulé son vêtement dans le vin
et sa tunique dans le sang des grappes.
12 Ses yeux sont plus sombres que le vin
et ses dents plus blanches que le
lait *b*.
13 Zabulon aura sa demeure au bord des
mers.
Il a, lui, des bateaux au rivage,
et ses confins dominent Sidon *c*.
14 Issakar est un âne osseux
qui se couche dans un parc à double
mur.
15 Il a vu que le repos était bon
et le pays agréable.
Il tend l'échine sous le bât,
il est bon pour la corvée d'esclave.
16 Dan jugera *d* son peuple
comme l'une des tribus d'Israël.

17 Dan sera un serpent sur le chemin,
un aspic sur le sentier,
qui mord les jarrets du cheval
et son cavalier tombe à la renverse *e*.
18 En ton salut, j'espère ô SEIGNEUR ! *f*
19 Gad, une troupe l'assaille
et lui, il assaille l'arrière-garde *g*.
20 D'Asher vient la graisse, sa nourriture,
et il en fait des gâteaux de rois *h*.
21 Nephtali est une biche en liberté qui
donne de beaux faons *i*.
22 Joseph est un jeune taureau,
un jeune taureau près d'une source.
Aux pâturages, il franchit le mur *j*
23 Ils l'ont provoqué, ils l'ont querellé,
les archers lui firent la guerre,
24 mais son arc demeura ferme
alors qu'il jouait des bras et des mains.
Par la force de l'Indomptable de Jacob,
par le nom du Pasteur, la Pierre d'Israël,
25 par El, ton père qu'Il te vienne en
aide,
par le Dieu Puissant *k*, qu'Il te bénisse !
Les bénédictions des cieux d'en haut,
les bénédictions de l'*abîme étendu
sous terre,
les bénédictions des mamelles et du
sein,
26 les bénédictions de ton père l'ont emporté
sur les bénédictions des montagnes
antiques,
sur les convoitises des collines d'antan.
Qu'elles viennent sur la tête de Joseph,

---

z En hébreu, il y a jeu de mots entre le nom de *Juda* et le verbe traduit par *te célébreront* (comparer 29.35 et la note) ● *a Le sceptre ne s'écartera pas de Juda :* allusion au fait que David et
ses successeurs sont issus de la tribu de Juda. — *celui auquel il appartient :* texte hébreu obscur et
traduction incertaine ; on ignore à qui il est fait allusion ● *b vin* et *lait*, c'est-à-dire vignobles et
bétail, sont les richesses de la tribu de Juda ● *c* Ville importante de Phénicie, sur la côte méditerranéenne ● *d* En hébreu, il y a jeu de mots entre le nom de *Dan* et le verbe traduit par *jugera*
(comparer 30.6 et la note) ● *e* Le v. 17 fait peut-être allusion au rôle de gardien de frontière
joué par la tribu la plus septentrionale d'Israël ● *f* Sorte d'exclamation liturgique, au milieu du
poème ● *g* En hébreu, il y a jeu de mots entre le nom de *Gad* et les mots traduits par *troupe* et
assaille ● *h Asher* (signifiant *heureux*, voir 30.13 et la note) évoque le bien-être d'une tribu installée dans la plantureuse région côtière au nord du Carmel ● *i* La tribu de *Nephtali* était installée dans la région boisée située au pied du Liban, ce qui a pu amener la comparaison avec *une
biche* ● *j* Autre traduction *Joseph est le rameau d'un arbre fertile, le rameau d'un arbre fertile
près d'une source ; ses branches s'élèvent par-dessus la muraille* ● *k* Les v. 24-25 donnent à Dieu
divers titres soulignant sa puissance (*Indomptable, Puissant*), son autorité (*Pasteur*, ou *Berger*,
titre royal) ou encore sa proximité (*El, ton père*)

49.8-12 Juda 29.35 ; Dt 33.7 ; Jos 15. **49.9** un lionceau Nb 23.24 ; 24.9 ; Ez 19.1-9 ; Ap 5.5.
49.10 le sceptre Nb 24.17. — *jusqu'à ce que vienne...* Ez 21.32. **49.11** son âne Za 9.9 ;
Mt 21.2-7 par. — vêtements trempés dans le vin Es 63.1-6 ; Ap 7.14 ; 19.13. **49.13** Zabulon
30.20 ; Dt 35.18-19 ; Jos 19.10-16 ; Jg 5.14 ; 18. **49.14-15** Issakar 30.18 ; Dt 33.18-19 ; Jos 19.17-23 ;
Jg 5.15. **49.16-17** Dan 30.6 ; Dt 33.22 ; Jos 19 ; 40-48 ; Jg 5.17. **49.18** j'espère en ton salut Es 5.5 ;
Ps 130.5-6. **49.19** Gad 30.11 ; Dt 33.20-21 ; Jos 13.24-28 ; cf. Jg 5.17. **49.20** Asher 30.13 ;
Dt 33.24-25 ; Jos 19.24-31 ; Jg 5.17. **49.21** Nephtali 30.8 ; Dt 33.23 ; Jos 19.32-39 ; Jg 5-18.
49.22-26 Joseph 30.24 ; Dt 33.13-17 ; cf. Jos 13.29-31 ; 16—17 ; Jg 5.14. **49.24** l'Indomptable
Es 1.24 ; 49.26 ; 60.16 ; cf. Ps 132.2, 5.

sur la chevelure du consacré *l* parmi
ses frères.
²⁷ Benjamin est un loup, il déchire,
le matin il mange encore,
et le soir il partage les dépouilles *m*. »

Mort de Jacob

²⁸ Il y avait en tout douze tribus d'Israël. Voilà ce que leur dit leur père
quand il les bénit en donnant à chacune
sa bénédiction. ²⁹ Il leur donna ensuite
ses ordres et leur dit : « Je vais être réuni
à mon peuple. Enterrez-moi auprès de mes
pères, dans la caverne au champ d'Ephrôn
le Hittite *n*, ³⁰ dans la caverne du champ
de Makpéla, face à Mambré au pays de
Canaan, le champ acquis par Abraham
d'Ephrôn le Hittite à titre de propriété
funéraire. ³¹ C'est là qu'on a enterré
Abraham et sa femme Sara, c'est là qu'on
a enterré Isaac et sa femme Rébecca,
c'est là que j'ai enterré Léa. ³² Le champ
et la caverne qui s'y trouvent ont été
acquis des fils de Heth. »
³³ Quand Jacob eut achevé de donner
ses ordres à ses fils, il ramena ses pieds
dans le lit, il expira et fut réuni aux siens.

Funérailles de Jacob

50 ¹ Joseph se jeta sur le visage de
son père, il le couvrit de larmes
et l'embrassa.
² Puis il ordonna aux médecins à son
service d'embaumer son père. Les médecins embaumèrent Israël, ³ ce qui dura
quarante jours pleins, le temps requis
pour l'embaumement. Les Egyptiens le
pleurèrent, soixante-dix jours. ⁴ Quand fut
passé le temps des pleurs, Joseph dit à
la maison de *Pharaon : « Si j'ai trouvé
grâce à vos yeux, veuillez parler ainsi aux
oreilles de Pharaon : ⁵ Mon père m'a fait
jurer en disant : "Voici que je vais mourir. Dans le tombeau que je me suis
creusé au pays de Canaan, c'est là que
tu m'enterreras." Je voudrais maintenant
monter enterrer mon père et après je reviendrai. » ⁶ Pharaon donna sa réponse :
« Monte enterrer ton père comme il te
l'a fait jurer. » ⁷ Et Joseph monta enterrer
son père. Tous les serviteurs de Pharaon,

les anciens de sa maison et tous les anciens du pays d'Egypte montèrent avec
lui, ⁸ ainsi que toute la maison de Joseph,
ses frères et la maison de son père. Ils
ne laissèrent au pays de Goshèn *o* que
leurs enfants, leur petit et leur gros bétail.
⁹ Même des chars et des attelages montèrent avec lui. Le camp était très im-
pressionnant.
¹⁰ Ils arrivèrent à l'Aire-de-l'Epine *p*,
au-delà du Jourdain. Là, ils célébrèrent
de solennelles et très impressionnantes
funérailles.
Joseph observa pour son père un deuil
de sept jours. ¹¹ Les Cananéens qui habitaient le pays virent ce deuil à l'Aire-de-
l'Epine et s'écrièrent : « C'est un deuil
cruel pour l'Egypte ! » Aussi nomma-t-on
ce lieu qui est au-delà du Jourdain
« Deuil-de-l'Egypte ».
¹² Les fils de Jacob agirent à son égard
selon ses ordres. ¹³ Ils le transportèrent
au pays de Canaan et l'enterrèrent dans
la caverne du champ de Makpéla, le
champ acquis par Abraham d'Ephrôn le
Hittite, à titre de propriété funéraire, en
face de Mambré.
¹⁴ Après l'enterrement de son père, Joseph revint en Egypte, lui, ses frères et
tous ceux qui étaient montés avec lui pour
l'enterrement.

Fin de la vie de Joseph

¹⁵ Voyant que leur père était mort, les
frères de Joseph se dirent : « Si Joseph
allait nous traiter en ennemis et nous
rendre tout le mal que nous lui avons
causé ! » ¹⁶ Ils mandèrent à Joseph : « Ton
père a donné cet ordre avant sa mort :
¹⁷ Vous parlerez ainsi à Joseph : "De
grâce, pardonne le forfait et la faute de
tes frères. Certes, ils t'ont causé bien du
mal mais, de grâce, pardonne maintenant
le forfait des serviteurs du Dieu de ton
père." » Quand ils lui parlèrent ainsi,
Joseph pleura.
¹⁸ Ses frères allèrent d'eux-mêmes se
jeter devant lui et dirent : « Nous voici
tes esclaves ! » ¹⁹ Joseph leur répondit :
« Ne craignez point. Suis-je en effet à

---

l du consacré ou *du nazir*, voir Nb 6.1-5 et les notes ● *m* Allusions probables au caractère
guerrier et féroce de la tribu de *Benjamin*, voir Jg 3.15-23; 19—20 ● *n être réuni à mon peuple* (ou *aux siens*, v. 33); voir 25.8 et la note. — *mes pères* ou *mes ancêtres*. — *Ephrôn le Hittite:*
voir 23.17-20 ● *o la maison* ou *la famille*. — *Goshèn:* voir 45.10 et la note ● *p* Endroit non
identifié, en Transjordanie (*au-delà du Jourdain*)

49.27 Benjamin 35.18; Dt 33.12; Jos 18.11-28; Jg 5.14. **50.1** présence de Joseph 46.4. **50.5** le
tombeau 47.30; Ac 7.16. **50.10** un deuil de sept jours 1 S 31.13. **50.12** selon ses ordres
49.29-32. **50.15** rendre le mal cf. 44.4+. **50.17** Joseph pleura 42.24+.

la place de Dieu ? [20] Vous avez voulu me faire du mal, Dieu a voulu en faire du bien : conserver la vie à un peuple nombreux comme cela se réalise aujourd'hui. [21] Désormais, ne craignez pas, je pourvoirai à votre subsistance et à celle de vos enfants. » Il les réconforta et leur parla cœur à cœur.

[22] Joseph habita en Egypte, lui et la maison *q* de son père. Joseph vécut cent dix ans [23] et vit la troisième génération des fils d'Ephraïm. De plus les fils de Makir, fils de Manassé, naquirent sur les genoux de Joseph *r*. [24] Joseph dit à ses frères : « Je vais mourir. Dieu interviendra en votre faveur et vous fera remonter de ce pays vers le pays qu'il a promis par serment à Abraham, Isaac et Jacob *s*. » [25] Puis Joseph fit prêter serment aux fils d'Israël : « Lorsque Dieu interviendra en votre faveur, vous ferez remonter mes ossements d'ici *t*. »

[26] Joseph mourut à l'âge de cent dix ans. On l'embauma et on le déposa dans un cercueil en Egypte.

q la maison ou la famille • *r* naitre sur les genoux de quelqu'un : voir 30.3; 48.12 et les notes • *s* Voir 12.7; 26.3; 28.13. • *t* Voir Ex 13.19; Jos 24.32

50.20 en faire du bien Rm 8.28.   **50.26** cent dix ans cf. 47.9+.

L'EXODE

DIEU FAIT SORTIR ISRAËL DU PAYS D'ÉGYPTE

Les Israélites esclaves en Egypte

1 [1] Et voici les noms des fils d'Israël venus en Egypte — ils étaient venus avec Jacob, chacun et sa famille : [2] Ruben, Siméon, Lévi et Juda, [3] Issakar, Zabulon et Benjamin, [4] Dan et Nephtali, Gad et Asher. [5] Les descendants de Jacob étaient, en tout, soixante-dix personnes [a] : Joseph, lui, était déjà en Egypte. [6] Puis Joseph mourut, ainsi que tous ses frères et toute cette génération-là. [7] Les fils d'Israël fructifièrent, pullulèrent, se multiplièrent et devinrent de plus en plus forts : le pays en était rempli.

[8] Alors un nouveau roi [b], qui n'avait pas connu Joseph, se leva sur l'Egypte. [9] Il dit à son peuple : « Voici que le peuple des fils d'Israël est trop nombreux et trop fort pour nous. [10] Prenons donc de sages mesures contre lui, pour qu'il cesse de se multiplier. En cas de guerre, il se joindrait lui aussi à nos ennemis, il se battrait contre nous et il sortirait du pays. » [11] On lui imposa donc des chefs de corvée, pour le réduire par des travaux forcés, et il bâtit pour *Pharaon des villes-entrepôts, Pitôm et Ramsès [c]. [12] Mais plus on voulait le réduire, plus il se multipliait et plus il éclatait : on vivait dans la hantise des fils d'Israël. [13] Alors les Egyptiens asservirent les fils d'Israël avec brutalité [14] et leur rendirent la vie amère par une dure servitude : mortier, briques, tous travaux des champs, bref toutes les servitudes qu'ils leur imposèrent avec brutalité.

Pharaon persécute les Israélites

[15] Le roi d'Egypte dit aux sages-femmes des Hébreux dont l'une s'appelait Shifra et l'autre Poua : [16] « Quand vous accouchez les femmes des Hébreux, regardez le sexe de l'enfant [d]. Si c'est un garçon, faites-le mourir. Si c'est une fille, qu'elle vive. » [17] Mais les sages-femmes craignirent Dieu ; elles ne firent pas comme leur avait dit le roi d'Egypte et laissèrent vivre les garçons. [18] Le roi d'Egypte, alors, les appela et leur dit : « Pourquoi avez-vous fait cela et laissé vivre les garçons ? » [19] Les sages-femmes dirent à *Pharaon : « Les femmes des Hébreux ne sont pas comme les Egyptiennes ; elles sont pleines de vie ; avant que la sage-femme n'arrive auprès d'elles, elles ont accouché. » [20] Dieu rendit les sages-femmes efficaces, et le peuple se multiplia et devint très fort.

[21] Or, comme les sages-femmes avaient craint Dieu et que Dieu leur [e] avait accordé une descendance, [22] Pharaon

---

a Un manuscrit hébreu trouvé à Qoumran et l'ancienne version grecque portent *soixante-quinze personnes*, chiffre que l'on retrouve en Ac 7.14 (voir aussi Gn 46.27 et la note) ● *b* Ce *nouveau roi* est peut-être Ramsès II, *Pharaon de la 19e dynastie égyptienne (1304-1235 av. J.C.), connu comme un grand constructeur ● *c* Les deux villes de *Pitôm* et *Ramsès* n'ont pas été identifiées avec certitude, mais se trouvaient probablement dans la partie nord-est du delta du Nil ● *d* le *sexe de l'enfant:* autre traduction *le siège d'accouchement* ● *e* leur: le texte hébreu ne permet pas de préciser s'il s'agit ici des *sages-femmes*, récompensées pour ce qu'elles ont fait, ou des Israélites (*le peuple*, v. 20), qui échappent à l'anéantissement

---

1.1 voici les noms Gn 46.8-27. **1.6** Joseph mourut Gn 50.26. **1.7** ils se multiplièrent Gn 12.2; 13.16; 26.4; 28.3; Dt 26.5; Ps 105.24; *Jdt* 5.10; Ac 7.17. **1.8** un nouveau roi Ps 105.25; *Jdt* 5.11; Ac 7.18-19. **1.11** Ramsès Gn 47.11. **1.14** une dure servitude Dt 26.6. **1.22** tout garçon nouveau-né Ac 7.19.

ordonna à tout son peuple : « Tout garçon nouveau-né, jetez-le au Fleuve *f* ! Toute fille, laissez-la vivre ! »

Naissance et enfance de Moïse

2 [1] Un homme de la famille de Lévi s'en alla prendre une fille de Lévi. [2] La femme conçut, enfanta un fils, vit qu'il était beau et le cacha pendant trois mois. [3] Ne pouvant le cacher plus longtemps, elle lui trouva une caisse en papyrus, l'enduisit de bitume et de poix, y mit l'enfant et la déposa dans les joncs sur le bord du Fleuve *g*. [4] La sœur de l'enfant se posta à distance pour savoir ce qui lui adviendrait. [5] Or, la fille de *Pharaon descendit se laver au Fleuve, tandis que ses suivantes marchaient le long du Fleuve. Elle vit la caisse parmi les joncs et envoya sa servante la prendre. [6] Elle ouvrit et regarda l'enfant : c'était un garçon qui pleurait. Elle eut pitié de lui : « C'est un enfant des Hébreux », dit-elle. [7] Sa sœur dit à la fille de Pharaon : « Veux-tu que j'aille appeler une nourrice chez les femmes des Hébreux ? Elle pourrait allaiter l'enfant pour toi. » — [8] « Va », lui dit la fille de Pharaon. Et la jeune fille appela la mère de l'enfant. [9] « Emmène cet enfant et allaite-le-moi, lui dit la fille de Pharaon, et c'est moi qui te donnerai un salaire. » La femme prit l'enfant et l'allaita. [10] L'enfant grandit, elle l'amena à la fille de Pharaon. Il devint pour elle un fils et elle lui donna le nom de « Moïse », car, dit-elle, « je l'ai tiré des eaux » *h*.

Moïse doit fuir au pays de Madiân

[11] Or, en ces jours-là *i*, Moïse, qui avait grandi, sortit vers ses frères et vit ce qu'étaient leurs corvées. Il vit un Egyptien frapper un Hébreu, un de ses frères. [12] S'étant tourné de tous côtés et voyant qu'il n'y avait personne, il frappa l'Egyptien et le dissimula dans le sable. [13] Le lendemain, il sortit de nouveau : voici que deux Hébreux s'empoignaient. Il dit au coupable : « Pourquoi frappes-tu ton prochain ? » — [14] « Qui t'a établi chef et juge sur nous ? dit l'homme. Penses-tu me tuer comme tu as tué l'Egyptien ? » Et Moïse prit peur et se dit : « L'affaire est donc connue ! » [15] *Pharaon entendit parler de cette affaire et chercha à tuer Moïse. Mais Moïse s'enfuit de chez Pharaon ; il s'établit en terre de Madiân et s'assit près du puits *j*. [16] Le prêtre de Madiân avait sept filles. Elles vinrent puiser et remplir les auges pour abreuver le troupeau de leur père. [17] Les *bergers vinrent les chasser. Alors Moïse se leva pour les secourir et il abreuva leur troupeau. [18] Elles revinrent près de Réouël, leur père, qui leur dit : « Pourquoi êtes-vous revenues si tôt, aujourd'hui ? » [19] Elles dirent : « Un Egyptien nous a délivrées de la main des bergers ; c'est même lui qui a puisé pour nous et qui a abreuvé le troupeau ! » [20] Il dit à ses filles : « Mais, où est-il ? Pourquoi avez-vous laissé là cet homme ? Appelez-le ! Qu'il mange ! » [21] Et Moïse accepta de s'établir près de cet homme, qui lui donna Cippora, sa fille. [22] Elle enfanta un fils ; il lui donna le nom de Guershôm — Emigré-là —, car, dit-il : « Je suis devenu un émigré en terre étrangère ! »

Dieu choisit Moïse pour libérer Israël

[23] Au cours de cette longue période, le roi d'Egypte mourut. Les fils d'Israël gémirent au fond de la servitude et crièrent. Leur appel monta vers Dieu du fond de la servitude. [24] Dieu entendit leur plainte ; Dieu se souvint de son *alliance avec

---

f au fleuve ou *au Nil* ● *g caisse:* autre traduction *corbeille.* — *papyrus:* plante aquatique (sorte de jonc), dont la tige était très employée dans les travaux de vannerie et dans la fabrication de feuilles pour écrire. — *du Fleuve* ou *du Nil* ● *h « je l'ai tiré des eaux »:* en hébreu, jeu de mots sur *Moïse* et un verbe signifiant *retirer de.* Le nom de Moïse est probablement d'origine égyptienne ● *i* L'expression hébraïque traduite par *en ces jours-là* est habituellement une indication chronologique très vague ; ici elle ne prétend pas situer le récit des versets 11-15 précisément à la même époque que le v. 10. Il est probable que Moïse a d'abord séjourné à la cour égyptienne pour y recevoir une éducation complète (voir Ac 7.22) ● *j Madiân* est le nom collectif de tribus nomades, vivant semble-t-il au sud et au sud-est de la Palestine ; selon Gn 25.2, *Madiân* est un fils d'Abraham. — *près du puits:* c'est l'endroit où un étranger avait le plus de chance de rencontrer des gens du pays

---

2.1 enfance de Moïse Ac 7.20-22 ; He 11.23. — un homme... 6.20. **2.11** Moïse doit fuir Ac 7.23-29 ; He 11.24-27. **2.16** elles vinrent au puits Gn 24.11 ; 29.2. **2.22** Guershôm 18.3. **2.23** ils crièrent Dt 26.7 ; Ps 130.1 ; Jdt 5.12. **2.24** alliance avec les patriarches Lv 26.42 +.

Abraham, Isaac et Jacob. ²⁵ Dieu vit les fils d'Israël ; Dieu se rendit compte...

3 ¹ Moïse faisait paître le troupeau de son beau-père Jéthro, prêtre de Madiân. Il mena le troupeau au-delà du désert et parvint à la montagne de Dieu, à l'Horeb *k*. ² L'*ange du SEIGNEUR lui apparut dans une flamme de feu, du milieu du buisson. Il regarda : le buisson était en feu et le buisson n'était pas dévoré. ³ Moïse dit : « Je vais faire un détour pour voir cette grande vision : pourquoi le buisson ne brûle-t-il pas ? » ⁴ Le SEIGNEUR vit qu'il avait fait un détour pour voir, et Dieu l'appela du milieu du buisson : « Moïse ! Moïse ! » Il dit : « Me voici ! » ⁵ Il dit : « N'approche pas d'ici ! Retire tes sandales de tes pieds, car le lieu où tu te tiens est une terre *sainte. » ⁶ Il dit : « Je suis le Dieu de ton père, Dieu d'Abraham, Dieu d'Isaac, Dieu de Jacob. » Moïse se voila la face, car il craignait de regarder Dieu. ⁷ Le SEIGNEUR dit : « J'ai vu la misère de mon peuple en Egypte et je l'ai entendu crier sous les coups de ses gardes-chiourme. Oui, je connais ses souffrances. ⁸ Je suis descendu pour le délivrer de la main des Egyptiens et le faire monter de ce pays vers un bon et vaste pays, vers un pays ruisselant de lait et de miel *l*, vers le lieu du Cananéen, du Hittite, de l'*Amorite, du Perizzite, du Hivvite et du Jébusite. ⁹ Et maintenant, puisque le cri des fils d'Israël est venu jusqu'à moi, puisque j'ai vu le poids que les Egyptiens font peser sur eux, ¹⁰ va, maintenant ; je t'envoie

vers *Pharaon, fais sortir d'Egypte mon peuple, les fils d'Israël. »

¹¹ Moïse dit à Dieu : « Qui suis-je pour aller vers Pharaon et faire sortir d'Egypte les fils d'Israël ? » — ¹² « Je suis avec toi, dit-il. Et voici le signe que c'est moi qui t'ai envoyé : quand tu auras fait sortir le peuple d'Egypte, vous servirez Dieu sur cette montagne. »

Dieu révèle son nom à Moïse

¹³ Moïse dit à Dieu : « Voici ! Je vais aller vers les fils d'Israël et je leur dirai : Le Dieu de vos pères m'a envoyé vers vous. S'ils me disent : Quel est son *nom ? — que leur dirai-je ? » ¹⁴ Dieu dit à Moïse : « JE SUIS QUI JE SERAI » *m*. Il dit : « Tu parleras ainsi aux fils d'Israël : JE SUIS m'a envoyé vers vous. » ¹⁵ Dieu dit encore à Moïse : « Tu parleras ainsi aux fils d'Israël : Le SEIGNEUR *n*, Dieu de vos pères, Dieu d'Abraham, Dieu d'Isaac, Dieu de Jacob, m'a envoyé vers vous. C'est mon nom à jamais, c'est ainsi qu'on m'invoquera d'âge en âge. ¹⁶ Va, réunis les *anciens d'Israël et dis-leur : Le SEIGNEUR, Dieu de vos pères, Dieu d'Abraham, d'Isaac et de Jacob, m'est apparu en disant : J'ai décidé d'intervenir en votre faveur, à cause de ce qu'on vous fait en Egypte ¹⁷ et j'ai dit : Je vous ferai monter de la misère d'Egypte vers le pays du Cananéen, du Hittite, de l'*Amorite, du Perizzite, du Hivvite et du Jébusite, vers le pays ruisselant de lait et de miel *o*. — ¹⁸ Ils entendront ta voix *p* et tu entreras, toi et les anciens d'Israël, chez le roi

k L'*Horeb* (autre nom du mont *Sinaï*) est appelé *montagne de Dieu* parce que Dieu va s'y révéler; voir chap. 19 ● *l* Un *pays ruisselant de lait et de miel* est un pays propice à l'élevage du bétail (*lait*) et aux cultures (*miel*, qui désigne probablement ici un sirop concentré de fruit, plutôt que du miel d'abeille). L'expression est devenue proverbiale pour désigner la Terre Promise ● *m* «*JE SUIS QUI JE SERAI*», c'est-à-dire «Je suis là, avec vous, de la manière que vous verrez»; autres traductions possibles «*JE SUIS QUI JE SUIS*» (refus de faire connaître son nom personnel; comparer Jg 13.18); «*JE SUIS CELUI QUI EST*» (par opposition aux autres dieux, qui «ne sont pas»; comparer Es 43.10) ● *n* Le SEIGNEUR: le nom personnel du Dieu d'Israël était Yahweh ou Yahwoh (on en ignore la prononciation exacte). Vers le IVᵉ siècle av. J.C., les Juifs prirent l'habitude de ne plus prononcer ce nom (pour ne pas risquer de le *prononcer à tort*, voir 20.7), mais de dire *Le Seigneur* (le plus souvent) ou de le remplacer par d'autres expressions, telles que *Je suis* (v. 14), *Le Nom* (Lv 24.11). Lorsque le texte hébreu donne le nom personnel Yahweh ou l'un des noms de remplacement, ceux-ci sont traduits par SEIGNEUR, JE SUIS, le NOM, en lettres majuscules ● *o* Voir v. 8 et la note ● *p* *Ils entendront ta voix*, c'est-à-dire *Ils t'écouteront* ou *t'obéiront*. Il s'agit des *anciens* (v. 16)

3.1 la montagne de Dieu 4.27; 18.5; 24.13; 1 R 19.8. **3.5** retire tes sandales Jos 5.15. **3.6** Dieu d'Abraham, d'Isaac et de Jacob 4.5; 6.3; Mc 12.26 par. — la crainte face à Dieu Gn 28.17; Jg 6.22-23; Es 6.5; Mt 17.6; Mc 16.5-8; Lc 5.8-9. **3.12** le signe Gn 24.12-14; Jg 6.17-18, 36-40; 1 S 14.10; 2 R 19.29; Jn 2.11. — vous servirez Dieu Ac 7.7. **3.13** le Dieu de vos pères 6.2-3. — quel est son nom ? Jn 17.6, 26. **3.14** je suis qui je serai Ap 1.4, 8. — Je Suis Jn 8.24, 28, 58. **3.15** c'est ainsi qu'on m'invoquera Os 12.6; Ps 135.13. **3.16** Dieu intervient en faveur de quelqu'un 4.31; Gn 21.1; 50.24-25; Ps 65.10; Jr 29.10. **3.18** à trois jours de marche 5.3; 8.23.

d'Egypte ; vous lui direz : Le Seigneur, Dieu des Hébreux, s'est présenté à nous ; et maintenant, il nous faut aller à trois jours de marche dans le désert pour *sacrifier au Seigneur, notre Dieu. — ¹⁹ Mais je sais que le roi d'Egypte ne vous permettra pas de partir, sauf s'il est contraint par une main forte �q. ²⁰ J'étendrai donc ma main et je frapperai l'Egypte avec tous les miracles ʳ que je ferai au milieu d'elle. Après quoi, il vous laissera partir. ²¹ J'accorderai à ce peuple la faveur des Egyptiens ; et alors, quand vous partirez, vous n'aurez pas les mains vides : ²² chaque femme demandera à sa voisine et à l'hôtesse de sa maison, des objets d'argent, des objets d'or et des manteaux ; vous les mettrez sur vos fils et sur vos filles. Ainsi, vous dépouillerez les Egyptiens. »

Dieu révèle sa puissance à Moïse

4 ¹ Moïse répondit : « Mais voilà ! Ils ne me croiront pas, ils n'entendront pas ma voix. Ils diront : Le Seigneur ne t'est pas apparu ! » ² Le Seigneur lui dit : « Qu'as-tu à la main ? » — « Un bâton », dit-il. ³ « Jette-le à terre. » Il le jeta à terre : le bâton devint serpent et Moïse s'enfuit devant lui. ⁴ Le Seigneur dit à Moïse : « Etends la main et prends-le par la queue. » Il étendit la main et le saisit : le serpent redevint bâton dans sa main. — ⁵ « C'est afin qu'ils croient que le Seigneur t'est apparu, le Dieu de leurs pères, Dieu d'Abraham, Dieu d'Isaac, Dieu de Jacob. » ⁶ Le Seigneur lui dit encore : « Mets donc la main dans ton sein. » Il mit la main dans son sein et la retira : sa main était *lépreuse, couleur de neige. ⁷ Le Seigneur dit : « Remets la main dans ton sein. » Il remit la main dans son sein et la retira de son sein : elle était redevenue normale. — ⁸ « Alors, s'ils ne te croient pas et n'entendent pas la voix du premier signe ˢ, ils croiront à la voix du signe suivant. ⁹ Alors, s'ils ne croient pas plus à ces deux signes et n'entendent pas ta voix, tu prendras de l'eau du Fleuve ᵗ et la répandras à terre ; l'eau que tu auras prise au Fleuve, sur la terre deviendra du sang. »

Dieu désigne Aaron comme adjoint à Moïse

¹⁰ Moïse dit au Seigneur : « Je t'en prie, Seigneur, je ne suis pas doué pour la parole, ni d'hier, ni d'avant-hier, ni depuis que tu parles à ton serviteur. J'ai la bouche lourde et la langue lourde ᵘ. » ¹¹ Le Seigneur lui dit : « Qui a donné une bouche à l'homme ? Qui rend muet ou sourd, voyant ou aveugle ? N'est-ce pas moi, le Seigneur ? ¹² Et maintenant, va, je suis avec ta bouche et je t'enseignerai ce que tu devras dire. » ¹³ Il dit : « Je t'en prie, Seigneur, envoie-le dire par qui tu voudras ! » ¹⁴ La colère du Seigneur s'enflamma contre Moïse et il dit : « N'y a-t-il pas ton frère Aaron, le *lévite ? Je sais qu'il a la parole facile, lui. Le voici même qui sort à ta rencontre ; quand il te verra, il se réjouira en son cœur. ¹⁵ Tu lui parleras et mettras les paroles en sa bouche. Et moi, je suis avec ta bouche et avec sa bouche et je vous enseignerai ce que vous ferez. ¹⁶ Lui parlera pour toi au peuple, il sera ta bouche et tu seras son dieu ᵛ. ¹⁷ Quant à ce bâton, prends-le en main ! Avec lui, tu feras les signes ʷ. »

Moïse retourne auprès de son peuple

¹⁸ Moïse s'en alla, retourna vers son beau-père Jéthro et lui dit : « Je dois m'en aller et retourner vers mes frères en Egypte pour voir s'ils vivent encore. » ¹⁹ Jéthro dit à Moïse : « Va en paix ! » Le Seigneur dit à Moïse en Madiân ˣ : « Va, retourne en Egypte, car tous ceux qui en voulaient à ta vie sont morts. »

---

q sauf s'il est contraint: d'après les anciennes versions grecque et latine; hébreu: *même pas.* — La *main forte* est celle de Dieu lui-même, voir v. 20 ● *r miracles:* autre traduction *prodiges* ● *s n'entendent pas la voix du premier signe:* autre traduction *ne sont pas convaincus par le premier signe* ● *t du Fleuve* ou *du Nil* ● *u ni d'hier, ni d'avant-hier,* c'est-à-dire *je ne l'ai jamais été.* — *J'ai la bouche lourde et la langue lourde* ou *J'ai de la peine à m'exprimer* ● *v il sera ta bouche et tu seras son dieu,* c'est-à-dire « il sera ton porte-parole », comme un *prophète est le porte-parole de Dieu (comparer Jr 1.9) ● w tu feras les signes* ou *tu réaliseras les prodiges* (dont je t'ai parlé) ● *x Madiân:* voir 2.15 et la note

3.22 dépouillement des Egyptiens 11.2-3; 12.35-36; Gn 15.14; Sg 10.17-20. **4.1** ils ne me croiront pas 4.31; 14.31; 19.9; Mt 13.58. **4.2** le bâton — serpent 7.8-13. **4.6** la lèpre Lv 13.2+. **4.9** l'eau changée en sang 7.14-25+; cf. 2 R 3.22; Es 15.9; Jn 2.1-12. **4.10** pas doué pour parler 6.12, 30; Jr 1.6-10. **4.12** je suis avec ta bouche Dt 18.18; Mt 10.19-20 par.; Jn 3.31-34; 8.26. **4.19** ils sont morts Mt 2.20.

20 Moïse prit sa femme et ses fils, les installa sur l'âne et retourna au pays d'Egypte. Moïse prit en main le bâton de Dieu. 21 Le SEIGNEUR dit à Moïse : « Sur la route du retour, vois ! Tous les prodiges dont je t'ai donné le pouvoir, tu les feras devant *Pharaon. Mais moi, j'endurcirai son *cœur et il ne laissera pas partir le peuple. 22 Tu diras à Pharaon : Ainsi parle le SEIGNEUR : Mon fils premier-né, c'est Israël ; 23 je te dis : Laisse partir mon fils pour qu'il me serve, et tu refuses de le laisser partir ! Eh bien, je vais tuer ton fils premier-né. »

24 Or, en chemin, à la halte, le SEIGNEUR l'aborda et chercha à le faire mourir. 25 Cippora prit un silex, coupa le prépuce de son fils et lui en toucha les pieds en disant : « Tu es pour moi un époux de sang. » 26 Et il le laissa. Elle disait alors « époux de sang » à propos de la *circoncision y.

27 Le SEIGNEUR dit à Aaron : « Va à la rencontre de Moïse au désert. » Il alla, l'aborda à la montagne de Dieu et l'embrassa. 28 Moïse mit Aaron au courant de toutes les paroles que le SEIGNEUR l'avait envoyé dire et de tous les signes qu'il lui avait ordonné de faire.

29 Moïse et Aaron allèrent réunir tous les *anciens des fils d'Israël. 30 Et Aaron redit toutes les paroles que le SEIGNEUR avait adressées à Moïse et il réalisa les signes sous les yeux du peuple. 31 Et le peuple crut. Ayant compris que le SEIGNEUR était intervenu en faveur des fils d'Israël et qu'il avait vu leur misère, ils s'agenouillèrent et se prosternèrent.

Moïse et Aaron chez Pharaon

5 1 Ensuite, Moïse et Aaron vinrent dire à *Pharaon : « Ainsi parle le SEIGNEUR, Dieu d'Israël : Laisse partir mon peuple et qu'il fasse au désert un pèlerinage z en mon honneur. 2 Pharaon dit : « Qui est le SEIGNEUR pour que j'écoute sa voix en laissant partir Israël ? J'ignore le SEIGNEUR et je ne veux pas laisser partir Israël. » 3 Ils dirent : « Le Dieu des Hébreux s'est présenté à nous ; il nous faut aller à trois jours de marche dans le désert pour *sacrifier au SEIGNEUR, notre Dieu, de peur qu'il ne se précipite sur nous avec la peste ou l'épée a. » 4 Le roi d'Egypte leur dit : « Moïse et Aaron, pourquoi voulez-vous débaucher le peuple de ses travaux ? Allez à vos corvées ! » 5 Pharaon dit : « Maintenant que la population du pays b est nombreuse, vous voudriez qu'ils se reposent de leurs corvées ! »

Pharaon augmente le travail des Israélites

6 En ce jour-là, *Pharaon ordonna aux gardes-chiourme et aux contremaîtres du peuple c : 7 « Vous ne fournirez plus au peuple comme auparavant la paille pour fabriquer les briques. Ils iront eux-mêmes ramasser la paille d. 8 Imposez-leur de faire autant de briques que jusqu'ici, n'en réduisez rien. Ce sont des paresseux, c'est pourquoi ils crient : Allons *sacrifier à notre Dieu ! 9 Que la servitude pèse sur ces gens et qu'ils travaillent, sans rêvasser à des paroles mensongères ! » 10 Les gardes-chiourme et les contremaîtres du peuple sortirent et dirent au peuple : « Ainsi parle Pharaon : Je ne vous fournis point de paille ! 11 Allez vous-mêmes prendre de la paille là où vous en trouverez ! Mais votre tâche n'est réduite en rien. »

12 Le peuple se dispersa dans tout le pays d'Egypte pour ramasser de la paille à torchis. 13 Les gardes-chiourme les pressaient : « Achevez vos travaux ! Chaque jour, la quantité exigée ! Comme lorsqu'il y avait de la paille ! » 14 On frappa les contremaîtres des fils d'Israël, ceux que

---

y Le bref récit des versets 24-26 est particulièrement énigmatique : on ne sait pas à qui se rapportent les pronoms personnels (Moïse n'est pas cité par son nom) et on ignore le sens de l'expression *époux de sang*. z Le *pèlerinage* consistait à se rendre en un lieu sacré (dans le cas présent, situé de manière très vague *au désert ;* voir aussi 3.18) pour y célébrer une fête et y offrir des sacrifices en l'honneur du Seigneur ● a *de peur qu'il ... l'épée,* c'est-à-dire de peur qu'il ne déchaîne contre nous une épidémie ou une guerre ● b *la population du pays* désigne ici les Hébreux installés en Egypte ● c Les *gardes-chiourme* sont des surveillants égyptiens ; les *contremaîtres* sont probablement des Israélites ● d On mélangeait de la *paille* hachée à l'argile pour rendre plus résistantes les *briques* (qui n'étaient pas cuites, mais séchées au soleil). — *ramasser la paille :* quand les Egyptiens faisaient la moisson, ils ne coupaient que les épis et laissaient *la paille* sur pied

4.22 Israël, fils de Dieu Dt 1.31 ; 14.1 ; 32.6 ; Os 11.1. **4.23** tuer le premier-né 12.29+.
4.24 la rencontre avec le Seigneur Gn 32.25-33. **4.25** circoncision avec un silex Jos 5.2-3.
4.27 la montagne de Dieu 3.1+. **4.29** réunion des anciens 3.16. **4.31** le peuple crut cf. 4.1+.
5.1 un pèlerinage 23.14-17 ; 1 S 1.3 ; Lc 2.41 ; Ac 2.5. **5.3** à trois jours de marche 3.18+.

leur avaient imposés les gardes-chiourme de Pharaon : « Pourquoi n'avez-vous pas achevé, hier et aujourd'hui, votre commande de briques, comme auparavant ? »
¹⁵ Les contremaîtres des fils d'Israël vinrent crier vers Pharaon : « Pourquoi fais-tu cela à tes serviteurs ? ¹⁶ La paille, on ne la fournit plus à tes serviteurs — et les briques, on nous dit : faites-en ! Voici qu'on frappe tes serviteurs. Ton peuple a tort ! ᵉ » ¹⁷ Il dit : « Vous êtes des paresseux, des paresseux ! C'est pourquoi vous dites : Allons sacrifier au SEIGNEUR. ¹⁸ Et maintenant, allez travailler. La paille ne vous sera pas fournie, mais vous fournirez autant de briques. » ¹⁹ Les contremaîtres des fils d'Israël se virent dans un mauvais cas : « Vous ne réduirez pas le nombre de vos briques. Chaque jour, la quantité exigée... » ²⁰ Sortant de chez Pharaon, ils se précipitèrent sur Moïse et Aaron qui les attendaient. ²¹ Ils leur dirent : « Que le SEIGNEUR constate et qu'il juge : à cause de vous, Pharaon et ses serviteurs ne peuvent plus nous sentir ; c'est leur mettre en main l'épée pour nous tuer. »

²² Moïse retourna vers le SEIGNEUR et dit : « Seigneur, pourquoi as-tu maltraité ce peuple ? Pourquoi donc m'as-tu envoyé ? ²³ Depuis que je suis venu vers Pharaon pour parler en ton nom, il a maltraité ce peuple et tu n'as absolument pas délivré ton peuple. »

6 ¹ Le SEIGNEUR dit à Moïse : « Maintenant, tu vas voir ce que je vais faire à Pharaon :

par main forte ᶠ, ils les laissera partir,
par main forte, il les chassera de son pays ! »

Dieu promet à Moïse de délivrer Israël

² Dieu adressa la parole à Moïse. Il lui dit :

« C'est moi le SEIGNEUR.

³ Je suis apparu à Abraham, à Isaac et à Jacob comme Dieu Puissant ᵍ, mais sous mon nom, "le SEIGNEUR", je ne me suis pas fait connaître d'eux. ⁴ Puis j'ai établi mon *alliance avec eux, pour leur donner le pays de Canaan, pays de leurs migrations, où ils étaient des émigrés. ⁵ Enfin, j'ai entendu la plainte des fils d'Israël, asservis par les Egyptiens, et je me suis souvenu de mon alliance.

⁶ C'est pourquoi, dis aux fils d'Israël :
C'est moi le SEIGNEUR.
Je vous ferai sortir des corvées d'Egypte,
Je vous délivrerai de leur servitude,
Je vous revendiquerai ʰ avec puissance
    et autorité,
⁷ Je vous prendrai comme mon peuple
à moi, et pour vous, je serai Dieu.
Vous connaîtrez que c'est moi, le SEIGNEUR, qui suis votre Dieu : celui qui vous fait sortir des corvées d'Egypte.
⁸ Je vous ferai entrer dans le pays que, la main levée ⁱ, j'ai donné à Abraham, à Isaac et à Jacob.
Je vous le donnerai en possession.
C'est moi le SEIGNEUR. »

⁹ Moïse parla ainsi aux fils d'Israël, mais ils n'écoutèrent pas Moïse, tant leur dure servitude les décourageait.

¹⁰ Le SEIGNEUR dit à Moïse : ¹¹ « Va ! Parle à Pharaon, roi d'Egypte. Qu'il laisse partir les fils d'Israël de son pays ! » ¹² Mais Moïse parla ainsi devant le SEIGNEUR : « Voici que les fils d'Israël ne m'ont pas écouté. Comment Pharaon m'écouterait-il, moi qui suis incirconcis des lèvres ʲ ? »

¹³ Le SEIGNEUR parla à Moïse et à Aaron et leur communiqua ses ordres pour les fils d'Israël et pour Pharaon, roi d'Egypte, en vue de faire sortir les fils d'Israël du pays d'Egypte.

Liste des ancêtres de Moïse et Aaron

¹⁴ Voici les chefs ᵏ de leurs familles patriarcales :

Fils de Ruben, premier-né d'Israël : Hanok et Pallou, Hèçrôn et Karmi — tels sont les clans de Ruben.

---

e Ton peuple a tort ! : texte obscur et traduction incertaine ● *f* La *main forte* est celle de Dieu, voir 3.19 et la note ● *g Dieu Puissant* : voir Gn 17.1 et la note ● *h Je vous revendiquerai* ou *Je vous délivrerai* ● *i* la *main levée* : geste accompagnant un serment ; on peut aussi traduire *Je vous ferai entrer dans le pays que j'ai juré de donner à...* ● *j moi qui suis incirconcis des lèvres* : expression imagée signifiant *moi qui n'ai pas la parole facile* ● *k* La liste généalogique des versets 14-25 reprend le début de la liste de Gn 46.8-27, jusqu'à 46.11, puis s'en écarte pour donner la généalogie détaillée des descendants de Lévi, qui forment la classe sacerdotale

6.1 il les chassera 11.1.   **6.4** alliance avec les patriarches Lv 26.42+.   **6.5** la plainte 2.24-25. **6.7** pour vous je serai Dieu Lv 11.45+.   **6.8** le pays donné aux patriarches Gn 15.18-21 ; 24.7 ; 26.3 ; 28.13. — la main levée (geste de serment) Nb 14.30 ; Dt 32.40 ; Ez 20.5, 42 ; Ne 9.15. **6.12** incirconcis des lèvres 4.10+.   **6.14** fils de Ruben Nb 26.5-9 ; 1 Ch 5.1-10.   **6.15** fils de Siméon Nb 26.12-14 ; 1 Ch 4.24-43.

¹⁵ Et fils de Siméon ; Yemouël, Yamîn, Ohad, Yakîn, Çohar et Shaoul, le fils de la Cananéenne — tels sont les clans de Siméon.

¹⁶ Et voici les noms des fils de Lévi, selon leur descendance : Guershôn, Qehath et Merari. La durée de la vie de Lévi fut de cent trente-sept ans.

¹⁷ Fils de Guershôn : Livni et Shiméï, selon leurs clans.

¹⁸ Et fils de Qehath : Amrâm, Yicehar, Hébron et Ouzziël. La durée de la vie de Qehath fut de cent trente-trois ans.

¹⁹ Et fils de Merari : Mahli et Moushi. Tels sont les clans de Lévi selon leur descendance.

²⁰ Amrâm prit pour femme sa tante Yokèvèd ; elle lui enfanta Aaron et Moïse. La durée de la vie d'Amrâm fut de cent trente-sept ans.

²¹ Et fils de Yicehar : Coré, Nèfèg et Zikri.

²² Et fils d'Ouzziël : Mishaël, Elçafân et Sitri.

²³ Aaron prit pour femme Elisabeth, fille d'Amminadav, sœur de Nahshôn ; elle lui enfanta Nadav, Avihou, Eléazar et Itamar.

²⁴ Et fils de Coré : Assir, Elqana et Aviasaf. Tels sont les clans des Coréites.

²⁵ Eléazar, fils d'Aaron, avait pris pour femme une fille de Poutiël ; elle lui enfanta Pinhas.

Tels sont les chefs de famille des Lévites selon leurs clans.

²⁶ Voilà donc Aaron et Moïse, à qui le Seigneur avait dit : « Faites sortir les fils d'Israël du pays d'Egypte, rangés en armées *l* » ; ²⁷ ce sont eux qui parlèrent à Pharaon, roi d'Egypte, pour faire sortir d'Egypte les fils d'Israël. Voilà donc Moïse et Aaron.

Dieu renouvelle sa promesse à Moïse

²⁸ Et le jour où le Seigneur parla à Moïse au pays d'Egypte, ²⁹ le jour où il parla ainsi à Moïse : « C'est moi le Seigneur, redis à Pharaon, roi d'Egypte,

tout ce que je te dis », ³⁰ Moïse dit devant le Seigneur : « Me voici incirconcis des lèvres *m*. Comment Pharaon m'écouterait-il ? »

7 ¹ Mais le Seigneur dit à Moïse : « Vois, je t'établis comme dieu pour Pharaon et ton frère Aaron sera ton prophète *n*. ² C'est toi qui diras tout ce que je t'ordonnerai et ton frère Aaron parlera à Pharaon pour qu'il laisse partir de son pays les fils d'Israël ; ³ mais moi, je rendrai *cœur de Pharaon. Je multiplierai mes signes et mes prodiges au pays d'Egypte, ⁴ mais Pharaon ne vous écoutera pas. Je poserai ma main sur l'Egypte et d'autorité je ferai sortir mes armées *o*, mon peuple, les fils d'Israël, hors du pays d'Egypte. ⁵ Alors les Egyptiens connaîtront que c'est moi le Seigneur, quand j'étendrai la main contre l'Egypte ; et je ferai sortir du milieu d'eux les fils d'Israël. » ⁶ Moïse et Aaron firent ainsi ; ils firent exactement ce que le Seigneur leur avait ordonné. ⁷ Moïse avait quatre-vingts ans et Aaron quatre-vingt-trois quand ils parlèrent à Pharaon.

Pharaon refuse d'écouter Moïse et Aaron

⁸ Le Seigneur dit à Moïse et à Aaron : ⁹ « Si *Pharaon vous parle ainsi : Faites donc un prodige, — tu diras à Aaron : Prends ton bâton, jette-le devant Pharaon, et qu'il devienne un dragon *p* ! » ¹⁰ Moïse et Aaron vinrent chez Pharaon et firent comme le Seigneur l'avait ordonné. Aaron jeta son bâton devant Pharaon et devant ses serviteurs, et le bâton devint un dragon. ¹¹ Mais de son côté, Pharaon appela les sages et les enchanteurs ; et ces magiciens d'Egypte firent la même chose avec leurs sortilèges : ¹² chacun jeta son bâton, qui devint un dragon. Mais le bâton d'Aaron engloutit leurs bâtons. ¹³ Cependant, le *cœur de Pharaon resta endurci ; il n'écouta pas Moïse et Aaron, comme l'avait dit le Seigneur.

---

l rangés en armées: il ne s'agit pas exactement de troupes militaires ; Moïse doit veiller à l'organisation du départ, pour éviter une débandade • *m incirconcis des lèvres:* voir v. 12 et la note • *n dieu pour Pharaon... prophète:* comparer 4.16 et la note • *o mes armées:* voir 6.26 et la note • *p dragon* ou *serpent ;* le terme hébreu n'est pas le même qu'en 4.3 et en 7.15

6.16 fils de Lévi Gn 46.11 ; Nb 3.17-20 ; 26.57-61 ; 1 Ch 6.1-15. **6.20** Amrâm et Yokèvèd 2.1-2. **6.21** Coré Nb 16. **6.23** Nadav et Avihou Lv 10.1-5. — Eléazar Nb 17.1 ; 20.25-28. **6.25** Pinhas Nb 25.7-13. **6.30** incirconcis des lèvres 4.10+. **7.1** Aaron sera ton prophète 4.16. **7.3** endurcissement du Pharaon 4.21 ; 7.13, 14, 22 ; 8.11, 15, 28 ; 9.7, 12, 34-35 ; 10.1, 20, 27 ; 11.10 ; 14.4, 17. — signes et prodiges Ps 135.9 ; Ac 7.36. **7.9** le bâton — dragon 4.2. **7.11** les magiciens 2 Tm 3.8.

Premier fléau : l'eau changée en sang

[14] Le SEIGNEUR dit à Moïse : « *Pharaon s'obstine ; il refuse de laisser partir le peuple. [15] Va vers Pharaon dès le matin, quand il sortira pour se rendre près de l'eau. Attends-le au bord du Fleuve q. Et le bâton qui s'est changé en serpent, prends-le en main. [16] Dis à Pharaon : Le SEIGNEUR, le Dieu des Hébreux, m'avait envoyé te dire : Laisse partir mon peuple pour qu'il me serve au désert ; mais jusqu'ici tu n'as pas écouté. [17] Ainsi parle le SEIGNEUR : A ceci tu connaîtras que c'est moi le SEIGNEUR : je vais frapper les eaux du Fleuve avec le bâton que j'ai en main et elles se changeront en sang. [18] Les poissons du Fleuve mourront, le Fleuve deviendra puant et les Egyptiens seront incapables de boire les eaux du Fleuve. » [19] Le SEIGNEUR dit à Moïse : « Dis à Aaron : Prends ton bâton, étends la main sur les eaux d'Egypte — sur ses rivières, ses canaux, ses étangs, partout où il y a de l'eau — ; qu'elles soient du sang ! Qu'il y ait du sang dans tout le pays d'Egypte, dans les récipients de bois comme dans les récipients de pierre ! » [20] Moïse et Aaron firent comme le SEIGNEUR l'avait ordonné.

Il leva le bâton et frappa les eaux du Fleuve sous les yeux de Pharaon et de ses serviteurs. Toutes les eaux du Fleuve se changèrent en sang. [21] Les poissons du Fleuve moururent, le Fleuve devint puant et les Egyptiens ne purent boire les eaux du Fleuve. Il y eut du sang dans tout le pays d'Egypte. [22] Mais les magiciens d'Egypte firent la même chose avec leurs sortilèges. Le *cœur de Pharaon resta endurci, il n'écouta pas Moïse et Aaron, comme l'avait dit le SEIGNEUR.

[23] Pharaon s'en retourna et rentra chez lui sans même prendre cela au sérieux. [24] Tous les Egyptiens creusèrent aux abords du Fleuve pour boire de l'eau, car ils ne pouvaient boire les eaux du Fleuve. [25] Sept jours s'accomplirent après que le SEIGNEUR eut frappé le Fleuve.

Deuxième fléau : les grenouilles

[26] Le SEIGNEUR dit à Moïse : « Entre chez *Pharaon et dis-lui : Ainsi parle le SEIGNEUR : Laisse partir mon peuple pour qu'il me serve. [27] Si tu refuses toujours de le laisser partir, je vais frapper tout ton territoire du fléau des grenouilles. [28] Le Fleuve r pullulera de grenouilles, elles monteront et entreront dans ta maison, dans ta chambre à coucher, sur ton lit, dans la maison de tes serviteurs, chez ton peuple, dans tes fours, dans tes pétrins. [29] Sur toi, sur ton peuple, sur tous tes serviteurs, grimperont les grenouilles. »

8 [1] Le SEIGNEUR dit à Moïse : « Dis à Aaron : Etends la main, avec ton bâton, sur les rivières, les canaux, les étangs, et fais monter les grenouilles sur le pays d'Egypte. » [2] Aaron étendit la main sur les eaux d'Egypte ; les grenouilles montèrent et couvrirent le pays d'Egypte. [3] Mais les magiciens avec leurs sortilèges firent de même : ils firent monter les grenouilles sur le pays d'Egypte.

[4] Pharaon appela Moïse et Aaron et dit : « Priez le SEIGNEUR d'éloigner les grenouilles de moi et de mon peuple, et je laisserai partir le peuple pour qu'il *sacrifie au SEIGNEUR. » [5] Moïse dit à Pharaon : « Daigne me fixer le moment auquel je dois prier pour toi, tes serviteurs et ton peuple, afin de faire disparaître les grenouilles de chez toi et de tes maisons, en sorte qu'il n'en reste que dans le Fleuve. » [6] Il dit : « Demain. » Moïse dit : « Comme tu l'as dit et pour que tu connaisses que nul n'est comme le SEIGNEUR, notre Dieu, [7] les grenouilles s'éloigneront de toi, de tes maisons, de tes serviteurs et de ton peuple, en sorte qu'il n'en reste que dans le Fleuve. » [8] Moïse et Aaron sortirent de chez Pharaon. Moïse cria vers le SEIGNEUR au sujet des grenouilles dont il avait accablé Pharaon. [9] Le SEIGNEUR agit selon la parole de Moïse. Les grenouilles moururent, disparaissant des maisons, des cours et des champs. [10] On en ramassa des tas et des tas et le pays en devint puant. [11] Voyant qu'il y avait un répit, Pharaon s'obstina. Il n'écouta pas Moïse et Aaron, comme l'avait dit le SEIGNEUR.

Troisième fléau : les moustiques

[12] Le SEIGNEUR dit à Moïse : « Dis à Aaron : Etends ton bâton et frappe la poussière de la terre ; elle deviendra moustiques s dans tout le pays d'Egypte. »

---

q du Fleuve ou du Nil ● r Le Fleuve ou Le Nil ● s moustiques ou moucherons, poux

7.14 l'eau changée en sang 4.9 ; Ps 78.44 ; 105.29 ; Sg 11.6-8 ; Ap 8.8 ; 16.3-7. **7.26** les grenouilles Ps 78.45 ; 105.30 ; Sg 16.3 ; 19.10 ; Ap 16.13. **8.6** nul n'est comme Dieu Es 45.5-6, 18-22. **8.11** endurcissement 7.3+. **8.12** les moustiques Ps 105.31 ; Sg 19.10.

[13] Ils firent ainsi. Aaron étendit la main
avec son bâton et frappa la poussière de
la terre. Et il y eut des moustiques sur
les hommes et sur les bêtes. Toute la
poussière de la terre devint moustiques
dans tout le pays d'Egypte. [14] Les magiciens avec leurs sortilèges essayèrent aussi
de produire des moustiques, mais ils ne
réussirent pas. Et il y eut des moustiques
sur les hommes et sur les bêtes. [15] Les
magiciens dirent à *Pharaon : « C'est le
doigt de Dieu [t]. » Mais le *cœur de Pharaon resta endurci. Il n'écouta pas Moïse
et Aaron, comme l'avait dit le SEIGNEUR.

Quatrième fléau : la vermine

[16] Le SEIGNEUR dit à Moïse : « Lève-toi
de bon matin et présente-toi devant *Pharaon, quand il sortira pour se rendre près
de l'eau. Dis-lui : Ainsi parle le SEIGNEUR :
Laisse partir mon peuple pour qu'il me
serve. [17] Si tu ne laisses pas partir mon
peuple, je vais envoyer la vermine [u] sur
toi, tes serviteurs, ton peuple, tes maisons.
Les maisons des Egyptiens seront pleines
de vermine et même le sol où ils se tiennent. [18] Ce jour-là, je ferai une distinction pour le pays de Goshèn [v], où mon
peuple se tient ; là il n'y aura pas de vermine, pour que tu connaisses que moi, le
SEIGNEUR, je suis au milieu du pays. [19] Je
ferai un geste libérateur pour séparer mon
peuple de ton peuple. Ce signe aura lieu
demain. » [20] Le SEIGNEUR fit ainsi. La vermine entra en masse dans la maison de
Pharaon, dans la maison de ses serviteurs
et dans tout le pays ; le pays était infesté
de vermine.
[21] Pharaon appela Moïse et Aaron et
dit : « Allez, *sacrifiez à votre Dieu dans
ce pays ! » [22] Moïse dit : « Il ne convient
pas de faire ainsi, car ce que nous sacri-
fions au SEIGNEUR, notre Dieu, est abominable pour les Egyptiens [w]. Pourrions-nous
faire sous leurs yeux un sacrifice qui leur
est abominable sans qu'ils nous lapident ?
[23] C'est à trois jours de marche dans le
désert que nous voulons aller pour sacrifier au SEIGNEUR, notre Dieu, de la manière qu'il nous dira. » [24] Pharaon dit :
« Je vous laisserai partir et vous sacrifie-
rez au SEIGNEUR, votre Dieu, dans le désert. Seulement n'allez pas trop loin ! Priez
pour moi. » [25] Moïse dit : « Eh bien, je
vais sortir de chez toi pour prier le SEI-
GNEUR et la vermine s'éloignera de Pharaon, de ses serviteurs et de son peuple
dès demain. Seulement, que Pharaon cesse
de se moquer, en ne laissant pas le peuple aller sacrifier au SEIGNEUR ! » [26] Moïse
sortit de chez Pharaon et pria le SEI-
GNEUR. [27] Le SEIGNEUR agit selon la parole
de Moïse. La vermine s'éloigna de Pharaon, de ses serviteurs et de son peuple.
Il n'en resta pas du tout.
[28] Même cette fois-là, Pharaon s'obstina
et il ne laissa pas partir le peuple.

Cinquième fléau : la peste du bétail

9 [1] Le SEIGNEUR dit à Moïse : « Entre chez *Pharaon et dis-lui : Ainsi
parle le SEIGNEUR, le Dieu des Hébreux :
Laisse partir mon peuple pour qu'il me
serve. [2] Si tu refuses toujours de le laisser partir, si tu persistes à le retenir, [3] la
main du SEIGNEUR sera sur les troupeaux
qui sont dans tes champs, sur les chevaux,
les ânes, les chameaux, les bœufs et les
moutons : ce sera une peste très grave !
[4] Le SEIGNEUR fera une distinction entre
les troupeaux d'Israël et les troupeaux des
Egyptiens. Rien ne mourra de ce qui
appartient aux fils d'Israël. » [5] Et le SEI-
GNEUR fixa un terme en disant : « Demain,
le SEIGNEUR fera cela dans le pays. » [6] Et
le SEIGNEUR fit cela le lendemain : tous les
troupeaux des Egyptiens moururent, mais
dans les troupeaux des fils d'Israël, pas
une bête ne mourut. [7] Pharaon envoya
constater : pas un seul mort dans les
troupeaux d'Israël ! Mais le *cœur de
Pharaon resta obstiné ; il ne laissa pas
partir le peuple.

Sixième fléau : les furoncles

[8] Le SEIGNEUR dit à Moïse et à Aaron :
« Prenez deux pleines poignées de suie de

t C'est le doigt de Dieu ou *C'est le doigt d'un dieu*, autrement dit, c'est Dieu (ou un dieu) qui a réalisé cela. L'expression se rencontre plusieurs fois dans des textes magico-religieux égyptiens • *u la vermine* ou *les mouches venimeuses* • *v le pays de Goshèn:* voir Gn 45.10 et la note • *w abominable pour les Egyptiens:* les Egyptiens considéraient comme sacrées plusieurs espèces d'animaux que les Israélites offraient en sacrifice

8.15 le doigt de Dieu Lc 11.20 **8.16** la vermine Ps 78.45; 105.31. **8.18** Dieu fait une distinction 9.4-7, 26; 10.23; 11.7; 33.16. **8.21** Pharaon fait des concessions 8.24; 10.7-11, 24; 11.8. **8.23** à trois jours de marche 3.18+. **9.1** la peste Ps 78.48; Am 4.10; Ha 3.5. **9.4** une distinction 8.18+. **9.7** endurcissement 7.3+. **9.8** les furoncles Dt 28.35; Jb 2.7; Lc 16.20-21; Ap 16.2, 11.

fournaise et Moïse la lancera en l'air devant *Pharaon. ⁹ Se répandant en poussière sur tout le pays d'Egypte, elle provoquera des furoncles bourgeonnant en pustules ˣ chez les hommes et les bêtes de tout le pays d'Egypte. » ¹⁰ Ils prirent de la suie de fournaise et se tinrent devant Pharaon ; Moïse la lança en l'air, et elle provoqua des furoncles bourgeonnant en pustules chez les hommes et les bêtes. ¹¹ Et les magiciens ne purent se tenir devant Moïse à cause des furoncles, car les furoncles couvraient les magiciens et tous les Egyptiens. ¹² Mais le SEIGNEUR endurcit le *cœur de Pharaon, qui n'écouta pas Moïse et Aaron, comme l'avait dit le SEIGNEUR à Moïse.

Septième fléau : la grêle

¹³ Le SEIGNEUR dit à Moïse : « Lève-toi de bon matin et présente-toi devant *Pharaon. Dis-lui : Ainsi parle le SEIGNEUR, le Dieu des Hébreux : Laisse partir mon peuple pour qu'il me serve. ¹⁴ Car cette fois-ci, j'enverrai tous mes fléaux contre toi-même, contre tes serviteurs et ton peuple, afin que tu connaisses que nul n'est comme moi sur la terre. ¹⁵ Si j'avais laissé aller ma main, je t'aurais frappé de la peste, toi et ton peuple, et tu aurais disparu de la terre. ¹⁶ Mais voici pourquoi je t'ai maintenu : pour te faire voir ma force, afin qu'on publie mon *nom par toute la terre. ¹⁷ Tu persistes à faire obstacle au départ de mon peuple. ¹⁸ Demain à la même heure, je vais faire pleuvoir une grêle très violente, telle qu'il n'y en a jamais eu en Egypte depuis le jour de sa fondation ʸ jusqu'à maintenant. ¹⁹ Et maintenant, envoie mettre à l'abri tes troupeaux et tout ce qui t'appartient dans les champs. Tout homme et toute bête qui seront trouvés aux champs et n'auront pas été ramenés à la maison, la grêle leur tombera dessus et ils mourront. » ²⁰ Parmi les serviteurs de Pharaon, celui qui craignit la parole du SEIGNEUR abrita ses serviteurs et ses troupeaux dans les maisons, ²¹ celui qui ne prit pas au sérieux la parole

du SEIGNEUR laissa aux champs ses serviteurs et ses troupeaux.

²² Le SEIGNEUR dit à Moïse : « Etends la main vers le ciel et qu'il grêle sur tout le pays d'Egypte, sur les hommes et les bêtes, et sur toute l'herbe des champs dans le pays d'Egypte. » ²³ Moïse étendit son bâton vers le ciel et le SEIGNEUR déchaîna le tonnerre et la grêle ; la foudre s'abattit sur la terre et le SEIGNEUR fit tomber la grêle sur le pays d'Egypte. ²⁴ Grêle, foudre mêlée à la grêle : ce fut si violent que le pays d'Egypte n'avait rien vu de semblable depuis qu'il était une nation. ²⁵ Dans tout le pays d'Egypte, la grêle frappa tout ce qui était aux champs, hommes et bêtes ; la grêle frappa toute l'herbe des champs et brisa tous les arbres des champs. ²⁶ La grêle n'épargna que le pays de Goshèn ᶻ, où se trouvaient les fils d'Israël.

²⁷ Pharaon fit appeler Moïse et Aaron et leur dit : « Cette fois-ci, j'ai péché ; c'est le SEIGNEUR qui est le juste ; moi et mon peuple, nous sommes les coupables. ²⁸ Priez le SEIGNEUR ! Assez de tonnerre et de grêle ! Je vous laisserai partir, vous ne resterez pas plus longtemps. » ²⁹ Moïse lui dit : « Au sortir de la ville, je tendrai les mains vers le SEIGNEUR ; le tonnerre cessera, il n'y aura plus de grêle, pour que tu connaisses que la terre appartient au SEIGNEUR. ³⁰ Mais toi et tes serviteurs, je sais que vous ne craignez pas encore le SEIGNEUR Dieu. »

³¹ Le lin et l'orge furent frappés, car l'orge était en épis et le lin en fleurs. ³² Le froment et l'épeautre ᵃ ne furent pas frappés, car ils sont plus tardifs. ³³ Moïse sortit de chez Pharaon et de la ville, et il tendit les mains vers le SEIGNEUR ; le tonnerre et la grêle cessèrent, la pluie ne se déversa plus sur la terre. ³⁴ Pharaon vit que pluie, grêle et tonnerre avaient cessé, mais il pécha encore. Lui et ses serviteurs s'obstinèrent.

³⁵ Le *cœur de Pharaon resta endurci : il ne laissa pas partir les fils d'Israël, comme l'avait dit le SEIGNEUR par Moïse.

---

x pustules: maladie de la peau, indéterminée ● y depuis le jour de sa fondation: cette expression, fréquente dans les textes égyptiens, désigne le moment où l'Egypte a reçu son organisation politique (voir v. 24). — Le fléau mentionné ici apparaît comme particulièrement grave, quand on sait que les orages sont rares en Egypte ● z le pays de Goshèn: voir Gn 45.10 et la note ● a épeautre: variété de blé

9.13 la grêle Ps 78.47 ; 105.32 ; Es 28:2, 17 ; 30.30 ; Ez 38.22 ; Sg 16.15-23 ; Ap 8.7 ; 16.21. **9.16** je t'ai maintenu Rm 9.17. **9.26** Goshèn épargné 8.18+. **9.27** j'ai péché Nb 22.34 ; 1 S 15.24 ; 2 S 24.10 ; Ps 51.6 ; Lc 15.18, 21. **9.29** la terre appartient au Seigneur 19.5 ; Dt 10.14 ; Ps 24.1. **9.34-35** endurcissement 7.3+.

Huitième fléau : les sauterelles

10 [1] Le SEIGNEUR dit à Moïse : « Entre chez *Pharaon, car c'est moi qui ai voulu son obstination et celle de ses serviteurs, afin de mettre au milieu d'eux les signes de ma présence [b] [2] et afin que tu racontes à ton fils et au fils de ton fils comment je me suis joué des Egyptiens et comment j'ai mis chez eux mes signes. Et vous connaîtrez que c'est moi le SEIGNEUR. » [3] Moïse et Aaron entrèrent chez Pharaon et lui dirent : « Ainsi parle le SEIGNEUR, le Dieu des Hébreux : Jusques à quand refuseras-tu de t'humilier devant moi ? Laisse partir mon peuple pour qu'il me serve. [4] Si tu refuses de laisser partir mon peuple, je ferai venir dès demain les sauterelles sur ton territoire. [5] Elles recouvriront le pays si bien qu'on ne pourra plus le voir. Elles mangeront le reste de ce qui a échappé, ce que la grêle vous a laissé [c], elles mangeront tous vos arbres qui poussent dans les champs. [6] Elles rempliront tes maisons, les maisons de tous tes serviteurs et les maisons de tous les Egyptiens — ce que n'ont pas vu tes pères [d] ni les pères de tes pères depuis qu'ils furent sur terre jusqu'à ce jour. » Moïse s'en retourna et sortit de chez Pharaon.

[7] Les serviteurs de Pharaon lui dirent : « Jusques à quand cet individu sera-t-il pour nous un piège ? Laisse partir les hommes pour qu'ils servent le SEIGNEUR, leur Dieu. Ne sais-tu pas encore que l'Egypte dépérit ? » [8] On fit revenir Moïse et Aaron auprès de Pharaon et il leur dit : « Allez ! Servez le SEIGNEUR, votre Dieu. Mais qui va partir ? » [9] Moïse dit : « Nous irons avec nos enfants et nos vieillards, nous irons avec nos fils et nos filles, notre petit et notre gros bétail. Car c'est pour nous un pèlerinage [e] en l'honneur du SEIGNEUR. » [10] Il leur dit « Que le SEIGNEUR soit avec vous si je vous laisse partir avec vos enfants ! [f] Voyez comme vous cherchez le mal ! [11] Ça ne se passera pas ainsi ! Allez donc, vous les hommes, et servez le SEIGNEUR puisque c'est ce que vous cherchez. » Et on les chassa de chez Pharaon.

[12] Le SEIGNEUR dit à Moïse : « Etends la main sur le pays d'Egypte pour appeler les sauterelles : qu'elles s'élèvent au-dessus du pays d'Egypte ! Qu'elles mangent toute l'herbe du pays, tout ce qu'a laissé la grêle. » [13] Moïse étendit son bâton sur le pays d'Egypte et le SEIGNEUR dirigea un vent d'est sur le pays, tout ce jour-là et toute la nuit. Vint le matin : le vent d'est avait apporté les sauterelles. [14] Les sauterelles s'élevèrent au-dessus de tout le pays d'Egypte et se posèrent sur tout son territoire : une telle masse de sauterelles qu'il n'y en eut jamais autant, avant comme après. [15] Elles recouvrirent tout le pays qui en fut obscurci [g]. Elles mangèrent toute l'herbe du pays et tous les fruits des arbres restés après la grêle. Il ne resta rien de vert sur les arbres et dans les prairies de tout le pays d'Egypte.

[16] Pharaon se hâta d'appeler Moïse et Aaron et dit : « J'ai péché contre le SEIGNEUR, votre Dieu, et contre vous. [17] Et maintenant, daigne pardonner ma faute encore une fois. Priez le SEIGNEUR, votre Dieu, pour qu'il veuille seulement éloigner de moi cette mort. » [18] Moïse sortit de chez Pharaon et pria le SEIGNEUR. [19] Le SEIGNEUR changea le vent en un très fort vent d'ouest qui emporta les sauterelles et les repoussa vers la *mer des Joncs. Il ne resta pas une sauterelle sur tout le territoire de l'Egypte.

[20] Mais le SEIGNEUR endurcit le *cœur de Pharaon qui ne laissa pas partir les fils d'Israël.

Neuvième fléau : les ténèbres

[21] Le SEIGNEUR dit à Moïse : « Etends ta main vers le ciel. Qu'il y ait des ténèbres sur le pays d'Egypte, des ténèbres où l'on tâtonne [h] ! » [22] Moïse étendit sa main vers le ciel et, pendant trois jours, il y eut des ténèbres opaques sur tout le pays d'Egypte. [23] Pendant trois jours, personne

---

b afin de mettre au milieu d'eux les signes de ma présence: autre traduction *afin d'opérer mes prodiges au milieu d'eux* ● *c ce que la grêle vous a laissé:* voir 9.32 ● *d tes pères* ou *tes ancêtres* ● *e un pèlerinage:* voir 5.1 et la note ● *f Que le Seigneur... vos enfants!:* bénédiction ironique de Pharaon, qui n'a nullement l'intention de les laisser partir; on peut aussi traduire *Que le Seigneur soit avec vous, tout comme je vais vous laisser partir...* ● *g* Un nuage de sauterelles, comprenant des millions d'insectes, peut intercepter partiellement la clarté du soleil ● *h des ténèbres où l'on tâtonne* ou *des ténèbres qu'on puisse palper*

10.1 les sauterelles Ps 78.46; 105.34; Jl 1.2-12; Na 3.15-17; Sg 16.9; Ap 9.1-11. **10.2** récits à raconter 12.26-27; 13.8, 14; Dt 4.9; 6.20-23; Ps 78.3-7; 1 Co 11.23. **10.11** concession de Pharaon 8.21+. **10.20** endurcissement 7.3+. **10.21** les ténèbres Ps 105.28; Sg 17.1—18.4; Ap 16.10. **10.23** les Israélites avaient de la lumière 8.18+.

ne vit son frère ni ne bougea de sa place. Mais tous les fils d'Israël avaient de la lumière là où ils habitaient. [24] *Pharaon appela Moïse et dit : « Allez ! Servez le SEIGNEUR. Seul votre bétail, petit et gros, doit rester. Mais vos enfants peuvent aller avec vous. » [25] Moïse dit : « Est-ce toi qui nous fourniras les sacrifices et les holocaustes [i] que nous ferons au SEIGNEUR, notre Dieu ? [26] Nos troupeaux iront avec nous et pas une bête ne restera. Car c'est parmi eux que nous prendrons de quoi servir le SEIGNEUR, notre Dieu. Nous-mêmes ne saurons pas, avant d'arriver là-bas, ce que nous devrons offrir au SEIGNEUR. »

[27] Mais le SEIGNEUR endurcit le *cœur de Pharaon, qui ne voulut pas les laisser partir.

[28] Pharaon lui dit : « Va-t'en ! Garde-toi de revoir ma face. Le jour où tu reverras ma face, tu mourras ! » [29] Moïse dit : « Comme tu l'as dit ! Je ne reverrai plus ta face ! »

Annonce du dixième fléau

11 [1] Le SEIGNEUR dit à Moïse : « Je vais amener une dernière plaie sur *Pharaon et sur l'Egypte. Après cela, il vous laissera partir d'ici et même, au lieu de vous laisser partir, il vous chassera définitivement d'ici. [2] Dis donc au peuple de demander chacun à son voisin, chacune à sa voisine, des objets d'argent et des objets d'or. » [3] Et le SEIGNEUR accorda au peuple la faveur des Egyptiens. De plus, Moïse lui-même était très grand dans le pays d'Egypte, aux yeux des serviteurs de Pharaon et aux yeux du peuple.

[4] Moïse dit : « Ainsi parle le SEIGNEUR : Vers minuit, je sortirai au milieu de l'Egypte. [5] Tout premier-né mourra dans le pays d'Egypte, du premier-né de Pharaon qui doit s'asseoir sur son trône au premier-né de la servante qui est à la meule et à tout premier-né du bétail. [6] Il y aura un grand cri dans tout le pays d'Egypte, tel qu'il n'y en eut jamais et

qu'il n'y en aura jamais plus. [7] Mais chez tous les fils d'Israël, pas un chien ne grognera [j] contre homme ou bête, afin que vous connaissiez que le SEIGNEUR fait une distinction entre l'Egypte et Israël. [8] Alors tous tes serviteurs que voici descendront vers moi et se prosterneront devant moi en disant : Sors, toi et tout le peuple qui te suit. Et après cela, je sortirai. » Et Moïse, enflammé de colère, sortit de chez Pharaon.

[9] Le SEIGNEUR dit à Moïse : « Pharaon ne veut pas vous écouter, si bien que mes prodiges se multiplient dans le pays d'Egypte. » [10] Moïse et Aaron avaient accompli tous ces prodiges devant Pharaon, mais le SEIGNEUR avait endurci le *cœur de Pharaon qui ne laissa pas partir les fils d'Israël hors de son pays.

La fête de la Pâque

12 [1] Le SEIGNEUR dit à Moïse et à Aaron dans le pays d'Egypte : [2] « Ce mois sera pour vous le premier des mois [k] ; c'est lui que vous mettrez au commencement de l'année. [3] Parlez ainsi à toute la communauté d'Israël :

Le dix de ce mois, que l'on prenne une bête [l] par famille, une bête par maison. [4] Si la maison est trop peu nombreuse pour une bête, on la prendra avec le voisin le plus proche de la maison, selon le nombre des personnes. Vous choisirez la bête d'après ce que chacun peut manger. [5] Vous aurez une bête sans défaut, mâle, âgée d'un an [m]. Vous la prendrez parmi les agneaux ou les chevreaux. [6] Vous la garderez jusqu'au quatorzième jour de ce mois.

Toute l'assemblée de la communauté d'Israël l'égorgera au crépuscule [n]. [7] On prendra du sang ; on en mettra sur les deux montants et sur le linteau des maisons où on la mangera.

[8] On mangera la chair cette nuit-là. On la mangera rôtie au feu, avec des *pains sans levain et des herbes amères. [9] N'en mangez rien cru ou cuit à l'eau, mais seu-

---

i holocaustes: voir au glossaire SACRIFICES ● *j pas un chien ne grognera* (ou *ne grondera):* image de la tranquillité totale qui régnera dans la région où sont installés les Israélites ● *k le premier des mois:* il s'agit du *mois des Epis* (voir 13.4), en hébreu *mois d'Abib,* mars-avril; voir au glossaire CALENDRIER ● *l une bête:* agneau ou chevreau, comme le précise le v. 5 ● *m âgée d'un an* ou *née dans l'année* ● *n au crépuscule:* autre traduction *entre les deux soirs,* ce qui peut signifier « entre le déclin du soleil et son coucher » ou « entre le coucher du soleil et la nuit »

11.1 il vous chassera 6.1. **11.2** des objets d'argent et d'or 3.22+. **11.5** tout premier-né mourra 12.29+. **11.7** une distinction 8.18+. **11.8** Sors, toi et tout le peuple 8.21+. **11.10** endurcissement 7.3+. **12.1** la Pâque Lv 23.5-8; Nb 9.1-14; 28.16-25; Dt 16.1-8; Jos 5.10; 2 R 23.21-23; 2 Ch 30; 35.1-18; Ez 45.21-24; Mt 26 par.; 1 Co 5.7; He 11.28.

lement rôti au feu, avec la tête, les pattes et les abats. ¹⁰ Vous n'en aurez rien laissé le matin ; ce qui resterait le matin, brûlez-le. ¹¹ Mangez-la ainsi : la ceinture aux reins, les sandales aux pieds, le bâton à la main. Vous la mangerez à la hâte. C'est la Pâque ⁿ du SEIGNEUR.

¹² Je traverserai le pays d'Egypte cette nuit-là. Je frapperai tout premier-né au pays d'Egypte, de l'homme au bétail. Et je ferai justice de tous les dieux d'Egypte. C'est moi le SEIGNEUR.

¹³ Le sang vous servira de signe, sur les maisons où vous serez. Je verrai le sang. Je passerai par-dessus vous et le fléau destructeur ne vous atteindra pas quand je frapperai le pays d'Egypte.

¹⁴ Ce jour-là vous servira de mémorial ᵖ. Vous ferez ce pèlerinage pour fêter le SEIGNEUR. D'âge en âge — loi immuable — vous le fêterez.

La fête des pains sans levain

¹⁵ Pendant sept jours, vous mangerez des *pains sans levain.

Dès le premier jour, vous ferez disparaître le levain de vos maisons. Et quiconque mangera du pain fermenté du premier jour au septième jour, celui-là sera retranché d'Israël ᵠ.

¹⁶ Au premier jour, vous aurez une réunion sacrée.

Au septième jour, il en sera de même.

Ces jours-là, on ne fera aucun travail, mais on pourra seulement faire le repas de chacun de vous.

¹⁷ Vous observerez la fête des pains sans levain car, en ce jour précis, j'ai fait sortir vos armées ʳ du pays d'Egypte. Vous observerez ce jour d'âge en âge, — loi immuable.

¹⁸ Au premier mois, le quatorzième jour du mois, au soir, vous mangerez des pains sans levain jusqu'au vingt et unième jour du mois, au soir.

¹⁹ Pendant sept jours, on ne trouvera pas de levain dans vos maisons. Et quiconque mangera du pain fermenté — émigré ou indigène du pays — celui-là

sera retranché de la communauté d'Israël.

²⁰ Vous ne mangerez aucune pâte fermentée. Où que vous habitiez, vous mangerez des pains sans levain.»

Préparation du repas de la Pâque

²¹ Moïse appela tous les *anciens d'Israël et leur dit :

« Allez vous procurer du bétail pour vos clans et égorgez la Pâque ˢ. ²² Vous prendrez une touffe d'hysope ᵗ, vous la tremperez dans le sang du bassin, vous appliquerez au linteau et aux deux montants le sang du bassin et personne d'entre vous ne franchira la porte de sa maison jusqu'au matin. ²³ Le SEIGNEUR traversera l'Egypte pour la frapper et il verra le sang sur le linteau et les deux montants. Alors le SEIGNEUR passera devant la porte et ne laissera pas le Destructeur ᵘ entrer dans vos maisons pour frapper. ²⁴ Vous observerez tout cela ; c'est un décret pour toi et pour tes fils à jamais.

²⁵ Quand vous serez entrés dans le pays que le SEIGNEUR vous donnera comme il l'a dit, vous observerez ce rite.

²⁶ Quand vos fils vous diront : "Qu'est-ce que ce rite que vous faites ?", ²⁷ vous direz : "C'est le *sacrifice de la Pâque ʳ pour le SEIGNEUR, lui qui passa devant les maisons des fils d'Israël en Egypte, quand il frappa l'Egypte et délivra nos maisons." »

Le peuple s'agenouilla et se prosterna.

²⁸ Les fils d'Israël s'en allèrent et se mirent à l'œuvre ; ils firent exactement ce que le SEIGNEUR avait ordonné à Moïse et à Aaron.

Dixième fléau : mort des premiers-nés égyptiens

²⁹ A minuit, le SEIGNEUR frappa tout premier-né au pays d'Egypte, du premier-né de *Pharaon qui devait s'asseoir sur son trône au premier-né du captif dans la prison et à tout premier-né du bétail. ³⁰ Pharaon se leva cette nuit-là, et tous ses serviteurs et tous les Egyptiens et il y

---

o la Pâque: voir au glossaire CALENDRIER ● p La fête (pèlerinage, voir 5.1 et la note) est l'occasion de « se souvenir » des événements du passé pour les revivre (voir la note sur 13.8) et en remercier Dieu ● q retranché d'Israël: voir Gn 17.14 et la note ● r vos armées: voir 6.26 et la note.● s égorgez la Pâque: la Pâque désigne ici la victime choisie pour le sacrifice de la fête ● t hysope: voir Lv 14.4 et la note ● u le Destructeur (ou la destruction): il s'agit probablement d'un être céleste chargé d'exécuter la volonté divine (comparer Gn 19.13; 2 S 24.16) ● v la Pâque: voir au glossaire CALENDRIER

12.12 je frapperai tout premier-né 12.29+. **12.15** les pains sans levain 13.3-7; 23.15; 34.18; cf. 12.1+. **12.26-27** vous direz à vos fils 10.2+. **12.29** mort des premiers-nés 4.23; 11.5; 12.12; Ps 78.51; 105.36; 135.8; 136.10; Sg 18.5-19. **12.36** dépouillement des Egyptiens 3.22+.

eut un grand cri en Egypte car il ne se trouvait pas une maison sans un mort. ³¹ Il appela de nuit Moïse et Aaron et dit : « Levez-vous ! Sortez du milieu de mon peuple, vous et les fils d'Israël. Allez et servez le Seigneur comme vous l'avez dit. ³² Et votre bétail, le petit comme le gros, prenez-le comme vous l'avez dit et allez ! Et puis, faites-moi vos adieux ᵂ ! » ³³ Les Egyptiens pressèrent le peuple et le laissèrent bien vite partir du pays, car ils disaient : « Nous allons tous mourir ! » ³⁴ Le peuple dut emporter sa pâte avant qu'elle n'eût levé ; ils serrèrent les pétrins dans leurs manteaux et les mirent sur l'épaule. ³⁵ Les fils d'Israël avaient agi selon la parole de Moïse ; ils avaient demandé aux Egyptiens des objets d'argent, des objets d'or et des manteaux. ³⁶ Le Seigneur avait accordé au peuple la faveur des Egyptiens qui avaient cédé à leur demande. Ainsi dépouillèrent-ils les Egyptiens !

³⁷ Les fils d'Israël partirent de Ramsès pour Soukkoth, environ six cent milliers ˣ de fantassins, les hommes sans compter les enfants. ³⁸ Tout un ramassis de gens monta avec eux, avec du petit et du gros bétail en lourds troupeaux. ³⁹ Ils firent cuire la pâte qu'ils avaient fait sortir d'Egypte ; elle donna des galettes sans *levain, car elle n'avait pas levé. Chassés d'Egypte sans pouvoir prendre leur temps, ils ne s'étaient même pas fait de provisions. ⁴⁰ La durée du séjour des fils d'Israël en Egypte fut de quatre cent trente ans. ⁴¹ Et au bout de quatre cent trente ans, en ce jour précis, toutes les armées ʸ du Seigneur sortirent du pays d'Egypte. ⁴² Ce fut là une nuit de veille pour le Seigneur quand il les fit sortir du pays d'Egypte. Cette nuit-là appartient au Seigneur, c'est une veille pour tout les fils d'Israël, d'âge en âge.

Règles pour célébrer la Pâque

⁴³ Le Seigneur dit à Moïse et à Aaron : « Voici le rituel de la Pâque ᶻ :

— Aucun étranger n'en mangera. ⁴⁴ — Tout serviteur acquis à prix d'argent, tu le *circonciras et alors il en mangera. ⁴⁵ — Ni l'hôte ni le mercenaire n'en mangeront. ⁴⁶ — C'est dans une seule maison qu'on la mangera.

— Tu n'en feras pas sortir la chair hors de la maison.

— Ses os, vous ne les briserez pas. ⁴⁷ — La communauté d'Israël tout entière la célébrera. ⁴⁸ — Si un émigré installé chez toi veut célébrer la Pâque pour le Seigneur, que tout homme de chez lui soit circoncis. Alors il pourra s'approcher pour la célébrer, il sera comme un indigène du pays. Mais qu'aucun incirconcis n'en mange. ⁴⁹ — La loi sera la même pour l'indigène et pour l'émigré installé parmi vous. » ⁵⁰ Tous les fils d'Israël firent ainsi. Ils firent exactement ce que le Seigneur avait ordonné à Moïse et à Aaron. ⁵¹ En ce jour précis, le Seigneur fit sortir les fils d'Israël du pays d'Egypte selon leurs armées ᵃ.

Ordre concernant les premiers-nés d'Israël

13 ¹ Le Seigneur adressa la parole à Moïse : ² « Consacre-moi tout premier-né, ouvrant le sein maternel, parmi les fils d'Israël, parmi les hommes comme parmi le bétail. C'est à moi. »

³ Moïse dit au peuple : « Qu'on se souvienne de ce jour où vous êtes sortis d'Egypte, de la maison de servitude, car c'est à main forte que le Seigneur vous a fait sortir de là. On ne mangera pas de pain fermenté. ⁴ C'est aujourd'hui que vous sortez, au mois des Epis ᵇ.

⁵ Alors, quand le Seigneur t'aura fait entrer dans le pays du Cananéen, du Hittite, de l'*Amorite, du Hivvite et du Jébusite — celui qu'il a juré à tes pères de donner — pays ruisselant de lait et de miel ᶜ,

— tu pratiqueras ce rite en ce mois :

---

w faites-moi vos adieux: autre traduction *bénissez-moi* ● *x Soukkoth:* localité située, comme *Ramsès* (voir 1.11 et la note), dans le delta du Nil, mais non identifiée. — *milliers:* voir Nb 1.16 et la note ● *y en ce jour précis:* le quatorzième jour du mois des Epis, voir v. 6. — *les armées:* voir 6.26 et la note ● *z la Pâque:* voir au glossaire CALENDRIER ● *a en ce jour précis:* voir v. 41 et la note. — *leurs armées:* voir 6.26 et la note ● *b mois des Epis:* voir au glossaire CALENDRIER ● *c* Voir 3.8 et la note

12.37 de Ramsès à Soukkoth Nb 33.1-5. — six cents milliers Nb 1.46. **12.38** un ramassis de gens Nb 11.4. **12.39** sans prendre le temps Dt 16.3; Es 52.12. **12.40** la durée du séjour Gn 15.13; Ac 7.6; Ga 3.17. **12.46** ne pas briser les os Nb 9.12; Ps 34.21; Jn 19.36. **13.1** Consacre-moi tout premier-né 13.12; 22.28-29; 34.19-20; Nb 3.12-13; 8.16-18; Dt 15.19-20; Lc 2.23; cf. Gn 22. **13.3-7** pains sans levain 12.15+. **13.3** maison de servitude 20.2+.

6 Sept jours, tu mangeras des *pains sans levain.
Le septième jour, ce sera fête pour le SEIGNEUR.
7 On mangera des pains sans levain les sept jours.
On ne verra pas de pain fermenté, on ne verra pas de levain dans tout ton territoire.

8 — tu transmettras cet enseignement à ton fils en ce jour-là : "C'est pour cela que le SEIGNEUR a agi en ma faveur à ma sortie d'Egypte *d*."

9 — "C'est d'une main forte que le SEIGNEUR t'a fait sortir d'Egypte" : voilà qui te tiendra lieu de signe sur la main, de mémorial *e* entre les yeux, afin qu'en ta bouche soit la loi du SEIGNEUR.

10 — tu observeras ce décret à sa date, d'année en année.

11 Alors, quand le SEIGNEUR t'aura fait entrer dans le pays du Cananéen — comme il l'a juré à toi et à tes pères — et qu'il te l'aura donné, 12 tu feras passer au SEIGNEUR tout ce qui ouvre le sein maternel et tout ce qui ouvre la matrice du bétail qui t'appartient : les mâles sont au SEIGNEUR ! 13 Tout premier-né des ânes *f*, tu le rachèteras par un mouton. Si tu ne le rachètes pas, tu lui rompras la nuque. Tout premier-né d'homme parmi tes fils, tu le rachèteras.

14 Alors, quand ton fils te demandera demain : "Pourquoi cela ?", tu lui diras : "C'est à main forte que le SEIGNEUR nous a fait sortir d'Egypte, de la maison de servitude. 15 En effet, comme *Pharaon faisait des difficultés pour nous laisser partir, le SEIGNEUR tua tout premier-né au pays d'Egypte, du premier-né de l'homme au premier-né du bétail. C'est pourquoi je *sacrifie au SEIGNEUR tout mâle qui ouvre le sein maternel, mais tout premier-né de mes fils, je le rachète."

16 "C'est à main forte que le SEIGNEUR nous a fait sortir d'Egypte" : voilà qui te tiendra lieu de signe sur la main et de marque entre les yeux. »

Dieu conduit la marche de son peuple

17 Quand *Pharaon laissa partir le peuple, Dieu ne le conduisit pas par la route du pays des Philistins, bien qu'elle fût la plus directe *g*. Dieu s'était dit : « Il ne faudrait pas que, à la vue des combats, le peuple renonce et qu'il revienne en Egypte ! » 18 Dieu détourna le peuple vers le désert de la *mer des Joncs. C'est en ordre de bataille *h* que les fils d'Israël étaient montés du pays d'Egypte.

19 Moïse prit avec lui les ossements de Joseph, car celui-ci avait exigé des fils d'Israël un serment *i* en leur disant : « Dieu ne manquera pas d'intervenir en votre faveur ; alors vous ferez monter d'ici mes ossements avec vous. »

20 Ils partirent de Soukkoth et campèrent à Etâm *j*, en bordure du désert. 21 Le SEIGNEUR lui-même marchait à leur tête : colonne de nuée *k* le jour, pour leur ouvrir la route — colonne de feu la nuit, pour les éclairer ; ils pouvaient ainsi marcher jour et nuit. 22 Le jour, la colonne de nuée ne quittait pas la tête du peuple ; ni, la nuit, la colonne de feu.

Pharaon poursuit les Israélites

14 1 Le SEIGNEUR adressa la parole à Moïse : 2 « Dis aux fils d'Israël de revenir camper devant Pi-Hahiroth, entre Migdol et la mer — c'est devant Baal-

---

d C'est pour cela, c'est-à-dire « pour que je célèbre la fête de la délivrance » ; ou, autre traduction *C'est à cause de ce que le Seigneur a fait pour moi... — ma sortie d'Egypte:* en tous les temps et en tous les lieux, le croyant juif se considère comme ayant été personnellement libéré de l'esclavage en Egypte ● *e signe, mémorial:* dans certaines communautés religieuses, on marquait son appartenance au groupe par des *signes* extérieurs tels que des tatouages ou des objets de piété. Pour l'Israélite, la parole rappelant la délivrance d'Egypte devrait être aussi présente et concrète que ces signes matériels dans d'autres religions. A une époque plus tardive, sur la base de ce texte parmi d'autres, on a introduit dans la piété juive l'usage des « phylactères », petites boîtes contenant des versets bibliques, que l'on portait au poignet ou sur le front (voir Mt 23.5 et la note) ● *f L'âne* est un animal impur, c'est-à-dire qui ne peut pas être offert en sacrifice à Dieu ● *g Cette route,* qui longeait la Méditerranée, était surveillée militairement par les Egyptiens. — Sur les *Philistins,* voir Gn 26.1 et la note ● *h en ordre de bataille* ou *en bon ordre,* ou encore *bien équipés* ● *i un serment:* voir Gn 50.24-25 ● *j Etâm:* localité non identifiée ● *k La nuée* signale la présence du Seigneur auprès de son peuple ; c'est une présence tout à la fois proche et cachée (voir 19.9). Dans le culte ultérieur, on a symbolisé cette nuée par les nuages d'encens brûlé sur l'autel des parfums (voir Lv 16.2, 13)

13.8 tu diras à ton fils 10.2+. **13.13** premier-né de l'âne Nb 18.15. **13.19** les ossements de Joseph Gn 50.25 ; Jos 24.32. **13.20** de Soukkoth à Etâm Nb 33.6. **13.21** la nuée 33.9 ; 40.36 ; Nb 9.15 ; Dt 1.33 ; 1 R 8.10 ; Es 4.5 ; 52.12 ; Ps 78.14 ; 105.39 ; Ne 9.12, 19 ; Sg 10.17 ; 18.3 ; Jn 8.12 ; 10.4. **14.1** à Pi-Hahiroth Nb 33.7-8.

Cefôn [l], juste en face, que vous camperez, au bord de la mer — ; [3] alors, *Pharaon dira des fils d'Israël : "Les voilà qui errent affolés dans le pays ! Le désert s'est refermé sur eux !" [4] J'endurcirai le *cœur de Pharaon et il les poursuivra. Mais je me glorifierai aux dépens de Pharaon et de toutes ses forces, et les Egyptiens connaîtront que c'est moi le SEIGNEUR. » Ils firent ainsi.

[5] On annonça au roi d'Egypte que le peuple avait pris la fuite. Pharaon et ses serviteurs changèrent d'idée au sujet du peuple et ils dirent : « Qu'avons-nous fait là ? Nous avons laissé Israël quitter notre service ! » [6] Il attela son char et prit son peuple avec lui. [7] Il prit six cents chars d'élite, et tous les chars d'Egypte, chacun avec des écuyers. [8] Le SEIGNEUR endurcit le cœur de Pharaon, roi d'Egypte, qui poursuivit les fils d'Israël, ces fils d'Israël qui sortaient la main haute [m]. [9] Les Egyptiens les poursuivirent et les rattrapèrent comme ils campaient au bord de la mer — tous les attelages de Pharaon, ses cavaliers et ses forces — près de Pi-Hahiroth, devant Baal-Cefôn.

[10] Pharaon s'était approché. Les fils d'Israël levèrent les yeux : voici que l'Egypte s'était mise en route derrière eux ! Les fils d'Israël eurent grand-peur et crièrent vers le SEIGNEUR. [11] Ils dirent à Moïse : « L'Egypte manquait-elle de tombeaux que tu nous aies emmenés mourir au désert ? Que nous as-tu fait là, en nous faisant sortir d'Egypte ? [12] Ne te l'avions-nous pas dit en Egypte : "Laisse-nous servir les Egyptiens ! Mieux vaut pour nous servir les Egyptiens que mourir au désert." [13] Moïse dit au peuple : « N'ayez pas peur ! Tenez bon ! Et voyez le salut que le SEIGNEUR réalisera pour vous aujourd'hui. Vous qui avez vu les Egyptiens aujourd'hui, vous ne les reverrez plus jamais. [14] C'est le SEIGNEUR qui combattra pour vous. Et vous, vous resterez cois ! »

Dieu ouvre un passage à travers la mer

[15] Le SEIGNEUR dit à Moïse : « Qu'as-tu à crier vers moi ? Parle aux fils d'Israël :

qu'on se mette en route ! [16] Et toi, lève ton bâton, étends la main sur la mer, fends-la : et que les fils d'Israël pénètrent au milieu de la mer à pied sec. [17] Et moi, je vais endurcir le *cœur des Egyptiens pour qu'ils y pénètrent derrière eux et que je me glorifie aux dépens de *Pharaon et de toutes ses forces, de ses chars et de ses cavaliers. [18] Ainsi les Egyptiens connaîtront que c'est moi le SEIGNEUR, quand je me serai glorifié aux dépens de Pharaon, de ses chars et de ses cavaliers. »

[19] L'*ange de Dieu qui marchait en avant du camp d'Israël partit et passa sur leurs arrières. La colonne de nuée [n] partit de devant eux et se tint sur leurs arrières. [20] Elle s'inséra entre le camp des Egyptiens et le camp d'Israël. Il y eut la nuée, mais aussi les ténèbres ; alors elle éclaira la nuit. Et l'on ne s'approcha pas l'un de l'autre de toute la nuit.

[21] Moïse étendit la main sur la mer. Le SEIGNEUR refoula la mer toute la nuit par un vent d'est puissant et il mit la mer à sec. Les eaux se fendirent [22] et les fils d'Israël pénétrèrent au milieu de la mer à pied sec, les eaux formant une muraille à leur droite et à leur gauche. [23] Les Egyptiens les poursuivirent et pénétrèrent derrière eux — tous les chevaux de Pharaon, ses chars et ses cavaliers — jusqu'au milieu de la mer.

[24] Or, au cours de la veille du matin [o], depuis la colonne de feu et de nuée, le SEIGNEUR observa le camp des Egyptiens et il mit le désordre dans le camp des Egyptiens. [25] Il bloqua [p] les roues de leurs chars et en rendit la conduite pénible. L'Egypte dit : « Fuyons loin d'Israël, car c'est le SEIGNEUR qui combat pour eux contre l'Egypte ! » [26] Le SEIGNEUR dit à Moïse : « Etends la main sur la mer : que les eaux reviennent sur l'Egypte, ses chars et ses cavaliers ! » [27] Moïse étendit la main sur la mer. A l'approche du matin, la mer revint à sa place habituelle, tandis que les Egyptiens fuyaient à sa rencontre. Et le SEIGNEUR se débarrassa des Egyptiens au milieu de la mer. [28] Les eaux revinrent et recouvrirent les chars et les cavaliers ; de toutes les forces de Pharaon

---

[l] Pi-Hahiroth, Migdol, Baal-Cefôn: aucun de ces trois endroits n'est identifié; Pi-Hahiroth pourrait signifier « embouchure des canaux », Migdol, « fortin » et Baal-Cefôn, « Baal du nord » ● m la main haute: expression signifiant la liberté retrouvée ● n Voir 13.21 et la note ● o La veille du matin désigne la dernière période de la nuit, entre 2 et 6 h du matin environ (la nuit était subdivisée en trois veilles) ● p Il bloqua: d'après les anciennes versions grecque et syriaque, et le texte samaritain; hébreu: Il détacha

14.4 endurcissement 7.3+. **14.11** Israël se plaint 15.24; 16.3; 17.3; Nb 11.4-6; 14.1-4; 20.2-5; 21.5; Ps 78.40; 106.7. **14.21** la mer refoulée Es 43.16; 44.27; 50.2; Ps 66.6; 77.14-21; 78.13; 106.9-10; 114; Sg 10.18-19; 1 Co 10.1-2; He 11.29; Ap 21.1. **14.28** les Egyptiens anéantis Dt 11.4; Ps 106.11.

qui avaient pénétré dans la mer derrière Israël, il ne resta personne. **29** Mais les fils d'Israël avaient marché à pied sec au milieu de la mer, les eaux formant une muraille à leur droite et à leur gauche.

30 Le SEIGNEUR, en ce jour-là, sauva Israël de la main de l'Egypte et Israël vit l'Egypte morte sur le rivage de la mer. **31** Israël vit avec quelle main puissante le SEIGNEUR avait agi contre l'Egypte. Le peuple craignit le SEIGNEUR, il mit sa foi dans le SEIGNEUR et en Moïse son serviteur.

Le Cantique de Moïse et des Israélites

15 **1** Alors, avec les fils d'Israël, Moïse chanta ce cantique au SEIGNEUR. Ils dirent :
Je veux chanter le SEIGNEUR,
il a fait un coup d'éclat.
Cheval et cavalier,
en mer il les jeta.

2 Ma force et mon chant, c'est le SEIGNEUR.
Il a été pour moi le salut.
C'est lui mon Dieu, je le louerai ;
le Dieu de mon père, je l'exalterai.

3 Le SEIGNEUR est un guerrier.
Le SEIGNEUR, c'est son nom.

4 Chars et forces de *Pharaon,
à la mer il les lança.
La fleur de ses écuyers
sombra dans la *mer des Joncs.

5 Les abîmes les recouvrent,
ils descendirent au gouffre comme une pierre.

6 Ta droite, SEIGNEUR,
éclatante de puissance,
ta droite, SEIGNEUR,
fracasse l'ennemi.

7 Superbe de grandeur,
tu abats tes adversaires.
Tu brûles d'une fureur
qui les dévore comme le chaume.

8 Au souffle de tes narines *q*,
les eaux s'amoncelèrent,
les flots se dressèrent comme une digue,
les abîmes se figèrent au cœur de la mer.

9 L'ennemi se disait :
Je poursuis, je rattrape,
je partage le butin,
ma gorge s'en gave.
Je dégaine mon épée,
ma main les dépossède !

10 Tu fis souffler ton vent,
la mer les recouvrit.
Ils s'engouffrèrent comme du plomb
dans les eaux formidables.

11 Qui est comme toi parmi les dieux, SEIGNEUR ?
Qui est comme toi, éclatant de *sainteté ?
Redoutable en ses exploits ?
Opérant des merveilles ?

12 Tu étendis ta droite,
la terre les avale *r*.

13 Tu conduisis par ta fidélité
le peuple que tu as revendiqué
Tu le guidas par ta force
vers ta sainte demeure *s*.

14 Les peuples ont entendu : ils frémissent.
Un frisson a saisi
les habitants de Philistie.

15 Alors furent effrayés
les chefs d'Edom.
Un tremblement saisit
les princes de Moab.
Tous les habitants de Canaan sont ébranlés *t*.

16 Tombent sur eux
la terreur et l'effroi.
Sous la grandeur de ton bras *u*
ils se taisent, pétrifiés,
tant que passe ton peuple, SEIGNEUR,
tant que passe le peuple que tu as acquis.

17 Tu les fais entrer et tu les plantes
sur la montagne *v*, ton héritage.
Tu as préparé, SEIGNEUR,
un lieu pour y habiter.
Tes mains ont fondé,
ô Seigneur, un *sanctuaire.

---

q Au souffle de tes narines ou *Sous l'effet de ta colère* • *r la terre les avale*: le pronom *les* désigne *les ennemis*, comme aux versets 9-10 • *s revendiqué* ou *délivré*. — La *sainte demeure* du Seigneur désigne ici le pays promis • *t Canaan* est le pays promis; la *Philistie* (v. 14), *Edom* et *Moab* sont des régions voisines • *u la grandeur de ton bras* ou *la puissance de ton bras* • *v Le pays de Canaan est en partie montagneux; et c'est au sommet d'une montagne que sera construit le temple de Jérusalem, sanctuaire du Seigneur

14.31 il mit sa foi Ps 106.12; cf. Ex 4.1+. **15.1** Cantique de Moïse Es 43.21; Ps 105.43; 106.12; Sg 10.20-21; Ap 15.3. **15.2** ma force et mon chant Es 12.2; Ps 118.14. **15.3** le seigneur est un guerrier cf. Jr 21.5; Ps 46.10; 76.4. — le Seigneur, c'est son nom 3.15+. **15.5** coule comme une pierre Jr 51.63-64; Ap 18.21. **15.7** dévoré comme du chaume Es 5.24; Ab 18; Na 1.10. **15.11** qui est comme Dieu ? Dt 3.24; Ps 86.8. **15.13** le peuple revendiqué 6.6. **15.14** les peuples frémissent Ps 48.5-7. **15.18** le Seigneur règne Ps 95.3; 96.10; 97.1; 98.6; 99.1.

18 Le SEIGNEUR règne à tout jamais !

19 Le cheval de Pharaon avait pénétré dans la mer, avec ses chars et ses cavaliers, et le SEIGNEUR avait fait revenir sur eux les eaux de la mer : mais les fils d'Israël, eux, avaient marché à pied sec au milieu de la mer.

20 La *prophétesse Miryam, sœur d'Aaron, prit en main le tambourin ; toutes les femmes sortirent à sa suite, dansant et jouant du tambourin. 21 Et Miryam leur entonna :

« Chantez le SEIGNEUR,
il a fait un coup d'éclat.
Cheval et cavalier,
en mer il les jeta ! »

LA MARCHE DES ISRAÉLITES DANS LE DÉSERT

L'eau de Mara

22 Moïse fit partir Israël de la *mer des Joncs et ils sortirent vers le désert de Shour w. Ils marchèrent trois jours au désert sans trouver d'eau. 23 Ils arrivèrent à Mara, mais ne purent boire l'eau de Mara, car elle était amère — d'où son nom « Mara » x. 24 Le peuple murmura contre Moïse en disant : « Que boirons-nous ? » 25 Celui-ci cria vers le SEIGNEUR et le SEIGNEUR lui indiqua un arbre d'une certaine espèce. Il en jeta un morceau dans l'eau et l'eau devint douce.

C'est là qu'il leur fixa des lois et coutumes.

C'est là qu'il les mit à l'épreuve.

26 Il dit : « Si tu entends bien la voix du SEIGNEUR, ton Dieu, si tu fais ce qui est droit à ses yeux, si tu prêtes l'oreille à ses commandements, si tu gardes tous ses décrets, je ne t'infligerai aucune des maladies que j'ai infligées à l'Egypte, car c'est moi le SEIGNEUR qui te guéris. »

27 Ils arrivèrent à Elîm y : il y a là douze sources d'eau et soixante-dix palmiers. Ils campèrent là, près de l'eau.

La manne et les cailles

16 1 Ils partirent d'Elîm et toute la communauté des fils d'Israël arriva au désert de Sîn z, entre Elîm et le Sinaï, le quinzième jour du deuxième mois après leur sortie du pays d'Egypte. 2 Dans le désert, toute la communauté des fils d'Israël murmura contre Moïse et Aaron. 3 Les fils d'Israël leur dirent : « Ah ! si nous étions morts de la main du SEIGNEUR au pays d'Egypte, quand nous étions assis près du chaudron de viande, quand nous mangions du pain a à satiété ! Vous nous avez fait sortir dans ce désert pour laisser mourir de faim toute cette assemblée ! »

4 Le SEIGNEUR dit à Moïse : « Du haut du ciel, je vais faire pleuvoir du pain pour vous. Le peuple sortira pour recueillir chaque jour la ration quotidienne, afin que je le mette à l'épreuve : marchera-t-il ou non selon ma loi ? 5 Le sixième jour, quand ils prépareront ce qu'ils auront rapporté, ils en auront deux fois plus que la récolte de chaque jour b. »

6 Moïse et Aaron dirent à tous les fils d'Israël : « Ce soir, vous connaîtrez que c'est le SEIGNEUR qui vous a fait sortir du pays d'Egypte ; 7 le matin, vous verrez la gloire du SEIGNEUR, parce qu'il a entendu vos murmures contre le SEIGNEUR. Nous, que sommes-nous, que vous murmuriez contre nous ? » — 8 Moïse voulait dire : « Vous la verrez quand le SEIGNEUR vous donnera le soir de la viande à manger, le matin du pain à satiété, parce que le SEIGNEUR a entendu les murmures que vous murmurez contre lui. Nous, que sommes-nous ? Ce n'est pas contre nous.

---

w Le désert de Shour est la partie nord de la péninsule du Sinaï, située entre le torrent d'Egypte (voir Nb 34.5 et la note) et l'actuel canal de Suez ● x L'hébreu mara signifie amère ; la localité de Mara se trouvait probablement sur la rive est du golfe de Suez ● y Elîm : localité située vraisemblablement un peu au sud de Mara ● z désert de Sîn : étendue de sable située au sud-est d'Elîm, appelée aujourd'hui Debbet er-Ramlé. (Ne pas confondre avec le désert de Cîn, voir Nb 13.21 et la note) ● a du pain ou de la nourriture ● b deux fois plus... : pour ne pas avoir besoin d'en ramasser le septième jour, jour du *sabbat (voir versets 22-30)

15.20 danse et tambourin Jg 11.34 ; 1 S 18.6 ; 1 S 6.5. **15.23** à Mara Nb 33.8. **15.24** Israël murmura 14.11+. **15.25** l'eau devint douce Si 38.5 ; cf. 2 R 2.19-22 ; Ez 47.8. — lois et coutumes Jos 24.25 ; 1 S 30.25. **15.26** si tu... je... Dt 7.12-15. **15.27** à Elîm Nb 33.9. **16.1** d'Elîm au désert de Sîn Nb 33.10-11. **16.3** Israël murmura 14.11+. **16.4** la pain du ciel Jn 6.31. **16.7** la gloire du Seigneur 24.16-17 ; 40.34-35 ; Lv 9.23 ; Nb 16.19 ; 17.7 ; 20.6. **16.8** viande et pain 1 R 17.6.

que vous murmurez, mais bien contre le SEIGNEUR. »

⁹ Moïse dit à Aaron : « Dis à toute la communauté des fils d'Israël : Approchez-vous du SEIGNEUR, car il a entendu vos murmures. » ¹⁰ Et comme Aaron parlait à toute la communauté des fils d'Israël, ils se tournèrent vers le désert : alors, la gloire du SEIGNEUR apparut dans la nuée ᶜ.

¹¹ Le SEIGNEUR adressa la parole à Moïse : ¹² « J'ai entendu les murmures des fils d'Israël. Parle-leur ainsi : Au crépuscule, vous mangerez de la viande ; le matin, vous vous rassasierez de pain et vous connaîtrez que c'est moi le SEIGNEUR, votre Dieu. » ¹³ Le soir même, les cailles montèrent ᵈ et elles recouvrirent le camp ; et le matin, une couche de rosée entourait le camp. ¹⁴ La couche de rosée se leva ; alors, sur la surface du désert, il y avait quelque chose de fin, de crissant, quelque chose de fin tel du givre, sur la terre. ¹⁵ Les fils d'Israël regardèrent et se dirent l'un à l'autre : « Mân hou ? » (« Qu'est-ce que c'est ? ») ᵉ, car ils ne savaient pas ce que c'était. Moïse leur dit : « C'est le pain que le SEIGNEUR vous donne à manger. ¹⁶ Voici ce que le SEIGNEUR a ordonné : Recueillez-en autant que chacun peut manger. Vous en prendrez un omer ᶠ par tête, d'après le nombre de vos gens, chacun pour ceux de sa tente. » ¹⁷ Les fils d'Israël firent ainsi ; ils en recueillirent, qui plus, qui moins. ¹⁸ Ils mesurèrent à l'omer : rien de trop à qui avait plus et qui avait moins n'avait pas trop peu. Chacun avait recueilli autant qu'il pouvait en manger.

Règles diverses concernant la manne

¹⁹ Moïse leur dit : « Que personne n'en garde jusqu'au matin ! » ²⁰ Certains n'écoutèrent pas Moïse et en gardèrent jusqu'au matin ; mais cela fut infesté de vers et devint puant. Alors Moïse s'irrita contre eux.

²¹ Ils en recueillaient matin après matin, autant que chacun pouvait en manger. Quand le soleil chauffait, cela fondait.

²² Le sixième jour, ils recueillirent le double de pain, deux omers ᵍ pour chacun. Tous les responsables de la communauté vinrent l'annoncer à Moïse. ²³ Il leur dit : « C'est là ce que le SEIGNEUR avait dit : Demain, c'est *sabbat, jour de repos consacré au SEIGNEUR. Cuisez ce qui est à cuire, faites bouillir ce qui est à bouillir. Ce qui est en trop déposez-le en réserve jusqu'au matin. » ²⁴ Ils le déposèrent jusqu'au matin, comme l'avait ordonné Moïse. Il n'y eut ni puanteur, ni vermine. ²⁵ Moïse dit : « Mangez-le aujourd'hui. Aujourd'hui, c'est le sabbat du SEIGNEUR. Aujourd'hui, vous n'en trouverez pas dehors. ²⁶ Vous en recueillerez pendant six jours, mais le septième jour, c'est le sabbat : il n'y en aura pas. » ²⁷ Or le septième jour, il y eut dans le peuple des gens qui sortirent pour en recueillir et ils ne trouvèrent rien. ²⁸ Le SEIGNEUR dit à Moïse : « Jusques à quand refuserez-vous de garder mes commandements et mes lois ? ²⁹ Considérez que, si le SEIGNEUR vous a donné le sabbat, il vous donne aussi, le sixième jour, le pain de deux jours. Demeurez chacun à votre place. Que personne ne sorte de chez soi le septième jour. » ³⁰ Le peuple se reposa donc le septième jour.

³² La maison d'Israël donna à cela le nom de manne. C'était comme de la graine de coriandre ʰ, c'était blanc, avec un goût de beignets au miel.

³² Moïse dit : « Voici ce que le SEIGNEUR a ordonné : qu'on en remplisse un omer en réserve pour vos descendants, afin qu'ils voient le pain dont je vous ai nourris au désert, en vous faisant sortir du pays d'Egypte. » ³³ Moïse dit à Aaron : « Prends un vase, mets-y un plein omer de manne et dépose-le devant le SEIGNEUR, en réserve pour vos descendants. » ³⁴ Comme le SEIGNEUR l'avait ordonné à

ᶜ la nuée : voir 13.21 et la note ● ᵈ des cailles montèrent : un grand vol de cailles monte de l'horizon jusqu'au moment où les oiseaux, épuisés par le voyage, s'abattent sur le sol ● ᵉ Il y a jeu de mots en hébreu : mân hou peut être une question : « Qu'est-ce que (mân) c'est ? », ou une affirmation : « C'est de la manne (mân) ! » ; voir v. 31 et la note ● ᶠ omer : voir au glossaire POIDS ET MESURES ● ᵍ omers : voir au glossaire POIDS ET MESURES ● ʰ le nom de manne : voir v. 15 et la note. — Il s'agit vraisemblablement de gouttelettes solidifiées de la sève d'un arbuste, le tamaris ; en juin-juillet, de nuit, des pucerons piquent l'écorce de l'arbuste pour sucer la sève ; des piqûres s'échappent alors ces gouttelettes qui peuvent servir de nourriture. — La coriandre est une plante ombellifère dont les graines, aromatiques, ressemblent à de grosses têtes d'épingles gris clair

16.13 les cailles Nb 11.31-34 ; Ps 78.26-31 ; 105.40 ; Sg 16.2-4 ; 19.11-12. 16.15 le pain du Seigneur 1 Co 10.3. 16.18 rien de trop 2 Co 8.15. 16.23 sabbat, jour de repos 20.8-11+. 16.31 la manne Nb 11.1-9 ; Dt 8.3, 16 ; Ps 78.18-25 ; 105.40 ; 136.25 ; Sg 16.20-29 ; Jn 6.26-58. 16.33 prends un vase He 9.4.

Moïse, Aaron le déposa devant la *charte en réserve [i].

[35] Les fils d'Israël mangèrent de la manne pendant quarante ans jusqu'à leur arrivée en pays habité ; c'est de la manne qu'ils mangèrent jusqu'à leur arrivée aux confins du pays de Canaan. [36] L'omer est un dixième d'épha [j].

L'eau de Massa et Mériba

17 [1] Toute la communauté des fils d'Israël partit du désert de Sîn, poursuivant ses étapes sur ordre du SEIGNEUR. Ils campèrent à Refidîm [k] mais il n'y avait pas d'eau à boire pour le peuple. [2] Le peuple querella Moïse : « Donnez-nous de l'eau à boire », dirent-ils. Moïse leur dit : « Pourquoi me querellez-vous ? Pourquoi mettez-vous le SEIGNEUR à l'épreuve [l] ? » [3] Là-bas, le peuple eut soif ; le peuple murmura contre Moïse : « Pourquoi donc, dit-il, nous as-tu fait monter d'Egypte ? Pour me laisser mourir de soif, moi, mes fils et mes troupeaux ? » [4] Moïse cria au SEIGNEUR : « Que dois-je faire pour ce peuple ? Encore un peu, ils vont me lapider. » [5] Le SEIGNEUR dit à Moïse : « Passe devant le peuple, prends avec toi quelques *anciens d'Israël ; le bâton dont tu as frappé le Fleuve [m], prends-le en main et va. [6] Je vais me tenir devant toi, là, sur le rocher — en Horeb [n] —. Tu frapperas le rocher, il en sortira de l'eau et le peuple boira. » Moïse fit ainsi, aux yeux des anciens d'Israël.

[7] Il appela ce lieu du nom de Massa et Mériba — Epreuve et Querelle [o] — à cause de la querelle des fils d'Israël et parce qu'ils mirent le SEIGNEUR à l'épreuve en disant : « Le SEIGNEUR est-il au milieu de nous, oui ou non ? »

Les Amalécites attaquent les Israélites

[8] Alors, Amaleq [p] vint se battre avec Israël à Refidîm. [9] Moïse dit à Josué : « Choisis-nous des hommes et sors te battre contre Amaleq ; demain [q], je serai debout au sommet de la colline, le bâton de Dieu en main. » [10] Comme Moïse le lui avait dit, Josué engagea le combat contre Amaleq, tandis que Moïse, Aaron et Hour étaient montés au sommet de la colline. [11] Alors, quand Moïse élevait la main, Israël était le plus fort ; quand il reposait la main, Amaleq était le plus fort. [12] Les mains de Moïse se faisant lourdes [r], ils prirent une pierre, la placèrent sous lui et il s'assit dessus. Aaron et Hour, un de chaque côté, lui soutenaient les mains. Ainsi, ses mains tinrent fermes jusqu'au coucher du soleil [13] et Josué fit céder Amaleq et son peuple au tranchant de l'épée.

[14] Le SEIGNEUR dit à Moïse : « Ecris cela en mémorial sur le livre [s] et transmets-le aux oreilles de Josué :

J'effacerai la mémoire d'Amaleq,
Je l'effacerai de sous le ciel ! »

[15] Moïse bâtit un *autel, lui donna le nom de « Le SEIGNEUR, mon étendard », [16] et dit :

« Puisqu'une main s'est levée [t] contre le trône du SEIGNEUR, c'est la guerre entre le SEIGNEUR et Amaleq d'âge en âge ! »

Moïse et son beau-père Jéthro

18 [1] Jéthro [u] prêtre de Madiân, beau-père de Moïse, entendit parler de tout ce que Dieu avait fait pour Moïse et pour Israël son peuple : le SEIGNEUR avait fait sortir Israël d'Egypte ! [2] Jéthro, beau-père de Moïse, prit Cippora, femme de Moïse — c'était après qu'elle eut été

---

[i] *en réserve,* c'est-à-dire pour la conserver • [j] *épha:* voir au glossaire POIDS ET MESURES • [k] *Refidîm:* endroit non identifié, qui devait se trouver dans les environs du mont Sinaï • [l] *Donnez-nous:* le pluriel (donnez) s'adresse à Moïse et Aaron. — *mettre à l'épreuve* ou *tenter, défier* • [m] *le Fleuve* ou *le Nil* • [n] *Horeb:* voir 3.1 et la note • [o] *Epreuve et Querelle:* en hébreu, les deux noms *Massa (Epreuve)* et *Mériba (Querelle)* sont dérivés des deux verbes traduits par *mettre à l'épreuve* et *quereller* au v. 2 • [p] *Amaleq* est un nom collectif désignant des tribus (Amalécites) habitant dans les régions sises au sud de la Palestine, mais qui pouvaient fort bien se déplacer occasionnellement dans toute la péninsule du Sinaï. Ils furent des ennemis acharnés d'Israël, voir v. 16 • [q] Autre traduction ... *sors demain te battre contre Amaleq ; je serai...* • [r] *Les mains de Moïse se faisant lourdes* ou *Quand les bras de Moïse furent fatigués* • [s] *Ecris cela en mémorial sur le livre* ou *Ecris cela dans un livre pour en conserver le souvenir.* On ignore de quel livre il s'agit • [t] Sur l'expression *lever la main contre,* voir 1 R 11.26 et la note • [u] Voir 3.1

16.35 l'arrivée en Canaan Jos 5.12.   17.1-7 l'eau sort du rocher Nb 20.1-13.   17.1 de Sîn à Refidîm Nb 33.12-14.   17.3 le peuple murmura 14.11+.   17.6 tu frapperas le rocher Es 43.20; Ps 78.15-16; 105.41.   Sg 11.1-14; Jn 7.38; 19.34; cf. 1 Co 10.4.   17.7 Massa et Mériba Dt 6.16; 9.22; 33.8; Ps 81.8; 95.8; 106.32.   17.8 Amaleq Nb 13.29; 24.20; Dt 25.17-19; Jg 6.3; 1 S 15; 30.1-20.   17.10 Aaron et Hour 24.14.   17.11 Israël le plus fort Ps 44.5-8.

renvoyée *v* — ³ et ses deux fils : l'un avait pour nom Guershôm *w* — Emigré-là — car, avait-il dit : « Je suis devenu un émigré en terre étrangère » ⁴ et l'autre Eliézer *x* — mon Dieu est secours — car : « C'est le Dieu de mon père qui est venu à mon secours et m'a délivré de l'épée de *Pharaon.» ⁵ Jéthro, beau-père de Moïse, ses fils et sa femme s'en allèrent vers Moïse, au désert où il campait, à la montagne de Dieu *y*. ⁶ Il fit dire à Moïse : « C'est moi Jéthro, ton beau-père, qui viens vers toi ainsi que ta femme et ses deux fils avec elle. » ⁷ Moïse sortit à la rencontre de son beau-père, se prosterna et l'embrassa ; ils échangèrent les salutations et entrèrent sous la tente.

⁸ Moïse raconta à son beau-père tout ce que le SEIGNEUR avait fait à Pharaon et à l'Egypte à cause d'Israël, toutes les difficultés survenues en chemin, dont le SEIGNEUR les avait délivrés. ⁹ Jéthro se réjouit de tout le bien que le SEIGNEUR avait fait à Israël, en le délivrant de la main des Egyptiens. ¹⁰ Et Jéthro dit : « Béni soit le SEIGNEUR qui vous a délivrés de la main des Egyptiens et de la main de Pharaon, qui a délivré le peuple de la main des Egyptiens ! ¹¹ Je reconnais maintenant que le SEIGNEUR fut plus grand que tous les dieux, même dans leur rage contre les siens *z*. » ¹² Jéthro, beau-père de Moïse, participa à un holocauste *a* et à des sacrifices offerts à Dieu. Aaron et tous les *anciens d'Israël vinrent manger le repas devant Dieu avec le beau-père de Moïse.

Moïse nomme des chefs pour rendre la justice

¹³ Or, le lendemain Moïse siégeait pour juger le peuple et le peuple restait devant Moïse du matin au soir. ¹⁴ Le beau-père de Moïse vit tout ce que celui-ci faisait pour le peuple : « Que fais-tu là pour le peuple ? dit-il. Pourquoi sièges-tu seul tandis que tout le peuple est debout devant toi du matin au soir ? » ¹⁵ Moïse dit à son beau-père : « C'est que le peuple vient à moi pour consulter Dieu. ¹⁶ S'ils ont une affaire, ils viennent à moi ; je règle le litige qu'ils ont entre eux et je fais connaître les décrets de Dieu et ses lois. » ¹⁷ Le beau-père de Moïse lui dit : « Ta façon de faire n'est pas bonne. ¹⁸ Tu vas t'épuiser, ainsi que ce peuple qui est avec toi. La tâche est trop lourde pour toi. Tu ne peux l'accomplir seul. ¹⁹ Maintenant, écoute ma voix ! Je te donne un conseil et que Dieu soit avec toi ! Sois donc le représentant du peuple en face de Dieu : c'est toi qui porteras les affaires devant Dieu, ²⁰ qui aviseras les gens des décrets et des lois, qui leur feras connaître le chemin à suivre et la conduite à tenir. ²¹ Et puis, tu discerneras, dans tout le peuple, des hommes de valeur, craignant Dieu, dignes de confiance, incorruptibles et tu les établiras sur eux comme chefs de milliers, chefs de centaines, chefs des cinquantaines et chefs de dizaines. ²² Ils jugeront le peuple en permanence. Tout ce qui a de l'importance, ils te le présenteront, mais ce qui en a moins, ils le jugeront eux-mêmes. Allège ainsi ta charge. Qu'ils la portent avec toi ! ²³ Si tu fais cela, Dieu te donneras ses ordres, tu pourras tenir et, de plus, tout ce peuple rentrera chez lui en paix. » ²⁴ Moïse écouta la voix de son beau-père et fit tout ce qu'il avait dit. ²⁵ Dans tout Israël, Moïse choisit des hommes de valeur et les plaça à la tête du peuple : chefs de milliers, chefs de centaines, chefs de cinquantaines et chefs de dizaines. ²⁶ Ils jugeaient le peuple en permanence. Ce qui était difficile, ils le présentaient à Moïse, en tout ce qui l'était moins, ils le jugeaient eux-mêmes.

²⁷ Et Moïse laissa partir son beau-père, qui s'en alla dans son pays.

---

v Cippora : voir 2.21. — On ignore quand et pourquoi Moïse avait *renvoyé* sa femme ● *w Guershôm :* voir 2.22 ● *x Eliézer :* première mention de ce second fils de Moïse dans le texte hébreu ; une ancienne version latine en parle déjà en 2.22 ● *y montagne de Dieu :* voir 3.1 et la note ● *z même dans leur rage contre les siens :* texte obscur et traduction incertaine ● *a holocauste :* voir au glossaire SACRIFICES

18.3 ses deux fils Ac 7.29. **18.10** béni soit le Seigneur Gn 9.26 ; 1 S 25.32, 39 ; 1 R 8.15, 56 ; Ps 72.18-19 ; 124.6 ; Rt 4.14 ; Esd 7.27. **18.12** manger devant Dieu 24.11 ; Gn 26.26-31 ; 31.54 ; 1 Ch 29.22. **18.13-27** nomination des chefs Nb 11.11-30 ; Dt 1.9-18 ; 17.8-13. **18.13** Moïse siège pour juger Jg 4.5. **18.15** pour consulter Dieu 33.7. **18.18** tâche trop lourde pour toi Ac 6.1-6. **18.27** dans son pays Nb 10.30.

DIEU FAIT ALLIANCE AVEC ISRAËL

Dieu propose une alliance à Israël

19 [1] Le troisième mois après leur sortie du pays d'Egypte, aujourd'hui même [b], les fils d'Israël arrivèrent au désert de Sinaï. [2] Ils partirent de Refidîm [c], arrivèrent au désert de Sinaï et campèrent dans le désert. — Israël campa ici, face à la montagne, [3] mais Moïse monta vers Dieu.

Le SEIGNEUR l'appela de la montagne en disant : « Tu diras ceci à la maison de Jacob et tu transmettras cet enseignement aux fils d'Israël [d] : [4] "Vous avez vu vous-mêmes ce que j'ai fait à l'Egypte, comment je vous ai portés sur des ailes d'aigles et vous ai fait arriver jusqu'à moi. [5] Et maintenant, si vous entendez ma voix et gardez mon *alliance, vous serez ma part personnelle [e] parmi tous les peuples — puisque c'est à moi qu'appartient toute la terre — [6] et vous serez pour moi un royaume de prêtres [f] et une nation *sainte." Telles sont les paroles que tu diras aux fils d'Israël. » [7] Moïse vint ; il appela les *anciens du peuple et leur exposa toutes ces paroles, ce que le SEIGNEUR lui avait ordonné. [8] Tout le peuple répondit, unanime : « Tout ce que le SEIGNEUR a dit, nous le mettrons en pratique. » Et Moïse rapporta au SEIGNEUR les paroles du peuple.

[9] Le SEIGNEUR dit à Moïse : « Voici, je vais arriver jusqu'à toi dans l'épaisseur de la nuée [g], afin que le peuple entende quand je te parlerai avec toi et qu'en toi aussi, il mette sa foi à jamais. » Et Moïse transmit au SEIGNEUR les paroles du peuple.

Dieu rencontre Moïse sur le mont Sinaï

[10] Le SEIGNEUR dit à Moïse : « Va vers le peuple et *sanctifie-le aujourd'hui et demain ; qu'ils lavent leurs manteaux, [11] qu'ils soient prêts pour le troisième jour, car c'est au troisième jour que le SEIGNEUR descendra sur la montagne de Sinaï aux yeux de tout le peuple. [12] Fixe des limites pour le peuple en disant : "Gardez-vous de monter sur la montagne et d'en toucher les abords." Quiconque touchera la montagne sera mis à mort ! [13] Nulle main ne touchera le coupable, mais il sera lapidé ou percé de traits. Bête ni homme ne survivra. Quand la trompe retentira, quelques-uns [h] monteront sur la montagne. » [14] Moïse descendit de la montagne vers le peuple. Il sanctifia le peuple, ils lavèrent leurs manteaux [15] et il dit au peuple : « Soyez prêts dans trois jours. N'approchez pas vos femmes. »

[16] Or, le troisième jour, quand vint le matin, il y eut des voix, des éclairs, une nuée [i] pesant sur la montagne et la voix d'un cor très puissant ; dans le camp, tout le peuple trembla. [17] Moïse fit sortir le peuple à la rencontre de Dieu hors du camp, et ils se tinrent tout en bas de la montagne. [18] La montagne de Sinaï n'était que fumée, parce que le SEIGNEUR y était descendu dans le feu ; sa fumée monta, comme la fumée d'une fournaise, et toute la montagne trembla violemment. [19] La voix du cor s'amplifia : Moïse parlait et Dieu lui répondait par la voix du tonnerre.

[20] Le SEIGNEUR descendit sur la montagne de Sinaï, au sommet de la montagne, et le SEIGNEUR appela Moïse au sommet de la montagne. Moïse monta. [21] Le SEIGNEUR dit à Moïse : « Descends et avertis le peuple de ne pas se précipiter vers le SEIGNEUR pour voir ; il en tomberait beaucoup. [22] Et que même les prêtres qui s'approchent du SEIGNEUR se sanctifient de peur que le SEIGNEUR ne s'emporte con-

---

b aujourd'hui même: autre traduction *en ce jour-là,* mais le jour n'est pas précisé • *c Refidîm:* voir 17.1 et la note • *d* Les expressions *maison de Jacob* (ou *famille de Jacob*) et *fils d'Israël* (ou *descendants d'Israël*) sont équivalentes • *e ma part personnelle.* ou *mon trésor le plus précieux* • *f* L'expression *royaume de prêtres* désigne soit un peuple chargé d'un rôle sacerdotal, c'est-à-dire d'un rôle d'intermédiaire entre Dieu et les autres nations, soit un peuple gouverné par des prêtres au lieu de rois, ce qui fut réalisé après le retour de l'exil babylonien • *g la nuée:* voir 13.21 et la note • *h quelques-uns:* voir 24.1, 9-11 • *i des voix* ou *des coups de tonnerre:* voir v. 19. — *une nuée:* voir 13.21 et la note

19.1 au désert de Sinaï Nb 33.15. 19.4 vous avez vu Dt 29.1-2. — sur les ailes d'aigles Dt 32.11; Es 46.4; 63.9. 19.5 ma part personnelle Tt 2.14. — la terre appartient à Dieu 9.29+. 19.6 royaume de prêtre 1 Pi 2.9; Ap 1.6; 5.10; 20.6. 19.8 nous le mettrons en pratique Jos 24.16-24. 19.9 la nuée 13.21+. — croire Moïse cf. 4.1+. 19.10 se sanctifier Gn 35.2. 19.12 ne pas toucher 34.3; He 12.20. 19.15 vos femmes 1 S 21.5. 19.16 des voix, des éclairs Dt 4.10-12; Ps 29; 50.3; 77.19; Ap 4.5.

tre eux. » [23] Moïse dit au SEIGNEUR : « Le peuple ne peut pas monter sur la montagne de Sinaï, puisque toi, tu nous as avertis en disant : Délimite la montagne et tiens-la pour sacrée ! » [24] Le SEIGNEUR lui dit : « Redescends, puis tu monteras avec Aaron. Quant aux prêtres et au peuple, qu'ils ne se précipitent pas pour monter vers le SEIGNEUR, de peur qu'il ne s'emporte contre eux ! » [25] Moïse descendit vers le peuple et leur dit... [j]

Le contrat d'alliance : Les Dix Commandements

20 [1] Et Dieu prononça toutes ces paroles [k].

[2] « C'est moi le SEIGNEUR, ton Dieu, qui t'ai fait sortir du pays d'Egypte, de la maison de servitude :

[3] Tu n'auras pas d'autres dieux face à moi [l].

[4] Tu ne te feras pas d'idole, ni rien qui ait la forme de ce qui se trouve au ciel là-haut, sur terre ici-bas ou dans les eaux sous la terre. [5] Tu ne te prosterneras pas devant ces dieux et tu ne les serviras pas, car c'est moi le SEIGNEUR, ton Dieu, un Dieu jaloux [m], poursuivant la faute des pères chez les fils sur trois et quatre générations — s'ils me haïssent — [6] mais prouvant sa fidélité à des milliers de générations — si elles m'aiment et gardent mes commandements.

[7] Tu ne prononceras pas à tort le nom du SEIGNEUR, ton Dieu, car le SEIGNEUR n'acquitte pas celui qui prononce son nom à tort.

[8] Que du jour du *sabbat on fasse un mémorial [n] en le tenant pour sacré. [9] Tu travailleras six jours, faisant tout ton ouvrage, [10] mais le septième jour, c'est le sabbat du SEIGNEUR, ton Dieu. Tu ne feras aucun ouvrage, ni toi, ni ton fils, ni ta fille, pas plus que ton serviteur, ta servante, tes bêtes ou l'émigré que tu as dans tes villes. [11] Car en six jours, le SEIGNEUR a fait le ciel et la terre, la mer et tout ce qu'ils contiennent, mais il s'est reposé le septième jour. C'est pourquoi le SEIGNEUR a béni le jour du sabbat et l'a consacré.

[12] Honore ton père et ta mère, afin que tes jours se prolongent sur la terre que te donne le SEIGNEUR, ton Dieu.

[13] Tu ne commettras pas de meurtre.

[14] Tu ne commettras pas d'adultère.

[15] Tu ne commettras pas de rapt [o].

[16] Tu ne témoigneras pas faussement contre ton prochain.

[17] Tu n'auras pas de visées sur la maison de ton prochain. Tu n'auras de visées ni sur la femme de ton prochain, ni sur son serviteur, sa servante, son bœuf ou son âne, ni sur rien qui appartient à ton prochain. »

[18] Tout le peuple percevait les voix, les flamboiements, la voix du cor et la montagne fumante ; le peuple vit, il frémit et se tint à distance. [19] Ils dirent à Moïse : « Parle-nous toi-même et nous entendrons ; mais que Dieu ne nous parle pas, ce serait notre mort ! » [20] Moïse dit au peuple : « Ne craignez pas ! Car c'est pour vous éprouver que Dieu est venu, pour que sa crainte soit sur vous et que vous ne péchiez pas. » [21] Et le peuple se tint à

---

j leur dit... : la phrase reste inachevée ● *k ces paroles* : le « Décalogue » (ou les « Dix Commandements ») est conservé aussi en Dt 5.6-21, sous une forme légèrement différente ● *l face à moi* ou *devant ma face* ou *que moi* ● *m un Dieu jaloux* : parler de la « jalousie » de Dieu, c'est affirmer que Dieu ne supporte pas que les hommes adorent ou simplement reconnaissent d'autres dieux que lui ● *n Que du jour... un mémorial* : autre traduction *Souviens-toi du jour du sabbat* ● *o Tu ne commettras pas de rapt* : ce commandement viserait les atteintes à la liberté d'autrui, c'est-à-dire le *rapt* de personnes pour en faire des esclaves (voir 21.16); les atteintes aux biens d'autrui sont en tout cas interdites par le v. 17. — Autre traduction *Tu ne déroberas pas*

20.1 les dix commandements Jr 7.9; Os 4.2; Mc 10.19 par.; Rm 13.9. **20.2** c'est moi le Seigneur Jg 6.8-10; Es 43.11; 44.24; Ps 81.11. — maison de servitude 13.3, 14; Dt 5.6; 6.12; 7.8; 8.14; 13.6, 11; Jos 24.17; Jg 6.8; Jr 34.13; Mi 6.4. **20.3** pas d'autres dieux 34.14; Jr 25.6; Os 3.1; 13.4; Ps 81.10; cf. 1 R 11.4-8. **20.4** pas d'idole 34.17; Lv 19.4; 26.1; Dt 4.15-20; cf. Ex 32.1-6; 1 R 12. 26-29. **20.5** Dieu jaloux 34.14; Dt 4.24; 6.15. **20.5-6** trois et quatre... des milliers 34.7; Nb 14.18; Dt 7.9-10. **20.7** prononcer à tort 22.27; Lv 19.12; Mt 5.33; 7.21; cf. Lv 24.10-16, 23. **20.8** respect du sabbat 16.23, 29; Lv 19.3; 23.3; cf. Nb 15.32-36; Lc 13.14-16+. **20.11** en six jours... le septième Gn 2.2-3. **20.12** honore tes parents 21.17; Lv 19.3, 32; Dt 27.16; Si 3.1-16; Lc 2.51; Ep 6.2-3; cf. 2 S 15—18; Mt 15.4-9. **20.13** pas de meurtre 21.12-15; Gn 9.5-6; Lv 24.17; Mt 5.21; Jc 2.11; cf. 1 R 21; Mt 26.52. **20.14** pas d'adultère Lv 20.10; Ps 50.18; Mt 5.27; Jc 2.11; cf. 2 S 11—12; Jn 8.1-11. **20.15** pas de rapt 21.16; Lv 19.11; Dt 24.7; Ps 50.18; cf. Gn 37.25-28. **20.16** pas de faux témoignage 23.1-3; Lv 19.11; Ps 50.19-20; Mt 5.37; Jc 5.12; cf. 1 R 21; Mt 26.59-62 par. **20.17** pas de visées Lv 19.35-36; Es 5.8; Mi 2.2; cf. Jos 7.10-26; 1 R 21. **20.18** voix, flamboiements, cor Dt 5.23-31; He 12.18-19. **20.21** la nuit épaisse (la nuée) 1 R 8.12; Ps 18.10; cf. Ex 13.21+.

distance, mais Moïse approcha de la nuit épaisse [p] où Dieu était.

Loi concernant l'autel des sacrifices

22 Le SEIGNEUR dit à Moïse : « Ainsi parleras-tu aux fils d'Israël : Vous avez vu vous-mêmes que c'est du haut des *cieux que je vous ai parlé. 23 Vous ne me traiterez pas comme un dieu en argent ni comme un dieu en or — vous ne vous en fabriquerez pas.

24 Tu me feras un *autel de terre pour y sacrifier tes holocaustes [q] et tes sacrifices de paix, ton petit et ton gros bétail ; en tout lieu où je ferai rappeler mon *nom, je viendrai vers toi et je te bénirai. 25 Mais si tu me fais un autel de pierres, tu ne le bâtiras pas en pierres de taille, car en y passant ton ciseau, tu les profanerais [r]. 26 Tu ne monteras pas par des marches à mon autel, pour que ta nudité n'y soit pas découverte [s].

Loi sur les serviteurs hébreux

21 1 Voici les règles que tu leur exposeras :

2 Quand tu achèteras un serviteur hébreu, il servira six années ; la septième, il pourra sortir libre, gratuitement. 3 S'il était entré seul, il sortira seul. S'il possédait une femme, sa femme sortira avec lui. 4 Si c'est son maître qui lui a donné une femme et qu'elle lui a enfanté des fils ou des filles, la femme et ses enfants seront à leur maître, et lui, il sortira seul. 5 Mais si le serviteur déclare : « J'aime mon maître, ma femme et mes fils, je ne veux pas sortir libre », 6 son maître le fera approcher de Dieu [t], il le fera approcher de la porte ou du montant et son maître lui percera l'oreille au poinçon : il le servira à jamais.

7 Et quand un homme vendra sa fille comme servante [u], elle ne sortira pas comme sortent les serviteurs. 8 Si elle déplaît à son maître au point qu'il ne se l'attribue pas, il la fera racheter. Il n'aura pas le droit de la vendre à un peuple étranger, ce serait la trahir. 9 Et s'il l'attribue à son fils, il agira pour elle selon la coutume concernant les filles. 10 S'il en prend une autre pour lui, il ne lui réduira pas la nourriture, le vêtement, la cohabitation. 11 Et s'il ne lui procure pas ces trois choses, elle pourra sortir gratuitement, sans verser d'argent.

Fautes méritant la peine de mort

12 Qui frappe un homme à mort sera mis à mort. 13 Cependant, celui qui n'a pas guetté sa victime — puisque c'est Dieu qui l'aurait mise sous sa main — je te fixerai un lieu où il pourra fuir [v]. 14 Mais quand un homme est enragé contre son prochain au point de le tuer par ruse, tu l'arracheras même de mon *autel [w] pour qu'il meure.

15 Et qui frappe son père ou sa mère sera mis à mort.

16 Et qui commet un rapt — qu'il ait vendu l'homme ou qu'on le trouve entre ses mains — sera mis à mort.

17 Et qui insulte son père ou sa mère sera mis à mort.

Les coups et blessures

18 Et quand des hommes se querelleront, que l'un frappera l'autre d'une pierre ou du poing et que celui-ci, sans mourir, tombera alité, 19 s'il peut se lever et aller au-dehors avec sa canne, celui qui aura frappé sera acquitté. Il devra seulement lui payer son chômage [x] et le faire soigner jusqu'à sa guérison.

20 Et quand un homme frappera avec un gourdin son serviteur ou sa servante

---

p *nuit épaisse*: autre expression pour désigner la *nuée* (voir 13.21 et la note) ● q *holocaustes*: voir au glossaire SACRIFICES ● r L'homme, en intervenant avec ses outils, imprime sur les objets sa marque personnelle; seuls les objets tels que Dieu les a créés, c'est-à-dire à l'état brut, naturel, pouvaient être mis au service de Dieu (comparer Dt 21.3-4) ● s A l'origine, le prêtre israélite ne portait qu'un simple pagne autour des reins pendant son service à l'autel ● t *le fera approcher de Dieu*: on ne voit pas très bien ce que signifie concrètement cette expression; l'interprétation généralement admise est que Dieu est témoin de cet accord ● u Une *servante* était souvent en même temps une épouse de rang inférieur, voir Nb 35.9-34 ● v Sur les villes de refuge évoquées dans ce verset, voir Nb 35.9-34 ● w Les *autels* (et les *sanctuaires*) ont souvent été reconnus comme lieux de refuge pour les meurtriers (voir 1 R 1.50-53; 2.28-34) ● x *son chômage* ou *son immobilisation*

20.23 pas de dieu d'or 32.1-6. 20.24 sacrifices Lv 1—5. 20.25 pas de pierres de taille Dt 27.5-7; Jos 8.31. 21.2 serviteur hébreu Lv 25.35-55; Dt 15.12-18; Jr 34.14. 21.12 homicide 20.13+. 21.13 lieu de refuge Dt 19.1-13; Jos 20, 1 R 1.50. 21.16 rapt 20.15+. 21.17 insulter ses parents Lv 20.9; Dt 21.18; Si 3.13.

et qu'ils mourront sous sa main, il devra subir vengeance. ²¹ Mais s'ils se maintiennent un jour ou deux, ils ne seront pas vengés, car ils étaient son argent.

²² Et quand des hommes s'empoigneront et heurteront une femme enceinte, et que l'enfant naîtra sans que malheur arrive, il faudra indemniser comme l'imposera le mari de la femme et payer par arbitrage. ²³ Mais si malheur arrive, tu paieras vie pour vie, ²⁴ œil pour œil, dent pour dent, main pour main, pied pour pied, ²⁵ brûlure pour brûlure, blessure pour blessure, meurtrissure pour meurtrissure.

²⁶ Et quand un homme frappera l'œil de son serviteur ou l'œil de sa servante et l'abîmera, il les laissera aller libres, en compensation de leur œil. ²⁷ Et si c'est une dent de son serviteur ou une dent de sa servante qu'il fait tomber, il les laissera aller libres, en compensation de leur dent.

²⁸ Et quand un bœuf frappera mortellement de la corne un homme ou une femme, le bœuf sera lapidé et on n'en mangera pas la chair, mais le propriétaire du bœuf sera quitte. ²⁹ Par contre, si le bœuf avait déjà auparavant l'habitude de frapper, que son propriétaire, après avertissement, ne l'ait pas surveillé et qu'il ait causé la mort d'un homme ou d'une femme, le bœuf sera lapidé, mais son propriétaire, lui aussi, sera mis à mort. ³⁰ Si on lui impose une rançon, il donnera en rachat de sa vie tout ce qu'on lui imposera. ³¹ Qu'il frappe un fils ou qu'il frappe une fille, c'est selon cette règle qu'on le traitera. ³² Si le bœuf frappe un serviteur ou une servante, on donnera trente sicles ʸ d'argent à leur maître, et le bœuf sera lapidé.

³³ Et quand un homme laissera une citerne ouverte, ou qu'il creusera une citerne sans la recouvrir, si un bœuf ou un âne y tombe, ³⁴ le propriétaire de la citerne donnera compensation ; il remboursera en argent le propriétaire de la bête morte qui, elle, sera pour lui.

³⁵ Et quand le bœuf d'un homme frappera mortellement le bœuf d'un autre, ils vendront le bœuf vivant et se partageront

l'argent ; et la bête morte, ils la partageront aussi. ³⁶ S'il était notoire que ce bœuf avait déjà auparavant l'habitude de frapper et que son propriétaire ne l'ait pas surveillé, il donnera un bœuf en compensation du bœuf, et la bête morte sera pour lui.

Les vols d'animaux

³⁷ Quand un homme volera un bœuf ou un mouton et qu'il l'aura abattu ou vendu, il donnera cinq bœufs en compensation du bœuf et quatre moutons en compensation du mouton.

22 ¹ Si le voleur, surpris à percer un mur, est frappé à mort, pas de vengeance du sang ᶻ à son sujet. ² Si le soleil brillait ᵃ au-dessus de lui, il y aura vengeance du sang à son sujet. — "Un voleur devra donner compensation" : s'il n'a rien, il sera vendu pour payer son vol. ³ Si la bête volée — bœuf, âne ou mouton — est retrouvée vivante entre ses mains, c'est au double qu'il donnera compensation.

Les atteintes à la propriété

⁴ Quand un homme fera pâturer un champ ou une vigne et qu'il laissera son bétail pâturer dans un autre champ, il donnera compensation à partir de son meilleur champ ou de sa meilleure vigne.

⁵ Quand un feu se propagera pour avoir rencontré des épines et que seront dévorés gerbiers, moissons ou champs ᵇ, l'incendiaire devra donner compensation pour l'incendie.

⁶ Quand un homme donnera en garde à son prochain de l'argent ou des objets et qu'on les volera de la maison de celui-ci, si le voleur est retrouvé, il donnera compensation au double. ⁷ Si le voleur n'est pas retrouvé, le propriétaire de la maison s'approchera de Dieu ᶜ, pour qu'on sache s'il n'a pas mis la main sur le bien d'autrui. ⁸ Pour toute affaire frauduleuse concernant un bœuf, un âne, un mouton, un manteau ou tout objet perdu

---

y sicles: voir au glossaire MONNAIES ● *z* Sur la *vengeance du sang,* voir Nb 35.12 et la note ● *a Si le soleil brillait,* c'est-à-dire en plein jour; en de telles circonstances, on doit pouvoir se débarrasser du voleur sans le tuer; si on le tue, c'est un meurtre qui appelle vengeance ● *b gerbiers, moissons, champs* désignent, en ordre inversé, les trois états successifs de la culture céréalière : le blé en herbe (*champs*), le blé mûr sur pied (*moissons*) et le blé en gerbes (*gerbiers*) ● *c s'approchera de Dieu:* voir 21.6 et la note

21.23-25 vie pour vie (loi du Talion) Lv 24.19+. **21.33-34** animal dans une citerne Lc 14.5. **21.37** compensation 2 S 12.6; Lc 19.8. **22.1** percer un mur Jr 2.34; Ez 12.7. **22.5** un feu Jg 9.15. **22.6** objets confiés Lv 5.20-26.

dont on dira : "C'est bien lui", l'affaire des deux parties viendra jusqu'à Dieu ; celui que Dieu déclarera coupable donnera à son prochain compensation au double.

⁹ Quand un homme donnera en garde à son prochain un âne, un bœuf, un mouton ou tout autre animal, et que celui-ci mourra, se blessera ou sera razzié sans qu'on l'ait vu, ¹⁰ un serment au nom du SEIGNEUR interviendra entre les deux adversaires, comme quoi l'un n'a pas mis la main sur le bien d'autrui ; le propriétaire de l'animal acceptera ᵈ et l'autre ne donnera pas compensation. ¹¹ Mais si l'animal a été volé près de lui, il donnera compensation au propriétaire. ¹² Si l'animal a été déchiqueté ᵉ, il le rapportera en témoignage ; il ne donnera pas compensation pour l'animal déchiqueté.

¹³ Et quand un homme empruntera à son prochain un animal qui se blessera ou mourra en l'absence de son propriétaire, il devra donner compensation. ¹⁴ Si cela se passe en présence du propriétaire, il ne donnera pas compensation. S'il avait loué, il apportera le prix de sa location ᶠ.

¹⁵ Et quand un homme séduira une vierge non fiancée et couchera avec elle, il devra verser la dot ᵍ pour en faire sa femme. ¹⁶ Si le père refuse de la lui donner, l'homme payera en argent comme pour la dot des vierges.

Lois morales et religieuses diverses

¹⁷ Une magicienne, tu ne la laisseras pas vivre.

¹⁸ Qui couche avec une bête sera mis à mort.

¹⁹ Qui *sacrifie aux dieux sera voué à l'interdit ʰ, sauf si c'est au SEIGNEUR et à lui seul.

²⁰ Tu n'exploiteras ni n'opprimeras l'émigré, car vous avez été des émigrés au pays d'Egypte.

²¹ Vous ne maltraiterez aucune veuve ni aucun orphelin. ²² Si tu le maltraites et s'il crie vers moi, j'entendrai son cri, ²³ ma colère s'enflammera, je vous tuerai par l'épée, vos femmes seront veuves et vos fils orphelins. ²⁴ Si tu prêtes de l'argent à mon peuple, au malheureux qui est avec toi, tu n'agiras pas avec lui comme un usurier ; vous ne lui imposerez pas d'intérêt. ²⁵ Si tu prends en gage le manteau de ton prochain, tu le lui rendras pour le coucher du soleil, ²⁶ car c'est à sa seule couverture, le manteau qui protège sa peau. Dans quoi se coucherait-il ? Et s'il arrivait qu'il crie vers moi, je l'entendrais, car je suis compatissant, moi.

²⁷ Dieu, tu ne l'insulteras pas ; et tu ne maudiras pas celui qui a une responsabilité dans ton peuple.

²⁸ Tu ne livreras pas à d'autres ⁱ tes fruits mûrs et la coulée de ton pressoir. Tu me donneras le premier-né de tes fils. ²⁹ Tu feras de même pour ton bœuf et pour tes moutons : il restera sept jours avec sa mère ; le huitième jour, tu me le donneras.

³⁰ Vous serez pour moi des hommes *saints. Vous ne mangerez pas la viande déchiquetée ʲ dans la campagne. Vous la jetterez au chien.

Le respect des faibles

23 ¹ Tu ne rapporteras pas de rumeur sans fondement. Ne prends pas le parti d'un coupable par un faux témoignage. ² Tu ne suivras pas une majorité qui veut le mal et n'interviendras pas dans un procès en t'inclinant devant une majorité partiale. ³ Tu ne favoriseras pas un faible dans son procès. ⁴ Quand tu tomberas sur le bœuf de ton ennemi, ou sur son âne, égarés, tu les lui ramèneras. ⁵ Quand tu verras l'âne de celui qui t'en veut gisant sous son fardeau, loin de l'abandonner, tu l'aideras à ordonner la

---

ᵈ *acceptera* ou *reprendra* (*l'animal tel quel*) ● ᵉ *déchiqueté:* par une bête sauvage ● ᶠ *S'il avait loué,... sa* location: autre traduction *Si c'est un salarié, il reçoit quand même son salaire* ● ᵍ *la dot:* le mot doit être compris ici dans un sens large, puisqu'il s'agit en fait d'un don (en nature ou en espèces) correspondant à celui que versait normalement un fiancé à la famille de sa fiancée ● ʰ *l'interdit:* voir Dt 2.34 et la note ● ⁱ *Tu ne livreras pas à d'autres:* sous-entendu *dieux;* autre traduction *Tu ne tarderas pas à m'offrir* ● ʲ *déchiquetée:* voir v. 12 et la note; cette viande ne doit pas être consommée, car l'animal n'a pas été abattu selon les règles

---

22.12 animal déchiqueté Gn 31.39; Am 3.12. **22.15** viol Dt 22.28-29; Os 2.16. **22.17** magicienne Lv 19.31+. **22.18** coucher avec une bête Lv 18.23+. **22.19** sacrifier aux dieux Dt 17.2-3; 1 R 16.31-33; 2 R 21.3-5. **22.20** respect de l'émigré Lv 19.33-34; Dt 24.17-18; Jr 22.3; Ez 22.7; Ps 146.9. **22.24** prêts d'argent Lv 25.35-37; Dt 23.20-21; Ps 15.5; Ne 5.1-13. **22.25** le manteau en gage Dt 24.10-13, 17-18; Am 2.8. **22.27** insulter Dieu 20.7+. — maudire un chef Qo 10.20; Ac 23.5. **22.28** le premier-né 13.1+. **22.30** vous serez saints Lv 11.44+. — viande déchiquetée Lv 17.15+. **23.1-3, 6** juger avec justice 20.16+; Dt 1.16-17; 16.18-20. **23.4-5** animal perdu Dt 22.1-4.

charge *k*. ⁶ Tu ne fausseras pas le droit de ton pauvre *l* dans son procès. ⁷ Tu te tiendras éloigné d'une cause mensongère. Ne tue pas un innocent ni un juste, car je ne justifie pas un coupable. ⁸ Tu n'accepteras pas de cadeau, car le cadeau aveugle les clairvoyants et compromet la cause des justes.

L'année sabbatique et le sabbat

⁹ Tu n'opprimeras pas l'émigré ; vous connaissez vous-mêmes la vie de l'émigré, car vous avez été émigrés au pays d'Egypte. ¹⁰ Six années durant, tu ensemenceras ta terre et tu récolteras son produit. ¹¹ Mais, la septième, tu le faucheras et le laisseras sur place ; les pauvres de ton peuple en mangeront et ce qu'ils laisseront, c'est l'animal sauvage qui le mangera. Ainsi feras-tu pour ta vigne, pour ton olivier. ¹² Six jours, tu feras ce que tu as à faire, mais le septième jour, tu chômeras *m*, afin que ton bœuf et ton âne se reposent et que le fils de ta servante et l'émigré reprennnent leur souffle.

Les fêtes à observer en Israël

¹³ Et vous veillerez à tout ce que je vous ai dit : vous n'invoquerez pas le nom d'autres dieux, on ne l'entendra pas dans ta bouche. ¹⁴ Tu me fêteras chaque année par trois pèlerinages *n* : ¹⁵ Tu observeras la fête des *pains sans levain *o*. Pendant sept jours, tu mangeras des pains sans levain, comme je te l'ai ordonné, au temps fixé du mois des Epis, car c'est alors que tu es sorti d'Egypte. Et on ne viendra pas me voir en ayant les mains vides. ¹⁶ Tu observeras la fête de la Moisson, des premiers fruits de ton travail, de ce que tu auras semé dans les champs, ainsi que la fête de la Récolte, au sortir de l'année *p*, quand tu récolteras des champs les fruits de ton travail. ¹⁷ Trois fois par an, tous les hommes viendront voir la face du Maître *q* le SEIGNEUR. ¹⁸ Tu ne feras pas pour moi de *sacrifice sanglant en l'accompagnant de pain fermenté ; la graisse offerte pour me fêter *r* ne passera pas la nuit jusqu'au matin. ¹⁹ Tu apporteras les tout premiers fruits de ton sol à la Maison du SEIGNEUR, ton Dieu. Tu ne feras pas cuire un chevreau dans le lait de sa mère *s*.

Promesses et instructions avant le départ

²⁰ « Je vais envoyer un *ange devant toi pour te garder en chemin et te faire entrer dans le lieu que j'ai préparé. ²¹ Prends garde à lui et entends sa voix, ne le contrarie pas, il ne supporterait pas votre révolte, car mon nom est en lui *t*. ²² Si tu entends sa voix et fais tout ce que je dis, je serai l'ennemi de tes ennemis et l'adversaire de tes adversaires. ²³ Quand mon ange aura marché devant toi, qu'il t'aura fait entrer chez l'*Amorite, le Hittite, le Perizzite et le Cananéen, chez le Hivvite et le Jébusite, et que je les aurai anéantis, ²⁴ tu ne te prosterneras pas devant leurs dieux ni ne les serviras, tu ne feras pas comme on fait chez eux, mais tu devras abattre ces dieux et briser leurs stèles *u*. ²⁵ Si vous servez le SEIGNEUR, votre Dieu, alors il bénira ton pain et tes eaux et j'écarterai *v* de toi la maladie ;

---

k tu l'aideras à ordonner la charge: texte incertain, traduction d'après le sens général du contexte ● *l ton pauvre:* celui dont tu t'occupes spécialement ● *m tu chômeras* ou *tu te reposeras,* ou *tu feras le *sabbat* ● *n pèlerinages:* voir 5.1 et la note ● *o* Sur la *fête des pains sans levain* et les deux autres fêtes du v. 16, voir sur le *mois des Epis,* voir au glossaire CALENDRIER ● *p au sortir de l'année:* cette expression signifie *au commencement de l'année* (à l'époque ancienne, l'année commençait en automne) ● *q* L'expression *venir voir la face du Maître* signifie se présenter au *sanctuaire ● r Un *sacrifice sanglant* est le sacrifice d'un animal (ce sacrifice est souvent accompagné d'une offrande végétale, voir Lv 2). — Le *pain fermenté* est le pain fabriqué avec du *levain (voir Lv 2.11 et la note). — *la graisse offerte pour me fêter,* c'est-à-dire la graisse des sacrifices offerts lors des fêtes du Seigneur ; elle doit être brûlée le jour même du sacrifice ● *s Tu ne feras pas cuire...:* cette coutume était pratiquée dans la religion cananéenne ● *t mon nom est en lui,* c'est-à-dire il possède toute mon autorité ● *u stèles:* voir 1 R 14.23 et la note ● *v il bénira... j'écarterai:* Dieu parle de lui-même tantôt à la 3e, tantôt à la 1re personne ; de même il parle de son peuple tantôt au pluriel (vous), tantôt au singulier (toi)

23.8 refuser un cadeau Dt 27.25; 1 S 8.3; Ps 15.5.   **23.9** respect de l'émigré 22.20+.
23.10-11 année sabbatique Lv 25.1+.   **23.12** le septième jour 20.8+.   **23.13** pas d'autres dieux Jos 23.7.   **23.15** fête des pains sans levain 12.15+.   **23.16** fête de la Moisson (ou des Semaines, ou de la Pentecôte) 34.22; Lv 23.15-21; Nb 28.26; Dt 16.9-11; *Tb* 2.1; *2 M* 12.32; Ac 2.1. — fête de la Récolte (ou des Tentes) 34.22; Lv 23.34-43; Nb 29.12-38; Dt 16.13-15; Jn 7.37.   **23.17** trois fois par an 23.14; 34.23; Dt 16.16.   **23.18** sacrifice sanglant 34.25.
23.19 offrande des prémices 34.26; Dt 26.1-11. — le chevreau 34.26; Dt 14.21.   **23.20** un ange devant toi 33.2; Gn 24.7; Nb 20.16; Ml 3.1; *Tb* 5.   **23.24** tu ne te prosterneras pas 20.5.
— abattre et briser 34.13; Nb 33.52; Dt 7.5; 1 R 15.12-13; 2 R 23.

²⁶ il n'y aura pas dans ton pays de femme qui avorte ou qui soit stérile ; je te donnerai tout ton compte de jours ʷ. ²⁷ J'enverrai devant toi ma terreur, je bousculerai tout peuple chez qui tu entreras, je te ferai voir tous tes ennemis de dos. ²⁸ J'enverrai le frelon ˣ devant toi, qui chassera devant toi le Hivvite, le Cananéen et le Hittite. ²⁹ Je ne les chasserai pas devant toi en une seule année, de peur que le pays ne devienne une terre désolée et que les animaux sauvages ne se multiplient à tes dépens. ³⁰ C'est peu à peu que je les chasserai devant toi, jusqu'à ce que, ayant fructifié, tu puisses hériter du pays. ³¹ J'établirai ton territoire de la mer des Joncs à la mer des Philistins et du désert au fleuve ʸ.

Quand j'aurai livré entre vos mains les habitants du pays et que tu les auras chassés de devant toi, ³² tu ne concluras pas d'alliance avec eux et leurs dieux, ³³ ils n'habiteront pas dans ton pays, de peur qu'ils ne te fassent pécher contre moi : tu servirais leurs dieux et cela deviendrait pour toi un piège. »

Dieu conclut l'alliance avec Israël

24 ¹ Il avait dit à Moïse : « Monte vers le SEIGNEUR, toi, Aaron, Nadav et Avihou ᶻ, ainsi que soixante-dix des *anciens d'Israël, et vous vous prosternerez de loin. ² Mais Moïse seul approchera du SEIGNEUR ; eux n'approcheront pas, et le peuple ne montera pas avec lui. »

³ Moïse vint raconter au peuple toutes les paroles du SEIGNEUR et toutes les règles. Tout le peuple répondit d'une seule voix : « Toutes les paroles que le SEIGNEUR a dites, nous les mettrons en pratique. » ⁴ Moïse écrivit toutes les paroles du SEIGNEUR ; il se leva de bon matin et bâtit un *autel au bas de la montagne, avec douze stèles ᵃ pour les douze tribus d'Israël. ⁵ Puis il envoya les jeunes gens d'Israël ; ceux-ci offrirent des holocaustes ᵇ

et sacrifièrent au SEIGNEUR des taurillons comme sacrifices de paix. ⁶ Moïse prit la moitié du sang et la mit dans les coupes ; avec le reste du sang, il aspergea l'autel. ⁷ Il prit le livre de l'*alliance ᶜ et en fit lecture au peuple. Celui-ci dit : « Tout ce que le SEIGNEUR a dit, nous le mettrons en pratique, nous l'entendrons. » ⁸ Moïse prit le sang, en aspergea le peuple et dit : « Voici le sang de l'alliance que le SEIGNEUR a conclue avec vous, sur la base de toutes ces paroles. »

⁹ Et Moïse monta, ainsi qu'Aaron, Nadav et Avihou, et soixante-dix des anciens d'Israël. ¹⁰ Ils virent le Dieu d'Israël et sous ses pieds, c'était comme une sorte de pavement de lazulite ᵈ, d'une limpidité semblable au fond du ciel. ¹¹ Sur ces privilégiés des fils d'Israël, il ne porta pas la main ; ils contemplèrent Dieu, ils mangèrent et ils burent ᵉ.

Moïse rencontre Dieu sur la montagne

¹² Le SEIGNEUR dit à Moïse : « Monte vers moi sur la montagne et reste là, pour que je te donne les tables de pierre : la Loi et le commandement que j'ai écrits pour les enseigner. » ¹³ Moïse se leva, avec Josué son auxiliaire, et Moïse monta vers la montagne de Dieu, ¹⁴ après avoir dit aux *anciens : « Attendez-nous ici, jusqu'à ce que nous revenions à vous. Mais voici Aaron et Hour qui sont avec vous ; celui qui a une affaire, qu'il s'adresse à eux. » ¹⁵ Moïse monta sur la montagne ; alors, la nuée ᶠ couvrit la montagne, ¹⁶ la gloire du SEIGNEUR demeura sur la montagne de Sinaï et la nuée la couvrit pendant six jours. Il appela Moïse le septième jour, du milieu de la nuée. ¹⁷ La gloire du SEIGNEUR apparaissait aux fils d'Israël sous l'aspect d'un feu dévorant, au sommet de la montagne. ¹⁸ Moïse pénétra dans la nuée et il monta sur la montagne. Moïse resta sur la montagne quarante jours et quarante nuits.

ʷ *tout ton compte de jours,* c'est-à-dire une longue vie ● ˣ *le frelon:* autre traduction *le découragement* ● ʸ *de la mer des Joncs... au fleuve:* de la mer Rouge à la Méditerranée et du Sinaï à l'Euphrate; comparer 1 R 5.1 ● ᶻ *Il avait dit:* voir 19.10-25. — *Nadav et Avihou:* deux fils d'Aaron, voir 6.23 ● ᵃ *Les stèles* (ou *pierres dressées*) symbolisent ici les tribus d'Israël ● ᵇ *holocaustes:* voir au glossaire SACRIFICES ● ᶜ *Le livre de l'alliance* est celui que Moïse vient d'écrire, voir v. 4 ● ᵈ *lazulite:* pierre précieuse, de couleur bleue ● ᵉ *Un repas sacrificiel conclut la cérémonie d'alliance ● ᶠ Voir 13.21 et la note

23.28 le frelon Dt 7.20; Jos 24.12; *Sg* 12.8. **23.33** un piège 34.12; Dt 7.16; Jos 23.13; Ps 106.36. **24.1** conclusion de l'alliance Jos 24; 2 R 23.1-3. **24.4** douze stèles Jos 4.3-9, 20-24; 1 R 18.31. **24.7** le sang de l'alliance 2 R 23.2, 21; 2 Ch 25.4; 34.30; 35.12. **24.8** le sang de l'alliance Mt 26.28 par.; 1 Co 11.25; He 9.19-20; 10.29. **24.10** pavement de lazulite cf. Ez 1.26; Ap 4.2-3. **24.11** manger devant Dieu 18.12+. **24.12** tables de pierre 31.18; 32.15; 34.1, 28; Dt 10.4-5; 1 R 8.9. **24.15** la nuée 13.21+. **24.16** la gloire du Seigneur 16.7+. **24.18** 40 jours et 40 nuits 34.28; Dt 9.9; cf. 1 R 19.8; Mt 4.2 par.

LE PLAN DU SANCTUAIRE

Contribution des Israélites

25 ¹ Le Seigneur adressa la parole à Moïse : ² « Dis aux fils d'Israël de lever pour moi une contribution ; sur tous les hommes au cœur généreux, vous lèverez cette contribution. ³ Et telle est la contribution que vous lèverez sur eux : or, argent, bronze, ⁴ pourpre violette et pourpre rouge, cramoisi éclatant *ᵍ*, lin, poil de chèvre, ⁵ peaux de béliers teintes en rouge, peaux de dauphins, bois d'acacia, ⁶ huile pour le luminaire *ʰ*, aromates pour l'huile d'*onction et le parfum à brûler, ⁷ pierres de béryl et pierres de garniture pour l'éphod et le pectoral *ⁱ*. ⁸ Ils me feront un *sanctuaire et je demeurerai parmi eux. ⁹ Je vais te montrer le plan de la demeure et le plan de tous ses objets : c'est exactement comme cela que vous ferez.

L'arche de l'alliance

¹⁰ « Ils feront donc une *arche en bois d'acacia, longue de deux coudées *ʲ* et demie, large d'une coudée et demie, haute d'une coudée et demie. ¹¹ Tu la plaqueras d'or pur ; tu la plaqueras au-dedans et au-dehors et tu l'entoureras d'une moulure en or. ¹² Tu couleras pour elle quatre anneaux d'or et tu les placeras à ses quatre pieds : deux anneaux d'un côté et deux anneaux de l'autre. ¹³ Tu feras des barres en bois d'acacia, tu les plaqueras d'or ¹⁴ et tu introduiras dans les anneaux des côtés de l'arche les barres qui serviront à la porter. ¹⁵ Les barres resteront dans les anneaux de l'arche, elles n'en seront pas retirées. ¹⁶ Tu placeras dans l'arche la *charte que je te donnerai.

¹⁷ Puis tu feras un propitiatoire *ᵏ* en or pur, long de deux coudées et demie, large d'une coudée et demie. ¹⁸ Et tu feras deux *chérubins en or ; tu les forgeras aux deux extrémités du propitiatoire. ¹⁹ Fais un chérubin à une extrémité, et l'autre chérubin à l'autre extrémité ; vous ferez les chérubins en saillie sur le propitiatoire, à ses deux extrémités. ²⁰ Les chérubins déploieront leurs ailes vers le haut pour protéger le propitiatoire de leurs ailes ; ils seront face à face et ils regarderont vers le propitiatoire. ²¹ Tu placeras le propitiatoire au-dessus de l'arche et, dans l'arche, tu placeras la charte que je te donnerai. ²² Là, je te rencontrerai et, du haut du propitiatoire, d'entre les deux chérubins situés sur l'arche de la charte, je te dirai tous les ordres que j'ai à te donner pour les fils d'Israël.

La table du pain d'offrande

²³ Puis tu feras une table en bois d'acacia, longue de deux coudées, large d'une coudée, haute d'une coudée et demie. ²⁴ Tu la plaqueras d'or pur et tu l'entoureras d'une moulure en or. ²⁵ Tu l'encadreras avec des entretoises d'un palme *ˡ* et tu mettras une moulure en or autour des entretoises. ²⁶ Tu lui feras quatre anneaux d'or et tu placeras les anneaux aux quatre coins de ses quatre pieds. ²⁷ Tout près des entretoises seront fixés les anneaux, pour loger les barres servant à lever la table. ²⁸ Tu feras les barres en bois d'acacia, tu les plaqueras d'or et elles serviront à lever la table. ²⁹ Tu lui feras des plats, des gobelets, des timbales et des bols, avec lesquels on versera les liba-

---

g pourpre violette, pourpre rouge: étoffes teintes au moyen de matières colorantes sécrétées par deux mollusques marins. — *cramoisi éclatant:* autre étoffe teinte au moyen d'une matière colorante obtenue en écrasant une très petite cochenille parasite du chêne • *h pour le luminaire,* c'est-à-dire *pour le chandelier,* voir versets 31-40 • *i éphod:* vêtement liturgique du grand prêtre, décrit en 28.6-14. — *pectoral:* sorte de poche d'étoffe fixée sur la poitrine du grand prêtre (voir 28.15-29) et destinée à contenir le Ourim et le Toummim (voir 28.30 et la note • *j coudées:* voir au glossaire POIDS ET MESURES • *k* Le *propitiatoire* semble être le couvercle de l'*arche.* Son nom hébreu évoque le rite d'*absolution* accompli par le grand prêtre (voir Lv 16.11-16) • *l entretoises:* pièces de bois destinées à maintenir un écartement régulier entre les pieds de la table. — *palme:* voir au glossaire POIDS ET MESURES

25.2 contribution 35.4-29; 1 Ch 29.1-9; cf. 2 R 12.5-16.   **25.9** les plans Ez 40.4; 1 Ch 28.19.
25.10 l'arche 37.1-5; 1 S 4—6; 2 S 6; Ps 132.   **25.16** la charte déposée dans l'arche
Dt 10.1-2; 1 R 8.9.   **25.17** le propitiatoire 37.6; Nb 7.89; Rm 3.25.   **25.18** les chérubins
37.7-9; 1 R 6.23-29; cf. Gn 3.24.   **25.22** Dieu présent entre les chérubins Lv 16.2; cf. 1 S 4.4;
Ps 99.1.   **25.23** la table 37.10-15; Nb 4.7; 1 R 7.48.   **25.29** plats, gobelets, etc. 37.16; 1 R 7.50.

tions *m*. C'est en or pur que tu les feras. [30] Et tu placeras perpétuellement du pain d'offrande *n* sur la table, devant moi.

Le chandelier à sept branches

[31] Puis tu feras un chandelier *o* en or pur. Le chandelier sera forgé ; sa base et sa tige, ses coupes, ses boutons et ses fleurs feront corps avec lui. [32] Six branches sortiront de ses côtés, trois branches du chandelier sur un côté, trois branches du chandelier sur l'autre côté. [33] Sur une branche, trois coupes en forme d'amande avec bouton et fleur, et sur une autre branche, trois coupes en forme d'amande avec bouton et fleur : de même pour les six branches sortant du chandelier. [34] Pour le chandelier lui-même, quatre coupes en forme d'amande, avec boutons et fleurs : [35] un bouton sous les deux premières branches issues du chandelier, un bouton sous les deux branches suivantes issues du chandelier, un bouton sous les deux dernières branches issues du chandelier ; ainsi donc, aux six branches qui sortent du chandelier. [36] Boutons et branches feront corps avec lui, qui sera tout entier forgé d'une seule pièce, en or pur. [37] Tu lui feras des lampes, au nombre de sept ; on allumera les lampes de manière à éclairer l'espace qui est devant lui. [38] Ses pincettes et ses bobèches *p* seront en or pur. [39] On le fera avec un talent *q* d'or pur, lui et tous ces accessoires. [40] Vois donc et fais selon le plan qui t'a été montré sur la montagne.

La demeure sainte

26 [1] « La *demeure, tu la feras avec dix tapisseries de lin retors, pourpre violette, pourpre rouge et cramoisi éclatant *r* ; tu y feras des *chérubins artistement travaillés. [2] Longueur d'une tapisserie : vingt-huit coudées *s*. Largeur d'une tapisserie : quatre coudées. Mêmes dimensions pour toutes les tapisseries. [3] Cinq tapisseries seront assemblées l'une à l'au-

tre ; et les cinq autres, également assemblées l'une à l'autre. [4] Tu feras des lacets de pourpre violette au bord de la première tapisserie, à l'extrémité de l'assemblage, et tu feras de même au bord de la dernière tapisserie du deuxième assemblage. [5] Tu mettras cinquante lacets à la première tapisserie et cinquante lacets à l'extrémité de la tapisserie du deuxième assemblage, les lacets se correspondant l'un à l'autre. [6] Tu feras cinquante agrafes en or, tu assembleras les tapisseries l'une à l'autre par les agrafes et ainsi la demeure sera d'un seul tenant.

[7] Puis tu feras des tapisseries en poil de chèvre pour former une tente par-dessus la demeure. Tu en feras onze. [8] Longueur d'une tapisserie : trente coudées. Largeur d'une tapisserie : quatre coudées. Mêmes dimensions pour les onze tapisseries. [9] Tu assembleras cinq tapisseries à part, puis six tapisseries à part, et tu replieras la sixième tapisserie sur le devant de la tente. [10] Tu feras cinquante lacets au bord d'une première tapisserie, la dernière de l'assemblage, et cinquante lacets au bord de la même tapisserie du deuxième assemblage. [11] Tu feras cinquante agrafes de bronze, tu introduiras les agrafes dans les lacets pour assembler la tente d'un seul tenant. [12] Les tapisseries de la tente auront un excédent qui retombera librement : une moitié de tapisserie en excédent retombera librement sur l'arrière de la demeure [13] et, dans le sens de la longueur des tapisseries de la tente, une coudée en excédent de chaque côté retombera librement sur les côtés de la demeure, de part et d'autre, pour la recouvrir. [14] Et tu feras pour la tente une couverture en peaux de béliers teintes en rouge et une couverture en peaux de dauphins par-dessus.

[15] Puis tu feras les cadres pour la demeure, en bois d'acacia, posés debout. [16] Dix coudées de longueur par cadre et une coudée et demie de largeur pour chaque cadre. [17] Deux tenons à chaque cadre, juxtaposés l'un à l'autre : ainsi feras-tu

---

m libations: voir au glossaire SACRIFICES ● *n pain d'offrande:* voir Lv 24.5-9 ● *o Le chandelier* se compose d'une tige centrale à laquelle sont fixées six branches latérales (voir v. 32). Malgré ce nom traditionnel, il ne portait pas des chandelles, mais des lampes à huile, au nombre de sept (v. 37) ● *p pincettes* et *bobèches* sont la traduction possible de deux termes désignant des ustensiles pour l'entretien des lampes à huile ● *q talent:* voir au glossaire POIDS ET MESURES ● *r* Sur la *pourpre violette,* la *pourpre rouge* et le *cramoisi éclatant,* voir 25.4 et la note ● *s coudées:* voir au glossaire POIDS ET MESURES

25.30 le pain d'offrande Lv 24.5-8; 1 S 21.5.   **25.31** le chandelier 37.17-24; Nb 4.9-10; 1 R 7.49; *1 M* 1.21.   **25.38** pincettes et bobèches 37.23; 1 R 7.49-50.   **25.40** selon le plan 25.9+; Ac 7.44; He 8.5.   **26.1** la demeure 36.8-38; 1 R 6.1-22; He 9.1-5. — les chérubins 1 R 6.32, 35; 7.29, 36.

pour tous les cadres de la demeure. [18] De ces cadres pour la demeure, tu en feras vingt en direction du Néguev, au sud. [19] Et tu feras quarante socles en argent sous les vingt cadres : deux socles sous un cadre pour ses deux tenons, puis deux socles sous un autre cadre pour ses deux tenons. [20] Pour l'autre côté de la demeure, en direction du nord, vingt cadres [21] avec leurs quarante socles en argent : deux socles sous un cadre et deux socles sous un autre cadre. [22] Et pour le fond de la demeure, vers la mer [t], tu feras six cadres ; [23] tu feras aussi deux cadres comme contreforts de la demeure, au fond ; [24] ils seront en écartement à la base mais se termineront en jointure au sommet, dans le premier anneau : ainsi en sera-t-il pour eux deux, ils seront comme deux contreforts. [25] Il y aura donc huit cadres, avec leurs socles en argent : seize socles, deux socles sous un cadre et deux socles sous un autre cadre.

[26] Puis tu feras des traverses en bois d'acacia : cinq pour les cadres du premier côté de la demeure, [27] cinq pour les cadres du deuxième côté de la demeure, cinq pour les cadres du côté de la demeure qui est au fond, vers la mer, [28] la traverse médiane, à mi-hauteur des cadres, traversant d'un bout à l'autre. [29] Tu plaqueras les cadres d'or, tu feras en or leurs anneaux pour loger les traverses et tu plaqueras les traverses d'or. [30] Tu dresseras la demeure d'après la règle qui t'a été montrée sur la montagne.

[31] Puis tu feras un voile de pourpre violette, pourpre rouge, cramoisi éclatant et lin retors ; on y fera des *chérubins artistement travaillés. [32] Tu le fixeras à quatre colonnes en acacia, plaquées d'or, munies de crochets en or et posées sur quatre socles en argent. [33] Tu fixeras le voile sous les agrafes et, là, derrière le voile, tu introduiras l'*arche de la charte. Et le voile marquera pour vous la séparation entre le lieu *saint et le lieu très saint. [34] Tu placeras le propitiatoire [u] sur l'arche de la charte dans le lieu très saint

[35] et tu poseras la table devant le voile et le chandelier en face de la table, sur le côté sud de la demeure ; la table, tu l'auras placée sur le côté nord.

[36] Puis tu feras un rideau pour l'entrée de la *tente, en pourpre violette, pourpre rouge, cramoisi éclatant et lin retors : travail de brocheur. [37] Tu feras pour le rideau cinq colonnes en acacia, tu les plaqueras d'or, leurs crochets seront en or et tu couleras pour elles cinq socles en bronze.

L'autel des sacrifices

27 [1] « Puis tu feras l'*autel en bois d'acacia : cinq coudées [v] de long, cinq coudées de large — l'autel sera carré — et trois coudées de haut. [2] Tu feras à ses quatre angles des cornes [w] qui feront corps avec lui et tu le plaqueras de bronze. [3] Tu feras des bassins pour les cendres de l'autel, des pelles, des bassines, des crochets et des cassolettes [x] ; tu utiliseras le bronze pour tous ces accessoires. [4] Tu lui feras une grille, à la façon d'un filet de bronze, et tu feras quatre anneaux de bronze aux quatre extrémités du filet. [5] Tu placeras le filet sous la bordure [y] de l'autel, à la base, et il arrivera à mi-hauteur de l'autel. [6] Tu feras des barres pour l'autel, des barres en bois d'acacia et tu les plaqueras de bronze. [7] On introduira ses barres dans les anneaux et les barres seront sur les deux côtés de l'autel quand on le portera. [8] Tu le feras creux, en planches. Il faudra le faire comme on t'a montré sur la montagne.

Les tentures du parvis

[9] Puis tu feras le parvis [z] de la *demeure. Du côté du Néguev, au sud, le parvis aura des tentures en lin retors, sur une longueur de cent coudées pour un seul côté. [10] Ses vingt colonnes et leurs vingt socles seront en bronze ; les crochets des colonnes et leurs tringles, en argent. [11] De même, du côté du nord, sur la lon-

---

[t] *vers la mer*, c'est-à-dire *vers l'ouest*, direction de la mer Méditerranée ● [u] *propitiatoire*: voir 25.17 et la note ● [v] *coudées*: voir au glossaire POIDS ET MESURES ● [w] On appelait *cornes* les angles relevés d'un autel ● [x] Les *cendres* imprégnées de la graisse des victimes étaient recueillies et transportées dans un lieu réservé à cet usage, hors du camp (voir Lv 4.12). — *cassolette*: objet liturgique, sorte d'encensoir (voir Lv 10.1) ● [y] Traduction incertaine; le mot hébreu désigne peut-être une *marche* entourant la base de l'autel ● [z] Le *parvis* est l'espace sacré entourant la tente, et délimité par la « barrière » des *tentures;* c'est l'équivalent de la cour du temple de Jérusalem (voir 1 R 6.36).

26.31 le voile Lv 16.12, 15; 2 Ch 3.14; Mt 27.51 par. +. 26.33 la séparation He 6.19; 9.3. 27.1 l'autel 38.1-7; 2 R 16.14-15; 2 Ch 4.1; Ez 43.13-17. 27.3 bassins, pelles, etc. 1 R 7.40. 27.9 le parvis 38.9-20; 1 R 8.64; Ez 40.17-47.

gueur : des tentures pour une longueur de cent coudées, ses vingt colonnes et leurs vingt socles en bronze, les crochets des colonnes et leurs tringles en argent. [12] Pour la largeur du parvis, du côté de la mer [a] : des tentures sur cinquante coudées, leurs dix colonnes et leurs dix socles. [13] Pour la largeur du parvis du côté de l'est, vers le levant : cinquante coudées ; [14] quinze coudées de tentures sur une aile [b] avec leurs trois colonnes et leurs trois socles [15] et, sur l'autre aile, quinze coudées de tentures avec leurs trois colonnes et leurs trois socles. [16] Pour la porte du parvis, un rideau de vingt coudées, en pourpre violette, pourpre rouge, cramoisi éclatant [c] et lin retors — travail de brocheur — quatre colonnes et leurs quatre socles. [17] Toutes les colonnes du parvis seront réunies par des tringles en argent, leurs crochets seront en argent et leurs socles en bronze. [18] Longueur du parvis : cent coudées. Largeur : cinquante à chaque extrémité. Hauteur : cinq coudées de lin retors — les socles étant en bronze. [19] Pour tous les accessoires de la demeure, utilisés pour tout son service, tous ses piquets et tous les piquets du parvis : du bronze.

L'huile pour le chandelier

[20] « Tu ordonneras aussi aux fils d'Israël de te procurer pour le luminaire de l'huile d'olive, limpide et vierge [d], afin qu'une lampe soit allumée à perpétuité, [21] dans la *tente de la rencontre, devant le voile qui abrite la *charte. Aaron et ses fils la disposeront de manière qu'elle brûle du soir au matin devant le SEIGNEUR : c'est une loi immuable pour les fils d'Israël d'âge en âge.

Les vêtements et insignes des prêtres

28 [1] « Prends aussi près de toi ton frère Aaron et ses fils avec lui, du milieu des fils d'Israël, pour qu'il exerce mon sacerdoce — Aaron, Nadav et Avihou, Eléazar et Itamar, fils d'Aaron. [2] Tu feras pour ton frère Aaron des vêtements sacrés, en signe de gloire et de majesté. [3] Et toi, tu parleras à tous les sages que j'ai remplis d'un esprit de sagesse et tu leur diras de faire les vêtements d'Aaron pour qu'il soit consacré et qu'il exerce mon sacerdoce. [4] Voici les vêtements qu'ils feront : pectoral, éphod [e], robe, tunique brodée, turban, ceinture. Ils feront donc des vêtements sacrés pour ton frère Aaron — et pour ses fils — pour qu'il exerce mon sacerdoce. [5] Ils utiliseront l'or, la pourpre violette, la pourpre rouge, le cramoisi [f] et le lin.

[6] Ils feront l'éphod en or, pourpre violette et pourpre rouge, cramoisi éclatant et lin retors — travail d'artiste. [7] Il y aura pour le fixer deux bretelles de fixation à ses deux extrémités. [8] L'écharpe de l'éphod, celle qui est dessus, sera de travail identique : en or, pourpre violette, pourpre rouge, cramoisi éclatant et lin retors. [9] Tu prendras deux pierres de béryl et tu graveras sur elles les noms des fils d'Israël : [10] six de leurs noms sur la première pierre et les six noms qui restent sur la deuxième pierre, selon l'ordre de leur naissance. [11] Tu graveras les deux pierres aux noms des fils d'Israël à la façon du ciseleur de pierres, comme la gravure d'un sceau [g] ; tu les sertiras et les enchâsseras dans l'or. [12] Tu mettras les deux pierres aux bretelles de l'éphod, ces pierres qui sont un mémorial [h] en faveur des fils d'Israël, et Aaron portera leurs noms devant le SEIGNEUR, sur ses deux bretelles, en mémorial. [13] Tu feras des chatons [i] en or [14] et deux chaînettes d'or pur ; et tu feras comme des tresses torsadées ; tu placeras les chaînettes torsadées sur tes chatons.

[15] Puis tu feras un pectoral du jugement — travail d'artiste ; tu le feras à la façon d'un éphod, tu le feras en or, pourpre violette, pourpre rouge, cramoisi éclatant et lin retors. [16] Une fois plié, il sera carré,

---

a du côté de la mer: voir 26.22 et la note ● *b sur une aile,* c'est-à-dire d'un côté de l'entrée ● *c* Sur la *pourpre violette,* la *pourpre rouge* et le *cramoisi éclatant,* voir 25.4 et la note ● *d le luminaire:* voir 25.6 et la note. — L'huile vierge est celle que l'on obtient par simple broyage et égouttage des olives, avant le pressurage ● *e pectoral, éphod:* voir 25.7 et la note ● *f* Sur la *pourpre violette,* la *pourpre rouge* et le *cramoisi (éclatant),* voir 25.4 et la note ● *g sceau:* petit instrument, bague ou cylindre, gravé en creux, et servant à marquer les objets personnels ou les lettres qu'on envoyait ● *h* Les deux pierres gravées sont placées là pour inviter Dieu à « se souvenir » (*mémorial*) du peuple d'Israël. Voir aussi v. 29 ● *i chatons:* montures, généralement en or, dans lesquelles on fixe des pierres précieuses; traduction incertaine

27.20 l'huile Lv 24.2-4; 1 Ch 9.29. **27.21** du soir au matin 1 S 3.3. **28.2** les vêtements sacrés 39.1-31; Lv 8.7-9, 13; Za 3.3-5; Si 45.6-13. **28.6** l'éphod 39.2-7. **27.9** les noms gravés 28.21+. **28.15** le pectoral 39.8-21.

long d'un empan ^{j} et large d'un empan. ^{17} Tu le garniras d'une garniture de pierres ^{k} ; il y aura quatre rangées de pierres :
— l'une : sardoine, topaze et émeraude. Ce sera la première rangée ;
^{18} — la deuxième rangée : escarboucle, lazulite et jaspe ;
^{19} — la troisième rangée : agate, cornaline et améthyste ;
^{20} — et la quatrième rangée : chrysolithe, béryl et onyx. Elles auront des chatons d'or pour garniture. ^{21} Les pierres correspondront aux noms des fils d'Israël, elles seront douze comme leurs noms ; elles seront gravées comme un sceau, chacune à son nom puisqu'il y a douze tribus. ^{22} Tu feras au pectoral des chaînettes tressées et torsadées, en or pur. ^{23} Tu feras au pectoral deux anneaux d'or et tu fixeras les deux anneaux à deux extrémités du pectoral. ^{24} Tu fixeras les deux torsades d'or aux deux anneaux, aux extrémités du pectoral, ^{25} tandis que tu fixeras les deux extrémités des deux torsades aux deux chatons ; tu les fixeras aux bretelles de l'éphod par-devant. ^{26} Tu feras deux anneaux d'or et tu les mettras à deux extrémités du pectoral, du côté tourné vers l'éphod, en dedans. ^{27} Tu feras deux anneaux d'or et tu les fixeras aux deux bretelles de l'éphod, à leur base, par-devant, près de leur point d'attache, au-dessus de l'écharpe de l'éphod. ^{28} On reliera le pectoral par ses anneaux aux anneaux de l'éphod avec un ruban de pourpre violette de manière que le pectoral soit sur l'écharpe de l'éphod et qu'il ne se déplace pas sur l'éphod. ^{29} Et quand il entrera dans le *sanctuaire, Aaron portera sur son cœur, sur le pectoral du jugement, les noms des fils d'Israël, en mémorial perpétuel devant le SEIGNEUR. ^{30} Tu placeras dans le pectoral du jugement le Ourim et le Toummim ^{l} ; ils seront sur le cœur d'Aaron quand il entrera devant le SEIGNEUR : Aaron portera donc perpétuellement le jugement des fils d'Israël sur son cœur, en présence du SEIGNEUR.

^{31} Puis tu feras la robe de l'éphod, toute de pourpre violette. ^{32} Elle aura au milieu une ouverture pour la tête ; autour de l'ouverture, il y aura une bordure — travail de tisserand ; son ouverture sera comme celle d'une cuirasse, indéchirable. ^{33} Sur ses pans, tu feras des grenades de pourpre violette, pourpre rouge et cramoisi éclatant — sur ses pans tout autour — et parmi elles, des clochettes ^{m} d'or tout autour : ^{34} une clochette d'or, une grenade, une clochette d'or, une grenade, sur les pans de la robe tout autour. ^{35} Elle sera sur Aaron quand il officiera ; le son des clochettes se fera entendre quand il entrera devant le SEIGNEUR dans le sanctuaire et quand il en sortira ; ainsi, il ne mourra pas.

^{36} Puis tu feras un fleuron ^{n} d'or pur, tu y graveras comme on grave un sceau : « Consacré au SEIGNEUR », ^{37} tu le mettras sur un ruban de pourpre violette et il sera sur le turban. Il devra être sur le devant du turban. ^{38} Il sera sur le front d'Aaron afin qu'il puisse porter les fautes commises envers les choses *saintes, toutes celles qui sont offertes et sanctifiées par les fils d'Israël : il sera perpétuellement sur son front pour que ces offrandes trouvent faveur devant le SEIGNEUR.

^{39} Puis tu broderas la tunique de lin, tu feras un turban de lin ; et tu feras une ceinture — travail de brocheur. ^{40} Pour les fils d'Aaron, tu feras des tuniques ; tu leur feras des ceintures, et puis tu leur feras des tiares ^{o}, en signe de gloire et de majesté. ^{41} Tu en revêtiras ton frère Aaron et ses fils avec lui, tu les *oindras, tu leur conféreras l'investiture ^{p}, tu les consacreras et ils exerceront mon sacerdoce. ^{42} Fais-leur des caleçons de lin pour couvrir leur nudité ; ils iront des reins aux cuisses. ^{43} Aaron et ses fils les prendront quand ils entreront dans la *tente de la rencontre ou quand ils approcheront de l'*autel pour officier dans le sanctuaire, afin de ne pas se charger d'une faute et

---

j empan: voir au glossaire POIDS ET MESURES ● k Les versets 17-20 énumèrent douze variétés de pierres précieuses dont l'identification n'est pas toujours certaine ● l Le Ourim et le Toummim sont des objets sacrés (bâtonnets ? dés ?) utilisés pour connaître, par tirage au sort, la volonté de Dieu ; voir 1 S 28.6 ● m grenades: motifs (brodés ?) représentant le fruit du grenadier. — clochettes: dans les civilisations anciennes, on pensait que le bruit des clochettes éloignait les démons ● n fleuron: bijou d'or, en forme de fleur, signe de consécration, qui fut aussi un symbole de l'autorité royale (voir Ps 132.18) ● o Le mot traduit par tiares désigne des coiffures, probablement en étoffe, dont on ignore la forme précise ● p investiture: voir Lv 8.33 et la note

28.17 la garniture de pierres Ez 28.13 ; Sg 18.24 ; Ap 21.19-20. 28.21 noms gravés 28.9 ; Ap 21.14. 28.30 Ourim et Toummim Dt 33.8 ; Esd 2.63. 28.31 la robe de l'éphod 39.22-26. 28.36 le fleuron d'or 39.30-31 ; — Consacré au Seigneur Za 14.20 ; Jn 17.19. 28.39 les vêtements de lin 39.27-29 ; Lv 16.4. 28.42 couvrir la nudité 20.26 ; 1 S 22.18.

mourir. Loi immuable pour lui et sa descendance après lui.

La consécration des prêtres

29 [1] « Voici comment tu feras pour les consacrer à mon sacerdoce : prends un taurillon et deux béliers sans défaut, [2] puis du pain sans *levain, des gâteaux sans levain pétris à l'huile et des crêpes sans levain frottées à l'huile ; tu les feras avec de la farine de froment. [3] Tu les mettras dans une corbeille et tu présenteras la corbeille, en même temps que le taurillon et les deux béliers.

[4] Tu présenteras Aaron et ses fils à l'entrée de la *tente de la rencontre et tu les laveras dans l'eau. [5] Tu prendras les vêtements, tu revêtiras Aaron de la tunique, de la robe de l'éphod, de l'éphod et du pectoral, tu le draperas dans l'écharpe de l'éphod, [6] tu poseras le turban sur sa tête, tu mettras l'insigne de consécration sur le turban ; [7] puis tu prendras l'huile d'*onction, tu la lui verseras sur la tête et tu l'oindras. [8] Ayant présenté ses fils, tu les revêtiras de tuniques, [9] tu les ceindras d'une ceinture — Aaron et ses fils — tu les coifferas de tiares et le sacerdoce leur appartiendra en vertu d'une loi immuable. Tu conféreras l'investiture [q] à Aaron et à ses fils.

[10] Tu présenteras le taurillon devant la tente de la rencontre ; Aaron et ses fils *imposeront la main sur la tête du taurillon. [11] Tu égorgeras le taurillon devant le Seigneur, à l'entrée de la tente de la rencontre. [12] Tu prendras du sang du taurillon et tu en mettras avec ton doigt aux cornes [r] de l'*autel. Puis, tu répandras tout le reste du sang à la base de l'autel. [13] Tu prendras toute la graisse qui enveloppe les entrailles, le lobe du foie, les deux rognons avec la graisse qui y adhère, et tu les feras fumer à l'autel. [14] Mais la chair du taurillon, sa peau, sa fiente, tu les brûleras en dehors du camp. C'est un *sacrifice pour le péché.

[15] Puis tu prendras le premier bélier ; Aaron et ses fils imposeront la main sur la tête du bélier. [16] Tu égorgeras le bélier, tu prendras son sang et tu aspergeras le pourtour de l'autel, [17] tu dépèceras le bélier en quartiers, tu laveras ses entrailles et ses pattes et tu les mettras sur les quartiers et la tête. [18] Tu feras fumer tout le bélier à l'autel. C'est un holocauste pour le Seigneur, c'est le parfum apaisant d'un mets [s] consumé pour le Seigneur.

[19] Puis tu prendras le second bélier : Aaron et ses fils imposeront la main sur la tête du bélier. [20] Tu égorgeras le bélier, tu prendras de son sang et tu en mettras sur le lobe de l'oreille droite d'Aaron, sur le lobe de l'oreille de ses fils, sur le pouce de leur main droite et sur le pouce de leur pied droit ; et tu aspergeras de sang le pourtour de l'autel. [21] Tu prendras du sang qui est sur l'autel et de l'huile d'onction, et tu feras l'aspersion d'Aaron et de ses vêtements et, avec lui, de ses fils et de leurs vêtements ; ainsi seront-ils *saints, Aaron et ses vêtements ainsi que ses fils et leurs vêtements. [22] Tu prendras les parties grasses du bélier — la queue [t], la graisse qui enveloppe les entrailles, le lobe du foie, les deux rognons et la graisse qui y adhère — et aussi le gigot droit, car c'est un bélier d'investiture ; [23] et puis une couronne de pain, un gâteau à l'huile et une crêpe, dans la corbeille des pains sans levain qui est devant le Seigneur. [24] Tu placeras le tout sur les mains d'Aaron et sur les mains de ses fils, tu le feras offrir avec le geste de présentation devant le Seigneur, [25] tu le reprendras de leurs mains et tu le feras fumer à l'autel, avec l'holocauste, en parfum apaisant devant le Seigneur. C'est un mets consumé pour le Seigneur. [26] Tu prendras la poitrine du bélier d'investiture, celui qui est pour Aaron, et tu l'offriras avec le geste de présentation devant le Seigneur : cela te reviendra en partage. [27] Tu consacreras la poitrine présentée et le gigot prélevé — ce qu'on a présenté et ce qu'on a prélevé du bélier d'investiture, celui qui est pour Aaron et pour ses fils. [28] Ce sera, pour Aaron et pour ses fils, un droit immuable sur les fils d'Israël, car c'est une contribution et cela restera une contribution de la part des fils d'Israël, prise sur leurs sacrifices de paix ; ce sera une contribution pour le Seigneur.

---

q investiture : voir Lv 8.33 et la note ● *r cornes :* voir 27.2 et la note ● *s holocauste, mets :* voir au glossaire SACRIFICES ● *t la queue :* voir Lv 3.9 et la note

29.1 la consécration des prêtres 40.12-15 ; Lv 8 ; Si 45.15-17 ; He 7.26-28. **29.10** le taurillon Lv 8.14-17 ; cf. Lv 4.3-12 ; 16.11. **29.15** le premier bélier Lv 8.18-21 ; cf. Lv 1.10-13. **29.18** parfum apaisant Ep 5.2 ; Ph 4.18. **29.19** le second bélier Lv 8.22-29.

29 Les vêtements sacrés d'Aaron passeront après lui à ses fils, qui les porteront pour leur onction et leur investiture. 30 Pendant sept jours, ils seront portés par le prêtre qui lui succédera, un de ses fils, celui qui entrera dans la tente de la rencontre pour officier dans le *sanctuaire. 31 Tu prendras le bélier d'investiture et tu feras cuire sa chair dans un endroit saint. 32 Aaron et ses fils mangeront, à l'entrée de la tente de la rencontre, la chair du bélier et le pain qui est dans la corbeille. 33 Ils mangeront ce qui a servi au rite de l'absolution, pour leur investiture et pour leur consécration. Nul profane n'en mangera, car c'est sacré. 34 S'il reste au matin quelque chose de la viande d'investiture et du pain, tu brûleras les restes. On n'en mangera pas, car c'est sacré. 35 Ainsi feras-tu pour Aaron et ses fils, selon tout ce que je t'ai ordonné. Pendant sept jours, tu leur conféreras l'investiture. 36 Chaque jour, tu apprêteras pour le rite d'absolution un taurillon en sacrifice pour le péché ; tu offriras sur l'autel le sacrifice pour le péché en y faisant le rite d'absolution et tu l'oindras pour le consacrer. 37 Pendant sept jours, tu feras le rite d'absolution sur l'autel et tu le consacreras ; ainsi, l'autel sera très saint, tout ce qui touche à l'autel sera saint.

L'holocauste quotidien

38 « Voici également ce que tu apprêteras sur l'*autel : des agneaux âgés d'un an, deux par jour, perpétuellement. 39 Le premier agneau, tu l'apprêteras au matin et le second agneau, tu l'apprêteras au crépuscule. 40 En plus, avec le premier agneau : un dixième d'épha de farine, pétrie dans un hîn d'huile vierge et une libation u d'un quart de hîn de vin. 41 Quant au second agneau, tu l'apprêteras au crépuscule ; tu feras pour lui la même offrande que le matin et la même libation : parfum apaisant, mets v consumé pour le SEIGNEUR. 42 Tel sera l'holocauste w perpétuel que vous ferez d'âge

en âge, à l'entrée de la *tente de la rencontre devant le SEIGNEUR, là où je vous rencontrerai pour te parler. 43 Je rencontrerai les fils d'Israël en ce lieu qui sera consacré par ma gloire. 44 Je consacrerai la tente de la rencontre et l'autel ; Aaron et ses fils, je les consacrerai afin qu'ils exercent mon sacerdoce. 45 Je demeurerai parmi les fils d'Israël et, pour eux, je serai Dieu. 46 Ils reconnaîtront que c'est moi, le SEIGNEUR, qui suis leur Dieu, moi qui les ai fait sortir du pays d'Egypte pour demeurer parmi eux. C'est moi, le SEIGNEUR, qui suis leur Dieu.

L'autel du parfum

30 1 « Puis tu feras un *autel où faire fumer le parfum ; tu le feras en bois d'acacia. 2 Une coudée pour sa longueur, une coudée pour sa largeur — il sera carré — deux coudées pour sa hauteur. Ses cornes x feront corps avec lui. 3 Tu le plaqueras d'or pur — le dessus, les parois tout autour et les cornes — et tu l'entoureras d'une moulure en or. 4 Tu lui feras des anneaux d'or, au-dessous de la moulure, sur ses deux côtés — tu en feras sur ses deux flancs — pour loger les barres servant à le lever. 5 Tu feras les barres en bois d'acacia et tu les plaqueras d'or. 6 Tu le placeras devant le voile qui abrite l'*arche de la charte — devant le propitiatoire y qui est sur la charte — là où je te rencontrerai. 7 Aaron y fera fumer le parfum à brûler ; matin après matin, quand il arrangera les lampes, il le fera fumer ; 8 et quand Aaron allumera les lampes au crépuscule, il le fera fumer. C'est un parfum perpétuel devant le SEIGNEUR, d'âge en âge. 9 Vous n'y offrirez pas de parfum profane ni d'holocauste ni d'offrande, vous n'y verserez pas de libation z. 10 Et Aaron fera une fois par an le rite d'absolution sur les cornes de l'autel ; avec le sang du *sacrifice du Grand Pardon, une fois par an, il fera sur lui le rite d'absolution, d'âge en âge. Cet autel sera très *saint pour le SEIGNEUR. »

u épha, hin : voir au glossaire POIDS ET MESURES. — huile vierge : voir 27.20 et la note. — libation : voir au glossaire SACRIFICES ● v offrande, mets : voir au glossaire SACRIFICES ● w holocauste : voir au glossaire SACRIFICES ● x coudées : voir au glossaire POIDS ET MESURES. — cornes : voir 27.2 et la note ● y propitiatoire : voir 25.17 et la note ● z holocauste, offrande, libation : voir au glossaire SACRIFICES

29.29 transmission des vêtements sacrés Nb 20.25-28. 29.31-32 consommation de la victime Lv 8.31-35. 29.38-46 l'holocauste quotidien Nb 28.3-8 ; Si 45.14 ; cf. Lv 6.2-6 ; 2 R 16.15 ; Ez 46.13-15. 30.1 l'autel du parfum 37.25-28 ; 1 R 6.20-21 ; Ez 41.22 ; Ap 8.3-5. 30.10 une fois par an Lv 16.

L'impôt pour le sanctuaire

[11] Le SEIGNEUR adressa la parole à Moïse : [12] « Quand tu enregistreras l'ensemble des fils d'Israël soumis au recensement, chacun donnera au SEIGNEUR la rançon de sa vie [a] lors de son recensement ; ainsi nul fléau ne les atteindra lors du recensement. [13] Un demi-sicle, selon le sicle du *sanctuaire à vingt guéras [b] par sicle : voilà ce que donnera tout homme qui passera au recensement. Un demi-sicle, comme contribution pour le SEIGNEUR. [14] Tout homme qui passera au recensement depuis vingt ans et au-dessus, paiera la contribution du SEIGNEUR. [15] Pour payer la contribution du SEIGNEUR en rançon de vos vies, les riches ne paieront pas plus et les petites gens pas moins d'un demi-sicle. [16] Tu recevras des fils d'Israël l'argent de la rançon et tu le donneras pour le service de la *tente de la rencontre. Pour les fils d'Israël, ce sera, devant le SEIGNEUR, un mémorial [c] de la rançon de vos vies. »

La cuve pour les purifications

[17] Le SEIGNEUR adressa la parole à Moïse : [18] « Tu feras une cuve en bronze avec son support en bronze, pour les ablutions ; tu la placeras entre la *tente de la rencontre et l'*autel et tu y mettras de l'eau. [19] Aaron et ses fils s'y laveront les mains et les pieds. [20] Quand ils entreront dans la tente de la rencontre, ils se laveront à l'eau pour ne point mourir ; ou bien quand ils approcheront de l'autel pour officier, pour faire fumer un mets [d] consumé pour le SEIGNEUR, [21] ils se laveront les mains et les pieds pour ne point mourir. Ce sera pour eux une loi immuable, pour lui et sa descendance, d'âge en âge. »

L'huile sainte

[22] Le SEIGNEUR adressa la parole à Moïse : [23] « Procure-toi aussi des aromates de première qualité :

— de la myrrhe fluide : cinq cents sicles ;
— du cinnamome aromatique : la moitié, soit deux cent cinquante ;
— du roseau aromatique : deux cent cinquante ;

[24] — de la casse : cinq cents, en sicles du sanctuaire, avec un hîn [e] d'huile d'olive.

[25] Tu en feras l'huile d'*onction sainte, mélange parfumé, travail de parfumeur ; ce sera l'huile d'onction sainte. [26] Tu en oindras la *tente de la rencontre, l'*arche de la charte, [27] la table et tous ses accessoires, le chandelier et ses accessoires, l'*autel du parfum, [28] l'autel de l'holocauste [f] et tous ses accessoires, la cuve et son support. [29] Tu les consacreras et ils seront très saints ; tout ce qui y touchera sera saint. [30] Aaron et ses fils, tu les oindras aussi et tu les consacreras pour qu'ils exercent mon sacerdoce. [31] Tu parleras ainsi aux fils d'Israël : Ceci est l'huile d'onction sainte ; d'âge en âge, elle est pour moi. [32] On n'en mettra sur le corps de personne ; vous n'imiterez pas sa recette, car elle est sacrée et elle restera sacrée pour vous. [33] Celui qui imitera ce mélange et en mettra sur un profane sera retranché de sa parenté [g]. »

La fabrication du parfum

[34] Le SEIGNEUR dit à Moïse : « Procure-toi des essences parfumées : storax, ambre, galbanum parfumé, encens [h] pur, en parties égales. [35] Tu en feras un parfum mélangé — travail de parfumeur — salé [i], pur, sacré. [36] Tu en réduiras un morceau en poudre pour en mettre un peu devant la *charte dans la *tente de la rencontre, là où je te rencontrerai. Pour vous, il sera très saint. [37] Et ce parfum que tu feras, vous n'utiliserez pas sa recette à votre usage ; tu le tiendras pour consacré au SEIGNEUR. [38] Celui qui en fera une imitation pour jouir de son odeur sera retranché de sa parenté [j]. »

---

a la rançon de sa vie : il s'agit d'un impôt personnel pour les besoins du *sanctuaire; comparer Ne 10.33-34 ● *b* sicle, guéras : voir au glossaire POIDS ET MESURES ● *c* mémorial : voir 28.12 et la note ● *d* mets : voir au glossaire SACRIFICES ● *e* La myrrhe, le cinnamome, le roseau aromatique (v. 23) et la casse sont des parfums d'origine végétale. — sicles, hin : voir au glossaire POIDS ET MESURES ● *f* holocauste : voir au glossaire SACRIFICES ● *g* retranché de sa parenté : voir Gn 17.14 et la note ● *h* Le storax, l'ambre, le galbanum et l'encens sont également des parfums d'origine végétale, voir 30.24 et la note ● *i* Il semble que le sel facilitait la combustion de l'encens. Les versions anciennes ont traduit bien mélangé ● *j* retranché de sa parenté : voir Gn 17.14 et la note

30.12 nul fléau cf. 2 S 24.   **30.13** rançon (= impôt) d'un demi-sicle 38.25-26; Mt 17.24.
30.15 rançon de vos vies cf. 1 P 1.18-19.   **30.18** la cuve 38.8; 1 R 7.23-26, 38-39; 2 R 16.17.
30.25 l'huile d'onction 37.29; 40.9-15; Gn 28.18; Lv 8.10-12; 30; 1 S 10.1; 1 Ch 29.22; Si 45.15.
30.34 le parfum sacré 37.29; Lv 16.12-13; Ps 141.2; Ap 5.8; 8.4.

Les ouvriers du sanctuaire

31 [1] Le SEIGNEUR adressa la parole à Moïse : [2] « Vois : j'ai appelé par son nom Beçalel, fils d'Ouri, fils de Hour, de la tribu de Juda. [3] Je l'ai rempli de l'esprit de Dieu pour qu'il ait sagesse, intelligence, connaissance et savoir-faire universel : [4] création artistique, travail de l'or, de l'argent, du bronze, [5] ciselure des pierres de garniture, sculpture sur bois et toutes sortes de travaux. [6] De plus, j'ai mis près de lui Oholiav, fils d'Ahisamak, de la tribu de Dan, et j'ai mis la sagesse dans le *cœur de chaque sage pour qu'ils fassent tout ce que je t'ai ordonné : [7] la *tente de la rencontre, l'*arche pour la charte, le propitiatoire *k* qui est au-dessus, tous les accessoires de la tente, [8] la table et ses accessoires, le chandelier pur *l* et tous ses accessoires, l'*autel du parfum, [9] l'autel de l'holocauste *m* et tous ses accessoires, la cuve et son support, [10] les vêtements liturgiques *n*, les vêtements sacrés pour le prêtre Aaron, les vêtements que porteront ses fils pour exercer le sacerdoce, [11] l'huile d'*onction, le parfum à brûler pour le *sanctuaire. Ils feront exactement comme je te l'ai ordonné. »

Le respect du sabbat

[12] Le SEIGNEUR dit à Moïse : [13] « Dis aux fils d'Israël : Vous observerez cependant mes *sabbats, car c'est un signe entre vous et moi d'âge en âge, pour qu'on reconnaisse que c'est moi, le SEIGNEUR, qui vous *sanctifie. [14] Vous observerez le sabbat, car pour vous il est sacré. Qui le profanera sera mis à mort. Oui, quiconque y fera de l'ouvrage, celui-là sera retranché du sein de sa parenté *o*. [15] Pendant six jours, on fera son ouvrage, mais le septième jour, c'est le sabbat, le jour de repos consacré au SEIGNEUR. Quiconque fera de l'ouvrage le jour du sabbat sera mis à mort. [16] Les fils d'Israël garderont le sabbat pour faire du sabbat, d'âge en âge, une *alliance perpétuelle. [17] Pour toujours, entre les fils d'Israël et moi, il est le signe qu'en six jours le SEIGNEUR a fait le ciel et la terre mais que le septième jour, il a chômé et repris son souffle. »

[18] Puis, ayant achevé de parler avec Moïse sur la montagne de Sinaï, il lui donna les deux tables de la *charte, tables de pierres, écrites du doigt de Dieu.

LE VEAU D'OR

La faute du peuple

32 [1] Le peuple vit que Moïse tardait à descendre de la montagne ; le peuple s'assembla près d'Aaron et lui dit : « Debout ! Fais-nous des dieux qui marchent *p* à notre tête, car ce Moïse, l'homme qui nous a fait monter du pays d'Egypte, nous ne savons pas ce qui lui est arrivé. » [2] Aaron leur dit : « Arrachez les boucles d'or qui sont aux oreilles de vos femmes, de vos fils et de vos filles, et apportez-les-moi. » [3] Tout le peuple arracha les boucles d'or qu'ils avaient aux oreilles et on les apporta à Aaron. [4] Ayant pris l'or de leurs mains, il le façonna au burin pour en faire une statue de veau *q*. Ils dirent alors : « Voici tes dieux, Israël, ceux qui t'ont fait monter du pays d'Egypte ! » [5] Aaron le vit, et il bâtit un *autel en face de la statue ; puis Aaron proclama ceci : « Demain, fête pour le SEIGNEUR ! » [6] Le lendemain, dès leur lever, ils offrirent des holocaustes *r* et amenèrent des sacrifices de paix ; le peuple s'assit pour manger et boire, il se leva pour se divertir.

[7] Le SEIGNEUR adressa la parole à

---

k propitiatoire: voir 25.17 et la note ● *l le chandelier pur* ou *le chandelier d'or pur* ● *m holocauste:* voir au glossaire SACRIFICES ● *n liturgiques:* traduction incertaine d'un mot obscur ● *o retranché du sein de sa parenté;* voir Gn 17.14 et la note ● *p des dieux qui marchent:* autre traduction *un dieu qui marche;* de même aux versets 4, 8 et 23 ● *q au burin:* on recouvrait de plaques d'or gravées la carcasse en bois de la statue. Mais on pourrait aussi comprendre *il le fit fondre dans un moule. — une statue de veau:* dans l'ancien Orient, de telles statues ne représentaient pas la divinité, mais constituaient le support pour une statue de la divinité. Le taureau y était généralement le symbole de la puissance et de la fécondité ; c'est par dérision que la statue est appelée ici un *veau* ● *r holocaustes:* voir au glossaire SACRIFICES

31.2, 6 Beçalel et Oholiav 35.30—36.7; cf. 1 R 7.13-14. **31.13** respect du sabbat 35.1-3; Ex 20.8-11+. **31.15** violation du sabbat Nb 15.32-36; Mt 12.1+. **31.18** les deux tables de la charte 24.12+. **32.1** le veau d'or Dt 9.7-21; 1 R 12.26-32; Os 8.5-6; Ps 106.19-23; Ne 9.18; Ac 7.39-41. **32.6** pour se divertir 1 Co 10.7.

Moïse : « Descends donc, car ton peuple s'est corrompu, ce peuple que tu as fait monter du pays d'Egypte. [8] Ils n'ont pas tardé à s'écarter du chemin que je leur avais prescrit ; ils se sont fait une statue de veau, ils se sont prosternés devant elle, ils lui ont sacrifié et ils ont dit : Voici tes dieux, Israël, ceux qui t'ont fait monter du pays d'Egypte. » [9] Et le SEIGNEUR dit à Moïse : « Je vois ce peuple : eh bien ! c'est un peuple à la nuque raide [s] ! [10] Et maintenant, laisse-moi faire : que ma colère s'enflamme contre eux, je vais les supprimer et je ferai de toi une grande nation. »

[11] Mais Moïse apaisa la face du SEIGNEUR, son Dieu, en disant : « Pourquoi, SEIGNEUR, ta colère veut-elle s'enflammer contre ton peuple que tu as fait sortir du pays d'Egypte, à grande puissance et à main forte ? [12] Pourquoi les Egyptiens diraient-ils : "C'est par méchanceté qu'il les a fait sortir ! pour les tuer dans les montagnes ! pour les supprimer de la surface de la terre !" Reviens de l'ardeur de ta colère et renonce à faire du mal à ton peuple. [13] Souviens-toi d'Abraham, d'Isaac et d'Israël, tes serviteurs, auxquels tu as juré par toi-même, auxquels tu as adressé cette parole : Je multiplierai votre descendance comme les étoiles du ciel, et tout ce pays que j'ai dit, je le donnerai à votre descendance et ils en hériteront à jamais. » [14] Et le SEIGNEUR renonça au mal qu'il avait dit vouloir faire à son peuple.

[15] Moïse s'en retourna et descendit de la montagne, les deux tables de la *charte en main, tables écrites des deux côtés, écrites de part et d'autre ; [16] les tables, c'était l'œuvre de Dieu, l'écriture, c'était l'écriture de Dieu, gravée sur les tables. [17] Josué entendit le bruit des acclamations du peuple et il dit à Moïse : « Bruit de guerre dans le camp ! » [18] Mais celui-ci dit :

« Ni le bruit des chants de victoire,
Ni le bruit des chants de défaite,
Ce que j'entends, c'est un bruit de cantiques ! »

[19] Or, comme il s'approchait du camp, il vit le veau et des danses ; Moïse s'enflamma de colère : de ses mains, il jeta les tables et les brisa au bas de la montagne. [20] Il prit le veau qu'ils avaient fait, le brûla, l'écrasa tout fin, le répandit à la surface de l'eau et il fit boire les fils d'Israël.

[21] Moïse dit à Aaron : « Que t'a fait ce peuple pour que tu amènes sur lui un grand péché ? » [22] Aaron dit : « Que la colère de mon seigneur ne s'enflamme pas ! Tu sais toi-même que le peuple est dans le malheur. [23] Ils m'ont dit : "Fais-nous des dieux qui marchent à notre tête, car ce Moïse, l'homme qui nous a fait monter du pays d'Egypte, nous ne savons pas ce qui lui est arrivé." [24] Je leur ai donc dit : "Qui a de l'or ?" Ils l'ont arraché de leurs oreilles et ils me l'ont donné. Je l'ai jeté au feu et il en est sorti ce veau. »

Le châtiment

[25] Moïse vit que le peuple était à l'abandon, qu'Aaron l'avait abandonné, l'exposant à la dérision de ses adversaires. [26] Alors Moïse se tint à la porte du camp et il dit : « Les partisans du SEIGNEUR, à moi ! » Tous les fils de Lévi s'assemblèrent autour de lui. [27] Il leur dit : « Ainsi parle le SEIGNEUR, Dieu d'Israël : Mettez chacun l'épée au côté, passez et repassez de porte en porte dans le camp et tuez qui son frère, qui son ami, qui son proche ! » [28] Les fils de Lévi exécutèrent la parole de Moïse et, dans le peuple, il tomba environ trois mille hommes. [29] Moïse dit : « Recevez aujourd'hui l'investiture [t] de par le SEIGNEUR, chacun au prix même de son fils et de son frère, et qu'il vous accorde aujourd'hui bénédiction. »

Moïse supplie Dieu de pardonner à Israël

[30] Or, le lendemain, Moïse dit au peuple : « Vous avez commis un grand péché, mais maintenant, je vais monter vers le SEIGNEUR ; peut-être obtiendrai-je l'absolution de votre péché. » [31] Moïse revint

---

s Un *peuple à la nuque raide* est un peuple qui ne plie pas, ne cède pas devant Dieu, donc qui lui désobéit avec orgueil et insolence ● t *investiture:* voir Lv 8.33 et la note. — Le texte de ce verset est peu clair et la traduction incertaine

32.10 une grande nation Nb 14.12; cf. Gn 12.2; 46.3; Es 60.22. **32.11** intercession de Moïse Nb 14.13-20; cf. Gn 18.22-33; 1 S 12.19, 23; Am 7.2-3; Ps 99.6; Jn 17. **32.13** la descendance innombrable Gn 15.5; 17.4-6; 22.16-17; 26.4; 28.14. **32.15** les deux tables de la charte 24.12+. **32.20** il fit boire Dt 9.21; cf. Nb 5.11-28. **32.25** la dérision Dt 28.37; 1 R 9.7; Jr 29.18. **32.26-28** le dévouement des Lévites Dt 33.9; cf. Mt 19.29 par.

vers le SEIGNEUR et dit : « Hélas ! ce peuple a commis un grand péché ; ils se sont fait des dieux d'or. ³² Mais maintenant, si tu voulais enlever leur péché... Sinon, efface-moi donc du livre ᵘ que tu as écrit. » ³³ Le SEIGNEUR dit à Moïse : « C'est celui qui a péché contre moi que j'effacerai de mon livre. ³⁴ Et maintenant, va ! Conduis le peuple où je t'ai dit, et c'est mon *ange qui marchera devant toi. Mais le jour où, moi, j'interviendrai, je les punirai pour leur péché. » ³⁵ Et le SEIGNEUR frappa le peuple pour avoir fabriqué le veau, celui qu'Aaron avait fait.

Dieu donne l'ordre de partir

33 ¹ Le SEIGNEUR adressa la parole à Moïse : « Quitte ce lieu, toi et le peuple que tu as fait monter du pays d'Egypte, et monte vers la terre que j'ai promise par serment à Abraham, à Isaac et à Jacob en leur disant: "C'est à ta descendance que je la donne." ² — J'enverrai devant toi un *ange et je chasserai le Cananéen, l'*Amorite et le Hittite, le Perizzite, le Hivvite et le Jébusite —. ³ Monte vers le pays ruisselant de lait et de miel. Je ne peux pas y monter au milieu de toi, car tu es un peuple à la nuque raide ᵛ et je t'exterminerais en chemin. » ⁴ Le peuple entendit cette parole de malheur et en prit le deuil ; personne ne mit ses habits de fête.

⁵ Le SEIGNEUR dit à Moïse : « Dis aux fils d'Israël : Vous êtes un peuple à la nuque raide. Qu'un seul instant je monte au milieu de vous, et je vous exterminerais. Et maintenant, déposez vos habits de fête et je saurai ce que je dois vous faire. » ⁶ Et les fils d'Israël se défirent de leurs habits de fête, à partir de la montagne de l'Horeb.

La tente de la rencontre

⁷ Moïse prenait la *tente, la déployait ʷ à bonne distance en dehors du camp et l'appelait : « Tente de la rencontre. » Et alors quiconque voulait rechercher le SEIGNEUR sortait vers la tente de la rencontre qui était en dehors du camp. ⁸ Et quand Moïse sortait vers la tente, tout le peuple se levait, chacun se tenait à l'entrée de sa tente et suivait Moïse des yeux jusqu'à son entrée dans la tente. ⁹ Et, quand Moïse était entré dans la tente, la colonne de nuée ˣ descendait, se tenait à l'entrée de la tente et parlait avec Moïse. ¹⁰ Tout le peuple voyait la colonne de nuée dressée à l'entrée de la tente ; tout le peuple se levait et chacun se prosternait à l'entrée de sa tente. ¹¹ Le SEIGNEUR parlait à Moïse, face à face, comme on se parle d'homme à homme. Puis Moïse revenait vers le camp tandis que son auxiliaire, le jeune Josué, fils de Noun, ne quittait pas l'intérieur de la tente.

Dieu s'entretient avec Moïse

¹² Moïse dit au SEIGNEUR : « Vois ! Tu me dis toi-même : "Fais monter ce peuple", mais tu ne m'as pas fait connaître celui que tu enverras avec moi. Pourtant, c'est toi qui m'avais dit : "Je te connais par ton *nom", et aussi : "Tu as trouvé grâce à mes yeux". ¹³ Et maintenant, si vraiment j'ai trouvé grâce à tes yeux, fais-moi connaître ton chemin ʸ et je te connaîtrai ; ainsi, de fait, j'aurai trouvé grâce à tes yeux. Et puis, considère que cette nation, c'est ton peuple ! » ¹⁴ Il dit : « Irai-je en personne te donner le repos ? » ¹⁵ Il lui dit : « Si tu ne viens pas en personne, ne nous fais pas monter d'ici. ¹⁶ Et à quoi donc reconnaîtra-t-on que, moi et ton peuple, nous avons trouvé grâce à tes yeux ? N'est-ce pas quand tu marcheras avec nous et que nous serons différents, moi et ton peuple, de tout peuple qui est sur la surface de la terre ? » ¹⁷ Le SEIGNEUR dit à Moïse : « Ce que tu viens de dire, je le ferai aussi, car tu as trouvé grâce à mes yeux et je te connais par ton nom. »

¹⁸ Il dit : « Fais-moi donc voir ta

ᵘ D'après Ps 69.29, Dieu détient *un livre de vie* où sont inscrits les noms des justes. Cette façon de parler s'inspire peut-être des listes établies lors des recensements; être rayé d'une telle liste, c'est ne plus faire partie du peuple ● ᵛ *pays ruisselant de lait et de miel:* voir 3.8 et la note. — *nuque raide:* voir 32.9 et la note ● ʷ L'hébreu ajoute ici un pronom personnel (*pour lui*), qui peut se rapporter soit à *Dieu*, soit à *Moïse* lui-même, soit encore à *l'arche* (nom masculin en hébreu) ● ˣ *colonne de nuée:* voir 13.21 et la note ● ʸ *ton chemin* ou *ta volonté*

32.32-33 effacer du livre Ps 69.29; Rm 9.3; Ap 3.5; cf. Es 4.3; Dn 12.1.   33.1 le pays promis Gn 12.7; 26.3-4; 28.13.   33.7 en dehors du camp cf. Nb 2.2.   33.11 face à face Nb 12.6-8; Dt 34.10. — Josué Nb 13.8; 14.6; Dt 34.9; Jos 1.1; Si 46.1-6.   33.13 connaître le chemin du Seigneur Ps 25.4.   33.14 promesse de repos Jos 21.44; Ps 95.11; He 4.1-11.   33.18 la gloire de Dieu 40.34; Lv 9.23; 1 R 8.11; Es 6.3; 60.1-2; Mt 17.1-9 par.; Jn 1.14.

gloire [z] ! » [19] Il dit : « Je ferai passer sur toi tous mes bienfaits et je proclamerai devant toi le nom de "SEIGNEUR" ; j'accorde ma bienveillance à qui je l'accorde, je fais miséricorde à qui je fais miséricorde [a]. » [20] Il dit : « Tu ne peux pas voir ma face, car l'homme ne saurait me voir et vivre. » [21] Le SEIGNEUR dit : « Voici un lieu près de moi. Tu te tiendras sur le rocher. [22] Alors, quand passera ma gloire, je te mettrai dans le creux du rocher et, de ma main, je t'abriterai tant que je passerai. [23] Puis, j'écarterai ma main et tu me verras de dos ; mais ma face, on ne peut la voir. »

Les nouvelles tables de la loi

34 [1] Le SEIGNEUR dit à Moïse : « Taille-toi deux tables de pierre, comme les premières ; j'écrirai sur ces tables les mêmes paroles que sur les premières tables que tu as brisées. [2] Sois prêt pour demain matin ; tu monteras dès le matin sur la montagne de Sinaï et tu te tiendras devant moi, là, au sommet de la montagne. [3] Personne ne montera avec toi ; et même, qu'on ne voie personne sur toute la montagne ; même le petit et le gros bétail, qu'ils ne paissent pas devant cette montagne. » [4] Moïse tailla des tables de pierre comme les premières, se leva de bon matin et, comme le SEIGNEUR le lui avait ordonné, monta sur la montagne de Sinaï, ayant pris à la main les deux tables de pierre. [5] Le SEIGNEUR descendit dans la nuée, se tint là avec lui, et Moïse proclama le nom de « SEIGNEUR » [b]. [6] Le SEIGNEUR passa devant lui et proclama : « Le SEIGNEUR, le SEIGNEUR, Dieu miséricordieux et bienveillant, lent à la colère, plein de fidélité et de loyauté, [7] qui reste fidèle à des milliers de générations, qui supporte la faute, la révolte et le péché, mais sans rien laisser passer, qui poursuit la faute des pères chez les fils et les petits-

fils sur trois et quatre générations. » [8] Aussitôt, Moïse s'agenouilla à terre et se prosterna. [9] Et il dit : « Si vraiment j'ai trouvé grâce à tes yeux, ô Seigneur, que le Seigneur marche au milieu de nous ; c'est un peuple à la nuque raide [c] que celui-ci, mais tu pardonneras notre faute et notre péché, et tu feras de nous ton héritage. »

Le renouvellement de l'alliance

[10] Il dit : « Je vais conclure une *alliance. Devant tout ton peuple, je vais réaliser des merveilles, telles qu'il n'en fut créé nulle part sur la terre, ni dans aucune nation ; et tout le peuple qui t'entoure verra qu'elle est terrible, l'œuvre du SEIGNEUR, celle que je vais réaliser avec toi. [11] Observe bien ce que je t'ordonne aujourd'hui. Je vais chasser devant toi l'*Amorite, le Cananéen, le Hittite, le Perizzite, le Hivvite et le Jébusite ; [12] garde-toi de conclure une alliance avec les habitants du pays où tu vas monter, cela deviendrait un piège au milieu de toi ; [13] mais leurs *autels, vous les démolirez ; leurs stèles, vous les briserez ; les poteaux sacrés [d], vous les couperez. [14] Ainsi donc : Tu ne te prosterneras pas devant un autre dieu, car le nom du SEIGNEUR est "Jaloux" [e], il est un Dieu jaloux. [15] Ne va pas conclure une alliance avec les habitants du pays : quand ils se prostituent [f] avec leurs dieux et *sacrifient à leurs dieux, ils t'appelleraient et tu mangerais de leurs sacrifices. [16] Si tu prenais de leurs filles pour tes fils, leurs filles se prostitueraient avec leurs dieux et amèneraient tes fils à se prostituer avec leurs dieux. [17] Tu ne te feras pas de dieux en forme de statue. [18] Tu observeras la fête des pains sans levain. Pendant sept jours tu mangeras des *pains sans levain — ce que je t'ai ordonné — au temps fixé du mois des

---

[z] *Fais-moi voir ta gloire:* cette demande équivaut à *Montre-toi à moi* (voir v. 20) ● [a] Cette tournure de phrase signifie vraisemblablement une affirmation renforcée: *quand j'accorde ma bienveillance et quand je fais miséricorde, il s'agit vraiment de bienveillance et de miséricorde* ● [b] *la nuée:* voir 13.21 et la note. — *et Moïse proclama le nom de « Seigneur »*: autres traductions *et Moïse invoqua le nom du Seigneur,* ou *et (le Seigneur) proclama son nom de « Seigneur »* ● [c] *nuque raide:* voir 32.9 et la note ● [d] Les *stèles* et *poteaux sacrés* sont des objets de culte importants des sanctuaires païens (voir 1 R 14.15, 23 et les notes) ● [e] *Jaloux:* voir 20.5 et la note ● [f] *ils se prostituent:* voir Os 2.4 et la note

33.19 j'accorde ma bienveillance Rm 9.15. **33.20** on ne peut voir Dieu et vivre Lv 16.2; Dt 5.24; Jg 6.22-23; Es 6.5. **33.22** le creux du rocher 1 R 19.13. **34.1** les deux tables de pierre 24.12+. — brisées 32.19. **34.6-7** Dieu miséricordieux et bienveillant... Nb 14.18; Jl 2.13; Jon 4.2; Ps 86.15; 103.8; 111.4; 145.8; Ne 9.17, 31. — trois et quatre générations 20.5-6+. **34.10** l'alliance 19; 23.20-33; Dt 7; Jr 31.31-34. **34.13** détruire les autels, stèles, etc. 23.24+. **34.14** ne pas adorer d'autre dieu 20.3-5+. **34.17** ne pas se faire de statues 20.4+. **34.18** la fête des pains sans levain 23.15+.

Epis *g*, car c'est au mois des Epis que tu es sorti d'Egypte.

¹⁹ Tout ce qui ouvre le sein maternel est à moi. Ainsi, de tout ton troupeau, tu feras l'occasion d'un mémorial *h*, que ce premier-né soit du gros ou du petit bétail. ²⁰ Mais, un premier-né d'âne *i*, tu le rachèteras par un mouton ; si tu ne le rachètes pas, tu lui rompras la nuque. Tout premier-né de tes fils, tu le rachèteras. Et on ne viendra pas me voir en ayant les mains vides.

²¹ Tu travailleras six jours, mais le septième jour, tu chômeras *j* ; même en période de labours ou de moissons, tu chômeras.

²² Tu célébreras une fête des Semaines pour les prémices de la moisson du froment, — et la fête de la Récolte *k*, à la fin de l'année.

²³ Trois fois par an, tous les hommes viendront voir la face du Maître *l*, le SEIGNEUR, Dieu d'Israël. ²⁴ En effet, quand j'aurai dépossédé les nations devant toi et que j'aurai élargi ton territoire, personne n'aura de visées sur la terre au moment où tu monteras pour voir la face du SEIGNEUR, ton Dieu, trois fois par an.

²⁵ Tu n'égorgeras pas pour moi de *sacrifice sanglant en l'accompagnant de pain fermenté ; la victime sacrifiée pour la fête de *Pâque ne passera pas la nuit *m* jusqu'au matin.

²⁶ Tu apporteras les tout premiers fruits de ton sol à la Maison du SEIGNEUR, ton Dieu.

Tu ne feras pas cuire un chevreau dans le lait de sa mère *n*. »

²⁷ Le SEIGNEUR dit à Moïse : « Inscris ces paroles car c'est sur la base de ces paroles que je conclus avec toi une alliance, ainsi qu'avec Israël. » ²⁸ Il fut donc là avec le SEIGNEUR, quarante jours et quarante nuits. Il ne mangea pas de pain ; il ne but pas d'eau. Et il écrivit sur les tables les paroles de l'alliance, les dix paroles.

Retour de Moïse au camp

²⁹ Or, quand Moïse descendit de la montagne de Sinaï, ayant à la main les deux tables de la *charte, quand il descendit de la montagne, il ne savait pas, lui Moïse, que la peau de son visage était devenue rayonnante en parlant avec le SEIGNEUR. ³⁰ Aaron et tous les fils d'Israël virent Moïse : la peau de son visage rayonnait ! Ils craignirent de s'approcher de lui. ³¹ Moïse les appela : alors, Aaron et tous les responsables de la communauté revinrent vers lui et Moïse leur adressa la parole. ³² Ensuite, tous les fils d'Israël s'approchèrent et il leur communiqua tous les ordres que le SEIGNEUR lui avait donnés sur la montagne de Sinaï. ³³ Moïse acheva de parler avec eux et il plaça un voile sur son visage. ³⁴ Et quand il entrait devant le SEIGNEUR pour parler avec lui, il retirait le voile jusqu'à sa sortie. Etant sorti, il disait aux fils d'Israël les ordres reçus. ³⁵ Les fils d'Israël voyaient que la peau du visage de Moïse rayonnait. Alors Moïse replaçait le voile sur son visage, jusqu'à ce qu'il retournât parler avec le SEIGNEUR.

LA CONSTRUCTION DU SANCTUAIRE

Le sabbat est un jour de repos

35 ¹ Moïse *o* assembla toute la communauté des fils d'Israël et leur dit : « Telles sont les paroles que le SEIGNEUR a ordonnées pour qu'on les mette en pratique ; ² six jours, on fera son ouvrage mais, le septième jour, il y aura pour vous quelque chose de sacré, le *sabbat, repos du SEIGNEUR. Quiconque y fera de l'ou-

---

g fête des pains sans levain, mois des Epis: voir au glossaire CALENDRIER ● *h ce qui ouvre le sein maternel;* c'est-à-dire *le premier-né* (voir la fin du verset); voir aussi 13.12-13. — *mémorial:* voir 28.12 et la note ● *j tu chômeras:* voir 23.12 et la note ● *k fête des Semaines, fête de la Récolte:* voir au glossaire CALENDRIER ● *l voir la face du Maître:* voir 23.17 et la note ● *m pain fermenté:* pain contenant du *levain, voir Lv 2.11 et la note. — *ne passera pas la nuit:* la victime sera entièrement consommée avant le matin, voir Ex 12.8-10 ● *n Tu ne feras pas cuire...:* voir 23.19 et la note ● *o* Les chapitres 35—40 décrivent l'exécution des ordres donnés dans les chapitres 25—31. On peut donc se reporter aux notes de ces chapitres. — Comparer les versets 1-3 avec 31.12-17

34.19 les premiers-nés pour Dieu 13.1-2 +. **34.21** tu travailleras six jours 20.8-11 +. **34.22** fêtes des Semaines et de la Récolte 23.16 +. **34.23** trois pèlerinages annuels 23.17 +. **34.25** sacrifice sanglant 23.18. **34.26** les prémices 23.19 +. — le chevreau 23.19 +. **34.28** quarante jours et quarante nuits 24.18 +. **34.29** le visage rayonnant de Moïse 2 Co 3.7-18.

vrage sera mis à mort. ³ Où que vous habitiez, vous n'allumerez pas de feu le jour du sabbat. »

Les Israélites apportent leur contribution

⁴ Moïse *p* dit à toute la communauté des fils d'Israël : « Telle est la parole que le SEIGNEUR a ordonnée : ⁵ Levez parmi vous une contribution pour le SEIGNEUR ; tout cœur généreux apportera la contribution du Seigneur : or, argent, bronze, ⁶ pourpre violette et pourpre rouge, cramoisi éclatant, lin, poil de chèvre, ⁷ peaux de béliers teintes en rouge, peaux de dauphins, bois d'acacia, ⁸ huile pour le luminaire, aromates pour l'huile d'*onction et le parfum à brûler, ⁹ pierres de béryl et pierres de garniture pour l'éphod et le pectoral. ¹⁰ Et que tous les sages parmi vous viennent et exécutent tout ce que le SEIGNEUR a ordonné : ¹¹ la *demeure avec sa tente, sa couverture, ses agrafes, ses cadres, ses traverses, ses colonnes et ses socles ; ¹² l'*arche avec ses barres, le propitiatoire, le voile de séparation ; ¹³ la table avec ses barres, tous ses accessoires et le pain d'offrande ; ¹⁴ le chandelier du luminaire avec ses accessoires, ses lampes et l'huile du luminaire ; ¹⁵ l'*autel du parfum avec ses barres, l'huile d'onction, le parfum à brûler et le rideau d'entrée, à l'entrée de la demeure ; ¹⁶ l'autel de l'holocauste avec sa grille de bronze, ses barres et tous ses accessoires ; la cuve avec son support ; ¹⁷ les tentures du *parvis avec ses colonnes, ses socles et le rideau de la porte du parvis ; ¹⁸ les piquets de la demeure, les piquets du parvis et leurs cordes ; ¹⁹ les vêtements liturgiques pour officier dans le *sanctuaire, les vêtements sacrés pour le prêtre Aaron et les vêtements que porteront ses fils pour exercer le sacerdoce. »

²⁰ Toute la communauté des fils d'Israël se retira de devant Moïse. ²¹ Alors vinrent tous les volontaires et quiconque avait l'esprit généreux apporta la contribution du SEIGNEUR, pour les travaux de la *tente de la rencontre, pour tout son service et pour les vêtements sacrés. ²² Alors, vinrent les hommes aussi bien que les femmes. Chaque cœur généreux apporta broches, boucles, anneaux, boules — tous objets d'or que chacun offrait au SEIGNEUR

avec le geste de présentation de l'or. ²³ Tout homme chez qui se trouvait de la pourpre violette, de la pourpre rouge, du cramoisi éclatant, du lin, du poil de chèvre, des peaux de béliers teintes en rouge ou des peaux de dauphins, l'apporta. ²⁴ Quiconque avait levé une contribution d'argent ou de bronze apporta cette contribution au SEIGNEUR. Tout homme chez qui se trouvait du bois d'acacia l'apporta pour tous les travaux du service. ²⁵ Toutes les femmes douées de sagesse filèrent de leurs mains et apportèrent, déjà filés, la pourpre violette et la pourpre rouge, le cramoisi éclatant et le lin ; ²⁶ toutes les femmes douées de sagesse filèrent le poil de chèvre. ²⁷ Les responsables apportèrent les pierres de béryl et les pierres de garniture pour l'éphod et le pectoral, ²⁸ ainsi que les aromates et l'huile pour le luminaire, l'huile d'onction et le parfum à brûler. ²⁹ Hommes ou femmes, ceux que leur cœur généreux poussait à apporter ce qui était nécessaire au travail que le SEIGNEUR avait ordonné par l'intermédiaire de Moïse, ceux-là, en fils d'Israël, l'apportèrent généreusement au SEIGNEUR.

Beçalel et Oholiav se mettent au travail

³⁰ Moïse *q* dit aux fils d'Israël : « Voyez ! Le SEIGNEUR a appelé par son nom Beçalel, fils d'Ouri, fils de Hour, de la tribu de Juda. ³¹ Il l'a rempli de l'esprit de Dieu pour qu'il ait sagesse, intelligence, connaissance et savoir-faire universel : ³² création artistique, travail de l'or, de l'argent, du bronze, ³³ ciselure des pierres de garniture, sculpture sur bois et toutes sortes de travaux artistiques. ³⁴ Il a mis en son *cœur le don d'enseigner, en lui comme en Oholiav, fils d'Ahisamak, de la tribu de Dan. ³⁵ Il les a remplis de sagesse, pour exécuter tout le travail du ciseleur, de l'artiste, du brocheur sur pourpre violette et pourpre rouge, cramoisi éclatant et lin, du tisserand — ouvriers de tout métier et artistes.

36 ¹ Beçalel, Oholiav et chaque sage en qui le SEIGNEUR a mis sagesse et intelligence pour savoir exécuter tous les travaux du service du *sanctuaire, ceux-là exécuteront tout ce que le SEIGNEUR a ordonné. »

² Moïse fit appel à Beçalel, à Oholiav

---

p Comparer les versets 4-29 avec 25.1-7 ● *q* Comparer 35.30—36.7 avec 31.1-11

et à tout homme dont le Seigneur avait rempli le cœur de sagesse, tous étant volontaires pour s'engager aux travaux et les exécuter. 3 Ils retirèrent d'auprès de Moïse toute la contribution que les fils d'Israël avaient apportée en vue des travaux du service du sanctuaire et de leur exécution. Mais, comme on lui apportait encore généreusement matin après matin, 4 tous les sages qui exécutaient les divers travaux du sanctuaire quittèrent un à un le travail où ils s'affairaient 5 et ils dirent à Moïse : « Le peuple en apporte trop pour que cela serve aux travaux dont le Seigneur a ordonné l'exécution ! » 6 Moïse donna un ordre qu'on fit passer dans le camp : « Que les hommes et les femmes ne travaillent plus à la contribution pour le sanctuaire ! » Le peuple cessa d'apporter ; 7 son travail avait été suffisant pour les travaux à exécuter, il y eut même des restes.

La demeure sainte

8 Les ouvriers *r* les plus sages firent la demeure avec dix tapisseries de lin retors, pourpre violette, pourpre rouge et cramoisi éclatant et on fit des *chérubins artistement travaillés. 9 Longueur d'une tapisserie : vingt-huit coudées. Largeur d'une tapisserie : quatre coudées. Mêmes dimensions pour toutes les tapisseries. 10 Il assembla cinq tapisseries l'une à l'autre, et les cinq autres, il les assembla également l'une à l'autre. 11 Il fit des lacets de pourpre violette au bord de la première tapisserie, à l'extrémité de l'assemblage, et il fit de même au bord de la dernière tapisserie du deuxième assemblage. 12 Il mit cinquante lacets à la première tapisserie et cinquante lacets à l'extrémité de la tapisserie du deuxième assemblage, les lacets se correspondant l'un à l'autre. 13 Il fit cinquante agrafes en or, il assembla les tapisseries l'une à l'autre par les agrafes et ainsi la demeure fut d'un seul tenant.

14 Puis il fit des tapisseries en poil de chèvre pour former une tente par-dessus la demeure. Il en fit onze. 15 Longueur d'une tapisserie : trente coudées. Puis quatre coudées pour la largeur d'une tapisserie. Mêmes dimensions pour les onze tapisseries. 16 Il assembla cinq tapisseries à part, puis six tapisseries à part. 17 Il fit cinquante lacets au bord de la dernière tapisserie de l'assemblage et cinquante lacets au bord de la même tapisserie du

deuxième assemblage. 18 Il fit cinquante agrafes de bronze pour assembler la tente d'un seul tenant. 19 Et il fit pour la tente une couverture en peaux de béliers teintes en rouge et une couverture en peaux de dauphins par-dessus.

20 Puis, il fit les cadres pour la demeure, en bois d'acacia, posés debout. 21 Dix coudées de longueur par cadre et une coudée et demie de largeur pour chaque cadre ; 22 deux tenons à chaque cadre, juxtaposés l'un à l'autre. Ainsi fit-il tous les cadres de la demeure. 23 De ces cadres pour la demeure, il en fit vingt en direction du Néguev, au sud : 24 et il fit quarante socles en argent sous les vingt cadres — deux socles sous un cadre pour ses deux tenons, puis deux socles sous un autre cadre pour ses deux tenons. 25 Pour le deuxième côté de la demeure, en direction du nord, vingt cadres 26 avec leurs quarante socles en argent — deux socles sous un cadre et deux socles sous un autre cadre. 27 Et pour le fond de la demeure, vers la mer, il fit six cadres ; 28 il fit aussi deux cadres comme contreforts de la demeure au fond ; 29 ils étaient en écartement à la base mais se terminaient en jointure au sommet dans le premier anneau : ainsi fit-il pour eux deux, pour les deux contreforts. 30 Il y eut donc huit cadres avec leurs socles en argent : seize socles, deux par deux sous chaque cadre.

31 Puis il fit les traverses en bois d'acacia : cinq pour les cadres du premier côté de la demeure, 32 cinq pour les cadres du deuxième côté de la demeure, cinq pour les cadres du côté de la demeure qui est au fond vers la mer. 33 Il disposa la traverse médiane pour qu'elle traversât à mi-hauteur des cadres, d'un bout à l'autre. 34 Il plaqua les cadres d'or, il fit en or leurs anneaux pour loger les traverses et il plaqua les traverses d'or.

35 Puis il fit un voile de pourpre violette, pourpre rouge, cramoisi éclatant et lin retors ; il y fit des chérubins artistement travaillés. 36 Il fit pour lui quatre colonnes en acacia, qu'il plaqua d'or, et leurs crochets en or. Il coula pour elles quatre socles en argent.

37 Puis il fit un rideau pour l'entrée de la tente, en pourpre violette, pourpre rouge, cramoisi éclatant et lin retors — travail de brocheur — 38 avec ses cinq colonnes, leurs crochets, leurs chapiteaux et tringles qu'il plaqua d'or et leurs cinq socles en bronze.

r Comparer les versets 8-38 avec 26.1-37

L'arche de l'alliance

37 [1] Puis Beçalel [s] fit l'*arche en bois d'acacia, longue de deux coudées et demie, large d'une coudée et demie, haute d'une coudée et demie. [2] Il la plaqua d'or pur au-dedans et au-dehors et l'entoura d'une moulure en or. [3] Il coula pour elle quatre anneaux d'or à ses quatre pieds : deux anneaux d'un côté, deux anneaux de l'autre. [4] Il fit des barres en bois d'acacia, il les plaqua d'or, [5] et il introduisit les barres dans les anneaux des côtés de l'arche, pour lever l'arche.

[6] Puis il fit un propitiatoire en or pur, long de deux coudées et demie, large d'une coudée et demie. [7] Et il fit deux *chérubins en or ; il les forgea aux deux extrémités du propitiatoire, [8] un chérubin à une extrémité, l'autre chérubin à l'autre extrémité ; il fit les chérubins en saillie sur le propitiatoire, à partir de ses deux extrémités. [9] Les chérubins déployaient leurs ailes vers le haut pour protéger le propitiatoire de leurs ailes ; ils étaient face à face et ils regardaient vers le propitiatoire.

La table du pain d'offrande

[10] Puis il fit la table [t] en bois d'acacia, longue de deux coudées, large d'une coudée, haute d'une coudée et demie. [11] Il la plaqua d'or pur et l'entoura d'une moulure en or. [12] Il l'encadra avec des entretoises d'un palme et il mit une moulure en or autour des entretoises. [13] Il coula pour elle quatre anneaux d'or et il plaça les anneaux aux quatre coins de ses quatre pieds. [14] Tout près des entretoises furent fixés les anneaux pour loger les barres servant à lever la table. [15] Il fit les barres en bois d'acacia et les plaqua d'or, pour servir à lever la table. [16] Il fit en or pur les accessoires de la table — plats, gobelets, bols et timbales — avec lesquels on devait verser les libations.

Le chandelier à sept branches

[17] Puis il fit le chandelier [u] en or pur ; il forgea le chandelier ; sa base et sa tige, ses coupes, ses boutons et ses fleurs faisaient corps avec lui. [18] Six branches sortaient de ses côtés, trois branches du chandelier sur un côté, trois branches du chandelier sur l'autre côté. [19] Sur une branche, trois coupes en forme d'amande avec bouton et fleur et, sur une autre branche, trois coupes en forme d'amande avec bouton et fleur : ainsi pour les six branches sortant du chandelier. [20] Sur le chandelier lui-même, quatre coupes en forme d'amande avec boutons et fleurs : [21] un bouton sous les deux premières branches issues du chandelier, un bouton sous les deux branches suivantes issues du chandelier, un bouton sous les deux dernières branches issues du chandelier : ainsi donc aux six branches qui en sortaient. [22] Boutons et branches faisaient corps avec lui qui était tout entier forgé d'une seule pièce en or pur. [23] Il lui fit des lampes au nombre de sept, et des pincettes et des bobèches en or pur. [24] Il le fit avec un talent d'or pur, lui et tous ses accessoires.

L'autel du parfum

[25] Puis il fit l'*autel du parfum [v] en bois d'acacia : une coudée pour sa longueur, une coudée pour sa largeur — il était carré — deux coudées pour sa hauteur. Ses cornes faisaient corps avec lui. [26] Il le plaqua d'or pur — le dessus, les parois tout autour et les cornes — et il l'entoura d'une moulure en or. [27] Il lui fit des anneaux d'or au-dessous de la moulure, sur ses deux côtés, sur ses deux flancs, pour loger les barres servant à le lever. [28] Il fit les barres en bois d'acacia et il les plaqua d'or. [29] Il fit l'huile [w] d'*onction sainte et le parfum pur à brûler — travail de parfumeur.

L'autel des sacrifices et la cuve

38 [1] Puis il fit l'*autel de l'holocauste [x] en bois d'acacia : cinq coudées pour sa longueur, cinq coudées pour sa largeur — il était carré — et trois coudées pour sa hauteur. [2] Il fit à ses quatre angles des cornes qui faisaient corps avec lui. Il le plaqua de bronze. [3] Il fit tous les accessoires de l'autel : les bassins, les pelles, les bassines, les crochets et les cassolettes, tous accessoires qu'il fit en bronze. [4] Il fit pour l'autel une grille à la façon d'un filet de bronze, sous la bordure de l'autel, depuis la base jusqu'à mi-hauteur.

5 Il coula quatre anneaux aux quatre extrémités de la grille de bronze, pour loger les barres. 6 Il fit les barres en bois d'acacia et les plaqua de bronze. 7 Il introduisit les barres dans les anneaux sur les côtés de l'autel, pour servir à le porter. Il le fit creux, en planches.

8 Puis il fit la cuve *y* en bronze et son support en bronze, avec les miroirs des femmes groupées à l'entrée de la *tente de la rencontre.

Les tentures du parvis

9 Puis il fit le *parvis *z*. Du côté du Néguev, au sud, les tentures du parvis étaient en lin retors et faisaient cent coudées. 10 Leurs vingt colonnes et leurs vingt socles étaient en bronze, les crochets des colonnes et leurs tringles, en argent. 11 Du côté du nord, cent coudées, avec leurs vingt colonnes et leurs vingt socles en bronze, les crochets des colonnes et leurs tringles, en argent. 12 Du côté de la mer : des tentures sur cinquante coudées, leurs dix colonnes et leurs dix socles, les crochets des colonnes et leurs tringles, en argent. 13 Et du côté de l'est, vers le levant : cinquante coudées ; 14 quinze coudées de tentures sur une aile avec leurs trois colonnes et leurs trois socles 15 et, sur l'autre aile, de part et d'autre de la porte du parvis, quinze coudées de tentures avec leurs trois colonnes et leurs trois socles. 16 Toutes les tentures de l'enceinte étaient en lin retors. 17 Les socles des colonnes étaient en bronze ; les crochets des colonnes et leurs tringles, en argent ; leurs chapiteaux étaient plaqués argent et, quant à elles, toutes les colonnes du parvis étaient réunies par des tringles en argent. 18 Le rideau de la porte du parvis était un travail de brocheur : en pourpre violette, pourpre rouge, cramoisi éclatant et lin retors ; il avait une longueur de vingt coudées et une hauteur de cinq coudées — c'était sa largeur — atteignant ainsi le niveau des tentures du parvis. 19 Ses quatre colonnes et leurs quatre socles étaient en bronze, leurs crochets étaient en argent, leurs chapiteaux et leurs tringles étaient plaqués argent. 20 Tous les piquets pour la *demeure et l'enceinte du parvis étaient en bronze.

Les quantités de métaux utilisés

21 Voici la liste des dépenses de la *demeure — demeure de la *charte ; on en fit le compte sur l'ordre de Moïse ; c'était le service des *lévites accompli par l'intermédiaire d'Itamar, fils du prêtre Aaron. 22 Beçalel, fils d'Ouri, fils de Hour de la tribu de Juda, avait exécuté tout ce que le SEIGNEUR avait ordonné à Moïse. 23 Avec lui s'était trouvé Oholiav fils d'Ahisamak, de la tribu de Dan : ciseleur et artiste, brocheur sur pourpre violette, pourpre rouge, cramoisi éclatant et lin.

24 Total de l'or utilisé pour les travaux, tous les travaux du *sanctuaire — et c'était l'or provenant de l'offrande — : vingt-neuf talents et sept cent trente sicles *a*, en sicles du sanctuaire.

25 Argent *b* des gens recensés de la communauté : cent talents et mille sept cent soixante-quinze sicles, en sicles du sanctuaire, 26 soit un béqua *c* par tête ou un demi-sicle, en sicles du sanctuaire, pour tout homme passant au recensement depuis vingt ans et au-dessus, pour les six cent trois mille cinq cent cinquante. 27 Cent talents d'argent furent utilisés pour couler les socles du sanctuaire et les socles du voile : cent socles avec les cent talents, un talent par socle. 28 Avec les mille sept cent soixante-quinze sicles, il avait fait les crochets des colonnes, il avait plaqué leurs chapiteaux et les avait réunies par des tringles.

29 Bronze provenant de l'offrande : soixante-dix talents et deux mille quatre cent sicles. 30 Il en avait fait les socles de l'entrée de la *tente de la rencontre, l'*autel de bronze et sa grille de bronze, tous les accessoires de l'autel, 31 les socles de l'enceinte du parvis, les socles de la porte du parvis, tous les piquets de la demeure et tous les piquets de l'enceinte du parvis.

Les vêtements et insignes des prêtres

39 1 Avec la pourpre violette *d*, la pourpre rouge et le cramoisi éclatant, on fit les vêtements liturgiques pour officier dans le *sanctuaire et on fit les vêtements sacrés d'Aaron, comme le SEIGNEUR l'avait ordonné à Moïse. 2 Il fit l'éphod en or, pourpre violette,

---

y Comparer le v. 8 avec 30.17-21 • *z* Comparer les versets 9-20 avec 27.9-19 • *a talents, sicles:* voir au glossaire POIDS ET MESURES • *b* Comparer les versets 25-26 avec 30.11-16 • *c béqua:* voir au glossaire POIDS ET MESURES • *d* Comparer les versets 1-32 avec 28.1-43

38.8 les femmes groupées à l'entrée 1 S 2.22.

pourpre rouge, cramoisi éclatant et lin retors. ³ Dans les plaques d'or laminées, on découpait des rubans pour les entrelacer avec la pourpre violette, la pourpre rouge, le cramoisi éclatant et le lin — travail d'artiste. ⁴ Il fit, pour le fixer, des bretelles de fixation à ses deux extrémités. ⁵ L'écharpe de l'éphod, celle qui est dessus, était de travail identique : en or, pourpre violette, pourpre rouge, cramoisi éclatant et lin retors, comme le SEIGNEUR l'avait ordonné à Moïse. ⁶ On apprêta les pierres de béryl : serties, enchâssées dans l'or, gravées comme la gravure d'un sceau aux noms des fils d'Israël. ⁷ Il les mit aux bretelles de l'éphod — ces pierres qui sont un mémorial en faveur des fils d'Israël — comme le SEIGNEUR l'avait ordonné à Moïse.

⁸ Puis il fit le pectoral — travail d'artiste — à la façon d'un éphod : en or, pourpre violette, pourpre rouge, cramoisi éclatant et lin retors. ⁹ Le pectoral était carré, mais on l'avait plié ; une fois plié, il était long d'un empan et large d'un empan. ¹⁰ On le garnit de quatre rangées de pierres :
— l'une : sardoine, topaze et émeraude. C'était la première rangée ;
¹¹ — la deuxième rangée : escarboucle, lazulite et jaspe ;
¹² — la troisième rangée : agate, cornaline et améthyste ;
¹³ — et la quatrième rangée : chrysolithe, béryl et onyx.
Elles étaient serties et avaient des chatons d'or pour garniture. ¹⁴ Les pierres correspondaient aux noms des fils d'Israël, elles étaient douze comme leurs noms ; elles étaient gravées comme un sceau, chacune à son nom puisqu'il y a douze tribus. ¹⁵ On fit au pectoral des chaînettes tressées et torsadées, en or pur. ¹⁶ On fit deux chatons d'or et deux anneaux d'or et on fixa les deux anneaux à deux extrémités du pectoral. ¹⁷ On fixa les deux torsades d'or aux deux anneaux, aux extrémités du pectoral, ¹⁸ tandis qu'on fixait les deux extrémités des deux torsades aux deux chatons d'or et qu'on les fixait aux bretelles de l'éphod par-dedans. ¹⁹ On fit deux anneaux d'or et on les mit à deux extrémités du pectoral, du côté tourné vers l'éphod, en dedans. ²⁰ On fit deux anneaux d'or et on les fixa aux deux bretelles de l'éphod, à leur base, par-devant, près de leur point d'attache, au-dessus de l'écharpe de l'éphod. ²¹ On relia le pecto-

ral par ses anneaux aux anneaux de l'éphod avec un ruban de pourpre violette, de manière que le pectoral fût sur l'écharpe de l'éphod ; ainsi, il ne se déplaçait pas sur l'éphod, comme le SEIGNEUR l'avait ordonné à Moïse.

²² Puis il fit la robe de l'éphod — travail de tisserand — toute de pourpre violette. ²³ L'ouverture, au milieu de la robe, était comme celle d'une cuirasse avec, autour de l'ouverture, une bordure indéchirable. ²⁴ Sur les pans de la robe, on fit des grenades de pourpre violette, pourpre rouge, cramoisi éclatant et lin retors. ²⁵ On fit des clochettes d'or pur et on plaça les clochettes parmi les grenades, sur les pans de la robe tout autour, parmi les grenades : ²⁶ une clochette, une grenade, une clochette, une grenade, sur les pans de la robe tout autour, pour officier, comme le SEIGNEUR l'avait ordonné à Moïse.

²⁷ Puis on fit les tuniques de lin — travail de tisserand — pour Aaron et pour ses fils, ²⁸ ainsi que le turban de lin, les parures des tiares de lin, les caleçons de lin, en lin retors ; ²⁹ et les ceintures en lin retors, pourpre violette, pourpre rouge et cramoisi éclatant — travail de brocheur — comme le SEIGNEUR l'avait ordonné à Moïse.

³⁰ Puis on fit le fleuron, insigne de la consécration, en or pur ; on écrivit dessus une inscription comme on grave un sceau : « Consacré au SEIGNEUR », ³¹ et on y fixa un ruban de pourpre violette pour le fixer par-dessus le turban, comme le SEIGNEUR l'avait ordonné à Moïse.

³² Ainsi fut achevé tout le service de la demeure de la *tente de la rencontre. Les fils d'Israël s'étaient mis à l'œuvre, ils avaient fait exactement ce que le SEIGNEUR avait ordonné à Moïse.

On amène à Moïse le travail terminé

³³ On conduisit vers Moïse la *demeure :
— la tente, ses accessoires, ses agrafes, ses cadres, ses traverses, ses colonnes et ses socles, ³⁴ la couverture en peaux de béliers teintes en rouge et la couverture en peaux de dauphins, le voile de séparation ;
³⁵ l'*arche de la charte, ses barres et le propitiatoire ;
³⁶ — la table, tous ses accessoires et le pain d'offrande ;

39.33-41 liste récapitulative cf. 1 R 7.40-50.

37 — le chandelier pur [e], ses lampes (une rangée de lampes), tous ses accessoires, l'huile du luminaire ;
38 — l'*autel d'or, l'huile d'*onction, le parfum à brûler et le rideau de l'entrée de la tente ;
39 — l'autel de bronze, sa grille de bronze, ses barres et tous ses accessoires ;
— la cuve et son support ;
40 — les tentures du *parvis, ses colonnes, ses socles, le rideau de la porte du parvis, ses cordes, ses piquets et tous les accessoires du service de la demeure, pour la tente de la rencontre ;
41 — les vêtements liturgiques pour officier dans le *sanctuaire, les vêtements sacrés pour le prêtre Aaron et les vêtements que portent ses fils pour exercer le sacerdoce.
42 Se conformant à tout ce que le SEIGNEUR avait ordonné à Moïse, les fils d'Israël avaient exécuté tout le service.
43 Moïse vit tout le travail qu'ils avaient fait ; ils avaient fait exactement ce que le SEIGNEUR avait ordonné. Alors, Moïse les bénit.

Ordre de dresser la tente et de la consacrer

40 1 Le SEIGNEUR adressa la parole à Moïse : 2 « Au premier mois, le premier jour du mois, tu dresseras la demeure de la *tente de la rencontre. 3 Tu y mettras l'*arche de la charte et tu masqueras l'arche derrière le voile. 4 Tu apporteras la table et tu en arrangeras la disposition. Tu apporteras le chandelier et tu allumeras ses lampes. 5 Tu placeras l'*autel d'or pour le parfum devant l'arche de la charte et tu mettras le rideau à l'entrée de la demeure. 6 Tu placeras l'autel de l'holocauste devant l'entrée de la demeure de la tente de la rencontre. 7 Tu placeras la cuve entre la tente de la rencontre et l'autel et tu y mettras de l'eau. 8 Tu poseras l'enceinte du *parvis et tu placeras le rideau de la porte du parvis. 9 Tu prendras l'huile d'*onction et tu oindras la demeure et tout ce qu'elle contient, tu la consacreras, elle et tous ses accessoires, et ce sera *saint. 10 Tu oindras l'autel de l'holocauste et tous ses accessoires, tu le consacreras et l'autel sera très saint. 11 Tu oindras la cuve et son support et tu la consacreras. 12 Tu présenteras Aaron et ses fils à l'entrée de la tente de la rencontre, tu les laveras dans l'eau, 13 tu revêtiras Aaron des vêtements sacrés, tu l'oindras et tu le consacreras pour qu'il exerce mon sacerdoce. 14 Ayant présenté ses fils, tu les revêtiras de tuniques, 15 tu les oindras comme leur père pour qu'ils exercent mon sacerdoce. Ainsi leur onction leur conférera un sacerdoce perpétuel, d'âge en âge. »

Moïse installe le sanctuaire

16 Moïse se mit à l'œuvre ; il fit exactement ce que le SEIGNEUR lui avait ordonné. 17 Or donc, le premier mois de la deuxième année, le premier jour du mois, la *demeure fut dressée. 18 Moïse dressa la demeure : il plaça ses socles, posa ses cadres, plaça ses traverses et dressa ses colonnes. 19 Il déploya la tente sur la demeure, mit par-dessus la couverture de la tente, comme le SEIGNEUR l'avait ordonné à Moïse. 20 Il prit la *charte et la plaça dans l'*arche, mit les barres sur l'arche et plaça le propitiatoire par-dessus. 21 Il apporta l'arche dans la demeure, mit le voile de séparation pour masquer l'arche de la charte, comme le SEIGNEUR l'avait ordonné à Moïse. 22 Il plaça la table dans la *tente de la rencontre, sur le côté nord de la demeure, à l'extérieur du voile ; 23 il y disposa une rangée de pains devant le SEIGNEUR, comme le SEIGNEUR l'avait ordonné à Moïse. 24 Il mit le chandelier dans la tente de la rencontre, en face de la table, sur le côté opposé de la demeure ; 25 il alluma les lampes devant le SEIGNEUR, comme le SEIGNEUR l'avait ordonné à Moïse. 26 Il mit l'*autel d'or dans la tente de la rencontre, en face du voile, 27 et il y fit fumer le parfum à brûler, comme le SEIGNEUR l'avait ordonné à Moïse. 28 Il mit le rideau à l'entrée de la demeure. 29 Ayant mis l'autel de l'holocauste à l'entrée de la demeure de la tente de la rencontre, il y offrit l'holocauste et l'offrande [f], comme le SEIGNEUR l'avait ordonné à Moïse. 30 Il posa la cuve entre la tente de la rencontre et l'autel et mit de l'eau pour les ablutions. 31 Moïse, Aaron et ses fils s'y lavaient les mains et les pieds ; 32 quand ils entraient dans la tente de la rencontre et quand ils se présentaient à l'autel, ils se lavaient, comme le SEIGNEUR l'avait ordonné à Moïse. 33 Il dressa le *parvis autour de la demeure et de l'autel et il plaça le rideau de la porte du parvis. Moïse acheva ainsi tous les travaux.

---

e le chandelier pur ou le chandelier d'or pur • f holocauste, offrande: voir au glossaire SACRIFICES

La gloire de Dieu remplit la Demeure

³⁴ La nuée *g* couvrit la *tente de la rencontre et la gloire du SEIGNEUR remplit la demeure. ³⁵ Moïse ne pouvait pas entrer dans la tente de la rencontre, car la nuée y demeurait et la gloire du SEIGNEUR remplissait la demeure. ³⁶ Quand la nuée s'élevait au-dessus de la demeure, les fils d'Israël prenaient le départ pour chacune de leurs étapes. ³⁷ Mais si la nuée ne s'élevait pas, ils ne partaient pas avant le jour où elle s'élevait de nouveau. ³⁸ Car la nuée du SEIGNEUR était sur la demeure pendant le jour mais, pendant la nuit, il y avait en elle du feu, aux yeux de toute la maison d'Israël, à toutes leurs étapes.

g La nuée: voir 13.21 et la note

40.34 la nuée et la gloire du Seigneur 24.15-16; 1 R 8.10-13; Es 6.3-4; Ez 43.4-5; Ap 15.8.
40.36 quand la nuée s'élevait Nb 9.15-23.

LE LÉVITIQUE

Règles pour les sacrifices : l'holocauste

1 ¹ Le S<small>EIGNEUR</small> appela Moïse et, de la *tente de la rencontre, lui adressa la parole : ² « Parle aux fils d'Israël ; tu leur diras : Quand l'un d'entre vous apporte un présent au S<small>EIGNEUR</small>, vous devez apporter en présent du gros bétail ou du petit bétail.

³ Si c'est un holocauste *a* de gros bétail qu'on veut présenter, on présente un mâle sans défaut ; on le présente à l'entrée de la tente de la rencontre, pour être agréé par le S<small>EIGNEUR</small> ; ⁴ on *impose la main sur la tête de la victime, laquelle est agréée en faveur de l'offrant — pour faire sur lui le rite d'absolution — ; ⁵ on égorge cet animal devant le S<small>EIGNEUR</small> ; alors les prêtres, fils d'Aaron, présentent le sang, puis aspergent de ce sang le pourtour de l'*autel qui se trouve à l'entrée de la tente de la rencontre ; ⁶ on dépouille la victime, et on la dépèce par quartiers ; ⁷ alors les fils du prêtre Aaron mettent du feu sur l'autel et disposent des bûches sur ce feu ; ⁸ les prêtres, fils d'Aaron, disposent les quartiers — la tête et la graisse y compris — sur les bûches placées sur le feu de l'autel ; ⁹ on lave avec de l'eau les entrailles et les pattes, puis le prêtre fait fumer le tout à l'autel. C'est un holocauste, un mets consumé, un parfum apaisant pour le S<small>EIGNEUR</small>.

¹⁰ S'il s'agit de présenter en holocauste du petit bétail, pris parmi les agneaux ou les chevreaux, on présente un mâle sans défaut ; ¹¹ on l'égorge du côté nord de l'autel, devant le S<small>EIGNEUR</small> ; alors les prêtres, fils d'Aaron, aspergent de son sang le pourtour de l'autel ; ¹² on le dépèce par quartiers — la tête et la graisse y compris — et le prêtre les dispose sur les bûches placées sur le feu de l'autel ; ¹³ on lave avec de l'eau les entrailles et les pattes, puis le prêtre présente et fait fumer le tout à l'autel. C'est un holocauste, un mets consumé, un parfum apaisant pour le S<small>EIGNEUR</small>.

¹⁴ Si c'est un holocauste d'oiseau qu'on veut présenter au S<small>EIGNEUR</small>, on apporte un présent pris parmi les tourterelles ou les pigeons ; ¹⁵ le prêtre le présente à l'autel ; il en arrache la tête et la fait fumer à l'autel ; puis il fait gicler le sang sur la paroi de l'autel ; ¹⁶ on en détache le jabot avec son contenu et on le jette à côté de l'autel, à l'est, à l'endroit où l'on dépose les cendres grasses ; ¹⁷ on fend l'oiseau entre les ailes — on ne les sépare pas — puis le prêtre le fait fumer à l'autel sur les bûches placées sur le feu. C'est un holocauste, un mets consumé, un parfum apaisant pour le S<small>EIGNEUR</small>.

L'offrande végétale

2 ¹ « Quand on apporte en présent au S<small>EIGNEUR</small> une offrande *b*, le présent doit consister en farine sur laquelle on verse de l'huile et on met de l'*encens ; ² on l'amène aux prêtres, fils d'Aaron, et on en prend une pleine poignée — de la farine, de l'huile, avec tout l'encens — puis le prêtre fait fumer à l'*autel ce mémorial *c*. C'est un mets consumé, un parfum apaisant pour le S<small>EIGNEUR</small>. ³ Le reste de l'offrande est pour Aaron et ses

---

a Voir au glossaire SACRIFICES ● *b* Voir au glossaire SACRIFICES ● *c* Seule une partie de l'offrande (le *mémorial*, qui *rappelle* l'offrant au *souvenir* de Dieu) est brûlée sur l'autel. Le reste, *part très sainte* (v. 3), revient aux prêtres, voir 6.18, 22

1.1 la tente de la rencontre Ex 25.22. — la tente (= la demeure) Ex 26.1-30; 40.1-35; He 9.1-14. **1.3** holocauste 6.2-6; Ps 51.18-21; Os 6.6; Mc 12.33. **1.4** rite d'absolution 4.20+. **1.5** sang 17.10-14+; He 9.15-28. **1.9** parfum apaisant Gn 8.21; Ez 20.41; Ap 5.8. **2.1** offrande 6.7-11; Nb 15.1-16. — encens Es 60.6; Jr 6.20; Mt 2.11. **2.2** mémorial Nb 5.26; Ac 10.4.

fils ; c'est une part très *sainte parce qu'elle provient des mets consumés du SEIGNEUR.

4 Quand tu apportes en présent une offrande, s'il s'agit d'une pâte cuite au four, elle doit consister en farine, en forme de gâteaux sans *levain pétris à l'huile ou de crêpes sans levain frottées d'huile ; 5 si c'est une offrande cuite sur la plaque que tu présentes, elle est de farine pétrie à l'huile et sans levain ; 6 l'ayant rompue en morceaux, tu y verses de l'huile — c'est une offrande — ; 7 si c'est une offrande cuite à la poêle que tu présentes, la farine doit être préparée dans l'huile ; 8 tu amènes l'offrande qui a été ainsi préparée pour le SEIGNEUR ; on la présente au prêtre qui l'approche de l'autel ; 9 de cette offrande, le prêtre prélève le mémorial, qu'il fait fumer à l'autel. C'est un mets consumé, un parfum apaisant pour le SEIGNEUR. 10 Le reste de l'offrande est pour Aaron et ses fils ; c'est une part très sainte parce qu'elle provient des mets consumés du SEIGNEUR.

11 Nulle offrande que vous présenterez au SEIGNEUR ne sera préparée en pâte levée ; en effet, vous ne ferez jamais fumer de levain ni de miel *d* à titre de mets consumé pour le SEIGNEUR. 12 A titre de *prémices, vous en apporterez en présent au SEIGNEUR, mais ils ne monteront pas *e* sur l'autel en parfum apaisant.

13 Sur toute offrande que tu présenteras, tu mettras du sel *f* ; tu n'omettras jamais le sel de l'*alliance de ton Dieu sur ton offrande ; avec chacun de tes présents, tu présenteras du sel.

14 Si tu présentes au SEIGNEUR une offrande de prémices, c'est sous forme d'épis grillés au feu, de gruau de grain nouveau, que tu dois apporter l'offrande de tes prémices ; 15 tu y mets de l'huile et tu y déposes de l'encens — c'est une offrande — ; 16 puis le prêtre en fait fumer le mémorial — un peu du gruau, un peu de l'huile, avec tout l'encens. C'est un mets consumé pour le SEIGNEUR.

Le sacrifice de paix

3 1 « Si quelqu'un présente un *sacrifice de paix :

Si on présente du gros bétail, que ce soit un mâle ou une femelle, on présente devant le SEIGNEUR un animal sans défaut ; 2 on *impose la main sur la tête de la victime présentée qu'on égorge à l'entrée de la *tente de la rencontre ; alors les prêtres, fils d'Aaron, aspergent de son sang le pourtour de l'*autel ; 3 de ce sacrifice de paix, on présente, en mets consumé pour le SEIGNEUR, la graisse *g* qui enveloppe les entrailles, toute celle qui est au-dessus des entrailles 4 et les deux rognons avec la graisse qui y adhère ainsi qu'aux lombes — quant au lobe du foie, on le détache en plus des rognons — ; 5 puis les fils d'Aaron font fumer cela à l'autel, en plus de l'holocauste qui est sur les bûches placées sur le feu ; c'est un mets consumé, un parfum apaisant pour le SEIGNEUR.

6 Si on présente du petit bétail au SEIGNEUR comme sacrifice de paix, on présente un animal sans défaut, mâle ou femelle. 7 Si c'est un agneau qu'on apporte en présent, on le présente devant le SEIGNEUR ; 8 on impose la main sur la tête de la victime présentée qu'on égorge devant la tente de la rencontre ; alors les fils d'Aaron aspergent de son sang le pourtour de l'autel ; 9 de ce sacrifice de paix, on présente, en mets consumé pour le SEIGNEUR, les parties grasses : la queue *h* tout entière — qu'on détache au niveau du sacrum — la graisse qui enveloppe les entrailles, toute celle qui est au-dessus des entrailles 10 et les deux rognons avec la graisse qui y adhère ainsi qu'aux lombes — quant au lobe du foie, on le détache en plus des rognons — ; 11 puis le prêtre fait fumer cela à l'autel ; c'est un aliment consumé pour le SEIGNEUR. 12 Si c'est une chèvre qu'on présente, on la présente devant le SEIGNEUR ; 13 on impose la main sur sa tête et on l'égorge devant la tente de la rencontre ; alors les fils d'Aaron aspergent de son sang le pour-

---

d Le *levain* et le *miel* (de fruits), par la fermentation qu'ils produisent, sont contraires à la pureté de l'offrande. De plus ils évoquent des offrandes du culte païen ● *e ils ne monteront pas* ou *ils ne seront pas présentés* ● *f* Au contraire du levain, le *sel* conserve (*Tb* 6.5) et purifie (2 R 2.19-22). Le sel souligne ici le fait que *l'alliance* est perpétuelle ● *g* Les *parties grasses* passent pour être les meilleurs morceaux, voir Es 25.6. ● *h* La *queue* est particulièrement grasse chez certaines espèces de moutons

2.11 levain 23.5-8 ; Ex 12.15-20 ; Mt 16.6 ; 1 Co 5.6-8. **2.13** sel Mt 5.13 ; Col 4.6. — sel de l'alliance Nb 18.19 ; 2 Ch 13.5. **2.14** prémices 23.15-21 ; Ex 34.26 ; Nb 28.26 ; Ne 10.36. **3.1** sacrifices de paix 7.11-21, 28-36 ; 19.5-8 ; 22.21-25.

tour de l'autel ; [14] on en apporte en présent, en mets consumé pour le SEIGNEUR, la graisse qui enveloppe les entrailles, toute celle qui est au-dessus des entrailles [15] et les deux rognons avec la graisse qui y adhère ainsi qu'aux lombes — quant au lobe du foie, on le détache en plus des rognons — ; [16] puis le prêtre fait fumer ces morceaux à l'autel ; c'est un aliment consumé, un parfum apaisant.

Toute graisse revient au SEIGNEUR. [17] C'est une loi immuable pour vous d'âge en âge, où que vous habitiez : tout ce qui est graisse et tout ce qui est sang, vous n'en mangerez pas. »

Le sacrifice pour le péché du grand prêtre

4 [1] Le SEIGNEUR adressa la parole à Moïse : [2] « Parle ainsi aux fils d'Israël : Quand on pèche par mégarde contre l'un de tous les commandements négatifs [i] du SEIGNEUR, et qu'on viole un seul d'entre eux : [3] Si c'est le prêtre consacré par l'*onction qui pèche et qui par là même rend le peuple coupable, il présente au SEIGNEUR, en raison du péché qu'il a commis, un taurillon sans défaut, en *sacrifice pour le péché ; [4] il amène le taurillon à l'entrée de la *tente de la rencontre, devant le SEIGNEUR ; il *impose la main sur la tête du taurillon, et il égorge le taurillon devant le SEIGNEUR ; [5] le prêtre consacré par l'onction prend du sang du taurillon et l'amène à la tente de la rencontre ; [6] le prêtre trempe son doigt dans le sang et, de ce sang, devant le SEIGNEUR, il asperge sept fois le côté visible du voile du lieu saint ; [7] puis le prêtre met de ce sang sur les cornes [j] de l'*autel du parfum aromatique, qui se trouve dans la tente de la rencontre devant le SEIGNEUR, et il déverse tout le reste du sang du taurillon à la base de l'autel de l'holocauste qui est à l'entrée de la tente de la rencontre. [8] Toutes les parties grasses du taurillon sacrifié pour le péché, il les prélève : la graisse qui enveloppe les entrailles, toute celle qui est au-dessus des en-

trailles [9] et les deux rognons avec la graisse qui y adhère ainsi qu'aux lombes — quant au lobe du foie, il le détache en plus des rognons — [10] tout comme ces mêmes parties sont prélevées du taureau du sacrifice de paix ; puis le prêtre les fait fumer sur l'autel de l'holocauste. [11] La peau du taurillon, toute sa chair, y compris la tête et les pattes, les entrailles et la fiente, [12] en un mot, tout le reste du taurillon, il le fait porter hors du camp, dans un endroit *pur, là où l'on déverse les cendres grasses, et il le brûle sur un feu de bûches ; c'est à l'endroit où l'on déverse les cendres grasses qu'il est brûlé.

Pour le péché de toute la communauté

[13] « Si c'est toute la communauté d'Israël qui par mégarde commet une faute et que l'affaire reste ignorée de l'assemblée, s'ils violent un seul de tous les commandements négatifs du SEIGNEUR et se rendent ainsi coupables, [14] lorsqu'un tel péché vient à être connu, l'assemblée présente un taurillon, en sacrifice pour le péché, qu'on amène devant la tente de la rencontre ; [15] les *anciens de la communauté imposent la main sur la tête du taurillon, devant le SEIGNEUR, et on égorge le taurillon devant le SEIGNEUR ; [16] le prêtre consacré par l'onction amène une partie du sang du taurillon à la tente de la rencontre ; [17] le prêtre trempe son doigt dans ce qu'il a pris de sang et, devant le SEIGNEUR, il asperge sept fois le côté visible du voile ; [18] puis il met de ce sang sur les cornes de l'autel qui se trouve devant le SEIGNEUR, dans la tente de la rencontre, et il déverse tout le reste du sang à la base de l'autel de l'holocauste, qui est à l'entrée de la tente de la rencontre. [19] Toutes les parties grasses, il les prélève et les fait fumer à l'autel. [20] Il traite ce taurillon comme il a traité le taurillon sacrifié pour le péché — c'est ainsi qu'il le traite. Quand le prêtre a fait sur l'assemblée le rite d'absolution, il lui est pardonné. [21] Il fait porter le taurillon hors du camp et le brûle comme il a brûlé le taurillon précédent. Tel est le sacrifice pour le péché de l'assemblée.

---

i Les *commandements négatifs* sont ceux qui sont exprimés sous forme d'interdiction: *Tu ne feras pas...* ● *j cornes:* voir Ex 27.2 et la note

---

3.16 ne pas manger la graisse 3.17; 7.23-25.   **3.17** où que vous habitiez 7.26; 23.3; Ex 19.5; Ps 24.1.   **4.1** sacrifice pour le péché 6.17-23; 16; Nb 15.22-29.   **4.3** prêtre consacré 8.12; 16.32; *Si* 45.15.   **4.6** le voile du sanctuaire Ex 26.31-35; Mt 27.51.   **4.7** autel des parfums Ex 30.1-10. **4.12** hors du camp He 13.11-13.   **4.20** absolution 8.34; 9.7; 16; 17.11; Ez 45.15, 17; 2 Ch 29.24.

Pour le péché d'un prince

22 « Si c'est un prince *k* qui pèche, qui viole par mégarde un seul de tous les commandements négatifs du SEIGNEUR son Dieu, et se rend ainsi coupable, 23 si on lui fait connaître le péché qu'il a commis sur ce point, il amène en présent un bouc, un mâle sans défaut ; 24 il impose la main sur la tête du bouc et l'égorge à l'endroit où l'on égorge l'holocauste, devant le SEIGNEUR. C'est un sacrifice pour le péché. 25 De son doigt, le prêtre prend du sang de la victime sacrifiée pour le péché et le met sur les cornes de l'autel de l'holocauste ; puis il déverse le reste du sang à la base de l'autel de l'holocauste. 26 Toutes les parties grasses, il les fait fumer à l'autel, comme celles du sacrifice de paix. Quand le prêtre a fait sur le prince le rite d'absolution de son péché, il lui est pardonné.

Pour le péché d'un particulier

27 « Si c'est un homme du peuple *l* qui pèche par mégarde, qui viole un seul des commandements négatifs du SEIGNEUR et se rend ainsi coupable, 28 si on lui fait connaître le péché qu'il a commis, il amène en présent une chèvre, une femelle sans défaut, pour le péché qu'il a commis ; 29 il impose la main sur la tête de la victime sacrifiée pour le péché et il égorge ladite victime au même endroit que l'holocauste ; 30 de son doigt, le prêtre prend du sang et le met sur les cornes de l'autel de l'holocauste ; puis il déverse tout le reste du sang à la base de l'autel. 31 Toutes les parties grasses, il les détache, comme on les détache lors du sacrifice de paix, et le prêtre les fait fumer à l'autel en parfum apaisant pour le SEIGNEUR. Quand le prêtre a fait sur le coupable le rite d'absolution, il lui est pardonné. 32 Si c'est un agneau qu'il amène en présent comme sacrifice pour le péché, il amène une femelle sans défaut ; 33 il impose la main sur la tête de la victime sacrifiée pour le péché et l'égorge en sacrifice pour le péché, à l'endroit où l'on égorge l'holocauste ; 34 de son doigt, le prêtre prend du sang de la victime et le met sur les cornes de l'autel de l'holocauste ; puis il déverse tout le reste du sang à la base de l'autel. 35 Toutes les parties grasses, il les détache, comme on les détache de l'agneau du sacrifice de paix, et le prêtre les fait fumer à l'autel, en plus des mets consumés du SEIGNEUR. Quand le prêtre a fait sur le coupable le rite d'absolution du péché qu'il a commis, il lui est pardonné.

Quelques exemples

5 1 « Quand un individu pèche en ce que, ayant entendu la formule d'adjuration et étant témoin pour avoir vu ou avoir appris quelque chose, il n'annonce pas ce qu'il sait, alors il porte le poids de sa faute ; 2 ou bien quand un individu, sans s'en rendre compte, touche n'importe quoi d'*impur — cadavre d'animal sauvage impur, cadavre de bête domestique impure, cadavre de bestiole impure —, alors il devient impur et coupable ; 3 ou bien quand, sans s'en rendre compte, il touche une impureté humaine — toute impureté qui rend impur —, alors, dès qu'il l'apprend, il devient coupable ; 4 ou bien quand un individu, sans s'en rendre compte, laisse ses lèvres prononcer un serment irréfléchi, qui lui fait tort ou qui lui profite — en toute question où un homme peut faire un serment irréfléchi —, alors, dès qu'il l'apprend, il devient coupable *m*. 5 Quand un individu est coupable en l'un de ces cas, il doit confesser en quoi il a péché, 6 puis amener, à titre de réparation pour le SEIGNEUR, à cause du péché qu'il a commis, une femellle de petit bétail, agnelle ou chèvre, comme *sacrifice pour le péché ; alors le prêtre fera sur lui le rite d'absolution de son péché.

Le sacrifice des pauvres

7 « Si quelqu'un n'a pas les moyens de se procurer une pièce de petit bétail, il peut amener au SEIGNEUR, à titre de réparation pour le péché commis, deux tourterelles ou deux pigeons, l'un servant

---

k Le terme hébreu traduit ici par *prince* désignait un chef de tribu ou de famille ● *l* un homme *du peuple :* autre traduction *quelqu'un du peuple du pays,* c'est-à-dire *un simple particulier ;* voir 2 R 11.14 ; Dn 9.6 ● *m* L'hébreu ajoute *en l'un de ces cas,* mots qui semblent avoir été repris du début du v. 5

5.1 adjuration Pr 29.24 ; Mt 26.63. **5.2** animaux impurs 11 ; Dt 14. **5.3** impureté humaine Lv 12-15. **5.4** serment qui fait du tort Ps 15.4. **5.7** clause en faveur des pauvres 12.8 ; 14.21 ; 27.8.

à un sacrifice pour le péché et l'autre à un holocauste. [8] Il amène au prêtre qui présente en premier celui du sacrifice pour le péché ; il en arrache la tête en avant de la nuque — mais il ne la sépare pas — ; [9] du sang de la victime, il asperge la paroi de l'*autel ; puis il fait gicler le reste du sang à la base de l'autel : c'est un sacrifice pour le péché. [10] Du second, il fait un holocauste selon la règle. Quand le prêtre a fait sur lui le rite d'absolution du péché qu'il a commis, il lui est pardonné.

[11] Si quelqu'un n'a pas sous la main deux tourterelles ou deux pigeons, il peut même amener en présent pour le péché commis un dixième d'épha [n] de farine en sacrifice pour le péché. Il n'y dépose pas d'huile et n'y met pas d'*encens, car c'est un sacrifice pour le péché. [12] Il l'apporte au prêtre ; le prêtre en prend une pleine poignée à titre de mémorial [o] et la fait fumer à l'autel en plus des mets consumés du SEIGNEUR ; c'est un sacrifice pour le péché. [13] Quand le prêtre a fait sur lui le rite d'absolution du péché commis en l'un de ces cas, il lui est pardonné. Le prêtre accomplit le rituel [p] comme dans le cas de l'offrande. »

Règles pour le sacrifice de réparation

[14] Le SEIGNEUR adressa la parole à Moïse : [15] « Quand un individu commet un sacrilège en péchant par mégarde contre les droits sacrés du SEIGNEUR, il doit amener, à titre de réparation pour le SEIGNEUR, un bélier sans défaut, pris dans le petit bétail, et valant un certain nombre de sicles [q] d'argent — d'après le sicle du *sanctuaire — pour l'offrir en *sacrifice de réparation. [16] Ce dont il a frustré le sanctuaire, il le rembourse en y ajoutant le cinquième, et il le remet au prêtre. Quand le prêtre a fait sur lui le rite d'absolution au moyen du bélier du sacrifice de réparation, il lui est pardonné. [17] Si l'individu a péché en violant par ignorance un seul de tous les commandements négatifs du SEIGNEUR, s'il est

ainsi coupable et porte le poids de sa faute, [18] il doit amener au prêtre un bélier sans défaut, pris dans le petit bétail, selon la valeur indiquée pour un sacrifice de réparation. Quand le prêtre a fait sur lui le rite d'absolution du péché commis par mégarde et par ignorance, il lui est pardonné. [19] C'est un sacrifice de réparation ; l'individu était effectivement coupable envers le SEIGNEUR. »

[20] Le SEIGNEUR adressa la parole à Moïse : [21] « Quand un individu pèche et commet un sacrilège envers le SEIGNEUR, soit en mentant à son compatriote à propos d'un objet reçu en dépôt, d'un objet emprunté ou d'un objet volé, soit en exploitant son compatriote, [22] soit en mentant à propos d'un objet perdu qu'il a trouvé, si de plus il prononce un faux serment au sujet de l'une de ces actions qui sont des péchés, [23] celui qui a ainsi péché et s'est rendu coupable doit rendre ce qu'il a volé, ou ce qu'il a extorqué à son compatriote, ou ce qu'il a reçu en dépôt, ou l'objet perdu qu'il a trouvé, [24] ou tout objet à propos duquel il a prononcé un faux serment ; il le rembourse en entier en y ajoutant le cinquième du prix et il le remet à son légitime propriétaire au jour où il se découvre coupable [r]. [25] A titre de réparation pour le SEIGNEUR, il amène au prêtre un bélier sans défaut, pris dans le petit bétail, selon la valeur indiquée pour un sacrifice de réparation. [26] Quand le prêtre a fait sur lui devant le SEIGNEUR le rite d'absolution, il lui est pardonné, quoi qu'il ait fait pour se rendre coupable. »

Prescriptions pour les prêtres : l'holocauste

6 [1] Le SEIGNEUR adressa la parole à Moïse : [2] « Donne à Aaron et à ses fils les prescriptions suivantes :

Voici le rituel de l'holocauste [s] : Cet holocauste reste sur le brasier de l'*autel toute la nuit jusqu'au matin, et le feu de l'autel y brûle. [3] Le prêtre revêt sa tunique de lin et revêt des caleçons de lin

---

[n] *épha:* voir au glossaire POIDS ET MESURES ● [o] *mémorial:* voir 2.2 et la note ● [p] *Le prêtre accomplit le rituel:* autre traduction *Le reste revient au prêtre* (comparer 2.3, 10). ● [q] *Les droits sacrés du Seigneur* sont les offrandes dues au Seigneur (dîmes, prémices) ou encore les choses promises par vœux ou frappées d'interdit; voir chap. 27. — *sicles:* voir au glossaire POIDS ET MESURES et MONNAIES ● [r] *au jour où il se découvre coupable* ou *au jour où il offre le sacrifice de réparation* ● [s] Voir au glossaire SACRIFICES

5.15 sacrilège Nb 5.6; 2 Ch 26.16-18. — les droits sacrés du Seigneur 22.1-16; Dt 14.22-29; 26.1-15; cf. Jos 7. — sacrifice de réparation 7.1-7; 19. 20-22. **5.16** remboursement Nb 5.7-10; 2 R 12.17. **5.21** indélicatesses diverses Ex 22.6-14. **5.23** rendre l'objet volé Ps 69.5. **6.2** holocauste 1.3+. **6.3** caleçons de lin Ex 20.26; 28.42.

sur son corps ; il enlève les cendres grasses qui proviennent de la combustion de l'holocauste sur l'autel, et les place à côté de l'autel ; ⁴ il ôte alors ses vêtements et revêt d'autres vêtements ; il emporte les cendres grasses hors du camp, dans un endroit *pur. ⁵ Quant au feu sur l'autel, il y brûlera sans jamais s'éteindre ; chaque matin, le prêtre y allume des bûches, y dispose l'holocauste, et y fait fumer les parties grasses des sacrifices de paix. ⁶ Un feu perpétuel brûlera sur l'autel sans jamais s'éteindre.

L'offrande végétale

⁷ « Et voici le rituel de l'offrande ᵗ : Aux fils d'Aaron de la présenter devant le SEIGNEUR, face à l'autel. ⁸ On en prélève une poignée — de la farine de l'offrande, de l'huile, avec tout l'*encens qui se trouve sur l'offrande — et on la fait fumer à l'autel : parfum apaisant, mémorial ᵘ pour le SEIGNEUR. ⁹ Ce qu'il en reste, Aaron et ses fils le mangent ; cela se mange sans *levain dans un endroit *saint ; ils le mangent dans le *parvis de la *tente de la rencontre ; ¹⁰ cela ne se cuit pas en pâte levée. C'est la part que je leur donne sur les mets consumés qui me sont offerts ; cela est très saint, comme ce qui reste du sacrifice pour le péché ou du sacrifice de réparation. ¹¹ Tout homme qui fait partie des fils d'Aaron peut en manger ; c'est, d'âge en âge, une redevance qui vous est accordée pour toujours, sur les mets consumés du SEIGNEUR ; tout ce qui y touche se trouve *sanctifié. »
¹² Le SEIGNEUR adressa la parole à Moïse : ¹³ « Voici le présent que, le jour de son *onction, Aaron, ainsi que ses fils, apportent au SEIGNEUR : un dixième d'épha ᵛ de farine comme offrande perpétuelle, moitié le matin, moitié le soir ; ¹⁴ elle se prépare sur une plaque avec de l'huile, et tu l'amènes bien mélangée ; tu présentes les morceaux de cette offrande de pâtisseries ʷ en parfum apaisant pour le SEIGNEUR. ¹⁵ Celui d'entre ses fils qui lui succède comme prêtre consacré par l'onction fait de même : c'est une redevance pour toujours ; on la fait fumer totale-

ment pour le SEIGNEUR. ¹⁶ Toute offrande d'un prêtre est totale : on n'en mange rien. »

Le sacrifice pour le péché

¹⁷ Le SEIGNEUR adressa la parole à Moïse : ¹⁸ « Parle à Aaron et à ses fils : Voici le rituel du sacrifice pour le péché : La victime du sacrifice pour le péché s'égorge à l'endroit où s'égorge l'holocauste, devant le SEIGNEUR ; c'est une chose très sainte. ¹⁹ C'est le prêtre qui préside à ce sacrifice qui peut le manger, et c'est dans un endroit saint qu'elle se mange, dans le parvis de la tente de la rencontre. ²⁰ Tout ce qui en touche la chair se trouve sanctifié ; s'il en gicle du sang sur le vêtement, tu laves dans un endroit saint la place où il a giclé ; ²¹ un récipient d'argile où la victime a été cuite doit être brisé, mais si elle a été cuite dans un récipient de bronze, celui-ci est récuré et rincé à l'eau. ²² Tout homme qui fait partie des prêtres peut le manger : c'est une chose très sainte. ²³ Mais aucune victime d'un sacrifice pour le péché, dont on aurait amené du sang dans la tente de la rencontre pour faire le rite d'absolution dans le lieu saint, ne doit être mangée. Elle doit être brûlée.

Le sacrifice de réparation

7 ¹ « Et voici le rituel du *sacrifice de réparation : c'est une chose très *sainte. ² A l'endroit où l'on égorge l'holocauste, on égorge la victime du sacrifice de réparation, puis de son sang le prêtre asperge le pourtour de l'*autel ; ³ il en présente toutes les parties grasses : la queue ˣ, la graisse qui enveloppe les entrailles, ⁴ les deux rognons avec la graisse qui y adhère ainsi qu'aux lombes — quant au lobe du foie, on le détache en plus des rognons — ; ⁵ alors le prêtre fait fumer ces morceaux à l'autel : c'est un mets consumé pour le SEIGNEUR. Tel est le sacrifice de réparation. ⁶ Tout homme qui fait partie des prêtres en manger, et c'est dans un endroit saint que cela se mange : c'est une chose très sainte. ⁷ Tel le sacri-

---

ᵗ Voir au glossaire SACRIFICES ● ᵘ Voir 2.2 et la note ● ᵛ le jour de son onction ou dès le jour de son onction. — épha: voir au glossaire POIDS ET MESURES ● ʷ les morceaux de cette offrande de pâtisseries: texte peu clair et traduction incertaine ● ˣ Voir 3.9 et la note

6.6 feu perpétuel 2 M 1.18-36. **6.7** offrande 2.1+. **6.9** endroit saint 6.19; 7.6; 10.13; 24.9. **6.13** onction 8.1+. **6.15** succession du grand prêtre Dt 10.6; cf. 2 M 4.7, 24. **6.16** l'offrande d'un prêtre est totale cf. 4.3-12; 6.23. **6.18** sacrifice pour le péché 4.1+. **6.20** sanctification par contact Ag 2.11-13. **6.21** rincé à l'eau cf. 11.32-33. **7.1** sacrifice de réparation 5.15+.

fice pour le péché, tel le sacrifice de réparation : un seul rituel pour les deux. La victime revient au prêtre qui a fait le rite d'absolution.

Ce qui revient aux prêtres

[8] « Quant au prêtre qui présente l'holocauste de quelqu'un, la peau de l'holocauste qu'il a présenté lui revient. [9] Toute offrande [y] qui a été cuite au four ainsi que toute offrande préparée à la poêle ou sur la plaque revient au prêtre qui l'a présentée. [10] Toute offrande, tant pétrie à l'huile que sèche, revient à l'ensemble des fils d'Aaron, chacun à égalité.

Le sacrifice de paix

[11] « Et voici le rituel du sacrifice de paix qu'on présente au SEIGNEUR. [12] Si on le présente pour accompagner la "louange" [z], on présente pour le sacrifice de louange des gâteaux sans *levain pétris à l'huile, des crêpes sans levain frottées d'huile et des gâteaux faits de farine bien mélangée et pétris à l'huile ; [13] en plus des gâteaux, on apporte en présent du pain levé pour accompagner le sacrifice de paix offert en louange ; [14] on en présente un gâteau de chaque espèce ; c'est un prélèvement pour le SEIGNEUR et cela revient au prêtre qui a fait l'aspersion du sang du sacrifice de paix. [15] Quant à la chair du sacrifice de paix offert en louange, elle se mange le jour même où elle est présentée, sans rien en mettre de côté pour le lendemain. [16] Si le sacrifice présenté est "votif" ou "spontané" [a], on le mange le jour même où l'on présente le sacrifice ; le lendemain on peut manger ce qu'il en reste ; [17] mais ce qui resterait de la chair du sacrifice serait brûlé le troisième jour. [18] Si l'on mangeait quand même, le troisième jour, de la chair du sacrifice de paix, celui qui

l'a présenté ne saurait être agréé ; il ne lui en serait pas tenu compte : c'est devenu de la viande avariée ; quiconque en mangerait porterait le poids de sa faute. [19] De plus, la chair qui aurait touché quoi que ce soit d'*impur ne se mange pas, elle se brûle.

En ce qui concerne la chair [b] : Quiconque est pur peut manger de la chair : [20] mais celui qui, se trouvant en état d'impureté, mangerait de la chair du sacrifice de paix offert au SEIGNEUR, celui-là serait retranché de sa parenté [c] ; [21] et celui qui aurait touché quoi que ce soit d'impur, impureté humaine, animal impur ou toute bête interdite et impure, puis mangerait de la chair du sacrifice de paix offert au SEIGNEUR, celui-là serait retranché de sa parenté. »

Prescriptions à l'usage du peuple

[22] Le SEIGNEUR adressa la parole à Moïse : [23] « Parle aux fils d'Israël : Tout ce qui est graisse, de bœuf, d'agneau ou de chèvre, vous n'en mangerez pas ; [24] la graisse d'une bête crevée et la graisse d'une bête déchiquetée peut servir à tout usage, mais vous ne devez pas la manger. [25] Assurément, quiconque mangerait la graisse d'une bête dont il aurait présenté quelque chose en mets consumé pour le SEIGNEUR, celui-là, pour en avoir mangé, serait retranché de sa parenté. [26] Tout ce qui est sang, d'oiseau ou de bête, vous n'en mangerez pas, où que vous habitiez ; [27] quiconque mangerait de n'importe quel sang, celui-là serait retranché de sa parenté. »

[28] Le SEIGNEUR adressa la parole à Moïse : [29] « Parle aux fils d'Israël : Celui qui présente son *sacrifice de paix au SEIGNEUR lui amène la part qu'il doit lui offrir ; [30] de ses propres mains il amène les mets consumés du SEIGNEUR, c'est-à-dire les parties grasses ; et il les amène en plus

---

[y] holocauste (v. 8), offrande: voir au glossaire SACRIFICES ● [z] Il s'agit de la liturgie de louange (ou action de grâces). Elle a fini par donner son nom à la variété de sacrifice de paix qui l'accompagnait; voir Ps 105—107, surtout 107.21-22 ● [a] Le sacrifice « votif » et le sacrifice « spontané » sont d'autres variétés du sacrifice de paix. Le premier est l'accomplissement d'un vœu; le second est indépendant de toute prescription et de toute promesse ● [b] Les versets 17-19a (la chair impropre à la consommation) constituent une sorte de parenthèse. Le v. 19b reprend le cas abordé dans les versets 15-16, où il est question de la viande propre à la consommation ● [c] retranché de sa parenté: voir Gn 17.14 et la note

7.11 sacrifice de paix 3.1+. **7.12** louange 22.29; Jr 33.11; Ps 116.17; 2 Ch 29.31. **7.15** ne rien mettre de côté 22.30; cf. 19.5-8. **7.16** votif, spontané 22.18-23; Nb 15.3. — votif Ps 22.26; 50.14. — spontané Dt 16.10; Ez 46.12; Esd 3.5. **7.18** viande avariée 19.7; Ez 4.14; **7.19** il faut être pur pour manger 22.3-7. **7.20** retranché de sa parenté 23.29-30; Gn 17.14; Ex 12.15-19; Nb 9.13. **7.21** quoi que ce soit d'impur 11—15. **7.23** ne pas manger la graisse 3.16+. **7.26** ne pas manger le sang 17.11+. — où que vous habitiez 3.17+. **7.29** sacrifice de paix 3.1+.

de la poitrine qu'il faut offrir avec le geste de présentation devant le SEIGNEUR ; 31 alors le prêtre fait fumer ces parties grasses à l'*autel, tandis que la poitrine revient à Aaron et à ses fils 32 et que vous donnez au prêtre le gigot droit à titre de prélèvement sur vos sacrifices de paix ; 33 ce gigot droit revient en partage à celui des fils d'Aaron qui présente le sang et la graisse du sacrifice de paix. 34 En effet, la poitrine du rite de présentation et le gigot du rite de prélèvement, je les ai pris aux fils d'Israël, sur leurs sacrifices de paix, et je les ai donnés au prêtre Aaron et à ses fils, à titre de redevance pour toujours, de la part des fils d'Israël. 35 Telle est la part d'Aaron et la part de ses fils sur les mets consumés du SEIGNEUR, dès le jour où on les aura présentés pour exercer le sacerdoce au service du SEIGNEUR, 36 part que le SEIGNEUR a prescrit aux fils d'Israël de leur donner, dès le jour où il les aura *oints ; c'est une loi immuable pour eux, d'âge en âge. »

37 Tel est le rituel de l'holocauste et de l'offrande, du sacrifice pour le péché et du sacrifice de réparation, de l'investiture d et du sacrifice de paix, 38 que le SEIGNEUR a prescrit à Moïse sur la montagne de Sinaï, le jour où il ordonna aux fils d'Israël d'apporter leurs présents au SEIGNEUR dans le désert de Sinaï.

Consécration d'Aaron et de ses fils

8 1 Le SEIGNEUR adressa la parole à Moïse : 2 « Prends Aaron avec ses fils, les vêtements et l'huile d'*onction, le taurillon du *sacrifice pour le péché et les deux *béliers, et la corbeille des pains sans *levain. 3 Puis rassemble toute la communauté à l'entrée de la *tente de la rencontre. » 4 Moïse fit ce que lui avait ordonné le SEIGNEUR, et la communauté s'assembla à l'entrée de la tente de la rencontre. 5 Alors Moïse dit à la communauté : « Voici ce que le SEIGNEUR a ordonné de faire. »

6 Et Moïse présenta Aaron et ses fils, et les lava dans l'eau ; 7 il mit la tunique à Aaron, le ceignit de la ceinture, le revêtit de la robe et lui mit l'éphod e ; il le ceignit de l'écharpe de l'éphod et l'en drapa ; 8 il plaça sur lui le pectoral et mit dedans le Ourim et le Toummim f ; 9 il plaça le turban sur sa tête, et plaça sur le devant du turban le fleuron d'or, insigne de la consécration, comme le SEIGNEUR l'avait ordonné à Moïse.

10 Moïse prit l'huile d'onction. Il en oignit et consacra la *demeure et tout ce qu'elle contenait ; 11 il en aspergea l'*autel par sept fois, puis il oignit l'autel et tous ses accessoires, ainsi que la cuve et son support, pour les consacrer ; 12 il versa de cette huile d'onction sur la tête d'Aaron et il l'oignit pour le consacrer.

13 Moïse présenta les fils d'Aaron, les revêtit de tuniques, les ceignit d'une ceinture et les coiffa de tiares, comme le SEIGNEUR l'avait ordonné à Moïse.

14 Il fit approcher le taurillon du sacrifice pour le péché ; Aaron et ses fils *imposèrent la main sur la tête de ce taurillon ; 15 Moïse l'égorgea et prit le sang ; de son doigt il en mit sur les cornes du pourtour de l'autel, qu'il *purifia de son péché g ; il versa le sang à la base de l'autel et il le consacra en faisant sur lui le rite d'absolution ; 16 Moïse prit toute la graisse qui est au-dessus des entrailles, le lobe du foie, les deux rognons avec leur graisse, et il les fit fumer à l'autel ; 17 le taurillon lui-même, peau, chair et fiente, on le brûla hors du camp, comme le SEIGNEUR l'avait ordonné à Moïse.

18 Il présenta le bélier de l'holocauste ; Aaron et ses fils imposèrent la main sur la tête du bélier ; 19 Moïse l'égorgea et aspergea le pourtour de l'autel avec le sang ; 20 Moïse dépeça par quartiers le bélier, dont il fit fumer la tête, les quartiers et la graisse ; 21 Moïse lava à l'eau les entrailles et les pattes, et il fit fumer à l'autel tout le bélier ; ce fut un holocauste, un parfum apaisant, ce fut un mets con-

---

d L'*investiture* est la cérémonie au cours de laquelle un nouveau prêtre revêt pour la première fois ses vêtements liturgiques et reçoit la consécration, voir Jg 17.5-12. Elle était marquée par un sacrifice spécial dit *sacrifice d'investiture;* voir 8.22-30 • *e éphod:* voir Ex 25.7 et la note • *f pectoral:* voir Ex 25.7 et la note. — *Ourim et Toummim:* voir Ex 28.30 et la note • *g cornes:* voir Ex 27.2 et la note. — *qu'il purifia de son péché:* pour être digne de porter le feu et les offrandes sacrées, l'autel (sur lequel aucun sacrifice n'a encore été offert) doit d'abord être dégagé de son caractère profane (= *son péché*)

7.34 redevance pour les prêtres Dt 18.3 ; Ne 12.44-47 ; Ml 3.7-10. **8.1** consécration des prêtres 6.12-16 ; Ex 29.1-37 ; 40.12-15. **8.2** vêtements des prêtres Ex 28 ; 39.1-31. — huile d'onction Ex 30.22-33. **8.10** consécration de la demeure Ex 40.9-11. **8.15** le « péché » d'un objet 14.49. Ez 43.20-22.

sumé pour le SEIGNEUR, comme le SEI-GNEUR l'avait ordonné à Moïse.

²² Il présenta le second bélier comme bélier d'investiture *h* ; Aaron et ses fils imposèrent la main sur la tête du bélier ; ²³ Moïse l'égorgea et prit du sang ; il en mit sur le lobe de l'oreille droite d'Aaron, sur le pouce de sa main droite et sur le pouce de son pied droit ; ²⁴ Moïse présenta les fils d'Aaron, et mit du sang sur le lobe de leur oreille droite, sur le pouce de leur main droite et sur le pouce de leur pied droit ; puis Moïse aspergea le pourtour de l'autel avec le sang ; ²⁵ il prit les parties grasses — la queue *i*, toute la graisse qui est au-dessus des entrailles, le lobe du foie et les deux rognons avec leur graisse — ainsi que le gigot droit ; ²⁶ dans la corbeille des pains sans levain qui se trouve devant le SEI-GNEUR, il prit un gâteau sans levain, un gâteau à l'huile et une crêpe, qu'il plaça par-dessus les graisses et le gigot droit ; ²⁷ il mit le tout sur les mains d'Aaron et sur les mains de ses fils, et il le fit offrir avec le geste de présentation, devant le SEIGNEUR. ²⁸ Moïse le reprit de leurs mains et le fit fumer à l'autel avec l'holocauste ; ce fut un sacrifice d'investiture, un parfum apaisant, ce fut un mets consumé pour le SEIGNEUR. ²⁹ Moïse prit la poitrine et l'offrit avec le geste de présentation devant le SEIGNEUR ; du bélier d'investiture, c'est ce qui revint à Moïse en partage, comme le SEIGNEUR l'avait ordonné à Moïse. ³⁰ Moïse prit de l'huile d'onction et du sang qui était sur l'autel, et il en aspergea Aaron et ses vêtements, de même que ses fils et les vêtements de ses fils ; c'est ainsi qu'il consacra Aaron et ses vêtements, de même que ses fils et les vêtements de ses fils.

³¹ Moïse dit à Aaron et à ses fils : « Faites cuire la chair à l'entrée de la tente de la rencontre ; c'est là que vous la mangerez, avec le pain qui se trouve dans la corbeille de l'investiture, comme je l'ai ordonné en disant : "C'est Aaron et ses fils qui la mangeront". ³² Le reste de chair et de pain, vous le brûlerez.

³³ Et pendant sept jours vous ne quitterez pas l'entrée de la tente de la rencontre, jusqu'au moment où s'achèvera le temps de votre investiture ; car pendant sept jours on vous conférera l'investiture *j*, ³⁴ comme on l'a fait aujourd'hui. Le SEI-GNEUR a ordonné de procéder ainsi, pour faire sur vous le rite d'absolution. ³⁵ Vous demeurerez à l'entrée de la tente de la rencontre jour et nuit durant sept jours ; ensuite vous pourrez assurer le service du SEIGNEUR sans mourir. C'est ce qui m'a été ordonné. »

³⁶ Aaron et ses fils exécutèrent tous les ordres que le SEIGNEUR avait donnés par l'intermédiaire de Moïse.

Entrée en fonction d'Aaron et de ses fils

9 ¹ Or, au huitième jour *k*, Moïse appela Aaron et ses fils, ainsi que les *anciens d'Israël. ² Il dit à Aaron : « Procure-toi un veau un *sacrifice pour le péché et un bélier pour un holocauste, tous deux sans défaut, et présente-les devant le SEIGNEUR. ³ Puis tu adresseras cette parole aux fils d'Israël : "Prenez un bouc en sacrifice pour le péché, ainsi qu'un veau et un agneau âgés d'un an *l*, tous deux sans défaut, pour un holo-causte, ⁴ un taureau et un bélier pour un sacrifice de paix à offrir devant le SEI-GNEUR, et une offrande pétrie à l'huile ; car c'est aujourd'hui que le SEIGNEUR va vous apparaître". »

⁵ Ils menèrent devant la *tente de la rencontre ce que Moïse avait ordonné, puis toute la communauté s'approcha et se tint debout devant le SEIGNEUR. ⁶ Moïse dit : « Voici ce que le SEIGNEUR vous a ordonné de faire, afin que vous apparaisse la gloire du SEIGNEUR *m*. » ⁷ Puis Moïse dit à Aaron : « Approche-toi de l'*autel, offre ton sacrifice pour le péché et ton holocauste, pour faire le rite d'absolution en ta faveur et en faveur du peuple, puis offre le présent du peuple, pour faire le rite d'absolution en sa faveur, comme le SEIGNEUR l'a ordonné. »

---

h investiture: voir 7.37 et la note ● *i* Voir 3.9 et la note ● *j* Pour désigner cette *investiture*, l'hébreu emploie une expression imagée: *on remplira vos mains*, geste liturgique auquel il est fait allusion au v. 27 ● *k* L'investiture (chap. 8) et l'entrée en fonction (9) forment une seule céré-monie qui culmine au *huitième jour* ● *l âgés d'un an:* voir Ex 12.5 et la note ● *m* La *gloire du Seigneur* est le signe visible de la présence de Dieu, qu'on ne peut pas voir directement sans mourir; voir Jg 13.22

8.23 oreille, main et pied droits cf. 14.14, 25. **8.30** aspersion de sang Ex 24.8; He 9.18-22. **8.35** sans mourir Ex 19.12; 20.18-19; Es 6.5-7. **9.6** la gloire du Seigneur Ex 33.18-23; 40.34-35; Es 40.5; Ez 9.3; Ps 19.2. **9.7** offre ton sacrifice He 7.27.

⁸ Aaron s'approcha de l'autel et égorgea le veau du sacrifice pour son propre péché ; ⁹ les fils d'Aaron lui présentèrent le sang ; il trempa son doigt dans le sang et en mit sur les cornes *n* de l'autel ; il versa le sang à la base de l'autel ; ¹⁰ il fit fumer à l'autel la graisse, les rognons et le lobe du foie de la victime, comme le SEIGNEUR l'avait ordonné à Moïse ; ¹¹ chair et peau, il les brûla hors du camp. ¹² Il égorgea l'holocauste ; les fils d'Aaron lui remirent le sang dont il aspergea le pourtour de l'autel ; ¹³ ils lui remirent l'holocauste en quartiers — y compris la tête — et il les fit fumer sur l'autel ; ¹⁴ il lava les entrailles et les pattes et les fit fumer à l'autel avec l'holocauste. ¹⁵ Il présenta les dons du peuple ; il prit le bouc du sacrifice pour le péché du peuple, l'égorgea et l'offrit comme la première victime ; ¹⁶ il présenta l'holocauste, et l'offrit selon la règle ; ¹⁷ il présenta l'offrande : il en prit une pleine poignée qu'il fit fumer sur l'autel, en plus de l'holocauste du matin ; ¹⁸ il égorgea le taureau et le bélier offerts par le peuple en sacrifice de paix ; les fils d'Aaron lui remirent le sang dont il aspergea le pourtour de l'autel ; ¹⁹ les parties grasses du taureau et celles du bélier, à savoir la queue *o* la graisse qui enveloppe les entrailles, les rognons et le lobe du foie, ²⁰ ils les placèrent sur les poitrines et il les fit fumer à l'autel ; ²¹ Aaron offrit les poitrines et le gigot droit avec le geste de présentation devant le SEIGNEUR, comme Moïse l'avait ordonné. ²² Elevant alors les mains au-dessus du peuple, Aaron le bénit *p* ; puis il redescendit, ayant terminé d'offrir le sacrifice pour le péché, l'holocauste et les sacrifices de paix. ²³ Moïse et Aaron entrèrent dans la tente de la rencontre, puis ressortirent pour bénir le peuple. Alors la gloire du SEIGNEUR apparut à tout le peuple ; ²⁴ un feu sortit de devant le SEIGNEUR, et dévora sur l'autel l'holocauste et les graisses.

Tout le peuple vit cela ; ils crièrent de joie *q* et ils se prosternèrent.

Règles relatives au deuil

10 ¹ Or Nadav et Avihou, fils d'Aaron, prenant chacun sa cassolette *r*, y mirent le feu sur lequel ils déposèrent du parfum ; ils présentèrent ainsi devant le SEIGNEUR un feu profane, qu'il ne leur avait pas ordonné. ² Alors un feu sortit de devant le SEIGNEUR et les dévora ; et ils moururent devant le SEIGNEUR. ³ Moïse dit à Aaron : « Le SEIGNEUR l'avait bien dit :

"Par ceux qui m'approchent,
je veux être *sanctifié,
et à la face de tout le peuple,
je veux être glorifié." »

Aaron entonna une lamentation *s*. ⁴ Mais Moïse appela Mishaël et Elçafân, fils de Ouzziël, l'oncle d'Aaron, et leur dit : « Approchez ! Emportez vos frères de devant le lieu saint, hors du camp. » ⁵ S'étant approchés, ils les emportèrent dans leur tunique hors du camp, comme l'avait dit Moïse. ⁶ Moïse dit alors à Aaron, ainsi qu'à ses fils Eléazar et Itamar : « Ne défaites pas vos cheveux, ne *déchirez pas vos vêtements, de peur de mourir et d'attirer la colère contre toute la communauté. Ce sont tous vos frères de la maison d'Israël qui pleureront *t* ceux que le SEIGNEUR a détruits par le feu. ⁷ Vous, vous ne devez pas quitter l'entrée de la *tente de la rencontre, de peur de mourir, car vous êtes marqués par l'huile d'*onction du SEIGNEUR. » Ils agirent conformément à la parole de Moïse.

Règles relatives aux boissons alcooliques

⁸ Le Seigneur adressa la parole à Aaron : ⁹ « Toi et tes fils, ne buvez ni vin ni alcool, quand vous devez aller à la

---

n cornes: voir Ex 27.2 et la note ● *o* Voir 3.9 et la note ● *p le bénit:* on trouve dans l'AT diverses formules de *bénédiction;* voir Nb 6.24-26; 1 R 8.56-58 ● *q* Les *cris de joie* sont des acclamations rituelles; voir Ps 95.1 ● *r cassolettes:* objets liturgiques, sorte d'encensoirs ● *s entonna une lamentation:* autres traductions *resta muet* ou *garda le silence* ● *t* Les lamentations, les cheveux dénoués (ou coupés) et les habits *déchirés, qui sont des manifestations traditionnelles légitimes du deuil, sont interdites aux prêtres à cause de leur consécration (v. 7)

9.22 bénédiction 2 S 6.18; 1 R 8.54-55; Ps 134.3; *Si* 50.23-24. **9.23** la gloire du Seigneur 9.6+; 1 R 8.10-11; 2 Ch 7.1-2. **9.24** un feu sortit Gn 15.17; Jg 6.21; 1 R 18.38; *2 M* 2.10; cf. Lv 10.2+. **10.2** un feu sortit Nb 16.35; 2 R 1.10-14; cf. Lv 9.24+. **10.3** lamentation de deuil Gn 50.10; Jr 22.10; Mc 5. 38-39 par.; Ac 8.2. **10.6** défaire (ou raser) les cheveux Es 22.12; Jr 48.37; Jb 1.20. — déchirer les vêtements Gn 37.34; 2 S 1.11; 2 R 2.12. — la colère de Dieu Nb 32.13; Jos 23.16; 2 Ch 25.15; 28.11-13; Jn 3.36+. **10.7** huile d'onction 8.2+; 21.12. **10.9** boissons alcooliques Es 28.7; Ez 44.21.

*tente de la rencontre ; ainsi vous ne mourrez pas. C'est une loi immuable pour vous, d'âge en âge. ¹⁰ C'est pour être à même de distinguer le sacré du profane, ce qui est *impur de ce qui est pur, ¹¹ et d'enseigner aux fils d'Israël tous les décrets que le Seigneur a édictés pour eux par l'intermédiaire de Moïse. »

Règles relatives aux viandes des sacrifices

¹² Moïse adressa la parole à Aaron, et à Eléazar et Itamar, les fils qui lui restaient : « Prenez l'offrande, après en avoir retiré ce qui est mets consumés du Seigneur, et mangez-la sans *levain, à côté de l'*autel, car c'est une part très sainte ᵘ. ¹³ Vous la mangerez dans un endroit *saint, car c'est la redevance pour toi et tes fils sur les mets consumés du Seigneur. C'est l'ordre que j'ai reçu. ¹⁴ Quant à la poitrine du rite de présentation et au gigot du rite de prélèvement, vous les mangerez dans un endroit *pur, toi de même que tes fils et tes filles, car ils sont la redevance accordée à toi et à tes fils sur les *sacrifices de paix des fils d'Israël. — ¹⁵ Ce gigot du rite de prélèvement et cette poitrine du rite de présentation, les offrants les amènent avec les parties grasses à consumer, pour les offrir avec le geste de présentation devant le Seigneur ; ensuite ils te reviennent de même qu'à tes fils, à titre de redevance pour toujours, comme le Seigneur l'a ordonné. »
¹⁶ Quand Moïse s'enquit du bouc ᵛ du sacrifice pour le péché, il découvrit qu'on l'avait brûlé. Il se mit en colère contre Eléazar et Itamar, les fils qui restaient à Aaron : ¹⁷ « Pourquoi n'avez-vous pas mangé la victime dans le lieu saint, puisque c'est une part très sainte ? Le Seigneur vous l'a accordée pour ôter le péché de la communauté et pour que soit fait sur celle-ci le rite d'absolution devant le Seigneur. ¹⁸ Puisque son sang n'a pas été amené à l'intérieur du lieu saint, vous deviez manger la victime dans le lieu saint, comme je l'avais ordonné. » ¹⁹ Aa-

ron adressa la parole à Moïse : « Ecoute, en ce jour où ils ont présenté devant le Seigneur leur sacrifice pour le péché et leur holocauste, voilà ce qui m'est arrivé. Le Seigneur approuverait-il que je mange d'une victime pour le péché en un tel jour ? ʷ » ²⁰ Moïse approuva ce qu'il venait d'entendre.

Animaux purs et impurs

11 ¹ Le Seigneur adressa la parole à Moïse et à Aaron et leur dit : ² « Parlez aux fils d'Israël :
Parmi tous les animaux ˣ terrestres, voici ceux que vous pouvez manger : ³ ceux qui ont le sabot fendu et qui ruminent, ceux-là, vous pouvez les manger. ⁴ Ainsi, parmi les ruminants et parmi les animaux ayant des sabots, vous ne devez pas manger ceux-ci :
le chameau, car il rumine, mais n'a pas de sabots : pour vous il est *impur ;
⁵ le daman ʸ, car il rumine, mais n'a pas de sabots : pour vous il est impur ;
⁶ le lièvre, car il rumine, mais n'a pas de sabots : pour vous il est impur ;
⁷ le porc, car il a le sabot fendu, mais ne rumine pas : pour vous il est impur.
⁸ Vous ne devez ni manger de leur chair, ni toucher leur cadavre ; pour vous ils sont impurs.
⁹ Parmi tous les animaux aquatiques, voici ceux que vous pouvez manger : tout animal aquatique, de mer ou de rivière, qui a nageoires et écailles, vous pouvez le manger ; ¹⁰ mais tous ceux qui n'ont pas de nageoires ni d'écailles — bestioles aquatiques ou êtres vivant dans l'eau, en mer ou en rivière — vous sont interdits ¹¹ et vous resterez interdits ; vous ne devez pas manger de leur chair, et vous mettez l'interdit ᶻ sur leur cadavre ; ¹² tout animal aquatique sans nageoires ni écailles vous est interdit.
¹³ Parmi les oiseaux, voici ceux sur lesquels vous devez mettre l'interdit ; on ne les mange pas, ils sont interdits : l'aigle, le gypaète, l'aigle marin, ¹⁴ le milan, les différentes espèces de vautours, ¹⁵ toutes les espèces de corbeaux, ¹⁶ l'autruche, la

---

ᵘ *offrande:* voir au glossaire SACRIFICES. — *part très sainte:* voir 2.2 et la note ● ᵛ *du bouc:* voir 9.3, 15 ● ʷ Le texte de ce verset est peu clair et la traduction incertaine ● ˣ On trouve une liste semblable en Dt 14.3-20. L'identification de certains animaux est incertaine ● ʸ Petit mammifère de la taille d'un lapin ● ᶻ *Mettre l'interdit sur* signifie *interdire tout contact avec* quelqu'un ou quelque chose; voir 11.43; 20.25

10.10 distinguer le pur de l'impur 11—15; Ez 44.23.   **10.11** le prêtre chargé d'enseigner Dt 33.10; Ez 22.26; Ag 2.11-13; Za 7.3.   **10.12** offrande 2.1+; 6.12-16.   **10.14** présentation et prélèvement 7.30-34.   **10.15** redevance pour les prêtres 7.34+.   **11.1** animaux impurs Ac 10. 11-16.

chouette, la mouette, les différentes espèces d'éperviers, [17] le hibou, le cormoran,
le chat-huant, [18] l'effraie, la corneille [a], le
charognard, [19] la cigogne, les différentes
espèces de hérons, la huppe et la chauve-
souris.
[20] Toute bestiole ailée qui marche sur
quatre pattes vous est interdite. [21] Toutefois, de toutes les bestioles ailées marchant
sur quatre pattes, voici celles que vous
pouvez manger : celles qui, en plus des
pattes, ont des jambes [b] leurs permettant
de sauter sur la terre ferme. [22] Voici donc
celles que vous pouvez manger : les différentes espèces de sauterelles, criquets,
grillons et locustes [c]. [23] Mais toute bestiole
ailée qui a simplement quatre pattes vous
est interdite.

Les contacts qui rendent impurs

[24] De plus, ces animaux vous rendent
*impurs — quiconque touche leur cada-
vre est impur jusqu'au soir, [25] et quiconque porte leur cadavre doit laver ses
vêtements et il est impur jusqu'au soir
— : [26] toutes les bêtes qui ont le sabot
non fendu ou qui ne ruminent pas —
pour vous elles sont impures : quiconque
les touche est impur. [27] De même tous les
quadrupèdes qui marchent sur la plante
des pieds [d] sont impurs pour vous ; quiconque touche leur cadavre est impur
jusqu'au soir, [28] et quiconque porte leur
cadavre doit laver ses vêtements et il est
impur jusqu'au soir, car pour vous ils
sont impurs.
[29] Des bestioles qui pullulent sur la
terre ferme, voici celles qui, pour vous,
sont impures : la taupe [e], la souris, les
différentes espèces de grands lézards, [30] le
gecko, le lézard ocellé, le lézard vert, le
lézard des sables et le caméléon. [31] Telles
sont parmi toutes les bestioles celles que
vous tiendrez pour impures. Quiconque
les touche quand elles sont crevées est
impur jusqu'au soir. [32] Qu'une telle bestiole tombe, en crevant, sur n'importe quel
objet, celui-ci devient impur, que ce soit

un ustensile de bois, un vêtement, une
peau ou un sac, bref un ustensile servant
à n'importe quel usage ; on le passe à
l'eau, il est impur jusqu'au soir, puis il est
pur. [33] Si la bestiole tombe dans un quelconque récipient d'argile, tout le contenu
devient impur et vous brisez le récipient ;
[34] si l'on répand de cette eau sur n'importe quel aliment comestible, il devient
impur ; et de même une boisson potable
devient impure, quel que soit le récipient
qui la contient. [35] Si le cadavre d'une de
ces bestioles tombe sur quelque objet,
celui-ci devient impur ; un four ou un
réchaud, vous les démolissez, car ils sont
impurs et vous les tiendrez donc pour
impurs ; [36] pourtant en ce qui concerne
source et citerne, la masse d'eau reste
pure, mais celui qui touche le cadavre [f]
devient impur ; [37] s'il tombe un de leurs
cadavres sur du grain destiné aux semailles, le grain reste pur ; [38] mais si l'on a
déjà mis de l'eau sur du grain [g] et qu'il
y tombe un de ces cadavres, vous tiendrez
le grain pour impur.
[39] Si une bête qui sert à votre nourriture vient à crever, celui qui touche son
cadavre est impur jusqu'au soir ; [40] celui
qui mange de ce cadavre doit laver ses
vêtements et il est impur jusqu'au soir ;
celui qui transporte ce cadavre doit laver
ses vêtements et il est impur jusqu'au soir.
[41] Toutes les bestioles qui pullulent sur
la terre ferme sont interdites : on ne les
mange pas. [42] Toutes ces bestioles qui pullulent sur la terre ferme, qu'elles se déplacent sur le ventre, ou qu'elles se déplacent
sur quatre pattes ou davantage, vous ne
les mangez pas, car elles sont interdites.
[43] Ne mettez donc pas l'interdit [h] sur
vous-mêmes, avec toutes ces bestioles qui
pullulent, vous ne vous rendrez pas impurs avec elles et ne serez jamais impurs
à cause d'elles. [44] Car c'est moi le SEI-
GNEUR votre Dieu ; vous vous *sanctifierez
donc pour être saints, car je suis saint ;
vous ne vous rendrez pas vous-mêmes
impurs avec toutes ces bestioles qui remuent sur la terre ferme. [45] Car c'est moi

---

a *l'effraie*: l'ancienne version grecque a traduit *la poule sultane;* l'ancienne version latine *le cygne*
— *la corneille*: autre traduction *le pélican* ● b *celles qui ont des jambes*: d'après une ancienne tradition juive, les versions anciennes et le contexte; texte hébreu traditionnel: *celles qui n'ont pas*
de jambes (avec une négation inhabituelle) ● c *sauterelles, criquets, grillons et locustes*: l'hébreu
emploie ici quatre mots très mal connus, désignant soit quatre espèces différentes de sauterelles, soit quatre stades d'évolution de l'insecte ● d *ceux qui marchent sur la plante des pieds*:
par exemple les ours ● e *taupe*: deux anciennes versions ont traduit *belette* ● f *celui qui touche*
le cadavre: pour le tirer hors de l'eau ● g *Mettre de l'eau sur du grain*: en vue de la cuisson et de
la consommation ● h *Mettre l'interdit*: voir 11.11 et la note

11.22 sauterelles (comme nourriture) Mt 3.4 par. **11.44** Israël peuple saint 19.2; 20.26; Ex
22.30; 1 P 1.16. **11.45** le Seigneur est Dieu pour Israël 22.33; 26.45; Jr 11.4.

le SEIGNEUR qui vous ai fait monter du pays d'Egypte, afin que, póur vous, je sois Dieu ; vous devez donc être saints, puisque je suis saint. »

⁴⁶ Telles sont les instructions concernant les animaux, les oiseaux et tous les êtres vivants qui remuent dans les eaux ou qui pullulent sur la terre ferme. ⁴⁷ Elles servent à distinguer ce qui est impur de ce qui est pur, et les animaux qui se mangent de ceux qui ne se mangent pas.

Purification de la femme accouchée

12 ¹ Le SEIGNEUR adressa la parole à Moïse : ² « Parle aux fils d'Israël : Si une femme enceinte accouche d'un garçon, elle est *impure pendant sept jours, aussi longtemps que lors de son indisposition menstruelle. ³ Le huitième jour, on *circoncit le prépuce de l'enfant ; ⁴ ensuite, pendant trente-trois jours, elle attend la purification de son sang ; elle ne touche aucune chose sainte et ne se rend pas au *sanctuaire jusqu'à ce que s'achève son temps de purification. ⁵ Si elle accouche d'une fille, pendant deux semaines elle est impure comme dans le cas de l'indisposition ; ensuite pendant soixante-six jours, elle attend la purification de son sang. ⁶ Lorsque s'achève son temps de purification, pour un fils ou pour une fille, elle amène au prêtre, à l'entrée de la *tente de la rencontre, un agneau âgé d'un an ⁱ, pour un holocauste, et un pigeon ou une tourterelle, servant à un *sacrifice pour le péché ; ⁷ le prêtre les présente devant le SEIGNEUR, et quand il a fait sur elle le rite d'absolution, elle est purifiée de sa perte de sang. »

Telles sont les instructions concernant la femme qui accouche d'un garçon ou d'une fille.

⁸ « Si elle n'arrive pas à se procurer un agneau, elle prend deux tourterelles ou deux pigeons, l'un servant à un holocauste et l'autre à un sacrifice pour le péché ; quand le prêtre a fait sur elle le rite d'absolution, elle est purifiée. »

Maladies de peau chez l'homme

13 ¹ Le SEIGNEUR adressa la parole à Moïse et à Aaron :

² « S'il se forme sur la peau d'un homme une boursouflure, une dartre ou une tache luisante, et que cela devienne une maladie de peau du genre lèpre ʲ, on l'amène au prêtre Aaron ou à l'un des prêtres ses fils ; ³ le prêtre procède à l'examen du mal de la peau : si dans la partie malade le poil a viré au blanc, et que cela paraisse former une dépression dans la peau, c'est une maladie du genre lèpre ; après l'examen, le prêtre le déclare *impur. ⁴ S'il s'agit d'une tache luisante blanche sur la peau, qu'elle ne paraisse pas former une dépression dans la peau, et que le poil n'y ait pas viré au blanc, le prêtre met le malade à l'isolement pour sept jours ; ⁵ le septième jour, le prêtre procède à l'examen : si le mal est visiblement resté stationnaire, sans prendre d'extension sur la peau, le prêtre le met à l'isolement pour une seconde période de sept jours ; ⁶ le septième jour, le prêtre procède à un second examen : si la partie malade s'est ternie et que le mal n'a pas pris d'extension sur la peau, le prêtre le déclare pur : c'est une dartre ; le sujet lave ses vêtements, puis il est pur ; ⁷ mais si la dartre prend de l'extension sur la peau après l'examen par le prêtre en vue d'une déclaration de pureté, le sujet fait procéder à un nouvel examen par le prêtre ; ⁸ le prêtre procède à l'examen : puisque la dartre a pris de l'extension sur la peau, le prêtre le déclare impur : c'est la lèpre.

⁹ Si un homme est atteint d'une maladie du genre lèpre, on l'amène au prêtre ; ¹⁰ le prêtre procède à un examen : s'il y a une boursouflure blanche sur la peau, qu'elle ait fait virer le poil au blanc et que de la chair à vif y apparaisse, ¹¹ c'est une lèpre invétérée dans sa peau ; le prêtre le déclare impur ; il ne prend pas la peine de le mettre à l'isolement, car il est manifestement impur. ¹² Mais si cette lèpre se met à bourgeonner sur la peau, au point de recouvrir toute la peau du

---

ⁱ *âgé d'un an:* voir Ex 12.5 et la note ● ʲ Le mot hébreu ne désigne pas seulement la *lèpre* proprement dite, mais diverses affections de la peau, dont le prêtre doit juger le degré de gravité. Bien que le mot n'y apparaisse pas, c'est d'affections semblables que sont frappés Job (Jb 2.7) et l'auteur du Ps 38. Le même mot désigne aussi des moisissures apparaissant sur les vêtements (13.47-59) ou sur les murs d'une maison (14.33-53).

12.2 indisposition 15.19. **12.3** circoncision Gn 17.12; Lc 1.59; 2.21; Ph 3.5. **12.4** le temps de purification Lc 2.22. **12.8** deux tourterelles Lc 2.24; cf. 5.7+. **13.2** lèpre Nb 12.10; Dt 24.8-9; 2 R 5; Mt 8.2+. **13.4** isolement 14.38; Nb 12.14-15.

malade, de la tête aux pieds, d'après ce que peut en voir le prêtre, [13] ce dernier procède à un examen : puisque la lèpre recouvre tout son corps, il déclare pur le malade ; tout ayant viré au blanc, il est pur. [14] Mais du jour où on voit sur lui de la chair à vif, il devient impur ; [15] le prêtre procède à l'examen de la chair à vif, et le déclare impur : la chair à vif est impure, c'est de la lèpre ; [16] ou bien alors si la chair à vif a de nouveau viré au blanc, le sujet va trouver le prêtre ; [17] le prêtre procède à l'examen : puisque la partie malade a viré au blanc, le prêtre déclare pure cette maladie : le sujet est pur.

[18] S'il y a eu sur la peau de quelqu'un un furoncle qui a guéri, [19] mais qu'à l'endroit du furoncle se forme une boursouflure blanche, ou une tache luisante d'un blanc rougeâtre, le sujet fait procéder à un examen par le prêtre ; [20] le prêtre procède à l'examen : si la tache paraît faire un creux dans la peau et que le poil y ait viré au blanc, le prêtre le déclare impur : c'est une maladie du genre lèpre, qui est en train de bourgeonner dans le furoncle ; [21] si par contre, lorsque le prêtre procède à l'examen, il ne s'y trouve aucun poil blanc, qu'elle ne fasse pas un creux dans la peau et qu'elle soit terne, le prêtre met le sujet à l'isolement pour sept jours ; [22] si elle a réellement pris de l'extension sur la peau, le prêtre le déclare impur : c'est une maladie ; [23] mais si la tache luisante est restée stationnaire, sans prendre d'extension, c'est la cicatrice du furoncle ; le prêtre le déclare pur.

[24] Autre cas : Si quelqu'un est atteint d'une brûlure de la peau, causée par le feu, et qu'apparaisse dans la brûlure une tache luisante d'un blanc rougeâtre ou blanche, [25] le prêtre procède à l'examen : si le poil a viré au blanc dans la tache luisante et que celle-ci paraisse former une dépression dans la peau, c'est de la lèpre qui est en train de bourgeonner dans la brûlure ; le prêtre le déclare impur : c'est une maladie du genre lèpre ; [26] si par contre, lorsque le prêtre procède à l'examen, il n'y a pas de poil blanc dans la tache, que celle-ci ne fasse pas un creux dans la peau et qu'elle soit terne, le prêtre met le sujet à l'isolement pour sept jours ; [27] le septième jour, le prêtre procède à l'examen : si elle a réellement pris de l'extension dans la peau, le prêtre le déclare impur : c'est une maladie du genre lèpre ; [28] mais si la tache luisante est restée

stationnaire, sans prendre d'extension sur la peau, si elle est terne, c'est une boursouflure due à la brûlure ; le prêtre le déclare pur : c'est la cicatrice de la brûlure.

[29] Si un homme ou une femme est atteint de quelque mal sur la tête ou au menton, [30] le prêtre procède à l'examen du mal : s'il paraît former une dépression dans la peau et qu'il s'y trouve du poil roussâtre et clairsemé, le prêtre le déclare impur : c'est la teigne, c'est-à-dire la lèpre de la tête ou du menton ; [31] si par contre, lorsque le prêtre procède à l'examen de ce mal de teigne, il ne paraît pas former une dépression dans la peau, bien qu'il ne s'y trouve pas de poil noir, le prêtre met pour sept jours le malade atteint de teigne à l'isolement ; [32] le septième jour, le prêtre procède à l'examen du mal : si la teigne n'a pas pris d'extension et qu'il ne s'y trouve pas de poil roussâtre, si la teigne ne paraît pas former une dépression dans la peau, [33] le sujet se rase, mais sans raser l'endroit teigneux ; puis le prêtre met pour une seconde période de sept jours le teigneux à l'isolement ; [34] le septième jour, le prêtre procède à l'examen de la teigne : si la teigne n'a pas pris d'extension sur la peau et qu'elle ne paraisse pas former une dépression dans la peau, le prêtre le déclare pur ; après qu'il a lavé ses vêtements, il est pur ; [35] mais si la teigne prend de l'extension sur la peau après la déclaration de pureté, [36] le prêtre procède à l'examen : puisque la teigne a pris de l'extension sur la peau, le prêtre ne recherche même pas s'il y a du poil roussâtre ; il est impur ; [37] mais si la teigne est visiblement restée stationnaire et que du poil noir y a poussé, c'est que la teigne est guérie et qu'il est pur ; aussi le prêtre le déclare-t-il pur.

[38] S'il se forme sur la peau d'un homme ou d'une femme des taches luisantes, blanches, [39] le prêtre procède à un examen : si ces taches sur leur peau sont d'un blanc terne, c'est un vitiligo [k], qui a bourgeonné sur la peau ; le sujet est pur.

[40] Si un homme perd ses cheveux, il a la tête chauve ; il est pur ; [41] s'il perd ses cheveux sur le devant, il a le front dégarni ; il est pur ; [42] mais s'il se forme dans sa calvitie, au sommet de la tête ou sur le front, un mal d'un blanc rougeâtre, c'est une lèpre qui est en train de bourgeonner, au sommet de la tête ou sur le front ; [43] le prêtre procède à l'examen : si la boursouflure dans la partie malade est

_k_ La traduction du nom de cette maladie de peau est seulement probable

d'un blanc rougeâtre, au sommet de la tête ou sur le front, et qu'elle paraisse semblable à une lèpre de la peau, [44] c'est un lépreux, il est impur ; le prêtre le déclare impur ; le mal l'a frappé à la tête.

[45] Le lépreux ainsi malade doit avoir ses vêtements *déchirés, ses cheveux défaits, sa moustache recouverte [l], et il doit crier : "Impur ! Impur !" ; [46] il est impur aussi longtemps que le mal qui l'a frappé est impur ; il habite à part et établit sa demeure hors du camp.

Moisissures sur les vêtements

[47] « Si un vêtement est taché de lèpre [m], vêtement de laine ou vêtement de lin, [48] tissu ou tricot de lin ou de laine, cuir ou tout objet confectionné en cuir, [49] si la tache devient verdâtre ou rougeâtre sur le vêtement ou le cuir, sur le tissu ou le tricot, ou sur tout objet de cuir, c'est une tache de lèpre : on fait procéder à un examen par le prêtre ; [50] le prêtre procède à l'examen de la tache, puis met l'objet taché pour sept jours sous séquestre ; [51] le septième jour, il procède à l'examen de la tache : si la tache a pris de l'extension sur le vêtement, sur le tissu ou le tricot, ou sur le cuir — quel que soit l'objet en cuir — c'est une tache de lèpre maligne ; l'objet est *impur ; [52] on brûle le vêtement, le tissu ou le tricot de laine ou de lin, ou tout objet de cuir qui a cette tache ; puisque c'est une lèpre maligne, l'objet doit être brûlé ; [53] si par contre, lorsque le prêtre procède à l'examen, la tache n'a pas pris d'extension, sur le vêtement, sur le tissu ou le tricot, ou sur tout objet de cuir, [54] le prêtre ordonne de laver l'objet taché, puis le met pour une seconde période de sept jours sous séquestre ; [55] le prêtre procède à un examen, après lavage de la tache : si la tache n'a pas changé d'aspect, même si elle n'a pas pris d'extension, l'objet est impur ; tu le brûles ; c'est un vêtement rongé, à l'envers ou à l'endroit ; [56] si par contre, lorsque le prêtre procède à l'examen, la tache s'est ternie après lavage, il l'arrache du vêtement ou du cuir, du tissu ou du tri-

cot ; [57] mais si quelque chose réapparaît sur le vêtement, sur le tissu ou sur le tricot, ou sur tout objet de cuir, c'est une lèpre en train de bourgeonner : tu brûles l'objet taché. [58] Le vêtement, le tissu ou le tricot, ou tout objet de cuir, que tu laves et d'où disparaît la tache, se lave une seconde fois et devient pur. » [59] Telles sont, concernant la tache de lèpre sur un vêtement de laine ou de lin, sur un tissu ou un tricot, ou sur tout objet de cuir, telles sont les instructions qui permettent de le déclarer pur ou impur.

Purification du lépreux

14 [1] Le SEIGNEUR adressa la parole à Moïse : [2] « Voici le rituel relatif au *lépreux, à observer le jour de sa *purification :
— on l'amène au prêtre ;
— [3] le prêtre sort à l'extérieur du camp ;
— le prêtre procède à un examen.
Si le lépreux est guéri de la maladie du genre lèpre,
— [4] le prêtre ordonne de prendre pour celui qui se purifie : deux oiseaux vivants, purs, du bois de cèdre, du cramoisi éclatant et de l'hysope [n] ;
— [5] le prêtre ordonne d'égorger le premier oiseau au-dessus d'un récipient d'argile contenant de l'eau vive [o] ;
— [6] il prend l'oiseau vivant avec le bois de cèdre, le cramoisi éclatant et l'hysope ;
— il les trempe, y compris l'oiseau vivant, dans le sang de l'oiseau qu'on a égorgé sur l'eau vive ;
— [7] il effectue sept aspersions sur celui qui se purifie de la lèpre ;
— il le déclare pur ;
— il fait s'envoler l'oiseau vivant vers la pleine campagne ;
— [8] celui qui se purifie lave ses vêtements, rase tout son poil, se lave dans l'eau et alors il est pur ;
— ensuite il se rend au camp, mais demeure sept jours hors de sa tente ;
— [9] le septième jour, il rase tout son poil, tête, menton et arcade sourcilière ; il rase tout son poil ;

---

[l] *ses vêtements déchirés...* : manifestations traditionnelles du deuil, voir Ez 24.17; comparer Lv 10.6+.   En effet le « lépreux », coupé du monde des vivants (v. 46), est une sorte de mort en sursis ● [m] *taché de lèpre :* voir 13.2 et la note ● [n] *Le cramoisi éclatant* est une matière colorante, rouge, fabriquée à partir d'une cochenille, parasite du chêne. — *L'hysope* est une plante vivace aromatique, souvent mentionnée dans les liturgies de purification ; voir Ps 51.9 ● [o] *contenant de l'eau vive* ou *au-dessus d'une eau courante*

13.46 hors du camp 14.3; Nb 5.2; 2 R 15.5.   **14.2** purification du lépreux Mt 8.4 par.; Lc 17.14.
14.3 à l'extérieur du camp 13.46.   **14.4** hysope Ex 12.22; Nb 19.18; He 9.19.   **14.7** oiseau vivant
14.53; cf. 16.10, 20-22.

— il lave ses vêtements, lave son corps dans l'eau, et alors il est pur ;

— 10 le huitième jour, il prend deux agneaux sans défaut, une agnelle sans défaut, âgée d'un an, trois dixièmes d'épha de farine, en offrande pétrie à l'huile, et un log *p* d'huile ;

— 11 le prêtre qui préside à la purification place l'homme qui se purifie, ainsi que ses présents, devant le Seigneur, à l'entrée de la *tente de la rencontre ;

— 12 le prêtre prend le premier agneau et le présente en *sacrifice de réparation, avec le log d'huile ;

— il les offre avec le geste de présentation devant le Seigneur ;

— 13 il égorge l'agneau à l'endroit où l'on égorge la victime du sacrifice pour le péché et l'holocauste, dans le lieu *saint ; — en effet, il en va du sacrifice de réparation comme du sacrifice pour le péché : il revient au prêtre ; c'est une chose très sainte — ;

— 14 le prêtre prend du sang de la victime de réparation ;

— le prêtre le met sur le lobe de l'oreille droite de celui qui se purifie, sur le pouce de sa main droite et sur le pouce de son pied droit ;

— 15 le prêtre prend le log d'huile ;

— il s'en verse un peu dans la main gauche ;

— 16 le prêtre trempe son index droit dans l'huile qui se trouve dans sa main gauche ;

— de son doigt il effectue sept aspersions d'huile devant le Seigneur ;

— 17 de ce qui reste d'huile dans sa main, le prêtre en met sur le lobe de l'oreille droite de celui qui se purifie, sur le pouce de sa main droite et sur le pouce de son pied droit, par-dessus le sang de la victime de réparation ;

— 18 le reste d'huile qui est dans sa main, le prêtre le met sur la tête de celui qui se purifie ;

— le prêtre fait sur lui le rite d'absolution devant le Seigneur ;

— 19 le prêtre procède au sacrifice pour le péché ;

— il fait le rite d'absolution sur celui qui se purifie de son *impureté ;

— ensuite il égorge l'holocauste ;

— 20 le prêtre fait monter *q* à l'*autel l'holocauste et l'offrande ;

— le prêtre fait sur lui le rite d'absolution. Alors il est purifié.

Purification d'un lépreux pauvre

21 « Si le sujet est trop pauvre pour se procurer tout cela, il prend un seul agneau, pour le *sacrifice de réparation avec geste de présentation, afin que l'on fasse sur lui le rite d'absolution, un seul dixième d'épha de farine pétrie dans l'huile, pour l'offrande, un log *r* d'huile 22 et deux tourterelles ou deux pigeons — ce qu'il peut se procurer — ; l'un est destiné au sacrifice pour le péché, l'autre à l'holocauste.

— 23 Le huitième jour, il les amène pour sa *purification au prêtre, à l'entrée de la *tente de la rencontre, devant le Seigneur ;

— 24 le prêtre prend l'agneau de réparation et le log d'huile ;

— le prêtre les offre avec le geste de présentation devant le Seigneur ;

— 25 il égorge l'agneau de réparation ;

— le prêtre prend du sang de la victime de réparation ;

— il le met sur le lobe de l'oreille droite de celui qui se purifie, sur le pouce de sa main droite et sur le pouce de son pied droit ;

— 26 le prêtre se verse un peu d'huile dans la main gauche ;

— 27 de son index droit, le prêtre effectue devant le Seigneur sept aspersions avec l'huile qui est dans sa main gauche ;

— 28 le prêtre met de l'huile qui est dans sa main sur le lobe de l'oreille droite de celui qui se purifie, sur le pouce de sa main droite et sur le pouce de son pied droit, aux endroits où il a mis du sang de la victime de réparation ;

— 29 le reste d'huile qui est dans sa main, le prêtre le met sur la tête de celui qui se purifie, pour faire sur lui le rite d'absolution devant le Seigneur ;

— 30 de l'une des tourterelles ou de l'un des pigeons — peu importe ce que le sujet a pu se procurer — ; 31 de l'un des oiseaux qu'il a pu se procurer, il fait un sacrifice pour le péché, et de

---

p âgée d'un an: voir Ex 12.5 et la note. — *épha, log:* voir au glossaire POIDS ET MESURES. — *offrande:* voir au glossaire SACRIFICES ● *q fait monter* ou *présente* ● *r épha, log:* voir au glossaire POIDS ET MESURES

14.14 oreille, main et pied droits cf. 8.23-24+. **14.16** sept aspersions devant le Seigneur cf. 4.6, 17. **14.21** clause en faveur des pauvres 5.7+.

l'autre un holocauste accompagnant l'offrande ;
— le prêtre fait le rite d'absolution sur celui qui se purifie, devant le SEIGNEUR. »

³² Telles sont les instructions concernant un malade de la *lèpre qui ne peut se procurer le nécessaire pour sa purification.

Moisissures sur les murs des maisons

³³ Le SEIGNEUR adressa la parole à Moïse et à Aaron : ³⁴ « Quand vous serez entrés dans le pays de Canaan que je vous donne en propriété, si je mets une tache de lèpre ˢ dans une maison de ce pays qui sera le vôtre, ³⁵ le maître de la maison ira annoncer au prêtre : "Il me semble qu'il y a comme une tache dans ma maison." ³⁶ Le prêtre ordonnera de vider la maison avant que lui, le prêtre, y entre, pour procéder à l'examen de la tache ; ainsi, rien de ce qui se trouvait dans la maison ne sera tenu pour *impur ; cela fait, le prêtre entrera pour procéder à l'examen de cette maison ; ³⁷ il procédera à l'examen de la tache : si la tache, sur les parois de la maison, se présente sous forme de cavités verdâtres ou rougeâtres, si elle paraît faire un creux dans la paroi, ³⁸ le prêtre sortira de la maison, jusque sur le pas de la porte, et mettra pour sept jours la maison sous séquestre. ³⁹ Le septième jour, le prêtre reviendra et procédera à l'examen : si la tache a pris de l'extension dans les parois de la maison, ⁴⁰ le prêtre ordonnera d'arracher les pierres qui sont tachées et de les jeter hors de la ville dans un endroit impur ; ⁴¹ il fera gratter tout l'intérieur de la maison et déverser hors de la ville dans un endroit impur la terre qu'on aura grattée ; ⁴² on prendra d'autres pierres pour remplacer les premières, et l'on prendra une autre terre pour recrépir la maison. ⁴³ Si la tache se remet à bourgeonner dans la maison après qu'on en aura arraché les pierres, après grattage de la maison et recrépissage, ⁴⁴ le prêtre ira et procédera à un examen : si la tache a pris de l'extension dans la maison, c'est une lèpre maligne dans la maison ; celle-ci est im-

pure ; ⁴⁵ on démolira la maison, tout ce qui est pierres, bois et crépi de la maison, et on l'évacuera hors de la ville dans un endroit impur. ⁴⁶ Celui qui entrerait dans la maison durant toute la période du séquestre deviendrait impur jusqu'au soir ; ⁴⁷ celui qui coucherait dans la maison devrait laver ses vêtements ; celui qui mangerait dans la maison devrait laver ses vêtements. ⁴⁸ Si par contre, lorsque le prêtre entrera et procédera à l'examen, la tache n'a pas pris d'extension dans la maison après le recrépissage de la maison, le prêtre déclarera la maison pure, puisque le mal a été guéri.

⁴⁹ Pour purifier la maison de son péché,
— il prendra deux oiseaux, du bois de cèdre, du cramoisi éclatant et de l'hysope ᵗ ;
— ⁵⁰ il égorgera le premier oiseau au-dessus d'un récipient d'argile contenant de l'eau vive ;
— ⁵¹ il prendra le bois de cèdre, l'hysope, le cramoisi éclatant et l'oiseau vivant ;
— il les trempera dans le sang de l'oiseau égorgé et dans l'eau vive ;
— il effectuera sept aspersions sur la maison ; — ⁵² c'est ainsi qu'il purifiera la maison de son péché, au moyen du sang de l'oiseau, de l'eau vive, de l'oiseau vivant, du bois de cèdre, de l'hysope et du cramoisi éclatant — ;
— ⁵³ il fera s'envoler l'oiseau vivant hors de la ville, vers la pleine campagne ;
— il fera le rite d'absolution sur la maison.

Alors elle est purifiée. »
⁵⁴ Telles sont les instructions concernant toute maladie du genre lèpre, la teigne, ⁵⁵ la lèpre d'un vêtement ou d'une maison, ⁵⁶ la boursouflure, la dartre et la tache luisante ; ⁵⁷ elles donnent les directives en cas d'impureté comme de pureté.
Telles sont les instructions concernant la lèpre.

Impuretés sexuelles de l'homme

15 ¹ Le SEIGNEUR adressa la parole à Moïse et à Aaron : ² « Parlez aux fils d'Israël ; vous leur direz :
« Quand un homme est atteint d'un écoulement dans ses organes ᵘ, cet écoulement le rend *impur. ³ Voici en quoi con-

---

ˢ *tache de lèpre :* voir 13.2 et la note ● *t. de son péché* ou *de son impureté* (de même au v. 52) ; comparer 8.15 et la note. — *cramoisi éclatant, hysope :* voir v. 4 et la note ● *u dans ses organes :* autre traduction *dans sa chair,* euphémisme pour les organes sexuels. — Il s'agit ici d'un écoulement consécutif à une maladie vénérienne

14.34 le pays de Canaan 19.23-25 ; 23.10 ; Gn 17.8 ; Ps 105.11. **14.49** le « péché » d'un objet 8.15+. **15.2** écoulement Nb 5.2 ; 2 S 3.29.

siste l'impureté due à son écoulement ;
— que ses organes laissent échapper
l'écoulement ou qu'ils s'engorgent, son
impureté est la suivante — :
⁴ Tout lit où s'est couché l'homme
atteint d'écoulement est impur ; tout objet
où il s'est assis est impur.
⁵ Celui qui touche ce lit doit laver ses
vêtements, se laver à l'eau, et il est impur
jusqu'au soir.
⁶ Celui qui s'assied sur l'objet où s'est
assis l'homme atteint d'écoulement, doit
laver ses vêtements, se laver à l'eau, et il
est impur jusqu'au soir.
⁷ Celui qui touche le corps de l'homme
atteint d'écoulement doit laver ses vêtements, se laver à l'eau, et il est impur
jusqu'au soir.
⁸ Si l'homme atteint d'écoulement crache
sur quelqu'un qui est pur, celui-ci doit
laver ses vêtements, se laver à l'eau, et il
est impur jusqu'au soir.
⁹ Toute selle sur laquelle a voyagé
l'homme atteint d'écoulement est impure.
¹⁰ Quiconque touche un objet qui s'est
trouvé sous cet homme est impur jusqu'au soir ; celui qui transporte un tel
objet doit laver ses vêtements, se laver à
l'eau, et il est impur jusqu'au soir.
¹¹ Toute personne que l'homme atteint
d'écoulement a touchée, sans s'être rincé
les mains à l'eau, doit laver ses vêtements,
se laver à l'eau, et elle est impure jusqu'au
soir.
¹² Un récipient d'argile qu'aura touché
l'homme atteint d'écoulement doit être
brisé, et tout récipient de bois doit être
rincé à l'eau.
¹³ Pour être purifié de son écoulement,
l'homme compte sept jours jusqu'à sa
purification et lave ses vêtements ; il lave
son corps dans de l'eau vive, et alors il
est purifié. ¹⁴ Le huitième jour, il se procure deux tourterelles ou deux pigeons et
se rend devant le SEIGNEUR, à l'entrée de
la *tente de la rencontre, pour les remettre au prêtre. ¹⁵ De l'un, le prêtre fait un
*sacrifice pour le péché, et de l'autre un
holocauste ; le prêtre fait sur lui, devant
le SEIGNEUR, le rite d'absolution de son
écoulement.
¹⁶ Quand un homme a eu des pertes
séminales, il doit se laver tout le corps à
l'eau et il est impur jusqu'au soir ; ¹⁷ tout
vêtement et tout cuir atteint par la perte
séminale doivent être lavés à l'eau, et ils
sont impurs jusqu'au soir.

¹⁸ Quand une femme a eu des relations
sexuelles avec un homme, ils doivent se
laver à l'eau et ils sont impurs jusqu'au
soir.

Impuretés sexuelles de la femme

¹⁹ « Quand une femme est atteinte d'un
écoulement, que du sang s'écoule de ses
organes, elle est pour sept jours dans son
indisposition, et quiconque la touche est
*impur jusqu'au soir.
²⁰ Tout ce sur quoi elle s'est couchée
en étant indisposée est impur, et tout ce
sur quoi elle s'est assise est impur.
²¹ Quiconque touche son lit doit laver
ses vêtements, se laver à l'eau, et il est
impur jusqu'au soir.
²² Quiconque touche un objet où elle
s'est assise, doit laver ses vêtements, se
laver à l'eau, et il est impur jusqu'au soir.
²³ Si quelque chose se trouve sur son
lit ou sur l'objet où elle s'est assise, en
y touchant on est impur jusqu'au soir.
²⁴ Si un homme va jusqu'à coucher
avec elle, elle lui transmet son indisposition : il est impur pour sept jours ; tout
lit où il couche est impur.
²⁵ Quand une femme est atteinte d'un
écoulement de sang pendant plusieurs
jours en dehors de sa période d'indisposition ou que l'écoulement se prolonge
au-delà de son temps d'indisposition, son
impureté dure aussi longtemps que dure
l'écoulement ; elle est impure, tout comme
pendant ses jours d'indisposition.
²⁶ Tant que dure cet écoulement, tout
lit où elle se couche est comme le lit de
son temps d'indisposition ; et tout objet
où elle s'assied est impur comme il est
impur lors de son indisposition.
²⁷ Quiconque les touche se rend impur ;
il doit laver ses vêtements, se laver à
l'eau, et il est impur jusqu'au soir.
²⁸ Si son écoulement a pris fin elle
compte sept jours, et ensuite elle est
purifiée. ²⁹ Le huitième jour, elle se procure deux tourterelles ou deux pigeons
et les amène au prêtre, à l'entrée de la
*tente de la rencontre. ³⁰ Le prêtre fait
de l'un un *sacrifice pour le péché et de
l'autre un holocauste ; le prêtre fait sur
elle, devant le SEIGNEUR, le rite d'absolution de l'écoulement qui la rendait
impure.

15.16 épanchement séminal Dt 23.11-12. **15.18** impureté consécutive à l'acte sexuel Ex 19.15;
1 S 21.5-6; 2 S 11.11. **15.20** ce sur quoi elle s'est assise Gn 31.34-35. **15.24** coucher avec une
femme indisposée 18.19+. **15.25** écoulement de sang Mt 9.20 par. **15.30** purification de la
femme indisposée 2 S 11.4.

[31] Vous demanderez aux fils d'Israël de se tenir à l'écart, quand ils sont en état d'impureté *v* ; ainsi ils ne mourront pas à cause de leur impureté, c'est-à-dire pour avoir rendu impure ma *demeure qui est au milieu d'eux. »

[32] Telles sont les instructions concernant celui qui est atteint d'un écoulement, celui qui a des pertes séminales qui le rendent impur, [33] celle qui a sous indisposition menstruelle, bref, celui ou celle qui est atteint d'écoulement, ainsi que l'homme qui couche avec une femme impure.

Le Jour du Grand Pardon *w*

16 [1] Le SEIGNEUR adressa la parole à Moïse après la mort des deux fils d'Aaron — ceux qui étaient morts en s'avançant devant le SEIGNEUR *x*. [2] Le SEIGNEUR dit à Moïse : « Dis à ton frère Aaron de ne pas entrer n'importe quand dans le *sanctuaire, au-delà du voile, face au propitiatoire qui se trouve sur l'*arche, et ainsi il ne mourra pas quand j'apparaîtrai dans la nuée *y*, au-dessus du propitiatoire.

[3] Voici ce que doit avoir Aaron pour entrer dans le sanctuaire : un taurillon destiné à un *sacrifice pour le péché et un bélier pour un holocauste ; [4] il revêt une tunique sacrée, en lin, il met des caleçons de lin sur son corps, il se ceint d'une ceinture de lin, et il se coiffe d'un turban de lin ; — ce sont des vêtements sacrés ; il les revêt donc après s'être lavé le corps à l'eau — ; [5] et de la part de la communauté des fils d'Israël, il reçoit deux boucs destinés à un sacrifice pour le péché et un bélier pour un holocauste.

[6] Aaron présente le taurillon du sacrifice pour son propre péché et il fait le rite d'absolution en sa faveur et en faveur de sa maison. [7] Il prend les deux boucs et les place devant le SEIGNEUR, à l'entrée de la *tente de la rencontre. [8] Aaron tire des sorts sur les deux boucs : un sort "Pour le SEIGNEUR", un sort "Pour Azazel" *z*. [9] Aaron présente le bouc sur lequel est tombé le sort "Pour le SEIGNEUR", et il en fait un sacrifice pour le péché. [10] Quant au bouc sur lequel est tombé le sort "Pour Azazel", on le place vivant devant le SEIGNEUR, pour faire sur lui le rite d'absolution en l'envoyant à Azazel au désert.

[11] Aaron présente le taurillon du sacrifice pour son propre péché, et il fait le rite d'absolution en sa faveur et en faveur de sa maison ; puis il égorge ce taurillon du sacrifice pour son propre péché. [12] Il prend une pleine cassolette *a* de charbons ardents sur l'*autel qui est devant le SEIGNEUR, et deux pleines poignées de parfum à brûler, en poudre, et il les amène au-delà du voile. [13] Il met le parfum sur le feu devant le SEIGNEUR et la nuée de parfum *b* recouvre le propitiatoire qui est sur la *charte. Ainsi il ne mourra pas. [14] Il prend du sang du taurillon et, de son doigt, il fait aspersion sur le côté oriental du propitiatoire ; puis devant le propitiatoire, il fait de son doigt sept aspersions de sang. [15] Il égorge le bouc du sacrifice pour le péché du peuple, et il en amène le sang au-delà du voile ; il procède avec ce sang comme il a procédé avec celui du taurillon : il en fait aspersion sur le propitiatoire et devant le propitiatoire. [16] Il fait sur le sanctuaire le rite d'absolution des *impuretés des fils d'Israël et de leurs révoltes, c'est-à-dire de tous leurs péchés ; il fait de même pour la tente de la rencontre qui demeure avec eux au milieu de leurs impuretés. — [17] Il ne doit y avoir personne dans la tente de la rencontre quand il y entre pour faire le rite d'absolution dans le sanctuaire, jusqu'à ce qu'il en sorte : il fait le rite d'absolution en sa propre faveur, en faveur de sa maison et en faveur de toute

---

v Vous demanderez...: autre traduction Vous éloignerez les Israélites de l'impureté de ces gens ● *w Appelé aussi Jour des Expiations, Yom Kippour, dans la liturgie juive* ● *x Voir 10.1-2* ● *y n'importe quand: le Jour du Grand Pardon était le seul jour de l'année où le grand prêtre pénétrait derrière le voile qui cachait le Lieu très saint; voir Si 50.5; He 9.7. — propitiatoire: voir Ex 25.17 et la note. — la nuée: voir Ex 13.21 et la note* ● *z Azazel est probablement le nom d'un démon hantant les lieux désertiques, voir v. 10. Des traducteurs et commentateurs anciens y ont vu au contraire un nom de lieu* ● *a cassolette: voir 10.1 et la note* ● *b La nuée de parfum évoque la nuée de l'Exode (voir Ex 19.9) où Dieu est à la fois présent (Lv 16.2) et caché*

15.31 Dieu demeure au milieu de son peuple 26.11-12; Nb 5.3; Es 7.14; Ez 43.9; 2 Co 6.16; Ap 21.3. **16.1** le jour du Grand Pardon 23.26-32; Nb 29.7-11. **16.2** le voile du sanctuaire 4.6; He 6.19. — le propitiatoire Ex 25.17-22; He 9.5. — la nuée 16.13; Ex 13.21-22; Nb 9.15-22; 1 R 8.10-11; Ez 10.3-4; Ps 78.14. **16.4** vêtements sacrés Ex 28.39-43. **16.10** bouc vivant cf. 14.7, 53. — le désert, habitation des démons Es 34.11-14; Mt 4.1-4 par.; 12.43 par. **16.12** l'autel qui est devant le Seigneur 4.7+. **16.15** le sang dans le sanctuaire He 9.12. **16.16** purification du sanctuaire Ez 45.18-20.

l'assemblée d'Israël —. ¹⁸ Il sort vers l'autel qui est devant le SEIGNEUR et il fait sur lui le rite d'absolution ; il prend du sang du taurillon et du sang du bouc, et il en met sur les cornes ᶜ du pourtour de l'autel. ¹⁹ De son doigt, il fait sept aspersions de sang sur l'autel ; il le purifie des impuretés des fils d'Israël et le *sanctifie.

²⁰ Quand il a fini de faire le rite d'absolution pour le sanctuaire, pour la tente de la rencontre et pour l'autel, il présente le bouc vivant. ²¹ Aaron *impose les deux mains ᵈ sur la tête du bouc vivant : il confesse sur lui toutes les fautes des fils d'Israël et toutes leurs révoltes, c'est-à-dire tous leurs péchés, et il les met sur la tête du bouc ; puis il l'envoie au désert sous la conduite d'un homme tout prêt. ²² Le bouc emporte sur lui toutes leurs fautes vers une terre stérile.

Quand il a envoyé le bouc dans le désert, ²³ Aaron se rend à la tente de la rencontre, il ôte les vêtements de lin qu'il a revêtus pour entrer dans le sanctuaire et les dépose là. ²⁴ Il se lave le corps à l'eau dans un endroit saint, puis revêt ses vêtements ; il sort et offre son holocauste et celui du peuple ; il fait le rite d'absolution en sa faveur et en faveur du peuple ; ²⁵ il fait fumer à l'autel la graisse des victimes pour le péché.

²⁶ Celui qui a conduit le bouc "Pour Azazel" lave ses vêtements et se lave le corps à l'eau ; après quoi il rentre au camp. ²⁷ Le taurillon pour le péché et le bouc pour le péché, dont le sang a été amené dans le sanctuaire pour le rite d'absolution, on les fait porter hors du camp et on les brûle, peaux, chair et fiente. ²⁸ Celui qui les a brûlés doit laver ses vêtements et se laver le corps à l'eau ; après quoi il rentre au camp.

²⁹ C'est pour vous une loi immuable : au septième mois, le dix du mois, vous *jeûnez ᵉ et vous ne faites aucun ouvrage, tant l'indigène que l'émigré installé parmi vous. ³⁰ En effet c'est ce jour-là qu'on fait sur vous le rite d'absolution qui vous purifie. Devant le SEIGNEUR vous serez purs de tous vos péchés. ³¹ C'est pour vous un *sabbat, un jour de repos, où vous jeûnez. Loi immuable.

³² Celui qui accomplit le rite d'absolution, c'est le prêtre qui a reçu l'*onction et l'investiture pour exercer le sacerdoce à la place de son père. Il revêt les vêtements de lin, vêtements sacrés ; ³³ il fait le rite d'absolution pour le sanctuaire consacré ; il le fait pour la tente de la rencontre et pour l'autel ; il le fait sur les prêtres et sur tout le peuple rassemblé.

³⁴ C'est pour vous une loi immuable concernant la cérémonie d'absolution, une fois l'an, de tous les péchés des fils d'Israël. »

On fit ce que le SEIGNEUR avait ordonné à Moïse.

Prescriptions relatives au sang

17 ¹ Le SEIGNEUR adressa la parole à Moïse : ² « Parle à Aaron, à ses fils et à tous les fils d'Israël ; tu leur diras : Voici l'ordre que le SEIGNEUR a donné :

³ Si un homme de la maison d'Israël égorge un bœuf, un agneau ou une chèvre dans le camp — ou même l'égorge hors du camp — ⁴ sans l'amener à l'entrée de la *tente de la rencontre pour l'apporter en présent au SEIGNEUR, devant la *demeure du SEIGNEUR, il répondra du sang qu'il a versé : cet homme-là sera retranché du sein de son peuple ᶠ. ⁵ Ainsi les fils d'Israël amèneront les animaux qu'ils voudraient *sacrifier en pleine campagne ; ils les amèneront au prêtre, à l'entrée de la tente de la rencontre, pour le SEIGNEUR ; ils les sacrifieront au SEIGNEUR à titre de sacrifice de paix ; ⁶ le prêtre aspergera de ce sang l'*autel du SEIGNEUR à l'entrée de la tente de la rencontre, et il fera fumer la graisse en parfum apaisant pour le SEIGNEUR ; ⁷ ainsi ils n'immoleront plus leurs sacrifices à ces espèces de boucs ᵍ auxquels on rend un culte débauché. C'est pour eux, d'âge en âge, une loi immuable.

⁸ Tu leur diras aussi : Si un homme, faisant partie de la maison ʰ d'Israël ou

---

ᶜ *cornes*: voir Ex 27.2 et la note • ᵈ En *imposant les deux mains* sur la tête du bouc et en prononçant une prière de confession, Aaron fait du bouc le porteur des péchés d'Israël, afin qu'il les emporte au loin dans le désert • ᵉ *vous jeûnez*: autre traduction *vous humiliez vos âmes*; voir Ac 27.9 et la note • ᶠ *retranché du sein de son peuple*: voir Gn 17.14 et la note • ᵍ Le mot hébreu traduit par *(espèces de) boucs* désigne non seulement le bouc au sens propre (chap. 16), mais aussi une sorte de démon des lieux arides, auquel à certaines époques on offrait des sacrifices, voir 2 Ch 11.15 • ʰ *de la maison* ou *du peuple*

16.23 changement de vêtements Ez 44.19. **16.29** le dix du septième mois 23.27. — l'émigré assimilé à l'indigène 18.26; 19.34; 24.16; Ex 12.48-49; Nb 15.29-30; Ez 47.22. **16.32** le prêtre qui a reçu l'onction 4.3+. **17.7** ces espèces de boucs 2 R 23.8; Es 13.21.

des émigrés venus s'y installer, offre un holocauste ou un sacrifice [9] sans l'amener à l'entrée de la tente de la rencontre pour en faire un sacrifice pour le Seigneur, cet homme-là sera retranché de sa parenté.

[10] Si un homme, faisant partie de la maison d'Israël ou des émigrés venus s'y installer, consomme du sang, je me retournerai contre celui-là qui aura consommé le sang, pour le retrancher du sein de son peuple ; [11] car la vie d'une créature est dans le sang ; et moi, je vous l'ai donné, sur l'autel, pour l'absolution de votre vie. En effet, le sang procure l'absolution parce qu'il est la vie [i]. [12] Voilà pourquoi j'ai dit aux fils d'Israël : "Nul d'entre vous ne doit consommer de sang, et nul émigré installé parmi vous ne doit consommer de sang".

[13] Si un homme, faisant partie des fils d'Israël ou des émigrés installés parmi eux, prend à la chasse un animal ou un oiseau qui se mange, il en versera le sang et le recouvrira de terre ; [14] car la vie de toute créature, c'est son sang, tant qu'elle est en vie ; aussi ai-je dit aux fils d'Israël : "Vous ne consommerez le sang d'aucune créature, car la vie de toute créature, c'est son sang ; celui qui en consomme doit être retranché [j]."

[15] Quiconque, indigène ou émigré, mange d'une bête crevée ou déchiquetée doit laver ses vêtements, se laver à l'eau et il est *impur jusqu'au soir ; alors il est purifié. [16] S'il ne lave ni ses vêtements ni son corps, il portera le poids de sa faute. »

Respect de l'union conjugale

18 [1] Le Seigneur adressa la parole à Moïse : [2] « Parle aux fils d'Israël ; tu leur diras : C'est moi, le Seigneur, votre Dieu. [3] Ne faites pas ce qui se fait au pays d'Egypte, où vous avez habité ; ne faites pas ce qui se fait au pays de Ca-

naan [k], où je vais vous faire entrer ; ne suivez pas leurs lois ; [4] mettez en pratique mes coutumes et veillez à suivre mes lois. C'est moi, le Seigneur, votre Dieu.

.[5] Gardez mes lois et mes coutumes : c'est en les mettant en pratique que l'homme a la vie. C'est moi, le Seigneur.

[6] Nul d'entre vous ne s'approchera de quelqu'un de sa parenté, pour en découvrir la nudité [l]. C'est moi, le Seigneur.

[7] Tu ne découvriras pas la nudité de ton père, ni celle de ta mère ; puisqu'elle est ta mère, tu ne découvriras pas sa nudité.

[8] Tu ne découvriras pas la nudité d'une femme de ton père ; c'est la propre nudité de ton père.

[9] Tu ne découvriras pas la nudité de ta sœur, qu'elle soit fille de ton père ou fille de ta mère, qu'elle soit née à la maison ou au-dehors.

[10] Tu ne découvriras pas la nudité de la fille de ton fils ou de la fille de ta fille ; c'est ta propre nudité.

[11] Tu ne découvriras pas la nudité de la fille d'une femme de ton père ; étant née de ton père, elle est ta sœur.

[12] Tu ne découvriras pas la nudité de la sœur de ton père ; elle est de la même chair que ton père.

[13] Tu ne découvriras pas la nudité de la sœur de ta mère ; car elle est de la même chair que ta mère.

[14] Tu ne découvriras pas la nudité du frère de ton père, en t'approchant de sa femme ; elle est ta tante.

[15] Tu ne découvriras pas la nudité de ta belle-fille ; puisqu'elle est la femme de ton fils, tu ne découvriras pas sa nudité.

[16] Tu ne découvriras pas la nudité de la femme de ton frère ; c'est la propre nudité de ton frère.

[17] Tu ne découvriras pas la nudité d'une femme et de sa fille ; tu ne prendras, pour en découvrir la nudité, ni la fille de son

i Le texte hébreu de ce verset est obscur et la traduction incertaine ● *j* Voir note précédente ● *k* L'Egypte admettait le mariage entre proches parents (18.6) ; Canaan symbolise dans tout l'AT la sexualité pervertie (18.27 ; Gn 19.4-9) ● *l* pour en découvrir la nudité: autre traduction *pour avoir des relations sexuelles avec elle.* De même dans tout le chapitre

17.11 (la vie est dans) le sang 3.17 ; 7.26 ; 17.14 ; 19.26 ; Gn 9.4 ; Dt 12.23. — absolution par le sang He 9.22. **17.13** verser le sang du gibier Dt 12.16, 24 ; 15.23. **17.15** l'émigré assimilé à l'indigène 16.29+. — manger d'une bête déchiquetée 22.8 ; Ex 22.30 ; Ez 4.14 ; cf. Lv 7.24. **18.1** respect de l'union conjugale Ex 20.14 par +. **18.3** éviter les coutumes de Canaan 20.22-23 ; Dt 18.9 ; Jos 24.15. **18.5** les commandements qui donnent la vie Dt 4.1 ; 8.1 ; Ez 20.11, 13 ; Pr 4.4 ; Lc 10.28+. **18.7** découvrir la nudité: de son père Ez 22.10 ; cf. Gn 9.22-23. **18.8** d'une femme de son père 20.11 ; Gn 35.22 ; Dt 27.20 ; 1 Co 5.1. **18.9** de sa sœur 20.17 ; Dt 27.22 ; Ez 22.11 ; cf. 2 S 13.11-13. **18.11** de sa sœur 18.9+. **18.12** de sa tante 20.19 ; cf. Ex 6.20. **18.14** de son oncle 20.20. **18.15** de sa belle-fille 20.12 ; Gn 38.16, 26 ; Ez 22.11. **18.16** de sa belle-sœur 20.21 ; Mt 14.3-12 par. ; cf. Dt 25.5-10 ; Mt 22.23-33 par. **18.17** d'une femme et de sa (petite-) fille 20.14 ; Dt 27.23.

fils ni la fille de sa fille ; elles sont de la même chair qu'elle ; ce serait une impudicité.

[18] Tu ne prendras pas pour épouse la sœur de ta femme, au risque de provoquer des rivalités [m] en découvrant sa nudité tant que ta femme est en vie.

[19] Tu ne t'approcheras pas, pour en découvrir la nudité, d'une femme que son indisposition rend *impure.

[20] Tu n'auras pas de relations sexuelles avec la femme de ton compatriote, ce qui te rendrait impur.

[21] Tu ne livreras pas l'un de tes enfants pour le faire passer au Molek [n] et tu ne profaneras pas le nom de ton Dieu. C'est moi, le SEIGNEUR.

[22] Tu ne coucheras pas avec un homme comme on couche avec une femme ; ce serait une abomination.

[23] Tu n'auras pas de relations avec une bête, ce qui te rendrait impur ; et aucune femme ne s'offrira à une bête pour s'y accoupler ; ce serait de la dépravation.

[24] Ne vous rendez impurs par aucune de ces pratiques ; car c'est à cause d'elles que sont devenues impures les nations que je chasse devant vous. [25] Le pays est devenu impur, et je l'ai châtié de sa faute ; aussi le pays a-t-il vomi ses habitants.

[26] Pour vous, gardez mes lois et mes coutumes, et ne pratiquez aucune de ces abominations, ni l'indigène, ni l'émigré installé parmi vous ; [27] — toutes ces abominations, les hommes qui habitaient le pays avant vous les ont pratiquées, et le pays est devenu impur. — [28] Ainsi le pays ne vous vomira pas, parce que vous l'auriez rendu impur, comme il a vomi la nation qui vous précédait ; [29] mais quiconque pratiquera l'une ou l'autre de ces abominations sera retranché du sein de son peuple [o].

[30] Gardez mes observances, sans pratiquer ces lois abominables qui se pratiquaient avant vous, et ne vous rendez pas impurs par de telles actions. C'est moi, le SEIGNEUR, votre Dieu. »

Comment Dieu veut être servi

19 [1] Le SEIGNEUR adressa la parole à Moïse : [2] « Parle à toute la communauté des fils d'Israël ; tu leur diras : Soyez *saints, car je suis saint, moi, le SEIGNEUR, votre Dieu.

[3] Chacun de vous doit craindre sa mère et son père, et observer mes *sabbats. C'est moi, le SEIGNEUR, votre Dieu.

[4] Ne vous tournez pas vers les faux dieux [p], ne vous fabriquez pas des dieux en forme de statue. C'est moi, le SEIGNEUR, votre Dieu.

[5] Quand vous immolez au SEIGNEUR un *sacrifice de paix, faites-le de manière à être agréés : [6] On le mange le jour du sacrifice et le lendemain ; ce qu'il en resterait le troisième jour serait brûlé ; [7] si l'on en mangeait quand même le troisième jour, ce serait de la viande avariée, on ne saurait être agréé ; [8] celui qui en mangerait porterait le poids d'une faute pour avoir profané ce qui est consacré au SEIGNEUR ; et celui-là serait retranché de sa parenté [q].

[9] Quand vous moissonnerez vos terres, tu ne moissonneras pas ton champ jusqu'au bord ; et tu ne ramasseras pas la glanure de ta moisson ; [10] tu ne grappilleras pas non plus ta vigne et tu n'y ramasseras pas les fruits tombés ; tu les abandonneras au pauvre et à l'émigré. C'est moi, le SEIGNEUR, votre Dieu.

[11] Ne commettez pas de rapt, ne mentez pas, n'agissez pas avec fausseté, au détri-

---

m au risque de provoquer des rivalités: autre traduction *comme seconde épouse* ● n *Molek:* peut-être le nom d'une ancienne divinité païenne (comparer *Milkôm,* dieu des Ammonites, 1 R 11.5, 7). En hébreu, ce nom évoque le titre *roi* et le mot *honte; Molek* est donc le *Roi de la Honte* ● *o retranché du sein de son peuple:* voir Gn 17.14 et la note ● *p vers les faux dieux:* autre traduction *vers les riens,* mot méprisant pour désigner les idoles ● *q retranché de sa parenté:* voir Gn 17.14 et la note

18.18 d'une femme et de sa sœur cf. Gn 29.15-30. **18.19** d'une femme indisposée 15.24; 20.18; Ez 22.10. **18.20** d'une femme mariée 20.10; Ez 20.14 par.; 2 S 11.4; Ez 22.11. **18.21** sacrifices d'enfants 20.2-5; Dt 12.31; 2 R 17.17; Jr 7.31; Ps 106.37-38. — profaner le nom de Dieu 19.12; 20.3; Ex 20.7 par.; Ez 36.20-21; Am 2.7. **18.22** coucher avec un homme 20.13; Gn 19.5; Jg 19.22; Rm 1.27. **18.23** coucher avec une bête 20.15-16; Ex 22.18; Dt 27.21. **18.25** le pays vomit ses habitants 18.28; 20.22. **18.26** l'émigré assimilé à l'indigène 16.29+. **19.2** Israël peuple saint 11.44+. **19.3** respecter père et mère 20.9; Ex 20.12 par.; 22.7; Mt 15.4 par.; Ep 6.2-3. — respecter le sabbat 23.3; Ex 20.8-11 par.; Ez 22.8; Mt 12.1+. **19.4** faux dieux Ex 20.3 par.; 34.14; Ps 81.10; Mt 4.10 par. — statues 26.1; Ex 20.4 par.; 32.1-6; Dt 27.15; 1 R 12.26-33; Es 44.16-17. **19.5** sacrifice de paix 3.1+. **19.9** quand vous moissonnerez 23.22; Dt 24.19-22. **19.11** le rapt Ex 20.15 par.; Dt 24.7. — le mensonge Lv 5.21-22.

ment d'un compatriote. ¹² Ne prononcez pas de faux serment sous le couvert de mon *nom : tu profanerais le nom de ton Dieu. C'est moi, le SEIGNEUR.

¹³ N'exploite pas ton prochain et ne le vole pas ; la paye d'un salarié ne doit pas rester entre tes mains jusqu'au lendemain ; ¹⁴ n'insulte pas un sourd, et ne mets pas d'obstacle devant un aveugle ; c'est ainsi que tu auras la crainte de ton Dieu. C'est moi, le SEIGNEUR.

¹⁵ Ne commettez pas d'injustice dans les jugements : n'avantage pas le faible, et ne favorise pas le grand, mais juge avec justice ton compatriote ; ¹⁶ ne te montre pas calomniateur de ta parenté, et ne porte pas une accusation qui fasse verser le sang de ton prochain. C'est moi, le SEIGNEUR.

¹⁷ N'aie aucune pensée de haine contre ton frère, mais n'hésite pas à réprimander ton compatriote pour ne pas te charger d'un péché à son égard ; ¹⁸ ne te venge pas, et ne sois pas rancunier à l'égard des fils de ton peuple ʳ ; c'est ainsi que tu aimeras ton prochain comme toi-même. C'est moi, le SEIGNEUR.

¹⁹ Gardez mes lois : n'accouple pas deux espèces différentes de ton bétail ; ne sème pas dans ton champ deux semences différentes ; ne porte pas de vêtement en étoffe hybride, tissée de deux fibres différentes.

²⁰ Si un homme a des relations sexuelles avec une femme et qu'il s'agisse d'une servante réservée à quelqu'un, mais ni rachetée ni affranchie, cela donne lieu à une indemnisation ˢ ; ils ne sont pas mis à mort, car elle n'était pas affranchie ; ²¹ l'homme amène un bélier à l'entrée de la *tente de la rencontre, en sacrifice de réparation pour le SEIGNEUR ; ²² quand, au moyen du bélier de réparation, le prêtre a fait sur lui devant le SEIGNEUR le rite d'absolution du péché qu'il a commis, ce péché lui est pardonné.

²³ Quand vous serez entrés dans le Pays et que vous aurez planté n'importe quel arbre fruitier, vous tiendrez son fruit pour quelque chose d'incirconcis ᵗ ; pendant trois ans il sera incirconcis pour vous, on n'en mangera pas ; ²⁴ la quatrième année, tout son fruit sera consacré au SEIGNEUR dans une fête de louanges ᵘ ; ²⁵ la cinquième année, vous en mangerez ; c'est ainsi que votre récolte ira en augmentant. C'est moi, le SEIGNEUR, votre Dieu.

²⁶ Ne mangez rien au-dessus du sang ᵛ ; ne pratiquez ni divination, ni incantation ; ²⁷ ne taillez pas en rond le bord de votre chevelure, et ne supprime pas ta barbe sur les côtés ; ²⁸ ne vous faites pas d'incisions sur le corps à cause d'un défunt, et ne vous faites pas dessiner de tatouage. C'est moi, le SEIGNEUR.

²⁹ Ne déshonore pas ta fille en la prostituant, de peur que le pays ne se prostitue et qu'il ne se remplisse d'impudicité ; ³⁰ observez mes sabbats, et révérez mon *sanctuaire. C'est moi, le SEIGNEUR.

³¹ Ne vous tournez pas vers les revenants ni vers les esprits ; ne les recherchez pas pour vous rendre *impurs en leur compagnie. C'est moi, le SEIGNEUR, votre Dieu.

³² Lève-toi devant des cheveux blancs, et sois plein de respect pour un vieillard ; c'est ainsi que tu auras la crainte de ton Dieu. C'est moi, le SEIGNEUR.

³³ Quand un émigré viendra s'installer chez toi, dans votre pays, vous ne l'exploiterez pas ; ³⁴ cet émigré installé chez vous, vous le traiterez comme un indigène, comme l'un de vous ; tu l'aimeras comme toi-même ; car vous-mêmes avez été des émigrés dans le pays d'Egypte. C'est moi, le SEIGNEUR, votre Dieu.

---

r des fils de ton peuple ou *des membres de ton peuple,* c'est-à-dire *de tes compatriotes* ● *s à une indemnisation:* autres traductions *à une enquête* ou *à un châtiment* ● *t* De même que l'homme *incirconcis* est impur et ne doit donc pas être touché, de même le fruit dit « incirconcis » ne doit pas être touché ● *u* En Jg 9.27 est mentionnée aussi une *fête de louanges,* à l'occasion des vendanges ● *v au-dessus du sang:* voir 1 S 14.32 et la note

19.12 le faux serment 5.24 ; Ex 20.16 par. ; 1 R 21.10, 13 ; Jr 5.2 ; Mt 5.33 ; 26.60 par. ; Ac 6.13. — profaner le nom de Dieu 18.21 +. **19.13** exploiter son prochain 5.21, 23 ; Ex 22.20 ; Dt 24.14 ; Ml 3.5. — la paye du salarié Dt 24.15 ; Jc 5.4. **19.14** aider l'aveugle Dt 27.18 ; Jb 29.15 ; Mt 15.14 +. **19.15** juger avec justice Ex 23.2-8 ; Dt 1.17. **19.16** faire condamner à mort Ez 22.9, 12. **19.17** réprimander son prochain Mt 18.15 par. **19.18** la vengeance Rm 12.19. — la rancune Si 10.6 ; Naʰ 1.2 ; Ps 103.9. — tu aimeras ton prochain 19.34 ; Mt 5.43 +. **19.19** les mélanges Dt 22.9-11. **19.21** sacrifice de réparation 5.15 +. **19.23** le pays de Canaan 14.34 +. **19.26** le sang 17.11 +. — divination, incantation Dt 18.10 ; 2 R 21.6 ; 2 Ch 33.6. **19.27** couper les cheveux ou la barbe 21.5 ; Dt 14.1 ; Jr 48.37. **19.29** la prostitution (sacrée) Dt 23.18. **19.30** respecter le sabbat 19.3 +. — respecter le sanctuaire 26.2 ; Ez 22.8. **19.31** consulter les revenants et esprits 20.6, 27 ; Dt 18.11 ; 1 S 28.3 ; Es 8.19. **19.32** respecter les vieillards Lm 5.12. **19.33** exploiter son prochain 19.13 +. **19.34** l'émigré assimilé à l'indigène 16.29 +. — tu aimeras l'étranger 25.35 ; Dt 10.19 ; cf. Lv 19.18 +.

³⁵ Ne commettez pas d'injustice dans ce qui est réglementé : dans les mesures de longueur, de poids et de capacité ; ³⁶ ayez des balances justes, des poids justes, un épha juste et un hîn ͮ juste. C'est moi, le SEIGNEUR, votre Dieu, qui vous ai fait sortir du pays d'Egypte.

³⁷ Gardez toutes mes lois et toutes mes coutumes, et mettez-les en pratique. C'est moi, le SEIGNEUR. »

Les cultes dénaturés

20 ¹ Le SEIGNEUR adressa la parole à Moïse : ² « Tu diras aux fils d'Israël :

Quiconque, fils d'Israël ou émigré installé en Israël, livre un de ses enfants au Molek ˣ sera mis à mort : le peuple du pays le lapidera ; ³ pour ma part, je me retournerai contre cet homme-là et je le retrancherai du sein de son peuple ͵ pour avoir livré un de ses enfants au Molek et avoir ainsi rendu *impur mon *sanctuaire et profané mon saint *nom. ⁴ Si, pour éviter de le mettre à mort, le peuple du pays voulait se boucher les yeux quand cet homme livre un de ses enfants au Molek, ⁵ je me retournerais moi-même contre cet homme-là et contre son clan et je les retrancherais du sein de leur peuple, lui et tous ceux qui, à sa suite, se prostitueraient ᶻ avec le Molek. ⁶ Celui qui se tourne vers les revenants et vers les esprits pour se prostituer avec eux, je me retournerai contre celui-là et je le retrancherai du sein de son peuple. ⁷ *Sanctifiez-vous donc pour être saints, car c'est moi, le SEIGNEUR, votre Dieu.

Relations sexuelles interdites

⁸ « Gardez mes lois et mettez-les en pratique. C'est moi, le Seigneur, qui vous *sanctifie. ⁹ Ainsi :

Quand un homme insulte son père ou sa mère, il sera mis à mort ; il a insulté père et mère, son sang retombe sur lui. ¹⁰ Quand un homme commet l'adultère avec la femme de son prochain ᵃ, ils seront mis à mort, l'homme adultère aussi bien que la femme adultère.

¹¹ Quand un homme couche avec une femme de son père, il découvre la nudité de son père ; ils seront mis à mort tous les deux, leur sang retombe sur eux ᵇ. ¹² Quand un homme couche avec sa belle-fille, ils seront mis à mort tous les deux ; ce qu'ils on fait est de la dépravation, leur sang retombe sur eux. ¹³ Quand un homme couche avec un homme comme on couche avec une femme, ce qu'ils ont fait tous les deux est une abomination ; ils seront mis à mort, leur sang retombe sur eux. ¹⁴ Quand un homme prend pour épouses une femme et sa mère, c'est une impudicité ; on les brûle, lui et elles ; ainsi il n'y aura pas d'impudicité au milieu de vous. ¹⁵ Quand un homme a des relations avec une bête, il sera mis à mort, et vous tuerez la bête. ¹⁶ Quand une femme s'approche de quelque bête pour s'y accoupler, tu devras tuer la femme et la bête ; elles seront mises à mort, leur sang retombe sur elles. ¹⁷ Quand un homme prend pour épouse sa sœur, fille de son père ou fille de sa mère, et qu'il voit sa nudité, et qu'elle voit sa nudité à lui, c'est une turpitude ; ils seront retranchés ᶜ, sous les yeux des fils de leur peuple ; pour avoir découvert la nudité de sa sœur, il porte le poids de sa faute. ¹⁸ Quand un homme couche avec une femme qui a ses règles et qu'il découvre sa nudité, puisqu'il a mis à nu la source du sang qu'elle perd, et qu'elle-même a découvert cette source, ils seront tous les deux retranchés du sein de leur peuple. ¹⁹ Tu ne découvriras pas la nudité de la sœur de ta mère ou de la sœur de ton père ; puisqu'il a mis à nu celle qui est

---

w épha, hin: voir au glossaire POIDS ET MESURES ● x Molek: voir 18.21 et la note ● y je le retrancherai du sein de son peuple: voir Gn 17.14 et la note ● z se prostitueraient: voir Os 2.4 et la note ● a L'hébreu répète quelques mots : Quand un homme commet l'adultère avec la femme d'un homme qui commet l'adultère avec la femme de son prochain ● b leur sang retombe sur eux : tournure sémitique signifiant que l'homme et la femme en question sont pleinement responsables et doivent en supporter les conséquences ● c retranchés (de leur parenté): voir Gn 17.14 et la note

19.35 pas d'injustice Ez 45.9. 19.36 des mesures justes Dt 25.13-16; Ez 45.10-12; Os 12.8; Am 8.5; Pr 11.1. 20.2 l'émigré assimilé à l'indigène 16.29+. — sacrifices d'enfants 18.21+. 20.3 profaner le nom de Dieu 18.21+. 20.6 consulter les revenants et esprits 19.31+. 20.9 respecter père et mère 19.3+. 20.10 coucher avec une femme mariée 18.20+; Dt 22.22; Jn 8.1-11. 20.11 avec une femme de son père 18.8+. 20.12 avec sa belle-fille 18.15+. 20.13 avec un homme 18.22+. 20.14 avec une femme et sa mère 18.17+. 20.15 avec une bête 18.23+. 20.17 avec sa sœur 18.9+. 20.18 avec une femme indisposée 18.19+. 20.19 avec sa tante 18.12-14+.

de la même chair que lui, ils portent tous deux le poids de leur faute.

²⁰ Quand un homme couche avec sa tante, il découvre la nudité de son oncle ; ils portent tous deux le poids de leur péché, ils mourront sans enfants.

²¹ Quand un homme prend pour épouse la femme de son frère, c'est une souillure ; il a découvert la nudité de son frère, ils seront privés d'enfants.

²² Gardez toutes mes lois et toutes mes coutumes, et mettez-les en pratique, afin qu'il ne vous vomisse pas, ce pays où je vais vous faire entrer pour vous y installer. ²³ Ne suivez pas les lois de la nation que je vais chasser devant vous ; c'est parce qu'ils ont pratiqué tout cela que je les ai pris en dégoût ²⁴ et que je vous ai dit :

"C'est vous qui posséderez leur sol,
Et c'est moi qui vous le donne en possession,
Pays ruisselant de lait et de miel *d* !"
C'est moi, le SEIGNEUR, votre Dieu, qui vous ai distingués du milieu des peuples. ²⁵ Aussi faites la distinction entre bêtes *pures et impures, et entre oiseaux impurs et purs, afin de ne pas mettre l'interdit *e* sur vous-mêmes avec ces bêtes, ces oiseaux et tout ce qui grouille sur le sol — ceux que j'ai distingués, afin que vous les teniez pour impurs.

²⁶ Soyez à moi, *saints car je suis saint, moi, le SEIGNEUR ; et je vous ai distingués du milieu des peuples pour que vous soyez à moi.

²⁷ — Quand un homme ou une femme sont habités par un revenant ou un esprit, ils seront mis à mort ; on les lapidera, leur sang retombe sur eux. »

Règles pour la vie privée des prêtres

21 ¹ Le SEIGNEUR dit à Moïse : « Adresse-toi aux prêtres, fils d'Aaron ; tu leur diras :

Qu'un prêtre ne se rende pas *impur pour un défunt dans sa parenté, ² sauf pour un proche, de la même chair que lui : sa mère, son père, son fils, sa fille, son frère ; ³ pour sa sœur, si elle est vierge — puisqu'alors, n'appartenant pas à un autre homme, elle est encore de ses proches *f* — pour elle il peut se rendre impur. ⁴ Lui qui est un chef *g* parmi sa parenté, qu'il ne se rende pas impur au risque de se profaner.

⁵ Les prêtres ne se feront pas de tonsure à la tête, ni ne se raseront la barbe sur les côtés, ni ne se feront d'incisions sur le corps ; ⁶ ils seront consacrés à leur Dieu et ils ne profaneront pas le *nom de leur Dieu ; puisque ce sont eux qui présentent les mets du SEIGNEUR, la nourriture de leur Dieu, ils seront en état de *sainteté ; ⁷ ils ne prendront pas pour épouse une femme prostituée ou déshonorée ; ils ne prendront pas une femme répudiée par son mari ; car le prêtre est consacré à son Dieu ; ⁸ tu le tiendras pour saint, car c'est lui qui présente la nourriture de ton Dieu ; il sera saint pour toi, car je suis saint, moi, le SEIGNEUR, qui vous sanctifie.

⁹ Si la fille d'un prêtre se déshonore en se prostituant, c'est son père qu'elle déshonore, elle sera brûlée.

¹⁰ Quant au grand prêtre, celui qui a la primauté parmi ses frères, celui sur la tête duquel a été versée l'huile d'*onction et qui a reçu l'investiture pour revêtir les vêtements, qu'il ne défasse pas ses cheveux ni ne *déchire ses vêtements *h* ; ¹¹ qu'il n'aille vers aucun défunt et ne se rende impur pour son père ni pour sa mère ; ¹² qu'il ne sorte pas du *sanctuaire de peur de profaner le sanctuaire de son Dieu, car il a été marqué par l'onction d'huile de son Dieu. C'est moi, le SEIGNEUR. ¹³ Qu'il prenne pour épouse une femme encore vierge ; ¹⁴ qu'il prenne ni une veuve ni une femme répudiée, ni une femme qui s'est déshonorée en se prostituant ; au contraire, qu'il prenne pour épouse une jeune fille de sa parenté ; ¹⁵ qu'ainsi il n'introduise pas une descendance profane dans sa parenté, car c'est moi, le SEIGNEUR, qui le sanctifie. »

---

d Pays ruisselant...: voir Ex 3.8 et la note ● *e mettre l'interdit:* voir 11.11 et la note ● *f elle est encore de ses proches:* par son mariage, une femme devenait membre du clan de son mari et perdait ses attaches légales avec la famille de son père ; comparer 22.12-13 ● *g Lui qui est un chef:* traduction incertaine d'une expression peu claire ● *h* Voir 10.6 et la note

20.21 avec sa belle-sœur 18.16+. 20.22 le pays vomit ses habitants 18.25+. 20.23 éviter les coutumes de Canaan 18.3+. 20.24 pays ruisselant de lait et de miel Ex 3.8+. 20.26 Israël peuple saint 11.44+. 20.27 revenant ou esprit 19.31+. 21.5 couper les cheveux ou la barbe 19.27+. 21.6 profaner le nom de Dieu 18.21+. 21.7 épouser une femme répudiée Ez 44.22. 21.8 la sainteté du prêtre cf. 11.44+. 21.10 revêtir les vêtements Lv 8. 21.12 marqué par l'onction d'huile 10.7+.

Cas d'empêchement au sacerdoce

[16] Le SEIGNEUR adressa la parole à Moïse : [17] « Parle à Aaron : D'âge en âge, qu'aucun de tes descendants, s'il est infirme, ne s'approche pour présenter la nourriture de son Dieu ; [18] en effet, quiconque a une infirmité ne doit pas s'approcher, que ce soit un aveugle ou un boiteux, un homme au nez aplati ou aux membres difformes [i], [19] un homme atteint d'une fracture à la jambe ou au bras, [20] un bossu ou un gringalet, un homme affligé d'une tache à l'œil, un galeux ou un dartreux, ou un homme aux testicules écrasés. [21] Aucun descendant du prêtre Aaron, s'il est infirme, ne doit s'avancer pour présenter les mets du SEIGNEUR ; puisqu'il est infirme, qu'il ne s'avance pas pour présenter la nourriture de son Dieu ; [22] il peut manger de la nourriture de son Dieu, offrandes très *saintes et offrandes saintes ; [23] mais il ne doit pas aller jusqu'au voile, ni s'avancer jusqu'à l'*autel, puisqu'il est infirme, afin de ne pas profaner mon *sanctuaire et son contenu [j], car c'est moi, le SEIGNEUR, qui les sanctifie. »

[24] Ainsi parla Moïse à Aaron, à ses fils et à tous les fils d'Israël.

La consommation des viandes sacrifiées

22 [1] Le SEIGNEUR adressa la parole à Moïse : [2] « Parle à Aaron et à ses fils des cas où, pour ne pas profaner mon saint *nom, ils doivent se tenir à l'écart des saintes offrandes [k] que les fils d'Israël me consacrent ; c'est moi, le SEIGNEUR : [3] Dis-leur :

D'âge en âge, tout homme de votre descendance qui, en état d'*impureté, s'approche des saintes offrandes que les fils d'Israël consacrent au SEIGNEUR, celui-là sera retranché de devant moi [l]. C'est moi, le SEIGNEUR.

[4] Aucun descendant d'Aaron, atteint de *lèpre ou d'un écoulement, ne doit manger des saintes offrandes avant d'être *purifié ; il en va de même pour celui qui a touché tout être rendu impur par le contact d'un cadavre, pour celui qui a eu des pertes séminales, [5] pour celui qui a touché n'importe quelle bestiole qui rend impur ou un homme qui rend impur, quelle que soit cette impureté. [6] Celui qui a eu de tels contacts est impur jusqu'au soir et ne peut manger des saintes offrandes qu'après s'être lavé le corps à l'eau ; [7] dès le coucher du soleil, il est pur : alors il peut manger des saintes offrandes, car c'est sa nourriture. — [8] Il ne doit pas manger de bête crevée ou déchiquetée, ce qui le rendrait impur ; c'est moi, le SEIGNEUR.

[9] Qu'ils gardent mes observances et qu'ils ne se chargent pas d'un péché à propos de leur nourriture ; s'ils la profanaient, ils en mourraient ; c'est moi, le SEIGNEUR, qui les *sanctifie.

[10] Aucun laïc ne doit manger de ce qui est saint ; ni l'hôte ni le salarié d'un prêtre ne doivent manger de ce qui est saint ; [11] mais si un prêtre a acquis une personne à prix d'argent, celle-ci peut en manger, tout comme le serviteur né dans la maison ; eux peuvent manger de sa nourriture. [12] Une fille de prêtre, qui a épousé un laïc, ne doit pas manger de ce qui est prélevé sur les saintes offrandes ; [13] mais si une fille de prêtre est devenue veuve ou a été répudiée, si elle n'a pas d'enfants et qu'elle soit retournée chez son père comme au temps de sa jeunesse, alors elle peut manger de la nourriture de son père, bien qu'aucun laïc n'en puisse manger. [14] Si quelqu'un, par mégarde, mange de ce qui est saint, il doit en rendre l'équivalent au prêtre avec une majoration d'un cinquième.

[15] Qu'ils ne profanent pas les saintes offrandes des fils d'Israël, celles qu'ils prélèvent pour le SEIGNEUR ; [16] ils porteraient le poids d'une faute exigeant réparation, s'ils mangeaient de ces saintes offrandes, car c'est moi, le SEIGNEUR, qui les sanctifie. »

Règles pour choisir les victimes

[17] Le SEIGNEUR adressa la parole à

---

i nez aplati, membres difformes: traduction incertaine ● *j mon sanctuaire et son contenu:* autres traductions *mes sanctuaires* ou *mes choses saintes* ● *k offrandes:* voir au glossaire SACRI-FICES ● *l retranché de devant moi:* comparer Gn 17.14 et la note

21.20 homme émasculé Es 56.3-5. **22.2** profaner le nom de Dieu 18.21+. **22.3** en état d'impureté Lv 11; 13; 15. **22.4** lèpre 15.2-3+. — le contact d'un cadavre 5.2; 11.24-28, 31-40; 21.1-4. — épanchement séminal 15.16-17+. **22.5** bestiole ou homme qui rend impur 11.26; 13.45; 15. **22.8** manger d'une bête déchiquetée 17.15+. **22.10** aucun profane cf. 1 S 21.2-7; Mt 12.3-4 par. **22.11** serviteur né dans la maison Ex 21.4. **22.12** une fille de prêtre cf. 21.3. **22.13** la veuve qui retourne chez son père Gn 38.11; Jg 19.2; cf. Rt 1.8, 15. **22.14** l'équivalent avec majoration 5.16, 24; 27. **22.16** ces saintes offrandes 5.14-16.

Moïse : 18 « Parle à Aaron, à ses fils et à tous les fils d'Israël ; tu leur diras :

Quand un homme, faisant partie de la maison d'Israël ou des émigrés installés en Israël, veut apporter un présent en holocauste *m* comme ceux qu'on apporte au SEIGNEUR à la suite de vœux ou spontanément, 19 si vous voulez être agréés, ayez un mâle sans défaut, tiré des troupeaux de bœufs, de moutons ou de chèvres ; 20 ne présentez aucune bête ayant une tare, vous ne seriez pas agréés.

21 Quand un homme, en accomplissement d'un vœu ou spontanément, présente au SEIGNEUR un *sacrifice de paix tiré du gros ou du petit bétail, s'il veut être agréé, l'animal doit être sans défaut ; qu'il ne s'y trouve aucune tare : 22 ni cécité, ni fracture, ni amputation, ni verrue *n*, ni gale, ni dartre. Ne présentez rien de tel au SEIGNEUR, et n'en placez rien sur l'autel à titre de mets consumé pour le SEIGNEUR. 23 Si une pièce de gros ou de petit bétail est difforme ou atrophiée, tu peux en faire un sacrifice spontané, mais pour un sacrifice votif, elle ne serait pas agréée. 24 Ne présentez pas au SEIGNEUR un animal aux testicules écrasés, broyés, arrachés ou coupés ; ne faites pas cela dans votre pays. 25 De la main d'un étranger, ne recevez pas de tels animaux pour les présenter en nourriture à votre Dieu : la mutilation qu'on leur a infligée constitue une tare en eux, ils ne seraient pas agréés de votre part. »

26 Le SEIGNEUR adressa la parole à Moïse : 27 « Après leur naissance, un veau, un agneau ou un chevreau resteront sept jours avec leur mère ; à partir du huitième jour, ils seront agréés si on les présente comme mets consumé pour le SEIGNEUR. 28 Mais n'égorgez pas le même jour une bête, vache, brebis ou chèvre, et son petit *o*.

29 Quand vous immolez au SEIGNEUR un sacrifice de louange, faites-le de manière à être agréés : 30 on le mange le jour même, sans rien en laisser pour le lendemain. C'est moi, le SEIGNEUR.

31 Vous garderez mes commandements et les mettrez en pratique. C'est moi, le SEIGNEUR. 32 Vous ne profanerez pas mon saint *nom, afin que je sois *sanctifié au milieu des fils d'Israël ; c'est moi, le SEIGNEUR, qui vous sanctifie. — 33 Celui qui vous a fait sortir du pays d'Egypte afin que, pour vous, il soit Dieu, c'est moi, le SEIGNEUR. »

Calendrier des fêtes d'Israël : le Sabbat

23 1 Le SEIGNEUR adressa la parole à Moïse : 2 « Parle aux fils d'Israël ; tu leur diras : Les fêtes solennelles du SEIGNEUR sont celles où vous devez convoquer des réunions sacrées. Voici quelles sont ces rencontres solennelles avec moi :

3 Six jours on fera son travail, mais le septième jour est le *Sabbat, un jour de repos, avec réunion sacrée, un jour où vous ne faites aucun travail : c'est le sabbat du SEIGNEUR, où que vous habitiez.

4 Voici les fêtes solennelles du SEIGNEUR, les réunions sacrées que vous devez convoquer aux dates fixées :

La Pâque et la Fête des Pains-sans-levain

5 « Le premier mois, le quatorze du mois, au crépuscule *p*, c'est la *Pâque du SEIGNEUR.

6 Le quinze de ce même mois, c'est la Fête des *Pains-sans-levain pour le SEIGNEUR. Pendant sept jours vous mangerez des pains sans *levain ; 7 le premier jour vous aurez une réunion sacrée : vous ne ferez aucun travail pénible ; 8 chacun des sept jours, vous présenterez au SEIGNEUR un mets consumé ; le septième jour il y aura une réunion sacrée ; vous ne ferez aucun travail pénible. »

La Fête de la Première Gerbe

9 Le SEIGNEUR adressa la parole à Moïse : 10 « Parle aux fils d'Israël ; tu

m de la maison ou *du peuple*. — *holocauste :* voir au glossaire SACRIFICES ● *n verrue :* autre traduction *suppuration* ● *o* Les pratiques interdites dans les versets 27-28 étaient probablement courantes dans la religion cananéenne ● *p* Le *premier mois* de l'année commençant au printemps s'appelle Nisan ; voir au glossaire CALENDRIER. — *au crépuscule :* voir Ex 12.6 et la note

22.18 l'émigré assimilé à l'indigène 16.29+. 22.20 bête ayant une tare Dt 17.1 ; Ml 1.8 ; He 9.14. 22.21 sacrifice de paix 3.1+. 22.27 sept jours avec la mère Ex 22.29. 22.30 ne rien mettre de côté 7.15+. 22.32 profaner le nom de Dieu 18.21+. 22.33 le Seigneur est Dieu pour Israël 11.45+. 23.1 les fêtes d'Israël Ex 23.14-19 ; 34.18-23 ; Nb 28—29 ; Dt 16.1-17. 23.3 le sabbat Gn 2.2-3 ; Ex 20.8-11 par. ; 31.17. — où que vous habitiez 3.17+. 23.5 la Pâque, les Pains-sans-levain Ex 12+. 23.10 le pays de Canaan 14.34+. — la Première Gerbe Dt 26.1-11 ; cf. Lv 19.23-25.

leur diras : Quand vous serez entrés dans le pays que je vous donne, et que vous y ferez la moisson, vous amènerez au prêtre la Première Gerbe [q], *prémices de votre moisson ; [11] le prêtre offrira la gerbe devant le SEIGNEUR pour que vous soyez agréés ; il l'offrira le lendemain du sabbat [r]. [12] Le jour où vous offrirez la gerbe, vous ferez pour le SEIGNEUR l'holocauste d'un agneau sans défaut, âgé d'un an [s], [13] avec comme offrande ; deux dixièmes d'épha de farine pétrie à l'huile — c'est un mets consumé pour le SEIGNEUR, un parfum apaisant — et comme libation de vin : un quart de hîn [t]. [14] Vous ne mangerez ni pain, ni épis grillés, ni grain nouveau avant ce jour précis où vous amènerez le présent de votre Dieu. C'est là une loi immuable pour vous d'âge en âge, où que vous habitiez.

La Fête des Prémices

[15] « Vous compterez sept semaines à partir du lendemain du sabbat, c'est-à-dire à partir du jour où vous aurez amené la gerbe du rite de présentation ; les sept semaines seront complètes ; [16] jusqu'au lendemain du septième sabbat, vous compterez donc cinquante jours [u], et vous présenterez au SEIGNEUR une offrande de la nouvelle récolte : [17] où que vous habitiez, vous amènerez de chez vous pour le rite de présentation deux pains faits de deux dixièmes d'épha de farine et cuits en pâte levée : c'est Les Prémices pour le SEIGNEUR. [18] En plus du pain, vous présenterez sept agneaux sans défaut, âgés d'un an, un taurillon et deux béliers, et ils seront *sacrifiés en holocauste pour le SEIGNEUR ; avec leur offrande et leurs libations, c'est un mets consumé, un parfum apaisant pour le SEIGNEUR. [19] Avec un bouc, vous ferez un sacrifice pour le péché ; et avec deux agneaux âgés d'un

an, un sacrifice de paix ; [20] le prêtre les offrira devant le SEIGNEUR avec le geste de présentation, les deux agneaux en même temps que le pain de prémices. Ce sont des choses *saintes pour le SEIGNEUR, qui reviendront au prêtre. [21] Pour ce jour précis, vous ferez une convocation et vous tiendrez une réunion sacrée ; vous ne ferez aucun travail pénible. C'est une loi immuable pour vous d'âge en âge, où que vous habitiez.

[22] Quand vous moissonnerez vos terres, tu ne moissonneras pas ton champ jusqu'au bord, et tu ne ramasseras pas la glanure de ta moisson ; tu les abandonneras au pauvre et à l'émigré ; c'est moi, le SEIGNEUR, votre Dieu. »

Le Jour de souvenir et d'acclamation

[23] Le SEIGNEUR adressa la parole à Moïse : [24] « Parle aux fils d'Israël : Le septième mois, le premier du mois, c'est pour vous un jour de repos, un Jour de souvenir et d'acclamation [r], avec réunion sacrée. [25] Vous ne ferez aucun travail pénible, et vous présenterez un mets consumé au SEIGNEUR. »

Le Jour du Grand Pardon

[26] Le SEIGNEUR adressa la parole à Moïse : [27] « En outre, le dix de ce septième mois, qui est le Jour du Grand Pardon [w], vous tiendrez une réunion sacrée, vous *jeûnerez, et vous présenterez un mets consumé au SEIGNEUR ; [28] vous ne ferez aucun travail en ce jour précis, car c'est un jour de Grand Pardon, où se fait sur vous le rite d'absolution devant le SEIGNEUR votre Dieu. [29] Ainsi, quiconque ne jeûnerait pas en un tel jour serait retranché de sa parenté [x] ; [30] et quiconque ferait quelque travail en un tel jour, je le ferais disparaître du sein de son peu-

---

[q] La fête de la *Première Gerbe* correspond probablement à ce qui est mentionné en Ex 23.19; 34.26: *Tu apporteras les tout premiers fruits de ton sol à la Maison du Seigneur, ton Dieu* ● *r* Ce *sabbat* est soit celui qui tombe dans la semaine des Pains-sans-levain, soit le jour même de la Pâque (appelé exceptionnellement *sabbat*) qui peut être n'importe quel jour de la semaine ● *s holocauste:* voir au glossaire SACRIFICES. — *âgé d'un an:* voir Ex 12.5 et la note ● *t offrande, libation:* voir au glossaire SACRIFICES. — *épha, hîn:* voir au glossaire POIDS ET MESURES ● *u cinquante jours:* cette indication numérique est à l'origine d'un des noms de cette fête: Pentecôte (= *cinquantième*, en grec). Autres noms : *Fête de la Moisson* (Ex 23.16), *Fête des Semaines* (Ex 34.22) ● *v* Dans le calendrier israélite en vigueur à une époque plus ancienne, l'année commençait en automne (comme c'est de nouveau le cas dans le calendrier juif actuel). Dans le calendrier où l'année commençait au printemps, *le premier jour du septième mois* avait conservé une certaine importance parce qu'il correspondait à l'ancien Nouvel An ● *w Jour du Grand Pardon:* voir au glossaire CALENDRIER ● *x retranché de sa parenté:* voir Gn 17.14 et la note

---

23.14 épis grillés, grain nouveau 2.14; Rt 2.14. **23.17** les Prémices 2.14+. **23.22** quand vous moissonnerez 19.9+. **23.27** le Jour du Grand Pardon 16.1+.

ple. [31] Vous ne ferez aucun travail : c'est une loi immuable pour vous d'âge en âge, où que vous habitiez. [32] C'est pour vous un sabbat, un jour de repos, au cours duquel vous jeûnerez. Depuis le neuf du mois au soir jusqu'au lendemain soir, vous observerez ce repos sabbatique. »

La Fête des Tentes

[33] Le SEIGNEUR adressa la parole à Moïse : [34] « Parle aux fils d'Israël : Le quinze de ce septième mois, c'est la Fête des Tentes *y*, qui dure sept jours, en l'honneur du SEIGNEUR ; [35] le premier jour on tiendra une réunion sacrée ; vous ne ferez aucun travail pénible. [36] Chacun des sept jours, vous présenterez un mets consumé au SEIGNEUR. Le huitième jour vous tiendrez une réunion sacrée et vous présenterez un mets consumé au SEIGNEUR : c'est la clôture de la fête ; vous ne ferez aucun travail pénible.

[37] Voilà les fêtes solennelles du SEIGNEUR, où vous devez convoquer des réunions sacrées, pour présenter au SEIGNEUR, en mets consumé, un holocauste ou une offrande, un sacrifice de paix ou des libations, selon le rituel propre à chaque jour, [38] en plus des sabbats *z* du SEIGNEUR, et en plus des dons et de tous les sacrifices votifs ou spontanés que vous offrez au SEIGNEUR.

[39] En outre, le quinze du septième mois, après avoir récolté les produits de la terre, vous irez en pèlerinage fêter le SEIGNEUR pendant sept jours ; le premier jour sera jour de repos, le huitième jour sera jour de repos, [40] le premier jour vous vous munirez de beaux fruits, de feuilles de palmiers, de rameaux d'arbres touffus ou de saules des torrents, et vous serez dans la joie pendant sept jours devant le SEIGNEUR votre Dieu. [41] Vous ferez ce pèlerinage pour fêter le SEIGNEUR, sept jours par an ; c'est une loi immuable pour vous d'âge en âge : le septième mois vous ferez ce pèlerinage ; [42] vous habiterez sous la tente pendant sept jours ; tout indigène en Israël doit habiter sous la tente, [43] pour que d'âge en âge vous sachiez que j'ai fait habiter sous la tente les fils d'Israël, lorsque je les ai fait sortir du pays d'Egypte ; c'est moi, le SEIGNEUR, votre Dieu. »

[44] Alors Moïse dit aux fils d'Israël comment rencontrer le SEIGNEUR lors des fêtes solennelles.

Le chandelier du sanctuaire

24 [1] Le SEIGNEUR adressa la parole à Moïse : [2] « Ordonne aux fils d'Israël de te procurer pour le luminaire de l'huile d'olive, limpide et vierge, afin qu'une lampe soit allumée à perpétuité, [3] devant le voile de la *charte, dans la *tente de la rencontre. Aaron la disposera de manière qu'elle brûle du soir au matin devant le SEIGNEUR, à perpétuité. C'est une loi immuable pour vous d'âge en âge. [4] Sur le chandelier pur *a*, il disposera les lampes qui brûleront devant le SEIGNEUR, à perpétuité.

Le pain d'offrande

[5] « Tu prendras de la farine ; tu feras cuire douze gâteaux, chaque gâteau étant fait avec deux dixièmes d'épha *b* de farine ; [6] tu les placeras en deux piles de six sur la table pure *c*, devant le SEIGNEUR ; [7] tu mettras sur chaque pile de l'*encens pur ; il servira de mémorial *d* à la place du pain ; ce sera un mets consumé pour le SEIGNEUR ; [8] chaque jour de *sabbat, on les disposera devant le SEIGNEUR, à perpétuité, de la part des fils d'Israël ; c'est une *alliance éternelle. [9] Cela reviendra à Aaron et à ses fils ; ils mangeront ce pain dans un endroit *saint, car c'est pour eux une chose très sainte prise sur les mets consumés du SEIGNEUR ; c'est une redevance pour toujours. »

Punition du blasphème

[10] Le fils d'une Israélite, mais qui était fils d'un Egyptien, s'avança au milieu des fils d'Israël et, en plein camp, ils s'empoignèrent, lui, ce fils de la femme israélite, et un autre homme, qui était israé-

---

y Fête des Tentes appelée aussi Fête des Tabernacles ; voir au glossaire CALENDRIER ● *z en plus des sabbats*: c'est-à-dire en plus des offrandes faites les jours de sabbat (voir Nb 28.9-10) ● *a le chandelier pur* ou *le chandelier d'or pur* ● *b épha*: voir au glossaire POIDS ET MESURES ● *c table pure*: c'est-à-dire probablement plaquée d'or pur ; voir Ex 25.24 ● *d mémorial*: voir 2.2 et la note

23.34 la Fête des Tentes Za 14.16-19 ; Esd 3.4 ; Ne 8.14-18.   **24.2** le chandelier et l'huile Ex 25.31-40 ; 27.20-21 ; 1 S 3.3.   **24.5** le pain d'offrande Ex 25.30 ; 1 S 21.5-7 ; Mt 12.4 par. **24.7** de l'encens 2.1.   **24.9** endroit saint 6.9+.   **24.10** blasphème Ex 22.27 ; 1 S 3.13 ; 1 R 21.10, 13 ; Es 8.21 ; Mt 9.3+.

lite ; ¹¹ le fils de la femme israélite *blasphéma le Nom *ᵉ et l'insulta ; aussi l'amena-t-on vers Moïse. — Sa mère se nommait Shelomith, fille de Divri, de la tribu de Dan —. ¹² On le plaça sous bonne garde en attendant un ordre précis de la part du Seigneur.

¹³ Alors le Seigneur adressa la parole à Moïse : ¹⁴ « Fais sortir du camp celui qui a insulté ; que tous ceux qui l'ont entendu *imposent leurs mains *ᶠ sur sa tête, et que toute la communauté le lapide. ¹⁵ Et tu parleras ainsi aux fils d'Israël :

Si un homme insulte son Dieu, il doit porter le poids de son péché ; ¹⁶ ainsi celui qui blasphème le nom du Seigneur sera mis à mort : toute la communauté le lapidera ; émigré ou indigène, il sera mis à mort pour avoir blasphémé le Nom.

¹⁷ Si un homme frappe à mort un être humain quel qu'il soit, il sera mis à mort. ¹⁸ S'il frappe à mort un animal, il remboursera — vie pour vie.

¹⁹ Si un homme provoque une infirmité chez un compatriote, on lui fera ce qu'il a fait : ²⁰ fracture pour fracture, œil pour œil, dent pour dent ; on provoquera chez lui la même infirmité qu'il a provoquée chez l'autre.

²¹ Qui frappe un animal doit rembourser ;

qui frappe un homme est mis à mort. ²² Vous aurez une seule législation : la même pour l'émigré et pour l'indigène ; car c'est moi, le Seigneur, qui suis votre Dieu. »

²³ Ainsi parla Moïse aux fils d'Israël. On fit alors sortir du camp celui qui avait insulté et on le lapida. Les fils d'Israël exécutèrent ainsi ce que le Seigneur avait ordonné à Moïse.

L'année sabbatique *ᵍ

25 ¹ Sur la montagne de Sinaï, le Seigneur adressa la parole à Moïse : ² « Parle aux fils d'Israël ; tu leur diras : Quand vous serez entrés dans le pays que je vous donne, la terre observera un repos sabbatique pour le Seigneur : ³ pendant six ans, tu sèmeras ton champ ; pendant six ans, tu tailleras ta vigne ; et tu en ramasseras la récolte ; ⁴ la septième année sera un *sabbat, une année de repos pour la terre, un sabbat pour le Seigneur ; tu ne sèmeras pas ton champ ; tu ne tailleras pas ta vigne ; ⁵ tu ne moissonneras pas ce qui aura poussé tout seul depuis la dernière moisson ; tu ne vendangeras pas les grappes de ta vigne en broussaille *ʰ ; ce sera une année sabbatique pour la terre. ⁶ Vous vous nourrirez de ce que la terre aura fait pousser pendant ce sabbat, toi, ton serviteur, ta servante, le salarié ou l'hôte que tu héberges, bref, ceux qui sont installés chez toi. ⁷ Quant à ton bétail et aux animaux sauvages de ton pays, ils se nourriront de tout ce que la terre produira.

L'année du jubilé

⁸ « Tu compteras sept semaines d'années, c'est-à-dire sept fois sept ans ; cette période de sept semaines d'années représentera donc quarante-neuf ans. ⁹ Le septième mois, le dix du mois, tu feras retentir le cor pour une acclamation ; au jour du Grand Pardon *ⁱ vous ferez retentir le cor dans tout votre pays ; ¹⁰ vous déclarerez *sainte la cinquantième année et vous proclamerez dans le pays la libération pour tous les habitants ; ce sera pour vous un jubilé ; chacun de vous retournera dans sa propriété, et chacun de vous retournera dans son clan. ¹¹ Ce sera un jubilé pour vous que la cinquantième année : vous ne sèmerez pas, vous ne moissonnerez pas ce qui aura poussé tout seul, vous ne vendangerez pas la vigne en broussaille, ¹² car ce sera un jubilé, ce sera pour vous une chose sainte. Vous mangerez ce qui pousse dans les champs. ¹³ En cette année du jubilé, chacun de vous retournera dans sa propriété. ¹⁴ Si vous faites du commerce — que tu

---

e le Nom: Tournure permettant d'éviter que le nom du Seigneur soit écrit ou prononcé à côté du verbe *blasphémer:* voir v. 16, et Ex 3.15 et la note ● *f imposent leurs mains:* voir *Dn grec* 13.34; comparer aussi Lv 16.21 et la note ● *g L'année sabbatique* est la dernière année d'un cycle de sept ans ● *h en broussaille* (ou *non taillée*): en hébreu la même expression désigne le *nazir* qui se laisse pousser les cheveux sans les tailler (Nb 6.5) ● *i jour du Grand Pardon:* voir au glossaire CALENDRIER

24.12 un ordre de la part du Seigneur Nb 27.5-7. **24.14** lapidation Nb 15.35-36; Jos 7.25; Ac 7.58. **24.16** l'émigré assimilé à l'indigène 16.29+. **24.17** le meurtre Ex 20.13 par.; 21.12; 1 R 21.19; Mt 5.21+. **24.18** remboursement cf. Ex 21-33-34; 22.13. **24.19** on lui fera ce qu'il a fait (loi du Talion) Ex 21.23-25; Dt 19.19-21; Ab 15; Mt 5.38-42. **25.1** l'année sabbatique Ex 23.10-11; Dt 15.1-11; Ne 10.32; *1 M* 6.48-54. **25.2** le pays de Canaan 14.34+. **25.8** le jubilé Es 61.1-2. **25.9** le jour du Grand Pardon 16.1+.

vendes quelque chose à ton compatriote, ou que tu achètes quelque chose de lui —, que nul d'entre vous n'exploite son frère : ¹⁵ tu achèteras à ton compatriote en tenant compte des années écoulées depuis le jubilé, et lui te vendra en tenant compte des années de récoltes. ¹⁶ Plus il restera d'années, plus ton prix d'achat sera grand ; moins il restera d'années, plus ton prix d'achat sera réduit ; car c'est un certain nombre de récoltes qu'il te vend. ¹⁷ Que nul d'entre vous n'exploite son compatriote ; c'est ainsi que tu auras la crainte de ton Dieu. Car c'est moi, le SEIGNEUR, votre Dieu. ¹⁸ Mettez mes lois en pratique ; gardez mes coutumes et mettez-les en pratique : et vous habiterez en sûreté dans le pays. ¹⁹ Le pays donnera son fruit, vous mangerez à satiété, et vous y habiterez en sûreté.

²⁰ Vous allez peut-être dire : "Que mangerons-nous la septième année, puisque nous ne sèmerons pas, et que nous ne ramasserons pas notre récolte ?" ²¹ Eh bien ! j'ordonnerai à ma bénédiction d'aller sur vous en la sixième année, et elle produira la récolte nécessaire pour trois ans. ²² La huitième année ^j, vous sèmerez, mais vous mangerez de l'ancienne récolte ; jusqu'à la neuvième année, jusqu'à ce que sa récolte soit faite, vous pourrez manger de l'ancienne.

Le droit de rachat

²³ « La terre du Pays ne sera pas vendue sans retour, car le pays est à moi ; vous n'êtes chez moi que des émigrés et des hôtes ; ²⁴ aussi, dans tout ce pays qui sera le vôtre, vous accorderez le droit de rachat sur les terres. ²⁵ Si ton frère a des dettes et doit vendre une part de sa propriété, celui qui a droit de rachat, c'est-à-dire son plus proche parent, viendra racheter ce que son frère a vendu ; ²⁶ si un homme n'a personne qui ait le droit de rachat, mais que de lui-même il trouve les moyens d'opérer le rachat, ²⁷ il comptera les années écoulées depuis la vente, restituera la différence à son acheteur, puis re-

tournera dans sa propriété. ²⁸ Mais s'il ne trouve pas lui-même les moyens de faire cette restitution, l'objet de la vente restera aux mains de l'acquéreur jusqu'à l'année du jubilé ; il sera libéré au jubilé, et l'homme retournera dans sa propriété.

²⁹ Si quelqu'un vend une maison d'habitation dans une ville fortifiée, le droit de rachat s'étend jusqu'à l'achèvement de l'année de la vente ; le droit de rachat est temporaire ^k. ³⁰ Si elle n'a pas été rachetée dans le délai d'une année entière, la maison qui se trouve dans une ville fortifiée appartiendra sans retour à l'acquéreur, puis à ses descendants ; elle ne sortira pas de ses mains au jubilé. ³¹ Les maisons des villages non fortifiés seront considérées comme les champs du pays ; il y aura droit de rachat, et au jubilé la maison sera libérée.

³² Les *lévites auront toujours un droit de rachat sur les villes lévitiques ^l, sur les maisons de ces villes dont ils sont propriétaires. ³³ Même si c'est un autre lévite qui a acheté, la vente d'une maison — d'une ville qui est propriété lévitique — sera résiliée lors du jubilé ; car ce sont des maisons de villes lévitiques, c'est leur propriété au milieu des fils d'Israël. ³⁴ Quant à un champ des environs de leurs villes, il ne peut être vendu, car c'est leur propriété perpétuelle.

³⁵ Si ton frère a des dettes et s'avère défaillant à ton égard, tu le soutiendras, qu'il soit un émigré ou un hôte, afin qu'il puisse survivre à tes côtés. ³⁶ Ne retire de lui ni intérêt ni profit ; c'est ainsi que tu auras la crainte de ton Dieu, et que ton frère pourra survivre à tes côtés. ³⁷ Tu ne lui donneras pas ton argent pour en toucher un intérêt, tu ne lui donneras pas de ta nourriture pour en toucher un profit. ³⁸ C'est moi, le SEIGNEUR, votre Dieu, qui vous ai fait sortir du pays d'Egypte pour vous donner le pays de Canaan, afin que, pour vous, je sois Dieu.

³⁹ Si ton frère a des dettes à ton égard et qu'il se vende à toi, tu ne l'asserviras pas à une tâche d'esclave ; ⁴⁰ tu le trai-

---

j la huitième année, c'est-à-dire celle qui suit une année sabbatique ● k est temporaire: autre traduction dure un an ● l Contrairement aux autres Israélites, les membres de la tribu de Lévi ne possédaient pas de territoire; voir Jos 14.4. — Le texte des versets 32-33 est obscur et la traduction incertaine

25.23 les Israélites sont des émigrés Ps 39.13; 1 P 1.1; 2.11. 25.24 droit de rachat Ex 6.6-7. Nb 35.10-28; cf. Ps 19.15; Jb 19.25. 25.25 le plus proche parent 25.48-49; Rt 4.1-12. 25.32 les villes lévitiques Nb 35.1-8; Jos 21.1-42; Ez 48.13-14. 25.35 si ton frère a des dettes Dt 15.7-8; — aider l'émigré et l'hôte 19.34+. 25.36 ni intérêt ni profit Dt 23.20-21; Ez 22.12. 25.38 le pays de Canaan 14.34+. — le Seigneur est Dieu pour Israël 11.45+. 25.39 si ton frère a des dettes Ex 21.2-6; Dt 15.12-18; Jr 34.8-16.

teras comme un salarié ou comme un hôte ; il sera ton serviteur jusqu'à l'année du jubilé ; ⁴¹ alors il sortira de chez toi avec ses enfants et il retournera à son clan ; il retournera dans la propriété de ses pères. ⁴² En effet, ceux que j'ai fait sortir du pays d'Egypte sont mes serviteurs ; ils ne doivent pas être vendus comme on vend des esclaves. ⁴³ Tu ne domineras pas sur lui avec brutalité ; c'est ainsi que tu auras la crainte de ton Dieu.

⁴⁴ Quant aux serviteurs et servantes que tu devrais avoir, vous les achèterez chez les nations qui vous entourent ; ⁴⁵ vous pourrez aussi en acheter parmi les enfants des hôtes venus s'installer chez vous, ou dans un de leurs clans, habitant chez vous après qu'ils ont fait souche dans votre pays. Ils seront votre propriété ⁴⁶ que vous laisserez en héritage à vos fils afin qu'après vous ils les possèdent en toute propriété. Eux, vous pourrez les asservir à tout jamais, mais vos frères, les fils d'Israël... ᵐ, personne chez toi ne dominera son frère avec brutalité.

⁴⁷ Si un émigré ou un hôte de chez toi a des moyens financiers, que ton frère ait des dettes à son égard, et qu'il se vende à cet émigré qui est ton hôte, ou à un descendant d'un clan d'émigré, ⁴⁸ il y aura pour ton frère, même après la vente, un droit de rachat : un de ses frères peut le racheter ; ⁴⁹ un oncle ou un cousin germain peut le racheter, quelqu'un qui est de la même chair que lui, de son propre clan, peut le racheter ; ou alors, s'il en a les moyens, il peut se racheter lui-même. ⁵⁰ En ce cas, d'entente avec l'acquéreur, il comptera le nombre d'années entre celle où il s'est vendu et celle du jubilé, de sorte que le prix de vente soit proportionnel au nombre d'années, au tarif d'un salarié à la journée. ⁵¹ S'il reste encore beaucoup d'années, il restituera, comme prix de rachat, une part proportionnelle du prix d'acquisition. ⁵² S'il ne reste que peu d'années jusqu'au jubilé, il fera son compte, et il restituera un prix de rachat proportionnel au nombre d'années. ⁵³ D'année en année, l'homme pourra rester comme salarié chez son acquéreur, mais tu ne laisseras

pas ce dernier dominer sur lui avec brutalité. ⁵⁴ S'il n'est pas racheté de l'une de ces manières, il sortira libre avec ses enfants en l'année du jubilé.

C'est moi, le Seigneur votre Dieu

⁵⁵ « Car c'est pour moi que les fils d'Israël sont des serviteurs ; ils sont mes serviteurs, eux que j'ai fait sortir du pays d'Egypte. C'est moi, le SEIGNEUR, votre Dieu.

26 ¹ Ne vous fabriquez pas de faux dieux, n'érigez à votre usage ni idole ni stèle, et dans votre pays ne placez pas de pierre sculptée ⁿ pour vous prosterner devant elle ; car c'est moi, le SEIGNEUR, votre Dieu.

² Observez mes *sabbats, et révérez mon *sanctuaire. C'est moi, le SEIGNEUR.

Bénédictions

³ « Si vous suivez mes lois, si vous gardez mes commandements et les mettez en pratique, ⁴ je vous donnerai les pluies en leur saison ; la terre donnera ses produits et les arbres des champs donneront leurs fruits ; ⁵ chez vous, le battage durera jusqu'à la vendange, et la vendange durera jusqu'aux semailles ; vous mangerez de votre pain à satiété, et vous habiterez en sûreté dans votre pays ; ⁶ je mettrai la paix dans le pays ; vous vous coucherez sans que rien vienne vous troubler ; je ferai disparaître du pays les animaux malfaisants ; l'épée ᵒ ne passera plus dans votre pays ; ⁷ vous poursuivrez vos ennemis, qui tomberont sous votre épée ; ⁸ cinq d'entre vous en poursuivront cent, et cent en poursuivront dix mille, et vos ennemis tomberont sous votre épée ; ⁹ je me tournerai vers vous ; je vous ferai fructifier et je vous multiplierai ; je maintiendrai mon *alliance avec vous ; ¹⁰ vous mangerez des plus anciennes récoltes, vous sortirez une ancienne récolte pour faire place à une nouvelle ; ¹¹ je mettrai ma *demeure au milieu de vous ; je ne vous prendrai pas en aversion ; ¹² je marcherai au milieu de vous ; pour vous, je serai Dieu, et pour moi, vous serez le peuple. ¹³ C'est moi, le SEIGNEUR, votre Dieu, qui vous ai fait sortir du pays des

---

m Le texte hébreu présente ici un brusque changement de construction ● *n* sculptée ou *peinte* ● *o* l'épée, c'est-à-dire *la guerre*.

25.49 de son propre clan Nb 27.8-11 ; Jr 32.6-15 ; Ne 5.8. **25.55** ils sont mes serviteurs 26.13 ; Ex 3.12. **26.1** faux dieux, idoles 19.4+. **26.2** sabbats, sanctuaire 19.3+ ; 19.30+. **26.3** bénédictions Dt 28.1-14. **26.4** la pluie Dt 11.14. Ez 34.26-27. **26.5** le battage Am 9.13. **26.10** vous sortirez une ancienne récolte cf. Lc 12.16-21 **26.11** Dieu demeure au milieu de son peuple 15.31+. **26.13** plus leurs serviteurs 25.55+. — joug Ez 34.27 ; cf. Jr 27—28 ; Mt 11.29-30.

Egyptiens, afin que vous ne soyez plus leurs serviteurs ; c'est moi qui ai brisé les barres de votre joug *p* et qui vous ai fait marcher la tête haute.

Malédictions

¹⁴ « Si vous ne m'écoutez pas et ne mettez pas tous ces commandements en pratique, ¹⁵ si vous rejetez mes lois, si vous prenez mes coutumes en aversion au point de ne pas mettre tous mes commandements en pratique, rompant ainsi mon *alliance, ¹⁶ eh bien ! voici ce que moi je vous ferai :

Je mobiliserai contre vous, pour vous épouvanter, la consomption et la fièvre, qui épuisent les regards et grignotent la vie. Vous ferez en vain vos semailles, ce sont vos ennemis qui s'en nourriront. ¹⁷ Je tournerai ma face contre vous et vous serez battus par vos ennemis ; ceux qui vous haïssent domineront sur vous, et vous fuirez sans même qu'on vous poursuive.

¹⁸ Si vous ne m'écoutez pas davantage, je vous infligerai pour vos péchés une correction sept fois plus forte. ¹⁹ Je briserai votre orgueilleuse puissance, je rendrai votre ciel dur comme fer et votre terre dure comme bronze ; ²⁰ vous épuiserez vos forces en vain, la terre ne donnera plus ses produits et les arbres du pays ne donneront plus leurs fruits.

²¹ Si vous vous opposez à moi et que vous ne vouliez pas m'écouter, je vous infligerai des coups sept fois plus forts, à la mesure de vos péchés : ²² j'enverrai contre vous les animaux sauvages, qui vous raviront vos enfants, qui anéantiront votre bétail et qui vous décimeront au point de rendre vos chemins déserts.

²³ Si vous n'acceptez toujours pas ma correction, mais qu'au contraire vous vous opposiez à moi, ²⁴ moi aussi, je m'opposerai à vous, moi aussi, je vous frapperai sept fois pour vos péchés. ²⁵ Je ferai venir

sur vous l'épée chargée de venger l'Alliance, et vous vous rassemblerez dans vos villes. J'enverrai la peste *q* au milieu de vous, et vous serez livrés aux mains de l'ennemi. ²⁶ Quand je vous priverai de pain, dix femmes pourront cuire votre pain dans un seul four ; ce pain qu'elles vous rapporteront sera rationné, et vous mangerez sans être rassasiés.

²⁷ Si malgré cela vous ne m'écoutez pas et que vous vous opposiez à moi, ²⁸ je m'opposerai à vous, plein de fureur ; je vous corrigerai moi-même sept fois pour vos péchés. ²⁹ Vous mangerez la chair de vos fils, vous mangerez la chair de vos filles. ³⁰ Je supprimerai vos *hauts lieux, je ferai disparaître vos *autels à parfum *r* ; j'entasserai vos cadavres sur les cadavres de vos idoles et je vous prendrai en aversion. ³¹ Je réduirai vos villes en ruine, je mettrai la désolation dans vos *sanctuaires ; je ne respirerai plus vos parfums apaisants ; ³² je mettrai moi-même la désolation dans le pays, et vos ennemis venus l'habiter en seront stupéfaits. ³³ Quant à vous, je vous disperserai parmi les nations, et je dégainerai l'épée contre vous ; votre pays deviendra une terre désolée et vos ville des monceaux de ruines.

³⁴ Alors le pays accomplira ses *sabbats, pendant tous ces jours de désolation où vous-mêmes serez dans le pays de vos ennemis ; alors le pays se reposera et accomplira ses sabbats ; ³⁵ pendant tous ces jours de désolation, il se reposera, pour compenser les sabbats *s* où il n'aura pas pu se reposer, lorsque vous y habitiez.

³⁶ Quant à ceux d'entre vous qui subsisteront, je les amènerai à se décourager dans les pays de vos ennemis. Le simple bruit d'une feuille qui tombe *t* les poursuivra ; ils fuiront comme on fuit devant l'épée, et ils tomberont sans même qu'on les poursuive ; ³⁷ ils trébucheront l'un sur l'autre comme devant l'épée, et pourtant personne ne les poursuivra. Vous ne pourrez tenir droit devant vos ennemis ;

---

p Les *barres du joug* sont des chevilles fichées dans la pièce principale du *joug et enserrant l'encolure de l'animal ● *q* L'épée (= la guerre, 26.6) et la *peste,* ainsi que la *famine* (v. 26) sont les trois fléaux qui résument les malheurs d'une ville assiégée; voir Jr 21.7; Ez 7.15 ● *r autels à parfum:* autre traduction *monuments consacrés au culte du soleil* ● *s* Si les Israélites ne respectent pas les *sabbats,* c'est-à-dire le repos de la terre pendant les années sabbatiques, Dieu chassera son peuple du pays promis pour de nombreuses années et accordera ainsi à la terre un repos compensatoire ● *t une feuille qui tombe:* autre traduction *une feuille emportée* (par le vent)

26.14 malédictions Dt 28.15-68 ; Am 4.6-12 ; Dn 9.11. **26.16** les ennemis volent les moissons Jg 6.3-6. **26.17** vous fuirez Pr 28.1. **26.19** votre orgueilleuse puissance Ez 33.28. **26.20** la terre devient stérile Dt 11.17. **26.22** les animaux qui ravissent les enfants Ez 5.17 ; 14.15. **26.25** l'épée de Dieu Ez 21.14-22. — la peste Am 4.10. **26.26** la famine Ez 4.16 ; 14.13 ; Ps 105.16. **26.29** manger ses enfants 2 R 6.28-29 ; Jr 19.9 ; Ez 5.10 ; Lm 2.20. **26.30** destruction des hauts lieux Ez 6.3 ; 2 Ch 14.4. **26.33** Israël dispersé chez les païens 2 R 25.11 ; Jr 52.15 ; 2 Ch 36.20. — le pays désolé Es 1.7 ; Jr 34.22 ; Pr 10.30. **26.34** le pays se repose 2 Ch 36.21. **26.36** découragement Ez 21.12.

[38] vous périrez chez les nations, et le pays de vos ennemis vous dévorera. [39] Ceux d'entre vous qui subsisteront dépériront à cause de leur faute, dans les pays de vos ennemis ; mais également, c'est à cause des fautes de leur pères, en plus des leurs, qu'ils dépériront.

Dieu se souviendra de son alliance

[40] « Mais ils confesseront leur faute et celle de leurs pères, en disant qu'ils ont commis un sacrilège envers moi, qu'ils se sont même opposés à moi, [41] que je me suis alors opposé à eux et les ai amenés dans le pays de leurs ennemis ; ou bien, un jour, leur cœur *incirconcis s'humiliera et leur châtiment s'accomplira. [42] Je me souviendrai de mon *alliance avec Jacob ; je me souviendrai aussi de mon alliance avec Isaac, et aussi de mon alliance avec Abraham ; je me souviendrai du pays. [43] Ainsi, quand le pays sera abandonné par eux, quand il accomplira ses sabbats pendant le temps où ils le laisseront dans la désolation, quand leur châtiment s'accomplira parce qu'ils auront rejeté mes coutumes et pris mes lois en aversion, [44] même alors, quand ils seront dans le pays de leurs ennemis, je ne les aurai pas rejetés ni pris en aversion au point de les exterminer et de rompre mon alliance avec eux, car c'est moi, le SEIGNEUR, leur Dieu. [45] Je me souviendrai, en leur faveur, de l'alliance conclue avec leurs aïeux que j'ai fait sortir du pays d'Egypte sous les yeux des nations, afin que pour eux je sois Dieu, moi, le SEIGNEUR. » [46] Tels sont les décrets, les coutumes et les lois que le SEIGNEUR a établis entre lui-même et les fils d'Israël, sur la montagne de Sinaï, par l'intermédiaire de Moïse.

Complément : Tarif pour les vœux [u]

27 [1] Le SEIGNEUR adressa la parole à Moïse : [2] « Parle aux fils d'Israël ; tu leur diras : Quand on accomplit un vœu qu'on a fait au SEIGNEUR en se basant sur la valeur d'une personne, [3] voici les valeurs :

Pour un homme, entre vingt et soixante ans, la valeur est de cinquante sicles [v] d'argent — en monnaie du *sanctuaire — ; [4] pour une femme, la valeur est de trente sicles ; [5] pour quelqu'un entre cinq et vingt ans, la valeur d'un garçon et de vingt sicles, celle d'une fille, de dix sicles ; [6] pour quelqu'un entre un mois et cinq ans, la valeur d'un garçon est de cinq sicles d'argent, celle d'une fille, de trois sicles d'argent ; [7] pour quelqu'un de soixante ans ou plus, la valeur d'un homme est de quinze sicles, celle d'une femme, de dix sicles. [8] Si quelqu'un est trop pauvre pour s'en tenir à la valeur fixée, il place devant le prêtre la personne vouée, pour que le prêtre en fasse l'évaluation ; le prêtre l'évalue en fonction des moyens de celui qui a fait le vœu. [9] S'il s'agit d'une bête prise parmi celles qu'on peut apporter en présent au SEIGNEUR, toute bête qu'on aura donnée au SEIGNEUR est chose *sainte ; [10] on ne la remplace ni ne l'échange, pas plus une bonne à la place d'une mauvaise, qu'une mauvaise à la place d'une bonne. Si l'on en vient quand même à échanger une bête contre une autre, la bête échangée et l'autre sont choses saintes. [11] S'il s'agit d'une bête *impure, de celles qu'on ne peut apporter en présent au SEIGNEUR, on place la bête devant le prêtre ; [12] le prêtre l'évalue bonne ou mauvaise et l'on en reste à l'évaluation du prêtre ; [13] si l'on veut la racheter, on ajoute un cinquième à l'évaluation. [14] Si l'on consacre sa maison comme chose sainte pour le SEIGNEUR, le prêtre l'évalue bonne ou mauvaise et l'on s'en tient à la valeur fixée par le prêtre. [15] Si celui qui a consacré sa maison veut la racheter, il ajoute un cinquième au prix d'évaluation, et elle est à lui. [16] Si quelqu'un consacre au SEIGNEUR quelque champ de sa propriété, la valeur est fonction de ce qu'on peut y semer : cinquante sicles d'argent par homer [w] de semence d'orge ; [17] si l'on consacre son champ dès l'année du jubilé, on s'en tient

---

u Des fragments de tarifs du même genre, gravés sur pierre vers 200 av. J.C., ont été retrouvés à Marseille et à Carthage ● v sicles: voir au glossaire MONNAIES ● w homer: voir au glossaire POIDS ET MESURES

26.39 dépérissement Ez 4.17. — 26.40 confession des fautes Esd 9 ; Ne 9 ; Ps 106 ; Dn 9.4-19 ; Ba 1.15—3.8 ; Dn grec 3.26-45. 26.41 cœur incirconcis Jr 4.4 ; 9.25 ; Ac 7.51. — accomplissement du châtiment Es 40.2. 26.42 alliance avec Jacob Gn 28.13-22. — avec Isaac Gn 26.3-4. — avec Abraham Gn 17.1-14 ; Lc 1.72-73. 26.44 Dieu ne rejette pas définitivement 2 R 13.23 ; Lm 3.31. 26.45 le Seigneur est Dieu pour Israël 11.45+. 27.8 clause en faveur des pauvres 5.7+.

à cette valeur ; [18] si l'on consacre son champ après le jubilé, le prêtre calcule la somme en fonction des années qui restent jusqu'à l'année du jubilé, et il y a réduction de la valeur fixée. [19] Si celui qui a consacré son champ tient à le racheter, il ajoute un cinquième au prix d'évaluation, et le champ lui revient. [20] Si, sans racheter le champ, il le vend à quelqu'un d'autre, il n'y a plus droit de rachat, [21] et le champ, au moment de sa libération au jubilé, sera chose sainte pour le SEIGNEUR, comme un champ voué par l'interdit *x* ; il deviendra propriété du prêtre. [22] Si l'on consacre au SEIGNEUR un champ acheté, qui ne fait pas partie de la propriété héréditaire, [23] le prêtre calcule le montant de sa valeur jusqu'à l'année du jubilé, et l'on donne ce montant le jour même ; c'est une chose sainte pour le SEIGNEUR. [24] Lors de l'année du jubilé, le champ retournera à celui de qui on l'avait acheté, à celui dont c'est la propriété foncière. [25] Toute évaluation sera faite en sicles du sanctuaire. — Le sicle vaut vingt guéras *y*.

[26] Evidemment, un homme ne peut pas consacrer un premier-né de son bétail, qui, comme premier-né, appartient déjà au SEIGNEUR ; gros ou petit bétail, il appartient au SEIGNEUR. [27] S'il s'agit d'une bête impure, on peut la racheter, en ajoutant un cinquième à l'évaluation ; si elle n'est pas rachetée, on la vend selon l'évaluation.

[28] De plus, de tout ce qu'on possède — homme, bête ou champ de sa propriété — ce qu'on a voué au SEIGNEUR par l'interdit ne peut être vendu ni racheté : tout ce qui est voué par l'interdit est chose très sainte pour le SEIGNEUR ; [29] et tout homme voué par l'interdit ne peut être racheté : il sera mis à mort.

[30] Toute dîme *z* du pays prélevée sur les produits de la terre ou sur les fruits des arbres, appartient au SEIGNEUR : c'est chose sainte pour le SEIGNEUR. [31] Si quelqu'un tient à racheter quelque chose de sa dîme, il y ajoute un cinquième. [32] Toute dîme de gros ou petit bétail, c'est-à-dire chaque dixième bête qui passe sous la houlette *a*, est chose sainte pour le SEIGNEUR ; [33] on ne recherche pas les bonnes ou les mauvaises, et on ne fait pas d'échange ; si l'on en vient quand même à faire un échange, la bête échangée et l'autre sont choses saintes : on ne peut les racheter. »

[34] Tels sont les commandements que le SEIGNEUR donna à Moïse pour les fils d'Israël, sur la montagne de Sinaï.

---

x *l'interdit:* voir Dt 2.34 et la note ● *y* *guéras:* voir au glossaire POIDS ET MESURES ● *z* *dîme:* voir Gn 14.20 et la note ● *a* Lorsque le berger doit livrer la dîme de son troupeau, il fait défiler les bêtes devant lui et marque chaque dixième bête au moyen de sa *houlette* (= bâton de berger) colorée en rouge

27.21 voué par l'interdit 27.28-29; cf. 1 S 15.1-3. **27.26** le premier-né appartient au Seigneur Ex 13.1-2, 11-16; 22.28-29. **27.30** la dîme Nb 18.21; Dt 14.22-29. **27.32** les bêtes qui passent sous la houlette Jr 33.13; Ez 20.37.

LES NOMBRES

Premier recensement des tribus d'Israël

1 ¹ Dans le désert du Sinaï, le SEIGNEUR parla à Moïse dans la *tente de la rencontre ; c'était le premier jour du deuxième mois, la deuxième année après leur sortie du pays d'Egypte. Il dit : ² « Dressez l'état de toute la communauté des fils d'Israël par clans et par familles, en relevant les noms de tous les hommes, un par un ᵃ. ³ Les hommes de vingt ans et plus, tous ceux qui servent dans l'armée d'Israël, recensez-les par armées ᵇ, toi et Aaron. ⁴ Qu'il y ait avec vous un homme de chaque tribu, un homme qui soit chef de famille. ⁵ Voici les noms des hommes qui vous assisteront : pour Ruben, Eliçour fils de Shedéour ; ⁶ pour Siméon, Sheloumiël fils de Çourishaddaï : ⁷ pour Juda, Nahshôn fils de Amminadav ; ⁸ pour Issakar, Netanel fils de Çouar ; ⁹ pour Zabulon, Eliav fils de Hélôn ; ¹⁰ quant aux fils de Joseph : pour Ephraïm, Elishama fils de Ammihoud — pour Manassé, Gamliël fils de Pedahçour ; ¹¹ pour Benjamin, Avidân fils de Guidéoni ; ¹² pour Dan, Ahiézer fils de Ammishaddaï ; ¹³ pour Asher, Paguiël fils de Okrân ; ¹⁴ pour Gad, Elyasaf fils de Déouël ; ¹⁵ pour Nephtali, Ahira fils de Einân. » ¹⁶ C'étaient là les délégués de la communauté, les responsables de leurs tribus paternelles respectives : ils étaient les chefs des milliers d'Israël ᶜ. ¹⁷ Moïse et Aaron prirent comme adjoints ces hommes qui avaient été désignés. ¹⁸ Ils rassemblèrent toute la communauté, le premier jour du deuxième mois, et les fils d'Israël établirent leurs généalogies ᵈ par clans et par familles en relevant les noms des hommes de vingt ans et plus, un par un. ¹⁹ Comme le SEIGNEUR le lui avait ordonné, Moïse les recensa dans le désert du Sinaï.

²⁰ Ce qui donna pour les fils de Ruben, premier-né d'Israël : en relevant un par un les noms de tous les hommes de vingt ans et plus qui servaient dans l'armée, leurs listes généalogiques par clans et par familles ²¹ donnaient pour la tribu de Ruben un effectif de 46 500.

²² Pour les fils de Siméon : en relevant un par un les noms des hommes recensés, de tous les hommes de vingt ans et plus qui servaient dans l'armée, leurs listes généalogiques par clans et par familles ²³ donnaient pour la tribu de Siméon un effectif de 59 300.

²⁴ Pour les fils de Gad : en relevant les noms de tous ceux de vingt ans et plus qui servaient dans l'armée, leurs listes généalogiques par clans et par familles ²⁵ donnaient pour la tribu de Gad un effectif de 45 650.

²⁶ Pour les fils de Juda : en relevant les noms de tous ceux de vingt ans et plus qui servaient dans l'armée, leurs listes généalogiques par clans et par familles ²⁷ donnaient pour la tribu de Juda un effectif de 74 600.

²⁸ Pour les fils d'Issakar : en relevant les noms de tous ceux de vingt ans et plus qui servaient dans l'armée, leurs listes généalogiques par clans et par familles ²⁹ donnaient pour la tribu d'Issakar un effectif de 54 400.

³⁰ Pour les fils de Zabulon : en relevant les noms de tous ceux de vingt ans et

---

a Ici comme au chap. 26, c'est Dieu qui donne l'ordre de recenser les troupes combattantes d'Israël ; en 2 S 24, David sera puni pour avoir ordonné le recensement de sa propre autorité ● *b* Dans chaque tribu, les hommes aptes au service militaire formaient une *armée* ou (autre traduction) une *division* ● *c* Les *milliers d'Israël* désignent ici les corps de troupes fournies par les clans et tribus d'Israël, sans qu'il faille trouver dans ce terme une valeur numérique précise ● *d* Celui qui figurait sur une *liste généalogique* détenait ainsi la preuve qu'il appartenait au peuple d'Israël (comparer Esd 2.59-63)

1.1-47 recensement 26.1-51 ; Ex 30.11-16 ; Lc 2.1-5.   **1.7** Nahshôn Ex 6.23.

plus qui servaient dans l'armée, leurs listes généalogiques par clans et par familles [31] donnaient pour la tribu de Zabulon un effectif de 57 400.

[32] Quant aux fils de Joseph : pour les fils d'Ephraïm : en relevant les noms de tous ceux de vingt ans et plus qui servaient dans l'armée, leurs listes généalogiques par clans et par familles [33] donnaient pour la tribu d'Ephraïm un effectif de 40 500.

[34] Pour les fils de Manassé : en relevant les noms de tous ceux de vingt ans et plus qui servaient dans l'armée, leurs listes généalogiques par clans et par familles [35] donnaient pour la tribu de Manassé un effectif de 32 200.

[36] Pour les fils de Benjamin : en relevant les noms de tous ceux de vingt ans et plus qui servaient dans l'armée, leurs listes généalogiques par clans et par familles [37] donnaient pour la tribu de Benjamin un effectif de 35 400.

[38] Pour les fils de Dan : en relevant les noms de tous ceux de vingt ans et plus qui servaient dans l'armée, leurs listes généalogiques par clans et par familles [39] donnaient pour la tribu de Dan un effectif de 62 700.

[40] Pour les fils d'Asher : en relevant les noms de tous ceux de vingt ans et plus qui servaient dans l'armée, leurs listes généalogiques par clans et par familles [41] donnaient pour la tribu d'Asher un effectif de 41 500.

[42] Pour les fils de Nephtali : en relevant les noms de tous ceux de vingt ans et plus qui servaient dans l'armée, leurs listes généalogiques par clans et par familles [43] donnaient pour la tribu de Nephtali un effectif de 53 400.

[44] Voici donc les effectifs que recensèrent Moïse, Aaron et les douze responsables d'Israël — ils étaient un homme par tribu. [45] Tous les fils d'Israël recensés par familles, ceux de vingt ans et plus qui servaient dans l'armée d'Israël, [46] donnaient un effectif total de 603 550. [47] Les *lévites, en tant que tribu patriarcale. ne participèrent pas au recensement [e].

Le rôle particulier de la tribu de Lévi

[48] Le SEIGNEUR parla à Moïse : [49] « Il n'y a que la tribu de Lévi dont tu ne feras pas le recensement et dont tu ne dresseras pas l'état parmi les fils d'Israël. [50] Tu chargeras les *lévites de la *demeure de la *charte, de tous ses accessoires et de tout son matériel. Ils la porteront avec tous ses accessoires, ils en assureront le service et ils camperont tout autour. [51] Quand la demeure partira, les lévites la démonteront ; quand la demeure s'arrêtera, les lévites la monteront. Le profane [f] qui s'approcherait sera mis à mort.

[52] Les fils d'Israël camperont chacun dans son camp, chacun dans son groupe d'armée. [53] Quant aux lévites, ils camperont autour de la demeure de la charte, ce qui évitera un déchaînement de colère [g] contre la communauté des fils d'Israël. Les lévites feront le service de la demeure de la charte. »

[54] C'est ce que firent les fils d'Israël ; ils firent exactement ce que le SEIGNEUR avait ordonné à Moïse.

La disposition des tribus dans le camp

2 [1] Le SEIGNEUR parla à Moïse et Aaron : [2] « Les fils d'Israël camperont chacun dans son groupe d'armées. sous les enseignes [h] de sa tribu ; ils camperont autour de la *tente de la rencontre. à une certaine distance.

[3] En avant, à l'est, camperont les armées [i] qui forment le groupe du camp de Juda. Le chef des fils de Juda étant Nahshôn, fils d'Amminadav ; [4] son armée ayant un effectif de 74 600 hommes. [5] Camperont avec lui : la tribu d'Issakar [(î)] et la tribu de Zabulon. [(5)] Le chef des fils d'Issakar étant Netanel, fils de Çouar ; [6] son armée ayant un effectif de 54 400 hommes. [7] Et le chef des fils de Zabulon, Eliav, fils de Hélôn ; [8] son armée ayant un effectif de 57 400 hommes. [9] Total des effectifs du camp de Juda : 186 400 pour les trois armées. Ils partiront en premier.

---

[e] Les lévites, qui n'ont pas d'obligations militaires, seront recensés dans d'autres circonstances, voir chap. 3 et 4 ● [f] Le profane: autre traduction L'étranger, dans le sens d'« étranger à la tribu (consacrée) de Lévi ». Voir 17.5 ● [g] Dieu pourrait se mettre en colère, si un profane (v. 51) s'approchait du *sanctuaire ; les lévites jouent ici un rôle d'« écran protecteur » entre le Dieu saint et le peuple profane ● [h] L'enseigne était un emblème servant. comme un drapeau aujourd'hui, de signe de ralliement ● [i] armées: voir 1.3 et la note

1.46 603 550 26.51; Ex 12.37. **1.50** la demeure Ex 36—38 — ils camperont 2.17. **1.51** démontage et remontage de la demeure 4.4-33. **1.53** colère 18.5. **2.9** partir en premier 10.5, 14-16.

¹⁰ Au sud, les armées qui forment le groupe du camp de Ruben. Le chef des fils de Ruben étant Eliçour, fils de Shedéour ; ¹¹ son armée ayant un effectif de 46 500 hommes. ¹² Camperont avec lui : la tribu de Siméon (¹⁴) et la tribu de Gad. (¹²) Le chef des fils de Siméon étant Sheloumiël, fils de Çourishaddaï ; ¹³ son armée ayant un effectif de 59 300 hommes ; ¹⁴ et le chef des fils de Gad, Elyasaf, fils de Réouël ; ¹⁵ son armée ayant un effectif de 45 650 hommes. ¹⁶ Total des effectifs du camp de Ruben : 151 450 pour les trois armées. Ils partiront les seconds.

¹⁷ Ensuite partira la tente de la rencontre — le camp des *lévites — au centre des camps. On part dans l'ordre où l'on campe, chacun à son rang, un groupe après l'autre.

¹⁸ A l'ouest, les armées qui forment le groupe du camp d'Ephraïm. Le chef des fils d'Ephraïm étant Elishama, fils de Ammihoud ; ¹⁹ son armée ayant un effectif de 40 500 hommes. ²⁰ Avec lui, la tribu de Manassé (²²) et la tribu de Benjamin. (²⁰) Le chef des fils de Manassé étant Gameliël, fils de Pedahçour ; ²¹ son armée ayant un effectif de 32 200 hommes. ²² Et le chef des fils de Benjamin, Avidân, fils de Guidéoni ; ²³ son armée ayant un effectif de 35 400 hommes. ²⁴ Total des effectifs du camp d'Ephraïm : 108 100 pour les trois armées. Ils partiront les troisièmes.

²⁵ Au nord, les armées qui forment le groupe du camp de Dan. Le chef des fils de Dan étant Ahiézer, fils de Ammishaddaï ; ²⁶ son armée ayant un effectif de 62 700 hommes. ²⁷ Camperont avec lui : la tribu d'Asher (²⁹) et la tribu de Nephtali. (²⁷) Le chef des fils d'Asher étant Paguiël, fils de Okrân ; ²⁸ son armée ayant un effectif de 41 500 hommes. ²⁹ Et le chef des fils de Nephtali, Ahira, fils de Einân ; ³⁰ son armée ayant un effectif de 53 400 hommes. ³¹ Total des effectifs du camp de Dan : 157 600. Ils partiront en dernier. un groupe après l'autre. »

³² Voici l'effectif des fils d'Israël comptés par tribus, le total des effectifs des camps comptés par armées : 603 550. ³³ Les lévites ne participèrent pas au recensement des fils d'Israël ; tel était l'ordre donné par le SEIGNEUR à Moïse ʲ. ³⁴ C'est ce que firent les fils d'Israël. C'est en se conformant à l'ordre donné par le SEIGNEUR à Moïse qu'ils campaient par groupes d'armées et qu'ils partaient par clans et par familles.

Les tâches de la tribu de Lévi

3 ¹ Voici quels étaient les descendants d'Aaron et de Moïse à l'époque où le SEIGNEUR parla à Moïse sur le mont Sinaï.

² Voici les noms des fils d'Aaron : Nadav le premier-né, Avihou, Eléazar et Itamar. ³ Tels sont les noms des fils d'Aaron, prêtres consacrés par l'onction et investis de la fonction sacerdotale. ⁴ Nadav et Avihou moururent devant le SEIGNEUR, pour avoir présenté devant lui un feu profane ᵏ. Ils moururent dans le désert du Sinaï sans avoir eu de fils. Ce sont Eléazar et Itamar qui exercèrent le sacerdoce en présence de leur père Aaron. ⁵ Le SEIGNEUR dit à Moïse : ⁶ « Fais approcher la tribu de Lévi et mets-la à la disposition du prêtre Aaron : les *lévites le seconderont ˡ. ⁷ Ils seront à son service et au service de toute la communauté ᵐ devant la *tente de la rencontre pour assurer les travaux de la *demeure. ⁸ Ils prendront soin de tous les accessoires de la tente de la rencontre et ils seront au service des fils d'Israël pour assurer les travaux de la demeure. ⁹ Ainsi, tu donneras les lévites à Aaron et à ses fils ; ils leur seront donnés, vraiment donnés ⁿ, de la part des fils d'Israël. ¹⁰ Tu établiras Aaron et ses fils dans leur charge pour qu'ils exercent leur sacerdoce ; le profane ᵒ qui s'approcherait sera mis à mort. »

¹¹ Le SEIGNEUR dit à Moïse : ¹² « Voici : je prends moi-même parmi les fils d'Israël les lévites en échange de tous les premiers-nés, de tous les fils d'Israël nés d'un

ʲ Voir 1.47 et la note; 1.49 ● ᵏ Voir Lv 10.1-7 ● ˡ les lévites le seconderont: les descendants d'Aaron (lui-même membre de la tribu de Lévi) constituent la classe des prêtres. Les autres descendants de Lévi constituent la classe subordonnée des lévites ● ᵐ et au service de toute la communauté: autre traduction et ils assureront le service dû par toute la communauté ● ⁿ donnés (ou servants, voir Esd 8.20 et la note) est probablement un terme technique désignant les serviteurs de rang inférieur, travaillant au *sanctuaire ● ᵒ Voir 1.51 et la note

2.16 partir les seconds 10,6, 18-20. 2.17 départ de la tente 10.17, 21. 2.24 partir les troisièmes 10.22-24. 2.31 partir en dernier 10.25-27. 3.2 fils d'Aaron 26.60; Ex 6.23; 28.1; 1 Ch 5.29. 3.3 consacrés et investis Ex 29.29; 30.30; Lv 8. 3.4 Nadav et Avihou 26.61; Lv 10.1-2 — Eléazar et Itamar Lv 10.6-7. 3.9 donnés 8.16 ÷. 3.12 les lévites 8.16.

premier enfantement. Les lévites m'appartiennent. [13] Car tout premier-né m'appartient : le jour où j'ai frappé tous les premiers-nés dans le pays d'Egypte, je me suis consacré tous les premiers-nés en Israël, tant ceux de l'homme que ceux du bétail : ils m'appartiennent *p*. Je suis le SEIGNEUR ! »

Premier recensement de la tribu de Lévi

[14] Le SEIGNEUR dit à Moïse dans le désert du Sinaï : [15] « Fais le recensement des fils de Lévi par familles et par clans : tu recenseras tous les *lévites de sexe masculin à partir de l'âge d'un mois. » [16] Moïse les recensa d'après le commandement du SEIGNEUR, comme il en avait reçu l'ordre.

[17] Voici quels étaient les fils de Lévi : ils se nommaient Guershôn, Qehath et Merari. [18] Voici, par clans, les noms des fils de Guershôn : Livni et Shiméï. [19] Les fils de Qehath, par clans : Amrâm, Yicehar, Hébron et Ouzziël. [20] Les fils de Merari, par clans : Mahli et Moushi. Tels étaient les clans des lévites recensés par familles. [21] Descendants de Guershôn : le clan des Livnites et le clan des Shiméïtes ; tels étaient les clans des Guershonites. [22] Leur effectif, — en comptant tous les Guershonites de sexe masculin à partir de l'âge d'un mois — leur chiffre se montait à 7 500. [23] Les clans des Guershonites campaient derrière la *demeure, à l'ouest. [24] Le chef de famille des Guershonites était Elyasaf, fils de Laël. [25] Le service des fils de Guershôn dans la *tente de la rencontre avait pour objet la demeure et la tente, sa couverture, le rideau d'entrée de la tente de la rencontre, [26] les tentures et le rideau d'entrée du *parvis entourant la demeure et l'*autel, ainsi que les cordes nécessaires à tous les travaux de montage. [27] Descendants de Qehath : le clan des Amramites, le clan des Yiceharites, le clan des Hébronites et le clan des Ouzziélites ; tels étaient les clans des Qehatites. [28] En comptant tous les Qehatites de sexe masculin à partir de l'âge d'un mois, ils étaient 8 600 *q* affectés au service du *sanctuaire. [29] Les clans des fils de Qehath campaient sur le côté de la demeure, au sud. [30] Le chef de famille des clans des Qehatites était Eliçafân, fils de Ouzziël. [31] Leur service avait pour objet : l'*arche, la table, le chandelier, les autels et les accessoires du sanctuaire dont on se sert pour officier, ainsi que le rideau et tous les travaux de montage. [32] Le chef suprême des lévites étant Eléazar, fils du prêtre Aaron ; il avait la charge des hommes affectés au service du sanctuaire.

[33] Descendants de Merari : le clan des Mahlites et le clan des Moushites ; tels étaient les clans de Merari. [34] Leur chiffre, en comptant tous les Merarites de sexe masculin à partir de l'âge d'un mois, se montait à 6 200. [35] Le chef de famille des clans de Merari était Çouriël, fils d'Avihaïl ; ils campaient sur le côté de la demeure, au nord. [36] Le service assigné aux fils de Merari avait pour objet les cadres de la demeure, ses traverses, ses colonnes et ses socles, ainsi que tous ses accessoires et tous les travaux de montage ; [37] de plus, les colonnes qui entourent le parvis avec leurs socles, leurs piquets et leurs cordes. [38] Ceux qui campaient devant la demeure, à l'est — c'est-à-dire devant la tente de la rencontre, au levant — étaient Moïse, Aaron et ses fils : ils faisaient le service du sanctuaire à l'intention des fils d'Israël. Le profane *r* qui se serait approché aurait été mis à mort. [39] L'effectif total des lévites que Moïse et Aaron dénombrèrent par clans d'après le commandement du SEIGNEUR — tous les lévites de sexe masculin à partir de l'âge d'un mois — était de 22 000.

Le rachat des premiers-nés

[40] Le SEIGNEUR dit à Moïse : « Dénombre tous les premiers-nés de sexe masculin des fils d'Israël à partir de l'âge d'un mois et fais le compte de leurs noms. [41] Tu me réserveras les *lévites — Je suis le SEIGNEUR — en échange de tous les premiers-nés des fils d'Israël. De même, tu me réserveras le bétail des lévites en échange de tous les premiers-nés du bétail des fils d'Israël. » [42] Moïse dénombra tous les premiers-nés des fils d'Israël comme le SEIGNEUR le lui avait ordonné. [43] Le total des premiers-nés de sexe masculin dont on releva les noms, recensés à partir de l'âge d'un mois, se montait à 22 273. [44] Le SEIGNEUR dit à Moïse : [45] « Prends les lévi-

p Voir 3.40-51; Ex 13.1-16 ● *q 8600:* l'ancienne version grecque a lu *8300,* ce qui s'accorde avec le total donné au v. 39 ● *r* Voir 1.51 et la note

3.13 m'appartiennent 8.17; Ex 13.1-16; 22.28-29; 34.19-20. **3.14-39** recensement 26.57-62; cf. 4.34-49. **3.17** fils de Lévi Ex 6.16-19; 1 Ch 6.1-15. **3.39** 22 000 26.62. **3.41** les lévites Cf. Ex 13.12; 22.29; Dt 15.19-23.

tes en échange de tous les premiers-nés des fils d'Israël et le bétail des lévites en échange du bétail d'Israël : les lévites m'appartiennent. Je suis le SEIGNEUR. [46] Pour prix du rachat des 273 premiers-nés des fils d'Israël qui sont en excédent sur le nombre des lévites, [47] tu prendras cinq sicles par tête — tu les prendras en sicles du *sanctuaire, à vingt guéras [s] le sicle. [48] Tu donneras l'argent à Aaron et à ses fils pour prix du rachat des premiers-nés en surnombre. » [49] Moïse reçut l'argent du rachat de la part de ceux qui étaient en excédent sur le nombre des premiers-nés rachetés par les lévites. [50] Il reçut cet argent de la part des premiers-nés des fils d'Israël : 1 365 sicles du sanctuaire. [51] Et Moïse donna l'argent du rachat à Aaron et à ses fils, d'après le commandement du SEIGNEUR, comme le SEIGNEUR l'avait ordonné à Moïse.

Tâches des clans lévitiques :
Les fils de Qehath

4 [1] Le SEIGNEUR dit à Moïse et Aaron : [2] « Parmi les fils de Lévi, dressez l'état des fils de Qehath par clans et par familles, [3] de tous ceux de trente à cinquante ans qui sont tenus de faire leur service en travaillant dans la *tente de la rencontre. [4] Voici quelle est la tâche des fils de Qehath dans la tente de la rencontre : se charger des objets très saints. [5] Quand on lève le camp, Aaron et ses fils viennent décrocher le voile de séparation et ils en recouvrent l'*arche de la charte ; [6] ils mettent dessus une housse en peau de dauphin, ils étendent sur l'ensemble une étoffe toute de pourpre violette et ils fixent les barres de l'arche. [7] Sur la table d'offrande ils étendent une étoffe de pourpre violette et ils y mettent les plats, les gobelets, les bols et les timbales de libation [t] ; le pain perpétuel [t] sera sur cette table. [8] Sur tout cela, ils étendent une étoffe de cramoisi éclatant et la recouvrent d'une housse en peau de dauphin ; puis ils fixent les barres de la table. [9] Ils prennent ensuite une étoffe de pourpre violette pour recouvrir le chandelier servant de luminaire, avec ses lampes, ses pincettes et ses bobèches [u], ainsi que tous les vases à huile dont on se sert pour son entretien. [10] Ils le mettent avec tous ses accessoires dans une housse en peau de dauphin et le placent sur son brancard. [11] Sur l'*autel d'or [v] ils étendent une étoffe de pourpre violette ; ils le recouvrent d'une housse en peau de dauphin et fixent ses barres. [12] Puis ils prennent tous les objets liturgiques dont on se sert pour officier dans le *sanctuaire, ils les mettent dans une étoffe de pourpre violette, les recouvrent d'une housse en peau de dauphin et les placent sur leur brancard. [13] Ils enlèvent les cendres de l'autel [w] sur lequel ils étendent une étoffe de pourpre rouge ; [14] ils mettent dessus tous les objets dont on se sert pour y officier : les pelles à braise, les tisonniers, les pelles à cendres, les bacs à cendres, tous les accessoires de l'autel. Ils étendent là-dessus une housse en peau de dauphin et fixent les barres de l'autel. [15] Pendant qu'on lève le camp, Aaron et ses fils achèvent d'envelopper le sanctuaire et tous ses accessoires ; après quoi les fils de Qehath viennent l'emporter. Ils ne toucheront pas au sanctuaire, ce serait leur mort. C'est là ce que, dans la tente de la rencontre, les fils de Qehath ont à porter. [16] Eléazar, le fils du prêtre Aaron, a la charge de l'huile du luminaire, du parfum à brûler, de l'offrande perpétuelle [x], de l'huile d'*onction ; il a la charge de toute la *demeure et de tout ce qui s'y trouve, tant du sanctuaire que de ses accessoires. »

[17] Le SEIGNEUR dit à Moïse et Aaron : [18] « N'exposez pas le groupe des clans de Qehath à être retranché du milieu des *lévites. [19] Faites donc ceci pour eux, afin qu'ils vivent et ne soient pas frappés de mort en s'approchant du lieu très saint : Aaron et ses fils viendront les placer chacun devant sa tâche, devant ce qu'il doit porter. [20] Ainsi ils ne viendront pas regarder le sanctuaire, ne fût-ce qu'un instant : ce serait leur mort ! »

Les fils de Guershôn

[21] Le SEIGNEUR dit à Moïse : [22] « Dresse également l'état des fils de Guershôn par familles et par clans. [23] Tu recenseras tous ceux de trente à cinquante ans qui

---

[s] *sicles, guéras:* voir au glossaire POIDS ET MESURES ● [t] *libation:* voir au glossaire SACRIFICES. — *pain perpétuel:* voir Lv 24.5-9 ● [u] *pincettes, bobèches:* voir Ex 25.38 et la note ● [v] *l'autel d'or,* c'est-à-dire *l'autel du parfum,* voir Ex 37.25-28 ● [w] *l'autel,* c'est-à-dire *l'autel de l'holocauste,* voir Ex 38.1-7 ● [x] L'*offrande perpétuelle* est l'offrande de farine accompagnant les holocaustes quotidiens, voir 28.3-8 ; Ex 29.38-42

3.47 cinq sicles Lv 27.6.   **4.3** trente ans Cf. 8.24 ; 1 Ch 23.24 ; 2. Ch 31.17 ; Esd 3.8.   **4.4** objets très saints Ex 35—38.

sont tenus d'accomplir leur service, c'est-à-dire de remplir une tâche dans la *tente de la rencontre. 24 Voici la tâche des clans des Guershonites, ce qu'ils ont à faire et ce qu'ils ont à porter : 25 ils portent les tapisseries de la *demeure ainsi que la tente de la rencontre avec sa couverture — la couverture en peau de dauphin qui la recouvre — le rideau d'entrée de la tente de la rencontre, 26 les tentures du *parvis et le rideau d'entrée de la porte du parvis, entourant la demeure et l'*autel, ainsi que leurs cordes et tous leurs outils : tout ce qu'on a donné aux Guershonites pour faire leur travail. 27 C'est sous le commandement d'Aaron et de ses fils que se feront tous les travaux des fils des Guershonites, tant pour leurs fardeaux que pour leurs travaux : vous leur assignerez, en fait de service, tout ce qu'ils ont à porter. 28 Telle est la tâche des clans des fils des Guershonites dans la tente de la rencontre, tel est leur service sous la direction du prêtre Itamar, fils d'Aaron.

Le fils de Merari

29 Quant aux fils de Merari, tu les recenseras par clans et par familles. 30 Tu recenseras tous ceux de trente à cinquante ans qui sont tenus de faire leur service en assurant les travaux de la *tente de la rencontre. 31 Voici ce qu'il leur incombe de porter — c'est là toute la tâche qui leur revient dans la tente de la rencontre : les cadres de la *demeure, ses traverses, ses colonnes, ses socles, 32 les colonnes qui entourent le *parvis avec leurs socles, leurs piquets, et leurs cordes, ainsi que tous les outils. Vous désignerez à chacun les objets qu'il lui incombe de porter. 33 Telle est la tâche des clans des fils de Merari — c'est là toute la tâche qui leur revient dans la tente de la rencontre, sous la direction du prêtre Itamar, fils d'Aaron. »

Recensement des lévites en activité

34 Moïse, Aaron et les responsables de la communauté recensèrent les fils de Qehath par clans et par familles, 35 tous ceux de trente à cinquante ans qui étaient tenus de faire leur service en travaillant

dans la *tente de la rencontre. 36 L'effectif de leurs clans était de 2 750 hommes. 37 Tel était l'effectif des clans qehatites, de tous ceux qui travaillaient dans la tente de la rencontre — ceux que Moïse et Aaron recensèrent — sur l'ordre que le SEIGNEUR avait donné par l'intermédiaire de Moïse. 38 Voici l'effectif des fils de Guershôn — en comptant par clans et par familles 39 tous ceux de trente à cinquante ans qui sont tenus de faire leur service en travaillant dans la tente de la rencontre : 40 l'effectif de leurs clans et de leurs familles était de 2 630 hommes. 41 Tel était l'effectif des clans des fils de Guershôn — de tous ceux qui travaillaient dans la tente de la rencontre — dans le recensement que firent Moïse et Aaron, sur l'ordre du SEIGNEUR. 42 Voici l'effectif des clans de Merari — en comptant par clans et par familles 43 tous ceux de trente à cinquante ans qui sont tenus de faire leur service en travaillant dans la tente de la rencontre : 44 l'effectif de leurs clans était de 3 200 hommes. 45 Tel était l'effectif des clans des fils de Merari dans le recensement que firent Moïse et Aaron sur l'ordre que le SEIGNEUR avait donné par l'intermédiaire de Moïse.

46 Voici le total des effectifs des *lévites que Moïse, Aaron et les responsables d'Israël recensèrent — en comptant par clans et par familles 47 tous ceux de trente à cinquante ans qui étaient tenus d'accomplir dans la tente de la rencontre un service de montage et un service de portage : 48 leur effectif était de 8 580 hommes. 49 Par ordre du SEIGNEUR et sous la direction de Moïse, on assigna à chacun ce qu'il devait faire et ce qu'il devait porter *y* ; chacun avait la charge que le SEIGNEUR avait prescrite à Moïse.

Les gens en état d'impureté exclus du camp

5 ¹ Le SEIGNEUR dit à Moïse : 2 « Ordonne aux fils d'Israël de renvoyer du camp tout *lépreux ainsi que toute personne affectée d'un écoulement ou souillée par un mort. 3 Vous les renverrez, tant hommes que femmes, vous les renverrez hors du camp *z*. Qu'ils ne souillent pas le camp des fils d'Israël au milieu des-

---

y Par ordre du Seigneur...: autre traduction possible Par ordre du Seigneur, on les recensa par l'intermédiaire de Moïse, chacun en vue de son travail et de sa charge ● *z hors du camp:* voir Lv 13.46

5.2 lépreux Lv 13.45-46+. ● 5.3 Dieu demeure au milieu du peuple Lv 15.31+.

quels je demeure. » ⁴ C'est ce que firent les fils d'Israël ; ils les renvoyèrent hors du camp. Les fils d'Israël firent comme le SEIGNEUR l'avait dit à Moïse.

Réparation pour les délits commis

⁵ Le SEIGNEUR dit à Moïse : ⁶ « Dis aux fils d'Israël : Lorsqu'un homme ou une femme se rend infidèle au SEIGNEUR en commettant l'un des péchés qui sont le fait de tout être humain *a*, cette personne est coupable. ⁷ Ils confesseront le péché qu'ils ont commis ; le coupable restituera à celui auquel il a fait tort l'objet en entier, plus le cinquième de sa valeur. ⁸ Si la victime n'a pas de parent à qui l'on puisse restituer l'objet du délit, cet objet devra être restitué au SEIGNEUR, c'est-à-dire au prêtre, sans compter le bélier expiatoire au moyen duquel on fera le rite d'absolution pour le coupable. ⁹ Tous les prélèvements que font les fils d'Israël, toutes les choses saintes qu'ils présentent au prêtre, lui appartiennent. ¹⁰ Les choses saintes de chacun lui appartiennent ; ce que chacun donne au prêtre lui appartient. »

Loi pour une femme soupçonnée d'adultère

¹¹ Le SEIGNEUR dit à Moïse : ¹² « Parle aux fils d'Israël et dis-leur : Il peut arriver à un homme que sa femme se conduise mal et lui soit infidèle, ¹³ qu'un autre ait à l'insu de cet homme des rapports avec elle, qu'elle se soit souillée en secret, sans qu'il y ait de témoin contre elle, sans qu'elle ait été prise sur le fait ; ¹⁴ si alors un esprit de jalousie s'empare de cet homme et qu'il soupçonne sa femme, alors qu'elle s'est effectivement déshonorée, ou si un esprit de jalousie s'empare de cet homme et qu'il soupçonne sa femme, sans qu'elle se soit déshonorée, ¹⁵ cet homme amènera sa femme au prêtre. Il apportera pour elle le présent requis : un dixième d'épha de farine d'orge. Il n'y versera pas d'huile et n'y

mettra pas d'encens, car c'est une offrande *b* de jalousie, une offrande de dénonciation, qui dénonce une faute. ¹⁶ Le prêtre fera approcher la femme et la fera comparaître devant le SEIGNEUR. ¹⁷ Le prêtre prendra de l'eau sainte *c* dans un vase de terre, il prendra de la poussière du sol de la demeure et la mettra dans l'eau. ¹⁸ Le prêtre fera comparaître la femme devant le SEIGNEUR et la décoiffera ; il mettra sur ses mains ouvertes l'offrande de dénonciation, c'est-à-dire l'offrande de jalousie, tandis que lui-même aura à la main l'eau d'amertume *d* qui porte la malédiction. ¹⁹ Le prêtre fera prêter serment à la femme en lui disant : "S'il n'est pas vrai qu'un homme ait couché avec toi, que tu te sois mal conduite, que tu te sois déshonorée en trompant ton mari, sois préservée de la malédiction que porte cette eau d'amertume. ²⁰ Mais si au contraire tu t'es livrée à l'inconduite avec un autre que ton mari, si tu t'es déshonorée et qu'un homme qui n'est pas ton mari a eu des rapports avec toi..." ²¹ Le prêtre lui fera prêter le serment d'imprécation en lui disant : "Que le SEIGNEUR fasse de toi, au milieu de ton peuple, l'exemple qu'on cite dans les imprécations et les serments. Qu'il fasse dépérir ton sein et enfler ton ventre. ²² Cette eau qui porte la malédiction va pénétrer dans tes entrailles pour faire enfler ton ventre et dépérir ton sein". Et la femme répondra : "Amen, amen ! *e*" ²³ Puis le prêtre mettra par écrit ces imprécations et les dissoudra dans l'eau d'amertume. ²⁴ Il fera boire à la femme l'eau d'amertume qui porte la malédiction ; cette eau qui porte la malédiction pénétrera en elle en devenant amère. ²⁵ Le prêtre prendra de la main de la femme l'offrande de jalousie, il la présentera au SEIGNEUR et l'apportera sur l'*autel. ²⁶ Le prêtre prélèvera sur la farine de l'offrande une poignée comme mémorial *f* et la fera fumer sur l'autel ; après quoi il fera boire l'eau à la femme. ²⁷ Il lui fera boire l'eau et il arrivera ceci : si elle s'est souillée et qu'elle a été infidèle à son mari, l'eau

---

a l'un des péchés qui... : autre traduction *un péché contre autrui* ● *b* épha : voir au glossaire POIDS ET MESURES. — *offrande :* voir au glossaire SACRIFICES ● *c eau sainte :* sens incertain : *eau conservée au *sanctuaire ? eau d'une source sacrée ?* ● *d* la décoiffera : probablement un signe de pénitence, dérivé d'un geste de deuil (comparer Lv 10.6 et la note). — *eau d'amertume* ou *eau amère* ● *e* Par cette réponse liturgique, signifiant: *C'est vrai !* ou *C'est bien cela !*, la femme souscrit aux paroles prononcées par le prêtre; comparer Dt 27.15-26 ● *f* mémorial : voir Lv 2.2 et la note

---

5.6 infidèle Lv 5.15.   **5.7** restituera Lv 5.24.   **5.9** choses saintes Lv 5.14-16; 22.10-16.   **5.15** pas d'huile Lv 5.11.   **5.18** eau d'amertume Cf. Ex 15.23-25.   **5.21** imprécation Es 65.15; Jr 42.18. **5.23** dissoudra Cf. Ez 2.8—3.3.

qui porte la malédiction pénétrera en elle en devenant amère ; son ventre enflera et son sein dépérira. Et cette femme deviendra pour son peuple l'exemple qu'on cite dans les imprécations. [28] Si au contraire cette femme ne s'est pas déshonorée mais qu'elle est pure, elle sera innocentée et elle sera féconde. »

[29] Telle est la loi sur la jalousie pour une femme qui se livre à l'inconduite en trompant son mari et se déshonore, [30] ou pour un homme qui est saisi d'un esprit de jalousie et soupçonne sa femme : il la fera comparaître devant le SEIGNEUR et le prêtre lui appliquera toutes les prescriptions de cette loi. [31] Le mari sera exempt de faute et la femme, quant à elle, répondra de sa faute.

Loi sur le vœu de naziréat

6 [1] Le SEIGNEUR dit à Moïse : [2] « Parle aux fils d'Israël et dis-leur : Lorsqu'un homme ou une femme s'engage par vœu de naziréat *g* à se consacrer au SEIGNEUR, [3] ce nazir s'abstiendra de vin et de boissons alcoolisées : il ne boira ni vinaigre de vin ni vinaigre d'alcool *h* ; il ne boira aucune sorte de jus de raisin et ne mangera ni raisins frais ni raisins secs. [4] Pendant tout le temps de son naziréat, il ne mangera d'aucun produit fait avec le fruit de la vigne, ni avec les pépins ni avec la peau. [5] Pendant tout le temps de son vœu de naziréat, le rasoir ne passera pas sur sa tête ; jusqu'à l'achèvement du temps pour lequel il s'est consacré au SEIGNEUR, il sera saint, il laissera croître librement les cheveux de sa tête.

[6] Pendant tout le temps de sa consécration au SEIGNEUR, il ne se rendra pas auprès d'un mort. [7] Que ce soit pour son père ou sa mère, pour son frère ou sa sœur, il ne se profanera pas à leur contact s'ils viennent à mourir, car il porte sur sa tête la consécration *i* de son Dieu. [8] Pendant tout le temps de son naziréat, il sera saint pour le SEIGNEUR. [9] Si, inopinément, quelqu'un vient à mourir auprès de lui de mort subite, profanant sa

tête consacrée, il se rasera la tête le jour de sa *purification ; il se la rasera le septième jour, [10] et le huitième il apportera au prêtre, à l'entrée de la *tente de la rencontre, deux tourterelles ou deux jeunes pigeons ; [11] le prêtre offrira l'un en sacrifice pour le péché, l'autre en holocauste et il fera pour le nazir le rite d'absolution du péché *j* qu'il aura commis à cause de ce mort. Ce même jour, le nazir *sanctifiera sa tête, [12] il se consacrera de nouveau au SEIGNEUR pour le temps de naziréat qu'il s'était fixé et il apportera un agneau d'un an en sacrifice de réparation. Les jours précédents ne compteront pas, du fait que son naziréat a été profané. »

[13] Voici la loi concernant le nazir : le jour où s'achève le temps de son naziréat, on le fait venir à l'entrée de la tente de la rencontre [14] et il apporte son présent au SEIGNEUR : un agneau d'un an sans défaut en holocauste, une agnelle d'un an sans défaut en sacrifice pour le péché, et un bélier sans défaut en sacrifice de paix ; [15] une corbeille de pain sans *levain fait de fleur de farine, des gâteaux pétris à l'huile et des crêpes sans levain enduites d'huile, avec l'offrande et les libations *k* requises. [16] Le prêtre les apporte devant le SEIGNEUR et il offre son sacrifice *l* pour le péché et son holocauste. [17] Quant au bélier, il l'offre *m* au SEIGNEUR en sacrifice de paix avec la corbeille de pain sans levain ; de plus le prêtre fait l'offrande et la libation requises. [18] Le nazir rase alors sa tête consacrée à l'entrée de la tente de la rencontre, il prend les cheveux de sa tête consacrée et les jette dans le feu qui brûle sous le sacrifice de paix. [19] Le prêtre prend l'épaule du bélier lorsqu'elle est cuite, avec un gâteau sans levain de la corbeille et une crêpe sans levain ; il les met dans les mains du nazir après qu'il a rasé le signe de son naziréat. [20] Le prêtre les présente au SEIGNEUR avec le geste de présentation ; c'est une chose sainte qui revient au prêtre, en plus de la poitrine qu'il présente et de la cuisse qu'il prélève. Après quoi, le nazir pourra boire

---

g naziréat: ce mot, transcrit de l'hébreu, désigne une *consécration* (temporaire ou définitive) à Dieu. Cette consécration implique divers renoncements énumérés dans les v. 3-8. Celui qui prononce ce vœu porte le nom de *nazir* (v. 3) ● *h* Le *vinaigre* additionné d'eau était une boisson courante dans la région méditerranéenne, voir au Mt 27.48 par. ● *i* Les cheveux longs (v. 5) sont le signe de cette *consécration* ● *j péché*: en hébreu, l'impureté due à la proximité d'un cadavre peut être désignée par le terme traduit ici par *péché* ● *k offrande, libations*: voir au glossaire SACRIFICES ● *l* C'est probablement *le prêtre* lui-même qui offre le *sacrifice du nazir* ● *m* Le sujet du verbe *offrir* peut être soit le nazir, soit le prêtre

6.3 alcoolisées Lc 1.15+ ; cf. Jr 35.5-8.   **6.5** le rasoir Jg 13.5.   **6.13** le nazir Ac 21.23-24. **6.18** rase alors Ac 18.18.

du vin. [21] Telle est la loi concernant le nazir qui fait un vœu ; tel est le présent qu'il doit au SEIGNEUR pour son naziréat, sans compter ce dont il pourrait disposer en plus. Il se conformera au vœu qu'il aura prononcé suivant la loi du naziréat auquel il s'est engagé.

La formule de bénédiction

[22] Le SEIGNEUR dit à Moïse : [23] « Parle à Aaron et à ses fils et dis-leur : voici en quels termes vous bénirez les fils d'Israël :
[24] "Que le SEIGNEUR te bénisse et te garde !
[25] Que le SEIGNEUR fasse rayonner sur toi son regard et t'accorde sa grâce !
[26] Que le SEIGNEUR porte sur toi son regard et te donne la paix !"
[27] Ils apposeront ainsi mon nom [n] sur les fils d'Israël, et moi, je les bénirai. »

Les chariots offerts pour le sanctuaire

7 [1] Le jour où Moïse acheva de dresser la *demeure, il en fit l'*onction et il la consacra avec tous ses accessoires, ainsi que l'*autel et tous ces accessoires ; il en fit l'onction et la consécration [o]. [2] Les responsables d'Israël, chefs de leurs tribus respectives, apportèrent leur présent. C'étaient les responsables des tribus, ceux qui avaient dirigé le recensement. [3] Ils amenèrent leur présent devant le SEIGNEUR : six chariots couverts [p] et douze bœufs ; un chariot pour deux chefs et un bœuf pour chacun ; ils les firent avancer devant la demeure. [4] Le SEIGNEUR dit à Moïse : [5] « Reçois les présents qu'ils t'amènent ; ils seront utilisés pour les travaux de la *tente de la rencontre. Tu les remettras aux *lévites, à chacun selon les besoins de sa tâche. » [6] Moïse reçut les chariots et les bœufs et les remit aux lévites. [7] Il donna deux chariots et quatre bœufs aux fils de Guershôn selon les besoins de leur tâche. [8] Et les quatre autres chariots, avec les huit bœufs, il les donna, par l'entremise du prêtre Itamar, fils d'Aaron, aux fils de Merari selon les besoins de leur tâche. [9] Il n'en donna pas aux fils de Qehath car la tâche qui leur incombait

était de porter les objets sacrés sur leurs épaules.

Les présents pour la dédicace de l'autel

[10] Les chefs apportèrent l'offrande pour la dédicace de l'*autel le jour où l'on en fit l'*onction. Les chefs apportèrent leurs présents devant l'autel. [11] Le SEIGNEUR dit à Moïse : « Que les chefs, à raison d'un par jour, apportent leur présent en offrande pour la dédicace de l'autel. »

[12] C'est Nahshôn, fils de Amminadav de la tribu de Juda, qui apporta son présent le premier jour. [13] Son présent consistait en : un plat d'argent d'un poids de 130 sicles, un bassin d'argent de 70 sicles — en sicles du *sanctuaire — tous deux remplis de farine pétrie à l'huile pour l'offrande ; [14] un gobelet d'or de 10 sicles, rempli de parfum ; [15] un taureau, un bélier, un agneau d'un an pour l'holocauste [r] ; [16] un bouc pour le sacrifice pour le péché ; [17] et, pour le sacrifice de paix, deux bœufs, cinq béliers, cinq boucs et cinq agneaux d'un an. Tel fut le présent de Nahshôn, fils de Amminadav.

[18] Le deuxième jour, Netanel, fils de Çouar, chef d'Issakar, apporta son offrande. [19] Il apporta son présent qui consistait en : un plat d'argent d'un poids de 130 sicles, un bassin d'argent de 70 sicles — en sicles du sanctuaire — tous deux remplis de farine pétrie à l'huile pour l'offrande ; [20] un gobelet d'or de 10 sicles, rempli de parfum ; [21] un taureau, un bélier, un agneau d'un an pour l'holocauste ; [22] un bouc pour le sacrifice pour le péché ; [23] et, pour le sacrifice de paix, deux bœufs, cinq béliers, cinq boucs et cinq agneaux d'un an. Tel fut le présent de Netanel, fils de Çouar.

[24] Le troisième jour, ce fut le chef des fils de Zabulon, Eliav, fils de Hélôn. [25] Son présent consistait en : un plat d'argent d'un poids de 130 sicles, un bassin d'argent de 70 sicles — en sicles du sanctuaire — tous deux remplis de farine pétrie à l'huile pour l'offrande ; [26] un gobelet d'or de 10 sicles, rempli de parfum ; [27] un taureau, un bélier, un agneau

---

[n] Comme quelqu'un appose sa signature sur son cachet sur un objet qui lui appartient ● [o] Voir Ex 40.33 ● [p] *chariots couverts:* le sens du mot hébreu est incertain ● [q] *sicles:* voir au glossaire POIDS ET MESURES. — *offrande:* voir au glossaire SACRIFICES ● [r] *holocauste:* voir au glossaire SACRIFICES

6.23 bénirez Cf. 1 R 8.56-58 ; Ps 134.3 ; *Si* 50.23-24.   6.24 te garde Ps 121.7.   6.25 son regard Ps 4.7 ; 31.17 ; 67.2 ; 119.135.   6.26 la paix Ps 122.6.   6.27 mon nom Ap 3.12 ; 14.1 ; 22.4.   7.2 responsables d'Israël 1.5-15.   7.5 sa tâche 3.21-37 ; 4.4-33.   7.10 dédicace Ez 43.18-26 ; 2 Ch 7.9.

d'un an pour l'holocauste ; ²⁸ un bouc pour le sacrifice pour le péché ; ²⁹ et, pour le sacrifice de paix, deux bœufs, cinq béliers, cinq boucs et cinq agneaux d'un an. Tel fut le présent d'Eliav, fils de Hélôn.

³⁰ Le quatrième jour, ce fut le chef des fils de Ruben, Eliçour, fils de Shedéour. ³¹ Son présent consistait en : un plat d'argent d'un poids de 130 sicles, un bassin d'argent de 70 sicles — en sicles du sanctuaire — tous deux remplis de farine pétrie à l'huile pour l'offrande ; ³² un gobelet d'or de 10 sicles rempli de parfum ; ³³ un taureau, un bélier, un agneau d'un an pour l'holocauste ; ³⁴ un bouc pour le sacrifice pour le péché ; ³⁵ et, pour le sacrifice de paix, deux bœufs, cinq béliers, cinq boucs, cinq agneaux d'un an. Tel fut le présent d'Eliçour, fils de Shedéour.

³⁶ Le cinquième jour, ce fut le chef des fils de Siméon, Sheloumiël, fils de Çourishaddaï. ³⁷ Son présent consistait en : un plat d'un poids de 130 sicles, un bassin d'argent de 70 sicles — en sicles du sanctuaire — tous deux remplis de farine pétrie à l'huile pour l'offrande ; ³⁸ un gobelet d'or de 10 sicles, rempli de parfum ; ³⁹ un taureau, un bélier, un agneau d'un an pour l'holocauste ; ⁴⁰ un bouc pour le sacrifice pour le péché ; ⁴¹ et, pour le sacrifice de paix, deux bœufs, cinq béliers, cinq boucs et cinq agneaux d'un an. Tel fut le présent de Sheloumiël, fils de Çourishaddaï.

⁴² Le sixième jour, ce fut le chef des fils de Gad, Elyasaf, fils de Déouël. ⁴³ Son présent consistait en : un plat d'argent d'un poids de 130 sicles, un bassin d'argent de 70 sicles — en sicles du sanctuaire — tous deux remplis de farine pétrie à l'huile pour l'offrande ; ⁴⁴ un gobelet d'or de 10 sicles, rempli de parfum ; ⁴⁵ un taureau, un bélier, un agneau d'un an pour l'holocauste ; ⁴⁶ un bouc pour le sacrifice pour le péché ; ⁴⁷ et, pour le sacrifice de paix, deux bœufs, cinq béliers, cinq boucs et cinq agneaux d'un an. Tel fut le présent d'Elyasaf, fils de Déouël.

⁴⁸ Le septième jour, ce fut le chef des fils d'Ephraïm, Elishama, fils de Ammihoud. ⁴⁹ Son présent consistait en : un plat d'argent d'un poids de 130 sicles, un bassin d'argent de 70 sicles — en sicles du sanctuaire — tous deux remplis de farine pétrie à l'huile pour l'offrande ; ⁵⁰ un gobelet d'or de 10 sicles, rempli de parfum ; ⁵¹ un taureau, un bélier, un agneau d'un an pour l'holocauste ; ⁵² un

bouc pour le sacrifice pour le péché ; ⁵³ et, pour le sacrifice de paix, deux bœufs, cinq béliers, cinq boucs et cinq agneaux d'un an. Tel fut le présent d'Elishama, fils de Ammihoud.

⁵⁴ Le huitième jour, ce fut le chef des fils de Manassé, Gameliël, fils de Pedahçour. ⁵⁵ Son présent consistait en : un plat d'argent d'un poids de 130 sicles, un bassin d'argent de 70 sicles — en sicles du sanctuaire — tous deux remplis de farine pétrie à l'huile pour l'offrande ; ⁵⁶ un gobelet d'or de 10 sicles, rempli de parfum ; ⁵⁷ un taureau, un bélier, un agneau d'un an pour l'holocauste ; ⁵⁸ un bouc pour le sacrifice pour le péché ; ⁵⁹ et, pour le sacrifice de paix, deux bœufs, cinq béliers, cinq boucs et cinq agneaux d'un an. Tel fut le présent de Gameliël, fils de Pedahçour.

⁶⁰ Le neuvième jour, ce fut le chef des fils de Benjamin, Avidân, fils de Guidéoni. ⁶¹ Son présent consistait en : un plat d'argent d'un poids de 130 sicles, un bassin d'argent de 70 sicles — en sicles du sanctuaire — tous deux remplis de farine pétrie à l'huile pour l'offrande ; ⁶² un gobelet d'or de 10 sicles, rempli de parfum ; ⁶³ un taureau, un bélier, un agneau d'un an pour l'holocauste ; ⁶⁴ un bouc pour le sacrifice pour le péché ; ⁶⁵ et, pour le sacrifice de paix, deux bœufs, cinq béliers, cinq boucs et cinq agneaux. Tel fut le présent d'Avidân, fils de Guidéoni.

⁶⁶ Le dixième jour, ce fut le chef des fils de Dan, Ahiézer, fils de Ammishaddaï. ⁶⁷ Son présent consistait en : un plat d'argent d'un poids de 130 sicles, un bassin d'argent de 70 sicles — en sicles du sanctuaire — tous deux remplis de farine pétrie à l'huile pour l'offrande ; ⁶⁸ un gobelet d'or de 10 sicles, rempli de parfum ; ⁶⁹ un taureau, un bélier, un agneau d'un an pour l'holocauste ; ⁷⁰ un bouc pour le sacrifice pour le péché ; ⁷¹ et, pour le sacrifice de paix, deux bœufs, cinq béliers, cinq boucs et cinq agneaux d'un an. Tel fut le présent d'Ahiézer, fils de Ammishaddaï.

⁷² Le onzième jour, ce fut le chef des fils d'Asher, Paguiël, fils de Okrân. ⁷³ Son présent consistait en : un plat d'argent d'un poids de 130 sicles, un bassin d'argent de 70 sicles — en sicles du sanctuaire — tous deux remplis de farine pétrie à l'huile pour l'offrande ; ⁷⁴ un gobelet d'or de 10 sicles, rempli de parfum ; ⁷⁵ un taureau, un bélier, un agneau d'un an pour l'holocauste ; ⁷⁶ un bouc pour le sacrifice pour le péché ; ⁷⁷ et, pour

le sacrifice de paix, deux bœufs, cinq béliers, cinq boucs et cinq agneaux d'un an. Tel fut le présent de Paguiël, fils de Okrân.

[78] Le douzième jour, ce fut le chef des fils de Nephtali, Ahira, fils de Einân. [79] Son présent consistait en : un plat d'argent d'un poids de 130 sicles, un bassin d'argent de 70 sicles — en sicles du sanctuaire — tous deux remplis de farine pétrie à l'huile pour l'offrande ; [80] un gobelet d'or de 10 sicles, rempli de parfum ; [81] un taureau, un agneau d'un an pour l'holocauste ; [82] un bouc pour le sacrifice pour le péché ; [83] et, pour le sacrifice de paix, deux bœufs, cinq béliers, cinq boucs et cinq agneaux d'un an. Tel fut le présent d'Ahira, fils de Einân.

[84] Telle fut l'offrande des chefs d'Israël pour la dédicace de l'autel le jour où l'on en fit l'onction : douze plats d'argent, douze bassins d'argent, douze gobelets d'or. [85] Chaque plat d'argent pesait 130 sicles et chaque bassin 70 sicles. Ces objets faisaient au total 2 400 sicles d'argent, en sicles du sanctuaire. [86] douze gobelets d'or remplis de parfum pesant 10 sicles chacun — en sicles du sanctuaire. Les gobelets faisaient au total 120 sicles d'or. [87] Le gros bétail destiné à l'holocauste comprenait au total douze taureaux, douze béliers et douze agneaux d'un an, avec les offrandes requises ; et douze boucs pour le sacrifice pour le péché. [88] Le gros bétail destiné au sacrifice de paix comprenait au total vingt-quatre bœufs, soixante béliers, soixante boucs et soixante agneaux d'un an. Telle fut l'offrande pour la dédicace de l'autel après qu'on en eut fait l'onction.

[89] Quand Moïse entrait dans la *tente de la rencontre pour parler avec le SEIGNEUR, il entendait la voix lui parler du haut du propitiatoire, d'entre les deux *chérubins — le propitiatoire était sur l'*arche de la charte. Et il lui parlait [s].

Les lampes du chandelier

8 [1] Le SEIGNEUR dit à Moïse : [2] « Parle à Aaron et dis-lui : Quand tu allumeras les lampes, les sept lampes devront éclairer le devant du chandelier [t]. » [3] C'est ce que fit Aaron : sur le devant du chandelier, il alluma les lampes comme le SEIGNEUR l'avait ordonné à Moïse. [4] Voici comment était fait le chandelier : il était en or forgé, forgé de la base à la fleur. On avait fait ce chandelier selon le modèle que le SEIGNEUR avait montré à Moïse.

La consécration des lévites

[5] Le SEIGNEUR dit à Moïse : [6] « Prends les *lévites parmi les fils d'Israël et *purifie-les. [7] Voici comment tu agiras à leur égard pour les purifier : fais sur eux une aspersion d'eau lustrale [u] ; qu'ils se passent un rasoir sur tout le corps, qu'ils lavent leurs vêtements et qu'ils se purifient. [8] Ils prendront un taureau avec l'offrande [v] requise de farine pétrie à l'huile. Et tu prendras un deuxième taureau pour le sacrifice pour le péché. [9] Tu feras avancer les lévites devant la *tente de la rencontre et tu rassembleras toute la communauté d'Israël. [10] Tu feras avancer les lévites devant le SEIGNEUR et les fils d'Israël leur imposeront les mains [w]. [11] Puis Aaron présentera les lévites comme une offrande présentée au SEIGNEUR par les fils d'Israël et ils seront destinés à assurer le culte du SEIGNEUR. [12] Les lévites poseront leurs mains sur la tête des taureaux. Offre les taureaux au SEIGNEUR, l'un en sacrifice pour le péché et l'autre en holocauste [x], pour faire sur les lévites le rite d'absolution. [13] Tu placeras les lévites devant Aaron et devant ses fils, et tu les présenteras comme une offrande présentée au SEIGNEUR. [14] Parmi les fils d'Israël, tu mettras à part les lévites et ils m'appartiendront. [15] Après quoi les

---

s *propitiatoire:* voir Ex 25.17 et la note. — *Et il lui parlait:* le sujet est probablement Moïse, qui parle au Seigneur ; mais ce pourrait aussi être le Seigneur, parlant à Moïse ● t Voir Ex 25.31 et la note. Les lampes à huile doivent être placées de telle manière que la mèche soit tournée vers l'avant ● u *eau lustrale:* autre traduction *eau qui purifie du péché* ; il s'agit peut-être de l'eau décrite au chap. 19 (malgré un nom hébreu différent), ou encore de celle mentionnée en Lv 14 ● v *offrande:* voir au glossaire SACRIFICES ● w La signification de ce geste était probablement la suivante : en *imposant les mains* sur les lévites, les autres Israélites s'identifient à eux et montrent qu'ils s'offrent eux-mêmes à Dieu en la personne des lévites. Comparer le v. 12, et voir au glossaire IMPOSER LES MAINS ● x *holocauste:* voir au glossaire SACRIFICES

8.2 du chandelier Ex 27.20-21 ; 37.17-24 ; Lv 24.1-4 ; 1 S 3.3. **8.6** purifie-les Lv 8.6. **8.7** rasage et lavage Cf. Lv 14.8-9. **8.11** du Seigneur 3.6-8. **8.13** devant Aaron 3.6.

lévites viendront servir la tente [y] de la rencontre. Tu les purifieras donc et tu les présenteras comme une offrande présentée. [16] Car ils me sont donnés, vraiment donnés, parmi les fils d'Israël : je me les réserve en échange de tous ceux qui sont nés d'un premier enfantement, c'est-à-dire de tous les premiers-nés des fils d'Israël. [17] Car tout premier-né chez les fils d'Israël m'appartient, tant chez les hommes que chez les bêtes. Le jour où j'ai frappé tous les premiers-nés dans le pays d'Egypte, je me les suis consacrés. [18] Mais je prends les lévites en échange de tous les premiers-nés des fils d'Israël [19] et je les donne à Aaron et à ses fils ; parmi les fils d'Israël, les lévites leur sont donnés pour assurer le culte des fils d'Israël dans la tente de la rencontre et pour faire sur eux le rite d'absolution. Ainsi les fils d'Israël ne seront plus frappés par un fléau pour s'être approchés du lieu saint [z]. » [20] C'est ce que firent Moïse, Aaron et toute la communauté des fils d'Israël à l'égard des lévites. Les fils d'Israël firent à leur égard exactement ce que le SEIGNEUR avait ordonné à Moïse au sujet des lévites. [21] Les lévites firent leur purification et lavèrent leurs vêtements. Aaron les présenta comme une offrande présentée au SEIGNEUR et fit sur eux le rite d'absolution pour les purifier. [22] Après quoi, les lévites allèrent prendre leur service dans la tente de la rencontre, sous les yeux d'Aaron et de ses fils. On fit à l'égard des lévites ce que le SEIGNEUR avait ordonné à Moïse à leur sujet.

[23] Le SEIGNEUR dit à Moïse : [24] « Voici les dispositions concernant les lévites : à partir de l'âge de vingt-cinq ans, le lévite est tenu d'accomplir son service en assurant les travaux de la tente de la rencontre. [25] A l'âge de cinquante ans, il quittera le service actif : il ne travaillera plus. [26] Il assistera ses frères pour faire le service dans la tente de la rencontre. mais il ne fera pas de travaux. Telles sont les dispositions que tu prendras pour le service des lévites. »

La date de la célébration de la Pâque

9 [1] Le SEIGNEUR parla à Moïse dans le désert du Sinaï ; c'était la deuxième année après leur sortie du pays d'Egypte, le premier mois. Il dit : [2] « Que les fils d'Israël célèbrent la *Pâque à la date fixée. [3] C'est à la date du quatorze de ce mois, au crépuscule [a], que vous la célébrerez. Vous la célébrerez en suivant exactement le rituel de la Pâque et ses coutumes. » [4] Moïse dit aux fils d'Israël de célébrer la Pâque. [5] Ils la célébrèrent. dans le désert du Sinaï, le quatorze du premier mois au crépuscule. Les fils d'Israël firent exactement ce que le SEIGNEUR avait ordonné à Moïse.

[6] Or quelques hommes se trouvaient en état d'*impureté pour avoir touché un mort ; ne pouvant célébrer la Pâque ce jour-là, ils s'adressèrent le jour même à Moïse et Aaron. [7] « Nous sommes en état d'impureté, lui dirent-ils, pour avoir touché un mort ; pourquoi nous est-il interdit d'apporter notre présent au SEIGNEUR à la date fixée comme tous les fils d'Israël ? » — [8] « Attendez, leur dit Moïse, que j'apprenne ce que le SEIGNEUR ordonne dans votre cas. » [9] Le SEIGNEUR dit à Moïse : [10] « Parle en ces termes aux fils d'Israël : Lorsqu'un homme sera en état d'impureté pour avoir touché un mort ou qu'il sera en voyage au loin — ceci vaut pour vous comme pour vos descendants — il célébrera la Pâque en l'honneur du SEIGNEUR. [11] Mais c'est le quatorze du second mois, au crépuscule, que ces hommes la célébreront ; ils mangeront l'agneau avec des pains sans *levain et des herbes amères. [12] Ils n'en garderont rien pour le matin. ils n'en briseront pas les os ; ils célébreront la Pâque en se conformant exactement à son rituel. [13] Mais si un homme qui se trouve en état de pureté et qui n'est pas en voyage néglige de célébrer la Pâque, celui-là sera retranché de sa parenté [b] ; pour n'avoir pas apporté son présent au SEIGNEUR à la date fixée, cet homme supportera les conséquences de son péché. [14] Si un émigré qui séjourne

---

[y] *servir la tente:* quelques manuscrits hébreux, le texte samaritain et l'ancienne version grecque emploient la formule habituelle *assurer le service de la tente* ● *z* Comparer 1.53 et la note ● *a au crépuscule:* autre traduction *entre les deux soirs;* voir Ex 12.6 et la note ● *b retranché de sa parenté:* voir Gn 17.14 et la note

8.16 donnés 3.9; 18.6; Esd 2.43 — en échange de 3.12. **8.17** tout premier-né 3.13; Ex 13.2. **8.18** les lévites 3.41 . **8.19** s'approcher du lieu saint 17.28; 18.22. **8.24** vingt-cinq ans Cf. 4.3 +. **9.2** célèbrent la Pâque Ex 12.1-14. **9.3** le quatorze de ce mois Lv 23.5. **9.6** un mort 19.11-16. **9.8** dans votre cas 15.34-35; 27.5-6; 36.5-6: Lv 24.12. **9.11** du second mois 2 Ch 30.15. **9.12** les os Ex 12.46; cf. Jn 19.36.

chez vous célèbre la Pâque en l'honneur du SEIGNEUR, il suivra le rituel de la Pâque et ses coutumes ; vous aurez un seul rituel, pour l'émigré comme pour l'indigène du pays. »

La nuée couvre la demeure sainte

[15] Le jour où l'on dressa la *demeure, la nuée [c] couvrit la demeure, c'est-à-dire la *tente de la *charte. Le soir, elle était sur la demeure avec l'apparence d'un feu, et ainsi jusqu'au matin. [16] Ainsi en était-il constamment ; la nuée couvrait la demeure et, pendant la nuit, elle avait l'apparence d'un feu. [17] Chaque fois que la nuée s'élevait au-dessus de la tente, aussitôt les fils d'Israël partaient ; et à l'endroit où la nuée se posait, c'est là que les fils d'Israël campaient. [18] Sur l'ordre du SEIGNEUR, les fils d'Israël partaient ; sur l'ordre du SEIGNEUR, ils campaient. Aussi longtemps que la nuée demeurait sur la demeure, ils campaient. [19] Lorsque la nuée restait longuement sur la demeure, les fils d'Israël assuraient le service du SEIGNEUR et ne partaient pas. [20] Parfois, la nuée ne restait que peu de jours sur la demeure. — Sur l'ordre du SEIGNEUR, ils campaient ; sur l'ordre du SEIGNEUR, ils partaient. — [21] D'autres fois, la nuée ne restait que du soir au matin ; quand elle s'élevait le matin, ils partaient. On encore, elle restait un jour et une nuit ; quand elle s'élevait, ils partaient. [22] Tant que la nuée s'attardait sur la demeure, que ce fût deux jours, un mois ou plus longtemps, les fils d'Israël campaient et ne partaient pas ; quand elle s'élevait, ils partaient. [23] Sur l'ordre du SEIGNEUR, ils campaient ; sur l'ordre du SEIGNEUR, ils partaient. Ils assuraient le service du SEIGNEUR conformément aux instructions que le SEIGNEUR avait données par l'intermédiaire de Moïse.

Les trompettes d'argent

10 [1] Le SEIGNEUR dit à Moïse : [2] « Fais faire deux trompettes d'argent — tu les feras en métal forgé — ; elles te

serviront à convoquer la communauté et à faire partir les camps. [3] Quand on jouera de ces trompettes, c'est toute la communauté qui se rassemblera auprès de toi à l'entrée de la *tente de la rencontre. [4] Si on ne joue que d'une trompette, ce sont les responsables, les chefs des milliers d'Israël [d], qui se rassembleront auprès de toi. [5] Quand vous donnerez un signal modulé [e], les camps stationnés à l'est partiront. [6] Quand vous donnerez un deuxième signal modulé, les camps stationnés au sud partiront [f]. On donnera un signal modulé pour les départs. [7] Tandis que pour convoquer l'assemblée, vous donnerez un signal continu et non pas modulé. [8] Ce sont les fils d'Aaron, les prêtres, qui joueront de ces trompettes ; elles vous serviront pour un rituel immuable pour toutes les générations. [9] Quand, dans votre pays, vous partirez en guerre contre l'ennemi qui vous harcèle, vous ferez donner par ces trompettes un signal modulé. De la sorte, vous vous rappellerez à l'attention du SEIGNEUR, votre Dieu, et vous serez délivrés de vos ennemis. [10] Quand vous aurez un jour de réjouissance, des solennités, des *néoménies, vous jouerez de ces trompettes pour accompagner vos holocaustes [g] et vos sacrifices de paix ; elles serviront à vous rappeler à l'attention de votre Dieu. Je suis le SEIGNEUR votre Dieu. »

L'ordre des tribus dans les déplacements

[11] La deuxième année, le vingt du deuxième mois, la nuée s'éleva au-dessus de la *demeure de la *charte. [12] Les fils d'Israël partirent du désert du Sinaï chacun à son tour et la nuée séjourna dans le désert de Parân. [13] C'était la première fois qu'ils partaient sur l'ordre du SEIGNEUR transmis par Moïse. [14] En premier lieu partit le groupe du camp des fils de Juda avec ses armées. L'armée des fils de Juda était sous les ordres de Nahshôn, fils de Amminadav, [15] l'armée de la tribu des fils d'Issakar, sous les ordres de Netanel, fils de Çouar, [16] l'armée de la tribu des fils de Zabulon, sous les ordres

---

[c] *la nuée:* voir Ex 13.21 et la note; 40.34 ● [d] *milliers d'Israël:* voir 1.16 et la note ● [e] *signal modulé:* la signification de l'expression hébraïque est discutée; autres traductions *sonnerie éclatante* ou *sonnerie accompagnée d'acclamations* ● [f] Les versions anciennes poursuivent ici l'énumération et parlent des troisième et quatrième sonneries, donnant le départ aux camps situés à l'ouest et au nord ● [g] *holocaustes:* voir au glossaire SACRIFICES

9.17 partir et camper Ex 40.34-38. **10.2** convoquer la communauté Mt 24.31+. **10.8** les prêtres qui jouent de la trompette Jos 6.1-20. **10.10** solennités Lv 25.9; 2 S 6.15; 1 R 1.39; 2 R 9.13; 2 Ch 15.14. **10.14** ordre des départs 2.1-34.

d'Eliav, fils de Hélôn. [17] La demeure fut démontée ; les fils de Guershôn et les fils de Merari partirent en portant la demeure.

[18] Le groupe du camp de Ruben partit avec ses armées ; l'armée de Ruben était sous les ordres d'Eliçour, fils de Shedéour, [19] l'armée de la tribu des fils de Siméon, sous les ordres de Sheloumiël, fils de Çourishaddaï, [20] l'armée de la tribu des fils de Gad, sous les ordres d'Elyasaf, fils de Déouël. [21] Ensuite partirent les Qehatites portant le *sanctuaire ; les autres dressaient la demeure avant qu'ils arrivent. [22] Ensuite partit le groupe du camp des fils d'Ephraïm avec ses armées. L'armée des fils d'Ephraïm était sous les ordres d'Elishama, fils de Ammihoud, [23] l'armée de la tribu des fils de Manassé, sous les ordres de Gameliël, fils de Pedahçour, [24] l'armée de la tribu des fils de Benjamin, sous les ordres d'Avidân, fils de Guidéoni. [25] Enfin, partit en arrière-garde de tous les camps, le groupe du camp des fils de Dan, avec ses armées. L'armée des fils de Dan était sous les ordres d'Ahiézer, fils de Ammishaddaï, [26] l'armée de la tribu des fils d'Asher, sous les ordres de Paguiël, fils de Okrân, [27] l'armée de la tribu des fils de Nephtali, sous les ordres d'Ahira, fils de Einân. [28] C'est dans cet ordre que partirent les fils d'Israël avec leurs armées. Ils partirent...

Moïse cherche un guide pour le voyage

[29] Moïse dit à Hobab, fils de Réouël le Madianite, son beau-père [h] : « Nous partons pour la contrée dont le SEIGNEUR a dit : "Je vous la donne". Viens avec nous. Nous te ferons profiter du bonheur que le SEIGNEUR a promis à Israël. » [30] Hobab lui répondit : « Je n'irai pas ; c'est dans mon pays que je veux aller, dans ma parenté. » [31] Moïse reprit : « Ne nous abandonne pas ! Etant donné que tu connais les endroits où nous pouvons camper dans le désert, tu nous serviras de guide. [32] Et si tu viens avec nous, lorsque nous arrivera ce bonheur que le SEIGNEUR veut nous accorder, nous t'en ferons profiter. » [33] Ils partirent de la montagne du

SEIGNEUR pour une marche de trois jours. L'*arche de l'alliance du SEIGNEUR était partie devant eux pour cette marche de trois jours afin de reconnaître l'endroit où ils pourraient camper. [34] La nuée du SEIGNEUR les couvrait pendant le jour, au moment où ils quittaient le campement. [35] Quand l'arche partait, Moïse disait : « Lève-toi, SEIGNEUR ! Tes ennemis se disperseront, tes adversaires s'enfuiront devant toi ! » [36] Et quand elle faisait halte, il disait : « Reviens, SEIGNEUR !... Innombrables sont les milliers d'Israël ! »

Les Israélites à Taveéra

11 [1] Un jour le peuple se livra à des lamentations, ce que le SEIGNEUR entendit avec déplaisir. En les entendant le SEIGNEUR s'enflamma de colère. Le feu du SEIGNEUR ravagea le peuple et dévora un bout du camp. [2] Le peuple lança des cris vers Moïse qui intercéda auprès du SEIGNEUR ; et le feu se calma. [3] On donna à cet endroit le nom de Taveéra [i] parce que le feu du SEIGNEUR avait ravagé les fils d'Israël.

Le peuple réclame de la viande

[4] Il y avait parmi eux un ramassis de gens qui furent saisis de convoitise ; et les fils d'Israël eux-mêmes recommencèrent à pleurer : « Qui nous donnera de la viande à manger ? [5] Nous nous rappelons le poisson que nous mangions pour rien en Egypte, les concombres, les pastèques, les poireaux, les oignons, l'ail ! [6] Tandis que maintenant notre vie s'étiole ; plus rien de tout cela ! Nous ne voyons plus que la manne. » [7] La manne ressemblait à la graine de coriandre ; son aspect était celui de bdellium [j]. [8] Le peuple se dispersait pour la ramasser ; ensuite on l'écrasait à la meule ou on la pilait dans un mortier ; on la faisait cuire dans des marmites et on en faisait des galettes. Elle avait le goût de gâteau à l'huile. [9] Lorsque la rosée se déposait sur le camp pendant la nuit, la manne s'y déposait aussi. [10] Moïse entendit le peuple qui pleurait,

---

h D'après Ex 2.18-21, c'est *Réouël* qui est le *beau-père* de Moïse; d'après Jg 1.16; 4.11, c'est *Hobab*. Comparer encore Ex 3.1 ● i Ce nom est dérivé du verbe hébreu traduit ici par *ravager* (par le feu) ● j Sur la *manne*, voir Ex 16; sur la *coriandre*, voir Ex 16.31 et la note; sur le *bdellium*, voir Gn 2.12 et la note

10.17, 21 départ des lévites cf. 2.17. **10.29** le bonheur promis Gn 12.2-3. **10.33** une marche de trois jours Ex 3.18; 5.3; 8.23. **10.35** Lève-toi, Seigneur Es 33.3; Ps 68.2. **11.1** lamentations Ez 8.14 — le feu du Seigneur Lv 10.2+. **11.4** un ramassis de gens Ex 12.38. **11.6** la manne Ex 16.13-15.

groupé par clans, chacun à l'entrée de sa tente. Le SEIGNEUR s'enflamma d'une vive colère et Moïse prit mal la chose. [11] « Pourquoi, dit-il au SEIGNEUR, veux-tu du mal à ton serviteur ? Pourquoi suis-je en disgrâce devant toi au point que tu m'imposes le fardeau de tout ce peuple ? [12] Est-ce moi qui ai conçu tout ce peuple ? moi qui l'ai mis au monde ? pour que tu me dises : "Porte-le sur ton cœur comme une nourrice porte un petit enfant", et cela jusqu'au pays que tu as promis à ses pères ? [13] Où trouverais-je de la viande pour en donner à tout ce peuple qui me poursuit de ses pleurs et me dit : "Donne-nous de la viande à manger" ? [14] Je ne puis plus, à moi seul, porter tout ce peuple ; il est trop lourd pour moi. [15] Si c'est ainsi que tu me traites, fais-moi plutôt mourir — si du moins j'ai trouvé grâce à tes yeux ! Que je n'aie plus à subir mon triste sort ! » [16] Le SEIGNEUR dit à Moïse : « Rassemble-moi soixante-dix des *anciens d'Israël, des hommes dont tu sais qu'ils sont des anciens et des magistrats du peuple. Tu les amèneras à la *tente de la rencontre ; ils s'y présenteront avec toi. [17] J'y descendrai et je te parlerai ; je prélèverai un peu de l'esprit qui est en toi pour le mettre en eux ; ils porteront alors avec toi le fardeau du peuple et tu ne seras plus seul à le porter. [18] Et au peuple tu diras : "*Sanctifiez-vous pour demain et soyez en état de manger de la viande. Car vous avez fait entendre cette plainte au SEIGNEUR : Qui nous donnera de la viande à manger ? Nous étions si bien en Egypte ! Le SEIGNEUR va donc vous donner de la viande, vous allez en manger ; [19] et vous n'en mangerez pas seulement un jour ou deux, ni même cinq, dix ou vingt, [20] mais tout un mois, jusqu'à ce qu'elle vous sorte par les narines, jusqu'à ce que vous en ayez la nausée. Tout cela parce que vous avez rejeté le SEIGNEUR qui est au milieu de vous et parce que vous avez présenté cette plainte : Pourquoi donc sommes-nous sortis d'Egypte ?" » [21] Moïse reprit : « Il compte six cent milliers de fantassins, ce peuple au milieu duquel je me trouve ; et tu dis : "Je vais leur donner de la viande et ils auront à

manger pendant tout un mois" ! [22] Quand même on abattrait pour eux petit et gros bétail, cela leur suffirait-il ? Tous les poissons de la mer, si on pouvait les pêcher pour eux, leur suffiraient-ils ? » [23] Le SEIGNEUR dit à Moïse : « Le bras [k] du SEIGNEUR serait-il si court ? Tu vas voir maintenant si ma parole se réalise ou non pour toi. »

Dieu donne de son Esprit aux 70 anciens

[24] Moïse sortit de la *tente et rapporta au peuple les paroles du SEIGNEUR ; il rassembla soixante-dix des *anciens du peuple qu'il plaça autour de la tente. [25] Le SEIGNEUR descendit dans la nuée et lui parla ; il préleva un peu de l'esprit qui était en Moïse pour le donner aux soixante-dix anciens. Dès que l'esprit se posa sur eux, ils se mirent à *prophétiser, mais ils ne continuèrent pas. [26] Deux hommes étaient restés dans le camp ; ils s'appelaient l'un Eldad, l'autre Médad ; l'esprit se posa sur eux — ils étaient en effet sur la liste, mais ils n'étaient pas sortis pour aller à la tente — et ils prophétisèrent dans le camp. [27] Un garçon courut avertir Moïse : « Eldad et Médad sont en train de prophétiser dans le camp ! » [28] Josué fils de Noun, qui était au service de Moïse depuis sa jeunesse, intervint : « Moïse, mon seigneur, arrête-les ! » [29] Moïse répliqua : « Serais-tu jaloux pour moi ? Si seulement tout le peuple du SEIGNEUR devenait un peuple de prophètes sur qui le SEIGNEUR aurait mis son esprit ! » [30] Moïse se retira dans le camp ainsi que les anciens d'Israël.

Qivroth-Taawa : les cailles

[31] Un vent envoyé par le SEIGNEUR se leva ; de la mer, il amena des cailles qu'il abattit sur le camp et tout autour, sur une distance d'un jour de marche de chaque côté du camp ; elles couvraient le sol sur deux coudées [l] d'épaisseur. [32] Le peuple fut debout tout ce jour-là, toute la nuit et tout le lendemain pour ramasser les cailles. Celui qui en ramassa le moins en eut dix homers. Ils les étalèrent [m] par-

---

k *Le bras*, ou *La main*, symbolisant la puissance ● l *coudées*: voir au glossaire POIDS ET MESURES ● m *homers*: voir au glossaire POIDS ET MESURES. — *Ils les étalèrent*: pour les faire sécher et les conserver

11.14 un peuple trop lourd Ex 18.18; 1 R 3.9.   **11.16** 70 anciens Ex 18.21-26; Dt 1.9-18. **11.17** l'esprit partagé Es 44.3; Ez 39.29; Jl 3.1-2; Ac 2.17-18; Ga 4.6.   **11.22** cela suffirait-il ? 2 R 4.43; Mt 14.17 par.; 15.33 par.   **11.31** les cailles Ex 16.12-13.

tout autour du camp. [33] La viande était encore entre leurs dents, ils n'avaient pas fini de la mâcher, que le SEIGNEUR s'enflamma de colère contre le peuple et lui porta un coup très fort [n]. [34] On donna à cet endroit le nom de Qivroth-Taawa — Tombes de la Convoitise ; car c'est là qu'on enterra la foule de ceux qui avaient été saisis de convoitise.

Miryam frappée de la lèpre

[35] De Qivroth-Taawa, le peuple partit pour Hacéroth. Ils étaient à Hacéroth

12 [1] quand Miryam — et de même Aaron — critiqua Moïse à cause de la femme koushite qu'il avait épousée ; car il avait épousé une Koushite [o]. [2] Ils dirent : « Est-ce donc à Moïse seul que le SEIGNEUR a parlé ? Ne nous a-t-il pas parlé à nous aussi ? » Et le SEIGNEUR l'entendit. [3] Moïse était un homme très humble, plus qu'aucun homme sur terre. [4] Soudain, le SEIGNEUR dit à Moïse, Aaron et Miryam : « Allez tous les trois à la *tente de la rencontre. » Ils y allèrent tous les trois. [5] Le SEIGNEUR descendit dans une colonne de nuée [p] et se tint à l'entrée de la tente ; il appela Aaron et Miryam et tous deux s'avancèrent. [6] Il dit : « Ecoutez donc mes paroles : S'il y a parmi vous un prophète, c'est par une vision que moi, le SEIGNEUR, je me fais connaître à lui, c'est dans un songe que je lui parle. [7] Il n'en va pas de même pour mon serviteur Moïse, lui qui est mon homme de confiance pour toute ma maison : [8] je lui parle de vive voix — en me faisant voir — et non en langage caché ; il voit la forme du SEIGNEUR. Comment donc osez-vous critiquer mon serviteur Moïse ? »

[9] Le SEIGNEUR s'enflamma de colère contre eux et s'en alla. [10] La nuée se retira de dessus la tente et voilà que Miryam avait la *lèpre : elle était blanche comme la neige. Aaron se tourna vers elle et vit qu'elle avait la lèpre. [11] Il dit à Moïse : « Oh ! mon seigneur, je t'en prie, ne fais pas retomber sur nous le péché que nous avons commis, insensés et pé-

cheurs que nous sommes ! [12] Oh ! que Miryam ne devienne pas comme l'enfant mort-né dont la chair est à moitié rongée lorsqu'il sort du sein de sa mère ! » [13] Moïse cria vers le SEIGNEUR : « O Dieu, daigne la guérir ! » [14] Et le SEIGNEUR dit à Moïse : « Si son père lui avait craché au visage, ne serait-elle pas couverte de honte pendant sept jours ? Qu'elle soit donc exclue du camp pendant sept jours ; après quoi elle reprendra sa place. » [15] On exclut donc Miryam du camp pendant sept jours et le peuple ne partit pas avant qu'elle eût repris sa place. [16] Après quoi, le peuple partit de Hacéroth ; et ils campèrent dans le désert de Parân.

Moïse envoie des espions en Canaan

13 [1] Le SEIGNEUR parla à Moïse : [2] « Envoie des hommes pour explorer le pays de Canaan que je donne aux fils d'Israël ; vous enverrez un homme par tribu, chacun pour la tribu de ses pères ; ils seront tous pris parmi les responsables des fils d'Israël. » [3] Depuis le désert de Parân, Moïse les envoya donc sur l'ordre du SEIGNEUR ; tous ces hommes étaient des chefs des fils d'Israël. [4] Voici leurs noms : pour la tribu de Ruben, Shammoua, fils de Zakkour ; [5] pour la tribu de Siméon, Shafath, fils de Hori ; [6] pour la tribu de Juda, Caleb, fils de Yefounné ; [7] pour la tribu d'Issakar, Yiguéal, fils de Joseph ; [8] pour la tribu d'Ephraïm, Hoshéa, fils de Noun ; [9] pour la tribu de Benjamin, Palti, fils de Rafou ; [10] pour la tribu de Zabulon, Gaddiël, fils de Sodi ; [11] pour la tribu de Joseph — tribu de Manassé — Gaddi, fils de Soussi ; [12] pour la tribu de Dan, Ammiël, fils de Guemalli ; [13] pour la tribu d'Asher, Setour, fils de Mikaël ; [14] pour la tribu de Nephtali, Nahbi, fils de Wofsi ; [15] pour la tribu de Gad, Guéouël, fils de Maki. [16] Tels étaient les noms des hommes que Moïse envoya pour explorer le pays ; à Hoshéa, fils de Noun, Moïse donna le nom de Josué [q].

[17] Moïse les envoya explorer le pays de Canaan. « Montez-y par le Néguev,

---

[n] *lui porta un coup très fort:* autres traductions *le frappa d'une plaie* ou *d'un fléau;* il pourrait s'agir d'une épidémie ● [o] *Koushite* pourrait désigner une femme appartenant à la tribu madianite de *Koushân.* On ne sait pas s'il s'agit de Cippora, épouse madianite de Moïse (Ex 2.21), ou d'une autre femme que celui-ci aurait épousée ● [p] *nuée:* voir Ex 13.21 et la note ● [q] Les deux noms *Hoshéa* et *Josué* proviennent de la même racine hébraïque et signifient tous les deux *le Seigneur sauve.* — Josué apparaît déjà dans le récit d'Ex 17.8-16

12.7 homme de confiance He 3.2. **12.8** la forme du Seigneur Ex 33.20-23. **12.14** exclue du camp 5.2-3; Lv 13.46. **13.2** l'envoi des espions Dt 1.19-40; Jos 2.1-24; 7.2-3.

leur dit-il ; vous gravirez la montagne [r]
[18] et vous verrez comment est le pays et si le peuple qui l'habite est fort ou faible, si la population est rare ou nombreuse. [19] Vous verrez si le pays habité par ce peuple est bon ou mauvais et si les villes qu'il habite sont des camps ou des forteresses. [20] Vous verrez si le pays est fertile ou pauvre, boisé ou non. Soyez assez hardis pour prendre des fruits du pays. » — C'était en effet la saison des premiers raisins. [21] Ils montèrent et explorèrent le pays depuis le désert de Cîn jusqu'à Rehov près de Lebo-Hamath [s]. [22] Ils montèrent par le Néguev et arrivèrent jusqu'à Hébron où vivaient Ahimân, Shéshaï et Talmaï, descendants des Anaqites — Hébron avait été bâtie sept ans avant Tanis en Egypte [t]. [23] Ils arrivèrent jusqu'à la vallée d'Eshkol [u] où ils coupèrent une branche de vigne avec une grappe de raisin qu'ils portèrent à deux au moyen d'une perche. Ils prirent aussi des grenades et des figues. [24] On appela cet endroit vallée d'Eshkol — vallée de la Grappe — à cause de la grappe que les fils d'Israël y cueillirent.

Les espions font leur rapport

[25] Ils revinrent de leur exploration du pays au bout de quarante jours. [26] Ils vinrent trouver Moïse, Aaron et toute la communauté des fils d'Israël dans le désert de Parân, à Qadesh [v]. Ils leur rendirent compte ainsi qu'à toute la communauté et leur montrèrent les fruits du pays. [27] Ils firent ce récit à Moïse : « Nous sommes allés dans le pays où tu nous as envoyés et vraiment c'est un pays ruisselant de lait et de miel [w] ; en voici les fruits ! [28] Cependant le peuple qui l'habite est puissant, les villes sont d'immenses forteresses et nous y avons même vu les descendants des Anaqites. [29] Amaleq habite la région du Néguev ; les Hittites, les Jébusites et les *Amorites habitent la montagne et les Cananéens habi-

tent près de la mer [x] et le long du Jourdain. » [30] Caleb fit taire le peuple qui s'opposait à Moïse : « Allons-y ! dit-il, montons et emparons-nous du pays ; nous arriverons certainement à le soumettre. » [31] Mais les hommes qui étaient montés avec lui dirent : « Nous ne pouvons attaquer ce peuple, car il est plus fort que nous. » [32] Et ils se mirent à décrier devant les fils d'Israël le pays qu'ils avaient exploré : « Le pays que nous avons parcouru pour l'explorer, disaient-ils, est un pays qui dévore ses habitants [y] et tous les gens que nous y avons vus étaient des hommes de grande taille. [33] Et nous y avons vu ces géants, les fils de Anaq, de la race des géants ; nous nous voyions comme des sauterelles et c'est bien ainsi qu'eux-mêmes nous voyaient. »

Le peuple refuse d'entrer en Canaan

14 [1] Toute la communauté fit chorus et poussa des cris ; et le peuple passa la nuit à pleurer. [2] Tous les fils d'Israël protestèrent contre Moïse et Aaron ; la communauté tout entière leur dit : « Ah ! si nous étions morts dans le pays d'Egypte ! Ou si du moins nous étions morts dans ce désert ! [3] Pourquoi le SEIGNEUR nous mène-t-il dans ce pays où nous tomberons sous l'épée ? Nos femmes et nos enfants seront capturés. Ne ferions-nous pas mieux de retourner en Egypte ? » [4] Ils se dirent l'un à l'autre : « Nommons un chef et retournons en Egypte ! » [5] Moïse et Aaron se jetèrent face contre terre devant toute la communauté des fils d'Israël assemblés. [6] Josué, fils de Noun, et Caleb, fils de Yefounnè, qui avaient prit part à l'exploration du pays, *déchirèrent leurs vêtements. [7] Ils dirent à toute la communauté des fils d'Israël : « Ce pays que nous avons parcouru pour l'explorer, est un très, très beau pays ! [8] Si le SEIGNEUR nous favorise, il nous mènera dans ce pays et nous le donnera, ce pays ruisselant de lait et de miel. [9] Ne vous

---

r Sur *le Néguev*, voir Gn 12.9 et la note. — La *montagne* désigne ici les monts de Judée, qui constituent le sud de la Palestine ● s *désert de Cîn* : région située au sud des monts de Judée (voir note précédente). — *Rehov, Lebo-Hamath* : localités situées dans le nord du pays de Canaan ● t Les *Anaqites* étaient d'anciens habitants de Canaan, qui passaient pour être des géants, voir v. 33. — La ville égyptienne de *Tanis* a été reconstruite durant la seconde moitié du 18e siècle av. J.C. (voir Es 19.11 et la note) ● u Voir v. 24 ; vallée située au nord d'Hébron ● v *Qadesh* (ou *Qadesh-Barnéa*, Dt 1.2 ; aujourd'hui Ayn Qédeis) est une oasis située à la limite du *désert de Parân* et du *désert de Cîn* (v. 21) ● w *pays ruisselant de lait et de miel* : voir Ex 3.8 et la note ● x Il s'agit ici de la *mer Méditerranée* ● y *un pays qui dévore ses habitants* (voir Lv 26.38 ; Ez 36.13-15) : la formule désigne soit un pays malsain, soit un pays où règne continuellement la guerre

13.33 les géants Gn 6.4. **14.2** les murmures contre Moïse 17.6 ; 20.3 ; 21.5 ; Ex 14.11-12 ; 16.3. **14.4** retour en Egypte 2 R 25.26 ; Jr 42.1—43.7.

révoltez donc pas contre le Seigneur ; ne craignez pas les gens de ce pays ; nous n'en ferons qu'une bouchée ! L'ombre de leurs dieux [z] s'est éloignée d'eux alors que le Seigneur est avec nous. Ne les craignez pas ! »

Moïse demande pardon pour le peuple

[10] Toute la communauté parlait de les lapider, quand la gloire du Seigneur apparut à tous les fils d'Israël sur la *tente de la rencontre. [11] Le Seigneur parla à Moïse : « Jusqu'à quand ce peuple me méprisera-t-il ? Jusqu'à quand refusera-t-il de croire en moi, en dépit de tous les signes que j'ai opérés au milieu d'eux ? [12] Je vais le frapper de la peste et le priver de son héritage ; et de toi je ferai un peuple plus grand et plus puissant que lui. » [13] Moïse dit au Seigneur : « Les Egyptiens ont appris que c'est ta puissance qui a fait monter ce peuple de chez eux, [14] et ils l'ont dit aux habitants de ce pays ; ceux-ci ont appris que toi, le Seigneur, tu es au milieu de ce peuple ; que c'est toi, le Seigneur, qui te montres à eux les yeux dans les yeux ; ta nuée se tient au-dessus d'eux ; toi-même, tu les précèdes le jour dans une colonne de nuée, la nuit dans une colonne de feu. [15] Et tu ferais mourir ce peuple comme un seul homme ! Alors les peuples qui ont appris ta renommée diraient : [16] "Le Seigneur n'était pas capable de faire entrer ce peuple dans le pays qu'il leur avait promis ; voilà pourquoi il les a massacrés dans le désert". [17] Dès lors, que la puissance de mon Seigneur se déploie ! Puisque tu as parlé en ces termes : [18] "Je suis le Seigneur, lent à la colère et plein de fidélité, qui supporte la faute et la révolte, mais sans rien laisser passer, et qui poursuit la faute des pères chez les fils sur trois et quatre générations", [19] pardonne donc la faute de ce peuple autant que le commande la grandeur de ton amour et comme tu as supporté ce peuple depuis l'Egypte jusqu'ici [a]. »

Le peuple devra passer quarante ans au désert

[20] Le Seigneur répondit : « Je pardonne comme tu le demandes. [21] Cependant, aussi vrai que je suis vivant, aussi vrai que la gloire du Seigneur remplit toute la terre, [22] aucun de ces hommes qui ont vu ma gloire et les signes que j'ai opérés en Egypte et dans le désert et qui m'ont mis à l'épreuve dix fois déjà, en ne m'écoutant pas, [23] aucun d'eux, je le jure, ne verra le pays que j'ai promis à leurs pères ; aucun de ceux qui m'ont méprisé ne le verra. [24] Mais mon serviteur Caleb, parce qu'un autre esprit l'anime et qu'il m'a suivi sans hésitation, je le mènerai dans le pays où il est allé : ses descendants en prendront possession, [25] tandis que les Amalécites et les Cananéens demeureront dans la plaine. Dès demain, faites demi-tour et partez pour le désert, en direction de la *mer des Joncs. »

[26] Le Seigneur parla à Moïse et Aaron : [27] « Jusqu'à quand aurai-je affaire à cette détestable communauté qui ne cesse de protester contre moi ? J'ai bien entendu les protestations que les fils d'Israël ne cessent de proférer contre moi. [28] Dis-leur donc : "Je le jure, aussi vrai que je suis vivant — oracle du Seigneur — je vais vous traiter d'après ce que je vous ai entendu dire [b]. [29] C'est dans ce désert que tomberont vos cadavres, vous tous qui avez été recensés à partir de l'âge de vingt ans, vous tous tant que vous êtes, vous qui avez protesté contre moi ! [30] Je le jure, vous n'entrerez pas dans le pays où j'avais fait le serment de vous installer ! excepté Caleb, fils de Yefounné, et Josué, fils de Noun. [31] Quant à vos enfants dont vous disiez qu'ils seraient capturés, je les y mènerai ; ils connaîtront le pays dont vous n'avez pas voulu. [32] Mais pour vous, vos cadavres tomberont dans ce désert. [33] Vos fils seront bergers [c] dans le désert pendant quarante ans ; ils porteront la peine de vos infidélités jusqu'à ce que vos cadavres soient tous étendus dans

z Comme en Ps 91.1 ; 121.5, l'ombre symbolise ici la protection divine ● a Comparer la prière de Moïse dans les v. 13-19, à celles d'Ex 32.11-14 ; Dt 9.25-29 ● b ce que je vous ai entendu dire : voir v. 2 ● c bergers : ce terme évoque ici la vie instable et errante des nomades vivant de l'élevage

14.10 la gloire du Seigneur Lv 9.23 +.   14.11 dialogue de Dieu et Moïse Ex 32.9-13 ; Dt 9.25-29.   14.14 tu les précèdes 9.15-16 ; Ex 13.21-22.   15.18 le Seigneur Ex 20.5-6 ; 34.6-7 ; Dt 5.9-10 ; Jon 4.2.   14.21 la gloire du Seigneur remplit la terre Es 6.3 ; Ps 57.6 ; 72.19 ; Rm 1.20.   14.23 aucun ne verra le pays promis Ps 95.11 ; He 3.18.   14.24 ses descendants Jos 14.6-15 ; Jg 1.20.   14.25 faites demi-tour Dt 1.40.   14.29 vos cadavres He 3.17.   14.33 quarante ans Ac 7.36.

ce désert. ³⁴ Comme votre exploration du pays a duré quarante jours, ainsi, à raison d'une année pour un jour, vous porterez pendant quarante ans la peine de vos fautes et vous saurez ce qu'il en coûte d'encourir ma réprobation." ³⁵ Moi, le SEIGNEUR, j'ai parlé, je le jure, c'est ainsi que j'agirai envers toute cette détestable communauté qui s'est liguée contre moi : ils finiront tous dans ce désert ; c'est là qu'ils mourront. » ³⁶ Quant aux hommes que Moïse avait envoyés explorer le pays et qui à leur retour, en décriant le pays, avaient excité contre lui toute la communauté, ³⁷ ceux donc qui avaient eu la méchanceté de décrier le pays, ils moururent de mort brutale devant le SEIGNEUR. ³⁸ Josué, fils de Noun, et Caleb, fils de Yefounnè, furent les seuls survivants de ceux qui étaient allés explorer le pays.

Le peuple désobéit de nouveau

³⁹ Moïse rapporta ces paroles à tous les fils d'Israël et le peuple mena grand deuil. ⁴⁰ Le lendemain, de bon matin, ils montèrent vers les hauteurs des montagnes : « Nous voici, dirent-ils, nous allons monter vers le lieu que le SEIGNEUR a désigné ; c'est vrai, nous avons péché. » ⁴¹ « Que faites-vous là ? dit Moïse. Vous enfreignez l'ordre du SEIGNEUR ! Cela ne réussira pas. ⁴² Ne montez pas, car le SEIGNEUR n'est pas au milieu de vous ; n'allez pas vous faire battre par vos ennemis. ⁴³ Les Amalécites et les Cananéens sont là devant vous, et vous tomberez sous leurs épées ; puisque vous avez cessé de le suivre, le SEIGNEUR ne sera pas avec vous. » ⁴⁴ Mais ils se firent fort de monter vers les hauteurs des montagnes, alors que ni l'*arche de l'alliance du SEIGNEUR ni Moïse ne bougeaient du camp. ⁴⁵ Les Amalécites et les Cananéens qui habitaient ces montagnes descendirent, les battirent et les écrasèrent jusqu'à Horma ᵈ.

L'offrande de farine, d'huile et de vin

15 ¹ Le SEIGNEUR dit à Moïse : ² « Parle aux fils d'Israël, dis-leur : Quand vous serez entrés dans le pays où vous aurez vos demeures, le pays que je vais

vous donner, ³ lorsque vous offrirez des mets au SEIGNEUR, un holocauste ᵉ ou un sacrifice de gros ou de petit bétail — soit pour accomplir un vœu, soit comme sacrifice spontané, soit à l'occasion de vos solennités — lors donc que vous offrirez au SEIGNEUR des mets à l'odeur apaisante, ⁴ celui qui apporte ce présent au SEIGNEUR présentera une offrande d'un dixième de farine pétrie avec un quart de hîn ᶠ d'huile ; ⁵ et comme vin pour la libation ᵍ, tu offriras un quart de hîn avec l'holocauste ou le sacrifice s'il s'agit d'un agneau. ⁶ S'il s'agit d'un bélier, tu feras une offrande de deux dixièmes de farine pétrie avec un tiers de hîn d'huile, ⁷ et un tiers de hîn de vin pour la libation ; tu présenteras au SEIGNEUR ces mets à l'odeur apaisante. ⁸ Si tu offres au SEIGNEUR un taureau en holocauste ou en sacrifice — pour accomplir un vœu ou comme sacrifice de paix — ⁹ on présentera avec le taureau une offrande de trois dixièmes de farine pétrie avec un demi-hîn d'huile ; ¹⁰ et comme vin pour la libation, tu présenteras un demi-hîn. Ce seront pour le SEIGNEUR des mets à l'odeur apaisante. ¹¹ Ainsi fera-t-on pour un taureau, pour un bélier, pour un agneau ou une chèvre. ¹² Quel que soit le nombre de bêtes que vous offrirez, vous ferez ainsi pour chacune, quel que soit leur nombre. ¹³ C'est ainsi que tout indigène offrira ses sacrifices, quand il présentera au SEIGNEUR des mets à l'odeur apaisante. ¹⁴ Quand un émigré résidera chez vous ou sera au milieu de vous depuis plusieurs générations, s'il offre au SEIGNEUR des mets à l'odeur apaisante, il fera comme vous faites. ¹⁵ En tant qu'assemblée, vous aurez un seul rituel pour vous et pour l'émigré qui réside chez vous ; ce sera un rituel immuable devant le SEIGNEUR, pour vous comme pour l'émigré, dans tous les âges. ¹⁶ Il y aura une seule loi, une seule règle pour vous et pour l'émigré qui réside chez vous. »

L'offrande des premiers pains

¹⁷ Le SEIGNEUR dit à Moïse : ¹⁸ « Parle aux fils d'Israël et dis-leur : Une fois entrés dans le pays où je vais vous mener, ¹⁹ quand vous mangerez du pain du pays,

---

d *Horma*: localité non identifiée avec certitude, mais située probablement à quelques kilomètres à l'est de Béer-Shéva (voir Gn 21.14 et la note) ● e *mets, holocauste*: voir au glossaire SACRIFICES ● f *un dixième*: il s'agit ici d'*un dixième d'épha*. — *épha, hin*: voir au glossaire POIDS ET MESURES ● g *libation*: voir au glossaire SACRIFICES

14.43 Dieu n'est pas avec vous Dt 1.42-44. **14.44** l'arche 10.35; 1 S 4.1-11. **15.1-16** offrande végétale Lv 2. **15.15** un seul rituel Ex 12.48-49; Lv 24.22.

vous prélèverez une redevance pour le Seigneur. [20] Comme *prémices de vos fournées [h], vous prélèverez un gâteau à titre de redevance ; vous ferez ce prélèvement comme on fait le prélèvement sur la récolte. [21] Des prémices de vos fournées, vous donnerez une redevance au Seigneur ; et ainsi dans tous les âges. »

Les sacrifices pour un péché involontaire

[22] Quand, par mégarde, vous aurez manqué à l'un de ces commandements que le Seigneur a dictés à Moïse — [23] tous ceux que le Seigneur vous a prescrits par l'intermédiaire de Moïse — depuis le jour où le Seigneur les a prescrits et par la suite, de génération en génération, [24] et si cette faute involontaire a été commise à l'insu de la communauté, la communauté entière offrira au Seigneur un taureau en holocauste à l'odeur apaisante, avec l'offrande et la libation [i] requises selon la coutume, ainsi qu'un bouc en sacrifice pour le péché. [25] Le prêtre fera le rite d'absolution pour toute la communauté des fils d'Israël et le pardon leur sera accordé. Car c'est une faute involontaire et ils ont apporté leur présent, des mets [j] pour le Seigneur, ainsi que leur sacrifice pour leur faute involontaire. [26] Le pardon sera accordé à toute la communauté des fils d'Israël ainsi qu'à l'émigré qui réside chez eux ; car c'est tout le peuple qui est impliqué dans cette faute involontaire. [27] Si c'est une seule personne qui commet une faute involontaire, elle présentera en sacrifice pour le péché une chèvre d'un an. [28] Le prêtre fera devant le Seigneur le rite d'absolution de la faute involontaire pour cette personne qui l'a commise par mégarde ; il fera pour elle le rite d'absolution et le pardon lui sera accordé, [29] que ce soit un fils d'Israël, un indigène ou un émigré qui réside chez eux ; vous aurez une loi unique pour celui qui commet une faute par mégarde. [30] Mais la personne qui agit délibérément, indigène ou émigrée, celle-là fait injure au Seigneur ; cette personne sera

retranchée de son peuple [k]. [31] Puisqu'elle a méprisé la parole du Seigneur et violé ses commandements, il faut que cette personne soit retranchée : sa faute lui reste imputée.

Un cas de violation du sabbat

[32] Tandis que les fils d'Israël étaient dans le désert, on surprit un homme à ramasser du bois le jour du *sabbat. [33] Ceux qui l'avaient surpris à ramasser du bois l'amenèrent devant Moïse, Aaron et toute la communauté. [34] On le laissa sous bonne garde car on n'avait pas encore statué sur la peine qui lui serait infligée. [35] Alors le Seigneur dit à Moïse : « Cet homme sera mis à mort ; toute la communauté le lapidera, en dehors du camp. » [36] Toute la communauté l'emmena hors du camp ; on le lapida et il mourut. C'est ce que le Seigneur avait ordonné à Moïse.

La frange des vêtements

[37] Le Seigneur dit à Moïse [l] : [38] « Parle aux fils d'Israël, dis-leur de se faire une frange sur les bords de leurs vêtements — ceci pour les générations à venir — et de mettre un fil pourpre dans la frange qui borde le vêtement. [39] Il vous servira à former la frange ; en le voyant vous vous souviendrez de tous les commandements du Seigneur, vous les accomplirez et vous ne vous laisserez pas entraîner par vos cœurs et par vos yeux qui vous mèneraient à l'infidélité. [40] Ainsi vous penserez à accomplir tous mes commandements et vous serez saints pour votre Dieu. [41] Je suis le Seigneur votre Dieu qui vous ai fait sortir du pays d'Egypte pour être votre Dieu. Je suis le Seigneur votre Dieu. »

La révolte de Coré, Datân et Abirâm

16 [1] Coré, fils de Yicehar, fils de Qehath, fils de Lévi, entraîna Datân et Abirâm, fils d'Eliav, et One [m], fils de Pèlèth, descendants de Ruben. [2] Ils s'élevèrent contre Moïse avec deux cent cinquante des fils d'Israël ; c'étaient des res-

---

[h] *fournées:* traduction incertaine; on a aussi traduit *pâte, farine, pétrin* ● [i] *holocauste, offrande, libation:* voir au glossaire SACRIFICES ● [j] *mets:* voir au glossaire SACRIFICES ● [k] *retranchée de son peuple:* voir Gn 17.14 et la note ● [l] Lev v. 37-41, précédés de Dt 6.4-9; 11.13-21, constituent le *Shema,* profession de foi et prière quotidienne des croyants juifs ● [m] *One,* personnage dont on ne parle nulle part ailleurs. Il s'agit peut-être d'une erreur de copiste

---

15.24-26 faute involontaire de la communauté Lv 4.13-21.   15.27-29 faute involontaire d'un individu Lv 4.27-31.   15.32 violation du sabbat Ex 20.8-11; 31.12-17; 35.1-3; Mt 12.1+.   15.35 l'ordre du Seigneur 9.8+.   15.38 les franges Dt 22.12; Mt 9.20+.   15.41 Je suis le Seigneur Ex 20.2; Lv 11.45+.   16.1 Révolte de Coré et autres Ps 106.16-18; Si 45.18-19; Jude 11.

ponsables de la communauté, des délégués de l'assemblée, des gens de renom. 3 Ils s'ameutèrent contre Moïse et Aaron : « En voilà assez ! leur dirent-ils. Tous les membres de la communauté sont saints et le SEIGNEUR est au milieu d'eux ; de quel droit vous élevez-vous au-dessus de l'assemblée du SEIGNEUR ? »

4 Moïse, en entendant ces propos, se jeta face contre terre. 5 Puis il dit à Coré et à toute la bande : « Demain matin, le SEIGNEUR fera connaître qui est à lui, qui est saint et qui est admis à l'approcher [n] ; et celui qu'il aura choisi, il l'admettra à l'approcher. 6 Faites donc ceci : procurez-vous des cassolettes, vous, Coré et toute sa bande, 7 et demain vous y mettrez du feu ; vous mettrez l'*encens par-dessus en présence du SEIGNEUR [o]. Et l'homme que choisira le SEIGNEUR, c'est celui-là qui est saint. En voilà assez, fils de Lévi ! »

8 Moïse dit encore à Coré : « Ecoutez donc, fils de Lévi ! 9 Est-ce trop peu pour vous que le Dieu d'Israël vous ait mis à part de la communauté d'Israël pour vous admettre à l'approcher, pour assurer les travaux de la demeure du SEIGNEUR et pour représenter la communauté quand vous officiez pour tous ? 10 Il vous a admis à l'approcher, toi et tous tes frères *lévites. Et vous réclamez encore le sacerdoce ! 11 C'est pour cela que toi et toute ta bande vous vous liguez contre le SEIGNEUR ! Et Aaron qu'est-il donc pour que vous protestiez contre lui ? »

12 Moïse fit appeler Datân et Abirâm, les fils d'Eliav, qui déclarèrent : « Nous ne monterons pas dans le pays. 13 Cela ne te suffit-il pas de nous avoir fait monter d'un pays ruisselant de lait et de miel [p] pour nous faire mourir dans le désert ? Il faut encore que tu prétendes nous commander ? 14 Non vraiment, tu ne nous as pas menés dans un pays ruisselant de lait et de miel ! Tu ne nous as donné en héritage ni champs ni vignes ! Prends-tu ces gens pour des aveugles [q] ? Nous ne monterons pas ! » 15 Moïse fut pris d'une violente colère. Il dit au SEIGNEUR : « N'aie pas égard à leur offrande [r]. Je ne leur ai pas même pris un âne, je n'ai fait de tort à aucun d'entre eux.

Le châtiment de Coré, Datân et Abirâm

16 Moïse dit à Coré : « Toi et toute ta bande, soyez là demain devant le SEIGNEUR, toi, eux et Aaron. 17 Prenez chacun votre cassolette ; vous y mettrez de l'*encens et chacun de vous présentera devant le SEIGNEUR sa cassolette, en tout deux cent cinquante cassolettes ; de même Aaron et toi, chacun la sienne. » 18 Prenant chacun sa cassolette, ils y mirent du feu, mirent de l'encens par-dessus et se tinrent à l'entrée de la *tente de la rencontre avec Moïse et Aaron. 19 Coré rassembla auprès d'eux toute sa bande [s] à l'entrée de la tente de la rencontre. Alors la gloire du SEIGNEUR apparut à toute la communauté 20 et le SEIGNEUR dit à Moïse et Aaron : 21 « Séparez-vous des gens de cette bande ; je vais les dévorer sur-le-champ. » 22 Ils se jetèrent face contre terre et dirent : « O Dieu, Dieu qui disposes du souffle de toute créature, un seul homme pèche et tu t'emportes contre la communauté tout entière ! »

23 Le SEIGNEUR parla à Moïse : 24 « Dis à la communauté de s'éloigner des abords de la demeure de Coré, Datân et Abirâm. » 25 Moïse se leva pour aller trouver Datân et Abirâm ; les *anciens d'Israël le suivirent. 26 Il adressa la parole à la communauté : « Ecartez-vous donc des tentes de ces méchants, ne touchez à rien de ce qui leur appartient, de peur de périr vous aussi à cause de tous leurs péchés ! » 27 Ils s'éloignèrent donc des abords de la demeure de Coré, Datân et Abirâm ; Datân et Abiram étaient sortis et se tenaient à l'entrée de leurs tentes avec leurs femmes, leurs fils et leurs petits-enfants. 28 Moïse déclara : « A ceci vous reconnaîtrez que c'est le SEIGNEUR qui m'a envoyé accom-

n S'approcher du Seigneur signifie concrètement *s'approcher du *sanctuaire* pour y exercer ses fonctions. — *Etre saint* et *s'approcher du Seigneur* sont des caractéristiques du prêtre. Les lévites sont admis à *s'approcher du Seigneur* (v. 10), mais ne sont pas *saints* au même titre que les prêtres (v. 7) • *o* Présenter *l'encens* au *Seigneur* est une tâche réservée aux prêtres • *p pays ruisselant de lait et de miel:* voir Ex 3.8 et la note. — Ici les adversaires de Moïse utilisent cette expression pour désigner l'Egypte, alors qu'elle désigne normalement le pays promis • *q Prends-tu ces gens pour des aveugles ?:* autres traductions *Penses-tu crever les yeux de ces gens ?* ou *Penses-tu rendre ces gens aveugles ?* • *r offrande:* voir au glossaire SACRIFICES • *s toute sa bande:* d'après l'ancienne version grecque; hébreu: *toute la communauté*

16.3 tous sont saints Lv 11.44+. **16.6** des cassolettes Lv 10.1-3. **16.9** mis à part 1.47-53; 3.5-13; Dt 10.8. **16.19** la gloire du Seigneur Lv 9.23+. **16.22** Dieu dispose du souffle de vie 27.16; Gn 2.7; Ps 104.29-30; Jb 12.10.

plir tous ces actes et que je n'ai pas agi de mon propre chef : 29 si ces gens-là meurent de la mort de tout le monde, s'ils subissent le sort de tout le monde, ce n'est pas le SEIGNEUR qui m'a envoyé. 30 Mais si le SEIGNEUR crée de l'extraordinaire, si la terre, ouvrant sa gueule, les engloutit avec tout ce qui leur appartient, s'ils descendent vivants au *séjour de la mort, vous saurez que ces gens avaient méprisé le SEIGNEUR. » 31 Comme il achevait de prononcer toutes ces paroles, la terre se fendit sous leurs pieds. 32 Ouvrant sa gueule, elle les engloutit avec leurs familles — ainsi que tous les gens de Coré et tous leurs biens. 33 Avec tout ce qui leur appartenait, ils descendirent vivants au séjour de la mort et la terre les recouvrit. Ils disparurent ainsi du sein de l'assemblée. 34 Tous les gens d'Israël, autour d'eux, s'enfuirent à leurs cris, car ils se disaient : « Fuyons ! ou bien la terre va nous engloutir ! »

35 Un feu que le SEIGNEUR fit jaillir consuma les deux cent cinquante hommes qui présentaient l'encens.

Les cassolettes des partisans de Coré

17 1 Le SEIGNEUR parla à Moïse *t* : 2 « Dis au prêtre Eléazar, fils d'Aaron, d'enlever les cassolettes du milieu des flammes car elles sont sacrées, et de disperser au loin le feu. 3 Les cassolettes de ces hommes qui ont payé de leur vie leur péché, qu'on en fasse des plaques martelées pour le revêtement de l'*autel *u*, car on les a présentées devant le SEIGNEUR et elles sont sacrées. Elles serviront de signe aux fils d'Israël. » 4 Le prêtre Eléazar prit les cassolettes de bronze qu'avaient présentées ceux qui furent brûlés et on les martela pour en faire le revêtement de l'autel. 5 C'est un rappel pour les fils d'Israël afin que le profane *v* — c'est-à-dire l'homme qui n'appartient pas à la descendance d'Aaron — ne s'approche pas pour faire fumer l'encens devant le SEIGNEUR : cela, pour qu'il n'ait pas à subir le sort de Coré et de sa bande, sort que le SEIGNEUR lui avait prédit par l'intermédiaire de Moïse.

Le peuple proteste contre Moïse et Aaron

6 Le lendemain, toute la communauté des fils d'Israël protesta contre Moïse et Aaron : « Vous avez fait mourir le peuple du SEIGNEUR ! » 7 Or, tandis que la communauté s'ameutait contre eux, Moïse et Aaron se tournèrent vers la *tente de la rencontre. Et voici que la nuée la couvrait : la gloire du SEIGNEUR apparut. 8 Moïse et Aaron se rendirent devant la tente de la rencontre. 9 Le SEIGNEUR parla à Moïse : 10 « Retirez-vous du milieu de cette communauté, je vais les anéantir en un instant ! » Ils se jetèrent face contre terre 11 et Moïse dit à Aaron : « Prends ta cassolette, mets-y du feu de l'*autel, mets-y de l'*encens et va vite vers la communauté ; fais pour elle le rite d'absolution car le SEIGNEUR a déchaîné sa colère : le fléau a déjà commencé. » 12 Aaron prit la cassolette comme Moïse l'avait dit, il courut au milieu de l'assemblée et, en effet, le fléau avait déjà commencé au sein du peuple. Il mit l'encens et fit le rite d'absolution pour le peuple. 13 Il se tint entre les morts et les vivants, et le fléau cessa. 14 Les victimes du fléau furent au nombre de 14 700, sans compter ceux qui étaient morts lors de l'affaire de Coré. 15 Aaron retourna auprès de Moïse à l'entrée de la tente de la rencontre ; le fléau avait cessé.

Le bâton d'Aaron

16 Le SEIGNEUR dit à Moïse *w* : 17 « Parle aux fils d'Israël et fais-toi remettre par eux un bâton par tribu, soit douze bâtons, remis par tous leurs responsables de tribus. Tu écriras le nom de chacun d'eux sur son bâton. 18 Sur le bâton de Lévi, tu écriras le nom d'Aaron car il y aura un seul bâton par chef de tribu. 19 Tu déposeras les bâtons dans la *tente de la rencontre — devant la *charte — là où je vous rencontre. 20 L'homme dont le bâton bourgeonnera, c'est lui que j'ai choisi : ainsi j'éloignerai de moi les protestations que les fils d'Israël profèrent contre vous. » 21 Moïse parla aux fils d'Israël et leurs chefs lui remirent chacun un bâton, un

---

t Dans certaines traductions, les v. 1-15 du chap. 17 sont numérotés 16.36-50 • *u le revêtement de l'autel:* comparer Ex 27.2 • *v profane:* voir 1.51 et la note • *w* Dans certaines traductions les v. 16-28 sont numérotés 17.1-13. Voir 17.1 et la note

16.35 un feu les consuma Lv 10.2+. **17.6** les murmures contre Moïse 14.2+. **17.7** la gloire du Seigneur Lv 9.23+. **17.19** où je vous rencontre Ex 25.22.

bâton par chef de tribu, soit douze bâtons ; le bâton d'Aaron était au milieu des autres. ²² Moïse déposa les bâtons devant le SEIGNEUR dans la tente de la charte. ²³ Le lendemain, Moïse entra dans la tente de la charte et vit que le bâton d'Aaron, de la maison de Lévi, avait bourgeonné : il avait fait surgir un bourgeon, éclore une fleur et mûrir des amandes. ²⁴ Moïse sortit tous les bâtons de devant le SEIGNEUR pour les montrer à tous les fils d'Israël ; ils les virent et chacun reprit son bâton. ²⁵ Le SEIGNEUR dit à Moïse : « Remets le bâton d'Aaron devant la charte et garde-le comme signe pour les insoumis. Tu éloigneras ainsi de moi leurs protestations et ils ne seront pas frappés de mort. » ²⁶ Ainsi fit Moïse ; il fit ce que le SEIGNEUR lui avait ordonné.

²⁷ Les fils d'Israël dirent à Moïse : « Vois ! Nous expirons, nous périssons, nous périssons tous ! ²⁸ Quiconque s'approche — quiconque s'approche de la *demeure du SEIGNEUR — est frappé de mort ; allons-nous donc expirer jusqu'au dernier ? »

Les prêtres et les lévites

18 ¹ Le SEIGNEUR dit à Aaron : « C'est toi, tes fils et ta famille ˣ qui répondrez des fautes commises à l'égard du *sanctuaire, et c'est toi et tes fils qui répondrez des fautes commises dans l'exercice de votre sacerdoce. ² Tu laisseras aussi tes frères de la tribu de Lévi, la tribu de ton père, s'approcher avec toi du sanctuaire ; ils seront tes adjoints, ils te seconderont ; mais c'est toi et tes fils qui vous tiendrez devant la *tente de la charte. ³ Ils seront à ton service et au service de la tente tout entière, sans toutefois s'approcher des accessoires du sanctuaire, ni de l'*autel pour n'exposer personne à la mort, ni eux ni vous. ⁴ Ils seront tes adjoints, ils feront le service de la tente de la rencontre, tous les travaux de la tente ; aucun profane ʸ ne se joindra à vous. ⁵ C'est vous qui ferez le service du sanctuaire et celui de l'autel ; ainsi les fils d'Israël ne seront plus exposés à un déchaînement de colère ᶻ. ⁶ Tu le vois, je prends moi-même parmi les fils d'Israël vos frères les *lévites, je vous en fais don : ils sont donnés ᵃ au SEIGNEUR pour assurer les services de la tente de la rencontre. ⁷ Toi et tes fils, vous exercerez le sacerdoce pour tout ce qui concerne l'autel et ce qui est derrière le voile ᵇ ; vous vous acquitterez de vos fonctions. Je vous donne le sacerdoce, c'est la fonction que je vous attribue. Le profane qui s'approcherait sera mis à mort. »

Les revenus des prêtres

⁸ Le SEIGNEUR dit à Aaron : « Tu le vois, je te confie moi-même le service des redevances qui me sont dues, de tout ce qui est consacré par les fils d'Israël. Je t'en accorde le privilège ainsi qu'à tes fils, en vertu d'une loi immuable. ⁹ Voici ce qui te revient des offrandes ᶜ très saintes qui ne sont pas brûlées : tous les présents, c'est-à-dire toutes les offrandes de farine, tous les sacrifices pour le péché et tous les sacrifices de réparation dont ils s'acquittent envers moi ; ces offrandes très saintes vous reviennent, à toi et à tes fils. ¹⁰ Vous les mangerez dans le lieu très saint ᵈ. Tous les hommes pourront en manger. Tu les tiendras pour sacrées. ¹¹ Et ceci encore te revient : les prélèvements faits sur les dons des fils d'Israël, sur tout ce qu'ils présentent ; je te les donne ainsi qu'à tes fils et à tes filles, en vertu d'une loi immuable. Tous ceux qui, dans ta maison, seront en état de *pureté en mangeront. ¹² Le meilleur de l'huile fraîche, le meilleur du vin nouveau et du blé, les *prémices qu'on offre au SEIGNEUR, je te les donne. ¹³ A toi aussi les primeurs qu'on apporte au SEIGNEUR de tous les produits de leur pays. Tous ceux qui, dans ta maison, seront en état de pureté en mangeront. ¹⁴ A toi encore, tout ce qui en Israël est voué à l'interdit ᵉ. ¹⁵ A toi enfin, tous les premiers-nés qu'on apporte au SEIGNEUR, les premiers-nés de toute créature, de l'homme et des animaux. Toutefois tu feras racheter le premier-né de l'homme et tu feras racheter les premiers-nés des

---

x *ta famille* désigne ici l'ensemble des descendants de Lévi, distingués de *toi et tes fils*, qui désigne les prêtres ● y *profane*: voir 1.51 et la note ● z *colère*: voir 1.53 et la note ● a *donnés*: voir 3.9 et la note ● b *derrière le voile*, c'est-à-dire dans le lieu très saint, voir Ex 26.31-34 ● c *offrandes*: voir au glossaire SACRIFICES ● d *dans le lieu très saint*: autre traduction *comme des choses très saintes* ● e *l'interdit*: voir Dt 2.34 et la note

17.23 le bâton d'Aaron He 9.4. **18.2-4** les lévites, adjoints des prêtres 3.6-9. **18.5** exposés à la colère 17.12-13. **18.6** donnés 8.16+. **18.8-20** revenus des prêtres Lv 6—7; Ez 44.29-30. **18.13** les primeurs Ex 23.19. **18.14** ce qui est voué à l'interdit Lv 27.28. **18.15** les premiers-nés Ex 13.11-15; 34.19.

animaux impurs. [16] Tu feras racheter à l'âge d'un mois ce qui doit être racheté, au prix que tu indiqueras, soit cinq sicles d'argent — en sicles du *sanctuaire, à vingt guéras [f] le sicle. [17] Mais tu ne feras pas racheter le premier-né de la vache ni celui de la brebis, ni celui de la chèvre : ils sont sacrés. Tu répandras leur sang sur l'*autel et tu feras fumer leur graisse comme mets [g] à l'odeur apaisante pour le SEIGNEUR. [18] La viande te reviendra de même que te reviennent la poitrine offerte par présentation et la cuisse droite. [19] Je vous donne, en vertu d'une loi perpétuelle, à toi, à tes fils et à tes filles, toutes les redevances prélevées pour le SEIGNEUR par les fils d'Israël sur les choses saintes. C'est là — pour toi et tes descendants — une alliance consacrée par le sel [h] et immuable aux yeux du SEIGNEUR. » [20] Le SEIGNEUR dit à Aaron : « Tu n'auras pas d'héritage dans leur pays et tu n'auras pas ta part au milieu d'eux. C'est moi qui serai ta part et ton héritage au milieu des fils d'Israël.

Les revenus des lévites

[21] « Et voici pour les fils de Lévi : Je leur donne en partage toutes les dîmes qui seront perçues en Israël en échange des services qu'ils assurent, les services de la *tente de la rencontre. [22] Ainsi les fils d'Israël ne s'approcheront plus de la tente de la rencontre au risque de se charger d'un péché qui causerait leur mort. [23] Ce sont les *lévites qui assureront les services de la tente de la rencontre ; ils répondront de leurs fautes — ce sera pour vos descendants une loi immuable. Ils ne recevront pas d'héritage [i] au milieu des fils d'Israël ; [24] mais je donne en partage aux lévites les dîmes que les fils d'Israël prélèveront en redevance pour le SEIGNEUR. C'est pourquoi je leur ai dit qu'ils ne recevront pas d'héritage parmi les fils d'Israël. »
[25] Le SEIGNEUR dit à Moïse : [26] « Tu diras aux lévites : Lorsque vous percevrez de la part des fils d'Israël les dîmes que

je vous donne en guise d'héritage, vous prélèverez là-dessus, en redevance pour le SEIGNEUR, une dîme sur les dîmes. [27] Ce sera pour vous matière à redevance au même titre que, pour les autres, le froment ramassé sur l'aire [j] et la coulée du pressoir. [28] Ainsi vous prélèverez, vous aussi, la redevance du SEIGNEUR sur toutes les dîmes que vous percevrez de la part des fils d'Israël. Là-dessus, vous donnerez au prêtre Aaron la redevance du SEIGNEUR. [29] Sur tout ce qui vous sera donné, vous prélèverez sans restriction la redevance du SEIGNEUR ; sur les meilleures de toutes ces choses, vous prélèverez l'offrande [k] sainte. — [30] Tu leur diras encore : Lorsque vous prélèverez le meilleur de tout cela, cela équivaudra pour vous, lévites, au produit de l'aire et du pressoir. [31] Vous les mangerez avec vos familles en n'importe quel lieu, car c'est là votre salaire en échange de vos services dans la tente de la rencontre. [32] En tout cela, vous ne vous chargerez pas d'un péché dans la mesure où vous prélèverez le meilleur de ces choses ; vous ne profanerez pas les offrandes saintes des fils d'Israël et vous ne serez pas frappés de mort. »

Les cendres de la vache rousse

19 [1] Le SEIGNEUR dit à Moïse et Aaron : [2] « Voici les dispositions de la loi que le SEIGNEUR a prescrites : Dis aux fils d'Israël de t'amener une vache rousse, sans tare ni défaut, une bête qui n'ait pas porté le *joug. [3] Vous la remettrez au prêtre Eléazar ; on la fera sortir hors du camp et on l'égorgera en sa présence. [4] Le prêtre Eléazar prendra avec son doigt du sang de la vache et il en fera sept fois l'aspersion en direction de la façade de la *tente de la rencontre. [5] Puis on brûlera la vache sous ses yeux ; on en brûlera la peau, la chair et le sang, ainsi que la bouse. [6] Le prêtre prendra du bois de cèdre, de l'hysope et du cramoisi éclatant [l] et les jettera au milieu du brasier où se consume la vache. [7] Ensuite, le prêtre lavera ses vêtements et

---

f *sicles, guéras:* voir au glossaire POIDS ET MESURES ● g *ils sont sacrés,* c'est-à-dire réservés à Dieu et donc destinés à un sacrifice. — *mets:* voir au glossaire SACRIFICES ● h *une alliance consacrée par le sel:* voir Lv 2.13 et la note ● i *pas d'héritage:* voir pourtant 35.1-8 ● j *L'aire* est l'endroit où l'on procède au battage, au vannage et au criblage des céréales ● k *offrande:* voir au glossaire SACRIFICES ● l *hysope, cramoisi éclatant:* voir Lv 14.4 et la note

18.20 les prêtres n'ont pas de territoire Dt 10.9; 18.1-2; Jos 13.14; Ez 44.28; cf. Ez 48.10-12. **18.21** les dîmes Lv 27.30-33; Dt 14.22-29. **18.23** les lévites n'ont pas de territoire 18.20+. **19.2** qui n'a pas porté le joug Dt 21.3; cf. Ex 20.25; Lv 21.13-14; Mc 11.2; Lc 19.30. **19.4** sept aspersions Lv 4.6; 14.7; 16.14. **19.6** cèdre, hysope et cramoisi Lv 14.4,6, 49.

baignera son corps dans l'eau ; après quoi, il rentrera au camp mais il restera en état d'*impureté jusqu'au soir. [8] Celui qui aura brûlé la vache lavera aussi ses vêtements dans l'eau, baignera son corps dans l'eau et restera en état d'impureté jusqu'au soir. [9] Et c'est un homme en état de *pureté qui recueillera les cendres de la vache et les déposera en dehors du camp dans un lieu pur. Elles serviront à la communauté des fils d'Israël de réserve pour l'eau lustrale [m]. C'est un *sacrifice pour le péché. [10] Celui qui aura recueilli les cendres de la vache lavera aussi ses vêtements et restera en état d'impureté jusqu'au soir. Ce sera une loi immuable pour les fils d'Israël comme pour l'émigré qui réside chez eux.

Loi sur la purification

[11] « Celui qui touche un mort — n'importe quelle dépouille mortelle — est *impur pour sept jours. [12] Il fera sa purification avec cette eau [n] le troisième jour, et le septième jour il sera pur. Mais s'il ne fait pas sa purification le troisième jour, il ne sera pas pur le septième jour. [13] Quiconque toucherait un mort — la dépouille d'un être humain qui vient de mourir — et ne ferait pas sa purification souillerait la *demeure du SEIGNEUR : cette personne sera retranchée d'Israël [o]. Puisqu'elle n'a pas été aspergée d'eau lustrale, elle est impure : elle conserve son état d'impureté.

[14] Voici la loi : lorsqu'un homme meurt dans une tente, quiconque entre dans la tente et quiconque se trouvait dans la tente est impur pour sept jours. [15] Et tout récipient ouvert — dépourvu de fil d'attache [p] — est impur. [16] Quiconque, dans les champs, butte sur un homme tué par l'épée ou sur un mort ou sur des ossements humains ou sur une tombe, est impur pour sept jours. [17] Pour cet homme impur, on prendra de la cendre du brasier du *sacrifice pour le péché et on la mettra dans un vase en y ajoutant de l'eau vive [q]. [18] Un homme en état de pureté prendra une branche d'hysope [r]

qu'il trempera dans cette eau et il fera l'aspersion de la tente et de tous les récipients, ainsi que des personnes qui s'y trouveront ou de l'homme qui aura touché les ossements, le tué, le mort ou la tombe. [19] L'homme pur fera l'aspersion de l'homme impur le troisième et le septième jour ; le septième jour, il l'aura purifié de son péché. L'autre lavera alors ses vêtements, se baignera dans l'eau et, le soir, il sera pur. [20] Mais l'homme qui s'est rendu impur et ne fait pas sa purification, un tel homme sera retranché du milieu de l'assemblée, car il souillerait le *sanctuaire du SEIGNEUR ; il n'a pas été aspergé d'eau lustrale, il est impur. [21] Ce sera pour eux une loi immuable. Quant à celui qui fait l'aspersion d'eau lustrale, il lavera ses vêtements. Et celui qui aura touché l'eau lustrale sera impur jusqu'au soir. [22] Tout ce que touchera l'homme impur sera impur et la personne qui y touchera sera impure jusqu'au soir. »

Les eaux de Mériba

20 [1] Toute la communauté des fils d'Israël arriva au désert de Cîn le premier mois et le peuple s'établit à Qadesh [s]. C'est là que mourut Miryam et qu'elle fut enterrée. [2] Il n'y avait pas d'eau pour la communauté, qui s'ameuta contre Moïse et Aaron. [3] Le peuple chercha querelle à Moïse ; ils disaient : « Ah ! si seulement nous avions expiré quand nos frères ont expiré devant le SEIGNEUR ! [4] Pourquoi avez-vous mené l'assemblée du SEIGNEUR dans ce désert ? Pour que nous y mourions, nous et nos troupeaux ! [5] Pourquoi nous avez-vous fait monter d'Egypte et nous avez-vous amenés en ce triste lieu ? Ce n'est pas un lieu pour les semailles ni pour le figuier, la vigne ou le grenadier ; il n'y a même pas d'eau à boire. » [6] Moïse et Aaron, laissant l'assemblée, vinrent à l'entrée de la *tente de la rencontre ; ils se jetèrent face contre terre et la gloire du SEIGNEUR leur apparut. [7] Le SEIGNEUR dit à Moïse : [8] « Prends ton bâton et, avec ton frère Aaron, rassemble la communauté ; devant eux, vous parle-

---

[m] *eau lustrale:* autres traductions *eau d'impureté, eau de purification, eau d'aspersion.* Voir au v. 17 comment on préparait cette eau. Voir aussi 8.7 et la note ● [n] *cette eau:* voir v. 9 ● [o] *retranchée d'Israël:* voir Gn 17.14 et la note ● [p] *fil d'attache:* un récipient pouvait être fermé par un morceau de peau fixé au moyen d'une ficelle. On estimait qu'ainsi le contenu du récipient n'était pas atteint d'impureté ● [q] *cendre:* voir v. 9. — *eau vive* ou *eau courante, eau de source* ● [r] *hysope:* voir Lv 14.4 et la note ● [s] *désert de Cîn, Qadesh:* voir 13.21, 26 et les notes

19.9 eau lustrale He 9.13. **19.13** désobéissance volontaire 15.30-31. **20.2-13** les eaux de Mériba Ex 17.1-7. **20.3** les murmures contre Moïse 14.2+. **20.6** la gloire du Seigneur Lv 9.23+.

rez au rocher et il donnera son eau. Tu feras jaillir pour eux l'eau du rocher et tu donneras à boire à la communauté et à ses troupeaux. » [9] Comme il en avait reçu l'ordre, Moïse prit le bâton qui se trouvait devant le SEIGNEUR. [10] Moïse et Aaron réunirent l'assemblée devant le rocher et leur dirent : « Ecoutez donc, rebelles ! Pourrons-nous de ce rocher vous faire jaillir de l'eau ? » [11] Moïse leva la main ; de son bâton, il frappa le rocher par deux fois. L'eau jaillit en abondance et la communauté eut à boire ainsi que ses troupeaux. [12] Le SEIGNEUR dit à Moïse et Aaron ; « Puisque, en ne croyant pas en moi, vous n'avez pas manifesté ma *sainteté devant les fils d'Israël, à cause de cela [t], vous ne mènerez pas cette assemblée dans le pays que je lui donne. » [13] Ce sont là les eaux de Mériba — Querelle — où les fils d'Israël cherchèrent querelle au SEIGNEUR ; il y manifesta sa sainteté.

Le roi d'Edom refuse de laisser passer Israël

[14] De Qadesh, Moïse envoya des messagers au roi d'Edom pour lui dire : « Ainsi parle ton frère Israël : Tu sais toutes les difficultés que nous avons rencontrées. [15] Nos pères sont descendus en Egypte où nous avons séjourné de longs jours, mais les Egyptiens nous ont maltraités, nous et nos pères. [16] Nous avons crié vers le SEIGNEUR et il a entendu nos cris : il a envoyé un *ange pour nous faire sortir d'Egypte. Nous voici maintenant à Qadesh, ville située à la limite de ton territoire. [17] Laisse-nous donc passer par ton pays ! Nous ne passerons ni dans les champs ni dans les vignes ; nous ne boirons pas l'eau des puits ; nous irons par la route royale sans nous en écarter ni à droite ni à gauche jusqu'à ce que nous ayons traversé ton territoire. » [18] Mais Edom lui répondit : « Tu ne passeras pas chez moi, sinon je sortirai en armes à ta rencontre. » [19] Les fils d'Israël lui dirent : « Nous monterons par la route ; et si nous buvons de ton eau, moi et

mes troupeaux, je t'en paierai le prix. Je ne demande qu'une chose : passer à pied. » [20] Mais Edom répondit : « Tu ne passeras pas ! » Et il sortit à sa rencontre avec une masse de gens et un grand déploiement de forces. [21] Ainsi Edom refusa de laisser passer Israël sur son territoire et Israël s'éloigna de lui.

La mort d'Aaron

[22] Ils partirent de Qadesh, et toute la communauté des fils d'Israël arriva à Hor-la-Montagne [u]. [23] A Hor-la-Montagne, sur la frontière du pays d'Edom, le SEIGNEUR dit à Moïse et Aaron : [24] « Aaron va être enlevé pour rejoindre sa parenté [v], car il ne doit pas entrer dans le pays que je donne aux fils d'Israël, puisque vous avez été rebelles à ma voix, aux eaux de Mériba. [25] Emmène donc Aaron et son fils Eléazar et fais-les monter à Hor-la-Montagne. [26] Tu prendras ses vêtements à Aaron et tu en revêtiras son fils Eléazar [w] ; puis Aaron sera enlevé, il mourra là. » [27] Moïse fit comme le SEIGNEUR l'ordonnait et, sous les yeux de toute la communauté, ils montèrent à Hor-la-Montagne. [28] Moïse prit ses vêtements à Aaron et il en revêtit son fils Eléazar ; et Aaron mourut là, au sommet de la montagne. Puis Moïse et Eléazar redescendirent de la montagne. [29] Toute la communauté vit qu'Aaron avait expiré et toute la maison d'Israël le pleura pendant trente jours.

Victoire des Israélites sur les Cananéens

21 [1] Les Cananéens — le roi d'Arad [x] habitait le Néguev — apprirent qu'Israël arrivait par le chemin des Atarim ; ils combattirent Israël et lui firent des prisonniers. [2] Alors Israël fit ce vœu au SEIGNEUR : « Si tu consens à livrer ce peuple entre mes mains, je vouerai ses villes à l'interdit [y]. » [3] Le SEIGNEUR écouta la voix d'Israël et lui livra les Cananéens. Israël les voua à l'interdit, eux et leurs villes. On donna à ce lieu le nom de Horma [z].

---

[t] La faute de Moïse et Aaron n'apparaît pas de manière évidente ; ce que Dieu leur reproche peut-être, c'est d'avoir *frappé le rocher* (v. 11) au lieu de se contenter de *lui parler* (v. 8) ● [u] Endroit non identifié ; comparer Dt 10.6 ● [v] *rejoindre sa parenté* (autre traduction *être recueilli auprès de son peuple*) est en hébreu un euphémisme pour *mourir*. Comparer 1 R 1.21 et la note ● [w] Sur cette transmission des *vêtements*, voir Ex 29.29-30 ; Lv 8.7-9 ● [x] Localité située à 30 km environ à l'est de Béer-Shéva ● [y] *l'interdit* : voir Dt 2.34 et la note ● [z] Voir 14.45 et la note. En hébreu, *Horma* fait jeu de mots avec le terme traduit par *l'interdit* (v. 2)

20.11 l'eau du rocher Ps 78.15-16 ; 1 Co 10.4. **20.14-21** le refus d'Edom Jg 11.16-17 ; cf. Nb 21.21-32. **20.16** nous avons crié Ex 2.23-25 ; Dt 26.7-8 — un ange Ex 14.19 ; 23.20 ; 33.2. **20.17** pas de dégâts 21.22. **20.24** sa parenté Gn 25.8. **20.28** Aaron mourut 33.38-39 ; Dt 10.6. **20.29** deuil de trente jours Dt 34.8 ; cf. Gn 50.3, 10 ; 1 S 31.13. **21.1** le roi d'Arad 33.40 ; Jos 12.14.

Les serpents brûlants

[4] Ils partirent de Hor-la-Montagne par la route de la *mer des Joncs, en contournant le pays d'Edom, mais le peuple perdit courage en chemin. [5] Le peuple se mit à critiquer Dieu et Moïse : « Pourquoi nous avez-vous fait monter d'Egypte ? Pour que nous mourions dans le désert ! Car il n'y a ici ni pain ni eau et nous sommes dégoûtés de ce pain de misère [a] ! » [6] Alors le SEIGNEUR envoya contre le peuple des serpents brûlants [b] qui le mordirent, et il mourut un grand nombre de gens en Israël.

[7] Le peuple vint trouver Moïse en disant : « Nous avons péché en critiquant le SEIGNEUR et en te critiquant ; intercède auprès du SEIGNEUR pour qu'il éloigne de nous les serpents ! » Moïse intercéda pour le peuple, [8] et le SEIGNEUR lui dit : « Fais faire un serpent brûlant et fixe-le à une hampe : quiconque aura été mordu et le regardera aura la vie sauve. » [9] Moïse fit un serpent d'airain et le fixa à une hampe ; et lorsqu'un serpent mordait un homme, celui-ci regardait le serpent d'airain et il avait la vie sauve.

Victoires sur les rois Sihôn et Og

[10] Les fils d'Israël partirent et campèrent à Ovoth ; [11] puis ils partirent d'Ovoth et campèrent à Iyyé-Avarim, dans le désert qui est en face de Moab du côté du soleil levant. [12] Partis de là, ils campèrent au bord du torrent du Zéred. [13] Partis de là, ils campèrent de l'autre côté de l'Arnôn qui passe par le désert en descendant du territoire des *Amorites ; l'Arnôn, en effet, marque la frontière de Moab, entre Moab et les Amorites. [14] C'est pourquoi il est dit dans le livre des Guerres du SEIGNEUR [c] :

« Waheb en Soufa et ses torrents ;
L'Arnôn [15] et ses gorges
Qui descendent vers le site de Ar
Et longent la frontière de Moab. »

[16] De là ils gagnèrent Béer — le Puits. C'est ce Béer où le SEIGNEUR avait dit à Moïse : « Rassemble le peuple et je leur donnerai de l'eau [d]. » [17] Alors Israël avait entonné ce chant [e] :

« Monte, puits ! Acclamez-le !
[18] Puits creusé par des chefs, foré par les nobles du peuple,
Avec leurs sceptres, avec leurs bâtons » —

... du désert, ils allèrent à Mattana ; [19] de Mattana à Nahaliël, de Nahaliël à Bamoth, [20] et de Bamoth à la vallée qui s'ouvre sur la montagne de Moab ; le sommet de la Pisga domine le désert [f].

[21] Israël envoya des messagers dire à Sihôn, roi des Amorites : [22] « Laisse-moi passer par ton pays ; nous ne nous écarterons ni dans les champs ni dans les vignes et nous ne boirons pas l'eau des puits ; nous suivrons la route royale pour toute la traversée de ton territoire. » [23] Mais Sihôn ne permit pas à Israël de traverser son territoire ; il rassembla tout son peuple et sortit à la rencontre d'Israël dans le désert. Il vint à Yahaç où il livra la bataille à Israël. [24] Israël le frappa du tranchant de l'épée et s'empara de son pays, de l'Arnôn jusqu'au Yabboq et jusqu'à la limite des fils d'Ammon dont la frontière était fortifiée. [25] Israël prit toutes les villes ; il s'établit dans toutes les villes des Amorites, à Heshbôn [g] et dans toutes ses dépendances. [26] Car Heshbôn était la ville de Sihôn, roi des Amorites qui avait fait la guerre au précédent roi de Moab et lui avait enlevé tout son pays jusqu'à l'Arnôn. [27] C'est pourquoi les poètes disent [h] :

« Venez à Heshbôn ! Qu'elle soit rebâtie
et restaurée, la ville de Sihôn !
[28] De Heshbôn est sorti un feu,
de la cité de Sihôn, une flamme
qui a dévoré Ar en Moab,
les seigneurs des hauteurs de l'Arnôn.
[29] Malheur à toi, Moab !
Tu es perdu, peuple de Kemosh [i] !

---

a ce pain de misère: la manne; comparer 11.4-6 ● *b Les serpents brûlants sont des serpents dont le venin, mortel, provoque une sensation de brûlure* ● *c le livre des Guerres du Seigneur: recueil de poèmes, inconnu par ailleurs; les vers cités ici, passablement obscurs, constituent le seul fragment qui en reste* ● *d je leur donnerai de l'eau: peut-être allusion à l'épisode de 20.1-11* ● *e ce chant: autre fragment de poème, d'origine inconnue et de signification peu claire* ● *f le sommet de la Pisga domine le désert: texte obscur et traduction incertaine. Ce sommet est situé au nord-est de la mer Morte* ● *g Heshbôn: voir Es 15.4 et la note* ● *h Voir les v. 14 et 17 et les notes* ● *i Kemosh est le dieu de Moab, voir 1 R 11.7; ses fils et ses filles (fin du verset) sont les Moabites*

21.4 l'itinéraire Dt 2.1; Jg 11.18. **21.5** les murmures contre Moïse 14.2+. **21.6** les serpents brûlants Dt 8.15; Sg 16.5, 10; 1 Co 10.9. **21.9** le serpent d'airain 2 R 18.4; Sg 16.6-7; Jn 3.14-15. **21.21** conquête de la Transjordanie Dt 2.26—3.7; Jg 11.19-20. **21.22-32** refus de Sihôn Cf. 20.14-21. **21.28-29** un feu... Jr 48.45-46.

De ses fils on a fait des fuyards
et de ses filles les captives
du roi amorite Sihôn !

30 Nous les avons percées de flèches ;
de Heshbôn jusqu'à Divôn tout a
péri ;
Nous avons ravagé, jusqu'à Nofah,
tout ce qui s'étend jusqu'à Madaba *j*. »

31 Israël s'établit dans le pays des Amorites. 32 Moïse envoya reconnaître Yazér ;
ils s'emparèrent de ses dépendances et
Moïse chassa les Amorites qui s'y trouvaient. 33 Puis, prenant une nouvelle direction, ils montèrent par la route du Bashân *k* ; Og, roi du Bashân, sortit à leur
rencontre, lui et tout son peuple, pour
leur livrer bataille à Edrèï. 34 Le SEIGNEUR
dit à Moïse : « Ne le crains pas ! Je le
livre entre tes mains lui, tout son peuple
et son pays ; tu le traiteras comme tu as
traité Sihôn, le roi des Amorites qui régnait *l* à Heshbôn. » 35 Ils le battirent,
lui et ses fils et tout son peuple, au point
qu'il n'en resta pas un seul survivant ;
et ils s'emparèrent de son pays.

Histoire de Balaam :
L'appel du roi Balaq

22 1 Les fils d'Israël repartirent ; ils
campèrent dans les plaines de
Moab, au-delà du Jourdain, à la hauteur
de Jéricho.

2 Balaq *m*, fils de Cippor, vit tout ce
qu'Israël avait fait aux *Amorites. 3 Moab
fut très inquiet en voyant ce peuple si
nombreux ; Moab fut pris de panique à
la vue des fils d'Israël 4 et il dit aux
*anciens de Madiân : « Cette multitude
va maintenant tout brouter autour de
nous, comme un bœuf broute l'herbe des
champs. » Balaq, fils de Cippor, était
roi de Moab en ce temps-là. 5 Il envoya
des messagers auprès de Balaam, fils de
Béor, à Petor sur le fleuve, son pays d'origine *n*, pour lui porter cet appel : « Nous
avons là un peuple sorti d'Egypte qui
couvre la surface de la terre : le voilà
établi en face de moi ! 6 Viens donc, je
t'en prie et maudis-moi ce peuple, car il
est plus puissant que moi ; peut-être arri-

verai-je alors à le battre et à le chasser du
pays. Car je le sais, celui que tu bénis
est béni, et celui que tu maudis est maudit. »

7 Les anciens de Moab et les anciens
de Madiân s'en allèrent donc en empor-
tant de quoi rétribuer le devin. Arrivés
chez Balaam, ils lui rapportèrent les
paroles de Balaq. 8 Balaam leur dit :
« Passez ici la nuit ; je vous rendrai réponse suivant ce que me dira le SEI-
GNEUR. » Les dignitaires de Moab demeurèrent donc chez Balaam. 9 Dieu vint
auprès de Balaam et lui dit : « Qui
sont ces hommes qui se trouvent chez
toi ? » 10 Balaam dit à Dieu : « Balaq,
fils de Cippor, le roi de Moab, m'a
envoyé dire : 11 Voilà que le peuple sorti
d'Egypte couvre la surface de la terre.
Viens donc et maudis-le pour moi ; peut-
être arriverai-je alors à le combattre et à
le chasser. » 12 Dieu dit à Balaam : « Tu
n'iras pas avec eux et tu ne maudiras pas
ce peuple, car il est béni. » 13 Le lendemain matin, Balaam se leva et dit aux
dignitaires de Balaq : « Repartez pour
votre pays, car le SEIGNEUR refuse de me
laisser partir avec vous. » 14 Les dignitaires de Moab se levèrent et revinrent
auprès de Balaq ; ils lui dirent : « Balaam
n'a pas voulu venir avec nous. »

15 Mais Balaq envoya encore d'autres
dignitaires, cette fois plus nombreux et
plus importants que les premiers. 16 Arrivés auprès de Balaam, ils lui dirent :
« Ainsi parle Balaq, fils de Cippor : De
grâce, ne refuse pas de venir chez moi !
17 Car je te comblerai d'honneurs *o* et je
ferai tout ce que tu me diras. Viens donc
et maudis-moi ce peuple. » 18 Balaam répondit aux serviteurs de Balaq : « Quand
Balaq me donnerait tout l'argent et tout
l'or que peut contenir sa maison, je ne
pourrais pas faire une chose, petite ou
grande, qui soit contraire à l'ordre du
SEIGNEUR, mon Dieu. 19 Demeurez donc
ici, vous aussi, cette nuit, en attendant
que je sache ce que le SEIGNEUR a encore
à me dire. » 20 Dieu vint auprès de Balaam pendant la nuit et lui dit : « Si c'est
pour t'appeler que ces hommes sont ve-

---

j L'ensemble du verset est très obscur et la traduction incertaine. — Sur *Divôn* et *Madaba*,
voir Es 15.2 et la note • *k Le Bashân:* région de Transjordanie, à l'est du lac de Génésareth
(voir 34.11 et la note) • *l qui régnait à Heshbôn* ou *qui habitait Heshbôn* • *m Balaq* est roi de
Moab, voir v. 4 • *n le fleuve* désigne probablement l'*Euphrate* en Mésopotamie. — *son pays
d'origine:* autres traductions *le pays des fils de son peuple* ou *le pays des Ammavites* • *o* Les *honneurs*
promis comprennent la rétribution du devin, comme le montre le v. 18

22.5 Balaam 31.8, 16; Dt 23.5-6; Jos 13.22; 24.9-10; Mi 6.5; Ne 13.2; 2 P 2.15-16; Jude 11;
Ap 2.14. **22.6** efficacité de la bénédiction Gn 27.33-40. **22.18** tout l'argent et tout l'or Cf. Jb
28.15-19; Ct 8.7; Sg 7.9.

nus, vas-y, pars avec eux. Mais tu feras
seulement ce que je te dirai. »

L'ânesse de Balaam

21 Le lendemain matin, Balaam se leva,
sella son ânesse et partit avec les dignitaires de Moab. 22 Mais Dieu se mit en
colère en le voyant partir, et l'*ange du
SEIGNEUR se posta sur le chemin pour
lui barrer la route tandis qu'il cheminait,
monté sur son ânesse, accompagné de ses
deux serviteurs. 23 L'ânesse vit l'ange du
SEIGNEUR posté sur le chemin, l'épée nue
à la main ; quittant le chemin, elle prit
par les champs. Balaam battit l'ânesse
pour la ramener sur le chemin. 24 L'ange
du SEIGNEUR se plaça alors dans un chemin creux qui passait dans les vignes
entre deux murettes. 25 L'ânesse vit l'ange
du SEIGNEUR : elle se serra contre le mur.
Comme elle serrait le pied de Balaam
contre le mur, il se remit à la battre.
26 L'ange du SEIGNEUR les dépassa encore
une fois pour se placer dans un passage
étroit où il n'y avait pas la place d'obli-
quer ni à droite, ni à gauche. 27 L'ânesse
vit l'ange du SEIGNEUR ; elle s'affaissa sous
Balaam qui se mit en colère et la battit
à coups de bâton. 28 Le SEIGNEUR fit parler
l'ânesse et elle dit à Balaam : « Que t'ai-je
fait pour que tu me battes par trois
fois ? » — 29 « C'est, lui dit Balaam, que
tu en prends à ton aise avec moi ! Si
j'avais une épée en main, je te tuerais
sur-le-champ ! » 30 L'ânesse dit à Balaam :
« Ne suis-je pas ton ânesse, celle que tu
montes depuis toujours ? Est-ce mon habitude d'agir ainsi avec toi ? » — « Non »
dit-il. 31 Le SEIGNEUR dessilla [p] les yeux de
Balaam, qui vit l'ange du SEIGNEUR posté
sur le chemin, l'épée nue à la main ; il
s'inclina et se prosterna face contre
terre. 32 Alors l'ange du SEIGNEUR lui dit :
« Pourquoi as-tu battu ton ânesse par
trois fois ? Tu le vois, c'est moi qui suis
venu te barrer la route car, pour moi,
c'est un voyage entrepris à la légère.
33 L'ânesse m'a vu, elle, et par trois fois
s'est écartée de moi. Si elle ne s'était pas
écartée [q] devant moi, je t'aurais tué sur-le-
champ, tandis qu'à elle j'aurais laissé la vie
sauve. » 34 Balaam dit à l'ange du SEI-
GNEUR : « J'ai péché, car je n'ai pas reconnu que c'était toi qui étais posté là,
devant moi, sur le chemin. Maintenant si
ce voyage te déplaît, je m'en retournerai. »
35 Mais l'ange du SEIGNEUR lui dit : « Va
avec ces hommes, mais tu diras seulement
la parole que je te dirai. » Balaam s'en
alla donc avec les dignitaires de Balaq.

Rencontre de Balaam et Balaq

36 Apprenant que Balaam venait, Balaq
vint à sa rencontre à Ir-Moab, sur la
frontière marquée par l'Arnôn, à la limite
de son territoire. 37 Balaq lui dit : « N'ai-
je pas envoyé assez de monde pour t'appeler ? Pourquoi n'es-tu pas venu ? Ne
suis-je donc pas en mesure de te traiter
avec honneur ? » 38 Balaam répondit à
Balaq : « Eh bien, je suis venu jusqu'à
toi ; maintenant, me sera-t-il possible de
dire quoi que ce soit ? Je dirai la parole
que Dieu mettra dans ma bouche. » 39 Balaam partit avec Balaq et ils arrivèrent à
Qiryath-Houçoth. 40 Balaq offrit un *sacrifice de gros et de petit bétail dont il
envoya des parts à Balaam et aux dignitaires qui l'accompagnaient.

41 Le lendemain matin, Balaq emmena
Balaam et le fit monter à Bamoth-Baal
d'où on voyait une partie du peuple [r].
23 1 Balaam dit à Balaq : « Bâtis-moi
ici sept *autels et apprête-moi ici
même sept taureaux et sept béliers. »
2 Balaq fit comme l'avait dit Balaam ; et
tous deux offrirent un taureau et un
bélier sur chaque autel. 3 Balaam dit à
Balaq : « Tiens-toi auprès de ton holocauste, tandis que je m'éloignerai. Peut-
être le SEIGNEUR viendra-t-il à ma rencontre ; la parole qu'il me fera connaître,
quelle qu'elle soit, je te la communiquerai. » Et il s'en alla sur le chemin [s]. 4 Dieu
vint au-devant de Balaam qui lui dit :
« J'ai fait dresser les sept autels et offrir
un taureau et un bélier sur chacun d'eux. »

p dessilla ou *ouvrit:* Dieu permet à Balaam de discerner ce qu'il ne pouvait pas voir jusqu'alors • *q Si elle ne s'était pas écartée:* d'après les versions anciennes; hébreu: *Peut-être s'est-elle écartée* • *r Bamoth-Baal:* peut-être le même endroit que *Bamoth* de 21.19. — *une partie du peuple:* sous-entendu *d'Israël* • *s holocauste:* voir au glossaire SACRIFICES. — *sur le chemin:* autres traductions *sur un lieu élevé, dans un endroit découvert, sur une colline dénudée.* Le sens du mot hébreu est très incertain

22.22 l'ange menaçant Ps 35.5-6. **22.28** l'ânesse qui parle 2 P 2.16. **22.31** dessiller les yeux 2 R 6.17; cf. Gn 19.11; 2 R 6.18. **22.32** à la légère 2 Co 1.17.

Balaam bénit le peuple d'Israël

[5] Alors le SEIGNEUR mit une parole dans la bouche de Balaam et lui dit : « Retourne auprès de Balaq ; c'est ainsi que tu parleras. » [6] Balaam retourna auprès de Balaq et le trouva debout près de son holocauste [t], ainsi que tous les dignitaires de Moab. [7] Alors il prononça son incantation en ces termes :

« Balaq m'a fait venir d'*Aram ;
des monts d'Orient le roi de Moab m'a
appelé :
"Viens ! Lance-moi des imprécations
contre Jacob !
Viens ! Voue Israël [u] à la réprobation !"
[8] Comment maudirais-je celui que Dieu
n'a pas maudit ?
Comment vouerais-je à la réprobation
celui que le SEIGNEUR n'a pas réprouvé ?
[9] Quand du sommet des rochers je le
regarde,
quand du haut des collines je l'observe,
je vois un peuple qui demeure à l'écart
et ne se range pas au nombre des
nations.
[10] Qui pourrait compter la poussière de
Jacob ?
Et le nombre des multitudes d'Israël ?
Que je meure moi-même de la mort
des justes
et que ma fin soit semblable à la
sienne [v] ! »

[11] Balaq dit à Balaam : « Que m'as-tu fait ? Je t'ai amené pour maudire mes ennemis et voilà que tu les couvres de bénédictions ! » [12] Balaam répondit : « Ne dois-je pas, quand je parle, m'en tenir à ce que le SEIGNEUR met dans ma bouche ? »

Deuxième bénédiction de Balaam

[13] Balaq reprit : « Viens donc avec moi à un autre endroit d'où tu verras ce peuple — tu n'en voyais qu'une partie [w], tu ne le voyais pas tout entier — et de cet endroit, maudis-le pour moi ! »
[14] Il l'emmena à un poste d'observation au sommet de la Pisga [x], bâtit sept *autels et offrit un taureau et un bélier sur chaque autel. [15] Balaam lui dit : « Tiens-toi là près de ton holocauste [y], tandis que moi j'irai là-bas attendre... » [16] Le SEIGNEUR vint au-devant de Balaam et lui mit une parole dans la bouche ; puis il dit : « Retourne auprès de Balaq ; c'est ainsi que tu parleras. » [17] Balaam revint auprès de Balaq et le trouva debout près de son holocauste avec les dignitaires de Moab. Balaq lui demanda : « Que dit le SEIGNEUR ? » [18] Alors, Balaam prononça son incantation [z] en ces termes :

« Lève-toi, Balaq, écoute !
Prête-moi l'oreille, fils de Cippor !
[19] Dieu n'est pas un homme pour mentir
ni un fils d'Adam pour se rétracter.
Parle-t-il pour ne pas agir ?
Dit-il une parole pour ne pas l'exécuter ?
[20] J'ai assumé la charge de bénir,
car il a béni ; je ne me reprendrai pas.
[21] On n'observe pas de calamité en Jacob,
on ne voit pas de souffrance en Israël [a].
Le SEIGNEUR, son Dieu, est avec lui ;
chez lui résonne l'acclamation royale.
[22] Dieu l'a fait sortir d'Egypte ;
il possède la force du buffle [b].
[23] Il n'y a pas d'augure en Jacob,
ni de divination [c] en Israël :
En temps voulu il est dit à Jacob,
à Israël, ce que Dieu fait.
[24] Voici un peuple qui se lève comme un
fauve,
qui se dresse comme un lion.
Il ne se couche pas avant d'avoir dévoré
sa proie
et bu le sang de ses victimes. »

[25] Balaq dit à Balaam : « Si tu ne le maudis pas, du moins ne le bénis pas. »

---

t holocauste : voir au glossaire SACRIFICES ● *u incantation* ou *oracle, poème.* — *Aram* désigne ici la région nord de la Mésopotamie (voir 22.5 et la note). — *monts d'Orient :* désignation géographique imprécise. — *Jacob* et *Israël* désignent tous deux le peuple d'Irsaël, voir 23.10, 21, 23 ; 24.5, 17, 18-19 ● *v compter... le nombre des multitudes d'Israël :* autres traductions *dénombrer... le quart* (ou *la nuée*) *d'Israël.* — *semblable à la sienne* ou *comme la leur :* c'est-à-dire celle *d'Israël* ou celle *des justes* ● *w* Voir 22.41 ● *x la Pisga :* voir 21.20 et la note ● *y holocauste :* voir au glossaire SACRIFICES ● *z incantation :* voir 23.7 et la note ● *a On n'observe pas... :* autre traduction *Il* (Dieu) *n'observe pas d'iniquité en Jacob, il ne voit pas d'injustice en Israël.* — *Jacob* et *Israël :* voir 23.7 et la note ● *b il possède la force du buffle :* texte difficile et traduction incertaine ; le sujet de *possède* peut être *Dieu* ou *Israël* ● *c L'augure* (prédiction ou présage) et la *divination* sont condamnés par l'AT, voir Lv 19.26 ; Dt 18.10-12

23.9 Israël à l'écart Ex 34.11-17 ; Dt 7.1-6 ; 33.28. **23.10** la poussière de Jacob Gn 13.16 ; 2 Ch 1.9. **23.19** Dieu ne se rétracte pas 1 S 15.29 ; Ml 3.6 ; Rm 11.29 ; cf. Ps 77.11. **23.21** l'acclamation royale Es 33.22 ; Ps 24 ; 93—100. **23.22** la force du buffle 24.8 ; cf. Dt 33.17 ; Ps 92.11. **23.24** comme un fauve 24.9 ; Gn 49.9 ; Dt 33.20.

²⁶ Et Balaam lui répondit : « Ne t'avais-je pas dit : "Je ferai tout ce que dira le Seigneur" ? »

Troisième bénédiction de Balaam

²⁷ Balaq dit à Balaam : « Viens donc ! Je t'emmène à un autre endroit *d* ; peut-être Dieu admettra-t-il que de là tu maudisses pour moi ce peuple. » ²⁸ Balaq emmena donc Balaam au sommet du Péor *e* qui se dresse face au désert. ²⁹ Balaam lui dit : « Bâtis-moi ici sept *autels et apprête-moi, ici même, sept taureaux et sept béliers. » ³⁰ Balaq fit comme avait dit Balaam ; puis il offrit un taureau et un bélier sur chaque autel.

24 ¹ Balaam vit qu'il plaisait au Seigneur de bénir Israël ; il n'alla donc pas comme les autres fois à la recherche de présages *f*, mais il se tourna face au désert. ² Levant les yeux, Balaam vit Israël qui campait par tribus. L'esprit de Dieu vint sur lui, ³ et il prononça son incantation en ces termes :

« Oracle de Balaam, fils de Béor,
oracle de l'homme au regard pénétrant *g*,
⁴ oracle de celui qui entend les paroles de Dieu,
qui voit ce que lui montre le Puissant *h*,
quand il tombe en extase et que ses yeux s'ouvrent :
⁵ Qu'elles sont belles tes tentes, Jacob,
tes demeures, Israël *i* !
⁶ Elles se répandent comme des torrents ;
pareilles à des jardins au bord d'un fleuve,
à des aloès plantés par le Seigneur,
à des cèdres au bord de l'eau.
⁷ L'eau déborde de ses seaux,
ses semailles sont copieusement arrosées,
Son roi l'emporte sur Agag *j*,
sa royauté s'élève...
⁸ Dieu l'a fait sortir d'Egypte ;
il possède la force du buffle *k*.
Il dévore les nations adverses,
leur brise les os,
les atteint de ses flèches.

⁹ Il s'accroupit, il se couche comme un lion,
tel un fauve ; qui le ferait lever ?
Béni soit qui te bénira
et maudit qui te maudira ! »

¹⁰ Balaq se mit en colère contre Balaam ; il frappa des mains et lui dit : « Je t'ai appelé pour maudire mes ennemis et voici la troisième fois que tu les couvres de bénédictions ! ¹¹ Puisqu'il en est ainsi, va-t'en dans ton pays ! J'avais dit que je te comblerais d'honneurs ; mais voilà, le Seigneur te prive de ces honneurs *l*. »

Balaam annonce l'avenir glorieux d'Israël

¹² Balaam lui répondit : « N'avais-je pas expressément dit aux messagers que tu m'as envoyés : ¹³ "Quand Balaq me donnerait tout l'argent et tout l'or que peut contenir sa maison, je ne pourrais transgresser l'ordre du Seigneur en amenant bonheur ou malheur de ma propre initiative. Je dirai ce que dira le Seigneur" ? ¹⁴ Eh bien ! maintenant, je m'en vais chez les miens ; mais viens, je veux t'aviser de ce que fera ce peuple au tien dans la suite des temps. » ¹⁵ Alors il prononça son incantation en ces termes :

« Oracle de Balaam, fils de Béor,
oracle de l'homme au regard pénétrant *m*,
¹⁶ oracle de celui qui entend les paroles de Dieu,
qui possède la science du Très-Haut,
qui voit ce que lui montre le Puissant
quand il tombe en extase
et que ses yeux s'ouvrent.
¹⁷ Je le vois, mais ce n'est pas pour maintenant ;
je l'observe, mais non de près :
De Jacob monte une étoile,
d'Israël surgit un sceptre
qui brise les tempes de Moab
et décime tous les fils de Seth *n*.
¹⁸ Edom sera pays conquis ;

---

d à un autre endroit : comparer les v. 13-14 ● *e le Péor :* sommet situé dans le pays de Moab, mais pas exactement localisé ; voir 25.3 et la note ● *f* Balaam ne s'éloigne pas comme en 23.3, 15 à la recherche d'une révélation de la volonté de Dieu ● *g incantation :* voir 23.7 et la note. — *au regard pénétrant :* texte peu clair ; autres traductions *qui a l'œil ouvert* ou *qui a l'œil fermé* ● *h le Puissant :* voir Gn 17.1 et la note ● *i Jacob* et *Israël :* voir 23.7 et la note ● *j ses seaux :* d'après le contexte, il doit s'agir des seaux employés pour puiser l'eau dans les puits en vue de l'irrigation des cultures. — *Agag :* 1 S 15 mentionne un *Agag,* roi des Amalécites, vaincu par Saül ● *k* Voir 23.22 et la note ● *l ces honneurs :* voir 22.17 et la note ● *m incantation :* voir 23.7 et la note. — *au regard pénétrant :* voir 24.3 et la note ● *n Jacob* et *Israël :* voir 23.7 et la note. — *sceptre :* bâton, insigne du pouvoir royal. — *Seth* désigne ici une tribu nomade du pays de Moab

24.8 la force du buffle 23.22+. **24.9** tel un fauve 23.24+ — Béni soit... Gn 12.3 ; 27.29. **24.13.** argent et or 22.18+ **24.17** une étoile Mt 2.2 ; Ap 22.16 — Moab 2 S 8.2 ; Jr 48.45.

pour ses ennemis Séïr *o* sera pays conquis
— Israël déploie sa force.
¹⁹ De Jacob surgit un dominateur ;
il fait périr ce qui reste de la ville *p*. »

Balaam annonce la ruine des ennemis d'Israël

²⁰ Balaam vit encore Amaleq et prononça son incantation *q* en ces termes :

« Amaleq, première des nations !
Mais son avenir, c'est la ruine. »

²¹ Puis il vit les Qénites et prononça son incantation en ces termes :

« Ta demeure est solide
et ton nid *r* posé sur la roche.

²² Pourtant Caïn sera la proie des flammes,
et finalement Ashour *s* te fera prisonnier. »

²³ Enfin, il prononça son incantation *t* en ces termes :

« Malheur ! qui survivra à l'action de Dieu ?

²⁴ De Kittim, voici des navires...
Ils opprimeront Ashour, opprimeront Eber *u* ;
lui aussi court à sa perte. »

²⁵ Balaam s'en alla et retourna dans son pays ; et Balaq s'en alla de son côté.

Les Israélites se livrent à l'idolâtrie

25 ¹ Israël s'établit à Shittim et le peuple commença à se livrer à la débauche avec les filles de Moab. ² Elles invitèrent le peuple aux *sacrifices de leurs dieux ; le peuple y mangea et se prosterna devant leurs dieux. ³ Israël se mit sous le *joug du *Baal de Péor *v* et le SEIGNEUR s'enflamma de colère contre lui.

⁴ Le SEIGNEUR dit à Moïse : « Saisis tous les chefs du peuple et fais-les pendre *w* devant le SEIGNEUR, face au soleil, afin que l'ardente colère du SEIGNEUR se détourne d'Israël. » ⁵ Moïse dit aux juges d'Israël : « Que chacun de vous tue ceux de ses hommes qui se sont mis sous le joug du Baal de Péor ! »

⁶ Et voici que l'un des fils d'Israël, amenant une Madianite, arriva au milieu de ses frères ; et cela sous les yeux de Moïse et de toute la communauté des fils d'Israël, alors qu'ils pleuraient à l'entrée de la *tente de la rencontre. ⁷ A cette vue, le prêtre Pinhas, fils d'Eléazar, fils d'Aaron, se leva au milieu de la communauté ; prenant en main une lance, ⁸ il suivit l'Israélite dans l'alcôve et la transperça tous les deux, l'Israélite et la femme, dans l'alcôve de cette femme *x*. Alors s'arrêta le fléau qui frappait les fils d'Israël. ⁹ Les victimes de ce fléau furent au nombre de 24 000.

¹⁰ Le SEIGNEUR parla à Moïse : ¹¹ « Le prêtre Pinhas, fils d'Eléazar, fils d'Aaron, a détourné ma fureur des fils d'Israël en se montrant jaloux à ma place au milieu d'eux. C'est pourquoi je n'ai pas, sous le coup de ma jalousie *y*, exterminé les fils d'Israël. ¹² En conséquence, dis-le : Voici que je lui fais don de mon *alliance en vue de la paix. ¹³ Elle sera pour lui et pour ses descendants. Cette alliance leur assurera le sacerdoce à perpétuité, puisqu'il s'est montré jaloux pour son Dieu et qu'il a fait le rite d'absolution sur les fils d'Israël. »

¹⁴ L'Israélite qui fut tué — celui qui fut tué avec la Madianite — s'appelait Zimri, fils de Salou, responsable d'une famille de Siméon. ¹⁵ Et la femme qui fut tuée, la Madianite, s'appelait Kozbi, fille de Çour ; celui-ci était chef d'un clan, c'est-à-dire d'une famille de Madiân.

---

o Edom et *Séïr* sont deux noms du même pays, situé au sud de Moab. — Le texte des v. 18-24 est souvent obscur et la traduction incertaine • *p de la ville:* signification incertaine; il pourrait s'agir de la localité nommée *Ir-Moab* (22.36) ou de la capitale de Moab (en hébreu, *Ir* = ville) • *q incantation:* voir 23.7 et la note • *r* Les Qénites (appelés aussi *Caïn,*| nom collectif, au v. 22) sont une tribu nomade voisine de Moab. — *ton nid:* en hébreu, il y a jeu de mots entre *qéni* (= Qénites) et *qèn* (= nid) • *s Ashour* désigne ici une tribu mal connue mentionnée également en Gn 25.3 • *t incantation:* voir 23.7 et la note • *u Kittim:* l'île de Chypre. — *Eber:* probablement les divers peuples mentionnés depuis le v. 18, y compris Israël • *v Péor:* un sommet du pays de Moab (voir 23.28 et la note), où devait se trouver un *sanctuaire dédié à *Baal* • *w fais-les pendre:* traduction incertaine; autre traduction *fais-les empaler* (voir 2 S 12.6 et la note) • *x l'alcôve* désigne ici le sanctuaire transportable d'un campement, chez les nomades païens; on pouvait y pratiquer la prostitution sacrée. — *dans l'alcôve de cette femme:* autre traduction *en plein ventre* • *y* Sur la *jalousie* de Dieu, voir Ex 20.5 et la note

24.20 Amaleq Ex 17.8+. **24.21** les Qénites Gn 15.19; 1 S 15.6. **24.24** des navires Dn 11.30. **25.1-5** Israël à Péor 31.16; Dt 3.29; 4.3; Ps 106.28-31; Ap 2.14. **25.2** l'influence des femmes Dt 7.3-4; 1 R 11.4; Pr 5. **25.9** 24 000 Cf. 1 Co 10.8. **25.11** le zèle de Pinhas Si 45.23; cf. 1 R 19.10, 14; Si 48.1-2. **25.13** la récompense de Pinhas cf. Ex 32.25-29.

[16] Alors le SEIGNEUR parla à Moïse : [17] « Attaquez les Madianites et battez-les. [18] Car ils vous ont provoqués par la perfidie dont ils ont usé envers vous dans l'affaire de Péor et dans celle de Kozbi, fille d'un responsable de Madiân, leur sœur, qui fut tuée le jour du fléau dû à l'affaire de Péor. »

Second recensement des tribus d'Israël

[19] Après ce fléau,

26 [1] le SEIGNEUR dit à Moïse et au prêtre Eléazar, fils d'Aaron : [2] « Dressez l'état *z* par famille, de toute la communauté des fils d'Israël, de tous ceux de vingt ans et plus qui servent dans l'armée d'Israël. » [3] Moïse *a* et le prêtre Eléazar leur parlèrent dans les plaines de Moab, au bord du Jourdain, à la hauteur de Jéricho. Ils dirent : [4] « On va recenser les hommes de vingt ans et plus, comme le SEIGNEUR l'a ordonné à Moïse. »

Voici les fils d'Israël qui étaient sortis du pays d'Egypte : [5] Ruben, premier-né d'Israël. Fils de Ruben : de Hanok est issu le clan des Hanokites ; de Pallou, le clan des Pallouites ; [6] de Hèçrôn, le clan des Hèçronites ; de Karmi, le clan des Karmites. [7] Tels étaient les clans des Rubénites. Leur effectif se montait à 43 730 hommes. [8] Fils de Pallou : Eliav [9] et les fils d'Eliav : Nemouël, Datân et Abirâm. — C'est ce Datân et cet Abirâm, délégués de la communauté, qui s'étaient insurgés contre Moïse et Aaron ; ils étaient avec la bande de Coré quand ils s'insurgèrent contre le SEIGNEUR. [10] La terre, ouvrant sa gueule, les engloutit ainsi que Coré, lorsque mourut sa bande et que le feu dévora deux cent cinquante hommes ; ils servirent d'exemple. [11] Les fils de Coré, eux, n'étaient pas morts.

[12] Fils de Siméon, par clans : de Nemouël est issu le clan des Nemouélites ; de Yamîn, le clan des Yaminites ; de Yakîn, le clan des Yakinites ; [13] de Zérah, le clan des Zarhites ; de Shaoul, le clan des Shaoulites. [14] Tels étaient les clans des Siméonites. Ils étaient 22 200 hommes.

[15] Fils de Gad, par clans : de Cefôn est issu le clan des Cefonites ; de Haggui, le clan des Hagguites ; de Shouni, le clan des Shounites ; [16] d'Ozni, le clan des Oznites ; de Eri, le clan des Erites ; [17] d'Arod, le clan des Arodites ; d'Aréli, le clan des Arélites. [18] Tels étaient les clans des fils de Gad, d'un effectif de 40 500 hommes.

[19] Fils de Juda : Er et Onân — Er et Onân moururent dans le pays de Canaan. [20] Voici donc les fils de Juda par clans : de Shéla est issu le clan des Shélanites ; de Pèrèç, le clan des Parçites ; de Zérah, le clan des Zarhites. [21] Voici les fils de Pèrèç ; de Hèçrôn est issu le clan des Hèçronites ; de Hamoul, le clan des Hamoulites. [22] Tels étaient les clans de Juda, d'un effectif de 76 500 hommes.

[23] Fils d'Issakar, par clans : de Tola est issu le clan des Tolaïtes ; de Pouwa, le clan des Pounites ; [24] de Yashouv, le clan des Yashouvites ; de Shimrôn, le clan des Shimronites. [25] Tels étaient les clans d'Issakar, d'un effectif de 64 300 hommes.

[26] Fils de Zabulon, par clans : de Sèred est issu le clan des Sardites ; d'Elôn, le clan des Elonites ; de Yahléel, le clan des Yahléelites. [27] Tels étaient les clans des Zabulonites, d'un effectif de 60 500 hommes.

[28] Fils de Joseph, par clans : Manassé et Ephraïm. [29] Fils de Manassé : de Makir est issu le clan des Makirites — Makir engendra Galaad — ; de Galaad est issu le clan des Galaadites. [30] Voici les fils de Galaad : de Iézer est issu le clan des Iézérites ; de Héleq, le clan des Helqites ; [31] de Asriël, le clan des Asriélites ; de Shèkem, le clan des Shikemites ; [32] de Shemida, le clan des Shemidaïtes ; de Héfer, le clan des Héférites. [33] Celofehad, fils de Héfer, n'eut pas de fils mais seulement des filles. Les filles de Celofehad se nommaient Mahla, Noa, Hogla, Milka et Tirça. [34] Tels étaient les clans de Manassé ; leur effectif se montait à 52 700 hommes.

[35] Voici les fils d'Ephraïm, par clans : de Shoutèlah est issu le clan des Shoutalhites ; de Bèker, le clan des Bakrites ; de Tahân, le clan des Tahanites. [36] Et voici les fils de Shoutèlah : de Erân est issu le clan des Eranites. [37] Tels étaient les clans des fils d'Ephraïm, d'un effectif de 32 500 hommes. Tels étaient les fils de Joseph dans le recensement par clans.

[38] Fils de Benjamin, par clans : de Bèla est issu le clan des Baléïtes ; d'Ashbel, le clan des Ashbélites ; d'Ahirâm, le clan

---

z Dressez l'état : tous les recensés du chap. 1 sont morts (voir 26.64-65) ● *a* Le texte hébreu des v. 3-4 est peu clair et la traduction incertaine

26.1-51 recensement 1.1-47+ ; cf. Gn 46.8-25. **26.9** Datân, Abirâm et Coré 16.1-35. **26.19** Er et Onân Gn 38.1-10.

des Ahiramites ; ³⁹ de Shefoufâm, le clan des Shoufamites ; de Houfâm, le clan des Houfamites. ⁴⁰ Les fils de Bèla furent : Ard et Naamân, le clan des Ardites et, issu de Naamân, le clan des Naamites. ⁴¹ Tels étaient les fils de Benjamin dans le recensement par clans ; leur effectif se montait à 45 600 hommes.

⁴² Voici les fils de Dan, par clans : de Shouhâm est issu le clan des Shouhamites ; tels étaient les clans de Dan, dans le recensement par clans. ⁴³ Les clans des Shouhamites faisaient au total un effectif de 64 400 hommes.

⁴⁴ Fils d'Asher, par clans : de Yimna est issu le clan de Yimna ; de Yishwi, le clan des Yishwites ; de Beria, le clan des Beriites. ⁴⁵ Issus des fils de Beria : de Héber, le clan des Hébrites : de Malkiël, le clan des Malkiélites. ⁴⁶ La fille d'Asher se nommait Sèrah. ⁴⁷ Tels étaient les clans des fils d'Asher, d'un effectif de 53 400 hommes.

⁴⁸ Fils de Nephtali, par clans : de Yahcéel est issu le clan des Yahcéelites ; de Gouni, le clan des Gounites ; ⁴⁹ de Yécèr, le clan des Yiçrites ; de Shillem, le clan des Shillémites. ⁵⁰ Tels étaient les clans de Nephtali dans le recensement par clans ; leur effectif se montait à 45 500 hommes.

⁵¹ Tel était l'effectif des fils d'Israël : 601 730.

Indications pour le partage du pays promis

⁵² Le SEIGNEUR dit à Moïse : ⁵³ « C'est entre ces clans que le pays sera partagé : les parts seront en proportion du nombre de personnes. ⁵⁴ Pour un clan plus important, tu feras une part plus grande, et pour un clan plus restreint, tu feras une part plus petite. A chacun, on donnera une part correspondant à son effectif. ⁵⁵ C'est seulement par tirage au sort que se fera le partage du pays. Ils recevront leurs parts d'après le nombre de personnes de leurs tribus paternelles. ⁵⁶ C'est le tirage au sort qui décidera de la part de chacun, en partageant entre le plus important et le plus restreint. »

Second recensement de la tribu de Lévi

⁵⁷ Voici les effectifs des *lévites dans le recensement par clans : de Guershôn

est issu le clan des Guershonites ; de Qehath, le clan des Qehatites ; de Merari, le clan des Merarites. ⁵⁸ Voici les clans de Lévi : le clan des Livnites, le clan des Hébronites, le clan des Mahlites, le clan des Moushites, le clan des Coréites. — Qehath engendra Amrâm. ⁵⁹ La femme d'Amrâm se nommait Yokèvèd, fille de Lévi, que Lévi eut de sa femme en Egypte. Elle donna à Amrâm : Aaron, Moïse et Miryam, leur sœur. — ⁶⁰ D'Aaron naquirent Nadav, Avihou, Eléazar et Itamar. ⁶¹ Nadav et Avihou moururent pour avoir présenté au SEIGNEUR un feu profane. ⁶² L'effectif des lévites se montait à 23 000 en comptant tous les lévites de sexe masculin à partir de l'âge d'un mois. En effet ils n'avaient pas été recensés avec les fils d'Israël car il ne leur était pas attribué de part au milieu des fils d'Israël.

Conclusion du recensement

⁶³ Tels sont ceux que Moïse et le prêtre Eléazar recensèrent lorsqu'ils firent le recensement des fils d'Israël dans les plaines de Moab, au bord du Jourdain à la hauteur de Jéricho. ⁶⁴ Parmi eux, il ne restait plus un seul homme de ceux qu'avaient recensés Moïse et le prêtre Aaron, lorsqu'ils firent le recensement des fils d'Israël dans le désert du Sinaï. ⁶⁵ Car le SEIGNEUR leur avait dit qu'ils devaient mourir dans le désert ; et, en effet, il n'en restait pas un, excepté Caleb, fils de Yefounnè, et Josué, fils de Noun.

Le droit d'héritage des femmes

27 ¹ Alors se présentèrent les filles de Celofehad, fils de Héfer, fils de Galaad, fils de Makir, fils de Manassé ; elles étaient d'un des clans de Manassé ; fils de Joseph. Elles s'appelaient Mahla, Noa, Hogla, Milka et Tirça. ² Elles se présentèrent devant Moïse, devant le prêtre Eléazar, devant les responsables et toute la communauté, à l'entrée de la tente de la rencontre. ³ « Notre père est mort dans le désert, dirent-elles ; il ne faisait pas partie de la bande, il n'était pas de ceux qui se liguèrent contre le SEIGNEUR dans la bande de Coré ; c'est uniquement pour son péché qu'il est mort. Or il n'avait pas de fils. ⁴ Faut-il que le nom de notre

26.51 601 730 1.46+. **26.52-56** le mode de partage 33.53-56 ; 34.13 ; Jos 14.1-2. **26.57-62** recensement des lévites 3.14-39+. **26.61** Nadav et Avihou 3.4+. **26.62** 23 000 3.39. **26.65** mourir dans le désert 14.26-38. **27.1-11** les filles de Celofehad 26.33 ; 36.1-12 ; Jos 17.3-6. **27.3** dans le désert 14.29 — la bande de Coré 16.35.

père disparaisse de son clan, du fait qu'il n'a pas eu de fils ? Donne-nous donc à nous-mêmes une propriété comme aux frères de notre père. »

5 Moïse porta leur cause devant le SEIGNEUR. 6 Et le SEIGNEUR dit à Moïse : 7 « Les filles de Celofehad ont raison ; tu leur donneras une propriété en héritage comme aux frères de leur père et tu leur transmettras l'héritage de leur père. 8 Et tu diras aux fils d'Israël : "Lorsqu'un homme mourra sans laisser de fils, vous transmettrez son héritage à sa fille. 9 S'il n'a pas de fille, vous donnerez son héritage à ses frères. 10 S'il n'a pas de frères, vous le donnerez aux frères de son père. 11 Et si son père n'avait pas de frères, vous le donnerez au plus proche parent qu'il aura dans son clan : c'est celui-là qui en aura la possession." Ce sera pour les fils d'Israël une règle de droit, conforme aux ordres que le SEIGNEUR a donnés à Moïse. »

Josué désigné pour succéder à Moïse

12 Le SEIGNEUR dit à Moïse : « Monte sur cette montagne de la chaîne des Avarim b et regarde le pays, que je donne aux fils d'Israël. 13 Tu le verras, puis tu seras enlevé, toi aussi, pour rejoindre ta parenté c comme a été ton frère Aaron. 14 Ceci parce que dans le désert de Cîn d, lors de la querelle que me chercha la communauté, vous avez été rebelles à ma voix quand je vous commandais de manifester ma *sainteté à leurs yeux en faisant jaillir de l'eau. » Il s'agit des eaux de Mériba de Qadesh dans le désert de Cîn.

15 Moïse dit alors au SEIGNEUR : 16 « Que le SEIGNEUR, le Dieu qui dispose du souffle de toute créature, désigne un homme qui sera à la tête de la communauté, 17 qui sortira et rentrera devant eux, qui les fera sortir et les fera rentrer e ; ainsi la communauté du SEIGNEUR ne sera pas comme des moutons sans berger. » 18 Le SEIGNEUR répondit à Moïse : « Prends Josué, fils de Noun ; c'est un homme qui est inspiré. Tu lui imposeras la main f, 19 tu le présenteras au prêtre Eléazar ainsi qu'à toute la communauté et tu l'établiras dans sa charge sous leurs yeux. 20 Tu lui donneras une part de ta puissance g afin que toute la communauté des fils d'Israël lui obéisse. 21 Il se présentera devant le prêtre Eléazar qui demandera pour lui, devant le SEIGNEUR, la décision du Ourim. C'est d'après cette décision h qu'ils sortiront et qu'ils rentreront, lui et tous les fils d'Israël — toute la communauté. »

22 Moïse fit comme le SEIGNEUR le lui avait ordonné ; il prit Josué et le présenta au prêtre Eléazar ainsi qu'à toute la communauté. 23 Il lui imposa les mains et l'établit dans sa charge, comme le SEIGNEUR l'avait dit par l'intermédiaire de Moïse.

Règles pour les sacrifices : Pour chaque jour

28 1 Le SEIGNEUR parla à Moïse : 2 « Donne aux fils d'Israël les ordres suivants : Veillez à m'apporter au temps fixé les présents qui me reviennent, ma nourriture, sous forme de mets i à l'odeur apaisante. 3 Tu leur diras : Voici les mets que vous présenterez au SEIGNEUR : deux agneaux d'un an sans défaut, chaque jour, à titre d'holocauste perpétuel. 4 On offrira le premier agneau le matin et le second au crépuscule j, 5 avec une offrande d'un dixième d'épha de farine pétrie dans un quart de hin d'huile d'olives cassées k. — 6 C'est l'holocauste perpétuel tel qu'il était pratiqué sur le mont Sinaï, un mets à l'odeur apaisante pour le SEIGNEUR. — 7 La libation requise est d'un quart de hin pour le premier agneau — libation de vin fort à offrir au SEIGNEUR dans le *sanctuaire. 8 Le second agneau, on l'offrira au crépuscule ; on

---

b La chaîne des Avarim domine la rive est du Jourdain et de la mer Morte ● c rejoindre ta parenté : voir 20.24 et la note ● d désert de Cîn : voir 13.21 et la note ● e sortir et rentrer devant quelqu'un ; faire sortir et faire rentrer quelqu'un : ces expressions évoquent l'activité soit d'un chef militaire (voir Jos 14.11), soit d'un chef politique (voir 1 R 3.7) ● f Tu lui imposeras la main : on attendrait ici les mains comme au v. 23. L'imposition des mains est un geste de transmission de pouvoir ; comparer Lv 16.21 et la note, pour un geste apparenté ● g ta puissance : autres traductions ta dignité, ton autorité ● h Ourim : voir Ex 28.30 et la note ● — d'après cette décision : autre traduction sur son ordre ; qu'il s'agisse de l'ordre du prêtre ou de la décision du Ourim, c'est de toute façon le Seigneur qui s'exprime au travers d'eux ● i Pour les termes mets, holocauste, libation, offrande, apparaissant dans les chap. 28—29, voir au glossaire SACRIFICES ● j au crépuscule : voir Ex 12.6 et la note ● k épha, hin : voir au glossaire POIDS ET MESURES. — huile d'olives cassées ou huile vierge : voir Ex 27.20 et la note

27.5 leur cause 9.8+. **27.12-14** Moïse verra le pays promis Dt 3.27 ; 32.48-52 ; 34.1-4. **27.14** Mériba 20.1-13. **27.16** le souffle de vie 16.22+. **27.17** troupeau sans berger Mt 9.36+. **27.18** Josué 13.8, 16 ; Ex 24.13 ; Dt 3.28 ; 31.1-8 ; Jos 1.1-2. **28.3** chaque jour Ex 29.38-46+.

l'offrira avec la même offrande et la même libation que le matin. C'est pour le SEIGNEUR un aliment à l'odeur apaisante.

Pour le jour du sabbat

9 Le jour du *sabbat, on offrira deux agneaux d'un an sans défaut, avec une offrande de deux dixièmes de farine pétrie à l'huile et la libation requise. 10 C'est l'holocauste du sabbat qui, chaque sabbat, s'ajoute à l'holocauste perpétuel et à sa libation.

Pour le premier jour du mois

11 Au début de chaque mois l, vous présenterez au SEIGNEUR l'holocauste de deux taureaux, d'un bélier et de sept agneaux d'un an — des bêtes sans défaut — 12 avec, pour chaque taureau, une offrande de trois dixièmes de farine pétrie à l'huile ; pour le bélier, une offrande de deux dixièmes de farine pétrie à l'huile ; 13 et pour chaque agneau, une offrande de farine pétrie à l'huile, d'un dixième chaque fois. C'est un holocauste à l'odeur apaisante, un mets pour le SEIGNEUR. 14 Les libations requises sont : un demi-hîn m de vin par taureau, un tiers de hîn par bélier et un quart de hîn par agneau. Tel est l'holocauste de néoménie, qu'on offrira à chaque néoménie de l'année. 15 De plus, un bouc offert au SEIGNEUR en sacrifice pour le péché ; on l'offrira en plus de l'holocauste perpétuel et de sa libation.

Pour la fête de la Pâque

16 Le premier mois, le quatorzième jour du mois, c'est *Pâque en l'honneur du SEIGNEUR. 17 Le quinzième jour de ce mois, c'est jour de fête : pendant sept jours, on mangera des pains sans *levain. 18 Le premier jour, il y aura une réunion sacrée ; vous ne ferez aucun travail pénible. 19 Vous présenterez au SEIGNEUR des mets en holocauste : deux taureaux, un bélier et sept agneaux d'un an — vous prendrez des bêtes sans défaut — 20 avec l'offrande requise de farine pétrie à l'huile : trois dixièmes pour un taureau et deux dixièmes pour un bélier. 21 Pour chacun des sept agneaux, on ajoutera un dixième chaque

fois. 22 De plus, un bouc en sacrifice pour le péché, pour faire le rite d'absolution en votre faveur. 23 Vous ferez tout cela en plus de l'holocauste du matin qui est l'holocauste perpétuel. 24 Vous offrirez de même chaque jour, pendant les sept jours, de la nourriture au SEIGNEUR, des mets à l'odeur apaisante ; on les offrira en plus de l'holocauste perpétuel et de sa libation. 25 Le septième jour, vous aurez une réunion sacrée ; vous ne ferez ce jour-là aucun travail pénible.

Pour la fête des semaines

26 Le jour des *prémices, quand vous présenterez au SEIGNEUR, pour la fête des semaines n, l'offrande de la nouvelle récolte, vous aurez un rassemblement sacré ; vous ne ferez aucun travail pénible. 27 Vous présenterez au SEIGNEUR un holocauste à l'odeur apaisante : deux taureaux, un bélier et sept agneaux d'un an, 28 avec l'offrande requise de farine pétrie à l'huile : trois dixièmes pour chaque taureau, deux dixièmes pour le bélier 29 et, pour chacun des sept agneaux, un dixième chaque fois. 30 De plus, un bouc pour faire le rite d'absolution en votre faveur. 31 Vous les offrirez avec leurs libations en plus de l'holocauste perpétuel et de l'offrande qui l'accompagne — vous prendrez des bêtes sans défaut.

Pour la fête de l'acclamation

29 1 Le septième mois, le premier du mois, vous aurez une réunion sacrée. Vous ne ferez aucun travail pénible. Ce sera pour vous un jour d'acclamation o. 2 Vous offrirez au SEIGNEUR un holocauste à l'odeur apaisante : un taureau, un bélier, sept agneaux d'un an — des bêtes sans défaut — 3 avec l'offrande requise de farine pétrie à l'huile : trois dixièmes pour le taureau, deux dixièmes pour le bélier 4 et, pour les sept agneaux, un dixième par agneau. 5 De plus, un bouc en sacrifice pour le péché, pour faire le rite d'absolution en votre faveur. 6 Sans compter l'holocauste de *néoménie avec son offrande et l'holocauste perpétuel avec son offrande, ainsi que leurs libations — selon les coutumes qui les concernent — :

l La fête célébrée au début de chaque mois s'appelait *néoménie, voir v. 14 ● m hîn: voir au glossaire POIDS ET MESURES ● n fête des semaines: voir au glossaire CALENDRIER ● o jour d'acclamation: voir Lv 23.24 et la note

28.9 le sabbat Ez 46.4-5; Mt 12.5. 28.11 la néoménie Ez 46.6-7; cf. 2 R 4.23; Es 1.13; Os 2.13; Am 8.5. 28.16 la Pâque Ex 12.1+. 28.26 la fête des semaines Ex 23.16+.

c'est un mets à l'odeur apaisante pour le
SEIGNEUR.

Pour le jour du Grand Pardon

7 Le dix de ce septième mois, vous
aurez une réunion sacrée. Vous jeûnerez,
vous ne ferez aucun travail pénible. 8 Vous
présenterez au SEIGNEUR un holocauste à
l'odeur apaisante : un taureau, un bélier,
sept agneaux d'un an — vous prendrez
des bêtes sans défaut — 9 avec l'offrande
requise de farine pétrie à l'huile : trois
dixièmes pour le taureau, deux dixièmes
pour le bélier 10 et, pour chacun des sept
agneaux, un dixième chaque fois. 11 De
plus, un bouc en sacrifice pour le péché,
sans compter le sacrifice pour le péché
du jour du Grand Pardon [p] et l'holocauste
perpétuel avec son offrande, ainsi que
les libations qui les accompagnent.

Pour la fête des Tentes

12 Le quinzième jour du septième mois,
vous aurez une réunion sacrée. Vous ne
ferez aucun travail pénible. Vous fêterez
le SEIGNEUR en un pèlerinage de sept
jours [q]. 13 Vous présenterez en holocauste
au SEIGNEUR un mets à l'odeur apaisante :
treize taureaux, deux béliers, quatorze
agneaux d'un an — ce seront des bêtes
sans défaut — 14 avec l'offrande requise
de farine pétrie à l'huile : trois dixièmes
pour chacun des treize taureaux, deux
dixièmes pour chacun des deux béliers
15 et, pour chacun des quatorze agneaux,
un dixième chaque fois. 16 De plus, un
bouc en sacrifice pour le péché, sans
compter l'holocauste perpétuel, son offrande et sa libation. 17 Le deuxième jour :
douze taureaux, deux béliers, quatorze
agneaux d'un an — des bêtes sans défaut
— 18 avec l'offrande et les libations requises pour les taureaux, les béliers et les
agneaux, autant qu'il y en aura, selon les
coutumes. 19 De plus, un bouc en sacrifice
pour le péché, sans compter l'holocauste
perpétuel et son offrande et les libations
qui les accompagnent. 20 Le troisième
jour : onze taureaux, deux béliers, quatorze agneaux d'un an — des bêtes sans
défaut — 21 avec l'offrande et les libations
requises pour les taureaux, les béliers et
les agneaux, autant qu'il y en aura, selon
les coutumes. 22 De plus un bouc en sacrifice pour le péché, sans compter l'holocauste perpétuel et son offrande et la
libation qui l'accompagne. 23 Le quatrième
jour : dix taureaux, deux béliers, quatorze
agneaux d'un an — des bêtes sans défaut
— 24 avec l'offrande et les libations requises pour les taureaux, les béliers et les
agneaux, autant qu'il y en aura, selon
les coutumes. 25 De plus, un bouc en sacrifice pour le péché, sans compter l'holocauste perpétuel et son offrande et la
libation qui l'accompagne. 26 Le cinquième
jour : neuf taureaux, deux béliers, quatorze agneaux d'un an — des bêtes sans
défaut — 27 avec l'offrande et les libations
requises pour les taureaux, les béliers et
les agneaux, autant qu'il y en aura, selon
les coutumes. 28 De plus, un bouc en
sacrifice pour le péché, sans compter l'holocauste perpétuel et son offrande et la
libation qui l'accompagne. 29 Le sixième
jour : huit taureaux, deux béliers, quatorze agneaux d'un an — des bêtes sans
défaut — 30 avec l'offrande et les libations requises pour les taureaux, les béliers et les agneaux, autant qu'il y en aura,
selon les coutumes. 31 De plus, un bouc
en sacrifice pour le péché, sans compter
l'holocauste perpétuel et son offrande et
la libation qui l'accompagne. 32 Le septième jour : sept taureaux, deux béliers,
quatorze agneaux d'un an — des bêtes
sans défaut — 33 avec l'offrande et les
libations requises pour les taureaux, les
béliers et les agneaux, autant qu'il y en
a, selon les coutumes qui les concernent.
34 De plus, un bouc en sacrifice pour le
péché, sans compter l'holocauste perpétuel
et son offrande et la libation qui l'accompagne. 35 Le huitième jour, ce sera la clôture de votre fête [r] : vous ne ferez aucun
travail pénible. 36 Vous présenterez en
holocauste au SEIGNEUR un mets à l'odeur
apaisante : un taureau, un bélier, sept
agneaux d'un an — des bêtes sans défaut
— 37 avec l'offrande et les libations requises pour le taureau, le bélier et les
agneaux, autant qu'il y en a, selon les
coutumes. 38 De plus, un bouc en sacrifice pour le péché, sans compter l'holocauste perpétuel et son offrande, et la
libation qui l'accompagne.

p jour du Grand Pardon: voir au glossaire CALENDRIER • *q un pèlerinage de sept jours:* il s'agit de la *fête des Tentes;* voir au glossaire CALENDRIER • *r la clôture de votre fête:* autre traduction *une assemblée solennelle*

29.7 le Grand Pardon Lv 16.1+. **29.12** les Tentes Ex 23.16+ ; Lv 23.34+.

³⁹ « Voilà ce que vous offrirez au SEIGNEUR aux dates qui vous sont fixées sans parler de vos sacrifices votifs, de vos sacrifices spontanés, holocaustes, offrandes de farine, libations et sacrifices de paix. »

30 ¹ Moïse dit aux fils d'Israël tout ce que le SEIGNEUR lui avait ordonné.

Loi sur les vœux

² Moïse parla aux chefs de tribus des fils d'Israël : « Voici l'ordre que le SEIGNEUR a donné : ³ Lorsqu'un homme aura fait un vœu au SEIGNEUR ou aura pris sous serment un engagement pour lui-même, il ne violera pas sa parole : il se conformera exactement à la promesse sortie de sa bouche. ⁴ Lorsqu'une femme, jeune encore, demeurant chez son père, aura fait un vœu au SEIGNEUR ou pris un engagement pour elle-même, ⁵ si son père apprend qu'elle a fait ce vœu ou pris cet engagement pour elle-même, s'il ne lui dit rien, tous ses vœux seront valides, tout engagement qu'elle aura pris pour elle-même sera valide. ⁶ Mais si son père la désavoue le jour même où il l'apprend, tous ses vœux, tous les engagements qu'elle aura pris pour elle-même, seront nuls. Le SEIGNEUR la tiendra quitte, puisque son père l'a désavouée. ⁷ Et si elle vient à se marier, étant tenue par ses vœux ou par un engagement échappé de ses lèvres, ⁸ et que son mari, en l'apprenant, ne lui dise rien le jour même, ses vœux resteront valides, les engagements qu'elle aura pris pour elle-même resteront valides. ⁹ Mais si son mari, le jour où il l'apprend, la désavoue, il annule le vœu qui la tenait et l'engagement échappé de ses lèvres qu'elle avait pris pour elle-même ; et le SEIGNEUR la tiendra quitte. ¹⁰ Par contre, le vœu d'une veuve ou d'une femme répudiée sera valide quel que soit l'engagement qu'elle ait pris. ¹¹ Si c'est dans la maison de son mari qu'elle a fait un vœu ou pris sous serment un engagement pour elle-même ¹² et que son mari, en l'apprenant, ne lui dise rien, il ne la désavoue pas : tous ses vœux restent valides, tout engagement qu'elle aura pris pour elle-même, reste valide. ¹³ Mais si son mari décide de les annuler, le jour même où il l'apprend, tout ce qu'elle aura formulé en fait de vœux et d'engagements sera nul. Son mari les ayant annulés, le SEIGNEUR la tiendra quitte. ¹⁴ Quel que soit le vœu ou le serment par lequel elle s'est engagée à *jeûner ⁸, c'est son mari qui le valide ou qui l'annule. ¹⁵ Et si son mari ne lui dit rien jusqu'au lendemain, il valide tous les vœux ou engagements qui la tenaient : il les valide du fait qu'il ne lui a rien dit le jour où il l'a appris. ¹⁶ Mais s'il décide de les annuler quelque temps après le jour où il l'a appris, c'est lui qui répondra de la faute de sa femme. »

¹⁷ Telles sont les lois que le SEIGNEUR a prescrites à Moïse concernant un homme et sa femme ou un père et sa fille lorsque, jeune encore, elle demeure chez lui.

La guerre sainte contre les Madianites

31 ¹ Le SEIGNEUR dit à Moïse : ² « Venge les fils d'Israël du mal que leur ont fait les Madianites ; après quoi, tu rejoindras ta parenté ᵗ. » ³ Moïse dit au peuple : « Que des hommes parmi vous s'équipent pour partir en campagne. Ils marcheront contre Madiân pour exercer la vengeance du SEIGNEUR sur Madiân. ⁴ Vous mettrez en campagne mille hommes par tribu, dans toutes les tribus d'Israël. » ⁵ On leva donc parmi les milliers d'Israël ᵘ un millier par tribu, soit douze mille hommes équipés pour partir en campagne. ⁶ Moïse les envoya en campagne, à raison de mille par tribu ; il les envoya en campagne, eux et le prêtre Pinhas, fils d'Eléazar, qui avait en mains les accessoires du *sanctuaire et les trompettes pour les signaux. ⁷ Ils partirent en campagne contre Madiân comme le SEIGNEUR l'avait ordonné à Moïse et ils tuèrent tous les hommes. ⁸ En plus de ces victimes, ils tuèrent aussi les rois de Madiân : Ewi, Règem, Çour, Hour et Rèva, les cinq rois de Madiân. Ils tuèrent encore par l'épée Balaam, fils de Béor ᵛ. ⁹ Les fils d'Israël firent prisonnières les femmes de Madiân avec leurs enfants ; ils enlevèrent toutes leurs bêtes, tous leurs troupeaux, tous leurs biens. ¹⁰ Ils incendièrent toutes les villes qu'habitaient les Madia-

---

s à jeûner ou à s'abstenir de quelque chose ● t Sur le mal fait par les Madianites, voir chap. 25.
— tu rejoindras ta parenté : voir 20.24 et la note ● u milliers d'Israël : voir 1.16 et la note
● v Balaam, fils de Béor : voir chap. 22—24

30.2-17 les vœux Lv 27.1-25 ; Dt 23.22-24 ; cf. Jg 11.30-40 ; Qo 5.3-4 ; Mt 5.33. **31.6** les trompettes 10.9. **31.7** tous les hommes Dt 20.13-14. **31.8** les rois de Madiân Jos 13.21-22 — Balaam 22.5+.

nites et tous leurs campements. ¹¹ Puis ils emmenèrent tout le butin et tout ce qu'ils avaient capturé en fait d'hommes et de bêtes. ¹² Ils amenèrent les prisonniers, les prises de guerre et le butin à Moïse, au prêtre Eléazar et à la communauté des fils d'Israël ; ils les ramenèrent au camp dans les plaines de Moab qui bordent le Jourdain à la hauteur de Jéricho.

¹³ Moïse, le prêtre Eléazar et tous les responsables de la communauté sortirent pour les rencontrer en dehors du camp. ¹⁴ Moïse se fâcha contre les chefs désignés pour mener les troupes, chefs de milliers et chefs de centaines, qui revenaient de cette expédition. ¹⁵ « Quoi ! leur dit-il, vous avez laissé la vie à toutes les femmes ! ¹⁶ Pourtant ce sont bien elles qui — lors de l'affaire de Balaam ʷ — ont incité les fils d'Israël à être infidèles au SEIGNEUR, à l'occasion de l'affaire de Péor, si bien qu'un fléau s'abattit sur la communauté du SEIGNEUR. ¹⁷ Eh bien, maintenant, tuez tous les garçons et tuez toutes les femmes qui ont connu un homme dans l'étreinte conjugale. ¹⁸ Mais toutes les fillettes qui n'ont pas connu l'étreinte conjugale, gardez-les en vie pour vous. ¹⁹ Quant à vous, campez en dehors du camp pendant sept jours. Vous tous qui avez tué quelqu'un ou qui avez touché un mort, vous ferez votre *purification le troisième et le septième jour, aussi bien vous-mêmes que vos prisonnières. ²⁰ De même toutes les étoffes, tous les objets en cuir, tous les ouvrages en poil de chèvre et tous les objets en bois, vous en ferez la purification. »

²¹ Le prêtre Eléazar dit aux soldats qui étaient allés au combat : « Voici les dispositions de la loi que le SEIGNEUR a prescrite à Moïse : ²² Il n'y a que l'or, l'argent, le bronze, le fer, l'étain, le plomb, ²³ toutes choses qui supportent le feu, que vous passerez au feu pour qu'elles soient purifiées ; on fera aussi la purification par l'eau lustrale ˣ. Et vous passerez à l'eau tout ce qui ne supporte pas le feu. ²⁴ Vous laverez vos vêtements le septième jour et vous serez purs ; après quoi, vous rentrerez au camp. »

Le partage du butin

²⁵ Le SEIGNEUR dit à Moïse : ²⁶ « Toi-

même, avec le prêtre Eléazar et les chefs de famille de la communauté, faites le compte de ce qu'on a capturé en fait d'hommes et de bêtes. ²⁷ Tu partageras ce qu'on a capturé entre les combattants qui ont fait la campagne et toute la communauté. ²⁸ Tu prélèveras une taxe pour le SEIGNEUR sur les combattants qui ont fait la campagne, en prélevant un homme sur cinq cents et une bête sur cinq cents pour les bœufs, les ânes et le petit bétail. ²⁹ Vous prendrez cela sur leur part et tu le donneras au prêtre Eléazar comme redevance due au SEIGNEUR. ³⁰ Et sur la part des fils d'Israël, tu prendras un cinquantième des hommes, des bœufs, des ânes, du petit bétail et de toutes les bêtes ; et tu les donneras aux *lévites qui font le service de la *demeure du SEIGNEUR. »

³¹ Moïse et le prêtre Eléazar firent ce que le SEIGNEUR avait ordonné à Moïse. ³² Ce qui avait été capturé, ce qui restait du butin qu'avaient enlevé les troupes en campagne, consistait en : 675 000 têtes de petit bétail, ³³ 72 000 de gros bétail, ³⁴ et 61 000 ânes ; ³⁵ quant aux personnes humaines, c'est-à-dire les femmes qui n'avaient pas connu l'étreinte conjugale, il y en avait en tout 32 000. ³⁶ La moitié attribuée à ceux qui avaient fait la campagne se montait à : — 337 500 têtes de petit bétail ; ³⁷ la taxe pour le SEIGNEUR prélevée sur le petit bétail étant de 675 têtes ; ³⁸ — bœufs : 36 000 têtes sur lesquelles la taxe pour le SEIGNEUR était de 72 têtes ; ³⁹ — ânes : 30 500 têtes sur lesquels la taxe pour le SEIGNEUR était de 61 têtes ; ⁴⁰ — personnes humaines ; 16 000 sur lesquelles la taxe pour le SEIGNEUR était de 32 personnes. ⁴¹ Moïse donna la taxe prélevée pour le SEIGNEUR au prêtre Eléazar, comme le SEIGNEUR le lui avait ordonné. ⁴² Quant à la moitié attribuée aux fils d'Israël, celle que Moïse avait soustraite aux hommes qui avaient fait la campagne, ⁴³ cette moitié attribuée à la communauté consistait en : 337 500 têtes de petit bétail, ⁴⁴ 36 000 bœufs, ⁴⁵ 30 500 ânes ⁴⁶ et 16 000 personnes humaines. ⁴⁷ Moïse préleva sur la part des fils d'Israël un cinquantième des hommes et des bêtes et il le donna aux lévites qui font le service de la demeure du SEIGNEUR, comme le SEIGNEUR le lui avait ordonné.

---

w lors de l'affaire de Balaam: autres traductions sur la parole (ou sur les conseils) de Balaam. Ce rôle de Balaam n'apparaissait pas dans le chap. 25 ● x eau lustrale: voir 19.9 et la note

31.19 touché un mort 19.11-13. **31.27** tu partageras 1 S 30.24-25.

L'offrande volontaire pour Dieu

⁴⁸ Ceux qui avaient commandé les unités en campagne, chefs de milliers et chefs de centaines, s'approchèrent de Moïse ⁴⁹ et lui dirent : « Tes serviteurs ont fait le compte des combattants qui étaient sous nos ordres ; il ne nous manque pas un homme. ⁵⁰ En conséquence nous apportons en présent au SEIGNEUR, pour faire le rite d'absolution sur nos personnes devant le SEIGNEUR, les objets d'or, bracelets, anneaux, bagues, boucles d'oreilles et pendentifs que chacun a trouvés. » ⁵¹ Moïse et le prêtre Eléazar reçurent d'eux cet or : ce n'était qu'objets ouvragés. ⁵² Tout l'or qu'ils prélevèrent en redevance pour le SEIGNEUR faisait 16 750 sicles *y*, offert par les chefs de milliers et les chefs de centaines. ⁵³ Les soldats avaient pillé chacun pour soi. ⁵⁴ Moïse et le prêtre Eléazar reçurent donc l'or des chefs de milliers et de centaines ; ils l'apportèrent dans la *tente de la rencontre pour servir aux fils d'Israël de mémorial *z* devant le SEIGNEUR.

Trois tribus s'installent à l'est du Jourdain

32 ¹ Les fils de Ruben et les fils de Gad avaient des troupeaux nombreux, considérables. En regardant le pays de Yazér et le pays de Galaad *a*, ils virent que la région convenait aux troupeaux. ² Les fils de Gad et les fils de Ruben vinrent donc dire à Moïse, au prêtre Eléazar et aux responsables de la communauté : ³ « Ataroth, Divon, Yazér, Nimra, Heshbôn, Eléalé, Sevâm, Nébo, Béôn, ⁴ ce pays que le SEIGNEUR a frappé devant la communauté d'Israël est un pays qui convient aux troupeaux ; or tes serviteurs ont des troupeaux. ⁵ Si nous avons trouvé grâce à tes yeux, dirent-ils, que ce pays soit attribué comme patrimoine à tes serviteurs ; ne nous fais pas passer le Jourdain. »

⁶ Mais Moïse dit aux fils de Gad et aux fils de Ruben : « Quoi ! vos frères vont partir au combat et vous, vous resteriez ici ? ⁷ Pourquoi découragez-vous les fils d'Israël de passer dans le pays que le SEIGNEUR leur donne ? ⁸ C'est bien ce qu'ont fait vos pères quand je les ai envoyés de Qadesh-Barnéa reconnaître le pays *b* ! ⁹ Ils sont montés jusqu'à la vallée d'Eshkol et, après avoir reconnu le pays, ils ont découragé les fils d'Israël en les dissuadant d'entrer dans le pays que le SEIGNEUR leur donnait. ¹⁰ Le SEIGNEUR s'est enflammé de colère ce jour-là et il a juré : ¹¹ "Jamais ces hommes qui sont montés d'Egypte — ceux de 20 ans et plus — ne verront la terre que j'ai promise à Abraham, à Isaac et à Jacob, puisqu'ils ont hésité à me suivre !" ¹² Seuls furent exceptés Caleb, fils de Yefounnè, le Qénizzite, et Josué, fils de Noun, parce qu'ils avaient suivi le SEIGNEUR sans hésitation. ¹³ Le SEIGNEUR s'est enflammé de colère contre Israël et il les a fait errer dans le désert pendant quarante ans jusqu'à la disparition de toute la génération qui avait fait ce qui déplaît au SEIGNEUR. ¹⁴ Et vous, race de pécheurs, voilà que vous prenez le relais de vos pères pour attiser la colère du SEIGNEUR à l'égard d'Israël ! ¹⁵ Car si vous cessez de le suivre, il prolongera encore le séjour d'Israël au désert et vous aurez causé la perte de tout ce peuple. »

¹⁶ S'approchant de lui, ils dirent : « Nous allons construire ici des parcs à moutons pour nos troupeaux et des villes pour nos enfants. ¹⁷ Et nous-mêmes, nous nous empresserons de prendre les armes pour marcher devant les fils d'Israël, jusqu'à ce que nous les ayons fait entrer chez eux. Nos enfants resteront ici dans les villes fortes où ils seront protégés contre les habitants du pays. ¹⁸ Nous ne retournerons pas dans nos maisons avant que chacun des fils d'Israël soit en possession de son héritage. ¹⁹ Mais nous ne participerons pas avec eux au partage, de l'autre côté du Jourdain, car l'héritage qui nous revient se trouve de ce côté-ci, à l'est du Jourdain. »

²⁰ Moïse leur dit : « Si vous faites cela, si vous prenez les armes devant le SEIGNEUR pour monter au combat, ²¹ si tous vos hommes de guerre passent le Jourdain devant le SEIGNEUR jusqu'à ce qu'il ait chassé devant lui tous ses ennemis, ²² si vous ne repartez qu'une fois le pays soumis devant le SEIGNEUR, vous serez quittes envers le SEIGNEUR et envers

---

y sicles: voir au glossaire POIDS ET MESURES • *z mémorial:* voir Ex 28.12 et la note
• *a Yazér* et *Galaad* constituent, à l'est du Jourdain, deux régions séparées par le torrent du Yabboq • *b reconnaître le pays:* voir chap. 13

32.1 Ruben et Gad Dt 3.12-20; Jos 13.15.28. **32.7-9** Pourquoi découragez-vous le peuple ? 13.17-33; Jos 14.6-12. **32.10-13** la colère du Seigneur 14.20-35.

Israël, et ce pays-ci sera votre patrimoine devant le SEIGNEUR. ²³ Mais si vous n'agissez pas ainsi, vous péchez contre le SEIGNEUR. Et sachez que votre péché vous poursuivrait. ²⁴ Construisez des villes pour vos enfants et des parcs pour vos moutons. Mais la promesse sortie de votre bouche, tenez-la. »

²⁵ Les fils de Gad, et les fils de Ruben dirent à Moïse : « Tes serviteurs se conformeront aux ordres de mon seigneur. ²⁶ Nos femmes et nos enfants, nos troupeaux et toutes nos bêtes resteront ici, dans les villes de Galaad. ²⁷ Et tes serviteurs, tous équipés pour partir en campagne, passeront devant le SEIGNEUR pour monter au combat, comme mon seigneur le dit. »

²⁸ Moïse donna des ordres à leur sujet au prêtre Eléazar, à Josué, fils de Noun, et aux chefs de famille des tribus des fils d'Israël. ²⁹ Il leur dit : « Si les fils de Gad et les fils de Ruben passent le Jourdain avec vous, tous armés pour monter au combat devant le SEIGNEUR, vous, quand le pays vous sera soumis, vous leur donnerez le pays de Galaad pour patrimoine. ³⁰ Mais s'ils ne passent pas avec vous en armes, ils auront leur patrimoine au milieu de vous dans le pays de Canaan. » ³¹ Les fils de Gad et les fils de Ruben répliquèrent : « Nous ferons ce que le SEIGNEUR a dit à tes serviteurs. ³² Nous-mêmes, en armes, nous passerons dans le pays de Canaan devant le SEIGNEUR ; mais pour nous, le patrimoine dont nous hériterons se trouve de ce côté-ci du Jourdain. »

³³ Moïse donna aux fils de Gad, aux fils de Ruben et à la moitié de la tribu de Manassé, fils de Joseph, le royaume de Sihôn, roi des *Amorites, et le royaume de Og, roi du Bashân ; le pays avec ses villes et leur territoire, les villes du pays environnant. ³⁴ Les fils de Gad reconstruisirent Divôn, Ataroth, Aroër, ³⁵ Atroth-Shofân, Yazér, Yogboha, ³⁶ Beth-Nimra et Beth-Harân ; ils construisirent des villes fortes et des parcs à moutons. ³⁷ Les fils de Ruben reconstruisirent Heshbôn, Eléalé, Qiryataïm, ³⁸ Nébo, Baal-Méôn —

dont les noms furent changés — et Sivma. Ils donnèrent d'autres noms aux villes qu'ils avaient reconstruites.

³⁹ Les fils de Makir, fils de Manassé, allèrent en Galaad, s'emparèrent du pays et chassèrent les Amorites qui s'y trouvaient. ⁴⁰ Alors Moïse donna Galaad à Makir, fils de Manassé, qui s'y installa. ⁴¹ Yaïr, fils de Manassé, alla s'emparer de leurs campements qu'il appela campements de Yaïr. ⁴² Novah alla s'emparer de Qenath et de ses dépendances ; il l'appela Novah, de son propre nom.

Les étapes depuis la sortie d'Egypte

33 ¹ Voici les étapes ᶜ que parcoururent les fils d'Israël lorsqu'ils sortirent du pays d'Egypte avec leurs armées sous la conduite de Moïse et Aaron. ² Moïse nota les stations d'où ils partaient sur l'ordre du SEIGNEUR. Voici donc leurs étapes ou leurs stations.

³ Ils partirent de Ramsès le premier mois, le quinzième jour de ce mois. C'est le lendemain de la *Pâque que les fils d'Israël sortirent librement sous les yeux de tous les Egyptiens, ⁴ tandis que ceux-ci enterraient ceux des leurs que le SEIGNEUR avait frappés pour faire justice de leurs dieux, c'est-à-dire tous les premiers-nés. ⁵ Partis de Ramsès, les fils d'Israël campèrent à Soukkoth. ⁶ Partis de Soukkoth, ils campèrent à Etâm, aux confins du désert. ⁷ Partis d'Etâm, ils revinrent sur Pi-Hahiroth, en face de Baal-Cefôn, et campèrent devant Migdol. ⁸ Partis de devant Hahiroth ᵈ, ils gagnèrent le désert en traversant la mer et, après trois jours de marche dans le désert d'Etâm, ils campèrent à Mara. ⁹ Partis de Mara, ils arrivèrent à Elîm où se trouvent douze sources et soixante-dix palmiers ; c'est là qu'ils campèrent. ¹⁰ Partis d'Elîm, ils campèrent près de la *mer des Joncs. ¹¹ Partis de la mer des Joncs, ils campèrent dans le désert de Sîn. ¹² Partis du désert de Sîn, ils campèrent à Dofqa. ¹³ Partis de Dofqa, ils campèrent à Aloush. ¹⁴ Partis d'Aloush, ils campèrent à Refidîm où le peuple n'eut pas d'eau à

---

c Certains noms de lieux donnés dans ce chapitre figurent ailleurs dans les Nombres ou dans l'Exode ; d'autres ne se trouvent qu'ici. Beaucoup sont difficiles à localiser • d Hahiroth ou Pi-Hahiroth (v. 7)

32.28-32 ordres donnés par Moïse Jos 1.12-15. **32.33** la demi-tribu de Manassé 26.29 ; Dt 3.13-15 ; Jos 13.29-31. **33.3** Ramsès Ex 1.11 ; 12.37. **33.4** les premiers-nés Ex 12.12. **33.5** Soukkoth Ex 12.37. **33.6** Etâm Ex 13.20. **33.7** Pi-Hahiroth, Migdol Ex 14.2. **33.8** Mara Ex 15.23. **33.9** Elîm Ex 15.27. **33.11** le désert de Sîn Ex 16.1. **33.14** Refidîm Ex 17.1.

boire. [15] Partis de Refidîm, ils campèrent dans le désert de Sinaï. [16] Partis du désert de Sinaï, ils campèrent à Qivroth-Taawa. [17] Partis de Qivroth-Taawa, ils campèrent à Hacéroth. [18] Partis de Hacéroth, ils campèrent à Ritma. [19] Partis de Ritma, ils campèrent à Rimmôn-Pèrèç. [20] Partis de Rimmôn-Pèrèç, ils campèrent à Livna. [21] Partis de Livna, ils campèrent à Rissa. [22] Partis de Rissa, ils campèrent à Qehélata. [23] Partis de Qehélata, ils campèrent au mont Shèfer. [24] Partis du mont Shèfer, ils campèrent à Harada. [25] Partis de Harada, ils campèrent à Maqehéloth. [26] Partis de Maqehéloth, ils campèrent à Tahath. [27] Partis de Tahath, ils campèrent à Tèrah. [28] Partis de Tèrah, ils campèrent à Mitqa. [29] Partis de Mitqa, ils campèrent à Hashmona. [30] Partis de Hashmona, ils campèrent à Mosséroth. [31] Partis de Mosséroth, ils campèrent à Bené-Yaaqân. [32] Partis de Bené-Yaaqân, ils campèrent à Hor-Guidgad. [33] Partis de Hor-Guidgad, ils campèrent à Yotvata. [34] Partis de Yotvata, ils campèrent à Avrona. [35] Partis de Avrona, ils campèrent à Eciôn-Guèvèr. [36] Partis de Eciôn-Guèvèr, ils campèrent dans le désert de Cîn, c'est-à-dire à Qadesh. [37] Partis de Qadesh, ils campèrent à Hor-la-Montagne, aux confins du pays d'Edom. [38] Sur l'ordre du SEIGNEUR, le prêtre Aaron monta à Hor-la-Montagne et c'est là qu'il mourut, quarante ans après la sortie des fils d'Israël du pays d'Egypte, au cinquième mois, le premier du mois. [39] Aaron avait cent vingt-trois ans lorsqu'il mourut à Hor-la-Montagne. [40] Les Cananéens — le roi d'Arad habitait le Néguev, dans le pays de Canaan — apprirent l'arrivée des fils d'Israël. [41] Partis de Hor-la-Montagne, ils campèrent à Çalmona. [42] Partis de Çalmona, ils campèrent à Pounôn. [43] Partis de Pounôn, ils campèrent à Ovoth. [44] Partis d'Ovoth, ils campèrent à Iyyé-Avarim, à la frontière de Moab. [45] Partis de Iyyim [e], ils campèrent à Divôn-Gad. [46] Partis de Divôn-Gad, ils campèrent à Almôn-Divlataïma. [47] Partis d'Almôn-Divlataïma, ils campèrent dans les monts Avarim, en face de Nébo. [48] Partis des monts Avarim, ils campèrent dans les plaines de Moab, au bord du Jourdain, à la hauteur de Jéricho. [49] Ils campèrent au bord du Jourdain depuis Beth-Yeshimoth jusqu'à Avel-Shittîm, dans les plaines de Moab.

Ordres de Dieu pour le partage de Canaan

[50] Le SEIGNEUR dit à Moïse dans les plaines de Moab, au bord du Jourdain à la hauteur de Jéricho : [51] « Parle aux fils d'Israël et dis-leur : Quand vous aurez passé le Jourdain pour entrer dans le pays de Canaan, [52] vous chasserez devant vous tous les habitants du pays, vous ferez disparaître toutes leurs idoles de pierre, vous ferez disparaître toutes leurs statues de métal fondu et vous supprimerez tous leurs *hauts lieux. [53] Vous prendrez possession du pays et vous y habiterez ; car c'est à vous que je donne ce pays pour que vous le possédiez. [54] Vous vous partagerez le pays entre vos clans par tirage au sort. Pour un clan plus important, vous ferez une part plus grande et, pour un clan plus restreint, une part plus petite. Chacun aura sa part à l'endroit qui lui sera dévolu par le sort ; vous ferez le partage entre vos tribus paternelles. [55] Mais si vous ne chassez pas devant vous les habitants du pays, ceux d'entre eux que vous aurez laissés seront comme des piquants dans vos yeux et des épines dans vos flancs. Ils vous harcèleront dans le pays même où vous habiterez, [56] et ce que j'avais pensé leur faire, c'est à vous que je le ferai. »

Les frontières de Canaan

34 [1] Le SEIGNEUR parla à Moïse : [2] « Donne aux fils d'Israël les ordres suivants : Lorsque vous entrerez dans le pays de Canaan, voici quel sera le pays qui vous reviendra en héritage : le pays de Canaan avec les frontières suivantes. [3] Votre limite sud commencera au désert de Cîn et longera Edom. A l'est, votre frontière sud partira de l'extrémité de la mer du Sel [f]. [4] Puis votre frontière

---

e Iyyim ou *Iyyé-Avarim* (v. 44) ● *f* désert de Cîn: voir 13.21 et la note. — *la mer de Sel: la mer Morte*

33.15 le désert de Sinaï Ex 19.2.   **33.16** Qivroth-Taawa 11.34.   **33.17** Hacéroth 11.35.   **33.31** Bené-Yaaqân Dt 10.6.   **33.32** Hor-Guidgad Cf. Dt 10.7.   **33.33** Yotvata Dt 10.7.   **33.35** Eciôn-Guèvèr Dt 2.8.   **33.36** le désert de Cîn, Qadesh 20.1.   **33.37** Hor-la-Montagne 20.22.   **33.38-39** mort d'Aaron 20.22-29; cf. Dt 10.6.   **33.40** le roi d'Arad 21.1-3.   **33.43** Ovoth 21.10.   **33.44** Iyyé-Avarim 21.11.   **33.48** les plaines de Moab 22.1.   **33.49** Beth-Yeshimoth Jos 12.3 — Avel-Shittîm cf. 25.1.   **33.51-52** la conduite en Canaan Ex 23.23-33; Dt 7.2-5; 12.1-3.   **33.54-56** le mode de partage 26.52-56+.   **33.55** piquants et épines Jos 23.13.   **34.3-5** la limite sud Jos 15.2-4.

obliquera au sud de la montée des Aqrabbîm et passera à Cîn pour aboutir au
sud de Qadesh-Barnéa, repartir vers Ha-
çar-Addar et passer à Açmôn. ⁵ D'Açmôn, la frontière obliquera vers le torrent
d'Egypte *g* pour aboutir à la mer. ⁶ Pour
la frontière ouest, la grande mer vous
servira de frontière *h* ; telle sera votre
frontière ouest. ⁷ Et voici quelle sera votre
frontière nord : vous la marquerez depuis
la grande mer jusqu'à Hor-la-Montagne *i*.
⁸ De Hor-la-Montagne, vous la marquerez
jusqu'à Lebo-Hamath. La frontière aboutira à Cedâd, ⁹ puis repartira vers Zifrôn
pour aboutir à Haçar-Einân. Telle sera
votre frontière nord. ¹⁰ Pour votre frontière est, vous marquerez une ligne de
Haçar-Einân à Shefâm. ¹¹ De Shefâm, la
frontière descendra sur Rivla, à l'est de
Aïn, puis elle descendra jusqu'à buter
contre les coteaux à l'est de la mer de
Kinnéreth *j*. ¹² Enfin elle descendra jusqu'au Jourdain pour aboutir à la mer du
Sel. Tel sera votre pays, avec les frontières qui l'entourent. »

¹³ Moïse donna aux fils d'Israël les
instructions suivantes : « Tel est le pays
que vous vous partagerez par tirage au
sort, le pays que le SEIGNEUR a prescrit
de donner aux neuf tribus et à la demi-
tribu *k*. ¹⁴ En effet la tribu des fils de
Ruben avec ses familles et la tribu des
fils de Gad avec ses familles ainsi que la
moitié de la tribu de Manassé ont déjà
reçu leur héritage *l*. ¹⁵ Ces deux tribus et
la demi-tribu ont reçu leur héritage au-
delà du Jourdain, à la hauteur de Jéricho,
à l'est, au levant. »

Liste des responsables du partage

¹⁶ Le SEIGNEUR parla à Moïse . ¹⁷ « Voici les noms des hommes qui feront le
partage du pays entre vous : le prêtre
Eléazar et Josué, fils de Noun. ¹⁸ Vous
prendrez en outre un responsable par
tribu pour faire le partage du pays. ¹⁹ Et
voici les noms de ces hommes : pour la
tribu de Juda, Caleb, fils de Yefounnè.

²⁰ Pour la tribu des fils de Siméon, Shemouël, fils de Ammihoud. ²¹ Pour la
tribu de Benjamin, Elidad, fils de Kislôn.
²² Pour la tribu des fils de Dan, responsable : Bouqqi, fils de Yogli. ²³ Pour les
fils de Joseph, pour la tribu des fils de
Manassé, responsable : Hanniël, fils d'E-
fod ; ²⁴ pour la tribu des fils d'Ephraïm,
responsable : Qemouël, fils de Shiftân.
²⁵ Pour la tribu des fils de Zabulon, responsable : Eliçafân, fils de Parnak. ²⁶ Pour
la tribu des fils d'Issakar, responsable :
Paltiël, fils de Azzân. ²⁷ Pour la tribu des
fils d'Asher, responsable : Ahihoud, fils
de Shelomi. ²⁸ Pour la tribu des fils de
Nephtali, responsable : Pedahel, fils de
Ammihoud. » ²⁹ Tels sont les hommes
auxquels le SEIGNEUR ordonna de faire le
partage entre les fils d'Israël dans le pays
de Canaan.

Les villes attribuées aux lévites

35 ¹ Le SEIGNEUR parla à Moïse dans
les plaines de Moab près du Jourdain à la hauteur de Jéricho. Il lui dit :
² « Ordonne aux fils d'Israël de céder une
part de leur patrimoine aux *lévites, des
villes où ils pourront s'établir. Vous leur
donnerez aussi des terres autour de ces
villes. ³ Les villes seront pour eux, pour
qu'ils y habitent, et les terres seront pour
leur bétail, pour leur matériel et pour tous
leurs animaux. ⁴ Les terres de ces villes
que vous donnerez aux lévites, s'étendront à partir du mur de la ville sur
mille coudées *m* à la ronde. ⁵ Vous mesurerez à l'extérieur de la ville du côté est
deux mille coudées, du côté sud deux
mille coudées, du côté ouest deux mille
coudées, et du côté nord deux mille coudées, la ville étant au centre. Voilà les
terres qu'ils auront autour de leurs villes.
⁶ Les villes que vous céderez aux lévites
sont les six villes de refuge que vous insti-
tuerez pour que les meurtriers y trouvent
refuge *n* ; vous y ajouterez quarante-deux
autres villes. ⁷ Les villes que vous céderez
aux lévites seront quarante-huit en tout,
chacune avec ses terres. ⁸ Pour ces villes

---

g Le *torrent d'Egypte* est probablement le *Wadi Arish* qui se jette dans la Méditerranée à
environ 80 km au sud-ouest de Gaza ● *h la grande mer:* un des noms de la Méditerranée dans
l'AT. — *vous servira de frontière:* texte peu clair et traduction incertaine ● *i* Montagne non identifiée, mais en tout cas différente de celle mentionnée en 20.22-29 et 33.37-41 ● *j* mer de Kinnéreth:
appelée plus tard *lac de Génésareth, mer de Tibériade* ou *mer de Ga ilée* ● *k la demi-tribu:* de
Manassé; l'autre demi-tribu est mentionnée au v. 14 ● *l déjà reçu leur héritage:* voir 32.33 ●
m coudées: voir au glossaire POIDS ET MESURES ● *n y trouvent refuge:* voir les v. 9-34

34.6 la frontière ouest Jos 15.12. **34.13** le partage 26.52-56+. **34.14-15** Ruben, Gad et Manassé
32.1+ ; 32.29+. **34.16** les responsables du partage Jos 14.1 ; 19.51. **35.2-8** les villes lévitiques
Lv 25.32-34 ; Jos 21.1-42 ; 1 Ch 6.39-66.

que vous prendrez sur le domaine des fils d'Israël, vous en prendrez plus à ceux qui ont plus et moins à ceux qui ont moins. Chaque tribu cédera de ses villes aux lévites en proportion du patrimoine qui lui est échu. »

Les villes de refuge pour les meurtriers

⁹ Le SEIGNEUR dit à Moïse : ¹⁰ « Dis aux fils d'Israël : Quand vous passerez le Jourdain pour entrer dans le pays de Canaan, ¹¹ vous vous choisirez *o* des villes qui vous serviront de villes de refuge. Un meurtrier qui aura tué involontairement y trouvera refuge. ¹² Ces villes vous serviront de refuge pour vous permettre d'échapper au vengeur *p*. Le meurtrier ne sera pas mis à mort avant d'avoir comparu devant la communauté pour être jugé. ¹³ Parmi les villes que vous réserverez, vous aurez six villes de refuge ; ¹⁴ vous en réserverez trois de l'autre côté du Jourdain et trois dans le pays de Canaan. Ce seront des villes de refuge. ¹⁵ Ces six villes serviront de refuge aussi bien aux fils d'Israël qu'à l'émigré et à l'hôte de passage au milieu d'eux ; quiconque aura tué involontairement y trouvera refuge. ¹⁶ Si c'est avec un objet en fer qu'il a frappé sa victime et causé sa mort, c'est un meurtrier ; et le meurtrier sera mis à mort. ¹⁷ S'il l'a frappée et a causé la mort en lançant *q* une pierre qui peut tuer, c'est un meurtrier ; et le meurtrier sera mis à mort. ¹⁸ Ou s'il l'a frappée et a causé sa mort en lançant un objet de bois qui peut tuer, c'est un meurtrier ; et le meurtrier sera mis à mort. ¹⁹ C'est le vengeur qui mettra à mort le meurtrier : dès qu'il le rencontrera, c'est lui qui le mettra à mort. ²⁰ Si quelqu'un a heurté sa victime avec haine ou s'il lui a lancé quelque chose avec méchanceté et qu'il ait causé sa mort, ²¹ s'il l'a frappée du poing avec hostilité et qu'il ait causé sa mort, celui qui a frappé sera mis à mort : c'est un meurtrier. C'est le vengeur qui mettra le meurtrier à mort dès qu'il le rencontrera. ²² Mais si c'est par hasard et sans hostilité qu'il l'a heurtée, ou s'il lui a lancé un objet quelconque sans méchanceté, ²³ ou si, sans la voir, il l'a atteinte avec une pierre quelconque qui pouvait tuer — en faisant tomber cette pierre sur elle, il a causé sa mort — si donc il l'a fait sans lui être hostile et sans lui vouloir du mal, ²⁴ la communauté prononcera d'après ces règles entre celui qui a frappé et le vengeur. ²⁵ La communauté sauvera le meurtrier de la main du vengeur et le ramènera à la ville de refuge où il s'était réfugié. Il y demeurera jusqu'à la mort du grand prêtre consacré par l'huile sainte. ²⁶ Mais si le meurtrier s'avise de sortir du territoire de la ville de refuge où il s'est réfugié ²⁷ et que le vengeur le trouve en dehors du territoire de sa ville de refuge et qu'il le tue, le vengeur ne commet pas de crime. ²⁸ Le meurtrier restera donc dans sa ville de refuge jusqu'à la mort du grand prêtre. Après la mort de celui-ci, il retournera dans son coin de terre. ²⁹ Ce sera pour vous d'âge en âge une règle de droit, partout où vous habiterez.

³⁰ Dans tous les cas de meurtre, on ne tuera le meurtrier que sur la déposition de plusieurs témoins. On ne condamnera pas quelqu'un à mort sur la déposition d'un seul témoin. ³¹ Vous n'accepterez pas d'indemnité pour la vie d'un meurtrier qui mérite la mort ; mais il sera mis à mort. ³² Vous n'accepterez pas non plus d'indemnité pour le laisser chercher refuge dans une ville de refuge ou retourner habiter dans le pays avant la mort du prêtre. ³³ Vous ne profanerez *s* pas le pays où vous vous trouvez ; en effet le sang est une chose qui profane le pays. Et on ne peut laver le pays du sang qui y a été versé que par le sang de celui qui l'a versé. ³⁴ Tu ne souilleras pas le pays où vous vous trouvez, au milieu duquel je demeure, car je suis le SEIGNEUR et je demeure au milieu des fils d'Israël. »

---

o vous vous choisirez ou *vous trouverez* ● *p* D'après la *loi du talion* (Ex 21.23-25; Lv 24.19-21; Dt 19.21), le meurtre appelait le meurtre; en fait un proche parent de la victime avait le devoir de *venger* le défunt en faisant mourir le meurtrier ● *q en lançant:* autre traduction *en tenant dans la main.* Même expression au verset suivant ● *r* Le texte ne permet pas de savoir de quelle *communauté* il s'agit. D'après le v.25, il ne peut s'agir de la communauté de la ville de refuge ● *s profanerez* ou *souillerez* (il s'agit pourtant en hébreu d'un autre verbe qu'au v. 34)

35.9-28 les villes de refuge Dt 4.41-43; 19.1-13; Jos 20.1-9. **35.15** meurtre involontaire Cf. Ex 21.12-13; 22.1-2. **35.30** plusieurs témoins Dt 17.6; 19.15; Mt 18.16+. **35.31** pas d'indemnité Ps 49.8-9. **35.33** laver le sang Gn 9.5-6; Lv 24.17+. **35.34** Dieu demeure au milieu du peuple Lv 15.31+.

Règle pour le mariage des femmes qui héritent

36 ¹ Alors se présentèrent les chefs de famille du clan des fils de Galaad, fils de Makir, fils de Manassé, l'un des clan des fils de Joseph. Ils prirent la parole devant Moïse et devant les responsables, chefs de tribus des fils d'Israël. ² « Le SEIGNEUR, dirent-ils, a ordonné à mon seigneur de donner le pays aux fils d'Israël en le partageant par tirage au sort. Et mon seigneur a reçu du SEIGNEUR l'ordre de donner l'héritage de notre frère Celofehad à ses filles *t*. ³ Or, si elles épousent un homme d'une autre tribu des fils d'Israël, leur héritage sera retranché de l'héritage de nos pères et s'ajoutera à celui de la tribu dans laquelle elles entreront ; il sera retranché de la part d'héritage qui nous est échue. ⁴ Quand viendra pour les fils d'Israël l'année du jubilé *u*, leur héritage sera ajouté à celui de la tribu dans laquelle elles entreront et sera retranché de l'héritage de la tribu de nos pères. »
⁵ Et Moïse, sur l'ordre du SEIGNEUR, donna aux fils d'Israël les instructions suivantes : « Les fils de la tribu de Joseph ont raison. ⁶ Voici donc l'ordre que donne le SEIGNEUR au sujet des filles de Celofehad : Elles épouseront qui leur plaira pourvu que ce soit un homme d'un clan de la tribu de leur père. ⁷ Ainsi parmi les fils d'Israël un héritage ne passera pas d'une tribu à l'autre ; les fils d'Israël resteront attachés chacun à l'héritage de la tribu de ses pères. ⁸ Toute fille qui héritera d'une part dans l'une des tribus des fils d'Israël ne pourra épouser qu'un homme d'un clan de la tribu de son père. Ainsi chacun des fils d'Israël possédera l'héritage de ses pères. ⁹ Un héritage ne passera pas d'une tribu à l'autre, mais tribus des fils d'Israël resteront attachées chacune à son héritage. »
¹⁰ Les filles de Celofehad firent comme le SEIGNEUR l'avait ordonné à Moïse. ¹¹ Mahla, Tirça, Hogla, Milka et Noa, filles de Celofehad, épousèrent des fils de leurs oncles. ¹² Elles épousèrent donc des hommes appartenant aux familles des fils de Manassé, fils de Joseph. Et leur héritage resta dans la tribu à laquelle appartenait le clan de leur père.
¹³ Tels sont les ordres et les règles que le SEIGNEUR prescrivit aux fils d'Israël par l'intermédiaire de Moïse, dans les plaines de Moab, au bord du Jourdain, à la hauteur de Jéricho.

---

t Voir 27.1-11 ● *u année du jubilé:* voir Lv 25.8-54

36.5-6 l'ordre du Seigneur 9.8+.

LE DEUTÉRONOME

PREMIER DISCOURS DE MOÏSE

1 ¹ Voici les paroles que Moïse adressa à tout Israël, au-delà du Jourdain, au désert, dans la Araba, en face de Souf, entre Parân, Tofel, Lavân, Hacéroth et Di-Zahav *ᵃ*. ² Il y a onze jours de marche de l'Horeb à Qadesh-Barnéa sur le chemin de la montagne de Séïr *ᵇ*. ³ Or l'an quarante *ᶜ*, le onzième mois, le premier du mois, Moïse parla aux fils d'Israël, suivant tout ce que le SEIGNEUR lui avait ordonné pour eux. ⁴ Après avoir battu Sihôn, roi des *Amorites, qui résidait à Heshbôn, après avoir battu à Edrèï Og, roi du Bashân *ᵈ*, qui résidait à Ashtaroth, ⁵ au-delà du Jourdain, dans le pays de Moab, Moïse se mit à leur exposer la Loi que voici :

Dieu donne à Israël l'ordre du départ

⁶ A l'Horeb, le SEIGNEUR notre Dieu nous a parlé ainsi : « Il y a bien long-temps que vous restez dans cette montagne ; ⁷ tournez-vous pour partir, entrez dans la montagne des *Amorites et chez tous leurs voisins, dans la Araba, la Montagne, le *Bas-Pays, le Néguev et sur la Côte, dans le pays des Cananéens et au Liban, jusqu'au grand fleuve, l'Euphrate *ᵉ*. ⁸ Voyez : je vous remets le pays : entrez et prenez possession du pays que le SEIGNEUR a juré de donner à vos pères Abraham, Isaac et Jacob, et à leur descendance après eux. »

Moïse institue des juges

⁹ Alors je vous ai dit : « Je ne peux pas vous porter à moi tout seul : ¹⁰ le SEIGNEUR votre Dieu vous a rendus nombreux, et voici que vous êtes aujourd'hui aussi nombreux que les étoiles du ciel. ¹¹ Que le SEIGNEUR, le Dieu de vos pères, vous multiplie encore mille fois plus, et qu'il vous bénisse comme il vous l'a promis : ¹² comment, à moi tout seul, porterais-je vos rancœurs, vos réclamations et vos contestations ? ¹³ Amenez ici, pour vos tribus, des hommes sages, intelligents et éprouvés ; je les mettrai à votre tête. » Et vous m'avez répondu : « Ce que tu nous dis de faire est bon. » ¹⁵ J'ai donc pris vos chefs de tribus, des hommes sages et éprouvés, et j'en ai fait vos chefs : des chefs de milliers, de cinquantaines, de dizaines, et des commissaires, pour vos tribus.

¹⁶ Alors j'ai donné des ordres à vos juges : « Vous entendrez les causes de vos frères, et vous trancherez avec justice les affaires de chacun avec son frère, ou avec l'émigré qu'il a chez lui. ¹⁷ Vous

---

a Araba : autres traductions *vallée, plaine*. Comme nom propre, ce mot désigne le fond de la vallée qui s'étend au nord et au sud de la mer Morte. — *Souf... Di-Zahav* : endroits non identifiés ● *b Horeb* : voir Ex 3.1 et la note. — *Qadesh-Barnéa* : voir Gn 16.14 et la note. — *Séïr* : voir Gn 32.4 et la note ● *c an quarante* : du séjour dans le désert ● *d Bashân* : région à l'Est de la mer de Kinné-reth ● *e* Enumération des diverses régions de la Terre Promise étendue à des limites idéales. — *Euphrate* : voir Gn 2.14 et la note

1.1 Paroles de Moïse en Moab 4.45-49 — tout Israël 5.1 ; 27.9 ; 29.1. **1.4** Sihôn et Og 2.24—3.17 ; 4.46-49 ; Nb 21.21-35 ; Jos 2.10 ; 12.2-6 ; 13.15-31 ; Ps 136.17-22. **1.7** le Seigneur ordonne de changer de direction 1.40 ; 2.1, 3 ; 3.1. **1.8** le Seigneur a promis de donner le pays 1.35 ; 6.10 ; 7.13 ; 8.1 ; 9.5 ; 10.11 ; 11.9 ; 26.3, 15 ; 31.7, 21, 23 ; 34.4 ; Gn 12.7 ; 15.7-19 ; 26.2-5 ; 28.13-15 ; Jos 1.6 ; 5.6 ; 21.43 ; *Si* 44.21. **1.9** institution des juges 16.18 ; Ex 18.13-26 ; Nb 11.11-17 ; leurs obligations 16.18-20 ; 17.8-13 ; 25.1-3 ; cf. Ex 23.2-8. **1.10** descendance d'Abraham aussi nombreuse que les étoiles 10.22 ; Gn 15.5 ; 22.17 ; *Dn* 3.36 ; He 11.12. **1.11** le Dieu des pères 1.21 ; 4.1 ; 6.3 ; 12.1 ; 26.7 ; 27.3 ; 29.24 ; Ex 3.13 ; Jos 18.3 ; Jg 2.12. **1.16** instruire les causes 17.4 ; Jn 7.51.

n'aurez pas de partialité dans le jugement : entendez donc le petit comme le grand, n'ayez peur de personne, car le jugement appartient à Dieu. Si une affaire vous paraît trop difficile, soumettez-la-moi, et je l'entendrai. » [18] Et alors, je vous ai donné des ordres sur tout ce que vous aviez à faire.

Rébellion d'Israël au seuil du pays promis

[19] Puis nous sommes partis de l'Horeb ; nous avons traversé ce désert grand et terrible que vous avez vu, sur le chemin de la montagne des *Amorites, comme le SEIGNEUR notre Dieu nous l'avait ordonné, et nous sommes arrivés à Qadesh-Barnéa [f]. [20] Je vous ai dit : « Vous êtes arrivés à la montagne des Amorites que le SEIGNEUR notre Dieu nous donne. [21] Vois : le SEIGNEUR ton Dieu t'a remis le pays. Monte, prends-en possession comme le SEIGNEUR, le Dieu de tes pères, te l'a promis. Ne crains pas ! Ne te laisse pas abattre ! » [22] Alors, vous êtes tous venus à moi, et vous m'avez dit : « Envoyons donc des hommes devant nous : ils feront pour nous une reconnaissance du pays, ainsi qu'un rapport sur le chemin où nous devrons monter, et sur les villes où nous arriverons. » [23] Cela m'a paru bon, et j'ai pris parmi vous douze hommes, un par tribu. [24] Ils se sont tournés pour monter vers la montagne. Arrivés aux gorges d'Eshkol [g], ils les ont explorées. [25] Ils ont pris des fruits du pays qu'ils nous ont rapportés dans leurs mains en descendant, et ils nous ont fait leur rapport. Ils disaient : « Le pays que le SEIGNEUR notre Dieu nous donne, c'est un bon pays ! » [26] Mais vous avez refusé d'y monter ; vous avez été rebelles à la voix du SEIGNEUR votre Dieu, [27] et vous avez déblatéré sous vos tentes en disant : « C'est par haine contre nous que le SEIGNEUR

nous a fait sortir du pays d'Egypte ! C'est pour nous livrer entre les mains des *Amorites ! C'est pour nous exterminer ! [28] Où donc montons-nous ? Nos frères ont fait fondre notre courage en disant : "C'est un peuple plus grand et plus fort que nous, avec des villes grandes, fortifiées, perchées dans le ciel ; nous y avons même vu des Anaqites [h] !" » [29] Je vous ai dit : « Ne tremblez pas, ne les craignez pas ! [30] Le SEIGNEUR votre Dieu qui marche devant vous combattra lui-même pour vous, exactement comme il a fait pour vous en Egypte sous vos yeux, [31] et dans le désert où tu as vu le SEIGNEUR ton Dieu te porter comme un homme porte son fils, tout au long de la route que vous avez parcourue pour arriver jusqu'en ce lieu. » [32] Et dans cette affaire, vous n'avez pas mis votre foi dans le SEIGNEUR votre Dieu, [33] lui qui marchait devant vous sur la route pour vous chercher un lieu de camp, dans le feu pendant la nuit pour vous éclairer sur la route où vous marchiez, et dans la nuée pendant le jour.

[34] Le SEIGNEUR a entendu les paroles que vous disiez. Il s'est irrité et il a fait ce serment : [35] « Pas un de ces hommes, personne de cette génération mauvaise, ne verra le bon pays que j'ai juré de donner à vos pères, [36] sauf Caleb, fils de Yefounnè : lui, il le verra, et à lui je donnerai, ainsi qu'à ses fils, la terre qu'il a foulée, parce qu'il a suivi sans réserve le SEIGNEUR. » [37] Même contre moi, le SEIGNEUR s'est mis en colère à cause de vous. Il a dit : « Même toi, tu n'y entreras pas ! [38] Josué, fils de Noun, qui est à ton service, y entrera, lui ; affermis son courage, car c'est lui qui fera hériter Israël du pays. [39] Et vos enfants, dont vous disiez qu'ils seraient capturés, vos fils qui ne savent pas encore distinguer le bien du mal, eux ils y entreront. C'est à eux que je le donnerai, c'est eux qui en prendront posses-

[f] Voir Gn 16.14 et la note ● [g] Voir Nb 13.23 et la note ● [h] perchées dans le ciel: allusion soit à la hauteur des murailles, soit aux escarpements sur lesquels les villes sont bâties. — Anaqites: voir Nb 13.22 et la note

1.17 pas de partialité Lv 19.15; Pr 24.23; Jc 2.9; cf. Dt 10.17. **1.19** Exploration du pays et rébellion Nb 13—14. **1.21** prendre possession du pays 4.5, 14, 22; 6.1; 7.1; 9.5; 11.8, 11, 29; 12.29; 23.21; 28.21, 63; 30.16; 31.13; 32.47; Jos 1.11; cf. Dt 9.1 — Dieu des pères 1.11+. **1.25** bon pays 1.35; 3.25; 4.21; 6.18; 8.7; 9.6; 11.17; Nb 14.7; Jos 23.13. **1.28** villes fortifiées des Anaqites 9.1-2; Nb 13.28; Jos 14.12. **1.29** Ne tremblez pas 7.21; 20.1-4; 31.6; 2 Rs 1.9. **1.30** vous avez vu les actions du Seigneur 29.1-2 — Dieu combattra 3.22+. **1.31** Dieu a porté Israël Os 11.3-4 — Israël, fils de Dieu Ex 4.22+; Es 63.16; 64.7; Jr 31.9; Si 36.17. **1.33** la nuée Ex 13.21+. **1.35** génération sortie d'Egypte 2.14; Nb 14.22-23, 29-30; Ps 95.11; He 3.16 — bon pays 1.25+ — pays promis 1.8+. **1.36** Caleb Nb 14.24; 26.65 — ses fils Jos 14.6-15; Jg 1.20. **1.37** colère contre Moïse 3.26; 4.21; 32.50-52; cf. Nb 20.12. **1.38** Josué 3.21, 28; 31.7-8; 34.9; Nb 27.18.23; Jos 1.1, 5-9. **1.39** enfants capturés Nb 14.3.

sion. ⁴⁰ Mais vous, tournez-vous pour repartir au désert, sur le chemin de la
*mer des Joncs. »
⁴¹ Vous m'avez répondu : « Nous
avons péché contre le SEIGNEUR ! Nous
allons monter et combattre, suivant tout
ce que le SEIGNEUR notre Dieu nous a ordonné. » Chacun de vous a pris son
équipement de combat, et vous avez cru
monter facilement dans la montagne.
⁴² Alors le SEIGNEUR m'a dit : « Dis-leur :
Vous ne monterez pas ! Vous ne com-
battrez pas, car je ne suis pas au milieu
de vous ! Ne vous faites pas vaincre
par vos ennemis ! » ⁴³ Je vous ai parlé,
mais vous n'avez pas écouté ; vous avez
été rebelles à la voix du SEIGNEUR, et,
dans votre présomption, vous êtes montés
dans la montagne. ⁴⁴ Alors les Amorites
qui habitent cette montagne sont sortis
à votre rencontre et, comme un essaim
d'abeilles, ils vous ont poursuivis ; ils
vous ont mis en pièces de Séïr jusqu'à
Horma.
⁴⁵ En revenant, vous avez pleuré devant
le SEIGNEUR ; mais le SEIGNEUR n'a pas
écouté votre voix, il ne vous a pas prêté
l'oreille. ⁴⁶ Et vous êtes restés longtemps
à Qadesh, aussi longtemps que vous y
étiez restés ⁱ.

2 ¹ Puis nous nous sommes tournés
pour partir vers le désert, sur le
chemin de la *mer des Joncs, comme le
SEIGNEUR me l'avait dit, et nous avons
contourné longtemps la montagne de
Séïr ʲ.

Traversée des pays d'Edom, Moab et Ammon

² Puis le SEIGNEUR m'a dit : ³ « Il y a
bien longtemps que vous contournez cette
montagne : tournez-vous vers le nord !
⁴ Donne au peuple cet ordre : Vous allez
passer sur le territoire de vos frères, les
fils d'Esaü qui habitent en Séïr. Ils auront peur de vous, mais prenez bien

garde : ⁵ ne vous engagez pas contre
eux ᵏ, je ne vous donnerai rien dans leur
pays, pas même de quoi poser la plante
du pied, car c'est à Esaü que j'ai donné
en possession la montagne de Séïr. ⁶ La
nourriture que vous mangerez, vous la
leur achèterez à prix d'argent ; et même
l'eau que vous boirez, vous vous la pro-
curerez chez eux à prix d'argent. ⁷ Car
le SEIGNEUR ton Dieu t'a béni dans toutes tes actions, il a connu ta marche
dans ce grand désert ; voilà quarante
ans que le SEIGNEUR ton Dieu est avec
toi, et tu n'as manqué de rien. » ⁸ Puis,
en partant de chez nos frères, les fils
d'Esaü qui habitent en Séïr, nous sommes passés par la route de la Araba
qui vient d'Eilath et de Eciôn-Guèvèr.
Nous nous sommes tournés pour passer
dans la direction du désert de Moab ˡ.

⁹ Et le SEIGNEUR m'a dit : « N'attaque
pas Moab, n'engage pas le combat contre
lui ; je ne te donnerai rien en possession
dans son pays, car c'est aux fils de Loth
que j'ai donné Ar ᵐ en possession.
¹⁰ — Les Emites y habitaient auparavant,
un peuple grand, nombreux et de haute
taille comme les Anaqites ⁿ ; ¹¹ ils étaient
considérés aussi comme des Refaïtes ᵒ, à
la manière des Anaqites, mais les Moabites les appelaient Emites ; ¹² de même
en Séïr avaient habité autrefois les Horites ; les fils d'Esaü les avaient dépossédés et exterminés de devant eux, et ils
ont habité à leur place, comme Israël
l'a fait pour le pays qui est en sa possession, celui que le SEIGNEUR lui a donné.
— ¹³ Maintenant, en route, passez les
gorges du Zéred ᵖ. » Et nous avons passé
les gorges du Zéred. ¹⁴ La durée de notre
marche depuis Qadesh-Barnéa jusqu'au
passage des gorges du Zéred avait été de
trente-huit ans — jusqu'à ce que toute la
génération des combattants ait entièrement disparu du camp, comme le SEI-
GNEUR le leur avait juré ; ¹⁵ et même la
main du SEIGNEUR avait été sur eux pour

ⁱ *aussi longtemps que vous y étiez restés:* l'infidélité d'Israël l'a condamné à rester à Qadesh
pour un second séjour aussi long que le premier. On traduit parfois *aussi longtemps que vous
deviez y rester* ● ʲ Voir Gn 32.4 et la note ● ᵏ *ne vous engagez pas contre eux* ou *ne les attaquez
pas* ● ˡ *Araba:* voir 1.1 et la note. — *Eilath* et *Eciôn-Guèvèr* sont à l'extrémité sud de la *Araba*.
Moab est à l'est de la mer Morte ● ᵐ *Les fils de Loth* désignent ici *Moab* et *Ammon* (v. 19).
— *Ar:* capitale du pays de *Moab* ● ⁿ Voir Nb 13.22 et la note ● ᵒ Ancienne population du
pays de Canaan (voir v. 20-21) ● ᵖ rivière de Transjordanie, à l'extrémité sud de la mer Morte

1.40 Tournez-vous pour partir 1.7+. **1.42** le Seigneur abandonne Israël 31.17; Nb 14.43.
1.44 abeilles Ps 118.12 — mis en pièces Nb 14.45. **2.1** changement de direction 1.7+. **2.4**
tentative de passage à travers Edom Nb 20.14-21. **2.5** territoire d'Esaü Gn 36.8. **2.6** payer la
nourriture 2.28. **2.7** Dieu te bénit dans toutes tes actions 14.29; 16.15; 24.19; 28.12; Jb 1.10;
cf. Dt 30.9; Ps 90.17. **2.8** changement de direction 1.7+. **2.9** passage à travers Moab 23.4-7;
Nb 21.10-20. — fils de Loth 2.19; Gn 19.30-38. **2.11** Refaïtes 2.20-21; 3.11; Gn 14.5; Jos 12.4;
17.15. **2.12** Horites Gn 14.6. **2.14** génération sortie d'Egypte 1.35+.

les chasser du camp, jusqu'à ce qu'ils disparaissent entièrement.

[16] Et lorsque la mort eut fait disparaître entièrement du milieu du peuple tous ces combattants, [17] le SEIGNEUR m'a parlé ainsi : [18] « Tu vas passer aujourd'hui par le territoire de Moab, par Ar. [19] Tu arriveras en face de chez les fils d'Ammon ; n'attaque pas, ne t'engage pas contre eux ; je ne te donnerai rien en possession dans le pays des fils d'Ammon, car c'est aux fils de Loth que je l'ai donné en possession. [20] — C'était considéré aussi comme un pays de Refaïtes ; des Refaïtes y avaient habité auparavant, les Ammonites les appelaient Zamzoummites ; [21] ils avaient été un peuple grand, nombreux et de haute taille comme les Anaqites, mais le SEIGNEUR les avait exterminés de devant les Ammonites ; ceux-ci les avaient dépossédés et ils ont habité à leur place. [22] Le SEIGNEUR en avait fait autant pour les fils d'Esaü qui habitent en Séïr, en exterminant de devant eux les Horites, qu'ils avaient dépossédés, et ils ont habité à leur place jusqu'à ce jour ; [23] et les Avvites qui habitaient dans les villages jusqu'à Gaza, les Kaftorites *q* qui viennent de Kaftor les avaient exterminés et ils ont habité à leur place —.

Occupation du royaume de Sihôn

[24] « En route, partez, passez les gorges de l'Arnôn *r* ! Vois, j'ai livré entre tes mains Sihôn l'*Amorite, roi de Heshbôn, et son pays. Commence à en prendre possession, engage contre lui le combat. [25] En ce jour, je commence à mettre la terreur et la peur de toi sur le visage des peuples qui habitent sous tous les cieux ; quand ils entendront parler de toi, ils trembleront et frémiront devant toi. » [26] Alors, du désert de Qedémoth *s*, j'ai envoyé des messagers à Sihôn, roi de Heshbôn, avec des paroles de paix : [27] « Laisse-moi passer à travers ton pays par la route ! J'irai par la route, sans

dévier ni à droite ni à gauche ; [28] la nourriture que je mangerai, tu me la fourniras à prix d'argent, et l'eau que je boirai, tu me la donneras à prix d'argent. Laisse-moi simplement passer à pied, [29] comme me l'ont permis les fils d'Esaü qui habitent en Séïr, et les Moabites qui habitent à Ar, jusqu'à ce que je passe le Jourdain, pour arriver au pays que le SEIGNEUR notre Dieu nous donne. » [30] Mais Sihôn, roi de Heshbôn, n'a pas voulu nous laisser passer par chez lui, car le SEIGNEUR ton Dieu avait rendu son esprit inflexible et son *cœur résistant, pour le livrer entre tes mains ce jour-là. [31] Et le SEIGNEUR m'a dit : « Vois, j'ai commencé à te livrer Sihôn et son pays ; commence à entrer en possession de son pays. » [32] Sihôn sortit à notre rencontre, lui et tout son peuple, pour combattre à Yahaç. [33] Et le SEIGNEUR notre Dieu nous le livra ; nous l'avons battu, ainsi que ses fils et tout son peuple.

[34] Alors, nous avons occupé toutes ses villes, et nous avons voué à l'interdit *t* chaque ville : les hommes, les femmes et les enfants ; nous n'avons laissé survivre aucun reste. [35] Nous avons seulement gardé le bétail comme butin, ainsi que les dépouilles des villes que nous avions occupées. [36] Depuis Aroër qui est sur le rebord des gorges de l'Arnôn et depuis la ville qui est au fond des gorges jusqu'au Galaad, il n'y a pas eu pour nous de cité imprenable : le SEIGNEUR notre Dieu nous avait tout remis. [37] Il n'y a que le pays des fils d'Ammon dont tu ne t'es pas approché : tout le bord des gorges du Yabboq, les villes de la montagne et tous les lieux que le SEIGNEUR notre Dieu nous avait défendus.

Occupation du royaume de Og

3 [1] Nous nous sommes tournés pour monter dans la direction du Bashân *u*, mais Og, roi du Bashân, est sorti à notre rencontre, lui et tout son peuple, pour combattre à Edrèï.

---

q Gaza: ville proche de la côte, au sud-ouest de la Palestine. — *Kaftorites:* autre nom des Philistins (voir Gn 26.1 et la note) ● *r* Rivière qui se jette dans la mer Morte, à l'est ● *s désert de Qedémoth:* au nord de l'Arnôn ● *t voué à l'interdit:* à l'origine, cette coutume des peuples sémitiques réservait au chef une part de ce qui était pris à l'ennemi. En Israël, qui mène la guerre sainte avec Dieu pour chef (Dt 20.4), la part consacrée à Dieu doit être détruite. L'*interdit* peut concerner les êtres vivants (2.34) aussi bien que les objets matériels (Jos 6.17-19). Le but religieux de l'*interdit* est défini en Dt 7.4-6 et 20.16-18. En dehors de la guerre l'interdit est une simple consécration à Dieu sans destruction (Nb 18.14) ● *u* Voir 1.4 et la note

2.24 Arnon Nb 21.13 — Sihôn 1.4+. **2.28** payer la nourriture 2.6. **2.29** Edom et Moab ont laissé le passage 2.6, 19. **2.30** endurcissement Ex 7.3+. **2.35** butin 3.7; 20.14; Jos 8.2. **3.1** changement de direction 1.7+ — Og 1.4+.

² Le SEIGNEUR m'a dit : « N'aie pas peur de lui, car je l'ai livré entre tes mains, avec tout son peuple et son pays ; tu le traiteras comme tu as traité Sihôn, le roi des *Amorites, qui résidait à Heshbôn. » ³ Et le SEIGNEUR notre Dieu a encore livré entre nos mains Og, roi du Bashân, et tout son peuple, que nous avons battu sans y laisser survivre aucun reste. ⁴ Alors nous avons occupé toutes ses villes, et il n'y a pas eu chez eux de cité que nous n'ayons prise. Cela faisait soixante villes, toute la région d'Argov dans le Bashân où régnait Og, ⁵ rien que des villes fortifiées avec une haute muraille et une porte à deux battants verrouillée, sans compter un très grand nombre de villages. ⁶ Et nous les avons voués à l'interdit *v* comme nous l'avions fait pour Sihôn, roi de Heshbôn ; nous avons voué à l'interdit chaque ville : les hommes, les femmes et les enfants. ⁷ Et nous avons gardé comme butin tout le bétail et les dépouilles des villes.

Partage du pays de Galaad

⁸ Nous avions alors pris leur pays aux deux rois *amorites d'au-delà du Jourdain, depuis les gorges de l'Arnôn jusqu'au mont Hermon *w* ⁹ — les gens de Sidon appellent l'Hermon Siryôn, les *Amorites l'appellent Senir —. ¹⁰ Nous avions pris toutes les villes du Plateau, tout le Galaad et tout le Bashân *x* jusqu'à Salka et Edrèï, les villes du Bashân où régnait Og. ¹¹ — Or Og, roi du Bashân, était le seul qui restait des derniers Refaïtes ; son lit, un lit de fer, n'est-ce pas celui qu'on voit à Rabba des Ammonites ? Il a neuf coudées *y* de long et quatre de large, en coudées ordinaires —.

¹² Ce pays, nous en avions alors pris possession.

La moitié des monts du Galaad et ses villes, depuis Aroër sur les gorges de l'Arnôn, je l'ai donné aux gens de Ruben et de Gad. ¹³ Le reste du Galaad et tout le Bashân, le royaume de Og, je l'ai donné à la moitié de la tribu de Manassé ; toute la région de l'Argov *z* avec tout le Bashân, on l'appelle pays des Refaïtes. ¹⁴ Yaïr, fils de Manassé, a pris toute la région d'Argov jusqu'au territoire des Gueshourites et des Maakatites *a*. Il a appelé de son nom les contrées du Bashân, qu'on nomme aujourd'hui encore « campements de Yaïr ». ¹⁵ C'est à Makir *b* que j'ai donné le Galaad. ¹⁶ Aux gens de Ruben et de Gad j'ai donné ce qui va du Galaad jusqu'à l'Arnôn — le fond des gorges servant de frontière *c* — et jusqu'au Yabboq, frontière des fils d'Ammon, ¹⁷ avec la Araba — le Jourdain servant de frontière — de Kinnéreth à la mer de la Araba, la mer Salée sous les pentes de la Pisga *d* vers l'est.

¹⁸ Alors je vous ai donné mes ordres : « C'est le SEIGNEUR votre Dieu qui vous a donné ce pays en possession. Vous tous, les guerriers, vous passerez le Jourdain en tenue de combat devant vos frères, les fils d'Israël ; ¹⁹ seuls vos femmes, vos enfants et vos troupeaux — je sais que vous avez beaucoup de troupeaux — habiteront dans les villes que je vous ai données, ²⁰ jusqu'à ce que le SEIGNEUR donne le repos à vos frères comme à vous, et qu'ils possèdent eux aussi le pays que le SEIGNEUR votre Dieu leur donne au-delà du Jourdain *e*, et que vous reveniez chacun dans sa possession, celle que je vous ai donnée. »

²¹ Alors, à Josué, j'ai donné mes or-

---

v voués à l'interdit : voir 2.34 et la note ● *w* Montagne où le Jourdain prend sa source ● *x Plateau :* il s'agit du *Plateau* de Moab. — *monts du Galaad :* voir Gn 31.21 et la note. — *Bashân :* voir 1.4 et la note ● *y Refaïtes :* voir 2.11 et la note. — *Rabba :* capitale du pays d'Ammon (aujourd'hui *Amman*). — *coudées :* voir au glossaire POIDS ET MESURES ● *z Argov :* nom du district fortifié des villes du *Bashân* (voir 3.4-5) ● *a Gueshourites, Maakatites :* peuples qui habitaient aux limites d'Israël sur la rive orientale de la mer de Kinnéreth et du cours supérieur du Jourdain ● *b* Fils de Manassé (Gn 50.23), père de Galaad (Nb 26.29) et ancêtre du clan qui porte son nom ● *c servant de frontière :* le sens de l'expression hébraïque correspondante est incertain ● *d Kinnéreth :* localité non identifiée, à ne pas confondre avec celle du même nom située à l'ouest de la mer de Kinnéreth. — *mer de la Araba, mer Salée :* anciens noms de la *mer Morte*. — *Pisga :* montagne qui domine la *mer Morte* au nord-est ● *e le pays au-delà du Jourdain* désigne ici la Palestine.

3.2 ne crains pas l'ennemi 1.21; 3.22; 7.18; 20.1; 31.8; Nb 21.34; Jos 8.1; 10.8; 11.6. **3.7** butin 2.35+. **3.8** partage de Galaad Nb 32; Ps 135.10-12; 136.17-22. **3.11** Refaïtes 2.11+. **3.12** Ruben Jos 13.15-23 — Gad Jos 13.24-28. **3.13** Manassé Jos 13.29-31. **3.14** campements de Yaïr Nb 32.41; Jos 13.30; Jg 10.4; 1 R 4.13. **3.17** frontière du Jourdain Jos 13.23, 27 — Pisga 3.27; 34.1; Nb 21.20. **3.18** Dieu donne le pays 1.2, 11; cf. Dt 1.8+ — Ruben, Gad, Manassé combattront Nb 32.17-32. **3.20** repos 12.9; 1 R 8.56; Ps 95.11; He 3.11—4.11 — le pays que le Seigneur donne 4.1; 11.31 en héritage 4.21; 15.4; 19.10; 20.16; 21.23; 24.4; 25.19; 26.1. **3.21** Josué 1.38+.

dres : « Tu as vu de tes propres yeux tout ce que le SEIGNEUR votre Dieu a fait à ces deux rois ; le SEIGNEUR en fera autant à tous les royaumes que tu vas trouver de l'autre côté. ²² N'ayez pas peur d'eux, car le SEIGNEUR votre Dieu combat lui-même pour vous. »

Moïse ne pourra pas entrer en Canaan

²³ Alors j'ai imploré la faveur du SEIGNEUR : ²⁴ « Seigneur DIEU, tu as commencé à faire voir à ton serviteur ta grandeur et la force de ta main. Y a-t-il un dieu au ciel et sur la terre qui égale tes actions et ta puissance ? ²⁵ Permets que je passe de l'autre côté, et que je voie le bon pays qui est au-delà du Jourdain, cette bonne montagne et le Liban ! » ²⁶ Mais le SEIGNEUR s'est mis en fureur contre moi à cause de vous, et il ne m'a pas écouté ; le SEIGNEUR m'a dit : « Assez ! Cesse de me parler de cette affaire ! ²⁷ Monte au sommet de la Pisga *f*, lève les yeux vers l'ouest et vers le nord, vers le sud et vers l'est ; regarde de tous tes yeux : tu ne passeras pas le Jourdain que voici ! ²⁸ Donne tes ordres à Josué, rends-le courageux et résistant, car c'est lui qui passera le Jourdain devant ce peuple, c'est lui qui le fera hériter du pays que tu vois. »
²⁹ Et nous sommes restés dans la vallée en face de Beth-Péor *g*.

Mettre en pratique la loi de Dieu

4 ¹ Et maintenant, Israël, écoute les lois et les coutumes que je vous apprends moi-même à mettre en pratique : ainsi vous vivrez et vous entrerez prendre possession du pays que vous donne le SEIGNEUR, le Dieu de vos pères. ² Vous n'ajouterez rien aux paroles des commandements que je vous donne, et vous n'y enlèverez rien, afin de garder les commandements du SEIGNEUR votre Dieu que je vous donne.

³ Vous avez vu de vos yeux ce que le SEIGNEUR a fait à Baal-Péor *h* ; tous ceux qui avaient suivi le *Baal de Péor, le SEIGNEUR ton Dieu les a exterminés du milieu de toi, ⁴ tandis que vous, les partisans du SEIGNEUR votre Dieu, vous êtes tous en vie aujourd'hui.

⁵ Voyez, je vous apprends les lois et les coutumes, comme le SEIGNEUR mon Dieu me l'a ordonné, pour que vous les mettiez en pratique quand vous serez dans le pays où vous allez entrer pour en prendre possession ; ⁶ vous les garderez, vous les mettrez en pratique : c'est ce qui vous rendra sages et intelligents aux yeux des peuples qui entendront toutes ces lois ; ils diront : « Cette grande nation ne peut être qu'un peuple sage et intelligent ! » ⁷ En effet, quelle grande nation a des dieux qui s'approchent d'elle comme le SEIGNEUR notre Dieu le fait chaque fois que nous l'appelons ? ⁸ Et quelle grande nation a des lois et des coutumes aussi justes que toute cette Loi que je mets devant vous aujourd'hui ? ⁹ Mais prends garde à toi, garde-toi bien d'oublier les choses que tu as vues de tes yeux ; durant toute ta vie, qu'elles ne sortent pas de ton *cœur. Tu les feras connaître à tes fils et à tes petits-fils.

La révélation au mont Horeb

¹⁰ Tu étais debout en présence du SEIGNEUR ton Dieu à l'Horeb, le jour où le SEIGNEUR m'a dit : « Rassemble le peuple auprès de moi ; je leur ferai entendre mes paroles pour qu'ils apprennent à

---

f Voir la note sur 3.17 ● *g* Localité au pied du mont Pisga ● *h* Baal-Péor : autre nom de *Beth-Péor* (3.29). Rappel de l'épisode raconté en Nb 25.1-9

3.22 ne pas craindre 3.2+ — Dieu combat pour Israël 1.30; 20.4; Ex 14.25; Jos 10.14, 42; 23.3, 10; Za 14.3; cf. Jg 7.1-22; 1 S 7.10; 2 Ch 20.20-25 **3.24** voir la grandeur du Seigneur 5.24; 11.2-3; cf. Ex 15.6 — force de la main du Seigneur 6.21; 7.8; 9.26; 34.12; cf. 4.34+ — Qui est comme Dieu? Ex 15.11; Ps 86.8. **3.25** bon pays 1.25+. **3.26** colère contre Moïse 1.37+. **3.27** Pisga 3.17+ — Moïse voit le pays promis Nb 27.12+. **3.28** Josué 1.38+ — courageux et résistant 31.6, 23; Jos 1.6, 18; 10.25; 1 Ch 22.13; 28.20; 2 Ch 32.7. **3.29** Israël à Beth-Péor Nb 25.1-18+. **4.1** écoute, Israël! 5.1; 6.4; 9.1; 20.3; 27.9 — observer les commandements pour vivre 5.33; 6.24; 8.1; 16.20; 30.16, 19-20; Lv 18.5+; Am 5.14 — le pays donné 3.20+ — Dieu des pères 1.11+. **4.2** ne rien ajouter, ne rien enlever 13.1; Qo 3.14; Ap 22. 18-19; cf. Dt 5.22 — ce que je commande 6.2; 12.11, 14, 28; 13.1 aujourd'hui 4.40; 6.6; 7.11; 8.11; 10.13; 11.13, 27; 13.19; 27.4, 10; 28.1, 13; 30.2, 8, 11, 16; Ex 34.11; Jos 22.5; cf. Dt 5.31+. **4.5** prendre possession du pays 1.21+. **4.6** être sage et intelligent Ps 19.8; Jb 28.28; Pr 9.10; Si 1.14-20 — garder et mettre en pratique 5.1+. **4.7** le Seigneur au milieu de son peuple 6.15; 7.21; cf. 31.17 — Dieu proche 4.32-34; Ps 145.18; 148.14. **4.8** lois données par Dieu Ps 147.19-20. **4.9** ne pas oublier la Loi 4.23; 6.12; 8.11, 19; 26.13; 32.18 — enseignements à transmettre Ex 10.2+. **4.10** Israël à l'Horeb Ex 19.16-20 — rassemblement en présence du Seigneur 29.9-12; 31.12; Jos 24.1 — craindre le Seigneur 5.29; 6.2, 13, 24; 8.6; 10.12, 20; 13.5; 14.23; 17.19; 28.58; 31.12; Pr 1.7+; Si 1.11+.

me craindre *i* tant qu'ils seront en vie sur la terre, et pour qu'ils l'apprennent à leurs fils. » [11] Et ce jour-là, vous vous êtes approchés, vous vous êtes tenus debout au pied de la montagne : elle était en feu, embrasée jusqu'en plein ciel, dans les ténèbres des nuages et de la nuit épaisse. [12] Et le SEIGNEUR vous a parlé du milieu du feu : une voix parlait, et vous l'entendiez, mais vous n'aperceviez aucune forme, il n'y avait rien d'autre que la voix. [13] Il vous a communiqué son *alliance, les dix paroles *j* qu'il vous a ordonné de mettre en pratique, et il les a écrites sur deux tables de pierre. [14] Et à moi, le SEIGNEUR m'a ordonné alors de vous apprendre les lois et les coutumes pour que vous les mettiez en pratique dans le pays où vous allez passer pour en prendre possession.

Mise en garde contre les idoles

[15] Prenez bien garde à vous-mêmes : vous n'avez vu aucune forme le jour où le SEIGNEUR vous a parlé à l'Horeb *k*, du milieu du feu. [16] N'allez pas vous corrompre en vous fabriquant une idole, une forme quelconque de divinité *l*, l'image d'un homme ou d'une femme, [17] l'image de n'importe quelle bête de la terre ou de n'importe quel oiseau qui vole dans le ciel, [18] l'image de n'importe quelle bestiole qui rampe sur le sol, ou de n'importe quel poisson qui vit dans les eaux sous la terre. [19] Ne va pas lever les yeux vers le ciel, regarder le soleil, la lune et les étoiles, toute l'armée des cieux, et te laisser entraîner à te prosterner devant eux et à les servir. Car ils sont la part

que le SEIGNEUR ton Dieu a donnée à tous les peuples qui sont partout sous le ciel ; [20] mais vous, le SEIGNEUR vous a pris et il vous a fait sortir de l'Egypte, cette fournaise *m* à fondre le fer, pour que vous deveniez son peuple, son héritage, commme vous l'êtes aujourd'hui.

[21] Le SEIGNEUR s'est mis en colère contre moi à cause de vous, et il a juré que je ne passerai pas le Jourdain, et que je n'entrerai pas dans le bon pays que le SEIGNEUR ton Dieu te donne en héritage. [22] Je vais donc mourir dans ce pays-ci, sans avoir passé le Jourdain ; mais vous, vous allez le passer et prendre possession de ce bon pays. [23] Gardez-vous bien d'oublier l'*alliance que le SEIGNEUR votre Dieu a conclue avec vous, et de vous faire une idole, une forme de tout ce que le SEIGNEUR ton Dieu t'a défendu de représenter. [24] Car le SEIGNEUR ton Dieu est un feu dévorant, il est un Dieu jaloux *n*.

[25] Lorsque tu auras des fils et des petits-fils et que vous serez une vieille population dans le pays, si vous vous corrompez en vous fabriquant une idole, une forme de quoi que ce soit, si vous faites ce qui est mal aux yeux du SEIGNEUR ton Dieu au point de l'offenser, [26] alors, j'en prends à témoin aujourd'hui contre vous le ciel et la terre : vous disparaîtrez aussitôt du pays dont vous allez prendre possession en passant le Jourdain, vous n'y prolongerez pas vos jours : vous serez totalement exterminés. [27] Le SEIGNEUR vous dispersera parmi les peuples, et il ne restera de vous qu'un petit nombre parmi les nations, là où le SEIGNEUR vous aura emmenés *o*. [28] Là-bas, vous servirez des dieux qui sont l'ouvrage de

i l'Horeb : voir Ex 3.1 et la note. — *me craindre* ou *me respecter* ● *j les dix paroles :* nom biblique des « dix commandements » (Ex 20.1-17 et Dt 5.6-21) ⊛ *k forme* ou *figure* ou *image* de Dieu. — *Horeb :* voir Ex 3.1 et la note ● *l divinité :* le sens du mot hébreu correspondant est incertain ● *m* L'image de la *fournaise* désigne ici la situation insupportable des Hébreux opprimés en *Egypte* ● *n feu dévorant :* Dieu est comparé à un *feu* qui *dévore* ses ennemis (voir 9.3). — *Dieu jaloux :* voir Ex 20.5 et la note ● *o emmenés :* allusion aux déportations qui ont frappé Samarie en 722/721 et Jérusalem en 597, 587 et 582/581 av. J.C.

4.11 la nuit épaisse du Sinaï 5.22 ; Ex 20.21 ; He 12.18. **4.12** Dieu a parlé à Israël 4.36 ; 5.22-27 ; Ex 19.16, 19 ; He 12.19. **4.13** tables de pierre 5.22 ; 9.9-17 ; Ex 24.12+. **4.14** prendre possession du pays 1.21+. **4.16** pas d'idoles 4.23 ; 5.8 ; Ex 20.4+ — images Rm 1.23. **4.19** culte des astres 17.3 ; 2 R 17.16 ; 23.4-5 ; Jr 8.2 ; Ez 8.16 ; Jb 31.26-28 ; Sg 13.2. **4.20** peuple de Dieu 7.6 ; 14.2 — Egypte fournaise 1 R 8.51 ; Jr 11.4. **4.21** colère contre Moïse 1.37+ — bon pays 1.25+ — le pays donné 3.20+. **4.22** mort de Moïse 34. — prendre possession du pays 1.21+. **4.23** ne pas oublier ce que le Seigneur a fait 4.9+. **4.24** Dieu est un feu dévorant 9.3 ; Es 33.14 ; He 12.29 ; cf. Ex 24.17 ; Es 30.27 — Dieu jaloux Ex 20.5+. **4.25** faire ce qui est mal aux yeux du Seigneur 9.18 ; 17.2 ; 31.29 ; Nb 32.13 ; Jg 2.11 ; 3.7, 12 ; 4.1 ; 6.1 ; 10.6 ; 13.1 ; 1 S 15.19 ; 1 R 11.6 ; Es 65.12 ; Jr 7.30 ; 32.30 — offenser le Seigneur 9.18 ; 31.29 ; 32.16-21. **4.26** prendre à témoin le ciel et la terre 30.19 ; 31.28 ; 32.1 ; Es 1.2 — menaces 28.15-68 — vous disparaîtrez 8.19, 20 ; 30.18 ; Jos 23.16 — longs jours 4.40 ; 5.16, 33 ; 11.9 ; 30.18 ; Ex 20.12 ; 1 R 3.14 ; Es 53.10 ; Pr 3.2+. **4.27** dispersion Lv 26.33+ ; 2 R 17.6 — il restera un petit nombre 28.62 ; Es 10.20-22 ; 11.11 ; 28.5. **4.28** les dieux fabriqués 28.36, 64 ; 29.16 ; 2 R 19.18 ; Es 44.9-20 ; Ps 115.4-8.

la main des hommes : du bois, de la
pierre, incapables de voir et d'entendre,
de manger et de sentir.

29 Alors, de là-bas, vous rechercherez
le SEIGNEUR ton Dieu ; tu le trouveras
si tu le cherches de tout ton cœur, de
tout ton être. 30 Quand tu seras dans la
détresse, quand tout cela t'arrivera, dans
les jours à venir, tu reviendras jusqu'au
SEIGNEUR ton Dieu, et tu écouteras sa
voix. 31 Car le SEIGNEUR ton Dieu est un
Dieu miséricordieux : il ne te délaissera
pas, il ne te détruira pas, il n'oubliera
pas l'*alliance jurée à tes pères [p].

Le privilège d'Israël

32 Interroge donc les jours du début,
ceux d'avant toi, depuis le jour où Dieu
créa l'humanité sur la terre, interroge
d'un bout à l'autre du monde : Est-il
rien arrivé d'aussi grand [q] ? A-t-on rien
entendu de pareil ? 33 Est-il arrivé à un
peuple d'entendre comme toi la voix d'un
dieu parlant du milieu du feu, et de rester en vie ? 34 Ou bien est-ce qu'un dieu
a tenté de venir prendre pour lui une
nation au milieu d'une autre par des
épreuves, des *signes et des prodiges, par
des combats, par sa main forte et son
bras étendu, par de grandes terreurs [r], à
la manière de tout ce que le SEIGNEUR
votre Dieu a fait pour vous en Egypte
sous tes yeux ?

35 A toi, il t'a été donné de voir, pour
que tu saches que c'est le SEIGNEUR qui
est Dieu : il n'y en a pas d'autre que
lui. 36 Du ciel, il t'a fait entendre sa
voix pour faire ton éducation ; sur la
terre, il t'a fait voir son grand feu, et du
milieu du feu tu as entendu ses paroles [s].
37 Parce qu'il aimait tes pères, il a choisi
leur descendance après eux et il t'a fait
sortir d'Egypte devant lui [t] par sa grande force, 38 pour déposséder devant toi
des nations plus grandes et plus fortes que
toi, pour te faire entrer dans leur pays
et te le donner en héritage, ce qui arrive
aujourd'hui.

39 Reconnais-le aujourd'hui, et médite-
le dans ton *cœur : c'est le SEIGNEUR qui
est Dieu, en haut dans le ciel et en bas
sur la terre ; il n'y en a pas d'autre.
40 Garde ses lois et ses commandements
que je te donne aujourd'hui pour ton
bonheur et celui de tes fils après toi,
afin que tu prolonges tes jours sur la
terre que le SEIGNEUR ton Dieu te donne,
tous les jours.

Trois villes de refuge en Transjordanie

41 C'est alors que Moïse mit à part
trois villes au-delà du Jourdain, au soleil
levant [u], 42 comme lieux de refuge pour
le meurtrier qui a tué involontairement
son prochain, un homme qu'il ne haïssait pas auparavant. En se réfugiant
dans l'une de ces villes, le meurtrier
aura la vie sauve [v]. 43 Ce sont Bècèr [w]
au désert, dans le pays du Plateau, pour
les gens de Ruben, Ramoth-de-Galaad
pour ceux de Gad, et Golân en Bashân
pour ceux de Manassé.

44 Telle est la Loi que Moïse transmit
aux fils d'Israël.

p tes pères ou *tes ancêtres* • *q Est-il rien arrivé d'aussi grand?:* les questions posées aux versets 32-34 supposent toutes une réponse négative et obligent à conclure qu'il n'y a pas d'autre Dieu que le Seigneur • *r* Allusion aux fléaux qui ont frappé l'Egypte et forcé le pharaon à céder (Ex 7.14—12.36) • *s grand feu:* allusion à la nuée de feu et de fumée qui accompagnait les manifestations de la présence de Dieu sur le mont Horeb. La *voix* de Dieu est le tonnerre (voir Ps 29.3-9); ses *paroles* sont les commandements (voir 4.13 et la note) • *t après eux:* d'après les versions anciennes; hébreu *après lui* qui renvoie peut-être à Jacob. — *devant lui:* autres traductions *lui-même en personne* ou *en manifestant sa présence* • *u au soleil levant* ou *à l'est* • *v vie sauve:* le meurtrier devait normalement être mis à mort (Gn 9.5-6; Ex 21.12) • *w Bècèr:* localisation incertaine. — *Plateau:* voir 3.10 et la note. — *Galaad:* voir Gn 31.21 et la note. — *Bashân:* voir 1.4 et la note

4.29 chercher le Seigneur Es 45.19; 51.1; Jr 50.4; Os 3.5; 5.15; Ps 9.11+ — de tout ton cœur 6.5; 10.12; 11.13; 13.4; 26.16; 30.2; Jos 22.5; 23.14; 1 R 2.4; 2 R 23.3, 25. **4.30** retour vers le Seigneur 30.1-5; Jr 3.22; 4.1; Os 6.1; 14.2; cf. Lv 26.40-45; Jr 29.12-15; 2 Ch 15.2-5 — écouter la voix du Seigneur 8.20; 9.23; 13.5, 19; 27.10; 28.1-2, 15; 30.20; Gn 22.18; Ex 19.5; Jos 24.24. **4.31** Dieu miséricordieux 13.18; 30.3; Ex 33.19; Ps 103.8. **4.32** Dieu crée l'homme Gn 1.26-27; 2.7-8, 18-23; *Si* 17.1. **4.34** signes et prodiges 6.22; 7.19; 26.8; 29.2; Ex 7.3; Ps 78.43; 105.27; Ac 2.43+ — main forte et bras étendu 5.15; 7.19; 11.2; 26.8; cf. 3.24+. **4.36** Dieu a parlé à Israël 4.12+. **4.37** Dieu aime 7.8, 13; 10.15; 23.6; 33.3; 1 R 10.9; Jr 31.3. **4.38** déposséder les nations 9.4; 11.23; Ex 34.24; Nb 32.21; Jos 3.10; 13.6; Jg 2.21; 11.23; Ps 44.3. **4.40** ce que je commande 4.2+ — vie prolongée 4.26+ — pour ton (votre) bonheur 5.16, 29, 33; 6.3, 18, 24; 10.13; 12.25; 19.13; 22.7. **4.42** lieux de refuge 19.1-13; Ex 21.13; Nb 35.9-34; Jos 20.

SECOND DISCOURS DE MOÏSE

⁴⁵ Voici les édits, les lois et les coutumes que Moïse proclama pour les fils d'Israël à leur sortie d'Egypte, ⁴⁶ quand ils étaient au-delà du Jourdain, dans la vallée en face de Beth-Péor. C'était au pays de Sihôn *, le roi des *Amorites, qui résidait à Heshbôn : Moïse et les fils d'Israël l'avaient battu à leur sortie d'Egypte, ⁴⁷ et ils avaient pris possession de son pays et du pays de Og, le roi du Bashân — c'étaient les deux rois des *Amorites, au-delà du Jourdain, au soleil levant ʸ — ⁴⁸ depuis Aroër, qui est au bord des gorges de l'Arnôn, jusqu'au mont Siôn ᶻ, c'est-à-dire l'Hermon, ⁴⁹ avec toute la Araba, au-delà du Jourdain vers l'est, et jusqu'à la mer de la Araba ᵃ sous les pentes de la Pisga.

Les Dix Commandements
(Ex 20.1-17)

5 ¹ Moïse convoqua tout Israël et il leur dit :

Ecoute, Israël, les lois et les coutumes que je fais entendre aujourd'hui à vos oreilles ; vous les apprendrez et vous veillerez à les mettre en pratique. ² Le SEIGNEUR notre Dieu a conclu une *alliance avec nous à l'Horeb ᵇ. ³ Ce n'est pas avec nos pères que le SEIGNEUR a conclu cette alliance, c'est avec nous, nous qui sommes là aujourd'hui, tous vivants. ⁴ Le SEIGNEUR a parlé avec vous face à face sur la montagne, du milieu du feu ; ⁵ et moi, je me tenais alors entre le SEIGNEUR et vous, pour vous communiquer la parole du SEIGNEUR, car vous aviez peur devant le feu et vous n'étiez pas montés sur la montagne.

Il a dit :
⁶ « C'est moi le SEIGNEUR ton Dieu, qui t'ai fait sortir du pays d'Egypte, de la maison de servitude.
⁷ Tu n'auras pas d'autres dieux face à moi.
⁸ Tu ne te feras pas d'idole, rien qui ait la forme de ce qui se trouve au ciel là-haut, sur terre ici-bas ou dans les eaux sous la terre.
⁹ Tu ne te prosterneras pas devant ces dieux et tu ne les serviras pas, car c'est moi le SEIGNEUR ton Dieu, un Dieu jaloux ᶜ, poursuivant la faute des pères chez les fils et sur trois et quatre générations — s'ils me haïssent — ¹⁰ mais prouvant sa fidélité à des milliers de générations — si elles m'aiment et gardent mes commandements.
¹¹ Tu ne prononceras pas à tort ᵈ le nom du SEIGNEUR ton Dieu, car le SEIGNEUR n'acquitte pas celui qui prononce son nom à tort.
¹² Qu'on garde le jour du *sabbat en le tenant pour sacré comme le SEIGNEUR ton Dieu te l'a ordonné. ¹³ Tu travailleras six jours, faisant tout ton ouvrage, ¹⁴ mais le septième jour, c'est le *sabbat ᵉ du SEIGNEUR ton Dieu. Tu ne feras aucun ouvrage, ni toi, ni ton fils, ni ta fille, ni ton serviteur, ni ta servante, ni ton bœuf, ni ton âne, ni aucune de tes bêtes, ni l'émigré que tu as dans tes villes, afin que ton serviteur et ta servante se reposent comme toi. ¹⁵ Tu te souviendras qu'au pays d'Egypte tu étais esclave, et que le SEIGNEUR ton Dieu t'a fait sortir de là d'une main forte et le bras étendu ; c'est pourquoi le SEIGNEUR ton Dieu t'a ordonné de pratiquer le jour du *sabbat.

---

x pays de Sihôn: au nord-est de la mer Morte (2.24-37) ● *y Bashân:* voir 1.4 et la note. — *au soleil levant* ou *à l'est* ● *z mont Sion:* ce nom de *l'Hermon* ne doit paș être confondu avec le mont Sion à Jérusalem ● *a mer de la Araba:* la *mer Morte* ● *b* Voir Ex 3.1 et la note ● *c Dieu jaloux:* voir Ex 20.5 et la note ● *d à tort:* ou *à la légère;* autre traduction *pour mentir* ● *e le sabbat du Seigneur:* voir Gn 2.2 et la note

4.45 Moïse promulgue les lois 1.1-5; 5.1; 12.1. **4.46** Sihôn, Og 1.4+. **4.49** Pisga 3.17+. **5.1** veiller à mettre en pratique 5.32; 6.3, 25; 8.1; 11, 32; 12.1; 13.1; 15.5; 17.10; 23.24; 24.8; 28.1, 15, 58; 31.12; 32.46; Jos 1.7; 22.5; 2 R 17.37 — écoute, Israël 4.1+. **5.2** alliance à l'Horeb Ex 19.5-6; 24.1-8. **5.4** face à face 34.10; Gn 32.31; Ex 33.11; Nb 12.6-8; *Si* 45.5. **5.5** Moïse intermédiaire 5.23-30. **5.6** les dix commandements Ex 20.1+ — c'est moi le Seigneur Ex 20.2 — sortie d'Egypte et foi d'Israël 6.12, 23; 7.19; 16.1; Ex 12.1; 13.3; 16.6; 20.2 — maison de servitude 6.12; 7.8; 8.14; 13.6; Ex 13.3, 14; 20.2; Jos 24.17; Jg 6.8; Jr 34.13. **5.7** autres dieux Ex 20.3+. **5.8** pas d'idoles Ex 20.4+. **5.9** Dieu jaloux Ex 20.5+ — trois, quatre, mille générations Ex 20.5-6+. **5.10** aimer Dieu 6.5; 7.9; 10.12; 11.1, 13, 22; 13.4; 19.9; 30.6, 16, 20; Ex 20.6; Jos 22.5; 23.11; Jg 5.31; 1 R 3.3; Ps 31.24; 97.10; *Si* 2.15. **5.11** prononcer à tort Ex 20.7+. **5.12** respect du sabbat Ex 20.8+. **5.15** esclave en Egypte 6.21; 15.15; 16.12; 24.18; Ex 14.5; Lv 26.13 — main forte et bras étendu 4.34+.

¹⁶ Honore ton père et ta mère, comme le Seigneur ton Dieu te l'a ordonné, afin que tes jours se prolongent et que tu sois heureux sur la terre que te donne le Seigneur ton Dieu. ¹⁷ Tu ne commettras pas de meurtre. ¹⁸ Tu ne commettras pas d'adultère. ¹⁹ Tu ne commettras pas de rapt *f*. ²⁰ Tu ne témoigneras pas à tort *g* contre ton prochain. ²¹ Tu n'auras pas de visées sur la femme de ton prochain. Tu ne convoiteras ni la maison de ton prochain, ni ses champs, son serviteur, sa servante, son bœuf ou son âne, ni rien qui appartienne à ton prochain. »

²² Ces paroles, le Seigneur les a dites à toute votre assemblée sur la montagne, du milieu du feu, des nuages et de la nuit épaisse, avec une voix puissante, et il n'a rien ajouté ; il les a écrites sur deux tables de pierre, qu'il m'a données.

Moïse, porte-parole de Dieu

²³ Lorsque vous avez entendu la voix qui venait du milieu des ténèbres, dans l'embrasement de la montagne en feu, tous vos chefs de tribus et vos *anciens se sont approchés de moi ²⁴ et ils ont dit de votre part : « Voici que le Seigneur notre Dieu nous a fait voir sa gloire et sa grandeur, et nous avons entendu sa voix du milieu du feu ; aujourd'hui nous avons vu que Dieu peut parler à l'homme et lui laisser la vie ! ²⁵ Et maintenant, pourquoi mourir dévorés par ce grand feu ? Si nous continuons à entendre la voix du Seigneur notre Dieu, nous mourrons. ²⁶ Est-il jamais arrivé à un homme d'entendre comme nous la voix du Dieu vivant parler du milieu du feu, et de rester en vie *h* ? ²⁷ C'est donc à toi de t'approcher pour écouter toutes les paroles du Seigneur notre Dieu : toi, tu nous rediras tout ce que le Seigneur notre

Dieu t'aura dit, et nous l'écouterons, nous le mettrons en pratique. »

²⁸ Le Seigneur a entendu toutes les paroles que vous m'adressiez ; le Seigneur m'a dit : « J'ai entendu toutes les paroles que ce peuple t'adressait : ils ont bien fait de dire tout cela. ²⁹ Si seulement ils restaient décidés à me craindre et à observer tous les jours tous mes commandements, pour leur bonheur et celui de leurs fils, à jamais ! ³⁰ Va leur dire : "Retournez à vos tentes !" ³¹ Et toi, tiens-toi ici avec moi ; je vais te dire tout le commandement, les lois et les coutumes que tu leur apprendras pour qu'ils les mettent en pratique dans le pays que je leur donne afin qu'ils en prennent possession. »

³² Vous veillerez à agir comme vous l'a ordonné le Seigneur votre Dieu, sans dévier ni à droite ni à gauche. ³³ Vous marcherez toujours sur le chemin que le Seigneur votre Dieu vous a prescrit, afin que vous restiez en vie, que vous soyez heureux et que vous prolongiez vos jours dans le pays dont vous allez prendre possession.

« Tu aimeras le Seigneur ton Dieu »

6 ¹ Voici le commandement, les lois et les coutumes que le Seigneur votre Dieu a ordonné de vous apprendre à mettre en pratique dans le pays où vous allez passer pour en prendre possession, ² afin que tu craignes le Seigneur ton Dieu toi, ton fils et ton petit-fils, en gardant tous les jours de ta vie toutes ses lois et ses commandements que je te donne, pour que tes jours se prolongent. ³ Tu écouteras, Israël, et tu veilleras à les mettre en pratique : ainsi tu seras heureux, et vous deviendrez très nombreux, comme te l'a promis le Seigneur,

f Voir Ex 20.15 et la note • *g* à tort, ou *faussement* ou *pour mentir* • *h* Les Israélites étaient convaincus qu'il est impossible de voir Dieu, ou même d'entrer en relation directe avec lui sans mourir (voir aussi 4.33)

5.16 honore tes parents Ex 20.12+ — vie prolongée 4.26+ — pour que tu sois heureux 4.40+. **5.17** pas de meurtre Ex 20.13+. **5.18** pas d'adultère Ex 20.14+. **5.19** pas de rapt Ex 20.15+. **5.20** pas de faux témoignage Ex 20.16+ ♪ **5.21** pas de visées Ex 20.17+. **5.22** Dieu a parlé 4.12+ — nuit épaisse 4.11+ — ne rien ajouter 4.2+ — tables de pierre 4.13+. **5.24** voir la grandeur de Dieu 3.24+ — on ne peut voir Dieu et vivre Ex 33.20+. **5.25** entendre la voix de Dieu 4.33 ; 18.16. **5.26** Dieu vivant Jos 3.10 ; Jr 10.10 ; 23.36 ; Os 2.1 ; Dn 6.27 ; Mt 16.16 ; Ac 14.15 ; 2 Co 3.3. **5.27** Moïse médiateur Ex 20.18-21 ; cf. 1 Tm 2.5 ; He 12.24. **5.29** craindre le Seigneur 4.10+ — pour leur bonheur 4.40+. **5.31** tout le commandement 6.25 ; 8.1 ; 11.8, 22 ; 15.5 ; 19.9 ; 27.1 ; 31.5. **5.32** veiller à agir 5.1+ — sans dévier ni à droite, ni à gauche 17.11, 20 ; 28.14 ; Jos 1.7 ; 23.6 ; 2 R 22.2. **5.33** observer les commandements pour vivre 4.1+ — vie prolongée 4.26+. **6.1** prendre possession du pays 1.21+. **6.2** craindre le Seigneur 4.10+ — ce que je te commande 4.2+ — vie prolongée 4.26+. **6.3** veiller à mettre en pratique 5.1+ — ainsi tu seras heureux 4.40+ — Dieu des pères 1.11+.

le Dieu de tes pères, dans un pays ruisselant de lait et de miel *i*.

⁴ ECOUTE, Israël ! Le SEIGNEUR notre Dieu est le SEIGNEUR UN *j*. ⁵ Tu aimeras le SEIGNEUR ton Dieu de tout ton cœur, de tout ton être, de toute ta force. ⁶ Les paroles des commandements que je te donne aujourd'hui seront présentes à ton *cœur ; .⁷ tu les répéteras *k* à tes fils ; tu les leur diras quand tu resteras chez toi et quand tu marcheras sur la route, quand tu seras couché et quand tu seras debout ; ⁸ tu en feras un signe attaché à ta main, une marque placée entre tes yeux *l* ; ⁹ tu les inscriras sur les montants de porte de ta maison et à l'entrée de ta ville.

Israël ne doit pas oublier son Dieu

¹⁰ Quand le SEIGNEUR ton Dieu t'aura fait entrer dans le pays qu'il a juré à tes pères, Abraham, Isaac et Jacob, de te donner — pays de villes grandes et bonnes que tu n'as pas bâties, ¹¹ de maisons remplies de toute sorte de bonnes choses que tu n'y as pas mises, de citernes toutes prêtes que tu n'as pas creusées, de vignes et d'oliviers que tu n'as pas plantés — alors, quand tu auras mangé à satiété, ¹² garde-toi bien d'oublier le SEIGNEUR qui t'a fait sortir du pays d'Egypte, de la maison de servitude. ¹³ C'est le SEIGNEUR ton Dieu que tu craindras, c'est lui que tu serviras, c'est par son nom que tu prêteras serment. ¹⁴ Vous ne suivrez pas d'autres dieux parmi ceux des peuples qui vous entourent, ¹⁵ car le SEIGNEUR ton Dieu est un Dieu jaloux *m* au milieu de toi. Prends garde que la colère du SEIGNEUR ton Dieu ne s'enflamme contre toi, et qu'il ne t'extermine de

la surface de la terre. ¹⁶ Vous ne mettrez pas à l'épreuve *n* le SEIGNEUR votre Dieu comme vous l'avez fait à Massa.

¹⁷ Vous garderez attentivement les commandements, les édits et les lois du SEIGNEUR votre Dieu, ce qu'il t'a prescrit. ¹⁸ Tu feras ce qui est droit et bien aux yeux du SEIGNEUR, pour être heureux et entrer prendre possession du bon pays que le SEIGNEUR a promis par serment à tes pères, ¹⁹ en repoussant loin de toi tous tes ennemis comme le SEIGNEUR l'a promis.

²⁰ Et demain, quand ton fils te demandera : « Pourquoi ces édits, ces lois et ces coutumes que le SEIGNEUR notre Dieu vous a prescrits ? » ²¹ alors, tu diras à ton fils : « Nous étions esclaves de *Pharaon en Egypte, mais, d'une main forte, le SEIGNEUR nous a fait sortir d'Egypte ; ²² le SEIGNEUR a fait sous nos yeux de grands signes et de grands prodiges pour le malheur de l'Egypte, de Pharaon et de toute sa maison. ²³ Et nous, il nous a fait sortir de là-bas pour nous faire entrer dans le pays qu'il a promis par serment à nos pères, et pour nous le donner. ²⁴ Le SEIGNEUR nous a ordonné de mettre en pratique toutes ces lois et de craindre *o* le SEIGNEUR notre Dieu, pour que nous soyons heureux tous les jours, et qu'il nous garde vivants comme nous le sommes aujourd'hui. ²⁵ Et nous serons justes si nous veillons à mettre en pratique tout ce commandement devant le SEIGNEUR notre Dieu comme il nous l'a ordonné. »

Israël, peuple consacré au Seigneur

7 ¹ Lorsque le SEIGNEUR ton Dieu t'aura fait entrer dans le pays dont tu viens prendre possession, et qu'il aura chassé devant toi des nations nombreuses,

---

i un pays ruisselant de lait et de miel: voir Ex 3.8 et la note ● *j* Les versets 4-9 forment le début de la profession de foi que les Juifs pratiquants récitent encore chaque jour. Les manuscrits insistent sur le verset 4 en écrivant son début et sa fin en caractères plus gros rendus dans cette traduction par des majuscules. — *le Seigneur UN:* ou *le SEUL Seigneur* ● *k* Le sens du verbe hébreu correspondant est incertain ● *l* Voir la note à Ex 13.9 ● *m Dieu jaloux:* voir Ex 20.5 et la note ● *n mettre à l'épreuve:* ou *tenter, défier* ● *o craindre* ou *respecter*

6.4 Ecoute, Israël 4.1+ ; Mc 12.29 — le Seigneur UN cf. 4.35, 39 ; 1 Co 8.4.   **6.5** aimer Dieu 5.10+ — de tout ton cœur 4.29+.   **6.6** ce que je commande 4.2+.   **6.7** récits à raconter Ex 10.2+.   **6.9** sur les montants 11.20.   **6.10** le pays promis 1.8+.   **6.11** manger à satiété 8.10, 12 ; 11.15 ; 31.20 ; Pr 30.8-9.   **6.12** ne pas oublier le Seigneur 4.9+ — sortie d'Egypte 5.6+ — maison de servitude 5.6+.   **6.13** craindre le Seigneur 4.10+ — servir Dieu Mt 4.10.   **6.14** autres dieux 11.28 ; 13.3, 7, 14 ; 29.25 ; Ex 20.3+ ; Lv 19.4+.   **6.15** Dieu jaloux Ex 20.5+ — le Seigneur au milieu d'Israël 4.7+.   **6.16** mettre Dieu à l'épreuve 4.7+ — Massa Ex 17.7+.   **6.18** faire ce qui est droit aux yeux du Seigneur 12.25, 28 ; 13.19 ; 21.9 ; Ex 15.26 ; 1 R 11.33 ; 14.8 ; Jr 34.15 — pour être heureux 4.40+ — bon pays 1.25+ — pays promis 1.8+.   **6.20** enseignements à transmettre Ex 10.2+.   **6.21** esclave en Egypte 5.15+ — force de la main du Seigneur 3.24+.   **6.22** signes et prodiges 4.34+.   **6.23** sortie d'Egypte 5.6+.   **6.24** craindre le Seigneur 4.10+ — observer les commandements pour vivre 4.1+.   **6.25** veiller à mettre en pratique 5.1+ — tout le commandement 5.31+.   **7.1** prendre possession du pays 1.21+ — sept nations Ac 13.19 ; cf. Dt 20.17 ; Ex 3.8.

le Hittite, le Guirgashite, l'*Amorite, le Cananéen, le Perizzite, le Hivvite et le Jébusite, sept nations plus nombreuses et plus fortes que toi, [2] lorsque le SEIGNEUR ton Dieu te les aura livrées et que tu les auras battues, tu les voueras totalement à l'interdit [p]. Tu ne concluras pas d'alliance avec elles, tu ne leur feras pas grâce. [3] Tu ne contracteras pas de mariage avec elles, tu ne donneras pas ta fille à leur fils, tu ne prendras pas leur fille pour ton fils, [4] car cela détournerait ton fils de me suivre [q] et il servirait d'autres dieux ; la colère du SEIGNEUR s'enflammerait contre vous et il t'extermine-rait aussitôt. [5] Mais voici ce que vous ferez à ces nations : leurs *autels, vous les démolirez ; leurs stèles, vous les brise-rez ; leurs poteaux sacrés [r], vous les casserez ; leurs idoles, vous les brûlerez. [6] Car tu es un peuple consacré au SEIGNEUR ton Dieu ; c'est toi que le SEIGNEUR ton Dieu a choisi pour devenir le peuple qui est sa part personnelle parmi tous les peuples qui sont sur la surface de la terre.

Fidélité du Seigneur à son alliance

[7] Si le SEIGNEUR s'est attaché à vous et s'il vous a choisis, ce n'est pas que vous soyez le plus nombreux de tous les peuples, car vous êtes le moindre de tous les peuples. [8] Mais si le SEIGNEUR, d'une main forte, vous a fait sortir et vous a rachetés de la maison de servitude, de la main de *Pharaon, roi d'Egypte, c'est que le SEIGNEUR vous aime et tient le serment fait à vos pères.

[9] Tu reconnaîtras que c'est le SEIGNEUR ton Dieu qui est Dieu, le Dieu vrai ; il garde son *alliance et sa fidélité durant mille générations à ceux qui l'aiment et gardent ses commandements,

[10] mais il paie de retour directement celui qui le hait, il le fait disparaître ; il ne fait pas attendre celui qui le hait, il le paie de retour directement.

[11] Tu garderas le commandement, les lois et les coutumes que je t'ordonne aujourd'hui de mettre en pratique. [12] Et parce que vous aurez écouté ces coutumes, que vous les aurez gardées et mises en pratique, le SEIGNEUR ton Dieu te gardera l'*alliance et la fidélité qu'il a jurées à tes pères. [13] Il t'aimera, te bénira, te rendra nombreux et il bénira le fruit de ton sein et le fruit de ton sol, ton blé, ton vin nouveau et ton huile, tes vaches pleines et tes brebis mères [s], sur la terre qu'il a juré à tes pères de te donner. [14] Tu seras béni plus que tous les peuples, il n'y aura de stérilité chez toi ni pour les hommes ni pour les femmes, ni non plus pour ton bétail. [15] Le SEIGNEUR éloignera de toi toutes les maladies et toutes les funestes épidémies d'Egypte, que tu connais bien ; il ne te les infligera pas et il les enverra chez tous ceux qui te haïssent. [16] Tu supprimeras tous les peuples que le SEIGNEUR ton Dieu te livrera sans t'attendrir sur eux ; tu ne serviras pas leurs dieux : ce serait un piège pour toi.

Le Seigneur, protecteur de son peuple

[17] Si tu te dis : « Ces nations sont plus nombreuses que moi, comment pourrais-je les déposséder ? », [18] ne les crains pas ! Tu évoqueras le souvenir de ce que le SEIGNEUR ton Dieu a fait à *Pharaon et à toute l'Egypte, [19] de ces grandes épreuves que tu as vues de tes yeux, de ces *signes et de ces prodiges, le souvenir de la main forte et du bras étendu du SEIGNEUR ton Dieu quand il t'a fait sortir ; eh bien ! le SEIGNEUR ton Dieu en fera

---

p vouer à l'interdit: voir 2.34 et la note ● *q me suivre:* il s'agit peut-être de suivre Moïse, mais plus probablement de suivre Dieu lui-même ● *r stèles:* voir Gn 28.18 et la note. — *poteaux sacrés:* voir la note sur Jg 3.7 ● *s le fruit de ton sein* ou *tes enfants.* — *tes vaches pleines et tes brebis mères:* autre traduction *les petits de tes vaches et de tes brebis*

7.2 pas d'alliance cf. Jos 9.1-27. **7.3** influence des femmes Nb 25.2+ ; 31.15-16. **7.4** détourner de Dieu 4.25-27 — autres dieux Ex 20.3+. **7.5** destruction des lieux de culte 12.2-3 ; Ex 34.13+ ; cf. Dt 16.21. **7.6** peuple consacré 14.2, 21 ; 26.19 ; 28.9 ; cf. Ex 19.6 ; 22.30 — part personnelle du Seigneur 14.2 ; 26.18 ; Ex 19.5 ; Tt 2.14 ; 1 P 2.9 ; cf. Rm 9.4. **7.7** Israël sans mérite 9.5. **7.8** force de la main du Seigneur 3.24+ — Dieu a racheté Israël 9.26 ; 13.6 ; 15.15 ; 21.8 ; 24.18 ; Mi 6.4 — maison de servitude 5.6+ — Dieu vous aime 4.37+. **7.9** Dieu qui garde l'alliance Ne 1.5 — Dieu fidèle 5.10 ; Ex 20.6+ ; 1 Co 1.9 ; 10.13 — aimer Dieu 5.10+. **7.10** payer de retour 32.41 ; cf. 24.16. **7.11** garder et mettre en pratique 5.1+ — le commandement que j'ordonne 4.2+. **7.12-15** si tu... je... Ex 15.26. **7.13** bénédiction et prospérité 28.4 ; Pr 10.22 ; Si 33.17 — le pays promis 1.8+. **7.15** plaies d'Egypte 4.34 ; Ex 7.8—11.10. **7.16** ne pas s'attendrir 13.9 ; 19.13, 21 ; 25.12 — servir les dieux 7.4 ; 8.19 ; 11.16 ; 13.3, 7, 14 ; 29.25 — un piège Ex 23.33+. **7.18** ne crains pas l'ennemi 3.2+. **7.19** signes et prodiges 4.34+ — main forte 4.34+ — sortie d'Egypte 5.6+.

autant à tous les peuples que tu pourrais craindre. [20] Et même le SEIGNEUR ton Dieu leur enverra le frelon [t] jusqu'à la disparition de ceux qui resteraient et se cacheraient devant toi. [21] Ne tremble pas devant eux, car il est au milieu de toi, le SEIGNEUR ton Dieu, un Dieu grand et terrible. [22] Le SEIGNEUR ton Dieu chassera ces nations devant toi peu à peu : tu ne pourras pas les supprimer aussitôt, car autrement les animaux sauvages deviendraient trop nombreux contre toi. [23] Pourtant le SEIGNEUR ton Dieu te livrera ces nations et jettera sur elles une grande panique jusqu'à ce qu'elles soient exterminées. [24] Il livrera leurs rois entre tes mains, tu feras disparaître leur nom de sous le ciel ; aucun ne tiendra devant toi, jusqu'à ce que tu les aies exterminés. [25] Les idoles de leurs dieux, tu les brûleras. Tu ne te laisseras pas prendre au piège par l'envie de garder pour toi leur revêtement d'argent et d'or [u], car c'est une abomination pour le SEIGNEUR ton Dieu. [26] Tu ne feras pas entrer un objet abominable dans ta maison, car tu serais voué à l'interdit [v] comme lui. Tu le réprouveras totalement et tu l'auras en abomination, car il est voué à l'interdit.

Le Seigneur a éduqué Israël au désert

8 [1] Tout le commandement que je te donne aujourd'hui, vous veillerez à le pratiquer afin que vous viviez, que vous deveniez nombreux et que vous entriez en possession du pays que le SEIGNEUR a promis par serment à vos pères. [2] Tu te souviendras de toute la route que le SEIGNEUR ton Dieu t'a fait parcourir depuis quarante ans dans le désert, afin de te mettre dans la pauvreté ; ainsi il t'éprouvait pour connaître ce qu'il y

avait dans ton *cœur [w] et savoir si tu allais, oui ou non, observer ses commandements. [3] Il t'a mis dans la pauvreté, il t'a fait avoir faim et il t'a donné à manger la manne que ni toi ni tes pères ne connaissiez, pour te faire reconnaître que l'homme ne vit pas de pain seulement, mais qu'il vit de tout ce qui sort de la bouche du SEIGNEUR [x]. [4] Ton manteau ne s'est pas usé sur toi, ton pied n'a pas enflé depuis quarante ans [5] et tu reconnais, à la réflexion, que le SEIGNEUR ton Dieu faisait ton éducation comme un homme fait celle de son fils.

Les tentations dans le pays promis

[6] Tu garderas les commandements du SEIGNEUR ton Dieu en suivant ses chemins et en le craignant. [7] Le SEIGNEUR ton Dieu te fait entrer dans un bon pays, un pays de torrents, de sources, d'eaux souterraines jaillissant dans la plaine et la montagne, [8] un pays de blé et d'orge, de vignes, de figuiers et de grenadiers, un pays d'huile d'olive et de miel, [v] un pays où tu mangeras du pain sans être rationné, où rien ne te manquera, un pays dont les pierres contiennent du fer et dont les montagnes sont des mines de cuivre. [10] Tu mangeras à satiété et tu béniras le SEIGNEUR ton Dieu pour le bon pays qu'il t'aura donné. [11] Garde-toi bien d'oublier le SEIGNEUR ton Dieu en ne gardant pas ses commandements, ses coutumes et ses lois que je te donne aujourd'hui. [12] Si tu manges à satiété, si tu te construis de belles maisons pour y habiter, [13] si tu as beaucoup de gros et de petit bétail, beaucoup d'argent et d'or, beaucoup de biens de toute sorte, [14] ne va pas devenir orgueilleux et oublier le SEIGNEUR ton Dieu. C'est lui qui t'a fait sortir du pays d'Egypte,

---

t le frelon: autre traduction *le découragement* ● *u* Les *idoles* étaient souvent des statues de bois plaquées d'argent ou d'or ● *v voué à l'interdit:* voir 2.34 et la note ● *w pour connaître ce qu'il y avait:* autre interprétation *pour que tu saches ce qu'il y a* ● *x manne:* voir Ex 16.31 et la note. — *ce qui sort de la bouche du Seigneur,* c'est sa parole. La manne, annoncée par la parole, prouve que celle-ci est efficace et que Dieu est fidèle

7.20 le frelon Ex 23.28-30.   **7.21** ne tremble pas 1.29+ — le Seigneur au milieu d'Israël 4.7+. **7.23** panique jusqu'à extermination 28.20.   **7.24** rois livrés Jos 8.1; 10.8, 16-43.   **7.25** brûler les idoles 7.5; 9.21; 2 R 10.26; Jr 43.12 — abomination pour le Seigneur 12.31; 17.1; 18.12; 22.5; 23.19; 24.4; 25.16; 27.15; Pr 11.1, 20; 15.8; 16.5; cf. 13.15; 20.18; 32.16; Jr 32.35; Ez 8.6-17. **8.1** le commandement que je donne 4.2+ ; 5.31+ — veiller à pratiquer 5.1+ — observer les commandements pour vivre 4.1+ — le pays promis 1.8+.   **8.2** quarante ans dans le désert Nb 14.33; Ps 95.9-10; Ac 7.36 — éprouver 13.4; 33.8; Ex 15.25; He 11.17.   **8.3** la manne Ex 16.31+ — pas seulement du pain Mt 4.4 — ce qui sort de la bouche du Seigneur Ps 89.35.   **8.5** le Seigneur éduque 4.36; Pr 3.11, 12; He 12.7.   **8.6** suivre les chemins du Seigneur 10.12; 11.22; 19.9; 26.17; 28.9; 30.16; Jos 22.5; Jg 2.22; 1 R 2.3; 8.58 — craindre le Seigneur 4.10+.   **8.7** bon pays 1.25+ — pays arrosé 11.10-12; cf. Nb 20.5.   **8.10** manger à satiété 6.11+.   **8.11** ne pas oublier le Seigneur 4.9+ — les commandements que je donne 4.2+.   **8.12** belles maisons Am 3.15; 5.11. **8.14** sortie d'Egypte 5.6+.

de la maison de servitude ; [15] c'est lui qui t'a fait marcher dans ce désert grand et terrible peuplé de serpents brûlants [y] et de scorpions, terre de soif où l'on ne trouve pas d'eau ; c'est lui qui pour toi a fait jaillir l'eau du rocher de granit, [16] c'est lui qui, dans le désert, t'a donné à manger la manne [z] que tes pères ne connaissaient pas, afin de te mettre dans la pauvreté et de t'éprouver pour rendre heureux ton avenir. [17] Ne va pas te dire : « C'est à la force du poignet que je suis arrivé à cette prospérité », [18] mais souviens-toi que c'est le SEIGNEUR ton Dieu qui t'aura donné la force d'arriver à la prospérité, pour confirmer son *alliance jurée à tes pères, comme il le fait aujourd'hui. [19] Et si jamais tu en viens à oublier le SEIGNEUR ton Dieu, si tu suis d'autres dieux, si tu les sers et te prosternes devant eux, je l'atteste contre vous aujourd'hui : vous disparaîtrez totalement ; [20] comme les nations que le SEIGNEUR a fait disparaître devant vous, ainsi vous disparaîtrez, pour n'avoir pas écouté la voix du SEIGNEUR votre Dieu.

Israël n'a aucun mérite

9 [1] Ecoute, Israël ! Tu vas aujourd'hui passer le Jourdain pour déposséder des nations plus grandes et plus puissantes que toi, avec leurs villes grandes, fortifiées, perchées dans le ciel [a], [2] et un grand peuple, de haute taille, les Anaqites [b]. Tu le sais, tu l'as entendu dire : qui peut tenir devant les fils de Anaq ? [3] Tu vas reconnaître aujourd'hui que c'est le SEIGNEUR ton Dieu qui passe le Jourdain devant toi comme un feu dévorant ; c'est lui qui les exterminera, c'est lui qui les abattra devant toi. Tu les déposséderas et tu les feras disparaître aussitôt comme le SEIGNEUR te l'a promis. [4] Quand le SEIGNEUR ton Dieu les aura

repoussés devant toi, ne te dis pas : « C'est parce que je suis juste que le SEIGNEUR m'a fait entrer prendre possession de ce pays. » C'est parce que ces nations sont coupables que le SEIGNEUR les a dépossédées devant toi. [5] Ce n'est pas parce que tu es juste ou que tu as le *cœur droit que tu vas entrer prendre possession de leur pays ; en vérité, c'est parce que ces nations sont coupables que le SEIGNEUR ton Dieu les a dépossédées devant toi. Il l'a fait aussi pour confirmer le serment du SEIGNEUR à tes pères, Abraham, Isaac et Jacob. [6] Reconnais que ce n'est pas parce que tu es juste que le SEIGNEUR ton Dieu te donne ce bon pays en possession, car tu es un peuple à la nuque raide [c].

Le veau d'or : la faute du peuple

[7] Souviens-toi, n'oublie pas que tu as irrité le SEIGNEUR ton Dieu dans le désert. Depuis le jour où tu es sorti du pays d'Egypte jusqu'à votre arrivée ici, vous avez été en révolte contre le SEIGNEUR. [8] A l'Horeb [d], vous avez irrité le SEIGNEUR, et le SEIGNEUR s'est mis en colère contre vous jusqu'à vouloir vous exterminer. [9] Quand je suis monté sur la montagne pour recevoir les tables de pierre, les tables de l'*alliance que le SEIGNEUR avait conclue avec vous, je suis resté sur la montagne quarante jours et quarante nuits, sans manger de pain ni boire d'eau. [10] Le SEIGNEUR m'a donné les deux tables de pierre, écrites du doigt de Dieu, où étaient reproduites toutes les paroles que le SEIGNEUR avait prononcées pour vous sur la montagne, du milieu du feu, au jour de l'assemblée. [11] C'est au bout de quarante jours et de quarante nuits que le SEIGNEUR m'a donné les deux tables de pierre, les tables de l'alliance. [12] Alors le SEIGNEUR m'a dit : « Lève-toi, descends

---

y serpents brûlants: voir Nb 21.6 et la note ● z manne: voir Ex 16.31 et la note ● a perchées dans le ciel: voir 1.28 et la note ● b Voir Nb 13.22 et la note ● c nuque raide: voir Ex 32.9 et la note ● d Horeb: autre nom du Sinaï

8.15 serpents brûlants Nb 21.6-9 — eau du rocher Ex 17.1-7; Nb 20.1-13; Ps 78.15.   **8.16** manne 8.3+ — éprouver 8.2+.   **8.17** force du poignet Es 10.13-14; Ps 44.3-8.   **8.18** Dieu donne la prospérité Os 2.10; Ps 127.1-2 — tenir un serment 9.5; Gn 26.3; Jr 11.5.   **8.19** autres dieux Ex 20.3+ — vous disparaîtrez 4.26+.   **8.20** écouter la voix du Seigneur 4.30+ — châtiment de ceux qui n'écoutent pas 28.15, 45, 62; Jos 5.6.   **9.1** écoute, Israël 4.1+ — villes fortifiées des Anaqites 1.28+.   **9.3** Dieu est un feu dévorant 4.24+ — Dieu abat les adversaires Ps 44.3-8.   **9.4** déposséder les nations 4.38+ — être juste 6.25; 9.5-6.   **9.5** prendre possession du pays 1.21+ — le pays promis 1.8+.   **9.6** bon pays 1.25+.   **9.7** Le veau d'or Ex 32+ — révoltes au désert Nb 11.1; 14.1-4; 16.1-3; 17.6-7; 20.1-5; 21.4-5.   **9.9** Moïse sur le Sinaï Ex 19.20; 20.18-21; 24.12-18 — tables de pierre 4.13+ — jeûne de quarante jours 9.18; Ex 34.28; Mt 4.2 par.; cf. 1 R 19.8.   **9.10** écrit du doigt de Dieu Ex 31.18; cf. Ex 32.16.

tout de suite d'ici, car ton peuple s'est corrompu, ce peuple que tu as fait sortir d'Egypte ; ils n'ont pas tardé à s'écarter du chemin que je leur avais prescrit : ils se sont fabriqué une statue de métal fondu ! » [13] Et le SEIGNEUR m'a dit : « Je vois ce peuple : eh bien ! c'est un peuple à la nuque raide *e* ! [14] Laisse-moi faire, je vais les exterminer, je vais effacer leur nom de sous le ciel ; mais je ferai de toi une nation plus puissante et plus nombreuse qu'eux. » [15] Je me suis tourné pour descendre de la montagne, cette montagne toute embrasée, en tenant de mes deux mains les deux tables de l'alliance. [16] Et j'ai vu : vous aviez péché contre le SEIGNEUR votre Dieu en vous fabriquant un veau de métal fondu ; vous n'aviez pas tardé à vous écarter du chemin que le SEIGNEUR vous avait prescrit. [17] Alors, j'ai saisi les deux tables, je les ai jetées de mes deux mains, et je les ai brisées sous vos yeux.

Le veau d'or : Moïse intercède

[18] Je suis tombé à terre devant le SEIGNEUR ; comme la première fois, pendant quarante jours et quarante nuits je n'ai pas mangé de pain, je n'ai pas bu d'eau, à cause de tous les péchés que vous aviez commis en faisant ce qui est mal aux yeux du SEIGNEUR, au point de l'offenser. [19] Je redoutais la colère et la fureur du SEIGNEUR, irrité contre vous jusqu'à vouloir vous exterminer ; mais le SEIGNEUR, cette fois encore, m'a écouté. [20] Contre Aaron aussi, le SEIGNEUR s'est mis dans une grande colère jusqu'à vouloir l'exterminer, alors j'ai prié aussi pour Aaron. [21] Et le péché que vous aviez fait, le veau, je l'ai pris, je l'ai brûlé, mis en morceaux, écrasé tout fin, réduit en poussière, et j'en ai jeté la poussière dans le torrent qui descend de la montagne. [22] A Tavééra, à Massa, à Qivroth-Taawa *f*, vous avez irrité le SEIGNEUR. [23] Et quand le SEIGNEUR, à Qadesh-Barnéa *g*, vous a envoyés en disant : « Montez

prendre possession du pays que je vous donne », vous avez été rebelles à la voix du SEIGNEUR votre Dieu, vous n'avez pas mis votre foi en lui, vous n'avez pas écouté sa voix. [24] Vous avez été en révolte contre le SEIGNEUR depuis le jour où je vous ai connus.

[25] Je suis donc tombé à terre devant le SEIGNEUR, durant ces quarante jours et ces quarante nuits où je tombai à terre devant lui, car le SEIGNEUR avait parlé de vous exterminer. [26] J'ai prié le SEIGNEUR et j'ai dit : « Seigneur DIEU, ne détruis pas ton peuple, ton héritage, que tu as racheté dans ta grandeur, et que tu as fait sortir d'Egypte par la force de ta main. [27] Souviens-toi de tes serviteurs Abraham, Isaac et Jacob ; ne fais pas attention à l'obstination de ce peuple, à son impiété, à son péché. [28] Qu'on ne dise pas dans le pays d'où tu nous as fait sortir : "Le SEIGNEUR n'était pas capable de les faire entrer dans le pays qu'il leur avait promis, et il les haïssait : c'est pourquoi il les a fait sortir pour les faire mourir au désert." [29] C'est pourtant ton peuple, ton héritage, que tu as fait sortir par ta grande force et ton bras étendu ! »

Le veau d'or : le pardon du Seigneur

10 [1] Alors, le SEIGNEUR m'a dit : « Taille deux tables de pierre comme les premières et monte vers moi sur la montagne. Tu te feras aussi une *arche de bois. [2] Sur les tables, j'écrirai les paroles qui étaient sur les premières, que tu as brisées ; puis tu mettras les tables dans l'arche. »

[3] J'ai fait une *arche en bois d'acacia, j'ai taillé deux tables de pierre comme les premières, et je suis monté sur la montagne, les deux tables à la main. [4] Et il a écrit sur les tables, de la même écriture que la première fois, les dix paroles que le SEIGNEUR avait proclamées pour vous sur la montagne, du milieu du feu, au jour de l'assemblée. Et le SEIGNEUR

---

e nuque raide: voir Ex 32.9 et la note • *f Tavééra:* voir Nb 11.3 et la note. — *Massa:* voir Ex 17.7 et la note. — *Qivroth-Taawa:* voir Nb 11.34 • *g Qadesh-Barnéa:* voir Nb 13.26 et la note ; Dt 1.19-46

9.14 effacer le nom 25.6, 19 ; 29.19 ; 2 R 14.27 ; Ap 3.5 ; cf. Jg 21.17 ; Ps 69.29. **9.15** le feu du Sinaï 4.11 ; 5.23 ; Ex 19.16-18 ; He 12.18. **9.18** jeûne de quarante jours 9.9+ — offenser le Seigneur 4.25+ — faire ce qui est mal aux yeux du Seigneur 4.25+. **9.21** brûler les idoles 7.25+. **9.23** Qadesh-Barnéa 1.19-46 — écouter la voix du Seigneur 4.30+. **9.24** révolte Ps 78.8 ; Ac 7.51. **9.25** Dialogues de Dieu et de Moïse Ex 32.9-13 ; Nb 14.11-20. **9.26** force de la main du Seigneur 3.24+ — Dieu a racheté Israël 7.8+. **9.28** railleries des nations 32.27 ; Nb 14.15-16 ; Ps 115.2. **9.29** bras étendu cf. 4.34+. **10.1-5** les nouvelles tables Ex 34.1-4. **10.1** tables de pierre Ex 24.12+ — arche Ex 37.1-5. **10.4** les dix paroles 5.6-21 ; Ex 20.1-17.

m'a remis les tables. ⁵ Puis je me suis tourné pour descendre de la montagne ; je les ai mises dans l'arche que j'avais faite, et elles y sont restées, comme le SEIGNEUR me l'avait ordonné.

⁶ Les fils d'Israël sont partis des puits de Bené-Yaaqân vers Mosséra — c'est là qu'Aaron est mort et a été enseveli ; son fils Eléazar est devenu prêtre à sa place. — ⁷ De là, ils sont partis vers la Goudgoda, et de la Goudgoda vers Yotvata, qui est un pays de torrents.

⁸ Alors, le SEIGNEUR a mis à part la tribu de Lévi pour porter l'arche de l'alliance du SEIGNEUR, se tenir devant le SEIGNEUR, officier pour lui et bénir en son nom, comme elle le fait encore aujourd'hui. ⁹ C'est pourquoi Lévi ne possède pas d'héritage ni de part comme ses frères ; c'est le SEIGNEUR qui est son héritage, comme le SEIGNEUR ton Dieu le lui a promis.

¹⁰ Ainsi, je m'étais tenu sur la montagne comme auparavant pendant quarante jours et quarante nuits, et le SEIGNEUR m'avait encore écouté cette fois-là : le SEIGNEUR n'a pas voulu te détruire ʰ. ¹¹ Et le SEIGNEUR m'a dit : « Lève-toi ! Va devant le peuple donner le signe du départ ; ils entreront prendre possession de la terre que j'ai juré à leurs pères de leur donner. »

La loi d'amour et d'obéissance

¹² Et maintenant, Israël, qu'est-ce que le SEIGNEUR ton Dieu attend de toi ? Il attend seulement que tu craignes le SEIGNEUR ton Dieu en suivant tous ses chemins, en aimant et en servant le SEIGNEUR ton Dieu de tout ton *cœur, de tout ton être, ¹³ en gardant les commandements du SEIGNEUR et les lois que je te donne aujourd'hui, pour ton bonheur.

¹⁴ Oui, au SEIGNEUR ton Dieu appartiennent les cieux et les cieux des cieux ⁱ, la terre et tout ce qui s'y trouve. ¹⁵ Or c'est à tes pères seulement que le SEIGNEUR s'est attaché pour les aimer ; et après eux, c'est leur descendance, c'est-à-dire vous, qu'il a choisis entre tous les peuples comme on le constate aujourd'hui. ¹⁶ Vous *circoncirez donc votre cœur, vous ne raidirez plus votre nuque ʲ, ¹⁷ car c'est le SEIGNEUR votre Dieu qui est le Dieu des dieux ᵏ et le Seigneur des seigneurs, le Dieu grand, puissant et redoutable, l'impartial et l'incorruptible, ¹⁸ qui rend justice à l'orphelin et à la veuve, et qui aime l'émigré en lui donnant du pain et un manteau. ¹⁹ Vous aimerez l'émigré, car au pays d'Egypte vous étiez des émigrés.

²⁰ C'est le SEIGNEUR ton Dieu que tu craindras et que tu serviras, c'est à lui que tu t'attacheras, c'est par son nom que tu prêteras serment. ²¹ Il est ta louange, il est ton Dieu, lui qui a fait pour toi ces choses grandes et terribles ˡ que tu as vues de tes yeux. ²² Tes pères n'étaient que soixante-dix quand ils sont descendus en Egypte, et maintenant le SEIGNEUR ton Dieu t'a rendu aussi nombreux que les étoiles du ciel.

11 ¹ Tu aimeras le SEIGNEUR ton Dieu et tu garderas ce qu'il t'ordonne de garder, ses lois, ses coutumes et ses commandements, tous les jours.

Comprendre ce que Dieu a fait pour Israël

² Vous connaissez aujourd'hui — ce n'est pas le cas de vos fils, qui n'ont pas connu et qui n'ont pas vu — vous connaissez la leçon du SEIGNEUR votre Dieu, sa grandeur, sa main forte et son bras étendu :

ʰ Moïse s'adresse au peuple d'Israël dans son ensemble ● ⁱ cieux des cieux: formule qui désigne le ciel envisagé dans toute sa grandeur et sa splendeur ● ʲ vous ne raidirez plus votre nuque: comparer Ex 32.9 et la note ● ᵏ Dieu des dieux: sorte de superlatif pour exprimer que Dieu est au dessus de tout ● ˡ ces choses grandes et terribles: les événements de la sortie d'Egypte et tout ce qu'Israël a vécu dans le désert.

10.6 de Bené-Yaaqân à Mosséra Nb 33.30-33 — mort d'Aaron Nb 20.22-29; 33.38 — succession du grand prêtre Lv 6.15+. **10.8** tribu de Lévi mise à part Nb 8.5-19 — lévites porteurs de l'arche 31.9, 25; Jos 3.3 — officier pour le Seigneur 17.12; 21.5; 33.10; cf. 18.5, 7. **10.9** le Seigneur, héritage de Lévi 18.2; Nb 18.20; Jos 13.33; Ez 44.28; Si 45.22 — les lévites n'ont pas de territoire Nb 18.20+. **10.11** le pays promis 1.8+. **10.12** craindre le Seigneur 4.10+ — aimer Dieu de tout ton cœur 6.5+. **10.13** les commandements que je donne 4.2+ — pour ton bonheur 4.40+. **10.15** Dieu aime 4.37+. **10.16** circoncision du cœur 30.6. **10.17** Seigneur des Seigneurs 1 Tm 6.15; Ap 17.14; 19.16 — Dieu n'est pas partial 2 Ch 19.7; Ac 10.34; Rm 2.11; Ga 2.6; Ep 6.9; 1 P 1.17. **10.18** orphelin, veuve, émigré 24.17; 27.19; Ex 22.20-21; Jr 7.6; Ez 22.7; Jc 1.27 et lévite 14.29; 16.11, 14; 26.12. **10.19** vous aimerez l'émigré Lv 19.34+ — Israël émigré en Egypte 23.8; Ex 22.20; 23.9; Lv 19.34. **10.20** s'attacher à Dieu 11.22; 13.5; 30.20; Jos 22.5; 23.8; 2 R 18.6. **10.22** soixante-dix personnes Gn 46.27; Ex 1.5; cf. Ac 7.14 — nombreuse descendance d'Abraham 1.10+. **11.1** aimer Dieu 5.10+. **11.2** main forte 4.34+.

³ — ses signes et ses actions, ce qu'en plein milieu de l'Egypte il a fait à *Pharaon, roi d'Egypte, et à tout son pays ; ⁴ — ce qu'il a fait à l'armée égyptienne, à ses chevaux et à ses chars, en faisant déferler sur eux l'eau de la *mer des Joncs, quand ils vous poursuivaient : — et le SEIGNEUR les a supprimés jusqu'à aujourd'hui ; ⁵ — ce qu'il vous a fait au désert jusqu'à votre arrivée en ce lieu ; ⁶ — ce qu'il a fait à Datân et Abirâm, les fils d'Eliav fils de Ruben, que la terre, ouvrant sa gueule, a engloutis au milieu de tout Israël avec leur famille, leurs tentes et tous les gens qui marchaient sur leurs traces. ⁷ C'est de vos propres yeux que vous avez vu toute l'action grandiose du SEIGNEUR ! ⁸ Vous garderez donc tout le commandement que je te donne aujourd'hui, afin que vous soyez courageux, et que vous entriez en possession du pays où vous allez passer pour en prendre possession, ⁹ afin que vos jours se prolongent sur la terre que le SEIGNEUR a juré à vos pères de leur donner, ainsi qu'à leur descendance — un pays ruisselant de lait et de miel.

Le pays dont le Seigneur prend soin

¹⁰ Certes, le pays où tu entres pour en prendre possession n'est pas comme le pays d'Egypte d'où vous êtes sortis : tu y faisais tes semailles, et tu l'arrosais avec ton pied ᵐ comme un pardin potager ; ¹¹ le pays où vous passez pour en prendre possession est un pays de montagnes et de vallées, qui s'abreuve de la pluie du ciel, ¹² un pays dont le SEIGNEUR ton Dieu prend soin : sans cesse les yeux du SEIGNEUR ton Dieu sont sur lui, du début à la fin de l'année. ¹³ Et si vous écoutez vraiment mes commandements, ceux que je vous donne ⁿ aujourd'hui, en aimant le SEIGNEUR votre Dieu et en le servant de tout votre cœur, de tout votre être, ¹⁴ je donnerai en son temps la pluie qu'il faut à votre terre, celle de l'automne et celle du printemps : tu récolteras ton blé, ton vin nouveau et ton huile ; ¹⁵ je donnerai de l'herbe à tes bêtes dans tes prés, et tu mangeras à satiété.

¹⁶ Gardez-vous bien de vous laisser séduire dans votre *cœur, de vous dévoyer, de servir d'autres dieux et de vous prosterner devant eux : ¹⁷ car alors la colère du SEIGNEUR s'enflammerait contre vous, il fermerait le ciel et il n'y aurait plus de pluie, la terre ne donnerait plus ses produits, et vous disparaîtriez rapidement du bon pays que le SEIGNEUR vous donne.

¹⁸ Mes paroles vous voici, vous les mettrez en vous, dans votre cœur, vous en ferez un signe attaché à votre main, une marque placée entre vos yeux ᵒ. ¹⁹ Vous les apprendrez à vos fils en les leur disant quand tu resteras chez toi et quand tu marcheras sur la route, quand tu seras couché et quand tu seras debout ; ²⁰ tu les inscriras sur les montants de porte de ta maison et à l'entrée de tes villes, ²¹ pour que vos jours et ceux de vos fils, sur la terre que le SEIGNEUR a juré à vos pères de leur donner, durent aussi longtemps que le ciel sera au-dessus de la terre.

²² Car si vous gardez vraiment tout ce commandement que je vous ordonne de mettre en pratique, en aimant le SEIGNEUR votre Dieu, en suivant tous ses chemins et en vous attachant à lui, ²³ le SEIGNEUR dépossédera toutes ces nations devant vous, si bien que vous déposséderez des nations plus grandes et plus puissantes que vous. ²⁴ Tous les lieux que foulera la plante de vos pieds seront à vous ; depuis le désert et le Liban, depuis le fleuve Euphrate jusqu'à la mer Occidentale, sera votre territoire ᵖ. ²⁵ Personne ne tiendra devant vous, le SEIGNEUR répandra la terreur et la crainte de vous sur

---

m tu l'arrosais avec ton pied: pour arroser les terrains cultivés, on ouvrait et on bouchait avec le pied les rigoles d'irrigation ● *n* Aux versets 13-15, ce n'est plus Moïse, c'est le Seigneur lui-même qui parle ● *o* Voir la note sur Ex 13.9 ● *p le désert:* le texte sous-entend *de Syrie.* — *Euphrate:* voir Gn 2.14 et la note. — *mer Occidentale:* la mer Méditerranée. — *territoire:* voir Jos 1.4 et la note

11.3 actions de Dieu en Egypte Ex 7—12. **11.4** l'armée égyptienne noyée Ex 14.23-30 ; 15 ; Ps 106.11. **11.6** Datân et Abirâm Nb 16. **11.7** vous avez vu 29.3 ; cf. 11.2. **11.8** le commandement que j'ordonne 4.2+ ; 5.31+ — prendre possession du pays 1.21+. **11.9** le pays promis 10.2+ — jours prolongés 4.26+. **11.11** pays arrosé 8.7. **11.13** les commandements que je donne 4.2+ — aimer Dieu 5.10+ — de tout votre cœur 4.29+. **11.14** Dieu, maître de la pluie 28.12 ; 1 R 18.1, 45 ; Ez 34.26-27 ; Jl 2.23 ; Am 4.7. **11.15** manger à satiété 6.11+. **11.16** autres dieux 6.14+. **11.17** la terre stérile Lv 26.20 — bon pays 1.25+. **11.19** récits à raconter Ex 10.2+. **11.20** sur les montants 6.9. **11.21** le pays promis 1.8+ — longs jours 4.26+. **11.22** garder et mettre en pratique 5.1+ — ce que j'ordonne 4.2+ ; 5.31+ — s'attacher à Dieu 10.20+. **11.23** déposséder les nations 4.38+. **11.24** tout lieu que foulera votre pied Jos 1.3. **11.25** terreur et crainte 2.25.

tout le pays que vous foulerez, comme
il vous l'a promis.

Bénédiction ou malédiction

26 Vois : je mets aujourd'hui devant
vous bénédiction et malédiction : 27 la
bénédiction si vous écoutez les commandements du SEIGNEUR votre Dieu, que je
vous donne aujourd'hui, 28 la malédiction
si vous n'écoutez pas les commandements
du SEIGNEUR votre Dieu, et si vous vous
détournez du chemin que je vous prescris
aujourd'hui pour suivre d'autres dieux que
vous ne connaissez pas.
29 Quand le SEIGNEUR ton Dieu t'aura
fait entrer dans le pays où tu entres pour
en prendre possession, alors tu placeras
la bénédiction sur le mont Garizim et la
malédiction sur le mont Ebal [q] 30 — c'est
au-delà du Jourdain, au bout de la route
du couchant dans le pays du Cananéen
qui habite dans la Araba, en face du
Guilgal, à côté des chênes de Moré [r].
31 Car vous allez passer le Jourdain
pour aller prendre possession du pays que
le SEIGNEUR votre Dieu vous donne :
vous en prendrez possession et vous y
habiterez. 32 Et vous veillerez à mettre en
pratique toutes les lois et les coutumes
que je mets devant vous aujourd'hui.

LES LOIS DU SEIGNEUR

12 1 Voici les lois et les coutumes que
vous veillerez à mettre en pratique,
dans le pays que le SEIGNEUR, le Dieu de
tes pères, t'a donné en possession, durant
tous les jours que vous vivrez sur la terre.

Un seul lieu de culte

2 Vous supprimerez entièrement tous
les lieux où les nations que vous dépossé-
dez ont servi leurs dieux, sur les montagnes élevées, sur les collines et sous tous
les arbres verdoyants. 3 Vous démolirez
leurs *autels et vous briserez leurs stèles ;
leurs poteaux sacrés, vous les brûlerez ;
les idoles de leurs dieux, vous les casserez ; vous supprimerez leur nom [s] de ce
lieu. 4 Pour le SEIGNEUR votre Dieu, vous
n'agirez pas à leur manière, 5 car vous le
chercherez seulement dans le lieu que le
SEIGNEUR votre Dieu aura choisi parmi
toutes vos tribus pour y mettre son *nom,
pour y demeurer ; c'est là que tu viendras.
6 Vous y apporterez vos holocaustes, vos
*sacrifices, vos dîmes [t], vos contributions
volontaires, vos offrandes votives, vos
dons spontanés, les premiers-nés de votre
gros et de votre petit bétail. 7 Vous mangerez [u] là devant le SEIGNEUR votre Dieu,
et vous serez dans la joie, avec votre
maisonnée, pour toutes les entreprises où
le SEIGNEUR ton Dieu t'aura béni.
8 Vous n'agirez pas comme nous le
faisons ici aujourd'hui, où chacun fait
tout ce qui est droit à ses propres yeux.
9 Car vous n'êtes pas encore entrés dans
le lieu du repos [v], dans l'héritage que le
SEIGNEUR ton Dieu te donne, 10 mais vous

q Les monts *Ebal* et *Garizim* dominent la ville de Sichem à l'ouest. Un sanctuaire israélite ancien semble avoir existé sur le mont *Ebal* (Dt 27.4; Jos 8.30-32) ● *r au-delà du Jourdain* désigne ici la Palestine. — *Araba:* voir 1.1 et la note. — *Guilgal:* peut-être le lieu qui portait ce nom près de Jéricho (voir Jos 4.19), peut-être un autre (2 R 2.1; 4.38). — *chênes de Moré:* voir Gn 12.6. — Les indications géographiques de ce verset visent à situer le sanctuaire de Sichem où on célébrait périodiquement l'*alliance (voir 27.1-13) ● *s* Les versets 2-3 décrivent les éléments du culte cananéen combattu par Dt: le sanctuaire est situé sur une hauteur; les *arbres verts* symbolisent la vie; l'autel est entouré de pierres dressées (*stèles:* voir Gn 28.18 et la note) ou de *poteaux sacrés* (voir la note sur Jg 3.7); l'idole signale la présence de la divinité locale. — *leur nom:* il s'agit probablement du nom des faux *dieux*, plutôt que du nom des nations qui leur rendent un culte ● *t* Voir Gn 14.20 et la note ● *u* Certains sacrifices étaient suivis d'un repas, de même l'offrande de la dîme (v. 17-18) ● *v* Le *repos* évoque la fin de la longue marche dans le désert et des luttes pour la conquête (voir v. 10)

11.26 bénédiction et malédiction 28; 30.19. **11.27** les commandements que je donne 4.2+. **11.28** autres dieux 6.14+. **11.29** prendre possession du pays 1.21+ — sur l'Ebal et le Garizim 27.11-13. **11.31** le pays que le Seigneur donne 3.20+. **11.32** veiller à mettre en pratique 5.1+. **12.1** Dieu des pères 1.11+ — veiller à mettre en pratique 5.1+. **12.2** collines et arbres verdoyants 2 R 16.4; 17.10; Jr 2.20; 3.6; Ez 6.13; cf. Es 57.5. **12.3** détruire les lieux de culte 7.5+. **12.5** le lieu que Dieu choisira 15.20; 16.16; 17.8; 31.11; Jos 9.27; pour y mettre son nom 12.5-27; 14.23-25; 16.2, 16; 26.2; cf. 1 R 9.3; 11.36; Jr 7.12; Esd 6.12; Ne 1.9. **12.6** donner au Seigneur *Si* 35.12. **12.7** manger devant le Seigneur 12.18; 14.23, 26; 15.20 — dans la joie 12.18; 14.26; 16.11, 14. **12.9-10** le repos 3.20+ — dégagé des ennemis 25.19; 2 S 7.1.

allez passer le Jourdain et vous habiterez dans le pays que le SEIGNEUR votre Dieu vous accorde en héritage : il vous donnera le repos en vous dégageant de l'étreinte de tous vos ennemis et vous y habiterez en sécurité. [11] C'est dans le lieu choisi par le SEIGNEUR votre Dieu pour y faire demeurer son *nom que vous apporterez tout ce que je vous ordonne : vos holocaustes, vos sacrifices, vos contributions volontaires et tout ce que vous aurez choisi pour faire des offrandes votives au SEIGNEUR. [12] Vous serez dans la joie devant le SEIGNEUR votre Dieu, vous, vos fils, vos filles, vos serviteurs et vos servantes, ainsi que le *lévite qui est dans vos villes car il n'a ni part ni héritage avec vous *w*.

[13] Garde-toi bien d'offrir tes holocaustes dans n'importe lequel des lieux que tu verras ; [14] c'est seulement au lieu choisi par le SEIGNEUR chez l'une de tes tribus que tu offriras tes holocaustes ; c'est là que tu feras tout ce que je t'ordonne. [15] Cependant, tu pourras, comme tu le voudras, abattre des bêtes et manger de la viande dans toutes tes villes, selon la bénédiction que le SEIGNEUR ton Dieu t'aura donnée. Celui qui est impur et celui qui est pur en mangeront comme si c'était de la gazelle ou du cerf *x*. [16] Cependant, vous ne mangerez pas le *sang : tu le verseras sur la terre comme de l'eau. [17] Tu ne pourras pas manger dans tes villes la dîme de ton blé, de ton vin nouveau et de ton huile, ni les premiers-nés de ton gros et de ton petit bétail, ni toutes les offrandes votives que tu feras, les dons spontanés et les contributions volontaires ; [18] c'est seulement devant le SEIGNEUR ton Dieu que tu en mangeras, au lieu que le SEIGNEUR ton Dieu aura choisi ; tu en mangeras, avec ton fils, ta fille, ton serviteur, ta servante et le *lévite qui est dans tes villes ; tu seras dans la joie devant le SEIGNEUR ton Dieu pour toutes tes entreprises. [19] Garde-toi bien de négliger le lévite, durant tous les jours où tu seras sur la terre.

[20] Quand le SEIGNEUR ton Dieu aura agrandi ton territoire comme il te l'a promis, et que tu diras : « Je vais manger de la viande », parce que tu en voudras, tu mangeras de la viande autant que tu en voudras. [21] Si le lieu que le SEIGNEUR ton Dieu aura choisi pour y mettre son *nom est loin de chez toi, tu abattras de ton gros et de ton petit bétail, celui que le SEIGNEUR ton Dieu t'aura donné, en faisant comme je te l'ai ordonné, et tu en mangeras dans tes villes autant que tu en voudras. [22] Oui, tu pourras en manger comme on mange de la gazelle ou du cerf ; l'homme qui est impur et celui qui est pur en mangeront ensemble. [23] Seulement, tiens ferme à ne pas manger le *sang, car le sang c'est la vie, et tu ne mangeras pas la vie avec la viande ; [24] tu n'en mangeras pas : tu le verseras sur la terre comme de l'eau. [25] Tu n'en mangeras pas ; ainsi tu seras heureux, toi et tes fils après toi, puisque tu auras fait ce qui est droit aux yeux du SEIGNEUR.

[26] Les seules choses que tu viendras porter au lieu que le SEIGNEUR aura choisi, ce sont celles que tu auras consacrées et tes offrandes votives. [27] Tu feras tes holocaustes, viande et sang, sur l'*autel du SEIGNEUR ton Dieu ; le sang de tes sacrifices *y* sera versé sur l'autel du SEIGNEUR ton Dieu, et la viande, tu la mangeras. [28] Observe et écoute toutes les paroles des commandements que je te donne ; ainsi tu seras heureux, toi et tes fils après toi pour toujours, puisque tu auras fait ce qui est bien et droit aux yeux du SEIGNEUR ton Dieu.

Contre les dieux cananéens

[29] Lorsque le SEIGNEUR ton Dieu aura détruit devant toi les nations chez qui tu vas entrer pour les déposséder, quand tu les auras dépossédées et que tu habiteras dans leur pays, [30] garde-toi bien de te laisser prendre au piège en les imitant, après qu'elles auront été exterminées

---

w La tribu de Lévi n'avait pas de territoire propre qui aurait pu être considéré comme sa *part* ou son *héritage* (voir 10.8-9) ● *x abattre des bêtes* : il s'agit de l'abattage des animaux de boucherie quand il n'était pas possible de l'effectuer au sanctuaire unique (v. 21). — *gazelle, cerf* : voir 14.4-5 ● *y* Le mot *sacrifices* est pris ici au sens restreint de *sacrifices de paix*, dont on mange la viande (voir Lv 3)

12.11 j'ordonne 4.2+. **12.12** lévite 33.8-11 — pas de territoire pour les lévites Nb 18.20+. **12.15** abattage des animaux 12.21; cf. Lv 17.3-4. **12.16** ne pas manger le sang 12.23; Gn 9.4; Lv 3.17; Ac 15.29 — verser le sang des animaux Lv 17.13+. **12.17-19** où manger la dîme 14.22-29. **12.19** prendre soin du lévite 14.27; cf. 26.12. **12.23** le sang c'est la vie Lv 17.11+. **12.25** tu seras heureux 4.40+ — faire ce qui est droit 6.18+. **12.28** ce que je commande 4.2+. **12.29** prendre possession du pays 1.21+ — déposséder les nations 4.38+. **12.30** piège 7.25 — servir les dieux 7.16+; 2 R 17.25-28.

devant toi ; garde-toi de chercher leurs dieux en disant : « Comment ces nations servaient-elles leurs dieux, que j'agisse à leur manière, moi aussi ? » [31] A cause du SEIGNEUR ton Dieu, tu n'agiras pas à leur manière, car tout ce qui est une abomination pour le SEIGNEUR, tout ce qu'il déteste, elles l'ont fait pour leurs dieux : même leurs fils et leurs filles, ils les brûlaient pour leurs dieux !

Contre les adorateurs de faux dieux

13 [1] Toutes les paroles des commandements que je vous donne, vous veillerez à les pratiquer ; tu n'y ajouteras rien et tu n'y enlèveras rien.

[2] S'il surgit au milieu de toi un *prophète ou un visionnaire [z] — même s'il t'annonce un *signe ou un prodige, [3] et que le signe ou le prodige qu'il t'avait promis se réalise —, s'il dit : « Suivons et servons d'autres dieux », des dieux que tu ne connais pas, [4] tu n'écouteras pas les paroles de ce *prophète ou les visions de ce visionnaire ; car c'est le SEIGNEUR votre Dieu qui vous éprouvera de cette manière pour savoir si vous êtes de ces gens qui aimez le SEIGNEUR votre Dieu de tout votre cœur, de tout votre être. [5] C'est le SEIGNEUR votre Dieu que vous suivrez ; c'est lui que vous craindrez ; ce sont ses commandements que vous garderez ; c'est sa voix que vous écouterez ; c'est lui que vous servirez ; c'est à lui que vous vous attacherez. [6] Quant à ce prophète ou visionnaire, il sera mis à mort pour avoir prêché la révolte contre le SEIGNEUR votre Dieu qui vous a fait sortir du pays d'Egypte, et t'a racheté de la maison de servitude ; cet homme voulait t'entraîner hors du chemin que le SEIGNEUR ton Dieu t'a prescrit de suivre. Tu ôteras le mal du milieu de toi.

[7] Si ton frère, fils de ta mère, ou ton fils ou ta fille ou la femme que tu serres contre ton *cœur, ou ton prochain qui est comme toi-même, viennent en cachette te faire cette proposition : « Allons servir d'autres dieux » — ces dieux que ni toi ni ton père vous ne connaissez, [8] parmi les dieux des peuples proches ou lointains qui vous entourent d'un bout à l'autre du pays — [9] tu n'accepteras pas, tu ne l'écouteras pas, tu ne t'attendriras pas sur lui, tu n'auras pas pitié, tu ne le défendras pas ; [10] au contraire, tu dois absolument le tuer. Ta main sera la première pour le mettre à mort, et la main de tout le peuple suivra ; [11] tu le lapideras, et il mourra pour avoir cherché à t'entraîner loin du SEIGNEUR ton Dieu qui t'a fait sortir du pays d'Egypte, de la maison de servitude. [12] Tout Israël en entendra parler et sera dans la crainte, et on cessera de commettre le mal de cette façon au milieu de toi.

[13] Si, dans une des villes que le SEIGNEUR ton Dieu te donne pour y habiter, tu entends dire [14] que des gens de rien [a] sont sortis du milieu de toi et ont entraîné les habitants de leur ville en disant : « Allons servir d'autres dieux », des dieux que vous ne connaissez pas, [15] alors tu feras des recherches, tu t'informeras, tu mèneras une enquête approfondie ; ' une fois établi le fait que cette abomination a été commise au milieu de toi, [16] tu frapperas au tranchant de l'épée tous les habitants de cette ville : tu la voueras à l'interdit [b] avec tout ce qui s'y trouve et tu frapperas son bétail au tranchant de l'épée. [17] Tout le butin, tu le rassembleras au milieu de la place, et tu brûleras totalement la ville avec tout son butin pour le SEIGNEUR ton Dieu. Ce sera une ruine pour toujours ; elle ne sera plus jamais reconstruite. [18] Tu ne mettras la main sur rien de ce qui est voué à l'interdit. Ainsi le SEIGNEUR reviendra de l'ardeur de sa colère, te donnera et te montrera sa tendresse, et te rendra nombreux, comme il l'a promis à tes pères, [19] car tu auras écouté la voix du SEIGNEUR ton

z Il s'agit de celui qui a des songes (voir Jr 23.25) ● a gens de rien ou vauriens ● b voueras à l'interdit : voir 2.34 et la note

12.31 abomination pour le Seigneur 7.25+ ; cf. Lv 18.26-30 — sacrifices d'enfants Lv 18.21+. **13.1** ce que je commande 4.2+ — veiller à pratiquer 5.1+ — ne rien ajouter ni enlever 4.2+. **13.2** signe et prodige Mt 24.24+. **13.3** autres dieux 6.14+. **13.4** Dieu éprouve 8.2+ ; cf. 1 Co 11.19 — aimer Dieu de tout votre cœur 6.5+. **13.5** craindre le Seigneur 4.10+ — écouter la voix du Seigneur 4.30+ — s'attacher à Dieu 10.20+. **13.6** Dieu a racheté Israël 7.8+ — maison de servitude 5.6+ — ôter le mal du milieu d'Israël 17.7, 12 ; 19.19 ; 21.21 ; 22.21-24 ; 24.7 ; Jg 20.13 ; 1 Co 5.13 ; cf. 19.13 ; 21.9. **13.9** ne pas s'attendrir 19.13, 21 ; 25.12. **13.10** la première pierre 17.7 ; Jn 8.7 — tout le peuple doit participer à l'exécution 17.7. **13.11** lapider 17.5 ; 21.21 ; 22.21, 24 ; Jos 7.25 ; 1 R 21.10 ; Jn 10.31-33. **13.12** tout Israël en entendra parler 17.13 ; 19.20 ; 21.21. **13.15** enquête sur une abomination 17.4. **13.17** une ruine pour toujours Jos 8.28. **13.18** tendresse de Dieu 4.31+. **13.19** écouter la voix du Seigneur 4.30+ — les commandements que je donne 4.2+ — faire ce qui est droit 6.18+.

Dieu en gardant tous ses commandements que je te donne aujourd'hui, et en faisant ce qui est droit aux yeux du Seigneur ton Dieu.

Coutumes mortuaires interdites

14 ¹ Vous êtes des fils pour le Seigneur votre Dieu. Vous ne vous tailladerez pas le corps et vous ne porterez pas la tonsure *c* sur le devant de la tête pour un mort. ² Car tu es un peuple consacré au Seigneur ton Dieu ; c'est toi que le Seigneur a choisi pour devenir le peuple qui est sa part personnelle entre tous les peuples qui sont sur la surface de la terre.

Viandes autorisées et interdites

³ Tu ne mangeras rien d'abominable. ⁴ Voici les bêtes que vous pouvez manger : le bœuf, l'agneau ou le chevreau, ⁵ le cerf, la gazelle, le daim, le bouquetin, l'antilope, l'oryx, la chèvre sauvage *d*. ⁶ Toute bête qui a le pied fendu en deux sabots et qui rumine, vous pouvez la manger.

⁷ Ainsi, parmi les ruminants et parmi les animaux ayant des sabots fendus, vous ne mangerez pas ceux-ci : le chameau, le lièvre, le daman *e*, car ils ruminent, mais n'ont pas de sabots ; pour vous, ils sont *impurs. ⁸ Et le porc, puisqu'il a des sabots, mais ne rumine pas, pour vous il est impur : vous ne devez ni manger de leur chair ni toucher leur cadavre.

⁹ Parmi tous les animaux aquatiques, voici ce que vous pouvez manger : tout animal qui a nageoires et écailles, vous pouvez en manger ; ¹⁰ mais tout ce qui n'a pas nageoires et écailles, vous n'en mangerez pas ; pour vous, c'est *impur.

¹¹ Tout oiseau pur, vous pouvez le manger. ¹² Mais voici les oiseaux que vous ne mangerez pas : l'aigle, le gypaète, l'aigle marin, ¹³ le busard, le vautour et les différentes espèces de milans, ¹⁴ toutes les espèces de corbeaux, ¹⁵ l'autruche,

la chouette, la mouette, les différentes espèces d'éperviers, ¹⁶ le hibou, le chathuant, l'effraie, ¹⁷ la corneille, le charognard, le cormoran, ¹⁸ la cigogne, les différentes espèces de hérons, la huppe et la chauve-souris. ¹⁹ Toute bestiole ailée est *impure pour vous, on ne la mangera pas. ²⁰ Tout animal qui a des ailes et qui est pur, vous pouvez le manger.

²¹ Vous ne mangerez aucune bête crevée : c'est à l'émigré qui est dans tes villes que tu la donneras, et il pourra la manger ; ou bien, vends-la à l'étranger. Car tu es un peuple consacré au Seigneur ton Dieu.

Tu ne feras pas cuire un chevreau dans le lait de sa mère *f*.

Dîme annuelle et dîme triennale

²² Tu prélèveras chaque année la dîme *g* sur tout le produit de ce que tu auras semé et qui aura poussé dans tes champs. ²³ Devant le Seigneur ton Dieu, au lieu qu'il aura choisi pour y faire demeurer son *nom, tu mangeras la dîme de ton blé, de ton vin nouveau et de ton huile, et les premiers-nés de ton gros et de ton petit bétail ; ainsi, tu apprendras à craindre *h* le Seigneur ton Dieu tous les jours. ²⁴ Et quand la route sera trop longue pour que tu puisses apporter ta dîme, si le lieu que le Seigneur ton Dieu aura choisi pour y placer son *nom est loin de chez toi, et si le Seigneur ton Dieu t'a comblé de bénédictions, ²⁵ alors tu échangeras ta dîme contre de l'argent, tu serreras l'argent dans ta main, et tu iras au lieu que le Seigneur ton Dieu aura choisi. ²⁶ Là, tu échangeras l'argent contre tout ce que tu voudras : du gros et du petit bétail, du vin, des boissons fermentées, et tout ce qui te fera envie ; et tu mangeras là devant le Seigneur ton Dieu, et tu seras dans la joie avec ta maisonnée. ²⁷ Quant au *lévite qui est dans tes villes, lui qui n'a ni part ni héritage avec toi, tu ne le négligeras pas.

²⁸ Au bout de trois ans, tu prélèveras

---

c taillader, tonsure: marques de deuil. En interdisant à Israël ces pratiques courantes chez les Cananéens, Dt veut lui éviter la tentation d'adopter aussi la religion cananéenne (voir v. 2) ● *d* A part les deux premiers, on n'est pas sûr de la traduction des noms d'animaux énumérés dans ce verset ● *e* Voir Lv 11.5, Ps 104.18 et les notes ● *f* Voir Ex 23.19 et la note ● *g* Voir Gn 14.20 et la note ● *h craindre* ou *respecter*

14.1 Israël fils de Dieu 1.31+ — taillader, tonsure Lv 19.27+. **14.2** peuple consacré; part personnelle de Dieu 7.6+. **14.4-20** viandes permises et défendues Lv 11.1-19. **14.21** manger une bête crevée Lv 17.15+ — peuple consacré 7.6+ — le chevreau Ex 23.19; 34.26. **14.22** la dîme 26.12-15; Lv 27.30-33; Nb 18.21-32; Tb 1.6-8; Si 35.11. **14.23** manger devant le Seigneur 12.7+ — craindre le Seigneur 4.10+ — lieu choisi par Dieu 12.5+. **14.26** dans la joie 12.7+. **14.27** prendre soin du lévite 12.19; cf. 26.12.

toute la dîme de tes produits de cette année-là, mais tu les déposeras dans ta ville ; ²⁹ alors viendront le *lévite — lui qui n'a ni part ni héritage avec toi — l'émigré, l'orphelin et la veuve qui sont dans tes villes, et ils mangeront à satiété, pour que le SEIGNEUR ton Dieu te bénisse dans toutes tes actions.

Remise des dettes tous les sept ans

15 ¹ Au bout de sept ans, tu feras la remise des dettes *ⁱ*.

² Et voici ce qu'est cette remise : tout homme qui a fait un prêt à son prochain fera remise de ses droits : il n'exercera pas de contrainte *ʲ* contre son prochain ou son frère, puisqu'on a proclamé la remise pour le SEIGNEUR. ³ L'étranger, tu pourras le contraindre ; mais ce que tu possèdes chez ton frère, tu lui en feras remise.

⁴ Toutefois, il n'y aura pas de pauvre chez toi, tellement le SEIGNEUR t'aura comblé de bénédiction le pays que le SEIGNEUR ton Dieu te donne en héritage pour en prendre possession, ⁵ pourvu que tu écoutes attentivement la voix du SEIGNEUR ton Dieu en veillant à mettre en pratique tout ce commandement que je te donne aujourd'hui. ⁶ Car le SEIGNEUR ton Dieu t'aura béni comme il te l'a promis ; alors tu prêteras sur gages à des nations nombreuses, et toi-même tu n'auras pas à donner de gages ; tu domineras des nations nombreuses, mais toi, elles ne te domineront pas.

⁷ S'il y a chez toi un pauvre, l'un de tes frères, dans l'une de tes villes, dans le pays que le SEIGNEUR ton Dieu te donne, tu n'endurciras pas ton cœur et tu ne fermeras pas ta main à ton frère pauvre, ⁸ mais tu lui ouvriras ta main toute grande et tu lui consentiras tous les

prêts sur gages dont il pourra avoir besoin. ⁹ Garde-toi bien d'avoir dans ton *cœur une pensée déraisonnable en te disant : « C'est bientôt la septième année, celle de la remise », et en regardant durement ton frère pauvre, sans rien lui donner. Car alors, il appellerait le SEIGNEUR contre toi, et ce serait un péché pour toi. ¹⁰ Tu lui donneras généreusement, au lieu de lui donner à contre-cœur ; ainsi le SEIGNEUR ton Dieu te bénira dans toutes tes actions et toutes tes entreprises.

¹¹ Et puisqu'il ne cessera pas d'y avoir des pauvres au milieu du pays, je te donne ce commandement : tu ouvriras ta main toute grande à ton frère, au malheureux et au pauvre que tu as dans ton pays.

Libérer les esclaves hébreux

¹² Si, parmi tes frères hébreux, un homme ou une femme s'est vendu à toi *ᵏ*, et s'il t'a servi comme esclave pendant six ans, à la septième année tu le laisseras partir libre de chez toi. ¹³ Et quand tu le laisseras partir libre de chez toi, tu ne le laisseras pas partir les mains vides ; ¹⁴ tu le couvriras de cadeaux *ˡ* avec le produit de ton petit bétail, de ton aire et de ton pressoir : ce que tu lui donneras te vient de la bénédiction du SEIGNEUR ton Dieu. ¹⁵ Tu te souviendras qu'au pays d'Egypte tu étais esclave et que le SEIGNEUR ton Dieu t'a racheté. C'est pourquoi je te donne ce commandement aujourd'hui.

¹⁶ Mais si cet esclave te dit : « Je ne désire pas sortir de chez toi », parce qu'il t'aime, toi et ta maisonnée, et qu'il est heureux chez toi, ¹⁷ alors, en prenant le poinçon, tu lui fixeras *ᵐ* l'oreille contre le battant de ta porte, et il sera pour toi un esclave perpétuel. Pour ta servante, tu agiras de la même manière.

i la remise des dettes devait être soit un délai d'un an accordé pour le paiement, soit plus probablement la suppression complète de toutes les dettes contractées les six années précédentes ● *j fera remise:* texte hébreu peu clair; ou bien le créancier doit rendre au débiteur le gage que celui-ci a remis en reconnaissance de sa dette, ou bien le prêteur doit renoncer à réclamer la somme qu'il a prêtée. — *contrainte:* le créancier n'a pas le droit de traîner son débiteur israélite devant le tribunal pour le forcer à payer ou pour faire de lui son esclave s'il est incapable de payer ● *k s'est vendu à toi* ou *t'a été vendu* ● *l couvrir de cadeaux:* le sens de l'expression hébraïque correspondante est incertain ● *m fixeras* ou *perceras:* coutume ancienne qui symbolise le lien définitif de l'esclave avec la maison de son maître

14.29 pas de territoire pour les lévites Nb 18.20+ — lévite, émigré, orphelin, veuve 10.18+ — pour que Dieu te bénisse Si 7.32. **15.1** année sabbatique Lv 25.1+. **15.2** prêt 15.6-11; Ex 22.24+; Ps 37.26; Si 29.1-7. **15.3** privilège du compatriote 23.21. **15.4** le pays donné en héritage 3.20+. **15.5** écouter la voix du Seigneur 4.30+ — veiller à mettre en pratique 5.1+ — le commandement que je donne 4.2+; 5.31+. **15.6** gages 24.6; Ex 22.25+. **15.7** endurcir son cœur 1 Jn 3.17+. **15.8** ouvrir sa main Si 3.30—4.10. **15.9** invoquer le Seigneur contre quelqu'un Si 4.5-6. **15.11** il y aura toujours des pauvres Mc 14.7 par. **15.12** esclaves hébreux Ex 21.2+; Jr 34.8-16 — l'esclave libéré part Jn 8.35+. **15.15** esclave en Egypte 5.15+ — Dieu a racheté Israël 7.8+. **15.16-17** esclave qui refuse la liberté Ex 21.5-6.

[18] Ne trouve pas trop dur de le laisser partir libre de chez toi, car en te servant pendant six ans il t'a rapporté deux fois plus que ce que gagne un salarié ; et le SEIGNEUR ton Dieu te bénira dans tout ce que tu feras.

Les premiers-nés seront consacrés à Dieu

[19] Tout premier-né mâle qui naîtra dans ton gros et ton petit bétail, tu le consacreras au SEIGNEUR ton Dieu ; tu ne feras pas tes travaux avec un premier-né de ton gros bétail, tu ne tondras pas un premier-né de ton petit bétail ; [20] c'est devant le SEIGNEUR ton Dieu que tu le mangeras chaque année [n] avec ta maisonnée au lieu que le SEIGNEUR ton Dieu aura choisi.

[21] Mais si l'animal a une tare, s'il est boiteux ou aveugle, ou s'il a n'importe quelle autre tare, tu ne le sacrifieras pas au SEIGNEUR ton Dieu : [22] c'est dans tes villes que tu le mangeras. L'homme qui est *impur et celui qui est *pur en mangeront ensemble, comme si c'était de la gazelle ou du cerf. [23] Cependant, tu n'en mangeras pas le *sang : tu le verseras sur la terre comme de l'eau.

Les trois pèlerinages annuels

16 [1] Observe le mois des Epis [o], et célèbre la *Pâque pour le SEIGNEUR ton Dieu, car c'est au mois des Epis que le SEIGNEUR ton Dieu t'a fait sortir d'Egypte, la nuit. [2] Tu feras le *sacrifice de la Pâque pour le SEIGNEUR ton Dieu, avec du petit et du gros bétail, au lieu que le SEIGNEUR aura choisi pour y faire demeurer son *nom. [3] Tu ne mangeras pas à ce repas du pain levé ; pendant sept jours, tu mangeras des *pains sans levain — du pain de misère, car c'est en hâte que tu es sorti du pays d'Egypte — pour te souvenir, tous les jours de ta vie, du jour où tu es sorti du pays d'Egypte. [4] On ne verra pas de levain chez toi, dans tout ton territoire, pendant sept jours ; et de la viande que tu auras abattue [p] le soir du premier jour, rien ne passera la nuit jusqu'au matin. [5] Tu ne pourras pas faire le sacrifice de la *Pâque dans l'une des villes que le SEIGNEUR ton Dieu te donne : [6] c'est seulement au lieu choisi par le SEIGNEUR ton Dieu pour y faire demeurer son nom que tu feras le sacrifice de la Pâque, le soir, au coucher du soleil, au temps précis [q] où tu es sorti d'Egypte. [7] Tu feras cuire la bête, tu la mangeras au lieu que le SEIGNEUR ton Dieu aura choisi, et le matin tu t'en retourneras pour aller vers tes tentes. [8] Pendant six jours, tu mangeras des pains sans levain ; le septième jour, ce sera la clôture de la fête pour le SEIGNEUR ton Dieu. Tu ne feras aucun ouvrage.

[9] Tu compteras sept semaines ; c'est à partir du jour où on se met à faucher la moisson que tu compteras les sept semaines. [10] Puis tu célébreras la fête des Semaines [r] pour le SEIGNEUR ton Dieu, en apportant des dons spontanés à la mesure des bénédictions dont le SEIGNEUR ton Dieu t'aura comblé. [11] Au lieu que le SEIGNEUR ton Dieu aura choisi pour y faire demeurer son *nom, tu seras dans la joie devant le SEIGNEUR ton Dieu, avec ton fils, ta fille, ton serviteur, ta servante, le *lévite qui est dans tes villes, l'émigré, l'orphelin et la veuve qui sont au milieu de toi. [12] Tu te souviendras qu'en Egypte tu étais esclave, tu garderas ces lois et tu les mettras en pratique.

[13] Quant à la fête des Tentes [s], tu la célébreras pendant sept jours lorsque tu auras rentré tout ce qui vient de ton aire et de ton pressoir. [14] Tu seras dans la joie de ta fête avec ton fils, ta fille, ton serviteur, ta servante, le *lévite, l'émigré, l'orphelin et la veuve qui sont dans tes villes. [15] Sept jours durant, tu feras un pèlerinage [t] pour le SEIGNEUR ton Dieu

---

[n] *chaque année:* au repas sacrificiel annuel, célébré au sanctuaire central, d'après 14.23 (voir 1 S 1.3-4) ● [o] *mois des Epis* ou *mois d'Abib:* voir au glossaire CALENDRIER ● [p] *abattue:* autre traduction *sacrifiée* ● [q] *au temps précis* ou *à la date* ● [r] *fête des Semaines:* voir au glossaire CALENDRIER ● [s] *fête des Tentes:* voir au glossaire CALENDRIER ● [t] *tu feras un pèlerinage* ou *tu célébreras une fête*

15.19 consécration des premiers-nés Ex 13.1+. **15.20** manger devant le Seigneur 12.7+ — lieu choisi par Dieu 12.5+. **15.21** bête ayant une tare Lv 22.20+. **15.22** manger de la viande 12.15-16. **15.23** ne pas manger le sang 12.16+. **16.** titre les trois pèlerinages 16.16; Ex 23.14-17; 34.23. **16.1** sortie d'Egypte 5.6+ — la Pâque Ex 12.1+ — au mois des Epis Ex 13.4. **16.2** lieu choisi par Dieu 12.5+. **16.3** pains sans levain Ex 12.15+ — sorti en hâte Ex 12.34, 39; Es 52.12. **16.4** ne pas laisser de viande Ex 12.10. **16.6** Pâque à Jérusalem Ex 2.41. **16.8** aucun ouvrage Lv 23.8. **16.10** fête des Semaines Ex 23.16+ — spontané Lv 7.16+. **16.11** dans la joie 12.7+ — lévite, émigré, orphelin, veuve 10.18+. **16.12** esclave en Egypte 5.15+ — garder et mettre en pratique 5.1+. **16.13** fête des Tentes Ex 23.16+.

au lieu que le SEIGNEUR aura choisi, car le SEIGNEUR ton Dieu t'aura béni dans tous les produits de ton sol et dans toutes tes actions ; et tu ne seras que joie. [16] Trois fois par an, tous les hommes iront voir la face du SEIGNEUR [u] ton Dieu au lieu qu'il aura choisi : pour le pèlerinage des *Pains sans levain, celui des Semaines et celui des Tentes. On n'ira pas voir la face du SEIGNEUR les mains vides : [17] chacun fera une offrande de ses mains suivant la bénédiction que t'a donnée le SEIGNEUR ton Dieu.

Règles pour les juges

[18] Tu te donneras pour tes tribus des juges et des commissaires dans toutes les villes que le SEIGNEUR ton Dieu te donne ; et ils exerceront avec justice leur juridiction sur le peuple. [19] Tu ne biaiseras pas avec le droit, tu n'auras pas de partialité, tu n'accepteras pas de cadeaux, car le cadeau aveugle les yeux des sages et compromet la cause des justes. [20] Tu rechercheras la justice, rien que la justice, afin de vivre et de prendre possession du pays que le SEIGNEUR ton Dieu te donne.

Pratiques religieuses interdites

[21] Tu ne planteras pour toi aucun poteau de bois [v] à côté de *l'autel que tu construiras pour le SEIGNEUR ton Dieu. [22] Tu ne dresseras pour toi aucune de ces stèles [w] que le SEIGNEUR ton Dieu déteste.

17 [1] Tu ne sacrifieras pas au SEIGNEUR ton Dieu un bœuf ou un mouton ayant une tare quelconque, car c'est une abomination pour le SEIGNEUR ton Dieu.

[2] S'il se trouve au milieu de toi, dans l'une des villes que le SEIGNEUR ton Dieu te donne, un homme ou une femme qui fait ce qui est mal aux yeux du SEIGNEUR ton Dieu en transgressant son *alliance, [3] et qui s'en va servir d'autres dieux et se prosterner devant eux, devant le soleil, la lune ou toute l'armée des cieux, ce que je n'ai pas ordonné [x] : [4] si l'on te communique cette information ou si tu l'entends dire, tu feras des recherches approfondies ; une fois établi le fait que cette abomination a été commise en Israël, [5] tu amèneras aux portes de ta ville [y] l'homme ou la femme qui ont commis ce méfait ; l'homme ou la femme, tu les lapideras et ils mourront. [6] C'est sur les déclarations de deux ou de trois témoins que celui qui doit mourir sera mis à mort ; il ne sera pas mis à mort sur les déclarations d'un seul témoin. [7] La main des témoins sera la première pour le mettre à mort, puis la main de tout le peuple en fera autant. Tu ôteras le mal du milieu de toi.

Cas difficiles jugés au sanctuaire

[8] S'il est trop difficile pour toi de juger de la nature d'un cas de sang versé, de litige ou de blessures — affaires contestées au tribunal de ta ville —, tu te mettras en route pour monter au lieu que le SEIGNEUR ton Dieu aura choisi. [9] Tu iras trouver les prêtres *lévites et le juge qui sera en fonction en ces jours-là ; tu les consulteras [z], et ils te communiqueront la sentence. [10] Tu agiras selon la sentence qu'ils t'auront communiquée dans ce lieu que le SEIGNEUR aura choisi, et tu veilleras à mettre en pratique toutes leurs instructions. [11] Selon les instructions qu'ils

---

[u] *aller voir la face du Seigneur:* se présenter au *sanctuaire (voir Ex 23.17 et la note) ● [v] *aucun poteau de bois:* hébreu peu clair; autre traduction *aucun poteau sacré ni aucun arbre* (voir la note sur Jg 3.7) ● [w] Voir Gn 28.18 et la note ● [x] *je n'ai pas ordonné:* c'est Moïse qui parle, on peut-être Dieu lui-même ● [y] *aux portes de la ville:* là où siège le tribunal (voir Gn 23.10 et la note); mais c'est aussi devant la porte, hors de la ville qu'on exécute les condamnés (voir 22.24; Ac 7.58) ● [z] *prêtres lévites:* cette appellation caractérise le clergé en service au *sanctuaire central (voir 17.18; 27.9) et le distingue des autres lévites dispersés dans le pays (voir 12.12; 18.6).— Le *juge* est ou bien l'un de ces *prêtres*, ou bien un magistrat laïc (voir 16.18-20). — *tu les consulteras:* autre traduction *tu consulteras le Seigneur*

16.16 les mains vides Ex 34.20. **16.18** institution des juges, leurs obligations 1.9+. **16.19** ne pas biaiser avec le droit 24.17; 27.19 — impartialité 1.17+ — cadeaux corrupteurs Ex 23.8; Pr 15.27+; Si 20.29; 35.14. **16.20** observer les commandements pour vivre 4.1+. **16.21-22** poteaux et stèles interdits cf. 7.5; 12.2-3. **17.1** bête ayant une tare Lv 22.20+ — abomination pour le Seigneur 7.25+. **17.2** faire ce qui est mal 4.25+. **17.3** servir d'autres dieux Ex 22.19+ — culte des astres 4.19+ — autres dieux 6.14+. **17.4** instruire le procès 1.16+; cf. 13.15. **17.5** lapider 13.11+. **17.6** plusieurs témoins Nb 35.30+. **17.7** la première pierre 13.10; Jn 8.7. — le peuple participe à l'exécution 13.10 — ôter le mal du milieu d'Israël 13.6+. **17.8** obligations des juges 1.9+ — lieu choisi par Dieu 12.5+. **17.9** prêtres lévites 17.18; 18.1; 24.8; 27.9; Jos 3.3; 8.33; cf. Dt 21.5; 31.9. **17.10** veiller à mettre en pratique 5.1+. **17.11** sans dévier à droite ni à gauche 5.32+.

t'auront données, et selon la sentence qu'ils auront prononcée, tu agiras sans dévier ni à droite ni à gauche de la parole qu'ils t'auront communiquée.

[12] Mais l'homme qui aura agi avec présomption, sans écouter le prêtre qui se tient là, officiant pour le SEIGNEUR ton Dieu, sans écouter le juge, cet homme-là mourra. Tu ôteras le mal d'Israël. [13] Tout le peuple en entendra parler et sera dans la crainte, et on ne sera plus présomptueux.

Règles concernant le roi

[14] Quand tu seras entré dans le pays que le SEIGNEUR ton Dieu te donne, que tu en auras pris possession et que tu y habiteras, et quand tu diras : « Je voudrais établir à ma tête un roi, comme toutes les nations qui m'entourent », [15] celui que tu établiras à ta tête devra absolument être un roi choisi par le SEIGNEUR ton Dieu : c'est au milieu de tes frères [a] que tu prendras un roi pour l'établir à ta tête ; tu ne pourras pas mettre à ta tête un étranger, qui ne serait pas ton frère.

[16] Seulement, il ne devra pas posséder un grand nombre de chevaux, ou faire retourner le peuple en Egypte pour avoir un grand nombre de chevaux, puisque le SEIGNEUR vous a dit : « Non, vous ne retournerez plus par cette route ! » [17] Il ne devra pas non plus avoir un grand nombre de femmes et dévoyer son cœur. Quant à l'argent et à l'or, il ne devra pas en avoir trop.

[18] Et quand il sera monté sur son trône royal, il écrira pour lui-même dans un livre une copie de cette Loi, que lui transmettront les prêtres *lévites [b]. [19] Elle restera auprès de lui, et il la lira tous les jours de sa vie, pour apprendre à craindre le SEIGNEUR son Dieu en gardant, pour les mettre en pratique, toutes les paroles de cette Loi, et toutes ses prescriptions, [20] sans devenir orgueilleux devant ses frères ni dévier à gauche ou à droite du commandement, afin de prolonger, pour lui et ses fils, les jours de sa royauté au milieu d'Israël.

Les droits des lévites

18 [1] Les prêtres *lévites, toute la tribu de Lévi, n'auront ni part ni héritage avec Israël : pour se nourrir, ils auront les mets [c] du SEIGNEUR et son héritage. [2] Le *lévite n'a pas d'héritage au milieu de ses frères [d] : c'est le SEIGNEUR qui est son héritage, comme il le lui a promis.

[3] Voici quels seront les droits des prêtres sur le peuple et sur ceux qui immolent en sacrifice un bœuf ou un mouton : on donnera au prêtre l'épaule, les joues et la panse. [4] Les *prémices de ton blé, de ton vin nouveau et de ton huile, ainsi que celles de la toison de ton petit bétail, tu les lui donneras. [5] Car c'est lui que le SEIGNEUR ton Dieu a choisi avec ses fils parmi toutes les tribus pour se tenir là tous les jours, officiant au nom du SEIGNEUR.

[6] Si un *lévite arrive d'une de tes villes où il réside, n'importe où en Israël, qu'il vienne comme il voudra au lieu que le SEIGNEUR aura choisi : [7] il officiera au nom du SEIGNEUR son Dieu comme tous ses frères *lévites qui se tiennent là devant le SEIGNEUR. [8] Pour se nourrir, ils auront tous une part égale, outre ce que chacun pourra tirer de la vente des biens paternels [e].

Faux prophètes et vrai prophète

[9] Quand tu seras arrivé dans le pays que le SEIGNEUR ton Dieu te donne, tu

---

a tes frères ou *tes compatriotes* ● *b une copie de cette Loi :* l'ancienne version grecque a traduit *seconde Loi (deuteronomion),* traduction qui prête à malentendu, mais qui est devenue le titre de ce livre que nous appelons *Deutéronome.* — *prêtres lévites :* voir 17.9 et la note ● *c prêtres lévites :* voir 17.9 et la note. — *mets :* tribu sans territoire, *la tribu de Lévi* reçoit pour sa subsistance la viande des *sacrifices et le revenu des offrandes ● *d ses frères* ou *ses compatriotes* ● *e* Texte difficile, dont le sens est incertain. Le lévite ne possède pas de terres (voir v. 2). Ses biens paternels sont peut-être des maisons ou des biens mobiliers

17.12 officiant pour le Seigneur 10.8+ — ôter le mal d'Israël 13.6+. **17.13** le peuple en entendra parler 13.12+. **17.14** désir d'avoir un roi 1 S 8.5. **17.15** le roi choisi par Dieu 1 S 10.24 ; 16.1 ; Ag 2.23. **17.16** nombreuse cavalerie 1 R 10.26-29 ; Es 31.1-3 ; Ez 17.15 — retourner en Egypte 28.68 ; Ex 14.10-13. **17.17** nombreuses femmes cf. 1 R 11.1-13. **17.18** écrire le texte de la Loi 31.24 — prêtres lévites 17.9+. **17.19** lire la Loi 2 R 23.1-3 — craindre le Seigneur 4.10+ — garder et mettre en pratique 5.1+. **17.20** sans dévier ni à droite ni à gauche 5.32+. **18.1** prêtres lévites 17.9+. **18.1-8** nourriture des lévites 1 Co 9.13+. **18.2** le Seigneur, héritage de Lévi 10.9+. **18.3** redevance pour les prêtres Lv 7.34+. **18.4** prémices 26.1-11. **18.5** Dieu a choisi Lévi 33.8-11. — officiant au nom du Seigneur 10.8+. **18.6** les lévites au sanctuaire central cf. 2 R 23.8-9. **18.9** éviter les coutumes de Canaan Lv 18.3+.

n'apprendras pas à agir à la manière abominable de ces nations-là : ¹⁰ il ne se trouvera chez toi personne pour faire passer par le feu ᶠ son fils ou sa fille, consulter les oracles, pratiquer l'incantation, la divination, les enchantements ¹¹ et les charmes, interroger les revenants et les esprits ou consulter les morts. ¹² Car tout homme qui fait cela est une abomination pour le SEIGNEUR, et c'est à cause de telles abominations que le SEIGNEUR ton Dieu dépossède les nations devant toi. ¹³ Tu seras entièrement attaché au SEIGNEUR ton Dieu.

¹⁴ Ces nations que tu déposséderas écoutent ceux qui pratiquent l'incantation et consultent les oracles. Mais pour toi, le SEIGNEUR ton Dieu n'a rien voulu de pareil : ¹⁵ c'est un *prophète comme moi que le SEIGNEUR ton Dieu te suscitera du milieu de toi, d'entre tes frères ; c'est lui que vous écouterez. ¹⁶ C'est bien là ce que tu avais demandé au SEIGNEUR ton Dieu à l'Horeb, le jour de l'assemblée, quand tu disais : « Je ne veux pas recommencer à entendre la voix du SEIGNEUR mon Dieu, je ne veux plus regarder ce grand feu : je ne veux pas mourir ᵍ ! » ¹⁷ Alors le SEIGNEUR me dit : « Ils ont bien fait de dire cela. ¹⁸ C'est un *prophète comme toi que je leur susciterai du milieu de leurs frères ; je mettrai mes paroles dans sa bouche, et il leur dira tout ce que je lui ordonnerai. ¹⁹ Et si quelqu'un n'écoute pas mes paroles, celles que le prophète aura dites en mon nom, alors moi-même je lui en demanderai compte. ²⁰ Mais si le prophète, lui, a la présomption de dire en mon nom une parole que je ne lui aurai pas ordonné de dire, ou s'il parle au nom d'autres dieux, alors c'est le prophète qui mourra. »

²¹ Peut-être te demanderas-tu : « Comment reconnaîtrons-nous que ce n'est pas une parole dite par le SEIGNEUR ? » ²² Si ce que le prophète a dit au nom du SEIGNEUR ne se produit pas, si cela n'arrive pas, alors ce n'est pas une parole dite par le SEIGNEUR, c'est par présomption que le prophète l'a dite. Tu ne dois pas en avoir peur !

Les villes de refuge

19 ¹ Lorsque le SEIGNEUR ton Dieu aura détruit devant toi les nations dont il te donne le pays, que tu les auras dépossédées et que tu habiteras dans leurs villes et leurs maisons, ² tu mettras trois villes à part au milieu de ton pays, celui que le SEIGNEUR ton Dieu te donne en possession ; ³ tu établiras un plan des routes ʰ et tu partageras en trois le territoire de ton pays, celui que le SEIGNEUR ton Dieu te donne en héritage ; ainsi il y aura un lieu de refuge pour tout meurtrier.

⁴ Et voici dans quel cas le meurtrier pourra s'y réfugier pour avoir la vie sauve ⁱ : c'est lorsqu'il aura frappé involontairement son prochain, un homme qu'il ne haïssait pas auparavant. ⁵ Ainsi l'homme qui va dans la forêt avec un autre pour abattre des arbres ; sa main se laisse entraîner par la hache au moment de frapper l'arbre, le fer tombe du manche et atteint l'autre, qui en meurt ; cet homme-là pourra se réfugier dans l'une de ces villes, et il aura la vie sauve. ⁶ Que le vengeur n'aille pas, dans sa fureur, se mettre à la poursuite du meurtrier, le rejoindre en profitant de la longueur de la route ʲ et le frapper à mort. En effet, le meurtrier n'encourt pas la peine de mort, puisqu'il ne haïssait pas la victime auparavant. ⁷ C'est pourquoi je te donne cet ordre : « Tu mettras trois villes à part. »

⁸ Et si le SEIGNEUR ton Dieu agrandit ton territoire comme il l'a juré à tes pères et te donne tout le pays qu'il a promis

ᶠ *faire passer par le feu:* il s'agit d'un sacrifice d'enfant (voir 12.31; 2ᵉ R 16.3 et la note) ● *g Horeb:* autre nom du Sinaï. — *mourir:* voir 5.24 et la note ● ʰ *tu établiras un plan des routes:* le sens du texte hébreu est incertain. Autre traduction *tu tiendras leur accès en bon état* ● ⁱ Voir 4.42 et la note ● ʲ *vengeur:* voir Nb 35.12 et la note. — *profitant de la longueur de la route:* si cette route est trop longue, le meurtrier involontaire est davantage exposé au risque d'être rattrapé et mis à mort; la répartition des villes de refuge doit les rendre faciles à atteindre

18.10 sacrifices d'enfants Lv 18.21+ — incantation, divination Lv 19.26+. **18.11** interroger revenants et esprits Lv 19.31+. **18.12** déposséder les nations 4.38+ — abomination pour le Seigneur 7.25+. **18.13** entièrement attaché (parfait) Mt 5.48. **18.15** un prophète comme Moïse cf. 34.10; Nb 12.6-8 — vous l'écouterez Mc 9.7 par.; cité Ac 3.22. **18.16** le peuple demande un médiateur 5.23-31; Ex 20.18-21. **18.18** paroles de Dieu dans la bouche d'un prophète Ex 4.15; Es 51.16; 59.21; Jr 1.9; Ez 3.1-10; Ap 10.9-11; cf. Ex 4.12+. **18.20** autres dieux Ex 20.3+. **18.20-22** faux prophète et fausse prophétie Jr 28.7-9, 15-17. **19.1** le Seigneur détruit les nations 12.29. — déposséder les nations 4.38+. **19.3** lieu de refuge 4.42+. **19.4** meurtre involontaire Nb 35.15+. **19.8** le pays promis 1.8+ — aimer Dieu 5.10+.

de leur donner [9] — parce que tu auras gardé et mis en pratique tout ce commandement que je te donne aujourd'hui, en aimant le SEIGNEUR ton Dieu et en suivant tous les jours ses chemins —, alors tu ajouteras encore trois villes aux trois premières. [10] Ainsi, le *sang d'un innocent ne sera pas versé au milieu de ton pays, celui que le SEIGNEUR ton Dieu te donne en héritage : ce *sang retomberait sur toi.

[11] Mais lorsqu'un homme a de la haine pour son prochain, le guette, se jette sur lui et le frappe à mort au point qu'il succombe : si cet homme-là se réfugie dans l'une de ces villes, [12] les *anciens de sa ville y enverront quelqu'un pour l'arrêter, et ils le livreront entre les mains du vengeur pour qu'il meure. [13] Tu ne t'attendriras pas sur lui. Tu ôteras d'Israël l'effusion du sang de l'innocent, et tu seras heureux.

Les limites des terrains

[14] Tu ne déplaceras pas les limites du terrain de ton voisin, tel que l'auront délimité les premiers arrivés, dans l'héritage que tu auras reçu au pays que le SEIGNEUR ton Dieu te donne en possession.

Les témoins

[15] Un témoin ne se présentera pas seul contre un homme qui aura commis un crime, un péché ou une faute quels qu'ils soient ; c'est sur les déclarations de deux ou de trois témoins qu'on pourra instruire l'affaire. [16] S'il se présente contre un homme un faux témoin pour l'accuser de révolte [k], [17] les deux hommes qui auront ainsi une contestation devant le SEIGNEUR se tiendront devant les prêtres et les juges qui seront en fonction en ces jours-là. [18] Les juges feront des recherches approfondies ; ils découvriront que le témoin est un témoin menteur : il a accusé son frère de façon mensongère. [19] Vous le traiterez comme il avait l'intention de traiter son frère. Tu ôteras le mal du milieu de toi.

[20] Le reste des gens en entendra parler et sera dans la crainte, et on cessera de commettre le mal de cette façon au milieu de toi. [21] Tu ne t'attendriras pas : vie pour vie, œil pour œil, dent pour dent, main pour main, pied pour pied.

Règles pour la guerre

20 [1] Lorsque tu sors pour combattre tes ennemis, si tu vois des chevaux ou des chars, un peuple plus nombreux que toi, tu ne dois pas les craindre, car le SEIGNEUR ton Dieu est avec toi, lui qui t'a fait monter du pays d'Egypte.

[2] Quand vous serez sur le point de combattre, le prêtre s'avancera et parlera au peuple. [3] Il lui dira : « Ecoute, Israël ! Vous vous avancez aujourd'hui pour combattre vos ennemis : que votre courage ne faiblisse pas ; ne craignez pas, ne vous affolez pas, ne tremblez pas devant eux. [4] Car c'est le SEIGNEUR votre Dieu qui marche avec vous, afin de combattre pour vous contre vos ennemis, pour venir à votre secours. »

[5] Et les commissaires parleront ainsi au peuple : « Y a-t-il ici un homme qui a construit une maison neuve et ne l'a pas encore inaugurée ? qu'il s'en aille et retourne chez lui, de peur qu'il ne meure au combat et qu'un autre n'inaugure la maison. [6] Y a-t-il un homme qui a planté une vigne et n'en a pas encore cueilli les premiers fruits ? qu'il s'en aille et retourne chez lui, de peur qu'il ne meure au combat et qu'un autre homme n'en cueille les premiers fruits. [7] Y a-t-il un homme qui a choisi une fiancée et ne l'a pas encore épousée ? qu'il s'en aille et retourne chez lui, de peur qu'il ne meure au combat et qu'un autre homme n'épouse la fiancée. » [8] Les commissaires parleront encore au peuple en ajoutant ceci : « Y a-t-il un homme qui a peur et dont le courage faiblit ? qu'il s'en aille et retourne chez lui, qu'il ne fasse pas fondre le courage de ses frères comme le sien. » [9] Et quand les commissaires auront fini

---

k accuser de révolte: le texte vise probablement toute désobéissance à Dieu, toute infraction à sa Loi

19.9 garder et mettre en pratique 5.1+ — le commandement que je donne 4.2+ ; 5.31+. **19.10** le pays donné en héritage 3.20+. **19.13** ôter d'Israël 13.6+ — ne pas s'attendrir 13.9+ — tu seras heureux 4.40+. **19.14** limites des terrains 27.17. **19.15** plusieurs témoins 17.6; Mt 18.16+; He 10.28. **19.16** faux témoin Ex 20.16; Lv 19.12+. **19.19** ôter le mal du milieu d'Israël 13.6+. **19.20** on en entendra parler 13.12+. **19.21** vie pour vie (loi du talion) Lv 24.19+. **20.1** ennemi mieux armé Jos 17.16; Jg 1.19 — ne pas craindre l'ennemi 3.2+ — le Seigneur est avec toi 31.23; Ex 3.12; Jos 1.5; 3.7; cf. Dt 1.42; 31.8; Jos 1.9, 17; 6.27. **20.3** ne tremblez pas 1.29+ — écoute, Israël 4.1+. **20.4** le Seigneur combat 3.22+. **20.5** maison neuve 28.30; cf. Lc 14.18-20. **20.7** fiancée non épousée 28.30. **20.8** celui qui a peur Jg 7.3.

de parler au peuple, ils établiront les chefs militaires à la tête du peuple. »

¹⁰ Quand tu t'approcheras d'une ville pour la combattre, tu lui feras des propositions de paix. ¹¹ Si elle te répond : « Faisons la paix ! », et si elle t'ouvre ses portes, tout le peuple qui s'y trouve sera astreint à la corvée *l* pour toi et te servira. ¹² Mais si elle ne fait pas la paix avec toi, et qu'elle engage le combat, tu l'assiégeras ; ¹³ le SEIGNEUR ton Dieu la livrera entre tes mains, et tu frapperas tous ses hommes au tranchant de l'épée. ¹⁴ Tu garderas seulement comme butin les femmes, les enfants, le bétail et tout ce qu'il y a dans la ville, toutes ses dépouilles ; tu te nourriras des dépouilles de tes ennemis, de ce que le SEIGNEUR ton Dieu t'a donné. ¹⁵ C'est ainsi que tu agiras à l'égard de toutes les villes qui sont très éloignées de toi, celles qui ne sont pas parmi les villes de ces nations-ci.

¹⁶ Mais les villes de ces peuples-ci, que le SEIGNEUR ton Dieu te donne en héritage, sont les seules où tu ne laisseras subsister aucun être vivant. ¹⁷ En effet, tu voueras totalement à l'interdit *m* le Hittite, l'*Amorite, le Cananéen, le Perizzite, le Hivvite et le Jébusite, comme le SEIGNEUR ton Dieu te l'a ordonné, ¹⁸ afin qu'ils ne vous apprennent pas à agir suivant leur manière abominable d'agir pour leurs dieux : vous commettriez un péché contre le SEIGNEUR votre Dieu.

¹⁹ Quand tu soumettras une ville à un long siège en la combattant pour t'en emparer, tu ne brandiras pas la hache pour détruire ses arbres, car c'est de leurs fruits que tu te nourriras ; tu ne les abattras pas. L'arbre des champs est-il un être humain, pour se faire assiéger par toi ? ²⁰ Seul l'arbre que tu reconnaîtras comme n'étant pas un arbre fruitier, tu le détruiras et tu l'abattras, et tu en feras des ouvrages de siège contre la ville qui te combat, jusqu'à ce qu'elle tombe.

Meurtre dont l'auteur reste inconnu

21 ¹ Si, sur la terre que le SEIGNEUR ton Dieu te donne en possession, on trouve un homme victime d'un meurtre, gisant dans les champs, sans qu'on sache qui l'a frappé, ² tes *anciens et tes juges sortiront pour mesurer la distance jusqu'aux villes situées autour de la victime ; ³ on verra quelle est la ville la plus proche de la victime : les anciens de cette ville prendront une génisse qu'on n'aura jamais fait travailler, ni attelée sous le joug ; ⁴ les anciens de la ville feront descendre la génisse vers un torrent permanent, à un endroit ni cultivé ni ensemencé ; là, dans le torrent, ils briseront la nuque de la génisse.

⁵ Alors, les prêtres fils de Lévi *n* s'avanceront, car c'est eux que le SEIGNEUR ton Dieu a choisis pour officier et bénir au nom du SEIGNEUR, et ce sont leurs déclarations qui tranchent toute contestation et tout cas de blessure.

⁶ Et tous les anciens de la ville qui se sont approchés de la victime du meurtre se laveront les mains dans le torrent au-dessus de la génisse dont on aura brisé la nuque, ⁷ et ils déclareront : « Ce ne sont pas nos mains qui ont versé ce *sang, ni nos yeux qui l'ont vu. ⁸ Absous Israël, ton peuple que tu as racheté, SEIGNEUR, et ne laisse pas l'effusion du sang innocent au milieu d'Israël, ton peuple. » Et ils seront absous de l'effusion de sang. ⁹ Et toi, tu auras ôté du milieu de toi l'effusion de sang innocent, en faisant ce qui est droit aux yeux du SEIGNEUR.

Le mariage avec une prisonnière

¹⁰ Lorsque tu sors pour combattre ton ennemi, que le SEIGNEUR ton Dieu le livre entre tes mains, et que tu fais des prisonniers, ¹¹ si tu vois parmi les prisonniers une jolie fille, que tu t'attaches à elle et la prennes pour en faire ta femme, ¹² tu la feras entrer à l'intérieur de ta maison ; elle se rasera la tête, se coupera les ongles, ¹³ retirera le manteau qu'elle avait quand on l'a faite prisonnière *o*, et elle habitera dans ta maison. Elle pleurera son père et sa mère le temps d'une lunaison, et ensuite tu viendras vers elle, tu l'épouseras, et elle sera ta femme.

---

l Voir Jos 16.10 et la note ● *m* Voir 2.34 et la note ● *n* prêtres, fils de Lévi : voir au glossaire LÉVITES ● *o* se raser la tête, se couper les ongles (v. 12), retirer son manteau (v. 13) : ces trois actes de la prisonnière soulignent qu'elle rompt avec sa vie passée et commence une vie nouvelle en s'intégrant au peuple d'Israël

20.10 propositions de paix Jg 21.13. **20.11** corvée Jos 9.18-27 ; 16.10 ; Jg 1.28-35 ; 1 R 9.21. **20.13** tous les hommes Nb 31.7. **20.14** butin 2.35+. **20.16** le pays donné en héritage 3.20+. **20.18** éviter les coutumes de Canaan Lv 18.3+. **21.3** non attelé sous le joug Nb 19.2+. **21.4** briser la nuque Ex 13.13. **21.5** prêtres fils de Lévi 17.9+ — officiant pour le Seigneur 10.8+. **21.6** innocence et mains lavées Ps 26.6+. **21.8** Dieu a racheté Israël 7.8+. **21.9** ôter du milieu de 13.6+ — faire ce qui est droit 6.18+.

[14] Mais s'il arrive qu'elle ne te plaise plus, tu la laisseras partir à son gré ; tu ne devras pas la vendre pour de l'argent ni la maltraiter *p*, puisque tu l'as possédée.

Le droit du fils aîné

[15] Lorsqu'un homme a deux femmes, l'une qu'il aime et l'autre qu'il n'aime pas, si l'une comme l'autre lui donnent des fils, et si l'aîné est le fils de la femme qu'il n'aime pas, [16] alors, au jour où il donnera ses biens en héritage à ses fils, il ne pourra pas donner le droit d'aînesse *q* au fils de la femme qu'il aime, au détriment de l'aîné, qui est le fils de la femme qu'il n'aime pas. [17] Au contraire il doit reconnaître l'aîné, le fils de la femme qu'il n'aime pas et lui donner double part de tout ce qui lui appartient : ce fils, prémices de la virilité du père, a droit aux privilèges de l'aîné.

Le fils révolté

[18] Lorsqu'un homme a un fils rebelle et révolté, qui n'écoute ni son père ni sa mère, s'ils lui font la leçon et qu'il ne les écoute pas, [19] alors son père et sa mère s'empareront de lui et l'amèneront aux *anciens de sa ville, à la porte *r* de sa localité. [20] Ils diront aux anciens : « Voici notre fils, un rebelle et un révolté, qui ne nous écoute pas ; il s'empiffre et il boit ! » [21] Tous les hommes de sa ville le lapideront, et il mourra. Tu ôteras le mal du milieu de toi ; tout Israël en entendra parler et sera dans la crainte.

Le cadavre d'un pendu

[22] Si un homme, pour son péché, a encouru la peine de mort, et que tu l'aies mis à mort et pendu à un arbre, [23] son cadavre ne passera pas la nuit sur l'arbre ; tu dois l'enterrer le jour même ; car le pendu est une malédiction de Dieu. Tu ne rendras pas *impure la terre, celle que le SEIGNEUR ton Dieu te donne en héritage.

Respecter les biens du prochain

22 [1] Tu ne t'esquiveras pas, si tu vois errer le bœuf ou le mouton de ton frère *s* : tu ne manqueras pas de le ramener à ton frère. [2] Si ce frère n'est pas près de chez toi, ou si tu ne le connais pas, tu recueilleras sa bête à l'intérieur de ta maison, et elle restera chez toi jusqu'à ce que ton frère vienne la réclamer ; alors, tu la lui rendras. [3] Tu agiras de même pour son âne ; tu agiras de même pour son manteau ; tu agiras de même pour tout objet que ton frère aura perdu et que tu auras trouvé : tu ne pourras pas t'esquiver. [4] Tu ne t'esquiveras pas, si tu vois l'âne ou le bœuf de ton frère tomber en chemin : tu ne manqueras pas d'aider ton frère à le relever.

Prescriptions diverses

[5] Une femme ne portera pas des vêtements d'homme ; un homme ne s'habillera pas avec un manteau de femme, car quiconque agit ainsi est une abomination pour le SEIGNEUR ton Dieu. [6] S'il se trouve devant toi sur ton chemin, n'importe où sur un arbre ou par terre, un nid avec des oisillons ou des œufs, et la mère couchée sur les oisillons ou sur les œufs, tu ne prendras pas la mère avec ses petits : [7] tu devras laisser aller la mère, et ce sont les petits que tu prendras pour toi. Ainsi, tu seras heureux et tu prolongeras tes jours. [8] Si tu construis une maison neuve, tu feras un parapet au bord du toit : tu ne rendras pas ta maison responsable d'une effusion de sang, parce que quelqu'un serait tombé du toit. [9] Tu ne sèmeras pas dans ta vigne une deuxième sorte de plante ; sinon tout deviendrait sacré *t* à la fois, ce que tu aurais semé et le produit de ta vigne. [10] Tu ne laboureras pas avec un bœuf et un âne ensemble. [11] Tu ne t'habilleras pas avec une étoffe hybride de laine et de lin.

---

p maltraiter: le sens du terme hébreu est incertain ● *q* Voir Gn 25.31 et la note ● *r* Voir la note sur 17.5 ● *s ton frère* ou *ton prochain* ● *t tout deviendrait sacré:* c'est-à-dire que tout usage en serait interdit

21.14 je ne devras pas la vendre Ex 21.8.   **21.16** droit d'aînesse Gn 25.31 ; 27.36 ; 1 Ch 5.1-2. **21.17** double part à l'aîné cf. 2 R 2.9 — prémices de la virilité Gn 49.3.   **21.18** fils révolté cf. Es 1.2 — écouter les leçons des parents Pr 1.8 ; 6.20.   **21.20** il s'empiffre et il boit Pr 23.21 ; Si 18.33—19.1 ; Mt 11.19 par.   **21.21** lapider 13.11+ — ôter le mal du milieu d'Israël 13.6+ — tout Israël en entendra parler 13.12+.   **21.23** le pendu Jos 8.29 ; 10.26 ; Jn 19.31 par. — le pays donné en héritage 3.20+.   **22.1-4** animal perdu Ex 23.4.   **22.4** animal tombé Ex 23.5.   **22.5** abomination pour le Seigneur 7.25+.   **22.6** pas la mère avec ses petits cf. Lv 22.28.   **22.7** tu seras heureux 4.40+ — vie prolongée 4.26+.   **22.9-11** mélanges Lv 19.19.

¹² Tu te feras des glands aux quatre bords de la couverture dont tu te couvriras.

Cas litigieux au sujet d'une femme

¹³ Lorsqu'un homme a pris une femme, est allé vers elle, puis a cessé de l'aimer, ¹⁴ s'il lui reproche sa conduite et lui fait une mauvaise réputation en disant : « Cette femme, je l'ai prise, je me suis approché d'elle et je ne l'ai pas trouvée vierge », ¹⁵ alors le père et la mère de la jeune femme prendront la preuve de sa virginité et la présenteront aux *anciens à la porte de la ville ᵘ. ¹⁶ Le père de la jeune femme dira aux anciens : « C'est ma fille, je l'ai donnée à cet homme pour être sa femme, et il a cessé de l'aimer. ¹⁷ Et voici qu'il lui reproche sa conduite en me disant : "Ta fille, je ne l'ai pas trouvée vierge". Eh bien, voilà la preuve de la virginité de ma fille ! » Et ils déploieront le manteau devant les anciens de la ville. ¹⁸ Les anciens de cette ville arrêteront l'homme pour le punir : ¹⁹ ils lui imposeront une amende de cent sicles ᵛ d'argent, qu'ils donneront au père de la jeune femme car cet homme a fait une mauvaise réputation à une vierge d'Israël. Elle sera sa femme, et il ne pourra pas la renvoyer tant qu'il sera en vie.

²⁰ Mais si la chose s'avère exacte, et que la jeune femme n'ait pas été trouvée vierge, ²¹ on l'amènera à la porte de la maison de son père ; les hommes de sa ville la lapideront, et elle mourra, car elle a commis une infamie en Israël en se prostituant dans la maison de son père. Tu ôteras le mal du milieu de toi. ²² Si l'on prend sur le fait un homme couchant avec une femme mariée, ils mourront tous les deux, l'homme qui a couché avec la femme, et la femme elle-même. Tu ôteras le mal d'Israël.

²³ Si une jeune fille vierge est fiancée à un homme, et qu'un autre homme la rencontre dans la ville et couche avec elle, ²⁴ vous les amènerez tous les deux à la porte de cette ville, vous les lapiderez et ils mourront : la jeune fille, du fait qu'étant dans la ville, elle n'a pas crié au secours ; et l'homme, du fait qu'il a possédé la femme de son prochain. Tu ôteras le mal du milieu de toi.

²⁵ Si c'est dans les champs que l'homme rencontre la jeune fiancée, la saisit et couche avec elle, l'homme qui a couché avec elle sera le seul à mourir ; ²⁶ la jeune fille, tu ne lui feras rien, elle n'a pas commis de péché qui mérite la mort. Le cas est le même que si un homme se jette sur son prochain et l'assassine : ²⁷ c'est dans les champs qu'il l'a rencontrée ; la jeune fiancée a crié, et personne n'est venu à son secours.

²⁸ Si un homme rencontre une jeune fille vierge qui n'est pas fiancée, s'en empare et couche avec elle, et qu'on les prend sur le fait, ²⁹ alors l'homme qui a couché avec la jeune fille donnera au père de celle-ci cinquante sicles d'argent ; puisqu'il l'a possédée, elle sera sa femme, et il ne pourra pas la renvoyer tant qu'il sera en vie.

23 ¹ Un homme ne prendra pas une femme de son père ; il ne portera pas atteinte aux droits de son père ʷ.

Les personnes exclues de l'assemblée

² L'homme mutilé par écrasement ˣ et l'homme à la verge coupée n'entreront pas dans l'assemblée du Seigneur. ³ Le bâtard ʸ n'entrera pas dans l'assemblée du Seigneur : même la dixième génération des siens n'entrera pas dans l'assemblée du Seigneur. ⁴ Jamais l'Ammonite et le Moabite ᶻ

---

u la preuve de sa virginité: il s'agit du manteau sur lequel ont couché les nouveaux mariés (voir v. 17) et qui porte des traces de sang. — *porte de la ville*: voir 17.5 et la note ● *v* Voir au glossaire POIDS ET MESURES ● *w* Il s'agit d'*une femme de son père*, autre que sa propre mère (comparer 21.15). — *ne portera pas atteinte aux droits de son père*: litt. *ne relèvera pas le pan du manteau de son père*. L'époux s'engageait envers sa femme en étendant sur elle le *pan de son manteau* (voir Ez 16.8). Relever le *pan du manteau*, c'est réclamer des droits sur l'épouse et contester en fait les droits du mari ● *x mutilé par écrasement* ou *aux testicules écrasés* ● *y* Le terme hébreu désigne probablement l'enfant né d'une union interdite par la Loi (voir Lv 18.6-18). La tradition juive l'a appliqué plus tard aux enfants dont un parent est juif et l'autre païen ● *z Ammonite, Moabite*: voir Gn 19.37-38 et les notes

---

22.12 les glands Nb 15.37-39; Mt 9.20+. **22.19** amende Ex 21.22 — il ne pourra la renvoyer 22.29. **22.21** lapider 13.11+ — infamie en Israël Gn 34.7; Jos 7.15; Jg 20.10; 2 S 13.12; Jr 29.23 — ôter le mal du milieu d'Israël 13.6+. **22.22** adultère Lv 20.10+. **22.28** viol Gn 34; Ex 22.15; 2 S 13. **22.29** il ne pourra la renvoyer 22.19. **23.1** une femme de son père Lv 18.8+. **23.2** eunuque Es 56.3-7; Mt 19.12; Ac 8.27-38; cf. Lv 21.16-24. **23.3** bâtard cf. Ne 13.23-27. **23.4** Ammonite, Moabite Ne 13.1-3.

n'entreront dans l'assemblée du SEIGNEUR ; même la dixième génération des leurs n'entrera pas dans l'assemblée du SEIGNEUR, ⁵ du fait qu'ils ne sont pas venus au-devant de vous avec du pain et de l'eau sur votre route à la sortie d'Egypte, et que Moab a soudoyé contre toi, pour te maudire, Balaam, fils de Béor, de Petor en Aram-des-deux-fleuves ᵃ. ⁶ Mais le SEIGNEUR ton Dieu a refusé d'écouter Balaam, le SEIGNEUR ton Dieu a changé pour toi la malédiction en bénédiction, car le SEIGNEUR ton Dieu t'aime. ⁷ Jamais tu ne rechercheras leur prospérité ni leur bonheur, tant que tu seras en vie.

⁸ Tu ne considéreras pas l'Edomite ᵇ comme abominable, car c'est ton frère ; tu ne considéreras pas l'Egyptien comme abominable, car tu as été un émigré dans son pays. ⁹ Les fils qu'ils auront à la troisième génération entreront dans l'assemblée du SEIGNEUR.

La pureté du camp

¹⁰ Quand tu dresseras le camp face à tes ennemis, tu te garderas de tout ce qui est mal.

¹¹ S'il y a chez toi un homme qui n'est pas *pur, à cause d'un accident nocturne ᶜ, il sortira hors du camp, et ne rentrera pas à l'intérieur : ¹² à l'approche du soir, il se lavera dans l'eau, et au coucher du soleil il rentrera à l'intérieur du camp.

¹³ Tu auras un certain endroit hors du camp, et c'est là que tu iras. ¹⁴ Tu auras un piquet avec tes affaires, et quand tu iras t'accroupir dehors, tu creuseras avec, et tu recouvriras tes excréments.

¹⁵ Car le SEIGNEUR ton Dieu lui-même va et vient au milieu de ton camp pour te sauver en te livrant tes ennemis : aussi ton camp est-il *saint, et il ne faut pas que le SEIGNEUR voie quelque chose qui lui ferait honte : il cesserait de te suivre.

L'esclave en fuite

¹⁶ Tu ne livreras pas un esclave à son maître s'il s'est sauvé de chez son maître auprès de toi ; ¹⁷ c'est avec toi qu'il habitera, au milieu de toi, dans le lieu qu'il aura choisi dans l'une de tes villes, pour son bonheur. Tu ne l'exploiteras pas.

La prostitution sacrée

¹⁸ Il n'y aura pas de courtisane sacrée parmi les filles d'Israël ; il n'y aura pas de prostitué sacré ᵈ parmi les fils d'Israël. ¹⁹ Tu n'apporteras jamais dans la maison du SEIGNEUR ton Dieu, pour une offrande votive, le gain d'une prostituée ou le salaire d'un « chien » ᵉ, car, aussi bien l'un que l'autre, ils sont une abomination pour le SEIGNEUR ton Dieu.

Le prêt à intérêt

²⁰ Tu ne feras à ton frère ᶠ aucun prêt à intérêt : ni prêt d'argent, ni prêt de nourriture, ni prêt de quoi que ce soit qui puisse rapporter des intérêts. ²¹ A un étranger, tu feras des prêts à intérêt, mais à ton frère tu n'en feras pas, pour que le SEIGNEUR ton Dieu te bénisse dans toutes tes entreprises au pays où tu vas entrer pour en prendre possession.

Les vœux

²² Si tu fais un vœu au SEIGNEUR ton Dieu, tu ne tarderas pas à l'accomplir, car autrement le SEIGNEUR ton Dieu ne manquerait pas de te le réclamer, ce serait un péché pour toi. ²³ Mais si tu renonces à faire des vœux, ce ne sera pas un péché pour toi. ²⁴ Ce qui sort de tes lèvres, veille à le mettre en pratique, suivant le vœu spontané au SEIGNEUR ton Dieu que tu as formulé de ta propre bouche.

La vigne et le champ du prochain

²⁵ Si tu entres dans la vigne de ton

ᵃ *ne sont pas venus... route:* Moab et Ammon sont accusés ici d'avoir manqué aux lois de l'hospitalité. — *Aram-des-deux-fleuves:* voir Gn 24.10 et la note ● ᵇ Descendant d'Edom, qui est l'autre nom d'Esaü, frère de Jacob (voir Gn 36) ● ᶜ *accident nocturne* ou *pollution nocturne* ● ᵈ *courtisane sacrée:* voir la note sur Os 1.2. — *prostitué sacré:* voir 1 R 14.24 et la note ● ᵉ *offrande votive:* voir Lv 7.16 et la note. — *chien:* nom méprisant donné aux prostitués sacrés (v. 18) ● ᶠ *ton frère* ou *ton compatriote*

23.5 du pain et de l'eau Gn 18.4-5 — Balaam Nb 22.5+. **23.6** malédiction changée en bénédiction Jos 24.10 — Dieu aime 4.37+. **23.8** l'Edomite est ton frère 2.4; cf. Gn 36 — en Egypte Israël était un émigré 10.19+ — attitude favorable à l'Egypte Es 19.18-25. **23.9** troisième génération 5.9; Ex 20.5-6; Nb 14.18. **23.11** accident nocturne Lv 15.16. **23.15** présence de Dieu 20.4; Nb 5.3. **23.16** ne pas livrer l'esclave en fuite 1 S 30.11-15; Phm 8-21. **23.17** ne pas exploiter Ex 22.20. **23.18** prostitution sacrée Gn 38.21-22; 1 R 14.24; 15.12; 22.47; 2 R 23.7; Os 4.14. **23.19** « chien » cf. Mt 15.26-27; Ph 3.2; Ap 22.15 — abomination pour le Seigneur 7.25+. **23.20** prêt Ex 22.24+. **23.21** préférence pour le compatriote 15.3 — prendre possession du pays 1.21+. **23.22** les vœux Nb 30.2-17+; Ps 66.13; Pr 20.25; Si 18.22. **23.24** veiller à mettre en pratique 5.1+.

prochain, tu mangeras du raisin autant que tu veux, à satiété ; mais tu ne dois pas en emporter. [26] Si tu entres dans les moissons de ton prochain, tu pourras arracher des épis à la main, mais tu ne feras pas passer la faucille dans les moissons de ton prochain.

La femme répudiée

24 [1] Lorsqu'un homme prend une femme et l'épouse, puis, trouvant en elle quelque chose qui lui fait honte, cesse de la regarder avec faveur, rédige pour elle un acte de répudiation et le lui remet en la renvoyant de chez lui, [2] lorsque la femme est donc sortie de chez lui, s'en est allée, puis est devenue la femme d'un autre, [3] si l'autre homme cesse de l'aimer, rédige pour elle un acte de répudiation et le lui remet en la renvoyant de chez lui, ou bien si l'autre homme qui l'avait prise pour femme meurt, [4] alors, son premier mari, qui l'avait renvoyée, ne pourra pas la reprendre pour en faire sa femme, après qu'elle aura été rendue *impure [g]. C'est une abomination devant le SEIGNEUR ; tu ne jetteras pas dans le péché le pays que le SEIGNEUR ton Dieu te donne en héritage.

Le jeune marié

[5] Si un homme est nouvellement marié, il ne partira pas à l'armée, on ne viendra chez lui pour aucune affaire, il sera exempté de tout pour être à la maison pendant un an, et il fera la joie de la femme qu'il a épousée.

Les gages, le rapt, la lèpre

[6] On ne prendra pas en gage le moulin ni la meule, car ce serait prendre en gage la vie elle-même.
[7] S'il se trouve un homme qui commet un rapt sur la personne d'un de ses frères parmi les fils d'Israël, qui maltraite sa victime et qui la vend, l'auteur du rapt mourra. Tu ôteras le mal du milieu de toi.

[8] Prends garde aux maladies du genre de la *lèpre, en observant parfaitement et en mettant en pratique tout ce que vous enseigneront les prêtres *lévites [h] ; veillez à agir suivant les ordres que je leur ai donnés. [9] Souviens-toi de ce que le SEIGNEUR ton Dieu a fait à Myriam sur votre chemin, à la sortie d'Egypte.

[10] Si tu fais à ton prochain un prêt quelconque, tu n'entreras pas dans sa maison pour lui prendre un gage. [11] C'est dehors que tu te tiendras, et l'homme à qui tu fais le prêt t'apportera le gage dehors.
[12] Si c'est un malheureux, tu ne te coucheras pas en gardant son gage. [13] Tu devras lui rapporter son gage au coucher du soleil ; il se couchera dans son manteau et te bénira ; et devant le SEIGNEUR ton Dieu tu seras juste.

Respecter le salarié

[14] Tu n'exploiteras pas un salarié malheureux et pauvre, que ce soit l'un de tes frères ou l'un des émigrés que tu as dans ton pays, dans tes villes. [15] Le jour même, tu lui donneras son salaire ; le soleil ne se couchera pas sans que tu l'aies fait ; car c'est un malheureux, et il l'attend impatiemment ; qu'il ne crie pas contre toi vers le SEIGNEUR : ce serait un péché pour toi.

Responsabilité personnelle

[16] Les pères ne seront pas mis à mort pour leurs fils : les fils ne seront pas mis à mort pour leurs pères ; c'est à cause de son propre péché que chacun sera mis à mort.

Mesures en faveur des pauvres

[17] Tu ne biaiseras pas avec le droit d'un émigré ou d'un orphelin. Tu ne pren-

---

g Dans le cas présent, la femme n'est pas impure en elle-même, mais seulement par rapport à *son premier mari* ● *h* Voir 17.9 et la note

23.26 épis arrachés Mt 12.1 par. **24.1** femme qui perd la faveur de son mari Si 42.9 — divorce Es 50.1; Jr 3.1, 8; Mt 5.31; 19.3-9 par. **24.4** reprendre son ancienne femme Jr 3.1; Os 3.1-3 — abomination devant le Seigneur 7.25+. **24.5** nouveau marié 20.7; Lc 14.20. **24.7** pas de rapt 5.19; Ex 20.15+ — ôter le mal 13.6+. **24.8** lèpre Lv 13.2+ — enseignement des prêtres 33.10+ — prêtres lévites 17.9+ — veiller à agir 5.1+. **24.9** ce que Dieu a fait à Myriam Nb 12.10. **24.10** gage 15.6; Ex 22.25+. **24.14** exploiter un salarié Lv 19.13+; Jr 22.13; Jb3 1.39; Si 34.27; cf. Mc 10.19. **24.15** la paye du salarié Lv 19.13; Jc 5.4 — prière du pauvre contre le riche Si 4.5-6; Jc 5.4. **24.16** responsabilité personnelle 7.10; 2 R 14.6; Jr 31.29-30; Ez 18.1-20. **24.17-22** émigré, orphelin, veuve 10.18+ — respect de l'émigré Ex 22.20+. **24.17** ne pas biaiser avec le droit 16.19; 27.19 — vêtement en gage Ex 22.25+.

dras pas en gage le vêtement d'une veuve.
¹⁸ Tu te souviendras qu'en Egypte tu étais
esclave, et que le Seigneur ton Dieu t'a
racheté de là. C'est pourquoi je t'ordonne
de mettre en pratique cette parole.
¹⁹ Si tu fais la moisson dans ton
champ, et que tu oublies des épis dans
le champ, tu ne reviendras pas les prendre. Ce sera pour l'émigré, l'orphelin et
la veuve, afin que le Seigneur ton Dieu
te bénisse dans toutes tes actions. ²⁰ Si
tu gaules tes oliviers, tu n'y reviendras
pas faire la cueillette ; ce qui restera
sera pour l'émigré, l'orphelin et la veuve. ²¹ Si tu vendanges ta vigne, tu n'y
reviendras pas grapiller ; ce qui restera
sera pour l'émigré, l'orphelin et la veuve.
²² Tu te souviendras qu'au pays d'Egypte
tu étais esclave ; c'est pourquoi je t'ordonne de mettre en pratique cette parole.

Equité dans les jugements

25 ¹ Lorsque des hommes ont une
contestation entre eux, ils s'avanceront pour le jugement et seront jugés,
on déclarera l'innocent innocent et le
coupable coupable.
² Si le coupable mérite des coups, le
juge le fera mettre à terre, et lui fera
donner en sa présence un nombre de
coups proportionnel à sa culpabilité. ³ On
lui donnera quarante coups, pas plus,
de peur qu'en lui donnant davantage on
ne provoque une blessure grave, et que
ton frère ne soit avili à tes yeux.

Le bœuf

⁴ Tu ne muselleras pas le bœuf quand
il foule le blé ⁱ.

La loi du lévirat

⁵ Si des frères habitent ensemble et que
l'un d'eux meure sans avoir de fils, la
femme du défunt n'appartiendra pas à
un étranger, en dehors de la famille ;
son beau-frère ira vers elle, la prendra
pour femme et fera à son égard son de-

voir de beau-frère. ⁶ Le premier fils qu'elle
mettra au monde perpétuera le nom du
frère qui est mort ; ainsi son nom ne sera
pas effacé d'Israël.
⁷ Et si l'homme n'a pas envie d'épouser sa belle-sœur, celle-ci montera à la
porte ʲ vers les *anciens et leur dira :
« Mon beau-frère a refusé de perpétuer
pour son frère un nom en Israël, il a refusé d'accomplir à mon égard son devoir
de beau-frère. » ⁸ Les anciens de la ville
le convoqueront et lui parleront. Il se
tiendra là et dira : « Je n'ai pas envie
de l'épouser. » ⁹ Sa belle-sœur s'avancera
vers lui, en présence des anciens ; elle lui
retirera la sandale ᵏ du pied et elle lui
crachera au visage ; puis elle prendra la
parole et dira : « Voilà ce qu'on fait à
l'homme qui ne reconstruit pas la maison
de son frère ! » ¹⁰ Et en Israël, on l'appellera « maison du déchaussé ».

Coup interdit dans une rixe

¹¹ Lorsqu'un homme et son frère ˡ
s'empoignent, et que la femme de l'un
d'eux s'approche pour sauver son mari
de la main de son adversaire, si elle
avance la main et saisit les parties honteuses de celui-ci, ¹² tu couperas la main ᵐ
à cette femme. Tu ne t'attendriras pas.

L'honnêteté dans le commerce

¹³ Tu n'auras pas dans ton sac deux
poids différents, un grand et un petit ;
¹⁴ tu n'auras pas dans ta maison deux
boisseaux ⁿ différents, un grand et un
petit ; ¹⁵ c'est un poids intact et juste,
un boisseau intact et juste que tu auras,
pour que tes jours se prolongent sur la
terre que le Seigneur ton Dieu te donne.
¹⁶ Car tout homme qui fait cela, tout
homme qui commet l'injustice, est une
abomination pour le Seigneur ton Dieu.

Amaleq, l'ennemi héréditaire

¹⁷ Souviens-toi de ce qu'Amaleq t'a fait

---

i On ne doit pas empêcher l'animal de manger pendant son travail ● *j à la porte:* de la ville;
voir Gn 23.10 et la note ● *k retirer la sandale* est dans un cas analogue le symbole de la perte des
droits (Rt 4.7). Ici on ne retient que l'aspect offensant ● *l* Soit le propre frère, soit n'importe
quel Israélite ● *m* C'est le seul cas où l'Ancien Testament prévoit une mutilation pour sanc-
tionner un délit ● *n* Voir au glossaire POIDS ET MESURES, *épha*

24.18 esclave en Egypte 5.15+ — Dieu a racheté Israël 7.8+. 24.19 si tu moissonnes Lv 19.9;
23.22 — épis oubliés Rt 2.15-16. 25.1 obligations des juges 1.9+ — l'innocent déclaré innocent
Am 2.6; 5.12; cf. Es 5.20 25.3 quarante coups 2 Co 11.24. 25.4 museler le bœuf 1 Co 9.9;
1 Tm 5.18. 25.5 la femme du frère Lv 18.16+ — lévirat Gn 38.8-9; Rt 4; Mt 22.23-33 par.
25.6 effacer le nom 9.14+. 25.12 couper la main Mt 5.30 par — ne pas s'attendrir sur le
coupable 13.9+. 25.13-16 mesures exactes Lv 19.36+; Mi 6.10-11; Si 42.4. 25.15 vie prolongée
4.26+. 25.16 injustice Si 26.29—27.3 — abomination pour le Seigneur 7.25+. 25.17 Amaleq
Ex 17.8+; cf. Dt 23.4-9.

sur votre route, à la sortie d'Egypte *o*, [18] lui qui est venu à ta rencontre sur la route et a détruit, à l'arrière de ta colonne, tous ceux qui traînaient, alors que tu étais épuisé et fourbu ; il n'a pas craint Dieu. [19] Alors, quand le SEIGNEUR ton Dieu te donnera le repos en te dégageant de l'étreinte de tous tes ennemis, dans le pays que le SEIGNEUR ton Dieu te donne en héritage pour en prendre possession, tu effaceras de sous le ciel la mémoire d'Amaleq. Tu n'oublieras pas !

Les prémices et la confession de foi

26 [1] Quand tu seras arrivé dans le pays que le SEIGNEUR ton Dieu te donne en héritage, quand tu en auras pris possession et que tu y habiteras, [2] tu prendras une part des *prémices de tous les fruits de ton sol, les fruits que tu auras tirés de ton pays, celui que le SEIGNEUR ton Dieu te donne. Tu les mettras dans un panier, et tu te rendras au lieu que le SEIGNEUR ton Dieu aura choisi pour y faire demeurer son *nom. [3] Tu iras trouver le prêtre qui sera en fonction ce jour-là et tu lui diras :

« Je déclare aujourd'hui au SEIGNEUR ton Dieu que je suis arrivé dans le pays que le SEIGNEUR a juré à nos pères de nous donner. »

[4] Le prêtre recevra de ta main le panier et le déposera devant l'*autel du SEIGNEUR ton Dieu.

[5] Alors, devant le SEIGNEUR ton Dieu tu prendras la parole :

« Mon père était un *Araméen errant *p*. Il est descendu en Egypte, où il a vécu en émigré avec le petit nombre de gens qui l'accompagnaient.

Là, il était devenu une nation grande, puissante et nombreuse. [6] Mais les Egyptiens nous ont maltraités, ils nous ont mis dans la pauvreté, ils nous ont imposé une dure servitude.

[7] Alors, nous avons crié vers le SEI-GNEUR, le Dieu de nos pères, et le SEIGNEUR a entendu notre voix ; il a vu que nous étions pauvres, malheureux, opprimés.

[8] Le SEIGNEUR nous a fait sortir d'Egypte par sa main forte et son bras étendu, par une grande terreur, par des *signes et des prodiges ; [9] il nous a fait arriver en ce lieu, et il nous a donné ce pays, un pays ruisselant de lait et de miel *q*.

[10] Et maintenant, voici que j'apporte les prémices des fruits du sol que tu m'as donné, SEIGNEUR. »

Tu les déposeras devant le SEIGNEUR *r* ton Dieu, tu te prosterneras devant le SEIGNEUR ton Dieu, [11] et, pour tout le bonheur que le SEIGNEUR ton Dieu t'a donné, à toi et à ta maison, tu seras dans la joie avec le *lévite et l'émigré qui sont au milieu de toi.

La dîme de la troisième année

[12] La troisième année, l'année de la dîme *s*, quand tu auras prélevé toute la dîme sur la totalité de ta récolte, quand tu l'auras donnée au *lévite, à l'émigré, à l'orphelin et à la veuve, et qu'ils auront mangé à satiété dans ta ville, [13] alors, devant le SEIGNEUR *t* ton Dieu, tu diras :

« J'ai ôté de la maison la part sacrée, et je l'ai bien donnée au *lévite, à l'émigré, à l'orphelin et à la veuve, suivant tout le commandement que tu m'as donné, sans transgresser ni oublier tes commandements, [14] je n'en ai rien mangé quand j'étais en deuil, je n'en ai rien ôté quand j'étais *impur, je n'en ai rien donné à un mort *u*.

J'ai écouté la voix du SEIGNEUR mon Dieu, j'ai agi suivant tout ce que tu m'as ordonné.

[15] Regarde du haut de ta demeure sainte, du haut du ciel, bénis Israël ton peuple et la terre que tu nous as donnée comme tu l'as juré à nos pères, ce pays ruisselant de lait et de miel *v*. »

---

o Voir Ex 17.8 et la note ● p *Araméen errant*: allusion à Jacob (voir Gn 25.20) ● q Voir Ex 3.8 et la note ● r *devant le Seigneur*: c'est-à-dire au sanctuaire ● s Voir Gn 14.20 et la note ● t Voir 26.10 et la note ● u Par les trois formules de ce verset, le fidèle affirme qu'il a intégralement donné la dîme et qu'elle n'était pas entachée d'impureté ● v Voir Ex 3.8 et la note

25.19 repos 3.20+ — dégagé des ennemis 12.10; 2 S 7.1 — le pays donné en héritage 3.20+ — effacer la mémoire Ex 17.14; cf. Dt 9.14+. 26.1 le pays donné en héritage 3.20+. 26.2 prémices 18.4; 26.10+ — le lieu choisi par Dieu 12.5+. 26.3 le pays promis 1.8+. 26.5 Jacob émigré en Egypte cf. 10.19+ — devenir une nation nombreuse Ex 1.7+. 26.6 mauvais traitements Ex 1.11-14; Nb 20.15. 26.7 Dieu des pères 1.11+ — nous avons crié Ex 2.23+. 26.8 main forte 4.34+ — signes et prodiges 4.34+. 26.10 apporter les prémices Ex 23.19; 34.26; Lv 23.10; Si 35.10. 26.11 dans la joie 12.7+. 26.12 la dîme 14.22+ — lévite, émigré, orphelin, veuve 10.18+. 26.13 ne pas oublier le Seigneur 4.9+. 26.14 écouter la voix du Seigneur 4.30+. 26.15 regarder du ciel Ps 102.20 — le pays promis 1.8+.

Israël, peuple du Seigneur

16 Aujourd'hui *w*, le Seigneur ton Dieu t'ordonne de mettre en pratique ces lois et ces coutumes : tu les observeras et les mettras en pratique de tout ton *cœur, de tout ton être.

17 C'est le Seigneur que tu as amené aujourd'hui à déclarer qu'il devient ton Dieu, et que tu suivras ses chemins, que tu garderas ses lois, ses commandements et ses coutumes, que tu écouteras sa voix.

18 Et le Seigneur t'a amené aujourd'hui à déclarer que tu deviens le peuple qui est sa part personnelle, comme il te l'a promis, et que tu garderas tous ses commandements, 19 qu'il te rendra supérieur, en honneur, en renommée et en splendeur, à toutes les nations qu'il a faites, que tu deviens ainsi un peuple *saint pour le Seigneur ton Dieu, comme il te l'a promis.

ISRAËL CÉLÈBRE L'ALLIANCE

Comment célébrer l'Alliance

27 1 Moïse, avec les *anciens d'Israël, donna au peuple cet ordre : « Gardez tout le commandement que je vous donne aujourd'hui. 2 Le jour où vous passerez le Jourdain vers le pays que le Seigneur ton Dieu te donne, tu prendras de grandes pierres que tu dresseras, et que tu enduiras de chaux. 3 Tu écriras dessus toutes les paroles de cette Loi, quand tu auras passé le Jourdain. Ainsi tu pourras entrer dans le pays que le Seigneur ton Dieu te donne, un pays ruisselant de lait et de miel *x*, comme te l'a promis le Seigneur, le Dieu de tes pères. 4 Quand vous aurez passé le Jourdain, vous dresserez ces pierres, suivant l'ordre que je vous donne aujourd'hui, sur le mont Ebal *y*, et tu les enduiras de chaux. 5 Tu bâtiras là un *autel au Seigneur ton Dieu, un autel fait de pierres sur lesquelles le fer n'aura pas passé ; 6 c'est avec des pierres intactes que tu bâtiras l'autel du Seigneur ton Dieu ; c'est là que tu feras monter des holocaustes *z* vers le Seigneur ton Dieu. 7 Tu offriras des sacrifices de paix, tu mangeras là et tu seras dans la joie devant le Seigneur ton Dieu. 8 Tu écriras sur les pierres toutes les paroles de cette Loi ; expose-les bien. »

9 Et Moïse, avec les prêtres *lévites *a*, dit à tout Israël : « Fais silence, écoute, Israël ! Aujourd'hui le Seigneur ton Dieu t'a fait devenir un peuple pour lui. 10 Tu écouteras la voix du Seigneur ton Dieu ; tu mettras en pratique ses commandements et ses lois, que je te donne aujourd'hui. »

11 Ce jour-là, Moïse donna au peuple cet ordre : 12 « Voici ceux qui se tiendront sur le mont Garizim *b* pour bénir le peuple quand vous aurez passé le Jourdain : Siméon, Lévi, Juda, Issakar, Joseph et Benjamin. 13 Et voici ceux qui se tiendront sur le mont Ebal pour la malédiction : Ruben, Gad, Asher, Zabulon, Dan et Nephtali.

Les douze malédictions

14 « Les *lévites, d'une voix puissante, feront cette proclamation à tous les hommes d'Israël :

15 "Maudit, l'homme qui fabriquera une idole ou une statue — abomination pour le Seigneur, œuvre de mains d'artisan — et l'installera en cachette !" Et tout le peuple répondra et dira : "*Amen".

16 "Maudit, celui qui méprise son père et sa mère !" Et tout le peuple dira : "Amen".

17 "Maudit, celui qui déplace les limites du terrain de son voisin !" Et tout le peuple dira : "Amen".

18 "Maudit, celui qui fait perdre sa rou-

---

w C'est-à-dire aux temps et lieu précisés par 1.1-5 et 4.45-49 ● *x* Voir Ex 3.8 et la note ● *y* Voir 11.29 et la note ● *z* Voir au glossaire SACRIFICES ● *a* Voir 17.9 et la note ● *b* Voir 11.29 et la note

26.16 observer et mettre en pratique 5.1+ — de tout ton cœur 4.29.+ **26.17** écouter la voix du Seigneur 4.30+. **26.18** part personnelle de Dieu 7.6+. **26.19**, peuple consacré 7.6+. **27.1** tout le commandement que je donne 4.2+ ; 5.31+. **27.3** Dieu des pères 1.11+ — toutes les paroles de cette Loi 17.19 ; 28.58 ; 29.28 ; 31.12 ; 32.46. **27.5** pas de pierres taillées Ex 20.25 ; Jos 8.31. **27.7** dans la joie 12.7+. **27.8** exposer la Loi 1.5. **27.9** prêtres lévites 17.9+ — tout Israël 1.1+ — écoute, Israël 4.1+ — peuple pour Dieu cf. 26.17-19. **27.10** écouter la voix du Seigneur 4.30+. **27.15** statue Lv 19.4+ — abomination pour le Seigneur 7.25+. **27.16** mépriser ses parents Ex 21.17+ ; cf. Lv 19.3+. **27.17** limites des terrains 19.14. **27.18** aider l'aveugle Lv 19.14+.

te à l'aveugle !" Et tout le peuple dira : "Amen".

¹⁹ "Maudit, celui qui biaise avec le droit de l'émigré, de l'orphelin et de la veuve !" Et tout le peuple dira : "Amen".

²⁰ "Maudit, celui qui couche avec une femme de son père, car il porte atteinte aux droits de son père *c* !" Et tout le peuple dira : "Amen".

²¹ "Maudit, celui qui couche avec une bête !" Et tout le peuple dira : "Amen".

²² "Maudit, celui qui couche avec sa sœur *d*, qu'elle soit fille de son père ou fille de sa mère !" Et tout le peuple dira : "Amen".

²³ "Maudit, celui qui couche avec la mère de sa femme !" Et tout le peuple dira : "Amen".

²⁴ "Maudit, celui qui frappe son prochain en cachette !" Et tout le peuple dira : "Amen".

²⁵ "Maudit, celui qui se laisse corrompre pour frapper à mort un innocent !" Et tout le peuple dira : "Amen".

²⁶ "Maudit, celui qui ne respectera pas les paroles de cette Loi et ne les mettra pas en pratique !" Et tout le peuple dira : "Amen".

Promesses de bonheur

28 ¹ « Si tu écoutes vraiment la voix du SEIGNEUR ton Dieu en veillant à mettre en pratique tous ses commandements que je te donne aujourd'hui, alors le SEIGNEUR ton Dieu te rendra supérieur à toutes les nations du pays *e* ; ² et voici toutes les bénédictions qui viendront sur toi et qui t'atteindront, puisque tu auras écouté la voix du SEIGNEUR ton Dieu : ³ Béni seras-tu dans la ville, béni seras-tu dans les champs.

⁴ Béni sera le fruit de ton sein, de ton sol et de tes bêtes ainsi que tes vaches pleines et tes brebis mères *f*.

⁵ Bénis seront ton panier et ta huche *g*.

⁶ Béni seras-tu dans tes allées et venues.

⁷ Lorsque tes ennemis se dresseront contre toi, le SEIGNEUR en fera des vaincus devant toi ; sortis contre toi par un même chemin, ils fuiront devant toi par sept chemins différents.

⁸ Le SEIGNEUR ordonnera que la bénédiction soit avec toi dans tes greniers et dans toutes tes entreprises, et il te bénira dans le pays que le SEIGNEUR ton Dieu te donne. ⁹ Le SEIGNEUR te constituera pour lui en peuple consacré, comme il te l'a juré, puisque tu auras gardé les commandements du SEIGNEUR ton Dieu et que tu auras suivi ses chemins ; ¹⁰ tous les peuples du pays *h* verront que le *nom du SEIGNEUR a été prononcé sur toi, et ils te craindront. ¹¹ Le SEIGNEUR te donnera le bonheur en faisant surabonder le fruit de ton sein, de tes bêtes et de ton sol, sur la terre que le SEIGNEUR a juré à tes pères de te donner. ¹² Le SEIGNEUR ouvrira pour toi le réservoir merveilleux de son ciel, pour faire tomber en son temps la pluie sur ton pays, et bénir ainsi toutes tes actions.

Tu prêteras à des nations nombreuses, et toi-même tu n'auras pas à emprunter. ¹³ Le SEIGNEUR te mettra au premier rang et non au dernier. Tu iras toujours vers le haut, et non vers le bas, puisque tu auras écouté les commandements du SEIGNEUR ton Dieu que je t'ordonne aujourd'hui de garder et de mettre en pratique, ¹⁴ puisque tu ne te seras écarté ni à droite ni à gauche de tous ces chemins que je vous prescris aujourd'hui, et que tu n'auras pas suivi d'autres dieux pour les servir.

---

c Voir 23.1 et la note ● *d* Il s'agit de la demi-sœur ● *e* *nations du pays:* c'est-à-dire les populations de Canaan (voir 11.22-25); autre traduction *nations de la terre* ● *f* Voir 7.13 et la note ● *g* Le contenu du *panier* et de la *huche:* les produits du sol et le pain ● *h* *du pays:* autre traduction *de la terre*

27.19 ne pas biaiser avec le droit 16.19; 24.17 — émigré, orphelin, veuve 10.18+. **27.20** une femme de son père Lv 18.8+. **27.21** coucher avec une bête Lv 18.23+. **27.22** sa sœur Lv 18.9+. **27.23** la mère de sa femme Lv 18.17+. **27.24** frapper Ex 21.12; Lv 24.17; cf. 5.17; Ex 20.13. **27.25** refuser un cadeau Ex 23.8+; cf. 10.17. **27.26** respecter la Loi 2 R 23.24; Ga 3.10. **28.1** écouter la voix du Seigneur 4.30+ — veiller à mettre en pratique 5.1+ — les commandements que je donne 4.2+. **28.2** bénédictions 11.26-30; 30.15-20; Ex 23.20-33; Lv 26.3-13+. **28.3** la ville, les champs 28.16. **28.4** le fruit 7.13; 28.11, 18, 51; Lc 1.42. **28.5** panier, huche 28.17. **28.6** allées, venues 28.19. **28.7** les ennemis 28.25. **28.8** entreprises 28.20. **28.9** peuple consacré 7.6+. **28.10** nom du Seigneur prononcé sur Jr 7.10; Dn 9.18-19; cf. Dt 7.6. **28.11** le pays promis 1.8+. **28.12** le Seigneur, maître de la pluie 11.14+; 28.23-24 — prêter 28.44. **28.13** vers le haut, vers le bas 28.43 — garder et mettre en pratique 5.1+. **28.14** sans dévier ni à droite, ni à gauche 5.32+ — autres dieux Ex 20.3+.

Menaces de malheur

¹⁵ « Mais si tu n'écoutes pas la voix du SEIGNEUR ton Dieu en veillant à mettre en pratique tous ses commandements et ses lois que je te donne aujourd'hui, voici les malédictions qui viendront sur toi et qui t'atteindront :
¹⁶ Maudit seras-tu dans la ville, maudit seras-tu dans les champs.
¹⁷ Maudits seront ton panier et ta huche ⁱ.
¹⁸ Maudit sera le fruit de ton sein et de ton sol, ainsi que tes vaches pleines et tes brebis mères ʲ.
¹⁹ Maudit seras-tu dans tes allées et venues.
²⁰ Le SEIGNEUR t'enverra disgrâce, panique et menaces dans tout ce que tu entreprendras de faire, jusqu'à ce que tu sois exterminé, et jusqu'à ce que tu disparaisses promptement, à cause du mal que tu auras fait en m'abandonnant.
²¹ Le SEIGNEUR te fera attraper une peste qui finira par t'éliminer de la terre où tu entres pour en prendre possession.
²² Le SEIGNEUR te frappera de consomption, de fièvre, d'inflammation, de brûlures, de sécheresse ᵏ, de rouille et de nielle, qui te poursuivront jusqu'à ce que tu disparaisses.
²³ Ton ciel, au-dessus de ta tête, sera de bronze ; et la terre, sous tes pieds, sera de fer. ²⁴ Au lieu de pluie pour ton pays, le SEIGNEUR fera tomber de la cendre et de la poussière ; du ciel, elles descendront sur toi jusqu'à ce que tu sois exterminé.
²⁵ Le SEIGNEUR fera de toi un vaincu devant tes ennemis : sorti contre eux par un seul chemin, tu fuiras devant eux par sept chemins différents. Tu feras horreur à tous les royaumes du pays ˡ. ²⁶ Ton cadavre servira de proie à tous les oiseaux du ciel et aux bêtes de ton pays, sans personne pour venir les chasser.
²⁷ Le SEIGNEUR te frappera de furoncles d'Egypte et d'abcès, de gale et de démangeaisons dont tu ne pourras pas guérir.
²⁸ Le SEIGNEUR te frappera de folie, de cécité et d'égarement d'esprit. ²⁹ En plein midi, tu iras tâtonnant comme un aveugle dans les ténèbres, et tu ne réussiras pas à trouver ta route ; tu ne seras jamais qu'un homme exploité et dépouillé, sans personne pour venir au secours.
³⁰ La fiancée que tu auras choisie, un autre couchera avec elle ; la maison que tu auras construite, tu n'y habiteras pas ; la vigne que tu auras plantée, tu n'en cueilleras même pas les premiers fruits.
³¹ Ton bœuf sera abattu sous tes yeux et tu n'en mangeras pas ; on t'enlèvera ton âne et il ne reviendra pas chez toi ; tes brebis seront livrées à tes ennemis, sans personne pour venir à ton secours.
³² Tes fils et tes filles seront livrés à un autre peuple ; et tes yeux s'épuiseront à force de les guetter tout le jour, mais tu n'y pourras rien. ³³ Le fruit de ton sol et tout le produit de ton travail seront mangés par un peuple que tu ne connais pas, et tu ne seras jamais qu'un homme exploité et broyé. ³⁴ Tu sombreras dans la folie à force de regarder ce que tu auras sous les yeux.
³⁵ Le SEIGNEUR te frappera aux genoux et aux cuisses de mauvais furoncles dont tu ne pourras pas guérir ; tu en auras de la plante des pieds au sommet de la tête.
³⁶ Le SEIGNEUR t'enverra, toi et le roi que tu auras mis à la tête, vers une nation que ni toi ni tes pères vous ne connaissez, et là tu serviras d'autres dieux : du bois et de la pierre ! ³⁷ Tu deviendras l'épouvante, la fable et la risée de tous les peuples chez qui le SEIGNEUR ton Dieu t'aura emmené.
³⁸ Tu sèmeras dans les champs beau-

ⁱ Voir v. 5 et la note ● ʲ Voir 7.13 et la note ● ᵏ *sécheresse :* d'après l'ancienne version latine ; hébreu *épée ;* en hébreu les deux mots correspondant à sécheresse et épée se ressemblent beaucoup. — Le verset énumère des maladies des hommes, des bêtes et des plantes (voir aussi 1 R 8.37 et la note) ● ˡ *du pays :* autre traduction *de la terre* (voir Jr 15.4 ; 24.9)

28.15 écouter la voix du Seigneur 4.30+ — veiller à mettre en pratique 5.1+ — les commandements que je donne 4.2+ — châtiment de ceux qui n'écoutent pas le Seigneur 8.20+ — malédictions 11.26-30 ; 30.19 ; Lv 26.14-39+. **28.16** la ville, les champs 28.3. **28.17** panier, huche 28.5. **28.18** le fruit 28.4+. **28.19** allées, venues 28.6. **28.20** entreprendras 28.8. — disparaître promptement 11.17 — abandonner le Seigneur Es 1.4 ; Jr 2.13. **28.21** prendre possession du pays 1.21+. **28.22** rouille et nielle Am 4.9. **28.23** bronze, fer cf. Lv 26.19. **28.24** Dieu, maître de la pluie 11.14+ ; 28.12. **28.25** les ennemis 28.7 — horreur cf. 28.37. **28.26** proie pour les oiseaux et les bêtes Jr 7.33 ; 16.4. **28.27** furoncles 28.35 ; Ex 9.8+. **28.28** folie, cécité Za 12.4. **28.29** exploité 28.33. **28.30** maison, vigne Am 5.11. **28.32** tes yeux s'épuiseront 28.65 ; Lv 26.16. **28.35** furoncles 28.27+. **28.36** exil cf. 4.27-28 ; 28.64 — autres dieux Ex 20.3+ — dieux inconnus 4.28. **28.64** ; 29.25. **28.37** épouvante cf. 28.25 — la risée Ex 32.25+. **28.38** semer sans récolter Mi 6.15 ; Ag 1.6 — sauterelle Jl 1.4+.

coup de grain, mais tu ne récolteras pas grand-chose, car la sauterelle aura tout dévasté. ³⁹ Tu planteras et tu soigneras des vignes, mais tu ne boiras pas de vin, tu ne feras même pas la vendange, car le ver aura tout mangé. ⁴⁰ Tu auras des oliviers dans tout ton territoire, mais tu n'auras pas d'huile pour enduire ton corps, car tes olives tomberont. ⁴¹ Tu mettras au monde des fils et des filles, mais tu ne les garderas pas avec toi, car ils s'en iront en captivité. ⁴² Tous tes arbres et le fruit de ton sol, les criquets en prendront possession.

⁴³ L'émigré qui est au milieu de toi s'élèvera plus haut que toi, mais toi, tu tomberas de plus en plus bas. ⁴⁴ C'est lui qui te fera des prêts, et toi tu n'auras rien à lui prêter. Il sera au premier rang, et toi au dernier.

⁴⁵ Toutes ces malédictions viendront sur toi, te poursuivront et t'atteindront jusqu'à ce que tu sois exterminé, puisque tu n'auras pas écouté la voix du SEIGNEUR ton Dieu en gardant ses commandements et ses lois, qu'il t'a donnés. ⁴⁶ Cela t'arrivera comme *signe et comme prodige, à toi et à ta descendance pour toujours.

⁴⁷ Parce que tu n'auras pas servi le SEIGNEUR ton Dieu dans la joie et l'allégresse de ton cœur quand tu avais de tout en abondance, ⁴⁸ tu serviras les ennemis que le SEIGNEUR t'enverra, dans la faim, la soif, la nudité et la privation de toute chose. Il te mettra un *joug de fer sur le cou, jusqu'à ce qu'il t'extermine. ⁴⁹ Le SEIGNEUR lancera contre toi une nation venue de loin, du bout du monde, volant comme un aigle, une nation dont tu n'entendras pas le langage, ⁵⁰ une nation au visage dur, qui ne respecte pas le vieillard et qui n'a pas de pitié pour l'enfant. ⁵¹ Elle mangera du fruit de tes bêtes et de ton sol jusqu'à ce que tu sois exterminé ; elle ne te laissera rien de ton blé, de ton vin nouveau et de ton huile, de tes vaches pleines et de tes brebis mères ᵐ, jusqu'à ce qu'elle te fasse disparaître. ⁵² Elle t'assiégera dans toutes tes villes jusqu'à ce que s'écroulent dans tout ton pays tes hauts remparts fortifiés,

dans lesquels tu mets ta confiance ; elle t'assiégera dans toutes tes villes, dans tout ton pays, celui que le SEIGNEUR ton Dieu te donne.

⁵³ Et tu mangeras le fruit de ton sein, la chair de tes fils et de tes filles, que le SEIGNEUR ton Dieu t'a donnés — pendant le siège, dans la misère où t'auront mis tes ennemis. ⁵⁴ L'homme le plus délicat et le plus raffiné de chez toi jettera un regard mauvais sur ses frères, sur la femme qu'il a serrée contre son cœur, et sur ceux de ses fils qu'il aura conservés, ⁵⁵ de peur d'avoir à donner à l'un d'eux une part de la chair de ses fils qu'il mangera sans en laisser rien du tout — pendant le siège, dans la misère où t'auront mis tes ennemis, dans toutes tes villes. ⁵⁶ La femme la plus délicate et la plus raffinée de chez toi, celle qui ne songe même pas à poser par terre la plante du pied tant elle est raffinée et délicate, jettera un regard mauvais sur l'homme qu'elle a serré contre son cœur, sur son fils et sa fille, ⁵⁷ sur son rejeton qui est sorti d'entre ses jambes, sur les enfants qu'elle a mis au monde ; car, dans la privation de toute chose, elle les mangera en cachette — pendant le siège, dans la misère où t'auront mis tes ennemis, dans tes villes.

⁵⁸ Si tu ne veilles pas à mettre en pratique toutes les paroles de cette Loi, celles qui sont écrites dans ce livre, et craignant ce *nom glorieux et redoutable, "le SEIGNEUR ton Dieu", ⁵⁹ alors le SEIGNEUR te frappera, toi et ta descendance, de blessures prodigieuses, de blessures graves et tenaces, de maladies mauvaises et tenaces. ⁶⁰ Il fera revenir sur toi toutes les épidémies que tu as redoutées en Egypte, et elles s'attacheront à toi. ⁶¹ Et même toutes les maladies et toutes les blessures qui ne sont pas mentionnées dans ce livre de la Loi, le SEIGNEUR les déchaînera contre toi jusqu'à ce que tu sois exterminé. ⁶² Il ne restera de vous qu'un petit nombre de gens, vous qui avez été aussi nombreux que les étoiles du ciel, puisque tu n'auras pas écouté la voix du SEIGNEUR ton Dieu. ⁶³ Et de

---

ᵐ Voir 7.13 et la note

28.39 vignes Am 5.11. **28.43** plus haut, plus bas 28.13 — prêts 28.12. **28.45** écouter la voix du Seigneur 4.30+. **28.46** signe et prodige 4.34+. **28.48** privation 28.57 — joug de fer Jr 28.14. **28.49** lancera contre toi Jr 5.15-17. **28.51** fruit 28.4+ — disparaître 8.20. **28.53** manger ses enfants Lv 26.29+. **28.56** craindre le Seigneur 4.10+. **28.57** privation 28.48. **28.58** veiller à mettre en pratique 5.1+ — toutes les paroles de cette Loi 27.3+. **28.60** épidémies d'Egypte 7.15; Ex 7.8—11.10. **28.61** le livre de la Loi 29.20; 30.10; 31.26; Jos 1.8; 8.34; 2 R 22.8, 11; Ne 8.3. **28.62** il restera un petit nombre 4.27+ — nombreux comme les étoiles 1.10+ — écouter la voix du Seigneur 4.30+.

même que le SEIGNEUR se plaisait à s'occuper de vous pour vous rendre heureux et nombreux, de même le SEIGNEUR se plaira à s'occuper de vous pour vous faire disparaître et vous exterminer, et vous serez arrachés de la terre où tu entres pour en prendre possession.

⁶⁴ Le SEIGNEUR te dispersera parmi tous les peuples, d'un bout à l'autre de la terre, et là tu serviras d'autres dieux que ni toi ni tes pères vous ne connaissez : du bois et de la pierre ! ⁶⁵ Et chez ces nations, tu n'auras pas de tranquillité, tu n'auras même pas de place pous poser la plante de ton pied ; et là le SEIGNEUR te donnera un cœur inquiet, un regard qui s'éteint, une existence qui s'épuise. ⁶⁶ Ta vie sera en suspens devant toi, tu trembleras nuit et jour, tu n'auras plus confiance en ta vie. ⁶⁷ Le matin, tu diras : "Quand donc viendra le soir ?", et le soir, tu diras : "Quand donc viendra le matin ?", tellement ton cœur tremblera à force de regarder ce que tu auras sous les yeux.

⁶⁸ Et le SEIGNEUR te fera retourner sur des bateaux en Egypte, par un pays dont je t'avais dit : "Tu ne le reverras plus jamais !" Et là, vous vous mettrez vous-mêmes en vente pour être les serviteurs et les servantes de tes ennemis, mais il n'y aura pas d'acheteur ! »

DERNIER DISCOURS DE MOÏSE

⁶⁹ Voilà les paroles de l'*alliance que le SEIGNEUR ordonna à Moïse de conclure avec les fils d'Israël au pays de Moab, en plus de l'alliance qu'il avait conclue avec eux à l'Horeb.

Ce que Dieu a fait pour Israël

29 ¹ Moïse convoqua tout Israël, et il leur dit :

Vous avez vu vous-mêmes tout ce que le SEIGNEUR a fait sous vos yeux, dans le pays d'Egypte, à *Pharaon, à tous ses serviteurs et à tout son pays : ² les grandes épreuves que vous avez vues de vos yeux, ces *signes et ces grands prodiges. ³ Pourtant, jusqu'à aujourd'hui, le SEIGNEUR ne vous avait pas donné un *cœur pour reconnaître, ni des yeux pour voir, ni des oreilles pour entendre. ⁴ Je ⁿ vous ai fait marcher quarante ans au désert : vos manteaux ne se sont pas usés sur vous, et ta sandale ne s'est pas usée à ton pied. ⁵ Ce n'est pas du pain que vous avez mangé, ce n'est pas du vin ni des boissons fermentées que vous avez bus ᵒ : il fallait que vous reconnaissiez que c'est moi le SEIGNEUR votre Dieu. ⁶ Puis vous êtes arrivés en ce lieu ; Sihôn, roi de Heshbôn, et Og, roi du Bashân, sont sortis à notre rencontre pour combattre, et nous les avons battus. ⁷ Nous avons pris leur pays, et nous l'avons donné en héritage aux gens de Ruben et de Gad, et à la moitié de la tribu de Manassé.

⁸ Vous garderez les paroles de cette *alliance, et vous les mettrez en pratique, pour réussir tout ce que vous ferez.

Prendre au sérieux l'alliance avec Dieu

⁹ Vous vous tenez tous debout aujourd'hui devant le SEIGNEUR votre Dieu : vos chefs, vos tribus, vos *anciens, vos commissaires, tous les hommes d'Israël, ¹⁰ vos enfants, vos femmes, et l'émigré que tu as chez toi au milieu de ton camp pour t'abattre des arbres ou pour te puiser de l'eau ; ¹¹ tu es là pour passer dans l'*alliance du SEIGNEUR ton Dieu, proclamée avec imprécations ᵖ, cette *alliance que le SEIGNEUR ton Dieu conclut aujourd'hui avec toi ¹² afin de te constituer aujourd'hui comme son peuple et d'être lui-même ton Dieu, comme il te l'a promis

---

ⁿ C'est Dieu lui-même qui parle ● ᵒ Au lieu de pain et de vin, les Israélites au désert ont mangé la manne (voir Ex 16) et bu l'eau du rocher (Ex 17.1-7) que leur donnait le Seigneur ● ᵖ L'engagement dans l'alliance est accompagné d'un serment qui reconnaît au Seigneur le droit de punir celui qui serait infidèle à cette alliance (voir v. 19-20)

28.63 prendre possession du pays 1.21+. **28.64** Israël dispersé 4.27-28; 28.36; Si 48.15. **28.66** regard qui s'éteint 28.32. **28.67** ne rien espérer Jb 24.22. **28.68** retourner en Egypte 17.16+. **29.1** tout Israël 1.1+. **29.2** signes et prodiges 4.34+. **29.3** des yeux pour voir Rm 11.8+. **29.4** quarante ans au désert 2.7; 8.2+ — manteaux non usés 8.4. **29.6** Sihôn, Og 1.4+. **29.7** Ruben, Gad, Manassé 3.12-17. **29.8** garder et mettre en pratique 5.1+. **29.9** rassemblement en présence du Seigneur 4.10+. **29.12** Israël peuple de Dieu 7.6+.

et comme il l'a juré à tes pères Abraham, Isaac et Jacob. ¹³ Cette *alliance proclamée avec imprécations, je ne la conclus pas seulement avec vous, ¹⁴ mais avec celui qui se tient là avec nous aujourd'hui �q devant le SEIGNEUR notre Dieu aussi bien qu'avec celui qui n'est pas là avec nous aujourd'hui.

¹⁵ Vous savez, vous, comment nous avons séjourné au pays d'Egypte, et comment nous avons passé au milieu des nations où vous avez passé. ¹⁶ Vous avez vu les horreurs et les idoles qu'elles ont chez elles : du bois, de la pierre, de l'argent et de l'or ! ¹⁷ Qu'il n'y ait donc pas chez vous un homme, ou une femme, une famille ou une tribu dont le *cœur se détourne aujourd'hui du SEIGNEUR notre Dieu pour aller servir les dieux de ces nations ; qu'il n'y ait pas chez vous la racine d'une plante produisant du poison ou de l'absinthe ʳ. ¹⁸ Et s'il arrive qu'après avoir entendu ces paroles d'imprécations, quelqu'un se croie bénie et se dise : « Je suis comblé, parce que je me suis obstiné à suivre mes idées, puisqu'il est vrai que terre arrosée n'a plus soif ˢ », ¹⁹ le SEIGNEUR ne voudra pas lui pardonner ; la colère du SEIGNEUR et sa jalousie ᵗ fumeront contre cet homme, toutes les imprécations écrites dans ce livre seront tapies autour de lui, et le SEIGNEUR effacera son nom de sous le ciel. ²⁰ Le SEIGNEUR le mettra à part de toutes les tribus d'Israël, pour son malheur, conformément à toutes les imprécations de l'alliance écrite dans ce livre de la Loi ᵘ.

Le Seigneur réalisera ses menaces

²¹ Et voilà ce que dira la génération suivante, vos fils qui se lèveront après vous, et l'étranger qui viendra d'un pays lointain, quand ils verront les blessures de ce pays, et les maladies dont l'aura frappé le SEIGNEUR : ²² « Tout son pays n'est que soufre, sel et feu ᵛ : pas de semailles, pas de végétation, aucune plante ne pousse, comme à Sodome et à Gomorrhe, à Adma et à Cevoïm, que le SEIGNEUR a bouleversées dans sa colère et sa fureur.» ²³ Et toutes les nations s'écrieront : « Pourquoi le SEIGNEUR a-t-il ainsi traité ce pays ? Pourquoi cette grande colère s'est-elle enflammée ? » ²⁴ Et on répondra : « C'est parce qu'ils ont abandonné l'*alliance du SEIGNEUR, le Dieu de leurs pères, qu'il avait conclue avec eux en les faisant sortir du pays d'Egypte. ²⁵ Ils sont allés servir d'autres dieux et se sont prosternés devant eux — des dieux qu'ils ne connaissaient pas, et que le SEIGNEUR ne leur avait pas donnés en partage —, ²⁶ aussi la colère du SEIGNEUR s'est-elle enflammée contre ce pays, et il a fait venir sur lui toute la malédiction écrite dans ce livre. ²⁷ Le SEIGNEUR les a arrachés de leur terre ʷ dans sa colère, sa fureur et son grand courroux pour les rejeter vers un autre pays, comme il arrive aujourd'hui. »

²⁸ Au SEIGNEUR notre Dieu sont les choses cachées, et les choses révélées sont pour nous et nos fils à jamais, pour que soient mises en pratique toutes les paroles de cette Loi.

Israël reviendra au Seigneur

30 ¹ Et quand arriveront sur toi toutes ces choses, la bénédiction et la malédiction que j'avais mises devant toi, alors tu les méditeras dans ton *cœur parmi toutes les nations où le SEIGNEUR ton Dieu t'aura emmené ; ² tu reviendras jusqu'au SEIGNEUR ton Dieu, et tu écouteras sa voix, toi et tes fils, de tout ton *cœur, de tout ton être, suivant tout ce

---

�q *celui qui n'est pas là avec nous aujourd'hui:* allusion aux générations futures d'Israël ● ʳ *poison et absinthe* sont ici l'image des effets néfastes que l'idolâtrie produirait en Israël ● ˢ *terre arrosée n'a plus soif:* phrase difficile, de sens incertain. Il semble que ce soit une sorte de proverbe pour exprimer que tous les désirs de quelqu'un sont satisfaits ● ᵗ Voir Ex 20.5 et la note ● ᵘ *ce livre de la Loi:* le Deutéronome ● ᵛ Le *soufre,* le *sel* et le *feu:* les fléaux qui ont détruit la région de Sodome et l'ont rendue stérile (voir Gn 19.24-28) ● ʷ *arrachés de leur terre:* voir 4.27 et la note.

29.13 proclamer avec imprécations cf. 29.19-20. **29.16** dieux fabriqués 4.28+. **29.17** aller servir les dieux 13.7, 14; 29.25 — poison, absinthe Am 5.7; 6.12; cf. Ac 8.23; He 12.15. **29.18** je suis comblé Lc 12.19. **29.19** jalousie Ex 20.5+ — imprécations écrites dans ce livre Ap 22.18 — effacer le nom 9.14+. **29.20** le livre de la Loi 28.61+. **29.21** maladies 28.59. **29.22** Adma, Cevoïm Os 11.8. **29.24** abandonner l'alliance 1 R 19.10; Jr 22.9 — Dieu des pères 1.11+. **29.25** autres dieux 6.14+ — dieux inconnus 28.36+ — les faux dieux sont la part des nations 4.19. **29.27** arracher de leur terre 1 R 14.15; Jr 12.14. **29.28** toutes les paroles de cette Loi 27.3+. **30.1** bénédiction et malédiction 11.26+ — méditer dans son cœur 4.39; Si 14.20-21; cf. 6.6; 11.18. **30.2** revenir au Seigneur 4.30+ — écouter la voix du Seigneur 4.30+ — de tout ton cœur 4.29+ — ce que j'ordonne aujourd'hui 4.2+.

que je t'ordonne aujourd'hui. ³ Le Seigneur ton Dieu changera ta destinée, il
te montrera sa tendresse, il te rassemblera de nouveau de chez tous les peuples où le Seigneur ton Dieu t'aura dispersé. ⁴ Même si tu as été emmené jusqu'au bout du monde, c'est de là-bas
que le Seigneur ton Dieu te rassemblera,
c'est là-bas qu'il ira te prendre. ⁵ Le
Seigneur ton Dieu te fera rentrer dans
le pays qu'ont possédé tes pères, et tu
le posséderas ; il te rendra heureux et
nombreux, plus que tes pères.

⁶ Le Seigneur ton Dieu te *circoncira
le *cœur, à toi et à ta descendance, pour
que tu aimes le Seigneur ton Dieu de
tout ton cœur, de tout ton être, afin que
tu vives ; ⁷ et le Seigneur ton Dieu réalisera toutes ces imprécations contre les
ennemis pleins de haine qui t'auront
poursuivi. ⁸ Alors toi, tu écouteras de
nouveau la voix du Seigneur, tu mettras
en pratique tous ses commandements que
je te donne aujourd'hui. ⁹ Le Seigneur
ton Dieu te donnera le bonheur dans
toutes tes actions, en faisant surabonder
le fruit de ton sein ˣ, de tes bêtes et de
ton sol, car le Seigneur se plaira de
nouveau à ton bonheur comme il l'a fait
pour tes pères, ¹⁰ puisque tu écouteras
la voix du Seigneur ton Dieu en gardant
ses commandements et ses lois, écrits
dans ce livre de la Loi, et que tu seras
revenu au Seigneur ton Dieu de tout ton
cœur, de tout ton être.

La parole de Dieu est toute proche

¹¹ Oui, ce commandement que je te
donne aujourd'hui n'est pas trop difficile
pour toi, il n'est pas hors d'atteinte. ¹² Il
n'est pas au ciel ; on dirait alors : « Qui
va, pour nous, monter au ciel nous le

chercher, et nous le faire entendre pour
que nous le mettions en pratique ? »
¹³ Il n'est pas non plus au-delà des mers ;
on dirait alors : « Qui va, pour nous,
passer outre-mer nous le chercher, et nous
le faire entendre pour que nous le mettions en pratique ? » ¹⁴ Oui, la parole est
toute proche de toi, elle est dans ta bouche et dans ton *cœur, pour que tu la
mettes en pratique.

Choisir la vie

¹⁵ Vois : je mets aujourd'hui devant toi
la vie et le bonheur, la mort et le
malheur, ¹⁶ moi qui te commande aujourd'hui d'aimer le Seigneur ton Dieu,
de suivre ses chemins, de garder ses commandements, ses lois et ses coutumes.
Alors tu vivras, tu deviendras nombreux,
et le Seigneur ton Dieu te bénira dans
le pays où tu entres pour en prendre possession. ¹⁷ Mais si ton *cœur se détourne,
si tu n'écoutes pas, si tu te laisses entraîner à te prosterner devant d'autres dieux
et à les servir, ¹⁸ je vous le déclare aujourd'hui : vous disparaîtrez totalement, vous
ne prolongerez pas vos jours sur la terre
où tu vas entrer pour en prendre possession en passant le Jourdain.

¹⁹ J'en prends à témoin aujourd'hui
contre vous le ciel et la terre : c'est la vie
et la mort que j'ai mises devant vous,
c'est la bénédiction et la malédiction. Tu
choisiras la vie pour que tu vives, toi et
ta descendance, ²⁰ en aimant le Seigneur
ton Dieu, en écoutant sa voix et en t'attachant à lui. C'est ainsi que tu vivras et
que tu prolongeras tes jours, en habitant
sur la terre que le Seigneur a juré de
donner à tes pères Abraham, Isaac et
Jacob.

ˣ *le fruit de ton sein: tes enfants*

30.3 changer la destinée Ez 29.14; Os 6.11; Am 9.14; cf. Ez 36.33-38 — tendresse de Dieu 4.31+
— rassembler Ez 11.17; 28.25; 37.21. 30.4 du bout du monde Mt 24.31+. 30.5 il te rendra
heureux cf. 4.40. 30.6 aimer Dieu de tout ton cœur 6.5+ — afin que tu vives 4.1+ ;
30.16-20. 30.7 imprécations 29.11, 13. 30.9 bonheur dans les entreprises 2.7+ ; 28.8 — le fruit
28.4+ — le Seigneur se plaira 28.63. 30.10 le livre de la Loi 28.61+. 30.11-14 la Parole de
Dieu toute proche Si 51.26; Rm 10.6-8. 30.11 le commandement que je donne 4.2+ — commandement réalisable Mt 11.30; 1 Jn 5.3; cf. Si 51.26. 30.12 il n'est pas au ciel Rm 10.6-8.
30.15-20 loi de vie 32.47; Si 45.5; cf. 4.1+. 30.15 vie et mort Si 37.18 — bonheur et malheur
11.26-28. 30.16 je te commande 4.2+ — aimer Dieu 5.10+ — observer les commandements
pour vivre 4.1+ — prendre possession du pays 1.21+. 30.17 se détourner 29.17 — autres dieux
Ex 20.3+. 30.18 vous disparaîtrez 4.26+ — vie prolongée 4.26+. 30.19 prendre à témoin le
ciel et la terre 4.26+ — pour que tu vives 30.6+. 30.20 aimer le Seigneur 6.5 — écouter la voix
du Seigneur 4.30+ — s'attacher à Dieu 10.20+ — le pays promis 1.8+.

ADIEUX ET MORT DE MOÏSE

Josué désigné comme successeur de Moïse

31 [1] Puis Moïse vint adresser ces paroles à tout Israël. [2] Il leur dit : « J'ai aujourd'hui cent vingt ans : je ne suis plus capable de tenir ma place, et le SEIGNEUR m'a dit : "Tu ne passeras pas ce Jourdain que voici !" [3] C'est le SEIGNEUR ton Dieu qui va passer devant toi, c'est lui qui exterminera ces nations de devant toi et les dépossédera. Et c'est Josué qui va passer devant toi comme le SEIGNEUR l'a dit. [4] Le SEIGNEUR agira envers ces nations comme il a agi envers Sihôn et Og, les rois des *Amorites et envers leur pays : il les a exterminés. [5] Le SEIGNEUR vous les livrera, et vous agirez envers elles selon tout ce que je vous ai commandé. [6] Soyez courageux et résistants, ne craignez pas, ne tremblez pas devant elles, car c'est le SEIGNEUR ton Dieu qui marche avec toi : il ne te délaissera pas, il ne t'abandonnera pas. »

[7] Puis Moïse appela Josué, et, devant tout Israël, il lui dit : « Sois courageux et résistant, car c'est toi qui entreras avec ce peuple dans le pays que le SEIGNEUR a juré à leurs pères de leur donner ; c'est toi qui les feras hériter de ce pays. [8] C'est le SEIGNEUR qui marche devant toi, c'est lui qui sera avec toi, il ne te délaissera pas, il ne t'abandonnera pas ; ne crains pas, ne te laisse pas abattre. »

Moïse confie la loi aux prêtres

[9] Moïse écrivit cette Loi et la donna aux prêtres fils de Lévi [y] qui portent l'*arche de l'alliance du SEIGNEUR, et à tous les *anciens d'Israël. [10] Et Moïse leur donna cet ordre : « A la fin des sept ans, au moment de l'année de la remise, à la fête des Tentes [z], [11] quand tout Israël viendra voir la face du SEIGNEUR [a] ton Dieu au lieu qu'il aura choisi, tu liras cette Loi en face de tout Israël, qui l'écoutera. [12] Tu rassembleras le peuple, les hommes, les femmes, les enfants, et l'émigré que tu as dans tes villes, pour qu'ils entendent et pour qu'ils apprennent, pour qu'ils craignent [b] le SEIGNEUR votre Dieu et veillent à observer toutes les paroles de cette Loi. [13] Et leurs fils, qui ne savent pas, entendront ; et ils apprendront à craindre le SEIGNEUR votre Dieu tous les jours où vous serez en vie sur la terre dont vous allez prendre possession en passant le Jourdain. »

Israël sera infidèle à Dieu

[14] Et le SEIGNEUR dit à Moïse : « Voici qu'approchent les jours où tu vas mourir. Appelle Josué ; vous vous présenterez dans la *tente de la rencontre, et je lui donnerai mes ordres. » Moïse et Josué allèrent donc se présenter dans la tente de la rencontre. [15] Le SEIGNEUR se fit voir dans la tente, dans la colonne de nuée [c] ; la colonne de nuée se dressait à l'entrée de la tente.

[16] Le SEIGNEUR dit à Moïse : « Voici que tu vas te coucher avec tes pères ; et ce peuple se mettra à se prostituer [d] en suivant les dieux des étrangers qui sont dans le pays au milieu duquel il entre ; il m'abandonnera, et il brisera mon *alliance, celle que j'ai conclue avec lui. [17] Ma colère s'enflammera contre lui ce jour-là. Je les abandonnerai, je leur cacherai ma face [e]. Alors, il se fera dé-

---

y prêtres fils de Lévi: voir au glossaire LÉVITES ● *z année de la remise:* voir 15.1-11. — *fête des Tentes:* voir au glossaire CALENDRIER ● *a voir la face du Seigneur:* voir 16.16 et la note ● *b craignent ou respectent* ● *c* Voir Ex 13.21 et la note ● *d te coucher avec tes pères:* voir la note sur 1 R 1.21. — *se prostituer:* voir Os 2.4 et la note ● *je leur cacherai ma face ou je ne leur manifesterai plus ma présence*

31.1 tout Israël 1.1+. **31.2** tu ne passeras pas le Jourdain 3.27. **31.3** Josué 1.38+. **31.4** Sihôn, Og 1.4+. **31.5** tout le commandement que j'ai ordonné 4.2+ ; 5.31+. **31.6** courageux et résistant 3.28+ — ne tremblez pas 1.29+ — le Seigneur marche avec toi 20.4 — le Seigneur n'abandonne pas Gn 28.15 ; Jos 1.5 ; He 13.5. **31.7** le pays promis 1.8+. **31.8** le Seigneur sera avec toi 20.1+ — ne pas craindre 3.2+. **31.9** prêtres, fils de Lévi 17.9+. **31.10** année de la remise 15.1 — pèlerinage de la fête des Tentes 16.13-15. **31.11** lieu choisi par Dieu 12.5+. **31.12** rassemblement en présence du Seigneur 4.10+ — craindre le Seigneur 4.10+ — veiller à observer 5.1+ — toutes les paroles de cette Loi 27.3+. **31.13** ceux qui ne savent pas entendront 4.9-10 ; 6.7, 20-25 ; 11.19 ; 32.46 — prendre possession du pays 1.21+. **31.15** le Seigneur se fit voir dans la Tente Ex 33.9-10. **31.16** prostitution aux faux dieux Ex 34.15-16 ; Jg 2.17 ; Ez 16.15 ; cf. Gn 35.2-4 ; Jos 24.14 ; Jg 10.16 ; 1 S 7.3. **31.17** colère de Dieu 6.15 ; 7.4 ; 11.17 ; Jg 2.14 — Dieu n'est plus au milieu d'Israël 1.42 ; Jg 6.13 ; Ps 42.11 ; cf. 4.7+.

vorer, de grands malheurs et de grandes détresses l'atteindront. Et il dira ce jour-là : "Si ces malheurs m'ont atteint, n'est-ce pas parce que mon Dieu n'est plus au milieu de moi ?" [18] Mais moi, ce jour-là je continuerai à cacher ma face, à cause de tout le mal qu'il aura fait en se tournant vers d'autres dieux. [19] Et maintenant, écrivez pour vous ce cantique ; enseigne-le aux fils d'Israël, mets-le dans leur bouche, afin que ce cantique me serve de témoin contre les fils d'Israël. [20] En effet, je ferai entrer ce peuple dans la terre ruisselante de lait et de miel *f* que j'ai promise par serment à ses pères ; il mangera à satiété et s'engraissera, puis se tournera vers d'autres dieux ; il les servira, il me méprisera, il brisera mon *alliance ; [21] et quand de grands malheurs et de grandes détresses l'auront atteint, ce cantique déposera contre lui, comme un témoin, car sa descendance n'oubliera jamais de le répéter. En effet, je connais bien le projet qu'il est en train de faire aujourd'hui, avant même que je le fasse entrer dans le pays que j'ai promis par serment.» [22] Et ce jour-là, Moïse écrivit ce cantique, et il l'apprit aux fils d'Israël.

[23] Le Seigneur donna ses ordres à Josué, fils de Noun, et il lui dit : « Sois courageux et résistant, car c'est toi qui feras entrer les fils d'Israël dans le pays que je leur ai promis par serment ; et moi je serai avec toi.»

[24] Et quand Moïse eut fini d'écrire entièrement les paroles de cette Loi dans un livre, [25] il donna cet ordre aux *lévites qui portent l'*arche de l'alliance du Seigneur : [26] « Prenez ce livre de la Loi et mettez-le auprès de l'arche de l'alliance du Seigneur votre Dieu ; il sera là comme un témoin contre toi. [27] Car moi, je connais tes révoltes et la raideur de ta nuque *g* : si aujourd'hui, alors que je suis encore vivant au milieu de vous, vous avez été en révolte contre le Seigneur, qu'arrivera-t-il après ma mort ?

[28] Rassemblez auprès de moi tous les *anciens de vos tribus et vos commissaires ; je vais prononcer ces paroles à leurs oreilles, je vais prendre à témoin contre eux le ciel et la terre. [29] Car je le sais : après ma mort, vous allez vous corrompre totalement et vous écarter du chemin que je vous ai prescrit ; et dans les jours à venir, le malheur viendra à votre rencontre, parce que vous aurez fait ce qui est mal aux yeux du Seigneur, au point de l'offenser par vos actions.»

Cantique de Moïse

[30] Et Moïse prononça entièrement les paroles de ce cantique aux oreilles de toute l'assemblée d'Israël :

32 [1] Ciel, prête l'oreille, et je parlerai ;
terre, écoute les mots que je vais prononcer.
[2] Que mes instructions se répandent
comme la pluie ;
que ma parole tombe comme la rosée,
comme une averse sur le gazon,
comme une ondée sur l'herbe.
[3] Je proclamerai le nom du Seigneur :
reconnaissez la grandeur de notre Dieu.
[4] Lui, le Rocher, son action est parfaite,
tous ses cheminements sont judicieux ;
c'est le Dieu fidèle, il n'y a pas en lui d'injustice,
il est juste et droit.
[5] Pour lui, ils ne sont que corruption,
à cause de leur tare, ils ne sont plus ses fils *h*,
c'est une génération pervertie et dévoyée.
[6] Est-ce là une façon de traiter le Seigneur,
peuple fou et sans sagesse ?
n'est-ce pas lui ton père, qui t'a donné la vie ?
c'est lui qui t'a fait et qui t'a établi.

---

f Voir Ex 3.8 et la note ● *g la raideur de ta nuque:* voir la note sur Ex 32.9 ● *h* Verset obscur, de sens incertain

---

31.18 autres dieux Ex 20.3+. **31.19** le cantique, témoin accusateur 31.26; cf. Jn 5.45. **31.20** le pays promis 1.8+ — satiété et apostasie 6.11-12; 8.12-14 — briser l'alliance Jr 11.10; 31.32. **31.21** grands malheurs 28.15-68. **31.23** Josué 1.38+ — courageux et résistant 3.28+ — je serai avec toi 20.1+. **31.24** écrire le texte de la Loi 17.18. **31.26** le livre de la Loi 28.61+. **31.27** révolte contre le Seigneur 9.7+. **31.28** prendre à témoin le ciel et la terre 4.26+. **31.29** après ma mort Ac 20.29-30 — faire ce qui est mal 4.25+. **31.29** offenser le Seigneur 4.25+. **32.1** prendre à témoin le ciel et la terre 4.26+. **32.3** parole fécondante comme la pluie Es 55.10; Os 6.3; Jb 29.23; *Si* 15.3; cf. Ps 72.6. **32.2** proclamer le nom du Seigneur Ex 34.5. **32.4** Rocher Ps 28.1+ — cheminements de Dieu Ps 145.17; Ap 15.3 — Dieu fidèle Es 25.1; Lm 3.23 — Dieu juste Ps 33.4; Rm 9.14. **32.5** fils corrompus, tarés Es 1.2-4; Os 1.2; 2.6 — ils ne sont plus ses fils 32.18 — génération pervertie 1.35; 32.20; Mt 17.17 par.; Ac 2.40; Ph 2.15. **32.6** Dieu, père d'Israël 1.31+; Jn 8.41 — Dieu, créateur d'Israël Es 43.1.

7 Rappelle-toi les jours d'autrefois,
remonte le cours des années, de génération en génération,
demande à ton père, et il te l'apprendra,
à tes *anciens, et ils te le diront :
8 Quand le Très-Haut donna aux nations
leur héritage,
quand il sépara les humains,
il fixa le territoire des peuples
suivant le nombre des fils d'Israël [i].
9 Car l'apanage du SEIGNEUR, c'est son
peuple ;
et Jacob est sa part d'héritage.
10 Il rencontre son peuple au pays du
désert,
dans les solitudes remplies de hurlements sauvages :
il l'entoure, il l'instruit,
il veille sur lui comme sur la prunelle
de son œil.
11 Il est comme l'aigle qui encourage sa
nichée :
il plane au-dessus de ses petits, il déploie toute son envergure,
il les prend et les porte sur ses ailes.
12 Le SEIGNEUR est seul à conduire son
peuple,
sans aucun dieu étranger auprès de lui.
13 Il lui fait enfourcher [j] les hauteurs du
pays
pour qu'il se nourrisse des produits des
champs :
il lui fait sucer le miel dans le creux
des pierres,
il lui donne l'huile mûrie sur le granit
des rochers,
14 le beurre des vaches et le lait des
brebis,
avec la graisse des agneaux, des béliers
de Bashân [k] et des boucs,
ainsi que la fleur du froment ;
le *sang du raisin, tu le bois fermenté.

15 Ainsi Yeshouroun [l] s'est engraissé,

mais il a rué
— tu t'es engraissé, tu 'as grossi, tu
t'es épaissi —
il a délaissé Dieu qui l'avait fait,
il a déshonoré son Rocher, son salut.
16 Ils lui donnent pour rivaux des étrangers [m],
par des abominations ils l'offensent,
17 ils offrent des *sacrifices aux *démons
qui ne sont pas Dieu,
à des dieux qu'ils ne connaissaient
pas, des nouveau-venus d'hier
que vos pères ne redoutaient pas.
18 Le Rocher qui t'a engendré, tu l'as
négligé ;
tu as oublié le Dieu qui t'a mis au
monde.
19 Ce que le SEIGNEUR a vu a excité son
mépris :
ses fils et ses filles l'ont offensé.
20 Il a dit : « Je vais leur cacher ma
face [n],
je verrai quel sera leur avenir.
Car c'est une génération pervertie,
des fils en qui on ne peut avoir confiance.
21 Ils m'ont donné pour rival ce qui n'est
pas Dieu,
ils m'ont offensé par leurs vaines idoles.
Eh bien ! moi, je leur donnerai pour
rival ce qui n'est pas un peuple,
par une nation folle je les offenserai.
22 Oui, un feu s'est enflammé dans mes
narines ;
il a brûlé jusqu'au fond du *séjour
des morts,
il a dévoré la terre et ses produits,
il a embrasé les fondements des montagnes.
23 J'entasserai sur eux des malheurs ;
je lancerai contre eux mes flèches.
24 Quand ils seront épuisés par la faim,
dévorés par la foudre et par mon dard
amer [o],

---

*i suivant le nombre...: autre traduction suivant les limites des fils d'Israël; certains manuscrits
hébreux et des versions anciennes ont suivant le nombre des fils de Dieu ● j enfourcher: Israël
est installé sur les collines comme il serait assis sur un cheval ● k Région d'élevage, à l'est
de la mer de Kinnéreth ● l Surnom d'Israël, diminutif d'un adjectif signifiant « droit » ● m des
étrangers: les dieux des autres peuples (voir v. 21; Es 43.12; Jr 2.25) ● n Voir 31.17 et la note
● o foudre: autre traduction fièvre. — dard amer: ou peste meurtrière*

32.7 jours d'autrefois 4.32 — récits à transmettre Ex 10.2+. 32.8 Dieu répartit les peuples
Gn 10; Ac 17.26. 32.9 Israël, héritage du Seigneur 7.6+; Za 2.16; Si 17.17. 32.10 rencontre
au désert Jr 2.2, 6; Os 13.5; cf. Ez 16.6 — prunelle de l'œil Ps 17.8. 32.11 sur les ailes d'aigle
Ex 19.4+. 32.12 Dieu, seul guide Gn 24.27; Ex 13.21; 15.13; Ps 80.2. 32.13 miel sauvage
Ps 81.17 — huile des rochers Jb 29.6. 32.15 Yeshouroun 33.5, 26; Es 44.2 — engraissé
31.20. 32.16 dieux rivaux 32.21; cf. 4.24 (jaloux) — offenser Dieu 4.25+. 32.17 démons
Ps 106.37; 1 Co 10.20; Ap 9.20 — qui ne sont pas Dieu 2 R 19.18; Jr 2.11; 16.20; Os 8.6.
32.18 oublier Dieu 4.9+. 32.21 rival de Dieu 1 Co 10.22 — rival d'Israël Rm 10.19; 11.11;
cf. Am 9.7. 32.23 malheurs 28.15-68 — flèches du Seigneur 32.42; Ez 5.16; Ps 38.3; Jb 6.4.
32.24 épuisés par la faim 28.48, 53-57 — la dent des animaux Lv 26.22; Ez 14.15, 21 — famine,
animaux, épée Lv 26.22-28; Ez 5.17.

je lâcherai contre eux la dent des
    animaux,
ainsi que le venin des bêtes qui ram-
    pent dans la poussière.
²⁵ Au-dehors, l'épée leur enlèvera leurs
    enfants,
et au-dedans régnera la frayeur ;
le jeune homme aura le même sort
    que la vierge,
le nourrisson tombera avec l'homme
    aux cheveux blancs.

²⁶ J'ai dit : Je les briserais en morceaux ᵖ,
je ferais disparaître leur souvenir chez
    les hommes,
²⁷ si je n'avais peur d'être offensé par
    l'ennemi.
Que leurs adversaires n'aillent pas s'y
    tromper,
en disant : "C'est nous qui avons eu
    la haute main sur tout cela,
ce n'est pas le SEIGNEUR qui l'a fait !"
²⁸ Car c'est une nation ᵠ dont les projets
    s'écroulent,
ils sont sans intelligence.
²⁹ S'ils étaient des sages, ils compren-
    draient cela,
ils seraient intelligents pour leur
    avenir :
³⁰ "Comment un seul homme pourrait-il
    en poursuivre mille,
et deux seulement en mettre dix mille
    en fuite,
sans que ceux-ci aient été vendus par
    leur Rocher,
livrés par le SEIGNEUR ?
³¹ Car le Rocher de nos ennemis n'est
    pas comme notre Rocher,
eux-mêmes ils en sont juges ʳ."

³² Leur vigne sort des vignes de Sodome,
des plantations de Gomorrhe ˢ ;
leurs raisins sont des raisins vénéneux,
leurs grappes sont amères.
³³ Leur vin, c'est du venin de dragon,

un cruel venin de cobra.
³⁴ N'est-ce pas là ce que je retiens,
ce qui est scellé dans mes réserves ?
³⁵ A moi la vengeance et la rétribution,
pour le moment où bronchera leur
    pied,
car le jour de leur malheur est proche,
ce qui est préparé pour eux ne tardera
    pas. »
³⁶ Le SEIGNEUR va rendre justice à son
    peuple,
il se ravisera en faveur de ses serviteurs,
quand il verra que leurs mains fai-
    blissent,
qu'il n'y a plus ni esclave ni homme
    libre ᵗ.
³⁷ Alors, il dira : « Où sont leurs dieux,
et le rocher où ils se réfugiaient ?
³⁸ Où sont ceux qui mangeaient la
    graisse ᵘ de leurs *sacrifices
et buvaient le vin de leurs libations ?
Qu'ils se lèvent et viennent à votre aide,
qu'il y ait un lieu pour vous cacher !

³⁹ Eh bien ! maintenant, voyez :
c'est moi, rien que moi,
sans aucun dieu auprès de moi,
c'est moi qui fais mourir et qui fais
    vivre,
quand j'ai brisé, c'est moi qui guéris,
personne ne sauve de ma main.
⁴⁰ Oui, je lève la main ᵛ vers le ciel,
et je déclare : "Je suis vivant pour
    toujours !"
⁴¹ Si j'aiguise mon épée fulgurante,
si ma main brandit le jugement,
je ferai retomber ma vengeance sur
    mes adversaires,
je paierai de retour ceux qui me haïs-
    sent.
⁴² Tandis que mon épée se repaîtra de
    chair,
j'enivrerai mes flèches avec le *sang,
le sang des tués et des prisonniers,
avec les têtes chevelues de l'ennemi. »

---

p Le sens de l'expression hébraïque correspondante est incertain ● q c'est une nation: il est
difficile de savoir s'il s'agit des Israélites ou de leurs ennemis ● r Texte difficile. Autre traduction
et nos ennemis ne sont pas des juges ● s Allusion à la corruption des gens de Sodome et de Gomorrhe
● t ni esclave ni homme libre: traduction incertaine d'une expression hébraïque dont le sens n'est
pas clair ● u Les parties grasses des animaux étaient considérées comme une part de choix
(Es 25.6), réservée à Dieu (Lv 4.35) ● v lever la main: geste du serment

32.25 nourrisson, vieillard 28.50. 32.26 effacer le souvenir 9.14+ ; Ps 34.17. 32.27 railleries
des nations 9.28+ — notre main a agi Es 10.13-14 — impuissance du Seigneur 2 R 18.35.
32.30 un seul en poursuit mille Es 30.17 — Dieu livre aux ennemis Jg 2.14 ; 1 S 12.9 ; 2 Ch 24.24
— vendus Es 50.1 ; 52.3 ; Ps 44.13. 32.32 vigne Es 5.2-4 ; Jr 2.21 — corruption de Sodome et
Gomorrhe Gn 18.20-21 ; Jr 23.14. 32.35 A moi la vengeance Rm 12.19 ; He 10.30 ; cf. Ps 94.1
— leur pied bronchera Ps 38.17-18. 32.36 le Seigneur rend justice Ps 135.14. 32.37 où sont
leurs dieux Jg 10.14 ; Jr 2.28 ; cf. 1 R 18.27. 32.38 les dieux qui mangent et boivent Ps
50.12-13 ; Dn 14.1-22. 32.39 le Seigneur, seul Dieu 4.35 ; Es 43.11 ; Os 13.4 ; Si 36.5 — Sauveur
Os 13.4 ; Ac 4.12. 32.40 main levée pour le serment Ex 6.8+ ; Ap 10.5-6. 32.41 armes de Dieu
Ha 3.11 — payer de retour 7.10. 32.42 flèches 32.23+.

⁴³ Nations, acclamez son peuple,
　car il va venger le *sang de ses servi-
　　teurs,
　il fera retomber la vengeance sur ses
　　adversaires ;
　il absoudra ainsi sa terre et son peu-
　　ple *w*.

⁴⁴ Moïse, accompagné de Hoshéa *x*, fils
de Noun, était donc venu prononcer
toutes les paroles de ce cantique aux oreilles du peuple.

⁴⁵ Et quand Moïse eut achevé de dire
toutes ces paroles à tout Israël, ⁴⁶ il leur
dit : « Prenez à cœur toutes les paroles
par lesquelles je témoigne aujourd'hui
contre vous, et ordonnez à vos fils de
veiller à mettre en pratique toutes les
paroles de cette Loi. ⁴⁷ Car il ne s'agit
pas d'une parole sans importance pour
vous ; cette parole, c'est votre vie, et
c'est par elle que vous prolongerez vos
jours sur la terre dont vous allez prendre
possession en passant le Jourdain. »

Annonce de la mort de Moïse

⁴⁸ Le jour même, le Seigneur dit à
Moïse : ⁴⁹ « Monte sur cette montagne
de la chaîne des Avarim, au mont Nébo
qui est au pays de Moab, en face de
Jéricho, et regarde le pays de Canaan que
je donne en propriété aux fils d'Israël.
⁵⁰ Puis meurs sur la montagne où tu seras
monté, sois réuni à ta parenté *y* — comme
ton frère Aaron est mort à Hor-la-Montagne et a été réuni à sa parenté —
⁵¹ puisque vous avez commis une infidé-

lité contre moi au milieu des fils d'Israël,
aux eaux de Mériba de Qadesh dans le
désert de Cîn, lorsque vous n'avez pas
reconnu ma *sainteté au milieu des fils
d'Israël. ⁵² D'en face, tu verras le pays,
mais tu n'y entreras pas, dans ce pays
que je donne aux fils d'Israël. »

Moïse bénit les douze tribus d'Israël

33 ¹ Voici la bénédiction que Moïse,
l'homme de Dieu, prononça sur les
fils d'Israël avant de mourir. ² Il dit :

Le Seigneur est venu du Sinaï,
pour eux il s'est levé à l'horizon du
　　côté de Séïr,
il a resplendi depuis le mont de Parân ;
il est arrivé à Mériba de Qadesh ;
de son midi vers les Pentes *z*, pour eux.

³ Oui, toi qui aimes des peuples,
tous les *saints *a* sont dans ta main.
Eux, ils étaient prostrés à tes pieds,
ils recueillent ce qui vient de ta parole.

⁴ Moïse nous a prescrit une Loi,
donnée en possession à l'assemblée de
　　Jacob *b*,
⁵ et Yeshouroun a eu un roi *c*,
lorsque se sont rassemblés les chefs
　　du peuple,
et en même temps les tribus d'Israël.

⁶ Que vive Ruben, qu'il ne meure pas,
et que subsistent ses gens peu nom-
　　breux.

⁷ Et pour Juda, voici ce qu'il dit :
Ecoute, Seigneur, la voix de Juda,
ramène-le vers son peuple *d* ;

---

w Ce verset existe sous une forme plus longue dans les manuscrits hébreux trouvés à Qumrân et
dans l'ancienne version grecque qui est seule à proposer les mots mis entre parenthèses : *Cieux,
réjouissez-vous avec lui! | que tous les fils de Dieu se prosternent devant lui. | (Nations, réjouissez-
vous avec son peuple, | et que tous les anges de Dieu soient forts pour lui.) | Car le sang de ses fils
est vengé; | il vengera et fera retomber la vengeance sur ses ennemis. | Il rétribuera ceux qui le
haïssent; | le Seigneur purifiera la terre de son peuple.* Deux passages de la forme longue de ce
verset sont cités par Rm 15.10 et He 1.6 ● *x* Ou *Osée*, ancien nom de Josué, changé par Moïse
(voir Nb 13.16 et la note) ● *y* Voir Nb 20.24 et la note ● *z Séïr:* voir Gn 32.4 et la note. —
mont de Parân: localisation incertaine; on peut le mettre en rapport avec le désert de *Parân*
(voir Gn 21.21 et la note) — *à Mériba de Qadesh:* conjecture d'après 32.51; hébreu obscur. —
vers les Pentes: conjecture d'après 3.17; hébreu obscur ● *a des peuples, les saints:* probablement les tribus d'Israël ● *b l'assemblée de Jacob:* le peuple d'Israël ● *c Yeshouroun:* voir
32.15 et la note. — *un roi:* soit le Seigneur lui-même, soit peut-être le roi d'Israël établi par le
Seigneur ● *d ramène-le vers son peuple:* c'est-à-dire *ramène* Juda vers les tribus du nord et du
centre de la Terre Promise

32.43 Dieu venge ses serviteurs Ap 6.10; 19.2 — Dieu absout son peuple 21.8. **32.45** tout Israël
1.1+. **32.46** veiller à mettre en pratique 5.1+ — toutes les paroles de cette Loi 27.3+.
32.47 prendre possession du pays 1.21+ — c'est votre vie 30.20; cf. 4.26+. **32.48** annonce
de la mort de Moïse Nb 27.12-14. **32.50-52** colère contre Moïse 1.37+. **32.50** mort d'Aaron
Nb 20.24-28. **32.51** être réuni aux siens Gn 25.8, 17; 35.29; 49.33; cf. Nb 20.24 — les eaux
de Mériba Ex 17.7+; Nb 20.1-13. **32.52** Moïse n'entrera pas dans le pays promis 3.27. **33.2** Le
Seigneur vient du Sinaï Ps 68.18 — du côté de Séïr Jg 5.4 — mont de Parân Ha 3.3. **33.3** Dieu
aime 4.37+ — Israël peuple saint 7.6+. **33.5** Yeshouroun 32.15+ — assemblée d'Israël Jos 24.
33.6 Ruben Gn 49.3-4. **33.7** Juda Gn 49.8-12.

que ses mains prennent sa propre défense,
sois son aide contre ses adversaires.

⁸ Et pour Lévi, il dit :
Ton Toummim et ton Ourim appartiennent à l'homme qui t'est fidèle,
que tu as fait passer par l'épreuve à
Massa,
par la querelle aux eaux de Mériba ᵉ,
⁹ lui qui a dit de son père et de sa mère :
Je ne les ai pas vus !
qui a refusé de reconnaître ses frères
et qui a ignoré ses fils.
Ils ont gardé ta parole,
ils veillent sur ton *alliance,
¹⁰ ils enseignent tes coutumes à Jacob,
ta Loi à Israël ;
ils présentent le parfum à tes narines,
l'offrande ᶠ totale sur ton *autel.
¹¹ Bénis, SEIGNEUR, sa vaillance,
et agrée l'œuvre de ses mains ;
brise les reins à ceux qui se dressent
contre lui,
et que ceux qui le haïssent ne se redressent plus.

¹² Pour Benjamin, il dit :
Bien-aimé du SEIGNEUR,
il se repose, confiant,
sur celui qui le protège tous les jours
et qui se repose entre ses collines ᵍ.

¹³ Pour Joseph, il dit :
Son pays soit béni du SEIGNEUR !
Que le meilleur don du ciel, la rosée,
et l'*abîme qui gît en bas,
¹⁴ le meilleur de ce que produit le soleil
et le meilleur de ce qui pousse à chaque lune,
¹⁵ les dons excellents des montagnes antiques
et le meilleur des collines de toujours,
¹⁶ la meilleure part de tout ce qui remplit le pays
et la faveur de Celui qui demeure dans
le buisson :
que tout cela couronne la tête de Joseph,
le front de celui qui est consacré parmi
ses frères.
¹⁷ Il est son taureau premier-né, honneur à lui !
Ses cornes sont des cornes de buffle,
il en frappe les peuples,
toutes les extrémités de la terre à la
fois.
Voilà les myriades d'Ephraïm, voilà
les milliers de Manassé ʰ.

¹⁸ Pour Zabulon, il dit :
Réjouis-toi, Zabulon, dans tes expéditions,
et toi, Issakar, sous tes tentes.
¹⁹ Ils convoquent des peuples sur la montagne,
où ils offrent les *sacrifices prescrits ;
ils drainent l'abondance des mers,
les réserves cachées dans le sable ⁱ.

²⁰ Pour Gad, il dit :
Béni soit celui qui met Gad au large !
Comme un lion, il s'est installé,
déchiquetant l'épaule ou même la tête
de sa proie.
²¹ Il a jeté ses regards sur les *prémices,
là où est la part réservée pour le
sceptre ʲ ;
il a rejoint les chefs du peuple,
il a mis en œuvre la justice du SEI-
GNEUR
et ses décisions en faveur d'Israël.

²² Pour Dan, il dit :
Dan est le petit d'un lion,
il bondit du Bashân ᵏ.

ᵉ *Toummim* et *Ourim:* voir Ex 28.30 et la note. — *épreuve, querelle:* voir Ex 17.7 et la note ●
ᶠ *parfum* et *offrande:* voir au glossaire SACRIFICES ● g Le Seigneur *se repose,* c'est-à-dire
possède son sanctuaire, dans une région de collines: allusion soit au sanctuaire de Silo (voir
1 S 1—3), soit au temple de Jérusalem, car cette ville est parfois considérée comme située en
Benjamin ● h *Ses cornes:* dans l'A.T. la corne est souvent symbole de force. — Les deux tribus
d'Ephraïm et Manassé forment ensemble la maison de Joseph (v. 13; voir Gn 50.8 et la note)
qui a dominé les tribus du nord et du centre d'Israël ● i *montagne:* c'est probablement le Tabor,
à la frontière commune de Zabulon et d'Issakar. — L'*abondance des mers* désigne ici les
profits du commerce maritime, et les *réserves cachées dans le sable* probablement la fabrication
du verre à partir du sable de la mer ● j *pour le sceptre* ou *pour le chef* ● k Voir 1.4 et la note

33.8 Lévi Gn 49.5-7 — Toummim et Ourim Ex 28.30; Esd 2.63 — Dieu éprouve 8.2+ — Massa,
Mériba 6.16; Ex 17.1-7; Nb 20.1-13. 33.9 le dévouement des lévites Ex 32.26; cf. Mt 19.29 par.
— ne pas tenir compte des liens de parenté Mt 10.37+. 33.10 les lévites enseignent la Loi
Lv 10.11+; Si 45.17 — fonctions liturgiques 1 S 2.28. 33.12 Benjamin Gn 49.27 — bien-aimé
du Seigneur 1 Th 1.4; 2 Th 2.13. 33.13 Joseph Gn 49.22-26. 33.16 le buisson Ex 3.1-6.
33.17 la force du taureau cf. Nb 23.22+ — cornes du buffle Ps 92.11. 33.18 Zabulon Gn 49.13
— Issakar Gn 49.14-15. 33.19 offrir les sacrifices prescrits Ps 4.6; 51.21 — l'abondance des
mers Es 60.5. 33.20 Gad Gn 49.19 — comme un lion Gn 49.9; Nb 24.9; 1 Ch 12.9. 33.21 il a
jeté ses regards sur les prémices 3.12-17; Nb 32 — mettre en œuvre les décisions 3.18-20; Jos
4.12-13. 33.22 Dan Gn 49.16-18 — petit d'un lion Gn 49.9.

²³ Pour Nephtali, il dit :
Nephtali est rassasié de faveur,
il est comblé de la bénédiction du
SEIGNEUR,
qu'il prenne possession de l'ouest et du
midi.

²⁴ Pour Asher, il dit :
Asher soit le fils béni entre tous,
qu'il soit favorisé parmi ses frères,
qu'il trempe son pied dans l'huile *l* ;
²⁵ que tes verrous soient de fer et de
bronze,
que ta force *m* dure autant que tes
jours.

²⁶ Nul n'est semblable à Dieu,
lui qui vient à ton aide, Yeshouroun,
en chevauchant les cieux,
et les nuages dans sa puissance.

²⁷ Le Dieu des temps antiques est un
refuge ;
c'est un bras depuis toujours à l'œuvre
ici-bas ;
devant toi, il a chassé l'ennemi,
et il a dit : Extermine !

²⁸ Confiant, Israël se repose ;
elle coule à l'écart, la source de Jacob *n*,
vers un pays de blé et de vin nouveau,
et le ciel même y répand la rosée.

²⁹ Heureux es-tu Israël !
qui est semblable à toi, peuple secouru
par le SEIGNEUR ?
Il est le bouclier qui te vient en aide,
il est aussi l'épée qui fait ta puissance.
Tes ennemis auront beau être fourbes
envers toi,
tu fouleras aux pieds les hauteurs de
leur pays.

Mort de Moïse

34 ¹ Moïse monta des steppes de
Moab vers le mont Nébo, au sommet de la Pisga, qui est en face de Jéricho, et le SEIGNEUR lui fit voir tout le
pays : le Galaad jusqu'à Dan *o*, ² tout
Nephtali, le pays d'Ephraïm et de Manassé, et tout le pays de Juda jusqu'à
la mer Occidentale, ³ le Néguev et le
District *p*, la vallée de Jéricho, ville des
palmiers, jusqu'à Çoar. ⁴ Et le SEIGNEUR
lui dit : « C'est là le pays que j'ai promis par serment à Abraham, Isaac et Jacob en leur disant : "C'est à ta descendance que je le donne". Je te l'ai fait voir
de tes propres yeux, mais tu n'y passeras
pas. »

⁵ Et Moïse, le serviteur du SEIGNEUR,
mourut là, au pays de Moab, selon la
déclaration du SEIGNEUR. ⁶ Il l'enterra
dans la vallée, au pays de Moab, en face
de Beth-Péor *q*, et personne n'a jamais
connu son tombeau jusqu'à ce jour.
⁷ Moïse avait cent vingt ans quand il
mourut ; sa vue n'avait pas baissé, sa
vitalité ne l'avait pas quitté.

⁸ Les fils d'Israël pleurèrent Moïse dans
les steppes de Moab pendant trente jours.
Puis les jours de pleurs pour le deuil
de Moïse s'achevèrent ; ⁹ Josué, fils de
Noun, était rempli d'un esprit de sagesse,
car Moïse lui avait *imposé les mains ;
et les fils d'Israël l'écoutèrent, pour agir
suivant les ordres que le SEIGNEUR avait
donnés à Moïse.

¹⁰ Plus jamais en Israël ne s'est levé
un *prophète comme Moïse, lui que le
SEIGNEUR connaissait face à face, ¹¹ lui
que le SEIGNEUR avait envoyé accomplir
tous ces *signes et tous ces *prodiges dans
le pays d'Egypte devant le *Pharaon, tous
ses serviteurs et tout son pays, ¹² ce
Moïse qui avait agi avec toute la puissance
de sa main, en suscitant toute cette grande
terreur, sous les yeux de tout Israël.

---

l l'huile est ici le symbole de l'abondance et de la prospérité ● *m force:* le mot hébreu correspondant est inconnu par ailleurs. On traduit d'après le contexte ● *n* Image énigmatique : la
source désigne peut-être ici le peuple issu de *Jacob* ● *o Dan:* à l'extrémité nord d'Israël ● *p*
Néguev: voir Gn 12.9 et la note ; le *District* désigne la région de la mer Morte (voir Gn 13.10)
● *q il l'enterra:* le sujet est sans doute le Seigneur ; autre traduction *on l'enterra*. — *Beth-Péor:*
voir 3.29 et la note

33.23 Nephtali Gn 49.21. **33.24** Asher Gn 49.20 — tremper son pied dans l'huile Jb 29.6.
33.26 nul n'est semblable à Dieu 3.24 ; Ex 15.11 ; cf. 32.39+ — Yeshouroun 32.15+ — les
nuages, char de Dieu Ps 104.3+. **33.27** Dieu refuge Ps 90.1 — extermine 2.34 et note.
33.28 repos 33.12 ; Jr 23.6 — à l'écart Nb 23.9 — rosée du ciel Gn 27.28. **33.29** heureux Ps 1.1+
— Dieu bouclier Ps 3.4+. **34.1** mont Nébo 3.27 ; 32.49. **34.3** le pays promis 1.8+ — tu n'y
passeras pas 3.27 ; 31.2. **34.5** mort de Moïse Jos 1.1-2. **34.7** vitalité Ps 92.13-15. **34.8** deuil
de trente jours Nb 20.29+. **34.9** esprit de sagesse 2 R 2.15 ; Es 11.2 — imposition des mains
Nb 27.18 ; Ac 6.6. **34.10** un prophète comme Moïse cf. 18.15 ; Nb 12.6-8 — face à face 5.4+.
34.11 signes et prodiges 4.34+. **34.12** force de la main du Seigneur 3.24+.

Les Livres Prophétiques

JOSUÉ

Josué succède à Moïse

1 ¹ Il arriva qu'après la mort de Moïse, le serviteur du SEIGNEUR, le SEIGNEUR dit à l'auxiliaire de Moïse, Josué, fils de Noun : ² « Moïse, mon serviteur, est mort ; maintenant donc, lève-toi, traverse le Jourdain que voici, toi et tout ce peuple, vers le pays que je leur donne — aux fils d'Israël. ³ Tout lieu que foulera la plante de vos pieds, je vous l'ai donné comme je l'ai dit à Moïse ; ⁴ depuis le désert et le Liban que voici jusqu'au grand Fleuve, l'Euphrate, tout le pays des Hittites, et jusqu'à la Grande Mer, au soleil couchant, tel sera votre territoire *a*. ⁵ Personne ne pourra te résister tout au long de ta vie. Comme j'étais avec Moïse, je serai avec toi ; je ne te ferai pas défaut, je ne t'abandonnerai pas. ⁶ Sois fort et courageux, car c'est toi qui donneras en héritage à ce peuple le pays que j'ai juré à leurs pères de leur donner. ⁷ Oui, sois fort et très courageux ; veille à agir selon toute la Loi que t'a prescrite Moïse, mon serviteur. Ne t'en écarte ni à droite ni à gauche afin de réussir partout où tu iras. ⁸ Ce livre de la Loi ne s'éloignera pas de ta bouche ; tu le murmureras *b* jour et nuit afin de veiller à agir selon tout ce qui s'y trouve écrit, car alors tu rendras tes voies prospères, alors tu réussiras. ⁹ Ne te l'ai-je pas prescrit : sois fort et courageux ? Ne tremble pas, ne t'effraie pas, car le SEIGNEUR, ton Dieu, sera avec toi partout où tu iras. »

Josué prépare la traversée du Jourdain

¹⁰ Alors Josué donna cet ordre aux fonctionnaires du peuple : ¹¹ « Passez dans le camp et donnez cet ordre au peuple : "Préparez des provisions, car d'ici trois jours vous traverserez le Jourdain que voici pour entrer en possession du pays dont le SEIGNEUR, votre Dieu, vous donne la possession". » ¹² Puis aux Rubénites, aux Gadites et à la demi-tribu de Manassé, Josué parla ainsi : ¹³ « Souvenez-vous de l'ordre que vous a donné Moïse, le serviteur du SEIGNEUR : le SEIGNEUR, votre Dieu, vous accorde le repos ; il vous a donné ce pays. ¹⁴ Vos femmes, vos jeunes enfants et vos troupeaux resteront dans le pays que vous a donné Moïse au-delà du Jourdain. Mais vous, tous les vaillants guerriers, en ordre de bataille, vous passerez devant vos frères et vous les aiderez, ¹⁵ jusqu'à ce que le SEIGNEUR accorde le repos à vos frères comme à vous et qu'ils possèdent, eux aussi, le pays que leur donne le SEIGNEUR, votre Dieu. Puis vous retournerez au pays qui est votre possession et vous posséderez ce pays que Moïse, le serviteur du SEIGNEUR, vous a donné au-delà du Jourdain, au soleil levant. » ¹⁶ Ils répondirent à Josué : « Tout ce que tu nous as prescrit, nous le ferons, et partout où tu nous

---

a Ce verset indique l'étendue idéale de la terre promise. Au nord, le *Liban*, massif montagneux; au nord-est l'*Euphrate;* à l'ouest la *Grande Mer*, c'est-à-dire la *Méditerranée* — Le *pays des Hittites* désigne la Syrie-Palestine ● *b* murmureras ou *réciteras* (voir note sur Ps 1.2)

1.1 Moïse serviteur du Seigneur Ex 14.31; Nb 12.7-8; Dt 34.5; Jos 1.2,7, etc.; 8.31; 9.24, etc.; Ne 1.7; 1 Ch 6.34; 2 Ch 1.3; 24.9; He 3.5 — Josué, auxiliaire de Moïse Ex 24.13; 33.11; Nb 11.28. **1.3-4** tout lieu que foulera votre pied Jos 14.9 sera votre territoire Dt 11.24. **1.5** personne ne résistera Dt 7.24 — je suis avec toi Dt 20.1+ — je ne t'abandonnerai pas Dt 31.6, 8. **1.6** Sois fort et courageux Dt 3.28+ — le pays promis Dt 1.8+. **1.7** veille à agir Dt 5.1+ — ni à droite, ni à gauche Dt 5.32+ — afin de réussir Dt 29.8. **1.8** le livre de la Loi Dt 17.18-19; cf. Dt 28.61+. **1.9** ne tremble pas Dt 1.29-30. **1.11** traversée du Jourdain Dt 11.31 — entrer en possession du pays Dt 1.21+. **1.12** l'ordre donné par Moïse Dt 3.18-20; Nb 32.6-32. **1.13** repos Jos 1.15; 21.44; 22.4; 23.1; Dt 3.20; 12.10; 25.19; 2 S 7.1; Ps 95.11; He 3.7—4.11. **1.15** retour au-delà du Jourdain Jos 22.1-6.

enverras, nous irons. ¹⁷ Comme nous avons obéi en tout à Moïse, nous t'obéirons. Oui, le SEIGNEUR, ton Dieu, sera avec toi comme il était avec Moïse. ¹⁸ Quiconque sera rebelle à ta voix et n'obéira pas à tes paroles en tout ce que tu nous auras commandé sera mis à mort. Oui, sois fort et courageux ! »

Josué envoie deux espions à Jéricho

2 ¹ De Shittim, Josué, fils de Noun, envoya deux hommes espionner discrètement : « Allez voir, leur dit-il, le pays et Jéricho ^c. » Ils y allèrent, entrèrent dans la maison d'une prostituée nommée Rahab et y couchèrent. ² On le dit au roi de Jéricho : « Voici que des hommes sont entrés ici cette nuit, des fils d'Israël, pour explorer le pays. » ³ Alors le roi de Jéricho envoya dire à Rahab : « Fais sortir les hommes qui sont venus vers toi — ceux qui sont entrés dans ta maison — car c'est pour explorer tout le pays qu'ils sont venus. » ⁴ Mais la femme emmena les deux hommes et les mit à l'abri. Puis elle dit : « Oui, ces hommes sont venus vers moi, mais je ne savais pas d'où ils étaient. ⁵ Comme dans l'obscurité on fermait la porte ^d de la ville, les hommes sont sortis. Je ne sais pas où sont allés ces hommes. Poursuivez-les vite, vous les rattraperez. » ⁶ Or elle les avait fait monter sur la terrasse ^e et les avait dissimulés dans les tiges de lin rangées pour elle sur la terrasse. ⁷ Les hommes les poursuivirent en direction du Jourdain, vers les gués, et l'on ferma la porte dès que les poursuivants furent sortis. ⁸ Quant à eux, ils n'étaient pas encore couchés lorsqu'elle monta auprès d'eux sur la terrasse ⁹ et elle dit à ces hommes : « Je sais que le SEIGNEUR vous a donné le pays, que l'épouvante s'est abattue sur nous et que tous les habitants du pays ont tremblé devant vous, ¹⁰ car nous avons entendu dire que le SEIGNEUR a séché devant vous les eaux de la *mer des Joncs lors de votre sortie d'Egypte

et ce que vous avez fait aux deux rois des *Amorites, au-delà du Jourdain, Sihôn et Og, que vous avez voués à l'interdit ^f. ¹¹ Nous l'avons entendu et notre courage a fondu ; chacun a le souffle coupé devant vous, car le SEIGNEUR, votre Dieu, est Dieu là-haut dans les cieux et ici-bas sur la terre. ¹² Et maintenant jurez-moi donc par le SEIGNEUR, puisque j'ai agi loyalement envers vous, que vous agirez, vous aussi, loyalement envers ma famille. Donnez-moi un signe certain ¹³ que vous laisserez vivre mon père, ma mère, mes frères, mes sœurs, tout ce qui est à eux et que vous nous arracherez à la mort. » ¹⁴ Les hommes lui dirent : « Pourvu que vous ne divulguiez pas notre entreprise, notre vie répondra de la vôtre. Quand le SEIGNEUR nous aura donné le pays, alors nous agirons envers toi avec bienveillance et loyauté. » ¹⁵ Puis elle les fit descendre avec une corde par la fenêtre, car sa maison était sur le mur du rempart ; elle habitait sur le rempart. ¹⁶ Elle leur dit : « Allez vers la montagne de peur que vos poursuivants ne tombent sur vous ; vous vous y cacherez pendant trois jours jusqu'au retour de ceux qui vous poursuivent ; après cela vous pourrez aller votre chemin. » ¹⁷ Ces hommes lui dirent : « Voici comment nous nous acquitterons de ce serment que tu nous as fait jurer : ¹⁸ quand nous entrerons dans le pays, tu attacheras ce cordon de fil écarlate à la fenêtre par laquelle tu nous as fait descendre ; tu rassembleras auprès de toi dans la maison ton père, ta mère, tes frères et toute ta famille. ¹⁹ Si l'un d'entre vous franchit les portes de ta maison et en sort, son sang retombera sur sa tête ^g et nous serons quittes, mais quiconque sera avec toi dans ta maison, son sang retombera sur nos têtes si on porte la main sur lui. ²⁰ Mais si tu divulgues notre entreprise, alors nous serons quittes du serment que tu nous as fait prêter. » ²¹ Elle dit : « Qu'il en soit selon vos paroles ! » Puis elle les renvoya et ils s'en allèrent. Alors elle attacha

---

c Shittim, c'est-à-dire les *Acacias* (Nb 25.1; Jos 3.1). C'est peut-être le même lieu que *Avel-Shittim* (Nb 33.49) à quelques km au nord-est de la mer Morte — *Jéricho*, ville proche du Jourdain, dans le fond de la vallée, sur la rive ouest ● *d* Pour empêcher des ennemis d'entrer dans une ville, la porte restait fermée pendant la nuit ● *e* Le toit de la maison était une *terrasse ;* on y faisait sécher les récoltes, ici celle du *lin* destiné à fournir des fibres textiles ● *f voués à l'interdit :* voir Dt 2.34 et la note ● *g sur sa tête :* formule juridique qui exprime habituellement la culpabilité de celui qui encourt la peine de mort (voir Lv 20.9; 2 S 1.16)

1.17 le Seigneur avec toi Dt 20.1+. **1.18** quiconque n'obéira pas... Dt 17.12 — fort et courageux v. 6+. **2.1** espions envoyés Nb 13.1-20; Dt 1.19-25; Jg 18.2 — Rahab la prostituée Jos 6; Mt 1.5; He 11.31; Jc 2.25. **2.10** la mer asséchée Ex 14.21-22; Jos 5.1 — Sihôn et Og Dt 1.4+. **2.11** notre courage a fondu Jos 5.1 — Dieu au ciel et sur la terre Dt 4.39. **2.14** avec bienveillance Jos 6.22-25. **2.15** par la fenêtre 1 S 19.12; Ac 9.25; 2 Co 11.33.

le cordon écarlate à la fenêtre. ²² Ils s'en allèrent et se dirigèrent vers la montagne où ils demeurèrent trois jours jusqu'au retour de ceux qui les poursuivaient. Or ceux qui les poursuivaient les avaient recherchés tout au long de la route et n'avaient pas trouvé. ²³ Alors les deux hommes redescendirent de la montagne ; ils traversèrent et vinrent auprès de Josué, fils de Noun, et ils lui rapportèrent tout ce qu'ils avaient trouvé. ²⁴ Ils dirent à Josué : « Vraiment le SEIGNEUR a livré tout le pays entre nos mains et même tous les habitants du pays ont tremblé devant nous. »

La traversée du Jourdain

3 ¹ Josué se leva de bon matin ; ils partirent de Shittim, lui et tous les fils d'Israël, et arrivèrent au Jourdain ; là ils passèrent la nuit avant de traverser. ² Or, au bout de trois jours, les fonctionnaires passèrent à travers le camp ³ et ils donnèrent cet ordre au peuple : « Lorsque vous verrez l'*arche de l'alliance du SEIGNEUR, votre Dieu, et les prêtres *lévites qui la portent, alors vous quitterez le lieu où vous êtes et vous la suivrez — ⁴ toutefois qu'il y ait entre vous et elle une distance d'environ deux mille coudées ʰ ; ne l'approchez pas —, ainsi vous saurez quel chemin vous devez suivre, car vous n'êtes jamais passés par ce chemin auparavant. »

⁵ Puis Josué dit au peuple : « *Sanctifiez-vous, car demain le SEIGNEUR fera des merveilles au milieu de vous. » ⁶ Josué dit aux prêtres : « Portez l'arche de l'alliance et passez devant le peuple. » Ils portèrent l'arche de l'alliance et marchèrent devant le peuple.

⁷ Le SEIGNEUR dit à Josué : « Aujourd'hui je vais commencer à te grandir aux yeux de tout Israël pour qu'on sache que je serai avec toi comme j'étais avec Moïse. ⁸ Et toi, tu donneras cet ordre aux prêtres qui portent l'arche de l'alliance : "Lorsque vous arriverez au bord des eaux du Jourdain, vous vous arrêterez dans le Jourdain". » ⁹ Josué dit aux fils d'Israël : « Avancez ici et écoutez les paroles du SEIGNEUR, votre Dieu. » ¹⁰ Puis Josué dit : « A ceci vous saurez que le Dieu vivant est au milieu de vous et qu'il dépossédera vraiment devant vous le Cananéen, le Hittite, le Hivvite, le Perizzite, le Guirgashite, l'*Amorite et le Jébusite : ¹¹ voici que l'arche de l'alliance du Seigneur de toute la terre ⁱ va passer devant vous dans le Jourdain. ¹² Et maintenant prenez douze hommes parmi les tribus d'Israël, un homme par tribu. ¹³ Dès que la plante des pieds des prêtres qui portent l'arche du SEIGNEUR, le Seigneur de toute la terre, se posera dans les eaux du Jourdain, alors les eaux du Jourdain, les eaux qui descendent d'amont, seront coupées et elles s'arrêteront en une seule masse. »

¹⁴ Lorsque le peuple quitta les tentes pour traverser le Jourdain, les prêtres qui portaient l'arche de l'alliance étaient devant le peuple. ¹⁵ Quand ceux qui portaient l'arche furent arrivés au Jourdain et que les pieds des prêtres qui portaient l'arche eurent trempé dans l'eau de la berge — en effet le Jourdain déborde sur toutes ses rives durant tout le temps de la moisson ʲ —, ¹⁶ alors, les eaux qui descendent d'amont s'arrêtèrent, elles se dressèrent en une seule masse, très loin, à Adam, la ville qui est à côté de Çartân, et celles qui descendent vers la mer de la Araba, la mer du Sel ᵏ, furent complètement coupées, et le peuple traversa en face de Jéricho.

¹⁷ Et les prêtres qui portaient l'arche de l'alliance du SEIGNEUR s'arrêtèrent sur la terre sèche, au milieu du Jourdain, immobiles, tandis que tout Israël traversait à pied sec jusqu'à ce que toute la nation eût achevé de traverser le Jourdain.

Les douze pierres commémoratives

4 ¹ Or, dès que toute la nation eut achevé de traverser le Jourdain, le

---

ʰ Voir au glossaire POIDS ET MESURES ● ⁱ *toute la terre:* autre traduction *tout le pays*, qui est peut-être le sens original (voir 3.13; Mi 4.13; Ps 97.5), étendu ensuite à tout l'univers (Za 4.14; 6.5; Jdt 2.5; Ap 11.4) ● ʲ Il s'agit de la *moisson* des orges, après la récolte du lin (Jos 2.6), au moment de la crue du Jourdain provoquée par la fonte des neiges sur les montagnes du Liban (avril) ● ᵏ *Adam... Çartân:* texte difficile. *Adam,* peut-être nommé en Os 6.7, est une ville de Transjordanie, proche du confluent du Yabboq. *Çartân,* ville voisine, en Palestine; dont le site est incertain (voir 1 R 4.12) — *mer de la Araba* et *mer du Sel:* deux noms anciens de la mer Morte

3.2 trois jours Jos 1.11. **3.3** prêtres lévites Dt 17.9+. **3.5** sanctifiez-vous Jos 7.13; Nb 11.18; 1 S 16.5; 1 Ch 15.12; cf. Ex 19.10, 15. **3.7** je serai avec toi Dt 20.1+. **3.10** Dieu vivant Dt 5.26+ — au milieu de vous Ex 34.9 — il dépossédera les nations Dt 4.38+. **3.12** douze hommes Jos 4.2. **3.13** les eaux du Jourdain s'arrêteront Ps 114.3; cf. 74.15. **3.17** à pied sec Ex 14.22; Ps 66.6.

SEIGNEUR dit à Josué : [2] « Prenez douze hommes dans le peuple, un homme pour chaque tribu [3] et commandez-leur : "Emportez d'ici, du milieu du Jourdain, de l'endroit où les pieds des prêtres se sont immobilisés, douze pierres ; vous les ferez passer avec vous et vous les déposerez à la halte où vous passerez la nuit". » [4] Puis Josué appela les douze hommes qu'il avait désignés parmi les fils d'Israël, un homme pour chaque tribu [5] et Josué leur dit : « Passez devant l'*arche du SEIGNEUR, votre Dieu, vers le milieu du Jourdain et que chacun charge une pierre sur son épaule selon le nombre des tribus des fils d'Israël [6] afin que cela soit un signe au milieu de vous. Lorsque demain vos fils vous demanderont : "Que signifient pour vous ces pierres ?", [7] vous leur direz : "C'est que les eaux du Jourdain ont été coupées devant l'arche de l'alliance du SEIGNEUR quand elle passa dans le Jourdain ! Les eaux du Jourdain ont été coupées et ces pierres tiendront lieu de mémorial aux fils d'Israël à jamais". » [8] C'est ainsi que les fils d'Israël firent ce que Josué leur avait commandé : ils emportèrent douze pierres du milieu du Jourdain, comme le SEIGNEUR l'avait dit à Josué, selon le nombre des tribus des fils d'Israël et ils les firent passer avec eux jusqu'à la halte où ils les déposèrent.

[9] Josué fit dresser douze pierres au milieu du Jourdain à l'endroit où les prêtres qui portaient l'arche de l'alliance avaient mis les pieds, et elles y sont jusqu'à ce jour.

[10] Les prêtres qui portaient l'arche s'arrêtèrent au milieu du Jourdain jusqu'à ce que fût totalement accomplie la parole que le SEIGNEUR avait prescrite à Josué de dire au peuple, selon tout ce que Moïse avait prescrit à Josué, et le peuple se hâta de traverser.

[11] Or, quand tout le peuple eut achevé de traverser, l'arche du SEIGNEUR passa, ainsi que les prêtres, devant le peuple. [12] Passèrent en avant des fils d'Israël les fils de Ruben, les fils de Gad et la demi-tribu de Manassé, en ordre de bataille,

selon ce que leur avait dit Moïse : [13] environ quarante mille hommes d'infanterie légère passèrent devant le SEIGNEUR pour le combat, vers les steppes [l] de Jéricho. [14] En ce jour-là le SEIGNEUR grandit Josué aux yeux de tout Israël et on le craignit [m] comme on avait craint Moïse tous les jours de sa vie.

[15] Alors le SEIGNEUR dit à Josué : [16] « Commande aux prêtres qui portent l'arche de la *charte de remonter du Jourdain. » [17] Et Josué commanda aux prêtres : « Remontez du Jourdain. » [18] Or, quand les prêtres qui portaient l'arche de l'alliance du SEIGNEUR remontèrent du milieu du Jourdain — dès que la plante des pieds des prêtres se fût détachée pour gagner la terre sèche —, les eaux du Jourdain revinrent à leur place et coulèrent, comme auparavant, tout au long de ses rives. [19] Le peuple remonta du Jourdain le dix du premier mois et il campa à Guilgal [n], à l'extrémité est de Jéricho.

[20] Quant à ces douze pierres qu'ils avaient prises du Jourdain, Josué les fit dresser à Guilgal. [21] Puis il dit aux fils d'Israël : « Lorsque demain vos fils demanderont à leurs pères : "Que signifient ces pierres ?", [22] vous le ferez savoir à vos fils en disant : "Israël a traversé ici le Jourdain à sec ; [23] le SEIGNEUR, votre Dieu, a asséché devant vous les eaux du Jourdain jusqu'à ce que vous ayez traversé, comme le SEIGNEUR, votre Dieu, l'avait fait pour la *mer des Joncs qu'il assécha devant nous jusqu'à ce que nous ayons traversé, [24] afin que tous les peuples de la terre sachent comme est forte la main du SEIGNEUR, afin que vous craigniez le SEIGNEUR, votre Dieu, tous les jours". »

Circoncision des Israélites à Guilgal

5 [1] Or tous les rois des *Amorites qui se trouvaient au-delà du Jourdain, à l'ouest, et tous les rois des Cananéens qui se trouvaient face à la mer apprirent que le SEIGNEUR avait asséché les eaux du Jourdain devant les fils d'Israël

---

[l] *les steppes* ou *la plaine* de Jéricho ● [m] *on le craignit* ou *on respecta son autorité* ● [n] *Le dix du premier mois* est la date de préparation de la *Pâque, d'après Ex 12.3 — *Guilgal* (cercle — de pierres dressées) n'a pas été identifié; ce lieu devait être proche du *Jourdain*, probablement au nord-est de *Jéricho*

4.2 douze hommes Jos 3.12 — douze pierres Ex 24.4; 1 R 18.31. **4.6** quand vos fils vous demanderont... Jos 4.21-24; Ex 12.26; 13.14; Dt 6.20. **4.12** Ruben, Gad et Manassé Jos 1.12-15. **4.21** quand vos fils demanderont... v. 6+. **4.23** la mer des Joncs asséchée Ex 14.21+. **5.1** découragement des ennemis Jos 2.11.

jusqu'à ce que nous ayons traversé *o* ; leur courage fondit et ils eurent le souffle coupé devant les fils d'Israël.

² En ce temps-là, le SEIGNEUR dit à Josué : « Fais-toi des couteaux de silex et remets-toi une nouvelle fois à *circoncire *p* les fils d'Israël. » ³ Josué se fit des couteaux de silex et circoncit les fils d'Israël sur la colline des Prépuces. ⁴ Voici la raison pour laquelle Josué les circoncit *q*. Tout le peuple qui était sorti d'Egypte, les mâles, tous les hommes de guerre, étaient morts dans le désert, en chemin, à leur sortie d'Egypte. ⁵ Alors que tout le peuple qui était sorti d'Egypte était circoncis, tous ceux du peuple qui étaient nés dans le désert, en chemin, à leur sortie d'Egypte, n'avaient pas été circoncis. ⁶ En effet les fils d'Israël avaient marché quarante ans dans le désert jusqu'à la disparition de toute la nation des hommes de guerre sortis d'Egypte, ils n'avaient pas écouté la voix du SEIGNEUR qui avait alors juré de ne pas leur faire voir le pays qu'il avait juré à leurs pères de nous donner, pays ruisselant de lait et de miel *r*. ⁷ Ce sont leurs fils qu'il établit à leur place ; ce sont eux que Josué circoncit, car ils étaient incirconcis puisqu'on ne les avait pas circoncis en chemin. ⁸ Or, lorsqu'on eut achevé de circoncire toute la nation, ils demeurèrent sur place dans le camp jusqu'à leur guérison. ⁹ Et le SEIGNEUR dit à Josué : « Aujourd'hui j'ai roulé loin de vous l'opprobre d'Egypte. » Et l'on appela ce lieu du nom de Guilgal *s* jusqu'à ce jour.

Première Pâque en Canaan

¹⁰ Les fils d'Israël campèrent à Guilgal et firent la *Pâque au quatorzième jour du mois, le soir, dans les steppes *t* de Jéricho. ¹¹ Et ils mangèrent des produits du pays, le lendemain de la Pâque, des *pains sans levain et des épis grillés *u* en ce jour même. ¹² Et la manne cessa le lendemain quand ils eurent mangé des produits du pays *v*. Il n'y eut plus de manne pour les fils d'Israël qui mangèrent de la production du pays de Canaan cette année-là.

Le chef de l'armée du Seigneur

¹³ Or, tandis que Josué était près de Jéricho, il leva les yeux et regarda : voici qu'un homme se tenait en face de lui, son épée dégainée à la main. Josué alla vers lui et lui dit : « Es-tu pour nous ou pour nos adversaires ? » — ¹⁴ « Non, dit-il, car je suis le chef de l'armée du SEIGNEUR *w*. Maintenant je viens. » Alors Josué tomba face contre terre, se prosterna et lui dit : « Que dit mon seigneur à son serviteur ? » ¹⁵ Le chef de l'armée du SEIGNEUR dit à Josué : « Retire tes sandales de tes pieds, car le lieu où tu te tiens est *saint *x*. » Ainsi fit Josué.

Les Israélites s'emparent de Jéricho

6 ¹ Jéricho était fermée et enfermée à cause des fils d'Israël : nul ne sortait et nul n'entrait. ² Le SEIGNEUR dit à Josué : « Vois, je t'ai livré Jéricho et son roi, ses hommes valides. ³ Et vous, tous les hommes de guerre, vous tournerez autour de la ville, faisant le tour de la ville une fois ; ainsi feras-tu six jours durant. ⁴ Sept prêtres porteront les sept cors *y* de bélier devant l'*arche. Le sep-

---

o face à la mer ou *dans la région de la mer, auprès de la mer* (Méditerranée) — *nous ayons traversé :* l'auteur du récit s'exprime au nom de tout Israël et souligne ainsi que la traversée du Jourdain concerne encore ses contemporains ● *p silex :* l'usage d'un *couteau de silex* (voir Ex 4.25) permet de faire remonter l'origine de la circoncision à une époque très ancienne où on ne connaissait pas le métal — *une nouvelle fois :* par rapport à la circoncision des Israélites sortis d'Egypte (v. 4-5), qui constitue la première fois ● *q* La circoncision est nécessaire pour participer à la Pâque qui va être célébrée (v. 10) ● *r ruisselant de lait et de miel :* voir Ex 3.8 et la note ● *s l'opprobre d'Egypte :* la honte subie par les Israélites en Egypte parce qu'ils n'étaient pas encore circoncis — *Guilgal :* (voir 4.19 et la note) ; en hébreu ce nom permet un jeu de mots avec le verbe traduit par *j'ai roulé* ● *t Pâque :* voir au glossaire CALENDRIER ; voir aussi 4.19 et la note — *quatorzième jour du mois :* date où l'on célébrait la Pâque (voir Ex 12.6) — *steppes* ou *plaine* ● *u* Les *épis grillés* ne sont habituellement mentionnés que pour les offrandes de *prémices (Lv 2.14) ● *v* La *manne :* voir Ex 16.13-35 — *Canaan :* nom que le pays promis portait avant l'arrivée des Israélites ● *w* Voir au glossaire ANGE (du Seigneur) ● *x* Oter ses *sandales* est une marque de respect pour un *lieu saint* (voir Ex 3.5) ● *y* La répétition du nombre *sept* montre qu'il s'agit d'une liturgie — *cors :* sortes de trompes faites de cornes de bélier (v. 5) ; ils produisent un son qui ressemble au mugissement d'un bœuf

---

5.4 la génération morte au désert Nb 14.22-23 ; He 3.16-19.   **5.6** quarante ans dans le désert Nb 14.33-34 ; Dt 2.14 ; Ac 7.36 — ils n'avaient pas écouté Dt 8.20+ — le Seigneur avait juré de ne pas... Dt 2.14 — le pays promis Dt 1.8+.   **5.10** la Pâque Ex 12.1+.   **5.11** pains sans levain Ex 12.15+.   **5.13** un homme armé d'une épée (vision) Nb 22.23, 31 ; 1 Ch 21.16 ; cf. 2 S 24.16. **5.14** un envoyé de Dieu pour protéger le peuple Ex 23.20 ; 32.34 ; Dn 12.1.   **6.4** les prêtres sonneront du cor Nb 10.8.

tième jour, vous tournerez autour de la ville sept fois et les prêtres sonneront du cor. ⁵ Quand retentira la corne de bélier — quand vous entendrez le son du cor —, tout le peuple poussera une grande clameur ; le rempart de la ville tombera sur place et le peuple montera, chacun droit devant soi. » ⁶ Josué, fils de Noun, appela les prêtres et leur dit : « Portez l'arche de l'alliance et que sept prêtres portent sept cors de bélier devant l'arche du SEIGNEUR. » ⁷ Il dit au peuple : « Passez et faites le tour de la ville, mais que l'avant-garde passe devant l'arche du SEIGNEUR. » ⁸ Tout se passa comme Josué l'avait dit au peuple : les sept prêtres qui portaient les sept cors de bélier devant le SEIGNEUR passèrent et sonnèrent du cor. L'arche de l'alliance du SEIGNEUR les suivait. ⁹ L'avant-garde marchait devant les prêtres qui sonnaient du cor et l'arrière-garde suivait l'arche ; on marchait et on sonnait du cor.

¹⁰ Josué donna cet ordre au peuple : « Vous ne pousserez pas de clameur ᶻ, vous ne ferez pas entendre votre voix et aucune parole ne sortira de votre bouche jusqu'au jour où je vous dirai : "Poussez la clameur" ; alors, vous pousserez la clameur. »

¹¹ L'arche du SEIGNEUR tourna autour de la ville pour en faire le tour une fois, puis ils rentrèrent au camp et y passèrent la nuit. ¹² Josué se leva de bon matin ᵃ et les prêtres portèrent l'arche du SEIGNEUR ; ¹³ les sept prêtres qui portaient les sept cors de bélier devant l'arche du SEIGNEUR se remirent en marche en sonnant du cor. L'avant-garde marchait devant eux et l'arrière-garde suivait l'arche du SEIGNEUR : on marchait et on sonnait du cor. ¹⁴ Ils tournèrent une fois autour de la ville le second jour, puis ils revinrent au camp. Ainsi firent-ils pendant six jours. ¹⁵ Or, le septième jour, ils se levèrent lorsque apparut l'aurore et ils tournèrent sept fois autour de la ville selon ce même rite ; c'est ce jour-là seulement qu'ils tournèrent sept fois autour de la ville. ¹⁶ La septième fois, les prêtres sonnèrent du cor et Josué dit au peuple : « Poussez la

clameur, car le SEIGNEUR vous a livré la ville. ¹⁷ La ville sera vouée à l'interdit ᵇ pour le SEIGNEUR, elle et tout ce qui s'y trouve. Seule Rahab, la prostituée, vivra, elle et tous ceux qui seront avec elle dans la maison, car elle a caché les messagers que nous avions envoyés. ¹⁸ Quant à vous, prenez bien garde à l'interdit de peur que, ayant voué la ville à l'interdit, vous ne preniez de ce qui est interdit, que vous ne rendiez interdit le camp d'Israël et que vous ne lui portiez malheur ᶜ. ¹⁹ Tout l'argent, l'or et les objets de bronze et de fer, tout cela sera consacré au SEIGNEUR et entrera dans le trésor du SEIGNEUR. »

²⁰ Le peuple poussa la clameur et on sonna du cor. Lorsque le peuple entendit le son du cor, il poussa une grande clameur et le rempart s'écroula sur place ; le peuple monta vers la ville, chacun droit devant soi, et ils s'emparèrent de la ville. ²¹ Ils vouèrent à l'interdit tout ce qui se trouvait dans la ville, aussi bien l'homme que la femme, le jeune homme que le vieillard, le taureau, le mouton et l'âne, les passant tous au tranchant de l'épée.

Josué laisse la vie à Rahab

²² Aux deux hommes qui avaient espionné le pays, Josué dit : « Entrez dans la maison de la prostituée et faites-en sortir cette femme et tout ce qui est à elle, ainsi que vous le lui avez juré. » ²³ Les jeunes gens qui avaient espionné entrèrent et firent sortir Rahab, son père, sa mère, ses frères et tout ce qui était à elle ; ils firent sortir tous ceux de son clan et ils les installèrent en dehors du camp d'Israël ᵈ. ²⁴ Quant à la ville, ils l'incendièrent ainsi que tout ce qui s'y trouvait, sauf l'argent, l'or et les objets de bronze et de fer qu'ils livrèrent au trésor de la Maison du SEIGNEUR ᵉ. ²⁵ Josué laissa la vie à Rahab, la prostituée, à sa famille et à tout ce qui était à elle ; elle a habité au milieu d'Israël jusqu'à ce jour, car elle avait caché les messagers que Josué avait envoyés pour espionner Jéricho.

ᶻ clameur ou cri de guerre ● ᵃ Dans Josué l'expression se lever de bon matin est utilisée pour le matin des grands jours (voir 7.16; 8.10) ● ᵇ vouée à l'interdit : voir Dt 2.34 et la note ● ᶜ Si un Israélite prend pour lui ce qui a par avance été consacré au Seigneur par interdit, il provoquera la colère de Dieu contre l'ensemble du peuple (comparer 7.1) ● ᵈ Le camp d'Israël, d'après Dt 23.15, est un endroit saint à cause de la présence du clan de Rahab, composé d'étrangers, le rendrait *impur ● ᵉ trésor de la Maison du SEIGNEUR : autre appellation du trésor du SEIGNEUR (v. 19)

6.5 sonnerie de cor pour l'attaque Jos 6.10, 16, 20; Jg 7.8-20 — cri de guerre 1 S 17.20, 52. **6.17** vouée à l'interdit Lv 27.28-29 — elle a caché les messagers Jos 2.1-21. **6.19** trésor consacré au Seigneur Nb 31.54. **6.20** le rempart s'écroula He 11.30.

²⁶ En ce temps-là, Josué fit prononcer ce serment : « Maudit soit devant le SEIGNEUR l'homme qui se lèvera pour rebâtir cette ville, Jéricho. C'est au prix de son aîné qu'il l'établira, au prix de son cadet qu'il en fixera les portes *f*. »
²⁷ Le SEIGNEUR fut avec Josué dont la renommée s'étendit à tout le pays.

Faute et châtiment d'Akân

7 ¹ Les fils d'Israël commirent un acte d'infidélité à l'égard de l'interdit *g* : Akân, fils de Karmi, fils de Zavdi, fils de Zérah, de la tribu de Juda, prit de ce qui était interdit et la colère du SEIGNEUR s'enflamma contre les fils d'Israël.
² De Jéricho, Josué envoya des hommes à Aï qui est près de Beth-Awèn *h*, à l'est de Béthel, et il leur dit : « Montez espionner le pays ». Ces hommes montèrent espionner Aï, ³ revinrent auprès de Josué et lui dirent : « Que tout le peuple ne monte pas ! Que deux ou trois mille hommes environ montent frapper Aï ! N'impose pas cette peine au peuple tout entier, car ces gens-là sont peu nombreux. » ⁴ Environ trois mille hommes du peuple y montèrent, mais ils s'enfuirent devant les hommes de Aï. ⁵ Les hommes de Aï leur tuèrent environ trente-six hommes et les poursuivirent au-delà de la porte de la ville jusqu'à Shevarîm *i* ; ils les tuèrent dans la descente. Le courage du peuple fondit et il coula comme de l'eau.
⁶ Josué *déchira ses vêtements, tomba face contre terre devant l'*arche du SEIGNEUR jusqu'au soir, lui et les anciens d'Israël et ils se jetèrent de la poussière sur la tête. ⁷ Josué dit : « Ah ! Seigneur DIEU, pourquoi as-tu poussé ce peuple à traverser le Jourdain ? Est-ce pour nous livrer à la main de l'*Amorite et nous faire périr ? Si encore nous avions décidé de nous établir au-delà du Jourdain ?
⁸ Je t'en prie, Seigneur, que dirai-je maintenant qu'Israël a tourné le dos devant ses ennemis ? ⁹ Les Cananéens et tous les habitants du pays l'apprendront, ils se tourneront contre nous et ils retrancheront notre nom du pays. Que pourras-tu faire alors pour ton grand nom *j* ? »
¹⁰ Le SEIGNEUR dit à Josué : « Lève-toi ! Pourquoi tombes-tu sur ta face ? ¹¹ Israël a péché ; oui, ils ont transgressé mon *alliance, celle que je leur avais prescrite ; oui, ils ont même pris de ce qui était interdit, ils en ont même volé, camouflé, mis dans leurs affaires ; ¹² les fils d'Israël ne pourront pas faire face à leurs ennemis, ils tourneront le dos devant leurs ennemis, car ils sont frappés d'interdit ; je cesserai d'être avec vous si vous ne supprimez pas l'interdit qui est au milieu de vous. ¹³ Lève-toi, *sanctifie le peuple. Tu diras : "Sanctifiez-vous pour demain, car ainsi parle le SEIGNEUR, Dieu d'Israël : Un interdit est au milieu de toi, Israël ; tu ne pourras faire face à tes ennemis jusqu'à ce que vous ayez écarté l'interdit qui est au milieu de vous". ¹⁴ Vous vous approcherez au matin, par tribus, et la tribu que le SEIGNEUR aura marquée *k* s'approchera par clans, et le clan que le SEIGNEUR aura marqué s'approchera par maisons, et la maison que le SEIGNEUR aura marquée s'approchera homme par homme. ¹⁵ Celui qui aura été marqué comme responsable de l'interdit sera brûlé par le feu, lui et tout ce qui est à lui, car il a transgressé l'alliance du SEIGNEUR et commis une infamie en Israël. »
¹⁶ Josué se leva de bon matin et il fit approcher Israël par tribus ; la tribu de Juda fut marquée ; ¹⁷ il fit approcher les clans de Juda et on marqua le clan des Zarhites ; il fit approcher le clan des Zarhites maison par maison et la maison de Zavdi fut marquée. ¹⁸ Puis il fit approcher sa maison homme par homme et

---

f Josué annonce que les deux fils mourront lors de la reconstruction de Jéricho, ou bien d'une mort naturelle considérée comme punition de Dieu, ou bien en étant les victimes d'un *sacrifice offert au moment de poser les fondations. La malédiction s'accomplira sur Hiel de Béthel (1 R 16.34). ● *g* Voir Dt 2.34 et la note ● *h* Nom méprisant qui signifie *maison de néant*. Le texte distingue *Beth-Awèn* de *Béthel*, mais Osée (4.15; 5.8; 10.5) et Amos (5.5) utilisent *Beth-Awèn* pour désigner *Béthel* ● *i* Localité inconnue ● *j* ton grand nom: ou *Comment te feras-tu reconnaître comme le grand Dieu?* ● *k* marquée, c'est-à-dire *désignée* par tirage au sort

6.27 le Seigneur fut avec Josué cf. Dt 20.1+. **7.1** l'infidélité d'Akân Jos 22.20; 1 Ch 2.7. **7.2** espions envoyés Jos 2.1; Nb 13.1-20. **7.6** déchirer ses vêtements Gn 44.13; 1 S 4.12; Jl 2.13; *1 M* 3.47; 4.39 — tomber face contre terre *Jdt* 4.11; *1 M* 4.40 — de la poussière sur la tête 1 S 4.12; Ez 27.30; Ne 9.1; *2 M* 10.25; 14.15 — jusqu'au soir Jg 20.23, 26; 21.2; 1 S 14.24; 2 S 1.12. **7.7** intercession en faveur du peuple Ex 32.11-13; Nb 14.13-19; Dt 9.26-29. **7.11** transgresser l'alliance Dt 17.2; 2 R 18.12; Os 6.7; 8.1 — camouflé cf. Ac 5.1-11. **7.13** sanctifier Jos 3.5; Ex 19.10, 22; Nb 11.18; 1 S 7.1; 16.5; 1 Ch 15.12. **7.15** brûlé par le feu Gn 38.24; Lv 20.14; 21.9 — une infamie en Israël Dt 22.21+.

Akân, fils de Karmi, fils de Zavdi, fils de Zérah, de la tribu de Juda, fut marqué. [19] Josué dit à Akân : « Mon fils, rends gloire au SEIGNEUR [l], Dieu d'Israël, et accorde-lui louange ; expose-moi ce que tu as fait ; ne me cache rien. » [20] Akân répondit à Josué et lui dit : « En vérité, c'est moi qui ai péché contre le SEIGNEUR, Dieu d'Israël, et voici de quelle manière j'ai agi. [21] J'avais vu dans le butin une cape de Shinéar d'une beauté unique, deux cents sicles [m] d'argent et un lingot d'or d'un poids de cinquante sicles ; je les ai convoités et je les ai pris ; les voici dissimulés dans la terre au milieu de ma tente et l'argent est dessous. » [22] Josué envoya des messagers qui coururent à la tente : c'était effectivement dissimulé dans sa tente et l'argent était dessous. [23] Ils enlevèrent les objets du milieu de la tente et ils les apportèrent à Josué et à tous les fils d'Israël : on les versa devant le SEIGNEUR [n].

[24] Josué emmena Akân, fils de Zérah, ainsi que l'argent, la cape et le lingot d'or, ses fils et ses filles, son taureau, son âne, son petit bétail, sa tente et tout ce qui était à lui. Tout Israël était avec lui et on les fit monter à la vallée de Akor [o]. [25] Et Josué dit : « Pourquoi nous as-tu porté malheur ? Que le SEIGNEUR te porte malheur en ce jour ! » Tout Israël le lapida ; et ils les brûlèrent et on leur jeta des pierres [p]. [26] Ils élevèrent sur lui un grand monceau de pierres qui existe jusqu'à ce jour. Alors le SEIGNEUR revint de son ardente colère. C'est pourquoi ce lieu-là reçut le nom de « vallée de Akor » jusqu'à ce jour.

Conquête de Aï

8 [1] Le SEIGNEUR dit à Josué : « Ne crains pas et ne t'effraie pas. Prends avec toi tout le peuple sur pied de guerre ; lève-toi, monte contre Aï.

Vois, je t'ai livré le roi de Aï, son peuple, sa ville et son pays. [2] Tu traiteras Aï et son roi comme tu as traité Jéricho et son roi ; cependant vous pourrez prendre pour vous comme butin ses dépouilles et son bétail. Mets en place une embuscade contre la ville, sur ses arrières. »

[3] Josué se leva avec tout le peuple sur pied de guerre afin de monter contre Aï. Josué choisit trente mille hommes, de vaillants guerriers et les envoya de nuit. [4] Il leur avait donné cet ordre : « Voyez ! Vous serez en embuscade contre cette ville, sur ses arrières [q] ; ne vous éloignez pas trop de la ville et soyez tous prêts. [5] Moi et tout le peuple qui est avec moi, nous nous approcherons de la ville. Lorsqu'ils sortiront à notre rencontre comme la première fois, nous fuirons devant eux [6] et ils sortiront derrière nous jusqu'à ce que nous les ayons attirés loin de la ville, car ils se diront : "Ils fuient devant nous comme la première fois" et nous fuirons devant eux. [7] Alors vous, vous surgirez de l'embuscade et vous occuperez la ville ; le SEIGNEUR, votre Dieu, la livre entre vos mains. [8] Quand vous tiendrez la ville, vous y mettrez le feu ; vous agirez selon la parole du SEIGNEUR. Voilà l'ordre que je vous donne. » [9] Josué les envoya et ils allèrent au lieu de l'embuscade ; ils s'établirent entre Béthel et Aï, à l'ouest de Aï. Josué passa cette nuit-là au milieu du peuple.

[10] Josué se leva de bon matin, inspecta le peuple, puis monta contre Aï avec les *anciens d'Israël à la tête du peuple. [11] Tout le peuple sur pied de guerre qui était avec lui monta, s'avança, arriva face à la ville et campa au nord de Aï, le ravin se trouvant entre eux et Aï. [12] Josué prit environ cinq mille hommes et les plaça en embuscade entre Béthel et Aï, à l'ouest de la ville. [13] Le peuple établit son camp au nord de la ville et son arrière-garde à l'ouest de la ville ; cette

---

l rends gloire au SEIGNEUR: expression stéréotypée pour adjurer le coupable d'avouer sa faute. La même expression est traduite par *confessez-vous au SEIGNEUR* en Esd 10.11 ● *m Shinéar:* nom ancien de la région de Babylone (voir Gn 10.10; 11.2) — *sicles:* voir au glossaire POIDS ET MESURES ● *n versa* ou *déposa* — *devant le SEIGNEUR:* c'est-à-dire devant l'arche (considérée comme le trône du SEIGNEUR) ● *o la vallée de Akor* n'a pas été localisée de façon certaine. Elle permettait de passer de la vallée du Jourdain à la région montagneuse du centre de la Palestine ● *p porté malheur:* assonance entre la *vallée de Akor* et le verbe hébreu *akar* qui signifie *porter malheur* — *on leur jeta des pierres:* toute la famille du coupable est exécutée. C'est une ancienne coutume (Nb 16.32) contre laquelle s'élèvent les auteurs du Deutéronome (24.16) ainsi que Jérémie (31.20) et Ezéchiel (18.4) ● *q sur ses arrières:* c'est-à-dire du côté opposé à l'unique porte de la ville, où se portait normalement toute l'attention des défenseurs

7.21 je les ai convoités Ex 20.17+. **7.24** la vallée de Akor Jos 15.7; Os 2.17. **7.25** lapidation Dt 13.11+. **7.26** un monceau de pierres Jos 8.29. **8.1** ne crains pas Dt 3.2+ — le peuple sur pied de guerre Jos 8.3, 11; 10.7; 11.7. **8.2** comme le roi de Jéricho Jos 10.1, 28, 30; 12.9 — vous pourrez prendre du butin Jos 8.27; Dt 2.35+; cf. Jos 6.17.

nuit-là Josué se rendit au milieu de la plaine. ¹⁴ Or, quand le roi de Aï vit cela, lui et tout son peuple, les hommes de la ville se levèrent en hâte et sortirent pour combattre Israël en un lieu fixé face à la Araba ʳ, mais il ne savait pas qu'il y avait une embuscade contre lui sur les arrières de la ville. ¹⁵ Josué et tout Israël se firent battre devant eux et s'enfuirent en direction du désert ˢ. ¹⁶ On ameuta toute la population de la ville afin de les poursuivre. Ils poursuivirent donc Josué et furent attirés loin de la ville. ¹⁷ Dans Aï et Béthel ᵗ, il ne resta pas un homme qui ne fût sorti derrière Israël ; ils avaient laissé la ville ouverte tandis qu'ils poursuivaient Israël. ¹⁸ Le SEIGNEUR dit à Josué : « Tends vers la ville le javelot que tu as en main, car je vais te le livrer. » Josué tendit vers la ville le javelot qu'il avait en main. ¹⁹ Dès qu'il eut tendu la main, ceux de l'embuscade surgirent en hâte de leur position, coururent, entrèrent dans la ville et s'en emparèrent ; puis ils se hâtèrent d'y mettre le feu.

²⁰ Les hommes de Aï se retournèrent et regardèrent : voici que la fumée de la ville montait vers le ciel ; personne ne trouva la force de fuir d'un côté ou de l'autre ; le peuple qui fuyait vers le désert fit volte-face vers celui qui le poursuivait. ²¹ Josué et tout Israël virent que ceux de l'embuscade s'étaient emparés de la ville et que montait la fumée de la ville ; ils revinrent et frappèrent les hommes de Aï. ²² Les autres sortirent de la ville à leur rencontre les hommes de Aï, ayant ceux-ci d'un côté et ceux-là de l'autre, se trouvèrent au centre par rapport à Israël qui les frappa jusqu'à ne plus leur laisser ni survivant, ni rescapé. ²³ Quant au roi de Aï, ils le saisirent vivant et l'amenèrent à Josué.

²⁴ Or, quand Israël eut achevé de tuer tous les habitants de Aï dans la campagne, dans le désert où ils les avaient poursuivis, et que tous furent tombés sous le tranchant de l'épée jusqu'à leur exter-

mination, tout Israël revint vers Aï et la passa au tranchant de l'épée. ²⁵ Le total de ceux qui tombèrent ce jour-là, hommes et femmes, fut de douze mille, tous gens de Aï. ²⁶ Josué ne ramena pas la main qui tendait le javelot jusqu'à ce qu'il eût voué à l'interdit tous les habitants de Aï. ²⁷ Cependant Israël prit comme butin pour lui le bétail et les dépouilles de cette ville selon la parole que le SEIGNEUR avait prescrite à Josué. ²⁸ Josué brûla Aï et la transforma pour toujours en une ruine ᵘ, en un lieu désert qui existe encore aujourd'hui. ²⁹ Quant au roi de Aï, il le pendit à un arbre jusqu'au soir et, lorsque le soleil se coucha, Josué commanda de descendre le cadavre de l'arbre : on le jeta à l'entrée de la porte de la ville ᵛ et on éleva au-dessus de lui un grand monceau de pierres qui existe encore aujourd'hui.

Lecture de la loi sur le mont Ebal

³⁰ Josué bâtit un *autel pour le SEIGNEUR, Dieu d'Israël, sur le mont Ebal ʷ, ³¹ selon ce que Moïse, le serviteur du SEIGNEUR, avait commandé aux fils d'Israël comme cela est écrit dans le livre de la Loi de Moïse : autel de pierres brutes sur lesquelles aucun outil de fer n'était passé. On y fit monter des holocaustes ˣ pour le SEIGNEUR et on y offrit des sacrifices de paix. ³² Et là, Josué inscrivit sur les pierres une copie de la Loi que Moïse avait écrite devant les fils d'Israël. ³³ Tout Israël, avec ses *anciens, ses fonctionnaires et ses juges, était debout de chaque côté de l'*arche devant les prêtres-*lévites qui portent l'arche de l'alliance du SEIGNEUR, l'émigré aussi bien que l'indigène : moitié devant le mont Garizim ʸ, moitié devant le mont Ebal selon l'ordre qu'avait donné Moïse, le serviteur du SEIGNEUR, de bénir d'abord le peuple d'Israël. ³⁴ Après cela, Josué lut toutes les paroles de la Loi — bénédiction et malédiction — selon tout ce

---

ʳ Plaine formée par le fond de la vallée du Jourdain ● s en direction du désert : c'est-à-dire vers les espaces inhabités qui bordent la vallée du Jourdain ● t Cette ville, qui n'apparaît pas ailleurs dans le récit, n'est pas nommée ici dans la traduction grecque ● u Le nom de Aï signifie en hébreu tas de pierres ● v jusqu'au soir : les cadavres des suppliciés ne devaient pas rester suspendus pendant la nuit (Dt 21.22-23) — la porte de la ville était le passage obligé pour entrer ou sortir, ainsi qu'un lieu de réunion où se traitaient beaucoup d'affaires publiques ● w Voir Dt 11.29 et la note ● x Voir au glossaire SACRIFICES ● y Voir Dt 11.29 et la note

---

8.18 tends le javelot Jos 8.26. **8.24** extermination des habitants Dt 2.34. **8.26** Josué ne ramena pas la main cf. Ex 17.9-12. **8.28** une ruine pour toujours Dt 13.17. **8.29** monceau de pierres Jos 7.26. **8.31** autel de pierres brutes Ex 20.24-26; Dt 27.5-6. **8.32** la Loi gravée sur des pierres Dt 27.2-3. **8.33** prêtres-lévites Dt 17.9+ — l'émigré associé à la vie d'Israël Ex 22.20; 23.9; Lv 19.10, 33-34; 23.22 — l'émigré assimilé à l'indigène Lv 16.29+ — Israël en deux groupes Dt 27.11-13. **8.34** bénédiction et malédiction Dt 27.14—28.68 — le livre de la Loi Dt 28.61+.

qui est écrit dans le livre de la Loi. [35] Il
n'y eut pas une parole de toutes celles
que Moïse avait prescrites que Josué ne
lût face à toute l'assemblée d'Israël,
y compris les femmes, les enfants ainsi que
les émigrés qui vivent au milieu d'eux.

L'alliance avec les gens de Gabaon

9 [1] Or, en apprenant cela, tous les
rois qui se trouvaient au-delà du
Jourdain dans la Montagne, dans le *Bas-
Pays et sur tout le littoral de la Grande
Mer [z], à proximité du Liban — Hittites,
*Amorites, Cananéens, Perizzites, Hivvi-
tes, Jébusites — [2] se coalisèrent pour
combattre d'un commun accord contre
Josué et contre Israël.

[3] Les habitants de Gabaon [a] apprirent
ce que Josué avait fait à Jéricho et à Aï,
[4] eux aussi agirent par ruse : ils se mirent
à se déguiser [b], prirent des sacs usés pour
leurs ânes, des outres à vin usées, déchirées et rapetassées ; [5] ils mirent à leurs
pieds des sandales usées et rapiécées et
sur eux des vêtements usés ; tout le pain
de leurs provisions était sec et en miettes [c]. [6] Ils allèrent trouver Josué au camp
de Guilgal et lui dirent ainsi qu'aux
hommes d'Israël : « Nous venons d'un
pays lointain. Maintenant, concluez donc
une alliance avec nous. » [7] Les hommes
d'Israël dirent aux Hivvites : « Peut-être
habitez-vous au milieu de nous ? Comment pourrions-nous conclure une alliance
avec vous ? » [8] Mais ils dirent à Josué :
« Nous sommes tes serviteurs [d]. » Et
Josué leur dit : « Qui êtes-vous et d'où
venez-vous ? » [9] Ils lui dirent : « Tes
serviteurs viennent d'un pays très lointain à cause du SEIGNEUR, ton Dieu, car
nous avons appris sa renommée, tout ce
qu'il a fait en Egypte [10] et tout ce qu'il
a fait aux deux rois des Amorites qui se
trouvaient au-delà du Jourdain, Sihôn,
roi de Heshbôn, et Og, roi du Bashân,
qui habitait à Ashtaroth. [11] Nos *anciens
et tous les habitants de notre pays nous
ont dit : "Prenez avec vous des provi-

sions pour la route ; allez à leur rencontre et vous leur direz : Nous sommes
vos serviteurs." Maintenant, concluez
donc une alliance avec nous. [12] Voici
notre pain : il était chaud quand nous
en avons fait provision dans nos maisons
le jour où nous sommes partis pour venir
vers vous ; maintenant, le voilà sec et en
miettes. [13] Ces outres à vin que nous
avions remplies alors qu'elles étaient
neuves, voilà qu'elles sont déchirées ; nos
vêtements et nos sandales, les voici usés
à la suite d'une très longue route. »
[14] Les Israélites prirent de leurs provisions, mais ils ne consultèrent pas le
SEIGNEUR. [15] Josué fit la paix avec eux et
conclut avec eux une alliance qui leur
laissait la vie ; les responsables de la
communauté leur en firent le serment.
[16] Or, au bout de trois jours, après
avoir conclu avec eux une alliance, les
fils d'Israël apprirent que ces gens étaient
leurs voisins et habitaient au milieu
d'eux. [17] Les fils d'Israël partirent et
entrèrent le troisième jour dans leurs
villes [e] qui étaient Gabaon, Kefira, Bééroth, et Qiryath-Yéarim. [18] Les fils d'Israël ne les frappèrent pas, car les responsables de la communauté leur en
avaient fait le serment par le SEIGNEUR,
Dieu d'Israël, mais toute la communauté
murmura contre les responsables.
[19] Tous les responsables dirent à toute
la communauté : « Nous leur avons
prêté serment par le SEIGNEUR, Dieu d'Israël ; désormais, nous ne pouvons plus
leur faire de mal. [20] Voici ce que nous
ferons : nous leur laisserons la vie
pour que le courroux [f] ne nous atteigne
pas à cause du serment que nous leur
avons prêté. » [21] Les responsables ayant
dit à leur sujet : « Qu'ils vivent ! », ils
devinrent fendeurs de bois et puiseurs
d'eau [g] pour toute la communauté, selon
ce que les responsables leur avaient dit.
[22] Josué les appela et leur parla : « Pourquoi nous avez-vous trompés en disant :
"Nous habitons très loin", alors que vous
habitez au milieu de nous ? [23] Désormais
vous êtes maudits et aucun d'entre vous

---

z *Grande Mer*: la *Méditerranée* ● a Voir 9.17 et la note ● b *se déguiser*: autre texte *se fournir
en provisions* (quelques manuscrits hébreux et certaines versions anciennes) ● c La ruse des habitants de Gabaon consiste à faire croire qu'ils ont marché longtemps et viennent de très loin
(v. 12-13). Si les Israélites savaient qu'ils sont voisins, ils devraient leur appliquer la loi
de l'interdit (Dt 20.16-18) ● d Les Gabaonites acceptent d'avance une situation sociale inférieure
(v. 11 et 23) ● e Ces quatre *villes* sont situées à quelques kilomètres au nord-ouest de Jérusalem
● f *courroux*: sous-entendu *de Dieu* ● g Ces travaux étaient considérés comme inférieurs

9.9 la renommée du Seigneur Jos 2.10. **9.10** victoire sur les rois Amorites Nb 21.24-33; Dt
1.4+. **9.14** consulter le Seigneur cf. Nb 27.21; 1 S 23.2, 4, 9-12; 1 R 22.5-8. **9.20** le serment
concernant les Gabaonites 2 S 21.1-9. **9.21** astreints à la corvée Dt 20.11+.

ne cessera d'être serviteur — fendeur de bois et puiseur d'eau — pour la maison de mon Dieu *h*. » ²⁴ En réponse à Josué, ils dirent : « On avait en effet souvent rapporté à tes serviteurs ce que le SEIGNEUR, ton Dieu, avait prescrit à son serviteur Moïse : vous donner tout le pays et exterminer tous les habitants du pays devant vous. Nous avons eu très peur de vous ; c'est pourquoi nous avons agi de la sorte. ²⁵ Maintenant, nous voici en ton pouvoir ; traite-nous comme il te semblera bon et juste. » ²⁶ Josué les traita ainsi et les arracha au pouvoir des fils d'Israël qui ne les tuèrent pas. ²⁷ Ce jour-là, Josué les établit comme fendeurs de bois et puiseurs d'eau pour la communauté et pour l'*autel du SEIGNEUR jusqu'à ce jour, au lieu que Dieu choisirait.

Victoire sur les rois amorites

10 ¹ Or, Adoni-Sédeq, roi de Jérusalem apprit que Josué s'était emparé de Aï et l'avait vouée à l'interdit *i*, qu'il avait traité Aï et son roi comme il avait traité Jéricho et son roi ,et que les habitants de Gabaon avaient fait la paix avec Israël et habitaient au milieu d'eux. ² On en conçut une grande crainte parce que Gabaon était une grande ville, l'égale des villes royales, plus grande que Aï, et que tous ses hommes étaient vaillants. ³ Adoni-Sédeq, roi de Jérusalem, envoya dire à Hohâm, roi d'Hébron, à Piréâm, roi de Yarmouth, à Yafia, roi de Lakish, et à Devir, roi de Eglôn *j* : ⁴ « Montez vers moi, secourez-moi et battons Gabaon puisqu'elle a fait la paix avec Josué et les fils d'Israël. » ⁵ S'étant unis, les cinq rois *amorites — le roi de Jérusalem, le roi d'Hébron, le roi de Yarmouth, le roi de Lakish et le roi de Eglôn — montèrent, eux et toutes leurs troupes, assiéger Gabaon et lui faire la guerre.

⁶ Les hommes de Gabaon envoyèrent dire à Josué, au camp de Guilgal : « Ne retire pas ton aide à tes serviteurs ; montez vers nous rapidement pour nous sauver et nous secourir, car tous les rois amorites qui habitent la Montagne se sont coalisés contre nous. » ⁷ Josué monta depuis Guilgal et avec lui tout le peuple sur pied de guerre et tous les vaillants guerriers.

⁸ Le SEIGNEUR dit à Josué : « Ne crains pas, car je te les ai livrés ; aucun d'entre eux ne tiendra devant toi. » ⁹ Josué arriva sur eux à l'improviste : il était monté depuis Guilgal durant toute la nuit. ¹⁰ Le SEIGNEUR les mit en déroute devant Israël et leur infligea une grande défaite à Gabaon ; il les poursuivit vers la montée de Beth-Horôn et les battit jusqu'à Azéqa et jusqu'à Maqqéda.

¹¹ Or, tandis qu'ils fuyaient devant Israël et qu'ils se trouvaient dans la descente de Beth-Horôn, le SEIGNEUR lança des cieux contre eux de grosses pierres *k* jusqu'à Azéqa et ils moururent. Plus nombreux furent ceux qui moururent par les pierres de grêle que ceux que les fils d'Israël tuèrent par l'épée. ¹² Alors Josué parla au SEIGNEUR en ce jour où le SEIGNEUR avait livré les Amorites aux fils d'Israël et dit en présence d'Israël :

« Soleil, arrête-toi sur Gabaon,
Lune, sur la vallée d'Ayyalôn ! »
¹³ Et le soleil s'arrêta et la lune s'immobilisa jusqu'à ce que la nation se fût vengée de ses ennemis. Cela n'est-il pas écrit dans le livre du Juste ? Le soleil s'immobilisa au milieu des cieux et il ne se hâta pas de se coucher pendant près d'un jour entier *l*. ¹⁴ Ni avant ni après, il n'y eut de jour comparable à ce jour où le SEIGNEUR obéit à un homme, car le SEIGNEUR combattait pour Israël. ¹⁵ Josué et tout Israël avec lui revinrent au camp, à Guilgal.

---

h pour la maison de mon Dieu ou *pour le Temple* ou encore *pour le culte* (v. 27) ● *i vouée à l'interdit :* voir Dt 2.34 et la note ● *j* Les quatre villes qui vont s'unir à *Jérusalem* pour combattre Gabaon se trouvent au sud-ouest de *Jérusalem* ● *k* Ces *grosses pierres* sont des grêlons, comme le montre la suite du verset ● *l le livre du Juste* est un ancien recueil de poèmes, aujourd'hui perdu ; il a été utilisé par le livre de Josué, mais aussi par 2 S 1.18 et probablement par 1 R 8.53, d'après l'ancienne version grecque. — Il est difficile de préciser le sens exact du fragment poétique cité par Josué. Le rédacteur du livre l'a compris et expliqué comme un miracle. Même interprétation dans *Si* 46.4

9.24 extermination des habitants Dt 2.34.   **9.27** le lieu choisi par le Seigneur Dt 12.5+.
10.1 conquête de Aï Jos 8.1-29 — comme le roi de Jéricho Jos 8.2+.   **10.6** honorer l'alliance avec les Gabaonites Jos 9.1-15.   **10.10** la victoire de Gabaon Es 28.21 — Maqqéda Jos 10.16-27.
10.11 pierres (de grêle) Es 28.17 ; 30.30 ; *Sg* 5.22 ; *Si* 46.5.   **10.13** le soleil s'arrêta Ha 3.11 ; *Si* 46.4.   **10.14** Dieu exauce la requête du peuple Ex 2.24 ; 3.7 ; 6.5 ; Jg 2.18 ; Ps 106.44 — il écoute la voix d'un homme Gn 16.11 ; 17.20 ; 30.6 ; 1 R 17.1 ; 2 R 13.4 ; 19.20 ; 20.5 ; Mt 6.6 ; 7.7-11 par. ; 21.22 par. ; Lc 11.5-13 ; 18.1-8 ; 1 Jn 5.14-15 — le Seigneur combat pour Israël Jos 10.42 ; 23.3, 10 ; Ex 14.14 ; Dt 1.30 ; 3.22+.

Josué exécute les cinq rois vaincus

¹⁶ Or les cinq rois avaient fui et s'étaient cachés dans la grotte, à Maqqéda ^{m}. ¹⁷ On rapporta à Josué : « Les cinq rois ont été retrouvés, cachés dans la grotte, à Maqqéda. » ¹⁸ Josué dit : « Roulez de grosses pierres à l'entrée de la grotte et postez près d'elle des hommes pour les garder. ¹⁹ Quant à vous, ne vous arrêtez pas, poursuivez vos ennemis et coupez leurs arrières ; ne leur permettez pas d'entrer dans leurs villes, car le SEIGNEUR, votre Dieu, vous les a livrés. » ²⁰ Or, quand Josué et les fils d'Israël eurent achevé de leur infliger cette grande défaite jusqu'à leur extermination, des réchappés échappèrent et entrèrent dans les villes fortes. ²¹ Tout le peuple revint en paix au camp auprès de Josué à Maqqéda ; personne ne grogna contre les fils d'Israël.

²² Puis Josué dit : « Ouvrez l'entrée de la grotte et faites-moi sortir de la grotte ces cinq rois. » ²³ On agit ainsi, et de la grotte on fit sortir vers Josué ces cinq rois : le roi de Jérusalem, le roi d'Hébron, le roi de Yarmouth, le roi de Lakish et le roi de Eglôn. ²⁴ Or, quand on eut fait sortir ces cinq rois vers Josué, celui-ci appela tous les hommes d'Israël et dit aux commandants des hommes de guerre qui l'accompagnaient : « Approchez, posez votre pied sur le cou ^{n} de ces rois. » Ils s'approchèrent et posèrent leurs pieds sur le cou des rois. ²⁵ Josué leur dit : « Ne craignez pas et ne vous effrayez pas. Soyez forts et courageux, car c'est ainsi que le SEIGNEUR traitera tous les ennemis que vous aurez à combattre. » ²⁶ Après quoi, Josué frappa les rois, les mit à mort et les fit pendre à cinq arbres ; ils restèrent pendus aux arbres jusqu'au soir. ²⁷ Au coucher du soleil, Josué commanda de les descendre des arbres ^{o} et de les jeter dans la grotte où ils s'étaient cachés. On plaça de grosses pierres à l'entrée de la grotte et elles y sont encore jusqu'à ce jour.

Josué conquiert les villes du sud

²⁸ En ce jour-là, Josué s'empara de Maqqéda et la passa, ainsi que son roi, au tranchant de l'épée ; il les voua à l'interdit ^{p}, eux et toutes les personnes qui s'y trouvaient ; il ne laissa pas un survivant et il traita le roi de Maqqéda comme il avait traité le roi de Jéricho.

²⁹ Josué, et tout Israël avec lui, passa de Maqqéda à Livna et il engagea le combat avec Livna. ³⁰ Le SEIGNEUR la livra aussi, avec son roi, aux mains d'Israël qui la passa au tranchant de l'épée avec toutes les personnes qui s'y trouvaient ; il ne lui laissa pas de survivant et il traita son roi comme il avait traité le roi de Jéricho.

³¹ Josué, et tout Israël avec lui, passa de Livna à Lakish ; il l'assiégea et lui fit la guerre. ³² Le SEIGNEUR livra Lakish aux mains d'Israël qui s'en empara le second jour, la passa au tranchant de l'épée avec toutes les personnes qui s'y trouvaient, tout comme il avait traité Livna. ³³ Alors Horâm, roi de Guèzèr, monta secourir Lakish, mais Josué le frappa ainsi que son peuple au point de ne lui laisser aucun survivant.

³⁴ Josué, et tout Israël avec lui, passa de Lakish à Eglôn ; il l'assiégèrent et lui firent la guerre. ³⁵ Ils s'en emparèrent ce jour-là et la passèrent au tranchant de l'épée. Toutes les personnes qui s'y trouvaient, il les voua à l'interdit en ce jour-là, tout comme il avait traité Lakish.

³⁶ Josué, et tout Israël avec lui, monta de Eglôn à Hébron et il lui fit la guerre. ³⁷ Ils s'en emparèrent et la passèrent au tranchant de l'épée ainsi que son roi, toutes les villes et toutes les personnes qui s'y trouvaient. Il ne lui laissa aucun survivant, tout comme il avait traité Eglôn. Il la voua à l'interdit ainsi que toutes les personnes qui s'y trouvaient.

³⁸ Josué, et tout Israël avec lui, se tourna vers Devir et lui fit la guerre. ³⁹ Il s'en empara ainsi que de son roi et de toutes ses villes ; on les passa au tranchant de l'épée et on voua à l'interdit toutes les personnes qui s'y trouvaient. Josué ne laissa pas de survivant. Il traita Devir et son roi comme il avait traité Hébron et comme il avait traité Livna et son roi.

⁴⁰ Josué battit tout le pays : la Mon-

---

m Voir v. 10 ● n pied sur le cou : geste marquant que l'ennemi est complètement vaincu (voir Ps 110.1) ● o Voir 8.29 et la note ● p voua à l'interdit : voir Dt 2.34 et la note

10.25 ne craignez pas, soyez forts Jos 1.6-7, 9, 18 ; 8.1 ; Dt 31.6. **10.26** pendus jusqu'au soir Jos 8.29 ; Dt 21.22-23. **10.28** comme le roi de Jéricho Jos 8.2+. **10.33** Guèzèr Jos 16.10 ; Jg 1.29 ; 1 R 9.16. **10.36** Hébron Jos 14.13-15 ; 15.13-14 ; Jg 1.10-20. **10.38** Devir Jos 15.15-17 ; Jg 1.11-13. **10.40** conquête de tout le pays Jos 11.16 ; Jg 1.9 ; cf. Dt 1.7.

tagne, le Néguev *q*, le *Bas-Pays, les Pentes, ainsi que tous leurs rois. Il ne laissa pas de survivant et il voua à l'interdit tout être animé comme l'avait prescrit le SEIGNEUR, Dieu d'Israël. ⁴¹ Josué les battit depuis Qadesh-Barnéa jusqu'à Gaza et tout le pays de Goshèn *r* jusqu'à Gabaon. ⁴² Josué s'empara de tous ces rois et de leurs pays en une seule fois, car le SEIGNEUR, Dieu d'Israël, combattait pour Israël. ⁴³ Puis Josué, et tout Israël avec lui, retourna au camp, à Guilgal.

Bataille de Mérôm

11 ¹ Or, quand Yavîn, roi de Haçor, apprit cela, il envoya des messagers à Yovav, roi de Madôn, au roi de Shimrôn et au roi d'Akshaf *s* ² ainsi qu'aux rois qui étaient dans la Montagne du nord, dans la Araba *t* au sud de Kinaroth, dans le *Bas-Pays et sur les crêtes de Dor à l'ouest. ³ Les Cananéens étaient à l'est et à l'ouest ; les *Amorites, les Hittites, les Perizzites et les Jébusites dans la Montagne, les Hivvites audessous de l'Hermon, au pays de Miçpa. ⁴ Ils sortirent donc, eux et toutes leurs troupes avec eux, peuple aussi nombreux que les grains de sable sur le bord de la mer, avec un très grand nombre de chevaux et de chars. ⁵ Tous ces rois se donnèrent rendez-vous et vinrent camper ensemble aux eaux de Mérôm *u* pour engager le combat avec Israël. ⁶ Le SEIGNEUR dit à Josué : « Ne les crains pas, car demain, à cette heure même, je les livre tous, tués, à Israël ; tu couperas les jarrets de leurs chevaux et tu brûleras leurs chars. » ⁷ Josué et tout le peuple sur pied de guerre arrivèrent sur eux, à l'improviste, aux eaux de Mérôm, et ils tombèrent sur eux. ⁸ Le SEIGNEUR les livra aux mains d'Israël qui les battit et les poursuivit jusqu'à Sidon-la-Grande et jusqu'à Misrefoth-Maïm et jusqu'à la vallée de Miçpè à l'est. Il les

battit au point de ne leur laisser aucun survivant. ⁹ Josué leur fit ce que lui avait dit le SEIGNEUR : il coupa les jarrets de leurs chevaux et il brûla leurs chars.

Prise de Haçor

¹⁰ En ce temps-là, Josué revint et s'empara de Haçor *v* ; il frappa son roi de l'épée. En effet Haçor était autrefois la capitale de tous ces royaumes. ¹¹ On passa au tranchant de l'épée toutes les personnes qui s'y trouvaient en les vouant à l'interdit *w* ; il ne resta plus aucun être animé et on brûla Haçor. ¹² Josué s'empara de toutes les villes de ces rois et de tous leurs rois et il les passa au tranchant de l'épée ; il les voua à l'interdit comme l'avait prescrit Moïse, le serviteur du SEIGNEUR. ¹³ Cependant, de toutes les villes qui se dressaient sur leurs collines, Israël n'en brûla aucune, à l'exception de la seule Haçor que Josué brûla. ¹⁴ Toutes les dépouilles de ces villes et le bétail, les fils d'Israël les prirent pour eux comme butin ; toutefois ils passèrent tous les êtres humains au tranchant de l'épée jusqu'à leur destruction ; ils ne laissèrent aucun être animé. ¹⁵ Comme l'avait prescrit le SEIGNEUR à Moïse, son serviteur, ainsi Moïse l'avait prescrit à Josué et ainsi fit Josué : il ne rejeta rien de tout ce que le SEIGNEUR avait prescrit à Moïse.

Josué achève de conquérir le pays

¹⁶ Ainsi Josué prit tout ce pays : la Montagne, tout le Néguev, tout le pays du Goshèn *x*, le *Bas-Pays, la Araba, la montagne d'Israël et son bas-pays. ¹⁷ Depuis le mont Halaq qui se dresse vers Séïr jusqu'à Baal-Gad dans la vallée du Liban sous le mont Hermon *y*, il s'empara de tous leurs rois, les frappa et les mit à mort. ¹⁸ Pendant de nombreux jours Josué fit la guerre à tous ces rois. ¹⁹ Pas une seule ville ne fit la paix avec les fils d'Israël, à l'exception des Hivvi-

---

q Voir Gn 12.9 et la note ● *r Goshèn*, ville de la montagne, dans le pays de Juda (Jos 15.51), marque avec *Gabaon* la limite nord des conquêtes de Josué. *Qadesh-Barnéa* et *Gaza* constituent la limite sud ● *s* Ces quatre villes sont situées au nord de la plaine d'Izréel, en Galilée ● *t* Ici la Araba désigne la vallée du Jourdain au sud de la mer de Kinnéreth ● *u* Les *eaux de Mérôm* sont probablement des sources au pied du mont Djermaq, le plus haut sommet de la Palestine, en Haute-Galilée ● *v* Ville importante de Galilée au nord de la mer de Kinnéreth ● *w* Voir Dt 2.34 et la note ● *x* Voir 10.41 et la note ● *y* Les différentes parties du pays sont énumérées (v. 16-17) dans un ordre qui va du sud au nord

10.42 Dieu combattait pour Israël Jos 10.14+ ; Dt 3.22+. **11.1** Yavîn Jg 4.2-23 ; Ps 83.10 — coalition des rois Ps 48.5 ; cf. Ps 2.2. **11.3** nations dépossédées Dt 7.1. **11.4** comme les grains de sable Gn 22.17 ; 32.13 ; 41.49 ; Jg 7.12 ; 1 S 13.5. **11.6** ne crains pas Jos 10.25+. **11.12** ordre de Moïse Dt 20.16-17. **11.16** conquête de tout le pays Jos 10.40+. **11.19** Gabaon Jos 9.3-14.

tes [z] qui habitent Gabaon ; toutes les autres furent prises par les armes. [20] En effet le SEIGNEUR avait décidé d'endurcir leur cœur à engager la guerre avec Israël afin de les vouer à l'interdit [a] en sorte qu'il ne leur soit pas fait grâce et qu'on puisse les exterminer comme l'avait prescrit le SEIGNEUR à Moïse.

[21] En ce temps-là, Josué vint abattre les Anaqites de la Montagne, d'Hébron, de Devir, de Anav, de toute la montagne de Juda et de toute la montagne d'Israël. Josué les voua à l'interdit avec leurs villes. [22] Il ne resta pas d'Anaqites dans le pays des fils d'Israël. Cependant il en subsista à Gaza, Gath et Ashdod [b]. [23] Josué prit tout le pays selon tout ce que le SEIGNEUR avait dit à Moïse et il le donna en héritage à Israël en le répartissant selon les tribus. Et le pays fut en repos, sans guerre.

Liste des conquêtes d'Israël

12 [1] Voici [c] les rois du pays que les fils d'Israël battirent et dont ils possédèrent le pays au-delà du Jourdain, au soleil levant, depuis les gorges de l'Arnôn jusqu'au mont Hermon, ainsi que toute la Araba vers l'est : [2] Sihôn, roi des *Amorites, qui habitait à Heshbôn ; il dominait depuis Aroër qui est sur le rebord des gorges de l'Arnôn, le fond des gorges ainsi que la moitié de Galaad jusqu'aux gorges du Yabboq, frontière des fils d'Ammon ; [3] ensuite la Araba jusqu'à la mer de Kineroth [d] à l'est et jusqu'à la mer de la Araba, la mer du Sel, à l'est, en direction de Beth-Yeshimoth, et au sud sous les pentes de la Pisga. [4] Puis le territoire de Og, roi du Bashân, l'un des derniers Refaïtes [e], qui habitait à Ashtaroth et à Edrëï. [5] Il dominait sur le mont Hermon, sur Salka et sur tout le Bashân jusqu'aux limites des Gueshourites et des Maakatites [f] ainsi que sur la moitié de Galaad, frontière de Sihôn, roi de Heshbôn. [6] Moïse, le serviteur du SEIGNEUR, et les fils d'Israël les battirent ; et Moïse, le serviteur du SEIGNEUR, donna tout cela en possession

aux Rubénites, aux Gadites et à la demi-tribu de Manassé.

[7] Voici les rois du pays que Josué et les fils d'Israël battirent au-delà du Jourdain, à l'ouest, depuis Baal-Gad dans la vallée du Liban jusqu'au mont Halaq qui s'élève vers Séïr. Josué donna tout cela en possession aux tribus d'Israël selon leur répartition [8] dans la Montagne, dans le *Bas-Pays, dans la Araba et sur les Pentes, dans le désert et le Néguev : le Hittite, l'Amorite, le Cananéen, le Perizzite, le Hivvite et le Jébusite.

[9] Le roi de Jéricho, un.
Le roi de Aï qui est à côté de Béthel, un.
[10] Le roi de Jérusalem, un.
Le roi d'Hébron, un.
[11] Le roi de Yarmouth, un.
Le roi de Lakish, un.
[12] Le roi de Eglôn, un.
Le roi de Guèzèr, un.
[13] Le roi de Devir, un.
Le roi de Guèdèr, un.
[14] Le roi de Horma, un.
Le roi de Arad, un.
[15] Le roi de Livna, un.
Le roi de Adoullam, un.
[16] Le roi de Maqqéda, un.
Le roi de Béthel, un.
[17] Le roi de Tappouah, un.
Le roi de Héfèr, un.
[18] Le roi de Afeq, un.
Le roi de Lasharôn, un.
[19] Le roi de Madôn, un.
Le roi de Haçor, un.
[20] Le roi de Shimrôn-Meroôn, un.
Le roi de Akshaf, un.
[21] Le roi de Taanak, un.
Le roi de Meguiddo, un.
[22] Le roi de Qèdesh, un.
Le roi de Yoqnéâm, au Carmel, un.
[23] Le roi de Dor, sur la crête de Dor, un.
Le roi de Goïm, près de Guilgal, un.
[24] Le roi de Tirça, un.
Total des rois : trente et un.

Territoires qui restent à conquérir

13 [1] Josué était vieux et avancé en âge lorsque le SEIGNEUR lui dit :

---

z Voir au glossaire AMORITES ● a Voir Dt 2.34 et la note ● b Ces trois villes n'avaient pas été conquises par les Israélites. Elles furent occcupées par les Philistins (voir 13.3) ● c Ce chapitre récapitule les possessions israélites d'une part en Transjordanie (v. 1-6), d'autre part en Cisjordanie (v. 7-24) ● d à la mer de Kineroth est appelée ailleurs mer de Kinnéreth (13.27; Nb 34.11) ● e Voir Dt 2.11 et la note ● f Voir Dt 3.14 et la note

11.20 endurcir le cœur Ex 4.21; 9.12; 10.20, 27; 11.10; 14.4, 8, 17. **11.21** Anaqites Dt 2.10-11; Jg 1.20. **11.23** le pays en repos Jos 14.15; Jg 3.11+; 2 Ch 13.23; 14.5; cf. Jos 21.44+. **12.1** le pays au-delà du Jourdain Dt 3.8. **12.2** Sihôn Dt 1.4+. **12.4** Og Dt 1.4+ — Refaïtes Dt 2.11+. **12.6** Ruben, Gad, Manassé Jos 13.8; Nb 32; 34.13-15; Dt 3.12-17. **12.7** l'étendue du pays conquis Jos 11.16-17.

« Tu es devenu vieux et avancé en âge, or le reste du pays dont il faut encore prendre possession est considérable. ² Voici le pays qui reste : tous les districts des Philistins et tous ceux des Gueshourites *g*, ³ depuis le Shihor qui est en face de l'Egypte jusqu'au territoire de Eqrôn au nord qui doit être considéré comme cananéen ; il y a les cinq tyrans des Philistins : celui de Gaza, celui d'Ashdod, celui d'Ashqelôn, celui de Gath et celui de Eqrôn et il y a les Avvites *h* ; ⁴ depuis le sud, tout le pays des Cananéens et Méara qui est aux Sidoniens jusqu'à Aféqa, jusqu'à la frontière des Amorites *i*, ⁵ le pays des Guiblites et tout le Liban au soleil levant, depuis Baal-Gad au pied du Mont Hermon jusqu'à Lebo-Hamath ; ⁶ tous les habitants de la montagne, depuis le Liban jusqu'à Misrefoth-Maïm, tous les Sidoniens. Je les déposséderai moi-même devant les fils d'Israël. Tu dois seulement assigner cela en héritage *j* à Israël comme je te l'ai prescrit.

Le partage de la Transjordanie

⁷ Maintenant donc, partage ce pays pour qu'il soit l'héritage des neuf tribus et de la demi-tribu de Manassé. » ⁸ Avec cette dernière, les Rubénites et les Gadites ont reçu l'héritage que Moïse leur a donné au-delà du Jourdain, à l'est, comme le leur avait donné Moïse, le serviteur du SEIGNEUR : ⁹ depuis Aroër qui est au bord de la gorge de l'Arnôn et depuis la ville qui est au fond de la gorge, tout le plateau de Madaba jusqu'à Divôn, ¹⁰ toutes les villes de Sihôn, roi des Amorites, qui régnait à Heshbôn, jusqu'à la frontière des fils d'Ammon ; ¹¹ le Galaad et le territoire des Gueshourites et des Maakatites ainsi que tout le mont Hermon et tout le Bashân *k* jusqu'à Salka ; ¹² dans le Bashân, tout le royaume de Og qui régnait à Ashtaroth et à Edrëï et qui restait l'un des derniers Refaïtes *l*. Moïse les avait battus et dépossédés. ¹³ Mais les fils d'Israël ne dépossédèrent pas les Gueshourites ni les Maakatites ; Gueshour et Maakath ont donc habité au milieu d'Israël jusqu'à ce jour.

¹⁴ A la tribu de Lévi seule, il ne donna pas d'héritage : les offrandes faites *m* au SEIGNEUR, Dieu d'Israël, tel est son héritage comme il le lui avait dit.

¹⁵ Moïse donna à la tribu des fils de Ruben une part selon leurs clans. ¹⁶ Ils eurent le territoire qui va depuis Aroër qui est au bord de la gorge d'Arnôn et la ville qui est au fond de la gorge, tout le plateau près de Madaba, ¹⁷ Heshbôn et toutes ses villes qui sont sur le plateau : Divôn, Bamoth-Baal, Beth-Baal-Méôn, ¹⁸ Yahaç, Qedémoth, Méfaath, ¹⁹ Qiryataïm, Sivma, Cèreth-Shahar sur les contreforts de la plaine, ²⁰ Beth-Péor, les pentes de la Pisga et Beth-Yeshimoth, ²¹ toutes les villes du plateau, tout le royaume de Sihôn, roi des Amorites, qui régnait à Heshbôn. Moïse l'avait frappé ainsi que les responsables de Madiân : Ewi, Règem, Çour, Hour et Rèva, vassaux de Sihôn qui habitaient le pays. ²² Parmi leurs victimes il y avait Balaam, fils de Béor, le devin, que les fils d'Israël avaient tué par l'épée. ²³ La frontière des fils de Ruben était le Jourdain et ses environs. Tel fut l'héritage des fils de Ruben selon leurs clans, les villes et leurs villages.

²⁴ Moïse donna à la tribu de Gad, aux fils de Gad, une part selon leurs clans. ²⁵ Ils eurent pour territoire Yazér, toutes les villes du Galaad et la moitié du pays des fils d'Ammon jusqu'à Aroër qui est en face de Rabba ; ²⁶ ensuite depuis Heshbôn jusqu'à Ramath-Miçpè et Betonîm et depuis Mahanaïm jusqu'à la limite de Devir ; ²⁷ et dans la plaine, Beth-Haram, Beth-Nimra, Soukkoth, Çafôn, reste du royaume de Sihôn, roi de

g Population du sud de la Palestine, à ne pas confondre avec les Gueshourites du v. 11 dont le territoire bordait la rive orientale de la mer de Kinnéreth ● *h* Shihor: torrent qui marque la frontière avec l'Egypte — *Philistins:* voir Gn 26.1 et la note. Le texte énumère leurs cinq villes principales — *Avvites:* population cananéenne habitant la région de Gaza (Dt 2.23) ● *i* Il s'agit ici de l'ancien royaume d'Amurru, situé au nord de Canaan ● *j* Ces territoires appartiennent donc en droit aux tribus israélites, mais non encore en fait. C'est David qui les conquerra pour Israël environ 200 ans plus tard ● *k* Gueshourites et *Maakatites:* voir Dt 3.14 et la note — *Bashân:* voir Dt 1.4 et la note ● *l* Voir Dt 2.11 et la note ● *m* héritage: la tribu de Lévi ne reçut pas de territoire (13.33; 14.3-4). Elle tirait ses moyens de vivre de la part qui lui revenait sur les sacrifices (Dt 18.1-8) — *offrandes faites* ou *mets consumés:* voir au glossaire SACRIFICES, AT/6

13.2 les Philistins Jg 3.3; Jl 4.4. **13.6** déposséder les nations Dt 4.38+. **13.8** Ruben, Gad et Manassé Jos 12.6+. **13.10-12** Sihôn, Og Dt 1.4+. **13.12** Refaïtes Dt 2.11+. **13.14** Lévi Jos 13.33; 14.3-4; Nb 18.20+; Dt 18.1-8. **13.15** Ruben Jos 12.6+. **13.21** vassaux de Sihôn Nb 31.8. **13.22** Balaam Nb 22—24; 31.8. **13.24** Gad Jos 12.6+. **13.25** Yazér Nb 21.32 — les fils d'Ammon Jg 11.32-33.

Heshbôn, avec le Jourdain et ses environs
jusqu'à l'extrémité de la mer de Kinnéreth, au-delà du Jourdain, à l'est. 28 Tel
est l'héritage des fils de Gad selon leurs
clans, les villes et leurs villages.
29 Moïse donna à la demi-tribu de
Manassé, à la demi-tribu des fils de Manassé, une part selon leurs clans. 30 Ils
eurent pour territoire depuis Mahanaïm
tout le Bashân, tout le royaume de Og,
roi du Bashân, et tous les campements de
Yaïr qui sont dans le Bashân, soixante
villes. 31 La moitié du Galaad, Ashtaroth
et Edrèï, villes du royaume de Og dans
le Bashân, furent pour les fils de Makir,
fils de Manassé, c'est-à-dire pour la moitié des fils de Makir selon leurs clans.
32 C'est là ce que Moïse donna en
héritage dans les steppes de Moab au-
delà du Jourdain, à l'est de Jéricho.
33 Mais à la tribu de Lévi Moïse ne
donna pas d'héritage ; le SEIGNEUR, Dieu
d'Israël, c'est lui leur héritage comme il
le leur avait dit.

Le partage du pays de Canaan

14 1 Voici ce que les fils d'Israël héri-
tèrent dans le pays de Canaan, ce
que leur donnèrent en héritage le prêtre
Eléazar [n], Josué, fils de Noun, et les
chefs de familles des tribus des fils d'Israël : 2 leur héritage se fit par tirage au
sort comme le SEIGNEUR l'avait prescrit par
l'intermédiaire de Moïse pour les neuf
tribus et la demi-tribu. 3 Car Moïse avait
donné un héritage aux deux tribus et
à la demi-tribu, de l'autre côté du Jourdain, mais aux Lévites il n'avait pas donné
d'héritage au milieu des autres. 4 En effet
les fils de Joseph formaient deux tribus,
Manassé et Ephraïm, et on ne donna
aucune part aux Lévites dans le pays,
sinon des villes de résidence ainsi que
leurs communaux [o] pour leurs troupeaux
et pour leurs biens. 5 Les fils d'Israël
agirent comme le SEIGNEUR l'avait prescrit à Moïse et ils partagèrent le pays.
6 Les fils de Juda vinrent trouver Josué
à Guilgal et Caleb, fils de Yefounnè, le
Qenizzite [p], lui dit : « Tu sais bien ce que
le SEIGNEUR a dit à Moïse, l'homme de
Dieu, à mon sujet et à ton sujet à Qadesh-Barnéa. 7 J'avais quarante ans lorsque Moïse, le serviteur du SEIGNEUR,
m'envoya de Qadesh-Barnéa pour espionner le pays et je lui fis rapport selon ma
conscience. 8 Mes frères qui étaient montés avec moi ont fait fondre le courage
du peuple, tandis que moi je suivais sans
réserve le SEIGNEUR, mon Dieu. 9 Ce
jour-là, Moïse fit ce serment : "Je jure
que le pays que ton pied a foulé sera
pour toujours ton héritage et celui de tes
fils, car tu as suivi sans réserve le SEI-
GNEUR, mon Dieu." 10 Maintenant, voici
que le SEIGNEUR m'a fait vivre selon sa
parole, soit quarante-cinq ans depuis que
le SEIGNEUR a dit cette parole à Moïse
lorsque Israël marchait dans le désert ; et
maintenant me voici aujourd'hui âgé de
quatre-vingt-cinq ans. 11 Aujourd'hui j'ai
autant de force que j'en avais lorsque
Moïse m'envoya en mission ; ma force
actuelle vaut celle que j'avais alors pour
combattre et pour tenir ma place [q].
12 Donne-moi donc cette montagne dont
le SEIGNEUR a parlé en ce jour-là, car tu
as appris, en ce jour-là, qu'il s'y trouvait des Anaqites [r] et de grandes villes
fortifiées. Peut-être le SEIGNEUR sera-t-il
avec moi et j'en prendrai possession comme le SEIGNEUR l'a dit. » 13 Josué bénit
Caleb, fils de Yefounnè, et lui donna
Hébron pour héritage. 14 C'est pourquoi
Caleb, fils de Yefounnè, le Qenizzite, a
eu Hébron pour héritage jusqu'à ce jour
parce qu'il avait suivi sans réserve le
SEIGNEUR, Dieu d'Israël. 15 Le nom d'Hébron était auparavant Qiryath-Arba [s] ;
Arba avait été l'homme le plus grand
parmi les Anaqites. Le pays fut en repos,
sans guerre.

Le territoire attribué à Juda

15 1 Voici le lot de la tribu des fils
de Juda selon leurs clans : il s'éten-

n Fils d'Aaron, il lui succéda comme chef des prêtres (Nb 20, 26-28) • *o* c'est-à-dire les terrains qui sont propriété commune des habitants de la ville • *p* Membre du clan de Qenaz (voir Nb 32.12) • *q tenir ma place:* l'hébreu exprime cette idée par la tournure *sortir et entrer* (voir Nb 27.17 et la note) • *r* Voir Nb 13.22 et la note • *s Qiryath-Arba* ou *ville d'Arba*

13.29 Manassé Jg 12.6+. **13.30** Yaïr Dt 3.14+. **13.31** Makir Gn 50.23; Nb 26.29; Dt 3.15 **13.32** dans les steppes de Moab Nb 35.1; Dt 34.1, 8. **13.33** le Seigneur, héritage de Lévi Dt 10.9+. **14.1** Eléazar et Josué Jos 17.4; 19.51; 21.1; cf. Nb 32.28; 34.16. **14.2** tirage au sort Nb 26.55; 33.54. **14.3** tribus au-delà du Jourdain Jos 12.6+ — Lévi Jos 13.14+. **14.4** fils de Joseph Gn 41.50-52; 48 — villes des Lévites Jos 21; Lv 25.32-34; Nb 35.2-8. **14.5** partage du pays Nb 34.13-29. **14.6-14** fidélité de Caleb Nb 13; 14.6-9, 24; Dt 1.22-38; *Si* 46.7-10. **14.8** ils ont découragé le peuple Nb 32.7-9+. **14.12** villes fortifiées des Anaqites Dt 1.28+ — Hébron Jos 10.36+. **15.1** Juda Gn 49.8-12; Dt 33.7.

dait vers la frontière d'Edom au désert de Cîn dans le Néguev, à l'extrême-sud. ² Leur frontière sud allait de l'extrémité de la mer du Sel depuis la Langue *t* qui fait face au Néguev, ³ se prolongeait vers le sud par la montée des Aqrabbîm et passait par Cîn, puis elle montait au sud de Qadesh-Barnéa et passait à Héçrôn, montait vers Addar et tournait vers Qarqaa, ⁴ passait à Açmôn, se prolongeait jusqu'au torrent d'Egypte et aboutissait à la mer *u*. « Telle sera pour vous la frontière sud. » ⁵ A l'est, la limite était la mer du Sel jusqu'à l'extrémité du Jourdain. Du côté du nord, elle partait de la lagune *v* à l'extrémité du Jourdain. ⁶ La frontière montait à Beth-Hogla, passait au nord de Beth-Araba et elle montait jusqu'à la pierre de Bohân, fils de Ruben ; ⁷ la frontière montait vers Devir par la vallée de Akor et au nord tournait vers Guilgal qui est en face de la montée d'Adoummîm, au sud du torrent. Elle passait près des eaux de Ein-Shèmesh et aboutissait à Ein-Roguel *w*. ⁸ La frontière montait le ravin de Ben-Hinnôm *x* au flanc sud des Jébusites — c'est-à-dire Jérusalem — puis la limite montait jusqu'au sommet de la montagne qui est devant le ravin de Hinnôm à l'ouest, à l'extrémité de la plaine des Refaïtes au nord. ⁹ La frontière s'infléchissait depuis le sommet de la montagne jusqu'à la source des eaux de Neftoah, se prolongeait jusqu'aux villes de la montagne d'Efrôn et s'infléchissait vers Baala — c'est-à-dire Qiryath-Yéarim. ¹⁰ De Baala la frontière tournait à l'ouest vers le mont Séïr *y*, passait au flanc de la montagne des Forêts au nord — c'est-à-dire Kesalôn —, descendait à

Beth-Shèmesh et passait à Timna. ¹¹ La frontière se prolongeait au flanc de Eqrôn au nord, s'infléchissait à Shikkarôn, passait la montagne de Baala, se prolongeait jusqu'à Yavnéel et aboutissait à la mer. ¹² La limite ouest était la Grande Mer et ses environs. Tel est, de tous côtés, le territoire des fils de Juda selon leurs clans.

¹³ A Caleb, fils de Yefounnè, on donna une part parmi les fils de Juda selon l'ordre du SEIGNEUR à Josué, à savoir Qiryath-Arba qui est Hébron — Arba était père de Anaq. ¹⁴ Caleb en déposséda les trois fils de Anaq, Shéshaï, Ahimân et Talmaï, descendants de Anaq. ¹⁵ De là, il monta contre les habitants de Devir ; auparavant le nom de Devir était Qiryath-Séfèr. ¹⁶ Caleb dit : « Celui qui frappera Qiryath-Séfèr s'en emparera, je lui donne pour femme ma fille Aksa. » ¹⁷ Otniel, fils de Qenaz et frère de Caleb, s'empara de la ville et Caleb lui donna pour femme sa fille Aksa. ¹⁸ Or, dès son arrivée, elle l'incita à demander à son père un champ. Elle descendit donc de son âne et Caleb lui dit : « Que veux-tu ? » ¹⁹ Elle répondit : « Accorde-moi une faveur. Puisque tu m'as donné une terre du Néguev, donne-moi aussi des étangs *z*. » Il lui donna les étangs d'en haut et les étangs d'en bas.

²⁰ Tel fut l'héritage de la tribu des fils de Juda selon leurs clans. ²¹ Les villes à l'extrémité de la tribu des fils de Juda vers la frontière d'Edom, dans le Néguev, étaient : Qavcéel, Eder, Yagour, ²² Qina, Dimona, Adéada, ²³ Qèdesh, Haçor, Yitnân, ²⁴ Zif, Tèlem, Béaloth, ²⁵ Haçor-Hadatta, Qeriyoth-Hèçrôn — c'est-à-dire Haçor —, ²⁶ Amâm, Shema, Molada,

---

t la Langue est la bande de terre qui s'avance dans la *mer Morte* (*mer du Sel*), au sud-est. Autre traduction, comme au v. 5, *la lagune* (ou *la baie*) ● *u* Le *torrent d'Egypte* qui se jette dans la Méditerranée est la frontière traditionnelle entre Canaan et l'Egypte — *la mer*: ici la Méditerranée, appelée aussi Grande Mer au v. 12 ● *v la lagune* (ou *la langue de mer*): extrémité nord de la mer Morte ● *w Devir*: à ne pas confondre avec la ville proche d'Hébron mentionnée en 10.38-39; 11.21; 12.13 — *Guilgal*: lieu non identifié, différent de celui du même nom mentionné en 4.19-20; 5.9-10 — *Ein-Roguel*, la *Source du Foulon*, est un des deux points d'eau de Jérusalem, au sud-est de la ville, au confluent du Cédron et du ravin de Ben-Hinnôm (voir note suivante) ● *x* Le *ravin de Ben-Hinnôm*, ou *val des fils de Hinnôm*, porte le nom d'un ancien clan ● *y* Ce *mont Séïr* est différent de celui qui se trouve en Edom ● *z* Aksa réclame des réserves d'eau, car le Néguev est une région particulièrement sèche

15.2-4 frontière sud (de Juda) Nb 34.3-5.   **15.6** Beth-Hogla Jos 18.19 — Beth-Araba Jos 18.22 — la Pierre de Bohân Jos 18.17.   **15.7** vallée de Akor Jos 7.24, 26+ — Ein-Roguel Jos 18.16; 2 S 17.17; 1 R 1.9.   **15.8** ravin de Ben-Hinnôm Jos 18.16; 2 R 23.10; Jr 7.31-32; 19.2-6; 32.35 — Jébus / Jérusalem Jg 19.10+.   **15.9** Baala / Qiryath-Yéarim Jos 9.17; 1 Ch 13.6.   **15.10** Beth-Shèmesh Jos 21.16 — Timna Jos 19.43.   **15.11** Eqrôn Jos 13.3.   **15.12** limite ouest Nb 34.6 — la Grande Mer Jos 23.4.   **15.13-15** Caleb Jos 14.6 héritier d'Hébron 14.14-15.   **15.14** descendants de Anaq Nb 13.22.   **15.15** Devir Jos 10.38-39; 11.21; 12.13; Jg 1.11.   **15.16** le lui donne ma fille 1 S 17.25; cf. 18.20-27.   **15.17** Otniel Jg 1.13+.   **15.18-19** Aksa demande un champ et un point d'eau Jg 1.14-15.   **15.20-32** villes du sud de Juda cf. Jos 19.2-9.

²⁷ Haçar-Gadda, Heshmôn, Beth-Pèleth, ²⁸ Haçar-Shoual, Béer-Shéva, Bizyoteya *ᵃ*, ²⁹ Baala, Iyyim, Ecem, ³⁰ Eltolad, Kesil, Horma, ³¹ Çiqlag, Madmanna, Sansanna, ³² Levaoth, Shilehîm, Aïn, Rimmôn : au total, vingt-neuf villes *ᵇ*, avec les villages qui en dépendent.

³³ Dans le *Bas-Pays :

Eshtaol, Çoréa, Ashna, ³⁴ Zanoah, Ein-Gannîm, Tappouah, Einâm, ³⁵ Yarmouth, Adoullam, Soko, Azéqa, ³⁶ Shaaraïm, Aditaïm, Guedéra, Guedérotaïm : quatorze villes avec leurs villages.

³⁷ Cenân, Hadasha, Migdal-Gad, ³⁸ Diléân, Miçpè, Yoqtéel, ³⁹ Lakish, Boçqath, Eglôn, ⁴⁰ Kabbôn, Lahmas, Kitlish, ⁴¹ Guedéroth, Beth-Dagôn, Naama, Maqqéda : seize villes avec leurs villages.

⁴² Livna, Etèr, Ashân, ⁴³ Yiftah, Ashna, Neciv, ⁴⁴ Qéïla, Akziv, Marésha : neuf villes et leurs villages.

⁴⁵ Eqrôn, ses dépendances et ses villages ; ⁴⁶ depuis Eqrôn et vers l'ouest, tout ce qui est près d'Ashdod et ses villages ; ⁴⁷ Ashdod, ses dépendances et ses villages, Gaza, ses dépendances et ses villages jusqu'au torrent d'Egypte, la Grande Mer et ses environs.

⁴⁸ Dans la Montagne :

Shamir, Yattir, Soko, ⁴⁹ Danna, Qiryath-Sanna — c'est-à-dire Devir —, ⁵⁰ Anav, Eshtemo, Anim, ⁵¹ Goshèn, Holôn, Guilo ; onze villes avec leurs villages.

⁵² Arav, Douma, Eshéân, ⁵³ Yanoum, Beth-Tappouah, Aféqua, ⁵⁴ Houmeta, Qiryath-Arba — c'est-à-dire Hébron —, Cior ; neuf villes et leurs villages.

⁵⁵ Maôn, Karmel *ᶜ*, Zif, Youtta, ⁵⁶ Izréel *ᵈ*, Yoqdéâm, Zanoah, ⁵⁷ Qaïn, Guivéa, Timna ; dix villes avec leurs villages.

⁵⁸ Halhoul, Beth-Çour, Guedor, ⁵⁹ Maarath, Beth-Anoth, Elteqôn ; six villes avec leurs villages.

⁶⁰ Qiryath-Baal — c'est-à-dire Qiryath-Yéarim —, Rabba ; deux villes et leurs villages.

⁶¹ Dans le Désert :

Beth-Araba, Middîn, Sekaka, ⁶² Niv shân, Ir-Mèlah, Ein-Guèdi ; six villes avec leurs villages.

⁶³ Quant aux Jébusites qui habitent à Jérusalem, les fils de Juda ne purent les déposséder. Les Jébusites habitent donc avec les fils de Juda à Jérusalem jusqu'à ce jour.

Le territoire d'Ephraïm et Manassé

16 ¹ Le lot des fils de Joseph partai du Jourdain près de Jéricho, à l'es des eaux de Jéricho *ᵉ* ; c'était le déser qui monte de Jéricho à la montagne d Béthel. ² Il se prolongeait de Béthel à Louz *ᶠ*, passait vers la frontière des Arki tes à Ataroth, ³ descendait à l'ouest ver la frontière des Yaflétites jusqu'au terri toire de Beth-Horôn-le-Bas et jusqu'à Guèzèr pour aboutir à la mer *ᵍ*. ⁴ Le fils de Joseph, Manassé et Ephraïm eurent ainsi leur héritage. ⁵ Voici la fron tière des fils d'Ephraïm selon leurs clans la limite de leur héritage à l'est étai Atroth-Addar jusqu'à Beth-Horôn-le Haut. ⁶ A l'ouest la frontière se prolon geait vers Mikmetath au nord et tour nait à l'est vers Taanath-Silo qu'elle dépas sait à l'est vers Yanoha. ⁷ Puis elle descen dait de Yanoha à Ataroth et Naarata atteignait Jéricho et se prolongeai jusqu'au Jourdain. ⁸ De Tappouah, l frontière allait vers l'ouest au torren de Qana pour aboutir à la mer. Tel fu l'héritage de la tribu des fils d'Ephraïn

---

a Au lieu de *Bizyoteya*, l'ancienne version grecque ainsi que le texte de Ne 11.27 invitent à lir *ses dépendances* ● *b* L'énumération comporte trente-cinq *villes* et non pas *vingt-neuf*. Cette diffé rence s'explique peut-être parce qu'on a compté les villes de la tribu de Siméon avec celles de Juda (voir 19.9) ● *c* Cette ville *dans la Montagne* (v. 48) n'a rien de commun avec le mont Carmel ● *d* A ne pas confondre avec Izréel mentionné en 19.18 ● *e* Les eaux de Jéricho désignent la source dit fontaine d'Elisée (voir 2 R 2.19-21) ● *f* Ce texte de Josué distingue *Béthel* et *Louz*, sans doute avec raison. L'ancien sanctuaire cananéen de *Béthel* a fini par donner son nom à la ville voisine, Louz (voir Gn 28.19; Jos 18.13; Jg 1.22-26) ● *g* Arkites (v. 2), *Yaflétites :* sans doute des groupes cana néens — *la mer: la* Méditerranée

15.30 Horma Jos 12.14; Nb 14.45. **15.31** Çiqlag 1 S 27.6; 30.1, 14, 26. **15.33** le Bas-Pays Jo 9.1; 10.40; 11.16; 12.8 — Eshtaol, Çoréa Jg 13.25+. **15.35-36** villes du Bas-Pays cf. Jos 10.3-10 12.11-15; 1 S 17.1; 22.1. **15.37-41** Cenân, etc. Mi 1.11; Jos 10.3; 2 R 22.1; Jos 10.16; 12.16 **15.42-44** Livna, etc. Jos 10.29; 12.15; 1 S 23.1; Mi 1.14-15. **15.45-47** Eqrôn, etc. Jos 13.3 **15.48-60** villes de la Montagne Jos 10.38-41; 11.16, 21; 12.13; 21.14-15; 1 S 30.27-28. **15.61-6** villes du Désert 1 S 24.1; Ez 47.10; Ct 1.14. **15.63** les Jébusites à Jérusalem Jg 1.21+; cf. 2 5.6-9. **16.1** les fils de Joseph Gn ‘48; 49.22-26; Dt 33.13-17. **16.2** de Jéricho à Béthel Jos 7.2 8.9, 17 — les Arkites 2 S 15.32; 16.16. **16.3** Beth-Horôn Jos 10.10 — Guèzèr Jos 10.33; 12.12 **16.6** Silo Jos 18.1, 8-10.

selon leurs clans, [9] sans compter les villes réservées aux fils d'Ephraïm au milieu de l'héritage des fils de Manassé, toutes ces villes avec leurs villages. [10] Mais ils ne dépossédèrent pas les Cananéens habitant Guèzèr ; aussi les Cananéens ont-ils habité au milieu d'Ephraïm jusqu'à ce jour, mais ils furent réduits à la corvée servile [h].

17 [1] Voici le lot de la tribu de Manassé, car il était le premier-né de Joseph. Makir, premier-né de Manassé, père de Galaad, eut le Galaad et le Bashân [i], car c'était un homme de guerre. [2] Voici le lot des autres fils de Manassé selon leurs clans ; les fils d'Avièzer, les fils de Héleq, les fils d'Asriël, les fils de Shèkem, les fils de Héfèr et les fils de Shemida, c'est-à-dire les enfants mâles de Manassé, fils de Joseph, selon leurs clans.

[3] Celofehad, fils de Héfèr, fils de Galaad, fils de Makir, fils de Manassé, n'eut pas de fils, mais seulement des filles dont voici les noms : Mahla, Noa, Hogla, Milka et Tirça. [4] Elles se présentèrent au prêtre Eléazar, à Josué, fils de Noun, et aux responsables et elles dirent : « Le SEIGNEUR a prescrit à Moïse de nous donner un héritage au milieu de nos frères [j] ! » On leur donna, selon l'ordre du SEIGNEUR, un héritage au milieu des frères de leur père. [5] Il échut donc dix portions à Manassé sans compter le pays du Galaad et le Bashân qui se trouvent de l'autre côté du Jourdain. [6] En effet, les filles de Manassé reçurent un héritage au milieu des fils de celui-ci, mais le pays du Galaad appartint aux autres fils de Manassé.

[7] La frontière de Manassé partait d'Asher à Mikmetath, en face de Si-chem ; elle allait vers Yamîn chez les habitants de Ein-Tappouah. [8] Manassé avait le pays de Tappouah, mais Tappouah, à la limite de Manassé, était aux fils d'Ephraïm. [9] La frontière descendait au torrent de Qana, au sud du torrent. Ces villes étaient à Ephraïm au milieu des villes de Manassé. La limite de Manassé était au nord du torrent et aboutissait à la mer [k]. [10] Au sud, c'était à Ephraïm, au nord à Manassé ; la mer était leur limite. Ils étaient en contact avec Asher au nord et Issakar à l'est. [11] En Issakar et en Asher, Manassé eut Beth-Shéân et ses dépendances, Yivléâm et ses dépendances, les habitants de Dor et ses dépendances, les habitants de Ein-Dor et ses dépendances, les habitants de Taanak et ses dépendances, les habitants de Meguiddo et ses dépendances, les trois crêtes [l]. [12] Mais les fils de Manassé ne purent prendre possession de ces villes et les Cananéens s'obstinèrent à habiter dans ce pays. [13] Lorsque les fils d'Israël furent assez forts, ils soumirent les Cananéens à la corvée mais ils ne purent les déposséder.

[14] Les fils de Joseph parlèrent ainsi à Josué : « Pourquoi m'as-tu donné comme héritage un seul lot, alors que je suis un peuple nombreux, tant le SEIGNEUR m'a béni jusqu'ici ? » [15] Josué leur dit : « Si tu es un peuple nombreux, monte donc vers la forêt et tu te tailleras une place au pays des Perizzites et des Refaïtes [m], puisque la montagne d'Ephraïm est trop exigué pour toi. » [16] Les fils de Joseph lui dirent : « La montagne ne nous suffira pas, d'autant plus qu'il y a des chars de fer chez tous les Cananéens qui habitent le pays de la plaine, aussi bien chez ceux qui sont à Beth-Shéân et

---

h *corvée servile:* travaux d'intérêt général imposés à des gens qui ne sont pas des esclaves (voir 9.21) ● i Les territoires de *Galaad* et du *Bashân* sont situés au centre et au nord de la Transjordanie ● j *au milieu de nos frères:* c'est-à-dire *au milieu des membres de notre tribu* ● k *la mer:* la *Méditerranée* ● l *les trois crêtes:* texte hébreu obscur; la traduction suit l'ancienne version syriaque. Autres textes: version araméenne *les trois contrées;* version grecque *le tiers de Maphetha;* version latine *le tiers de la ville de Nepheth* ● m Les descendants de Joseph sont invités à agrandir leur territoire en s'installant dans la région montagneuse occupée par les *Perizzites* et les *Refaïtes,* probablement à l'est du Jourdain, et en défrichant la forêt

---

16.9 villes éphraïmites en Manassé Jos 17.9. **16.10** Cananéens non dépossédés Jos 15.63; 17.12; Jg 1.29 — Guèzèr cf. 1 R 9.16-17 — réduits à la corvée Dt 20.11+. **17.1** Makir Nb 26.29; 32.39-40 — Manassé Gn 41.51 (cf. 49.22-26; Dt 33.13-17); Jos 13.29-31 — Galaad et Bashân Jos 13.11. **17.2** pour les autres fils de Manassé Nb 26.29-32; 29.5, 15. **17.3** les filles de Celofehad Nb 26.33-34; 27.1-11; 36.1-12. **17.4** le prêtre Eléazar et Josué Jos 14.1+. **17.7** Sichem Gn 12.6; 33.18-20. **17.11** Beth-Shéân Jg 1.27; 1 S 31.10 — Yivléâm 2 R 9.27 — Dor, Ein-Dor Jos 11.2; 12.23; 1 S 28.7; Ps 83.11 — Meguiddo Jg 1.27; Jg 5.19. **17.13** territoires non conquis Jos 15.63; 16.10; Jg 1.27-28 — soumis à la corvée Dt 20.11+. **17.15** un peuple nombreux Gn 48.19-20; Nb 26.34, 37 — Perizzites et Refaïtes Jos 3.10; 12.4; 13.12; Gn 13.7; 15.20; cf. Dt 2.11+ — la montagne d'Ephraïm Jos 19.50; 20.7; 21.21; 24.30; Jg 3.27+. **17.16** chars de fer Jg 1.19+ — Izréel Jos 19.18; Jg 6.33; 1 R 18.45; 21.1; 2 R 10.1-11; Os 1.5.

ses dépendances que chez ceux de la plaine d'Izréel *n*. » ¹⁷ Josué dit alors à la maison de Joseph — à Ephraïm et Manassé — : « Tu es un peuple nombreux et ta force est grande ; tu n'auras pas un lot unique. ¹⁸ Mais tu auras la montagne, bien qu'elle soit une forêt ; tu la tailleras et tu en tiendras les issues. Tu déposséderas les Cananéens, bien qu'ils aient des chars de fer et qu'ils soient forts. »

Tirage au sort pour les tribus restantes

18 ¹ Toute la communauté des fils d'Israël s'assembla à Silo *o* et on y installa la *tente de la rencontre. Le pays leur était soumis. ² Il restait parmi les fils d'Israël sept tribus auxquelles on n'avait pas assigné d'héritage. ³ Josué dit aux fils d'Israël : « Jusqu'à quand attendrez-vous avant d'aller prendre possession du pays que vous a donné le SEIGNEUR, le Dieu de vos pères ? ⁴ Désignez trois hommes par tribu et je les enverrai. Ils se lèveront et parcourront le pays, en feront une description correspondant à leur héritage et reviendront vers moi. ⁵ Ils se le partageront en sept parts : Juda se tiendra sur son territoire au sud et la maison de Joseph sur le sien au nord. ⁶ Vous donc, faites la description du pays correspondant aux sept parts et vous me l'apporterez ici. Je jetterai pour vous le sort *p* ici, devant le SEIGNEUR notre Dieu. ⁷ Mais il n'y aura pas de part parmi vous pour les *Lévites, car leur héritage est le *sacerdoce du SEIGNEUR. Quant à Gad, Ruben et la demi-tribu de Manassé, ils ont reçu à l'est, au-delà du Jourdain, l'héritage que leur donna Moïse, le serviteur du SEIGNEUR. »

⁸ Ces hommes se levèrent et partirent. Josué donna cet ordre à ceux qui allaient faire la description du pays : « Allez, parcourez le pays, faites-en la description et revenez vers moi et, ici, je lancerai pour vous le sort devant le SEI-

GNEUR, à Silo. » ⁹ Ces hommes allèrent, traversèrent le pays et en firent la description par écrit, selon les villes, sept parts. Ils allèrent ensuite auprès de Josué, au camp, à Silo. ¹⁰ Josué lança pour eux le sort devant le SEIGNEUR à Silo, et Josué y fit le partage du pays pour les fils d'Israël, d'après leurs répartitions.

Le territoire de Benjamin

¹¹ Le sort désigna la tribu des fils de Benjamin selon leurs clans. Le territoire *q* qui leur échut par le sort se trouvait entre celui des fils de Juda et celui des fils de Joseph. ¹² Du côté du nord, leur frontière partait du Jourdain, montait au flanc de Jéricho au nord, montait dans la montagne vers l'ouest et aboutissait au désert, à Beth-Awèn. ¹³ La frontière passait de là à Louz, sur le flanc sud de Louz — c'est-à-dire Béthel — ; la frontière descendait à Atroth-Addar, sur la montagne qui est au sud de Beth-Horôn-le-Bas. ¹⁴ La frontière s'infléchissait et tournait du côté de l'ouest vers le sud depuis la montagne qui est en face de Beth-Horôn au sud et aboutissait à Qiryath-Baal, qui est Qiryath-Yéarim, ville des fils de Juda. Tel est le côté occidental. ¹⁵ Le côté méridional commençait à Qiryath-Yéarim. La frontière se prolongeait vers l'ouest vers la source des eaux de Neftoah. ¹⁶ Elle descendait vers l'extrémité de la montagne qui est en face du ravin de Ben-Hinnôm, qui se trouve dans la plaine des Refaïtes au nord. Elle descendait le ravin de Hinnôm au flanc sud des Jébusites et descendait à Ein-Roguel. ¹⁷ Elle s'infléchissait au nord et aboutissait à Ein-Shèmesh et Gueliloth *r* qui est en face de la montée d'Adoummîn, puis elle descendait à la Pierre de Bohân, fils de Ruben. ¹⁸ Elle passait sur le flanc nord, face à la Araba *s*, et descendait vers la Araba. ¹⁹ La frontière passait sur le flanc de Beth-Hogla au nord et aboutis-

---

n chars de fer : chars de guerre (à deux roues) recouverts de plaques de fer. Ils donnaient la supériorité aux cananéens dans les combats en pays de plaine. C'est pourquoi Israël a d'abord occupé la *montagne — Izréel :* voir 19.18 et la note ● *o* Quand la tente de la rencontre y fut installée, *Silo*, dans le territoire d'Ephraïm, devint un centre religieux. Ce fut aussi un des lieux de rassemblement de tout Israël ● *p* Les parts destinées aux tribus sont tirées au sort ● *q* Le *territoire* de *Benjamin* est situé au nord de Jérusalem ● *r Gueliloth :* autre nom du *Guilgal* mentionné en 15.7 (voir 15.7 et la note) ● *s* Voir 8.14 et la note

17.18 Cananéens vaincus malgré leurs chars Jos 11.6 ; Dt 20.1. **18.1** à Silo Jg 18.31+. **18.3** prendre possession du pays Jos 13.1 ; Jg 18.9. **18.4** trois hommes par tribu cf. Dt 1.13. **18.5** en sept parts cf. Jos 13.7 — la maison de Joseph Jos 16.4 ; 17.17. **18.6** tirage au sort Jos 7.16 ; 19.51 ; 21.8. **18.7** pas de part pour les lévites Jos 13.14+ — les tribus transjordaniennes Jos 13.7-13 ; Nb 32. **18.10** répartition Jos 11.23 ; 12.7 ; Nb 26.52-56. **18.11** Benjamin Gn 49.27 ; Dt 33.12. **18.12** Beth-Awèn Jos 7.2. **18.13** Louz-Béthel Jos 16.2 — Beth-Horôn Jos 16.5. **18.14** Qiryath-Baal / Qiryath-Yéarim Jos 15.60. **18.15** Source de Neftoah Jos 15.9. **18.16** ravin de Ben-Hinnôm Jos 15.8+ — les Jébusites Jos 15.63+. **18.17** la Pierre de Bohân Jos 15.6.

sait à la lagune de la mer du Sel [t] au nord, à l'extrémité sud du Jourdain. Telle est la limite sud. [20] La limite du côté de l'est était le Jourdain. Tel est l'héritage des fils de Benjamin, selon leurs clans, avec ses limites de tous les côtés. [21] Les villes de la tribu des fils de Benjamin selon leurs clans étaient : Jéricho, Beth-Hogla, Emeq-Qeciç, [22] Beth-Araba, Cemaraïm, Béthel, [23] Avvîm, Para, Ofra, [24] Kefar-Ammona, Ofni, Guèva : douze villes et leurs villages — [25] Gabaon, Rama, Bééroth, [26] Miçpè, Kefira, Moça, [27] Rèqem, Yirpéel, Taréala, [28] Céla, Elèf, le Jébusite, c'est-à-dire Jérusalem, Guivéath-Qiryath : quatorze villes et leurs villages. Tel fut l'héritage des fils de Benjamin selon leurs clans.

Le territoire de Siméon

19 [1] La seconde fois, le sort échut à Siméon, à la tribu des fils de Siméon selon leurs clans. Leur héritage se trouvait au milieu de l'héritage des fils de Juda. [2] Dans leur héritage ils reçurent : Béer-Shéva, Shèva, Molada, [3] Haçar-Shoual, Bala, Ecem, [4] Eltolad, Betoul, Horma, [5] Ciqlag, Beth-Markavoth, Haçar-Sousa, [6] Beth-Levaoth, Sharouhèn : treize villes et leurs villages ; [7] Aïn, Rimmôn, Etèr et Ashân : quatre villes et leurs villages ; [8] tous les villages autour de ces villes jusqu'à Baalath-Béer qui est Ramath au sud. Tel fut l'héritage des fils de Siméon selon leurs clans. [9] L'héritage des fils de Siméon fut pris sur la portion des fils de Juda, car la part des fils de Juda était trop grande pour eux et c'est ainsi que les fils de Siméon reçurent leur héritage au milieu de celui des fils de Juda.

Le territoire de Zabulon

[10] La troisième fois, le sort désigna les fils de Zabulon [u] selon leurs clans. La frontière de leur héritage s'étendait jusqu'à Sarid ; [11] elle montait vers l'ouest et Maréala, touchait Dabbèsheth, puis le torrent qui est en face de Yoqnéâm. [12] De Sarid, elle tournait vers l'est, au soleil levant, sur la limite de Kisloth-Tabor, se prolongeait vers Daverath et montait à Yafia. [13] De là, elle passait à l'est à Gath-Héfèr, Itta-Qacîn, continuait à Rimmôn et s'infléchissait vers Néa. [14] La frontière contournait au nord Hannatôn et aboutissait au ravin de Yiftah-El ; [15] avec Qattath, Nahalal, Shimrôn, Yidéala, Bethléem [v] : douze villes et leurs villages. [16] Tel fut l'héritage des fils de Zabulon selon leurs clans, ces villes-là et leurs villages.

Le territoire d'Issakar

[17] La quatrième fois, le sort échut à Issakar, aux fils d'Issakar [w], selon leurs clans. [18] Leur frontière allait vers Izréel [x], Kesouloth, Shounem, [19] Hafaraïm, Shîon, Anaharath, [20] Rabbith, Qishyôn, Evèç, [21] Rèmeth, Ein-Gannîm, Ein-Hadda, Beth-Paçéç. [22] La frontière touchait Tabor, Shahacima, Beth-Shèmesh [y] et aboutissait au Jourdain : seize villes et leurs villages. [23] Tel fut l'héritage des fils d'Issakar selon leurs clans, ces villes-là et leurs villages.

Le territoire d'Asher

[24] La cinquième fois, le sort échut à la tribu des fils d'Asher [z] selon leurs clans. [25] Leur frontière était Hèlqath, Hali, Bètèn, Akshaf, [26] Alammèlek, Améad, Mishéal ; elle touchait le Carmel [a] à l'ouest et Shihor-Livnath ; [27] elle tournait, au soleil levant, à Beth-Dagôn, touchait Zabulon et le ravin de Yiftah-El, au nord de Beth-Emeq et de Néïel ; elle se prolongeait vers Kavoul à gauche, [28] et vers

---

[t] *la lagune de la mer du Sel* : voir 15.5 et la note ● [u] *Zabulon* est situé au centre de la Basse Galilée, entre les tribus de Nephtali (voir v. 32 et la note) et d'Asher (voir v. 24 et la note) ● [v] *Bethléem* dans le territoire de Zabulon est distincte de Bethléem de Juda nommée en 1 S 17.12 ; Rt 1.1, etc. ● [w] Le territoire d'*Issakar* est situé au sud de la mer de Kinnéreth, à l'ouest du Jourdain ● [x] La ville d'*Izréel* a donné son nom à la vallée fertile qui traverse la Galilée d'est en ouest (Jos 17.16). ● [y] *Tabor* : cette ville a donné son nom au Mont Tabor, à la frontière entre Zabulon, Issakar et Nephtali ; voir carte physique de la Palestine — *Beth-Shèmesh (Maison du Soleil)*, différente des villes du même nom mentionnées en 15.10 et 19.38 ● [z] *Asher* occupe la région côtière de la Galilée ● [a] Le mont *Carmel* est une ligne de hauteurs qui s'avance dans la Méditerranée où elle forme un cap

18.22-24 Beth-Araba, etc. Jos 15.6, 61 ; Jr 13.4-7 ; 1 S 13.17 ; Jos 21.17. **18.25-28** Gabaon, etc. Jos 9.13, 17 ; 1 R 15.22 ; Jg 20.1 ; 1 S 7.5 ; Jr 31.15 ; Jg 19.12 ; 1 S 10.5. **18.28** Jébus / Jérusalem Jos 15.63+. **19.1-8** villes attribuées à Siméon cf. v. 9 ; Jos 15.21-32. **19.1** Siméon Gn 49.5 ; 1 Ch 4.28-33. **19.10** Zabulon Gn 49.13 ; Dt 33.18-19. **19.11** Yoqnéâm Jos 12.22. **19.17** Issakar Gn 49.14-15 ; Dt 33.18-19. **19.18** Izréel Jos 17.16+ — Shounem 1 S 28.4 ; 2 R 4.8 ; cf. 1 R 1.3. **19.22** Tabor cf. Jg 4.6 ; 8.18. **19.24** Asher Gn 49.20 ; Dt 33.24. **19.25** Akshaf Jos 11.1 ; 12.20. **19.26** le (mont) Carmel 1 R 18.19 ; 2 R 2.25 ; Es 33.9 ; Jr 46.18. **19.27** Kavoul 1 R 9.13.

Evrôn *b*, Rehov, Hammôn et Qana jusqu'à Sidon-la-Grande. ²⁹ La frontière tournait vers Rama jusqu'au Fort-de-Tyr *c*, et la frontière tournait vers Hosa et aboutissait à la mer dans la contrée d'Akziv ; ³⁰ avec Ouma *d*, Afeq, Rehov : vingt-deux villes et leurs villages. ³¹ Tel fut l'héritage de la tribu des fils d'Asher selon leurs clans, ces villes-là et leurs villages.

Le territoire de Nephtali

³² La sixième fois, le sort échut aux fils de Nephtali *e*, aux fils de Nephtali selon leurs clans. ³³ Leur frontière allait depuis Hélef, depuis Elôn par Çaanannîm, Adami-Nèqev, Yavnéel, jusqu'à Laqqoum, et aboutissait au Jourdain. ³⁴ La frontière tournait vers l'ouest à Aznoth-Tabor et de là se prolongeait vers Houqoq. Elle touchait Zabulon par le sud et Asher par l'ouest, ensuite Juda *f*, le Jourdain étant du côté du soleil levant. ³⁵ Les villes fortes étaient : Ciddîm, Cér, Hammath, Raqqath, Kinnéreth, ³⁶ Adama, Rama *g*, Haçor, ³⁷ Qèdesh, Edrèï *h*, Ein-Haçor, ³⁸ Yiréôn, Migdal-El, Horem, Beth-Anath, Beth-Shèmesh ; dix-neuf villes et leurs villages. ³⁹ Tel fut l'héritage de la tribu des fils de Nephtali selon leurs clans, ces villes-là et leurs villages.

Le territoire de Dan

⁴⁰ La septième fois, le sort échut à la tribu des fils de Dan *i*, selon leurs clans. ⁴¹ La frontière de leur héritage était Çoréa, Eshtaol, Ir-Shèmesh, ⁴² Shaalabbîn, Ayyalôn, Yitla, ⁴³ Elôn, Timnata, Eqrôn, ⁴⁴ Elteqé, Guibbetôn, Baalath, ⁴⁵ Yehoud, Bené-Beraq, Gath-Rimmôn, ⁴⁶ les eaux du Yarqôn *j*, Raqqôn, avec le territoire face à Jaffa. ⁴⁷ Mais le territoire des fils de Dan leur échappa ; alors les fils de Dan montèrent, firent la guerre contre Lèshem et s'en emparèrent. Ils la passèrent au tranchant de l'épée et en prirent possession. Ils s'y établirent et donnèrent à Lèshem le nom de Dan qui était celui de leur ancêtre Dan *k*. ⁴⁸ Tel fut l'héritage de la tribu des fils de Dan selon leurs clans, ces villes-là et leurs villages.

⁴⁹ Lorsqu'ils eurent achevé de prendre en héritage le pays selon ses limites, les fils d'Israël donnèrent un héritage à Josué, fils de Noun, au milieu d'eux. ⁵⁰ Selon l'ordre du SEIGNEUR, ils lui donnèrent la ville qu'il avait demandée, Timnath-Sèrah dans la montagne d'Ephraïm. Il rebâtit la ville et s'y établit.

⁵¹ Tels sont les héritages que le prêtre Eléazar *l*, Josué, fils de Noun, et les chefs de famille des tribus des fils d'Israël attribuèrent par tirage au sort à Silo devant le SEIGNEUR à la porte de la *tente de la rencontre. Ils achevèrent ainsi le partage du pays.

Les villes de refuge

20 ¹ Le SEIGNEUR dit à Josué : ² « Parle aux fils d'Israël : Donnez-vous des villes de refuge *m* dont je vous ai parlé par l'intermédiaire de Moïse. ³ Là pourra s'enfuir le meurtrier qui a tué quelqu'un involontairement, sans le vouloir, et elles vous seront un refuge contre le vengeur du sang *n*. ⁴ Le meurtrier s'enfuira vers l'une de ces villes, s'arrêtera à l'entrée de la porte *o* de la

b La ville nommée *Evrôn* est sans doute identique à *Avdôn* mentionnée en 21.30. L'orthographe des deux mots est très voisine en hébreu ● *c* Le *Fort-de-Tyr* est l'île fortifiée en face de la ville de Tyr, port du littoral phénicien ● *d* L'ancienne version grecque lit *Acre* avec Jg 1.31 ● *e Nephtali* occupe la Galilée le long du cours supérieur du Jourdain et de la mer de Kinnéreth ● *f* La mention de *Juda* étonne ici; le mot ne figure pas dans le texte de l'ancienne version grecque ● *g Rama* (hauteur): il existe plusieurs villes de ce nom (voir par exemple au v. 29) ● *h* Il existe plusieurs villes nommées *Edrèï* ● *i Dan* fut d'abord installé au bord de la Méditerranée, à l'ouest de Benjamin, dans la région de Jaffa ● *j* La rivière *Yarqôn* arrose *Jaffa* ● *k* Les Danites abandonnèrent leur premier territoire pour s'installer tout au nord, autour de *Lèshem* (Laïsh, Jg 18.7), près des sources du Jourdain. Le nom de *Dan* donné à cette ville servit à former l'expression « de Dan à Béer-Shéva » qui désigne la totalité du territoire israélite (Jg 20.1; 1 S 3.20) ● *l* Voir 14.1 et la note ● *m* Sur les *villes de refuge*, voir Nb 35.9-34. Le nombre traditionnel est de 6 villes, voir v. 7-8 et Nb 35.6 ● *n vengeur du sang:* voir Nb 35.12 et la note ● *o* C'est là que le peuple se réunissait et que siégeait le tribunal

19.30 Rehov Nb 13.21; Jg 1.31. **19.32** Nephtali Gn 49.21; Dt 33.23. **19.35** villes de Nephtali Jos 11.1, 2, 10; 12.3, 19, 22; 13.27; 21.32; Jg 1.33. **19.40** Dan Gn 49.16-17; Dt 33.22. **19.41** Çoréa, Eshtaol Jos 15.33; Jg 13.25+. **19.42-45** villes-frontières (du premier territoire) de Dan Jos 10.12; Jg 1.35; 1 R 4.9; Jos 15.10-11; 1 R 9.18. **19.46** Jaffa Jon 1.3; Esd 3.7; 2 Ch 2.15; Ac 9.36. **19.47** les Danites doivent quitter leur territoire Jg 18.1 — Lèshem / Laïsh / Dan Jg 18.7.27-29 — extermination de la population Jos 6.21; 8.24; 10.28-39. **19.49** Josué, fils de Noun Jos 1.1+. **19.50** Timnath-Sèrah Jos 24.30; Jg 2.9. **19.51** le prêtre Eléazar et Josué Jos 14.1+ — tirage au sort Jos 18.6+. **20.1-9** villes de refuge Dt 4.42+. **20.3** meurtre involontaire Dt 4.42 — **20.4** — le vengeur du sang Jg 8.20+. **20.4** cas exposé aux anciens Dt 21.19; Rt 4.1-2.

ville et exposera son cas aux *anciens de cette ville ; ceux-ci recueilleront cet homme dans la ville auprès d'eux et lui donneront un endroit pour habiter avec eux. 5 Si le vengeur du sang le poursuit, ils ne pourront pas lui livrer le meurtrier, car c'est sans le vouloir qu'il a frappé son prochain et non parce qu'il le haïssait auparavant. 6 Il s'établira dans cette ville jusqu'à ce qu'il comparaisse en jugement devant la communauté, jusqu'à la mort du grand prêtre *p* alors en fonction, ensuite le meurtrier retournera et rentrera dans sa ville, dans sa maison, dans la ville d'où il s'était enfui. »

7 Ils consacrèrent donc Qèdesh en Galilée dans la montagne de Nephtali, Sichem dans la montagne d'Ephraïm et Qiryath-Arba, qui est Hébron *q*, dans la montagne de Juda. 8 Au-delà du Jourdain, à l'est de Jéricho, ils établirent Bècèr dans le désert, sur le plateau de la tribu de Ruben, Ramoth-de-Galaad de la tribu de Gad et Golân dans le Bashân de la tribu de Manassé.

9 Telles furent, pour tous les fils d'Israël et pour l'émigré séjournant au milieu d'eux, les villes désignées afin que puisse s'y réfugier tout homme qui a tué involontairement : ainsi il ne mourrait pas de la main du vengeur du sang avant d'avoir comparu devant la communauté.

Les villes des Lévites

21 1 Les chefs de famille des *lévites se présentèrent au prêtre Eléazar *r*, à Josué, fils de Noun, et aux chefs de famille des tribus des fils d'Israël, 2 et ils leur parlèrent à Silo, au pays de Canaan, disant : « Le SEIGNEUR a prescrit par l'intermédiaire de Moïse de nous donner des villes de résidence avec leurs communaux *s* pour notre bétail. » 3 Sur leur héritage, les fils d'Israël donnèrent

aux lévites les villes suivantes avec leurs communaux selon l'ordre du SEIGNEUR.

4 Le sort désigna les clans des Qehatites ; ainsi, une partie de ces lévites, fils du prêtre Aaron, reçurent par le sort treize villes de la tribu de Juda, de la tribu de Siméon et de la tribu de Benjamin. 5 Les autres fils de Qehath reçurent par le sort dix villes des clans de la tribu d'Ephraïm, de la tribu de Dan et de la demi-tribu de Manassé. 6 Les fils de Guershôn reçurent par le sort treize villes en Bashân des clans de la tribu d'Issakar, de la tribu d'Asher, de la tribu de Nephtali et de la demi-tribu de Manassé. 7 Les fils de Merari, selon leurs clans, reçurent douze villes de la tribu de Ruben, de la tribu de Gad et de la tribu de Zabulon. 8 Les fils d'Israël donnèrent aux lévites ces villes-là et leurs communaux en les tirant au sort comme l'avait prescrit le SEIGNEUR par l'intermédiaire de Moïse.

9 De la tribu des fils de Juda et de la tribu des fils de Siméon, ils donnèrent les villes suivantes qui vont être désignées par leurs noms : 10 pour les fils d'Aaron, appartenant aux clans des Qehatites parmi les fils de Lévi — car le sort leur échut en premier lieu —, 11 ils donnèrent Qiryath-Arba, qui est Hébron dans la montagne de Juda, avec les communaux qui l'entourent — Arba était le père de Anoq *t* —. 12 Mais les champs de la ville et ses villages, ils les donnèrent en propriété à Caleb, fils de Yefounnè. 13 Ils donnèrent aux fils du prêtre Aaron comme villes de refuge *u* pour le meurtrier : Hébron et ses communaux, Livna et ses communaux, 14 Yattir et ses communaux, Eshtemoa et ses communaux, 15 Holôn et ses communaux, Devir et ses communaux, 16 Aïn *v* et ses communaux, Youtta et ses communaux, Beth-Shèmesh et ses communaux : soit neuf villes prises sur ces deux tribus.

---

p Quand un nouveau *grand-prêtre* entrait en fonction, il offrait un sacrifice exceptionnel pour les péchés involontaires du peuple (Lv 9.15; Nb 35.25). Ce sacrifice assurait l'amnistie au *meurtrier* involontaire ● *q* *Qédesh* de *Nephtali*, *Sichem* et *Hébron* possédaient chacune un sanctuaire qui est probablement à l'origine du droit de refuge dans ces villes ● *r* Voir 14.1 et la note ● *s* Voir 14.4 et la note ● *t* *Anoq* ou *Anaq* (15.13) ● *u* D'après ce texte ce sont les 48 villes lévitiques qui servent de *villes de refuge* (voir v. 41) et non plus 6 villes comme en 20.7-8 ● *v* Autre texte (ancienne version grecque): *Ashân* (voir 15.42; 19.7; 1 Ch 6.44)

20.6 meurtre amnistié Nb 35.28. **20.7** Qèdesh en Galilée Jos 19.37; 21.32; 1 Ch 6.61 — Sichem Jos 21.21; 1 Ch 6.52 — Qiryath-Arba / Hébron Jos 14.15; 15.13, 54; 21.11, 13; 1 Ch 6.42. **20.8** Bècèr, Ramoth et Golân Dt 4.41-43; Jos 21.27, 36, 38. **20.9** l'émigré Nb 8.33; Ex 22.20; 23.9; Lv 19.10, 33-34; 23.22; Dt 10.18-19. **21.1-42** les villes lévitiques Lv 25.32+; Nb 35.1-8; Jos 14.3-4. **21.1** Eléazar et Josué Jos 14.1+. **21.2** à Silo Jos 18.1. **21.4** clans qehatites Nb 3.19, 27-32. **21.6** clans guershônites Nb 3.18, 21-26. **21.7** clans merarites Nb 3.20, 33-37. **21.8** tirage au sort Jos 7.16; 18.6; 19.51. **21.9-19** villes données aux clans qehatites 1 Ch 6.39-45. **21.11** Qiryath-Arba / Hébron Jos 20.7+ — Arba Jos 15.13; cf. 11.21; Nb 13.28, 33. **21.12** champs et villages donnés à Caleb Jos 14.6-15; 15.13-14. **21.13-16** Livna, etc. Jos 15.42-55; 1 Ch 6.40-44.

¹⁷ Sur la tribu de Benjamin : Gabaon et ses communaux, Guèva et ses communaux, ¹⁸ Anatoth et ses communaux, Almôn et ses communaux : quatre villes. ¹⁹ Total des villes des prêtres, fils d'Aaron : treize villes et leurs communaux.

²⁰ Les clans lévitiques des autres fils de Qehath reçurent par le sort des villes de la tribu d'Ephraïm. ²¹ On leur donna comme villes de refuge pour le meurtrier : Sichem et ses communaux dans la montagne d'Ephraïm, Guèzèr et ses communaux, ²² Qivçaïm et ses communaux, Beth-Horôn et ses communaux : soit quatre villes.

²³ Sur la tribu de Dan : Elteqé et ses communaux, Guibbetôn et ses communaux, ²⁴ Ayyalôn et ses communaux, Gath-Rimmôn et ses communaux : soit quatre villes.

²⁵ Sur la demi-tribu de Manassé : Taanak et ses communaux, Gath-Rimmôn ᵂ et ses communaux : soit deux villes. ²⁶ Total des villes pour les clans des autres fils de Qehath : dix avec leurs communaux.

²⁷ Aux fils de Guershôn des clans lévitiques, on donna comme villes de refuge pour le meurtrier dans la demi-tribu de Manassé : Golân en Bashân avec ses communaux, Béeshtera et ses communaux : soit deux villes. ²⁸ Dans la tribu d'Issakar : Qishyôn et ses communaux, Daverath et ses communaux, ²⁹ Yarmouth et ses communaux, Ein-Gannîm et ses communaux : soit quatre villes. ³⁰ Dans la tribu d'Asher : Mishéal et ses communaux, Avdôn et ses communaux, ³¹ Hèlqath et ses communaux, Rehov et ses communaux : soit quatre villes. ³² Dans la tribu de Nephtali, on donna comme villes de refuge pour le meurtrier : Qèdesh en Galilée et ses communaux, Hammoth-Dor et ses communaux, Qartân et ses communaux : soit trois villes, ³³ To-

tal des villes des Guershonites selon leurs clans : treize villes et leurs communaux.

³⁴ Aux autres lévites des clans des fils de Merari, on donna sur la part de la tribu de Zabulon : Yoqnéâm et ses communaux, Qarta et ses communaux, ³⁵ Dimna ˣ et ses communaux, Nahalal et ses communaux : soit quatre villes. ³⁶ Sur la tribu de Ruben ʸ : Bècèr et ses communaux, Yahaç et ses communaux, ³⁷ Qedémôth et ses communaux, Méfaath et ses communaux : soit quatre villes. ³⁸ Sur la tribu de Gad, on donna comme villes de refuge pour le meurtrier : Ramoth-de-Galaad et ses communaux, Mahanaïm et ses communaux, ³⁹ Heshbôn et ses communaux, Yazér et ses communaux ; total de ces villes : quatre. ⁴⁰ Total des villes échues par le sort aux autres fils de Merari selon leurs clans, appartenant aux clans des lévites : douze villes.

⁴¹ Total des villes lévitiques au milieu de la propriété des fils d'Israël : quarante-huit villes et leurs communaux. ⁴² Chacune de ces villes était entourée de ses communaux ; il en était ainsi pour toutes ces villes.

⁴³ Le SEIGNEUR donna à Israël tout le pays qu'il avait juré de donner à leurs pères ; ils en prirent possession et s'y établirent. ⁴⁴ Le SEIGNEUR leur accorda le repos de tous côtés, selon tout ce qu'il avait promis à leurs pères ; aucun de tous leurs ennemis ne put tenir devant eux ; le SEIGNEUR leur livra tous leurs ennemis. ⁴⁵ De toutes les excellentes paroles qu'avait dites le SEIGNEUR à la maison d'Israël, pas une seule ne faillit ; toutes s'accomplirent.

Les tribus de Transjordanie

22 ¹ Alors Josué appela les Rubénites, les Gadites et la demi-tribu de

w Au lieu de *Gath-Rimmôn*, déjà mentionnée au v. 24, l'ancienne version grecque et le texte parallèle de 1 Ch 6.55 nomment *Yivléâm* (Biléâm); voir Jos 17.11 ● x Au lieu de *Dimna*, la liste parallèle de 1 Ch 6.62 lit *Rimmono* ● y Les v. 36-37 manquent dans les plus vieux manuscrits hébreux. On les trouve dans le grec, le latin et dans la liste parallèle de 1 Ch 6.63-64. Ils sont nécessaires pour obtenir le total de 12 villes indiqué au v. 40

21.17 Gabaon, Guèva Jos 18.24-25; 1 Ch 6.45. **21.18** Anatoth 1 R 2.26; Jr 1.1. **21.20-22** villes lévitiques en Ephraïm 1 Ch 6.51-53; cf. Jos 16.3-10. **21.21** Sichem Jos 20.7. **21.23** villes lévitiques en Dan 1 Ch 6.54; cf. Jos 19.40-45. **21.25** villes lévitiques en Manassé cf. Jos 17.11; 1 Ch 6.55. **21.27** villes données aux clans guershônites 1 Ch 6.56-61 — Golân Jos 20.8; Dt 4.43. **21.28** villes lévitiques en Issakar cf. Jos 19.20-21. **21.30** villes lévitiques en Asher cf. Jos 19.25-28. **21.32** villes lévitiques en Nephtali cf. Jos 19.35-37. **21.34** villes données aux clans merarites 1 Ch 6.62-66 — villes lévitiques en Zabulon cf. Jos 19.11-15. **21.36** villes lévitiques en Ruben cf. Jos 13.18; 20.8. **21.38** villes lévitiques en Gad cf. Jos 13.25-26 — Ramoth-en-Galaad Jos 20.8. **21.43** le pays promis Dt 1.8+. **21.44** repos Jos 1.13+; Ex 33.14; cf. Jos 11.23; Jg 3.11+ — impossible de tenir devant les Israélites Jos 1.5; 23.9; Dt 11.25 — ennemis livrés par le Seigneur Jos 2.24; 10.8; Dt 7.24. **21.45** le Seigneur a tenu parole Jos 23.14; Es 55.10-11. **22.1** Ruben, Gad et la demi-tribu de Manassé Jos 1.12-18; Nb 32.1-42; Dt 3.12-20.

Manassé. ² Il leur dit : « Vous avez observé tout ce que vous avait prescrit Moïse, le serviteur du SEIGNEUR, et vous avez obéi à ma voix en tout ce que je vous ai prescrit. ³ Durant de longues années et jusqu'à ce jour, vous n'avez pas abandonné vos frères ; vous avez veillé à garder les commandements du SEIGNEUR, votre Dieu. ⁴ Maintenant, puisque le SEIGNEUR, votre Dieu, a accordé le repos à vos frères comme il le leur avait dit, vous pouvez maintenant vous en aller vers vos tentes ᶻ, au pays qui vous appartient et que vous a donné Moïse, le serviteur du SEIGNEUR, au-delà du Jourdain. ⁵ Seulement, veillez bien à mettre en pratique le commandement et la Loi ᵃ que vous a prescrits Moïse, le serviteur du SEIGNEUR, votre Dieu ; aimez le SEIGNEUR, votre Dieu ; marchez dans toutes ses voies, gardez ses commandements, attachez-vous à lui, servez-le de tout votre cœur et de tout votre être. » ⁶ Josué les bénit et les renvoya ; et ils s'en allèrent à leurs tentes.

⁷ A une demi-tribu de Manassé, Moïse avait donné une part en Bashân ; à l'autre demi-tribu, Josué donna une part avec leurs frères en deçà du Jourdain, à l'ouest. Lorsque Josué les renvoya à leurs tentes, il les bénit également. ⁸ Il leur dit : « Retournez à vos tentes avec de grandes richesses et de très nombreux troupeaux, avec de l'argent, de l'or, du bronze, du fer, des vêtements, en grande quantité. Partagez avec vos frères le butin de vos ennemis. »

L'autel bâti près du Jourdain

⁹ Ainsi s'en retournèrent les fils de Ruben, les fils de Gad et la demi-tribu de Manassé ; ils quittèrent les fils d'Israël à Silo en terre de Canaan pour aller au pays de Galaad, terre de leur propriété dont ils reçurent la possession sur l'ordre du SEIGNEUR par l'intermédiaire de Moïse. ¹⁰ Ils arrivèrent ainsi à Gueliloth du Jourdain qui est en terre de Canaan et les fils de Ruben, les fils de Gad et la demi-tribu de Manassé y bâtirent un *autel près du Jourdain, un autel de grandiose apparence ᵇ. ¹¹ Les fils d'Israël apprirent qu'on disait : « Les fils de Ruben, les fils de Gad et la demi-tribu de Manassé ont bâti un autel face à la terre de Canaan ᶜ, à Gueliloth du Jourdain, du côté des fils d'Israël. » ¹² Dès que les fils d'Israël l'apprirent, ils assemblèrent toute la communauté des fils d'Israël à Silo afin de lancer contre eux une attaque. ¹³ Les fils d'Israël envoyèrent auprès des fils de Ruben, des fils de Gad et de la demi-tribu de Manassé, en pays de Galaad, Pinhas, fils du prêtre Eléazar, ¹⁴ ainsi que dix responsables avec lui, un responsable par famille pour toutes les tribus d'Israël, chacun d'eux étant chef de sa famille patriarcale, selon les milliers ᵈ d'Israël. ¹⁵ Ils vinrent auprès des fils de Ruben, des fils de Gad et de la tribu de Manassé en terre de Galaad et leur parlèrent en ces termes : ¹⁶ « Ainsi parle toute la communauté du SEIGNEUR : Qu'est-ce que cette infidélité que vous commettez envers le Dieu d'Israël, que vous vous écartiez aujourd'hui du SEIGNEUR en vous bâtissant un autel et que vous vous révoltiez aujourd'hui contre le SEIGNEUR ? ¹⁷ La faute de Péor ᵉ ne nous suffit-elle pas ? Nous n'en sommes pas encore *purifiés aujourd'hui, malgré le fléau qui tomba sur la communauté du SEIGNEUR ! ¹⁸ Et vous, vous vous écartez aujourd'hui du

---

ᶻ L'expression « aller vers vos tentes » est un souvenir de l'époque où les Israélites étaient des nomades, vivant sous la tente. Elle signifie *retourner chez soi* ● *a* Le commandement et la Loi désignent l'ensemble des prescriptions de la *Loi* de Moïse ● *b* Gueliloth: nom propre que plusieurs versions ont lu *Guilgal* (voir 18.17 et la note). Autres traductions *cercles de pierre*, ou *districts* — Les tribus de Transjordanie veulent avoir un *autel* sur la *terre de Canaan* où elles n'habitent pas ● *c* Dans ce verset et les suivants, *fils d'Israël* désigne les tribus qui habitent à l'ouest du Jourdain — L'*autel* bâti *face à la terre de Canaan* est considéré comme un concurrent du sanctuaire de Silo et comme un signe de révolte contre Dieu (v. 16) ● *d milliers:* voir Nb 1.16 et la note ● *e* Sur l'épisode de *Baal-Péor* voir Nb 25.1-9

22.3 garder les commandements du Seigneur Dt 6.2, 25. **22.4** allez vers vos tentes v. 7, 8 ; Jg 7.8 +. **22.5** veiller à mettre en pratique Dt 5.1 + — aimer le Seigneur Dt 5.10 + ; 6.5 — les chemins de Dieu Dt 8.6 + — s'attacher au Seigneur Dt 10.20 + — de tout votre cœur Dt 4.29 +. **22.6** Josué les bénit Jos 14.13. **22.7** une part en Bashân Jos 13.29-31 — part de l'autre demi-tribu de Manassé Jos 17.1-13. **22.8** or, argent, bronze, fer Jos 6.19, 24 — richesses emportées par les tribus cf. Ex 3.21-22 ; 11.2 ; 12.35-36 — butin partagé Jos 8.27. **22.9** à Silo Jos 18.1 +. **22.12** la communauté Jos 9.18 ; 22.18 ; Jg 20.1 +. **22.13** Pinhas Ex 6.25 ; Nb 25.7-13 ; Jos 24.33 ; Jg 20.28. **22.14** les responsables de la communauté Jos 9.15, 18 ; 17.4 — chefs de famille Jos 14.1 ; 21.1 — les milliers d'Israël Nb 1.16 ; 10.4, 36. **22.16** la communauté du Seigneur Nb 27.17 ; 31.16 ; cf. Ps 74.2 — vous vous écartez du Seigneur cf. Dt 12.5-15 ; Lv 17.8-9. **22.17** la faute commise à Péor Nb 25.1-9 ; Dt 4.3. **22.18** le Seigneur, irrité contre toute la communauté Jos 7.1, 11-12 ; Nb 16.22.

SEIGNEUR ! Vous vous révoltez aujour-d'hui contre le SEIGNEUR, demain c'est lui qui s'irritera contre toute la communauté d'Israël. [19] Or donc, si le pays en votre propriété est impur [f], passez alors dans le pays de la propriété du SEIGNEUR où se trouve la *demeure du SEIGNEUR ; soyez propriétaires au milieu de nous, mais ne vous révoltez pas contre le SEIGNEUR, ne vous révoltez pas contre nous en bâtissant un autre autel, à côté de celui du SEIGNEUR, notre Dieu. [20] Lorsque Akân, fils de Zérah, commit une infidélité envers l'interdit [g], n'est-ce pas sur toute la communauté d'Israël que vint le courroux ? Or il ne fut pas le seul qui périt à cause de sa faute. »

[21] Les fils de Ruben, les fils de Gad et la demi-tribu de Manassé répondirent aux chefs des milliers d'Israël et leur dirent : [22] « Dieu, Dieu, le SEIGNEUR, Dieu, Dieu, le SEIGNEUR le sait et Israël le saura ! Si c'est par révolte, si c'est par infidélité contre le SEIGNEUR, ne nous sauve pas en ce jour ! [23] Si nous nous sommes bâti un autel pour nous détourner du SEIGNEUR et si c'est pour y offrir holocaustes et offrandes, si c'est pour y faire des sacrifices de paix [h], que le SEIGNEUR nous en demande compte ! [24] Mais non, c'est par inquiétude que nous avons fait cela, en pensant à l'éventualité que demain vos fils pourraient dire à nos fils : "Qu'y a-t-il de commun entre vous et le SEIGNEUR, Dieu d'Israël ? [25] Entre nous et vous, fils de Ruben et fils de Gad, le SEIGNEUR a établi une frontière, le Jourdain. Vous n'avez aucune part sur le SEIGNEUR !" Vos fils pousseraient nos fils à cesser de craindre le SEIGNEUR [i]. [26] Nous nous sommes dit alors : "Il nous faut bâtir cet autel, non pour des holocaustes ni pour des sacrifices, [27] mais comme témoin entre nous et vous, et entre nos descendants, que

c'est bien le service du SEIGNEUR que nous accomplissons devant Sa face, par nos holocaustes, par nos sacrifices de paix, afin que vos fils demain ne disent pas à nos fils : Vous n'avez pas de part sur le SEIGNEUR." [28] Nous nous sommes dit : "Si demain on nous tient ce langage à nous et à nos descendants, nous dirons : Voyez la forme même de l'autel du SEIGNEUR que nos pères ont établi non pas pour des holocaustes ou des sacrifices, mais comme témoin entre nous et vous..." [29] Loin de nous la pensée de nous révolter contre le SEIGNEUR et de nous détourner aujourd'hui du SEIGNEUR en bâtissant un autel pour des holocaustes, des offrandes et des sacrifices, en dehors de l'autel du SEIGNEUR, notre Dieu, qui se trouve devant sa demeure ! » [30] Lorsque le prêtre Pinhas, les responsables de la communauté et les chefs des milliers d'Israël qui étaient avec lui entendirent ces paroles que prononçaient les fils de Ruben, les fils de Gad et les fils de Manassé, ils se tinrent pour satisfaits. [31] Pinhas, fils du prêtre Eléazar, dit aux fils de Ruben, aux fils de Gad et aux fils de Manassé : « Nous savons aujourd'hui que le SEIGNEUR est au milieu de nous puisque vous n'avez pas commis cette infidélité envers le SEIGNEUR. Vous avez ainsi délivré les fils d'Israël de la main du SEIGNEUR [j]. » [32] Pinhas, fils du prêtre Eléazar, et les responsables quittèrent les fils de Ruben et les fils de Gad et revinrent du pays de Galaad au pays de Canaan auprès des fils d'Israël, auxquels ils firent rapport. [33] Les fils d'Israël se tinrent pour satisfaits et ils bénirent Dieu, ils renoncèrent à lancer contre eux une attaque et à ravager le pays qu'habitaient les fils de Ruben et les fils de Gad. [34] Les fils de Ruben et les fils de Gad appelèrent l'autel : « Il est témoin entre nous que le SEIGNEUR est Dieu. »

f Comme Péor se trouve en Transjordanie, celle-ci demeure impure et donc inapte au culte, par opposition à Canaan où se trouve le sanctuaire du SEIGNEUR ● g Sur l'infidélité d'Akân, voir Jos 7 — interdit : voir Dt 2.34 et la note ● h holocaustes, offrandes, sacrifices de paix : voir au glossaire SACRIFICES. Les sacrifices peuvent être offerts seulement sur l'autel du sanctuaire d'Israël, à l'entrée de la tente de rencontre (Lv 1 ; 2 ; 3) ● i Vous n'avez aucune part sur le SEIGNEUR, c'est-à-dire Vous n'avez aucun droit de participer au culte et d'en bénéficier — craindre le SEIGNEUR ou honorer le SEIGNEUR (par le culte et une conduite conforme à ses commandements) ● j Les Israélites de Transjordanie font allusion au châtiment que Dieu aurait infligé à Israël si les tribus de Transjordanie avaient commis l'infidélité de fonder un culte séparé

22.19 la demeure du Seigneur Ex 25.8, 22 ; 26 ; Lv 15.31 ; 17.4 ; Nb 16.9. 22.20 l'infidélité d'Akân Jos 7.1-26 — le courroux (de Dieu) Jos 9.20. 22.22 Dieu, Dieu, le Seigneur Dt 10.17 ; cf. Ps 50.1 sait 1 S 2.3. 22.23 le seul lieu pour offrir les sacrifices Lv 1.3 ; 3.2 — demander compte Dt 18.19. 22.25 aucune part sur le Seigneur cf. Ps 16.5 — craindre le Seigneur Ex 14.31 ; Dt 6.2 ; Jos 24.14 ; cf. Ps 15.4+. 22.27 comme témoin Gn 31.48 ; Es 19.19-20. 22.29 loin de nous la pensée — Gn 18.25 ; 44.7, 17 — l'autel du Seigneur, devant la demeure Dt 12.5-14. 22.30 satisfaits Gn 34.18 ; 41.37 ; Dt 1.23. 22.31 le Seigneur est au milieu de vous Lv 26.11 — infidélité 1 Ch 9.1 ; cf. Dn 9.7 — la main du Seigneur Ex 9.3 ; 1 R 18.46. 22.33 ils bénirent Dieu 1 Ch 29.20.

Le testament de Josué

23 [1] Longtemps après que le S<small>EIGNEUR</small> eut accordé le repos à Israël face à tous ses ennemis d'alentour, Josué, devenu vieux et avancé en âge, [2] convoqua tout Israël, ses *anciens, ses chefs, ses juges et ses fonctionnaires et leur dit : « Je suis vieux et avancé en âge. [3] Vous-mêmes, vous avez vu tout ce que le S<small>EIGNEUR</small>, votre Dieu, a fait contre toutes ces nations à cause de vous, car c'est le S<small>EIGNEUR</small>, votre Dieu, qui a combattu pour vous. [4] Voyez, j'ai fait échoir en héritage à vos tribus ces nations qui subsistent, ainsi que toutes les nations que j'ai abattues depuis le Jourdain jusqu'à la Grande Mer [k], au soleil couchant. [5] Le S<small>EIGNEUR</small>, votre Dieu, lui-même les repousse à cause de vous et les dépossède devant vous, de sorte que vous prendrez possession de leur pays, comme le S<small>EIGNEUR</small>, votre Dieu, vous l'a dit. [6] Soyez donc très forts et veillez à agir selon tout ce qui est écrit dans le livre de la Loi de Moïse, sans vous en écarter ni à droite ni à gauche. [7] N'entrez pas chez ces nations [l] qui subsistent auprès de vous, ne faites pas mémoire du nom de leurs dieux, ne jurez pas par eux, ne les servez pas et ne vous prosternez pas devant eux. [8] Mais si vous vous attachez au S<small>EIGNEUR</small>, votre Dieu, comme vous l'avez fait jusqu'à ce jour, [9] alors, le S<small>EIGNEUR</small> dépossédera devant vous des nations grandes et puissantes ; or personne n'a pu tenir devant vous jusqu'à ce jour. [10] Un seul d'entre vous en poursuit mille, car c'est le S<small>EIGNEUR</small>, votre Dieu, qui combat pour vous comme il vous l'a dit. [11] Prenez donc bien garde à vous-même : aimez le S<small>EIGNEUR</small>, votre Dieu. [12] Mais si vous vous détournez et vous vous attachez au reste de ces nations qui subsistent auprès de vous, si vous contractez des mariages avec elles, si vous allez chez elles et qu'elles viennent chez vous, [13] sachez bien que le S<small>EIGNEUR</small>, votre Dieu, ne continuera pas de déposséder ces nations devant vous ; elles seront pour vous un filet et un piège, un fouet contre vos flancs et des épines dans vos yeux, jusqu'à ce que vous disparaissiez de cette bonne terre que vous a donnée le S<small>EIGNEUR</small>, votre Dieu. [14] Voici que je m'en vais [m] aujourd'hui comme s'en va toute chose terrestre ; mais vous, reconnaissez de tout votre cœur et de tout votre être que pas une parole n'a failli de toutes les excellentes paroles qu'avait dites le S<small>EIGNEUR</small>, votre Dieu, à votre sujet. Tout vous est arrivé, il n'est pas une seule de ces paroles qui ait failli. [15] Eh bien ! De même que se sont réalisées les excellentes paroles que le S<small>EIGNEUR</small>, votre Dieu, vous avait dites, de même le S<small>EIGNEUR</small> réalisera contre vous toutes les mauvaises paroles jusqu'à ce qu'il vous ait supprimés de cette bonne terre que le S<small>EIGNEUR</small>, votre Dieu, vous a donnée. [16] Si vous transgressez l'*alliance du S<small>EIGNEUR</small>, votre Dieu, alliance qu'il vous a prescrite, et si vous allez servir d'autres dieux et vous prosterner devant eux, la colère du S<small>EIGNEUR</small> s'enflammera contre vous et vous disparaîtrez rapidement du bon pays qu'il vous a donné. »

L'alliance de Sichem

24 [1] Josué réunit toutes les tribus d'Israël à Sichem et il convoqua les *anciens d'Israël, ses chefs, ses juges et ses fonctionnaires : ils se présentèrent

---

[k] *la Grande Mer : la Méditerranée* ● *l ces nations :* les peuplades cananéennes que Dieu a dépossédées en faveur d'Israël ● *m je m'en vais :* c'est-à-dire *je vais mourir* (cf. 1 R 2.2)

23.1 repos Jos 1.13+. — Josué devenu vieux Jos 13.1. **23.2** convocation des anciens, des chefs, etc. Jos 24.1 ; cf. 8.33. **23.3** vous avez vu Dt 4.34 ; 7.19 ; 10.21 ; 11.2-7 ; 29.1 ce que le Seigneur a fait Dt 7.18 — Dieu a combattu pour vous Jos 10.14+ ; Dt 3.22+ ; 7.20-24. **23.4** échoir en héritage Jos 14.1-2 ; 18.10 — les nations qui subsistent Jos 13.1-2 — les nations abattues Jos 12.1, 7-8 — jusqu'à la Grande Mer Jos 1.4. **23.5** le Seigneur les repousse Jos 6.19 ; 9.4 et les dépossède Jos 13.6 ; Dt 4.38+ — comme le Seigneur vous l'a dit Ex 23.27-31 ; 34.11 ; Nb 33.53 ; Dt 11.23. **23.6** soyez forts Jos 1.6, 9, 18 ; 1 Co 16.13 — le livre de la Loi de Moïse Jos 1.7 ; 8.31 — ni à droite, ni à gauche Dt 5.32+. **23.7** le nom des dieux des nations Ex 23.13 — jurer par les dieux des nations Jr 5.7 — se prosterner devant eux Ps 1.5 ; Dt 8.19 ; 11.16. **23.8** s'attacher au Seigneur Jos 22.5 ; Dt 10.20+. **23.9** nations grandes et puissantes dépossédées Dt 4.38 ; 9.1 ; 11.23. **23.10** irrésistibles Lv 26.8 ; Dt 32.30. **23.11** aimez le Seigneur Dt 5.10+. **23.12** mariages avec des non-israélites Ex 34.16 ; Dt 7.3. **23.13** un piège Ex 23.33+ — des épines dans vos yeux Nb 33.55 — jusqu'à ce que vous disparaissiez Dt 4.26 ; 8.19 ; 11.17 ; 28.20. **23.14** je m'en vais... 1 R 2.2 — de tout votre cœur Dt 4.29+ — le Seigneur a tenu parole Jos 21.45+. **23.15** mauvaises paroles réalisées Dt 28.15-68. **23.16** transgression de l'alliance Jos 7.15 — d'autres dieux Ex 20.3+ — la colère du Seigneur Lv 10.6+ — vous disparaîtrez Dt 4.26+. **24.1-28** conclusion de l'alliance Ex 24.1+. **24.1** convocation des anciens, des chefs, etc., Jos 23.2 — devant Dieu Dt 29.9 — Sichem Jos 17.7 ; 20.7.

devant Dieu n. ² Josué dit à tout le peuple : « Ainsi parle le SEIGNEUR, Dieu d'Israël : C'est de l'autre côté du Fleuve qu'ont habité autrefois vos pères o, Tèrah père d'Abraham et père de Nahor, et ils servaient d'autres dieux. ³ Je pris votre père Abraham de l'autre côté du Fleuve et je le conduisis à travers tout le pays de Canaan, je multipliai sa postérité et je lui donnai Isaac. ⁴ Je donnai à Isaac Jacob et Esaü et je donnai en possession à Esaü la montagne de Séïr. Mais Jacob et ses fils descendirent en Egypte. ⁵ Puis j'envoyai Moïse et Aaron et je frappai l'Egypte par mes actions au milieu d'elle, ensuite je vous fis sortir. ⁶ J'ai fait sortir vos pères d'Egypte et vous êtes arrivés jusqu'à la mer. Les Egyptiens ont poursuivi vos pères jusqu'à la *mer des Joncs avec des chars et des cavaliers. ⁷ Vos pères crièrent vers le SEIGNEUR qui plaça des ténèbres entre vous et les Egyptiens, il fit venir sur eux la mer qui les recouvrit. Vos yeux ont vu ce que j'ai fait à l'Egypte. Vous avez habité le désert pendant de longs jours. ⁸ Je vous ai amenés au pays des *Amorites qui habitent au-delà du Jourdain, mais ils vous firent la guerre. Je vous les livrai et vous avez pris possession de leur pays, je les ai supprimés devant vous. ⁹ Balaq, fils de Cippor, roi de Moab, surgit pour faire la guerre à Israël. II envoya chercher Balaam, fils de Béor, afin de vous maudire. ¹⁰ Mais je ne voulus pas écouter Balaam : il dut vous bénir et je vous délivrai de sa main. ¹¹ Vous avez traversé le Jourdain et vous êtes arrivés à Jéricho. Les maîtres de Jéricho vous firent la guerre — l'Amorite, le Perizzite, le Cananéen, le Hittite, le Guirgashite, le Hivvite et ·le Jébusite, mais je vous les livrai. ¹² J'envoyai devant vous les frelons qui les chassèrent p loin de vous, les deux rois des Amorites ; ce ne fut ni par ton épée ni par ton arc. ¹³ Je vous ai donné un pays où tu n'avais pas peiné, des villes que vous n'aviez pas bâties et dans lesquelles vous habitez, des vignes et des oliviers que vous n'aviez pas plantés et vous en mangez les fruits !

¹⁴ « Maintenant donc, craignez le SEIGNEUR et servez-le avec intégrité et fidélité. Ecartez les dieux qu'ont servis vos pères de l'autre côté du Fleuve et en Egypte, et servez le SEIGNEUR. ¹⁵ Mais s'il ne vous plaît pas de servir le SEIGNEUR, choisissez aujourd'hui qui vous voulez servir, soit les dieux qu'ont servis vos pères lorsqu'ils étaient au-delà du Fleuve, soit les dieux des Amorites dans le pays desquels vous habitez. Moi et ma maison q, nous servirons le SEIGNEUR. » ¹⁶ Le peuple répondit : « Loin de nous la pensée d'abandonner le SEIGNEUR pour servir d'autres dieux ! ¹⁷ Car c'est le SEIGNEUR qui est notre Dieu, lui qui nous a fait monter, nous et nos pères, du pays d'Egypte, de la maison de servitude. Il a opéré sous nos yeux les grands signes que voici : il nous a gardés tout au long du chemin que nous avons parcouru et parmi tous les peuples au milieu desquels nous sommes passés. ¹⁸ Le SEIGNEUR a

---

n La ville de *Sichem* était un lieu saint de la ligue des douze tribus (voir Gn 12.6 et la note) — *se présentèrent devant Dieu:* expression technique qui désigne le rassemblement solennel, probablement là où se trouvait l'*arche de l'alliance ● o *Fleuve:* l'*Euphrate* — *vos pères* ou *vos ancêtres* ● p *les frelons qui les chassèrent:* autre traduction *le découragement qui les chassa* ● q *maison* ou *famille*

24.2 Tèrah, père d'Abraham et de Nahor Gn 11.26-27 — d'autres dieux Gn 31.19 ; 35.2-4 ; cf. Ex 20.3+. **24.3-13** autres résumés bibliques de l'histoire sainte 2.9-10 ; 24.17-18 ; Ex 6.2-8 ; Nb 20.15-16 ; Dt 4.37-38 ; 6.21-24 ; 26.5-9 ; 29.1-7 ; Jg 6.8-9 ; Es 63.7-14 ; Jr 32.20-23 ; Ez 20.5-29 ; Os 13.4-6 ; Am 2.9-10 ; Mi 6.4-5 ; Ps 78.12-72 ; 81.6-13 ; 105.8-45 ; 106.7-46 ; 114.1-8 ; 135.4-12 ; 136.10-24 ; Jdt 5.5-19 ; 1 M 2.52-60 ; Sg 10.1—11.4 ; Ac 7.2-50 ; 13.17-25 ; He 11.3-40. **24.3** Je pris Abraham... Gn 12.1 ; Ac 7.2-3 — postérité d'Abraham Gn 12.7 ; 13.15-16 ; 15.2-5 ; 17.4-8, 19 ; 18.14 ; 21.1-3. **24.4** Jacob et Esaü Gn 25.19-28 — à Esaü la montagne de Séïr Gn 33.14, 16 ; 36.6-8 ; Dt 2.4 — Jacob et ses fils en Egypte Gn 46.1—47.12 ; Ex 1.1-7. **24.5** Moïse et Aaron Ex 4.14-16 ; 7.1-13 ; Ps 105.26 — l'Egypte frappée Ex 7.14—12.36. **24.6** sortie d'Egypte Ex 12.41 — arrivée à la mer Jos 2.10 ; 4.23 ; Ex 14.9. **24.7** cris vers le Seigneur et délivrance Ex 14.10-31 — vos yeux ont vu Jos 23.3+ — au désert Ex 15.22 ; Nb 14.26-38 ; Jos 5.6. **24.8** au pays des Amorites Jos 2.10 ; 9.10 ; Dt 2.24—3.11. **24.9** Balaq Nb 22.2—24.25 — Balaam Nb 22.5+. **24.11** traversée du Jourdain Jos 3-4 — Jéricho Jos 6 — Amorite, Perizzite, etc., Jos 3.10. **24.12** les frelons Ex 23.28+ — les deux rois Amorites Nb 21.21-35 ; Dt 2.24—3.7 — ni par ton épée ni par ton arc Os 1.7+ ; Ps 44.7 ; cf. Jos 23.9-10. **24.13** un pays où tu n'avais pas peiné Dt 6.10-13 ; Ne 9.25 — **24.14** Maintenant donc... Dt 10.12 ; Jos 22.5 ; 23.11, 14 — écartez Gn 35.2-4 ; 1 S 7.3 les dieux qu'ont servis vos pères Ez 20.7-8 ; 23.3. **24.15** les dieux des Amorites Jg 6.10 ; cf. Lv 18.3. **24.16** loin de nous... Jos 22.29+. **24.17** la maison de servitude Dt 5.6+ — grands signes Nb 14.11 ; Dt 6.22 — tout au long du chemin Dt 8.15-16. **24.18** c'est lui qui est notre Dieu Dt 6.4, 13 ; 10.21 ; 1 R 18.39.

chassé devant nous tous les peuples, en particulier les Amorites qui habitent le pays. Nous aussi, nous servirons le SEIGNEUR car c'est lui qui est notre Dieu. » [19] Josué dit au peuple : « Vous ne pourrez pas servir le SEIGNEUR car c'est un Dieu *saint, c'est un Dieu jaloux [r] qui ne supportera pas vos révoltes et vos péchés. [20] Lorsque vous abandonnerez le SEIGNEUR et servirez les dieux étrangers, il se tournera contre vous pour vous faire du mal, il vous consumera après vous avoir fait du bien. » [21] Le peuple dit à Josué : « Non, car nous servirons le SEIGNEUR. » [22] Josué dit au peuple : « Vous êtes témoins contre vous-mêmes que c'est vous qui avez choisi le SEIGNEUR pour le servir. » Ils répondirent : « Nous en sommes témoins. » — [23] « Maintenant donc, écartez les dieux étrangers qui sont au milieu de vous et inclinez votre *cœur vers le SEIGNEUR, Dieu d'Israël. » [24] Le peuple répondit à Josué : « Nous servirons le SEIGNEUR, notre Dieu, et nous obéirons à sa voix. » [25] Josué conclut une *alliance avec le peuple en ce jour-là ; il lui imposa des lois et des coutumes à Sichem. [26] Josué écrivit ces paroles dans le livre de la Loi de Dieu. Il prit une grande pierre qu'il fit dresser là, sous le chêne [s] dans le *sanctuaire du SEIGNEUR. [27] Josué dit à tout le peuple : « Voici, cette pierre servira de témoignage contre nous, car elle a entendu tous les propos du SEIGNEUR lorsqu'il a parlé avec nous ; elle servira de témoignage contre vous, de peur que vous ne déceviez votre Dieu. » [28] Josué renvoya le peuple, chacun à son héritage [t].

Mort de Josué

[29] Après ces événements, Josué, fils de Noun, le serviteur du SEIGNEUR, mourut à l'âge de cent dix ans. [30] On l'ensevelit dans le territoire de son héritage, à Timnath-Sèrah dans la montagne d'Ephraïm, au nord du mont Gaash. [31] Israël servit le SEIGNEUR durant toute la vie de Josué et toute la vie des *anciens qui vécurent encore après Josué et qui connaissaient toute l'œuvre que le SEIGNEUR avait faite pour Israël. [32] Quant aux ossements de Joseph, que les fils d'Israël avaient emportés d'Egypte, on les ensevelit à Sichem, dans la portion de champ que Jacob avait achetée pour cent pièces d'argent aux fils de Hamor, père de Sichem ; ces ossements entrèrent dans l'héritage des fils de Joseph.

[33] Eléazar [u], fils d'Aaron, mourut et on l'ensevelit sur la colline de son fils Pinhas ; celle-ci lui avait été donnée dans la montagne d'Ephraïm.

---

r Voir Ex 20.5 et la note ● *s* Le *chêne* de Sichem est célèbre dans la tradition israélite (voir Gn 12.6; 35.4; Jg 9.6, 37) ● *t chacun à son héritage:* c'est-à-dire chacun dans la propriété qui lui avait été attribuée ● *u* Voir 14.1 et la note

24.19 un Dieu saint Lv 19.2; Es 6.3 — jaloux Ex 20.5+; Na 1.2 — ne supportera pas vos révoltes Jos 23.16; Ex 23.21; Na 1.2-3. **24.20** malédiction après bénédiction Jos 23.15; Dt 4.25-26; 28.63. **24.21** réponse du peuple Ex 24.3, 7. **24.23** écartez les dieux... v. 14+. **24.25** alliance Dt 29.11-12; Ne 10.1 — des lois et des coutumes Ex 15.25+. **24.26** le livre de la Loi de Dieu Dt 28.61+; Ne 8.18; 9.3; 2 Ch 17.9 — une grande pierre Gn 31.45, 51, 52 — le chêne de Sichem Gn 12.6; 35.4; Jg 9.6, 37. **24.27** cette pierre servira de témoignage Jos 22.28, 34; Gn 31.48, 52; Dt 31.26 — décevoir le Seigneur Es 59.13; Jr 5.12. **24.28** chacun à son héritage Jg 2.6. **24.29** Josué, fils de Noun Jos 1.1 mourut Jg 1.1; 2.8-10. **24.30** Timnath-Sèrah Jos 19.50+ — montagne d'Ephraïm Jos 17.15+. **24.31** après Josué... Jg 2.7. **24.32** les ossements de Joseph Gn 50.25; Ex 13.19; Si 49.15; He 11.22 — le champ de Sichem, acheté par Jacob Gn 33.19. **24.33** Eléazar Jos 14.1+ — dans la montagne d'Ephraïm v. 30+.

LES JUGES

Israël s'installe en Canaan

1 ¹ Il arriva qu'après la mort de Josué les fils d'Israël consultèrent le SEIGNEUR en disant : « Qui de nous montera en premier contre les Cananéens *a* pour les combattre ? » ² Le SEIGNEUR dit : « C'est Juda *b* qui montera. Voici que j'ai livré le pays entre ses mains. » ³ Juda dit à Siméon son frère : « Monte avec moi dans mon lot *c* et combattons les Cananéens. Puis, moi aussi, j'irai avec toi dans ton lot. » Et Siméon alla avec lui. ⁴ Juda monta et le SEIGNEUR livra entre leurs mains les Cananéens et les Perizzites. A Bèzeq *d* ils battirent dix mille d'entre eux. ⁵ Ils trouvèrent Adoni-Bèzeq *e* à Bèzeq et lui livrèrent combat ; ils battirent les Cananéens et les Perizzites. ⁶ Adoni-Bèzeq s'enfuit, mais ils le poursuivirent, le saisirent et lui coupèrent les pouces des mains et des pieds *f*. ⁷ Adoni-Bèzeq dit : « Soixante-dix rois dont on avait coupé les pouces des mains et des pieds ramassaient les restes sous ma table. Ce que j'ai fait, Dieu me l'a rendu. » On l'amena à Jérusalem et c'est là qu'il mourut.

⁸ Les fils de Juda *g* attaquèrent Jérusalem et s'en emparèrent ; ils la passèrent au tranchant de l'épée et livrèrent la ville au feu. ⁹ Après cela les fils de Juda descendirent pour combattre les Cananéens qui habitaient la Montagne, le Néguev et le *Bas-Pays *h*.

¹⁰ Puis Juda marcha contre les Cananéens qui habitaient à Hébron - le nom d'Hébron *i* était auparavant Qiryath-Arba — et ils frappèrent Shéshaï, Ahimân et Talmaï. ¹¹ De là Juda marcha contre les habitants de Devir — le nom de Devir était auparavant Qiryath-Séfèr —. ¹² Caleb dit : « Celui qui frappera Qiryath-Séfèr et s'en emparera, je lui donnerai pour femme ma fille Aksa. » ¹³ Otniel, fils de Qenaz, le frère cadet de Caleb, s'empara de la ville, et Caleb lui donna pour femme sa fille Aksa. ¹⁴ Or, dès son arrivée, elle l'incita à demander à son père un champ. Elle descendit de son âne, et Caleb lui dit : « Que veux-tu ? » ¹⁵ Elle lui dit : « Fais-moi une faveur. Puisque tu m'as donné une terre du Néguev, donne-moi aussi les vasques d'eau », et Caleb lui donna les vasques d'en haut et les vasques d'en bas.

¹⁶ Les fils du Qénite, beau-père de Moïse, montèrent de la ville des Palmiers avec les fils de Juda au désert de Juda

---

a fils d'Israël ou *Israélites — consultèrent :* la consultation se faisait dans un sanctuaire, probablement au moyen du Ourim et du Toummim (voir Ex 28.30 et la note) — *Cananéens :* voir au glossaire AMORITES ● *b Juda* (v. 2) et *Siméon* (v. 3) désignent ici deux des tribus d'Israël ● *c dans mon lot* ou *dans le territoire qui m'a été attribué* (voir Jos 15; 19.1-9) ● *d* Localité difficile à situer. Elle devait être proche de Jérusalem ● *e* On ne sait rien de lui en dehors de son nom ● *f* Les hommes ainsi mutilés ne pouvaient plus se servir d'un arc ● *g fils de Juda* ou *membres de la tribu de Juda* ● *h* De l'est à l'ouest, le pays promis comporte la plaine du Jourdain ou Araba, une région montagneuse dite *la Montagne, le Bas-Pays*, les Pentes, la plaine côtière (voir Dt 1.7; Jos 10.40; 12.8) — Le *Néguev* se trouve au sud (voir Gn 12.9 et la note) ● *i* Voir Gn 13.18 et la note

1.1 mort de Josué Jos 24.29 + — consulter Dieu Jg 18.5; 20.18; 27-28; 1 S 14.37; 23.2; 30.8; 2 S 2.1, etc.; 1 R 22.7-8; 2 R 8.8; 22.13; Es 30.2; Ez 20.1, 3, 31. **1.2** C'est Juda Jg 20.18. **1.3** le lot de chaque tribu Jos 13—21. **1.8** autre récit de la prise de Jérusalem 2 S 5.6-12; cf. Jos 15.63. **1.9** la Montagne, le Néguev, le Bas-Pays Jos 10.40; Jr 32.44; 33.13. **1.10** Hébron Jos 10.36-37; 14.6-15; 15.13-14. **1.11-15** Caleb et la conquête de Devir Jos 15.15-19. **1.11** Devir Jos 10.38-39; 11.21-22. **1.13** Otniel Jg 3.9-10; Jos 15.17. **1.16** Qénite Nb 24.21-22 — beau-père de Moïse Jg 4.11; Ex 2.16-22; Nb 10.29-32.

qui est au sud de Arad ^{j}. Ils vinrent habiter avec le peuple.

^{17} Juda marcha avec Siméon, son frère. Ils battirent les Cananéens qui habitaient Cefath et vouèrent celle-ci à l'interdit. On appela la ville du nom de Horma ^{k}. ^{18} Juda s'empara de Gaza et de son territoire, d'Ashqelôn et de son territoire, de Eqrôn ^{l} et de son territoire. ^{19} Le SEIGNEUR fut avec Juda qui pris possession de la Montagne, mais il n'était pas possible de déposséder les habitants de la plaine parce qu'ils avaient des chars de fer ^{m}.

^{20} Selon la parole de Moïse, on donna Hébron à Caleb qui en déposséda les trois fils de Anaq. ^{21} Quant aux Jébusites qui habitaient Jérusalem, les fils de Benjamin ne les dépossédèrent pas et les Jébusites ont habité à Jérusalem avec les fils de Benjamin jusqu'à ce jour.

^{22} La maison de Joseph, elle aussi, monta, mais à Béthel ^{n}, et le SEIGNEUR fut avec elle. ^{23} La maison de Joseph fit faire une reconnaissance de Béthel ; le nom de la ville était auparavant Louz. ^{24} Les guetteurs virent un homme sortir de la ville et ils lui dirent : « Fais-nous donc voir par où entrer dans la ville et nous ferons preuve de loyauté envers toi. » ^{25} Il leur fit voir par où entrer dans la ville et ils passèrent la ville au tranchant de l'épée, mais ils laissèrent aller l'homme et tout son clan. ^{26} Cet homme s'en alla au pays des Hittites et bâtit une ville qu'il nomma Louz ^{o} ; c'est encore son nom aujourd'hui.

^{27} Manassé ne conquit ni Beth-Shéan et ses dépendances, ni Taanak et ses dépendances, ni les habitants de Dor et ses dépendances, ni les habitants de Yivléâm et ses dépendances, ni les habitants de Meguiddo et ses dépendances, et les Cananéens continuèrent à habiter dans ce pays. ^{28} Mais lorsque Israël fut devenu fort il imposa aux Cananéens la corvée ^{p}, mais en fait il ne les déposséda pas.

^{29} Ephraïm ne déposséda pas les Cananéens qui habitaient à Guèzèr, et les Cananéens habitèrent à Guèzèr au milieu d'Ephraïm.

^{30} Zabulon ne déposséda pas les habitants de Qitrôn ni ceux de Nahalol ; les Cananéens habitèrent au milieu de Zabulon, mais furent astreints à la corvée.

^{31} Asher ne déposséda pas les habitants de Akko, ni ceux de Sidon, Ahlav, Akziv, Helba, Afiq et Rehov. ^{32} Les Ashérites habitèrent au milieu des Cananéens qui habitaient le pays puisqu'ils ne les avaient pas dépossédés.

^{33} Nephtali ne déposséda pas les habitants de Beth-Shèmèsh, ni ceux de Beth-Anath, et il habita au milieu des Cananéens qui habitaient le pays, mais les habitants de Beth-Shèmèsh et de Beth-Anath furent astreints à la corvée.

^{34} Les *Amorites acculèrent les fils de Dan à la montagne, car ils ne les laissèrent pas descendre dans la plaine. ^{35} Les *Amorites continuèrent à habiter à Har-Hèrès, Ayyalôn et Shaalvîm, mais quand la main de la maison de Joseph se fit plus lourde, ils furent astreints à la corvée. ^{36} Le territoire des Amorites va depuis la montée des Aqrabbim, depuis la Roche et en remontant.

Reproches du Seigneur à son peuple

2 ^{1} L'*ange du SEIGNEUR monta de Guilgal à Bokim ^{q} et dit : « Je vous ai fait monter d'Egypte et je vous

---

j les fils ou descendants du Qénite — ville des Palmiers: nom parfois donné à Jéricho (Dt 34.3; Jg 3.13); l'expression pourrait cependant désigner ici Tamar (Palmier), localité au sud de la mer Morte — Arad: à 30 km au sud d'Hébron • k Cefath: localisation incertaine — Horma: ce nom reprend les consonnes du verbe hébreu qui signifie vouer à l'interdit. Sur cette expression, voir Dt 2.34 et la note • l Gaza, Ashqelôn, Eqrôn: trois villes du territoire des Philistins • m chars de fer: voir Jos 17.16 et la note • n La maison de Joseph désigne les tribus d'Ephraïm et Manassé — Béthel: voir Gn 12.8 et la note • o Le pays des Hittites désigne la Syrie-Palestine dans des documents néo-babyloniens — La nouvelle Louz est inconnue • p Travaux imposés aux peuples vaincus (1 R 9.20-22) • q Guilgal: voir Jos 4.19 et la note • Bokim: localisation inconnue. Ce nom signifie les Pleureurs (v. 4-5) et on peut le rapprocher du « Chêne des Pleurs » situé près de Béthel (Gn 35.8)

1.18 Gaza, Ashqelôn, Eqrôn Jos 13.3; 1 S 6.17; Jr 25.20; Am 1.6-8. **1.19** chars de fer Jg 4.3, 13; Jos 17.16, 18. **1.20** promesses à Caleb Nb 14.24; Jos 14.12. **1.21** les Jébusites non dépossédés Jos 15.63; 18.28. **1.22-23** la maison de Joseph 2 S 19.21; 1 R 11.28 — Béthel (anciennement Louz) Gn 28.17-19; 35.6; 48.3; Jos 18.13. **1.25** population exterminée Jos 6.21 sauf un clan; Jos 6.22-25. **1.27** villes non conquises par Manassé Jos 17.12-13. **1.28** corvée imposée Jos 9.27 2 S.20.24; 1 R 9.20-22. **1.29** Guèzèr non conquise par Ephraïm Jos 16.10. **1.30** Zabulon Jg 5.14; Jos 19.10-16. **1.31** Asher Jos 19.24-31. **1.33** Nephtali Jos 19.32-39. **1.34** les Danites repoussés de leur territoire Jos 19.47; cf. Jg 18. **1.36** la Roche (Sèla) 2 R 14.7. **2.1** l'ange du Seigneur Jg 6.11; Gn 16.7 — Je vous ai fait monter d'Egypte... Lv 11.45; 1 S 8.8; Am 2.10; Ps 81.11; cf. Nb 32.11; Jg 19.30; Jr 2.6; Os 12.14 — dans le pays promis Dt 26.3; 34.4; Jos 1.6 — alliance inviolable Lv 26.44; Jr 14.21; 33.20-21; Ps 89.35.

ai fait entrer dans le pays que j'avais promis par serment à vos pères. J'avais dit : "Jamais je ne romprai mon *alliance avec vous, ² et vous, vous ne conclurez pas d'alliance avec les habitants de ce pays ; vous renverserez leurs *autels". Mais vous n'avez pas écouté ma voix. Qu'avez-vous fait là ! ³ Alors je dis : "Je ne les chasserai pas devant vous ; ils seront pour vous un traquenard et leurs dieux seront pour vous un piège." ⁴ Or, dès que l'ange du SEIGNEUR eut adressé ces paroles à tous les fils d'Israël, le peuple poussa des cris et ils pleurèrent. ⁵ Ils nommèrent ce lieu Bokim et là ils offrirent des *sacrifices au SEIGNEUR.

Mort de Josué

⁶ Josué renvoya le peuple et les fils d'Israël allèrent chacun à son héritage pour prendre possession du pays. ⁷ Le peuple servit le SEIGNEUR durant toute la vie de Josué et toute la vie des *anciens qui prolongèrent leurs jours après Josué et qui avaient vu toute la grande œuvre que le SEIGNEUR avait faite pour Israël. ⁸ Josué, fils de Noun, serviteur du SEIGNEUR, mourut à l'âge de cent dix ans. ⁹ On l'ensevelit dans le territoire de son héritage à Timnath-Hérès ʳ, dans la montagne d'Ephraïm, au nord du mont Gaash. ¹⁰ Et puis toute cette génération fut réunie à ses pères ; après elle ce fut une autre génération qui se leva, mais elle n'avait connu ˢ ni le SEIGNEUR, ni l'œuvre qu'il avait faite pour Israël.

Infidélité, détresse, délivrance

¹¹ Les fils d'Israël firent ce qui est mal aux yeux du SEIGNEUR et ils servirent les *Baals. ¹² Ils abandonnèrent le SEIGNEUR, le Dieu de leurs pères ᵗ, qui les avait fait sortir du pays d'Egypte, et ils suivirent d'autres dieux parmi ceux des peuples qui les entouraient ; ils se prosternèrent devant eux et ils offensèrent le SEIGNEUR. ¹³ Ils abandonnèrent le SEIGNEUR et ils servirent Baal et les Astartés ᵘ. ¹⁴ La colère du SEIGNEUR s'enflamma contre Israël : il les livra aux mains des pillards qui les pillèrent et il les vendit à leurs ennemis d'alentour. Ils ne furent plus capables de tenir devant leurs ennemis. ¹⁵ Dans toutes leurs sorties la main du SEIGNEUR était sur eux pour leur malheur, comme le SEIGNEUR l'avait dit et le leur avait juré ; leur détresse devint extrême. ¹⁶ Alors le SEIGNEUR suscita des juges ᵛ qui les délivrèrent de ceux qui les pillaient. ¹⁷ Mais, même leurs juges, ils ne les écoutèrent pas, car ils se prostituèrent ʷ à d'autres dieux et se prosternèrent devant eux ; ils s'écartèrent très vite du chemin où avaient marché leurs pères qui avaient écouté les commandements du SEIGNEUR ; ils n'agirent pas ainsi. ¹⁸ Quand le SEIGNEUR leur suscitait des juges, le SEIGNEUR était avec le juge et il les délivrait de leurs ennemis durant toute la vie du juge, car le SEIGNEUR se laissait émouvoir par leur plainte devant ceux qui les opprimaient et les maltraitaient. ¹⁹ Mais, à la mort du juge, ils recommençaient à se pervertir, plus encore que leurs pères, suivant d'autres dieux, les servant et se prosternant devant eux ; ils ne renonçaient en rien à leurs pratiques et à leur conduite endurcie.

Dieu met Israël à l'épreuve

²⁰ La colère du SEIGNEUR s'enflamma contre Israël. Il dit : « Puisque cette nation a transgressé mon *alliance, celle que j'avais prescrite à leurs pères, et qu'elle n'a pas écouté ma voix, ²¹ moi

---

ʳ Localité appelée aussi Timnath-Sérah (Jos 19.10 ; 24.30) ● s fut réunie à ses pères ou mourut (voir Gn 25.8 et la note) — connu: le texte sous-entend personnellement ● t leurs pères ou leurs ancêtres ● u Associée à Baal, Astarté était la déesse de l'amour et de la fécondité. Son culte était très répandu dans tout le Proche-Orient, d'où l'utilisation du pluriel ● v Les juges dont il est question dans ce livre sont avant tout des hommes que Dieu charge soit de commander et de gouverner, soit de sauver une ou plusieurs tribus en difficulté ● w Voir Os 2.4 et la note

2.2 pas d'alliance avec les Cananéens Ex 23.32 ; 34.12 ; Dt 7.2 — renverser leurs autels Ex 34.13 ; Dt 7.5 ; 12.3 — vous n'avez pas écouté Jg 6.10. **2.3** traquenard Jos 23.13 — piège Jg 8.27 ; Ex 23.33 ; 34.12 ; Dt 7.16. **2.6** Josué renvoya le peuple Jos 24.28. **2.7** fidèle durant la vie de Josué Jos 24.31. **2.8** mort de Josué Jos 24.29+. **2.9** Timnath-Hérès cf. Jos 19.50 ; 24.30. **2.10** connaître le Seigneur Dt 11.2. **2.11-19** faute, châtiment, repentir, délivrance 2 R 13.2-5. **2.11** ce qui est mal aux yeux du Seigneur Dt 4.25+. **2.12** abandonner le Seigneur Jr 2.13+ — suivre d'autres dieux Jr 5.19+ ; cf. Ex 20.3+. **2.13** les Baals et les Astartés Jg 10.6 ; 1 S 12.10. **2.14** colère du Seigneur contre Israël Nb 25.3 ; Dt 7.4 ; Jos 22.20 ; 2 S 24.1 ; Es 5.25 ; Jr 4.8 ; cf. Ep 5.6 — il les vendit Jg 3.8 ; 4.2 ; 10.7 ; Dt 32.30 ; 1 S 12.9 ; Es 50.1 ; 52.3 ; Ps 44.13. **2.15** comme le Seigneur l'avait dit Dt 28.15-46. **2.17** se prostituer à d'autres dieux Os 1.2+ — les chemins où avaient marché leurs pères Jr 6.16. **2.20** la colère du Seigneur v. 14+ — alliance transgressée Dt 17.2 ; Jos 7.11 ; 23.16 ; 2 R 18.12 ; Os 6.7.

non plus, je ne continuerai plus à déposséder devant elle aucune de ces nations que Josué a laissées en place avant de mourir. » ²² C'était pour mettre par elles Israël à l'épreuve et savoir s'il garderait ou non le chemin du SEIGNEUR en y marchant comme l'avaient fait leurs pères ˣ. ²³ Aussi le SEIGNEUR laissa subsister ces nations sans les déposséder trop vite et il ne les livra pas à Josué.

3 ¹ Voici les nations que le SEIGNEUR laissa subsister pour mettre par elles Israël à l'épreuve, tous ceux qui n'avaient pas connu toutes les guerres de Canaan ; ² — ce fut seulement pour instruire les générations des fils d'Israël, pour leur apprendre la guerre, seulement parce que auparavant ils ne l'avaient pas connue — : ³ cinq tyrans philistins, tous les Cananéens, les Sidoniens et les Hivvites ʸ qui habitaient la montagne du Liban, depuis la montagne de Baal-Hermon jusqu'à Lebo-Hamath. ⁴ Ce fut pour mettre par elles Israël à l'épreuve, pour savoir s'ils écouteraient les commandements que le SEIGNEUR avait prescrits à leurs pères par l'intermédiaire de Moïse. ⁵ Les fils d'Israël habitèrent au milieu des Cananéens, des Hittites, des *Amorites, des Perizzites, des Hivvites et des Jébusites ; ⁶ ils prirent leurs filles pour femmes et ils donnèrent leurs filles à leurs fils ; ils servirent leurs dieux.

Les Juges : Otniel

⁷ Les fils d'Israël firent ce qui est mal aux yeux du SEIGNEUR : ils oublièrent le SEIGNEUR, leur Dieu, et ils servirent les *Baals et les Ashéras ᶻ. ⁸ La colère du SEIGNEUR s'enflamma contre Israël et il les vendit à Koushân-Rishéataïm, roi d'Aram-des-deux-Fleuves ᵃ ; les fils d'Israël servirent Koushân-Rishéataïm pendant huit ans. ⁹ Les fils d'Israël crièrent vers le SEIGNEUR et le SEIGNEUR suscita pour eux un sauveur qui les sauva : Otniel, fils de Qenaz, frère cadet de Caleb. ¹⁰ L'esprit du SEIGNEUR fut sur lui et il jugea ᵇ Israël. Il partit en guerre et le SEIGNEUR lui livra Koushân-Rishéataïm, roi d'Aram, et sa main fut puissante contre Koushân-Rishéataïm. ¹¹ Le pays fut en repos pendant quarante ans, puis Otniel, fils de Qenaz, mourut.

Ehoud

¹² Les fils d'Israël recommencèrent à faire ce qui est mal aux yeux du SEIGNEUR et le SEIGNEUR encouragea Eglôn, roi de Moab ᶜ, contre Israël puisqu'ils faisaient ce qui est mal aux yeux du SEIGNEUR. ¹³ Eglôn s'adjoignit les fils d'Ammon et Amaleq, puis il se mit en marche et battit Israël ; ils prirent possession de la ville des Palmiers ᵈ. ¹⁴ Les fils d'Israël servirent Eglôn, roi de Moab, pendant dix-huit ans. ¹⁵ Les fils d'Israël crièrent vers le SEIGNEUR et le SEIGNEUR leur suscita un sauveur, Ehoud fils de Guéra, benjaminite, qui était gaucher. Par son intermédiaire les fils d'Israël envoyèrent un tribut à Eglôn, roi de Moab.

¹⁶ Ehoud se fit un poignard à deux tranchants, long d'un gomed ᵉ, et il l'attacha sous son vêtement contre sa cuisse droite. ¹⁷ Il présenta donc le bribut à Eglôn, roi de Moab ; or Eglôn était un

---

ˣ s'il garderait ou non le chemin du Seigneur en y marchant comme ou s'il serait ou non fidèle au Seigneur comme ● ʸ Cananéens, Hivvites: voir au glossaire AMORITES — les Sidoniens: habitants de Sidon, port de la côte phénicienne, au nord de la Palestine ● ᶻ Ashéra est une divinité cananéenne que la Bible associe souvent à *Baal. Dans chaque *haut-lieu elle était représentée par un poteau sacré, symbole de la fécondité (voir Dt 16.21) ● ᵃ Koushân-Rishéataïm: surnom signifiant le Koushite à la double méchanceté — Aram-des-deux-Fleuves: voir Gn 24.10 et la note ● ᵇ il jugea Israël ou il fut le chef d'Israël (voir la note sur 2.16) ● ᶜ Moab: voir Gn 19.37 et la note. Le royaume de Moab fut créé au 13ᵉ siècle av. J.C. À l'époque d'Ehoud il réussit à s'étendre jusqu'à Jéricho ● ᵈ Ammon: voir Gn 19.38 et la note — Amaleq: voir Ex 17.8 et la note. À l'époque des Juges les Amalécites sont l'ennemi principal des tribus d'Israël (voir 6.3, 33 ; 7.12 ; 10.12) — La ville des Palmiers désigne Jéricho (Dt 34.3) ● ᵉ Voir au glossaire POIDS ET MESURES

2.21 déposséder les nations Dt 4.38+. **2.22** Israël à l'épreuve Ex 15.25 ; 16.4 ; 20.20 ; Dt 8.2 ; Es 48.10 ; Jr 9.6 ; Ps 81.8 — marcher sur le chemin du Seigneur Dt 8.6+. **2.23** territoires non conquis Jos 13.1-6. **3.1** à l'épreuve Jg 2.22+. **3.3** les nations non asservies Jos 13.3-6. **3.5** Cananéens, Hittites, Amorites, etc. Ex 3.8, 17. **3.7** ce qui est mal aux yeux du Seigneur Dt 4.25+ — oublier le Seigneur Dt 32.18 ; 1 S 12.9 ; Es 17.10 ; 51.13 ; Jr 2.32 ; 3.21 ; Ez 22.12 ; Os 8.14 ; Ps 106.21 — ils servirent les Baals Jg 2.13. **3.8** la colère du Seigneur contre Israël Jg 2.14+ — il les vendit Jg 2.14+. **3.9** le Seigneur suscita un sauveur v. 15 ; 10.12 — Otniel Jg 1.13+. **3.10** l'esprit du Seigneur fut sur lui Jg 6.34 ; 11.29 ; 13.25 ; 14.6, 19 ; 15.14 ; 1 S 10.6, 10 ; 16.13 ; Es 11.2 ; 42.1 ; 61.1. **3.11** le pays fut en repos Jg 3.30 ; 5.31 ; 8.28. **3.12** ce qui est mal aux yeux du Seigneur Dt 4.25+. **3.13** Amaleq Jg 6.3, 33 ; 7.12 ; 10.12. **3.15** cris d'Israël... un sauveur v. 9.

homme très gros. ¹⁸ Dès qu'il eut fini de présenter le tribut, Ehoud raccompagna les gens qui avaient porté le tribut, ¹⁹ mais lui, arrivé aux Idoles qui sont près de Guilgal *f*, rebroussa chemin et dit : « J'ai pour toi une parole confidentielle, ô roi ! » Celui-ci dit : « Ecartez-vous ! », et tous ceux qui se tenaient debout auprès de lui se retirèrent. ²⁰ Ehoud vint vers Eglôn alors qu'il était assis dans la chambre haute *g* bien fraîche qui lui était réservée. Ehoud dit : « J'ai une parole de Dieu pour toi », et le roi se leva de son siège. ²¹ Ehoud étendit la main gauche, prit le poignard sur sa cuisse droite et l'enfonça dans le ventre du roi. ²² Même la poignée entra après la lame et la graisse se referma sur la lame, car Ehoud n'avait pas retiré le poignard du ventre du roi ; alors Ehoud sortit par la fenêtre *h* ²³ après avoir fermé les portes de la chambre haute derrière lui et mis le verrou. ²⁴ Lui sorti, les serviteurs du roi vinrent et regardèrent : voici que les portes de la chambre haute étaient verrouillées, et ils dirent : « Sans doute se couvre-t-il les pieds *i* dans la pièce bien fraîche. » ²⁵ Ils attendirent jusqu'à en être troublés : voilà qu'il n'ouvrait toujours pas les portes de la chambre haute. Alors ils prirent la clé, ouvrirent et voici que leur maître gisait à terre, mort. ²⁶ Quant à Ehoud il s'était échappé pendant qu'ils s'attardaient ; en effet il avait dépassé les Idoles et s'échappait vers la Séïra *j*.

²⁷ Or, dès qu'il arriva, il sonna du cor dans la montagne d'Ephraïm *k* ; les fils d'Israël descendirent avec lui de la montagne, lui à leur tête. ²⁸ Il leur dit : « Suivez-moi, car le SEIGNEUR a livré vos ennemis, les Moabites, entre vos mains. » Ils descendirent derrière lui, occupèrent les gués du Jourdain qui étaient à Moab et ne laissèrent personne traverser. ²⁹ En ce temps-là ils battirent Moab, environ dix mille hommes, tous corpulents et vaillants, et personne ne s'échappa. ³⁰ En ce jour-là Moab fut abaissé sous la main d'Israël et le pays fut en repos pendant quatre-vingts ans.

Shamgar

³¹ Après Ehoud il y eut Shamgar, fils de Anath. Il battit les Philistins, au nombre de six cents hommes, avec un aiguillon *l* à bœufs ; lui aussi sauva Israël.

Débora et Baraq

4 ¹ Ehoud mort, les fils d'Israël recommencèrent à faire ce qui est mal aux yeux du SEIGNEUR. ² Le SEIGNEUR les vendit à Yavîn, roi de Canaan, qui régnait à Haçor. Le chef de son armée était Sisera, mais celui-ci habitait à Harosheth-Goïm *m*. ³ Les fils d'Israël crièrent vers le SEIGNEUR, car Sisera avait neuf cents chars de fer *n* et il avait opprimé durement les fils d'Israël pendant vingt ans.

⁴ Or Débora, une *prophétesse, femme de Lappidoth, jugeait Israël en ce temps-là. ⁵ Elle siégeait sous le Palmier de Débora, entre Rama *o* et Béthel, dans la montagne d'Ephraïm, et les fils d'Israël montaient vers elle pour des questions d'arbitrage. ⁶ Elle fit appeler Baraq, fils d'Avinoam, de Qèdesh de Nephtali et elle lui dit : « Le SEIGNEUR, Dieu d'Israël, a vraiment donné un ordre. Va, rassemble au mont Tabor *p* et prends avec toi dix mille hommes parmi les fils de Nephtali et les fils de Zabulon. ⁷ J'attirerai vers toi au torrent du Qishôn *q* Sisera, chef de l'armée de Yavîn, ainsi que ses chars et ses troupes, et je le

---

f Les *Idoles* sont probablement des pieux ou des pierres taillées — *Guilgal:* voir Jos 4.19 et la note • *g* Il s'agit d'une chambre située sur la terrasse de la maison • *h* Autre traduction: *par le vestibule* • *i* *se couvrir les pieds* ou *s'accroupir:* expression figurée signifiant « satisfaire un besoin naturel » • *j* Région où l'on peut situer ou non le nord de Jéricho • *k* *la montagne d'Ephraïm* est au nord de Jérusalem (Jos 20.7; 21.21) • *l* *Anath* désigne peut-être la localité de Beth-Anath (voir 1.33) — *aiguillon:* bâton terminé par une pointe de fer et utilisé pour faire avancer les *bœufs* • *m* Harosheth-Goïm: localisation incertaine, peut-être à 15 km au sud-est de Haïfa, entre le pied du mont Carmel et le torrent du Qishôn (voir 4.7 et la note) • *n* *chars de fer:* voir Jos 17.16 et la note • *o* *Rama:* à quelques km au nord de Jérusalem • *p* Le *mont Tabor:* voir Jos 19.22 et la note • *q* Le *torrent du Qishôn* longe le versant nord du mont Carmel et se jette dans la mer près de Haïfa

---

3.24 se couvrir les pieds 1 S 24.4. **3.27** la montagne d'Ephraïm Jg 4.5; 10.1; 17.1; 18.13; 19.1, 16; 1 S 1.1. **3.30** le pays fut en repos v. 11+. **3.31** Shamgar, fils de Anath Jg 5.6 — il battit les Philistins 2 S 23.12. **4.1** ce qui est mal aux yeux du Seigneur Dt 4.25+. **4.2** le Seigneur les vendit Jg 2.14+ — Yavîn, roi de Haçor Jg 4.23-24; Jos 11.1-11 — Sisera Jg 5.28-30; 1 S 12.9; Ps 83.10. **4.3** crier vers le Seigneur Jg 3.9, 15 — chars de fer Jg 1.19+. **4.4** prophétesse Ex 15.20. **4.5** sous le palmier de Débora cf. Gn 35.8 — la montagne d'Ephraïm Jg 3.27+. **4.6** Baraq Jg 5.12, 15; He 11.32. **4.7** au torrent du Qishôn Jg 5.21; Ps 83.10.

livrerai entre tes mains. » [8] Baraq lui dit : « Si tu marches avec moi, je marcherai, mais si tu ne marches pas avec moi, je ne marcherai pas. » [9] Elle dit : « Je marcherai donc avec toi ; toutefois sur le chemin où tu marches, la gloire ne sera pas pour toi, car c'est à une femme que le Seigneur vendra Sisera. » Débora se leva et elle alla vers Baraq à Qèdesh. [10] Baraq convoqua Zabulon et Nephtali à Qèdesh. Dix mille hommes montèrent sur ses pas et avec lui monta Débora.

[11] Héber ·le Qénite s'était séparé de Caïn, des fils de Hobab, beau-père de Moïse, et il avait dressé sa tente aussi loin que le chêne de Çaannaïm [r], près de Qèdesh.

[12] On annonça à Sisera que Baraq, fils d'Avinoam, était monté au mont Tabor. [13] Alors Sisera convoqua tous ses chars, neuf cents chars de fer, ainsi que tout le peuple qui était avec lui, depuis Harosheth-Goïm au torrent du Qishôn. [14] Débora dit à Baraq : « Lève-toi, car voici le jour où le Seigneur a livré Sisera entre tes mains. Oui, le Seigneur est sorti devant toi. » Baraq descendit du mont Tabor, ayant dix mille hommes derrière lui. [15] Alors, devant Baraq, le Seigneur mit en déroute Sisera, tous ses chars et toute son armée — au tranchant de l'épée —. Sisera descendit de son char et s'enfuit à pied. [16] Baraq poursuivit les chars et l'armée jusqu'à Harosheth-Goïm ; toute l'armée de Sisera tomba sous le tranchant de l'épée ; il n'en resta pas un seul.

[17] Or Sisera s'enfuyait à pied vers la tente de Yaël, femme de Héber le Qénite, car il y avait la paix entre Yavîn, roi de Haçor, et la maison de Héber le Qénite. [18] Yaël sortit à la rencontre de Sisera et lui dit : « Arrête-toi, mon seigneur, arrête-toi chez moi ; ne crains rien. » Il s'arrêta chez elle, dans sa tente, et elle le recouvrit d'une couverture. [19] Il lui dit : « Peux-tu me donner à boire un peu d'eau, car j'ai soif. » Elle ouvrit l'outre de lait, le fit boire et le recouvrit. [20] Il lui dit : « Tiens-toi à l'entrée de la tente et si quelqu'un vient, t'interroge et dit : "Y a-t-il quelqu'un ici ?", tu diras : "Non." » [21] Mais Yaël, femme de Héber, prit un piquet de la tente, saisit dans sa main le marteau, entra auprès de lui doucement et lui enfonça dans la tempe le piquet qui alla se planter dans la terre ; Sisera qui, épuisé, était profondément endormi, mourut. [22] Or, voici Baraq à la poursuite de Sisera ! Yaël sortit à sa rencontre et lui dit : « Viens, et je te ferai voir l'homme que tu cherches. » Il entra chez elle et voilà que Sisera gisait, mort, le piquet dans la tempe.

[23] En ce jour-là Dieu abaissa Yavîn, roi de Canaan, devant les fils d'Israël. [24] La main des fils d'Israël se fit de plus en plus lourde contre Yavîn, roi de Canaan, jusqu'à ce qu'ils eussent abattu Yavîn, roi de Canaan.

Le cantique de Débora [s]

5 [1] Ce jour-là Débora et Baraq, fils d'Avinoam, chantèrent en disant :
[2] « Lorsqu'en Israël on se consacre totalement [t],
lorsque le peuple s'offre librement,
bénissez le Seigneur.
[3] Ecoutez, rois ! prêtez l'oreille, souverains !
Pour le Seigneur, moi, je veux chanter,
je veux célébrer le Seigneur, Dieu d'Israël.
[4] Seigneur, quand tu sortis de Séïr,
quand tu partis de la steppe d'Edom,
la terre trembla, les cieux chancelèrent [u],
les nuées déversèrent de l'eau,
[5] les montagnes s'affaissèrent [v] devant le Seigneur (celui du Sinaï),
devant le Seigneur, le Dieu d'Israël.
[6] Aux jours de Shamgar, fils d'Anath,
aux jours de Yaël, avaient cessé les caravanes

---

r Caïn: nom de l'ancêtre des Qénites d'après Nb 24.21-22 — Çaannaïm en Nephtali; même localité que Çaanannim en Jos 19.33 ● s Ce poème est un des plus anciens textes de la Bible et, pour cette raison, il est souvent difficile à traduire ● t on se consacre totalement: littéralement on dénoue les chevelures, rite par lequel on montrait qu'on se consacrait à Dieu en vue de la guerre sainte. Autre traduction les chefs commandent ● u Séïr: voir Gn 32.4 et la note — chancelèrent: d'après des manuscrits de l'ancienne version grecque; hébreu déversèrent ● v s'affaissèrent: autre traduction ruisselèrent

4.11 Hobab Nb 10.29 — beau-père de Moïse Jg 1.16+. **4.13** chars de fer Jg 1.19+. **4.15** le Seigneur sema la déroute Ex 14.24. **4.17** Yaël Jg 5.6, 24 — femme v. 9 de Héber le Qénite v. 11. **4.19** il demande de l'eau, elle offre du lait Jg 5.25. **5.4** le Seigneur arrivant de Séïr Dt 33.2; cf. Ps 68.8. **5.5** la nature bouleversée par l'approche du Seigneur Ha 3.3-6; 1 R 19.11-12; Ps 29; 68.9; He 12.26; cf. Ex 19.16-18; Ps 77.18-19; 97.3-5. **5.6** Shamgar, fils de Anath Jg 3.31 — Yaël Jg 4.17 — on voyage par des chemins détournés cf. Es 33.8.

et ceux qui voyageaient allaient par des chemins détournés [w].

7 Des chefs [x] manquaient, ils manquaient en Israël
jusqu'à ce que tu te sois levée, Débora,
jusqu'à ce que tu te sois levée, mère en Israël.

8 On choisissait des dieux nouveaux ;
alors pour cinq villes [y]
c'est à peine si on voyait un bouclier et une lance
pour quarante mille hommes en Israël.

9 Mon cœur va aux commandants d'Israël,
à ceux qui, dans le peuple, s'offrent librement.
Bénissez le SEIGNEUR !

10 Vous qui montez des ânesses [z] blanches,
vous qui siégez sur des tapis
et vous qui marchez sur la route, méditez.

11 Par la voix de ceux qui font le partage, entre les abreuvoirs,
là, on raconte les victoires du SEIGNEUR,
les victoires de sa force en Israël.
Alors le peuple du SEIGNEUR est descendu aux portes [a].

12 Eveille-toi, éveille-toi, Débora !
Eveille-toi, éveille-toi, lance un chant.
Lève-toi, Baraq, et ramène tes captifs [b],
fils d'Avinoam.

13 Alors les survivants sont descendus parmi des nobles,
le peuple du SEIGNEUR est descendu pour moi parmi des héros.

14 D'Ephraïm les princes sont à Amaleq ;
derrière toi Benjamin est parmi tes troupes.
De Makir [c] descendent des commandants
et de Zabulon ceux qui tiennent le bâton de commandement.

15 Les chefs en Issakar sont avec Débora
et Baraq dans la plaine s'est lancé sur ses pas.
Dans les clans de Ruben [d], grandes sont les résolutions !

16 Pourquoi demeures-tu entre les enclos
à écouter les sifflements pour les troupeaux ?
Dans les clans de Ruben, grandes sont les interrogations [e] !

17 Galaad habite au-delà du Jourdain.
Et Dan, pourquoi séjourne-t-il sur des vaisseaux ?
Asher [f] demeure au bord des mers
et habite près de ses ports.

18 Zabulon est un peuple qui a risqué sa vie au mépris de la mort,
ainsi que Nephtali, sur les hauteurs de la campagne.

19 Survinrent des rois, ils ont combattu,
alors les rois de Canaan ont combattu
à Taanak, près des eaux de Meguiddo [g] ;
un butin d'argent ils n'ont pas obtenu.

20 Du haut des cieux les étoiles ont combattu,
de leurs orbites elles ont combattu contre Sisera.

21 Le torrent du Qishôn les a balayés,
le torrent antique, le torrent du Qishôn !
Marche, mon âme, avec hardiesse !

---

w *caravanes* ou *voyages* — *détournés:* la présence des Cananéens dans la plaine empêchait la circulation des caravanes et des voyageurs entre les tribus du nord et celles de la montagne d'Ephraïm ● x *chefs:* le sens du mot hébreu correspondant est incertain ; autres traductions *les habitants des campagnes manquaient* ou, avec quelques manuscrits hébreux, *les villes ouvertes avaient cessé d'exister* ● y Texte difficile ; traduction conjecturale — *pour cinq villes:* autre traduction *la guerre était aux portes* ● z A cette époque l'*ânesse* était la monture des chefs et des personnages de marque (Jg 10.4 ; Nb 22.21) ● a *ceux qui font le partage:* traduction incertaine d'un texte peu clair. Il s'agit, semble-t-il, du partage du butin après la victoire — *portes:* lieu de rassemblement des habitants d'une ville ● b *ramène tes captifs:* texte de sens incertain ● c *Amaleq:* voir 12.15 — *Makir:* clan de la tribu de Manassé ● d Dans la deuxième partie du verset la traduction laisse de côté une répétition du nom d'Issakar, qui semble avoir été empruntée au début du verset. Certains traduisent *et Issakar est comme Baraq* — Quatre tribus qui n'ont pas participé au combat vont recevoir des reproches : *Ruben* (v. 15), *Galaad, Dan, Asher* (v. 17) ● e Les *sifflements* sont peut-être ceux des bergers ; certains pensent qu'il s'agit du *son des flûtes* — *interrogations:* les *clans de Ruben* ne se décident pas à participer au combat avec les autres tribus ● f *Galaad,* nom habituel de la Transjordanie centrale, désigne ici les tribus qui y étaient installées, Gad et une partie de Manassé — *vaisseaux:* les Danites servaient peut-être comme marins *sur des vaisseaux* phéniciens. A cette époque la tribu de *Dan* était encore installée à l'ouest du territoire de Benjamin (voir 18.1-2) — *Asher* occupait la plaine littorale au nord du mont Carmel ● g *Taanak* et *Meguiddo* sont deux villes cananéennes importantes, situées à la bordure méridionale de la plaine d'Izréel.

5.8 un peuple désarmé 1 S 13.19-22. **5.14** Ephraïm Jos 16.1-10 — Amaleq cf. Jg 12.15 — Benjamin Jos 18.11-28 — Makir Nb 32.39 ; Jos 17.1 — Zabulon Jg 1.30+. **5.15** Issakar Jos 19.17-23 — Débora Jg 4.4-5 — Baraq Jg 4.6 — Ruben Jos 13.15-23. **5.17** Galaad Nb 32.1 — Dan Jos 19.40-51 — Asher Jos 19.24-31. **5.18** Nephtali Jos 19.32-39. **5.19** Taanak près de Meguiddo Jos 12.21 ; 17.11 ; Jg 1.27. **5.21** le torrent du Qishôn Jg 4.7+.

22 Alors les sabots des chevaux ont mar-
telé le sol,
du galop, du galop des coursiers.
23 Maudissez Méroz *h*, dit l'*ange du
SEIGNEUR.
Maudissez de malédiction ses habitants,
car ils ne sont pas venus au secours
du SEIGNEUR,
au secours du SEIGNEUR avec les héros.
24 Bénie soit parmi les femmes Yaël,
femme de Héber le Qénite,
parmi les femmes qui vivent sous la
tente, qu'elle soit bénie !
25 Il demandait de l'eau, elle donna du lait ;
dans la coupe des nobles elle présenta
de la crème.
26 Elle étendit sa main vers le piquet
et sa droite vers le marteau des travailleurs ;
elle martela Sisera et lui broya la tête ;
elle lui écrasa et transperça la tempe.
27 A ses pieds il s'affaisse, il tombe, il
est couché ;
à ses pieds, il s'affaisse, il tombe.
Là où il s'est affaissé, il est tombé,
anéanti.
28 Par la fenêtre elle se penche et se
lamente,
la mère de Sisera, à travers le grillage :
"Pourquoi son char tarde-t-il à venir ?
Pourquoi la marche de ses chars est-
elle si lente ?"
29 La plus sage de ses princesses lui
répond,
elle lui réplique en disant :
30 "N'est-ce pas parce qu'ils trouvent et
partagent le butin :
une captive, deux captives par tête de
guerrier,
un butin d'étoffes de couleur pour
Sisera, un butin d'étoffes,
une broderie, deux broderies pour son
cou *i*."

31 Qu'ainsi périssent tous tes ennemis,
SEIGNEUR,
et que tes amis *j* soient comme le
soleil quand il se lève dans sa
force.»
Et le pays fut en repos pendant quarante ans.

Madiân opprime Israël

6 1 Les fils d'Israël firent ce qui est
mal aux yeux du SEIGNEUR ; et le
SEIGNEUR les livra à Madiân *k* pendant
sept ans. 2 La main de Madiân fut puissante contre Israël. A cause de Madiân,
les fils d'Israël aménagèrent dans les
montagnes les failles, les grottes et les
points escarpés. 3 Or, chaque fois qu'Israël avait semé, Madiân montait, ainsi
qu'Amaleq et les fils de l'Orient *l* ; ils
montaient l'envahir. 4 Ils campaient auprès des Israélites, ravageaient les produits
du pays jusqu'à proximité de Gaza *m* et ils
ne laissaient pas de vivres en Israël, ni de
moutons, ni de bœufs, ni d'ânes. 5 En effet,
ils montaient, eux et leurs troupeaux, avec
leurs tentes, arrivaient aussi nombreux que
des sauterelles *n* — eux et leurs chameaux
étaient innombrables — et ils entraient
dans le pays pour le ravager. 6 Ainsi,
Israël fut très affaibli à cause de Madiân ;
et les fils d'Israël crièrent vers le SEIGNEUR.
7 Or, comme les fils d'Israël criaient
vers le SEIGNEUR à cause de Madiân, 8 le
SEIGNEUR envoya aux fils d'Israël un
*prophète qui leur dit : « Ainsi parle le
SEIGNEUR, Dieu d'Israël : C'est moi qui
vous ai fait monter d'Egypte et qui vous
ai fait sortir de la maison de servitude.
9 Je vous ai délivrés des Egyptiens et de
tous ceux qui vous opprimaient ; je les
ai chassés devant vous et je vous ai
donné leur pays. 10 Je vous ai dit : "Je

---

h Ville située à 12 km au sud-est de Qédesh de Nephtali ● *i une broderie... pour son cou:*
traduction conjecturale d'un texte peu clair ● *j tes amis:* d'après plusieurs versions anciennes;
hébreu *ses amis* ● *k* Voir Ex 2.15 et la note ● *l Amaleq:* voir Ex 17.8 et la note — *fils de
l'Orient:* désignation générale de groupes nomades vivant dans le nord de la Transjordanie et
dans le désert syrien ● *m* Une des cinq villes des Philistins, la plus au sud, non loin de la mer
● *n* Ces insectes arrivent parfois en troupes innombrables (Jr 46.23) qui dévorent toute la verdure
et laissent le pays ravagé (Jl 1.4-12)

5.24 Bénie soit... Lc 1.42 — Yaël Jg 4.17.   **5.25** il demande de l'eau, elle donne du lait Jg 4.19.
5.26 elle lui broya la tête *Jdt* 13.8.   **5.31** Qu'ainsi périssent les ennemis Nb 10.35 ; 1 S 2.10 ; Ps 37.20 ;
68.2 ; 72.9 — les amis de Dieu Dt 5.10+ — comme le soleil se lève 2 S 23.4 ; Dn 12.3 ; Mt 13.43 — le
pays fut en repos Jg 3.11+.   **6.1** ce qui est mal aux yeux de Dieu Dt 4.25+ — Madiân Gn 25.2-6 ;
Ex 2.15-22 ; 3.1 ; 18.1-12 ; Nb 10.29-32 ; 22.4, 7 ; 25.6-18 ; 31.1-18.   **6.3** Amaleq Jg 3.13+ ; Ex 17.8-16 ;
Dt 25.17-19 ; 1 S 15.3, 7-8 ; 30.1-2 ; Ps 83.8 — les fils de l'Orient Jg 8.10 ; Ez 25.4, 10 ; Jb 1.3.   **6.5**
aussi nombreux que les sauterelles Jg 7.12 ; Jr 46.23 ; Jl 1.4—2.11 ; Am 7.1-2 ; Na 3.15.   **6.7** appel
au Seigneur Jg 3.9, 15 ; 10.12.   **6.8-10** bienfaits de Dieu, indignité du peuple Jg 2.1, 2, 12 ; 10.11-14 ;
1 S 2.27-36 ; 10.18-19 ; Es 1.2-3 ; 5.1-7 ; Os 2.4-15 ; Am 2.6-16 ; 3.1-2, etc. ; cf. Jos 24.17-18.   **6.8** qui
vous ai fait monter d'Egypte Jg 2.1+ — la maison de servitude Dt 5.6+.   **6.10** Je suis le Seigneur
votre Dieu Ex 20.2 ; Lv 18.2, 30 ; 19.2, 4, 10, 12, etc. ; 20.7, 24 ; Dt 5.6 — vous ne rendrez pas de culte
aux dieux Ex 20.3, 5 des Amorites Jos 24.15 — vous n'avez pas écouté Dt 1.43 ; Es 66.4 ; Jr 13.11.

suis le SEIGNEUR, votre Dieu. Vous ne craindrez pas les dieux des *Amorites dont vous habitez le pays !" Mais vous n'avez pas écouté ma voix ! »

Dieu charge Gédéon de sauver Israël

11 L'*ange du SEIGNEUR vint s'asseoir sous le térébinthe d'Ofra qui appartenait à Yoash, du clan d'Avièzer. Gédéon, son fils, était en train de battre le blé dans le pressoir o pour le soustraire à Madiân. 12 L'ange du SEIGNEUR lui apparut et lui dit : « Le SEIGNEUR est avec toi, vaillant guerrier ! » 13 Gédéon lui dit : « Pardon, mon seigneur ! Si le SEIGNEUR est avec nous, pourquoi tout cela nous est-il arrivé ? Où sont donc toutes les merveilles que nous racontaient nos pères en concluant : "N'est-il pas vrai que le SEIGNEUR nous a fait monter d'Egypte ?" Or maintenant, le SEIGNEUR nous a délaissés en nous livrant à Madiân. »

14 Le SEIGNEUR se tourna vers lui et dit : « Va avec cette force que tu as et sauve Israël de Madiân. Oui, c'est moi qui t'envoie ! » 15 Mais Gédéon lui dit : « Pardon, mon seigneur, comment sauverai-je Israël ? Mon clan est le plus faible en Manassé, et moi, je suis le plus jeune dans la maison de mon père ! » 16 Le SEIGNEUR lui répondit : « Je serai avec toi, et ainsi tu battras les Madianites tous ensemble. » 17 Gédéon lui dit : « Si vraiment j'ai trouvé grâce à tes yeux, manifeste-moi par un signe que c'est toi qui me parles. 18 Je t'en prie, ne t'éloigne pas d'ici jusqu'à ce que je revienne vers toi, le temps d'apporter mon *offrande et de la déposer devant toi. » Le SEIGNEUR dit : « Je resterai jusqu'à ton retour. »

19 Gédéon vint préparer un chevreau et, avec un épha p de farine, il fit des pains sans *levain. Il mit la viande dans un panier et le jus dans un pot, puis il apporta le tout sous le térébinthe et le lui présenta. 20 L'ange de Dieu lui dit : « Prends la viande et les pains sans levain, pose-les sur cette roche et répands le jus ! » Ainsi fit Gédéon. 21 L'ange du SEIGNEUR étendit l'extrémité du bâton qu'il avait à la main et toucha la viande et les pains sans levain. Le feu jaillit du rocher et consuma la viande et les pains sans levain. Puis l'ange du SEIGNEUR disparut à ses yeux. 22 Alors Gédéon vit que c'était l'ange du SEIGNEUR, et il dit : « Ah ! Seigneur DIEU, j'ai donc vu l'ange du SEIGNEUR face à face ! » 23 Le SEIGNEUR lui dit : « La paix est avec toi ! Ne crains rien ; tu ne mourras pas. » 24 A cet endroit, Gédéon bâtit un *autel au SEIGNEUR et il l'appela « Le SEIGNEUR est paix ». Jusqu'à ce jour, cet autel est encore à Ofra d'Avièzer.

Gédéon démolit l'autel du Baal

25 Or, cette nuit-là, le SEIGNEUR dit à Gédéon : « Prends le jeune taureau que possède ton père et un second taureau de sept ans. Puis tu démoliras l'*autel du *Baal que possède ton père et tu couperas le poteau sacré q qui est à côté. 26 Tu bâtiras ensuite un autel bien appareillé au SEIGNEUR, ton Dieu, au sommet de cette hauteur ; tu prendras alors le second taureau et tu l'offriras en holocauste r sur le bois du poteau sacré que tu auras coupé. » 27 Gédéon prit dix hommes parmi ses serviteurs, et il agit comme le lui avait dit le SEIGNEUR. Mais, parce qu'il craignait les gens de la maison de son père et ceux de la ville, plutôt que de le faire de jour, il le fit de nuit. 28 S'étant

o Ofra: localisation incertaine, sur le territoire de Manassé — Le térébinthe est ici un arbre sacré — Avièzer: clan de la tribu de Manassé — Habituellement on bat le blé au grand air, mais Gédéon s'est caché dans le pressoir, c'est-à-dire le creux où l'on écrasait le raisin ● p Voir au glossaire POIDS ET MESURES ● q poteau sacré: symbole de la déesse Ashéra (voir 3.7 et la note) ● r bien appareillé: traduction incertaine ; certains comprennent comme à l'ordinaire — holocauste: voir au glossaire SACRIFICES

6.11-24 autres vocations d'envoyés de Dieu Ex 3 ; 1 S 3.1-14 ; Es 6 ; Jr 1 ; Am 7.14-15. 6.11 l'ange du Seigneur Jg 2.1 ; 13.3 ; Gn 22.11, etc. ; cf. Jg 6.14, 16, 20-23 — térébinthe (arbre sacré) Gn 35.4 ; 1 R 13.14 — clan d'Avièzer Jos 17.2 — Gédéon He 11.32. 6.12 le Seigneur est avec toi Rt 2.4 ; cf. Jos 1.5+. 6.13 le Seigneur nous a fait monter d'Egypte Jg 2.1+ — livrés à Madiân cf. Jg 2.14+. 6.15 je suis le plus jeune Ex 3.11 ; 1 S 9.21 ; 1 R 3.7 ; Jr 1.6 — Dieu choisit souvent les derniers Gn 21.12 ; 25.23 ; 37.7 ; 48.19 ; 1 S 10.17-24 ; 16.1-13 ; cf. Mt 19.30+ ; 1 Co 1.26-31. 6.16 je serai avec toi Ex 3.12 ; 4.12 ; 33.20-23 ; Jos 1.9 ; 3.7 ; Es 41.10 ; Jr 1.8 ; cf. Jg 6.12. 6.17 signe demandé Jg 6.36-40 ; Gn 15.8 ; Ex 4.1-9 ; 33.16 ; 2 R 20.8-11 ; Es 7.10-14. 6.18 le temps d'offrir quelque chose Gn 18.3-5 ; Jg 13.15. 6.21 un feu que l'homme n'a pas allumé Ex 3.2-6 ; Lv 9.24 ; 1 R 18.38 ; 1 Ch 21.26 ; 2 Ch 7.1. 6.22 crainte de voir Dieu face à face Jg 13.22 ; Ex 3.2-6 ; 33.20-23 ; 1 R 19.13 ; Es 6.5 ; cf. Gn 32.31. 6.23 ne crains rien Gn 26.24 ; Es 41.10, 13 ; Jr 30.10. 6.24 construction d'un autel Gn 12.7-8 auquel un nom est donné Gn 33.20 ; 35.7 ; Ex 17.15-16 ; Jos 22.34. 6.25 tu démoliras l'autel Ex 34.13 ; Dt 7.5 ; 12.3 du Baal cf. Jg 2.11.

levés de bon matin, les gens de la ville virent que l'autel du Baal était renversé, le poteau sacré qui était à côté coupé, et qu'on avait offert en holocauste le second taureau sur l'autel qui venait d'être bâti. [29] Ils se dirent l'un à l'autre : « Qui a fait cela ? » S'étant renseignés et ayant fait des recherches, ils dirent : « C'est Gédéon, fils de Yoash, qui a fait cela ! » [30] Les gens de la ville dirent à Yoash : « Fais sortir ton fils et qu'il meure, car il a renversé l'autel du Baal et coupé le poteau sacré qui était à côté. » [31] Yoash dit à tous ceux qui se tenaient près de lui : « Est-ce à vous de plaider pour Baal ? Est-ce à vous de venir à son secours ? — Quiconque plaide pour Baal doit être mis à mort avant le matin ! — Si Baal est Dieu, qu'il plaide lui-même sa cause, puisque Gédéon a renversé son autel. » [32] Ce jour-là, on appela Gédéon Yeroubbaal [s], en disant : « Que Baal plaide sa cause contre lui », puisqu'il a renversé son autel.

Gédéon demande à Dieu une garantie

[33] Tout Madiân ainsi que Amaleq et les fils de l'Orient se réunirent d'un commun accord, traversèrent le Jourdain et campèrent dans la plaine d'Izréel [t]. [34] L'esprit du SEIGNEUR revêtit Gédéon, qui sonna du cor, et le clan d'Aviézer fut convoqué à le suivre. [35] Il envoya des messagers dans tout Manassé qui, lui aussi, fut convoqué à le suivre. Puis il envoya des messagers dans les tribus d'Asher, de Zabulon et de Nephtali, qui montèrent à leur rencontre. [36] Gédéon dit à Dieu : « Si tu veux sauver Israël par ma main, comme tu l'as dit, [37] voici je vais étendre sur l'aire une toison [u] de laine : s'il n'y a de la rosée que sur la toison et si tout le terrain reste sec, je saurai que tu veux sauver Israël par ma main, comme tu l'as dit. » [38] Et il en fut ainsi. Lorsque le lendemain Gédéon se leva, il pressa la toison et il en exprima la rosée, une pleine coupe d'eau. [39] Gédéon dit à Dieu : « Que ta

colère ne s'enflamme pas contre moi si je parle encore une fois. Permets que je fasse une dernière fois l'épreuve de la toison : Que la toison seule reste sèche et qu'il y ait de la rosée sur tout le terrain. » [40] Cette nuit-là, Dieu fit ainsi : seule la toison resta sèche et il y eut de la rosée sur tout le terrain.

Trois cents hommes pour Gédéon

7 [1] Yeroubbaal — c'est Gédéon — se leva de bon matin, lui et tout le peuple qui était avec lui, et ils campèrent près de Ein Harod, tandis que le camp de Madiân se trouvait plus au nord, du côté de la colline de Moré [v], dans la plaine. [2] Le SEIGNEUR dit à Gédéon : « Trop nombreux est le peuple qui est avec toi pour que je livre Madiân entre ses mains : Israël pourrait s'en glorifier à mes dépens et dire : “C'est ma main qui m'a sauvé !” [3] En conséquence, proclame donc ceci au peuple : “Quiconque a peur et tremble, qu'il rentre chez lui !” » Et Gédéon les mit à l'épreuve [w]. Vingt-deux mille hommes parmi le peuple rentrèrent chez eux et il resta dix mille hommes.

[4] Le SEIGNEUR dit à Gédéon : « Ce peuple est encore trop nombreux ! Fais-le descendre au bord de l'eau, et là je te le mettrai à l'épreuve pour toi. Ainsi, celui dont je te dirai : “Qu'il aille avec toi”, celui-là ira avec toi, et tout homme dont je te dirai : “Qu'il n'aille pas avec toi”, celui-là n'ira pas ! » [5] Alors, Gédéon fit descendre le peuple au bord de l'eau, et le SEIGNEUR dit à Gédéon : « Quiconque lapera l'eau, comme un chien le fait avec la langue, tu le mettras à part, et de même quiconque se mettra à genoux pour boire. » [6] Or, le nombre de ceux qui lapèrent en portant la main à la bouche fut de trois cents hommes, alors que tout le reste du peuple s'était mis à genoux pour boire de l'eau. [7] Le SEIGNEUR dit à Gédéon : « C'est avec les trois cents hommes qui ont lapé que je vous sauverai et que je livrerai Madiân entre

---

s Yeroubbaal signifie *Que Baal plaide* ● *t Madiân, Amaleq, fils de l'Orient* : voir 6.1-3 et les notes — *Izréel :* voir Jos 19.18 et la note ● *u toison :* peau de mouton encore garnie de sa laine ● *v Yeroubbaal :* voir 6.32 et la note — *Ein Harod* (la source du tremblement) ; à l'est de la plaine d'Izréel, au pied du mont Guilboa — *colline de Moré,* c'est-à-dire *du devin,* haute de 515 m., au sud du mont Tabor ● *w tremble :* allusion à Ein *Harod* (voir la note sur le v. 1) — *Et Gédéon les mit à l'épreuve :* traduction conjecturale ; hébreu peu clair

6.31 si Baal est Dieu... 1 R 18.27. **6.34** l'esprit du Seigneur Jg 3.10+ — sonnerie de cor Jr 4.5+. **6.36** sauver Israël comme tu l'as dit v. 14-16. **6.37** un signe demandé v. 17+. **6.39** Que ta colère... Gn 18.30, 32. **7.2** Israël pourrait s'en glorifier Dt 8.17-18 ; 9.4-6 ; Es 10.13-15 ; Am 6.13 ; cf. Jos 24.12 ; 1 S 17.47 ; Os 1.7+ ; Ps 44.4. **7.3** quiconque a peur... Dt 20.8 ; *1 M* 3.56.

tes mains. Que le gros du peuple rentre chacun chez soi. » [8] Les trois cents prirent dans leurs mains les cruches *x* du peuple ainsi que leurs cors, puis Gédéon renvoya le gros des hommes d'Israël chacun sous sa tente, mais il retint les trois cents hommes. Le camp de Madiân était au-dessous du sien dans la plaine.

Présage de victoire

[9] Or, cette nuit-là, le SEIGNEUR dit à Gédéon : « Lève-toi, descends au camp, car je l'ai livré entre tes mains. [10] Mais si tu as peur de descendre, descends vers le camp avec Poura, ton serviteur. [11] Tu entendras ce qu'on y dit. Ton courage en sera fortifié, et tu pourras faire une descente sur le camp. » Il descendit donc avec Poura, son serviteur, jusqu'aux avant-postes du camp. [12] Madiân, Amaleq et tous les fils de l'Orient s'étalaient dans la plaine aussi nombreux que des sauterelles ; on ne pouvait compter leurs chameaux, aussi nombreux que les grains de sable sur le bord de la mer. [13] Au moment où Gédéon arrivait, voilà qu'un homme racontait un songe à son camarade : « Tiens, lui disait-il, je viens d'avoir un songe : Voici qu'une miche de pain d'orge tournoyait dans le camp de Madiân, arrivait jusqu'à la tente, la heurtait, provoquant sa chute et la mettant sens dessus dessous, si bien que la tente était effondrée *y* ! » [14] Son camarade lui répondit et dit : « Ce ne peut être que l'épée de Gédéon, fils de Yoash, l'Israélite. Dieu a livré entre ses mains Madiân et tout le camp. » [15] Dès que Gédéon eut entendu le récit de ce songe et son interprétation, il se prosterna, puis il revint au camp d'Israël et dit : « Levez-vous, car le SEIGNEUR a livré entre vos mains le camp de Madiân. »

Déroute des Madianites

[16] Gédéon divisa les trois cents hommes en trois bandes. A tous il remit des cors et des cruches vides avec des torches dans les cruches. [17] Il leur dit : « Vous regarderez de mon côté et vous ferez comme moi ! Quand je serai arrivé aux abords du camp, ce que je ferai, vous le ferez aussi. [18] Je sonnerai du cor, moi et tous ceux qui seront avec moi, alors vous sonnerez du cor, vous aussi, tout autour du camp et vous crierez : "Pour le SEIGNEUR et pour Gédéon !" »

[19] Gédéon et les cent hommes qui étaient avec lui arrivèrent aux abords du camp au début de la veille de la minuit *z* ; on venait de relever les sentinelles. Ils sonnèrent du cor et brisèrent les cruches qu'ils avaient à la main. [20] Alors, les trois bandes sonnèrent du cor et brisèrent les cruches ; de la main gauche ils saisirent les torches et de la main droite les cors pour en sonner, et ils crièrent : « Epée pour le SEIGNEUR et pour Gédéon ! » [21] Pendant qu'ils se tenaient debout autour du camp, chacun à sa place, le camp tout entier se mit à courir, à pousser des cris et à prendre la fuite. [22] Et tandis que retentissaient les trois cents cors, le SEIGNEUR fit que dans tout le camp chacun dirigeait son épée contre son camarade ; ils s'enfuirent jusqu'à Beth-Shitta, du côté de Ceréra, et jusqu'à la rive d'Avel-Mehola, près de Tabbath *a*.

[23] Alors les hommes d'Israël furent convoqués de Nephtali, d'Asher et de tout Manassé, et ils poursuivirent Madiân. [24] Gédéon envoya des messagers dans toute la montagne d'Ephraïm pour dire : « Descendez à la rencontre de Madiân et occupez avant eux les points d'eau jusqu'à Beth-Bara ainsi que le Jourdain. » Tous les hommes d'Ephraïm furent convoqués et ils occupèrent les points d'eau jusqu'à Beth-Bara ainsi que le Jourdain. [25] Ils s'emparèrent de deux chefs de Madiân, Orev et Zéev. Ils tuèrent Orev au rocher de Orev et Zéev au Pressoir de Zéev. Puis ils menèrent leur poursuite jusque vers Madiân et rapportèrent à Gédéon les têtes de Orev et de Zéev d'au-delà du Jourdain.

---

x cruches: traduction conjecturale, d'après le v. 16; hébreu *provisions* ● *y* Le *pain d'orge* symbolise les Israélites cultivateurs; la *tente* représente les Madianites nomades ● *z au début de la veille de la minuit:* vers 11 heures du soir ● *a Ceréra:* localité inconnue. *Avel-Mehola* à l'ouest du Jourdain et *Tabbath* à l'est, ainsi peut-être que *Beth-Shitta.* Les Madianites fuient vers le sud pour franchir les gués du Jourdain

7.8 chacun sous sa tente Jg 20.8; 1 S 13.2; 2 S 20.1; 1 R 8.66; 12.16. **7.12** Madiân, Amaleq et les fils de l'Orient Jg 6.1, 3, 33 — aussi nombreux que les sauterelles Jg 6.5+ ● qu'on ne peut compter Gn 22.17; Jos 11.4; 1 R 4.20; Jr 33.22; Os 2.1. **7.13** songes symboliques Gn 37.5-11; 40.5—41.36. **7.16** en trois bandes Jg 9.43; 1 S 11.11; 13.17. **7.19** les trois veilles de la nuit cf. Ex 14.24; 1 S 11.11. **7.23** Nephtali, Asher, Manassé Jg 5.17-18; 6.15, 35.

Mécontentement des Ephraïmites

8 ¹ Les hommes d'Ephraïm dirent à Gédéon : « Que signifie cette manière d'agir envers nous en ne nous appelant pas lorsque tu partais combattre Madiân ? » Et ils le prirent violemment à partie. ² Gédéon leur dit : « Qu'ai-je donc fait de comparable à vous ? Le grappillage *b* d'Ephraïm ne vaut-il pas mieux que la vendange d'Avièzer ? ³ C'est entre vos mains que Dieu a livré les chefs de Madiân, Orev et Zéev. Qu'ai-je donc pu faire de comparable à vous ? » Dès qu'il eut prononcé cette parole, leur animosité contre lui s'apaisa.

Gédéon à l'est du Jourdain

⁴ Gédéon arriva au Jourdain et le traversa, lui et les trois cents hommes qui étaient avec lui. Bien qu'épuisés, ils continuaient leur poursuite. ⁵ Il dit aux gens de Soukkoth : « Donnez, je vous prie, des galettes de pain à la troupe qui me suit, car ils sont épuisés, et je poursuis Zèvah et Çalmounna *c*, rois de Madiân. » ⁶ Mais les chefs de Soukkoth répondirent : « Tiens-tu déjà en ton pouvoir Zèvah et Çalmounna pour que nous donnions du pain à ton armée ? » — ⁷ « Eh bien ! répliqua Gédéon, quand le SEIGNEUR aura livré entre mes mains Zèvah et Çalmounna, je vous fouetterai *d* avec les épines du désert et les chardons. » ⁸ De là il monta à Penouël *e* et il parla aux habitants de la même manière, et les gens de Penouël lui répondirent comme avaient répondu les gens de Soukkoth. ⁹ Il dit aussi aux gens de Penouël : « Si je reviens sain et sauf, je renverserai cette tour ! »

¹⁰ Zèvah et Çalmounna se trouvaient dans le Qarqor avec leur armée, environ quinze mille hommes, tous ceux qui restaient de toute l'armée des fils de l'Orient *f*. En effet, il était tombé cent vingt mille hommes sachant tirer l'épée. ¹¹ Gédéon monta par la route des nomades à l'est de Novah et de Yogboha *g*, et il battit l'armée, alors que celle-ci se croyait en sûreté. ¹² Zèvah et Çalmounna prirent la fuite, mais Gédéon les poursuivit, s'empara des deux rois de Madiân, Zèvah et Çalmounna, et il sema la panique dans toute l'armée.

¹³ Gédéon, fils de Yoash, revint du combat par la montée de Hèrès *h*. ¹⁴ Il saisit un jeune homme de Soukkoth, qu'il interrogea et qui lui désigna par écrit les chefs de Soukkoth et ses anciens, soixante-dix-sept hommes. ¹⁵ Il se rendit alors auprès des gens de Soukkoth et leur dit : « Voici Zèvah et Çalmounna à propos desquels vous m'avez mis au défi, en disant : "Tiens-tu déjà en ton pouvoir Zèvah et Çalmounna pour que nous donnions du pain à tes hommes épuisés ?" » ¹⁶ Il prit les anciens de la ville, ainsi que des épines du désert et des chardons, et il en fit faire connaissance aux hommes de Soukkoth *i*. ¹⁷ Il renversa aussi la tour de Penouël et massacra les hommes de la ville.

¹⁸ Puis il dit à Zèvah et à Çalmounna : « Où sont les hommes que vous avez tués au Tabor ? » Ils répondirent : « Ils étaient comme toi. Ils avaient chacun l'air d'un fils de roi *j*. » ¹⁹ Il leur dit : « C'étaient mes frères, les fils de ma mère ! Par la vie du SEIGNEUR, si vous les aviez laissé vivre, je ne vous tuerais pas. » ²⁰ Puis il dit à Yètèr, son fils aîné : « Lève-toi et tue-les *k* ! » Mais le jeune homme ne tira pas son épée, car il avait peur, n'étant encore qu'un jeune homme. ²¹ Zèvah et Çalmounna dirent alors : « Lève-toi toi-même et frappe-nous, car à

---

b Le grappillage est la cueillette des grappes de raisin qui restent après la vendange ● *c Soukkoth :* voir Gn 33.17 et la note — *Zévah* (victime) et *Çalmounna* (ombre retranchée) sont probablement des surnoms ironiques donnés par le narrateur aux deux rois madianites ● *d je vous fouetterai avec :* autre traduction *je vous foulerai sous* (ou *comme*) ● *e* Ville de Transjordanie, proche de *Soukkoth* (voir Gn 32.31-32) ● *f Qarqor :* lieu inconnu — *fils de l'Orient :* voir 6.3 et la note ● *g Novah :* nom d'un clan de Manassé en Transjordanie (voir Nb 32.42) — *Yogboha :* ville de Gad, en Transjordanie, à 13 km au nord-ouest d'Amman ● *h* Localisation inconnue ● *i* Texte hébreu incertain. Les versions anciennes lisent... *chardons avec lesquels il piétina les hommes de Soukkoth* ● *j Tabor :* voir Jos 19.22 et la note. Gédéon fait allusion à une bataille inconnue, sans doute différente de celle du ch. 7 — *fils de roi :* les frères de Gédéon ont été exécutés parce qu'on les a considérés comme des chefs ● *k* Le proche parent d'un homme tué par autrui avait le devoir de faire périr le meurtrier. C'est ce qu'on appelait la « vengeance du sang » (voir références parallèles)

8.1 altercation avec les Ephraïmites Jg 12.1-6. **8.5** Soukkoth Jos 13.27. **8.8** Penouël 1 R 12.25. **8.10** les fils de l'Orient Jg 6.3+. **8.14** soixante-dix-sept cf. Gn 4.24; 46.27; Jg 8.30; 9.2; 2 R 10.1. **8.18** le (mont) Tabor Jg 4.6. **8.19** frères utérins Gn 43.29; Dt 13.7; Ct 8.1. **8.20** la vengeance du sang Gn 4.14-15, 23-24; Nb 35.19-29; Jos 20.1-3; 2 S 3.27, 30; 14.7; 21.1-9. **8.21** tue-nous toi-même Jg 9.54.

chacun sa bravoure. » Alors Gédéon se leva et tua Zèvah et Çalmounna, puis il prit les croissants *l* qui étaient au cou de leurs chameaux.

Fin de la vie de Gédéon

²² Les hommes d'Israël dirent à Gédéon : « Sois notre souverain, toi-même, puis ton fils, puis le fils de ton fils, car tu nous as sauvés de la main de Madiân. » ²³ Gédéon leur dit : « Ce n'est pas moi qui serai votre souverain, ni mon fils. Que le SEIGNEUR soit votre souverain ! » ²⁴ Puis Gédéon leur dit : « Je voudrais vous faire une demande : Donnez-moi chacun un anneau de votre butin ! » En effet, les vaincus avaient des anneaux d'or puisque c'étaient des Ismaélites *m*. ²⁵ Ils répondirent : « Oui, nous allons te les donner. » Ils étendirent un manteau et y jetèrent chacun un anneau de son butin. ²⁶ Le poids des anneaux d'or qu'il avait demandés s'éleva à mille sept cents sicles d'or, sans compter les croissants, les pendants d'oreilles et les vêtements de pourpre *n* que portaient les rois de Madiân, sans compter non plus les colliers qui étaient au cou de leurs chameaux. ²⁷ Gédéon en fit un éphod qu'il installa dans sa ville, à Ofra. Tout Israël vint se prostituer *o* là, devant cet éphod, qui devint un piège pour Gédéon et pour sa maison.

²⁸ Ainsi Madiân fut abaissé devant les fils d'Israël et il ne releva plus la tête. Le pays fut en repos pendant quarante ans durant la vie de Gédéon.

²⁹ Yeroubbaal, fils de Yoash, s'en alla et demeura dans sa maison. ³⁰ Gédéon eut soixante-dix fils, issus de son sang, car il avait beaucoup de femmes. ³¹ Quant à sa concubine, qui se trouvait à Sichem, elle lui enfanta, elle aussi, un fils, à qui il imposa le nom d'Abimélek. ³² Gédéon, fils de Yoash, mourut après une heureuse vieillesse et il fut enseveli dans le tombeau de Yoash, à Ofra d'Avièzer.

³³ Mais après la mort de Gédéon, les fils d'Israël recommencèrent à se prostituer aux *Baals, et ils adoptèrent Baal-Berith pour dieu *p*. ³⁴ Les fils d'Israël ne se souvinrent plus du SEIGNEUR, leur Dieu, qui les avait délivrés de la main de tous leurs ennemis d'alentour, ³⁵ et ils ne firent preuve d'aucune loyauté envers la maison de Yeroubbaal-Gédéon, après tout le bien qu'il avait fait à Israël.

Abimélek devient roi à Sichem

9 ¹ Abimélek, fils de Yeroubbaal, alla à Sichem trouver les frères de sa mère pour leur parler, ainsi qu'à tout le clan de la maison paternelle de sa mère, et il leur dit : ² « Parlez donc ainsi à tous les propriétaires de Sichem : Que vaut-il mieux pour vous ? Etre dominés par soixante-dix hommes, tous fils de Yeroubbaal, ou être dominés par un seul homme ? Souvenez-vous que je suis, moi, de vos os et de votre chair *q*. » ³ Les frères de sa mère répétèrent toutes ces paroles d'Abimélek à tous les propriétaires de Sichem et leur cœur opta pour Abimélek, car ils se dirent : « C'est notre frère. » ⁴ Ils lui donnèrent donc soixante-dix sicles d'argent du temple de Baal-Berith *r* avec lesquels Abimélek prit à sa solde des hommes de rien et des aventuriers qui marchèrent à sa suite. ⁵ Puis il entra dans la maison de son père à Ofra et il tua ses frères, les fils de Yeroubbaal, soixante-dix hommes à la fois. Il ne subsista que Yotam, le plus jeune fils de

---

l à chacun sa bravoure: les rois trouvent plus glorieux de mourir de la main d'un guerrier brave que de celle d'un adolescent peureux — *croissants:* sortes de bijoux en forme de quartier de lune ● *m Ismaélites* possède apparemment ici le sens général de nomades ou de caravaniers (voir Gn 37.25-28; 39.1) ● *n sicles:* voir au glossaire POIDS ET MESURES — *pourpre:* étoffe précieuse, de couleur rouge ● *o L'éphod* peut désigner ici soit un étui où l'on met les objets sacrés utilisés pour la divination, soit plus probablement une statue divine (voir 17.5; 18.14-20). Il est différent de l'éphod d'Ex 25.7 (voir la note) — *se prostituer:* voir Os 2.4 et la note ● *p Baal-Berith* (comme en 9.4) ou *El-Berith* (9.46): *dieu de l'alliance* ou *des serments.* Il s'agit probablement du dieu adoré à Sichem (voir 9.4) ● *q* Ces *propriétaires* forment un groupe qui dispose d'une influence politique — *Yeroubbaal:* voir 6.32 et la note — *vos os et votre chair:* cette expression marque une étroite parenté (voir Gn 2.23; 29.14) ● *r sicles:* voir au glossaire POIDS ET MESURES — *Baal-Berith;* voir 8.33 et la note.

8.23 c'est le Seigneur qui est votre roi 1 S 8.7; 12.12. **8.24** collecte des anneaux d'or Ex 32.2-3. **8.27** éphod Os 3.4+ — prostitution Os 1.2+ — un piège Jg 2.3+. **8.28** le pays fut en repos Jg 3.11+. **8.30** soixante-dix fils Jg 9.5, 24, 56. **8.32** vieillesse et mort Jg 10.2, 5; 12.7, 10, 12, 15; 16.31. **8.33** les Israélites retombent dans l'idolâtrie Jg 2.19; 3.12; 4.1; 6.1; 10.6; 13.1 — Baal-Berith Jg 9.4, 46. **9.1** Abimélek Jg 8.31 — les frères de sa mère cf. Jg 8.31. **9.2** soixante-dix fils de Yeroubbaal Jg 8.30. **9.4** Baal-Berith Jg 8.33+ — des hommes de rien à solde Jg 11.3. **9.5** extermination de la descendance royale 2 R 10.1-17; 11.1-3; cf. Mt 2.16-18.

Yeroubbaal, car il s'était caché. ⁶ Tous les propriétaires de Sichem et tout le Beth-Millo se rassemblèrent et allèrent proclamer roi Abimélek près du térébinthe de la stèle ˢ qui est à Sichem.

La fable de Yotam

⁷ On l'annonça à Yotam. Celui-ci alla se placer au sommet du mont Garizim ᵗ ; il éleva la voix et cria, puis leur dit : « Ecoutez-moi, propriétaires de Sichem, et que Dieu vous écoute. ⁸ Les arbres s'étaient mis en route pour aller *oindre celui qui serait leur roi. Ils dirent à l'olivier : "Règne donc sur nous." ⁹ L'olivier leur dit : "Vais-je renoncer à mon huile par laquelle on honore les dieux et les hommes pour aller m'agiter au-dessus des arbres ?" ¹⁰ Les arbres dirent au figuier : "Viens donc, toi, régner sur nous." ¹¹ Le figuier leur dit : "Vais-je renoncer à ma douceur et à mon bon fruit pour aller m'agiter au-dessus des arbres ?" ¹² Les arbres dirent alors à la vigne : "Viens donc, toi, régner sur nous." ¹³ La vigne leur dit : "Vais-je renoncer à mon vin qui réjouit les dieux et les hommes pour aller m'agiter au-dessus des arbres ?" ¹⁴ Alors tous les arbres dirent au buisson d'épines : "Viens donc, toi, régner sur nous." ¹⁵ Mais le buisson d'épines dit aux arbres : "Si c'est loyalement que vous me donnez l'onction pour que je sois votre roi, alors venez vous abriter sous mon ombre. Mais s'il n'en est pas ainsi, un feu sortira du buisson d'épines et il dévorera les cèdres du Liban ᵘ". ¹⁶ Maintenant donc, si vous avez agi avec loyauté et intégrité en proclamant Abimélek comme roi, si vous avez agi correctement à l'égard de Yeroubbaal et de sa maison, si vous avez agi envers lui selon le mérite de ses actions ᵛ — ¹⁷ alors que mon père a combattu pour vous, qu'il a exposé sa vie, qu'il vous a délivrés de la main de Madian, ¹⁸ vous, aujourd'hui, vous vous êtes levés contre

la maison de mon père ; vous avez tué ses fils, soixante-dix hommes à la fois, et vous avez proclamé roi Abimélek, le fils de sa servante, sur les propriétaires de Sichem parce qu'il est votre frère —, ¹⁹ si donc vous avez agi en ce jour avec loyauté et intégrité à l'égard de Yeroubbaal et de sa maison, trouvez votre joie en Abimélek et que lui trouve sa joie en vous ! ²⁰ S'il n'en est pas ainsi, un feu sortira d'Abimélek et il dévorera les propriétaires de Sichem et le Beth-Millo ; un feu sortira des propriétaires de Sichem et du Beth-Millo et il dévorera Abimélek. »

La révolte de Sichem contre Abimélek

²¹ Yotam disparut en prenant la fuite et il s'en alla à Béér ʷ ; il y habita loin de la présence d'Abimélek son frère. ²² Abimélek gouverna sur Israël pendant trois ans, ²³ puis Dieu envoya un esprit mauvais entre Abimélek et les propriétaires de Sichem et les propriétaires de Sichem devinrent infidèles à Abimélek. ²⁴ En effet il fallait que le forfait commis contre les soixante-dix fils de Yeroubbaal soit imputé et que leur *sang retombe sur Abimélek, leur frère, qui les avait tués, et sur les propriétaires de Sichem qui l'avaient poussé à tuer ses frères. ²⁵ Les propriétaires de Sichem postèrent contre lui des embuscades au sommet des montagnes et ils dépouillaient tous ceux qui passaient près d'eux sur la route ˣ ; et on en informa Abimélek. ²⁶ Or Gaal, fils de Eved, vint à passer par Sichem avec ses frères ʸ et les propriétaires de Sichem mirent leur confiance en lui. ²⁷ Ceux-ci sortirent dans les champs pour vendanger leurs vignes ; ils foulèrent le raisin, puis organisèrent des réjouissances. Ils vinrent au temple de leur dieu, mangèrent et burent, puis ils maudirent Abimélek. ²⁸ Gaal, fils de Eved, dit : « Qu'est-ce qu'un Abimélek par rapport à Sichem pour que nous lui soyons asser-

---

s *Beth-Millo* (*maison du Terre-plein*): l'expression doit désigner la partie haute de la ville, probablement fortifiée, nommée aux v. 46-49 *Migdal-Sichem* (*tour de Sichem*) — *térébinthe*: ici arbre sacré — *stèle* ou *pierre dressée*, considérée comme sacrée elle aussi • t Voir Dt 11.29 et la note • u *cèdres du Liban*: voir Es 10.34 et la note • v *maison* ou *famille* — *actions*: la phrase, interrompue après ce mot, reprend au v. 19 • w Localité située à 15 km au sud-est du mont Tabor • x Ces *embuscades* privaient *Abimélek* des droits qu'il percevait sur les marchandises qui passaient par *Sichem* • y *ses frères* ou *les gens de sa parenté*

9.6 le térébinthe (sacré) cf. Gn 12.6; 35.4 et stèle à Sichem Jos 24.26. **9.8-15** la fable de Yotam cf. 2 S 12.1-4; 2 R 14.9; Ez 17. **9.9** usages profane et sacré de l'huile Lv 2.1-16; 1 S 10.1; 16.13; Ps 104.15. **9.13** effet réjouissant du vin Ps 104.15; Si 31.27-28; cf. Qo 9.7. **9.17** délivrés de la main de Madian Jg 6.33—8.28. **9.20** un feu v. 49. **9.23** Dieu envoya un esprit mauvais 1 S 16.14; 1 R 22.23; Es 19.14; 29.10. **9.24** que leur sang retombe... Jr 51.35+. **9.28** Hamor, père de Sichem Gn 34.2,4.

vis ᶻ ? Le fils de Yeroubbaal et Zevoul, son lieutenant, n'étaient-ils pas asservis aux hommes de Hamor, père de Sichem ? Pourquoi, nous, devrions-nous lui être asservis ? ²⁹ Ah ! si seulement on me confiait ce peuple, comme j'écarterais Abimélek ! Je lui dirais : "Augmente ton armée et viens au combat". »

³⁰ Zevoul, gouverneur de la ville, apprit les paroles de Gaal, fils de Eved, et il se mit en colère. ³¹ Il envoya perfidement ᵃ des messagers à Abimélek pour lui dire : « Voici que Gaal, fils de Eved, est arrivé à Sichem avec ses frères, et les voilà qui soulèvent la ville contre toi. ³² Maintenant donc, lève-toi de nuit, toi et la troupe qui est avec toi, et mets-toi en embuscade dans la campagne. ³³ Puis, le matin, dès le lever du soleil, tu partiras et tu lanceras un raid contre la ville. Quand Gaal, lui et tout le peuple qui est avec lui, sortira à ta rencontre, tu le traiteras selon les circonstances. »

³⁴ Abimélek, ainsi que toute la troupe qui était avec lui, se leva de nuit et ils se mirent en embuscade près de Sichem, en quatre bandes. ³⁵ Gaal fils de Eved sortit, et se tint à l'entrée de la porte de la ville. Alors surgirent de l'embuscade Abimélek et la troupe qui était avec lui. ³⁶ A la vue de cette troupe Gaal dit à Zevoul : « Voici une troupe qui descend du sommet des montagnes. » Mais Zevoul lui dit : « C'est l'ombre des montagnes que tu prends pour des hommes. » ³⁷ Gaal reprit encore la parole et dit : « Voici des gens qui descendent du côté du Nombril de la terre et une autre bande qui vient par le chemin du Chêne des Devins ᵇ. » ³⁸ Zevoul lui dit : « Où est ta langue, toi qui disais : "Qu'est-ce qu'un Abimélek pour que nous lui soyons asservis ?" N'est-ce pas là cette troupe que tu méprisais ? Sors donc maintenant et livre-lui combat. » ³⁹ Gaal sortit à la tête des propriétaires de Sichem et il livra combat à Abimélek. ⁴⁰ Mais Abimélek poursuivit Gaal qui s'était enfui devant

lui. De nombreuses victimes tombèrent jusqu'à l'entrée de la porte. ⁴¹ Puis Abimélek résida à Arouma ᶜ et Zevoul chassa Gaal et ses frères pour qu'ils ne puissent résider à Sichem.

⁴² Or, le lendemain, la population sortit dans la campagne et on l'annonça à Abimélek. ⁴³ Celui-ci prit sa troupe et la divisa en trois bandes, puis il se mit en embuscade dans la campagne. Lorsqu'il vit la population sortir de la ville, il surgit sur elle et la battit. ⁴⁴ Abimélek et la bande qui était avec lui s'élancèrent et prirent position à l'entrée de la porte de la ville tandis que les deux autres bandes s'élançaient sur tous ceux qui étaient dans la campagne et les battaient. ⁴⁵ Abimélek combattit toute la journée contre la ville, puis il s'en empara et massacra toute la population qui s'y trouvait ; il démolit la ville et y sema du sel ᵈ. ⁴⁶ Lorsque tous les propriétaires de Migdal-Sichem apprirent cela, ils vinrent dans la grotte du temple d'El-Berith ᵉ. ⁴⁷ On annonça à Abimélek que tous les propriétaires de Migdal-Sichem s'étaient rassemblés. ⁴⁸ Alors Abimélek monta sur le mont Çalmôn ᶠ, lui et toute la troupe qui était avec lui ; prenant en main une hache, il coupa une branche d'arbre qu'il souleva et mit sur son épaule et il dit à la troupe qui était avec lui : « Ce que vous m'avez vu faire, hâtez-vous de le faire comme moi. » ⁴⁹ Tous les hommes de la troupe coupèrent chacun une branche et suivirent Abimélek. Puis ils entassèrent les branches contre la grotte et ils mirent le feu ᵍ à la grotte sur ceux qui s'y trouvaient. Ainsi moururent également tous les habitants de Migdal-Sichem, environ mille hommes et femmes.

Mort d'Abimélek

⁵⁰ Puis Abimélek se mit en route vers Tévéç ʰ ; il l'assiégea et s'en empara. ⁵¹ Il y avait, au milieu de la ville, une tour fortifiée où s'étaient réfugiés tous

---

z Allusion à Gn 34: *Gaal* estime que, en vertu du pacte conclu jadis avec *Hamor*, prince hivvite de *Sichem*, les Israélites doivent se considérer comme soumis aux propriétaires de *Sichem*, et non l'inverse ● a *perfidement:* traduction conjecturale; autres traductions *en secret* ou *à Torma* (localité inconnue) ● b *Nombril de la terre:* nom d'une bosse de terrain sur une des montagnes qui entourent Sichem (voir aussi Ez 38.12 où la même expression est appliquée à Jérusalem) — *Chêne des Devins:* c'est probablement un autre nom du chêne de Moré (Gn 12.6; Dt 11.30) ● c Localité située à 14 km au sud-est de *Sichem* ● d *Le sel* est ici le symbole de la stérilité (voir Dt 29.22) à laquelle Abimélek voue Sichem ● e *Migdal-Sichem:* voir 9.6 et la note. *La grotte* doit se trouver hors de la ville — *El-Berith:* voir la note sur 8.33 ● f *le mont Çalmôn:* peut-être le mont Ebal (voir Dt 11.29 et la note) ● g En *mettant le feu*, Abimélek évite de violer ouvertement le droit d'asile du temple d'El-Berith (v. 46) ● h Localité à quelques km au nord-est de Sichem

9.45 stérilité des terres salées Dt 29.22; Jr 17.6; Ps 107.34.   **9.46** El-Berith cf. Jg 8.33+.
9.49 ils mirent le feu v. 20.

les hommes et toutes les femmes ainsi que tous les propriétaires de la ville. Après avoir fermé la porte sur eux, ils étaient montés sur la terrasse de la tour. ⁵² Abimélek arriva jusqu'à la tour, l'attaqua et s'approcha jusqu'à la porte de la tour pour y mettre le feu. ⁵³ Alors une femme lança une meule *i* sur la tête d'Abimélek et lui fracassa le crâne. ⁵⁴ Abimélek appela aussitôt son écuyer *j* et lui dit : « Tire ton épée et fais-moi mourir, de peur qu'on ne dise de moi : "C'est une femme qui l'a tué". » Alors son écuyer le transperça et il mourut. ⁵⁵ Quand les hommes d'Israël virent qu'Abimélek était mort, ils s'en allèrent chacun chez soi.

⁵⁶ Dieu fit retomber sur Abimélek le mal qu'il avait fait à son père en tuant ses soixante-dix frères. ⁵⁷ Dieu fit aussi retomber sur la tête des hommes de Sichem toute leur méchanceté. C'est ainsi que s'accomplit sur eux la malédiction de Yotam, fils de Yeroubbaal.

Autres Juges : Tola, Yaïr

10 ¹ Après Abimélek ce fut Tola, fils de Pouah, fils de Dodo, homme d'Issakar, qui se leva pour sauver Israël ; il habitait Shamir *k* dans la montagne d'Ephraïm. ² Il jugea *l* Israël pendant vingt-trois ans ; il mourut et il fut enseveli à Shamir.

³ Après lui ce fut Yaïr, le Galaadite *m*, qui se leva ; il jugea Israël pendant vingt-deux ans. ⁴ Il avait trente fils qui montaient trente ânons et qui possédaient trente villes *n* appelées jusqu'à ce jour les Campements de Yaïr au pays de Galaad. ⁵ Yaïr mourut, et il fut enseveli à Qâmon *o*.

Les Ammonites attaquent Israël

⁶ Les fils d'Israël recommencèrent à faire ce qui est mal aux yeux du SEI-GNEUR. Ils servirent les *Baals et les Astartés *p*, les dieux d'*Aram, les dieux de Sidon, les dieux de Moab, les dieux des fils d'Ammon, et les dieux des Philistins. Ils abandonnèrent le SEIGNEUR et ne le servirent plus. ⁷ La colère du SEIGNEUR s'enflamma contre Israël et il les vendit aux Philistins et aux fils d'Ammon. ⁸ Ceux-ci mirent en pièces les fils d'Israël cette année-là et ils écrasèrent pendant dix-huit ans tous les fils d'Israël qui étaient au-delà du Jourdain, dans le pays des *Amorites, en Galaad. ⁹ Les fils d'Ammon traversèrent le Jourdain pour faire également la guerre à Juda, Benjamin et la maison d'Ephraïm, et la détresse d'Israël fut extrême. ¹⁰ Alors les fils d'Israël crièrent vers le SEIGNEUR en disant : « Nous avons péché contre toi, car nous avons abandonné notre Dieu pour servir les Baals. » ¹¹ Le SEIGNEUR dit aux fils d'Israël : « Lorsque les Egyptiens, les Amorites, les fils d'Ammon, les Philistins, ¹² les Sidoniens, Amaleq et Madiân *q* vous ont opprimés et que vous avez crié vers moi, ne vous ai-je pas sauvés de leurs mains ? ¹³ Mais vous, vous m'avez abandonné et vous avez servi d'autres dieux. C'est pourquoi je ne recommencerai pas à vous sauver. ¹⁴ Allez ! Criez vers les dieux que vous avez choisis. Qu'ils viennent, eux, à votre secours au temps de votre détresse ! » ¹⁵ Les fils d'Israël dirent au SEIGNEUR : « Nous avons péché. Traite-nous en tout comme il le semblera bon à tes yeux ; mais délivre-nous aujourd'hui ! » ¹⁶ Ils écartèrent les dieux de l'étranger du milieu d'eux et ils servirent le SEIGNEUR qui ne put supporter la souffrance d'Israël.

¹⁷ Les fils d'Ammon furent convoqués et campèrent à Galaad. Les fils d'Israël se rassemblèrent et campèrent à Miçpa *r*. ¹⁸ Le peuple, les chefs de Galaad, se dirent l'un à l'autre : « Quel est l'homme qui

i Il s'agit de la *meule* d'un petit moulin domestique ● *j* son écuyer ou *le jeune homme qui portait ses armes* ● *k* Shamir n'a pas été localisé ● *l* Voir la note sur 2.16 ● *m* Voir la note sur 5.17 ● *n* ânons: voir 5.10 et la note; voir aussi 12.14 — *villes*: d'après les versions anciennes; hébreu *ânons* ● *o* Ville à l'est du Jourdain, à mi-chemin entre la mer de Kinnéreth et Ramoth-de-Galaad ● *p* Voir 3.7 et la note ● *q* Madiân: d'après l'ancienne version grecque; hébreu *Maôn* ● *r* Localité située au sud du Yabboq et appelée aussi Miçpé-de-Galaad (11.29); voir aussi Gn 31.49

9.53 une meule sur la tête d'Abimélek 2 S 11.21. **9.54** achève-moi 1 S 31.4. **9.57** la malédiction prononcée par Yotam Jg 9.20. **10.1** Tola, Pouah Gn 46.13; Nb 26.23; 1 Ch 7.1 — la montagne d'Ephraïm Jg 3.27+. **10.3** Yaïr le Galaadite Nb 32.41; Dt 3.14; 1 R 4.13; 1 Ch 2.21-23. **10.4** trente fils cf. Jg 8.30; 12.14. **10.6** ce qui est mal aux yeux du Seigneur Dt 4.25+ — les Baals et les Astartés Jg 2.13+ — ils abandonnent le Seigneur Jg 2.12; 3.7. **10.7** la colère du Seigneur... il les vend sur Israël Jg 3.9, 15; 4.3 ● **10.10** appel du Seigneur Jg 3.9, 15; 4.3; 6 6 — nous avons péché Dt 1.41; 1 S 12.10; 1 R 8.47; Ps 106.6; Dn 9.5; *Ba* 1.17. **10.12** Amaleq et Madiân Jg 3.13+; 6.1+, 3 — ne vous ai-je pas sauvés? Jg 2.16; 3.9, 15; 6.9, 14; 10.1. **10.13** d'autres dieux Ex 20.3+. **10.14** qu'ils viennent à votre secours Dt 32.37-38; Jr 2.28. **10.15** nous avons péché v. 10+. **10.16** ils écartèrent les dieux étrangers Gn 35.2, 4; Jos 24.23; 1 S 7.3-4 — souffrance d'Israël insupportable au Seigneur cf. Ex 3.7, 9.

entreprendra de combattre les fils d'Ammon ? Celui-là sera le chef de tous les habitants de Galaad. »

Jephté devient le chef d'Israël

11 ¹ Jephté, le Galaadite, un vaillant guerrier, était le fils d'une prostituée, et Galaad ˢ l'avait engendré. ² L'épouse de Galaad lui enfanta aussi des fils, et lorsque les fils de cette femme eurent grandi, ils chassèrent Jephté en lui disant : « Tu n'auras aucune part d'héritage dans la maison de notre père, car tu es le fils d'une autre femme. » ³ Jephté s'enfuit loin de ses frères et il demeura au pays de Tov. Des hommes de rien s'associèrent à Jephté et firent des coups de main ᵗ avec lui.

⁴ Or, au bout d'un certain temps, les fils d'Ammon firent la guerre à Israël. ⁵ Comme les fils d'Ammon faisaient la guerre à Israël, les *anciens de Galaad allèrent chercher Jephté au pays de Tov. ⁶ Ils lui dirent : « Viens, soit notre commandant et nous pourrons combattre les fils d'Ammon. » ⁷ Jephté dit aux anciens de Galaad : « N'est-ce pas vous qui m'avez haï et chassé de la maison de mon père ? Pourquoi venez-vous à moi, maintenant que vous êtes dans la détresse ? » ⁸ Les anciens de Galaad dirent à Jephté : « Si maintenant nous sommes revenus vers toi, c'est pour que tu viennes avec nous, que tu combattes les fils d'Ammon et que tu sois notre chef, celui de tous les habitants de Galaad. » ⁹ Jephté dit aux anciens de Galaad : « Si vous me faites revenir pour combattre les fils d'Ammon et que le SEIGNEUR les livre devant moi, alors c'est moi qui serai votre chef. » ¹⁰ Les anciens de Galaad dirent à Jephté : « Le SEIGNEUR sera témoin entre nous si nous n'agissons pas comme tu l'as dit. » ¹¹ Jephté partit avec les anciens de Galaad, et le peuple le plaça au-dessus de lui comme chef et comme commandant. Jephté répéta toutes ses paroles devant le SEIGNEUR à Miçpa ᵘ.

Messages de Jephté aux Ammonites

¹² Jephté envoya des messagers au roi des fils d'Ammon pour lui dire : « Qu'y a-t-il entre toi et moi ᵛ pour que tu sois venu vers moi faire la guerre à mon pays ? » ¹³ Le roi des fils d'Ammon dit aux messagers de Jephté : « C'est parce qu'Israël, lorsqu'il montait d'Egypte, a pris mon pays depuis l'Arnôn jusqu'au Yabboq et jusqu'au Jourdain. Maintenant donc, rends-le pacifiquement. »

¹⁴ Jephté recommença à envoyer des messagers au roi des fils d'Ammon ¹⁵ et lui dit : « Ainsi parle Jephté : Israël n'a pas pris le pays de Moab, ni le pays des fils d'Ammon. ¹⁶ En effet, lorsqu'il montait d'Egypte, Israël marcha dans le désert jusqu'à la *mer des Joncs et arriva à Qadesh: ¹⁷ Israël envoya des messagers au roi d'Edom en disant : "Permets que je traverse ton pays." Mais le roi d'Edom ne l'écouta pas. Il en envoya aussi au roi de Moab qui ne consentit pas, et Israël demeura à Qadesh. ¹⁸ Puis il marcha dans le désert, contourna le pays d'Edom et le pays de Moab et arriva à l'orient du pays de Moab. Ils campèrent au-delà de l'Arnôn et n'entrèrent pas dans le territoire de Moab, car l'Arnôn est la frontière de Moab. ¹⁹ Israël envoya des messagers à Sihôn, roi des *Amorites, roi de Heshbôn, et Israël lui dit : "Permets que je traverse ton pays jusqu'à ma destination". ²⁰ Mais Sihôn n'eut pas confiance en Israël et refusa la traversée de son territoire ; il rassembla tout son peuple qui campa à Yahça et il livra combat à Israël. ²¹ Le SEIGNEUR, Dieu d'Israël, livra Sihôn et tout son peuple à Israël qui les battit. Israël prit possession de tout le pays des Amorites qui habitaient ce pays. ²² Ils possédèrent tout le territoire des Amorites, depuis l'Arnôn jusqu'au Yabboq, depuis le désert jusqu'au Jourdain. ²³ Et maintenant que le SEIGNEUR, Dieu d'Israël, a dépossédé les Amorites devant son peuple Israël, toi, tu voudrais le déposséder ? ²⁴ Ne possèdes-

---

ˢ Considéré ici comme l'ancêtre d'une tribu. En général c'est un nom géographique ● ᵗ *Tov* : à l'extrémité nord de Galaad, à 60 km à l'est de la mer de Kinnéreth — *firent des coups de main* ou *des raids* ● ᵘ Voir 10.17 et la note ● ᵛ *Qu'y a-t-il entre toi et moi?* Expression hébraïque qui traduit un désaccord ou même une hostilité entre deux personnes

11.1 Jephté He 11.32. **11.2** expulsion du fils naturel Gn 21.10. **11.3** associé à des hommes de rien Jg 9.4. **11.4** Ammonites, ennemis d'Israël Jg 10.7. **11.10** le Seigneur témoin cf. 1 S 12.5; Jr 29.23; 42.5; Ml 2.14; Rm 1.9; 2 Co 1.23; Ph 1.8; 1 Th 2.5, 10; Ap 1.5; 3.14. **11.11** à Miçpa Gn 31.49. **11.12** Qu'y a-t-il entre toi et moi? 2 S 16.10; 19.23; 1 R 17.18; 2 Ch 35.21; cf. Mc 1.24; Jn 24. **11.13** le territoire revendiqué par les Ammonites Dt 2.17-23. **11.16-17** séjour d'Israël à Qadesh, démarche auprès d'Edom Nb 20.1, 14-21. **11.19-22** occupation du royaume de Sihôn Nb 21.21-26; Dt 2.26-37. **11.23** les Ammonites dépossédés par le Seigneur Dt 4.38+. **11.24** Kémosh Nb 21.29.

tu pas ce que Kemosh, ton Dieu, te fait posséder ? Et tout ce que le SEIGNEUR, notre Dieu, a mis en notre possession, ne le posséderions-nous pas ? [25] Et maintenant, vaux-tu vraiment mieux que Balaq fils de Çippor, roi de Moab ? A-t-il cherché querelle à Israël au point de lui faire la guerre ? [26] Lorsque Israël s'est établi à Heshbôn et dans ses filiales [w], à Aroër et dans ses filiales, dans toutes les villes qui sont sur les bords de l'Arnôn, il y a trois cents ans, pourquoi ne les avez-vous pas reprises en ce temps-là ? [27] Quant à moi, je n'ai pas péché contre toi, mais c'est toi qui agis mal envers moi en me faisant la guerre. Que le SEIGNEUR, le Juge, juge aujourd'hui entre les fils d'Israël et les fils d'Ammon. » [28] Mais le roi des fils d'Ammon n'écouta pas les paroles que Jephté lui avait fait transmettre.

Le vœu de Jephté

[29] L'esprit du SEIGNEUR fut sur Jephté. Jephté passa par Galaad et Manassé, puis par Miçpé-de-Galaad, et de Miçpé-de-Galaad il franchit la frontière des fils d'Ammon. [30] Jephté fit un vœu au SEIGNEUR et dit : « Si vraiment tu me livres les fils d'Ammon, [31] quiconque sortira des portes de ma maison à ma rencontre quand je reviendrai sain et sauf de chez les fils d'Ammon, celui-là appartiendra au SEIGNEUR et je l'offrirai en holocauste [x]. » [32] Jephté franchit la frontière des fils d'Ammon pour leur faire la guerre et le SEIGNEUR les lui livra. [33] Il les battit depuis Aroër jusqu'à proximité de Minnith, soit vingt villes, et jusqu'à Avel-Keramim [y]. Ce fut une très grande défaite ; ainsi les fils d'Ammon furent abaissés devant les fils d'Israël.

[34] Tandis que Jephté revenait vers sa maison à Miçpa, voici que sa fille sortit à sa rencontre, dansant et jouant du tambourin. Elle était son unique enfant : il n'avait en dehors d'elle ni fils, ni fille. [35] Dès qu'il la vit, il *déchira ses vêtements et dit : « Ah ! ma fille, tu me

plonges dans le désespoir ; tu es de ceux qui m'apportent le malheur ; et moi j'ai trop parlé [z] devant le SEIGNEUR et je ne puis revenir en arrière. » [36] Mais elle lui dit : « Mon père, tu as trop parlé devant le SEIGNEUR ; traite-moi selon la parole sortie de ta bouche puisque le SEIGNEUR a tiré vengeance de tes ennemis, les fils d'Ammon. » [37] Puis elle dit à son père : « Que ceci me soit accordé : laisse-moi seule pendant deux mois pour que j'aille errer dans les montagnes et pleurer sur ma virginité [a], moi et mes compagnes. » [38] Il lui dit : « Va » et il la laissa partir pour deux mois ; elle s'en alla, elle et ses compagnes, et elle pleura sur sa virginité dans les montagnes. [39] A la fin des deux mois elle revint chez son père et il accomplit sur elle le vœu qu'il avait prononcé. Or elle n'avait pas connu d'homme [b] et cela devint une coutume en Israël [40] que d'année en année les filles d'Israël aillent célébrer [c] la fille de Jephté, le Galaadite, quatre jours par an.

Conflit des Ephraïmites avec Jephté

12 [1] Les hommes d'Ephraïm furent convoqués et ils passèrent vers Çafôn [d]. Ils dirent à Jephté : « Pourquoi as-tu franchi la frontière des fils d'Ammon pour leur faire la guerre sans nous avoir appelés à marcher avec toi ? Ta maison, nous allons la brûler sur toi. » [2] Jephté leur répliqua : « J'étais en grand conflit, moi et mon peuple, avec les fils d'Ammon. Lorsque j'ai fait appel à vous, vous ne m'avez pas sauvé de leurs mains. [3] Quand j'ai vu que tu ne viendrais pas comme sauveur, j'ai risqué ma vie et j'ai franchi la frontière des fils d'Ammon ; le SEIGNEUR me les a livrés. Pourquoi êtes-vous montés aujourd'hui chez moi pour me faire la guerre ? » [4] Puis Jephté regroupa tous les hommes de Galaad et il livra combat à Ephraïm ; les hommes de Galaad battirent les Ephraïmites parce qu'ils avaient dit : « Vous êtes des rescapés d'Ephraïm, gens de Galaad, au milieu d'Ephraïm, au milieu de Manassé. »

---

w *ses filidles* ou *les villes qui en dépendent* ● x Voir au glossaire SACRIFICES ● y Jephté traverse tout le pays d'Ammon, du nord au sud ● z *j'ai trop parlé*: autre traduction *je me suis engagé* ● a C'est un déshonneur pour une femme de ne pas se marier et de n'avoir pas d'enfants ● b *elle n'avait pas connu d'homme* ou *elle était vierge* ● c *célébrer*: autre traduction *se lamenter sur* ● d Ville de la tribu de Gad (Jos 13.27), près du confluent du Yabboq et du Jourdain

11.25 Balaq, roi de Moab Nb 22—24. **11.26** Israël à Aroër Jos 13.25-26. **11.27** Que le Seigneur juge! Gn 16.5; 1 S 24.13, 16. **11.29** l'esprit du Seigneur Jg 3.10+ — Miçpé de Galaad (ou Miçpa) v. 11. **11.30** un vœu au Seigneur 1 S 14.24; cf. Lv 27.1-25. **11.31** holocauste humain 2 R 3.27; cf. Gn 22.1-19; Mi 6.7. **11.34** tambourin, danses après la victoire Ex 15.20; 1 S 18.6; Jdt 16.1. **11.35** il déchira ses vêtements Jos 7.6 — j'ai trop parlé devant le Seigneur Nb 30.3; Qo 5.3-5; cf. Jb 35.16. **11.39** une coutume en Israël 2 Ch 35.25. **12.1** altercation avec les Ephraïmites Jg 8.1-3.

⁵ Galaad s'empara des gués du Jourdain, vers Ephraïm. Or, lorsqu'un des rescapés d'Ephraïm disait : « Laisse-moi traverser », les hommes de Galaad lui disaient : « Es-tu éphraïmite ? » S'il répondait : « Non », ⁶ alors ils lui disaient : « Eh bien ! dis Shibboleth. » Il disait : « Sibboleth ᵉ », car il n'arrivait pas à prononcer comme il faut. Alors on le saisissait et on l'égorgeait près des gués du Jourdain. Il tomba en ce temps-là quarante-deux mille hommes d'Ephraïm.

⁷ Jephté jugea Israël pendant six ans, puis Jephté, le Galaadite, mourut et il fut enseveli dans sa ville en Galaad ᶠ.

Ibçân, Elôn, Avdôn

⁸ Après lui, ce fut Ibçân de Bethléem qui jugea ᵍ Israël. ⁹ Il avait trente fils et trente filles. Celles-ci, il les maria au-dehors et il fit venir du dehors trente filles pour ses fils. Il jugea Israël pendant sept ans. ¹⁰ Ibçân mourut et il fut enseveli à Bethléem.

¹¹ Après lui ce fut Elôn de Zabulon qui jugea Israël. Il jugea Israël pendant dix ans. ¹² Elôn de Zabulon mourut et il fut enseveli à Elôn au pays de Zabulon.

¹³ Après lui ce fut Avdôn, fils de Hillel, de Piréatôn ʰ qui jugea Israël. ¹⁴ Il avait quarante fils et trente petits-fils qui montaient soixante-dix ânons ⁱ. Il jugea Israël pendant huit ans. ¹⁵ Avdôn, fils de Hillel, de Piréatôn, mourut et il fut enseveli à Piréatôn au pays d'Ephraïm, dans la montagne d'Amaleq.

Naissance de Samson

13 ¹ Les fils d'Israël recommencèrent à faire ce qui est mal aux yeux du SEIGNEUR et le SEIGNEUR les livra aux Philistins pendant quarante ans.

² Il y avait un homme de Çoréa ʲ, du clan des Danites, qui se nommait Manoah. Sa femme était stérile et n'avait pas d'en-

fant. ³ L'*ange du SEIGNEUR apparut à cette femme et lui dit : « Je sais que tu es stérile et que tu n'as pas d'enfant, mais tu vas concevoir et enfanter un fils. ⁴ Désormais, abstiens-toi de boire du vin ou une boisson alcoolisée, ne mange rien d'*impur, ⁵ car voici que tu vas concevoir et enfanter un fils. Le rasoir ne passera pas sur sa tête, car ce garçon sera consacré à Dieu dès le sein maternel ᵏ et c'est lui qui commencera à sauver Israël de la main des Philistins. » ⁶ Puis la femme rentra chez elle et dit à son mari : « Un homme de Dieu est venu vers moi ; son aspect était semblable à celui de l'ange de Dieu, tant il était redoutable. Je ne lui ai pas demandé d'où il était et il ne m'a pas révélé son nom. ⁷ Il m'a dit : "Voici que tu vas concevoir et enfanter un fils. Désormais, ne bois ni vin, ni boisson alcoolisée ; ne mange rien d'impur, car le garçon sera consacré à Dieu depuis le sein maternel jusqu'au jour de sa mort". »

⁸ Alors Manoah implora le SEIGNEUR et dit : « De grâce, seigneur, que l'homme de Dieu que tu as envoyé vienne encore vers nous et qu'il nous enseigne ce que nous devons faire pour le garçon lorsqu'il sera né. » ⁹ Dieu écouta la voix de Manoah et l'ange de Dieu vint encore vers la femme ; elle était assise dans le champ et Manoah, son mari, n'était pas avec elle. ¹⁰ Aussitôt la femme accourut l'annoncer à son mari et lui dit : « Voilà, l'homme qui, l'autre jour, est venu vers moi m'est apparu. » ¹¹ Manoah se leva, suivit sa femme, vint vers l'homme et lui dit : « Es-tu l'homme qui a parlé à cette femme ? » Et celui-ci répondit : « C'est bien moi. » ¹² Manoah lui dit : « Maintenant, puisque ta parole va se réaliser, quelle sera la règle pour ce garçon ? Quelle sera la conduite à tenir à son égard ? » ¹³ L'ange du SEIGNEUR dit à Manoah : « Tout ce que j'ai mentionné à cette femme, qu'elle s'en abstienne : ¹⁴ elle ne doit rien manger de ce qui provient du fruit de la vigne ; elle ne boira

---

ᵉ Ce mot, qui signifie *épi*, n'avait pas la même prononciation dans toutes les tribus • ᶠ *jugea*: voir la note sur 2.16 — *dans sa ville en Galaad*: d'après l'ancienne version grecque; l'hébreu *dans les villes de Galaad* ne convient pas • ᵍ *Bethléem*: voir Jos 19.15 et la note — *jugea*: voir la note sur 2.16 • ʰ Ville à 12 km au sud-ouest de Sichem • ⁱ Voir 5.10 et la note; voir aussi 10.4 • ʲ A 22 km à l'ouest de Jérusalem; localité attribuée à la tribu de Dan d'après Jos 19.41. Après la migration des *Danites* vers le nord (Jg 17—18) elle appartint à la tribu de Juda (Jos 15.33) • ᵏ Les obligations imposées ici (v. 4-5) concernent ordinairement celui qui est *consacré à Dieu* par un vœu de naziréat (Nb 6.1-8). Si la mère elle-même est tenue de *s'abstenir de boissons alcoolisées* (v. 4), c'est sans doute pour marquer que son enfant est *consacré dès avant sa naissance*

12.5 occupation des gués Jg 3.28; 7.24. **12.9** trente fils cf. Jg 10.4; 12.14. **12.12** Elôn cf. Gn 46.14; Nb 26.26. **12.13** Piréatôn *1 M* 9.50. **12.14** quarante fils cf. v. 9. **12.15** la montagne d'Amaleq (en Ephraïm) Jg 5.14. **13.1** ce qui est mal aux yeux du Seigneur Dt 4.25+. **13.2** stérile Gn 11.30; 18.11; 29.31; 1 S 1.2; Lc 1.7. **13.3** naissance annoncée Gn 18.10; Lc 1.13.

ni vin, ni boisson alcoolisée ; elle ne mangera rien d'impur et elle doit observer tout ce que je lui ai prescrit. » [15] Manoah dit à l'ange du SEIGNEUR : « Permets que nous te retenions et que nous t'apprêtions un chevreau. » [16] L'ange du SEIGNEUR dit à Manoah : « Même si tu me retenais, je ne mangerais pas de ton pain, mais si tu veux faire un holocauste[l], offre-le au SEIGNEUR. » — En effet Manoah ne savait pas que c'était l'ange du SEIGNEUR —. [17] Manoah dit à l'ange du SEIGNEUR : « Quel est ton nom afin que nous puissions t'honorer lorsque tes paroles se seront réalisées ? » [18] L'ange du SEIGNEUR lui dit : « Pourquoi me demandes-tu mon nom ? Il est mystérieux. » [19] Manoah prit un chevreau ainsi que l'offrande[m] et il l'offrit sur le rocher au SEIGNEUR, à celui dont l'action est mystérieuse. Manoah et sa femme regardaient. [20] Or, tandis que la flamme montait de l'*autel vers le ciel, l'ange du SEIGNEUR monta dans la flamme de l'autel. Voyant cela, Manoah et sa femme tombèrent face contre terre. [21] L'ange du SEIGNEUR n'apparut plus à Manoah et à sa femme. Alors Manoah sut que c'était l'ange du SEIGNEUR. [22] Manoah dit à sa femme : « Nous allons sûrement mourir, car nous avons vu Dieu. » [23] Mais sa femme lui dit : « Si le SEIGNEUR désirait nous faire mourir, il n'aurait accepté de notre main ni holocauste ni offrande ; il ne nous aurait pas fait voir tout cela et il ne nous aurait pas, à l'instant, communiqué pareilles instructions. » [24] La femme enfanta un fils et elle le nomma Samson. Le garçon grandit et le SEIGNEUR le bénit. [25] C'est à Mahané-Dan entre Çoréa et Eshtaol, que l'esprit du SEIGNEUR commença à agiter Samson.

Mariage de Samson

14 [1] Samson descendit à Timna[n] et y remarqua une femme parmi les filles des Philistins. [2] Il monta l'annoncer à son père et à sa mère et leur dit : « A Timna j'ai remarqué une femme parmi les filles des Philistins. Et maintenant, allez me la prendre pour femme. » [3] Son père et sa mère lui dirent : « N'y a-t-il pas de femme parmi les filles de tes frères[o] et dans mon peuple pour que tu ailles prendre femme chez les Philistins, ces *incirconcis ? » Mais Samson dit à son père : « Prends-la-moi, car c'est celle-là qui me plaît. » [4] Son père et sa mère ne savaient pas que cela venait du SEIGNEUR, car celui-ci cherchait une occasion de s'en prendre aux Philistins ; en ce temps-là, les Philistins dominaient sur Israël.

[5] Samson descendit donc vers Timna, avec son père et sa mère. Alors qu'ils arrivaient aux vignes de Timna, voilà qu'un jeune lion vint en rugissant à sa rencontre. [6] L'esprit du SEIGNEUR pénétra en lui et Samson, sans avoir rien en main, déchira le lion en deux comme on déchire un chevreau, mais il ne raconta pas à son père et à sa mère ce qu'il avait fait. [7] Puis il descendit à Timna, parla à cette femme et elle lui plut.

[8] Quelques jours après, il revint pour l'épouser, mais il fit un détour pour voir le cadavre du lion : voici qu'il y avait dans la carcasse du lion un essaim d'abeilles et du miel. [9] Il en recueillit dans le creux de la main et, tout en marchant, il en mangea. Lorsqu'il se rendit chez son père et sa mère, il leur en donna ; ils en mangèrent, mais il ne raconta pas qu'il avait recueilli le miel dans la carcasse du lion.

Samson propose une énigme aux Philistins

[10] Puis son père descendit chez la femme, et Samson y donna un festin[p], car c'est ainsi que font les jeunes gens. [11] Or, dès qu'on le vit, on prit trente compagnons[q] pour rester avec lui. [12] Samson leur dit : « Je vais vous proposer une énigme. Si vous m'en révélez le sens au cours des sept jours du festin, si vous la trouvez, alors je vous donnerai

---

l Voir au glossaire SACRIFICES ● *m* Voir au glossaire SACRIFICES; voir aussi 6.19-21 ● *n* Proche de Çoréa (13.2), c'est une ville danite (Jos 19.43), alors occupée par les Philistins ● *o* frères ou *compatriotes* ● *p* festin de mariage ● *q* Ces *compagnons* sont tous Philistins

13.15 le temps d'offrir quelque chose Jg 6.18+. **13.17** quel est ton nom? Gn 32.30; Ex 3.12-15. **13.19** sur le rocher Jg 6.20. **13.20** la flamme montait de l'autel Jg 6.21. **13.23** voir Dieu est mortel pour l'homme Jg 6.22-23; Ex 33.20; Dt 5.24-26; cf. Gn 32.31. **13.24** Samson He 11.32. **13.25** Mahané-Dan Jg 18.12 — Çoréa, Eshtaol Jg 16.31; 18.2; Jos 19.41. **14.1** Timna Jos 15.10; 19.43. **14.2** allez me prendre pour femme Gn 34.4. **14.3** une femme d'Israël Gn 24.3-4; 28.1-2; Dt 7.3-4; Ne 13.23-27 — Philistins incirconcis Jg 15.18; 1 S 14.6; 17.26, 36; 31.4; 2 S 1.20; 1 Ch 10.4. **14.4** cela venait du Seigneur Es 28.29; Ps 118.23; Ac 5.39. **14.6** l'esprit du Seigneur Jg 3.10+ — combat contre un lion 1 S 17.34-37; 2 S 23.20. **14.12** une énigme 1 R 10.1; Ez 17.2.

trente tuniques et trente vêtements de rechange. [13] Mais si vous ne pouvez me la révéler, c'est vous qui me donnerez trente tuniques et trente vêtements de rechange. » Ils lui dirent alors : « Propose ton énigme ; nous écoutons. » [14] Samson leur dit :

« De celui qui mange est sorti ce qui se mange
et du fort est sorti le doux. »

Au bout de trois jours, les jeunes gens n'avaient pas encore pu révéler le sens de l'énigme. [15] Or, le septième jour, ils dirent à la femme de Samson : « Séduis ton mari pour qu'il nous révèle le sens de l'énigme ; sinon, nous te brûlerons, toi et la maison de ton père. Est-ce pour nous déposséder que vous nous avez invités ? » [16] La femme de Samson le poursuivit de ses pleurs. Elle lui disait : « Tu n'as pour moi que de la haine ; tu ne m'aimes pas. Cette énigme que tu as proposée aux fils de mon peuple, tu ne m'en as pas révélé le sens. » Il lui dit : « Je ne l'ai même pas révélé à mon père et à ma mère, et à toi je le révélerais ! » [17] Elle le poursuivit de ses pleurs pendant les sept jours que dura le festin. Le septième jour, il lui révéla le sens, car elle l'avait harcelé ; et elle révéla le sens de l'énigme aux fils de son peuple. [18] Au septième jour, avant le coucher du soleil, les gens de la ville dirent à Samson :

« Quoi de plus doux que le miel, quoi de plus fort que le lion ? »

Il leur répondit :

« Si vous n'aviez pas labouré avec ma génisse *r*,
vous n'auriez pas trouvé mon énigme. »

[19] Alors l'esprit du SEIGNEUR pénétra en lui. Samson descendit à Ashqelôn *s*, tua trente de ses habitants, prit leurs dépouilles et les donna à ceux qui avaient révélé le sens de l'énigme. Bouillant de colère, il remonta à la maison de son père. [20] Quant à la femme de Samson, elle fut donnée au compagnon qui lui avait servi de garçon d'honneur *t*.

Vengeance de Samson

15 [1] Or, quelque temps après, à l'époque de la moisson des blés, Samson rendit visite à sa femme *u* en apportant un chevreau et déclara : « Je veux entrer chez ma femme, dans la chambre à coucher. » Mais le père de sa femme ne lui permit pas d'entrer [2] et dit à Samson : « Vraiment je me suis dit que tu devais avoir bien de la haine *v* pour elle et je l'ai donnée à ton garçon d'honneur. Mais sa sœur cadette ne vaut-elle pas mieux qu'elle ? Prends-la donc à la place de l'autre ! » [3] Samson leur dit : « Cette fois, je suis quitte envers les Philistins et je vais leur faire du mal. »

[4] Samson s'en alla, s'empara de trois cents renards, prit des torches et, tournant les renards queue contre queue, il plaça une torche entre deux queues, au milieu. [5] Puis, il mit le feu aux torches et, lâchant les renards dans les moissons des Philistins, il incendia aussi bien les gerbiers que le blé sur pied, et même des vignes et des oliviers. [6] Les Philistins dirent : « Qui a fait cela ? » On leur répondit : « C'est Samson, le gendre du Timnite, car celui-ci a pris sa femme et l'a donnée à son garçon d'honneur. » Les Philistins montèrent et ils brûlèrent cette femme ainsi que son père. [7] Samson leur dit : « Puisque vous agissez de la sorte, je n'aurai de cesse qu'après m'être vengé de vous. » [8] Il les battit à plate couture, leur infligeant une grande défaite. Puis il descendit demeurer dans une faille du rocher de Etâm *w*.

Samson et la mâchoire d'âne

[9] Les Philistins montèrent camper en Juda et se déployèrent contre Lèhi *x* : [10] Les hommes de Juda leur dirent : « Pourquoi êtes-vous montés contre nous ? » Les Philistins répondirent : « C'est pour lier Samson que nous sommes montés, pour le traiter comme il nous a traités. » [11] Trois mille hommes de Juda descendirent vers la faille du rocher de Etâm et dirent à Samson :

---

r Si vous n'aviez pas labouré avec ma génisse: expression en forme de proverbe, équivalant à *Si ma femme ne vous avait pas aidés* ● *s* Voir Jos 13.3 et la note ● *t garçon d'honneur:* celui des compagnons de l'époux qui était spécialement responsable du bon déroulement de la fête ● *u Samson* a fait un mariage où la *femme* continue d'habiter chez son *père*. L'époux ne paie pas de dot, mais quand il *rend visite* à sa femme, il lui apporte des cadeaux ● *v* La femme de Samson mérite sa haine parce qu'elle l'a trahi en révélant son énigme (14.17) ● *w* Endroit escarpé dans le territoire de Juda ● *x* Le nom de cette localité proche du territoire philistin signifie *mâchoire*

14.15 nous te brûlerons Jg 15.6. **14.19** l'esprit du Seigneur Jg 3.10+ — Ashqelôn Jos 13.3. **15.6** ils brûlèrent cette femme Jg 14.15. **15.14** l'esprit du Seigneur Jg 3.10+.

« Ne sais-tu pas que les Philistins dominent sur nous ? Que nous as-tu fait là ? » Il leur dit : « Comme ils m'ont traité, je les ai traités. » ¹² Ils lui dirent : « C'est pour te lier que nous sommes descendus, pour te livrer aux Philistins. » Samson leur dit : « Jurez-moi que vous ne m'abattrez pas vous-mêmes. » ¹³ Ils lui dirent : « Non, nous voulons seulement te lier et te livrer en leurs mains ; nous ne voulons pas te mettre à mort. » Ils le lièrent avec deux cordes neuves et ils le firent remonter du rocher. ¹⁴ Lorsqu'il arriva près de Lèhi, les Philistins vinrent à sa rencontre en poussant des cris, mais l'esprit du SEIGNEUR pénétra en lui : les cordes qui étaient sur ses bras devinrent comme des fils de lin consumés par le feu et ses liens se décomposèrent autour de ses mains. ¹⁵ Puis, trouvant une mâchoire d'âne toute fraîche, il étendit la main, la ramassa et en frappa mille hommes. ¹⁶ Samson dit :
« Avec une mâchoire d'âne je les ai entassés ʸ,
avec une mâchoire d'âne j'ai frappé mille hommes. »
¹⁷ Or, dès qu'il eut achevé de parler, il jeta loin de lui la mâchoire ; aussi appela-t-on ce lieu Ramath-Lèhi ᶻ. ¹⁸ Comme il avait très soif, il invoqua le SEIGNEUR en disant : « C'est toi qui as accordé par ton serviteur cette grande victoire. Et maintenant, vais-je mourir de soif et tomber aux mains des *incirconcis ? » ¹⁹ Alors Dieu fendit la cavité qui est à Lèhi et de l'eau en sortit. Samson but, reprit ses esprits et se ranima. C'est pourquoi on donna le nom de Ein-Qoré ᵃ à la source qui se trouve encore aujourd'hui à Lèhi. ²⁰ Samson jugea ᵇ Israël à l'époque des Philistins pendant vingt ans.

Samson et les portes de Gaza

16 ¹ Samson alla à Gaza ᶜ. Il y vit une prostituée et entra chez elle. ² On annonça aux gens de Gaza : « Samson est venu ici. » Ils firent des rondes et le guettèrent toute la nuit à la porte de la ville. Toute la nuit ils se tinrent tranquilles en se disant : « Attendons la lumière du matin et alors nous le tuerons. » ³ Mais Samson ne resta couché que jusqu'au milieu de la nuit et, au milieu de la nuit, il se leva, saisit les battants de la porte de la ville ainsi que les deux montants, les arracha avec la barre, les plaça sur ses épaules et les transporta jusque sur le sommet de la montagne qui fait face à Hébron ᵈ.

Dalila trahit Samson

⁴ Or, après cela, Samson aima une femme, du côté des gorges du Soreq ᵉ, qui se nommait Dalila. ⁵ Les tyrans des Philistins montèrent la trouver et lui dirent : « Séduis-le et vois pourquoi sa force est si grande et comment nous pourrions l'emporter sur lui et le lier pour le réduire à l'impuissance ; et nous, nous te donnerons chacun onze cents sicles ᶠ d'argent. » ⁶ Dalila dit à Samson : « Révèle-moi donc pourquoi ta force est si grande et comment tu devrais être lié pour te réduire à l'impuissance. » ⁷ Samson lui dit : « Si on me liait avec sept cordes d'arc fraîches qui n'ont pas été séchées, je deviendrais faible et je serais pareil à n'importe quel homme. » ⁸ Les tyrans des Philistins lui firent apporter sept cordes d'arc fraîches qui n'avaient pas été séchées et Dalila le lia avec ces cordes. ⁹ L'embuscade était en place dans sa chambre et elle lui lança : « Les Philistins sur toi, Samson. » Celui-ci rompit les cordes d'arc comme se rompt le cordon d'étoupe lorsqu'il sent le feu. Mais on ne découvrit pas le secret de sa force.
¹⁰ Dalila dit alors à Samson : « Tu t'es joué de moi et tu m'as dit des mensonges. Maintenant révèle-moi donc comment tu devrais être lié. » ¹¹ Il lui dit : « Si on me liait fortement avec des cordes neuves avec lesquelles n'a été fait aucun travail, je deviendrais faible et je serais pareil à n'importe quel homme. » ¹² Dalila prit des cordes neuves dont elle

---

y je les ai entassés: autre traduction *je les ai anéantis,* d'après l'ancienne version grecque ● *z* Ce nom signifie *Colline de la mâchoire* (voir 15.9 et la note) ● *a* Ce nom signifie *Source de celui qui invoque* (voir v. 18) ● *b* Voir la note sur 2.16 ● *c* Voir Dt 2.23 et la note ● *d* La *barre* de bois servait à bloquer la porte pendant la nuit — *Hébron:* à 70 km de Gaza ● *e* Petite vallée à l'ouest de Çoréa, la ville de Samson (13.2) ● *f tyrans* ou *princes* — *sicles:* voir au glossaire POIDS ET MESURES

15.18 incirconcis (Philistin) Jg 14.3+. **15.19** l'eau sortant du rocher Ex 17.6; Ps 78.15-16. **15.20** Samson, juge pendant vingt ans Jg 16.31. **16.1** Gaza Jos 13.3 — il entra chez une prostituée Jos 2.1. **16.5** les tyrans des Philistins Jos 13.3 — séduis-le Jg 14.15-17.

le lia, puis elle lui lança : « Les Philistins sur toi, Samson. » L'embuscade était en place dans la chambre, mais il rompit les cordes qu'il avait aux bras comme si c'était du fil. [13] Dalila dit à Samson : « Jusqu'ici tu t'es joué de moi et tu m'as dit des mensonges. Révèle-moi donc comment tu devrais être lié. » Samson lui dit : « Si tu tissais sept tresses de ma chevelure avec la chaîne d'un tissu *g* et si tu les comprimais avec le peigne de tisserand, alors je deviendrais faible et je serais pareil à n'importe quel homme. » [14] Elle l'endormit, tissa sept tresses de sa chevelure avec la chaîne, les comprima avec le peigne *h*, puis elle lança : « Les Philistins sur toi, Samson. » Il s'éveilla de son sommeil et il arracha le peigne, le métier et la chaîne. [15] Dalila lui dit : « Comment peux-tu dire : "Je t'aime", alors que ton cœur n'est pas avec moi. Voilà trois fois que tu te joues de moi et tu ne m'as pas révélé pourquoi ta force est si grande. » [16] Or, comme tous les jours elle le harcelait par ses paroles et l'importunait, Samson, excédé à en mourir, [17] lui ouvrit tout son cœur et lui dit : « Le rasoir n'a jamais passé sur ma tête *i*, car je suis consacré à Dieu depuis le sein de ma mère. Si j'étais rasé, alors ma force se retirerait loin de moi, je deviendrais faible et je serais pareil aux autres hommes. » [18] Dalila vit qu'il lui avait ouvert tout son cœur et elle envoya appeler les tyrans des Philistins en leur disant : « Montez, cette fois, car il m'a ouvert tout son cœur. » Les tyrans des Philistins montèrent chez elle et ils avaient l'argent en main. [19] Elle endormit Samson sur ses genoux et elle appela un homme qui rasa les sept tresses de sa chevelure ; alors il commença à faiblir *j* et sa force se retira loin de lui. [20] Dalila lui dit : « Les Philistins sur toi, Samson. » Il s'éveilla de son sommeil et dit : « J'en sortirai comme les autres fois et je me dégagerai », mais il ne savait pas que le Seigneur s'était retiré loin de lui. [21] Les Philistins le sai-

sirent et lui crevèrent les yeux ; ils le firent descendre à Gaza et le lièrent avec une double chaîne de bronze. Samson tournait la meule *k* dans la prison. [22] Mais, après qu'il eut été rasé, les cheveux de sa tête commencèrent à repousser.

Dernier exploit et mort de Samson

[23] Or les tyrans des Philistins se réunirent pour offrir un grand sacrifice à Dagôn, leur dieu, et pour se livrer à des réjouissances. Ils disaient : « Notre dieu a livré entre nos mains Samson, notre ennemi. » [24] Le peuple vit Samson *l* et ils louèrent leur dieu en disant :

« Notre dieu a livré entre nos mains
notre ennemi,
celui qui dévastait notre pays
et qui multipliait nos morts. »

[25] Or, comme leur cœur était en joie, ils dirent : « Appelez Samson et qu'il nous divertisse. » On envoya chercher Samson à la prison et il se livra à des bouffonneries devant eux, puis on le plaça entre les colonnes. [26] Samson dit au garçon qui le tenait par la main : « Guide-moi et fais-moi toucher les colonnes sur lesquelles repose le temple afin que je m'y appuie. » [27] Le temple était rempli d'hommes et de femmes ; il y avait là tous les tyrans des Philistins et sur la terrasse environ trois mille hommes et femmes qui avaient regardé les divertissements de Samson. [28] Samson invoqua le Seigneur et dit : « Je t'en prie, Seigneur Dieu, souviens-toi de moi et rends-moi fort, ne serait-ce que cette fois, ô Dieu, pour que j'exerce contre les Philistins une unique vengeance pour mes deux yeux. » [29] Puis Samson palpa les deux colonnes du milieu sur lesquelles reposait le temple et il prit appui contre elles, contre l'une avec son bras droit et contre l'autre avec son bras gauche. [30] Samson dit : « Que je meure avec les Philistins », puis il s'arc-bouta avec force et le temple s'écroula sur les tyrans et sur tout le peuple qui s'y trouvait. Les morts qu'il fit mourir par sa

---

g A partir de *et si tu les comprimais* et jusqu'à *avec la chaîne* (v. 14), le texte a été complété d'après les versions anciennes; car une phrase semble avoir disparu du texte hébreu ● *h peigne:* d'après l'ancienne version grecque; hébreu *piquet*. En hébreu les noms du peigne et du piquet se ressemblent beaucoup ● *i* Voir 13.4-5 et la note ● *j qui rasa;* il *commença à faiblir:* d'après les anciennes versions; hébreu *et elle rasa; elle commença à l'affaiblir* ● *k tournait la meule:* travail d'esclave (Ex 11.5) ou de femmes (Mt 24.41) ● *l Le peuple vit Samson:* littéralement *Le peuple le vit.* Certains traduisent *Le peuple vit son dieu et il le loua*

16.17 le rasoir n'a jamais passé sur ma tête Jg 13.5. **16.20** le Seigneur s'était retiré 1 S 16.14; 18.12; 28.15. **16.21** tourner la meule Jb 31.10; cf. Mt 24.41. **16.23** les tyrans des Philistins v. 5+ — Dagôn, dieu des Philistins 1 S 5.2-7; cf. Jos 15.41; 19.27.

mort furent plus nombreux que ceux qu'il avait fait mourir durant sa vie. ³¹ Ses frères et toute la maison de son père descendirent et l'emportèrent ; ils remontèrent et l'ensevelirent, entre Çoréa et Eshtaol, dans le tombeau de Manoah, son père. Samson avait jugé *m* Israël pendant vingt ans.

Le sanctuaire de Mika

17 ¹ Il y avait un homme de la montagne d'Ephraïm qui s'appelait Mikayehou. ² Il dit à sa mère : « Les onze cents sicles d'argent qu'on t'a pris et à propos desquels tu as proféré une malédiction que tu m'as même répétée, eh bien ! cet argent, je l'ai ; c'est moi qui l'avais pris ! » Sa mère dit : « Sois béni *n* du SEIGNEUR, mon fils ! » ³ Il rendit donc les onze cents sicles d'argent à sa mère, mais elle lui dit : « En fait, j'ai consacré de moi-même cet argent au SEIGNEUR à l'intention de mon fils, pour faire une idole et une image en métal *o*. Aussi vais-je maintenant te le rendre. » ⁴ Ainsi, lorsqu'il eut rendu l'argent à sa mère, elle prit deux cents sicles d'argent qu'elle remit au fondeur. Celui-ci en fit une idole et une image en métal qui fut placée dans la maison de Mikayehou. ⁵ Or, cet homme, Mika, avait une stèle divine. Il fit donc faire un éphod et des téraphim, puis il donna l'investiture *p* à l'un de ses fils, qui devint son prêtre. ⁶ En ces jours-là il n'y avait pas de roi en Israël ; chacun faisait ce qui lui plaisait. ⁷ Or, il y avait un jeune homme de Bethléem de Juda, du clan de Juda, qui

était *lévite et résidait là comme étranger. ⁸ Cet homme s'en alla de la ville de Bethléem de Juda pour trouver un lieu où résider comme étranger. Il arriva dans la montagne d'Ephraïm et, chemin faisant, il aboutit à la maison de Mika. ⁹ Mika lui dit : « D'où viens-tu ? » — « Je suis un lévite de Bethléem de Juda, lui répondit-il, et je suis en route pour trouver un lieu où résider comme étranger. » ¹⁰ Alors Mika lui dit : « Reste donc chez moi et sois pour moi un père et un prêtre. Pour ma part, je te donnerai dix sicles d'argent par an, un assortiment de vêtements et ta nourriture *q*. » ¹¹ Le lévite consentit à rester chez cet homme qui considéra le jeune homme comme l'un de ses fils. ¹² Mika donna l'investiture au lévite ; le jeune homme devint son prêtre et demeura dans la maison de Mika. ¹³ Mika dit : « Maintenant je sais que le SEIGNEUR agira pour mon bien puisque ce lévite est devenu mon prêtre. »

Les Danites changent de territoire

18 ¹ En ces jours-là il n'y avait pas de roi en Israël. Or, en ces jours-là, la tribu des Danites se cherchait un territoire *r* pour y habiter, car jusqu'à ce jour-là il ne lui était pas échu de territoire au milieu des tribus d'Israël. ² Les fils de Dan envoyèrent donc cinq hommes de leur clan, des guerriers de chez eux, depuis Çoréa et Eshtaol pour explorer le pays et le reconnaître. Ils leur dirent : « Allez reconnaître le pays ! » Les cinq hommes arrivèrent dans la montagne d'Ephraïm ⁸ et aboutirent à la maison de

---

m Voir la note sur 2.16 ● *n sicles:* voir au glossaire POIDS ET MESURES — *béni:* la *mère bénit* son *fils* pour le protéger contre les effets de la *malédiction* précédemment prononcée contre le voleur ● *o une idole et une image en métal:* le texte hébreu ne permet pas de savoir s'il s'agit d'un seul objet ou de deux objets distincts — *en métal:* soit du métal massif, soit du bois plaqué de métal ● *p Mika:* forme abrégée de Mikayehou — *stèle divine* (voir Gn 28.18 et la note): l'hébreu a *maison de Dieu* (ou *de dieux*) qui désigne probablement ici une *stèle de pierre* (voir Gn 28.22) plutôt qu'un sanctuaire privé — *éphod:* voir Jg 8.27 et la note — *téraphim:* voir Gn 31.19 et la note. De même que l'*éphod* et la *stèle,* les *téraphim* étaient parfois utilisés pour la divination (1 S 15.23; Os 3.4; Ez 21.26) — *investiture:* voir Lv 7.37 et la note ● *q père:* ce titre s'explique par le fait que le sacerdoce fut d'abord exercé par le *père* de famille (11.31-39; 13.19) — *nourriture:* la traduction omet *et le lévite s'en alla* qui s'accorde difficilement avec le contexte ● *r* Ce changement de *territoire* est indiqué aussi par Jos 19.40-48 et sa cause par Jg 1.34. La tribu de *Dan* était si petite qu'on la considérait parfois comme un simple *clan* (v. 2; cf. 13.2) ● *s Çoréa:* voir 13.2 et la note; *Eshtaol:* ville proche de *Çoréa* — *montagne d'Ephraïm:* voir 3.27 et la note

16.31 Çoréa, Eshtaol Jg 13.25 — Samson, juge pendant vingt ans Jg 15.20.   17.1 la montagne d'Ephraïm Jg 3.27+.   17.2 une malédiction: 1) Adjuration au voleur présumé Lv 5.1; 1 R 8.31-32; Pr 29.24; 2) Malédiction proprement dite contre le voleur Za 5.3-4 — bénédiction 2 S 21.3; 1 R 2.45.   17.3 une idole et une image de métal Jg 18.17-18; cf. Dt 27.15.   17.6 pas (encore) de roi en Israël Jg 18.1; 19.1; 21.25.   17.7 Bethléem de Juda 1 S 16.4; Mi 5.1; Mt 2.1; cf. Jg 19.1 — un lévite Dt 18.6 résidant là comme étranger Dt 12.12, 18-19.   17.10 un père Jg 18.19; cf. 2 R 2.12; 6.21; 13.14.   18.1 pas de roi en Israël Jg 17.6+.   18.2 Çoréa Jg 13.2 et Eshtaol Jg 13.25+ — pour explorer le pays Nb 13—14; Dt 1.22-25; Jos 2.1 — Mika Jg 17.1-13.

Mika où ils passèrent la nuit. [3] Alors
qu'ils étaient près de la maison de Mika,
ils reconnurent la voix du jeune *lévite
et, s'étant dirigés de son côté, ils lui
dirent : « Qui t'a fait venir ici ? Que
fais-tu en cet endroit ? Qu'est-ce qui te
retient ici ? » [4] Il leur répondit : « Mika
a fait pour moi telle et telle chose : il
m'a engagé, et je suis devenu son prêtre. »
[5] Ils lui dirent : « Consulte donc Dieu [t]
afin que nous sachions si le voyage que
nous entreprenons réussira. » [6] Le prêtre
leur dit : « Allez en paix ! Le voyage que
vous entreprenez est sous le regard du
SEIGNEUR ! »
[7] Les cinq hommes s'en allèrent et
arrivèrent à Laïsh. Ils virent que la population qui s'y trouvait demeurait en sécurité, à la manière des Sidoniens, tranquille et confiante. De plus, aucun roi ne
sévissait dans le pays et personne ne s'en
approchait pour y exercer une autorité.
Les habitants de Laïsh étaient loin des
Sidoniens et ils ne dépendaient de personne [u]. [8] Les cinq hommes revinrent
auprès de leurs frères à Çoréa et Eshtaol,
et leurs frères leur dirent : « Qu'en pensez-vous ? » [9] Ils répondirent : « Levons-
nous ! Montons contre eux, car nous
avons vu le pays, et c'est un excellent
pays. Mais vous, vous restez sans rien
dire ! Que votre inertie ne vous empêche
pas de partir, d'entrer dans ce pays et
d'en prendre possession. [10] Lorsque vous
y entrerez, vous arriverez chez un peuple
confiant. Le pays est largement ouvert,
car Dieu l'a livré là entre vos mains.
C'est un lieu où il ne manque aucun des
biens de la terre. »
[11] Alors partirent de là, du clan des
Danites, de Çoréa et d'Eshtaol, six cents
hommes équipés d'armes de guerre. [12] Ils
montèrent camper à Qiryath-Yéarim en
Juda. C'est pourquoi on appelle cet endroit Mahané-Dan [v] jusqu'à ce jour. Il se
trouve à l'ouest de Qiryath-Yéarim. [13] De
là, ils passèrent dans la montagne
d'Ephraïm et aboutirent à la maison de

Mika. [14] Les cinq hommes qui étaient
allés explorer le pays — c'est-à-dire Laïsh
— prirent la parole et dirent à leurs
frères : « Savez-vous qu'il y a dans ces
maisons un éphod, des téraphim, une
idole et une image en métal fondu [w] ? Et
maintenant, sachez ce que vous avez à
faire. » [15] Ils se dirigèrent de ce côté-là,
entrèrent dans la maison du jeune lévite,
la maison de Mika, et lui demandèrent
comment il allait, [16] tandis que les six
cents Danites, équipés de leurs armes de
guerre, prenaient position à l'entrée de la
porte. [17] Les cinq hommes qui étaient
allés explorer le pays montèrent à l'étage,
y pénétrèrent et prirent l'idole, l'éphod,
les téraphim et l'image en métal fondu,
alors que le prêtre se tenait à l'entrée
de la porte ainsi que les six cents hommes équipés d'armes de guerre. [18] Comme
ceux qui étaient entrés dans la maison de
Mika avaient pris l'idole, l'éphod, les
téraphim et l'image en métal fondu, le
prêtre leur dit : « Que faites-vous là ? »
— [19] « Tais-toi, lui dirent-ils, mets ta
main sur ta bouche et viens avec nous !
Sois pour nous un père [x] et un prêtre.
Vaut-il mieux que tu sois le prêtre de la
maison d'un seul homme ou celui d'une
tribu et d'un clan en Israël ? » [20] Le
prêtre en eut le cœur joyeux, il prit
l'éphod, les téraphim ainsi que l'idole et
il entra au milieu de la troupe.
[21] Reprenant leur direction, ils s'en
allèrent, ayant placé en tête les enfants,
le bétail et les bagages. [22] Ils s'étaient
déjà éloignés de la maison de Mika lorsque les hommes qui habitaient les maisons proches de celle de Mika s'ameutèrent et se mirent à la poursuite des fils de
Dan. [23] Ils poussèrent des cris à l'adresse
des fils de Dan et ceux-ci, faisant volte-
face, dirent à Mika : « Qu'as-tu à ameuter ces gens ? » [24] Il répondit : « Les
dieux que je m'étais faits, vous les avez
pris [y] ainsi que le prêtre, et vous vous en
allez. Que me reste-t-il ? Et comment
pouvez-vous me dire : "Qu'as-tu donc ?" »

---

[t] consulte donc Dieu: c'est une des fonctions de la tribu de Lévi. Le lévite possède les instruments
nécessaires (voir 17.5 et la note) ● [u] Laïsh: voir Jos 19.47 et la note — Sidoniens: voir 3.3 et la
note. Pacifiques, ils s'occupaient surtout de commerce — Depuis De plus jusqu'à une autorité:
texte hébreu obscur, traduction en partie incertaine — ils ne dépendaient de personne: autre traduction ils n'avaient de relations avec personne ● [v] Qiryath-Yéarim (cité des forêts): localité
située à 13 km à l'ouest de Jérusalem — Mahané-Dan (camp de Dan): voir 13.25 ● [w] Voir 17.5 et
la note ● [x] père: voir 17.10 et la note ● [y] Ou Le dieu que je m'étais fait, vous l'avez pris

18.5 consulter Dieu Jg 1.1+; 1 S 23.9-12.   18.6 allez en paix (formule de congédiement) Ex
4.18; 1 S 1.17; Lc 7.50; 8.48.   18.8 retour d'exploration Nb 13.25-26.   18.9 Allons-y! Nb 13.30
— c'est un excellent pays Nb 13.27; 14.7.   18.10 Dieu vous livre le pays Jos 2.24.   18.13 la montagne d'Ephraïm Jg 3.27+.   18.14 sachez ce que vous avez à faire 1 S 25.17.   18.19 mets ta
main sur ta bouche Mi 7.16; Jb 21.5; 29.9; 40.4; Pr 30.32; Sg 8.12.   18.22 à la poursuite des
voleurs d'idoles Gn 31.23.

25 Les fils de Dan lui répliquèrent :
« Qu'on ne t'entende plus ! Sinon des
hommes exaspérés pourraient bien tomber sur vous, et tu y perdrais la vie, toi
et ta maison. » 26 Les fils de Dan allèrent
leur chemin, et Mika, voyant qu'ils étaient
plus forts que lui, fit demi-tour et revint
chez lui.

La ville de Dan et son sanctuaire

27 Quant à eux, ayant pris ce qu'avait
fait Mika et le prêtre qu'il avait à son
service, ils arrivèrent sur Laïsh z, sur sa
population tranquille et confiante qu'ils
passèrent au tranchant de l'épée. Quant
à la ville, ils l'incendièrent. 28 Et il n'y
eut personne pour venir la délivrer, car
elle était loin de Sidon et ne dépendait
de personne a. Elle se trouve en effet
dans la plaine qui s'étend vers Beth-
Rehov. Ils rebâtirent la ville et s'y établirent. 29 Ils appelèrent la ville du nom
de Dan, d'après le nom de Dan leur père,
qui était né d'Israël b, mais à l'origine
le nom de cette ville était Laïsh. 30 Les
fils de Dan dressèrent l'idole. Yehonatân,
fils de Guershôm, fils de Moïse, puis ses
fils furent prêtres de la tribu des Danites
jusqu'à l'époque de la déportation du
pays c. 31 Ils installèrent l'idole que Mika
avait faite et elle y demeura aussi longtemps que subsista la maison de Dieu
à Silo d.

Le crime des Benjaminites de Guivéa

19 1 Or, en ces jours-là — il n'y avait
pas alors de roi en Israël —, un
*lévite qui résidait dans l'arrière-pays de
la montagne d'Ephraïm e, prit une concubine de Bethléem de Juda. 2 Sa concubine
lui fut infidèle, puis elle le quitta pour
la maison de son père, à Bethléem de
Juda, où elle resta un certain temps, quatre mois. 3 Son mari partit la retrouver
pour parler à son cœur et la ramener.

Il avait avec lui son serviteur et deux
ânes. Sa concubine le fit entrer dans
la maison de son père. Le père de la
jeune femme le vit et, tout joyeux, vint
à sa rencontre. 4 Son beau-père, le père
de la jeune femme, le retint, et il resta
chez lui pendant trois jours ; ils mangèrent, burent, et y passèrent la nuit. 5 Or,
le quatrième jour, ils se levèrent de bon
matin, et le lévite se préparait à partir
lorsque le père de la jeune femme dit à
son gendre : « Restaure-toi en mangeant
un morceau de pain, vous partirez
après ! » 6 S'étant assis, ils mangèrent et
ils burent tous deux ensemble. Le père
de la jeune femme dit à cet homme :
« Consens donc à passer la nuit et que
ton cœur se réjouisse ! » 7 Comme l'homme se préparait à partir, son beau-père
insista auprès de lui, si bien qu'il se ravisa et passa la nuit en cet endroit. 8 Le
cinquième jour, il se leva de bon matin
pour partir, mais le père de la jeune
femme lui dit : « Restaure-toi, je t'en
prie, et attardez-vous jusqu'au déclin du
jour », et ils mangèrent tous deux.
9 L'homme se préparait à partir, lui, sa
concubine et son serviteur, mais son beau-
père, le père de la jeune femme, lui dit :
« Voici que le jour baisse, c'est presque
le soir ; passez donc la nuit ! Voici que
le jour décline, passe la nuit ici et que ton
cœur se réjouisse ! Demain matin, vous
vous mettrez en route et tu regagneras ta
tente f. » 10 Mais l'homme ne voulut pas
passer la nuit. Il se leva, partit, et arriva
en vue de Jébus — c'est Jérusalem —,
ayant avec lui ses deux ânes bâtés et sa
concubine.

11 Lorsqu'ils furent arrivés près de Jébus, le jour avait beaucoup baissé, et le
serviteur dit à son maître : « Allons, arrêtons-nous à la ville des Jébusites que voici, et passons-y la nuit ! » 12 Son maître
lui dit : « Nous ne nous arrêterons pas
à cette ville d'étrangers qui, eux, ne font
pas partie des fils d'Israël. Nous pousse-

---

z Voir Jos 19.47 et la note ● *a* Voir 18.7 et la note ● *b père* ou *ancêtre* — *Israël*, c'est-à-dire
Jacob ● *c Yehonatân* est le lévite des ch. 17.18 — *Moïse:* d'après les anciennes versions ; hébreu
Manassé, mais les manuscrits placent la lettre *n* au-dessus de la ligne pour montrer que le texte
originel a été corrigé — *la déportation du pays:* probablement celle qui eut lieu sous Tiglath-
Piléser III en 734 av. J.C. (voir 2 R 15.29) ● *d* Voir Jos 18.1 et la note. Le sanctuaire de *Silo*
fut probablement détruit par les Philistins après la bataille d'Evèn-Ezèr (1 S 4.1-11) ● *e montagne
d'Ephraïm:* voir 3.27 et la note ● *f tu regagneras ta tente:* voir Jos 22.4 et la note

18.28 Beth-Rehov Nb 13.21. **18.29** la ville de Dan Jos 19.47 — Dan, leur père Gn 30.6. **18.30**
Guershôm, fils de Moïse Ex 2.22 ; 18.3. **18.31** le sanctuaire de Silo Jg 21.19 ; Jos 18.1, 8 ; 1 S
1.3, 9, 24 et sa destruction Jr 7.12 ; 26.6, 9. **19.1** pas de roi en Israël Jg 17.6+ — un lévite Jg 17.7
— la montagne d'Ephraïm Jg 3.27+. **19.3** parler à son cœur Gn 34.3 ; 50.21 ; Es 40.2 ; Os 2.16 ;
Rt 2.13. **19.5** démarche pour retarder le départ des invités Gn 24.54-59 ; cf. 33.12-17. **19.10**
Jébus/Jérusalem Jg 1.21 ; Jos 15.8 ; 18.16, 28.

rons jusqu'à Guivéa *g*. ¹³ Allons, dit-il à
son serviteur, dirigeons-nous vers l'une
de ces localités, et nous passerons la nuit
à Guivéa ou à Rama *h*. » ¹⁴ Poussant plus
loin, ils s'en allèrent, et le soleil se couchait lorsqu'ils étaient près de Guivéa en
Benjamin. ¹⁵ Ils se tournèrent alors de ce
côté pour passer la nuit à Guivéa. Le
lévite entra et s'assit sur la place de la
ville, mais personne ne les accueillit dans
sa maison pour passer la nuit *i*.

¹⁶ Et voici qu'un vieillard rentrait le
soir de son travail des champs. C'était un
homme de la montagne d'Ephraïm, mais
il résidait à Guivéa alors que les hommes
de la localité étaient benjaminites. ¹⁷ Levant les yeux, il vit le voyageur sur la
place de la ville : « Où vas-tu, dit le
vieillard, et d'où viens-tu ? » ¹⁸ Il lui
répondit : « Partis de Bethléem de Juda,
nous faisons route vers l'arrière-pays de
la montagne d'Ephraïm. C'est de là que je
suis. J'étais allé jusqu'à Bethléem de Juda
et je retourne chez moi *j* et il n'y a personne qui m'accueille dans sa maison.
¹⁹ Pourtant, nous avons de la paille et
du fourrage pour nos ânes ; j'ai aussi du
pain et du vin pour moi, pour ta servante
et pour le jeune homme qui accompagne
ton serviteur ; nous ne manquons de
rien. » ²⁰ Le vieillard répondit : « Que la
paix soit avec toi ! Bien sûr, tous tes
besoins seront à ma charge, mais ne
passe pas la nuit sur la place ! » ²¹ Il
les fit entrer dans sa maison et donna
du fourrage aux ânes. Les voyageurs se
lavèrent les pieds, ils mangèrent et ils
burent.

²² Pendant qu'ils se réconfortaient, voici
que les hommes de la ville, des vauriens,
cernèrent la maison, frappèrent violemment contre la porte et dirent au vieillard,
propriétaire de la maison : « Fais sortir

cet homme qui est entré chez toi afin
que nous le connaissions *k*. » ²³ Le propriétaire de la maison sortit et leur dit :
« Non, mes frères, je vous prie, ne commettez pas le mal. Maintenant que cet
homme est entré chez moi, ne commettez pas cette infamie *l* ! ²⁴ Voici ma fille
qui est vierge, je vais donc la faire sortir. Abusez d'elle et faites-lui ce que bon
vous semblera *m*. Mais envers cet homme
vous ne commettrez pas une infamie de
cette sorte ! » ²⁵ Les hommes ne voulurent pas l'écouter. Alors le lévite saisit
sa concubine et la leur amena dehors.
Ils la connurent et la malmenèrent toute
la nuit jusqu'au matin, et au lever de
l'aurore ils l'abandonnèrent.

²⁶ A l'approche du matin, la femme
vint tomber à l'entrée de la maison de
l'homme chez qui était son mari, gisant là
jusqu'à ce qu'il fît jour. ²⁷ Son mari se
leva de bon matin, ouvrit la porte de la
maison et sortit pour reprendre sa route,
et voilà que sa concubine gisait à l'entrée
de la maison, les mains sur le seuil.
²⁸ « Lève-toi, lui dit-il, et partons ! » Pas
de réponse. Alors il la chargea sur son
âne, et l'homme partit et gagna sa localité. ²⁹ Arrivé chez lui, il prit un couteau
et, saisissant sa concubine, la découpa,
membre après membre, en douze morceaux qu'il envoya dans tout le territoire
d'Israël. ³⁰ Or, quiconque voyait cela disait : « Jamais n'est arrivée ni ne s'est
vue pareille chose depuis le jour où les
fils d'Israël sont montés du pays d'Egypte
jusqu'à ce jour ! » Le lévite avait donné
cet ordre aux hommes qu'il avait envoyés : « Ainsi parlerez-vous à tous les
hommes d'Israël : Pareille chose est-elle
arrivée depuis le jour où les fils d'Israël
sont montés du pays d'Egypte jusqu'à ce
jour *n* ? Réfléchissez-y, consultez-vous et
prononcez-vous ! »

---

g ville d'étrangers: Jérusalem sera conquise seulement par David sur les Jébusites (voir 2 S 5.6-7)
— *Guivéa:* appelée *Guivéa en Benjamin* (19.14) ou *de Benjamin* (1 S 13.2), à 6 km au nord de
Jérusalem ● *h* Localité située à 3 km au nord de *Guivéa* ● *i la place de la ville* où se déroulait la
vie publique se trouvait toujours à l'entrée de la ville, près de la porte principale — *nuit:* c'était
un devoir sacré *d'accueillir dans sa maison* les étrangers de passage ● *j chez moi* ou *à ma maison:*
d'après l'ancienne version grecque; hébreu *à la maison du Seigneur,* qui semble ne pas convenir
ici ● *k* Voir Gn 19.5 et la note ● *l mal, infamie:* ces deux mots visent à la fois le délit sexuel et la
violation des lois de l'hospitalité ● *m* Après *vierge* la traduction omet *et sa concubine* que l'hébreu
a ajouté en anticipant le v. 25 — *faites-lui ce que bon vous semblera:* voir la note sur Gn 19.8 ●
n Le lévite avait donné cet ordre... jusqu'à ce jour: ce passage manque dans le texte hébreu; il est
traduit d'après l'ancienne version grecque où il a été conservé

19.14 surpris par le coucher du soleil Gn 28.11. **19.16-30** l'infamie de Guivéa Os 9.9; 10.9; cf.
Jg 20.6+. **19.16** de la montagne d'Ephraïm v. 1; cf. Jg 3.27+. **19.21** pieds lavés à l'arrivée Gn 18.4; 19.2; 24.32; 43.24; cf. Lc 7.44; Jn 13.5. **19.22** fais sortir cet homme Gn 19. 4-5.
19.23 rappel des lois de l'hospitalité Gn 19.6-8. **19.29** morceaux envoyés dans tout le territoire 1 S 11.7. **19.30** jamais une pareille chose... Jr 2.10 — depuis la sortie d'Egypte 1 S 8.8;
2 S 7.6.

Guerre punitive contre Benjamin

20 [1] Tous les fils d'Israël sortirent et, comme un seul homme, la communauté s'assembla depuis Dan jusqu'à Béer-Shéva ainsi que le pays de Galaad, auprès du SEIGNEUR à Miçpa [o]. [2] Les chefs de tout le peuple, toutes les tribus d'Israël se présentèrent à l'assemblée du peuple de Dieu, quatre cent mille fantassins, sachant tirer l'épée. [3] Les fils de Benjamin apprirent que les fils d'Israël étaient montés à Miçpa.

Les fils d'Israël dirent : « Rapportez-nous comment est arrivé ce crime. » [4] Le *lévite, le mari de la femme qui avait été assassinée, répondit : « C'est à Guivéa [p] en Benjamin que j'étais arrivé, moi et ma concubine pour y passer la nuit. [5] Les propriétaires de Guivéa se dressèrent contre moi, et, pendant la nuit, cernèrent la maison où j'étais ; ils voulaient me tuer et ils ont abusé de ma concubine au point qu'elle en est morte. [6] Je pris ma concubine, la découpai et l'envoyai dans tout le territoire de l'héritage d'Israël, car ils ont commis une impudicité et une infamie [q] en Israël. [7] Vous tous, fils d'Israël, donnez-vous la parole et consultez-vous ici-même ! » [8] Tout le peuple se leva comme un seul homme en disant : « Aucun d'entre nous ne regagnera sa tente, et aucun ne retournera dans sa maison. [9] Et maintenant, voici ce que nous allons faire à l'égard de Guivéa : nous monterons contre elle en tirant au sort ; [10] et nous prendrons, dans toutes les tribus d'Israël, dix hommes sur cent, cent sur mille et mille sur dix mille pour procurer des provisions au peuple, à ceux qui iront traiter Guivéa de Benjamin selon toute l'infamie qu'elle a commise en Israël. » [11] Tous les hommes d'Israël s'unirent contre la ville, associés comme un seul homme.

[12] Les tribus d'Israël envoyèrent des hommes dans toute la tribu de Benjamin pour lui dire : « Quel est ce crime qui s'est produit parmi vous ? [13] Et maintenant, livrez ces hommes, ces vauriens qui sont à Guivéa, afin que nous les mettions à mort et que nous enlevions le mal d'Israël. » Les fils de Benjamin ne voulurent pas écouter la voix de leurs frères, les fils d'Israël.

[14] Venant de leurs villes, les fils de Benjamin se réunirent à Guivéa pour partir en guerre contre les fils d'Israël. [15] Ce jour-là, les fils de Benjamin venus des villes, se présentèrent au recensement : ils étaient vingt-six mille hommes sachant tirer l'épée, sans compter les habitants de Guivéa dont le recensement dénombre sept cents hommes d'élite. [16] Dans tout ce peuple il y avait sept cents hommes d'élite gauchers. Chacun d'eux pouvait, avec la pierre de sa fronde, tirer sur un cheveu sans le manquer. [17] Les hommes d'Israël se présentèrent aussi au recensement ; sans compter Benjamin, ils étaient quatre cent mille sachant tirer l'épée, tous hommes de guerre. [18] Ils partirent et montèrent à Béthel [r] pour consulter Dieu, et les fils d'Israël dirent : « Qui de nous montera en premier pour combattre les fils de Benjamin ? », et le SEIGNEUR dit : « C'est Juda qui montera en premier ! »

[19] Les fils d'Israël se levèrent de bon matin et ils campèrent près de Guivéa. [20] Sortis pour combattre contre Benjamin, les hommes d'Israël se rangèrent en bataille face à Guivéa. [21] Les fils de Benjamin sortirent de Guivéa et, ce jour-là, ils terrassèrent vingt-deux mille hommes d'Israël. [22] Le peuple des hommes d'Israël se ressaisit et de nouveau ils se rangèrent en bataille à l'endroit où ils s'étaient rangés le premier jour. [23] Les fils d'Israël montèrent pleurer devant le SEIGNEUR [s] jusqu'au soir, et ils consultèrent le SEIGNEUR : « Dois-je encore engager le combat contre les fils de Benjamin mon frère ? » Le SEIGNEUR répondit : « Montez contre lui ! » [24] Le second jour, les fils d'Israël s'approchèrent des fils de

---

o depuis Dan jusqu'à Béer-Shéva : voir les notes sur Jos 19.47 et Gn 21.14 — *Galaad :* voir Gn 31.21 et la note — *auprès du Seigneur :* c'est-à-dire *au sanctuaire du Seigneur* — *Miçpa :* localité de Benjamin à 13 km au nord de Jérusalem ; à ne pas confondre avec Miçpa de Galaad (10.17 et la note) ● *p* Voir 19.12 et la note ● *q* Voir 19.23 et la note ● *r* Voir Gn 12.8 et la note ● *s devant le Seigneur :* c'est-à-dire *au sanctuaire du Seigneur,* à Béthel

20.1 la communauté Jg 21.10 ; Ex 12.3 ; 16.1 ; 34.31 ; Lv 4.13, etc. ; Nb 1.18 ; 16.9, etc. ; Jos 9.18 ; 22.18 — de Dan Jg 18.29 à Béer-Shéva 1 S 3.20 ; 2 S 17.11 — Miçpa (de Benjamin) Jg 21.1 5 ; 1 S 7.5-7 ; 10.17 ; *1 M* 3.46. **20.4** ce qui s'est passé à Guivéa Jg 19.22-29. **20.6** une infamie en Israël Dt 22.21+. **20.13** que nous enlevions le mal d'Israël Dt 13.6+. **20.18** à Béthel v. 26 ; Jg 21.2-4 — consulter Dieu v. 27 ; Jg 1.1+ — Qui... ? - C'est Juda Jg 1.1-2. **20.23** pleurs (devant le Seigneur) Jg 2.4 ; 21.2 ; Nb 11.4 ; 14.1 ; 1 S 11.4 ; Esd 10.1.

Benjamin. ²⁵ Ce second jour Benjamin sortit de Guivéa à leur rencontre et ils terrassèrent encore dix-huit mille hommes parmi les fils d'Israël, tous sachant tirer l'épée. ²⁶ Tous les fils d'Israël et tout le peuple montèrent et vinrent à Béthel ; là ils pleurèrent assis devant le Seigneur, et ils jeûnèrent ce jour-là jusqu'au soir, et ils firent monter des holocaustes et des *sacrifices de paix devant le Seigneur. ²⁷ Les fils d'Israël consultèrent le Seigneur — en effet, l'*arche de l'alliance de Dieu se trouvait à cet endroit en ces jours-là. ²⁸ Pinhas, fils d'Eléazar, fils d'Aaron, se tenait devant elle *t* en ces jours-là : « Dois-je encore, dirent-ils, sortir pour combattre contre les fils de Benjamin mon frère, ou bien dois-je renoncer ? » Le Seigneur répondit : « Montez, car demain je le livrerai entre vos mains. »

²⁹ Israël plaça des hommes en embuscade tout autour de Guivéa. ³⁰ Le troisième jour, les fils d'Israël montèrent contre les fils de Benjamin et se rangèrent contre Guivéa comme les autres fois. ³¹ Les fils de Benjamin sortirent à la rencontre du peuple, ils se laissèrent attirer loin de la ville et commencèrent, comme les autres fois, à faire des victimes parmi le peuple, environ trente hommes d'Israël, sur les routes qui montent l'une à Béthel, l'autre à Guivéa en rase campagne. ³² Les fils de Benjamin dirent : « Les voilà battus devant nous comme précédemment. » Mais les Israélites s'étaient dit : « Nous allons fuir et nous les attirerons loin de la ville sur les routes. » ³³ Tous les hommes d'Israël, ayant surgi de leur position, se rangèrent en bataille à Baal-Tamar tandis que l'embuscade d'Israël s'élançait de sa position à l'ouest de Guèva *u*. ³⁴ Dix mille hommes d'élite pris dans tout Israël arrivèrent en face de Guivéa ; la bataille fut acharnée, mais les Benjaminites ne savaient pas que le malheur fondait sur eux. ³⁵ Le Seigneur battit Benjamin devant Israël et, ce jour-là, les fils d'Israël firent périr en Benja-

min vingt-cinq mille cent hommes, tous sachant tirer l'épée. ³⁶ Les fils de Benjamin virent qu'ils étaient battus.

Les hommes d'Israël cédèrent du terrain à Benjamin parce qu'ils comptaient sur l'embuscade qu'ils avaient placée contre Guivéa. ³⁷ L'embuscade s'élança vers Guivéa en toute hâte, se déploya et frappa toute la ville au tranchant de l'épée. ³⁸ Or, il y avait cette convention entre les hommes d'Israël et ceux de l'embuscade : ces derniers devaient faire monter de la ville un signal de fumée. ³⁹ Les hommes d'Israël firent volte-face dans la bataille, et Benjamin commença à faire des victimes parmi les hommes d'Israël, environ trente hommes. « Vraiment, se disaient-ils, les voilà complètement battus devant nous comme lors de la première bataille ! » ⁴⁰ Mais le signal, une colonne de fumée, avait commencé à monter de la ville, et, lorsque Benjamin se retourna, voici que la ville tout entière montait en flammes vers le ciel. ⁴¹ Les hommes d'Israël avaient donc fait volte-face, et les hommes de Benjamin furent terrifiés car ils voyaient que le malheur avait fondu sur eux. ⁴² Ils tournèrent le dos devant les hommes d'Israël en direction du désert, mais la bataille les talonnait et ils se faisaient massacrer à mi-chemin par ceux qui venaient de la ville *v*. ⁴³ On cerna Benjamin, on le poursuivit sans répit, on le piétina jusqu'en face de Guèva *w* du côté du soleil levant. ⁴⁴ De Benjamin dix-huit mille hommes tombèrent, tous hommes vaillants. ⁴⁵ Tournant le dos, ils s'enfuirent vers le désert, vers le rocher de Rimmôn. On en ramassa cinq mille sur les routes, on en poursuivit jusqu'à Guidéôm *x* et on en tua encore deux mille.

⁴⁶ Le total des Benjaminites qui tombèrent ce jour-là fut de vingt-cinq mille hommes sachant tirer l'épée, tous hommes vaillants. ⁴⁷ Six cents hommes tournèrent le dos et s'enfuirent dans le désert, vers le rocher de Rimmôn et ils demeurèrent au rocher de Rimmôn pendant quatre

---

t se tenait devant elle ou *exerçait les fonctions sacerdotales dans le sanctuaire* ● *u Baal-Tamar:* endroit inconnu, proche de Guivéa — *Guèva:* ville de Benjamin, à 4 km au nord-ouest de Guivéa — *à l'ouest de Guèva:* d'après les versions anciennes; hébreu peu clair ● *v* A la fin du verset, traduction incertaine d'un texte peu clair ● *w on le poursuivit sans répit:* traduction conjecturale d'un texte peu clair — *Guèva:* conjecture; hébreu *Guivéa* qui ne convient pas au contexte ● *x Rimmôn:* à 9 km au nord-est de Guivéa — *ramassa:* autre traduction *exécuta* — *Guidéôm:* localité inconnue

20.26 assis à terre (pour pleurer) Es 3.26; 47.1; Ps 137.1; Esd 9.3 (et jeûner) 1 S 7.6; 2 S 12.16; cf. Jb 2.13 — des holocaustes et des sacrifices de paix Jg 21.4. 20.28 Pinhas Nb 25.-10.13. 20.29 en embuscade Jg 9.34; Jos 8.4. 20.31 attirés loin de la ville Jos 8.6, 16. 20.33 Guèva Jos 18.24; 1 S 14.5. 20.40 une colonne de fumée Jos 8.20.

mois. **48** Les hommes d'Israël revinrent vers les fils de Benjamin et les passèrent au tranchant de l'épée, de ville en ville, les hommes aussi bien que le bétail *y* et tout ce qu'ils trouvaient. De plus, ils mirent le feu à toutes les villes qu'ils rencontraient.

Renaissance de la tribu de Benjamin

21 **1** Les hommes d'Israël avaient fait ce serment à Miçpa *z* : « Aucun d'entre nous ne donnera sa fille en mariage à un Benjaminite. » **2** Le peuple vint à Béthel et, là, ils restèrent assis jusqu'au soir, devant Dieu *a*. Ils poussèrent des cris et versèrent d'abondantes larmes. **3** « SEIGNEUR, Dieu d'Israël, disaient-ils, pourquoi se fait-il qu'aujourd'hui il manque à Israël une de ses tribus ? » **4** Le lendemain, le peuple se leva de bon matin, et ayant bâti un *autel à cet endroit, ils firent monter des holocaustes et des *sacrifices de paix. **5** Les fils d'Israël dirent : « Quelle est celle parmi toutes les tribus d'Israël qui n'est pas montée à l'assemblée auprès du SEIGNEUR ? » En effet, il y avait eu ce grand serment contre quiconque ne serait pas monté auprès du SEIGNEUR à Miçpa : « Il sera mis à mort ! » **6** Les fils d'Israël furent pris de pitié pour Benjamin, leur frère. « Aujourd'hui, disaient-ils, une tribu a été retranchée d'Israël. **7** Que ferons-nous pour procurer des femmes à ceux qui restent, alors que nous avons juré par le SEIGNEUR de ne pas leur donner nos filles en mariage ? »

8 Ils dirent alors : « Y a-t-il quelqu'un parmi les tribus d'Israël qui ne soit pas monté auprès du SEIGNEUR à Miçpa ? » Et voici que de Yavesh-de-Galaad *b* personne n'était venu au camp, à l'assemblée. **9** Lorsque le peuple se présenta au recensement, on vit qu'il n'y avait là

aucun des habitants de Yavesh-de-Galaad. **10** La communauté envoya là-bas douze mille hommes parmi les guerriers et leur donna ‧cet ordre : « Allez et passez les habitants de Yavesh-de-Galaad au tranchant de l'épée, y compris femmes et enfants ! **11** Voici ce que vous ferez : vous vouerez à l'interdit tout mâle et toute femme ayant connu la couche d'un homme, mais vous laisserez vivre les vierges. » Et c'est ce qu'ils firent *c*. **12** Parmi les habitants de Yavesh-de-Galaad ils trouvèrent quatre cents jeunes filles vierges qui n'avaient pas connu la couche d'un homme et ils les amenèrent au camp, à Silo *d*, qui est au pays de Canaan.

13 Toute la communauté envoya des porte-parole aux fils de Benjamin qui étaient au rocher de Rimmôn et ils leur annoncèrent la paix. **14** Les Benjaminites revinrent à ce moment-là, et on leur donna les femmes laissées en vie parmi celles de Yavesh-de-Galaad, mais ils n'en trouvèrent pas assez pour eux.

15 Le peuple fut pris de pitié pour Benjamin, car le SEIGNEUR avait fait une brèche dans les tribus d'Israël. **16** Les *anciens de la communauté dirent alors : « Que ferons-nous pour que ceux qui restent aient des femmes, puisque les femmes de Benjamin ont été exterminées ? **17** Benjamin peut-il avoir un reste *e*, dirent-ils, pour qu'une tribu ne soit pas effacée d'Israël ? **18** Nous-mêmes ne pouvons pas leur donner de nos filles en mariage. » En effet, les fils d'Israël avaient fait ce serment : « Maudit soit celui qui donnera une femme à Benjamin. » **19** Mais ils dirent : « Il y a chaque année la fête du SEIGNEUR *f* à Silo, qui est au nord de Béthel, à l'est de la route qui monte de Béthel à Sichem, et au sud de Levona. » **20** Puis ils donnèrent cet ordre aux fils de Benjamin : « Allez vous embusquer dans les vignes ! **21** Vous regarderez, et dès

---

y de ville en ville, les hommes aussi bien que le bétail: d'après l'ancienne version latine; hébreu obscur ● *z* Voir 20.1 et la note ● *a Béthel:* voir Gn 12.8 et la note — *devant Dieu:* voir 20.23 et la note ● *b Yavesh-de-Galaad:* localité située à peu près à mi-chemin entre le Yabboq et le Yarmouk, les deux grands affluents orientaux du Jourdain ● *c vouerez à l'interdit:* voir Dt 2.34 et la note — La fin du verset depuis *mais vous laisserez* est absente du texte hébreu. Elle a été conservée dans les versions anciennes ● *d* Voir Jos 18.1 et la note ● *e Benjamin peut-il avoir un reste?* ou *Benjamin possédera-t-il des survivants?* ● *f* fête du Seigneur : il s'agit probablement ici d'une fête locale à l'occasion des vendanges (v. 21).

20.48 les hommes aussi bien que le bétail cf. Dt 2.34-35. **21.1** à Miçpa Jg 20.1+. **21.2** devant Dieu cris et larmes Jg 20.23, 26. **21.4** holocaustes et sacrifices de paix Jg 20.26. **21.5** ceux qui n'ont pas voulu participer Jg 5.15-17, 23; 12.3. **21.6** sentiment de pitié pour Benjamin v. 15. **21.8** liens entre Yavesh-de-Galaad et Benjamin 1 S 11; 31.11-13; 2 S 2.4-7; 21.12. **21.10-12** expédition punitive Nb 31.5-6, 15-18. **21.10** la communauté Jg 20.1+. **21.11** épargner les vierges cf. Dt 20.10-20; 21.10-14. **21.13** au rocher de Rimmôn Jg 20.45-47. **21.17** un reste Es 4.3+. **21.18** le serment d'Israël v. 1, 7. **21.19** à Silo Jg 18.31+. **21.21** chœurs de danse Jg 11.34; Ex 15.20; 32.17-19; 1 S 18.6; 2 S 6.5, 14-15; 1 R 18.26; Ps 150.4.

que les filles de Silo sortiront pour danser en chœurs, vous sortirez des vignes et vous vous emparerez chacun d'une femme parmi les filles de Silo, puis vous vous en irez au pays de Benjamin. ²² Si par hasard leurs pères ou leurs frères viennent nous chercher querelle, nous leur dirons : "Soyez généreux envers eux, car ils n'ont pas pu prendre de femme pour chacun d'eux pendant la guerre *g* ; de plus, vous-mêmes, vous ne pouviez pas leur en donner ; autrement, vous auriez été cou-pables." » ²³ Les fils de Benjamin agirent ainsi. Parmi les danseuses qu'ils avaient enlevées, ils emportèrent des femmes en nombre égal au leur. Ils partirent, retournèrent dans leur héritage *h*, reconstruisirent leurs villes et y habitèrent.

²⁴ A ce moment-là, les fils d'Israël se dispersèrent chacun dans sa tribu et dans son clan et, de là, ils repartirent chacun dans son héritage. ²⁵ En ces jours-là, il n'y avait pas de roi en Israël. Chacun faisait ce qui lui plaisait.

---

g ils n'ont pas pu prendre : d'après une partie des manuscrits de l'ancienne version grecque ; hébreu nous n'avons pas pris — pendant la guerre : il s'agit de la guerre contre Yavesh-de-Galaad (voir 21.10-14) ● *h* leur héritage ou leur territoire

21.22 pères et frères Gn 34.5-31 ; 2 S 13.20-29. **21.23** dans leur héritage Nb 18.20 ; 26.62 ; Jos 13.23 ; 19.51s. **21.25** pas de roi en Israël Jg 17.6+.

PREMIER LIVRE

DE SAMUEL

Anne au Temple de Silo

1 ¹ Il y avait un homme de Rama-taïm-Çofim, de la montagne d'Ephraïm. Il s'appelait Elqana, fils de Yeroham, fils d'Elihou, fils de Tohou, fils de Çouf, un Ephratéen *a*. ² Il avait deux femmes ; l'une s'appelait Anne et la seconde Peninna. Peninna avait des enfants, Anne n'en avait pas. ³ Tous les ans, cet homme montait de sa ville pour se prosterner devant le SEIGNEUR, le tout-puissant, et pour lui *sacrifier à Silo *b*. Il y avait là, comme prêtres du SEIGNEUR, les deux fils de Eli, Hofni et Pinhas. ⁴ Vint le jour où Elqana offrait le sacrifice. Il avait coutume d'en donner des parts à sa femme Peninna et à tous les fils et filles de Peninna. ⁵ Mais à Anne, il donnait une part d'honneur *c* car c'est Anne qu'il aimait, bien que le SEIGNEUR l'eût rendue stérile. ⁶ En outre, sa rivale ne cessait de lui faire des affronts pour l'humilier, parce que le SEIGNEUR l'avait rendue stérile. ⁷ Ainsi agissait Elqana tous les ans, chaque fois qu'elle montait à la Maison du SEIGNEUR ; ainsi Peninna lui faisait-elle affront. Anne se mit à pleurer et refusa de manger. ⁸ Son mari Elqana lui dit : « Anne, pourquoi pleures-tu ? Pourquoi as-tu le cœur triste ? Est-ce que je ne vaux pas mieux pour toi que dix fils ? »

⁹ Anne se leva après qu'on eut mangé et bu à Silo. Le prêtre Eli était assis sur son siège à l'entrée du Temple du SEIGNEUR. ¹⁰ Pleine d'amertume, elle adressa une prière au SEIGNEUR en pleurant à chaudes larmes. ¹¹ Elle fit le vœu que voici : « SEIGNEUR tout-puissant, si tu daignes regarder la misère de ta servante, te souvenir de moi, ne pas oublier ta servante et donner à ta servante un garçon, je le donnerai au SEIGNEUR pour tous les jours de sa vie et le rasoir ne passera pas sur sa tête *d*. » ¹² Comme elle prolongeait sa prière devant le SEIGNEUR, Eli observait sa bouche. ¹³ Anne parlait en elle-même. Seules ses lèvres remuaient. On n'entendait pas sa voix. Eli la prit pour une femme ivre. ¹⁴ Eli lui dit : « Seras-tu longtemps ivre ? Va cuver ton vin ! » ¹⁵ Anne lui répondit : « Je ne suis pas, mon seigneur, une femme entêtée *e*, mais je n'ai bu ni vin ni rien d'enivrant. Je m'épanchais seulement devant le SEIGNEUR. ¹⁶ Ne traite pas ta servante comme une fille de rien, car c'est l'excès de mes soucis et de mon chagrin qui m'a fait parler jusqu'ici. » ¹⁷ Eli lui répondit : « Va en paix, et que le Dieu d'Israël t'accorde ce que tu lui as demandé ! » ¹⁸ Elle dit : « Que ta servante trouve grâce à tes yeux ! » La femme s'en alla, elle mangea et n'eut plus le même visage.

---

a Ramataïm-Çofim : la même localité est appelée *Rama* au v. 19 ; elle est située à 35 km environ au nord-ouest de Jérusalem — *Ephratéen* : soit du clan judéen d'Ephrata, soit de la tribu d'Ephraïm ● *b* Silo : localité située à 30 km environ au nord de Jérusalem (voir Jos 18.1-10) ● *c* une part d'honneur : l'expression hébraïque est obscure ; autre traduction *une double portion* ● *d* la misère de ta servante, c'est-à-dire *ma misère* — *le rasoir ne passera pas sur sa tête*, c'est-à-dire il sera consacré au service du Seigneur, voir Nb 6.5 ● *e* Je ne suis pas... une femme entêtée : autre traduction *Non... je ne suis qu'une femme affligée*

1.2 Anne n'en avait pas Gn 29.31. **1.3** Tous les ans Ex 23.17+ — Silo Jg 21.19-23. **1.4** des parts Dt 12.18. **1.6** des affronts Gn 16.4-6. **1.8** dix fils Rt 4.15. **1.11** la misère de ta servante Lc 1.48. **1.13** ivre Ac 2.13-15.

¹⁹ Ils se levèrent de bon matin et se prosternèrent devant le Seigneur ; puis ils rentrèrent chez eux à Rama. Elqana connut *f* sa femme Anne et le Seigneur se souvint d'elle.

Naissance et enfance de Samuel

²⁰ Or donc, aux jours révolus, Anne, qui était enceinte, enfanta un fils. Elle l'appela Samuel car, dit-elle, « c'est au Seigneur que je l'ai demandé *g* ». ²¹ Le mari Elqana monta avec toute sa famille pour offrir au Seigneur le *sacrifice annuel et s'acquitter de son vœu *h*. ²² Mais Anne ne monta pas, car, dit-elle à son mari, « attendons que l'enfant soit sevré : alors je l'emmènerai, il se présentera devant le Seigneur et il restera là-bas pour toujours ». ²³ Son mari Elqana lui dit : « Fais ce que bon te semble. Reste ici jusqu'à ce que tu l'aies sevré. Que seulement le Seigneur accomplisse sa parole *i*. » La femme resta donc et elle allaita son fils jusqu'à ce qu'elle l'eût sevré. ²⁴ Lorsqu'elle l'eut sevré, elle le fit monter avec elle, avec trois taureaux, une mesure de farine et une outre de vin ; elle le fit entrer dans la Maison du Seigneur à Silo, et l'enfant devint servant *j*. ²⁵ Ils immolèrent *k* le taureau et amenèrent l'enfant à Eli. ²⁶ Elle dit : « Pardon, mon seigneur ! aussi vrai que tu es vivant, mon seigneur, je suis la femme qui se tenait près de toi, ici même, et adressait une prière au Seigneur. ²⁷ C'est pour cet enfant que j'ai prié, et le Seigneur m'a concédé ce que je lui demandais. ²⁸ A mon tour, je le cède au Seigneur. Pour toute sa vie, il est cédé au Seigneur. » Il se prosterna *l* là devant le Seigneur.

Anne remercie le Seigneur

2 ¹ Anne pria et dit :
« J'ai le cœur joyeux grâce au Seigneur
et le front haut grâce au Seigneur,
la bouche grande ouverte contre mes ennemis :
je me réjouis de ta victoire *m*.
² Il n'est pas de *saint pareil au Seigneur.
Il n'est personne d'autre que toi.
Il n'est pas de Rocher pareil à notre Dieu.
³ Ne répétez pas tant de paroles hautaines,
que l'insolence ne sorte pas de votre bouche :
le Seigneur est un Dieu qui sait
et c'est lui qui pèse les actions *n*.
⁴ L'arc des preux est brisé,
ceux qui chancellent ont la force pour ceinture.
⁵ Les repus s'embauchent pour du pain,
et les affamés se reposent.
Même la stérile enfante sept fois,
et la mère féconde se flétrit.
⁶ Le Seigneur fait mourir et fait vivre,
descendre aux enfers et remonter.
⁷ Le Seigneur appauvrit et enrichit,
il abaisse, il élève aussi.
⁸ Il relève le faible de la poussière
et tire le pauvre du tas d'ordures,
pour les faire asseoir avec les princes
et leur attribuer la place d'honneur.
Car au Seigneur sont les colonnes de la terre *o*,
sur elles il a posé le monde.
⁹ Il gardera les pas de son fidèle *p*,
mais les méchants périront dans les ténèbres,

---

f connut : tournure hébraïque signifiant *eut des relations sexuelles avec* ● *g* En hébreu, il y a une certaine ressemblance entre le nom de *Samuel* et le verbe signifiant *demander* ● *h et s'acquitter de son vœu* ou *et un sacrifice votif* (voir Lv 7.16 et la note) ● *i* On ignore à quelle *parole* du Seigneur Elqana fait ici allusion ● *j trois taureaux :* autre traduction *un taureau de trois ans* (d'après un manuscrit hébreu trouvé à Qoumrân, et les anciennes versions grecque et syriaque; comparer aussi v. 25 *le taureau*) — *devint servant :* traduction incertaine d'une expression obscure; autre traduction *était tout jeune* ● *k* Ou *égorgèrent* ● *l Il se prosterna :* le sujet peut être *Elqana* ou *Samuel;* autre texte (manuscrit hébreu trouvé à Qoumrân) *elle se prosterna* ● *m ta victoire :* Anne s'adresse à Dieu tantôt à la 3e personne (*au Seigneur*), tantôt à la 2e personne (*ta victoire*) ● *n* pèse les actions ou *qui juge les actions (des hommes)* ● *o les colonnes de la terre :* voir Jb 9.6 et la note ● *p son fidèle* désigne peut-être *le roi* (v. 10); une ancienne tradition juive a lu *ses fidèles*

1.21 vœu Nb 30.14. **1.24** taureau, farine, vin Nb 15.8-10. **2.1-11** Anne remercie le Seigneur Lc 1.46-55. **2.1** joyeux Es 61.10; Ps 5.12 — front haut Ps 89.18, 25 — victoire Ps 9.15; 20.6. **2.2** pareil Ex 15.11 — personne comme toi 2 S 7.22; Es 64.3 — Rocher Ps 28.1+. **2.3** paroles hautaines Ps 94.4 — Dieu qui sait Ps 73.11 — qui pèse Pr 16.2; 21.2. **2.4** l'arc brisé Ps 37.15 — la force pour ceinture Ps 18.33. **2.5** la stérile enfante Ps 113.9. **2.6** Dieu fait mourir et vivre Dt 32.39; 2 R 5.7 — descendre aux enfers et remonter Jon 2.7; Ps 30.4; Sg 16.13. **2.7** il abaisse et élève Ph 2.8-9. **2.8** il relève le faible Ps 113.7-8 — du tas d'ordures Jb 2.8; 42.10 — les colonnes de la terre Ps 75.4; Jb 9.6. **2.9** il gardera les pas Ps 91.12 — les méchants périront Ps 37.20 — pas par la force Ps 33.16.

car ce n'est point par la force qu'on triomphe.

¹⁰ Le Seigneur, ses adversaires seront brisés,

contre eux, dans le ciel, il tonnera.

Le Seigneur jugera la terre entière.

Il donnera la puissance à son roi,

il élèvera le front de son messie *q*. »

¹¹ Elqana s'en alla chez lui à Rama. Quant à l'enfant, il servait le Seigneur, en présence du prêtre Eli.

Abus commis par les fils du prêtre Eli

¹² Les fils de Eli étaient des vauriens, qui ne connaissaient pas le Seigneur *r*. ¹³ A l'égard du peuple, ces prêtres agissaient de la manière suivante : lorsque quelqu'un offrait un sacrifice, le servant du prêtre arrivait, dès qu'on faisait cuire la viande. Il tenait en main la fourchette à trois dents. ¹⁴ Il piquait dans la bassine, le chaudron, la marmite ou le pot. Tout ce que ramenait la fourchette, le prêtre le prenait pour lui-même. C'est ainsi qu'ils procédaient avec tous les Israélites qui venaient là-bas à Silo. ¹⁵ Bien plus, avant qu'on eût fait brûler la graisse *s*, le servant du prêtre venait dire à l'homme qui offrait le *sacrifice : « Donne de la viande à rôtir pour le prêtre. Il n'acceptera pas de toi de la viande cuite, mais seulement de la viande crue. » ¹⁶ Si l'homme lui disait : « Qu'on fasse d'abord brûler la graisse, et ensuite prends tout ce que tu désires », il disait : « Non, c'est maintenant que tu dois me le donner, sinon j'en prends de force. » ¹⁷ Le péché des jeunes gens était très grand devant le Seigneur, car ces hommes faisaient outrage à l'offrande du Seigneur *t*.

Samuel sert le Seigneur à Silo

¹⁸ Samuel, lui, faisait le service en présence du Seigneur. C'était un enfant vêtu de l'éphod de lin *u*. ¹⁹ Sa mère lui faisait un petit manteau et le lui montait chaque année, quand elle montait avec son mari offrir le *sacrifice annuel. ²⁰ Eli bénissait Elqana et sa femme. Il disait : « Que le Seigneur t'accorde une descendance de cette femme en échange de celui qui fut cédé au Seigneur ! » Et ils regagnaient le domicile d'Elqana. ²¹ Comme le Seigneur était intervenu en faveur d'Anne, elle devint enceinte et enfanta trois fils et deux filles, tandis que le petit Samuel grandissait devant le Seigneur.

²² Eli était devenu très vieux. Il entendait raconter comment ses fils se conduisaient envers tous les Israélites et aussi qu'ils couchaient avec les femmes groupées à l'entrée de la *tente de la rencontre. ²³ Il leur dit : « Pourquoi faites-vous de pareilles choses ? Ce que j'entends dire de mal à votre sujet, tout le peuple le dit. ²⁴ Cessez, mes fils, car elle n'est pas belle la rumeur que j'entends le peuple du Seigneur colporter ! ²⁵ Si un homme pèche contre un autre, Dieu arbitrera. Mais si un homme pèche contre le Seigneur, qui aura-t-il pour arbitre ? » Ils n'écoutèrent pas la voix de leur père. C'est que le Seigneur voulait les faire mourir. ²⁶ Quant au petit Samuel, il grandissait en taille et en beauté devant le Seigneur et devant les hommes.

Le châtiment annoncé à Eli et sa famille

²⁷ Un homme de Dieu *v* vint trouver Eli et lui dit : « Ainsi parle le Seigneur : Quoi ! Je me suis révélé à la maison de ton père, quand elle était en Egypte au pouvoir de la maison de *Pharaon. ²⁸ Ton père, je l'ai choisi parmi toutes les tribus d'Israël pour en faire mon prêtre, qui monterait à mon *autel, ferait fumer l'*encens et porterait l'éphod *w* en ma présence. J'ai donné à la maison de ton père tout ce qu'offrent les fils d'Israël. ²⁹ Pourquoi piétinez-vous mon *sacrifice et mon offrande que j'ai prescrits dans ma *Demeure ? Et pourquoi honores-tu tes fils plus que moi, car vous vous engraissez du meilleur de toutes les offrandes d'Israël, de mon peuple ? ³⁰ C'est pourquoi — oracle du Seigneur,

---

q son messie ou *celui qu'il a oint*, c'est-à-dire *le roi* ● *r qui ne connaissaient pas le Seigneur* ou *qui ne se souciaient pas du Seigneur* ● *s* La législation de Lv 3 prescrit que les parties grasses du sacrifice de paix soient brûlées dès qu'on a égorgé la victime... ou *traitaient avec mépris l'offrande faite au Seigneur* ● *u* L'éphod de lin *doit être distingué de l'éphod du prêtre*, voir 2.28; c'était un vêtement liturgique dont la forme précise ne nous est plus connue (bande d'étoffe autour des reins?) ● *v Un homme de Dieu* ou *Un *prophète de Dieu* ● *w Ton père* ou *Ton ancêtre*; il s'agit probablement d'Aaron, ancêtre des prêtres israélites (voir Ex 28.1-4) — *éphod:* voir Ex 25.7 et la note

2.10 il tonnera 7.10; Ps 18.14 — il jugera Ps 96.13; 98.9. **2.22** les femmes groupées à l'entrée Ex 38.8. **2.26** il grandissait Lc 2.52. **2.30** j'honore ceux qui m'honorent Ps 18.26.

le Dieu d'Israël — oui, j'avais dit : "Ta maison et la maison de ton père marcheront en ma présence à jamais." Mais maintenant — oracle du SEIGNEUR — abomination ! Car j'honore ceux qui m'honorent, mais ceux qui me dédaignent tombent dans le mépris. ³¹ Voici venir des jours où je briserai ton bras et le bras de la maison de ton père *ˣ* : il n'y aura plus de vieillard dans ta maison. ³² Tu verras un rival dans la *Demeure, et tout le bien qu'il fera à Israël ; mais, dans ta maison, il n'y aura plus jamais de vieillard. ³³ Cependant, je maintiendrai l'un des tiens près de mon autel, pour épuiser tes yeux et grignoter ta vie, mais tous les rejetons de la maison mourront dans la force de l'âge. ³⁴ Tu en auras pour signe ce qui arrivera à tes deux fils Hofni et Pinhas : le même jour, ils mourront tous les deux. ³⁵ Puis, je me susciterai un prêtre sûr. Il agira selon mon cœur et mon désir. Je lui bâtirai une maison stable. Il marchera toujours en présence de mon messie *ʸ* ³⁶ Et tout ce qui subsistera de ta maison *ᶻ* viendra se prosterner devant lui, pour une piécette d'argent et un pain, et il lui dira : "Attache-moi, je te prie, à quelque fonction sacerdotale pour que j'aie un morceau de pain à manger". »

Dieu choisit Samuel comme prophète

3 ¹ Le petit Samuel servait le SEIGNEUR en présence de Eli. La parole du SEIGNEUR était rare en ces jours-là, la vision n'était pas chose courante.

² Ce jour-là, Eli était couché à sa place habituelle. Ses yeux commençaient à faiblir. Il ne pouvait plus voir. ³ La lampe de Dieu n'était pas encore éteinte et Samuel était couché dans le Temple du SEIGNEUR, où se trouvait l'*arche de Dieu *ᵃ*. ⁴ Le SEIGNEUR appela Samuel. Il répondit : « Me voici ! » ⁵ Il se rendit en courant près de Eli et lui dit : « Me voici, puisque tu m'as appelé. » Celui-ci répondit : « Je ne t'ai pas appelé. Retourne

te coucher. » Il alla se coucher. ⁶ Le SEIGNEUR appela Samuel encore une fois. Samuel se leva, alla trouver Eli et lui dit : « Me voici, puisque tu m'as appelé. » Il répondit : « Je ne t'ai pas appelé, mon fils. Retourne te coucher. » ⁷ Samuel ne connaissait pas encore le SEIGNEUR. La parole du SEIGNEUR ne s'était pas encore révélée à lui.

⁸ Le SEIGNEUR appela encore Samuel pour la troisième fois. Il se leva et alla trouver Eli. Il lui dit : « Me voici, puisque tu m'as appelé. » Eli comprit alors que le SEIGNEUR appelait l'enfant. ⁹ Eli dit à Samuel : « Retourne te coucher. Et s'il t'appelle, tu lui diras : Parle, SEIGNEUR, ton serviteur écoute. » Et Samuel alla se coucher à sa place habituelle.

¹⁰ Le SEIGNEUR vint et se tint présent. Il appela comme les autres fois : « Samuel, Samuel ! » Samuel dit : « Parle, ton serviteur écoute. » ¹¹ Le SEIGNEUR dit à Samuel : « Voici que je vais accomplir une chose en Israël, à faire tinter une oreilles de quiconque en entendra parler. ¹² Ce jour-là, je réaliserai contre Eli tout ce que j'ai dit au sujet de sa maison *ᵇ*, de bout en bout. ¹³ Je lui annonce que je fais justice à sa maison pour toujours à cause de sa faute : il savait que ses fils insultaient Dieu et néanmoins, il ne les a pas repris. ¹⁴ Voilà pourquoi je le jure à la maison de Eli : Rien n'effacera jamais la faute de la maison de Eli, ni *sacrifice, ni offrande. »

¹⁵ Samuel resta couché jusqu'au matin, puis il ouvrit les portes de la Maison du SEIGNEUR. Samuel craignait de rapporter la vision à Eli. ¹⁶ Eli appela Samuel et lui dit : « Samuel, mon fils. » Il dit : « Me voici. » ¹⁷ Il dit : « Quelle est la parole qu'Il t'a adressée ? Ne me la cache pas, je t'en prie. Que Dieu te fasse ceci et encore cela *ᶜ* si tu me caches un mot de toute la parole qu'Il t'a adressée. » ¹⁸ Alors Samuel lui rapporta toutes les paroles, sans rien lui cacher. Il dit : « Il est le SEIGNEUR. Qu'il fasse ce que bon lui semble. »

---

x je briserai ton bras... ou *je détruirai ta vigueur et celle de ta famille* ● *y Je lui bâtirai une maison stable,* c'est-à-dire qu'il aura toujours des descendants qui exerceront le ministère de prêtres — *messie:* voir 2.10 et la note ● *z ta maison* ou *ta famille* ● *a Sur la lampe de Dieu,* voir Ex 27.20-21 — *l'arche de Dieu:* d'après Ex 25.22, c'est du haut de *l'arche* que Dieu s'adresse à ceux qui sont dans le Temple ● *b sa maison* ou *sa famille* ● *c Que Dieu te fasse ceci et encore cela:* formule traditionnelle par laquelle Eli demande à Dieu de punir Samuel, si celui-ci refuse de répondre. Comparer une formule presque semblable en 14.44. L'expression vague « faire ceci ou cela » était peut-être en fait remplacée par l'énoncé d'un châtiment précis

---

2.34 mourront 4.11. **3.4** le Seigneur appela Gn 22.1; 31.11; Ex 3.4; Es 6.8. **3.11** faire tinter les oreilles 2 R 21.12; Jr 19.3. **3.12** ce que j'ai dit 2.27-36. **3.14** Rien n'effacera la faute 1 Jn 5.16+. **3.18** Qu'il fasse... 2 S 10.12; Jb 1.21

¹⁹ Samuel grandit. Le SEIGNEUR était avec lui et ne laissa tomber à terre aucune de ses paroles *d*. ²⁰ Tout Israël, de Dan à Béer-Shéva *e*, sut que Samuel était accrédité comme *prophète du SEIGNEUR. ²¹ Le SEIGNEUR continua d'apparaître à Silo *f*. Le SEIGNEUR, en effet, se révélait à Samuel, à Silo, par la parole du SEIGNEUR,

4 ¹ et la parole de Samuel s'adressait à tout Israël.

Israël vaincu par les Philistins

Israël partit en guerre contre les Philistins. Il campa près d'Evèn-Ezèr, et les Philistins à Afeq *g*. ² Les Philistins prirent position devant Israël, le combat prit de l'ampleur et Israël fut battu par les Philistins : sur le front, en rase campagne, ils frappèrent environ quatre mille hommes. ³ Le peuple rentra au camp et les *anciens d'Israël dirent : « Pourquoi le SEIGNEUR nous a-t-il fait battre aujourd'hui par les Philistins ? Allons chercher à Silo l'*arche de l'alliance du SEIGNEUR : qu'elle vienne au milieu de nous et qu'elle nous sauve de la main de nos ennemis ! » ⁴ Le peuple envoya des gens à Silo. Ils en rapportèrent l'arche de l'alliance du SEIGNEUR, le tout-puissant, siégeant sur les *chérubins. Il y avait là, près de l'arche de l'alliance de Dieu, les deux fils de Eli, Hofni et Pinhas. ⁵ Or, dès que l'arche de l'alliance du SEIGNEUR arriva au camp, tous les Israélites firent une bruyante ovation et la terre trembla. ⁶ Les Philistins entendirent la clameur de l'ovation et ils dirent : « Que signifie cette bruyante clameur d'ovation dans le camp des Hébreux ? » Ils comprirent que l'arche du SEIGNEUR était arrivée au camp. ⁷ Les Philistins eurent peur « car, disaient-ils, un dieu est arrivé au camp ». Et ils dirent : « Malheur à nous ! Car il n'en était pas ainsi ces derniers temps. ⁸ Malheur à nous ! Qui nous arrachera de la main de ce puissant dieu ? C'est le dieu qui a porté aux Egyptiens toutes sortes de coups *h* dans le désert. ⁹ Courage !

Soyez des hommes, Philistins, de peur d'être à votre tour asservis aux Hébreux comme eux-mêmes ont été vos esclaves. Soyez des hommes et combattez ! » ¹⁰ Les Philistins engagèrent le combat. Israël fut battu et chacun s'enfuit à ses tentes *i*. La défaite fut très dure : il tomba parmi les Israélites trente mille fantassins. ¹¹ L'arche de Dieu fut prise et les deux fils de Eli, Hofni et Pinhas, moururent.

Mort du prêtre Eli

¹² Un homme de Benjamin partit du front en courant et parvint à Silo le jour même, les vêtements *déchirés et la tête couverte de terre. ¹³ Lorsqu'il arriva, Eli était assis sur son siège au bord de la route, aux aguets, car son cœur tremblait pour l'*arche de Dieu. L'homme vint donc annoncer la nouvelle en ville, et toute la ville poussa des cris. ¹⁴ Eli entendit les cris et se dit : « Que signifie le bruit que fait cette foule ? » L'homme vint en hâte annoncer la nouvelle à Eli. ¹⁵ Eli avait quatre-vingt-dix-huit ans. Il avait le regard fixe et ne pouvait plus voir. ¹⁶ L'homme dit à Eli : « C'est moi qui viens du front. Je me suis enfui du front aujourd'hui même. » Il dit : « Que s'est-il passé, mon fils ? » ¹⁷ Le messager répondit : « Israël a fui devant les Philistins ; et puis, le peuple a subi de lourdes pertes ; et puis, tes deux fils sont morts, Hofni et Pinhas ; et l'arche de Dieu a été prise. » ¹⁸ Dès qu'il fit mention de l'arche de Dieu, Eli tomba de son siège à la renverse sur le côté de la porte ; il se brisa la nuque et mourut. C'est que l'homme était âgé et lourd. Il avait jugé *j* Israël pendant quarante ans.

¹⁹ Sa bru, la femme de Pinhas, était enceinte et sur le point d'accoucher. Lorsqu'elle apprit la nouvelle de la prise de l'arche de Dieu et de la mort de son beau-père et de son mari, elle s'affaissa et accoucha, car les douleurs l'avaient saisie. ²⁰ Comme elle était à la mort, celles qui l'assistaient lui dirent : « Rassure-toi : c'est un fils que tu as mis au monde. » Elle ne répondit pas et n'y

---

d ne laissa tomber à terre aucune de ses paroles, c'est-à-dire *accomplissait tout ce qu'il annonçait* ● *e de Dan à Béer-Shéva :* voir la note sur Jos 19.47 ● *f* Voir 1.3 et la note ● *g Evèn-Ezèr, Afeq :* deux endroits distants de quelques km seulement, et situés à 40 km environ au nord-ouest de Jérusalem ● *h toutes sortes de coups :* allusion en termes très généraux aux fléaux d'Egypte (Ex 7—11) et à l'anéantissement de l'armée égyptienne (Ex 14) ● *i à ses tentes :* voir Jos 22.4 et la note ● *j jugé* ou *dirigé*

3.20 Samuel prophète 2 Ch 35.18; Ac 13.20.   4.1 les Philistins à Afeq 29.1.   4.3 l'arche au camp Nb 10.35; 2 S 11.11.   4.5 la terre tremble Ps 96.9.   4.9 courage 2 S 10.12 — esclaves des Philistins Jg 13.1.   4.20 c'est un fils Gn 35.17.

prêta pas attention. [21] Elle appela l'enfant Ikavod, c'est-à-dire : il n'y a plus de gloire : « La gloire [k], dit-elle, est bannie d'Israël » — allusion à la prise de l'arche de Dieu, à son beau-père et à son mari. [22] Elle avait dit : « La gloire est bannie d'Israël », parce que l'arche de Dieu avait été prise.

L'arche de Dieu chez les Philistins

5 [1] Les Philistins avaient donc pris l'*arche de Dieu. Ils la transportèrent d'Evèn-Ezèr à Ashdod [l]. [2] Les Philistins prirent l'arche de Dieu, la transportèrent dans la maison de Dagôn [m] et l'exposèrent à côté de Dagôn. [3] Les Ashdodites se levèrent de bon matin le lendemain et voici que Dagôn était tombé à terre devant elle, devant l'arche du SEIGNEUR. Ils prirent Dagôn et le remirent à sa place. [4] Ils se levèrent de bon matin le lendemain et voici que Dagôn était tombé à terre devant elle, devant l'arche du SEIGNEUR. La tête de Dagôn et ses deux mains, coupées, se trouvaient sur le seuil. Au moins, était-il resté là quelque chose de Dagôn [n]. [5] Voilà pourquoi, aujourd'hui encore, à Ashdod, les prêtres de Dagôn et tous ceux qui entrent dans la maison de Dagôn ne foulent pas le seuil de Dagôn.

[6] La main du SEIGNEUR s'appesantit sur les Ashdodites, et il fit chez eux des ravages. Il les frappa de tumeurs [o], Ashdod et son territoire. [7] Quand les gens d'Ashdod virent ce qu'il en était, il dirent : « Que l'arche du Dieu d'Israël ne reste pas chez nous, car il nous fait sentir trop durement sa main, à nous-mêmes et à Dagôn, notre dieu ! » [8] Ils invitèrent tous les princes des Philistins à se réunir chez eux et ils leur dirent : « Que pouvons-nous faire à l'arche du Dieu d'Israël ? » Ils répondirent : « C'est à Gath [p] que doit être transférée l'arche du Dieu d'Israël. » Et l'on transféra l'arche du Dieu d'Israël.

[9] Or, après ce transfert, la main du SEIGNEUR fut sur la ville. Il y eut une très grande panique. Le SEIGNEUR frappa les gens de la ville, petits et grands : il leur sortit des tumeurs. [10] Ils envoyèrent l'arche de Dieu à Eqrôn. Mais, dès que l'arche de Dieu arriva à Eqrôn, les Eqronites s'écrièrent : « Ils ont transféré chez moi l'arche du Dieu d'Israël pour me faire périr, moi et mon peuple [q]. » [11] Ils invitèrent tous les princes des Philistins à se réunir. Ils dirent : « Renvoyez l'arche du Dieu d'Israël et qu'elle retourne à l'endroit où elle était et qu'elle ne me fasse pas périr, moi et mon peuple. » Il y avait en effet une panique mortelle dans toute la ville, où la main de Dieu s'était lourdement abattue. [12] Les gens qui n'étaient pas morts avaient été frappés de tumeurs et le cri de détresse de la ville monta jusqu'au ciel.

Les Philistins renvoient l'arche en Israël

6 [1] L'*arche du SEIGNEUR demeura sept mois dans le territoire des Philistins. [2] Les Philistins firent appel aux prêtres et aux devins, en disant : « Que pouvons-nous faire à l'arche du SEIGNEUR ? Indiquez-nous comment nous devons la renvoyer là où elle était. » [3] Ils dirent : « Si vous renvoyez l'arche du Dieu d'Israël, ne la renvoyez pas sans rien. Au contraire, ayez soin de lui fournir une réparation. Alors, vous serez guéris et vous saurez pourquoi sa main ne s'écartait pas de vous. » [4] Ils dirent : « Quelle réparation devons-nous lui fournir ? » Ils dirent : « D'après le nombre des princes des Philistins : cinq tumeurs d'or et cinq rats [r] en or, car c'est un même fléau qui les a tous atteints, ainsi que vos princes. [5] Vous ferez donc des images de vos tumeurs et des rats qui dévastaient votre pays et vous rendrez gloire au Dieu d'Israël. Peut-être sa main

---

[k] Le terme *gloire* exprime la présence du Seigneur (voir Ex 24.16-17) ● [l] *Evèn-Ezèr*: voir 4.1 et la note — *Ashdod*: une des cinq villes principales des Philistins, située à l'ouest de Jérusalem, près de la côte méditerranéenne. Voir Jos 13.3 et la note ● [m] *la maison où le temple* — *Dagôn*: dieu des Philistins, voir v. 7 et Jg 16.23 ● [n] *Au moins, était-il resté...*: texte hébreu peu clair, traduction incertaine. Les anciennes versions ont traduit *Il ne restait que le tronc* (ou *le corps*) *de Dagôn* ● [o] *tumeurs* ou *boursouflures*, ou encore *hémorroïdes* ● [p] *Gath*: une autre des cinq villes principales des Philistins, située à 45 km environ au sud-ouest de Jérusalem ● [q] *Eqrôn*: encore une des villes principales des Philistins, située à 45 km environ à l'ouest de Jérusalem — *chez moi... moi et mon peuple*: c'est le prince qui s'exprime au nom des *Eqronites* ● [r] Première allusion, dans ce récit, à des *rats* dont le rôle est précisé au verset suivant ;

4.21 elle l'appela Ikavod cf. Os 1.6, 9. **5.3** tombé à terre Es 19.1; 46.1; Ps 97.7; Dn grec 14.27. **5.6** il les frappa de tumeurs Ps 78.66. **5.10** pour faire périr mon peuple Ex 10.7. **6.5** vous rendrez gloire Jos 7.19; Jn 9.24.

se fera-t-elle plus légère sur vous, sur vos dieux et sur votre pays. ⁶ A quoi bon épaissir votre cœur ˢ, comme l'ont fait les Egyptiens et *Pharaon ? Quand Il se fut joué d'eux, ne les ont-ils pas laissés partir ? ⁷ Fabriquez donc un chariot neuf et prenez deux vaches qui allaitent et n'ont pas encore porté le joug. Vous attellerez les vaches au chariot et vous les séparerez de leurs petits, que vous ramènerez à l'étable. ⁸ Vous prendrez l'arche du SEIGNEUR et vous la poserez sur le chariot. Quant aux objets d'or que vous lui fournissèz en réparation, vous les mettrez dans un coffre à côté d'elle, et vous la laisserez partir. ⁹ Vous verrez alors : si elle prend la route de son pays en montant vers Beth-Shèmesh ᵗ, c'est Lui-même qui nous a fait ce grand mal. Sinon, nous saurons que ce n'est pas sa main qui nous a atteints, ce n'était qu'un accident.» ¹⁰ Les gens firent ainsi. Ils prirent deux vaches qui allaitaient, les attelèrent au chariot et retinrent leurs petits à l'étable. ¹¹ Ils mirent l'arche du SEIGNEUR sur le chariot, ainsi que le coffre, les rats en or et les images de leurs tumeurs. ¹² Les vaches allèrent droit leur chemin sur la route de Beth-Shèmesh. Elles suivirent en meuglant le même sentier ᵘ, sans se détourner ni à droite ni à gauche, les princes des Philistins marchant derrière elles jusqu'à la limite de Beth-Shèmesh. ¹³ Les gens de Beth-Shèmesh faisaient la moisson des blés dans la vallée. Levant les yeux, ils aperçurent l'arche et se réjouirent de la voir. ¹⁴ Arrivé au champ de Josué de Beth-Shèmesh, le chariot s'y arrêta. Il y avait là une grosse pierre. On fendit le bois du chariot et on offrit les vaches en holocauste ᵛ au SEIGNEUR. ¹⁵ Les *lévites avaient descendu l'arche du SEIGNEUR et le coffre où se trouvaient les objets d'or et qui était avec elle. Ils les mirent sur la grosse pierre. Les gens de Beth-Shèmesh offrirent des holocaustes et im-

molèrent des *sacrifices au SEIGNEUR, ce jour-là. ¹⁶ Les cinq princes des Philistins, ayant vu cela, s'en retournèrent à Eqrôn ʷ, ce jour-là. ¹⁷ Voici les tumeurs d'or que les Philistins fournirent en réparation au SEIGNEUR : pour Ashdod, une ; pour Gaza, une ; pour Ashqelôn, une ; pour Gath, une ; pour Eqrôn ˣ, une. ¹⁸ Et les rats en or : selon le nombre de toutes les villes des Philistins relevant des cinq princes, de la ville fortifiée au village sans murailles... et à la prairie de la grosse pierre ʸ où ils déposèrent l'arche du SEIGNEUR. Aujourd'hui encore, cette pierre se trouve dans le champ de Josué de Beth-Shèmesh. ¹⁹ Le SEIGNEUR frappa les gens de Beth-Shèmesh, parce qu'ils avaient regardé l'arche du SEIGNEUR. Parmi le peuple, il frappa soixante-dix hommes — cinquante mille hommes ᶻ. Le peuple fut dans le deuil, parce que le SEIGNEUR l'avait durement frappé. ²⁰ Les gens de Beth-Shèmesh dirent : « Qui pourra se tenir en présence du SEIGNEUR, ce Dieu saint ? » Et : « Chez qui montera-t-il en nous quittant ? » ²¹ Ils envoyèrent des messagers aux habitants de Qiryath-Yéarim ᵃ, pour leur dire : « Les Philistins ont rendu l'arche du SEIGNEUR. Descendez et faites-la monter chez vous.»

7 ¹ Les gens de Qiryath-Yéarim vinrent donc et firent monter l'arche du SEIGNEUR. Ils la conduisirent dans la maison d'Avinadav, sur la colline, et ils consacrèrent son fils Eléazar pour garder l'arche du SEIGNEUR.

Les Philistins vaincus par Israël

² Depuis le jour de l'installation de l'*arche à Qiryath-Yéarim, il s'était écoulé bien des jours, vingt ans déjà, lorsque toute la maison ᵇ d'Israël se mit à soupirer après le SEIGNEUR. ³ Samuel dit alors à toute la maison d'Israël : « Si c'est de tout votre cœur que vous revenez au

---

s épaissir votre cœur ou *vous obstiner* ● *t* Localité située à 25 km environ à l'ouest de Jérusalem ● *u le même sentier* ou *la même route* ● *v holocauste:* voir au glossaire SACRIFICES ● *w* Voir 5.10 et la note ● *x* Sur ces cinq villes des Philistins, voir 5.1, 8, 10 et les notes ● *y et à la prairie de la grosse pierre:* texte obscur; autre traduction (conjecturale) *Témoin, la grosse pierre,* c'est-à-dire *la grosse pierre* rappelle cet événement ● *z cinquante mille hommes:* ces mots manquent dans plusieurs manuscrits hébreux; dans les autres manuscrits, ils semblent être une adjonction, car ils sont mal rattachés au contexte ● *a* Localité située à 13 km environ au nord-ouest de Jérusalem ● *b la maison* ou *le peuple.*

6.6 comme Pharaon Ex 7.3+ — laissé partir Ex 12.31.   **6.7** chariot neuf 2 S 6.3; cf. 2 R 2.20. — pas encore porté le joug Nb 19.2; Dt 21.3; cf. Ex 20.25.   **6.14** le sacrifice 2 S 24.22; 1 R 19.21. **6.19** il frappa 2 S 6.7.   **6.20** qui pourra se tenir Ml 3.2; Ps 76.8.   **7.1** ils firent monter l'arche 2 S 6.1-4; 1 R 8.1-2; 1 Ch 13.5-7.   **7.2** soupirer après le Seigneur Ex 2.23-25; Jg 6.6; 10.10. **7.3** écarter les dieux étrangers Gn 35.2; Jos 24.14; Jg 6.10; 10.13.

SEIGNEUR, écartez de chez vous les dieux de l'étranger et les Astartés ^c ; dirigez votre cœur vers le SEIGNEUR, ne servez que lui seul, et il vous arrachera de la main des Philistins.» ⁴ Les fils d'Israël écartèrent les *Baals et les Astartés et ils ne servirent plus que le SEIGNEUR.

⁵ Samuel dit : « Rassemblez tout Israël à Miçpa ^d : j'intercéderai en votre faveur auprès du SEIGNEUR.» ⁶ Ils se rassemblèrent à Miçpa. Ils puisèrent de l'eau et la répandirent devant le SEIGNEUR. Ils *jeûnèrent, ce jour-là, et déclarèrent en ce lieu : « Nous avons péché contre le SEIGNEUR.» Et Samuel jugea les fils d'Israël à Miçpa ^e.

⁷ Les Philistins apprirent que les fils d'Israël s'étaient rassemblés à Miçpa et les princes des Philistins montèrent contre Israël. Les fils d'Israël l'apprirent et ils eurent peur des Philistins. ⁸ Les fils d'Israël dirent à Samuel : « Ne reste pas muet ! Ne nous abandonne pas ! Crie vers le SEIGNEUR, notre Dieu, pour qu'il nous sauve de la main des Philistins !» ⁹ Samuel prit un agneau de lait et l'offrit tout entier en holocauste ^f au SEIGNEUR. Samuel cria vers le SEIGNEUR en faveur d'Israël et le SEIGNEUR lui répondit. ¹⁰ Or, tandis que Samuel offrait l'holocauste, les Philistins s'avancèrent pour combattre Israël. Mais le SEIGNEUR, ce jour-là, tonna à grand fracas contre les Philistins. Il les frappa de panique et ils furent défaits devant Israël. ¹¹ Les gens d'Israël sortirent de Miçpa et poursuivirent les Philistins de leurs coups jusqu'en dessous de Beth-Kar ^g. ¹² Samuel prit une pierre et la plaça entre Miçpa et La Dent. Il l'appela Evèn-Ezèr, c'est-à-dire : Pierre du Secours, « car, dit-il, c'est jusqu'ici ^h que le SEIGNEUR nous a secourus ». ¹³ Les Philistins furent abaissés et ils ne recommencèrent plus à pénétrer dans le territoire d'Israël. Et la main du SEIGNEUR fut sur les Philistins durant tous les jours de Samuel. ¹⁴ Les villes que les Philistins avaient prises à Israël revinrent à Israël, d'Eqrôn à Gath ⁱ. Israël arracha également leur territoire aux Philistins. Et il y eut la paix entre Israël et les *Amorites. ¹⁵ Samuel jugea Israël tous les jours de sa vie. ¹⁶ Il partait chaque année faire le tour de Béthel, de Guilgal ^j et de Miçpa et il jugeait Israël en tous ces lieux. ¹⁷ Il rentrait ensuite à Rama ^k, car c'est là qu'il avait sa maison. C'est là qu'il jugea Israël et là qu'il construisit un *autel au SEIGNEUR.

Le peuple d'Israël réclame un roi

8 ¹ Devenu vieux, Samuel donna ses fils pour juges ^l à Israël. ² Son fils aîné s'appelait Yoël, le second Aviya. Ils étaient juges à Béer-Shéva ^m. ³ Mais ses fils ne marchèrent pas sur ses traces. Dévoyés par le lucre, acceptant des cadeaux, ils firent dévier le droit.

⁴ Tous les *anciens d'Israël se rassemblèrent et vinrent trouver Samuel à Rama ⁿ. ⁵ Ils lui dirent : « Te voilà devenu vieux et tes fils ne marchent pas sur tes traces. Maintenant donc, donne-nous un roi pour nous juger ^o comme toutes les nations.» ⁶ Il déplut à Samuel qu'ils aient dit : « Donne-nous un roi pour nous juger.» Et Samuel intercéda auprès du SEIGNEUR. ⁷ Le SEIGNEUR dit à Samuel : « Ecoute la voix du peuple en tout ce qu'ils te diront. Ce n'est pas toi qu'ils rejettent, c'est moi. Ils ne veulent plus que je règne sur eux. ⁸ Comme ils ont agi depuis le jour où je les ai fait monter d'Egypte jusqu'aujourd'hui, m'abandonnant pour servir d'autres dieux, ainsi agissent-ils aussi envers toi. ⁹ Maintenant donc écoute leur voix. Mais ne manque pas de les avertir : apprends-leur comment gouvernera le roi qui régnera sur eux.» ¹⁰ Samuel redit toutes les paroles du SEIGNEUR au peuple qui lui demandait un

---

c *les Astartés:* voir Jg 2.13 et la note ● d Localité située à 12 km environ au nord de Jérusalem ● e *Et Samuel jugea les fils d'Israël à Miçpa* ou *Et Samuel, installé à Miçpa, devint le chef des Israélites* ● f *holocauste:* voir au glossaire SACRIFICES ● g Endroit inconnu ● h *La Dent:* lieu inconnu — *Evèn-Ezèr:* ce lieu ne doit sans doute pas être confondu avec *Evèn-Ezèr* de 4.1 — *jusqu'ici* ou *jusqu'à maintenant* ● i *Eqrôn, Gath:* voir 5.8, 10 et les notes ● j *Béthel:* voir Gn 12.8 et la note — *Guilgal:* nom de plusieurs endroits dans le pays d'Israël; il s'agit probablement ici du *Guilgal* situé près de Jéricho (Jos 4.19-20; 5.9-10) ● k Voir 1.1 et la note ● l *juges* ou *chefs* ● m Localité située à 70 km environ au sud-ouest de Jérusalem ● n Voir 1.1 et la note ● o *juger* ou *diriger*

7.10 il tonna 2.10+.   **7.12** Evèn-Ezèr 4.1.   **7.13** les ennemis abaissés Jg 3.30; 4.23; 8.28; 11.33. **8.3** accepter des cadeaux 2.12; Ex 23.8; Lv 19.15; Dt 16.19; Es 5.23.   **8.5** comme toutes les nations 8.20; Dt 17.15; Ez 20.32; cf. Est 3.8.   **8.7** je règne sur eux 12.12; Jg 8.23; Ps 47.9. **8.8** servir d'autres dieux 26.19; Jg 10.13; 1 R 9.9.

roi. ¹¹ Il dit : « Voici comment gouvernera le roi qui régnera sur vous : il prendra vos fils pour les affecter à ses chars et à sa cavalerie et ils courront devant son char. ¹² Il les prendra pour s'en faire des chefs de millier *p* et des chefs de cinquantaine, pour labourer son labour, pour moissonner sa moisson, pour fabriquer ses armes et ses harnais. ¹³ Il prendra vos filles comme parfumeuses, cuisinières et boulangères. ¹⁴ Il prendra vos champs, vos vignes et vos oliviers les meilleurs. Il les prendra et les donnera à ses serviteurs. ¹⁵ Il lèvera la dîme *q* sur vos grains et sur vos vignes et la donnera à ses *eunuques et à ses serviteurs. ¹⁶ Il prendra vos serviteurs et vos servantes, les meilleurs de vos jeunes gens et vos ânes pour les mettre à son service. ¹⁷ Il lèvera la dîme sur vos troupeaux. Vous-mêmes enfin, vous deviendrez ses esclaves. ¹⁸ Ce jour-là, vous crierez à cause de ce roi que vous vous serez choisi, mais, ce jour-là, le Seigneur ne vous répondra point. »

¹⁹ Mais le peuple refusa d'écouter la voix de Samuel. « Non, dirent-ils. C'est un roi que nous aurons. ²⁰ Et nous serons, nous aussi, comme toutes les nations. Notre roi nous jugera, il sortira à notre tête et combattra nos combats. » ²¹ Samuel écouta toutes les paroles du peuple et les répéta aux oreilles du Seigneur. ²² Le Seigneur dit alors à Samuel : « Ecoute leur voix et donne-leur un roi. » Samuel dit aux gens d'Israël : « Allez-vous-en, chacun dans sa ville. »

Saül et les ânesses perdues

9 ¹ Il y avait en Benjamin un homme appelé Qish, fils d'Aviël, fils de Ceror, fils de Bekorath, fils d'Afiah, fils d'un Benjaminite. C'était un vaillant homme. ² Il avait un fils appelé Saül, un beau garçon. Aucun des fils d'Israël ne le valait. Il dépassait tout le peuple de la tête et des épaules. ³ Les ânesses de Qish, le père de Saül, s'étant égarées, Qish dit à son fils Saül : « Prends donc avec toi l'un des domestiques et pars à la recherche des ânesses. » ⁴ Il parcourut la montagne d'Ephraïm, il parcourut le pays de Shalisha, sans trouver. Ils parcoururent le pays de Shaalîm *r* : toujours rien. Il parcourut le pays de Benjamin, sans trouver.

⁵ Quand ils arrivèrent au pays de Çouf *s*, Saül dit au domestique qui l'accompagnait : « Allons, rentrons. Je crains que mon père ne pense plus aux ânesses et s'inquiète à notre sujet. » ⁶ Le serviteur lui dit : « Mais il y a dans cette ville un homme de Dieu ! C'est un homme réputé. Tout ce qu'il dit arrive sûrement. Allons-y donc. Peut-être nous renseignera-t-il sur le voyage que nous avons entrepris. » ⁷ Saül dit à son serviteur : « Eh bien, nous y allons. Mais qu'apporterons-nous à cet homme ? Il n'y a plus de pain dans nos sacs et il ne convient pas d'offrir à l'homme de Dieu des provisions de route *t*. Qu'avons-nous ? » ⁸ Le domestique reprit la parole pour répondre à Saül : « J'ai justement sur moi un quart de sicle *u* d'argent. Je le donnerai à l'homme de Dieu, et il nous renseignera sur notre voyage. ». — ⁹ Autrefois, en Israël, on avait coutume de dire quand on allait consulter Dieu : « Venez, allons trouver le voyant. » Car, le « *prophète » d'aujourd'hui, on l'appelait autrefois le « voyant ». — ¹⁰ Saül dit à son serviteur : « Bien parlé. Viens, allons-y. » Et ils allèrent à la ville où se trouvait l'homme de Dieu.

¹¹ Ils gravissaient la montée de la ville, quand ils trouvèrent des jeunes filles qui sortaient puiser de l'eau. Ils leur dirent : « Le voyant est-il ici ? » ¹² Elles leur répondirent : « Oui. Droit devant toi ! Maintenant fais vite, car il est venu en ville aujourd'hui, car il y a aujourd'hui un *sacrifice public sur le *haut lieu. ¹³ Sitôt arrivés en ville, aussitôt vous le trouverez, avant qu'il ne monte manger au haut lieu, car le peuple ne doit pas manger avant son arrivée, car c'est lui qui doit bénir le sacrifice ; après quoi, les invités pourront manger. Maintenant donc, montez, car lui, aujourd'hui, vous

---

p millier: voir Nb 1.16 et la note ● *q la dîme:* voir Gn 14.20 et la note ● *r montagne d'Ephraïm:* région montagneuse de la Palestine centrale — *pays de Shalisha, pays de Shaalim:* régions non identifiées; comparer 2 R 4.42 ● *s pays de Çouf:* région inconnue, située probablement aux abords de *Rama,* où résidait Samuel (voir 7.17; 9.6 et suivants) ● *t provisions de route:* d'après l'ancienne version syriaque; le mot hébreu est obscur ● *u sicle:* voir au glossaire POIDS ET MESURES

8.11 ils courront 2 S 15.1; 1 R 1.5.   **8.14** il prendra vos vignes 1 R 21.   **8.18** vous crierez à cause du roi 1 R 12.4; Mi 3.4.   **9.1** Qish 1 Ch 8.33.   **9.2** beau garçon 10.23; 16.7; 2 S 14.25.   **9.6** sur le voyage Jg 18.5.   **9.7** qu'apporterons-nous? Nb 22.7; 2 R 5.15.   **9.11** les jeunes filles au puits Gn 24.11; Ex 2.16.

le trouverez.» ¹⁴ Ils montèrent donc à la ville.

Saül rencontre Samuel

Ils entraient dans la ville et voici que Samuel sortait au-devant d'eux pour monter au *haut-lieu. ¹⁵ Or le Seigneur avait averti Samuel un jour avant l'arrivée de Saül. Il lui avait dit : ¹⁶ « Demain, à la même heure, je t'enverrai un homme du pays de Benjamin et tu l'*oindras comme chef de mon peuple Israël et il sauvera mon peuple de la main des Philistins. C'est que j'ai vu mon peuple et que son cri est arrivé jusqu'à moi.» ¹⁷ Samuel aperçut Saül. Aussitôt le Seigneur lui souffla : « Voici l'homme dont je t'ai dit : C'est lui qui tiendra mon peuple en main.» ¹⁸ Saül s'approcha de Samuel au milieu de la porte et il dit : « S'il te plaît, indique-moi où est la maison du voyant.» ¹⁹ Samuel répondit à Saül : « C'est moi le voyant. Monte devant moi au haut lieu. Vous mangerez avec moi aujourd'hui. Demain matin, je te laisserai partir et je t'indiquerai tout ce qui te préoccupe. ²⁰ Pour ce qui est de tes ânesses égarées il y a trois jours, n'y pense plus : elles sont retrouvées. Et à qui donc appartient tout ce qu'il y a de précieux en Israël ? N'est-ce pas à toi et à toute la maison de ton père ?» ²¹ Saül répondit : « Ne suis-je pas benjaminite, d'une des plus petites tribus d'Israël et ma famille n'est-elle pas la dernière de toutes les familles de la tribu de Benjamin ? Pourquoi donc me parles-tu de cette façon ? » ²² Samuel prit Saül son domestique, les fit entrer dans la salle et leur donna une place en tête des invités — ils étaient une trentaine. ²³ Samuel dit au cuisinier : « Sers la portion que je t'ai donnée, celle dont je t'ai dit : Mets-la de côté.» ²⁴ Le cuisinier apporta le gigot et la queue ᵛ. Il les mit devant Saül et dit : « Voici ce qui reste. Tu es servi : mange ! Car c'est pour la circonstance qu'on te l'a gardé, quand on a dit : J'invite le peu-

ple.» Saül mangea donc avec Samuel ce jour-là. ²⁵ Ils descendirent ensuite du haut lieu à la ville, et il s'entretint avec Saül sur la terrasse. ²⁶ Ils se levèrent tôt.

Samuel oint Saül comme roi d'Israël

Et, dès que monta l'aurore, Samuel appela Saül sur la terrasse. Il lui dit : « En route ! Je vais te reconduire.» Saül se mit en route et tous les deux, lui et Samuel, sortirent au-dehors.

²⁷ Ils descendaient à la limite de la ville quand Samuel dit à Saül : « Dis au serviteur de passer devant nous.» Il passa devant. « Et toi, arrête-toi maintenant, que je te fasse entendre la parole de Dieu.»

10 ¹ Samuel prit la fiole d'huile, la versa sur la tête de Saül et l'embrassa. Il dit : « Est-ce que ce n'est pas le Seigneur qui t'a *oint comme chef de son héritage ʷ ? ² Aujourd'hui, après m'avoir quitté, tu rencontreras deux hommes près de la tombe de Rachel à la frontière de Benjamin à Celçah ˣ. Ils te diront : "Les ânesses que tu es allé rechercher, elles sont retrouvées, et maintenant ton père a oublié l'histoire des ânesses et s'inquiète à votre sujet. Il se dit : Que puis-je faire pour mon fils ?" ³ De là, poussant plus loin, tu arriveras au chêne de Tabor. Là viendront te trouver trois hommes montant vers Dieu à Béthel ʸ, l'un portant trois chevreaux, l'autre portant trois pains, le troisième portant une outre de vin. ⁴ Ils te salueront et te donneront deux pains : tu les recevras de leur main. ⁵ Ensuite tu arriveras à Guivéa de Dieu, où résident les préfets philistins ᶻ. Là, quand tu entreras dans la ville, tu tomberas sur un bande de *prophètes descendant du *haut lieu, précédés de harpes, de tambourins, de flûtes et de cithares. Ils seront en proie à une transe prophétique. ⁶ Alors fondra sur toi l'esprit du Seigneur, tu entreras en transe avec eux et tu seras changé en un autre homme. ⁷ Quand tu verras se produire ces signes, fais tout ce que tu trouveras à faire, car Dieu est avec toi. ⁸ Tu descen-

---

ᵛ *la queue :* d'après l'ancienne version araméenne (*la queue* passait pour un être un morceau de choix) ; le mot hébreu est obscur ● ʷ *L'héritage du Seigneur* est une expression souvent employée dans l'A.T. pour désigner le peuple d'Israël, voir Dt 4.20 ; Jr 12.7-9 ● ˣ Localité inconnue ● ʸ *chêne de Tabor :* lieu inconnu (*Tabor* ne désigne pas ici la montagne du même nom, voir Jg 4.6) — *Béthel :* voir Gn 12.8 et la note ● ᶻ *Guivéa de Dieu* ou simplement *Guivéa* (v. 10), ou encore *Guivéa de Saül* (11.4), *Guivéa de Benjamin* (13.2), était la patrie de Saül, située à 6 km au nord de Jérusalem — *où résident les préfets philistins :* autres traductions *où se trouve la stèle* (ou *la garnison*) *des Philistins*

9.15 le Seigneur avait averti 1 R 14.5 ; Ac 9.10-16. **9.16** son cri est arrivé Ex 2.23. **9.17** le Seigneur lui souffla 16.3, 12. **9.21** Saül répondit 18.18 ; Ex 3.11 ; 4.1 ; Jg 6.15 ; Jr 1.6 ; Jon 1.2-3. **10.1** le Seigneur t'a oint 9.16-17. **10.8** sept jours 13.8.

dras avant moi à Guilgal *a*. Quant à moi, je descendrai te rejoindre, pour offrir des holocaustes et des *sacrifices de paix. Tu m'attendras sept jours jusqu'à ce que je vienne te rejoindre. Alors je te ferai savoir ce que tu dois faire. »

⁹ Dès que Saül se fut retourné en quittant Samuel, Dieu lui changea le *cœur et tous ces signes arrivèrent ce jour-là. ¹⁰ Quand ils arrivèrent à Guivéa, une bande de prophètes venait à sa rencontre. Alors l'esprit de Dieu fondit sur lui, et il entra en transe avec eux. ¹¹ Toutes ses anciennes connaissances le virent : il faisait le prophète, avec des prophètes ! On se dit dans le peuple : « Qu'est-il donc arrivé au fils de Qish ? Saül est-il aussi parmi les prophètes ? » ¹² Un homme de l'endroit intervint pour dire : « Mais qui donc est leur père *b* ? » Voilà pourquoi le mot est passé en proverbe : « Saül est-il aussi parmi les prophètes ? »

¹³ Sorti de transe, Saül arriva au haut lieu. ¹⁴ Son oncle lui dit, à lui et à son serviteur : « Où êtes-vous allés ? » Il répondit : « A la recherche des ânesses. Mais nous n'avons rien vu et nous sommes allés chez Samuel. » ¹⁵ L'oncle de Saül dit : « S'il te plaît, raconte-moi ce que vous a dit Samuel. » ¹⁶ Saül dit à son oncle : « Il nous a bien raconté que les ânesses étaient retrouvées. » Mais au sujet de la royauté, il ne lui raconta pas ce qu'avait dit Samuel.

Saül désigné roi par le tirage au sort

¹⁷ Samuel convoqua le peuple auprès du SEIGNEUR à Miçpa *c*. ¹⁸ Il dit aux fils d'Israël : Ainsi parle le Seigneur, le Dieu d'Israël : C'est moi qui ai fait monter Israël d'Egypte et qui vous ai arraché aux mains de l'Egypte et de tous les royaumes qui vous opprimaient. ¹⁹ Et vous, aujourd'hui, vous avez rejeté votre Dieu *d*, lui qui vous délivre de tous vos malheurs et de toutes vos détresses, et vous lui avez dit : "Tu nous donneras un roi." Maintenant donc, présentez-vous devant le SEIGNEUR, par tribus et par clans. »

²⁰ Samuel fit approcher toutes les tribus d'Israël : la tribu de Benjamin fut désignée. ²¹ Il fit approcher la tribu de Benjamin par clans : le clan de Matri fut désigné. Puis Saül, fils de Qish, fut désigné. On le chercha sans le trouver. ²² On demanda encore au SEIGNEUR : « Quelqu'un d'autre *e* est-il venu ici ? » Le SEIGNEUR dit : « Le voici, caché près des bagages. » ²³ On courut l'y chercher et il se présenta au milieu du peuple : il dépassait tout le peuple de la tête et des épaules. ²⁴ Samuel dit à tout le peuple : « Avez-vous vu celui qu'a choisi le SEIGNEUR ? Il n'a pas son pareil dans tout le peuple. » Tout le peuple fit une ovation en criant : « Vive le roi ! » ²⁵ Samuel exposa au peuple le droit royal et il l'écrivit dans un livre, qu'il déposa devant le SEIGNEUR. Puis Samuel renvoya tout le peuple, chacun chez soi. ²⁶ Saül aussi s'en alla chez lui à Guivéa *f*. Partirent avec lui les vaillants dont Dieu avait touché le *cœur. ²⁷ Mais des vauriens dirent : « Comment celui-ci nous sauverait-il ? » Ils le méprisèrent et ne lui apportèrent pas de présent. Mais lui resta indifférent.

Saül remporte une victoire sur les Ammonites

11 ¹ Nahash l'Ammonite monta contre Yavesh de Galaad *g* et l'assiégea. Tous les gens de Yavesh dirent à Nahash : « Accorde-nous ton alliance et nous te servirons. » ² Nahash l'Ammonite leur dit : « Voici comment je vous l'accorderai : en vous crevant à chacun l'œil droit. J'infligerai cette honte à tout Israël. » ³ Les anciens de Yavesh lui dirent : « Laisse-nous sept jours. Nous enverrons des messagers dans tout le territoire d'Israël et, si personne ne vient nous sauver, nous sortirons vers toi pour nous ren-

---

a Voir 7.16 et la note ● *b* Le sens de cette question n'est pas clair. Ou bien *père* est ici l'équivalent de *maître*, et l'homme s'étonne de ne pas voir un chef à la tête de cette bande, ou bien l'homme veut dire que ces prophètes sont des gens qu'on ne connaît pas sous le nom de leur père, c'est-à-dire des gens de basse condition ● *c* Voir 7.5 et la note ● *d vous avez rejeté votre Dieu :* voir 8.7 ● *e On demanda encore au Seigneur :* la consultation se fait probablement au moyen de l'Ourim et du Toummim, voir Ex 28.30 et la note — *Quelqu'un d'autre :* autre traduction, d'après l'ancienne version grecque, *Cet homme* ● *f* Voir v. 5 et la note ● *g l'Ammonite :* venant d'Ammon, pays situé à l'est du Jourdain — *Yavesh de Galaad :* voir Jg 21.8 et la note

10.10-11 il entra en transes 19.22-24.   **10.18** fait monter d'Egypte Ex 1—15 — les royaumes qui vous opprimaient Jg 3.8, 14; 4.2; 6.1; 10.7; 13.1.   **10.20-21** procédure de désignation 14.40-42; Jos 7.16-18.   **10.24** vive le roi Ps 72.15+.   **10.25** le droit royal 8.11-18; Dt 17.14-20; Jos 24.26-28. **10.26** les vaillants 14.52.

dre. » [4] Les messagers arrivèrent à Guivéa de Saül [h] et ils rapportèrent ces propos aux oreilles du peuple. Le peuple éclata en sanglots. [5] Juste à ce moment, Saül revenait des champs, derrière ses bœufs. Saül dit : « Qu'a donc le peuple à pleurer ? » On lui raconta ce qu'avaient dit les gens de Yavesh. [6] L'esprit de Dieu fondit sur Saül quand il entendit ces paroles, et il entra dans une violente colère. [7] Il prit une paire de bœufs, les dépeça et, par l'entremise des messagers, en envoya les morceaux dans tout le territoire d'Israël, en faisant dire : « Celui qui ne part pas à la guerre derrière Saül et Samuel, voilà ce qu'on fera à ses bœufs ! » Le SEIGNEUR fit tomber la terreur sur le peuple et ils partirent comme un seul homme. [8] Saül les passa en revue à Bèzeq [i] : les fils d'Israël étaient trois cent mille ; les hommes de Juda, trente mille. [9] On dit aux messagers qui étaient venus : « Vous parlerez ainsi aux gens de Yavesh de Galaad : Demain, à l'heure la plus chaude [j], vous aurez du secours. » Les messagers vinrent en informer les gens de Yavesh. Ils furent dans la joie. [10] Les gens de Yavesh dirent : « Demain, nous sortirons vers vous, et vous nous traiterez tout à votre guise [k]. »

[11] Donc, le lendemain, Saül répartit le peuple en trois sections. Ils pénétrèrent dans le camp à la veille du matin [l] et frappèrent les Ammonites jusqu'à l'heure la plus chaude du jour. Les survivants se dispersèrent, et il n'en resta pas deux ensemble. [12] Le peuple dit à Samuel : « Quels sont ceux qui disaient : "Saül régnera-t-il sur nous ?" Livrez-nous ces gens-là pour que nous les mettions à mort. » [13] Saül dit : « Personne ne sera mis à mort en un jour pareil, car, aujourd'hui, le SEIGNEUR a remporté une victoire en Israël. »

[14] Samuel dit au peuple : « Venez, allons à Guilgal [m] : nous y renouvellerons la royauté. » [15] Tout le peuple alla donc à Guilgal. Là, on fit de Saül un roi, en présence du SEIGNEUR, à Guilgal, on y offrit des *sacrifices de paix en présence du SEIGNEUR, et Saül et tous les gens d'Israël s'y livrèrent à de grandes réjouissances.

Discours de Samuel au peuple

12 [1] Samuel dit à tout Israël : « Voici que j'ai écouté votre voix en tout ce que vous m'avez dit : j'ai fait régner sur vous un roi. [2] Et maintenant, voici le roi qui marche devant vous. Moi, je suis vieux, j'ai blanchi et mes fils sont là avec vous. C'est moi qui ai marché devant vous depuis ma jeunesse jusqu'à ce jour. [3] Me voici. Déposez à mon sujet devant le SEIGNEUR et devant son messie [n] : de qui ai-je pris le bœuf et de qui ai-je pris l'âne ? Qui ai-je exploité et qui ai-je opprimé ? A qui ai-je extorqué de l'argent pour fermer les yeux sur son cas ? Je vous le rendrai. » [4] Ils dirent : « Tu ne nous as pas exploités. Tu ne nous as pas opprimés. Tu n'as rien extorqué à personne. » [5] Il leur dit : « Le SEIGNEUR est témoin contre vous et son messie est témoin, en ce jour, que vous n'avez rien trouvé en ma main. » On répondit : « Il en est témoin. » [6] Et Samuel dit au peuple : « Le SEIGNEUR — qui agit avec Moïse et Aaron et fit monter vos pères [o] du pays d'Egypte ! »

[7] « Et maintenant, tenez-vous là : devant le SEIGNEUR, je citerai contre vous tous les actes de justice du SEIGNEUR accomplis envers vous et envers vos pères. [8] Quand Jacob fut arrivé en Egypte, vos pères ont crié vers le SEIGNEUR et le SEIGNEUR envoya Moïse et Aaron qui firent sortir vos pères d'Egypte et les installèrent en ce lieu. [9] Mais ils ont oublié le SEIGNEUR, leur Dieu, et lui les a vendus à Sisera, chef de l'armée de Haçor, aux Philistins et au roi de Moab [p], qui leur ont fait la guerre. [10] Alors, ils ont crié vers le SEIGNEUR : "Nous avons péché, car nous avons abandonné le SEIGNEUR et nous avons servi les *Baals et les Astartés [q]. Maintenant, arrache-nous des

---

h *Guivéa de Saül* voir 10.5 et la note ● i Voir Jg 1.4 et la note ● j *l'heure la plus chaude* (du jour): midi ou le début de l'après-midi ● k La réponse s'adresse soit à des envoyés de Saül, soit à un mode ironique, à Nahash ● l *veille du matin*: voir Ex 14.24 et la note ● m Voir 7.16 et la note ● n *messie*: voir 2.10 et la note ● o *Le Seigneur*: sous-entendu *en est témoin*, comme le montre l'ancienne version grecque — *vos pères* ou *vos ancêtres* ● p *Sisera*: voir Jg 4; les *Philistins*: voir Jg 14; *Moab*: voir Jg 3.12-14 ● q *les Astartés*: voir Jg 2.13 et la note

11.6 l'esprit de Dieu fondit sur Saül 16.13; Jg 3.10; 6.34; 11.29; 13.25; 14.19.   11.7 en envoya les morceaux Jg 19.29 — la terreur 14.15; Gn 35.5.   11.10 nous sortirons vers vous 11.3. 11.11 trois sections Jg 7.16.   11.12 régnera-t-il sur nous? 10.27.   11.13 en un jour pareil 14.45; 2 S 19.23.   11.14 allons à Guilgal Jos 4.19-20.   12.1-18 Discours de Samuel Jos 24.1-28.   12.3 liste des torts 8.11-18; Lv 5.21-24; Nb 16.15; Si 46.19.

mains de nos ennemis et nous te servirons." [11] Et le SEIGNEUR a envoyé Yeroubbaal, Bedân, Jephté [r] et Samuel, il vous a arrachés des mains de vos ennemis d'alentour, et vous avez habité le pays en sécurité. [12] Mais quand vous avez vu que Nahash [s], le roi des fils d'Ammon, venait vous attaquer, vous m'avez dit : "Non, c'est un roi qui régnera sur nous." Et pourtant le SEIGNEUR, votre Dieu, est votre roi. [13] Maintenant donc, voici le roi que vous avez choisi, que vous avez demandé, et voici que le SEIGNEUR vous a donné un roi. [14] Si vous craignez le SEIGNEUR, si vous le servez, si vous écoutez sa voix, sans vous révolter contre les ordres du SEIGNEUR, alors vous-mêmes et le roi qui règne sur vous, vous continuerez à suivre le SEIGNEUR, votre Dieu. [15] Mais, si vous n'écoutez pas la voix du SEIGNEUR, si vous vous révoltez contre les ordres du SEIGNEUR, la main du SEIGNEUR vous atteindra ainsi que vos pères [t].

[16] Maintenant encore, tenez-vous ici et voyez cette grande chose que le SEIGNEUR va accomplir sous vos yeux. [17] N'est-ce pas actuellement la moisson des blés ? Je vais invoquer le SEIGNEUR et il fera tonner et pleuvoir [u]. Comprenez donc et voyez la grandeur du mal que vous avez commis aux yeux du SEIGNEUR en demandant pour vous-mêmes un roi.» [18] Samuel invoqua le SEIGNEUR et le SEIGNEUR fit tonner et pleuvoir, ce jour-là, et tout le peuple eut une grande crainte du SEIGNEUR et de Samuel.

[19] Tout le peuple dit à Samuel : «Intercède pour tes serviteurs auprès du SEIGNEUR, ton Dieu, afin que nous ne mourions pas, car, à tous nos péchés, nous avons ajouté le tort de demander pour nous un roi.» [20] Samuel dit au peuple : «N'ayez pas de crainte. C'est bien vous qui avez fait tout ce mal. Pourtant, ne vous écartez pas du SEIGNEUR, mais servez le SEIGNEUR de tout votre cœur. [21] Ne vous écartez pas, car ce serait pour suivre des néants [v] qui ne servent à rien et qui ne peuvent délivrer, puisqu'ils ne sont que néant. [22] En effet, le SEIGNEUR ne délaissera pas son peuple, à cause de son grand *Nom, puisque le SEIGNEUR a voulu faire de vous son peuple. [23] En ce qui me concerne, il serait abominable de pécher contre le SEIGNEUR en cessant d'intercéder en votre faveur. Je vous enseignerai le bon et droit chemin. [24] Seulement craignez le SEIGNEUR et servez-le avec loyauté, de tout votre cœur. Voyez, en effet, comme il s'est montré grand envers vous ! [25] Mais si vous faites le mal, vous serez anéantis, vous et votre roi.»

Révolte contre les Philistins. Faute de Saül

13 [1] Saül avait... ans lorsqu'il devint roi et il régna deux ans sur Israël [w]. [2] Saül se choisit trois mille hommes en Israël : il y en eut deux mille avec Saül, à Mikmas et sur la montagne de Béthel, et mille avec Jonathan, à Guivéa de Benjamin. Il renvoya le reste du peuple, chacun à ses tentes [x].

[3] Jonathan abattit le préfet des Philistins qui était à Guèva [y] et les Philistins l'apprirent. Alors Saül fit sonner du cor dans tout le pays en disant : « Que les Hébreux l'entendent ! » [4] Tout Israël apprit la nouvelle : Saül avait abattu le préfet des Philistins, et Israël lui-même était devenu insupportable aux Philistins. Le peuple se rassembla donc derrière Saül à Guilgal [z].

[5] Les Philistins s'étaient mobilisés contre Israël. Ils avaient trente mille chars, six mille cavaliers et une troupe aussi nombreuse que le sable des plages. Ils montèrent camper à Mikmas, à l'orient de Beth-Awèn [a]. [6] Les hommes d'Israël se virent en péril, car le peuple était

---

r *Yeroubbaal* (ou *Gédéon*): voir Jg 6—8 ; *Bedân*: personnage inconnu ; *Jephté*: voir Jg 11 ● s *Nahash*: voir chap. 11 ● t *ainsi que vos pères* ou *comme* (*elle a atteint*) *vos ancêtres* ● u L'époque de la *moisson des blés* (mai-juin) est normalement une saison sèche ● v *des néants* ou *des faux dieux* ● w L'âge de Saül lors de son accession à la royauté manque dans le texte hébreu. De plus le chiffre de *deux* années de règne est certainement trop faible (comparer Ac 13.21, qui parle de *quarante ans*) ● x *Mikmas*: localité située à 12 km au nord-est de Jérusalem — *Béthel*: voir Gn 12.8 et la note — *Guivéa de Benjamin*: voir 10.5 et la note — *à ses tentes*: voir Jos 22.4 et la note ● y *le préfet* ou *la stèle*, ou encore *la garnison* (comparer 10.5 et la note ; de même au verset suivant) — *Guèva*: localité située à 9 km au nord-est de Jérusalem ; mais il vaudrait peut-être mieux lire, avec l'ancienne version grecque, *Guivéa* ● z Voir 7.16 et la note ● a *Beth-Awèn*: autre nom de *Béthel*

12.14 craindre, servir, écouter le Seigneur Dt 13.5. **12.15** si vous vous révoltez Dt 1.26, 43 ; 28.15 — la main du Seigneur Dt 2.15 ; Jg 2.15 **12.20** servez le Seigneur Dt 10.12 ; 11.13. **12.21** des néants Ps 115.4-7. **12.22** faire de vous son peuple Dt 26.17-18 ; 27.9 ; 29.12 ; 2 S 7.24. **12.25** vous serez anéantis Jos 24.20. **13.3** fit sonner du cor 2 S 2.28 ; 18.16. **13.4** devenu insupportable 2 S 10.6. **13.5** aussi nombreux que le sable Gn 22.17+. **13.6** le peuple se cacha 14.11, 22 ; Jg 6.2.

serré de près. Le peuple se cacha donc dans les grottes, les trous, les rochers, les souterrains et les citernes. [7] Des Hébreux passèrent même le Jourdain pour gagner le pays de Gad et de Galaad. Saül était encore à Guilgal et derrière lui tout le peuple tremblait. [8] Saül attendit sept jours le rendez-vous de Samuel [b], mais Samuel ne vint pas à Guilgal, et le peuple abandonna Saül et se dispersa. [9] Saül dit : « Amenez-moi l'holocauste et les *sacrifices de paix. » Et il offrit l'holocauste [c]. [10] Juste comme il achevait d'offrir l'holocauste, Samuel arriva. Saül sortit à sa rencontre pour le saluer. [11] Samuel dit : « Qu'as-tu fait ? » Saül dit : « Quand j'ai vu que le peuple m'abandonnait et se dispersait, que toi-même tu ne venais pas au rendez-vous et que les Philistins s'étaient rassemblés à Mikmas, [12] je me suis dit : "Maintenant, les Philistins vont descendre me rattraper à Guilgal, sans que j'aie apaisé le SEIGNEUR [d]." Alors, j'ai pris sur moi et j'ai offert l'holocauste. » [13] Samuel dit à Saül : « Tu as agi comme un fou ! Tu n'as pas gardé le commandement du SEIGNEUR, ton Dieu, celui qu'il t'avait prescrit. Maintenant, en effet, le SEIGNEUR aurait établi pour toujours ta royauté sur Israël. [14] Mais maintenant, ta royauté ne tiendra pas. Le SEIGNEUR s'est cherché un homme selon son cœur et le SEIGNEUR l'a institué chef de son peuple [e], puisque tu n'as pas gardé ce que t'avait prescrit le SEIGNEUR. » [15] Samuel se mit en route et monta de Guilgal à Guivéa de Benjamin. Saül passa en revue le peuple qui se trouvait avec lui : environ six cents hommes. [16] Saül, son fils Jonathan et le peuple qui se trouvait avec eux demeuraient à Guéva de Benjamin, tandis que les Philistins campaient à Mikmas. [17] Le corps de destruction sortit du camp philistin en trois sections. La première section se dirigeait vers Ofra, au pays de Shoual [f], [18] la deuxième vers Beth-Horôn, la troisième vers la frontière

qui domine le Val des Hyènes [g] vers le désert.

[19] On ne trouvait plus de forgeron dans tout le pays d'Israël, car les Philistins s'étaient dit : « Il ne faut pas que les Hébreux se fabriquent des épées ou des lances. » [20] Tous les Israélites descendaient donc chez les Philistins pour affûter chacun son soc, sa houe, sa hache ou son burin [h]. [21] L'affûtage coûtait deux tiers de sicle pour les socs, les houes,... [i], les haches, et la remise en état des aiguillons. [22] Donc, au jour du combat, la troupe de Saül et de Jonathan se trouva dépourvue d'épées et de lances. On en trouva néanmoins pour Saül et pour son fils Jonathan. [23] Un poste de Philistins sortit vers la passe de Mikmas.

Jonathan attaque un poste de Philistins

14 [1] Un jour, Jonathan, le fils de Saül, dit à son écuyer : « Viens, poussons jusqu'au poste des Philistins qui est de l'autre côté. » Mais il n'avertit pas son père. [2] Saül était assis à la limite de Guivéa, sous le grenadier qui est à Migrôn [j]. Il avait avec lui environ six cents hommes. [3] Ahiyya, fils d'Ahitouv, frère d'Ikavod, fils de Pinhas, fils de Eli, le prêtre du SEIGNEUR à Silo, portait l'éphod [k]. Le peuple ne savait pas que Jonathan était parti. [4] Dans une des passes que Jonathan cherchait à traverser pour attaquer le poste des Philistins, se trouvent de chaque côté une dent de rocher, l'une appelée Bocéç et l'autre Senné. [5] L'une des dents se dresse au nord, en face de Mikmas, l'autre au sud en face de Guèva [l].

[6] Jonathan dit à son écuyer : « Viens, poussons jusqu'au poste de ces *incirconcis. Peut-être que le SEIGNEUR agira-t-il pour nous ; en effet, qu'on soit nombreux ou non, rien n'empêche le SEIGNEUR de donner la victoire. » [7] Son écuyer lui dit : « Fais tout à ton idée. Avance, et je te suis, à ton idée. » [8] Jonathan dit : « Main-

---

b *le rendez-vous de Samuel:* voir 10.8 ● c *il offrit l'holocauste:* acte cultuel faisant partie des préparatifs de combat (voir 7.9) ● d *apaisé le Seigneur* ou *demandé au Seigneur de nous être favorable* ● e *chef de son peuple:* il s'agit de David, dont l'histoire est racontée à partir du chap. 16 ● f *Ofra:* localité située au nord de Mikmas; le *pays de Shoual* n'est pas mentionné ailleurs ● g *Beth-Horôn:* localité située à l'ouest de Mikmas; *Val des Hyènes:* région située au sud-est de Mikmas ● h *La* traduction des termes techniques mentionnés dans les v. 20-21 est incertaine ● i *sicle:* voir au glossaire POIDS ET MESURES — ...: deux mots hébreux incompréhensibles ● j *Guivéa:* voir 10.5 et la note — *Migrôn:* localité non identifiée, proche de Mikmas (voir 13.2 et la note) ● k *Eli:* voir chap. 1—4 — *Silo:* voir 1.3 et la note — *éphod:* voir Ex 25.7 et la note ● l Voir 13.3 et a note

13.12 apaiser le Seigneur Ex 32.11. **13.13** agir comme un fou 2 S 24.10. **13.14** un homme selon son cœur Ac 13.22 — institué chef 25.30. **13.19** fabriquer des armes Jl 4.10; cf. Es 2.4; Mi 4.3. **14.3** Ikavod 4.21. **14.6** nombreux ou non 17.47; Jg 7.2-7.

tenant, nous poussons dans leur direction, et nous allons être repérés par leurs hommes. [9] S'ils nous disent : "Halte ! Attendez que nous vous ayons rejoints !", nous resterons sur place et nous ne monterons pas vers eux. [10] Mais s'ils disent : "Montez vers nous !", nous monterons ; c'est que le SEIGNEUR les aura livrés entre nos mains. Nous aurons là un signe. » [11] Ils se laissèrent donc repérer tous les deux par le poste des Philistins. Les Philistins dirent : « Voici des Hébreux qui sortent des trous où ils s'étaient cachés. » [12] Les hommes du poste, s'adressant à Jonathan et à son écuyer, leur dirent : « Montez vers nous, nous avons quelque chose à vous apprendre. » Jonathan dit à son écuyer : « Monte derrière moi ; le SEIGNEUR les a livrés aux mains d'Israël. » [13] Jonathan monta, en s'aidant des mains et des pieds, suivi de son écuyer. Les Philistins tombèrent sous les coups de Jonathan et son écuyer les achevait derrière lui. [14] Ce premier coup porté par Jonathan et son écuyer frappa une vingtaine d'hommes, sur un terrain d'à peine un demi-sillon de surface [m]. [15] Ce fut la terreur dans le camp, dans la campagne et parmi tout le peuple. Le poste et le corps de destruction furent terrifiés eux aussi. La terre trembla et ce fut une terreur de Dieu [n].

Les Philistins en déroute

[16] A Guivéa de Benjamin, les guetteurs de Saül regardaient. Ils virent la foule se répandre dans toutes les directions. [17] Saül dit au peuple qui était avec lui : « Faites donc l'appel, et voyez qui est parti de chez nous. » On fit l'appel : il manquait Jonathan et son écuyer. [18] Saül dit à Ahiyya : « Fais approcher l'*arche de Dieu. » Il y avait en effet, ce jour-là, l'arche de Dieu et les fils d'Israël [o]. [19] Or, pendant que Saül parlait au prêtre, l'agitation augmentait dans le camp des Philistins. Saül dit au prêtre : « Retire ta main. » [20] Saül et tout le peuple qui était avec lui se réunirent et arrivèrent sur le champ de bataille. Ils avaient tiré l'épée

l'un contre l'autre et la confusion était totale. [21] Les Hébreux qui avaient d'abord été au service des Philistins et qui étaient montés au camp avec eux firent volteface pour rejoindre Israël aux côtés de Saül et de Jonathan. [22] Tous les hommes d'Israël qui s'étaient cachés dans la montagne d'Éphraïm, apprenant la déroute des Philistins, se mirent, eux aussi, à les talonner en combattant. [23] Le SEIGNEUR donna la victoire à Israël, ce jour-là, et le combat s'étendit au-delà de Beth-Awèn [p]. [24] Les hommes d'Israël avaient souffert, ce jour-là, car Saül avait engagé le peuple par cette imprécation : « Maudit soit l'homme qui prendra de la nourriture avant le soir [q], avant que je ne me sois vengé de mes ennemis. » Dans le peuple, personne n'avait donc goûté de nourriture.

Le peuple sauve Jonathan

[25] Tout le pays [r] était entré dans la forêt. Sur le sol, il y avait du miel. [26] Quand le peuple entra dans la forêt, voici qu'il y coulait du miel. Personne néanmoins ne portait la main à sa bouche, car le peuple avait peur du serment. [27] Mais Jonathan n'avait pas entendu son père imposer au peuple le serment. Il tendit le bâton qu'il avait en main, et trempa le bout dans le miel, puis ramena la main à sa bouche : son regard devint clair [s]. [28] Quelqu'un du peuple intervint et dit : « Ton père a imposé au peuple un serment solennel, déclarant : "Maudit soit l'homme qui prendra de la nourriture aujourd'hui." Et le peuple est épuisé. » [29] Jonathan dit : « Mon père a porté malheur au pays. Voyez comme j'ai le regard clair pour avoir goûté un peu de ce miel. [30] A plus forte raison, si, aujourd'hui, le peuple s'était nourri sur le butin trouvé chez l'ennemi, le coup porté aux Philistins n'aurait-il pas été plus fort ? » [31] Ce jour-là, ils battirent les Philistins, depuis Mikmas jusqu'à Ayyalôn [t]. Le peuple, complètement épuisé, [32] se jeta sur le butin. Il prit du petit bétail, des

---

[m] sur un terrain... : texte obscur et traduction incertaine ● [n] une terreur de Dieu ou une terreur effroyable (= provoquée par Dieu) ● [o] et les fils d'Israël ou parmi les Israélites ● [p] Beth-Awèn : autre nom de Béthel ● [q] Le jeûne imposé par Saül est probablement une pratique visant à obtenir l'aide de Dieu et donc la victoire ● [r] Tout le pays ou Toute l'armée ● [s] son regard devint clair ou ses yeux s'éclairèrent, c'est-à-dire il en fut réconforté. De même au v. 29 ● [t] Mikmas : voir 13.2 et la note — Ayyalôn : localité située à 25 km environ à l'ouest de Mikmas.

14.11 ils s'étaient cachés 13.6+.   **14.15** la terre trembla 4.5+.   **14.20** l'un contre l'autre Jg 7.22; Ez 38.21.   **14.22** ceux qui s'étaient cachés 13.6+.   **14.24** Maudit soit... 26.19; Dt 27.15-26; Jos 6.26; Jr 11.3; 17.5; 20.15.   **14.27** Jonathan n'avait pas entendu 14.17.   **14.32** au-dessus du sang Lv 19.26; Ez 33.25.

bœufs et des veaux, les égorgea sur le sol et mangea au-dessus du sang *u*. ³³ On le rapporta à Saül : « Le peuple, lui dit-on, est en train de pécher contre le SEIGNEUR en mangeant au-dessus du sang ! » Saül dit : « Vous êtes des traîtres ! Roulez vers moi, à l'instant, une grosse pierre ! » ³⁴ Saül dit : « Dispersez-vous parmi le peuple et dites : Que chacun m'amène son bœuf ou son mouton. Vous les égorgerez et les mangerez ici, sans pécher contre le SEIGNEUR en mangeant auprès du sang. » Cette nuit-là, dans tout le peuple, chacun amena le bœuf qu'il détenait, et on égorgea à cet endroit. ³⁵ C'est ainsi que Saül bâtit un *autel au SEIGNEUR : ce fut le premier autel qu'il bâtit au SEIGNEUR.

³⁶ Saül dit : « Descendons à la poursuite des Philistins pendant la nuit : nous les pillerons jusqu'au lever du jour et nous n'en laisserons subsister aucun. » Ils dirent : « Fais tout ce qui te plaît. » Le prêtre dit : « Approchons-nous de Dieu *v* ici même. ». ³⁷ Saül demanda à Dieu : « Dois-je descendre à la poursuite des Philistins ? Les livreras-tu aux mains d'Israël ? » Mais, ce jour-là, Dieu ne lui répondit pas. ³⁸ Saül dit : « Approchez ici, vous tous, les chefs du peuple. Sachez voir en quoi a consisté le péché d'aujourd'hui. ³⁹ Oui, par la vie du SEIGNEUR, le sauveur d'Israël, même s'il s'agit d'une faute de mon fils Jonathan, eh bien, il mourra. » Dans tout le peuple, personne ne lui répondit. ⁴⁰ Saül dit alors à tout Israël : « Vous, mettez-vous d'un côté ; moi et mon fils Jonathan, nous serons de l'autre côté. » Le peuple dit à Saül : « Fais ce qui te semble bon. » ⁴¹ Et Saül dit au SEIGNEUR : « Dieu d'Israël, donne une réponse complète *w* ! » Jonathan et Saül furent désignés, et le peuple fut mis hors de cause. ⁴² Saül dit : « Jetez le sort entre moi et mon fils Jonathan. » Et Jonathan fut désigné. ⁴³ Saül dit à Jonathan : « Raconte-moi ce que tu as fait. » Jonathan le lui raconta. Il dit : « Oui, j'ai goûté un peu de miel au bout du bâton que j'avais à la main. Me voici, prêt à mourir. » ⁴⁴ Saül dit : « Que Dieu fasse ceci et encore cela *x* ! Oui, tu mourras, Jonathan ! » ⁴⁵ Le peuple dit à Saül : « Est-ce que Jonathan va mourir, lui qui a remporté cette grande victoire en Israël ? Ce serait abominable, par la vie du SEIGNEUR ! Il ne tombera pas à terre un seul cheveu de sa tête, car c'est avec Dieu qu'il a agi aujourd'hui même. » Ainsi le peuple libéra Jonathan, et il ne mourut pas. ⁴⁶ Saül remonta de la poursuite des Philistins, et les Philistins regagnèrent leur pays.

Les victoires de Saül. Sa famille

⁴⁷ Quand Saül se fut emparé de la royauté sur Israël, il fit la guerre alentour contre tous ses ennemis, contre Moab, contre les fils d'Ammon, contre Edom, contre les rois de Çova et contre les Philistins et, partout où il se tournait, il faisait du mal *y* ! ⁴⁸ Il montra sa vaillance en battant Amaleq *z*, arrachant ainsi Israël de la main de celui qui le pillait.

⁴⁹ Les fils de Saül étaient Jonathan, Yishwi et Malki-Shoua. Les noms de ses deux filles étaient Mérav pour l'aînée, et Mikal pour la cadette. ⁵⁰ La femme de Saül s'appelait Ahinoam, fille d'Ahimaaç. Le chef de son armée s'appelait Avner, fils de Ner, oncle de Saül. ⁵¹ Qish était le père de Saül, et Ner le père d'Avner. Il était fils d'Aviël. ⁵² La guerre fut acharnée contre les Philistins durant

---

u mangea au-dessus du sang: allusion à une sorte de repas rituel auquel se mêlent des pratiques magiques contraires à la foi d'Israël. Autre traduction *en mangea avec le sang* (comparer Gn 9.4; Lv 17.10-11) ● *v Approchons-nous de Dieu,* c'est-à-dire *Consultons Dieu* ● *w donne une réponse complète:* hébreu peu clair; l'ancienne version grecque suppose un texte hébreu beaucoup plus long: *Et Saül dit: « Seigneur, Dieu d'Israël, pourquoi n'as-tu pas répondu à ton serviteur aujourd'hui? Si la faute est sur moi ou sur Jonathan, mon fils, Seigneur, Dieu d'Israël, donne Ourim; et si la faute est sur ton peuple Israël, donne Toummim. »* (Ourim, Toummim: voir Ex 28.30 et la note) ● *x Que Dieu fasse…:* de nombreux manuscrits hébreux et plusieurs versions anciennes précisent *Que Dieu me fasse…* Par cette formule traditionnelle d'imprécation, une personne demandait à Dieu d'être punie, si elle n'accomplissait pas un serment. Comparer 3.17 et la note ● *y Moab, Ammon, Edom, Çova:* quatre royaumes situés à l'est du Jourdain; *les Philistins:* établis dans le sud-ouest de la Palestine, sur la côte méditerranéenne — *il faisait du mal:* plusieurs versions anciennes disent *il était victorieux,* ce qui semble mieux correspondre au contexte (v. 48) ● *z Amaleq* ou *les Amalécites:* voir Ex 17.8 et la note

---

14.35 bâtit un autel 7.17; Gn 8.20; 12.7-8; Jg 6.24; 2 S 24.18-25.   **14.37** Dieu ne lui répondit pas 28.6.   **14.38** Quel est le péché? Jos 7.11-15.   **14.43** Raconte-moi Jos 7.19.   **14.45** pas un seul cheveu 2 S 14.11; 1 R 1.52; Lc 21.18; Ac 27.34.   **14.49** Mikal 18.17-20; 19.11-17.   **14.52** quelque vaillant 10.26.

tous les jours de Saül. Saül remarquait-il quelque preux, quelque vaillant, il se l'attachait.

Nouvelle faute de Saül

15 [1] Samuel dit à Saül : « C'est moi que le SEIGNEUR a envoyé pour t'*oindre comme roi sur son peuple Israël. Maintenant donc, écoute la voix, les paroles du SEIGNEUR. [2] Ainsi parle le SEIGNEUR, le tout-puissant : Je vais demander compte à Amaleq [a] de ce qu'il a fait à Israël, en lui barrant la route quand il montait d'Egypte. [3] Maintenant donc, va frapper Amaleq. Vous devrez vouer à l'interdit [b] tout ce qui lui appartient. Tu ne l'épargneras point. Tu mettras tout à mort, hommes et femmes, enfants et nourrissons, bœufs et moutons, chameaux et ânes. »
[4] Saül mobilisa le peuple et le passa en revue à Telaïm [c]. Il y avait deux cent mille fantassins et, pour Juda, dix mille hommes. [5] Parvenu à la ville d'Amaleq [d], Saül se mit en embuscade dans le lit du torrent. [6] Saül dit aux Qénites [e] : « Partez, écartez-vous, quittez les rangs d'Amaleq, de peur que je ne te traite comme lui, alors que toi, tu as agi avec fidélité envers tous les fils d'Israël quand ils montaient d'Egypte. » Les Qénites s'écartèrent donc du milieu des Amalécites. [7] Saül frappa Amaleq, depuis Hawila jusqu'à l'entrée de Shour [f], qui est en face de l'Egypte. [8] Il prit vivant Agag, roi d'Amaleq, et il voua tout le peuple à l'interdit, au fil de l'épée. [9] Mais Saül et le peuple épargnèrent Agag et le meilleur du petit bétail, du gros bétail et des secondes portées [g], les agneaux et tout ce qu'il y avait de bon, et ils ne consentirent pas à les vouer à l'interdit. Mais toute la marchandise sans valeur et de mauvaise qualité, ils la vouèrent, elle, à l'interdit.

Dieu rejette Saül

[10] La parole du SEIGNEUR fut adressée à Samuel, en ces termes : [11] « Je me repens d'avoir fait de Saül un roi, car il s'est détourné de moi et il n'a pas mis à exécution mes paroles. » L'émotion gagna Samuel et il cria vers le SEIGNEUR toute la nuit. [12] Samuel se leva de bon matin pour aller à la rencontre de Saül. On vint dire à Samuel : « Sitôt arrivé à Karmel, Saül s'est érigé un monument ; puis il est reparti plus loin et il est descendu à Guilgal [h]. » [13] Samuel se rendit auprès de Saül et Saül lui dit : « Sois béni du SEIGNEUR ! J'ai mis à exécution la parole du SEIGNEUR. » [14] Samuel dit : « Quels sont ces bêlements que j'entends et ces meuglements qui frappent mes oreilles ? » [15] Saül dit : « Ils les ont ramenés de chez les Amalécites. C'est que le peuple a épargné le meilleur des brebis et des bœufs pour sacrifier au SEIGNEUR ton Dieu. Quant au reste, nous l'avons voué à l'interdit [i]. » [16] Samuel dit à Saül : « Assez. Je vais t'annoncer ce que m'a dit le SEIGNEUR cette nuit. » Il lui dit : « Parle. » [17] Samuel dit : « Bien que tu sois peu de chose à tes propres yeux, n'es-tu pas à la tête des tribus d'Israël ? Le SEIGNEUR t'a *oint comme roi d'Israël. [18] Le SEIGNEUR t'a envoyé en expédition et il a dit : "Va. Tu voueras à l'interdit ces pécheurs d'Amalécites et tu les combattras jusqu'à leur extermination." [19] Pourquoi n'as-tu pas écouté la voix du SEIGNEUR, pourquoi t'es-tu jeté sur le butin et as-tu fait ce qui est mal aux yeux du SEIGNEUR ? » [20] Saül dit à Samuel : « J'ai obéi à la voix du SEIGNEUR. Je suis parti en expédition là où le SEIGNEUR m'avait envoyé. J'ai ramené Agag, roi d'Amaleq, et Amaleq lui-même, je l'ai voué à l'interdit. [21] Le peuple a pris sur le butin du petit et du gros bétail, le meilleur de ce que frappait l'interdit, pour sacrifier au SEIGNEUR, ton Dieu, à Guilgal. » [22] Samuel dit alors : « Le SEIGNEUR aime-t-il les holocaustes et les *sacrifices autant que l'obéissance à la parole du SEIGNEUR ?
Non ! L'obéissance est préférable au sacrifice,

---

a *à Amaleq* ou *aux Amalécites (de ce qu'ils ont fait)*: voir Ex 17.8-16 ● b *l'interdit:* voir Dt 2.34 et la note ● c Localité située probablement à 80 km environ au sud de Jérusalem ● d *La ville d'Amaleq* est inconnue ● e Les *Qénites* étaient des nomades vivant dans la même région que les Amalécites ● f *Hawila:* voir Gn 2.11 et la note; *Shour:* voir Ex 15.22 et la note ● g *secondes portées:* mot hébreu obscur, traduction incertaine ● h *Karmel:* localité située à 40 km environ au sud de Jérusalem — *Guilgal:* voir 7.16 et la note ● i *l'interdit:* voir Dt 2.34 et la note

15.1 pour t'oindre 10.1.   **15.3** vouer à l'interdit Jos 6.17-18; 10.28-39.   **15.7** Shour 27.8.   **15.11** Je me repens Gn 6.7; Ex 32.12-14; 2 S 24.16; Jr 18.8-10; Jon 3.10; 4.2.   **15.12** Karmel 25.2.   **15.16** cette nuit 2 S 7.4; cf. 1 S 9.15+.   **15.22** l'obéissance préférable aux sacrifices Es 1.11; Os 6.6; Am 5.22; Mi 6.8; Mt 9.13.

la docilité à la graisse des béliers.
²³ Mais la révolte vaut le péché de divination,
et l'opiniâtreté, la sorcellerie.
Puisque tu as rejeté la parole du SEIGNEUR,
il t'a rejeté, tu n'es plus roi. »
²⁴ Saül dit à Samuel : « J'ai péché, j'ai transgressé l'ordre du SEIGNEUR et tes paroles. C'est que j'ai eu peur du peuple et je lui ai obéi. ²⁵ Maintenant, je t'en prie, pardonne mon péché et reviens avec moi, que je me prosterne devant le SEIGNEUR. » ²⁶ Samuel dit à Saül : « Je ne reviendrai pas avec toi, car tu as rejeté la parole du SEIGNEUR ; le SEIGNEUR t'a rejeté, et tu n'es plus roi d'Israël. »
²⁷ Quand Samuel se retourna pour partir, Saül attrapa le pan de son manteau, qui fut arraché. ²⁸ Samuel lui dit : « Le SEIGNEUR t'a arraché la royauté d'Israël, aujourd'hui, et il l'a donnée à un autre ʲ, meilleur que toi. » ²⁹ Et aussi : « La Splendeur d'Israël ᵏ ne se dément pas et ne se repent pas, car Il n'est pas un homme et n'a pas à se repentir. » ³⁰ Saül dit : « J'ai péché. Maintenant, je t'en prie, rends-moi honneur devant les *anciens de mon peuple et devant Israël. Reviens avec moi : je me prosternerai devant le SEIGNEUR, ton Dieu. » ³¹ Samuel revint à la suite de Saül et Saül se prosterna devant le SEIGNEUR.
³² Samuel dit : « Amenez-moi Agag, roi d'Amaleq. » Agag vint à lui d'un air satisfait ˡ. Il se disait : « Sûrement, l'amertume de la mort est écartée. » ³³ Samuel dit : « Tout comme ton épée a privé des femmes de leurs enfants, que ta mère, entre les femmes, soit privée de son enfant ! » Et Samuel exécuta Agag devant le SEIGNEUR à Guilgal ᵐ. ³⁴ Samuel s'en alla à Rama et Saül remonta chez lui à Guivéa de Saül ⁿ. ³⁵ Samuel ne revit plus Saül jusqu'au jour de sa mort : c'est que Samuel pleurait Saül, car le SEIGNEUR s'était repenti d'avoir fait régner Saül sur Israël.

Samuel oint David comme roi d'Israël

16 ¹ Le SEIGNEUR dit à Samuel : « Vas-tu longtemps pleurer Saül, alors que je l'ai rejeté moi-même et qu'il n'est plus roi d'Israël ? Emplis ta corne d'huile ᵒ et pars. Je t'envoie chez Jessé le Bethléémite, car j'ai vu parmi ses fils le roi qu'il me faut. » ² Samuel dit : « Comment puis-je y aller ? Si Saül l'apprend, il me tuera. » Le SEIGNEUR dit : « Tu prendras avec toi une génisse et tu diras : "Je viens pour offrir un *sacrifice au SEIGNEUR." ³ A l'occasion du sacrifice, tu inviteras Jessé. Alors je te ferai savoir moi-même ce que tu dois faire ; tu donneras pour moi l'*onction à celui que je t'indiquerai. »
⁴ Samuel fit ce que le SEIGNEUR avait dit, il arriva à Bethléem et les *anciens de la ville vinrent en tremblant à sa rencontre. On dit : « C'est une heureuse occasion que t'amène ? » ⁵ Il répondit : « Oui. C'est pour sacrifier au SEIGNEUR que je suis venu. *Sanctifiez-vous et vous viendrez avec moi au sacrifice. » Il sanctifia Jessé et ses fils et les invita au sacrifice.
⁶ Quand ils arrivèrent, Samuel aperçut Eliav et se dit : « Certainement, le messie ᵖ du SEIGNEUR est là, devant lui. » ⁷ Mais le SEIGNEUR dit à Samuel : « Ne considère pas son apparence ni sa haute taille. Je le rejette. Il ne s'agit pas ici de ce que voient les hommes : les hommes voient qui leur saute aux yeux, mais le SEIGNEUR voit le cœur. » ⁸ Jessé appela Avinadav et le fit passer devant Samuel mais Samuel dit : « Celui-ci non plus, le SEIGNEUR ne l'a pas choisi. » ⁹ Jessé fit passer Shamma mais Samuel dit : « Celui-ci non plus, le SEIGNEUR ne l'a pas choisi. » ¹⁰ Jessé fit ainsi passer sept de ses fils devant Samuel et Samuel dit à Jessé : « Le SEIGNEUR n'a choisi aucun de ceux-là. »
¹¹ Samuel dit à Jessé : « Les jeunes gens sont-ils là au complet ? » Jessé répondit : « Il reste encore le plus jeune :

ʲ *à un autre :* allusion à David ; comparer 13.14 et la note ● k L'expression *La Splendeur d'Israël* désigne *Dieu* ● *l d'un air satisfait :* hébreu obscur ; autre traduction *en chancelant* ● m Voir 7.16 et la note ● n *Rama :* voir 1.1 et la note ; *Guivéa de Saül :* voir 10.5 et la note ● o *Emplis ta corne* (= récipient) *d'huile :* pour oindre un nouveau roi (voir v. 13) ● p *messie :* voir 2.10 et la note

15.24 j'ai péché Ex 9.27 ; Nb 22.34 ; 1 Ch 21.17 ; Mt 27.4 ; Lc 15.18. **15.26** le Seigneur t'a rejeté 1 R 11.11. **15.27** le pan du manteau arraché cf. 1 R 11.30-31. **15.29** ne se dément pas Nb 23.19+. **15.33** la mère privée de son fils Jg 5.28. **16.1** Emplis ta corne d'huile 2 R 9.1, 3 — Jessé Es 11.1 ; Rt 4.17-22 ; Ac 13.22 Rm ; 15.12. **16.3** celui que je t'indiquerai Dt 17.15. **16.7** sa haute taille 9.2+ — le Seigneur voit le cœur 1 R 8.39 ; Jr 11.20 ; 12.3 ; Ps 7.10 ; 17.3 ; Pr 15.11 ; 17.3. **16.11** David berger 16.19 ; 17.15, 40 ; *Si* 47.3 ; cf. Ps 23.

il fait paître le troupeau. » Samuel dit à Jessé : « Envoie-le chercher. Nous ne nous mettrons pas à table avant son arrivée. » [12] Jessé le fit donc venir. Il avait le teint clair [q], une jolie figure et une mine agréable. Le SEIGNEUR dit : « Lève-toi, donne-lui l'onction, c'est lui. » [13] Samuel prit la corne d'huile et il lui donna l'onction au milieu de ses frères et l'esprit du SEIGNEUR fondit sur David à partir de ce jour. Samuel se mit en route et partit pour Rama [r].

David entre au service de Saül

[14] L'esprit du SEIGNEUR s'était retiré de Saül et un esprit mauvais, venu du SEIGNEUR, le tourmentait. [15] Les serviteurs de Saül lui dirent : « Voici qu'un esprit mauvais, venu de Dieu, te tourmente. [16] Que notre seigneur parle. Tes serviteurs sont à ta disposition [s] : ils chercheront un homme qui sache jouer de la cithare ; ainsi, quand un esprit mauvais, venu de Dieu, t'assaillira, il en jouera et cela te soulagera. » [17] Saül dit à ses serviteurs : « Trouvez-moi donc un bon musicien et amenez-le-moi. » [18] Un des domestiques répondit : « J'ai vu, justement, un fils de Jessé le Bethléémite. Il sait jouer, c'est un preux [t], un bon combattant, il parle avec intelligence, il est bel homme. Et le SEIGNEUR est avec lui. » [19] Saül envoya des messagers à Jessé. Il lui dit : « Envoie-moi ton fils David, celui qui s'occupe du troupeau. » [20] Jessé prit un âne, du pain, une outre de vin et un chevreau et envoya son fils David les porter à Saül. [21] David arriva auprès de Saül et se mit à son service. Saül se prit d'une vive affection pour lui, et David devint son écuyer. [22] Saül envoya dire à Jessé : « Que David reste donc à mon service, car il me plaît. » [23] Ainsi, lorsque l'esprit de Dieu assaillait Saül, David prenait la cithare et il en jouait. Alors Saül se calmait, se sentait mieux et l'esprit mauvais se retirait de lui.

Le Philistin Goliath défie l'armée d'Israël

17 [1] Les Philistins rassemblèrent leurs armées pour la guerre. Ils se rassemblèrent à Soko de Juda et ils campèrent entre Soko et Azéqa [u], à Efès-Dammim. [2] Saül et les hommes d'Israël se rassemblèrent et campèrent dans la vallée du Térébinthe [v], et ils se rangèrent en bataille face aux Philistins. [3] Les Philistins se tenaient sur la montagne d'un côté ; les Israélites se tenaient sur la montagne de l'autre côté ; la vallée était entre eux. [4] Un champion sortit du camp philistin. Il s'appelait Goliath et il était de Gath. Sa taille était de six coudées et un empan [w]. [5] Il était coiffé d'un casque de bronze et revêtu d'une cuirasse à écailles. Le poids de la cuirasse était de cinq mille sicles [x] de bronze. [6] Il avait aux jambes des jambières de bronze, et un javelot de bronze en bandoulière. [7] Le bois de sa lance était comme l'ensouple des tisserands et la pointe de sa lance pesait six cents sicles de fer. Le porte-bouclier marchait devant lui.

[8] Il se campa, et il interpella les lignes d'Israël. Il leur dit : « A quoi bon sortir vous ranger en bataille ? Ne suis-je pas le Philistin et vous, des esclaves de Saül ? Choisissez-vous un homme et qu'il descende vers moi ! [9] S'il est assez fort pour lutter avec moi et qu'il me batte, nous serons vos esclaves. Si je suis plus fort que lui et que je le batte, vous serez nos esclaves et vous nous servirez. » [10] Le Philistin dit : « Moi, aujourd'hui, je lance le défi aux lignes d'Israël : donnez-moi un homme, pour que nous combattions ensemble ! » [11] Saül et tout Israël entendirent ces paroles du Philistin et furent écrasés de terreur.

David envoyé par son père au camp d'Israël

[12] David était le fils de cet Ephratéen [y] de Bethléem de Juda, qui s'appelait Jessé

---

[q] *Il avait le teint clair :* autre traduction *Il était roux* ● [r] Voir 1.1 et la note ● [s] *tes serviteurs sont...,* c'est-à-dire *nous sommes à ta disposition* ● [t] *un preux* ou *un vaillant homme* ● [u] *Soko, Azéqa :* deux localités situées à 30 km environ au sud-ouest de Jérusalem ● [v] La *vallée du Térébinthe* se trouve au sud de Soko et Azéqa ● [w] *Gath :* voir 5.8 et la note — *six coudées et un empan :* plus de 2.80 m ; voir au glossaire POIDS ET MESURES ● [x] *cinq mille sicles :* environ 60 kg ; voir au glossaire POIDS ET MESURES ● [y] *Ephratéen :* originaire du clan judéen d'Ephrata

16.13 il lui donna l'onction 10.1 ; 1 R 1.39 ; 2 R 9.6 —l'esprit du Seigneur fondit sur David 11.6+. **16.14** un esprit mauvais 18.10 ; 19.9. **16.17** un musicien 2 R 3.15 ; cf. *Si* 47.8. **16.18** David, un preux Ps 89.20. **17.4-7** le champion philistin 2 S 21.15-22. **17.8** des esclaves 8.17. **17.10** combat singulier cf. 2 S 2.14-15.

et avait huit fils. Cet homme était âgé au temps de Saül, il avait fourni des hommes. [13] Les trois fils aînés de Jessé s'en étaient donc allés. Ils avaient suivi Saül à la guerre. Les trois fils de Jessé qui étaient allés à la guerre s'appelaient, l'aîné Eliav, le second Avinadav, et le troisième Shamma. [14] David était le plus jeune ; les trois aînés avaient suivi Saül, [15] mais David allait chez Saül et en revenait pour paître le troupeau de son père à Bethléem.

[16] Le Philistin s'avança matin et soir et il se présenta ainsi pendant quarante jours.

[17] Jessé dit à son fils David : « Prends donc pour tes frères cette mesure de pain grillé et ces dix pains et cours les porter au camp à tes frères. [18] Et ces dix fromages, tu les porteras au chef de millier [z]. Tu prendras des nouvelles de la santé de tes frères et tu recevras d'eux un gage. [19] Saül est avec eux et avec tous les hommes d'Israël dans la vallée du Térébinthe [a], en train de se battre contre les Philistins. »

[20] David se leva de bon matin, laissa le troupeau à un gardien, prit sa charge, s'en alla, suivant l'ordre de Jessé, et arriva au campement. L'armée, qui allait rejoindre le front, poussait le cri de guerre. [21] Israélites et Philistins prirent position, front contre front. [22] David laissa les bagages, dont il s'était déchargé, entre les mains du gardien des bagages, puis il courut au front et vint saluer ses frères. [23] Comme il parlait avec eux, voici que montait, des lignes philistines, le champion appelé Goliath, le Philistin de Gath. Il tint le même discours [b], et David l'entendit. [24] En voyant cet homme, tous les hommes d'Israël eurent très peur et s'enfuirent. [25] Les hommes d'Israël disaient : « Avez-vous vu cet homme qui monte ? C'est pour défier Israël qu'il monte. Qu'un homme le batte, et le roi le fera très riche. Il lui donnera sa fille et, à sa famille, des privilèges en Israël. »

David s'offre pour combattre Goliath

[26] David dit aux hommes qui se tenaient près de lui : « Que fera-t-on pour l'homme qui battra ce Philistin et qui écartera la honte d'Israël ? Qui est-il, en effet, ce Philistin *incirconcis pour qu'il ait défié les lignes du Dieu vivant ? » [27] Les gens lui répondirent de la même manière : « Voilà ce qu'on fera pour l'homme qui le battra. »

[28] Eliav, son frère aîné, entendit David parler aux hommes. Il se mit en colère contre lui et lui dit : « Pourquoi donc es-tu descendu ? A qui as-tu laissé ton petit troupeau dans le désert ? Je connais, moi, ta turbulence et tes mauvaises intentions : c'est pour voir la bataille que tu es descendu. » [29] David dit : « Mais qu'ai-je fait ? Je n'ai fait que parler. » [30] Il le quitta et, s'adressant à un autre, il lui répéta sa question. Les gens lui firent la même réponse qu'auparavant.

[31] Cependant, les paroles prononcées par David avaient été entendues, et on les avait rapportées à Saül. Celui-ci le fit venir. [32] David dit à Saül : « Que personne ne se décourage à cause de ce Philistin, ton serviteur ira le combattre. » [33] Saül dit à David : « Tu es incapable d'aller te battre contre ce Philistin, tu n'es qu'un gamin et lui est un homme de guerre depuis sa jeunesse. » [34] David dit à Saül : « Ton serviteur était berger chez son père. S'il venait un lion, et même un ours, pour enlever une brebis du troupeau, [35] je partais à sa poursuite, je le frappais et le lui arrachais de la gueule. Quand il m'attaquait, je le saisissais par les poils et je le frappais à mort. [36] Ton serviteur a frappé et le lion et l'ours. Ce Philistin incirconcis sera comme l'un d'entre eux, car il a défié les lignes du Dieu vivant. » [37] David dit : « Le Seigneur qui m'a arraché aux griffes du lion et de l'ours, c'est lui qui m'arrachera de la main de ce Philistin. » Saül dit à David : « Va, et que le Seigneur soit avec toi. »

David tue Goliath

[38] Saül revêtit David de ses propres habits, lui mit sur la tête un casque de bronze et le revêtit d'une cuirasse. [39] David ceignit aussi l'épée de Saül par-dessus ses habits et essaya en vain de marcher, car il n'était pas entraîné. David dit à Saül : « Je ne pourrai pas marcher avec

---

z *millier:* voir Nb 1.16 et la note ● a *vallée du Térébinthe:* voir v. 2 et la note ● b *Gath:* voir 5.8 et la note — *le même discours:* voir v. 8-10

17.15 David berger 16.11+. **17.25** il lui donnera sa fille 18.27; Jos 15.16. **17.34** un lion ou un ours Si 47.3. **17.37** Que le Seigneur soit avec toi 18.12; 20.13; Ex 10.10; 2 S 14.17; 1 R 8.57; 1 Ch 22.11; 2 Ch 36.23.

tout cela, car je ne suis pas entraîné.» Et David s'en débarrassa. ⁴⁰ Il prit en main son bâton, se choisit dans le torrent cinq pierres bien lisses, les mit dans son sac de berger, dans la sacoche, et, la fronde à la main, s'avança contre le Philistin. ⁴¹ Le Philistin, précédé de son porte-bouclier, se mit en marche, s'approchant de plus en plus de David. ⁴² Le Philistin regarda et, quand il aperçut David, il le méprisa : c'était un gamin, au teint clair ᶜ et à la jolie figure. ⁴³ Le Philistin dit à David : « Suis-je un chien pour que tu viennes à moi armé de bâtons ? » Et le Philistin maudit David par ses dieux. ⁴⁴ Le Philistin dit à David : « Viens ici, que je donne ta chair aux oiseaux du ciel et aux bêtes des champs. » ⁴⁵ David dit au Philistin : « Toi, tu viens à moi armé d'une épée, d'une lance et d'un javelot ; moi, je viens à toi armé du *nom du SEIGNEUR, le tout-puissant, le Dieu des lignes d'Israël, que tu as défié. ⁴⁶ Aujourd'hui même, le SEIGNEUR te remettra entre mes mains : je te frapperai et je te décapiterai. Aujourd'hui même, je donnerai les cadavres de l'armée philistine aux oiseaux du ciel et aux animaux de la terre. Et toute la terre saura qu'il y a un Dieu pour Israël. ⁴⁷ Et toute cette assemblée le saura : ce n'est ni par l'épée, ni par la lance que le SEIGNEUR donne la victoire, mais le SEIGNEUR est le maître de la guerre et il vous livrera entre nos mains. » ⁴⁸ Tandis que le Philistin s'ébranlait pour affronter David et s'approchait de plus en plus, David courut à toute vitesse pour se placer et affronter le Philistin. ⁴⁹ David mit prestement la main dans son sac, y prit une pierre, la lança avec la fronde et frappa le Philistin au front. La pierre s'enfonça dans son front et il tomba la face contre terre. ⁵⁰ Ainsi David triompha du Philistin par la fronde et la pierre. Il frappa le Philistin et le tua. Il n'y avait pas d'épée dans la main de David. ⁵¹ David courut, s'arrêta près du Philistin, lui prit son épée en la tirant du fourreau et avec elle acheva le Philistin

et lui trancha la tête. Voyant que leur héros était mort, les Philistins prirent la fuite. ⁵² Les hommes d'Israël et de Juda s'ébranlèrent en poussant le cri de guerre et poursuivirent les Philistins jusqu'à l'entrée de la vallée et jusqu'aux portes d'Eqrôn. Des cadavres de Philistins gisaient sur la route de Shaaraïm, et jusqu'à Gath et à Eqrôn ᵈ. ⁵³ Après une chaude poursuite, les fils d'Israël revinrent piller le camp des Philistins. ⁵⁴ David prit la tête du Philistin et l'apporta à Jérusalem et il mit ses armes dans sa propre tente.

Jonathan fait alliance avec David

⁵⁵ Voyant David partir pour affronter le Philistin, Saül avait dit à Avner, le chef de l'armée : « De qui ce garçon est-il le fils, Avner ? » Et Avner avait dit : « Par ta vie, ô roi, je ne sais pas. » ⁵⁶ Le roi avait dit : « Demande toi-même de qui ce jeune homme est le fils. » ⁵⁷ Lorsque David revint, après avoir abattu le Philistin, Avner le prit et l'amena devant Saül. Il avait à la main la tête du Philistin. ⁵⁸ Saül lui dit : « De qui es-tu le fils, mon garçon ? » David dit : « Je suis le fils de ton serviteur, Jessé le Bethléémite. »

18 ¹ Or, dès que David eut fini de parler à Saül, Jonathan s'attacha à David et l'aima comme lui-même. ² Ce jour-là, Saül retint David et ne le laissa pas retourner chez son père. ³ Alors, Jonathan fit alliance avec David, parce qu'il l'aimait comme lui-même. ⁴ Jonathan se dépouilla du manteau qu'il portait et le donna à David, ainsi que ses habits, et jusqu'à son épée, son arc et son ceinturon. ⁵ Dans ses expéditions, partout où l'envoyait Saül, David réussissait. Saül le mit à la tête des hommes de guerre. Il était bien vu de tout le peuple et aussi des serviteurs de Saül.

Saül essaie de tuer David

⁶ A leur arrivée, quand David revint après avoir battu le Philistin, les femmes sortirent de toutes les villes d'Israël, en

---

ᶜ *au teint clair:* voir 16.12 et la note ● ᵈ *Shaaraïm:* endroit non identifié — *Gath, Eqrôn:* voir 5.8, 10 et les notes

---

17.40 David berger 16.11+. **17.43** suis-je un chien ? 2 S 3.8. **17.44** aux oiseaux et aux bêtes Dt 28.26; Jr 19.7. **17.45** armé du nom du Seigneur Ps 20.8-9. **17.46** toute la terre saura 1 R 18.37; 2 R 19.19; cf. 1 R 20.13, 28. **17.47** Le Seigneur donne la victoire Dt 33.29; 2 S 23.10; Ps 118.16; 1 Co 15.57. **17.50** pas d'épée Jg 3.31; 15.15. **18.1** Jonathan s'attacha à David 19.1-7; 20; 23.16-18; 2 S 1.26. **18.5** ses expéditions 18.14, 16, 30; 23.5; 27.8-11; 30.1-20. **18.6** chantant et dansant 21.12; Ex 15.20; Jg 5.1; 11.34; Jdt 15.12.

chantant et en dansant, à la rencontre du roi Saül, au son des tambourins, des cris de joie et des sistres ^e. ⁷ Et les femmes, qui s'ébattaient, chantaient en chœur : « Saül en a battu des mille et David, des myriades. »

⁸ Saül fut très irrité. Le mot lui déplut. Il dit : « On attribue les myriades à David, et à moi les mille. Il ne lui manque plus que la royauté ! » ⁹ Et Saül regarda David de travers à partir de ce jour-là.

¹⁰ Le lendemain, un esprit mauvais, venu de Dieu, fondit sur Saül, et il entra en transe dans sa maison. David jouait de son instrument comme les autres jours et Saül avait sa lance en main. ¹¹ Saül brandit la lance et dit : « Je vais clouer David au mur ! » Mais David, par deux fois, l'évita. ¹² Saül craignit David, car le SEIGNEUR était avec lui et s'était retiré de Saül. ¹³ Saül l'écarta d'auprès de lui en le nommant chef de millier ^f. David partait et rentrait à la tête du peuple, ¹⁴ il réussissait dans toutes ses expéditions, et le SEIGNEUR était avec lui. ¹⁵ Voyant ses grands succès, Saül eut peur de lui. ¹⁶ Mais tout Israël et Juda aimaient David, parce que c'était lui qui partait et rentrait à leur tête.

David épouse Mikal, fille de Saül

¹⁷ Saül dit à David : « Voici ma fille aînée Mérav. C'est elle que je te donnerai pour femme. Mais sois vaillant à mon service et livre les guerres du SEIGNEUR. » Saül s'était dit : « Ne portons pas la main sur lui, que les Philistins le fassent. » ¹⁸ David dit à Saül : « Qui suis-je, qu'est mon lignage, le clan de mon père, en Israël, pour que je devienne le gendre du roi ? » ¹⁹ Et au moment où Mérav, fille de Saül, devait être donnée à David, elle fut donnée pour femme à Adriël de Mehola ^g.

²⁰ Mikal, fille de Saül, s'éprit de David. On en informa Saül, et l'affaire lui parut bonne. ²¹ Saül se disait : « Je vais la lui donner, afin qu'elle soit un piège pour lui et que des Philistins mettent la main sur lui. » Saül a donc dit à David en

deux occasions : « Tu seras mon gendre aujourd'hui. » ²² Saül donna cet ordre à ses serviteurs : « Parlez à David en secret. Dites-lui : Le roi te veut du bien et tous ses serviteurs t'aiment. Deviens donc le gendre du roi ! » ²³ Les serviteurs de Saül répétèrent ces paroles aux oreilles de David. David déclara : « Tenez-vous pour négligeable d'être le gendre du roi ? Or, moi je suis un homme pauvre et négligeable. » ²⁴ Les serviteurs de Saül lui rapportèrent ces paroles : « Voilà, dirent-ils, comment David a parlé. »

²⁵ Saül dit : « Vous parlerez ainsi à David : Le roi ne veut pour don nuptial que cent prépuces de Philistins ^h, pour tirer vengeance des ennemis du roi. » Saül comptait ainsi faire tomber David aux mains des Philistins. ²⁶ Les serviteurs de Saül rapportèrent à David ces paroles. La proposition parut bonne à David pour devenir le gendre du roi. Le délai n'était pas écoulé ²⁷ que David se mit en route et partit avec ses hommes. Il abattit, parmi les Philistins, deux cents hommes. David apporta leurs prépuces, dont on fit le compte devant le roi, pour que David devienne le gendre du roi. Et Saül lui donna pour femme sa fille Mikal.

²⁸ Saül vit et comprit que le SEIGNEUR était avec David et que Mikal, fille de Saül, l'aimait. ²⁹ Saül craignit encore plus David et Saül lui devint définitivement hostile. ³⁰ Les chefs des Philistins firent une sortie. A chacune de leurs sorties, David remportait plus de succès que tous les serviteurs de Saül, de sorte que son nom devint illustre.

Jonathan prend la défense de David

19 ¹ Saül parla à son fils Jonathan et à tous ses serviteurs d'un projet de faire mourir David. Or, Jonathan, fils de Saül, aimait beaucoup David. ² Jonathan informa David : « Mon père Saül, dit-il, cherche à te faire mourir. Tiens-toi sur tes gardes demain matin, reste à l'abri et cache-toi. ³ Pour moi, je sortirai et je me tiendrai près de mon père dans le champ où tu seras. Je par-

---

e sistres ou *triangles* (instruments de musique) ● *f millier:* voir Nb 1.16 et la note ● *g de Mehola* ou *d'Avel-Mehola:* voir Jg 7.22 et la note ● *h don nuptial:* pour se marier, un fiancé devait offrir au père de la fiancée un cadeau, généralement sous forme d'argent (voir Gn 34.12) — *cent prépuces de Philistins:* les Philistins étaient des incirconcis; voir au glossaire CIRCONCISION

18.7 Saül en a battu... 21.12; 29.5. **18.10** un esprit mauvais 16.14+. **18.12** craignit David 18.29 — le Seigneur était avec lui 16.18; 17.37; Gn 39.2; Nb 23.21; 2 S 5.10; 2 R 18.7. **18.16** qui partait et rentrait 2 S 5.2. **18.17** ma fille 17.25 — les guerres du Seigneur 25.28. **18.19** Adriël de Mehola 2 S 21.8. **18.27** sa fille 17.25. **18.28** le Seigneur était avec David 18.12+. **19.1** Jonathan aimait David 18.1+.

lerai de toi à mon père ; je verrai ce qu'il en est et je t'en informerai.»

[4] Jonathan parla à son père Saül en faveur de David. Il lui dit : « Que le roi ne pèche pas contre son serviteur David, car il n'a point péché contre toi et ses hauts faits sont pour toi une excellente chose. [5] Au péril de sa vie, il a battu le Philistin, et le SEIGNEUR a accompli une grande victoire pour tout Israël. Tu l'as vu et tu t'es réjoui. Pourquoi donc pécherais-tu en répandant le sang d'un innocent, en faisant mourir David sans motif ? » [6] Saül écouta la voix de Jonathan et Saül fit ce serment : « Par la vie du SEIGNEUR, il ne sera pas mis à mort !» [7] Jonathan appela David et lui rapporta toutes ces paroles. Puis Jonathan amena David à Saül et David fut à son service comme par le passé.

David sauvé par Mikal

[8] Comme la guerre avait repris, David partit combattre les Philistins. Il leur porta un coup très dur et ils s'enfuirent devant lui.

[9] Un esprit mauvais, venu du SEIGNEUR, s'empara de Saül. Il était assis dans sa maison, la lance à la main, tandis que David jouait de son instrument. [10] Saül chercha à clouer David au mur avec sa lance, mais David esquiva le coup de Saül et la lance de Saül se planta dans le mur. David prit la fuite et s'échappa cette nuit-là.

[11] Saül envoya des émissaires à la maison de David pour le surveiller et le mettre à mort le lendemain matin. Sa femme Mikal en informa David et lui dit : « Si tu ne sauves pas ta vie cette nuit, demain tu seras mis à mort.» [12] Mikal fit descendre David par la fenêtre. Il prit la fuite et fut sauvé. [13] Mikal prit l'idole, la plaça sur le lit, mit à son chevet le filet [i] en poil de chèvre et la couvrit d'un vêtement. [14] Saül envoya des émissaires pour s'emparer de David. Mikal dit : « Il est malade.» [15] Saül envoya les émissaires pour voir David. Il leur dit : « Apportez-le-moi dans son lit pour que je le mette

à mort.» [16] Quand les émissaires entrèrent, il n'y avait dans le lit que l'idole avec le filet en poil de chèvre à son chevet ! [17] Saül dit à Mikal : « Pourquoi m'as-tu trompé de la sorte ? Tu as laissé partir mon ennemi et il s'est sauvé !» Mikal dit à Saül : « C'est lui qui m'a dit : "Laisse-moi partir. Devrai-je te mettre à mort ?"»

David et Saül à Rama

[18] S'étant ainsi sauvé par la fuite, David arriva chez Samuel à Rama et il l'informa de tout ce que lui avait fait Saül. Lui et Samuel allèrent habiter aux Nayoth [j]. [19] On vint dire à Saül : « Voici que David est aux Nayoth de Rama.» [20] Saül envoya des émissaires pour s'emparer de David. Ils aperçurent la communauté [k] des *prophètes en train de prophétiser, et Samuel debout à leur tête. L'esprit de Dieu s'empara des émissaires de Saül, et ils entrèrent en transe eux aussi. [21] On le rapporta à Saül qui envoya d'autres émissaires ; ils entrèrent en transe eux aussi. Saül envoya un troisième groupe d'émissaires ; ils entrèrent en transe eux aussi. [22] Il partit lui-même pour Rama et parvint à la grande citerne qui se trouve à Sékou [l]. Il demanda : « Où sont Samuel et David ?» On lui dit : « Aux Nayoth de Rama !» [23] Il se rendit là-bas, aux Nayoth de Rama. L'esprit de Dieu s'empara de lui aussi et il continua à marcher en état de transe jusqu'à son arrivée aux Nayoth de Rama. [24] Lui aussi se dépouilla de ses vêtements et il fut en transe, lui aussi, devant Samuel. Puis, nu, il s'écroula et resta ainsi toute la journée et toute la nuit. Voilà pourquoi on dit : « Saül est-il aussi parmi les prophètes ?»

Jonathan conclut un pacte avec David

20 [1] David s'enfuit des Nayoth de Rama [m], et vint dire devant Jonathan : « Qu'ai-je fait, quelle est ma faute et quel est mon péché vis-à-vis de ton père pour qu'il en veuille à ma vie ?» [2] Jonathan lui répondit : « Ce serait abo-

---

[i] filet: mot hébreu obscur, traduction incertaine ● [j] Rama: voir 1.1 et la note — Nayoth: endroit inconnu ; mais le mot hébreu pourrait aussi être un nom commun, signifiant cellules ● [k] la communauté: le mot hébreu est obscur ; autre traduction l'assemblée ● [l] Endroit non identifié ● [m] Nayoth de Rama: voir 19.18 et la note

19.5 le sang d'un innocent Dt 19.10, 13; 21.8-9; 27.25; 2 R 21.16; 24.4.   **19.9** un esprit mauvais 16.14+.   **19.11** Saül envoya Ps 59.1.   **19.12** le fit descendre par la fenêtre Jos 2.15; Ac 9.25; 2 Co 11.32-33.   **19.21** d'autres émissaires 2 R 1.9-14.   **19.23** en état de transes 10.6, 10.   **19.24** parmi les prophètes 10.12.   **20.1** quel est mon péché? 24.12; 26.18.

minable ! Tu ne mourras pas. Voyons, mon père ne fait absolument rien sans m'en avertir. Pourquoi donc mon père m'aurait-il caché cette affaire ? C'est impossible.» [3] David dit encore avec serment : « Ton père sait très bien que je suis en faveur auprès de toi. Il s'est dit : "Que Jonathan n'en sache rien, afin qu'il n'ait pas de peine." Mais, par la vie du SEIGNEUR et par ta propre vie, il n'y a qu'un pas entre moi et la mort !» [4] Jonathan dit à David : « Ce que tu désires, je le ferai pour toi.» [5] David dit à Jonathan : « Voici demain la nouvelle lune [n], et moi, je devrais m'asseoir auprès du roi pour manger. Mais tu me laisseras partir et je me cacherai dans la campagne jusqu'au soir, après-demain. [6] Si ton père remarque mon absence, tu lui diras : "David a insisté pour avoir la permission de faire un saut à Bethléem, sa ville, car on y célèbre le *sacrifice annuel pour tout le clan." [7] Si le roi dit : "C'est bien !", alors ton serviteur est tranquille [o]. Mais s'il se met en colère, sache qu'il a décidé ma perte. [8] Agis avec fidélité à l'égard de ton serviteur, puisque tu lui as fait contracter une alliance avec toi au nom du SEIGNEUR. D'ailleurs, si je suis coupable en quoi que ce soit, fais-moi mourir toi-même ; pourquoi me faire venir devant ton père ?» [9] Jonathan dit : « Ce serait abominable ! Si vraiment je sais que mon père a décidé ta perte, je t'en informerai, je te le jure.» [10] David dit à Jonathan : « Qui m'informera si ton père te répond durement ?» [11] Jonathan dit à David : « Viens, sortons dans la campagne !» Ils sortirent donc tous les deux dans la campagne.

[12] Jonathan dit à David : « Par le SEIGNEUR, le Dieu d'Israël, oui, je sonderai les intentions de mon père, demain ou après-demain, à cette heure-ci. Si tout va bien pour David et qu'en ce cas je ne te fasse pas avertir, [13] que le SEIGNEUR fasse à Jonathan ceci et encore cela [p] ! S'il plaît à mon père d'amener sur toi le malheur, je t'avertirai, et je te ferai partir et tu t'en iras tranquille. Et que le SEIGNEUR soit avec toi comme il fut avec

mon père ! [14] N'est-ce pas ? si je reste en vie, tu devras agir envers moi avec la fidélité qu'exige le SEIGNEUR. Et si je meurs, n'est-ce pas ? [15] tu ne devras jamais retirer à ma maison [q] ta fidélité, pas même quand le SEIGNEUR retirera les ennemis de David, un par un, de la surface de la terre.» [16] Et Jonathan conclut un pacte avec la maison de David : « ...et le SEIGNEUR en demandera compte à David, ou plutôt à ses ennemis !» [17] Jonathan fit encore prêter serment à David, dans son amitié pour lui, car il l'aimait comme lui-même. [18] Jonathan lui dit : « C'est demain la nouvelle lune [r]. On remarquera ton absence, car ton siège restera vide. [19] Tu recommenceras après-demain. Tu descendras beaucoup. Tu iras à l'endroit où tu étais caché le jour de l'affaire et tu t'assiéras auprès de la pierre Ezel [s]. [20] Quant à moi, je tirerai ces trois flèches sur le côté, en visant ma cible. [21] Alors j'enverrai le garçon : "Va, retrouve les flèches !" Si je dis au garçon : "Les flèches sont en deçà de toi, ramasse-les !" alors, viens ; tu peux être tranquille, c'est qu'il ne se passe rien, par la vie du SEIGNEUR. [22] Mais si je dis au jeune homme : "Les flèches sont au-delà de toi", va-t'en, car le SEIGNEUR te fait partir. [23] Quant à la parole que nous avons échangée, toi et moi, le SEIGNEUR est entre toi et moi à jamais.» [24] David se cacha donc dans la campagne.

La haine de Saül contre David

La nouvelle lune arriva, et le roi s'assit à table pour le repas. [25] Le roi s'assit sur son siège, comme à l'ordinaire, sur le siège placé contre le mur. Jonathan leva. Avner s'assit à côté de Saül. La place de David resta vide. [26] Saül ne dit rien ce jour-là, car il se disait : « C'est un accident. Il n'est pas pur [t]. C'est certain. » [27] Or, le lendemain de la nouvelle lune, le second jour, la place de David resta vide. Saül dit à son fils Jonathan : « Pourquoi le fils de Jessé n'est-il venu au repas ni hier ni aujourd'hui ?» [28] Jo-

---

n nouvelle lune ou *néoménie ● o ton serviteur est tranquille, c'est-à-dire je suis tranquille ● p que le Seigneur fasse...: voir 14.44 et la note ● q ma maison ou ma famille, mes descendants ● r nouvelle lune ou *néoménie ● s Le texte hébreu du v. 19 est obscur ; il fait allusion à un épisode inconnu (l'affaire), et mentionne un endroit également inconnu (la pierre Ezel) ● t Il n'est pas pur: un homme en état d'impureté n'était pas autorisé à participer à un repas de fête religieuse (voir par exemple Lv 7.21)

20.3 en faveur auprès de toi 18.1+. 20.5 nouvelle lune Nb 28.11. 20.8 une alliance avec toi 18.3. 20.13 que le Seigneur soit avec toi 17.37+ — comme avec mon père 10.7. 20.15 ta fidélité à ma maison 24.22 ; 2 S 9 ; 21.7.

nathan répondit à Saül : « David a insisté pour aller jusqu'à Bethléem. ²⁹ Il m'a dit : "Laisse-moi partir, je t'en prie, car nous avons un *sacrifice de famille dans la ville", et : "Mon frère lui-même me l'a ordonné. Donc, si tu m'es favorable, permets-moi de m'échapper pour aller voir mes frères." C'est pourquoi il n'est pas venu à la table du roi. » ³⁰ Saül se mit en colère contre Jonathan et il lui dit : « Fils d'une dévoyée ! Je sais bien que tu prends parti pour le fils de Jessé, à ta honte et à la honte du sexe de ta mère ! Car aussi longtemps que le fils ³¹ de Jessé vivra sur la terre, tu ne pourras t'affermir et ta royauté non plus. Maintenant, fais-le saisir, et qu'on me l'amène, car il mérite la mort. » ³² Jonathan répondit à son père Saül et lui dit : « Pourquoi serait-il mis à mort ? Qu'a-t-il fait ? » ³³ Saül brandit la lance contre lui pour le frapper, Jonathan sut alors que c'était chose décidée de la part de son père de mettre à mort David. ³⁴ Jonathan, en colère, se leva de table, et il ne mangea rien en ce second jour de la nouvelle lune, car il avait de la peine au sujet de David, car son père l'avait insulté.

Jonathan avertit David

³⁵ Or, le lendemain matin, Jonathan sortit dans la campagne au rendez-vous avec David. Il avait avec lui un petit garçon. ³⁶ Il dit à son garçon : « Cours, retrouve-moi les flèches que je vais tirer ! » Le garçon courut et Jonathan tira la flèche de manière à le dépasser. ³⁷ Le garçon parvint à l'endroit où se trouvait la flèche que Jonathan avait tirée et Jonathan cria derrière le garçon : « Est-ce que la flèche n'est pas au-delà de toi ? » ³⁸ Jonathan cria derrière le garçon : « Vite, dépêche-toi, ne t'arrête pas ! » Le garçon de Jonathan ramassa la flèche et revint vers son maître. ³⁹ Le garçon ne savait rien ; mais Jonathan et David savaient. ⁴⁰ Jonathan donna ses armes à son garçon et il lui dit : « Va les reporter à la ville ! » ⁴¹ Le garçon rentra. David se

leva du côté du midi. Il tomba la face contre terre et se prosterna trois fois. Puis ils s'embrassèrent et pleurèrent ensemble jusqu'à ce que David eût pris le dessus ᵘ. ⁴² Jonathan dit à David : « Va tranquille, puisque nous avons l'un et l'autre prêté ce serment au nom du SEIGNEUR : que le SEIGNEUR soit entre toi et moi, entre ta descendance et ma descendance, à jamais ! »

21 ¹ David se mit en route et s'en alla, et Jonathan rentra en ville.

David à Nov, chez le prêtre Ahimélek

² David arriva à Nov ᵛ, chez le prêtre Ahimélek. Ahimélek vint en tremblant à la rencontre de David et lui dit : « Pourquoi es-tu seul et sans escorte ? » ³ David dit au prêtre Ahimélek : « Le roi m'a donné un ordre et m'a dit : "Personne ne doit rien savoir de la mission que je t'ai confiée." Quant aux garçons ʷ, je leur ai donné rendez-vous à tel endroit. ⁴ Mais qu'as-tu sous la main ? Donne-moi cinq pains ou ce qui se trouvera. » ⁵ Le prêtre répondit à David : « Je n'ai pas sous la main de pain ordinaire, mais il y a du pain consacré ˣ, si toutefois les garçons se sont gardés des femmes. » ⁶ David répondit au prêtre : « Bien sûr, les femmes nous ont été interdites, comme précédemment, quand je partais en campagne : les affaires des garçons étaient en état de *sainteté. Ce voyage-ci est profane, mais vraiment, aujourd'hui, il est sanctifié en cette affaire ʸ. » ⁷ Le prêtre lui donna donc du pain consacré, car il n'y avait pas là d'autre pain que les pains d'oblation, ceux qu'on retire de la table du SEIGNEUR, pour y mettre du pain chaud, le jour où on le prend.

⁸ Or il y avait, le même jour, retenu devant le SEIGNEUR, un des serviteurs de Saül. Il s'appelait Doëg l'Edomite et il était le chef des bergers de Saül.

⁹ David dit à Ahimélek : « As-tu ici sous la main une lance ou une épée ? Je n'ai emporté ni mon épée ni mes armes, car la mission du roi était urgente. » ¹⁰ Le prêtre dit : « Il y a l'épée de Goliath le Philistin, que tu as abattu dans la

---

u eût pris le dessus: texte obscur et traduction incertaine ● *v* Localité proche de Jérusalem (au nord), mais non identifiée avec certitude ● *w garçons* ou *jeunes gens,* c'est-à-dire les compagnons de David ● *x du pain consacré:* voir Lv 24.5-9 ● *y* Le texte hébreu du v. 6 n'est pas très clair. De plus la réponse de David est volontairement ambiguë: il ne veut pas avouer à Ahimélek qu'il est en fuite, et non en mission officielle

---

20.32 Qu'a-t-il fait? 19.4-5. **20.33** brandit sa lance 18.11; 19.10. **21.7** les pains d'oblation Ex 25.30; Mt 12.3-4 par. **21.8** Doëg 22.9, 18, 22.

vallée du Térébinthe : elle est là, enveloppée dans un manteau derrière l'éphod *z*. Si tu veux la prendre pour toi, prends-la, car il n'y en a pas d'autre ici. » David dit : « Elle n'a pas sa pareille. Donne-la-moi. »

David chez les Philistins de Gath

¹¹ David se mit en route et s'enfuit ce jour-là loin de Saül. Il arriva chez Akish, le roi de Gath *a*. ¹² Les serviteurs d'Akish dirent à celui-ci : « N'est-ce pas là, David, le roi du pays ? N'est-ce pas de lui qu'on chantait en dansant : "Saül en a battu des mille et David, des myriades" ? » ¹³ David fut frappé par ces mots et il eut très peur d'Akish, roi de Gath. ¹⁴ Alors, il simula la folie sous leurs yeux et se mit à divaguer entre leurs mains, à tracer des signes sur les battants de la porte et à baver dans sa barbe. ¹⁵ Akish dit alors à ses serviteurs : « Vous voyez bien que c'est un fou. Pourquoi me l'amenez-vous ? ¹⁶ Est-ce que je manque de fous, que vous ameniez celui-ci pour faire le fou auprès de moi ? Est-ce que cet individu entrera dans ma maison ? »

David devient chef de bande

22 ¹ David partit de là et se sauva dans la grotte d'Adoullam *b*. Ses frères et toute la maison de son père l'apprirent et ils descendirent l'y rejoindre. ² Alors se rassemblèrent autour de lui tous les gens en difficulté, tous les endettés et tous les mécontents, et il devint leur chef. Il y eut avec lui dans les quatre cents hommes. ³ David partit de là pour Miçpé de Moab *c*. Il dit au roi de Moab : « Permets à mon père et à ma mère de venir se joindre à vous jusqu'à ce que je sache ce que Dieu fera pour moi. » ⁴ Il les conduisit devant le roi de Moab et ils demeurèrent avec lui tout le temps que David resta dans son refuge. ⁵ Le *prophète Gad dit à David : « Ne

reste pas dans ton refuge. Va-t'en et rentre au pays de Juda ! » David partit et se rendit à la forêt de Hèreth *d*.

Saül fait massacrer les prêtres de Nov

⁶ Saül apprit qu'on avait repéré David et ses compagnons. Saül était assis à Guivéa *e*, sous le tamaris qui est sur la hauteur, sa lance à la main, et tous ses serviteurs debout auprès de lui. ⁷ Saül dit à ses serviteurs debout auprès de lui : « Ecoutez bien, Benjaminites ! Le fils de Jessé vous donnera-t-il aussi, à vous tous, des champs et des vignes, vous nommera-t-il tous chefs de millier *f* et chefs de centaine, ⁸ pour que vous ayez tous conspiré contre moi ? Personne ne m'avertit quand mon fils pactise avec le fils de Jessé, aucun d'entre vous ne s'inquiète à mon sujet, personne ne m'avertit quand mon fils a dressé contre moi mon serviteur pour qu'il me tende des pièges, comme c'est le cas aujourd'hui. » ⁹ Doëg l'Edomite répondit — il était debout auprès des serviteurs de Saül — : « J'ai vu le fils de Jessé : il arrivait à Nov *g* chez Ahimélek, fils d'Ahitouv. ¹⁰ Ahimélek a interrogé le SEIGNEUR pour lui. Il l'a ravitaillé. Il lui a donné l'épée de Goliath, le Philistin. »

¹¹ Alors le roi fit convoquer le prêtre Ahimélek, fils d'Ahitouv, et toute sa famille, les prêtres de Nov. Ils vinrent tous chez le roi. ¹² Saül dit : « Ecoute bien, fils d'Ahitouv ! » Il dit : « Me voici, mon seigneur. » ¹³ Saül lui dit : « Pourquoi avez-vous conspiré contre moi, toi et le fils de Jessé ? Tu lui as donné du pain et une épée, tu as interrogé Dieu pour lui, afin qu'il se dresse contre moi et me tende des pièges, comme c'est le cas aujourd'hui. » ¹⁴ Ahimélek répondit au roi : « Y a-t-il, parmi tous tes serviteurs, quelqu'un d'aussi sûr que David ? Il est le gendre du roi, il est devenu ton garde du corps, il est honoré dans ta maison. ¹⁵ C'est ce jour-là que j'ai commencé à interroger Dieu pour lui ? Que l'abomination soit sur moi ! O roi, ne charge

---

z *Goliath*: voir chap. 17; *vallée du Térébinthe*: voir 17.2 et la note — *éphod*: voir Ex 25.7 et la note ● *a* Voir 5.8 et la note ● *b* Localité du *Bas-Pays, à 25 km environ au sud-ouest de Jérusalem ● *c* *Miçpé de Moab*: localité non identifiée ● *d* La *forêt de Hèreth* se situe au sud d'Adoullam ● *e* Voir 10.5 et la note ● *f* *Le fils de Jessé*, c'est-à-dire David (voir 16.1-13) — *millier*: voir Nb 1.16 et la note ● *g* à *Nov*: voir 21.2-10, en particulier 21.2 et la note

21.11 s'enfuit à Gath 1 R 2.39-41. **21.12** Saül en a battu... 18.7+. **21.14** il simula la folie Ps 34.1. **21.15** Pourquoi me l'amenez-vous Ps 56.1. **22.1** se sauva dans la grotte Ps 57.1; 142.1. **22.2** autour de lui 2 S 15.1-6. **22.3** mon père et ma mère Ex 20.12; Mt 15.3-6 par. **22.7** des vignes 8.12, 14-15. **22.8** mon fils pactise 18.3. **22.9** Doëg 21.8; Ps 52.1. **22.14** honoré dans ta maison 18.17-30.

pas ton serviteur [h] ni toute ma famille, car ton serviteur ignorait absolument tout de cette affaire. » [16] Le roi dit : « Tu mourras, Ahimélek, toi et toute la maison [i] de ton père ! » [17] Le roi dit aux coureurs qui étaient debout près de lui : « Tournez-vous et mettez à mort les prêtres du SEIGNEUR, car, eux aussi, ils prêtent la main à David : ils savaient en effet qu'il était en fuite et ils ne m'ont pas averti. » Mais les serviteurs du roi refusèrent de porter la main sur les prêtres du SEIGNEUR.

[18] Le roi dit alors à Doëg : « Toi, tourne-toi, et frappe les prêtres ! » Doëg l'Edomite se retourna et frappa lui-même les prêtres. Il fit mourir, ce jour-là, quatre-vingt-cinq hommes qui portaient l'éphod de lin [j]. [19] A Nov, la ville des prêtres, il passa au fil de l'épée les hommes et les femmes, les enfants et les nourrissons, les bœufs, les ânes et les moutons, au fil de l'épée. [20] Un seul fils d'Ahimélek, fils d'Ahitouv, se sauva. Il s'appelait Abiatar. Il prit la fuite et rejoignit David. [21] Abiatar informa David que Saül avait tué les prêtres du SEIGNEUR. [22] David dit à Abiatar : « Je savais, l'autre jour, que Doëg l'Edomite était là et qu'il ne manquerait pas d'informer Saül. C'est moi qui ai fait tourner l'affaire contre toute la maison de ton père. [23] Reste avec moi, n'aie pas peur : qui en voudra à ta vie, en voudra à ma vie ; près de moi, tu es sous bonne garde. »

David à Qéïla et à Horesha

23 [1] On apporta cette nouvelle à David : « Voici que les Philistins font la guerre à Qéïla et pillent les aires [k]. » [2] David demanda au SEIGNEUR : « Dois-je y aller et battrai-je ces Philistins ? » Le SEIGNEUR dit à David : « Va, tu battras les Philistins et tu sauveras Qéïla. » [3] Les hommes de David lui dirent : « Ici, en Juda, nous avons peur. Que sera-ce si nous allons à Qéïla, contre les lignes philistines ? » [4] David interrogea encore une fois le SEIGNEUR. Le SEIGNEUR lui répondit : « En

route ! Descends à Qéïla, car je vais livrer les Philistins entre tes mains. » [5] David, avec ses hommes, partit pour Qéïla et attaqua les Philistins. Il emmena leurs troupeaux et leur porta un coup très dur. David sauva donc les habitants de Qéïla.

[6] Or, lorsque Abiatar, fils d'Ahimélek, s'était enfui auprès de David à Qéïla, il avait emporté l'éphod [l] avec lui. [7] On informa Saül que David était entré à Qéïla et Saül avait dit : « Dieu l'a livré entre mes mains, car il s'est enfermé lui-même, en entrant dans une ville qui a porte et verrou. » [8] Saül mobilisa tout le peuple pour descendre à Qéïla assiéger David et ses hommes. [9] David apprit que c'était contre lui que Saül préparait un mauvais coup et il dit au prêtre Abiatar : « Apporte l'éphod. » [10] David dit : « SEIGNEUR, Dieu d'Israël, ton serviteur a entendu [m] dire que Saül a l'intention de venir à Qéïla pour détruire la ville à cause de moi. [11] Les bourgeois [n] de Qéïla me remettront-ils entre ses mains ? Saül descendra-t-il comme ton serviteur l'a entendu dire ? SEIGNEUR, Dieu d'Israël, daigne en informer ton serviteur ! » Le SEIGNEUR dit : « Il descendra. » [12] David dit : « Les bourgeois de Qéïla me remettront-ils, moi et mes hommes, entre les mains de Saül ? » Le SEIGNEUR dit : « Ils vous remettront ses mains. » [13] David se mit donc en route avec ses hommes — environ six cents hommes — ; ils sortirent de Qéïla et s'en allèrent à l'aventure. On informa Saül que David s'était échappé de Qéïla et il abandonna l'expédition.

[14] David demeura au désert dans les falaises. Il demeura dans la montagne, au désert de Zif [o]. Pendant tout ce temps, Saül le recherchait, mais Dieu ne le livra pas entre ses mains. [15] David vit que Saül s'était mis en campagne pour lui ôter la vie. David était dans le désert de Zif, à Horesha [p].

[16] Jonathan, fils de Saül, se mit en route et alla trouver David à Horesha. Il encouragea David au nom de Dieu. [17] Il lui dit : « N'aie pas peur. La main de mon

---

[h] *ne charge pas ton serviteur*, c'est-à-dire *ne me charge pas* ● [i] *la maison* ou *la famille, les descendants* ● [j] *l'éphod de lin* : voir 2.18 et la note ● [k] *Qéïla* : localité du *Bas-Pays*, à 4 ou 5 km au sud d'Adoullam (voir 22.1 et la note) — *les aires*, c'est-à-dire ici les réserves de nourriture ● [l] *l'éphod* : voir Ex 25.7 et la note ● [m] *ton serviteur a entendu*, c'est-à-dire *j'ai entendu* ● [n] *Les bourgeois* ou *Les chefs* ; de même au v. 12 ● [o] *Zif* : localité située à 35 km environ au sud de Jérusalem ● [p] *Horesha* : à 3 km au sud de Zif

---

22.17 les serviteurs du roi refusèrent Ps 105.15.   **22.19** au fil de l'épée 15.3.   **22.20** un seul fils se sauva 2 R 11.2 ; Jb 1.15, 16, 17, 19 — Abiatar 1 R 2.26-27.   **23.4** livrer les Philistins 14.10-12 ; 2 S 5.19.   **23.6** enfui auprès de David 22.20-23.   **23.8** convoqua tout le peuple 15.4.

père Saül ne t'atteindra pas. C'est toi qui régneras sur Israël, et moi, je serai ton second ; même Saül, mon père, le sait bien. » ¹⁸ Ils concluent tous les deux une alliance devant le SEIGNEUR. David demeura à Horesha et Jonathan revint chez lui.

Saül poursuit David

¹⁹ Des gens de Zif montèrent auprès de Saül à Guivéa. Ils lui dirent : « David ne se cache-t-il pas chez nous dans les falaises de Horesha, sur la colline de Hakila *q*, qui se trouve au sud de la steppe ? ²⁰ Donc, quand tu désireras descendre, ô roi, descends : et c'est nous qui le remettrons entre les mains du roi ! » ²¹ Saül dit : « Bénis soyez-vous du SEIGNEUR, vous qui avez eu pitié de moi ! ²² Allez donc, assurez-vous encore, reconnaissez et voyez en quel endroit il a laissé des traces. Quelqu'un l'y a-t-il vu ? On me dit en effet qu'il est très rusé. ²³ Voyez et reconnaissez tous les abris où il peut se cacher. Vous reviendrez me voir quand vous serez sûrs et je partirai avec vous. Alors, s'il est dans le pays, je fouillerai tous les clans de Juda pour le découvrir. » ²⁴ Ils se mirent en route pour Zif, précédant Saül. David et ses hommes étaient au désert de Maôn *r*, dans la plaine, au sud de la steppe. ²⁵ Saül et ses hommes partirent à sa recherche. On en informa David : il descendit à la Roche et demeura dans le désert de Maôn. Saül l'apprit et poursuivit David au désert de Maôn. ²⁶ Saül marchait d'un côté de la montagne ; David et ses hommes étaient de l'autre côté. David précipitait sa marche afin d'échapper à Saül. Saül et ses hommes étaient sur le point d'atteindre et d'encercler David et ses hommes pour les capturer, ²⁷ quand un messager vint dire à Saül : « Viens vite, car les Philistins ont lancé un raid contre le pays. » ²⁸ Saül cessa donc de poursuivre David et marcha à la rencontre des Philistins. C'est pourquoi on a appelé ce lieu « Roche de l'Incertitude *s* ».

La caverne de Ein-Guèdi : David épargne Saül

24 ¹ David monta de là et s'établit dans les falaises de Ein-Guèdi *t*. ² Quand Saül revint de la poursuite des Philistins, on lui fit ce rapport : « David est maintenant dans le désert de Ein-Guèdi. » ³ Saül prit trois mille hommes d'élite de tout Israël et partit à la recherche de David et de ses hommes en face des Rochers des Bouquetins *u*. ⁴ Il arriva aux parcs à brebis qui sont près du chemin. Là se trouve une caverne. Saül y entra pour s'accroupir *v*. Or, David et ses hommes étaient assis au fond de la caverne. ⁵ Les hommes de David lui dirent : « C'est le jour dont le SEIGNEUR t'a dit : Voici que je vais livrer ton ennemi entre tes mains et tu le traiteras comme il te plaira. » David se leva et coupa furtivement le pan du manteau de Saül. ⁶ Mais après cela, David sentit son cœur battre, parce qu'il avait coupé le pan du manteau de Saül. ⁷ Il dit à ses hommes : « Que le SEIGNEUR m'ait en abomination si je fais cela à mon seigneur, le messie *w* du SEIGNEUR. Je ne porterai pas la main sur lui, car il est le messie du SEIGNEUR. » ⁸ Par ces paroles, David arrêta net l'élan de ses hommes. Il ne leur permit pas de se jeter sur Saül. Saül se redressa, quitta la caverne et alla son chemin.

⁹ Après quoi, David se leva, sortit de la caverne et cria derrière Saül : « Mon seigneur le roi ! » Saül regarda derrière lui. David s'inclina, la face contre terre, et se prosterna. ¹⁰ David dit à Saül : « Pourquoi écoutes-tu les gens qui racontent que David cherche ton malheur ? ¹¹ Tu l'as vu de tes yeux aujourd'hui même : le SEIGNEUR t'avait livré entre mes mains, aujourd'hui dans la caverne ; on parlait de te tuer, mais j'ai eu pitié de toi et j'ai dit : "Je ne porterai pas la main sur mon seigneur, car il est le messie du SEIGNEUR." ¹² Regarde, ô mon père *x*, oui, regarde dans ma main le pan de ton manteau. Puisque j'ai coupé le pan de ton manteau et que je ne t'ai pas tué,

---

q Zif, Horesha: voir v. 14-15 et les notes ; *Guivéa:* voir 10.5 et la note ; *Hakila:* probablement à l'est de Zif • *r Le désert de Maôn* s'étend au sud du désert de Zif • *s Roche de l'Incertitude* (Saül ayant pu hésiter sur la décision à prendre): autre traduction *Roche des Séparations* (Saül et David s'y étant séparés) • *t* Localité située sur la rive ouest de la mer Morte • *u Rochers des Bouquetins:* endroit non identifié aux environs d'Ein-Guèdi • *v s'accroupir* (ou *se couvrir les pieds*) est, en hébreu, un euphémisme pour *satisfaire un besoin naturel* • *w messie:* voir 2.10 et la note • *x mon père:* voir 2 R 5.13 et la note

23.18 une alliance 18.3. **23.19** Des gens de Zif 26.1 ; Ps 54.2. **23.21** vous avez eu pitié de moi 22.8. **23.26-28** Saül interrompt la poursuite 2 R 7.6-7 ; 19.8-9. **24** David épargne Saül cf. 26. **24.6** sentit son cœur battre 2 S 24.10. **24.7** je ne porterai pas la main sur lui 26.9, 23 ; 31.4 ; 2 S 1.14. **24.12** je n'ai pas péché 20.1+.

comprends et vois qu'il n'y a en moi ni malice ni révolte, et que je n'ai pas péché contre toi. C'est toi qui me traques pour m'ôter la vie. [13] Que le SEIGNEUR juge entre toi et moi ! Que le SEIGNEUR me venge de toi ! Mais je ne porterai pas la main sur toi. [14] Comme dit le proverbe du vieux temps : "Que la méchanceté vienne des méchants !" Mais je ne porterai pas la main sur toi. [15] Après qui le roi d'Israël s'est-il mis en campagne ? Après qui mènes-tu la poursuite ? Après un chien crevé ! Après une puce [y] ! [16] Le SEIGNEUR sera juge. Qu'il arbitre entre toi et moi. Qu'il examine et défende ma cause et qu'il me fasse justice en me délivrant de tes mains ! »

[17] Quand David eut fini de tenir ce discours à Saül, Saül dit : « Est-ce là ta voix, mon fils David ? » Et Saül éclata en sanglots. [18] Il dit à David : « Tu es plus juste que moi, car tu m'as fait du bien, alors que je t'ai fait du mal. [19] Et toi, tu as manifesté aujourd'hui la bonté avec laquelle tu as agi envers moi : c'est que le SEIGNEUR m'avait remis entre tes mains et tu ne m'as pas tué. [20] Quand un homme rencontre son ennemi, le laisse-t-il poursuivre tranquillement son chemin ? Que le SEIGNEUR te récompense pour ce que tu m'as fait aujourd'hui. [21] Maintenant, je le sais : tu seras le roi et la royauté d'Israël restera entre tes mains. [22] Maintenant donc, jure-moi par le SEIGNEUR que tu ne supprimeras pas ma descendance après moi et que tu ne rayeras pas mon *nom de la maison [z] de mon père. » [23] David le jura à Saül. Puis Saül rentra chez lui, et David et ses hommes remontèrent à leur refuge.

Naval refuse d'aider David

25 [1] Samuel mourut. Tout Israël se rassembla et célébra son deuil. On l'ensevelit chez lui à Rama. David se mit en route et descendit au désert de Parân [a].

[2] Il y avait à Maôn un homme dont l'exploitation se trouvait à Karmel. Cet homme était fort riche. Il avait trois mille moutons et mille chèvres. Il était à Karmel pour la tonte de son troupeau [b]. [3] L'homme s'appelait Naval et sa femme, Avigaïl. La femme était intelligente et jolie, mais l'homme était dur et méchant ; il était calébite [c].

[4] Apprenant au désert que Naval tondait ses moutons, [5] David envoya dix garçons [d]. David dit aux garçons : « Montez à Karmel. Vous irez trouver Naval et vous le saluerez de ma part. [6] Vous direz : Bonne année ! [e] Salut à toi, salut à ta maison, salut à tout ce qui t'appartient ! [7] J'apprends qu'on fait la tonte chez toi. Maintenant, quand tes bergers ont été avec nous, nous ne les avons pas molestés et ils n'ont rien perdu pendant tout le temps de leur séjour à Karmel. [8] Interroge tes garçons et ils t'informeront. Que mes garçons trouvent chez toi un accueil favorable, car nous sommes venus un jour de fête ! Donne, je te prie, ce que tu peux donner à tes serviteurs et à ton fils David. »

[9] Les garçons de David, étant arrivés, répétèrent toutes ces paroles à Naval au nom de David, et ils attendirent. [10] Naval répondit aux serviteurs de David : « Qui est David et qui est le fils de Jessé ? Il y a aujourd'hui beaucoup d'esclaves qui s'évadent de chez leur maître. [11] Et je prendrais de mon pain, de mon eau, de ma viande, que j'ai fait abattre pour mes tondeurs, pour les donner à des gens venus je ne sais d'où ! » [12] Les garçons de David firent demi-tour et s'en retournèrent. A leur retour, ils vinrent rapporter tout cela à David. [13] David dit à ses hommes : « Que chacun ceigne son épée ! » Chacun ceignit son épée. David, lui aussi, ceignit son épée. Environ quatre cents hommes montèrent à la suite de David, il en restait deux cents près des bagages.

Avigaïl vient en aide à David

[14] Un des garçons avertit Avigaïl, la

---

[y] En se comparant à *un chien crevé* ou à *une puce*, David veut montrer qu'il n'est pas digne de l'attention que le roi lui porte ● [z] *de la maison* ou *de la famille* ● [a] *Rama*: voir 1.1 et la note — *désert de Parân*: voir Gn 21.21 et la note ● [b] *Maôn, Karmel*: deux localités situées à 40 km environ au sud de Jérusalem — La *tonte du troupeau*, au printemps, est une occasion de fête; comparer 2 S 13.23-27 ● [c] Membre du clan de Caleb, de la tribu de Juda ● [d] *garçons* ou *jeunes gens;* ils font partie du groupe de gens réfugiés auprès de David (22.2) ● [e] *Bonne année!*: traduction incertaine d'un texte obscur; autres traductions *Pour la vie!*, ou, selon l'ancienne version latine, (*Vous direz*) *à mon frère!*

24.15 chien crevé 2 S 3.8; 16.9 — puce 26.20. **24.16** qu'il défende ma cause 25.39; Ps 35.23; 43.1; 119.154. **24.21** tu seras le roi 13.14; 15.28; 23.17; 25.30; 28.17. **24.22** tu ne supprimeras pas ma descendance 20.14-16. **25.1** Samuel mourut 28.3. **25.2** Karmel 15.12. **25.6** salut à ta maison Lc 10.5. **25.8** Donne, je te prie... Jg 8.5. **25.13** quatre cents hommes 30.10.

femme de Naval : « Voici, dit-il, que David a envoyé du désert des messagers porter ses compliments à notre maître et notre maître s'est jeté sur eux *f*. ¹⁵ Or, ces hommes ont été très bons pour nous. Nous n'avons pas été molestés et nous n'avons rien perdu tout le temps que nous avons circulé avec eux, quand nous étions à la campagne. ¹⁶ Ils ont été notre rempart la nuit et le jour, tout le temps que nous avons été avec eux à faire paître les brebis. ¹⁷ Et maintenant, reconnais et vois ce que tu dois faire, car la perte de notre maître et de toute sa maison est décidée. Quant à lui, c'est un vaurien à qui on ne peut parler. »

¹⁸ Avigaïl se hâta de prendre deux cents pains, deux outres de vin, cinq brebis tout apprêtées, cinq mesures de grains grillés, cent grappes de raisin sec et deux cents gâteaux de figues, et elle les chargea sur les ânes. ¹⁹ Elle dit aux garçons : « Passez devant moi. Je vous suis. » Mais elle ne prévint pas Naval, son mari.

²⁰ Tandis que, montée sur un âne, elle descendait à l'abri de la montagne, David et ses hommes descendaient dans sa direction. Elle les rencontra. ²¹ David s'était dit : « C'est donc en vain que j'ai protégé au désert tous les biens de cet individu sans que rien n'en disparaisse. Il m'a rendu le mal pour le bien. ²² Que Dieu fasse ceci et encore cela à David — ou plutôt à ses ennemis — si, d'ici demain matin, de tout ce qui lui appartient, je lui laisse rien de ce qui urine contre un mur *g* ! » ²³ Apercevant David, Avigaïl se hâta de descendre de l'âne. Elle tomba sur sa face devant David et se prosterna à terre. ²⁴ Puis elle tomba à ses pieds et dit : « A moi, à moi la faute, mon seigneur ! Puisse ta servante parler à tes oreilles ! Ecoute les paroles de ta servante. ²⁵ Que mon seigneur ne fasse pas attention à ce vaurien, à Naval, car il mérite bien son nom *h* : il s'appelle Infâme et l'infamie le suit. Mais moi, ta servante, je n'avais pas vu les garçons de mon seigneur, tes envoyés. ²⁶ Cependant, mon

seigneur, par la vie du Seigneur et par ta propre vie, c'est le Seigneur qui t'a empêché d'en venir au meurtre et de triompher par ta propre main. Que tes ennemis, que ceux qui veulent du mal à mon seigneur connaissent maintenant le sort de Naval *i* ! ²⁷ Que cet hommage que ton esclave *j* apporte à mon seigneur soit donné maintenant aux garçons qui marchent sur les pas de mon seigneur. ²⁸ Pardonne, je te prie, la faute de ta servante.

En effet, le Seigneur ne manquera point de faire à mon seigneur une maison stable *k*, parce que mon seigneur livre les guerres du Seigneur et qu'on ne trouve pas de mal en toi, durant toute ta vie. ²⁹ Des hommes se sont levés afin de poursuivre mon seigneur et d'attenter à ses jours, mais la vie de mon seigneur restera ensachée dans le sachet des vivants auprès du Seigneur, ton Dieu, tandis que celle de tes ennemis, le Seigneur la lancera au loin, du creux de sa fronde *l*. ³⁰ Lorsque le Seigneur accomplira pour mon seigneur tout ce qu'il a dit de bien à ton sujet, il t'établira chef d'Israël. ³¹ Tu ne dois donc pas chanceler en versant le sang à la légère, mon seigneur ne doit pas trébucher en voulant triompher par lui-même. Et quand le Seigneur aura fait du bien à mon seigneur, tu te souviendras de ta servante. »

Mort de Naval.
David épouse Avigaïl

³² David dit à Avigaïl : « Béni soit le Seigneur, le Dieu d'Israël, qui t'a envoyée en ce jour à ma rencontre ! ³³ Béni soit ton bon sens, bénie sois-tu toi-même, pour m'avoir aujourd'hui retenu d'en venir au meurtre et de triompher par ma propre main ! ³⁴ Mais vraiment, par la vie du Seigneur, le Dieu d'Israël, qui m'a empêché de te faire du mal, si tu n'étais pas venue aussi vite à ma rencontre, il ne serait resté à Naval, d'ici l'aurore, rien de ce qui urine contre un mur *m* ! » ³⁵ David prit de sa main ce

---

f Un des garçons ou Un des serviteurs (de Naval) — s'est jeté sur eux ou les a rudoyés ● *g* Que Dieu fasse ceci et encore cela à David : voir 14.44 et la note — ce qui urine contre un mur : expression dont le sens précis est discuté : probablement un mâle ou un garçonnet ● *h* Naval signifie fou, insensé, infâme ● *i* La fin du v. 26 anticipe sur le récit des v. 36-38 ● *j* ton esclave : par ces mots, Avigaïl se désigne elle-même ; de même au v. 28 ta servante ● *k* une maison stable ou une dynastie durable ; comparer 2.35 et la note ● *l* Comme un homme garde certains cailloux dans son sac, et en lance d'autres au moyen de sa fronde, le Seigneur garde auprès de lui la vie de ses fidèles (= les maintient en vie) et jette au loin la vie de leurs ennemis (= les fait mourir) ● *m* ce qui urine contre un mur : voir v. 22 et la note

25.28 les guerres du Seigneur 18.17.   **25.30** chef d'Israël 24.21+.

qu'elle lui avait apporté. A elle-même il dit : « Remonte en paix chez toi. Vois : j'ai écouté ta voix et je t'ai fait grâce. » [36] Avigaïl revint chez Naval. Voici qu'il faisait dans sa maison un festin, un vrai festin de roi. Naval avait le cœur en joie. Il était complètement ivre. Elle ne l'informa de rien jusqu'à l'aurore. [37] Le lendemain matin, quand Naval eut cuvé son vin, sa femme lui raconta ce qui s'était passé. Alors le cœur de Naval mourut dans sa poitrine, et il fut comme pétrifié. [38] Et au bout d'une dizaine de jours, le SEIGNEUR frappa Naval, et il mourut.

[39] David apprit que Naval était mort et il dit : « Béni soit le SEIGNEUR qui a défendu ma cause, dans cet affront que m'avait fait Naval, et qui a retenu son serviteur [n] de faire le mal. Quant à la malice de Naval, le SEIGNEUR l'a fait retomber sur sa tête. »

David envoya demander Avigaïl en mariage. [40] Les serviteurs de David se rendirent chez Avigaïl à Karmel et ils lui parlèrent en ces termes : « David nous a envoyés chez toi pour te prendre pour sa femme. » [41] Elle se leva, se prosterna la face contre terre et dit : « Ta servante est une esclave prête à laver les pieds des serviteurs de mon seigneur [o]. » [42] Avigaïl se hâta de partir. Elle monta sur son âne et, accompagnée de cinq de ses servantes, elle suivit les envoyés de David. Ainsi elle devint sa femme. [43] David avait aussi épousé Ahinoam d'Izréel [p]. Elles furent toutes les deux ses femmes. [44] Saül avait donné sa fille Mikal, femme de David, à Palti, fils de Laïsh, qui était de Gallim [q].

Au désert de Zif :
David épargne à nouveau Saül

26 [1] Les gens de Zif vinrent trouver Saül à Guivéa. Ils lui dirent : « Est-ce que David n'est pas caché sur la colline de Hakila [r] en face de la steppe ? » [2] Saül se mit en route et descendit au désert de Zif, avec trois mille hommes, l'élite d'Israël, pour rechercher David au désert de Zif. [3] Saül campa sur la colline de Hakila, qui est en face de la steppe, près de la route. David demeurait dans le désert. Il vit que Saül était venu le poursuivre au désert. [4] Ayant envoyé des éclaireurs, David fut certain de l'arrivée de Saül. [5] David se mit en route et parvint à l'endroit où campait Saül. David aperçut l'endroit où étaient couchés Saül et Avner, fils de Ner, le chef de son armée. Saül était couché à l'intérieur de l'enceinte et la troupe campait autour de lui.

[6] David prit la parole et dit à Ahimélek, le Hittite, et à Avishaï, fils de Cerouya et frère de Joab : « Qui veut descendre avec moi jusqu'à Saül, au camp ? » Avishaï dit : « Je descendrai avec toi. » [7] David et Avishaï arrivèrent de nuit auprès de la troupe, alors que Saül était couché, endormi, dans l'enceinte, sa lance fichée en terre à son chevet. Avner et la troupe dormaient autour de lui. [8] Avishaï dit à David : « Aujourd'hui, Dieu a remis ton ennemi entre tes mains. Permets-moi donc de le clouer au sol d'un seul coup de lance. Je n'aurai pas à lui en donner un deuxième. » [9] David dit à Avishaï : « Ne le tue pas ! Qui pourrait porter la main sur le messie [s] du SEIGNEUR et demeurer impuni ? » [10] Et David dit : « Par la vie du SEIGNEUR ! C'est le SEIGNEUR qui le frappera, quand viendra l'heure de sa mort ou quand il descendra au combat pour y périr. [11] Que le SEIGNEUR m'ait en abomination si je porte la main sur le messie du SEIGNEUR ! Prends donc la lance qui est à son chevet et la gourde d'eau, et allons-nous-en. » [12] David prit la lance et la gourde d'eau qui étaient au chevet de Saül et ils s'en allèrent. Personne n'en vit rien, personne ne le sut, personne ne s'éveilla. Ils dormaient tous : une torpeur du SEIGNEUR était tombée sur eux [t]. [13] David passa de l'autre côté et se tint sur le sommet de la montagne, au loin. Il y avait entre eux une longue distance. [14] David cria en direction de la troupe et d'Avner, fils

---

[n] qui a retenu son serviteur, c'est-à-dire qui m'a retenu ● [o] C'est-à-dire Je suis une esclave prête à laver les pieds de tes serviteurs ● [p] Izréel: localité du pays de Juda, voir Jos 15.56 ● [q] Gallim: localité proche de Jérusalem, au nord-est ● [r] Zif, Hakila: voir 24.14, 19 et les notes; Guivéa: voir 10.5 et la note ● [s] messie: voir 2.10 et la note ● [t] une torpeur du Seigneur...: autre traduction Le Seigneur avait fait tomber sur eux un profond sommeil

25.36 festin, joie, ivresse Si 11.19; Lc 12.19-20. 25.39 il a défendu ma cause 24.16+ — retomber sur sa tête Jg 9.57; 1 R 2.44. 25.43 Ahinoam d'Izréel 2 S 3.2. 25.44 Mikal 2 S 3.13-16. 26 David épargne Saül cf. 24. 26.1 les gens de Zif 23.19+. 26.6 descendre au camp (ennemi) Jg 7.10; 2 S 23.16. 26.9 porter la main sur le roi 24.7+. 26.12 une torpeur du Seigneur Gn 2.21; 15.12.

de Ner : « Avner, vas-tu me répondre ? »
Avner répondit : « Qui es-tu, toi qui cries
aux oreilles du roi ? » ¹⁵ David dit à
Avner : « Tu es un homme, n'est-ce pas,
et tu n'as pas ton pareil en Israël. Pourquoi donc n'as-tu pas veillé sur le roi,
ton maître ? Quelqu'un du peuple est
venu pour tuer le roi, ton maître. ¹⁶ Ce
n'est pas bien ce que tu as fait là. Par
la vie du SEIGNEUR, vous méritez la mort
pour n'avoir pas veillé sur votre maître,
le messie du SEIGNEUR. Regarde maintenant où est la lance du roi et la gourde
d'eau qui étaient à son chevet. » ¹⁷ Saül
reconnut la voix · de David et il dit :
« Est-ce là ta voix, mon fils David ? »
David dit : « C'est ma voix, mon seigneur le roi. » ¹⁸ Et il dit : « Pourquoi
donc mon seigneur poursuit-il son serviteur ? Qu'ai-je donc fait et quel mal y
a-t-il en moi ? ¹⁹ Et maintenant, que mon
seigneur le roi daigne écouter les paroles
de son serviteur. Si c'est le SEIGNEUR qui
t'a excité contre moi, qu'il respire le
parfum d'une offrande ᵘ ! Mais si ce sont
des hommes, qu'ils soient maudits devant
le SEIGNEUR pour m'avoir chassé aujourd'hui et coupé de l'héritage du SEIGNEUR,
en me disant : "Va servir d'autres
dieux ᵘ !" ²⁰ Et maintenant, que mon sang
ne tombe pas à terre loin de la face du
SEIGNEUR, car le roi d'Israël s'est mis en
campagne pour rechercher une simple puce ᵛ, comme on pourchasse la perdrix dans
les montagnes. » ²¹ Saül dit : « J'ai péché.
Reviens, mon fils David ! Je ne te ferai
plus de mal, puisque ma vie a été précieuse à tes yeux en ce jour. Oui, j'ai
agi comme un fou, je me suis lourdement
trompé. » ²² David répondit : « Voici la
lance du roi. Que l'un des garçons traverse et qu'il la prenne. ²³ Que le SEI
GNEUR rende à chacun ce qu'il a fait
de juste et de sincère. C'est le SEIGNEUR
qui t'avait livré aujourd'hui entre mes
mains et j'ai refusé de porter la main
sur le messie du SEIGNEUR. ²⁴ Si ta vie,
aujourd'hui, a eu tant de prix pour moi,
que ma vie en ait autant pour le SEI-

GNEUR et qu'il me délivre de tout péril. »
²⁵ Saül dit à David : « Béni, sois-tu,
mon fils David ! Oui, tu feras de grandes
choses et tu réussiras sûrement. » David
continua son chemin et Saül retourna
chez lui.

David se réfugie chez les Philistins

27 ¹ David se dit en lui-même :
« Malgré tout, un jour ou l'autre,
je périrai par la main de Saül. Je n'ai
rien de mieux à faire que de me sauver
au pays des Philistins. Alors Saül renoncera à me chercher dans tout le territoire
d'Israël et j'aurai échappé à sa main. »
² David se mit en route avec six cents
compagnons et passa chez Akish, fils de
Maok, roi de Gath ʷ. ³ David demeura
auprès d'Akish, à Gath, lui et ses hommes, chacun avec sa famille ; David, avec
ses deux femmes, Ahinoam d'Izréel
et Avigaïl, femme de Naval, de Karmel ˣ. ⁴ On avertit Saül que David
s'était enfui à Gath et Saül cessa de le
rechercher.

⁵ David dit à Akish : « Si tu m'es favorable, qu'on me donne quelque bourg de
la campagne et j'y résiderai. Pourquoi ton
serviteur résiderait-il auprès de toi dans
la ville royale ? » ⁶ Aussitôt, Akish lui
donna Ciqlag ʸ. C'est pourquoi Ciqlag a
appartenu aux rois de Juda jusqu'à ce
jour. ⁷ La durée du séjour de David dans
la campagne philistine fut d'un an et
quatre mois.

⁸ David monta avec ses hommes et ils
firent des raids chez les Gueshourites, les
Guirzites et les Amalécites, car ce sont
les peuples qui habitent le pays depuis
toujours, en direction de Shour ᶻ et jusqu'au pays d'Egypte. ⁹ David massacrait
la population, ne laissant en vie ni homme
ni femme, enlevant petit et gros bétail,
ânes, chameaux et vêtements. A son
retour, il se rendait chez Akish. ¹⁰ Quand
Akish disait : « Où avez-vous fait un
raid aujourd'hui ? » David répondait :
« Contre le Néguev de Juda », ou :

---

u *d'une offrande* ou *d'un sacrifice* — *l'héritage:* voir 10.1 et la note — *d'autres dieux:* en chassant
David de son pays et de son peuple, on le condamnait en quelque sorte à ne plus pouvoir adorer
convenablement *le Seigneur* et à adorer *d'autres dieux* ● *v* voir 24.15 et la note ● *w* Voir
5.8 et la note ● *x Ahinoam d'Izréel:* voir 25.43; *Avigaïl de Karmel:* voir 25.14-42 ● *y* Localité
située probablement à 50 km environ au sud-ouest de Jérusalem ● *z Gueshourites:* peuple
voisin des Philistins (voir Jos 13.2); *Guirzites:* peuplade inconnue; *Amalécites:* voir Ex 17.8 et
la note — *Shour:* voir Ex 15.22 et la note

26.17 mon fils David 24.17. **26.18** quel mal y a-t-il en moi? 20.1+. **26.19** servir d'autres
dieux 8.8+. **27.2** chez Akish 21.11. **27.3** avec ses deux femmes 25.42-43; 30.5; 2 S 2.2; 3.2-3.
27.7 la durée du séjour 29.3. **27.8** chez les Amalécites 30.1-20.

« Contre le Néguev des Yerahmeélites », ou : « Dans le Néguev des Qénites *a*. » [11] David ne laissait ramener vivant à Gath ni homme ni femme, « de crainte, disait-il, qu'en parlant ils ne nous trahissent ». Ainsi fit David et telle fut sa conduite tout le temps qu'il résida dans la campagne philistine. [12] Akish était sûr de David. Il se disait : « David s'est rendu insupportable à Israël, son peuple, et il sera mon serviteur pour toujours. »

Saül consulte la nécromancienne d'Ein-Dor

28 [1] En ces jours-là, les Philistins rassemblèrent leurs armées pour entrer en campagne et combattre Israël. Akish dit à David : « Tu dois savoir que tu partiras avec moi à l'armée, toi et tes hommes. » [2] David dit à Akish : « Eh bien, tu sauras toi-même ce que fera ton serviteur *b*. » Akish dit à David : « Eh bien, je ferai de toi pour toujours mon garde du corps. »

[3] Or Samuel était mort, tout Israël avait célébré son deuil et l'avait enseveli à Rama, sa ville. Et Saül avait aboli la nécromancie *c* dans le pays.

[4] Les Philistins se rassemblèrent et vinrent camper à Shounem. Saül rassembla tout Israël et ils campèrent à Guilboa *d*. [5] Saül aperçut le camp des Philistins : il eut peur et son cœur trembla violemment. [6] Saül interrogea le SEIGNEUR, mais le SEIGNEUR ne lui répondit pas, ni par les songes, ni par l'Ourim, ni par les *prophètes *e*. [7] Saül dit à ses serviteurs : « Cherchez-moi une nécromancienne, que j'aille chez elle la consulter. » Ses serviteurs lui dirent : « Il y a une nécromancienne à Ein-Dor *f*. » [8] Saül se déguisa en changeant de vêtements et il partit, accompagné de deux hommes. Ils arrivèrent chez la femme, de nuit. Saül lui dit : « Pratique pour moi la nécromancie et évoque-moi celui que je te dirai. » [9] La femme lui dit : « Voyons, tu sais toi-même ce qu'a fait Saül : il a supprimé la nécromancie dans le pays. Pourquoi me tends-tu ce piège mortel ? » [10] Saül fit serment par le SEIGNEUR : « Par la vie du SEIGNEUR, dit-il, tu ne cours aucun risque dans cette affaire. » [11] La femme dit : « Qui dois-je évoquer pour toi ? » Il dit : « Evoque-moi Samuel. » [12] La femme vit Samuel et poussa un grand cri. La femme dit à Saül : « Pourquoi m'as-tu trompée ? Tu es Saül ! » [13] Le roi lui dit : « N'aie pas peur. Mais qu'as-tu vu ? » La femme dit à Saül : « J'ai vu un dieu *g* qui montait de la terre. » [14] Il lui dit : « Quelle apparence a-t-il ? » Elle dit : « C'est un vieillard qui monte. Il est enveloppé d'un manteau. » Saül sut alors que c'était Samuel. Il s'inclina, la face contre terre, et se prosterna.

[15] Samuel dit à Saül : « Pourquoi m'as-tu dérangé en me faisant monter ? » Saül dit : « Je suis dans une grande angoisse. Les Philistins me font la guerre, et Dieu s'est retiré loin de moi ; et ne me répond plus, ni par l'entremise des prophètes, ni par les songes. Je t'ai donc appelé pour que tu me fasses savoir ce que je dois faire. » [16] Samuel dit : « Et pourquoi m'interroges-tu, si le SEIGNEUR s'est retiré loin de toi et t'est devenu hostile ? [17] Le SEIGNEUR a agi comme il l'avait dit par mon entremise : le SEIGNEUR t'a arraché la royauté et l'a donnée à un autre, à David. [18] Parce que tu n'as pas obéi à la voix du SEIGNEUR et que tu n'as pas assouvi sa colère contre Amaleq *h*, le SEIGNEUR, aujourd'hui, t'a traité de la sorte. [19] Et, avec toi, le SEIGNEUR livrera Israël lui-même aux mains des Philistins. Demain, toi et tes fils, vous serez avec moi, et l'armée d'Israël elle-même, le SEIGNEUR la livrera aux mains des Philistins. » [20] Aussitôt, Saül tomba à terre de tout son long, effrayé de ce que Samuel avait dit. De plus, il était sans force, car il

---

a Néguev: région semi-désertique qui s'étend au sud de la Palestine — Les *Yerahmeélites* et les *Qénites* sont des peuples voisins et alliés de Juda — Par cette réponse, David faisait croire aux Philistins qu'il était l'ennemi de Juda et de ses alliés (voir v. 12) • *b ce que fera ton serviteur,* c'est-à-dire *ce que je ferai* • *c* Sur la *mort de Samuel,* voir 25.1 — *nécromancie:* pratique (interdite par la loi, Lv 19.31) consistant à interroger les esprits des morts • *d Shounem:* voir 1 R 1.3 et la note; *Guilboa:* sommet situé à quelques km au sud-est de Shounem, de l'autre côté de la plaine d'Izréel • *e Ourim:* voir Ex 28.30 et la note ; *Les songes,* l'*Ourim* et les *prophètes* sont les trois moyens auxquels on pouvait recourir en Israël pour connaître la volonté de Dieu • *f* Localité située à 12 km environ au nord du mont Guilboa • *g un dieu* ou *un spectre* • *h* Voir chap. 15

28.3 Samuel était mort 25.1 — la nécromancie Lv 20.6; Dt 18.11; 2 R 21.6; Es 8.19; 2 Ch 33.6. 28.8 Saül se déguisa 1 R 14.2. 28.14 d'un manteau (de prophète) 1 R 11.29; 19.19; 2 R 2.8, 14; Mt 3.4 par. 28.15 une grande angoisse 30.6; 2 S 24.14. 28.16 Samuel dit Si 46.20 — devenu hostile Es 63.10; Lm 2.5. 28.17 la royauté à David 24.21+. 28.19 vous serez avec moi 31.2-5.

n'avait rien mangé de toute la journée et de toute la nuit. ²¹ La femme vint auprès de Saül et le vit tout bouleversé. Elle lui dit : « Tu vois, ton esclave t'a écouté *i*. J'ai risqué ma vie, mais j'ai obéi aux ordres que tu m'as donnés. ²² Et maintenant, daigne écouter, à ton tour, la voix de ton esclave. Laisse-moi te servir un morceau de pain et mange, ainsi tu auras des forces quand tu reprendras ta route. » ²³ Il refusa et dit : « Je ne mangerai pas. » Mais ses serviteurs insistèrent, ainsi que la femme, et il écouta leur voix. Il se leva de terre et s'assit sur le divan. ²⁴ La femme avait chez elle un veau à l'engrais. Elle se hâta de l'abattre. Elle prit de la farine, la pétrit et fit cuire des pains non levés. ²⁵ Elle servit Saül et ses serviteurs et ils mangèrent. Puis ils se mirent en route et repartirent cette même nuit.

Les Philistins renvoient David

29 ¹ Les Philistins rassemblèrent toutes leurs armées à Afeq. Les Israélites campèrent près de la source qui est en Izréel *j*. ² Les princes des Philistins défilaient en tête des centaines et des milliers. David et ses hommes défilaient les derniers avec Akish. ³ Les chefs des Philistins dirent : « Qu'est-ce que ces Hébreux ? » Akish dit aux chefs des Philistins : « Mais c'est David, le serviteur de Saül, roi d'Israël ! Voici un an ou deux qu'il est avec moi et je n'ai rien trouvé à lui reprocher depuis son ralliement jusqu'à ce jour. » ⁴ Les chefs des Philistins se fâchèrent contre Akish et lui dirent : « Renvoie cet homme et qu'il retourne à l'endroit que tu lui as assigné. Qu'il ne descende pas avec nous au combat, que nous ne l'ayons pas pour adversaire pendant le combat. A quel prix celui-là pourrait-il se concilier son maître, sinon avec les têtes des hommes que voici ? ⁵ N'est-ce pas ce David dont on chantait en dansant : "Saül en a battu des mille et David, des myriades" ? »
⁶ Akish appela David et lui dit : « Par la vie du SEIGNEUR, tu es un homme droit. J'ai plaisir à te voir partir et ren-

trer avec moi à l'armée, car je n'ai pas trouvé de mal en toi depuis le jour où tu es venu chez moi jusqu'à ce jour. Mais tu ne plais pas aux princes. ⁷ Retourne donc et va en paix. Ainsi tu ne feras rien qui déplaise aux princes Philistins. » ⁸ David dit à Akish : « Mais qu'ai-je donc fait ? Et qu'as-tu trouvé à reprocher à ton serviteur depuis le jour où je me suis mis à ton service jusqu'à ce jour, pour que je ne puisse venir combattre les ennemis de mon seigneur le roi ? » ⁹ Akish répondit à David : « Je sais. Oui, tu me plais comme un *ange de Dieu. Mais les chefs des Philistins ont dit : "Qu'il ne monte pas avec nous au combat." ¹⁰ Donc, lève-toi de bon matin, ainsi que les serviteurs de ton maître qui t'ont accompagné. Vous vous lèverez de bon matin, et, dès qu'il fera jour, partez. » ¹¹ David se leva tôt, lui et ses hommes, pour partir dès le matin et retourner au pays des Philistins. Alors les Philistins montèrent à Izréel.

Ciqlag pillée.
David poursuit les Amalécites

30 ¹ Or, le troisième jour, lorsque David et ses hommes arrivèrent à Ciqlag, les Amalécites avaient fait un raid dans le Néguev *k* et à Ciqlag. Ils avaient ravagé Ciqlag et l'avaient incendiée. ² Ils y avaient fait prisonniers les femmes, les petits et les grands, mais ils n'avaient tué personne. Ils les avaient emmenés et avaient repris leur chemin.

³ Quand David et ses hommes arrivèrent à la ville, ils virent qu'elle avait été incendiée et que leurs femmes, leurs fils et leurs filles avaient été emmenés. ⁴ David et ses compagnons éclatèrent en sanglots et pleurèrent jusqu'à ce qu'ils n'eussent plus la force de pleurer. ⁵ Les deux femmes de David avaient été capturées, Ahinoam d'Izréel et Avigaïl, femme de Naval, de Karmel. ⁶ Et David était dans une grande angoisse, car les gens parlaient de le lapider : chacun était plein d'amertume en pensant à ses fils et à ses filles. Mais David reprit courage, grâce au SEIGNEUR, son Dieu.

---

i ton esclave t'a écouté, c'est-à-dire *je t'ai écouté* ● *j Afeq*: voir 4.1 et la note — *la source qui est en Izréel*: probablement Ein-Harod, dans la plaine d'Izréel, au pied du mont Guilboa ● *k Ciqlag, Néguev*: voir 27.6, 10 et les notes

28.22-25 préparation du repas Gn 18.5-8. **29.3** un an ou deux 27.7. **29.4** l'endroit que tu as assigné 27.6 — pour adversaire 14.21. **29.5** Saül en a battu... 18.7+. **29.9** comme un ange de Dieu 2 S 14.17, 20; 19.28. **30.1** les Amalécites 27.8. **30.5** les deux femmes de David 27.3+. **30.6** une grande angoisse 28.15+.

[7] David dit au prêtre Abiatar, fils d'Ahimélek : « Apporte-moi l'éphod [l], s'il te plaît. » Abiatar apporta l'éphod à David. [8] David demanda au SEIGNEUR : « Si je poursuis cette bande, arriverai-je à les rattraper ? » Le SEIGNEUR lui dit : « Pars à sa poursuite. Tu les rattraperas et tu délivreras les tiens. » [9] David partit avec six cents de ses compagnons, et ils arrivèrent au torrent de Besor [m]. Les autres étaient restés. [10] David continua la poursuite avec quatre cents hommes. Deux cents hommes étaient restés sur place, trop fatigués pour franchir le torrent de Besor.

[11] On rencontra un Egyptien dans la campagne. On l'arrêta et on l'amena à David. On lui donna du pain à manger et de l'eau à boire. [12] On lui donna un gâteau de figues et deux grappes de raisin sec et, après avoir mangé, l'homme retrouva ses esprits. Depuis trois jours et trois nuits, il n'avait ni mangé ni bu. [13] David lui dit : « A qui es-tu et d'où es-tu ? » Il dit : « Je suis un jeune Egyptien, esclave d'un Amalécite. Mon maître m'a abandonné parce que j'étais malade, il y a aujourd'hui trois jours. [14] C'est nous qui avons fait un raid au Néguev des Kerétiens, contre celui de Juda et contre le Néguev de Caleb [n] et nous avons incendié Ciqlag. » [15] David lui dit : « Me conduirais-tu vers cette bande ? » Il répondit : « Jure-moi par Dieu que tu ne me feras pas mourir et que tu ne me remettras pas entre les mains de mon maître, et je te conduirai vers cette bande. »

Les Amalécites battus par David

[16] Il conduisit donc David. Les Amalécites étaient éparpillés sur toute l'étendue du pays, mangeant, buvant, faisant la fête avec l'énorme butin qu'ils avaient pris au pays des Philistins et au pays de Juda. [17] David les massacra depuis l'aube jusqu'au soir du lendemain. Personne n'en réchappa, sauf quatre cents jeunes gens qui enfourchèrent les chameaux et s'enfuirent. [18] David sauva tout ce que les Amalécites avaient pris. Il sauva en particulier ses deux femmes. [19] Il ne manquait personne parmi les petits et les grands, leurs fils et leurs filles, ni quoi que ce soit du butin et de tout ce qui avait été emporté. David ramena tout. [20] David prit tout le petit et le gros bétail. Ceux qui marchaient devant ce troupeau pour le guider disaient : « Voici le butin de David. »

[21] David arriva près des deux cents hommes qui avaient été trop fatigués pour suivre David et qu'on avait laissés au torrent de Besor [o]. Ils sortirent à la rencontre de David et de sa troupe. David s'avança avec la troupe et les salua. [22] Alors, parmi les hommes qui avaient accompagné David, tous les méchants et les vauriens élevèrent la voix et dirent : « Puisqu'ils ne sont pas venus avec moi [p], nous ne leur donnerons rien du butin que nous avons repris, à l'exception de leurs femmes et de leurs enfants. Qu'ils les emmènent et qu'ils s'en aillent ! » [23] Mais David dit : « Vous n'agirez pas ainsi, mes frères, avec ce que le SEIGNEUR nous a donné, lui qui nous a gardés et qui a livré entre nos mains la bande qui nous avait attaqués. [24] Et qui pourrait vous écouter dans cette affaire ? Telle la part de celui qui descend au combat, telle la part de celui qui reste auprès des bagages : ensemble, ils partageront. » [25] A partir de ce jour, il en fit une loi et une coutume pour Israël, encore valable aujourd'hui.

[26] Arrivé à Ciqlag, David envoya des parts de butin aux *anciens de Juda, ses compatriotes, et leur fit dire : « Voici pour vous en hommage une part du butin pris aux ennemis du SEIGNEUR. » [27] Il en envoya à ceux de Béthel, à ceux de Ramoth du Néguev, à ceux de Yattir, [28] à ceux de Aroër, à ceux de Sifemoth, à ceux d'Eshtemoa, [29] à ceux de Rakal, à ceux des villes des Yerahmeélites, à ceux des villes des Qénites, [30] à ceux de Horma, à ceux de Bor-Ashân, à ceux de Atak, [31] à ceux d'Hébron [q], et partout

---

l l'éphod : voir Ex 25.7 et la note ● *m Le torrent de Besor* coule à 35 km environ au sud-ouest de Ciqlag et va se jeter dans la Méditerranée ● *n Kerétiens :* voir 2 S 8.18 et la note — *Caleb :* clan de la tribu de Juda ● *o torrent de Besor :* voir v. 9 et la note ● *p avec moi* ou *avec nous* (d'après plusieurs versions anciennes) ● *q* La plupart des localités et régions énumérées dans les v. 27-31 se situent dans le pays de Juda. La générosité de David (voir v. 26) lui assura plus tard le soutien des Judéens qui, les premiers, le choisirent pour roi, à *Hébron* précisément (2 S 2.1-4)

30.7 Abiatar 22.20. **30.8** David demanda au Seigneur 23.9-13. **30.10** quatre cents hommes 25.13. **30.14** un raid 27.10. **30.18** ses deux femmes 27.3+. **30.21** au torrent de Besor 30.10. **30.24** ils partageront Nb 31.27.

où David et ses hommes avaient porté leurs pas.

Bataille de Guilboa. Mort de Saül
(1 Ch 10.1-14)

31 [1] Les Philistins combattaient contre Israël. Les hommes d'Israël s'enfuirent devant les Philistins. Les victimes gisaient sur le mont Guilboa [r]. [2] Les Philistins se mirent à talonner Saül et ses fils. Ils tuèrent Jonathan, Avinadav et Malki-Shoua, les fils de Saül. [3] Le poids du combat se porta vers Saül. Les tireurs d'arc le découvrirent. A la vue des tireurs, il eut un frisson d'épouvante. [4] Saül dit à son écuyer : « Dégaine ton épée et transperce-moi, de peur que ces *incirconcis ne viennent me transpercer et ne se jouent de moi. » Mais son écuyer refusa, car il avait très peur. Alors Saül prit l'épée et se jeta sur elle. [5] Son écuyer, voyant que Saül était mort, se jeta lui aussi sur son épée et mourut avec lui. [6] Saül, ses trois fils, son écuyer, ainsi que tous ses hommes, moururent ensemble ce jour-là.

[7] En voyant la déroute d'Israël et la mort de Saül et de ses fils, les Israélites d'au-delà de la vallée [s] et ceux d'au-delà du Jourdain abandonnèrent les villes et prirent la fuite. Les Philistins arrivèrent et s'y installèrent. [8] Le lendemain, les Philistins vinrent dépouiller les victimes. Ils trouvèrent Saül et ses trois fils gisant sur le mont Guilboa. [9] Ils coupèrent la tête de Saül et le dépouillèrent de ses armes. Ils firent circuler la nouvelle dans le pays des Philistins, l'annonçant dans leurs temples et au peuple. [10] Ils mirent les armes de Saül dans le temple des Astartés et clouèrent son corps sur le rempart de Beth-Shéân [t].

[11] Là-dessus, les habitants de Yavesh de Galaad [u] apprirent ce que les Philistins avaient fait à Saül. [12] Les plus résolus se mirent en route, marchèrent toute la nuit et enlevèrent du rempart de Beth-Shéân les corps de Saül et de ses fils. Revenus à Yavesh, ils les y brûlèrent. [13] Ils recueillirent leurs ossements et les ensevelirent sous le tamaris de Yavesh, puis ils *jeûnèrent sept jours.

---

r *le mont Guilboa:* voir 28.4 et la note ● s *la vallée:* la plaine d'Izréel, où les Philistins ont installé leur camp (28.4) ● t *Astartés:* voir Jg 2.13 et la note — *Beth-Shéân:* localité située près du Jourdain, à 75 km environ de Jérusalem ● u *Yavesh de Galaad:* localité située à 15 km au sud-est de Beth-Shéân, de l'autre côté du Jourdain

31.1 les Philistins contre Israël 28.1, 4.   **31.2** les fils de Saül 14.49.   **31.4** transperce-moi Jg 9.54 — son écuyer refusa 24.7; 26.9.   **31.5** Saül mort 26.10.   **31.9** la tête de Saül 17.54. **31.10** les armes dans le temple 21.20.   **31.11** les habitants de Yavesh 11.1-11.   **31.13** leurs ossements 2 S 21.12-14.

DEUXIÈME LIVRE

DE SAMUEL

David apprend la mort de Saül

1 ¹ C'est après la mort de Saül que David revint, ayant battu Amaleq. David resta deux jours à Ciqlag *ᵃ*. ² Le troisième jour, un homme arriva du camp, d'auprès de Saül. Il avait les vêtements *déchirés et la tête couverte de terre. Or, en arrivant auprès de David, il tomba à terre et se prosterna. ³ David lui dit : « D'où viens-tu ? » Il lui dit : « Je me suis échappé du camp d'Israël. » ⁴ David lui dit : « Comment la chose s'est-elle passée ? Raconte-moi. » Il dit : « Le peuple a été mis en déroute ; et puis, il est tombé beaucoup de morts dans le peuple ; et puis, Saül et son fils Jonathan sont morts. » ⁵ David dit à son jeune informateur : « Comment sais-tu que Saül est mort, ainsi que son fils Jonathan ? » ⁶ Le jeune homme lui dit : « Je me trouvais par hasard sur le mont Guilboa *ᵇ*. Il y avait Saül, appuyé sur sa lance, et il y avait les chars et les cavaliers qui le serraient de près. ⁷ Il s'est retourné et il m'a vu. Il m'a appelé et j'ai dit "Présent !" ⁸ Il m'a dit : "Qui es-tu ?" Et je lui ai dit : "Je suis un Amalécite *ᶜ*." ⁹ Il m'a dit : "Reste près de moi, veux-tu, et donne-moi la mort, car je suis pris d'un malaise, bien que j'aie encore tout mon souffle." ¹⁰ Je suis donc resté près de lui et je lui ai donné la

mort, car je savais qu'il ne survivrait pas à sa chute. J'ai pris le diadème qu'il avait sur la tête et le bracelet qu'il avait au bras. Je les ai apportés ici à mon seigneur. »

¹¹ David saisit ses vêtements et les déchira. Tous ses compagnons firent de même. ¹² Ils célébrèrent le deuil, pleurèrent et *jeûnèrent jusqu'au soir pour Saül, pour son fils Jonathan, pour le peuple du Seigneur et pour la maison d'Israël *ᵈ*, qui étaient tombés par l'épée.

¹³ David dit au jeune informateur : « D'où es-tu ? » Il dit : « Je suis le fils d'un émigré amalécite. » ¹⁴ David lui dit : « Comment ! Tu n'as pas craint d'étendre la main pour tuer le messie *ᵉ* du Seigneur ? » ¹⁵ David appela un des garçons et dit : « Avance et frappe-le. » Il l'abattit. ¹⁶ David lui dit : « Que ton sang soit sur ta tête *ᶠ*, car tu as déposé contre toi-même en disant : C'est moi qui ai donné la mort au messie du Seigneur. »

Complainte de David sur Saül et Jonathan

¹⁷ Alors David fit cette complainte sur Saül et sur son fils Jonathan. ¹⁸ Il dit :
*(Pour apprendre aux fils de Juda. Arc. C'est écrit dans le livre du Juste *ᵍ*.)*

---

a la mort de Saül : voir 1 S 31.4-5 — *ayant battu Amaleq* (ou *les Amalécites*) : voir 1 S 30 — *Ciqlag :* voir 1 S 27.6 et la note ● *b le mont Guilboa :* voir 1 S 28.4 et la note ● *c Amalécite :* voir Ex 17.8 et la note ● *d* Les deux expressions *peuple du Seigneur* et *maison d'Israël* sont ici pratiquement équivalentes ● *e messie :* voir 1 S 2.10 et la note ● *f Que ton sang soit sur ta tête :* tournure sémitique signifiant que quelqu'un est responsable de la mort d'un autre et doit en supporter les conséquences ● *g* Le texte du v. 18 est obscur, comme beaucoup de titres de Psaumes — *Arc :* la présence de ce mot dans le titre s'explique probablement par le rôle qu'il joue dans la section centrale du poème (v. 22) — *le livre du Juste :* voir Jos 10.13 et la note

1.2 le messager 11.22-24 ; 18.19-32 ; 1 S 4.12-17. **1.9** donne-moi la mort 1 S 31.4. **1.10** diadème 2 R 11.12 ; Ps 89.40 ; 132.18. **1.14** étendre la main pour tuer le messie 1 S 24.7+.

¹⁹ Honneur d'Israël, gisant sur tes collines !
Ils sont tombés les héros !
²⁰ Ne le publiez pas dans Gath,
ne l'annoncez pas dans les rues d'Ashqelôn ʰ,
de peur que les filles des Philistins ne
se réjouissent,
que les filles des *incirconcis ne sautent de joie.
²¹ Montagnes de Guilboa,
ne recevez ni rosée ni pluie,
ne vous couvrez plus de champs féconds !
Car là fut maculé le bouclier des
héros,
le bouclier de Saül qui n'avait été
huilé ⁱ
²² que du sang des victimes, de la graisse
des héros,
l'arc de Jonathan, qui ne recula point,
et l'épée de Saül, qui ne rentrait pas
sèche.
²³ Saül et Jonathan, les bien-aimés,
inséparables dans la vie et dans la
mort,
plus rapides que des aigles,
plus vaillants que des lions !
²⁴ Filles d'Israël, pleurez sur Saül,
qui vous revêtait de pourpre et de
parures,
qui de bijoux d'or surchargeait vos
habits.
²⁵ Ils sont tombés en plein combat,
les héros !
Jonathan, gisant sur tes collines !
²⁶ Que de peine j'ai pour toi, Jonathan,
mon frère !
Je t'aimais tant !
Ton amitié était pour moi une merveille
plus belle que l'amour des femmes !
²⁷ Ils sont tombés les héros !
Elles ont péri les armes de guerre !

A Hébron, David est consacré roi de Juda

2 ¹ Après cela, David demanda au
SEIGNEUR : « Dois-je monter dans
l'une des villes de Juda ? » Le SEIGNEUR
lui dit : « Monte. » David dit : « Où dois-
je monter ? » Le SEIGNEUR dit : « A Hébron ʲ. » ² David y monta ainsi que ses
deux femmes, Ahinoam d'Izréel et Avigaïl, femme de Naval de Karmel. ³ David
fit également monter ses compagnons,
chacun avec sa famille, et ils s'installèrent dans les villes d'Hébron ᵏ. ⁴ Les gens
de Juda vinrent et là ils *oignirent David comme roi sur la maison de Juda.
On vint dire à David : « Ce sont les
gens de Yavesh de Galaad ˡ qui ont enterré Saül. » ⁵ David envoya des messagers aux gens de Yavesh de Galaad et il
leur dit : « Soyez bénis du SEIGNEUR,
vous qui avez accompli cet acte de fidélité envers votre seigneur Saül et qui
l'avez enterré. ⁶ Maintenant, que le SEI-
GNEUR agisse envers vous avec fidélité et
loyauté. Moi aussi, j'agirai à votre égard
avec la même bonté, puisque vous avez
fait cela. ⁷ Et maintenant, que vos mains
soient fermes. Soyez des hommes vaillants. Oui, votre seigneur Saül est mort,
mais sachez aussi que la maison de Juda
m'a oint pour être son roi. »

Ishbosheth désigné comme roi d'Israël

⁸ Avner, fils de Ner, chef de l'armée
de Saül, avait emmené Ishbosheth, fils
de Saül, et l'avait fait passer à Mahanaïm ᵐ. ⁹ Il en fit un roi pour le Galaad,
les Ashourites et Izréel, comme sur
Ephraïm, Benjamin et Israël tout entier.
¹⁰ Ishbosheth, fils de Saül, avait quarante
ans quand il devint roi sur Israël et
il régna deux ans. Mais la maison de
Juda ⁿ suivait David. ¹¹ Le temps que
David passa à Hébron comme roi de
la maison de Juda fut de sept ans et six
mois.

Bataille entre Juda et Israël à Gabaon

¹² Avner, fils de Ner, et les serviteurs
d'Ishbosheth, fils de Saül, sortirent de
Mahanaïm en direction de Gabaon ᵒ.
¹³ Joab, fils de Cerouya, et les serviteurs
de David sortirent également. S'étant

ʰ *Gath, Ashqelôn:* voir Jos 13.3; 1 S 5.8 et les notes ● ⁱ *Montagnes de Guilboa:* voir 1 S 28.4
et la note — *huilé:* on entretenait avec de l'huile le cuir épais recouvrant la carcasse de bois du
bouclier (comparer Es 21.5 et la note) ● ʲ Voir Gn 13.18 et la note ● ᵏ *les villes d'Hébron* signifie
« les localités des environs d'Hébron » ● ˡ *la maison de Juda* ou *le peuple de Juda;* dans un premier temps, David a régné que sur le sud du pays (comparer 5.1-5) — *Yavesh de Galaad:* voir
1 S 31.11-13 et la note ● ᵐ Voir Gn 32.3 et la note ● ⁿ *la maison de Juda* ou *le peuple de Juda*
● ᵒ Ville située à 10 km au nord-ouest de Jérusalem

1.24 de parures Jg 5.30.   **1.26** je t'aimais tant 1 S 18.1+.   **2.2** ses deux femmes 1 S 27.3+.
2.8 Mahanaïm 17.24.   **2.11** sept ans et six mois 5.5.   **2.13** le bassin de Gabaon Jr 41.12.

rencontrés près du bassin de Gabaon, ils s'installèrent de part et d'autre du bassin. [14] Avner dit à Joab : « Que les garçons se lèvent donc, et qu'ils joutent devant nous. » Joab dit : « Qu'ils se lèvent ! » [15] Ils se levèrent et on les compta : douze pour Benjamin et pour Ishbosheth, fils de Saül, et douze des serviteurs de David. [16] Chacun saisit la tête de son adversaire et mit son épée dans le flanc de son adversaire, et ils tombèrent ensemble. On appela ce lieu le Champ des Rocs. Il se trouve à Gabaon. [17] Le combat fut très dur ce jour-là. Avner et les gens d'Israël furent battus devant les serviteurs de David. [18] Il y avait là les trois fils de Cerouya, Joab, Avishaï et Asahel. Asahel avait le pied aussi léger qu'une gazelle des champs. [19] Asahel se lança à la poursuite d'Avner, qu'il suivit sans dévier, ni à droite, ni à gauche. [20] Avner se retourna et dit : « Est-ce toi, Asahel ? » Il dit : « C'est moi. » [21] Avner lui dit : « Dévie à droite ou à gauche, attrape un des garçons et prends pour toi ses dépouilles. » Mais Asahel ne voulut pas s'écarter et cesser la poursuite. [22] De nouveau, Avner dit à Asahel : « Écarte-toi, cesse de me poursuivre ! Ou faudra-t-il que je te terrasse ? Pourrais-je alors regarder en face ton frère Joab ? » [23] Mais Asahel refusa de s'écarter. Alors Avner le frappa au ventre avec le talon de sa lance. La lance sortit par derrière. Il tomba là et mourut sur place. Or tous ceux qui arrivaient à l'endroit où Asahel était tombé mort s'arrêtaient. [24] Joab et Avishaï se lancèrent à la poursuite d'Avner. Le soleil se couchait quand ils arrivèrent à Guivéath-Amma [p], qui se trouve à l'est de Guiah, sur le chemin du désert de Gabaon. [25] Les fils de Benjamin se rassemblèrent derrière Avner, ne firent qu'un bloc et se postèrent au sommet d'une colline. [26] Avner cria en direction de Joab : « L'épée va-t-elle sans cesse dévorer ? Ne sais-tu pas que cela finira tristement ? Quand donc enfin diras-tu à tes hommes d'arrêter cette poursuite fratricide ? » [27] Joab dit : « Par la vie de Dieu ! Si tu n'avais pas

parlé, les hommes n'auraient pas suspendu cette poursuite fratricide avant demain matin. » [28] Joab sonna du cor : tout le peuple s'arrêta, cessant de poursuivre Israël, et on ne se battit plus. [29] Avner et ses hommes marchèrent dans la Araba pendant toute la nuit. Ils passèrent le Jourdain, parcoururent tout le Bitrôn et arrivèrent à Mahanaïm [q]. [30] Quand Joab eut cessé de poursuivre Avner, il rassembla tout le peuple, Il manquait à l'appel, parmi les serviteurs de David, dix-neuf hommes et Asahel. [31] Les serviteurs de David eux, avaient abattu trois cent soixante hommes parmi les Benjaminites et les gens d'Avner. [32] On emporta Asahel et on l'ensevelit dans la tombe de son père, à Bethléem. Joab et ses hommes marchèrent toute la nuit et, au lever du jour, ils furent à Hébron [r].

3 [1] La guerre fut longue entre la maison de Saül et la maison de David [s]. David ne cessait de se renforcer, la maison de Saül ne cessait de s'affaiblir.

Les fils de David nés à Hébron
(1 Ch 3.1-4)

[2] Des fils naquirent à David, à Hébron. Son premier né fut Amnon, d'Ahinoam d'Izréel ; [3] le second, Kiléav, d'Avigaïl, femme de Naval, de Karmel ; le troisième, Absalom, fils de Maaka, fille de Talmaï, roi de Gueshour [t] ; [4] le quatrième, Adonias, fils de Hagguith ; le cinquième, Shefatya, fils d'Avital ; [5] le sixième, Yitréam, de Egla, femme de David. Ceux-là naquirent à David, à Hébron.

Avner se brouille avec Ishbosheth

[6] Pendant qu'il y avait la guerre entre la maison de Saül et la maison de David [u], Avner, lui, renforçait sa position dans la maison de Saül. [7] Saül avait eu une concubine qui s'appelait Riçpa, fille d'Ayya. Ishbosheth dit à Avner : « Pourquoi es-tu allé vers la concubine de mon

---

p Guivéath-Amma ou *la colline d'Amma :* lieu non identifié ● *q la Araba* désigne ici la vallée du Jourdain — *parcoururent tout le Bitrôn :* endroit inconnu ; autre traduction *marchèrent toute la matinée* — *Mahanaïm :* voir v. 8 ● *r* Voir v. 1-4 ● *s la maison de Saül* désigne ici le *royaume d'Ishbosheth* — *la maison de David* ou le *royaume de Juda* ● *t Gueshour :* voir 13.37 et la note ● *u maison de Saül, maison de David :* voir v. 1 et la note

2.14 qu'ils joutent devant nous cf. 1 S 17.10.   **2.16** on appela ce lieu 5.20 ; 6.8 ; Jos 7.26 ; 1 S 23.28.   **2.23** s'arrêtaient 20.12.   **2.26** l'épée qui dévore 11.25 ; 18.8 ; Dt 32.42 ; Es 31.8 ; Jr 46.10, 14.   **2.28** sonna du cor 18.16 ; 20.22 ; cf. 1 R 22.36.   **3.7** Riçpa 21.8-11.

père *v* ? » ⁸ A ces mots, Avner entra dans une grande colère et il dit : « Suis-je, moi, une tête de chien *w* judéen ? Aujourd'hui, j'agis avec fidélité envers la maison de ton père Saül, envers ses frères et ses amis. Je ne t'ai pas laissé tomber aux mains de David. Et maintenant, tu veux me faire grief d'un écart avec cette femme, aujourd'hui ! ⁹ Que Dieu fasse à Avner ceci et encore cela *x*, si je ne fais pas pour David ce que le SEIGNEUR lui a juré : ¹⁰ ôter la royauté à la maison de Saül et ériger le trône de David sur Israël et sur Juda de Dan à Béer-Shéva *y*.» ¹¹ Ishbosheth ne put répliquer un mot à Avner, car il en avait peur.

Avner se rallie à David

¹² Avner envoya des messagers à David en son propre nom. Il disait : « A qui le pays ? » Et : « Conclus une alliance avec moi et je te prête la main pour te rallier tout Israël.» ¹³ David répondit : « Bien. Je vais conclure une alliance avec toi. Je ne te demande qu'une chose : Ne te présente pas devant moi sans m'amener d'abord Mikal *z*, la fille de Saül, quand tu viendras te présenter.» ¹⁴ David envoya des messagers à Ishbosheth, fils de Saül. Il disait : « Donne-moi ma femme Mikal, que je me suis acquise pour cent prépuces de Philistins.» ¹⁵ Ishbosheth l'envoya prendre chez son mari, Paltiël, fils de Laïsh. ¹⁶ Son mari l'accompagna. Jusqu'à Bahourim *a*, il la suivit en pleurant. Mais Avner lui dit : « Va-t'en, retourne ! » Et il s'en retourna. ¹⁷ Avner engagea des pourparlers avec les *anciens d'Israël. Il leur dit : « Il y a déjà longtemps que vous désirez avoir David pour roi. ¹⁸ C'est le moment d'agir. En effet, le SEIGNEUR a déclaré au sujet de David : "Par la main de mon serviteur David, je sauverai mon peuple Israël de la main des Philistins et de la main de tous ses ennemis".» ¹⁹ Avner confia cela aux oreilles des Benjaminites. Puis Avner alla confier aux oreilles de David, à Hébron, tout ce qui avait l'agrément d'Israël et de toute la maison *b* de Benjamin. ²⁰ Avner, accompagné de vingt hommes, vint trouver David à Hébron. David donna un banquet à Avner et à ses compagnons. ²¹ Avner dit à David : « Je vais me mettre à rassembler tout Israël auprès de mon seigneur le roi. Ils concluront une alliance avec toi et tu régneras partout où tu le désires.» David laissa partir Avner et celui-ci s'en alla en paix.

Joab assassine Avner

²² Mais voici que les serviteurs de David et Joab rentraient d'expédition, ramenant un énorme butin. Avner n'était plus à Hébron, auprès de David, puisque celui-ci l'avait laissé partir en paix. ²³ Quand Joab et toute son armée furent arrivés, on vint dire à Joab : « Avner, le fils de Ner, est venu chez le roi et celui-ci l'a laissé partir en paix.» ²⁴ Joab vint trouver le roi et lui dit : « Qu'as-tu fait ? Voilà qu'Avner est venu chez toi ! Pourquoi donc l'as-tu laissé partir ainsi ? ²⁵ Tu connais Avner, le fils de Ner : c'est pour te duper qu'il est venu, pour connaître tes allées et venues et pour savoir tout ce que tu fais.» ²⁶ Sorti de chez David, Joab envoya des émissaires sur les pas d'Avner. Ils le firent revenir depuis la citerne de Sira *c*, à l'insu de David. ²⁷ Quand Avner fut revenu à Hébron, Joab l'attira à l'écart à l'intérieur de la porte, comme pour lui parler tranquillement. Là, il le frappa mortellement au ventre, pour venger le sang de son frère Asahel. ²⁸ Quand David l'apprit par la suite, il déclara : « Moi et ma royauté, nous sommes à jamais innocents, devant le SEIGNEUR, du sang d'Avner, le fils de Ner. ²⁹ Qu'il rejaillisse sur la tête de Joab et sur toute sa famille ! Qu'il ne cesse pas d'y avoir dans la maison de Joab des gens atteints d'écoulement ou

---

v Cet acte pouvait exprimer une prétention au pouvoir royal (comparer 1 R 2.22 et la note). Une *concubine* était une épouse légitime, mais d'un rang inférieur ● *w chien:* comparer 1 S 14.15 et la note ● *x Que Dieu fasse...:* voir 1 S 14.44 et la note ● *y de Dan à Béer-Shéva:* voir la note sur Jos 19.47 ● *z Mikal:* voir 1 S 18.20-30; 25.44 ● *a* Localité non identifiée avec précision, mais située à quelques km seulement à l'est de Jérusalem ● *b confia cela aux oreilles des Benjaminites* ou *informa les Benjaminites de cela — toute la maison* ou *tout le peuple ● c citerne de Sira:* lieu non identifié, probablement au nord d'Hébron.

3.10 ôter la royauté 1 S 13.14; 15.28.   3.25 c'est pour te duper cf. 10.3; 15.34.   3.27 Joab l'attira 20.8-10 — il le frappa mortellement 18.14; 20.10 — le sang d'Asahel 2.23.   3.28 nous sommes innocents 1 R 2.5; cf. 14.9; Jos 2.19.   3.29 sur la tête de Joab 1 R 2.34 — qu'il ne cesse pas... 1 S 2.33.

de lèpre, ou qui tiennent le fuseau *d*, ou qui tombent sous l'épée, ou qui manquent de pain ! » ³⁰ C'est parce qu'il avait fait mourir leur frère Asahel *e* à la bataille de Gabaon que Joab et son frère Avishaï avaient assassiné Avner.

³¹ David dit à Joab et à tout le peuple qui était avec lui : « *Déchirez vos vêtements, ceignez-vous de *sacs, et célébrez le deuil devant Avner. » Et le roi David marchait derrière la civière. ³² On ensevelit Avner à Hébron. Le roi éclata en sanglots sur la tombe d'Avner et tout le peuple versa des larmes. ³³ Puis le roi fit une complainte sur Avner. Il dit :

« Fallait-il qu'Avner mourût de la mort
    de l'infâme ?
³⁴ Tes mains n'étaient pas enchaînées,
on n'avait pas mis tes pieds aux fers.
Comme on tombe devant des criminels,
    tu es tombé. »

Et tout le peuple se remit à pleurer sur lui.

³⁵ Tout le peuple vint ensuite pour faire prendre quelque nourriture à David pendant qu'il faisait encore jour. Mais David fit ce serment : « Que Dieu me fasse ceci et encore cela *f* si, avant le coucher du soleil, je goûte à du pain ou à quoi que ce soit ! » ³⁶ Tout le peuple en eut connaissance et l'approuva ; aussi bien, tout ce que faisait le roi avait l'approbation de tout le peuple. ³⁷ Tout le peuple et tout Israël comprirent, ce jour-là, que le meurtre d'Avner, le fils de Ner, n'était pas le fait du roi. ³⁸ Le roi dit à ses serviteurs : « Ne savez-vous pas qu'un chef, qu'un grand homme est tombé aujourd'hui en Israël ? ³⁹ Moi, aujourd'hui, je suis faible, malgré l'*onction royale, et ces gens-là, les fils de Cerouya, sont plus durs que moi. Mais que le SEIGNEUR rende au méchant selon sa méchanceté ! »

Baana et Rékav assassinent Ishbosheth

4 ¹ Le fils de Saül apprit qu'Avner était mort à Hébron. Les mains lui en tombèrent et tout Israël en fut bouleversé.

² Il y avait deux hommes, des chefs de bandes, chez le fils de Saül. L'un s'appelait Baana et l'autre Rékav. Ils étaient fils de Rimmôn, le Béérotite, des fils de Benjamin — car Bééroth *g*, elle aussi, est considérée comme benjaminite. ³ Les gens de Bééroth se sont enfuis à Guittaïm *h* et ils y sont restés comme résidents jusqu'à nos jours. ⁴ Or Jonathan, fils de Saül, avait un fils estropié des deux jambes. Il avait cinq ans lorsqu'arriva d'Izréel la nouvelle concernant Saül et Jonathan. Sa nourrice le prit pour s'enfuir et elle était si pressée de fuir que l'enfant tomba et resta boiteux. Il s'appelait Mefibosheth *i*.

⁵ Donc, les fils de Rimmôn de Bééroth, Rékav et Baana, partirent et, à l'heure la plus chaude du jour, arrivèrent à la maison d'Ishbosheth qui était couché pour la sieste de midi. ⁶ Ils pénétrèrent à l'intérieur de la maison, chargés de blé, et ils le frappèrent au ventre. Puis Rékav et son frère Baana s'échappèrent.

⁷ Étant entrés dans la maison alors qu'il était couché sur son lit dans la chambre à coucher, ils le frappèrent mortellement et le décapitèrent. Puis ils emportèrent sa tête et cheminèrent toute la nuit par la Araba *j*. ⁸ Ils apportèrent la tête d'Ishbosheth à David à Hébron et dirent au roi : « Voici la tête d'Ishbosheth, le fils de Saül, ton ennemi, qui en voulait à ta vie. Le SEIGNEUR a donné à mon seigneur le roi pleine vengeance, en ce jour, sur Saül et sur sa descendance. »

⁹ David répondit aux fils de Rimmôn de Bééroth, Rékav et Baana son frère : « Par la vie du SEIGNEUR, qui m'a libéré de tout péril ! ¹⁰ Celui qui m'annonçait : "Saül est mort", se prenait lui aussi pour un porteur de bonnes nouvelles. Eh bien, je l'ai fait arrêter et tuer à Ciqlag *k*. C'était pour le payer de sa bonne nouvelle ! ¹¹ A plus forte raison quand des

---

d Qu'il rejaillisse sur la tête de Joab: comparer 1.16 et la note — *la maison de Joab* ou *la famille de Joab* — *écoulement:* voir Lv 15 — *lèpre:* voir Lv 13 — 14 — *qui tiennent le fuseau,* c'est-à-dire *réduits à la condition des femmes* ● *e* Voir 2.23 ● *f Que Dieu me fasse...:* voir 1 S 14.44 et la note ● *g* Localité située à une quinzaine de km au nord de Jérusalem ● *h* Localité non identifiée, située probablement dans la région de Lod, au nord-ouest de Jérusalem (voir Ne 11.33) ● *i* Izréel: voir 1 S 29.1, 11 — *la nouvelle:* de la mort de Saül et de Jonathan (1 S 31.2-6) — *Mefibosheth:* appelé *Meribbaal* en 1 Ch 8.34; 9.40 ● *j la Araba:* voir 2.29 et la note ● *k* Voir 1.15

3.33 une complainte 1.17.   3.35 quelque nourriture 12.17; 1 S 28.22 — David refuse de manger 1 S 31.13.   3.38 un grand homme 1 S 26.15.   3.39 les fils de Cerouya 16.10; 19.23; 1 S 26.6. 4.1 les mains lui en tombèrent Jr 6.24; 50.43.   4.4 Mefibosheth 9.1-13.   4.8 en voulait à ta vie 16.11; Ex 4.19; 1 R 19.10, 14; Mt 2.20 — vengeance 22.48; 1 S 24.13.   4.9 libéré 1 S 26.24; 1 R 1.29.   4.10 celui qui m'annonçait 1.5-16.

scélérats ont tué un juste dans sa maison, sur son lit ! Ne dois-je pas maintenant vous réclamer son sang, qui est sur vos mains, et vous supprimer de la terre ? » [12] David donna un ordre aux garçons. Ils les tuèrent, leur coupèrent les mains et les pieds et les suspendirent près du bassin d'Hébron. On prit la tête d'Ish-bosheth et on l'ensevelit dans la tombe d'Avner, à Hébron.

David est consacré roi d'Israël
(*1 Ch 11.1-3*)

5 [1] Toutes les tribus d'Israël vinrent trouver David à Hébron et lui dirent : « Nous voici, nous sommes tes os et ta chair [l]. [2] Il y a longtemps déjà, quand Saül était notre roi, c'était toi qui faisais sortir et rentrer Israël. Or le SEIGNEUR t'a dit : "C'est toi qui feras paître Israël mon peuple et c'est toi qui seras le chef d'Israël [m]". » [3] Tous les *anciens d'Israël vinrent trouver le roi à Hébron, et le roi David conclut en leur faveur une alliance à Hébron, devant le SEIGNEUR, et ils *oignirent David comme roi d'Israël. [4] David avait trente ans quand il devint roi. Il régna quarante ans. [5] A Hébron, il régna sur Juda sept ans et six mois et, à Jérusalem, il régna trente-trois ans sur tout Israël et Juda.

David s'empare de Jérusalem
(*1 Ch 11.4-9; 14.1-2*)

[6] Le roi et ses hommes marchèrent sur Jérusalem contre le Jébusite [n] qui habitait le pays. On dit à David : « Tu n'entreras ici qu'en écartant les aveugles et les boiteux. » C'était pour dire : « David n'entrera pas ici. » [7] David s'empara de la forteresse de *Sion — c'est la *Cité de David. [8] David dit ce jour-là : « Quiconque veut frapper le Jébusite doit atteindre le canal ! Quant aux boiteux et aux aveugles, ils dégoûtent David. » C'est pourquoi l'on dit : « Aveugle et boiteux n'entreront pas dans la Maison [o]. » [9] David s'installa dans la forteresse et il l'ap-

pela « Cité de David ». Puis David construisit tout autour, depuis le Millo [p], vers l'intérieur. [10] David devint de plus en plus grand et le SEIGNEUR, le Dieu des puissances, était avec lui.

[11] Hiram, roi de Tyr, envoya une ambassade à David avec du bois de cèdre, des charpentiers et des tailleurs de pierre pour les murs, et ils bâtirent une maison pour David. [12] Alors David sut que le SEIGNEUR l'avait établi roi sur Israël et qu'il avait exalté sa royauté à cause d'Israël son peuple.

Les fils de David nés à Jérusalem
(*1 Ch 3.5-9; 14.3-7*)

[13] David prit encore des concubines [q] et des femmes à Jérusalem après son arrivée d'Hébron, et il naquit encore à David des fils et des filles. [14] Voici les noms de ceux qui lui naquirent à Jérusalem : Shammoua, Shovav, Natân et Salomon ; [15] Yivhar, Elishoua, Nèfeg et Yafia ; [16] Elishama, Elyada et Elifèleth.

Victoires de David sur les Philistins
(*1 Ch 14.8-16*)

[17] Les Philistins apprirent qu'on avait *oint David comme roi sur Israël. Tous les Philistins montèrent donc à la recherche de David. David l'apprit et descendit à la forteresse. [18] Les Philistins arrivèrent et se déployèrent dans la vallée des Refaïtes [r]. [19] David demanda au SEIGNEUR : « Dois-je monter contre les Philistins ? Les livreras-tu entre mes mains ? » Le SEIGNEUR dit à David : « Monte. Oui, je livrerai les Philistins entre tes mains. » [20] David arriva à Baal-Peracim et, là, David les battit. Il dit alors : « Le SEIGNEUR a fait une brèche chez mes ennemis comme une brèche ouverte par les eaux ! » C'est pourquoi on a donné à ce lieu le nom de Baal-Peracim [s], c'est-à-dire : « Maître des Brèches ». [21] Ils abandonnèrent là leurs idoles, et David et ses hommes les emportèrent.

[22] A nouveau, les Philistins montèrent

---

l Hébron: voir 2.1-4 — *tes os et ta chair:* cette formule exprime une relation de parenté (comparer Gn 2.23) ● *m faisais sortir et rentrer Israël,* c'est-à-dire conduisais les expéditions militaires d'Israël (voir 1 S 18.13-16) — *chef d'Israël:* voir 1 S 28.17 ● *n le Jébusite:* voir au glossaire AMORITES ● *o le canal:* le sens du mot hébreu est incertain — *la Maison* ou *le Temple* ● *p le Millo:* voir 1 R 9.15 et la note ● *q* voir 3.7 et la note ● *r* La *vallée des Refaïtes* se situe au sud-ouest de Jérusalem ● *s* Lieu non identifié

4.12 ils les tuèrent 1.15; 1 S 22.18.   **5.5** sept ans et six mois 2.11; 1 R 2.11.   **5.8** aveugle et boiteux cf. Lv 21.18; Mt 21.14.   **5.10** le Seigneur était avec lui 1 S 18.12+.   **5.11** Hiram 1 R 5.15.   **5.13** d'Hébron 2.1-7; 3.2-5.   **5.20** on a donné le nom 2.16+.   **5.21** abandonnèrent leurs idoles 1 S 4.11.

et se déployèrent dans la vallée des Refaïtes. ²³ David interrogea le SEIGNEUR, qui déclara : « Tu n'attaqueras pas de front. Tourne-les sur leurs arrières et tu arriveras vers eux en face des micocouliers. ²⁴ Quand tu entendras un bruit de pas à la cime des micocouliers, alors attention ! C'est qu'alors le SEIGNEUR sera sorti devant toi pour frapper l'armée des Philistins. » ²⁵ David agit comme le SEIGNEUR le lui avait ordonné et il battit les Philistins depuis Guèva jusqu'à l'entrée de Guèzèr [t].

David décide d'amener l'arche à Jérusalem
(1 Ch 13.1-14)

6 ¹ David réunit à nouveau toute l'élite d'Israël, trente mille hommes. ² David se mit en route et partit, lui et tout le peuple qui était avec lui, de Baalé-Yehouda [u] pour en faire monter l'*arche de Dieu sur laquelle a été prononcé un *nom, le Nom du SEIGNEUR le tout-puissant, siégeant sur les *chérubins. ³ On chargea l'arche de Dieu sur un chariot neuf et on l'emporta de la maison d'Avinadav, située sur la colline. Ouzza et Ahyo, les fils d'Avinadav, conduisaient le chariot neuf. ⁴ On l'emmena de la maison d'Avinadav, qui est sur la colline, avec l'arche de Dieu, et Ahyo marchait devant l'arche. ⁵ David et toute la maison d'Israël s'ébattaient devant le SEIGNEUR au son de tous les instruments de cyprès, des cithares, des harpes, des tambourins, des sistres et des cymbales. ⁶ Ils arrivèrent à l'aire de Nakôn [v]. Ouzza fit un geste en direction de l'arche de Dieu et il la saisit, car les bœufs fléchissaient. ⁷ La colère du SEIGNEUR s'enflamma contre Ouzza et Dieu le frappa là pour cette erreur [w]. Il mourut là, près de l'arche de Dieu. ⁸ David fut

bouleversé, parce que le SEIGNEUR avait ouvert une brèche en fonçant sur Ouzza. Aujourd'hui encore l'endroit s'appelle la Brèche de Ouzza.

⁹ David eut peur du SEIGNEUR en ce jour-là et il dit : « Comment l'arche du SEIGNEUR pourrait-elle venir chez moi ? » ¹⁰ David renonça donc à transférer l'arche du SEIGNEUR chez lui, dans la Cité de David, et il la remisa dans la maison de Oved-Edom le Guittite [x]. ¹¹ L'arche du SEIGNEUR demeura donc dans la maison de Oved-Edom le Guittite durant trois mois et le SEIGNEUR bénit Oved-Edom et toute sa maison.

Arrivée de l'arche à Jérusalem
(1 Ch 15.25—16.3)

¹² On vint dire au roi David : « Le SEIGNEUR a béni la maison de Oved-Edom et tout ce qui lui appartient à cause de l'*arche de Dieu. » David partit alors et fit monter l'arche de Dieu de la maison de Oved-Edom à la Cité de David, dans la joie. ¹³ Or donc, lorsque les porteurs de l'arche du SEIGNEUR eurent fait six pas, il offrit en *sacrifice un taureau et un veau gras. ¹⁴ David tournoyait de toutes ses forces devant le SEIGNEUR — David était ceint d'un éphod de lin [y]. ¹⁵ David et toute la maison [z] d'Israël faisaient monter l'arche du SEIGNEUR parmi les ovations et au son du cor. ¹⁶ Or, quand l'arche du SEIGNEUR entra dans la Cité de David, Mikal, fille de Saül, se pencha à la fenêtre : elle vit le roi David qui sautait et tournoyait devant le SEIGNEUR et elle le méprisa dans son cœur. ¹⁷ On fit entrer l'arche du SEIGNEUR et on l'exposa à l'endroit préparé pour elle au milieu de la tente que David lui avait dressée. Et David offrit des holocaustes [a] devant le SEIGNEUR et des sacrifices de paix. ¹⁸ Quand David

---

t Guèva: voir 1 S 13.3 et la note — Guèzèr: localité située à 30 km environ au nord-ouest de Jérusalem, près de la limite du territoire philistin ● u Baalé-Yehouda ou, selon 1 Ch 13.6, Baala (en Juda), ancien nom de Qiryath-Yéarim (voir Jos 15.9). C'est là que l'arche avait été déposée, voir 1 S 6.21; 7.1 ● v l'aire de Nakôn: lieu non identifié ● w L'erreur de Ouzza consiste à avoir touché l'arche, ce que seuls les *lévites avaient le droit de faire (Dt 10.8) ● x Guittite: selon certains, originaire de Guittaïm (voir 4.3 et la note), mais plus probablement, selon d'autres, originaire de Gath (voir 15.18 et la note) ● y éphod de lin: voir 1 S 2.18 et la note ● z la maison ou le peuple ● a holocaustes: voir au glossaire SACRIFICES

5.24 un bruit de pas Gn 3.8; 2 R 7.6. **6.1** toute l'élite 10.9; 1 S 24.3; 26.2. **6.2** faire monter l'arche 1 S 7.1+ — siégeant sur les chérubins Ex 25.22+. **6.3** chariot neuf 1 S 6.7+. **6.5** tous les instruments Ps 150. **6.7** la colère du Seigneur 1 S 5.6, 9; 6.19; cf. Lv 10.1-6. **6.8** l'endroit s'appelle 6.9+. **6.9** David eut peur Gn 28.17; Ex 14.31; 1 S 4.7; 12.18 — l'arche pourrait-elle venir 1 S 5.7-11; 6.20. **6.10** il la remisa 1 S 7.1. **6.11** le Seigneur bénit 1 Ch 26.4-5; cf. Gn 30.30; 39.5. **6.14** David tournoyait cf. 1 R 18.26. **6.16** à la fenêtre Jg 5.28; 2 R 9.30. **6.17** l'endroit préparé 1 R 8.6 — David offre des sacrifices 1 R 3.4; 8.63-64; 9.25; 2 R 16.12-13; cf. 1 S 13.7-15; 2 Ch 26.16-20. **6.18** il bénit le peuple 1 R 8.14, 55.

eut achevé d'offrir l'holocauste et les sacrifices de paix, il bénit le peuple au nom du SEIGNEUR, le tout-puissant. [19] Puis il fit distribuer à tout le peuple, à toute la foule d'Israël, hommes et femmes, une galette, un gâteau de dattes et un gâteau de raisins secs par personne, et tout le peuple s'en alla chacun chez soi. [20] David rentra pour bénir sa maison [b]. Mikal, la fille de Saül, sortit au-devant de David et lui dit : « Il s'est fait honneur aujourd'hui, le roi d'Israël, en se dénudant devant les servantes de ses esclaves comme le ferait un homme de rien ! » [21] David dit à Mikal : « C'est devant le SEIGNEUR, qui m'a choisi et préféré à ton père et à toute sa maison pour m'instituer comme chef [c] sur le peuple du SEIGNEUR, sur Israël, c'est devant le SEIGNEUR que je m'ébattrai. [22] Je m'abaisserai encore plus et je m'humilierai à mes propres yeux, mais, près de ces servantes dont tu parles, auprès d'elles, je serai honoré. » [23] Et Mikal, fille de Saül, n'eut pas d'enfant jusqu'au jour de sa mort.

La prophétie de Natan
(1 Ch 17.1-15)

7 [1] Or, lorsque le roi fut installé dans sa maison et que le SEIGNEUR lui eut accordé le repos alentour en écartant tous ses ennemis, [2] le roi dit au *prophète Natan : « Tu vois, je suis installé dans une maison de cèdre, tandis que l'*arche de Dieu est installée au milieu d'une tente de toile [d]. » [3] Natan dit au roi : « Tout ce que tu as l'intention de faire, va le faire, car le SEIGNEUR est avec toi. » [4] Or, cette nuit-là, la parole du SEIGNEUR fut adressée à Natan, en ces termes : [5] « Va dire à mon serviteur David : Ainsi parle le SEIGNEUR : Est-ce toi qui me bâtiras une Maison [e] pour que je m'y installe ? [6] Car je ne me suis pas installé dans une maison depuis le jour où j'ai fait monter d'Egypte les fils d'Israël et jusqu'à ce jour : je cheminais sous une *tente et à l'abri d'une *demeure. [7] Pendant tout le temps où j'ai cheminé avec tous les fils d'Israël, ai-je adressé un seul mot à l'un des chefs d'Israël que j'avais établis pour paître Israël mon peuple, pour dire : "Pourquoi ne m'avez-vous pas bâti une Maison de cèdre ?" [8] Maintenant donc, tu parleras ainsi à mon serviteur David : Ainsi parle le SEIGNEUR, le tout-puissant : C'est moi qui t'ai pris au pâturage, derrière le troupeau, pour que tu deviennes le chef d'Israël [f], mon peuple. [9] J'ai été avec toi partout où tu es allé : j'ai détruit tous tes ennemis devant toi. Je te ferai un nom aussi grand que le nom des grands de la terre. [10] Je fixerai un lieu à Israël mon peuple, je l'implanterai et il demeurera à sa place. Il ne tremblera plus et des criminels ne recommenceront plus à l'opprimer comme jadis, [11] et comme depuis le jour où j'ai établi des juges sur Israël mon peuple. Je t'ai donné du repos en écartant tous tes ennemis. Et le SEIGNEUR t'annonce que le SEIGNEUR te fera une maison [g]. [12] Lorsque tes jours seront accomplis et que tu seras couché avec tes pères, j'élèverai ta descendance après toi, celui qui sera issu de toi-même, et j'établirai fermement sa royauté [h]. [13] C'est lui qui bâtira une Maison pour mon *Nom [i] et j'établirai à jamais son trône royal. [14] Je serai pour lui un père et il sera pour moi un fils. S'il commet une faute, je le corrigerai en me servant d'hommes pour bâton et d'humains pour le frapper [j]. [15] Mais ma fidélité ne s'écartera point de lui, comme je l'ai écartée de Saül, que j'ai écarté devant toi [k]. [16] Devant toi, ta maison et ta royauté seront à jamais stables, ton trône à jamais affermi. » [17] C'est selon

---

b sa maison ou *sa famille* ● *c comme chef:* voir 5.2 ● *d maison de cèdre:* voir 5.11; *tente de toile:* voir 6.17 ● *e une Maison* ou *un Temple* ● *f pris au pâturage:* voir 1 S 16.11 — *chef d'Israël:* voir 5.2 ● *g une maison* ou, ici, *une dynastie;* Natan joue sur le double sens du mot hébreu traduit par *maison:* ce n'est pas David qui bâtira une *Maison* pour le Seigneur (v. 5), c'est le Seigneur qui fera une *maison* pour David ● *h couché avec tes pères:* voir 1 R 1.21 et la note — La fin du verset fait allusion à Salomon (voir 1 R 2.12, 46) ● *i une Maison pour mon Nom:* voir 1 R 6 ● *j en me servant d'hommes...:* voir 1 R 11.14-40; Ps 89.31-35 ● *k ma fidélité:* voir 1 R 11.13 — *que j'ai écarté devant toi:* voir 1 S 15.28

6.19-20 le peuple s'en alla... 1 Ch 16.43.   **6.21** qui m'a choisi 1 S 13.14; 16; 1 R 8.16; Ps 78.70; 1 Ch 28.4; 2 Ch 6.6.   **7.1-17** l'intention de David 1 R 8.17-18; 1 Ch 22.7-10.   **7.3** le Seigneur est avec toi 1 S 18.12+.   **7.4** cette nuit-là Nb 22.8-13, 19-20; 1 S 9.15-17; 1 R 14.5; 2 R 20.4-6; Ac 9.10-16.   **7.6** sous une tente Ex 40.21.   **7.8** derrière le troupeau 1 S 16.11+; Ps 78.70-71 — chef d'Israël 1 S 24.21+.   **7.9** j'ai détruit tes ennemis Dt 12.29.   **7.10** un lieu pour Israël Ex 23.20; Nb 10.29; 14.40; Dt 26.9; 1 S 12.8.   **7.12** descendance 1 R 15.4 — sa royauté 1 S 13.13; 1 R 2.12, 46.   **7.13.** j'établirai Ex 15.17; Ps 9.8; 48.9; 87.5.   **7.14** un fils Ps 2.7; 89.27; 1 Ch 17.13; 22.10; 28.6; 2 Co 6.18; He 1.5.   **7.15** écartée de Saül 1 S 13.14; 15.28; 16.14.   **7.16** à jamais stables 1 S 25.28; 1 R 11.38 — ton trône affermi 1 R 2.45.

toutes ces paroles et selon toute cette vision que parla Natan à David.

Prière de David

(1 Ch 17.16-27)

¹⁸ Le roi David vint s'installer en présence du SEIGNEUR et déclara : « Qui suis-je, Seigneur DIEU, et quelle est ma maison *l*, pour que tu m'aies fait parvenir jusque-là ? ¹⁹ Or c'était encore trop peu à tes yeux, Seigneur DIEU : tu as parlé aussi pour la maison de ton serviteur, longtemps à l'avance. Serait-ce là un enseignement humain *m*, Seigneur DIEU ? ²⁰ Et qu'est-ce que David pourrait te dire encore, alors que toi, tu connais ton serviteur, Seigneur DIEU ? ²¹ C'est à cause de ta parole et selon ton cœur que tu as accompli toute cette grande œuvre, en la faisant connaître à ton serviteur. ²² Aussi tu es grand, Seigneur DIEU : tu es sans pareil et il n'est point de Dieu, toi excepté, selon tout ce que nous avons entendu de nos oreilles. ²³ Est-il sur la terre une seule nation pareille à Israël ton peuple, ce peuple que Dieu est allé racheter pour en faire son peuple, en lui donnant un nom et en accomplissant pour vous cette grande œuvre et pour ton pays des choses redoutables, est-il une nation comparable à ton peuple que tu as racheté de l'Egypte, de cette nation et de ses dieux ? ²⁴ Et tu as établi Israël ton peuple pour en faire à jamais ton peuple, et toi, SEIGNEUR, tu es devenu leur Dieu. ²⁵ Et maintenant, SEIGNEUR Dieu, la parole que tu as prononcée sur ton serviteur et sa maison, tiens-la à jamais et agis comme tu l'as dit. ²⁶ Que ton *Nom soit magnifié à jamais, et qu'on dise : "Le SEIGNEUR, le tout-puissant, est Dieu sur Israël." Et que la maison de ton serviteur David reste ferme en ta présence. ²⁷ En effet, c'est toi-même, SEIGNEUR tout-puissant, Dieu d'Israël, qui as averti ton serviteur en disant : "Je te

bâtirai une maison." Voilà pourquoi ton serviteur a trouvé le courage de t'adresser cette prière. ²⁸ Et maintenant, Seigneur DIEU, c'est toi qui es Dieu, tes paroles sont vérité et tu as parlé de ce bonheur à ton serviteur. ²⁹ Veuille maintenant bénir la maison de ton serviteur, pour qu'elle soit à jamais en ta présence. Car c'est toi, Seigneur DIEU, qui as parlé, et par ta bénédiction la maison de ton serviteur sera bénie à jamais. »

Victoires de David sur des nations voisines

(1 Ch 18.1-13)

8 ¹ Après cela, David battit les Philistins et les fit fléchir. David enleva aux Philistins leur hégémonie *n*. ² Il battit les Moabites et les mesura au cordeau, en les couchant à terre. Il en mesura deux cordeaux à tuer et un plein cordeau à laisser en vie *o*. Et les Moabites devinrent pour David des serviteurs soumis au tribut. ³ David battit Hadadèzèr, fils de Rehov, roi de Çova, quand celui-ci allait remettre la main sur le Fleuve de l'Euphrate. ⁴ David lui prit mille sept cents cavaliers et vingt mille fantassins. David coupa les jarrets de tous les attelages. Toutefois, il garda cent de ces attelages. ⁵ Les *Araméens de Damas vinrent au secours de Hadadèzèr, roi de Çova. Mais David abattit vingt-deux mille hommes parmi les Araméens. ⁶ David établit alors des préfets *p* dans l'Aram de Damas, et les Araméens devinrent pour David des serviteurs soumis au tribut. Le SEIGNEUR donna donc la victoire à David partout où il alla.

⁷ David saisit les boucliers d'or que portaient les serviteurs de Hadadèzèr et les apporta à Jérusalem. ⁸ Et dans les villes de Hadadèzèr, Bètah et Bérotaï *q*, le roi David saisit une énorme quantité de bronze.

---

l ma maison ou *ma famille* ● *m la maison de ton serviteur,* c'est-à-dire *ma dynastie — enseignement humain:* texte obscur et traduction incertaine ● *n* Sur *les Philistins* (v.1), *les Moabites* (v. 2), le royaume de *Çova* (v. 3), les *fils d'Ammon* (v. 12) 'et *Edom* (v. 14), voir 1 S 14.47 et la note — *leur hégémonie:* texte obscur et traduction incertaine ● *o* C'est-à-dire que David en fait mourir les deux tiers et en laisse un tiers en vie ● *p établit des préfets:* autres traductions *établit des garnisons* ou *dressa des stèles* (comparer 1 S 10.5 et la note) ● *q Bètah:* localité inconnue; *Bérotaï:* localité située à 50 km environ au nord de Damas

7.18 qui suis-je 1 S 9.21+. **7.22** tu es grand Ps 104.1+ — toi excepté Ex 15.11+. **7.23** une nation pareille Dt 4.7, 33. **7.24** ton peuple, leur Dieu 1 S 12.22+. **7.25** la parole Dt 9.5; 1 S 1.23; 1 R 2.4. **7.26** Dieu sur Israël 1 R 18.36 — reste ferme 7.16. **7.27** cette prière 1 R 8.28, 29, 54. **7.28** tes paroles sont vérité Jn 17.17. **7.29** par ta bénédiction Ps 21.4, 7; 45.3. **8.1-14** les victoires de David 1 R 5.1. **8.4** coupa les jarrets Gn 49.6; Jos 11.6-9 — il garda cent attelages Dt 17.16; Es 31.1; Mi 5.9; Ps 20.8. **8.7** boucliers d'or 1 R 10.16-17; 14.26-27; 2 R 11.10.

⁹ Toï, roi de Hamath ʳ, apprit que David avait battu toute l'armée de Hadadèzèr. ¹⁰ Toï envoya donc son fils Yoram au roi David pour le saluer et pour le féliciter d'avoir fait la guerre à Hadadèzèr et de l'avoir battu, car Hadadèzèr était l'adversaire de Toï. Yoram apportait des objets d'argent, d'or et de bronze. ¹¹ Ceux-là aussi, le roi David les consacra au SEIGNEUR en plus de l'argent et de l'or déjà consacrés et provenant de toutes les nations conquises, ¹² d'Aram, de Moab, des fils d'Ammon, des Philistins et d'Amaleq ˢ, ainsi que du butin de Hadadèzèr, fils de Rehov, roi de Çova.

¹³ Et David se fit un nom, lorsqu'il revint de battre les Araméens, dans la vallée du Sel ᵗ, au nombre de dix-huit mille. ¹⁴ Il établit alors en Edom des préfets, c'est dans tout Edom qu'il établit des préfets, et tous les Edomites devinrent pour David des serviteurs. Le SEIGNEUR donna donc la victoire à David partout où il alla.

Liste des fonctionnaires de David
(1 Ch 18.14-17)

¹⁵ David régna sur tout Israël. David faisait droit et justice à tout son peuple. ¹⁶ Joab, fils de Cerouya, commandait l'armée ; Yehoshafath, fils d'Ahiloud, était héraut ; ¹⁷ Sadoq, fils d'Ahitouv, et Ahimélek, fils d'Abiatar, étaient prêtres ; et Seraya était scribe ; ¹⁸ Benayahou, fils de Yehoyada, commandait les Kérétiens et les Pelétiens ᵘ ; et les fils de David étaient prêtres.

David accueille Mefibosheth chez lui

9 ¹ David dit : « Y a-t-il encore un survivant de la maison ᵛ de Saül, que j'agisse envers lui avec fidélité, à cause de Jonathan ? » ² La maison de Saül avait un domestique, nommé Civa.

On l'appela chez David, et le roi lui dit : « Est-ce toi Civa ? » Il dit : « Ton serviteur ʷ. » ³ Le roi dit : « N'y a-t-il plus un homme de la maison de Saül, que j'accomplisse pour lui un acte de cette fidélité que Dieu sanctionne ? » Civa dit au roi : « Il y a encore un fils de Jonathan, estropié des deux jambes ˣ. » ⁴ Le roi lui dit : « Où est-il ? » Civa dit au roi : « Il est justement dans la maison de Makir, fils d'Ammiël, de Lô-Devar ʸ. » ⁵ Le roi David l'envoya chercher dans la maison de Makir, fils d'Ammiël, à Lô-Devar. ⁶ Mefibosheth, fils de Jonathan, fils de Saül, arriva auprès de David. Il tomba sur sa face et se prosterna. David dit : « Mefibosheth ! » Il dit : « Voici ton serviteur. » ⁷ David lui déclara : « N'aie aucune crainte. Je veux agir envers toi avec fidélité, en considération de ton père Jonathan. Je te restituerai toutes les terres de ton ancêtre Saül et toi-même, tu prendras tous tes repas à ma table. » ⁸ Il se prosterna et dit : « Qu'est-ce que ton serviteur, pour que tu tournes ton regard vers un chien crevé ᶻ comme moi ! » ⁹ Le roi appela Civa, le domestique de Saül, et lui dit : « Tout ce qui appartenait à Saül et à toute sa maison, je le donne au fils de ton maître. ¹⁰ Tu travailleras la terre pour lui, toi, tes fils et tes serviteurs, tu apporteras ce qui servira à nourrir le fils de ton maître. Et Mefibosheth, le fils de ton maître, prendra tous ses repas à ma table. » Or Civa avait quinze fils et vingt serviteurs. ¹¹ Civa dit au roi : « Ton serviteur agira selon tout ce que mon seigneur le roi ordonnera à son serviteur. Mais Mefibosheth mange à ma table ᵃ comme l'un des fils du roi. » ¹² Mefibosheth avait un jeune fils du nom de Mika. Et tous ceux qui habitaient dans la maison de Civa étaient au service de Mefibosheth. ¹³ Mefibosheth habitait à Jérusalem, car il prenait tous ses repas à la table du roi. Il était boiteux des deux jambes.

ʳ *Hamath:* royaume araméen situé au nord-est de la Palestine ● s *Amaleq:* voir Ex 17.8 et la note ● t *vallée du Sel:* voir 2 R 14.7 et la note ● u Les *Kérétiens* et les *Pelétiens* étaient des soldats étrangers formant la garde personnelle de David. Les *Kérétiens* étaient peut-être originaires de l'île de Crète ; *Pelétiens* est peut-être une variante du nom de *Philistins* ● v *la maison* ou *la famille* ● w *Ton serviteur,* c'est-à-dire *C'est moi* ● x *que j'accomplisse pour lui un acte de cette fidélité que Dieu sanctionne* ou *que j'agisse envers lui avec la bonté de Dieu — estropié des deux jambes:* voir 4.4 ● y *Makir:* voir 17.27 ; *Lô-Devar:* localité située à une douzaine de km au sud du lac de Génésareth, à l'est du Jourdain ● z *chien crevé:* voir 1 S 24.15 et la note ● a *mange à ma table:* Civa semble émettre une timide protestation contre l'ordre du roi (v. 10). Mais les versions anciennes, de manières diverses, parlent de *la table de David*

8.11 David les consacra 1 R 7.51 ; 2 R 12.19. **8.13** vallée du Sel Ps 60.2 **8.15-18** liste de fonctionnaires 20.23-26 ; 1 R 4.1-6. **8.15** faire droit et justice 1 R 3.28 ; 10.9. **9.1** un survivant 1 S 20.15-16, 42 ; cf. 2 S 21.1-14. **9.2** Civa 16.1-4 ; 19.25-31. **9.3** un fils, estropié 4.4.

Les envoyés de David déshonorés

(1 Ch 19.1-5)

10 ¹ Il arriva après cela que mourut le roi des fils d'Ammon *ᵇ* et que son fils Hanoun devint roi à sa place. ² David dit alors : « J'agirai envers Hanoun, fils de Nahash, avec autant de fidélité que son père en a eu envers moi. » David lui envoya donc, par l'entremise de ses serviteurs, ses consolations au sujet de son père. Et les serviteurs de David arrivèrent au pays des fils d'Ammon. ³ Mais les princes des fils d'Ammon dirent à Hanoun, leur seigneur : « T'imagines-tu que David ait voulu honorer ton père quand il t'a envoyé des gens pour te consoler ? N'est-ce pas pour explorer la ville, pour l'espionner et pour la renverser, que David t'a envoyé ses serviteurs ? » ⁴ Hanoun appréhenda les serviteurs de David, leur rasa la moitié de la barbe, coupa leurs vêtements par le milieu jusqu'aux fesses et les congédia. ⁵ On informa David, et il envoya quelqu'un à leur rencontre, car ces hommes étaient couverts de honte. Le roi leur fit donc dire : « Restez à Jéricho jusqu'à ce que votre barbe ait repoussé. Alors seulement, vous reviendrez. »

Guerre contre les Ammonites et les Araméens

(1 Ch 19.6-19)

⁶ Les fils d'Ammon virent qu'ils s'étaient rendus insupportables à David. Ils envoyèrent prendre à leur solde les Araméens de Beth-Rehov et les Araméens de Çova, soit vingt mille fantassins, le roi de Maaka, mille hommes, et les gens de Tov *ᶜ*, douze mille hommes. ⁷ David l'apprit et il envoya Joab et toute l'armée des preux *ᵈ*. ⁸ Les fils d'Ammon firent une sortie et se rangèrent en bataille à l'entrée de la porte. Les Araméens de Çova et de Rehov et les gens de Tov et de Maaka étaient à part dans la campagne. ⁹ Joab vit qu'il devait faire front

en avant et en arrière. Il choisit des hommes dans toute l'élite d'Israël et établit une ligne face aux Araméens. ¹⁰ Il confia le reste de la troupe à son frère Avishaï et établit une ligne face aux fils d'Ammon. ¹¹ Et il dit : « Si les Araméens sont plus forts que moi, tu viendras à mon secours. Et si les fils d'Ammon sont plus forts que toi, j'irai à ton secours. ¹² Sois fort, et montrons-nous forts, pour notre peuple et pour les villes de notre Dieu. Et que le Seigneur fasse ce qui lui plaît. » ¹³ Alors Joab et sa troupe s'avancèrent pour combattre les Araméens. Ceux-ci prirent la fuite devant lui. ¹⁴ Quand les fils d'Ammon virent les Araméens en fuite, ils prirent eux-mêmes la fuite devant Avishaï et rentrèrent dans la ville. Joab revint de sa campagne contre les fils d'Ammon et il rentra à Jérusalem.

¹⁵ Les Araméens virent qu'ils avaient été battus devant Israël. Ils se réunirent tous. ¹⁶ Hadadèzèr envoya des messagers et mit en campagne tous les Araméens d'au-delà du Fleuve. Ceux-ci arrivèrent à Hélam *ᵉ*. Shovak, chef de l'armée de Hadadèzèr, était à leur tête. ¹⁷ On l'annonça à David. Il rassembla tout Israël *ᶠ*, passa le Jourdain et arriva à Hélam. Les Araméens se mirent en ligne face à David et lui livrèrent bataille. ¹⁸ Mais les Araméens prirent la fuite devant Israël. Et David tua aux Araméens sept cents attelages et quarante mille cavaliers. Il frappa Shovak, chef de l'armée araméenne, qui mourut là. ¹⁹ Tous les rois, serviteurs de Hadadèzèr, virent qu'ils avaient été battus devant Israël. Ils firent donc la paix avec Israël et le servirent. Et les Araméens eurent peur de revenir au secours des fils d'Ammon.

David et Bethsabée

11 ¹ Or, au retour de l'année, au temps où les rois se mettent en campagne, David envoya Joab, avec tous ses serviteurs et tout Israël. Ils massacrèrent les

---

b fils d'Ammon ou *Ammonites:* peuple habitant à l'est du Jourdain ● *c Beth-Rehov:* localité non identifiée; *Çova:* voir 8.3; 1 S 14.47 et la note; *Maaka, Tov:* endroits non identifiés. Ces quatre endroits étaient probablement situés dans la même région — *les gens de Tov:* l'hébreu a litt. *l'homme de Tov,* qui est probablement un collectif, mais pourrait aussi éventuellement désigner *le roi de Tov* ● *d l'armée des preux,* c'est-à-dire les soldats de métier (comparer v. 17 et la note; 11.1) ● *e Hadadèzèr:* voir 8.3 — *du Fleuve* ou *de l'Euphrate* — *Hélam:* endroit non identifié ● *f tout Israël:* David mobilise cette fois tous les citoyens aptes au service militaire (comparer v. 7 et la note)

10.2 Nahash 1 S 11.1; 12.12 — *ses consolations* 1 R 5.15. **10.3** *espionner* 3.25+. **10.12** *montrons-nous forts* 1 S 4.9 — *que le Seigneur fasse...* 1 S 3.18+. **10.19** *ils firent la paix* Jos 10.1-4; 2 R 18.31. **11.1** *tout le verset* 1 Ch 20.1.

fils d'Ammon et mirent le siège devant Rabba *g*, tandis que David demeurait à Jérusalem.

² Sur le soir, David se leva de son lit. Il alla se promener sur la terrasse de la maison du roi. Du haut de la terrasse, il aperçut une femme qui se baignait. La femme était très belle. ³ David envoya prendre des renseignements sur cette femme et l'on dit : « Mais c'est Bethsabée, la fille d'Eliâm, la femme d'Urie le Hittite *h* ! » ⁴ David envoya des émissaires pour la prendre. Elle vint chez lui et il coucha avec elle. Elle venait de se purifier de son impureté *i*. Puis elle rentra chez elle.

⁵ La femme devint enceinte. Elle en fit informer David et déclara : « Je suis enceinte. » ⁶ David envoya dire à Joab : « Envoie-moi Urie le Hittite. » Joab envoya donc Urie à David. ⁷ Urie arriva près de lui. David demanda comment allait Joab, et le peuple, et la guerre. ⁸ Puis David dit à Urie : « Descends chez toi et lave-toi les pieds *j*. » Urie sortit de chez le roi, suivi d'un présent du roi. ⁹ Mais Urie coucha à la porte de la maison du roi avec tous les serviteurs de son seigneur et il ne descendit pas dans sa propre maison. ¹⁰ On vint dire à David : « Urie n'est pas descendu chez lui. » David dit à Urie : « N'arrives-tu pas de voyage ? Pourquoi n'es-tu pas descendu chez toi ? » ¹¹ Urie dit à David : » L'*arche, Israël et Juda habitent dans des huttes. Mon seigneur Joab et les serviteurs de mon seigneur campent en rase campagne. Et moi, j'irais chez moi manger, boire et coucher avec ma femme *k* ! Par ta vie, par ta propre vie, je ne ferai pas cette chose-là. » ¹² David dit à Urie : « Reste ici encore aujourd'hui, et demain je te renverrai. » Urie resta donc à Jérusalem ce jour-là et le lendemain. ¹³ David l'invita. Il mangea et but en sa présence, et David l'enivra. Urie sortit le soir pour aller se coucher sur son lit avec les serviteurs de son seigneur, mais il ne descendit pas chez lui. ¹⁴ Le lendemain matin, David écrivit une lettre à Joab et l'envoya par l'entremise d'Urie. ¹⁵ Il avait écrit dans cette lettre : « Mettez Urie en première ligne, au plus fort de la bataille. Puis, vous reculerez derrière lui. Il sera atteint et mourra. »

Mort d'Urie, mari de Bethsabée

¹⁶ Joab, qui surveillait la ville, plaça donc Urie à l'endroit où il savait qu'il y avait des hommes valeureux. ¹⁷ Les gens de la ville firent une sortie et attaquèrent Joab. Il y eut des victimes parmi le peuple, parmi les serviteurs de David, et Urie le Hittite mourut lui aussi. ¹⁸ Joab envoya informer David de toutes les circonstances de ce combat. ¹⁹ Il donna au messager l'ordre suivant : « Quand tu auras fini de rapporter au roi toutes les circonstances du combat, ²⁰ si le roi se met en colère et qu'il te dise : "Pourquoi vous êtes-vous approchés de la ville pour livrer bataille ? Ne saviez-vous pas qu'on tire du haut du rempart ? ²¹ Qui donc a frappé Abimélek, fils de Yeroubbèsheth ? N'est-ce pas une femme qui lui a lancé une meule du haut du rempart, et c'est ainsi qu'il est mort à Tévéç *l* ? Pourquoi vous êtes-vous approchés du rempart ?", tu lui diras : "Ton serviteur Urie le Hittite est mort lui aussi". »

²² Le messager partit et vint rapporter à David tout ce dont Joab l'avait chargé. ²³ Le messager dit à David : « Ces gens-là étaient plus forts que nous. Ils ont fait une sortie dans notre direction en rase campagne, mais nous avons contre-attaqué jusqu'à l'entrée de la porte. ²⁴ Les tireurs ont alors tiré sur tes serviteurs du haut du rempart. Il y a eu des morts parmi les serviteurs du roi et ton serviteur Urie le Hittite est mort lui aussi. » ²⁵ David dit au messager : « Tu parleras ainsi à Joab : "Ne prends pas trop mal cette affaire. L'épée dévore d'une façon ou d'une autre. Renforce ton attaque contre la ville et renverse-la." Réconforte-le ainsi. »

²⁶ La femme d'Urie apprit qu'Urie son mari, était mort, et elle pleura son mari. ²⁷ Le deuil passé, David la fit chercher et la recueillit chez lui. Elle devint sa femme et elle lui enfanta un fils. Mais ce qu'avait fait David déplut au SEIGNEUR.

---

g au retour de l'année, c'est-à-dire *au printemps suivant* — *tout Israël :* voir 10.17 et la note — *Rabba :* capitale du royaume des Ammonites (actuellement Amman, capitale de la Jordanie) ● *h Hittite :* voir au glossaire AMORITES ● *i* Voir Lv 15.19-30 ● *j lave-toi les pieds :* on se lavait les pieds avant un voyage (Gn 24.32). Mais ici l'expression est probablement employée dans un sens plus général, correspondant à peu près à *mets-toi à l'aise* ● *k* La continence sexuelle était une règle pour les soldats, pendant la guerre ● *l* Allusion à l'épisode raconté en Jg 9.50-54

11.5 je suis enceinte Gn 38.24-25.   **11.11** l'arche en campagne 1 S 4.3-4; cf. 2 S 15.24-29.   **11.14** une lettre 1 R 21.8-9; 2 R 10.1.   **11.21** une femme 20.16-22.   **11.25** l'épée dévore 2.26+.

Natan dénonce la faute de David

12 [1] Le SEIGNEUR envoya Natan à David. Il alla le trouver et lui dit : « Il y avait deux hommes dans une ville, l'un riche et l'autre pauvre. [2] Le riche avait force moutons et bœufs. [3] Le pauvre n'avait rien du tout, sauf une agnelle, une seule petite, qu'il avait achetée. Il la nourrissait. Elle grandissait chez lui en même temps que ses enfants. Elle mangeait de sa pitance, elle buvait à son bol, elle couchait dans ses bras. Elle était pour lui comme une fille. [4] Un hôte arriva chez le riche. Il n'eut pas le cœur de prendre de ses moutons et de ses bœufs pour apprêter le repas du voyageur venu chez lui. Il prit l'agnelle du pauvre et l'apprêta pour l'homme venu chez lui. »

[5] David entra dans une violente colère contre cet homme et il dit à Natan : « Par la vie du SEIGNEUR, il mérite la mort, l'homme qui a fait cela. [6] Et de l'agnelle il donnera compensation au quadruple, pour avoir fait cela et pour avoir manqué de cœur. » [7] Natan dit à David : « Cet homme, c'est toi ! Ainsi parle le SEIGNEUR, le Dieu d'Israël : C'est moi qui t'ai *oint comme roi d'Israël et c'est moi qui t'ai arraché de la main de Saül. [8] Je t'ai donné la maison de ton maître et j'ai mis dans tes bras les femmes de ton maître ; je t'ai donné la maison d'Israël et de Juda [m] ; et si c'est trop peu, je veux y ajouter autant. [9] Pourquoi donc as-tu méprisé la parole du SEIGNEUR en faisant ce qui lui déplaît ? Tu as frappé de l'épée Urie le Hittite. Tu as pris sa femme pour en faire ta femme et lui-même, tu l'as tué par l'épée des fils d'Ammon. [10] Eh bien, l'épée ne s'écartera jamais de ta maison [n], puisque tu m'as méprisé et que tu as pris la femme d'Urie le Hittite pour en faire ta femme. [11] Ainsi parle le SEIGNEUR : Voici que je vais faire surgir ton malheur de ta propre maison. Je prendrai tes femmes sous tes yeux et je les donnerai à un autre. Il couchera avec tes femmes sous les yeux de ce soleil [o]. [12] Car toi, tu as agi en secret, mais moi, je ferai cela devant tout Israël et devant le soleil. » [13] David dit alors à Natan : « J'ai péché contre le SEIGNEUR. » Natan dit à David : « Le SEIGNEUR, de son côté, a passé sur ton péché. Tu ne mourras pas. [14] Mais, puisque, dans cette affaire, tu as gravement outragé le SEIGNEUR — ou plutôt, ses ennemis —, le fils qui t'est né, lui, mourra. » [15] Et Natan s'en alla chez lui.

Mort de l'enfant de Bethsabée

Le SEIGNEUR frappa l'enfant que la femme d'Urie avait enfanté à David, et il tomba malade. [16] David eut recours à Dieu pour le petit. Il se mit à *jeûner et, quand il rentrait chez lui pour la nuit, il couchait par terre. [17] Les anciens [p] de sa maison insistèrent auprès de lui pour le relever, mais il refusa et ne prit avec eux aucune nourriture. [18] Le septième jour, l'enfant mourut. Les serviteurs de David redoutaient de lui annoncer que l'enfant était mort. Ils se disaient en effet : « Lorsque l'enfant était vivant, nous lui avons parlé et il ne nous a pas écoutés. Maintenant comment lui dire : "L'enfant est mort" ? Il ferait un malheur ! » [19] David vit que ses serviteurs chuchotaient entre eux et David comprit que l'enfant était mort. David dit alors à ses serviteurs : « L'enfant est-il mort ? » Ils dirent : « Il est mort. » [20] Alors, David se leva de terre, se baigna, se parfuma et changea de vêtements ; puis il entra dans la Maison du SEIGNEUR et se prosterna. Rentré chez lui, il demanda qu'on lui servît un repas et il mangea. [21] Ses serviteurs lui dirent : « Qu'est-ce que tu fais là ? Quand l'enfant était en vie, tu jeûnais et pleurais à cause de lui, et maintenant que l'enfant est mort, tu te relèves et tu prends un repas ! » [22] Il dit : « Quand l'enfant était encore en vie, je jeûnais et je pleurais, car je me disais : "Qui sait ? Peut-être que le SEIGNEUR aura pitié de moi et que l'enfant vivra." [23] Mais maintenant, il est mort. Pourquoi jeûnerais-je ? Est-ce que je puis encore le faire revenir ? C'est moi qui m'en vais vers lui, mais lui, il ne reviendra pas vers moi. »

---

[m] *la maison d'Israël et de Juda* ou *le peuple d'Israël et de Juda* • [n] *ta maison* ou *ta famille* • [o] Le v. 11 fait allusion à ce qui est raconté en 16.21-22 • [p] Ou *Les dignitaires*

12.1-6 emploi d'une histoire fictive 14.4-11. — **12.1** envoya Natan Ps 51.1 — un riche et un pauvre Lc 16.19-20. **12.6** compensation au quadruple Ex 21.37+. **12.7** c'est moi qui... 7.8-9 ; Jg 6.14 ; 1 S 10.1. **12.8** dans tes bras Gn 16.5. **12.9** par l'épée 11.16-17. **12.13** j'ai péché 19.21 ; 24.10, 17 ; 1 S 15.24, 30 ; 26.21 — tu ne mourras pas 19.24. **12.16** couchait par terre 13.31. **12.17** aucune nourriture 3.35+. **12.23** moi qui vais vers lui Gn 37.35.

Naissance de Salomon

[24] David consola Bethsabée, sa femme. Il alla vers elle et il coucha avec elle. Elle enfanta un fils et David lui donna le nom de Salomon. Le SEIGNEUR l'aima [25] et l'envoya dire par l'entremise du *prophète Natan. Et il lui donna le nom de Yedidya — c'est-à-dire : Aimé du SEIGNEUR — à cause du SEIGNEUR.

David s'empare de la ville de Rabba

(1 Ch 20.1-3)

[26] Joab attaqua Rabba [q] des fils d'Ammon et s'empara de la ville royale. [27] Joab envoya donc des messagers à David. Il dit : « J'ai attaqué Rabba. Je me suis même emparé de la ville des eaux [r]. [28] Maintenant donc, rassemble le reste du peuple, viens assiéger la ville et t'en emparer, sinon je m'en emparerais moi-même et elle porterait mon nom [s]. » [29] David rassembla tout le peuple, partit pour Rabba, l'attaqua et s'en empara. [30] Il enleva la couronne de leur roi de dessus sa tête ; son poids était d'un talent [t] d'or, avec des pierres précieuses ; elle fut placée sur la tête de David. Et il emporta le butin de la ville en énorme quantité. [31] Et sa population, il la fit partir pour la mettre à manier la scie, les pics de fer et les haches de fer. Il les affecta au moulage des briques [u]. Ainsi faisait-il pour toutes les villes des fils d'Ammon. Puis David et tout le peuple revinrent à Jérusalem.

Amnon et Tamar

13 [1] Voici ce qui arriva ensuite. Absalom, fils de David, avait une sœur fort belle, appelée Tamar. Amnon, fils de David, en devint amoureux. [2] Amnon se rendit malade de chagrin à cause de sa sœur [v] Tamar, car elle était vierge, et elle lui faire quelque chose aurait, aux yeux d'Amnon, tenu du prodige. [3] Amnon avait un ami nommé Yonadav, fils

de Shiméa, frère de David. Yonadav était un homme très avisé. [4] Il lui dit : « Pourquoi donc, fils du roi, es-tu si déprimé chaque matin ? Ne veux-tu pas m'en informer ? » Amnon lui dit : « C'est Tamar, la sœur de mon frère Absalom. J'en suis amoureux. » [5] Yonadav lui dit : « Couche-toi sur ton lit et fais le malade. Quand ton père viendra te voir, tu lui diras : "Permets que ma sœur Tamar vienne me donner à manger : qu'elle apprête la nourriture sous mes yeux, de manière à ce que je voie, qu'elle me l'apporte elle-même, et je mangerai". » [6] Amnon se coucha et fit le malade. Le roi vint le voir et Amnon dit au roi : « Permets que ma sœur Tamar vienne confectionner sous mes yeux deux gâteaux, qu'elle me les apporte, et je mangerai. » [7] David envoya dire à Tamar chez elle : « Va donc chez ton frère Amnon et apprête-lui de la nourriture. » [8] Tamar s'en alla chez son frère Amnon. Il était couché. Elle prit de la pâte, la pétrit, confectionna les gâteaux sous ses yeux, et les fit cuire. [9] Puis elle prit la poêle et la vida devant lui, mais il refusa de manger. Amnon dit : « Faites sortir tout le monde d'ici. » Et tous ceux qui étaient près de lui sortirent. [10] Amnon dit à Tamar : « Apporte la nourriture dans la chambre, donne-la moi et je mangerai. » Tamar prit les gâteaux qu'elle avait faits et les apporta à son frère Amnon dans la chambre. [11] Elle lui présenta à manger. Il la saisit et lui dit : « Viens, couche avec moi, ma sœur ! » [12] Elle lui dit : « Non, mon frère, ne me violente pas, car cela ne se fait pas en Israël. Ne commets pas cette infamie. [13] Moi, où irais-je porter ma honte ? Et toi, tu serais tenu en Israël pour un infâme. Parle donc au roi. Il ne t'interdira pas de m'épouser [w]. » [14] Mais il ne voulut pas l'écouter. Il la maîtrisa, lui fit violence et coucha avec elle. [15] Amnon se mit alors à la haïr violemment. Oui, la haine qu'il lui porta fut plus violente que l'amour qu'il avait eu pour

---

q Rabba: voir 11.1 et la note ● *r la ville des eaux:* cette expression désigne probablement une ville basse (près de la rivière), distinguée de la ville haute, mieux fortifiée ● *s elle porterait mon nom,* c'est-à-dire « on m'attribuerait la gloire de l'avoir conquise » ● *t talent:* voir au glossaire POIDS ET MESURES ● *u* Allusion probable aux travaux forcés imposés aux vaincus; le texte n'étant pas très clair, on a parfois compris que David avait supplicié les vaincus au moyen des instruments énumérés ● *v sa sœur* ou *sa demi-sœur: Tamar,* vraie sœur d'Absalom (v. 4), n'était que la demi-sœur d'*Amnon* (voir 3.2-3) ● *w* Selon l'ancien usage, un tel mariage était autorisé (Gn 20.12), mais la législation ultérieure (Lv 18.11; Dt 27.22) l'interdit

13.1-38 Amnon et Tamar Gn 34. **13.2** malade de chagrin Pr 13.12; *Jdt* 12.16. **13.4** si déprimé Gn 40.7. **13.12** cela ne se fait pas Gn 34.7; Jg 19.30 — infamie Dt 22.21; Jg 20.6, 10; Jr 29.23. **13.15** haïr Dt 22.13, 16; 24.3; Jg 15.2.

elle. Amnon lui dit : « Lève-toi. Va-t'en ! »
[16] Elle lui dit : « Non, car me renvoyer
serait un mal plus grand que l'autre,
celui que tu m'as déjà fait. » Mais il ne
voulut pas l'écouter. [17] Il appela le garçon qui le servait et lui dit : « Expulse
cette fille de chez moi, et verrouille la
porte derrière elle ! » [18] Elle portait une
tunique à longues manches [x], car c'est
ainsi que s'habillaient les filles du roi
quand elles étaient vierges. Le serviteur
d'Amnon la fit sortir et verrouilla la porte
derrière elle. [19] Tamar prit de la cendre
et s'en couvrit la tête, *déchira sa tunique à longues manches, se mit la main
sur la tête et partit en criant. [20] Son frère
Absalom lui dit : Est-ce que ton frère
Amnon a été avec toi ? Maintenant, ma
sœur, tais-toi. C'est ton frère. N'y pense
plus. » Tamar demeura donc, abandonnée, dans la maison de son frère Absalom. [21] Le roi David apprit toute cette
affaire et en fut très irrité. [22] Absalom
ne dit plus un mot à son frère Amnon,
car Absalom avait pris Amnon en haine,
à cause du viol de sa sœur Tamar.

Absalom fait tuer Amnon et s'enfuit

[23] Deux ans après, on fit la tonte chez
Absalom, à Baal-Haçor, près d'Ephraïm [y].
Absalom invita tous les fils du roi.
[24] Absalom vint chez le roi et dit : « Je
t'en prie. Voici qu'on fait la tonte chez
ton serviteur. Que le roi et ses serviteurs
veuillent bien accompagner ton serviteur. » [25] Le roi dit à Absalom : « Non,
mon fils, je t'en prie, n'y allons pas tous.
Il ne faut pas que nous te soyons à charge. » Il insista, mais il ne consentit pas
à y aller et il le bénit. [26] Absalom dit :
« Permets du moins que mon frère Amnon nous accompagne. » Le roi lui dit :
« Pourquoi t'accompagnerait-il ? » [27] Absalom insista, et le roi laissa partir avec
lui Amnon et tous ses autres fils.
[28] Absalom ordonna à ses domestiques :
« Regardez bien ! Dès qu'Amnon aura le
cœur en joie sous l'effet du vin et que je
vous dirai : "Frappez Amnon !", vous le
mettrez à mort. N'ayez pas peur. Est-ce
que ce n'est pas moi qui vous l'ordonne ?

Courage et montrez-vous vaillants ! »
[29] Les domestiques d'Absalom firent à
Amnon ce qu'Absalom avait ordonné.
Tous les fils du roi se levèrent, enfourchèrent chacun son mulet et s'enfuirent.
[30] Ils étaient encore en route quand la
nouvelle parvint à David : Absalom avait
abattu tous les fils du roi et il n'en restait pas un seul. [31] Le roi se leva, *déchira ses vêtements et se coucha par terre.
Tous ses serviteurs se tenaient là, vêtements déchirés. [32] Yonadav, fils de Shiméa, frère de David, prit la parole et
dit : « Que mon seigneur ne dise pas
qu'on a fait mourir tous les jeunes gens,
les fils du roi. Non, Amnon seul est
mort. C'était sur les lèvres d'Absalom,
depuis le viol de sa sœur Tamar. [33] Que
mon seigneur le roi n'aille donc pas
penser que tous les fils du roi sont morts.
Non, Amnon seul est mort. »
[34] Absalom prit la fuite.
Le garçon chargé du guet leva les
yeux et vit une troupe nombreuse qui
débouchait derrière lui, au flanc de la
montagne. [35] Yonadav dit au roi : « Voici les fils du roi qui arrivent. Tout s'est
passé comme l'a dit ton serviteur. »
[36] Or, il finissait à peine de parler que les
fils du roi arrivèrent. Ils éclatèrent en
sanglots. Le roi et tous ses serviteurs
sanglotèrent abondamment eux aussi.
[37] Absalom prit la fuite et s'en alla
chez Talmaï, fils d'Ammihour, roi de
Gueshour [z]. Et, pendant tout ce temps,
David garda le deuil de son fils. [38] Quant
à Absalom, il avait pris la fuite et s'en
était allé à Gueshour où il demeura trois
ans.

Le retour d'Absalom à Jérusalem

[39] Le roi David cessa de s'emporter
contre Absalom, car il s'était consolé de
la mort d'Amnon.

14 [1] Joab, fils de Cerouya, comprit
que le cœur du roi penchait vers
Absalom. [2] Il envoya donc chercher à
Teqoa [a] une femme avisée et il lui dit :
« Fais semblant d'être en deuil, mets des
vêtements de deuil, ne te parfume pas,
bref, sois comme une femme depuis long-

---

[x] *à longues manches*: traduction incertaine d'un terme qui ne se retrouve qu'en Gn 37 (voir
Gn 37.3 et la note) • [y] *Baal-Haçor, Ephraïm*: deux localités situées à 25 km environ au nord
de Jérusalem • [z] *Gueshour*: principauté araméenne, à l'est du lac de Génésareth. D'après 3.3,
Talmaï était le grand-père maternel d'Absalom • [a] Voir Am 1.1 et la note

13.20 dans la maison Gn 38.11. **13.23** la tonte Gn 38.12-13; 1 S 25.4-8. **13.28** le cœur en joie
1 S 25.36+; Est 1.10 — quand je vous dirai 2 R 10.24-25. **13.31** il se coucha par terre 12.16.
13.34 prit la fuite 1 S 27.4. **13.37** le deuil 19.2; Gn 37.34. **13.39** consolé Gn 24.67; 38.12.
14.2 fais semblant 12.1-6.

temps en deuil d'un mort. ³ Puis, va trouver le roi et parle-lui de telle façon... » Et Joab lui dicta ce qu'elle devait dire. ⁴ La femme de Teqoa parla donc au roi. Elle se jeta la face contre terre, se prosterna et dit : « Au secours, mon roi ! » ⁵ Le roi lui dit : « Qu'as-tu ? » Elle dit : « Hélas ! Je suis veuve. Mon mari est mort. ⁶ Ta servante avait *b* deux fils. Tous les deux, ils se sont querellés dans la campagne. Il n'y avait personne pour les séparer. L'un d'eux a porté un coup mortel à son frère. ⁷ Alors, tout le clan s'est dressé contre ta servante. Ils ont dit : "Livre le fratricide : nous le mettrons à mort pour prix de la vie de son frère qu'il a assassiné — et nous supprimerons du même coup l'héritier." Ils éteindront ainsi la braise *c* qui me reste, ne laissant à mon mari ni nom ni postérité sur la face de la terre. » ⁸ Le roi dit à la femme : « Va-t'en chez toi. Je vais donner des ordres à ton sujet. » ⁹ La femme de Teqoa dit au roi : « Sur moi la faute, mon seigneur le roi, et sur ma famille ! Le roi et son trône en sont innocents. » ¹⁰ Le roi dit : « Celui qui t'en parlera, tu me l'amèneras, et il ne recommencera plus à s'en prendre à toi. » ¹¹ Elle dit : « Que le roi daigne faire mention du SEIGNEUR, ton Dieu, pour que le vengeur du *sang n'ajoute pas encore au massacre et qu'on ne supprime pas mon fils. » Il dit : « Par la vie du SEIGNEUR, pas un cheveu de ton fils ne tombera à terre ! » ¹² La femme dit : « Permets à ta servante de dire un mot à mon seigneur le roi. » Il dit : « Parle. » ¹³ La femme dit : « Et pourquoi donc as-tu fait un projet de ce genre à l'encontre du peuple de Dieu ? D'après ce qu'il vient de dire, le roi se déclare lui-même coupable en ne faisant pas revenir celui qu'il a banni. ¹⁴ Oui, nous mourrons, pareils à de l'eau répandue à terre et qu'on ne peut recueillir, mais Dieu n'a pas d'animosité et il a pris ses dispositions pour que ne soit pas banni loin de lui celui qui a été banni. ¹⁵ Maintenant, si je suis venue dire à mon seigneur le roi ce que je viens de lui dire, c'est que le peuple m'a fait peur. Ta servante s'est dit :

"Allons parler au roi. Peut-être le roi fera-t-il ce que lui dira son esclave *d* ¹⁶ si le roi accepte d'arracher son esclave de la main de l'homme qui voudrait me supprimer de l'héritage *e* de Dieu en même temps que mon fils." ¹⁷ Ta servante s'est dit : "Puisse la parole de mon seigneur le roi contribuer à l'apaisement. Car mon seigneur le roi est comme l'ange de Dieu : il écoute le bien et le mal *f*." Que le SEIGNEUR, ton Dieu, soit avec toi. »

¹⁸ Le roi répondit à la femme : « Ne me cache rien si je te pose une question. » La femme dit : « Que mon seigneur le roi daigne parler. » ¹⁹ Le roi dit : « Est-ce la main de Joab qui te guide dans toute cette affaire ? » La femme répondit : « Par ta vie, mon seigneur le roi, personne ne peut aller à droite ou à gauche de tout ce que dit mon seigneur le roi. Oui, c'est ton serviteur Joab qui m'a donné l'ordre et c'est lui qui a dicté à ta servante tout ce qu'elle devait dire. ²⁰ C'est pour retourner la situation que ton serviteur Joab a fait cela, mais mon seigneur est sage, aussi sage que l'ange de Dieu : il sait tout ce qui se passe sur la terre. »

²¹ Le roi dit à Joab : « Soit. L'affaire est réglée. Va, ramène le jeune Absalom. » ²² Joab se jeta face contre terre, se prosterna et bénit le roi. Joab dit : « Moi, ton serviteur, je sais aujourd'hui que je suis en faveur auprès de toi, mon seigneur le roi, puisque le roi a fait ce que lui a dit ton serviteur. » ²³ Joab se mit en route et partit pour Gueshour *g*. Il ramena Absalom à Jérusalem. ²⁴ Le roi dit : « Qu'il se retire chez lui et qu'il ne paraisse pas en ma présence. » Absalom se retira chez lui et il ne parut pas en présence du roi.

David se réconcilie avec Absalom

²⁵ Il n'y avait personne dans tout Israël d'aussi beau qu'Absalom, d'aussi vanté que lui : de la plante des pieds au sommet de la tête, il était sans défaut. ²⁶ Il se rasait la tête à la fin de chaque année, quand sa chevelure était trop

---

b Ta servante avait, c'est-à-dire *J'avais* ● *c La braise* est ici l'image de l'existence (menacée) du fils survivant ● *d lui dira son esclave*, c'est-à-dire *je lui dirai* ● *e héritage*: voir 1 S 10.1 et la note ● *f il écoute le bien et le mal* ou *il connaît ce qui est bien et ce qui est mal* ● *g Voir 13.37 et la note*

14.4 « Au secours » 2 R 6.26+. 14.5 mon mari est mort 2 R 4.1. 14.6 querellés Gn 4.8. 14.7 la braise Es 42.3; Mt 12.20. 14.9 sur moi la faute 1 S 25.24. 14.11 faire mention du Seigneur 18.28; Gn 21.23; Lv 19.12; 1 S 24.22; 1 R 1.17; Ps 63.12 — pas un cheveu 1 S 14. 45+. 14.13 banni 13.37. 14.17 comme l'ange de Dieu 1 S 29.9+. 14.20 sage 1 R 3.28 — il sait tout 18.13; cf. Pr 25.2. 14.24 qu'il ne paraisse pas en ma présence Ex 10.28. 14.25 beau 1 S 9.2+.

lourde. Lorsqu'il se rasait, on pesait sa chevelure : deux cents sicles [h], au poids du roi. [27] Il naquit à Absalom trois fils et une fille appelée Tamar. C'était une femme d'une grande beauté.

[28] Absalom resta deux ans à Jérusalem sans paraître en présence du roi. [29] Absalom envoya chercher Joab pour l'envoyer chez le roi, mais il ne voulut pas venir chez lui. Il envoya un second message, mais il ne voulut pas venir. [30] Il dit alors à ses serviteurs : « Vous voyez le champ de Joab, à côté de chez moi, où il y a de l'orge : allez y mettre le feu. » Les serviteurs d'Absalom mirent donc le feu au champ. [31] Alors Joab alla trouver Absalom chez lui et lui dit : « Pourquoi tes serviteurs ont-ils mis le feu au champ qui m'appartient ? » [32] Absalom dit à Joab : « C'est que je t'avais fait demander de venir ici pour t'envoyer dire au roi : "Pourquoi suis-je revenu de Gueshour ? Il vaudrait mieux pour moi y être encore. Maintenant, je veux être admis en présence du roi, et, s'il y a en moi quelque faute, qu'il me mette à mort !" » [33] Joab se rendit auprès du roi et lui fit un rapport. Le roi fit appeler Absalom qui vint auprès de lui et se prosterna face contre terre devant le roi. Alors le roi embrassa Absalom.

Absalom intrigue pour devenir roi

15 [1] Or, après cela, Absalom se procura un char et des chevaux ainsi que cinquante hommes qui couraient devant lui. [2] Levé de bon matin, Absalom se tenait au bord du chemin de la porte. Chaque fois qu'un homme, ayant un procès, devait se rendre chez le roi pour demander justice, Absalom l'interpellait et lui disait : « De quelle ville es-tu ? » Il disait : « Ton serviteur est de l'une des tribus d'Israël [i]. » [3] Alors Absalom lui disait : « Vois. Ta cause est bonne et juste, mais il n'y a personne pour t'entendre de la part du roi. » [4] Absalom disait : « Ah ! si j'étais juge [j] dans ce pays, c'est à moi que viendraient tous ceux qui ont des procès à juger et je leur rendrais justice ! » [5] Et lorsque l'homme s'approchait pour se prosterner devant lui, il tendait la main, le saisissait et l'embrassait. [6] Absalom agissait de la sorte à l'égard de tous les Israélites qui se rendaient chez le roi pour demander justice. Et Absalom circonvenait les gens d'Israël.

[7] Or, à la fin de quarantième année [k], Absalom dit au roi : « Permets que j'aille à Hébron acquitter le vœu que j'ai fait au SEIGNEUR. [8] Car ton serviteur a fait un vœu pendant son séjour à Gueshour en Aram [l]. Il a dit : "Si vraiment le SEIGNEUR me ramène à Jérusalem, je servirai le SEIGNEUR". » [9] Le roi lui dit : « Va en paix. » Il se mit donc en route et alla à Hébron. [10] Absalom envoya des agents dans toutes les tribus d'Israël pour dire : « Dès que vous entendrez le son du cor, vous pourrez dire : Absalom est devenu roi à Hébron. » [11] Deux cents hommes de Jérusalem avaient accompagné Absalom, des invités, partis en toute innocence. Ils ne savaient rien de l'affaire. [12] Pendant qu'Absalom offrait les *sacrifices, il envoya chercher Ahitofel le Guilonite, conseiller de David, dans sa ville de Guilo [m]. La conspiration devint puissante et le parti d'Absalom de plus en plus important.

David s'enfuit de Jérusalem

[13] Un informateur vint dire à David : « Le cœur des hommes d'Israël s'est tourné vers Absalom. » [14] David dit à tous ses serviteurs qui étaient avec lui à Jérusalem : « En route ! Fuyons. Car Absalom ne nous fera pas de quartier. Allez-vous en vite, sinon, il aura vite fait de nous atteindre, de nous mettre

---

h sicles: voir au glossaire POIDS ET MESURES ● *i porte:* c'est à la porte de la ville qu'on rendait la justice (Rt 4.1) — *tribus d'Israël* désigne ici (comme au v. 10) les tribus installées dans la partie nord de la Palestine ● *j si j'étais juge,* c'est-à-dire pratiquement *roi,* car une des tâches du roi était de rendre la justice (voir 14.1-17; 1 R 3.16-28) ● *k à la fin de la quarantième année:* on ne sait pas à quoi se rapporte cette notice chronologique; les anciennes versions grecque et syriaque disent *au bout de quatre ans* ● *l Gueshour en Aram:* voir 13.37 et la note ● *m* Localité située à une dizaine de km au nord-ouest d'Hébron

14.27 trois fils 18.18. **14.30** y mettre le feu Jg 15.4-5. **14.32** qu'il me mette à mort 1 S 20.8. **14.33** embrassa Absalom 15.5; 19.40; 20.9. **15.1** qui couraient 1 S 8.11 +. **15.2** pour demander justice Dt 25.1; 1 R 3.16-28; Lc 12.13; 18.3. **15.4** ils viendraient à moi 1 S 22.2. **15.5** l'embrassait 14.33 +. **15.7** acquitter le vœu Dt 23.22. **15.8** je servirai le Seigneur Gn 28.20-22. **15.10** le son du cor 1 R 1.39 +. **15.11** les invités 1 S 9.13, 22; 1 R 1.41, 49. **15.12** les sacrifices 1 R 1.9, 19, 25 — Ahitofel 15.34; 16.23; 17.23. **15.14** Fuyons Ps 3.1.

à mal et de passer la ville au fil de l'épée. » [15] Les serviteurs du roi dirent au roi : « Quel que soit le choix de mon seigneur le roi, tes serviteurs sont là. » [16] Le roi sortit donc à pied avec toute sa famille, mais le roi laissa dix concubines [n] pour garder la maison. [17] Le roi sortit à pied avec tout le peuple et l'on s'arrêta à la dernière maison.

[18] Tous ses serviteurs passaient auprès de lui, tous les Kerétiens, tous les Pelétiens. Tous les Guittites, six cents hommes venus de Gath [o] à sa suite, passaient devant le roi. [19] Le roi dit à Ittaï le Guittite : « Pourquoi viendrais-tu, toi aussi, avec nous ? Retourne et reste avec l'autre roi, car tu es un étranger, tu es même un exilé pour ton pays. [20] Tu es arrivé hier, et aujourd'hui je t'entraînerais avec nous, alors que moi, je vais à l'aventure ? Retourne et remmène tes frères avec toi. Fidélité et loyauté ! [p] » [21] Ittaï répondit au roi et lui dit : « Par la vie du SEIGNEUR et par la vie de mon seigneur le roi, là où sera mon seigneur le roi, pour la mort ou pour la vie, là sera ton serviteur [q]. » [22] David dit à Ittaï : « Va. Passe. » Ittaï le Guittite passa, avec tous ses hommes et tout son petit monde.

[23] Tout le pays pleurait à grands sanglots, et tout le peuple passait. Le roi passait dans le torrent du Cédron [r] et tout le peuple passait en face du chemin qui longe le désert. [24] Il y avait aussi Sadoq, et avec lui tous les *lévites portant l'*arche de l'alliance de Dieu : ils déposèrent l'arche de Dieu et Abiatar monta jusqu'à ce que tout le peuple qui sortait de la ville eût fini de passer. [25] Le roi dit à Sadoq : « Ramène l'arche de Dieu dans la ville. Si le SEIGNEUR m'est favorable, il me ramènera et me permettra de la revoir, ainsi que sa demeure. [26] Mais s'il déclare : "Je ne veux pas de toi", eh bien, qu'il me fasse ce qui lui plaît ! » [27] Le roi dit au prêtre Sadoq : « Vois-tu ? Retourne en paix à la ville. Ton fils Ahimaaç et Jonathan, fils d'A-

biatar, vos deux fils sont avec vous. [28] Voyez, je vais m'attarder dans les passes du désert, jusqu'à ce qu'un mot de vous m'apporte des nouvelles. » [29] Sadoq et Abiatar ramenèrent donc l'arche de Dieu à Jérusalem et ils y restèrent.

David envoie Houshaï espionner Absalom

[30] David montait par la montée des Oliviers [s], il montait en pleurant ; il avait la tête voilée et il marchait nu-pieds. Tout le peuple qui l'accompagnait s'était voilé la tête. Ils montaient, montaient en pleurant. [31] On vint dire à David : « Ahitofel est parmi les conjurés, avec Absalom. » David dit : « Je t'en prie, SEIGNEUR, rends fous les conseils d'Ahitofel ! »

[32] David arrivait au sommet, là où l'on se prosterne devant Dieu, quand vint à sa rencontre Houshaï l'Arkite, la tunique *déchirée et la tête couverte de terre. [33] David lui dit : « Si tu passes avec moi, tu me seras à charge. [34] Mais si tu retournes à la ville et que tu dises à Absalom : "Je serai ton serviteur, ô roi ; naguère j'étais le serviteur de ton père ; eh bien, maintenant, je suis ton serviteur", alors tu pourras déjouer à mon avantage les conseils d'Ahitofel. [35] Et n'auras-tu pas près de toi, là-bas, les prêtres Sadoq et Abiatar ? Tout ce que tu entendras de la maison du roi, tu le rapporteras aux prêtres Sadoq et Abiatar. [36] Ils ont près d'eux là-bas leurs deux fils : Ahimaaç pour Sadoq et Jonathan pour Abiatar. Vous me transmettrez par leur intermédiaire tout ce que vous entendrez dire. » [37] Et Houshaï, l'ami [t] de David, rentra dans la ville, au moment où Absalom entrait à Jérusalem.

David et Civa

16 [1] David avait un peu dépassé le sommet [u] quand Civa, le domes-

---

n Voir 3.7 et la note ● *o Kerétiens, Pelétiens:* voir 8.18 et la note — *Guittites:* originaires de *Gath,* voir 1 S 5.8 et la note; 1 S 27 ● *p Fidélité et loyauté!:* expression dont le sens est peu clair dans ce contexte. L'ancienne version grecque dit: *Et que le Seigneur agisse envers toi avec fidélité et loyauté* ● *q sera ton serviteur,* c'est-à-dire *je serai* ● *r* Le torrent du *Cédron* coule au pied de la muraille est de Jérusalem ● *s* La *montée des Oliviers* est le chemin qui conduit au mont des *Oliviers,* en face de Jérusalem, de l'autre côté du Cédron ● *t ami* a ici un sens technique; c'est le titre donné à un confident et conseiller du roi ● *u* Il s'agit du *sommet* du mont des Oliviers, voir 15.30 et la note

15.16 dix concubines 16.21-22; 20.3. **15.21** là où..., là... Rt 1.16; Lc 9.57; 22.33. **15.25** revoir la demeure Ps 27.4. **15.26** qu'il me fasse... 1 S 3.18+. **15.30** la tête voilée 19.5; Est 6.12 — nu-pieds Mi 1.8. **15.31** rends fous les conseils 17.14, 23; Ps 33.10. **15.33** à charge 19.36. **16.1** Mefibosheth 9.1-6+ — ânes chargés 17.27-29; 1 S 25.18.

tique de Mefibosheth, vint à sa rencontre, avec une paire d'ânes bâtés, chargés de deux cents pains, cent grappes de raisin sec, cent fruits de saison et une outre de vin. ² Le roi dit à Civa : « Qu'as-tu là ? » Civa répondit : « Les ânes serviront de monture à la famille du roi ; le pain et les fruits, de nourriture pour les jeunes gens ; et le vin, de boisson aux gens épuisés par le désert. » ³ Le roi dit : « Mais où est le fils de ton seigneur ? » Civa répondit au roi : « Eh bien, il est resté à Jérusalem, car il s'est dit : "Aujourd'hui, la maison d'Israël ᵛ me rendra la royauté de mon père". » ⁴ Le roi déclara à Civa : « Tous les biens de Mefibosheth sont désormais les tiens. » Civa dit : « Me voici prosterné. Reste-moi favorable, mon seigneur le roi. »

Shiméï maudit David

⁵ Le roi David arrivait à Bahourim quand un homme en sortait. Il était du même clan que la maison ʷ de Saül et s'appelait Shiméï, fils de Guéra. Tout en sortant, il proférait des malédictions. ⁶ Il jetait des pierres à David et à tous les serviteurs du roi, et pourtant, tout le peuple et tous les preux étaient à droite et à gauche de David. ⁷ Voici ce que disait Shiméï dans ses malédictions : « Va-t'en, va-t'en, vaurien sanguinaire ! ⁸ Le SEIGNEUR a fait retomber sur toi tout le sang ˣ de la maison de Saül, à la place de qui tu es devenu roi. Le SEIGNEUR a remis la royauté entre les mains de ton fils Absalom, et te voilà, toi, dans le malheur, car tu es un homme de sang. » ⁹ Avishaï, fils de Cerouya, dit au roi : « Pourquoi ce chien crevé maudit-il mon seigneur le roi ? Laisse-moi passer et lui couper la tête. » ¹⁰ Le roi dit : « Qu'y a-t-il entre moi et vous, fils de Cerouya ? S'il maudit et si le SEIGNEUR lui a dit : "Va maudire David", qui pourrait lui dire : "Pourquoi as-tu fait cela ?" » ¹¹ David dit à Avishaï et à tous ses serviteurs : « Si mon fils, celui qui est issu de moi, en veut à ma vie, à plus forte raison ce Benjaminite ; laissez-le

maudire, si le SEIGNEUR le lui a dit. ¹² Peut-être le SEIGNEUR regardera-t-il ma misère et me rendra-t-il le bonheur, au lieu de sa malédiction d'aujourd'hui. »

¹³ David avança sur le chemin avec ses hommes, tandis que Shiméï avançait au flanc de la montagne, à côté de lui, continuant à maudire et à lancer des pierres, à côté de lui. Il faisait aussi voler de la poussière.

¹⁴ Le roi et toute sa troupe arrivèrent exténués. Là ʸ, on reprit souffle.

Houshaï rejoint Absalom

¹⁵ Absalom et toute la troupe des hommes d'Israël ᶻ étaient arrivés à Jérusalem. Ahitofel était avec lui. ¹⁶ Quand Houshaï l'Arkite, l'ami ᵃ de David, arriva auprès d'Absalom, Houshaï dit à Absalom : « Vive le roi ! Vive le roi ! » ¹⁷ Absalom dit à Houshaï : « Est-là ta fidélité à l'égard de ton ami ? Pourquoi n'es-tu pas parti avec ton ami ? » ¹⁸ Houshaï dit à Absalom : « Non. Celui qu'a choisi le SEIGNEUR, ainsi que tout ce peuple et tous les hommes d'Israël, c'est à lui que je veux être et avec lui que je veux rester. ¹⁹ En second lieu, qui vais-je servir ? N'est-ce pas son fils ? De même que j'ai été au service de ton père, je serai à ton service. »

Absalom et les concubines de David

²⁰ Absalom dit à Ahitofel : « Tenez conseil entre vous sur ce que nous devons faire. » ²¹ Ahitofel dit à Absalom : « Va vers les concubines ᵇ de ton père qu'il a laissées pour garder la maison. Ainsi tout Israël saura que tu t'es rendu insupportable à ton père et le bras de tous tes partisans en sera fortifié. » ²² On monta pour Absalom une tente sur la terrasse et Absalom alla vers les concubines de son père sous les yeux de tout Israël. ²³ Les conseils que donnait Ahitofel en ce temps-là avaient valeur d'oracle. Il en était ainsi de tous les conseils d'Ahitofel, aussi bien pour David que pour Absalom.

ᵛ la maison d'Israël ou le peuple d'Israël (voir 15.2 et la note) ● ʷ Bahourim : voir 3.16 et la note — maison ou famille ● ˣ Comparer 1.16 et la note ● ʸ On ignore de quel endroit il s'agit ; peut-être un nom de lieu a-t-il disparu du texte ● ᶻ Voir 15.2 et la note ● ᵃ Voir 15.37 et la note ● ᵇ Voir 3.7 et la note

16.2 les ânes comme montures Jg 10.4, 12.14 ; Za 9.9.   **16.4** les tiens 19.30-31.   **16.5** Shiméï 19.17-24 ; 1 R 2.8-9, 36-46.   **16.8** sur toi 1 S 25.39+.   **16.9** lui couper la tête 4.7 ; 1 S 17.46 ; 2 R 6.32 ; Jdt 13.8.   **16.12** ma misère Gn 29.32 ; 31.42 ; Ex 3.7 ; 4.31 ; Dt 26.7.   **16.16** vive le roi Ps 72.15+.   **16.18** celui qu'a choisi le Seigneur Dt 17.15 ; 1 S 10.24 ; Ps 89.4.   **16.21** va vers les concubines 12.11 ; 15.16+.   **16.23** Ahitofel 15.12+.

Houshaï contredit le conseil d'Ahitofel

17 [1] Ahitofel dit à Absalom : « Laisse-moi choisir douze mille hommes et partir à la poursuite de David, cette nuit même. [2] J'arriverai sur lui lorsqu'il sera à bout de forces, je le terroriserai, toute sa troupe prendra la fuite, et je frapperai le roi quand il sera seul. [3] Ainsi je ferai revenir tout le peuple vers toi. Atteindre l'homme que tu recherches équivaudra au retour de tous : tout le peuple sera en paix. » [4] L'avis parut juste à Absalom et à tous les *anciens d'Israël. [5] Absalom dit : « Appelle donc aussi Houshaï l'Arkite, pour que nous entendions ce qu'il a à dire, lui aussi. » [6] Houshaï se rendit auprès d'Absalom, et Absalom lui dit : « Voilà comment Ahitofel a parlé. Devons-nous faire ce qu'il a dit ? Sinon, parle toi-même. » [7] Houshaï répondit à Absalom : « Le conseil qu'a donné Ahitofel n'est pas bon cette fois-ci. » [8] Puis Houshaï dit : « Tu connais toi-même ton père et ses hommes : ce sont des preux et ils sont hargneux comme une ourse qui a perdu son ourson dans la campagne. Ton père est un homme de guerre, il ne passera pas la nuit avec le peuple. [9] Le voici maintenant caché dans quelque trou ou ailleurs. Or, dès qu'il commencera à y avoir des victimes parmi les nôtres, quelqu'un l'apprendra et dira : "Il y a eu des pertes dans le peuple qui suit Absalom !" [10] Alors, même un brave au cœur de lion se sentira fondre, car tout Israël sait que ton père est un preux et que ses compagnons sont des braves. [11] Voici donc ce que je conseille : que se rassemble auprès de toi tout Israël, de Dan à Béer-Shéva *c*, aussi nombreux que le sable des plages, toi-même marchant au combat. [12] Nous l'atteindrons en quelque lieu qu'il se trouve. Nous nous poserons sur lui comme la rosée tombe sur le sol : de lui et de ses compagnons, il ne reste *d* plus personne. [13] S'il entre dans une ville pour se regrouper, tout Israël fera apporter des cordes à cette ville et nous le traînerons *e* jusqu'au torrent, si bien qu'il ne s'y trouvera même plus un caillou. » [14] Absalom et tous les hommes d'Israël dirent : « Le conseil de Houshaï l'Arkite est meilleur que le conseil d'Ahitofel. » Le SEIGNEUR en effet avait décrété de faire échouer le conseil d'Ahitofel qui était le meilleur, pour amener le malheur sur Absalom.

David passe le Jourdain

[15] Houshaï dit aux prêtres Sadoq et Abiatar : « Voilà ce qu'Ahitofel a conseillé à Absalom et aux anciens d'Israël, et voilà ce que moi, j'ai conseillé. [16] Maintenant donc, envoyez vite informer David. Dites-lui : "Ne t'arrête pas cette nuit dans les steppes du désert, et même il faut que tu passes, sinon, on ne fait qu'une bouchée du roi et de tout le peuple qui l'accompagne". » [17] Jonathan et Ahimaaç se tenaient à Ein-Roguel *f*. Une servante devait aller les informer et ils devaient aller eux-mêmes informer le roi David, car ils ne pouvaient pas se faire voir en entrant dans la ville. [18] Mais un jeune homme les vit et en informa Absalom. Ils partirent tous les deux rapidement et arrivèrent à la maison d'un homme de Bahourim *g*. Il avait un puits dans sa cour. Ils y descendirent. [19] La femme prit la bâche et l'étendit par-dessus le puits. Elle étala dessus des graines. On ne remarquait rien. [20] Les serviteurs d'Absalom entrèrent chez cette femme, dans la maison, et ils dirent : « Où sont Ahimaaç et Jonathan ? » La femme leur dit : « Ils ont passé... l'eau *h*. » Ils cherchèrent sans trouver et ils s'en retournèrent à Jérusalem.

[21] Après leur départ, les autres remontèrent du puits et allèrent informer le roi David. Ils dirent à David : « En route ! Passez l'eau *i* rapidement, car voilà le conseil qu'Ahitofel a donné à votre sujet. » [22] David se mit donc en route ainsi que

---

c tout Israël: la mobilisation générale prendra plusieurs jours ; cela laissera du temps à Houshaï pour avertir David (v. 15-22), et à David pour se préparer au combat (chap. 18) — *de Dan à Béer-Shéva:* voir la note sur Jos 19.47 ● *d il ne reste* ou *il ne restera* ● *e nous le traînerons* ou, selon les versions anciennes, *nous la traînerons* (la ville avec tous ceux qui s'y trouvent) : à la fin du verset, l'adverbe de lieu *y* désigne l'emplacement de la ville ● *f Ein-Roguel* ou *la source du Foulon:* voir 1 R 1.9 et la note ● *g Bahourim:* voir 3.16 et la note ● *h Ils ont passé ... l'eau:* l'hébreu présente ici un mot inconnu ; on suppose qu'il pourrait s'agir d'un *réservoir* ou d'un *canal* ● *i l'eau,* c'est-à-dire ici *le Jourdain* (voir v. 22)

17.1 à la poursuite 20.6. **17.2** à bout de forces 16.14. **17.8** comme une ourse Os 13.8 ; Pr 17.12 — un homme de guerre 1 S 16.18. **17.9** dans quelque trou 1 S 22.1. **17.10** des braves 23.8-23. **17.11** aussi nombreux Gn 22.17+. **17.14** faire échouer 15.31, 34. **17.16** informer David 15.28. **17.19** on ne remarquait rien Jos 2.4-6 ; 1 S 19.11-17.

tout le peuple qui était avec lui et ils passèrent le Jourdain. A l'aube, il n'en restait pas un seul qui n'eût passé le Jourdain. [23] Quand Ahitofel s'aperçut qu'on ne mettait pas son conseil à exécution, il sella son âne, se mit en route et s'en alla chez lui, dans sa ville. Il donna ses ordres à sa famille et se pendit. Après sa mort, il fut enseveli dans la tombe de son père.

David à Mahanaïm

[24] David arriva à Mahanaïm [j] tandis qu'Absalom passait le Jourdain, lui et tous les hommes d'Israël avec lui. [25] A la tête de l'armée, Absalom avait mis Amasa, à la place de Joab. Or Amasa était le fils d'un nommé Yitra l'Israélite, qui s'était uni à Avigal, fille de Nahash et sœur de Cerouya, la mère de Joab. [26] Israël et Absalom établirent leur camp au pays de Galaad [k]. [27] Dès l'arrivée de David à Mahanaïm, Shovi, fils de Nahash, de Rabba des fils d'Ammon, Makir, fils de Ammiël, de Lô-Devar, et Barzillaï le Galaadite, de Roguelim [l], [28] apportèrent du matériel de couchage, des lainages, de la vaisselle, ainsi que du blé, de l'orge, de la farine, des épis grillés, des fèves, des lentilles, des épis grillés [m], [29] du miel, du beurre, des moutons et des morceaux de bœuf qu'ils apportaient comme nourriture à David et au peuple qui était avec lui, car ils se disaient : « Le peuple a souffert de la faim, de la fatigue et de la soif dans le désert. »

Défaite des troupes d'Absalom

18 [1] David passa en revue le peuple qui était avec lui et il mit à leur tête des chefs de millier et des chefs de centaine. [2] Puis David donna au peuple le signal du départ ; un tiers était confié à Joab, un tiers à Avishaï, fils de Cerouya, frère de Joab, un tiers à Ittaï le Guittite. Le roi dit au peuple : « Je tiens à sortir [n], moi aussi, avec vous. » [3] Le peuple dit : « Tu ne dois pas sortir. Si, en effet, nous prenons la fuite, on ne fera pas attention à nous ; même s'il meurt la moitié d'entre nous, on ne fera pas attention à nous ; mais maintenant, il s'agit de dix mille comme nous [o]. Donc, mieux vaut que tu puisses nous secourir depuis la ville. » [4] Le roi leur dit : « Je ferai ce qui vous plaira. » Le roi se tint près de la porte, pendant que tout le peuple sortait par centaines et par milliers. [5] Le roi donna cet ordre à Joab, à Avishaï et à Ittaï : « Par égard pour moi, doucement, avec le jeune Absalom ! » Tout le peuple entendit le roi donner cet ordre à tous les chefs au sujet d'Absalom.

[6] Le peuple sortit dans la campagne à la rencontre d'Israël et la bataille eut lieu dans la forêt d'Ephraïm [p]. [7] Là, le peuple d'Israël fut battu devant les serviteurs de David. Il y eut beaucoup de pertes ce jour-là, vingt mille hommes. [8] Le combat s'éparpilla sur toute l'étendue du pays. Ce jour-là, la forêt dévora [q] plus de gens parmi le peuple que n'en dévora l'épée.

Joab tue Absalom

[9] Absalom se trouva par hasard face aux serviteurs de David. Absalom montait un mulet et le mulet s'engagea sous la ramure enchevêtrée d'un grand térébinthe. La tête d'Absalom se prit dans le térébinthe et il se trouva entre ciel et terre, tandis que le mulet qui était sous lui passait outre. [10] Un homme le vit et vint dire à Joab : « J'ai vu Absalom suspendu à un térébinthe. » [11] Joab dit à son informateur : « Ainsi tu l'as vu ! Mais pourquoi ne l'as-tu pas frappé et abattu sur place ? Je te devrais alors dix sicles [r] d'argent et une ceinture. » [12] L'homme

---

j Mahanaïm: voir Gn 32.3 et la note ● *k* Indication géographique vague: le *pays de Galaad* s'étend à l'est du Jourdain; *Mahanaïm* (v. 24) en fait partie ● *l Rabba:* voir 11.1 et la note; *Lô-Devar:* voir 9.4 et la note; *Roguelim:* localité située probablement à 25 km environ au sud-est du lac de Génésareth ● *m* L'ancienne version grecque omet la répétition de *des épis grillés* ● *n Guittite:* voir 6.10 et la note — *au peuple* ou *aux soldats* — *à sortir,* c'est-à-dire ici *à me mettre en campagne* ● *o* Les anciennes versions grecque et latine précisent le sens implicite de l'hébreu: *mais toi, tu es comme dix mille d'entre nous* ● *p* La localisation de *la forêt d'Ephraïm* est incertaine; peut-être s'agit-il de la région à l'est du Jourdain, mentionnée en Jos 17.15. L'ancienne version grecque parle ici de *la forêt de Mahanaïm* (voir 17.24, 27) ● *q dévora,* c'est-à-dire *fit mourir* ● *r sicles:* voir au glossaire POIDS ET MESURES

17.23 Ahitofel 15.12+ — se suicida Jg 9.54; 1 S 31.4-6; 1 R 16.18; 2 M 14.41-46; Mt 27.5. **17.27-29** des provisions 16.1+. **17.27** Makir 9.4 — Barzillaï 19.32-40; 1 R 2.7. **18.3** tu ne dois pas sortir 21.17. **18.5** le jeune Absalom 14.21; 18.12, 29; 19.7. **18.7** beaucoup de pertes 17.9. **18.8** l'épée qui dévore 2.26+. **18.9** un mulet 13.29.

dit à Joab : « Et même si je soupesais maintenant dans mes mains mille sicles d'argent, je ne porterais pas la main sur le fils du roi, car c'est à nos oreilles que le roi t'a donné cet ordre, ainsi qu'à Avishaï et à Ittaï : "Prenez garde que nul ne touche au jeune Absalom." [13] D'ailleurs, si j'avais commis cette forfaiture contre sa vie, rien n'échappe au roi, et toi-même, tu te serais tenu à l'écart. » [14] Joab dit : « Je ne vais pas attendre ainsi devant toi ! » Il prit donc en main trois épieux et les planta dans le cœur d'Absalom, encore vivant au milieu du térébinthe. [15] Puis dix jeunes gens, les écuyers de Joab, entourèrent Absalom et le frappèrent à mort. [16] Joab sonna du cor et le peuple cessa de poursuivre Israël, car Joab retint le peuple. [17] On prit Absalom et on le jeta dans la forêt, dans une grande fosse, et l'on érigea dessus un énorme tas de pierres. Tout Israël s'était enfui, chacun à ses tentes [s]. [18] Or Absalom avait entrepris de se faire ériger, de son vivant, la stèle qui se trouve dans la vallée du Roi [t], car il s'était dit : « Je n'ai pas de fils pour perpétuer mon nom. » On lui donna donc son nom à la stèle. On l'appelle encore aujourd'hui le monument d'Absalom.

David apprend la mort d'Absalom

[19] Ahimaaç, fils de Sadoq, dit : « Permets-moi de courir porter au roi la bonne nouvelle que le SEIGNEUR lui a rendu justice en le tirant des mains de ses ennemis. » [20] Joab lui dit : « Tu ne serais pas porteur d'une bonne nouvelle en ce jour-ci. Tu la porteras un autre jour, mais aujourd'hui même, tu ne porterais pas une bonne nouvelle puisqu'il s'agit de la mort du fils du roi. » [21] Et Joab dit à un Koushite [u] : « Va informer le roi de ce que tu as vu. » Le Koushite se prosterna devant Joab et partit en courant. [22] De nouveau, Ahimaaç, fils de Sadoq, dit à Joab : « Advienne que pourra ! Laisse-moi courir, moi aussi, derrière le Koushite. » Joab dit : « A quoi bon courir, toi aussi, mon fils, sans bonne

nouvelle qui te vaudrait une récompense ? » [23] — « Advienne que pourra ! Je courrai. » Il lui dit : « Cours ! » Ahimaaç prit en courant le chemin de la plaine du Jourdain et il dépassa le Koushite.

[24] David était assis entre les deux portes [v]. Le guetteur se rendit à la terrasse de la porte, au rempart. Il leva les yeux et vit un homme qui courait seul. [25] Le guetteur cria pour en informer le roi. Le roi dit : « S'il est seul, c'est qu'il a une bonne nouvelle à annoncer. » Tandis que l'homme se rapprochait, [26] le guetteur en vit accourir un autre. Il cria au portier : « Voici un homme qui court seul. » Le roi dit : « Celui-là aussi apporte une bonne nouvelle. » [27] Le guetteur dit : « Je reconnais la façon de courir du premier : c'est celle d'Ahimaaç, fils de Sadoq. » Le roi dit : « C'est un homme de bien. Il vient pour une très bonne nouvelle. » [28] Ahimaaç cria et dit au roi : « Tout va bien. » Il se prosterna face contre terre devant le roi et dit : « Béni soit le SEIGNEUR, ton Dieu, qui a livré les hommes qui s'étaient insurgés contre mon seigneur le roi ! » [29] Le roi dit : « Tout va bien pour le jeune Absalom ? » Ahimaaç dit : « J'ai vu qu'on s'agitait beaucoup quand Joab a envoyé un serviteur du roi et ton serviteur, mais je ne sais pas pourquoi. » [30] Le roi dit : « Ecarte-toi et tiens-toi là. » Il s'écarta et resta là. [31] Alors le Koushite arriva. Le Koushite dit : « Que mon seigneur le roi apprenne la bonne nouvelle : le SEIGNEUR t'a rendu justice aujourd'hui en te tirant des mains de tous tes adversaires. » [32] Le roi dit au Koushite : « Tout va-t-il bien pour le jeune Absalom ? » Le Koushite répondit : « Qu'ils aient le sort de ce jeune homme, les ennemis de mon seigneur le roi et tous les adversaires qui veulent ton malheur ! »

David pleure son fils

19 [1] Alors le roi frémit. Il monta dans la chambre au-dessus de la porte et il se mit à pleurer. Il disait en

---

s à ses tentes: voir Jos 22.4 et la note ● t la stèle ou la pierre dressée — La vallée du Roi, non identifiée avec certitude, se trouvait probablement aux environs de Jérusalem ● u un Koushite: un Nubien ou un Ethiopien ● v entre les deux portes: sans doute un local aménagé dans l'épaisseur du mur d'enceinte de la ville, entre la porte extérieure et la porte intérieure

18.13 rien n'échappe au roi 14.20.   **18.14** Joab tue Absalom 3.27+.   **18.16** sonna du cor 2.28+.
18.17 un tas de pierres Jos 7.26, 8.29; 10.27.   **18.18** le monument 1 S 15.12.   **18.20** bonne vellle 4.10.   **18.24** le guetteur 13.34; 2 R 9.17-20.   **18.27** je reconnais 2 R 9.20 — un homme de bien 1 R 1.42.   **18.29** le jeune Absalom 18.5+.   **18.31** t'a rendu justice 1 S 24.16+.   **19.1** que ne suis-je mort Ex 16.3.

marchant : « Mon fils Absalom, mon fils, mon fils Absalom, que ne suis-je mort moi-même à ta place ! Absalom, mon fils, mon fils ! » ² On prévint Joab : « Voici, lui dit-on, que le roi pleure et se lamente sur Absalom. » ³ La victoire, ce jour-là, se changea en deuil pour tout le peuple, car le peuple avait entendu dire, en ce jour-là : « Le roi est très affecté à cause de son fils. » ⁴ Le peuple, ce jour-là, rentra furtivement dans la ville, comme le ferait un peuple honteux d'avoir fui au combat. ⁵ Le roi, lui, s'était voilé le visage. Le roi criait à pleine voix : « Mon fils Absalom, Absalom, mon fils, mon fils ! » ⁶ Joab vint trouver le roi à l'intérieur. Il dit : « Tu couvres de honte, aujourd'hui, le visage de tous tes serviteurs qui t'ont sauvé la vie aujourd'hui, ainsi qu'à tes fils et à tes filles, à tes femmes et à tes concubines ʷ. ⁷ Tu aimes ceux qui te détestent et tu détestes ceux qui t'aiment. Tu as proclamé aujourd'hui que chefs et serviteurs ne sont rien pour toi. Eh bien, aujourd'hui, je le sais, si Absalom était vivant et nous tous morts, aujourd'hui, eh bien, tu trouverais cela normal. ⁸ Maintenant, lève-toi, et va parler au *cœur de tes serviteurs, car je te le jure par le Seigneur, si tu n'y vas pas, personne ne passera cette nuit avec toi, et ce sera pour toi un malheur pire que tous les malheurs qui te sont arrivés depuis ta jeunesse jusqu'à maintenant. » ⁹ Alors, le roi se leva et vint s'asseoir à la porte, et l'on proclama à tout le peuple : « Voici que le roi est assis à la porte ! » Et tout le peuple vint en présence du roi.

David invité à rentrer à Jérusalem

Israël s'était enfui, chacun à ses tentes ˣ. ¹⁰ Dans toutes les tribus d'Israël ʸ, tout le peuple discutait. On disait : « Le roi nous avait arrachés de la main de nos ennemis, il nous avait délivrés de la main des Philistins et, maintenant, il a dû s'enfuir du pays pour échapper à Absalom. ¹¹ Quant à Absalom, que nous avions *oint pour être notre chef, il est mort à la guerre. Qu'attendez-vous maintenant pour faire revenir le roi ? »

¹² Le roi David, de son côté, envoya dire aux prêtres Sadoq et Abiatar : « Parlez aux *anciens de Juda et dites-leur : "Pourquoi seriez-vous les derniers à faire revenir le roi chez lui, alors que ce que dit tout Israël est parvenu au roi chez lui ? ¹³ Vous êtes mes frères. Vous êtes mes os et ma chair ᶻ. Pourquoi donc seriez-vous les derniers à faire revenir le roi ?" ¹⁴ Et vous direz à Amasa : "N'es-tu pas mes os et ma chair ? Que Dieu me fasse ceci et encore cela ᵃ, si tu ne remplaces pas Joab comme chef permanent de mon armée !" » ¹⁵ David retourna l'opinion de tous les hommes de Juda, comme d'un seul homme. Ils envoyèrent dire au roi : « Reviens, toi et tous tes serviteurs ! »

David épargne Shiméï

¹⁶ Le roi revint donc et arriva au Jourdain. Juda était venu à Guilgal ᵇ pour aller à la rencontre du roi, pour faire passer au roi le Jourdain. ¹⁷ Shiméï ᶜ, fils de Guéra, le Benjaminite de Bahourim, se hâta de descendre avec les hommes de Juda à la rencontre du roi David. ¹⁸ Il y avait avec lui mille hommes de Benjamin, ainsi que Civa, le domestique de la maison ᵈ de Saül, avec ses quinze fils et ses vingt serviteurs. Ils devaient se précipiter au Jourdain au-devant du roi, ¹⁹ tandis que le radeau traverserait, pour faire passer la maison du roi et exécuter ce qu'il jugerait bon. Shiméï, fils de Guéra, s'étant jeté aux pieds du roi pendant que celui-ci passait le Jourdain, ²⁰ dit au roi : « Que mon seigneur ne m'impute pas de faute. Ne te souviens pas de la faute que ton serviteur a commise le jour où mon seigneur le roi quitta Jérusalem. Que le roi ne la prenne pas à cœur ! ²¹ Car ton serviteur le sait : j'ai péché. Mais aujourd'hui, je suis venu, précédant toute la maison de Joseph ᵉ, pour descendre à la rencontre de mon seigneur le roi. » ²² Avishaï, fils de Ce-

---

w Voir 3.7 et la note ● x *à ses tentes:* voir Jos 22.4 et la note ● y *les tribus d'Israël:* voir 15.2 et la note ● z *mes os et ma chair:* voir 5.1 et la note ● a *Que Dieu me fasse...:* voir 1 S 14.44 et la note ● b Nom de plusieurs localités en Israël; ici il s'agit probablement du *Guilgal* situé à proximité de Jéricho (voir Jos 3—4) ● c Sur *Shiméï,* voir 16.5-14 ● d *de la maison* ou *la famille* ● e *précédant* ou *le premier de —* la maison de *Joseph* désigne soit les tribus d'Ephraïm et Manassé, soit l'ensemble des tribus du nord

---

19.2 le roi pleure Gn 37.35. **19.3** changée en deuil Lm 5.15. **19.5** voilé le visage 15.30+. **19.7** Absalom vivant 18.5+. **19.10** délivré des Philistins 3.18; 5.17-25; 21.15-22. **19.11** notre chef 15.10. **19.17** Shiméï 16.5+. **19.18** Civa 9; 16.1-4. **19.20** la faute Ps 32.2. **19.21** j'ai péché 12.13+.

rouya, intervint et dit : « Est-ce une raison pour ne pas mettre à mort Shiméï, alors qu'il a maudit le messie *f* du SEIGNEUR ? » [23] David dit : « Qu'y a-t-il entre moi et vous, fils de Cerouya, pour que vous agissiez envers moi aujourd'hui comme un accusateur ? Mettra-t-on quelqu'un à mort aujourd'hui en Israël ? Ne suis-je pas sûr d'être aujourd'hui roi d'Israël ? » [24] Le roi dit à Shiméï : « Tu ne mourras pas. » Et le roi le lui jura.

David se réconcilie avec Mefibosheth

[25] Mefibosheth, fils de Saül, descendit à la rencontre du roi. Il n'avait pris soin ni de ses pieds ni de sa moustache, il n'avait pas lavé ses habits, depuis le jour où le roi était parti jusqu'à ce jour où il revenait sain et sauf. [26] Or, quand il arriva à Jérusalem à la rencontre du roi, le roi lui dit : « Pourquoi n'es-tu pas parti avec moi, Mefibosheth ? » [27] Il dit : « Mon seigneur le roi, mon serviteur m'a trompé. Car ton serviteur s'était dit *g* : "Je vais seller mon ânesse pour la monter et partir avec le roi" — car ton serviteur est boiteux. [28] Il a calomnié *h* ton serviteur auprès de mon seigneur le roi. Mais mon seigneur le roi est comme l'*ange de Dieu. Fais donc ce qui te semble bon. [29] En effet, pour mon seigneur le roi, toute la maison de mon père ne comptait que des gens qui méritaient la mort, et cependant tu as admis ton serviteur parmi ceux qui mangent à ta table. Ai-je encore un droit ? Que puis-je encore réclamer au roi ? » [30] Le roi lui dit : « Pourquoi discourir encore ? Je le déclare : Toi et Civa, vous vous partagerez les terres. » [31] Mefibosheth dit au roi : « Qu'il prenne même la totalité, du moment que mon seigneur le roi est rentré chez lui sain et sauf. »

David récompense Barzillaï

[32] Barzillaï *i* le Galaadite était descendu de Roguelim. Il passa le Jourdain avec le roi, prenant congé de lui près du Jourdain. [33] Barzillaï était très vieux, il avait quatre-vingts ans. C'est lui qui avait pourvu à l'entretien du roi quand il s'était retiré à Mahanaïm, car Barzillaï était un personnage important. [34] Le roi dit à Barzillaï : « Toi, continue avec moi et je subviendrai à ton entretien auprès de moi à Jérusalem. » [35] Barzillaï dit au roi : « Combien d'années me reste-t-il à vivre pour que je monte avec le roi à Jérusalem ? [36] J'ai aujourd'hui quatre-vingts ans. Puis-je distinguer ce qui est bon de ce qui est mauvais ? Ton serviteur peut-il apprécier ce qu'il mange et ce qu'il boit ? *j* Puis-je encore entendre la voix des chanteurs et des chanteuses ? Pourquoi donc ton serviteur serait-il encore une charge pour mon seigneur le roi ? [37] C'est tout juste si ton serviteur pourra passer le Jourdain avec le roi. Pourquoi donc le roi m'accorderait-il une telle récompense ? [38] Permets que ton serviteur s'en retourne et que je meure dans ma ville auprès de la tombe de mon père et de ma mère. Mais voici ton serviteur Kimham. Qu'il continue avec mon seigneur le roi et fais pour lui ce qui te plaira. » [39] Le roi dit : « Que Kimham continue avec moi et je ferai pour lui ce qui te plaira, et tout ce que tu choisiras de me demander, je le ferai pour toi. » [40] Tout le peuple passa le Jourdain, et le roi passa. Puis le roi embrassa Barzillaï et le bénit. Celui-ci s'en retourna chez lui.

Querelle entre les gens de Juda et d'Israël

[41] Le roi continua vers Guilgal *k* et Kimham continua avec lui. Tout le peuple de Juda, ainsi que la moitié du peuple d'Israël, avaient fait passer le roi. [42] En arrivant auprès du roi, les hommes d'Israël déclarèrent au roi : « Pourquoi nos frères, les hommes de Juda, t'ont-ils accaparé pour faire passer le Jourdain au roi et à sa maison *l*, alors que tous les hommes de David étaient près de lui ? » [43] Tous les hommes de Juda répliquèrent aux hommes d'Israël : « C'est que le roi m'est plus proche. Et pourquoi t'irriter de cela ? Avons-nous mangé quelque chose qui vienne du roi ? A-t-on prélevé quelque chose pour nous ? » [44] Les hom-

---

f le messie : voir 1 S 2.10 et la note ● *g ton serviteur s'était dit,* c'est-à-dire *je m'étais dit* ● *h Il a calomnié :* voir 16.1-4 ● *i* Sur *Barzillaï,* voir 17.27-29 ● *j Ton serviteur... ce qu'il boit ?,* c'est-à-dire *Puis-je apprécier ce que je mange et ce que je bois ?* ● *k* Voir v. 16 et la note ● *l sa maison* ou *sa famille*

19.23 à mort aujourd'hui 1 S 11.13+ ; cf. 1 R 2.46. **19.24** le roi jura 1 R 2.8. **19.25** Mefibosheth 9.1-6+. **19.27** boiteux 4.4. **19.28** l'ange de Dieu 1 S 29.9+. **19.29** à ta table 9.10,13. **19.30** vous partagerez cf. 16.4. **19.32** Barzillaï 17.27+. **19.36** une charge 15.33. **19.38** Kimham 1 R 2.7. **19.40** embrassa 14.33+. **19.41-44** Querelle... 1 R 12.

mes d'Israël répondirent aux hommes de Juda : « J'ai dix fois plus de droits que tu n'en as sur le roi *m* et même sur David. Pourquoi donc as-tu fait de moi si peu de cas ? N'ai-je donc pas parlé le premier de faire revenir mon roi ? » Mais le langage des hommes de Juda fut plus dur que celui des hommes d'Israël.

Shèva se révolte contre David

20 ¹ Là se trouvait par hasard un vaurien appelé Shèva, fils de Bikri, un Benjaminite. Il sonna du cor et déclara :

« Nous n'avons pas de part avec David
Nous n'avons pas d'héritage avec le fils de Jessé.
Chacun à ses tentes, Israël ! *n* »

² Tous les hommes d'Israël remontèrent, quittant David pour suivre Shèva, fils de Bikri. Mais les hommes de Juda restèrent attachés aux pas de leur roi, depuis le Jourdain jusqu'à Jérusalem. ³ David rentra chez lui à Jérusalem. Le roi prit les dix concubines *o* qu'il avait laissées pour garder la maison et il les mit dans une maison bien gardée. Il pourvut à leur entretien, mais il n'alla plus vers elles. Elles furent séquestrées jusqu'au jour de leur mort, dans l'état de veuves d'un vivant.

Joab assassine Amasa

⁴ Le roi dit à Amasa : « Convoquemoi tous les hommes de Juda dans les trois jours. Puis tiens-toi ici. » ⁵ Amasa alla convoquer les hommes de Juda, mais il fut en retard sur le délai que lui avait fixé David. ⁶ David dit à Avishaï : « Maintenant, Shèva, fils de Bikri, va nous faire plus de tort qu'Absalom. Prends toi-même les serviteurs de ton maître *p* et pars à la poursuite de Shèva, de peur qu'il ne trouve pour lui des villes fortifiées et n'échappe à nos yeux. » ⁷ Derrière Avishaï sortirent les hommes

de Joab, les Kerétiens, les Pelétiens, et tous les preux *q*. Ils sortirent de Jérusalem, à la poursuite de Shèva, fils de Bikri. ⁸ Ils se trouvaient près de la grosse pierre qui est à Gabaon *r* quand Amasa arriva devant eux. Joab était équipé de sa tenue, sur laquelle un ceinturon supportait une épée, fixée sur ses reins dans son fourreau. Quand il sortit, elle tomba. ⁹ Joab dit à Amasa : « Tu vas bien, mon frère ? » La main droite de Joab saisit la barbe d'Amasa pour l'embrasser. ¹⁰ Amasa n'avait pas pris garde à l'épée qui était dans la main de Joab. Celui-ci l'en frappa au ventre et répandit ses entrailles à terre. Il mourut sans que Joab eût à lui donner un second coup.

Fin de la révolte de Shèva

Joab, avec son frère Avishaï, se mit à la poursuite de Shèva, fils de Bikri. ¹¹ Un des garçons *s* de Joab était resté près d'Amasa. Le garçon dit : « Quiconque est partisan de Joab, et quiconque est pour David, qu'il suive Joab ! » ¹² Cependant, Amasa s'était roulé dans son sang au milieu du chemin et l'homme s'aperçut que tout le peuple s'arrêtait. Il tira donc Amasa du chemin dans le champ et jeta sur lui une couverture, quand il vit que tous ceux qui arrivaient près de lui s'arrêtaient. ¹³ Lorsqu'il l'eut écarté du chemin, tous les hommes passèrent, suivant Joab à la poursuite de Shèva, fils de Bikri. ¹⁴ Celui-ci parcourut toutes les tribus d'Israël jusqu'à Avel-Beth-Maaka, et tous les Bérites *t* se rassemblèrent, ils entrèrent même à sa suite. ¹⁵ Les autres vinrent l'assiéger dans Avel-Beth-Maaka. Ils entassèrent contre la ville un remblai, qui atteignit le niveau de l'avant-mur. Tout le peuple qui était avec Joab sapait le rempart pour le faire tomber. ¹⁶ Une femme avisée cria de la ville : « Ecoutez ! Ecoutez ! Veuillez dire à Joab : "Approche-toi jusqu'ici. Je veux te parler". » ¹⁷ Joab s'approcha d'elle et

---

m J'ai dix fois plus...: les tribus de l'Israël du nord sont au nombre de dix, alors que Juda est une tribu unique ● *n* On trouve en 1 R 12.16 un appel presque semblable à la révolte — *à ses tentes*: voir Jos 22.4 et la note — *Israël*: voir 15.2 et la note ● *o les dix concubines*: voir 15.16; 3.7 et la note ● *p les serviteurs de ton maître*, c'est-à-dire *mes serviteurs, mes soldats* ● *q Kerétiens, Pelétiens*: voir 8.18 et la note — *preux*: voir 10.7 et la note ● *r* Voir 2.12 et la note ● *s garçons ou soldats* ● *t Avel-Beth-Maaka*: localité située à 40 km environ au nord de lac de Génésareth — On ignore qui sont et d'où viennent les *Bérites;* ils semblent en tout cas être des partisans de Shèva

20.1 sonna du cor Jg 3.27; 6.34.   **20.2** quittant David 15.13.   **20.3** les dix concubines 15.16+.   **20.4** Amasa 17.25; 19.14.   **20.6** à la poursuite 17.1.   **20.9** l'embrasser 14.33+.   **20.10** l'en frappa au ventre 3.27+; cf. Jg 3.21.   **20.12** s'arrêtait 2.23.   **20.15** remblai 2 R 19.32.   **20.16** une femme avisée 11.21; 14.2; 1 S 25.14-28.

la femme lui dit : « Est-ce toi Joab ? »
Il répondit : « C'est moi. » Elle lui dit :
« Ecoute les paroles de ta servante. » Il
répondit : « J'écoute. » [18] Elle poursuivit
en ces termes : « On avait coutume de
dire autrefois : "Qu'on procède à une
consultation à Avel [u], et l'affaire est terminée." [19] Je suis ce qu'il y a de plus
pacifique et de plus sûr en Israël. Et toi,
tu cherches à faire périr une ville — une
métropole ! — en Israël. Pourquoi veux-tu
engloutir l'héritage du Seigneur [v] ? »
[20] Joab répondit et dit : « Abomination,
abomination sur moi si j'engloutis et si
je détruis ! [21] Il ne s'agit pas de cela.
Mais un homme de la montagne
d'Ephraïm [w] nommé Shèva, fils de Bikri,
s'est insurgé contre le roi David. Livrez-
le, lui seul, et je lèverai le siège. » La
femme dit à Joab : « Eh bien, on va te
jeter sa tête par-dessus le rempart. » [22] La
femme fit part à tout le peuple de son
avis judicieux. On coupa la tête de Shèva,
fils de Bikri, et on la jeta à Joab. Joab
sonna du cor, ils levèrent le siège et se
dispersèrent, chacun vers ses tentes [x].
Joab, lui, revint à Jérusalem auprès du
roi.

Liste des fonctionnaires de David

[23] Joab commandait toute l'armée d'Israël. Benaya, fils de Yehoyada, les Kerétiens et les Pelétiens [y]. [24] Adoram était
préposé à la corvée. Yehoshafath, fils
d'Ahiloud, était héraut ; [25] Shewa, scribe ;
Sadoq et Abiatar, prêtres. [26] Il y avait
aussi Ira, le Yaïrite ; David l'avait pour
prêtre.

Les Gabaonites et les descendants de Saül

21 [1] Il y eut une famine au temps
de David, trois années consécutives.
David sollicita le Seigneur et le Seigneur

dit : « Cela vise Saül et cette maison
sanguinaire, parce qu'il a mis à mort les
Gabaonites [z]. » Le roi convoqua les Gabaonites et leur parla. Les Gabaonites ne
faisaient point partie des fils d'Israël, mais
ils se rattachaient aux survivants des
*Amorites. Les fils d'Israël s'étaient en-
gagés envers eux par serment. Néanmoins, Saül, dans son excès de zèle pour
les fils d'Israël et de Juda, avait cherché
à les abattre [a]. [3] David déclara donc aux
Gabaonites : « Que dois-je faire pour vous
et comment puis-je réparer, pour que vous
bénissiez l'héritage du Seigneur [b] ? » [4] Les
Gabaonites lui dirent : « Nous n'avons
pas avec Saül et sa maison une affaire
d'argent et d'or. Nous n'avons pas à faire
mourir quelqu'un en Israël [c]. » Il dit :
« Quoi que vous disiez, je l'exécuterai
pour vous. » [5] Ils dirent au roi : « L'homme qui a voulu nous anéantir et qui nous
a cru déjà éliminés de tout le territoire
d'Israël, [6] qu'on nous livre sept de ses descendants, et nous les écartèlerons devant
le Seigneur à Guivéa de Saül [d], l'élu du
Seigneur. » Le roi dit : « Je les livrerai. »
[7] Mais le roi épargna Mefibosheth, fils de
Jonathan, fils de Saül, à cause du serment
par le Seigneur qui existait entre eux —
entre David et Jonathan [e], fils de Saül.
[8] Le roi prit donc les deux fils de Riçpa,
fille d'Ayya, qu'elle avait enfantés à Saül,
Armoni et Mefibosheth, et les cinq fils de
Mikal, fille de Saül, qu'elle avait enfantés
à Adriël, fils de Barzillaï, de Mehola [f],
[9] et il les livra aux mains des Gabaonites,
qui les écartelèrent sur la montagne devant le Seigneur. Ils succombèrent tous
les sept ensemble. On les mit à mort aux
premiers jours de la moisson, au commencement de la moisson des orges [g].
[10] Riçpa, fille d'Ayya, prit un *sac,
qu'elle étendit sur le rocher, depuis le
commencement de la moisson jusqu'à ce
que l'eau tombât sur eux du ciel. Elle
ne laissa pas les oiseaux du ciel se poser

u *Avel* est le nom abrégé d'*Avel-Beth-Maaka* (v. 14) ● v *l'héritage du Seigneur :* voir 1 S 10.1 et la
note ● w *montagne d'Ephraïm :* voir 1 S 9.4 et la note ● x *vers ses tentes :* voir Jos 22.4 et la note
● y *Kerétiens, Pelétiens :* voir 8.18 et la note ● z *Sur Gabaon,* voir 2.12 et la note ● a *On ignore*
à quel moment et en quelles circonstances Saül a agi ainsi à l'égard des *Gabaonites* ● b *l'héritage
du Seigneur :* voir 1 S 10.1 et la note ● c *sa maison* ou *sa famille — faire mourir quelqu'un en Israël :*
la réponse des Gabaonites n'est pas claire ; peut-être veulent-ils simplement souligner qu'ils n'ont
pas le droit de vie et de mort sur les Israélites ● d *écartèlerons :* le sens du verbe hébreu n'est pas
certain ; autres traductions *pendrons, empalerons — Guivéa de Saül :* voir 1 S 10.5 et la note ●
e *Mefibosheth :* voir 9.1-13 — *serment entre David et Jonathan :* voir 1 S 20.14-16, 42 ● f *de Mehola*
ou *d'Avel-Mehola :* voir Jg 7.22 et la note ● g *La moisson des orges* a lieu généralement en avril

20.20 abomination 1 S 24.7. **20.21** sa tête 4.7-8 ; 1 S 17.51, 54 ; 31.9. **20.22** sonna du cor 2.28+.
20.23-26 les fonctionnaires 8.15-18+. **21.1** Gabaonites Jos 9.3-27. **21.5** anéantir, éliminer
Dt 7.22-23. **21.8** Riçpa 3.7. **21.10** oiseaux, bêtes sauvages Gn 15.11 ; 1 S 17.46 ; 1 R 14.11+ ;
Ez 29.5.

sur eux durant le jour, non plus que les bêtes sauvages durant la nuit. ¹¹ On informa David de ce qu'avait fait Riçpa, fille d'Ayya, la concubine *h* de Saül. ¹² David alla reprendre les ossements de Saül et ceux de Jonathan, son fils, aux bourgeois de Yavesh de Galaad, qui les avaient dérobés sur l'esplanade de Beth-Shéân, où les Philistins les avaient suspendus, le jour où les Philistins avaient frappé Saül à Guilboa *i*. ¹³ Il emporta de là les ossements de Saül et de son fils Jonathan et l'on recueillit les ossements des suppliciés. ¹⁴ On ensevelit les ossements de Saül et de son fils Jonathan au pays de Benjamin, à Céla *j*, dans la tombe de Qish, son père. On fit donc tout ce qu'avait ordonné le roi. Après quoi, Dieu se montra propice au pays.

Combats contre les Philistins

(1 Ch 20.4-8)

¹⁵ Il y eut encore un combat entre les Philistins et Israël. David et ses serviteurs avec lui descendirent combattre les Philistins. David se sentit fatigué. ¹⁶ Yishbi-be-Nov, qui appartenait aux descendants de Harafa, qui avait un épieu pesant trois cents sicles *k*, poids du bronze, et qui était équipé de neuf, parlait de frapper David. ¹⁷ Mais Avishaï, fils de Cerouya, lui vint en aide et frappa le Philistin à mort. C'est alors que les hommes de David l'adjurèrent en disant : « Tu ne sortiras plus avec nous au combat, pour que tu n'éteignes pas la lampe *l* d'Israël. »

¹⁸ Après cela, il y eut encore un combat contre les Philistins à Gov *m*. C'est alors que Sibbekaï de Housha battit Saf, l'un des descendants de Harafa.

¹⁹ Il y eut encore un combat contre les Philistins à Gov. Elhanân, fils de Yaaré-Oreguim, de Bethléem, frappa Goliath de Gath *n*, dont la lance avait un bois pareil à une ensouple de tisserand.

²⁰ Il y eut encore un combat à Gath. Il y avait un champion ayant six doigts aux mains et six aux pieds, vingt-quatre au total. Lui aussi était un descendant de

Harafa. ²¹ Il lança un défi à Israël. Et Yehonatân, fils de Shiméa, frère de David, le frappa.

²² Ces quatre étaient descendants de Harafa, à Gath, et ils tombèrent sous les coups de David et de ses serviteurs.

Psaume de David

(Ps 18)

22 ¹ David *o* adressa au SEIGNEUR les paroles de ce chant, le jour où le SEIGNEUR l'eut délivré de la main de tous ses ennemis et de celle de Saül. ² Il dit :

J'ai le SEIGNEUR pour roc, pour forteresse et pour libérateur,

³ Dieu, le rocher où je me réfugie, mon bouclier, l'arme de ma victoire, ma citadelle,
mon asile, mon sauveur, tu me sauves des violents.

⁴ Loué soit-il ! J'ai appelé le SEIGNEUR, et j'ai été vainqueur de mes ennemis.

⁵ Les vagues de la mort m'ont enserré, les torrents de Bélial m'ont surpris,

⁶ les liens des enfers m'ont entouré, les pièges de la mort étaient tendus devant moi.

⁷ Dans ma détresse, j'ai appelé le SEIGNEUR et j'ai appelé mon Dieu.
De son Temple, il a entendu ma voix ; mon cri est parvenu à ses oreilles.

⁸ Alors la terre se troubla et trembla ; les fondations des cieux frémirent et furent troublées quand il se mit en colère.

⁹ De son nez monta une fumée, de sa bouche un feu dévorant avec des braises enflammées.

¹⁰ Il déplia les cieux et descendit, un épais nuage sous les pieds.

¹¹ Il chevaucha un chérubin et s'envola, apparaissant sur les ailes du vent.

¹² Il fit son abri des ténèbres l'entourant, amoncellements liquides, nuages sur nuages !

¹³ Une lueur le précéda, des braises flamboyèrent.

¹⁴ Le SEIGNEUR tonne du haut des cieux, le Très-Haut donne de la voix.

¹⁵ Il lança les flèches et les dispersa ;

---

h concubine: voir 3.7 et la note ● *i Yavesh de Galaad, Beth-Shéân:* voir 1 S 31.10-11 et les notes — *Guilboa:* voir 1 S 28.4 et la note; 31.1-6 ● *j Céla:* localité non identifiée ● *k sicles:* voir au glossaire POIDS ET MESURES ● *l la lampe:* voir 1 R 11.36 et la note ● *m Gov:* endroit inconnu ● *n Gath:* voir 1 S 5.8 et la note ● *o* Le texte de ce chapitre se retrouve, avec beaucoup de petites variantes, au Ps 18, auquel on se reportera pour les notes et les références parallèles

---

21.12 ossements Gn 50.25; Ex 13.19. **21.14** se montra propice 24.25. **21.15** combats contre les Philistins 19.10+. **21.17** tu ne sortiras plus 18.3 — la lampe 1 R 11.36+. **21.21** un défi 1 S 17.8-11.

il décocha l'éclair et les éparpilla,
16 et le lit de la mer apparut.
Les fondations du monde sont dévoi-
    lées,
par le grondement du SEIGNEUR,
par le souffle exhalé de son nez.
17 D'en haut, il m'envoie prendre,
il me retire des grandes eaux.
18 Il me délivre de mon puissant ennemi,
de ces adversaires plus forts que moi.
19 Le jour de ma défaite, ils m'affron-
    taient,
mais le SEIGNEUR s'est fait mon appui.
20 Il m'a dégagé, donné du large ;
il m'a délivré, car il m'aime.
21 Le SEIGNEUR me traite selon ma justice,
il me traite selon la pureté de mes
    mains,
22 car j'ai gardé les chemins du SEIGNEUR,
je n'ai pas été infidèle à mon Dieu.
23 Toutes ses lois ont été devant moi,
et ses commandements, je ne m'en
    écarte pas.
24 J'ai été intègre avec lui,
et je me suis gardé de toute faute.
25 Alors le SEIGNEUR m'a rendu selon ma
    justice,
selon ma pureté qu'il a vue de ses yeux.
26 Avec le fidèle, tu es fidèle ;
avec le preux intègre, tu es intègre.
27 Avec le pur, tu es pur ;
avec le pervers, tu es retors.
28 Tu rends vainqueur un peuple humilié,
tu fais tomber ton regard sur ceux qui
    s'élèvent.
29 C'est toi qui es ma lampe, SEIGNEUR.
Le SEIGNEUR illumine mes ténèbres.
30 C'est avec toi que je saute le fossé,
avec mon Dieu que je franchis la
    muraille.
31 De ce Dieu, le chemin est parfait,
la parole du SEIGNEUR a fait ses
    preuves.
Il est le bouclier de tous ceux qui
    l'ont pour refuge.
32 Qui donc est Dieu sinon le SEIGNEUR ?
Qui donc est le Roc sinon notre Dieu ?
33 Ce Dieu est ma place forte
il me fait parcourir un chemin parfait.
34 Il rend mes pieds pareils à ceux des
    biches.
Il me maintient sur mes hauteurs.
35 Il entraîne mes mains pour le combat,
et mes bras plient l'arc de bronze.
36 Tu me donnes ton bouclier vainqueur,

ta sollicitude me grandit.
37 Tu allonges ma foulée,
et mes chevilles ne fléchissent pas.
38 Je poursuis mes ennemis, je les ai
    supprimés,
je ne reviens pas avant de les avoir
    achevés.
39 Je les ai achevés, massacrés, ils ne se
    relèvent pas,
ils sont tombés sous mes pieds.
40 Tu me ceins de vigueur pour le combat,
tu fais plier sous moi les agresseurs.
41 De mes ennemis, tu me livres la nuque,
j'ai exterminé mes adversaires :
42 ils crient, mais nul ne secourt ;
ils crient vers le SEIGNEUR, mais il ne
    répond pas.
43 J'en fais de la poussière,
je les écrase, je les piétine comme la
    boue des rues.
44 Tu m'as libéré des séditions de mon
    peuple.
Tu me gardes à la tête des nations.
Un peuple d'inconnus se met à mon
    service ;
45 des étrangers se font mes courtisans,
au premier mot, ils m'obéissent ;
46 des étrangers s'effondrent,
hors de leurs bastions ils sont ceinturés.
47 Vive le SEIGNEUR ! Béni soit mon Roc !
Que triomphe Dieu, le roc de ma vic-
    toire !
48 Ce Dieu m'accorde la revanche
et abaisse des peuples sous moi.
49 Tu me soustrais à mes ennemis,
tu me fais triompher de mes agresseurs
et tu me délivres d'hommes violents.
50 Aussi je te rends grâce, SEIGNEUR, parmi
    les nations !
Et je chante en l'honneur de ton nom :
51 il donne de grandes victoires à son roi,
il agit avec fidélité envers son messie,
envers David et sa dynastie, pour tou-
    jours.

Dernières paroles de David

23 ¹ Et voici les dernières paroles de
    David :

Oracle de David fils de Jessé,
oracle de l'homme haut placé,
messie du Dieu de Jacob
et favori des chants d'Israël ᵖ.
² L'esprit du SEIGNEUR parle par moi,
et sa parole est sur ma langue.

---

p *messie :* voir 1 S 2.10 et la note — *favori des chants d'Israël :* 1 S 18.7 offre un exemple de chant
célébrant les exploits de David

23.1 dernières paroles de David 1 R 2.1-9 ; cf. Gn 49. **23.2** parle par moi Mt 22.43.

³ Le Dieu d'Israël l'a dit,
le Rocher d'Israël me l'a déclaré :
Celui qui gouverne les hommes selon
    la justice,
celui qui gouverne dans la crainte de
    Dieu
⁴ est pareil à la lumière du matin quand
    se lève le soleil,
un matin sans nuages :
de cet éclat, après la pluie, le gazon
    sort de terre.
⁵ N'est-ce point le cas de ma maison *q*
    auprès de Dieu,
puisqu'il m'a accordé une alliance éter-
    nelle,
réglée en tout et bien gardée ?
Tous mes triomphes, toute chose aima-
    ble,
ne les fait-il point germer ?
⁶ Mais les vauriens sont tous comme
    l'épine qu'on rejette.
Ne les attrape-t-on pas par brassées ?
⁷ L'homme qui y touche se barde de fer
    et de bois de lance,
et ils sont brûlés, brûlés sur place.

Les vaillants guerriers de David

(1 Ch 11.10-47)

⁸ Voici les noms des preux de David :
« Celui qui se tenait à sa place », un
Tahkemonite, était chef des cuirassiers.
C'est lui qui... sur huit cents victimes à
la fois *r*.
⁹ Après lui, Eléazar, fils de Dodo, fils
d'un Ahohite. Il était parmi les trois preux
accompagnant David quand ils défièrent
les Philistins qui s'étaient rassemblés là
pour le combat. Les hommes d'Israël se
retirèrent, ¹⁰ mais lui tint ferme et frappa
parmi les Philistins jusqu'à ce que sa main,
fatiguée, se fût crispée sur l'épée, et le
SEIGNEUR opéra une grande victoire ce
jour-là. Le peuple revint derrière lui, mais
seulement pour prendre les dépouilles.
¹¹ Après lui, Shamma, fils d'Agué, le
Hararite. Les Philistins s'étaient rassem-

blés en un corps. Il y avait à cet endroit
un champ couvert de lentilles, et le peuple s'enfuyait devant les Philistins. ¹² Il se
posta au milieu du champ, le dégagea,
frappa les Philistins, et le SEIGNEUR opéra
une grande victoire.
¹³ Trois des Trente descendirent de compagnie, au temps de la moisson, et arrivèrent auprès de David, dans la grotte
d'Adoullam *s*. Un corps de Philistins campait dans la vallée des Refaïtes. ¹⁴ David
était alors dans son refuge, et un poste de
Philistins se trouvait alors à Bethléem.
¹⁵ David exprima ce désir : « Qui me fera
boire de l'eau de la citerne qui est à la
porte de Bethléem ? » ¹⁶ Les trois preux
firent irruption dans le camp des Philistins,
puisèrent de l'eau à la citerne près de la
porte de Bethléem, l'emportèrent et la présentèrent à David. Mais il ne voulut pas
en boire et il en fit une libation *t* au
SEIGNEUR. ¹⁷ Il dit : « Que le SEIGNEUR
m'ait en abomination si je fais cela ! Mais
c'est le *sang des hommes qui sont allés
là-bas au péril de leur vie ! » Et il ne voulut pas en boire. Voilà ce que firent ces
trois preux.
¹⁸ Avishaï, frère de Joab, fils de Cerouya, était chef des cuirassiers. C'est lui
qui brandit sa lance sur trois cents victimes et il se fit un nom parmi les Trois *u*.
¹⁹ Certes, il eut plus d'honneurs que les
Trois, et il devint leur chef, mais il n'atteignit pas les Trois.
²⁰ Beneyahou, fils de Yehoyada, fils d'un
vaillant homme, aux nombreux exploits,
originaire de Qavcéel. C'est lui qui frappa
les deux Ariël *v* de Moab. C'est lui qui
descendit frapper le lion dans la citerne un
jour de neige. ²¹ C'est lui aussi qui frappa
un Egyptien, un homme de fière allure.
L'Egyptien avait à la main une lance. Il
descendit vers lui, armé d'un bâton, arracha la lance de la main de l'Egyptien et le
tua de sa propre lance. ²² Voilà ce que fit
Benayahou, fils de Yehoyada. Il se fit un
nom parmi les Trois preux. ²³ Il eut plus

---

q ma maison ou *ma dynastie* ● *r « Celui qui se tenait à sa place »*: c'est peut-être le surnom d'un
héros. On a parfois traduit, d'après l'ancienne version grecque, *Ishbosheth* ou *Ishbaal* — *Tahkemonite*: nom d'origine, dérivé d'un nom de lieu inconnu — *cuirassiers*: traduction conjecturale
d'un terme inexpliqué — *qui...*: le texte hébreu présente ici deux mots incompréhensibles, parfois
corrigés en *qui brandit sa lance*, d'après le v. 18 — Dans toute cette liste de personnages et
d'exploits, le texte hébreu est souvent peu clair ● *s Les Trente*: troupe d'élite de la garde personnelle de David (voir v. 24-39), composée d'une trentaine d'hommes (voir v. 39) — *Adoullam*:
voir 1 S 22.1 et la note ● *t libation*: voir au glossaire SACRIFICES ● *u Les Trois* sont le
Tahkemonite (v. 8), Eléazar (v. 9) et Shamma (v. 11) ● *v les deux Ariël*: personnages inconnus

---

23.3 le Rocher d'Israël Ps 28.1+. **23.5** une alliance éternelle 7.12 — germer Es 61.11. **23.6-7**
épines brûlées Es 33.12; cf. Jn 15.6. **23.10** une grande victoire 23.12; 1 S 11.13; 19.5. **23.16**
descendre au camp ennemi 1 S 26.6+. **23.20** Benayahou 20.23; 1 R 1.26, 36; 2.25, 35, 46.
23.21 un bâton 1 S 17.43 — avec sa propre lance 1 S 17.51.

d'honneurs que les Trente, mais il n'atteignit pas les Trois. David l'affecta à sa garde personnelle.

²⁴ Asahel, frère de Joab, était au nombre des Trente, ainsi qu'Elhanân, fils de Dodo, de Bethléem, ²⁵ Shamma le Harodite, Eliqa le Harodite, ²⁶ Hèleç le Paltite, Ira, fils de Iqqesh le Teqoïte, ²⁷ Avièzer le Anatotite, Mevounaï le Houshatite, ²⁸ Çalmôn l'Ahohite, Mahraï le Netofatite, ²⁹ Hélev, fils de Baana le Netofatite, Ittaï, fils de Rivaï de Guivéa des fils de Benjamin, ³⁰ Benayahou un Piréatonite, Hiddaï des Torrents de Gaash, ³¹ Avi-Alvôn le Arvatite, Azmaweth le Barhoumite, ³² Elyahba le Shaalvonite. Les fils de Yashén : Yehonatân, ³³ Shamma le Hararite, Ahiâm, fils de Sharar l'Ararite, ³⁴ Elifèleth, fils d'Ahasbaï, fils du Maakatite, Eliâm, fils d'Ahitofel le Guilonite, ³⁵ Hèçraï le Karmélite, Paaraï l'Arbite, ³⁶ Yiguéal, fils de Natân de Çova, Bani le Gadite, ³⁷ Cèleq l'Ammonite, Nahraï le Béérotite, écuyer de Joab, fils de Cerouya, ³⁸ Ira le Yitrite, Garev le Yitrite, ³⁹ Urie le Hittite. Au total, trente-sept.

David fait recenser le peuple d'Israël
(1 Ch 21.1-6)

24 ¹ La colère du SEIGNEUR s'enflamma encore contre les Israélites et il excita David contre eux en disant : « Va, dénombre Israël et Juda. » ² Le roi dit à Joab, chef de l'armée, qui était avec lui : « Parcours toutes les tribus d'Israël de Dan à Béer-Shéva *ʷ* et recensez le peuple, que j'en sache le nombre. » ³ Joab dit au roi : « Que le SEIGNEUR, ton Dieu, accroisse le peuple au centuple et que mon seigneur le roi le voie de ses propres yeux ! Mais pourquoi mon seigneur le roi veut-il une chose pareille ? *ˣ* » ⁴ Néanmoins l'ordre du roi s'imposa à Joab et aux chefs de l'armée et Joab se mit en route avec les chefs de l'armée royale pour recenser le peuple d'Israël.

⁵ Ils passèrent le Jourdain et campèrent à Aroër *ʸ*, au sud de la ville qui est dans le ravin du torrent de Gad, puis vers Yazér. ⁶ Ils arrivèrent en Galaad et dans le bas pays à Hodshi. Ils arrivèrent à Dan-Yaân et, en continuant le circuit, à Sidon. ⁷ Ils entrèrent dans le Fort-de-Tyr et dans toutes les villes des Hivvites et des Cananéens *ᶻ*. Puis ils partirent pour le Néguev de Juda, à Béer-Shéva. ⁸ Ils parcoururent ainsi tout le pays et arrivèrent, au bout de neuf mois et vingt jours, à Jérusalem. ⁹ Joab donna au roi les chiffres du recensement du peuple : Israël comptait huit cent mille hommes de guerre, pouvant tirer l'épée, et Juda, cinq cent mille hommes.

Dieu punit la faute de David
(1 Ch 21.1-17)

¹⁰ David sentit son cœur battre après qu'il eut ainsi dénombré le peuple. David dit au SEIGNEUR : « C'est un grave péché que j'ai commis. Et maintenant, SEIGNEUR, daigne passer sur la faute de ton serviteur, car j'ai agi vraiment comme un fou. »

¹¹ Quand David se leva le lendemain matin, la parole du SEIGNEUR avait été adressée au *prophète Gad, le voyant *ᵃ* de David, en ces termes : « ¹² Va dire à David : Ainsi parle le SEIGNEUR : Je fais peser sur toi trois menaces. Choisis l'une d'elles et je l'exécuterai. » ¹³ Gad alla donc trouver David et il l'en informa. Il lui dit : « Subiras-tu sept années de famine dans ton pays, ou trois mois de déroute devant ton ennemi, lancé à ta poursuite, ou trois jours de peste dans ton pays ? Maintenant donc, réfléchis et vois ce que je dois répondre à celui qui m'a envoyé. » ¹⁴ David dit à Gad : « Je suis dans une grande angoisse... Tombons plutôt entre les mains du SEIGNEUR, car sa miséricorde est grande, mais que je ne tombe pas entre les mains des hommes ! »

---

w de Dan à Béer-Shéva: voir la note sur Jos 19.47 ● *x une chose pareille?:* le recensement était un moyen de connaître, entre autres, la puissance militaire d'un royaume Seulement le roi du peuple de Dieu ne doit pas compter sur le grand nombre de ses soldats, mais sur la puissance de son Dieu; le recensement ordonné par David est interprété par Joab comme un manque de confiance en Dieu ● *y Aroër:* localité située à l'est de la mer Morte, à la frontière de Moab — Selon l'itinéraire décrit jusqu'au v. 8, les envoyés de David parcourent le pays d'Israël en commençant par la région est, puis en passant au nord et à l'ouest pour finir par le sud ● *z Hivvites, Cananéens:* voir au glossaire AMORITES ● *a voyant:* voir 1 S 9.9

23.24 Asahel 2.18-23. **23.39** Urie le Hittite 11.3-27. **24.1-9** recensement Nb 1.1-47+. **24.1** la colère du Seigneur Nb 25.3; 32.13; Jg 2.14-20; 3.8; 2 R 13.3. **24.3** au centuple Dt 1.11. **24.10** sentit son cœur battre 1 S 24.6 — un grave péché 12.13+ — comme un fou 1 S 13.13. **24.13** famine 21.1; Gn 41.27 — déroute Lv 26.36-38; Jos 7.2-5; 1 R 8.33 — peste 1 R 8.37; Jr 21.7; Ez 5.12. **24.14** une grande angoisse 1 S 28.15+ — sa miséricorde est grande Ps 119.156; Ne 9.19, 27, 31.

15 Le SEIGNEUR envoya donc la peste en Israël, depuis ce matin-là jusqu'au temps fixé, et il mourut, parmi le peuple, de Dan à Béer-Shéva [b], soixante-dix mille hommes.

16 L'*ange étendit la main vers Jérusalem pour la détruire, mais le SEIGNEUR renonça à sévir et dit à l'ange qui exterminait le peuple : « Assez. Maintenant, relâche ton bras. » Or l'ange du SEIGNEUR était auprès de l'aire d'Arauna le Jébusite [c].

17 David parla au SEIGNEUR, quand il vit l'ange qui frappait dans le peuple. Il dit : « C'est moi qui ai péché et c'est moi qui ai commis une faute, mais ces brebis [d], qu'ont-elles fait ? Que ta main soit sur moi et sur ma famille ! »

David construit un autel pour le Seigneur

(1 Ch 21.18-27)

18 Gad alla trouver David, en ce jour-là, et il lui dit : « Monte ériger un *autel au SEIGNEUR sur l'aire d'Arauna le Jébusite. » 19 David monta comme l'avait dit Gad, selon l'ordre du SEIGNEUR. 20 Arauna regarda et vit le roi et ses serviteurs qui s'avançaient vers lui. Arauna sortit et se prosterna devant le roi, la face contre terre. 21 Arauna dit : « Pourquoi mon seigneur le roi vient-il chez son serviteur [e] ? » David répondit : « Pour t'acheter l'aire, afin d'y bâtir un autel au SEIGNEUR. Ainsi le fléau sera retenu loin du peuple. » 22 Arauna dit à David : « Que mon seigneur le roi prenne ce qui lui plaît pour offrir l'holocauste [f]. Tu vois, les bœufs fourniront l'holocauste, le traîneau et l'attelage des bœufs fourniront le bois. » 23 Tout cela, le roi Arauna le donna au roi [g]. Arauna dit au roi : « Que le SEIGNEUR, ton Dieu, veuille t'agréer ! » 24 Mais le roi dit à Arauna : « Non, je tiens à te l'acheter pour son prix, et je ne veux pas offrir au SEIGNEUR, mon Dieu, des holocaustes qui ne coûtent rien. David acheta donc l'aire et les bœufs pour cinquante sicles [h] d'argent. 25 Là, David bâtit un autel au SEIGNEUR et il offrit des holocaustes et des sacrifices de paix. Le SEIGNEUR se montra propice au pays et le fléau fut retenu loin d'Israël.

---

b de Dan à Béer-Shéva : voir la note sur Jos 19.47 ● c Jébusite : originaire de Jébus, ancien nom de la ville de Jérusalem, avant qu'elle devînt la capitale de David ● d ces brebis : David désigne ainsi le peuple dont il est le roi (Ps 78.70-72) ; voir aussi au glossaire BERGER ● e chez son serviteur, c'est-à-dire chez moi ● f holocauste : voir au glossaire SACRIFICES ● g le roi Arauna : certains pensent qu'Arauna était roi de Jébus avant que David s'empare de sa ville. On pourrait aussi traduire comme discours direct (suite du v. 22) : « Tout cela, ô roi, Arauna (c'est-à-dire je) le donne au roi (David) » ● h sicles : voir au glossaire POIDS ET MESURES

24.16 l'ange Ex 12.23 — renonça à sévir Ex 32.14 ; Jr 18.8 ; Jon 3.10 ; 4.2.   24.21-24 transaction de vente Gn 23.8-16.   24.21 le fléau sera retenu Nb 17.13, 15 ; Ps 106.30.   24.22 le sacrifice 1 S 6.14+.   24.25 se montra propice 21.14.

PREMIER LIVRE
DES ROIS

La vieillesse de David

1 ¹ Le roi David était vieux, et avancé en âge ; on le couvrait de vêtements mais sans pouvoir le réchauffer. ² Ses serviteurs lui dirent : « On devrait chercher pour mon seigneur le roi une jeune fille vierge ; elle serait au service du roi, elle lui tiendrait lieu de femme *a* ; elle partagerait ton lit et mon seigneur le roi aurait chaud. » ³ On chercha une belle jeune fille dans tout le territoire d'Israël ; on trouva Avishag, une Shounamite *b*, et on l'amena au roi. ⁴ Cette jeune fille était extrêmement belle ; elle lui tint lieu de femme et le servit ; cependant le roi ne la connut pas *c*.

Adonias veut devenir roi

⁵ Adonias, fils de Hagguith, jouait au prince, disant : « C'est moi qui régnerai ». Il se procura un char et des chevaux *d*, ainsi que cinquante hommes qui couraient devant lui. ⁶ Jamais, durant sa vie, son père ne l'avait réprimandé en disant : « Pourquoi agis-tu ainsi ? » En outre, lui aussi était très beau, et sa mère l'avait enfanté après Absalom. ⁷ Il se concerta avec Joab, fils de Cerouya, et avec le prêtre Abiatar *e* qui lui donnèrent leur appui. ⁸ Mais ni le prêtre Sadoq, ni Benayahou, fils de Yehoyada, ni le prophète Natan, ni Shiméï, ni Réï, ni les preux *f* de David n'étaient partisans d'Adonias. ⁹ Il offrit en *sacrifice des moutons, des bœufs, des veaux gras près de la pierre de Zohèleth qui est à côté de la source de Roguel *g*, et il invita tous ses frères, les fils du roi, tous les hommes de Juda qui étaient au service du roi. ¹⁰ Mais il n'invita pas le prophète Natan, ni Benayahou, ni les preux, ni son frère Salomon.

Natan et Bethsabée prennent parti pour Salomon

¹¹ Natan dit alors à Bethsabée, la mère de Salomon : « N'as-tu pas appris qu'Adonias, le fils de Hagguith, est devenu roi à l'insu de notre seigneur David ? ¹² Maintenant, va ! Je vais te donner un conseil : sauve ta vie ainsi que la vie de ton fils Salomon. ¹³ Va, entre chez le roi David et dis-lui : "N'est-ce pas toi, mon seigneur le roi, qui as fait ce serment à ta servante *h* : C'est ton fils Salomon qui régnera après moi et c'est lui qui s'assiéra sur mon trône ? Pourquoi donc Adonias est-il devenu roi ?"

---

a elle lui tiendrait lieu de femme: autre traduction *elle le soignerait*. De même au v. 4 ● *b Shounamite*: du village de Shounem, à 80 km environ au nord de Jérusalem; voir 2 R 4.8 ● *c ne la connut pas*: tournure hébraïque signifiant *n'eut pas de relations sexuelles avec elle* ● *d* D'après 2 S 3.2-5, *Hagguith* est une des épouses de David; son fils *Adonias* est ainsi un demi-frère d'*Absalom* (1 R 1.6) et de *Salomon* (1 R 1.10) — *des chevaux* ou *des cavaliers* ● *e Joab*: neveu (1 Ch 2.13-16) et général en chef de David (2 S 8.16) — *Abiatar*: un des deux prêtres confidents de David, voir 2 S 8.17 (l'autre est *Sadoq*, voir v. 8) ● *f* Les *preux* sont les soldats de la garde personnelle de David (voir 2 S 23.8-39) ● *g* la pierre de Zohèleth ou *la Pierre-qui-glisse* — La *source de Roguel*, ou source du Foulon, est située dans la vallée du Cédron, au sud-est de Jérusalem; l'endroit s'appelle aujourd'hui le « Puits de Job » ● *h* L'histoire du règne de David ne rapporte pas ce *serment* relatif à Salomon — *as fait... à ta servante*, c'est-à-dire *m'as fait*

1.2 chaud Qo 4.11. **1.5** char, chevaux et coureurs 2 S 15.1. **1.8** Sadoq et Benayahou 2 S 8.17-18. **1.9** source de Roguel 2 S 17.17. **1.11** Bethsabée 2 S 12.24.

14 Et pendant que tu seras encore là à parler avec le roi, moi, j'entrerai à mon tour et je confirmerai tes paroles. »

15 Bethsabée entra chez le roi, dans sa chambre privée — le roi était très vieux et Avishag la Shounamite le servait. 16 Bethsabée s'inclina et se prosterna devant le roi ; il dit : « Que veux-tu ? » 17 Elle lui répondit : « Mon seigneur, tu as fait ce serment à ta servante, par le SEIGNEUR, ton Dieu : "C'est ton fils, Salomon, qui régnera après moi, et c'est lui qui s'assiéra sur mon trône." 18 Maintenant, voilà que c'est Adonias qui est roi et pourtant, mon seigneur le roi, tu n'en sais rien ! 19 Il a offert en *sacrifice des taureaux, des veaux gras, des moutons en quantité et il a invité tous les fils du roi, ainsi que le prêtre Abiatar et le chef de l'armée Joab, mais il n'a pas invité ton serviteur Salomon. 20 Quant à toi, mon seigneur le roi, tout Israël a les yeux fixés sur toi pour que tu lui annonces qui s'assiéra sur le trône après mon seigneur le roi. 21 Lorsque mon seigneur le roi se sera couché avec ses pères i, moi et mon fils Salomon nous serons traités comme des coupables. » 22 Elle parlait encore avec le roi quand le prophète Natan entra. 23 On annonça au roi : « Voici le prophète Natan ! » Il vint devant le roi, se prosterna devant lui, face contre terre, 24 et dit : « Mon seigneur le roi, est-ce toi qui as ordonné ceci : "Adonias régnera après moi et c'est lui qui s'assiéra sur mon trône" ? 25 Car il est descendu aujourd'hui à la source de Roguel, il a offert en sacrifice des taureaux, des veaux gras, des moutons en quantité et il a invité tous les fils du roi, les chefs de l'armée et le prêtre Abiatar ; ils sont en train de manger et de boire en sa présence et ils disent : "Vive le roi Adonias !" 26 Mais il ne m'a pas invité, moi, ton serviteur, pas plus que le prêtre Sadoq et que Benayahou, fils de Yehoyada, et que ton serviteur Salomon. 27 Est-ce vraiment sur l'ordre de mon seigneur le roi que cela s'est fait ? Pourtant tu n'as pas fait savoir à ton serviteur qui s'assiérait sur le trône de mon seigneur

le roi après toi. » 28 Le roi David répondit : « Appelez-moi Bethsabée ! » Elle vint devant le roi et se tint en sa présence. 29 Le roi fit ce serment : « Par la vie du SEIGNEUR, lui qui m'a libéré de toute détresse, 30 comme je te l'ai juré par le SEIGNEUR, le Dieu d'Israël : "C'est ton fils, Salomon, qui régnera après moi, c'est lui qui s'assiéra sur mon trône à ma place." Aujourd'hui même j'agirai ainsi. » 31 Bethsabée s'inclina, la face contre terre, elle se prosterna devant le roi et dit : « Vive à jamais mon seigneur le roi David. »

Salomon est consacré comme roi d'Israël
(Cf. 1 Ch 29.21-25)

32 Le roi David dit alors : « Appelez-moi le prêtre Sadoq, le prophète Natan et Benayahou, fils de Yehoyada ! » Ils vinrent devant le roi. 33 Il leur dit : « Prenez avec vous les serviteurs de votre maître ; vous mettrez mon fils Salomon sur ma propre mule et vous le ferez descendre à Guihôn j. 34 Là, le prêtre Sadoq et le prophète Natan lui feront l'onction qui le sacrera roi k sur Israël, tandis que vous sonnerez du cor et crierez : "Vive le roi Salomon !" 35 Vous remonterez à sa suite, et il viendra s'asseoir sur mon trône ; c'est lui qui régnera à ma place, c'est lui que j'institue comme chef sur Israël et sur Juda. » 36 Benayahou, fils de Yehoyada, répondit au roi : « *Amen ! Ainsi parle le SEIGNEUR, le Dieu de mon seigneur le roi. 37 Comme le SEIGNEUR a été avec mon seigneur le roi, tel il sera avec Salomon ; il magnifiera son trône plus encore que celui de mon seigneur le roi David. » 38 Le prêtre Sadoq, le prophète Natan, Benayahou, fils de Yehoyada, ainsi que les Kerétiens et les Pelétiens l descendirent ; ils firent monter Salomon sur la mule du roi David et le menèrent à Guihôn. 39 Le prêtre Sadoq prit dans la *Tente la corne d'huile et fit sur Salomon l'onction qui le sacrait roi ; on sonna du cor et tout le peuple cria : « Vive le roi Salomon ! » 40 Tout le peuple remonta

---

i se coucher avec ses pères est, en hébreu, un euphémisme pour mourir. Comparer Nb 20.24 et la note ● j les serviteurs de votre maître, c'est-à-dire mes serviteurs — Cette mule était la monture royale de David — La source de Guihôn est située dans la vallée du Cédron, sur le flanc est de la colline de Jérusalem ; un de ses noms actuels est « Fontaine de la Vierge » ● k qui le sacrera roi ou pour le consacrer comme roi ● l Sur les Kerétiens et les Pelétiens, voir 2 S 8.18 et la note

1.21 traités comme coupables Jg 9.5; 1 R 15.29; 2 R 10.1-17; 11.1. 1.33 cérémonie d'intronisation 2 R 11.4-20 — sur ma mule Est 6.7-9 — Guihôn 2 Ch 32.30. 1.34 l'onction royale 1 S 10.1; 16.12-13. 1.39 vive le roi 1 S 10.24; 2 R 11.12.

à sa suite ; le peuple jouait de la flûte et exultait d'allégresse au point que la terre craquait sous ses clameurs.

Salomon épargne Adonias

[41] Adonias ainsi que tous ses invités entendirent ces clameurs [m] alors qu'ils finissaient de manger ; Joab entendit même le son du cor et dit : « Pourquoi ce tumulte dans la ville ? » [42] Il parlait encore quand arriva Yonatân, fils du prêtre Abiatar. Adonias lui dit : « Viens, tu es un homme de valeur ; tu as sûrement une bonne nouvelle à annoncer. » [43] Yonatân répondit à Adonias : « Pas du tout ! Notre seigneur le roi David a fait roi Salomon ! [44] Le roi a envoyé avec lui le prêtre Sadoq, le prophète Natan, Benayahou fils de Yehoyada, ainsi que les Kerétiens et les Pelétiens ; et ils l'ont fait monter sur la mule du roi. [45] Le prêtre Sadoq et le prophète Natan lui ont fait l'onction royale à Guihôn d'où ils sont remontés dans la joie ; et la cité a été enthousiasmée : c'est ce bruit que vous avez entendu. [46] Et Salomon s'est même assis sur le trône royal ; [47] bien plus, les serviteurs du roi sont venus féliciter [n] notre seigneur le roi David en disant : "Que ton Dieu rende le nom de Salomon plus célèbre encore que le tien, et qu'il ma-gnifie son trône plus que le tien." Le roi s'est prosterné sur son lit, [48] et il a même parlé ainsi : "Béni soit le SEIGNEUR, le Dieu d'Israël, de ce qu'il a donné aujourd'hui quelqu'un pour s'asseoir sur mon trône et de ce que mes yeux peuvent le voir." » [49] Tous les invités d'Adonias trem-blèrent, se levèrent et se sauvèrent chacun de son côté. [50] Adonias, lui, par peur de Salomon, se leva et alla saisir les cornes de l'*autel [o]. [51] On en informa Salomon : « Voici qu'Adonias, par peur du roi Salomon, a saisi les cornes de l'autel en disant : "Que le roi Salomon me jure aujourd'hui qu'il ne tuera pas son servi-teur par l'épée !" » [52] Salomon dit : « S'il se conduit en honnête homme, il ne tom-bera pas à terre un seul de ses cheveux ; mais s'il se trouve en lui le moindre mal, il mourra. » [53] Le roi Salomon envoya des gens pour le faire descendre de l'autel. Il vint se prosterner devant le roi Salomon, et Salomon lui dit : « Rentre chez toi ! »

Les dernières volontés de David

2 [1] Comme le moment de sa mort approchait, David donna ses ordres à son fils Salomon : [2] « Je m'en vais par le chemin de tout le monde ; sois ferme, sois un homme ! [3] Garde les observances du SEIGNEUR, ton Dieu, marche dans ses chemins, garde ses lois, ses commande-ments, ses coutumes et ses exigences, comme c'est écrit dans la Loi de Moïse. Ainsi tu réussiras dans tout ce que tu feras et projetteras ; [4] et le SEIGNEUR exécutera la parole qu'il m'a dite : "Si tes fils veillent sur leur conduite, mar-chent devant moi avec loyauté, de tout leur cœur, de tout leur être, oui, quel-qu'un des tiens ne manquera jamais de siéger sur le trône d'Israël".

[5] De plus, tu sais ce que m'a fait Joab, le fils de Cerouya, ce qu'il a fait aux deux chefs des armées d'Israël, à Avner, fils de Ner, et à Amasa, fils de Yètèr : il les a tués, versant en temps de paix le sang de la guerre ; il a mis ainsi le sang de la guerre sur la ceinture de ses reins et la sandale de ses pieds [p]. [6] Agis selon ta sagesse, mais ne laisse pas ses cheveux blancs descendre en paix au *séjour des morts. [7] Envers les fils de Barzillaï de Galaad, par contre, tu agiras avec bonté ; qu'ils soient de ceux qui mangent à ta table car ils sont venus vers moi avec la même bonté lorsque je fuyais devant ton frère Absalom [q]. [8] Mais voici, il y a près de toi Shiméï, le fils de Guéra, Benjaminite de Bahourim ; il m'a maudit d'une façon atroce le jour de mon départ pour Mahanaïm ; mais il est descendu à ma rencontre au Jour-dain, aussi je lui ai juré par le SEIGNEUR : "Je ne te tuerai pas par l'épée" [r]. [9] Main-tenant, ne le tiens pas pour quitte, car

---

m *entendirent ces clameurs:* la source de Roguel, où se trouvent Adonias et ses invités (v. 9), n'est en effet qu'à 700 m environ au sud de la source de Guihôn ● n *féliciter:* autre traduction *bénir* ● o *Sur les cornes de l'autel,* voir Ex 27.2 et la note ; c'était la partie la plus sainte de l'autel, et celui qui saisissait ces cornes réclamait ainsi la protection de Dieu et la clémence des hommes ● p *Sur Avner,* voir 2 S 3.26-27; *sur Amasa,* voir 2 S 20.9-10 — La dernière phrase du verset est une façon imagée de dire que Joab est coupable de ce double assassinat ● q *Sur les fils de Barzillaï,* voir 2 S 17.27-29; 19.32-33 ● r *Sur Shiméï,* voir 2 S 16.5-13; 19.17-24

1.42 porteur de bonnes nouvelles 2 S 18.27.   **1.52** un seul de ses cheveux Lc 21.18+.   **2.2** le chemin de tout le monde Jos 23.14.   **2.4** la parole 2 S 7.12-16 — quelqu'un des tiens 8.25; 9.5.   **2.7** manger à la table du roi 18.19; 2 S 9.10-13; 2 R 25.29-30.

tu es un homme sage ; tu sauras ce que tu dois lui faire : tu feras descendre dans le sang ses cheveux blancs au séjour des morts. »

David meurt. Salomon lui succède
(*1 Ch* 29.26-28)

¹⁰ David se coucha avec ses pères *s* et fut enseveli dans la *Cité de David. ¹¹ La durée du règne de David sur Israël fut de quarante ans *t* : il régna sept ans à Hébron, et trente-trois ans à Jérusalem.

¹² Salomon s'assit sur le trône de David son père et sa royauté s'affermit considérablement.

Salomon se débarrasse d'Adonias

¹³ Adonias, le fils de Hagguith, vint trouver Bethsabée, la mère de Salomon. Elle lui dit : « Ta visite est-elle pacifique ? » Il répondit : « Oui ». ¹⁴ Puis il dit : « J'ai un mot à te dire. » — « Parle ! » dit-elle. — ¹⁵ « Tu sais toi-même que la royauté m'appartenait et que tout Israël était tourné vers moi pour que je sois roi. Mais la royauté s'est détournée de moi, elle est allée à mon frère ; c'est par la volonté du SEIGNEUR qu'il l'a eue. ¹⁶ A présent, je n'ai qu'une demande à te faire ; ne me repousse pas. » Elle lui dit : « Parle ! » ¹⁷ Il répondit : « Je te prie, dis au roi Salomon, qui ne te repoussera pas, de me donner pour femme Avishag, la Shounamite. » ¹⁸ Bethsabée répondit : « Bien ! Je parlerai moi-même au roi à ton sujet. »

¹⁹ Bethsabée entra chez le roi Salomon pour lui parler au sujet d'Adonias. Le roi se leva à sa rencontre et se prosterna devant elle ; puis il s'assit sur son trône et en fit placer un pour la mère du roi ; elle s'assit à sa droite. ²⁰ Elle dit : « Je voudrais te faire une petite demande ; ne me repousse pas. » Le roi lui répondit : « Demande, ma mère ! Je ne te repousserai pas. » ²¹ Elle dit : « Pourrait-on donner pour femme Avishag la Shou-

namite à ton frère Adonias ? » ²² Le roi Salomon répondit à sa mère : « Pourquoi donc demandes-tu Avishag la Shounamite *u* pour Adonias ? Demande plutôt la royauté pour lui puisqu'il est mon frère aîné ! Pour lui, pour le prêtre Abiatar, pour Joab, le fils de Cerouya ! » ²³ Le roi Salomon jura par le SEIGNEUR en disant : « Que Dieu me fasse ceci et encore cela ! *v* C'est au prix de sa vie qu'Adonias a prononcé cette. parole ! ²⁴ Maintenant, par la vie du SEIGNEUR, lui qui m'a affermi en me faisant asseoir sur le trône de David mon père et qui m'a introduit dans une lignée royale comme il l'avait dit, aujourd'hui même Adonias sera mis à mort. » ²⁵ Le roi Salomon envoya Benayahou, fils de Yeho-yada ; il se jeta sur Adonias qui mourut.

Salomon chasse Abiatar de Jérusalem

²⁶ Quant au prêtre Abiatar, le roi lui dit : « Va à Anatoth, dans ta propriété, car tu es un homme digne de mort ; mais aujourd'hui je ne te tuerai pas parce que tu as porté l'*arche du Seigneur DIEU devant David mon père, et que tu as enduré avec lui tout ce qu'il a enduré *w*. » ²⁷ Salomon démit Abiatar de sa fonction de prêtre du SEIGNEUR, pour accomplir la parole que le SEIGNEUR avait dite sur la maison de Eli, à Silo *x*.

Salomon se débarrasse de Joab

²⁸ La nouvelle arriva à Joab — Joab avait pris parti pour Adonias, mais non pas pour Absalom —. Alors il se réfugia dans la *Tente du SEIGNEUR et saisit les cornes de l'*autel *y*. ²⁹ On annonça au roi Salomon : « Joab s'est réfugié dans la Tente du SEIGNEUR ; il est à côté de l'autel. » Salomon envoya Benayahou, fils de Yehoyada, en disant : « Va, jette-toi sur lui ! » ³⁰ Benayahou entra dans la Tente du SEIGNEUR et dit à Joab : « Ainsi parle le roi : Sors ! » ; mais Joab dit : « Non ! C'est ici que je mourrai. » Benayahou fit rapport au roi sur la façon dont Joab avait parlé et répondu. ³¹ Le roi lui dit : « Fais comme il a dit ; jette-

---

s se coucha avec ses pères: voir 1.21 et la note ● *t* Le règne de David a probablement débuté peu avant l'an 1000 ● *u* En ce temps-là, épouser une femme d'un roi défunt apparaissait comme une prétention à être le successeur légitime de ce roi ; voir 2 S 16.21-22 ● *v Que Dieu me fasse ceci et encore cela!:* voir 1 S 14.44 et la note ● *w Anatoth:* localité située à 5 km au nord de Jérusalem ; patrie du prophète Jérémie (voir Jr 1.1) — *tu as porté l'arche...:* voir 1 S 22.20-23 ; 2 S 15.24-29 ● *x* Voir 1 S 2.30-36 ● *y* Voir 1.50 et la note

2.11 règne de David 2 S 5.4-5 ; 1 Ch 3.4. **2.15** à mon frère Gn 4.5 ; 25.23 ; 1 S 16.6-13 ; Rm 9.13. **2.19** la mère du roi 15.13 ; Jr 13.18 — à sa droite Ps 45.10 ; 110.1.

toi sur lui, puis tu l'enterreras. Tu détourneras ainsi de moi et de la maison de mon père le sang versé [z] sans cause par Joab. [32] Le SEIGNEUR fait retomber son sang sur sa tête, à lui qui s'est jeté sur deux hommes plus justes et meilleurs que lui et qui les a tués par l'épée à l'insu de David, mon père : Avner, fils de Ner, chef de l'armée d'Israël, et Amasa, fils de Yètèr, chef de l'armée de Juda. [33] Que leur sang retombe sur la tête de Joab et sur la tête de ses descendants, à jamais ! Tandis que pour David, pour sa descendance, pour sa maison, pour son trône, il y aura le bonheur à tout jamais, de par le SEIGNEUR. » [34] Benayahou, fils de Yehoyada, monta, se jeta sur Joab et le tua ; Joab fut enseveli dans sa maison, au désert. [35] Le roi mit à sa place à la tête de l'armée Benayahou, fils de Yehoyada ; et il mit le prêtre Sadoq à la place d'Abiatar.

Salomon se débarrasse de Shiméï

[36] Le roi fit appeler Shiméï et lui dit : « Bâtis-toi une maison dans Jérusalem ; tu habiteras la ville et tu n'en sortiras pas pour aller où que ce soit. [37] S'il t'arrive un jour d'en sortir et de franchir le ravin du Cédron, sache bien que tu mourras immanquablement ; ton sang retombera sur ta tête. » [38] Shiméï dit au roi : « Cette parole est bonne. Comme l'a dit mon seigneur le roi, ainsi fera ton serviteur » ; et Shiméï demeura longtemps dans Jérusalem. [39] Mais, au bout de trois ans, deux des serviteurs de Shiméï s'enfuirent chez Akish, fils de Maaka, roi de Gath [a] ; on annonça à Shiméï : « Tes serviteurs sont à Gath. » [40] Shiméï se leva, sella son âne et partit pour Gath, chez Akish, pour rechercher ses serviteurs. Shiméï ne fit qu'un aller et retour pour ramener ses serviteurs de Gath. [41] On annonça à Salomon que Shiméï était allé de Jérusalem à Gath et qu'il était revenu. [42] Le roi fit appeler Shiméï et lui dit : « Ne t'ai-je pas fait jurer par le SEIGNEUR et ne t'ai-je pas averti : "Le jour où tu sortiras de la ville pour aller où que ce soit, sache bien que tu

mourras immanquablement" ? Tu m'as dit : "Elle est bonne, la parole que j'ai entendue..." [43] Pourquoi n'as-tu pas respecté le serment prononcé devant le SEIGNEUR et le commandement que je t'avais donné ? » [44] Puis le roi dit à Shiméï : « Tu connais et ton cœur sait tout le mal que tu as fait à David mon père ; aussi le SEIGNEUR fait-il retomber ta méchanceté sur ta tête. [45] Mais le roi Salomon sera béni et le trône de David sera affermi à tout jamais devant le SEIGNEUR [b]. » [46] Le roi donna un ordre à Benayahou, fils de Yehoyada ; il sortit, se jeta sur Shiméï qui mourut.
C'est ainsi que la royauté fut affermie dans la main de Salomon.

Salomon épouse une fille de Pharaon

3 [1] Salomon devint gendre de *Pharaon, roi d'Egypte ; il épousa la fille de Pharaon et l'installa dans la *Cité de David jusqu'à ce qu'il eût fini de bâtir sa propre maison, la Maison du SEIGNEUR et la muraille autour de Jérusalem. [2] Seulement, le peuple continuait à offrir des *sacrifices sur les *hauts lieux car, jusqu'à cette époque, on n'avait pas encore bâti de Maison pour le *nom du SEIGNEUR [c]. [3] Salomon aima le SEIGNEUR de telle sorte qu'il marcha selon les prescriptions de David, son père ; seulement, c'était sur les hauts lieux qu'il offrait des sacrifices et qu'il brûlait de l'*encens.

Salomon demande à Dieu la sagesse pour régner
(2 Ch 1.1-13)

[4] Le roi se rendit à Gabaon pour y offrir un sacrifice car c'était le principal *haut lieu — Salomon offrira mille holocaustes [d] sur cet *autel —. [5] A Gabaon, le SEIGNEUR apparut à Salomon, la nuit, dans un rêve ; Dieu lui dit : « Demande ! Que puis-je te donner ? » [6] Salomon répondit : « Tu as traité ton serviteur David, mon père, avec une grande fidélité parce qu'il a marché devant toi avec loyauté, justice et droiture de

---

z *Tu détourneras ainsi de moi... le sang versé*: expression signifiant *Tu montreras ainsi que je ne suis pas responsable de la mort d'Avner et d'Amasa* ● a *Gath*: ville philistine située à une cinquantaine de km au sud-ouest de Jérusalem ● b Voir 2 S 7.13-16 ● c *La Maison pour le nom du Seigneur*, c'est le Temple ● d *Gabaon*: ville située à 10 km au nord-ouest de Jérusalem — *holocaustes*: voir au glossaire SACRIFICES

2.33 le sang sur sa tête 2 S 3.29; Ps 7.17; Mt 27.25.   2.39 roi de Gath 1 S 21.11; 27.2-3.   3.1 sa propre maison 7.1-12 — le Temple 6.1-38 — la muraille de Jérusalem 9.15.   3.5 apparut 9.1-9; Sg 8.21—9.12; Si 47.14.

cœur à ton égard, tu lui as gardé cette grande fidélité en lui donnant un fils qui siège aujourd'hui sur son trône. ⁷ Maintenant, SEIGNEUR, mon Dieu, c'est toi qui fais régner ton serviteur à la place de David, mon père, moi qui ne suis qu'un tout jeune homme, et ne sais comment gouverner ᵉ. ⁸ Ton serviteur se trouve au milieu de ton peuple, celui que tu as choisi, peuple si nombreux qu'on ne peut ni le compter ni le dénombrer à cause de sa multitude. ⁹ Il te faudra donner à ton serviteur un cœur qui ait de l'entendement pour gouverner ton peuple, pour discerner le bien du mal ; qui, en effet, serait capable de gouverner ton peuple, ce peuple si important ? » ¹⁰ Cette demande de Salomon plut au Seigneur. ¹¹ Dieu lui dit : « Puisque tu as demandé cela et que tu n'as pas demandé pour toi une longue vie, que tu n'as pas demandé pour toi la richesse, que tu n'as pas demandé la mort de tes ennemis, mais que tu as demandé le discernement pour gouverner avec droiture, ¹² voici, j'agis selon tes paroles : je te donne un cœur sage et perspicace, de telle sorte qu'il n'y a eu personne comme toi avant toi, et qu'après toi, il n'y aura personne comme toi. ¹³ Et même ce que tu n'as pas demandé, je te le donne : et la richesse, et la gloire, de telle sorte que durant toute ta vie il n'y aura personne comme toi parmi les rois. ¹⁴ Si tu marches dans mes chemins, en gardant mes lois et mes commandements comme David, ton père, je prolongerai ta vie. » ¹⁵ Salomon se réveilla ; tel fut son rêve. — Il rentra à Jérusalem et se tint devant l'*arche de l'alliance du SEIGNEUR. Il offrit des holocaustes et des sacrifices de paix, et il fit un banquet pour tous ses serviteurs.

Salomon rend la justice avec sagesse

¹⁶ Alors deux prostituées vinrent se présenter devant le roi. ¹⁷ L'une dit : « Je t'en supplie, mon seigneur ; moi et cette femme, nous habitons la même maison, et j'ai accouché alors qu'elle s'y trouvait. ¹⁸ Or, trois jours après mon accouchement, cette femme accoucha à son tour. Nous étions ensemble, sans personne d'autre dans la maison ; il n'y avait que nous deux. ¹⁹ Le fils de cette femme mourut une nuit parce qu'elle s'était

couchée sur lui. ²⁰ Elle se leva au milieu de la nuit, prit mon fils qui était à côté de moi — ta servante dormait — et le coucha contre elle ; et son fils, le mort, elle le coucha contre moi. ²¹ Je me levai le matin pour allaiter mon fils, mais il était mort. Le jour venu, je le regardai attentivement, mais ce n'était pas mon fils, celui dont j'avais accouché. » ²² L'autre femme dit : « Non ! mon fils, c'est le vivant, et ton fils, c'est le mort » ; mais la première continuait à dire : « Non ! ton fils, c'est le mort, et mon fils, c'est le vivant. » Ainsi parlaient-elles devant le roi. ²³ Le roi dit : « Celle-ci dit : "Mon fils, c'est le vivant, et ton fils, c'est le mort" ; et celle-là dit : "Non ! ton fils, c'est le mort, et mon fils, c'est le vivant". » ²⁴ Le roi dit : « Apportez-moi une épée ! » Et l'on apporta l'épée devant le roi. ²⁵ Et le roi dit : « Coupez en deux l'enfant vivant et donnez-en une moitié à l'une et une moitié à l'autre. » ²⁶ La femme dont le fils était le vivant dit au roi — car ses entrailles étaient émues au sujet de son fils : « Pardon, mon seigneur ! Donnez-lui le bébé vivant, mais ne le tuez pas ! » Tandis que l'autre disait : « Il ne sera ni à moi ni à toi ! Coupez ! » ²⁷ Alors le roi prit la parole et dit : « Donnez à la première le bébé vivant, ne le tuez pas ; c'est elle qui est la mère. »

²⁸ Tout Israël entendit parler du jugement qu'avait rendu le roi et l'on craignit le roi, car on avait vu qu'il y avait en lui une sagesse divine pour rendre la justice.

Salomon organise son royaume

4 ¹ Le roi Salomon était roi sur tout Israël. ² Voici les chefs qui étaient à son service ᶠ : le prêtre Azaryahou, fils de Sadoq ; ³ les secrétaires Elihoref et Ahiyya, fils de Shisha ; le héraut Yehoshafath, fils d'Ahiloud ; ⁴ le chef de l'armée Benayahou, fils de Yehoyada ; les prêtres Sadoq et Abiatar ; ⁵ le chef des préfets Azaryahou, fils de Natân ; le prêtre et ami du roi Zavoud, fils de Natân ; ⁶ le chef du palais, Ahishar, et le chef des corvées Adonirâm, fils d'Avda. ⁷ Salomon avait douze préfets pour l'ensemble d'Israël, qui ravitaillaient le roi et sa maison ; un mois par an, chacun

---

ᵉ L'hébreu emploie ici une image (*je ne sais ni sortir ni entrer*) qui exprime le manque d'expérience de Salomon ● ᶠ On trouve une liste semblable en 2 S 8.15-18

3.8 peuple choisi Dt 7.7-8.   **3.12** personne comme toi Qo 1.16 ; cf. 2 R 18.5 ; 23.25.   **3.28** justice du roi Es 9.6 ; Ps 72.1-2 ; Pr 16.12 ; 29.14.   **4.5** ami du roi 2 S 15.37.

d'eux assurait le ravitaillement. [8] Voici leurs noms [g] :

le fils de Hour, dans la montagne d'Ephraïm ;

[9] le fils de Dèqèr, à Maqaç, à Shaalvîm, à Beth-Shèmesh et à Elôn-Beth-Hanân ;

[10] le fils de Hèsed, à Aroubboth ; il avait Soko et tout le pays de Héfèr ;

[11] le fils d'Avinadav : toute la crête de Dor ; Tafath, fille de Salomon, fut sa femme ;

[12] Baana, fils d'Ahiloud : Taanak et Meguiddo et tout Beth-Shéân qui est à côté de Çartân, en dessous d'Izréel, depuis Beth-Shéân jusqu'à Avel-Mehola, jusqu'au-delà de Yoqmoâm ;

[13] le fils de Guèvèr, à Ramoth-de-Galaad ; il avait les campements de Yaïr, fils de Manassé, qui sont dans le Galaad ; il avait la région d'Argov qui est dans le Bashân : soixante grandes villes avec murailles et verrous de bronze ;

[14] Ahinadav, fils de Iddo, à Mahanaïm ;

[15] Ahimaaç, en Nephtali. Lui aussi prit pour femme une fille de Salomon, Basmath ;

[16] Baana, fils de Houshaï, en Asher et à Béaloth ;

[17] Yehoshafath, fils de Parouah, en Issakar ;

[18] Shiméï, fils d'Ela, en Benjamin ;

[19] Guèvèr, fils d'Ouri, dans le pays de Galaad, terre de Sihôn, roi des *Amorites et de Og, roi du Bashân ; et il y avait un préfet dans le Pays [h].

[20] Juda et Israël étaient nombreux, autant que le sable qui est au bord de la mer. Ils avaient à manger et à boire et ils étaient heureux.

5 [1] Salomon dominait sur tous les royaumes depuis le fleuve [i], sur le pays des Philistins et jusqu'à la frontière d'Egypte. Ils payèrent un tribut et servirent Salomon durant toute sa vie. [2] Les vivres de Salomon étaient, par jour, trente kors [j] de semoule et soixante kors de farine ; [3] dix bœufs gras, vingt bœufs de pâturage, cent moutons ; de plus, des cerfs, des gazelles, des chevreuils et des oies grasses. — [4] Car il commandait sur toute la Transeuphratène, depuis Tifsah et jusqu'à Gaza [k], sur tous les rois de la Transeuphratène. — Il vivait en paix avec tous les pays qui l'environnaient. [5] Juda et Israël demeurèrent en sécurité, chacun sous sa vigne et sous son figuier, de Dan jusqu'à Béer-Shéva [l], durant toute la vie de Salomon. [6] Salomon avait quarante mille stalles pour les chevaux de ses chars, et douze mille cavaliers [m].

[7] Chacun son mois, les préfets ci-dessus ravitaillaient le roi Salomon et tous ceux qui s'approchaient de la table du roi Salomon ; ils ne le laissaient manquer de rien. [8] Quant à l'orge et au fourrage pour les chevaux et les attelages, ils les apportaient à l'endroit où séjournait le roi, chacun selon sa consigne.

Salomon surpasse tous les hommes en sagesse

[9] Dieu donna à Salomon sagesse et intelligence à profusion ainsi qu'ouverture d'esprit autant qu'il y a de sable au bord de la mer. [10] La sagesse de Salomon surpassa la sagesse de tous les fils de l'Orient et toute la sagesse de l'Egypte [n]. [11] Il était le plus sage des hommes, plus sage qu'Etân l'Ezrahite, et que Hémân, Kalkol et Darda, les fils de Mahol ; son nom était connu de toutes les nations alentour. [12] Il prononça trois mille proverbes et ses chants sont au nombre de mille cinq [o]. [13] Il parla des arbres : aussi bien du cèdre du Liban que de l'hysope [p]

---

g Aux v. 8, 9, 10, 11 et 13, le texte ne donne pas le nom personnel des préfets, mais seulement celui de leur père. Cela peut signifier qu'il s'agit de fonctions héritées des pères ; ou bien alors la liste aurait été copiée sur un document endommagé où manquaient les noms de plusieurs titulaires ● *h le Pays*: il s'agit certainement ici du *pays de Juda* ● *i* Dans certaines traductions, les v. 1-14 du chap. 5 sont numérotés 4.21-34 — *le fleuve*, c'est-à-dire *l'Euphrate* ● *j kors*: voir au glossaire POIDS ET MESURES ● *k* La *Transeuphratène* désigne la région située entre l'Euphrate et la Méditerranée — *Tifsah* était située à 80 km à l'est de l'actuelle ville d'Alep (Syrie) — *Gaza*: ville philistine au sud du royaume de Salomon ● *l de Dan jusqu'à Béer-Shéva*: voir la note sur Jos 19.47 ● *m quarante mille stalles*: le texte parallèle de 2 Ch 9.25 parle de *quatre mille stalles* — *cavaliers* ou *chevaux* ● *n* De nombreux textes provenant de Mésopotamie (*l'Orient*) et d'*Egypte* nous renseignent sur l'importance de la sagesse dans ces pays ● *o* Plusieurs écrits bibliques et extra-bibliques sont attribués à Salomon ● *p hysope*: voir Lv 14.4 et la note

4.13 campements de Yaïr Nb 32.41; Dt 3.14; Jos 13.30.   **4.20** nombreux comme le sable Gn 22.17+ — manger, boire, être heureux 1 S 30.16; Qo 2.24; 3.13.   **5.1** les limites du pays Gn 15.18; 2 Ch 9.26.   **5.5** vigne et figuier Mi 4.4; Za 3.10.   **5.6** stalles et cavaliers 10.26; 2 Ch 1.14; cf. Dt 17.16.   **5.11** Etân Ps 89.1 — Hémân, Kalkol, Darda 1 Ch 2.6 — connu de toutes les nations 10.1, 23-25; Si 47.16.   **5.12** proverbes Pr 1.1; 10.1; 25.1 — chants Ct 1.1.

qui pousse sur le mur ; il parla des quadrupèdes, des oiseaux, des reptiles et des poissons. [14] De tous les peuples et de la part de tous les rois de la terre qui avaient entendu parler de la sagesse du roi Salomon, des gens vinrent pour entendre sa sagesse.

Salomon prépare la construction du Temple
(2 Ch 2.2-15)

[15] Hiram, roi de Tyr, envoya ses serviteurs vers Salomon car il avait entendu dire qu'on l'avait sacré roi [q] à la place de son père ; or Hiram avait toujours été un ami de David. [16] Salomon envoya dire à Hiram : [17] « Tu sais que David, mon père, harcelé par les guerres dont ses ennemis l'entourèrent, n'a pu bâtir une Maison [r] pour le *nom du SEIGNEUR, son Dieu, tant que le SEIGNEUR ne les eut mis sous la plante de son pied. [18] Mais à présent que le SEIGNEUR, mon Dieu, m'a donné le repos de tous côtés et qu'il n'y a plus ni adversaire, ni menace de malheur, [19] j'ai l'intention de bâtir une Maison pour le nom du SEIGNEUR, mon Dieu, conformément à ce que le SEIGNEUR avait dit à David, mon père : "Ton fils, celui que je mettrai à ta place sur ton trône, c'est lui qui bâtira cette Maison pour mon nom." [20] Maintenant, ordonne que l'on me coupe des cèdres du Liban : mes serviteurs seront avec tes serviteurs ; je te donnerai le salaire de tes serviteurs, selon tout ce que tu diras, car tu sais qu'il n'y a personne chez nous qui sache couper les arbres comme les Sidoniens [s]. » [21] Dès que Hiram entendit les paroles de Salomon, il fut très joyeux et dit : « Béni soit aujourd'hui le SEIGNEUR qui a donné à David un fils sage pour gouverner ce peuple nombreux ! » [22] Hiram envoya dire à Salomon : « J'ai reçu ton message. Oui, je te donnerai tout le bois de cèdre et le bois de cyprès [t] que tu voudras. [23] Mes serviteurs le feront descendre du Liban [u] à la mer ; moi, j'en ferai

des trains de flottage sur la mer jusqu'au lieu que tu m'indiqueras et là, je les démonterai ; tu les emporteras. De ton côté, je désire que tu fournisses des vivres à ma maison. » [24] Ainsi Hiram fournit à Salomon du bois de cèdre et du bois de cyprès, autant qu'il en voulut. [25] Et Salomon donna à Hiram vingt mille kors de blé comme nourriture pour sa maison, et vingt kors d'huile vierge [v]. C'est ce que Salomon fournissait à Hiram année après année. [26] Le SEIGNEUR avait donné de la sagesse à Salomon, comme il le lui avait dit : l'harmonie fut parfaite entre Hiram et Salomon ; tous deux conclurent une alliance.

Salomon organise les corvées
(2 Ch 1.18 ; 2.1, 16-17)

[27] Le roi Salomon leva une corvée parmi tout Israël : elle fut de trente mille hommes. [28] Il les envoya au Liban, dix mille par mois, à tour de rôle ; un mois ils étaient au Liban, deux mois chez eux. Adonirâm était chef des corvées. [29] Salomon eut soixante-dix mille porteurs et quatre-vingt mille carriers dans la montagne, [30] sans compter les chefs que les préfets de Salomon avaient préposés au travail : trois mille trois cents hommes qui commandaient le peuple effectuant les travaux. [31] Le roi ordonna d'extraire de grandes pierres, des pierres travaillées, destinées aux fondations de la Maison, des pierres de taille. [32] Les ouvriers de Salomon, ceux de Hiram et les gens de Guebal [w] se mirent à tailler et à préparer bois et pierres pour bâtir la Maison.

La construction du Temple
(2 Ch 3.1-14)

6 [1] La quatre cent quatre-vingtième année après la sortie des fils d'Israël hors du pays d'Egypte, la quatrième année du règne de Salomon sur Israël, le mois de Ziw [x], qui est le deuxième mois, il bâtit la Maison du

[q] Dans certaines traductions, les v. 15-32 sont numérotés 5.1-18 (voir 5.1 et la note) — sacré roi ou consacré comme roi ● [r] Voir 3.2 et la note ● [s] Sidoniens s'applique ici à tous les sujets de Hiram, qui était roi de Tyr (v. 15) et de Sidon (actuellement Sour et Saïda au Liban) ● [t] cyprès: autres traductions pin ou genévrier ● [u] Le Liban désigne ici la chaîne de montagnes parallèle à la côte méditerranéenne, et située au nord de la Palestine ● [v] kors: voir au glossaire POIDS ET MESURES — huile vierge: voir Ex 27.20 et la note ● [w] Guebal: autre nom de Byblos, en Phénicie ; cette ville était située à 30 km au nord de l'actuelle ville de Beyrouth ● [x] Ziw: voir au glossaire CALENDRIER

5.15 Hirâm 2 S 5.11. **5.19** cette Maison 2 S 7.13. **5.20** Sidoniens Esd 3.7. **5.27** la corvée 9.15; cf. 12.4. **6.1** construction du Temple Cf. Esd 3.8-9; 5.1—6.15.

SEIGNEUR. ² La Maison que le roi Salomon bâtit pour le SEIGNEUR avait soixante coudées ᵞ de long, vingt de large, trente de haut. ³ Le vestibule qui précède la grande salle de la Maison avait vingt coudées de long, mesurées sur la largeur de la Maison ; dix coudées de large, mesurées dans le prolongement de la Maison. ⁴ Il fit à la Maison des fenêtres à cadres grillagées ᶻ. ⁵ Il bâtit contre les murs de la Maison, tout autour, contre les murs de la grande salle et ceux de la chambre sacrée, un bas-côté dont il fit des chambres annexes. ⁶ Le bas-côté inférieur avait cinq coudées de large, celui du milieu, six, le troisième, sept ; car on avait donné du retrait à la Maison, au pourtour extérieur, pour éviter un encastrement dans les murs mêmes de la Maison ᵃ. ⁷ La construction de la Maison se fit avec des pierres préparées en carrière, ainsi l'on n'entendit ni marteaux, ni pics, ni aucun outil de fer dans la Maison pendant sa construction. ⁸ L'entrée de l'annexe inférieure ᵇ était vers le côté droit de la Maison. Par des trappes, on pouvait accéder à l'annexe du milieu et, de celle du milieu, à la troisième. ⁹ Après qu'il eut bâti la Maison et qu'il l'eut achevée, Salomon y fit un plafond à caissons dont l'armature ᶜ était en cèdre. ¹⁰ Il construisit le bas-côté contre toute la Maison ; sa hauteur était de cinq coudées ᵈ. Il s'encastrait dans la Maison avec des troncs de cèdre.

¹¹ La parole du SEIGNEUR fut adressée à Salomon : ¹² « Tu bâtis cette Maison ! Mais si tu marches selon mes lois, si tu agis selon mes coutumes et si tu gardes tous mes commandements en marchant d'après eux, alors j'accomplirai ma parole à ton égard, celle que j'ai dite à David, ton père. ¹³ Et je demeurerai au milieu des fils d'Israël et je n'abandonnerai pas mon peuple Israël. »

¹⁴ Salomon bâtit la Maison et l'acheva. ¹⁵ Puis il bâtit les parois intérieures de la Maison en planches de cèdre, depuis le sol de la Maison jusqu'aux poutres du plafond — il revêtit de bois l'intérieur — et il revêtit le sol de la maison de planches de cyprès ᵉ. ¹⁶ Il bâtit ensuite en planches de cèdre depuis le sol jusqu'aux poutres l'espace de vingt coudées qui formaient le fond de la Maison ; l'intérieur, il en fit une chambre sacrée, un lieu très saint. ¹⁷ La Maison, c'est-à-dire la grande salle qui précède la chambre sacrée, avait quarante coudées. ¹⁸ Les boiseries de cèdre qui étaient à l'intérieur de la Maison portaient des sculptures en forme de coloquintes et de fleurs entrouvertes ᶠ. Tout était en cèdre, on ne voyait pas la pierre. ¹⁹ Dans la partie centrale de la Maison, à l'intérieur, il aménagea une chambre sacrée pour y mettre ᵍ l'*arche de l'alliance du SEIGNEUR. ²⁰ Devant la chambre sacrée aux vingt coudées de long, aux vingt coudées de large et aux vingt coudées de haut et que Salomon avait plaquée d'or fin, se trouvait l'*autel qu'on lambrissa de cèdre. ²¹ Salomon plaqua d'or fin l'intérieur de la Maison et fit passer des chaînes d'or devant la chambre sacrée qu'il plaqua d'or. ²² Il avait plaqué d'or toute la Maison, la Maison dans son entier ; tout l'autel destiné à la chambre sacrée, il l'avait plaqué d'or.

²³ Dans la chambre sacrée il fit deux *chérubins en bois d'olivier ; leur hauteur était de dix coudées. ²⁴ Une aile du premier chérubin : cinq coudées, et l'autre aile : cinq coudées ; dix coudées d'une extrémité à l'autre de ses ailes. ²⁵ Dix coudées pour le second chérubin ; même dimension et même forme pour les deux chérubins. ²⁶ La hauteur du premier chérubin était de dix coudées ; même hauteur pour le second. ²⁷ Il plaça les chérubins au milieu de la Maison, à l'intérieur. Les chérubins avaient les ailes déployées ; l'aile du premier chérubin touchait le mur et l'aile du second touchait l'autre mur ; et leurs deux ailes, celles qui étaient vers le milieu de la Maison, se touchaient,

---

ᵞ coudées: voir au glossaire POIDS ET MESURES ● z grillagées: traduction incertaine ● a Le texte hébreu de ce verset n'est pas très clair. Il semble vouloir dire que le mur du temple n'avait pas la même épaisseur sur toute sa hauteur, la partie supérieure mesurant une coudée de moins que la partie intermédiaire et deux coudées de moins que la partie inférieure. Cela avait permis de donner aux chambres des bas-côtés une profondeur qui allait en augmentant avec les étages (5, 6 et 7 coudées respectivement) ● b l'annexe inférieure: d'après les anciennes versions grecque et araméenne; hébreu: l'annexe du milieu ● c armature: traduction incertaine ● d cinq coudées: par étage ● e cyprès: voir 5.22 et la note ● f la coloquinte est un fruit non comestible, mais décoratif, ayant à peu près la forme et les dimensions d'une grosse poire — entrouvertes: traduction incertaine ● g pour y mettre: on trouve ce sens en intervertissant deux lettres d'un mot hébreu incompréhensible

6.2 description du Temple Cf. Ex 26; Ez 40-42.   **6.13** Dieu demeure au milieu de son peuple Lv 15.31+.   **6.19** le lieu très saint Ex 26.33-34.   **6.22** l'autel plaqué d'or Ex 30.1-3.   **6.23** les chérubins Ex 25.18-22+.

aile contre aile. 28 Et il plaqua d'or les
chérubins.
29 Sur tout le pourtour des murs de la
Maison, à l'intérieur et à l'extérieur, il
sculpta des chérubins, des palmes et des
fleurs entrouvertes. 30 Et il plaqua d'or
le sol de la Maison, à l'intérieur et à
l'extérieur. 31 A l'entrée de la chambre
sacrée, il fit des battants de porte en
bois d'olivier ; le linteau et les montants
formaient un cinquième de l'ensemble [h].
32 Sur les deux battants en bois d'olivier,
il sculpta des chérubins, des palmes et
des fleurs entrouvertes, et il les plaqua
d'or ; il appliqua de l'or sur les chérubins
et sur les palmes. 33 Il fit de même pour
l'entrée de la grande salle : des montants
en bois d'olivier formant un quart de
l'ensemble, 34 et deux battants en bois
de cyprès ; deux panneaux mobiles [i] pour
le premier battant et deux panneaux
mobiles pour le second. 35 Il y sculpta
des chérubins, des palmes, des fleurs
entrouvertes qu'il plaqua d'or ajusté sur
le modelé. 36 Puis il bâtit le *parvis
intérieur : trois rangées de pierres de
taille et une rangée de madriers de
cèdre [j].

37 La quatrième année, au mois de Ziw,
on posa les fondations de la Maison
du SEIGNEUR. 38 Et la onzième année,
au mois de Boul [k], qui est le huitième
mois, la Maison fut achevée dans tout son
ensemble et dans tous ses détails. Salomon
la bâtit en sept ans.

La construction du palais royal

7 1 Salomon bâtit aussi sa propre
maison ; il fallut treize ans pour
la terminer complètement. 2 Il bâtit la
maison de la Forêt du Liban : cent
coudées [l] de long, cinquante coudées de
large, trente coudées de haut. Elle était
construite sur quatre rangées de colonnes
faites de troncs de cèdre avec des madriers
de cèdre sur ces colonnes. 3 Par-dessus,
un revêtement de cèdre, posé sur les traverses soutenues par les colonnes : il y
avait quarante-cinq traverses, quinze par
rangée, 4 il y avait trois rangées de
fenêtres à cadres, chaque fenêtre de ces
trois rangées faisait face à une autre
fenêtre. 5 Toutes ces ouvertures, avec
leurs montants, avaient une forme carrée
et chaque fenêtre faisait face à une
fenêtre, aux trois rangées de fenêtres.
6 Il fit la salle des colonnes : cinquante
coudées de long, trente coudées de large ;
et par-devant, un vestibule à colonnes
avec un auvent [m] sur la façade. 7 Il fit
la salle du trône où il rendait la justice,
la salle du jugement ; elle avait un revêtement de cèdre depuis le sol jusqu'aux
poutres [n]. 8 Quant à la maison où il
résidait, elle se trouvait dans une autre
cour que celle de la maison destinée à
la salle du trône ; elle avait la même
forme. Pour la fille de *Pharaon qu'il
avait épousée, il dut construire une maison ; elle était comme cette salle.

9 Tous ces bâtiments étaient en pierres
travaillées aux dimensions des pierres de
taille et sciées à la scie sur leurs faces
intérieures et extérieures. Il y en avait
depuis les fondations jusqu'aux corniches [o]
et, à l'extérieur, jusqu'à la grande cour.
10 Pour les fondations : des pierres travaillées, de grandes pierres de dix et de
huit coudées. 11 Sur les fondations, il y
avait des pierres travaillées aux dimensions des pierres de taille, et du bois de
cèdre. 12 Autour de la grande cour, il y
avait trois rangées de pierres de taille et
une rangée de madriers de cèdre [p], de
même pour le parvis intérieur de la
Maison du SEIGNEUR et pour son vestibule.

Les objets en métal destinés au Temple

(*2 Ch 3.15—5.1*)

13 Le roi Salomon demanda de pouvoir
engager Hiram [q] de Tyr 14 qui était fils
d'une veuve de la tribu de Nephtali et
d'un père tyrien. Ouvrier sur bronze,
Hiram était plein d'habileté, d'intelligence

h un cinquième de l'ensemble: traduction incertaine; de même au v. 33 ● *i panneaux mobiles:* traduction incertaine ● *j* La technique consistant à faire alterner dans un mur des rangs de pierres et des poutres de bois est attestée par les fouilles archéologiques ● *k Boul:* voir au glossaire CALENDRIER ● *l* La *maison de la Forêt du Liban* est ainsi nommée à cause des nombreuses colonnes en bois de cèdre, qui faisaient penser aux arbres d'une forêt — *coudées:* voir au glossaire POIDS ET MESURES ● *m auvent:* traduction incertaine ● *n jusqu'aux poutres:* d'après les anciennes versions syriaque et latine; hébreu: *jusqu'au sol* ● *o corniches:* traduction incertaine ● *p* Voir 6.36 et la note ● *q Hiram:* comme le montre le v. 14, il s'agit d'un autre personnage que le roi Hiram mentionné en 5.15

6.29 les chérubins sculptés Ez 41.18; cf. Ex 26.31. **6.36** le parvis Ex 27.9-19; Ez 42. 15-20. **7.8** la fille de Pharaon 3.1. **7.13** Hiram 2 Ch 2.12-13; cf. Ex 31.2-6.

et de savoir-faire pour tout travail sur bronze. Il vint chez le roi Salomon et effectua tous ses travaux. [15] Il façonna les deux colonnes de bronze ; la hauteur de la première colonne : dix-huit coudées, et il fallait un fil de douze coudées pour entourer la seconde *r*. [16] Il fit deux chapiteaux qu'on devait placer sur le sommet de ces colonnes ; c'était du bronze coulé. La hauteur du premier était de cinq coudées, la hauteur du second, cinq coudées. [17] Il fit des entrelacs *s*, une forme d'entrelacs, des festons en forme de guirlandes, pour les chapiteaux qui étaient au sommet de ces colonnes ; sept pour le premier chapiteau, sept pour le second. [18] Il fit des grenades *t* : deux rangées qui entouraient l'un des entrelacs, et qui devaient couvrir les chapiteaux posés au sommet des colonnes. Il fit de même pour l'autre chapiteau. [19] Quant aux chapiteaux qui étaient au sommet des colonnes du vestibule, ils avaient la forme de lis et étaient de quatre coudées. [20] Mais aux chapiteaux posés sur les deux colonnes, également vers le haut, le long du renflement qu'il y avait au-delà des entrelacs, étaient fixées en rangées circulaires les deux cents grenades ; il y en avait sur le second chapiteau. [21] Il dressa ces colonnes près du vestibule du Temple ; il dressa la colonne de droite et l'appela Yakîn, il dressa la colonne de gauche et l'appela Boaz *u*. [22] Le sommet des colonnes avait la forme d'un lis. Le travail des colonnes fut mené à bien.

[23] Il fit, en métal fondu, la Mer *v*. Elle avait dix coudées de diamètre, et elle était de forme circulaire. Elle avait cinq coudées de haut, et un cordeau de trente coudées en aurait fait le tour. [24] Sous le rebord de la Mer, des coloquintes *w* en faisaient tout le tour, dix par coudée ; elles encerclaient complètement la Mer. Ces coloquintes, en deux rangées, avaient été fondues dans la même coulée que la Mer. [25] Celle-ci reposait sur douze bœufs : trois tournés vers le nord, trois vers l'ouest, trois vers le sud et trois vers l'est. La Mer était sur eux et leurs croupes étaient tournées vers l'intérieur. [26] Son épaisseur avait la largeur d'une main et son rebord était ouvragé comme le rebord d'une coupe en fleur de lis. Elle pouvait contenir deux mille baths *x*. [27] Il fit ensuite les dix bases *y*, en bronze. Chaque base avait quatre coudées de long, quatre coudées de large et trois coudées de haut. [28] Voici comment étaient faites ces bases : elles étaient constituées de châssis entretoisés *z* de traverses ; [29] sur les châssis entretoisés de traverses, il y avait des lions, des taureaux et des *chérubins ; il y en avait également sur les traverses supérieures ; en dessous des lions et des taureaux, il y avait des frises mises en appliques. [30] Chacune des bases comportait quatre roues de bronze, et pour les quatre pieds, des renforts. Ces renforts étaient coulés en dessous de la cuve, en dehors des frises. [31] L'ouverture de chaque base était à l'intérieur d'un cadre qu'elle dépassait d'une coudée ; elle était arrondie et avait la forme d'un socle ; elle était d'une coudée et demie. Des sculptures ornaient le rebord de l'ouverture. Les châssis étaient de forme carrée et non pas arrondie. [32] Les quatre roues se trouvaient au-dessous des châssis et les clavettes des roues étaient dans l'ossature de la base. Le diamètre des roues était d'une coudée et demie. [33] Les roues étaient comme des roues de chars : clavettes, jantes, rayons, moyeux, le tout en métal coulé. [34] Les quatre renforts qui étaient à chaque angle de la base faisaient corps avec elle. [35] Au sommet de chaque base, il y avait un cercle d'une demi-coudée de haut, et à sa partie supérieure, des poignées ; les châssis des bases faisaient corps avec elles. [36] Sur les surfaces planes, sur les poignées et les châssis, il grava des chérubins, des lions

r coudées: voir au glossaire POIDS ET MESURES — *pour entourer la seconde:* voir Jr 52.21 qui précise l'épaisseur de la paroi des colonnes (creuses): *quatre doigts*, soit 7 à 8 cm • *s entrelacs:* traduction incertaine; il s'agit en tout cas de motifs décoratifs • *t des grenades:* d'après deux manuscrits hébreux; la plupart des autres manuscrits hébreux ont interverti dans ce verset les mots *grenades* et *colonnes* • *u* Le rôle de ces deux *colonnes* (qui ne soutenaient rien) reste mystérieux. *Yakîn* signifie « il établit fermement », et Boaz « c'est en lui qu'est la force » • *v la Mer:* ce vaste récipient (d'une capacité d'environ 80.000 litres, d'après le v. 26) servait de réserve d'eau pour les cérémonies de purification; il avait certainement aussi une valeur symbolique aujourd'hui inconnue • *w coloquintes:* voir 6.18 et la note • *x main, baths:* voir au glossaire POIDS ET MESURES • *y bases:* sortes de chariots destinés au transport des cuves d'eau • *z Sur les entretoises,* voir Ex 25.25 et la note

7.15 les deux colonnes 2 R 25.13; Jr 27.19; 52.17.   7.23 la Mer 2 R 16.17; 25.13; Jr 27.19; 52.17; cf. Ex 30.17-21.   7.27 les bases roulantes 2 R 16.17; 25.13; Jr 27.19; 52.17.

et des palmes dressées, avec des frises tout autour. ³⁷ C'est ainsi qu'il fit les dix bases : chacune était du même métal, de la même dimension et de la même forme. ³⁸ Il fit dix cuves de bronze. Chaque cuve pouvait contenir quarante baths *a* ; chaque cuve mesurait quatre coudées. Il y avait une cuve sur chacune des dix bases. ³⁹ Il disposa cinq bases sur le côté droit de la Maison et cinq sur son côté gauche ; quant à la Mer, il la plaça sur le côté droit, vers le sud-est. ⁴⁰ Il fit les bassins, les pelles et les bassines à aspersion *b*.

Hiram acheva tout l'ouvrage qu'il devait faire pour le roi Salomon dans la Maison du SEIGNEUR : ⁴¹ les deux colonnes, les volutes des deux chapiteaux qui sont au sommet de ces colonnes, les deux entrelacs, pour couvrir les deux volutes des chapiteaux qui sont au sommet des colonnes, ⁴² les quatre cents grenades pour les deux entrelacs — deux rangées de grenades par entrelacs — pour couvrir les deux volutes des chapiteaux qui sont sur les colonnes, ⁴³ les dix bases et les dix cuves posées sur celles-ci, ⁴⁴ la Mer — il n'y en avait qu'une — avec, sous elle les douze bœufs, ⁴⁵ les bassins, les pelles, les bassines à aspersion et tous les autres accessoires. Ce que fit Hiram pour le roi Salomon dans la Maison du SEIGNEUR était en bronze poli.

⁴⁶ C'est dans la région du Jourdain, entre Soukkoth et Çartân *c*, que le roi fit couler toutes ces pièces dans des couches d'argile. ⁴⁷ Salomon mit en place tous ces objets dont la quantité était si grande qu'on ne pouvait évaluer le poids du bronze.

⁴⁸ Salomon fit aussi tous les objets destinés à la Maison du SEIGNEUR : l'*autel d'or, la table sur laquelle on plaçait le pain d'offrande *d* : en or ; ⁴⁹ les cinq chandeliers de droite et les cinq de gauche, posés devant la chambre sacrée : en or fin ; les fleurons, les lampes, les pincettes : en or ; ⁵⁰ les bols, les mouchettes, les bassines à aspersion, les coupes, les cassolettes : en or fin ; les

frontons des portes de la Maison donnant sur le lieu très saint, ceux des portes de la Maison donnant sur la grande salle : en or. ⁵¹ Quand fut mené à bonne fin tout l'ouvrage que le roi Salomon avait fait dans la Maison du SEIGNEUR, il apporta les objets consacrés par David, son père : l'argent, l'or et les ustensiles pour les déposer dans les trésors de la Maison du SEIGNEUR.

L'arche de l'alliance déposée dans le Temple
(*2 Ch 5.2—6.2*)

8 ¹ Alors Salomon rassembla à Jérusalem — auprès de lui, le roi Salomon — les *anciens d'Israël, tous les chefs des tribus, les princes des familles des fils d'Israël, pour faire monter de la *Cité de David, c'est-à-dire de *Sion, l'*arche de l'alliance du SEIGNEUR. ² Tous les hommes d'Israël se rassemblèrent près du roi Salomon au mois d'Etanîm, le septième mois, pendant la fête *e*. ³ Quand tous les anciens d'Israël furent arrivés, les prêtres portèrent l'arche. ⁴ Ils firent monter l'arche du SEIGNEUR, la *tente de la rencontre et tous les objets sacrés qui étaient dans la tente — ce sont les prêtres et les *lévites qui les firent monter —. ⁵ Le roi Salomon et toute la communauté d'Israël réunie près de lui, présente avec lui devant l'arche, sacrifiaient tant de petit et gros bétail qu'on ne pouvait ni le compter, ni le dénombrer. ⁶ Les prêtres amenèrent l'arche de l'alliance du SEIGNEUR à sa place, dans la chambre sacrée de la Maison, dans le lieu très saint, sous les ailes des *chérubins. — ⁷ En effet, les chérubins déployant leurs ailes au-dessus de l'emplacement de l'arche formaient un dais protecteur au-dessus de l'arche *f* et de ses barres. ⁸ A cause de la longueur de ces barres, on voyait leurs extrémités depuis le lieu saint qui précède la chambre sacrée. Mais on ne les voyait pas de l'extérieur. Elles sont encore là aujourd'hui. ⁹ Il n'y a rien dans l'arche, sinon les deux tables de

---

a quarante baths: environ 1600 litres ● *b bassins, pelles, bassines à aspersion:* accessoires pour les sacrifices et les cérémonies de purification ● *c Soukkoth, Çartân:* localités situées sur la rive orientale du Jourdain, à 60 km environ au nord-est de Jérusalem; la région se prêtait à ce genre de travaux ● *d pain d'offrande:* voir Lv 24.5-9 ● *e Etanîm:* voir au glossaire CALENDRIER — La *fête* du *septième mois* est probablement la *fête des Tentes,* voir Lv 23.34-43 ● *f formaient un dais protecteur au-dessus de l'arche:* autre traduction *couvraient l'arche*

7.38 les cuves 2 R 16.17.   **7.40** bassins, pelles Ex 27.3.   **7.48** la table d'or Ex 25.23-30+.   **7.49** les chandeliers Cf. Ex 25.31-40+.   **7.50** les cassolettes Lv 10.1; Nb 16.6.   **7.51** objets consacrés par David 2 S 8.11.   **8.1** faire monter l'arche 2 S 6.12-17.   **8.6** sous les chérubins 6.23-28+.   **8.9** les deux tables Ex 25.16; 40.20; Dt 10.5; He 9.4.

pierre déposées par Moïse à l'Horeb *g*, quand le SEIGNEUR conclut l'alliance avec les fils d'Israël à leur sortie du pays d'Egypte —. [10] Or, lorsque les prêtres furent sortis du lieu saint, la nuée *h* remplit la Maison du SEIGNEUR [11] et les prêtres ne pouvaient pas s'y tenir pour leur service à cause de cette nuée, car la gloire du SEIGNEUR remplissait la Maison du SEIGNEUR. [12] Alors Salomon dit :
« Le Seigneur a dit vouloir séjourner dans l'obscurité !
[13] C'est donc bien pour toi que j'ai bâti une maison princière,
une demeure où tu habiteras toujours. »

Discours de consécration du Temple
(2 Ch 6.3-11)

[14] Le roi se retourna et bénit toute l'assemblée d'Israël — toute l'assemblée d'Israël se tenait debout —. [15] Il dit : « Béni soit le SEIGNEUR, le Dieu d'Israël, qui de sa bouche a parlé à David mon père et qui a de sa main accompli ce qu'il a dit : [16] "Depuis le jour où j'ai fait sortir d'Egypte Israël mon peuple, je n'ai choisi aucune ville parmi toutes les tribus d'Israël pour y bâtir une Maison où serait mon *nom *i* ; mais j'ai choisi David pour qu'il soit le chef d'Israël, mon peuple." [17] David, mon père, avait eu à cœur de bâtir une Maison pour le nom du SEIGNEUR, le Dieu d'Israël. [18] Mais le SEIGNEUR dit à David, mon père : "Tu as eu à cœur de bâtir une Maison pour mon nom et tu as bien fait. [19] Cependant, ce n'est pas toi qui bâtiras cette Maison, mais ton fils, issu de tes reins : c'est lui qui bâtira cette Maison pour mon nom." [20] Le Seigneur a réalisé la parole qu'il avait dite : j'ai succédé à David, mon père, je me suis assis sur le trône d'Israël, comme l'avait dit le SEIGNEUR, j'ai bâti cette Maison pour le nom du SEIGNEUR, le Dieu d'Israël, [21] et là, j'ai assigné un emplacement pour l'*arche où se trouve l'*alliance du SEIGNEUR, alliance qu'il a conclue avec nos pères lorsqu'il les fit sortir du pays d'Egypte. »

La prière solennelle de Salomon
(2 Ch 6.12-40)

[22] Salomon se plaça devant l'*autel du SEIGNEUR, en présence de toute l'assemblée d'Israël ; il étendit les mains vers le *ciel [23] et dit : « SEIGNEUR, Dieu d'Israël, il n'y a pas de Dieu comme toi, ni en haut dans le ciel, ni en bas sur la terre pour garder l'*alliance et la bienveillance envers tes serviteurs qui marchent devant toi de tout leur cœur. [24] Tu as tenu tes promesses envers ton serviteur David, mon père : ce que tu avais dit de ta bouche, tu l'as accompli de ta main, comme on le voit aujourd'hui. [25] A présent, SEIGNEUR, Dieu d'Israël, garde en faveur de ton serviteur David, mon père, la parole que tu lui as dite : "Quelqu'un des tiens ne manquera jamais de siéger devant moi sur le trône d'Israël, pourvu que tes fils veillent sur leur conduite en marchant devant moi, comme tu as marché devant moi." [26] A présent, Dieu d'Israël, que se vérifie donc la parole que tu as dite à ton serviteur David, mon père ! — [27] Est-ce que vraiment Dieu pourrait habiter sur la terre ? Les cieux eux-mêmes et les cieux des cieux ne peuvent te contenir ! Combien moins cette Maison que j'ai bâtie ! — [28] Sois attentif à la prière et à la supplication de ton serviteur, ô SEIGNEUR, mon Dieu ! Ecoute le cri et la prière que ton serviteur t'adresse aujourd'hui ! [29] Que tes yeux soient ouverts sur cette Maison jour et nuit, sur le lieu dont tu as dit : "Ici sera mon nom." Ecoute la prière que ton serviteur adresse vers ce lieu ! [30] Daigne écouter la supplication que ton serviteur et Israël, ton peuple, adressent vers ce lieux ! Toi, écoute au lieu où tu habites, au ciel ; écoute et pardonne.
[31] Dans le cas où un homme aura péché contre un autre, et qu'on lui impose un serment avec malédiction et qu'il vienne prononcer ce serment devant ton autel, dans cette Maison, [32] toi, écoute depuis le ciel ; agis, juge entre tes serviteurs, déclare coupable le coupable en

---

g *Horeb:* autre nom du *Sinaï;* voir Ex 34.28-29 ● h *la nuée:* voir Ex 13.21 et la note ● i *aucune ville parmi toutes les tribus d'Israël:* la ville de Jérusalem appartenait aux Jébusites avant que David s'en empare et en fasse la capitale de son royaume (voir 2 S 5.6-9) — *une Maison où serait mon nom:* voir 3.2 et la note

8.10 la nuée Ex 40.34+. **8.12** l'obscurité Ps 18.12. **8.13** toujours Ps 132.14. **8.16** j'ai choisi David 1 S 16. **8.18** tu as bien fait 2 S 7.1-7. **8.23** pas de dieu comme toi Dt 4.35, 39; 6.4; 7.9. **8.25** quelqu'un des tiens 2.4+. **8.27** Dieu pourrait-il habiter sur la terre? Cf. Jn 1.14; Ac 17.24; Ap 21.3 — les cieux eux-mêmes Es 66.1; Jr 23.24; Ac 7.49. **8.29** Ici sera mon nom Dt 12.5, 11; cf. Ez 48.35; Ap 21.22. **8.31** malédiction Lv 5.1+.

faisant retomber sa conduite sur sa tête ; et déclare juste le juste en le traitant selon sa justice.

33 Lorsqu'Israël, ton peuple, aura été battu par l'ennemi parce qu'il aura péché contre toi, s'il revient à toi, célèbre ton nom, prie et te supplie dans cette Maison, 34 toi, écoute depuis le ciel, pardonne le péché d'Israël, ton peuple, et ramène-les sur la terre que tu as donnée à leurs pères.

35 Lorsque le ciel sera fermé et qu'il n'y aura pas de pluie parce que le peuple aura péché contre toi, s'il prie vers ce lieu, célèbre ton nom, et se repent de son péché parce que tu l'auras affligé, 36 toi, écoute depuis le ciel, pardonne le péché de tes serviteurs et d'Israël, ton peuple — tu lui enseigneras en effet la bonne voie où il doit marcher —, donne la pluie à ton pays, le pays que tu as donné en héritage à ton peuple.

37 Qu'il y ait la famine dans le pays, qu'il y ait la peste, qu'il y ait la rouille, la nielle *j*, les sauterelles, les criquets, que l'ennemi assiège les villes du pays, quel que soit le fléau, quelle que soit la maladie, 38 quel que soit le motif de la prière, quel que soit le motif de la supplication de tout homme qui appartient à Israël, ton peuple, quand celui-là prendra conscience du fléau qui le touche au cœur et étendra les mains vers cette Maison, 39 toi, écoute depuis le ciel, la demeure où tu habites, pardonne, agis, et traite-le selon toute sa conduite puisque tu connais son cœur — toi seul en effet connais le cœur de tous les humains — 40 afin que les fils d'Israël te craignent tous les jours qu'ils vivront sur la terre que tu as donnée à nos pères. 41 Même l'étranger, lui qui n'appartient pas à Israël, ton peuple, s'il vient d'un pays lointain à cause de ton nom — 42 car on entendra parler de ton grand nom, de ta main puissante et de ton bras étendu — s'il vient prier vers cette Maison, 43 toi, écoute depuis le ciel, la demeure où tu habites, agis selon tout ce que t'aura demandé l'étranger, afin que tous les peuples de la terre connaissent ton nom, et que, comme Israël, ton peuple, ils te craignent et qu'ils sachent que ton nom est invoqué sur cette Maison que j'ai bâtie.

44 Quand ton peuple partira en guerre contre son ennemi, dans la direction où tu l'auras envoyé, s'il prie vers le SEIGNEUR en direction de la ville que tu as choisie et de la Maison que j'ai bâtie pour ton nom, 45 écoute depuis le ciel sa prière et sa supplication et fais triompher son droit.

46 Quand les fils d'Israël auront péché contre toi, car il n'y a pas d'homme qui ne pèche, que tu te seras irrité contre eux, que tu les auras livrés à l'ennemi et que leurs vainqueurs les auront emmenés captifs dans un pays ennemi, lointain ou proche, 47 si, dans le pays où ils sont captifs, ils réfléchissent, se repentent et t'adressent leur supplication dans le pays de leurs vainqueurs en disant : "Nous sommes pécheurs, nous sommes fautifs, nous sommes coupables", 48 s'ils reviennent à toi de tout leur cœur, de tout leur être, dans le pays des ennemis où ils auront été emmenés et s'ils prient vers toi, en direction de leur pays, le pays que tu as donné à leurs pères, en direction de la ville que tu as choisie et de la Maison que j'ai bâtie pour ton nom, 49 écoute depuis le ciel, la demeure où tu habites, écoute leur prière et leur supplication, et fais triompher leur droit. 50 Pardonne à ton peuple qui a péché envers toi, pardonne toutes leurs révoltes contre toi, et fais-les prendre en pitié par ceux qui les retiennent captifs : qu'ils aient pitié d'eux ; 51 car il s'agit de ton peuple et de ton héritage, de ceux que tu as fait sortir d'Egypte, du milieu de la fournaise à fondre le fer *k*. 52 Que tes yeux soient ouverts à la supplication de ton serviteur et d'Israël, ton peuple, écoute-les toutes les fois qu'ils crieront vers toi. 53 Car c'est toi qui les as mis à part pour toi comme héritage, parmi tous les peuples de la terre, comme tu l'avais dit par l'intermédiaire de Moïse, ton serviteur, quand tu fis sortir nos pères hors d'Egypte, ô Seigneur DIEU. »

---

j rouill*e et *nielle* sont deux maladies des plantes, spécialement des céréales ● *k* A cette époque, on ne connaissait pas de lieu où la température soit plus élevée que dans une *fournaise à fondre le fer*. L'image évoque les conditions très pénibles de l'esclavage en *Egypte*

8.33 Israël battu Lv 26.17; Dt 28.25; Jos 7. **8.35** pas de pluie 17—18; Lv 26.19; Dt 11.17; 28.24; Jr 3.3; Ap 11.6. **8.37** famine, maladie, etc. Lv 26.16, 25; Dt 28.21-22, 38, 42. **8.41** même l'étranger Lv 19.34; 2 R 5; Es 2.2-4; 56.6-7; Jonas; Za 8.20-23; Ruth; Ga 3.28. **8.44** en direction de Jérusalem Dn 6.11. **8.46** l'exil 14.15; Lv 26.33-34; Dt 28.63-64; 30.1-2. **8.51** la fournaise de l'Egypte Dt 4.20; Jr 11.4. **8.53** mis à part Dt 7.6.

Salomon demande à Dieu de bénir le peuple

⁵⁴ Dès que Salomon eut fini d'adresser au SEIGNEUR toute cette prière et cette supplication, il se releva de devant l'*autel du SEIGNEUR où il s'était agenouillé et, les mains tendues vers le ciel, ⁵⁵ debout, il bénit l'assemblée d'Israël à haute voix, disant : ⁵⁶ « Béni soit le SEIGNEUR qui a donné un lieu de repos à Israël, son peuple, tout comme il l'avait dit : aucune des bonnes paroles qu'il avait dites par Moïse, son serviteur, n'est restée sans effet. ⁵⁷ Que le SEIGNEUR, notre Dieu, soit avec nous comme il a été avec nos pères ; qu'il ne nous délaisse pas et ne nous abandonne pas, ⁵⁸ qu'il incline nos cœurs vers lui pour que nous marchions dans tous ses chemins et gardions les commandements, les lois et les coutumes qu'il avait prescrits à nos pères. ⁵⁹ Que ces supplications que je viens d'adresser au SEIGNEUR soient jour et nuit présentes devant lui, notre Dieu, pour qu'il fasse droit à son serviteur ainsi qu'à Israël, son peuple, selon les besoins de chaque jour ; ⁶⁰ de telle sorte que tous les peuples de la terre sachent que c'est le SEIGNEUR qui est Dieu, qu'il n'y en a pas d'autre. ⁶¹ Que votre cœur soit intègre à l'égard du SEIGNEUR, notre Dieu, afin que vous marchiez selon ses lois, et gardiez ses commandements, comme vous le faites aujourd'hui. »

Les sacrifices offerts au Seigneur
(2 Ch 7.1-10)

⁶² Le roi et tout Israël avec lui, offrirent des *sacrifices devant le SEIGNEUR. ⁶³ Salomon offrit en sacrifice — c'était des sacrifices de paix qu'il offrit au SEIGNEUR — vingt-deux mille têtes de gros bétail, cent vingt mille têtes de petit bétail. C'est ainsi que le roi et tous les fils d'Israël firent la dédicace de la Maison du SEIGNEUR. ⁶⁴ Ce jour-là, le roi consacra le milieu du *parvis qui est devant la Maison du SEIGNEUR ; c'est là en effet qu'il offrit l'holocauste, l'offrande ˡ et la graisse des sacrifices de paix car l'*autel de bronze qui est devant le SEIGNEUR était trop petit pour contenir l'holocauste, l'offrande et la graisse des sacrifices de paix.

⁶⁵ C'est en ce septième mois que Salomon célébra la fête, et tout Israël avec lui : c'était une grande assemblée, venue depuis Lebo-Hamath jusqu'au torrent d'Egypte ; ils furent devant le SEIGNEUR, notre Dieu, sept jours et sept jours : soit quatorze jours ᵐ. ⁶⁶ Le huitième jour, Salomon renvoya le peuple. Ils saluèrent le roi et s'en allèrent dans leurs tentes ⁿ, joyeux et le cœur content à cause de tout le bien que le SEIGNEUR avait fait à David, son serviteur, et à Israël, son peuple.

Le Seigneur apparaît de nouveau à Salomon
(2 Ch 7.11-22)

9 ¹ Lorsque Salomon eut achevé de bâtir la Maison du SEIGNEUR et la maison du roi, et qu'il eut fait tout ce qu'il lui plut, ² le SEIGNEUR lui apparut une seconde fois, comme il lui était apparu à Gabaon ᵒ. ³ Le SEIGNEUR lui dit : « J'ai entendu la prière et la supplication que tu m'as adressées : cette Maison que tu as bâtie, je l'ai consacrée afin d'y mettre mon *nom ᵖ à jamais ; mes yeux et mon cœur y seront toujours. ⁴ Quant à toi, si tu marches devant moi comme David, ton père, d'un cœur intègre et avec droiture, en agissant selon tout ce que je t'ai ordonné, si tu gardes mes lois et mes coutumes, ⁵ je maintiendrai pour toujours ton trône royal sur Israël, comme je l'ai dit à David, ton père : "Il y aura toujours quelqu'un des tiens pour siéger sur le trône d'Israël." ⁶ Mais si vous venez, vous et vos fils, à vous détourner de moi, si vous ne gardez pas mes commandements et mes lois que j'ai placés devant vous, si vous allez servir d'autres dieux et vous prosterner devant eux, ⁷ alors je retrancherai Israël

---

ˡ holocauste, offrande: voir au glossaire SACRIFICES ● ᵐ la fête: voir v. 2 et la note — Lebo-Hamath: localité non identifiée, située dans le nord-ouest du pays; voir Nb 34.7-8 — torrent d'Egypte: voir Nb 34.5 et la note — et sept jours: soit quatorze jours: la mention de cette deuxième semaine s'accorde difficilement avec le début du verset suivant; l'ancienne version grecque n'en parle pas ● ⁿ saluèrent: autre traduction bénirent — dans leurs tentes: voir Jos 22.4 et la note ● ᵒ Voir 3.5-15 ● ᵖ afin d'y mettre mon nom: voir 3.2 et la note

8.56 lieu de repos Dt 12.10; Jos 21.44 — les paroles qui s'accomplissent Jos 21.45; 23.14; 1 S 3.19; 2 R 10.10; Es 55.10-11. 8.57 avec nous Dt 31.6; Jos 1.5; Es 7.14. 8.60 pas d'autre dieu 8.23+; Es 45.5-6. 8.61 cœur intègre 11.4; 15.3, 14; cf. Os 10.2; Ps 12.3. 8.63 dédicace Nb 7; Esd 6.16-17. 9.3 y mettre mon nom 8.29+. 9.5 quelqu'un des tiens 2.4+.

de la surface de la terre que je lui ai
donnée ; cette Maison que j'ai consacrée
à mon nom, je la rejetterai loin de ma
face et Israël deviendra la fable et la
risée de tous les peuples. 8 Cette Maison
qui est si élevée, quiconque passera près
d'elle sera stupéfait et s'exclamera [q] :
“Pour quelle raison le SEIGNEUR a-t-il
agi ainsi envers ce pays et envers cette
Maison ?” 9 On répondra : “Parce qu'ils
ont abandonné le SEIGNEUR, leur Dieu,
qui avait fait sortir leurs pères du pays
d'Egypte, parce qu'ils se sont liés à d'autres dieux, se sont prosternés devant eux
et les ont servis : c'est pour cela que le
SEIGNEUR a fait venir sur eux tout ce
malheur”. »

Activités diverses de Salomon

(*2 Ch 8.1-18*)

10 Au bout des vingt années pendant
lesquelles Salomon bâtit les deux maisons, la Maison du SEIGNEUR et la maison du roi, 11 Hiram, roi de Tyr, qui
avait fourni à Salomon du bois de cèdre
et de cyprès [r] et de l'or à discrétion se
fit donner par le roi Salomon vingt villes
du pays de Galilée. 12 Hiram sortit de
Tyr pour voir les villes que Salomon lui
avait données, mais elles ne lui plurent
pas. 13 Il dit : « Quelles villes m'as-tu
données là, mon frère ! » Et on les
appela Pays de Kavoul [s], nom qui est
resté jusqu'à aujourd'hui. 14 Hiram envoya au roi cent vingt talents [t] d'or.
15 Voici ce qui en fut de la corvée que
le roi Salomon leva pour bâtir la Maison du SEIGNEUR, sa propre maison, le
Millo [u], la muraille de Jérusalem, Haçor,
Meguiddo et Guèzèr. — 16 *Pharaon, roi
d'Egypte, s'était mis en campagne et
s'était emparé de Guèzèr ; il y avait mis
le feu après avoir massacré les Cananéens qui y résidaient, et l'avait donnée
en cadeau à sa fille, la femme de Salomon, 17 et Salomon rebâtit Guèzèr —
Beth-Horôn d'en-bas, 18 Baalath et Tamar du Désert, dans le Pays [v], 19 ainsi
que toutes les villes d'entrepôts qui lui
appartenaient, les villes de garnison pour
les chars et celles pour les cavaliers. Salomon bâtit aussi tout ce qu'il désira
dans Jérusalem, dans le Liban et dans
tout le pays soumis à son autorité. 20 Il
restait toute une population d'*Amorites,
de Hittites, de Perizzites, de Hivvites,
de Jébusites, qui n'appartenaient pas aux
fils d'Israël. 21 Leurs fils qui étaient restés après eux dans le pays et que les
fils d'Israël n'avaient pu vouer à l'extermination, Salomon les recruta pour la
corvée servile, jusqu'à aujourd'hui. 22 Salomon ne réduisit au servage aucun des
fils d'Israël [w], car ceux-ci étaient des
hommes de guerre, ses serviteurs, ses
chefs, ses écuyers, les chefs de ses chars
et de ses cavaliers. 23 Voici le nombre
des chefs des préfets affectés aux travaux de Salomon : cinq cent cinquante
qui commandaient au peuple qui effec-
tuait les travaux.
24 C'est seulement lorsque la fille de
Pharaon monta de la *Cité de David
dans la maison que Salomon lui avait
bâtie qu'il construisit le Millo.
25 Trois fois par an, Salomon offrait
des holocaustes [x] et des sacrifices de paix
sur l'autel qu'il avait bâti pour le SEI-
GNEUR et il brûlait de l'encens sur l'autel qui était devant le SEIGNEUR. Ainsi
donnait-il à la Maison sa raison d'être.
26 Le roi Salomon construisit une flotte
à Eciôn-Guèvèr qui est près d'Eilath [y],
au bord de la *mer des Joncs, au pays
d'Edom. 27 Hiram [z] envoya sur les navires ses serviteurs, des marins connaissant bien la mer ; ils étaient avec les
serviteurs de Salomon. 28 Ils parvinrent
à Ofir et en rapportèrent de l'or, quatre
cent vingt talents [a] qu'ils amenèrent au
roi Salomon.

q si élevée ou *si grandiose* — *s'exclamera:* autre traduction *sifflera* (d'étonnement); comparer Lm 2.15 • *r cyprès:* voir 5.22 et la note • *s* Le nom de *Kavoul* fait penser à un mot hébreu signifiant *comme rien* • *t talents:* voir au glossaire POIDS ET MESURES • *u* Il s'agit peut-être de la zone située entre la *Cité de David (au sud) et le Temple (au nord), et que Salomon fit combler (hébreu *millo* = *remplissage*) • *v dans le Pays,* c'est-à-dire *en Juda*; comparer 4.19 et la note • *w* Il *ne réduisit au servage aucun des fils d'Israël:* voir pourtant 5.27 • *x Trois fois par an:* à l'occasion des grandes fêtes, Pâque, Semaines, Tentes; voir Ex 23.14-17; Dt 16.16 — *holocaustes:* voir au glossaire SACRIFICES • *y Eciôn-Guèvèr, Eilath:* localités situées à l'extrémité du golfe d'Aqaba • *z* Voir 5.15-26 • *a Ofir:* pays mal localisé, peut-être au sud de la péninsule arabique, ou même plus loin sur la côte africaine ou en Inde — *talents:* voir au glossaire POIDS ET MESURES

9.7 la fable et la risée Dt 28.37; Jr 18.16; 19.8; 24.9; 29.18. **9.15** la corvée 5.27-32+ — le Millo 2 S 5.9+. **9.16** la femme de Salomon 3.1. **9.20** la population qui restait Jg 3.3-5. **9.21** l'extermination Dt 2.34+. **9.26** une flotte 22.49-50. **9.28** Ofir 10.11; 22.49; Gn 10.29; Es 13.12; Ps 45.10; Jb 22.24; 28.16; 1 Ch 1.23; 29.4; 2 Ch 8.18; 9.10; *Tb* 13.17; *Si* 7.18.

La reine de Saba rend visite à Salomon
(*2 Ch 9.1-12*)

10 ¹ La reine de Saba *b* avait entendu parler de la renommée que Salomon devait au nom du SEIGNEUR ; elle vint le mettre à l'épreuve par des énigmes. ² Elle arriva à Jérusalem avec une suite très imposante, avec des chameaux chargés d'aromates *c*, d'or en grande quantité et de pierres précieuses. Arrivée chez Salomon, elle lui parla de tout ce qui lui tenait à cœur. ³ Salomon lui donna la réponse à toutes ses questions : aucune question ne fut si obscure que le roi ne pût donner de réponse. ⁴ La reine de Saba vit toute la sagesse de Salomon, la maison qu'il avait bâtie, ⁵ la nourriture de sa table, le logement de ses serviteurs, la qualité de ses domestiques et leurs livrées, ses échansons, les holocaustes *d* qu'il offrait dans la Maison du SEIGNEUR et elle en perdit le souffle. ⁶ Elle dit au roi : « C'était bien la vérité que j'avais entendu dire dans mon pays sur tes paroles et sur ta sagesse. ⁷ Je n'avais pas cru à ces propos tant que je n'étais pas venue et que je n'avais pas vu de mes yeux ; or voilà qu'on ne m'en avait pas révélé la moitié ! Tu surpasses en sagesse et en qualité la réputation dont j'avais entendu parler. ⁸ Heureux tes gens, heureux tes serviteurs, eux qui peuvent en permanence rester devant toi et écouter ta sagesse. ⁹ Béni soit le SEIGNEUR, ton Dieu, qui a bien voulu te placer sur le trône d'Israël ; c'est parce que le SEIGNEUR aime Israël à jamais qu'il t'a établi roi pour exercer le droit et la justice. » ¹⁰ Elle donna au roi cent vingt talents *e* d'or, des aromates en très grande quantité, et des pierres précieuses. Il n'arriva plus jamais autant d'aromates qu'en donna la reine de Saba au roi Salomon.

¹¹ Les navires de Hiram qui avaient transporté l'or d'Ofir avaient aussi rapporté du bois de santal *f* en très grande quantité et des pierres précieuses. ¹² Avec ce bois de santal, le roi fit des appuis pour la Maison du SEIGNEUR et la maison du roi, ainsi que des cithares et des harpes *g* pour les chanteurs. Il n'arriva plus jamais de bois de santal, on n'en a plus vu jusqu'à aujourd'hui.

¹³ Le roi Salomon accorda à la reine de Saba tout ce qu'elle eut envie de demander, sans compter les cadeaux qu'il lui fit comme seul pouvait en faire le roi Salomon. Puis elle s'en retourna et s'en alla dans son pays, elle et ses serviteurs.

Les richesses de Salomon
(*2 Ch 1.14-17; 9.13-28*)

¹⁴ Le poids de l'or qui parvenait à Salomon en une seule année était de six cent soixante-six talents *h* d'or, ¹⁵ sans compter ce qui provenait des voyageurs, du trafic des commerçants, de tous les rois de l'Occident *i* et des gouverneurs du pays.

¹⁶ Le roi Salomon fit deux cents grands boucliers en or battu pour lesquels il fallait six cents sicles *j* d'or par bouclier, ¹⁷ et trois cents petits boucliers en or battu pour lesquels il fallait trois mines d'or par bouclier. Le roi les déposa dans la maison de la Forêt du Liban *k*. ¹⁸ Le roi fit un grand trône d'ivoire *l* qu'il revêtit d'or affiné. ¹⁹ Ce trône avait six degrés et un dossier arrondi ; il avait des accoudoirs de chaque côté du siège. Deux lions se tenaient à côté des accoudoirs ²⁰ et douze lions se tenaient de chaque côté, sur les six degrés. On n'a rien fait de semblable dans aucun royaume. ²¹ Toutes les coupes du roi Salomon étaient en or, et tous les objets de la maison de la Forêt du Liban, en or fin : aucun n'était en argent ; on n'en tenait aucun compte au temps du roi Salomon. ²² Car le roi avait sur la mer des navires de Tarsis qui naviguaient avec ceux de

---

b Saba: région située au sud de la péninsule arabique, correspondant à peu près au Yémen du sud actuel ● *c d'aromates*: autres traductions *de plantes odoriférantes, de parfums précieux* ● *d holocaustes*: voir au glossaire SACRIFICES ● *e talents*: voir au glossaire POIDS ET MESURES ● *f Hiram*: voir 9.27-28 — *bois de santal*: traduction incertaine ; il s'agit en tout cas d'un bois précieux ● *g cithares, harpes*: voir Ps 92.4 et la note ● *h talents*: voir au glossaire POIDS ET MESURES ● *i ce qui provenait* (= *les taxes*): d'après les versions anciennes ; hébreu: *les hommes* — *les rois de l'Occident*: dans le texte parallèle de 2 Ch 9.14, il est question des *rois d'Arabie* ● *j sicles*: voir au glossaire POIDS ET MESURES ● *k mines*: voir au glossaire POIDS ET MESURES — *la maison de la Forêt du Liban*: voir 7.2 et la note ● *l trône d'ivoire*, c'est-à-dire *incrusté d'ivoire*: les fouilles archéologiques ont restitué des plaquettes d'ivoire gravées, qui avaient servi de décoration pour divers meubles; comparer 22.39

10.1 la reine de Saba Mt 12.42 par. — énigmes Jg 14.12-18. **10.11** Ofir 9.28+. **10.22** navire de Tarsis 22.49; Es 2.16; 23.1, 14; 60.9; Ez 27.25; Ps 48.8; 2 Ch 9.21; 20.36-37.

Hiram et, tous les trois ans, les navires de Tarsis revenaient chargés d'or et d'argent, d'ivoire, de singes et de paons *m*. [23] Le roi Salomon devint le plus grand de tous les rois de la terre en richesse et en sagesse. [24] Toute la terre cherchait à voir Salomon afin d'écouter la sagesse que Dieu avait mise dans son cœur. [25] Chacun apportait son offrande : objets d'argent et objets d'or, vêtements, armes, aromates, chevaux et mulets ; et cela chaque année.

[26] Salomon rassembla des chars et des cavaliers. Il avait quatre cents chars et douze mille cavaliers qu'il conduisit *n* dans les villes de garnison et, près de lui, à Jérusalem. [27] Le roi fit qu'à Jérusalem l'argent était aussi abondant que les pierres et les cèdres aussi nombreux que les sycomores du *Bas-Pays. [28] Les chevaux de Salomon provenaient d'Egypte et de Qewé *o* ; les marchands du roi les achetaient à Qewé. [29] Un char provenant d'Egypte revenait à six cents pièces d'argent et un cheval à cent cinquante. Il en était de même pour tous les rois des Hittites et les rois d'*Aram qui en importaient par l'intermédiaire de ces marchands.

Salomon devient infidèle au Seigneur

11 [1] Le roi Salomon *p* aima de nombreuses femmes étrangères : outre la fille de *Pharaon, des Moabites, des Ammonites, des Edomites, des Sidoniennes, des Hittites. [2] Elles étaient originaires des nations dont le SEIGNEUR avait dit aux fils d'Israël : « Vous n'entrerez pas chez elles et elles n'entreront pas chez vous, sans quoi elles détourneraient vos cœurs vers leurs dieux. » C'est justement à ces nations que Salomon s'attacha à cause de ses amours. [3] Il eut sept cents femmes de rang princier et trois cents concubines *q*. Ses femmes détournèrent son cœur.

[4] A l'époque de la vieillesse de Salo-

mon, ses femmes détournèrent son cœur vers d'autres dieux ; et son cœur ne fut plus intègre à l'égard du SEIGNEUR, son Dieu, contrairement à ce qu'avait été le cœur de David, son père. [5] Salomon suivit Astarté, déesse des Sidoniens, et Milkôm, l'abomination *r* des Ammonites. [6] Salomon fit ce qui est mal aux yeux du SEIGNEUR et il ne suivit pas pleinement le SEIGNEUR, comme David, son père. [7] C'est alors que Salomon bâtit sur la montagne qui est en face de Jérusalem un *haut lieu pour Kemosh, l'abomination de Moab, et aussi pour Molek, l'abomination des fils d'Ammon. [8] Il en fit autant pour les dieux de toutes ses femmes étrangères : elles offraient de l'*encens et des *sacrifices à leurs dieux. [9] Le SEIGNEUR s'irrita contre Salomon parce que son cœur s'était détourné de lui, le Dieu d'Israël qui lui était apparu deux fois *s* [10] et qui lui avait ordonné précisément de ne pas suivre d'autres dieux ; mais Salomon n'observa pas ce que le SEIGNEUR avait ordonné. [11] Le SEIGNEUR dit à Salomon : « Puisque tu te conduis ainsi et que tu n'as pas gardé mon *alliance ni les lois que je t'avais prescrites, je vais t'arracher la royauté et la donnerai à l'un de tes serviteurs. [12] Cependant, ce ne sera pas de ton vivant que je le ferai, à cause de David, ton père ; je t'arracherai de la main de ton fils. [13] Mais je n'arracherai pas toute la royauté ; il y aura une tribu que je donnerai à ton fils à cause de David ton père et à cause de Jérusalem que j'ai choisie. »

Deux adversaires de Salomon

[14] Le SEIGNEUR suscita un adversaire à Salomon : Hadad l'Edomite, de la race royale d'Edom. [15] Cela s'était passé lorsque David avait combattu Edom. — C'était quand Joab, le chef des troupes, était monté enterrer les morts et qu'il avait frappé tous les mâles d'Edom.

---

m Tarsis: voir Jon 1.3 et la note; les *navires de Tarsis* sont de grands navires de commerce, équipés pour de longs voyages — *paons:* le sens du mot hébreu est incertain; autres traductions *guenons* ou *volailles* ● *n cavaliers* ou *chevaux — conduisit* ou *installa* ● *o de Qewé:* le mot hébreu ainsi traduit signifie habituellement *un rassemblement;* ce sont les versions anciennes qui y ont reconnu un nom de lieu, *Qewé,* c'est-à-dire *la Cilicie,* en Asie Mineure ● *p* Comparer 11.1-13 et 2 Ch 11.18—12.1 ● *q concubines:* il s'agit d'épouses légitimes, mais d'un rang inférieur ● *r Milkôm* (probablement identique à *Molek* du v. 7) est le nom d'un dieu. L'expression *abomination* désigne souvent des faux dieux ou des idoles ● *s* Voir 3.5-15; 9.2-9

10.24 toute la terre Si 47.16. **10.26** chars et cavaliers 5.6+. **10.27** abondance d'argent 10.21; Si 47.18; cf. Dt 17.17; Qo 2.8. **11.1** nombreuses femmes Cf. Dt 17.17. **11.2** vers leurs dieux Ex 23.31-33; 34.12-16; Dt 7.1-4. **11.4** cœur intègre 8.61+. **11.12** le malheur sur son fils 21.29; 2 R 20. **11.15** combattu Edom 2 S 8.13-14.

16 Joab et tout Israël, en effet, étaient restés là six mois jusqu'à ce qu'ils eussent supprimé tous les mâles d'Edom —. 17 Hadad s'était enfui avec des Edomites qui faisaient partie des serviteurs de son père pour aller en Egypte ; Hadad était alors un tout jeune homme. 18 Ils étaient partis de Madiân et étaient arrivés à Parân *t* ; ils avaient entraîné avec eux des hommes de Parân et étaient parvenus en Egypte auprès de *Pharaon, roi d'Egypte. Celui-ci donna une maison à Hadad, lui assura sa nourriture et lui donna une terre. 19 Hadad avait été très en faveur auprès de Pharaon qui lui avait donné pour femme sa belle-sœur, la sœur de Tahpenès, la Reine-Mère. 20 La sœur de Tahpenès lui avait enfanté son fils Guenouvath et Tahpenès l'avait élevé à l'intérieur de la maison de Pharaon ; Guenouvath était dans la maison de Pharaon, au milieu des fils de Pharaon. 21 Hadad, en Egypte, apprit que David s'était couché avec ses pères *u* et que Joab, le chef des troupes, était mort aussi. Hadad dit à Pharaon : « Laisse-moi partir pour mon pays. » 22 Pharaon lui dit : « Mais que te manque-t-il auprès de moi pour que, tout à coup, tu cherches à partir pour ton pays ? » — « Rien, mais laisse-moi partir quand même. »
23 Dieu suscita un autre adversaire à Salomon : Rezôn, fils d'Elyada. Il s'était enfui de chez Hadadèzèr, roi de Çova *v*, son maître. 24 Il avait groupé des hommes autour de lui et il était devenu chef de bande. Comme David les tuait, ils étaient allés à Damas, s'y étaient établis et avaient régné à Damas. 25 Rezôn fut un adversaire pour Israël pendant toute la vie de Salomon. Le mal que fit Hadad : il détesta Israël, et il régna sur *Aram *w*.

La révolte de Jéroboam

26 Jéroboam, fils de Nevath, était un Ephraïmite de La Ceréda ; le nom de sa mère était Ceroua, elle était veuve ; il était serviteur de Salomon et il leva la main contre le roi *x*. 27 Voici à quelle occasion il leva la main contre le roi : Salomon bâtissait le Millo *y*, il fermait la brèche de la *Cité de David son père. 28 Cet homme, Jéroboam, était vaillant et capable ; Salomon avait remarqué le jeune homme pendant qu'il travaillait ; aussi l'avait-il désigné pour surveiller toute la corvée de la maison de Joseph *z*. 29 A cette époque, comme Jéroboam était sorti de Jérusalem, le prophète Ahiyya de Silo le rencontra en chemin ; Ahiyya était couvert d'un manteau neuf et ils étaient tous les deux seuls dans la campagne. 30 Ahiyya saisit le manteau neuf qu'il avait sur lui et le déchira en douze morceaux. 31 Puis il dit à Jéroboam : « Prends dix morceaux, car ainsi parle le SEIGNEUR, le Dieu d'Israël : Voici, je vais arracher le royaume de la main de Salomon, et je te donnerai dix tribus. 32 Et l'unique tribu *a* qu'il aura, ce sera à cause de mon serviteur David, et à cause de la ville de Jérusalem que j'ai choisie parmi toutes les tribus d'Israël. 33 C'est parce qu'ils m'ont abandonné et qu'ils se sont prosternés devant Astarté, déesse des Sidoniens, devant Kemosh, dieu de Moab et devant Milkôm, dieu des fils d'Ammon, et qu'ils n'ont pas marché dans mes chemins, ne faisant pas ce qui est droit à mes yeux, selon mes lois et coutumes, comme David son père *b*. 34 De la main de Salomon, je ne prendrai rien du royaume car je l'ai établi chef pour tous les jours de sa vie, à cause de mon serviteur David que j'ai choisi, qui a gardé mes commandements

---

t Madiân: région située au sud du royaume d'Edom — *Parân:* voir Gn 21.21 et la note ● *u couché avec ses pères:* voir 1.21 et la note ● *v Çova:* royaume voisin (au nord-est) de celui de Salomon ● *w* La seconde moitié du verset est peu claire en hébreu; l'ancienne version grecque la place à la suite du v. 22, et rapporte toute la phrase à Hadad en disant: *et il régna sur Edom* ● *x* La *Ceréda* était une localité située à 40 km environ au nord-ouest de Jérusalem — *lever la main contre* est une expression hébraïque signifiant *se révolter contre* ● *y* Voir 9.15 et la note ● *z* La *maison de Joseph* désigne ici les tribus d'Ephraïm et de Manassé, car d'après Gn 46.20 Ephraïm et Manassé avaient été les deux fils de *Joseph* ● *a* L'*unique tribu* désigne la tribu importante de Juda (voir 12.20). Pour atteindre le chiffre *douze* (voir v. 30), l'ancienne version grecque parle ici de *deux tribus*, la deuxième pouvant être celle de Benjamin (voir 12.21) ● *b* L'adjectif possessif au singulier (*son père*) vise Salomon à titre personnel, bien que, dans ce verset, tous les verbes au pluriel aient pour sujet « les Israélites ». D'ailleurs plusieurs versions anciennes, en mettant tous les verbes de ce verset au singulier, font explicitement de Salomon seul l'auteur de ces désobéissances.

11.23 Hadadézèr 2 S 8.3-8.　**11.27** le Millo 2 S 5.9+.　**11.28** la corvée 5.27-32+.　**11.31** les gestes prophétiques 22.11; Es 20.1-4; Jr 19.1-11; 27.1-8; Ez 5.1-12.　**11.32** l'unique tribu 11.13.　**11.33** Astarté, Kemosh, Milkôm 11.5-7.

et mes lois. ³⁵ Mais j'enlèverai la royauté de la main de son fils et je te la donnerai : dix tribus. ³⁶ A son fils, je donnerai une tribu afin que mon serviteur David ait toujours une lampe ᶜ devant moi à Jérusalem, la ville que je me suis choisie afin d'y mettre mon *nom. ³⁷ Toi-même, je te prendrai et tu régneras partout où tu en auras envie, et tu seras roi sur Israël. ³⁸ Si tu écoutes tout ce que je te prescrirai, si tu marches dans mes chemins, si tu fais ce qui est droit à mes yeux, gardant mes lois et mes commandements comme l'a fait mon serviteur David, je serai avec toi et je te bâtirai une dynastie stable comme celle que j'ai bâtie à David ; je te donnerai Israël. ³⁹ J'humilierai en cela la race de David, mais pas pour toujours. »

⁴⁰ Salomon chercha à faire mourir Jéroboam ; Jéroboam se leva et s'enfuit en Egypte auprès de Shishaq, roi d'Egypte où il resta jusqu'à la mort de Salomon.

La mort de Salomon
(2 Ch 9.29-31)

⁴¹ Le reste des actes de Salomon, tout ce qu'il a fait, et sa sagesse, cela n'est-il pas écrit dans le livre des *Annales de Salomon ? ⁴² La durée du règne de Salomon à Jérusalem, sur tout Israël, fut de quarante ans. ⁴³ Puis Salomon se coucha avec ses pères ᵈ et il fut enseveli dans la *Cité de David son père. Son fils Roboam régna à sa place.

L'assemblée de Sichem
(2 Ch 10.1-15)

12 ¹ Roboam se rendit à Sichem ᵉ, car c'est à Sichem que tout Israël était venu pour le proclamer roi. ² Mais lorsque Jéroboam, fils de Nevath, l'apprit, il était encore en Egypte parce qu'il avait fui loin de la présence de Salomon, et il résidait en Egypte. ³ On envoya appeler Jéroboam et il vint avec toute l'assemblée d'Israël ; ils parlèrent à Roboam en ces termes : ⁴ « Ton père a rendu lourd notre *joug ; toi maintenant, allège la lourde servitude de ton père et le joug pesant qu'il nous a imposé, et nous te servirons. » ⁵ Il leur dit : « Allez-vous-en et revenez vers moi dans trois jours. » Et le peuple s'en alla. ⁶ Le roi Roboam prit conseil auprès des *anciens qui avaient été au service de son père Salomon quand il était en vie : « Vous, comment conseillez-vous de répondre à ce peuple ? » ⁷ Ils lui dirent : « Si, aujourd'hui, tu te fais le serviteur de ce peuple, si tu le sers, et si tu lui réponds par de bonnes paroles, ils seront toujours tes serviteurs. » ⁸ Mais Roboam négligea le conseil que lui avaient donné les anciens et il prit conseil auprès des jeunes gens qui avaient grandi avec lui et qui étaient à son service. ⁹ Il leur dit : « Et vous, que conseillez-vous ? Que devons-nous répondre à ce peuple qui m'a dit : "Allège le joug que nous a imposé ton père" ? » ¹⁰ Les jeunes gens qui avaient grandi avec lui répondirent : « Voici ce que tu diras à ce peuple qui t'a parlé ainsi : "Ton père a rendu pesant notre joug, mais toi, allège-le-nous" ; voici donc ce que tu leur diras : "Mon petit doigt est plus gros que les reins de mon père ᶠ ; ¹¹ désormais, puisque mon père vous a chargés d'un joug pesant, moi, j'augmenterai le poids de votre joug ; puisque mon père vous a corrigés avec des fouets, moi, je vous corrigerai avec des lanières cloutées !" »

¹² Jéroboam et tout le peuple vinrent trouver Roboam le troisième jour comme le leur avait dit le roi : « Revenez vers moi le troisième jour. » ¹³ Le roi répondit durement au peuple : négligeant le conseil que les anciens lui avaient donné, ¹⁴ il parla au peuple selon le conseil des jeunes gens : « Mon père a rendu pesant votre joug, moi, j'augmenterai le poids de votre joug ; mon père vous a corrigés avec des fouets, moi, je vous corrigerai avec des lanières cloutées. » ¹⁵ Le roi n'écouta pas le peuple : ce fut là le moyen employé indirectement par le Seigneur pour accomplir la parole qu'il avait dite à Jéroboam, fils de Nevath, par l'intermédiaire d'Ahiyya de Silo ᵍ.

ᶜ La *lampe* (allumée) est le symbole de la dynastie royale qui continue (voir Ps 132.17) ● ᵈ *se coucha avec ses pères:* voir 1.21 et la note ● ᵉ *Sichem* (voir Jos 24) semble avoir conservé longtemps un rôle important en Israël ● ᶠ *Mon petit doigt...:* il s'agit probablement d'une expression proverbiale, dont le sens est expliqué par la suite de la réponse, v. 11 ● ᵍ Voir 11.29-39

11.36 une lampe 15.4 ; 2 S 21.27 ; 2 R 8.19 ; 2 Ch 21.7. **11.39** pas pour toujours Cf. Es 11.13-14 ; Jr 3.18 ; Ez 37.15-24 ; Os 2.2 ; Mi 2.12. **11.40** Shishaq 14.25-26. **12.4** la lourde servitude Cf. 5.27-32+.

Le royaume divisé

(2 Ch 10.16—11.4)

[16] Tout Israël vit que le roi ne l'avait pas écouté ; le peuple lui répliqua : « Quelle part avons-nous avec David ? Pas d'héritage avec le fils de Jessé ! A tes tentes *[h]*, Israël ! Maintenant, occupe-toi de ta maison, David ! » Et Israël s'en alla à ses tentes. [17] Mais Roboam continua de régner sur les fils d'Israël qui habitaient les villes de Juda. [18] Le roi Roboam délégua le chef des corvées, Adorâm *[i]*, mais tout Israël le lapida et il mourut ; le roi Roboam réussit de justesse à monter sur son char pour s'enfuir à Jérusalem. [19] Israël a été en révolte contre la maison de David jusqu'à aujourd'hui.

[20] Dès que tout Israël apprit que Jéroboam était revenu, on l'envoya appeler au rassemblement *[j]* et on le fit roi sur tout Israël. Il n'y eut pour suivre la maison de David que la seule tribu de Juda. [21] Roboam arriva à Jérusalem et rassembla toute la maison de Juda et la tribu de Benjamin, soit cent quatre-vingt mille guerriers d'élite, pour combattre la maison d'Israël, afin de rendre le royaume à Roboam, fils de Salomon. [22] Mais la parole de Dieu fut adressée à l'homme de Dieu Shemaya : [23] « Dis à Roboam, fils de Salomon, roi de Juda, à toute la maison de Juda et de Benjamin ainsi qu'au reste du peuple : [24] "Ainsi parle le SEIGNEUR : Vous ne devez pas monter au combat contre vos frères, les fils d'Israël ; que chacun retourne chez lui, car c'est moi qui ai provoqué cet événement".» Ils écoutèrent la parole du SEIGNEUR et s'en retournèrent pour marcher selon la parole du SEIGNEUR.

[25] Jéroboam fortifia Sichem, dans la montagne d'Ephraïm et s'y établit. Puis il en sortit et fortifia Penouël *[k]*.

Le péché de Jéroboam

[26] Jéroboam dit en lui-même : « Telles que les choses se présentent, le royaume pourrait bien retourner à la maison de David. [27] Si ce peuple continue à monter pour offrir des *sacrifices dans la Maison du SEIGNEUR, à Jérusalem, le cœur de ce peuple reviendra à son maître, Roboam, roi de Juda : moi, on me tuera et on reviendra à Roboam, roi de Juda. » [28] Le roi Jéroboam eut l'idée de faire deux veaux d'or et dit au peuple : « Vous êtes trop souvent montés à Jérusalem ; voici tes Dieux, Israël, qui t'ont fait monter du pays d'Egypte *[l]*. » [29] Il plaça l'un à Béthel, et l'autre, il l'installa à Dan *[m]*. — [30] C'est en cela que consista le péché *[n]* —. Le peuple marcha en procession devant l'un des veaux jusqu'à Dan ; [31] Jéroboam bâtit des maisons de *hauts lieux, et il fit prêtres des gens pris dans la masse du peuple, sans qu'ils fussent des fils de Lévi ; [32] Jéroboam célébra une fête le huitième mois, le quinzième jour du mois, comme la fête qui avait lieu en Juda *[o]*, et il monta à l'*autel. Il agit de même à Béthel, sacrifiant aux veaux qu'il avait fabriqués. Et il établit à Béthel les prêtres des hauts lieux qu'il avait institués. [33] Il monta à l'autel qu'il avait érigé à Béthel, le quinzième jour du huitième mois, date qu'il avait fixée à son idée ! Il célébra une fête pour les fils d'Israël et il monta à l'autel pour y brûler de l'*encens.

Un homme de Dieu intervient à Béthel

13 [1] Un homme de Dieu vint de Juda à Béthel sur une parole du SEIGNEUR, alors que Jéroboam brûlait des offrandes *[p]* sur l'*autel. [2] Et il cria contre l'autel, sur une parole du SEIGNEUR : « Autel ! Autel ! Ainsi parle le SEIGNEUR : Voici, un fils va naître à la maison de

---

h A tes tentes: voir Jos 22.4 et la note; ici l'expression pourrait aussi être comprise au sens littéral: les participants à l'assemblée logeaient probablement sous des *tentes* ● *i* Il s'agit peut-être du même personnage que celui appelé *Adonirâm* en 4.6 ● *j* Il y a une différence entre ce que dit le v. 20 et ce que disent les v.3 et 12 sur le moment de l'intervention de Jéroboam; à moins qu'il ne s'agisse au v. 20 d'un nouveau *rassemblement* ● *k Penouël:* localité située à l'est du Jourdain, à 40 km environ à l'est de *Sichem* ● *l voici tes Dieux...:* autre traduction *voici ton Dieu, Israël, qui t'a fait monter du pays d'Egypte.* Comparer Ex 32.1-5 ● *m Béthel, Dan:* deux localités où se trouvait déjà un *sanctuaire local célèbre; de plus elles étaient situées aux deux extrémités, sud et nord, du nouveau royaume ● *n* Le rédacteur des livres des Rois utilise souvent l'expression « le péché de Jéroboam »: voir 13.34; 15.26, 34, etc. ● *o* Il s'agit probablement de *la fête* des Tentes (voir 8.2 et la note), célébrée en *Juda* dès le 15 du septième mois. Mais pour marquer son indépendance à l'égard de la tradition de Juda, Jéroboam *fixe à son idée* (v. 33) la date du 15 du *huitième* mois ● *p offrandes:* voir au glossaire SACRIFICES

12.16 A tes tentes, Israël 2 S 20.1. **12.19** en révolte *Si* 47.21. **12.24** ne pas se battre Cf. 14.30; 15.6. **12.29** Béthel Gn 12.8; 28.10-22; Am 3.14; 5.5-6; 7.13 — Dan Jg 17—18; Am 8.14. **12.33** à son idée 12.28; cf. Dt 12.2; 16.2, 5-6, 11, 15-16; 18.1-5.

David, son nom sera Josias. Sur toi, il offrira en *sacrifice les prêtres des *hauts lieux, qui brûlent sur toi de l'*encens ; et l'on brûlera sur toi des ossements humains *q*. » [3] Ce jour même, l'homme de Dieu donna un signe en disant :

« Ceci est le signe que le SEIGNEUR
   a parlé.
Voici, l'autel va se fendre.
Et la graisse qui est dessus se
   répandre. »

[4] Dès qu'il entendit la parole que l'homme de Dieu avait criée contre l'autel de Béthel, le roi Jéroboam tendit la main qu'il avait sur l'autel en disant : « Saisissez-le ! » Mais la main qu'il avait tendue contre l'homme de Dieu se dessécha et il ne pouvait la ramener à lui. [5] L'autel se fendit et la graisse se répandit de l'autel, selon le signe que l'homme de Dieu avait donné sur une parole du SEIGNEUR. [6] Le roi prit la parole et dit à l'homme de Dieu : « Apaise le SEIGNEUR, ton Dieu, je te prie, intercède *r* pour moi afin que ma main revienne à moi. » L'homme de Dieu apaisa le SEIGNEUR et la main du roi revint à lui ; elle fut comme elle était auparavant. [7] Le roi parla à l'homme de Dieu : « Entre donc chez moi pour te restaurer, je te ferai un cadeau. » [8] L'homme de Dieu dit au roi : « Même si tu me donnais la moitié de ta maison, je n'entrerais pas chez toi ici, je ne mangerais pas de pain et je ne boirais pas d'eau en ce lieu. [9] Car tel est l'ordre que j'ai reçu — parole du SEIGNEUR — : Tu ne mangeras pas de pain, tu ne boiras pas d'eau, et tu ne retourneras pas par le chemin que tu auras pris à l'aller. » [10] Et il s'en alla par un autre chemin, il ne s'en retourna pas par le chemin qu'il avait pris pour venir à Béthel.

L'homme de Dieu désobéit

[11] Il y avait un vieux *prophète qui habitait Béthel ; ses fils vinrent *s* lui raconter tout ce que l'homme de Dieu avait fait ce jour-là à Béthel ; ils racontèrent à leur père les paroles qu'il avait dites au roi. [12] Leur père leur dit : « Par quel chemin s'en est-il allé ? » Ses fils se renseignèrent sur le chemin par lequel était parti l'homme de Dieu venu de Juda. [13] Il dit à ses fils : « Sellez-moi l'âne ! » Ils lui sellèrent l'âne et il monta dessus. [14] Il poursuivit l'homme de Dieu et le rattrapa alors qu'il était assis sous un térébinthe *t*. Il lui dit : « Est-ce toi l'homme de Dieu venu de Juda ? » Il répondit : « C'est moi ! » [15] Il lui dit : « Viens avec moi à la maison, et mange du pain. » [16] L'homme de Dieu lui répondit : « Je ne puis ni retourner, ni venir avec toi ; je ne mangerai pas de pain et je ne boirai pas d'eau avec toi dans ce lieu [17] car j'ai reçu cette parole du SEIGNEUR : Tu ne mangeras pas de pain et tu ne boiras pas d'eau en ce lieu, tu ne retourneras pas par le chemin que tu auras pris à l'aller. » [18] Le prophète lui dit : « Moi aussi, je suis prophète comme toi et un ange m'a dit — parole du SEIGNEUR — : Fais-le revenir avec toi dans ta maison ; qu'il mange du pain et qu'il boive de l'eau. » Il lui mentait. [19] L'homme de Dieu retourna avec lui, mangea du pain dans sa maison et but de l'eau.

Mort de l'homme de Dieu

[20] Or, comme ils étaient assis à table, la parole du SEIGNEUR fut adressée au *prophète qui l'avait fait revenir ; [21] et le vieux prophète cria à l'homme de Dieu qui était venu de Juda : « Ainsi parle le SEIGNEUR : Parce que tu as désobéi à l'ordre du SEIGNEUR et que tu n'as pas gardé le commandement que t'avait donné le SEIGNEUR, ton Dieu, [22] parce que tu es revenu, que tu as mangé du pain et bu de l'eau dans le lieu au sujet duquel il t'avait dit : "N'y mange pas de pain et n'y bois pas d'eau", ton cadavre n'entrera pas dans la tombe de tes pères. » [23] Après que l'homme de Dieu eut mangé du pain et qu'il eut bu, le vieux prophète sella l'âne du prophète qu'il avait fait revenir [24] et celui-ci s'en alla. Un lion le rencontra en chemin et le tua. Son cadavre gisait sur le chemin, tandis que l'âne se tenait d'un côté du cadavre et le lion de l'autre. [25] Des passants virent le cadavre gisant sur le chemin et le lion

---

q Josias : voir 2 R 22-23, en particulier 23.15-16 — En brûlant *des ossements humains* sur l'autel, Josias le rendra impur (2 R 23.16) et par conséquent inutilisable pour des sacrifices normaux ● *r intercède* ou *prie* ● *s ses fils vinrent :* d'après les versions anciennes et la suite du texte ; hébreu : *son fils vint* ● *t térébinthe :* arbre pouvant atteindre des dimensions imposantes et qui, poussant généralement de manière isolée, offre un ombrage agréable

13.4 main desséchée Za 11.17 ; cf. Mt 12.10 par. **13.8** la moitié de ta maison Nb 22.17-18 ; cf. Est 5.3, 6 ; 7.2 ; Mc 6.23. **13.18** un ange Ga 1.8. **13.22** pas enterré avec ses pères Es 14.19 ; Jr 8.1-2 ; cf. Gn 23 ; 49.30 ; 2 R 22.20. **13.24** un lion le rencontra 20.36 ; 2 R 2.24 ; 17.25.

à côté du cadavre. Ils vinrent en parler dans la ville où habitait le vieux prophète. ²⁶ Le prophète qui l'avait fait revenir sur son chemin en entendit parler et il dit : « C'est l'homme de Dieu ! Celui qui a désobéi à l'ordre du SEIGNEUR ; le SEIGNEUR l'a livré au lion qui lui a brisé les os et l'a tué, selon la parole que le SEIGNEUR lui avait dite. » ²⁷ Il dit à ses fils : « Sellez-moi l'âne ! » Ils le sellèrent ²⁸ et il partit ; il trouva le cadavre gisant sur le chemin, tandis que l'âne et le lion se tenaient à côté du cadavre. Le lion n'avait pas mangé le cadavre et il n'avait pas brisé les os de l'âne. ²⁹ Le prophète releva le cadavre de l'homme de Dieu, le déposa sur l'âne et le ramena. Le vieux prophète revint à sa ville pour célébrer le deuil et l'ensevelir. ³⁰ Il déposa le cadavre dans son propre tombeau et l'on célébra son deuil : « Hélas, mon frère ! ᵘ » ³¹ Après qu'il l'eut enseveli, il dit à ses fils : « Quand je mourrai, vous m'ensevelirez dans le tombeau où l'homme de Dieu est enseveli. Vous placerez mes os à côté de ses os. ³² Car elle s'accomplira la parole qu'il a criée — parole du SEIGNEUR — contre l'*autel qui est à Béthel et contre toutes les maisons des *hauts lieux qui sont dans les villes de Samarie. »

³³ Malgré cela, Jéroboam ne renonça pas à sa mauvaise conduite. Il continua à faire comme prêtres des hauts lieux des gens pris dans la masse du peuple. A qui le voulait, il conférait l'investiture ᵛ pour être prêtre des hauts lieux. ³⁴ En cela consista le péché de la maison de Jéroboam, et c'est pour cela qu'elle fut détruite et disparut de la surface de la terre.

Fin du règne de Jéroboam Iᵉʳ

14 ¹ En ce temps-là, Aviya, fils de Jéroboam, tomba malade. ² Jéroboam dit à sa femme : « Lève-toi, déguise-toi afin que l'on ne puisse savoir que tu es la femme de Jéroboam, puis va à Silo. Il y a là-bas le prophète Ahiyya ; c'est lui qui m'a dit que je serais roi de ce peuple ʷ. ³ Tu prendras avec toi dix pains, des gâteaux et une cruche de miel et tu iras le trouver ; il te fera savoir ce qui adviendra au garçon. » ⁴ La femme de Jéroboam agit ainsi ; elle se leva, partit pour Silo et arriva à la maison d'Ahiyya. Or Ahiyya ne voyait plus, il ne bougeait plus les yeux à cause de sa vieillesse. ⁵ Le SEIGNEUR avait dit à Ahiyya : « Voici que la femme de Jéroboam est en route pour chercher auprès de toi une parole ˣ au sujet de son fils malade. Tu lui parleras de telle et telle façon ; et quand elle arrivera, elle se fera passer pour une autre. » ⁶ Dès qu'Ahiyya entendit le bruit de ses pas au moment où elle arrivait à la porte, il dit : « Entre, femme de Jéroboam ! Pourquoi te faire passer pour une autre ? Je te suis envoyé pour te parler durement. ⁷ Va et dis à Jéroboam : "Ainsi parle le SEIGNEUR, le Dieu d'Israël : Je t'ai élevé du milieu du peuple, je t'ai établi chef sur mon peuple Israël, ⁸ j'ai arraché la royauté à la maison de David et te l'ai donnée ; mais tu n'as pas été comme mon serviteur David qui a gardé mes commandements et qui m'a suivi de tout son cœur, ne faisant que ce qui est droit à mes yeux ; ⁹ tu as agi plus mal que tous ceux qui ont été avant toi : tu es allé te fabriquer d'autres dieux et des statues au point de m'offenser ; et moi-même, tu m'as rejeté derrière ton dos. ¹⁰ C'est pourquoi je vais amener un malheur sur la maison de Jéroboam, je retrancherai les mâles de chez Jéroboam, esclaves ou hommes libres ʸ en Israël ; je balaierai les descendants de la maison de Jéroboam comme on balaie à fond le fumier. ¹¹ Tout membre de la maison de Jéroboam qui mourra dans la ville, les chiens le mangeront ; et tout membre qui mourra dans la campagne, les oiseaux du ciel le mangeront, car le SEIGNEUR a parlé." ¹² Quant à toi, lève-toi, rentre chez toi ; au moment où tes pieds pénétreront dans la ville, l'enfant mourra. ¹³ Tout Israël célébrera le deuil pour lui et on l'ensevelira car lui seul de la maison de Jéroboam entrera dans une tombe ; c'est en lui seul, de la maison de Jéroboam, que s'est trouvé quelque chose de bon pour le SEIGNEUR, le Dieu d'Israël. ¹⁴ Le SEIGNEUR suscitera à Israël un roi qui retranchera la maison de

---

u *Hélas, mon frère!*: probablement titre d'un chant funèbre ; voir Jr 22.18 ; 34.5 ● v *investiture*: voir Lv 7.37 ; 8.33 et les notes ● w Voir 11.29-39 ● x *pour chercher auprès de toi une parole*: autres traductions... *un oracle*, ou *pour te consulter* ● y *esclaves ou hommes libres*: traduction incertaine

14.2 déguise-toi 22.30 ; 1 S 28.8 ; 2 Co 11.14-15.   **14.7** du milieu du peuple Cf. 16.2 ; 2 S 7.8.
14.10 anéantissement de la famille royale 15.29 ; 16.3, 11 ; Jg 9.5 ; 2 R 10.1-17 ; 11.1   **14.11** les chiens et les oiseaux 16.4 ; 21.24.

Jéroboam. C'est pour aujourd'hui. Comment ? pour maintenant même ! [z] [15] Le SEIGNEUR frappera Israël ; il en sera de lui comme du roseau qui tremble dans les eaux. Il arrachera Israël de cette bonne terre qu'il a donnée à ses pères et il le dispersera de l'autre côté du fleuve parce qu'ils ont fabriqué leurs poteaux sacrés [a], offensant ainsi le SEIGNEUR. [16] Il livrera Israël à cause des péchés que Jéroboam a commis et qu'il a fait commettre à Israël. »

[17] La femme de Jéroboam se leva, s'en alla et arriva à Tirça [b]. Au moment où elle arriva au seuil de la maison, le garçon mourut. [18] On l'ensevelit et tout Israël célébra le deuil pour lui, selon la parole que le SEIGNEUR avait dite par l'intermédiaire de son serviteur Ahiyya, le prophète.

[19] Le reste des actes de Jéroboam : guerres, règne, tout cela est écrit dans le livre des *Annales des rois d'Israël. [20] La durée du règne de Jéroboam fut de vingt-deux ans ; il se coucha avec ses pères [c]. Son fils Nadab régna à sa place.

Roboam, roi de Juda
(2 Ch 12.1-16)

[21] Roboam, fils de Salomon, devint roi en Juda ; Roboam avait quarante et un ans quand il devint roi, et il régna dix-sept ans à Jérusalem, la ville que le SEIGNEUR avait choisie parmi toutes les tribus d'Israël pour y mettre son *nom. Le nom de la mère de Roboam était Naama, l'Ammonite. [22] Juda fit ce qui est mal aux yeux du SEIGNEUR et, par les péchés qu'il commit, provoqua sa jalousie plus que n'avaient fait leurs pères. [23] Comme ceux-ci, ils bâtirent à leur usage des *hauts lieux, des stèles et des poteaux sacrés [d] sur toutes les collines élevées et sous tout arbre ver-

doyant ; [24] il y eut même des prostitués sacrés [e] dans le pays, ils agirent selon toutes les abominations des nations que le SEIGNEUR avait dépossédées devant les fils d'Israël.

[25] La cinquième année du règne de Roboam, Shishaq, roi d'Egypte, monta contre Jérusalem. [26] Il prit les trésors de la Maison du SEIGNEUR et les trésors de la maison du roi. Il prit absolument tout ; il prit même tous les boucliers d'or que Salomon avait faits. [27] Le roi Roboam fit à leur place des boucliers de bronze et les confia aux chefs des coureurs [f] qui gardaient l'entrée de la maison du roi. [28] Chaque fois que le roi se rendait à la Maison du SEIGNEUR, les coureurs prenaient ces boucliers, puis les rapportaient à la salle des coureurs.

[29] Le reste des actes de Roboam, tout ce qu'il a fait, cela n'est-il pas écrit dans le livre des *Annales des rois de Juda ? [30] Il y eut continuellement la guerre entre Roboam et Jéroboam. [31] Roboam se coucha avec ses pères et fut enseveli avec ses pères dans la *Cité de David. — Et le nom de sa mère était Naama, l'Ammonite. Son fils Abiyam [g] régna à sa place.

Abiyam, roi de Juda
(2 Ch 13.1-3, 22-23)

15 [1] La dix-huitième année du règne de Jéroboam, fils de Nevath, Abiyam devint roi sur Juda. [2] Il régna trois ans à Jérusalem. Le nom de sa mère était Maaka, fille d'Absalom [h]. [3] Il imita tous les péchés que son père avait commis avant lui ; et son cœur ne fut pas intègre à l'égard du SEIGNEUR, son Dieu, contrairement à ce qu'avait été le cœur de David, son père. [4] C'est bien à cause de David que le SEIGNEUR, son Dieu, lui donna une lampe [i] à Jérusalem,

---

[z] Le texte de la seconde moitié du verset est obscur et la traduction incertaine. Il s'agit peut-être d'une remarque d'un copiste ancien ● [a] du fleuve, c'est-à-dire de l'Euphrate — En Israël, le poteau sacré était le symbole traditionnel de la déesse Ashéra; voir la note sur Jg 3.7 ● [b] Tirça fut, après Sichem (12.25) et avant Samarie (16.24), la deuxième capitale du royaume d'Israël. On ignore où se trouvait cette ville ● [c] se coucha avec ses pères: voir 1.21 et la note ● [d] stèles: autre traduction statues; il s'agissait le plus souvent de simples pierres dressées, symbolisant la présence d'une divinité — poteaux sacrés: voir v. 15 et la note ● [e] Pour la prostitution sacrée (voir Os 1.2 et la note), les *sanctuaires employaient surtout des femmes mises à disposition des visiteurs, mais parfois aussi des hommes mis à disposition des visiteuses ● [f] Les coureurs sont, comme les Kerétiens et les Pelétiens (voir 2 S 8.18 et la note), des soldats de la garde royale ● [g] Dans le texte parallèle de 2 Ch 12.16, le même personnage est appelé Abiya ● [h] Absalom ou Abisalom; on ne sait pas s'il s'agit du fils de David (2 S 3.3) ou d'un autre personnage ● [i] Voir 11.36 et la note

---

14.15 perspective d'exil 8.46+.   **14.22** la jalousie de Dieu Dt 32.16-17.   **14.23** hauts lieux, stèles, poteaux sacrés 2 R 16.4; 17.9-10 — collines et arbre verdoyant Dt 12.2+.   **14.24** prostitués sacrés 15.12; Dt 23.18.   **14.25** Shishaq 11.40.   **14.26** les boucliers d'or 10.16-17.   **15.3** cœur intègre 8.61+.

lui suscitant un fils pour maintenir Jérusalem : [5] c'est parce que David avait fait ce qui est droit aux yeux du SEIGNEUR et ne s'était écarté en rien de ce qu'il lui avait ordonné tous les jours de sa vie, excepté dans l'affaire d'Urie le Hittite [j]. — [6] Il y eut la guerre entre Roboam et Jéroboam tous les jours de sa vie [k].

[7] Le reste des actes d'Abiyam, tout ce qu'il a fait, cela n'est-il pas écrit dans le livre des *Annales des rois de Juda ? Il y eut la guerre entre Abiyam et Jéroboam. [8] Abiyam se coucha avec ses pères [l] et on l'ensevelit dans la *Cité de David ; son fils Asa régna à sa place.

Asa, roi de Juda

(2 Ch 14.1-2; 15.16-19; 16.1-6, 11-14)

[9] La vingtième année du règne de Jéroboam, roi d'Israël, Asa, roi de Juda, devint roi. [10] Il régna quarante et un ans à Jérusalem ; le nom de sa mère était Maaka, fille d'Absalom [m]. [11] Asa fit ce qui est droit aux yeux du SEIGNEUR, comme David son père. [12] Il élimina du pays les prostitués sacrés [n] et supprima toutes les idoles qu'avaient fabriquées ses pères. [13] Et même il priva sa mère Maaka de sa fonction de Reine Mère parce qu'elle avait fait une idole infâme pour Ashéra [o] ; Asa coupa son idole infâme et la brûla dans le ravin du Cédron. [14] Mais les *hauts lieux ne disparurent pas. Pourtant le cœur d'Asa resta intègre à l'égard du SEIGNEUR, durant toute sa vie. [15] Il apporta dans la Maison du SEIGNEUR ce que son père et lui-même avaient consacré : de l'argent, de l'or et des ustensiles.

[16] Il y eut la guerre entre Asa et Baésha, roi d'Israël, pendant toute leur vie. [17] Baésha, roi d'Israël, monta contre Juda et fortifia Rama [p] pour barrer la route au roi de Juda, Asa. [18] Celui-ci prit tout l'argent et l'or qui restaient dans les trésors de la Maison du SEIGNEUR et les trésors de la maison du roi ; le roi Asa les remit à ses serviteurs pour envoyer à Ben-Hadad, fils de Tavrimmôn,

fils de Hèziôn, roi d'*Aram, qui résidait à Damas, en disant : [19] « Il y a une alliance entre moi et toi, entre mon père et ton père. Je t'envoie en présent de l'argent et de l'or. Alors romps ton alliance avec Baésha, roi d'Israël, pour qu'il ne monte plus contre moi. » [20] Ben-Hadad écouta le roi Asa ; il envoya contre les villes d'Israël les chefs de ses armées et il frappa Iyyôn, Dan, Avel-Beth-Maaka, toute la région de Kineroth et, de plus, tout le pays de Nephtali. [21] Dès que Baésha apprit cette nouvelle, il cessa de fortifier Rama et resta à Tirça. [22] Alors, le roi Asa convoqua tout Juda, sans exception ; et l'on emporta les pierres et le bois de Rama que Baésha fortifiait. Le roi Asa s'en servit pour fortifier Guéva de Benjamin et Miçpa [q].

[23] Le reste de tous les actes d'Asa, tous ses exploits, tout ce qu'il a fait, les villes qu'il a bâties, cela n'est-il pas écrit dans les *Annales des rois de Juda, sauf que sur ses vieux jours il eut une maladie des pieds ? [24] Asa se coucha avec ses pères, et il fut enseveli avec ses pères dans la *Cité de David, son père. Son fils Josaphat régna à sa place.

Nadab, roi d'Israël

[25] Nadab, fils de Jéroboam, devint roi sur Israël la deuxième année du règne d'Asa, roi de Juda ; il régna deux ans sur Israël. [26] Il fit ce qui est mal aux yeux du SEIGNEUR ; il marcha dans le chemin de son père et imita le péché qu'il avait fait commettre à Israël. [27] Baésha, fils d'Ahiyya, de la maison d'Issakar, conspira contre lui. Baésha le frappa à Guibbetôn qui appartenait aux Philistins, au moment où Nadab et tout Israël assiégeaient Guibbetôn. [28] Baésha tua Nadab la troisième année du règne d'Asa, roi de Juda, et régna à sa place. [29] Dès qu'il fut roi, il frappa toute la maison de Jéroboam, ne laissant à Jéroboam personne qu'il n'exterminât, selon la parole que le SEIGNEUR avait dite par l'intermédiaire de son serviteur Ahiyya

---

j Voir 2 S 11 ● k Ce verset répète presque mot à mot 14.30 ● l se coucha avec ses pères: voir 1.21 et la note ● m mère: pour certains le terme hébreu aurait ici le sens de grand-mère, puisque Maaka est dite mère d'Abiyam (v. 2), lequel était père d'Asa (v. 8). Mais il est possible aussi qu'elle soit considérée comme « mère du roi » en raison du rôle prépondérant qu'elle continuait de jouer à la cour après le règne très bref de son fils Abiyam (voir v. 13 et la note) — Absalom: voir v. 2 et la note ● n prostitués sacrés: voir 14.24 et la note ● o La Reine Mère jouissait à la cour d'une autorité et d'honneurs particuliers (voir 2.13-20) — Ashéra: voir Jg 3.7 et la note ● p Rama: localité située à 8 km au nord de Jérusalem ● q Guéva et Miçpa: deux localités proches de Rama

15.12 prostitués sacrés 14.24+ — suppression des idoles 2 Ch 15.8.   **15.13** brûlé au Cédron 2 R 23.4-6, 12.   **15.27** Guibbetôn 16.15.   **15.29** anéantissement de la famille royale 14.10+.

de Silo ^r ³⁰ au sujet des péchés de Jéroboam, ceux qu'il avait commis et ceux qu'il avait fait commettre à Israël, en offensant le SEIGNEUR, le Dieu d'Israël. ³¹ Le reste des actes de Nadab, tout ce qu'il a fait, cela n'est-il pas écrit dans le livre des *Annales des rois d'Israël ? ³² Il y eut la guerre entre Asa et Baésha, roi d'Israël, pendant toute leur vie ^s.

Baésha, roi d'Israël.

³³ La troisième année du règne d'Asa, roi de Juda, Baésha, fils d'Ahiyya, devint roi sur tout Israël, à Tirça, pour vingt-quatre ans. ³⁴ Il fit ce qui est mal aux yeux du SEIGNEUR ; il marcha dans le chemin de Jéroboam et imita le péché qu'il avait fait commettre à Israël.

16 ¹ La parole du SEIGNEUR fut adressée à Jéhu ^t, fils de Hanani, au sujet de Baésha : ² « Parce que je t'ai élevé de la poussière et établi chef sur mon peuple Israël, mais que tu as marché dans le chemin de Jéroboam et que tu as fait pécher mon peuple Israël au point de m'offenser par leurs péchés, ³ je vais balayer Baésha et sa maison et je rendrai ta maison comme la maison de Jéroboam, fils de Nevath. ⁴ Tout membre de la maison de Baésha qui mourra dans la ville, les chiens le mangeront, et tout membre de sa maison qui mourra dans la campagne, les oiseaux du ciel le mangeront. »

⁵ Le reste des actes de Baésha, ce qu'il a fait, ses exploits, cela n'est-il pas écrit dans le livre des *Annales des rois d'Israël ? ⁶ Baésha se coucha avec ses pères ^u et on l'ensevelit à Tirça. Son fils Ela régna à sa place. — ⁷ C'est également par l'intermédiaire du prophète Jéhu, fils de Hanani, que la parole du SEIGNEUR fut adressée à Baésha et à sa maison, d'une part à cause de tout le mal qu'il avait fait aux yeux du SEIGNEUR, l'offensant par l'œuvre de ses mains au point de devenir semblable à la maison de Jéroboam, d'autre part parce qu'il avait frappé celle-ci.

Ela, roi d'Israël

⁸ La vingt-sixième année du règne d'Asa, roi de Juda, Ela, fils de Baésha, devint roi sur Israël à Tirça, pour deux ans. ⁹ Son serviteur Zimri, chef de la moitié des chars, conspira contre lui. Le roi se trouvait alors à Tirça où il s'enivrait dans la maison d'Arça, chef du palais. ¹⁰ Zimri entra, frappa Ela et le tua, la vingt-septième année du règne d'Asa, roi de Juda ; et il régna à sa place. ¹¹ Dès qu'il fut roi et qu'il s'assit sur le trône, il frappa toute la maison de Baésha, ne lui laissant ni mâle, ni garant ^v, ni partisan. ¹² Zimri extermina toute la maison de Baésha, selon la parole que le SEIGNEUR avait dite par l'intermédiaire du prophète Jéhu contre Baésha, ¹³ contre tous les péchés de Baésha et contre les péchés d'Ela, son fils, péchés qu'ils avaient commis et qu'ils avaient fait commettre à Israël, au point d'offenser le SEIGNEUR, le Dieu d'Israël, par leurs vaines idoles.

¹⁴ Le reste des actes d'Ela, tout ce qu'il a fait, cela n'est-il pas écrit dans le livre des *Annales des rois d'Israël ?

Zimri, roi d'Israël

¹⁵ La vingt-septième année du règne d'Asa, roi de Juda, Zimri devint roi pour sept jours à Tirça ; le peuple faisait alors campagne contre Guibbetôn qui appartenait aux Philistins. ¹⁶ Le peuple qui faisait campagne apprit la nouvelle : « Zimri a fait une conspiration et même il a frappé le roi. » Alors, le jour même, dans le camp, tout Israël établit Omri, chef de troupe, comme roi d'Israël ^w. ¹⁷ Omri et tout Israël avec lui montèrent de Guibbetôn et assiégèrent Tirça. ¹⁸ Lorsque Zimri vit que la ville était prise, il entra dans le donjon de la maison du roi ; il incendia sur lui-même la maison du roi et mourut. ¹⁹ Ce fut à cause des péchés qu'il avait commis, faisant ce qui est mal aux yeux du SEIGNEUR, marchant dans le chemin de Jéroboam, et imitant

---

r Voir 10.10-14 ● *s* Ce verset répète textuellement 15.16 ● *t* Le prophète *Jéhu* mentionné ici ne doit pas être confondu avec le roi du même nom présenté en 2 R 9—10 ● *u* *se coucha avec ses pères :* voir 1.21 et la note ● *v* Un des rôles du *garant* était d'assumer la « vengeance du sang »; voir Nb 35.12 et la note ● *w* Cette façon de désigner un *roi* n'est pas conforme aux règles établies. La décision devra être confirmée officiellement, voir les v. 21-22

16.2 élevé de la poussière Cf. 14.7+.   **16.3** anéantissement de la famille royale 14.10+.   **16.4** chiens et oiseaux 14.11+.   **16.9** il s'enivrait 20.16; Jdt 12.20—13.2 — chef du palais 4.6.   **16.11** anéantissement de la famille royale 14.10+.   **16.12** selon la parole du Seigneur 16.1-3.   **16.15** Guibbetôn 15.27.

le péché que celui-ci avait commis et avait fait commettre à Israël.

²⁰ Le reste des actes de Zimri et la conspiration qu'il a tramée, cela n'est-il pas écrit dans le livre des *Annales des rois d'Israël ?

²¹ Alors le peuple d'Israël se divisa en deux : une moitié du peuple suivit Tivni, fils de Guinath, pour le faire roi ; l'autre moitié suivit Omri. ²² Les gens qui suivaient Omri l'emportèrent sur ceux qui suivaient Tivni, fils de Guinath. Tivni mourut et Omri devint roi.

Omri, roi d'Israël

²³ La trente et unième année du règne d'Asa, roi de Juda, Omri devint roi sur Israël, pour douze ans. Il régna six ans à Tirça, ²⁴ puis il acheta à Shèmèr, pour deux talents d'argent, la montagne de Samarie. Il fortifia la montagne et appela la ville qu'il avait bâtie Samarie ˣ, d'après le nom de Shèmèr, le maître de la montagne. ²⁵ Omri fit ce qui est mal aux yeux du SEIGNEUR, et fut pire que tous ses prédécesseurs. ²⁶ Il suivit en tout le chemin de Jéroboam, fils de Nevath, et imita les péchés que celui-ci avait fait commettre à Israël, au point d'offenser le SEIGNEUR, le Dieu d'Israël, par leurs vaines idoles. ²⁷ Le reste des actes d'Omri, ce qu'il a fait, les exploits qu'il a accomplis, cela n'est-il pas écrit dans le livre des *Annales des rois d'Israël ? ²⁸ Omri se coucha avec ses pères et il fut enseveli à Samarie. Son fils Akhab régna à sa place.

Akhab, roi d'Israël

²⁹ Akhab, fils d'Omri, devint roi sur Israël, la trente-huitième année du règne d'Asa, roi de Juda. Akhab, fils d'Omri, régna vingt-deux ans sur Israël à Samarie. ³⁰ Akhab, fils d'Omri, fit ce qui est mal aux yeux du SEIGNEUR, plus que tous ses prédécesseurs. ³¹ Et comme ce n'était pas assez pour lui d'imiter les péchés de Jéroboam, fils de Nevath, il prit pour

femme Jézabel, fille d'Ethbaal, roi des Sidoniens ʸ ; il alla servir le *Baal, et se prosterna devant lui. ³² Il bâtit un *autel pour le Baal dans la maison qu'il lui avait construite à Samarie. ³³ Akhab fit le poteau sacré ᶻ : il continua à agir de façon à offenser le SEIGNEUR, le Dieu d'Israël, plus que tous les rois d'Israël qui l'avaient précédé. — ³⁴ De son temps, Hiel de Béthel fortifia Jéricho : au prix d'Aviram, son fils premier-né, il en posa les fondations, et au prix de Segouv, son cadet, il en fixa les portes, selon la parole que le SEIGNEUR avait dite ᵃ par l'intermédiaire de Josué, fils de Noun.

Elie au bord du torrent de Kerith

17 ¹ Elie, le Tishbite, de la population de Galaad, dit à Akhab : « Par la vie du SEIGNEUR, le Dieu d'Israël au service duquel je suis : il n'y aura ces années-ci ni rosée ni pluie ᵇ sinon à ma parole.» ² La parole du SEIGNEUR fut adressée à Elie : ³ « Va-t'en d'ici, dirige-toi vers l'orient et cache-toi dans le ravin de Kerith qui est à l'est du Jourdain. ⁴ Ainsi tu pourras boire au torrent, et j'ai ordonné aux corbeaux de te ravitailler là-bas.» ⁵ Il partit et agit selon la parole du Seigneur ; il s'en alla habiter dans le ravin de Kerith qui est à l'est du Jourdain. ⁶ Les corbeaux lui apportaient du pain et de la viande le matin, du pain et de la viande le soir ; et il buvait au torrent. ⁷ Au bout d'un certain temps, le torrent fut à sec, car il n'y avait pas eu de pluie sur le pays.

Elie chez la veuve de Sarepta

⁸ La parole du SEIGNEUR ᶜ lui fut adressée : ⁹ « Lève-toi, va à Sarepta ᵈ qui appartient à Sidon, tu y habiteras ; j'ai ordonné là-bas à une femme, à une veuve, de te ravitailler.» ¹⁰ Il se leva, partit pour Sarepta et parvint à l'entrée de la ville. Il y avait là une femme, une veuve, qui ramassait du bois. Il l'appela et dit : « Va me chercher, je t'en prie, un peu d'eau dans la cruche pour que

---

ˣ *talents:* voir au glossaire POIDS ET MESURES — *Samarie:* voir 14.17 et la note. De cette ville, il ne reste aujourd'hui que des ruines mises au jour par les fouilles archéologiques, à proximité du village de Sébastiyé ● ʸ *Sidoniens:* voir 5.20 et la note ● ᶻ *poteau sacré:* voir 14.15 et la note ● ᵃ *a fortifia* ou *rebâtit — la parole du Seigneur:* voir Jos 6.26 et la note ● ᵇ Le pays d'Israël étant peu arrosé naturellement par des cours d'eau, l'absence de *pluie* provoquait sécheresse et famine ● ᶜ Comparer 17.8-16 et 2 R 4.1-7 ● ᵈ *Sarepta* (Lc 4.26), ville côtière à 15 km au sud de Sidon (aujourd'hui *Sarafand*, Liban)

17.1 Elie Ml 3.23; *Si* 48.1-11; Mt 11.14+; Jc 5.17 — *ni rosée ni pluie* 8.35+. 17.6 *pain et viande matin et soir* Cf. Ex 16.8, 12. 17.9 *une veuve* Lc 4.25-26.

je boive ! » ¹¹ Elle alla en chercher. Il l'appela et dit : « Va me chercher, je t'en prie, un morceau de pain dans ta main ! » ¹² Elle répondit : « Par la vie du SEIGNEUR, ton Dieu ! Je n'ai rien de prêt, j'ai tout juste une poignée de farine dans la cruche et un petit peu d'huile dans la jarre ; quand j'aurai ramassé quelques morceaux de bois, je rentrerai et je préparerai ces aliments pour moi et pour mon fils ; nous les mangerons et puis nous mourrons. » ¹³ Elie lui dit : « Ne crains pas ! Rentre et fais ce que tu as dit ; seulement, avec ce que tu as, fais-moi d'abord une petite galette et tu me l'apporteras ; tu en feras ensuite pour toi et pour ton fils. ¹⁴ Car ainsi parle le SEIGNEUR, le Dieu d'Israël :

Cruche de farine ne se videra
jarre d'huile ne se désemplira
jusqu'au jour où le SEIGNEUR donnera
    la pluie à la surface du sol. »

¹⁵ Elle s'en alla et fit comme Elie avait dit ; elle mangea, elle, lui et sa famille pendant des jours. ¹⁶ La cruche de farine ne tarit pas et la jarre d'huile ne désemplit pas, selon la parole que le SEIGNEUR avait dite par l'intermédiaire d'Elie.

Elie rend la vie au fils de la veuve

¹⁷ Voici ce qui arriva après ces événements *e* : le fils de cette femme, la propriétaire de la maison, tomba malade. Sa maladie fut si violente qu'il ne resta plus de souffle en lui. ¹⁸ La femme dit à Elie : « Qu'y a-t-il entre moi et toi *f*, homme de Dieu ? Tu es venu chez moi pour rappeler ma faute et faire mourir mon fils. » ¹⁹ Il lui répondit : « Donne-moi ton fils ! » Il le prit des bras de la femme, le porta dans la chambre haute *g* où il logeait, et le coucha sur son lit. ²⁰ Puis il invoqua le SEIGNEUR en disant : « SEIGNEUR, mon Dieu, veux-tu du mal même à cette veuve chez qui je suis venu en émigré, au point que tu fasses mourir son fils ? » ²¹ Elie s'étendit trois fois sur l'enfant et invoqua le SEIGNEUR en disant : « SEIGNEUR, mon Dieu, que le souffle de cet enfant revienne en lui ! » ²² Le SEIGNEUR entendit la voix d'Elie, et le souffle de l'enfant revint en

lui, il fut vivant. ²³ Elie prit l'enfant, le descendit de la chambre haute dans la maison, et le donna à sa mère ; Elie dit : « Regarde ! Ton fils est vivant. » ²⁴ La femme dit à Elie : « Oui, maintenant, je sais que tu es un homme de Dieu et que la parole du SEIGNEUR est vraiment dans ta bouche. »

Elie et Ovadyahou

18 ¹ De nombreux jours passèrent et la parole du SEIGNEUR fut adressée à Elie, la troisième année *h* : « Va, montre-toi à Akhab ; je vais donner de la pluie sur la surface du sol. » ² Elie s'en alla pour se montrer à Akhab.

La famine sévissait alors à Samarie. ³ Akhab appela Ovadyahou qui était chef du palais. — Or Ovadyahou craignait beaucoup le SEIGNEUR ; ⁴ ainsi, lorsque Jézabel avait fait supprimer les *prophètes du SEIGNEUR, Ovadyahou avait pris cent prophètes, les avait cachés par cinquante dans deux cavernes et les avait ravitaillés en pain et en eau —. ⁵ Akhab dit à Ovadyahou : « Va par le pays, vers toutes les sources d'eau, dans tous les ravins : peut-être trouverons-nous de l'herbe et pourrons-nous garder en vie chevaux et mulets et n'aurons-nous pas à abattre une partie des bêtes. » ⁶ Ils se répartirent le pays à parcourir. Akhab partit seul par un chemin, et Ovadyahou partit seul par un autre chemin. ⁷ Tandis qu'Ovadyahou était en chemin, Elie vint à sa rencontre. Ovadyahou le reconnut ; il se jeta face contre terre et dit : « Est-ce bien toi, mon seigneur Elie ? » ⁸ Il lui répondit : « C'est moi ! Va dire à ton maître : Voici Elie ! » ⁹ Ovadyahou dit : « En quoi ai-je péché pour que tu livres ton serviteur aux mains d'Akhab et qu'il me fasse mourir ? ¹⁰ Par la vie du SEIGNEUR, ton Dieu, il n'y a pas de nation ni de royaume où mon maître Akhab ne t'ait envoyé chercher ; quand on lui disait : "Il n'est pas ici", il faisait jurer ce royaume et cette nation qu'on ne t'avait pas trouvé. ¹¹ Et maintenant, tu me dis : "Va dire à ton maître : Voici Elie !" ¹² Mais, dès que je t'aurai quitté, l'esprit du SEIGNEUR t'emportera je ne sais où ;

---

e Comparer 17.17-24 et 2 R 4.18-37 ● *f Qu'y a-t-il entre moi et toi :* autre traduction *Qu'ai-je à faire avec toi.* Cette expression constitue plus un reproche qu'une question ● *g chambre haute :* pièce supplémentaire construite sur le toit plat des maisons palestiniennes. Comparer 2 R 4.10 ● *h* Il s'agit de la *troisième année* après l'annonce de la sécheresse (17.1)

18.1 donner la pluie Jr 14.22.   **18.3** chef du palais 4.6.   **18.4** refuge dans les cavernes Gn 19.30; Jos 10.16; Jg 6.2; 1 S 22.1; Ez 33.27; Ap 6.15.   **18.12** l'esprit t'emportera 2 R 2.16; Ez 3.12, 14; *Dn grec* 14.36-39; Ac 8.39; 2 Co 12.2-4.

et moi j'irai aviser Akhab qui ne te trouvera pas et alors il me tuera. Pourtant ton serviteur craint le SEIGNEUR depuis sa jeunesse. ¹³ N'a-t-on pas rapporté à mon seigneur ce que j'ai fait lorsque Jézabel tuait les prophètes du SEIGNEUR ? J'ai caché cent des prophètes du SEIGNEUR, par cinquante dans deux cavernes et je les ai ravitaillés en pain et en eau. ¹⁴ Et maintenant tu me dis : "Va dire à ton maître : Voici Elie !..." Mais il me tuera !» ¹⁵ Elie dit : « Par la vie du SEIGNEUR, le tout-puissant au service duquel je suis, aujourd'hui même, je me montrerai à Akhab.»

Elie et Akhab

¹⁶ Ovadyahou s'en alla à la rencontre d'Akhab et le mit au courant ; Akhab s'en alla à la rencontre d'Elie. ¹⁷ Quand Akhab vit Elie, il lui dit : « Est-ce bien toi, porte-malheur d'Israël ?» ¹⁸ Il lui dit : « Ce n'est pas moi le porte-malheur d'Israël, mais c'est toi et la maison de ton père parce que vous avez abandonné les commandements du SEIGNEUR et que tu as suivi les *Baals. ¹⁹ Maintenant fais rassembler près de moi Israël tout entier sur le Mont Carmel, ainsi que les quatre cent cinquante prophètes du Baal et les quatre cents prophètes d'Ashéra ⁱ qui mangent à la table de Jézabel.»

Elie et les prophètes du Baal au Carmel

²⁰ Akhab envoya chercher tous les fils d'Israël et rassembla les *prophètes au Mont Carmel. ²¹ Elie s'approcha de tout le peuple et dit : « Jusqu'à quand danserez-vous d'un pied sur l'autre ? ʲ Si c'est le SEIGNEUR qui est Dieu, suivez-le, et si c'est le *Baal, suivez-le !» Mais le peuple ne lui répondit pas un mot. ²² Elie dit au peuple : « Je suis resté le seul prophète du SEIGNEUR, tandis que les prophètes du Baal sont quatre cent cinquante. ²³ Qu'on nous donne deux taurillons : qu'ils choisissent pour eux un taurillon, qu'ils le dépècent et le placent sur le bûcher, mais sans y mettre le feu, et

moi, je ferai de même avec l'autre taurillon ; je le placerai sur le bûcher, mais je n'y mettrai pas le feu. ²⁴ Puis vous invoquerez le nom de votre dieu, tandis que moi, j'invoquerai le nom du SEIGNEUR. Le Dieu qui répondra par le feu, c'est lui qui est Dieu.» Tout le peuple répondit : « Cette parole est bonne.» ²⁵ Elie dit aux prophètes du Baal : « Choisissez-vous un taurillon et mettez-vous à l'ouvrage les premiers car vous êtes les plus nombreux ; invoquez le nom de votre dieu, mais ne mettez pas le feu.» ²⁶ Ils prirent le taurillon qu'il leur avait donné, se mirent à l'ouvrage et invoquèrent le nom du Baal, depuis le matin jusqu'à midi, en disant : « Baal, réponds-nous !» Mais il n'y eut ni voix ni personne qui répondît. Et ils dansèrent auprès de l'*autel qu'on avait fait. ²⁷ Alors à midi, Elie se moqua d'eux et dit : « Criez plus fort, c'est un dieu : il a des préoccupations, il a dû s'absenter, il a du chemin à faire ; peut-être qu'il dort et il faut qu'il se réveille.» ²⁸ Ils crièrent plus fort et, selon leur coutume, se tailladèrent ᵏ à coups d'épées et de lances, jusqu'à être tout ruisselants de sang. ²⁹ Et quand midi fut passé, ils vaticinèrent jusqu'à l'heure de l'offrande ˡ. Mais il n'y eut ni voix ni personne qui répondît, ni aucune réaction.

³⁰ Elie dit à tout le peuple : « Approchez-vous de moi !» Et tout le peuple s'approcha de lui. Il répara l'autel du SEIGNEUR qui avait été démoli : ³¹ il prit douze pierres, d'après le nombre des tribus des fils de Jacob à qui cette parole du SEIGNEUR avait été adressée : « Ton nom sera Israël.» ³² Avec ces pierres, Elie rebâtit un autel au nom du SEIGNEUR ; puis, autour de l'autel, il fit un fossé d'une contenance de deux séas ᵐ à grains ; ³³ il disposa le bois, dépeça le taurillon et le plaça dessus. ³⁴ Il dit : « Remplissez quatre jarres d'eau et versez-les sur l'holocauste ⁿ et sur le bois !» Il dit : « Encore une fois !» Et ils le firent une deuxième fois ; il dit : « Une troisième fois !» Et ils le firent une troisième fois. ³⁵ L'eau se répandit autour

---

ⁱ Voir Jg 3.7 et la note ● ʲ danserez-vous d'un pied sur l'autre?: allusion à une danse rituelle en l'honneur du dieu Baal (voir v. 26). Elie y voit un symbole de l'hésitation d'Israël à choisir nettement le Seigneur ou Baal comme seul Dieu ● ᵏ se tailladèrent: coutume religieuse attestée par les textes phéniciens d'Ougarit ● ˡ vaticinèrent: autres traductions *prophétisèrent ou furent en transes — L'heure de l'offrande, au temple de Jérusalem, se situait vers le milieu de l'après-midi ● ᵐ séas: voir au glossaire POIDS ET MESURES ● ⁿ holocauste: voir au glossaire SACRIFICES

18.18 suivi les Baals 16.31-32.   18.31 douze pierres Ex 24.4; Jos 4.1-9, 20-24 — ton nom sera Israël Gn 32.29; 35.10.   18.33 préparation du sacrifice Lv 1.6-8.

de l'autel, et remplissait même le fossé.
36 A l'heure de l'offrande, le prophète
Elie s'approcha et dit : « SEIGNEUR, Dieu
d'Abraham, d'Isaac et d'Israël, fais que
l'on sache aujourd'hui que c'est toi qui
es Dieu en Israël, que je suis ton serviteur et que c'est par ta parole que j'ai
fait toutes ces choses. 37 Réponds-moi,
SEIGNEUR, réponds-moi : que ce peuple
sache que c'est toi, SEIGNEUR, qui es Dieu,
que c'est toi qui ramènes vers toi le cœur
de ton peuple. »
38 Le feu du SEIGNEUR tomba et dévora
l'holocauste, le bois, les pierres, la poussière, et il absorba l'eau qui était dans
le fossé. 39 A cette vue, tout le peuple se
jeta face contre terre et dit : « C'est le
SEIGNEUR qui est Dieu ; c'est le SEIGNEUR
qui est Dieu ! » 40 Elie leur dit : « Saisissez les prophètes du Baal ! Que pas
un ne s'échappe ! » Et on les saisit. Elie
les fit descendre dans le ravin du Qishôn
où il les égorgea [o].

Le retour de la pluie

41 Elie dit à Akhab : « Monte, mange
et bois ! [p] Car le grondement de l'averse
retentit. » 42 Akhab monta pour manger
et boire, tandis qu'Elie montait au sommet du Carmel et se prosternait à terre,
le visage entre les genoux. 43 Il dit à son
serviteur : « Monte donc regarder en
direction de la mer ! » Celui-ci monta,
regarda et dit : « Il n'y a rien. » Sept
fois, Elie lui dit : « Retourne ! » 44 La
septième fois, le serviteur dit : « Voici
qu'un petit nuage, gros comme le poing,
s'élève de la mer. » Elie répondit :
« Monte, et dis à Akhab : "Attelle, et
descends pour que l'averse ne te bloque
pas". » 45 Le ciel s'obscurcit de plus en
plus sous l'effet des nuages et du vent et
il y eut une grosse averse. Akhab monta
sur son char et partit pour Izréel. 46 La
main du SEIGNEUR fut sur Elie qui se
ceignit les reins [q] et courut en avant
d'Akhab jusqu'à Izréel.

Elie s'enfuit

19 1 Akhab parla à Jézabel de tout
ce qu'avait fait Elie, et de tous
ceux qu'il avait tués par l'épée, tous les
*prophètes. 2 Jézabel envoya un messager
à Elie pour lui dire : « Que les dieux
me fassent ceci et encore cela [r] si demain,
à la même heure, je n'ai pas fait de ta
vie ce que tu as fait de la leur ! »
3 Voyant cela Elie se leva et partit pour
sauver sa vie ; il arriva à Béer-Shéva [s]
qui appartient à Juda et y laissa son
serviteur. 4 Lui-même s'en alla au désert,
à une journée de marche. Y étant parvenu, il s'assit sous un genêt isolé. Il
demanda la mort et dit : « Je n'en peux
plus ! Maintenant, SEIGNEUR, prends ma
vie, car je ne vaux pas mieux que mes
pères. » 5 Puis il se coucha et s'endormit
sous un genêt isolé. Mais voici qu'un
*ange le toucha et lui dit : « Lève-toi et
mange ! » 6 Il regarda : à son chevet il
y avait une galette cuite sur des pierres
chauffées, et une cruche d'eau ; il mangea,
il but, puis se recoucha. 7 L'ange du
SEIGNEUR revint, le toucha et dit : « Lève-
toi et mange, car autrement le chemin
serait trop long pour toi. » 8 Elie se leva,
il mangea et but puis, fortifié par cette
nourriture, il marcha quarante jours et
quarante nuits jusqu'à la montagne de
Dieu, à l'Horeb [t].

Elie sur le mont Horeb

9 Il arriva là, à la caverne [u] et y passa
la nuit. — La parole du SEIGNEUR lui fut
adressée : « Pourquoi es-tu ici, Elie ? »
10 Il répondit : « Je suis passionné [v] pour
le SEIGNEUR, Dieu des puissances : les

o il les égorgea: procédé auquel on avait facilement recours à cette époque, voir 18.13. Les prophètes d'un dieu impuissant sont traités comme des faux témoins, voir 2 R 10.18-25 • *p* A cause de la sécheresse persistante, les autorités avaient probablement ordonné un *jeûne, comme dans les moments de calamité; voir Jr 36.9 • *q se ceindre les reins:* geste par lequel on relevait les pans de sa robe et on les fixait dans sa ceinture, pour être libre de ses mouvements. C'est ainsi que l'on se préparait au travail ou à un voyage • *r Que les dieux me fassent ceci et encore cela:* voir 1 S 14.44 et la note • *s Voyant cela:* la plupart des traducteurs suivent ici les anciennes versions grecque et syriaque, et plusieurs manuscrits hébreux, qui lisent *Prenant peur* (en hébreu les deux expressions ont des orthographes presque semblables) — *Béer-Shéva:* une des localités les plus méridionales du royaume de Juda • *t Horeb:* autre nom du *Sinaï* • *u* La *caverne* est peut-être celle où Moïse s'était tenu, d'après Ex 33.21-23 • *v Je suis passionné:* autres traductions *J'ai été saisi d'une ardente jalousie* ou *Je suis rempli d'un zèle jaloux*

18.36 l'heure de l'offrande Dn 9.21 — Dieu d'Abraham, d'Isaac et d'Israël Ex 3.6; Lv 26.42; Mt 22.32 par. **18.38** le feu dévore le sacrifice Lv 9.24+. **18.42** la prière d'Elie Jc 5.18. **19.1** tués par l'épée 18.40. **19.4** prends ma vie Ex 32.32; Nb 11.15; Jon 4.3.

fils d'Israël ont abandonné ton *alliance, ils ont démoli tes *autels et tué tes *prophètes par l'épée ; je suis resté moi seul et l'on cherche à m'enlever la vie.» — 11 Le SEIGNEUR dit : «Sors et tiens-toi sur la montagne, devant le SEIGNEUR ; voici, le SEIGNEUR va passer.» Il y eut devant le SEIGNEUR un vent fort et puissant qui érodait *w* les montagnes et fracassait les rochers ; le SEIGNEUR n'était pas dans le vent. Après le vent, il y eut un tremblement de terre ; le SEIGNEUR n'était pas dans le tremblement de terre. 12 Après le tremblement de terre, il y eut un feu ; le SEIGNEUR n'était pas dans le feu. Et après le feu le bruissement d'un souffle ténu. 13 Alors, en l'entendant, Elie se voila le visage avec son manteau ; il sortit et se tint à l'entrée de la caverne. Une voix s'adressa à lui : «Pourquoi es-tu ici, Elie ?» 14 Il répondit : «Je suis passionné pour le SEIGNEUR, Dieu des puissances : les fils d'Israël ont abandonné ton alliance, ils ont démoli tes autels et tué tes prophètes par l'épée ; je suis resté moi seul et l'on cherche à m'enlever la vie.» 15 Le SEIGNEUR lui dit : «Va, reprends ton chemin en direction du désert de Damas. Quand tu seras arrivé, tu *oindras Hazaël comme roi sur *Aram *x*. 16 Et tu oindras Jéhu, fils de Nimshi, comme roi sur Israël ; et tu oindras Elisée, fils de Shafath, d'Avel-Mehola *y*, comme prophète à ta place. 17 Tout homme qui échappera à l'épée de Hazaël, Jéhu le tuera, et tout homme qui échappera à l'épée de Jéhu, Elisée le tuera, 18 mais je laisserai en Israël un reste de sept mille hommes, tous ceux dont les genoux n'ont pas plié devant le *Baal et dont la bouche ne lui a pas donné de baisers *z*.»

Elie désigne Elisée pour lui succéder

19 Il partit de là et trouva Elisée, fils de Shafath, qui labourait ; il avait à la-bourer douze arpents, et il en était au douzième. Elie passa près de lui et jeta son manteau sur lui *a*. 20 Elisée abandonna les bœufs, courut après Elie et dit : «Permets que j'embrasse mon père et ma mère et je te suivrai.» Elie lui dit : «Va ! retourne ! Que t'ai-je donc fait ? *b* » 21 Elisée s'en retourna sans le suivre, prit la paire de bœufs qu'il offrit en *sacrifice ; avec l'attelage des bœufs, il fit cuire leur viande qu'il donna à manger aux siens. Puis il se leva, suivit Elie et fut à son service.

Ben-Hadad assiège Samarie

20 1 Ben-Hadad, roi d'*Aram, rassembla toute son armée : il avait avec lui trente-deux rois, ainsi que des chevaux et des chars. Il monta, assiégea Samarie et l'attaqua. 2 Il envoya dans la ville des messagers à Akhab, roi d'Israël, 3 pour lui dire : «Ainsi parle Ben-Hadad : Ton argent et ton or sont à moi ; tes femmes et tes fils les plus beaux sont à moi.» 4 Le roi d'Israël répondit : «C'est comme tu le dis, ô mon seigneur le roi ; je suis à toi ainsi que tout ce que je possède.» 5 Les messagers revinrent, et dirent : «Ainsi parle Ben-Hadad : Je t'ai bien envoyé dire : "Ton argent, ton or, tes femmes et tes fils, tu me les livreras." 6 En effet, demain, à la même heure, j'enverrai vers toi mes serviteurs pour fouiller ta maison et les maisons de tes serviteurs. Et alors, tout ce que tes yeux n'ont pu désirer, ils mettront la main dessus et le prendront.» 7 Le roi d'Israël convoqua tous les *anciens du pays et dit : «Vous voyez bien que cet homme me veut du mal ! Quand il m'a réclamé mes femmes, mes fils, mon argent et mon or, je ne lui ai rien refusé.» 8 Tous les anciens et tout le peuple lui dirent : «N'écoute pas et surtout n'accepte pas !» 9 Il dit aux messagers de Ben-Hadad : «Dites à monseigneur le roi : Tout ce que tu as envoyé demander à

---

w *érodait:* autre traduction *fendait* ● x Dieu se sert même de rois étrangers pour exercer son jugement à l'égard de son peuple infidèle, voir Jr 27.6 — Sur *Hazaël,* voir 2 R 8.7-15 ● y Sur *Jéhu,* voir 2 R 9—10 — Sur *Elisée,* voir 2 R 2—13 — *Avel-Mehola :* localité non identifiée exactement, mais située probablement à l'ouest du Jourdain, à une soixantaine de km au nord-est de Jérusalem ● z *plier les genoux* et *donner des baisers* étaient des gestes d'adoration dans plusieurs religions de cette époque ● a *arpents:* voir au glossaire POIDS ET MESURES ; autre traduction *il labourait avec douze paires de bœufs et il était avec la douzième* — *jeta son manteau sur lui:* geste exprimant une prise de possession et un appel. Comparer 2 R 2.13-14 ● b *Va! retourne!...:* autre traduction *Va, et reviens, car tu sais ce que je t'ai fait*

19.10 m'enlever la vie Rm 11.3. 19.11 vent fort Ex 14.21; Ac 2.2 — tremblement de terre Es 29.6; Mt 27.51-54; 28.2. 19.12 un feu Ex 3.2-3; Es 33.14; Ac 2.3. 19.13 se voila le visage Ex 3.6; 33.20-23; Es 6.2. 19.18 un reste Es 6.13; 10.20-22; Rm 11.4. 19.19 son manteau 2 R 2.13-14; cf. Lc 8.44; Ac 19.12. 19.20 embrasser ses parents Lc 9.61.

ton serviteur, la première fois, je le ferai ; mais ceci, je ne puis le faire [c]. » Les messagers s'en allèrent et lui rapportèrent la réponse. [10] Ben-Hadad lui envoya dire : « Que les dieux me fassent ceci et encore cela [d] si la poussière de Samarie suffit pour que tous les gens qui m'accompagnent en aient une poignée ! » [11] Le roi d'Israël répondit : « Parlez toujours ! Mais que celui qui met sa ceinture ne se vante pas comme celui qui l'enlève ! [e] » [12] Or, en entendant cette parole, Ben-Hadad qui était en train de boire avec les rois dans les tentes dit à ses serviteurs : « A l'attaque ! » et ils se disposèrent à attaquer la ville.

Première victoire d'Akhab

[13] Mais un *prophète s'approcha d'Akhab, roi d'Israël, et dit : « Ainsi parle le SEIGNEUR : As-tu vu cette grande multitude ? Je vais te livrer aujourd'hui en tes mains et tu connaîtras que je suis le SEIGNEUR. » [14] Akhab dit : « Par qui me la livreras-tu ? » Et il répondit : « Ainsi parle le SEIGNEUR : Par l'élite [f] des chefs de districts. » Akhab dit : « Qui engagera le combat ? » Il répondit : « Toi ! » [15] Il passa en revue l'élite des chefs de districts : ils étaient deux cent trente-deux. Après eux, il passa tout le peuple en revue, tous les fils d'Israël, soit sept mille hommes. [16] Ils firent une sortie à midi, alors que Ben-Hadad s'enivrait dans les tentes avec les rois, les trente-deux rois qui l'assistaient. [17] L'élite des chefs de districts sortit d'abord ; Ben-Hadad s'informa ; on lui annonça : « Des hommes sont sortis de Samarie. » [18] Il dit : « S'ils sont sortis pour la paix, saisissez-les vivants, si c'est pour le combat, saisissez-les vivants ! » [19] Ceux qui étaient sortis de la ville, c'était l'élite des chefs de districts, et l'armée les suivait. [20] Chacun frappa son homme. Les *Araméens s'enfuirent et Israël les poursuivit. Ben-Hadad, roi d'Aram, s'échappa à cheval avec d'autres cavaliers. [21] Puis le roi d'Israël sortit et frappa la cavalerie et les chars ; il frappa Aram d'un grand coup.

[22] Le prophète s'approcha du roi d'Israël et lui dit : « Va de l'avant courageusement, mais réfléchis à ce que tu dois faire, car, l'année prochaine, le roi d'Aram montera contre toi. »

Seconde victoire et faute d'Akhab

[23] Les serviteurs du roi d'*Aram lui dirent : « Leur Dieu est un Dieu des montagnes : c'est pour cela qu'ils ont été plus forts que nous. Mais combattons-les dans la plaine, certainement nous serons plus forts qu'eux. [24] Fais ceci : écarte chacun des rois de son poste et remplace-les par des gouverneurs. [25] Et toi-même, recrute une armée aussi forte que celle que tu as perdue, cheval pour cheval, char pour char, et combattons dans la plaine : certainement nous serons plus forts qu'eux. » Il les écouta et suivit leur avis. [26] Donc, l'année suivante, Ben-Hadad passa Aram en revue et il monta à Afeq [g] pour combattre Israël. [27] On passa en revue les fils d'Israël, ils reçurent leur ravitaillement et partirent à la rencontre d'Aram. Les fils d'Israël campèrent en face d'eux, semblables à deux petits troupeaux de chèvres, tandis qu'Aram remplissait le pays. [28] L'homme de Dieu [h] s'approcha et parla au roi d'Israël. Il dit : « Ainsi parle le SEIGNEUR : Parce que les Araméens ont dit : "Le SEIGNEUR est un Dieu des montagnes, et non un Dieu de plaine", je livrerai en tes mains toute cette grande multitude, et vous connaîtrez que je suis le SEIGNEUR. » [29] Ils campèrent face à face sept jours durant. Le septième jour, le combat s'engagea et les fils d'Israël abattirent cent mille fantassins araméens en un seul jour. [30] Les survivants s'enfuirent dans la ville d'Afeq. Mais la muraille tomba sur ces vingt-sept mille survivants ; Ben-Hadad, lui, avait pris la fuite et était entré dans la ville où il se cachait de chambre en chambre [i]. [31] Ses serviteurs lui dirent :

---

[c] Akhab accepte donc de tout remettre à son adversaire pour éviter la guerre, mais il ne peut admettre que les ennemis viennent eux-mêmes piller sa capitale ● [d] *Que les dieux me fassent ceci et encore cela:* voir 1 S 14.44 et la note ● [e] L'équivalent français de ce proverbe est « Il ne faut pas vendre la peau de l'ours avant de l'avoir tué » ● [f] Le mot *élite* est employé ici dans son sens technique militaire, désignant les soldats jeunes ● [g] *l'année suivante:* voir v. 22 — *Afeq* se trouvait probablement dans la région relativement plate à l'est du lac de Génésareth ● [h] L'*homme de Dieu* désigne ici le *prophète* qui est déjà intervenu aux v. 13 et 22 ● [i] *de chambre en chambre* ou *dans une chambre bien cachée*

20.11 se vanter Jr 9.22-23; cf. Ps 20.8. **20.16** Ben-Hadad s'enivrait 16.9+. **20.27** la disproportion Jg 7.1-15.

« Nous avons entendu dire que les rois de la maison d'Israël étaient des rois miséricordieux. Revêtons nos reins de *sacs, attachons nos coudes au-dessus de la tête *j* et sortons à la rencontre du roi d'Israël. Peut-être te laissera-t-il en vie. » ³² Ils ceignirent des sacs, attachèrent leurs coudes au-dessus de la tête, arrivèrent chez le roi d'Israël et dirent : « Ton serviteur Ben-Hadad a dit : Je demande la vie sauve ! » Akhab dit : « Il vit encore ? Il est mon frère ! » ³³ Ces hommes y trouvèrent un signe favorable ; ils se hâtèrent d'y voir une indication de sa part *k* et dirent à leur tour : « Ben-Hadad est ton frère. » Akhab dit : Allez le chercher. » Ben-Hadad sortit vers lui et Akhab le fit monter sur son propre char. ³⁴ Ben-Hadad lui dit : « Les villes que mon père a prises à ton père, je les rends ; tu installeras tes bazars à Damas comme mon père en a installé à Samarie. » — « Et moi *l*, je te laisserai aller moyennant cette alliance. » Akhab conclut une alliance en sa faveur et le laissa aller.

Un prophète dénonce la faute d'Akhab

³⁵ Un homme d'entre les fils des *prophètes *m* dit à son compagnon par ordre du Seigneur : « Frappe-moi, je te prie ! » Mais l'homme refusa de le frapper. ³⁶ Le prophète lui dit alors : « Parce que tu n'as pas écouté la voix du Seigneur, dès que tu m'auras quitté, un lion te frappera. » Il s'éloigna de lui ; un lion rencontra l'homme et le frappa. ³⁷ Le prophète rencontra un autre homme et lui dit : « Frappe-moi, je te prie ! » L'homme le frappa et le blessa. ³⁸ Le prophète s'en alla attendre le roi sur le chemin ; il s'était rendu méconnaissable en mettant un bandeau qui lui cachait les yeux. ³⁹ Quand le roi passa, il lui cria : « Ton serviteur était sorti pour prendre part à la bataille lorsque quel-

qu'un qui se retirait du combat m'a amené un homme en disant : "Surveille cet homme ! S'il vient à manquer, ta vie répondra pour la sienne, ou bien tu paieras un talent *n* d'argent." ⁴⁰ Or, tandis que ton serviteur était occupé de côté et d'autre, l'homme avait disparu ! » Le roi d'Israël lui dit : « Que tel soit ton jugement, c'est toi-même qui l'as fixé. » ⁴¹ Le prophète enleva rapidement le vêtement qui lui cachait les yeux et le roi d'Israël reconnut que c'était un des prophètes *o*. ⁴² Celui-ci lui dit : « Ainsi parle le Seigneur : Parce que tu as laissé échapper de ta main l'homme que j'avais voué à l'interdit *p*, ta vie répondra pour la sienne, et ton peuple pour le sien. » ⁴³ Le roi d'Israël rentra chez lui, à Samarie, sombre et contrarié.

La vigne de Naboth

21 ¹ Voici ce qui arriva après ces événements. Naboth d'Izréel avait une vigne à Izréel ; elle était à côté du palais d'Akhab, roi de Samarie *q*. ² Akhab parla à Naboth : « Cède-moi ta vigne pour qu'elle me serve de jardin potager, car elle est juste à côté de ma maison ; et je te donnerai à sa place une vigne meilleure. Mais si cela te convient, je puis te donner son prix en argent. » ³ Naboth dit à Akhab : « Par le Seigneur, ce serait un sacrilège de ma part de te donner l'héritage de mes pères. » ⁴ Akhab rentra chez lui sombre et contrarié à cause de ce que lui avait dit Naboth d'Izréel : « Je ne te donnerai pas l'héritage de mes pères. » Il se coucha sur son lit, tourna son visage contre le mur, et ne voulut pas manger. ⁵ Sa femme Jézabel vint le trouver et lui dit : « Pourquoi es-tu si contrarié et ne veux-tu pas manger ? » ⁶ Il lui répondit : « Parce que j'ai parlé à Naboth d'Izréel ; je lui ai dit : "Cède-moi ta vigne contre argent ou, si cela te fait plaisir,

---

j Des bas-reliefs antiques montrent des prisonniers liés de cette manière ; mais le texte hébreu (litt. *mettons-nous des cordes à la tête*) pourrait faire allusion à une autre méthode consistant à attacher plusieurs prisonniers au moyen d'une corde qui enserre le cou de chacun ● *k* Cette première moitié du verset est traduite d'après les versions anciennes ; le texte hébreu est peu clair ● *l* Les villes... à ton père : voir 15.20 — *Et moi :* c'est Akhab qui répond ● *m* fils des prophètes : tournure hébraïque désignant les membres d'un groupe de prophètes. Voir 2 R 2.1-18 ● *n* talent : voir au glossaire POIDS ET MESURES ● *o* Les *prophètes* vivant en communauté portaient peut-être un signe sur le front, ou une tonsure. Le prophète avait caché ce signe distinctif sous un vêtement ● *p* l'interdit : voir Dt 2.34 et la note ● *q* En plus du palais royal situé à *Samarie*, capitale du royaume, Akhab possédait un autre *palais* à *Izréel*

20.36 un lion le rencontra 13.24+.   **20.38** prophétie en parabole 2 S 12.1-12 ; 14.1-20.   **20.43** sombre et contrarié 21.4.   **21.2** cède-moi ta vigne 1 S 8.14.   **21.3** l'héritage Lv 25.13 ; Nb 36.7 ; Ez 46.18.   **21.4** sombre et contrarié 20.43.

je te donnerai une autre vigne à sa place." Il m'a répondu : "Je ne te donnerai pas ma vigne". » [7] Sa femme Jézabel lui dit : « Mais c'est toi qui exerces la royauté sur Israël ! Lève-toi, mange, que ton cœur soit heureux ; c'est moi qui te donnerai la vigne de Naboth d'Izréel ! » [8] Elle écrivit des lettres au nom d'Akhab qu'elle scella de son sceau [r] à lui ; elle envoya ces lettres aux *anciens et aux notables qui étaient dans la ville de Naboth, ceux qui habitaient avec lui. [9] Elle écrivit dans ces lettres : « Proclamez un *jeûne et faites asseoir Naboth au premier rang de l'assemblée. [10] Faites asseoir deux hommes, des vauriens, en face de lui et qu'ils témoignent contre lui en disant : "Tu as maudit Dieu et le roi [s]". Faites-le sortir, lapidez-le et qu'il meure ! » [11] Les hommes de la ville d'Izréel, anciens et notables qui habitaient la ville, agirent selon l'ordre de Jézabel, tel qu'il était écrit dans les lettres qu'elle leur avait envoyées. [12] Ils proclamèrent un jeûne et firent asseoir Naboth au premier rang de l'assemblée, [13] et deux hommes, des vauriens, vinrent s'asseoir en face de lui. Les vauriens se mirent à témoigner contre Naboth, face au peuple, en disant : « Naboth a maudit Dieu et le roi. » On le fit sortir de la ville, on le lapida et il mourut. [14] On envoya dire à Jézabel : « Naboth a été lapidé et il est mort. » [15] Lorsque Jézabel apprit que Naboth avait été lapidé et qu'il était mort, elle dit à Akhab : « Lève-toi, prends possession de la vigne que Naboth d'Izréel refusait de te céder contre argent, car Naboth n'est plus vivant, il est mort. » [16] Quand Akhab entendit que Naboth était mort, il se leva pour descendre à la vigne de Naboth d'Izréel, afin d'en prendre possession.

Elie annonce le châtiment d'Akhab et de Jézabel

[17] La parole du SEIGNEUR fut adressée à Elie, le Tishbite : [18] « Lève-toi, descends à la rencontre d'Akhab, roi d'Is-raël à Samarie. Il est dans la vigne de Naboth où il est descendu pour en prendre possession. [19] Tu lui parleras en ces termes : "Ainsi parle le SEIGNEUR : Après avoir commis un meurtre, prétends-tu aussi devenir propriétaire ? " Tu lui diras : "Ainsi parle le SEIGNEUR : A l'endroit où les chiens ont léché le sang de Naboth, les chiens lécheront aussi ton propre sang". » [20] Akhab dit à Elie : « Tu m'as donc retrouvé, ô mon ennemi ? » Il répondit : « Je t'ai retrouvé parce que t'es prêté à une perfidie en faisant ce qui est mal aux yeux du SEIGNEUR. [21] Je vais faire venir sur toi un malheur ; je te balaierai, je retrancherai les mâles de chez Akhab, esclaves ou hommes libres [t] en Israël. [22] Je rendrai ta maison semblable à la maison de Jéroboam, fils de Nevath, et semblable à la maison de Baésha, fils d'Ahiyya, à cause de l'offense que tu as commise et parce que tu as fait pécher Israël. »

[23] Le SEIGNEUR parla aussi au sujet de Jézabel : « Les chiens mangeront Jézabel dans la propriété d'Izréel. [24] Tout membre de la maison d'Akhab qui mourra dans la ville, les chiens le mangeront ; et tout membre qui mourra dans la campagne, les oiseaux du ciel le mangeront. »

[25] Il n'y eut vraiment personne comme Akhab pour se prêter à une perfidie en vue de faire ce qui est mal aux yeux du SEIGNEUR, car sa femme Jézabel l'avait dévoyé. [26] Il commit force abominations en suivant les idoles, exactement comme les *Amorites que le SEIGNEUR avait dépossédés devant les fils d'Israël.

[27] Quand Akhab entendit ces paroles, il *déchira ses vêtements, se mit un *sac à même la peau et *jeûna ; il dormait sur ce sac et marchait à pas lents. [28] La parole du SEIGNEUR fut adressée à Elie, le Tishbite, en disant : [29] « As-tu vu comme Akhab s'est humilié devant moi ? Parce qu'il s'est humilié devant moi, je ne ferai pas venir le malheur durant ses jours ; c'est durant les jours de son fils que je ferai venir un malheur sur sa maison. »

---

r Voir Ex 28.11 et la note ● s Celui qui est coupable d'avoir *maudit Dieu* (Lv 24.10-16) ou *le roi* (2 S 19.22) doit être mis à mort par lapidation ● t *esclaves ou hommes libres:* voir 14.10 et la note

21.9 ces lettres Pr 1.10-15. 21.10 deux témoins Mt 18.16+ — faux témoignage Ex 20.16 par. — maudire Dieu Jb 2.9+. 21.16 descende à la vigne Mi 2.1-2. 21.19 commis un meurtre Ex 20.13 par. — devenir propriétaire Ex 20.17 par. — les chiens lécheront ton sang 22.35-38; 2 R 9.25-26. 21.22 anéantissement de la famille royale 14.10+. 21.23 les chiens mangeront Jézabel 2 R 9.10, 36. 21.24 chiens et oiseaux 14.11+. 21.29 Akhab s'est humilié 2 S 12.13-15; 2 R 20.2-5 — le malheur sur son fils 11.12+.

Akhab veut reprendre la ville de Ramoth-de-Galaad

(2 Ch 18.1-3)

22 ¹ On resta [u] trois ans sans guerre entre *Aram et Israël. ² La troisième année, Josaphat, roi de Juda, descendit vers le roi d'Israël. ³ Le roi d'Israël avait dit à ses serviteurs : « Savez-vous que Ramoth-de-Galaad [v] nous appartient, et nous hésitons à la reprendre des mains du roi d'Aram ! » ⁴ Il dit à Josaphat : « Veux-tu venir avec moi faire la guerre à Ramoth-de-Galaad ? » Josaphat répondit au roi d'Israël : « Il en sera de moi comme de toi, de mon peuple comme de ton peuple, de mes chevaux comme de tes chevaux. »

Les prophètes du roi prédisent le succès

(2 Ch 18.4-11)

⁵ Josaphat dit encore au roi d'Israël : « Consulte d'abord la parole du SEIGNEUR [w]. » ⁶ Le roi d'Israël réunit les *prophètes, environ quatre cents hommes [x] et leur dit : « Puis-je aller faire la guerre à Ramoth-de-Galaad ou dois-je y renoncer ? » Ils répondirent : « Monte ! Le Seigneur la livre aux mains du roi. » ⁷ Josaphat dit : « N'y a-t-il plus ici de prophète du SEIGNEUR, par qui nous puissions le consulter ? » ⁸ Le roi d'Israël dit à Josaphat : « Il y a encore un homme par qui on peut consulter le SEIGNEUR, mais moi, je le déteste car il ne prophétise pas sur moi du bien, mais du mal : c'est Michée, fils de Yimla. » Josaphat dit : « Que le roi ne parle pas ainsi ! » ⁹ Le roi d'Israël appela un fonctionnaire et dit : « Vite, fais venir Michée, fils de Yimla ! »

¹⁰ Le roi d'Israël et Josaphat, roi de Juda, en tenue d'apparat, siégeaient, chacun sur son trône, sur l'esplanade à l'entrée de la porte de Samarie et tous les prophètes s'excitaient à prophétiser devant eux. ¹¹ Cidqiyahou, fils de Kenaana, s'étant fait des cornes de fer, dit : « Ainsi parle le SEIGNEUR : Avec ces cornes, tu enfonceras *Aram jusqu'à l'achever ! » ¹² Tous les prophètes prophétisaient de même en disant : « Monte à Ramoth-de-Galaad, tu réussiras ! Le SEIGNEUR la livrera aux mains du roi. »

Le prophète Michée prédit la défaite

(2 Ch 18.12-27)

¹³ Le messager qui était allé appeler Michée lui dit : « Voici les paroles des *prophètes : d'une seule voix, elles annoncent du bien pour le roi. Que ta parole soit donc conforme à la leur ! Annonce du bien ! » ¹⁴ Michée dit : « Par la vie du SEIGNEUR, ce que le SEIGNEUR me dira, c'est cela que je dirai ! » ¹⁵ Il arriva auprès du roi qui lui dit : « Michée, pouvons-nous aller faire la guerre à Ramoth-de-Galaad ou devons-nous y renoncer ? » Il répondit : « Monte ! Tu réussiras ! Le SEIGNEUR la livrera aux mains du roi ! » ¹⁶ Le roi lui dit : « Combien de fois devrai-je te faire jurer de ne me dire que la vérité au nom du SEIGNEUR ? » ¹⁷ Michée répondit :

« J'ai vu tout Israël dispersé sur les montagnes,
comme des moutons qui n'ont point de *berger ;
le SEIGNEUR a dit :
"Ces gens n'ont point de maître ;
que chacun retourne chez lui en paix !" »

¹⁸ Le roi d'Israël dit à Josaphat : « Ne t'avais-je pas dit : Il ne prophétise pas du bien sur moi, mais du mal ! » ¹⁹ Michée dit : « Eh bien ! Ecoute la parole du SEIGNEUR. J'ai vu le SEIGNEUR assis sur son trône et toute l'armée des cieux [y] debout auprès de lui, à sa droite et à sa gauche. ²⁰ Le SEIGNEUR a dit : "Qui séduira Akhab pour qu'il monte et tombe à Ramoth-de-Galaad ?" L'un parlait d'une façon et l'autre d'une autre. ²¹ Alors un

---

[u] Comparer 22.1-40 et 2 R 3.4-27 ● [v] Ville frontière de Transjordanie, au sud-est du lac de Génésareth; elle fut longtemps disputée entre Israélites et Araméens ● [w] A cette époque, on *consultait la parole du Seigneur* généralement par l'intermédiaire d'un prophète, voir v. 14-20 ● [x] *quatre cents hommes:* ces *prophètes,* entretenus à la cour du roi, étaient plus prêts à soutenir la politique royale qu'à vraiment parler de la part de Dieu (voir v. 13) ● [y] L'expression *l'armée des cieux* désigne ici l'ensemble des êtres célestes au service du Seigneur; comparer l'expression *Fils de Dieu,* Jb 1.6 et la note

22.4 de moi comme de toi 2 R 3.7. **22.5** consulter Dieu 20.14; Jg 1.1; 20.18; 1 S 14.37; 23.2-4; Jr 21.2. **22.7** pas de prophète? 2 R 3.11. **22.11** gestes prophétiques 11.31+. **22.13** annonce du bien Es 30.10. **22.14** je dirai la parole du Seigneur Nb 22.18. **22.17** des moutons sans berger Nb 27.17; Jr 10.21; 23.1-2; Ez 34.5-6; Mt 9.36 par. **22.19** le Seigneur sur son trône Es 6.1; Ps 11.4; Ap 4.2-4 — entouré de l'armée des cieux Jb 1.6+.

esprit *z* s'est avancé, s'est présenté devant le SEIGNEUR et a dit : "C'est moi qui le séduirai." Et le SEIGNEUR lui a dit : "De quelle manière ?" ²² Il a répondu : "J'irai et je serai un esprit de mensonge dans la bouche de tous ses prophètes." Le SEIGNEUR lui a dit : "Tu le séduiras ; d'ailleurs tu en as le pouvoir. Va et fais ainsi." ²³ Si donc le SEIGNEUR a mis un esprit de mensonge dans la bouche de tous tes prophètes, c'est que lui-même a parlé de malheur contre toi. »

²⁴ Cidqiyahou, fils de Kenaana, s'approcha, frappa Michée sur la joue et dit : « Par où l'esprit du SEIGNEUR est-il sorti de moi pour te parler ? » ²⁵ Michée dit : « Eh bien ! Tu le verras le jour où tu iras de chambre en chambre *a* pour te cacher. » ²⁶ Le roi d'Israël dit : « Saisis Michée, ramène-le à Amôn, chef de la ville, et à Yoash, fils du roi, ²⁷ et dis-leur : "Ainsi parle le roi : Mettez cet individu en prison, et nourrissez-le de rations réduites de pain et d'eau jusqu'à ce que je rentre sain et sauf". » ²⁸ Michée dit : « Si vraiment tu reviens sain et sauf, c'est que le SEIGNEUR n'a point parlé par moi. » — Puis il dit : « Ecoutez, tous les peuples ! *b* »

Akhab est tué au combat
(2 Ch 18.28-34)

²⁹ Le roi d'Israël et le roi de Juda Josaphat montèrent à Ramoth-de-Galaad. ³⁰ Le roi d'Israël dit à Josaphat : « Je vais me déguiser et entrer dans la bataille *c*. Toi, mets ta tenue personnelle. » Le roi d'Israël se déguisa et entra dans la bataille. ³¹ Le roi d'*Aram avait donné cet ordre à ses trente-deux chefs de chars : « N'attaquez ni petit ni grand, mais seulement le roi d'Israël. » ³² Aussi, quand les chefs des chars virent Josaphat, ils dirent : « Sûrement, c'est lui le roi d'Israël », et ils se dirigèrent contre lui pour l'attaquer ; Josaphat se mit à crier. ³³ Alors les chefs de chars, s'apercevant que celui-ci n'était pas le roi d'Israël *d*, se détournèrent de lui. ³⁴ Mais un homme

tira de l'arc au hasard et frappa le roi d'Israël entre les pièces de la cuirasse. Le roi dit à son conducteur de char : « Tourne bride et fais-moi sortir du champ de bataille car je suis blessé. » ³⁵ Le combat fut si violent ce jour-là qu'on dut laisser le roi dans son char, en face d'Aram ; mais le soir, il mourut. Le sang de la blessure avait coulé au fond du char. ³⁶ Au coucher du soleil, ce cri passa dans le camp : « Chacun dans sa ville, chacun dans son pays ! » ³⁷ Après sa mort, on ramena le roi *e* à Samarie, on l'ensevelit à Samarie. ³⁸ Tandis qu'on lavait à grande eau le char à l'étang de Samarie et que les chiens y léchaient le sang d'Akhab, les prostituées s'y lavèrent, selon la parole que le SEIGNEUR avait dite *f*.

³⁹ Le reste des actes d'Akhab, tout ce qu'il a fait, la maison d'ivoire *g* qu'il construisit et les villes qu'il bâtit, cela n'est-il pas écrit dans le livre des *Annales des rois d'Israël ? ⁴⁰ Akhab se coucha avec ses pères *h*. Son fils Akhazias régna à sa place.

Josaphat, roi de Juda
(2 Ch 20.31—21.1)

⁴¹ Josaphat, fils d'Asa, devint roi sur Juda la quatrième année du règne d'Akhab, roi d'Israël. ⁴² Josaphat avait trente-cinq ans lorsqu'il devint roi, et il régna vingt-cinq ans à Jérusalem. Le nom de sa mère était Azouva, fille de Shilhi. ⁴³ Il suivit en tout le chemin d'Asa, son père, et ne s'en écarta pas, faisant ce qui est droit aux yeux du SEIGNEUR. ⁴⁴ Cependant les *hauts lieux ne disparurent pas : le peuple continuait à offrir des *sacrifices et à brûler de l'*encens sur les hauts lieux. ⁴⁵ Josaphat fit la paix avec le roi d'Israël. ⁴⁶ Le reste des actes de Josaphat, les exploits qu'il accomplit, ses guerres, cela n'est-il pas écrit dans le livre des *Annales des rois de Juda ? ⁴⁷ Il balaya du pays les derniers prostitués sacrés qui subsistaient du temps d'Asa *i*, son père. ⁴⁸ Il

---

z un esprit ou *l'esprit* (qui inspire les prophètes) ● *a de chambre en chambre :* voir 20.30 et la note ● *b Ecoutez, tous les peuples ! :* ces mots proviennent du début du livre de Michée (1.2) ● *c Je vais me déguiser et entrer dans la bataille :* d'après les versions anciennes ; hébreu : *Déguise-toi et entre dans la bataille* ● *d* On a reconnu Josaphat soit à son cri de guerre particulier, soit à l'accent judéen avec lequel il s'est exprimé ● *e Le texte hébreu du début de ce verset est peu clair* ● *f* L'A.T. n'a pas conservé cette prophétie concernant *les prostituées* ● *g maison d'ivoire :* voir 10.18 et la note ● *h se coucha avec ses pères :* voir 1.21 et la note ● *i* Voir 15.12

22.22 tu le séduiras Ez 13.7+. **22.27** cet individu en prison Jr 20.1-2 ; Mt 14.3 par. ; Ac 4.3 ; 5.18 ; 16.23. **22.28** le Seigneur n'a pas parlé Dt 18.22 ; Jr 28.9. **|22.30** me déguiser 14.2+. **22.38** les chiens léchaient le sang 21.19+. **22.45** la paix avec Israël 22.4 ; 2 R 3.7.

n'y avait pas de roi établi en Edom. ⁴⁹ Josaphat avait dix navires de Tarsis pour aller à Ofir chercher de l'or ; il n'y alla pas car les navires se brisèrent à Eciôn-Guèvèr *ʲ*. ⁵⁰ Alors Akhazias, fils d'Akhab, dit à Josaphat : « Que mes serviteurs aillent sur les navires avec tes serviteurs ! » Mais Josaphat ne voulut pas. ⁵¹ Josaphat se coucha avec ses pères et fut enseveli avec ses pères dans la *Cité de David. Son fils Yoram régna à sa place.

Akhazias, roi d'Israël

⁵² Akhazias, fils d'Akhab, devint roi sur Israël, à Samarie, la dix-septième année du règne de Josaphat, roi de Juda. Il régna sur Israël pendant deux ans. ⁵³ Il fit ce qui est mal aux yeux du SEIGNEUR, il suivit le chemin de son père, celui de sa mère et le chemin de Jéroboam, fils de Nevath, qui avait fait pécher Israël. ⁵⁴ Il servit le *Baal et se prosterna devant lui ; et il offensa le SEIGNEUR, le Dieu d'Israël, exactement comme l'avait fait son père.

DEUXIÈME LIVRE

DES ROIS

Elie dénonce la faute d'Akhazias

1 ¹ Moab *ᵃ* se révolta contre Israël après la mort d'Akhab. ² Akhazias tomba du balcon de sa chambre haute à Samarie et se blessa grièvement. Il envoya des messagers en leur disant : « Allez consulter Baal-Zeboub, le dieu d'Eqrôn *ᵇ*, pour savoir si je me remettrai de mes blessures ! » ³ Alors l'*ange du SEIGNEUR parla à Elie le Tishbite : « Lève-toi ! Monte à la rencontre des messagers du roi de Samarie et dis-leur : "N'y a-t-il pas de Dieu en Israël, que vous alliez consulter Baal-Zeboub, le dieu d'Eqrôn ? ⁴ C'est pourquoi, ainsi parle le SEIGNEUR :

Le lit sur lequel tu es monté, tu n'en descendras pas, car tu mourras certainement *ᶜ*." » Et Elie s'en alla.

⁵ Les messagers revinrent auprès du roi, qui leur dit : Pourquoi êtes-vous revenus ? » ⁶ Ils lui répondirent : « Un homme est monté à notre rencontre et nous a dit : "Allez, retournez auprès du roi qui vous a envoyés et dites-lui : Ainsi parle le SEIGNEUR : N'y a-t-il pas de Dieu en Israël que tu envoies consulter Baal-Zeboub, le dieu d'Eqrôn ? C'est pourquoi, le lit sur lequel tu es monté, tu n'en descendras pas, car tu mourras certainement". » ⁷ Le roi leur dit : « Comment était cet homme qui est monté à votre

---

ʲ avait dix navires: une ancienne tradition juive dit *construisit des navires* (voir 9.26) — *navires de Tarsis*: voir 10.22 et la note — *Ofir*: voir 9.28 et la note — *Eciôn-Guèvèr*: voir 9.26 et la note ● *ᵃ* Les deux livres actuels des Rois forment un seul ouvrage qui n'a été divisé, il y a très longtemps, que pour des raisons d'ordre pratique (livres plus maniables) ● *ᵇ du balcon*: autre traduction *au travers du treillis* ou *du grillage ;* il s'agirait d'une fenêtre grillagée — *chambre haute*: voir 1 R 17.19 et la note — *Baal-Zeboub*: ce nom signifie *le Maître des mouches ;* c'est une déformation de *Baal-Zeboul = Baal le Prince* — *Eqrôn*: ville philistine située à environ 50 km à l'ouest de Jérusalem ● *ᶜ* La dernière phrase (à la 2ᵉ personne du singulier) vise le roi Akhazias personnellement

1.1 Moab 3.4-27; Nb 24.17; 1 S 14.47; 2 S 8.2; Ps 60.10. **1.2** Baal-Zeboub Cf. Mt 10.25; 12.24 par. — *si je me remettrai* 8.9-10. **1.3** Elie 1 R 17.1+ — *pas de Dieu en Israël?* Jr 2.11-13. **1.4** *tu mourras certainement* 20.1; Gn 2.17; Ez 3.18; 18.24.

rencontre et qui vous a dit ces paroles ? »
⁸ Ils lui répondirent : « C'était un homme qui portait un vêtement de poils et un pagne de peau *d* autour des reins. » Alors il dit : « C'est Elie le Tishbite ! »

Akhazias tente de faire arrêter Elie

⁹ Le roi envoya vers Elie un cinquantenier avec ses cinquante hommes. Ce dernier monta vers lui. En effet, Elie était assis au sommet de la montagne *e*. L'officier lui dit : « Homme de Dieu, le roi l'a dit : Descends ! » ¹⁰ Mais Elie répondit au cinquantenier : « Si je suis un homme de Dieu, que le feu descende du ciel et qu'il te dévore, toi et tes cinquante hommes ! » Le feu descendit du ciel et le dévora, lui et ses cinquante hommes.

¹¹ De nouveau, le roi envoya vers Elie un autre cinquantenier avec ses cinquante hommes. L'officier prit la parole et lui dit : « Homme de Dieu, ainsi parle le roi : Hâte-toi de descendre ! » ¹² Mais Elie leur répondit : « Si je suis un homme de Dieu, que le feu descende du ciel et qu'il te dévore, toi et tes cinquante hommes! » Le feu de Dieu descendit du ciel et le dévora, lui et ses cinquante hommes.

¹³ Le roi envoya un troisième cinquantenier avec ses cinquante hommes. Ce troisième officier monta, mais en arrivant, il fléchit les genoux devant Elie, le supplia en disant : « Homme de Dieu, que ma vie et celle de tes serviteurs, ces cinquante hommes, soient précieuses à tes yeux ! » ¹⁴ Voilà que le feu est descendu du ciel et il a dévoré les deux premiers cinquanteniers ainsi que leurs hommes. Mais maintenant, que ma vie soit précieuse à tes yeux ! » ¹⁵ L'*ange du SEIGNEUR parla à Elie : « Descends avec lui ! Ne crains rien de sa part ! » Elie se leva, descendit avec lui auprès du roi ¹⁶ à qui il dit : « Ainsi parle le SEIGNEUR : Parce que tu as envoyé des messagers pour consulter Baal-Zeboub, le dieu d'Eqrôn — n'y a-t-il pas de Dieu en Israël dont on puisse

consulter la parole ? — à cause de cela, le lit sur lequel tu es monté, tu n'en descendras pas, car tu mourras certainement. »

¹⁷ Akhazias mourut selon la parole que le SEIGNEUR avait dite par Elie. Comme il n'avait pas de fils, Yoram régna à sa place la deuxième année de Yoram, fils de Josaphat, roi de Juda.

¹⁸ Le reste des actes d'Akhazias, ce qu'il a fait, cela n'est-il pas écrit dans le livre des *Annales des rois d'Israël ?

Dieu fait monter Elie au ciel

2 ¹ Voici ce qui arriva quand le SEIGNEUR fit monter Elie au ciel dans la tempête.

Elie et Elisée quittaient Guilgal *f*. ² Elie dit à Elisée : « Reste ici, je t'en prie, car le SEIGNEUR m'envoie jusqu'à Béthel. » Elisée répondit : « Par la vie du SEIGNEUR et par ta propre vie, je ne te quitterai pas ! » Et ils descendirent à Béthel. ³ Les fils de *prophètes *g*, qui étaient à Béthel, sortirent vers Elisée et lui dirent : « Sais-tu qu'aujourd'hui le SEIGNEUR va enlever ton maître dans les airs au-dessus de ta tête ? » Il répondit : « Je le sais moi aussi ; taisez-vous ! » ⁴ Elie lui dit :« Elisée, reste ici, je t'en prie, car le SEIGNEUR m'envoie à Jéricho. » Il répondit : « Par la vie du SEIGNEUR et par ta propre vie, je ne te quitterai pas ! » Et ils arrivèrent à Jéricho. ⁵ Les fils de prophètes qui étaient à Jéricho s'approchèrent d'Elisée et lui dirent : « Sais-tu qu'aujourd'hui le SEIGNEUR va enlever ton maître dans les airs au-dessus de ta tête ? » Il répondit : « Je le sais moi aussi ; taisez-vous ! » ⁶ Elie lui dit : « Reste ici, je t'en prie, car le Seigneur m'envoie au Jourdain. » Il répondit : « Par la vie du SEIGNEUR et par ta propre vie, je ne te quitterai pas ! » Et ils s'en allèrent tous deux.

⁷ Cinquante d'entre les fils de prophètes allèrent se placer en face du Jourdain, à distance d'Elie et d'Elisée qui s'arrêtèrent tous deux près du fleuve. ⁸ Alors Elie

---

d pagne de peau: vêtement court, peut-être caractéristique des prophètes; autre traduction *une ceinture de cuir* ● *e cinquantenier:* officier commandant une troupe de cinquante soldats — *la montagne:* on ne sait pas de quelle montagne il s'agit ● *f Guilgal:* probablement une localité située à une douzaine de km au nord de Béthel, à ne pas confondre avec deux autres localités du même nom, l'une mentionnée par exemple en Jos 4.19, l'autre en Jos 12.23 ● *g fils de prophètes:* voir 1 R 20.35 et la note

1.8 vêtement de poils Za 13.4; Mt 3.4 par. **1.9** cinquantenier 1 S 8.12. **1.10** que le feu descende Lv 10.2+; Lc 9.54. **2.1** Elisée 1 R 19.16, 19-21. **2.2** Béthel 1 R 12.29+. **2.3** enlever ton maître *1 M* 2.58; cf. Gn 5.24; Ac 1.9. **2.4** Jéricho 2.19-22; Jos 6; 1 R 16.34. **2.6** Jourdain 6.1-6; Jos 3—4; Mt 3.13 par.

enleva son manteau, le roula et en frappa les eaux, qui se séparèrent. Ils passèrent tous deux à pied sec. ⁹ Comme ils passaient, Elie dit à Elisée : « Demande ce que je dois faire pour toi avant d'être enlevé loin de toi ! » Elisée répondit : « Que vienne sur moi, je t'en prie, une double part de ton esprit ʰ ! » ¹⁰ Il dit : « Tu demandes une chose difficile. Si tu me vois pendant que je serai enlevé loin de toi, alors il en sera ainsi pour toi, sinon cela ne sera pas. »

¹¹ Tandis qu'ils poursuivaient leur route tout en parlant, voici qu'un char de feu et des chevaux de feu les séparèrent l'un de l'autre ; Elie monta au ciel dans la tempête. ¹² Quant à Elisée, il voyait et criait : « Mon père ! Mon père ! Chars et cavalerie d'Israël ! ⁱ » Puis il cessa de le voir. Il saisit alors ses vêtements et les *déchira en deux. ¹³ Il ramassa le manteau qui était tombé des épaules d'Elie ʲ, revint vers le Jourdain et s'arrêta sur la rive. ¹⁴ Il enleva le manteau qui était tombé des épaules d'Elie et en frappa les eaux en disant : « Où est le SEIGNEUR, le Dieu d'Elie ? » Lui aussi ᵏ frappa les eaux : elles se séparèrent et Elisée passa.

¹⁵ Les fils de prophètes, ceux de Jéricho, qui l'avaient vu d'en face, dirent : « L'esprit d'Elie repose sur Elisée. » Ils vinrent à sa rencontre, se prosternèrent devant lui jusqu'à terre ¹⁶ et lui dirent : « Avec tes serviteurs il y a cinquante hommes, des guerriers. Permets qu'ils aillent à la recherche de ton maître. Peut-être que l'esprit du SEIGNEUR l'a emporté et jeté sur quelque montagne ou dans quelque vallée. » Il dit : « N'envoyez personne ! » ¹⁷ Mais ils l'importunèrent tellement qu'il finit par dire : « Envoyez-les donc ! » Ils envoyèrent les cinquante hommes qui cherchèrent Elie durant trois jours sans le trouver. ¹⁸ Ils revinrent vers Elisée qui était resté à Jéricho et qui leur dit : « Ne vous avais-je pas dit : N'y allez pas ! »

Elisée à Jéricho et à Béthel

¹⁹ Des gens de Jéricho dirent à Elisée : « Comme le voit mon seigneur, le séjour dans la ville est agréable ; toutefois l'eau est mauvaise et le pays stérile. » ²⁰ Il dit : « Procurez-moi une écuelle neuve et mettez-y du sel ! » Ils la lui procurèrent. ²¹ Il sortit vers l'endroit où jaillissait l'eau, y jeta du sel ˡ en disant : « Ainsi parle le SEIGNEUR : J'assainis cette eau ; elle n'apportera plus ni mort, ni stérilité. » ²² L'eau fut assainie jusqu'à ce jour, selon la parole qu'avait dite Elisée.

²³ Il monta de là à Béthel. Comme il montait par la route, des gamins sortirent de la ville et se moquèrent de lui en disant : « Vas-y, tondu ! Vas-y ! ᵐ » ²⁴ Il se retourna, les regarda et les maudit au nom du SEIGNEUR. Alors deux ourses sortirent du bois et déchirèrent quarante-deux de ces enfants. ²⁵ Il se rendit de là au Mont Carmel et, de là, revint à Samarie.

Yoram, roi d'Israël

3 ¹ Yoram, fils d'Akhab, devint roi sur Israël à Samarie la dix-huitième année de Josaphat, roi de Juda, et il régna douze ans. ² Il fit ce qui était mal aux yeux du SEIGNEUR, non toutefois comme son père et sa mère, car il fit disparaître la stèle ⁿ du *Baal que son père avait érigée. ³ Cependant il demeura attaché au péché ᵒ que Jéroboam, fils de Nevath, avait fait commettre à Israël ; il ne s'en écarta pas.

Expédition militaire contre le pays de Moab

⁴ Mésha ᵖ, roi de Moab, était éleveur

---

h D'après Dt 21.17, le fils aîné recevait une *double part* de l'héritage paternel. Elisée souhaite donc devenir l'héritier spirituel principal d'Elie, son digne successeur ● *i Mon père!...:* cette exclamation exprime l'idée qu'un prophète vaut autant pour un royaume que l'armée la mieux équipée. Comparer 13.14 ● *j* C'est le *manteau* qu'Elie avait jeté sur Elisée pour l'inviter à le suivre (voir 1 R 19.19). Elisée en devient maintenant le propriétaire: il est donc le digne successeur d'Elie ● *k Lui aussi:* comme Elie, v. 8 ● *l L'endroit,* proche de Jéricho, s'appelle aujourd'hui *Source du Sultan* ou *Fontaine d'Elisée — du sel:* on pensait que le *sel* avait un pouvoir de *purification ● m Vas-y, tondu! Vas-y!:* ce pourrait être une allusion à une tonsure caractéristique des prophètes, voir 1 R 20.41 et la note. Autre traduction *Monte, chauve! Monte! ● n stèle:* voir 1 R 14.23 et la note; comparer 1 R 16.32-33 ● *o* Sur le *péché de Jéroboam,* voir 1 R 12.29-30 et les notes ● *p* Comparer 3.4-27 et 1 R 22.1-40

2.8 le manteau d'Elie 1 R 19.19+ ; cf. Ex 14.16.　**2.9** ton esprit (prophétique) Es 42.1 ; 61.1 ; Ez 2.2 ; 3.12.　**2.11** char et chevaux de feu 6.17 ; *Si* 48.9.　**2.15** l'esprit repose sur Elisée Nb 11.25 ; Es 11.2 ; 1 P 4.14.　**2.16** l'esprit l'a emporté 1 R 18.12+.　**2.19** l'eau mauvaise Ex 15.22-25.　**2.20** du sel Lv 2.13+ ; Ez 43.24.　**2.24** deux ourses Lv 26.22+ ; cf. 1 R 13.24+.　**2.25** Samarie 1 R 16.24.

de troupeaux ; il payait au roi d'Israël une redevance de cent mille agneaux et de cent mille béliers laineux. [5] Or, à la mort d'Akhab, le roi de Moab se révolta contre le roi d'Israël. [6] Le roi Yoram sortit aussitôt de Samarie et passa en revue tout Israël. [7] Puis il partit et envoya dire à Josaphat, roi de Juda : « Le roi de Moab s'est révolté contre moi. Veux-tu venir avec moi pour combattre Moab ? » Il répondit : « Je monterai ; il en sera de moi comme de toi, de mon peuple comme de ton peuple, de mes chevaux comme de tes chevaux. » [8] Il ajouta : « Par quelle route monterons-nous ? » Il répondit : « Par la route du désert d'Edom [q]. »

[9] Le roi d'Israël, le roi de Juda et le roi d'Edom se mirent en route. Ils firent le parcours en sept jours, puis l'eau manqua aussi bien pour la troupe que pour les bêtes de somme qui suivaient. [10] Le roi d'Israël dit : « Ah ! le SEIGNEUR a certainement convoqué ces trois rois pour les livrer aux mains de Moab. » [11] Josaphat dit : « N'y a-t-il pas ici de prophète du SEIGNEUR, par qui nous puissions consulter le SEIGNEUR ? » Un des serviteurs du roi d'Israël prit la parole et dit : « Il y a ici Elisée, fils de Shafath, qui versait l'eau sur les mains d'Elie [r]. » [12] Josaphat dit : « La parole du SEIGNEUR est avec lui. » Le roi d'Israël ainsi que Josaphat et le roi d'Edom descendirent vers lui. [13] Elisée dit au roi d'Israël : « Qu'y a-t-il entre moi et toi ? Va trouver les prophètes de ton père et les prophètes de ta mère [s]. » Le roi d'Israël lui répondit : « Non, car le SEIGNEUR a certainement convoqué ces trois rois pour les livrer aux mains de Moab. » [14] Elisée dit : « Par la vie du SEIGNEUR le tout-puissant que je sers, si je n'avais des égards pour Josaphat, roi de Juda, je ne te prêterais aucune attention, je ne te regarderais pas ! [15] A présent, amenez-moi un musicien [t] ! » Tandis que le musicien jouait,

la main du Seigneur fut sur Elisée. [16] Il dit : « Ainsi parle le SEIGNEUR : Qu'on creuse des fosses en grand nombre dans ce ravin ! [17] Ainsi parle le SEIGNEUR : Vous ne verrez pas de vent, vous ne verrez pas de pluie, et pourtant ce ravin se remplira d'eau et vous pourrez boire, vous, vos troupeaux et vos bêtes de somme. [18] Cela sera peu de chose aux yeux du SEIGNEUR : il livrera Moab entre vos mains. [19] Vous détruirez toutes les villes fortifiées et toutes les villes importantes ; vous abattrez tous les arbres fruitiers ; vous comblerez toutes les sources ; vous dévasterez toutes les terres cultivées, en y jetant des pierres. » [20] Au matin, à l'heure de l'offrande [u], de l'eau se mit à couler venant d'Edom et le pays fut rempli d'eau.

[21] Tous les Moabites avaient appris que les rois étaient montés pour combattre contre eux : on avait convoqué tous ceux qui pouvaient ceindre le baudrier [v] et tous ceux qui en avaient passé l'âge, et ils avaient pris position sur la frontière. [22] Au matin donc, quand ils se levèrent et que le soleil brillait sur les eaux, les Moabites virent devant eux les eaux rouges comme du sang. [23] Ils dirent : « C'est du sang ! Certainement les rois se sont battus à coups d'épée ; ils se sont frappé l'un l'autre. Maintenant, Moab, au pillage ! » [24] Ils s'approchèrent du camp d'Israël. Alors les Israélites surgirent et frappèrent les Moabites qui prirent la fuite devant eux ; ils pénétrèrent en Moab et le frappèrent [w]. [25] Ils démolissaient les villes, ils jetaient chacun sa pierre dans toutes les terres cultivées et les en remplissaient, ils comblaient toutes les sources, ils abattaient tous les arbres fruitiers ; il ne resta finalement que les murailles de Qir-Harèseth [x] que les porteurs de fronde encerclèrent et frappèrent. [26] Quand le roi de Moab vit que la bataille était perdue pour lui, il prit avec lui sept cents hommes portant l'épée pour faire une percée

---

q *Par la route du désert d'Edom:* Josaphat propose de contourner la mer Morte pour attaquer Moab par le sud; le roi d'Edom (voir v. 9) était alors soumis au roi de Juda ● r Par cette tournure imagée (*verser l'eau sur les mains d'Elie*) le serviteur exprime l'intimité qui régnait entre Elie et Elisée ● s *Qu'y a-t-il entre moi et toi?:* voir 1 R 17.18 et la note — *les prophètes de ton père et...:* ce sont les prophètes du Baal et d'Ashéra (comparer 1 R 18.19) ● t La musique favorisait l'inspiration, voir 1 S 10.5-6 ● u *offrande:* voir au glossaire SACRIFICES. Après l'exil, au Temple de Jérusalem, *l'offrande du matin* se faisait à l'aube ● v *ceindre le baudrier:* autre traduction *porter les armes* ● w La fin du verset est traduite d'après l'ancienne version grecque; l'hébreu est obscur ● x *Qir-Harèseth:* capitale du royaume de Moab

---

3.4 la redevance de Moab 2 S 8.2; Es 16.1.   **3.5** le roi de Moab se révolta 1.1.   **3.7** de moi comme de toi 1 R 22.4.   **3.11** pas de prophète ? 1 R 22.7.   **3.12** avec lui Dt 18.18; 1 S 3.19; Jr 1.9; 27.18.   **3.15** la main du Seigneur 1 R 18.46; Ez 1.3; 3.14; 8.1; 33.22; 37.1.   **3.19** abattre les arbres Cf. Dt 20.19.   **3.25** Qir-Harèseth Es 16.7, 11; Jr 48.31, 36.

vers le roi d'Edom mais ceux-ci échouèrent. [27] Il prit alors son fils premier-né, qui devait régner à sa place, et l'offrit en holocauste sur la muraille. Il y eut un grand courroux contre les Israélites [y] qui décampèrent de chez lui et retournèrent dans leur pays.

Elisée secourt une veuve

4 [1] La femme d'un des fils de *prophètes [z] implora Elisée : « Ton serviteur, mon mari, est mort, et tu sais que ton serviteur craignait le SEIGNEUR. Or, le créancier est venu dans l'intention de prendre mes deux fils comme esclaves. » [2] Elisée lui dit : « Que puis-je faire pour toi ? Dis-moi, que possèdes-tu chez toi ? » Elle répondit : « Ta servante n'a rien du tout chez elle, si ce n'est un peu d'huile pour me parfumer. » [3] Il dit : « Va emprunter des vases chez tous tes voisins, des vases vides, le plus que tu pourras, [4] puis rentre, ferme la porte sur toi et sur tes fils et verse dans ces vases ; chaque vase une fois rempli, tu le mettras de côté. » [5] Elle le quitta, ferma la porte sur elle et sur ses fils. Ceux-ci lui présentaient les vases et elle versait. [6] Quand les vases furent remplis, elle dit à son fils : « Présente-moi encore un vase ! » Il lui répondit : « Il n'y en a plus. » Alors l'huile cessa de couler. [7] Elle vint en informer l'homme de Dieu qui dit : « Va, vends l'huile et paie ta dette, ensuite tu vivras, toi ainsi que tes fils, avec ce qui restera. »

Elisée et la Shounamite

[8] Il advint un jour qu'Elisée passa à Shounem [a]. Il y avait là une femme de condition, qui le pressa de prendre un repas chez elle. Depuis lors, chaque fois qu'il passait, il s'y rendait pour prendre un repas. [9] La femme dit à son mari : « Je sais que cet homme qui vient toujours chez nous est un saint homme de Dieu. [10] Construisons donc sur la terrasse une petite chambre [b] ; nous y mettrons pour lui un lit, une table, un siège, et une

lampe ; quand il viendra chez nous, il pourra s'y retirer. »

[11] Un jour Elisée vint chez eux ; il se retira dans la chambre haute et y coucha. [12] Il dit à son serviteur Guéhazi : « Appelle cette Shounamite ! » Il l'appela et elle se tint devant le serviteur. [13] Elisée dit à son serviteur : « Dis-lui : Tu nous a témoigné toutes ces marques de respect. Que faire pour toi ? Faut-il parler en ta faveur au roi ou au chef de l'armée ? » Elle répondit : « Je vis tranquille au milieu des miens. » [14] Il dit : « Mais que faire pour elle ? » Guéhazi répondit : « Hélas ! Elle n'a pas de fils et son mari est âgé. » [15] Il dit : « Appelle-la ! » Il l'appela et elle se tint à l'entrée. [16] Il dit : « A la même époque, l'an prochain, tu serreras un fils dans tes bras. » Elle dit : « Non, mon seigneur, homme de Dieu, ne dis pas de mensonge à ta servante. » [17] La femme conçut et enfanta un fils à la même époque, l'année suivante, comme Elisée le lui avait dit.

Mort du fils de la Shounamite

[18] L'enfant grandit. Un jour, il alla rejoindre son père auprès des moissonneurs. [19] Il lui dit : « Ma tête ! Ma tête ! » Le père dit à son serviteur : « Porte-le à sa mère ! » [20] Le serviteur l'emporta et le remit à sa mère. L'enfant resta jusqu'à midi sur les genoux de sa mère, puis il mourut. [21] Alors elle monta l'étendre sur le lit de l'homme de Dieu, l'enferma et sortit. [22] Elle appela son mari et dit : « Envoie-moi, je t'en prie, un des serviteurs et une des ânesses et je cours jusque chez l'homme de Dieu et je reviens. » [23] Il dit : « Pourquoi veux-tu aller chez lui aujourd'hui ? Ce n'est ni une nouvelle lune [c] ni un *sabbat. » Elle répondit : « Ne t'inquiète pas ! » [24] Elle sella l'ânesse et dit à son serviteur : « Conduis-moi, marche et ne m'arrête pas en chemin sans que je te le dise ! » [25] Elle partit et se rendit auprès de l'homme de Dieu au Mont Carmel [d].

Dès que l'homme de Dieu l'aperçut de

---

y holocauste : voir au glossaire SACRIFICES — *un grand courroux contre les Israélites :* il s'agit de la colère du dieu Kemosh de Moab (voir 1 R 11.7) ; autre traduction *un grand courroux chez les Israélites :* il s'agirait alors de la colère des Israélites contre de tels procédés ● *z* Comparer 4.1-7 et 1 R 17.7-16 — *fils de prophètes :* voir 1 R 20.35 et la note ● *a* Voir 1 R 1.3 et la note ● *b* Voir 1 R 17.19 et la note ● *c nouvelle lune :* voir au glossaire NÉOMÉNIE ● *d* Voir 2.25

3.27 sacrifice humain Jg 11.30-40 ; Mi 6.7 ; cf. Lv 18.21+.   **4.1** esclavage pour dettes Ex 21.2-6 ; Lv 25.39-55 ; Dt 15.12-18 ; Es 50.1 ; Jr 34.14 ; Am 2.6 ; Ne 5.1-13 ; Mt 18.25.   **4.14-16** pas de fils, mari âgé Gn 18.9-11.   **4.17** elle enfanta Gn 21.1-2 ; Ps 113.9   **4.20** il mourut Cf. 1 R 17.17.   **4.21** sur le lit 1 R 17.19.   **4.23** nouvelle lune ou sabbat Am 8.5+.

loin, il dit à son serviteur Guéhazi : « Voici notre Shounamite ! [26] Cours à sa rencontre et demande-lui : "Comment vas-tu ? Ton mari va-t-il bien ? L'enfant va-t-il bien ?" » Elle répondit : « Tout va bien ! » [27] Arrivée à la montagne près de l'homme de Dieu, elle lui saisit les pieds. Guéhazi s'approcha pour la repousser, mais l'homme de Dieu dit ; « Laisse-la, car elle est dans l'amertume et le SEIGNEUR me l'a caché ; il ne m'a pas informé. » [28] Elle dit : « Est-ce moi qui ai demandé un fils à mon seigneur ? N'avais-je pas dit : "Ne me berce pas d'illusions !" ? » [29] Elisée dit à Guéhazi : « Ceins tes reins, prends mon bâton en main et va ! Si tu rencontres quelqu'un, ne le salue pas ; et si quelqu'un te salue, ne lui réponds pas [e]. Tu mettras mon bâton sur le visage du garçon. » [30] Alors la mère du garçon dit : « Par la vie du SEIGNEUR et par ta propre vie, je ne te quitterai pas ! » Elisée se leva et la suivit. [31] Guéhazi les avait précédés ; il avait mis le bâton sur le visage du garçon, mais il n'y avait eu ni voix ni signe de vie. Guéhazi revint donc à la rencontre d'Elisée et l'en informa en disant : « Le garçon ne s'est pas réveillé. »

Elisée rend la vie à l'enfant

[32] Elisée [f] arriva à la maison et en effet, le garçon était mort, étendu sur son lit. [33] Elisée entra, s'enferma avec l'enfant et pria le SEIGNEUR. [34] Puis il se coucha sur l'enfant et mit sa bouche sur sa bouche, ses yeux sur ses yeux, ses mains sur ses mains ; il resta étendu sur lui : le corps de l'enfant se réchauffa. [35] Elisée descendit dans la maison, marchant de long en large, puis il remonta s'étendre sur l'enfant. Alors le garçon éternua sept fois [g] et il ouvrit les yeux. [36] Elisée appela Guéhazi et dit : « Appelle cette Shounamite ! » Il l'appela ; elle se rendit près d'Elisée, qui lui dit : « Emporte ton fils ! » [37] Elle vint tomber à ses pieds, se prosterna à terre, puis emporta son fils et sortit.

Le bouillon immangeable

[38] Elisée revint à Guilgal. La famine régnait alors dans le pays [h]. Comme les fils de *prophètes se tenaient assis devant lui, il dit à son serviteur : « Prépare la grande marmite et fais cuire un bouillon pour les fils de prophètes. » [39] L'un d'eux sortit dans la campagne pour ramasser des herbes. Il trouva une vigne sauvage où il ramassa des concombres sauvages plein son vêtement. Il rentra et les coupa en morceaux dans la marmite de bouillon, car on ne savait pas ce que c'était [i]. [40] On servit à manger aux hommes. Mais dès qu'ils eurent goûté de ce bouillon, ils poussèrent des cris et dirent : « La mort est dans la marmite [j], homme de Dieu ! » Et ils ne purent manger. [41] L'homme de Dieu dit : « Apportez de la farine ! » Il en jeta dans la marmite et dit : « Sers les gens et qu'ils mangent ! » Il n'y avait plus rien de mauvais dans la marmite.

La multiplication des pains

[42] Un homme vint de Baal-Shalisha [k] et apporta à l'homme de Dieu du pain de *prémices : vingt pains d'orge et de blé nouveau dans un sac. Elisée dit : « Distribue-les aux gens et qu'ils mangent ! » [43] Son serviteur répondit : « Comment pourrais-je en distribuer à cent personnes ? » Il dit : « Distribue-les aux gens et qu'ils mangent ! Ainsi parle le SEIGNEUR : "On mangera et il y aura des restes." » [44] Le serviteur fit la distribution en présence des gens ; ils mangèrent et il y eut des restes selon la parole du SEIGNEUR.

Guérison de Naamân le lépreux

5 [1] Naamân, chef de l'armée du roi d'*Aram, était un homme estimé de son maître, un favori, car c'était par lui que le SEIGNEUR avait donné la victoire à Aram. Mais cet homme, vaillant guerrier, était *lépreux. [2] Les Araméens étaient sortis en razzia

---

e *Ceins tes reins:* voir 1 R 18.46 et la note — *ne le salue pas, ne lui réponds pas:* voir Lc 10.4; on consacrait généralement beaucoup de temps aux salutations en chemin ● f Comparer 4.32-37 et 1 R 17.17-24 ● g Les *éternuements* signalent le retour du souffle de vie dans les narines de l'enfant (comparer Gn 2.7) ● h *Guilgal:* voir 2.1 et la note — *La famine* est peut-être celle qui dura sept ans, d'après 8.1 ● i *concombres* ou *coloquintes;* voir 1 R 6.18 et la note — *car on ne savait pas ce que c'était* ou *sans que personne n'en sache rien* ● j *La mort est dans la marmite,* c'est-à-dire *Ce potage est empoisonné* ● k Comparer 4.42-44 et Mt 14.13-21; 15.22-38 par. — *Baal-Shalisha:* localité non identifiée; comparer 1 S 9.4

4.27 pas informé Cf. 5.26; 6.32; 1 R 14.5; Jr 11.18-19; Ac 9.10-19.   **4.29** mon bâton Ex 4.17,20; 8.1; 14.16; 17.5-6; cf. 2 R 2.8+.   **5.1** Naamân Lc 4.27 — lépreux Lv 13.2+.

et avaient emmené du pays d'Israël une fillette comme captive ; elle était au service de la femme de Naamân. ³ Elle dit à sa maîtresse : « Ah, si mon maître pouvait se trouver auprès du *prophète qui est à Samarie ! Il le délivrerait de sa lèpre. » ⁴ Naamân vint rapporter ces paroles à son maître ˸ « Voilà ce qu'a dit la jeune fille qui vient du pays d'Israël. » ⁵ Le roi d'Aram dit : « Mets-toi en route ! Je vais envoyer une lettre au roi d'Israël. » Naamân partit, prenant avec lui dix talents d'argent, six mille sicles ˡ d'or et dix vêtements de rechange. ⁶ Il présenta au roi d'Israël la lettre qui disait : « En même temps que te parvient cette lettre, sache bien que je t'envoie mon serviteur Naamân pour que tu le délivres de sa lèpre. » ⁷ Après avoir lu la lettre, le roi *déchira ses vêtements et dit : « Suis-je Dieu, capable de faire mourir et de faire vivre, pour que celui-là m'envoie quelqu'un pour le délivrer de sa lèpre ? Sachez donc et voyez : il me cherche querelle ! »

⁸ Lorsqu'Elisée, l'homme de Dieu, apprit que le roi d'Israël avait déchiré ses vêtements, il envoya dire au roi : « Pourquoi as-tu déchiré tes vêtements ? Que Naamân vienne me trouver, il saura qu'il y a un prophète en Israël ! »

⁹ Naamân vint avec ses chevaux et son char et s'arrêta à l'entrée de la maison d'Elisée. ¹⁰ Elisée envoya un messager pour lui dire : « Va ! Lave-toi sept fois dans le Jourdain : ta chair deviendra saine et tu seras *purifié. » ¹¹ Naamân s'irrita et partit en disant : « Je me disais : "Il va sûrement sortir de chez lui et, debout, il invoquera le nom du SEIGNEUR son Dieu, passera la main sur l'endroit malade et délivrera le lépreux." ¹² L'Abana et le Parpar, les fleuves de Damas, ne valent-ils pas mieux que toutes les eaux d'Israël ? Ne pouvais-je pas m'y laver pour être purifié ? » Il fit donc demi-tour et s'en alla furieux. ¹³ Ses serviteurs s'approchèrent et lui parlèrent ; ils lui dirent : « Mon père ! ᵐ si le prophète t'avait dit de faire quelque chose d'ex-

traordinaire, ne l'aurais-tu pas fait ? A plus forte raison quand il te dit : "Lave-toi et tu seras purifié". » ¹⁴ Alors Naamân descendit au Jourdain et s'y plongea sept fois selon la parole de l'homme de Dieu. Sa chair devint comme la chair d'un petit garçon, il fut purifié. ¹⁵ Il retourna avec toute sa suite vers l'homme de Dieu. Il entra, se tint devant lui et dit : « Maintenant, je sais qu'il n'y a pas de Dieu sur toute la terre si ce n'est en Israël. Accepte, je t'en prie, un présent de la part de ton serviteur. » ¹⁶ Elisée répondit : « Par la vie du SEIGNEUR que je sers, je n'accepterai rien ! » Naamân le pressa d'accepter mais il refusa. ¹⁷ Naamân dit : « Puisque tu refuses, permets que l'on donne à ton serviteur la charge de terre de deux mulets, car ton serviteur n'offrira plus d'holocauste ⁿ ni de sacrifice à d'autres dieux qu'au SEIGNEUR. ¹⁸ Mais que le SEIGNEUR pardonne ce geste à ton serviteur : lorsque mon maître entre dans la maison de Rimmôn ᵒ pour s'y prosterner et qu'il s'appuie sur mon bras, je me prosterne aussi dans la maison de Rimmôn. Quand donc je me prosternerai dans la maison de Rimmôn, que le SEIGNEUR daigne pardonner ce geste à ton serviteur. » ¹⁹ Elisée lui répondit : « Va en paix ! »

Guéhazi frappé de la lèpre

Après que Naamân se fut éloigné à une certaine distance d'Elisée, ²⁰ Guéhazi, serviteur d'Elisée, l'homme de Dieu, se dit : « Mon maître a ménagé cet *Araméen Naamân, en refusant les présents qu'il avait apportés. Par la vie du SEIGNEUR, je vais courir après lui, pour en tirer quelque chose ! » ²¹ Guéhazi s'élança à la poursuite de Naamân. Quand Naamân le vit courir après lui, il descendit en hâte de son char pour aller à sa rencontre et dit : « Comment vas-tu ? » ²² Il lui répondit : « Ça va ! Mon maître m'envoie te dire : "A l'instant, il m'arrive de la montagne d'Ephraïm deux jeunes gens des fils de *prophètes ; je t'en prie,

---

l talents, sicles: voir au glossaire POIDS ET MESURES ● *m Mon père:* titre respectueux donné à un grand personnage, roi (Es 22.21) ministre (ici) ou prophète (2 R 6.21) ● *n* Avec la *terre* du « pays d'Israël », Naamân veut construire à Damas un *autel pour offrir des *sacrifices* au *Seigneur*, « Dieu d'Israël » — *holocauste:* voir au glossaire SACRIFICES ● *o Rimmôn:* divinité adorée à Damas

5.5 un présent pour le prophète 8.8; Nb 22.7; 1 S 9.8; 1 R 14.3. **5.7** Dieu fait vivre et mourir Dt 32.39; 1 S 2.6; Os 6.1; Jb 5.18; cf. Gn 30.2. **5.10** lave-toi dans le Jourdain Cf. Lv 14.1-18; Jn 9.7. **5.14** il fut purifié Cf. Ez 36.25. **5.15** pas de Dieu comme en Israël 1 R 8.60+. **5.17-19** liberté à l'égard des formes religieuses 10.18-27; 1 Co 8; cf. *Tb* 1 10-12; *1 M* 1.62-63; 1 Co 10.14-22.

donne-moi pour eux un talent *p* d'argent et deux vêtements de rechange". » ²³ Naamân dit : « Prends donc deux talents. » Il insista auprès de lui, serra deux talents d'argent et deux vêtements de rechange dans deux sacs qu'il remit à deux de ses serviteurs pour les porter devant Guéhazi. ²⁴ Arrivé à l'Ofel *q*, Guéhazi prit de leurs mains les sacs, les déposa chez lui et renvoya les deux hommes, qui s'en allèrent. ²⁵ Quant à lui, il vint se présenter à son maître. Elisée lui dit : « D'où viens-tu, Guéhazi ? » Il répondit : « Ton serviteur n'est allé nulle part. » ²⁶ Elisée lui dit : «N'étais-je pas là en esprit quand un homme est descendu en hâte de son char pour venir à ta rencontre ? Est-ce le moment de prendre de l'argent, prendre vêtements, oliviers, vignes, brebis et bœufs, serviteurs et servantes, ²⁷ quand la *lèpre de Naamân va s'attacher à toi et à ta descendance pour toujours ? » Guéhazi quitta Elisée : il était lépreux et blanc comme la neige.

La hache perdue

6 ¹ Les fils de *prophètes *r* dirent à Elisée : « L'endroit où nous nous tenons assis devant toi est trop petit pour nous. ² Permets que nous allions jusqu'au Jourdain pour y prendre chacun une poutre afin de construire ici un abri pour s'y asseoir. » Il répondit : « Allez ! » ³ L'un d'eux dit : « Accepte, je t'en prie, de venir avec tes serviteurs. » Il répondit : « Oui, je viens. » ⁴ Et il alla avec eux. Ils arrivèrent au Jourdain et coupèrent des arbres. ⁵ Comme l'un d'eux abattait son arbre, le fer de hache tomba à l'eau. Il s'écria : « Ah ! mon seigneur, je l'avais emprunté ! » ⁶ L'homme de Dieu dit : « Où est-il tombé ? » Il lui fit voir l'endroit. Elisée tailla un morceau de bois et l'y jeta ; le fer se mit à surnager. ⁷ Elisée dit : « Tire-le à toi ! » L'homme étendit la main et le prit.

Elisée capture des soldats araméens

⁸ Le roi d'*Aram était en guerre avec Israël. Quand il tenait conseil avec ses serviteurs et disait : « Mon camp sera à tel endroit », ⁹ l'homme de Dieu envoyait dire au roi d'Israël : « Garde-toi de traverser cet endroit, car les Araméens y sont descendus » ; ¹⁰ et le roi d'Israël envoyait des hommes vers l'endroit désigné par l'homme de Dieu. Il avertissait le roi, qui se tenait sur ses gardes : cela arriva plus d'une fois.

¹¹ Le cœur du roi d'Aram en fut bouleversé. Il convoqua ses serviteurs et leur dit : « Ne pourriez-vous pas me faire savoir qui d'entre nous est partisan du roi d'Israël ? » ¹² L'un de ses serviteurs dit : « Personne, mon seigneur le roi, mais c'est Elisée, le *prophète qui est en Israël. Il est capable de révéler au roi d'Israël les paroles que tu dis dans ta chambre à coucher. » ¹³ Il dit : « Allez ! Voyez où il se trouve afin que je l'envoie prendre ! » On lui dit : « Il est à Dotân *s*. » ¹⁴ Le roi y envoya des chevaux, des chars et une troupe importante qui arrivèrent de nuit et encerclèrent la ville. ¹⁵ Le serviteur de l'homme de Dieu se leva de bon matin et sortit : il vit qu'une troupe entourait la ville avec des chevaux et des chars. Il dit à Elisée : « Ah, mon seigneur ! comment allons-nous faire ? » ¹⁶ Il répondit : « Ne crains pas ! Ceux qui sont avec nous sont plus nombreux que ceux qui sont avec eux. » ¹⁷ Elisée pria en ces termes : « SEIGNEUR, ouvre-lui les yeux et qu'il voie ! » Le SEIGNEUR ouvrit les yeux du serviteur et il vit que la montagne était pleine de chevaux et de chars de feu qui entouraient Elisée.

¹⁸ Les Araméens descendirent vers Elisée qui pria le SEIGNEUR en ces termes : « Frappe cette nation d'aveuglement ! » Et le SEIGNEUR les frappa d'aveuglement selon la parole d'Elisée. ¹⁹ Elisée leur dit : « Ce n'est pas ici le chemin, ce n'est pas ici la ville. Suivez-moi et je vous conduirai vers l'homme que vous cherchez. » Et il les conduisit à Samarie. ²⁰ Dès qu'ils furent entrés dans Samarie, Elisée dit : « SEIGNEUR, ouvre les yeux de ces hommes et qu'ils voient ! » Le SEIGNEUR leur ouvrit les yeux et ils virent qu'ils étaient au milieu de Samarie. ²¹ En les voyant,

---

p L'expression *montagne d'Ephraïm* désigne la région montagneuse dans laquelle la tribu d'Ephraïm et une partie de la tribu de Manassé étaient installées — *fils de prophètes:* voir 1 R 20.35 et la note — *talent:* voir au glossaire POIDS ET MESURES ● *q* *Ofel:* probablement un quartier de Samarie. (Il y avait aussi un Ofel à Jérusalem, voir Es 32.14 et la note.) ● *r* *fils de prophètes:* voir 1 R 20.35 et la note ● *s* *Dotân:* voir Gn 37.17 et la note

5.26 Elisée est au courant Cf. 4.27+. **5.27** lépreux 15.5; Ex 4.6-7; Nb 12.10. **6.2** Jourdain 2.6+. **6.5** le fer de hache Dt 19.5. **6.17** ouvre ses yeux 6.18; Nb 22.31+ — chevaux et chars de feu 2.11+; cf. Mt 26.53. **6.18** aveuglement Cf. Nb 22.31+.

le roi d'Israël dit à Elisée : « Mon père ! dois-je les tuer ? » ²² Il répondit : « Ne les tue pas ! As-tu l'habitude de tuer ceux que tu fais prisonniers avec ton épée ou avec ton arc ? Sers-leur du pain et de l'eau ; qu'ils mangent et boivent et qu'ils s'en aillent vers leur maître. » ²³ Le roi leur fit servir un grand repas ; ils mangèrent et ils burent. Puis il les congédia et ils s'en allèrent vers leur maître. Les bandes araméennes cessèrent leurs incursions en terre d'Israël.

La famine à Samarie

²⁴ Quelque temps après, Ben-Hadad, roi d'*Aram, rassembla toutes les troupes et monta assiéger Samarie. ²⁵ Il y eut une grande famine à Samarie. La ville fut assiégée à tel point qu'une tête d'âne coûtait quatre-vingts sicles d'argent et que le quart d'un qab de crottes de pigeon *t* coûtait cinq sicles d'argent.

²⁶ Or, comme le roi d'Israël passait sur la muraille, une femme cria vers lui : « Au secours, mon seigneur le roi ! » ²⁷ Il dit : « Si le SEIGNEUR ne veut pas te secourir, avec quoi pourrais-je te secourir ? Avec les produits de l'aire à blé *u* ou du pressoir ? » ²⁸ Le roi lui dit ensuite : « Que veux-tu ? » Elle répondit : « Cette femme m'a dit : "Donne ton fils, nous le mangerons aujourd'hui, et demain nous mangerons le mien." ²⁹ Nous avons fait cuire mon fils et nous l'avons mangé. Le jour suivant, je lui ai dit : "Donne ton fils et nous le mangerons", mais elle avait caché son fils. » ³⁰ Quand le roi eut entendu les paroles de cette femme, il *déchira ses vêtements et, comme il passait sur la muraille, le peuple vit que le roi portait un *sac sous ses vêtements, à même la peau. ³¹ Il dit : « Que Dieu me fasse ceci et encore cela *v*, si aujourd'hui la tête d'Elisée, fils de Shafath, reste sur ses épaules ! »

Elisée annonce la fin de la famine

³² Elisée était assis chez lui et les *anciens étaient assis à ses côtés, quand le roi envoya vers lui l'un de ses serviteurs. Avant que le messager n'arrive jusqu'à Elisée, celui-ci dit aux anciens : « Voyez ! Ce fils d'assassin *w* envoie quelqu'un pour me couper la tête. Dès que ce messager arrivera, fermez la porte, repoussez-le avec la porte ! Mais n'est-ce pas le bruit des pas de son maître qui le suit ? » ³³ Il leur parlait encore, quand précisément le messager vint vers lui et lui dit : « Ce malheur vient du SEIGNEUR ! Que puis-je encore espérer du SEIGNEUR ? »

7 ¹ Elisée répondit : « Ecoutez la parole du SEIGNEUR : Ainsi parle le SEIGNEUR : Demain, à la même heure, à la porte de Samarie, un séa de farine coûtera un sicle *x* et deux séas d'orge un sicle. » ² L'écuyer sur le bras duquel s'appuyait le roi prit la parole et dit à l'homme de Dieu : « Même si le SEIGNEUR ouvrait des fenêtres dans le ciel *y*, cette parole s'accomplirait-elle ? » Elisée dit : « Eh bien ! Tu le verras de tes propres yeux, mais tu n'en mangeras pas. »

Le camp araméen abandonné

³ Il y avait à l'entrée de la ville quatre *lépreux. Ils se dirent entre eux : « Pourquoi rester ici à attendre la mort ? ⁴ Si nous disons : "Entrons dans la ville", comme la famine y règne, nous y mourrons. Si nous restons ici, nous mourrons également. Allons et passons au camp des *Araméens ; s'ils nous laissent en vie, nous vivrons ; s'ils nous font mourir, nous

---

t sicles, qab: voir au glossaire POIDS ET MESURES — *crottes de pigeon:* si l'expression est employée au sens propre, il s'agit d'un combustible; si c'est une image, elle pourrait désigner en langage populaire une sorte de pois chiche ● *u aire à blé:* voir Nb 18.27 et la note ● *v Que Dieu me fasse ceci et encore cela:* voir 1 S 14.44 et la note ● *w fils d'assassin:* il s'agit probablement d'un des fils d'Akhab (Akhazias ou Yoram, voir 1.17-18); Akhab fut responsable de la mort des prophètes du Seigneur (1 R 18.4) et de celle de Naboth (1 R 21.19). Autre traduction possible *cette espèce d'assassin* (en hébreu, l'expression *fils de* peut signifier d'une manière générale *appartenant à la catégorie de* ou *à la race de*) ● *x à la porte de Samarie:* le marché avait généralement lieu sur la place attenante à la porte des villes — *séa, sicle:* voir au glossaire POIDS ET MESURES ● *y L'écuyer:* autre traduction *L'officier* — *des fenêtres dans le ciel* serviraient à faire pleuvoir de la nourriture sur la terre (comparer Gn 7.11; Ml 3.10)

6.23 les bandes 13.20; 24.2; 1 R 11.24.   **6.24** siege de Samarie 17.5; 1 R 20.1.   **6.25** siège et famine 18.27; 25.3.   **6.26** une femme cria Cf. 8.3; 2 S 14.4-11; 1 R 3.16-28.   **6.29** manger les enfants Lv 26.29+.   **6.32** Elisée est prévenu Cf. 4.27+.   **6.33** espérer en Dieu Jb 13.15+; 35.14; cf. Mi 7.7; Ps 38.16; 42.6, 12; 43.5; 130.5.   **7.2** s'appuyer sur le bras de quelqu'un 5.18 — ouvrir des fenêtres dans le ciel Ml 3.10; cf. Gn 7.11; 8.2; Es 24.18 — tu n'en mangeras pas 7.17, 19.

mourrons. » [5] Ils se levèrent au crépuscule pour se rendre au camp des Araméens et parcoururent tout le camp des Araméens. Or, il n'y avait personne. [6] Le Seigneur avait fait entendre dans le camp des Araméens un bruit de chars, un bruit de chevaux, le bruit d'une troupe importante. Alors les Araméens s'étaient dit les uns aux autres : « Le roi d'Israël a pris à sa solde les rois des Hittites [z] et les rois d'Egypte pour nous attaquer. » [7] Ils s'étaient levés et s'étaient enfuis au crépuscule, abandonnant tentes, chevaux, ânes et laissant le camp tel quel : ils s'étaient enfuis pour sauver leur vie. [8] Les lépreux, après avoir parcouru tout le camp, entrèrent sous une tente ; ils mangèrent et burent, puis ils emportèrent de là argent, or et vêtements qu'ils allèrent cacher. Ils revinrent, entrèrent sous une autre tente, emportèrent ce qui s'y trouvait et allèrent le cacher.

Samarie est délivrée

[9] Ils se dirent entre eux : « Nous n'agissons pas comme il faut. Ce jour est un jour de bonne nouvelle. Si nous ne disons rien et attendons la lumière du matin, nous n'échapperons pas au châtiment. Allons, entrons dans la ville et informons la maison du roi. [10] Ils vinrent appeler les portiers de la ville qu'ils informèrent, en disant : « Nous sommes entrés dans le camp des *Araméens et il n'y avait personne, aucune voix humaine ; il n'y avait que des chevaux et des ânes attelés et des tentes abandonnées. » [11] Les portiers appelèrent à l'intérieur et informèrent la maison du roi. [12] Le roi se leva de nuit ; il dit à ses serviteurs : « Je vais vous mettre au courant de ce que les Araméens ont machiné contre nous : ils savent que nous sommes affamés, ils sont donc sortis du camp pour se cacher dans la campagne, en se disant : "Les assiégés sortiront de la ville, nous les saisirons vivants et nous entrerons dans leur ville". » [13] L'un de ses serviteurs prit la parole et dit : « Qu'on prenne cinq des chevaux restants, de ceux qui restent encore dans la ville, il en sera d'eux comme de toute la multitude d'Israël qui reste dans la ville, comme de toute la multitude

d'Israël qui va vers sa fin. Envoyons-les et nous verrons bien ! » [14] On prit deux chars avec leurs chevaux que le roi envoya sur les traces de l'armée des Araméens, en disant : « Allez voir ! » [15] Ils partirent sur leurs traces jusqu'au Jourdain et virent que toute la route était jonchée de vêtements et d'objets que les Araméens avaient jetés dans leur fuite précipitée. Les messagers revinrent en informer le roi. [16] Alors, le peuple sortit et pilla le camp des Araméens : on eut un séa de farine pour un sicle [a] et deux séas d'orge pour un sicle selon la parole du Seigneur.

[17] Le roi avait confié la surveillance de la porte de la ville à l'écuyer sur le bras duquel il s'appuyait ; mais le peuple l'écrasa contre la porte et il mourut comme l'avait dit l'homme de Dieu. Celui-ci l'avait dit lorsque le roi était descendu vers lui. [18] En effet, quand l'homme de Dieu eut parlé au roi, en disant : « Deux séas d'orge coûteront un sicle et un séa de farine coûtera un sicle, demain, à la même heure, à la porte de Samarie », [19] l'écuyer avait pris la parole et avait dit à l'homme de Dieu : « Même si le Seigneur ouvrait des fenêtres dans le ciel, cette parole s'accomplirait-elle ? » et Elisée avait répondu : « Eh bien ! Tu le verras de tes propres yeux, mais tu n'en mangeras pas. » [20] C'est ce qui lui était arrivé : le peuple avait écrasé l'écuyer contre la porte et il était mort.

Fin de l'histoire de la Shounamite

8 [1] Elisée parla à la femme dont il avait fait revivre le fils [b] et dit : « Lève-toi, pars, toi et ta famille, émigre où tu pourras car le Seigneur a appelé la famine, et même elle vient sur le pays pour sept ans. » [2] La femme se leva et fit ce que l'homme de Dieu lui avait dit : elle s'en alla, elle et sa famille, et émigra pour sept ans au pays des Philistins.

[3] Au bout de sept ans, la femme revint du pays des Philistins. Elle alla implorer le roi au sujet de sa maison et de son champ [c]. [4] Le roi était en train de parler avec Guéhazi [d], le serviteur de l'homme de Dieu, et lui disait : « Raconte-moi donc toutes les grandes choses qu'Elisée

---

[z] *Hittites:* voir au glossaire AMORITES ● [a] *a séa, sicle:* voir au glossaire POIDS ET MESURES ● [b] Voir 4.18-37 ● [c] *sa maison et son champ:* des voisins avaient pu s'en emparer pendant que la propriétaire légitime était absente ● [d] *Guéhazi:* voir 4.12

[7.5] camp abandonné 19.35-36.   **7.6** une troupe importante Cf. 6.17.   **7.7** ils s'étaient enfuis Ps 48.5-6 ; 53.6 ; 68.13.   **7.17** comme avait dit Elisée 7.2.   **8.1** émigré Rt 1.1 — famine de sept ans Gn 41.25-32.   **8.3** recours au roi 6.26+.

a faites ! » ⁵ Guéhazi racontait au roi comment Elisée avait fait revivre le mort, quand justement la femme, dont il avait fait revivre le fils, vint implorer le roi au sujet de sa maison et de son champ. Guéhazi dit : « Mon seigneur le roi, voici la femme et voici son fils qu'Elisée a fait revivre ! » ⁶ Le roi interrogea la femme : elle lui fit le récit. Le roi lui assigna un officier, en disant : « Fais-lui restituer tout ce qui lui appartient ainsi que tout ce que le champ a rapporté depuis le jour où elle a laissé le pays jusqu'à maintenant. »

Elisée et Hazaël

⁷ Elisée se rendit à Damas alors que Ben-Hadad, roi d'*Aram, était malade. On dit au roi : « L'homme de Dieu est venu jusqu'ici. » ⁸ Le roi dit à Hazaël ᵉ : « Prends avec toi un présent et va trouver l'homme de Dieu : tu consulteras le SEIGNEUR par son entremise, en disant : "Sortirai-je vivant de cette maladie ?" » ⁹ Hazaël alla trouver Elisée ; il avait pris avec lui un présent, tout ce qu'il y avait de meilleur à Damas, la charge de quarante chameaux. Il arriva, se tint devant Elisée et dit : « Ton fils ᶠ Ben-Hadad, roi d'Aram, m'envoie vers toi pour dire : "Sortirai-je vivant de cette maladie ?" » ¹⁰ Elisée lui répondit : « Va lui dire : "Certainement tu vivras ᵍ, mais le SEIGNEUR m'a fait voir qu'il mourrait. » ¹¹ Puis, il rendit son visage immobile, il le figea à l'extrême ; l'homme de Dieu pleura. ¹² Hazaël dit : « Pourquoi mon seigneur pleure-t-il ? » Elisée répondit : « Parce que je sais le mal que tu feras aux fils d'Israël : tu livreras au feu leurs forteresses, tu tueras par l'épée leurs jeunes gens, tu écraseras leurs petits enfants, tu éventreras leurs femmes enceintes. » ¹³ Hazaël dit : « Mais qu'est-ce donc que ton serviteur, ce chien ʰ, pour

qu'il en fasse tant ? » Elisée répondit : « Le SEIGNEUR m'a fait voir que tu seras roi sur Aram. »

¹⁴ Hazaël quitta Elisée et revint vers son maître, qui lui dit : « Que t'a dit Elisée ? » Il répondit : « Il m'a dit : Certainement tu vivras. » ¹⁵ Le lendemain, Hazaël prit une couverture et, l'ayant plongée dans l'eau, il l'étendit sur le visage du roi qui mourut. Hazaël régna à sa place.

Yoram, roi de Juda
(2 Ch 21.2-20)

¹⁶ La cinquième année du règne de Yoram, fils d'Akhab, roi d'Israël — Josaphat était alors roi de Juda — Yoram, fils de Josaphat, roi de Juda, devint roi ⁱ. ¹⁷ Il avait trente-deux ans lorsqu'il devint roi, et il régna huit ans à Jérusalem. ¹⁸ Il suivit le chemin des rois d'Israël, comme la maison d'Akhab, car il avait pour femme une fille d'Akhab ʲ. Il fit ce qui est mal aux yeux du SEIGNEUR. ¹⁹ Mais le SEIGNEUR ne voulut pas détruire Juda à cause de David, son serviteur, parce qu'il avait dit qu'il donnerait à David ainsi qu'à ses fils une lampe ᵏ pour toujours.

²⁰ De son temps, Edom se révolta contre le pouvoir de Juda et se donna un roi. ²¹ Yoram partit pour Çaïr ˡ avec tous ses chars. S'étant levé de nuit, il battit les Edomites, qui le cernaient, ainsi que les chefs des chars ; le peuple s'enfuit vers ses tentes. ²² Ainsi Edom resta en révolte contre le pouvoir de Juda jusqu'à ce jour. En ce temps-là, Livna ᵐ se révolta aussi.

²³ Le reste des actes de Yoram, tout ce qu'il a fait, cela n'est-il pas écrit dans le livre des *Annales des rois de Juda ? ²⁴ Yoram se coucha avec ses pères et fut enseveli avec ses pères ⁿ dans la * Cité de David. Son fils Akhazias régna à sa place.

ᵉ *Hazaël:* voir 1 R 19.15; il travaillait probablement au palais royal de Damas ● ᶠ *Ton fils:* expression par laquelle Ben-Hadad se fait présenter humblement devant le prophète; comparer 5.13 et la note ● ᵍ *tu vivras* ou *tu guériras;* une ancienne tradition juive dit *tu ne vivras (guériras) pas* ● ʰ *ce chien:* voir 1 S 24.15 et la note ● ⁱ D'après le texte hébreu ici traduit, Yoram, fils de Josaphat, devint roi de Juda avant la mort de son père, ce qui laisserait supposer une période de co-régence. Mais plusieurs versions anciennes n'ont pas la phrase *Josaphat était alors roi de Juda* — ● ʲ *une fille d'Akhab:* il s'agit d'Athalie, voir v. 26 et la note ● ᵏ *Voir 2 S 7.12-16; 1 R 11.36 et la note ● ˡ *Çaïr:* localité inconnue, probablement dans le pays d'Edom ou à proximité — Le texte hébreu des versets 21-22 est peu clair et la traduction incertaine ● ᵐ *Livna:* localité située à 40 km environ à l'ouest de Jérusalem; elle passa alors sous la domination des Philistins ● ⁿ *se coucha avec ses pères:* voir 1 R 1.21 et la note

8.8 un présent 5.5+ — consulter le Seigneur 3.11; Ex 18.15; 1 S 9.9; 1 R 22.8. **8.9** sortirai-je vivant? 1.2. **8.12** les pleurs du prophète Jr 4.16-20; 13.17; 14.17; Lc 19.41-44 — le mal que tu feras 10.32-33; 12.18; 13.3-7. **8.13** roi sur Aram 1 R 19.15. **8.20** Edom se révolta Gn 27.40; cf. 1 R 22.48. **8.21** vers ses tentes 1 R 8.66; 12.16.

Akhazias, roi de Juda

(2 Ch 22.1-6)

²⁵ La douzième année du règne de Yoram, fils d'Akhab, roi d'Israël, Akhazias, fils de Yoram, roi de Juda, devint roi. ²⁶ Akhazias avait vingt-deux ans lorsqu'il devint roi et il régna un an à Jérusalem. Le nom de sa mère était Athalie, fille d'Omri *o*, roi d'Israël. ²⁷ Il suivit le chemin de la maison d'Akhab *p* et fit ce qui est mal aux yeux du SEIGNEUR, comme la maison d'Akhab, car il était apparenté à la maison d'Akhab. ²⁸ Il partit avec Yoram, fils d'Akhab, se battre contre Hazaël, roi d'*Aram, à Ramoth-de-Galaad *q*. Mais les Araméens blessèrent Yoram. ²⁹ Le roi Yoram revint se faire soigner à Izréel *r* des blessures que les Araméens lui avaient faites à Rama tandis qu'il se battait contre Hazaël, roi d'Aram. Alors Akhazias, fils de Yoram, roi de Juda, descendit à Izréel pour voir Yoram, fils d'Akhab, qui était blessé.

Jéhu est consacré comme roi d'Israël

9 ¹ Le prophète Elisée appela un des fils de *prophètes et lui dit : « Ceins tes reins *s*, prends ce flacon d'huile dans ta main et va à Ramoth-de-Galaad. ² Arrivé là, arrange-toi pour y voir Jéhu, fils de Josaphat, fils de Nimshi. Tu entreras, tu le feras se lever au milieu de ses frères et tu l'amèneras dans la chambre la plus retirée. ³ Tu prendras le flacon d'huile, tu le lui verseras sur la tête et tu diras : "Ainsi parle le SEIGNEUR : Par cette *onction je te sacre roi *t* sur Israël !" Tu ouvriras ensuite la porte et tu t'enfuiras sans attendre. » ⁴ Le jeune homme, le jeune prophète, partit pour Ramoth-de-Galaad. ⁵ Il y arriva et justement les chefs de l'armée étaient assis. Il dit : « J'ai un mot à te dire, chef ! » Jéhu dit : « Auquel de nous tous ? » Il répondit : « A toi, chef ! » ⁶ Jéhu se leva

et entra dans la maison. Le jeune homme lui versa l'huile sur la tête et dit : *v* « Ainsi parle le SEIGNEUR, le Dieu d'Israël : Par cette onction je te sacre roi sur le peuple du SEIGNEUR, sur Israël. ⁷ Tu frapperas la maison d'Akhab *u*, ton maître, et je vengerai le sang de mes serviteurs les prophètes et le sang de tous les serviteurs du SEIGNEUR, répandu par la main de Jézabel. ⁸ Toute la maison d'Akhab périra et je retrancherai de chez Akhab les mâles, esclaves ou hommes libres en Israël. ⁹ Je rendrai la maison d'Akhab semblable à la maison de Jéroboam, fils de Nevath, et semblable à la maison de Baésha, fils d'Ahiyya. ¹⁰ Quant à Jézabel, les chiens la mangeront dans la propriété d'Izréel, sans que personne puisse l'ensevelir. » Il ouvrit la porte et s'enfuit.

¹¹ Jéhu sortit rejoindre les serviteurs de son maître. On lui dit : « Est-ce que tout va bien ? Pourquoi cet exalté *v* est-il venu vers toi ? » Il leur répondit : « Vous-mêmes, vous connaissez l'homme et sa rengaine. » ¹² Ils lui dirent : « Tu mens ! Mets-nous au courant ! » Il répondit : « Voici tout ce qu'il m'a dit : "Ainsi parle le SEIGNEUR : Par cette onction, je te sacre roi sur Israël". » ¹³ Ils se hâtèrent de prendre chacun son vêtement qu'ils mirent sous ses pieds, en haut des marches. Ils sonnèrent du cor et dirent : « Jéhu est roi ! »

Jéhu tue Yoram, roi d'Israël

¹⁴ Jéhu, fils de Josaphat, fils de Nimshi, conspira contre Yoram au moment où celui-ci, avec tout Israël, défendait Ramoth-de-Galaad contre Hazaël, roi d'*Aram. ¹⁵ Le roi Yoram était revenu se faire soigner à Izréel des blessures que lui avaient faites les Araméens, tandis qu'il se battait contre Hazaël, roi d'Aram. Jéhu dit : « Vous vous êtes donc ralliés à moi ! *w* Que personne alors ne sorte de la ville pour aller porter la nouvelle dans Izréel ! » ¹⁶ Jéhu monta sur son

---

o Le v. 18 présentait Athalie comme *fille d'Akhab*, donc petite-fille d'Omri. En fait, en hébreu, l'expression *fille de* peut avoir un sens plus général, comme *descendante de;* Omri avait été le fondateur d'une dynastie royale. (Comparer 6.32 et la note.) ● *p* la maison d'Akhab ou la *famille d'Akhab* ● *q* Ramoth-de-Galaad: voir 1 R 22.3 et la note ● *r* Izréel: voir 1 R 21.1 ● *s* fils de prophètes: voir 1 R 20.35 et la note — *Ceins tes reins:* voir 1 R 18.46 et la note ● *t* je te sacre roi ou je te consacre comme roi ● *u* la maison d'Akhab ou la famille d'Akhab ● *v* cet exalté: autre traduction ce fou ● *w* Vous vous êtes donc ralliés à moi ! — V. 29 — Vous vous êtes donc ralliés à moi ! : autres traductions Si vous le trouvez bon, ou Si c'est votre volonté, que...

8.28 Ramoth-de-Galaad 1 R 22.1-38.   **9.3** roi sur Israël 1 R 19.16; cf. 1 R 1.34, 39.   **9.7** Dieu venge les crimes de Jézabel 1 R 18.4; 19.2; 21.8-10.   **9.8** anéantissement de la famille royale 1 R 14.10+.   **9.10** les chiens mangeront Jézabel 1 R 21.23+.   **9.11** exalté Jr 29.26; Os 9.7.   **9.13** étendre les vêtements Cf. Mt 21.7-8 par. — Sonner du cor et crier « Vive le roi » 1 R 1.39+.   **9.15** les blessures de Yorâm 8.29.

char et partit pour Izréel. Yoram y était alité et Akhazias, roi de Juda, était descendu voir Yoram. ¹⁷ Le guetteur qui se tenait sur la tour d'Izréel vit venir la troupe de Jéhu et dit : « Je vois une troupe. » Yoram dit : « Prends un cavalier et envoie-le à leur rencontre et qu'il dise : Est-ce la paix ? » ¹⁸ Le cavalier partit à leur rencontre et dit : « Ainsi parle le roi : Est-ce la paix ? » Jéhu répondit : « Que t'importe la paix ? Fais demi-tour et suis-moi ! » Le guetteur annonça : « Le messager est arrivé jusqu'à eux mais il ne revient pas. » ¹⁹ Le roi envoya un second cavalier qui arriva jusqu'à eux et dit : « Ainsi parle le roi : Est-ce la paix ? » Jéhu répondit : « Que t'importe la paix ? Fais demi-tour et suis-moi ! » ²⁰ Le guetteur annonça : « Il est arrivé jusqu'à eux, mais il ne revient pas. L'allure ressemble à celle de Jéhu, fils de Nimshi, car il mène à une allure folle. » ²¹ Yoram dit : « Qu'on attelle ! », et on attela son char. Yoram, roi d'Israël, et Akhazias, roi de Juda, sortirent chacun sur son char à la rencontre de Jéhu qu'ils trouvèrent dans la propriété de Naboth d'Izréel. ²² Dès que Yoram aperçut Jéhu, il dit : « Est-ce la paix, Jéhu ? » Celui-ci répondit : « Comment ! La paix, alors que continuent les débauches ˣ et les innombrables sorcelleries de ta mère Jézabel ? » ²³ Yoram tourna bride et s'enfuit ; il dit à Akhazias : « Trahison, Akhazias ! » ²⁴ Jéhu, qui avait pris son arc, atteignit Yoram entre les épaules ; la flèche ressortit après lui avoir percé le cœur et il s'écroula dans son char. ²⁵ Jéhu dit à son écuyer Bidqar : « Enlève-le et jette-le dans le champ qui était la propriété de Naboth d'Izréel. Souviens-toi : lorsque nous étions ensemble sur un char, toi et moi, à la suite d'Akhab, son père, le SEIGNEUR prononça contre lui un oracle ; ²⁶ "Je l'ai bien vu, et il n'y a pas longtemps, le sang de Naboth et le sang de ses fils — oracle du SEIGNEUR. Je te le ferai payer dans cette propriété ʸ — oracle du SEIGNEUR !" Maintenant donc, enlève Yoram et jette-

le dans cette propriété, selon la parole du SEIGNEUR. »

Jéhu fait tuer Akhazias, roi de Juda
(2 Ch 22.6-9)

²⁷ Voyant cela, Akhazias, roi de Juda, s'enfuit par le chemin de Beth-Gân. Jéhu le poursuivit et dit : « Frappez-le, lui aussi ! » Et on le frappa sur son char, à la montée de Gour, près de Yivléâm. Il s'enfuit à Meguiddo ᶻ, où il mourut. ²⁸ Ses serviteurs le transportèrent dans un char à Jérusalem et on l'ensevelit dans sa tombe avec ses pères dans la *Cité de David. ²⁹ C'est la onzième année du règne de Yoram, fils d'Akhab, qu'Akhazias était devenu roi sur Juda ᵃ.

Jéhu fait tuer la reine Jézabel

³⁰ Jéhu était sur le point d'entrer à Izréel, quand Jézabel l'apprit. Elle se farda les yeux, orna sa tête, puis se pencha à la fenêtre. ³¹ Au moment où Jéhu franchissait la porte de la ville, elle dit : « Est-ce la paix, Zimri ᵇ, assassin de son maître ? » ³² Il leva les yeux vers la fenêtre et dit : « Qui est avec moi, qui ? » Alors deux ou trois *eunuques se penchèrent vers lui. ³³ Il dit : « Jetez-la en bas ! » Ils la jetèrent. Une partie du sang de Jézabel gicla contre la muraille et sur les chevaux ; Jéhu la piétina. ³⁴ Il entra, mangea et but, puis il dit : « Occupez-vous donc de cette maudite et ensevelissez-la, car elle est fille de roi. » ³⁵ Il allèrent pour l'ensevelir mais ne retrouvèrent que le crâne, les pieds et les paumes des mains. ³⁶ Ils revinrent l'annoncer à Jéhu, qui dit : « C'est bien là la parole que le SEIGNEUR avait dite par l'intermédiaire de son serviteur Elie le Tishbite : " Dans la propriété d'Izréel les chiens mangeront la chair de Jézabel ᶜ, ³⁷ et le cadavre de Jézabel deviendra du fumier en plein champ, dans la propriété d'Izréel, en sorte qu'on ne pourra dire : ceci est Jézabel". »

---

x débauches: allusion aux pratiques de la religion des Phéniciens ; voir Os 1.2 et la note ● y Voir 1 R 21.19-29 ● z Beth-Gân et Yivléâm sont deux localités proches l'une de l'autre, à une douzaine de km au sud d'Izréel ; Meguiddo se trouve à une quinzaine de km à l'ouest d'Izréel. La route normale d'Izréel à Meguiddo passait par Beth-Gân ● a Ce verset répète approximativement 8.25 ● b En donnant à Jéhu le nom de Zimri, Jézabel fait allusion à l'épisode rapporté en 1 R 16.9-13 ● c Voir 1 R 21.23

9.17 le guetteur 2 S 13.34 ; 18.24-27 ; Es 21.6-8 ; Ez 3.17. 9.28 ramené dans sa capitale 14.20 ; 23.30 ; 1 R 22.37. 9.33 Jéhu la piétina Es 14.25 ; Mi 7.10 ; Ml 3.21 ; Ps 18.43 ; 1 M 3.45 ; Lc 21.24 ; Ap 11.2. 9.37 comme du fumier Jr 8.2.

Jéhu fait massacrer la famille d'Akhab

10 ¹ Akhab avait à Samarie soixante-dix fils *d*. Jéhu écrivit des lettres, qu'il envoya à Samarie aux *anciens, chefs d'Izréel et aux précepteurs des fils d'Akhab pour leur dire : ² « Dès que cette lettre vous sera parvenue, puisque vous avez avec vous les fils de votre maître ainsi que les chars, les chevaux, une ville fortifiée et les armes, ³ voyez quel est le meilleur et le plus loyal parmi les fils de votre maître, placez-le sur le trône de son père, et combattez pour la maison de votre maître. »

⁴ Ils eurent très peur et se dirent : « Deux rois *e* n'ont pas tenu devant lui, comment pourrions-nous tenir nous-mêmes ? » ⁵ Le chef du palais, le chef de la ville, les anciens et les précepteurs envoyèrent dire à Jéhu : « Nous sommes tes serviteurs ; nous ferons tout ce que tu nous diras. Nous n'établirons personne comme roi. Fais ce qui te semblera bon. » ⁶ Jéhu leur écrivit une seconde lettre pour leur dire : « Si vous êtes pour moi et si vous écoutez ma voix, prenez les têtes de tous les fils de votre maître, et venez vers moi demain, à la même heure, à Izréel. » Or, les soixante-dix fils du roi étaient répartis chez les grands de la ville, qui les élevaient. ⁷ Dès que la lettre leur fut parvenue, ils s'emparèrent des fils du roi, égorgèrent les soixante-dix, puis ils mirent leurs têtes dans des corbeilles qu'ils envoyèrent à Jéhu, à Izréel. ⁸ Un messager vint l'en informer : « On a apporté les têtes des fils du roi. » Jéhu dit : « Exposez-les en deux tas à l'entrée de la ville jusqu'au matin ! » ⁹ Au matin, Jéhu sortit et, debout, dit à tout le peuple : « Vous êtes justes ! Voici, c'est moi qui ai conspiré contre mon maître et qui l'ai tué ; mais qui a frappé tous ceux-ci ? ¹⁰ Sachez donc que pas une parole du SEIGNEUR, pas une de celles qu'il a dites contre la maison d'Akhab ne se perdra : le SEIGNEUR a accompli ce qu'il a dit par l'intermédiaire de son serviteur Elie *f*. »

¹¹ Jéhu frappa dans Izréel tous ceux qui restaient de la maison d'Akhab, tous ses grands, ses familiers et ses prêtres sans en laisser survivre aucun.

Jéhu fait massacrer des parents d'Akhazias

(2 Ch 22.8)

¹² Il se mit en route et partit pour Samarie. Il était en chemin, à Beth-Eqed-des-bergers, ¹³ quand il rencontra les frères d'Akhazias, roi de Juda. Il leur dit : « Qui êtes-vous ? » Ils répondirent : « Nous sommes les frères d'Akhazias. Nous descendons pour porter nos vœux aux fils du roi et aux fils de la Reine Mère *g*. » ¹⁴ Il dit : « Saisissez-les vivants ! » Ils les saisirent vivants et les tuèrent à la citerne de Beth-Eqed. Ils étaient quarante-deux ; aucun d'entre eux n'en réchappa.

Jéhu rencontre Yonadav

¹⁵ Il partit de là et rencontra Yonadav, fils de Rékav *h*, qui venait au-devant de lui. Jéhu le salua et lui dit : « Ton cœur est-il loyal avec mon cœur comme le mien l'est avec le tien ? » Yonadav répondit : « Oui ! » — « S'il l'est, donne-moi la main. » Yonadav lui donna la main. Alors Jéhu le fit monter près de lui sur son char, ¹⁶ en disant : « Viens avec moi et vois mon zèle pour le SEIGNEUR ! » Ils voyagèrent ensemble sur le char de Jéhu. ¹⁷ Arrivé à Samarie, Jéhu frappa tous ceux qui restaient de la famille d'Akhab et qui se trouvaient dans la ville : il les extermina tous, selon la parole que le SEIGNEUR avait dite à Elie *i*.

Jéhu supprime le culte du Baal

¹⁸ Jéhu rassembla ensuite tout le peuple et lui dit : « Akhab a servi le *Baal chichement, Jéhu le servira généreusement. ¹⁹ Maintenant, convoquez près de moi tous les *prophètes du Baal, tous ceux qui le servent, tous ses prêtres ; que personne ne manque, car je veux faire un grand *sacrifice au Baal. Quiconque manquera ne survivra pas. » Or, Jéhu agissait par ruse, pour faire disparaître

---

d fils ou *descendants;* comparer 8.26 et la note ● *e Deux rois:* Yoram et Akhazias, voir 9.22-29 ● *f* Voir 1 R 21.21, 29 ● *g frères* est employé ici dans le sens large de *membres de la famille — Reine Mère:* voir 1 R 15.10, 13 et les notes ● *h* Sur Yonadav et ses descendants les Rékabites, voir Jr 35 ● *i* Voir 1 R 21.21, 29

10.1 des lettres 5.5-7; 19.14.   **10.5** chef du palais 1 R 4.6.   **10.7** anéantissement de la famille royale 1 R 14.10+.   **10.8** têtes coupées 1 S 17.51, 54; 31.9-10; 2 S 4.7-8.   **10.11** le massacre d'Izréel Os 1.4.   **10.18** Akhab a servi le Baal 1 R 16.31-32.   **10.19** tous les prophètes du Baal 1 R 18.19-40.

ceux qui servaient le Baal. 20 Jéhu dit :
« Qu'il y ait une sainte assemblée en
l'honneur du Baal ! » On fit la convocation 21 que Jéhu envoya dans tout Israël.
Tous ceux qui servaient le Baal vinrent ;
il n'y eut personne qui s'absentât. Ils
entrèrent dans la maison du Baal [j] et la
maison fut entièrement remplie. 22 Jéhu
dit à celui qui était préposé au vestiaire :
« Sors les vêtements pour tous ceux qui
servent le Baal ! » Il leur sortit les vêtements [k]. 23 Jéhu et Yonadav, fils de Rékav, arrivèrent à la maison du Baal. Il
dit à ceux qui servaient le Baal : « Véri-
fiez s'il n'y a ici avec vous aucun des
serviteurs du SEIGNEUR, et s'il y a seulement des gens qui servent le Baal. »
24 Jéhu et Yonadav entrèrent pour offrir
des sacrifices et des holocaustes [l]. Or Jéhu
avait placé au-dehors quatre-vingts hommes, en disant : « Si l'un de vous laisse
échapper un seul des hommes que je
mets entre vos mains, il paiera de sa vie
pour celui qui s'est échappé. » 25 Dès
qu'il eut achevé d'offrir l'holocauste, Jéhu
dit aux coureurs [m] et aux écuyers : « Entrez, frappez-les et que pas un ne s'é-
chappe ! » Ils les frappèrent du tranchant
de l'épée. Après les avoir jetés hors de
la ville, les coureurs et les écuyers revinrent dans la ville où se trouvait la maison
du Baal ; 26 ils sortirent la stèle [n] de la
maison du Baal et la brûlèrent. 27 Après
avoir détruit la stèle du Baal, ils démolirent la maison du Baal dont ils
firent un cloaque [o] qui subsiste jusqu'à ce
jour.

Jéhu, roi d'Israël

28 Jéhu supprima d'Israël le *Baal.
29 Seulement Jéhu ne s'écarta pas des
péchés que Jéroboam, fils de Nevath, avait
fait commettre à Israël : les veaux d'or
qui étaient à Béthel et à Dan [p]. 30 Le
SEIGNEUR dit à Jéhu : « Parce que tu as
bien agi, faisant ce qui est droit à mes
yeux, et que tu as traité la maison
d'Akhab exactement comme je le voulais, tes fils, jusqu'à la quatrième génération s'assiéront sur le trône d'Israël. »
31 Mais Jéhu n'eut pas soin de marcher
de tout son cœur selon la Loi du SEIGNEUR,
le Dieu d'Israël, il ne s'écarta pas des
péchés que Jéroboam avait fait commettre
à Israël.
32 En ces jours-là, le SEIGNEUR commença à tailler dans le territoire d'Israël.
Hazaël les frappa sur toute la frontière
d'Israël 33 depuis le Jourdain, au soleil
levant, tout le pays du Galaad, pays des
Gadites, des Rubénites et des Manassites,
depuis Aroër, qui est sur les gorges de
l'Arnôn ainsi que le Galaad et le Bashân.
34 Le reste des actes de Jéhu, tout ce
qu'il a fait, tous ses exploits, cela n'est-il
pas écrit dans le livre des *Annales des
rois d'Israël ? 35 Jéhu se coucha avec ses
pères [q] et on l'ensevelit à Samarie. Son
fils Yoakhaz régna à sa place. 36 Le temps
que Jéhu régna sur Israël, à Samarie, fut
de vingt-huit ans.

Athalie s'empare du pouvoir à Jérusalem

(*2 Ch 22.10-12*)

11 1 Lorsqu'Athalie, mère d'Akhazias,
vit que son fils était mort [r], elle
entreprit de faire périr toute la descendance royale. 2 Yehoshèva, fille du roi
Yoram, sœur d'Akhazias, prit Joas, fils
d'Akhazias, l'enleva du milieu des fils du
roi qu'on allait mettre à mort et le plaça,
lui et sa nourrice, dans la salle [s] réservée
aux lits : on le fit disparaître aux regards
d'Athalie et il ne fut pas mis à mort.
3 Il demeura caché avec sa nourrice dans
la Maison du SEIGNEUR pendant six
années, tandis qu'Athalie régnait sur le
pays.

Joas est consacré comme roi

2 Ch 23.1-21)

4 La septième année, Yehoyada envoya
chercher les centeniers des Kariens et des

j la maison du Baal: voir 1 R 16.32 • *k* Les participants à une cérémonie religieuse devaient revêtir des habits spéciaux réservés à cet usage. Ces habits permettront à Jéhu et à ses compagnons de reconnaître les fidèles du Baal • *l holocaustes:* voir au glossaire SACRIFICES • *m coureurs:* voir 1 R 14.27 et la note • *n la stèle:* d'après les versions anciennes et le v. 27; hébreux: *les stèles;* voir 1 R 14.23 et la note — Dans l'ensemble, le texte des v. 25-27 est peu clair, et la traduction parfois incertaine • *o un cloaque* ou *des latrines,* c'est-à-dire *des toilettes publiques* • *p* Voir 1 R 12.28-29 • *q se coucha avec ses pères:* voir 1 R 1.21 et la note • *r Athalie:* voir 8.18, 26 et les notes — *que son fils était mort:* voir 9.27-29 • *s Yehoshèva* était, selon 2 Ch 22.11, l'épouse du prêtre Yehoyada (v. 4) — Cette *salle* se trouvait probablement dans les annexes du Temple, voir 1 R 6.5-10

10.21 maison remplie Cf. Mt 22.10. **10.22** invités portant les vêtements requis Cf. Mt 22.11. **10.24** il paiera de sa vie 1 R 20.39-42. **10.27** un cloaque Cf. Dn 2.5; Esd 6.11. **11.1** anéantissement de la famille royale 1 R 14.10+.

coureurs [t] et les fit venir près de lui dans la Maison du SEIGNEUR. Il conclut une alliance en leur faveur et leur fit prêter serment dans la Maison du SEIGNEUR, puis il leur montra le fils du roi. [5] Il leur donna cet ordre : « Voici ce que vous allez faire : le tiers d'entre vous qui entre en service le jour du *sabbat et qui garde la maison du roi, [6] le tiers qui se tient à la porte de Sour et le tiers qui se tient à la porte située derrière les coureurs monteront la garde à la Maison pour en contrôler l'accès. [7] Les deux sections constituées par ceux qui quittent leur service le jour du sabbat monteront la garde à la Maison du SEIGNEUR, auprès du roi [u]. [8] Vous ferez cercle autour du roi, chacun les armes à la main. Quiconque voudra forcer les rangs sera mis à mort. Soyez avec le roi où qu'il aille. »

[9] Les centeniers agirent selon tout ce qu'avait ordonné le prêtre Yehoyada. Chacun d'eux prit ses hommes, ceux qui entraient en service le jour du sabbat et ceux qui en sortaient, et se rendit auprès du prêtre Yehoyada. [10] Le prêtre remit aux centeniers la lance ainsi que les boucliers du roi David [v] qui étaient dans la Maison du SEIGNEUR. [11] Les coureurs, les armes à la main, se placèrent depuis le côté droit de la Maison jusqu'à son côté gauche, près de l'*autel et de la Maison, de manière à entourer le roi. [12] Alors Yehoyada fit sortir le fils du roi, mit sur lui le diadème et les insignes de la royauté [w]. On l'établit roi, on lui donna l'*onction, puis on applaudit, en criant : « Vive le roi ! »

[13] Athalie entendit le bruit que faisait le peuple qui accourait ; elle se dirigea vers le peuple à la Maison du SEIGNEUR. [14] Elle regarda : voici que le roi se tenait debout sur l'estrade [x], selon la coutume ; les chefs et les joueurs de trompettes étaient près du roi, toute la population du pays était dans la joie et l'on sonnait de la trompette. Athalie *déchira ses vêtements et s'écria : « Conspiration ! conspi-

ration ! » [15] Le prêtre Yehoyada donna des ordres aux centeniers chargés de l'armée, en leur disant : « Faites-la sortir de l'enceinte parmi les rangs ! Quiconque la suivra, mourra par l'épée ! » En effet, le prêtre avait dit : « Il ne faut pas qu'elle soit mise à mort dans la Maison du SEIGNEUR. » [16] Ils s'emparèrent d'Athalie et, alors qu'elle arrivait à la maison du roi par l'entrée des Chevaux [y], elle fut mise à mort à cet endroit.

[17] Yehoyada conclut l'*alliance entre le SEIGNEUR, le roi et le peuple pour qu'il soit un peuple pour le SEIGNEUR ; il conclut aussi une alliance entre le roi et le peuple. [18] Toute la population du pays se rendit à la maison du *Baal, la démolit, brisa complètement ses autels et ses statues et, devant les autels, tua Mattân, le prêtre du Baal. Le prêtre Yehoyada établit une surveillance sur la Maison du SEIGNEUR, [19] puis il prit les centeniers, les Kariens, les coureurs et toute la population du pays ; ils firent descendre le roi de la Maison du SEIGNEUR et, par la porte des coureurs, se rendirent à la maison du roi. Joas s'assit sur le trône des rois. [20] Toute la population du pays fut dans la joie et la ville resta dans le calme. Athalie, elle, on l'avait mise à mort par l'épée dans la maison du roi.

Joas, roi de Juda
(2 Ch 24.1-3)

12 [1] Joas avait sept ans [z] lorsqu'il devint roi. [2] Ce fut dans la septième année du règne de Jéhu que Joas devint roi et il régna quarante ans à Jérusalem. Le nom de sa mère était Civya, de Béer-Shéva. [3] Joas fit ce qui est droit aux yeux du SEIGNEUR pendant toute sa vie, car le prêtre Yehoyada l'avait instruit. [4] Cependant les *hauts lieux ne disparurent pas ; le peuple continuait à offrir des *sacrifices et à brûler de l'*encens sur les hauts lieux.

---

[t] *Kariens*: soldats originaires d'Asie Mineure, formant une troupe de gardes du palais et du Temple — *coureurs*: voir 1 R 14.27 et la note ● [u] Le texte hébreu des v. 5-7 est peu clair et la traduction incertaine ● [v] La *lance* pourrait éventuellement être celle de Goliath (comparer 1 S 17.45; 21.10); les versions anciennes et le texte parallèle des Chroniques ont le pluriel: *les lances* — *David* avait déposé à Jérusalem diverses armes prises à ses ennemis vaincus: voir 2 S 8.7 ● [w] *les insignes de la royauté*: autres traductions *le témoignage, la Loi* ou *le document de l'alliance*; le terme hébreu ainsi traduit est trop vague pour que l'on puisse savoir de quoi il s'agit exactement dans ce contexte ● [x] *sur l'estrade* ou *près de la colonne* ● [y] *entrée des Chevaux*: on ne sait pas exactement où elle se situait dans le plan de Jérusalem ; il ne faut sans doute pas la confondre avec *la porte des Chevaux*, mentionnée en Jr 31.40; Ne 3.28 ● [z] *sept ans*: voir 11.4

11.10 butin déposé dans un sanctuaire 1 S 5.2; 21.10; 31.10; 2 S 8.11.   **11.12** vive le roi 1 R 1.39+.   **11.13** Athalie entendit 1 R 1.41.   **11.14** sur l'estrade 23.3 — sonnerie de trompette 1 R 1.34, 40.   **11.15** pas dans le Temple 1 R 2.30-34; cf. Nb 19.11-16; 2 R 23.14.   **11.18** le temple du Baal détruit 10.26-27.   **11.19** sur le trône 1 R 1.46, 48.

Joas fait réparer le Temple
(2 Ch 24.4-14)

5 Joas dit aux prêtres : « Tout l'argent consacré qu'on apporte à la Maison du SEIGNEUR, l'argent qui a cours, les taxes individuelles selon les moyens de chacun, tout l'argent que chacun, selon sa générosité, apporte à la Maison du SEIGNEUR, 6 que les prêtres le prennent pour eux-mêmes, chacun de la part de ceux qu'il connaît, mais qu'ils réparent les dégradations de la Maison partout où il s'en trouvera *a*. »

7 Or, la vingt-troisième année du règne de Joas, les prêtres n'avaient pas encore réparé les dégradations de la Maison du SEIGNEUR. 8 Le roi Joas convoqua le prêtre Yehoyada ainsi que les autres prêtres et leur dit : « Pourquoi ne réparez-vous pas les dégradations de la Maison ? Désormais vous ne prendrez plus d'argent de la part de ceux que vous connaissez, car c'est pour les dégradations de la Maison que vous deviez le donner. » 9 Les prêtres consentirent à ne plus prendre l'argent qui provenait du peuple et à ne plus devoir réparer les dégradations de la Maison. 10 Le prêtre Yehoyada prit un tronc, perça un trou dans le couvercle, et le plaça à côté de l'*autel, sur la droite quand on entre dans la Maison du SEIGNEUR. Les prêtres gardiens du seuil *b* y déposaient tout l'argent qu'on apportait à la Maison du SEIGNEUR. 11 Dès qu'ils voyaient qu'il y avait beaucoup d'argent dans le tronc, le secrétaire du roi et le grand prêtre montaient ramasser et compter l'argent qui se trouvait dans la Maison du SEIGNEUR. 12 Après l'avoir compté, ils remettaient l'argent entre les mains des entrepreneurs des travaux, des responsables de la Maison du SEIGNEUR ; ceux-ci l'utilisaient pour payer les charpentiers, les constructeurs qui travaillaient à la Maison du SEIGNEUR, 13 les maçons et les tailleurs de pierre, et aussi pour acheter des poutres et des pierres de taille en vue

de réparer les dégradations de la Maison du SEIGNEUR, bref pour tout ce qui devait être dépensé pour la réparation de la Maison. 14 Toutefois, sur les sommes apportées à la Maison du SEIGNEUR on ne fit ni bols d'argent, ni mouchettes, ni bassines *c*, ni trompettes, ni aucun des ustensiles d'or ou d'argent pour la Maison du SEIGNEUR. 15 On donnait ces sommes aux entrepreneurs des travaux qui les utilisaient pour réparer la Maison du SEIGNEUR. 16 On ne demandait pas de comptes aux hommes auxquels on remettait cet argent pour payer les ouvriers, car ils agissaient consciencieusement. 17 L'argent des *sacrifices de réparation et l'argent des sacrifices pour le péché n'étaient pas destinés à la Maison du SEIGNEUR ; c'était pour les prêtres *d*.

Fin du règne de Joas
(2 Ch 24.23-27)

18 Alors Hazaël, roi d'*Aram, monta attaquer Gath *e* et s'en empara. Hazaël se disposa à monter contre Jérusalem. 19 Joas, roi de Juda, prit tous les objets consacrés par Josaphat, Yoram et Akhazias, ses pères, les rois de Juda, ainsi que les objets qu'il avait lui-même consacrés, tout l'or qui se trouvait dans les trésors de la Maison du SEIGNEUR et de la maison du roi et les envoya à Hazaël, roi d'Aram, qui renonça à monter contre Jérusalem.

20 Le reste des actes de Joas, tout ce qu'il a fait, cela n'est-il pas écrit dans le livre des *Annales des rois de Juda ? 21 Ses serviteurs se soulevèrent et organisèrent une conspiration. Ils frappèrent Joas à Beth-Millo tandis qu'il descendait vers Silla *f*. 22 Ce furent Yozavad, fils de Shiméath, et Yehozavad, fils de Shomér, ses serviteurs, qui le frappèrent et il mourut. On l'ensevelit avec ses pères dans la *Cité de David. Son fils Amasias régna à sa place.

---

a Dans les v. 5-6, certains éléments de détail ne sont pas très clairs, mais le sens général est évident ● *b* tronc: sorte de coffre ou de boîte destiné à recueillir les dons en argent; voir Mc 12.41 par. — Les *gardiens du seuil* sont des personnages importants de la hiérarchie des prêtres (voir 23.4; 25.18), bien que leur fonction précise ne soit pas connue ● *c* Comparer avec 2 Ch 24.14 — Sur les divers objets liturgiques mentionnés ici, voir 1 R 7.50 ● *d* On ne sait pas si l'*argent* ainsi réservé aux *prêtres* remplaçait dans certains cas les *sacrifices* mentionnés (comparer Lv 6.18—7.7), ou les accompagnait régulièrement ● *e* Gath: voir 1 R 2.39 et la note ● *f* Beth-Millo est peut-être identique au *Millo* de 1 R 9.15; *Silla* est un endroit non identifié — Le texte hébreu de la fin du verset est peu clair et la traduction incertaine

12.5 tout l'argent consacré Ex 30.11-16; Lv 27.2-8. **12.6** les dégradations 22.3-7. **12.16** pas de comptes 22.7. **12.18** Hazaël menace Jérusalem 8.12+. **12.19** utilisation des trésors du Temple 16.8; 18.15; 1 R 15.18-19.

Yoakhaz, roi d'Israël

13 ¹ La vingt-troisième année du règne de Joas, fils d'Akhazias, roi de Juda, Yoakhaz, fils de Jéhu, devint roi sur Israël à Samarie pour dix-sept ans. ² Il fit ce qui est mal aux yeux du SEIGNEUR ; il imita les péchés que Jéroboam, fils de Nevath, avait fait commettre à Israël ; il ne s'en écarta pas. ³ La colère du SEIGNEUR s'enflamma contre Israël qu'il livra tout le temps aux mains d'Hazaël, roi d'*Aram, et aux mains de Ben-Hadad, fils d'Hazaël. ⁴ Mais Yoakhaz apaisa le SEIGNEUR [g] qui l'écouta car il avait vu l'oppression qu'Israël avait à supporter et que le roi d'Aram faisait peser sur lui. ⁵ Le SEIGNEUR donna à Israël un sauveur ; les fils d'Israël échappèrent à la poigne d'Aram et habitèrent sous leurs tentes [h] comme auparavant. ⁶ Toutefois, ils ne s'écartèrent pas des péchés que la maison de Jéroboam avait fait commettre à Israël, ils y persistèrent ; même le poteau sacré [i] resta debout à Samarie. ⁷ Il ne fut laissé à Yoakhaz, comme peuple en armes, que cinquante cavaliers [j], dix chars et dix mille fantassins, car le roi d'Aram avait fait périr les autres : il les avait traités comme de la poussière qu'on foule aux pieds.

⁸ Le reste des actes de Yoakhaz, tout ce qu'il a fait, ses exploits, cela n'est-il pas écrit dans le livre des *Annales des rois d'Israël ? ⁹ Yoakhaz se coucha avec ses pères [k] et on l'ensevelit à Samarie. Son fils Joas régna à sa place.

Joas, roi d'Israël

¹⁰ La trente-septième année du règne de Joas, roi de Juda, Joas, fils de Yoakhaz, devint roi sur Israël à Samarie pour seize ans. ¹¹ Il fit ce qui est mal aux yeux du SEIGNEUR ; il ne s'écarta d'aucun des péchés que Jéroboam, fils de Nevath, avait fait commettre à Israël, il y persista. ¹² Le reste des actes de Joas, tout ce qu'il a fait, ses exploits, ses guerres avec Amasias [l], roi de Juda, cela n'est-il pas écrit dans le livre des *Annales des rois d'Israël ? ¹³ Joas se coucha avec ses pères et Jéroboam s'assit sur son trône. Joas fut enseveli à Samarie avec les rois d'Israël [m].

Dernière prophétie d'Elisée

¹⁴ Elisée tomba malade de la maladie dont il devait mourir. Joas, roi d'Israël, descendit vers lui, pleura contre son visage et dit : « Mon père ! Mon père ! Chars et cavalerie d'Israël ! [n] » ¹⁵ Elisée lui dit : « Prends un arc et des flèches ! » Joas prit un arc et des flèches. ¹⁶ Elisée dit au roi d'Israël : « Tends l'arc ! », et il le tendit. Elisée mit ses mains sur celles du roi ¹⁷ et dit : « Ouvre la fenêtre qui donne vers l'orient ! » Joas l'ouvrit. Elisée lui dit : « Tire ! », et il tira. Elisée dit : « C'est la flèche de la victoire du SEIGNEUR, la flèche de la victoire sur *Aram. Tu frapperas Aram à Afeq [o] jusqu'à extermination. » ¹⁸ Elisée dit à Joas : « Prends les flèches ! » Il les prit. Elisée dit au roi d'Israël : « Frappe la terre ! » Il frappa trois fois et s'arrêta. ¹⁹ L'homme de Dieu s'irrita contre lui et dit : « Si tu avais frappé cinq ou six fois, tu aurais frappé Aram jusqu'à extermination. Maintenant, c'est trois fois seulement que tu frapperas Aram. »

²⁰ Elisée mourut et on l'ensevelit. Or, en début d'année, des bandes [p], venant de Moab, pénétraient dans le pays. ²¹ Comme des gens ensevelissaient un homme, on aperçut une de ces bandes ; ils déposèrent en hâte l'homme dans la tombe d'Elisée et ils partirent. L'homme toucha les ossements d'Elisée ; il reprit vie et se dressa sur ses pieds.

Joas reprend plusieurs villes aux Araméens

²² Hazaël, roi d'*Aram, avait opprimé Israël durant toute la vie de Yoakhaz [q]. ²³ Mais le SEIGNEUR fit grâce aux fils d'Israël, leur montra sa tendresse et se tourna

---

g apaisa le Seigneur, c'est-à-dire *demanda au Seigneur de s'apaiser;* comparer en 1 R 13.6 une formule semblable, mais plus développée ● *h un sauveur:* voir Jg 3.9 — *sous leurs tentes:* voir Jos 22.4 et la note ● *i poteau sacré:* voir 1 R 14.15 et la note ● *j cavaliers* ou *chevaux* ● *k se coucha avec ses pères:* voir 1 R 1.21 et la note ● *l ses guerres avec Amasias:* voir 14.8-14 ● *m* Les v. 12-13 sont répétés presque mot à mot en 14.15-16, car jusqu'en 14.14, il s'agit d'événements dans lesquels le roi Joas d'Israël a joué un rôle ● *n Mon père!...:* voir 2.12 et la note ● *o Afeq:* voir 1 R 20.26 et la note ● *p* Il s'agit de *bandes* de pillards, comme en 5.2 ● *q* Voir v. 3

13.3 livrés aux mains d'Hazaël 8.12+.   **13.14** pleura contre son visage Gn 45.14; 46.29; 50.1. **13.15-17** geste prophétique 13.18-19; 1 R 11.31+.   **13.22** Israël opprimé par Hazaël 8.12+.

vers eux à cause de son *alliance avec Abraham, Isaac et Jacob ; il ne voulut pas les détruire : jusqu'alors, il ne les avait pas rejetés loin de sa présence. [24] Hazaël, roi d'Aram, mourut, et son fils, Ben-Hadad régna à sa place. [25] Joas, fils de Yoakhaz, reprit des mains de Ben-Hadad, fils de Hazaël, les villes que ce dernier avait prises durant la guerre des mains de Yoakhaz, son père. Joas frappa trois fois Ben-Hadad et recouvra les villes d'Israël.

Amasias, roi de Juda
(2 Ch 25.1-4, 11-12, 17-28 ; 26.1-2)

14 [1] La deuxième année du règne de Joas, fils de Yoakhaz, roi d'Israël, Amasias, fils de Joas, roi de Juda, devint roi. [2] Il avait vingt-cinq ans lorsqu'il devint roi et il régna vingt-neuf ans à Jérusalem. Le nom de sa mère était Yehoaddîn, de Jérusalem. [3] Il fit ce qui est droit aux yeux du Seigneur, non pas toutefois comme David, son père ; il agit exactement comme Joas, son père. [4] Cependant les *hauts lieux ne disparurent pas ; le peuple continuait à offrir des *sacrifices et à brûler de l'*encens sur les hauts lieux.

[5] Après que la royauté fut affermie en sa main, Amasias tua ceux de ses serviteurs qui avaient tué le roi son père [r]. [6] Mais il ne mit pas à mort les fils des meurtriers, selon ce qui est écrit dans le livre de la Loi de Moïse, où le Seigneur a donné cet ordre : *Les pères ne seront pas mis à mort pour leurs fils ; les fils ne seront pas mis à mort pour leurs pères ; c'est à cause de son propre péché que chacun sera mis à mort* [s]. [7] C'est lui qui frappa Edom dans la vallée du Sel, soit dix mille hommes, et qui, au cours de la guerre, s'empara de Sèla [t] qu'il appela Yoqtéel, nom qui subsiste jusqu'à ce jour.

[8] Alors Amasias envoya des messagers à Joas, fils de Yoakhaz, fils de Jéhu, roi d'Israël, pour lui dire : « Viens t'affronter avec moi ! » [9] Joas, roi d'Israël, envoya dire à Amasias, roi de Juda : « Le chardon du Liban a envoyé dire au cèdre du Liban : "Donne ta fille en mariage à mon fils !" Mais la bête sauvage du Liban est passée et a piétiné le chardon [u]. [10] Certes, tu as vaincu Edom et ton cœur en est fier. Glorifie-toi, mais reste chez toi ! Pourquoi t'engager dans une guerre malheureuse et succomber, toi et Juda avec toi ? » [11] Amasias ne l'écouta pas. Joas, roi d'Israël, monta et ils s'affrontèrent, lui et Amasias, roi de Juda, à Beth-Shèmesh [v] de Juda. [12] Juda fut battu devant Israël et chacun s'enfuit à sa tente [w]. [13] Joas, roi d'Israël, fit prisonnier à Beth-Shèmesh Amasias, roi de Juda, fils de Joas, fils d'Akhazias, puis il vint à Jérusalem et fit une brèche de quatre cents coudées dans la muraille de Jérusalem, depuis la porte d'Ephraïm jusqu'à la porte de l'Angle [x]. [14] Il prit tout l'or et l'argent, tous les objets qui se trouvaient dans la Maison du Seigneur et dans les trésors de la maison du roi, ainsi que les otages, et il s'en retourna à Samarie.

[15] Le reste des actes de Joas, ce qu'il a fait, ses exploits, ses guerres contre Amasias, roi de Juda, cela n'est-il pas écrit dans le livre des *Annales des rois d'Israël ? [16] Joas se coucha avec ses pères et fut enseveli à Samarie avec les rois d'Israël [y]. Son fils Jéroboam régna à sa place.

[17] Amasias, fils de Joas, roi de Juda, vécut quinze ans après la mort de Joas, fils de Yoakhaz, roi d'Israël. [18] Le reste des actes d'Amasias, cela n'est-il pas écrit dans le livre des Annales des rois de Juda ? [19] On fit une conspiration contre lui à Jérusalem et il s'enfuit à Lakish [z]. On envoya des gens qui le poursuivirent à Lakish où il fut mis à mort. [20] On le transporta sur des chevaux et il fut ense-

---

r Voir 12.21-22 ● *s* Citation de Dt 24.16 ● *t* *vallée du Sel:* vallée qui relie la mer Morte au golfe d'Aqaba (aujourd'hui « La Araba ») — *Sèla:* ville dont la localisation est incertaine, probablement dans la région de Pétra ● *u* Petite fable, rappelant celle de Jg 9.8-15, mais dont l'explication de détail est difficile ; d'après le v. 10, il semble que Joas laisse entendre à Amasias, par cette fable, que sa prétention l'expose à un écrasement subit ● *v* *Beth-Shèmesh:* voir 1 S 6.9 et la note ● *w* *à sa tente:* voir Jos 22.4 ; 1 R 12.16 et les notes ● *x* *coudées:* voir au glossaire POIDS ET MESURES — La partie de *muraille* détruite se situait probablement dans le secteur nord ou nord-est de la ville ● *y* *se coucha avec ses pères:* voir 1 R 1.21 et la note — Les v. 15-16 répètent presque mot à mot 13.12-13, où l'information donnée se trouve à une place plus normale ● *z* *Lakish:* localité située à 45 km environ au sud-ouest de Jérusalem (aujourd'hui « Tell-ed-Duweir »)

13.23 l'alliance avec les patriarches Dt 1.8 ; 6.10 ; 9.5, 27 ; 29.12 ; 34.4 ; 1 R 18.36+ — rejetés loin de lui 17.18-20 ; 24.20 ; Jr 7.15. **13.25** trois fois 13.19. **14.6** responsabilité individuelle Jr 31. 29-30 ; Ez 14.12-20 ; 18 ; 33.10-20 ; cf. Lv 26.39. **14.14** pillage du trésor du Temple 25.14-15 ; 1 R 14.26 ; *1 M* 1.21-24 ; *2 M* 5.15-16.

veli à Jérusalem avec ses pères dans la *Cité de David. 21 Tout le peuple de Juda prit Azarias, qui avait seize ans, et le fit roi à la place de son père Amasias. 22 C'est lui qui rebâtit Eilath _a_ et la rendit à Juda, après que le roi Amasias se fut couché avec ses pères.

Jéroboam II, roi d'Israël

23 La quinzième année du règne d'Amasias, fils de Joas, roi de Juda, Jéroboam, fils de Joas, roi d'Israël, devint roi à Samarie pour quarante et un ans. 24 Il fit ce qui est mal aux yeux du Seigneur ; il ne s'écarta d'aucun des péchés que Jéroboam, fils de Nevath, avait fait commettre à Israël.

25 C'est lui qui rétablit le territoire d'Israël, depuis Lebo-Hamath jusqu'à la mer de la Araba, selon la parole que le Seigneur, le Dieu d'Israël, avait dite par l'intermédiaire de son serviteur le *prophète Jonas _b_, fils d'Amittaï, de Gath-Héfèr. 26 Le Seigneur, en effet, avait vu l'humiliation très amère _c_ d'Israël ; il n'y avait plus ni esclave, ni homme libre, ni personne pour secourir Israël. 27 Le Seigneur n'avait pas dit qu'il effacerait le nom d'Israël de sous le ciel. Il les sauva donc par la main de Jéroboam, fils de Joas.

28 Le reste des actes de Jéroboam, tout ce qu'il a fait, ses exploits, ses guerres — il rendit à Israël Damas et Hamath qui avaient appartenu à Juda —, cela n'est-il pas écrit dans le livre des *Annales des rois d'Israël ? 29 Jéroboam se coucha avec ses pères, avec les rois d'Israël. Son fils Zacharie régna à sa place.

Azarias, roi de Juda

(_2 Ch 26.3-4, 21-23_)

15 1 La vingt-septième année du règne de Jéroboam, roi d'Israël, Azarias, fils d'Amasias, roi de Juda, devint roi. 2 Il avait seize ans lorsqu'il devint roi, et il régna cinquante-deux ans à Jérusalem. Le nom de sa mère était Yekolyahou, de Jérusalem. 3 Il fit ce qui est

droit aux yeux du Seigneur, exactement comme Amasias, son père. 4 Cependant les *hauts lieux ne disparurent pas ; le peuple continuait à offrir des *sacrifices et à brûler de l'*encens sur les hauts lieux. 5 Le Seigneur frappa le roi et il fut *lépreux jusqu'au jour de sa mort. Il dut résider à part dans une maison _d_ et Yotam, le fils du roi, chef du palais, gouverna la population du pays.

6 Le reste des actes d'Azarias, tout ce qu'il a fait, cela n'est-il pas écrit dans le livre des *Annales des rois de Juda ? 7 Azarias se coucha avec ses pères _e_ et on l'ensevelit avec ses pères dans la *Cité de David. Son fils Yotam régna à sa place.

Zacharie, roi d'Israël

8 La trente-huitième année du règne d'Azarias, roi de Juda, Zacharie, fils de Jéroboam, devint roi sur Israël à Samarie pour six mois. 9 Il fit ce qui est mal aux yeux du Seigneur comme l'avaient fait ses pères. Il ne s'écarta pas des péchés que Jéroboam, fils de Nevath, avait fait commettre à Israël. 10 Shalloum, fils de Yavesh, conspira contre lui ; il le frappa en présence du peuple, le fit mourir et régna à sa place.

11 Le reste des actes de Zacharie, cela est écrit dans le livre des *Annales des rois d'Israël. 12 Telle était la parole que le Seigneur avait dite à Jéhu : « Tes fils jusqu'à la quatrième génération s'assiéront sur le trône d'Israël _f_. » Et il en fut ainsi.

Shalloum, roi d'Israël

13 Shalloum, fils de Yavesh, devint roi la trente-neuvième année du règne d'Ozias _g_, roi de Juda. Il régna un mois à Samarie. 14 Menahem, fils de Gadi, monta de Tirça _h_ et vint à Samarie. Il frappa Shalloum, fils de Yavesh, à Samarie, le fit mourir et régna à sa place. 15 Le reste des actes de Shalloum, la conspiration qu'il organisa, cela est écrit dans le livre des *Annales des rois d'Israël. 16 C'est alors que Menahem frappa

---

a Eilath: voir 1 R 9.26 et la note ● _b Lebo-Hamath_: voir 1 R 8.65 et la note — _mer de la Araba_: autre nom de la _mer Morte_ (comparer 14.7 et la note) — _Jonas_: l'A.T. n'a pas conservé cette prophétie de Jonas ● _c amère_: d'après les versions anciennes; hébreu: _rebelle_ ● _d à part dans une maison_: traduction incertaine, suggérée par Lv 13.46 ● _e se coucha avec ses pères_: voir 1 R 1.21 et la note ● _f_ Voir 10.30 ● _g Ozias_: autre nom d'_Azarias_ (15.1-7); comparer 2 Ch 26 ● _h Tirça_: voir 1 R 14.17 et la note

14.20 ramené dans sa capitale 9.28+. **14.25** Jonas Jon 1.1. **14.27** effacer le nom de quelqu'un de sous le ciel Dt 7.24; 9.14; 25.19; 29.19. **14.28** Damas et Hamath 2 S 8.5-10. **15.5** lépreux 5.27+ — chef de palais 1 R 4.6. **15.7** la mort d'Azarias Es 6.1.

Tifsah [i] et tous ceux qui s'y trouvaient ainsi que tout son territoire, depuis Tirça ; il frappa parce qu'on ne lui avait pas ouvert les portes de la ville et il éventra toutes les femmes enceintes.

Menahem, roi d'Israël

[17] La trente-neuvième année du règne d'Azarias, roi de Juda, Menahem, fils de Gadi, devint roi sur Israël à Samarie pour dix ans. [18] Il fit ce qui est mal aux yeux du SEIGNEUR ; il ne s'écarta pas, durant toute sa vie, des péchés que Jéroboam, fils de Nevath, avait fait commettre à Israël.

[19] Poul, roi d'Assyrie, envahit le pays, mais Menahem donna à Poul mille talents [j] d'argent pour qu'il lui prêtât mainforte et consolidât la royauté en ses mains. [20] Menahem se procura cet argent en levant un impôt sur Israël, sur tous les gens riches, pour le donner au roi d'Assyrie, soit cinquante sicles d'argent par personne. Le roi d'Assyrie s'en retourna ; il ne resta pas dans le pays.

[21] Le reste des actes de Menahem, tout ce qu'il a fait, cela n'est-il pas écrit dans le livre des *Annales des rois d'Israël ? [22] Menahem se coucha avec ses pères. Son fils Péqahya régna à sa place.

Péqahya, roi d'Israël

[23] La cinquantième année du règne d'Azarias, roi de Juda, Péqahya, fils de Menahem, devint roi sur Israël à Samarie pour deux ans. [24] Il fit ce qui est mal aux yeux du SEIGNEUR ; il ne s'écarta pas des péchés que Jéroboam, fils de Nevath, avait fait commettre à Israël. [25] Son écuyer Péqah, fils de Remalyahou, conspira contre lui ; il frappa Péqahya ainsi que Argov et Arié à Samarie, dans le donjon de la maison du roi. Il avait avec lui cinquante hommes d'entre les fils des Galaadites. Il fit mourir Péqahya et régna à sa place. [26] Le reste des actes de Péqahya, tout ce qu'il a fait, cela est écrit dans le livre des *Annales des rois d'Israël.

Péqah, roi d'Israël

[27] La cinquante-deuxième année du règne d'Azarias, roi de Juda, Péqah, fils de Remalyahou, devint roi sur Israël à Samarie pour vingt ans. [28] Il fit ce qui est mal aux yeux du SEIGNEUR ; il ne s'écarta pas des péchés que Jéroboam, fils de Nevath, avait fait commettre à Israël. [29] Au temps de Péqah, roi d'Israël, Tiglath-Piléser, roi d'Assyrie, vint prendre Iyyôn, Avel-Beth-Maaka, Yanoah, Qèdesh, Haçor, le Galaad, la Galilée et tout le pays de Nephtali [k] ; il déporta leurs habitants en Assyrie. [30] Osée, fils d'Ela, organisa une conspiration contre Péqah, fils de Remalyahou, le frappa à mort et régna à sa place, la vingtième année du règne de Yotam, fils d'Ozias [l]. [31] Le reste des actes de Péqah, tout ce qu'il a fait, cela est écrit dans le livre des *Annales des rois d'Israël.

Yotam, roi de Juda

(2 Ch 27.1-3, 7-9)

[32] La deuxième année du règne de Péqah, fils de Remalyahou, roi d'Israël, Yotam, fils d'Ozias, roi de Juda, devint roi. [33] Il avait vingt-cinq ans lorsqu'il devint roi et il régna seize ans à Jérusalem. Le nom de sa mère était Yerousha, fille de Sadoq. [34] Il fit ce qui est droit aux yeux du SEIGNEUR. Il agit exactement comme Ozias, son père. [35] Cependant les *hauts lieux ne disparurent pas ; le peuple continuait à offrir des *sacrifices et à brûler de l'*encens sur les hauts lieux. C'est lui qui bâtit la porte Supérieure [m] de la Maison du SEIGNEUR.

[36] Le reste des actes de Yotam, ce qu'il a fait, cela n'est-il pas écrit dans le livre des *Annales des rois de Juda ? [37] En ces jours-là, le SEIGNEUR commença d'envoyer contre Juda Recîn, roi d'*Aram, et Péqah, fils de Remalyahou. [38] Yotam se coucha avec ses pères et il fut enseveli avec ses pères dans la *Cité de David, son père. Son fils Akhaz régna à sa place.

---

i Tifsah: voir 1 R 5.4 et la note. Mais plusieurs traductions modernes suivent ici le texte de l'ancienne version grecque qui parle de *Tappouah*, localité du centre de la Palestine (voir Jos 17.8) ● *j Poul:* autre nom de Tiglath-Piléser III, voir v. 29 — *talents* (et *sicles*, v. 20): voir au glossaire POIDS ET MESURES ● *k* Toutes ces localités et régions se trouvaient dans la partie nord-est du royaume d'Israël ● *l Ozias:* voir v. 13 et la note ● *m* Cette *porte Supérieure* est peut-être celle qui est mentionnée en Jr 20.2 et Ez 9.2

15.29 déportation de populations 16.9; 17.6, 23, 24; 18.11, 32; 24.14-16; 25.11; cf. Jr 29; Ez 1.1; Ps 137; Dn 1—6. **15.37** Recîn et Péqah 16.5; Es 7.1.

Akhaz, roi de Juda
(2 Ch 28.1-27)

16 ¹ La dix-septième année du règne de Péqah, fils de Remalyahou, Akhaz, fils de Yotam, roi de Juda, devint roi. ² Akhaz avait vingt ans lorsqu'il devint roi et il régna seize ans à Jérusalem. Il ne fit pas comme David, son père *n*, ce qui est droit aux yeux du SEIGNEUR, son Dieu. ³ Mais il suivit le chemin des rois d'Israël et même fit passer son fils par le feu *o*, selon les abominations des nations que le SEIGNEUR avait dépossédées devant les fils d'Israël. ⁴ Il offrit des *sacrifices et brûla de l'*encens sur les *hauts lieux, sur les collines et sous tout arbre verdoyant.

⁵ Alors Recîn, roi d'*Aram, et Péqah, fils de Remalyahou, roi d'Israël, montèrent pour faire la guerre à Jérusalem. Ils assiégèrent Akhaz mais ne purent engager le combat. — ⁶ En ce temps-là, Recîn, roi d'Aram, avait rendu Eilath *p* à Aram ; il en avait expulsé les Judéens et des Edomites étaient venus s'installer à Eilath où ils sont restés jusqu'à ce jour. — ⁷ Akhaz envoya des messagers à Tiglath-Piléser, roi d'Assyrie, pour lui dire : « Je suis ton serviteur et ton fils ; monte et délivre-moi de la poigne du roi d'Aram et de celle du roi d'Israël, qui se dressent contre moi ! » ⁸ Akhaz prit l'argent et l'or qui se trouvaient dans la Maison du SEIGNEUR et dans les trésors de la maison du roi et les envoya en cadeau au roi d'Assyrie. ⁹ Le roi d'Assyrie l'écouta et monta lui-même contre Damas dont il s'empara ; il en déporta les habitants à Qir *q* et mit à mort Recîn.

¹⁰ Le roi Akhaz se rendit à Damas pour y rencontrer Tiglath-Piléser, roi d'Assyrie. Il vit l'*autel qui était à Damas. Le roi Akhaz envoya au prêtre Ouriya un modèle et un plan de l'autel, en vue d'en faire une reproduction exacte. ¹¹ Le prêtre Ouriya construisit l'autel : c'est d'après toutes les indications envoyées de Damas par le roi Akhaz que le prêtre Ouriya agit et cela avant même que le roi Akhaz ne revienne de Damas. ¹² Dès son retour de Damas, le roi vit l'autel. Le roi s'approcha de l'autel ; il y monta, ¹³ il fit fumer son holocauste et son offrande, versa sa libation *r* sur l'autel qu'il aspergea avec le sang de ses sacrifices de paix. ¹⁴ Quant à l'autel de bronze qui était devant le SEIGNEUR *s*, il l'enleva de devant la Maison, place qu'il occupait entre le nouvel autel et la Maison du SEIGNEUR, et l'installa sur le côté, au nord de cet autel. ¹⁵ Puis le roi Akhaz donna cet ordre au prêtre Ouriya : « Tu feras fumer l'holocauste du matin et l'offrande du soir, l'holocauste et l'offrande du roi, l'holocauste, l'offrande et les libations de toute la population du pays sur le grand autel ; tu verseras sur lui le sang de tous les holocaustes et le sang de tous les sacrifices. Quant à l'autel de bronze, j'en aviserai. » ¹⁶ Le prêtre Ouriya fit tout ce que le roi Akhaz avait ordonné. ¹⁷ Le roi Akhaz découpa les châssis des bases, enleva les cuves de leurs bases, fit descendre la Mer *t* de bronze qui reposait sur des bœufs et la plaça sur un pavement de pierres. ¹⁸ A cause du roi d'Assyrie, il modifia dans la Maison du SEIGNEUR la galerie du *Sabbat qu'on avait construite à l'intérieur ainsi que l'entrée du roi *u* située à l'extérieur.

¹⁹ Le reste des actes d'Akhaz, ce qu'il a fait, cela n'est-il pas écrit dans le livre des *Annales des rois de Juda ? ²⁰ Akhaz se coucha avec ses pères *v* et il fut enseveli avec ses pères dans la *Cité de David. Son fils Ezékias régna à sa place.

Osée, roi d'Israël. Prise de Samarie

17 ¹ La douzième année du règne d'Akhaz, roi de Juda, Osée, fils d'Ela, devint roi de Samarie sur Israël pour neuf ans. ² Il fit ce qui est mal aux yeux du SEIGNEUR, non toutefois comme les rois d'Israël qui l'avaient précédé.

³ Salmanasar, roi d'Assyrie, monta contre lui ; Osée lui fut assujetti et lui paya un tribut. ⁴ Mais le roi d'Assyrie découvrit qu'Osée avait fait une conspiration ;

---

n son père ou *son ancêtre* ● *o par le feu:* il s'agit d'un sacrifice d'enfant, formellement interdit par la législation de l'A.T.: voir Lv 18.21; Dt 12.31 ● *p Eilath:* voir 1 R 9.26 et la note ● *q Qir:* voir Am 1.5 et la note ● *r holocauste, offrande, libation:* voir au glossaire SACRIFICES ● *s* Il s'agit de l'*autel* des holocaustes, voir 1 R 8.64 ● *t les bases:* voir 1 R 7.27-37; *les cuves:* 1 R 7.38-39; *la Mer:* 1 R 7.23-26 ● *u* on ne sait pas ce qu'étaient précisément ni où se trouvaient *la galerie du Sabbat* et *l'entrée du roi* ● *v se coucha avec ses pères:* voir 1 R 1.21 et la note

16.3 sacrifices d'enfants Lv 18.21+. **16.4** collines et arbre verdoyant Dt 12.2+. **16.5** Recîn et Péqah 15.37; Es 7—8. **16.8** utilisation des trésors du Temple 12.19+. **16.9** déportation de populations 15.29+. **16.12** le roi monte à l'autel 1 S 13.9; 1 R 12.32-33. **16.15** holocauste et offrande du roi Ez 46.4-7. **16.20** la mort d'Akhaz Es 14.28. **17.3** Salmanasar 18.9.

en effet il avait envoyé des messagers à Sô ⁱ⁰, roi d'Egypte, et n'avait pas fait parvenir au roi d'Assyrie le tribut comme chaque année. Le roi d'Assyrie arrêta Osée et l'enchaîna dans une prison. ⁵ Puis le roi d'Assyrie monta contre tout le pays ; il monta contre Samarie qu'il assiégea pendant trois ans. ⁶ La neuvième année du règne d'Osée, le roi d'Assyrie s'empara de Samarie et déporta les Israélites en Assyrie. Il les fit résider à Halah ainsi que sur le Habor, fleuve de Gozân, et dans les villes de Médie ˣ.

Les causes de la ruine du royaume d'Israël

⁷ Cela est arrivé parce que les fils d'Israël ʸ ont péché contre le Seigneur, leur Dieu, lui qui les avait fait monter du pays d'Egypte, les soustrayant à la main de *Pharaon, roi d'Egypte, et parce qu'ils ont craint d'autres dieux. ⁸ Ils ont suivi les lois des nations que le Seigneur avait dépossédées devant les fils d'Israël et les lois que les rois d'Israël ont établies. ⁹ Les fils d'Israël ont entrepris contre le Seigneur, leur Dieu, des choses qu'on ne doit pas faire : ils se sont construit des *hauts lieux dans toutes leurs villes, des tours de garde aussi bien que dans les places fortes ᶻ ; ¹⁰ ils ont érigé à leur usage des stèles et des poteaux sacrés ᵃ sur toutes les collines élevées et sous tout arbre verdoyant ; ¹¹ là, sur tous les hauts lieux, ils ont brûlé de l'*encens comme les nations que le Seigneur avait déportées devant eux. Ils ont commis de mauvaises actions au point d'offenser le Seigneur. ¹² Ils ont servi les idoles alors que le Seigneur leur avait dit : « Vous ne le ferez pas ! »
¹³ Le Seigneur avait averti Israël et Juda par l'intermédiaire de tous ses *prophètes, de tous les voyants, en disant : « Revenez de vos voies mauvaises, gar-

dez mes commandements, mes décrets, selon toute la Loi que j'ai prescrite à vos pères ᵇ et que je vous ai transmise par l'intermédiaire de mes serviteurs les prophètes. » ¹⁴ Mais ils n'ont pas écouté ; ils ont raidi leur nuque ᶜ comme l'avaient raidie leurs pères qui n'avaient pas cru au Seigneur, leur Dieu. ¹⁵ Ils ont rejeté ses lois ainsi que l'*alliance qu'il avait conclue avec leurs pères, les exigences qu'il leur avait rappelées ; ils ont couru après des riens ᵈ et les voilà réduits à rien. Ils ont suivi les nations qui les entouraient alors que le Seigneur leur avait prescrit de ne pas agir comme elles. ¹⁶ Ils ont abandonné tous les commandements du Seigneur, leur Dieu, et ils se sont fait deux statues de veaux ; ils ont dressé un poteau sacré, se sont prosternés devant toute l'armée des cieux ᵉ et ont servi le *Baal. ¹⁷ Ils ont fait passer par le feu leurs fils et leurs filles ; ils ont consulté les oracles, pratiqué la divination ᶠ. Ils se sont prêtés à une perfidie en faisant ce qui est mal aux yeux du Seigneur au point de l'offenser. ¹⁸ Le Seigneur s'est mis dans une violente colère contre Israël ; il les a écartés loin de sa présence ᵍ. Seule est restée la tribu de Juda.

¹⁹ Mais Juda non plus n'a pas gardé les commandements du Seigneur, son Dieu ; ils ont suivi les lois qu'Israël avait établies. ²⁰ Le Seigneur a rejeté toute la race d'Israël ; il les a humiliés, il les a livrés aux mains des pillards pour les chasser finalement loin de sa présence.
²¹ Lorsque le Seigneur a arraché Israël à la maison de David et qu'on a établi comme roi Jéroboam, fils de Nevath, Jéroboam a fait dévier Israël loin du Seigneur et lui a fait commettre un grand péché. ²² Les fils d'Israël ont imité tous les péchés que Jéroboam avait commis ; ils ne s'en écartèrent pas, ²³ au point que le Seigneur les a écartés de sa

---

ⁱ⁰ Sô: on ne connaît pas de roi d'Egypte ayant porté ce nom-là ● ˣ La prise de Samarie eut lieu en 722 ou 721 av. J.C. — Halah: localité de Mésopotamie du nord, non identifiée; Gozân: autre localité de Mésopotamie du nord; Habor: aujourd'hui « Khabur », affluent de la rive gauche de l'Euphrate; Médie: pays situé à l'est de l'Assyrie et au sud de la mer Caspienne ● ʸ les fils d'Israël ou les Israélites ● ᶻ tours de garde désigne probablement des localités de moindre importance que places fortes ● ᵃ stèles: voir 1 R 14.23 et la note; poteaux sacrés: voir 1 R 14.15 et la note ● ᵇ vos pères ou vos ancêtres ● ᶜ ils ont raidi leur nuque: voir Ex 32.9 et la note ● ᵈ des riens: voir Jr 2.5 et la note ● ᵉ veaux: voir 1 R 12.28 — poteau sacré: voir 1 R 14.15 et la note — armée des cieux: les astres; dans l'ancien Orient, ils étaient considérés comme des dieux ● ᶠ par le feu: voir 16.3 et la note — divination: voir Dt 18.10 et la note sur Ez 21.26 ● ᵍ Allusion aux déportations mentionnées en 15.29 et 17.6

17.6 déportation de populations 15.29+. 17.7 craint d'autres dieux Jos 24.14-24. 17.8 les lois des nations Lv 18.3+. 17.10 collines et arbre verdoyant Dt 12.2+. 17.13 revenez de vos voies mauvaises Jr 18.11; Ez 33.11. 17.15 l'alliance avec les pères 13.23+. 17.18 écartés de sa présence 13.23+ — Juda seul 1 R 11.13, 32. 17.21 un grand péché 1 R 12.26-33.

présence comme il l'avait dit par l'intermédiaire de tous ses serviteurs les prophètes. Israël fut déporté loin de sa terre en Assyrie jusqu'à ce jour.

L'origine des Samaritains

²⁴ Le roi d'Assyrie fit venir des gens de Babylone, de Kouth, de Awa, de Hamath et de Sefarwaïm ʰ et les établit dans les villes de Samarie à la place des fils d'Israël. Ils prirent possession de la Samarie et en habitèrent les villes. ²⁵ Or, au début de leur installation en ce lieu, comme ils ne craignaient pas le SEIGNEUR, le SEIGNEUR envoya contre eux des lions qui les tuaient. ²⁶ Ils dirent au roi d'Assyrie : « Les nations que tu as déportées et établies dans les villes de Samarie ne connaissent pas la façon d'honorer le dieu du pays. Ce dieu a envoyé contre elles des lions et voilà que ceux-ci les font mourir car elles ne connaissent pas la façon d'honorer le dieu du pays. » ²⁷ Le roi d'Assyrie donna cet ordre : « Faites partir là-bas un des prêtres de Samarie que vous avez déportés, qu'il aille habiter là-bas et qu'il leur enseigne la façon d'honorer le dieu du pays. » ²⁸ L'un des prêtres qu'on avait déportés de Samarie vint donc habiter Béthel ; il leur enseignait comment on devait craindre le SEIGNEUR.

²⁹ En fait, chaque nation se fit son dieu et le plaça dans les maisons des *hauts lieux, que les Samaritains avaient construites. Chacune des nations agit ainsi dans les villes où elle résidait : ³⁰ les gens de Babylone firent un Soukkoth-Benoth ; ceux de Kouth, un Nergal ; ceux de Hamath, une Ashima ⁱ ; ³¹ les Awites, un Nibhaz et un Tartaq ; les Sefarwaïtes continuèrent à brûler leurs fils en l'honneur d'Adrammélek et d'Anammélek, dieux de Sefarwaïm. ³² Ils craignirent aussi le SEIGNEUR et se firent, parmi les leurs, des prêtres de hauts lieux pour officier en leur nom dans les maisons des hauts lieux. ³³ Tout en craignant le SEIGNEUR, ils continuèrent à servir leurs propres dieux, selon le rite des nations

d'où on les avait déportés. ³⁴ Aujourd'hui encore, ils agissent selon les rites anciens : ils ne craignent pas le SEIGNEUR ; ils n'agissent pas selon les commandements et les rites devenus leurs, ni selon la Loi et l'ordre que le SEIGNEUR a prescrits aux fils de Jacob, à qui il a donné le nom d'Israël. ³⁵ Le SEIGNEUR avait conclu avec eux une *alliance et leur avait donné cet ordre : « Vous ne craindrez pas d'autres dieux, vous ne vous prosternerez pas devant eux, vous ne les servirez pas, vous ne leur offrirez pas de *sacrifices. ³⁶ C'est le SEIGNEUR, lui qui vous a fait monter du pays d'Egypte à grande puissance et à bras étendu, que vous devez craindre ; c'est devant lui que vous devez vous prosterner ; c'est à lui que vous devez offrir des sacrifices. ³⁷ Les commandements et les rites, la Loi et l'ordre qu'il a écrits pour vous, vous veillerez à les mettre en pratique tous les jours ; vous ne craindrez pas d'autres dieux. ³⁸ Vous n'oublierez pas l'alliance que j'ai conclue avec vous : vous ne craindrez pas d'autres dieux. ³⁹ C'est le SEIGNEUR, votre Dieu, que vous devez craindre, c'est lui qui vous délivrera des mains de tous vos ennemis ʲ. » ⁴⁰ Mais ils n'ont pas écouté ; ils ont au contraire continué d'agir selon leur rite ancien. ⁴¹ Ainsi donc ces nations craignaient le SEIGNEUR tout en continuant à servir leurs idoles. Tout comme leurs pères ont agi, leurs fils et les fils de leurs fils agissent de même aujourd'hui encore ᵏ.

Ezékias, roi de Juda
(2 Ch 29.1-2)

18 ¹ La troisième année du règne d'Osée, fils d'Ela, roi d'Israël, Ezékias, fils d'Akhaz, roi de Juda, devint roi. ² Il avait vingt-cinq ans lorsqu'il devint roi et il régna vingt-neuf ans à Jérusalem. Le nom de sa mère était Avi, fille de Zekarya. ³ Il fit ce qui est droit aux yeux du SEIGNEUR, exactement comme David, son père. ⁴ C'est lui qui fit disparaître les *hauts lieux, brisa les stèles, coupa le poteau sacré et mit en pièces

ʰ Tous ces gens sont également des déportés provenant de villes dont le roi d'Assyrie s'est emparé dans d'autres régions du Proche-Orient ● ⁱ Soukkoth-Benoth, Nergal, Ashima, ainsi que (au verset suivant), Nibhaz, Tartaq, Adrammélek et Anammélek sont probablement tous des noms de divinités étrangères, dont quelques-uns seulement nous sont connus par ailleurs ● ʲ Les v. 35-39 ne citent pas un texte précis, mais des formules fréquentes dans le Deutéronome ● ᵏ C'est de ce mélange de populations que sont nés les Samaritains, méprisés par les Juifs et tenus à l'écart de leur communauté religieuse (voir Esd 4 ; Lc 9.51-56 ; Jn 4.9)

17.24 déportation de populations 15.29+. 17.25 des lions 1 R 13.24+. 17.34 Jacob = Israël Gn 32.29 ; 35.10 ; 1 R 18.31.

le serpent de bronze *l* que Moïse avait fait, car les fils d'Israël avaient brûlé de l'*encens devant lui jusqu'à cette époque : on l'appelait Nehoushtân. ⁵ Ezékias mit sa confiance dans le SEIGNEUR, le Dieu d'Israël. Après lui, il n'y a pas eu de roi comme lui parmi tous les rois de Juda ; il n'y en avait pas eu de semblable non plus parmi ceux qui l'avaient précédé. ⁶ Il demeura attaché au SEIGNEUR, sans se détourner de lui. Il garda les commandements que le SEIGNEUR avait prescrits à Moïse. ⁷ Le SEIGNEUR était avec lui ; il réussissait dans tout ce qu'il entreprenait. Il se révolta contre le roi d'Assyrie et ne lui fut plus assujetti. ⁸ Lui-même battit les Philistins jusqu'à Gaza et son territoire, tours de garde aussi bien que places fortes *m*.

Rappel de la prise de Samarie

⁹ La quatrième année du règne d'Ezékias, la septième d'Osée, fils d'Ela, roi d'Israël, Salmanasar, roi d'Assyrie, monta contre Samarie et l'assiégea *n*. ¹⁰ Les Assyriens s'en emparèrent au bout de trois ans. La sixième année du règne d'Ezékias, la neuvième d'Osée, roi d'Israël, Samarie fut prise. ¹¹ Le roi d'Assyrie déporta Israël en Assyrie et les conduisit à Halah ainsi que sur le Habor, fleuve de Gozân, et dans les villes de Médie, ¹² parce qu'ils n'avaient pas écouté la voix du SEIGNEUR, leur Dieu, et qu'ils avaient transgressé son *alliance : tout ce que Moïse, serviteur du SEIGNEUR, avait prescrit, ils ne l'avaient pas écouté ni ne l'avaient pratiqué.

Sennakérib envahit le royaume de Juda
(Es 36.1; 2 Ch 32.1)

¹³ La quatorzième année *o* du règne

d'Ezékias, Sennakérib, roi d'Assyrie, monta contre toutes les villes fortifiées de Juda et s'en empara. ¹⁴ Ezékias, roi de Juda, envoya dire au roi d'Assyrie à Lakish : « J'ai commis une faute. Ne m'attaque pas ; ce que tu m'imposeras, je le supporterai. » Le roi d'Assyrie fixa à Ezékias, roi de Juda, une taxe de trois cents talents *p* d'argent et de trente talents d'or. ¹⁵ Ezékias livra tout l'argent qui se trouvait dans la Maison du SEIGNEUR et dans les trésors de la maison du roi. ¹⁶ C'est à cette époque qu'Ezékias brisa les portes du Temple du SEIGNEUR ainsi que les montants, que lui-même, roi de Juda, avait recouvert de métal ; il les livra au roi d'Assyrie.

Discours de l'aide de camp de Sennakérib
(Es 36.2-22; 2 Ch 32.9-16)

¹⁷ Le roi d'Assyrie envoya de Lakish vers le roi Ezékias à Jérusalem le généralissime, l'officier supérieur et l'aide de camp, accompagnés d'une armée importante. Ils montèrent et arrivèrent à Jérusalem. Ils montèrent, arrivèrent et se tinrent près du canal du réservoir supérieur, sur la chaussée du champ du Foulon *q*. ¹⁸ Ils réclamèrent le roi. Le chef du palais Elyaqîm, fils de Hilqiyahou, le secrétaire Shevna et le héraut Yoah, fils d'Asaf, sortirent vers eux. ¹⁹ L'aide de camp leur dit : « Dites à Ezékias : Ainsi parle le grand roi, le roi d'Assyrie : Quelle est cette confiance sur laquelle tu te reposes ? ²⁰ Tu as dit : "Il suffit d'un mot pour trouver conseil et force dans la guerre !" En qui donc as-tu mis ta confiance pour te révolter contre moi ? ²¹ Voici que tu as mis ta confiance sur l'appui de ce roseau brisé, sur l'Egypte, qui pénètre et

l stèles: voir 1 R 14.23 et la note; *poteau sacré:* voir 1 R 14.15 et la note; *serpent de bronze:* voir Nb 21.8-9 ● *m tours de garde, places fortes:* voir 17.9 et la note ● *n* Comparer les v. 9-12 et 17.3-6 ● *o* Es 36—39 présente un récit parallèle à celui de 2 R 18.13—20.19 ● *p Lakish:* voir 14.19 et la note — *J'ai commis une faute:* voir v. 7 — *talents:* voir au glossaire POIDS ET MESURES ● *q généralissime, officier supérieur, aide de camp:* on a longtemps pris pour des noms propres (*Thartan, Rab-Saris, Rab-Shaké*) trois mots qui sont en réalité la transcription en hébreu des titres assyriens portés par ces personnages — Le *réservoir supérieur,* également mentionné en Es 7.3, n'est pas sûrement identifié: certains le localisent près de la source de Guihôn (voir 1 R 1.33 et la note), au départ d'un canal conduisant l'eau dans la ville; d'autres y voient un réservoir situé dans la ville même et alimenté par le canal en question. Comparer la note sur Es 22.11 — Le *champ du Foulon* n'est pas localisé avec certitude; il pouvait se trouver dans la vallée du Cédron, à proximité peut-être de la source de Roguel (voir 1 R 1.9 et la note) — La *chaussée,* près du *canal,* désigne vraisemblablement un endroit bien connu des contemporains d'Esaïe, à l'extérieur des murailles de la ville

18.5 personne comme lui Cf. 1 R 3.12+. **18.9** Salmanasar 17.3. **18.11** déportation de populations 15.29+. **18.13** Sennakérib 19.20, 36 par.; *Si* 48.18. **18.15** utilisation des trésors du Temple 12.19+. **18.18** chef du palais 1 R 4.6. **18.21** l'appui de l'Egypte 17.4; 1 R 11.14-22, 40; Es 30.1-7; 31.1-3; Jr 42—43; Ez 29.6-7.

transperce la main de quiconque s'appuie sur lui : tel est *Pharaon, roi d'Egypte, pour tous ceux qui mettent leur confiance en lui ! [22] Si vous me dites : "C'est dans le SEIGNEUR, notre Dieu, que nous avons mis notre confiance !", mais n'est-ce pas lui dont Ezékias a fait disparaître les *hauts lieux et les *autels en disant à Juda et à Jérusalem : "C'est devant cet autel, à Jérusalem, que vous vous prosternerez" ? [23] Lance donc un défi à mon seigneur le roi d'Assyrie et je te donnerai deux mille chevaux si toutefois tu peux te procurer des cavaliers pour les monter ! [24] Comment pourrais-tu faire reculer un simple gouverneur, le moindre des serviteurs de mon seigneur, toi qui a mis ta confiance dans l'Egypte pour des chars et des cavaliers [r] ? [25] D'ailleurs, est-ce sans l'assentiment du SEIGNEUR que je monte contre ce lieu pour le détruire ? C'est le SEIGNEUR qui m'a dit : Monte contre ce pays et détruis-le ! [s] »

[26] Elyaqîm, fils de Hilqiyahou, Shevna et Yoah dirent à l'aide de camp : « Veuille parler à tes serviteurs en araméen, car nous le comprenons ; mais ne nous parle pas en judéen [t] aux oreilles du peuple qui est sur la muraille. » [27] L'aide de camp leur répondit : « Est-ce à ton maître et à toi que mon seigneur m'a envoyé dire ces paroles ? N'est-ce pas aux hommes assis sur la muraille et qui seront réduits comme vous à manger leurs excréments et à boire leur urine [u] ? » [28] L'aide de camp se tint debout et cria d'une voix forte en langue judéenne ; il parla en ces termes : « Ecoutez la parole du grand roi, du roi d'Assyrie ! [29] Ainsi parle le roi : Qu'Ezékias ne vous abuse pas, car il ne peut vous délivrer de mes mains ! [30] Qu'Ezékias ne vous persuade pas de mettre votre confiance dans le SEIGNEUR en disant : "Sûrement le SEIGNEUR nous délivrera ; cette ville ne sera pas livrée aux mains du roi d'Assyrie !" [31] N'écoutez pas Ezékias, car ainsi parle le roi d'Assyrie : "Liez-vous d'amitié avec moi [v], rendez-vous à moi, et chacun de vous mangera les fruits de sa vigne et de son

figuier et boira l'eau de sa citerne, [32] en attendant que je vienne vous prendre pour vous mener dans un pays comme le vôtre, un pays de blé et de vin nouveau, un pays de pain et de vignobles, un pays d'oliviers à huile fraîche et de miel, et ainsi vous vivrez et vous ne mourrez pas." N'écoutez pas Ezékias car il vous trompe en disant : "Le SEIGNEUR nous délivrera !" [33] Les dieux des nations ont-ils pu délivrer leur propre pays des mains du roi d'Assyrie ? [34] Où sont les dieux de Hamath et d'Arpad ? Où sont les dieux de Sefarwaïn, de Héna et de Iwa ? Ont-ils délivré Samarie [w] de mes mains ? [35] Lequel de tous les dieux de ces pays a pu délivrer son pays de mes mains pour que le SEIGNEUR puisse délivrer Jérusalem de mes mains ? » [36] Le peuple garda le silence et ne lui répondit pas un mot, car l'ordre du roi était : « Vous ne lui répondrez pas ! »

[37] Le chef du palais Elyaqîm, fils de Hilqiyahou, le secrétaire Shevna et le héraut Yoah, fils d'Asaf, revinrent vers Ezékias, les vêtements *déchirés, et lui rapportèrent les paroles de l'aide de camp.

Ezékias consulte le prophète Esaïe
(*Es 37.1-9*)

19 [1] Quand le roi Ezékias les eut entendus, il *déchira ses vêtements, revêtit le *sac et se rendit à la Maison du SEIGNEUR. [2] Puis il envoya le chef du palais Elyaqîm, le secrétaire Shevna et les plus anciens des prêtres, tous revêtus du sac, vers le *prophète Esaïe, fils d'Amoç [x], [3] pour lui dire : « Ainsi parle Ezékias : Ce jour est un jour de détresse, de châtiment et de honte ! Des fils se présentent à la sortie du sein maternel mais il n'y a pas de force pour enfanter ! [y] [4] Peut-être le SEIGNEUR, ton Dieu, entendra-t-il toutes les paroles de l'aide de camp que son maître, le roi d'Assyrie, a envoyé pour insulter le Dieu Vivant et le châtiera-t-il pour les paroles que le SEIGNEUR, ton Dieu, aura entendues ! Fais monter vers

---

[r] *cavaliers* ou *chevaux* ● [s] *C'est le Seigneur...*: voir Es 7.17-25; 10.5-6 ● [t] *araméen*: langue internationale de l'époque, utilisée par les gens cultivés, mais non par le peuple — *judéen*, c'est-à-dire *hébreu*, la langue du pays ● [u] *réduits comme vous à...*: à cause de la famine, si la ville est assiégée ● [v] *Liez-vous d'amitié avec moi*: autre traduction *Faites la paix avec moi* ● [w] Voir en 17.24 une liste un peu différente de villes dont Sennakérib s'est emparé ● [x] *Esaïe, fils d'Amoç*: voir Es 1.1 et la note ● [y] *Des fils...*: image exprimant la situation désespérée dans laquelle se trouve Jérusalem

---

18.32 le Seigneur nous délivrera 20.6; Ps 97.10; Dn 3.15-17; Lc 1.74. **19.3** pas de force pour enfanter Es 37.3; Os 13.13. **19.4** insulter Dieu 19.22-23; 1 S 17.45; Ps 69.10; Mt 27.44 par.; Ac 23.4 — le reste 19.31; 1 R 19.18+.

lui une prière en faveur du reste qui subsiste. »

⁵ Les serviteurs du roi Ezékias arrivèrent auprès d'Esaïe ⁶ qui leur dit : « Vous parlerez ainsi à votre maître : Ainsi parle le SEIGNEUR : Ne crains pas les paroles que tu as entendues et par lesquelles les serviteurs du roi d'Assyrie m'ont outragé ! ⁷ Voici que, sous mon inspiration, il retournera dans son pays ᶻ sur une nouvelle qu'il apprendra ; je le ferai tomber par l'épée dans son propre pays. »

⁸ L'aide de camp, ayant appris que le roi d'Assyrie était parti de Lakish, vint trouver le roi à Livna ᵃ où il se battait. ⁹ Ce dernier avait reçu cette nouvelle au sujet de Tirhaqa, roi de Koush ᵇ : « Voici qu'il s'est mis en campagne pour t'attaquer ! »

Lettre de Sennakérib à Ezékias
(Es 37.9-20; 2 Ch 32.17)

De nouveau le roi d'Assyrie envoya des messagers à Ezékias en leur disant : ¹⁰ « Vous parlerez ainsi à Ezékias, roi de Juda : Que ton Dieu en qui tu mets ta confiance ne t'abuse pas en disant : "Jérusalem ne sera pas livrée aux mains du roi d'Assyrie !" ¹¹ Tu sais toi-même ce que les rois d'Assyrie ont fait à tous les pays : ils les ont voués à l'interdit ᶜ ; et toi tu serais délivré ! ¹² Les dieux des nations les ont-ils délivrées, elles que mes pères ont détruites, Gozân, Harrân, Rècef et les fils d'Eden qui étaient à Telassar ᵈ ? ¹³ Où sont le roi de Hamath, le roi d'Arpad, le roi de Laïr, de Sefarwaïm, de Héna, et de Iwa ? »

¹⁴ Ezékias prit la lettre des mains des messagers, la lut et monta à la Maison du SEIGNEUR. Ezékias déroula la lettre devant le SEIGNEUR ¹⁵ et pria devant le SEIGNEUR en disant : « SEIGNEUR, Dieu d'Israël, toi qui sièges sur les *Chérubins, tu es le seul Dieu de tous les royaumes de la terre, car c'est toi qui as fait le ciel et la terre. ¹⁶ Tends l'oreille, SEIGNEUR, et écoute ; ouvre les yeux, SEIGNEUR, et regarde ! Entends les paroles de Senna-

kérib qui a envoyé insulter le Dieu Vivant ! ¹⁷ Il est vrai, SEIGNEUR, que les rois d'Assyrie ont dévasté les nations et leurs pays. ¹⁸ Ils ont livré au feu leurs dieux, mais ces dieux n'étaient pas Dieu ; ils n'étaient que l'œuvre des mains de l'homme, du bois et de la pierre, et les rois d'Assyrie les ont détruits. ¹⁹ Mais toi, SEIGNEUR, notre Dieu, sauve-nous des mains de Sennakérib et tous les royaumes de la terre connaîtront que seul, ô SEIGNEUR, tu es Dieu. »

Esaïe transmet à Ezékias la réponse de Dieu
(Es 37.21-35)

²⁰ Esaïe, fils d'Amoç, envoya dire à Ezékias : « Ainsi parle le SEIGNEUR, le Dieu d'Israël : Oui, j'ai entendu la prière que tu m'as adressée au sujet de Sennakérib, roi d'Assyrie.

²¹ Voici la parole que le SEIGNEUR prononce contre lui :

Elle te méprise, elle se moque de toi,
la vierge, fille de *Sion ;
elle hoche la tête derrière ton dos,
la fille de Jérusalem ᵉ.
²² Qui as-tu insulté et outragé ?
Contre qui as-tu élevé la voix
et jeté des regards hautains ?
Contre le *Saint d'Israël ᶠ.

²³ Par tes messagers, tu as insulté le Seigneur,
tu as dit : "Avec l'élan de mes chars,
je suis monté au sommet des montagnes,
aux retraites inaccessibles du Liban
pour couper la futaie de ses cèdres,
les plus hauts de ses cyprès
et atteindre sa plus haute extrémité,
son parc forestier.
²⁴ J'ai creusé et j'ai bu des eaux étrangères,
j'ai asséché, sous la plante de mes pieds,
tous les canaux d'Egypte."
²⁵ Ne sais-tu pas que depuis longtemps j'ai fait ce projet,
que depuis les temps anciens

ᶻ *il retournera dans son pays:* voir v. 35-36 ● *a Livna:* voir 8.22 et la note ● *b Koush* désigne la Nubie, dont *Tirhaqa* était ressortissant; en réalité il fut *roi* d'Egypte ● *c l'interdit:* voir Dt 2.34 et la note ● *d* Comparer 17.24 et 18.34; c'est une nouvelle liste (qui se continue au v. 13) de localités prises par Sennakérib ● *e fille de Sion* et *fille de Jérusalem* sont deux personnifications poétiques de la ville de Jérusalem — *elle hoche la tête:* en signe de moquerie (voir Ps 22.8) ● *f le Saint d'Israël* (= Dieu) est une expression fréquente chez Esaïe (voir la note sur Es 10.17)

19.15 créateur du ciel et de la terre Gn 1.1; 2.4; Ex 31.17; Jr 32.17; Ps 115.15; 2 Ch 2.11; Ac 4.24; 14.15. **19.18** impuissance des autres dieux Dt 4.28+. **19.23** les arbres du Liban 2 S 5.11; 1 R 5.20; Es 14.8.

je l'ai formé ?
A présent, je le réalise :
Il t'appartient de réduire en tas de
    pierres
les villes fortifiées.

26 Leurs habitants ont la main courte,
ils sont effondrés, confondus ;
ils sont comme l'herbe des champs et
    la verdure du gazon,
comme les plantes qui poussent sur les
    toits,
comme du blé atteint par la rouille *g*
    avant d'être mûr.

27 Quand tu t'assieds, quand tu sors,
    quand tu entres,
je le sais,
et aussi quand tu trembles de rage
    contre moi
28 Parce que tu as tremblé de rage
    contre moi
et que ton arrogance est montée à mes
    oreilles,
je mettrai un anneau dans ton nez *h*
et un mors à tes lèvres ;
je te ramènerai par le chemin
par lequel tu es venu.

29 Ceci te servira de signe *i* :
Cette année on mangera le regain,
l'année suivante, ce qui poussera tout
    seul,
mais la troisième année,
semez, moissonnez, plantez des vignes
et mangez-en les fruits.
30 Ce qui a échappé de la maison de
    Juda *j*,
ce qui a été laissé,
poussera de nouveau des racines en
    profondeur
et, en haut, produira des fruits,
31 car de Jérusalem sortira un reste
et de la montagne de Sion, des res-
    capés.
L'ardeur du SEIGNEUR fera cela.

32 C'est pourquoi ainsi parle le SEIGNEUR
au sujet du roi d'Assyrie :
Il n'entrera pas dans cette ville,
il n'y lancera pas de flèches,

il ne l'attaquera pas avec des boucliers,
il n'élèvera pas contre elle des rem-
    blais *k*.
33 Le chemin qu'il a pris, il le reprendra ;
dans cette ville il n'entrera pas —
    oracle du SEIGNEUR —
34 je protégerai cette ville pour la sauver,
à cause de moi et à cause de mon ser-
    viteur David. »

Départ et mort de Sennakérib
(Es 37.36-38 ; 2 Ch 32.21-22)

35 Cette nuit-là, il advint que l'*ange
du SEIGNEUR sortit et frappa dans le
camp des Assyriens cent quatre-vingt-cinq
mille hommes. Le matin, quand on se
leva, il n'y avait en tout que des cadavres, des morts ! 36 Sennakérib, roi d'Assyrie, décampa ; il s'en retourna à Ninive
où il resta. 37 Or, comme il se prosternait
dans la maison de Nisrok, son dieu, ses
fils Adrammélek et Sarècèr le frappèrent
de l'épée et s'enfuirent au pays d'Ararat *l*.
Son fils Asarhaddon régna à sa place.

Maladie et guérison d'Ezékias
(Es 38.1-8 ; 2 Ch 32.24)

20 1 En ces jours-là *m*, Ezékias fut
atteint d'une maladie mortelle.
Le *prophète Esaïe, fils d'Amoç, vint le
trouver et lui dit : « Ainsi parle le
SEIGNEUR : Donne des ordres à ta maison,
car tu vas mourir, tu ne survivras pas ! »
2 Ezékias tourna son visage contre le
mur et pria le SEIGNEUR en disant :
3 « Ah ! SEIGNEUR, daigne te souvenir
que j'ai marché en ta présence avec
loyauté et d'un cœur intègre et que j'ai
fait ce qui est bien à tes yeux. » Ezékias
versa d'abondantes larmes. 4 Esaïe n'était
pas encore sorti de la cour centrale que la
parole du SEIGNEUR lui fut adressée :
5 « Retourne et dis à Ezékias, le chef de
mon peuple : "Ainsi parle le SEIGNEUR, le
Dieu de David, ton père *n* : J'ai entendu
ta prière et j'ai vu tes larmes. Eh bien !

---

g la main courte : expression imagée signifiant qu'on a peu de moyens d'agir — Sur la *rouille,* voir
1 R 8.37 et la note ● *h un anneau dans ton nez :* le sens de cette expression est illustré par des
bas-reliefs assyriens montrant des prisonniers munis d'un tel anneau ● *i* Le prophète s'adresse
maintenant à Ezékias — L'image du v. 29 semble indiquer qu'après les temps d'épreuve reviendra la prospérité ● *j de la maison de Juda* ou *du royaume de Juda* ● *k des remblais,* pour atteindre
le sommet des murailles ● *l* Le *pays d'Ararat* (voir Gn 8.4) désigne l'Arménie ● *m* L'expression
hébraïque traduite par *En ces jours-là* est une indication chronologique très vague, qui ne prétend
pas situer la maladie d'Ezéchias (chap. 20) précisément à la même époque que la délivrance de
Jérusalem (chap. 19) ● *n ton père* ou *ton ancêtre*

19.27 quand tu t'assieds Ps 139.2-3.   **19.31** un reste 19.4+.   **19.35** l'ange exterminateur Gn 19.13 ;
Ex 12.23 ; 2 S 24.16 ; Si 48.21.   **20.1** tu vas mourir 1.4+.   **20.3** cœur intègre 1 R 8.61+.   **20.5** j'ai
vu tes larmes Es 25.8 ; Ps 116.8.

je vais te guérir ; dans trois jours tu monteras à la Maison du SEIGNEUR. ⁶ J'ajoute quinze années à tes jours. Je te délivrerai, ainsi que cette ville, des mains du roi d'Assyrie ; je protégerai cette ville à cause de moi et à cause de mon serviteur David". »

⁷ Esaïe dit : « Qu'on prenne un gâteau de figues ! » On en prit un qu'on appliqua sur les tumeurs ᵒ du roi et il fut guéri.

⁸ Ezékias dit à Esaïe : « A quel signe reconnaîtrai-je que le SEIGNEUR me guérira et que, dans trois jours, je pourrai monter à la Maison du SEIGNEUR ? » ⁹ Esaïe répondit : « Voici par quel signe tu sauras que le SEIGNEUR accomplira la parole qu'il a dite : l'ombre doit-elle avancer de dix degrés ᵖ ou doit-elle reculer de dix degrés ? » ¹⁰ Ezékias répondit : « Il est facile pour l'ombre de s'allonger de dix degrés, mais non pas de reculer de dix degrés. » ¹¹ Le prophète Esaïe invoqua le SEIGNEUR qui fit reculer l'ombre des dix degrés où elle était descendue, les degrés d'Akhaz ᑫ.

Ezékias reçoit les ambassadeurs de Babylone

(Es 39)

¹² En ce temps-là, Mérodak-Baladân, fils de Baladân, roi de Babylone, envoya des lettres et des présents à Ezékias ʳ, car il avait appris qu'Ezékias avait été malade. ¹³ Ezékias se réjouit de la venue des messagers et leur fit voir tous ses entrepôts, l'argent, l'or, les aromates ˢ, l'huile parfumée, son arsenal et tout ce qui se trouvait dans ses trésors ; il n'y eut rien qu'Ezékias ne leur fît voir de sa maison et de tout son domaine. ¹⁴ Le *prophète Esaïe vint trouver le roi Ezékias pour lui dire : « Qu'est-ce que ces gens t'ont dit et d'où venaient-

ils ? » Ezékias répondit : « Ils venaient d'un pays lointain, de Babylone. » ¹⁵ Esaïe dit : « Qu'ont-ils vu dans ta maison ? » Ezékias répondit : « Tout ce qui est dans ma maison, ils l'ont vu : il n'y a rien de mes trésors que je ne leur aie montré. » ¹⁶ Esaïe dit à Ezékias : « Ecoute la parole du SEIGNEUR : ¹⁷ Des jours viennent où tout ce qui est dans ta maison et que tes pères ont amassé jusqu'à ce jour sera emporté à Babylone ; il n'en restera rien, dit le SEIGNEUR. ¹⁸ On emmènera plusieurs de tes fils, de ceux qui sont issus de toi et que tu auras engendrés : ils seront faits *eunuques dans le palais du roi de Babylone. » ¹⁹ Ezékias dit à Esaïe : « La parole du SEIGNEUR que tu as dite est bonne. » Il se disait : « N'est-ce pas la paix et la sécurité durant mes jours ? »

²⁰ Le reste des actes d'Ezékias, tous ses exploits, ce qu'il a fait, le réservoir et le canal construits pour amener l'eau dans la ville ᵗ, cela n'est-il pas écrit dans le livre des *Annales des rois de Juda ? ²¹ Ezékias se coucha avec ses pères ᵘ. Son fils Manassé régna à la place.

Manassé, roi de Juda

(2 Ch 33.1-10, 18-20)

21 ¹ Manassé avait douze ans lorsqu'il devint roi et il régna cinquante-cinq ans à Jérusalem. Le nom de sa mère était Hefci-Ba. ² Il fit ce qui est mal aux yeux du SEIGNEUR, suivant les abominations des nations que le SEIGNEUR avait dépossédées devant les fils d'Israël ᵛ. ³ Il rebâtit les *hauts lieux qu'avait fait disparaître son père Ezékias. Il érigea des *autels au *Baal et dressa un poteau sacré comme avait fait Akhab, roi d'Israël. Il se prosterna devant toute l'armée des cieux ʷ qu'il servit. ⁴ Il bâtit des autels dans la Maison du SEIGNEUR au sujet

---

ᵒ tumeurs: autre traduction ulcères; l'utilisation de figues comme médicament est attestée par quelques textes de l'antiquité — Ce verset semblerait mieux en place après le v. 11. Il ne figure d'ailleurs pas dans le texte parallèle de 2 Ch 32.24 • ᵖ Le contexte est trop vague pour que l'on sache s'il s'agit des subdivisions d'une sorte de cadran solaire (construit par Akhaz, v. 11), ou des marches d'un escalier • ᑫ Le récit parallèle d'Esaïe insère ici (Es 38.9-20) une prière de reconnaissance prononcée par Ezékias • ʳ Par cette ambassade, le roi de Babylone essaie probablement de faire alliance avec Ezékias contre l'Assyrie • ˢ se réjouit de la venue des messagers: d'après quelques manuscrits hébreux, les anciennes versions grecque, latine et syriaque, et le texte parallèle d'Es 39.2; texte hébreu traditionnel donna audience aux messagers — aromates: voir 1 R 10.2 et la note • ᵗ Au cours de fouilles archéologiques, on a retrouvé le canal qu'Ezékias a fait creuser pour amener en ville l'eau de la source de Guihôn (voir 1 R 1.33 et la note) • ᵘ se coucha avec ses pères: voir 1 R 1.21 et la note • ᵛ les fils d'Israël ou les Israélites • ʷ poteau sacré: voir 1 R 14.15 et la note — armée des cieux: voir 17.16 et la note

20.6 je te délivrerai 18.32+. 20.8 le signe Gn 24.12-14; Jg 6.17-40; 1 S 14.10; Es 7.10-14. 20.13 tout visiter 1 R 10.4-5. 20.17 tout sera emporté à Babylone 24.13 par. 20.18 déportation des fils 24.15; cf. 15.29+ — faits eunuques Dn 1.1-7. 21.2 il fit ce qui est mal Jr 15.4. 21.3 les hauts lieux détruits par Ezékias 18.4.

de laquelle le Seigneur avait dit : « A Jérusalem je mettrai mon *nom. » ⁵ Il bâtit des autels à toute l'armée des cieux dans les deux *parvis de la Maison du Seigneur. ⁶ Il fit passer son fils par le feu ; il pratiqua incantation et magie ; il établit des nécromanciens ˣ et des devins. Il offensa le Seigneur à force de faire ce qui est mal à ses yeux. ⁷ L'idole d'Ashéra ʸ qu'il avait faite, il l'installa dans la Maison dont le Seigneur avait dit à David et à son fils Salomon : « Dans cette Maison ainsi que dans Jérusalem, que j'ai choisie parmi toutes les tribus d'Israël, je mettrai mon nom pour toujours. ⁸ Aussi je ne ferai plus errer les pas d'Israël loin de la terre que j'ai donnée à leurs pères, pourvu qu'ils veillent à agir selon tout ce que je leur ai prescrit, selon toute la Loi que leur a prescrite mon serviteur Moïse. » ⁹ Mais ils n'écoutèrent pas ; Manassé les égara, au point qu'ils firent le mal plus que les nations exterminées par le Seigneur devant les fils d'Israël.

¹⁰ Alors le Seigneur parla par l'intermédiaire de ses serviteurs les *prophètes, en disant : ¹¹ « Parce que Manassé, roi de Juda, a commis ces abominations, qu'il a fait le mal plus que tout ce qu'avaient fait avant lui les *Amorites, et qu'il a également fait pécher Juda par ses idoles, ¹² à cause de cela, ainsi parle le Seigneur, le Dieu d'Israël : "Je vais amener sur Jérusalem et Juda un malheur tel que les deux oreilles tinteront à quiconque l'apprendra. ¹³ Je vais tendre sur Jérusalem le cordeau de Samarie et le niveau de la maison d'Akhab ᶻ. Je nettoierai Jérusalem comme on nettoie une écuelle : on la nettoie et on la retourne à l'envers. ¹⁴ Je délaisserai le reste de mon héritage : je les livrerai aux mains de leurs ennemis, ils seront la proie et le butin de tous leurs ennemis, ¹⁵ parce qu'ils ont fait ce qui est mal à mes yeux et qu'ils n'ont cessé de m'offenser depuis le jour où leurs pères sont sortis d'Egypte jusqu'à ce jour". »

¹⁶ Manassé répandit aussi le sang innocent ᵃ en telle quantité qu'il en remplit tout Jérusalem, sans parler du péché qu'il fit commettre à Juda, en faisant ce qui est mal aux yeux du Seigneur.

¹⁷ Le reste des actes de Manassé, tout ce qu'il a fait, le péché qu'il a commis, cela n'est-il pas écrit dans le livre des *Annales des rois de Juda ? ¹⁸ Manassé se coucha avec ses pères ᵇ et fut enseveli dans le jardin de sa maison, le jardin de Ouzza. Son fils Amôn régna à sa place.

Amôn, roi de Juda
(2 Ch 33.21-25)

¹⁹ Amôn avait vingt-deux ans lorsqu'il devint roi et il régna deux ans à Jérusalem. Le nom de sa mère était Meshoullèmeth, fille de Harouç, de Yotva. ²⁰ Il fit ce qui est mal aux yeux du Seigneur comme Manassé, son père. ²¹ Il suivit exactement le chemin que son père avait suivi. Il servit les idoles que son père avait servies et se prosterna devant elles. ²² Il abandonna le Seigneur, le Dieu de ses pères, et ne suivit pas le chemin du Seigneur.

²³ Les serviteurs d'Amôn conspirèrent contre le roi : ils le tuèrent dans sa maison. ²⁴ Mais la population du pays frappa tous ceux qui avaient conspiré contre le roi Amôn et elle établit roi, à sa place, son fils Josias. ²⁵ Le reste des actes d'Amôn, ce qu'il a fait, cela n'est-il pas écrit dans le livre des *Annales des rois de Juda ? ²⁶ On l'ensevelit dans sa tombe, dans le jardin de Ouzza. Son fils Josias régna à sa place.

Josias, roi de Juda
(2 Ch 34.1-2)

22 ¹ Josias avait huit ans lorsqu'il devint roi et il régna trente et un ans à Jérusalem. Le nom de sa mère était Yedida, fille d'Adaya, de Boçqath. ² Il fit ce qui est droit aux yeux du Seigneur et suivit exactement le chemin de David, son père ᶜ, sans dévier ni à droite ni à gauche.

---

x par le feu : voir 16.3 et la note — Les *nécromanciens* sont des gens qui évoquent les esprits des morts ● *y* Voir Jg 3.7 et la note ● *z Le cordeau* et le *niveau* (instruments du maçon) sont deux images que l'hébreu emploie pour évoquer la destruction, voir Lm 2.8; Jérusalem et la famille royale de Juda seront anéanties comme l'ont été *Samarie* et la famille d'*Akhab* ● *a sang innocent :* allusion aux sacrifices humains (voir v. 6) ou à des condamnations à mort de gens non coupables (comparer Jr 26.15) ● *b se coucha avec ses pères :* voir 1 R 1.21 et la note ● *c son père* ou *son ancêtre*

21.5 deux parvis 23.12; Jr 36.10; 2 Ch 20.5. 21.6 sacrifice d'enfant Lv 18.21+ — nécromanciens et devins 23.24; Lv 19.31+. 21.12 les oreilles tinteront 1 S 3.11; cf. Jr 19.3. 21.14 le reste 1 R 19.18+; Jr 12.7. 22.1 Josias 1 R 13.2; Jr 3.6.

Le grand prêtre découvre le livre de la Loi

(2 Ch 34.8-18)

³ La dix-huitième année de son règne, le roi Josias envoya le secrétaire Shafân, fils d'Açalyahou, fils de Meshoullam, à la Maison du SEIGNEUR, en disant : ⁴ « Monte vers le grand prêtre Hilqiyahou pour qu'il fasse le total de l'argent apporté à la Maison du SEIGNEUR et que les gardiens du seuil ont recueilli auprès du peuple ᵈ. ⁵ Qu'on le remette entre les mains des entrepreneurs des travaux, aux responsables de la Maison du SEIGNEUR, afin qu'ils payent ceux qui, dans la Maison du SEIGNEUR, travaillent à en réparer les dégradations : ⁶ les charpentiers, les constructeurs, les maçons, et afin d'acheter des poutres et des pierres de taille en vue de réparer la Maison. ⁷ Qu'on ne leur demande pas compte de l'argent remis entre leurs mains, car ils agissent consciencieusement. »

⁸ Le grand prêtre Hilqiyahou dit au secrétaire Shafân : « J'ai trouvé le livre de la Loi ᵉ dans la Maison du SEIGNEUR ! » Hilqiyahou remit le livre à Shafân, qui le lut. ⁹ Le secrétaire Shafân vint trouver le roi et lui rendit compte en ces termes : « Tes serviteurs ont versé l'argent trouvé dans la Maison et l'ont remis entre les mains des entrepreneurs des travaux, aux responsables de la Maison du SEIGNEUR. » ¹⁰ Puis le secrétaire Shafân annonça au roi : « Le prêtre Hilqihayou m'a remis un livre. » Shafân en fit la lecture devant le roi.

Josias fait consulter la prophétesse Houlda

(2 Ch 34.19-28)

¹¹ Lorsque le roi eut entendu les paroles du livre de la Loi, il *déchira ses vêtements. ¹² Puis il donna cet ordre au prêtre Hilqiyahou, à Ahiqâm, fils de Shafân, à Akbor, fils de Mikaya, au secrétaire Shafân ainsi qu'à Asaya, serviteur du roi : ¹³ « Allez consulter le SEIGNEUR ᶠ pour moi, pour le peuple, pour tout Juda au

sujet des paroles de ce livre qui a été trouvé ; car elle est grande la fureur du SEIGNEUR qui s'est enflammée contre nous parce que nos pères n'ont pas écouté les paroles de ce livre et n'ont pas agi selon tout ce qui y est écrit. »

¹⁴ Le prêtre Hilqiyahou, Ahiqâm, Akbor, Shafân et Asaya allèrent trouver la *prophétesse Houlda, femme du gardien des vêtements ᵍ Shalloum, fils de Tiqwa, fils de Harhas. Elle habitait Jérusalem, dans le nouveau quartier. Quand ils eurent fini de lui parler, ¹⁵ elle leur dit : « Ainsi parle le SEIGNEUR, le Dieu d'Israël : Dites à l'homme qui vous a envoyés vers moi : ¹⁶ "Ainsi parle le SEIGNEUR : Je vais amener un malheur sur ce lieu et sur ses habitants, accomplissant toutes les paroles du livre que le roi de Juda a lu. ¹⁷ Puisqu'ils m'ont abandonné et qu'ils ont brûlé de l'*encens à d'autres dieux au point de m'offenser par toutes les œuvres de leurs mains ʰ, ma fureur s'est enflammée contre ce lieu et elle ne s'éteindra pas !" ¹⁸ Mais au roi de Juda qui vous a envoyés consulter le SEIGNEUR, vous direz ceci : "Ainsi parle le SEIGNEUR, le Dieu d'Israël : Tu as bien entendu ces paroles, ¹⁹ puisque ton cœur s'est laissé toucher, que tu t'es humilié devant le SEIGNEUR quand tu as entendu ce que j'ai dit contre ce lieu et ses habitants — ce lieu deviendra un endroit désolé et maudit ⁱ —, et puisque tu as déchiré tes vêtements et que tu as pleuré devant moi ; eh bien, moi aussi j'ai entendu — oracle du SEIGNEUR — ; ²⁰ à cause de cela, je vais te réunir à tes pères ʲ ; tu leur seras réuni en paix dans la tombe et tes yeux ne verront rien du malheur que je vais amener sur ce lieu". » Les envoyés rapportèrent la réponse au roi.

Josias renouvelle l'alliance avec Dieu

(2 Ch 34.29-32)

23 ¹ Le roi envoya dire à tous les *anciens de Juda et de Jérusalem de se réunir près de lui. ² Puis il monta à la Maison du SEIGNEUR ayant avec lui tous les hommes de Juda et tous les habi-

---

ᵈ Sur les *gardiens du seuil*, voir 12.10 et la note; sur *l'argent recueilli* par eux, voir 12.5-16 ● ᵉ Ce *livre de la Loi* comprenait probablement les éléments essentiels du Deutéronome ● ᶠ *consulter le Seigneur :* voir 1 R 22.5 et la note ● ᵍ *gardien des vêtements :* les participants à une cérémonie religieuse revêtaient des habits spéciaux réservés à cet usage ● ʰ *les œuvres de leurs mains :* les statues des faux dieux (voir 19.18) ● ⁱ *endroit désolé et maudit :* comparer 1 R 9.8 ● ʲ *te réunir à tes pères :* comparer 1 R 1.21 et la note

22.3-7 réparation du Temple 12.11-16. **22.8** le livre de la loi Dt 28.61+. **22.14** consulter un prophète 1 S 9.6; 1 R 14.5; 22.7-8; Jr 21.2. **22.19** tu t'es humilié 1 R 21.29+. **23.1** réunir tous les anciens 1 R 8.1.

tants de Jérusalem : les prêtres, les *prophètes et tout le peuple, petits et grands. Il leur fit la lecture de toutes les paroles du livre de l'*alliance trouvé dans la Maison du Seigneur. ³ Debout sur l'estrade ᵏ, le roi conclut devant le Seigneur l'alliance qui oblige à suivre le Seigneur, à garder ses commandements, ses stipulations et ses décrets de tout son cœur et de tout son être en accomplissant les paroles de cette alliance qui sont écrites dans ce livre. Tout le peuple s'engagea dans l'alliance.

Réforme religieuse en Juda
(2 Ch 34.3-5)

⁴ Le roi ordonna au grand prêtre Hilqiyahou, aux prêtres en second et aux gardiens du seuil de faire sortir du Temple du Seigneur tous les objets qu'on avait faits en l'honneur du *Baal, d'Ashéra et de toute l'armée des cieux ˡ. On les brûla hors de Jérusalem, dans les plantations du Cédron et on emporta leurs cendres à Béthel. ⁵ Il supprima la prêtraille ᵐ que les rois de Juda avaient établie pour brûler de l'*encens sur les *hauts lieux des villes de Juda et des environs de Jérusalem. Il supprima aussi ceux qui brûlaient de l'encens en l'honneur du Baal, du soleil, de la lune, des constellations et de toute l'armée des cieux. ⁶ Il transporta de la Maison du Seigneur, hors de Jérusalem, au ravin du Cédron, le poteau sacré ⁿ qu'on brûla dans le ravin du Cédron ; il le réduisit en cendres qu'il jeta à la fosse commune. ⁷ Il démolit les maisons des prostitués sacrés ᵒ qui étaient dans la Maison du Seigneur et où les femmes tissaient des robes pour Ashéra. ⁸ Il fit venir des villes de Juda tous les prêtres et il souilla les hauts lieux où ces prêtres avaient brûlé de l'encens, depuis Guèva jusqu'à Béer-Shéva ᵖ. Il démolit les hauts lieux des portes, celui qui était à l'entrée de la porte de Josué, chef de la ville, celui qui était à gauche quand on pénétrait par n'importe quelle porte de la ville. ⁹ Toutefois les prêtres des hauts lieux ne pouvaient monter à l'*autel ᑫ du Seigneur à Jérusalem ; ils ne pouvaient que manger les pains sans *levain au milieu de leurs frères.

¹⁰ Il souilla le Tofeth qui était dans la vallée de Ben-Hinnôm pour que personne ne fît passer son fils et sa fille par le feu en l'honneur de Molek ʳ. ¹¹ Il supprima les chevaux que les rois de Juda avaient installés en l'honneur du soleil à l'entrée de la Maison du Seigneur, près de la chambre de l'*eunuque Netân-Mélek, située dans les annexes ; il brûla les chars du soleil. ¹² Le roi démolit les autels qui étaient sur la terrasse de la chambre haute d'Akhaz et que les rois de Juda avaient élevés, ainsi que les autels que Manassé avait bâtis dans les deux *parvis de la Maison du Seigneur ; il les enleva de là et en jeta les cendres dans le ravin du Cédron. ¹³ Le roi souilla les hauts lieux qui se trouvaient en face de Jérusalem, au sud du mont de la Destruction, et que Salomon, roi d'Israël, avait construits en l'honneur d'Astarté, abomination des Sidoniens, de Kemosh, abomination de Moab, de Milkôm, horreur ˢ des fils d'Ammon. ¹⁴ Il brisa les stèles, coupa les poteaux sacrés ᵗ et remplit leur emplacement d'ossements humains.

---

k sur l'estrade ou près de la colonne, voir 11.14 ● l prêtres en second: voir 25.18 et la note; gardiens du seuil: voir 12.10 et la note — Ashéra: voir Jg 3.7 et la note — armée des cieux: voir 17.16 et la note — Sur les objets faits en l'honneur des divinités étrangères, voir 21.3-7 ● m la prêtraille ou les prêtres des faux dieux; l'hébreu utilise deux mots différents pour désigner les prêtres, selon qu'ils sont prêtres du Seigneur, ou prêtres des autres divinités ● n poteau sacré: voir 1 R 14.15 et la note ● o prostitués sacrés: voir 1 R 14.24 ● p C'est probablement au moyen d'ossements humains (voir v. 14 et 16) que Josias souilla les hauts lieux, c'est-à-dire les rendit impropres pour toutes les cérémonies religieuses — depuis Guèva jusqu'à Béer-Shéva, c'est-à-dire dans tout le royaume de Juda (voir 1 R 19.3) ● q monter à l'autel signifie offrir des sacrifices ● r Le mot Tofeth, qui désigne un endroit précis dans le vallon au sud-ouest de Jérusalem (vallée de Ben-Hinnôm), signifie probablement brûloir — Molek: sur les sacrifices d'enfants et le dieu Molek, voir 16.3; Lv 18.21 et les notes ● s mont de la Destruction, c'est-à-dire d'après les versions anciennes le mont des Oliviers, à l'est de Jérusalem; en hébreu, il y a ressemblance (et donc jeu de mots) entre mont de la Destruction et mont des Oliviers — Sur les lieux de culte païens construits par Salomon, voir 1 R 11.5-8, 33 — abomination, horreur: termes méprisants par lesquels l'auteur désigne les divinités païennes; voir 1 R 11.5 et la note ● t stèles: voir 1 R 14.23 et la note; poteaux sacrés: voir 1 R 14.15 et la note

23.2 le livre de l'alliance 23.21; Ex 24.7. 23.4 brûlés au Cédron 1 R 15.13+. 23.5 prêtraille Os 10.5; So 1.4; cf. 1 R 12.31-32. 23.10 Tofeth Es 30.33; Jr 7.31-32; 19.6-14. 23.12 deux parvis 21.5+. 23.13 les dieux abominables 1 R 11.7.

Réforme religieuse en Israël

(2 Ch 34.6-7)

15 Josias démolit également l'*autel qui
était à Béthel, le *haut lieu que Jéroboam,
fils de Nevath, avait bâti pour entraîner
Israël dans le péché ; il démolit cet autel
et son haut lieu, il brûla le haut lieu,
le réduisit en cendres et livra aux flammes le poteau sacré *u*. 16 Puis, s'étant
retourné, Josias aperçut les tombes qui
se trouvaient là, sur la montagne ; il
envoya prendre les ossements de ces tombes et les brûla sur l'autel : il le souilla
selon la parole du SEIGNEUR qu'avait criée
l'homme de Dieu, l'homme qui avait crié
ces choses *v*. 17 Il dit : « Quel est ce monument que je vois ? » Les gens de la
ville lui répondirent : « C'est la tombe
de l'homme de Dieu qui est venu de Juda
et qui a crié les choses que tu viens
d'accomplir sur l'autel de Béthel. » 18 Il
dit : « Laissez-la ! Que personne ne touche à ses ossements ! » On épargna ses
ossements ainsi que les ossements du prophète qui était venu de Samarie *w*.

19 Josias fit disparaître également toutes
les maisons des hauts lieux qui se trouvaient dans les villes de Samarie et que
les rois d'Israël avaient construites pour
offenser le SEIGNEUR. Il agit à leur égard
exactement comme il avait agi à Béthel.
20 Il immola sur les autels tous les prêtres
des hauts lieux qui s'y trouvaient et y
brûla des ossements humains. Puis il revint à Jérusalem.

Célébration de la Pâque

(2 Ch 35.1, 18-19)

21 Le roi donna cet ordre à tout le peuple : « Célébrez la *Pâque du SEIGNEUR,
votre Dieu, selon ce qui est écrit dans ce
livre de l'*alliance. 22 On n'avait pas
célébré une telle Pâque depuis le temps
où les juges avaient gouverné Israël et
durant tout le temps des rois d'Israël et
des rois de Juda. 23 C'est dans la dix-
huitième année du règne du roi Josias

qu'on célébra une telle Pâque du SEI-
GNEUR à Jérusalem.

Conclusion sur le règne de Josias

(2 Ch 35.20-27 ; 36.1)

24 Josias balaya également les nécromanciens, les devins, les téraphim, les
idoles et toutes les ordures *x* qu'on voyait
au pays de Juda et à Jérusalem, afin d'accomplir les paroles de la Loi, paroles
écrites dans le livre que le prêtre Hilqiyahou avait trouvé dans la Maison du
SEIGNEUR.

25 Il n'y avait pas eu avant lui un roi
qui, comme lui, revînt au SEIGNEUR de tout
son cœur, de tout son être et de toute sa
force, selon toute la Loi de Moïse. Après
lui, il ne s'en leva pas de semblable.
26 Toutefois le SEIGNEUR ne revint pas de
l'ardeur de la grande colère qui l'avait
enflammé contre Juda, à cause de toutes
les offenses que Manassé avait commises
contre lui. 27 Le SEIGNEUR dit : « Même
Juda, je l'écarterai loin de ma présence
comme j'ai écarté Israël, je rejetterai cette
ville que j'ai choisie, Jérusalem, et la
Maison dont j'ai dit : Là sera mon
*nom. »
28 Le reste des actes de Josias, tout ce
qu'il a fait, cela n'est-il pas écrit dans le
livre des *Annales des rois de Juda ?
29 Durant ses jours, le *pharaon Néko,
roi d'Egypte, monta rejoindre le roi d'Assyrie vers l'Euphrate. Le roi Josias marcha à sa rencontre mais le pharaon, dès
qu'il le vit, tua Josias à Meguiddo *y*.
30 Comme il était mort, ses serviteurs le
transportèrent sur un char et l'amenèrent
de Meguiddo à Jérusalem. On l'ensevelit
dans sa tombe. La population du pays prit
Yoakhaz, fils de Josias ; on lui donna
l'*onction et on l'établit roi à la place
de son père.

Yoakhaz, roi de Juda

(2 Ch 36.2-4)

31 Yoakhaz avait vingt-trois ans lorsqu'il

---

u poteau sacré: voir 1 R 14.15 et la note ● *v il le souilla:* voir v. 8 et la note — *l'homme de Dieu:*
l'ancienne version grecque ajoute ici le texte suivant *quand Jéroboam se tenait près de l'autel, durant
la fête. Josias s'étant retourné leva les yeux vers la tombe de l'homme de Dieu — ces choses:* voir
1 R 13.1-2 ● *w Samarie:* voir 1 R 13.31 ● *x nécromanciens:* voir aussi 21.6 et la note — *téraphim:*
mot hébreu, traduit par *idoles* en Gn 31.19, 34-35 (où il désigne probablement des statuettes) et
en 1 S 19.13-16 (où il pourrait s'agir d'une sorte de masque). De toute façon le mot désigne des
objets utilisés dans certains cultes païens ou paganisés — *ordures:* terme méprisant, comparer
abomination et *horreur,* v. 13 et la note ● *y Meguiddo:* voir 9.27 et la note

23.15 l'autel de Béthel 1 R 12.33—13.10. **23.21** la Pâque Ex 12+ — le livre de l'alliance 23.2+.
23.24 nécromanciens et devins 21.6+. **23.25** personne comme lui Cf. 1 R 3.12+. **23.30** ramené
dans sa capitale 9.28+.

devint roi et il régna trois mois à Jérusalem. Le nom de sa mère était Hamoutal, fille de Yirmeyahou, de Livna z. 32 Il fit ce qui est mal aux yeux du SEIGNEUR, exactement comme ses pères. 33 Le *pharaon Néko le mit aux chaînes à Rivla, au pays de Hamath, pour qu'il cessât de régner à Jérusalem. Le pharaon Néko imposa au pays un tribut de cent talents a d'argent et un talent d'or. 34 Il établit comme roi Elyaqîm, fils de Josias, à la place de Josias, son père, et changea son nom en Yoyaqîm. Quant à Yoakhaz, il l'avait fait prisonnier ; celui-ci vint en Egypte où il mourut.

35 Yoyaqîm livra l'argent et l'or au pharaon Néko ; pour donner la somme exigée par le pharaon, il taxa le pays ; il imposa de force une redevance d'argent et d'or à la population du pays, selon les moyens de chacun, pour la donner au pharaon Néko.

Yoyaqîm, roi de Juda
(2 Ch 36.5-8)

36 Yoyaqîm avait vingt-cinq ans lorsqu'il devint roi et il régna onze ans à Jérusalem. Le nom de sa mère était Zevidda, fille de Pedaya, de Rouma. 37 Il fit ce qui est mal aux yeux du SEIGNEUR, exactement comme ses pères b.

24 1 Durant ses jours, Nabuchodonosor, roi de Babylone, se mit en campagne ; Yoyaqîm lui fut assujetti pendant trois ans, puis, de nouveau, il se révolta contre lui. 2 Le SEIGNEUR envoya contre Yoyaqîm des bandes de Chaldéens, des bandes d'*Araméens, des bandes de Moabites et des bandes des fils d'Ammon ; il les envoya contre Juda pour l'anéantir, selon la parole que le Seigneur avait dite par l'intermédiaire de ses serviteurs les *prophètes c. 3 C'est uniquement sur l'ordre du SEIGNEUR que tout cela arriva à Juda, pour qu'il fût écarté loin de sa présence d. C'est à cause des péchés de Manassé, de tout ce qu'il avait fait, 4 et aussi à cause du sang innocent e qu'il avait répandu et dont il avait rempli Jéru-

salem, que le SEIGNEUR ne voulut pas pardonner.

5 Le reste des actes de Yoyaqîm, tout ce qu'il a fait, cela n'est-il pas écrit dans le livre des *Annales des rois de Juda ? 6 Yoyaqîm se coucha avec ses pères f. Son fils Yoyakîn régna à sa place. 7 Le roi d'Egypte ne sortit plus de son pays, car le roi de Babylone avait pris tout ce qui avait appartenu au roi d'Egypte, depuis le torrent d'Egypte jusqu'au fleuve de l'Euphrate g.

Yoyakîn, roi de Juda
Première déportation
(2 Ch 36.9-10)

8 Yoyakîn avait dix-huit ans lorsqu'il devint roi et il régna trois mois à Jérusalem. Le nom de sa mère était Nehoushta, fille d'Elnatân, de Jérusalem. 9 Il fit ce qui est mal aux yeux du SEIGNEUR, exactement comme son père. 10 En ce temps-là, les serviteurs de Nabuchodonosor, roi de Babylone, montèrent contre Jérusalem. La ville soutint le siège. 11 Nabuchodonosor, roi de Babylone, vint lui-même contre la ville que ses serviteurs assiégeaient. 12 Alors Yoyakîn, roi de Juda, sortit au-devant du roi de Babylone, lui, sa mère, ses serviteurs, ses chefs et ses officiers. La huitième année de son règne, le roi de Babylone le fit prisonnier. 13 Selon ce que le SEIGNEUR avait dit h, il emporta tous les trésors de la Maison du SEIGNEUR et les trésors de la maison du roi ; il brisa tous les objets en or que Salomon, roi d'Israël, avait faits pour le Temple du SEIGNEUR. 14 Il déporta tout Jérusalem, tous les chefs, tous les gens riches, soit dix mille déportés, tous les artisans du métal et les serruriers ; il ne resta que les petites gens du pays. 15 Il déporta Yoyakîn à Babylone ainsi que la mère du roi, les femmes du roi, ses officiers, les princes du pays, il les emmena en déportation de Jérusalem à Babylone. 16 Tous les riches, soit sept mille, les artisans du métal et les serruriers, au nombre de mille, tous les vaillants

---

z *Livna:* voir 8.22 et la note ● a *Rivla:* ville située à peu près à mi-chemin entre Damas et Hamath; Pharaon y a installé son quartier général — *talents:* voir au glosssaire POIDS ET MESURES ● b *ses pères* ou *ses ancêtres* ● c *Chaldéens:* autre nom des *Babyloniens* — *la parole des prophètes:* voir en particulier 22.16-20 ● d *écarté de sa présence:* voir 17.18 et la note ● e *sang innocent:* voir 21.16 et la note ● f *se coucha avec ses pères:* voir 1 R 1.21 et la note ● g *du torrent d'Egypte à l'Euphrate:* voir Nb 34.5 et la note; comparer 1 R 5.1 ● h Voir 20.17-18

23.34 Yoakhaz emmené en Egypte Jr 22.10-12 (Shalloum = Yoakhaz). **23.36** Yoyaqîm Jr 22.18-19; 25.1; 26.1; 35.1; 36.1. **24.1** Nabuchodonosor Jr 24.1; 25.1; 29.1; 32.1; 34.1; Dn 1.1-2; 2—4. **24.2** des bandes 6.23+. **24.12** reddition de Yoyakîn Jr 22.24-30. **24.14** déportation 15.29+.

militaires, le roi de Babylone les emmena
en déportation à Babylone. [17] Le roi de
Babylone établit roi, à la place de Yoyakîn, son oncle Mattanya dont il changea
le nom en Sédécias.

Sédécias, roi de Juda
(Jr 52.1-3; 2 Ch 36.11-13)

[18] Sédécias avait vingt et un ans lorsqu'il devint roi et il régna onze ans à
Jérusalem. Le nom de sa mère était Hamoutal, fille de Yirmeyahou, de Livna [i].
[19] Il fit ce qui est mal aux yeux du SEI-
GNEUR, exactement comme Yoyaqîm.
[20] C'est à cause de la colère du SEI-
GNEUR que ceci arriva à Jérusalem et à
Juda au point qu'il les rejeta loin de sa
présence [j].
Sédécias se révolta contre le roi de Babylone.

Nabuchodonosor assiège Jérusalem
Jr 39.1-7; 52.4-11)

25 [1] La neuvième année du règne de
Sédécias, le dixième mois, le dix
du mois, Nabuchodonosor, roi de Babylone, arriva avec toutes ses troupes devant Jérusalem. Il prit position contre
elle et l'on construisit tout autour des
terrassements [k]. [2] La ville soutint le siège
jusqu'à la onzième année du règne de
Sédécias.
[3] Le neuf du mois, tandis que la famine sévissait dans la ville et que la
population n'avait plus de nourriture,
[4] une brèche fut ouverte dans la ville.
Tous les combattants s'enfuirent de nuit
par la porte entre les deux murs qui donne sur le jardin du roi, bien que les
Chaldéens fussent autour de la
ville ; ils prirent le chemin de la Araba [l].
[5] Les troupes chaldéennes poursuivirent
le roi qu'elles rattrapèrent dans la plaine
de Jéricho ; toutes ses troupes, en déroute, l'avaient abandonné. [6] Les Chaldéens saisirent le roi, le firent monter à
Rivla [m] vers le roi de Babylone et lui
annoncèrent sa décision. [7] Ils égorgèrent

les fils de Sédécias sous ses yeux, puis
Nabuchodonosor creva les yeux de Sédécias, le lia avec une double chaîne de
bronze et l'amena à Babylone.

Prise de Jérusalem
Seconde déportation
(Jr 39.8-10; 52.12-27; 2 Ch 36.17-21)

[8] Le cinquième mois, le sept du mois,
dans la dix-neuvième année du règne de
Nabuchodonosor, roi de Babylone, Nebouzaradân, chef de la garde personnelle,
serviteur du roi de Babylone, arriva à
Jérusalem. [9] Il brûla la Maison du SEI-
GNEUR et la maison du roi ainsi que toutes
les maisons de Jérusalem : il mit le feu
à toutes les maisons des hauts personnages. [10] Toutes les troupes chaldéennes qui
accompagnaient le chef de la garde personnelle démolirent la muraille qui entourait Jérusalem. [11] Nebouzaradân, chef de
la garde personnelle, déporta le reste du
peuple qui demeurait encore dans la ville
et les déserteurs qui s'étaient ralliés au roi
de Babylone, ainsi que le reste de la population. [12] Le chef de la garde personnelle laissa une partie des petites gens du
pays pour cultiver les vergers et les
champs.
[13] Les Chaldéens brisèrent les colonnes
de bronze de la Maison du SEIGNEUR
ainsi que les bases et la Mer [n] de bronze
qui étaient dans la Maison du SEIGNEUR
et ils en transportèrent le bronze à Babylone. [14] Ils prirent les bassins, les pelles,
les mouchettes, les coupes et tous les ustensiles en bronze destinés au culte.
[15] Le chef de la garde personnelle prit
les cassolettes et les bassins à aspersion,
tant en or qu'en argent [o]. [16] Quant aux
deux colonnes, à la Mer — il n'y en avait
qu'une — et aux bases que Salomon avait
faites pour la Maison du SEIGNEUR, il est
impossible d'en évaluer le poids du bronze. [17] La hauteur de la première colonne
était de dix-huit coudées ; elle était surmontée d'un chapiteau de bronze dont la
hauteur était de trois coudées et qui était
entouré d'un entrelacs et de grenades ; le

---

i *Livna:* voir 8.22 et la note; 23.31 ● j *écarté de sa présence:* voir 17.18 et la note ● k *des
terrassements* ou *des remblais:* voir 19.32 et la note ● l *Chaldéens* ou *Babyloniens — la Araba*
désigne ici la vallée du Jourdain (voir v. 5) ● m *Rivla:* après Pharaon (voir 23.33 et la note),
c'est *le roi de Babylone* qui y installe son quartier général ● n *les colonnes:* voir 1 R 7.15-22; *les
bases:* 1 R 7.27-37; *la Mer:* 1 R 7.23-26 ● o Sur les divers ustensiles énumérés dans les v. 14-15,
voir 1 R 7.45, 48-50

24.17 Sédécias Jr 37.1; Ez 17.5-6, 13-14. **24.20** révolte de Sédécias Ez 17.7-8, 15. **25.1** siège de
Jérusalem Jr 21.1-10; 34.1-5; Ez 4.1-3; 24.1-2. **25.7** châtiment de Sédécias Ez 12.13. **25.8** prise
de la ville Ez 33.21. **25.9** incendie du Temple 1 R 9.8. **25.11** déportation 15.29+.

tout en bronze. La deuxième colonne, avec son entrelacs, était semblable à la première. ¹⁸ Le chef de la garde personnelle arrêta Seraya, le prêtre en chef et Cefanyahou, le prêtre en second, ainsi que les trois gardiens du seuil *p*. ¹⁹ Il arrêta dans la ville un officier chargé des militaires et cinq hommes attachés au service du roi et qui se trouvaient dans la ville ; il arrêta aussi le secrétaire, chef de l'armée chargé d'enrôler la population et, parmi elle, soixante hommes se trouvant dans la ville. ²⁰ Nebouzaradân, chef de la garde personnelle, les fit prisonniers et les amena au roi de Babylone à Rivla. ²¹ Le roi de Babylone les frappa et les mit à mort à Rivla, au pays de Hamath. C'est ainsi que Juda fut déporté loin de sa terre.

Guedalias, gouverneur du pays de Juda
(*Jr 40.7—41.18*)

²² Quant aux gens restés au pays de Juda, ceux que Nabuchodonosor, roi de Babylone, avait laissés, le roi établit sur eux comme gouverneur Guedalias, fils d'Ahiqâm, fils de Shafân. ²³ Lorsque tous les chefs des troupes ainsi que leurs hommes apprirent que le roi de Babylone avait établi Guedalias comme gouverneur, ils vinrent trouver Guedalias à Miçpa, accompagnés de leurs hommes : c'étaient Yishmaël, fils de Netanya, Yohanân, fils de Qaréah, Seraya, fils de Tanhoumeth, de Netofa, Yaazanyahou, fils

du Maakatite *q*.

²⁴ Guedalias leur fit ainsi qu'à leurs hommes cette déclaration solennelle : « Ne craignez pas d'être du nombre des serviteurs des Chaldéens ! Demeurez dans le pays, servez le roi de Babylone et vous serez heureux *r*. » ²⁵ Mais le septième mois, Yishmaël, fils de Netanya, fils d'Elishama, de sang royal, vint avec dix hommes ; ils frappèrent à mort Guedalias ainsi que les Judéens et les Chaldéens qui étaient avec lui à Miçpa *s*. ²⁶ Tout le peuple, petits et grands, et les chefs des troupes se mirent en route et partirent pour l'Egypte par peur des Chaldéens.

Ewil-Mérodak fait grâce à Yoyakîn
(*Jr 52.31-34*)

²⁷ La trente-septième année de la déportation de Yoyakîn, roi de Juda, le douzième mois, le vingt-sept du mois, Ewil-Mérodak, roi de Babylone, l'année même où il devint roi, fit grâce à Yoyakîn *t*, roi de Juda et le libéra. ²⁸ Il lui parla en ami et lui accorda un siège plus élevé que celui des autres rois qui partageaient son sort à Babylone. ²⁹ Il lui fit quitter ses vêtements de prisonnier et Yoyakîn prit ses repas constamment en présence du roi, tous les jours de sa vie. ³⁰ Sa subsistance, la subsistance quotidienne, lui fut assurée par le roi chaque jour, tous les jours de sa vie.

---

p Le *prêtre en second* semble avoir été une sorte d'adjoint du *prêtre en chef* (= *grand prêtre*), chargé spécialement de veiller à l'ordre et à la discipline dans le Temple; voir 23.4; Jr 29.24-29 — *gardiens du seuil:* voir 12.10 et la note ● *q Miçpa:* voir 1 S 7.5 et la note — *Maakatite:* ressortissant de la région de Maaka, au nord-est de la Palestine ● *r* Les v. 23-24 se retrouvent avec quelques variantes en Jr 40.7-9 ● *s* Le récit de cet événement se retrouve, développé, en Jr 41.1-3 ● *t l'année même:* en 562 av. J.C. — *fit grâce à Yoyakîn:* autre traduction *releva la tête de Yoyakîn;* voir Gn 40.13 et la note

25.24 vous serez heureux 18.31-32.

ÉSAÏE

PREMIÈRE PARTIE

1 ¹ *Vision d'Esaïe, fils d'Amoç, qu'il vit au sujet de Juda et de Jérusalem, aux jours d'Ozias, de Yotam, d'Akhaz et d'Ezékias, rois de Juda* ᵃ.

Israël s'est révolté contre le Seigneur

² Ecoutez, cieux ! Terre, prête l'oreille !
C'est le SEIGNEUR qui parle :
J'ai fait grandir des fils, je les ai élevés,
eux, ils se sont révoltés contre moi.
³ Un bœuf connaît son propriétaire et
un âne la mangeoire chez son maître :
Israël ne connaît pas,
mon peuple ne comprend pas.

Plus rien d'intact au pays de Juda

⁴ Malheur ! Nation pécheresse,
peuple chargé de crimes,
race de malfaisants,
fils corrompus.
Ils ont abandonné le SEIGNEUR,
ils ont méprisé le Saint d'Israël,
ils se sont dérobés.
⁵ Où faut-il encore vous frapper,
vous qui persistez dans la rébellion ?

Toute tête est malade, tout cœur exténué.
⁶ De la plante des pieds à la tête,
rien d'intact :
blessures, plaies, meurtrissures récentes,
ni nettoyées, ni bandées, ni adoucies
avec de l'huile.
⁷ Votre pays est désolé, vos villes brûlées,
votre terre, devant vous, des étrangers
la dévorent :
elle est désolée et comme bouleversée
par l'envahisseur.
⁸ La fille de *Sion ᵇ va rester comme
une cabane dans une vigne,
comme un abri dans un champ de
concombres,
comme une ville sur ses gardes.
⁹ Si le SEIGNEUR, le tout-puissant, ne nous
avait laissé quelques réchappés,
nous serions comme Sodome, semblables à Gomorrhe.

Un culte qui fait horreur à Dieu

¹⁰ Ecoutez la parole du SEIGNEUR, grands
de Sodome,

---

a Esaïe: le nom du prophète signifie *le Seigneur sauve* — *Amoç:* le père du prophète Esaïe ne doit pas être confondu avec le prophète Amos ; en hébreu les deux noms ont des orthographes différentes — *aux jours d'Ozias... et d'Ezékias:* c'est-à-dire approximativement entre les années 740 et 687 av. J.C. ● *b* expression poétique désignant ici la ville de Jérusalem et sa population — Ce verset fait allusion à la situation de Jérusalem après l'invasion assyrienne de 701 av. J.C. (voir Ch 36—37): la ville est restée isolée au milieu d'un pays dévasté

1.1 vision Ab 1+ — Ozias/Azarias 2 R 15.1-7 — Yotam 2 R 15.32-38 — Akhaz 2 R 16.1-20 — Ezékias 2 R 18.1—20.21. **1.2** témoignage des cieux et de la terre Dt 30.19; 31.28; 32.1; Mi 1.2; Ps 50.4; — Israël, fils de Dieu Ex 4.22; Jr 3.19. **1.4** abandonner le Seigneur Dt 28.20; Jr 1.16; 3.13 — le Saint d'Israël Es 5.19, 24; 10.20; 12.6; 17.7; 29.19; 30.11; 31.1; 37.23; 41.14, 20; 47.4; 49.7; 54.5; 60.9, 14; Jr 50.29; 51.5; Ps 71.22; 78.41; 89.19; cf. Lv 19.2. **1.6** blessures, plaies Os 5.13 .adoucies à l'huile Jr 8.22; Lc 10.34. **1.8** comme une cabane Es 24.20. **1.9** Sodome, Gomorrhe Es 13.19; Gn 19.1-28; Dt 29.22; Am 4.11; So 2.9; Rm 9.29; 2 P 2.6; cf. Mt 10.15 par. **1.10** parole-instruction du Seigneur Es 2.3; 8.16, 20 — peuple de Gomorrhe Dt 32.32; Jr 23.14; Lm 4.6.

prêtez l'oreille à l'instruction de notre Dieu, peuple de Gomorrhe *c*.

11 Que me fait la multitude de vos *sacrifices, dit le SEIGNEUR ?
Les holocaustes de béliers, la graisse des veaux,
j'en suis rassasié.
Le sang des taureaux, des agneaux et des boucs,
je n'en veux plus.

12 Quand vous venez vous présenter devant moi,
qui vous demande de fouler mes *parvis ?

13 Cessez d'apporter de vaines offrandes *d* :
la fumée, je l'ai en horreur !
*Néoménie, *sabbat, convocation d'assemblée...
je n'en puis plus des forfaits et des fêtes.

14 Vos néoménies et vos solennités,
je les déteste,
elles me sont un fardeau,
je suis las de les supporter.

15 Quand vous étendez les mains *e*, je me voile les yeux,
vous avez beau multiplier les prières,
je n'écoute pas :
vos mains sont pleines de sang.

16 Lavez-vous, purifiez-vous.
Otez de ma vue vos actions mauvaises,
cessez de faire le mal.

17 Apprenez à faire le bien,
recherchez la justice,
mettez au pas l'exacteur *f*,
faites droit à l'orphelin,
prenez la défense de la veuve.

18 Venez et discutons, dit le SEIGNEUR.
Si vos péchés sont comme l'écarlate,
ils deviendront blancs comme la neige.

S'ils sont rouges comme le vermillon,
ils deviendront comme de la laine.

19 Si vous voulez écouter,
vous mangerez les bonnes choses du pays.

20 Si vous refusez, si vous vous obstinez,
c'est l'épée qui vous mangera.
La bouche du SEIGNEUR a parlé.

Dieu purifiera Jérusalem

21 Comment est-elle devenue une prostituée *g*,
la cité fidèle, remplie de justice,
refuge du droit... et maintenant des assassins ?

22 Ton argent est devenu de l'écume,
ton meilleur vin est coupé d'eau.

23 Tes chefs sont des rebelles,
complices des voleurs.
Tous, ils aiment les présents,
ils courent après les gratifications.
Ils ne rendent pas justice à l'orphelin
et la cause de la veuve n'arrive pas jusqu'à eux.

24 C'est pourquoi — oracle du Seigneur DIEU le tout-puissant,
L'Indomptable d'Israël *h* —
Malheur ! J'aurai raison de mes adversaires,
je me vengerai de mes ennemis.

25 Je tournerai ma main contre toi :
avec un sel je refondrai ton écume,
j'éliminerai tous tes déchets *i*.

26 Je ferai redevenir tes juges comme autrefois,
tes conseillers comme jadis,
et ensuite, on t'appellera Cité-Justice,
Ville Fidèle.

---

c grands de Sodome, peuple de Gomorrhe: appellations péjoratives qui visent ici les dirigeants et le peuple de Jérusalem. Le prophète juge leur corruption aussi grave que celle des gens de Sodome et de Gomorrhe (Gn 19) ● *d* Voir au glossaire SACRIFICES ● *e étendre les mains:* geste de la prière (voir Ps 28.2) ● *f mettez au pas l'exacteur:* autre traduction, soutenue par l'ancienne version grecque *faites droit à l'opprimé* ● *g* Voir Os 1.2; 2.4 et les notes ● *h l'Indomptable d'Israël:* titre très ancien donné à Dieu, équivalant à *l'Indomptable de Jacob* (Gn 49.24; Es 49.26; 60.16), parfois traduit aussi *le Taureau de Jacob* ● *i* Pour obtenir de l'argent pur on chauffait le métal non encore purifié avec un mélange de soude et de potasse (voir Jr 6.29; Ez 22.17-22). Ce procédé sert ici d'image pour décrire la purification que le Seigneur va imposer à son peuple

1.11 protestation contre un culte hypocrite Jr 7.22-23; Os 6.6; Am 5.21-25; cf. Ps 50.8. **1.13** fêtes Ex 23.14-17. **1.14** lassitude de Dieu Jr 15.6. **1.15** étendre les mains (pour la prière) Ps 28.2+ — mains pleines de sang Es 4.4; 59.3; Ps 5.7 — sang (des innocents) Gn 4.10; Dt 19.10. **1.17** le droit des faibles Ex 22.20; Dt 24.17; 27.19 — la veuve et l'orphelin Es 1.23; 9.16; 10.2; Ex 22.21-23; Jr 7.6; 22.3; Ez 22.7; Ps 82.3+; 146.9+; Jb 31.16-17. **1.18** Dieu discute avec son peuple Mi 6.2. **1.19** les bonnes choses du pays 2.7. **1.20** l'épée qui dévore Lv 26.6, 25; Dt 32.42; 2 S 2.26; Jr 2.30. **1.21** une prostituée Os 1.2+ — justice Ps 89.15; 97.2. **1.23** les juges qui se laissent soudoyer Es 5.23; Ex 23.8; Dt 16.19; 27.25. **1.24** le Seigneur Dieu, le tout-puissant Es 3.1; 10.16; 19.4; 44.6+ — l'Indomptable d'Israël (ou de Jacob) Gn 49.24; Es 49.26; 60.16; cf. Ps 132.2, 5. **1.25** tes déchets Jr 2.22; 6.29; Ez 22.18; Ml 3.2-3. **1.26** un nouveau nom Es 56.5; 60.14; Ap. 2.17; 3.12; cf. Ba 4.30+.

27 Sion sera sauvée par la justice
et ses habitants convertis le seront par
l'équité.
28 Rebelles et pécheurs ensemble seront
brisés,
ceux qui abandonnent le SEIGNEUR disparaîtront.

29 Vous serez bien déçus des térébinthes
que vous aimiez tant,

vous aurez honte de vos jardins d'élection *j*,
30 car vous serez alors comme le térébinthe
au feuillage flétri,
comme un jardin d'où l'eau s'est retirée.
31 L'homme fort devenu amadou,
son travail étant l'étincelle,
tous deux ensemble brûleront
et personne pour éteindre.

2 ¹ *Ce que vit Esaïe, fils d'Amoç* *k*,
au sujet de Juda et de Jérusalem.

Toutes les nations afflueront à Jérusalem

2 Il arrivera dans l'avenir que la montagne de la Maison du SEIGNEUR
sera établie au sommet des montagnes
et dominera sur les collines.
Toutes les nations y afflueront.
3 Des peuples nombreux se mettront en
marche et diront :
« Venez, montons à la montagne du
SEIGNEUR,
à la Maison du Dieu de Jacob.
Il nous montrera ses chemins
et nous marcherons sur ses routes. »
Oui, c'est de *Sion que vient l'instruction
et de Jérusalem la parole du SEIGNEUR.
4 Il sera juge entre les nations,
l'arbitre de peuples nombreux.
Martelant leurs épées, ils en feront des
socs,
de leurs lances ils feront des serpes.
On ne brandira plus l'épée nation
contre nation,
on n'apprendra plus à se battre.

5 Venez, maison de Jacob *l*,
marchons à la lumière du SEIGNEUR.

Le jour du Seigneur, jour de jugement

6 Oui, tu as délaissé ton peuple, la maison de Jacob *m*.
Ils sont submergés par l'Orient,
autant de devins que les Philistins,
beaucoup trop d'enfants d'étrangers.
7 Le pays est rempli d'argent et d'or :
pas de limite à ses trésors.
Le pays est rempli de chevaux :
pas de limite au nombre de ses chars.
8 Le pays est rempli d'idoles :
ils se prosternent devant l'ouvrage de
leurs mains,
devant ce que leurs doigts ont fabriqué.
9 Ils devront plier, les humains,
l'homme sera abaissé
— tu ne saurais leur pardonner.
10 Va dans les rochers, cache-toi dans la
terre
devant la terreur du SEIGNEUR
et l'éclat de sa majesté.
11 L'orgueilleux regard des humains sera
abaissé,
les hommes hautains devront plier :
et ce jour-là, le SEIGNEUR seul sera
exalté.
12 Car il y aura un *jour pour le SEI-
GNEUR, le tout-puissant,
contre tout ce qui est fier, hautain et
altier

j de vos jardins d'élection ou *des jardins qui vous plaisaient tant.* Le prophète fait allusion à des
rites empruntés au culte cananéen de la fécondité. Ces rites se pratiquaient sous certains arbres
(*térébinthes*) ou dans des *jardins.* Voir Os 4.13 ; comparer aussi avec Es 17.10 • *k* Voir 1.1 et
la note • *l maison de Jacob :* cette expression semble désigner ici l'ensemble du peuple de Dieu
(comparer Ps 98.3 et la note) • *m maison de Jacob :* l'expression semble utilisée ici en un sens plus
restreint qu'au v. 5 et désigner le royaume du nord (ou royaume d'Israël) ; voir Am 1.1 et la note

1.27 justice et équité Es 5.7, 16 ; 9.6 ; 28.17 ; 32.16 ; 33.5 ; 58.2 ; 59.9. **1.29** cultes de la fécondité
Es 57.5 ; 65.3 ; 66.17 ; Jr 2.20, 23 ; Ez 6.13. **1.31** l'homme et son idole détruits par le feu Es 5.24 ;
9.17-18 ; 10.16-17 ; 26.11 ; 33.11 — personne pour l'éteindre Jr 4.4 ; 21.12 ; Am 5.6. **2.2-4** Mi 4.1-3 +.
2.2 la montagne du Seigneur Za 8.3 ; Ps 2.6 ; 24.3. **2.3** pèlerinage à Jérusalem Dt 16.16 ; Ps 122.4
— des peuples nombreux Mi 4.1 + — le Dieu de Jacob Ps 46.8 ; 75.10 ; 76.7 ; 84.9. **2.4** juge Es
11.3-4 ; 16.5 — fin des guerres Os 2.20 ; Za 9.10 ; Ps 46.10 ; cf. Jl 4.10. **2.5** la lumière du Seigneur
Es 10.17 ; 60.1 ; Cf. Ps 56.14 ; 119.105 ; Pr 6.23 ; Jn 3.19 +. **2.6** devins Es 57.3 ; Lv 19.26 ; Dt
18.10. **2.7** chars nombreux Es 31.1 ; Dt 17.16 ; Ps 20.8. **2.8** idoles fabriquées par l'homme Es
17.8. **2.10** cache-toi Os 10.8 ; Lc 23.30 ; Ap 6.15 — terreur (voir Pr 7.7 ; 9.21), splendeur et majesté Ps 21.6 ; 29.2 ; 104.1. **2.11** orgueil abaissé Es 37.29 ; Pr 15.25 ; Si 10.13 ; Lc 1.51. **2.12** le
jour du Seigneur Jl 1.15 +.

et qui sera abaissé :
13 contre tous les cèdres du Liban, hautains et altiers,
et contre tous les chênes de Bashân n,
14 contre toutes les montagnes hautaines
et contre toutes les collines altières,
15 contre toutes les hautes tours
et contre toutes les murailles inaccessibles,
16 contre tous les vaisseaux de Tarsis o
et contre tous les bateaux somptueux.
17 L'orgueil des humains devra plier,
les hommes hautains seront abaissés :
et ce jour-là, le SEIGNEUR seul sera exalté
18 — et toutes ensemble, les idoles disparaîtront.
19 Entrez dans les creux des rochers et dans les antres de la terre,
devant la terreur du SEIGNEUR
et l'éclat de sa majesté
quand il se lèvera pour terrifier la terre.
20 En ce jour-là, les humains jetteront aux taupes et aux chauves-souris leurs idoles d'argent et leurs idoles d'or, qu'ils avaient fabriquées pour se prosterner devant elles.
21 Ils iront dans les trous des rochers, dans les fissures du roc,
devant la terreur du SEIGNEUR
et l'éclat de sa majesté,
quand il se lèvera pour terrifier la terre.
22 Laissez donc l'homme, ce n'est qu'un souffle dans le nez :
que vaut-il donc ?

L'anarchie dans le royaume de Juda

3 1 Oui, le Seigneur DIEU, le tout-puissant,
retire de Jérusalem et de Juda
toute espèce de soutien,
tout subside en pain et en eau,

2 le brave et l'homme de guerre,
le juge et le *prophète,
le devin et l'*ancien,
3 l'officier et le dignitaire,
le conseiller, l'expert en magie p
et le spécialiste des sortilèges.
4 Je leur donnerai pour chefs des gamins
et selon leurs caprices, ils les gouverneront.
5 Les gens se molesteront l'un l'autre,
chacun son prochain.
Le gamin se dressera contre le vieillard,
l'homme de rien contre le notable.
6 L'un accrochera son frère dans la maison paternelle :
« Tu as un vêtement q, tu seras notre chef,
que ces débris soient sous ton autorité.»
7 Alors l'autre s'écriera :
« Je ne suis pas guérisseur
et, dans ma maison, il n'y a ni pain ni vêtement :
vous ne pouvez faire de moi un chef du peuple.»
8 Jérusalem trébuche et Juda s'écroule.
Leurs propos et leurs actes à l'égard du SEIGNEUR
ne sont que révolte en face de sa gloire.
9 L'expression de leur visage témoigne contre eux,
ils proclament leur péché comme le fit Sodome r,
ils ne le cachent pas.
Malheureux qui font leur propre malheur.
10 Dites : Le juste est heureux
car il jouira du fruit de ses actions.
11 Malheureux le méchant, malheur à lui,
car il sera traité comme ses actes le méritent.
12 O mon peuple, le tyran de mon peuple, c'est un petit enfant

n Bashân: voir Ps 22.13 et la note ● o Les vaisseaux de Tarsis désignent probablement des navires capables d'effectuer de longs trajets. Sur Tarsis voir 23.7; Jon 1.3; Ps 72.10 et les notes ● p l'expert en magie: autre traduction possible l'artisan ● q vêtement: le terme hébreu correspondant désigne une sorte de manteau ample et long. L'homme qui possède encore le sien peut remplir les fonctions de chef parmi ses compagnons complètement démunis ● r Sodome (Voir Gn 19.4-9) est ici l'exemple type d'une société corrompue. Voir Es 1.10 et la note

2.13 Le Liban Es 10.34; 14.8; 29.17; 33.9; 40.16; 60.13; Dt 3.25; 1 R 5.13, 20; Jr 22.6; Na 1.4; Ps 29.6; 92.13; — Le Bashân Am 4.1+; Es 33.9; Ez 27.6; Mi 7.14; Za 11.2. 2.16 vaisseaux de Tarsis Es 23.1, 14; 60.9; 1 R 10.22; 22.49; Ps 48.8; cf. Jon 1.3. 2.19 quand le Seigneur se lèvera Nb 10.35; Ps 82.8. 2.22 l'homme, un souffle 8.5; 9.21; 39.5-7; 89.48; 102.12; 103.15; 144.3-4; Jb 7.16-17; 10.20; 25.6; cf. Es 42.5; 20.7; Jb 32.8. 3.1 Le Seigneur Dieu, le tout-puissant Es 1.24+. 3.2 devin Dt 18.14; Jos 13.22; 1 S 6.2; Es 44.25; Jr 27.9; 29.8; Mi 3.5-7; Za 10.2 — l'ancien Ex 3.16, 18; 2 S 5.3; 1 R 21.8; cf. Dt 25.7-9. 3.4 gouvernants capricieux Qo 10.16. 3.5 les uns contre les autres Jg 7.22; 1 S 14.20; Mi 7.6. 3.6 aucun remède Jr 14.19. 3.9 l'expression de leur visage Jr 3.3 témoigne contre eux Jr 14.7; Os 5.5; 1 Tm 5.24. 3.11 chacun récolte ce qu'il a semé Ps 128.2; Pr 12.14; Ga 6.7; cf. Jr 17.10; Pr 1.31. 3.12 ceux qui égarent le peuple Jr 23.13; Os 4.12; Mi 3.5.

et ce sont des femmes qui gouvernent.
O mon peuple, ceux qui te conduisent
t'égarent
et ils inversent la direction de ta route.

Le Seigneur fait un procès aux dirigeants

¹³ Le SEIGNEUR se dresse pour le procès,
il se tient debout pour juger les peuples.
¹⁴ Le SEIGNEUR traduit en jugement
les *anciens de son peuple et ses chefs :
C'est vous qui avez dévoré la vigne *s*
et la dépouille des pauvres est dans
vos maisons.
¹⁵ Qu'avez-vous à écraser mon peuple
et à fouler au pied la dignité des
pauvres ?
— Oracle du Seigneur DIEU, le tout-
puissant.

Contre les belles dames de Jérusalem

¹⁶ Le SEIGNEUR dit :
Puisque les filles de *Sion *t* sont orgueilleuses
et qu'elles vont le cou tendu
en lançant des œillades,
puisqu'elles vont à pas menus
en faisant sonner les grelots de leurs
pieds,
¹⁷ le Seigneur rendra galeux le crâne des
filles de Sion
et il découvrira leur front.
¹⁸ Ce jour-là, le Seigneur enlèvera les
parures :
grelots, soleils, lunes *u*,
¹⁹ pendentifs *v*, bracelets, voilettes,
²⁰ turbans, gourmettes,
cordelières, talismans, amulettes *w*,
²¹ bagues, boucles de nez,

²² habits de fête, foulards, écharpes, sacs
à main,
²³ miroirs *x*, chemises de lin, bandeaux,
mantilles.
²⁴ Au lieu de parfum, ce sera la pourriture,
au lieu de ceinture, une corde,
au lieu de savantes tresses, la tête rasée,
au lieu de linge fin, un pagne en toile
de sac,
une marque infamante *y* au lieu de
beauté.

Les veuves de Jérusalem

²⁵ Tes hommes tomberont sous l'épée,
ton élite dans le combat.
²⁶ Tes portes *z* gémiront et se lamenteront
et, dans le dénuement, tu seras assise
à terre.

4 ¹ Ce jour-là, sept femmes s'accrocheront à un seul homme
en lui disant :
« Nous subviendrons à notre nourriture,
nous pourvoirons à notre habillement,
pourvu que nous puissions porter ton
nom :
enlève notre déshonneur ! »

Les survivants de Jérusalem

² En ce jour-là, ce que fera germer le
SEIGNEUR
sera l'honneur et la gloire
et ce que produira le pays
fera la fierté et le prestige
des rescapés d'Israël.
³ Alors, le reste de *Sion, les survivants
de Jérusalem
seront appelés *saints :
tous seront inscrits à Jérusalem afin de
vivre.

---

s Comme souvent dans la Bible la *vigne* est un symbole du peuple de Dieu; voir 5.7
● *t les filles de Sion:* autrement dit les femmes de Jérusalem ● *u soleils, lunes:* sortes de bijoux
en forme de soleil (ronds) ou de lune (croissants) que l'on portait autour du cou ● *v* ou *perles* ● *w gourmettes:* chaînettes, que l'on portait aux chevilles — *talismans, amulettes:* genres de
porte-bonheur ● *x* Selon certains le terme traduit ici par *miroirs* désignerait en| réalité une pièce
de vêtement plus ou moins transparente — La plupart des termes de cette énumération sont
mal connus et leur traduction reste incertaine ● *y corde, tête rasée, pagne en toile de sac, marque* au fer rouge étaient réservés aux prisonniers de guerre, comme on peut le voir sur de nombreux documents assyriens anciens ● *z* Tournure fréquente pour désigner la ville elle-même, que
le prophète a personnifiée (*tes hommes*, v. 25, *tu seras assise*)

3.13 le Seigneur entame un procès Jr 2.9; Os 4.1; Mi 6.1; Ps 50.4; cf. Es 41.1+. **3.14** la Vigne
Es 5.1+ — la dépouille du pauvre Am 2.6, 8; Mi 2.1-2. **3.15** la justice pervertie Es 1.23, 26;
5.23; 10.1-2; Lv 19.15; Pr 22.22-23. **3.16** orgueilleuses Ez 16.50; So 3.11. **3.17** marques infa-
mantes Es 47.3; Jr 13.26; Ez 16.37. **3.25** tombés sous les coups de l'épée 2 S 1.12; Os 14.1.
3.26 images de la consternation Es 24.4; 33.9; Jr 14.2; Os 4.3; Jl 1.10; Am 1.2; Lm 1.4; 2.8-9;
— assise à terre Es 47.1; Jb 2.13; Lm 2.10. **4.2** ce que fera germer le Seigneur Es 6.13; 53.2;
61.11; Am 9.13; Ps 72.16 — le germe (Messie) Jr 23.5; 33.15; Za 3.8; 6.12; Ps 132.17. **4.3** le
reste Es 1.8-9; 6.13; 10.20-22+; 37.4, 31, 32; Jr 23.3; 31.7; 50.20; Ez 6.8-9; 11.13; Am 5.3, 15;
Mi 2.12; 4.7; 5.2, 6; So 2.7, 9; 3.12-13; Za 13, 8-9; 14.2; Ne 1.2; *Ba* 2.13 — saints Ex 19.5 — inscrits
Ex 32.32; Ez 13.9; Ml 3.16; Ps 69.29; 87.6; Ap 13.8.

4 Quand le Seigneur aura nettoyé les saletés des filles de Sion *a*
et lavé Jérusalem du sang qu'on y a répandu,
par le souffle du jugement, par un souffle d'incendie,
5 il créera en tout lieu de la montagne de Sion,
sur les assemblées,
une nuée le jour
et la nuit une fumée avec l'éclat d'un feu de flamme.
Et au-dessus de tout, la gloire du Seigneur
6 sera un dais, une hutte de feuillage, donnant de l'ombre les jours de grande chaleur
et servant de refuge et d'abri contre l'orage et la pluie.

Le chant du bien-aimé et de sa vigne

5 1 Que je chante pour mon ami, le chant du bien-aimé et de sa vigne :
Mon bien-aimé avait une vigne sur un coteau plantureux.
2 Il y retourna la terre, enleva les pierres,
et installa un plant de choix.
Au milieu, il bâtit une tour *b*
et il creusa aussi un pressoir.
Il en attendait de beaux raisins, il n'en eut que de mauvais.
3 Et maintenant, habitants de Jérusalem et gens de Juda,
soyez donc juges entre moi et ma vigne.
4 Pouvais-je faire pour ma vigne plus que je n'ai fait ?
J'en attendais de beaux raisins, pourquoi en a-t-elle produit de mauvais ?
5 Eh bien, je vais vous apprendre

ce que je vais faire à ma vigne :
enlever la haie pour qu'elle soit dévorée,
faire une brèche dans le mur pour qu'elle soit piétinée.
6 J'en ferai une pente désolée *c*,
elle ne sera ni taillée ni sarclée,
il y poussera des épines et des ronces
et j'interdirai aux nuages
d'y faire tomber la pluie.
7 La vigne du SEIGNEUR, le tout-puissant,
c'est la maison d'Israël
et les gens de Juda sont le plant qu'il chérissait.
Il en attendait le droit,
et c'est l'injustice.
Il en attendait la justice,
et il ne trouve que les cris des malheureux *d*.

Ceux qui provoquent la colère du Seigneur

8 Malheur ! Ceux-ci joignent maison à maison, champ à champ,
jusqu'à prendre toute la place
et à demeurer seuls au milieu du pays.
9 A mes oreilles a retenti le serment du SEIGNEUR, le tout-puissant :
De nombreuses maisons, grandes et belles,
seront vouées à la désolation faute d'habitants.
10 Dix arpents *e* de vigne ne donneront qu'une quarantaine de litres,
dix mesures de semence n'en produiront qu'une seule.
11 Malheur ! Levés de bon matin, ils courent après les boissons fortes
et jusque tard dans la soirée, ils s'échauffent avec le vin.
12 La harpe et la lyre *f*, le tambourin et la flûte

---

a Les *filles de Sion*: expression hébraïque désignant ici l'ensemble de la population de Jérusalem (voir 1.8 et la note) ● *b* Pour surveiller la vigne ● *c une pente désolée:* le sens du terme ainsi traduit est incertain; il s'agit peut-être d'un terrain trop mauvais pour être cultivé ● *d la maison d'Israël:* voir 2.5 (la *maison de Jacob*) et la note — L'hébreu fait jeu de mots entre les termes traduits par *droit* et *injustice*, ainsi qu'entre les termes traduits par *justice* et *cris* ● *e dix arpents:* à peu près deux hectares et demi ● *f la harpe et la lyre:* traduction approximative de deux termes hébreux désignant des instruments de musique à cordes

4.5 nuée, fumée, feu Ex 19.9, 16, 18; cf. Os 7.6; Lm 2.3. **4.6** refuge et abri Es 25.4; 28.15; Ps 14.6; 91.2. **5.1** vigne (symbole d'Israël) Es 3.14; 27.2-5; Jr 2.21; 5.10; 6.9; 12.10; Ez 15.1-8; 17.3-10; 19.10-14; Os 10.1; Ps 80.9-19; cf. Mt 21.33-43; Jn 15.1-7. **5.2** un plant de choix Es 16.8; Jr 2.21. **5.5** haie enlevée Ps 80.13. **5.6** épines et ronces Es 7.23-24; 9.17; 10.17; 27.4; 34.13; Os 10.8; Mi 7.4; cf. Gn 3.18 — le Seigneur donne ou refuse la pluie Dt 11.14; Am 4.7. **5.7** ce que Dieu chérissait Jr 31.20; Pr 8.30 — injustice Es 1.21 — les cris des malheureux Ex 3.7-9; Ps 9.13. **5.8** Malheur 10.1-4 — ceux qui ajoutent champ à champ 1 R 21.1-46; Mi 2.2 — le partage du pays, tel que Dieu voulait Lv 25.23-28; Dt 1.8; 15.1-11; Jos 13—19. **5.9** belles maisons ruinées Am 3.15; cf. Es 1.7; 6.11; 17.9. **5.11** ils s'échauffent avec le vin Es 28.1; 56.12; Am 6.4-6; Pr 23.30. **5.12** ce que fait le Seigneur Es 5.19; 28.21; 31.1; 45.11.

accompagnent leurs beuveries,
mais ils ne regardent pas ce que fait le
SEIGNEUR
et ne voient pas ce que ses mains
accomplissent.

¹³ C'est pourquoi mon peuple sera déporté
à cause de ce qu'il a méconnu.
L'élite mourra de faim
et la masse se desséchera de soif.

¹⁴ Alors la Fosse *g* ouvrira la gueule
démesurément
et enflera la gorge ;
la noblesse et la masse y descendront
avec leur joyeux tapage.

¹⁵ Ils devront plier, les humains,
l'homme sera abaissé,
les orgueilleux devront baisser les yeux.

¹⁶ Le SEIGNEUR, le tout-puissant sera exalté
en son jugement
et le Dieu *saint se montrera saint par
sa justice.

¹⁷ Des agneaux paîtront là comme en
leur pâturage
et des chevreaux à l'engrais brouteront
sur les ruines.

¹⁸ Malheur ! Ils traînent le péché avec les
cordes de l'imposture *h*
et la faute avec des traits de chariot.

¹⁹ Et ils disent : « Qu'il se dépêche,
qu'il hâte son œuvre pour que nous la
voyions.
Que se présente et se réalise
le plan du Saint d'Israël
et nous en prendrons connaissance. »

²⁰ Malheur ! Ils déclarent bien le mal et
mal le bien.
Ils font de l'obscurité la lumière et
de la lumière l'obscurité.
Ils font passer pour amer ce qui est
doux et pour doux ce qui est amer.

²¹ Malheur ! A leurs propres yeux, ils
sont sages,
de leur point de vue, ils sont intelligents.

²² Malheur ! Ce sont des héros de beuveries,

des champions de cocktails *i*.

²³ Ils justifient le coupable pour un présent
et refusent à l'innocent sa justification.

²⁴ Aussi, comme la paille est dévorée par
le feu
et comme le chaume disparaît dans
la flamme,
ils pourriront par la racine
et leur fleur s'en ira en poussière,
car ils ont rejeté l'instruction du
SEIGNEUR, le tout-puissant,
ils ont méprisé la parole du Saint
d'Israël.

²⁵ C'est pourquoi la colère du SEIGNEUR
s'enflamme contre son peuple,
il étend la main pour le frapper,
les montagnes tremblent
et leurs cadavres sont comme des
ordures au milieu des rues.

Mais avec tout cela, sa colère ne s'est
pas détournée
et sa main est encore étendue.

Un envahisseur irrésistible

²⁶ Il lève un étendard pour une nation
lointaine *j*,
il la siffle des extrémités de la terre
et la voici qui se hâte et arrive très
vite.

²⁷ Aucun de ses hommes n'est fatigué,
aucun ne trébuche,
aucun n'est assoupi ni endormi.
Les ceintures ne sont pas détachées
et les cordons des sandales ne sont pas
rompus.

²⁸ Ses flèches sont aiguisées,
tous ses arcs sont tendus.
On prendrait pour de la pierre les
sabots de ses chevaux,
pour un tourbillon les roues de ses
chars.

²⁹ Son rugissement est celui d'une lionne,
elle rugit comme les lionceaux,

---

g ou *le *séjour des morts* (qui est ici personnifié sous la forme d'une sorte de monstre); voir 14.9 et
la note ● h Selon certains l'expression *les cordes de l'imposture* évoquerait des pratiques magiques
par lesquelles on prétendait provoquer ou hâter les événements ● i Ou *des champions pour mélanger
les boissons alcoolisées* (à base de grains) ● j Cette *nation lointaine* est fort probablement l'Assyrie,
distante d'environ 1000 km de Jérusalem, mais qui menaçait alors d'envahir la Palestine.

5.13 soif Am 8.13. **5.16** Dieu montre sa sainteté Lv 10.3; Nb 20.13; Ez 20.41; 36.23. **5.19** « que
Dieu se dépêche » Jr 17.15; 2 P 3.3-4 — on dénigre le prophète Es 28.9-10; 30.11 — le Saint d'Israël
Es 1.4+; 10.17; Ps 22.4. **5.20** retournement des valeurs Am 5.7; Mi 3.2; Pr 17.15. **5.21** ils se
croient sages Pr 3.7; Rm 11.25; cf. Es 29.14. **5.25** les montagnes tremblent Ha 3.6; Ps 18.8 —
mais avec tout cela... Es 9.11, 16, 20; 10.4. **5.26** nation lointaine Es 11.10, 12; 13.2; 18.3; 30.17; 33.23;
49.22; 62.10; Jr 4.6. — la nation lointaine (l'Assyrie) Es 7.20; 8.4, 7; 10.5; 14.25; 19.23; 20.1;
30.31; 31.8; 36—37 — il la siffle Es 7.18; cf. Jr 5.15. **5.29** rugissement Jr 2.15 — personne pour
lui arracher sa proie Os 5.14.

elle gronde, elle s'empare de sa proie,
elle l'emporte
et personne ne la lui arrache.

30 Mais en ce jour-là, il y aura un grondement contre elle,
semblable au grondement de la mer.
On regardera vers la terre
et voici : ténèbres et détresse
et la lumière sera obscurcie par un
épais brouillard.

Esaïe devient prophète du Seigneur

6 ¹ L'année de la mort du roi
Ozias,
je vis le Seigneur assis
sur un trône très élevé.
Sa traîne remplissait le Temple *k*.
² Des séraphins se tenaient au-dessus de
lui.
Ils avaient chacun six ailes :
deux pour se couvrir le visage,
deux pour se couvrir les pieds *l*
et deux pour voler.
³ Ils se criaient l'un à l'autre :
« *Saint, saint, saint, le SEIGNEUR, le
tout-puissant,
sa gloire remplit toute la terre ! »
⁴ Les pivots des portes se mirent à
trembler
à la voix de celui qui criait
et le Temple se remplissait de fumée.
⁵ Je dis alors : « Malheur à moi ! Je suis
perdu,
car je suis un homme aux lèvres
*impures,
j'habite au milieu d'un peuple aux
lèvres impures
et mes yeux ont vu le roi, le SEIGNEUR,
le tout-puissant. »
⁶ L'un des séraphins vola vers moi,
tenant dans sa main une braise

qu'il avait prise avec des pinces sur
l'autel.
⁷ Il m'en toucha la bouche et dit :
« Dès lors que ceci a touché tes lèvres,
ta faute est écartée, ton péché est
effacé. »
⁸ J'entendis alors la voix du Seigneur
qui disait :
« Qui enverrai-je ? Qui donc ira pour
nous ? »
et je dis : « Me voici, envoie-moi ! »
⁹ Il dit : « Va, tu diras à ce peuple :
Ecoutez bien, mais sans comprendre,
regardez bien, mais sans reconnaître.
¹⁰ Engourdis le *cœur de ce peuple,
appesantis ses oreilles,
colle-lui les yeux !
Que de ses yeux il ne voie pas,
ni n'entende de ses oreilles !
Que son cœur ne comprenne pas !
Qu'il ne puisse se convertir et être
guéri ! »
¹¹ Je dis alors : « Jusques à quand, Seigneur ? »
Il dit : « Jusqu'à ce que les villes
soient dévastées, sans habitants,
les maisons sans personne,
la terre dévastée et désolée *m*. »
¹² Le SEIGNEUR enverra des gens au loin
et il y aura beaucoup de terre abandonnée
à l'intérieur du pays.
¹³ Et s'il y subsiste encore un dixième,
à son tour il sera livré au feu,
comme le chêne et le térébinthe abattus,
dont il ne reste que la souche
— la souche est une semence sainte.

Un message du Seigneur pour le roi Akhaz

7 ¹ Aux jours d'Akhaz, fils de
Yotam, fils d'Ozias, roi de Juda,

---

k la mort du roi Ozias : vers l'année 740 av. J.C. — *le Temple :* l'expression désigne ici, au sens restreint, la grande salle du temple de Jérusalem (voir 1 R 6.17) ● *l séraphins :* êtres mystérieux
que l'on considérait comme formant l'entourage de Dieu. On les imaginait mi-hommes mi-serpents,
et munis d'ailes — *les pieds :* euphémisme pour désigner le sexe ● *m la terre dévastée et désolée*
ou *le sol dévasté et en friche*

5.30 retournement de situation pour l'Assyrie Es 10.12 ; 30.31 — ténèbres et détresse Es 8.22 ; Jl 2.2 ;
Am 5.18 ; So 1.15. **6.1** le roi Ozias Es 1. + ; 2 Ch 26 — le trône du Seigneur 1 R 22.19 ; Ap 4.2 +.
6.3 Dieu, le saint Es 1.4+ ; 10.17 ; 40.25 ; 57.15 — sa gloire remplit toute la terre Nb 14.21 ; Ps
29.9 ; 57.12 ; 72.19 ; 108.6. **6.4** la fumée (signe de la présence du Seigneur) Es 4.5 ; Ex 19.16-19 ;
20.18 ; Ps 18.8-12 — remplit le temple Ex 40.34 ; 1 R 8.10. **6.5** mourir pour avoir vu le Seigneur
Ex 3.6 ; 33.20 ; Jg 6.22 ; 13.22 ; 1 R 19.13 ; cf. Ex 20.19 ; Dt 5.26 ; 18.16 ; Jb 42.5. **6.6** l'autel Ap
8.3-5. **6.7** le Seigneur purifie la bouche du prophète Jr 1.9 ; Ez 2.8. **6.8** la voix du Seigneur Es
40.6 — Qui enverrai-je ? 1 R 22.20. **6.9** sans comprendre Mc 4.12 par. +. **6.10** endurcissement
Ex 7.3 ; Za 7.11 — auditeurs rebelles Es 1.2-4 ; 19-20 ; 9.8-9 ; 29.9-12 ; 30.1.9-11 ; cf. 7.12-13 ;
8.14-15 ; Jr 5.21 — le prophète envoyé à des gens qui refusent d'écouter Jr 1.17-19 ; Ez 2.3-10 ;
3.4-9. **6.11** Jusques à quand ? Ps 6.4+ — intercession pour Israël Ex 32.11-13 ; Dt 9.26-29. **6.13** feu
destructeur Es 1.31 ; 5.24 ; 9.17-18 ; 10.16-17 ; Ex 24.17 ; Nb 11.1 — purificateur Es 1.25 ; 6.6-7 ;
Nb 31.21-23 — chêne et térébinthe, arbres des lieux sacrés Es 1.29 ; Gn 12.6 ; 13.18 ; Jos 24.26 ;
Jg 9.6 ; Ez 6.13 ; Os 4.13. **7.1** Akhaz Es 1.1+ — Péqah 2 R 15.27-31 — attaque syro-israélite
contre Jérusalem 2 R 16.5 ; cf. 2 R 15.37

Recîn, roi d'*Aram, et Péqah, fils de
Remalyahou, roi d'Israël, montèrent contre Jérusalem pour l'attaquer *n*, mais ils
ne purent lui donner l'assaut.
² On annonça à la maison de David :
« Aram a pris position en Ephraïm *o*. »
Alors, son cœur et le cœur de son peuple
furent agités comme les arbres de la forêt
sont agités par le vent. ³ Le SEIGNEUR
dit à Esaïe : « Sors à la rencontre
d'Akhaz, toi et ton fils Shéar-Yashouv,
vers l'extrémité du canal du réservoir
supérieur, vers la chaussée du champ du
Foulon *p*. ⁴ Tu lui diras :
Veille à rester calme, ne crains pas !
Que ton cœur ne défaille pas
à cause de ces deux bouts de tison
    fumants,
sous l'effet de l'ardente colère
de Recîn, d'Aram et du fils de Remal-
    yahou.
⁵ Puisque Aram — avec Ephraïm et le
    fils de Remalyahou —
a résolu ta perte en disant :
⁶ "Montons contre Juda pour l'effrayer,
pénétrons chez lui pour l'amener à nous
et installons-y comme roi le fils de
    Tavéel" *q*,
⁷ ainsi parle le Seigneur DIEU :
Cela ne tiendra pas, cela ne sera pas !
⁸ Car la tête d'Aram, c'est Damas
et la tête de Damas, c'est Recîn
— encore soixante-cinq ans
et Ephraïm écrasé cessera d'être un
    peuple —
⁹ la tête d'Ephraïm, c'est Samarie

et la tête de Samarie, c'est le fils de
    Remalyahou.
Si vous ne croyez pas, vous ne subsis-
    terez pas. »

Un enfant va naître qu'on nommera Emmanuel

¹⁰ Le SEIGNEUR parla encore à Akhaz
en ces termes : ¹¹ « Demande un signe
pour toi au SEIGNEUR ton Dieu, demande-
le au plus profond *r* ou sur les sommets,
là-haut. » ¹² Akhaz répondit : « Je n'en
demanderai pas et je ne mettrai pas le
SEIGNEUR à l'épreuve. »
¹³ Il *s* dit alors :
Ecoutez donc, maison de David !
Est-ce trop peu pour vous de fatiguer
    les hommes,
que vous fatiguiez aussi mon Dieu ?
¹⁴ Aussi bien le Seigneur vous donnera-
    t-il lui-même un signe :
Voici que la jeune femme est enceinte
et enfante un fils
et elle lui donnera le nom d'Emma-
    nuel *t*.
¹⁵ De crème et de miel il se nourrira,
sachant rejeter le mal et choisir le bien.
¹⁶ Avant même que l'enfant sache rejeter
    le mal et choisir le bien,
elle sera abandonnée, la terre dont tu
    crains les deux rois *u*.
¹⁷ Le SEIGNEUR fera venir sur toi,
sur ton peuple et sur la maison de
    ton père,
des jours tels qu'il n'en est pas venu

---

n Les Araméens de Damas et des Israélites du nord se sont alliés pour renverser le roi Akhaz
(v. 6) et forcer le royaume de Juda à se joindre à eux contre les Assyriens. Cette attaque contre
Jérusalem se situe vers l'année 734 av. J.C. ● *o la maison de David:* expression hébraïque pour
désigner les successeurs de David; ici elle vise le roi Akhaz et son entourage — *Ephraïm:* principale tribu du royaume d'Israël; son territoire était proche de Jérusalem ● *p Shéar-Yashouv:*
ce nom symbolique signifie *un reste reviendra* (ou *se convertira*) — *le canal du réservoir supérieur*
(voir la note sur 22.11), *la chaussée du champ du Foulon:* voir 2 R 18.17 et la note ● *q* D'après le
nom de son père, et par comparaison avec l'expression *fils de Remalyahou* (v. 1, 5; 2 R 15.25;
comparer 1 R 4.8-13), on présume que *le fils de Tavéel* appartenait à une famille de hauts fonctionnaires à la cour de Damas ● *r demande-le au plus profond:* autre traduction *demande-le au
fond du *séjour des morts* ● *s* Le prophète Esaïe ● *t la jeune femme:* probablement l'épouse du
roi. L'ancienne version grecque a traduit *la jeune fille*. Mt 1.23 a appliqué cette prophétie à Marie,
mère de Jésus — *Emmanuel:* encore un nom symbolique, signifiant *Dieu est* (ou *Que Dieu soit)
avec nous* ● *u* Entre les années 734 et 732 av. J.C. les Assyriens ont annexé le royaume araméen
de Damas et une partie du royaume d'Israël

7.2 la maison de David 2 S 7.11-14; Ps 89.30-38; 132.11-12.   7.3 Shéar-Yashouv, un reste reviendra Es 10.21; cf. 4.3+ — réservoir supérieur Es 36.2 — champ du Foulon cf. 1 R 1.9.
7.4 rester calme Es 30.15 — ne crains pas Es 8.12 — tisons fumants cf. Es 42.3; 43.17; 51.12-13;
2 S 14.7; Jb 18.5-6.   7.7 cela ne tiendra pas Es 8.10; 28.18; Ps 33.10.   7.8 Damas, capitale d'Aram
2 R 8.7; 2 Ch 28.23.   7.9 croire 2 Ch 20.20.   7.10 signe demandé Es 38.22+.   7.11 un signe
Es 7.14; 8.18; 20.3; 37.30; 38.7-8, 21-22; Jg 6.36-40; 1 R 13.3-5; Jr 44.29-30 — monde d'en-bas,
monde d'en-haut Dt 33.13; Jb 11.8; Mt 16.1-4.   7.12 mettre le Seigneur à l'épreuve Ps 78.18+.
7.14 un fils va naître Gn 16.11; Jg 13.3; Lc 1.31 — Emmanuel, Dieu avec nous Es 8.8, 10; 41.10+;
Nb 23.21; Am 5.14; Mi 3.11; So 3.15; Ps 46.8, 12.   7.15 rejeter le mal et choisir le bien Dt 1.39;
2 S 14.17; 1 R 3.9.   7.16 avant même Es 8.4.   7.17 le roi d'Assyrie Es 8.7-8; 36.1.

depuis qu'Ephraïm s'est détaché de
Juda
— le roi d'Assyrie *v*.
18 Il adviendra, en ce jour-là,
que le SEIGNEUR sifflera les mouches
qui sont à l'extrémité des canaux
d'Egypte
et les abeilles qui sont au pays d'Assyrie.
19 Elles viendront et se poseront toutes
dans les ravins escarpés et dans les
fentes des rochers,
dans tous les fourrés et dans tous les
pâturages.
20 En ce jour-là, le Seigneur rasera
avec un rasoir loué au-delà du Fleuve
— avec le roi d'Assyrie —
la tête et le poil des pieds.
La barbe aussi sera enlevée *w*.
21 Il adviendra, en ce jour-là, que chacun
élèvera
en gros bétail une génisse, et deux
têtes de petit bétail
22 et, à cause de l'abondante production
de lait,
on mangera de la crème ;
oui, c'est de crème et de miel que se
nourriront
ceux qui resteront dans le pays.
23 Il adviendra, en ce jour-là.
que tout lieu où il y avait mille ceps
de vigne,
valant mille pièces d'argent,
deviendra épines et ronces.
24 On y viendra avec des flèches et un
arc,
car tout le pays deviendra épines et
ronces.
25 Quant à toutes les montagnes qu'on
sarclait à la pioche,

la crainte des épines et des ronces n'y
viendra pas :
ce sera un pâturage de bœufs et un
pacage de moutons.

Un fils d'Esaïe au nom symbolique

8 1 Le SEIGNEUR me dit : « Prends un
grand cylindre-sceau *x* et écris dessus avec un burin ordinaire : A Maher -
Shalal - Hash - Baz — A Prompt - Butin -
Proche - Pillage —.» 2 Et je pris pour
témoins des hommes dignes de foi :
Ouriya, le prêtre, et Zekaryahou, fils de
Yevèrèkyahou. 3 Je m'approchai de la
prophétesse *y*, elle conçut et enfanta un
fils. Le SEIGNEUR me dit : « Appelle-le
Maher-Shalal-Hash-Baz, 4 car avant que
l'enfant sache dire "Mon père" et "Ma
mère", on apportera les richesses de
Damas et le butin de Samarie devant le
roi d'Assyrie.»

L'invasion assyrienne

5 Le SEIGNEUR me parla encore en ces
termes :
6 Parce que ce peuple refuse
les eaux de Siloé *z* qui coulent doucement
et se réjouit au sujet de Recîn
et du fils de Remalyahou,
7 à cause de cela, le Seigneur fera monter
contre eux
les eaux puissantes et abondantes du
Fleuve *a*
— le roi d'Assyrie et toute sa gloire.
Il s'élèvera partout au-dessus de son
lit,
il franchira toutes ses berges.

v la maison de ton père : comparer la note sur 7.2. — *Ephraïm* (voir la note sur 7.2) représente ici,
comme souvent ailleurs, l'ensemble du royaume d'Israël (voir Os 4.17 et la note) — Sur la séparation de Juda et d'Israël voir 1 R 12.1-25 — *le roi d'Assyrie :* ces mots forment une sorte de
parenthèse interprétant le message du v. 17 à la lumière de l'invasion assyrienne survenue plus
tard, en 701 av. J.C. ● *w le Fleuve :* appellation fréquente de l'*Euphrate*. Le prophète fait allusion à une invasion assyrienne — *pieds :* euphémisme comme en 6.2 — Sur la coutume de *raser*
la tête des ennemis capturés voir 3.24 et la note ● *x Le cylindre-sceau* servait à imprimer le nom
de son propriétaire dans l'argile encore molle d'une tablette ● *y la prophétesse* désigne ici la
femme du prophète Esaïe ● *z refuse :* autre traduction *méprise* — *les eaux de Siloé :* le canal qui
amenait dans la ville de Jérusalem l'eau de la source du Guihôn ● *a* Voir 7.20 et la note ;
le *Fleuve* est l'image de la puissance assyrienne

7.18 le sifflet du Seigneur Es 5.26 — l'Egypte Es 37.9.   **7.20** chevelure et barbe rasées : Es 3.24 ; Ez 5.1 ;
cf. 2 S 10.4-6.   **7.22** ceux qui resteront Es 4.3+.   **7.23** richesses et vignobles de Samarie Es 2.7 ;
28.1 — dévastation de Samarie Es 7.8-9 ; 8.4 ; 10.17-19 ; 17.4-6 ; — épines et ronces Es 5.6+ ; 8.4 ;
7.25 un pacage pour les moutons Es 17.2 ; 27.10 ; 32.14 ; Ez 25.5 ; So 2.6-7.   **8.1** messages prophétiques mis par écrit Es 30.8 ; Jr 30.2 ; 36.2 ; Ha 2.2 — proche pillage Es 10.6.   **8.2** (deux) témoins
Dt 17.6 ; 19.15 ; 1 R 21.13 — Ouriya 2 R 16.10-16 — Zekaryaou 2 R 18.2 ; 2 Ch 29.1.   **8.3** famille
prophétique Os 1.1-9 — un fils mis au monde Es 7.14.   **8.4** avant que l'enfant Es 7.16 — ruine
de Damas et de Samarie Es 7.20 ; 17.3.   **8.6** Siloé Jn 9.7,11 — doucement cf. Es 30.15 — le fils
de Remalyahou Es 7.1, 4, 8-9.   **8.7** le Fleuve (Euphrate) Es 7.20 ; 27.12 — invasion comparée
à une inondation Es 17.12-14 ; Jr 46.7 ; 47.2 ; 51.42 ; Dn 11.10, 40.

8 Il envahira Juda, il débordera, inondera,
arrivera jusqu'au cou
et l'extension de ses rives
remplira la largeur de ton pays, ô
Emmanuel [b] !

Dieu est avec nous

9 Tremblez, peuples, et soyez écrasés [c] !
Prêtez l'oreille, toutes les régions lointaines de la terre !
Ceignez vos armes et soyez écrasés !
Ceignez vos armes et soyez écrasés !
10 Formez un projet, il sera mis en
pièces.
Tenez des propos, ils seront sans effet,
car Dieu est avec nous [d].

**C'est le Seigneur que vous devez
craindre**

11 Oui, ainsi m'a parlé le SEIGNEUR quand
sa main m'a saisi [e]
et qu'il m'a enjoint de ne pas suivre
le chemin que prend ce peuple :
12 Vous n'appellerez pas « conspiration »
tout ce que ce peuple appelle « conspiration ».
Vous ne craindrez pas ce qu'il craint
ni ne le redouterez.
13 C'est le SEIGNEUR, le tout-puissant, que
vous tiendrez pour *saint,
c'est lui que vous craindrez,
c'est lui que vous redouterez.
14 Il sera un *sanctuaire et une pierre que

l'on heurte
et un rocher où l'on trébuche
pour les deux maisons d'Israël [f],
un filet et un piège
pour l'habitant de Jérusalem.
15 Beaucoup y trébucheront, tomberont,
se briseront,
seront pris au piège et capturés.

Attente et espérance du prophète

16 Enferme l'attestation [g], scelle l'instruction
parmi mes disciples.
17 J'attends le SEIGNEUR
qui cache sa face à la maison de
Jacob [h],
j'espère en lui.
18 Moi et les enfants que m'a donnés le
SEIGNEUR,
nous sommes des signes et des présages
en Israël,
de la part du SEIGNEUR, le tout-puissant,
qui demeure sur la montagne de *Sion.
19 Et si l'on vous dit : « Consultez les
nécromanciens [i]
et les devins, ceux qui sifflotent et
murmurent,
un peuple ne doit-il pas consulter ses
dieux,
les morts en faveur des vivants ? »,
20 à l'instruction et à l'attestation !
S'ils ne s'expriment pas selon cette
parole,
pour eux point d'aurore... [j]

b Voir 7.14 et la note ● *c soyez écrasés* ou *soyez consternés* ● *d* Voir 7.14 et la note ● *e sa
main m'a saisi:* autre traduction *il a saisi ma main* ● *f les deux maisons d'Israël:* c'est-à-dire
les royaumes d'Israël et de Juda; voir Es 2.5, 6; 5.7 et les notes ● *g l'attestation:* il s'agit probablement d'un document écrit comprenant un ou plusieurs messages du prophète Esaïe. Ce document devra constituer plus tard une preuve, lorsque les événements annoncés se seront produits ● *h maison de Jacob:* voir 2.5 et la note ● *i les nécromanciens* (ceux qui consultent les
morts): autre traduction possible *les esprits* (des morts) ● *j à l'instruction et à l'attestation!:* le
prophète renvoie ses disciples au document dont il a été question au v. 16 — *point d'aurore:*
image d'une délivrance qui ne viendra pas — Autre traduction pour la fin du verset *Malheur à
celui qui ne s'exprime pas selon cette parole, contre laquelle il n'y a pas de formule magique!*

8.8 Juda envahi Es 10.28-32 — tout le pays Es 1.7; 36.1; 2 R 17.5 — Emmanuel Es 7.14.
8.10 plans de Dieu, plans humains Es 5.19; 14.26-27; Ps 33.10-11; 81.13; Pr 21.30 —
sans effet Es 7.7; 28.18; cf. 17.14 — Dieu est avec nous Es 7.14; Rm 8.31.   **8.11** la main du
Seigneur Ex 3.19; 14.31 m'a saisi 1 R 18.46; 2 R 3.15; Jr 15.17; Ez 3.14.   **8.12** conspiration 2 S
15.12; 1 R 16.20; 2 R 11.14; 12.21; 14.19; 15.15, 30; Ps 31.14+ — ne pas craindre 1 P 3.14 ce
qu'il craint Es 7.2   **8.13** tenir le Seigneur pour saint 1 P 3.15 — le Saint Es 6.3+ — ne craindre
que le Seigneur Es 29.22-23; cf. 31.1.   **8.14** il sera un sanctuaire Ez 11.16; cf. Ap 21.22 — une
pierre cf. Es 28.16; Gn 49.24 — un rocher cf. Es 17.10; 2 S 22.2; Ps 28.1+ où l'on trébuche cf.
5.15-16, 24; 30.9-14; 31.1; 37.22-23; Lc 2.34; Rm 9.32-33; 1 P 2.7-8 — un filet Ps 9.16+.   **8.15**
beaucoup se briseront Mt 21.44.   **8.16** enferme l'attestation Jr 32.14 — Apposition d'un sceau Es
29.11; 1 R 21.8; Jr 32.11; Dn 12.4 — l'instruction Es 1.10; 2.3; 5.24; 30.9.   **8.17** attendre le Seigneur Ps 27.14; 31.25+ qui cache sa face Ps 13.2+ — la maison de Jacob (ensemble d'Israël)
Es 2.5; 10.20; 14.1; 29.22.   **8.18** les enfants que le Seigneur m'a donnés He 2.13 — la famille
du prophète, signe et présage Es 7.3; 10.21; 8.1-3; Jr 16.1-8; Ez 24.15-24; Os 1—3; — signes
Es 7.11+ — le Seigneur à Sion Es 2.2-5; 4.5; 11.9; 14.32; 28.16; 31.9; 33.5; cf. Ps 132.13.
8.19 consultation des morts Es 19.3; 1 S 28.7-20; 2 R 21.6; 23.24 — interdite par Dieu Lv 19.31;
20.6, 27; Dt 18.11; 1 S 28.3, 9.

Détresse et ténèbres sur la terre

21 On traversera le pays, accablé et
affamé.
Sous l'effet de la faim, on s'irritera
et on maudira son roi et son Dieu.
On se tournera vers le haut,
22 puis on regardera vers la terre
et voici : détresse et ténèbres, obscurité
angoissante,
nuit dans laquelle on est poussé.

Le Prince de la paix

23 Mais ce n'est plus l'obscurité pour le
pays qui était dans l'angoisse.
Dans un premier temps, le Seigneur a
couvert d'opprobre
le pays de Zabulon et le pays de
Nephtali,
mais ensuite il a couvert de gloire
la route de la mer, l'au-delà du Jourdain et le district des nations *k*.

9 1 Le peuple qui marchait dans les
ténèbres
a vu une grande lumière.
Sur ceux qui habitaient le pays de
l'ombre,
une lumière a resplendi.
2 Tu as fait abonder leur allégresse *l*,
tu as fait grandir leur joie.
Ils se réjouissent devant toi
comme on se réjouit à la moisson,
comme on jubile au partage du butin.
3 Car le *joug qui pesait sur lui,
le bâton à son épaule,
le gourdin de son chef de corvée,
tu les as brisés comme au jour de
Madiân.
4 Tout brodequin dont le piétinement
ébranle le sol
et tout manteau roulé dans le sang
deviennent bons à brûler, proie du feu.
5 Car un enfant nous est né,
un fils nous a été donné.
La souveraineté est sur ses épaules.
On proclame son nom :
« Merveilleux - Conseiller, Dieu - Fort,
Père à jamais, Prince de la paix. »
6 Il y aura une souveraineté étendue
et une paix sans fin
pour le trône de David et pour sa
royauté,
qu'il établira et affermira
sur le droit et la justice
dès maintenant et pour toujours
— l'ardeur du SEIGNEUR, le tout-
puissant, fera cela.

La colère du Seigneur contre son peuple

7 Le Seigneur a lancé une parole contre
Jacob,
elle tombe sur Israël.
8 Le peuple tout entier en aura connaissance,
Ephraïm *m* et l'habitant de Samarie
qui dit dans sa fierté et son orgueil :
9 « Les briques sont tombées, nous bâtirons en pierres de taille,
les sycomores sont abattus, nous mettrons des cèdres à la place. »
10 Le SEIGNEUR a dressé contre lui *n* les
ennemis — de Recîn —,
il a excité ses adversaires,

---

k Zabulon, Nephtali: deux tribus du royaume d'Israël, installées à l'ouest du lac de Kinnéreth
et du haut Jourdain. Leur territoire a été annexé par les Assyriens entre les années 734 et 732 av.
J.C., en même temps que le pays *au-delà du Jourdain* (région de Galaad, en Transjordanie) — *la
route de la mer*, route côtière très fréquentée, reliait l'Egypte à la Syrie — *le district des nations* (ou
des païens) correspond à la région nommée plus tard *la Galilée* ● *l* Les v. 2 et 3 s'adressent directement à Dieu ● *m en aura connaissance* ou *s'en apercevra bien*. — *Ephraïm:* voir 7.2 et la
note ● *n contre lui:* c'est-à-dire contre le peuple du royaume d'Israël (v. 8)

8.21 responsabilité du roi 2 R 6.26-27; Ps 72.12-16 — maudire le roi et Dieu Ex 22.27; 1 R
21.10. **8.22** détresse et ténèbres Es 5.30; Mi 3.6. **8.23** l'au-delà du Jourdain (Galaad) 2 S 2.9;
1 R 22.3-6; 2 R 10.32-33, etc. — le district des nations (Galilée) 2 R 15.29; cf. Jos 20.7; 21.32;
1 R 9.11. **9.1** ténèbres Es 8.22-23; 42.7; 49.9; 59.9. Ps 107.10, 14; Jb 10.21-22; 15.22-24; 38.17
— lumière Es 58.8-10; 60.1, 20; Mt 7.8; Ps 27.1+; cf. 2 S 23.3-4; Ps 72.5, 17. Lc 1.78. **9.2**
allégresse pour l'avènement d'un nouveau roi 1 R 1.40; 2 R 11.14; Ps 132.9 — comme à la
moisson Ps 4.8. **9.3** joug pesant Es 10.27; 14.25; Lv 26.13; Dt 28.48; Jr 27.2-11 — le gourdin
Es 14.5-6 — le jour de Madian Jg 7; Es 10.26; Ps 83.10-12. **9.4** destruction des armes 2.4;
Ez 39.9; Os 2.20; Za 9.10; Ps 46.10; 76.4. **9.5** un enfant nous est né Es 7.14; Lc 2.11 — donné
Jn 3.16 — on proclame son nom 2 S 7.9; 1 R 1.47; cf. Ps 2.6-7; 72.17; 110.4; 2 S 23.3-4 — Conseiller Es 11.2 — Dieu fort Es 10.21; Dt 10.17; Jr 32.18; Ps 24.8 — Père 1 S 24.12 à jamais Es
45.17; 47.7; Ps 21.5, 7 — Prince de la paix v. 6; Es 11.6-9; Mi 5.4; Za 9.10; Ps 72.3, 7. **9.6** souveraineté étendue Es 2.3-4; Ps 110.2 — droit et justice Es 1.26-27; 5.7; 11.3-5; 16.5; 32.1, 16-17;
Jr 23.5; 33.15; Ps 45.7 — pour toujours 2 S 7.16; Ps 45.7 — l'ardeur du Seigneur Es 37.32;
cf. 26.11; 42.13; 59.17; 63.15; Ez 36.5; 39.25; Jl 2.18; Za 1.14; 8.2. **9.7** une parole du Seigneur
Es 55.11; Jr 23.29; Os 6.5; Ps 107.20; 147.15, 18. **9.8** orgueil Es 2.11-17 de Samarie 28.1; Os
7.10; Am 6.13. **9.9** contre les efforts orgueilleux de relèvement Ml 1.4; cf. Jr 22.14-15; Pr 16.18.

11 *Aram à l'orient, les Philistins par derrière
et ils ont dévoré Israël à pleine gueule.
Mais avec tout cela, sa colère ne s'est pas détournée
et sa main est encore étendue.
12 Et le peuple n'est pas revenu à celui qui le frappait,
ils n'ont pas cherché le SEIGNEUR, le tout-puissant.
13 Alors le SEIGNEUR a coupé en Israël tête et queue,
palme et roseau [o], en un seul jour :
14 l'*ancien et le dignitaire, c'est la tête,
le prophète qui enseigne le mensonge, c'est la queue.
15 Les guides de ce peuple l'ont égaré
et ceux qu'ils guidaient ont été engloutis.
16 C'est pourquoi le Seigneur ne sera pas favorable à ses jeunes gens,
il n'aura pas pitié de ses orphelins et de ses veuves,
car ils sont tous impies et malfaisants
et toutes les bouches répètent des propos insensés.
Mais avec tout cela sa colère ne s'est pas détournée
et sa main est encore étendue.
17 Car la méchanceté brûle comme un feu
qui dévore épines et ronces
et enflamme les taillis de la forêt,
tandis que s'élèvent des colonnes de fumée.
18 Par l'excès de la colère du SEIGNEUR, le tout-puissant,
le pays est ébranlé [p]
et le peuple devient comme la proie du feu :
nul n'épargne son frère.
19 On taille à droite et on a encore faim,
on dévore à gauche et l'on n'est pas rassasié,
chacun dévore la chair de son bras.
20 Manassé dévore Ephraïm [q] et Ephraïm Manassé,
ils s'unissent contre Juda.
Mais avec tout cela, sa colère ne s'est pas détournée
et sa main est encore étendue.

10 1 Malheur à ceux qui prescrivent des lois malfaisantes
et, quand ils rédigent, mettent par écrit la misère :
2 ils écartent du tribunal les petites gens,
privent de leur droit les pauvres de mon peuple,
font des veuves leur proie
et dépouillent les orphelins.
3 Que ferez-vous au jour du châtiment,
quand de loin viendra la tempête ?
Chez qui fuirez-vous pour trouver du secours ?
Où déposerez-vous vos richesses ?
4 On ne pourra que se courber parmi les prisonniers
et tomber parmi les victimes.
Mais avec tout cela, sa colère ne s'est pas détournée
et sa main est encore étendue.

Malheur à l'Assyrie et à son roi

5 Malheur à Assour, gourdin de ma colère ;
ce bâton dans sa main, c'est mon indignation.
6 Je l'envoie contre une nation impie,
je le dépêche contre le peuple qui m'excède
pour y faire du butin et le mettre au pillage,
pour le fouler aux pieds comme la boue des rues.
7 Mais lui [r], il ne l'entend pas ainsi,
son *cœur n'en juge pas ainsi,

o tête et queue, palme et roseau: expression imagée suggérant l'idée de totalité • *p le pays est ébranlé:* d'après les anciennes versions syriaque et latine; texte hébreu traditionnel obscur • *q Ephraïm, Manassé:* les deux principales tribus du royaume du nord • *r* Il s'agit du royaume d'Assyrie (qui est ici personnifié) ou de son roi

9.11 Israël menacé de tous côtés Es 28.17-18 — mais avec tout cela... Es 5.25+ — la colère du Seigneur encore active Jr 4.8 — sa main étendue Dt 4.34; Ps 136.12; cf. Es 30.30; So 1.4. **9.12** le peuple n'est pas revenu Jr 5.3; Os 7.10; Am 4.6-11 — ils n'ont pas cherché le Seigneur Es 31.1; So 1.6. **9.13** tête et queue, palme et roseau Es 19.15; cf. Dt 28.13, 14, 44. **9.14** prophète menteur Es 28.7; 30.10; Jr 14.14; Lm 2.14. **9.15** des guides qui égarent Es 3.12; cf. Jr 14.16. **9.16** orphelins et veuves Es 1.17+. **9.17** épines et ronces Es 5.6+. **9.18** nul n'épargne son frère Es 3.5; Mi 7.5-6. **9.19** désordres dans le royaume du Nord 2 R 15.16, 23-31; Os 6.7-11; 7.7; 10.3-4; 13.9-11. **10.1** Malheur Es 5.8, 11, 18, 20-22 — une loi qui sanctionne la misère Ps 94.20. **10.2** injustice à l'égard des pauvres Es 1.17, 23; 3.14-15; Am 2.6-8; 5.7, 10-15; 6.12; 8.4-6; cf. Es 11.4; 16.5; Pr 22.22 — veuves et orphelins Es 1.17+; Jr 49.11; Ez 22.7. **10.3** Que ferez-vous ? Jr 5.31; Jb 31.14 — le jour du châtiment Es 3.14; Os 9.7; cf. Es 2.12 — fuite Es 20.6; 24.18; 30.16-17 — vos richesses So 1.18. **10.5** l'Assyrie Es 10.24-27; 14.25; 30.27-33; 37.22-35 — instrument dont Dieu se sert Es 5.26-30; 7.18, 20; 8.7; cf. 13.5; 36.10; 37.26; cf. Jr 51.23. **10.6** butin et pillage Es 8.1-4.

car sa pensée est d'exterminer,
de supprimer des nations en grand
nombre.

⁸ Il dit, en effet :
« Mes généraux ne sont-ils pas autant
de rois ?

⁹ Kalno n'est-elle pas devenue comme
Karkémish,
ou Hamath comme Arpad, ou Samarie
comme Damas ⁸ ?

¹⁰ Si ma main a atteint les royaumes
des idoles
— et leurs statues comptaient plus
que celles de Jérusalem et de Samarie —,

¹¹ ne vais-je pas faire de Jérusalem et
de ses images
ce que j'ai fait de Samarie et de ses
idoles ? »

¹² Mais quand le Seigneur aura achevé
toute son œuvre sur la montagne de
*Sion et à Jérusalem, « j'interviendrai,
dit-il, contre les prétentions orgueilleuses
du roi d'Assyrie et contre l'éclat de son
regard hautain,

¹³ car il s'est dit :
"C'est par la force de ma main que
j'ai agi
et par ma sagesse, car je suis intelligent.
J'ai supprimé les frontières des peuples
et pillé leurs réserves.
Comme un héros, j'ai fait descendre
ceux qui siégeaient sur des trônes.

¹⁴ Ma main a atteint comme un nid
les richesses des peuples.
Comme on ramasse des œufs abandonnés,
moi, j'ai ramassé toute la terre
et il n'y a eu personne pour battre de
l'aile,
ouvrir le bec ou pépier."

¹⁵ Est-ce que le pic se vante
aux dépens de celui qui s'en sert pour
tailler ᵗ ?
Est-ce que la scie se grandit
aux dépens de celuiʼ qui la met en
mouvement ?
Comme si le gourdin faisait mouvoir
celui qui le brandit,
comme si le bâton soulevait celui qui
n'est pas de bois ! »

¹⁶ C'est pourquoi le Seigneur Dɪᴇᴜ, le
tout-puissant,
enverra contre ses hommes corpulents
la maigreur
et par-dessous sa splendeur s'embrasera
un brasier
comme s'embrase un feu.

¹⁷ La lumière d'Israël deviendra un feu
et son *Saint ᵘ une flamme
qui brûlera et dévorera
ses ronces et ses épines en un seul
jour.

¹⁸ La splendeur de sa forêt et de son
verger,
il la consumera, corps et âme,
ce sera comme un malade qui dépérit.

¹⁹ Le reste des arbres de sa forêt
sera un si petit nombre
qu'un enfant l'inscrirait.

Un reste reviendra

²⁰ Il adviendra, en ce jour-là,
que le reste d'Israël
et les rescapés de la maison de Jacob
cesseront de s'appuyer sur celui qui les
frappe :
ils s'appuieront vraiment sur le
Sᴇɪɢɴᴇᴜʀ,
sur le *Saint d'Israël.

²¹ Un reste reviendra, le reste de Jacob
vers le Dieu-Fort.

s *Kalno, Karkémish, Hamath, Arpad, Damas :* villes de Syrie. De 738 à 717 av. J.C. elles étaient toutes tombées aux mains des Assyriens — *Samarie*, capitale du royaume d'Israël, fut prise par les Assyriens en 722/721 av. J.C. — *Kalno, Hamath, Samarie* sont situées respectivement au sud de *Karkémish, Arpad* et *Damas.* La disposition de ces noms au v. 9 suggère donc le mouvement irrésistible des armées assyriennes vers Jérusalem ● *t le pic* ou *la hache* — Au v. 15 c'est le prophète qui prend la parole, après le discours du roi d'Assyrie (v. 5-11 et 13-14) ● *u La lumière d'Israël :* désignation imagée de Dieu — *son Saint,* c'est-à-dire *le Saint d'Israël,* appellation de Dieu fréquente dans le livre d'Esaïe (voir 1.4)

10.8 le discours du roi d'Assyrie Es 36.18-20. **10.9** Hamath et Arpad Es 36.19; 37.13 — Samarie et Damas Es 8.4. **10.10** les dieux des nations vaincues Es 36.18-20; 37.12. **10.12** l'œuvre du Seigneur Es 5.12; 28.21-22; 29.1-4 — son intervention contre l'Assyrie Es 33.1; 37.36-38 — regard hautain Es 2.12; 37.23. **10.13** les frontières des peuples Dt 32.8 — supprimées 2 R 17.6, 24. **10.15** l'outil et celui qui le manie cf. Es 29.16; 45.9; Jr 18.2-6 — le véritable acteur de l'histoire Es 37.26-27. **10.16** le Seigneur Dieu, le tout-puissant Es 1.24+. **10.17** son Saint Es 1.4+; 6.3+ — feu dévorant Es 1.31; 4.4; 5.24; 9.4, 18; 29.6; 30.27, 30, 33; Am 7.4 — épines et ronces Es 5.6+ — en un seul jour Es 9.13. **10.20** le reste d'Israël Es 4.3+; 11.11, 16; 28.5; cf. 16.14; 17.3; 21.17 — s'appuyer sur celui qui les frappe Os 5.13; 2 Ch 28.16, 20 — le Saint d'Israël Es 1.4+. **10.21** un reste reviendra Es 7.3 — le Dieu fort Es 9.5.

²² Même si ton peuple, ô Israël,
était comme le sable de la mer,
il n'en reviendra qu'un reste :
la destruction est décidée
qui fera déborder la justice,
²³ et l'extermination ainsi décidée, le Seigneur DIEU, le tout-puissant, l'occom-
plira dans tout le pays.

Le Seigneur se tournera contre l'Assyrie

²⁴ C'est pourquoi ainsi parle le Seigneur
DIEU,
le tout-puissant :
O mon peuple qui habites *Sion, ne
crains pas l'Assyrie
qui te frappe du gourdin
et lève son bâton contre toi à la
manière de l'Egypte,
²⁵ car encore un peu, très peu de temps,
et mon indignation contre toi cessera,
mais ma colère tournera à leur ruine.
²⁶ Contre lui le SEIGNEUR, le tout-puissant,
brandira le fouet
comme il frappa Madiân au Rocher
de Orev
et il lèvera son bâton sur la mer
comme en Egypte.
²⁷ Il adviendra, en ce jour-là,
que son fardeau glissera de ton épaule
et son *joug de ta nuque,
le joug cédera devant l'abondance.

Guerre éclair aux environs de Jérusalem

²⁸ Il arrive sur Ayyath ᵛ, il traverse
Migrôn,

à Mikmas il fera garder son équipage,
²⁹ ils traversent le défilé :
« A Guèva nous passerons la nuit ! »
Rama tremble, Guivéa de Saül s'enfuit.
³⁰ Pousse des cris, Bath-Gallim ! Ecoute,
Laïsha !
³¹ Malheureuse Anatoth ! Madména se
sauve.
Les habitants de Guévim prennent la
fuite
³² et le même jour, en s'arrêtant à Nov,
il menace de la main la montagne de la
fille de *Sion ʷ,
la colline de Jérusalem.

La puissante forêt abattue

³³ Voici que le Seigneur DIEU, le tout-
puissant,
jette bas la ramure avec violence :
ceux qui sont de haute stature sont
abattus,
les plus élevés sont mis à bas.
³⁴ Ils tombent sous le fer, les taillis de
la forêt,
et le Liban majestueux s'écroule ˣ.

Un nouveau David

11 ¹ Un rameau sortira de la souche
de Jessé ʸ,
un rejeton jaillira de ses racines.
² Sur lui reposera l'Esprit du SEIGNEUR :
esprit de sagesse et de discernement,
esprit de conseil et de vaillance,
esprit de connaissance et de crainte
du SEIGNEUR

---

v *Ayyath:* localité située probablement à quelques km au sud de Béthel — L'itinéraire décrit
dans les v. 28-32 part à une quinzaine de km au nord de Jérusalem et se dirige vers le sud, à travers
une région très accidentée. Il ne coïncide pas avec l'itinéraire habituel des invasions venant du
nord et évite les défenses avancées de Jérusalem. Il pourrait correspondre au chemin suivi par
les coalisés araméens et israélites en l'année 734 av. J.C. (voir 7.1 et la note) ● w *Nov:* village
situé sur le mont Scopus, le plus au nord des trois sommets du mont des Oliviers. De là on peut
apercevoir Jérusalem — *la fille de Sion:* voir 1.8 et la note ● x Autre traduction possible *sous
l'action d'un Puissant le Liban s'écroule* — *Le Liban:* chaîne montagneuse au nord de la Palestine
et célèbre par ses forêts de cèdres (voir Es 37.24) ● y *Jessé,* père de David (1 S 16.1) est considéré
ici comme l'ancêtre de la dynastie davidique et comparé à la souche d'un arbre abattu; cette souche
donnera naissance à une nouvelle pousse. C'est une manière imagée d'annoncer que Dieu suscitera
un nouveau David

10.22-23 versets cités en Rm 9.27-28 — comme le sable de la mer Es 48.19; Gn 22.17; Os 2.1 —
inondation Es 8.7-8; 28, 17; 30.28. **10.24** ne crains pas l'Assyrie Es 37.6 — le gourdin assyrien
Es 9.3; 14.5; — à la manière de l'Egypte Ex 5.14-16. **10.25** défaite des adversaires Es 31.8-9;
37.36. **10.26** Madian au rocher de Orev Es 9.3+ — comme en Egypte Es 11.11, 15, 16; Ex
14.16. **10.27** joug Es 9.3+. **10.28** il arrive Es 5.26 — Mikmas 1 S 13.2, 5; 14.5. **10.29** le défilé
1 S 13.23; 14.4 — Guèva Jos 18.24; 1 S 13.3; 14.5; 2 S 5.25; 1 R 15.22; 2 R 23.8 — Esd 2.26 —
Rama Jos 18.25; Jg 19.13; 1 S 1.19; 7.17; 1 R 15.17, 22 — Guivéa Jos 18.28; 1 S 10.26; 14.2;
15.34. **10.30** Bath-Gallim 1 S 25.44 — Anatoth Jr 1.1+. **10.32** Nov 1 S 21.2; 22.9, 19 — il
menace Jérusalem Mi 1.10.12. **10.34** la forêt du Liban 1) symbole d'orgueil Es 2.13+; 37.24
2) symbole de prospérité Es 29.17; 33.9; 35.2 — s'écroule Za 11.1-2; cf. Na 3.18. **11.1** un rameau
sortira Es 4.2; Jr 23.5; Rm 15.12 — souche Es 6.13 — ses racines Es 37.31; Jb 14.7-9. **11.2** l'Esprit
du Seigneur... sur lui Es 42.1; 59.21; 61.1; 1 S 16.13; 2 S 23.2; Jn 1.32-33; cf. Es 30.1 — sagesse,
discernement, conseil Es 9.5; 28.6 — vaillance Ac 10.38 — crainte du Seigneur Pr 1.7 — connaissance Es 1.3; Os 4.1; 6.6; Col 2.2.

³ — et il lui inspirera la crainte du SEIGNEUR.

Il ne jugera pas d'après ce que voient ses yeux,
il ne se prononcera pas d'après ce qu'entendent ses oreilles.
⁴ Il jugera les faibles avec justice,
il se prononcera dans l'équité envers les pauvres du pays.
De sa parole, comme d'un bâton, il frappera le pays,
du souffle de ses lèvres il fera mourir le méchant.
⁵ La justice sera la ceinture de ses hanches
et la fidélité le baudrier de ses reins.

Le loup habitera avec l'agneau

⁶ Le loup habitera avec l'agneau,
le léopard se couchera près du chevreau.
Le veau et le lionceau seront nourris ensemble ᶻ,
un petit garçon les conduira.
⁷ La vache et l'ourse auront même pâture,
leurs petits, même gîte.
Le lion, comme le bœuf, mangera du fourrage.
⁸ Le nourrisson s'amusera sur le nid du cobra.
Sur le trou de la vipère, le jeune enfant étendra la main.
⁹ Il ne se fera ni mal, ni destruction
sur toute ma montagne *sainte,
car le pays sera rempli de la connaissance du SEIGNEUR,
comme la mer que comblent les eaux.

Le retour des exilés d'Israël

¹⁰ Il adviendra, en ce jour-là, que la racine de Jessé ᵃ
sera érigée en étendard des peuples,
les nations la chercheront
et la gloire sera son séjour.
¹¹ Il adviendra en ce jour-là,
que le Seigneur étendra la main une seconde fois
pour racheter le reste de son peuple,
ceux qui resteront en Assyrie et en Egypte,
à Patros, Koush, Elam, Shinéar et Hamath
et dans les îles de la mer ᵇ.
¹² Il lèvera un étendard pour les nations,
il rassemblera les exilés d'Israël,
il réunira les dispersés de Juda
des quatre coins de la terre.
¹³ La jalousie d'Ephraïm ᶜ cessera
et les adversaires de Juda seront exterminés.
Ephraïm ne jalousera plus Juda
et Juda ne sera plus l'adversaire d'Ephraïm.
¹⁴ Ils fondront sur le dos des Philistins à l'Occident,
ensemble ils pilleront ceux de l'Orient :
sur Edom et Moab ils étendront la main
et les fils d'Ammon ᵈ seront leurs sujets.
¹⁵ Le SEIGNEUR domptera le golfe de la mer d'Egypte,
il agitera la main sur l'Euphrate
— dans l'ardeur de son souffle —,
il le brisera en sept bras,
et fera qu'on le passe avec des sandales.

---

z Autre traduction *le veau, le lionceau et la bête qu'on engraisse seront ensemble* ● *a la racine de Jessé:* voir v. 1 et la note ● b *Patros:* la Haute-Egypte — *Koush:* la Nubie (territoire de l'actuel Soudan) — *Elam:* région située à l'est de la Basse-Mésopotamie, dans l'Iran actuel — *Shinéar:* région de Babylone — *Hamath:* ville syrienne (voir 10.9 et la note) — *les îles de la mer:* régions côtières et îles de la Méditerrannée ● *Ephraïm:* voir 7.17 et la note ● d *Philistins,* Edomites, Moabites, Ammonites: ces peuples voisins de Juda avaient été soumis par David mais ils avaient reconquis leur indépendance depuis lors

11.3 le roi et la justice Es 9.6; 32.1-2; 2 S 14.17; 1 R 3.16-28; Jr 23.5; Ps 72.1-7; cf. Jn 2.24-25. **11.4** justice pour les faibles et les pauvres Es 29.19-20; Ps 72.2-4, 12-13; cf. Es 10.2; 32.7; Am 2.7; 8.4 — du souffle de ses lèvres 2 Th 2.8; cf. Ap 2.16. **11.5** la justice comme ceinture Ep 6.14. **11.6** le loup avec l'agneau Es 65.25. **11.8** paix entre hommes et animaux Es 35.9; Lv 26.6; Ez 34.25, 28; Os 2.20. Jb 5.22-23; cf. Gn 3.15. **11.9** ni mal ni corruption Es 65.25; cf. Ps 101.8 — montagne sainte Es 2.2-3; Ps 3.5+ — partout la connaissance du Seigneur Jr 31.33-34; Ha 2.14; cf. Ha 3.3; Ps 33.5. **11.10** la racine de Jessé Rm 15.12 — étendard Es 5.26+ — des nations la chercheront Es 2.2-3 — séjour dans la gloire Es 4.5-6. **11.11** un nouvel exode cf. Es 10.26; 11.16; 43.16-19; 48.20-21 — le Seigneur étendra la main Ex 3.20 — le reste Es 4.3+; 10.20+ — Patros Jr 44.1; cf. Ez 29.14; 30.14 — Koush (la Nubie) Es 18.1; 20.3-5 — Elam Es 21.2 — Shinéar Gn 10.10; Dn 1.2 — Hamath Es 10.9; 2 R 17.24 — les îles de la mer Es 24.15. **11.12** le grand retour des exilés Es 43.5-6; 49.12, 22; 60.4; 66.20; Ps 147.2. **11.13** jalousie d'Ephraïm et de Juda Es 7.1-9, 17; 9.20 — fin de la division des deux royaumes Jr 3.18; 23.5-6; 31.6; Ez 34.23; 37.15-28; Os 2.2; 3.5. **11.14** peuples vassaux 2 S 8.12; Am 9.11-12; Ab 19-20; Ps 60.10 — sur le dos des Philistins Es 14.28-32; So 2.5-7 — ceux de l'Orient Jr 49.28 — Edom et Moab Es 15.16; 21.11-12; 25.10-12; 34.5-15; cf. 24.7-13. **11.15** Exode et retour des exilés Es 40.3-4; 41.17-20; 42.15-16; 43.16-21; 48.20-21 — Il agitera la main Ex 14.21-27; 15.12 — l'Euphrate (le Fleuve) Es 7.20; 8.7 — passé à pied sec Ex 14.22-29; 15.19.

¹⁶ Il y aura une chaussée pour le reste
de son peuple,
pour ceux qui seront restés en Assyrie,
comme il y en eut une pour Israël
le jour où il monta du pays d'Egypte.

Cantique au Dieu sauveur

12 ¹ Tu diras, ce jour-là :
Je te rends grâces, SEIGNEUR,
car tu étais en colère contre moi,
mais ta colère s'apaise et tu me consoles.
² Voici mon Dieu Sauveur,
j'ai confiance et je ne tremble plus,
car ma force et mon chant,

c'est le SEIGNEUR ! Il a été pour moi
le salut.
³ Vous puiserez de l'eau ᵉ avec joie
aux sources du salut
⁴ et vous direz ce jour-là :
Rendez grâce au SEIGNEUR, proclamez
son nom,
publiez parmi les peuples ses œuvres,
redites que son nom est sublime.
⁵ Chantez le SEIGNEUR, car il a agi avec
magnificence :
qu'on le publie par toute la terre.
⁶ Pousse des cris de joie et d'allégresse,
toi qui habites *Sion,
car il est grand au milieu de toi,
le Saint d'Israël !

Contre Babylone

13 ¹ *Proclamation sur Babylone.*
Ce que vit
Esaïe, fils d'Amoç.
² Sur une montagne pelée, dressez un
étendard,
poussez des cris, agitez la main,
pour qu'ils viennent aux portes des
seigneurs ᶠ.
³ Moi, j'ai mandé ceux qui me sont consacrés,
j'ai convoqué les guerriers de ma colère,
ceux que réjouit mon honneur.
⁴ Ecoutez le grondement dans les montagnes :
c'est comme une grande foule.
Ecoutez le tumulte des royaumes,
des nations assemblées :
Le SEIGNEUR, le tout-puissant, passe en
revue
l'armée qui va combattre.
⁵ Ils viennent d'un pays lointain,
des extrémités du ciel,
le SEIGNEUR et les instruments de sa
colère,
pour ravager toute la contrée.

⁶ Poussez des cris de deuil !
Il est proche, le *jour du SEIGNEUR ;
comme la dévastation, il vient du
Dévastateur ᵍ.
⁷ C'est pourquoi tous les bras retombent
et chacun voit fondre son courage.
⁸ Ils sont frappés d'épouvante,
les crampes et les douleurs les saisissent,
ils se tordent comme une femme en
travail.
L'un devant l'autre, ils sont atterrés,
leurs visages sont en flammes.
⁹ Voici que vient le jour du SEIGNEUR,
implacable,
et le débordement d'une ardente colère
qui va réduire le pays à la désolation
et en exterminer les pécheurs.
¹⁰ Les étoiles du ciel et leurs constellations
ne feront plus briller leur lumière.
Dès son lever, le soleil sera obscur
et la lune ne donnera plus sa clarté.
¹¹ Je punirai le monde pour sa méchanceté,
les impies pour leurs crimes.
Je mettrai fin à l'orgueil des insolents,

---

e D'après les anciens commentateurs juifs, *puiser de l'eau* était un des rites de la fête des tentes
● *f* L'expression *porte des seigneurs* fait peut-être allusion au nom de Babylone (en babylonien Bab
ilâni = porte des dieux) ● *g* Le *Dévastateur* : titre donné parfois à Dieu et traduit ailleurs par
le Puissant (Ex 6.3; Ez 1.24; voir aussi Jl 1.15 et la note)

11.16 une chaussée pour le retour des exilés Es 19.23; 35.8; 40.3-4; 42.16; 43.19; 49.11; 57.14;
62.10. **12.1** je te rends grâces Ps 118.21; Jr 33.11 — ta colère s'apaise Es 10.25; cf. 5.25; 9.11,
16, 20; 10.4. **12.2** Dieu sauveur Es 43.3+. **12.3** les sources du salut Es 8.6; 55.1; Jr 2.13; 17.13;
Ez 47.1; Jl 4.18; Za 14.8; Jn 4.14. **12.6** joie des habitants de Sion Es 52.8-9; 54.1 —
le Saint d'Israël 1.4+. **13.1** Proclamation Es 15.1; 17.1; 30.6; Na 1.1; Ha 1.1; Za 9.1; 12.1; Ml
1.1; Lm 2.14 — contre Babylone Es 21.1-10; Jr 50—51; Ap 17—18. **13.2** un étendard Es 5.26+.
13.4 tumulte des royaumes Jr 50.9; cf. Ps 2.1. **13.6** le jour du Seigneur Am 5.18+. **13.7** découragement Jr 6.24; Ez 7.17. **13.8** atterrés Es 29.9; Ha 1.5; Jb 26.11. **13.9** le jour du Seigneur
Jl 1.15+. **13.10** constellations Am 5.8; Jb 9.9; 38.31 — astres éteints Jr 4.23; Am 5.18; So 1.15
— la lune... Mt 24.29. **13.11** tyrans Es 25.4; 29.5; Ps 54.5.

je ferai tomber l'arrogance des tyrans.
12 Je rendrai les hommes plus rares que l'or fin,
plus rares que l'or d'Ofir [h].
13 En effet, j'ébranlerai les cieux
et la terre tremblera sur ses bases,
sous la fureur du SEIGNEUR, du tout-puissant,
le jour de son ardente colère.
14 Alors, comme une gazelle poursuivie,
comme un troupeau que nul ne rassemble,
chacun se dirigera vers son peuple,
chacun fuira vers son pays.
15 Tous ceux qu'on trouvera seront transpercés,
tous ceux qu'on prendra tomberont sous l'épée.
16 Leurs petits enfants seront écrasés sous leurs yeux,
leurs maisons pillées, leurs femmes violées.
17 Je vais exciter contre eux les Mèdes [i]
qui n'apprécient pas l'argent
et que l'or ne peut contenter.
18 De leurs arcs [j], ils écraseront les garçons,
ils n'épargneront pas le fruit des entrailles,
pour les enfants, leurs yeux seront sans pitié.
19 Babylone, la perle des royaumes,
la fière parure des Chaldéens,
sera, comme Sodome et Gomorrhe,
renversée par Dieu.
20 Plus jamais elle ne sera peuplée,
d'âge en âge elle restera inhabitée.
Même l'homme des steppes [k] n'y dressera pas sa tente
et les *bergers ne s'y arrêteront pas.
21 Les chats sauvages s'y arrêteront,
les hiboux rempliront les maisons,
les autruches y habiteront
et les satyres [l] y danseront.
22 Les hyènes se répondront dans ses châteaux [m]
et les chacals dans ses palais d'agrément.
Son heure est près d'arriver,
ses jours ne seront pas prolongés.

Le Seigneur aura pitié de son peuple

14 1 Le SEIGNEUR aura pitié de Jacob [n],
Il choisira encore Israël.
Il les installera sur leur terre.
Les étrangers se joindront à eux
et ils seront rattachés à la maison de Jacob.
2 Des peuples les recevront et les feront entrer dans leur patrie.
Sur la terre du SEIGNEUR, la maison d'Israël [o] en prendra possession,
comme serviteurs et comme servantes,
elle fera captifs ceux qui l'ont tenue captive
et subjuguera ses oppresseurs.

Comment a fini le roi de Babylone

3 Le jour où le SEIGNEUR t'aura donné le repos [p],
après ta peine, ton tourment
et la dure servitude à laquelle tu as été assujetti,
4 tu entonneras cette chanson sur le roi de Babylone :
Comment a-t-il fini, l'oppresseur ?
Comment a fini son arrogance [q] ?
5 Le SEIGNEUR a brisé le bâton des méchants,
le gourdin des dominateurs,
6 qui frappait les peuples avec fureur,
qui frappait sans répit,

h Voir 1 R 9.28; Ps 45.10 et les notes • *i les Mèdes:* population originaire de l'actuel Iran. En 612 av. J.C., c'est-à-dire un siècle après Esaïe, les Mèdes étaient alliés aux Babyloniens contre l'Assyrie. En 539 av. J.C. ils étaient alliés aux Perses contre l'empire Babylonien • *j* Le texte hébreu n'est pas clair; il est probable que le verset est incomplet • *k l'homme des steppes* ou *l'Arabe* (comparer 21.13 et la note) • *l les satyres:* genre de démons qu'on imaginait hanter les espaces désertiques • *m ses châteaux:* d'après les anciennes versions syriaque, araméenne et latine; texte hébreu traditionnel peu clair • *n Jacob,* ancêtre du peuple d'Israël, symbolise ici l'ensemble du peuple de Dieu — *la maison de Jacob:* même sens; voir 2.5 et la note • *o la maison d'Israël:* même sens que l'expression *la maison de Jacob* au v. 1 • *p* Au v. 3 le prophète s'adresse au peuple d'Israël personnifié • *q son arrogance:* la traduction suit ici de nombreuses versions anciennes et le texte hébreu du principal manuscrit d'Esaïe trouvé à Qumrân; texte hébreu traditionnel obscur

13.12 l'Or d'Ofir 1 R 9.28; 10.11; 22.49; Ps 45.10; Jb 22.24; 28.16. **13.14** un troupeau sans surveillance 1 R 22.17; Ez 34.5; Mc 6.34. **13.17** les Mèdes Jr 51.11-28. **13.21** ville désertée livrée aux bêtes sauvages Es 14.23; 27.10; 32.14; 34.11; Jr 10.22; 50.39; So 2.14 — ville désertée hantée par les démons Es 34.14; *Ba* 4.35. **13.22** son heure arrive Jr 27.7; Ez 22.4; cf. Jn 2.4+. **14.1** réinstallation du peuple de Dieu Ez 37.14 — des étrangers rejoignent Israël Es 11.10; 56.3-7; Za 2.15. **14.2** les oppresseurs subjugués à leur tour Es 60.14. **14.3** le repos Ex 33.14; Jos 1.13, 15; 22.4; Jr 30.10. **14.4** chanson (satirique) Nb 21.27-30; Mi 2.4; Ha 2.6 — comment a-t-il fini... 2 S 1.19, 27; Ez 26.17; Lm 1.1. **14.5** le bâton des dominateurs Es 10.15.

subjuguant les nations dans sa colère,
les persécutant *r* sans ménagement.
7 Toute la terre se repose enfin tranquille.
On éclate en cris de joie.
8 Même les cyprès se réjouissent à cause
de toi
et, depuis que tu es étendu,
les cèdres du Liban disent :
« Il ne montera plus, celui qui venait
nous abattre. »
9 Le monde d'en-bas *s* s'ébranle pour toi
à l'annonce de ta venue.
Pour toi, il réveille les trépassés,
tous les grands de la terre,
il fait lever de leurs trônes
tous les rois des nations.
10 Tous, ils se mettent à parler et te
disent :
« Toi aussi, te voilà désormais sans
force, comme nous,
tu es devenu semblable à nous.
11 Ta Majesté a dû descendre sous terre
au son de tes lyres.
Sous toi, un matelas de vermine
et les vers sont ta couverture. »
12 Comment es-tu tombé du ciel,
Astre brillant, Fils de l'Aurore ?
Comment as-tu été précipité à terre,
toi qui réduisais les nations,
13 toi qui disais :
« Je monterai dans les cieux,
je hausserai mon trône
au-dessus des étoiles de Dieu,
je siègerai sur la montagne de l'assemblée divine
à l'extrême nord *t*,
14 je monterai au sommet des nuages,
je serai comme le Très-Haut. »
15 Mais tu as dû descendre sous terre
au plus profond de la Fosse *u*.
16 Ceux qui te voient fixent sur toi leur
regard
et te dévisagent attentivement :
« Est-ce là cet homme qui faisait trembler la terre
et qui faisait s'écrouler les royaumes,
17 qui transformait le monde en désert,

rasant les villes
et ne rendant pas à leur foyer les prisonniers ? »
18 Tous les rois des nations, sans exception,
reposent avec honneur, chacun dans
son tombeau.
19 Mais toi, tu as été jeté loin de ton
sépulcre
comme un exécrable avorton *v*
— couvert d'hommes tués, transpercés
par l'épée,
descendus sur les pierres de la fosse —
comme un cadavre piétiné.
20 Tu ne seras pas réuni avec eux dans
une sépulture,
car tu as détruit ton pays,
car tu as tué ton peuple :
la race des méchants ne sera plus jamais nommée.
21 Préparez le massacre des fils
pour les crimes de leurs pères *w*
de peur qu'ils ne se lèvent et ne s'emparent de la terre,
qu'ils ne couvrent de villes la face du
monde.

22 Je me dresserai contre eux
— oracle du Seigneur, le tout-puissant —
de Babylone je supprimerai le nom
et la trace,
la descendance et la postérité *x*
— oracle du Seigneur.
23 J'en ferai un marécage, le domaine du
hérisson *y*,
je balaierai Babylone avec un balai
qui fait tout disparaître
— oracle du Seigneur, le tout-puissant.

Le Seigneur brisera l'Assyrie

24 Le Seigneur, le tout-puissant, a fait
ce serment :
« Ce que j'ai résolu arrivera,
ce que j'ai décidé s'accomplira.
25 Je briserai l'Assyrie dans mon pays,
je la piétinerai sur mes montagnes.

---

r persécutant : d'après l'ancienne version syriaque; texte hébreu traditionnel peu clair • *s le monde d'en-bas* (ou *le *séjour des morts*) est ici personnifié comme souvent dans l'A.T. (voir 5.14 et la note) • *t l'extrême nord :* voir Ps 48.3 et la note • *u la Fosse* ou *le *séjour des morts* • *v* tra-duction conjecturale, d'après les versions anciennes, d'un texte difficile • *w* Le prophète fait allusion au roi de Babylone et à ses descendants. Comme les grands criminels celui-ci sera non seulement privé de sépulture (v. 19-20) mais aussi de descendance • *x le nom et la trace :* les termes ainsi traduits font allitération en hébreu; de même pour ceux qui sont rendus par *descen-dance* et *postérité* • *y* Le *hérisson :* autre traduction possible *le butor*

14.7 cris de joie Es 44.23 ; 55.12 ; Ap 18.20. **14.9** le monde d'en-bas Es 5.14 ; Ha 2.5 ; Pr 1.12 ; 27.20 ; 30.16. **14.12** astre brillant Ap 22.16. **14.13** prétentions du roi de Babylone cf. Ez 28.2-12. **14.14** comme le Très-Haut Gn 3.5 ; Ez 28.2, 6, 9 ; Dn 11.36 ; 2 Th 2.4. **14.15** au fond de la fosse Ez 32.23. **14.19** loin de ton sépulcre Jr 8.1 ; cf. 36.30-31. **14.22** le Seigneur se dresse Nb 10.35 ; Ps 12.6 ; 102.14. **14.24** le projet du Seigneur se réalisera Es 7.7 ; 8.10 ; 40.8 ; Ps 19.21. **14.25** je briserai l'Assyrie Es 10.5-11.

A ceux qui le portaient, son *joug
sera enlevé,
son fardeau sera enlevé de leurs
épaules. »
26 Telle est la décision prise à l'encontre
de toute la terre.
telle est la main étendue contre toutes
les nations.
27 Quand le SEIGNEUR, le tout-puissant,
a pris une décision,
qui pourrait la casser ?
Quand il étend la main,
qui la lui ferait retirer ?

Menaces contre les Philistins

28 L'année de la mort du roi Akhaz [z],
ceci fut proclamé :
29 Ne te réjouis pas, Philistie tout entière,
de ce que le gourdin qui te frappait
a été brisé,
car de la souche du serpent sortira
une vipère
et de celle-ci un dragon volant [a].
30 Les plus misérables auront un pâturage,
les pauvres reposeront en sécurité,
mais je ferai mourir de faim ta racine
et ce qui restera de toi sera tué.
31 Porte [b], lamente-toi, ville, pousse des
cris !
La Philistie tout entière s'effondre :
car une fumée s'avance du Nord,
personne ne fait bande à part dans
leurs formations.
32 Et que répondre aux envoyés de cette
nation ?
Que le SEIGNEUR a fondé *Sion
et que les humbles de son peuple y
sont en sûreté.

Contre Moab

15 1 *Proclamation sur Moab.*
Dans la nuit où elle a été ravagée,
Ar-Moab a été anéantie.
Dans la nuit où elle a été ravagée,
Qir-Moab [c] a été anéantie.
2 On monte au temple, à Divôn [d],
sur les *hauts lieux pour y pleurer.
Sur le Nébo et à Madaba, Moab se
lamente.
Toutes les têtes sont rasées,
toutes les barbes sont coupées [e].
3 Dans les rues, on revêt le *sac.
Sur les toits et sur les places,
tout le monde se lamente
et se répand en larmes.
4 Heshbôn et Eléalé poussent des cris,
on les entend jusqu'à Yahaç [f].
Aussi les soldats de Moab poussent-
ils des clameurs
et leur âme est sans courage.
5 Mon cœur gémit sur Moab :
Il y a des fuyards jusqu'à Çoar,
Eglath-Shelishiya.
La côte de Louhith, on la monte en
pleurant
et un cri déchirant réveille le chemin
de Horonaïm [g].
6 Les eaux de Nimrim [h] sont devenues
un lieu désolé.
L'herbe a séché, elle ne pousse plus,
il n'y a plus de verdure.
7 Et les biens dont ils disposent encore,
ils les portent au-delà du torrent des
Saules [i].
8 Les cris ont fait tout le tour du territoire de Moab,
les lamentations vont jusqu'à Eglaïm,

---

z la mort du roi Akhaz: vers l'année 716 av. J.C. C'est Ezékias qui lui succéda ● a le gourdin
qui te frappait: allusion à l'Assyrie (voir 10.5) — serpent, vipère, dragon volant: peut-être expression proverbiale signifiant que tout ira de mal en pis (comparer Am 5.19) ● b Voir 3.26
et la note ● c Qir-Moab, au sud du torrent de l'Arnôn, était la capitale politique du royaume
de Moab; elle est nommée aussi Qir-Harèseth en 16.7, et Qir-Hèrès en 16.11 — Ar Moab est à
une quinzaine de km plus au nord ● d Divôn: capitale religieuse du royaume de Moab, à 5 km au
nord de l'Arnôn ● e le Nébo: une montagne située à 35 km au nord de l'Arnôn (voir Dt 34.1) —
Madaba: ville voisine du mont Nébo — têtes rasées, barbes coupées: signes de deuil ● f Heshbôn:
ville située à 6 km au nord-est du mont Nébo — Eléalé: à 3 km plus au nord — Yahaç: ville
frontière, à l'est du territoire de Moab ● g Çoar: ville située au sud de la mer Morte — Eglath-
Shelishiya et la montée de Louhith n'ont pas encore été identifiés ● Horonaïm: ville frontière
située peut-être dans la région sud-est de Moab ● h les eaux de Nimrim: probablement un torrent
ou une oasis au sud-est de la mer Morte ● i Le torrent des Saules n'a pas été identifié de façon
certaine

14.27 décision du Seigneur, main étendue Es 5.25; 8.10; 10.23; 28.22 — qui la lui ferait retirer ? Dn 4.32. 14.29 le gourdin qui te frappait Es 10.5, 20 — de mal en pis Am 5.19. 14.31 du
nord Jr 1.14+. 15.1 Autres déclarations sur Moab Es 25.10-11; Nb 21.27-30; Ez 25.8-11;
Am 2.1-3; So 2.8-11 — Ar-Moab Nb 21.28. 15.2-7 voir Jr 48.34-38 — Nébo Nb 32.3, 38; Dt
34.1; Jr 48.1, 22; 1 Ch 5.8 — Madaba Nb 21.30 — têtes rasées, barbes coupées Es 3.24; Jr 48.37;
Ez 7.18; Am 8.10. 15.3 on revêt le sac Es 22.12; Jon 3.6, 8. 15.4 Heshbôn Nb 21.25; Ct 7.5 —
Eléalé Nb 32.3, 37. 15.5 Çoar Gn 13.10; 19.30 — Eglath Shelishiya Jr 48.34. 15.8 Eglaïm Ez
47.10.

elles parviennent jusqu'au puits d'E-
lîm *j*.

⁹ Les eaux de Divôn *k* sont pleines de
sang,
aussi ajouterai-je aux malheurs de Divôn
le lion contre les réchappés de Moab,
contre ceux qui resteront dans le pays.

Les réfugiés de Moab

16 ¹ Envoyez l'agneau du souverain
du pays
depuis Sèla par le désert
vers la montagne de la fille de *Sion *l*.
² Aux gués de l'Arnôn *m*,
les filles de Moab seront comme des
oiseaux fugitifs,
chassés de leur nid :
³ « Tenez conseil, disent-elles, prenez une
décision :
"En plein midi, rends ton ombre pareille à la nuit,
cache les expulsés,
que les fugitifs ne soient pas découverts !
⁴ Que les réfugiés de Moab puissent séjourner chez toi !
Sois pour eux un abri contre le dévastateur *n*.
Quand la contrainte aura cessé,
que la dévastation aura pris fin,
que l'oppresseur aura disparu du pays,
⁵ le trône sera affermi par l'amour
et, dans la tente de David,
un juge y siégera avec fidélité,
attentif au droit
et prompt à faire justice." »

Une lamentation sur la ruine de Moab

⁶ Nous avons appris l'orgueil extrême de
Moab *o*,

son arrogance, son orgueil, sa démesure,
ses vaines prétentions.
⁷ Et maintenant Moab sur Moab se lamente,
ils se lamentent tous.
Sur les gâteaux de raisin de Qir-
Harèseth *p*,
ils gémissent, consternés.
⁸ Car les campagnes de Heshbôn dépérissent
et les vignes de Sivma
dont le vin assommait les maîtres des
nations :
elles s'étendaient jusqu'à Yazér,
s'égaraient dans le désert
et leurs sarments s'étendaient au-delà
de la mer *q*.
⁹ Et maintenant je pleure avec Yazér
sur les vignes de Sivma.
Je vous arrose de mes larmes,
Heshbôn et Eléalé,
car sur vos vendanges et vos récoltes
les cris de joie ont cessé.
¹⁰ La joie et l'allégresse ont disparu des
coteaux
et dans les vignes, plus de jubilation,
plus d'acclamation.
On ne presse plus le vin dans les cuves,
les cris de joie ont cessé *r*.
¹¹ Comme la harpe, mes entrailles frémissent sur Moab
et mon cœur sur Qir-Hèrès *s*.
¹² On verra Moab se traîner vers les
*hauts lieux,
aller supplier dans son *sanctuaire :
il n'y pourra rien.

¹³ Telle est la parole que le Seigneur
a prononcée sur Moab depuis longtemps.
¹⁴ Et maintenant, le Seigneur dit :

Eglaïm: localité située à l'extrémité nord de la mer Morte — Le *puits d'Elim:* à la frontière
nord-est de Moab ● *k Divôn:* la traduction suit ici le principal manuscrit hébreu d'Esaïe trouvé
à Qumrân, ainsi que plusieurs versions anciennes; texte hébreu traditionnel *Dimôn* ● *l l'agneau*
est ici une offrande symbolique par laquelle le roi de Moab se reconnaît subordonné au roi de
Juda et demande en conséquence la protection de celui-ci — *Sèla:* localité non identifiée, probablement au sud du territoire de Juda (voir Jg 1.36) — *la fille de Sion:* voir 1.8 et la note
● *m l'Arnôn:* principal cours d'eau de Moab; il se jette dans la mer Morte. Il marqua longtemps la frontière nord de Moab ● *n* Les v. 3 *b* et 4 représentent l'appel adressé par les Moabites au roi de Juda — *le dévastateur* désigne probablement le roi d'Assyrie (voir 33.1) ● *o* Au
v. 6 commence la réponse des Judéens aux Moabites ● *p les gâteaux de raisin:* probablement
une offrande traditionnelle destinée à obtenir l'appui du dieu de Moab (Kemosh) — *Qir-Harèseth:*
autre nom de *Qir-Moab* (voir 15.1 et la note) ● *q Heshbôn, Eléalé* (v. 9): voir 15.4 et la note
— *Sivma:* localité située entre Heshbôn et le mont Nébo — *Yazér:* au nord de Heshbôn — *la mer*
désigne ici la mer Morte ● *r ont cessé:* la traduction suit ici l'ancienne version grecque; texte
hébreu traditionnel *je fais cesser* ● *s Qir-Hèrès:* autre nom de *Qir-Moab* (voir 15.1 et la note)

16.2 L'Arnôn Nb 21.26-28; Jos 12.2; 13.9-16. **16.4** les étrangers accueillis Dt 10.18. **16.5** le
trône de David, le droit et la justice Es 9.6; 11.3-4; Jr 23.5; 33.15 — sera affermi 2 S 7.13; Pr
25.5. **16.6-12** voir Jr 4.8.29-33; cf. So 2.8. **16.7** gâteaux de raisin 2 S 6.19; Jr 44.19; Os 3.1;
Ct 2.5; 1 Ch 16.3. **16.14** situation retournée Es 10.25; 29.17.

« D'ici trois ans — années de mercenaire [t] —, l'élite de Moab et aussi toute
sa multitude seront sans poids. Il en restera très peu, rien qui puisse compter. »

Contre Damas

17 [1] *Proclamation sur Damas* [u].
Damas va cesser d'être une ville
et devenir un amas de décombres.
[2] Les villes qui en dépendent seront
abandonnées pour toujours [v].
Elles serviront aux troupeaux
qui s'y reposeront sans que personne
ne les inquiète.
[3] Il n'y aura plus de fortification en
Ephraïm [w]
ni de royauté à Damas
et le reste d'*Aram ne pèsera pas plus
que le fils d'Israël
— oracle du SEIGNEUR, le tout-puissant.

Ce qui restera du royaume d'Israël

[4] Ce jour-là, le poids de Jacob [x] dimi-
nuera
et son embonpoint se changera en
maigreur.
[5] Comme à la moisson on ramasse le blé
et que par brassées on recueille les épis,
comme on rassemble les épis dans la
vallée des Refaïtes [y],
[6] il n'en restera que des glanures
et comme au gaulage de l'olivier,
deux ou trois olives tout en haut, à
la cime,
quatre ou cinq dans les branches qui
produisent
— oracle du SEIGNEUR, Dieu d'Israël.

La fin de l'idolâtrie

[7] Ce jour-là, l'homme portera ses regards sur celui qui l'a fait et ses yeux
verront le *Saint d'Israël. [8] Il ne regardera plus les *autels qui sont l'œuvre de

ses mains, il ne verra plus ce que ses
doigts ont fait : les poteaux sacrés et les
emblèmes du soleil.
[9] Ce jour-là, tes villes de refuge seront
abandonnées, comme le furent les bois
et les sommets [z] devant les fils d'Israël,
et ce sera la désolation
[10] car tu as oublié Dieu ton Sauveur,
tu ne t'es pas souvenu du Rocher, ton
refuge,
tu fais pousser des plantes de délices [a]
et tu sèmes des graines étrangères.
[11] Le jour où tu les plantes, tu les vois
grandir
et dès le matin, tu vois germer ta
semence,
mais au moment d'en profiter,
la récolte s'est enfuie
et le mal est sans remède.

Les envahisseurs chassés en une nuit

[12] Malheur ! C'est le grondement de peuples sans nombre,
un mugissement comme celui des mers,
un tumulte des nations comme celui
des eaux impétueuses,
[13] un tumulte des nations comme celui
des grandes eaux.
Il les menace et elles fuient au loin,
chassés comme la bale par le vent
des montagnes,
comme les cœurs de chardons par la
tempête.
[14] Au soir, c'est l'épouvante,
et avant le matin, il ne reste plus rien.
Telle est la part de ceux qui nous dépouillent,
le sort de ceux qui nous pillent.

Avertissement aux ambassadeurs de Nubie

18 [1] Malheur ! Pays où crépitent les
élytres,

---

[t] *D'ici trois ans — année de mercenaire :* c'est-à-dire *dans trois ans et pas un jour de plus* ● [u]
Damas : voir 10.9 et la note ● [v] *les villes qui en dépendent :* traduction d'après l'ancienne version araméenne ; texte hébreu traditionnel obscur — *pour toujours :* d'après l'ancienne version
grecque ; texte hébreu traditionnel obscur ● [w] *Ephraïm :* voir 7.17 et la note ● [x] *Jacob,* ancêtre
d'Israël, symbolise ici le royaume du nord ou royaume d'Israël (voir 2.6 et la note) ● [y] *la vallée
des Refaïtes* est proche de Jérusalem ; sa situation exacte est discutée ● [z] *les bois et les sommets :*
autre traduction (avec l'ancienne version grecque) les *Hivvites et les *Amorites* ● [a] *a des plantes
de délices :* allusion probable à une pratique cananéenne du culte de la fécondité, les « jardins
d'Adonis » (petites cultures en pots, consacrées au dieu Tammouz-Adonis). Voir 1.29 et la note.

17.2 villes livrées aux animaux Es 7.25+ — personne pour les inquiéter Jr 30.10 ; Ez 34.28.
17.7 Celui qui a fait l'homme Es 51.13 — le Saint d'Israël Es 1.4+. 17.8 poteaux sacrés et emblèmes du soleil Es 27.9 ; 17.10 Tu as oublié Dieu Es 51.13 ; Ez 22.12 ; Dt 8.11 — Dieu sauveur
Es 43.3+ — Dieu, le Rocher Ps 28.1+ ; 71.3. 17.11 mal sans remède Jr 15.18 ; Mi 1.9. 17.12
mugissement des peuples, déferlement des armées ennemies Es 8.9-10 ; 28.2 ; Ez 38.9 ; cf. Ps 76.
2-8. 17.14 le matin, moment de la délivrance Es 33.2 ; 37.36 ; Ex 14.27 ; Ps 30.6 ; 46.6.

le long des fleuves de Nubie *b*,

2 toi qui envoies par mer des ambassades *c*

dans les bateaux de papyrus, pardessus les eaux.

Allez, messagers rapides, vers la nation élancée et glabre,

redoutée bien au-delà de ses frontières,

la nation qui balbutie et qui piétine,

dont les fleuves emportent la terre.

3 Vous tous, habitants du monde, qui peuplez la terre,

quand l'étendard sera dressé sur les montagnes, regardez !

quand retentira le cor, écoutez *d* !

4 Car le SEIGNEUR m'a parlé ainsi :

Je resterai tranquille, je regarderai du lieu où je suis,

comme l'éblouissante chaleur au-dessus de la lumière,

comme le nuage de rosée dans la chaleur de la moisson.

5 Avant la récolte, quand la floraison est à son terme,

quand la fleur devient une grappe qui mûrit,

on coupe les pampres avec des serpes,

on enlève les sarments, on élague.

6 Tout cela est abandonné aux rapaces des montagnes

et aux bêtes sauvages.

Les rapaces viendront y passer l'été

et toutes les bêtes sauvages y passeront l'hiver.

7 En ce temps-là, il apportera un présent au SEIGNEUR, le tout-puissant,

le peuple élancé et glabre,

le peuple redouté bien au-delà de ses frontières,

la nation qui balbutie et qui piétine,

dont les fleuves emportent la terre,

il apportera un présent là où se trouve le *nom du SEIGNEUR, le tout-puissant, sur la montagne de *Sion.

Contre l'Egypte

19 1 *Proclamation sur l'Egypte.*

Voici le SEIGNEUR monté sur un nuage rapide :

il vient en Egypte.

Les idoles d'Egypte tremblent devant lui

et le courage de l'Egypte fond dans ses entrailles.

2 J'exciterai les Egyptiens les uns contre les autres

et ils combattront chacun contre son frère,

chacun contre son prochain,

ville contre ville, royaume contre royaume *e*.

3 L'Egypte perdra l'esprit

et j'anéantirai sa politique.

Ils consulteront les idoles et les enchanteurs,

les nécromanciens *f* et les devins.

4 Je livrerai les Egyptiens au pouvoir de maîtres rudes,

un roi puissant dominera sur eux *g*

— oracle du Seigneur DIEU, le tout-puissant.

5 Les eaux disparaîtront de la mer,

le fleuve tarira et se desséchera,

6 les canaux deviendront infects,

les Nils *h* d'Egypte baisseront et tariront,

les roseaux et les joncs se flétriront.

7 La jonchaie le long du Nil et à son embouchure,

tout ce qui pousse au bord du fleuve,

se desséchera, sera emporté :

il n'y aura plus rien.

8 Les pêcheurs gémiront,

tous ceux qui jettent l'hameçon dans le Nil se lamenteront,

ceux qui tendent le filet sur l'eau dépériront.

9 Ils seront déçus, ceux qui cultivent le lin,

---

b Pays où crépitent les élytres ou Pays où bourdonnent les insectes — Nubie (en hébreu *Koush*): voir 11.11 et la note ● *c* Cet envoi d'ambassadeurs égyptiens à Jérusalem peut être situé aux environs de l'année 705 av. J.C. ● *d* l'étendard dressé sur les montagnes et les sonneries de cor: signaux d'alarme annonçant l'approche des troupes ennemies (ici les armées syriennes) ● *e* Allusion aux rivalités sanglantes qui déchirèrent l'Egypte vers l'année 716 av. J.C., c'est-à-dire au début du règne d'Ezékias ● *f* Voir 8.19 et la note ● *g* Le Pharaon nubien Shabaka était maître de l'Egypte en l'année 712 av. J.C. ● *h* Au pluriel l'expression désigne les bras du fleuve formant le delta

18.2 contre l'alliance avec l'Egypte Es 20.5-6; 30.1-7; 31.1-3; 36.4-6. **18.3** étendard dressé Es 5.26+ — sonneries de cor, signal dans les combats Jos 6.5; Jg 3.27; 6.34; 7.18; 1 S 13.3; 2 S 18.16; 20.1, 22; Jr 42.14; Os 5.8; Am 2.2. **18.4** le lieu où Dieu se tient Es 57.15; 1 R 8.39; Ps 33.14; 2 Ch 6.30. **18.7** un présent pour le Seigneur Ps 68.30; 76.12 — conversion des nations Es 19.21; Mi 4.1+ — conversion de la Nubie Es 45.14; So 3.10; Ps 87.4 — là où se trouve le nom du Seigneur Dt 12.5; 26.2. **19.1** l'arrivée du Seigneur Dt 33.26; Ps 18.10; 96.13; Na 1.3, etc. — les idoles (nullités) Es 2.8, 18, 20; 10.10; 31.7. **19.3** enchantements et devins égyptiens Gn 41.8; Ex 7.11, 22; 8.3, 14 — nécromanciens et devins Es 8.19+. **19.4** le Seigneur Dieu, le tout-puissant Es 1.24+.

les cardeuses et les tisserands deviendront livides [i],
[10] ceux qui préparent les boissons seront
accablés,
les fabricants de bière seront consternés [j].

[11] Les chefs de Tanis [k] sont vraiment
stupides,
les sages conseillers de *Pharaon forment un conseil d'abrutis.
Comment pouvez-vous dire au Pharaon :
« Je suis un sage, un disciple des rois
de jadis » ?
[12] Où sont-ils, tes sages ?
Qu'ils t'apprennent donc et que l'on
sache
ce que le SEIGNEUR, le tout-puissant, a
décidé au sujet de l'Egypte.
[13] Ils sont devenus stupides, les chefs de
Tanis,
les chefs de Memphis [l] sont dans
l'illusion,
ils font vaciller l'Egypte,
eux, la pierre angulaire de ses tribus.
[14] Le SEIGNEUR a versé en eux un esprit
de vertige
et ils font vaciller l'Egypte dans tout
ce qu'elle fait,
comme vacille un ivrogne en vomissant.
[15] Nul ne fera plus rien en Egypte,
pas plus la tête que la queue,
pas plus la palme que le roseau [m].

[16] Ce jour-là, l'Egypte sera comme les
femmes, terrifiée et tremblante en voyant
s'agiter la main que le SEIGNEUR, le tout-
puissant, lèvera contre elle. [17] La terre
de Juda sera l'effroi de l'Egypte. Chaque
fois qu'il en sera question devant elle,
elle tremblera à cause de ce que le SEI-
GNEUR, le tout-puissant, a décidé contre
elle.
[18] Ce jour-là, il y aura au pays
d'Egypte cinq villes qui parleront la
langue de Canaan [n] et seront liées par

serment au SEIGNEUR, le tout-puissant.
L'une d'entre elles s'appellera Ir-Hahèrès
— Ville de la Destruction.

Le Seigneur guérira les Egyptiens

[19] Ce jour-là, il y aura un *autel du
SEIGNEUR au cœur du pays d'Egypte et
une stèle du SEIGNEUR près de sa frontière. [20] Ce sera un signe et un témoin
pour le SEIGNEUR, le tout-puissant, dans
le pays d'Egypte : quand ils crieront
vers le SEIGNEUR à cause de ceux qui les
oppriment, il leur enverra un sauveur qui
les défendra et les délivrera. [21] Le SEI-
GNEUR se fera connaître des Egyptiens et
les Egyptiens, ce jour-là, connaîtront le
SEIGNEUR. Ils le serviront par des *sacrifices et des offrandes, ils feront des vœux
au SEIGNEUR et ils les accompliront.
[22] Alors, si le SEIGNEUR a vigoureusement
frappé les Egyptiens, il les guérira : ils
reviendront au SEIGNEUR qui les exaucera
et les guérira.
[23] Ce jour-là, une chaussée ira d'Egypte
en Assyrie. Les Assyriens viendront en
Egypte et les Egyptiens en Assyrie. Les
Egyptiens adoreront [o] avec les Assyriens.
[24] Ce jour-là, Israël viendra le troisième,
avec l'Egypte et l'Assyrie. Telle sera la
bénédiction que, dans le pays, [25] prononcera le SEIGNEUR, le tout-puissant : « Bénis
soient l'Egypte, mon peuple, l'Assyrie,
œuvre de mes mains, et Israël, mon
héritage. »

Sans chaussures et sans vêtements

20 [1] L'année où le généralissime, envoyé par Sargon, roi d'Assyrie, vint
attaquer Ashdod [p] et s'en empara... [2] En
ce temps-là, le SEIGNEUR avait parlé par
le ministère d'Esaïe, fils d'Amoç : « Va,
lui avait-il dit, dénoue la toile de *sac
que tu as sur les reins, ôte les sandales
que tu as aux pieds » ; et il fit ainsi,

---

[i] *deviendront livides :* la traduction suit ici le principal manuscrit hébreu d'Esaïe trouvé à
Qumrân ; texte hébreu traditionnel *les tisserands d'étoffes blanches* ● [j] Le texte hébreu du v.
10 est obscur. La traduction suit ici l'ancienne version grecque ● [k] *Tanis :* ville égyptienne dans
le delta du Nil ● [l] *Memphis :* ancienne capitale de la Basse-Egypte, à quelques km au sud du
Caire ● [m] *la tête et la queue, la palme et le roseau :* voir 9.13 et la note ● [n] *la langue de Canaan :*
l'hébreu ● [o] *adoreront :* la phrase sous-entend *le Dieu d'Israël* ● [p] *Ashdod :* ville de Philistie
(voir Am 1.6 et la note). La prise d'Ashdod par les Assyriens peut être fixée à l'année 711 av.
J.C.

19.11 Tanis Es 30.4 ; Nb 13.22 ; Ez 30.14 ; Ps 78.12 — sages conseillers de Pharaon Gn 41.8 ;
1 R 5.10 ; *Sg* 17.7 ; Ac 7.22. **19.13** Memphis Jr 2.16 ; 44.1 ; 46.14 ; Ez 30.13, 16. **19.14** comme un
ivrogne Es 28.7 ; Jr 48.26. **19.15** la tête et la queue Es 9.13+. **19.20** un signe et un témoin Es
8.18 — un sauveur Jg 2.16-18. **19.21** le Seigneur se fera connaître Ex 6.3 ; Ez 6.14 ; 13.14, 21 ;
20.5, 9, etc. **19.22** il guérira Os 6.1. **19.24** une bénédiction Gn 12.2 ; Za 8.13. **19.25** conversion de nations Es 18.7 ; Mi 4.1+ — peuples étrangers adoptés par le Seigneur Ps 87 — Israël,
héritage du Seigneur Dt 9.26, 29 ; 32.9 ; Ps 28.9. **20.1** le généralissime assyrien 2 R 18.17.

allant nu et déchaussé *q*. ³ Le SEIGNEUR dit : « Mon serviteur Esaïe est allé nu et déchaussé — pendant trois ans —, signe et présage contre l'Egypte et contre la Nubie *r*. ⁴ De même, en effet, le roi d'Assyrie emmènera les prisonniers égyptiens et les déportés nubiens, jeunes gens et vieillards, nus et déchaussés, les fesses découvertes — nudité de l'Egypte ! ⁵ On sera consterné et confondu à cause de la Nubie vers qui on regardait et de l'Egypte dont on se faisait gloire. » ⁶ Alors, les habitants de ces régions-ci *s* diront : « Les voici donc, ceux vers qui nous regardions pour nous réfugier chez eux, y trouver du secours et être délivrés du roi d'Assyrie. Et nous, comment nous échapper ? »

Elle est tombée, Babylone !

21 ¹ *Proclamation sur le désert maritime.*

Pareil aux tourbillons qui traversent le Néguev *t*,
il vient du désert, du pays redoutable
² — vision accablante qui m'a été révélée —
le traître qui trahit, le dévastateur qui dévaste *u* :
« Monte, Elam ! Assiège, Mède !
Je mets un terme à toutes les plaintes. »
³ Et maintenant, mes reins ne sont plus que frisson,
des douleurs m'ont saisi
comme les douleurs de celle qui enfante.
Je suis trop tourmenté pour entendre,
trop épouvanté pour voir.
⁴ Ma raison s'égare, je tremble de frayeur.
La fraîcheur du soir que j'avais désirée

s'est transformée pour moi en épouvante.
⁵ On dresse la table, la garde veille,
on mange, on boit...
Debout, capitaines, graissez vos boucliers *v* !
⁶ Car ainsi m'a parlé le Seigneur :
« Va, place le guetteur
qu'il annonce ce qu'il verra.
⁷ S'il voit un char attelé de deux chevaux,
un cavalier sur un âne, un cavalier sur un chameau,
qu'il fasse bien attention,
qu'il redouble d'attention ! »
⁸ Celui qui regarde *w* a crié :
« A mon poste de guet, monseigneur,
je me tiens tout le jour,
à mon poste de garde, je reste debout toute la nuit.
⁹ Et voici ce qui vient :
un homme sur un char attelé de deux chevaux.
Il prend la parole et dit :
"Elle est tombée, elle est tombée, Babylone,
et toutes les statues de ses dieux sont par terre, brisées". »
¹⁰ Toi que le Seigneur a battu comme le grain sur son aire *x*,
j'ai appris cela du SEIGNEUR, le tout-puissant, Dieu d'Israël,
je te l'ai annoncé.

Une réponse aux Edomites

¹¹ *Proclamation sur Douma.*

On me crie de Séïr *y* :
« Veilleur, où en est la nuit ?
Veilleur, où en est la nuit ? »
¹² Le veilleur répond :
« Le matin vient et de nouveau la nuit.

---

q C'était la tenue des prisonniers de guerre ● *r* Voir la note sur 11.11 ● *s* *ces régions-ci :* c'est-à-dire la Philistie et le royaume de Juda ● *t* *le désert maritime :* expression imagée désignant le sud de la Babylonie, qui touche au golfe Persique — *le Néguev :* région à demi désertique au sud de la Judée ● *u* *le traître qui trahit, le dévastateur qui dévaste :* ces deux expressions désignent probablement ici les Elamites et les Mèdes mentionnés à la ligne suivante (voir 13.17 et la note) ● *v* *on dresse la table :* selon Dn 5.30 le roi de Babylone était occupé à festoyer quand la ville fut prise, en 539 av. J.C. — *graissez vos boucliers :* on enduisait les boucliers de graisse pour que les flèches y glissent au lieu d'y pénétrer. L'ordre donné équivaut donc à « préparez vos armes pour la bataille » ● *w* *celui qui regarde :* la traduction suit ici le principal manuscrit hébreu d'Esaïe trouvé à Qumrân ; texte hébreu traditionnel *le lion* ● *x* Au v. 10 le prophète s'adresse au peuple d'Israël — *aire :* voir Nb 18.27 et la note ● *y* *Douma :* probablement une oasis située au nord de l'Arabie (voir Gn 25.14 ; 1 Ch 1.30) — *Séïr :* région montagneuse habitée par les Edomites, au sud-est de la mer Morte.

20.3 autres actions symboliques de prophètes : Es 8.1-4 ; 1 R 11.29-31 ; Jr 13.1-7 ; Ez 12.1-15 ; Os 1—3 — signe et présage Es 8.18. **20.6** les Egyptiens vaincus Es 31.3. **21.1** contre Babylone Es 13.1+ — le désert, pays redoutable Es 30.6 ; Dt 1.19 ; 8.15 ; Jr 2.6. **21.3** les douleurs de celle qui enfante Es 16.11. **21.5** on dresse la table Dn 5.1-4. **21.6** guetteur 2 R 9.17 ; Ez 33 ; Ha 2.1. **21.9** elle est tombée, Babylone Jr 51.8 ; Ap 18.2. **21.10** battage du blé Es 28.28 — image de l'écrasement Es 41.15 ; Am 1.3 ; Mi 4.13 ; Ha 3.12 ; cf. Jr 51.33. **21.11** Douma Gn 25.14 ; 1 Ch 1.30 — Séïr Gn 14.6 ; 32.4 ; Dt 2.4 — veilleur Ez 33.2, 6 ; Ps 130.6. **21.12** le matin vient Es 17.14 ; 2 R 19.35 ; Ps 30.6 ; 46.6 ; Rm 13.12.

Si vous voulez encore poser la question, revenez. »

Contre l'Arabie

¹³ *Proclamation sur l'Arabie.*

Vous allez passer la nuit dans la forêt en Arabie,
caravanes de Dedân ᶻ.

¹⁴ Allez à la rencontre de l'assoiffé,
apportez de l'eau,
habitants du pays de Téma ᵃ ;
allez au-devant du fugitif avec son pain,
¹⁵ car ils s'enfuient devant les épées,
devant l'épée déchaînée,
devant l'arc tendu,
sous le poids du combat.

¹⁶ Ainsi m'a parlé le Seigneur : Encore un an — année de mercenaire — et toute la gloire de Qédar ᵇ sera anéantie, ¹⁷ et il en restera bien peu parmi les arcs des guerriers de Qédar. C'est le SEIGNEUR, Dieu d'Israël, qui l'a dit.

Il fallait pleurer plutôt que se réjouir

22 ¹ *Proclamation sur le ravin de la vision.*

Qu'as-tu donc à monter tout entière sur les toits ᶜ,
² ville tumultueuse et pleine de tapage, cité en liesse ?
Tes morts ne sont pas morts par l'épée,
ils n'ont pas été tués au combat.
³ Tes généraux se sont tous enfuis,
ils ont été faits prisonniers sous la menace de l'arc ᵈ.
Tous ceux qui ont été retrouvés ont été faits prisonniers,
ils avaient fui au loin.
⁴ Et maintenant, je dis : détournez-vous de moi,

que je pleure amèrement ;
n'insistez pas pour me consoler
de la dévastation de la fille de mon peuple ᵉ.
⁵ Car c'est un jour d'effarement, d'effondrement et d'affolement
de par le Seigneur DIEU, le tout-puissant.
Dans le ravin de la vision, une muraille s'écroule
et des cris s'élèvent vers la montagne.
⁶ Elam porte le carquois
sur des chars attelés et montés
et Qir ᶠ sort le bouclier.
⁷ Tes plus belles plaines sont remplies de chars,
les attelages prennent position aux portes,
⁸ la couverture de Juda est enlevée.

Ce jour-là, vous avez regardé vers l'arsenal de la Maison de la Forêt ᵍ
⁹ et vous avez vu que les brèches de la ville de David étaient nombreuses.
Vous avez amassé l'eau dans le réservoir inférieur.
¹⁰ Vous avez fait le compte des maisons de Jérusalem,
vous avez démoli les maisons pour rendre inaccessibles les murailles.
¹¹ Vous avez aménagé un bassin entre les deux murailles
pour les eaux de l'ancien réservoir ʰ.
Mais vous n'avez pas regardé vers celui qui agit en tout cela,
vous n'avez pas vu celui qui est à l'œuvre depuis longtemps.
¹² Ce jour-là, le Seigneur DIEU, le tout-puissant,
vous appelait à pleurer et à vous lamenter,
à vous raser la tête et à ceindre le *sac,
¹³ et c'est l'allégresse et la joie :

ᶻ *sur l'Arabie :* autre traduction *dans la steppe* — *Dedân :* peuplade de l'Arabie ● ᵃ *Téma :* oasis au nord-ouest de l'Arabie ● ᵇ *année de mercenaire :* voir 16.14 et la note — *Qédar :* tribu de l'Arabie du nord ● ᶜ *ravin de la vision :* cette vallée n'a pas été identifiée ; elle est probablement proche de Jérusalem — Les *toits* des maisons de Palestine sont plats, en forme de terrasse ● ᵈ *sous la menace de l'arc :* autre traduction *sans avoir tiré de l'arc* ● ᵉ *la fille de mon peuple :* expression hébraïque qui désigne la population d'Israël ● ᶠ *Elam :* voir 11.11 et la note — *Qir* est la patrie d'origine des *Araméens d'après Am 9.7 ● ᵍ *la couverture de Juda :* les villes fortifiées qui permettaient de maintenir l'ennemi aux frontières — *la Maison de la Forêt* est la grande salle à colonnes de bois construite par Salomon et nommée *la Maison de la Forêt du Liban* en 1 R 7.2-6 ● ʰ Le *réservoir inférieur* (v. 9) fut aménagé par le roi Akhaz pour assurer l'approvisionnement d'eau en cas de siège — *l'ancien réservoir* (v. 11) est sans doute identique au *réservoir supérieur* mentionné en 7.3 et 2 R 18.17 — le *bassin entre les deux murailles* désigne probablement la piscine de Siloé, construite par le roi Ezékias.

21.13 Dedân Gn 10.7; 25.2-3; Jr 25.23; 49.8; Ez 25.13; 27.20; 38.13. **21.16** Qédar Es 42.11; 60.7; Jr 2.10; 49.28-33; Ez 27.21; Ps 120.5. **22.2** cité en liesse Es 23.7; 32.13; So 2.15. **22.4** pleurs du peuple Jr 13.17; 14.17 — pleurs amers Es 16.9; Jr 9.17. **22.6** Qir 2 R 16.9; Am 1.5; 9.7. **22.8** la Maison de la Forêt 1 R 10.17. **22.11** l'ancien réservoir Es 7.3; cf. 2 Ch 32.4, 30 — à regarder vers celui qui agit Es 5.12; 30.1. **22.13** manger, boire... et mourir Qo 2.24; 3.12; 5.17; 8.15; 9.7-9; 1 Co 15.32+.

on tue les bœufs, on égorge les moutons,
on mange de la viande, on boit du
vin,
on mange, on boit... car demain nous
mourrons.
¹⁴ Le SEIGNEUR, le tout-puissant, m'a fait
entendre cette révélation :
Jamais ce péché ne vous sera pardonné
que vous ne soyez morts !
Le Seigneur DIEU, le tout-puissant, l'a
juré.

Avertissement à Shevna, maître du palais

¹⁵ Ainsi à parlé le Seigneur DIEU, le
tout-puissant :
Va trouver ce gouverneur, Shevna, le
maître du palais :
¹⁶ Que possèdes-tu ici ? Quels parents y
as-tu
pour te creuser ici un sépulcre,
creuser ton tombeau en hauteur,
te tailler une demeure dans le roc ?
¹⁷ Eh bien, le SEIGNEUR va te secouer,
beau sire,
il va t'empaqueter, ¹⁸ t'envoyer rouler
comme une boule
vers un pays aux vastes étendues.
C'est là-bas que tu mourras,
là-bas avec les chars qui font ta gloire
et le déshonneur de la maison de ton
maître.
¹⁹ Je vais te chasser de ton poste, te
déloger de ta position.
²⁰ Et ce jour-là, je ferai appel à mon
serviteur,
Elyaqîm, fils de Hilqiyahou,
²¹ je le revêtirai de ta tunique,
j'assurerai son maintien avec ta ceinture,
je remettrai ton pouvoir entre ses mains.
Il sera un père pour les habitants de
Jérusalem
et pour la maison de Juda ⁱ.
²² Je mettrai la clé de la maison de

David ʲ sur son épaule,
il ouvrira et nul ne fermera,
il fermera et nul n'ouvrira.
²³ Je l'enfoncerai comme un clou dans un
endroit solide
et il sera un trône de gloire pour la
maison de son père ᵏ.
²⁴ Toute la gloire de la maison de son
père y sera suspendue,
rameaux et brindilles,
toute la menue vaisselle,
depuis les bols jusqu'aux jarres de
toute sorte.
²⁵ Ce jour-là, oracle du SEIGNEUR, le
tout-puissant, le clou enfoncé dans un
endroit solide cédera, cassera et tombera
et la charge qu'il supportait sera détruite,
car le SEIGNEUR a parlé.

Contre Tyr

23 ¹ *Proclamation sur Tyr.*
Hurlez, navires de Tarsis ˡ,
à cause de la dévastation :
plus de maison !
Ils l'ont découvert en arrivant de l'île
de Chypre.
² Restez sans un mot, habitants de la
côte,
marchands de Sidon
dont les commis franchissent la mer ᵐ.
³ A travers les grandes eaux,
les semailles du Nil, la moisson du
Fleuve
étaient son revenu :
elle était le marché des nations.
⁴ Quelle déchéance, Sidon, forteresse de
la mer !
La Mer prend la parole et dit :
« Je n'ai pas été en travail, je n'ai
pas enfanté,
je n'ai pas fait grandir de jeunes gens
ni élevé de jeunes filles. »
⁵ Quand l'Egypte l'apprendra,
aux nouvelles de Tyr, elle frémira.
⁶ Faites la traversée jusqu'à Tarsis,
hurlez, habitants des côtes !
⁷ Est-ce là votre cité joyeuse

---

i Habituellement le titre de *père* était attribué au roi (voir 9.5) ou à un personnage haut placé —
la maison de Juda : le royaume de Juda (comparer avec 2.6; 5.7; 8.14; et les notes) ● *j* Les *clés*
de cette époque étaient en bois et de grandes dimensions — *la maison de David :* voir 7.2 et la note
● *k la maison de son père :* expression hébraïque équivalant à *la famille de son père* ● *l Tyr :* ville
principale de la côte phénicienne — *navires de Tarsis :* voir 2.16 et la note ● *m Sidon :* autre ville
importante de la côte phénicienne — La fin du verset est traduite d'après le principal manuscrit
hébreu d'Esaïe trouvé à Qumrân; texte hébreu traditionnel obscur

22.19 Shevna Es 36.3, 22; 2 R 19.2. **22.20** mon serviteur Jr 25.9; 27.6; 43.10. **22.21** un père
Es 9.5; Gn 45.8; Jb 29.16. **22.22** la clé de la maison de David Ap 3.7; cf. Mt 16.19; Ap 1.18.
23.1 Tyr v. 15; Jos 19.29; 2 S 5.11; 1 R 7.13; Jr 25.22; Ez 26.2; 27.2; Os 9.13; Jl 4.4; Am 1.9;
Za 9.2-4 — navires de Tarsis Es 2.16+. **23.3** le marché des nations Ez 27.12-25. **23.5** frémissements (de douleur) Jr 4.19; 51.29; Ez 30.16. **23.7** jours anciens Es 51.9; Mi 7.20; Ps 44.2.

dont l'antiquité remonte aux jours anciens
et que ses pieds portaient au loin pour s'y établir *n* ?

⁸ Qui donc a décidé cela contre Tyr qui distribuait des couronnes ?
Ses marchands étaient des princes, ses négociants des grands de la terre.

⁹ C'est le Seigneur, le tout-puissant, qui l'a décidé,
pour flétrir l'orgueil de tout ce qu'on honore,
pour déconsidérer tous les grands de la terre.

¹⁰ Cultive ta terre comme le long du Nil, fille de Tarsis *o* :
il n'y a plus de port.

¹¹ Le Seigneur a étendu la main contre la mer,
il a fait trembler les royaumes.
Il a ordonné à Canaan *p* de supprimer ses forteresses.

¹² Il a dit : Tu ne pourras plus te réjouir, toi qu'on a violée, vierge fille de Sidon *q*.
Lève-toi, passe à Chypre, là non plus, tu n'auras pas de repos.

¹³ Regarde le pays des Chaldéens : ce peuple n'existe plus.

L'Assyrie l'a assigné aux chats sauvages *r*,
ils avaient élevé des tours de guet, érigé des places fortes
et elle en a fait un champ de ruines.

¹⁴ Hurlez, navires de Tarsis, parce que votre forteresse est dévastée.

¹⁵ Ce jour-là, Tyr sera oubliée pendant soixante-dix ans, la durée des jours d'un seul roi. Au bout de soixante-dix ans, il arrivera à Tyr ce que dit la chanson de la courtisane :

¹⁶ Prends une harpe, fais le tour de la ville,
courtisane oubliée.
Joue de ton mieux, reprends tes chansons
afin qu'on se souvienne de toi.

¹⁷ Au bout de soixante-dix ans, le Seigneur interviendra à Tyr et elle retournera à ses profits, elle se prostituera à tous les royaumes qui sont sur la face de la terre *s*, ¹⁸ mais ses gains et ses profits seront consacrés au Seigneur, ils ne seront ni amassés, ni entassés. Ses gains serviront à nourrir et à rassasier ceux qui habitent devant le Seigneur et à leur assurer un vêtement durable.

Bouleversement et deuil sur la terre

24 ¹ Voici que le Seigneur dévaste la terre et la ravage,
il en bouleverse la face,
il en disperse les habitants,

² les prêtres comme le peuple,
le maître comme son serviteur,
la dame comme sa servante,
celui qui vend comme celui qui achète,

celui qui prête comme celui qui emprunte,
le créancier comme le débiteur.

³ La terre sera totalement dévastée, pillée de fond en comble,
comme l'a décrété le Seigneur.

⁴ La terre en deuil se dégrade,
le monde entier dépérit et se dégrade,
avec la terre *t* dépérissent les hauteurs.

---

n Les Phéniciens avaient fondé des colonies lointaines, par exemple à Carthage (près de l'actuelle Tunis) et à Tarsis (probablement en Espagne) ● *o Cultive la terre:* la traduction suit ici le principal manuscrit hébreu d'Esaïe trouvé à Qumrân ; texte hébreu traditionnel *traverse la terre* — *fille de Tarsis:* expression poétique désignant ici la ville de Tyr et sa population, dont la prospérité dépendait de son commerce avec Tarsis (v. 1) ● *p* Les Phéniciens étaient Cananéens (voir Gn 10.15). D'autre part Cananéen est parfois dans la Bible synonyme de commerçant (voir par exemple le v. 8 où ce terme est rendu par *négociants;* Os 12.8) ● *q Sidon:* voir 23.2 et la note — *la fille de Sidon:* expression poétique désignant la ville de Sidon et sa population ● *r le pays des Chaldéens* est la région de Babylone; les Assyriens l'ont reconquis en l'année 703 av. J.C. — *aux chats sauvages* ou (peut-être) *aux nomades.* La traduction de ce verset est incertaine ● *s* L'activité commerciale des Phéniciens de Tyr est comparée à une prostitution (voir Ap 18.3) ● *t* traduction conjecturale; texte hébreu traditionnel obscur

23.8 négociants (ou « Cananéens ») Os 12.8; So 1.11; Za 14.21; Jb 40.30; Pr 31.24. **23.9** orgueil Es 2.11; Ez 28.6; Jb 22.29; Pr 6.17; cf. Es 4.2. **23.11** main étendue (pour menacer) Es 5.25; 9.11, 16, 20; 10.4; 11.15; 14.27. **23.13** pays livrés aux animaux sauvages Es 13.21; 34.14; Jr 50.39. **23.15** soixante-dix ans Jr 25.11+ — activité commerciale, comparée à une prostitution Ap 17.5; 18.3, 11, 13. **23.17** intervention du Seigneur Es 10.3; 27.1; Gn 50.24. **23.18** gains et profits consacrés au Seigneur Es 45.14; 60.4-14; Za 14.14; cf. Dt 23.19. **24.3** comme l'a décrété le Seigneur Es 14.26.

5 La terre a été profanée par ses habitants,
car ils ont transgressé les lois,
ils ont tourné les préceptes,
ils ont rompu *l'alliance éternelle.
6 C'est pourquoi la malédiction dévore la terre,
ceux qui l'habitent en portent la peine.
C'est pourquoi les habitants de la terre se consument,
il n'en reste que très peu.

La cité des oppresseurs est en ruines

7 Le vin nouveau est en deuil, la vigne dépérit,
tous les bons vivants gémissent.
8 Le son joyeux des tambourins a cessé,
le tumulte des gens en liesse a pris fin,
le son joyeux de la harpe a cessé.
9 On ne boit plus de vin en chantant,
les boissons fortes sont amères aux buveurs.
10 La cité du néant ᵘ s'est effondrée,
toutes les maisons sont fermées, inaccessibles.
11 Dans les rues, on réclame du vin,
toute allégresse a disparu,
la joie est bannie du pays.
12 Il ne reste dans la ville que désolation
et la porte, démolie, est en ruines.
13 Dans le pays et parmi les peuples,
c'est comme le gaulage des olives,
comme le grappillage du raisin
quand la vendange est finie.

On acclame partout le Seigneur

14 Ceux-là ᵛ élèvent la voix,
ils acclament la majesté du SEIGNEUR.
Du côté de la mer, ils exultent.
15 On glorifie le SEIGNEUR à l'Orient,
le *nom du SEIGNEUR, Dieu d'Israël,
dans les îles de la mer.

16 Des extrémités de la terre, nous entendons chanter :
« Honneur au Juste ! »

Personne n'échappera au Seigneur

Mais je dis : Je suis à bout, je suis à bout !
Malheur à moi !
Les traîtres ont trahi.
Trahison ! Les traîtres ont trahi.
17 C'est la frayeur, la fosse et le filet ʷ pour toi, habitant du pays.
18 Celui qui fuira le cri de frayeur
tombera dans la fosse,
celui qui remontera de la fosse,
sera pris dans le filet.
Les écluses d'en haut sont ouvertes,
les fondements de la terre sont ébranlés.
19 La terre se brise,
la terre vole en éclats,
elle est violemment secouée.
20 La terre vacille comme un ivrogne,
elle est agitée comme une cabane.
Son péché pèse sur elle,
elle tombe et ne peut se relever.
21 Ce jour-là, le SEIGNEUR interviendra
là-haut contre l'armée d'en haut
et sur terre contre les rois de la terre.
22 Ils seront entassés, captifs, dans la fosse,
ils seront enfermés en prison
et, longtemps après, ils devront rendre des comptes ˣ.
23 La lune sera humiliée,
le soleil sera confondu.
Oui, le SEIGNEUR, le tout-puissant, est roi
sur la montagne de *Sion et à Jérusalem
dans sa gloire, en présence des *anciens.

---

u La cité du néant : on ignore à quelle ville particulière le prophète fait ici allusion ● *v ceux-là :* le prophète désigne probablement ainsi les Israélites délivrés grâce à la ruine des oppresseurs ● *w frayeur, fosse, filet :* les trois mots hébreux ainsi traduits ont presque la même consonnance ● *x ils devront rendre des comptes :* autres traductions possibles *ils seront châtiés* ou *ils seront graciés.* Le verbe hébreu correspondant désigne une intervention du Seigneur, qui peut être favorable ou défavorable

24.5 la terre profanée par ses habitants Es 26.21; Nb 35.33 — L'alliance éternelle 1) future Es 55.3; 61.8; Jr 32.40; Ez 16.60; 37.26; 2) actuelle Gn 9.16; 17.7, 13, 19; Ex 31.16; Lv 24.8; Ps 105.10; 1 Ch 16.17. **24.7** la vigne dépérit Es 32.12. **24.9** on ne boit plus de vin Am 6.5-7. **24.12** porte ruinée Jr 51.58. **24.13** comme le gaulage des olives Es 17.6. **24.15** Iles de la mer Es 11.11; 40.15; 41, 1, 5; 42.4, 10, 12; 49.1; 51.5; 59.18; 60.9; 66.19; Est 10.1. **24.16** le Juste 1) Dieu Es 45.21; Ps 7.10, 12; 11.7; 116.5; 119.137; 129.4; 145.17; 2) Israël Es 26.2; 60.21; Ps 14.5; 97.11; 112.6 — malheur à moi Es 6.5 — réaction alarmiste en pleine allégresse Es 22.1-5. **24.17-18** voir Jr 48.43-44. **24.18** d'un danger à l'autre Am 5.19+ — ouverture des écluses d'en haut Gn 7.11. **24.20** son péché pèse sur elle Ps 38.5 — chute sans relèvement Am 5.2. **24.21** l'armée d'en haut Dt 4.19 — en haut... sur terre Es 14.12-15 — contre les rois de la terre Ps 2.2. **24.22** enfermés... 2 P 2.4; Jd 6 — comptes à rendre Es 26.21. **24.23** le Seigneur roi Ps 93.1+ — sur la montagne de Sion Es 4.5; Mi 4.7 — dans sa gloire Es 60.1-3; Ez 16.7 — en présence des anciens Ex 24.9-10; Ap 19.4-6.

Le Seigneur, protecteur du faible

25 [1] SEIGNEUR, tu es mon Dieu,
je t'exalte et je célèbre ton *nom,
car tu as réalisé des projets merveilleux,
conçus depuis longtemps,
constants et immuables.

[2] Tu as fait de la ville un tas de pierres,
de la cité fortifiée un champ de ruines.
La forteresse des barbares *y* a cessé
d'être une ville,
elle ne sera plus jamais rebâtie.

[3] C'est pourquoi un peuple puissant te
rend gloire,
la cité des tyrans des nations te révère.

[4] Car tu es le rempart du faible,
le rempart du pauvre dans la détresse,
le refuge contre l'orage,
l'ombre contre la chaleur
— car le souffle des tyrans est comme
l'orage contre une muraille,

[5] comme la chaleur sur une terre
aride —.
Tu éteins le tumulte des barbares
comme fait à la chaleur l'ombre d'un
nuage,
tu étouffes la fanfare des tyrans.

Un festin pour tous les peuples

[6] Le SEIGNEUR, le tout-puissant, va donner
sur cette montagne *z*
un festin pour tous les peuples,
un festin de viandes grasses et de vins
vieux,
de viandes grasses succulentes et de
vins vieux décantés.

[7] Il fera disparaître sur cette montagne
le voile tendu sur tous les peuples,
l'enduit plaqué sur toutes les nations.

[8] Il fera disparaître la mort pour toujours.
Le Seigneur DIEU essuiera les larmes

sur tous les visages
et dans tout le pays il enlèvera la
honte de son peuple.
Il l'a dit, Lui, le SEIGNEUR.

[9] On dira ce jour-là : C'est Lui notre
Dieu.
Nous avons espéré en Lui et il nous
délivre.
C'est le SEIGNEUR en qui nous avons
espéré.
Exultons, jubilons, puisqu'il nous sauve.

Les Moabites seront humiliés

[10] La main du SEIGNEUR va se poser sur
cette montagne *a*.
Mais Moab sera écrasé sur place,
comme la paille est écrasée dans la
fosse à fumier.

[11] Là, il étendra les mains
comme on les étend pour nager.
Son arrogance sera humiliée
avec les manœuvres de ses mains.

[12] Les bastions inaccessibles de tes murailles,
le Seigneur les renverse, les abat,
les ramène à ras de terre, dans la
poussière.

Cantique : Nous avons une ville forte

26 [1] Ce jour-là, on chantera ce cantique au pays de Juda :
Nous avons une ville forte.
Il y a placé comme sauvegarde
un mur et un avant-mur.

[2] Ouvrez les portes :
qu'elle entre, la nation juste
qui se garde fidèle.

[3] Comme une œuvre bien établie *b*,
tu peux modeler la paix
parce qu'on a confiance en toi.

[4] Faites confiance au SEIGNEUR pour toujours,

---

y La forteresse des barbares: sans doute identique à *la cité du néant* mentionnée en 24.10 ● *z cette montagne:* la montagne sur laquelle était bâtie Jérusalem (voir 24.23; 27.13) ● *a* Voir 25.6 et la note ● *b Comme une œuvre bien établie* ou *D'une manière ferme*

25.1 mon Dieu Ps 22.11+ — je célèbre ton nom Es 12.1, 4; Ps 118.28 — des projets merveilleux Es 28.29. **25.2** barbares (étrangers) Jr 51.51; Ez 7.21; 11.9; 28.7, 10; 30.12; 31.12; Ab 11; Lm 5.2 — plus jamais rebâtie Es 13.20. **25.3** tyran des nations Ez 28.7; 30.11; 31.12; 32.12 — le Seigneur révéré par les païens Es 24.15-16. **25.4** rempart du faible Es 26.1; 29.19-20. **25.6** festin Ex 24.11; Dt 16.13-15; 1 S 9.13; Pr 9.5; Ne 8.10-12; Mt 8.11; 22.2-10; Lc 14.15-24; Ap 19.9 — pour tous les peuples Es 2.2-3; 11.9-10; 18.7; 60.11, 14; Za 8.20-22; 14.16. **25.7** voile 1) qui empêche de voir : 1 R 19.13; Es 29.10-12; 2 Co 3.13-18; 2) marque de deuil : 2 S 15.30; 19.5; Jr 14.3-4; Est 6.12 — voile ôté cf. Lc 2.30-32. **25.8** la mort disparue Es 26.19; 1 Co 15.54 — larmes essuyées Ps 116.8; Ap 21.4. **25.9** c'est lui notre Dieu v. 1; Ps 48.15. **25.10** humilié Moab 15.1+; 16.8-10 — écrasé sur place Mi 7.10. **25.11** arrogance de Moab Es 16.6; Jr 48.29 — humiliée Es 2.11. **25.12** ramenée à ras de terre Es 26.5. **26.2** portes ouvertes à la nation juste Ps 24.3-4; 118.19-20. **26.3** une œuvre bien établie Es 25.1. **26.4** confiance au Seigneur Ps 9.11+ — rocher Ps 28.1+.

au SEIGNEUR, le rocher éternel,
5 car il a fait plier ceux qui habitaient
les hauteurs
et il abat la cité inaccessible ^c,
il l'abat jusqu'à terre
et lui fait toucher la poussière.
6 Elle sera foulée aux pieds,
sous les pas des humbles,
sous les pieds des faibles.

Prière : Nous espérons en toi, Seigneur

7 Le chemin du juste va tout droit
et tu aplanis la voie droite du juste.
8 Sur le chemin que tracent tes sentences,
nous espérons en toi, SEIGNEUR,
l'objet de nos désirs est de redire ton
nom.
9 Pendant la nuit, vers toi mon âme
aspire,
mon esprit, au-dedans de moi, te
cherche.
Quand tes sentences s'exercent sur la
terre,
les habitants du monde apprennent la
justice.
10 Mais si l'on fait grâce au méchant,
il n'apprend pas la justice.
Au pays de la rectitude ^d, il fait le mal
et il ne voit pas la majesté du SEIGNEUR.
11 Ta main est levée, SEIGNEUR, et ils ne
la voient pas,
mais ils verront ton zèle pour le
peuple
et ils seront confondus,
dévorés par le feu destiné à tes ennemis.
12 SEIGNEUR, tu nous donnes la paix,
c'est toi qui accomplis pour nous
tout ce que nous faisons.
13 SEIGNEUR notre Dieu,
d'autres maîtres que toi ont dominé
sur nous,
mais c'est ton nom seul que nous
redisons.
14 Puisque les morts ne revivent pas,
puisque les trépassés ne se relèvent pas,

tu es intervenu pour les exterminer
et faire disparaître jusqu'à leur souvenir.
15 Tu as fait grandir la nation, SEIGNEUR,
tu as fait grandir la nation,
tu as montré ta gloire,
tu as fait reculer toutes les frontières
du pays.
16 SEIGNEUR, dans la détresse on a recours
à toi.
Quand tu sévis, on se répand en prières.
17 Nous avons été devant toi, SEIGNEUR,
comme une femme enceinte, près d'enfanter,
qui se tord et crie dans les douleurs.
18 Nous avons conçu, nous avons été
dans les douleurs,
mais c'est comme si nous avions enfanté
du vent :
nous n'apportons pas le salut à la terre,
ni au monde de nouveaux habitants.
19 Tes morts revivront, leurs cadavres
ressusciteront.
Réveillez-vous, criez de joie,
vous qui demeurez dans la poussière !
Car ta rosée est une rosée de lumière
et la terre aux trépassés rendra le jour.

Le Seigneur demande des comptes aux hommes

20 Va, mon peuple, rentre chez toi
et ferme sur toi les deux battants.
Cache-toi un instant,
le temps que passe la colère,
21 car voici le SEIGNEUR qui sort de sa
demeure
pour demander compte de leurs crimes
aux habitants de la terre.
Et la terre laissera paraître le sang,
elle cessera de dissimuler les victimes.
27 ¹ Ce jour-là, le SEIGNEUR interviendra
avec son épée acérée, énorme, puissante

---

c la cité inaccessible : probablement la ville déjà évoquée en 24.10 et 25.2 • d Le pays de la rectitude : probablement la Palestine -- L'ensemble du v. 10 forme une sorte de parenthèse qui interrompt le développement commencé aux v. 7-9 et continué au v. 11

26.5 il a fait plier... Es 2.12-17; Jr 49.15-16; 50.31-32; Ab 3-4; Pr 16.5, 18.   26.8 nous espérons
en toi Es 25.9.   26.9 j'aspire vers toi Ps 42.2; 63.2 — la nuit... je te cherche Ps 77.3 — les habitants
du monde apprennent la justice Es 51.5.   26.10 le méchant abuse de la patience de Dieu Qo 8.11.
26.11 aveugles à l'action du Seigneur Es 5.12 — le zèle du Seigneur Es 9.6; 37.32.   26.12 le Seigneur accomplit ce que nous faisons cf. Ps 90.17; Ph 2.13.   26.15 tu as montré ta gloire Ex 14.4,
17; Ez 28.22.   26.17 les douleurs de l'enfantement Es 13.8; Mt 24.8.   26.19 les morts revivront
Es 25.8; Ez 37; Dn 12.2; 1 Co 15.12-56 — rosée Es 18.4; Gn 27.28; Os 14.6; Ps 133.3; Pr
19.12; cf. Os 6.3; Ps 110.3 — lumière Ps 36.10; 56.14; Jb 33.28, 30.   26.20 à l'abri de la colère
de Dieu Gn 7.16 b; Ex 12.22 b-23 — le temps que passe la colère Es 10.25; Mt 24.22.   26.21 le
sang des victimes innocentes Gn 4.10; Ps 106.38 — la terre ne cachera plus le sang répandu
Jb 16.18.   27.1 l'épée du Seigneur Es 34.5+ — Léviatan Ps 74. 14+ — le dragon et la mer Es
51.9-10; cf. Ps 74.13; Jb 7.12.

contre Léviatan, le serpent fuyant,
contre Léviatan, le serpent tortueux,
il tuera le Dragon de la mer *e*.

Le Seigneur et sa Vigne

2 Ce jour-là, chantez la vigne délicieuse *f* :
3 Moi, le SEIGNEUR, j'en suis le gardien,
en tout temps je l'arrose.
De peur qu'on y fasse irruption,
je la garde nuit et jour.
4 Je ne suis plus en colère :
si je trouve des épines et des ronces,
je donnerai l'assaut
et, en même temps, j'y mettrai le feu,
5 mais celui qui me prendra pour rempart
avec moi fera la paix,
il fera la paix avec moi.

Le pardon pour les descendants de Jacob

6 Dans les temps à venir, Jacob *g* poussera des racines,
Israël fleurira et donnera des bourgeons,
il remplira le monde de ses fruits.
7 Les a-t-il frappés comme il a frappé ceux qui les frappaient ?
Les a-t-il massacrés comme il a massacré ceux qui les massacraient ?
8 Il a fait leur procès en les chassant, en les expulsant.
Il les a enlevés par son souffle violent,
en un jour de vent d'est.
9 Et c'est ainsi que sera effacé le crime de Jacob,
et tel sera le fruit du pardon de son péché :

il traitera toutes les pierres des *autels
comme la pierre à chaux qu'on pulvérise,
les poteaux sacrés *h* et les emblèmes du soleil
ne se dresseront plus.

La ville abandonnée

10 La ville fortifiée restera solitaire *i*,
pâture ouverte, abandonnée comme un désert.
Là, le veau viendra paître,
là, il se couchera et broutera les branchages.
11 Quand les branches seront sèches, on les cassera,
des femmes viendront y mettre le feu.
Oui, ce peuple est sans discernement :
c'est pourquoi celui qui l'a fait n'en a pas pitié,
celui qui l'a formé ne lui fait pas grâce.

Le retour des exilés

12 Ce jour-là, le SEIGNEUR procédera au battage
depuis le cours de l'Euphrate
jusqu'au torrent d'Egypte *j*.
Et c'est vous qui serez glanés
un par un, fils d'Israël.
13 Ce jour-là, la grande trompe sonnera *k*.
ils arriveront, ceux qui étaient perdus au pays d'Assyrie
et ceux qui avaient été chassés au pays d'Egypte
et ils se prosterneront devant le SEIGNEUR,
sur la montagne sainte, à Jérusalem.

---

e Léviatan, Dragon de la mer : voir Ps 74.13-14 et les notes ● *f la vigne :* voir 3.14 et la note ● *g* Voir 14.1 et la note ● *h* Voir Ex 34.13 et la note ● *i* Le prophète semble faire allusion à la ville de Samarie, prise en 722/721 av. J.C. par les Assyriens. Comparer le v. 11 avec Os 1.6 ; 4.6 ● *j depuis le cours de l'Euphrate jusqu'au torrent d'Egypte :* c'est-à-dire du nord au sud de la Palestine. Ces limites évoquent les frontières du royaume de David (comparer 1 R 8.65) ● *k la grande trompe* (confectionnée dans une corne de bélier) servait à appeler au combat ou à convoquer des assemblées religieuses ; voir aux références parallèles

27.2 la vigne Es 5.1-7. 27.4 épines et ronces Es 5.6+. 27.5 rempart Es 26.1 ; Ps 46.2 — la paix Es 9.5-6 ; 26.3, 12. 27.7 ceux qui les frappaient Es 10.24-26. 27.8 le souffle du Seigneur Es 40.6-8 — vent d'est Ez 17.10. 27.9 autels détruits Dt 7.5 ; 2 R 23.4, 15 — poteaux sacrés et emblèmes du soleil Es 17.8. 27.10 ville transformée en pacage Es 7.25+ — et livrée aux bêtes sauvages Es 13.21+. 27.11 peuple sans discernement Dt 32.6 ; Os 4.6 ; Si 50.26 — ni pitié, ni grâce Os 1.6 — celui qui l'a formé Es 43.1, 7. 27.12 de l'Euphrate au torrent d'Egypte Gn 15.18 ; 2 R 24.7 ; cf. Nb 34.5. 27.13 la grande trompe 1) signal de ralliement au combat Es 18.3+ ; 2) convocation des assemblées et ovation Ex 19.16, 19 ; 20.18 ; Lv 25.9 ; Nb 10.2, 10 ; 2 S 6.15 ; 1 R 1.34-41 ; Jl 2.15 ; Ps 47.6 ; 98.6 ; 150.3 ; 3) signal du jugement Jl 2.1 ; So 1.16 ; Mt 24.31+ ; Ap 11.15 — retour d'Assyrie et d'Egypte Os 11.11.

Tempête dévastatrice sur Samarie

28 [1] Malheur ! Fière couronne des ivrognes d'Ephraïm [l]
et fleurs fanées qui font l'éclat de sa parure
au-dessus de la vallée plantureuse,
vous qui êtes assommés par le vin.

[2] Voici un puissant guerrier du Seigneur [m],
semblable à un orage de grêle, à une tempête dévastatrice,
à un orage qui fait déborder les eaux impétueuses :
violemment, il couchera tout à terre.

[3] Elle sera foulée aux pieds,
la fière couronne des ivrognes d'Ephraïm ;

[4] et les fleurs fanées qui font l'éclat de sa parure
au-dessus de la vallée plantureuse
seront comme une figue précoce, mûrie avant l'été :
quelqu'un l'aperçoit et, aussitôt qu'il la tient, il l'avale.

[5] Ce jour-là, le SEIGNEUR, le tout-puissant,
sera la couronne éclatante,
le diadème et la parure du reste de son peuple.

[6] Il sera l'esprit de justice pour celui qui siège en justice,
la vaillance de ceux qui refoulent vers la porte la bataille.

Les ivrognes qui se moquent du prophète

[7] De même, prêtres et *prophètes sont égarés par le vin,
ils titubent sous l'effet de boissons fortes,
la boisson les égare, le vin les engloutit,
ils titubent sous l'effet des boissons fortes,
ils s'égarent dans les visions,
ils trébuchent en rendant leurs sentences.

[8] Toutes les tables sont couvertes de vomissements infects :
pas une place nette !

[9] Et ils disent : « Qui donc veut-il enseigner [n] ?
A qui veut-il expliquer ses révélations ?
A des enfants à peine sevrés ?
A des bébés qui viennent de quitter la mamelle ?

[10] Il répète : Sawlasaw, sawlasaw, qawlaqaw, qawlaqaw,
zeèr sham, zeèr sham [o]. »

[11] Eh bien oui, c'est un langage haché [p],
c'est en langue étrangère
que le Seigneur va parler à ce peuple,

[12] lui qui leur avait dit :
« Voici le repos, laissez se reposer celui qui est épuisé,
voici l'apaisement »,
mais ils n'ont pas voulu écouter.

[13] Aussi la parole du SEIGNEUR sera-t-elle pour eux :
« Sawlasaw, sawlasaw, qawlaqaw, qawlaqaw,
zeèr sham, zeèr sham »,
si bien qu'en marchant, ils tomberont à la renverse,
ils se casseront les reins,
ils seront pris au piège et capturés.

La pierre angulaire

[14] Ecoutez donc la parole du SEIGNEUR,
vous, les railleurs qui gouvernez ce peuple à Jérusalem.

[15] Vous dites : « Nous avons conclu une alliance avec la Mort,
nous avons fait un pacte avec le monde d'en bas [q].
Le fléau déchaîné, quand il passera,
ne nous atteindra pas,
car nous nous sommes fait du mensonge un refuge

---

[l] *couronne des ivrognes d'Ephraïm:* description poétique de Samarie, capitale du royaume d'Israël — Sur *Ephraïm* voir 7.17 et la note ● **m** *Le puissant guerrier du Seigneur:* expression imagée décrivant le roi d'Assyrie (voir 8.4) ● **n** il désigne le prophète ● **o** Phrase hébraïque incohérente, que certains traduisent *ordre sur ordre, règle sur règle, un peu par ci, un peu par là.* Peut-être ces mots reproduisent-ils un exercice de lecture pour débutants. Les buveurs se moqueraient alors du prophète en le comparant à un maître de l'école élémentaire ● **p** *un langage haché* ou *un langage ironique* ● **q** *le monde d'en bas:* c'est le *séjour des morts

28.1 ivrognes d'Ephraïm Os 7.5-7; Am 6.4-10; cf. Es 5.22. **28.2** le roi d'Assyrie (puissant guerrier) Es 5.26-29; 8.4, 7-8. — intervention fracassante Jg 5.4-5; Ha 3.3-10; Ps 68.8-9. **28.6** esprit de justice Es 11.2-5 pour les juges Es 1.26; 32.16 — vaillance Es 9.5; 11.2. **28.7** égarés par le vin Es 5.11-12, 22-23; Os 4.18; 7.5; Mi 2.11. **28.9** le prophète est récusé Jr 6.10. **28.11** en une langue étrangère Es 33.19; 1 Co 14.21. **28.12** repos, apaisement Es 7.4; 8.6; 30.15; 32.17; Jos 1.15; 11.23; Jr 6.16; Ps 95.11; He 3.11 — refus d'écouter Es 30.9. **28.14** ceux qui gouvernent à Jérusalem Es 3.1-4. **28.15** alliance avec la mort Es 31.1 — le fléau déchaîné Es 8.7-8 — un abri dans la duplicité Es 30.10-12.

et dans la duplicité nous avons notre abri. »

¹⁶ Cependant, ainsi parle le Seigneur DIEU :
Voici que je pose dans *Sion une pierre à toute épreuve,
une pierre angulaire, précieuse,
établie pour servir de fondation.
Celui qui s'y appuie ne sera pas pris de court.
¹⁷ Je prendrai le droit comme cordeau et la justice comme niveau ʳ.
Et la grêle balaiera le refuge du mensonge
et les eaux emporteront votre abri.
¹⁸ Elle sera effacée, votre alliance avec la Mort,
votre pacte avec le monde d'en-bas ne tiendra pas.
Le fléau déchaîné, quand il passera, vous écrasera.
¹⁹ Chaque fois qu'il passera, il vous reprendra,
car il repassera matin après matin,
le jour et la nuit,
et ce sera pure terreur d'en comprendre la révélation.
²⁰ Le lit sera trop court pour s'y étendre,
la couverture trop étroite pour s'y envelopper ˢ.

Avertissement aux railleurs

²¹ Oui, le SEIGNEUR va se lever comme à la montagne de Peracim,
il frémira comme dans la plaine de Gabaon ᵗ,
au moment d'accomplir son œuvre,
œuvre insolite,
de faire son travail, travail étrange.
²² Et maintenant, ne jouez plus les railleurs,
de peur que vos liens ne se resserrent,

car j'ai appris du Seigneur DIEU le tout-puissant
que la destruction de tout le pays est décidée.

Deux paraboles à propos du travail des champs

²³ Prêtez l'oreille, écoutez-moi !
Soyez attentifs, écoutez ma parole.
²⁴ Est-ce tout le temps que le laboureur,
en vue des semailles,
laboure, creuse et herse sa terre ?
²⁵ N'est-il pas vrai qu'il en aplanit la surface,
puis répand la nigelle et sème le cumin,
met le blé et l'orge
et l'épeautre en lisière ᵘ.
²⁶ Or, c'est son Dieu qui lui enseigne la règle à suivre
et qui l'instruit.
²⁷ La nigelle ne doit pas être écrasée avec le traîneau à battre ᵛ
et les roues du chariot ne doivent pas passer sur le cumin,
mais c'est au bâton qu'on bat la nigelle
et au fléau le cumin.
²⁸ Le froment est-il broyé ?
Non, ce n'est pas indéfiniment qu'on le bat ;
on fait passer dessus les roues du chariot et l'attelage,
mais on ne le broie pas.
²⁹ Cela aussi vient du SEIGNEUR le tout-puissant,
qui se montre d'un merveilleux conseil
et d'un grand savoir-faire.

Jérusalem assiégée, puis sauvée

29 ¹ Malheur ! Ariel, Ariel !
ville contre laquelle campa David.
Qu'une année s'ajoute à celle-ci

ʳ *cordeau, niveau:* instruments du maçon ● ˢ Le prophète cite sans doute un dicton populaire ● ᵗ *la montagne de Peracim* doit être probablement située au sud de Jérusalem — *la plaine de Gabaon* est à une douzaine de km au nord-ouest de Jérusalem. Le prophète fait allusion aux deux victoires remportées par David contre les Philistins (2 S 5.17-25) ● ᵘ *nigelle, cumin:* plantes cultivées dont les graines étaient utilisées comme épices — Après les termes traduits par *blé* et *orge,* le texte hébreu comporte encore deux termes inconnus que la traduction n'a pas retenus. Sans doute s'agit-il d'autres céréales. Pour l'un d'eux certains traducteurs pensent qu'il s'agit du *millet* — *épeautre:* variété de blé ● ᵛ *le traîneau à battre* était garni de pointes sur sa face inférieure; traîné par un bœuf il servait à détacher les grains des épis

28.16 pierre angulaire Ps 118.22; Za 4.7; Mt 21.42+ — fondation 1 Co 3.11 — pas pris de court 1 P 2.6; Rm 9.33. **28.17** cordeau et niveau Es 34.11; 2 R 21.13 — la justice Es 1.27. **28.21** comme dans la plaine de Gabaon Jos 10.10-14 — le travail étrange du Seigneur Es 29.14. **28.22** j'ai appris du Seigneur Es 21.10 — destruction décidée Es 10.22-23. **28.26** c'est son Dieu qui l'instruit Jb 32.8; 35.11. **28.27** le traîneau à battre Es 41.15; Am 1.3. **28.28** pas indéfiniment Es 8.23. **28.29** cela vient du Seigneur Es 41.20; Ps 118.23 — un merveilleux conseil Es 9.5 — savoir faire (réussite) Jb 5.12; 12.16; cf. Rm 11.33. **29.1** David à l'assaut de Jérusalem 2 S 5.6-9 — dans un an Es 32.10 — le cycle des fêtes Lv 23.4-37.

avec tout le cycle des fêtes,
² et je presserai Ariel :
elle ne sera plus que plainte et gémissement,
elle sera pour moi comme un *ariel* ʷ.
³ Comme David ˣ, je camperai contre toi,
je t'entourerai de retranchements
je dresserai contre toi des machines de
siège.
⁴ Abattue, tu parleras depuis la terre,
ta parole atténuée viendra de la poussière,
ta voix, comme celle d'un revenant,
montera de la terre
et de la poussière, ta parole comme
un sifflement.
⁵ La multitude de tes ennemis sera
comme une poudre fine,
la foule des tyrans comme la bale ʸ
qui s'envole...

Et tout à coup, ⁶ le SEIGNEUR le tout-
puissant interviendra
dans le tonnerre, l'ébranlement, un
grand fracas,
le tourbillon, la tempête et la flamme
d'un feu dévorant.
⁷ Ce sera alors comme un songe, une
vision de la nuit,
pour la multitude des gens qui attaquaient Ariel,
pour tous ceux qui combattaient contre
elle,
l'investissaient et la pressaient.
⁸ Ce sera comme un affamé rêvant qu'il
mange,
puis se réveillant l'estomac creux,
ou comme un assoiffé rêvant qu'il boit,
puis se réveillant épuisé et la gorge
sèche.
Ainsi en sera-t-il de la multitude des
gens
qui combattaient contre la montagne
de *Sion.

Un peuple incapable de comprendre

⁹ Soyez surpris et restez stupéfaits,
devenez aveugles et restez-le,
soyez ivres, mais non de vin,
titubez, mais non sous l'effet de la
boisson,
¹⁰ car le SEIGNEUR a versé sur vous un
esprit de torpeur,
il a fermé vos yeux — les *prophètes,
il a voilé vos têtes — les voyants.
¹¹ La révélation de tout cela est pour
vous comme les mots d'un document
scellé qu'on donne à celui qui sait lire
en disant : « Lis donc ceci », il répond :
« Je ne peux pas, car le document est
scellé. » ¹² On le donne alors à celui
qui ne sait pas lire en disant : « Lis
donc ceci », il répond : « Je ne sais pas
lire. »
¹³ Le Seigneur dit : Ce peuple ne s'approche de moi qu'en paroles,
ses lèvres seules me rendent gloire,
mais son *cœur est loin de moi.
La crainte qu'il me témoigne
n'est que précepte humain, leçon apprise.
¹⁴ C'est pourquoi je vais continuer à lui
prodiguer des prodiges,
si bien que la sagesse des sages s'y
perdra
et que l'intelligence des intelligents se
dérobera.

Le Seigneur retournera les situations

¹⁵ Malheur ! Ils agissent par-dessous
pour cacher au SEIGNEUR leurs projets.
Ils trament dans l'ombre
et ils disent : « Qui nous voit ?
qui nous remarque ? »
¹⁶ Quel renversement des rôles !
Prendra-t-on le potier pour l'argile ?
L'œuvre dira-t-elle de l'ouvrier :

---

w *Ariel:* nom d'étymologie discutée (peut-être *montagne de Dieu*). Aux v. 1 et 2 a il désigne la
ville de Jérusalem; au v. 2 b il désigne la partie la plus haute de l'autel, l'endroit où sont consumées les victimes offertes en *sacrifice (voir Ez 43.15-16 et la note) ● x *Comme David:* d'après
l'ancienne version grecque; texte hébreu traditionnel *comme un cercle* (c'est-à-dire *tout autour ?*)
● y Voir Ps 1.4 et la note

29.2 Ariel, plainte et gémissement Es 33.7-9 — un ariel (foyer) cf. Es 30.33; 31.9; Ez 24.2-14.
29.3 Jérusalem assiégée Es 1.8; 22.2-11; 36.1-2. **29.4** un discours de vaincus Es 36.22—37.3.
29.5 multitude d'ennemis Es 1.7 — en poussière Es 25.2-5. **29.7** comme une vision de la nuit
Jb 20.8 — la multitude qui attaquait Ariel-Jérusalem Es 31.4-5; 36—37. **29.9** aveugles Es
6.9-10 — ivres, mais non de vin Es 51.21; cf. Jr 25.15+. **29.10** esprit de torpeur 1 S 26.12;
Rm 11.8; cf. 2 R 6.18 — voyants Mi 3.6-7. **29.11** document scellé Jr 32.9-14; Ap 5.1-5. **29.12** je
ne sais pas lire Ac 8.30-31. **29.13** son cœur est loin de moi Es 1.11-15; Ps 78.36-37 — précepte
humain Mt 15.8-9; Mc 7.6-7. **29.14** des prodiges Es 28.21 — la sagesse des sages s'y perdra
Es 5.21; 1 Co 1.19. **29.15** projets (secrets) d'alliance avec l'Egypte 30.1-2; cf. 28.15 — dans
l'ombre Jn 3.19-20 — Qui nous voit ? Jb 34.21-22. **29.16** le vase et le potier Es 45.9; Jr 18.6;
Rm 9.20.

« Il ne m'a pas faite » ?
Le vase dira-t-il du potier :
« Il n'y entend rien » ?

¹⁷ Dans très peu de temps,
le Liban ᶻ ne sera-t-il pas changé en
verger,
tandis que le verger aura la valeur
d'une forêt ?
¹⁸ En ce jour-là, les sourds entendront la
lecture du livre
et, sortant de l'obscurité et des ténèbres,
les yeux des aveugles verront.
¹⁹ De plus en plus, les humbles se réjouiront dans le SEIGNEUR
et les pauvres gens exulteront à cause
du Saint d'Israël,
²⁰ car ce sera la fin des tyrans,
les railleurs seront anéantis
et tous ceux qui sont à l'affût du mal
seront exterminés :
²¹ ainsi, ceux qui font condamner quelqu'un par leurs paroles,
ceux qui tendent des pièges au cours
des débats du tribunal
et attirent l'innocent dans l'abîme.

Les esprits égarés
finiront par comprendre

²² C'est pourquoi, ainsi parle le SEIGNEUR,
le Dieu de la maison de Jacob,
lui qui a racheté Abraham :
désormais, Jacob ᵃ ne sera plus déçu,
son visage ne pâlira plus,
²³ car en voyant ce que j'ai fait au milieu
d'eux — ses enfants —,
ils *sanctifieront mon nom,
ils sanctifieront le Saint de Jacob ᵇ,
ils trembleront devant le Dieu d'Israël.
²⁴ Les esprits égarés découvriront l'intelligence
et les récalcitrants accepteront qu'on les
instruise.

Des plans qui ne sont pas ceux de Dieu

30 ¹ Malheur ! Ce sont des fils rebelles
— oracle du SEIGNEUR.
Ils réalisent des plans qui ne sont pas
les miens,
ils concluent des traités contraires à
mon esprit ᶜ,
accumulant ainsi péché sur péché.
² Ils descendent en Egypte sans me consulter,
ils vont se mettre en sûreté dans la
forteresse de *Pharaon,
se réfugier à l'ombre de l'Egypte.
³ La forteresse de Pharaon tournera à
votre honte
et le refuge à l'ombre de l'Egypte à
votre confusion.
⁴ Déjà vos chefs sont à Tanis,
les ambassadeurs ont atteint Hanès ᵈ.
⁵ Ils seront tous déçus par un peuple
qui leur sera inutile,
qui ne leur sera d'aucun secours,
d'aucune utilité,
sinon pour leur honte et même leur
infamie.

⁶ *Proclamation :*
les bêtes du Néguev ᵉ.

Au pays de la détresse, de l'angoisse
et de l'aridité,
de la lionne et du lion,
de la vipère et du dragon volant,
sur le dos des ânes, sur la bosse des
chameaux,
ils apportent leurs richesses, ils apportent leurs trésors
à un peuple qui leur sera inutile.
⁷ Les secours de l'Egypte, ce sera du
vent et du vide,
c'est pourquoi je l'appelle Rahav ᶠ
l'immobile.

---

z Voir 10.34 et la note ● a maison de Jacob, Jacob : voir 14.1 et la note ● b le Saint de Jacob :
comparer avec 10.17 et la note ● c Le prophète fait allusion aux traités d'alliance conclus
par le royaume de Juda et l'Egypte entre les années 713 et 702 av. J.C. ● d Tanis : voir 19.11
et la note — Hanès : ville située à une centaine de km au sud du Caire ● e Le Néguev : voir
21.1 et la note; on en traverse une partie pour se rendre de Palestine en Egypte ● f Rahav :
parfois nom symbolique de l'Egypte (Ps 87.4). En hébreu le nom de Rahav évoque l'agitation.
L'Egypte serait alors surnommée « l'agitée immobile »

29.17 retournement de situation Es 32.15; 35.1-2; 41.18; 51.3; cf. 28.9-13.   **29.18** les sourds
entendront... Es 35.5; 42.16-19; cf. 6.10; 29.11-12; 43.8.   **29.19** joie pour les pauvres gens Es
41.17; Mt 5.3-4 — le Saint d'Israël Es 1.4+.   **29.20** la fin des tyrans v. 5 et des moqueurs Es 28.14,
22.   **29.21** ceux qui font condamner Es 10.1-2 l'innocent Es 5.23.   **29.22** les rachetés du Seigneur
Es 35.10; 51.11 — Abraham Es 41.8; 51.2; 63.16.   **29.23** ce que le Seigneur a fait Es 5.12; 28.21
— ses enfants cf. Es 49.21; 54.1 — ils sanctifieront... Es 8.13 — le Saint de Jacob cf. Es 1.4+;
Es 49.26.   **29.24** instruction pour les égarés v. 18; cf. Es 28.9; 30.9.   **30.1** des fils rebelles v. 9;
Es 1.2 — d'autres plans que ceux de Dieu Es 5.21; 29.15 — péché sur péché Es 1.4.   **30.2** contre
l'alliance avec l'Egypte Es 18.2+; cf. 28.15.   **30.3** à votre honte Es 20.5.   **30.6** détresse, angoisse
Es 8.22.   **30.7** le secours de l'Egypte Es 36.6 — Rahav, nom symbolique de l'Egypte Ps 87.4;
cf. 89.11 et la note.

8 Va maintenant, écris cela devant eux sur une tablette, en deux exemplaires ^g, et que ce soit pour l'avenir un témoin perpétuel.

Un peuple qui ne veut pas écouter

9 C'est un peuple révolté,
ce sont des fils trompeurs,
qui ne veulent pas écouter l'instruction du SEIGNEUR.
10 Ils disent aux voyants : « Ne voyez pas »,
et aux prophètes ^h : « Ne nous prophétisez pas des choses justes,
dites-nous des choses agréables,
prophétisez des chimères.
11 Détournez-vous du chemin,
écartez-vous de la route,
supprimez-nous le Saint d'Israël. »

12 Or voici ce que dit le Saint d'Israël :
Donc, vous rejetez cette parole,
vous faites confiance à l'oppression
et la fourberie est votre appui.
13 Aussi ce péché sera-t-il pour vous
comme une lézarde qui se creuse dans une haute muraille :
il se produit un renflement et, tout à coup, elle s'écroule.
14 Et de même se brise la jarre du potier
en petits morceaux, sans rémission,
et on ne trouverait pas dans ses débris
un tesson pour prendre du feu au foyer
ou pour puiser de l'eau dans la mare.

Dans le calme et la confiance

15 Car ainsi parle le Seigneur DIEU, le Saint d'Israël :
Votre salut est dans la conversion et le repos,
votre force est dans le calme et la confiance,
mais vous ne voulez pas.

16 Vous dites : « Non, nous fuirons à cheval »,
eh bien, vous fuirez.
« Nous prendrons des chars rapides »,
eh bien, vos poursuivants seront rapides.
17 Mille et un seront sous la menace d'un seul.
Sous la menace de cinq, vous prendrez la fuite,
jusqu'à n'être plus qu'un signal au sommet d'une montagne,
un étendard sur une colline ⁱ.

Le moment où le Seigneur vous fera grâce

18 Cependant le SEIGNEUR attend le moment de vous faire grâce,
il va se lever pour vous manifester sa miséricorde,
car le SEIGNEUR est un Dieu juste :
heureux tous ceux qui espèrent en lui.
19 Oui, peuple de *Sion, qui habites à Jérusalem,
tu ne pleureras plus.
Quand tu crieras, il te fera grâce.
A peine aura-t-il entendu qu'il aura répondu.
20 Il vous donnera du pain dans la détresse,
de l'eau dans l'oppression,
celui qui doit t'instruire ne se dérobera plus
et tes yeux le verront.
21 Tes oreilles entendront la voix qui dira derrière toi
quand tu devras aller ou à droite ou à gauche ^j :
« Voici le chemin, prenez-le. »
22 Tu tiendras pour profanes le placage d'argent de tes images taillées
et le revêtement d'or de tes idoles fondues.

---

g en deux exemplaires: probablement un exemplaire cacheté, qui servira de preuve, et un autre ouvert, facile à consulter. Voir Jr 32.11 ● h aux prophètes ou aux visionnaires ● i un étendard: comme signe de ralliement pour les fuyards; voir aussi 18.3 et la note ● j Autre traduction possible quand tu dévieras à droite ou à gauche

30.8 en deux exemplaires Es 29.11+ — texte témoin pour l'avenir Es 8.1-2; Jr 36.2; Ha 2.2-3. 30.9 peuple révolté Es 1.2, 4 — l'instruction du Seigneur Es 8.16, 20; 28.12. 30.10 voyants Es 29.10 — ne voyez pas Es 6.9 — ne prophétisez pas Jr 11.21; Am 2.12 — des choses agréables 2 Tm 4.3. 30.11 écarter Dieu Es 1.4; Jb 21.14 — le Saint d'Israël Es 1.4+. 30.12 se fier à l'oppression Ps 62.11 — s'appuyer sur la fourberie Es 28.15. 30.13 un mur lézardé qui s'écroule Ez 13.14. 30.14 comme une jarre irrémédiablement brisée Jr 19.11. 30.15 le Saint d'Israël Es 1.4+ — repos Es 28.12 — calme Es 7.4; 8.6 — vous ne voulez pas Mt 23.37. 30.16 fuite Es 22.3. 30.17 sous la menace d'un seul Dt 32.30 — comme un signal Es 1.8 — un étendard Es 5.26+. 30.18 un Dieu juste Es 5.16; Os 2.21; Ps 36.6-7; 48.10-12; 88.12-13 — heureux Ps 1.1+ — ceux qui espèrent en lui Es 8.17; 25.9; 26.8; 33.2; 49.23; 51.5; Ps 25.3+; 31.25+; Pr 16.20. 30.19 Jérusalem consolée Es 12.1; 25.8 — réponse immédiate Es 65.24. 30.22 idoles jetées dehors Es 2.20; 27.9.

Tu les jetteras comme une chose souillée
et tu leur diras : Hors d'ici !

De la pluie pour la semence

23 Il te donnera la pluie pour la semence
que tu auras semée en terre,
la nourriture que produira la terre
sera abondante et succulente.
Ce jour-là, tes troupeaux pourront
paître
dans de vastes pâturages.
24 Les bœufs et les ânes qui travaillent
la terre
mangeront du fourrage salé,
étalé avec la fourche et le croc.
25 Sur toute haute montagne, sur toute
colline élevée,
il y aura des cours d'eau abondants
au jour du grand massacre,
quand s'écrouleront les tours.
26 La lumière de la lune sera comme celle
du soleil
et la lumière du soleil sera multipliée
par sept
— comme la lumière de sept jours —
lorsque le SEIGNEUR bandera les plaies
de son peuple
et soignera les blessures qu'il a reçues.

L'Assyrie frappée à son tour

27 Voici venir de loin le *nom du
SEIGNEUR,
sa colère est ardente, écrasante,
ses lèvres débordent d'indignation,
sa langue est comme un feu dévorant.
28 Son souffle est comme un torrent qui
déborde
et monte jusqu'au cou.
Il va passer les nations au crible destructeur
et mettre aux mâchoires des peuples
le mors de l'égarement.
29 Vous chanterez comme la nuit où l'on
célèbre la fête k,
vous aurez le cœur joyeux,

comme celui qui marche au son de
la flûte,
qui va vers la montagne du SEIGNEUR,
vers le rocher d'Israël.
30 Le SEIGNEUR fera entendre sa voix
majestueuse
et on verra s'abattre son bras,
dans la violence de sa colère,
dans la flamme d'un feu dévorant,
dans une tornade de pluie et de grêle.
31 L'Assyrie sera terrifiée par la voix du
SEIGNEUR
qui la frappera du gourdin.
32 Chaque coup de bâton que lui donnera
le SEIGNEUR
sera accompagné par les tambourins
et les harpes
et, en agitant la main, Il combattra
contre lui.
33 Le bûcher est préparé à l'avance
— il l'est aussi pour le roi.
Tout au fond, sur une grande largeur,
on a entassé en rond une grande
quantité de bois pour le feu.
Le souffle du SEIGNEUR, comme un
torrent de soufre,
y mettra le feu.

Ceux qui cherchent du secours en Egypte

31 1 Malheur ! Ils descendent en
Egypte
pour y chercher du secours.
Ils s'en remettent à des chevaux,
ils font confiance aux chars parce qu'ils
sont nombreux,
aux cavaliers parce qu'ils sont en force,
mais ils n'ont pas un regard pour le
Saint d'Israël,
ils ne cherchent pas le SEIGNEUR.
2 Lui aussi, pourtant, il est habile :
il peut faire venir le malheur.
Il ne retire pas ce qu'il a dit.
Il se dresse contre le parti des méchants
et contre les malfaisants qu'on appelle
au secours.

---

k Probablement la grande fête d'automne (ou fête des tentes), qui comportait une célébration nocturne. Voir au glossaire CALENDRIER.

30.25 tours écroulées Es 2.12-15; 26.5. 30.26 lumière Es 9.1 — plaies et blessures du peuple Es 1.6 — soignées Os 6.1. 30.27 le nom du Seigneur Dt 12.5; 1 R 8.29. 30.28-29 intervention fracassante du Seigneur Es 28.2+. 30.28 égarement des peuples cf. Es 29.7; 2 R 6.18-20. 30.29 la fête 1 R 8.2-65; Ez 45.25; cf. Ps 81; 84; 122 — le rocher d'Israël Ps 28.1+. 30.30 la voix majestueuse du Seigneur Ps 29.4. 30.31 contre l'Assyrie Es 10.5-19 — gourdin Es 10.24-26 — le Seigneur contre l'Assyrie Es 14.24-27. 30.32 tambourin (après la victoire) Ex 15.20; Jg 11.34 — en agitant la main Es 11.15; 19.16. 30.33 soufre Gn 19.24; Ez 38.22. 31.1 contre l'Alliance avec l'Egypte Es 18.2+ — confiance aux chars Es 36.9 — pas un regard Es 5.12-24; 22.11 — le Saint d'Israël Es 1.4+ — chercher le Seigneur Ps 9.11+. 31.2 les malfaisants Ps 5.6; 6.9; 14.4; 28.3; 36.13; 53.5, etc. cf. Es 10.1; 29.20.

3 L'Egyptien est un homme, et non un
dieu,
ses chevaux sont chair, et non esprit.
Quand le SEIGNEUR étendra la main,
le protecteur trébuchera et le protégé
tombera *l* :
tous ensemble, ils seront anéantis.

Le Seigneur protégera Jérusalem

4 Ainsi m'a parlé le SEIGNEUR :
Quand le lion ou le lionceau
grogne sur sa proie,
malgré la foule des *bergers appelés
contre lui,
il n'est pas plus effarouché par leurs
cris
qu'intimidé par leur tapage.
C'est ainsi que le SEIGNEUR, le tout-
puissant,
descendra sur la montagne de *Sion,
sur sa colline,
pour y faire la guerre.
5 Comme les oiseaux déploient leurs
ailes,
le SEIGNEUR, le tout-puissant, protégera
Jérusalem.
Il protégera et délivrera,
il épargnera et sauvera.
6 Revenez vers celui dont on s'est profondément détourné,
fils d'Israël *m*.
7 Ce jour-là, chacun rejettera ses idoles
d'argent et ses idoles d'or,
celles que vos mains coupables ont
fabriquées.
8 L'Assyrie tombera sous une épée qui
n'est pas celle d'un homme,
ce n'est pas une épée humaine qui la
dévorera.
Elle s'enfuira devant l'épée
et ses jeunes guerriers seront soumis
à la corvée.
9 Son roc s'en ira, épouvanté,
et devant l'étendard *n*, ses chefs seront
consternés

— oracle du SEIGNEUR, dont le feu est
à Sion
et la fournaise à Jérusalem.

La justice régnera enfin

32 1 Alors le roi régnera selon la
justice,
les chefs gouverneront selon le droit.
2 Chacun d'eux sera comme un refuge
contre le vent,
un abri contre l'orage,
ils seront comme des cours d'eau dans
une terre desséchée,
comme l'ombre d'un gros rocher dans
un pays aride.
3 Les yeux de ceux qui voient ne seront
plus fermés,
les oreilles de ceux qui entendent seront attentives.
4 Les gens pressés réfléchiront pour comprendre
et la langue de ceux qui bégayent
parlera vite et distinctement.
5 On ne donnera plus à l'insensé le nom
de magnanime
et on ne dira plus au fourbe qu'il est
généreux.
6 L'insensé, en effet, profère des folies
et dans son *cœur il médite le mal :
il agit en impie
et adresse au SEIGNEUR des *blasphèmes,
il laisse l'affamé le ventre vide
et laisse manquer de boisson celui
qui a soif.
7 Quant au fourbe, ses manœuvres sont
criminelles :
il met au point des machinations
pour perdre les malheureux par des
déclarations fausses,
au moment où ces pauvres gens plai-
dent leur cause.
8 Mais celui qui est magnanime a de
nobles intentions
et il n'entreprend que de nobles actions.

---

l Le prophète annonce la défaite des Egyptiens (*le protecteur*), survenue en 701 av. J.C. à Elteqé,
soit à une quarantaine de km à l'ouest de Jérusalem — *le protégé*: sans doute le royaume de
Juda ● *n son roc*: expression imagée décrivant sans doute le roi; comparer avec 32.1-2 —
l'étendard: voir 18.3; 30.17 et les notes

31.3 un homme et non un dieu Ps 146.3 — anéantis Es 1.28; 10.18; 29.20. 31.5 ailes protec-
trices Ps 17.8+ — le Seigneur protège Jérusalem Es 29.5-8; 36—37. 31.6 détournés de Dieu
Es 1.2-4. 31.7 idoles fabriquées Es 17.7-8; cf. Ps 115.4-7+ — rejetées Es 2.20; 30.22. 31.9
étendard Es 5.26+ — le feu du Seigneur à Sion Es 33.14. 32.1 selon la justice Es 9.6; 11.4;
Jr 23.5-6 — les chefs gouverneront selon le droit Es 1.21-27; 26.8. 32.2 un refuge Es 16.4;
25.4. 32.3 yeux ouverts, oreilles attentives Es 35.5; cf. 6.10. 32.4 gens pressés Es 35.4 — ceux
qui bégayent cf. Es 28.10-11. 32.5 chacun jugé à sa vraie valeur Es 5.20. 32.6 l'insensé profère
des folies Pr 15.2. 32.7 machinations Mi 2.1 — perdre des malheureux Es 29.20-21.

Avertissement aux femmes insouciantes

9 Femmes indolentes, levez-vous, écoutez-moi !
Filles insouciantes, prêtez l'oreille à ce que je vais dire :
10 Dans un an révolu, vous frémirez, vous les insouciantes,
car la vendange sera terminée
et il n'y aura plus de récolte.
11 Tremblez, vous les indolentes,
frémissez, vous les insouciantes,
quittez vos vêtements, dépouillez-vous,
mettez un pagne sur vos reins [o].
12 On gémit en se frappant la poitrine
sur les campagnes riantes
et sur les vignes fécondes,
13 sur la terre de mon peuple
où montent les buissons d'épines,
sur toutes les maisons joyeuses
de la cité en liesse.
14 Le palais est abandonné,
la ville tumultueuse est délaissée.
L'Ofel avec la tour de guet
serviront de cavernes pour toujours,
pour la joie des onagres [p]
et la provende des troupeaux...

La justice produira la paix

15 ...jusqu'à ce que d'en haut, l'esprit soit répandu sur nous.
Alors le désert deviendra un verger,
tandis que le verger aura la valeur d'une forêt.
16 Le droit habitera dans le désert
et dans le verger s'établira la justice.
17 Le fruit de la justice sera la paix :
la justice produira le calme et la sécurité pour toujours.
18 Mon peuple s'établira dans un domaine paisible,
dans des demeures sûres, tranquilles lieux de repos
19 — mais la forêt s'écroulera sous la grêle
et la ville tombera très bas —.
20 Heureux serez-vous :
vous sèmerez partout où il y a de l'eau,
vous lâcherez sans entrave le bœuf et l'âne.

Le dévastateur sera dévasté à son tour

33 1 Malheur ! toi qui dévastes et n'as pas été dévasté,
toi qui surprends et qu'on n'a pas surpris.
Quand tu auras cessé de dévaster, tu seras dévasté,
quand tu auras fini d'agir par surprise, on te surprendra.
2 SEIGNEUR, aie pitié de nous ! Nous espérons en toi.
Sois notre force chaque matin
et notre délivrance au temps de la détresse.
3 Au bruit du tonnerre, les peuples s'enfuient,
quand tu te lèves, les nations se dispersent.
4 Le butin s'amasse comme s'amassent les sauterelles,
on s'y précipite comme se précipitent les criquets.
5 Le SEIGNEUR est exalté,
car il réside sur les hauteurs,
il remplit *Sion de droit et de justice.
6 La sécurité de tes jours, ce seront les richesses du salut.
La sagesse, la connaissance et la crainte du SEIGNEUR :
tel sera son trésor.

Le pays est en deuil

7 Voici : ceux d'Ariel [q] poussent des cris dans les rues,
les messagers de paix pleurent amèrement.

o un pagne sur vos reins: en signe de deuil • *p* L'*Ofel* est le site de l'ancienne *Sion, au sud de la colline du Temple — *des onagres* ou *des ânes sauvages* • *q ceux d'Ariel* (voir 29.1, 2, 7): traduction conjecturale

32.9 femmes Es 3.16-24 indolentes Am 6.1. **32.11** dépouillez-vous Es 20.2; Mi 1.8 — un pagne sur les reins Es 15.3; 22.12; 37.1-2; Jr 4.8; 6.26, etc. **32.12** se frapper la poitrine Lc 23.48 — lamentation sur la prospérité perdue Es 16.9; 28.1; cf. Ap 18.9-19. **32.13** buissons d'épines Es 5.6+ — la cité en liesse Es 22.2+. **32.14** ville délaissée Es 24.10-11 — l'Ofel 2 Ch 27.3; Ne 3.27 — ville abandonnée aux troupeaux Es 7.25+. **32.15** l'esprit répandu sur nous Es 11.2; 44.3; Ez 37.9-10; Jl 3.1-2 — retournement de situation Es 29.17+. **32.17** justice et paix Es 9.6; Ps 72.2-3; Jc 3.18 — calme et sécurité Es 30.15; 33.15-16. **32.18** lieux de repos Es 28.12; Jr 23.6. **32.20** Heureux ! Es 30.18; Ps 1.1+. **33.1** toi qui dévastes,... qui surprends Es 21.2; 24.16 — la situation se retourne contre l'Assyrie Es 10.24-26; 30.31-32; cf. Jr 30.16; Ha 2.8. **33.2** aie pitié de nous Es 30.18-19; Ps 67.2; 123.3 — Nous espérons en toi Es 25.9; Ps 33.22 — sois notre force Es 12.2-3; 26.1; Ps 46.2 — au temps de la détresse Ps 77.3+. **33.3** dispersion des nations Es 17.13; Nb 10.35; Ps 68.2. **33.5** exaltation du Seigneur Es 2.11, 17 — droit et justice à Sion Es 1.27; 32.1. **33.6** sagesse, crainte du Seigneur Es 11.2; Ps 111.10+.

⁸ Les chaussées sont désertes,
plus de passants sur les chemins.
L'alliance ʳ est rompue, les villes rejetées,
personne ne compte plus.
⁹ Le pays est en deuil, il dépérit.
Le Liban perd la face, il se flétrit.
Le Sharôn devient comme la Araba.
Le Bashân et le Carmel se dégar-
nissent ˢ.
¹⁰ Maintenant, dit le SEIGNEUR, je vais
me lever,
maintenant, je vais me dresser,
maintenant, je vais être exalté.
¹¹ Vous concevez du foin, vous enfantez
de la paille,
votre souffle est le feu qui vous dévorera.
¹² Les peuples seront brûlés à la chaux ᵗ,
ils seront comme des épines coupées
qui s'enflamment.
¹³ Ecoutez, vous qui êtes loin, ce que
j'ai fait ;
vous qui êtes proches, sachez quelle
est ma puissance.

Qui pourra tenir devant le Seigneur ?

¹⁴ Dans *Sion, les pécheurs sont atterrés,
un tremblement saisit les impies.
Qui d'entre nous pourra tenir ? C'est
un feu dévorant.
Qui d'entre nous pourra tenir ? C'est
une fournaise sans fin.
¹⁵ Celui qui se conduit selon la justice,
qui parle sans détour,
qui refuse un profit obtenu par la
violence,
qui secoue les mains pour ne pas
accepter un présent,
qui se bouche les oreilles pour ne pas
écouter les paroles homicides,

qui ferme les yeux pour ne pas regarder ce qui est mal.
¹⁶ Celui-là résidera sur les hauteurs,
les rochers fortifiés seront son refuge,
le pain lui sera fourni, l'eau lui sera
assurée.

Jérusalem délivrée

¹⁷ Tes yeux contempleront le roi dans sa
beauté,
ils verront le pays dans toute son
étendue.
¹⁸ Tu songeras à ce qui te terrorisait :
Où est-il, celui qui inspectait ?
Où est-il celui qui contrôlait ?
Où est l'inspecteur des fortifications ?
¹⁹ Tu ne verras plus le peuple arrogant,
le peuple à la langue impénétrable,
au langage ridicule et incompréhensible.
²⁰ Contemple *Sion, la cité de nos solennités,
tes yeux verront Jérusalem, domaine
tranquille,
tente qu'on ne démontera plus,
dont les piquets ne seront plus jamais
arrachés,
dont les cordes ne seront plus enlevées.
²¹ C'est là que le SEIGNEUR sera pour
nous magnifique,
ce sera une région de larges fleuves
et de vastes canaux ;
mais aucun vaisseau à rame n'y passera,
le navire magnifique ne la traversera
pas.
²² — Oui. le SEIGNEUR est notre juge, il
est notre législateur.
Le SEIGNEUR est notre roi,
c'est lui qui nous délivre.
²³ Tes cordes sont relâchées,

---

r Rien n'indique s'il s'agit de l'alliance avec Dieu (voir au glossaire) ou d'une alliance avec un
royaume étranger ● s Le Liban: voir 10.34 et la note — Le Sharôn: plaine fertile qui s'étend
en bordure de la Méditerranée, au sud du mont Carmel — la Araba: profonde vallée d'effondrement, où coule le Jourdain. Elle se prolonge jusqu'à la mer Rouge. La partie située au sud de
la mer Morte est particulièrement aride — Le Bashân: voir Ps 22.13 et la note; région riche par
ses bois de chênes et ses élevages de gros bétail ● le Carmel (dont le nom signifie verger) est
une montagne qui s'avance dans la Méditerranée, au sud de l'actuelle ville d'Haïfa ● t Autre
traduction possible les peuples seront comme des fours à chaux (les uns pour les autres)

33.8 alliance rompue Es 24.5. 33.9 pays en deuil Es 24.4 — le Liban Es 2.13+ ; 37.24 — le
Sharôn Es 35.2; 65.10; 1 Ch 27.29 — le Bashân Es 2.13+ ; Ez 39.18; Ps 22.13; 68.16 — le Carmel
Na 1.4. 33.10 le Seigneur va se lever Ps 12.6. 33.11 vous enfantez de la paille Es 26.18; 59.4; Ps
7.15. 33.12 brûlés Es 1.31; 9.17-18; cf. Am 2.1 — épines Es 5.6+ ; enflammées Es 10.16-17.
33.13 lointains Es 49.1 et prochains Es 57.19. 33.14 Qui pourra...? Ps 15.1; 24.3; cf. 34.13 —
feu dévorant (présence du Seigneur) Es 4.5; 30.27; 31.9; Dt 9.3. 33.15 celui qui... Ps 15.2-5; 24.4;
cf. Ez 18.5-9; 22.6-16; Ps 118.19-20 — refuser un présent cf. Es 1.23; 5.23; Ps 15.5 — ne pas écouter...
Pr 1.10-16. 33.18 ce qui te terrorisait Es 37.1-6. 33.19 langage incompréhensible Es 28.11.
33.20 Sion, lieu de fête Es 30.29 et de tranquillité Ps 122.1-4; cf. Es 32.18; Ps 46.6. 33.21 le
Seigneur magnifique à Sion Es 12.6 — larges fleuves Es 12.3; Ez 47.1-12; Ps 46.5. 33.22 le
Seigneur notre juge Es 2.4; Ps 50, 6 — notre roi Es 6.5; Ps 93.1 — libérateur Es 12.2; 25.9.

elles ne maintiennent plus le mât,
on ne déploie pas l'étendard u.

Alors, on partagera le produit du pillage, en quantité,
les boiteux eux-mêmes s'empareront

du butin.
24 Aucun habitant ne dira plus : « Je
suis malade. »
Le peuple qui habite Jérusalem sera
absous de son péché.

Le Seigneur va juger la terre entière

34 1 Approchez, nations, pour écouter,
peuples, soyez attentifs.
Que la terre écoute, avec tout ce
qu'elle contient,
le monde, avec tout ce qui en procède.
2 Le courroux du SEIGNEUR est dirigé
contre toutes les nations,
sa fureur contre leur armée entière.
Il les voue à l'interdit v,
il les livre au massacre.
3 Leurs morts seront jetés en désordre,
de leurs cadavres montera la puanteur
et les montagnes ruisselleront de leur
sang.
4 Toute l'armée des cieux se décom-
posera,
les cieux seront roulés comme un document
et toute leur armée tombera
comme tombent les feuilles de la
vigne
et celles du figuier.

Le grand massacre au pays d'Edom

5 Mon épée, dit le Seigneur, est ivre
dans les cieux.
Voici qu'elle s'abat sur Edom w,
sur le peuple que j'ai voué au châtiment.
6 L'épée du SEIGNEUR est pleine de sang,
rassasiée de graisse,
du sang des agneaux et des boucs,

de la graisse des rognons de béliers,
car il y a pour le SEIGNEUR un *sacrifice de Boçra x,
un grand massacre au pays d'Edom.
7 En même temps tomberont les buffles,
les taurillons et les taureaux :
leur pays s'enivrera de sang,
la poussière y sera rassasiée de graisse.
8 C'est pour le SEIGNEUR un jour de vengeance,
c'est l'année des comptes dans le con-
tentieux avec *Sion.
9 Les torrents d'Edom vont être changés en poix
et la poussière en soufre.
Ce pays deviendra de la poix brûlante,
10 qui ne s'éteindra ni la nuit ni le jour,
la fumée en montera sans cesse :
d'âge en âge, il restera désert,
jamais plus on n'y passera.
11 Ce sera le domaine du hibou et du
hérisson,
la chouette et le corbeau y habiteront.
Le Seigneur y fera passer le cordeau
du vide
avec le niveau du chaos y.
12 Les nobles n'y proclameront plus de
roi,
tous les chefs auront disparu.
13 Dans ses forteresses pousseront des
ronces,
dans ses fortifications, des orties et
des chardons.

---

u *l'étendard:* voir 18.3 et la note ● v *vouer à l'interdit:* voir Dt 2.34 et la note ● w *Edom:* voir
la note sur 21.11 ● x *Boçra,* à environ 35 km au sud de la mer Morte, fut pendant un certain
temps la capitale du royaume édomite ● y *le cordeau, le niveau:* voir la note sur 28.17. L'A.T.
emploie parfois ces deux mots comme images évoquant la destruction — *vide, chaos:* les mots
hébreux correspondants évoquent l'état du monde avant la création (voir Gn 1.2)

33.23 étendard Es 5.26+ — partage du butin Es 9.2. **33.24** absous de son péché Mi 7.18-19.
34.1 convocation des nations Es 41.1; 49.1; Am 3.9; Mi 1.2. **34.2** courroux du Seigneur contre
les nations Es 30.27-28. **34.3** cadavres jetés en désordre Es 5.25; 14.19-20. **34.4** l'armée des
cieux Es 24.21 en décomposition Es 24.23 — cieux roulés comme un document Ap 6.12-14.
34.5 l'épée du Seigneur Es 27.1; 66.16; Jr 12.12; 46.10; Ez 21.13-22 — contre Edom Es 63.1-6;
Jl 4.19; Ps 137.7; Lm 4.21-22. **34.6** Boçra Es 63.1; Jr 49.13, 22; Am 1.12 — massacre-sacri-
fice Jr 46.10; Ez 39.17-20; So 1.7. **34.8** Dieu venge son peuple Es 35.4; 59.18; 61.2; 63.4;
66.6; Jr 50.28; 51.6, 11. **34.11** pays hanté par les animaux sauvages Es 13.21+ — cordeau,
niveau Es 28.17; 2 R 21.13 — chaos Gn 1.2. **34.13** ronces cf. Es 5.6+.

Ce sera le repaire des chacals,
l'aire des autruches.
14 Les chats sauvages y rencontreront
les hyènes,
les satyres s'y répondront.
Et là aussi s'installera Lilith-*z* :
elle y trouvera le repos.
15 C'est là que le serpent fera son nid,
pondra, couvera ses œufs
et les fera éclore sous sa protection.
Là aussi se rassembleront les vautours,
chacun avec son compagnon.

16 Cherchez dans le livre du SEIGNEUR *a*
et lisez :
« Aucun d'entre eux ne manquera,
aucun ne s'inquiètera de son compagnon,
car c'est la bouche du Seigneur qui a
donné l'ordre,
c'est son esprit qui les a rassemblés.
17 Lui-même, il a jeté le sort pour chacun d'eux
et sa main leur a partagé le pays au
cordeau.
Pour toujours, ils le posséderont,
d'âge en âge, ils y demeureront. »

La route du Seigneur

35 1 Qu'ils se réjouissent, le désert et
la terre aride,
que la steppe exulte et fleurisse,
2 qu'elle se couvre de fleurs des champs,
qu'elle saute et danse et crie de joie !
La gloire du Liban lui est donnée,
la splendeur du Carmel et du Sharôn *b*
et on verra la gloire du SEIGNEUR,
la splendeur de notre Dieu.

3 Rendez fortes les mains fatiguées,
rendez fermes les genoux chancelants,
4 Dites à ceux qui s'affolent :
Soyez forts, ne craignez pas.
Voici votre Dieu :
c'est la vengeance qui vient,
la rétribution de Dieu.
Il vient lui-même vous sauver.
5 Alors, les yeux des aveugles verront
et les oreilles des sourds s'ouvriront.
6 Alors, le boîteux bondira comme un
cerf
et la bouche du muet criera de joie.
Des eaux jailliront dans le désert,
des torrents dans la steppe.
7 La terre brûlante se changera en lac,
la région de la soif en sources jaillissantes.
Dans le repaire où gîte le chacal,
l'herbe deviendra roseau et papyrus *c*.
8 Là, on construira une route
qu'on appellera la voie sacrée.
L'*impur n'y passera pas
— car le Seigneur lui-même ouvrira
la voie *d* —
et les insensés ne viendront pas s'y
égarer.
9 On n'y rencontrera pas de lion,
aucune bête féroce n'y accédera
— on n'en trouvera pas.
Ceux qui appartiennent au Seigneur
prendront cette route.
10 Ils reviendront, ceux que le SEIGNEUR
a rachetés,
ils arriveront à *Sion avec des cris de
joie.
Sur leurs visages, une joie sans limite !
Allégresse et joie viendront à leur rencontre,
tristesse et plainte s'enfuiront.

---

z les satyres: voir 13.21 et la note — *Lilith:* un démon femelle de la mythologie babylonienne ● *a le livre du Seigneur:* ouvrage inconnu aujourd'hui; il contenait peut-être un certain nombre de messages du prophète Esaïe. Le passage cité ici (v. 16 *b* et 17) pourrait y avoir fait suite à 13.20-22 ● *b Liban, Carmel, Sharôn:* voir 33.9 et la note ● *c roseau et papyrus:* plantes nombreuses dans les terrains très humides, en particulier le long du Nil ● *d le Seigneur lui-même ouvrira la voie;* autre traduction possible *ce sera pour eux le chemin à suivre*

34.14 ville désertée hantée par les démons Es 13.21+. **34.16** le livre du Seigneur Es 29.18; Ap 20.12+. **35.1** désert et steppe fertilisés Es 41.18-19. **35.2** Liban, Carmel, Sharôn Es 33.9+ — la splendeur de notre Dieu Es 40.5; Ex 16.10. **35.3** fatigués... fortifiés Es 40.29-30. **35.4** rassurer ceux qui s'affolent Es 7.2-4 — vengeance, rétribution Es 34.8; 40.10. **35.5** les sourds entendront Es 29.18. **35.6** le boîteux bondira Mt 11.5 — le muet cf. Es 32.4 — de l'eau dans le désert Es 43.20; 44.3. **35.7** des sources jaillissantes Es 41.18. **35.8** une route Es 11.16; 43.19; 49.11 — voie sacrée Es 40.3; 62.10-12 — l'impur Es 52.1. **35.10** ensemble du verset Es 51.11 — retour des exilés Es 27.13 — cris de joie Es 30.29; 61.3

Le roi d'Assyrie menace Jérusalem
(*Voir 2 R 18.13, 17-37*)

36 ¹ La quatorzième année du règne d'Ezéchias, Sennakérib, roi d'Assyrie, monta contre toutes les villes fortifiées de Juda et s'en empara *e*. ² Le roi d'Assyrie envoya son aide de camp de Lakish à Jérusalem vers le roi Ezékias, avec une armée importante. Il se tint près du canal du réservoir supérieur, sur la chaussée du champ du Foulon *f*. ³ Le chef du palais, Elyaqîm fils de Hilqiyahou, le secrétaire Shevna et le héraut *g* Yoah fils d'Asaf sortirent vers lui. ⁴ L'aide de camp leur dit : « Dites à Ezékias : Ainsi parle le Grand Roi, le roi d'Assyrie : Quelle est cette confiance sur laquelle tu te reposes ? ⁵ Tu as dit : "Il suffit d'un mot pour trouver conseil et force dans la guerre !" En qui donc as-tu mis ta confiance pour te révolter contre moi ? ⁶ Voici que tu as mis ta confiance sur l'appui de ce roseau brisé, sur l'Egypte, qui pénètre et transperce la main de quiconque s'appuie sur lui : tel est le *Pharaon, roi d'Egypte, pour tous ceux qui mettent leur confiance en lui. ⁷ Tu me dis : "C'est dans le SEIGNEUR notre Dieu que nous avons mis notre confiance." Mais n'est-ce pas lui dont Ezékias a fait disparaître les *hauts lieux et les *autels en disant à Juda et à Jérusalem : "C'est devant cet autel, à Jérusalem, que vous vous prosternerez ?" ⁸ Lance donc un défi à mon seigneur, le roi d'Assyrie, et je te donnerai deux mille chevaux si tu peux te procurer des cavaliers pour les monter ! ⁹ Comment pourrais-tu faire tourner bride à un simple gouverneur, le moindre des serviteurs de mon seigneur, toi qui as mis ta confiance dans l'Egypte pour des chars et des cavaliers ? ¹⁰ D'ailleurs, est-ce sans l'assentiment du SEIGNEUR que je monte contre

ce pays pour le détruire ? C'est le SEIGNEUR qui me l'a dit : Monte contre ce pays et détruis-le. »

¹¹ Elyaqîm, Shevna et Yoah dirent à l'aide de camp : « Veuille parler à tes serviteurs en araméen, car nous comprenons cette langue, mais ne nous parle pas en judéen *h* aux oreilles du peuple qui est sur la muraille. » ¹² L'aide de camp répondit : « Est-ce à ton maître et à toi que mon maître m'a envoyé dire ces paroles ? N'est-ce pas aux hommes assis sur la muraille et qui sont réduits comme vous à manger leurs excréments et à boire leur urine ? » ¹³ L'aide de camp se tint debout et cria d'une voix forte en langue judéenne ; il dit : « Ecoutez les paroles du Grand Roi, du roi d'Assyrie. ¹⁴ Ainsi parle le roi : Qu'Ezékias ne vous abuse pas, car il ne peut vous délivrer. ¹⁵ Qu'Ezékias ne vous persuade pas de mettre votre confiance dans le SEIGNEUR en disant : "Sûrement le SEIGNEUR nous délivra, cette ville ne sera pas livrée aux mains du roi d'Assyrie." ¹⁶ N'écoutez pas Ezékias, car ainsi parle le roi d'Assyrie : Liez-vous d'amitié avec moi, rendez-vous à moi, et chacun de vous mangera des fruits de sa vigne et de son figuier et boira l'eau de sa citerne, ¹⁷ en attendant que je vienne vous prendre pour vous mener dans un pays comme le vôtre, un pays de blé et de vin nouveau, un pays de pain et de vignobles. ¹⁸ Qu'Ezékias ne vous trompe pas en disant : "Le SEIGNEUR nous délivrera." Les dieux des nations ont-ils pu délivrer leur propre pays des mains du roi d'Assyrie ? ¹⁹ Où sont-ils, les dieux de Hamath et d'Arpad ? Où sont-ils, les dieux de Sefarwaïm *i* ? Ont-ils délivré Samarie de mes mains ? ²⁰ Lequel de tous les dieux de ces pays a pu délivrer son pays de mes mains, pour que le SEIGNEUR puisse délivrer Jérusalem de mes mains ? » ²¹ Le peuple

---

e Les chapitres 36—39 reproduisent avec peu de changements 2 R 18.13—20.19. L'attaque assyrienne contre le royaume de Juda eut lieu en 701 av. J.C. ● *f Lakish:* voir 2 R 14.19 et la note — *canal du réservoir supérieur:* voir la note sur 22.11 — *chaussée du champ du Foulon:* voir 2 R 18.17 et la note. C'est à cet endroit que le prophète Esaïe avait rencontré le roi Akhaz d'après Es 7.3 ● *g le héraut* ou *le porte-parole du roi* ● *h en araméen, en judéen:* voir 2 R 18.26 et la note ● *i Hamath, Arpad:* voir 10.9 et la note — La ville de *Sefarwaïm* n'a pas été identifiée

36.1 invasion assyrienne Es 7.17-20; 8.7-8. **36.2** le réservoir supérieur Es 7.3; 2 R 18.17. **36.3** Elyaqîm Es 22.20-23 — Shevna Es 22.15-19. **36.4** le Grand Roi Os 5.13; 10.6 — le discours du roi d'Assyrie Es 10.8-14. **36.5** la révolte d'Ezékias 2 R 18.7. **36.6** confiance dans l'Egypte Es 30.2-3; cf. 37.9 — contre l'alliance avec l'Egypte Es 18.2+. **36.7** Ezékias a fait disparaître les hauts lieux 2 R 18.4. **36.9** un simple gouverneur assyrien Es 10.8 — chars et cavaliers d'Egypte Es 31.1. **36.10** l'Assyrie, instrument du Seigneur Es 10.5+. **36.15** Jérusalem non prise Es 37.10. **36.16** la vigne et le figuier Os 2.14+. **36.17** blé, vin nouveau... Dt 7.13; 11.14; 12.17; 14.23; Os 2.10, 24. **36.19** Hamath et Arpad Es 10.9; 37.13 — Sefarnaïm 2 R 17.24 — Samarie Es 10.11.

garda le silence et ne lui répondit pas un mot, car l'ordre du roi était : « Vous ne lui répondrez pas. »

²² Le chef du palais Elyaqîm, fils de Hilqiyahou, le secrétaire Shevna et le héraut Yoah, fils d'Asaf, revinrent vers Ezékias, les vêtements *déchirés. et lui rapportèrent les paroles de l'aide de camp.

Ezékias consulte le prophète Esaïe
(*Voir 2 R 19.1-9*)

37 ¹ Quand le roi Ezékias les eut entendus, il *déchira ses vêtements, revêtit le *sac et se rendit à la Maison du SEIGNEUR. ² Puis il envoya le chef du palais Elyaqîm, le secrétaire Shevna et les plus anciens des prêtres, tous revêtus du sac, vers le *prophète Esaïe, fils d'Amoç ³ pour lui dire : « Ainsi parle Ezékias : Ce jour est un jour de détresse, de châtiment et de honte ! Des fils se présentent à la sortie du sein maternel, mais il n'y a pas de force pour enfanter. ⁴ Peut-être le SEIGNEUR ton Dieu entendra-t-il les paroles de l'aide de camp que son maître, le roi d'Assyrie, a envoyé pour insulter le Dieu Vivant et le châtiera-t-il pour les paroles que le SEIGNEUR ton Dieu aura entendues. Fais monter vers lui une prière en faveur du reste qui subsiste. »

⁵ Les serviteurs du roi Ezékias arrivèrent auprès d'Esaïe ⁶ qui leur dit : « Vous parlerez ainsi à votre maître : Ainsi parle le SEIGNEUR : Ne crains pas les paroles que tu as entendues et par lesquelles les serviteurs du roi d'Assyrie m'ont outragé. ⁷ Voici ce que je vais lui souffler : sur une nouvelle qu'il apprendra, il retournera dans son pays. Je le ferai tomber par l'épée dans son propre pays. »

⁸ L'aide de camp revint trouver le roi d'Assyrie qui se battait contre Livna *ʲ*. Il avait appris, en effet, que le roi était parti de Lakish ⁹ après avoir reçu cette nouvelle au sujet de Tirhaqa, roi de Nubie *ᵏ* : « Il s'est mis en campagne pour t'attaquer. »

Nouvelles menaces du roi d'Assyrie
(*Voir 2 R 19.9-13*)

A cette nouvelle, le roi d'Assyrie avait envoyé des messagers à Ezékias en leur disant : ¹⁰ « Vous parlerez ainsi à Ezékias, roi de Juda : Que ton Dieu en qui tu mets ta confiance ne t'abuse pas en disant : "Jérusalem ne sera pas livrée aux mains du roi d'Assyrie." ¹¹ Toi-même, tu as appris ce que les rois d'Assyrie ont fait à tous les pays qu'ils ont voués à l'interdit *ˡ* et toi, tu serais délivré ! ¹² Les dieux des nations que mes pères ont détruites ont-ils délivré Gozân, Harrân, Rècef et les fils d'Eden qui étaient à Telassar *ᵐ* ? ¹³ Où sont le roi de Hamath, le roi d'Arpad, le roi de Laïr, de Sefarwaïm, de Héna et de Iwa *ⁿ* ? »

Ezékias fait appel au Seigneur
(*Voir 2 R 19.14-19*)

¹⁴ Ezékias prit la lettre des mains des messagers, la lut, monta à la Maison du SEIGNEUR *ᵒ* et déroula la lettre devant le SEIGNEUR. ¹⁵ Il pria le SEIGNEUR en disant ¹⁶ « SEIGNEUR tout-puissant, Dieu d'Israël, toi qui sièges sur les *chérubins, tu es le seul Dieu de tous les *royaumes de la terre. C'est toi qui as fait le ciel et la terre. ¹⁷ Tends l'oreille, SEIGNEUR et écoute ! Ouvre les yeux, SEIGNEUR, et regarde ! Entends toutes les paroles de Sennakérib qui a envoyé insulter le Dieu Vivant. ¹⁸ Il est vrai, SEIGNEUR, que les rois d'Assyrie ont dévasté toutes les nations avec leurs pays. ¹⁹ Ils ont livré au feu leurs dieux ; mais ces dieux n'étaient pas Dieu ; ils n'étaient que l'œuvre des mains de l'homme, du bois et de la pierre — et les rois d'Assyrie les ont

---

j Livna: voir 2 R 8.22 et la note ● *k Nubie*: voir la note sur 11.11 ● *l vouer à l'interdit*: voir Dt 2.34 et la note ● *m Gozân, Harrân, Rècef, les fils d'Eden, Telassar*: voir 2 R 19.12 et la note ● *n Hamath, Arpad*: voir 10.9 et la note — *Sefarwaïm*: voir 36.19 et la note — *Laïr, Héna, Iwa*: voir 2 R 19.13 et la note sur 2 R 19.12 ● *o la Maison du Seigneur*: le Temple de Jérusalem

36.22 vêtements déchirés Es 37.1; Gn 37.29; 34; 44.13; Jos 7.6; 2 S 1.11, etc. **37.2** consultation du prophète 2 R 22.12-14. **37.3** pas de force pour enfanter Os 13.13; cf. Es 26.18. **37.4** Dieu vivant Os 2.1; Dt 5.26+ — insulté Es 36.18-20; 37.23-24 — reste Es 4.3+. **37.6** ne crains pas Es 7.4; 10.24; 41.10-14. **37.7** par l'épée 2 R 19.37. **37.9** au sujet du roi de Nubie (et d'Egypte) Es 7.18; 36.6. **37.10** Jérusalem ne sera pas livrée Es 36.15. **37.12** dieux des nations vaincues Es 10.10-11. **37.13** Hamath, Arpad, etc. Es 10.9; 36.19; 2 R 18.34. **37.16** chérubins Ps 18.11+. **37.17** Seigneur, regarde... Dn 9.18. **37.19** les dieux fabriqués par les hommes Es 2.8; Dt 4.28; Jr 1.16; 2.28; 44.8; Os 14.4+ en — bois ou en pierre Es 40.20; 44.13-17; Dt 28.36, 64; Jr 2.27; 3.9; Ez 20.32; cf. Ps 115.4-7.

détruits. ²⁰ Mais toi, SEIGNEUR notre Dieu, sauve-nous de ses mains et tous les royaumes de la terre sauront que toi seul, tu es le SEIGNEUR. »

Esaïe transmet la réponse du Seigneur
(*Voir 2 R 19.20-34*)

²¹ Esaïe, fils d'Amoç, envoya dire à Ezékias : « Ainsi parle le SEIGNEUR, Dieu d'Israël auquel tu as adressé ta prière au sujet de Sennakérib, roi d'Assyrie : ²² Voici la parole que le SEIGNEUR prononce contre lui :

Elle te méprise, elle se moque de toi, la vierge, fille de Sion.
Elle hoche la tête derrière ton dos, la fille de Jérusalem *p*.
²³ Qui as-tu insulté et outragé ?
Contre qui as-tu élevé la voix et porté si haut tes regards ?
Contre le Saint d'Israël.
²⁴ Par tes messagers, tu as insulté le Seigneur.
Tu as dit : "Avec la multitude de mes chars,
je suis monté au sommet des montagnes,
aux retraites inaccessibles du Liban *q*,
pour couper la futaie de ses cèdres,
les plus beaux de ses cyprès
et atteindre son plus haut refuge, son parc forestier.
²⁵ J'ai creusé et j'ai bu des eaux,
j'ai asséché, sous la plante de mes pieds,
tous les canaux d'Egypte."

²⁶ Ne sais-tu pas que depuis longtemps j'ai fait ce projet,
que depuis les temps anciens je l'ai formé ?
A présent, je le réalise :
Il t'appartient de réduire en tas de pierres
les villes fortifiées.
²⁷ Leurs habitants ont la main courte *r*,
ils sont consternés, confondus,

ils sont comme l'herbe des champs
et la verdure du gazon,
comme les plantes qui poussent sur les toits
et dans la campagne,
avant maturation.
²⁸ Quand tu t'assieds, quand tu sors, quand tu entres,
je le sais
et aussi quand tu trembles de rage contre moi.
²⁹ Parce que tu as tremblé de rage contre moi
et que ton arrogance est montée à mes oreilles,
je mettrai un anneau dans ton nez
et un mors à tes lèvres :
je te ramènerai par le chemin
par lequel tu es venu.
³⁰ Ceci te servira de signe *s* :
cette année, on mangera le regain,
l'année suivante, ce qui poussera tout seul,
mais la troisième année,
semez, moissonnez, plantez des vignes,
et mangez-en les fruits.
³¹ Ce qui a échappé de la maison de Juda,
ce qui a été laissé,
poussera de nouveau des racines en profondeur
et, en haut, produira des fruits,
³² car de Jérusalem sortira un reste,
et de la montagne de Sion, des rescapés.
L'ardeur du SEIGNEUR, le tout-puissant, fera cela.

³³ C'est pourquoi ainsi parle le SEIGNEUR au sujet du roi d'Assyrie :
Il n'entrera pas dans cette ville,
il n'y lancera pas de flèches,
il ne l'attaquera pas avec des boucliers,
il n'élèvera pas de remblais contre elle.
³⁴ Le chemin qu'il a pris, il le reprendra,
dans cette ville il n'entrera pas — oracle du SEIGNEUR.
³⁵ Je protégerai cette ville et je la sauverai
à cause de moi et à cause de mon serviteur David. »

---

p *fille de Sion, fille de Jérusalem:* voir 1.8 et la note ● q *Liban:* voir 10.34 et la note ● r *la main courte:* expression imagée signifiant qu'on a peu de moyens d'agir ● s A partir du v. 30 le prophète s'adresse au roi Ezékias

37.20 les royaumes sauront... 1 R 8.60. **37.21** ta prière Es 38.5. **37.22** hochements de tête Ps 22.8+. **37.23** regards hautains des Assyriens Es 10.12 — le Saint d'Israël Es 1.4+. **37.24-25** le roi d'Assyrie se vante Es 10.7-11, 13-14. **37.24** le Liban Es 2.13+. **37.26** le projet de Dieu Es 22.11; 30.1; 31.1. **37.27** la main trop courte Es 50.2; 59.1; Nb 11.23. **37.28** quand tu t'assieds, tu sors... Ps 139.2. **37.29** l'anneau du nez Ez 19.4, 9 — le mors quand aux lèvres Es 30.28; Ps 32.9; cf. 38.4. **37.30** signe Es 7.11+. **37.31** un reste Es 11.1. **37.32** un reste Es 4.3+ — l'ardeur du Seigneur Es 9.6. **37.33** techniques d'assaut contre les villes Jr 6.6; Ez 4.2; 26.8. **37.35** Dieu sauvera Jérusalem Es 30.19; 31.5; 38.6 — Jérusalem, ville de Dieu Es 60.14; Ps 46.5; 48.9; 87.3; 101.8 — et ville de David 2 S 5.7, 9; 6.10; Es 29.1.

Départ des Assyriens, mort de Sennakérib

(Voir 2 R 19.35-37)

³⁶ L'*ange du Seigneur sortit et frappa dans le camp des Assyriens cent quatre-vingt-cinq mille hommes. Le matin, quand on se leva, c'étaient tous des cadavres, des morts ! ³⁷ Sennakérib, roi d'Assyrie, décampa : il s'en retourna à Ninive où il resta. ³⁸ Or, comme il se prosternait dans le temple de Nisrok, son dieu, ses fils Adrammélek et Sarècèr le frappèrent de l'épée et s'enfuirent au pays d'Ararat ᵗ. Son fils Asarhaddon régna à sa place.

Maladie et guérison d'Ezékias

(Voir 2 R 20.1-11)

38 ¹ En ces jours-là, Ezékias fut atteint d'une maladie mortelle. Le *prophète Esaïe, fils d'Amoç, vint le trouver et lui dit : « Ainsi parle le Seigneur : Donne des ordres à ta maison ᵘ, car tu vas mourir, tu ne survivras pas. » ² Ezékias tourna son visage contre le mur et pria le Seigneur. ³ Il dit : « Ah ! Seigneur daigne te souvenir que j'ai marché en ta présence avec loyauté et d'un cœur intègre et que j'ai fait ce qui est bien à tes yeux. » Ezékias versa d'abondantes larmes. ⁴ La parole du Seigneur fut adressée à Esaïe : ⁵ « Va et dis à Ezékias : Ainsi parle le Seigneur, le Dieu de David ton père ᵛ : J'ai entendu ta prière et j'ai vu tes larmes. Je vais ajouter quinze années au nombre de tes jours. ⁶ Je te délivrerai, ainsi que cette ville, des mains du roi d'Assyrie. Je protégerai cette ville ʷ. ⁷ Et voici pour toi, de la part du Seigneur, le signe que le Seigneur fera ce qu'il a dit : ⁸ Voici que, sur le cadran d'Akhaz, je vais faire revenir en arrière l'ombre qui est déjà descendue : elle reculera de dix degrés ˣ. » Et le soleil remonta sur le cadran dix degrés qu'il avait déjà descendus.

Prière d'Ezékias après sa guérison

⁹ Poème d'Ezékias, roi de Juda, lorsqu'il fut malade et survécut à sa maladie.

¹⁰ Moi, j'ai dit : au meilleur temps de ma vie,
je dois m'en aller.
Je suis assigné aux portes du *séjour des morts,
pour le reste de mes années.
¹¹ J'ai dit : je ne verrai plus le Seigneur
sur la terre des vivants.
Je ne pourrai plus voir un visage d'homme
parmi les habitants du pays où tout s'arrête.
¹² Ma vie est arrachée et emportée loin de moi
comme une tente de *berger.
Comme un tisserand,
j'arrive au bout du rouleau de ma vie
et les fils de chaîne sont coupés.
Du jour à la nuit
tu en auras fini avec moi.
¹³ Avant le matin, je serai réduit à rien.
Comme le lion, il a broyé tous mes os.
Du jour à la nuit
tu en auras fini avec moi ᵞ.
¹⁴ Comme l'hirondelle ou le passereau,
je pépie,
je roucoule comme la colombe.
Mes yeux levés vers toi n'en peuvent plus :
Seigneur, je suis écrasé,
interviens pour moi !
¹⁵ Que dirai-je pour qu'il me réponde,
car c'est lui qui agit ?
Je dois traîner toutes mes années
avec l'amertume qui est la mienne.
¹⁶ « Le Seigneur est auprès des siens : ils vivront
et son esprit animera tout ce qui est en eux »,
aussi tu me rétabliras et me feras revivre.

ᵗ Ararat : voir 2 R 19.37 et la note ● u à ta maison : cette expression désigne la famille et l'entourage du roi ● v David, ton père : expression hébraïque équivalant à David, ton ancêtre paternel ● w Après le v. 6 le récit parallèle de 2 R 20 insère deux versets qu'on retrouve, sous une forme légèrement différente, en 38.21-22 ● x le cadran d'Akhaz : voir 2 R 20.9 et la note ● y je serai réduit à rien : la traduction suit ici le principal manuscrit hébreu d'Esaïe trouvé à Qumrân ; texte hébreu traditionnel obscur — il a broyé : Ezékias parle de Dieu — tu en auras fini avec moi : Ezékias s'adresse à Dieu. Cette alternance du tu et du il est fréquente dans les Psaumes

---

37.36 délivrance de Jérusalem Es 17.14 ; Si 48.21 — l'ange exterminateur Gn 19.13 ; Ex 12.23 ; 2 S 24.16. 38.5 larmes Jr 9.17 ; Ps 39.13 ; 56.9. 38.6 je protégerai cette ville Es 31.5 ; 37.35. 38.7 signe v. 22 ; Es 7.11 + . 38.10 aux portes du séjour des morts Jb 17.11-13. 38.11 sur la terre des vivants Ps 27.13 — le pays où tout s'arrête Qo 9.5-6. 38.12 fil Jb 7.6 coupé Jb 14.2 cf. Qo 12.6. 38.13 comme le lion Es 31.4 ; Jb 10.16. — il a broyé mes os Ps 51.10. 38.14 mes yeux levés vers toi Ps 121.1 ; 123.1-2 — interviens pour moi cf. Jb 17.3. 38.16 auprès du Seigneur, la vie Ps 36.10 — revivre Os 6.2 ; Ps 30.3-4.

17 Mon amertume s'est changée en salut.
Tu t'es attaché à ma vie pour que
  j'évite la fosse ^{z}
et tu as jeté derrière toi tous mes
  péchés.
18 Car le séjour des morts ne peut pas
  te louer
ni la Mort te célébrer.
Ceux qui sont descendus dans la tombe
n'espèrent plus en ta fidélité.
19 Le vivant, lui seul, te loue,
comme moi aujourd'hui.
Le père fera connaître à ses fils ta
  fidélité.
20 SEIGNEUR, puisque tu m'as sauvé,
faisons retentir nos instruments
tous les jours de notre vie,
devant la Maison du SEIGNEUR.

21 Esaïe dit ^{a} : « Qu'on apporte un
gâteau de figues et qu'on l'applique sur
les tumeurs.» Et le roi guérit.   22 Et
Ezékias dit : « Quel sera le signe que je
pourrai monter à la Maison du SEI-
GNEUR ? »

Les envoyés de Mérodak-Baladân
(*Voir 2 R 20.12-19*)

39 1 En ce temps-là, Mérodak-Baladân,
fils de Baladân, roi de Babylone,
envoya des lettres et des présents à
Ezékias ^{b}, car il avait appris qu'Ezékias

avait été malade et qu'il était rétabli.
2 Ezékias se réjouit de la venue des messagers et leur fit voir tous ses entrepôts,
l'argent, l'or, les aromates, l'huile parfumée, tout son arsenal et tout ce qui se
trouvait dans ses trésors : il n'y eut rien
qu'Ezékias ne leur fît voir de sa maison
et de tout son domaine.
3 Le *prophète Esaïe vint trouver le
roi Ezékias pour lui dire : « Qu'est-ce
que ces gens ont dit et d'où venaient-ils ? »
Ezékias répondit : « Ils sont venus vers
moi d'un pays lointain, de Babylone.»
4 Esaïe dit alors : « Qu'ont-ils vu dans
ta maison ? » Ezékias répondit : « Ils ont
vu tout ce qui est dans ma maison. Il
n'y a rien dans mes trésors que je ne
leur aie montré.»
5 Esaïe dit à Ezékias : « Ecoute la
parole du SEIGNEUR, le tout-puissant :
6 Des jours viennent où tout ce qui est
dans ta maison et que tes pères ont
amassé jusqu'à ce jour sera emporté à
Babylone : il n'en restera rien, dit le
SEIGNEUR. 7 On emmènera plusieurs de
tes fils, de ceux qui sont issus de toi,
que tu auras engendrés : ils seront faits
*eunuques dans le palais du roi de Baby-
lone.» 8 Ezékias dit à Esaïe : « Elle est
bonne, la parole du SEIGNEUR que tu as
dite.» Il se disait : « Ce sera la paix et
la sécurité durant mes jours.»

DEUXIÈME PARTIE

Réconfortez mon peuple, dit votre Dieu

40 1 Réconfortez, réconfortez mon
peuple,
dit votre Dieu,
2 parlez au *cœur de Jérusalem
et proclamez à son adresse

que sa corvée est remplie,
que son châtiment est accompli,
qu'elle a reçu de la main du SEIGNEUR
deux fois le prix de toutes ses fautes ^{aa}.

3 Une voix proclame :
« Dans le désert dégagez

---

z *Tu t'es attaché à ma vie pour que j'évite la fosse:* autre texte (versions anciennes) *tu as préservé
ma vie de la fosse — la fosse* ou le *séjour des morts* ● *a* Voir 38.6 et la note ● *b* Voir 2 R
20.12 et la note ● *aa parlez au cœur de Jérusalem* ou *faites comprendre à Jérusalem:* ici comme
dans les chapitres suivants la ville de Jérusalem est personnifiée et représente l'ensemble du peuple
de Dieu — *deux fois le prix:* expression juridique indiquant qu'une affaire litigieuse est complètement réglée

38.17 amertume changée en salut He 12.11.   38.18 chez les morts, pas de louange à Dieu Ps 6.6+ ;
30.10; Ba 2.17; cf. Qo 9.10.   38.19 le vivant loue le Seigneur Ps 119.175; 146.2 — le père fera
connaître à ses fils... Ps 78.5+.   38.20 tu m'as sauvé Es 12.2.   38.22 signe Es 7.11+ — demandé Es 7.11; Jg 6.17, 36-40.   39.1 message et présents 2 S 8.9-10.   39.3 démarche auprès du roi
Es 7.3 — contre l'accumulation des richesses Es 2.7; 3.16-24 — et les alliances avec les étrangers
Es 10.20; 30.1, 7; 31.1-3.   39.6 emporté à Babylone 2 R 24.13; Jr 20.5; 27.21-22.   39.7 on emmènera... 2 R 24.12, 14; 25.7, 11; Jr 52.28-30.   40.1 réconfort Es 49.13; 51.3, 12; 52.9; 61.2.   40.2
deux fois le prix Ex 22.3, 6, 8; Jr 16.18.   40.3 une voix dans le désert Mt 3.3 par.; Jn 1.23 — un
chemin pour le Seigneur Es 49.11; Ml 3.1, 23-24; Lc 1.76.

un chemin pour le SEIGNEUR,
nivelez dans la steppe
une chaussée pour notre Dieu.
4 Que tout vallon soit relevé,
que toute montagne et toute colline
soient rabaissées,
que l'éperon devienne une plaine
et les mamelons, une trouée !
5 Alors la gloire du SEIGNEUR sera dévoilée
et tous les êtres de chair ensemble
verront
que la bouche du SEIGNEUR a parlé. »

6 Une voix dit : « Proclame ! »
l'autre dit ^{b} : « Que proclamerai-je ? »
— « Tous les êtres de chair sont de
l'herbe
et toute leur consistance est comme
la fleur des champs :
7 l'herbe sèche, la fleur se fane
quand le souffle du SEIGNEUR vient sur
elles en rafale.
Oui, la multitude humaine, c'est de
l'herbe :
8 l'herbe sèche, la fleur se fane,
mais la parole de notre Dieu subsistera
toujours. »
9 Quant à toi, monte sur une haute montagne,
*Sion, joyeuse messagère,
élève avec énergie ta voix,
Jérusalem, joyeuse messagère ^{c},
élève-la, ne crains pas,
dis aux villes de Juda :
« Voici votre Dieu,
10 voici le Seigneur DIEU !
Avec vigueur il vient,
et son bras ^{d} lui assurera la souveraineté ;
voici avec lui son salaire,
et devant lui sa récompense.

11 Comme un *berger il fait paître son
troupeau,
de son bras il rassemble ;
il porte sur son sein les agnelets,
il procure de la fraîcheur aux brebis
qui allaient. »

A qui comparer le Seigneur ?

12 Qui a jaugé dans sa paume les eaux
de la mer,
dans son empan ^{e} toisé les cieux,
tassé dans un boisseau l'argile de la
terre,
pesé les montagnes sur une bascule
et les collines sur une balance ?
13 Qui a toisé l'esprit du SEIGNEUR
et lui a indiqué l'homme de son
dessein ^{f} ?
14 De qui donc a-t-il pris conseil, qui
puisse l'éclairer,
lui enseigner la voie du jugement,
lui enseigner la science
et lui indiquer le chemin de l'intelligence ?
15 Voici que les nations sont comme une
goutte tombant d'un seau !
Elles comptent comme poussière sur
la balance.
Voici les îles ^{g} : comme de la poudre
il les soulève.
16 Le Liban ne suffirait pas pour la
flambée
et ses bêtes ne suffiraient pas pour
l'holocauste ^{h}.
17 Toutes les nations sont devant lui
comme rien ;
elles comptent pour lui comme néant
et nullité.
18 A qui assimilerez-vous Dieu

---

b *l'autre* ou *il*: le texte semble désigner ici celui que *la voix* interpelle au début du verset ● c Autre
traduction: *toi qui apportes une bonne nouvelle à Sion… toi qui apportes une bonne nouvelle à Jérusalem* ● d Dans l'A.T. le *bras* est souvent symbole de force et d'efficacité ● e Voir au glossaire
POIDS ET MESURES ● f *l'homme de son dessein*, c'est-à-dire l'homme que Dieu a choisi pour
exécuter son projet. D'après 46.11 c'est le roi perse Cyrus (voir 41.2 et la note) — *lui a indiqué
l'homme de son dessein*: autre traduction *l'a instruit en tant que conseiller* ● g *les îles*: expression
fréquente dans les chapitres 40—66; elle fait allusion aux populations maritimes les plus éloignées
de la Palestine. Voir 11.11 et la note ● h *Le Liban*, c'est-à-dire ici les forêts qui recouvraient
le massif montagneux du même nom; voir 10.34 et la note — *holocauste* : voir au glossaire
SACRIFICES

40.5 la gloire du Seigneur Es 58.8; 60.1-2 dévoilée 35.2 — tous les êtres de chair Es 49.26; 66.16,
23; Jr 32.27. **40.6** comme l'herbe Es 40.23-24; 51.12; Jc 1.10-11; 1 P 1.24. **40.7** la multitude
humaine Es 42.6; 49.8. **40.8** la parole de notre Dieu Es. **40.9** joyeuse messagère
Es 41.27; 52.7; 60.6; 61.1 — voici votre Dieu Es 52.6; 58.9; Jn 12.15. **40.10** il vient Es 62.11;
Ap 22.12 — le bras du Seigneur Es 51.5, 9; 52.10; 53.1; 59.16; 62.8; 63.5, 12; voir Ps 77.16; 89.14.
40.11 comme un berger Ez 34.11-31; Lc 15.4-7; Jn 10. **40.13** Qui a? ... Jb 38.4—39.30; Pr 30.4;
Si 1.2-3; Rm 11.34; 1 Co 2.16 — Cyrus, l'homme du dessein de Dieu Es 41.2-4; 41.25—42.9; 44.28;
45.1-6, 13; 46.10-11; 48.14-15; Esd 1.1-5; 6.3-5; 2 Ch 36.22-23. **40.14** des conseils à Dieu ?
Jb 21.22. **40.15** les îles Es 41.1, 5; 42.4, 10, 12; 49.1; 51.5; 60.9; 66.19. **40.16** le Liban Es 2.13+.
40.18 A qui assimiler Dieu ? v. 25; Es 44.7; 46.5; Jr 10.6; 49.19; Ac 17.29.

et quel simulacre *i* placerez-vous à côté
de lui ?

¹⁹ L'idole ? c'est un artisan qui l'a coulée ;
mouleur, il plaque sur elle de l'or,
moulant aussi des bandeaux d'argent.

²⁰ Celui qui est plus limité pour sa contribution au culte *j*,
c'est du bois inaltérable qu'il choisit.
Il se cherche un artisan habile
pour dresser une idole qui ne branle
pas.

²¹ Ne savez-vous pas, n'avez-vous pas
entendu,
ne vous a-t-il pas été annoncé dès
l'origine,
n'avez-vous pas discerné le fondateur
de la terre ?

²² Il habite, lui, sur le dôme couvrant
la terre
dont les habitants font figure de sauterelles !
Il a tendu les cieux comme un rideau,
il les a déployés comme une tente pour
y habiter.

²³ Il réduit à rien les chefs d'Etat,
les juges *k* de la terre, il en fait une
nullité ;

²⁴ oui, peu importe qu'ils soient implan-
tés ;
oui, peu importe qu'ils se soient disséminés ;
oui, peu importe que leur souche soit
enracinée dans la terre !
Même alors, s'il souffle sur eux, les
voilà qui sèchent
et le tourbillon les enlève comme de
la paille.

²⁵ « A qui m'assimilerez-vous ?
A qui serai-je identique ? » dit le
*Saint.

²⁶ Levez bien haut vos yeux
et voyez : qui a créé ces êtres ?
— Celui qui mobilise au complet leur
armée *l*
et qui les convoque tous par leur nom.
Si amples sont ses forces, si ferme son

énergie,
que pas un n'est porté manquant !

²⁷ Jacob, pourquoi dis-tu,
Israël, pourquoi affirmes-tu :
« Mon chemin *m* est caché au SEIGNEUR,
mon droit échappe à mon Dieu. »

²⁸ Ne sais-tu pas, n'as-tu pas entendu ?
Le SEIGNEUR est le Dieu de toujours,
il crée les extrémités de la terre.
Il ne faiblit pas, il ne se fatigue pas ;
nul moyen de sonder son intelligence,

²⁹ il donne de l'énergie au faible,
il amplifie l'endurance de qui est sans
forces.

³⁰ Ils faiblissent, les jeunes, ils se fatiguent,
même les hommes d'élite trébuchent
bel et bien !

³¹ Mais ceux qui espèrent dans le SEI-
GNEUR retrempent leur énergie :
ils prennent de l'envergure comme des
aigles,
ils s'élancent et ne se fatiguent pas,
ils avancent et ne faiblissent pas !

Le vrai Dieu et les idoles

41 ¹ Tenez-vous en silence devant moi,
vous, les îles *n*,
et que les cités retrempent leur énergie ;
qu'elles approchent et qu'alors elles
parlent !
Allons ensemble en jugement nous
affronter !

² Qui a fait surgir du levant un Justicier *o*,
l'appelle sur ses pas,
soumet devant lui les nations,
abaisse les rois,
multiplie comme poussière ses gens
d'épée,
comme paille en ouragan ses lanceurs
de flèches,

³ si bien qu'il traque les autres et passe
outre, indemne,

---

i quel simulacre ou *quel objet qui lui ressemble.* La traduction a voulu rendre le jeu de mots que
l'on trouve en hébreu entre le terme ainsi traduit et le verbe rendu par *assimiler* ● *j* La traduction
du début du v. 20 est incertaine ● *k les juges* ou *les gouverneurs* ● *l ces êtres, leur armée:*
allusion aux astres (désignés parfois par l'expression *l'armée des cieux;* voir 34.4) ● *m mon chemin:*
tournure imagée équivalant ici à *le déroulement de ma vie, mon sort* ● *n les îles:* voir 40.15
et la note ● *o* Nouvelle allusion à Cyrus (voir 40.13). Celui-ci fut célèbre par ses victoires contre
toutes les puissances militaires de l'époque, en particulier contre les Babyloniens, qu'il vainquit
en 539 av. J.C. Dès l'année suivante Cyrus libéra les Judéens déportés

40.19 fabricants d'idoles Es 41.6-7; 44.9-20; 46.6-7; Jr 2.27-28; 10.3-5, 14-15; 51.17-18; Ps
115.4-8; 135.15-18; Sg 13. 10-19; Lt-Jr 3-72. **40.21** dès l'origine Es 41.26; 46.10; 48.16; cf. 45.21
— le fondateur de la terre Es 44.24+. **40.23-24** Dieu et les chefs d'Etat Es 17.13; Jb 34.18-20.
40.25 le Saint Es 6.3+; Ha 3.3; Jb 6.10. **40.26** le créateur des astres Ps 147.4; Ba 3.35;
cf. Gn 1.14-19. **40.27** découragement d'Israël Es 49.4. **40.28** le Dieu de toujours Gn 21.33 —
Dieu impénétrable Rm 11.33. **40.31** ceux qui espèrent dans le Seigneur Es 30.18+; cf. Ps 9.11+.
41.1 les îles Es 40.15+ — le Seigneur entame un procès Es 3.13+; 41.21-24; 43.9-13, 26; 44.7-8.
41.2 Cyrus (un Justicier) Es 40.13+.

sans mettre le pied à terre ?
4 Qui a réalisé et exécuté ?
— Celui qui appelle les générations depuis l'origine :
Moi, je suis le SEIGNEUR, le premier,
et serai tel encore auprès des derniers.
5 Les îles le voient : elles sont dans la crainte,
les extrémités de la terre sont tremblantes,
elles suivent l'affaire de près, elles se sont mises en mouvement.
6 Chacun aide son compagnon
et dit à son camarade : « Tiens bon ! »
7 Le ciseleur tient en haleine le mouleur,
le polisseur au marteau, celui qui bat l'enclume ;
il dit du joint : « C'est bon »,
et avec des pointes il le fait tenir
pour qu'il ne branle pas [p].

Israël, mon serviteur

8 Mais toi, Israël, mon serviteur,
Jacob, toi que j'ai choisi,
descendance d'Abraham, mon ami,
9 toi que j'ai tenu depuis les extrémités de la terre,
toi que depuis ses limites j'ai appelé,
toi à qui j'ai dit : « Tu es mon serviteur,
je t'ai choisi et non pas rejeté »,
10 ne crains pas, car je suis avec toi,
n'aie pas ce regard anxieux, car je suis ton Dieu.
Je te rends robuste, oui, je t'aide,
oui, je te soutiens par ma droite qui fait justice.
11 Voici qu'ils seront honteux, couverts d'outrages
tous ceux qui étaient échauffés contre toi :
ils seront comme rien et périront
les gens en querelle avec toi ;
12 tu les chercheras et tu ne les trouveras plus,
les gens en lutte avec toi ;
ils seront comme rien, comme néant,
les gens en guerre avec toi.
13 Car moi, le SEIGNEUR, je suis ton Dieu
qui tiens ta main droite,
qui te dis : « Ne crains pas,
c'est moi qui t'aide. »
14 Ne crains pas, Jacob, à présent vermine,
Israël, à présent cadavres,
c'est moi qui t'aide — oracle du SEIGNEUR —
celui qui te rachète [q], c'est le *Saint d'Israël.
15 Voici : je te dispose comme un traîneau-herse [r]
neuf et muni de crocs renforcés :
tu vas triturer les montagnes et les déchiqueter,
tu réduiras en bale les collines,
16 tu les vanneras et le vent les emportera,
le tourbillon les dispersera.
Et toi tu exulteras à cause du SEIGNEUR,
à cause du Saint d'Israël tu t'exalteras.
17 Les humiliés et les indigents
qui cherchent de l'eau, mais vainement,
et dont la langue sèche de soif,
moi, le SEIGNEUR, je leur répondrai,
moi, le Dieu d'Israël, je ne les abandonnerai pas.
18 Je ferai jaillir des fleuves sur les coteaux pelés
je transformerai le désert en étang
et des sources au milieu des ravines,
et la terre aride en fontaines.
19 Je mettrai dans le désert le cèdre,
l'acacia, le myrte [s] et l'olivier ;
j'introduirai dans la steppe le cyprès,
l'orme et le buis ensemble,
20 afin que les gens voient et sachent,
qu'ils s'appliquent et saisissent ensemble
que la main du SEIGNEUR a fait cela,
que le Saint d'Israël l'a créé.

p pour qu'il ne branle pas: il s'agit du faux dieu fabriqué par les artisans que le prophète vient de mentionner • *q Israël, à présent cadavres:* la traduction suit ici le texte hébreu d'Esaïe trouvé à Qumrân, ainsi que plusieurs versions anciennes — *qui te rachète:* le verbe ainsi traduit désigne habituellement l'action d'un parent proche en faveur d'un membre de sa famille, soit pour venger la victime d'un meurtre (Nb 35.19-27), soit pour assurer une descendance à un défunt mort sans enfant (Rt 3.12—4.14), soit pour payer une dette ou racheter un homme qui a dû être vendu comme esclave (Lv 25.23-28, 47-49) • *r traîneau-herse:* voir la note sur 28.27 • *s myrte:* arbuste toujours vert des régions méditerranéennes

41.4 moi, le Seigneur Es 43.10, 13, 25; 46.4; 48.12; 52.6; Dt 32.39; Ps 102.28; cf. Ex 3.14 — le premier et le dernier Es 44.6; 48.12; Ap 1.17; 2.8; 22.13. **41.7** fabricants d'idoles Es 40.19+. **41.8** Israël mon serviteur Es 43.10; 44.1, 21; 45.4; 48.20; Jr 30.10; Ps 136.22; Lc 1.54 — Abraham, l'ami de Dieu 2 Ch 20.7; *Dn grec* 3.35; Jc 2.23 — descendance d'Abraham Es 51.2; He 2.16; cf. Mt 3.9 par.+. **41.10** je suis avec toi Es 7.14+; 43.5. **41.13** ne crains pas Es 43.1; 44.2; 54.4. **41.14** Israël, à présent cadavres Ez 37.11 — celui qui te rachète Es 44.24; 48.17; 49.26; 54.5; 60.16; cf. 43.1, 14; 44.6, 22; 47.4; 48.20; 49.7; 52.9; 59.20; 63.16 — le Saint d'Israël Es 1.4+. **41.18** le désert transformé en étang Es 35.6-7; 43.20; 48.21; 49.10; Ps 107.35; 114.8. **41.20** que les gens voient et sachent... cf. Es 49.23+ — le Saint d'Israël Es 1.4+.

Un défi aux idoles

21 Présentez votre cause, dit le SEIGNEUR,
avancez vos arguments, dit le Roi de
Jacob *t* ;
22 qu'ils s'avancent et qu'ils nous annoncent
ce qui va se déclencher !
Vos premiers augures, quels étaient-ils ?
Rappelez-nous leur annonce : nous y
prêterons attention
et nous en reconnaîtrons l'accomplissement !
Ou bien faites-nous entendre les événements futurs,
23 annoncez les choses à venir,
et nous reconnaîtrons que vous êtes des
dieux !
Voyons ! provoquez bien-être ou malheur,
alors ensemble nous nous défierons du
regard, et nous verrons !
24 Mais voici ce que vous êtes : moins
que rien ;
vos réalisations, moins que néant !
C'est un être abject, celui qui fait de
vous ses élus.
25 Du nord j'ai fait surgir un homme, et
il est venu ;
depuis le soleil levant il s'entend appeler par son nom *u* ;
il piétine les gouverneurs comme de la
boue,
comme le potier talonne la glaise.
26 Qui donc l'avait annoncé dès l'origine,
que nous le reconnaissions,
dès les temps passés,
que nous disions : « C'est juste ! »
Non, personne ne l'avait annoncé ;
non, personne ne l'avait laissé entendre ;
non, personne n'avait entendu vos
propos.
27 C'est pour *Sion que voici, tout pre-

mier, celui qui parle,
c'est Jérusalem que je gratifie d'un
messager.
28 J'ai regardé : pas un seul homme,
parmi eux pas un seul conseiller !
Je les aurais consultés et ils m'auraient
rendu réponse !
29 Voici ce qu'ils sont tous : une malfaisance !
leurs œuvres ? néant !
leurs statues ? un souffle, une nullité !

Voici mon serviteur

42 1 Voici mon serviteur que je soutiens,
mon élu que j'ai moi-même en faveur,
j'ai mis mon Esprit sur lui.
Pour les nations il fera paraître le
jugement,
2 il ne criera pas, il n'élèvera pas le ton,
il ne fera pas entendre dans la rue sa
clameur ;
3 il ne brisera pas le roseau ployé,
il n'éteindra pas la mèche qui s'étiole ;
à coup sûr, il fera paraître le jugement.
4 Lui ne s'étiolera pas, lui ne ploiera pas,
jusqu'à ce qu'il ait imposé sur la terre
le jugement,
et les îles *v* seront dans l'attente de ses
lois.
5 Ainsi parle Dieu, le SEIGNEUR,
qui a créé les cieux et qui les a tendus,
qui a étalé la terre porteuse de ses
rejetons *w*,
donné respiration à la multitude qui la
couvre
et souffle à ceux qui la parcourent.
6 C'est moi le SEIGNEUR,
je t'ai appelé selon la justice,
je t'ai tenu par la main,
je t'ai mis en réserve *x* et je t'ai destiné

---

t Ici comme souvent dans l'A.T. *Jacob* désigne l'ensemble du peuple d'Israël (voir 41.8, 14 et la note sur Am 1.1). Le *Roi de Jacob* : un titre donné au Seigneur (comparer 44.6) ● *u un homme* : nouvelle allusion à Cyrus (voir 41.2 et la note) — *il s'entend appeler par son nom* : la traduction suit ici le texte hébreu d'Ésaïe trouvé à Qumrân et s'accorde avec 45.3-4 ● *v les îles* : voir 40.15 et la note ● *w ses rejetons*, c'est-à-dire ici tout ce que la terre produit ● *x je t'ai mis en réser-ve* : autre traduction *je t'ai formé*

41.21 le Seigneur entame un procès Es 41.1+ — contre les faux dieux 42.8, 17 — le Roi de Jacob Es 43.15; 44.6. 41.22 annoncer à l'avance v. 26; Es 42.9; 43.9, 12; 44.7-8; 48.3. 41.23 des dieux qui n'en sont pas Es 42.17; *Lt-Jr* 14, 22, 28, etc. 41.25 un homme (Cyrus) Es 40.13+. 41.26 qui l'avait annoncé ? Es 41.22+ ; 48.14 — dès l'origine Es 40.21+. 41.27 un messager Es 40.9. 41.28 pas un seul homme Es 50.2; 59.16; 63.5; 66.4 — conseiller Es 40.13. 42.1-4 ver-sets cités en Mt 3.17 par.; 12.18-21; 17.5 par. 42.1 mon serviteur Es 49.3; 50.10; 52.13; cf. 41.8+ — mon élu Es 41.9; 43.20; 45.4 — mon Esprit sur lui Es 11.2+; Jg 3.10; cf. Es 44.3; 48.16; Mt 3.16 par.; Jn 1.32-33. 42.3 roseau (ployé) 1 R 14.15; 2 R 18.21; Ez 29.6 — mèche qui va s'éteindre Es 43.17 — secours à ceux qui n'en peuvent plus Es 61.3. 42.4 les îles Es 40.15+. 42.5 c'est le Dieu créateur qui choisit Cyrus Es 44.24-28; 45.12-13; 48.13-14. 42.6 mis en réserve pour être l'alliance... Es 49.8 — la multitude humaine Es 40.7+ — alliance pour la multitude Mt 26.28 — lumière des nations Es 49.6; 51.4; Lc 2.32; cf. Jn 8.12.

à être l'*alliance de la multitude,
à être la lumière des nations,
7 à ouvrir les yeux aveuglés,
à tirer du cachot le prisonnier,
de la maison d'arrêt, les habitants des
ténèbres.
8 C'est moi le SEIGNEUR, tel est mon nom ;
et ma gloire, je ne la donnerai pas à
un autre,
ni aux idoles la louange qui m'est due.
9 Les premiers événements, les voilà
passés,
et moi j'en annonce de nouveaux,
avant qu'ils se produisent, je vous les
laisse entendre.

Le Seigneur va exécuter ses projets

10 Chantez pour le SEIGNEUR un chant
nouveau,
chantez sa louange, depuis l'extrémité
de la terre,
gens de la haute mer, et tout ce qui
l'emplit,
les îles ʸ et leurs habitants.
11 Qu'élèvent la voix le désert et ses villes,
les villages où habite Qédar ;
que les habitants du roc ᶻ poussent des
acclamations,
du sommet des montagnes qu'ils lan-
cent des vivats ;
12 qu'on rende gloire au SEIGNEUR,
qu'on publie dans les îles sa louange !
13 Le SEIGNEUR, tel un héros, va sortir,
tel un homme de guerre, il réveille
sa jalousie,
il pousse un cri d'alarme, un grondement
et contre ses ennemis se comporte en
héros :
14 Je suis depuis longtemps resté inactif,
je ne disais rien, je me contenais,
comme femme en travail, je gémis, je
suffoque,
et je suis oppressé tout à la fois.
15 Je vais dévaster montagnes et collines

et toute leur verdure, je la dessécherai ;
je transformerai les fleuves en îlots,
et les étangs, je les dessécherai.
16 Je ferai marcher les aveugles sur un
chemin inconnu d'eux,
sur des sentiers inconnus d'eux je les
ferai cheminer.
Je transformerai devant eux les ténèbres
en lumière,
et les détours en ligne droite.
Ces projets, je vais les exécuter
et nullement les abandonner.
17 Les voici rejetés en arrière, tout honteux,
ceux qui mettent leur assurance dans
une idole,
ceux qui disent à du métal fondu :
« Nos dieux, c'est vous ! »

Un peuple qui n'a pas voulu entendre

18 Vous, les sourds, entendez !
vous, les aveugles, regardez et voyez !
19 Qui était aveugle, sinon mon Serviteur ?
Qui était sourd comme mon Messager
que je vais envoyer ?
Qui était aveugle comme le Réhabilité ?
Qui était sourd ᵃ comme le Serviteur
du SEIGNEUR ?
20 Tu as beaucoup vu, mais tu n'as pas
retenu ;
on a les oreilles ouvertes, mais on
n'entend pas !
21 Le SEIGNEUR s'est plu, à cause de sa
justice ᵇ,
à rendre sa *Loi grande et magnifique,
22 mais voilà un peuple pillé et ravagé :
on les a tous séquestrés dans des
fosses ᶜ,
dans des maisons d'arrêt ils ont été
dissimulés ;
ils étaient voués au pillage et nul ne
les délivrait,
voués au ravage, et nul ne disait :
« Restitue ! »

---

y Voir 40.15 et la note ● z Qédar: tribu d'arabes nomades — les habitants du roc: l'expression
peut désigner les habitants des régions montagneuses, ou plus particulièrement ceux de la forteresse édomite appelée Sèla (le Roc) en 2 R 14.7 ● a le Réhabilité: traduction approximative
d'un titre donné exceptionnellement ici à Israël — Qui était sourd... ?: la traduction suit ici deux
manuscrits hébreux et une version grecque ancienne; texte hébreu traditionnel Qui était aveugle... ? ● b à cause de sa justice, c'est-à-dire parce qu'il est fidèle à son projet de sauver Israël
● c Autre traduction: on a séquestré tous les hommes d'élite

42.7 ouvrir les yeux aveuglés Jn 9; Ac 26.18 — tirer les prisonniers du cachot Ps 107.10-14 —
les habitants des ténèbres Lc 1.79. 42.8 ma gloire à aucun autre Es 48.11. 42.9 premiers événements Es 43.9; 46.9; 48.3 — annoncer Es 41.22; 48.6 de nouveaux événements 43.19; 48.6.
42.10 chant nouveau Ps 33.3+; Jdt 16.13 — les îles Es 40.15+. 42.11 Qédar Es 21.16+.
42.13 le Seigneur, tel un héros Es 10.21; Dt 10.17; Jr 20.11; 32.18; Ps 24.8; Ne 9.32; cf. Es 9.5
va sortir... Jg 5.4; Ps 68.8 — jalousie du Seigneur Es 59.17; 63.15; Za 1.14. 42.14 inactif Es 57.11;
62.1, 6; 64.11; 65.6. 42.15 assèchement des fleuves Ps 107.33. 42.16 le Seigneur montre le
chemin Ex 13.21. 42.18 sourds et aveugles Es 43.8. 42.20 des oreilles qui n'entendent pas Es
6.9 et des yeux incapables de voir 44.18; Mc 4.12. 42.21 la Loi du Seigneur Dt 4.5-8.

23 Qui parmi vous va prêter l'oreille à
ces dires,
être attentif et écouter, à l'avenir :
24 Qui a livré Jacob au ravage,
Israël aux pillards ?
N'est-ce pas le SEIGNEUR, lui envers
qui nous avons commis des fautes,
lui dont on n'a pas voulu suivre les
chemins
et dont on n'a pas écouté la Loi ?
25 Alors il a déversé sur Israël la fureur
de sa colère,
le déferlement de la guerre ;
elle l'a incendié tout autour
sans qu'il veuille rien reconnaître,
elle l'a calciné en plein milieu
sans qu'il prenne rien à cœur !

Le Saint d'Israël, sauveur de son peuple

43 1 Mais maintenant, ainsi parle le
SEIGNEUR
qui t'a créé, Jacob,
qui t'a formé, Israël :
Ne crains pas, car je t'ai racheté,
je t'ai appelé par ton nom, tu es à
moi.
2 Si tu passes à travers les eaux, je
serai avec toi,
à travers les fleuves, ils ne te submergeront pas.
Si tu marches au milieu du feu, tu
ne seras pas brûlé
et la flamme ne te calcinera plus en
plein milieu,
3 car moi, le SEIGNEUR, je suis ton Dieu,
le *Saint d'Israël, ton Sauveur.
J'ai donné l'Egypte en rançon pour toi,
la Nubie et Séva *d* en échange de toi
4 du fait que tu vaux cher à mes yeux,
que tu as du poids et que moi je
t'aime ;
je donne donc des hommes en échange
de toi,
des cités en échange de ta personne.
5 Ne crains pas, car je suis avec toi,
depuis le levant je ferai revenir ta
descendance,

depuis le couchant je te rassemblerai.
6 Au nord je dirai : « Donne »,
et au midi : « Ne retiens pas ! »
Fais revenir mes fils du pays lointain
et mes filles de l'extrémité de la terre.
7 tous ceux qui sont appelés de mon
nom
et que j'ai, pour ma gloire, créés,
formés et faits !
8 Faites sortir le peuple aveugle, mais qui
a des yeux,
les sourds, qui ont cependant des
oreilles. »

En dehors du vrai Dieu, pas de sauveur

9 Que toutes les nations à la fois se
rassemblent,
que les cités se réunissent :
Qui, chez elles, avait annoncé ces faits,
nous avait laissé entendre les premiers
événements ?
Qu'elles produisent leurs témoins et
qu'elles se justifient,
qu'on entende et qu'on dise : « C'est
digne de foi. »
10 Mes témoins à moi, c'est vous — oracle
du SEIGNEUR —
mon serviteur, c'est vous que j'ai choisis
afin que vous puissiez comprendre,
avoir foi en moi
et discerner que je suis bien tel :
avant moi ne fut formé aucun dieu
et après moi il n'en existera pas.
11 C'est moi, c'est moi qui suis le SEI-
GNEUR,
en dehors de moi, pas de Sauveur.
12 C'est moi qui ai annoncé et donné
le salut,
moi qui l'ai laissé entendre, et non
pas chez vous, un dieu étranger.
Ainsi vous êtes mes témoins — oracle
du SEIGNEUR —
et moi, je suis Dieu.
13 Oui, désormais je suis tel :
personne ne délivre de ma main ;
ce que je réalise, qui pourrait le renverser ?

---

d Séva: région située probablement au nord de l'actuel Soudan (voir 45.14)

43.1 Israël, créé et formé par Dieu v. 7, 15, 21; Es 44.2, 21, 24; 45.11; 51.13; 54.5; Dt 32.15 — ne crains pas Es 41.13+ — je t'ai racheté Es 41.14+ — je t'ai appelé Es 42.6. **43.2** à travers les eaux, au milieu du feu Ps 66.12; cf. Ex 14.21-22; Es 48.10; 1 Co 3.15. **43.3** le Saint d'Israël Es 1.4+ — Dieu Sauveur Es 12.2; 17.10; 43.11; 45.15, 21; 49.26; 60.16; 62.11; 63.8; Ex 15.2; Jr 3.23; 14.8; Za 9.16; Ps 25.5; 51.16; 65.6; 79.9; 85.5; 106.21; 118.14; 1 Tm 1.1+. **43.5** ceux toi Es 41.10+; Jr 46.28 — retour des exilés Es 49.12; Ps 107.3; cf. Jn 11.52. **43.7** appelés de mon nom Jn 17.6. **43.8** aveugle et sourd Es 42.18; cf. 6.9-10. **43.9** procès Es 41.1+. **43.10** mon serviteur Es 44.1, 22 — que vous puissiez comprendre... cf. Es 49.23+ — que je suis bien tel Jn 8.28 — avant moi... après moi Es 41.4. **43.11** c'est moi Es 45.15; 51.12; 54.16; Dt 32.39; Os 12.10 — pas d'autre sauveur Ac 4.12; cf. Es 44.6+. **43.12** le salut annoncé Es 41. 26+ — mes témoins Es 44.8; Ac 1.8 — un dieu étranger Dt 32.16; Jr 2.25; Ps 44.21 — moi, je suis Dieu Es 41.4+. **43.13** personne ne délivre de ma main Dt 32.39; Jb 10.7; Sg 16.15 — qui pourrait le renverser ? Jb 11.10; 23.13.

Un nouveau chemin dans le désert

14 Ainsi parle le SEIGNEUR,
celui qui vous rachète, le *Saint d'Israël :
A cause de vous je lance une expédition
à Babylone,
je les fais tous descendre en fugitifs,
oui, les Chaldéens, sur ces navires où
retentissaient leurs acclamations.
15 Je suis le SEIGNEUR, votre Saint,
celui qui a créé Israël, votre Roi.
16 Ainsi parle le SEIGNEUR,
lui qui procura en pleine mer un
chemin,
un sentier au cœur des eaux déchaî-
nées,
17 lui qui mobilisa chars et chevaux,
troupes et corps d'assaut tout ensemble,
sitôt couchés pour ne plus se relever,
étouffés comme une mèche et éteints :
18 Ne vous souvenez plus des premiers
événements,
ne ressassez plus les faits d'autrefois.
19 Voici que moi je vais faire du neuf
qui déjà bourgeonne ; ne le reconnaî-
trez-vous pas ?
Oui, je vais mettre en plein désert un
chemin,
dans la lande, des sentiers e :
20 les bêtes sauvages me rendront gloire,
les chacals et les autruches,
car je procure en plein désert de l'eau,
des fleuves dans la lande,
pour abreuver mon peuple, mon élu,
21 peuple que j'ai formé pour moi
et qui redira ma louange.

Le Seigneur fait un procès à son peuple

22 Il est exclu, Jacob, que tu aies pu
faire de moi ton invité,
alors même, Israël, que pour moi tu

t'es fatigué ;
23 exclu que tu m'aies approvisionné par
les agneaux de tes holocaustes,
ou que tu aies augmenté ma gloire par
tes victimes.
Il est exclu, pour avoir des offrandes f, je t'aie réduit en servitude,
ou que, pour avoir de l'*encens, je
t'aie fatigué ;
24 il est exclu que tu m'aies, à tes frais,
pourvu en arôme,
ou que tu m'aies saturé avec la graisse
de tes victimes !
Au contraire, avec tes fautes, c'est toi
qui m'as réduit en servitude,
avec tes perversités, c'est toi qui m'as
fatigué ;
25 moi, cependant, moi je suis tel
que j'efface, par égard pour moi, tes
révoltes,
que je ne garde pas tes fautes en
mémoire.
26 Présente-le-moi, ton mémoire, et passons ensemble en jugement,
oui, toi, récapitule, pour te justifier :
27 ton premier père a failli,
tes porte-parole g se sont révoltés contre
moi,
28 alors j'ai déshonoré les sacro-saintes
autorités,
j'ai voué Jacob à l'interdit h
et Israël aux sarcasmes.

Mais maintenant ne crains pas, Israël

44 1 Mais maintenant, écoute, Jacob,
mon serviteur,
Israël, que j'ai choisi :
2 Ainsi parle le SEIGNEUR, qui t'a fait,
qui t'a formé dès le sein maternel et
qui t'aide :
Ne crains pas, mon serviteur Jacob,
le Redressé i, celui que j'ai choisi,

---

e *des sentiers :* d'après le texte hébreu d'Esaïe trouvé à Qumrân; texte hébreu traditionnel *des fleuves* ● f *holocaustes, offrandes :* voir au glossaire SACRIFICES ● g *ton premier père* (c'est-à-dire ton premier ancêtre) : le prophète fait allusion à Jacob (Gn 25. 26; 27.36; Os 12. 3-4) — *tes porte-parole,* c'est-à-dire les prêtres et les prophètes qui se sont montrés indignes ● h *livrer à l'interdit :* voir Dt 2.34 et la note ● i *le Redressé :* traduction approximative de *Yeshouroun,* un des noms donnés parfois au peuple d'Israël (voir Dt 32.15)

43.14 celui qui vous rachète Es 41.14+ — le Saint d'Israël Es 1.4+.   **43.15** le Seigneur créateur d'Israël v. 1+ — votre Roi Es 41.21+.   **43.16** un chemin en pleine mer Es 51.10; Ex 14.21-22.   **43.17** couchés pour ne plus se relever Ex 14.23-30; 15.3-5, 9-10 — comme une mèche Es 42.3.   **43.18** événements d'autrefois Es 46.9; — mieux que la sortie d'Egypte Jr 23.7-8.   **43.19** du neuf 2 Co 5.17; Ap 21.5; cf. Es 42.9+ — un chemin Es 40.3; 42.16; 49.11.   **43.20** la transformation du désert Es 41.17-20+; Ex 17.1-7.   **43.21** un peuple qui redira ma louange 1 P 2.9.   **43.22** le Seigneur en conflit avec son peuple Es 42.18-25; 50.1-3.   **43.23** un culte utilitaire ? Ml 3.14.   **43.25** moi (le Seigneur) Es 41.4+ — j'efface tes révoltes Es 44.22; cf. 48.9-11.   **43.26** le Seigneur en procès Es 3.13+.   **43.27** faillite et récolte Es 48.8.   **43.28** interdit et sarcasmes Jr 25.9.   **44.1-5** consolation et promesse pour Jacob-Israël Es 41.8-16; 43.1-7.   **44.1** Israël mon serviteur Es 41.8+.   **44.2** le Seigneur, créateur d'Israël Es 43.1+— dès le sein maternel Es 44.24; 46.3; 49.1, 5; Jr 1.5; Ga 1.15 — ne crains pas Es 41.13+; Jr 30.10 — le Redressé (Yes-houroun) Dt 32.15; 33.5, 26.

³ car je répandrai des eaux sur l'assoiffé,
des ruissellements sur la desséchée ;
je répandrai mon Esprit sur ta descendance,
ma bénédiction sur tes rejetons ;
⁴ ils croîtront comme en plein herbage,
tels des saules au bord des cours d'eau.
⁵ L'un dira : « J'appartiens au SEIGNEUR »,
l'autre s'appellera du nom de Jacob,
un autre écrira sur sa main : « Je suis
au SEIGNEUR »
et se qualifiera du nom d'Israël.

Les fabricants d'idoles ne sont que nullité

⁶ Ainsi parle le SEIGNEUR, le Roi d'Israël,
celui qui le rachète, le SEIGNEUR, le
tout-puissant *j* :
C'est moi le premier, c'est moi le dernier,
en dehors de moi, pas de dieu.
⁷ Qui est comme moi ? Qu'il prenne la
parole,
qu'il annonce ce qu'il en est et me le
développe,
depuis que j'ai établi la multitude
qui remonte à la nuit des temps ; qu'il
dise les choses qui arriveront,
et celles qui viendront, qu'on nous les
annonce !
⁸ Ne frémissez pas, ne craignez pas !
Ne te l'ai-je pas laissé entendre et
annoncé depuis longtemps ?
Ne m'en êtes-vous pas témoins ?
Y a-t-il un dieu en dehors de moi ?
Assurément, il n'existe aucun Rocher,
dont je n'aurais pas connaissance !
⁹ Ceux qui façonnent des idoles ne sont
tous que nullité,
les figurines qu'ils recherchent ne sont
d'aucun profit,
leurs témoins, eux ne voient rien,
et, pour leur honte, ils n'ont connaissance de rien !
¹⁰ Qui a jamais façonné un dieu, coulé
une idole
pour une absence de profit ?
¹¹ Voici que tous ses adeptes se trouvent
honteux,

les artisans ne sont que des hommes !
Qu'ils se rassemblent tous, qu'ils se
présentent :
ils frémiront et seront dans la honte
tous ensemble.
¹² L'artisan sur fer appointe un burin,
le passe dans les braises, le façonne
au marteau,
le travaille d'un bras énergique.
Mais reste-t-il affamé ? plus d'énergie !
Ne boit-il pas d'eau ? le voilà qui
faiblit !
¹³ L'artisan sur bois tend le cordeau,
trace l'œuvre à la craie, l'exécute au
ciseau,
oui, la trace au compas,
lui donne la tournure d'un homme,
la splendeur d'un être humain,
pour qu'elle habite un temple,
¹⁴ pour qu'on débite des cèdres en son
honneur.

On prend du rouvre et du chêne,
pour soi on les veut robustes, parmi les
arbres de la forêt,
on plante un pin, mais c'est la pluie
qui le fait grandir.
¹⁵ C'est pour l'homme bois à brûler :
il en prend et se chauffe,
il l'enflamme et cuit du pain.
Avec ça il réalise aussi un dieu et il
se prosterne,
il en fait une idole et il s'incline devant
elle.
¹⁶ Il en fait flamber la moitié dans le feu
et met par-dessus la viande qu'il va
manger :
il fait rôtir son rôti et se rassasie ;
il se chauffe aussi et dit : « Ah, ah,
je me chauffe, je vois le rougeoiement ! »
¹⁷ Avec le reste, il fait un dieu, son
idole,
il s'incline et se prosterne devant elle,
il lui adresse sa prière, en disant :
« Délivre-moi, car mon dieu, c'est toi ! »
¹⁸ Ils ne comprennent pas, ils ne discernent pas,
car leurs yeux sont encrassés, au point
de ne plus voir,

---

j tout-puissant titre donné fréquemment au Dieu d'Israël dans l'A.T., et parfois traduit *le Seigneur des armées*, c'est-à-dire le maître de toutes les forces de l'univers

44.3 je répandrai mon Esprit Ez 39.29 ; Jl 3.1 ; Za 12.10 ; cf. Es 42.1+ — ta descendance, tes rejetons Es 48.19 ; 61.9 ; 65.23. **44.4** comme les saules au bord de l'eau Jr 17.8 ; Ps 1.3. **44.5** gravé sur la main Es 49.16. **44.6** le Seigneur, Roi d'Israël Es 41.21+ — celui qui te rachète Es
41.14+ — le tout-puissant (= le Seigneur des Armées) Es 1.24+ ; 45.13 ; 47.4 ; 48.2 ; 51.15 ; 54.5 —
le premier, le dernier Es 41.4+ — en dehors de moi, pas de Dieu Es 45.6, 21 ; cf. 43.11. **44.7** Qui
est comme Dieu ? Es 40.18+ — qu'il annonce...! Es 41.22+. **44.8** annoncé depuis longtemps
Es 45.21 ; 48.3, 5, 7 — mes témoins Es 43.10, 12 — Dieu, le rocher Es 17.10 ; Ps 28.1+ ; 71.3.
44.9 fabricants d'idoles Es 40.19+. **44.17** prière (vaine) à un faux dieu Es 45.20. **44.18** des
yeux qui ne voient pas... Es 6.9 ; 42.20+.

leurs cœurs le sont aussi, au point de
ne plus saisir !

¹⁹ Nul en son cœur ne fait retour
à la compréhension et au discernement,
de manière à dire :
« J'en ai fait flamber la moitié dans
le feu,
j'ai aussi cuit du pain sur les braises,
je rôtis de la viande et je la mange,
et du surplus, je ferais une abjection,
je m'inclinerais devant un bout de
bois ! »

²⁰ Il s'attache à de la cendre,
son cœur abusé l'égare :
il ne se verra pas délivré !
Il ne dira pas pour autant :
« N'est-ce pas tromperie, ce que j'ai en
main ? »

²¹ Jacob, rappelle-toi ceci,
Israël : tu es mon serviteur,
je t'ai façonné comme serviteur pour
moi ;
toi, Israël, tu ne me décevras pas [k] :

²² j'ai effacé comme un nuage tes révoltes,
comme une nuée, tes fautes ;
reviens à moi, car je t'ai racheté.

²³ Cieux, poussez des acclamations, car le
SEIGNEUR agit,
retentissez, profondeurs de la terre,
montagnes, explosez en acclamations,
en même temps que la forêt et tous
ses arbres,
car le SEIGNEUR a racheté Jacob
et en Israël manifesté sa splendeur !

Cyrus, l'instrument du Seigneur

²⁴ Ainsi parle le SEIGNEUR qui te rachète,
qui t'a formé dès le sein maternel :
C'est moi, le SEIGNEUR, qui fais tout ;
j'ai tendu les cieux, moi tout seul,
j'ai étalé la terre, qui m'assistait ?

²⁵ Je neutralise les signes des augures [l],
les devins, je les fais divaguer,
je renverse les sages en arrière
et leur science, je la fais délirer.

²⁶ Je donne pleine valeur à la parole de
mon serviteur,
je fais réussir le dessein de mes messagers :
je dis pour Jérusalem : « Qu'elle soit
habitée »,
pour les villes de Juda : « Qu'elles
soient rebâties »,
ce qui est dévasté, je le remettrai en
valeur.

²⁷ Je dis à la haute mer : « Sois dévastée,
tes courants, je vais les dessécher ! »

²⁸ Je dis de Cyrus : « C'est mon *berger » ;
tout ce qui me plaît, il le fera réussir,
en disant pour Jérusalem : « Qu'elle
soit rebâtie »,
et pour le Temple : « Sois à nouveau
fondé ! »

La mission confiée à Cyrus

45 ¹ Ainsi parle le SEIGNEUR à son
*messie :
A Cyrus que je tiens par sa main
droite,
pour abaisser devant lui les nations,
pour déboucler la ceinture des rois,
pour déboucler devant lui les battants,
pour que les portails ne restent pas
fermés :

² Moi-même, devant toi je marcherai,
les terrains bosselés, je les aplanirai,
les battants de bronze, je les briserai,
les verrous de fer, je les fracasserai,

³ Je te donnerai les trésors déposés dans
les ténèbres,
les richesses dissimulées dans des cachettes :
ainsi tu sauras que c'est moi le SEI-
GNEUR,
celui qui t'appelle par ton nom, le
Dieu d'Israël.

⁴ C'est à cause de mon serviteur Jacob,
oui, d'Israël, mon élu,
que je t'ai appelé par ton nom ;

---

k *tu ne me décevras pas* : d'après le texte hébreu d'Esaïe trouvé à Qumrân ; texte hébreu traditionnel *tu ne seras pas oublié de moi* ● l *augures* (ou *ceux qui devinent l'avenir*) : traduction
conjecturale

44.19 réflexions sur l'idole Es 41.24 ; 46.8 ; Rm 1.21-23. **44.21** mon serviteur Es 41.8 ; 43.10 ; 44.1
— je t'ai façonné Es 43.1+. **44.22** j'ai effacé tes révoltes Es 43.25 — reviens à moi Jr 31.18 ;
Lm 5.21 — je t'ai racheté Es 41.14+. **44.23** Cieux, poussez des acclamations... Es 49.13 ; 55.12 ;
Ps 96.12 ; 148.1-9 — louange universelle au Seigneur Es 42.10-12. **44.24** le Seigneur qui te rachète
Es 41.14+ — le Dieu Créateur (choisit Cyrus) Es 42.5+ — dès le sein maternel Es 44.2+ —
créateur du ciel et de la terre Es 40.21 ; 45.12, 13, 18 ; 48.12-13 ; 51.13 — c'est moi (Dieu) qui... Es
45.5-7 ; 48.17. **44.25** je renverse cf. Es 43.13 les sages 1 Co 1.20. **44.28** Cyrus Es 40.13+
— berger Es 40.11 ; Jn 10.1-18 — ce qui plaît à Dieu réussira Es 53.10 ; cf. 48.15. **45.1** messie
(oint) Ps 2.2+ 1) roi 2 S 5.3 ; 2) prêtre Ex 29.7 ; 3) prophète Es 61.1 ; 1 R 19.16 — Cyrus Es 40.13+.
45.2 je marcherai devant toi Es 52.12 ; cf. 49.10 ; Ex 13.21 — terrains bosselés aplanis Es 40.3-4.
45.4 mon serviteur... Israël, mon élu Es 41.8+ ; cf. 42.1 — appelé par ton nom Es 41.25.

je t'ai qualifié, sans que tu me connaisses.
5 C'est moi qui suis le SEIGNEUR, il n'y
en a pas d'autre,
moi excepté, nul n'est dieu !
Je t'ai mis le ceinturon, sans que tu me
connaisses,
6 afin qu'on reconnaisse, au levant du
soleil
comme à son couchant, qu'en dehors
de moi : néant !
C'est moi qui suis le SEIGNEUR, il n'y
en a pas d'autre ;
7 je forme la lumière et je crée les ténèbres,
je fais le bonheur et je crée le malheur :
c'est moi, le SEIGNEUR, qui fais tout
cela.
8 Cieux, de là-haut répandez comme une
rosée
et que les nuées fassent ruisseler la
justice,
que la terre s'ouvre, que s'épanouisse
le salut,
que la justice germe en même temps !
C'est moi, le SEIGNEUR, qui ai créé
cet homme.

9 Malheur à qui, cruchon parmi les cruchons de glaise,
chicanerait celui qui l'a formé !
L'argile dira-t-elle à celui qui lui donne
forme :
« Que fais-tu ? »,
et l'œuvre réalisée par toi dira-t-elle :
« Il n'a pas de mains ! » ?
10 Malheur à qui dit à un père :
« Qu'as-tu engendré ? »,
et à une femme :
« Qu'as-tu mis au monde ? »

11 Ainsi parle le SEIGNEUR,
celui qui a formé Israël et qui en est
le *Saint :
Exigez donc de moi les choses à faire
au sujet de mes fils !
Au sujet de l'œuvre réalisée par mes
mains,
vous me donneriez des ordres ?
12 C'est moi qui ai fait la terre
et qui ai, sur elle, créé l'humanité ;

c'est moi, ce sont mes mains qui ont
tendu les cieux
et à toute leur armée je donne des
ordres.
13 C'est moi qui, selon la justice, ai fait
surgir cet homme
et j'aplanirai tous ses chemins.
C'est lui qui rebâtira ma ville ;
et il renverra mes déportés,
sans qu'il leur en coûte ni paiement,
ni commission,
dit le SEIGNEUR, le tout-puissant *m*.

Seul Dieu a prédit ce qui va arriver

14 Ainsi parle le SEIGNEUR :
La main-d'œuvre d'Egypte, le commerce de Nubie
et les gens de Séva *n*, hommes de haute
taille,
passeront chez toi et seront pour toi,
s'en iront après toi, passeront liés de
chaînes.
Ils se prosterneront devant toi
et t'adresseront cette prière :
« C'est seulement chez toi qu'est Dieu
et il n'y en a pas d'autre ;
les dieux : néant !
15 Mais pour sûr, tu es un Dieu qui se
tient caché,
le Dieu d'Israël, celui qui sauve !
16 Les voilà tous ensemble honteux, couverts d'outrages,
oui, sous les outrages ils s'en vont,
les faiseurs de statues ;
17 Israël est sauvé par le SEIGNEUR
et ce salut est perpétuel ;
vous, vous serez sans honte ni outrage,
perpétuellement, à tout jamais. »
18 Cependant ainsi parle le SEIGNEUR,
le créateur des cieux,
lui, le Dieu
qui a formé et fait la terre,
qui l'a rendue ferme,
qui ne l'a pas créée vide,
mais formée pour qu'on y habite :
C'est moi le SEIGNEUR, il n'y en a pas
d'autre.
19 Je n'ai pas parlé en cachette,
dans un coin ténébreux de la terre,

---

m Voir 44.6 et la note ● *n* Voir 43.3 et la note

45.6 afin qu'on reconnaisse... cf. Es 49.23+ — en dehors de moi... Es 44.6+. **45.7** bonheur...
malheur *Si* 11.14; cf. Es 41.23. **45.8** justice et salut Es 46.13; 51.5, 6, 8; 56.1; 59.17; 62.1 — que la
justice germe Es 61.11; Ps 85.12. **45.9** l'argile dira-t-elle ?... Es 29.16; Jr 18.6; Rm 9.20-21; cf.
Es 64.7. **45.11** celui qui a formé Israël Es 43.1+ — le Saint d'Israël Es 1.4+. **45.12** le Dieu
créateur (choisit Cyrus) Es 42.5+. **45.13** chemins aplanis cf. Es 40.3-4; 45.2 — sans paiement Es
52.3; 55.1 — le tout-puissant Es 44.6+. **45.14** l'Egypte, la Nubie, Séva Es 43.3 — Dieu est
seulement chez toi 2 R 5.15 — pas d'autre Dieu Es 44.6+. **45.15** celui qui sauve Es 43.3+.
45.18 le créateur des cieux et de la terre Es 44.24+ — pas d'autre Seigneur Es 44.6+. **45.19** en
cachette Es 48.16; Jn 18.20; Ac 26.26; cf. Es 45.15 — j'annonce... Es 41.22+.

je n'ai pas dit à la descendance de
Jacob :
« Cherchez-moi dans le vide ! »
C'est moi le SEIGNEUR : je dis ce qui
est juste,
j'annonce ce qui est droit !
20 Rassemblez-vous et venez,
avancez-vous ensemble, rescapés des
nations :
Ils ne savent rien, ceux qui portent
haut
leur idole de bois,
et adressant leur prière à un dieu
qui ne sauve pas.
21 Publiez vos annonces ! Mettez-vous en
avant !
Tenez même conseil ensemble !
Qui a laissé entendre cela dès le passé,
et depuis longtemps l'avait annoncé ?
N'est-ce pas moi, le SEIGNEUR,
et nul autre n'est dieu, en dehors de
moi ;
un dieu juste et qui sauve
il n'en est pas, excepté moi !
22 Tournez-vous vers moi et soyez
sauvés,
vous, tous les confins de la terre,
car c'est moi qui suis Dieu, il n'y en
a pas d'autre.
23 Sur moi-même, j'ai prêté serment
— de ma bouche sort ce qui est juste,
une parole irréversible — :
« Devant moi tout genou fléchira
et toute langue prêtera serment *o* :
24 C'est seulement dans le SEIGNEUR, dira-
t-elle de moi,
que sont actes de justice et puissance ! »

Ils viendront vers lui *p* et seront dans
la honte
tous ceux qui s'étaient échauffés
contre lui.
25 Grâce au SEIGNEUR toute la descendance d'Israël
obtiendra justice et s'exaltera.

Les dieux qu'on porte, le Dieu qui vous porte

46 1 Bel a fléchi, voici Nébo qui
penche *q* :
leurs portraits sont confiés à des animaux, à des bestiaux !
Ce que vous portiez haut, le voici pris
en charge,
fardeau pour montures épuisées,
2 qui penchent et fléchissent en même
temps :
à leur fardeau elles ne peuvent assurer
la liberté,
elles-mêmes s'en vont en captivité.
3 Ecoutez-moi, maison de Jacob,
tout le Reste de la maison d'Israël,
vous qui, depuis le sein maternel, êtes
pris en charge
et portés haut *r* depuis les entrailles
maternelles.
4 Jusqu'à votre vieillesse, moi je resterai tel,
jusqu'à vos cheveux blancs, c'est moi
qui supporterai,
c'est moi qui suis intervenu, c'est moi
qui porterai,
c'est moi qui supporterai et qui libérerai.
5 A qui m'assimilerez-vous, et me ferez-
vous identique ?
A qui me comparerez-vous, que nous
soyons semblables ?
6 Certains gaspillent l'or de leur bourse,
pèsent l'argent au fléau, *s*
engagent un mouleur pour qu'il en
fasse un dieu,
et ils s'inclinent et ils se prosternent !
7 Ce sont eux qui le portent sur l'épaule,
qui le supportent,
qui le mettent au repos, au lieu que
ce soit lui !
Il reste immobile : de sa place il ne
s'écarte pas.

---

o C'est-à-dire que tous les hommes reconnaîtront le Seigneur comme leur maître et lui promet-
tront solennellement fidélité ● *p ils viendront vers lui:* d'après 21 manuscrits hébreux, le texte
hébreu d'Esaïe trouvé à Qumrân et plusieurs versions anciennes; texte hébreu traditionnel *il vient
à lui* ● *q* Bel, Nébo: dieux de la religion babylonienne ● *r maison de Jacob, maison d'Israël:*
voir 2.5; 5.7 et les notes — *pris en charge et portés haut:* sous-entendu *par Dieu* (voir v. 4)
● *s au fléau* ou *à la balance*

45.20 prière à un faux dieu Es 44.17 — un dieu qui ne sauve pas Es 46.7; 47.15. 45.21 Qui l'a
annoncé ?... Es 41.22+ — dès le passé cf. 46.10 — depuis longtemps Es 44.8+ — pas d'autre
dieu que moi v. 6; Es 43.11; 44.6 — Dieu qui sauve Es 43.3+. 45.22 le salut des confins de
la terre Es 49.6; 52.10; Ps 98.3. 45.23 le serment de Dieu Es 49.18; Gn 22.16; Dt 32.40 — une
parole irréversible Es 55.11; 62.8 — tout genou... toute langue Rm 14.11; Ph 2.10-11 — serment
(de soumission) Es 19.18; 2 Ch 15.14. 46.1 Bel Jr 51.44; *Dn grec* 14; Lt-Jr 40. 46.2 idoles
partant en captivité Jr 43.12; 48.7. 46.3 le Reste Es 4.3+; Am 5.15 — dès le sein maternel
Es 44.2+. 46.4 jusqu'à votre vieillesse Ps 71.18. 46.5 à qui comparer Dieu? Es 40.18+.
46.6 fabricants d'idoles Es 40.19+. 46.7 inertie de l'idole Ps 115.5-7+ — immobile Es 41.7 —
muette 1 R 18.26-29; Jr 10.5 — incapable de sauver Es 45.20.

Qu'un homme crie vers lui, il ne ré-
    pond pas,
de sa détresse il ne le sauve pas.

8 Rappelez-vous cela, pour ranimer votre
    ardeur *t*,
ô révoltés, revenez là-dessus au fond de
    votre cœur,
9 rappelez-vous les premiers événements,
    ceux d'autrefois :
Oui, c'est moi qui suis Dieu, il n'y
    en a pas d'autre,
DIEU, et il n'y a que du néant en
    comparaison de moi.
10 Dès le début j'annonce la suite,
dès le passé, ce qui n'est pas encore
    exécuté.
Je dis : « Mon dessein subsistera,
et tout ce qui me plaît, je l'exécu-
    terai. »
11 J'appelle du levant un oiseau de
    proie *u*,
d'une terre éloignée, l'homme du des-
    sein que je revendique,
que j'ai formulé et que je mènerai
    à bien,
que j'ai formé et que j'exécuterai.
12 Ecoutez-moi, cœurs indomptables,
vous qui restez éloignés de la justice :
13 ma justice, je la rends proche, elle n'est
    plus éloignée
et mon salut ne sera plus retardé ;
je donnerai en *Sion le salut,
à Israël je donnerai ma splendeur.

La ruine prochaine de Babylone

47 1 Tombe très bas, affale-toi dans
    la poussière,
vierge, fille de Babylone,
affale-toi à même le sol, privée de
    trône,
fille des Chaldéens *v*,
car plus jamais tu n'obtiendras que l'on
    t'appelle
« Délicate et Jouisseuse ».

2 Prends le moulin,
mouds la farine,
découvre tes tresses ;
retrousse ta robe,
découvre tes cuisses,
passe les fleuves :
3 que soit découverte ta nudité,
que soit vu ce qui t'expose à la risée !
La vengeance, je la prendrai,
et je n'aurai pas recours à un homme :
4 Celui qui nous rachète, son nom est le
SEIGNEUR, le tout-puissant *w*,
le *Saint d'Israël.
5 Affale-toi sans un mot, entre dans
    les ténèbres,
fille des Chaldéens,
car plus jamais tu n'obtiendras que
    l'on t'appelle
« Dominatrice des royaumes ».
6 J'étais irrité contre mon peuple :
j'avais déshonoré mon lot *x*,
je les avais livrés en ta main ;
mais tu ne leur as montré aucune pitié,
sur le vieillard tu as fait peser
ton *joug avec excès !
7 Tu disais : « Je serai pour toujours,
perpétuellement dominatrice » !
tu n'as pas réfléchi dans ton cœur au
    sens des événements,
ni songé à leur suite.
8 Mais maintenant, écoute ceci, volup-
    tueuse,
trônant avec assurance,
toi qui dans ton *cœur disais : « C'est
    moi qui compte,
et le reste n'est que néant !
Non, je ne resterai jamais veuve,
j'ignorerai la perte de mes enfants. »
9 Les deux qui font la paire vont t'ar-
    river,
dans l'instant, en un jour :
perte de tes enfants, veuvage aussi
— le comble ! —
arriveront sur toi,

---

t pour ranimer votre ardeur: traduction conjecturale ● *u un oiseau de proie:* allusion à Cyrus;
voir la note sur 41.2 ● *v fille de Babylone, fille des Chaldéens:* comparer avec 1.8 et la note —
les Chaldéens: autre nom des Babyloniens ● *w* Voir 44.6 et la note ● *x mon lot:* c'est-à-dire le
territoire qui m'appartient, la Palestine (voir 58.14; 63.17 et les notes)

46.8 rappelez-vous Es 44.21. **46.9** les événements d'autrefois Es 43.18; cf. 42.9+ — pas d'autre
Dieu Es 44.6+. **46.10** dès le début Es 40.21+; cf. 44.8+; 45.21 — j'annonce Es 41.22+ —
le dessein de Dieu Es 5.19; 14.26-27; 19.17; 44.26; Ep 1.11 — je l'exécuterai Es 44.28; Ps
33.11; cf. Es 53.10. **46.11** (Cyrus) l'homme du dessein de Dieu Es 40.13+. **46.13** ma justice...
proche Es 51.5 — justice et salut Es 45.8+. **47.1** le jugement de Dieu contre Babylone Es
13+; cf. Es 48.14, 20. **47.4** celui qui nous rachète Es 41.14+; cf. Es 63.4 — le tout-puissant Es
44.6+ — le Saint d'Israël Es 1.4+. **47.6** mon lot Dt 4.20. — Dieu avait livré Israël aux Babyloniens Es 42.24; 43.28; 54.8 — sur le vieillard Lm 2.21 — ton joug Jr 27.8, 11 avec excès Es
10.6-7. **47.7** tu n'as pas réfléchi Es 42.25. **47.8-9** versets cités in Ap 18.7-8. **47.8** c'est moi
qui compte So 2.15. **47.9** perte de tes enfants cf. Es 54.1-6 — tes recettes magiques... Ap 18.23.

bien que s'entassent tes recettes magiques et que foisonnent
tes enchantements, avec excès *y*.

¹⁰ Tu tirais assurance de ta malice, tu
disais :
« Personne ne me voit. »
C'est ta « sagesse » et c'est ta « science », ce sont elles
qui t'ont circonvenue.
Et toi, dans ton cœur, tu disais :
« C'est moi qui compte,
et le reste n'est que néant ! »

¹¹ Voici qu'arrivera sur toi un malheur :
tu ne sauras le conjurer,
voici que tombera sur toi un désastre :
tu ne pourras t'en protéger ;
oui, sur toi arrivera soudain
un saccage dont tu n'as pas idée.

¹² Monte donc la garde au milieu de
tes enchantements,
sur le tas de recettes magiques
pour lesquelles tu t'es fatiguée depuis ta jeunesse :
tu pourras peut-être en tirer profit,
et peut-être effaroucher !

¹³ Tu es importunée par des tas de
conseils :
qu'ils se présentent donc,
et qu'ils te sauvent, ceux qui compar-
timentent les cieux,
lisent dans les étoiles
et font connaître à chaque nouvelle
lune
ce qui doit t'arriver !

¹⁴ Voici qu'ils seront comme de la paille,
un feu les brûlera,
ils ne pourront pas se soustraire
à la main de la flamme :
ce ne sera plus la braise pour se
chauffer,
rougeoiement pour s'asseoir devant !

¹⁵ Ainsi sont-ils pour toi, ceux pour qui
tu t'es fatiguée,
qui t'exploitent depuis ta jeunesse :
chacun de son côté ils sont errants,
nul pour toi n'est sauveur !

Appel, reproches, promesses pour Israël

48 ¹ Ecoutez ceci, maison de Jacob *z*,
vous qui vous appelez du nom
d'Israël,
vous qui êtes issus des sources de Juda,
vous qui prêtez serment par le nom
du SEIGNEUR
et redoublez vos rappels du Dieu
d'Israël,
mais sans sincérité ni droiture :
² — ils s'appellent pourtant : « Ceux de
la Ville *Sainte ! »,
ils revendiquent le soutien du Dieu
d'Israël
dont le nom est : le SEIGNEUR, le tout-
puissant *a* —.

³ Les premiers événements, depuis longtemps je les ai annoncés,
ils sont sortis de ma bouche, je les
ai laissé entendre :
soudain j'ai œuvré et ils sont survenus.

⁴ Comme je sais que tu es endurci,
que ta nuque est un tendon de fer
et que ton front est de bronze,

⁵ je t'ai annoncé les faits depuis longtemps ;
avant qu'ils surviennent, je te les ai
laissé entendre,
pour éviter que tu dises : « C'est ma
figurine qui est ici à l'œuvre,
c'est mon idole, ma statue, qui a donné
ces ordres. »

⁶ Vous avez entendu la prédiction : re-
gardez-la accomplie.
A votre tour ne l'annoncerez-vous
pas ?
Maintenant je te fais entendre des
nouveautés
mises en réserve, que tu ne connaissais pas.

⁷ C'est maintenant qu'elles sont créées,
et non pas depuis longtemps,
au début de ce jour, et tu ne les avais
jamais entendues,
pour éviter que tu dises : « Vu ! je les
connaissais ! »

⁸ Sûr ! tu n'as pas entendu ;
Sûr ! tu n'as pas eu connaissance ;

---

y Les Babyloniens étaient réputés pour leurs magiciens et leurs enchanteurs (voir Dn 2.2)
● *z maison de Jacob :* voir 2.5 et la note ● *a Ceux de la Ville Sainte :* c'est-à-dire ceux de
Jérusalem (voir 52.1) — *le tout-puissant :* voir 44.6 et la note

47.10 personne ne me voit Ez 8.12 ; Ps 10.11. **47.12** efficacité des pratiques idolâtriques ? Es 44.9.
47.13 qu'ils te sauvent... Es 57.13 ; Dt 32.38 ; Jr 2.28. **47.15** nul pour toi n'est sauveur Es 45.
20+. **48.1** prêter serment par le nom du Seigneur Es 19.18 ; cf. 65.16 ; Dt 6.13 ; 10.20 ; Jr 4.2 —
rappels du Dieu d'Israël Ex 23.13 ; Jos 23.7 — sans sincérité ni droiture Es 29.13 ; Jr 5.2 ; cf. Za 8.8.
48.2 le soutien de Dieu Ps 71.6 — le tout-puissant Es 44.6+. **48.3** les premiers événements Es
42.9+ — annoncés Es 41.22 depuis longtemps Es 44.8 ; 45.21 — ils sont survenus cf. 44.28 ;
46.10 ; 55.11. **48.4** ta nuque... de fer Ex 32.9 ; Dt 9.6, 13 ; 2 R 17.14 ; Jr 7.26. **48.6** des nouveautés
Es 42.9+ — mises en réserve Es 42.6, que tu ne connaissais pas Jr 33.3. **48.8** tu n'as pas entendu
Es 41.26 — tu as trahi Jr 5.11 — révolté Es 43.27 — dès le sein maternel Es 44.2+.

Sûr ! ton oreille n'a pas été ouverte
longtemps avant,
car je sais que tu as trahi, encore trahi,
et que l'on t'appelle « Révolté dès le
sein maternel » !
9 C'est par égard pour mon nom que
je modère ma colère,
par égard pour la louange qui m'est
due qu'envers toi je me réfrène,
afin de ne pas me retrancher.
10 Voici que je t'ai épuré — non pas
dans l'argent en fusion —
je t'ai affiné dans le creuset de l'humiliation.
11 C'est par égard pour moi, par égard
pour moi que j'ai agi,
comment, en effet, mon *nom *b* serait-il déshonoré ?
Ma gloire, je ne la donnerai pas à un
autre.

12 Ecoute-moi, Jacob,
Israël, toi que j'appelle,
je suis bien tel : c'est moi le premier,
c'est moi aussi le dernier.
13 Oui, c'est ma main qui a fondé la
terre,
ma droite qui a étendu les cieux ;
si je les appelle,
d'un coup ils se présentent.
14 Rassemblez-vous tous et écoutez !
Qui, parmi les autres, a annoncé ces
faits :
celui que le SEIGNEUR aime *c* exécutera
son bon plaisir
contre Babylone et son engeance, les
Chaldéens ?
15 C'est moi, c'est moi qui ai parlé ; oui,
je l'ai appelé,
je l'ai fait venir et son entreprise
aboutira !
16 Approchez-vous de moi, écoutez ceci :
je n'ai jamais, depuis le début, parlé
en cachette ;
depuis l'époque où cela s'est produit,

je suis là :
finalement c'est donc que le Seigneur
DIEU m'a envoyé, avec son Esprit.
17 Ainsi parle le SEIGNEUR qui te rachète,
le *Saint d'Israël :
C'est moi, le SEIGNEUR, ton Dieu,
qui t'instruis pour que tu en tires
profit,
qui te fais cheminer sur le chemin que
tu parcours.
18 Ah ! si tu avais été attentif à mes
ordres,
ta paix serait comme un fleuve,
et ta justice comme les flots de la mer ;
19 ta descendance serait comme le sable,
ses rejetons comme les gravillons :
jamais son *nom ne serait, de devant
moi,
ni retranché, ni extirpé.
20 Sortez de Babylone ! Fuyez de chez
les Chaldéens !
D'une voix retentissante annoncez-le,
faites-le entendre,
ébruitez-le jusqu'à l'extrémité de la
terre,
dites : « Le SEIGNEUR a racheté son
serviteur Jacob *d* ! »
21 Ils n'ont pas eu soif sur les sols dévastés où il les a menés.
Pour eux, c'est du rocher qu'il fit ruisseler des eaux,
oui, il fendit le rocher et les eaux
coulèrent !
22 Mais point de paix, a dit le SEIGNEUR,
pour les méchants.

Le Serviteur du Seigneur, lumière des nations

49 1 Ecoutez-moi, vous les îles *e*,
soyez attentives, cités du lointain :
le SEIGNEUR m'a appelé dès le sein
maternel,
dès le ventre de ma mère, il s'est

---

b mon nom: ces deux mots ne figurent que dans l'ancienne version grecque et la vieille version
latine ● *c celui que le Seigneur aime:* nouvelle allusion à Cyrus, comme au v. 15 (voir la note
sur 41.2) ● *d Jacob:* voir la note sur 41.21 ● *e les îles:* voir 40.15 et la note

48.9 je modère ma colère Ex 34.6 — mon nom Es 52.5. **48.10** affinage de l'argent Jr 6.29.
48.11 mon nom déshonoré Ez 20.9, 14 ; 36. 22-23 — ma gloire... à aucun autre Es 42.8. **48.12** premier et dernier Es 41.4+. **48.13** le Dieu créateur (choisit Cyrus) Es 42.5+ ; voir aussi 44.24.
48.14 qui a annoncé ?... Es 41.26 + — Cyrus (celui que le Seigneur aime) Es 40.13 + — le bon
plaisir du Seigneur Es 53.10. **48.15** son entreprise aboutira cf. Es 44.28 ; 53.10. **48.16** depuis
le début Es 40.21+ — en cachette Es 45.19+ — le Seigneur m'a envoyé Es 61.1 — avec son
Esprit Es 42.1 ; Mi 3.8. **48.17** le Seigneur qui te rachète Es 41.14+ — le Saint d'Israël Es 1.4+ ;
cf. 40.25 — c'est moi... Es 44.24+. **48.18** Ah ! si tu avais été attentif... Ps 81.14-17 — ta paix
comme un fleuve Es 66.12. **48.19** ta descendance, tes rejetons Es 44.3+ — comme le sable Es
10.22+ ; cf. Ha 1.9 — son nom Es 66.22 ne serait pas retranché 1 S 24.22 ; cf. Ps 37.38.
48.20 sortez de Babylone Es 52.11 ; Jr 51.6 ; Ap 18.4 ; cf. Ps 126.1-2 — racheter Es 41.14+ —
son serviteur Es 41.8+. **48.21** de l'eau ruisselant du rocher Ps 78.15-16+ ; cf. Es 43.20. **48.22**
point de paix pour les méchants Es 57.21. **49.1** les îles Es 40.15+ — le Seigneur m'a appelé
Es 42.6 — dès le sein maternel Es 44.2+.

répété mon nom.

2 Il a disposé ma bouche comme une
épée pointue,
dans l'ombre de sa main il m'a dissimulé ;
il m'a disposé comme une flèche acérée,
dans son carquois il m'a tenu caché.
3 Il m'a dit : « Mon serviteur, c'est toi,
Israël, toi par qui je manifesterai ma
splendeur. »
4 Mais moi je disais : « C'est en vain
que je me suis fatigué,
c'est pour du vide, pour du vent, que
j'ai épuisé mon énergie ! »
En fait, mon droit m'attendait auprès
du SEIGNEUR,
ma récompense, auprès de mon Dieu.
5 A présent, en effet, le SEIGNEUR a parlé,
lui qui m'a formé dès le sein maternel
pour être son serviteur,
afin de ramener Jacob vers lui,
afin qu'Israël pour lui soit regroupé :
dès lors j'ai du poids aux yeux du
SEIGNEUR,
et ma puissance, c'est mon Dieu.
6 Il m'a dit : « C'est trop peu
que tu sois pour moi un serviteur
en relevant les tribus de Jacob,
et en ramenant les préservés d'Israël ;
je t'ai destiné à être la lumière des
nations,
afin que mon salut soit présent jusqu'à
l'extrémité de la terre. »

La délivrance des déportés

7 Ainsi parle le SEIGNEUR,
le Rédempteur et le *Saint d'Israël,
à celui dont la personne est méprisée
et que le monde regarde comme un
être abject *f*,
à l'esclave des despotes :
Des rois verront et se lèveront,
des princes aussi, et ils se prosterneront,

par égard pour le SEIGNEUR, qui est
fidèle,
pour le Saint d'Israël qui t'a choisi.
8 Ainsi parle le SEIGNEUR :
Au temps de la faveur, je t'ai répondu,
au jour du salut, je te suis venu en
aide ;
je t'ai mis en réserve et destiné
à être l'*alliance de la multitude,
en relevant le pays,
en lotissant les lots naguère désolés,
9 en disant *g* aux prisonniers : « Sortez ! »,
à ceux qui sont dans les ténèbres :
« Montrez-vous ! »
Le long des chemins ils auront leurs
pâtures,
sur tous les coteaux pelés, leurs pâturages.
10 Ils n'endureront ni faim ni soif,
jamais ils ne les abattront
ni la brûlure du sable, ni celle du
soleil,
car celui qui est plein de tendresse
pour eux les conduira,
et vers les nappes d'eau les mènera se
rafraîchir.
11 De toutes les montagnes je me ferai
un chemin,
et les chaussées seront pour moi sur-
élevées.
12 Les voici : de bien loin ils arrivent,
les uns du nord et de l'ouest,
les autres, de la terre d'Assouan *h*.
13 Cieux, poussez des acclamations ;
terre, exulte,
montagnes, explosez en acclamations,
car le SEIGNEUR réconforte son peuple,
et à ses humiliés il montre sa tendresse.

Jérusalem rebâtie et repeuplée

14 *Sion disait : « Le SEIGNEUR m'a
abandonnée,

---

*f le Rédempteur ou celui qui te rachète : voir la note sur 41.14 — à celui dont la personne est mé-
prisée : d'après le texte hébreu d'Esaïe trouvé à Qumrân et plusieurs versions anciennes — que
le monde regarde comme un être abject : d'après les versions anciennes ● g en relevant, en lotissant (v. 8), en disant (v. 9): ces participes font probablement allusion à l'action de Dieu lui-
même ● h de l'ouest ou de la mer — Assouan (ou Syène): d'après le texte hébreu d'Esaïe trouvé
à Qumrân, et comme en Ez 29.10; 30.6; texte hébreu traditionnel Sinim (localité inconnue).*

49.2 comme une épée pointue Sg 18.15-16; He 4.12; Ap 1.16. **49.3** mon serviteur Es 42.1+;
cf. 41.8+ — par toi je manifesterai ma splendeur Es 44.23. **49.4** Dieu et mon droit Es 40.27.
49.5 du poids aux yeux du Seigneur Es 43.4. **49.6** verset cité en Ac 13.47 — la lumière des nations
Es 42.6+ — salut jusqu'aux extrémités de la terre Es 45.22+. **49.7** le Rédempteur Es 41.14+
— le Saint d'Israël Es 1.4+ — méprisé Es 53.3 — des rois se prosterneront... Es 49.23; cf. 52.13.
49.8 verset cité en 2 Co 6.2 — mis en réserve Es 48.6 — alliance Es 42.6 — la multitude humaine
Es 40.7+. **49.9** délivrer les prisonniers Es 42.7. **49.10** ni faim ni soif Es 35.7; 41.17; Ap 7.16;
cf. Ap 43.22 — Dieu comme guide Es 42.16. **49.11** un chemin... Es 40.3-4. **49.12** ils arrivent
du nord... Es 43.5-6; Ps 107.3. **49.13** Cieux, poussez des acclamations Es 44.23+ — le Seigneur
réconforte son peuple Es 40.1. **49.14** abandonnée cf. Es 41.17; 54.6; 60.15; Os 11.8; Ps 89.39-52:
Lm 5.22 — le Seigneur m'a oubliée cf. Es 40.27.

mon Seigneur m'a oubliée ! »
15 La femme oublie-t-elle son nourrisson,
oublie-t-elle de montrer sa tendresse
à l'enfant de sa chair ?
Même si celles-là oubliaient,
moi, je ne t'oublierai pas !
16 Voici que sur mes paumes je t'ai
gravée,
que tes murailles sont constamment
sous ma vue.
17 Ils accourent, tes bâtisseurs *i*,
et tes démolisseurs, tes dévastateurs
loin de toi s'en vont.
18 Porte tes regards sur les alentours et
vois :
tous, ils se rassemblent, ils viennent
vers toi.
Par ma vie, oracle du SEIGNEUR,
oui, tu les revêtiras tous comme une
parure,
telle une promise, tu te feras d'eux
une ceinture.
19 Oui, dévastation, désolation,
terre de démolition que tu es,
oui, désormais tu seras trop étroite
pour l'habitant,
tandis que prendront le large ceux qui
t'engloutissaient.
20 De nouveau, ils diront à tes oreilles,
les fils dont tu ressentis la privation :
« L'espace est trop étroit pour moi.
Place pour moi ! Tiens-toi serrée, que
je puisse habiter. »
21 Tu diras alors dans ton *cœur :
« Ceux-ci, qui me les a enfantés ?
Moi, j'étais privée d'enfants, stérile,
en déportation, éliminée ;
ceux-là, qui les a fait grandir ?
Voilà que je restais seule,
ceux-là, où donc étaient-ils ? »
22 Ainsi parle le Seigneur DIEU :
Voici que j'élèverai ma main vers les
nations,
que je dresserai mon étendard vers les
peuples :

ils ramèneront tes fils dans leurs bras
et tes filles seront hissées sur leurs
épaules.
23 Des rois seront tes tuteurs,
et leurs princesses, tes nourrices.
Visage contre terre ils se prosterneront
devant toi,
ils lècheront la poussière de tes pieds.
Tu sauras alors que je suis le SEIGNEUR ;
ceux qui espèrent en moi n'auront
point de honte.
24 La prise du héros sera-t-elle reprise ?
La capture du tyran *j* sera-t-elle libérée ?
25 Oui, ainsi parle le SEIGNEUR :
Sûrement ! la capture du héros sera
reprise
et la prise du tyran sera libérée !
Ton querelleur, c'est moi qui vais le
quereller ;
tes fils, c'est moi qui vais les sauver.
26 Je ferai manger à tes oppresseurs leur
propre chair,
ils s'enivreront de leur propre sang
comme d'un vin giclant du pressoir ;
et tous les êtres de chair sauront que
celui qui te sauve, c'est moi, le SEI-
GNEUR,
que celui qui te rachète, c'est l'indomptable de Jacob *k* !

Dieu a les moyens de sauver son peuple

50 1 Ainsi parle le SEIGNEUR :
Où est donc la lettre de divorce
par laquelle j'aurais renvoyé votre
mère *l* ?
Ou bien, quel est celui de mes créanciers
à qui je vous aurais vendus ?
Voici : c'est à cause de vos perversités
que vous avez été vendus,
c'est à cause de vos révoltes

---

i tes bâtisseurs : d'après plusieurs versions anciennes et le texte hébreu d'Esaïe trouvé à Qumrân ; texte hébreu... traditionnel *tes fils* (les deux termes hébreux correspondants ne diffèrent que par une voyelle) ● *j* d'après les principales versions anciennes et le texte hébreu d'Esaïe trouvé à Qumrân ● *k l'Indomptable de Jacob :* voir 1.24 et la note ● *l votre mère :* le prophète combine ici deux images. D'une part Jérusalem personnifiée est comparée à l'épouse du Seigneur (voir 49.14 ; 54.4-8) ; elle est considérée d'autre part comme la mère de tous ceux qui l'habitent (49.20-22 ; 66.7-12)

49.15 moi je ne t'oublierai pas cf. Es 44.21 ; Jr 31.20. **49.16** gravé sur mes paumes cf. Es 44.5. **49.17** tes bâtisseurs Es 60.10. **49.18** Par ma vie ! Es 45.23 — rassemblement des exilés Es 60.4. **49.20** privée de ses fils Es 47.9 ; Lm 1.5, 20 — espace trop étroit Es 54.2. **49.21** qui les a fait grandir ? Es 1.2 — Où étaient-ils ? Es 66.8. **49.22** un étendard vers les peuples Es 5.26+ — ils ramèneront tes fils... Es 60.4 ; *Ba* 5.6. **49.23** des rois se prosterneront v. 7 ; Es 60.10, 14, 16 — tu sauras que je suis le Seigneur Es 41.20 ; 43.10 ; 45.6 ; Ez 6.7, etc. — ceux qui espèrent en moi Es 30.18+ ; 51.5+. **49.25** ton querelleur Es 41.11, c'est moi qui vais le quereller Jr 31.11 ; cf. Lc 11.21-22. **49.26** enivrés de leur propre sang Ap 16.6 — celui qui te sauve Es 43.3+ — l'Indomptable de Jacob Es 1.24+ — celui qui te rachète Es 41.14+. **50.1** votre mère renvoyée Es 54.6 ; Jr 3.1 ; Os 2.4 — vendus Es 52.3 ; Ps 44.13 ; *Ba* 4.6.

que votre mère a été renvoyée.
² Comment ! Je suis venu, et personne...
J'ai appelé, et personne n'a répondu ?
Est-ce que ma main serait courte, trop
courte pour affranchir *m* ?
Est-ce que je ne disposerais d'aucune
énergie pour délivrer ?
Voici que par ma menace je dévaste
la mer,
je réduis en désert ses courants ;
faute d'eau, leurs poissons empestent
et crèvent de soif.
³ Je revêts les cieux de noir
et je leur mets, comme couverture, un
*sac.

Disciple du Seigneur et persécuté

⁴ Le SEIGNEUR m'a donné
une langue de disciple :
pour que je sache soulager l'affaibli,
il fait surgir une parole.
Matin après matin,
il me fait dresser l'oreille,
pour que j'écoute, comme les disciples ;
⁵ le Seigneur DIEU m'a ouvert l'oreille.
Et moi, je ne me suis pas cabré,
je ne me suis pas rejeté en arrière.
⁶ J'ai livré mon dos à ceux qui me frappaient,
mes joues, à ceux qui m'arrachaient
la barbe ;
je n'ai pas caché mon visage
face aux outrages et aux crachats.
⁷ C'est que le Seigneur DIEU me vient
en aide :
dès lors je ne cède pas aux outrages,
dès lors j'ai rendu mon visage dur
comme un silex *n*,
j'ai su que je n'éprouverais pas de honte.
⁸ Il est proche, celui qui me justifie !
Qui veut me quereller ?
Comparaissons ensemble !
Qui sera mon adversaire en jugement ?
Qu'il s'avance vers moi !

⁹ Oui, le Seigneur DIEU me vient en
aide :
qui donc me convaincrait de culpabilité ?
Oui, tous ceux-là comme un habit
s'useront,
la teigne les mangera.
¹⁰ Y a-t-il parmi vous quelqu'un qui
craint le SEIGNEUR ?
qui écoute la voix de son serviteur,
et qui a marché dans les ténèbres
sans trouver aucune clarté ?
Qu'il mette son assurance dans le *nom
du SEIGNEUR,
qu'il s'appuie sur son Dieu !
¹¹ Quant à vous tous, qui faites brûler
un feu,
qui formez un cercle de brandons,
allez dans le rougeoiement de votre
feu,
au milieu des brandons que vous
attisez.
C'est par ma main que cela se produira pour vous :
dans l'accablement, vous vous coucherez *o* !

Un réconfort pour Sion

51 ¹ Ecoutez-moi, vous qui êtes en
quête de justice,
vous qui cherchez le SEIGNEUR :
Regardez le rocher d'où vous avez été
taillés,
et le fond de tranchée d'où vous avez
été tirés ;
² regardez Abraham, votre père *p*,
et Sara qui vous a mis au monde ;
il était seul, en effet, quand je l'ai
appelé,
or je l'ai béni, je l'ai multiplié !
³ Oui, le SEIGNEUR réconforte *Sion,
il réconforte toutes ses dévastations ;
il rend son désert pareil à un Eden
et sa steppe pareille à un Jardin du
SEIGNEUR ;

---

m ma main... trop courte: voir la note sur 37.27 ● *n rendre son visage dur:* expression imagée de
l'hébreu signifiant qu'on a pris une résolution définitive ● *o vous vous coucherez:* image de la
mort (voir 43.17) ● *p votre père:* tournure hébraïque signifiant *votre ancêtre* (comparer 43.27 et la
note)

50.2 personne Es 41.28+ — appel sans réponse Es 65.12; 66.4; Jr 7.13; 35.17 — ma main trop
courte... Es 37.27; 59.1; cf. Nb 11.23 — mer menacée Es 44.27; Na 1.4; Ps 106.9. **50.3** je revêts
les cieux de noir Ex 10.21-23 — un sac Es 58.5. **50.4** disciple Es 54.13 — soulager l'affaibli Es 40.29.
50.6 tendre la joue Lm 3.30; Mt 5.39 — crachats Mt 26.67; 27.30 par. **50.7** visage dur comme
un silex Ez 3.8-9; cf. Lc 9.51. **50.8** Il est proche Es 55.6 — qui veut me faire un procès ? Jb 13.
18-19; cf. Rm 8.31-34. **50.9** qui me convaincrait...? Jn 8.46. **50.10** craindre le Seigneur Ps 115.4+
— écouter le serviteur du Seigneur Ez 3.7; cf. Es 42.1+ — dans les ténèbres Es 42.7; 49.9; Dt 4.30.
51.1 chercher la justice So 2.3; Mt 5.6; 6.33 — ceux qui cherchent le Seigneur Ps 9.11+ — le
rocher Dt 32.18. **51.2** Abraham votre père cf. Es 29.22; Rm 4.11-12 — il était seul Ez 33.24 —
Abraham béni et multiplié Gn 12.2-3; 15.5. **51.3** réconfort pour Sion Es 40.1+ — transformation
du désert cf. Es 41.18+ — Eden Gn 2.8; Ez 36.35; Ap 2.7; 22.2 — enthousiasme et jubilation
v. 11; Jr 33.11; Ps 51.10.

On y retrouvera enthousiasme et jubilation,
action de grâces et son de la musique.
4 Accordez-moi votre attention, vous,
mon peuple,
vous, ma Cité, tendez l'oreille vers
moi :
car de moi sortira la loi,
et mon jugement, lumière des peuples,
je l'activerai !
5 Elle est proche, ma justice ; il sort,
mon salut,
et mes bras vont juger les peuples ;
les îles q mettront leur espérance en
moi
et seront dans l'attente de mon bras.
6 Levez vos yeux vers les cieux,
puis regardez en bas, vers la terre :
oui, les cieux comme une fumée s'effi-
locheront,
la terre comme un habit s'usera
et ses habitants mourront comme des
insectes.
Mais mon salut sera là pour toujours
et ma justice ne sera jamais terrassée.
7 Ecoutez-moi, vous qui connaissez la
justice,
peuple de ceux qui ont ma *Loi dans
leur cœur :
Ne craignez pas la risée des humains,
et par leurs sarcasmes ne soyez pas
terrassés,
8 car la teigne les mangera comme un
habit,
la mite les mangera comme de la laine.
Mais ma justice sera là pour toujours,
et mon salut, de génération en génération.

Appel au Dieu qui libère

9 Surgis, surgis, revêts-toi de puissance,
bras du SEIGNEUR,
surgis, comme aux jours du temps
passé,
des générations d'autrefois.
N'est-ce pas toi qui as taillé en pièces
le Tempétueux,
transpercé le Dragon r ?
10 N'est-ce pas toi qui as dévasté la Mer,
les eaux de l'*Abîme gigantesque,
qui as fait du fond de la mer un
chemin,
pour que passent les rachetés ?
11 Les affranchis du SEIGNEUR reviendront,
ils entreront dans *Sion au milieu des
acclamations,
la jubilation d'autrefois nimbant leur
tête.
Enthousiasme et Jubilation afflueront,
Tourment et Gémissement se sont
enfuis.
12 C'est moi, c'est moi qui vous réconforte.
Qui es-tu pour craindre l'humain qui
meurt,
le fils d'Adam s qui est compté comme
une herbe,
13 pour oublier le SEIGNEUR qui t'a fait,
qui a tendu les cieux et fondé la terre,
pour frémir sans cesse à longueur de
jour,
devant la fureur de l'oppresseur,
comme s'il était assez stable pour détruire ?
Mais où est-elle la fureur de l'oppresseur ?
14 Vite, le voilà dégagé celui qui était
prostré :
il ne mourra pas, il n'est pas pour la
fosse t,
et le pain ne lui manquera jamais !
15 C'est moi qui suis le SEIGNEUR, ton
Dieu.
qui active la mer au point que ses
flots grondent
et dont le nom est : le SEIGNEUR, le

q mes bras: voir 40.10 et la note — les îles: voir 40.15 et la note • r le Tempétueux (ou Rahav),
le Dragon: monstres que la mythologie babylonienne faisait intervenir contre le dieu créateur • s le
fils d'Adam: expression hébraïque désignant l'individu humain • t la fosse: voir au glossaire
SÉJOUR DES MORTS

51.4 tendre l'oreille vers Dieu Es 42.23 — lumière des peuples Es 42.6+. 51.5 ma justice est proche Es 46.13 — justice et salut Es 45.8+ — bras du Seigneur Es 40.10+ — les îles Es 40.15+
— dans l'attente de l'intervention de Dieu Es 42.4; cf. 30.18+. 51.6 les cieux... la terre Es
40.22 — usure de la terre et des cieux Ps 102.26-27; Mt 5.18; 2 P 3.7-12; Ap 20.11 — mais mon
salut... pour toujours Mt 24.35. 51.7 ma loi dans leur cœur Dt 30.14; Jr 31.33 — sarcasmes
des adversaires So 2.8. 51.9 bras du Seigneur Es 40.10+ — comme au temps passé cf. Ex
6.6 — le Tempétueux cf. Ps 89.11; Jb 9.13 — le Dragon cf. Jb 7.12. 51.10 la Mer Jb 38.8; cf.
Ex 14.2 — un chemin au fond de la mer Es 43.16; Ex 14.21-22. 51.11 le retour des Affranchis
du Seigneur... Es 35.10. 51.12 C'est moi qui qui... Es 43.11+ — réconfort Es 40.1+ — comme
une herbe Es 40.6+. 51.13 le Seigneur qui t'a fait Es 43.1+ — le créateur du ciel et de la
terre Es 44.24. 51.14 il n'est pas pour la fosse Ps 16.10. 51.15 ton Dieu Es 55.5; 60.9 — qui
active la mer... Jr 31.35; cf. Jb 26.12 — le tout-puissant Es 44.6+.

tout-puissant ^u.

¹⁶ J'ai mis mes paroles dans ta bouche,
dans l'ombre de ma main je t'ai abrité
en plantant les cieux, en fondant la
terre
et en disant à Sion : « Mon peuple,
c'est toi ! »

Le Seigneur va relever Jérusalem

¹⁷ Resurgis, resurgis, mets-toi debout, Jé-
rusalem,
toi qui as bu de la main du SEIGNEUR
le calice de sa fureur ;
la coupe du calice de vertige
tu l'as bue, tu l'as vidée.
¹⁸ De tous les fils qu'elle a enfantés,
pas un qui l'ait menée se rafraîchir ;
de tous les fils qu'elle a fait grandir,
pas un qui l'ait tenue par la main !
¹⁹ Les deux qui font la paire sont venus
t'accoster :
— qui te plaindra ? —
Dégât et Brisement, Famine et Epée :
qui te réconfortera ?
²⁰ Tes fils sont enlisés, sont gisant
à tous les coins de rue,
comme antilope prise au piège,
domptés par la fureur du SEIGNEUR,
par la menace de ton Dieu.
²¹ Dès lors, écoute donc ceci, humiliée,
enivrée, mais non de vin :
²² Ainsi parle ton Maître, le SEIGNEUR,
ton Dieu, qui épouse la querelle de
son peuple :
Voici que j'ai retiré de ta main
le calice du vertige,
la coupe du calice de ma fureur
désormais tu n'auras plus à la boire.
²³ Je la mettrai dans la main de tes tour-
menteurs,
de ceux qui te disaient, à toi :
« Aplatis-toi, pour que nous passions » ;

alors, tu avais mis ton dos en guise
de sol,
en guise de rue pour les passants.

Le Seigneur va revenir à Sion

52 ¹ Surgis, surgis, revêts-toi de puissance, ô *Sion,
revêts tes habits de splendeur,
Jérusalem, ville de la *sainteté ^v,
car désormais, l'*incirconcis, l'*impur,
n'obtiendra plus de revenir chez toi.
² Hors de la poussière, ébroue-toi, mets-
toi debout,
toi, la capture, Jérusalem,
fais sauter les liens de ton cou,
toi, la captive, fille de Sion ^w.
³ Oui, ainsi parle le SEIGNEUR :
C'est gratuitement que vous avez été
vendus,
c'est sans argent que vous serez rachetés !
⁴ Oui, ainsi parle le Seigneur DIEU :
Au début, c'est en Egypte que mon
peuple descendit pour y émigrer ;
à la fin, c'est Assour qui le soumit à
l'extorsion ^x ;
⁵ et maintenant, ici, qu'est-ce que je ré-
colte ?
— oracle du SEIGNEUR —
car mon peuple a été enlevé gratuitement,
ses despotes hurlent
— oracle du SEIGNEUR —
et sans cesse, à longueur de jour,
mon *nom est bafoué !
⁶ Dès lors mon peuple va savoir
quel est mon nom ;
dès lors, en ce jour, il va savoir
que je suis celui-là même
qui affirme : « Me voici ! »
⁷ Comme ils sont les bienvenus,
au sommet des montagnes,
les pas du messager

---

u Voir 44.6 et la note • *v ville de la sainteté* ou *ville sainte* • *w fille de Sion :* voir 1.8 et la note
• *x à la fin :* autre traduction *pour rien* (c'est-à-dire sans raison ou sans dédommagement) — *Assour :*
l'Assyrie

51.16 mes paroles dans ta bouche Es 59.21 ; Jr 1.9 ; cf. Dt 18.18 — dans l'ombre de ma main Es
49.2. **51.17** Résurgis... Es 52.1 ; Jg 5.12 — la fureur du Seigneur Es 42.25 — la coupe de vertige
Jr 25.15+. **51.18** les fils de Jérusalem Es 49.21-22 ; 60.4. **51.19** deux malheurs ensemble Es 47.9
— qui te plaindra ? Jr 15.5 ; Lm 1.2, 9, 16, 17. **51.20** tes fils Lm 2.19 — la menace de ton Dieu
Es 50.2. **51.23** ton dos en guise de sol Jos 10.24. **52.1** Surgis... Es 51.9, 17 — ville de la sainteté
Es 48.2 — aucun incirconcis Ez 44.9. **52.2** hors de la poussière cf. Es 47.1 — la captive Es 49.25 ;
cf. Jr 48.46. **52.3** sans argent Es 45.13+ ; cf. 1 P 1.18. **52.4** Israël émigra en Egypte Gn 46-37.
— l'Assyrie le soumit à l'extorsion Es 10.24. **52.5** ses despotes Es 49.7 — mon nom est bafoué
Ez 36.20-22 ; Rm 2.24. **52.6** mon peuple va savoir Es 49.23+ quel est mon nom Ez 39.7 — je
suis Celui-là même... Es 41.4+ — me voici Es 40.9-10 ; 58.9. **52.7** messager de bonne nouvelle
Es 40.9+ ; Na 2.1 ; Rm 10.15 ; Ap 14.6 — ton Dieu règne Ps 93.1+.

qui nous met à l'écoute de la paix,
qui porte un message de bonté,
qui nous met à l'écoute du salut,
qui dit à Sion : « Ton Dieu règne ! »
8 Voix de tes guetteurs !
Ils élèvent leur voix,
ensemble ils poussent une acclamation
car, les yeux dans les yeux, ils voient
le SEIGNEUR en train de regagner Sion.
9 Explosez, poussez des acclamations
toutes ensemble,
dévastations de Jérusalem,
car le SEIGNEUR réconforte son peuple,
il rachète Jérusalem.
10 Le SEIGNEUR met à nu, sous les yeux
de toutes les nations,
le bras *y* déployant sa *sainteté,
et tous les confins de la terre verront
le salut de notre Dieu.
11 Partez, partez, sortez de là ;
l'impur, n'y touchez pas ;
sortez du milieu de Babylone, purifiez-vous,
vous qui portez les objets du culte *z*
du SEIGNEUR.
12 Ce n'est pas en effet dans la précipitation
que vous sortirez,
ni dans la panique
que vous marcherez ;
car celui qui marchera devant vous,
ce sera le SEIGNEUR,
et votre arrière-garde,
ce sera le Dieu d'Israël.

Le Serviteur du Seigneur souffre et triomphe

13 Voici que mon Serviteur triomphera,
il sera haut placé, élevé, exalté à l'extrême.
14 De même que les foules ont été horrifiées à son sujet
— à ce point détruite,
son apparence n'était plus celle d'un
homme,
et son aspect n'était plus celui des fils
d'Adam *a* —
15 de même à son sujet des foules de
nations vont être émerveillées *b*,
des rois vont rester bouche close,
car ils voient ce qui ne leur avait pas
été raconté,
et ils observent ce qu'ils n'avaient pas
entendu dire.

53 1 Qui donc a cru à ce que nous
avons entendu dire ?
Le bras *c* du SEIGNEUR, en faveur de
qui a-t-il été dévoilé ?
2 Devant Lui *d*, celui-là végétait comme
un rejet,
comme une racine sortant d'une terre
aride ;
il n'avait ni aspect, ni prestance tels
que nous le remarquions,
ni apparence telle que nous le recher-
chions.
3 Il était méprisé, laissé de côté par les
hommes,
homme de douleurs, familier de la
souffrance,
tel celui devant qui l'on cache son
visage ;
oui, méprisé, nous ne l'estimions nullement.
4 En fait, ce sont nos souffrances qu'il
a portées,
ce sont nos douleurs qu'il a suppor-
tées,
et nous, nous l'estimions touché,
frappé par Dieu et humilié.
5 Mais lui, il était déshonoré *e* à cause
de nos révoltes,
broyé à cause de nos perversités :

y le bras: voir la note sur 40.10 • *z les objets du culte:* ceux-là même qui avaient été pris par les Babyloniens en 587 av. J.C. (voir 2 R 25.13-15; Esd 1.7-11) • *a fils d'Adam:* voir 51.12 et la note • *b. vont être émerveillées:* d'après l'ancienne version grecque et la vieille version latine • *c le bras:* voir la note sur 40.10 • *d devant Lui:* c'est-à-dire devant le Seigneur • *e déshonoré:* d'après une ancienne version grecque et la version araméenne. Traduction traditionnelle *transpercé.* En hébreu les deux verbes correspondants ont des formes très voisines

52.8 guetteurs Es 56.10; Jr 6.17; Ez 3.17; Ha 2.1 — le Seigneur regagne Sion Ez 43.4. **52.9** le Seigneur réconforte Es 40.1+ — il rachète Jérusalem Es 41.14+. **52.10** aux yeux de toutes les nations cf. Es 40.5 — les bras du Seigneur Es 40.10+ — les confins de la terre et le salut Es 45.22+; Ps 98.1-4. **52.11** quittez Babylone Es 48.20+; 2 Co 6.17; Ap 18.4. **52.12** dans la précipitation Ex 12.11, 33-34; Dt 16.3 — celui qui marchera devant vous Es 45.2+ — votre arrière-garde Ex 14.19; Es 58.8. **52.13** mon Serviteur Es 42.1+; cf. Jr 23.5 — élevé, exalté Es 57.15; Jn 12.32; Ac 3.13; Ph 2.9. **52.14** les foules horrifiées à son sujet Es 49.7; Ps 22.7 — son aspect n'avait plus rien d'humain cf. Jn 19.5. **52.15** verset cité (librement) en Rm 15.21 — nations émerveillées Mi 7.16 — des rois Es 49.7 — jamais vu, jamais entendu Es 64.3. **53.1** verset cité en Jn 12.38; Rm 10.16 — le bras du Seigneur Es 40.10+. **53.2** un rejet, une racine Es 11.1, 10; 37.31 — ni aspect, ni prestance Es 52.14. **53.3** méprisé Es 49.7; Ps 22.7; Mc 9.12. **53.4** il a porté nos souffrances Mt 8.17; He 2.10. **53.5** à cause de nos révoltes Rm 4.25; 2 Co 5.21; Ga 3.13 — gage de paix Ep 2.14-18 — notre guérison 1 P 2.24.

la sanction, gage de paix pour nous,
était sur lui
et dans ses plaies se trouvait notre
guérison.

6 Nous tous, comme du petit bétail, nous
étions errants,
nous nous tournions chacun vers son
chemin,
et le SEIGNEUR a fait retomber sur lui
la perversité de nous tous.

7 Brutalisé, il s'humilie ;
il n'ouvre pas la bouche,
comme un agneau traîné à l'abattoir,
comme une brebis devant ceux qui la
tondent :
elle est muette ; lui n'ouvre pas la bouche.

8 Sous la contrainte, sous le jugement, il
a été enlevé,
les gens de sa génération, qui se préoccupe d'eux ?
Oui, il a été retranché de la terre des
vivants,
à cause de la révolte de son peuple f,
le coup est sur lui.

9 On a mis chez les méchants son sépulcre,
chez les riches son tombeau g,
bien qu'il n'ait pas commis de violence
et qu'il n'y eût pas de fraude dans sa
bouche.

10 Mais, SEIGNEUR, que, broyé par la
souffrance, il te plaise ;
daigne faire de sa personne un sacrifice d'expiation,
qu'il voie une descendance, qu'il prolonge ses jours
et que le bon plaisir du SEIGNEUR par
sa main aboutisse h.

11 Ayant payé de sa personne,
il verra une descendance, il sera
comblé de jours i ;
sitôt connu, juste, il dispensera la
justice,
lui, mon Serviteur, au profit des
foules,
du fait que lui-même supporte leurs
perversités.

12 Dès lors je lui taillerai sa part dans
les foules,
et c'est avec des myriades j qu'il
constituera sa part de butin,
puisqu'il s'est dépouillé lui-même jusqu'à la mort
et qu'avec les pécheurs il s'est laissé
recenser,
puisqu'il a porté, lui, les fautes des
foules
et que, pour les pécheurs, il vient
s'interposer.

Jérusalem, l'épouse du Seigneur

54 1 Pousse des acclamations,
toi, stérile, qui n'enfantais plus,
explose en acclamations et vibre, toi qui
ne mettais plus au monde ;
car les voici en foule, les fils de la
désolée,
plus nombreux que les fils de l'épousée, dit le SEIGNEUR.

2 Elargis l'espace de ta tente,
les toiles de tes demeures, qu'on les
distende !
Ne ménage rien ! Allonge tes cordages
et tes piquets, fais-les tenir,

3 car à droite et à gauche tu vas
déborder :
ta descendance héritera des nations

---

f son peuple : d'après le texte hébreu d'Esaïe trouvé à Qumrân; texte hébreu traditionnel mon
peuple ● g son tombeau : d'après le texte hébreu d'Esaïe trouvé à Qumrân ● h que, broyé par
la souffrance, il te plaise : traduction conjecturale d'un vers difficile ; traduction traditionnelle
le Seigneur s'est plu à l'écraser : il (l') a fait souffrir. — Autre traduction de la fin du verset il
verra une descendance, il prolongera ses jours et le bon plaisir du Seigneur par sa main aboutira ●
i il sera comblé de jours : expression imagée signifiant il vivra très longtemps ● j avec des myriades : le texte sous-entend d'hommes

53.6 errants comme du bétail Nb 27.17; 1 R 22.17; Jr 10.21; 50.6; Ez 34.5-6; Na 3.18; Za 13.7;
Mt 9.36 par.; 1 P 2.25 — sur lui notre perversité 1 Co 15.3.   53.7-8 versets cités en Ac 8.32-33.
53.7 comme un agneau Ex 12.3-6; Jn 1.29 — qu'on traîne à l'abattoir Jr 11.19; Ps 44.23 — brebis
muette Ps 38.14-16; cf. Sg 2.19; Mt 27.12-13; Mc 14.61; 15.4-5; Lc 23.9; Jn 19.9.   53.8 enlevé
Es 52.5; Mt 9.15 — retranché de la terre des vivants cf. Ez 37.11; Lm 3.54.   53.9 son tombeau
Lm 3.6 chez les riches Mt 27.57-60 — bien qu'il n'ait pas commis de violence Ps 44.18-22
— pas de fraude dans sa bouche 1 P 2.22.   53.10 sacrifice d'expiation Rm 3.25; He 2.17;
1 Jn 2.2 — le bon plaisir du Seigneur aboutira Es 44.26; 46.10; 48.14; Mt 6.10; 26.42; Jn 4.34.
53.11 juste Ac 3.13-14 — il dispensera la justice Rm 3.26; 5.18; 1 P 3.18.   53.12 foules, myriades
Es 60.22; Mt 26.28; Mc 10.45 seront sa part Ps 2.8 de butin Lc 11.21-22 — il s'est dépouillé Ph
2.7 — avec les pécheurs Lc 22.37 — il a porté les fautes des foules Jn 1.29; He 9.28; 1 P 2.24 —
il s'interpose Jr 15.11; Lc 23.34; He 7.25.   54.1 verset cité en Ga 4.27 — acclamations Es 12.6;
24.14; 26.19; 44.23; 49.13; 52.8-9; 55.12 — stérile 1 S 2.5; Ps 113.9 — la désolée, l'épousée Es
62.4; cf. 60.15.   54.2 élargis l'espace de ta tente Es 49.20.   54.3 tu vas déborder Es 49.19; Gn
28.14 — hériter des nations Es 45.14; 60.3-16 — repeuplement Es 44.26; cf. 55.5.

qui peupleront les villes désolées.

4 Ne crains pas, car tu n'éprouveras
plus de honte,
ne te sens plus outragée, car tu n'auras plus à rougir,
tu oublieras la honte de ton adolescence,
la risée sur ton veuvage k, tu ne t'en
souviendras plus.

5 Car celui qui t'a faite, c'est ton
époux :
le SEIGNEUR, le tout-puissant l, c'est
son nom ;
le *Saint d'Israël, c'est celui qui te
rachète,
il s'appelle le Dieu de toute la terre.

6 Car, telle une femme abandonnée et
dont l'esprit est accablé,
le SEIGNEUR t'a rappelée :
« La femme des jeunes années,
vraiment serait-elle rejetée ? »
a dit ton Dieu.

7 Un bref instant, je t'avais abandonnée,
mais sans relâche, avec tendresse, je
vais te rassembler.

8 Dans un débordement d'irritation,
j'avais caché
mon visage, un instant, loin de toi,
mais avec une amitié sans fin je te
manifeste ma tendresse,
dit celui qui te rachète, le SEIGNEUR.

9 C'est pour moi comme les eaux de
Noé m :
à leur sujet, j'ai juré qu'elles ne défer-
leraient plus
ces eaux de Noé, jusque sur la terre ;
de même, j'ai juré de ne plus m'irriter
contre toi et de ne plus te menacer.

10 Quand les montagnes feraient un écart
et que les collines seraient branlantes,
mon amitié loin de toi jamais ne
s'écartera

et mon *alliance de paix jamais ne
sera branlante,
dit celui qui te manifeste sa tendresse,
le SEIGNEUR.

11 Humiliée, ballottée, privée de réconfort,
voici que moi je mettrai un cerne de
fard n
autour de tes pierres,
je te fonderai sur des saphirs,

12 je ferai tes créneaux en rubis,
tes portes en pierres étincelantes
et tout ton pourtour en pierres orne-
mentales.

13 Tous tes fils seront disciples du SEI-
GNEUR,
et grande sera la paix de tes fils.

14 Dans la justice tu seras stabilisée,
loin de toi l'extorsion : tu n'auras plus
rien à craindre ;
loin de toi la terreur : elle ne t'approchera plus.

15 On complote, on monte un complot ?
Cela ne vient pas de moi !
Qui complote contre toi, devant toi
s'écroulera.

16 C'est moi, vois-tu, qui ai créé l'artisan,
celui qui souffle sur un feu de braises
et en tire une arme
destinée à ce qu'elle doit faire ;
c'est aussi moi qui ai créé le destructeur
destiné à défaire !

17 Toute arme fabriquée contre toi
ne saurait aboutir,
toute langue levée contre toi en jugement,
tu la convaincras de culpabilité.
Tel sera le lot des serviteurs du
SEIGNEUR,
telle sera leur justice, qui vient de moi
— oracle du SEIGNEUR.

---

k ton adolescence: allusion possible à la période que le peuple de Dieu passa en Egypte (il
n'avait pas encore Dieu pour époux) — ton veuvage: allusion à la période de l'exil en Babylonie (Israël est privé de la présence de Dieu, son époux); voir la note sur 50.1 • l Voir 44.6
et la note • m comme les eaux de Noé: autre texte comme les jours (c'est-à-dire comme à
l'époque) de Noé • n un cerne de fard: allusion au mortier sombre qui encadrait chaque pierre
de la muraille

54.4 ne crains pas Es 41.13+ — ton veuvage cf. Es 47.8; Jr 51.5.   54.5 celui qui t'a faite Es 43.1+ —
ton époux Es 49.14-21; 50.1; 51.17—52.2; Os 2.18 — le tout-puissant Es 44.6+ — le Saint d'Israël
Es 1.4+ — celui qui te rachète Es 41.14+.   54.6 abandonnée Es 49.14+; Jr 3.1 — la femme des
jeunes années Ml 2.14-16; Pr 5.18 — rejetée? Es 41.9.   54.7 un bref instant Ps 30.6.   54.8 Dieu
cacha son visage Es 8.17; 59.2; 64.6; Ps 13.2+; cf. Es 53.3 — amitié sans fin Es 51.6, 8; Jr 31.3;
Ps 136.   54.9 les eaux de Noé Gn 7.6-12 — la promesse du Seigneur Gn 8.21-22; 9.11-16; Jr
31.35-37.   54.10 montagnes ébranlées Ha 3.6; Ps 46.3-4; cf. Es 63.19 — alliance de paix Ez 34.25;
37.26 — inébranlable Jr 31.31-34; 33.20-21.   54.11-12 ville de Dieu ornée de pierres précieuses Ap
21.18-21.   54.13 tes fils Es 49.20-22 — disciples Es 50.4; cf. Jr 31.34; Jn 6.45.   54.14 dans la justice
Es 1.26-27; 28.16-17 — plus rien à craindre Ps 121 — loin de toi la terreur Ps 91.   54.15 complot?
Es 8.12.   54.16 C'est moi qui... Es 43.11 — le destructeur (Cyrus ?) Es 40.13+ — défaire (ce que
les Babyloniens ont fait) Es 51.13.   54.17 échec des attaques contre Israël Es 8.2-3; 37.33-37;
50.9 — le sort des serviteurs du Seigneur cf. Jb 5.17-26.

Vous tous qui êtes assoiffés, venez !

55 ¹ O vous tous qui êtes assoiffés,
venez vers les eaux,
même celui qui n'a pas d'argent,
venez !
Demandez du grain, et mangez ; venez et buvez *o*
— sans argent, sans paiement —
du vin et du lait.
² A quoi bon dépenser
votre argent pour ce qui ne nourrit pas,
votre labeur pour ce qui ne rassasie pas ?
Ecoutez donc, écoutez-moi, et mangez
ce qui est bon ;
que vous trouviez votre jouissance
dans des mets savoureux :
³ tendez l'oreille, venez vers moi,
écoutez et vous vivrez.
Je conclurai pour vous l'*alliance de toujours,
oui, je maintiendrai les bienfaits de David *p*.
⁴ Voici : j'avais fait de lui un témoin
pour les clans,
un chef et une autorité pour les cités.
⁵ Voici : une nation que tu ne connais pas,
tu l'appelleras,
et une nation qui ne te connaît pas
courra vers toi,
du fait que le SEIGNEUR est ton Dieu,
oui, à cause du *Saint d'Israël, qui
t'a donné sa splendeur.

⁶ Recherchez le SEIGNEUR puisqu'il se
laisse trouver *q*,
appelez-le, puisqu'il est proche.

⁷ Que le méchant abandonne son chemin,
et l'homme malfaisant, ses pensées.
Qu'il retourne vers le SEIGNEUR
qui lui manifestera sa tendresse,
vers notre Dieu
qui se surpasse pour pardonner.
⁸ C'est que vos pensées ne sont pas
mes pensées
et mes chemins ne sont pas vos chemins *r*
— oracle du SEIGNEUR.
⁹ C'est que les cieux sont hauts, par
rapport à la terre :
ainsi mes chemins sont hauts, par
rapport à vos chemins,
et mes pensées, par rapport à vos
pensées.
¹⁰ C'est que, comme descend la pluie
ou la neige, du haut des cieux,
et comme elle ne retourne pas là-
haut
sans avoir saturé la terre,
sans l'avoir fait enfanter et bourgeonner,
sans avoir donné semence au semeur
et nourriture à celui qui mange,
¹¹ ainsi se comporte ma parole
du moment qu'elle sort de ma bouche :
elle ne retourne pas vers moi sans
résultat,
sans avoir exécuté ce qui me plaît
et fait aboutir ce pour quoi je l'avais
envoyée.
¹² C'est en effet dans la jubilation que
vous sortirez,
et dans la paix que vous serez entraînés.
Sur votre passage, montagnes et
collines
exploseront en acclamations,

---

o buvez: d'après l'ancienne version grecque ● *p les bienfaits de David:* expression condensée
pour désigner les bienfaits que Dieu a accordés à son peuple par le moyen de David ● *q puisqu'il se laisse trouver:* autre traduction *tant qu'il se laisse trouver* ● *r mes chemins... vos chemins:*
tournure imagée désignant la conduite adoptée et les moyens choisis pour agir

55.1 assoiffés Es 41.17; Mt 5.6; Jn 4.14; 7.37; Ap 21.6; 22.17 — venez manger et boire Pr 9.5;
Si 24.19-21 — sans paiement Es 45.13; 52.3 — du vin et du lait Jl 4.18; cf. Ex 3.8; Pr 9.1-2;
1 P 2.2.   **55.2** ce qui ne nourrit pas Dt 8.3; Jn 6.27 — le festin offert par Dieu Es 25.6-7; Ps 36.9-10.
55.3 écouter... et vivre Dt 30.15-16; cf. 8.1; Ez 20.11, 21 — l'alliance de toujours Es 61.8;
Jr 32.40; Ez 16.60; 37.26 — les bienfaits de David Ac 13.34   **55.5** vers toi Es 2.2-4; 49.7 —
ton Dieu Es 51.15 — le Saint d'Israël Es 1.4+ — qui t'a donné sa splendeur Es 44.23; 49.3.
55.6 rechercher le Seigneur Am 5.4+ ; Ps 9.11+ — puisqu'il se laisse trouver Jr 29.13-14; cf. Es
49.8 — il est proche Es 50.8; Dt 4.7; Ps 145.18.   **55.7** que le méchant abandonne son chemin Jr
18.11; Ez 33.11; 2 Ch 7.14 — retour vers le Seigneur Jr 31.18; Os 6.1+ ; Lm 5.21 — tendresse du
Seigneur qui pardonne Ex 34.6-7; Lc 15.20.   **55.8** les pensées de Dieu dépassent l'intelligence
humaine Jb 11.7-9; Rm 11.33; cf. Jr 29.11.   **55.9** les cieux... la terre Ps 103.11 — les pensées
de Dieu... vos pensées Ps 92.6.   **55.10** la pluie qui féconde la terre Ps 65.10-11; 104.13-15.
55.11 parole sortant de la bouche de Dieu Dt 8.3; Jr 23.16 — parole efficace Es 44.26; 46.10-11;
48.13; Ps 33.6, 9; cf. Jr 29.10 — parole envoyée par Dieu Ps 107.20; 147.18; cf. Jn 1.9, 30.
55.12 jubilation Es 35.10; 51.3, 11 — acclamations Es 44.23+ ; cf. 54.1+ — montagnes, collines,
arbres Ps 96.12; 98.8 — battre des mains Ps 47.2.

et tous les arbres de la campagne
battront des mains.
¹³ Au lieu de la ronce croîtra le cyprès,
au lieu de l'ortie croîtra le myrte ˢ,

cela constituera pour le SEIGNEUR une
renommée,
un signe perpétuel qui ne sera jamais
retranché.

TROISIÈME PARTIE

Une maison de prière pour tous les peuples

56 ¹ Ainsi parle le SEIGNEUR :
Gardez le droit et pratiquez la
justice,
car mon salut est sur le point d'arriver
et ma justice, de se dévoiler.
² Heureux l'homme qui fait cela,
le fils d'Adam ᵗ qui s'y tient,
gardant le *sabbat sans le déshonorer,
gardant sa main de faire aucun mal.
³ Qu'il n'aille pas dire, le fils de
l'étranger
qui s'est attaché au SEIGNEUR, qu'il
n'aille pas dire :
« Le SEIGNEUR va certainement me séparer de son peuple ! »
et que l'*eunuque n'aille pas dire :
« Voici que je suis un arbre sec ! »
⁴ Car ainsi parle le Seigneur :
Aux eunuques qui gardent mes sabbats,
qui choisissent de faire ce qui me plaît
et qui se tiennent dans mon *alliance,
⁵ à ceux-là je réserverai dans ma Maison,
dans mes murs, une stèle porteuse du
nom ;
ce sera mieux que des fils et des filles ;
j'y mettrai un nom perpétuel,
qui ne sera jamais retranché.
⁶ Les fils de l'étranger qui s'attachent au
SEIGNEUR
pour assurer ses offices, pour aimer le
*nom du SEIGNEUR,
pour être à lui comme serviteurs,
tous ceux qui gardent le sabbat sans
le déshonorer
et qui se tiennent dans mon alliance,

⁷ je les ferai venir à ma *sainte montagne,
je les ferai jubiler dans la Maison où
l'on me prie ;
leurs holocaustes et leurs sacrifices
seront en faveur sur mon *autel,
car ma Maison sera appelée :
« Maison de prière pour tous les peuples ᵘ ».
⁸ Oracle du Seigneur DIEU
qui rassemble les expulsés d'Israël :
En plus de ceux déjà rassemblés,
autour de lui j'en rassemblerai encore !

Des chefs indignes

⁹ Vous tous, animaux des champs,
venez pour vous repaître,
vous tous, animaux des bois :
¹⁰ ce sont des aveugles qui font le guet ;
tous autant qu'ils sont, ils ne savent
rien ;
ils sont des chiens muets,
ils ne parviennent pas à aboyer,
rêvassant, allongés,
aimant à somnoler,
¹¹ mais ils à sont aussi des chiens au gosier
vorace,
ils ne savent pas dire : « Assez ! »
et ce sont eux les *bergers !
Ils ne savent rien discerner,
chacun d'eux se tourne vers son propre chemin,
chacun vers sa rapine, jusqu'au bout :
¹² « Venez, je prendrai du vin,
nous lamperons le nectar,
et demain sera comme aujourd'hui :
le surplus est en abondance ! »

ˢ Voir 41.19 et la note ● ᵗ Voir 51.12 et la note ● ᵘ holocaustes: voir au glossaire SACRI-
FICES — Autre traduction pour la fin du verset appelée « Maison de prière » par tous les
peuples

55.13 ronce Es 5.6; Gn 3.18 — cyprès, myrte Es 41.19; Za 1.8-11 — renommée Es 56.5; 63.12;
Jr 32.20. 56.1 droit, justice Es 28.17; Jr 22.3; Am 5.24 — mon salut... ma justice... Es 45.8+ —
proches Es 46.13; 51.5. 56.2 Heureux... Ps 1.1+ — garder le sabbat Es 58.13; Ex 20.8; Am 8.5.
56.3 l'eunuque Lv 21.20; Dt 23.2-9; Sg 3.14; Mt 19.12. 56.4 faire ce qui plaît à Dieu Es
65.12; 66.4. 56.5 mieux que des fils 1 S 1.8; Sg 4.1 — un nom perpétuel Es 55.13; Ap 3.5.
56.6 étrangers (de passage) Ex 12.43; Dt 14.21; 15.3; 23.21; Ez 44.7-9; 1 R 8.41-43. 56.7 je te
ferai venir à ma montagne sainte Ps 15.1; cf. Ps 2.6 — maison
sera appelée... Mc 11.17 par. 56.8 rassemblement des exilés Es 11.12; Ps 147.2 et d'autres encore
Es 43.9; 66.18. 56.11 ce sont eux les bergers ! Jr 23.1; Ez 34.2 — chacun vers son propre
chemin Es 53.6; 57.17. 56.12 buveurs de vin Es 5.11; 28.7.

57 ¹ Le juste périt,
sans que personne prenne la chose
à cœur,
les hommes de bien sont raflés,
sans que personne discerne
que c'est sous les coups de la ' méchanceté
que le juste est raflé !
² Mais *v* elle viendra, la paix,
et ils seront en repos sur leurs couches,
ceux qui marchent droit.

Le Seigneur avertit les idolâtres

³ Quant à vous, approchez ici, fils de la
sorcière,
croisement d'un adultère et d'une
prostituée *w* :
⁴ De qui vous moquez-vous ?
Contre qui ouvrez-vous largement la
bouche
et faites-vous marcher votre langue ?
N'êtes-vous pas des enfants de révolte,
une engeance de tromperie ?
⁵ Vous vous échauffez près des térébinthes,
sous tout arbre touffu *x* ;
vous immolez des enfants dans des
ravins,
dans les failles des rochers.
⁶ Les blocs polis du ravin, voilà ta part,
la voilà, la voilà, ta portion !
C'est à eux que tu verses des libations,
que tu présentes des offrandes *y* !
En cela puis-je trouver quelque réconfort ?
⁷ Sur une montagne qui s'élève haut
tu as installé ta couche *z*
et c'est là que tu es montée
pour offrir le *sacrifice.
⁸ Derrière la porte et le montant
tu as installé ton mémorial.
Oui, loin de moi tu t'es dévêtue,

tu es montée, tu as élargi ta couche ;
tu t'es payé une bonne tranche grâce
à ces gens
dont tu aimes la couche ;
le membre *a*, tu l'as contemplé !
⁹ Tu as dévalé vers Mélek *b* avec de
l'huile,
tu as prodigué tes parfums,
tu as envoyé tes délégués jusqu'au loin,
tu te rabaisses ainsi jusqu'au *séjour
des morts.
¹⁰ A faire tout ce chemin, tu t'es fatiguée,
mais tu ne dis pas : « C'est désespéré ! »
tu as retrouvé la vivacité de ta main,
dès lors tu ne restes pas languissante.
¹¹ Qui donc as-tu redouté et craint, puisque tu es déloyale ?
Moi, tu ne m'as pas gardé en mémoire,
tu ne m'as pas fait place en ton
*cœur !
Moi, n'est-ce pas, je suis depuis longtemps resté inactif,
alors tu ne me crains pas.
¹² Mais moi j'annoncerai ta « justice »,
et tes œuvres, elles ne te seront d'aucun
profit.
¹³ A ton cri, qu'elles te délivrent, tes collections d'idoles *c* !
Le vent les emportera toutes,
un souffle les enlèvera.
Mais qui se réfugie en moi aura pour
lot la Terre
et pour héritage ma Montagne *sainte.

Le Seigneur va guérir son peuple

¹⁴ Et l'on dira :
Remblayez la chaussée, dégagez le chemin,
faites sauter tout obstacle du chemin de
mon peuple.
¹⁵ Car ainsi parle celui qui est haut et
élevé,

---

v Mais: d'après le texte hébreu d'Esaïe trouvé à Qumrân. Les traductions traditionnelles rattachent le début du v. 2 à ce qui précède : *il* (le juste) *entre(ra) dans la paix* ● *w adultère, prostituée:* ces deux termes sont employés ici au sens figuré (voir les notes sur Os 1.2 ; 2.4) ● *x térébinthes, arbre touffu:* voir la note sur 1.29 ● *y blocs polis:* sans doute de grandes pierres lisses,
dressées comme les emblèmes (sexuels) des cultes de la fécondité; voir aussi la note sur Os 1.2 —
libations, offrandes: voir au glossaire SACRIFICES ● z Voir Os 4.13 et les notes sur Os 1.2 ; 2.4
● *a le membre:* hébreu *la main;* la traduction interprète ici cette indication obscure comme un
euphémisme à signification sexuelle ● *b Mélek* (roi): une divinité païenne, peut-être identique au
Molek de 1 R 11.7 ● *c tes collections d'idoles:* traduction approximative d'un terme rare formé
sur une racine signifiant *rassembler*

57.1 le juste périt Mi 7.2; Ps 12.2. **57.3** adultère et prostituée Jr 3.9; Ez 16; Os 2.4; Ml 3.5.
57.4 de qui vous moquez-vous? Es 37.23. **57.5** sous tout arbre touffu Dt 12.2; Jr 2.20; Es 6.13
— vous immolez des enfants Lv 18.21; Dt 12.31; Jr 7.31. **57.6** blocs polis 2 R 17.10-11.
57.8 ces gens dont tu aimes la couche Ez 16.15. **57.9** Mélek cf. Lv 20.5; 1 R 11.7; Jr 32.35
— avec de l'huile Mi 6.7. **57.10** tu t'es fatiguée Jr 2.25. **57.11** inactif Es 42.14+. **57.13**
qu'elles te délivrent! Jg 10.14; Jr 2.28 — ceux qui hériteront la terre Es 60.21; Ps 37.9, 34;
Mt 5.4. **57.14** dégagez le chemin Es 40.3 de mon peuple Es 62.10. **57.15** celui qui est haut et
élevé Es 6.1; 52.13 — celui qui est broyé Es 53.5, 10; 66.2; Ps 34.19 — gens abaissés Ps 138.6.

qui demeure en perpétuité et dont le
*nom est *saint :
Haut-placé et saint je demeure,
tout en étant avec celui qui est broyé
et qui en son esprit se sent rabaissé,
pour rendre vie à l'esprit des gens ra-
baissés,
pour rendre vie au *cœur des gens
broyés.

16 Ce n'est pas pour toujours que je que-
rellerai,
ce n'est pas en permanence que je m'irriterai,
car devant moi dépériraient le souffle
et les êtres animés que j'ai faits.
17 Par la perversité de sa rapine, j'ai été
irrité,
je l'ai frappé, en me détournant ;
j'étais irrité :
il allait, rétif, suivant le chemin de
son cœur ;
18 ses chemins *d*, je les ai vus !
Cependant je le guérirai, je le guiderai,
je lui prodiguerai réconfort, à lui et
à ses endeuillés,
19 créant le concert des lèvres *e*.
Paix, paix à celui qui est éloigné
et à celui qui est proche,
a dit le SEIGNEUR. Oui, je le guérirai !
20 Mais les méchants sont comme une
mer agitée
qui ne peut se tenir tranquille,
ses eaux agitent de la boue et de la
vase.
21 Point de paix, a dit mon Dieu, pour
les méchants !

La manière de jeûner que le Seigneur préfère

58 1 Appelle à plein gosier, ne te
ménage pas,
comme la trompette, enfle ta voix,

annonce à mon peuple ses révoltes,
à la maison de Jacob *f* ses fautes.
2 C'est moi que jour après jour ils consultent,
c'est à connaître mes chemins *g* qu'ils
mettent leur plaisir,
comme une nation qui a pratiqué la
justice
et n a pas abandonné le droit de son
Dieu.
Ils exigent de moi des jugements selon
la justice,
ils mettent leur plaisir dans la proximité de Dieu :
3 « Que nous sert de *jeûner, si tu ne
le vois pas,
de nous humilier, si tu ne le sais
pas ? »
Or, le jour de votre jeûne, vous savez
tomber dans une bonne affaire,
et tous vos gens de peine, vous les
brutalisez !
4 Or vous jeûnez tout en cherchant querelle et dispute
et en frappant du poing méchamment !
Vous ne jeûnez pas comme il convient
en un jour
où vous voulez faire entendre là-haut
votre voix.
5 Doit-il être comme cela, le jeûne que
je préfère,
le jour où l'homme s'humilie ?
S'agit-il de courber la tête comme un
jonc,
d'étaler en litière *sac et cendre *h* ?
Est-ce pour cela que tu proclames un
jeûne,
un jour en faveur auprès du SEIGNEUR ?

6 Le jeûne que je préfère, n'est-ce pas
ceci :
dénouer les liens provenant de la méchanceté,
détacher les courroies du *joug,

---

d Voir 55.8 et la note ● *e le concert des lèvres:* cette expression exceptionnelle est traduite par
analogie avec une expression voisine rendue traditionnellement par *le fruit des lèvres* ou *les
paroles des lèvres* en Os 14.3; elle semble désigner la louange adressée à Dieu (voir He 13.15)
● *f maison de Jacob:* voir 2.5 et la note ● *g mes chemins:* voir 55.8 et la note; les *chemins de
Dieu* semblent désigner ici la conduite que Dieu demande à ses fidèles d'adopter ● *h S'étendre
sur le sac* et la *cendre:* geste voulant exprimer qu'on se repent

57.16 pas pour toujours Jr 3.5, 12; Ps 103.9 — les êtres animés que Dieu a faits Es 42.5. **57.17** j'ai
été irrité Es 54.8-9 — je l'ai frappé Es 60.10 — suivant le cours de son cœur Es 56.11; Jr 3.17;
7.24; cf. 50.6. **57.18** ses chemins Es 55.8-9 — je le guérirai Jr 3.22; Os 6.1 — réconfort
Es 40.1+ — à ses endeuillés 60.20; 61.2-3; 66.10. **57.19** éloigné... proche Jr 25.26; Ez 6.12;
22.5; Ep 2.13, 17; cf. Ac 2.39. **57.21** point de paix pour les méchants Es 48.22. **58.1** annonce
à mon peuple ses révoltes Os 8.1; Mi 3.8. **58.2** consulter/chercher le Seigneur Es 55.6 —
justice et droit Es 56.1+ — proximité de Dieu Ps 73.28. **58.3** jeûne Lv 16.29, 31; 23.27;
Nb 29.7 — à quoi cela sert-il? Ml 3.14 — Dieu témoin Mt 6.18. **58.4** pour être entendu par
Dieu Es 1.15. **58.5** vous ne jeûnez pas comme il convient Mt 6.16 — sac et cendre Jr 6.26;
Est 4.3; Dn 9.3; Mt 11.21. **58.6** le jeûne que je préfère cf. Es 1.11; Am 5.21 — renvoyer libres
Dt 15.12-15; Jr 34.8-9 — ceux qui ployaient Es 42.3.

renvoyer libres ceux qui ployaient,
bref, que vous mettiez en pièces tous
les jougs !
⁷ N'est-ce pas partager ton pain avec
l'affamé ?
Et encore : les pauvres sans abri, tu
les hébergeras,
si tu vois quelqu'un nu, tu le couvriras :
devant celui qui est ta propre chair,
tu ne te déroberas pas.
⁸ Alors ta lumière poindra comme l'aurore,
et ton rétablissement s'opérera très vite.
Ta justice marchera devant toi
et la gloire du SEIGNEUR sera ton
arrière-garde.
⁹ Alors tu appelleras et le SEIGNEUR répondra,
tu héleras et il dira : « Me voici ! »
Si tu élimines de chez toi le joug,
le doigt accusateur, la parole malfaisante,
¹⁰ si tu cèdes à l'affamé ta propre bouchée
et si tu rassasies le gosier de l'humilié,
ta lumière se lèvera dans les ténèbres,
ton obscurité sera comme un midi.
¹¹ Sans cesse le SEIGNEUR te guidera,
en pleine fournaise il rassasiera ton
gosier,
tes os, il les cuirassera.
Tu seras comme un jardin saturé,
comme une fontaine d'eau
dont les eaux ne déçoivent pas.
¹² On rebâtira grâce à toi les dévastations du passé,
les fondations laissées de génération en
génération,
tu les relèveras ;
on t'appellera : « Réparateur des brèches,
restaurateur des ruelles pour qu'on y
habite. »

La manière de célébrer le sabbat

¹³ Si tu t'abstiens de démarches pendant

le *sabbat,
et de traiter tes bonnes affaires en
mon *saint jour,
si tu appelles le sabbat « Jouissance »,
le saint jour du SEIGNEUR « Glorieux »,
si tu le glorifies, en renonçant à mener
tes entreprises,
à tomber sur la bonne affaire
et à tenir des palabres sans fin,
¹⁴ alors tu trouveras ta jouissance dans le
SEIGNEUR,
je t'emmènerai en char sur les hauteurs
de la Terre,
je te ferai savourer le lot de Jacob,
ton père *i*.
Oui, la bouche du SEIGNEUR a parlé.

Les fautes qui vous séparent du Seigneur

59 ¹ Non, la main du SEIGNEUR n'est
pas trop courte pour sauver *j*,
son oreille n'est pas trop dure pour
entendre !
² Mais ce sont vos perversités qui ont
mis une séparation
entre vous et votre Dieu ;
ce sont vos fautes qui ont tenu son
visage *k* caché
loin de vous, trop loin pour qu'il vous
entende.
³ Vos paumes, en effet, sont tachées par
le *sang
et vos doigts par la perversité ;
vos lèvres profèrent la tromperie,
votre langue roucoule la perfidie.
⁴ Nul ne porte plainte selon la justice,
nul ne plaide de bonne foi ;
on assoit son assurance sur du vide,
on parle creux,
on conçoit le dommage et on enfante
le méfait !
⁵ Ce sont des œufs de reptile qu'ils font
éclore
et des toiles d'araignée qu'ils tissent ;

---

i le lot de Jacob: c'est-à-dire le territoire que Dieu avait attribué au peuple d'Israël (Gn 28.13)
— *ton père:* tournure hébraïque équivalant à *ton ancêtre* ● *j la main... trop courte:* voir la note
sur 37.27 ● *k son visage:* d'après les anciennes versions grecque, syriaque et araméenne; texte
hébreu traditionnel *le visage*

58.7 partager ton pain cf. Ez 18.5-9 — héberger... cf. Mt 25.34-40 — vêtir Jb 31.19-20 — ne
pas se dérober Dt 22.1. **58.8** ton rétablissement Jr 8.21-22; 30.17; 33.6 — ton arrière-garde
Es 52.12. **58.9** tu appelleras et le Seigneur répondra Jr 33.3; Ps 91.15 — Me voici Es 52.6; 65.1.
58.10 ta lumière Mt 5.14 — lumière dans les ténèbres Jn 8.12. **58.11** fournaise 1 P 4.12 —
comme une fontaine d'eau... Jn 4.14. **58.12** dévastations du passé Es 64.10 — on rebâtira
Es 61.4. **58.13** sabbat respecté Es 56.2, 4, 6; Ex 31.15; Ez 20.12-24. **58.14** trouver sa jouissance dans le Seigneur Ps 37.4; Jb 22.26 — savourer le lot de Jacob cf. He 3.7—4.11 — la bouche du Seigneur a parlé Es 40.5. **59.1** la main du Seigneur trop courte? Es 50.2+. **59.2** ce
sont vos fautes... Es 50.1; Jr 5.25 — son visage caché Es 8.17; Dt 31.17-18. **59.3** vos paumes... tachées de sang Es 1.15. **59.4** on conçoit... on enfante Ps 7.15; Jb 15.35; cf. Jc 1.15.
59.5 les œufs de vipère Es 14.29; cf. Ps 58.3-10; Mt 3.7.

qui mange de leurs œufs en meurt ;
éclaté, l'œuf éclot : c'est une vipère !
⁶ Leurs toiles ne donnent aucun vêtement,
on ne peut se couvrir de leurs produits ;
leurs produits sont des produits malfaisants !
dans leurs paumes ne sont que procédés violents !
⁷ Leurs pieds courent vers le mal,
ils accourent pour verser le sang innocent ¹ ;
leurs pensées sont des pensées malfaisantes,
sur leurs parcours, se trouvent dégâts
et brisures.
⁸ Ils ne connaissent pas le chemin de
la paix,
sur leur passage on ne rencontre pas
le droit ;
leurs sentiers, ils se les tracent détournés,
quiconque y chemine ne connaît pas
la paix.

Le peuple de Dieu reconnaît ses fautes

⁹ Dès lors le jugement demeure loin de
nous
et la justice ne parvient pas jusqu'à
nous.
Nous espérions la lumière et voici les
ténèbres,
la clarté, et nous marchons dans l'obscurité.
¹⁰ Nous tâtonnons comme des aveugles
contre un mur,
nous tâtonnons comme des gens sans
yeux.
En plein midi nous trébuchons comme
au crépuscule,
en pleine santé, nous sommes tels des
morts.
¹¹ Tous nous grondons comme des ours,
comme des colombes nous roucoulons
plaintivement.
Nous espérions le jugement, mais rien !

le salut, mais il demeure loin de nous !
¹² C'est que nos révoltes abondent en
face de toi,
et nos fautes déposent contre nous ᵐ ;
oui, nos révoltes font corps avec nous
et nos perversités, nous les connaissons bien :
¹³ se révolter, être fourbe à l'égard du
SEIGNEUR,
se rejeter en arrière loin de notre Dieu,
projeter extorsion et détournement,
du fond du *cœur concevoir et rou-
couler des paroles trompeuses.
¹⁴ Ainsi le jugement a été rejeté en arrière
et la justice, au loin, reste immobile.

C'est que la vérité a trébuché sur la
place
et la droiture ne peut y avoir accès ;
¹⁵ la vérité a été portée manquante,
et qui se détourne du mal se fait piller !

Le Seigneur va sauver Sion

Le SEIGNEUR l'a vu, et ce fut mauvais
à ses yeux,
qu'il n'y ait point de jugement.
¹⁶ Il a vu qu'il n'y avait personne,
il s'est désolé que personne n'intervienne ;
alors c'est son bras ⁿ qui l'a mené au
salut
et sa justice qui l'a soutenu.
¹⁷ Il a revêtu la justice comme une cuirasse,
mis sur sa tête le casque du salut ;
il a revêtu comme tunique l'habit de
la vengeance,
il s'est drapé de jalousie ᵒ comme d'un
manteau.
¹⁸ Tels les agissements, telle sa rétribution,
fureur pour ses adversaires, représailles pour ses ennemis !
— Contre les îles ᵖ il exercera des représailles.
¹⁹ Alors on craindra, depuis le couchant,

---

l verser le sang innocent: tournure hébraïque équivalant à *faire mourir des innocents* ● *m nos fautes déposent contre nous* ou *nos fautes nous accusent;* l'image est celle d'un procès ● *n son bras:* voir la note sur 40.10 ● *o il s'est drapé de jalousie* ou *il s'est drapé de son amour sans compromis* ● *p les îles:* voir la note sur 40.15

59.7-8 versets cités en Pr 1.16; Rm 3.15-16.   **59.8** sentiers détournés Pr 2.15; 10.9 — pas la paix Es 48.22; 57.21.   **59.9** ténèbres au lieu de lumière Jr 13.16; Am 5.18-20; Jb 30.26.
59.10 comme les aveugles Dt 28.29; So 1.17.   **59.11** nous espérions... mais Jr 8.15.   **59.12** nos fautes déposent contre nous Jr 14.7 — nous les connaissons Ps 51.5.   **59.13** liste de fautes commises Jr 7.9; cf. Rm 1.29+.   **59.14** sur la place (publique) Ps 55.11-12.   **59.15** qui se détourne du mal Jb 1.1, 8; 2.3.   **59.16** personne Es 41.28 + — bras du Seigneur Es 40.10+.
59.17 il a revêtu... Es 61.10 — jalousie de Dieu Es 63.15; cf. 9.6; 37.32 — les armes de Dieu Sg 5.17-23; Ep 6.14-17; 1 Th 5.8 — justice et salut Es 45.8+.   **59.19** on craindra cf. Es 33.3 — le nom et la gloire du Seigneur Es 24.14-15; Ps 102.16 — depuis le couchant... depuis le levant Ml 1.11; Mt 8.11 — le souffle du Seigneur Es 30.27-28.

le *nom du SEIGNEUR,
et, depuis le soleil levant, sa gloire,
car il viendra comme un fleuve resserré
que précipite le souffle du SEIGNEUR.
20 Il viendra en rédempteur pour *Sion q,
pour ceux qui, en Jacob, rétractent
leur révolte
— oracle du SEIGNEUR.
21 Quant à moi — dit le SEIGNEUR —
voici quelle sera mon *alliance avec
eux :
mon Esprit qui est sur toi,
et mes paroles que j'ai mises dans ta
bouche
ne s'écarteront pas de ta bouche,
ni de la bouche de ta descendance,
ni de la bouche de la descendance de
ta descendance
— dit le SEIGNEUR —
dès maintenant et pour toujours.

La gloire du Seigneur sur Jérusalem

60 ¹ Mets-toi debout et deviens lumière r,
car elle arrive, ta lumière :
la gloire du SEIGNEUR sur toi s'est
levée.
² Voici qu'en effet les ténèbres couvrent
la terre
et un brouillard, les cités,
mais sur toi le SEIGNEUR va se lever
et sa gloire, sur toi, est en vue.
³ Les nations vont marcher vers ta lumière
et les rois vers la clarté de ton lever.

Jérusalem attire tous les peuples du monde

⁴ Porte tes regards sur les alentours et
vois :

tous, ils se rassemblent, ils viennent
vers toi,
tes fils s vont arriver du lointain
et tes filles sont tenues solidement sur
la hanche.
⁵ Alors tu verras, tu seras rayonnante,
ton *cœur frémira et se dilatera,
car vers toi sera détournée l'opulence
des mers t,
la fortune des nations viendra jusqu'à
toi.
⁶ Un afflux de chameaux te couvrira,
de tout jeunes chameaux de Madiân
et d'Eifa ;
tous les gens de Saba u viendront,
ils apporteront de l'or et de l'*encens,
et se feront les messagers des louanges
du SEIGNEUR.
⁷ Tout le petit bétail de Qédar sera rassemblé pour toi,
les béliers de Nebayoth seront pour tes
offices ;
ils monteront sur mon *autel, ils y
seront en faveur v,
oui, je rendrai splendide la Maison de
ma splendeur.
⁸ Qui sont ceux-là ? Ils volent comme un
nuage,
comme des colombes vers leurs pigeon-
niers ;
⁹ oui, les îles tendent vers moi,
vaisseaux de Tarsis 10 en tête,
pour ramener les fils du lointain
et avec eux leur argent et leur or,
en hommage au *nom du SEIGNEUR,
ton Dieu,
en hommage au *Saint d'Israël, car
il t'a donné sa splendeur.
10 Les fils de l'étranger rebâtiront tes murailles

---

q en rédempteur pour Sion ou comme celui qui rachète Sion; voir 41.14 et la note ● r deviens
lumière: les versions anciennes les plus importantes ajoutent Jérusalem. Ce discours s'adresse, en
effet, à Jérusalem, personnifiée ici comme souvent ailleurs (40.9; 49.14-21) ● s tes fils: voir la
note sur 50.1 ● t l'opulence des mers: expression condensée désignant les richesses transportées
par les navires parcourant les mers ● u Madiân: terme global désignant un ensemble de tribus
arabes vivant à l'est du golfe d'Aqaba — D'après Gn 25.4; 1 Ch 1.33 Eifa est un clan madianite — Saba: voir Ps 72.10 et la note ● v Qédar: voir 42.11 et la note — D'après Gn 25.13
Nebayoth est un clan ismaélite apparenté à celui de Qédar — en faveur (c'est-à-dire que Dieu
agréera ce sacrifice): la traduction suit ici quelques manuscrits hébreux, le texte hébreu d'Esaïe
trouvé à Qumrân et plusieurs versions anciennes; texte hébreu traditionnel obscur ● w les îles:
voir la note sur 40.15 — Tarsis: voir 2.16 et la note

59.20-21 versets cités en Rm 11.26.   59.20 rédempteur (celui qui rachète) Es 41.14+.   59.21
mon Esprit sur toi Es 11.2+; 42.1+ — mes paroles dans ta bouche Es 51.16+.   60.1 debout
Es 51.17; 52.1 — ta lumière Es 58.8, 10; cf. 59.9 — la gloire du Seigneur Es 58.8; Ap 21.11.
60.2 les ténèbres couvrent la terre Es 8.22-23; 9.1 — la gloire du Seigneur Es 59.19.   60.3 les
nations vers ta lumière Es 2.2-3; 42.6; 49.6; 66.18; Tb 13.13; Ap 21.24.   60.4 tes fils
Es 49.21-22 se rassemblent Es 49.18; Ba 5.5-6.   60.5 la fortune des nations... jusqu'à toi: v. 11,
17; Ag 2.7.   60.6 les gens de Saba 1 R 10.1-13; Ps 72.10, 15 — de l'or et de l'encens 1 R 10.2;
Mt 2.11.   60.7 Qédar Es 21.16+.   60.8 Qui sont ceux-là? Es 49.21.   60.9 les îles Es 40.15+ —
vaisseaux de Tarsis Es 2.16+ — ramener tes fils Es 49.22 — le Seigneur ton Dieu Es 51.15 —
le Saint d'Israël Es 1.4+.   60.10 murailles rebâties Es 49.17 — participation des rois Es 49.23
— irritation, faveur et tendresse Es 54.7-8.

et leurs rois contribueront à tes offices,
car dans mon irritation je t'avais frappée,
mais dans ma faveur je te manifeste ma tendresse.

[11] Tes portes, on les tiendra constamment ouvertes *x*,
de jour, de nuit, jamais elles ne seront fermées,
pour qu'on introduise chez toi la troupe des nations
et leurs rois, mis en colonne !

[12] — Nation et royaume qui ne te serviront pas périront, les nations seront totalement dévastées *y* —.

[13] La gloire du Liban *z* viendra chez toi,
le cyprès, l'orme et le buis ensemble,
pour rendre splendide le socle de mon sanctuaire ;
oui, le socle de mes pieds, je le rendrai glorieux.

[14] Ils iront vers toi en se courbant,
les fils de ceux qui t'humiliaient,
ils se prosterneront à tes pieds,
tous ceux qui te bafouaient.
Ils t'appelleront « Ville du SEIGNEUR »,
« *Sion du Saint d'Israël ».

[15] Au lieu que tu sois abandonnée,
haïe et sans aucun passant,
je ferai de toi la fierté des siècles,
l'enthousiasme des générations et des générations.

[16] Tu suceras le lait des nations,
tu dévoreras la richesse des rois,
et tu sauras que ton Sauveur, c'est moi, le SEIGNEUR,
que celui qui te rachète, c'est l'Indomptable de Jacob *a*.

[17] Au lieu de bronze, je ferai venir de l'or,
au lieu de fer, je ferai venir de l'argent,
au lieu de bois, du bronze,
et au lieu de pierre, du fer.
J'instituerai pour toi, en guise d'inspection, la Paix,
en guise de dictature, la Justice.

Jérusalem illuminée par le Seigneur

[18] Désormais ne se feront plus entendre
ni la violence, dans ton pays,
ni, dans tes frontières, les dégâts et les brisements.
Tu appelleras tes murailles « Salut »,
et tes portes « Louange ».

[19] Désormais, ce n'est plus le soleil qui sera pour toi
la lumière du jour,
ce n'est plus la lune, avec sa clarté,
qui sera pour toi
la lumière de la nuit *b*.
C'est le SEIGNEUR qui sera pour toi la lumière de toujours,
c'est ton Dieu qui sera ta splendeur.

[20] Désormais ton soleil ne se couchera plus,
ta lune ne disparaîtra plus,
car le SEIGNEUR sera pour toi la lumière de toujours
et les jours de ton deuil seront révolus.

[21] Ton peuple, oui, eux tous, seront des justes,
pour toujours ils hériteront la Terre,
eux, bouture de mes plantations,
œuvre de mes mains, destinées à manifester ma splendeur.

[22] Le plus petit deviendra un millier,
le plus chétif, une nation comptant des myriades.
Moi, le SEIGNEUR, en son temps, je hâterai l'événement.

Le joyeux message du Messie

61 [1] L'Esprit du Seigneur DIEU est sur moi :
le SEIGNEUR, en effet, a fait de moi un *messie,
il m'a envoyé porter joyeux message aux humiliés,
panser ceux qui ont le cœur brisé,
proclamer aux captifs l'évasion,

---

x Tes portes: il s'agit des portes de la ville, ménagées dans les remparts ● *y* Ce verset, en prose, représente une sorte de parenthèse ● *z la gloire du Liban:* expression poétique pour désigner les forêts de cèdres qui rendaient célèbre la montagne du Liban (voir 10.34 et la note) ● *a l'Indomptable de Jacob:* voir la note sur 1.24 ● *b de la nuit:* ces mots ne figurent pas dans le texte hébreu traditionnel, mais ont été conservés dans le manuscrit hébreu d'Esaïe trouvé à Qumrân et dans deux importantes versions anciennes.

60.11 portes ouvertes Ap 21.25-26.   **60.12** le sort des nations rétives Za 14.17-18.   **60.14** ils se prosterneront Es 45.14; 49.23; Ap 3.9 — ville du Seigneur cf. Es 1.26; Ez 48.35; Ps 87.3. **60.15** abandonnée Es 49.14+; 62.4, 12.   **60.16** la richesse des rois cf. Es 49.23 — celui qui te rachète Es 41.14+ — l'Indomptable de Jacob Es 1.24+.   **60.17** Justice Es 59.9, 16.   **60.18** les murailles Ap 21.12, 14 — Salut Es 59.11, 16-17 — Louange Es 62.7.   **60.19** le Seigneur, lumière pour toi Ap 21.23; 22.5; cf. Lc 1.78.   **60.20** deuil révolu Es 61.3; Ap 21.4.   **60.21** tous les justes Es 54.13-14 — ils hériteront la Terre Es 57.13+ — manifester la splendeur de Dieu Es 61.3.   **61.1-2** versets cités en Lc 4.18-19.   **61.1** l'Esprit du Seigneur sur moi Es 42.1+; Ac 10.38 — un messie Es 45.1+ — joyeux message cf. Es 40.9; Lc 7.22 — humiliés, cœurs brisés Es 57.15 — libération des captifs Es 42.7.

aux ' prisonniers l'éblouissement ^c,

2 proclamer l'année de la faveur du
SEIGNEUR,
le jour de la vengeance de notre Dieu,
réconforter tous les endeuillés,

3 mettre aux endeuillés de *Sion un diadème,
oui, leur donner ce diadème et non
pas de la cendre ^d,
un onguent marquant l'enthousiasme,
et non pas le deuil,
un costume accordé à la louange, et
non pas à la langueur.
On les appellera « Térébinthes de la
justice,
plantation du SEIGNEUR, destinés à manifester sa splendeur ».

4 Ils rebâtiront les dévastations du passé,
les désolations infligées aux ancêtres,
ils les relèveront,
ils rénoveront les villes dévastées,
les désolations traînant de génération
en génération.

5 Des gens de toute provenance prendront la garde
et feront paître votre petit bétail,
des fils de l'étranger seront pour vous
laboureurs et vignerons.

6 Quant à vous, vous serez appelés « Prêtres du SEIGNEUR »,
on vous nommera « Officiants de notre
Dieu » ;
vous mangerez la fortune des nations
et vous vous féliciterez de capter leur
gloire.

7 Au lieu que votre honte soit redoublée
et que les outrages clamés par les gens
soient votre part,
vous hériterez de leur terre une portion redoublée
et la jubilation d'autrefois sera votre
apanage.

8 Car moi, le SEIGNEUR, j'aime le droit,
je hais le vol enrobé de perfidie ^e,

je donnerai fidèlement votre récompense :
je conclurai en votre faveur l'*alliance
de toujours.

9 Votre descendance sera connue parmi
les nations,
vos rejetons seront connus au milieu
des peuples ;
tous ceux qui les verront les reconnaîtront
comme une descendance que le SEIGNEUR
a bénie.

Jérusalem exprime son enthousiasme

10 Je suis enthousiaste, oui, enthousiasmée, à cause du SEIGNEUR ^f,
mon âme exulte à cause de mon Dieu,
car il m'a revêtue de l'habit du salut,
il m'a drapée dans le manteau de la
justice,
tel un fiancé qui, comme un prêtre,
porte diadème,
telle une promise qui se pare de ses
atours.

11 Oui, comme la terre fait sortir ses
germes
et un jardin germer ses semences,
ainsi le SEIGNEUR fera germer la justice
et la louange face à toutes les nations.

Jérusalem retrouve le Seigneur, son époux

62 1 Pour la cause de *Sion je ne
resterai pas inactif,
pour la cause de Jérusalem, je ne me
tiendrai pas tranquille,
jusqu'à ce que ressorte, comme une
clarté, sa justice,
et son salut, comme un flambeau qui
brûle.

c *l'éblouissement:* pour celui qui sort à la lumière après un long séjour dans un cachot
obscur; autre traduction *la libération* ● d *diadème:* ornement pour la tête — se mettre de la
cendre sur la tête: signe de deuil ou de tristesse (2 S 13.19); comparer 58.5 et voir au glossaire DÉCHIRER SES VÊTEMENTS ● e *enrobé de perfidie:* la traduction suit ici plusieurs
manuscrits hébreux soutenus par les anciennes versions grecque, syriaque et araméenne; texte
hébreu traditionnel obscur ● f En accord avec l'ancienne version araméenne et l'ensemble des
chapitres 60—62, la traduction interprète le v. 10 au féminin, comme une déclaration de Jérusalem personnifiée. Mais le texte hébreu permet aussi de lire ce verset au masculin: il exprimerait alors l'enthousiasme du messie (60.1)

61.2 l'année de la faveur du Seigneur Es 49.8; Ex 21.2; Dt 15.12; Jr 34.8-16; cf. Lv 25.10 — jour
de la vengeance Es 63.4 — réconforter Es 40.1+; 57.18 — les endeuillés Es 60.20.   **61.3** manifester la splendeur de Dieu Es 60.21.   **61.4** reconstruction Es 58.12.   **61.5** gens de toutes provenan-
ces Es 56.6 — étrangers au service du peuple de Dieu 14.2; 60.10.   **61.6** prêtres du Seigneur
Ex 19.6; 1 P 2.5; Ap 1.6.   **61.7** une portion redoublée Es 40.2; Za 9.12; Jb 42.10.   **61.8** le Seigneur aime le droit Ps 37.28 — l'alliance de toujours Es 55.3+.   **61.9** votre descendance Es 44.3+.
61.10 exulter à cause de Dieu Es 41.16; 1 S 2.1; Lc 1.46-47 — salut, justice comme vêtement cf.
Es 59.17; Ap 19.8 — comme une promise Es 49.18; Ap 21.2.   **61.11** le Seigneur fera germer
la justice Es 45.8.   **62.1** inactif Es 42.14+ — clarté cf. Es 60.1, 3 — justice et salut Es 45.8+.

2 Les nations verront ta justice,
et tous les rois ta gloire.
On t'appellera d'un nom nouveau
que la bouche du SEIGNEUR énoncera.
3 Tu seras une couronne de splendeur
dans la main du SEIGNEUR,
une tiare de royauté dans la paume
de ton Dieu.
4 On ne te dira plus : « L'Abandonnée »,
on ne dira plus à ta terre : « la Désolée »,
mais on t'appellera « Celle en qui je
prends plaisir »,
et ta terre « l'Epousée »,
car le SEIGNEUR mettra son plaisir en
toi
et ta terre sera épousée.

5 En effet, comme *g* le jeune homme
épouse sa fiancée,
tes enfants t'épouseront,
et de l'enthousiasme du fiancé pour sa
promise,
ton Dieu sera enthousiasmé pour toi.

6 Sur tes murailles, Jérusalem,
j'ai posté des gardes ;
à longueur de jour, à longueur de nuit,
ils ne doivent jamais rester inactifs :
« Vous qui ravivez la mémoire du
SEIGNEUR,
point de répit pour vous !
7 Et ne laissez non plus point de répit
pour lui,
jusqu'à ce qu'il ait rendu à Jérusalem
la stabilité
et qu'il l'ait établie "louange sur la
terre".»
8 Par sa droite et par son bras puissant
le SEIGNEUR a garanti ce serment :
Jamais plus je ne donnerai ton blé

en nourriture à tes ennemis,
jamais plus les fils de l'étranger
ne boiront ton vin,
celui pour lequel tu t'es fatiguée.
9 Mais ceux qui auront ramassé le blé
s'en nourriront
et ils loueront le SEIGNEUR,
et ceux qui auront rassemblé la vendange en boiront
dans les *parvis de mon *sanctuaire.

10 Franchissez, franchissez les portes,
dégagez le chemin du peuple,
remblayez, remblayez la chaussée,
pavez avec de la pierre,
dressez l'étendard face aux peuples *h*.
11 Voici ce que le SEIGNEUR fait entendre
jusqu'à l'extrémité de la terre :
Dites à la fille de Sion :
Voici ton Salut qui vient *i*,
voici avec lui son salaire
et devant lui sa récompense.
12 On les appellera « le Peuple saint »,
« les Rachetés du SEIGNEUR »,
et l'on t'appellera « la Recherchée »,
« la Ville non abandonnée ».

Le Seigneur, vengeur de son peuple

63 1 Qui est donc celui-ci qui vient
d'Edom,
de Boçra, avec du cramoisi sur ses
habits,
bombant le torse sous son vêtement,
arqué par l'intensité de son énergie ?
— C'est moi qui parle de justice, qui
querelle pour sauver *j*.
2 — Pourquoi y a-t-il du rouge à ton
vêtement,
pourquoi tes habits sont-ils

g comme: ce mot a été omis dans le texte hébreu traditionnel, mais conservé dans celui de Qumrân
● *h pavez:* autre traduction *enlevez les pierres* (de la chaussée) — *dressez l'étendard:* comme signal
pour les peuples qui doivent ramener les exilés de Juda ● *i fille de Sion:* voir 1.8 et la note —
ton Salut ou *ton Sauveur* ● *j* Les v. 1-6 se présentent comme un dialogue du prophète et du
peuple avec le Seigneur — *Edom:* région montagneuse située au sud-est de la mer Morte —
Boçra: voir 34.6 et la note. Lors de l'attaque des Babyloniens contre Jérusalem en 587 av. J.C.,
les Edomites s'étaient acharnés contre les restes du royaume de Juda. Pour beaucoup d'auteurs
bibliques Edom est ainsi devenu le type des ennemis du peuple de Dieu — *qui querelle:* d'après
les versions anciennes; texte hébreu traditionnel *qui suis grand*

62.2 les nations, les rois Es 60.3, 11 — un nom nouveau Es 65.15; Ap 2.17; 3.12. **62.4** l'abandonnée, l'épousée Es 49.14-21; 54.1-8; 60.15. **62.5** comme une fiancée Es 49.18; 61.10.
62.6 des gardes Es 21.6, 8; 52.8; Ez 3.17. **62.7** stabilité Es 54.14 — louange Es 60.18; 61.11.
62.8 la main (droite) du Seigneur Es 41.10 — le bras du Seigneur Es 40.10+ — le serment du
Seigneur Es 45.23; 54.9 — le peuple de Dieu profitera des fruits de son travail Es 65.21-22;
Am 9.14; cf. Dt 28.30-35; Ne 5.15. **62.10** franchissez les portes Es 48.20; 52.11 — dégagez le
chemin Es 40.3; 57.14 — l'étendard face aux peuples Es 11.10-12; 49.22. **62.11** jusqu'à l'extrémité de la terre Es 48.20 — voici ton Salut/Sauveur qui vient Es 40.10; cf. Es 43.3+ — salaire
Es 61.8; Ap 22.12. **62.12** le peuple saint Ex 19.6; cf. Es 61.6 — les rachetés Es 41.14+;
Ps 107.2. **63.1** Edom, Boçra Es 34.5-6+; Jr 49.7-22; Ez 25.12-14; 35.1—36.5; Ab 1-18;
Ml 1.2-5 — qui querelle pour sauver Es 49.25; 51.22. **63.2** du rouge à ton vêtement Ap 19.13
— le pressoir à vin, image du jugement Jr 25.30; Jl 4.13; Lm 1.15; Ap 14.19-20; 19.15.

comme ceux d'un fouleur au pressoir *k* ?

³ — La cuvée, je l'ai foulée seul,
parmi les peuples, personne n'était avec
moi ;
alors je les ai foulés, dans ma colère,
je les ai talonnés, dans ma fureur ;
leur jus a giclé sur mes habits
et j'ai taché tous mes vêtements.
⁴ Dans mon cœur, en effet, c'était jour
de vengeance,
l'année de ma rédemption *l* était venue.
⁵ J'ai regardé : aucun aide !
je me suis désolé : aucun soutien !
Alors mon bras *m* m'a sauvé
et ma fureur a été mon soutien.
⁶ J'ai écrasé les peuples, dans ma colère,
je les ai enivrés, dans ma fureur :
leur prestige, je l'ai fait tomber à
terre !

Le Seigneur, Sauveur et Père de son peuple

⁷ Je rappellerai les bienfaits du SEIGNEUR,
les louanges célébrant le SEIGNEUR,
selon tout ce que le SEIGNEUR a mis
en œuvre pour nous,
oui, sa grande bonté pour la maison
d'Israël,
qu'il a mise en œuvre pour eux selon
sa tendresse,
prodigue en bienfaits.
⁸ Il avait dit : « Vraiment, ils sont mon
peuple,
des fils qui ne trompent pas »,
et il fut pour eux un Sauveur
⁹ dans toutes leurs détresses.
Ce n'est pas un délégué *n* ni un messager,

c'est lui, en personne, qui les sauva :
dans son amour et dans sa compassion,
c'est lui-même qui les racheta.
Il les souleva, il les porta
tous les jours d'autrefois.
¹⁰ Mais eux se cabrèrent, ils accablèrent
son Esprit saint.
Alors il se retourna contre eux en
ennemi,
lui-même se mit en guerre contre eux.
¹¹ Son peuple alors se rappela
les jours du temps de Moïse :
« Où est Celui qui fit remonter de la
mer
le pasteur *o* de son troupeau ?
Où est Celui qui mit en lui
son Esprit *saint ?
¹² Celui qui fit avancer, à la droite de
Moïse,
son bras resplendissant ?
Celui qui fendit les eaux devant eux
pour se faire un nom éternel ?
¹³ Celui qui les fit avancer dans les *abîmes ?
Tel un cheval dans le désert
ils ne trébuchaient pas,
¹⁴ tel du bétail qui descend une combe
l'Esprit du SEIGNEUR les menait au
repos. »
C'est ainsi que tu as conduit ton
peuple,
pour te faire un nom resplendissant.
¹⁵ Regarde et vois, depuis le ciel,
depuis ton palais saint et splendide :
Où sont donc ta jalousie et ta vaillance,
l'émoi de tes entrailles *p* ?
Tes tendresses pour moi ont-elles été
contenues ?

k Dans l'antiquité, pour faire du vin, on écrasait le raisin en le foulant aux pieds. Les taches
rouges de jus sur les vêtements évoquent des taches de sang. L'intervention de Dieu contre
les Edomites est comparée au travail d'un homme qui foule le raisin au pressoir ● *l l'année
de ma rédemption* ou *l'année où je rachèterais mon peuple* (voir la note sur 41.14) ● *m mon
bras* : voir la note sur 40.10 ● *n un délégué* : d'après les anciennes versions grecque et latine ;
texte hébreu traditionnel *un adversaire* ● *o le pasteur* ou *le *berger* : ce titre désigne ici Moïse,
qui fut sauvé des eaux du Nil (Ex 2.10) — Le terme hébreu traduit par *mer* peut aussi désigner
un fleuve, le Nil par exemple (voir 19.5 ; Na 3.8) ● *p ta jalousie* : voir 59.17 et la note — *ta
vaillance* : autre traduction *tes prouesses* — *l'émoi de tes entrailles* : les Hébreux situaient dans
les entrailles le siège des sentiments et des émotions

63.3 personne Es 41.28+. 63.4 jour de vengeance Es 34.8 ; 61.2 — l'année où je rachète Es
41.14+. 63.5 aucune aide Es 41.28+ ; 59.16 — le bras du Seigneur Es 40.10+. 63.6 ivresse cf.
Jr 25.15+. 63.7 les bienfaits du Seigneur Ps 13.6 ; 89.2. 63.8 mon peuple, mes fils Ex 4.22-23 ;
Dt 14.1-2 ; Jr 3.14, 19, 22 ; 31.9, 20 ; Os 2.1 ; 11.1 ; Sg 18.13 — Dieu sauveur Es 43.3+. 63.9 dans
toutes leurs détresses 1 S 26.24 ; 2 S 4.9 ; 1 R 1.29 ; Ps 34.7 — dans son amour Jr 31.3 ; Os 3.1 —
sa compassion Ml 3.17 — il les porta Es 46.3-4. 63.10 ils se cabrèrent Nb 20.10 — ils accablèrent son Esprit saint Ep 4.30. 63.11 pasteur/berger Nb 27.15-20 ; He 13.20 — son troupeau
Ps 77.21 — en lui son Esprit saint Nb 11.17 ; cf. Es 42.1+. 63.12 bras du Seigneur Es 40.
10+ — il fendit les eaux Ex 14.16 — un nom éternel Es 55.13. 63.13 dans les abîmes Es 51.
10. 63.14 comme un troupeau Ps 77.21. 63.15 regarde... depuis le ciel Ps 80.15 — ta jalousie
Es 59.17.

16 C'est que notre Père, c'est toi !
Abraham en effet ne nous connaît pas,
Israël ne nous reconnaît pas non plus ;
c'est toi, SEIGNEUR, qui es notre Père,
notre Rédempteur *q* depuis toujours,
c'est là ton nom.

Prière : Ah, si tu déchirais les cieux

17 Pourquoi nous fais-tu errer, SEIGNEUR,
loin de tes chemins,
et endurcis-tu nos cœurs
qui sont loin de te craindre ?
Reviens, pour la cause de tes serviteurs,
des tribus de ton lot *r*.
18 C'est pour peu de temps
que ton peuple *saint est entré dans
son héritage ;
nos agresseurs l'ont écrasé, ton *sanctuaire !
19 Et depuis longtemps nous sommes
ceux sur qui tu n'exerces plus ta souveraineté,
ceux sur qui ton nom n'est plus appelé.
Ah, si tu déchirais les cieux et si tu
descendais,
tel que les montagnes soient secouées
devant toi,

64 1 tel un feu qui brûle des taillis, tel
un feu qui fait bouillonner des eaux,
pour faire connaître ton *nom à tes
adversaires ;
les nations seraient commotionnées
devant toi,
2 si tu faisais des choses terrifiantes,
que nous n'attendons pas :
tu descendrais, les montagnes seraient
secouées devant toi.
3 Jamais on n'a entendu,
jamais on n'a ouï dire,
jamais l'œil n'a vu
qu'un dieu, toi excepté,
ait agi pour qui comptait sur lui.

4 Tu surprends celui qui se réjouit de
pratiquer la justice,
ceux qui sur tes chemins se souviennent de toi,
Te voilà irrité, car nous avons dévié ;
c'est sur ces chemins d'autrefois *s* que
nous serons sauvés.
5 Tous, nous avons été comme l'*impur,
et tous nos actes de justice, comme
les linges répugnants,
tous, nous nous sommes fanés comme
la feuille,
et nos perversités, comme le vent, nous
emportent.
6 Nul n'en appelle à ton nom,
nul ne se réveille pour t'en saisir,
car tu nous as caché ton visage,
tu as laissé notre perversité nous prendre en main
pour faire de nous des dissolus.
7 Cependant, SEIGNEUR, notre Père c'est
toi ;
c'est nous l'argile, c'est toi qui nous
façonnes,
tous nous sommes l'ouvrage de ta
main.
8 Ne t'irrite pas, SEIGNEUR, jusqu'à
l'excès,
ne te rappelle pas à jamais la perversité.
Mais regarde donc : ton peuple, c'est
nous tous !
9 Tes villes saintes sont un désert,
*Sion est un désert,
Jérusalem, une désolation !
10 Notre Maison sainte et splendide *t*,
où nos pères chantaient tes louanges,
a été embrasée par le feu,
et tout ce qui faisait notre passion
est devenu dévastation !
11 Est-ce que, devant tout cela,
tu pourrais te contenir, SEIGNEUR ?
Tu resterais inactif
et tu nous humilierais jusqu'à l'excès ?

q Israël désigne ici le patriarche Jacob (voir Gn 32.29) — *notre Rédempteur* (celui qui nous rachète): voir la note sur 41.14 • *r de ton lot* ou *qui t'appartiennent* (voir aussi 47.6; 58.14 et les
notes) • *s tes chemins,* c'est-à-dire *la conduite que tu nous ordonnes* (voir la note sur 58.2) —
les chemins d'autrefois, c'est-à-dire la conduite adoptée par les ancêtres d'Israël qui furent fidèles
à Dieu; voir la note 55.8 • *t* c'est-à-dire le temple de Jérusalem

63.16 notre Père Dt 32.6; Es 64.7; Mt 6.9; 23.9 — Abraham Es 41.8 — notre Rédempteur
Es 41.14+.   **63.17** Pourquoi? Ps 80.13 — les chemins de Dieu Es 64.4 — le lot de Dieu
Dt 32.9 — reviens Ps 80.15; 90.13.   **63.18** sanctuaire écrasé Es 64.10.   **63.19** un peuple qui
porte le nom du Seigneur Dt 28.10; Jr 14.9 — des cieux qui se déchirent Mc 1.10; cf. Es 15.38
— montagnes secouées Mi 1.4; Ha 3.6, 10; Ps 18.8; cf. Es 54.10.   **64.1** un feu qui brûle les
taillis Es 10.16-17.   **64.3** jamais on n'a entendu Dt 4.32 — jamais œil n'a vu 1 Co 2.9 — un
dieu, toi excepté Es 45.5 — capable d'agir Es 45.20; 46.7; Lt-Jr 14.28, etc. — compter sur le
Seigneur Es 30.18; Ps 9.11+; 55.24+.   **64.4** les chemins d'autrefois Jr 6.16; 18.15, Ps 139.24.
64.5 fanés comme la feuille Es 1.30; cf. 40.6+.   **64.6** Nul... cf. Es 41.28+ — Dieu cache son
visage Es 54.8+ — à cause de nos fautes Es 59.2.   **64.7** notre Père Es 63.16+ — l'argile
Es 45.9+ — Dieu nous a façonnés Es 27.11; 43.1+; Gn 2.7; Ps 103.14.   **64.8** ne te rappelle
pas... Ps 25.7; 130.3 — ton peuple 63.11.   **64.10** le Temple détruit par le feu Jr 52.13; Lm
2.4; 2 Ch 36.19 — et pillé Lm 1.10.   **64.11** inactif Es 42.14+.

Le peuple rebelle et les serviteurs de Dieu

65 ¹ Je me suis laissé rechercher par ceux qui ne me consultaient pas,
je me suis laissé trouver par ceux qui ne me cherchaient pas,
j'ai dit : « Me voici, me voici »
à une nation qui n'invoquait pas mon *nom ^u.

² J'ai tendu mes mains, à longueur de jour,
vers un peuple rebelle,
vers ceux qui suivent le chemin qui n'est pas bon,
qui sont à la remorque de leurs propres pensées.

³ C'est un peuple qui me vexe,
en face, sans arrêt :
ils font des sacrifices dans des jardins,
ils font fumer des aromates ^v sur des briques,

⁴ ils se tiennent dans des sépulcres ^w,
ils passent la nuit dans des grottes,
ils mangent de la viande de porc,
et leurs plats ne sont qu'un brouet d'ordures ;

⁵ ils disent : « Prends garde à toi,
ne m'approche pas, car je te rendrais sacro-saint ^x ! »
Ces agissements provoquent en mes narines une fumée,
un feu incandescent, à longueur de jour ;

⁶ attention, cela est mis par écrit, en face de moi,
si bien que je ne resterai pas inactif,
jusqu'à ce que j'aie payé de retour,
et payé de retour en plein *cœur

⁷ vos perversités et les perversités de vos

pères,
tout à la fois, dit le Seigneur.

Ceux qui sur les montagnes faisaient fumer des aromates
et sur les collines me tournaient en dérision ^v,
je leur rendrai en plein cœur
la mesure de leur conduite passée.

⁸ Ainsi parle le Seigneur :
De même que l'on trouve du suc dans une grappe
et que l'on dit : « Ne la détruis pas,
car il y a une bénédiction dedans »,
ainsi ferai-je à cause de mes serviteurs,
afin de ne pas détruire l'ensemble.

⁹ Je ferai sortir de Jacob une descendance,
oui, de Juda, un héritier de mes montagnes ^z :
mes élus les hériteront,
mes serviteurs y demeureront.

¹⁰ Le Sharôn deviendra parc à petit bétail,
la vallée de Akor ^a litière pour gros bétail,
au profit de mon peuple, qui m'aura recherché.

¹¹ Mais vous, qui avez abandonné le Seigneur,
qui avez oublié ma *sainte montagne,
qui apprêtez pour Gad une table
et tenez plein pour Méni un mélange de libations ^b,

¹² moi, je vous recense ^c pour l'épée :
tous, vous fléchirez le genou pour être égorgés !
J'ai appelé, en effet, et vous n'avez pas répondu ;
j'ai parlé, et vous n'avez pas écouté.

---

u qui n'invoquait pas mon nom: d'après les versions anciennes ; texte hébreu traditionnel *qui n'était pas appelé par mon nom* ● *v jardins:* voir la note sur 1.29 — *des aromates* ou *des parfums* ● *w* Les idolâtres passaient la nuit près des tombes dans l'espoir d'y communiquer avec les morts ● *x je te rendrais...*: la traduction suit ici deux versions grecques anciennes ; texte hébreu traditionnel *je suis...* — *sacro-saint*, c'est-à-dire chargé de pouvoir divin (voir 66.17) ● *y montagnes... et collines:* endroits où l'on pratiquait de préférence les cultes de la fécondité ; voir 57.7 ; Os 4.13 ● *z Jacob*, ancêtre du peuple d'Israël, symbolise ici ce qui reste de ce peuple ; même remarque pour Juda, ancêtre de la tribu du même nom. A l'époque du prophète le peuple d'Israël était réduit à la tribu de Juda ● *a le Sharôn :* voir la note sur 33.9 — *la vallée de Akor :* voir Os 2.17 et la note ● *b Gad, Méni:* deux divinités de la religion cananéenne — *libations:* voir au glossaire SACRIFICES ● *c je vous recense:* le terme hébreu ainsi traduit fait jeu de mots avec *Méni* ; pour rendre ce jeu de mots on pourrait traduire : je vous *mène* à l'épée

65.1-2 versets cités en Rm 10.20-21. **65.2** un chemin qui n'est pas bon Es 55.7 ; Ps 36.5. **65.3** un peuple qui me vexe Dt 32.21 ; Os 12.15 — sacrifices dans les jardins Es 1.29+ ; faire fumer les aromates Jr 19.13 ; 32.29. **65.4** dans les sépulcres (pour communiquer avec les morts) cf. Es 8.19 ; Lv 19.31 ; Dt 18.11 ; Mc 5.2-3 — viande de porc (impure) Es 66.3-17 ; Lv 11.7 ; Dt 14.8 ; cf. *1 M* 1.47 ; *2 M* 6.18-20 ; 7.1-2. **65.5** sacro-saint Es 66.17 ; cf. Ez 44.19 ; 46.20. **65.6** inactif Es 42.14+. **65.7** vos fautes et celles de vos pères Lv 26.39-40 ; Jr 3.25 — pratiques idolâtriques sur les montagnes Jr 2.20 ; 3.2, 6 ; Ez 6.13 ; 20.28 ; Os 4.13+ ; Dt 12.2. **65.8** ne la détruis pas cf. Ps 57.1 (note). **65.9** ceux qui hériteront les montagnes de Dieu Es 57.13 ; 60.21. **65.10** plaine du Sharôn Es 33.9+ — vallée de Akor Jos 7.24-26 ; 15.7 ; Os 2.17. **65.12** appel sans réponse Es 50.2+ ; cf. 65.24 ; 66.4.

Vous avez fait ce qui est mal à mes
yeux
et vous avez opté pour ce qui ne me
plaît pas.
13 C'est pourquoi ainsi parle le Seigneur
DIEU :
Voici que mes serviteurs mangeront,
et vous, vous endurerez la faim ;
voici que mes serviteurs boiront,
et vous, vous endurerez la soif ;
voici que mes serviteurs jubileront,
et vous, vous aurez honte ;
14 voici que mes serviteurs pousseront
des acclamations
dans le bien-être de leur cœur,
et vous, vous pousserez des cris,
dans le malaise de votre cœur,
oui, l'esprit brisé, vous hurlerez !
15 Dans leurs jurons, mes élus mettront
votre nom, en ajoutant :
« Qu'ainsi le Seigneur DIEU te fasse
mourir ! »
mais en faveur de mes serviteurs sera
évoqué un *Nom tout différent[d] ;
16 quiconque voudra se bénir sur la terre
se bénira par : « le Dieu de l'*amen »,
quiconque jurera sur la terre
jurera par : « le Dieu de l'amen ».
En effet, les détresses du passé seront
oubliées,
oui, elles seront cachées à mes yeux.

**Des cieux nouveaux
et une terre nouvelle**

17 En effet, voici que je vais créer des
cieux nouveaux
et une terre nouvelle ;
ainsi le passé ne sera plus rappelé,
il ne remontera plus jusqu'au secret
du *cœur.
18 Au contraire, c'est un enthousiasme et
une exultation perpétuels
que je vais créer[e] :

en effet, l'exultation que je vais créer,
ce sera Jérusalem,
et l'enthousiasme,
ce sera son peuple ;
19 oui, j'exulterai au sujet de Jérusalem
et je serai dans l'enthousiasme au sujet de mon peuple !
Désormais, on n'y entendra plus
retentir
ni pleurs, ni cris.
20 Il n'y aura plus là
de nourrisson emporté en quelques
jours,
ni de vieillard qui n'accomplisse pas
ses jours ;
le plus jeune, en effet, mourra centenaire,
et le plus malchanceux, c'est centenaire aussi qu'il deviendra moins que
rien[f].
21 Ils bâtiront des maisons et ils les habiteront,
ils planteront des vignes et ils en mangeront les fruits ;
22 ils ne bâtiront plus pour qu'un autre
habite,
ils ne planteront plus pour qu'un autre
mange,
car, tels les jours d'un arbre, tels les
jours de mon peuple,
mes élus pourront user les produits
de leurs mains.
23 Ils ne se fatigueront plus en vain,
ils n'enfanteront plus pour l'hécatombe,
car ils seront la descendance des bénis
du SEIGNEUR
et leurs rejetons resteront avec eux.
24 Avant même qu'ils appellent, moi, je
leur répondrai,
alors qu'ils parleront encore, moi, je
les aurai écoutés !
25 Le loup et l'agneau brouteront ensemble,
le lion, comme le bœuf, mangera du
fourrage ;

---

d mes serviteurs: d'après plusieurs versions anciennes; texte hébreu traditionnel *ses serviteurs* — un Nom tout différent, c'est-à-dire le nom de Dieu lui-même ● *e* Le début du v. 18 est traduit d'après le texte hébreu d'Esaïe trouvé à Qumrân et l'ancienne version grecque; texte hébreu traditionnel *soyez dans l'enthousiasme et exultez* ● *f deviendra moins que rien:* tournure indirecte pour évoquer la mort. Autres traductions possibles *si quelqu'un n'atteint pas l'âge de cent ans, c'est qu'il sera maudit,* ou encore *celui qui commettra des manquements ne sera maudit qu'à l'âge de cent ans*

65.13 faim, soif Dt 28.47-48. **65.15** formule de malédiction Nb 5.21; Jr 29.22. **65.16** se bénir (mutuellement) Gn 22.18; cf. 12.3 — amen 1) dit par les hommes Dt 27.15, etc.; Jr 28.6; 1 Co 14.16; 2 Co 1.20; 2) dit par Dieu 1 R 1.36 — Dieu de l'amen cf. Ps 31.6; Ap 3.14. **65.17** cieux nouveaux, terre nouvelle Es 66.22; 2 P 3.13; Ap 21.1; cf. Es 51.6 — passé oublié cf. Es 43.18-19; 2 Co 5.17. **65.19** dans l'enthousiasme Es 62.5 — ni pleurs, ni cris Ap 21.4. **65.21-22** profiter de son propre travail Es 62.8-9; Jr 29.5; 31.5; Am 9.14; cf. Lv 26.16; Jr 28.30-33, 38-44; Am 5.11; Mi 6.14-15; So 1.13. **65.23** leur descendance, leurs rejetons Es 44.3+. **65.25** loup et agneau ensemble Es 11.6-9 — le serpent, mangeur de poussière Gn 3.14.

quant au serpent, la poussière sera sa nourriture.
Il ne se fera ni mal ni destruction sur toute ma montagne *sainte, dit le SEIGNEUR.

Vrais et faux fidèles

66 ¹ Ainsi parle le SEIGNEUR :
le ciel est mon trône
et la terre l'escabeau de mes pieds.

Quelle est donc la maison que vous bâtiriez pour moi ?
quel serait l'emplacement de mon lieu de repos ?
² De plus, tous ces êtres, c'est ma main qui les a faits
et ils sont à moi *g*, tous ces êtres
— oracle du SEIGNEUR —,
c'est vers celui-ci que je regarde :
vers l'humilié, celui qui a l'esprit abattu,
et qui tremble à ma parole.
³ On sacrifie le taureau, mais aussi on abat un homme !
on immole la brebis, mais aussi on assomme un chien !
on élève une offrande, mais c'est du sang... de porc !
on fait un mémorial d'*encens, mais c'est pour bénir... une malfaisante idole !
Ces gens-là, c'est sûr, choisissent leurs propres chemins *h*
et se complaisent dans leurs abominations.
⁴ Moi, c'est sûr, je choisirai des fantaisies à leurs dépens,
et je ferai venir sur eux ce qui fait leur terreur.
J'ai appelé, en effet, et nul n'a répondu,
j'ai parlé, et ils n'ont pas écouté ;
ils ont fait ce qui est mal à mes yeux,
ils ont choisi ce qui ne me plaît pas.

Le Seigneur apporte réconfort et jugement

⁵ Ecoutez la parole du SEIGNEUR,
vous qui tremblez à sa parole :
Vos frères qui vous haïssent
et qui, à cause de mon nom, vous excluent
ont dit :
« Que le SEIGNEUR montre donc sa gloire
et que nous voyions votre jubilation ! »
mais ce sont eux qui seront dans la honte.
⁶ Une voix, une rumeur depuis la Ville, une voix, depuis le Temple !
C'est la voix du SEIGNEUR : il paie de retour,
à ses ennemis, leur traitement.
⁷ Avant d'être en travail, elle *i* a enfanté,
avant que lui viennent les douleurs,
elle s'est libérée d'un garçon.
⁸ Qui a jamais entendu chose pareille ?
Qui a jamais vu semblable chose ?
Un pays est-il mis au monde en un seul jour,
une nation est-elle enfantée en une seule fois
pour qu'à peine en travail
*Sion ait enfanté ses fils ?
⁹ Est-ce que moi j'ouvrirais passage à la vie
pour ne pas faire enfanter ?
— dit le SEIGNEUR.
Est-ce que moi, qui fais enfanter,
j'imposerais à la vie une contrainte ?
— dit ton Dieu.
¹⁰ Jubilez avec Jérusalem,
exultez à son sujet, vous tous qui l'aimez.
Avec elle, soyez enthousiastes, oui, enthousiasmés,
vous tous qui aviez pris le deuil pour elle.

---

g *ces êtres*: probablement ce qui est offert à Dieu en sacrifice — *ils sont à moi*: d'après deux versions anciennes; texte hébreu traditionnel obscur ● **h** Le *chien* et le *porc* étaient considérés comme des animaux *impurs et ne pouvaient donc pas être offerts à Dieu en sacrifice — *mémorial d'encens*: offrande de parfum complétant un sacrifice, comme en Lv 2.2 ou 24.7 — *chemins*: voir la note sur 55.8 ● **i** *elle*, c'est-à-dire Jérusalem (= Sion, v. 8). Sur Jérusalem, décrite comme la mère de ses habitants, voir la note sur 50.1

66.1-2 versets cités en Ac 7.49-50. **66.1** verset cité en Mt 5.34-35 — le ciel, trône de Dieu Ps 11.4+ ; cf. Es 57.15 — la maison que vous bâtirez pour moi Ag 1.3, 4, 14 — mon lieu de repos Ps 132.13-14; cf. Es 60.13; 1 R 8.27; Dt 12.5. **66.2** ces êtres sont à moi Ps 50.8-12 — qui tremble à ma parole v. 5; Esd 9.4; 10.3. **66.3** on abat un homme Es 57.5 — porc Es 65.4+. **66.4** personne Es 41.28+ — appel sans réponse Es 50.2+ — ils n'ont pas écouté 2 Th 1.8. **66.5** la gloire du Seigneur 2 Th 1.10 — défi au Seigneur Es 5.19; Jr 17.15; 2 P 3.4. **66.6** la voix du Seigneur Jr 25.30. **66.7** Jérusalem mère de famille Es 49.20-22 — un garçon Ap 12.5. **66.8** Qui a jamais entendu... ou vu ?... Es 64.3. **66.10** jubilation et joie après le deuil Es 61.3; 65.18-19; Jn 16.20.

11 Que vous suciez le lait et soyez
rassasiés
de son sein réconfortant !
que vous tiriez le maximum *j* et
jouissiez
de sa mamelle glorieuse !
12 Car ainsi parle le SEIGNEUR :
Voici que je vais faire arriver jusqu'à
elle
la paix *k* comme un fleuve,
et, comme un torrent débordant,
la gloire des nations.
Vous serez allaités, portés sur les
hanches
et cajolés sur les genoux.
13 Il en ira comme d'un homme que sa
mère réconforte :
c'est moi qui, ainsi, vous réconforterai,
oui, dans Jérusalem, vous serez récon-
fortés.
14 Vous verrez, votre *cœur sera enthousiasmé,
vos os *l* comme un gazon seront revigorés.
La main du SEIGNEUR se fera connaître à ses serviteurs,
mais il se montrera indigné envers ses
ennemis :
15 Voici, en effet, le SEIGNEUR :
c'est dans du feu qu'il vient,
ses chars pareils à un typhon,
pour régler sa dette de colère par de
la fureur
et sa dette de menaces par les flammes du feu.
16 Oui, c'est armé de feu que le SEIGNEUR
entre en jugement
avec toute chair, et aussi armé de son
épée :
nombreux seront les êtres transpercés
par le SEIGNEUR.
17 Ceux qui se veulent « sacro-saints »
et « *purs »

pour l'accès des jardins
à la suite du numéro un, qui est au
milieu,
ceux qui mangent la viande du porc,
des bêtes abominables et de la souris *m*,
tous ensemble expireront — oracle du
SEIGNEUR !

Israël et les nations rassemblés
à Jérusalem

18 C'est moi qui motiverai leurs actes
et leurs pensées ;
je viens pour rassembler toutes les
nations
de toutes les langues ;
elles viendront et verront ma gloire :
19 oui, je mettrai au milieu d'elles un
*signe.
En outre j'enverrai de chez eux des
rescapés
vers les nations :
Tarsis, Pouth et Loud qui bandent l'arc,
Toubal, Yavân et les îles lointaines *n*,
qui n'ont jamais entendu parler de
moi,
qui n'ont jamais vu ma gloire ;
ils annonceront ma gloire parmi les
nations.
20 Les gens amèneront tous vos frères,
de toutes les nations,
en offrande au SEIGNEUR,
— à cheval, en char, en litière,
à dos de mulet et sur des palan-
quins —
jusqu'à ma *sainte montagne,
Jérusalem — dit le SEIGNEUR —
tout comme les fils d'Israël amèneront
l'offrande sur des plats purifiés,
à la Maison du SEIGNEUR.
21 Et même parmi eux je prendrai des
prêtres,
des *lévites, dit le SEIGNEUR.

---

j que vous tiriez le maximum : traduction incertaine d'un verbe hébreu qu'on ne rencontre
nulle part ailleurs ● *k la paix* ou *la prospérité* ● *l vos os:* manière hébraïque de désigner le
corps tout entier, voire la personne elle-même ● *m sacro-saints:* voir 65.5 et la note — *pour
l'accès des jardins:* voir 65.3 et la note sur 1.29 — *le numéro un, qui est au milieu* désigne sans
doute le prêtre (ou la prêtresse) du culte idolâtrique — *le porc,* la *souris:* animaux réputés *impurs
(Lv 11.7, 29) ● *n Tarsis:* voir Jon 1.3 et la note — *Pouth* (d'après les anciennes versions grecque et latine) et *Loud:* sans doute des populations africaines de la mer Rouge (Gn 10.6; Jr 46.9)
— *Toubal:* population habitant les rivages de la mer Noire — *Yavân:* population des îles
ioniennes ou de la Grèce — *les îles:* voir la note sur 40.15

66.12 comme un fleuve Es 48.18 — la gloire des nations cf. Es 60.13; 61.6. **66.13** réconfort
Es 40.1+. **66.14** votre cœur enthousiasmé Es 60.5. **66.15** règlement de dettes, flammes du
feu 2 Th 1.8. **66.16** jugement universel Jr 25.30-33 — feu, épée du Seigneur Ez 21.1-22; cf.
Es 64.1. **66.17** sacro-saints Es 65.5 — jardins Es 65.3. **66.18** rassembler toutes les nations
Mi 4.1+. — elles verront ma gloire Es 40.5; 60.1-3. **66.19** signe Es 7.14; Ps 78.43 — Tarsis
Es 60.9+; Gn 10.4 — Pouth et Loud Gn 10.6-13; Jr 46.9 — Toubal Gn 10.2 — Yavân Gn 10.2 4,
— les îles Es 40.15+. **66.20** ces gens amèneront vos frères Es 14.2; 49.22; 60.4, 9. **66.21** parmi
eux je prendrai des prêtres Es 56.3-7.

²² Oui, comme les cieux nouveaux
et la terre nouvelle que je fais
restent fermes devant moi — oracle
du SEIGNEUR —
ainsi resteront fermes
votre descendance et votre nom !
²³ Et il adviendra
que de nouvelle lune en nouvelle
lune ⁰
et de *sabbat en sabbat

toute chair viendra se prosterner
devant moi, dit le SEIGNEUR.
²⁴ En sortant, l'on pourra voir
les dépouilles des hommes
qui se sont révoltés contre moi :
leur vermine ne mourra pas,
leur feu ne s'éteindra pas,
ils seront une répulsion pour toute
chair ᵖ.

● *o nouvelle lune:* voir au glossaire NÉOMÉNIE ● *p pour toute chair* ou *pour tout être vivant.*

66.22 cieux nouveaux, terre nouvelle Es 65.17+. **66.23** toute chair... Es 40.5; Ps 65.3. **66.24** leur vermine, leur feu *Jdt* 16.17; *Si* 7.17; Mc 9.48.

JÉRÉMIE

1 ¹ *Paroles de Jérémie,*
fils de Hilqiyahou,
l'un des prêtres résidant à Anatoth,
dans le territoire de Benjamin ᵃ.

² Où la parole du SEIGNEUR s'adresse
à lui, au temps de Josias, fils d'Amon,
roi de Juda, la treizième année de son
règne ᵇ. ³ — Elle s'adressa encore à lui
au temps de Yoyaqîm, fils de Josias, roi
de Juda, jusqu'à la fin de la onzième
année de Sédécias, fils de Josias, roi de
Juda, jusqu'à la déportation de Jérusalem,
au cinquième mois ᶜ.

Dieu appelle Jérémie à devenir prophète

⁴ La parole du SEIGNEUR s'adressa à moi :
⁵ « Avant de te façonner dans le sein
   de ta mère,
je te connaissais ;
avant que tu ne sortes de son ventre,
je t'ai consacré ;
je fais de toi un *prophète pour les
   nations. »
⁶ Je dis : « Ah ! Seigneur DIEU, je ne
saurais parler, je suis trop jeune ᵈ. » ⁷ Le
SEIGNEUR me dit : « Ne dis pas : Je suis
trop jeune.
Partout où je t'envoie ᵉ, tu y vas ;
tout ce que je te commande, tu le dis ;
⁸ n'aie peur de personne :
je suis avec toi pour te libérer
   — oracle du SEIGNEUR. »
⁹ Le SEIGNEUR, avançant la main, toucha ma bouche, et le SEIGNEUR me dit :
« Ainsi je mets mes paroles dans ta
bouche.
¹⁰ Sache que je te donne aujourd'hui
   autorité
sur les nations et sur les royaumes,
pour déraciner et renverser, pour ruiner et démolir,
pour bâtir et planter. »

Visions :
le rameau d'amandier, le chaudron

¹¹ La parole du SEIGNEUR s'adressa à
moi : « Que vois-tu, Jérémie ? » Je dis :
« Ce que je vois, c'est un rameau d'aman-

---

a Anatoth : village situé à environ 5 km au nord de Jérusalem ● *b Josias* régna de 640 à 609 av. J.C.
Voir aussi la note sur 22.10 — *la treizième année de son règne :* vers 626 av. J.C. ● *c Yoyaqîm* régna
de 609 à 598 av. J.C. — *onzième année de Sédécias, cinquième mois :* juillet 587 av. J.C. ● *d trop
jeune :* Jérémie n'avait pas encore l'âge minimum requis pour avoir le droit de donner son avis en
public ● *e partout où je t'envoie :* autres traductions possibles *quels que soient ceux à qui je t'envoie*
ou *quelle que soit la mission que je te confie*

1.1 paroles de Jérémie Jr 51.64. **1.2** au temps de Josias 2 R 21.24—23.30; Jr 3.6; 36.2; So 1.1 —
la treizième année Jr 25.3; cf. 36.2. **1.3** au temps de Yoyaqîm 2 R 23.36—24.6; Jr 22.13-19;
26.1, 21; 36.1 — Sédécias 2 R 24.17—25.7; Jr 21.1-10; 24.8; 28.1; 32.1; 37—38; 39.1-2; 51.59 —
déportation de Jérusalem 2 R 25.8-21; Jr 39.9; 52.15, 28-30. **1.5** façonné Jr 18.6; Gn 2.7; Ps 33.15;
139.13-16; Jb 10.8-12; *2 M* 7.22-23; *Sg* 7.1; cf. Es 43.1; 44.2, 21, 24; 49.1-5; Ps 22.10 — connu
Am 3.2; Jn 10.27; Rm 8.29 — consacré/réservé Jr 2.3; 12.3; Lv 20.26; Ps 105.15 avant de naître
Jg 13.5; Es 49.1-5; *Si* 49.7; Lc 1.15, 35; Ga 1.15; cf. Jn 10.36. **1.6** trop jeune cf. 1 R 3.7; Jb 32.4, 6;
Lc 3.23. **1.7** objection vaine Ex 4.11-12 — je t'envoie Es 6.8; Ez 2.3-7. **1.8** avec toi v. 19; Jr 15.20;
30.11; Gn 26.24; Ex 3.12; Jg 6.12; Es 7.14; 41.10; So 3.17; Mt 28.20; Rm 8.31. **1.9** il toucha ma
bouche Es 6.7; Dn 10.16; cf. Ez 2.8—3.3 — mes paroles dans ta bouche Jr 5.14; 15.19; Ex 4.12, 15;
Dt 18.18; Es 51.16. **1.10** autorité sur les nations Jr 12.14-17; 25.15-38; 27.1-11; 44.30; 46—51;
Es 42.1; Ac 9.15 — déraciner, renverser... Jr 18.7; 31.28; 45.4; *Si* 49.7; cf. Jr 12.14 — bâtir et planter
Jr 18.9; 24.6; 31.28; 32.41; 42.10; cf. 31.4. **1.11** Que vois-tu ? Jr 24.3; Am 7.8; 8.2.

dier *f*. » ¹² Le SEIGNEUR me dit : « C'est bien vu ! Je veille à l'accomplissement de ma parole. » ¹³ La parole du SEIGNEUR s'adressa à moi une seconde fois : « Que vois-tu ? » Je dis : « Ce que je vois, c'est un chaudron sur un foyer attisé grâce à une ouverture sur le nord. » ¹⁴ Le SEIGNEUR me dit :

« C'est du nord qu'est attisé le malheur *g*,
pour tous les habitants du pays.
¹⁵ Je vais convoquer tous les clans
des royaumes du nord
— oracle du SEIGNEUR.

Ils arrivent, et chacun place son trône à l'entrée des portes de Jérusalem, face aux remparts qui l'entourent et face à toutes les villes de Juda.

¹⁶ Je leur annonce mes décisions au sujet de leurs méfaits *h* : ils m'abandonnent, ils brûlent des offrandes à d'autres dieux, ils se prosternent devant l'œuvre de leurs mains. ¹⁷ Mais toi, tu vas te ceindre les reins *i*, te lever et leur annoncer tout ce que je te commande ; ne te laisse pas accabler par eux, sinon c'est moi qui t'accablerai devant eux. ¹⁸ Moi, aujourd'hui, je fais de toi une place forte, un pilier de fer, un rempart de bronze, face au pays tout entier, face aux rois de Juda, à ses ministres, à ses prêtres et à sa milice *j* ; ¹⁹ ils te combattront, mais ils ne pourront rien contre toi : je suis avec toi — oracle du SEIGNEUR — pour te libérer. »

Le temps où Israël aimait le Seigneur

2 ¹ La parole du SEIGNEUR s'adressa à moi :

² « Va clamer aux oreilles de Jérusalem :
Ainsi parle le SEIGNEUR :
Je te rappelle ton attachement, du temps de ta jeunesse,
ton amour de jeune mariée ;
tu me suivais au désert,
dans une terre inculte.
³ Israël était chose réservée au SEIGNEUR,
*prémices qui lui reviennent ;
quiconque en mangeait devait l'expier ;
le malheur venait à sa rencontre
— oracle du SEIGNEUR.

De la source d'eau vive aux citernes fissurées

⁴ Ecoutez la parole du SEIGNEUR, vous,
la communauté de Jacob *k*
avec toutes les familles de la communauté d'Israël :
⁵ Ainsi parle le SEIGNEUR :
En quoi vos pères m'ont-ils trouvé en défaut
pour qu'ils se soient éloignés de moi ?
Ils ont couru après des riens *l*
et les voilà réduits à rien.
⁶ Ils n'ont pas dit : « Où est le SEIGNEUR qui nous a fait monter du pays d'Egypte,
qui fut notre guide au désert,
au pays des steppes et des pièges,
pays de la sécheresse et de l'ombre mortelle,

---

f L'hébreu désigne *l'amandier* par la tournure *l'arbre qui s'éveille;* c'est en effet le premier arbre de Palestine qui fleurisse au printemps. D'où le jeu de mots, au v. 12 *je veille* ● *g qu'est attisé:* d'après l'ancienne version grecque; hébreu *c'est du côté du nord que le malheur a une ouverture* — Les envahisseurs vers le royaume de Juda pouvait redouter à cette époque devaient nécessairement arriver en Palestine par *le nord* ● *h Je leur annonce...:* Dieu parle ici des Judéens ● *i te ceindre les reins:* expression hébraïque imagée, signifiant qu'un homme se met en tenue de travail ou de voyage, c'est-à-dire qu'il se tient prêt à entreprendre quelque chose ● *j* L'expression hébraïque désigne l'ensemble des citoyens de plein droit. Ils peuvent être mobilisés en cas de guerre (Jr 52.25). Selon les contextes la même expression a été traduite par *la population du pays* en 2 R 21.24; 23.30; *les propriétaires terriens* en Jr 34.19; 37.2; *les bourgeois* en Jr 44.21 ● *k* Jacob, nom de l'ancêtre du peuple d'*Israël*, sert à désigner et souvent ailleurs l'ensemble de ce peuple. Voir les notes en Es 2.5; 41.21. Les deux expressions *communauté de Jacob* et *communauté d'Israël* sont donc synonymes ici ● *l* vos pères ou *les générations qui vous ont précédés* — *des riens:* appellation méprisante des faux dieux et de leurs idoles

1.12 Dieu veille... Jr 31.28; 44.28; Dn 9.14; *Ba* 2.9 l'accomplissement de sa parole Jr 23.29; 44.29; 51.62-64; Jos 23.14; 1 S 3.19; Es 55.10-11; Ha 2.3; *Tb* 14.4; Mt 5.18; 2 P 3.9. **1.14** du nord (le malheur) Jr 4.6; 6.1, 22; 10.22; 13.20; 15.12; 25.9; 46.10, 20; 47.2; 50.3, 41; 51.48; Es 14.31; Ez 38.14-16; Jl 2.20. **1.15** Dieu convoque les ennemis d'Israël Es 5.26 — les trônes des rois ennemis Jr 39.3; 43.10. **1.16** m'abandonnent Jr 7.9; 11.12; 18.15; 19.4, 13; 32.29; 44.3, 17-18. **1.17** te ceindre les reins 2 R 4.29; 9.1; Jb 38.3; 40.7; cf. Lc 12.35+ — ne laisse pas accabler Jr 10.2; 30.10 sinon... Es 7.9; Mt 13.12. **2.2** au désert Dt 2.7; 8.2-4; Ez 20.13; Os 2.16-22; Am 5.25; Ps 78.40; 95.10; 106.14. **2.3** chose réservée au Seigneur Ex 28.36; Ps 105.15; cf. Os 2.20 — le Seigneur châtie les adversaires de son peuple Gn 12.17; 20.3, 7; Es 10.5-19; 47.6-14; Za 1.15; Ps 105.14-15. **2.5** impossible de trouver le Seigneur en défaut Dt 32.4; Es 1.2; Jb 34.10 — semblables à ce qu'ils adorent Os 9.10; Ps 115.8; 2 Co 3.18. **2.6** Où est le Seigneur qui... Es 63.11; Jb 35.10 — notre guide au désert Dt 32.10-12.

pays où nul ne passe, où personne ne réside ? »
7 Je vous ai fait entrer au pays des vergers
pour que vous en goûtiez les fruits et la beauté.
Mais en y pénétrant, vous avez souillé mon pays
et vous avez fait de mon patrimoine une horreur.
8 Les prêtres ne disent pas :
« Où est le SEIGNEUR ? »
Ceux qui détiennent les directives divines
ne me connaissent pas.
Les pasteurs se révoltent contre moi.
Les *prophètes prophétisent au nom de *Baal
et ils courent après ceux qui ne servent à rien *m*.

9 Aussi vais-je encore plaider contre vous
— oracle du SEIGNEUR —
et plaider contre les fils de vos fils.
10 Passez donc aux rives des Kittim et regardez ;
envoyez à Qédar *n* et informez-vous bien ;
regardez si pareille chose est arrivée :
11 une nation change-t-elle de dieux ?
— et pourtant ce ne sont pas des dieux ! —
Mon peuple, lui, échange sa gloire *o* contre qui ne sert à rien.
12 De cela soyez stupéfaits, vous, les *cieux,
soyez-en horrifiés, profondément navrés

— oracle du SEIGNEUR !
13 Oui, il est double, le méfait commis par mon peuple :

ils m'abandonnent, moi, la source d'eau vive,
pour se creuser des citernes, des citernes fissurées
qui ne retiennent pas l'eau.

Un peuple qui a abandonné son Seigneur

14 Israël est-il un esclave, est-il né dans la servitude ?
Pourquoi devient-il une proie ?
15 Contre lui rugissent les jeunes lions ;
ils donnent de la voix ;
on transforme son pays en désolation ;
ses villes sont incendiées,
vidées de leurs habitants.
16 Même les gens de Memphis et de Daphné
te défoncent le crâne *p*.
17 Qu'est-ce qui te vaut cela,
sinon d'avoir abandonné le SEIGNEUR ton Dieu
au temps où il était ton guide sur la route ?
18 Et maintenant qu'est-ce qui t'attire sur la route de l'Egypte
pour aller t'abreuver à l'étang d'Horus ?
Et qu'est-ce qui t'attire sur la route de l'Assyrie
pour aller t'abreuver au Fleuve *q* ?
19 Que ton mal te châtie !
Que ton apostasie te corrige !

m les pasteurs ou *les *bergers:* la Bible emploie souvent ce mot pour désigner *les dirigeants* d'une nation, en particulier les rois — *ceux qui ne servent à rien:* les faux dieux ● *n* Les *Kittim:* habitants de l'île de Chypre et, d'une façon plus générale, toutes les populations vivant sur les rives de la Méditerranée orientale — *Qédar:* voir Es 21.16 et la note ● *o sa gloire:* manière indirecte de désigner Dieu lui-même; voir Ps 106.20 et la note ● *p Memphis:* voir Es 19.13 et la note — *Daphné:* ville au nord-est de l'Egypte, située en bordure du lac Menzaleh — *te défoncent:* autre traduction *te tondent* ● *q l'étang d'Horus:* nom que les anciens Egyptiens donnaient au bras oriental du Nil, aboutissant au lac Menzaleh, près de Daphné — *le Fleuve:* terme servant à désigner habituellement *l'Euphrate*

2.7 pays souillé Jr 3.2, 9; 23.15; Es 24.5. **2.8** où est le Seigneur? 2 R 2.14 — ceux qui détiennent... Lc 11.52 — défaillance des responsables Mi 3.11 — prêtres et prophètes mis en question Jr 6.13; 8.10 — les prêtres, chargés de donner des directives divines Jr 18.18; Lv 10.11; Nb 27.21; Dt 31.9-13; 33.10; Ez 7.26; Os 4.6; Ml 2.7; Si 45.17; cf. 1 S 14.36-42 — révolte des chefs (pasteurs) Jr 21.1—23.8 — trahison des prophètes Jr 5.13, 31; 14.13-15; 23.9-40; 27.9, 14-18; 28; 29.8-9, 15 — qui ne servent à rien v. 11; Jr 16.19; 1 S 12.21; Es 44.9. **2.10** les Kittim Nb 24.24 — Qédar Jr 49.28; Es 21.16+. **2.11** des dieux qui n'en sont pas Jr 5.7; 16.20; Es 41.23; 42.17; Sg 15.16-17; Lt-Jr 14, 22, etc. — le Seigneur, gloire de son peuple 2 Co 3.18; Col 1.11; 1 P 4.14 — gloire échangée Ps 106.20. **2.13** double méfait Os 10.10 — ils m'abandonnent Jr 1.16; 2.17, 19; 5.7, 19; 16.11; 17.13, Ba 3.12 — eau vive Jn 4.10. **2.14** esclave de maison Gn 14.14; 17.12-13, 23, 27; Lv 22.11. **2.15** rugissement du lion Jr 12.8; 51.38; cf. Jr 4.7+. **2.16** Memphis Jr 44.1; 46.14; Es 19.13; Ez 30.13 — Daphné Jr 43.7-9; 44.1; Ez 30.18. **2.18** appels à l'Egypte et à l'Assyrie Os 7.11; 12.2 — contre l'alliance avec l'Assyrie Os 5.13; 8.9; 14.4 — contre l'alliance avec l'Egypte v. 36; Es 20.1-6; 30.1-5; 31.1-3; Ez 29.6. **2.19** Que ton mal te châtie Nb 14.34; Ps 107.17; cf. Jr 14.16 — la crainte du Seigneur Jb 28.28; Pr 1.7+.

Eprouve jusqu'au bout la douleur et
l'amertume
d'avoir abandonné le SEIGNEUR ton
Dieu !
Oui, tu ne trembles même plus devant
moi
— oracle du Seigneur DIEU, le tout-
puissant.

Un peuple révolté, idolâtre, dégénéré

20 Depuis toujours tu as brisé ton *joug,
rompu tes liens,
en disant : « Je ne veux plus être
esclave. »
Sur toute colline élevée, sous tout arbre
vert,
tu t'étales en prostituée *r*.
21 Moi, je t'avais plantée, vignoble de
choix,
tout entier en cépage franc.
Comment as-tu dégénéré en vigne
inconnue
aux fruits infects ?
22 Même si tu te laves avec de la soude
et que tu emploies des flots de lessive,
la crasse de ta perversion subsiste
devant moi
— oracle du Seigneur DIEU.
23 Comment oses-tu dire : « Je ne suis
pas souillée,
je ne cours pas après les *Baals » ?
Vois ta conduite dans le vallon *s* ;
reconnais ce que tu fais.
Une chamelle légère qui entrecroise
ses traces !
24 Une ânesse sauvage habituée à la
steppe !
En chaleur, elle renifle le vent ;
son rut, qui peut le refouler ?
Tous ceux qui la cherchent n'ont pas
à se fatiguer,
ils la trouvent en son mois.
25 Halte ! sinon tu deviens une va-nu-
pieds,

et ton gosier va se dessécher.
Mais tu dis : « Rien à faire ! Non !
Je raffole des étrangers
et je veux courir après eux. »
26 Comme est confondu un voleur pris
sur le fait,
ainsi sont confondus les gens d'Israël,
— eux, leurs rois, leurs ministres, leurs
prêtres et leurs *prophètes.
27 Ils disent au bois : « Tu es mon
père ! »,
à la pierre *t* : « C'est toi qui m'as
enfanté. »
Oui, ils me présentent la nuque
et non la face ;
mais dès qu'ils sont malheureux, ils
me disent :
« Lève-toi ! Sauve-nous ! »
28 Où sont-ils les dieux de ta fabrication ?
Qu'ils se lèvent s'ils peuvent te sauver
quand tu es malheureuse,
puisque tes dieux sont devenus
aussi nombreux que tes villes, ô Juda !
29 Pourquoi plaidez-vous contre moi ?
Tous vous vous êtes révoltés contre moi
— oracle du SEIGNEUR.

Dieu se plaint de son peuple infidèle

30 C'est en vain que je frappe vos fils ;
ils n'acceptent pas la leçon.
Votre épée dévore vos *prophètes
tel un lion ravageur.
31 — Vous, hommes de ce temps, comprenez la parole du SEIGNEUR ! —
Suis-je devenu un désert pour Israël ?
Le pays de la nuit noire ?
Pourquoi ceux de mon peuple disent-ils :
« Nous allons où nous voulons,
nous ne viendrons plus à toi » ?
32 Une jeune fille oublie-t-elle sa parure ?
Une mariée, sa robe *u* ?
Mais ceux de mon peuple m'oublient
depuis des jours et des jours.

---

r Voir Es 1.29; 65.7; Os 1.2; 2.4 et les notes ● *s* Allusion probable à la vallée de Ben-Hinnôm,
au sud de Jérusalem. Sur les pratiques idolâtriques auxquelles on s'y livrait voir Jr 7.31-32;
2 R 23.10 et la note ● *t au bois... à la pierre*: c'est-à-dire aux faux dieux représentés par des
statues de bois ou de pierre ● *u sa robe* ou *sa cordelière*

2.20 révoltée depuis toujours Jr 6.28; 8.5; 13.23; cf. Ez 20; 23; Ac 7.51 — briser son joug Jr 5.5; cf.
Mt 11.30 — colline élevée, arbre vert Jr 3.6, 13; 17.2; Dt 12.2; 1 R 14.23; 2 R 16.4; 17.10; Es 57.5;
Ez 6.13. **2.21** plantée Ps 80.9 — vignoble de choix Es 5.1+ — dégénérée Dt 32.32. **2.22** lavé à
la soude Jb 9.30 — la crasse subsiste Jr 17.1. **2.23** comment oses-tu dire Jr 48.14 — le vallon
(de Ben-Hinnôm) Jr 7.31-32; 19.6; 32.35; Jos 15.8; 2 R 23.10. **2.25** refus catégorique Jr 18.12
— séduite par des étrangers Jr 3.13; Ez 16.15, 32-33; 23.5-7; cf. Dt 32.16. **2.27** le bois, la
pierre Jr 3.9; cf. Sg 13.17 — mon père Dt 32.6. **2.28** dieux impuissants Jr 10.8, 14; Dt 32.37-38;
1 R 18.26-29; Lt-Jr 35-36 — de ta fabrication Jr 16.20; Es 2.8; Os 14.4 — autant de dieux que
de villes Jr 11.13; Os 8.11; cf. Dt 12.5. **2.30** refuser la leçon Jr 5.3 — prophètes assassinés
Ne 9.26; Mt 23.35; 1 Th 2.15. **2.31** où nous voulons Jr 2.20; 5.23; 14.10. **2.32** Dieu oublié
v. 17; Jr 3.21; 6.19; 13.25; 18.15; Dt 8.19.

33 Comme tu combines bien tes intrigues
   pour rechercher l'amour !
   Vraiment tu es allée
   jusqu'à t'habituer au crime.
34 Le sang des pauvres, des innocents,
   se trouve jusque sur les pans de tes
     vêtements.
   C'est bien sur tout cela que je le trouve,
   non sur un mur percé *v*.
35 Tu dis : « Je suis innocente ;
   sa colère va sûrement se détourner de
     moi. »
   Or moi, je te poursuis en justice
   parce que tu dis : « Je ne suis pas
     fautive. »
36 Comme tu t'avilis *w*
   en variant tes intrigues !
   Tu récolteras autant de honte
   de l'Egypte que de l'Assyrie.
37 De là aussi tu sortiras
   les mains sur la tête *x*.
   Oui, le SEIGNEUR méprise ton système
     de sécurité ;
   ce n'est pas ainsi que tu réussiras.

Une prostituée obstinée

3 ¹ Si un homme répudie sa femme
   et qu'elle le quitte
   pour appartenir à un autre homme,
   reviendra-t-il encore à elle ?
   N'est-elle pas irrémédiablement pro-
     fanée,
   cette terre-là ?
   Et toi, qui t'es prostituée à tant de
     partenaires *y*,
   tu reviendrais à moi
   — oracle du SEIGNEUR !
² Lève les yeux vers les pistes et vois :
   y a-t-il un endroit où tu ne te sois
   pas accouplée ?

En bordure des chemins, tu t'asseyais
   pour les attendre,
tel l'Arabe dans le désert.
Tu as profané la terre
par ton inconduite, ton immoralité.
³ Les averses t'ont été refusées
et la pluie tardive n'est pas venue :
mais tu persistes dans ton effronterie
   de prostituée
sans admettre ton déshonneur.
⁴ Encore maintenant ne m'invoques-tu
   pas : « Mon Père !
Toi, l'intime de ma jeunesse ! »
⁵ Tient-il donc toujours rigueur ?
Garde-t-il rancune à jamais ?
Mais, tout en parlant, tu ne cesses de
   faire le mal *z*
et avec quel succès !

Israël-l'Apostasie et Juda-la-Perfide

⁶ Au temps du roi Josias, le SEIGNEUR
me dit : As-tu vu ce qu'a fait Israël-
l'Apostasie, elle qui se rendait sur toute
montagne élevée, sous tout arbre vert
pour s'y prostituer *a* ? ⁷ Je me suis dit :
Après avoir fait tout cela elle reviendra
à moi ; mais elle n'est pas revenue. Sa
sœur, Juda-la-Perfide, a vu. ⁸ Et moi
j'ai vu. Oui, c'est bien en raison de son
adultère que j'ai répudié Israël-l'Apostasie, en lui donnant un acte de divorce *b*.
Mais sa sœur, Juda-la-Perfide, n'a ressenti
aucune crainte, elle aussi s'est mise à se
prostituer, ⁹ si bien que, par sa légèreté
et son inconduite, la terre elle-même est
profanée ; elle commet l'adultère avec
la pierre et le bois *c*. ¹⁰ Et malgré tout
cela, sa sœur Juda-la-Perfide, ne revient
pas à moi du fond d'elle-même : sa
repentance est fausse — oracle du
SEIGNEUR.

---

v La loi d'Ex 22.1 considérait comme non coupable celui qui avait tué un voleur en train de *percer un mur*. Selon Jérémie la population de Jérusalem, responsable de nombreux meurtres, ne
peut pas invoquer cette circonstance pour obtenir un non-lieu ● *w* Autre traduction *comme tu
vas à la dérive* ● *x* Geste exprimant la honte que l'on ressent (voir 2 S 13.19) ● *y* Sur l'accusation de *prostitution* voir Os 1.2; 2.4 et les notes ● *z* Autre traduction *Mais tu ne cesses de dire
et de faire le mal* ● *a Israël-l'Apostasie* ou *Israël-la Trahison*, c'est-à-dire la traîtresse — *Israël*,
opposé ici à *Juda*, désigne l'ancien royaume du nord. Comme souvent le peuple de Dieu est personnifié sous les traits d'une femme — *s'y prostituer:* voir Ez 1.29; 65.7; Os 1.2; 2.4 et les notes ● *b* allusion à la ruine de Samarie, survenue en 722/721 av. J.C. ● *c la pierre et le bois:* voir 2.27 et la note

2.34 du sang des vêtements Lm 4.14.   **2.35** espoir que Dieu va passer l'éponge Jr 3.5.
2.36 Egypte et Assyrie v. 18+.   **3.1** reprendre la femme répudiée Dt 24.1-4 — retour à Dieu
v. 3, 14; Lc 15.18-19; 18.13-14 — terre profanée Jr 2.7; 3.2, 9.   **3.2** accouplée Jr 2.20 — attente
au bord du chemin Gn 38.14; Ez 16.25; Pr 7.12; *Lt-Jr* 42, 43.   **3.3** pas de pluie Jr 5.24-25;
14.4; Dt 28.23; Am 4.7.   **3.4** Père céleste et fils v. 19; Ex 4.22; Dt 32.6; Os 2.1; 11.1; Ml 1.6.
3.5 Dieu gardera-t-il toujours rancune Jr 2.35; 3.12; Es 64.8; Os 6.1-3.   **3.6** Josias Jr 1.2+ —
Apostasie Jr 31.22 — colline élevée, arbre vert Jr 2.20+.   **3.7** le malheur des autres, invitation à la
conversion Lc 13.1-5; cf. Na 3.6.   **3.8** acte de divorce Es 50.1 — chute de Samarie 2 R 17.5-6 —
sa sœur Ez 16; 23.   **3.9** la pierre et le bois Jr 2.27.   **3.10** Perfide Os 7.13 — sa repentance est
fausse Jr 2.23, 27, 35; 3.4-5; 8.8; cf. Os 6.1-6.

Appel aux Israélites du nord

11 Le Seigneur me dit : A côté de
Juda-la-Perfide, Israël-l'Apostasie *d* peut
se déclarer juste. 12 Va clamer les paroles
que voici vers le nord *e* :
Reviens donc, Israël-l'Apostasie —
oracle du Seigneur —
ma présence ne vous sera plus accablante.
Oui, je suis fidèle — oracle du Seigneur — ;
je ne tiens pas rigueur pour toujours.
13 Mais reconnais ta perversion :
c'est contre le Seigneur ton Dieu
que tu t'es révoltée.
Tu t'es éparpillée en démarches auprès
des étrangers
sous tout arbre vert *f*.
Vous n'avez pas écouté ma voix
— oracle du Seigneur.
14 Revenez, fils apostats — oracle du
Seigneur —
car c'est moi qui reste le maître chez
vous :
je vous prends un d'une ville, deux
d'un clan
pour vous amener à *Sion.
15 Je vous donne des pasteurs *g* à ma
convenance
qui vous paîtront avec un savoir-faire
plein d'attention.

Rassemblement universel à Jérusalem

16 En ce temps-là, quand vous aurez
abondamment proliféré dans le pays —
oracle du Seigneur —, on ne dira plus :
« *Arche de l'alliance du Seigneur ! »
Elle ne viendra à la pensée de personne ;
on ne l'évoquera plus, on ne remarquera
pas son absence ; elle ne sera plus refaite.
17 A ce moment-là, on appellera Jérusalem « Trône du Seigneur » ; toutes les
nations conflueront vers elle à cause du
nom du Seigneur donné à Jérusalem ;
elles ne persisteront pas dans leur entêtement *h* exécrable. 18 En ce temps-là, ceux
de Juda rejoindront ceux d'Israël ; et,
du pays du nord, ils arriveront ensemble
au pays que j'ai donné à leurs pères *i*
en héritage.

Le retour du peuple égaré

19 Moi je m'étais dit : « Oh ! comme je
voudrais
te distinguer parmi les fils,
te donner un pays de cocagne,
un domaine qui soit, parmi les nations,
d'une beauté féerique. »
Et je disais : « Vous m'appellerez :
"Mon Père !",
vous ne vous détournerez plus de
moi *j*. »
20 Mais vraiment, comme une femme est
perfide
à l'égard de son compagnon,
ainsi vous êtes perfides envers moi,
gens d'Israël — oracle du Seigneur.
21 Une clameur monte de toutes les
pistes,
la déchirante supplication des Israélites :
ils se sont fourvoyés
en oubliant le Seigneur leur Dieu.
22 « Revenez, fils apostats !
Je veux guérir complètement votre
apostasie. »
— « Nous voici ! nous sommes à toi ;
oui, c'est toi, le Seigneur notre Dieu *k* !
23 Assurément, ce qui vient des collines
est faux,
on ne fait que du bruit sur les montagnes *l*.
Assurément, c'est dans le Seigneur notre Dieu

---

d Voir 3.6 et la note ● *e* Le *nord* est la direction dans laquelle les exilés ont été emmenés (voir
1.14 et la note) ● *f* Voir la note sur Es 1.29 ● *g des pasteurs* ou *des *bergers:* voir 2.8 et la note
● *h* Autres traductions *dans leur attirance* (pour les faux dieux) ou *dans leurs projets* ● *i pays du nord:*
voir 3.12 et la note — *à leurs pères* ou *à leurs ancêtres* ● *j* Autre traduction *Quand je me suis demandé :*
« *Comment te compter parmi les fils, te donner...? »*, alors j'ai dit : « *Tu m'appelleras, mon Père et
tu ne te détourneras plus de moi.* » ● *k apostats, apostasie* ou *traîtres, traîtrise* — *Oui, c'est toi...:*
autre traduction *Car c'est toi, Seigneur, qui es notre Dieu* ● *l* Voir Es 65.7 et la note

3.12 vers le nord v. 18; Jr 16.15; 23.8; 31.8; cf. Jr 1.14+ — reviens v. 14, 22; 4.1; Dt 30.2-10; Os
14.2 — le Seigneur ne tient pas toujours rigueur Jr 3.5; Ps 103.9; Lm 3.31. **3.13** démarches auprès
des (dieux) étrangers Jr 8.19+ — sous tout arbre vert Jr 2.20+. **3.15** des pasteurs à ma convenance
Jr 23.4; 1 S 2.35. **3.16** prolifération 23.3; Dt 6.3; Es 54.1; Za 10.8; Ba 2.34; Ac 6.7 — moments
où l'arche a pu disparaître 1 R 14.25-26; 2 R 14.14; 25.9, 13-17; Jr 52.13, 17-23; cf. *2 M* 2.5.
3.17 Trône du Seigneur Ez 43.7; Ap 22.3 — afflux des nations à Jérusalem Mi 4.1+; cf. Jr 12.16
— le nom du Seigneur donné à Jérusalem Jr 7.10; Dt 12.5, 11, 21 — entêtement (exécrable) Jr
7.24; 9.13; 11.8; 13.10; 16.12; 18.12; 23.17; Ps 81.13. **3.18** Juda rejoindra Israël Jr 50.4; Ez
37.15-28. **3.19** pays de cocagne Ex 3.8; Ez 20.6; Dn 8.9; 11.16 — père et fils Jr 3.4; Es 63.16; Os
11.1; cf. Jr 2.27. **3.21** le Seigneur oublié Jr 2.32+. **3.22** Revenez v. 12+ — guérir Os 14.5.
3.23 culte idolâtrique et bruyant Ex 32.6; Nb 25.1-3; 1 R 18.26 — Dieu sauveur Ps 3.9; Es 43.3+.

qu'Israël trouve le salut.

24 Mais la Honte *m*, depuis notre jeunesse,
dévore le labeur de nos pères,
— leur petit et leur gros bétail, leurs
fils et leurs filles.

25 Soyons prostrés dans notre honte,
que notre déshonneur nous submerge !
Oui, nous sommes fautifs envers le
SEIGNEUR notre Dieu, nous et nos pères,
depuis notre jeunesse jusqu'à ce jour ;
nous n'avons pas écouté la voix du
SEIGNEUR notre Dieu. »

4 1 Si tu reviens, Israël — oracle du
SEIGNEUR —,
c'est à moi que tu dois revenir.
Si tu ôtes tes ordures *n* de devant ma
face,
alors tu ne vagabonderas plus.

2 Si tu prêtes serment : « Par la vie du
SEIGNEUR ! »,
dans la vérité, dans le droit et la justice,
alors les nations se béniront en son
nom ;
c'est de lui qu'elles se loueront.

Appel à un changement complet

3 Ainsi parle le SEIGNEUR aux hommes
de Juda et aux habitants de Jérusalem :
Défrichez votre champ,
ne semez pas parmi les ronces !

4 Soyez *circoncis pour le SEIGNEUR,
ôtez le prépuce de votre *cœur *o*,
hommes de Juda et habitants de Jérusalem !
Sinon ma fureur jaillira comme un feu,
elle brûlera sans que personne puisse
l'éteindre,
à cause de vos agissements pervers.

Cri d'alarme en Juda

5 Faites une proclamation en Juda,
faites-la entendre à Jérusalem, dites :

Sonnez du cor dans le pays !
Criez à pleine voix, dites :
Rassemblez-vous
pour entrer dans les places fortes.

6 Levez l'étendard vers *Sion !
Allez vous mettre à l'abri !
Ne vous arrêtez pas en chemin !
C'est le malheur que je fais venir du
nord *p*,
un grand désastre !

7 Le lion monte de son fourré ;
le destructeur des nations se met en
route,
il sort de chez lui
pour transformer ton pays en désolation :
tes villes seront incendiées,
vidées de leurs habitants.

8 A cause de cela, revêtez le *sac !
Lamentez-vous ! Hululez !
Non, elle ne se détourne pas de nous,
l'ardente colère du SEIGNEUR.

9 Ce jour même — oracle du SEI-
GNEUR —,
il s'évanouit, le courage du roi et des
ministres ;
les prêtres sont stupéfaits,
les *prophètes, atterrés.

10 Je dis : « Ah ! Seigneur DIEU, assurément tu as bien abusé ce peuple et
Jérusalem en disant : "Vous aurez la
paix..." Et l'épée nous enlève la vie. »

Les envahisseurs surgissent de partout

11 A ce moment-là, on dira à ce peuple
et à Jérusalem :
Un vent embrasé sur les pistes, dans
le désert,
est en route vers mon peuple,
non pour vanner, ni pour nettoyer :

12 un vent plein de force
me vient de là-bas.
Maintenant, à mon tour,
je veux prononcer mes décisions contre eux.

---

m la Honte: désignation indirecte d'un faux dieu (pour n'avoir pas à prononcer son nom); voir
5.31 ; 11.13; Os 9.10 ● *n* Désignation méprisante des idoles ● *o* Ou *acceptez de comprendre et de
faire ce que Dieu veut* ● *p* Voir 1.14 et la note

3.24 substituts méprisants aux noms de dieux étrangers Jr 5.31 ; 11.13; Os 9.10 — labeur dévoré
Dt 28.33. **3.25** dans notre honte Esd 9.6-7. **4.1** Si tu reviens Jr 3.12+ à moi Jl 2.12 — ordures
(idoles) Jr 7.30 ; 13.27; 16.18; 32.34; Dt 29.16 ; 2 R 23.13, 24; Ez 5.11 ; 7.20, etc.; Na 3.6; cf. Ex 20.3.
4.2 prêter serment « par la vie du Seigneur » Jr 5.2; 12.16; 23.7-8; 44.26; Dt 6.13 — les nations se
béniront en son nom cf. Gn 22.18; 26.4; Es 65.16; Mt 5.16. **4.3** défrichez Os 10.12; Mt 13.23.
4.4 circoncision du cœur Dt 10.16; 30.6; Rm 2.29; cf. Jr 9.24-25; Lv 26.41; cf. aussi Jr 6.10. **4.5** cor,
signal d'alarme v. 19, 21; Jr 6.1, 17; 42.14; 51.27 — rassemblement Jr 8.14. **4.6** du nord Jr
1.14+ — désastre v. 20; 6.1; 8.21; 10.19; 14.17; 30.12. **4.7** lion Jr 2.15; 5.6; 49.19; 50.44;
Es 5.29; Na 2.12. **4.8** revêtez le sac Jr 6.26; 48.37; 49.3; Es 15.3; Ez 7.18 — elle ne se détourne
pas v. 26; Es 5.25 — l'ardente colère du Seigneur v. 26; Jr 12.13; 25.37-38; 51.45; Na 1.6.
4.10 Vous aurez la paix Jr 14.13; cf. 28.6. **4.12** les décisions du Seigneur Jr 1.16; 12.1.

13 Comme des nuages, il monte à l'assaut ;
ses chars sont pareils à l'ouragan,
ses chevaux, plus lestes que les vautours.
Pauvres de nous ! Nous sommes dévastés.

14 Lave ton *cœur de toute méchanceté,
Jérusalem,
afin d'être délivrée.
Quand délogeront-elles de chez toi,
tes pensées maléfiques ?

15 Depuis Dan, on fait une proclamation *q* ;
de la montagne d'Ephraïm,
on annonce une calamité.

16 Avertissez les nations,
mobilisez contre Jérusalem !
Des assiégeants viennent d'un pays lointain,
ils donnent de la voix contre les villes de Juda.

17 Tels les gardiens d'un champ,
ils surgissent contre elle de partout.
C'est à moi qu'elle est rebelle
— oracle du SEIGNEUR.

18 Ta conduite, tes agissements
te valent cela.
C'est le fruit de ta méchanceté,
certes, c'est amer !
Cela te frappe en plein cœur.

Douleur de Jérémie devant le désastre

19 Mon ventre ! mon ventre ! je me tords de douleur !
Les parois de mon cœur !
C'est le tumulte en moi,
je ne puis me taire,
car je perçois l'alerte du cor,
le hourra de guerre.

20 On crie : « Désastre sur désastre ! »
Oui, tout le pays est dévasté.
Soudain mon campement est dévasté,
en un instant, mes tentes.

21 Jusques à quand verrai-je l'étendard,
entendrai-je l'alerte du cor ?

Ce que Dieu pense de son peuple

22 Oui, mon peuple est bête ;
ils ne me connaissent pas.
Ce sont des enfants bornés ;
ils ne peuvent rien comprendre.
Ils sont habiles à faire le mal ;
faire le bien, ils ne le savent pas.

La terre à nouveau déserte et vide

23 Je regarde la terre : elle est déserte et vide ;
le ciel : la lumière en a disparu.

24 Je regarde les montagnes : elles tremblent ;
toutes les collines sont ballottées.

25 Je regarde : il n'y a plus d'hommes
et tous les oiseaux ont fui.

26 Je regarde : le pays des vergers est un désert,
toutes les villes sont incendiées
par le SEIGNEUR, par son ardente colère.

27 Ainsi parle le SEIGNEUR :
Toute la terre devient désolation,
— pourtant je ne fais pas table rase.

28 C'est pourquoi la terre est en deuil,
et, là-haut, le ciel s'assombrit,
parce que je l'ai décrété,
que j'en ai conçu le projet ;
je n'y renonce pas
et je ne reviens pas en arrière.

Sion face aux tueurs

29 Au bruit de la cavalerie et des archers,
toute ville prend la fuite.
On pénètre dans les taillis,
on monte sur les rochers.
Toutes les villes sont abandonnées,
plus personne n'y habite.

30 Mais toi *r*, que fais-tu ?
Tu t'habilles d'écarlate, tu te pares de bijoux d'or,
tu allonges tes yeux avec du noir.
C'est en vain que tu fais la coquette,
tes amants te méprisent,
ils en veulent à ta vie.

---

q Dan: ville israélite la plus septentrionale ● *r* Après ce mot le texte hébreu ajoute *dévasté*, absent de l'ancienne version grecque, que notre traduction suit ici

4.13 ses chars Na 2.5 — ses chevaux Ha 1.8; Lm 4.19. **4.14** lave ton cœur... Es 1.16; Ez 18.31; Jc 4.8. **4.18** le fruit de ta méchanceté Jr 2.17, 19; Ps 107.17. **4.19** douleur Jr 13.17; 2 R 8.11; Ha 3.16; Lm 1.20. **4.20** désastre v. 6+; Ez 7.26. **4.22** mon peuple est bête Jr 5.21; 8.7; Dt 32.28; Es 27.11; Os 4.6; Ps 82.5; Lc 24.25 — incapables Jr 13.23; Rm 7.21 de faire le bien Am 5.14-15; Ps 34.13-15. **4.23** la terre déserte et vide Gn 1.2 — ciel obscurci v. 28; Es 50.3; Mc 15.33. **4.24** les montagnes tremblent Jg 5.5; Es 5.25+; Na 1.5; Ps 46.3-4. **4.25** les oiseaux ont fui Jr 9.9; 12.4; 50.3; Os 4.3; So 1.3. **4.26** vergers réduits en désert Lv 26.33; Ps 107.34. **4.27** pas table rase Jr 5.10, 18; 30.11. **4.28** la terre en deuil Jr 12.4; 23.10 — je n'y renonce pas Am 1.3, 6, etc.; cf. Jr 23.19. **4.30** tes amants Jr 22.20, 22; 30.14; Ez 16.33-37; 23.5, 9, 22; Os 2.7, 9; Lm 1.19.

31 J'entends comme les plaintes d'une
femme en travail,
comme les cris d'angoisse d'une jeune
maman :
les cris de la belle *Sion qui suffoque,
qui tend les mains :
Pauvre de moi *s* ! je suis à bout de
souffle
face aux tueurs.

Corruption générale à Jérusalem

5 **1** Parcourez les rues de Jérusalem,
regardez donc et enquêtez,
cherchez sur ses places :
Y trouvez-vous un homme ?
Y en a-t-il un seul qui défende le
droit,
qui cherche à être vrai ?
Alors je pardonnerai à la ville.
2 Ils ont beau dire : « Par la vie du
SEIGNEUR ! »,
leurs serments sont faux.
3 SEIGNEUR, tes yeux ne sont-ils pas
dans l'attente de la vérité ?
Tu les frappes, mais ils n'en sont pas
touchés ;
tu les extermines, mais ils refusent de
recevoir la leçon.
Ils se font un visage plus dur que la
pierre,
ils refusent de revenir.
4 Moi, je me suis dit : « Ce sont de
petites gens,
ils ne sont pas bien malins,
ils ne connaissent pas les voies du
SEIGNEUR,
les coutumes de leur Dieu *t*.
5 J'irai donc vers les grands
pour discuter avec eux ;
eux, au moins, connaissent les voies
du SEIGNEUR,
les coutumes de leur Dieu. »
Mais les uns comme les autres ont
brisé le *joug,

rompu les liens.
6 Eh bien ! ils seront victimes des lions
du maquis,
ils seront ravagés par les loups des
steppes.
Les panthères assiégeront leurs villes ;
dès qu'on en sortira, on sera déchiré.
Car leurs révoltes se multiplient,
leur apostasie *u* ne cesse de s'affirmer.
7 Dans ces conditions comment te pardonner ?
Tes fils m'abandonnent,
ils prêtent serment par les non-dieux.
Je les ai comblés, et pourtant ils commettent l'adultère,
ils se bousculent chez la prostituée *v*.
8 Des étalons en rut, bien membrés !
Chacun hennit après la femme de l'autre.
9 Ne dois-je pas sévir contre eux
— oracle du SEIGNEUR ?
Ne dois-je pas me venger
d'une nation de cette espèce ?

Un ennemi insatiable

10 Escaladez ses murailles et saccagez,
mais ne faites pas table rase.
Otez ses sarments,
ils ne sont pas au SEIGNEUR.
11 Oui, ils me trahissent avec perfidie,
ceux d'Israël comme ceux de Juda
— oracle du SEIGNEUR.
12 Ils renient le SEIGNEUR
en disant : « Il est inexistant.
Le malheur ne viendra pas sur nous ;
nous ne connaîtrons ni l'épée ni la
famine.
13 Les *prophètes seront réduits à un
souffle,
ce n'est pas Dieu qui parle en eux.
Que leurs menaces soient pour eux ! »
14 C'est pourquoi, ainsi parle le SEIGNEUR,
Dieu des puissances :
Parce que vous tenez ces propos,

---

s Le prophète cite ici les paroles de Jérusalem personnifiée ● *t* les coutumes de leur Dieu: autre traduction *l'ordre que leur Dieu veut établir* ● *u* Ou *leur trahison* ● *v* Voir Os 1.2; 2.4 et les notes

4.31 plaintes de l'accouchée Jr 6.24; 30.6; 48.41; 49.22; 50.43; Mi 4.9-10+. **5.1** voyez et enquêtez Gn 18.21; Ez 9.4; cf. Gn 11.5-7; Jr 6.27; Ps 11.4+ — un seul Mi 7.2; Ps 14.2; Rm 3.10;
cf. Lc 18.8 qui cherche à être vrai Ex 18.21; Ne 7.2; Jn 1.47; 3.21 — alors je pardonnerai... Gn
18.23-32; Es 53.5; Ez 22.30; 1 Jn 2.1-2. **5.2** par la vie du Seigneur Jr 4.2+ — serments faux Jr 7.9.
5.3 ils ne sont pas touchés Jr 2.30; 3.3; Am 4.6-11 — leçon refusée Jr 7.28; 17.23; 32.33; So 3.2
— ils refusent de revenir Jr 8.5; cf. 15.7. **5.4** coutumes de Dieu (l'ordre qu'il veut établir)
Jr 8.7. **5.5** les grands, au moins... Mi 3.1 — ils ont brisé le joug Jr 2.20; cf. 2.8. **5.6** lions
Jr 4.7+ — révoltes et leurs conséquences Jr 30.15. **5.7** ils m'abandonnent Jr 2.13+ — des non-
dieux Jr 2.11+ ; Ex 23.13; 1 R 19.18; Ga 4.8. **5.8** la femme de l'autre Jr 13.27; Ez 22.11;
cf. Jr 9.1+. **5.9** Ne dois-je pas sévir?... v. 29; Jr 6.15; 9.8; 11.22; 21.14; 46.25. **5.10** ne faites
pas table rase Jr 4.27 — sarments cf. Es 5.1+. **5.12** il est inexistant So 1.12; Ps 10.4; 14.1. — le
malheur ne viendra pas Es 28.15 — ni l'épée ni la famine Jr 14.13. **5.14** mes paroles... dans ta
bouche Jr 1.9+ — un feu Jr 20.9+; Es 10.17; Ap 11.5.

de mes paroles qui sont dans ta bouche
je vais faire un feu,
et de ce peuple, des fagots :
le feu les dévorera.
¹⁵ Je vais amener contre vous, gens d'Is-
raël,
une nation lointaine
— oracle du SEIGNEUR —,
une nation inépuisable,
une nation de vieille souche,
une nation dont tu ignores la langue,
dont tu ne comprends pas les propos.
¹⁶ Leur carquois est un sépulcre béant ^w ;
ils sont tous des héros.
¹⁷ Ils mangent ta moisson, ton pain ;
ils mangent tes fils et tes filles ;
ils mangent ton petit et ton gros bétail ;
ils mangent ta vigne et ton figuier.
Ils démantèlent tes places fortes
dans lesquelles tu te crois en sécurité,
quand ils viennent avec l'épée.

¹⁸ Même en ce temps-là — oracle du
SEIGNEUR —, je ne ferai pas de vous table
rase. ¹⁹ Et quand vous direz : « Pour
quel motif le SEIGNEUR notre Dieu nous
fait-il subir tout cela ? », tu leur diras :
« Comme vous m'avez abandonné pour
servir les dieux de l'étranger dans votre
pays, de même vous servirez des étrangers dans un pays qui n'est pas le vôtre. »

**Dieu n'est plus respecté,
l'injustice règne**

²⁰ Faites cette proclamation à ceux de
Jacob ^x,
faites-la entendre en Juda.
²¹ Ecoutez donc ceci,
peuple borné et sans cervelle :
— Ils ont des yeux et ne voient point,
des oreilles et n'entendent pas.
²² N'aurez-vous pas de respect pour moi
— oracle du SEIGNEUR ?
Ne tremblerez-vous pas devant moi
qui ai mis le sable comme limite à la
mer,

frontière définitive qu'elle ne passera
pas ?
Elle bouillonne mais reste impuissante,
ses vagues peuvent mugir, elles ne la
passeront pas.
²³ Mais ce peuple a un fond indocile et
rebelle :
ils s'écartent et s'en vont.
²⁴ Ils ne disent pas en eux-mêmes :
« Ayons du respect pour le SEIGNEUR
notre Dieu,
lui qui nous donne la pluie au bon
moment,
celle d'automne et celle de printemps,
et qui nous garde les semaines
fixées pour la moisson. »
²⁵ Ce sont vos crimes qui perturbent cet
ordre,
vos fautes qui font obstacle à ces bienfaits.
²⁶ Car dans mon peuple, se trouvent des
coupables
aux aguets comme l'oiseleur accroupi,
ils dressent des pièges
et ils attrapent... des hommes.
²⁷ Tel un panier plein d'oiseaux ^y,
leurs maisons sont pleines de rapines :
c'est ainsi qu'ils deviennent grands et
riches,
²⁸ gras et reluisants.
Ils battent le record du mal,
ils ne respectent plus le droit, le droit
de l'orphelin ;
et ils réussissent.
Ils ne prennent pas en main la cause
des pauvres.
²⁹ Ne dois-je pas sévir contre eux
— oracle du SEIGNEUR ?
Ne dois-je pas me venger
d'une nation de cette espèce ?

Prophètes menteurs, prêtres corrompus

³⁰ Une chose désolante, monstrueuse,
se passe dans le pays :
³¹ les *prophètes prophétisent au nom de
la Fausseté,

w Tournure poétique; les flèches contenues dans *leur carquois* sont toutes mortelles ● x *ceux de
Jacob*: voir 2.4 et la note ● y Autre traduction (d'après l'ancienne version araméenne) *Tel un pou-
lailler rempli de volailles*

5.15 une nation lointaine Jr 6.22; Dt 28.49; Ha 1.6. **5.17** ils mangent ta moisson Lv 26.16;
Dt 28.33, 51; Es 65.22; cf. Jr 6.12. **5.19** Pour quel motif ? ... Jr 16.10; 22.8; Dt 29.23-25 —
abandonner Dieu pour servir... Jr 1.16; 16.11; 17.13; 1 S 7.3. **5.21** des yeux qui ne voient
pas Es 6.9-10; Mt 13.15; Mc 4.12; 8.18. **5.22** respect pour le Seigneur Jr 10.7 — ne tremblerez-vous pas...? Jr 2.19 — la mer maintenue dans ses limites Ps 104.9. **5.23** un fond indocile Jr 6.28; Dt 31.27; Os 11.7. **5.24** le Seigneur donne la pluie au bon moment Jr 10.13;
Dt 11.14; Jl 2.23; Za 10.1. **5.25** ordre naturel perturbé Jr 3.3; 14.1-7; Gn 3.17-19; cf. Es 59.2.
5.26 aux aguets Ps 10.9+; Pr 1.11. **5.27** succès des méchants Ps 73.3, 12. **5.28** gras et reluisants
Dt 32.15; Ps 73.7. **5.29** ne dois-je pas sévir? v. 9+. **5.30** une chose monstrueuse Jr 18.13;
23.14; Os 6.10. **5.31** prophètes menteurs Jr 20.6 — mon peuple est satisfait Mi 2.11; cf. Jn 3.19.

les prêtres empochent tout ce qu'ils
peuvent [z]
et mon peuple en est satisfait.
Mais que ferez-vous après cela ?

Un grand désastre guette Jérusalem

6 [1] Quittez Jérusalem, Benjaminites,
pour chercher ailleurs un refuge.
Sonnez du cor à Teqoa ;
sur Beth-Kérem, élevez un signal :
des hauteurs du Nord [a], un malheur
vous guette,
un grand désastre.
[2] Toi, la belle *Sion, la charmante, la
coquette,
tu es réduite au silence.
[3] C'est vers elle que viennent
des pasteurs [b] avec leurs troupeaux.
Contre elle, tout autour, ils plantent
leurs tentes ;
chacun broute sa parcelle.
[4] Proclamez contre elle la guerre sainte !
Debout ! montez à l'assaut en plein
midi !
Pauvres de nous ! Le jour décline,
les ombres du soir s'allongent.
[5] Debout ! montons à l'assaut en pleine
nuit,
détruisons leurs belles maisons !

Avertissement solennel

[6] Ainsi parle le SEIGNEUR le tout-puissant :
Coupez les arbres,
construisez une chaussée [c] vers Jérusalem :
c'est la ville qui est livrée ;
on n'y trouve partout que brutalité.
[7] Comme la citerne conserve ses eaux,
ainsi conserve-t-elle sa méchanceté.
Chez elle il n'est question que de violence et de ravage,
constamment souffrances et sévices

attristent mes regards.
[8] Accepte la leçon, Jérusalem !
Sinon je me désolidarise d'avec toi,
et je te transforme en désolation,
en une terre inhabitée.

Un peuple qui refuse d'écouter

[9] Ainsi parle le SEIGNEUR le tout-puissant :
Qu'on grappille soigneusement, telle
une vigne,
le reste d'Israël !
Que ta main, comme celle du vendangeur,
revienne sur les sarments !
[10] Qui écoutera mes paroles, mes attesta-
tions ?
Hélas ! leur oreille est incirconcise [d] ;
ils ne peuvent pas être réceptifs.
Ils considèrent la parole du SEIGNEUR
comme une insulte,
ils n'en veulent pas.
[11] « Je suis rempli de la fureur du SEI-
GNEUR,
je n'en peux plus de la retenir [e]. »
Répands-la sur les enfants dans la rue
et sur tout le groupe des jeunes.
Hommes et femmes sont pris,
l'ancien et celui qui est comblé de
jours.
[12] Leurs maisons passent à d'autres
avec leurs champs et leurs femmes.
J'étends la main sur les habitants du
pays
— oracle du SEIGNEUR.
[13] Tous, petits et grands,
sont âpres au gain.
Tous, *prophètes et prêtres,
ont une conduite fausse.
[14] Ils ont bien vite fait de remédier
au désastre de mon peuple,
en disant : « Tout va bien ! tout va
bien ! »

---

z **la Fausseté** : comme **la Honte** en 3.24 (voir la note), ce mot remplace sans doute le nom de
*Baal (comparer avec 2.8 ; 23.13), pour éviter d'avoir à le prononcer — **les prêtres empochent
tout ce qu'ils peuvent** : autre traduction **les prêtres dominent à côté d'eux** • a **Teqoa** : bourgade située
au sud de Jérusalem (voir Am 1.1 et la note), donc plus à l'abri que Jérusalem d'un envahisseur
venant du **nord** (voir 1.14 et la note) ; en hébreu son nom fait allitération avec le verbe traduit
par **sonnez** — On n'a pas identifié **Beth-Kèrem**, mentionnée pourtant en Ne 3.14 • b **des pasteurs** ou **des *bergers** : voir la note sur 2.8 • c Ou **un remblai** (qui permette aux assaillants
d'atteindre le haut des remparts) ; voir 32.24 ; 2 R 19.32 • d Tournure imagée pour signifier qu'ils
se montrent **incapables de comprendre** ce que Dieu leur dit par l'intermédiaire du prophète • e Au
début du v. 11 le prophète interrompt le message du Seigneur par une réflexion personnelle

6.1 quittez Jérusalem Lc 21.21 — Teqoa Am 1.1+ — du Nord Jr 1.14+ — désastre Jr 4.6+.
6.4 la guerre sainte Jr 51.27 ; Jl 4.9 ; cf. Jr 22.7 ; Dt 20. **6.8** accepte la leçon Jr 17.23 ; 35.13 ; cf.
7.28 — désolidarisé Os 9.12 — transformée en désolation Jr 4.7. **6.9** vigne Es 5.1 + — le reste
d'Israël Es 4.3 +. **6.10** oreille incirconcise Jr 4.4 + ; Ac 7.51 — ils n'en veulent pas v. 17 ; cf.
20.8. 6.11 parole impossible à contenir Jr 20.9. **6.12** à d'autres Jr 8.10-12 ; Dt 28.30 ; Am 5.11 ;
Mi 6.15 ; cf. Es 62.8-9. **6.13** âpres au gain Jr 5.27 ; Es 56.11. **6.14** « Tout va bien » Jr 4.10 ;
8.11 ; 14.13 ; 23.17 ; Ez 13.10.

Et rien ne va.
15 Ils sont confondus parce qu'ils commettent des horreurs,
mais ils ne veulent pas en rougir ;
ils n'ont pas conscience de leur déshonneur.
Eh bien ! ils s'écrouleront comme tous
les autres,
ils trébucheront quand je sévirai contre
eux,
dit le SEIGNEUR.
16 Ainsi parle le SEIGNEUR :
Arrêtez-vous sur les routes pour faire
le point,
renseignez-vous sur les sentiers traditionnels *f*.
Où est la route du bonheur ? Alors
suivez-la
et vous trouverez où vous refaire.
Mais ils disent : « Nous ne la suivrons pas ! »
17 J'ai posté des sentinelles pour veiller
sur vous.
Attention à l'alerte du cor !
Mais ils disent : « Nous ne voulons pas
faire attention. »
18 Eh bien, nations, écoutez !
Et toi, l'assemblée, sache ce qui est
en elles *g* !
19 Terre, écoute :
Moi, je vais faire venir sur ce peuple
le malheur, fruit de ses machinations.
Ils ne font pas attention à mes paroles,
et mes directives, ils les méprisent.
20 Qu'ai-je à faire de l*encens importé de
Saba,
du roseau aromatique d'un pays lointain ?
Vos holocaustes *h*, je n'en veux pas ;
vos sacrifices ne me sont pas agréables.
21 Eh bien ! ainsi parle le SEIGNEUR :
Je place devant ce peuple des obstacles
sur lesquels ils trébucheront :

père et fils à la fois,
voisins et compagnons périront.

Le dévastateur est en route

22 Ainsi parle le SEIGNEUR :
Un peuple vient du pays du nord *i*,
une grande nation se met en branle
au bout du monde.
23 Ils empoignent arc et javelot,
ils sont cruels et sans pitié,
le bruit qu'ils font est comme le mugissement de la mer,
ils montent des chevaux ;
ils sont rangés comme des troupes pour
le combat
contre toi, la belle *Sion.
24 Nous apprenons la nouvelle :
nous sommes démoralisés,
l'angoisse nous étreint,
une douleur comme celle d'une femme
en travail.
25 Ne sors pas dans la campagne,
ne va pas sur la route,
car l'épée de l'ennemi,
c'est partout l'épouvante.
26 Toi, mon peuple, revêts le *sac,
roule-toi dans la poussière !
Comme pour un fils unique, fais tous
les rites du deuil,
une amère lamentation !
Car soudain vient sur nous
le dévastateur.

Des rebelles invétérés

27 Chez mon peuple, je te nomme
essayeur de métaux *j*,
tu apprécieras et examineras leur conduite.
28 Ils sont tous des rebelles invétérés,
calomniateurs, bronze et fer ;
ce sont tous des destructeurs.
29 Le soufflet ronfle,
le feu fait disparaître le plomb.

---

f les sentiers traditionnels: expression imagée désignant l'expérience des générations passées guidées
par la parole de Dieu ● *g* Le texte hébreu est peu clair; selon la traduction adoptée, l'assemblée
d'Israël doit connaître les projets hostiles que font les nations à son égard ● *h Saba:* voir Es 60.6
et la note sur Ps 72.10 —*holocaustes:* voir au glossaire SACRIFICES ● *i nord:* voir 1.14 et la note
● *j je te nomme essayeur de métaux:* texte difficile. Certains ont compris *je t'établis comme une tour
de garde*

6.15 sévir Jr 5.9+. **6.16** halte pour faire le point Lc 14.28 — sentiers traditionnels Jr 18.15;
Ps 139.24; Si 8.9; 39.1 — où vous refaire Mt 11.29 — refus Jr 2.31. **6.17** sentinelles pour veiller
sur vous Ez 3.17-21; 33.1-9; cf. Nb 23.3; Es 21.6-12; Ha 2.1 — l'alerte du cor Jr 4.5+. **6.18** nations, écoutez! Es 34.1; Mi 1.2. **6.19** le malheur, fruit de ses machinations Pr 1.31; Ga 6.7;
cf. Jr 2.19. **6.20** je n'en veux pas Jr 7.21; 14.12; Es 1.11-17; Os 9.4; Am 5.21-24; He 10.5-6.
6.21 des obstacles où ils trébucheront Ez 3.20; 1 P 2.6-8. **6.22-24** un peuple vient... Jr 50.
41-43. **6.22** du nord Jr 1.14+. **6.24** démoralisés cf. Jr 38.4; 47.3; 50.43 — comme une femme
en travail Jr 13.21; cf. 4.31+. **6.25** partout l'épouvante Jr 20.3, 10; 46.5; 49.29; Ps 31.14;
Lm 2.22. **6.26** revêts le sac Jon 3.5-6; Mt 11.21; Jr 4.8+ — dans la poussière Jr 25.34; Ez 27.30
— deuil d'un fils unique Am 8.10; Za 12.10. **6.27-30** épuration d'un métal Ez 22.18-22. **6.27** examiner Jr 9.6. **6.28** rebelles invétérés Jr 5.21, 23. **6.29** épuration Es 1.25 impossible Pr 27.22.

Mais c'est en vain qu'on fond et refond :
les mauvais éléments ne se détachent pas.
[30] On les appelle « argent méprisable », car le SEIGNEUR les méprise.

Confiance illusoire à l'égard du Temple
(*Cf. Jr 26.1-19*)

7 [1] La parole qui s'adressa à Jérémie de la part du SEIGNEUR : [2] Tiens-toi à la porte de la Maison du SEIGNEUR pour y clamer cette parole : Ecoutez la parole du SEIGNEUR, vous tous Judéens qui entrez par ces portes pour vous prosterner devant le SEIGNEUR.. [3] Ainsi parle le SEIGNEUR le tout-puissant, le Dieu d'Israël : Améliorez votre conduite, votre manière d'agir, pour que je puisse habiter avec vous *k* en ce lieu. [4] Ne vous bercez pas de paroles illusoires en répétant : « Palais du SEIGNEUR ! Palais du SEIGNEUR ! Palais du SEIGNEUR ! Il est ici. » [5] Mais plutôt amendez sérieusement votre conduite, votre manière d'agir, en défendant activement le droit dans la vie sociale ; [6] n'exploitez pas l'immigré, l'orphelin et la veuve ; ne répandez pas du *sang innocent en ce lieu ; ne courez pas, pour votre malheur, après d'autres dieux ; [7] je pourrai alors habiter avec vous en ce lieu, dans le pays que j'ai donné à vos pères *l* depuis toujours et pour toujours. [8] Mais vous vous bercez de paroles illusoires qui ne servent à rien. [9] Pouvez-vous donc commettre le vol, le meurtre, l'adultère, prêter de faux serments, brûler des offrandes à *Baal, courir après d'autres dieux qui ne se sont pas occupés de vous, [10] puis venir vous présenter devant moi dans cette Maison sur laquelle mon *nom a été proclamé et dire : « Nous sommes sauvés ! » et puis continuer à commettre toutes ces horreurs ? [11] Cette Maison sur laquelle mon nom a été proclamé, la prenez-vous donc pour une caverne de bandits ? Moi, en tout cas, je vois qu'il en est ainsi — oracle du SEIGNEUR. [12] Allez donc au lieu qui m'appartenait, à Silo *m*, là où j'avais tout d'abord fait habiter mon nom, et voyez comme je l'ai traité à cause de la méchanceté de mon peuple, Israël. [13] Or maintenant, vu que vous avez commis tous ces actes — oracle du SEIGNEUR —, que je vous ai parlé inlassablement sans que vous ayez écouté, que je vous ai appelés sans que vous ayez répondu, [14] eh bien, la Maison sur laquelle mon nom a été proclamé, dans laquelle vous mettez votre confiance, et le lieu que j'ai donné à vous et à vos pères, je les traiterai comme j'ai traité Silo. [15] Je vous rejetterai loin de moi comme j'ai rejeté tous vos frères, toute la descendance d'Ephraïm *n*.

Le Seigneur refuse d'écouter

[16] Toi, n'intercède pas pour ce peuple, ne profère en leur faveur ni plainte ni supplication, n'insiste pas auprès de moi : je ne t'écoute pas. [17] Ne vois-tu pas ce qu'ils font dans les villes de Juda et dans les rues de Jérusalem : [18] les enfants ramassent des fagots, les pères allument le feu et les femmes pétrissent la pâte pour faire des gâteaux à la Reine du ciel. Vous répandez des libations à d'autres dieux *o*,

---

k habiter avec nous: la traduction suit ici deux versions anciennes; texte hébreu et ancienne version grecque *vous faire habiter;* de même au v. 7 ● *l à vos pères* ou *à vos ancêtres* ● *m* Le temple de Silo fut détruit par les Philistins vers 1050 av. J.C. (voir Ps 78.60; comparer aussi 1 S 4.10-18) ● *n* Sur *Ephraïm* comme désignation du royaume du nord (ou d'Israël) voir Os 4.17 et la note ● *o la Reine du ciel:* appellation de la déesse *Ishtar (Astarté),* vénérée en Mésopotamie et identifiée à la planète Vénus — *libations:* voir au glossaire SACRIFICES A/7

7.3 améliorez votre conduite Jr 18.11; 26.13 — que Dieu puisse habiter avec vous Am 5.14. **7.5** défendre le droit Jr 5.1. **7.6** l'immigré, l'orphelin et la veuve cf. Jr 5.28; 22.3. **7.7** le pays que j'ai donné à vos pères Jr 3.18; Am 5.14. **7.8** paroles illusoires Jr 13.25. **7.9** vol, meurtre, adultère... Os 4.2 — brûler des offrandes à Baal Jr 1.16+ — courir après d'autres dieux Jr 11.10; 13.10; 16.11; 25.6; 35.15; 44.3; Dt 6.14 — avec lesquels Israël n'a rien de commun Jr 19.4; Dt 28.64; 32.17. **7.10** vous présenter devant moi Mi 6.6-8; Ps 15; 24.3-6; cf. Jr 15.19; 35.18 — sur laquelle mon nom a été proclamé v. 14, 30; Jr 32.34; 34.15; Dt 12.5, 11; *Ba* 2.26; cf. Jr 25. 29; 1 R 8.43. **7.11** caverne de bandits Mt 21.13. **7.12** le temple de Silo Jr 26.9; 1 S 1.3; 3.21; 4.3; Ps 78.60 — le lieu où Dieu fait habiter son nom Dt 12.11; 14.23; 16.2, 6, 11; 26.2; Ne 1.9. **7.13** je vous ai parlé inlassablement mais... v. 25-26; Jr 35.17; 36.31; 37.2; Es 50.2; 65.12. **7.14** destruction du temple annoncée 1 R 9.7. **7.15** je vous rejetterai Jr 23.39 — comme la descendance d'Ephraïm 2 R 17.7-18. **7.16** prophète intercesseur Jr 15.1, 11; 18.20; 27.18; 37.3; 42.2, 4; Ex 32.11; Dt 9.18; 1 R 13.6; 2 R 19.4; Ez 9.8; Am 7.2, 5; Dn 9.15-19; *2 M* 15.14 — n'intercède pas Jr 11. 14; 14.11. **7.18** Reine du ciel Jr 44.17-19 — libations pour d'autres dieux Jr 19.13 — offensant pour le Seigneur Jr 8.19; 11.17; 25.6.

et ainsi vous m'offensez. ¹⁹ Est-ce bien moi qu'ils offensent — oracle du SEIGNEUR ? N'est-ce pas plutôt eux-mêmes ? Et ils devraient en rougir. ²⁰ Eh bien, ainsi parle le Seigneur DIEU : ma colère, ma fureur se déverse sur ce lieu, sur les hommes et les bêtes, sur les arbres de la campagne et les fruits de la terre, c'est un feu qui ne s'éteint pas.

La nation qui n'écoute pas son Dieu

²¹ Ainsi parle le SEIGNEUR le tout-puissant, le Dieu d'Israël : Ajoutez vos holocaustes à vos sacrifices et mangez-en la viande ᵖ ! ²² Quand j'ai fait sortir vos pères ᑫ du pays d'Egypte, je ne leur ai rien dit, rien demandé en fait d'holocauste et de sacrifice ; ²³ je ne leur ai demandé que ceci : « Ecoutez ma voix et je deviendrai Dieu pour vous, et vous, vous deviendrez un peuple pour moi, suivez bien la route que je vous trace et vous serez heureux. » ²⁴ Mais ils n'ont pas écouté ; mais ils n'ont pas tendu l'oreille, ils ont agi à leur guise dans leur entêtement exécrable, ils m'ont tourné le dos au lieu de tourner vers moi leur visage ʳ.

²⁵ Depuis que leurs pères sortirent du pays d'Egypte jusqu'à ce jour, je n'ai cessé de leur envoyer tous mes serviteurs les *prophètes, chaque jour, inlassable-ment. ²⁶ Mais ils ne m'ont pas écouté ; mais ils n'ont pas tendu l'oreille : ils ont raidi leur nuque ˢ, ils ont été plus méchants que leurs pères. ²⁷ Tu leur expliques toutes ces paroles : ils ne t'écoutent pas. Tu les appelles : ils ne te répondent pas. ²⁸ Dis-leur donc : Voilà la nation qui n'écoute pas la voix du SEIGNEUR son Dieu, qui n'accepte pas la leçon : la vérité a péri, elle est bannie de leur bouche.

La « vallée de la Tuerie »

²⁹ Coupe ta chevelure de nazir ᵗ et jette-la,
    entonne sur les pistes une lamentation,
    car le SEIGNEUR méprise et délaisse
    la génération qui l'excède.

³⁰ Les Judéens font le mal que je réprouve — oracle du SEIGNEUR — ; ils déposent leurs ordures ᵘ dans la Maison sur laquelle mon *nom a été proclamé, ainsi la rendent-ils *impure. ³¹ Ils érigent le tumulus du Tafeth dans la vallée de Ben-Hinnôm ᵛ pour que leurs fils et leurs filles y soient consumés par le feu, cela, je ne l'ai pas demandé, je n'en ai jamais eu l'idée. ³² Eh bien, des jours viennent — oracle du SEIGNEUR — où l'on ne dira plus : « le Tafeth » ni « vallée de Ben-Hinnôm », mais : « vallée de la Tuerie » et,

---

p *mangez-en la viande :* dans *l'holocauste* la victime était offerte tout entière à Dieu par le feu (Lv 1.8-9). En conseillant aux Israélites de consommer la viande de leurs holocaustes avec celle de leurs sacrifices, Jérémie suggère que Dieu refuse désormais les sacrifices qu'on voudrait lui offrir ● q *vos pères* ou *vos ancêtres* ● r Autre traduction *ils ont rétrogradé au lieu de progresser* ● s *ils ont raidi leur nuque* (comme un bœuf rétif qui refuse de se laisser mettre le *joug) : tournure imagée pour exprimer qu'Israël a refusé de se soumettre à la loi de Dieu (voir Ex 32.9 et la note) ● t Le *nazir* était un homme consacré à Dieu pour une période déterminée ou pour toute sa vie. Il marquait cette consécration notamment en s'abstenant de se couper les cheveux (Nb 6.5-9). Dans ce verset le prophète suggère qu'Israël n'est plus un peuple consacré à Dieu ● u *leurs ordures :* leurs idoles ● v *le tumulus :* autre traduction *le haut lieu* (voir au glossaire) — Le *Tafeth :* l'A.T. hébreu orthographie *Tofeth* (avec les voyelles du mot désignant la honte) ; ce terme signifie peut-être *foyer* ou *autel* (voir aussi la note sur 2 R 23.10) — *la vallée de Ben-Hinnôm :* voir la note sur 2.23

7.20 colère, fureur du Seigneur Jr 32.31 ; 33.5 ; 36.7 ; 42.18 ; 44.6 — feu qui ne s'éteint pas Jr 17.27 ; 2 R 22.17. 7.21 ajoutez vos holocaustes... Jr 6.20 ; cf. Am 4.4-5. 7.22 sortie d'Egypte Ex 12.37—15.21 ; Es 11.16 ; Os 11.1 ; 12.10, 14 ; 13.4 ; Ps 78.12-14 ; 80.9 ; 114.1 ; 135.8-9 ; 136.10-15 — aucune consigne en matière de sacrifice Es 1.11 ; Am 5.25 ; Ps 51.18 ; Ac 7.42-43 ; cf. Os 6.6 ; Mi 6.8. 7.23 Ecoutez ma voix Ex 19.5 ; Dt 6.3 ; 26.17 — Dieu pour vous... un peuple pour moi Jr 11.4 ; 24.7 ; 30.22 ; 31.1, 33 ; 32.38 ; Ex 6.7 ; Lv 26.12 ; Dt 29.12 ; 2 R 11.17 ; Ez 11.20 ; 14.11 ; 36.28 ; 37.23, 27 ; Os 2.25 ; Za 8.8 ; 13.9 ; 2 Co 6.16 ; He 8.10 ; cf. Ex 19.5. 7.24 entêtement exécrable Jr 3.17+. 7.25 depuis la sortie d'Egypte Jr 2.20 ; 2 R 21.15 — mes serviteurs les prophètes Jr 25.4 ; 26.5 ; 29.19 ; 35.15. 7.26 refus d'écouter Jr 11.8 ; 13.10 ; 34.14 ; 35.15 ; cf. 22.21 — nuque raidie Jr 17.23 ; 19.15 ; Dt 10.16 ; 2 R 17.14 ; Ac 7.51. 7.28 la nation qui n'écoute pas Jr 42.13, 21 ; cf. Mt 21.43 — qui n'accepte pas la leçon Jr 6.8+. 7.29 chevelure du nazir Jg 13. 5-7 ; 16.17 ; 1 S 1.11. 7.30 ordures (idoles) Jr 4.1+— dans le Temple Jr 32.34-35. 7.31 tumulus-haut lieu Jr 19.5 ; 32.35 ; 1 R 3.2 ; 11.7 ; 14.23 ; 15.14 ; 2 R 12.4 ; 14.4 ; 15.4, 35 ; 17.9, 11 ; Ez 16.25 ; 20.29 ; Os 10.8 ; Am 7.9 ; Mi 1.5 ; Ps 78.58 — Tafeth Jr 19.6-14 ; 2 R 23.10 — vallée de Ben-Hinnôm Jr 2.23+ — fils et filles consumés par le feu Jr 19.5 ; 22.3 ; Dt 18.10 ; 2 R 16.3 ; 17.17 ; 21.6 ; Ps 106.38. 7.32 vallée de la Tuerie Jr 19.6 — un charnier Ez 6.5.

faute de place, le Tafeth lui-même deviendra un charnier *w*. ³³ Il y aura dans ce peuple une grande hécatombe qui servira de pâture aux oiseaux du ciel et aux bêtes de la terre, et plus personne pour les chasser ! ³⁴ Dans les villes de Juda, dans les rues de Jérusalem, je fais cesser cris d'allégresse et joyeux propos, chant de l'époux et jubilation de la mariée, car le pays va devenir un champ de ruines.

8 ¹ A ce moment-là — oracle du SEIGNEUR —, on sortira de leurs tombes les ossements des rois et des ministres de Juda, ceux des prêtres et des *prophètes et ceux des habitants de Jérusalem. ² On les exposera au soleil, à la lune et à l'armée du ciel qu'ils avaient aimés, servis, suivis, consultés, et devant lesquels ils s'étaient prosternés ; ces ossements ne seront pas recueillis pour être ensevelis, ils deviendront du fumier sur le sol *x*. ³ Tout le reste, les survivants de cette mauvaise race, préféreront la mort à la vie, ceux qui survivront dans tous les lieux où je les aurai dispersés — oracle du SEIGNEUR le tout-puissant.

Une obstination sans pareille

⁴ Tu leur diras : Ainsi parle le SEIGNEUR :
Celui qui tombe, ne se redresse-t-il pas ?
Celui qui se détourne, ne revient-il pas ?
⁵ Pourquoi alors ce peuple, Jérusalem, se détourne-t-il
en prolongeant indéfiniment son apostasie *y* ?
Ils tiennent ferme à leurs illusions, ils refusent de revenir.
⁶ J'ai écouté attentivement :
leurs propos sont inconsistants.
Pas un ne renonce à sa méchanceté
en disant : « Qu'ai-je donc fait ! »

Chacun se détourne à sa guise *z*,
tel un cheval emballé dans la bataille.
⁷ Même la cigogne dans les airs
connaît le temps de ses migrations.
La tourterelle, l'hirondelle et la grive
ne manquent pas le moment du retour.
Mais mon peuple ne tient pas compte
de l'ordre établi par le SEIGNEUR.

Les scribes ont falsifié la loi du Seigneur

⁸ Comment pouvez-vous dire : « Nous avons la sagesse,
car la loi du SEIGNEUR est à notre disposition. »
Oui, mais elle est devenue une loi fausse
sous le burin menteur des scribes *a*.
⁹ Les sages sont confondus,
ils s'effondrent, ils sont capturés ;
ils méprisent la parole du SEIGNEUR :
en quoi donc peuvent-ils se dire experts ?

Ceux qui prétendent que tout va bien

¹⁰ Eh bien ! je donne leurs femmes à d'autres,
leurs champs à ceux qui s'en empareront.
Car tous, petits et grands, sont âpres au gain ;
tous, *prophètes et prêtres, ont une conduite fausse.
¹¹ Ils ont bien vite fait de remédier au désastre de mon peuple
en disant : « Tout va bien ! tout va bien ! »
Et rien ne va.
¹² Ils sont confondus parce qu'ils commettent des horreurs,
mais ils ne veulent pas en rougir ;
ils n'ont pas conscience de leur déshonneur.
Eh bien ! ils s'écrouleront comme tous les autres ;

w La présence de cadavres rendra ce lieu de culte inutilisable parce qu'*impur (voir la note sur 2 R 23.8) ● *x l'armée du ciel :* voir la note sur 2 R 17.16 — *sur le sol :* l'absence de sépulture était considérée comme une malédiction (voir 2 R 9.37; Jr 14.16; 22.18-19; 36.30) ● *y* Ou *sa trahison* ● *z à sa guise :* d'après le texte hébreu « écrit »; texte hébreu que la tradition juive considère comme « à lire » *dans sa course* ● *a le burin des scribes* devait servir à graver dans la pierre les décrets royaux. Ceux-ci étaient sans doute présentés comme conformes à la loi de Dieu, ce que Jérémie conteste ici.

7.33 pâture pour les oiseaux et les bêtes Jr 12.9; 16.4; 19.7; 34.20; Dt 28.26; Ps 79.2-3 — chasser les charognards 2 S 21.10. **7.34** fin de toute expression de joie Jr 16.9; Ba 2.23; Ap 18.23. **8.1** ossements sortis des tombes 1 R 13.22; Ba 2.24. **8.2** l'armée du ciel Jr 19.13; Dt 4.19; 17.3; 2 R 23.4; Es 24.21; 34.4. So 1.5 — aimés, servis... Jr 7.18; 2 R 17.16; 21.3 — pas d'ensevelissement Jr 9.21; 14.16; 16.4; 25.33; 36.30. **8.3** préféreront la mort Jb 3.21; Ap 9.6. **8.5** prolonger l'apostasie Jr 2.31 — refus de revenir Jr 5.3. **8.9** confusion des sages Jr 5.13; Rm 2.17-25; 1 Co 1.19-20 — sagesse et parole du Seigneur Jr 8.31-32. **8.10-12** à d'autres Jr 6.12-15+. **8.10** âpres au gain Ez 22.27; Ha 2.9. **8.11** Tout va bien Jr 6.14+. **8.12** quand il faudra rendre compte Jr 10.15; 11.23; 23.12; 46.21; 48.44; 50.27; 31; 51.18.

quand il leur faudra rendre compte, ils
perdront pied,
dit le Seigneur.

Une attente déçue

13 Je suis décidé à en finir avec eux —
oracle du Seigneur —,
pas de raisins à la vigne ! pas de figues
au figuier !
le feuillage est flétri.
Je les donne à ceux qui leur passeront
dessus *b*.

14 Pourquoi restons-nous immobiles ?
Rassemblez-vous !
Entrons dans les places fortes
et n'en bougeons plus,
car le Seigneur notre Dieu nous empêche de bouger,
il nous fait boire de l'eau empoisonnée.
Oui, nous sommes fautifs envers le
Seigneur.

15 Nous attendions la santé,
mais rien de bon,
le moment où nous serions guéris,
mais c'est la peur qui vient.

16 Depuis Dan on entend renâcler ses
chevaux ;
au bruit des hennissements de ses fou-
gueux étalons,
toute la terre tremble.
Ils viennent dévorer la terre et sa
plénitude *c*,
la ville et ses habitants.

17 Je lâche contre vous des serpents, des
vipères
insensibles au charmeur :
ils vous mordront — oracle du Seigneur.

Le chagrin de Jérémie

18 Mon affliction est sans remède *d*,
tout mon être est défaillant.

19 On entend les appels désespérés de
mon peuple
depuis une terre lointaine.
Dans *Sion n'y a-t-il pas le Seigneur ?
Son roi n'est-il pas chez elle ?
« Pourquoi m'offensent-ils avec leurs
idoles,
avec ces absurdités qui viennent d'ailleurs ? »

20 La moisson est finie, l'été a passé
et, pour nous, toujours pas de salut !

21 A cause du désastre de mon peuple,
je suis brisé.
Je suis dans le noir ; la désolation me
saisit !

22 N'y a-t-il pas de baume en Galaad *e*,
pas de médecin là-bas ?
Pourquoi ne voit-on pas poindre
la convalescence de mon peuple ?

23 Qui *f* changera ma tête en fontaine,
mes yeux en source de larmes
pour pleurer jour et nuit
les victimes de mon peuple ?

Le mensonge sévit partout

9 1 Que n'ai-je au désert un gîte de
caravaniers ?
J'abandonnerais mon peuple, je le
planterais là :
tous sont des adultères, un ramassis de
traîtres.

2 Leur langue est comme un arc tendu.
Leur essor dans le pays sert le mensonge, non la vérité.
Ils commettent méfait sur méfait,
et moi, ils ne me connaissent pas
— oracle du Seigneur.

3 Soyez sur vos gardes, chacun envers
son compagnon ;
ne vous fiez à aucun frère,
car tout frère s'y entend en mauvais
tours
et tout compagnon répand la calomnie.

---

b Le texte hébreu de la fin du verset est obscur et la traduction s'appuie sur une conjecture
● *c Dan* : voir 4.15 et la note — *la terre et sa plénitude* ou *le pays et ce qu'il contient* ● *d* D'après
l'ancienne version grecque; texte hébreu traditionnel obscur ● *e* Région située à l'est du Jourdain
● *f* En 8.23 est numéroté 9.1. Pour le chapitre 9 la numérotation des versets y est donc en avance d'une
unité par rapport à la numérotation du texte hébreu suivie ici, 9.1-25 devenant 9.2-26

8.13 en finir avec eux So 1.2 — pas de raisins Ha 3.17 — pas de figues Mc 11.12-14 — feuillage flétri Es 1.30; cf. Jr 17.8; Ps 1.3.   **8.14** rassemblement Jr 4.5 — de l'eau empoisonnée
Jr 9.14; 23.15; Lm 3.15, 19; Ap 8.11; cf. Jr 25.15+.   **8.15** Nous attendions... Jr 14.19 —
c'est la peur Ez 7.25.   **8.17** des serpents Nb 21.6; Dt 32.24; Sg 11.15.   **8.19** le Seigneur dans
Sion? Dt 31.17 — son roi chez elle? Mi 4.9 — offense à Dieu Jr 7.18+ — (dieux) étrangers
Jr 3.13; Ps 44.21; 81.10 — qui ne sont rien Jr 10.8; cf. 2.5.   **8.21** désastre Jr 4.6+.   **8.22** baume
en Galaad Jr 46.11.   **8.23** pleurs Jr 9.17; 13.17; 2 S 1.19; 2 R 8.11-12; Ez 22.4; Lm 1.16; Lc 19.41.
9.1 au désert un gîte 1 R 19.3-4; Ps 55.8 — tous adultères Jr 23.10, 14; 29.23; cf. 5.7-8.   **9.2** ils
ne me connaissent pas v. 23; Os 4.1+.   **9.3** sur vos gardes, chacun envers son compagnon Jr 12.6;
Mi 7.5-6; Ps 41.10.

4 Chacun berne son compagnon,
plus de paroles vraies !
Ils entraînent leur langue aux paroles
menteuses.
Dans leur perversion, ils ne peuvent
plus revenir.
5 Brutalité sur brutalité, tromperie sur
tromperie *g* !
Ils refusent de me connaître — oracle
du SEIGNEUR.
6 Eh bien ! ainsi parle le SEIGNEUR le
tout-puissant :
Je vais les fondre et les examiner.
Ah ! comme je vais intervenir
face à la méchanceté *h* de mon peuple !
7 Flèche meurtrière que sa langue !
Il profère la tromperie.
Des lèvres, on offre la paix à son
compagnon,
mais dans le cœur, on lui prépare un
guet-apens.
8 Ne dois-je pas sévir contre eux
— oracle du SEIGNEUR ?
Ne dois-je pas me venger
d'une nation de cette espèce ?

Comprendre pourquoi le pays est ruiné

9 Sur les montagnes s'élève ma plainte
éplorée
et sur les enclos de la lande ma lamentation,
car ils sont incendiés, plus personne
n'y passe,
et les troupeaux ne s'y font plus entendre.
Oiseaux, bétail, tout a fui... plus rien !
10 Je fais de Jérusalem un tas de pierres,
un repaire de chacals,
et des villes de Juda, des lieux désolés,
vidés de leurs habitants.
11 Si quelqu'un est sage, qu'il comprenne
et qu'il proclame

la parole que la bouche du SEIGNEUR
lui a adressée.
Pourquoi le pays est-il ruiné,
brûlé comme le désert
où personne ne passe ?

12 Le SEIGNEUR dit : Ils délaissent mon
enseignement que j'ai placé devant eux ;
au lieu d'écouter ma voix et de la suivre,
13 ils persistent dans leur entêtement,
s'attachant aux *Baals avec lesquels leurs
pères *i* les ont familiarisés. 14 Eh bien !
ainsi parle le SEIGNEUR le tout-puissant,
le Dieu d'Israël : Je vais leur faire avaler
la ciguë, leur faire boire de l'eau empoisonnée ; 15 je vais les disséminer parmi
les nations que ni eux-mêmes ni leurs
pères n'ont connues, et je mettrai l'épée
à leurs trousses jusqu'à ce que je les
aie exterminés.

Une complainte funèbre

16 Ainsi parle le SEIGNEUR le tout-puissant :
Informez-vous ! Faites venir les pleureuses *j* !
Appelez les expertes ! Qu'elles viennent !
17 Qu'elles se hâtent !
Que sur nous s'élève leur plainte !
Que nos yeux fondent en larmes !
Que nos paupières ruissellent !
18 De *Sion on entend une voix plaintive :
« Ah ! comme nous sommes dévastés,
accablés de honte !
Nous devons abandonner le pays :
on a jeté bas nos habitations *k*. »
19 Femmes, écoutez la parole du SEI-
GNEUR !
Que vos oreilles reçoivent la parole de
sa bouche !
Apprenez la complainte à vos filles,
la lamentation à vos compagnes !
20 Car la mort monte par nos fenêtres,

---

g La fin du v. 4 et le début du v. 5 sont traduits d'après l'ancienne version grecque. Le sens du
texte hébreu est en effet peu clair ● *h la méchanceté:* mot manquant dans le texte hébreu et
rétabli d'après les anciennes versions grecque et araméenne ● *i leurs pères* ou *leurs ancêtres* ●
j Lors des cérémonies mortuaires on faisait appel à des *pleureuses*, en général professionnelles,
pour exprimer la tristesse de la famille et exécuter les chants de lamentation; voir v. 19; Ez 32.16;
Am 5.16 ● *k on a jeté bas nos habitations:* autre traduction, appuyée sur les anciens commentaires
juifs, *nous sommes jetés hors de nos habitations*

9.4 plus de paroles vraies Jr 7.28; Ps 12; 120 — plus de retour Jr 8.5.   9.5 ils refusent de me
connaître Jn 3.11.   9.6 les fondre et les examiner Jr 6.27; Es 1.25.   9.7 langue, flèche meurtrière Jr 18.18; Ps 57.5+ — des lèvres... mais dans le cœur Ps 28.3+; Si 12.16; Mt 26.49.   9.8 sévir
Jr 5.9+ — la vengeance du Seigneur Jr 32.18; 44.22; Rm 2.2.   9.9 oiseaux, bétail, tout a fini:
Jr 4.25+.   9.11 Si quelqu'un est sage... Dt 32.29; Os 14.10; Ps 107.43 — pourquoi le pays est
en ruines Jr 8.14+.   9.13 mauvaise volonté obstinée Jr 3.17; Es 65.2.   9.14 eau empoisonnée
Jr 8.14+.   9.15 dissémination Jr 13.24 — des nations inconnues jusqu'à présent Jr 15.14.
9.16 les pleureuses Qo 12.5; cf. Am 5.16.   9.17 larmes Jr 8.23+.   9.20 la mort monte par nos
fenêtres Jl 2.9 — elle vient faucher les enfants Jr 6.11; Dt 32.25; Lm 1.20.

elle pénètre dans nos belles maisons ;
elle vient faucher les enfants dans la
  rue
et les jeunes sur les places.
²¹ Parle ! Voici l'oracle du SEIGNEUR :
les cadavres tombent
comme du fumier sur les champs,
comme des gerbes derrière le moissonneur
et personne ne les ramasse.

La vraie sagesse : connaître le Seigneur

²² Ainsi parle le SEIGNEUR :
Que le sage ne se vante pas de sa
  sagesse !
Que l'homme fort ne se vante pas de
  sa force !
Que le riche ne se vante pas de sa
  richesse !
²³ Si quelqu'un veut se vanter, qu'il se
  vante de ceci :
d'être assez malin pour me connaître,
moi, le SEIGNEUR qui mets en œuvre la
  solidarité,
le droit et la justice sur la terre.
Oui, c'est cela qui me plaît
— oracle du SEIGNEUR.

Contre les soi-disant circoncis

²⁴ Des jours viennent — oracle du
SEIGNEUR — où je sévirai contre quiconque est *circoncis dans sa chair, ²⁵ contre l'Egypte, contre Juda, contre Edom,
contre les Ammonites, contre Moab,
contre tous les Tempes-rasées *l* qui habitent le désert. Car toutes les nations sont
incirconcises et les gens d'Israël eux-
mêmes sont incirconcis de cœur.

Les faux dieux face au vrai Dieu

10 ¹ Ecoutez la parole que le SEIGNEUR
prononce sur vous, gens d'Israël !

² Ainsi parle le SEIGNEUR :
Ne vous conformez pas aux mœurs
  des nations !
Devant les signes du ciel, ne vous laissez pas accabler !
Ce sont les nations qui se laissent
  accabler par eux ;
³ mais les principes des peuples sont
  absurdes.
Le bois coupé dans la forêt,
travaillé au ciseau par l'artiste,
⁴ enjolivé d'argent et d'or,
avec clous et marteaux, on le fixe
pour qu'il ne soit pas branlant.

⁵ Ces idoles sont comme un épouvantail
dans un champ de concombres ; elles ne
parlent pas ; il faut bien les porter, car
elles ne peuvent marcher. N'en ayez
aucune crainte : elles ne sont pas nui-
sibles, mais elles ne peuvent pas davantage vous être utiles.

⁶ Comme toi, il n'y a personne, SEI-
  GNEUR !
Tu es grand
et grand est ton nom par ses prouesses.
⁷ Qui ne te craindrait, roi des nations ?
A toi cela est dû.
Parmi tous les sages des nations
et dans tous les royaumes,
il n'y a personne comme toi.
⁸ Tous, sans exception, s'abrutissent et
  perdent le sens.
Formé par les absurdités *ᵐ*, on en
  arrive là.
⁹ Les idoles ne sont qu'argent laminé,
  importé de Tarsis,
or d'Oufaz,
travaillé par l'artiste et le fondeur,
revêtu de pourpre violette et de pourpre rouge *ⁿ*.
Elles ne sont toutes que travail de
  spécialistes.

---

l Tempes-rasées: appellation israélite de certaines tribus arabes (Jr 25.23; 49.32). Leur manière de se
tailler les cheveux et la barbe est interdite aux Israélites en Lv 19.27. Comme leur ancêtre Ismaël
ces tribus pratiquaient la circoncision (voir Gn 17.23) ● *m les absurdités:* ici comme souvent
ailleurs dans l'A.T. cette expression désigne *le culte idolâtrique* ou *les idoles elles-mêmes* ● *n Tarsis:* voir les notes sur Es 23.7; Jon 1.3; Ps 72.10 — *Oufaz:* mentionné également en Dn 10.5, ce
pays est inconnu. Les anciennes versions araméenne et syriaque proposent *Ofir* (voir Ps 45.10 et la
note) — Au sujet de la *pourpre violette* et de la *pourpre rouge* voir Ex 25.4; Mc 15.17 et les notes.

9.21 comme du fumier Jr 8.2+. **9.22** se vanter d'être sage Pr 3.5; 21.30; Qo 9.11 — se vanter
d'être riche Si 10.22. **9.23** se vanter 1 Co 1.31; 2 Co 10.17 de connaître le Seigneur Jr 16.21;
22.16; 24.7; Jn 17.3 — droit et justice Jr 22.15; 23.5; 33.15; Ps 140.13. **9.24-25** circoncision et
incirconcision 1 Co 7.19; Ga 5.6; 6.15; Col 2.11. **9.25** contre l'Egypte Jr 25.19; 46; Es 18—19
— contre Edom Jr 25.21; 49.7-22; Am 1.11+ — contre les Ammonites Jr 25.21; 49.1-6; Am 1.13+
— contre Moab Jr 25.21; 48; Am 2.1+ — incirconcis de cœur cf. Jr 4.4+. **10.2** ne vous conformez
pas Rm 12.2. **10.3** confection des idoles Es 40.19+. **10.5** comme un épouvantail *Lt* - Jr 69 —
idoles muettes Ps 115.4-7 — inutiles Ha 2.18. **10.6** personne comme toi Jr 49.19; Es 40.18+;
Ps 86.8-10; cf. Rm 16.27. **10.7** craindre le Seigneur Jr 5.22; Ap 15.4; cf. Ps 15.4+. **10.8** idolâtrie abrutissante Za 10.2; *Sg* 14.22-31 — absurdités (idoles) Jr 8.19; 10.15; 14.22; 16.19;
51.18; Dt 32.21; 1 R 16.13, 26; Jon 2.9; Ps 31.7; Ac 14.15; cf. Jr 2.5.

10 Mais le SEIGNEUR Dieu est vérité *o*,
il est le Dieu vivant, roi à jamais.
Quand il s'irrite, la terre tremble
et les nations ne peuvent supporter
son indignation.

11 Voici ce que vous leur direz : Les
dieux qui n'ont pas fait le ciel et la terre
doivent disparaître de la terre, de dessous le ciel *p*.

12 Celui qui fait la terre par sa puissance,
qui établit le monde par sa sagesse,
et qui, par son intelligence, déploie les
cieux,
13 du fait qu'il accumule des eaux torrentielles dans les cieux,
qu'il fait monter de gros nuages des
confins de la terre,
qu'il déclenche la pluie par des éclairs,
qu'il fait sortir les vents de ses coffres ;
14 tout homme demeure hébété, interdit,
tout fondeur a honte de son idole :
ses statues sont fausses,
il n'y a pas d'esprit en elles ;
15 ce sont des absurdités, objets de quo-
libets :
quand il faudra rendre compte *q*, elles
périront.
16 Tel n'est pas le Lot-de-Jacob *r* :
lui, c'est le créateur de tout ;
et Israël est la tribu de son héritage ;
le SEIGNEUR le tout-puissant, c'est son
nom.

Le désastre est imminent

17 Ramasse à terre tes paquets,
toi qui te trouves assiégée !
18 Car ainsi parle le SEIGNEUR :
Cette fois-ci je vais éjecter
les habitants du pays,

tout en les serrant de près
pour qu'ils n'échappent pas *s*.
19 Pauvre de moi ! Quel désastre !
Incurable est ma blessure !
Moi je dis : c'est bien là mon mal
et je dois le porter.
20 Ma tente est dévastée,
toutes ses cordes sont arrachées.
Mes enfants et mon cheptel *t*, ils ne
sont plus !
Plus personne pour monter ma tente,
pour redresser mon campement !
21 Les pasteurs *u* sont abrutis :
ils ne cherchent pas le SEIGNEUR.
C'est pourquoi ils sont sans compétence
et tout le troupeau est à l'abandon.
22 On perçoit une rumeur qui approche,
un grand ébranlement venant du pays
du nord *v*
pour transformer les villes de Juda en
désolation,
en repaires de chacals.

Prière de Jérémie pour son peuple

23 SEIGNEUR, je le sais, l'homme n'est pas
maître de son chemin,
le pèlerin ne fixe pas lui-même sa
démarche.
24 Corrige-moi *w*, SEIGNEUR, mais avec
mesure
et non avec colère, car tu me réduirais
à rien.
25 Répands ta fureur sur les nations qui
te méconnaissent,
sur les peuples qui n'invoquent pas ton
*nom ;
car on dévore Jacob *x*,
on le dévore, on l'achève,
on ravage son domaine.

---

o Autre traduction *Mais le Seigneur est Dieu en vérité* ● *p* Le v. 11 est rédigé en araméen, langue
internationale de l'époque. C'est une sorte de parenthèse destinée aux nations (v. 10) ● *q* Le texte
sous-entend (*rendre compte*) à Dieu, au jour du jugement final ● *r* le *Lot-de-Jacob*: appellation
imagée de Dieu; comparer Nb 18.20; Dt 10.9; Ps 16.5 ● *s* Le sens de la fin du verset est incertain; la traduction suit ici les anciennes versions grecque et latine ● *t* *mon cheptel*: d'après l'ancienne version grecque; le terme hébreu correspondant est peu clair ● *u* Voir 2.8 et la note ●
v Voir 1.14 et la note ● *w* Le prophète parle probablement ici au nom du peuple tout entier,
ainsi que l'a compris l'ancienne version grecque (*Corrige-nous*)... ● *x* Voir 2.4 et la note

10.10 Dieu vivant Dt 5.26+ — roi à jamais Mi 4.7; Ps 93.1+ — la terre tremble Ps 18.8+
— l'indignation du Seigneur Na 1.6. **10.11** disparition des faux dieux Na 1.14. **10.12** Celui
qui a fait la terre... Jr 51.15-19; Es 44.24+ par sa sagesse Ps 104.24+. **10.15** quand il faudra
rendre compte Jr 8.12+. **10.16** Tel n'est pas... Jr 51.19 — la tribu de son héritage Dt 4.20;
cf. Jr 12.7 — c'est son nom Jr 46.18+; Ex 15.3; Am 4.13. **10.17** ramasse tes paquets Jr
46.19; Ez 12.3. **10.19** désastre Jr 4.6+ — blessure incurable Jr 14.19; 15.18; 30.12, 15;
46.11; 51.9; Mi 1.9. **10.21** pasteurs Jr 2.8; 23.1-4; 25.34 abrutis Jr 5.5 et sans compétence cf.
Jr 3.15 — le troupeau à l'abandon Jr 23.1; 50.6; Es 53.6+. **10.22** du nord Jr 1.14+. **10.23**
l'homme n'est pas maître de son chemin Ps 31.16; Pr 16.1, 9; 20.24; Dn 5.23; *Sg* 7.16. **10.24**
correction modérée Jr 30.11; Ps 6.2; 38.2; 99.8; 118.18; Jb 33.19-30; *Sg* 11.20 — 12.22 — modération Gn 33.13; Es 42.2-3; Pr 25.16-17; 30.7-9; *Si* 18.30—19.3; 31.27-28; Mt 5.4; 11.29-30;
Rm 12.3; Tt 3.2; 1 P 3.16; 5.8; cf. Jr 22.14-15. **10.25** ta fureur sur les nations Jr 12.14; Ps 79.6-7;
Ez 25; Jl 4.2; Na 1.2; *Si* 36.1-12 — on dévore... Jr 8.16; 30.16; Ps 14.4.

L'Alliance trahie

11 [1] La parole qui s'adressa à Jérémie de la part du SEIGNEUR : [2] — Ecoutez les termes de cette *alliance ! — Tu parleras [y] aux hommes de Juda et aux habitants de Jérusalem [3] et tu leur diras : « Ainsi parle le SEIGNEUR, le Dieu d'Israël : Malheureux l'homme qui n'écoute pas les termes de cette alliance [4] que j'ai proposée à vos pères lorsque je les ai fait sortir du pays d'Egypte, de ce haut fourneau : "Ecoutez ma voix et mettez bien en pratique ce que je vous propose ; ainsi vous deviendrez un peuple pour moi et moi je deviendrai Dieu pour vous, [5] et alors je pourrai tenir l'engagement solennel que j'ai passé avec vos pères de leur donner un pays ruisselant de lait et de miel." Et c'est bien le vôtre maintenant. » Et je répondis : « Oui [z], SEIGNEUR ! »

[6] Le SEIGNEUR me dit : « Va clamer toutes ces paroles dans les villes de Juda et dans les ruelles de Jérusalem : Ecoutez les termes de cette alliance et mettez-les en pratique. [7] J'ai conjuré vos pères depuis le jour où je les fis monter du pays d'Egypte jusqu'à ce jour, inlassablement je les ai conjurés, répétant : "Ecoutez ma voix !" [8] Mais ils n'ont pas écouté, ils n'ont pas tendu l'oreille ; chacun a persisté dans son entêtement exécrable. Aussi ai-je appliqué contre eux tous les termes de cette alliance que je leur avais proposée de mettre en pratique et qu'ils n'ont pas mise en pratique. »

[9] Le SEIGNEUR me dit : « Il s'est trouvé un complot parmi les hommes de Juda et les habitants de Jérusalem. [10] Ils sont retournés aux péchés de leurs ancêtres qui refusèrent d'écouter mes paroles ; à leur tour ils courent après d'autres dieux pour leur rendre un culte. Les gens d'Israël et les gens de Juda ont ainsi rompu l'alliance que j'avais conclue avec leurs pères. [11] Eh bien ! — ainsi parle le SEIGNEUR — je vais faire venir sur eux un malheur dont ils ne pourront se tirer. Ils m'appelleront à l'aide mais je ne les écouterai pas. [12] Les villes de Juda et les habitants de Jérusalem iront implorer l'aide des dieux auxquels ils ont brûlé des offrandes, mais ils ne pourront les sauver au temps de leur malheur.

[13] Tes dieux sont devenus aussi nombreux que tes villes, ô Juda, et les autels que vous avez érigés à la Honte [a] — *autels pour brûler des offrandes à *Baal — sont aussi nombreux que tes ruelles, Jérusalem !

[14] Toi, n'intercède pas pour ce peuple, ne profère en leur faveur ni plainte ni supplication ; je n'écouterai pas quand ils m'appelleront au temps de [b] leur malheur. »

Le Seigneur fait abattre son olivier

[15] Que vient faire en ma Maison ma bien-aimée ?
Sa manière d'agir est pleine de finesse.
Est-ce que les vœux et la viande sacrée peuvent éloigner de toi ton malheur ?
Serait-ce ainsi que tu pourrais lui échapper [c] ?

[16] « Olivier toujours vert, beau par ses fruits magnifiques »,
tel est le nom que le SEIGNEUR t'avait donné.
Au bruit d'un grand fracas,
par le feu il consume son feuillage,
et on casse ses branches.

[17] C'est le SEIGNEUR le tout-puissant, celui qui t'a plantée, qui décrète le malheur contre toi à cause du mal que les gens d'Israël et les gens de Juda ont commis ; ils l'ont offensé en brûlant des offrandes à *Baal.

Jérémie menacé par sa propre famille

[18] Quand le SEIGNEUR m'a mis au courant et que j'ai compris, alors j'ai décou-

---

[y] *tu parleras :* d'après les anciennes versions grecque, syriaque et araméenne, et comme au v. 3 ; hébreu *vous parlerez* ● [z] Ou *Amen* ● [a] Voir 3.24 et la note ● [b] *au temps de :* quelques manuscrits hébreux proposent *à cause de* ● [c] *la viande sacrée* ou les *sacrifices* — Le texte hébreu de la fin du verset est obscur ; on a essayé de le restituer d'après les indications de l'ancienne version grecque

11.2 alliance Ex 19.5 ; 2 R 23.3. **11.3** malheureux l'homme qui n'écoute pas Dt 27.26 ; Ga 3.10. **11.4** sortie d'Egypte Jr 7.22+ — Egypte - haut fourneau Dt 4.20 — écouter Jr 7.23 ; Jn 10.27 — un peuple pour moi... Dieu pour vous Jr 7.23+ ; cf. Dt 4.20 ; 7.6. **11.5** l'engagement de Dieu Dt 26.17 ; Ps 105.8-11 — pays ruisselant de lait et de miel Jr 32.22 ; Ex 3.8 ; 13.5 ; 33.3 ; Lv 20.24 ; Nb 13.27 ; 14.8 ; 16.13 ; Dt 6.3 ; 8.8, etc. ; Jos 5.6 ; Ez 20.6, 15. **11.7** j'ai conjuré vos pères Jr 7.23-26. **11.8** ils n'ont pas écouté Jr 7.26+. **11.10** courir après d'autres dieux Jr 7.9+ — alliance rompue Jr 31.32 — faire venir sur eux un malheur Jr 19.3 ; 1 R 14.5. **11.12** brûler des offrandes Jr 1.16+. **11.13** autant de dieux que de villes Jr 2.28. **11.14** n'intercède pas 7.16+ — Dieu offensé Jr 25.7. **11.18-23** les « confessions » de Jérémie Jr 12.1-6 ; 15.10, 15-21 ; 17.14-18 ; 18.18-23 ; 20.7-18. **11.18** mis au courant par le Seigneur 1 R 14.5.

vert *d* leurs manœuvres. ¹⁹ Moi, j'étais comme un agneau docile, mené à la boucherie ; j'ignorais que leurs sinistres propos me concernaient : « Détruisons l'arbre en pleine sève, supprimons-le du pays des vivants ; que son nom ne soit plus mentionné ! »

²⁰ SEIGNEUR tout-puissant, toi qui gouvernes avec justice,
qui examines sentiments et pensées,
je verrai ta revanche sur eux,
car c'est à toi que je remets ma cause.

²¹ Eh bien, ainsi parle le SEIGNEUR contre les hommes d'Anatoth *e* qui en veulent à ta vie en disant : « Ne *prophétise pas au nom du SEIGNEUR, sinon tu mourras de notre main ! », ²² eh bien, ainsi parle le SEIGNEUR le tout-puissant : « Je vais sévir contre eux : leurs jeunes gens mourront par l'épée, leurs fils et leurs filles mourront de faim. ²³ Chez eux, plus aucun survivant : je vais faire venir le malheur sur les hommes d'Anatoth, l'année où il leur faudra rendre compte. »

12 ¹ Toi, SEIGNEUR, tu es juste !
Mais je veux quand même plaider contre toi.
Oui, je voudrais discuter avec toi de quelques cas.
Pourquoi les démarches des coupables réussissent-elles ?
Pourquoi les traîtres perfides sont-ils tous à l'aise ?

² Tu les plantes, ils s'enracinent
et vont jusqu'à porter du fruit.
Tu es près de leur bouche
et loin de leur cœur.

³ Toi, SEIGNEUR, tu me connais,
tu me vois et tu examines mes pensées :
elles sont avec toi.

Mets à part les méchants comme des moutons pour la boucherie !
Réserve-les pour le jour de l'abattage !

⁴ Jusques à quand la terre sera-t-elle en deuil
et desséchée l'herbe de toute la campagne ?
Toute la faune périt
à cause de la méchanceté de ses habitants,
eux qui disent : « Il ne voit pas nos chemins *f*. »

⁵ Si tu *g* cours avec des piétons et qu'ils te fatiguent,
comment pourrais-tu entrer en compétition avec des chevaux ?
S'il te faut un pays en paix pour être rassuré,
que feras-tu dans la jungle du Jourdain ?

⁶ Même tes frères, les membres de ta famille, oui, eux-mêmes te trahissent, oui, eux-mêmes convoquent dans ton dos un tas de gens *h*. Ne te fie pas à eux quand ils te parlent gentiment.

Dieu abandonne son pays et son peuple

⁷ J'abandonne ma maison,
je rejette mon héritage ;
celle que je chérissais *i*,
je la livre à la poigne de ses ennemis.

⁸ Mon héritage est devenu pour moi
comme un lion dans la forêt ;
il donne de la voix contre moi,
aussi je ne l'aime plus.

⁹ Mon héritage est-il donc pour moi un oiseau bigarré
sur qui les rapaces fondent de partout ?
Allez rassembler toutes les bêtes sauvages !
Amenez-les au festin !

---

d j'ai découvert: d'après l'ancienne version grecque; hébreu *tu m'as fait découvrir* ● *e* Voir 1.1 et la note ● *f nos chemins* (ou *notre conduite*): d'après l'ancienne version grecque; hébreu *notre avenir* ● *g* Les v. 5-6 représentent la réponse du Seigneur à Jérémie ● *h convoquent dans ton dos* (= en cachette de toi) *un tas de gens:* le texte hébreu correspondant est obscur et la traduction proposée incertaine. Elle suit le sens suggéré par l'ancienne version grecque et la majorité des anciens commentaires juifs ● *i ma maison:* voir Os 8.1; Za 9.8 et les notes — *mon héritage:* l'ensemble d'Israël (comme en 10.16; Ps 28.9, etc.) — *celle que je chérissais:* soit Israël, soit Jérusalem, assimilée à une jeune femme (2.2; 3.1-2, etc.)

11.19 comme un agneau Es 53.7 — qu'on cesse de mentionner son nom! Ps 109.13. **11.20** Dieu examine sentiments et pensées (les reins et les cœurs) Jr 17.10; 20.12; Ps 7.10+; 1 Ch 28.9; Ap 2.23; cf. 1 S 16.7; 1 R 8.39; Ps 139.23; Rm 8.27; 1 Th 2.4 — revanche de Dieu Jr 9.8; Dt 32.35; Rm 12.19 — remettre sa cause à Dieu Jr 20.12; Ps 31.6; 37.5; 55.23; 1 P 2.23; 4.19. **11.21** ne prophétise pas Es 30.10; Am 2.12; 7.13. **11.22** sévir Jr 5.9+. **11.23** aucun survivant Jr 9.9; 36.29; 42.17; 44.14 — rendre compte Jr 8.12+. **12.1** « confessions » de Jérémie Jr 11.18+ — tu es juste Ps 119.137; Lm 1.18 — Pourquoi... Ha 1.13+ — la réussite des méchants Ps 73.3-12; Jb 12.6. **12.2** près de leur bouche, loin de leur cœur Jr 9.7; Ps 62.5; Mc 7.6. **12.3** tu me connais Jr 11.20; Ps 139.1+ — prière au Dieu vengeur Jr 10.25. **12.4** la terre en deuil Jr 23.10; Os 4.3; Jl 1.10; cf. Jr 14.2 — toute la faune a péri Jr 4.25+ — à cause de la méchanceté... Jr 5.25; 6.19. **12.6** ne te fie pas à eux Jr 9.3+. **12.7** le Seigneur abandonne sa maison Os 8.1 — mon héritage Jr 10.16+. **12.9** festin pour les charognards Jr 7.33; Es 56.9; cf. Jr 16.4; 19.7.

¹⁰ La foule des pasteurs *j* a saccagé ma
vigne,
piétiné mon champ,
fait de ce champ merveilleux
un désert désolé.
¹¹ Ils l'ont transformé en désolation ;
le voici devant moi, lamentable, désolé.
Le pays tout entier est désolé,
et personne ne s'en soucie.
¹² Sur toutes les pistes du désert
s'avancent les dévastateurs.
Une épée à la solde du Seigneur
dévore d'un bout à l'autre de la terre :
il n'y a plus de paix pour personne.
¹³ On sème du froment, on récolte des
ronces ;
on s'épuise et on n'aboutit à rien.
Rougissez donc de ce qui vous en
revient,
à cause de l'ardente colère du Seigneur.

Comment le Seigneur veut éduquer les nations

¹⁴ Ainsi parle le Seigneur : Tous mes
méchants voisins qui portent atteinte à
l'héritage *k* que j'ai donné à mon peuple,
à Israël, je vais les déraciner de leur sol ;
je déracinerai aussi les gens de Juda du
milieu d'eux. ¹⁵ Mais après que je les aurai
déracinés, je les prendrai de nouveau en
pitié et je les ramènerai chacun dans son
héritage, chacun dans son pays. ¹⁶ Et s'ils
apprennent bien à se conduire comme
mon peuple, prêtant serment par mon
nom : « Vivant est le Seigneur ! »
comme ils ont appris à mon peuple à
prêter serment par *Baal, alors ils auront
leur maison *l* au milieu de mon peuple.
¹⁷ Mais s'ils n'écoutent pas, je déracinerai
définitivement cette nation pour sa perte
— oracle du Seigneur.

Jérémie et la ceinture de lin

13 ¹ Voici ce que me dit le Seigneur :
« Va t'acheter une ceinture de lin

et mets-la sur tes hanches, mais ne la
passe pas à l'eau *m*. » ² J'achetai une ceinture, selon la parole du Seigneur, et je
la mis sur mes hanches. ³ De nouveau la
parole du Seigneur s'adressa à moi :
⁴ « Avec la ceinture que tu as achetée et
que tu portes sur les hanches, mets-toi en
marche vers le Perath *n*, et là, cache cette
ceinture dans la fente d'un rocher. » ⁵ Je
m'en allai la cacher au Perath comme le
Seigneur me l'avait demandé. ⁶ Après
bien des jours, le Seigneur me dit :
« Mets-toi en marche vers le Perath et
reprends la ceinture que je t'avais demandé de cacher là-bas. » ⁷ Je m'en allai
alors au Perath pour fouiller et reprendre
la ceinture de l'endroit où je l'avais cachée. La ceinture ! elle était tout abîmée,
plus bonne à rien. ⁸ Alors la parole du
Seigneur s'adressa à moi : ⁹ « Ainsi parle
le Seigneur : C'est ainsi que je vais abîmer la fierté de Juda, la belle fierté de
Jérusalem : ¹⁰ ce peuple mauvais qui
refuse d'écouter mes paroles et persiste
dans son entêtement, qui court après d'autres dieux pour leur rendre un culte en
se prosternant devant eux, qu'il devienne
comme cette ceinture plus bonne à rien !
¹¹ De même qu'on attache une ceinture à
ses hanches, ainsi je m'étais attaché tous
les gens d'Israël et tous les gens de Juda
— oracle du Seigneur — afin qu'ils deviennent pour moi un peuple, un renom,
un titre de gloire et une parure ; mais ils
n'ont rien voulu entendre. »

Le vin de la colère de Dieu

¹² Tu leur diras cette parole : « Ainsi
parle le Seigneur, le Dieu d'Israël : Toute
cruche, on la remplit de vin. » Et si l'on
rétorque : « Mais nous savons bien que
toute cruche, on la remplit de vin ! »,
¹³ alors tu leur diras : « Ainsi parle le
Seigneur : Tous les habitants de ce pays,
les rois issus de David qui siègent sur

---

j Voir la note sur 2.8 ● *k* *l'héritage que j'ai donné à mon peuple*: la Palestine ● *l* *ils auront leur
maison:* le sens de l'expression semble être double: *ils seront réinstallés* et *ils auront une descendance* ● *m* C'est-à-dire *ne la lave pas* quand elle sera sale ● *n* *Le Perath:* probablement le ruisseau
appelé aujourd'hui *Fara*, qui coule au nord d'Anatoth, à une heure de marche environ. En hébreu
le nom est le même que celui de l'Euphrate

12.10 ma vigne Es 5.1+ — saccagée par des souverains étrangers Jr 6.3; Ps 80.14. **12.11** personne ne s'en soucie Es 42.25; 57.1. **12.13** semer quelque chose, récolter autre chose Os 8.7 —
l'ardente colère du Seigneur Jr 4.8+. **12.14** le châtiment des méchants voisins Jr 10.25 — déraciner Jr 1.10+. **12.15** perspectives de restauration pour les nations Jr 3.17; 16.19-21; 23.22;
46.26; 48.47; 49.6, 39; cf. 1 R 8.41; Es 19.19-25; Am 9.7; cf. Jr 29.14+ — je les ramènerai Ez 29.14.
12.16 prêter serment « Par la vie du Seigneur » Jr 4.2+. **13.1** Autres gestes symboliques de Jérémie Jr 19; 27; 32; 43.8-13; 51.59-64. **13.10** refus d'écouter Jr 7.26+ — entêtement Jr 3.17 —
courir après d'autres dieux Jr 7.9+. **13.11** attachement à Dieu Dt 10.20; 11.22; 13.5; 30.20;
2 R 18.6; Ps 63.9; 119.31; cf. 1 Co 6.17 — pour moi un peuple Jr 7.23+ — un renom Jr 33.9.

son trône, les prêtres, les *prophètes et
tous les habitants de Jérusalem, je vais les
rendre complètement ivres [o] [14] et les fracasser l'un contre l'autre, pères et fils tous
ensemble — oracle du SEIGNEUR — ; ni
pitié, ni merci, ni compassion ne m'em-
pêcheront de les abîmer. »

Ecouter avant qu'il ne soit trop tard

[15] Ecoutez, soyez tout oreilles, ne le prenez pas de haut :
c'est le SEIGNEUR qui parle.
[16] Rendez gloire au SEIGNEUR votre Dieu,
avant qu'il n'envoie les ténèbres,
avant que vos pieds ne trébuchent
dans les monts envahis par la nuit.
Vous attendez la lumière,
mais il la transforme en ombre mortelle,
il en fait un nuage noir.
[17] Si vous n'écoutez pas, je vais me déso-
ler dans mon coin
à cause d'une telle suffisance ;
mes yeux vont pleurer, pleurer, fondre
en pleurs :
le troupeau du SEIGNEUR part en captivité !

Le peuple infidèle déshonoré et dispersé

[18] Dis au roi et à la reine-mère :
« A terre, maintenant !
Elle est descendue de votre tête [p],
votre superbe couronne !
[19] Les villes du Néguev [q] sont fermées,
plus personne ne vient ouvrir.
Tout Juda est déporté,
c'est la déportation complète. »
[20] Lève les yeux et regarde :
ils arrivent du nord [r] !
Où est-il le troupeau à toi confié,

où sont-ils tes superbes moutons ?
[21] Qu'auras-tu à redire quand séviront
contre toi
ceux que tu as habitués pour ton
malheur
à une familiarité qui te sera fatale [s] ?
Oui, des douleurs vont te saisir
comme elles saisissent une femme en
couches.
[22] Tu en viens à te demander :
« Pourquoi cela m'arrive-t-il ? »
C'est à cause de ta grande perversion
qu'on retrousse ta jupe
et qu'on te fait violence.
[23] Un Noir peut-il changer de peau,
une panthère de pelage ?
Et vous, les habitués du mal,
pourriez-vous faire le bien ?
[24] Je vais les [t] disséminer comme brins
de paille
au vent du désert.
[25] Voici ton lot, la part que je te mesure
— oracle du SEIGNEUR —
à toi qui m'oublies
pour te bercer d'illusions.
[26] Eh bien moi, je vais retirer ta jupe
par-dessus ta figure
et on verra ton sexe.
[27] Tes adultères ! Tes hennissements !
Ta prostitution éhontée !
Sur les collines, dans les champs,
je vois tes ordures !
Hélas ! Jérusalem, tu ne veux pas te
*purifier
en me suivant [u]...
combien de temps encore ?

Prière de Jérémie lors d'une sécheresse

14 [1] Où la parole du Seigneur
s'adresse à Jérémie au sujet de la
sécheresse [v]

---

[o] Jérémie fait allusion ici à un thème souvent repris ailleurs: la colère de Dieu est comparée à un
vin qui enivre (voir Jr 25.15-16 et la note) ● [p] le roi et la reine-mère: sans doute le roi Yoyakîn (qui
ne régna que de la mi-décembre 598 à la mi-mars 597 av. J.C.) sa mère — de votre tête: d'après
les versions anciennes; texte hébreu peu clair ● [q] le Néguev: voir la note sur Es 21.1 ● [r] Les v.
20-27 s'adressent à Jérusalem personnifiée (voir v. 27) — le nord: voir 1.14 et la note ● [s] Autre
traduction pour ton malheur tu les as habitués à être des amis qui prendront le pouvoir ● [t] Le prophète
parle encore à la population de Jérusalem. Il utilise indifféremment la deuxième personne du singulier (v. 20), la deuxième du pluriel (v. 23 b) et la troisième du pluriel (v. 24) ● [u] adultères,
prostitution: voir Os 1.2; 2.4 et les notes — ordures: voir 4.1 et la note — en me suivant: d'après les
anciennes versions grecque et latine; texte hébreu traditionnel obscur ● [v] Le v. 1 constitue un
titre pour le passage 14.1—15.4

13.13 ivres Jr 25.15+ ; 51.39. **13.14** ni pitié ni merci Jr 15.5; 21.7; 51.3. **13.16** rendez gloire
au Seigneur Jos 7.19; Jn 9.24 — avant les ténèbres Qo 12.1-2 — avant de trébucher Jn 11.10;
12.35 — la nuit Es 5.30; 8.22; Am 8.9 — ombre mortelle Jr 2.6; cf. Jb 3.5. **13.17** les larmes du prophète Jr 8.23+. **13.18** le roi et la reine-mère 2 R 24.8; cf. Jr 22.24+; 29.2.
13.20 du nord 1.14+. **13.21** familiarité (avec les grandes puissances) 2 R 16.7; 20.13 — les
douleurs Jr 22.23. **13.22** jupe retroussée v. 26; Es 47.2-3; Na 3.5; cf. Ha 2.16; Ap 17.16. **13.23**
pourriez-vous faire le bien? Jr 6.29; Ps 55.20; Mt 12.34. **13.24** dissémination Jr 9.15. **13.25**
toi qui m'oublies Jr 2.32+ — bercé d'illusion Jr 28.15; 29.31. **13.27** prostitution Jr 2.20
(note) — ordures Jr 4.1+ — te purifier Jr 4.14; Ez 24.13; Os 8.5.

² Juda est en deuil,
ses bourgs dépérissent,
ils sont lugubres, atterrés
et elle s'élève, la clameur de Jérusalem.
³ Les notables envoient le petit peuple à
la corvée d'eau :
arrivé aux mares, on ne trouve plus
d'eau ;
on s'en retourne, les récipients vides,
embarrassé, penaud, décontenancé *w*.
⁴ A cause du sol craquelé
faute de pluie,
les paysans sont embarrassés,
décontenancés ;
⁵ et, dans la nature, la biche met bas et
s'en va,
car il n'y a plus de verdure.
⁶ Les onagres s'arrêtent sur les crêtes,
ils flairent le vent comme des chacals ;
leurs yeux se fatiguent en quête d'une
herbe
qui n'est plus.

⁷ Si nos péchés témoignent contre nous,
agis, SEIGNEUR, pour l'honneur de ton
*nom !
Oui, nous ne cessons de te renier,
envers toi, nous sommes fautifs.
⁸ Espoir d'Israël,
toi qui sauves au temps de l'angoisse,
pourquoi te comporter comme un
étranger au pays,
comme un voyageur qui fait un crochet
pour y passer la nuit ?
⁹ Pourquoi te comporter comme un
homme ébranlé,
comme un héros qui ne peut plus
sauver ?
Pourtant, SEIGNEUR, tu es au milieu de
nous,
ton nom a été proclamé sur nous :
ne nous lâche pas !

Dieu refuse d'exaucer la prière de Jérémie

¹⁰ Ainsi parle le SEIGNEUR à ce peuple :

« Oui, ils aiment vagabonder, ils ne contrôlent pas leurs démarches. » Parce qu'ils
ne plaisent pas au SEIGNEUR, maintenant
il rappelle leur perversion, il punit leurs
fautes.
¹¹ Le SEIGNEUR me dit : « N'intercède
pas en faveur de ce peuple, ne souhaite
pas son bonheur ! ¹² S'ils *jeûnent,' je
n'écoute pas leur plainte. S'ils me présentent holocaustes *x* et offrandes, cela ne
me plaît pas. C'est par l'épée, la famine
et la peste que je vais les exterminer. »
¹³ Je dis : « Ah ! Seigneur DIEU, mais
les *prophètes leur disent : Vous ne verrez pas l'épée, et la famine ne vous surprendra pas ; je vous donnerai en ce lieu
une prospérité assurée. » ¹⁴ Le SEIGNEUR
me répondit : « C'est faux ce que les prophètes prophétisent en mon nom ; je ne
les ai pas envoyés, je ne leur ai rien
demandé, je ne leur ai pas parlé. Fausses
visions, vaticinations, mirages, trouvailles
fantaisistes, tel est leur message prophétique ! » ¹⁵ C'est pourquoi, ainsi parle le
SEIGNEUR : « Pour ce qui est des prophètes qui prophétisent en mon nom
alors que je ne les ai pas envoyés : bien
qu'ils prétendent que l'épée et la famine
ne surprendront pas ce pays, c'est en fait
par l'épée et la famine que ces prophètes
disparaîtront. ¹⁶ Et les gens à qui ils
prophétisent joncheront les ruelles de
Jérusalem à cause de la famine et de
l'épée : ils n'auront personne pour les
ensevelir, eux, leurs femmes, leurs fils,
leurs filles. Ainsi je reverserai sur eux
leur méchanceté. »

Jérémie confesse les fautes de son peuple

¹⁷ Tu leur diras cette parole :
Mes yeux fondent en larmes,
nuit et jour, sans trêve :
un grand désastre a brisé la vierge,
mon peuple,
un coup meurtrier.

---

w L'hébreu exprime cette idée par l'image *on se voile la tête* ● *x* Voir au glossaire SACRIFICES

14.2 Juda en deuil Jr 12.4; Lm 1.4. **14.3** décontenancés (tête voilée) 2 S 15.30. **14.4** faute
de pluie Jr 3.3+ — paysans décontenancés Jl 1.11. **14.7** conséquences visibles des péchés
Jr 5.25; Ps 107.34 — pour l'honneur de ton nom v. 21; Ps 25.11; Dn 9.19; *Dn grec* 3.34; cf.
Es 48.9; Ez 20.9, 14...; Ps 23.3; Mt 6.9 — fautifs v. 20; Jr 3.25; 8.14; Ps 38.19. **14.8** Dieu,
espoir d'Israël Jr 17.13 — Dieu sauveur Es 43.3+ du temps de la détresse Ps 77.3+. **14.9** tu es au
milieu de nous Ex 29.45; Jn 1.26 — ton nom a été proclamé sur nous Jr 15.16; Dt 28.10; Es 43.7.
14.10 ils aiment vagabonder Jr 2.31. **14.11** N'intercède pas! Jr 7.16+. **14.12** jeûne et plainte
adressée à Dieu Jl 1.13-14 2.15-17; Ps 69.2-19 — Dieu refuse holocaustes et offrandes Jr 6.20+ —
épée, famine, peste Jr 21.7-9; 24.10; 27.8, 13; 29.17-18; 38.2; 42.17; cf. 5.12; 28.8. **14.13** message rassurant des prophètes Jr 4.10; 6.14; 23.17; cf. 1 R 22.12 — vous ne verrez pas l'épée Jr
5.12; cf. Gn 3.4 — prospérité Jr 16.5; 29.7, 11; 33.6, 9. **14.14** c'est faux! cf. Jr 13.25; 27.10;
29.9 — pas envoyés Jr 23.21, 32; 27.15; 28.15; 29.9, 31. **14.16** personne pour les ensevelir Jr 8.2+
— je reverserai sur eux leur méchanceté Jr 6.19; Ps 7.17; cf. Jr 2.19. **14.17** larmes Jr 8.23+ —
désastre Jr+ 4.6.

¹⁸ Si je vais aux champs,
voilà les victimes de l'épée ;
si je rentre dans la ville,
voilà ceux que torture la faim.
*Prophètes et prêtres parcourent le pays
sans plus rien comprendre.
¹⁹ As-tu réprouvé Juda,
es-tu dégoûté de *Sion ?
Pourquoi nous frapper
d'un mal incurable ?
Nous attendions la santé,
mais rien de bon,
le moment où nous serions guéris,
mais c'est la peur qui vient !
²⁰ SEIGNEUR, nous sommes conscients de
notre culpabilité,
et de la perversion de nos pères ʸ :
oui, nous sommes fautifs envers toi.
²¹ Pour l'honneur de ton *nom, ne sois
pas méprisant,
n'avilis pas le trône de ta gloire ᶻ !
Evoque ton *alliance avec nous,
ne la renie pas !
²² Parmi les absurdités ᵃ des nations,
y en a-t-il qui fassent pleuvoir ?
Serait-ce le ciel qui donne les averses ?
N'est-ce pas toi qui es le SEIGNEUR
notre Dieu ?
Nous t'attendons,
car c'est toi qui fais tout cela.

Jugement définitif du peuple de Dieu

15 ¹ Le SEIGNEUR me dit : Même si
Moïse et Samuel se tenaient devant
moi, je resterais insensible à l'égard de
ces gens. Renvoie-les de devant moi ;
qu'ils s'en aillent ! ² Et s'ils te demandent : « Où devons-nous aller ? », tu leur
répondras : Ainsi parle le SEIGNEUR :

A la mort, qui est pour la mort !
A l'épée, qui est pour l'épée !
A la famine, qui est pour la famine !

A la déportation, qui est pour la déportation !

³ Je dépêche contre eux quatre commandos — oracle du SEIGNEUR — : l'épée
pour tuer, les chiens pour traîner, les
oiseaux du ciel et les bêtes de la terre
pour dévorer et liquider. ⁴ Je ferai d'eux
un exemple terrifiant pour tous les
royaumes de la terre — à cause de Manassé, fils d'Ezékias, roi de Juda, étant
donné tout ce qu'il a fait dans Jérusalem.

Il n'y aura plus de sursis

⁵ Qui donc a pitié de toi, Jérusalem,
qui a pour toi un geste de sympathie,
qui donc se dérange
pour prendre de tes nouvelles ?
⁶ C'est toi qui m'as délaissé
— oracle du SEIGNEUR — :
tu m'as tourné le dos.
J'ai dirigé la main contre toi
pour te détruire :
j'en ai assez d'accorder un sursis.
⁷ Dans les bourgs du pays,
j'ai pris un van ᵇ pour les disperser.
J'ai ruiné mon peuple en le privant
d'enfants,
mais ils n'ont pas changé de conduite.
⁸ J'ai rendu ses veuves plus nombreuses
que les grains de sable sur les plages.
En plein midi, j'ai fait venir le dévastateur
sur la mère du jeune guerrier ;
à l'improviste, j'ai fait tomber sur elle
une épouvantable confusion.
⁹ Celle qui a eu sept fils dépérit,
sa respiration est haletante ;
son soleil s'en est allé au beau milieu
du jour ;
couverte de honte, elle rougit.
Ce qui en reste, je vais le livrer à l'épée
sous l'assaut de leurs ennemis
— oracle du SEIGNEUR.

---

y nos pères ou les générations qui nous ont précédés ● *z le trône de ta gloire ou ton trône glorieux,* c'est-à-dire l'*arche de l'alliance, et par extension le Temple qui l'abrite, et même l'ensemble
de la ville de Jérusalem (cf. 3.17) ● *a* Voir 10.8 et la note ● *b* Sorte de pelle avec laquelle on jetait
en l'air le grain mêlé à la bale (voir Ps 1.4 et la note). Le grain retombait sur place tandis que le
vent emportait la bale

14.19 as-tu réprouvé Juda? Lm 5.22 — dégoûté de Sion Jr 12.8 — mal incurable Jr 10.19+ —
nous attendions... mais Jr 8.15. **14.20** confession des péchés Dn 9.4-19. **14.21** pour l'honneur
de ton nom v. 7+ ; Ez 36.22; Ps 25.11. **14.22** absurdités (idoles) Jr 10.8+ — la pluie donnée par
Dieu Jr 5.24+ ; Jb 5.10; *Lt - Jr* 52; Ac 14.17. **15.1** intercesseurs: Moïse Ex 32.11; 34.9; Nb 11.2;
Ps 106.23, etc.; Samuel 1 S 7.8-10; 12.19, 23; *Si* 46.16; Moïse et Samuel Ps 99.6 — prophète inter-
cesseur Jr 7.16+ — insensible Jr 11.14. **15.2** la mort... Jr 14.12; 43.11; Ez 5.12; 6.11-12; Za 11.9;
Ap 13.10. **15.3** quatre commandos Jr 14.21. **15.4** exemple terrifiant pour tous Jr 24.9; 29.18;
34.17; cf. Na 3.6 — à cause de Manassé 2 R 21.1-16; 24.3-4. **15.5** pas de pitié Jr 13.14; Na 3.7;
Ps 69.21. **15.6** la main du Seigneur contre Jérusalem Jr 6.12; 51.25 — j'en ai assez Jr 44.22;
Am 7.8. **15.7** châtiment pour faire changer de conduite Jr 5.3; 9.9-11 — ils n'ont pas changé
Jr 5.3+. **15.8** plus nombreuses que les grains de sable Gn 22.17; Jos 11.4; Ps 78 27; Jb 6.3;
cf. Jr 33.22.

Jérémie se plaint, Dieu l'affermit

10 Quel malheur, ma mère, que tu m'aies
   enfanté,
   moi qui suis, pour tout le pays,
   l'homme contesté et contredit.
   Je n'ai ni prêté ni emprunté
   et tous me maudissent.
11 Le SEIGNEUR dit : Je le jure, ce qui
   reste de toi
   est pour le bonheur *c* ;
   je le jure, je ferai que l'ennemi te sollicite
   au moment du malheur et de l'angoisse.
12 Peut-on briser le fer,
   le fer qui vient du nord *d*
   et le bronze ?
13 Tes richesses, tes trésors,
   je les livre au pillage.
   Tel est le salaire de toutes tes fautes
   sur l'ensemble de ton territoire.
14 Je t'asservis à tes ennemis *e*
   dans un pays que tu ne connais pas.
   Le feu de ma colère jaillit,
   il brûle contre vous.
15 Toi, tu sais !
   SEIGNEUR, fais mention de moi,
   prends soin de moi,
   venge-moi de mes persécuteurs.
   Que je ne sois pas victime de ta
   patience !
   C'est à cause de toi, sache-le,
   que je supporte l'insulte.
16 Dès que je trouvais tes paroles,
   je les dévorais.
   Ta parole m'a réjoui,
   m'a rendu profondément heureux.
   Ton *nom a été proclamé sur moi,
   SEIGNEUR, Dieu des puissances.
17 Je ne vais pas chercher ma joie
   en fréquentant ceux qui s'amusent.
   Contraint par ta main je reste à l'écart,
   car tu m'as rempli d'indignation.
18 Pourquoi ma douleur est-elle devenue
   permanente,
   ma blessure incurable, rebelle aux
   soins ?
   Vraiment tu es devenu pour moi
   comme une source trompeuse au débit
   capricieux.
19 Eh bien, ainsi parle le SEIGNEUR :
   Si tu reviens, moi te faisant revenir,
   tu te tiendras devant moi.
   Si, au lieu de paroles légères,
   tu en prononces de valables,
   ta bouche sera la mienne.
   Ils reviendront vers toi ;
   et toi, tu n'auras pas
   à revenir vers eux.
20 Face à ces gens, je fais de toi
   un mur de bronze inébranlable.
   Ils te combattront,
   mais ils ne pourront rien contre toi :
   je suis avec toi
   pour te sauver et te libérer
   — oracle du SEIGNEUR.
21 Je te libère de la main des méchants,
   je te délivre de la poigne des violents.

Le célibat et la solitude de Jérémie

16 1 La parole du SEIGNEUR s'adressa
   à moi : 2 Tu ne prendras pas
femme, tu n'auras ici ni fils ni fille. 3 En
effet, ainsi parle le SEIGNEUR au sujet des
fils et des filles qui naissent ici, au sujet
des mères qui leur donnent le jour, au
sujet des pères qui les engendrent dans ce
pays : 4 Ils mourront torturés par la faim,
ils n'auront ni funérailles ni sépulture ;
ils deviendront du fumier sur le sol *f*. Ils
périront par l'épée et par la famine : leurs
cadavres deviendront la pâture des oiseaux
du ciel et des bêtes de la terre.

5 Oui, ainsi parle le SEIGNEUR : N'entre
pas dans la maison où l'on se réunit pour
un deuil, ne va pas aux funérailles et
n'aie pour ces gens aucun geste de sympathie, car je reprends à ce peuple la
prospérité donnée — oracle du SEIGNEUR

---

c ce qui reste de toi est pour le bonheur: autre traduction *je te rends libre pour le bien.* L'ensemble du verset est obscur en hébreu et la traduction mal assurée ● *d* Voir 1.14 et la note ● *e Je t'asservis à tes ennemis:* d'après certains manuscrits hébreux ainsi que les anciennes versions grecque et syriaque, et comme en 17.4; autres manuscrits hébreux *je ferai passer tes ennemis* ● *f par la faim:* cette précision manque dans l'hébreu; la traduction s'inspire ici des anciens commentateurs juifs, qui interprètent 16.4 d'après 14.18 — *ni funérailles ni sépulture:* voir la note sur 8.2

15.10 « confessions » de Jérémie Jr 11.18+ — regret d'être né Jr 20.14; Jb 3.3. **15.12** du nord Jr 1.14+. **15.13** le salaire de toutes tes fautes Jr 6.19; 14.16; Es 50.1. **15.14** je t'asservis... Jr 17.4 — le feu de ma colère... Dt 32.22; Ps 18.9. **15.16** je dévorais tes paroles Ps 19.11; 119.131; Jn 4.34; He 6.4; cf. Ez 3.1-3 — ta parole m'a réjoui Ps 19.9; 119.111 — ton nom proclamé sur moi Jr 14.9+ cf. 7.10. **15.17** fréquenter ceux qui s'amusent Jr 16.8. **15.18** blessure incurable Jr 10.19+ — comme une source trompeuse Jb 6.15-20. **15.19** Dieu fait revenir Jr 31.18 — devant le Seigneur Jr 18.20; 1 R 17.1; Ps 106.23; cf. Jr 7.10+ — la bouche de Dieu et celle du prophète Jr 1.9+; 1 R 17.24. **15.20** un mur de bronze Jr 1.18-19 — avec toi Jr 1.8+ pour te sauver cf. Jr 20.13. **15.21** Jérémie libéré Jr 26.24; 36.26; 38.9, 13. **16.2** célibat cf. Ez 24.16; Mt 19.12; 1 Co 7.27. **16.4** ni funérailles ni sépulture Jr 8.2+ — pâture des charognards Jr 7.33+. **16.5** prospérité Jr 14.13; cf. Nb 6.26 — fidélité Jr 31.3; 33.11 — miséricorde Ex 34.6 reprise Jr 13.14.

— ainsi que la fidélité et la miséricorde.
⁶ Dans ce pays, les grands comme les petits mourront ; ils ne seront pas ensevelis ; pour eux on n'entonnera pas l'élégie, on ne fera ni incisions ni tonsure *g*.
⁷ On ne rompra pas le pain à qui est dans le deuil pour le réconforter après un décès ; on ne lui *h* offrira la coupe du réconfort ni pour son père ni pour sa mère.

⁸ Tu n'entreras pas non plus dans une maison où l'on festoie pour t'attabler avec eux, pour manger et boire. ⁹ En effet ainsi parle le SEIGNEUR le tout-puissant, le Dieu d'Israël : Je vais faire cesser en ce lieu, de vos jours et sous vos yeux, cris d'allégresse et joyeux propos, chant de l'époux et jubilation de la mariée.

¹⁰ Lorsque tu auras communiqué à ces gens toutes ces paroles, s'ils te disent : « Pourquoi le SEIGNEUR a-t-il décrété contre nous un si grand malheur, quel est notre crime, quelle faute avons-nous commise envers le SEIGNEUR notre Dieu ? », ¹¹ alors tu leur diras : « C'est parce que vos pères *i* m'ont abandonné — oracle du SEIGNEUR — pour courir après d'autres dieux, pour leur rendre un culte en se prosternant devant eux ; moi, ils m'ont abandonné, et mon enseignement, ils ne l'ont pas retenu. ¹² Quant à vous, vous agissez encore plus mal que vos pères : chacun de vous persiste dans son entêtement exécrable, sans m'écouter. ¹³ Je vous lance de cette terre, sur une autre, inconnue de vous et de vos pères ; là, jour et nuit, vous rendrez un culte à d'autres dieux et vous ne pourrez plus compter sur ma sollicitude. »

Le grand retour
(*Cf. Jr 23.7-8*)

¹⁴ Eh bien ! des jours viennent —

oracle du SEIGNEUR — où il ne sera plus dit : « Vivant est le SEIGNEUR qui a fait monter les Israélites du pays d'Egypte ! », ¹⁵ mais plutôt : « Vivant est le SEIGNEUR qui a fait monter les Israélites du pays du nord *j* et de tous les pays où il les avait dispersés ! » Oui, je les ramènerai sur le sol que j'ai donné à leurs pères.

Les coupables seront tous pris

¹⁶ Je vais envoyer quantité de pécheurs — oracle du SEIGNEUR — qui les pêcheront ; et puis j'enverrai quantité de chasseurs qui les chasseront sur toute montagne, sur toute colline et jusque dans les creux des rochers. ¹⁷ Mon regard est braqué sur toutes leurs démarches, rien ne m'échappe. Leur perversion ne peut se dérober à mon regard. ¹⁸ Je commence par leur faire payer leur double crime et leur faute parce qu'ils ont profané mon pays par la charogne de leurs ordures et rempli mon héritage de leurs horreurs *k*.

Le seul vrai Dieu enfin reconnu par tous

¹⁹ SEIGNEUR, ma force et mon abri,
mon refuge au jour de l'angoisse,
c'est vers toi que viendront les nations
des confins de la terre en disant :
Ce que nos pères ont reçu en partage
n'est que fausseté,
des absurdités toutes bonnes à rien *l*.
²⁰ Les hommes pourraient-ils se faire des dieux,
eux qui ne sont pas des dieux *m* ?
²¹ Eh bien, je vais leur donner la connaissance,
cette fois-ci je leur ferai connaître
la vaillance de ma main

---

g incisions, tonsure : marques de deuil ; voir au glossaire DÉCHIRER SES VÊTEMENTS ● *h* D'après l'ancienne version grecque ; hébreu *leur* ● *i* vos pères ou *les générations qui vous ont précédés* ● *j* Voir 3.12 et la note ● *k* leur double crime : la traduction suit ici l'interprétation des anciennes versions grecque et latine, en s'inspirant de 2.13 ; autre traduction (suivant l'ancienne version araméenne) *leur faire payer au double* — *horreurs :* désignation méprisante des idoles ● *l* nos pères voir 16.11 et la note — *absurdités :* voir 10.8 et la note ● *m* La traduction suit ici une partie de l'ancienne tradition juive ; les anciennes versions ont compris *mais ces dieux ne sont pas des dieux*

16.6 pas d'élégie mortuaire Jr 22.18 ; Ez 24.23 — incisions et tonsure Jr 47.5 ; Dt 14.1. **16.8** à l'écart de ceux qui festoient Jr 15.17. **16.9** fin des cris d'allégresse Jr 25.10 ; Es 24.8 ; cf. Jr 33.11. **16.10** Pourquoi?... Jr 5.19 ; Es 58.3. **16.11** abandonner le Seigneur Jr 2.5, 13+, 17 pour d'autres dieux Jr 5.19 ; 7.6, 9+ ; cf. Dt 4.28 ; 28.63. **16.12** entêtement Jr 3.17+. **16.15** retour du pays du nord Jr 31.8 ; cf. 1.14+ — sur le sol donné aux ancêtres Jr 12.15 ; 24.6 ; *Ba* 2.34. **16.16** pêcheurs, chasseurs Ez 13.1 ; 17.20 ; 29.4 ; 32.3 ; Am 4.2 ; Ha 1.14-17 ; Jb 19.6. **16.17** rien n'échappe à Dieu Jr 11.20 ; 32.19 ; Os 7.2 ; Ps 90.8 ; 139 ; *Si* 17.15, 19-20 ; 23.19-21. **16.18** double crime Jr 2.13 ; cf. 17.18 ; Es 40.2 ; 61.7 ; Za 9.12 ; Ap 18.6 — son pays souillé Lv 18.24-30 ; Ez 36.18 ; cf. Jr 2.7 — ordures et horreurs (idoles) Jr 4.1+ ; Es 44.19. **16.19** ma force et mon abri Ps 28.7 — mon refuge 2 S 22.3 — afflux des nations Mi 4.1+ ; Jr 12.16 — absurdités (idoles) Jr 10.8+ bonnes à rien Jr 2.8. **16.20** se faire des dieux Jr 2.28. **16.21** Dieu se fera connaître à tous Jr 12.16 ; 1 R 8.43 — mon nom est le Seigneur Jr 31.35 ; cf. Ez 5.13.

et ils connaîtront que mon nom est
« le SEIGNEUR ».

La faute ineffaçable du peuple de Juda

17 1 La faute de Juda est écrite avec
un burin de fer,
à la pointe de diamant ;
elle est gravée sur la table de leur
cœur
et sur les cornes [n] de leurs *autels.
2 Comme ils parlent de leurs enfants,
ainsi parlent-ils de leurs autels et de leurs
poteaux sacrés près des arbres toujours
verts, sur les collines élevées [o].
3 Toi, le dévot des cultes sur la montagne, dans la nature,
tes richesses, tous tes trésors,
je les livre au pillage,
à cause de la faute des *hauts lieux [p]
sur l'ensemble de ton territoire.
4 Tu feras la grande « remise »,
seul, éloigné de l'héritage [q]
que je t'ai donné.
Je t'asservis à tes ennemis
dans un pays que tu ne connais pas,
car, vous avez fait jaillir le feu de
ma colère ;
il brûle à jamais.

La fausse et la vraie sécurité

5 Ainsi parle le SEIGNEUR :
Maudit, l'homme qui compte sur des
mortels :
sa force vive n'est que chair [r],
son *cœur se détourne du SEIGNEUR.
6 Pareil à un arbuste dans la steppe,
il ne voit pas venir le bonheur ;
il hante les champs de lave du désert,
une terre salée, inhabitable.
7 Béni, l'homme qui compte sur le SEIGNEUR :
le SEIGNEUR devient son assurance.
8 Pareil à un arbre planté au bord de
l'eau
qui pousse ses racines vers le ruisseau,
il ne sent pas venir la chaleur,
son feuillage est toujours vert ;
une année de sécheresse ne l'inquiète
pas,
il ne cesse de fructifier.

9 Fourbes plus que tout sont les pensées, incorrigibles,
qui peut les connaître ?
10 Moi, le SEIGNEUR, qui scrute les pensées,
examine les sentiments,
et rétribue chacun d'après sa conduite,
d'après le fruit de ses actes.
11 Une perdrix qui couve ce qu'elle n'a
pas pondu,
tel est celui qui fait fortune malhonnêtement :
au beau milieu de ses jours, sa fortune
l'abandonne,
et sur son déclin, il devient une vraie
brute.

Jérémie demande à Dieu de le soutenir

12 Un trône glorieux là-haut dès le commencement,
tel est le lieu de notre *sanctuaire.
13 Espoir d'Israël, SEIGNEUR,
tous ceux qui t'abandonnent sont couverts de honte

n Voir Ex 27.2 et la note • *o poteaux sacrés:* voir 1 R 14.15 et la note — *arbres verts, collines élevées:* voir les notes sur Es 1.29; 65.7 • *p à cause de la faute des hauts lieux:* expression condensée équivalant à *à cause de la faute que tu as commise en pratiquant l'idolâtrie sur les hauts lieux*. La traduction suit ici l'ancienne version araméenne et une partie de l'ancienne tradition juive. Texte hébreu *ainsi que tes hauts lieux, à cause d'une faute qui s'étend à tout ton territoire* • *q la grande « remise »:* allusion, sans doute ironique, à la pratique recommandée en Dt 15.1-3; peut-être le Seigneur annonce-t-il sous cette forme que son peuple sera entièrement dépossédé (voir Lv 26.34-35) — *seul, éloigné de l'héritage:* texte hébreu obscur; la traduction suit ici l'interprétation des anciens commentateurs juifs, ainsi que quelques versions anciennes. Certains conjecturent *tu renonceras à tes droits sur l'héritage* (voir Dt 15.2) — *l'héritage* voir 12.14 et la note • *r n'est que chair:* c'est-à-dire *n'est qu'une force humaine*

17.1 avec un burin de fer Jb 19.24 — faute ineffaçable Jr 2.22; 6.29; 13.23 — la table de leur cœur Jr 31.33; Pr 3.3; 7.3; 2 Co 3.3; cf. Dt 6.4-9; Ez 36.25-27. **17.2** arbres verts, collines élevées Jr 2.20+. **17.4** la grande remise Dt 15.1-3; cf. Jr 34.8-22 — asservi à tes ennemis Jr 15.14; Dt 28.48 — dans un pays inconnu Jr 16.13. **17.5-8** deux voies Dt 30.15-20; Ps 1; Pr 4.18-19; 12.28; 15.24; *Si* 15.17; 33.14. **17.5** fausse sécurité Jr 2.18, 37; Es 30.15; 31.1; Ps 146.3. **17.7** l'homme qui compte sur le Seigneur Ps 9.11+; Ps 34.9; 55.24+; Pr 16.20; *Si* 34.15. **17.8** comme un arbre planté près de l'eau Ps 1.3 — son feuillage est toujours vert Ez 47.12. **17.10** le Seigneur scrute pensées et sentiments Jr 11.20+; Jb 34.21; He 4.12-13 — il rétribue chacun d'après sa conduite Jr 25.14; 32.19; Ez 18.30; Os 12.3; Ps 62.13+; Jb 34.11; Mt 16.27+. **17.11** une fortune inutile Ps 39.7; Pr 28.8; Lc 12.16-21. **17.12** un trône glorieux Jr 3.17; 14.21. **17.13** Dieu, espoir d'Israël Jr 14.8; 50.7 — ils abandonnent la source d'eau vive Jr 2.13+; cf. Ps 36.10.

— ceux qui s'écartent de moi sont condamnés —,
car ils abandonnent la source d'eau
vive : le SEIGNEUR.

14 Guéris-moi, SEIGNEUR, et je serai guéri,
sauve-moi et je serai sauvé,
car c'est toi, mon titre de gloire.
15 On me dit : « Où est donc la parole
du SEIGNEUR ?
Qu'elle se réalise ! »
16 Moi, je n'ai pas abondé dans ton sens
en hâtant le malheur *s*,
le jour fatal, je ne l'ai pas souhaité,
toi, tu le sais :
ce qui est sorti de ma bouche
a été exprimé en ta présence.
17 Ne te fais pas accablant pour moi,
toi, mon refuge au jour du malheur !
18 Qu'ils soient couverts de honte, mes
persécuteurs,
et non pas moi ;
qu'ils soient accablés, eux,
et non pas moi !
Fais venir sur eux le jour du malheur,
brise-les à coups redoublés !

Appel à respecter le repos du sabbat

19 Ainsi parle le SEIGNEUR : Va te poster à la grande porte par laquelle entrent
et sortent les rois de Juda, puis à toutes
les portes de Jérusalem. 20 Tu leur diras :
Ecoutez la parole du SEIGNEUR, rois de
Juda, hommes de Juda, habitants de Jérusalem, vous tous qui passez par ces portes. 21 Ainsi parle le SEIGNEUR : Gardez-
vous bien de porter des fardeaux le jour
du *sabbat et de les faire passer par les
portes de Jérusalem. 22 Vous ne transpor-
terez pas non plus de fardeaux hors de
vos maisons le jour du sabbat, vous n'accomplirez aucune besogne, mais vous
tiendrez pour sacré le jour du sabbat
comme je l'ai prescrit à vos pères *t*
23 — eux n'ont pas écouté, n'ont pas
tendu l'oreille ; ils ont raidi leur nuque *u*
ne voulant ni écouter ni recevoir la le-

çon —. 24 Si vous, vous m'écoutez bien
— oracle du SEIGNEUR —, si, le jour du
sabbat, vous évitez de faire passer des
fardeaux par les portes de cette ville,
tenant pour sacré le jour du sabbat, évitant de faire en ce jour une besogne
quelconque, 25 alors entreront par les
portes de cette ville — avec leurs ministres — des rois occupant le trône de
David, montés sur des chars et des chevaux, eux, leurs ministres, les hommes de
Juda, les habitants de Jérusalem ; et cette
ville restera habitée à jamais. 26 Alors
viendront des villes de Juda, des alentours
de Jérusalem, du pays de Benjamin, du
*Bas-Pays, de la Montagne, du Néguev *v*,
ceux qui apportent holocaustes, *sacrifices, offrandes et *encens, avec ceux qui
apportent des sacrifices de louange dans
la Maison du SEIGNEUR. 27 Si vous ne
m'écoutez pas au sujet de la consécration
du jour du sabbat — éviter de porter des
fardeaux et de franchir les portes de
Jérusalem le jour du sabbat —, alors
j'allumerai à ses portes un feu qui dévorera les belles maisons de Jérusalem et
ne s'éteindra pas.

Jérémie chez le potier

18 ¹ La parole qui s'adressa à Jérémie de la part du SEIGNEUR :
2 « Descends tout de suite chez le potier ; c'est là que je te ferai entendre
mes paroles. » ³ Je descendis chez le potier ; il était en train de travailler au
tour. 4 Quand, par un geste malheureux,
le potier ratait l'objet qu'il confectionnait
avec de l'argile, il en refaisait un autre
selon la technique d'un bon potier.
5 Alors la parole du SEIGNEUR s'adressa
à moi : 6 Ne puis-je pas agir avec vous,
gens d'Israël, à la manière de ce potier
— oracle du SEIGNEUR ? Vous êtes dans
ma main, gens d'Israël, comme l'argile
dans la main du potier. 7 Tantôt je décrète
de déraciner, de renverser et de ruiner

s en hâtant le malheur: traduction conjecturale s'inspirant de 18.20; texte hébreu peu clair
● *t* Ou *à vos ancêtres* ● *u* Voir 7.26 et la note ● *v la Montagne:* partie centrale de la Judée
— *le Néguev:* voir Es 21.1 et la note

17.14 « confessions » de Jérémie Jr 11.18+ — guéris-moi Ps 6.3; 103.3; 147.3 et je serai guéri
cf. Jr 31.18. **17.15** Qu'elle se réalise! Es 5.19; 2 P 3.3-4. **17.16** Jérémie n'a pas souhaité le
malheur de son peuple Jr 8.18-22; 13.17; 14.17; 18.20; 20.8 — Dieu témoin 1 Th 2.10. **17.18** les
persécuteurs de Jérémie Jr 11.18-19; 15.10; 18.18; 20.2, 7, 8, 10; 26.8-9; 37.11-16; 38.4-6 — appel
à Dieu contre les persécuteurs Jr 11.20; 12.3; 15.15; 18.21-23; 20.11-12; Ps 35.4. **17.21** le jour
du sabbat Ex 16.23; 20.8-11; Es 56.2-6; 58.13; Ez 20.20; 44.24; Ne 13.15-22. **17.23** nuque
raidie Jr 7.26+ — leçon refusée Jr 5.3+. **17.25** cette ville restera habitée Jr 7.7; Jl 4.20.
17.27 un feu... Jr 21.12, 14 qui ne s'éteindra pas Jr 7.20+ — belles maisons incendiées Jr 37.8;
39.8; 52.13; Ez 16.41; cf. Jr 6.5. **18.3** le potier sur son tour Si 38.29. **18.6** dans ma main comme
l'argile Gn 2.7; Es 64.7; Jb 10.8-9; Si 33.13. **18.7** déraciner, renverser... Jr 1.10+.

une nation ou un royaume. ⁸ Mais si cette nation se convertit du mal qui avait provoqué mon décret, je renonce au mal que je pensais lui faire. ⁹ Tantôt je décrète de bâtir et de planter une nation ou un royaume. ¹⁰ Mais si, au lieu d'écouter ma voix, ils se mettent à faire le mal que je réprouve, je renonce au bien que j'avais décidé de leur faire. ¹¹ Maintenant tu vas dire aux hommes de Juda et aux habitants de Jérusalem : Ainsi parle le SEIGNEUR : Pour vous, je suis en train de donner forme au malheur ; contre vous, je mets au point mes projets. Convertissez-vous chacun de votre mauvaise conduite, oui, améliorez votre conduite, votre manière d'agir ! ¹² Mais ils diront : « Rien à faire ! Nous poursuivrons nos projets et chacun de nous persistera dans son entêtement exécrable. »

Israël a oublié son Seigneur

¹³ Eh bien, ainsi parle le SEIGNEUR :
Faites une enquête parmi les nations :
avez-vous jamais entendu rien de semblable ?
La vierge Israël a vraiment fait
une chose monstrueuse.
¹⁴ Abandonne-t-on ce qui vient des neiges du Liban
et jaillit des rochers dans la campagne ?
Peut-on rejeter les eaux qui viennent de loin
et s'écoulent toutes fraîches ʷ ?
¹⁵ Mon peuple, lui, m'a oublié
pour brûler des offrandes
à ceux qui ne sont rien ˣ,
qui le font trébucher sur ses routes,
sur les chemins traditionnels,
et il prend des sentiers,
des routes non frayées.
¹⁶ Aussi transforme-t-il son pays
en une étendue désolée
qui toujours arrachera des cris d'effroi ʸ.

Tous ceux qui passent par là sont stupéfaits
et hochent la tête.
¹⁷ Semblable au vent d'est, je les disperse
en face de l'ennemi ;
au jour de leur défaite,
je leur montre ma nuque et non ma face.

Complot contre Jérémie, prière du prophète

¹⁸ Ils disent : « Allons mettre au point nos projets contre Jérémie ; on trouvera toujours des directives divines chez les prêtres, des conseils chez les sages, la parole chez les *prophètes. Allons donc le démolir en le diffamant, ne prêtons aucune attention à ses paroles. »
¹⁹ Prête-moi, SEIGNEUR, toute ton attention ;
écoute ce que disent mes accusateurs.
²⁰ Rend-on le mal pour le bien ?
Eux, ils m'entourent de pièges fatals.
Rappelle-toi comme je me suis tenu devant toi
pour parler en leur faveur
et détourner d'eux ta fureur.
²¹ Eh bien ! livre leurs enfants à la famine,
précipite-les sur le tranchant de l'épée.
Que leurs femmes perdent leurs enfants
et leurs maris,
que les hommes soient tués par la Mort
et les jeunes gens frappés par l'épée au combat.
²² Qu'on entende chez eux des cris de détresse
quand soudain tu feras venir la razzia,
car ils m'entourent de pièges pour m'attraper,
ils dissimulent des filets sous mes pas.
²³ Toi, SEIGNEUR, tu connais bien
leurs desseins funestes envers moi.
Ne les absous pas de leur crime,

---

w Le texte hébreu correspondant est obscur; la traduction s'inspire des anciens commentaires juifs ● x ceux qui ne sont rien : les faux dieux (voir la note sur 2.5) ● y Les Hébreux exprimaient ce sentiment de stupéfaction horrifiée par un sifflement et des hochements de tête ; voir Lm 2.15 et la note

18.8 Dieu renonce... Jr 26.3, 13, 19; 42.10. **18.10** Dieu renonce... Gn 6.6-7. **18.11** changer sa conduite Jr 7.3, 5; 23.22; 25.5; 26.3; 35.15; 36.3; 2 R 17.13; Za 1.4. **18.12** refus catégorique Jr 2.25 — entêtement Jr 3.17+. **18.13** enquête parmi les nations Jr 2.10-11 — une chose monstrueuse Jr 5.30+. **18.15** Dieu oublié Jr 2.32+ — brûler des offrandes Jr 1.16+ — ceux qui ne sont rien (idoles) Jr 2.8+, 11+ — chemins traditionnels Jr 6.16+. **18.16** étendue désolée, cris d'effroi Jr 19.8; 25.9; 29.18; 50.13; 51.37 — hochements de tête Ps 22.8+; cf. 44.15. **18.17** de dos et non de face cf. Jr 2.27. **18.18** « confessions de Jérémie Jr 11.18+ — directives divines 2 R 12.3; Es 2.3 — prêtres et prophètes Jr 2.8; cf. Lm 2.9-10 — diffamation Jr 9.2, 7. **18.19** appel à l'attention de Dieu Ps 5.3+. **18.20** le mal pour le bien Ps 35.12+ — se tenir devant le Seigneur Jr 15.19+ — pour parler en leur faveur Jr 7.16+ — détourner d'eux ta fureur Ps 106.30. **18.21** appel à Dieu contre les adversaires Jr 17.18. **18.22** des filets Ps 9.16+. **18.23** Seigneur, tu connais... Jr 12.3; Ha 1.13; Ps 35.22 — ne laisse pas s'effacer leur faute Ps 109.14; Ne 3.37; 6.14.

ne laisse pas s'effacer devant toi leur faute.
Qu'ils soient terrassés en ta présence ; au temps de ta colère, agis contre eux.

La cruche brisée

19 [1] Ainsi parle le SEIGNEUR : Va t'acheter une gargoulette [z] et fais choix de quelques *anciens parmi le peuple et parmi les prêtres. [2] Puis sors du côté de la vallée de Ben-Hinnôm [a], à l'entrée de la porte des Tessons pour y clamer les paroles que je vais te dicter. [3] Tu diras : Ecoutez la parole du SEIGNEUR, rois de Juda et habitants de Jérusalem. Ainsi parle le SEIGNEUR le tout-puissant, le Dieu d'Israël : Je vais faire venir sur ce lieu un malheur tel que quiconque l'apprendra en sera abasourdi. [4] Vu qu'ils m'abandonnent, qu'ils alièrent ce lieu en y brûlant des offrandes à d'autres dieux qui ne se sont occupés ni d'eux, ni de leurs pères [b], ni des rois de Juda, qu'ils remplissent ce lieu du sang d'enfants innocents, [5] qu'ils érigent le tumulus [c] de *Baal pour que leurs enfants y soient consumés par le feu en holocauste à Baal — cela je ne l'ai pas prescrit, je n'en ai pas parlé, je n'en ai jamais eu l'idée — : [6] Eh bien, des jours viennent — oracle du SEIGNEUR — où l'on n'appellera plus ce lieu « le Tafeth [d] » ni « vallée de Ben-Hinnôm », mais « vallée de la Tuerie ». [7] En ce lieu, je rendrai vaine la politique de Juda et de Jérusalem, je les abattrai par l'épée devant leurs ennemis, en me servant de ceux qui en veulent à leur vie, et je donnerai cette grande hécatombe en pâture aux oiseaux du ciel et aux bêtes de la terre. [8] Je transformerai cette ville en un lieu désolé qui arrache des cris d'effroi [e] ; qui passera près d'elle en sera stupéfait : à la vue de tels dégâts, il poussera un cri d'effroi. [9] Je leur ferai manger la chair de leurs fils et la chair de leurs filles [f] ; ils s'entre-dévoreront, dans la détresse et l'angoisse que feront peser sur eux leurs ennemis, eux qui en veulent à leur vie.

[10] Tu briseras la gargoulette sous les yeux des hommes qui t'accompagnent [11] et tu leur diras : Ainsi parle le SEIGNEUR le tout-puissant : Je brise ce peuple et cette ville comme on brise l'œuvre du potier qui ne peut plus ensuite être réparée. Faute de place pour ensevelir, on ensevelira même à Tafeth. [12] C'est ce que je fais à ce lieu — oracle du SEIGNEUR — et à ses habitants, rendant cette ville semblable à Tafeth. [13] Les maisons *impures de Jérusalem et des rois de Juda deviennent comme le lieu du Tafeth ; oui, toutes ces maisons où, sur la terrasse, on brûle des offrandes à toute l'armée du ciel [g] et on répand des libations à d'autres dieux.

[11] Jérémie revint du Tafeth où le SEIGNEUR l'avait envoyé *prophétiser et il se tint dans le *parvis de la Maison du SEIGNEUR. Alors il dit à tout le peuple : [15] Ainsi parle le SEIGNEUR le tout-puissant, le Dieu d'Israël : Je vais faire venir sur cette ville — et toutes celles qui en dépendent — tous les malheurs que j'ai décrétés contre elle, car ils ont raidi la nuque [h], ne voulant pas écouter mes paroles.

Jérémie attaché au pilori

20 [1] Le prêtre Pashehour fils de Immer, recteur de la Maison du SEIGNEUR, entendit Jérémie *prophétisant tout cela. [2] Alors Pashehour s'en prit au prophète Jérémie et le fit attacher au pilori de la porte supérieure de Benjamin, celle de la Maison du SEIGNEUR. [3] Le lendemain, comme Pashehour venait le détacher du pilori, Jérémie lui dit : « Le SEIGNEUR ne t'appelle plus Pashehour, mais "Epouvante-partout". [4] En effet ainsi parle

---

[z] *une gargoulette* ou *une cruche à eau* ● [a] *La vallée de Ben-Hinnôm:* voir la note sur 2.23 ● [b] *offrandes:* voir au glossaire SACRIFICES — *leurs pères* ou *les générations qui les ont précédés* ● [c] Voir 7.31 et la note ● [d] *le Tafeth:* voir 7.31 et la note ● [e] *cris d'effroi:* voir 18.16 et la note ● [f] A cause de la famine qui régnera dans la ville assiégée ● [g] *libations:* voir au glossaire SACRIFICES — *l'armée du ciel:* voir 8.2, et la note sur 2 R 17.16 ● [h] Voir 7.26 et la note

19.2 vallée de Ben-Hinnôm Jr 2.23+. **19.3** faire venir un malheur... Jr 45.5 — abasourdi (ses oreilles tinteront) 1 S 3.11; 2 R 21.12. **19.4** ils m'abandonnent Jr 2.13+ — des dieux avec lesquels Israël n'a rien en commun Jr 7.9+ — brûler des offrandes à d'autres dieux Jr 1.16+. **19.5** vallée de Ben-Hinnôm et Tumulus du Tafeth Jr 7.31—8.3 — sacrifices d'enfants Jr 7.6, 31+. **19.7** une politique privée d'effet Es 19.3 — battus devant leurs ennemis Lv 26.17 — en pâture aux charognards Jr 7.33+. **19.8** lieu désolé... cris d'effroi Jr 18.16+. **19.9** manger la chair de leurs enfants Lv 26.29; 2 R 6.29; Ez 5.10; Ba 2.3. **19.10** Autres gestes symboliques de Jérémie Jr 13.1+. **19.13** brûler des offrandes Jr 1.16+ et offrir des libations à d'autres dieux Jr 32.29 — armée du ciel Jr 8.2+. **19.15** nuque raidie Jr 7.26+. **20.1** recteur de la Maison du Seigneur cf. Jr 29.26. **20.2** au pilori Jr 29.26 — la porte supérieure 2 R 15.35. **20.3** Epouvante partout Jr 6.25+.

le SEIGNEUR : Désormais je vais faire de toi un épouvantail et pour toi-même et pour tes amis. Eux, ils tomberont sous l'épée de leurs ennemis et tu en seras témoin. Je livre les hommes de Juda au pouvoir du roi de Babylone ; il les déportera à Babylone, il les frappera par l'épée. ⁵ Toutes les réserves de cette ville, tout le fruit de son labeur, tout ce qu'elle a de précieux, tous les trésors des rois de Juda, je les livre à leurs ennemis ; ils les pilleront, ils les ramasseront, ils les emporteront à Babylone. ⁶ Et toi, Pashehour, avec tous ceux qui demeurent chez toi, tu iras en captivité ; tu arriveras à Babylone, c'est là que tu mourras, c'est là que tu seras enseveli, oui, toi avec tous tes amis à qui tu as prophétisé au nom de la Fausseté ᶦ. »

Jérémie avoue à Dieu qu'il n'en peut plus

⁷ SEIGNEUR, tu as abusé de ma naïveté,
oui, j'ai été bien naïf ;
avec moi tu as eu recours à la force
et tu es arrivé à tes fins.
A longueur de journée, on me tourne
en ridicule,
tous se moquent de moi.
⁸ Chaque fois que j'ai à dire la parole,
je dois appeler au secours
et clamer : « Violence, répression ! »
A cause de la parole du SEIGNEUR,
je suis en butte à longueur de journée
aux outrages et aux sarcasmes.
⁹ Quand je dis : « Je n'en ferai plus
mention,
je ne dirai plus la parole en son nom »,
alors elle devient au-dedans de moi
comme un feu dévorant,
prisonnier de mon corps ;
je m'épuise à le contenir,
mais n'y arrive pas.
¹⁰ J'entends les propos menaçants de la
foule
— c'est partout l'épouvante — :
« Dénoncez-le ! » — « Oui, nous le

dénoncerons ! »
Tous mes intimes guettent mes défaillances :
« Peut-être se laissera-t-il tromper dans
sa naïveté
et nous arriverons à nos fins,
nous prendrons notre revanche. »

Le prophète s'en remet à Dieu

¹¹ Mais le SEIGNEUR est avec moi comme
un guerrier redoutable ;
mes persécuteurs trébucheront
et n'arriveront pas à leurs fins.
Ils seront couverts de honte
— ils ne réussiront pas.
Déshonneur à jamais !
On ne l'oubliera pas.
¹² SEIGNEUR tout-puissant, toi qui examines le juste,
qui vois sentiments et pensées,
je verrai ta revanche sur eux,
car c'est à toi que je remets ma cause.
¹³ Chantez au SEIGNEUR !
Louez le SEIGNEUR !
Il arrache la vie des pauvres
au pouvoir des malfaiteurs.

Jérémie regrette d'être né

¹⁴ Maudit, le jour
où je fus enfanté !
Le jour où ma mère m'enfanta,
qu'il ne devienne pas béni !
¹⁵ Maudit l'homme qui annonça a mon
père :
« Un fils t'est né ! »
— Et il le combla de joie ! —
¹⁶ Que cet homme devienne pareil aux
villes
que, de façon irrévocable,
le SEIGNEUR a renversées !
Qu'il entende au matin des appels au
secours
et à midi des cris de guerre !
¹⁷ Et Lui, que ne m'a-t-il fait mourir dès
le sein ?
Ma mère serait devenue ma tombe,

i Voir 5.31 et la note

20.5 trésors des rois de Juda Es 39.6.   **20.6** prophétiser au nom de la Fausseté Jr 5.31 ; cf. 2.8.
20.7 « confessions » de Jérémie Jr 11.18+ — Dieu a forcé Jérémie Jr 1.7 — tous se moquent de moi
Ps 44.14 ; Lm 3.14 ; Sg 5.4.   **20.8** violence, répression v. 2 ; 26.7-11 ; 36.26 ; 37.11-16 ; 38.4-6 — en
butte aux outrages et aux sarcasmes v. 18 ; 15.10, 15.   **20.9** ne plus transmettre la parole de Dieu
Jon 1.3 — comme un feu 5.14+ ; 23.29 au-dedans de moi Ps 39.4 ; Jb 32.18-19 — impossible de
contenir la parole du Seigneur Jr 6.11 ; Am 3.8.   **20.10** partout l'épouvante v. 3+ — ils guettent
mes défaillances Mc 3.2.   **20.11** comme un guerrier Jr 32.18 ; Es 42.13 — mes persécuteurs Jr 17.18 ;
Ps 40.15 — déshonneur à jamais Jr 23.40.   **20.12** ensemble du verset Jr 11.20+ — le Seigneur
examine... 2 Ch 16.9.   **20.13** chantez au Seigneur Ps 96.1+ — louez le Seigneur Ps 106.1+ —
arraché au pouvoir des malfaiteurs Jr 15.21 ; 39.17 ; Ps 97.10.   **20.14** regret d'être né Jr 15.10+.
20.16 les villes que le Seigneur a renversées Jr 49.18 ; 50.40 ; Gn 19.24-25 ; Dt 29.22 ; Es 1.8, 9 ;
Am 4.11.

sa grossesse n'arrivant jamais à terme.
18 Pourquoi donc suis-je sorti du sein,
pour connaître peine et affliction,
pour être, chaque jour, miné par la
honte ?

Une réponse du Seigneur
au roi Sédécias

21 1 La parole qui s'adressa à Jérémie de la part du SEIGNEUR quand le roi Sédécias *j* lui envoya Pashehour fils de Malkiya et le prêtre Cefanya fils de Maaséya pour lui dire : 2 « Consulte donc le SEIGNEUR à notre sujet, car Nabuchodonosor, roi de Babylone, nous fait la guerre ; peut-être le SEIGNEUR referat-il en notre faveur l'un de ses miracles pour le faire décamper ? » 3 Jérémie leur dit : « Voici ce que vous direz à Sédécias : 4 Ainsi parle le SEIGNEUR, le Dieu d'Israël : Les armes que vous maniez pour faire front au roi de Babylone et aux Chaldéens *k* qui vous pressent, de l'extérieur du rempart, je vais les détourner pour les ramener vers le centre de cette ville. 5 En étendant la main, en déployant la force de mon bras, c'est moi-même qui vous ferai la guerre avec colère, fureur et grande irritation. 6 Je frapperai les habitants de cette ville, hommes et bêtes : ils mourront d'une peste violente. 7 Après cela — oracle du SEIGNEUR — je livrerai Sédécias, roi de Juda, ses serviteurs et les gens qui, dans cette ville, auront survécu à la peste, à l'épée et à la famine, je les livrerai au pouvoir du roi de Babylone — au pouvoir de leurs ennemis, au pouvoir de ceux qui en veulent à leur vie — il les massacrera sans merci, sans pitié, sans compassion. »
8 Quant à ce peuple, tu leur diras : « Ainsi parle le SEIGNEUR : Je vais vous donner le choix entre la vie et la mort. 9 Celui qui restera dans cette ville mourra

par l'épée, la famine et la peste ; celui qui en sortira pour passer aux Chaldéens qui vous assiègent, vivra et il s'estimera heureux d'avoir au moins la vie sauve. 10 Oui, je tourne ma face contre cette ville pour lui faire du mal et non du bien — oracle du SEIGNEUR — ; elle sera livrée au pouvoir du roi de Babylone qui l'incendiera. »

Message pour la famille royale de Juda

11 A la famille du roi de Juda : Ecoutez la parole du SEIGNEUR !
12 Famille de David : Ainsi parle le SEIGNEUR :
Rendez la justice chaque matin,
libérez le spolié du pouvoir de l'exploiteur !
Sinon ma fureur jaillira comme un feu,
elle brûlera sans que personne puisse l'éteindre
à cause de leurs agissements pervers.
13 A nous deux maintenant, toi qui habites la vallée,
rocher du plateau *l* — oracle du SEIGNEUR — ;
vous qui dites : « Qui descendra nous attaquer,
qui pénétrera dans nos repaires ? »
14 Je sévis contre vous
d'après les fruits de vos actes
— oracle du SEIGNEUR — ;
j'allume un feu dans sa forêt *m*,
il dévorera tout ce qui l'entoure.

22 1 Ainsi parle le SEIGNEUR : Descends *n* à la maison du roi de Juda, et là tu prononceras cette parole, 2 tu diras : Ecoute la parole du SEIGNEUR, roi de Juda qui occupes le trône de David — toi, tes serviteurs et ton peuple qui passe par ces portes ! 3 Ainsi parle le SEIGNEUR : Défendez le droit et la justice, li-

---

j Sédécias régna à Jérusalem de mars 597 à juillet 587 av. J.C. ● *k Les Chaldéens:* désignation fréquente des Babyloniens ● *l rocher du plateau:* le prophète désigne probablement ainsi le palais royal, situé en contrebas de la terrasse du Temple ● *m* Allusion probable aux colonnades et aux boiseries du palais royal (voir 1 R 7.2 et la note) ● *n* Le palais royal était en contrebas du Temple

20.18 né pour connaître la peine Jb 3.10 — pourquoi... Jb 3.20. **21.1** la parole... Jr 18.1 — Pashehour fils de Malkiya Jr 38.1 — le prêtre Cefanya Jr 29.25; 37.3; 52.24 — Sédécias Jr 1.3+. **21.2** consulter le Seigneur Jr 37.7; 1 R 22.8, 13-14 — Nabuchodonosor Jr 24.1; 27.8; 28.3; 29.1; 34.1; 35.11; 37.1; 39.1; 43.10; 52.4. — un miracle pour le faire décamper 2 R 19.35-36; cf. Ps 105.2, 5. **21.5** main étendue, bras déployé Jr 27.5; 32.17; Dt 4.34; 5.15, etc.; Ps 136.12+; cf. Es 62.8. **21.7** autre prophétie sur la mort de Sédécias Jr 34.5; cf. 32.5 — peste, épée, famine Jr 14.12+ — sans pitié Jr 13.14+. **21.8** la vie ou la mort Jr 17.5-8; 38.2; Dt 30.15-20; cf. 11.26-28. **21.9** heureux d'avoir au moins la vie sauve Jr 38.2; 39.18; 45.5. **21.10** Dieu se retourne contre... Jr 44.11; Lv 20.3; Ez 14.8; cf. Am 9.4. **21.12** libérez le spolié Jr 22.3 du pouvoir de l'exploiteur Jr 22.13. **21.13-14** rocher du plateau... un feu dans sa forêt Jr 22.6-7. **21.13** A nous deux! Jr 50.31; 51.25; cf. Na 2.14; 3.5. **21.14** Je sévis Jr 5.9+ — d'après les fruits de vos actes Jr 17.10+. **22.2** Ecoute... roi de Juda Jr 7.2; 17.20; 34.4. **22.3** libérez le spolié... Jr 21.12 — l'immigré, l'orphelin et la veuve Jr 7.6; Ex 22.20-21 — répandre le sang innocent v. 17; Dt 19.10.

bérez le spolié du pouvoir de l'exploiteur, n'opprimez pas, ne maltraitez pas l'immigré, l'orphelin et la veuve, ne répandez pas de *sang innocent en ce lieu !
4 Si vraiment vous agissez ainsi, alors passeront par les portes de cette maison des rois occupant le trône de David, montés sur des chars et des chevaux — lui, ses serviteurs et son peuple.
5 Mais si vous n'écoutez pas ces paroles, je le jure par moi-même — oracle du SEIGNEUR —, cette maison deviendra un monceau de ruines.

6 Oui, ainsi parle le SEIGNEUR au sujet de la maison du roi de Juda :
Même si tu es pour moi un Galaad,
un sommet du Liban [o],
je n'hésite pas à te transformer en désert,
en ville inhabitée.
7 Je consacre des hommes pour te détruire,
chacun muni de ses outils,
ils couperont tes cèdres de choix
et les laisseront choir dans le feu.

8 Quand des gens de toutes les nations passeront près de cette ville, ils se diront l'un à l'autre : « Pourquoi donc le SEIGNEUR a-t-il traité ainsi cette grande ville ? »
9 Et l'on répondra : « C'est parce qu'ils ont abandonné l'*alliance du SEIGNEUR leur Dieu pour se prosterner devant d'autres dieux et leur rendre un culte. »

Sur Shalloum, successeur de Josias

10 Ne pleurez pas celui qui est mort,
pour lui, pas de manifestations de deuil !
Mais pleurez, pleurez celui qui s'en va,
car il ne reverra plus son pays natal [p].
11 Oui, ainsi parle le SEIGNEUR au sujet de Shalloum, fils de Josias, roi de Juda, qui avait pris la succession de son père Josias et qui vient de quitter ce lieu : Il n'y retournera plus,
12 car il mourra là où on le déporte, et ce pays, il ne le verra plus. »

Contre Yoyaqîm [q], second successeur de Josias

13 Malheureux celui qui construit son palais
au mépris de la justice,
et ses étages au mépris du droit ;
qui fait travailler les autres pour rien,
sans leur donner de salaire ;
14 qui dit : « Je me construis une vaste maison,
de spacieux étages » ;
qui y perce des fenêtres,
la revêt de cèdre
et l'enduit de vermillon.
15 Penses-tu assurer ton règne
en voulant te distinguer par le cèdre ?
Ton père [r] n'a-t-il pas mangé, bu,
défendu le droit et la justice,
et il a connu le bonheur !
16 Il a pris en main la cause de l'humilié et du pauvre,
et c'était le bonheur !
Me connaître, n'est-ce pas cela
— oracle du SEIGNEUR ?
17 Tu n'as de regards et de pensées
que pour le profit,
pour répandre le *sang de l'innocent
et agir avec brutalité et sauvagerie.
18 Eh bien ! ainsi parle le SEIGNEUR le tout-puissant à Yoyaqîm, fils de Josias, roi de Juda :
On n'entonne pas pour lui l'élégie :

o La région de *Galaad*, à l'est du Jourdain, et le *Liban* possédaient des forêts importantes (2 S 18.6-9; 1 R 5.22-23), symboles d'abondance et de beauté, que rappellent les boiseries et les colonnes du palais royal • *p* Jérémie fait allusion ici à deux rois de Juda: *celui qui est mort:* Josias (voir la note sur 1.2), tué en 609 av. J.C. à Méguiddo, lors d'une rencontre avec les Egyptiens; *celui qui s'en va, Shalloum* (v. 11), nommé ailleurs Yoakhaz; il fut emmené en Egypte par le pharaon Néko après trois mois de règne • *q* Voir la note sur 1.3 • *r ton père*, c'est-à-dire Josias (voir les notes sur 1.2 et 22.10)

22.4 entrée solennelle des rois successeurs de David Jr 17.25. **22.5** le serment du Seigneur Jr 49.13; 51.14; Gn 22.16; Es 45.23; He 6.13; cf. Jr 44.26; Rs 62.8; Am 4.2; 8.7; Ps 89.36, 50. **22.6** Galaad et Liban Za 10.10. **22.7** des hommes consacrés pour te détruire Jr 6.4; 12.3; Es 13.3. **22.8** Pourquoi? Jr 5.19+. **22.9** ils ont abandonné... Jr 2.13+ — se prosterner devant d'autres dieux Jr 7.9+. **22.10** celui qui est mort (Josias) 2 R 23.29-30 — manifestations de deuil 2 Ch 35.24-25 — Yoakhaz / Shalloun emmené en Egypte 2 R 23.30-34; Ez 19.4. **22.13-22** contre l'exploiteur Ha 2.6-12. **22.13** Yoyaqîm Jr 1.3+— le roi défenseur du droit et de la justice v. 3, 15; Jr 23.5; 33.15; Mi 3.1; Ps 72.2-4, 12-14; Pr 16.12-13; 29.4, 14 — Dieu vengeur des opprimés Jr 5.28-29; Am 2.6-8; Ps 94.1-2, 5-6 — au mépris de la justice Mi 3.10; *Si* 21.8 — sans donner de salaire Dt 24.14-15; Jc 5.4. **22.14** je me construis... Lc 12.18. **22.15** ton père (Josias) Jr 1.2+; 2 Ch 34—35; *Si* 49.1-4. **22.16** la vraie connaissance de Dieu Jr 9.5, 23; Os 6.6. **22.17** profit Ps 119.36 — Yoyaqîm, meurtrier de l'innocent Jr 26.23; cf. 26.15. **22.18** pas d'élégie Jr 16.6; Ps 78.64 — « quel malheur, mon maître! » Jr 34.5; 1 R 13.30.

« Quel malheur, mon frère !
Quel malheur, ma sœur ! »
On n'entonne pas pour lui l'élégie :
« Quel malheur, mon maître !
Quel malheur, Son Excellence ! »
19 On l'enterre comme on enterre un
âne :
on le traîne, on le jette
au-delà des portes de Jérusalem.

Honte et déshonneur pour Jérusalem

20 Monte au Liban, pousse des cris,
donne de la voix en Bashân.
Partout pousse des cris :
tous tes amants sont brisés ˢ.
21 Je t'ai parlé au temps de ton insou-
ciance ;
tu as répondu : « Je ne veux rien
entendre. »
C'est ce que tu as fait depuis ta jeunesse,
jamais tu n'as écouté ma voix !
22 Tous tes pasteurs ᵗ, le vent les envoie
paître,
tes amants vont en exil.
Oui, honte et déshonneur alors te couvriront
à cause de toute ta méchanceté.
23 Toi qui habites le Liban,
qui as ton nid dans les cèdres ᵘ,
comme tu gémis quand surviennent les
douleurs,
les spasmes d'une femme en couches !

Sur Konyahou, fils de Yoyaqîm

24 Par ma vie — oracle du SEIGNEUR
—, quand bien même Konyahou, fils de
Yoyaqîm, roi de Juda, serait un sceau ᵛ
attaché à ma main droite, je l'en déta-
cherais. 25 Oui, je te livre à ceux qui en
veulent à ta vie et que tu redoutes, à Na-

buchodonosor, roi de Babylone, et aux
Chaldéens ʷ. 26 Je te lance, toi et ta mère
qui t'a enfanté, sur une autre terre où vous
n'êtes pas nés, et c'est là que vous mourrez. 27 Sur la terre où ils ont la prétention de retourner, ils ne retourneront
point.

28 Est-ce donc un récipient tout cassé et
bon à rien
que cet homme, Konyahou,
un vase dont on ne veut plus ?
Pourquoi les a-t-on lancés, lui et ses
enfants,
jetés sur une terre inconnue d'eux ?
29 O mon pays, mon pays, écoute la parole du SEIGNEUR !
30 Ainsi parle le SEIGNEUR :
Ecrivez au sujet de cet homme : « Un
raté,
un garçon qui n'a pas réussi dans sa
vie ! »
Parmi ses enfants, pas un seul ne réussira
à s'installer sur le trône de David,
à garder le pouvoir en Juda.

Les mauvais dirigeants
et le roi sauveur

23 1 Malheur ! Des pasteurs ˣ qui
laissent dépérir à l'abandon le
troupeau de mon pâturage — oracle du
SEIGNEUR ! 2 Eh bien ! ainsi parle le
SEIGNEUR, le Dieu d'Israël, au sujet des
pasteurs qui font paître mon peuple :
C'est vous qui avez laissé à l'abandon
mon troupeau, l'avez dispersé ; vous ne
vous en êtes pas occupés. Or moi, je
vais m'occuper de vous en punissant vos
agissements pervers — oracle du SEI-
GNEUR. 3 Moi, je rassemble ceux qui restent de mon troupeau, de tous les pays

---

ˢ Le *Liban* (voir Es 10.34 et la note) et le *Bashân* (voir Es 33.9 et la note): régions caractérisées
par leur altitude — *Partout*: le terme hébreu correspondant est obscur; la traduction suit l'interprétation juive ancienne. Autre traduction *Depuis la montagne des Avarim ils poussent...* (Nb 27.12)
— *tes amants*: l'expression semble désigner ici non pas les dieux étrangers, comme en Os 2.7, mais
les alliés du royaume de Juda dans sa lutte contre les Babyloniens (comme en 30.14) ● ᵗ Voir
2.8 et la note ● ᵘ Voir la note sur 22.6 ● ᵛ *Konyahou*: forme abrégée de Yekonia(hou), autre
nom de Yoyakîn; voir la note sur 13.18 — *sceau* ou *anneau à cacheter*: voir Ag 2.23 et la note
● ʷ Voir 21.4 et la note ● ˣ Voir 2.8 et la note

22.19 Yoyaqîm privé de sépulture Jr 36.30; cf. 8.1-2; Es 14.19; 2 R 24.6. **22.20** le Liban Es 2.13+
— le Bashân Am 4.1+ — Jérusalem personnifiée Jr 2.2-3; Ez 16 — tes amants (tes alliés) Jr 4.30+.
22.21 refus d'entendre Jr 2.25; 18.12 — depuis ta jeunesse Jr 3.25; 31.19. **22.22** à cause de ta
méchanceté Jr 7.12; 30.14-15. **22.23** spasmes de l'accouchement Jr 30.6; Es 42.14. **22.24** Konyahou Jr 13.18; 24.1; 29.2; 37.1; 52.31-34; 2 R 24.6-17. **22.28** récipient cassé Jr 19.11, 48.38; *Si* 21.14
bon à rien Ps 31.13. **22.30** fils de Yoyaqîm 1 Ch 3.17-24 — aucun d'eux sur le trône de David
cf. Jr 36.30. **23.1** le troupeau laissé à l'abandon Jr 10.21; 50.6; Es 53.6; Ez 34.5; cf. Mc 6.34 par.;
1 P 2.25. **23.2** reproche aux mauvais bergers Ez 34.1-10 — je vais m'occuper de vous cf. Jr 27.22+.
23.3 Dieu va s'occuper lui-même de son troupeau Ez 34.11-16; cf. Jr 29.10-14 — ce qui reste Es 4.3+
— rassemblement des dispersés Jr 29.14; 31.8, 10; 32.37; Dt 30.3-4; Es 11.12+.27.13; 56.8; Ez 11.17;
20.41; 37.21-22 — je les ramène Jr 24.6; 27.22; 30.3; 32.37; 50.19.

où je les ai dispersés, et je les ramène dans leurs enclos où ils proliféreront abondamment. 4 J'établirai sur eux des pasteurs qui les feront paître ; ils n'auront plus peur, ils ne seront plus accablés, plus aucun d'eux ne manquera à l'appel — oracle du SEIGNEUR.

5 Des jours viennent — oracle du SEIGNEUR — où je susciterai pour David un rejeton légitime *y* :
Un roi règne avec compétence,
il défend le droit et la justice dans le pays.
6 En son temps, Juda est sauvé,
Israël habite en sécurité.
Voici le nom dont on le nomme :
« Le SEIGNEUR, c'est lui notre justice. »

7 Oui, des jours viennent — oracle du SEIGNEUR — où l'on ne dira plus : « Vivant est le SEIGNEUR qui a fait monter les Israélites du pays d'Egypte ! », 8 mais plutôt : « Vivant est le SEIGNEUR qui a fait monter, qui a amené la descendance des gens d'Israël du pays du nord *z* et de tous les pays où je l'ai dispersée, pour qu'elle s'installe sur son sol. »

Prophètes et prêtres indignes

9 *Au sujet des* *prophètes* *a*

En moi, tout ressort est brisé,
je tremble de tous mes membres.
Je deviens comme un ivrogne,
un homme pris de vin,
à cause du SEIGNEUR,
à cause de ses paroles saintes.
10 Dans le pays, tous sont adultères,
le pays est en deuil, plein d'imprécations,
les enclos de la lande se dessèchent.
Ils n'ont d'empressement que pour le mal
et de courage que pour le désordre.

11 Prophètes et prêtres sont des impies :
jusque dans ma maison je découvre leur méchanceté
— oracle du SEIGNEUR.
12 Eh bien ! leur chemin devient glissant ;
ils s'égarent dans l'obscurité, ils tombent.
Je fais venir sur eux le malheur,
l'année où il leur faudra rendre compte *b*
— oracle du SEIGNEUR.

Des prophètes pires que ceux de Samarie

13 Chez les *prophètes de Samarie, j'ai vu des choses dégoûtantes :
ils prophétisaient par le *Baal
et ils égaraient mon peuple, Israël.
14 Mais chez les prophètes de Jérusalem je vois des monstruosités :
ils s'adonnent à l'adultère et ils vivent dans la fausseté,
ils prêtent main forte aux malfaiteurs :
si bien que personne ne peut revenir de sa méchanceté.
Tous sont devenus pour moi pareils aux gens de Sodome,
ses habitants ressemblent à ceux de Gomorrhe *c*.
15 Eh bien ! ainsi parle le SEIGNEUR le tout-puissant sur ces prophètes :
Je vais leur faire avaler la ciguë,
leur faire boire de l'eau empoisonnée,
car c'est des prophètes de Jérusalem que sort l'impiété
pour contaminer tout le pays.

Des prophètes menteurs
(*v. 19-20: voir 30.23-24*)

16 Ainsi parle le SEIGNEUR le tout-puissant : Ne faites pas attention aux paroles des *prophètes qui vous prophétisent ; ils vous leurrent ;

---

y un rejeton ou *un germe:* voir Za 3.8 et la note — *légitime* ou *juste* ● *z du pays du nord:* voir 3.12 et la note ● *a* Les premiers mots du verset 9 forment le titre d'un ensemble de messages (jusqu'au v. 40) prononcés par Jérémie à diverses époques ● *b où il leur faudra rendre compte:* autre traduction *où je m'occuperai d'eux* (pour les châtier) ● *c Sodome, Gomorrhe:* Voir Es 1.10 et la note

23.4 des pasteurs qui les feront paître Jr 3.15 — ils n'auront plus peur Jr 30.10. 23.5 un rejeton (légitime) Es 4.2; Za 3.8; 6.12 de David Jr 33.15; 2 S 7.12 — un roi compétent Ez 34.23-24; Mi 5.3 — le droit et la justice Jr 33.15; Es 9.6; cf. Jr 22.13+. 23.6 Juda et Israël Jr 31.27-28; 33.7; 50.4 — en sécurité Jr 32.37 — le Seigneur, notre justice Jr 33.16; cf. Rm 1.17; 1 Co 1.30; 2 Co 5.21; Ph 3.9; cf. Ml 3.20. 23.7-8 des jours viennent... Jr 16.14-15. 23.8 du pays du nord Jr 3.18; Es 43.6; cf. Jr 1.14+. 23.9 les prophètes Jr 2.8+. 23.10 adultères v. 14; Jr 9.1+ — le pays en deuil Jr 4.28+. 23.11 prophètes et prêtres Jr 2.8+ — impies Lm 4.13. 23.12 chemin glissant Ps 35.6; 73.18. 23.14 mais à Jérusalem... Jr 3.11 — des monstruosités Jr 5.30-31; 18.13 — dans la fausseté Jr 3.10, 23; 5.1, 31; 6.13; 7.4, 8, 9; 8.8, 10; 9.1-2; 10.14; 14.14; 16.19; 20.6; 23.25-26, 32; 27.10, 14-15; 28.15; 29.9, 21, 23, 31; cf. 37.14; 40.16 — revenir v. 22 — Sodome et Gomorrhe Es 1.10+. 23.15 avaler la ciguë Jr 9.14 — boire de l'eau empoisonnée Jr 8.14+; cf. Jr 25.15+ — pays contaminé Jr 2.7; 3.2. 23.16 vision imaginée Jr 14.14; Lm 2.14.

ce qu'ils prêchent n'est que vision
de leur imagination,
cela ne vient pas de la bouche du
SEIGNEUR.
17 Ils osent dire à ceux qui méprisent
la parole du SEIGNEUR ^d :
« Pour vous, tout ira bien ! »
A quiconque persiste dans son entêtement :
« Le malheur ne viendra pas sur
vous. »
18 Qui est celui qui se tient au conseil du SEIGNEUR ? Qu'il regarde, qu'il
écoute sa parole ! Qui est attentif à
ma parole ^e ? Qui entend ?
19 La tempête du SEIGNEUR, la fureur
éclate,
un cyclone tourbillonne :
il tourbillonne sur la tête des coupables.
20 La colère du SEIGNEUR ne s'apaisera pas
qu'il n'ait exécuté et réalisé
son programme bien arrêté.
Plus tard, vous en aurez la pleine
intelligence.
21 Je n'envoie pas ces prophètes,
et pourtant ils courent ;
je ne leur parle pas
et pourtant ils prophétisent.
22 S'ils se tenaient dans mon conseil,
ils feraient entendre mes paroles à
mon peuple ;
ils les feraient revenir de leur mauvaise conduite,
de leurs agissements pervers.

Le Seigneur présent dans tout l'univers

23 Je ne serais que le Dieu de tout près
— oracle du SEIGNEUR —
et je ne serais pas le Dieu des lointains ?
24 Qu'un homme se cache dans son coin,
moi, ne le verrais-je point
— oracle du SEIGNEUR ?
N'est-ce pas moi qui remplis
le ciel et la terre
— oracle du SEIGNEUR ?

Balivernes des prophètes et parole de Dieu

25 J'entends ce que disent les *prophètes qui prophétisent faussement en
mon nom en disant : « J'ai eu un songe !
J'ai eu un songe ! » 26 Jusques à quand !
Y a-t-il quelque chose dans la tête de ces
prophètes qui prophétisent faussement ?
Ce ne sont que prophètes aux trouvailles fantaisistes ! 27 Avec leurs songes
qu'ils se racontent mutuellement, ils pensent faire oublier mon *nom à mon peuple, comme leurs pères avec leur *Baal
ont oublié mon nom. 28 Que le prophète
qui a un songe raconte son songe, mais
que celui qui a ma parole proclame exactement ma parole !
Qu'y a-t-il de commun entre la paille
et le froment
— oracle du SEIGNEUR ?
29 Ma parole ne ressemble-t-elle pas à
ceci :
à un feu — oracle du SEIGNEUR —,
à un marteau qui pulvérise le roc ?
30 Eh bien ! je vais m'en prendre aux
prophètes — oracle du SEIGNEUR — qui
se subtilisent mutuellement mes paroles.
31 Je vais m'en prendre aux prophètes —
oracle du SEIGNEUR — qui ont la langue
enjôleuse et qui débitent des oracles. 32 Je
vais m'en prendre aux prophètes qui ont
des songes fallacieux — oracle du SEI-
GNEUR —, qui les racontent et qui, par
leurs faussetés et leurs balivernes, égarent
mon peuple ; moi, je ne les ai pas envoyés et je ne leur ai rien demandé ;
ils ne sont d'aucune utilité pour ce peuple — oracle du SEIGNEUR.

La vraie « charge » du Seigneur

33 Si ces gens — ou un *prophète ou
un prêtre — te demandent : « Quelle est
la *charge* du SEIGNEUR ? », tu leur diras :
« C'est vous la *charge* ^f ! et je vais vous
rejeter — oracle du SEIGNEUR. » 34 Si un

---

d à ceux qui méprisent la parole du Seigneur: d'après l'ancienne version grecque; texte hébreu
traditionnel *à ceux qui me méprisent*: « *Le Seigneur parle! Pour vous...* » ● *e* ma parole: texte
« écrit »; texte que la tradition juive considère comme « à lire » *sa parole* ● *f* Les v. 34-40 reçoivent leur sens d'un jeu de mots portant sur les deux significations du terme traduit par *charge*: 1)
oracle; 2) *fardeau*

23.17 tout ira bien Jr 6.14+ — entêtement Jr 3.17+ — le malheur ne viendra pas Jr 5.12; Es 28.15;
Mi 3.11. 23.18 au conseil du Seigneur 1 R 22.19-22; Es 6.1-3; Am 3.7; Jb 1.6; 2.1; 15.8; cf. Jr
15.1; 18.20; Am 7.1-6. 23.19 la tempête du Seigneur Jr 4.11; 22.22; Es 29.6; Na 1.3; Ps 50.3+.
23.20 plus tard Os 3.5; Jn 13.7, 36. 23.21 prophètes non envoyés v. 32; 14.14-15+. 23.22 prophète, porte-parole de Dieu v. 28; Jr 15.19 — revenir de sa mauvaise conduite... Jr 18.11+.
23.24 Dieu voit celui qui se cache Ps 139.11-12 — le Seigneur remplit le ciel et la terre *Sg* 1.7;
cf. Ac 7.49. 23.26 prophètes aux trouvailles fantaisistes Jr 14.14. 23.29 la parole du Seigneur
He 4.12 — un feu Jr 5.14+. 23.32 pas envoyés v. 21+ — d'aucune utilité Jr 7.8.

prophète, un prêtre, un homme du peuple dit : « *Charge* du SEIGNEUR *!* », je sévirai contre cet homme et contre sa famille. ³⁵ Voici ce que vous vous direz mutuellement l'un à l'autre : « Que répond le SEIGNEUR ? Que proclame le SEIGNEUR ? » ³⁶ Mais quant à la *charge* du SEIGNEUR, vous ne prononcerez plus ce mot. La *charge* sera pour chacun sa propre parole, car vous corrompez les paroles du Dieu vivant, le SEIGNEUR tout-puissant, notre Dieu. ³⁷ Voici ce que tu diras au prophète : « Que te répond le SEIGNEUR ? Que proclame le SEIGNEUR ? » ³⁸ Mais si vous dites « *Charge* du SEIGNEUR *!* », eh bien ! ainsi parle le SEIGNEUR : Parce que vous dites « *Charge* du SEIGNEUR *!* », alors que je vous ai défendu de dire « *Charge* du SEIGNEUR *!* », ³⁹ eh bien ! je vais bel et bien *me charger* de vous et vous rejeter loin de ma présence, vous et la ville que je vous ai donnée à vous et à vos pères. ⁴⁰ Je vous couvrirai de mépris pour toujours. Déshonneur à jamais ! on ne l'oubliera pas.

Les deux corbeilles de figues

24 ¹ Le SEIGNEUR me fit voir deux corbeilles de figues mises côte à côte devant le palais du SEIGNEUR, après que Nabuchodonosor, roi de Babylone, eut déporté de Jérusalem Yekonya *ᵍ*, fils de Yoyaqîm, roi de Juda, ainsi que les hauts fonctionnaires de Juda, les techniciens et les officiers du génie, et les eut emmenés à Babylone. ² L'une des corbeilles contenait de très belles figues, de la qualité des primeurs, tandis que l'autre contenait des figues de très mauvaise qualité, si mauvaises qu'elles étaient immangeables. ³ Alors le SEIGNEUR me dit : « Que vois-tu, Jérémie ? » Je répondis : « Des figues. Celles qui sont de bonne qualité sont très belles, et celles qui sont de

mauvaise qualité sont très mauvaises, si mauvaises qu'elles sont immangeables. » ⁴ Alors la parole du SEIGNEUR s'adressa à moi en ces termes : ⁵ Ainsi parle le SEIGNEUR, le Dieu d'Israël : Comme on remarque les belles figues que voici, ainsi je considère avec complaisance les déportés de Juda que j'ai expulsés de ce lieu dans le pays des Chaldéens *ʰ*. ⁶ Mon regard se pose sur eux avec complaisance, et je les ramènerai dans ce pays ; je les édifierai, je ne les démolirai plus ; je les planterai, je ne les déracinerai plus. ⁷ Je leur donnerai une intelligence qui leur permettra de me connaître ; oui, moi je suis le SEIGNEUR, et ils deviendront un peuple pour moi, et moi, je deviendrai Dieu pour eux : ils reviendront à moi du fond d'eux-mêmes. ⁸ Mais ce qu'on fait de mauvaises figues, si mauvaises qu'elles sont immangeables — ainsi parle le SEIGNEUR —, c'est ce que je fais de Sédécias, roi de Juda, de ses ministres et de tout le reste de Jérusalem, de tous ceux qui sont restés dans ce pays, et de ceux qui demeurent dans le pays d'Egypte *ⁱ* : ⁹ avec horreur, je fais d'eux un exemple terrifiant pour tous les royaumes de la terre ; dans tous les lieux où je les disperse, ils sont la fable et la risée des gens et ils passent au répertoire des injures et des malédictions. ¹⁰ Je lâche contre eux l'épée, la famine et la peste jusqu'à ce qu'ils disparaissent du sol que j'ai donné à eux et à leurs pères *ʲ*.

Résumé de 23 années de prédication

25 ¹ Parole qui s'adressa à Jérémie au sujet de tout le peuple de Juda en la quatrième année de Yoyaqîm *ᵏ*, fils de Josias, roi de Juda — c'était la première année de Nabuchodonosor, roi de Babylone —, ² parole que le *prophète Jérémie proclama à tous les gens de Juda et à tous les habitants de Jérusalem :

---

g Voir la note sur 22.24 ● *h* Voir 21.4 et la note ● *i* *Sédécias:* voir la note sur 21.1 — *ceux qui sont restés dans ce pays:* ceux qui n'ont pas été déportés en 597 av. J.C. (2 R 24.10-17; cf. Jr 22.24-26) — *ceux qui demeurent dans le pays d'Egypte:* probablement des réfugiés, qui ont quitté le pays de Juda à l'approche de Nabuchodonosor ● *j* *leurs pères* ou *leurs ancêtres* ● *k* *la quatrième année de Yoyaqîm:* en 605 av. J.C.

23.36 vous corrompez les paroles de Dieu Mt 15.6 — Dieu vivant Jr 10.10; Dt 5.26+. **24.1** corbeilles de figues Am 8.1 — Nabuchodonosor Jr 21.2+ — déportation de Yekonya Jr 22.24+. **24.2** figues immangeables Jr 29.17. **24.3** Que vois-tu? Jr 1.11+ — **24.4** complaisance de Dieu pour les déportés cf. Jr 29.11; Ps 118.22. **24.6** je les ramènerai Jr 23.3 — édifier et planter au lieu de démolir et de déraciner cf. Jr 1.10+. **24.7** intelligence pour connaître le Seigneur Jr 9.23+; 32.39 — un peuple pour moi... Dieu pour eux Jr 7.23+; cf. Dt 26.17-18. **24.8** Sédécias Jr 1.3+. **24.9** un exemple terrifiant Jr 15.4+ — au répertoire des injures et des malédictions Jr 25.18; 26.6; 29.18, 22; 42.18; 44.8, 12, 22; 49.13. **24.10** l'épée, la famine et la peste Jr 14.12+. **25.1** quatrième année de Yoyaqîm Jr 36.1; 45.1; 46.2.

3 Depuis la treizième année de Josias *l*, fils d'Amôn, roi de Juda, jusqu'à ce jour, c'est-à-dire pendant vingt-trois ans, la parole du SEIGNEUR s'est adressée à moi, et je vous ai parlé inlassablement, sans que vous m'ayez écouté. 4 Le SEIGNEUR vous a envoyé tous ses serviteurs les prophètes, inlassablement, sans que vous ayez écouté, sans que vous ayez tendu l'oreille pour écouter. 5 Il vous disait : Convertissez-vous chacun de votre mauvaise conduite, de vos agissements pervers, et vous demeurerez sur le sol que le SEIGNEUR vous a donné, à vous et à vos pères *m*, depuis toujours et pour toujours. 6 Ne courez pas après d'autres dieux pour leur rendre un culte et vous prosterner devant eux, cessez de m'offenser par vos pratiques, et je ne vous ferai aucun mal. 7 Mais vous n'avez pas écouté — oracle du SEIGNEUR — ; bien au contraire, vous m'avez offensé, pour votre malheur, par vos pratiques. 8 Eh bien ! ainsi parle le SEIGNEUR le tout-puissant : Puisque vous n'écoutez pas mes paroles, 9 je donne ordre de mobiliser tous les peuples du nord *n* — oracle du SEIGNEUR —, en faisant appel à Nabuchodonosor, roi de Babylone, mon serviteur, et je les amène contre mon pays, contre ses habitants — et contre toutes ces nations voisines — ; je me les réserve et je les transforme pour toujours en étendues désolées qui arrachent des cris d'effroi, en champs de ruines. 10 Je fais s'éteindre chez eux cris d'allégresse et joyeux propos, chant de l'époux et jubilation de la mariée, grincements de la meule et lumière de la lampe. 11 Ce pays tout entier deviendra un champ de ruines, une étendue désolée, et toutes ces nations serviront le roi de Babylone pendant soixante-dix ans *o*. 12 Mais quand les soixante-dix ans seront révolus, je sévirai contre le roi de Babylone et contre cette nation-là — oracle du SEIGNEUR —, contre leurs crimes, contre le pays des Chaldéens *p* : je le transformerai pour toujours en étendue désolée. 13 Je ferai fondre sur ce pays-là toutes les paroles que je viens de prononcer à son sujet, tout ce qui est écrit dans ce livre : ce que Jérémie a prophétisé contre toutes les nations. 14 Ils seront asservis à leur tour par des nations nombreuses et des rois puissants. Je leur ferai payer leurs actes et leurs pratiques.

La coupe de vin, symbole du jugement

15 Voici ce que me dit le SEIGNEUR, le Dieu d'Israël : « Prends de ma main cette coupe de vin, de vin capiteux *q*, et offre-la à toutes les nations chez lesquelles je t'envoie. 16 Elles boiront, tituberont, déliront, à la vue de l'épée que je plonge au milieu d'elles. » 17 Je pris la coupe de la main du SEIGNEUR et je l'offris à toutes les nations chez lesquelles le SEIGNEUR m'avait envoyé : 18 Jérusalem, les villes de Juda — ses rois et ses ministres —, pour en faire des monceaux de ruines, des lieux désolés qui arrachent des cris d'effroi et qu'on cite dans les malédictions *r* — c'est la situation actuelle ! — ; 19 le *pharaon, roi d'Egypte, ses serviteurs, ses ministres et tout son peuple ; 20 tous les métis et tous les rois du pays de Ouç ; tous les rois du pays des Philistins : d'Ashqelôn, de Gaza,

l la treizième année de Josias: 626 av. J.C. ● *m vos pères* ou *vos ancêtres* ● *n* Voir 1.14 et la note ● *o soixante-dix ans:* durée normale de la vie d'un homme. Sur l'interprétation ultérieure de cette période, voir aux références parallèles ● *p* Voir 21.4 et la note ● *q* D'après l'ancienne version grecque; texte hébreu traditionnel *la coupe de vin, c'est-à-dire la colère* (ou *le poison*). Ici et dans de nombreux passages prophétiques cette *coupe* symbolise la condamnation que Dieu réserve à ceux qui n'ont pas respecté ses ordres ● *r cris d'effroi:* voir 18.16 et la note — *malédictions:* on trouve en 29.22 un exemple de ce genre de malédictions

25.3 treizième année de Josias Jr 1.2+. **25.4** ses serviteurs les prophètes, envoyés Jr 7.25+. **25.5** renoncer à sa mauvaise conduite... Jr 18.11+. **25.6** courir après d'autres dieux Jr 7.9+ — pratiques offensantes pour Dieu v. 7; Jr 32.29-30; 44.8. **25.9** du nord Jr 1.14+ — peuples mobilisés contre Juda Jr 1.15; Es 5.26; 10.5-6 — étendues désolées... cris d'effroi Jr 18.16+ — Nabuchodonosor, mon serviteur Jr 27.6; 43.10. **25.10** fin des cris d'allégresse Jr 16.9+. **25.11** soixante-dix ans: 1° durée d'une vie humaine Ps 90.10; 2° durée du châtiment de Juda Jr 29.10; Za 1.12; 7.5; Dn 9.2; 2 Ch 36.21. **25.12** je sévirai contre cette nation-là Es 10.16-19. **25.13** réalisation des menaces Jr 11.8 — oracles de Jérémie contre les nations Jr 46-51; cf. 1.5. **25.14** les Babyloniens asservis à leur tour Jr 27.7 — Babylone devra payer Jr 50.29; 51, 6, 24, 56; Es 59.18; 66.6; cf. Jr 17.10; Ps 28.4; 62; 13; 137.8. **25.15** coupe de vin capiteux (symbole de la colère de Dieu) v. 27; Jr 48.26; 49.12; 51.39, 57; Ez 23.32-34; Ab 16; Na 3.11; Ha 2.16; Ps 60.5; 75.9; Lm 4.21; Ap 14.10; 15.7; 16.1; 21.9; cf. Mc 14.36 par. **25.16** ivresse à la vue de l'épée v. 27; Jr 50.35-37. **25.18** Jérusalem et Juda, ses rois... v. 29; Jr 17.20; 19.3; 21.11-14; 22.6-9, etc. — des lieux désolés Jr 18.16+; 44.22 — c'est bien la situation actuelle Jr 44.6, 22, 23. **25.19** L'Egypte Jr 46.2-28; Es 19—20; Ez 29—30. **25.20** Philistins Jr 47.1-7; Am 1.6+.

d'Eqrôn, et de ce qui reste d'Ashdod [s] ;
²¹ Edom, Moab, les Ammonites [t] ; ²² tous
les rois de Tyr, tous les rois de Sidon [u]
et tous les rois du continent au-delà de
la mer ; ²³ Dedân, Téma, Bouz ; et tous
les Tempes-rasées [v], ²⁴ tous les rois des
Arabes, tous les rois des métis qui habitent dans le désert ; ²⁵ tous les rois de
Zimri, tous les rois d'Elam, tous les rois
des Mèdes [w] ; ²⁶ tous les rois du nord,
proches et lointains, chacun à son tour,
et tous les royaumes de la terre, qui sont
sur la surface du sol ; et le roi de
Shéshak [x] boira après eux.

²⁷ Tu leur diras : « Ainsi parle le SEI-
GNEUR le tout-puissant, le Dieu d'Israël :
Buvez, enivrez-vous, vomissez, tombez
sans vous relever, à la vue de l'épée que
je plonge au milieu de vous. » ²⁸ Si elles
refusent de prendre la coupe de ta main,
pour la boire, tu leur diras : « Ainsi
parle le SEIGNEUR le tout-puissant : Vous
la boirez quand même. ²⁹ J'envoie le
malheur en commençant par la ville sur
laquelle mon nom a été proclamé [y] et
vous, vous seriez quittes ! Non, vous ne
serez pas quittes, car je fais appel à une
épée contre tous les habitants de la terre
— oracle du SEIGNEUR le tout-puissant. »
³⁰ Et toi, tu prononceras contre eux
toutes ces paroles prophétiques ; tu leur
diras :

D'en haut le SEIGNEUR rugit,
de sa sainte habitation, il donne de la
voix.
Il rugit, oui il rugit contre son domaine [z]
en poussant le cri des fouleurs de raisins
contre tous les habitants de la terre.
³¹ Le tapage parvient aux confins de la
terre :

le SEIGNEUR engage un procès contre
les nations,
il ouvre une procédure contre toute
chair [a].
Les coupables, il les livre à l'épée
— oracle du SEIGNEUR.

³² Ainsi parle le SEIGNEUR le tout-puissant :
Le malheur va de peuple en peuple,
une grande tempête s'élève aux limites
de la terre.
³³ Ce jour-là, d'un bout à l'autre de la
terre, ceux que le SEIGNEUR aura blessés
à mort n'auront pas de funérailles ; ils
ne seront pas ramassés pour être ensevelis ; ils deviendront du fumier sur le
sol [b].
³⁴ Hurlez ! pasteurs [c] ; criez au secours !
Roulez-vous par terre, maîtres des
troupeaux.
Pour vous, le temps est venu d'être
égorgés.
Vous serez dispersés et vous tomberez
comme des récipients précieux.
³⁵ Plus de refuge pour les pasteurs,
plus d'asile pour les maîtres du troupeau.
³⁶ On entend les cris des pasteurs,
les hurlements des maîtres du troupeau :
le SEIGNEUR dévaste leurs pacages.
³⁷ Les enclos prospères ne sont plus que
silence
devant l'ardeur de la colère du SEI-
GNEUR.
³⁸ On s'en va comme un lion qui quitte
son fourré [d].
Leur pays devient une étendue désolée
devant l'épée impitoyable,
devant l'ardeur de sa colère.

---

s pays de Ouç: voir Jb 1.1 et la note — Ashqelôn, Gaza, ... Ashdod: voir la note sur Am 1.6
● t Edom, Moab, Ammonites: voir Am 1.11, 13 ; 2.1 et les notes ● u Tyr, Sidon: voir Es 23.1, 2 ; Os
9.13 et les notes ● v Dedân, Téma: voir Es 21.13-14 et les notes — Bouz: en Arabie du Nord, non
loin de Téma — Tempes-rasées: voir 9.25 et la note ● w Zimri: lieu inconnu; certains pensent
qu'il s'agit du lieu d'origine des Cimmériens, population venue des monts d'Arménie — Elam: voir
Es 11.11 et la note — Mèdes: voir Es 13.17 et la note ● x Lieu inconnu; certains y voient une
manière codée d'écrire le nom hébreu de Babylone (voir 51.41; comparer 51.1) ● y la ville sur
laquelle mon nom..., c'est-à-dire la ville qui m'appartient, autrement dit Jérusalem ● z son domaine: la Palestine est les habitants (voir 10.25) ● a contre toute chair ou contre tous les humains
● b Voir 8.2 et la note ● c Voir 2.8 et la note ● d La phrase est obscure en hébreu. Autre
traduction il (le Seigneur? le roi dévastateur?) quitte son fourré comme un lion. Certains conjecturent le lion quitte son fourré

25.21 Edom Jr 49.7-22; Am 1.11+ — Moab Jr 48.1-47; Am 2.1+ — Ammonites Jr 49.1-6;
Am 1.13+. 25.22 Tyr et Sidon, Am 1.9+. 25.23 Dedân, Téma Es 21.13-14 — Tempes rasées
Jr 9.25; 49.32. 25.24 Arabes Jr 49.28-39; Es 21.13-17. 25.25 Elamites Jr 49.34-39. 25.26 chacun
à son tour Na 3.11 — Babylone Jr 50-51; Es 13.1-14.23; 21.1-10. 25.27 Jugement et ivresse cf.
Jr 25.15+. 25.29 la ville sur laquelle mon nom... Jr 7.10+ — vous seriez quittes? Jr 49.12.
25.30 rugissement du Seigneur Am 1.2 — le domaine du Seigneur Jr 10.25. 25.31 le Seigneur
engage un procès Os 4.1; Mi 6.1-2; Ps 50.6. 25.32 tempête Jr 23.19; 30.23-24. 25.33 pas de
funérailles Jr 8.2+. 25.34 maîtres des troupeaux Jr 6.3. 25.35 pas de refuge Am 2.14. 25.37 silence Ps 94.17 — l'ardente colère du Seigneur Jr 4.8+.

Opposition violente au message de Jérémie
(Cf. 7.1-15)

26 [1] Au début du règne de Yoyaqîm [e], fils de Josias, roi de Juda, la parole que voici arriva de la part du SEIGNEUR : [2] Ainsi parle le SEIGNEUR : Tiens-toi dans le *parvis de la Maison du SEIGNEUR et prononce contre tous les habitants des villes de Juda qui viennent se prosterner dans la Maison du SEIGNEUR toutes les paroles que je t'ordonne de prononcer à leur sujet, sans rien en supprimer. [3] Peut-être écouteront-ils et se convertiront-ils un à un de leur mauvaise conduite, pour que je puisse renoncer au malheur que je pense leur infliger à cause de leurs agissements pervers. [4] Tu leur diras : Ainsi parle le SEIGNEUR : Si vous n'êtes pas attentifs à suivre les directives que je vous propose, [5] si vous n'écoutez pas les paroles de mes serviteurs les *prophètes que je vous envoie inlassablement — et vous n'écoutez pas —, [6] alors je traiterai cette Maison comme j'ai traité Silo et je ferai de cette ville un exemple cité dans les malédictions [f] chez toutes les nations de la terre.

[7] Les prêtres, les prophètes et tout le peuple écoutaient Jérémie pendant qu'il prononçait ces paroles dans la Maison du SEIGNEUR. [8] Quand Jérémie eut achevé le discours que le SEIGNEUR lui avait ordonné de prononcer à l'adresse de tout le peuple, alors les prêtres et les prophètes — et tout le peuple — se saisirent de lui en disant : « Tu as signé ton arrêt de mort. [9] Tu oses prophétiser au nom du SEIGNEUR : Cette Maison deviendra comme Silo, et cette ville sera rasée, vidée de ses habitants ! » Tout le monde s'attroupa autour de Jérémie dans la Maison du SEIGNEUR.

[10] Ayant appris ces événements, les autorités de Juda montèrent du palais au Temple [g] et prirent place à l'entrée de la porte Neuve du Temple. [11] Les prêtres et les prophètes dirent aux autorités et à tout le peuple : « Cet homme mérite la peine capitale : il profère contre cette ville les oracles que vous avez vous-mêmes entendus. » [12] Jérémie dit aux autorités et à tout le peuple : « C'est le SEIGNEUR qui m'a envoyé prophétiser contre cette Maison et contre cette ville tout ce que vous avez entendu. [13] Mais maintenant, améliorez votre conduite, votre manière d'agir, écoutez l'appel du SEIGNEUR votre Dieu, et le SEIGNEUR renoncera au malheur qu'il a décrété contre vous. [14] Quant à moi, je suis en votre pouvoir ; faites de moi ce qui vous plaît, ce qui vous paraît juste. [15] Sachez bien cependant que si vous me tuez, vous serez coupables — vous-mêmes, cette ville et ses habitants — du meurtre d'un innocent, car c'est vraiment le SEIGNEUR qui m'a envoyé prononcer toutes ces paroles pour que vous les entendiez. » [16] Les autorités et tout le peuple dirent aux prêtres et aux prophètes : « Cet homme ne mérite pas la peine capitale : c'est au nom du SEIGNEUR notre Dieu qu'il nous a parlé. »

[17] Quelques *anciens du pays se levèrent alors pour dire à toute la foule attroupée : [18] « Michée de Morésheth qui exerçait le ministère prophétique au temps d'Ezékias [h], roi de Juda, a dit à tout le peuple de Juda : *Ainsi parle le SEIGNEUR le tout-puissant : Sion sera labourée comme un champ, Jérusalem deviendra un monceau de décombres, et la montagne du Temple, une hauteur broussailleuse.* [19] Le roi de Juda Ezékias et son peuple l'ont-ils mis à mort ? N'a-t-on pas plutôt montré du respect pour le SEIGNEUR en s'appliquant à l'apaiser ? Et le SEIGNEUR a renoncé au malheur qu'il avait décrété contre eux. Mais nous, nous allions nous mettre en très mauvaise posture. »

Exécution du prophète Ouriyahou

[20] Il y eut un autre homme qui *prophétisait au nom du SEIGNEUR : Ouriyahou, fils de Shemayahou de Qiryath-

---

[e] Voir la note sur 1.3 ● [f] *Silo:* voir 7.12 et la note — *un exemple cité dans les malédictions:* le sens de cette expression est explicité en 29.22 ● [g] *montèrent du palais au Temple:* voir la note sur 22.1 ● [h] *Michée de Morésheth:* ses messages ont été conservés dans le livre de Michée (voir Mi 1.1) — *au temps d'Ezékias:* voir 2 R 18.1-8

26.1 Yoyaqîm Jr 1.3+. **26.2** sans rien en supprimer Ap 22.19. **26.3** peut-être Ex 32.30; Am 5.15; cf. Lc 20.13 — renoncer à sa mauvaise conduite Jr 18.11+ — Dieu renonce au malheur... Jr 18.8+. **26.4** Si vous n'êtes pas attentifs Dt 28.15. **26.5** mes serviteurs les prophètes... Jr 7.25+. **26.6** comme Silo Jr 7.12+; cf. Lc 21.6, 20-22 — un exemple cité dans les malédictions Jr 29.22; cf. 24.9+. **26.7** prêtres et prophètes Jr 2.8. **26.13** améliorez votre conduite... Jr 7.3, 5; 18.11 — le Seigneur renonce au malheur... v. 3; Jr 18.8+. **26.15** meurtre d'un innocent Jr 7.6; 19.4. **26.18** la prophétie de Michée Mi 3.12. **26.19** en très mauvaise posture Ac 5.39. **26.20** Qiryath-Yéarim Jos 15.60; 18.14.

Yéarim. Il proféra contre cette ville et contre ce pays des oracles semblables à ceux de Jérémie ; 21 le roi Yoyaqîm, avec ses gardes et ses ministres, les ayant entendus, chercha à le tuer. Ouriyahou, mis au courant, eut peur, il s'enfuit et se rendit en Egypte. 22 Mais le roi Yoyaqîm envoya des hommes en Egypte : Elnatân fils de Akbor et quelques autres avec lui, jusqu'en Egypte. 23 Ils firent sortir Ouriyahou d'Egypte et l'amenèrent au roi Yoyaqîm. Celui-ci l'exécuta et jeta son corps dans la fosse commune. 24 Quant à Jérémie, il jouissait de la protection d'Ahiqam, fils de Shafân, aussi ne fut-il pas livré au pouvoir des gens qui voulaient sa mort.

Le joug du roi de Babylone

27 1 Au début du règne de Sédécias i, fils de Josias, roi de Juda, la parole que voici s'adressa à Jérémie de la part du SEIGNEUR. 2 Ainsi parle le SEIGNEUR : Fabrique-toi des liens et des barres de *joug. Tu en mettras sur ton cou, 3 tu en enverras au roi d'Edom, au roi de Moab, au roi des Ammonites, au roi de Tyr et au roi de Sidon par leurs ambassadeurs j qui sont arrivés à Jérusalem auprès de Sédécias, roi de Juda. 4 Tu leur confieras le message suivant à l'adresse de leurs maîtres : Ainsi parle le SEIGNEUR le tout-puissant, le Dieu d'Israël : Voici ce que vous direz à vos maîtres : 5 C'est moi qui ai fait la terre, ainsi que les hommes et les animaux qui sont sur la terre, par ma grande force et en déployant ma puissance ; je la donne à qui bon me semble. 6 Et maintenant, c'est moi qui livre tous ces pays au pouvoir de mon serviteur Nabuchodonosor, roi de Babylone ; même les bêtes sauvages, je les lui livre pour qu'elles le servent. 7 Toutes les nations le serviront, lui, son

fils et son petit-fils ; puis viendra pour lui aussi l'heure de son pays quand des nations nombreuses et des rois puissants l'asserviront. 8 Donc la nation et le royaume qui refusent de le servir — lui, Nabuchodonosor, roi de Babylone — et de placer son cou sous le joug du roi de Babylone, c'est par l'épée, la famine et la peste que je sévirai contre cette nation-là — oracle du SEIGNEUR — jusqu'à les faire disparaître par sa main. 9 Quant à vous, n'écoutez pas vos *prophètes, vos devins, vos oniromanciens k, vos enchanteurs et vos magiciens qui vous assurent que vous ne serez pas assujettis au roi de Babylone. 10 C'est faux ce qu'ils vous prophétisent, aussi vous éloignent-ils de votre terre ; oui, je vous disperserai et vous périrez. 11 En revanche, la nation qui accepte de placer son cou sous le joug du roi de Babylone et de le servir, je la laisse tranquille sur sa terre — oracle du SEIGNEUR — ; elle la cultivera et y habitera.

12 Quant à Sédécias, roi de Juda, je lui fais la déclaration suivante : Placez votre cou sous le joug du roi de Babylone ; servez-le, lui et son peuple, et vous vivrez. 13 Pourquoi vouloir mourir, toi et ton peuple, par l'épée, la famine et la peste, comme le SEIGNEUR l'a décrété pour la nation qui refuse de servir le roi de Babylone ? 14 N'écoutez pas les paroles des prophètes qui vous assurent que vous ne servirez point le roi de Babylone. C'est faux ce qu'ils vous prophétisent. 15 Je ne les ai pas envoyés — oracle du SEIGNEUR —, et ce qu'ils prophétisent en mon nom, c'est faux, aussi vais-je vous disperser et vous périrez, vous et les prophètes qui vous prophétisent. 16 Aux prêtres et à tout ce peuple je déclare : Ainsi parle le SEIGNEUR : N'écoutez pas les paroles des prophètes qui vous prophétisent que les ustensiles de la Mai-

---

i *Sédécias:* d'après quelques manuscrits hébreux, les anciennes versions syriaque et arabe, ainsi que les versets 3, 12; 28.1. Tous les autres manuscrits proposent *Yoyaqîm* — Sur *Sédécias* voir la note sur 21.1 ● j *Edom... Sidon:* voir les renvois indiqués aux notes sur 25.21, 22 — *leurs ambassadeurs:* d'après l'ancienne version grecque; texte hébreu traditionnel *des ambassadeurs* ● k *oniromanciens* (c'est-à-dire ceux qui font métier d'interpréter les rêves): d'après l'ancienne version grecque; hébreu *vos songes*

26.21 Yoyaqîm Jr 1.3+. **26.22** Elnatân Jr 36.12, 25 — Akbor 2 R 22.12, 14. **26.23** Yoyaqîm coupable de la mort d'un innocent Jr 22.17. **26.24** Shafân 2 R 22.8-14; 1) ses fils: Ahicam 2 R 22.12; Eléasa Jr 29.3; Guemaryahou Jr 36.10; 2) petits-fils: Mikayehou Jr 36.11-13; Guedalias Jr 39.14; 40.5—41.2. **27.1** Sédécias Jr 1.3+. **27.2** Autres gestes symboliques de Jérémie Jr 13.1+; cf. Es 20.3. **27.5** Dieu le créateur Jr 10.12; Es 44.24+ ; Ps 33.9 — par sa grande force... Jr 21.5+ — je la donne... Dn 4.14. **27.6** mon serviteur Nabuchodonosor Jr 25.9+. **27.7** lui, son fils et son petit-fils. Jr 25.11; 29.10 — l'heure de son pays Jr 25.26. **27.8** refuse de le servir Ba 2.22 — Nabuchodonosor Jr 21.2+ — le joug du roi de Babylone v. 11, 12; Jr 28.2, 11 — épée, famine et peste Jr 14.12+ — jusqu'à les faire disparaître Jr 24.10. **27.9** vous ne serez pas assujettis Jr 23.17+. **27.10** c'est faux Jr 14.14+; Ez 13.2-23. **27.11** tranquille Jr 42.12. **27.15** pas envoyés Jr 14.14+.

son du SEIGNEUR vont être rapportés de Babylone [l], tout de suite, sans tarder. C'est faux ce qu'ils vous prophétisent. [17] Ne les écoutez point. Servez le roi de Babylone, et vous vivrez. Pourquoi vouloir que cette ville devienne un monceau de ruines ? [18] S'ils sont des prophètes, et s'ils ont la parole du SEIGNEUR, qu'ils insistent auprès du SEIGNEUR le tout-puissant pour éviter que les ustensiles qui se trouvent encore dans le Temple et dans le palais et à Jérusalem soient emportés à Babylone.

[19] En effet, ainsi parle le SEIGNEUR le tout-puissant au sujet des colonnes, de la mer, des bases roulantes [m] et de tous les autres ustensiles qui se trouvent encore dans cette ville, [20] de tout ce que Nabuchodonosor, roi de Babylone, n'a pas pris en déportant de Jérusalem à Babylone Yekonya [n], fils de Yoyaqîm, roi de Juda — ainsi que tous les nobles de Juda et de Jérusalem —, [21] oui, voici ce que dit le SEIGNEUR le tout-puissant, le Dieu d'Israël, au sujet des ustensiles qui se trouvent encore dans le Temple, dans le palais et à Jérusalem : [22] Ils seront emportés à Babylone et c'est là qu'ils resteront jusqu'au jour où je m'occuperai d'eux — oracle du SEIGNEUR — : alors je les ferai remonter et revenir en ce lieu.

Jérémie et le prophète Hananya

28 [1] En cette année-là, au début du règne de Sédécias, roi de Juda, en la quatrième année, au cinquième mois, le *prophète Hananya, fils de Azzour, originaire de Gabaon [o], me dit dans la Maison du SEIGNEUR, en présence des prêtres et de tout le peuple : [2] « Ainsi parle le SEIGNEUR le tout-puissant, le Dieu d'Israël : Je brise le *joug du roi de Babylone. [3] Dans deux ans, jour pour jour, je ferai revenir en ce lieu tous les usten-

siles de la Maison du SEIGNEUR que Nabuchodonosor, roi de Babylone, a enlevés de ce lieu pour les emporter à Babylone. [4] De même, je ramènerai en ce lieu Yekonya, fils de Yoyaqîm, roi de Juda, et tous les déportés de Juda partis à Babylone [p] — oracle du SEIGNEUR —, car je brise le joug du roi de Babylone. » [5] Le prophète Jérémie répondit au prophète Hananya, en présence des prêtres — et de tout le peuple — qui se tenaient dans la Maison du SEIGNEUR, [6] et le prophète Jérémie dit : « *Amen ! Que le SEIGNEUR agisse ainsi ! Que le SEIGNEUR réalise les paroles que tu as proférées en prophétisant, qu'il fasse revenir de Babylone en ce lieu les ustensiles du Temple, ainsi que tous les exilés ! [7] Ecoute pourtant la parole que je prononce pour toi et pour tout le peuple : [8] Les prophètes qui ont exercé leur ministère avant moi et avant toi, depuis toujours, ont proféré des oracles concernant de nombreux pays et de grands royaumes, en annonçant la guerre, le malheur [q], la peste. [9] Mais si un prophète, en prophétisant, annonce la paix, c'est lorsque sa parole se réalise que ce prophète est reconnu comme vraiment envoyé par le SEIGNEUR. » [10] Alors le prophète Hananya enleva le joug du cou du prophète Jérémie et le brisa ; [11] et le prophète Hananya dit en présence de tout le peuple : « Ainsi parle le SEIGNEUR : C'est ainsi que dans deux ans, jour pour jour, je briserai le joug de Nabuchodonosor, roi de Babylone, je l'enlèverai du cou de toutes les nations. » Le prophète Jérémie s'en alla.

[12] Après que le prophète Hananya eut brisé le joug qui était sur le cou du prophète Jérémie, la parole du SEIGNEUR s'adressa à Jérémie : [13] « Va dire à Hananya : Ainsi parle le SEIGNEUR : Les barres de bois, tu les as brisées, à leur

---

[l] Lors de la première déportation, en 597 av. J.C., les Babyloniens avaient pillé le Temple (voir v. 20 et 2 R 24.13) ● [m] colonnes, mer, bases roulantes : voir 1 R 7.15-37 ; Jr 52.17 ● [n] Voir la note sur 22.24 — Sur l'exil de Yekonya et la première déportation, en 597 av. J.C., voir 2 R 24.10-16 ; Jr 22.24-26 ● [o] Sédécias : voir la note sur 21.1 — en la quatrième année (du règne de Sédécias), cinquième mois : juillet-août 594 av. J.C. — Gabaon : 1 R 3.4 et la note ● [p] Sur Yekonya et la première déportation voir 27.20 et la note ● [q] Au lieu de le malheur certains manuscrits proposent la famine.

27.18 prophètes-intercesseurs Jr 7.16+.   **27.22** pillage du temple par les Babyloniens Jr 28.3 ; 52.18 ; 2 R 25.13-15 — je m'occuperai d'eux Jr 29.10 ; 32.5 ; cf. 23.2 — je les ferai remonter et revenir Esd 1.7-11.   **28.1** Sédécias Jr 1.3+ — quatrième année de son règne Jr 51.59.   **28.2** le joug du roi de Babylone Jr 27.8+.   **28.3** ustensiles du temple enlevés par Nabuchodonosor Jr 27.19-22 ; 2 R 24.13.   **28.4** Yekonya Jr 22.24+ — les déportés de Juda 2 R 24.12, 14-16.   **28.5** Jérémie attend une parole de Dieu avant de parler v. 12 ; 42.7-8 ; cf. Mt 10.19.   **28.6** Jérémie n'aime pas annoncer du malheur Jr 17.16 ; 20.8 — Amen ! Que le Seigneur... 1 R 1.36.   **28.8** prophètes avant moi et avant toi Jr 26.18 ; cf. Am 1.3—2.3 ; Es 13—23 — la guerre, le malheur et la peste cf. Jr 14.12+.   **28.9** comment reconnaître un vrai prophète Dt 18.22.

place tu feras des barres de fer. ¹⁴ En effet ainsi parle le SEIGNEUR le tout-puissant, le Dieu d'Israël : c'est un joug de fer que j'impose à toutes ces nations pour qu'elles servent Nabuchodonosor, roi de Babylone ; elles le serviront ; et même les bêtes sauvages, je les lui livre. » ¹⁵ Le prophète Jérémie dit alors au prophète Hananya : « Ecoute, Hananya : le SEIGNEUR ne t'a pas envoyé ; c'est toi qui fais que ce peuple se berce d'illusions. ¹⁶ Eh bien ! ainsi parle le SEIGNEUR : Je vais te renvoyer de la surface de la terre ; tu mourras cette année puisque tu as prêché la révolte contre le SEIGNEUR. » ¹⁷ Le prophète Hananya mourut cette année-là au septième mois ʳ.

Lettre de Jérémie aux premiers déportés

29 ¹ Voici les termes de la lettre que le *prophète Jérémie envoya de Jérusalem ˢ à tous les *anciens parmi les exilés, aux prêtres, aux prophètes et au peuple tout entier que Nabuchodonosor avait déporté de Jérusalem à Babylone, ² après que le roi Yekonya, la reine-mère, le personnel de la cour, les hauts fonctionnaires de Juda et de Jérusalem, les techniciens et les officiers du génie eurent quitté Jérusalem — ³ il la confia à Eléasa, fils de Shafân, et à Guemarya, fils de Hilqiya, que Sédécias, roi de Juda, envoyait à Nabuchodonosor, roi de Babylone, à Babylone — :

⁴ « Ainsi parle le SEIGNEUR le tout-puissant, le Dieu d'Israël, à tous les exilés que j'ai fait déporter de Jérusalem à Babylone : ⁵ Construisez des maisons et habitez-les, plantez des jardins et mangez-en les fruits, ⁶ prenez femme, ayez des garçons et des filles, occupez-vous de marier vos fils et donnez vos filles en mariage pour qu'elles aient des garçons et des filles : là-bas soyez prolifiques, ne

déclinez point ! ⁷ Soyez soucieux de la prospérité de la ville où je vous ai déportés et intercédez pour elle auprès du SEIGNEUR : sa prospérité est la condition de la vôtre.

⁸ Oui, ainsi parle le SEIGNEUR le tout-puissant, le Dieu d'Israël : Ne vous laissez pas abuser par les prophètes qui sont parmi vous ni par vos devins, et ne faites pas attention aux songes que vous avez ; ⁹ c'est faux ce qu'ils vous prophétisent en mon nom ; je ne les ai pas envoyés — oracle du SEIGNEUR.

¹⁰ Ainsi parle le SEIGNEUR : Quand soixante-dix ans seront écoulés pour Babylone, je m'occuperai de vous et j'accomplirai pour vous mes promesses concernant votre retour en ce lieu. ¹¹ Moi, je sais les projets que j'ai formés à votre sujet — oracle du SEIGNEUR —, projets de prospérité et non de malheur : je vais vous donner un avenir et une espérance. ¹² Vous m'invoquerez, vous ferez des pèlerinages ᵗ, vous m'adresserez vos prières et moi, je vous exaucerai. ¹³ Vous me rechercherez et vous me trouverez : vous me chercherez du fond de vous-mêmes, ¹⁴ et je me laisserai trouver par vous — oracle du SEIGNEUR —, je vous restaurerai, je vous rassemblerai de toutes les nations et de tous les lieux où je vous ai dispersés — oracle du SEIGNEUR —, et je vous ramènerai à l'endroit d'où je vous ai déportés.

¹⁵ Si vous dites : "Le SEIGNEUR nous a suscité des prophètes à Babylone" ᵘ...

¹⁶ Oui, voici ce que dit le SEIGNEUR au roi qui siège sur le trône de David et à tous les gens qui habitent dans cette ville, à vos frères qui ne sont pas partis en exil avec vous ¹⁷ — ainsi parle le SEIGNEUR le tout-puissant — : Je vais lâcher contre eux l'épée, la famine et la peste, et je les traiterai comme des figues éclatées, si mauvaises qu'elles sont im-

---

ʳ Voir au glossaire CALENDRIER ● ˢ Sur cette première déportation voir 2 R 24.10-16; voir aussi Jr 27.20 et la note ● ᵗ *vous ferez des pèlerinages:* autres traductions *vous viendrez* (m'adresser vos prières...) ou, d'après les anciens commentateurs juifs, *vous suivrez ma voie* ● ᵘ La phrase est interrompue jusqu'au v. 21; les v. 16-20 forment une sorte de parenthèse

28.14 un joug de fer Dt 28.48. **28.15** pas envoyé Jr 14.14+ — se bercer d'illusions Jr 13.25+. **28.16** prêcher la révolte contre le Seigneur Jr 29.32; Dt 13.6. **29.1** lettre cf. *Lt. Jr* — première déportation Jr 28.4; 52.28; 2 R 24.15 — Nabuchodonosor Jr 21.2+. **29.2** le roi Yekonya, la reine-mère Jr 22.24-27; cf. 13.18. **29.3** fils de Shafân Jr 26.24 — Hilqiya 2 R 22.4-20. **29.6** prolifiques Jr 30.19; Gn 1.28; 9.1-7. **29.7** Intercession pour un état païen Esd 6.10; *Ba* 1.11; 1 Tm 2.1-2. **29.8** ne vous laissez pas abuser Mt 7.15. **29.9** C'est faux... Jr 14.14+ — pas envoyés Jr 14.14+. **29.10** soixante-dix ans Jr 25.11+ — m'occuperai de vous Jr 27.22+; cf. 23.2 — j'accomplirai ma promesse Jr 33.14. **29.11** projets favorables Jr 24.5 — un avenir Jr 31.17. **29.12** vous m'invoquerez Jr 33.3. **29.13** chercher et trouver le Seigneur Jr 4.29; Es 55.6; 2 Ch 15.4; Sg 6.13. **29.14** restauration Jr 30.3, 18; 31.23; 32.44; 33.7, 11, 26; Jl 4.1; Lm 2.14; cf. Os 6.11+; Jr 12.15+ — rassemblement Jr 23.3+. **29.16** les exilés et ceux qui sont restés Jr 24.3-10. **29.17** l'épée, la famine et la peste Jr 14.12+ — figues immangeables Jr 24.2.

mangeables. ¹⁸ Je vais les poursuivre par l'épée, la famine et la peste ; je ferai d'eux pour tous les royaumes de la terre, un exemple terrifiant qu'on citera dans les imprécations, une désolation qui arrachera des cris d'effroi ᵛ ; chez toutes les nations où je les disperserai, ils passeront au répertoire des injures, ¹⁹ parce qu'ils n'écoutent pas mes paroles — oracle du SEIGNEUR —, alors que je leur ai envoyé inlassablement mes serviteurs, les prophètes. Mais ils n'écoutent pas ʷ — oracle du SEIGNEUR. ²⁰ Vous, les exilés que j'ai expulsés de Jérusalem à Babylone, écoutez la parole du SEIGNEUR !

²¹ ... Voici ce que dit le SEIGNEUR le tout-puissant, le Dieu d'Israël, à Akhab, fils de Qolaya, et à Sédécias, fils de Maaséya, qui prophétisent faussement pour vous en mon nom : Je vais les livrer au pouvoir de Nabuchodonosor, roi de Babylone, et il les abattra sous vos yeux. ²² On tirera d'eux une malédiction chez tous les déportés de Juda qui se trouvent à Babylone ; on dira en effet : "Que le SEIGNEUR te traite comme il a traité Sédécias et Akhab que le roi de Babylone a grillés au feu." ²³ Leur faute est de commettre une infamie en Israël : ils s'adonnent à l'adultère avec les femmes de leur prochain ; ils parlent faussement en mon nom, alors que je ne leur ai rien demandé. Moi, je le sais, j'en suis témoin — oracle du SEIGNEUR. »

Contre Shemayahou, faux prophète exilé

²⁴ A Shemayahou, le Néhlamite, tu diras ceci :
²⁵ Ainsi parle le SEIGNEUR le tout-puissant, le Dieu d'Israël : Tu as envoyé — à tout le peuple qui est à Jérusalem —, au prêtre Cefanya, fils de Maaséya —

et à tous les prêtres —, des lettres en ton nom ainsi rédigées : ²⁶ « C'est le SEIGNEUR qui t'a installé, à la place du prêtre Yehoyada, comme prêtre responsable, dans le Temple, de tout homme qui divague et qui vaticine — tu dois les attacher au pilori ou au carcan —, ²⁷ et tu ne fulmines pas contre Jérémie d'Anatoth qui vaticine parmi vous ! ²⁸ Il vient même de nous écrire à Babylone : "Ce sera long ! Construisez des maisons et habitez-les, plantez des jardins et mangez-en les fruits !" »
²⁹ Le prêtre Cefanya avait fait lecture de cette lettre au prophète Jérémie.
³⁰ Alors la parole du SEIGNEUR s'était adressée à Jérémie : ³¹ Envoie ce message à tous les exilés : « Ainsi parle le SEIGNEUR à l'adresse de Shemaya, le Néhlamite : Parce que Shemaya profère pour vous des oracles alors que je ne l'ai pas envoyé, et qu'il vous berce d'illusions, ³² eh bien ! je vais sévir contre Shemaya, le Néhlamite et contre ses descendants. Aucun d'eux n'aura sa place au milieu de ce peuple pour se réjouir des bonnes choses que j'accorderai à mon peuple — oracle du SEIGNEUR — ; n'a-t-il pas même prêché la révolte contre le SEIGNEUR ? »

Du temps de l'angoisse à la libération

30 ¹ La parole qui s'adressa à Jérémie de la part du SEIGNEUR, en ces termes : ² « Ainsi parle le SEIGNEUR, le Dieu d'Israël : Ecris dans un livre ˣ toutes les paroles que je te dicte. ³ Des jours viennent — oracle du SEIGNEUR — où je restaurerai Israël mon peuple — et Juda —, dit le SEIGNEUR ; je les ramènerai au pays que j'ai donné à leurs pères ʸ, et ils en hériteront. »
⁴ Voici les paroles que le SEIGNEUR prononça au sujet d'Israël — et de Juda — :

v un exemple... qu'on citera dans les imprécations: le sens de cette expression est explicité en 29.22 — des cris d'effroi: voir 18.16 et la note ● w ils n'écoutent pas: d'après l'ancienne version syriaque et plusieurs manuscrits de l'ancienne version grecque; hébreu mais vous n'écoutez pas ● x Les livres de cette époque avaient la forme d'un long rouleau de cuir ou de papyrus, dont les feuillets étaient cousus bout à bout. Le texte y était reporté à la main par des spécialistes, les scribes ● y Israël: voir la note sur 3.6 — leurs pères ou leurs ancêtres

29.18 un exemple terrifiant Jr 34.17 qu'on citera dans les imprécations Jr 26.6; 42.18 — une désolation... cris d'effroi Jr 18.16+ — au répertoire des injures Jr 24.9+. 29.19 mes serviteurs les prophètes Jr 7.25+. 29.22 Que le Seigneur te traite... Es 65.15. 29.23 reproches aux faux prophètes Jr 23.9-40 — une infamie en Israël Gn 34.7; Dt 22.21; Jos 7.15; Jg 20.6; 2 S 13.12 — l'adultère Jr 9.1+ — le Seigneur sait Jr 15.15. 29.25 Cefanya fils de Maaséya Jr 21.1+. 29.26 au pilori Jr 20.2. 29.31 pas envoyé v. 9; Jr 14.14+ — se bercer d'illusions Jr 13.25+. 29.32 la révolte contre le Seigneur Jr 28.16+. 30.2 écris dans un livre Jr 36.2; 51.60. 30.3 restauration Jr 29.14+ d'Israël (royaume du Nord) cf. Jr 3.11-18 — retour au pays Jr 32.37; Za 10.10; cf. Jr 23.3+.

5 Ainsi parle le SEIGNEUR :
Nous entendons des cris d'effroi ;
c'est la panique, rien ne va plus.
6 Faites une enquête, regardez :
les mâles enfanteraient-ils ?
Je vois tout homme fort
les mains sur le ventre
comme une femme en couches !
Tous les visages se décomposent, blê-
missent.
7 Malheur !
Oui, grand est ce *jour-là,
aucun ne lui ressemble.
Pour Jacob ᶻ, c'est le temps de l'angoisse.
mais il en sera délivré.

8 Ce jour-là — oracle du SEIGNEUR le
tout-puissant —, je briserai son *joug, je
l'enlèverai de son cou, je romprai ses
liens ᵃ ; il ne sera plus jamais asservi à
des étrangers. 9 Ils serviront le SEIGNEUR
leur Dieu et David, leur roi que j'établirai
sur eux.

Blessure et guérison

10 Toi, mon serviteur Jacob, ne crains
pas
— oracle du SEIGNEUR —,
ne te laisse pas accabler, Israël ᵇ !
Je vais te délivrer des pays lointains,
et ta descendance, de sa terre d'exil.
Jacob revient, il est rassuré,
il est tranquille, plus personne ne l'inquiète.
11 Je suis avec toi — oracle du SEIGNEUR
— pour te délivrer.
Je fais table rase de toutes les nations
où je t'ai disséminé,
mais de toi, je ne fais pas table rase :
je t'apprends à respecter l'ordre ᶜ,
sans rien te laisser passer.

12 Ainsi parle le SEIGNEUR :
Irrémédiable, ton désastre,
incurables, tes blessures !
13 Personne ne prend en main ta cause,
pour ton ulcère, pas de soins efficaces ᵈ !
14 Tous tes amants ᵉ t'oublient,
ils ne se soucient plus de toi.
Je t'ai frappée comme frapperait un
ennemi,
c'est une cruelle leçon
pour tes innombrables crimes,
pour tes fautes qui ne cessent de s'affirmer.
15 Comme tu hurles face à ton désastre !
Ta plaie est incurable.
C'est pour tes innombrables crimes
et tes fautes qui ne cessent de s'affirmer
que je t'inflige cela.
16 Eh bien ! tous ceux qui te dévorent
sont dévorés,
tous tes ennemis, sans exception, vont
en exil,
ceux qui te saccagent sont saccagés,
je livre au pillage tous ceux qui te
pillent.
17 Pour toi, je fais poindre la convalescence,
je te guéris de tes blessures
— oracle du SEIGNEUR —,
parce qu'on te nomme : « Rebut,
cette *Sion dont personne ne se soucie. »

Renouveau du peuple de Dieu

18 Ainsi parle le SEIGNEUR :
Je vais restaurer les tentes de Jacob,
je prends ses habitations en pitié :
chaque ville est reconstruite sur sa
colline ᶠ,

---

z Voir 2.4 et la note ● a son cou, ses liens : d'après l'ancienne version grecque; hébreu ton cou,
tes liens ● b Jacob : ici comme souvent ailleurs ce nom est synonyme d'Israël — Il semble probable que le nom d'Israël serve à désigner dans ce verset l'ancien royaume du nord, comme en
3.6 ● c je t'apprends à respecter l'ordre : autre traduction je te corrige avec mesure ● d pas de
soins efficaces : texte hébreu peu clair et traduction incertaine ● e Voir 22.20 et la note ● f Jacob : voir 30.10 et la note — colline : le terme ainsi traduit désigne une hauteur artificielle, formée des couches successives des ruines de la ville au cours des âges

30.5 panique Jr 8.15.   30.6 enquête Jr 18.13 — comme une femme en couches Jr 4.31 + ; Jn 16.21.
30.7 le jour du Seigneur Jl 1.15 + — un malheur sans pareil Dn 12.1; Ap 16.18 — temps de
l'angoisse Jr 14.8.   30.8 joug brisé, liens rompus Jr 2.20; 28.11; Lv 26.13; Es 14.25; Ez 34.27;
Ps 107.14 — le Seigneur, libérateur Es 10.27; Na 1.13.   30.9 ils serviront le Seigneur Ex 3.12; Lc
1.74 — David leur roi Jr 23.5-6; Ez 37.24; Os 3.5.   30.10-11 ensemble des deux versets Jr 46.27-28.
30.10 mon serviteur Jacob, ne crains pas Es 44.2 — ne te laisse pas accabler Jr 1.17 — délivrance prochaine Jr 42.11 — personne pour l'inquiéter Mi 4.4; So 3.13.   30.11 avec toi Jr 1.8 +
— disséminé parmi les nations Jr 9.15 — pas table rase Jr 4.27 + — sans rien te laisser passer Ex
34.7; Nb 14.18.   30.12 irrémédiable Jr 10.19 + ; Na 3.19.   30.13 pas de soins efficaces Jr 46.11.
30.14 tes amants Jr 4.30 + ne se soucient plus de toi Lm 1.2, 19 — (Dieu) comme un ennemi Jb 19.11
— pour tes crimes Jr 7.12; 22.22.   30.16 ceux qui te dévorent Jr 10.25 — tes ennemis eux-mêmes
exilés Es 20.4; Na 3.10 — pilleurs pillés Na 2.11; cf. Es 33.1 +.   30.17 convalescence Jr 33.6.
30.18 restauration Jr 29.14 +.

toute belle maison retrouve son site.
19 Il s'en élève des actions de grâce,
la rumeur de gens en fête.
Je les rends prolifiques, ils ne décline-
ront point ;
je leur donne de l'importance,
ils ne seront plus négligeables.
20 Ses enfants retrouvent leurs privilèges
d'autrefois,
son assemblée est solidement établie
devant moi,
et je sévis contre tous ses oppresseurs.
21 Son prince est l'un des siens,
son souverain naît chez lui ;
je le fais s'avancer, il s'approche de
moi.
Qui donc aurait l'audace
de s'approcher de moi
— oracle du SEIGNEUR ?
22 Vous deviendrez un peuple pour
moi, et moi, je deviendrai Dieu pour
vous.

La tempête du Seigneur

(Cf. 23.19-20)

23 La tempête du SEIGNEUR, la fureur
éclate,
un ouragan va foncer,
il tourbillonne sur la tête des coupables.
24 L'ardeur de la colère du SEIGNEUR ne
s'apaisera pas
qu'il n'ait exécuté et réalisé
son programme bien arrêté.
Plus tard, vous en aurez l'intelligence.

Réinstallation d'Israël dans son pays

31 1 En ce temps-là — oracle du SEI-
GNEUR —, je deviendrai Dieu pour
toutes les familles d'Israël, et elles, elles
deviendront un peuple pour moi.
2 Ainsi parle le SEIGNEUR :
Dans le désert, le peuple qui a échappé

au glaive
gagne ma faveur.
Israël va vers son rajeunissement.
3 De loin, le SEIGNEUR m'est apparu [g] :
Je t'aime d'un amour d'éternité,
aussi, c'est par fidélité que je t'attire
à moi.
4 De nouveau, je veux te bâtir, et tu
seras bâtie,
vierge Israël.
De nouveau, parée de tes tambourins,
tu mèneras la ronde des gens en fête.
5 De nouveau, tu planteras des vergers
sur les monts de Samarie ;
ceux qui auront planté feront la récolte.
6 Il est fixé le jour où les gardiens
crieront
sur la montagne d'Ephraïm [h] :
Debout ! montons à *Sion,
vers le SEIGNEUR notre Dieu.

Le Seigneur ramène son peuple à Sion

7 Ainsi parle le SEIGNEUR :
Acclamez Jacob, dans la joie,
réservez un accueil délirant
à celui qui est le chef des nations !
Clamez, jubilez, dites :
Le SEIGNEUR délivre [i] son peuple,
le reste d'Israël.
8 Je vais les amener du pays du nord [j],
les rassembler du bout du monde.
Parmi eux, des aveugles, des impotents,
des femmes enceintes et des femmes en
couches,
ils reviennent ici, foule immense.
9 Ils arrivent tout en pleurs,
ils crient : « Grâce ! » et je les pousse :
je les dirige vers des vallées bien arrosées
par un chemin uni où ils ne trébuchent
pas.
Oui, je deviens un père pour Israël,
Ephraïm [k] est mon fils aîné.

---

g Le v. 3 représente sans doute une remarque personnelle du prophète, qui cite une déclaration
de Dieu à son peuple ● h *la montagne d'Ephraïm:* région montagneuse située au nord de Jérusalem ● i *Jacob:* voir 2.4 et la note — *le Seigneur délivre:* d'après l'ancienne version grecque;
hébreu *Seigneur, délivre-donc...* (voir Ps 28.9) ● j Voir 3.12 et la note ● k Voir Os 4.17 et la note

30.19 prolifiques Jr 3.16+ ; Lv 26.9; Ez 36.11, 37; 37.26. **30.20** comme autrefois Es 1.26 —
je sévis contre ses oppresseurs Jr 25.12. **30.21** l'un des siens Dt 17.15; cf. Za 10.4 — s'approcher de Dieu Lv 9.5-9; Nb 8.19 fait courir un risque de mort Ex 33.20; Jg 6.22-23; 13.22; Es 6.5.
30.22 un peuple pour moi... Dieu pour vous Jr 7.23+. **30.23-24** la tempête du Seigneur... Jr
23.19-20; 25.32 — plus tard Jn 13.7. **31.1** Dieu pour Israël... un peuple pour moi Jr 7.23+.
31.2 au désert Os 2.16. **31.3** je t'aime Dt 7.8; 10.15; Es 43.4; Os 11.4; Ml 1.2. **31.4** te
bâtir Jr 1.10+. **31.6** montons à Sion Jr 33.11; 50.4-5; Ps 122.1; Tb 13.6; cf. Mi 4.1-2. **31.7** reste
d'Israël Es 4.3+. **31.8** du pays du nord Jr 3.18; cf. 1.14+ — rassemblement des dispersés Jr
23.3+. **31.9** vers des vallées bien arrosées Es 49.10 — par un chemin... Ps 23.2-3 — mon fils
v. 20; Ex 4.22; Os 11.1.

Le deuil changé en joie

10 Nations, écoutez la parole du SEIGNEUR,
annoncez-la aux rivages lointains, dites :
Celui qui a jeté Israël aux quatre vents
le rassemble,
il le garde, comme un pasteur son
troupeau *l*.
11 Le SEIGNEUR rachète Jacob *m*,
il le revendique, le délivrant de la
main d'un plus fort.
12 Ils arrivent, ils entonnent des chants
de joie
sur les hauteurs de *Sion.
Ils affluent vers les biens du SEIGNEUR,
vers le blé, le moût et l'huile fraîche,
vers le petit et le gros bétail.
Ils se sentent revivre comme un jardin
bien arrosé,
ils ne seront plus languissants.
13 Alors les jeunes filles dansent et elles
s'épanouissent,
ainsi que les jeunes gens et les vieillards.
Je change leur deuil en joie, je les
réconforte,
je fais s'épanouir les affligés.
14 Je gorge les prêtres de viandes grasses *n* ;
mon peuple se rassasie de mes biens
— oracle du SEIGNEUR.

Un avenir plein d'espérance

15 Ainsi parle le SEIGNEUR :
Dans Rama on entend une voix plaintive,
des pleurs amers :
Rachel pleure sur ses enfants *o*,
elle refuse tout réconfort,
car ses enfants ont disparu.
16 Ainsi parle le SEIGNEUR :
Assez ! plus de voix plaintive,

plus de larmes dans les yeux !
Ton labeur reçoit sa récompense
— oracle du SEIGNEUR — :
ils reviennent des pays ennemis.
17 Ton avenir est plein d'espérance
— oracle du SEIGNEUR — :
tes enfants reviennent dans leur patrie.
18 J'entends, oui, j'entends
Ephraïm *p* qui se lamente :
« Tu me domptes et je me laisse dompter
comme un taurillon indocile :
fais-moi revenir, que je puisse revenir,
car toi, SEIGNEUR, tu es mon Dieu.
19 Dès que je commence à revenir, je suis
plein de repentir ;
sitôt que je me vois sous mon vrai
jour,
je me frappe la poitrine *q* :
Sur moi honte et déshonneur !
Ma jeunesse a été un scandale,
j'en supporte les conséquences. »
20 Ephraïm est-il pour moi un fils chéri,
un enfant qui fait mes délices ?
Chaque fois que j'en parle,
je dois encore et encore prononcer son
nom ;
et en mon cœur, quel émoi pour lui !
Je l'aime, oui, je l'aime *r*
— oracle du SEIGNEUR.

Reviens, Israël !

21 Plante des signaux sur ton sentier,
balise ton parcours,
prends garde à la route,
au chemin où tu vas :
reviens, vierge Israël,
reviens ici, vers tes villes !
22 Jusques à quand vas-tu rester bêtement
à l'écart,
fille apostate *s* ?

---

l aux rivages lointains: expression condensée pour désigner les populations habitant ces rivages lointains — *aux quatre vents* ou *aux quatre points cardinaux*, c'est-à-dire dans toutes les directions — *pasteur* ou **berger:* voir 2.8 et la note ● *m* Voir 2.4 et la note ● *n* Dans les sacrifices israélites la graisse était normalement réservée à Dieu, donc brûlée sur l'*autel ; seule la viande ou une partie de celle-ci revenait aux prêtres. Ce verset annonce donc la multiplication des sacrifices offerts à Dieu et, par voie de conséquence, une nouvelle aisance pour Israël et ses prêtres ● *o Rachel,* mère de Joseph et de Benjamin, était considérée comme l'ancêtre des principales tribus du royaume d'Israël. Sa tombe (1 S 10.2) était située près de *Rama,* à 8 km environ au nord de Jérusalem ● *p* Voir Os 4.17 et la note ● *q je me frappe la poitrine* (hébreu *la hanche):* en signe d'humiliation ● *r* ou *j'en ai pitié, oui, grand pitié* ● *s* ou *traîtresse*

31.11 le Seigneur rachète Jacob Es 41.14+ — le délivrant d'un plus fort Ex 6.6; Es 49.25; Mc 3.27. **31.13** toutes les générations Ps 148.12 — deuil changé en joie Es 35.10; Ps 126.5+. **31.15** dans Rama... Mt 2.18. **31.16** plus de larmes Ap 21.4 — ta peine récompensée 2 Ch 15.7; Ap 14.13. **31.17** avenir plein d'espérance Jr 29.11. **31.18** qui se lamente v. 9; Jr 3.21 — fais moi revenir... Jr 15.19; 17.14; Ps 80.4; Lm 5.21. **31.20** un fils v. 9+ chéri v. 3; Es 49.15; 63.9; Lm 3.32. **31.22** bêtement à l'écart Jr 4.22 — fille apostate Jr 3.6, 8, 11-12 — le Seigneur crée du nouveau... Es 41.20; 43.19; 48.6-7; 2 Co 5.17.

Le SEIGNEUR crée du nouveau sur la
terre :
la femme fait la cour à l'homme.

Rétablissement de Juda

²³ Ainsi parle le SEIGNEUR le tout-puissant, le Dieu d'Israël : Quand je les aurai
restaurés, on dira encore cette parole dans
le pays de Juda et dans ses villes :
« Que le SEIGNEUR te bénisse,
domaine de justice, montagne sainte ! »
²⁴ Juda et toutes ses villes y habiteront
ensemble, paysans et nomades.
²⁵ J'étancherai la soif des épuisés et je
remplirai de vigueur tous les languissants.

²⁶ Sur ce, je m'éveillai et je compris ;
mon sommeil m'avait été agréable.

Dieu vigilant pour bâtir et pour planter

²⁷ Des jours viennent — oracle du
SEIGNEUR — où j'ensemencerai Israël ᵗ
et Juda de semences d'hommes et de
semences de bêtes. ²⁸ Et ensuite je veillerai sur eux pour bâtir et pour planter,
comme j'ai veillé sur eux pour déraciner
et renverser, pour démolir et ruiner, pour
faire mal — oracle du SEIGNEUR.
²⁹ En ce temps-là, on ne dira plus :
« Les pères ont mangé du raisin vert
et ce sont les enfants qui en ont les
dents rongées ! »
³⁰ Mais non ! Chacun mourra pour
son propre péché, et si quelqu'un mange
du raisin vert, ses propres dents en seront
rongées.

La nouvelle alliance

³¹ Des jours viennent — oracle du
SEIGNEUR — où je conclurai avec la communauté d'Israël ᵗ — et la communauté
de Juda — une nouvelle *alliance. ³² Elle
sera différente de l'alliance que j'ai conclue avec leurs pères ᵘ quand je les ai
pris par la main pour les faire sortir du
pays d'Egypte. Eux, ils ont rompu mon
alliance ; mais moi, je reste le maître
chez eux — oracle du SEIGNEUR. ³³ Voici
donc l'alliance que je conclurai avec la
communauté d'Israël après ces jours-là —
oracle du SEIGNEUR — : je déposerai mes
directives au fond d'eux-mêmes, les ins-
crivant dans leur être ; je deviendrai Dieu
pour eux, et eux, ils deviendront un peuple pour moi. ³⁴ Il ne s'instruiront plus
entre compagnons, entre frères, répétant :
« Apprenez à connaître le SEIGNEUR ! »,
car ils me connaîtront tous, petits et
grands — oracle du SEIGNEUR. Je pardonne
leur crime ; leur faute, je n'en parle plus.

Ordre de la nature et fidélité de Dieu

³⁵ Ainsi parle le SEIGNEUR
qui établit le soleil comme lumière du
jour,
la lune et les étoiles, dans leur ordre,
comme lumière de la nuit,
qui remue la mer, et c'est le tumulte
des vagues
— le SEIGNEUR le tout-puissant, c'est
son nom — :
³⁶ Si je perdais le contrôle de cet ordre
— oracle du SEIGNEUR —,
alors la descendance d'Israël, elle aussi,
cesserait pour toujours d'exister comme
nation devant moi.
³⁷ Ainsi parle le SEIGNEUR :
Si l'on parvenait à mesurer les cieux
en haut
et à explorer les fondements de la terre
en bas,
alors, moi aussi, je pourrais rejeter la
descendance d'Israël ᵛ
pour tout ce qu'ils ont fait
— oracle du SEIGNEUR.

La nouvelle Jérusalem

³⁸ Des jours viennent — oracle du
SEIGNEUR — où la ville sera reconstruite
pour le SEIGNEUR, depuis la tour de Hana-

ᵗ Voir la note sur 3.6 ● ᵘ ou *avec leurs ancêtres* ● ᵛ D'après l'ancienne version grecque; hébreu
toute la descendance d'Israël

31.23 restauration Jr 29.14+. **31.25** épuisés revigorés Es 40.30-31; 43.19-20; Jn 4.14-15; cf.
Mt 11.28. **31.28** bâtir et planter Jr 1.10+. **31.29** les pères ont mangé Ez 18.2 — ce sont les
enfants... cf. Ex 20.5; 34.7. **31.30** chacun... pour son propre péché Dt 24.16; 2 R 14.6; Ez 18.4.
31.31 nouvelle alliance Lc 22.20; 1 Co 11.25; 2 Co 3.6; He 9.15. **31.32** alliance rompue Jr 11.10.
31.33 au fond d'eux-mêmes cf. Es 48.17; 51.7; 54.13; 1 Jn 3.9 — Dieu pour eux... un peuple
pour moi Jr 7.23+. **31.34** enseignement devenu inutile 1 Jn 2.20, 27 — ils me connaîtront tous
Jr 24.7; Es 11.9; En 6.45 — je n'en parle plus Jr 50.20. **31.35** le soleil... lumière du jour Gn 1.16
— le Seigneur... c'est son nom Jr 32.18; 33.2; 46.18+; Es 54.5; Am 5.8, 27; 9.6. **31.37** si l'on
parvenait à mesurer les cieux... Es 40.12-16; Pr 30.4. **31.38** la tour de Hananéel Ne 3.1 — la porte
de l'Angle 2 R 14.13.

néel jusqu'à la porte de l'Angle *w*. ³⁹ En face on tendra encore le cordeau à mesurer sur la colline de Garev, et puis on prendra la direction de Goa *x*. ⁴⁰ Toute la vallée des cadavres et des cendres, et aussi tout le terrain le long de la vallée du Cédron jusqu'à l'angle de la porte des Chevaux *y*, à l'est, tout cela sera domaine sacré pour le SEIGNEUR ; il ne sera ni déraciné ni démoli à tout jamais.

Jérémie rachète le champ de son oncle

32 ¹ La parole qui s'adressa à Jérémie de la part du SEIGNEUR en la dixième année de Sédécias *z*, roi de Juda — c'était la dix-huitième année de Nabuchodonosor.

² A ce moment-là, les troupes du roi de Babylone assiégeaient Jérusalem, alors que le *prophète Jérémie était enfermé dans la cour de garde, au palais du roi de Juda. ³ Sédécias, roi de Juda, l'y avait enfermé, lui reprochant : « Pourquoi profères-tu ces oracles : "Voici que dit le SEIGNEUR : Je vais livrer cette ville au pouvoir du roi de Babylone ; il s'en emparera ; ⁴ Sédécias, roi de Juda, n'échappera pas aux forces chaldéennes *a*, mais il sera bel et bien livré au pouvoir du roi de Babylone à qui il parlera sans intermédiaire et qu'il verra de ses propres yeux ; ⁵ le vainqueur conduira Sédécias à Babylone ; c'est là qu'il séjournera jusqu'à ce que je m'occupe de lui — oracle du SEIGNEUR — ; si vous essayez de résister aux Chaldéens, vous n'aboutirez à rien" ? »

⁶ Voici le récit de Jérémie. La parole du SEIGNEUR s'adressa à moi en ces termes : ⁷ « Le fils de ton oncle Shalloum, Hanaméel, viendra te dire : "Achète mon champ qui se trouve à Anatoth, car c'est à toi qu'il appartient de l'acquérir en vertu du droit de rachat *b*". » ⁸ Comme le SEIGNEUR l'avait annoncé, Hanaméel, fils de mon oncle, vint vers moi dans la cour de garde pour me dire : « Achète mon champ qui se trouve à Anatoth, dans le pays de Benjamin, car le droit à la succession te revient, de même que le droit de rachat ; fais donc cette acquisition. » Alors je compris qu'il s'agissait de la parole du SEIGNEUR. ⁹ J'achetai donc ce champ à Hanaméel, fils de mon oncle — le champ qui se trouvait à Anatoth — et je lui pesai l'argent : dix-sept sicles *c* d'argent. ¹⁰ Je rédigeai un contrat sur lequel je mis mon sceau *d*, en présence des témoins que j'avais convoqués, et je pesai l'argent sur une balance. ¹¹ Je pris le contrat de vente, l'exemplaire scellé — les prescriptions et les règlements ! — et l'exemplaire ouvert *e*, ¹² et je remis le contrat de vente à Baruch, fils de Neriya, fils de Mahséya, en présence de Hanaméel, fils de mon oncle, en présence des témoins qui avaient signé le contrat de vente et en présence de tous les Judéens qui étaient là dans la cour de garde. ¹³ En leur présence, je donnai cet ordre à Baruch : ¹⁴ « — Ainsi parle le SEIGNEUR le tout-puissant, le Dieu d'Israël — Prends ces documents, le contrat de vente scellé que voici et le document ouvert que voilà, et place-les dans un récipient de terre cuite pour qu'ils se conservent longtemps. ¹⁵ En effet, ainsi parle le SEIGNEUR le tout-puissant, le Dieu d'Israël : Dans ce pays, on achètera encore des maisons, des champs et des vergers. » ¹⁶ Après avoir confié le contrat de vente à Baruch, fils de Nériya, j'adressai au SEIGNEUR cette supplication : ¹⁷ « Ah ! Seigneur DIEU,

---

w la tour de Hananéel: à l'extrémité nord des fortifications de l'ancienne Jérusalem — *la porte de l'Angle* était située dans la muraille ouest de la ville ● *x* On tendait *le cordeau à mesurer* pour délimiter le terrain avant de construire (voir Za 1.16 et la note) — *la colline de Garev* et le lieu nommé *Goa* n'ont pas été identifiés; on présume qu'ils étaient situés respectivement à l'ouest et au sud de l'ancienne Jérusalem ● *y la vallée des cadavres et des cendres:* la vallée de Ben-Hinnôm (voir Jr 7.31-32 et la note sur 2.23). Les cadavres provenaient des sacrifices — *la porte des Chevaux* était située dans la muraille est de la ville ● *z la dixième année de Sédécias:* en 588 av. J.C. ● *a* ou *babyloniennes* (voir la note sur 21.4) ● *b Anatoth:* voir 1.1 et la note — *le droit de rachat* revenait au parent le plus proche (voir Rt 2.20 et la note) ● *c sicles d'argent:* voir au glossaire POIDS ET MESURES ● *d sceau* ou *anneau à cacheter:* voir Ag 2.23 et la note ● *e* Le contrat est rédigé, selon la règle, en deux exemplaires: l'un est *scellé*, pour garantir que personne n'en modifiera les termes; l'autre est *ouvert*, pour être consulté à volonté

31.40 la vallée des cadavres et des cendres cf. Jr 2.23+ — la porte des Chevaux Ne 3.28; cf. 2 R 11.16 — domaine sacré Jl 4.17. **32.1** Sédécias Jr 1.3+ — dix-huitième année de Nabuchodonosor Jr 52.29. **32.2** dans la cour de garde v. 8, 12; 33.1; 37.21; 38.6, 13, 28; 39.14-15. **32.4** sans intermédiaire Jr 34.3. **32.5** Sédécias à Babylone 2 R 25.7 — jusqu'à ce que je m'occupe de lui Jr 27.22+; cf. 23.2 — vous n'aboutirez à rien Jr 37.9-10. **32.9** autres gestes symboliques de Jérémie Jr 13.1+. **32.12** Baruch Jr 36.4-32; 43.3; 45.1. **32.17** toi qui as fait le ciel et la terre Jr 51.15-19; Ps 121.2+ — par ta grande force... Jr 21.5+ — rien n'est trop difficile pour toi v. 27; Gn 18.14; Za 8.6; Mt 19.26.

c'est toi qui as fait le ciel et la terre par ta grande force, en déployant ta puissance, rien n'est trop difficile pour toi [18] qui pratiques la solidarité envers mille générations, mais qui fais encore payer le péché des pères à leurs enfants, Dieu grand, vaillant guerrier — le SEIGNEUR le tout-puissant, c'est son nom ! [19] Excellent conseiller et grand réalisateur, tu as les yeux sur la conduite de tout homme et tu rétribues chacun d'après sa conduite, d'après les fruits de ses actes ; [20] dans le pays d'Egypte, tu t'es révélé par des prodiges dont la valeur significative demeure jusqu'à ce jour, et tu t'es fait un nom en Israël et dans l'humanité, comme on peut le constater aujourd'hui ; [21] tu as fait sortir ton peuple Israël du pays d'Egypte, te révélant par des prodiges significatifs, par la force de ta main, en déployant ta puissance de façon grandement impressionnante ; [22] tu leur as donné ce pays que tu avais promis par serment à leurs pères [f], un pays ruisselant de lait et de miel ; [23] ils y sont entrés et ils en ont pris possession, mais ils n'ont pas écouté ta voix ; et tes directives, ils ne les ont pas suivies ; ils ont refusé de faire tout ce que tu leur avais demandé de faire ; c'est pourquoi tu leur as fait subir tous ces malheurs : [24] les chaussées d'investissement atteignent la ville ; aussi, pressée par l'épée, la famine et la peste, elle se rend aux forces chaldéennes qui l'assaillent. Ce que tu as décrété arrive, et toi, tu ne fais que regarder. [25] Et c'est toi qui me dis, Seigneur DIEU : "Achète le champ en pesant l'argent et en convoquant des témoins !", alors que la ville ne peut que se rendre aux forces chaldéennes. » [26] Alors la parole du SEIGNEUR s'adressa à Jérémie : [27] « Moi, le SEIGNEUR, je suis le Dieu de toute chair [g]. Y a-t-il une chose qui serait trop difficile pour moi ? [28] Eh bien — ainsi parle le SEIGNEUR —, je vais livrer cette ville au pouvoir des Chaldéens et de Nabuchodonosor, roi de Babylone. Il la prendra ; [29] les Chaldéens qui assaillent cette ville y pénétreront ; ils mettront le feu à cette ville et ils l'incendieront avec les maisons où, sur la terrasse, on a brûlé des offrandes pour *Baal et répandu des libations [h] pour d'autres dieux, en m'offensant. [30] Oui, depuis leur enfance les Israélites et les Judéens n'ont fait que ce que je réprouve ; les Israélites n'ont fait que m'offenser par leurs pratiques. [31] Cette ville a provoqué ma fureur, depuis sa fondation jusqu'à ce jour : je dois l'écarter de ma présence [32] à cause de tout le mal que les Israélites et les Judéens ont commis ; ils m'ont offensé, eux, leurs rois, leurs ministres, leurs prêtres, leurs *prophètes, les hommes de Juda et les habitants de Jérusalem : [33] ils me présentent la nuque non la face ; bien que je les instruise inlassablement, ils n'écoutent pas et ils n'acceptent pas la leçon ; [34] ils déposent leurs ordures [i] dans la Maison sur laquelle mon *nom a été proclamé, et ainsi ils la rendent *impure ; [35] ils ont érigé le tumulus de Baal dans la vallée de Ben-Hinnôm afin de faire passer, pour Molek, leurs fils et leurs filles par le feu [j] ; cela, je ne l'ai jamais demandé et je n'ai jamais eu l'idée de faire commettre une telle horreur pour faire dévier Juda. »

[36] Eh bien maintenant, ainsi parle le SEIGNEUR, le Dieu d'Israël, à propos de cette ville que vous dites livrée au pouvoir du roi de Babylone par l'épée, par la famine et par la peste : [37] « Je vais les rassembler de tous les pays où je les ai dispersés dans ma colère, dans ma fureur et dans ma grande irritation ; je les ramène en ce lieu et je les y établis en toute sécurité. [38] Ils deviennent pour moi un

---

f leurs pères ou *leurs ancêtres* ● *g* ou *de toute créature* ● *h offrandes, libations:* voir au glossaire SACRIFICES ● *i* Voir 4.1 et la note ● *j le tumulus:* voir 7.31 et la note — *la vallée de Ben-Hinnôm:* voir la note sur 2.23 — *Molek:* voir Lv 18.21 et la note — *par le feu:* voir 2 R 16.3 et la note

32.18 ...envers mille générations, mais... Ex 20.6; Dt 5.10 — Dieu vaillant guerrier Jr 20.11+ — c'est son nom Jr 31.35+. 32.19 Dieu surveille la conduite des hommes Jr 11.20+ ; 16.17; Pr 5.21 — chacun d'après sa conduite Jr 17.10+. 32.20 des prodiges significatifs en Egypte Ps 78.43+ ; Ac 7.36. 32.22 pays ruisselant de lait et de miel Jr 11.5+. 32.23 les raisons de leurs malheurs Ne 9.30. 32.27 le Dieu de toute chair Nb 16.22 — trop difficile v. 17+. 32.29 offrandes et libations à d'autres dieux Jr 19.13. 32.30 depuis leur enfance Jr 3.25 — pratiques offensantes pour Dieu Jr 25.6. 32.31 colère et fureur du Seigneur contre cette ville Jr 7.20+ — depuis sa fondation Jr 2.20; Ez 16.3-5, 45; 23.3 — l'écarter de ma présence 2 R 17.18, 23; 23.27. 32.32 offense à Dieu Jr 44.3. 32.33 ils me tournent le dos Jr 2.27; 15.6 — ils refusent la leçon Jr 5.3+. 32.34-35 ils déposent... Jr 7.30-31. 32.34 ordures (idoles) Jr 4.1+ — la maison sur laquelle mon nom a été proclamé Jr 7.10+. 32.35 vallée de Ben Hinnôm Jr 2.23+ — pour Molek Lv 18.21; 20.2; 1 R 11.7; 2 R 23.10; cf. Ac 7.43. 32.37 rassemblement des dispersés Jr 23.3+ — en toute sécurité Jr 23.6. 32.38 pour moi un peuple... Dieu pour eux Jr 7.23+.

peuple, et moi je deviens Dieu pour eux.
³⁹ Je leur donne une mentalité et une
orientation communes, les amenant à me
respecter toujours, pour leur bonheur et
pour celui de leurs enfants après eux.
⁴⁰ Je conclus avec eux une *alliance éternelle : je ne cesse de les poursuivre de
mes bienfaits et je fais qu'ils me respectent profondément, sans plus jamais
s'écarter de moi. ⁴¹ Ma joie sera de les
combler de biens ; oui, vraiment je les
planterai dans ce pays ; je le ferai de
tout mon cœur, de tout mon être. »

⁴² Oui, ainsi parle le SEIGNEUR : « De
même que j'ai fait venir sur ce peuple
tout ce grand malheur, de même je fais
venir sur eux tout le bien que je décrète
en leur faveur. ⁴³ On achètera des champs
dans ce pays dont vous dites que c'est
une désolation, qu'il est sans hommes ni
bêtes, livré aux forces chaldéennes : ⁴⁴ on
achètera des champs en pesant l'argent,
on rédigera le contrat, on apposera le
sceau en convoquant des témoins, dans
le pays de Benjamin, aux alentours de
Jérusalem et dans les villes de Juda, celles
de la montagne, celles du *Bas-Pays, celles
du Néguev ᵏ, car je vais les restaurer —
oracle du SEIGNEUR. »

Les villes reconstruites

33 ¹ La parole du SEIGNEUR s'adressa
à Jérémie une autre fois, comme
il était encore enfermé dans la cour de
garde.
² Ainsi parle le SEIGNEUR qui fait la
chose ˡ, le SEIGNEUR qui la façonne pour
l'affermir — le SEIGNEUR, c'est son nom :
³ Invoque-moi, je te répondrai, je te
révélerai de grandes choses, des choses
inaccessibles que tu ne connais pas.
⁴ Oui, ainsi parle le SEIGNEUR, le Dieu
d'Israël, au sujet des maisons de cette
ville, au sujet des maisons des rois de
Juda, qui toutes sont renversées, au sujet

des chaussées d'investissement, au sujet de
l'épée : ⁵ On s'est mis à résister aux Chaldéens ᵐ seulement pour remplir ces maisons des cadavres des hommes que j'abattrai dans ma colère, dans ma fureur,
puisque je cache ma face à cette ville à
cause de toute sa méchanceté. ⁶ Mais je
ferai poindre sa convalescence, puis sa
guérison ; je les guérirai, je leur dévoilerai
les richesses de la paix et de la sécurité.
⁷ Je restaurerai Juda et Israël ⁿ ; je les
rétablirai comme ils étaient autrefois, ⁸ je
les purifierai de tous les crimes dont ils
se sont rendus coupables envers moi,
leur pardonne tous les crimes dont ils
se sont rendus coupables envers moi, en
se révoltant contre moi. ⁹ Ce sera pour
moi un joyeux renom, un titre de gloire
et une parure auprès de toutes les nations
de la terre qui apprendront tous les bienfaits que j'accorde à Juda et à Israël ;
elles s'extasieront et frémiront à cause
de tous les biens, de toute la prospérité
que je leur accorde.

¹⁰ Ainsi parle le SEIGNEUR : En ce lieu
dont vous dites que c'est un monceau de
ruines sans hommes ni bêtes, dans les
villes de Juda et dans les ruelles désolées
de Jérusalem d'où ont disparu les hommes, les habitants et les animaux, on
entendra encore ¹¹ cris d'allégresse et
joyeux propos, chant de l'époux et jubilation de la mariée, et la psalmodie de
ceux qui, en apportant des *sacrifices de
louange dans la Maison du SEIGNEUR,
diront : « Célébrez le SEIGNEUR le tout-
puissant, car il est bon et sa fidélité est
pour toujours. » Oui, je restaurerai ce
pays, et il redeviendra ce qu'il était autrefois, dit le SEIGNEUR.

¹² Ainsi parle le SEIGNEUR le tout-puissant : En ce lieu, monceau de ruines
sans hommes ni bêtes, et dans toutes ses
villes, il y aura de nouveau des enclos
où les *bergers feront se reposer leurs

ᵏ la montagne: région centrale de la Judée — le Néguev: voir la note sur Es 21.1 ● ˡ la chose: le
sens du texte hébreu est imprécis; certains commentateurs juifs interprètent ici Jérusalem (v.
10-11). L'ancienne version grecque, mieux en accord avec le contexte immédiat, invite à lire la
terre ● ᵐ Voir 21.4 et la note ● ⁿ Israël (mentionné à côté de Juda): voir la note sur 3.6

32.39 mentalité et orientation communes cf. Jr 24.7. **32.40** alliance éternelle Es 24.5+; Jr 50.5
— les poursuivre Jr 29.11, 32; Ps 23.6 — qu'ils me respectent profondément Jr 5.22, 24; Ac 10.2;
cf. Jr 2.19. **32.41** joie de Dieu So 3.17; cf. Lc 15.7 — je les planterai Jr 1.10+; Am 9.15; cf.
Jr 2.21. **32.42** de même que... Jr 31.28. **32.43** dont vous dites... v. 36; 33.10. **32.44** restauration Jr 29.14+. **33.1** dans la cour de garde Jr 32.2+. **33.2** le Seigneur, c'est son nom Jr 31.35+.
33.3 invoque-moi, je te répondrai Jr 29.12; Ps 50.15 — les choses que tu ne connais pas Es 48.6.
33.5 colère et fureur du Seigneur Jr 7.20+; Dt 31.17. **33.6** convalescence, guérison Jr 3.22;
8.22; 30.17. **33.7** restauration Jr 29.14+. **33.8** je les purifierai Ez 36.25 — je leur pardonne
Jr 31.34. **33.9** un renom pour le Seigneur Jr 13.11; So 3.20. **33.10** dont vous dites Jr 32.43.
33.11 cris d'allégresse, joyeux propos Jr 7.34 — sacrifice de louange 2 Ch 29.31 — Célébrez le
Seigneur Ps 105.1+ car il est bon Ps 106.1+ — restauration Jr 29.14+.

moutons. **¹³** Dans les villes de la montagne, dans les villes du *Bas-Pays, dans les villes de Néguev *ᵒ*, dans le pays de Benjamin, aux alentours de Jérusalem et dans les villes de Juda, il y aura de nouveau des moutons qui défileront devant celui qui les compte, dit le SEIGNEUR.

Renouveau de la dynastie de David

¹⁴ Des jours viennent — oracle du SEIGNEUR — où j'accomplirai la promesse que j'ai faite à la communauté d'Israël *ᵖ* et à la communauté de Juda. **¹⁵** En ce temps-là, à ce moment même, je ferai croître pour David un rejeton légitime *q* qui défendra le droit et la justice dans le pays. **¹⁶** En ce temps-là, Juda sera sauvée et Jérusalem habitera en sécurité. Voici le nom dont on la nommera : « Le SEIGNEUR, c'est lui notre justice. »

¹⁷ Ainsi parle le SEIGNEUR : Il ne manquera jamais aux Davidides *r* un homme installé sur le trône de la communauté d'Israël. **¹⁸** Il ne manquera jamais aux prêtres lévitiques des hommes qui se tiendront en ma présence, faisant monter les holocaustes, brûlant des offrandes *s* et célébrant des sacrifices tous les jours.

Une alliance irrévocable

¹⁹ La parole du SEIGNEUR s'adressa à Jérémie. **²⁰** — Ainsi parle le SEIGNEUR — Si vous réussissez à rompre mon alliance avec le jour, et mon alliance avec la nuit, en sorte que le jour et la nuit n'arrivent plus au moment voulu, **²¹** alors mon *alliance avec mon serviteur David sera également rompue ; il n'aura plus de descendant régnant sur son trône. Il en sera de même pour mon alliance avec les prêtres lévitiques *t*, mes ministres. **²²** Comme l'armée du ciel *u* qu'on ne peut dénombrer, comme le sable de la mer qu'on ne peut mesurer,

ainsi je multiplierai les descendants de mon serviteur David et les lévites qui sont mes ministres.

²³ La parole du SEIGNEUR s'adressa à Jérémie : **²⁴** Ces gens prétendent, tu vois bien, que le SEIGNEUR a rejeté les deux familles qu'il a choisies. Aussi méprisent-ils mon peuple qui n'est plus une nation pour eux. **²⁵** Or, ainsi parle le SEIGNEUR : Moi qui ai fait alliance avec le jour et la nuit, et établi l'ordre du ciel et de la terre, **²⁶** est-ce que je rejetterais la descendance de Jacob et de mon serviteur David ? Est-ce que je renoncerais à choisir dans sa postérité des chefs pour la race d'Abraham, d'Isaac et de Jacob ? Non ! je les restaurerai, car je les prends en pitié.

Le sort prochain du roi Sédécias

34 **¹** La parole qui s'adressa à Jérémie de la part du SEIGNEUR, pendant que Nabuchodonosor, roi de Babylone, et toutes ses forces — et tous les royaumes de la terre sur lesquels s'étendait sa domination, et tous les peuples — assaillaient Jérusalem et toutes les villes qui l'environnaient.

² Ainsi parle le SEIGNEUR, le Dieu d'Israël : Va dire à Sédécias, roi de Juda, oui, dis-lui bien : « Ainsi parle le SEIGNEUR : Je vais livrer cette ville au pouvoir du roi de Babylone qui l'incendiera. **³** Toi, tu ne lui échapperas pas : tu seras arrêté et livré à sa merci. Toi et le roi de Babylone, vous vous trouverez face à face, il te parlera sans intermédiaire. Et tu iras à Babylone. **⁴** Toutefois, Sédécias, roi de Juda, écoute la parole du SEIGNEUR. Ainsi parle le SEIGNEUR à **ton** sujet : tu ne mourras pas par l'épée. **⁵** Tu mourras paisiblement ; on brûlera des parfums pour toi comme on en a brûlé pour tes pères, tes prédécesseurs sur le

---

o la montagne: voir 32.44 et la note — *le Néguev:* voir la note sur Es 21.1 ● *p Israël* (mentionné à côté de *Juda*): voir la note sur 3.6 ● *q* Voir 23.5 et la note ● *r* C'est-à-dire les descendants de David ● *s prêtres lévitiques:* voir au glossaire LÉVITES et la note sur Dt 17.9 — *holocaustes, offrandes:* voir au glossaire SACRIFICES ● *t* Voir au glossaire LÉVITES et la note sur Dt 17.9 ● *u l'armée du ciel:* voir la note sur 2 R 17.16

33.14 j'accomplirai ma promesse Jr 29.10. **33.15-16** en ce temps-là... lui notre justice Jr 23.5-6. **33.16** un nouveau nom Os 2.1; Es 1.26+ pour Jérusalem Za 8.3; *Ba* 5.4. **33.17-18** il y aura toujours un Davidide, des prêtres lévitiques *Si* 51.12 *h-i* — toujours un Davidide sur le trône d'Israël 2 S 7.16; 1 R 2.4; 8.25; 9.5. **33.20** alliance du Seigneur avec le jour et la nuit Jr 31.36. **33.21** alliance avec David Ps 89.29, 35; *Si* 45.25. **33.22** l'armée du ciel innombrable Gn 15.5; 22.17 — comme le sable de la mer Es 10.22+. **33.24** les deux familles que Dieu a choisies 50.4. **33.26** restauration Jr 29.14+. **34.1** Nabuchodonosor Jr 21.2+. **34.2** messages de Jérémie à Sédécias Jr 21.1-10; 38.14-23. **34.3** Sédécias arrêté et livré au roi de Babylone Jr 32.4-5; 52.8-9; 2 R 25.5-6. **34.4** roi de Juda, écoute... Jr 22.2+. **34.5** funérailles pour les rois... de Juda 2 Ch 16.14; 21.19-20 — lamentations funèbres Jr 22.18+.

trône royal ; on entonnera pour toi l'élégie : "Quel malheur mon maître !" Oui, je fais cette déclaration — oracle du SEIGNEUR. »

⁶ Le prophète Jérémie prononça toutes ces paroles devant Sédécias, roi de Juda, à Jérusalem, ⁷ pendant que les forces du roi de Babylone assaillaient Jérusalem et les villes de Juda qui résistaient encore, Lakish et Azéqa ᵛ ; car parmi les villes de Juda, celles-ci subsistaient encore comme places fortes.

Les esclaves hébreux libérés puis récupérés

⁸ La parole qui s'adressa à Jérémie de la part du SEIGNEUR, après que le roi Sédécias eut fait prendre à tout le peuple qui se trouvait à Jérusalem l'engagement de proclamer l'affranchissement des esclaves : ⁹ chacun libérerait ses esclaves hébreux, hommes et femmes, et nul d'entre eux n'asservirait plus un Judéen, son frère. ¹⁰ Alors toutes les autorités et tous les gens qui avaient pris l'engagement de libérer leurs esclaves, hommes ou femmes, et de ne plus les asservir à nouveau, tinrent parole ; ils tinrent parole et libérèrent leurs esclaves. ¹¹ Mais plus tard ils firent marche arrière : ils récupérèrent les esclaves qu'ils avaient libérés, hommes et femmes, et les exploitèrent à nouveau comme esclaves, hommes ou femmes. ¹² La parole du SEIGNEUR s'adressa à Jérémie — de la part du SEIGNEUR. ¹³ Ainsi parle le SEIGNEUR, le Dieu d'Israël : C'est moi qui ai fait prendre cet engagement à vos pères, quand je les ai fait sortir du pays d'Egypte, de la maison des esclaves ʷ : ¹⁴ « Au bout d'une période de sept ans, chacun d'entre vous libérera son frère hébreu qui se sera vendu à lui ; il sera ton esclave pendant six ans, et ensuite tu le libéreras. » Mais vos pères ne m'ont pas écouté, ils n'ont pas tendu l'oreille. ¹⁵ Ces temps-ci, vous vous étiez convertis en faisant ce qui me paraît juste ; chacun de vous avait proclamé l'affranchissement de son compatriote, et vous aviez pris des engagements en ma présence, dans la Maison ˣ sur laquelle mon *nom a été proclamé. ¹⁶ Mais vous avez fait marche arrière, profanant ainsi mon nom ; chacun de vous a récupéré les esclaves, hommes et femmes, auxquels il avait rendu la liberté ; vous les exploitez à nouveau comme vos esclaves, hommes ou femmes.

¹⁷ Eh bien, ainsi parle le SEIGNEUR : Puisque vous ne m'avez pas écouté en proclamant l'affranchissement de vos frères et de vos compatriotes, je vais, moi, proclamer votre affranchissement — oracle du SEIGNEUR — en vous laissant à l'épée, à la peste et à la famine. Je fais de vous un exemple terrifiant pour tous les royaumes de la terre ; ¹⁸ je livre les hommes qui ont manqué aux engagements que je leur ai fait prendre — qui n'ont pas honoré les termes de l'engagement qu'ils avaient décidé d'accepter devant moi, en coupant en deux un taurillon et en passant entre les morceaux ʸ : ¹⁹ les autorités de Juda et celles de Jérusalem, le personnel de la cour, les prêtres et tous les propriétaires terriens, tous ceux qui ont passé entre les morceaux du taurillon —, ²⁰ je les livre au pouvoir de leurs ennemis, au pouvoir de ceux qui en veulent à leur vie ; leurs cadavres deviendront la pâture des oiseaux du ciel et des bêtes de la terre ᶻ. ²¹ Quant à Sédécias, roi de Juda, et à ses ministres, je les livre au pouvoir de leurs ennemis, au pouvoir de ceux qui en veulent à leur vie, au pouvoir des forces du roi de Babylone qui viennent de lever le siège. ²² Je vais donner un ordre — oracle du SEIGNEUR — et elles vont revenir contre cette ville ; elles l'assailliront, la prendront, l'incendieront ; les villes de Juda, j'en fais des lieux désolés, vidés de leurs habitants.

ᵛ *les villes:* d'après l'ancienne version grecque; texte hébreu traditionnel *toutes les villes* — *Lakish, Azéqa:* villes de Juda, situées respectivement à 45 et 30 km environ au sud-ouest de Jérusalem ● ʷ *vos pères* ou *vos ancêtres* — *de la maison des esclaves* ou *du pays de l'esclavage* ● ˣ *la Maison (sur laquelle...): le Temple (qui m'est dédié)* ● ʸ Cérémonial pour conclure une alliance (Gn 15.10-18), ou confirmer un engagement solennel. Les partenaires acceptaient de subir le sort de l'animal partagé s'ils rompaient leurs engagements ● ᶻ Voir la note sur 8.2

34.7 Lakish Jos 10.31-35; 2 R 14.19; 18.14, 17; Ne 11.30 — Azéqa Jos 10.10; 15.35; 1 S 17.1; Ne 11.30. **34.9** esclaves hébreux 2 R 4.1; Ne 5.8. **34.13** maison des esclaves Ex 20.2+. **34.14** libération des esclaves tous les sept ans Dt 15.12 — refus d'écouter Jr 6.9-15; 7.26+. **34.15** la Maison sur laquelle... Jr 7.10+. **34.16** profanant mon nom (par une promesse non tenue) Lv 19.12. **34.17** un exemple terrifiant Jr 15.4+. **34.20** pâture pour les charognards Jr 7.33+. **34.22** retour offensif des Babyloniens Jr 32.2, 24; 37.8.

L'exemple donné par les Rékabites

35 ¹ La parole qui s'adressa à Jérémie de la part du SEIGNEUR, au temps de Yoyaqîm, fils de Josias, roi de Juda : ² « Va trouver le clan des Rékabites, parle-leur, amène-les au Temple, dans l'une des salles et donne-leur du vin à boire. » ³ J'allai donc chercher Yaazanya, fils de Yirmeyahou, fils de Havacinya, tous ses frères et tous ses fils : tout le clan des Rékabites. ⁴ Je les amenai au Temple, dans la salle des fils de Hanân, fils de Yigdalyahou, l'homme de Dieu, celle qui se trouve à côté de la salle des ministres, au-dessus de la salle de Maaséyahou, fils de Shalloum, gardien du seuil ᵃ. ⁵ Je plaçai devant les membres du clan des Rékabites des bols remplis de vin et des coupes, et je leur dis : « Buvez du vin ! » ⁶ Ils répliquèrent : « Nous ne buvons pas de vin. Notre ancêtre, Yonadav, fils de Rékav, nous a laissé ces instructions : "Vous ne boirez jamais de vin, ni vous ni vos enfants ; ⁷ vous ne construirez pas de maison, vous ne ferez pas de semailles, vous ne planterez pas de verger et vous n'en ferez pas l'acquisition, mais vous logerez sous des tentes pendant toute votre vie, afin de vivre longtemps sur le sol où vous séjournez." ⁸ Nous avons obéi à toutes les instructions que notre ancêtre Yonadav, fils de Rékav, nous a laissées : nous n'avons jamais bu de vin, ni nous-mêmes, ni nos femmes, ni nos fils, ni nos filles ; ⁹ nous n'avons pas construit de maisons pour nous y installer, nous n'avons acquis ni vergers, ni champs, ni semences ; ¹⁰ nous logeons sous des tentes : nous obéissons scrupuleusement aux instructions que notre ancêtre Yonadav nous a laissées. ¹¹ Ce n'est qu'au moment où Nabuchodonosor, roi de Babylone, a envahi le pays, que nous nous sommes dit : "Il vaut mieux entrer dans Jérusalem face à la marée des forces chaldéennes ᵇ et *araméennes." Ainsi nous nous sommes installés à Jérusalem. »

¹² Alors la parole du SEIGNEUR s'adressa à Jérémie : ¹³ « — Ainsi parle le SEI-GNEUR le tout-puissant, le Dieu d'Israël — Va dire aux hommes de Juda et aux habitants de Jérusalem : Allez-vous enfin accepter la leçon et écouter mes paroles — oracle du SEIGNEUR ? ¹⁴ L'interdiction de boire du vin que Yonadav, fils de Rékav, a laissée à ses enfants a été respectée : ils n'ont jamais bu de vin jusqu'à ce jour, obéissant aux instructions de leur ancêtre. Mais moi, je vous ai parlé inlassablement sans que vous m'ayez écouté. ¹⁵ Inlassablement, je vous ai envoyé mes serviteurs les *prophètes pour vous dire : "Convertissez-vous chacun de votre mauvaise conduite, oui, améliorez votre manière d'agir, ne courez pas après d'autres dieux pour leur rendre un culte, et vous demeurerez sur le sol que je vous ai donné à vous et à vos pères !" Mais vous n'avez pas tendu l'oreille, vous ne m'avez pas écouté. ¹⁶ Les fils de Yonadav, eux, respectent les instructions que leur a laissées leur ancêtre, mais ce peuple ne m'écoute pas. ¹⁷ Eh bien, ainsi parle le SEIGNEUR, Dieu des puissances, le Dieu d'Israël : Je vais faire venir sur Juda et sur tous les habitants de Jérusalem tous les malheurs que j'ai décrétés contre eux, parce que je leur ai parlé sans qu'ils m'écoutent, et que je les ai appelés sans qu'ils me répondent. » ¹⁸ Au clan des Rékabites, Jérémie dit : « Ainsi parle le SEIGNEUR le tout-puissant, le Dieu d'Israël : Vu que vous obéissez à l'instruction de votre ancêtre, Yonadav, que vous observez toutes ses instructions et que vous mettez bien en pratique ce qu'il vous a demandé, ¹⁹ eh bien, ainsi parle le SEIGNEUR le tout-puissant, le Dieu d'Israël : Il ne manquera jamais à Yonadav, fils de Rékav, des hommes qui se tiennent tous les jours en ma présence. »

Le recueil des messages de Jérémie

36 ¹ En la quatrième année de Yoyaqîm ᶜ, fils de Josias, roi de Juda, la parole que voici s'adressa à Jérémie de la part du SEIGNEUR : ² « Procure-toi un rouleau, et écris dedans toutes les pa-

---

a Voir 2 R 12.10 et la note ● *b* Voir la note sur 21.4 ● *c la quatrième année de Yoyaqîm :* 605 av. J.C.

35.1 Yoyaqîm Jr 1.3+. **35.2** le clan des Rékatites 2 R 10.15-16. **35.4** homme de Dieu 1 R 12.22; 13.1; 17.18, 24; 20.28; 2 R 1.9. **35.9** non installés 1 Ch 29.15; He 11.13; 1 P 2.11. **35.11** Nabuchodonosor Jr 21.2+. **35.13** accepter la leçon Jr 6.8+. **35.15** inlassablement mes serviteurs les prophètes Jr 44.4 — renoncer chacun à sa mauvaise conduite Jr 18.11+; cf. Ac 3.19; Rm 2.4 — courir après d'autres Dieux Jr 7.9+ — refus d'écouter Jr 7.26+. **35.17** je vous ai parlé en vain Jr 7.13+. **35.19** (se tenir) devant le Seigneur Jr 7.10+. **36.1** Yoyaqîm Jr 1.3+ — quatrième année de Yoyaqîm Jr 25.1+. **36.2** un rouleau Ez 2.9-10; Za 5.1 — message à fixer par écrit Jr 30.2; 51.60 — au sujet d'Israël Jr 3.6-13; 30.1—31.22 — Josias Jr 1.2+.

roles que je t'ai adressées au sujet d'Israël, de Juda et de toutes les nations, depuis que j'ai commencé à te parler au temps de Josias jusqu'à ce jour *d*. ³ Peut-être les gens de Juda seront-ils attentifs à tous les maux que je pense leur infliger, en sorte que, chacun se convertissant de sa mauvaise conduite, je puisse pardonner leurs crimes et leurs fautes.» ⁴ Jérémie fit appel à Baruch, fils de Nériya, et celui-ci écrivit dans le rouleau, sous la dictée de Jérémie, toutes les paroles que le SEIGNEUR lui avait adressées. ⁵ Puis Jérémie demanda à Baruch : « J'ai un empêchement, je ne peux pas aller au Temple *e*, ⁶ vas-y donc toi-même en un jour de *jeûne et, dans le Temple, face à la foule, fais lecture du rouleau où tu as écrit, sous ma dictée, les paroles du SEIGNEUR ; fais-en lecture à tous les Judéens qui seront venus de leurs différentes villes. ⁷ Il se pourrait alors que leur supplication jaillisse devant le SEIGNEUR et que chacun se convertisse de sa mauvaise conduite, car terrible est la colère, la fureur que le SEIGNEUR manifeste à l'égard de ce peuple.»

⁸ Baruch, fils de Nériya, accomplit fidèlement ce que le *prophète Jérémie lui avait demandé ; il lut, au Temple, dans le livre, les paroles du SEIGNEUR.

⁹ En la cinquième année de Yoyaqîm, fils de Josias, roi de Juda, au neuvième mois *f*, on convoqua pour un jeûne devant le SEIGNEUR tous les gens de Jérusalem et tous les gens des villes de Juda qui venaient à Jérusalem. ¹⁰ Alors Baruch lut, dans le livre, les paroles de Jérémie, au Temple, dans la salle de Guemaryahou, fils de Shafân, le chancelier, dans le *parvis supérieur, à l'entrée de la porte Neuve du Temple ; il en fit lecture à toute la foule. ¹¹ Or Mikayehou, fils de Guemaryahou, fils de Shafân, entendit toutes les paroles du SEIGNEUR telles qu'elles étaient écrites dans le livre. ¹² Il descendit au palais, entra dans la salle du chancelier ; là étaient réunis en séance tous les ministres : le chancelier Elishama, Delayahou, fils de Shemayahou, Elnatân,

fils de Akbor, Guemaryahou, fils de Shafân, Sédécias, fils de Hananyahou, et les autres ministres. ¹³ Mikayehou leur communiqua toutes les paroles qu'il avait entendues quand Baruch, fils de Nériya, faisait lecture du livre à la foule.

¹⁴ Alors le conseil des ministres envoya Yehoudi, fils de Netanyahou, fils de Shèlèmyahou, fils de Koushi, auprès de Baruch pour lui dire : « Apporte-nous le rouleau que tu as lu devant la foule. » Baruch, fils de Nériya, prit le rouleau et vint vers eux. ¹⁵ Ils lui dirent : « Assieds-toi et fais-nous la lecture de ce rouleau ! » Baruch s'exécuta. ¹⁶ En entendant toutes les paroles, ils furent pris d'une panique contagieuse. Finalement ils dirent à Baruch : « Nous ne manquerons pas de communiquer au roi toutes ces paroles. » ¹⁷ Et ils lui demandèrent : « Raconte-nous comment tu as écrit toutes ces paroles sous sa dictée. » ¹⁸ Baruch leur répondit : « Il m'a dicté personnellement toutes ces paroles, tandis que moi, je les écrivais avec de l'encre dans le livre. » ¹⁹ Les ministres dirent à Baruch : « Va-t-en, cache-toi, et Jérémie aussi ; que personne ne sache où vous êtes ! » ²⁰ Ayant déposé le rouleau dans la salle du chancelier Elishama, ils entrèrent chez le roi, dans ses appartements privés, et ils racontèrent au roi tout ce qui s'était passé.

²¹ Alors le roi envoya Yehoudi chercher le rouleau ; celui-ci alla le prendre dans la salle du chancelier Elishama et en fit lecture au roi et à tous les ministres qui, debout, entouraient le roi. ²² Le roi, lui, était assis au salon d'hiver — c'était le neuvième mois —, et le feu *g* d'un brasero brûlait devant lui. ²³ Chaque fois que Yehoudi avait lu trois ou quatre colonnes, le roi les découpait avec un canif de scribe et les jetait au feu du brasero, si bien que tout le rouleau finit par disparaître dans le feu du brasero. ²⁴ Ils ne furent pas pris de panique, ils ne *déchirèrent pas leurs vêtements, ni le roi ni aucun de ses serviteurs qui entendaient toutes ces paroles. ²⁵ Même quand Elnatân, Delayahou et Guemaryahou

d un rouleau ou *un livre* (en forme de rouleau): voir la note sur 30.2 — *Israël* (mentionné à côté de *Juda*): voir la note sur 3.6 — *au temps de Josias*: voir 1.2 et la note ● *e J'ai un empêchement, je ne peux pas aller au Temple*: autre traduction *On m'interdit d'aller au Temple* ● *f la cinquième année de Yoyaqîm, au neuvième mois*: novembre-décembre de l'année 604 av. J.C. ● *g le feu*: d'après les anciennes versions grecque, araméenne et syriaque; texte hébreu traditionnel peu clair

36.3 Peut-être Jr 26.3 ; So 2.3 ; cf. Lc 20.13 — renoncer chacun à sa mauvaise conduite v. 7 ; Jr 18.11 +. 36.4 Baruch fils de Nériya Jr 32.12 +. 36.5 empêchement Ne 6.10 ; cf. Jr 20.1-6. 36.7 colère, fureur Jr 7.20 +. 36.10 Guemaryahou fils de Shafân v. 12 ; cf. Jr 26.24 + ● le parvis supérieur cf. 2 R 21.5 ; 2 Ch 20.5. 36.12 Elnatân fils d'Akbor Jr 26.22 +. 36.16 panique cf. v. 24. 36.24 panique v. 16 ; Jr 2.19 ; 5.22.

intervenaient auprès du roi pour l'empêcher de brûler le rouleau, celui-ci ne les écoutait pas, 26 et il donna l'ordre à Yerahméel, prince du sang, à Serayahou, fils de Azriël, et à Shèlèmyahou, fils de Avdéel, d'arrêter le chancelier Baruch et le prophète Jérémie ; mais le SEIGNEUR les tenait cachés.

27 Après que le roi eut brûlé le rouleau qui contenait les paroles écrites par Baruch, sous la dictée de Jérémie, la parole du SEIGNEUR s'adressa à Jérémie : 28 « Procure-toi un autre rouleau et écris dedans toutes les paroles primitives qui se trouvaient dans le premier rouleau brûlé par Yoyaqîm, roi de Juda. 29 Et à Yoyaqîm, roi de Juda, tu diras : Ainsi parle le SEIGNEUR : Tu as brûlé ce rouleau en me reprochant d'y avoir écrit que le roi de Babylone viendrait certainement ravager ce pays et en faire disparaître hommes et bêtes. 30 Eh bien, ainsi parle le SEIGNEUR au sujet de Yoyaqîm, roi de Juda : Il n'aura personne pour lui succéder sur le trône de David ; son cadavre sera exposé à la chaleur du jour et au froid de la nuit h ; 31 je sévirai contre lui, sa descendance, ses serviteurs, à cause de leurs crimes ; et je ferai venir sur eux, sur les habitants de Jérusalem et les hommes de Juda, tous les grands malheurs dont je leur ai parlé sans qu'ils m'écoutent. »

32 Jérémie se procura donc un autre rouleau et le remit au chancelier Baruch fils de Nériya ; celui-ci y écrivit, sous la dictée de Jérémie, toutes les paroles du livre brûlé par Yoyaqîm, roi de Juda. Et beaucoup d'autres paroles semblables y furent ajoutées.

Le roi Sédécias fait consulter Jérémie

37 1 Le roi Sédécias, fils de Josias, accéda au trône à la place de Konyahou i, fils de Yoyaqîm, Nabuchodonosor, roi de Babylone, l'ayant intronisé dans le pays de Juda. 2 Personne n'écoutait les paroles que le SEIGNEUR proclamait par l'intermédiaire du *prophète Jérémie : ni lui, ni ses serviteurs, ni les propriétaires terriens.

3 Le roi Sédécias envoya Yehoukal, fils de Shèlèmya, et le prêtre Cefanyahou, fils de Maaséya, auprès du prophète Jérémie pour lui dire : « Intercède pour nous, je te prie, auprès du SEIGNEUR ' notre Dieu ! » 4 Jérémie se déplaçait librement au milieu du peuple ; on ne l'avait pas mis en prison.

5 L'armée du *pharaon ayant quitté l'Egypte, les Chaldéens j qui assiégeaient Jérusalem, informés de la chose, s'étaient éloignés de Jérusalem en levant le siège. 6 Alors la parole du SEIGNEUR s'adressa au prophète Jérémie : 7 « Ainsi parle le SEIGNEUR, le Dieu d'Israël : Voici ce que vous direz au roi de Juda qui vous envoie vers moi pour me consulter : L'armée du pharaon, qui a quitté l'Egypte pour vous secourir, fera demi-tour et regagnera ses bases en Egypte. 8 Les Chaldéens reviendront, ils assailliront cette ville, la prendront et l'incendieront. 9 Ainsi parle le SEIGNEUR : Ne vous leurrez pas en vous imaginant que les Chaldéens sont partis définitivement de chez vous. Ils ne sont pas partis. 10 Quand bien même vous anéantiriez toute l'armée chaldéenne qui vous assaille et qu'il n'en resterait que quelques hommes criblés de flèches, ceux-ci se dresseraient dans leur tente et incendieraient cette ville. »

Jérémie accusé de trahison

11 Comme l'armée chaldéenne k s'était éloignée de Jérusalem, sous la pression de l'armée du *pharaon, 12 Jérémie voulut sortir de Jérusalem et se rendre au pays de Benjamin, pour une affaire de succession dans sa famille. 13 Arrivé à la porte de Benjamin, il y rencontra un factionnaire nommé Yiriya, fils de Shèlèmya, fils de Hanania. Celui-ci arrêta le *prophète Jérémie en disant : « Tu es en train de passer aux Chaldéens. » 14 Jérémie répliqua : « C'est faux, je n'ai pas l'intention de passer aux Chaldéens. » Mais Yiriya ne voulut rien entendre ; il

---

h *personne pour lui succéder:* Yoyakîn (ou Konyahou), fils de Yoyaqîm, ne put régner, en effet, que trois mois (voir 22.24-30) — *son cadavre sera exposé:* voir la note sur 8.2 ● i Voir 22.24 et la note ● j Voir 21.4 et la note ● k Voir la note sur 21.4

36.29 disparition des hommes et des bêtes Jr 9.9; 11.23; cf. 4.25+. **36.30** Autres messages de Jérémie au sujet de Yoyaqîm Jr 22.13-19; cf. 21.11—22.9 — cadavre exposé Jr 8.2; Ba 2.25. **36.31** appelés sans qu'ils m'écoutent Jr 35.17. **37.1** Sédécias Jr 1.3+ — Konyahou Jr 22.24+ — Nabuchodonosor Jr 21.2+. **37.2** personne n'écoutait Jr 7.13+. **37.3** Sédécias et Jérémie Jr 21.1-10; 34.1-7 — Cefanyahou, fils de Maaséya Jr 21.1+ — le prophète intercesseur Jr 7.16+. **37.7** consulter le Seigneur Jr 21.2+. **37.8** retour offensif des Babyloniens Jr 34.22+ — incendie Jr 17.27+. **37.12** pour une affaire de succession Jr 32.8. **37.13** la porte de Benjamin Jr 38.7.

arrêta Jérémie et l'amena devant les ministres. ¹⁵ Les ministres s'emportèrent contre Jérémie, le frappèrent et le mirent aux arrêts dans la maison du chancelier Yehonatân — on en avait fait une prison. ¹⁶ C'est à l'intérieur de la citerne qu'il aboutit, dans la chambre voûtée. Jérémie y demeura longtemps.

Sédécias consulte secrètement Jérémie

¹⁷ Puis le roi Sédécias l'envoya chercher. En secret, le roi l'interrogea dans son palais, lui demandant : « Y a-t-il un message du SEIGNEUR ? » Jérémie répondit : « Oui ! » et il ajouta : « Tu seras livré au pouvoir du roi de Babylone. » ¹⁸ Alors Jérémie dit au roi Sédécias : « Quelle faute ai-je commis envers toi, tes serviteurs et ce peuple, que vous me jetiez en prison ? ¹⁹ Et où sont les *prophètes qui vous ont prophétisé que ni vous ni ce pays n'auriez à craindre une invasion du roi de Babylone ? ²⁰ Maintenant écoute, mon seigneur le roi, et laisse-toi toucher par ma supplication : ne me renvoie pas dans la maison du chancelier Yehonatân ; là-bas, je vais mourir. » ²¹ Alors le roi Sédécias donna l'ordre de détenir Jérémie dans la cour de garde et de lui accorder quotidiennement une galette de pain, de la ruelle des boulangers, jusqu'à ce qu'il n'y ait plus de pain dans la ville. Ainsi Jérémie resta dans la cour de garde.

Eved-Mélek retire Jérémie de la citerne

38 ¹ Shefatya, fils de Mattân, Guedalyahou, fils de Pashehour, Youkal, fils de Shèlèmyahou, et Pashehour, fils de Malkiya, entendirent les paroles que Jérémie répétait à tout le monde : ² « Ainsi parle le SEIGNEUR : Celui qui restera dans cette ville mourra par l'épée, la famine et la peste ; celui qui en sortira pour aller rejoindre les Chaldéens *l* vivra, et il s'estimera heureux d'avoir au moins la vie sauve ; oui, il restera en vie. ³ Ainsi parle le SEIGNEUR : Cette ville sera bel et bien livrée au pouvoir

des troupes du roi de Babylone ; elles s'en empareront. » ⁴ Les ministres dirent au roi : « Qu'on mette cet homme à mort puisqu'il démoralise les derniers défenseurs de la ville et même toute la population par ce qu'il raconte. Ce n'est pas le bien du peuple que recherche cet homme, mais son malheur. » ⁵ Le roi Sédécias répondit : « Il est entre vos mains ; le roi ne peut rien contre vous. » ⁶ Ils prirent Jérémie et le jetèrent dans la citerne de Malkiya, prince du sang, celle qui se trouve dans la cour de garde ; ils y introduisirent Jérémie à l'aide de cordes. Il n'y avait pas d'eau dans la citerne, seulement de la vase, et Jérémie s'y enfonça. ⁷ Eved-Mélek, le Koushite, du personnel de la cour, qui était au palais, apprit qu'on avait mis Jérémie dans la citerne alors que le roi siégeait à la porte de Benjamin *m*. ⁸ Eved-Mélek quitta le palais pour aller parler au roi. ⁹ Il lui dit : « Mon seigneur le roi, c'est méchant tout ce que ces hommes ont fait au *prophète Jérémie ; ils l'ont jeté dans la citerne ; il va mourir de faim dans son trou, car il n'y a plus de pain dans la ville. » ¹⁰ Alors le roi donna cet ordre à Eved-Mélek, le Koushite : « Prends trois hommes avec toi et retire le prophète Jérémie de la citerne avant qu'il ne meure. » ¹¹ Eved-Mélek prit les hommes avec lui, se rendit au palais, ramassa sous le trésor quelques vieux chiffons *n* et les fit parvenir à Jérémie dans la citerne au moyen de cordes. ¹² Eved-Mélek, le Koushite, dit à Jérémie : « Mets-toi les vieux chiffons au-dessous des aisselles, sur les cordes. » Jérémie le fit. ¹³ Ils hissèrent donc Jérémie avec les cordes et le firent remonter de la citerne. Jérémie resta dans la cour de garde.

Dernière entrevue de Sédécias et de Jérémie

¹⁴ Le roi Sédécias envoya chercher le *prophète Jérémie pour qu'on le lui amène à la troisième entrée du Temple. Le roi dit à Jérémie : « Je vais te poser une question ; ne me cache rien ! » ¹⁵ Jérémie

---

l Voir 21.4 et la note ● *m* le Koushite, c'est-à-dire le Nubien (voir Es 11.11 et la note) — La *porte de Benjamin* était située dans la muraille nord de la ville ● *n* sous le trésor : tournure abrégée pour indiquer une pièce située sous la salle où l'on entreposait le trésor royal — *quelques vieux chiffons* : la traduction rend ainsi deux mots hébreux dont la signification est mal connue

37.21 dans la cour de garde Jr 32.2+. **38.1** Youkal fils de Shèlèmyahou cf. Jr 37.3 — Pashehour fils de Malkiya Jr 21.1. **38.2** Message de Jérémie aux assiégés Jr 21.9 — épée, famine, peste Jr 14.12+ — au moins la vie sauve Jr 21.9+. **38.4** démoralisés Jr 6.24. **38.5** le roi ne peut rien contre vous Dn 6.16 ; *Dn grec* 14.30. **38.6** prince du sang Jr 36.26 — dans la cour de garde Jr 32.2+. **38.7** la porte de Benjamin Jr 37.13.

répondit à Sédécias : « Si je te dis la vérité, tu me tueras ; et si je te donne un
conseil, tu ne le suivras pas ! » [16] Alors
le roi Sédécias prit en secret cet engagement solennel envers Jérémie : « Vivant
est le SEIGNEUR qui nous donne cette vie !
je ne te tuerai point et je ne te livrerai pas
au pouvoir de ces hommes qui en veulent
à ta vie. » [17] Jérémie dit alors à Sédécias : « Ainsi parle le SEIGNEUR, Dieu des
puissances, le Dieu d'Israël : Si tu acceptes d'aller rejoindre l'état-major du roi
de Babylone, tu auras la vie sauve et
cette ville ne sera pas incendiée : tu survivras ainsi que ta famille. [18] Mais si tu
ne rejoins pas l'état-major du roi de Babylone, cette ville sera livrée au pouvoir des Chaldéens [o] qui l'incendieront ;
et toi, tu ne leur échapperas pas. » [19] Le
roi Sédécias répondit à Jérémie : « Moi,
ce qui m'inquiète, ce sont les Judéens
passés aux Chaldéens : il se pourrait que
je leur sois livré pour qu'ils se jouent de
moi. » [20] Jérémie dit : « On ne te livrera
pas. Ecoute la voix du SEIGNEUR dans ce
que je te dis et tout ira bien, tu auras la
vie sauve. [21] Par contre, si tu refuses de te
rendre, voici la scène que le SEIGNEUR
me fait voir : [22] Toutes les femmes qui
se trouvent encore dans le palais du roi
de Juda sont conduites vers l'état-major
du roi de Babylone, et elles disent :

"Ils t'ont séduit, ils sont arrivés à leurs fins,
tes intimes ;
tes pieds s'enfoncent dans la boue,
eux, ils s'éclipsent."

[23] Toutes tes femmes et tes enfants, on
les conduit aux Chaldéens. Toi-même, tu
ne leur échappes pas : le roi de Babylone
se saisit de toi, et la ville est incendiée. »
[24] Sédécias dit à Jérémie : « Que personne n'ait connaissance des paroles que
nous avons échangées ; autrement, tu es
un homme mort. [25] Et si les ministres,
apprenant que j'ai eu un entretien avec
toi, viennent te dire : "Fais-nous part de
ce que tu as déclaré au roi ! Sous peine
de mort, ne nous cache rien ! Qu'est-ce
que le roi t'a déclaré ?", [26] tu leur répondras : "Suppliant, j'ai voulu toucher
le roi pour qu'il ne me renvoie pas mourir dans la maison de Yehonatân." »
[27] De fait, tous les ministres vinrent interroger Jérémie, et, dans sa réponse, il
s'en tint aux instructions du roi ; ils n'insistèrent pas, et l'affaire ne fut donc pas
ébruitée. [28] Jérémie demeura dans la cour
de garde jusqu'à la prise de Jérusalem.

La prise de Jérusalem

Et quand Jérusalem fut prise...

39 [1] En la neuvième année de Sédécias, roi de Juda, au dixième mois [p],
Nabuchodonosor, roi de Babylone, arriva
avec toutes ses troupes devant Jérusalem et investit la ville. [2] La onzième
année de Sédécias, au quatrième mois, le
neuf du mois [q], une brèche fut ouverte
dans la ville. [3] ... L'état-major du roi de
Babylone vint siéger sur la grand-place :
Nergal-Sarèçèr, de Sîn-Maguir [r], Nebou-
Sarsekim, chef du personnel de la cour,
Nergal-Sarèçèr, le généralissime, et tous
les autres officiers de l'état-major.
[4] Sédécias, roi de Juda, et tous les
combattants, ayant constaté leur présence, s'enfuirent en quittant la ville de
nuit, par le jardin du roi, près de la
porte entre les deux murs, et ils s'éloignèrent en direction de la Araba [s].
[5] Mais les troupes chaldéennes les poursuivirent et rattrapèrent Sédécias dans
la plaine de Jéricho. Elles le prirent et
le firent monter à Rivla, dans le pays
de Hamath [t], auprès de Nabuchodonosor,
roi de Babylone, qui lui annonça ses décisions. [6] Le roi de Babylone fit égorger, à Rivla, les fils de Sédécias sous
les yeux de celui-ci. Le roi de Babylone
fit aussi égorger tous les nobles de Juda.
[7] Puis il creva les yeux de Sédécias et le
lia avec une double chaîne de bronze
pour l'emmener à Babylone. [8] Quant au
palais et aux maisons bourgeoises, les

o Voir 21.4 et la note • *p* Fin décembre 589 av. J.C. • *q* Fin juin 587 av. J.C. • *r sur la grand-place* ou *à la porte du Milieu — de Sîn-Maguir:* d'après les documents babyloniens; le mot hébreu correspondant est obscur • *s la porte entre les deux murs* permettait de sortir de la ville par le sud — *la Araba:* nom hébreu de la vallée du Jourdain • *t chaldéennes:* voir la note sur 21.4 — *Rivla:* ville située sur l'Oronte, fleuve de Syrie — *le pays de Hamath:* sur le territoire de l'actuelle Syrie

38.16 Formule de serment: « Vivant est le Seigneur » Jr 4.2; 16.14; 44.26. **38.17** la vie sauve v. 2. **38.20** Ecouter la voix du Seigneur Jr 42.6. **38.22** ils t'ont séduit Ab 7. **38.26** dans la maison de Yehonatân Jr 37.15. **38.28** dans la cour de garde v. 6,13; Jr 32.2+. **39.1** neuvième année, dixième mois Jr 52.4; 2 R 25.1 — Nabuchodonosor Jr 21.2+. **39.2** une brèche Jr 52.7; 2 R 25.4. **39.3** chef du personnel de la cour v. 13; cf. Dn 1.3. **39.4-10** fuite, capture et jugement de Sédécias Jr 52.7-11; 2 R 25.4-7. **39.8** maisons bourgeoises incendiées Jr 17.27+.

Chaldéens y mirent le feu et ils renversèrent les murs de Jérusalem. 9 Nebouzaradân, chef de la garde personnelle, déporta à Babylone les bourgeois qui restaient encore dans la ville, ainsi que les déserteurs qui s'étaient rendus à lui, bref, ce qui restait de la bourgeoisie, 10 mais il laissa dans le pays une partie du prolétariat qui ne possédait rien et c'est alors qu'il leur donna des vergers et des champs.

11 Au sujet de Jérémie, Nabuchodonosor, roi de Babylone, prit des dispositions dont il confia l'exécution à Nebouzaradân, chef de la garde personnelle, lui enjoignant : 12 « Prends-le en charge, veille sur lui, ne lui fais aucun mal ; au contraire satisfais ses requêtes. » 13 Nebouzaradân, chef de la garde personnlle, Neboushazbân, chef du personnel de la cour, Nergal-Sarèçèr, le généralissime, et tout l'état-major du roi de Babylone 14 envoyèrent donc chercher Jérémie dans la cour de garde pour le confier à Guedalias, fils d'Ahiqam, fils de Shafân, qui lui permettrait de se retirer chez lui. Ainsi Jérémie resta au milieu du peuple.

Eved-Mélek aura la vie sauve

15 La parole du SEIGNEUR s'était adressée à Jérémie quand il était enfermé dans la cour de garde : 16 « Va dire ceci à Eved-Mélek, le Koushite u : "Ainsi parle le SEIGNEUR le tout-puissant, le Dieu d'Israël : Je vais faire venir mes paroles contre cette ville pour lui faire du mal et non du bien ; ce jour-là, elles se présenteront devant toi. 17 Ce jour-là, je te libérerai — oracle du SEIGNEUR — et tu ne seras pas livré au pouvoir des hommes que tu redoutes. 18 Je te sauverai certainement, tu ne tomberas pas par l'épée : si tu te confies en moi, tu t'estimeras heureux d'avoir au moins la vie sauve — oracle du SEIGNEUR". »

Jérémie s'installe auprès de Guedalias
(v. 7-19: cf. 2 R 25.23-24)

40 1 La parole s'adressa à Jérémie de la part du SEIGNEUR, après que Nebouzaradân, chef de la garde personnelle, l'eût renvoyé de Rama v — il l'avait pris en charge alors qu'il se trouvait enchaîné au milieu de tous les prisonniers de Jérusalem et de Juda qu'on déportait à Babylone. 2 Le chef de la garde personnelle l'avait donc pris en charge et lui avait dit : « C'est le SEIGNEUR ton Dieu qui a décrété un tel malheur contre ce lieu. 3 Le SEIGNEUR l'a fait venir, il a agi conformément à ce qu'il avait décrété. C'est parce que vous êtes fautifs envers le SEIGNEUR, parce que vous n'avez pas écouté sa voix, que cela est arrivé. 4 Mais maintenant, aujourd'hui même, je te libère de tes menottes. Si tu désires m'accompagner à Babylone, viens, et je veillerai sur toi ; mais si tu répugnes à m'accompagner à Babylone, ne viens pas. La terre tout entière est devant toi : va où il te convient d'aller. 5 Si tu ne veux pas rester avec moi w, retourne donc auprès de Guedalias, fils d'Ahiqam, fils de Shafân, que le roi de Babylone a nommé commissaire dans les villes de Juda, et reste avec lui au milieu du peuple, ou bien va où il te convient d'aller. » Le chef de la garde personnelle lui remit alors des vivres et un cadeau, et le congédia. 6 Ainsi Jérémie arriva à Miçpa x auprès de Guedalias, fils d'Ahiqam, et il resta avec lui parmi la population qui demeurait encore dans le pays.

7 Tous les commandants des troupes isolées dans la campagne — eux et leurs hommes — apprirent que le roi de Babylone avait nommé Guedalias, fils d'Ahiqam, commissaire dans le pays et qu'il lui avait confié hommes, femmes et enfants, et une partie des petites gens du pays, ceux qui n'avaient pas été déportés à Babylone. 8 Ils vinrent trouver Guedalias à Miçpa : c'étaient Yishmaël, fils de Netanyahou, Yohanân et Yonatân, les fils de Qaréah, Seraya, fils de Tanhoumeth, les fils de Ofaï de Netofa, Yezanyahou, fils du Maakatite, eux et leurs hommes. 9 Guedalias, fils d'Ahiqam, fils de Shafân, leur fit ainsi qu'à leurs hommes cette déclaration solennelle : « Acceptez sans crainte le régime des Chal-

---

u Voir 38.7 et la note • v Voir 31.15 et la note • w D'après les anciennes versions grecque, araméenne, et latine; le texte hébreu traditionnel est peu clair • x Petite ville située à peu de distance de Rama.

39.9 Nebouzaradân v. 11; Jr 41.10; 52.12; 2 R 25.8. **39.12** veille sur lui Jr 40.4. **39.14** dans la cour de garde Jr 32.2+ — Guedalias, petit fils de Shafân cf. Jr 26.24+. **39.16** Eved-Mélek Jr 38.7-13. **39.17** libération Jr 20.13. **39.18** au moins la vie sauve Jr 21.9+. **40.1** Nebouzaradân fait libérer Jérémie cf. 39.14. **40.2** pris en charge Jr 39.12. **40.5** auprès de Guedalias Jr 39.14. **40.6** Miçpa Jg 20.1, 3; 21.1; 1 S 7.5-7; 1 R 15.22; 2 R 25.23; Ne 3.7. **40.7** troupes isolées dans la campagne 2 R 25.23.

déens [y]. Restez dans le pays, soyez soumis au roi de Babylone, et tout ira bien. [10] Moi je reste à Miçpa à la disposition des Chaldéens qui viennent chez nous. Quant à vous, récoltez le vin, les fruits et l'huile, faites des provisions et restez dans les villes que vous occupez. »

[11] De même tous les Judéens qui se trouvaient en Moab, parmi les Ammonites, en Edom [z] et dans tous les pays, apprirent que le roi de Babylone avait fait des concessions à Juda et qu'il avait nommé commissaire Guedalias, fils d'Ahiqam, fils de Shafân, [12] ils revinrent alors de tous les lieux où ils avaient été dispersés. Arrivés dans le pays de Juda auprès de Guedalias à Miçpa, ils firent la récolte du vin et des fruits, une récolte surabondante.

L'assassinat de Guedalias

(41.1-3: cf. 2 R 25.25-26)

[13] Arrivés auprès de Guedalias à Miçpa, Yohanân, fils de Qaréah, et tous les commandants des troupes isolées dans la campagne [14] lui dirent : « Ne sais-tu donc pas que Baalis, roi des Ammonites [a], a chargé Yishmaël, fils de Netanya, de t'abattre ? » Mais Guedalias, fils d'Ahiqam, refusa de le croire. [15] Alors Yohanân, fils de Qaréah, demanda en secret à Guedalias, à Miçpa : « Permets que j'aille abattre Yishmaël, fils de Netanya, sans que personne ne le sache. Veux-tu vraiment qu'il t'abatte ? Tous les Judéens regroupés autour de toi seraient l'abandon et ce qui reste de Juda périrait ! » [16] Guedalias, fils d'Ahiqam, répondit à Yohanân, fils de Qaréah : « Ne le fais pas ! Ce que tu racontes au sujet de Yishmaël est faux. »

41 [1] Au septième mois [b], Yishmaël, fils de Netanya, fils d'Elishama, de sang royal, l'un des hauts fonctionnaires du roi, vint trouver Guedalias, fils d'Ahiqam, à Miçpa, accompagné de dix hommes, et là, à Miçpa, ils déjeunèrent ensemble. [2] Soudain, Yishmaël, fils de Netanya, et les dix hommes qui l'accompagnaient abattirent Guedalias, fils d'Ahi-

qam, d'un coup d'épée. Ainsi tua-t-il celui que le roi de Babylone avait nommé commissaire dans le pays. [3] De même, Yishmaël abattit tous les Judéens qui se trouvaient avec lui — avec Guedalias à Miçpa —, ainsi que les Chaldéens [c] qui se trouvaient à Miçpa, les militaires.

[4] Le deuxième jour après l'assassinat de Guedalias — personne n'étant au courant —, [5] arrivèrent des hommes de Sichem, de Silo et de Samarie, ils étaient quatre-vingts ; barbe rasée, vêtements déchirés, couverts d'incisions, ils portaient des offrandes [d] et de l'*encens destinés au Temple. [6] Yishmaël, fils de Netanya, sortit de Miçpa à leur rencontre ; tout en marchant, il ne cessait de pleurer ; les ayant atteints, il leur dit : « Venez voir Guedalias, fils d'Ahiqam ! » [7] Comme ils arrivaient au centre de la ville, Yishmaël, fils de Netanya, les massacra et jeta leurs cadavres dans la citerne — lui et les hommes qui l'accompagnaient. [8] Il y avait parmi eux dix hommes qui dirent à Yishmaël : « Ne nous fais pas mourir : nous avons des provisions cachées dans la nature : du froment, de l'orge, de l'huile et du miel. » Yishmaël renonça à les faire mourir avec leurs frères.

[9] La citerne [e] dans laquelle Yishmaël jeta tous les cadavres des hommes qu'il avait massacrés était la grande citerne que fit le roi Asa quand il fut attaqué par Baésha d'Israël. Yishmaël, fils de Netanya, la remplit de ses victimes. [10] Alors Yishmaël emmena captif tout le reste de la population de Miçpa : les princesses et tous les gens qui vivaient encore à Miçpa, ceux que Nebouzaradân, chef de la garde personnelle, avait confiés aux soins de Guedalias, fils d'Ahiqam ; Yishmaël, fils de Netanya, les emmena captifs et s'en alla rejoindre les Ammonites.

[11] Ayant appris quel crime avait commis Yishmaël, fils de Netanya, Yohanân, fils de Qaréah, et tous les commandants des troupes qui étaient avec lui [12] rassemblèrent leurs hommes et se mirent en campagne contre Yishmaël, fils de Neta-

---

[y] Voir 21.4 et la note ● [z] *Moab, Ammon, Edom:* trois petits royaumes voisins de Juda, à l'est ● [a] Petit royaume de Transjordanie. Au moment de la prise de Jérusalem il était resté momentanément à l'abri de l'invasion babylonienne (voir la note sur 52.30) ● [b] Voir au glossaire CALENDRIER ● [c] Voir 21.4 et la note ● [d] *Sichem, Silo, Samarie:* villes de l'ancien royaume d'Israël — *barbe rasée, vêtements déchirés, couverts d'incisions:* voir au glossaire DÉCHIRER SES VÊTEMENTS — *offrandes:* voir au glossaire SACRIFICES ● [e] *la grande citerne:* d'après l'ancienne version grecque; hébreu peu clair

40.15 ce qui reste de Juda Jr 42.15. **41.1** au septième mois 2 R 25.25. **41.6** pleurs hypocrites Si 12.16. **41.9** Asa et la défense de Miçpa 1 R 15.22. **41.10** Nebouzaradân Jr 39.9+.

nya. Ils le trouvèrent auprès du grand plan d'eau de Gabaon *f*. ¹³ Quand tous les gens qui étaient avec Yishmaël virent Yohanân, fils de Qaréah, et tous les commandants des troupes qui l'accompagnaient, ils se réjouirent ; ¹⁴ tous les gens que Yishmaël avait emmenés captifs de Miçpa firent demi-tour et retournèrent auprès de Yohanân, fils de Qaréah. ¹⁵ Quant à Yishmaël, fils de Netanya, il se sauva avec huit hommes, à l'approche de Yohanân, fils de Qaréah, et il se rendit auprès des Ammonites.

¹⁶ Alors Yohanân, fils de Qaréah, ainsi que les commandants des troupes qui l'accompagnaient prirent en charge tout le reste de la population — ceux que Yishmaël, fils de Netanya, avait emmenés captifs de Miçpa, après l'assassinat de Guedalias, fils d'Ahiqam : les hommes, les soldats, les femmes, les enfants et le personnel de la cour ramenés de Gabaon — ; ¹⁷ ils se mirent en route et s'arrêtèrent au campement de Kimham *g* aux environs de Bethléem, prêts à partir pour l'Egypte, ¹⁸ ils fuyaient 'les Chaldéens qu'ils redoutaient parce que Yishmaël, fils de Netanya, avait assassiné Guedalias, fils d'Ahiqam, commissaire du pays nommé par le roi de Babylone.

Jérémie est emmené de force en Egypte

42 ¹ Alors tous les commandants des troupes — notamment Yohanân, fils de Qaréah, et Azarya *h* fils de Hoshaya — et tout le peuple, petits et grands, s'approchèrent ² du *prophète Jérémie et lui dirent : « Laisse-toi toucher par notre supplication ! Intercède auprès du SEIGNEUR ton Dieu pour ce petit reste que nous sommes ; oui, nous ne sommes plus que quelques survivants, après avoir été si nombreux ! Tu le sais bien. ³ Que le SEIGNEUR ton Dieu nous indique quel chemin prendre, quoi faire. » ⁴ Le prophète Jérémie leur dit : « Entendu ! je vais intercéder auprès du SEIGNEUR votre Dieu comme vous me le demandez, et je vous communiquerai toute parole que le

SEIGNEUR vous répondra, sans en rien garder pour moi. » ⁵ Eux alors affirmèrent à Jérémie : « Que le SEIGNEUR soit contre nous un témoin véridique et sûr : nous agirons exactement selon la parole que le SEIGNEUR ton Dieu t'adressera pour nous. ⁶ Que cela nous plaise ou nous répugne, nous écouterons la voix du SEIGNEUR notre Dieu auprès de qui nous te députons ; et tout ira bien, car nous écouterons la voix du SEIGNEUR notre Dieu. »

⁷ Au bout de dix jours, la parole du SEIGNEUR s'adressa à Jérémie. ⁸ Celui-ci appela Yohanân, fils de Qaréah, ainsi que tous les commandants des troupes qui l'entouraient et tout le peuple, petits et grands, ⁹ et il leur dit : « Ainsi parle le SEIGNEUR le Dieu d'Israël, auprès duquel vous m'avez député pour que j'essaie de le toucher par votre supplication : ¹⁰ Si vous acceptez de rester dans ce pays, alors je vous bâtirai, je ne vous démolirai plus ; je vous planterai, sans plus jamais vous déraciner : je réparerai le mal que je vous ai fait. ¹¹ N'ayez plus peur du roi de Babylone que vous redoutez ! N'ayez plus peur de lui — oracle du SEIGNEUR —, car je suis avec vous pour vous délivrer, vous arracher à son pouvoir. ¹² Je vous fais prendre en pitié : vous prenant en pitié, il vous laissera *i* sur votre terre. ¹³ Mais si vous dites : "Nous ne voulons pas rester dans ce pays !" — refusant ainsi d'écouter la voix du SEIGNEUR votre Dieu —, ¹⁴ et si vous dites : "Non ! nous voulons nous rendre en Egypte où nous ne connaîtrons plus la guerre, où nous n'entendrons plus l'alerte du cor, où nous ne souffrirons plus du manque de pain ; c'est là que nous voulons nous établir !", ¹⁵ eh bien, alors, écoutez la parole du SEIGNEUR, vous les survivants de Juda ! Ainsi parle le SEIGNEUR le tout-puissant, le Dieu d'Israël : Si vraiment vous vous mettez en route pour vous rendre en Egypte, et que vous allez vous y réfugier, ¹⁶ l'épée dont vous avez peur vous atteindra là-bas, dans le pays d'Egypte ; la famine qui vous in-

---

f Voir 1 R 3.4 et la note ● *g au campement de Kimham:* d'après plusieurs anciennes versions; texte hébreu traditionnel obscur ● *h Azarya:* avec l'ancienne version grecque et d'après 43.2; hébreu *Yezanya* (comparer 40.8) ● *i il vous laissera:* texte reconstitué d'après trois anciennes versions; texte hébreu traditionnel *il vous fera revenir*

41.18 peur des représailles babyloniennes Jr 42.11. **42.1** Yohanân Jr 40.8, 13. **42.2** le prophète intercesseur Jr 7.16+ — rares survivants d'une population nombreuse Dt 28.62; cf. *Dn grec* 3.37. **42.5** le Seigneur, témoin Gn 31.50; Jg 11.10; 1 S 12.5. **42.6** nous écouterons et tout ira bien Jr 38.20; cf. Jr 6.14+. **42.7** Jérémie doit attendre que Dieu lui parle cf. 28.11-12. **42.10** bâtir, planter (au lieu de démolir) Jr 1.10+ — je réparerai cf. Jr 18.8. **42.11** N'ayez plus peur... car je suis avec vous Jr 1.8; 15.20; 30.10 pour vous délivrer Jr 20.13. **42.13** refus d'écouter v. 21; Jr 43.4, 7; 44.23. **42.14** nous voulons Jr 2.31 — l'alerte du cor Jr 4.5+.

quiète, vous l'aurez à vos trousses jusqu'en Egypte, et c'est là que vous mourrez. [17] Les hommes qui se mettront en route pour aller se réfugier en Egypte mourront par l'épée, la famine et la peste ; il n'y aura ni rescapé ni survivant du malheur que je fais venir contre eux. [18] Oui, ainsi parle le SEIGNEUR le tout-puissant, le Dieu d'Israël : Comme ma colère et ma fureur se sont déversées sur les habitants de Jérusalem, de même ma fureur se déversera sur vous quand vous arriverez en Egypte : vous deviendrez une désolation et vous passerez au répertoire des imprécations, des malédictions et des injures *j* ; vous ne reverrez plus ce lieu. [19] Le SEIGNEUR vous déclare, à vous survivants de Juda : Ne vous rendez pas en Egypte ! Vous savez bien qu'aujourd'hui, je suis témoin contre vous ! [20] Vous avez risqué votre propre vie ; vous m'avez vous-mêmes député auprès du SEIGNEUR votre Dieu en me demandant : "Intercède pour nous auprès du SEIGNEUR notre Dieu ; annonce-nous fidèlement ce que le SEIGNEUR notre Dieu dit, et nous le ferons !" [21] — Je viens de vous l'annoncer, mais vous n'écoutez pas la voix du SEIGNEUR votre Dieu, vous n'écoutez rien de ce qu'il m'a confié pour vous. [22] Maintenant, vous pouvez être sûrs que vous allez mourir par l'épée, la famine et la peste, à l'endroit même où vous voulez aller vous réfugier. »

43 [1] Quand Jérémie eut fini de prononcer devant tout le peuple toutes les paroles du SEIGNEUR leur Dieu, que le SEIGNEUR leur Dieu lui avait confiées pour eux, toutes ces paroles, [2] Azarya, fils de Hoshaya, Yohanân, fils de Qaréah, et tous ces messieurs insolents prirent la parole et dirent à Jérémie : « C'est faux ce que tu dis. Le SEIGNEUR notre Dieu ne t'a pas envoyé nous dire : "N'allez pas vous réfugier en Egypte !" [3] C'est Baruch, fils de Nériya, qui t'entraîne dans l'opposition ; il veut nous livrer au pouvoir des Chaldéens *k* pour qu'ils nous mettent à mort, pour qu'ils nous déportent à Babylone. » [4] Ni Yohanân, fils de Qaréah, ni les commandants des troupes, ni personne d'autre n'écoutèrent la voix du SEIGNEUR qui les invitait à rester dans le pays de Juda. [5] Yohanân, fils de Qaréah, et tous les commandants des troupes prirent en charge tous les survivants de Juda, ceux qui étaient revenus séjourner en Juda, après avoir été dispersés parmi les nations voisines : [6] les hommes, les femmes, les enfants, les princesses — toutes les personnes que Nebouzaradân, chef de la garde personnelle, avait confiées à Guedalias, fils d'Ahiqam, fils de Shafân — ainsi que le prophète Jérémie et Baruch, fils de Nériya ; [7] refusant d'écouter la voix du SEIGNEUR, ils se rendirent en Egypte et ils allèrent jusqu'à Daphné *l*.

Jérémie annonce l'invasion de l'Egypte

[8] Alors, la parole du SEIGNEUR s'adressa à Jérémie à Daphné *l*. [9] « Prends des grandes pierres et, sous les yeux de quelques Judéens, enfouis-les dans le sol argileux de la tuilerie *m* qui se trouve vers l'entrée du palais du *pharaon à Daphné. [10] Puis tu leur diras : Ainsi parle le SEIGNEUR le tout-puissant, le Dieu d'Israël : Je vais envoyer chercher mon serviteur, Nabuchodonosor, roi de Babylone, je placerai son trône au-dessus des pierres que tu as enfouies ; il étendra sur elles son baldaquin. [11] Il viendra et il frappera le pays d'Egypte *n* — A la mort, qui est pour la mort ! A la déportation, qui est pour la déportation ! A l'épée, qui est pour l'épée ! — [12] Je mettrai le feu aux temples des dieux égyptiens ; il brûlera ces dieux, il les emportera, il épouillera le pays d'Egypte comme un *berger épouille son vêtement, et il repartira sain et sauf. [13] Il brisera les obélisques d'Héliopolis *o*, dans le pays d'Egypte, et il incendiera les temples des dieux égyptiens. »

---

j On trouve en 29.22 un exemple de ce genre de malédictions ● *k* Voir 21.4 et la note ● *l* Voir la note sur 2.16 ● *m de la tuilerie* : traduction conjecturale ; hébreu obscur ● *n* Effectivement Nabuchodonosor a envahi l'Egypte vers 568-567 av. J.C., sous le règne du pharaon Amasis ● *o Héliopolis* (ville du soleil), près du Caire, célèbre par son temple dédié au dieu-soleil Râ

42.17 épée, famine et peste Jr 14.12+ — pas de survivant Jr 11.23; 44.14; Lm 2.22. **42.18** colère et fureur Jr 7.20+ — au répertoire des malédictions Jr 24.9+. **42.21** vous n'écoutez pas Jr 43.4. **43.2** Azarya et les autres chefs de bandes Jr 42.1 — insolents Es 13.11; cf. Ml 3.19. **43.3** Baruch fils de Neriya Jr 32.12+. **43.4** refus d'écouter Jr 42.13+. **43.5** dispersés parmi les nations voisines Jr 40.11. **43.6** Nebouzaradân Jr 39.9+ — confiés à Guedalias Jr 39.14. **43.7** départ pour l'Egypte 2 R 25.26 — Daphné Jr 2.16+. **43.9** Autres gestes symboliques de Jérémie Jr 13.1+. **43.10** mon serviteur Nabuchodonosor Jr 25.9+; cf. 21.2+. **43.11** Nabuchodonosor envahit l'Egypte Jr 46.13; Ez 29.19-20 — à la mort ... Jr 15.2+. **43.12** les dieux égyptiens Jr 46.25; Ez 30.13.

Menaces contre les réfugiés judéens

44 [1] La parole qui s'adressa à Jérémie pour tous les Judéens qui s'étaient établis au pays d'Egypte : à Migdol, à Daphné, à Memphis, et dans le pays de Patros *p* : [2] « Ainsi parle le Seigneur le tout-puissant, le Dieu d'Israël : Vous savez bien tous les malheurs que j'ai fait venir contre Jérusalem et contre les villes de Juda : les voilà maintenant en ruines, personne n'y habite ; [3] c'est à cause des méfaits qu'ils ont commis ; ils m'ont offensé en allant brûler des offrandes et rendre un culte à d'autres dieux qui ne s'étaient occupés ni d'eux, ni de vous, ni de vos pères *q*. [4] Je vous ai envoyé inlassablement tous mes serviteurs les *prophètes vous dire : "Ne commettez pas les choses horribles que je déteste !" [5] Ils n'ont ni écouté ni prêté l'oreille pour se convertir de leur méchanceté et ne plus brûler des offrandes à d'autres dieux. [6] Ainsi ma fureur, ma colère s'est déversée, et tel un feu, elle a ravagé les villes de Juda et les ruelles de Jérusalem : elles sont devenues des monceaux de ruines, des lieux désolés — c'est bien la situation actuelle ! [7] Maintenant donc, ainsi parle le Seigneur, Dieu des puissances, le Dieu d'Israël : Pourquoi continuez-vous à vous faire vous-mêmes tant de mal, jusqu'à vous faire exterminer de Juda, hommes et femmes, bébés et nourrissons, sans laisser subsister aucun reste ? [8] En effet vous m'offensez par vos pratiques : vous brûlez des offrandes à d'autres dieux dans le pays d'Egypte où vous êtes venus vous réfugier ; vous finirez par provoquer votre extermination et vous passerez au répertoire des malédictions et des injures *r* chez toutes les nations de la terre. [9] Avez-vous oublié les méfaits de vos pères, ceux des rois de Juda et de leurs femmes, vos propres méfaits et ceux de vos femmes, méfaits commis dans le pays de Juda et dans les ruelles de Jérusalem ? [10] Jusqu'à ce jour, ils n'ont ressenti aucune contrition ; ils n'ont pas de respect, et ils ne suivent pas les directives et les principes que j'ai exposés à vous et à vos pères. [11] Eh bien ! ainsi parle le Seigneur le tout-puissant, le Dieu d'Israël : Je vais me tourner contre vous pour vous faire du mal et je vais exterminer tout Juda. [12] Je prends en charge les survivants de Juda qui se sont mis en route pour aller se réfugier en Egypte ; ils périront tous, ils tomberont dans le pays d'Egypte, ils périront par l'épée et la famine ; tous, petits et grands, ils mourront par l'épée et la famine, ils deviendront une désolation et passeront au répertoire des imprécations, des malédictions et des injures. [13] Je sévis contre ceux qui habitent dans le pays d'Egypte, comme j'ai sévi contre Jérusalem, par l'épée, la famine et la peste. [14] Il n'y aura ni rescapé ni survivant parmi ceux qui restent de Juda et qui sont venus se réfugier en Egypte ; nul ne retournera dans le pays de Juda où ils ont la prétention de retourner afin d'y habiter ; ils n'y retourneront pas — sauf quelques rescapés. »

[15] Les hommes qui savaient que leurs femmes brûlaient des offrandes à d'autres dieux, ainsi que les femmes qui étaient présentes en grande assemblée, tous les gens qui s'étaient établis dans le pays d'Egypte, à Patros, répondirent à Jérémie : [16] « Bien que tu nous dises cela au nom du Seigneur, nous ne t'écoutons pas. [17] Nous allons faire tout ce que nous avons décidé : brûler des offrandes à la Reine du ciel, lui verser des libations, comme nous l'avons fait dans les villes de Juda et dans les ruelles de Jérusalem — nous-mêmes, nos pères *s*, nos rois, nos ministres — ; alors nous avions du pain à satiété et nous vivions heureux sans connaître de malheur. [18] Depuis que nous avons cessé de brûler des offrandes à la

---

p Migdol: à l'est de Daphné — *Daphné, Memphis:* voir la note sur 2.16 — *le pays de Patros:* voir la note sur Es 11.11 ● *q* Ou *vos ancêtres* ● *r* On trouve en 29.22 un exemple de ce genre de malédictions ● *s la Reine du ciel:* voir 7.18 et la note — *libations:* voir au glossaire SACRI-FICES — *nos pères* ou *les générations qui nous ont précédés*

44.1 Migdol Jr 46.14; Ex 14.2; Ez 29.10; 30.6 — Daphné et Memphis Jr 2.16+. **44.2** Malheurs survenus à Jérusalem Jr 11.11, 17. **44.3** offrandes et culte à d'autres dieux Jr 11.10; 19.4 — des dieux avec qui Israël n'a rien en commun Jr 7.9+. **44.4** inlassablement mes serviteurs les prophètes Jr 35.15; 2 Ch 36.15 — les choses horribles... Jr 6.15; 7.10; 44.22; Ez 8.6. **44.5** refus d'écouter Jr 7.26+ — pour se convertir de leur méchanceté Jr 18.8. **44.6** colère et fureur Jr 7.20+ — ruines, lieux désolés, situation actuelle Jr 25.18+. **44.7** vous faire à vous-mêmes tant de mal Ha 2.10; cf. Jr 26.19. **44.8** pratiques qui offensent Dieu Jr 25.6+ — offrandes à d'autres dieux Jr 7.9+ — au répertoire des malédictions Jr 24.9+. **44.11** contre vous Jr 21.10. **44.14** ni survivant Jr 11.23+. **44.16** nous ne t'écoutons pas Jr 6.17. **44.17** faire ce que nous avons décidé Jr 2.31; 5.23; Ps 50.17 — alors nous avions du pain Os 2.7. **44.18** nous manquons de tout *1 M* 1.11.

Reine du ciel et de lui verser des libations, nous manquons de tout et nous périssons par l'épée et par la famine. » [19] Les femmes ajoutèrent : « Et quand nous, nous brûlons des offrandes à la Reine du ciel et que nous lui versons des libations, est-ce sans la collaboration de nos maris que nous lui préparons des gâteaux qui la représentent [t], et que nous lui versons des libations ? » [20] Alors Jérémie dit à tout le peuple — aux hommes, aux femmes, à toutes les personnes qui lui répondaient de cette manière — : [21] « Les offrandes que vous avez brûlées dans les villes de Juda et dans les ruelles de Jérusalem — vous, vos pères, vos rois, vos ministres et les bourgeois —, n'est-ce pas ce que le SEIGNEUR rappelle, ce qui lui est revenu à la mémoire ? [22] Le SEIGNEUR ne pouvait plus supporter vos agissements pervers et les horreurs que vous commettiez, aussi votre pays est-il devenu un champ de ruines, une étendue désolée, il est passé au répertoire des malédictions ; il est vidé de ses habitants — c'est bien la situation actuelle ! [23] Parce que vous avez brûlé des offrandes, que vous êtes fautifs envers le SEIGNEUR, n'ayant pas écouté sa voix ni suivi ses directives, ses principes et ses exigences, oui, pour cela, le malheur est venu à votre rencontre — c'est bien la situation actuelle ! »

[24] Alors Jérémie dit à tout le peuple et à toutes les femmes : « Ecoutez la parole du SEIGNEUR, vous les Judéens qui êtes dans le pays d'Egypte : [25] Ainsi parle le SEIGNEUR le tout-puissant, le Dieu d'Israël : Avec vous, les femmes [u], aussitôt dit, aussitôt fait ; vous dites : "Nous voulons mettre à exécution les vœux que nous avons faits — brûler des offrandes à la Reine du ciel et lui verser des libations" —, accomplissez donc vos vœux, faites vos libations ! [26] Eh bien, écoutez la parole du SEIGNEUR, Judéens qui vous

êtes établis dans le pays d'Egypte ! Je jure par mon grand *nom, dit le SEIGNEUR, que mon nom ne sera plus jamais prononcé dans tout le pays d'Egypte par la bouche d'un Judéen disant : "Vivant est le SEIGNEUR !" [27] Je veille sur eux pour leur faire du mal et non du bien : les Judéens qui sont dans le pays d'Egypte périront par l'épée et par la famine, jusqu'à extermination. [28] Quelques hommes, peu nombreux, échappant à l'épée, retourneront du pays d'Egypte dans le pays de Juda, et tous les survivants de Juda qui sont venus se réfugier en Egypte sauront qui, de moi ou d'eux, a eu raison. [29] Et voici le signe — oracle du SEIGNEUR — qui vous manifestera que je vais sévir contre vous en ce lieu, vous faisant savoir que mes paroles vont se réaliser contre vous, pour votre malheur : [30] — Ainsi parle le SEIGNEUR — Je livre le *pharaon Hofra [v], roi d'Egypte, au pouvoir de ses ennemis, de ceux qui en veulent à sa vie, comme j'ai livré Sédécias, roi de Juda, au pouvoir de son ennemi, Nabuchodonosor, roi de Babylone, qui en voulait à sa vie. »

Un message du Seigneur pour Baruch

45 [1] La parole que le prophète *Jérémie adressa à Baruch, fils de Nériya, quand ce dernier écrivait ces paroles dans un livre, sous la dictée de Jérémie, en la quatrième année de Yoyaqîm [w], fils de Josias, roi de Juda : [2] « Ainsi parle le SEIGNEUR, le Dieu d'Israël, pour toi, Baruch : [3] Tu dis : "Pauvre de moi ! le SEIGNEUR ajoute l'affliction aux coups que je subis ; je suis épuisé à force de gémir, je ne trouve pas de repos." [4] — Voici ce que tu lui diras — Ainsi parle le SEIGNEUR : Ce que je bâtis, c'est moi qui le démolis ; ce que je plante, c'est moi qui le déracine, et cela par toute la terre [x].

---

t Les femmes ajoutèrent: d'après quelques manuscrits des anciennes versions grecque et syriaque. Cette précision manque dans le texte hébreu traditionnel — *qui la représentent:* autre traduction *pour la traiter comme une divinité* ● *u Avec vous, les femmes:* d'après l'ancienne version grecque; hébreu *avec vous et vos femmes* ● *v Hofra* fut détrôné par Amasis en 570 av. J.C., soit deux ans avant que Nabuchodonosor envahisse l'Egypte (voir 43.8-13 et la note sur 43.11) ● *w la quatrième année de Yoyaqîm:* en 605 av. J.C. ● *x par toute la terre:* autre traduction *dans tout le pays*

44.21 idolâtre à Jérusalem Jr 11.13. **44.22** le Seigneur ne pouvait plus supporter... Jr 15.6 — ce que notre pays est devenu Jr 9.9-10 — au répertoire des malédictions Jr 24.9+. **44.23** la situation actuelle Jr 25.18+ — offrandes à d'autres dieux Jr 1.16+ — n'ayant pas écouté Jr 3.25. **44.25** offrandes à d'autres dieux v. 23+; 7.18; 19.13; cf. So 1.5 — accomplissez donc vos vœux...! Am 4.4-5. **44.26** le serment du Seigneur Jr 22.5+ — serment « par la vie du Seigneur » Jr 4.2+ **44.27** je veille sur eux pour... Jr 1.12+. **44.28** quelques hommes... Jr 51.50; Es 11.11; 27.13; Ez 6.8. **44.29** voici le signe Es 3.12; 1 S 2.34; 2 R 19.29; 20.9. **44.30** je livre le pharaon Jr 46.25-26 — comme Sédécias Jr 39.5. **45.1** Baruch fils de Nériya Jr 32.12+ — Quand Baruch écrivait sous la dictée de Jérémie Jr 36.4 — quatrième année de Yoyaqîm Jr 25.1+. **45.3** pauvre de moi! Jr 10.19 — pas de repos Lm 5.5. **45.4** bâtir, démolir, planter, déraciner Jr 1.10+.

⁵ Et toi, tu cherches à réaliser de grands projets ! N'y songe plus ! Je fais venir le malheur sur toute chair *ʸ*, mais à toi j'accorde le privilège d'avoir au moins la vie sauve partout où tu iras. »

46
¹ *Où la parole du* SEIGNEUR *s'adresse au prophète Jérémie au sujet des nations.*

Défaite des Egyptiens à Karkémish

² Pour l'Egypte, au sujet de l'armée du *pharaon Néko, roi d'Egypte.

Il se trouvait au bord de l'Euphrate, à Karkémish, lorsque Nabuchodonosor, roi de Babylone, le défit, en la quatrième année de Yoyaqîm *ᶻ*, fils de Josias, roi de Juda.

³ Alignez écus et boucliers ;
en avant pour la bataille !
⁴ Harnachez les chevaux !
Montez sur les attelages !
En ligne, avec vos casques !
Fourbissez les lances !
Revêtez les cuirasses *ᵃ* !
⁵ Mais quoi ? Que vois-je ?
Ils sont effondrés,
ils reculent !
Les plus vaillants sont taillés en pièces ;
ils fuient en pleine débandade, sans se retourner !
C'est partout l'épouvante
— oracle du SEIGNEUR.
⁶ Le plus agile ne peut échapper,
ni le plus vaillant se sauver :
Au nord, sur les rives de l'Euphrate
ils trébuchent, ils tombent !
⁷ Qui donc est comme le Nil qui monte,
comme de grands fleuves aux eaux bouillonnantes ?
⁸ C'est l'Egypte qui est comme le Nil qui monte,

comme de grands fleuves aux eaux bouillonnantes.
Elle disait : « Je monterai, je submergerai la terre,
je veux faire périr les villes et leurs habitants *ᵇ*.
⁹ Chevaux, à l'assaut !
Chars, foncez en furie !
Que les plus vaillants fassent une sortie :
gens de Koush et de Pouth, qui manient le bouclier rond,
gens de Loud *ᶜ* qui manient et qui bandent l'arc. »
¹⁰ Mais ce jour-là est, pour le Seigneur DIEU le tout-puissant,
un jour de vengeance, pour se venger de ses adversaires.
L'épée dévore, elle se rassasie, elle s'enivre de leur sang :
quel festin pour le Seigneur DIEU le tout-puissant,
au pays du nord *ᵈ*, au bord de l'Euphrate !
¹¹ Monte en Galaad et cherche du baume,
vierge Egypte.
C'est en vain que tu multiplies les soins,
rien ne peut te guérir.
¹² Les nations apprennent ta honte,
car ta clameur emplit la terre.
Le vaillant trébuche sur le vaillant ;
ensemble, ils tombent tous les deux.

Invasion de l'Egypte

¹³ Parole que le SEIGNEUR adressa au *prophète Jérémie pour annoncer que Nabuchodonosor, roi de Babylone, viendrait frapper le pays d'Egypte :
¹⁴ Faites-le savoir en Egypte,
faites-le entendre à Migdol,
faites-le entendre à Memphis et à Daphné *ᵉ*,
dites :

---

y sur toute chair ou *sur tous les humains* ● *z* Ce même pharaon *Néko* était déjà à la tête de l'armée égyptienne en 609 av. J.C. à Méguiddo, quand le roi Josias fut tué (voir la note sur 22.10) — *Karkémish:* ville du nord de la Mésopotamie, à la frontière de la Syrie et de la Turquie actuelles — *la quatrième année de Yoyaqîm:* en 605 av. J.C. ● *a* Le terme ainsi traduit désigne des vêtements de cuir plaqués de métal ● *b* A Karkémish l'armée égyptienne tentait de soutenir l'armée assyrienne contre les Babyloniens de Nabuchodonosor ● *c Koush:* la Nubie (territoire de l'actuel Soudan) — *Pouth* et *Loud:* voir Es 66.19 et la note. Certains pensent que *Pouth* désigne la Libye ● *d festin:* le terme hébreu correspondant désigne parfois le repas qui suivit certains sacrifices — *au pays du nord:* manière indirecte de désigner Karkémish (voir la note sur 46.2) ● *e Migdol, Memphis, Daphné:* voir les notes sur 44.1; 2.16

45.5 de grands projets Rm 12.3, 16 — je fais venir le malheur Jr 6.19; 25.29 — au moins la vie sauve Jr 21.9+. **46.1** au sujet des nations Jr 1.10+. **46.2** l'Egypte Jr 25.19+ — le pharaon Néko 2 R 23.29; 2 Ch 35.20 — quatrième année de Yoyaqîm Jr 25.1+. **46.5** partout l'épouvante Jr 6.25+. **46.6** le plus agile ne peut échapper Am 2.15. **46.7** comme une inondation Jr 47.2; Es 8.7; Dn 11.10. **46.10** festin (après le sacrifice) So 1.7 — au pays du nord Jr 1.14+. **46.11** baume en Galaad Jr 8.22; Gn 37.25 — inguérissable Jr 10.19+. **46.13** Nabuchodonosor envahit l'Egypte Jr 43.11+. **46.14** Migdol Jr 44.1+ — Memphis, Daphné Jr 2.16+.

Dresse-toi! En garde !
L'épée dévore autour de toi.
15 Quoi ! Apis s'enfuit ! Ton Taureau *f*
ne résiste pas !
Le SEIGNEUR l'a bousculé ;
16 il chancelle terriblement.
Les hommes aussi tombent l'un sur
l'autre ;
ils disent : « Debout ! réintégrons notre peuple
et notre pays natal, loin de l'épée
impitoyable ! »
17 Surnommez *g* le *pharaon, roi d'E-
gypte :
« Tapage à contretemps. »
18 Je suis vivant ! dit le Roi
qui a pour nom : le SEIGNEUR le tout-
puissant.
Tel le Tabor parmi les montagnes,
tel le Carmel dans la mer,
il vient *h*.

19 Fais tes baluchons pour l'exil,
population de l'Egypte ;
Memphis deviendra une étendue désolée,
brûlée, inhabitée.

20 Génisse ravissante que l'Egypte !
mais, du nord *i*, des taons viennent
sur elle.
21 Chez elle, même les mercenaires
sont comme des taurillons à l'engrais.
Eux aussi, ils tournent le dos ;
ils fuient tous ensemble ;
ils ne résistent pas.
Oui, le jour de leur ruine vient sur
eux,
le moment où il leur faudra rendre
compte.
22 Elle file en douce comme un serpent
quand on marche lourdement.
On vient vers elle avec des haches,
comme des bûcherons.

23 Coupez sa forêt — oracle du SEI-
GNEUR —
même si elle est impénétrable *j* !
Ils sont plus nombreux que les sauterelles,
on ne peut les compter.
24 La belle Egypte est couverte de honte ;
elle est livrée au peuple du nord.

L'Egypte vaincue, Israël délivré

25 Le SEIGNEUR le tout-puissant, le Dieu
d'Israël, dit : « Je vais sévir contre Amon
de Thèbes *k* — le *pharaon, l'Egypte,
ses dieux et ses rois —, le pharaon et
tous ceux qui se blottissent contre lui ;
26 je les livre au pouvoir de ceux qui en
veulent à leur vie : à Nabuchodonosor,
roi de Babylone, et à ses serviteurs. Après
quoi, l'Egypte s'installera comme elle
était auparavant » — oracle du SEIGNEUR.

27 Mais toi, mon serviteur Jacob *l*, ne
crains pas,
ne te laisse pas accabler, Israël !
Je vais te délivrer des pays lointains,
et ta descendance de sa terre d'exil.
Jacob revient, il est rassuré,
il est tranquille, plus personne ne l'inquiète.
28 Toi, mon serviteur Jacob, ne crains
pas — oracle du SEIGNEUR — :
je suis avec toi.
Je fais table rase de toutes les nations
où je t'ai disséminé,
mais, de toi, je ne fais pas table rase :
je t'apprends à respecter l'ordre
sans rien te laisser passer !

Déclaration du Seigneur sur les Philistins

47 1 Où la parole du SEIGNEUR
s'adresse au *prophète Jérémie au

Apis s'enfuit: la traduction suit ici l'interprétation de l'ancienne version grecque; texte hébreu
traditionnel *Ton Taureau est emporté; il ne résiste pas* — *Apis:* taureau sacré de Memphis,
assimilé au dieu protecteur de la ville ● *g* D'après l'ancienne version grecque; texte hébreu
traditionnel *on appelle là* ● *h le Tabor:* voir Os 5.1 et la note — *le Carmel:* voir la note sur Es
33.9 — *il vient:* le texte ne permet pas de savoir s'il s'agit de l'ennemi (Nabuchodonosor) ou de
Dieu ● *i* Voir 1.14 et la note ● *j* D'après certains manuscrits hébreux; selon d'autres *ils coupent
sa forêt... oui, ils sont innombrables* ● *k Amon:* dieu de *Thèbes* (capitale de la haute Egypte, à
environ 500 km au sud du Caire) ● *l* Voir 2.4 et la note

46.17 surnom pour le pharaon cf. Es 30.7; 36.6. **46.18** (Dieu) le Roi Ps 93.1+ — qui a pour
nom le Seigneur tout-puissant Jr 10.16; 16.21; 48.15; 50.34; 51.19, 57; Es 48.2; 51.15. **46.19** fais
tes baluchons pour l'exil Jr 10.17; Ez 12.3. **46.21** quand il faudra rendre compte Jr 8.12+.
46.24 du nord Jr 1.14+. **46.25** sévir Jr 5.9+ — contre les dieux égyptiens Jr 43.12. **46.26** au
pouvoir de ceux qui en veulent à leur vie Jr 44.30 — restauration pour l'Egypte Es 19.19-25;
Ez 29.13-15; cf. Jr 12.15+. **46.27-28** Mais toi... Jr 30.10-11. **46.28** Jacob, ne crains pas Es
41.13-14 — plus personne ne l'inquiète Lv 26.6; Ez 34.28; Jb 11.19. **46.28** ne crains pas, je suis
avec toi Jr 1.8; Es 43.5 — sans rien te laisser passer Ex 34.7; Na 1.3; Ps 99.8. **47.1** Les Philistins
Jr 25.20; Am 1.6+.

sujet des Philistins, avant que le *pharaon n'ait frappé Gaza *m*.

2 Ainsi parle le SEIGNEUR :
Au nord *n*, des eaux grossissent,
elles deviennent un torrent tumultueux ;
elles submergent le pays et tout ce qui s'y trouve :
la ville et ceux qui l'habitent.
Les gens crient au secours ;
tous les habitants du pays hurlent
3 au bruit de ses coursiers martelant la terre de leurs sabots,
au grondement de ses chars, au fracas de ses roues.
Les pères, démoralisés, se désintéressent de leurs enfants,
4 à cause du jour qui vient
ravager tous les Philistins,
supprimer à Tyr et à Sidon
tous les rescapés susceptibles de les aider.
Oui, le SEIGNEUR ravage les Philistins,
les survivants de l'île de Kaftor *o*.
5 La tondeuse passe sur Gaza ;
Ashqelôn est réduite au silence.
Survivants de leur plaine *p*,
jusques à quand vous ferez-vous des incisions ?
6 Quel malheur ! Epée du SEIGNEUR !
Vas-tu enfin te mettre au repos ?
Rentre dans ton fourreau !
Détends-toi ! Du calme !
7 Comment peut-elle *q* se reposer
quand c'est le SEIGNEUR qui l'envoie en mission

contre Ashqelôn et le rivage de la mer ?
C'est là qu'il lui a donné rendez-vous.

Déclaration sur Moab

48 1 Pour Moab,
ainsi parle le SEIGNEUR le toutpuissant, le Dieu d'Israël :
Quel malheur pour Nébo, elle est dévastée !
Couverte de honte, Qiryataïm *r* est prise.
La citadelle, couverte de honte, s'effondre ;
2 finie, la renommée de Moab !
A Heshbôn, on fait des plans funestes contre elle :
Allons, supprimons cette nation !
Toi aussi Madmén, tu es réduite au silence *s*,
l'épée te poursuit.
3 Des appels au secours viennent de Horonaïm *t*,
ravage et grand désastre !
4 Moab est brisée,
ses petits font entendre de grands cris.
5 La montée de Louhith,
on la gravit tout en pleurs.
A la descente de Horonaïm,
on entend des appels venant du désastre *u*.
6 Fuyez ! sauve qui peut !
Vous devenez comme Aroër *v* dans le désert.
7 Parce que tu te confies en tes efforts et tes trésors,

---

m On ignore à quel événement précis le texte fait allusion; il doit sans doute être daté après la défaite égyptienne de Karkémish (46.2) ● *n* Voir 1.14 et la note ● *o* Tyr, Sidon: voir les notes sur Es 23.1, 2; Os 9.13 — *Kaftor*: probablement *la Crète*, d'où étaient originaires les Philistins d'après Am 9.7. L'expression *les survivants de l'île de Kaftor* désigne donc les Philistins ● *p la tondeuse passe*: allusion au rite de deuil qui consiste à se raser la chevelure; voir au glossaire DÉCHIRER SES VÊTEMENTS (de même pour les *incisions*, à la fin du verset) — *Gaza, Ashqelôn*: voir Am 1.6 et la note — Au lieu de *Survivants de leur plaine* l'ancienne version grecque propose *Survivants des Anaqites* (géants célèbres qui restèrent longtemps en Philistie; voir Dt 2.10-11; Jos 11.22) ● *q* D'après les anciennes versions grecque, syriaque et latine; hébreu *comment peux-tu?* ● *r Nébo*: ville moabite située sur les pentes du mont Nébo en Transjordanie — *Qiryataïm*: autre ville moabite nommée plusieurs fois dans l'A.T., ainsi que sur la « stèle de Mésha », mais dont la localisation est encore incertaine ● *s Heshbôn*: à 30 km à l'est de Jéricho; en hébreu ce nom fait assonance avec le verbe traduit par *faire des plans* — *Madmén*: ville non identifiée; ce nom fait assonance avec le verbe traduit par *être réduit au silence* ● *t* Ville non identifiée avec certitude, *Horonaïm* était située peut-être dans la région sud de Moab ● *u Louhith*: autre ville du sud de Moab, dont la localisation est incertaine — *on la gravit tout en pleurs*: texte hébreu traditionnel peu clair; la traduction s'inspire de l'ancienne version grecque et d'Es 15.5 — *on entend des appels venant du désastre*: d'après l'ancienne version grecque et Es 15.5 ● *v Aroër*: ville située au centre de Moab — *comme Aroër*: sens incertain; ou bien *imprenable comme Aroër* (la ville dominait un ravin) ou bien *comme les ruines d'Aroër* (si cette ville était déjà détruite)

47.2 comme une inondation Jr 46.7-8; Es 30.28; Na 1.8; Ps 124.4-5.   47.3 démoralisés Jr 6.24+.   47.4 Kaftor Dt 2.23.   47.5 tête tondue (signe de deuil) Jr 48.37; Es 3.24; Am 8.10 — incisions Jr 16.6; Dt 14.1.   47.6 Quel malheur! Jr 48.1 — Epée du Seigneur Jr 46.10; 50.35-38.   48.1 Moab Jr 25.21; Am 2.1+; cf. Gn 19.30-38; Nb 22—24; Dt 23.4-7 — Qiryataïm Nb 32.37; Jos 13.19.   48.2 Heshbôn Nb 21.26-27; 32.37; Dt 1.4; 2.24-25; Jos 9.10; 13.10, 17, etc.   48.5 la montée de Louhith... Es 15.5.   48.6 Aroër v. 19; Nb 32.34; Dt 2.36; 3.12; Jos 12.2; 13.9.   48.7 tu te confies en tes efforts Jr 17.5; Es 2.22; Ph 3.4 et tes trésors Jr 49.4; Ps 52.9; Pr 11.28 — Kemosh 1 R 11.7; 2 R 23.13 en exil avec ses prêtres Jr 49.3.

tu es prise.
Kemosh [10] part en exil,
ses prêtres et ses chefs tous ensemble.
[8] Le dévastateur envahit toute ville,
aucune n'y échappe.
La vallée disparaît,
le plateau est saccagé [x].
C'est ce que dit le SEIGNEUR :
[9] Erigez un monument funéraire [y] à
Moab,
elle n'est plus que ruines.
Ses villes deviennent des lieux désolés,
elles sont vidées de leurs habitants.
[10] Maudit celui qui fait l'œuvre du
SEIGNEUR
avec mollesse.
Maudit celui qui refuse le sang à son
épée.

[11] Moab était tranquille depuis son jeune
âge,
il reposait sur sa lie [z],
n'ayant jamais été transvasé
— autrement dit, il n'était jamais allé
en exil.
Aussi a-t-il conservé son goût,
et son bouquet est-il intact.
[12] Eh bien, des jours viennent — oracle
du SEIGNEUR — où je vais lui envoyer des
transvaseurs avec ordre de les transvaser,
de vider leurs récipients et de fracasser
leurs jarres. [13] Moab rougira de Kemosh
comme les gens d'Israël ont rougi de
Béthel [a], leur sécurité !
[14] Comment osez-vous dire : « Nous sommes des héros,
des soldats faits pour le combat ? »
[15] Le dévastateur de Moab [b] monte à
l'attaque de ses villes :
sa jeunesse d'élite va descendre à la
boucherie
— oracle du Roi qui a pour nom :
le SEIGNEUR le tout-puissant.
[16] La ruine de Moab est imminente,
le malheur va fondre sur lui.
[17] Exprimez-lui vos condoléances
vous tous, ses voisins, ses intimes,
dites :

Comment ! elle est brisée cette puissance implacable !
le pouvoir magnifique !
[18] Descends de ta gloire, et demeure
assoiffée,
population de Divôn [c] ;
le dévastateur de Moab monte à l'attaque contre toi,
il détruit tes forteresses.
[19] Poste-toi sur le chemin et fais le guet,
population de Aroër.
Interroge fuyards et rescapés :
que s'est-il passé ?
[20] Moab, couvert de honte, s'est effondré.
Hurlez ! Appelez au secours !
Publiez sur l'Arnôn :
Moab est dévasté.
[21] Le jugement vient sur le pays du
plateau, sur Holôn, Yahaç, Méfaath,
[22] Divôn, Nébo, Beth-Divlataïm, [23] Qiryataïm, Beth-Gamoul, Beth-Méôn, [24] Qeriyoth, Boçra, bref : toutes les villes du
pays de Moab, lointaines et proches.
[25] Moab a perdu toute sa vigueur,
son bras est brisé
— oracle du SEIGNEUR.

[26] Enivrez-le [d], puisqu'il s'est fait plus
grand que le SEIGNEUR... Le voilà qui se
débat dans sa vomissure... A son tour
d'être objet de risée ! [27] N'est-il pas vrai
qu'Israël est devenu pour toi un objet
de risée ? L'as-tu trouvé parmi les voleurs
pour que, chaque fois que tu en parles,
ce soit avec des hochements de tête [e] ?

[28] Quittez les villes et demeurez dans les
rochers,
habitants de Moab.
Soyez comme les colombes qui construisent leur nid
dans des endroits inaccessibles, à l'entrée d'un gouffre.
[29] L'avons-nous entendu, l'orgueil de
Moab !
Comme il était orgueilleux !
Quelle insolence ! quel orgueil !

---

w Dieu national des Moabites ● x Le dévastateur : allusion à Nabuchodonosor, roi de Babylone
— le plateau : région principale du pays de Moab, au nord du torrent de l'Arnôn ● y D'après l'ancienne version grecque hébreu peu clair ● z Moab est comparé à un vin de qualité, qui a eu le
temps de se décanter ● a Béthel semble être ici le nom d'une divinité ● b Le texte hébreu du
début du v. 15 est obscur ; la traduction l'interprète d'après le v. 18 b ● c Ville du centre de Moab
● d Voir la note sur 25.15 ● e des hochements de tête : en signe de mépris ; voir Lm 2.15 et la note

48.11 Moab, pays de vignobles v. 32-33 ; Es 16.7-10. **48.13** les faux dieux en déconfiture Jr
46.15 ; 49.3 ; 50.2 ; cf. Es 46.1-2 — (fausse) sécurité Jr 2.37. **48.15** le Seigneur, le tout-puissant
Jr 46.18+. **48.18** Divôn Nb 32.34 ; Jos 13.17 ; Es 15.2. **48.20** l'Arnôn Nb 21.13 ; 22.36 ; Dt 2.24,
36 ; Jos 13.9 ; Jg 11.13. **48.25** bras (vigueur) brisé Ez 30.21 ; Ps 37.17. **48.26** jugement de Dieu
et ivresse... Jr 25.15+ — il s'est fait plus grand que le Seigneur Jr 48.42 ; cf. 50.29 ; Es 2.12 ; So
2.8, 10 ; Ps 35.26 ; 38.17 ; 55.13 ; Jb 19.5 ; Dn 5.23. **48.27** voleurs Jr 2.26. **48.29** l'orgueil de
Moab Es 16.6 ; So 2.8-10.

Quelle arrogance ! quelle suffisance !
³⁰ Je connais sa présomption — oracle du
SEIGNEUR —,
l'inconsistance de son bavardage,
l'inconsistance de ce qu'ils font.
³¹ Aussi, je hurle à cause de Moab.
J'appelle au secours pour Moab tout
entier.
Je gémis sur les gens de Qir-Hèrès ᶠ.
³² Plus que pour Yazér, je pleure pour
toi,
vigne de Sivma.
Tes pousses s'étendent au-delà de la
mer,
elles atteignent Yazér.
Le dévastateur tombe sur ta récolte
et ta vendange.
³³ Finie, la joie délirante
dans le vignoble et la campagne de
Moab !
Je taris le vin dans les cuves :
finis, les cris qui accompagnaient le
foulage ᵍ !
³⁴ Les appels au secours de Heshbôn,
on les entend jusqu'à Eléalé ; leur voix
porte jusqu'à Yahaç de Çoar jusqu'à
Horonaïm, Eglath-Shelishiya, car même
les eaux de Nimrim sont réduites à rien ʰ.
³⁵ Je fais disparaître en Moab — oracle
du SEIGNEUR — ceux qui, dans les *hauts
lieux, font monter des holocaustes ᶦ et
brûlent des offrandes en l'honneur de
leurs dieux. ³⁶ Aussi mon cœur sanglote
sur Moab, comme sanglotent des flûtes ;
mon cœur sanglote sur les gens de Qir-
Hèrès, comme sanglotent des flûtes ; ils
périssent à cause des gains qu'ils ont réa-
lisés. ³⁷ Aussi toute tête est tondue et
toute barbe rasée ; toutes les mains sont
tailladées ʲ et tous les reins couverts de

*sacs ; ³⁸ sur toutes les terrasses des mai-
sons de Moab et sur les places, tout n'est
que lamentations : je casse Moab comme
un objet qui ne plaît pas — oracle du
SEIGNEUR. ³⁹ Comment ! il s'est effondré !
hurlez ! Comment ! de honte, Moab
tourne le dos ! Moab provoque rire et
stupeur chez tous ses voisins.

⁴⁰ Ainsi parle le SEIGNEUR :
C'est comme un vautour qui plane,
et qui déploie ses ailes sur Moab.
⁴¹ Qeriyoth est prise et Meçadoth ᵏ conquise.
Le cœur des vaillants de Moab sera,
ce jour-là,
comme le cœur d'une femme en travail.
⁴² Moab, saccagé, n'est plus un peuple
parce qu'il s'est fait plus grand que le
SEIGNEUR.
⁴³ Terreur, fosse, filet, pour vous habitants de Moab
— oracle du SEIGNEUR !
⁴⁴ Celui qui fuit devant la Terreur
tombe dans la fosse.
Celui qui remonte de la fosse
est pris dans le filet.
Oui, je fais venir sur elle, sur Moab,
l'année où il lui faudra rendre compte
— oracle du SEIGNEUR.
⁴⁵ A l'ombre de Heshbôn, font halte
des fuyards épuisés.
Mais un feu jaillit de Heshbôn
une flamme du palais de Sihôn.
Il dévore les tempes de Moab,
le crâne des tapageurs ˡ.
⁴⁶ Quel malheur pour toi, Moab !
Le peuple de Kemosh est perdu.
Tes fils sont emmenés captifs,
et tes filles prisonnières.

---

f je hurle : celui qui parle ici n'est plus le Seigneur (v. 30) mais peut-être le prophète, qui s'identifie momentanément aux Moabites — Qir-Hèrès : peut-être la capitale moabite ; le nom signifie
Ville des Tessons ● g Le texte hébreu traditionnel contient en plus trois mots difficiles à interpréter et qui ne s'accordent guère au déroulement de la phrase ; la traduction ne les a pas repris
● h Eléalé : à 3 km de Heshbôn — Yahaç : à 25 km au sud de Hesbôn — Çoar : à l'extrême sud-
ouest du territoire de Moab — Eglath-Shelishiya (nom signifiant « génisse de trois ans ») n'a pas
été localisée — les eaux de Nimrim : oasis ou torrent au sud-est de la mer Morte ● i Voir au glossaire SACRIFICES ● j tête tondue, barbe rasée, mains tailladées : voir au glossaire DÉCHIRER
SES VÊTEMENTS ● k Qeriyoth, Meçadoth : cités non localisées ● l Sihôn : roi de Transjordanie, au temps de la conquête israélite (Nb 21.26) — les tempes, le crâne : peut-être désignation
imagée du versant occidental et du plateau central du pays

48.30 bavardage inconsistant Jr 8.6.   48.32 Yazér Nb 21.32 ; 32.1 ; Jos 13.25 ; 21.39 ; 2 S 24.5 —
vigne de Sivma Es 16.8-9 ; cf. Nb 32.38 ; Jos 13.19.   48.33 fin des réjouissances lors des ven-
geances Es 16.10.   48.34 Eléalé Nb 32.3, 37 et Yahaç Es 15.4 — Çoar Gn 19.22-23 — Eglath-
Shelishiya Es 15.5 — les eaux de Nimrim Es 15.6.   48.35 contre les cultes païens sur les hauts
lieux Jr 17.3.   48.36 émotion Jr 4.19 au sujet de Moab Es 16.11.   48.37 marques de consternation
Es 15.2-3 ; Jr 49.3.   48.38 comme un objet dont on ne veut plus Jr 22.28.   48.41 comme... une
femme en travail Jr 4.31+.   48.42 il s'est fait plus grand que le Seigneur v. 26+.   48.43 Terreur,
fosse et filet Es 24.17-18 ; Lam 3.47.   48.44 celui qui fuit Am 5.19 — la Terreur Jr 49.5 ; Gn 31.42,
53 — l'année où il faudra rendre compte Jr 8.12+.   48.45 un feu jaillit de Heshbôn Nb 21.28
— les tempes de Moab Nb 24.17.   48.46 le peuple de Kemosh est perdu Nb 21.29.

47 Mais, dans la suite des temps,
je restaurerai Moab
— oracle du SEIGNEUR.
Ici s'arrête le procès de Moab.

Déclaration sur les Ammonites

49 1 Pour les Ammonites,
ainsi parle le SEIGNEUR :
Israël n'a-t-il pas de fils ?
Est-il sans héritiers ?
Alors pourquoi Milkôm hérite-t-il de Gad [m]
et son peuple en habite-t-il les villes ?
2 Eh bien ! des jours viennent
— oracle du SEIGNEUR —
où je vais faire retentir à Rabba-des-Ammonites
le hourra de guerre.
Elle deviendra un site désolé,
ses villes satellites seront incendiées.
Et Israël héritera de ses héritiers [n],
dit le SEIGNEUR.
3 Hurle Heshbôn ! Aï est dévastée [o] !
Criez, villes satellites de Rabba !
Revêtez le sac ! Lamentez-vous !
Errez dans les murailles !
Milkôm va en exil,
ses prêtres et ses chefs tous ensemble !
4 Pourquoi te vantes-tu de ta vallée ?
Ruisselante est ta vallée,
fille perdue,
toi qui te confies en tes trésors,
disant : « Qui m'attaquera ? »
5 Eh bien ! moi, je vais amener contre
toi la Terreur par tous tes voisins
— oracle du Seigneur DIEU le tout-puissant.
Vous serez dispersés, chacun droit
devant soi ;
et personne pour rassembler les fuyards !
6 Après cela je restaurerai Ammon
— oracle du SEIGNEUR.

Déclaration sur Edom

7 Pour Edom, ainsi parle le SEIGNEUR le tout-puissant :
N'y a-t-il plus de sagesse à Témân [p] ?
Les malins sont à court d'idées,
leur sagesse a ranci !
8 Fuyez ! Tournez le dos ! Réfugiez-vous dans des trous,
habitants de Dedân !
C'est la ruine d'Esaü [q] que j'amène sur lui,
c'est le moment pour lui de rendre compte.
9 Si des vendangeurs viennent chez toi,
ils ne laissent rien à grappiller.
Si des voleurs viennent de nuit,
ils saccagent tout ce qu'ils peuvent.
10 C'est moi-même qui vais dépouiller Esaü,
mettre à jour ses trésors cachés.
Il ne peut se camoufler.
Sa postérité, ses frères et ses voisins seront dévastés
et il n'y aura personne pour dire [r] :
11 « Ne te fais pas de souci pour tes orphelins,
c'est moi qui les élèverai.
Et tes veuves,
elles peuvent compter sur moi. »

12 Oui, ainsi parle le SEIGNEUR :
Voyons : ceux qui ne devraient pas boire
la coupe sont condamnés à la boire [s] et

m Milkôm (d'après les anciennes versions grecque, latine et syriaque): dieu national des Ammonites; texte hébreu traditionnel *leur roi* (les consonnes sont les mêmes en hébreu) — *Gad:* nom d'une tribu israélite, qui était installée en Transjordanie (Nb 32.34-36); il sert ici à désigner le territoire situé à l'est de Jéricho. Les Ammonites s'en emparèrent au moment de la prise de Samarie par les Assyriens en 722/721 av. J.C. ● *n Rabba-des-Ammonites* (aujourd'hui Amman): capitale des Ammonites — *héritera de ses héritiers:* c'est-à-dire qu'Israël récupérera son héritage, Gad, indûment annexé par les Ammonites ● *o Hesbôn:* voir 48.2 et la note; cette ville moabite avait peut-être été conquise par les Ammonites — *Aï* (la ruine): ville ammonite à ne pas confondre avec la ville du même nom mentionnée en Jos 7.2 ● *p sagesse à Téman:* voir Ab 8-9 et les notes ● *q Dedân:* au sud du pays d'Edom (aujourd'hui oasis d'El-Ela) — *Esaü:* ancêtre des Edomites d'après Gn 36.1; il personnifie ici l'ensemble de la nation édomite ● *r il n'y aura personne pour dire:* d'après une version grecque ancienne et la tradition juive; texte hébreu traditionnel *il n'est plus* ● *s la coupe... à boire:* voir la note sur 25.15

48.47 restauration Jr 12.15+. **49.1** les Ammonites Jr 25.21; Am 1.13+; Gn 19.38; Dt 2.19; 2 R 24.2 — Milkôm 1 R 11.5, 33; 2 R 23.13 — Gad Nb 32.1-36; Jos 13.24-28. **49.2** Rabba-des-Ammonites Dt 3.11; 2 S 11.1; Ez 21.25; 25.5 — le hourra de guerre Jr 4.19; 50.15; cf. Es 42.13 — villes ammonites incendiées Am 1.14. **49.3** Heshbôn cf. Jr 48.2+ — le sac Jr 4.8+ — Milkom en captivité cf. Jr 48.7. **49.4** tu te confies en tes trésors Jr 48.7+. **49.5** la Terreur Jr 48.44. **49.6** restauration Jr 12.15+. **49.7-16** passage reproduit en Ab 1-6. **49.7** Edom Jr 25.21; Am 1.11+; Ps 137.7+; cf. Gn 25.30; 2 S 8.14; 2 R 8.20-22; 16.6; Lm 4.21 — Sagesse à Témân cf. *Ba* 3.22. **49.8** Dedân Jr 25.23; Es 21.13; Ez 25.13; 27.20 — le moment de rendre compte Jr 8.12+. **49.10** les trésors d'Esaü découverts Ab 6. **49.12** condamnés à boire la coupe Jr 25.15+; Es 63.6 — quitte? Jr 25.29.

toi tu serais quitte ? Non, tu ne seras pas quitte : tu la boiras certainement. [13] Oui, je le jure par moi-même — oracle du SEIGNEUR — Boçra deviendra un lieu désolé, un monceau de ruines et il passera au répertoire des injures et des malédictions [t]. Toutes les villes qui en dépendent deviendront pour toujours des monceaux de ruines.

[14] Un message, je l'entends venant du SEIGNEUR,
tandis qu'un héraut est envoyé parmi les nations :
Rassemblez-vous !   Marchez contre elle !
Debout! Au combat!
[15] Oui, je vais te rapetisser au milieu des nations,
te livrer au mépris des hommes.
[16] Tu t'abuses, parce que, avec cynisme, tu répands la terreur,
toi qui demeures dans les creux du rocher,
qui t'agrippes aux collines élevées.
Si, comme le vautour, tu plaçais ton nid dans les hauteurs,
de là je te précipiterais
— oracle du SEIGNEUR.

[17] Edom devient une étendue désolée. Tous ceux qui passent près d'elle sont stupéfaits : à la vue de tels dégâts, ils poussent des cris d'effroi [u]. [18] Comme il en fut à la catastrophe de Sodome, de Gomorrhe et des cités voisines — dit le SEIGNEUR — personne n'y habitera plus, aucun humain n'y séjournera.
[19] Tel un lion qui monte de la jungle du Jourdain
vers des enclos toujours animés,
ainsi, en un clin d'œil, je les fais déguerpir loin d'elle,
je dépêche contre elle les jeunes guerriers.
Car qui est comme moi ?

Qui pourrait m'assigner en justice ?
Quel pasteur [v] pourrait me résister ?
[20] Ecoutez encore le plan que le SEIGNEUR a arrêté au sujet d'Edom,
les projets qu'il a formés
au sujet des habitants de Témân.
Assurément les petits du troupeau les traîneront ;
assurément il ravagera leur domaine à cause d'eux.
[21] Sous l'effet de leur chute la terre tremble ;
ses cris retentissent jusqu'à la *mer des Joncs.
[22] C'est comme un vautour qui monte, qui plane,
et qui déploie ses ailes sur Boçra.
Le cœur des vaillants d'Edom sera, ce jour-là,
comme le cœur d'une femme en travail.

Déclaration sur Damas

[23] Pour Damas :
Hamath et Arpad sont couvertes de honte :
c'est qu'elles apprennent une mauvaise nouvelle.
Elles sont agitées comme la mer [w] :
Quelle appréhension ! Impossible de rester tranquille !
[24] Damas s'effondre. Elle se tourne pour fuir ;
elle est prise de tremblement.
Angoisse et douleurs la saisissent
comme une femme en couches.
[25] Comment ! elle est abandonnée la ville célèbre,
la cité qui faisait ma joie !
[26] Oui, ce jour même, ses jeunes guerriers tombent sur ses places, tous ses combattants sont réduits au silence — oracle du SEIGNEUR le tout-puissant.
[27] Aux murailles de Damas je mets le feu, il dévore les palais de Ben-Hadad [x].

---

[t] *Boçra:* capitale d'Edom, à une trentaine de km au sud-est de la mer Morte — *au répertoire des malédictions:* on trouve en 29.22 un exemple de ce genre de malédictions ● Voir 18.16 et la note ● *v je les fais déguerpir:* les habitants d'Edom — *loin d'elle:* c'est-à-dire d'Edom (personnifiée, v. 17) — *pasteur:* voir la note sur 2.8 ● *w Damas:* ville principale de Syrie; elle symbolise ici l'ensemble des royaumes *araméens. Peu après 605 av. J.C. Nabuchodonosor commença à occuper les villes syriennes — *Hamath:* sur l'Oronte, fleuve syrien — *Arpad:* à 30 km au nord d'Alep — *comme la mer:* la traduction s'inspire d'Es 57.20; texte hébreu traditionnel *dans la mer* ● *x* Nom porté par plusieurs rois de Damas

49.13 le serment du Seigneur Jr 22.5+ — Boçra Gn 36.33; Es 34.6 — au répertoire des injures... Jr 24.9+.   **49.17** ceux qui passent près d'elle Jr 22.8; 50.13 — cris d'effroi Jr 18.16; 19.8.   **49.18** comme il en fut... Jr 50.40 — Sodome et Gomorrhe Gn 19.24-25; Es 1.9+.   **49.19-21** versets reproduits en 50.44-46.   **49.19** qui est comme moi? Es 40.18+ — qui pourrait m'assigner en justice? Sg 12.12; cf. Jb 9.19.   **49.20** le plan que le Seigneur a arrêté Jr 18.11; 50.45; 51.12; Mi 4.12.   **49.22** comme un vautour... Jr 48.40.   **49.23** Damas 2 S 8.5; 2 R 14.28; Es 7.8; 17.1-3 — Hamath Jr 39.5; 2 R 14.28; 18.34; Es 10.9 — Arpad 2 R 19.13.   **49.24** comme une femme en couches Jr 50.43; Es 13.8.

Déclaration sur les Arabes

28 Pour Qédar et pour les royaumes de Haçor que Nabuchodonosor, roi de Babylone, a défaits, ainsi parle le SEIGNEUR :
Debout ! Montez à l'assaut de Qédar !
Dévastez les gens de Qèdèm *y* !
29 On s'empare de leurs tentes et de leurs troupeaux,
de leurs tentures et de toutes leurs affaires.
On emmène leurs chameaux, et l'on profère contre eux :
« De partout l'épouvante ! »
30 Fuyez ! Détalez au plus vite ! Réfugiez-vous dans des trous,
habitants de Haçor
— oracle du SEIGNEUR !
Car Nabuchodonosor, roi de Babylone,
a arrêté un plan contre vous ;
il a formé un projet.
31 Debout ! Montez à l'attaque de la nation insouciante
qui ne se doute de rien
— oracle du SEIGNEUR.
Ils n'ont ni portes ni verrous ;
ils demeurent à l'écart !
32 Leurs chameaux deviennent une rapine
et la masse de leurs troupeaux un butin.
Je les jette aux quatre vents, ces Tempes-rasées *z*,
et de partout j'amène la ruine sur eux
— oracle du SEIGNEUR.
33 Haçor devient un repaire de chacals,
une étendue à jamais désolée.
Personne n'y habitera plus,
aucun humain n'y séjournera.

Déclaration sur Elam

34 Où la parole du SEIGNEUR s'adresse au *prophète Jérémie au sujet d'Elam, au début du règne de Sédécias *a*, roi de Juda.

35 Ainsi parle le SEIGNEUR le tout-puissant :
Moi je vais briser l'arc d'Elam *b*,
le meilleur de sa force virile.
36 Je fais venir sur Elam quatre vents
des quatre coins de l'horizon.
Je les jette aux quatre vents
et il n'y aura pas de nation
où ne parviennent les dispersés d'Elam.
37 J'accable les Elamites devant leurs ennemis,
devant ceux qui en veulent à leur vie.
Je fais venir sur eux un malheur :
mon ardente colère
— oracle du SEIGNEUR.
Je mets l'épée à leurs trousses
jusqu'à ce que je les aie exterminés.
38 J'érige mon trône en Elam
et j'en fais disparaître le roi et les ministres
— oracle du SEIGNEUR.
39 Mais dans la suite des temps je restaurerai Elam
— oracle du SEIGNEUR.

Ruine de Babylone, délivrance d'Israël

50 1 Parole que le SEIGNEUR adressa à Babylone, au pays des Chaldéens *c*, par l'intermédiaire du *prophète Jérémie.

(Babylone)

2 Faites-le savoir parmi les nations,
faites-le entendre et signalez-le,
faites-le entendre, ne le cachez pas ;
dites : Babylone est prise, Bel perd la face,
Mardouk est effondré *d*.
Ses fétiches sont démasqués,
ses idoles anéanties.
3 Oui, une nation du nord *e* marche contre elle,
nation qui transforme son pays en

---

y Qédar: voir Es 21.16 et la note — *Haçor:* ici nom collectif désignant des tribus arabes semi-sédentaires — *que Nabuchodonosor a défaits:* en 599 av. J.C. Nabuchodonosor a effectué des incursions chez les tribus arabes du désert arabique → *les gens de Qèdèm:* les habitants du désert arabique ● *z* Voir 9.25 et la note ● *a Elam:* voir Es 11.11 et la note — *au début du règne de Sédécias:* voir 21.1 et la note ● *b* L'habileté des archers d'Elam était proverbiale ● *c* Voir 21.4 et la note ● *d Bel* (= maître, propriétaire): titre attribué par les Babyloniens à leur dieu national *Mardouk* en particulier ● *e* Dans la pensée prophétique le *nord* est la direction d'où viennent les malheurs (voir Jl 2.20; Jr 1.14 et la note). Le terme est employé ici au sens symbolique, car l'ennemi annoncé est probablement la Perse, située au sud-est de Babylone

49.28 les Arabes Jr 25.24; Es 21.13-17 — Qédar Jr 2.10+ — Haçor Jos 11.10; Jg 4.2; 1 R 9.15; 2 R 15.29. **49.29** partout l'épouvante Jr 6.25+. **49.30** Nabuchodonosor Jr 21.2+. **49.32** Tempes-rasées Jr 9.25; 25.23. **49.34** Elam Jr 25.25; Es 11.11; 21.2; Ez 32.24-25. **49.35** l'arc d'Elam Es 22.6 **49.37** l'ardente colère du Seigneur Jr 12.13 — l'épée à leurs trousses Jr 9.15. **49.39** restauration Jr 12.15+. **50.1** Babylone Jr 25.26; Es 13—14; 21.1-10; 47.1-15; 48.14; Ps 137.8-9; Ap 18. **50.2** Babylone est prise v. 24; Jr 51.31; Es 21.9 — Bel Jr 51.44; Es 46.1 — idoles v. 38; Lv 26.1; 1 R 15.12; 21.26: 2 R 21.11; Es 21.9; Ez 6.6. **50.3** du nord v. 9, 41; Jr 1.14+ — tout **a** fui... plus rien Jr 9.9.

étendue désolée,
où personne ne vient habiter :
hommes et bêtes,
tout a fui... plus rien !

(Israël)

4 Pendant ce temps, à ce moment même
    — oracle du SEIGNEUR —,
    Israélites et Judéens *f* viennent en-
    semble.
    Marchant et pleurant,
    ils recherchent le SEIGNEUR leur Dieu.
5 Ils s'informent de la route de *Sion
    et c'est dans sa direction
    que leurs visages sont tournés.
    Ils viennent *g* et se joignent au SEIGNEUR
    en une *alliance perpétuelle
    qu'ils n'oublieront jamais.
6 Des brebis perdues,
    c'est ce qu'était devenu mon peuple.
    Leurs pasteurs *h* les avaient égarées,
    ils les avaient fait errer dans les mon-
    tagnes.
    Elles allaient de montagnes en collines,
    ne se souvenant plus de leur bercail.
7 Tous ceux qui les trouvaient les dévo-
    raient ;
    leurs adversaires disaient :
    « Nous ne nous rendons pas coupables
    puisqu'elles sont fautives envers le
    SEIGNEUR. »
    Le domaine de la justice et l'espoir de
    leurs pères,
    c'est le SEIGNEUR *i* !

(Babylone)

8 Fuyez de Babylone,
    du pays des Chaldéens !
    Sortez et soyez comme des boucs
    à la tête d'un troupeau.
9 Oui, je vais susciter et lancer à l'at-
    taque de Babylone
    une ligue de grandes nations
    du pays du nord.
    Elles se mettront en ordre de bataille
    contre elle

et c'en sera fait d'elle !
Leurs flèches sont comme un héros
    victorieux
qui ne revient pas les mains vides.
10 La Chaldée devient un butin,
    tous ses pillards s'en rassasient
    — oracle du SEIGNEUR.

11 Oui, réjouissez-vous, oui, soyez dans
    l'allégresse,
    vous saccageurs de mon héritage *j* !
    Oui, gambadez comme génisses dans
    les prés,
    hennissez comme des étalons !
12 Votre mère *k* est toute couverte de
    honte,
    celle qui vous a enfantés rougit !
    C'est la dernière des nations :
    désert, terre aride, steppe !
13 Sous l'effet du courroux du SEIGNEUR,
    elle n'est plus habitée,
    elle devient tout entière une étendue
    désolée ;
    tous ceux qui passent près de Baby-
    lone sont stupéfaits :
    à la vue de tels dégâts, ils poussent
    des cris d'effroi *l*.

14 Rangez-vous en ordre de bataille tout
    autour de Babylone,
    vous tous qui bandez l'arc.
    Tirez sur elle, ne ménagez pas les
    flèches,
    car elle est fautive envers le SEIGNEUR.
15 Poussez un hourra tout autour d'elle :
    elle se rend !
    Ses piliers s'écroulent,
    ses murailles sont démolies.
    C'est la vengeance du SEIGNEUR !
    Vengez-vous d'elle,
    faites-lui comme elle a fait !
16 Retranchez de Babylone tout semeur
    et ceux qui manient la faucille au
    temps de la moisson.
    Devant l'épée impitoyable,
    que chacun se dirige vers son peuple,
    que chacun fuie vers son pays.

---

f Israélites (mentionnés à côté des Judéens): voir la note sur 3.6 ● *g ils viennent:* d'après une ancienne version grecque; hébreu *venez;* autre texte *venez, joignons-nous...* ● *h* Voir 2.8 et la note ● *i* La dernière phrase du v. 7 est probablement prononcée par le prophète ● *j l'héritage du Seigneur:* voir 12.7-8 et la note — Les *saccageurs* de cet héritage sont les Babyloniens, depuis l'écrasement du royaume de Juda en 587 av. J.C. ● *k votre mère:* désignation imagée de la capitale, Babylone ● *l* Voir 18.16 et la note

50.4 Israélites et Judéens ensemble Jr 3.18; Es 11.13; Ez 37.15-28; Os 2.2 Za 9.13; 10.6 — marchant en pleurant Jr 31.9; Os 3.5 — ils recherchent le Seigneur Jr 3.21-25; Ps 9.11+. **50.5** la route de Sion Jr 31.6 — alliance perpétuelle Jr 32.40+. **50.6** brebis perdues v. 17; Nb 27.17; 1 R 22.17; Es 53.6; Ez 34.4-5; Ps 119.176; Mt 10.6; Lc 15.6 — égarées par leurs pasteurs Jr 23.1; Za 10.2. **50.7** justice Jr 31.23 — espoir Jr 14.8. **50.8** fuyez Babylone v. 16; Jr 51.6, 45; Es 48.20+; Za 2.10-11; cf. Mc 13.14 par. — à la tête du troupeau Jr 10.4. **50.13** l'effet du courroux du Seigneur Jr 4.26; 10.10; 12.13; 25.37; Es 13.13 — cris d'effroi Jr 18.16+. **50.15** hourra Jr 4.19; 49.2; Jos 6.5, 20; Es 44.23 — la vengeance du Seigneur Jr 5.9; 51.6 — faites-lui comme elle a fait v. 29+; Ap 18.6.

(Israël)

17 Israël était une brebis isolée,
des lions l'ont pourchassée.
En premier le roi d'Assyrie l'a entamée.
Ensuite Nabuchòdonosor, roi de Babylone,
l'a achevée jusqu'aux os *m*.

18 Eh bien ! ainsi parle le Seigneur le
tout-puissant, le Dieu d'Israël :
Je vais sévir contre le roi de Babylone
et son pays,
comme j'ai sévi contre le roi d'Assyrie *n*.

19 Je vais ramener Israël vers ses pâturages
et il paîtra le Carmel et le Bashân
et son appétit sera rassasié
sur les montagnes d'Ephraïm et de
Galaad *o*.

20 Pendant ce temps, à ce moment même
— oracle du Seigneur —,
on cherchera la perversion d'Israël,
mais elle aura disparu,
et les fautes de Juda,
mais on ne les trouvera plus.
En effet je pardonne à ceux que je
laisse survivre.

(Babylone)

21 Lance une attaque contre le pays de
Marratim !
Lance une attaque contre lui
et contre les habitants de Peqod !
Massacre et offre-moi *p* ceux qui y
restent
— oracle du Seigneur —
et agis selon tout ce que je t'ordonne.

22 Bruit de guerre dans le pays
et grand fracas !

23 Comment ! le marteau de toute la
terre
est mis en pièces, fracassé !
Comment ! Babylone est devenue un

lieu désolé
parmi les nations !

24 Je t'ai tendu un piège,
te voilà prise à ton insu, Babylone,
découverte, attrapée,
parce que tu t'es engagée contre le
Seigneur !

25 Le Seigneur ouvre son arsenal
et en sort les armes de son indignation.
Oui, c'est une œuvre du Seigneur Dieu
le tout-puissant,
dans le pays des Chaldéens.

26 Venez vers elle du bout du monde,
ouvrez ses greniers.
Mettez-la en tas et offrez-la au Seigneur *q* !
Qu'il n'en reste rien !

27 Massacrez tous les taurillons *r*,
qu'on les mène à la boucherie !
Quel malheur pour eux ! Leur jour
est arrivé,
le moment où il leur faut rendre
compte.

(Israël)

28 Un bruit : des fuyards et des rescapés
du pays de Babylone
viennent annoncer dans *Sion
la vengeance du Seigneur notre Dieu,
la vengeance du *ciel.

(Babylone)

29 Mobilisez contre Babylone des tireurs,
tous ceux qui bandent l'arc.
Dressez contre elle un camp tout autour,
qu'il n'y ait pas de rescapés !
Payez-la pour sa conduite,
faites-lui comme elle a fait :
elle a été impudente envers le Seigneur,
envers le *Saint d'Israël.

30 Oui, ce jour même, ses jeunes guerriers tombent sur ses places,
tous ses combattants sont réduits au
silence

---

m le roi d'Assyrie l'a entamée: allusion à la prise de Samarie en 722/721 av. J.C. par les Assyriens (voir 2 R 17.5-6) — *Nabuchodonosor... l'a achevée*: allusion aux attaques babyloniennes
contre Jérusalem et 597 et 587 av. J.C., et aux déportations qui s'ensuivirent ● *n* L'Assyrie fut
définitivement vaincue par les Babyloniens à Karkémish en 605 av. J.C., malgré l'aide des
Egyptiens (voir 46.2, 8 et les notes) ● *o* Le *Carmel* et le *Bashân*: voir la note sur Es 33.9 —
Galaad: région située à l'est du Jourdain ● *p le pays de Marratim*: région à l'embouchure du
Tigre et de l'Euphrate — *Peqod*: une partie de la région de Marratim — *offre-moi* ou *voue à
l'interdit* (voir Dt 2.34 et la note) ● *q offrez-la au Seigneur* ou *vouez-la par interdit* (voir Dt 2.34 et
la note) ● *r* Désignation imagée des chefs du peuple ou des troupes d'élite

50.17 Nabuchodonosor Jr 21.2+. **50.18** comme pour le roi d'Assyrie Es 10.12. **50.19** Israël
ramené vers ses pâturages Jr 23.3+ — le Carmel et le Bashân Es 33.9+. **50.20** perversion disparue Jr 3.22 — ceux que je laisse survivre Es 4.3+ — je pardonne Jr 31.34; Es 33.24. **50.21**
Peqod Ez 23.23 — massacre sacré v. 26-27; 51.3. **50.23** marteau cf. Jr 51.20; Es 10.5; 14.5 — Babylone devenue un lieu désolé v. 3, 13; Ap 18.19. **50.27** le moment de rendre compte Jr 8.12+.
50.28 annoncer dans Sion Jr 51.10. **50.29** payez-la pour sa conduite v. 15; Jr 25.14+ — impudente envers le Seigneur Jr 48.26, 42 — le Saint d'Israël Es 1.4+.

— oracle du SEIGNEUR.
[31] A nous deux, « Impudence » [s]
— oracle du Seigneur DIEU le tout-puissant !
Ton jour est arrivé,
le moment pour toi de rendre compte.
[32] « Impudence » trébuche et tombe,
personne pour la redresser.
J'allume un feu dans ses villes,
il dévore tous ses alentours.

Le Seigneur, sauveur d'Israël

[33] Ainsi parle le SEIGNEUR le tout-puissant :
Ils sont brutalisés,
Israélites et Judéens [t], sans distinction.
Leurs ravisseurs les tiennent ;
ils refusent de les lâcher.
[34] Mais leur défenseur est fort,
le SEIGNEUR le tout-puissant, c'est son nom.
Il plaide vigoureusement leur cause
afin de rendre au pays son calme
et d'ébranler les habitants de Babylone.

Le projet du Seigneur contre Babylone

[35] Epée, taille dans les Chaldéens [u] —
oracle du SEIGNEUR —
et dans les habitants de Babylone,
dans ses ministres et dans ses sages !
[36] Epée, dans les devins [v], ce sont des imbéciles !
Epée, dans ses héros, ils s'effondrent !
[37] Epée, dans ses chevaux et dans ses chars,
dans tous les métis qu'elle abrite,
ils deviennent des femmelettes !
Epée, dans son arsenal, il est pillé !
[38] Epée, dans ses eaux, elles sèchent !
C'est un pays à statues,
des figures monstrueuses les font délirer.
[39] Et voilà que les démons habitent avec les chacals,
des autruches s'y établissent.
Elle ne sera plus jamais habitée,
elle restera dépeuplée jusqu'à la fin des âges.

[40] Comme il en fut quand Dieu provoqua la catastrophe
de Sodome, de Gomorrhe et des cités voisines
— oracle du SEIGNEUR —,
personne n'y habitera plus,
aucun humain n'y séjournera.
[41] Un peuple vient du nord [w]
une grande nation et de nombreux rois
se mettent en branle au bout du monde.
[42] Ils empoignent arc et javelot,
ils sont cruels et sans pitié.
Le bruit qu'ils font est comme le mugissement de la mer,
ils montent des chevaux ;
ils sont rangés comme des troupes pour le combat
contre toi, la belle Babylone.
[43] Le roi de Babylone apprend la nouvelle :
il est démoralisé,
l'angoisse l'étreint,
une douleur comme celle d'une femme en couches.
[44] Tel un lion qui monte de la jungle du Jourdain
vers des enclos toujours animés,
ainsi, en un clin d'œil, je fais déguerpir ses habitants,
je dépêche contre elle les jeunes guerriers.
Car qui est comme moi ?
Qui pourrait m'assigner en justice ?
Quel pasteur [x] pourrait me résister ?
[45] Ecoutez encore le plan que le SEIGNEUR
a arrêté au sujet de Babylone,
les projets qu'il a formés
au sujet du pays des Chaldéens.
Assurément les petits du troupeau les traîneront ;
assurément il ravagera leur domaine à cause d'eux.
[46] Sous l'effet de la prise de Babylone
la terre tremble,
une clameur retentit parmi les nations.

51 [1] Ainsi parle le SEIGNEUR :
Je vais susciter contre Babylone
et contre les habitants du « cœur de mes adversaires » [y]
un vent destructeur.

---

[s] Surnom donné par le prophète à la ville de Babylone ● [t] *Israélites* (mentionnés à côté des *Judéens*): voir la note sur 3.6 ● [u] Voir 21.4 et la note ● [v] *les devins*: d'après les anciennes versions syriaque, araméenne et latine ● [w] Voir 50.3 et la note ● [x] *quel pasteur*: voir la note sur 2.8 ● [y] *cœur de mes adversaires*: en hébreu l'expression est sans doute une manière codée d'écrire le mot *Chaldée*

50.31 A nous deux! Jr 21.13+. **50.34** le Seigneur, le tout-puissant Jr 46.18+ — il plaide leur cause Jr 51.36; Es 51.22. **50.36** devins Es 44.25. **50.37** métis Jr 25.20. **50.38** eaux asséchées Jr 51.36. **50.39** ville abandonnée aux bêtes sauvages Es 13.21+. **50.40** comme il en fut... Jr 49.18 — catastrophe de Sodome et Gomorrhe En 1.9+. **50.41-43** Un peuple vient... Jr 6.22-24. **50.44-46** Tel un lion... Jr 49.19-21. **51.1** un vent destructeur Jr 4.11 ; 25.32.

2 J'envoie contre elle des étrangers qui
la vannent,
qui vident son pays.
Ils surgissent contre elle de partout,
au jour du malheur.
3 N'épargnez ni l'archer qui bande son
arc,
ni celui qui se pavane dans sa cuirasse *z*,
ni ses jeunes guerriers :
offrez-moi toute son armée.
4 Des blessés à mort tombent dans le
pays des Chaldéens,
des transpercés dans ses ruelles,
5 parce que leur pays est plein d'offenses
à l'égard du *Saint d'Israël,
tandis que ni Israël ni Juda *a* ne sont
veufs de leur Dieu,
le SEIGNEUR le tout-puissant.

6 Fuyez de Babylone,
sauve qui peut !
Sinon vous périrez
quand elle paiera pour sa perversion.
C'est, pour le SEIGNEUR, le moment de
la vengeance :
Il lui rend son dû.
7 Une coupe d'or dans la main du SEI-
GNEUR, c'était Babylone !
Elle enivrait toute la terre.
Les nations ont bu de son vin ;
elles en délirent *b*.
8 Mais brusquement, Babylone tombe
et se casse.
— Lamentez-vous sur elle *c* ;
appliquez du baume sur ses plaies ;
peut-être guérira-t-elle !
9 — Nous avons essayé de guérir Babylone,
mais elle est inguérissable.
— Quittez-la, que chacun de vous rentre dans son pays.
Son cas touche le ciel, il atteint les
nues.

10 Le SEIGNEUR fait apparaître notre
salut ;
venez, racontons dans *Sion
l'œuvre du SEIGNEUR notre Dieu.
11 Affilez les flèches,
saisissez les boucliers.
Le SEIGNEUR réveille
l'esprit des rois des Mèdes *d*.
Oui, contre Babylone
il a formé ce projet : la détruire.
C'est la vengeance du SEIGNEUR,
la vengeance du *ciel.
12 Contre les murailles de Babylone levez
l'étendard,
renforcez la garde.
Postez des sentinelles,
mettez des hommes en embuscade.
Oui, ce que le SEIGNEUR a déclaré au
sujet des habitants de Babylone,
il l'a médité et il le fait.
13 Toi qui demeures près des eaux abondantes *e*,
toi qui es riche en trésors,
ta fin est arrivée,
tu as touché tous tes gains.
14 Le SEIGNEUR le tout-puissant jure par
lui-même :
« Je te remplis d'hommes
nombreux comme des sauterelles
qui pousseront contre toi
le cri des vendangeurs. »

Le Créateur du monde et les idoles

15 Celui qui fait la terre par sa puissance,
qui établit le monde par sa sagesse
et qui, par son intelligence, déploie
les cieux,
16 du fait qu'il accumule des eaux torrentielles dans les cieux,
qu'il fait monter de gros nuages des
confins de la terre,
qu'il déclenche la pluie par des éclairs,

---

z Le début du v. 3, difficile à interpréter, est traduit d'après les anciens commentateurs juifs
● *a* Israël (mentionné à côté de *Juda*): voir la note sur 3.6 ● *b* Babylone est considérée ici comme
l'instrument de la colère de Dieu à l'égard des nations (voir la note sur 25.15) ● *c* Cet ordre et
les suivants s'adressent probablement aux alliés de Babylone ● *d saisissez les boucliers:* le sens du
texte hébreu est incertain; autre traduction *emplissez les carquois* — Les *Mèdes* avaient contribué
à la prise de Ninive en 612 av. J.C. Après 585 leur puissance a décliné. Le présent oracle peut
donc dater du début de l'exil ● *e les eaux abondantes:* l'Euphrate et ses nombreux canaux

51.3 massacre sacré Jr 50.21. **51.5** offenses contre le Seigneur Jr 50.29 — le Saint d'Israël Es 1.4+
— pas veufs de leur Dieu Es 54.4-8. **51.6** Fuyez de Babylone Jr 50.8+; cf. Gn 19.15-17; Ap
18.4 — vengeance du Seigneur v. 11; Jr 50.15+ — il lui rend son dû Jr 25.14+. **51.7** coupe dans
la main du Seigneur, ivresse Jr 25.15+, 16 — elle enivrait toute la terre Ap 14.8. **51.8** Babylone tombe et se casse Ap 18.2, 9 — du baume sur ses plaies Jr 8.22; 46.11. **51.9** inguérissable
Jr 10.19+ — quittez v. 45 — jusqu'au ciel Jon 1.2; Ap 18.5. **51.10** notre salut Jr 23.6; Ps 37.6 —
raconter dans Sion... Jr 50.28; Ps 9.15; 73.28. **51.11** les Mèdes Es 13.17 — projet du Seigneur
contre Babylone v. 29 — vengeance du Seigneur Jr 46.10; 50.15, 28. **51.13** fin du riche Na 2.14;
Mt 6.19, 24; Lc 12.20-21; Jc 5.1-5 — tu as touché tous tes gains Mt 6.2; Lc 16.25. **51.14** le serment du Seigneur Jr 22.5+. **51.15** Celui qui fait la terre... Es 44.24+; 45.18. **51.16** nuages
et pluies Jr 14.22; Dt 28.12; Jb 38.34-35.

qu'il fait sortir les vents de ses coffres,
17 tout homme demeure hébété, interdit,
tout fondeur a honte de son idole :
ses statues sont fausses,
il n'y a pas d'esprit en elles ;
18 ce sont des absurdités, objets de quo-
libets,
quand il faudra rendre compte, elles
périront.
19 Tel n'est pas le Lot-de-Jacob *f*,
Lui, c'est le créateur de tout ;
et Israël est la tribu de son héritage,
le SEIGNEUR le tout-puissant, c'est son
nom !

La fin de Babylone

20 Tu étais pour moi un pilon, une arme
de guerre.
Avec toi j'ai pilonné des nations.
Avec toi j'ai détruit des royaumes.
21 Avec toi j'ai pilonné des chevaux et
leurs conducteurs.
Avec toi j'ai pilonné des chars et leurs
conducteurs.
22 Avec toi j'ai pilonné des hommes et
des femmes.
Avec toi j'ai pilonné des vieux et des
jeunes.
Avec toi j'ai pilonné des garçons et des
filles.
23 Avec toi j'ai pilonné des *bergers et
leurs troupeaux.
Avec toi j'ai pilonné des cultivateurs et
leurs attelages.
Avec toi j'ai pilonné des préfets et des
gouverneurs.
24 Sous vos yeux, je fais payer à Babylone et à tous les habitants de la Chaldée *g* toutes les atrocités qu'ils ont commises à l'égard de *Sion — oracle du
SEIGNEUR.
25 A nous deux, Montagne-qui-détruit *h*
— oracle du SEIGNEUR —,
toi qui détruis toute la terre !

Je pointe la main contre toi,
je te fais dégringoler du haut des
rochers
et te transforme en montagne de braises.
26 On n'extraira plus de toi
ni pierre d'angle ni pierre de fondation.
Tu vas devenir un lieu à jamais désolé
— oracle du SEIGNEUR.
27 Levez l'étendard sur la terre,
sonnez du cor parmi les nations.
Mobilisez les nations en guerre sainte
contre elle,
convoquez contre elle des royaumes :
Ararat, Minni, Ashkenaz *i*.
Chargez des officiers de recruter contre
elle.
Réquisitionnez des chevaux,
serrés comme un nuage de sauterelles.
28 Mobilisez les nations en guerre sainte
contre elle :
les rois des Mèdes *j*, leurs préfets,
tous leurs gouverneurs, tout leur empire.
29 La terre tremble, elle se met à danser
quand les projets du SEIGNEUR contre
Babylone se réalisent :
transformer le pays de Babylone en
étendue désolée,
vidée de ses habitants !
30 Les héros de Babylone renoncent au
combat,
ils sont tapis dans les recoins ;
leur force virile est à sec :
ils sont devenus des femmelettes !
On incendie ses habitations,
ses verrous sont brisés.
31 Un courrier en courant rejoint un autre
courrier,
un messager rejoint un autre messager,
pour annoncer au roi de Babylone
que sa ville est prise de bout en bout ;
32 que les passages sont occupés,
les roseaux incendiés *k*
et les militaires en déroute.

f le *Lot-de-Jacob*: voir 10.16 et la note ● *g* Nom donné à la région de Babylone ● *h* L'image
de la *Montagne* ne convient pas à la situation géographique de Babylone mais elle s'inspire de
l'exemple des villes palestiniennes, situées sur des hauteurs ● *i* *Ararat*: l'Arménie — *Minni*:
région de l'Arménie située autour du lac de Van ; ses habitants étaient alliés aux Assyriens contre
Babylone en 616 av. J.C. — *Ashkenaz*: probablement les Scythes, peuplade d'origine iranienne,
qui effectua des raids meurtriers à la fin du septième siècle av. J.C. en Asie Mineure, en Syrie
et jusqu'en Palestine ● *j* Voir la note sur 51.11 ● *k* les roseaux incendiés: texte difficile;
autre traduction les redoutes incendiées

51.17 il a honte de son idole Jr 2.5; Es 2.20; 42.17; 45.16. 51.18 des absurdités Jr 10.8 — quand
il faudra rendre compte Jr 8.12+. 51.19 tel n'est pas... Jr 10.16 — son héritage Dt 32.9; Za 2.12
— le Seigneur, le tout-puissant Jr 46.18+. 51.20 un pilon Jr 50.23+. 51.24 je fais payer
à Babylone Jr 25.14+. 51.25 A nous deux! Jr 21.13+ — la main contre toi Jr 15.6 — montagne
de braise Ap 8.7-8; 18.9. 51.26 pierre d'angle, pierre de fondation Es 28.16. 51.27 étendard,
cor Jr 4.5-6 — guerre sainte Jr 6.4+. 51.29 les projets du Seigneur contre Babylone v. 11; Jr
50.45-46. 51.31 Babylone est prise Jr 50.2, 24.

³³ Ainsi parle le SEIGNEUR le tout-puissant, le Dieu d'Israël : La belle Babylone ressemble à une aire au moment où on l'aplanit ; encore un peu et la moisson viendra sur elle *l*.

Dieu se charge de venger son peuple

³⁴ Il m'a dévorée, il m'a sucée, Nabuchodonosor, roi de Babylone, il m'a laissée comme un plat léché. Comme un monstre, il m'a engloutie, il s'est rempli le ventre de ma moelle et m'a rejetée.
³⁵ Que retombent sur Babylone mes peines et mes malheurs !
— La population de *Sion peut le dire.
Que retombe mon sang sur la population de Chaldée *m* !
— Jérusalem peut le dire.
³⁶ Eh bien ! ainsi parle le SEIGNEUR :
Je vais prendre en main ta cause
et me charger de ta vengeance.
Je vais mettre à sec sa mer
et tarir sa source *n*.
³⁷ Babylone deviendra un tas de pierres,
un repaire de chacals,
un lieu désolé qui arrache des cris d'effroi *o* ;
elle sera vidée de ses habitants.
³⁸ Tandis qu'ensemble ils *p* rugissent
comme des jeunes lions,
qu'ils grondent comme des petits de lionnes
³⁹ et qu'ils s'échauffent, je prépare leur festin :
je vais les rendre ivres morts *q*,
ils s'endormiront d'un sommeil sans fin,
ils ne se réveilleront plus
— oracle du SEIGNEUR.
⁴⁰ Je les conduis à l'abattoir comme des béliers,
comme des moutons avec des boucs.

Lamentation sur Babylone

⁴¹ Comment ! Shéshak *r* est prise,
elle est conquise la splendeur de toute la terre !
Comment ! Babylone est devenue un lieu désolé,
parmi les nations !
⁴² La mer envahit Babylone
qui est submergée par ses vagues tumultueuses.
⁴³ Ses villes deviennent des lieux désolés,
un pays de sécheresse et de steppes,
un pays où plus personne n'habite,
où aucun être humain ne passe.
⁴⁴ Je sévis contre Bel *s*, à Babylone,
je lui retire de la bouche ce qu'il dévore.
Les nations n'afflueront plus vers lui ;
la muraille même de Babylone tombe.
⁴⁵ Vous qui êtes mon peuple, sortez d'elle,
sauve qui peut
devant l'ardeur de la colère du SEIGNEUR.

⁴⁶ Pour éviter que votre courage ne faiblisse et que vous ne soyez effrayés par les rumeurs qui circulent dans le pays — une année telle rumeur, une autre telle autre, la violence régnant dans le pays et un tyran chassant l'autre —, ⁴⁷ eh bien ! des jours viennent où je vais sévir contre les idoles de Babylone ; son pays tout entier n'en sera vraiment pas fier, et chez elle tous ses blessés à mort tomberont. ⁴⁸ Alors le ciel et la terre et tout ce qui est en eux entonneront sur Babylone un chant de triomphe. En effet, c'est du nord *t* que viennent sur elle les dévastateurs — oracle du SEIGNEUR.
⁴⁹ Des victimes de la terre entière sont tombées pour Babylone ; à son tour Babylone doit tomber pour les victimes d'Israël.

---

l D'après les anciennes versions grecque, syriaque et araméenne; hébreu *le temps de la moisson viendra sur elle* ● *m* *mes malheurs:* d'après les anciennes versions grecque et araméenne — *Que retombe mon sang...:* formule stéréotypée (voir Lv 20.9) signifiant *que la population de Chaldée soit punie d'avoir répandu mon sang!* — *Chaldée:* voir 51.24 et la note ● *n* *sa mer, sa source:* allusion probable aux fleuves de Babylonie, symboles de sa richesse ● *o* Voir 18.16 et la note ● *p* Les habitants de Babylone ● *q* Texte hébreu traditionnel peu clair; la traduction reprend l'interprétation des versions anciennes. Sur cette *ivresse* voir la note sur 25.15 ● *r* Voir 25.26 et la note ● *s* Voir 50.2 et la note ● *t* Voir les notes sur 1.14 et 50.3

51.33 comme une aire... Es 21.10 — la moisson (image du jugement) Es 63.1-6; Jl 4.13; Mt 3.12+. **51.35** Que retombe mon sang... Lv 20.9, 11-13...; Jos 2.19; 2 S 1.16; 3.29; 16.8; 1 R 2.32, 33, 37; Ez 18.13; 33.4-5; Mt 27.25. **51.36** je vais prendre en main ta cause Jr 50.34. **51.37** lieu désolé... cris d'effroi Jr 18.16+. **51.39** ivresse Jr 25.15+. **51.41** Babylone, une splendeur Jr 48.17. **51.44** Bel Jr 50.2+. **51.45** sortez d'elle v. 9 — sauve qui peut devant la colère du Seigneur Es 2.10. **51.46** effrayés par les rumeurs qui circulent Mt 24.6. **51.47** contre les idoles de Babylone v. 52; Jr 50.2. **51.48** chant de triomphe Es 44.23; Ap 18.20 — du nord Jr 50.3, 9, 41; cf. 1.14+. **51.49** Babylone à son tour v. 24.

⁵⁰ Vous, les rescapés de l'épée, en route ! ne vous arrêtez pas. Invoquez de loin le SEIGNEUR et que la pensée de Jérusalem vous revienne à l'esprit.

⁵¹ Nous ne sommes pas fiers de nous entendre insulter, la honte nous couvre le visage : des étrangers ont pénétré dans les lieux *saints de la Maison du SEIGNEUR *u*.

⁵² Eh bien ! des jours viennent — oracle du SEIGNEUR — où je vais sévir contre ses idoles et, dans tout son pays, des blessés à mort vont gémir.

⁵³ Même si Babylone montait aux cieux en rendant inaccessible sa fortification dans les hautes sphères, des dévastateurs l'atteindraient, sur mon ordre — oracle du SEIGNEUR.

⁵⁴ De Babylone, des appels au secours : grand désastre dans le pays de Chaldée *v* !

⁵⁵ C'est le SEIGNEUR qui dévaste Babylone, faisant taire en elle ses grands cris ; même si leurs clameurs *w* étaient comme le mugissement des grandes eaux, elles seraient réduites au silence. ⁵⁶ Oui, il vient contre elle, le dévastateur — contre Babylone — : ses héros sont capturés, leur arc est brisé. Le SEIGNEUR est un Dieu de riposte, il sait faire payer.

⁵⁷ J'enivre *x* ses ministres et ses sages, ses préfets, ses gouverneurs et ses héros. Ils s'endormiront d'un sommeil sans fin, ils ne se réveilleront plus — oracle du Roi qui a pour nom : le SEIGNEUR le tout-puissant.

⁵⁸ Ainsi parle le SEIGNEUR le tout-puissant :
Le large rempart de Babylone
est totalement démantelé
et ses hautes portes
sont détruites par le feu.

Les peuples peinent en vain,
les nations s'éreintent pour du feu !

Le livre jeté dans l'Euphrate

⁵⁹ Voici l'ordre que le *prophète Jérémie donna à Seraya, fils de Nériya, fils de Mahséya, quand celui-ci se rendit à Babylone avec Sédécias, roi de Juda, dans la quatrième année de son règne *y*. Seraya était chef du cantonnement. ⁶⁰ Jérémie avait consigné dans un seul livre tous les malheurs qui adviendraient à Babylone : toutes les paroles ci-dessus, qui ont été écrites contre Babylone. ⁶¹ Jérémie dit à Seraya : « Quand tu arriveras à Babylone et que tu verras et liras toutes ces paroles, ⁶² tu diras : "SEIGNEUR, c'est toi qui as décrété, au sujet de ce lieu, que tu le raserais sans y laisser de vivants, ni hommes ni bêtes, qu'il deviendrait désolation à jamais !" ⁶³ Quand tu auras terminé la lecture de ce livre, tu y attacheras une pierre et tu la jetteras au milieu de l'Euphrate, ⁶⁴ et tu diras : "C'est ainsi que Babylone sombrera et ne se redressera plus à cause des malheurs que je fais venir sur elle". »
Elles s'éreintent : jusqu'ici les paroles de Jérémie *z*.

Les Babyloniens s'emparent de Jérusalem

52 ¹ Sédécias avait vingt-et-un ans à son avènement et il régna onze ans à Jérusalem ; le nom de sa mère était Hamoutal, fille de Yirmeyahou de Livna *a*. ² Il fit ce qui déplaît au SEIGNEUR, exactement comme avait fait Yoyaqîm *b*. ³ Ce qui se passa à Jérusalem et en Juda provoqua la colère du SEIGNEUR à tel point qu'il les rejeta loin de lui.

---

u la Maison du Seigneur : le temple de Jérusalem ● *v* Voir 51.24 et la note ● *w leurs clameurs :* traduction conjecturale ; hébreu *leurs vagues* ● *x* Voir 25.15 et la note ● *y* Par comparaison avec 32.12 on voit que *Seraya* était un frère de Baruch, ami et secrétaire de Jérémie — *avec Sédécias :* autre texte (ancienne version grecque) *de la part de Sédécias* — *la quatrième année du règne de Sédécias :* en 594 av. J.C., c'est-à-dire plus de cinquante ans avant la prise de Babylone ● *z Elles s'éreintent :* ces mots, omis par l'ancienne version grecque, reprennent la fin du v. 58, sans doute pour relier les v. 59-64 à ce qui précède ; ce sont les derniers mots des *paroles de Jérémie* (voir 1.1) ● *a Sédécias :* voir la note sur 21.1 — *Livna :* à une quarantaine de km à l'ouest de Jérusalem ● *b* Voir 1.3 et la note

51.50 rescapés de l'épée Jr 44.28 — la pensée de Jérusalem Ps 137.5. **51.51** des étrangers dans la maison du Seigneur Ps 79.1 ; Lm 1.10. **51.53** même en montant aux cieux Es 14.13 ; Jb 20.6. **51.56** le Seigneur sait faire payer Jr 25.14+. **51.57** ivresse Jr 25.15+ — le tout-puissant Jr 46.18+. **51.58** les peuples peinent... Ha 2.13 ; cf. Si 14.19. **51.59** Sédécias Jr 1.3+ — quatrième année de Sédécias Jr 28.1. **51.60** consigné dans un livre Jr 30.2 ; 36.2. **51.62** décret de Dieu contre Babylone v. 25-26 ; 50.3. **51.63** Autres gestes symboliques de Jérémie Jr 13.1+. **51.64** Babylone ne se redressera plus Jr 50.32 ; Ap 18.21 — paroles de Jérémie Jr 1.1. **52.1-27** Sédécias avait... 2 R 24.18—25.26 ; Jr 39.1-10 ; 2 Ch 36.11-13, 17-21. **52.1** Sédécias Jr 1.3+ — Livna Jos 10.29 ; 2 R 8.22 ; 19.8 ; 23.31. **52.2** comme Yoyaqîm Jr 22.13-17 ; cf. 1.3+. **52.3** provoqua la colère du Seigneur Jr 32.31.

Sédécias se révolta contre le roi de Babylone.

⁴ En la neuvième année du règne de Sédécias, au dixième mois *c*, le dix du mois, Nabuchodonosor, roi de Babylone, arriva, lui et toutes ses troupes, devant Jérusalem ; ils prirent position contre elle, et construisirent tout autour des terrassements. ⁵ La ville soutint le siège jusqu'à la onzième année du roi Sédécias. ⁶ Le quatrième mois, le neuf du mois *d*, tandis que la famine sévissait dans la ville et que même les bourgeois n'avaient plus de nourriture, ⁷ une brèche fut ouverte dans la ville. Tous les combattants s'enfuirent en quittant la ville, de nuit, par la porte entre les deux murs près du jardin du roi — bien que les Chaldéens fussent établis autour de la ville — ; et ils prirent le chemin de la Araba *e*. ⁸ Les troupes chaldéennes poursuivirent le roi et rattrapèrent Sédécias dans la plaine de Jéricho ; toutes ses troupes, en déroute, l'avaient abandonné. ⁹ Les Chaldéens saisirent le roi et le firent monter à Rivla, dans le pays de Hamath *f*, au roi de Babylone qui lui annonça ses décisions. ¹⁰ Le roi de Babylone fit égorger les fils de Sédécias, sous les yeux de celui-ci. Il fit, de même, égorger à Rivla tous les fonctionnaires de Juda. ¹¹ Puis, il creva les yeux de Sédécias et le lia avec une double chaîne de bronze. Le roi de Babylone le fit emmener à Babylone et le jeta en prison jusqu'à sa mort.

¹² Le cinquième mois, le dix du mois, la dix-neuvième année du règne de Nabuchodonosor roi de Babylone *g*, Nebouzaradân chef de la garde personnelle, de l'entourage immédiat du roi de Babylone, arriva à Jérusalem. ¹³ Il mit le feu au Temple et au palais ainsi qu'à toutes les maisons de Jérusalem, du moins à celles des personnes haut placées. ¹⁴ Quant aux murailles de Jérusalem, elles furent renversées sur tout le pourtour, par les troupes chaldéennes, sous le commandement du chef de la garde personnelle. ¹⁵ Les bourgeois qui restaient encore dans la ville, les déserteurs qui s'étaient rendus au roi de Babylone et le reste des artisans, Nebouzaradân, chef de la garde personnelle, les déporta *h*, ¹⁶ mais il laissa une partie des petites gens du pays pour cultiver les vergers et les champs. ¹⁷ Quant aux colonnes de bronze du Temple, aux bases roulantes, ainsi qu'à la Mer de bronze de la Maison du SEIGNEUR, les Chaldéens les mirent en morceaux et ils en transportèrent tout le bronze *i* à Babylone. ¹⁸ Ils prirent les chaudrons, les pelles, les mouchettes, les bassins à aspersion, les coupes et tous les ustensiles de bronze employés dans le culte *j*. ¹⁹ Le chef de la garde personnelle prit encore les bassins, les cassolettes, les bassins à aspersion, les chaudrons, les chandeliers, les coupes, ainsi que les bols, tant en or qu'en argent. ²⁰ Les deux colonnes, la Mer — il n'y en avait qu'une —, les douze bœufs de bronze qui supportaient les bases roulantes que le roi Salomon avait faites pour le Temple : impossible d'évaluer le poids de leur bronze, celui de tous ces ustensiles. ²¹ La hauteur de la première colonne était de dix-huit coudées, sa circonférence de douze coudées, son épaisseur de quatre doigts *k* et elle était creuse. ²² Elle était surmontée d'un chapiteau de bronze dont la hauteur était de cinq coudées, et qui était entouré d'entrelacs et de grenades, le tout en bronze ; la deuxième avait mêmes dimensions et mêmes grenades. ²³ Il y avait quatre-vingt-seize grenades, elles étaient

---

c neuvième année, dixième mois : fin décembre 589 av. J.C. ● *d* Fin juin 587 av. J.C. ● *e la porte entre les deux murs* et *la Araba :* voir 39.4 et la note ● *les Chaldéens :* voir 21.4 et la note ● *f* Voir 39.5 et la note ● *g dix-neuvième année de Nabuchodonosor, dix du cinquième mois :* fin juillet 587 av. J.C. — *de l'entourage immédiat du roi de Babylone :* d'après les anciennes versions grecque et latine ; texte hébreu traditionnel *se tint devant le roi de Babylone à Jérusalem* ● *h* Au début du verset la traduction a laissé de côté quelques mots hébreux, absents des textes parallèles de Jr 39.9 et 2 R 25.12 (*les petites gens du peuple*) ; ces mots semblent avoir été empruntés au début du verset suivant ● *i colonnes, bases roulantes, mer de bronze :* voir 1 R 7.15-37 ● *j chaudrons, pelles... :* voir 1 R 7.40 et la note ● *k coudées, doigts :* voir au glossaire POIDS ET MESURES.

52.4 neuvième année de Sédécias Jr 39.1 — Nabuchodonosor Jr 21.2+. 52.6 onzième année de Sédécias Jr 39.2. 52.7 la porte entre les deux murs 2 R 25.4 ; Jr 39.4 — le jardin du roi Ne 3.15. 52.9 Hamath Jr 49.23+. 52.11 Sédécias emmené à Babylone Jr 32.5 ; Ez 12.13. 52.12 Nebouzaradân Jr 39.9+. 52.13 maisons de Jérusalem incendiées Jr 17.27+. 52.14 murailles renversées cf. Jr 1.10. 52.16 les petites gens du pays 2 R 24.14. 52.17-23 colonnes, bases roulantes, mer de bronze et équipement sacrificiel 1 R 7.15-50. 52.18 chaudrons, pelles, etc. 1 R 7.40, 45, 50 — ustensiles cultuels emmenés à Babylone Jr 27.19-22+.

en relief ; il y avait cent grenades sur les entrelacs tout autour. [24] Le chef de la garde personnelle prit Seraya, le prêtre en chef, et Cefanya, le prêtre en second, ainsi que les trois huissiers. [25] Il prit dans la ville un fonctionnaire qui était responsable des combattants et sept hommes de l'entourage du roi, qui se trouvaient dans la ville, ainsi que le secrétaire du chef de l'armée chargé de mobiliser la milice et, parmi elle, soixante hommes qui se trouvaient à l'intérieur de la ville. [26] Nebouzaradân, chef de la garde personnelle, les prit et les amena au roi de Babylone, à Rivla. [27] Le roi de Babylone les condamna à mort et les fit exécuter à Rivla dans le pays de Hamath. C'est ainsi que Juda fut déporté loin de sa terre. [28] Voici le nombre des gens que Nabuchodonosor fit déporter en l'an sept [l] : 3 023 Judéens. [29] Et dans la dix-huitième année du roi Nabuchodonosor [m] : de Jérusalem, 832 personnes. [30] Enfin, en l'an vingt-trois de Nabuchodonosor [n], Nebouzaradân le chef de la garde personnelle fit déporter 745 Judéens. Au total 4 600 personnes.

Le roi de Babylone gracie Yoyakîn
(voir 2 R 25.27-30)

[31] Mais la trente-septième année de la déportation de Yoyakîn, roi de Juda, le douzième mois, le vingt-cinq du mois [o], Ewil-Mérodak, roi de Babylone, l'année même de son accession au trône, gracia Yoyakîn, roi de Juda, et le fit sortir de prison. [32] Il lui parla en ami et lui donna la préséance parmi les rois qui partageaient son sort. [33] Il lui fit quitter ses vêtements de prisonnier, et Yoyakîn prit habituellement ses repas à la table du roi, tous les jours de sa vie. [34] Sa subsistance, la subsistance quotidienne, lui fut constamment assurée par le roi de Babylone, selon ses besoins de chaque jour, jusqu'à sa mort, tous les jours de sa vie.

---

l en l'an sept (probablement du règne de Nabuchodonosor): en 597 av. J.C., lors de la première déportation; comparer la formule du v. 29 ● *m la dix-huitième année:* en 587 av. J.C. C'est la deuxième déportation ● *n l'an vingt-trois:* en 582/581 av. J.C. On ignore les circonstances de cette troisième déportation, mais on sait que la même année Nabuchodonosor a déporté des Moabites et des Ammonites ● *o trente-septième année..., douzième mois:* février-mars 561 av. J.C. — *Yoyakîn:* voir 2 R 24.8-16, et la note sur Jr 13.18

52.24 prêtre en chef 2 R 25.18; 2 Ch 19.11; 24.6, 11; 26.20 — Cefanya Jr 21.1+ — prêtre en second 2 R 23.4; 25.18. **52.27** Juda fut déporté Lm 1.3. **52.28** première déportation 2 R 24.14-15; Jr 22.26-27; 28.4; 29.1-2; Ez 1.2. **52.29** dix-huitième année de Nabuchodonosor Jr 32.1 — deuxième déportation Jr 39.9. **52.31-34** mais la trente-septième année... 2 R 25.27-30.

ÉZÉCHIEL

Ezéchiel et les quatre êtres vivants

1 ¹ La trentième année, le quatrième mois, le cinq du mois, j'étais au milieu des déportés, près du fleuve Kebar ᵃ ; les cieux s'ouvrirent et j'eus des visions divines. ² Le cinq du mois — cette année-là était la cinquième de la déportation du roi Yoyakîn ᵇ — ³ il y eut une parole du SEIGNEUR pour Ezéchiel, fils du prêtre Bouzi, au pays des Chaldéens, près du fleuve Kebar. Là-bas, la main du SEIGNEUR fut sur lui.

⁴ Je regardai : un vent de tempête venait du nord, une grande nuée et un feu fulgurant et, autour, une clarté ; en son milieu, comme un étincellement de vermeil au milieu du feu. ⁵ En son milieu, la ressemblance de quatre êtres vivants ; tel était leur aspect : ils ressemblaient à des hommes. ⁶ Chacun avait quatre visages et chacun d'eux quatre ailes. ⁷ Leurs jambes étaient droites ; leurs pieds : comme les sabots d'un veau, scintillants comme étincelle l'airain poli. ⁸ Des mains d'homme, sous leurs ailes, étaient tournées dans les quatre directions, ainsi que leurs visages et leurs ailes, à tous les quatre ; ⁹ leurs ailes se joignaient l'une à l'autre. Ils n'avançaient pas de biais, mais chacun droit devant soi. ¹⁰ Leurs visages ressemblaient à un visage d'homme ; tous les quatre avaient, à droite une face de lion, à gauche une face de taureau, et tous les quatre avaient une face d'aigle : ¹¹ c'étaient leurs faces ᶜ. Quant à leurs ai-

les, déployées vers le haut, deux se rejoignaient l'une l'autre et deux couvraient leurs corps. ¹² Chacun avançait droit devant soi ; ils allaient dans la direction où l'esprit le voulait. Ils n'avançaient pas de biais. ¹³ Ils ressemblaient à des êtres vivants. Leur aspect était celui de brandons enflammés ; c'était comme une vision de torches ; entre les vivants c'était comme un va-et-vient ; et puis il y avait la clarté du feu, et sortant du feu, des éclairs. ¹⁴ Et les vivants s'élançaient en tous sens : une vision de foudre.

¹⁵ Je regardai les vivants, et je vis à terre, à côté des vivants, une roue, pour chaque face. ¹⁶ Voici quels étaient l'aspect des roues et leur structure : elles étincelaient comme de la chrysolithe ᵈ et elles étaient toutes les quatre semblables. C'était leur aspect. Quant à leur structure, elles étaient imbriquées l'une dans l'autre. ¹⁷ Lorsqu'elles avançaient, elles allaient dans les quatre directions ; elles n'obliquaient pas en avançant. ¹⁸ La hauteur de leurs jantes faisait peur ; et c'était un foisonnement d'étincelles ᵉ sur leur pourtour à toutes quatre. ¹⁹ Quand les vivants avançaient, les roues avançaient à leurs côtés ; et quand les vivants s'élevaient de dessus la terre, les roues s'élevaient. ²⁰ Ils allaient dans la direction où l'esprit voulait aller, et les roues s'élevaient en même temps ; c'est que l'esprit des vivants était dans les roues. ²¹ Quand ils avançaient, elles avançaient et quand ils s'arrêtaient, elles s'arrêtaient ;

---

a trentième année: on ne sait pas exactement à partir de quel événement, mais voir v. 2 — Le *Kebar* est probablement un canal relié à l'Euphrate, le grand fleuve qui passe à Babylone ● *b* C'est-à-dire en 593-592 av. J.C. ● *c* Ces *êtres vivants* (v. 5, appelés * Chérubins au ch. 10) sont à la fois hommes et animaux; ils ressemblent à certaines statues mésopotamiennes à quatre faces qui gardaient les palais de Babylone. Les quatre «animaux» de l'Apocalypse (4.6-8) ont les mêmes caractéristiques ● *d* Pierre précieuse d'un beau jaune-vert ● *e* Autre traduction *les jantes étaient pleines d'yeux*

1.2 Exil de Yoyakîn 2 R 24.10-15. 1.4 Dieu se manifeste dans le vent Ps 18.11; 50.3, dans la nuée Ex 13.21, dans le feu Ps 97.3. 1.5 Les quatre Vivants Ap 4.6-8. 1.13 Les éclairs Ex 19.16; Ps 97.4.

et quand ils s'élevaient au-dessus de la terre, les roues s'élevaient en même temps, car l'esprit des vivants était dans les roues.

Première vision de la gloire du Seigneur

22 Au-dessus de la tête des vivants, la ressemblance d'un firmament, étincelant comme un cristal resplendissant ; il s'étendait sur leurs têtes, bien au-dessus. 23 En dessous du firmament, leurs ailes étaient tendues l'une vers l'autre. Chacun en avait deux qui le couvraient, chacun en avait deux qui lui couvraient le corps. 24 Et j'entendis le bruit que faisaient leurs ailes quand ils avançaient : c'était le bruit des grandes eaux, la voix du Puissant *f* ; bruit d'une multitude, bruit d'une armée. Quand ils s'arrêtaient, ils laissaient pendre leurs ailes. 25 Il vint une voix depuis le firmament qui était au-dessus de leurs têtes. 26 Et par-dessus le firmament qui était sur leurs têtes, telle une pierre de lazulite, il y avait la ressemblance d'un trône ; et au-dessus de cette ressemblance de trône, c'était la ressemblance, comme l'aspect d'un homme, au-dessus, tout en haut *g*. 27 Puis je vis comme l'étincellement du vermeil, comme l'aspect d'un feu qui l'enveloppait tout autour, à partir et au-dessus de ce qui semblait être ses reins ; et à partir et au-dessous de ce qui semblait être ses reins, je vis comme l'aspect d'un feu et d'une clarté, tout autour de lui. 28 C'était comme l'aspect de l'arc qui est dans la nuée un jour de pluie : tel était l'aspect de la clarté environnante. C'était l'aspect, la ressemblance de la Gloire du Seigneur. Je regardai et je tombai sur mon visage ; j'entendis une voix qui parlait.

Dieu envoie Ezéchiel vers les gens d'Israël

2 1 Elle me dit : « Fils d'homme *h*, tiens-toi debout car je vais te parler. » 2 Après qu'elle m'eût parlé, un esprit *i*, vint en moi ; il me fit tenir debout ;

alors j'entendis celui qui me parlait. 3 Il me dit : « Fils d'homme, je t'envoie vers les fils d'Israël, vers des gens révoltés, des gens qui se sont révoltés contre moi, eux et leurs pères, jusqu'à aujourd'hui. 4 Ces fils au visage obstiné et au cœur endurci, je t'envoie vers eux ; tu leur diras : "Ainsi parle le Seigneur Dieu." 5 Alors, qu'ils t'écoutent, ou ne t'écoutent pas — car c'est une engeance de rebelles — ils sauront qu'il y a un prophète au milieu d'eux. 6 Ecoute, fils d'homme, n'aie pas peur d'eux et n'aie pas peur de leurs paroles ; tu es au milieu de contradicteurs et d'épines, et tu es assis sur des scorpions ; n'aie pas peur de leurs paroles et ne t'effraie pas de leurs visages, car c'est une engeance de rebelles. 7 Tu leur diras mes paroles, qu'ils t'écoutent ou qu'ils ne t'écoutent pas : ce sont des rebelles. 8 Fils d'homme, écoute ce que je te dis : ne sois pas rebelle, comme cette engeance de rebelles ; ouvre la bouche et mange ce que je vais te donner. » 9 Je regardai : une main était tendue vers moi, tenant un livre enroulé *j*. 10 Elle le déploya devant moi ; il était écrit des deux côtés *k* ; on y avait écrit des plaintes, des gémissements, des cris.

3 1 Il me dit : « Fils d'homme, mange-le, mange ce rouleau *l* ; ensuite tu iras parler à la maison d'Israël. » 2 J'ouvris la bouche et il me fit manger ce rouleau. 3 Il me dit : « Fils d'homme, nourris ton ventre et remplis tes entrailles de ce rouleau que je te donne. » Je le mangeai : il fut dans ma bouche d'une douceur de miel.

4 Il me dit : « Fils d'homme, va ; rends-toi auprès de la maison d'Israël et parleleur avec mes paroles. 5 Car ce n'est pas vers un peuple au parler impénétrable et à la langue épaisse que tu es envoyé ; c'est à la maison d'Israël. 6 Ce n'est pas à des peuples nombreux au parler impénétrable et à la langue épaisse, dont tu ne comprendrais pas les paroles — si je t'envoyais vers eux, est-ce qu'ils ne t'écou-

---

f Ezéchiel emploie ici le nom divin de Shaddaï; voir aussi Gn 17.1; 49.25; Jb 5.17, etc. ● *g* lazulite: pierre bleu azur — L'accumulation de termes comme *aspect de, ressemblance de*, montre qu'Ezéchiel ne peut pas décrire Dieu mais seulement suggérer sa présence ● *h* L'expression *fils d'homme*, très fréquente dans le livre d'Ezéchiel, souligne la distance entre Dieu et son prophète ● *i un esprit*: c'est une force divine que Dieu communique à ceux qu'il charge de guider son peuple (voir Nb 11.17, 25; Jg 3.10) ● *j* Les *livres* étaient alors faits de morceaux de peau ou de papyrus assemblés en une longue bande qu'on enroulait autour d'un ou deux bâtons ● *k* On n'écrivait d'habitude que sur un seul côté, mais ici les oracles sont si nombreux qu'il a fallu écrire *des deux côtés* ● *l* C'est dire, d'une façon très imagée, que Dieu donne sa parole à Ezéchiel (voir v. 4)

1.24 Le Dieu puissant ou Shaddaï Ex 6.3; Jb 5.17. **1.26** L'aspect d'un homme Dn 7.13. **1.28** La Gloire du Seigneur Ez 43.1-5; Ex 16.10; Es 6.3. **2.3** Révolte des Israélites Ex 17.1-7; Nb 14.1-4. **2.6** Dieu rassure le prophète Ez 3.9; Es 6.5-6; Jr 1.8.

teraient pas ? — ⁷ Mais la maison d'Israël ne voudra pas t'écouter, car ils ne veulent pas m'écouter ; c'est que toute la maison d'Israël a le front endurci et le cœur obstiné. ⁸ Vois : je rends ton visage aussi dur que leur visage, et ton front aussi dur que leur front. ⁹ Je rends ton front dur comme le diamant, plus dur que le caillou ; tu ne les craindras pas et tu ne t'effrayeras pas devant eux, car ils sont une engeance de rebelles.» ¹⁰ Il me dit : «Fils d'homme, reçois dans ton cœur, écoute de tes oreilles toutes les paroles que je te dis. ¹¹ Va, rends-toi auprès des déportés, auprès des fils de ton peuple ; tu leur parleras ; qu'ils écoutent ou qu'ils n'écoutent pas, tu leur diras : "Ainsi parle le Seigneur DIEU".»

¹² Alors l'esprit me souleva et j'entendis derrière moi le bruit d'une grande clameur : «Bénie soit en son lieu la Gloire du SEIGNEUR !» ¹³ puis le bruit des ailes des vivants, se heurtant l'une l'autre, et en même temps, le bruit des roues et le bruit d'une grande clameur. ¹⁴ Alors l'esprit me souleva et m'emporta ; j'allai, amer et l'esprit irrité ; la main du SEIGNEUR était sur moi, très dure. ¹⁵ J'arrivai chez les déportés, à Tel-Aviv ᵐ, chez ceux qui résident près du fleuve Kebar — car c'est là qu'ils résident — et je résidai là sept jours, hébété, au milieu d'eux.

Ezéchiel sera comme un guetteur

¹⁶ A la fin des sept jours, il y eut une parole du SEIGNEUR pour moi. ¹⁷ «Fils d'homme, je t'établis guetteur pour la maison d'Israël ; quand tu entendras une parole venant de ma bouche, tu les avertiras de ma part. ¹⁸ Si je dis au méchant : "Tu vas mourir", et si tu ne l'avertis pas, si tu ne parles pas au méchant pour le mettre en garde contre sa mauvaise conduite, afin qu'il vive, il mourra de son péché mais c'est à toi que je demanderai compte de son sang. ¹⁹ Par contre, si tu avertis le méchant et qu'il ne se détourne pas de sa méchanceté et de sa mauvaise conduite, lui mourra de son péché alors que toi, tu auras la vie sauve. ²⁰ Si un juste se détourne de sa justice et com-

met l'injustice, je le ferai trébucher : il mourra — c'est parce que tu ne l'auras pas averti qu'il mourra de son péché — ; on ne se souviendra plus de la justice qu'il avait pratiquée ; mais c'est à toi que je demanderai compte de son sang. ²¹ Par contre, si tu avertis un juste pour que ce juste ne pèche pas, et qu'effectivement il ne pèche pas, il vivra car il a été averti et toi, tu auras la vie sauve.»

Un temps de silence pour le prophète

²² C'est là ⁿ que la main du SEIGNEUR fut sur moi ; il me dit : «Lève-toi, sors dans la vallée ; et là, je te parlerai.» ²³ Je me levai et sortis dans la vallée ; voici que la gloire du SEIGNEUR se trouvait là, telle la gloire que j'avais vue près du fleuve Kebar ; je tombai sur mon visage. ²⁴ Un esprit vint en moi ; il me fit me tenir debout. Il me parla et me dit : «Enferme-toi dans ta maison. ²⁵ Ecoute, fils d'homme ; des gens te chargeront de cordes ᵒ, ils t'en ligoteront et tu ne sortiras plus au milieu d'eux. ²⁶ Je collerai ta langue à ton palais ; tu seras muet et tu ne seras plus pour eux l'homme du reproche ; car c'est une engeance de rebelles. ²⁷ Mais quand je te parlerai, j'ouvrirai ta bouche et tu leur diras : "Ainsi parle le Seigneur DIEU : qui veut écouter, qu'il écoute ; qui ne veut pas écouter, qu'il n'écoute pas" ; car c'est une engeance de rebelles.

Ezéchiel et le siège de Jérusalem

4 ¹ Ecoute, fils d'homme ; prends une brique et mets-la devant toi ; dessus, fais le dessin d'une ville, Jérusalem. ² Mets le siège devant la ville, fais des terrassements contre elle, élève un remblai, installe des camps et place des béliers ᵖ tout autour. ³ Prends une plaque de fer et mets-la, telle une muraille de fer, entre toi et la ville ; regarde-la fixement ; elle sera en état de siège, parce que tu auras mis le siège devant elle : c'est un signe pour la maison d'Israël. ⁴ Couche-toi sur le côté gauche, où tu poseras le péché de la maison d'Israël.

---

m *Tel-Aviv :* la « colline de l'épi » ou « du printemps » • n Toujours à Tel-Aviv (voir v. 15) • o Manière imagée de dire qu'Ezéchiel sera contraint de rester inactif • p Le *bélier* est une machine de guerre servant à défoncer les portes ou les remparts ; il était fait d'une grosse poutre de bois, terminée par une tête de bélier en métal et fixée sur une charpente roulante — *remblais* et *terrassements* permettaient d'accéder au haut des remparts pour s'emparer de la ville.

3.9 Le visage dur Es 50.7. **3.12** Une grande clameur Es 6.3-4 ; Ps 29.9. **3.14** Le prophète emporté par l'Esprit Ez 8.3 ; 43.5. **3.17** Le guetteur Ez 33.1-9 ; Es 21.6-8. **3.20** Le juste devenu injuste Ez 18.24 ; 2 P 2.21.

Tu porteras leur péché autant de jours que tu seras couché sur ce côté. ⁵ Je t'impose un nombre de jours équivalent aux années de leur péché : trois cent quatre-vingt-dix *q* ; tu porteras le péché de la maison d'Israël. ⁶ Tu achèveras ces jours ; puis tu te coucheras, une deuxième fois, sur le côté droit et tu porteras le péché de la maison de Juda : quarante *r* jours ; je te fixe un jour par année. ⁷ Tu fixeras ton regard sur Jérusalem assiégée, et le bras nu, tu prononceras un oracle contre elle. ⁸ Et voici que je te charge de cordes *s* ; tu ne te retourneras pas d'un côté sur l'autre, jusqu'à ce que tu aies achevé les jours où tu fais le siège. ⁹ Prends du blé, de l'orge, des fèves, des lentilles, du millet et de l'épeautre ; mets-les dans un récipient ; tu t'en feras du pain. Pendant ces jours où tu seras couché sur le côté : trois cent quatre-vingt-dix, tu en mangeras. ¹⁰ Ce sera la nourriture que tu mangeras : une ration de vingt sicles *t* par jour ; tu en mangeras jour après jour. ¹¹ L'eau à boire te sera assurée : un sixième de hîn *u* ; tu en boiras jour après jour. ¹² Tu mangeras ton pain en forme de galette d'orge ; tu le feras cuire sous leurs yeux sur un tas d'excréments humains *v*. » ¹³ Le SEIGNEUR dit : « C'est ainsi que les fils d'Israël mangeront un pain impur parmi les nations où je les disperserai. » ¹⁴ Je répondis : « Seigneur DIEU ! Je ne me suis jamais souillé ; depuis mon enfance jusqu'à aujourd'hui, je n'ai jamais mangé de bête crevée ou déchiquetée *w* et il n'est jamais entré dans ma bouche de viande immonde. » ¹⁵ Il me dit : « Eh bien, je t'accorde de la bouse de vache *x*, au lieu du tas d'excréments humains : tu cuiras ton pain dessus. » ¹⁶ Il me dit : « Fils d'homme, je vais supprimer dans Jérusalem les provisions de pains ; ils mangeront un pain pesé dans l'anxiété, ils boiront une eau mesurée dans l'épouvante. ¹⁷ Parce que le pain et l'eau feront dé-faut, les uns et les autres seront épouvantés et ils pourriront à cause de leur péché.

Dieu va punir Israël

5 ¹ Ecoute, fils d'homme, prends une épée tranchante ; tu t'en serviras comme d'un rasoir ; tu te raseras la tête et la barbe *y* ; puis tu prendras une balance et tu feras plusieurs parts. ² Tu brûleras un tiers de tes poils au milieu de la ville, quand seront accomplis les jours du siège ; tu prendras le deuxième tiers que tu frapperas par l'épée, tout autour de la ville ; le dernier tiers tu le disperseras au vent — je tirerai l'épée contre eux —. ³ Mais tu en prendras une petite quantité *z* que tu enfouiras dans ton habit. ⁴ Tu en prendras encore que tu jetteras dans le feu et que tu brûleras ; il en sortira du feu contre toute la maison d'Israël.

⁵ Ainsi parle le Seigneur DIEU : Voilà Jérusalem ! Je l'avais placée au milieu des nations, avec des pays autour d'elle. ⁶ Elle s'est rebellée contre mes décisions avec plus de perversité que les nations ; et contre mes lois, plus que les pays qui l'entourent — c'est qu'ils ont rejeté mes décisions et qu'ils n'ont pas cheminé selon mes lois.

⁷ C'est pourquoi, ainsi parle le Seigneur DIEU : A cause de votre insolence, pire que celle des peuples qui vous entourent, vous n'avez pas marché selon mes lois et vous n'avez pas exécuté mes décisions ; vous n'avez même pas agi selon les coutumes des nations qui sont autour de vous. ⁸ C'est pourquoi, ainsi parle le Seigneur DIEU : Je viens, moi aussi, contre toi ; j'exécute la sentence au milieu de toi, sous les yeux des nations. ⁹ A cause de toutes tes abominations *a*, je fais, contre toi, ce que je n'ai jamais fait, une chose que je ne ferai jamais plus. ¹⁰ Ainsi, les

---

q C'est le nombre d'années écoulées entre la division du royaume de Salomon (1 R 12.19) et le siège de Jérusalem ● *r* Le chiffre *quarante* symbolise souvent des temps d'épreuve, comme par exemple un quarante jours du Déluge ou les quarante ans de l'Exode ● *s* Voir 3.25 et la note ● *t* *sicles*: voir au glossaire POIDS ET MESURES ● *u* hin: voir au glossaire POIDS ET MESU-RES ● *v* excréments humains: ce combustible, considéré comme impur, va rendre impurs les aliments qu'il sert à cuire (voir v. 13) ● *w* Manger une bête non saignée était interdit par la Loi, voir Ex 22.30; Lv 17.15 ● *x* La *bouse de vache* séchée était fréquemment employée pour le chauffage ou la cuisson des aliments ● *y* On rasait ainsi les prisonniers (voir Es 7.20); ce geste annonce donc que les habitants de Jérusalem vont être emmenés en captivité ● *z* Cette *petite quantité* représente le petit reste de ceux qui seront sauvés ● *a* abomination désigne les idoles et le culte coupable qui leur est rendu

4.6 Quarante Ez 29.11; Gn 7.4; Mt 4.2.   **4.14** Nourriture impure Lv 17.15; Ac 10.14.   **5.3** Le petit reste épargné Es 4.3.   **5.7** Israël pire que les nations Jr 18.13-15. Cf. Ez 23.11+.   **5.10** S'entre-dévorer Lm 2.30 — dispersion Dt 28.64; Jr 8.3.

pères dévoreront les fils au milieu de toi et les fils dévoreront leurs pères [b] ; j'exécuterai contre toi la sentence et je dispenserai à tout vent tout ce qui restera de toi.

[11] C'est pourquoi, par ma vie — oracle du Seigneur Dieu — : parce que tu as souillé mon sanctuaire par toutes tes horreurs et toutes tes abominations, moi aussi, je passerai le rasoir [c] ; mon œil n'aura pas compassion et je serai sans pitié. [12] Un tiers de tes gens mourra par la peste ou sera anéanti par la famine au milieu de toi ; le deuxième tiers tombera par l'épée autour de toi ; et le dernier tiers, je le disperserai à tout vent et je tirerai l'épée derrière eux. [13] J'irai jusqu'au bout de ma colère, j'assouvirai ma fureur contre eux et je me vengerai ; alors ils connaîtront que je suis le Seigneur, que j'ai parlé dans ma jalousie, en allant jusqu'au bout de ma fureur contre eux.

[14] Je ferai de toi une ruine et un objet de honte parmi les nations qui t'entourent, aux yeux de tous les passants. [15] Tu seras pour les nations qui t'entourent un objet de honte et de sarcasmes, leçon et motif de consternation, quand j'exécuterai contre toi la sentence, avec colère, fureur et furieux reproches. Moi, le Seigneur, j'ai parlé.

[16] Quand je lancerai contre eux les flèches sinistres de la famine, les flèches de l'extermination que j'enverrai pour vous détruire, j'aggraverai pour vous la famine et je supprimerai vos provisions de pains. [17] J'enverrai contre vous la famine et les bêtes féroces qui te priveront d'enfants ; la peste et le sang passeront chez toi et je ferai venir l'épée contre toi. Moi, le Seigneur, j'ai parlé ! »

Contre les adorateurs d'idoles

6 [1] Il y eut une parole du Seigneur pour moi : [2] « Fils d'homme, dirige ton regard vers les montagnes [d] d'Israël, et prononce un oracle contre elles. [3] Tu diras : Montagnes d'Israël, écoutez la parole du Seigneur Dieu. Ainsi parle le Seigneur Dieu aux montagnes et aux collines, aux ravins et aux vallées : Me voici, je vais faire venir sur vous l'épée et je ruinerai vos *hauts lieux. [4] Vos *autels seront dévastés, vos brûle-parfums [e] brisés et je ferai tomber vos morts devant vos idoles. [5] Je mettrai les cadavres des fils d'Israël devant leurs idoles et je disperserai vos ossements autour de vos autels [f]. [6] Partout où vous habitez, les villes seront ruinées et les hauts lieux dévastés, si bien que vos autels seront ruinés et exécrés, vos idoles brisées, anéanties, vos brûle-parfums cassés et vos ouvrages détruits. [7] Les morts tomberont au milieu de vous ; alors vous connaîtrez que je suis le Seigneur.

[8] Mais quand vous n'aurez au milieu des nations que des rescapés de l'épée, quand vous serez dispersés parmi les pays, je maintiendrai un reste. [9] Vos rescapés se souviendront de moi, parmi les nations où ils auront été déportés, eux dont je briserai le cœur prostitué qui s'est détourné de moi, et leurs yeux prostitués aux idoles. Le dégoût leur montera au visage, à cause des méfaits qu'ils ont commis, à cause de toutes leurs abominations. [10] Alors ils connaîtront que je suis le Seigneur ; ce n'est pas en vain que je parle de leur faire un tel mal. »

[11] Ainsi parle le Seigneur Dieu : « Bats des mains, tape du pied [g] et dis : Ça y est ! pour tout le mal abominable de la maison d'Israël qui va tomber par l'épée, la famine et la peste. [12] Qui est loin, mourra par la peste ; qui est près, tombera par l'épée ; et le reste — les assiégés — mourra de faim ; j'irai jusqu'au bout de ma fureur contre eux. [13] Alors vous connaîtrez que je suis le Seigneur,

---

b On peut prendre cette expression au sens propre: la famine sera telle qu'on en viendra à manger de la chair humaine; certains préfèrent voir ici une image frappante des conflits qui déchireront même les plus proches parents (voir Mi 7.6; Mt 10.35-36 et par.) • *c horreurs, abomination*: voir v. 9 et la note • *rasoir:* voir v. 1 et la note • *d* Les sanctuaires des cultes païens se trouvaient généralement sur les *montagnes*; on les appelle souvent les « hauts lieux » (voir v. 3; 1 R 3.2) • *e* Vases de forme spéciale, destinés à faire brûler de l'encens et des parfums, utilisés en particulier dans les cultes païens • *f ... vos ossements autour de vos autels:* à la fois pour souiller les sanctuaires païens et pour punir ceux qui y rendaient un culte, en les privant de sépulture (voir 2 R 23.14-16; Jr 36.30) • *g* Ces gestes expriment une émotion très forte

5.11 Dieu sans pitié Es 9.16; Jr 13.14; Os 1.6. **5.12** Peste, famine et épée Ez 5.17; 6.11-12; 7.15; 12.16; 14.21; Dt 28.15-45; Jr 14.12; 24.10. **5.13** Reconnaître le Seigneur quand il frappe Ez 6.7, 10, 14; 7.4, 9, 27; 11.10, 12; 12.15, 16, 20; 13.9, etc.; Ex 7.5; 14,4, 18; Es 49.26; Jr 16.21. Cf. Ez 20.42+ — Jalousie de Dieu Ex 20.5; Dt 4.24; 6.15. **6.3** Montagnes et collines Dt 12.2; Jr 3.6; Os 4.13-14. **6.13** Arbre touffu 1 R 14.23; Jr 2.20; Os 4.13-14.

quand leurs morts seront couchés au milieu de leurs idoles, autour de leurs autels, sur toute haute colline, au sommet de toute montagne, sous tout arbre touffu, sous tout chêne luxuriant *h*, là même où ils offraient un parfum apaisant à toutes leurs idoles. ¹⁴ J'étendrai la main contre eux et je ferai de ce pays partout où ils habitent une solitude désolée, depuis le désert jusqu'à Divla *i*. Alors ils connaîtront que je suis le SEIGNEUR. »

Le Seigneur annonce la fin

7 ¹ Il y eut une parole du SEIGNEUR pour moi : ² « Ecoute, fils d'homme ! Ainsi parle le Seigneur DIEU à la terre d'Israël : C'est la fin ! la fin arrive aux quatre coins du pays. ³ Maintenant c'est la fin pour toi : j'enverrai ma colère contre toi, je te jugerai selon ta conduite, et je te chargerai de toutes tes abominations. ⁴ Mon œil n'aura pas compassion de toi et je serai sans pitié, car je te chargerai de ta conduite, et tes abominations resteront au milieu de toi *j* ; alors vous connaîtrez que je suis le SEIGNEUR. »

⁵ Ainsi parle le Seigneur DIEU : « Malheur jamais vu ! Malheur ! Le voici qui vient. ⁶ La fin arrive ; elle arrive la fin ; elle s'éveille pour toi ; la voici qui arrive. ⁷ La famine arrive sur toi, habitant du pays ; le temps arrive, le *jour est proche *k* ; panique au lieu de joie sur les montagnes. ⁸ Maintenant, tout de suite, je vais déverser ma fureur contre toi ; j'irai jusqu'au bout de ma colère contre toi, je te jugerai selon ta conduite et je te chargerai de toutes tes abominations. ⁹ Mon œil sera sans compassion et je serai sans pitié ; je te rétribuerai selon ta conduite, et les abominations resteront au milieu de toi ; alors vous connaîtrez que c'est moi, le SEIGNEUR, qui frappe. ¹⁰ Voici le jour ; voici venir la famine ; elle est en route. La brutalité prospère *l*, l'insolence s'épanouit. ¹¹ La violence s'est dressée, bâton de la méchanceté. Il ne reste rien d'eux, rien de leur clameur, rien de

leur grondement ; plus de répit pour eux. ¹² Le temps vient, le jour est imminent ; que l'acheteur ne se réjouisse pas, que le vendeur ne s'afflige pas, car la fureur menace toute la richesse du pays. ¹³ Le vendeur ne retournera pas à sa marchandise, même s'il est encore en vie ; car la vision qui menace toute la richesse du pays ne sera pas révoquée. Chacun vivra dans son crime *m* ; ils ne pourront reprendre force. ¹⁴ On sonnera de la trompette, on fera les préparatifs, mais personne n'ira au combat, car ma fureur menace toute la richesse du pays.

Personne n'échappera au châtiment

¹⁵ L'épée au-dehors, la peste et la famine à la maison ; qui est aux champs mourra par l'épée ; qui est en ville, la famine et la peste le dévoreront. ¹⁶ Les rescapés s'échapperont ; ils iront dans les montagnes, tous comme de plaintives colombes des vallées, chacun à cause de son péché. ¹⁷ Toutes les mains seront défaillantes ; tous les genoux fondront en eau. ¹⁸ Ils se ceindront de sacs, un frisson les saisira. Sur tous les visages, la honte et sur toutes les têtes, cheveux tondus *n*. ¹⁹ Ils jetteront leur argent dans les rues ; leur or sera une souillure.

— Leur argent et leur or ne pourront les sauver, au jour de la fureur du SEIGNEUR. —

Leurs gosiers ne seront pas rassasiés, et leurs entrailles ne seront pas remplies ; car l'or et l'argent sont la cause de leur péché. ²⁰ De leur splendide parure, ils ont fait leur orgueil ; ils en ont fait leurs images abominables, leurs horreurs ; c'est pourquoi j'en ferai leur souillure. ²¹ Je la livrerai aux mains des étrangers, pour le pillage ; aux méchants du pays, pour le butin.

---

h Les arbres verts et touffus, symboles de fécondité, étaient souvent associés aux cultes idolâtriques des hauts lieux (voir Dt 12.2) ● *i* Divla: sans doute identique à *Ribla*, ville de Syrie (voir 2 R 23.33; 25.6, 20). L'expression *depuis le désert jusqu'à Divla* signifie « d'un bout à l'autre du pays » ● *j* C'est la persistance du péché d'Israël qui sera son châtiment en entraînant sa ruine (voir Jr 2.19; Rm 1.18-32) ● *k* Le « *jour* du Seigneur », c'est-à-dire le jour du jugement final (voir So 1.4) ● *l* Ce que l'hébreu exprime ainsi : « le bâton fleurit » (peut-être le *bâton de la méchanceté* du v. 11) — Le texte des v. 10 et 11 est obscur et la traduction incertaine ● *m* Voir v. 4 et la note — La traduction de ce v. est incertaine ● *n* En signe de deuil, on se tondait les cheveux et on se revêtait du *sac (voir Es 15.2-3; Am 8.10)

7.7 Jour Es 2.10-21; Jl 2.1-2; Am 5.18, 20; So 1.14-15. **7.14** Trompette Es 18.3; Jr 6.1; Os 5.8; Am 3.6.

Ils la profaneront.
²² Je détournerai d'eux mon visage,
on profanera mon trésor.
Des brigands y viendront
et le profaneront.
²³ Fabrique une chaîne,
car le pays est plein de jugements
sanguinaires,
et la ville pleine de violence ^o.
²⁴ Je ferai venir les pires des nations ;
elles s'empareront des maisons.
Je ferai cesser l'orgueil des forts
et ceux qui les sanctifient seront profanés ^p.
²⁵ L'angoisse vient ;
ils recherchent la paix : en vain !
²⁶ Viendront désastre sur désastre,
mauvaise nouvelle sur mauvaise nouvelle ;
ils réclameront une vision au *prophète ;
le prêtre ne donnera plus de directive,
ni les anciens de conseil.
²⁷ Le roi portera le deuil,
et le prince se revêtira de désolation ;
les mains des gens trembleront.
J'agirai envers eux d'après leur conduite
et je les jugerai selon leurs jugements ;
alors ils connaîtront que je suis le
Seigneur.»

L'idolâtrie dans le temple de Dieu

8 ¹ La sixième année ^q, le sixième
mois, le cinq de ce mois, comme
j'étais assis dans ma maison et que les
*anciens de Juda étaient assis devant moi,
la main du Seigneur Dieu s'abattit sur
moi.
² Je regardai ; et voici : une ressem-
blance, comme l'aspect d'un homme ^r ; à
partir et au-dessous de ce qui semblait
être ses reins, du feu ; à partir et au-
dessus de ses reins, une sorte d'éclat,
comme l'étincellement du vermeil. ³ Il

étendit une forme de main et me saisit
par une mèche de cheveux ; puis l'esprit
me souleva entre ciel et terre ; en visions
divines, il m'emmena à Jérusalem, à l'entrée de la porte intérieure, celle qui est
tournée vers le nord, là où se trouve
l'idole de la jalousie ^s — qui excite la
jalousie. ⁴ Il y avait là la gloire du Dieu
d'Israël, semblable à la vision que j'avais
vue dans la vallée ^t. ⁵ Il me dit : « Fils
d'homme, lève donc les yeux vers le
nord.» Je levai les yeux vers le nord, et
voici : au nord de la porte, il y avait un
autel ; cette idole de jalousie se trouvait
dans le passage. ⁶ Il me dit : « Fils
d'homme, vois-tu ce qu'ils font ? Vois-tu
les grandes abominations que la maison
d'Israël commet ici, pour que je m'éloigne
de mon sanctuaire ? Tu vas voir encore
d'autres grandes abominations.»
⁷ Il m'emmena à la porte du parvis ;
je regardai : il y avait un trou dans le
mur. ⁸ Il me dit : « Fils d'homme, perce
donc le mur.» Je perçai le mur ; il y eut
alors une ouverture. ⁹ Il me dit : « Entre
et regarde les affreuses abominations
qu'ils sont en train de commettre ici.»
¹⁰ J'entrai et je regardai ; il y avait toutes
sortes d'images de reptiles ^u et de bêtes —
une horreur — et toutes les idoles de la
maison d'Israël dessinées tout autour sur
le mur. ¹¹ Soixante-dix anciens de la maison d'Israël, avec Yaazanyahou fils de
Shafan au milieu d'eux, se tenaient devant
ces images, chacun son encensoir à la
main ; le parfum d'un nuage d'*encens
montait ^v. ¹² Il me dit : « As-tu vu, fils
d'homme, ce que font les anciens de la
maison d'Israël, dans l'obscurité, chacun
dans les chambres consacrées à son
idole ? C'est qu'ils disent : "Le Seigneur
ne peut pas nous voir ; le Seigneur a
abandonné le pays".» ¹³ Il me dit : « Tu
vas voir encore d'autres grandes abominations qu'ils sont en train de commettre.»

---

o La *chaîne* fait peut-être allusion à la captivité des futurs déportés ● *p* Autre traduction *leurs
sanctuaires seront profanés* ● *q* La *sixième année* de l'exil de Yoyakîn, soit 592-591 (voir 1.2)
● *r* l'*aspect d'un homme :* d'après l'ancienne version grecque; hébreu : l'*aspect d'un feu.* Voir 1.26
et la note ● *s* Sur l'esprit qui soulève le prophète, voir 2.2 et la note ; 3.14 — l'*idole de la jalousie*
(celle qui provoque la jalousie du Seigneur, voir 5.13) est peut-être une statue de Tammouz (voir
v. 14 et la note) ● *t* la *vision que j'avais eue dans la vallée :* voir 3.22-23 ● *u* Les *reptiles* font partie
des animaux impurs qui souillent ceux qui les touchent (voir Lv 20.25) ● *v* Les *anciens* commettent une double infidélité: ils adorent des images (voir Dt 4.16-18) et, en portant l'encens, ils
remplissent une fonction réservée aux prêtres (voir Nb 16)

7.23 Violence et jugements sanguinaires Es 3.5; Os 4.2; Am 2.6-7; Mi 3.9-11. 7.26 Plus de vision,
de directives ni de conseil Mi 3.6; Lm 2.9; cf. Ez 13.9. 7.27 Dieu juge l'homme selon sa
conduite Ez 7.3-4, 9; 9.10; 11.21; 22.31; Jc 2.24, selon ses propres jugements *Si* 28.1-3; Mt 6.14-15;
7.2; Jc 2.13. 8.1 La main du Seigneur sur le Prophète Ez 1.3; 1 R 18.46; 2 R 3.15, pour le
punir Ez 13.9. 8.2 L'aspect d'un homme Ez 1.26-28. 8.3 L'esprit Ez 3.14+. 8.4 La gloire du
Seigneur Ez 1.28+, s'éloigne du Temple Ez 9.3; 10.3, 18-19; 11.22-23, y revient Ez 43.2-5.

¹⁴ Il m'emmena à l'entrée de la porte de la Maison du Seigneur, celle qui regarde vers le nord ; là étaient assises les femmes qui pleuraient Tammouz ᵂ. ¹⁵ Il me dit : « As-tu vu, fils d'homme ? Tu vas voir encore d'autres abominations plus grandes que celles-ci. »

¹⁶ Il m'emmena vers le parvis intérieur de la Maison du Seigneur ; voici qu'à l'entrée du Temple du Seigneur, entre le vestibule et l'autel, il y avait environ vingt-cinq hommes, le dos tourné au Temple du Seigneur, et le visage vers l'orient ; ils se prosternaient vers l'orient, devant le soleil. ¹⁷ Il me dit : « As-tu vu, fils d'homme ? Est-ce trop peu pour la maison de Juda de commettre les abominations qu'ils commettent ici ? Ils remplissent le pays de violence et ils recommencent à m'offenser ; les voilà qui élèvent le rameau jusqu'à leur nez ˣ. ¹⁸ A mon tour d'agir, avec fureur ; mon œil n'aura pas compassion et je serai sans pitié ; ils pousseront de grands cris à mes oreilles, mais je ne les écouterai pas. »

Ezéchiel voit le châtiment de Jérusalem

9 ¹ Il cria à mes oreilles d'une voix forte : « Le châtiment de la ville est proche ; que chacun ait en main son instrument d'extermination. » ² Voilà que six hommes venaient de la porte supérieure qui est tournée vers le nord ; chacun avait en main son instrument d'extermination. Au milieu d'eux il y avait un homme vêtu de lin ʸ, avec une écritoire de scribe à la ceinture. Ils vinrent et se tinrent à côté de l'autel de bronze. ³ La gloire du Dieu d'Israël s'éleva au-dessus du chérubin sur lequel elle se trouvait et se dirigea vers le seuil de la Maison ; alors il appela l'homme vêtu de lin et portant une écritoire à la ceinture. ⁴ Le Seigneur lui dit : « Passe au milieu de la ville, au milieu de Jérusalem ; fais une marque sur le front des hommes qui gé-

missent et se plaignent à cause de toutes les abominations qui se commettent au milieu d'elle. » ⁵ Puis je l'entendis dire aux autres : « Passez dans la ville à sa suite et frappez ; que vos yeux soient sans compassion et vous sans pitié. ⁶ Vieillards, jeunes hommes et jeunes filles, enfants et femmes, vous les tuerez jusqu'à l'extermination ; mais ne vous approchez de personne qui portera la marque. Vous commencerez par le sanctuaire. » Ils commencèrent alors par les anciens qui étaient devant la Maison. ⁷ Il leur dit : « Souillez la Maison et remplissez de morts ᶻ les parvis... Allez ! » Ils sortirent et frappèrent dans la ville.

⁸ Or pendant qu'ils frappaient j'étais resté seul ; je tombai sur mon visage et criai : « Ah, Seigneur Dieu ! Vas-tu exterminer tout le reste d'Israël en déversant ta fureur sur Jérusalem ? » ⁹ Il me dit : « Le péché de la maison d'Israël et de Juda est grand, immense ; le pays est rempli de sang et la ville remplie de perversion ; car ils ont dit : "Le Seigneur a abandonné le pays ; le Seigneur ne peut rien voir". ¹⁰ Ainsi mon œil sera sans compassion, et je serai sans pitié ; je les chargerai du poids de leur conduite. » ¹¹ Et voici que l'homme vêtu de lin et portant une écritoire à la ceinture rendit compte en disant : « J'ai fait comme tu me l'avais ordonné. »

Nouvelle vision de la gloire de Dieu

10 ¹ Je regardai : sur le firmament qui était au-dessus de la tête des chérubins, on voyait comme une pierre de lazulite, comme l'aspect, comme la ressemblance d'un trône ᵃ. ² Il dit à l'homme vêtu de lin : « Par les intervalles, entre dans le cercle, sous le chérubin ; prends à pleines mains des braises ardentes, par les intervalles qui sont entre les *chérubins ᵇ, et répands-les sur la ville. » L'homme y entra sous mes yeux.

---

w *Tammouz*, appelé aussi Adonis, est la divinité mésopotamienne de la végétation ; on célébrait son deuil chaque année au mois de Tammouz (juin-juillet) ● x Allusion à une pratique païenne qu'on ne peut définir avec certitude ● y *vêtu de lin :* c'est-à-dire vêtu de blanc (on ne teignait que la laine) ; c'est le vêtement des prêtres (voir Lv 6.3 ; 16.4) et des anges destructeurs d'Ap 15.5 ● z Le contact d'un cadavre rend *impur* (voir 6.5 et la note), c'est-à-dire inapte à participer au culte ● a Voir 1.26 et la note ● b *cercle :* indication assez difficile à comprendre ; le plus simple est d'y voir l'espace situé sous le trône. Au v. 13, il sera assimilé aux roues qui se trouvent à côté des chérubins — *chérubin :* voir 1.11 et la note

8.16 se prosterner devant le soleil 2 R 21.5 ; 23.5, 11 ; cf. Dt 4.19 ; 5.8. **8.18** Dieu sans pitié Ez 5.11+. **9.3** Gloire Ez 1.28+. **9.4** Marque Ex 12.7, 13 ; Ap 7.2-4 ; 9.4. **9.6** Commencer par le sanctuaire 1 P 4.17 ; cf. Jr 25.29. **9.8** Le reste épargné Es 4.3+ ; cf. Ex 32 11+. **9.9** Le prophète comme intercesseur Ez 11.13 ; Es 37.4 ; Jr 27.18 ; Am 7.2-5 ; cf. Ex 32 11+. **9.9** Le Seigneur ne voit pas Ez 8.12 ; Ps 10.11 ; 94.7 ; cf. Ps 73.11 ; Jb 22.13. **10.1** Firmament 1.22 — Trône 1.26. Pour l'ensemble du ch. voir ch. 1. **10.2** Répandre des braises Ap 8.5.

³ Au moment où l'homme entra, les chérubins se tenaient à droite de la Maison et la nuée remplissait le parvis intérieur. ⁴ La gloire du SEIGNEUR s'éleva au-dessus du chérubin vers le seuil de la Maison ; la Maison fut remplie par la nuée tandis que le parvis était rempli par l'éclat de la gloire du SEIGNEUR ⁵ et que le bruit des ailes des chérubins s'entendait jusque dans le parvis extérieur, comme la voix du Puissant quand il parle. ⁶ Quand il ordonna à l'homme vêtu de lin : « Prends du feu par les intervalles dans le cercle, par les intervalles qui sont entre les chérubins », l'homme vint et se tint à côté de la roue. ⁷ Le chérubin étendit la main par l'intervalle qui est entre les chérubins, vers le feu qui est dans l'intervalle entre les chérubins ; il en préleva et en remplit les mains de l'homme vêtu de lin. Ce dernier prit et sortit. ⁸ Alors apparut sous les ailes des chérubins une forme de main humaine.

⁹ Je regardai : il y avait quatre roues à côté des chérubins ; une roue à côté de chaque chérubin ; l'aspect des roues était comme l'étincellement de la chrysolithe ᶜ. ¹⁰ Leur aspect : toutes les quatre étaient semblables ; elles étaient comme imbriquées l'une dans l'autre. ¹¹ Lorsqu'elles avançaient, elles pouvaient aller dans les quatre directions ; elles n'avançaient pas de biais ; mais c'est dans la direction du lieu vers lequel s'orientait la tête qu'elles avançaient ; elles n'avançaient pas de biais. ¹² Sur tout le corps des chérubins, leur dos, leurs mains et leurs ailes, ainsi qu'autour des roues — leurs roues à tous les quatre — c'était un foisonnement d'étincelles. ¹³ J'entendis donner à ces roues le nom de « cercle ᵈ ». ¹⁴ Ils avaient chacun quatre faces ; la face du premier était une face de chérubin ; la face du second, une face d'homme ; la troisième, une face de lion et la quatrième, une face d'aigle. ¹⁵ Les chérubins s'élevèrent — c'était le vivant que j'avais vu près du fleuve Kebar ᵉ. ¹⁶ Quand les chérubins avançaient, les roues avançaient à leurs côtés ; quand les chérubins déployaient leurs ailes pour s'élever au-dessus de la terre, les roues ne restaient pas à l'écart mais se maintenaient à leurs côtés. ¹⁷ Quand ils s'arrêtaient elles s'arrêtaient et quand ils s'élevaient elles s'élevaient avec eux ; c'est que l'esprit des vivants était en elles.

La gloire de Dieu quitte le sanctuaire

¹⁸ La gloire du SEIGNEUR s'éleva du seuil de la Maison et se tint au-dessus des chérubins. ¹⁹ Alors les chérubins déployèrent leurs ailes et s'élevèrent de terre ; sous mes yeux, ils sortirent en même temps que les roues. La gloire s'arrêta à l'entrée de la porte orientale de la Maison du SEIGNEUR ; la gloire du Dieu d'Israël était sur les chérubins, tout au-dessus. ²⁰ C'était les vivants que j'avais vus, sous le Dieu d'Israël, près du fleuve Kebar ; et je sus que c'était des *chérubins ᶠ. ²¹ Les quatre chérubins avaient chacun quatre faces et quatre ailes ; sous leurs ailes il y avait la ressemblance d'une main d'homme. ²² Leurs visages ressemblaient à ces mêmes visages que j'avais vus près du fleuve Kebar — c'était leur aspect. Chacun avançait droit devant lui.

Jérusalem va être jugée pour ses crimes

11 ¹ L'esprit me souleva et m'emmena vers la porte orientale de la Maison du SEIGNEUR qui est tournée vers l'orient ; il y avait dans l'entrée de la porte vingt-cinq hommes ; je vis au milieu d'eux Yaazanya fils de Azzour et Pelatyahou fils de Benayahou, chefs du peuple. ² L'esprit me dit : « Fils d'homme, voilà les hommes qui projettent des crimes et qui trament le mal dans cette ville. ³ Ils disent : "On n'est pas près de construire des maisons ; la ville est une marmite et nous sommes la viande ᵍ." ⁴ C'est pourquoi, prononce un oracle contre eux, prononce un oracle, fils d'homme. »

⁵ L'esprit du SEIGNEUR tomba sur moi et me dit : « Parle ! Dis : Ainsi parle le SEIGNEUR : C'est ainsi que vous avez parlé, maison d'Israël ; ce qui monte à votre esprit, je le connais. ⁶ Vous avez multiplié les morts dans cette ville, vous avez rempli les rues de morts. ⁷ C'est pourquoi,

---

c chrysolithe: voir 1.16 et la note ● d cercle: voir 10.2 et la note ● e chérubins: voir 1.11 et la note — Kebar: voir 10.2 et la note ● f Voir 1.1; 1.11 et les notes ● g Ce dicton un peu obscur semble être une expression d'égoïsme satisfait: il vaut mieux être à l'abri dans Jérusalem (la marmite) qu'en exil. L'image sera reprise en 24.3-5

10.3 La nuée Ex 40.34; 1 R 8.10; 2 Ch 5.13. **10.5** Le bruit Ez 1.24; 3.12-13. **10.9** Les roues 1.15-21. **10.14** Les chérubins 1.5-14. **10.18** Le Seigneur assis sur les chérubins 1 S 4.4; 2 S 6.2; Ps 18.11; 80.2; 99.1. **11.1** L'esprit me souleva Ez 3.14+. **11.6** Rempli les rues de morts cf. Ez 22.3-4, 25-29.

ainsi parle le Seigneur Dieu : Les morts que vous avez mis au milieu de la ville, c'est eux, la viande, et la ville est la marmite ; mais vous, je vous en ferai sortir. [8] Vous avez peur de l'épée : je ferai venir l'épée sur vous, — oracle du Seigneur Dieu. [9] Je vous ferai sortir de la ville, je vous livrerai aux mains des étrangers et j'exécuterai contre vous mes jugements. [10] Vous tomberez par l'épée ; je vous jugerai sur le territoire même d'Israël ; alors vous connaîtrez que je suis le Seigneur. [11] La ville ne sera pas pour vous une marmite et vous n'y serez pas la viande ; je vous jugerai sur le territoire même d'Israël. [12] Alors vous connaîtrez que je suis le Seigneur, moi dont vous n'avez pas suivi· les lois et n'avez pas observé les coutumes ; car vous avez agi selon les coutumes des nations qui vous entourent. » [13] Comme je prononçais l'oracle, le fils de Benaya, Pelatyahou — c'est-à-dire Rescapé-de-Dieu — mourut. Je tombai sur mon visage et criai d'une voix forte ; je dis : « Ah ! Seigneur Dieu ! Tu veux faire l'extermination du reste d'Israël [h] ! »

Dieu rassemblera le peuple dispersé

[14] Il y eut une parole du Seigneur pour moi : [15] « Fils d'homme, tous tes frères, les gens de ta parenté, toute la maison d'Israël, dans sa totalité, auxquels les habitants de Jérusalem disent : "Restez loin du Seigneur [i] ; c'est à nous que cette terre a été donnée en possession !" [16] Dis-leur donc : Ainsi parle le Seigneur Dieu : Même si je les ai éloignés parmi les nations et les ai dispersés dans les pays, j'ai été un peu pour eux un *sanctuaire dans les pays où ils sont allés. [17] Dis-leur donc : Ainsi parle le Seigneur Dieu : Je vous rassemblerai du milieu des peuples et je vous réunirai des pays où vous avez été dispersés ; puis je vous donnerai la terre d'Israël. [18] Ils y viendront et en ôteront toutes les horreurs et toutes les abominations [j].

[19] Je leur donnerai un cœur loyal ; je mettrai en vous un esprit neuf ; je leur enlèverai du corps leur cœur de pierre et je leur donnerai un cœur de chair, [20] afin qu'ils marchent selon mes lois, qu'ils gardent mes coutumes et qu'ils les accomplissent. Ils seront mon peuple et je serai leur Dieu. [21] Mais ceux dont le cœur se plaît aux horreurs et aux abominations, je chargerai leur tête de leur conduite, oracle du Seigneur Dieu. »

La gloire de Dieu quitte Jérusalem

[22] Alors les *chérubins déployèrent leurs ailes ; les roues étaient avec eux. La gloire du Dieu d'Israël était au-dessus d'eux, tout au-dessus. [23] La gloire du Seigneur s'éleva du milieu de la ville et se tint sur la montagne qui est à l'orient. [24] L'esprit me souleva et m'emmena en Chaldée [k], vers les déportés ; cela se passait en vision, sous l'effet de l'esprit de Dieu. La vision que j'avais contemplée s'éleva au-dessus de moi. [25] Je parlai aux déportés de toutes les choses que le Seigneur m'avait fait voir.

Ezéchiel donne un présage de l'exil

12 [1] Il y eut une parole du Seigneur pour moi : [2] « Fils d'homme, tu habites au milieu d'une engeance de rebelles ; ils ont des yeux pour voir et ne voient pas, des oreilles pour entendre et ils n'entendent pas, car c'est une engeance de rebelles. [3] Ecoute, fils d'homme ! Faistoi un bagage de déporté et pars en déportation, en plein jour, sous leurs yeux ; tu partiras en déportation, de ce lieu vers un autre, sous leurs yeux [l] ; peut-être verront-ils qu'ils sont une engeance de rebelles. [4] Tu feras sortir tes bagages — des bagages de déporté — en plein jour, sous leurs yeux ; et toi, tu sortiras le soir, sous leurs yeux, comme sortent les déportés. [5] Sous leurs yeux, tu perceras le mur et tu feras passer tes bagages par ce trou. [6] Sous leurs yeux, tu les

---

h Pelatyahu mourut: la mort de cet homme au nom si évocateur semble un présage de malheur pour tous les rescapés. Sur le reste, voir Es 4.3+ ● i Les habitants de Jérusalem comprennent l'exil hors de la terre d'Israël comme un exil loin du Seigneur; comparer v. 16 ● j horreurs, abominations: voir 5.9 et la note ● k Chaldée: autre nom de la Babylonie (voir par exemple 16.29; Gn 11.28; Jr 24.5) ● l Nouveau geste symbolique qui annonce la seconde déportation

11.8 Epée Ez 21.8+. **11.12** Connaître le Seigneur Ez 5.13+ — Agir selon les coutumes des nations Lv 18.3; Dt 12.30. **11.13** Extermination du reste Ez 9.9. **11.15** Possession de la terre Ez 33.24; Gn 15.17; 17.8; Ex 6.8; Jos 1.2-5. **11.19** Esprit neuf, cœur loyal Ez 18.31; Jr 32.39; Ps 11.7, cœur de chair Ez 36.26, circoncis Dt 30.6; Jr 4.4, pur Ps 24.3-4; 51.12; Mt 5.8. **11.20** Ils seront mon peuple Ez 36.28+. **11.22** Chérubins Ez 1.5-14; 10.1-17 — Gloire Ez 1.28+; 9.3. **11.24** L'esprit me souleva Ez 3.14+. **12.2** Ils ont des yeux... des oreilles... Es 6.9; Jr 5.21; Mt 13.13-16. **12.6** Présage Ez 12.11; 24.24, 27; Es 8.18; cf. Jr 16.1-8.

mettras sur ton épaule ; tu les feras sortir dans l'obscurité ; tu couvriras ton visage pour ne pas voir le pays : car je fais de toi un présage pour la maison d'Israël. » ⁷ Je fis comme il m'avait été ordonné. Je fis sortir mon bagage en plein jour, un bagage de déporté ; et le soir, je perçai le mur, à la main ; dans l'obscurité, je fis sortir mes bagages et je les portai seul sur l'épaule, sous leurs yeux.

⁸ Il y eut, au matin, une parole du SEIGNEUR pour moi : ⁹ « Fils d'homme, la maison d'Israël, engeance de rebelles, ne t'a-t-elle pas dit : "Que fais-tu ?" ¹⁰ Dis-leur : Ainsi parle le Seigneur DIEU : Cet oracle est pour le prince qui est à Jérusalem et pour toute la maison d'Israël qui s'y trouve. ¹¹ Dis-leur : Je suis pour vous un présage ; comme j'ai fait, ainsi il leur sera fait. Ils iront en déportation, en exil. ¹² Le prince qui est au milieu d'eux chargera son épaule ; dans l'obscurité, il sortira à travers le mur qu'on aura percé dans ce but. Il couvrira son visage, de sorte qu'il ne verra pas, de ses yeux, le pays *m*. ¹³ J'étendrai mon filet *n* sur lui et il sera pris dans mes rets ; je l'amènerai à Babylone, au pays des Chaldéens ; il mourra dans ce pays sans l'avoir vu. ¹⁴ Tout son entourage, sa garde et tous ses escadrons, je les disperserai à tous vents et je tirerai l'épée derrière eux. ¹⁵ Alors ils connaîtront que je suis le SEIGNEUR, quand je les aurai dispersés parmi les nations et que je les aurai disséminés parmi les pays. ¹⁶ Je maintiendrai parmi eux un reste, quelques hommes réchappés de l'épée, de la faim, de la peste, pour raconter parmi les nations où ils seront allés, toutes leurs abominations ; alors on connaîtra que je suis le SEIGNEUR. »

¹⁷ Il y eut une parole du SEIGNEUR pour moi : ¹⁸ « Fils d'homme, tu mangeras ton pain en tremblant ; tu boiras ton eau dans l'agitation et dans l'appréhension. ¹⁹ Tu diras au peuple du pays : Ainsi parle le Seigneur DIEU aux habitants de Jérusalem qui sont sur le sol d'Israël : Ils mangeront leur pain dans l'inquiétude et ils boiront leur eau dans l'épouvante car la terre sera dévastée *o*, privée de tout ce qui l'emplit, à cause de la violence de tous ses habitants. ²⁰ Les villes habitées seront en ruine et le pays désert. Alors vous connaîtrez que je suis le SEIGNEUR. »

La parole du Seigneur va se réaliser

²¹ Il y eut une parole du SEIGNEUR pour moi : ²² « Fils d'homme, pourquoi appliquez-vous ce proverbe à la terre d'Israël : "Les jours s'éternisent et aucune vision ne se réalise" ? ²³ Dis-leur : Ainsi parle le Seigneur DIEU : Je supprime ce proverbe, on ne le dira plus en Israël. Par contre, dis-leur : "Les jours approchent, ainsi que la réalisation de chaque vision" ; ²⁴ car il n'y aura plus de visions illusoires ni de prédictions trompeuses, au milieu de la maison d'Israël. ²⁵ Moi, le SEIGNEUR, quoi que je dise, cela se réalise sans traîner. C'est de votre vivant, engeance de rebelles, que j'exécuterai la parole que j'aurai dite, oracle du Seigneur DIEU. »

²⁶ Il y eut une parole du SEIGNEUR pour moi : ²⁷ « Fils d'homme, voici que la maison d'Israël dit : "Ce que voit cet homme n'est pas pour demain ; il prophétise pour des temps éloignés." ²⁸ C'est pourquoi, dis-leur : Ainsi parle le Seigneur DIEU : Aucune de mes paroles ne traînera plus ; la parole que je dis s'exécutera, oracle du Seigneur DIEU. »

Contre les faux prophètes

13 ¹ Il y eut une parole du SEIGNEUR pour moi : ² « Fils d'homme, prononce un oracle contre les prophètes d'Israël, ces diseurs d'oracles ; dis à ceux qui tirent des oracles de leur propre cœur : Ecoutez la parole du SEIGNEUR ! ³ Ainsi parle le Seigneur DIEU : Malheureux les prophètes insensés qui suivent leur esprit sans avoir rien vu. ⁴ Des chacals dans les ruines, tels sont devenus tes prophètes, Israël. ⁵ Vous n'êtes pas mon-

---

m Le prince est Sédécias, qui s'échappa de Jérusalem par une brèche qu'on venait de faire au rempart (voir 2 R 25.4; Jr 52.7). Il fut poursuivi et fait prisonnier; puis on lui creva les yeux (voir 2 R 25.7; Jr 52.11) et on le conduisit à Babylone (v. 13) ● *n* J'étendrai mon filet: dans l'ancien Orient, il arrivait qu'on emprisonne les captifs dans un grand filet, comme le représente une stèle mésopotamienne. Mais l'expression est employée ici au sens figuré ● *o* La terre dévastée est celle d'Israël, livrée à l'envahisseur

12.13 Filet Es 8.14; 24.17-18; Os 5.1; Ps 91.3; 124.7. **12.15** Dispersion des Israélites Ez 5.10+. **12.16** Le reste Es 4.3+. **12.17** Manger en tremblant Ez 4.16. **12.22** Proverbe Ez 18.2-3. **13.1** Contre les prophètes 1 R 22.13-28; Jr 6.13-14; 23.9-32; 27.9-10, 14-15; 28; 29.8-9, 15-23; Mi 3.5; cf. Dt 13.1-6; 18.20-22. **13.5** Le prophète protecteur de son peuple Ez 22.30; 33.1-9; Jr 1.18; 15.20.

tés sur les brèches et vous n'avez pas
construit de mur pour la maison d'Israël,
afin qu'elle puisse tenir dans le combat au
jour du SEIGNEUR. 6 Ils ont des visions
illusoires et des prédictions trompeuses,
eux qui disent : "Oracle du SEIGNEUR",
sans que le SEIGNEUR les ait envoyés ;
alors ils attendent qu'il confirme leur
parole. 7 N'avez-vous pas eu des visions
illusoires ? N'avez-vous pas fait des prédictions trompeuses, vous qui dites :
"Oracle du SEIGNEUR", sans que moi j'aie
parlé ? 8 C'est pourquoi, ainsi parle le
Seigneur DIEU : Parce que vous avez prêché l'illusion et que vous avez eu des
visions trompeuses, je viens contre vous,
oracle du Seigneur DIEU. 9 Ma main sera
contre les prophètes qui ont des visions
illusoires et qui font des prédictions trompeuses ; ils seront absents du conseil de
mon peuple, ils ne seront pas inscrits
dans le livre de la maison d'Israël [p] et ne
pénétreront pas sur le sol d'Israël ; alors
vous connaîtrez que je suis le Seigneur
DIEU.

10 Parce qu'ils ont égaré mon peuple en
disant : "Paix !" alors qu'il n'y avait point
de paix, et parce qu'ils enduisaient de
crépi [q] le mur que mon peuple bâtissait,
11 dis à ceux qui enduisent de crépi —
car il tombera — : Il viendra une pluie
torrentielle ; et vous, les grêlons, vous
tomberez et le vent des tempêtes écla-
tera. 12 Une fois que le mur sera tombé,
ne vous dira-t-on pas : « Où est le crépi
dont vous l'aviez couvert ? » 13 C'est
pourquoi, ainsi parle le Seigneur DIEU :
Dans ma fureur je ferai éclater le vent
des tempêtes ; ma colère enverra une
pluie torrentielle et ma fureur des grêlons
destructeurs. 14 J'abattrai le mur que vous
avez enduit de crépi, je le précipiterai à
terre et ses fondations seront mises à nu.
Il tombera et vous disparaîtrez là, au milieu. Alors vous connaîtrez que je suis le
SEIGNEUR. 15 J'irai jusqu'au bout de ma
fureur contre le mur et contre ceux qui
l'ont enduit de crépi ; je vous dirai : Plus
de mur ! plus de gens pour le crépir !
16 plus de ces prophètes d'Israël qui prononçaient des oracles sur Jérusalem et qui
avaient pour elle des visions de paix alors
qu'il n'y avait point de paix ! — oracle
du Seigneur DIEU.

Contre les magiciennes

17 Ecoute, fils d'homme ; dirige ton regard vers les filles de ton peuple qui tirent
des oracles de leur propre cœur [r] ; prononce un oracle contre elles. 18 Tu diras :
Ainsi parle le Seigneur DIEU : Malheureuses, celles qui cousent des bandelettes
pour tous les poignets et qui confectionnent des voiles pour les gens de toute
taille, afin de capturer des vies [s]. Vous
voulez capturer la vie des gens de mon
peuple et sauvegarder votre propre vie !
19 Vous m'avez profané [t] devant mon
peuple pour des poignées d'orge et pour
des morceaux de pain ; vous faites mourir ceux qui ne doivent pas mourir et vous
faites vivre ceux qui ne doivent pas vivre,
trompant ainsi mon peuple crédule.
20 C'est pourquoi, ainsi parle le Seigneur
DIEU : J'en veux à vos bandelettes, dans
lesquelles vous capturez les vies ; je les
déchirerai de dessus vos bras et je laisserai partir les vies que vous avez capturées. 21 Je déchirerai vos voiles, j'arracherai mon peuple à vos mains et ils
ne seront plus une proie dans vos mains ;
alors vous connaîtrez que je suis le SEI-
GNEUR. 22 Parce qu'on trouble le cœur du
juste avec des mensonges alors que moi
je ne l'ai pas inquiété, parce qu'on fortifie
la main du méchant de sorte qu'il ne
peut revenir de sa mauvaise conduite et vivre, 23 à cause de cela, vous n'aurez plus
de ces visions illusoires et vous ne ferez
plus de prédictions ; j'arracherai mon
peuple à vos mains. Alors vous connaîtrez
que je suis le SEIGNEUR. »

Israël doit rejeter les idoles

14 1 Quelques *anciens d'Israël vinrent
vers moi et s'assirent devant moi.
2 Alors il y eut une parole du SEIGNEUR

p Le *livre de la maison d'Israël* est le registre des citoyens (voir Esd 2; Ne 7.5-67) • *q* Comme un homme qui cacherait les lézardes de sa maison par du *crépi* (enduit de plâtre mêlé de sable) au lieu de la réparer, les prophètes ont trompé le peuple sur la gravité de sa situation (voir v. 16) • *r* Il s'agit ici des prophétesses et, semble-t-il, des magiciennes (voir v. 18 et la note) • *s cousent des bandelettes... confectionnent des voiles:* allusions à des pratiques magiques peu connues • *t vous m'avez profané:* la magie est considérée comme une profanation de Dieu; elle était punie de mort (voir Lv 19.26, 31; 20.27; Dt 18.10-12)

13.7 Prophéties trompeuses Ez 14.9; 22.28; 1 R 22.23; Jr 14.14; 23.26; 27.9-10; cf. Dt 18.21-22. **13.10** Fausses promesses de paix Ez 13.16; Jr 6.14; cf. Ez 22.28. **13.11** Pluie torrentielle Mt 7.24-27.

pour moi : ³ « Fils d'homme, ces hommes-là portent leurs idoles dans leur cœur ; ils mettent devant eux l'obstacle qui les fera pécher. Vais-je me laisser consulter par eux ? ⁴ Parle donc et dis-leur : Ainsi parle le Seigneur Dieu : A tout homme de la maison d'Israël qui porte ses idoles dans son cœur, qui met devant lui l'obstacle qui le fera pécher, et qui vient ensuite vers le prophète, c'est moi, le Seigneur, qui répondrai. Quand il viendra, je lui répondrai en fonction du nombre de ses idoles, ⁵ afin de saisir la maison d'Israël par le cœur, eux qui se sont tous éloignés de moi, à cause de leurs idoles. ⁶ C'est pourquoi, dis à la maison d'Israël : Ainsi parle le Seigneur Dieu : Revenez, détournez-vous de vos idoles ; détournez vos visages de toutes vos abominations.

⁷ Soit un homme membre de la maison d'Israël ou un émigré, résidant en Israël ᵘ ; il s'éloigne de moi, porte ses idoles dans son cœur, met devant lui l'obstacle qui le fera pécher, puis va vers le prophète pour le consulter, eh bien, moi, le Seigneur, je lui répondrai personnellement. ⁸ Je tournerai mes regards contre cet homme, j'en ferai un exemple proverbial et je le retrancherai du milieu de mon peuple. Alors vous connaîtrez que je suis le Seigneur.

⁹ Soit un prophète ; s'il se laisse séduire et prononce une parole, c'est moi, le Seigneur, qui aurai séduit ce prophète-là ; j'étendrai la main contre lui et je le supprimerai du milieu de mon peuple d'Israël. ¹⁰ Ils porteront le poids de leurs fautes ; il en ira de la faute du consultant comme de la faute du prophète. ¹¹ C'est afin que la maison d'Israël ne s'égare plus loin de moi, qu'ils ne se souillent plus par leurs révoltes, qu'ils soient mon peuple et que je sois leur Dieu — oracle du Seigneur Dieu. »

Rien n'arrêtera le jugement de Dieu

¹² Il y eut une parole du Seigneur pour moi : ¹³ « Fils d'homme : Sois un pays ;

il pèche contre moi et commet un sacrilège ; j'étends donc la main contre lui, je supprime ses provisions de pains, j'envoie contre lui la famine, j'en retranche hommes et bêtes. ¹⁴ Même si ces trois hommes : Noé, Daniel et Job ᵛ, se trouvent au milieu de ce pays, eux seuls sauveront leur vie, par leur justice, — oracle du Seigneur Dieu.

¹⁵ Et si j'envoie des bêtes féroces dans le pays, pour qu'il soit désert, privé de ses enfants, sans que personne ne le traverse, à cause des bêtes, ¹⁶ même si ces trois hommes se trouvent au milieu du pays, par ma vie — oracle du Seigneur Dieu — ils ne sauveront ni fils ni filles ; eux seuls seront sauvés et le pays sera désert.

¹⁷ Ou bien, si je fais venir l'épée contre ce pays, si je dis : Que l'épée passe dans ce pays, qu'elle en retranche hommes et bêtes, ¹⁸ même si ces trois hommes se trouvent au milieu du pays, par ma vie — oracle du Seigneur Dieu — ils ne sauveront ni fils ni filles ; eux seuls seront sauvés.

¹⁹ Ou bien si j'envoie la peste contre ce pays, si je répands ma fureur contre lui, dans le sang, pour qu'en soient retranchés hommes et bêtes, ²⁰ même si Noé, Daniel et Job se trouvent au milieu du pays, par ma vie — oracle du Seigneur Dieu — ils ne sauveront ni fils ni filles. Eux seuls, par leur justice, sauveront leur vie.

²¹ Car ainsi parle le Seigneur Dieu : Même si j'ai envoyé mes quatre terribles châtiments contre Jérusalem : l'épée, la famine, les bêtes féroces et la peste, pour en retrancher hommes et bêtes, ²² pourtant un reste y subsiste. On a fait sortir de la ville des fils et des filles ; les voici qui viennent vers vous. Vous allez constater leur conduite et leurs actes ; alors vous vous consolerez du malheur que j'ai fait venir sur Jérusalem, de tout ce que j'ai fait venir sur elle. ²³ Ils vous consoleront car vous verrez leur conduite et leurs actes ; alors vous saurez que ce n'est pas sans raison que j'ai accompli tout ce que j'ai fait dans la ville — oracle du Seigneur Dieu. »

---

u *L'émigré résidant en Israël* est astreint aux mêmes obligations que le citoyen israélite et protégé par les mêmes lois, à condition qu'il soit circoncis (voir Lv 19.33-34) ● v *Noé, Daniel et Job:* trois justes célèbres dans la tradition du Proche-Orient. Le second n'est connu que par les textes mythologiques phéniciens et ne doit pas être confondu avec le héros du livre de Daniel

14.3 Cœur idolâtre, incirconcis Ez 44.7; Lv 26.41; Jr 9.25, endurci, obstiné Ez 2.4; 3.7; Ps 95.8; Jb 36.13, de pierre Ez 11.19; 36.26, orgueilleux, hautain Ez 31.10; Pr 16.5, double, tortueux Ps 12.3; Pr 11.20; 17.20. Cf. Ez 11.19+. **14.7** Droits de l'émigré résidant Ez 47.22; Lv 19.33+. **14.9** Prophète qui se laisse séduire Ez 13.7+. **14.13** Suppression du pain Ez 4.15+. **14.14** Responsabilité personnelle Ez 18.20+.

La vigne livrée au feu

15 [1] Il y eut une parole du SEIGNEUR pour moi : [2] « Fils d'homme, en quoi le bois de la vigne serait-il meilleur que tous les autres bois, ses branches, meilleures que celles des arbres de la forêt ?
[3] En tire-t-on du bois,
pour en faire un ouvrage ?
En tire-t-on une cheville,
pour y suspendre quelque chose ?
[4] Voici la vigne mise au feu :
ses deux extrémités, le feu les a dévorées,
le milieu est brûlé *w* ;
conviendra-t-il à quelque chose ?
[5] Quand il était intact,
on n'en faisait rien ;
une fois que le feu l'a dévoré et brûlé,
en fera-t-on encore quelque chose ?
[6] C'est pourquoi, ainsi parle le Seigneur DIEU :
Comme je mets au feu le bois de la vigne,
de préférence au bois de la forêt,
ainsi je brûle les habitants de Jérusalem.
[7] Je tourne mon visage contre eux ;
ils sont sortis du feu, mais le feu les dévorera *x* ;
alors vous connaîtrez que je suis le SEIGNEUR,
moi qui tourne mon visage contre eux.
[8] Je fais de ce pays un désert
à cause de l'infidélité qu'ils ont commise
— oracle du Seigneur DIEU. »

Jérusalem était comme une enfant abandonnée

16 [1] Il y eut une parole du SEIGNEUR pour moi : « [2] Fils d'homme, fais connaître à Jérusalem ses abominations.
[3] Tu diras : Ainsi parle le Seigneur DIEU à Jérusalem : Par tes origines et par ta naissance, tu es de la terre de Canaan *y* ; ton père était l'Amorite et ta mère une Hittite. [4] A ta naissance, au jour où tu es née, on ne t'a pas coupé le cordon, tu n'as pas été lavée dans l'eau pour être purifiée ; tu n'as pas été frottée de sel *z* ni enveloppée de langes. [5] Nul œil ne s'est apitoyé sur toi pour te faire par pitié une seule de ces choses : par le dégoût qu'on avait de toi, tu as été jetée dans les champs *a*, le jour où tu es née.
[6] Passant près de toi, je t'ai vue te débattre dans ton sang ; je t'ai dit, alors que tu étais dans ton sang : Vis ! — je t'ai dit, alors que tu étais dans ton sang : Vis ! — [7] Je t'ai rendue vigoureuse comme une herbe des champs ; alors tu t'es mise à croître et à grandir et tu parvins à la beauté des beautés ; tes seins se formèrent, du poil te poussa ; mais tu étais sans vêtements, nue. [8] En passant près de toi, je t'ai vue ; or tu étais à l'âge des amours. J'ai étendu sur toi le pan de mon habit et couvert ta nudité ; je t'ai fait un serment et suis entré en alliance avec toi *b* — oracle du Seigneur DIEU. Alors tu fus à moi. [9] Je t'ai lavée dans l'eau, j'ai nettoyé le sang qui te couvrait, puis je t'ai parfumée d'huile. [10] Je t'ai donné des vêtements brodés, des chaussures de cuir fin, une ceinture de lin et je t'ai couverte d'étoffes précieuses. [11] Je t'ai parée de bijoux, j'ai mis des bracelets à tes poignets et un collier à ton cou ; [12] un anneau à ton nez, des boucles à tes oreilles et un diadème splendide sur ta tête. [13] Tes bijoux étaient d'or et d'argent, tes vêtements de lin fin, d'étoffes précieuses, de broderies. Tu te nourrissais de fine farine, de miel et d'huile ; alors tu es devenue extrêmement belle. Tu es parvenue à la royauté. [14] Alors le renom de ta beauté s'est répandu parmi les nations : car elle était parfaite, à cause de la splendeur dont je t'avais parée — oracle du Seigneur DIEU.

Jérusalem est comme une prostituée

[15] Mais tu t'es fiée à ta beauté et, à la mesure de ton renom, tu t'es prostituée ; tu as prodigué tes débauches à tout pas-

---

w Image de la situation de Jérusalem, déjà éprouvée par une première déportation (voir Am 4.11; Za 3.2) ● *x* Les rescapés des premières razzias (avant 592) se croient en sécurité (voir 11.3, 15; 33.24), mais ils n'échapperont pas à la destruction ● *y* Canaan: avant d'être conquise puis choisie par David comme capitale, Jérusalem était une cité cananéenne, habitée par les Jébuséens ● *z* Les nouveau-nés étaient habituellement *frottés de sel;* on pensait que cela les fortifiait ● *a* tu as été jetée dans les champs: comme un nourrisson abandonné. La Bible ne cite aucun autre exemple d'abandon d'enfant ● *b* J'ai étendu le pan de mon habit: plus qu'un simple geste de protection, l'expression signifie souvent « épouser » (voir Dt 23.1; Rt 3.9) — L'*alliance* désigne également ici le mariage (voir Ml 2.14; Pr 2.17). Depuis Osée, l'image du mariage est souvent utilisée pour désigner les relations entre Dieu et Israël (voir Es 54.4-8; Jr 2.2)

15.2 Israël vigne de Dieu Ez 17.6-8; 19.10, 14; Es 5.7; Os 9.10; 10.1; Ps 80.9, 15; Mc 12.1-11; cf. Jn 15.1-6, mais vigne stérile Es 5.4; Jr 2.21.

sant — tu as été à lui. ¹⁶ Tu as pris de tes vêtements dont tu as bariolé les *hauts lieux et tu t'es prostituée dessus — que cela ne vienne ni ne se passe ! ¹⁷ Tu as pris tes splendides bijoux d'or et d'argent que je t'avais donnés ; tu t'es fait des images viriles, tu t'es prostituée avec elles *c*. ¹⁸ Tu as pris tes vêtements brodés dont tu les as recouvertes *d* ; mon huile et mon encens, tu les as déposés devant elles. ¹⁹ Mon pain que je t'avais donné, la fleur de farine, l'huile, le miel dont je te nourrissais, tu les as déposés devant elles, en parfum apaisant ; voilà ce que tu as fait — oracle du Seigneur DIEU. ²⁰ Tu as pris tes fils et tes filles que tu m'avais enfantés et tu les as sacrifiés à ces images *e*. Il ne te suffisait donc pas de te débaucher ? ²¹ Tu as égorgé mes fils et tu les as livrés en les leur sacrifiant. ²² Dans toutes tes abominations et tes débauches, tu ne t'es pas souvenue des jours de ta jeunesse, quand tu étais nue et sans vêtements, quand tu te débattais dans ton sang.

²³ Et puis après toute cette méchanceté — malheur ! malheur à toi, oracle du Seigneur DIEU ! — ²⁴ tu t'es bâti une estrade, tu t'es fait un podium sur toutes les places. ²⁵ A l'entrée de chaque chemin, tu t'es construit un podium, tu as fait un usage abominable de ta beauté, tu t'es offerte à tout passant ; tu as multiplié tes débauches. ²⁶ Tu t'es prostituée aux fils de l'Egypte *f*, tes voisins au grand corps ; ainsi tu as multiplié tes débauches, au point de m'offenser. ²⁷ Voici donc que j'ai étendu ma main contre toi ; je t'ai coupé les vivres et je t'ai livrée au bon plaisir de tes ennemies, les filles des Philistins *g*, honteuses elles-mêmes de ton impudicité. ²⁸ Insatiable, tu t'es prostituée aux fils d'Assour *h* faute d'être rassasiée ; tu t'es prostituée à eux et tu ne fus pas davantage rassasiée. ²⁹ Alors tu as multi-plié tes débauches dans un pays de marchands, en Chaldée *i* ; même avec ceux-là tu ne fus pas davantage rassasiée. ³⁰ Comme il était fiévreux, ton cœur ! — oracle du Seigneur DIEU — quand tu faisais tout cela, métier d'une prostituée despotique ! ³¹ Quand tu te bâtissais une estrade à l'entrée de tous les chemins, quand tu faisais un podium sur toutes les places, tu n'as pas fait comme les prostituées : tu dédaignais le salaire. ³² La femme adultère, au lieu de son mari, prend des étrangers. ³³ A toutes les prostituées on fait un cadeau ; mais c'est toi qui as fait ce cadeau à tous tes amants ; tu les as soudoyés *j*, pour qu'ils viennent vers toi de partout, se débaucher avec toi. ³⁴ Toi, dans tes débauches, tu as fait à l'inverse des autres femmes ; tu n'étais pas recherchée comme prostituée ; or en donnant un salaire sans en recevoir, tu as inversé les rôles.

³⁵ Prostituée, écoute donc la parole du SEIGNEUR : ³⁶ Ainsi parle le Seigneur DIEU : Parce que ton sexe a été découvert et que la nudité a été dévoilée, au cours de tes débauches avec tes amants et toutes tes idoles abominables, à cause du sang de tes fils que tu leur as livrés, ³⁷ eh bien, je vais rassembler tous les amants auxquels tu as plu, tous ceux que tu as aimés, outre ceux que tu as haïs ; je les rassemblerai contre toi de partout, je dévoilerai devant eux ta nudité ; ils verront toute ta nudité *k*. ³⁸ Je t'applique le châtiment des femmes adultères et de celles qui répandent le sang ; je te mettrai en sang par ma fureur et ma jalousie. ³⁹ Je te livre entre leurs mains ; ils raseront ton estrade et démoliront tes podiums ; ils te dépouilleront de tes vêtements et prendront tes splendides bijoux ; ils te laisseront sans vêtements, nue. ⁴⁰ Ils dresseront la foule contre toi ; ils te lapideront, ils te lacéreront de leurs épées, ⁴¹ ils

c Se *prostituer:* langage imagé fréquent dans l'A.T. pour désigner l'adoration des idoles (voir Ex 34.15 et la note; Os 2.4 et la note). Ezéchiel pousse la comparaison plus loin que tous les autres prophètes (voir v. 23-35) ● *d* Les idoles étaient généralement en bois plaqué d'or et d'argent (voir Es 40.19-20; 44.9-20), et parfois habillée (Jr 10.9) ● *e* Même en Israël, il est arrivé qu'on sacrifie des enfants en les faisant brûler, selon un rite cananéen (voir 20.31). Cette pratique était interdite par la Loi (voir Lv 18.21) ● *f* L'alliance politique avec l'Egypte est comparée ici à une prostitution. Les prophètes ont toujours condamné de telles alliances (voir Es 30-31; Os 7.11; 12.2) ● *g* La politique de certains rois de Juda avait eu pour résultat l'annexion d'une partie de leur territoire par les Philistins (voir 25.15-17; 2 Ch 28.18) ● *h* Plusieurs rois de Juda et d'Israël avaient recherché une alliance avec l'Assyrie (voir 2 R 15.19; 16.7-9; Os 5.13; 8.9) ● *i* Chaldée: voir la note sur 11.24 ● *j tu les as soudoyés:* pour obtenir une alliance, il fallait souvent verser un très lourd tribut (voir 2 R 15.19; 16.8) ● *k ils verront toute ta nudité:* langage imagé; les alliés de Jérusalem (ses *amants*), vont venir l'assiéger ou entendront parler de sa ruine

16.17 L'or et l'argent pour les idoles Ex 32.2-3; Os 2.10. **16.20** Sacrifices d'enfants 2 R 16.3; 21.6; 23.10; Es 30.33; Jr 7.31; 19.5; 32.35; cf. Lv 18.21; 20.2-5; Dt 12.31; 18.10. **16.27** Je t'ai coupé les vivres Os 2.11. **16.33** Cadeau Os 8.9.

brûleront tes maisons, ils exécuteront contre toi la sentence, aux yeux d'une multitude de femmes ; je mettrai fin à ta vie de prostituée ; tu ne pourras plus donner de salaire. [42] J'irai jusqu'au bout de ma fureur contre toi ; puis ma jalousie se détournera de toi, je m'apaiserai, je ne serai plus offensé. [43] Parce que tu ne t'es pas souvenue des jours de ta jeunesse et que tu t'es excitée contre moi en tout cela, eh bien, moi, à mon tour, je fais retomber ta conduite sur ta tête — oracle du Seigneur DIEU. Est-ce que tu n'as pas commis cette saleté par-dessus toutes tes abominations ?

Jérusalem est pire que les autres cités

[44] Voici donc que tout faiseur de proverbes en dira un sur toi : "Telle mère, telle fille !" [45] Tu es la fille d'une mère qui a détesté son mari et ses fils, tu es la sœur de tes sœurs qui ont détesté leurs maris et leurs fils. Votre mère était une Hittite et votre père un Amorite. [46] Ta sœur aînée, c'est Samarie qui habite à ta gauche avec ses filles [l]. Ta sœur cadette, qui habite à ta droite, c'est Sodome, avec ses filles. [47] Ce n'est pas modérément que tu as cheminé dans leurs chemins et que tu as agi selon leurs abominations ; tu t'es montrée plus corrompue qu'elles sur tous les chemins. [48] Par ma vie ! — oracle du Seigneur DIEU — ta sœur Sodome, avec ses filles, n'aura pas fait autant que toi et tes filles. [49] Voilà ce que fut la faute de ta sœur Sodome : orgueilleuse, repue, tranquillement insouciante, elle et ses filles ; mais la main du malheureux et du pauvre, elle ne la raffermissait pas. [50] Elles sont devenues prétentieuses et ont commis ce qui m'est abominable ; alors je les ai rejetées, comme tu l'as vu. [51] Alors que Samarie n'avait pas commis la moitié de tes péchés, tu as rendu tes abominations plus nombreuses que les siennes ; tu as fait apparaître justes tes sœurs, par toutes les abominations que tu as commises. [52] Toi donc, porte ton déshonneur, toi qui, par tes péchés plus

horribles que les leurs, as réhabilité tes sœurs. Elles paraissent justes, à côté de toi. Toi donc, sois honteuse, et porte ton déshonneur, puisque tu as fait apparaître justes tes sœurs. [53] Je changerai leur destinée, la destinée de Sodome et de ses filles, la destinée de Samarie et de ses filles, et je changerai ta propre destinée, au milieu d'elles, [54] afin que tu portes ton déshonneur et que tu sois honteuse de tout ce que tu as fait ; cela les consolera. [55] Tes sœurs, Sodome et ses filles, reviendront à leur état antérieur ; Samarie et ses filles reviendront à leur état antérieur ; toi aussi et tes filles, vous reviendrez à votre état antérieur. [56] Ta sœur Sodome n'était-elle pas devenue un objet de racontars, dans ta bouche, au jour de ton orgueil [57] avant que soit découverte ta méchanceté ? De même, c'est le temps pour toi d'être l'objet des outrages des filles d'*Aram et de toutes ses voisines, les filles des Philistins [m] qui te méprisent alentour. [58] Tu portes le poids de tes impudicités et de tes abominations — oracle du SEIGNEUR.

[59] Car ainsi parle le Seigneur DIEU : J'agirai à ton égard comme tu as agi, toi qui as méprisé la malédiction en rompant l'alliance. [60] Moi je me souviendrai de mon *alliance avec toi, aux jours de ta jeunesse : j'établirai avec toi une alliance éternelle. [61] Tu te souviendras de ta conduite et tu seras confuse quand tu accueilleras tes sœurs aînées auprès de tes cadettes ; je te les donnerai pour filles, mais sans qu'elles participent à ton alliance [n]. [62] J'établirai mon alliance avec toi : alors tu connaîtras que je suis le SEIGNEUR, [63] afin que tu te souviennes, afin que tu sois honteuse et que, de confusion, tu ne puisses plus ouvrir la bouche [o] lorsque je t'absoudrai de tout ce que tu as fait — oracle du Seigneur DIEU. »

L'aigle et la vigne

17 [1] Il y eut une parole du SEIGNEUR pour moi : [2] « Fils d'homme, pose une énigme et imagine une parabole, pour

---

l à ta gauche: Samarie est au nord de Jérusalem; on s'orientait en regardant vers le soleil levant — Les *filles* désignent les bourgades qui dépendent de la ville ● *m* Au lieu d'*Aram*, certains manuscrits parlent d'*Edom* (voir 35.1-15) — Les *Philistins*, installés sur la côte, sont, depuis l'époque des Juges, les ennemis d'Israël (voir Jg 15-16) ● *n* Pour Ézéchiel, comme pour Zacharie (voir Za 2.16), Jérusalem restera privilégiée ● *o Ouvrir la bouche* est un signe d'insolence ou d'hostilité (voir Ps 35.21; Lm 2.16). Au contraire, garder la « bouche fermée » (Es 52.15; Ps 107.42) ou « mettre la main sur sa bouche » (Jb 21.5; 40.4), c'est montrer son respect ou reconnaître qu'on s'est trompé

16.45 Hittite, Amorite Ez 16.3. **16.49** Sodome, cité pécheresse Gn 18.20-21; 19.1-29; Es 3.9; 2 P 2.6, durement châtiée Es 1.9; 13.19; Jr 49.18; 50.40; So 2.9, mais moins coupable que Jérusalem Lm 4.6; cf. Mt 10.15; 11.25. **16.60** Alliance éternelle Jr 31.31-34.

la maison d'Israël. ³ Tu diras : Ainsi parle le Seigneur DIEU :

Le grand aigle *p*
aux grandes ailes,
aux longues pennes,
au plumage épais
et chamarré,
vint au Liban.
Il ôta la pointe du cèdre,

⁴ arracha la cime de ses branches ;
il l'emporta dans son pays de marchands,
il le plaça dans une ville de commerçants *q*.

⁵ Puis il prit de la semence de ce pays *r*
et la déposa en terrain labouré ;
il le planta comme la pousse
d'un saule auprès des grandes eaux.

⁶ La semence germa,
devint une vigne florissante,
d'une espèce rampante ;
elle dirigeait vers lui son branchage,
et ses racines étaient sous lui.
Elle devint un cep,
produisit des sarments
et lança des branches.

⁷ Mais il y eut un grand aigle *s*,
aux grandes ailes,
au plumage abondant.
Et voici que cette vigne
dirigea avec avidité ses racines vers lui,
pour qu'il l'arrose ;
elle tendit vers lui ses branches,
hors du terrain où elle était plantée.

⁸ C'est dans un champ excellent,
près des grandes eaux,
qu'elle avait été plantée,
pour produire des rameaux,
porter du fruit,
pour être une vigne magnifique.

⁹ Dis : Ainsi parle le Seigneur DIEU :
Pourra-t-elle prospérer ?
L'aigle ne va-t-il pas arracher ses racines,
laisser son fruit se flétrir,
et sécher *t* ?
Toutes ses pousses arrachées sécheront.
Nul besoin d'un bras puissant,
ni de beaucoup de gens
pour la déraciner !

¹⁰ Une fois plantée, pourra-t-elle prospérer ?
Dès que le vent d'orient l'atteindra,
ne va-t-elle pas se dessécher complètement ?
Sur le terrain où elle devait pousser,
elle séchera. »

Explication de l'allégorie

¹¹ Il y eut une parole du SEIGNEUR pour moi : ¹² « Parle donc à cette engeance de rebelles : Ne savez-vous pas ce que cela signifie ?

Dis : Voici que le roi de Babylone est venu à Jérusalem ; il en a pris le roi et les chefs, il les a emmenés avec lui, à Babylone. ¹³ Il a pris quelqu'un de sang royal, a conclu une alliance avec lui ; il lui a imposé un serment de fidélité *u* ; il a pris les notables du pays, ¹⁴ afin que le royaume reste petit, incapable de s'élever, qu'il garde son alliance dans la stabilité. ¹⁵ Mais il s'est révolté contre lui, en envoyant des messagers en Egypte, afin qu'elle lui donne des chevaux et beaucoup de soldats. Pourra-t-il prospérer ? Va-t-il réussir, celui qui a agi ainsi ? Il a rompu l'alliance et il s'en tirerait ? ¹⁶ Par ma vie — oracle du Seigneur DIEU — c'est dans le pays du roi qui l'a fait régner, envers qui il a été parjure et dont il a rompu l'alliance, c'est chez lui, en pleine Babylone, qu'il mourra. ¹⁷ Et ce n'est pas avec l'aide d'une grande armée et d'un vaste rassemblement que Pharaon pourra agir en sa faveur, au moment du combat, au moment où on élèvera un remblai, où on fera des terrassements pour massacrer une foule de gens. ¹⁸ Il a été parjure en rompant l'alliance ; il avait bien donné sa main, mais il a commis toutes ces fautes : il ne réussira pas.

¹⁹ C'est pourquoi, ainsi parle le Seigneur DIEU :

Par ma vie, le serment de fidélité qu'il a méprisé,
l'alliance qu'il a rompue,
je les fais retomber sur sa tête.

---

p L'*aigle* représente Nabuchodonosor, le roi de Babylone, vainqueur de Jérusalem (v. 12) ● *q* Allusion à la déportation de Yoyakîn, roi de Juda, et des grands du royaume qui furent emmenés à Babylone (v. 12) ● *r La semence de ce pays:* image désignant Sédécias, oncle de Yoyakîn ; c'est Nabuchodonosor qui le plaça sur le trône de Juda (voir 2 R 24.17) ● *s* Le deuxième *grand aigle:* image désignant le Pharaon dont Sédécias a essayé de se rapprocher (voir v. 15) ● *t* Cette alliance de Sédécias avec l'Egypte est une révolte contre Nabuchodonosor (voir v. 15); celui-ci (le premier *aigle*) va punir son vassal (voir v. 16; 2 R 24.20-25 ; 2 Ch 36.13, 17-20) ● *u* Littéralement: *il l'a fait entrer dans une imprécation;* le roi vaincu devait jurer fidélité au vainqueur en prononçant une imprécation contre celui qui romprait cette alliance, donc contre lui-même s'il était tenté de se révolter

20 J'étends sur lui mon filet *v*
et il sera pris dans mes rets.
Je l'emmènerai à Babylone, je le jugerai
là-bas pour l'infidélité qu'il a commise
contre moi. 21 Quant à l'élite entière de
tous ses escadrons, ils tomberont par
l'épée ; les rescapés seront dispersés à
tous vents ; alors vous saurez que moi, le
SEIGNEUR, j'ai parlé.

22 Ainsi parle le Seigneur DIEU :
Moi, je prends à la pointe du cèdre
altier — et je plante —,
j'arrache à la cime de ses branches un
rameau tendre *w* ;
je le plante moi-même,
sur une montagne haute, surélevée.
23 Je le plante sur une montagne élevée
d'Israël.
Il portera des rameaux, produira du
fruit,
deviendra un cèdre magnifique.
Toutes sortes d'oiseaux y demeureront,
ils demeureront à l'ombre de ses
branches.
24 Alors tous les arbres des champs
connaîtront
que je suis le SEIGNEUR,
qui fait ramper l'arbre élevé,
élève l'arbre qui rampe ;
dessèche l'arbre vert,
et fait fleurir l'arbre sec.
Moi, le SEIGNEUR, je parle et j'accomplis. »

Dieu juge chacun selon sa conduite

18 1 Il y eut une parole du SEIGNEUR
pour moi : 2 « Qu'avez-vous à répéter ce dicton, sur la terre d'Israël :
"Les pères ont mangé du raisin vert et
les dents des fils ont été agacées" ? 3 Par
ma vie — oracle du Seigneur DIEU —
vous ne redirez plus ce dicton en Israël !
4 Oui ! toutes les vies sont à moi ; la vie
du père comme la vie du fils, toutes deux
sont à moi ; celui qui pèche, c'est lui qui
mourra.
5 Soit un homme juste ; il accomplit
le droit et la justice ; 6 il ne mange pas
sur les montagnes *x* ; il ne lève pas les
yeux vers les idoles de la maison d'Israël ; il ne déshonore pas la femme de
son prochain ; il ne s'approche pas d'une
femme en état d'impureté ; 7 il n'exploite
personne ; il rend le gage reçu pour
dette ; il ne commet pas de rapines ; il
donne son pain à l'affamé ; il couvre d'un
vêtement celui qui est nu ; 8 il ne prête
pas à intérêt ; il ne prélève pas d'usure ;
il détourne sa main de l'injustice ; il rend
un jugement vrai entre les hommes ; 9 il
chemine selon mes lois ; il observe mes
coutumes, agissant d'après la vérité : c'est
un juste ; certainement, il vivra — oracle
du Seigneur DIEU.
10 Mais il a pour fils un brigand qui
répand le sang et commet l'une de ces
choses, 11 — alors que lui n'en avait commis aucune — et qui, de plus, mange sur
les montagnes, déshonore la femme de
son prochain ; 12 il exploite le malheureux
et le pauvre ; il commet des rapines ; il
ne rend pas un gage ; il lève les yeux
vers les idoles ; il commet l'abomination ;
13 il prête à intérêt et pratique l'usure...
Lui, vivre ! Il ne vivra pas. Il a commis
toutes ces abominations : certainement il
mourra ; son sang sera sur lui.
14 Mais qu'un homme ait un fils, qui a
vu tous les péchés que son père a commis ; il les a vus mais n'agit pas de
même : 15 il ne mange pas sur les montagnes ; il ne lève pas les yeux vers les
idoles de la maison d'Israël ; il ne déshonore pas la femme de son prochain ;
16 il n'exploite personne ; il ne garde pas
de gage ; il ne commet pas de rapines ; il
donne son pain à l'affamé et il couvre
d'un vêtement celui qui est nu ; 17 il
détourne sa main de l'injustice ; il ne
prélève ni intérêt ni usure ; il accomplit
mes coutumes et chemine selon mes lois :
il ne mourra pas à cause de la faute de
son père ; certainement il vivra. 18 Mais
son père — parce qu'il a pratiqué l'extorsion, commis des rapines envers son frère,
parce qu'il n'a pas fait le bien au milieu
de son peuple — voici donc qu'il mourra,
par sa propre faute.
19 Or vous dites : "Pourquoi ce fils
ne supporte-t-il pas la faute de son

---

v filet: voir 12.13+ et la note ● *w un rameau tendre:* image désignant le futur roi d'Israël,
espoir de la dynastie de David (voir 34.23 ; 2 S 7.12-16) ● *x manger sur les montagnes* c'est
participer aux repas qui suivaient les sacrifices païens (voir Ez 6.2-4 et la note sur 6.2)

17.24 Dieu abaisse ou élève Ez 21.31 ; Ps 75.8 ; 113.7-9 ; Lc 1.51-53. **18.6** Idoles Ex 20.3 ;
Lv 19.4 ; Dt 5.7 ; 6.14-15 ; 13 — Femme du prochain Ex 20.14 ; Lv 18.20 ; 20.10 ; Dt 5.18 — Femme
impure Lv 18.19. **18.7** Ne pas exploiter Lv 19.13 ; Dt 24.14-15 — Rendre le gage Ex 22.25-26 ;
Dt 24.6, 10-13 — Rapines Lv 19.11 ; Dt 23.25-26. Es 5.8 — Donner du pain, un vêtement Lv
19.9-10 ; Dt 24.19-20 ; 26.12. **18.8** Prêt à intérêt, usure Ex 22.24 ; Lv 25.35-37 ; Dt 23.20 — Jugement Ex 23.6-8 ; Lv 19.15-18 ; 35 ; Dt 25.13-16.

père ?" Mais ce fils a accompli le droit et la justice, il a observé toutes mes lois et les a accomplies : certainement il vivra. ²⁰ Celui qui pèche, c'est lui qui mourra ; le fils ne portera pas la faute du père ni le père la faute du fils ; la justice du juste sera sur lui et la méchanceté du méchant sera sur lui.

Persévérer dans une conduite juste

²¹ Quant au méchant, s'il se détourne de tous les péchés qu'il a commis, s'il garde toutes mes lois et s'il accomplit le droit et la justice, certainement il vivra, il ne mourra pas. ²² On ne se souviendra plus de toutes ses révoltes, car c'est à cause de la justice qu'il a accomplie qu'il vivra. ²³ Est-ce que vraiment je prendrais plaisir à la mort du méchant — oracle du Seigneur DIEU — et non pas plutôt à ce qu'il se détourne de ses chemins et qu'il vive ? ²⁴ Quant au juste qui se détourne de sa justice et commet le crime à la mesure de toutes les abominations qu'avait commises le méchant : peut-il les commettre et vivre ? De toute la justice qu'il avait pratiquée, on ne se souviendra pas. A cause de son infidélité et du péché qu'il a commis, c'est à cause d'eux qu'il mourra. ²⁵ Mais vous dites : "Le chemin du Seigneur n'est pas équitable !" Ecoutez, maison d'Israël : Est-ce mon chemin qui n'est pas équitable ? Ce sont vos chemins qui ne sont pas équitables. ²⁶ Quand le juste se détourne de sa justice, commet l'injustice et en meurt, c'est bien à cause de l'injustice qu'il a commise qu'il meurt. ²⁷ Quand le méchant se détourne de la méchanceté qu'il avait commise et qu'il accomplit droit et justice, il obtiendra la vie. ²⁸ Il s'est rendu compte de toutes ses rébellions et s'en est détourné : certainement il vivra, il ne mourra pas. ²⁹ Mais la maison d'Israël dit : "Le chemin du Seigneur n'est pas équitable." Est-ce mes chemins qui ne sont pas équitables, maison d'Israël ? Ce sont vos chemins qui ne sont pas équitables. ³⁰ C'est pourquoi je vous jugerai chacun selon ses chemins, maison d'Israël, oracle du Seigneur DIEU.

Revenez, détournez-vous de toutes vos rébellions, et l'obstacle qui vous fait pécher n'existera plus. ³¹ Rejetez le poids de toutes vos rébellions ; faites-vous un cœur neuf et un esprit neuf ; pourquoi devriez-vous mourir, maison d'Israël ? ³² Je ne prends pas plaisir à la mort de celui qui meurt — oracle du Seigneur DIEU ; revenez donc et vivez ! »

Complainte des lions

19 ¹ « Et toi, entonne une complainte sur les princes d'Israël.
² Tu diras :
Ta mère ! une lionne ʸ,
couchée parmi les lions.
Au milieu des lionceaux,
elle nourrissait ses petits.
³ Elle éleva un de ses petits
qui devint un jeune lion ;
il apprit à déchirer sa proie,
il mangea de l'homme.
⁴ Des nations entendirent parler de lui ;
il fut pris dans leur fosse,
on le conduisit avec des crochets au
        pays de l'Egypte ᶻ.
⁵ Quand la lionne vit que son attente,
que son espoir étaient vains,
elle prit un autre de ses petits,
elle en fit un jeune lion.
⁶ Il rôdait parmi les lions,
devenu un jeune lion.
Il apprit à déchirer sa proie,
il mangea de l'homme.
⁷ Il démolit leurs palais ᵃ,
ruina leurs villes ;
le pays et ses habitants furent terro-
        risés,
au bruit de son rugissement.
⁸ Des nations d'alentour,
venues de leurs provinces,
se dressèrent contre lui ;
elles étendirent sur lui leur filet ᵇ,
il fut pris dans leur fosse.
⁹ Avec des crochets on le mit dans une
        cage
et on le conduisit au roi de Babylone ᶜ ;
on le conduisit dans des cavernes,
pour que sa voix ne se fasse plus
        entendre
sur les montagnes d'Israël.

ʸ La *lionne* représente Jérusalem ou la tribu de Juda (voir Gn 49.9) • ᶻ Il s'agit sans doute du roi Joachaz (voir 2 R 23.31-34) • ᵃ *Il démolit leurs palais:* la traduction suit ici l'ancienne version araméenne; hébreu obscur • ᵇ *filet:* voir 12.13 + et la note • ᶜ Le deuxième lion doit être le roi Yoyakîn (voir 2 R 24.15)

18.20 Responsabilité personnelle Ez 14.12-20; Dt 7.10; 24.16; 2 R 14.6; Jr 31.29-30, collective Gn 18.22-32; Ex 20.5-6; 34.7; Lv 26.39; Nb 14.33. **18.31** Cœur neuf, esprit neuf Ez 11.19+.

Complainte de la vigne

10 Ta mère ressemblait à une vigne *d*
plantée au bord de l'eau.
Elle était féconde et touffue,
à cause des eaux abondantes.

11 Elle eut des rameaux vigoureux,
qui devinrent des sceptres de souverains.
Sa taille s'éleva au milieu des branches.
Elle en imposait par sa hauteur,
par l'abondance de ses rameaux.

12 Mais elle fut arrachée avec rage,
jetée à terre,
et le vent d'orient a desséché ses fruits
qui sont tombés.
Ses rameaux vigoureux ont séché,
le feu les a dévorés.

13 Et maintenant, elle est plantée dans
le désert,
dans un pays d'aridité et de soif *e*.

14 Mais un feu est sorti du rameau,
il a dévoré sarments et fruits.
Il n'y a plus sur la vigne de rameau
vigoureux,
de sceptre royal. »
C'est une complainte, chantée comme
une complainte.

Dieu a conduit Israël malgré ses révoltes

20 ¹ La septième année, le cinquième
mois *f*, le dix du mois, quelques
*anciens d'Israël vinrent consulter le SEI-
GNEUR. Ils s'assirent devant moi. ² Il y eut
alors une parole du SEIGNEUR pour moi :
³ « Fils d'homme, parle aux anciens d'Israël. Tu leur diras : Ainsi parle le Seigneur DIEU : Est-ce pour me consulter
que vous venez ? Par ma vie ! Je ne me
laisserai pas consulter par vous ! — oracle du Seigneur DIEU. ⁴ Ne dois-tu pas les
juger, oui, les juger, fils d'homme ? Fais-
leur connaître les abominations de leurs
pères.
⁵ Tu leur diras : Ainsi parle le Seigneur

DIEU : Le jour où j'ai choisi Israël, j'ai
juré, la main levée, à la descendance de
la maison de Jacob ; je me fis connaître
à eux, dans le pays d'Egypte ; je leur
jurai, la main levée, en disant : Je suis le
SEIGNEUR votre Dieu. ⁶ Ce jour-là, je leur
jurai, la main levée, de les faire sortir du
pays d'Egypte, en direction du pays que
j'avais exploré pour eux, une terre ruisselant de lait et de miel, splendide entre
tous les pays. ⁷ Je leur dis : Que chacun
rejette les horreurs qu'il a sous les yeux ;
ne vous souillez pas avec les idoles de
l'Egypte *g* ; je suis le SEIGNEUR votre Dieu.
⁸ Mais ils se révoltèrent contre moi et ne
voulurent pas m'écouter ; personne ne
rejeta les horreurs qu'il avait sous les yeux
et ils n'abandonnèrent pas les idoles de
l'Egypte. Je dis alors : Je déverserai ma
fureur sur eux, j'irai jusqu'au bout de
ma colère contre eux, en plein pays
d'Egypte. ⁹ Cependant je me mis à l'œuvre
à cause de mon nom, pour qu'il ne fût
pas profané aux yeux des nations parmi
lesquelles ils habitaient. Je me fis connaître à eux, sous les yeux de ces nations,
en les faisant sortir du pays d'Egypte.

¹⁰ Je les fis sortir du pays d'Egypte et
je les menai au désert. ¹¹ Je leur donnai
mes lois et leur fis connaître mes coutumes, qui font vivre l'homme qui les
pratique. ¹² Je leur donnai aussi mes
*sabbats pour être un signe entre moi et
eux, pour que l'on sache que c'est moi, le
SEIGNEUR, qui les consacre. ¹³ Mais la maison d'Israël se révolta contre moi dans le
désert ; ils ne marchèrent pas selon mes
lois, ils rejetèrent mes coutumes qui font
vivre l'homme qui les pratique. Ils profanèrent constamment mes sabbats. Je dis
alors : Je déverserai ma fureur sur eux,
dans le désert, pour les exterminer. ¹⁴ Cependant je me mis à l'œuvre à cause de
mon nom, pour qu'il ne soit pas profané
aux yeux des nations à la vue desquelles
je les avais fait sortir. ¹⁵ De nouveau, je
leur jurai la main levée, dans le désert :

---

d ressemblait à une vigne: d'après l'ancienne version araméenne; hébreu obscur — La *vigne* peut représenter, elle aussi, Jérusalem, ou bien le peuple d'Israël (voir 15.2+), d'où sortiront les rois (v. 11) ● *e* L'image est à la fois celle de la destruction de Jérusalem et de l'exil du peuple ● *f* La *septième année* du règne de Sédécias, soit en 591; au *cinquième mois*, en juillet-août ● *g* Seul Ezéchiel fait remonter cette idolâtrie au séjour du peuple en Egypte (cf. Ex 32-34; Os 9.10)

19.10 Vigne Ez 15.1+. **20.4** Juger Ez 22.2; 23.26. **20.5** Choix (ou élection) d'Israël Dt 4.34; 7.6; 10.15; 14.2 **20.6** Serment du Seigneur et don de la terre v. 28; Ex 6.6-8; Dt 6.23; 7.8; 10.11; 28.11 — Terre qui ruisselle de lait et de miel Ex 3.17; 33.3; Nb 13.27; Dt 6.3; 11.9; 26.9, 15; 27.3. **20.7** Idoles d'Egypte Jr 46.15; cf. Ez 23.3; Lv 18.3. **20.9** Le Seigneur agit à cause de son nom v. 13, 21; Lv 18.5; Dt 30.15-16; 31.46-47; Es 48.11; *Si* 15.15-17; cf. Rm 6.22-23. **20.13** Révoltes dans le désert Ex 14.11-12; 15.24; 16.2-3, 20, 27-28; Nb 11.1, 4-6; 14.1-4; 16.1-15; 20.1-5; 27.14. **20.15** Je ne les introduirai pas dans le pays Nb 14.22-23, 30; 20.12; Dt 1.34-37.

je ne les introduirai pas dans le pays que j'avais donné, terre ruisselante de lait et de miel, splendide entre tous les pays. [16] Car ils avaient méprisé mes coutumes, ils n'avaient pas marché selon mes lois, ils avaient profané mes sabbats ; c'est que leur cœur suivait leurs idoles. [17] Mais mon œil eut compassion d'eux, je ne voulus pas les détruire ; je ne les exterminai pas dans le désert.

Les fils sont idolâtres comme leurs pères

[18] Je dis à leurs fils dans le désert : "Ne marchez pas selon les lois de vos pères, n'observez pas leurs coutumes, n'allez pas vous souiller avec leurs idoles. [19] Je suis le SEIGNEUR, votre Dieu : marchez selon mes lois, observez mes coutumes et pratiquez-les. [20] Tenez mes sabbats pour sacrés ; ils sont un signe entre moi et vous, pour qu'on sache que je suis le SEIGNEUR, votre Dieu". [21] Mais les fils se révoltèrent contre moi ; ils ne marchèrent pas selon mes lois, ils n'observèrent pas mes coutumes, ils ne les pratiquèrent pas ; c'est grâce à elles que l'homme vit en les pratiquant. Ils profanèrent mes sabbats. Je dis alors : Je déverserai ma fureur sur eux, j'irai jusqu'au bout de ma colère contre eux, dans le désert. [22] Cependant je retirai ma main et me mis à l'œuvre à cause de mon nom, pour qu'il ne fût pas profané parmi les nations à la vue desquelles je les avais fait sortir. [23] De nouveau, je leur jurai la main levée, dans le désert : je les disperserai parmi les nations et les disséminerai parmi les pays. [24] C'est qu'ils n'avaient pas pratiqué mes coutumes, qu'ils avaient méprisé mes lois, qu'ils avaient profané mes sabbats et avaient suivi des yeux les idoles de leurs pères. [25] En plus, je leur donnai moi-même des lois qui n'étaient pas bonnes [h] et des coutumes qui ne font pas vivre. [26] Je les souillai par leurs offrandes : les sacrifices de tous les premiers-nés ; c'était pour les frapper de désolation, afin qu'ils reconnaissent que je suis le SEIGNEUR. [27] C'est pourquoi, parle à la maison d'Israël, fils d'homme ; tu leur diras : Ainsi parle le Seigneur DIEU : continuellement vos pères m'ont outragé par leurs infidélités. [28] Je les fis entrer dans le pays que j'avais juré, la main levée, de leur donner. Ils regardèrent chaque colline élevée et chaque arbre dru ; là ils offrirent leurs sacrifices, là ils firent don de leurs offrandes irritantes, là ils déposèrent leurs parfums apaisants et là ils versèrent leurs libations [i]. [29] Je leur dis : Qu'est-ce que ce lieu élevé où vous allez ? Ils l'appelèrent "*haut lieu" jusqu'à ce jour.

[30] C'est pourquoi, dis à la maison d'Israël : Ainsi parle le Seigneur DIEU : Alors ! vous vous êtes souillés en suivant la conduite de vos pères, en vous prostituant avec leurs horreurs ! [31] Quand vous apportiez vos dons, quand vous faisiez passer vos fils par le feu [j], vous vous êtes souillés avec toutes vos idoles jusqu'à ce jour ! et moi, je me laisserais consulter par vous, maison d'Israël ? Par ma vie — oracle du Seigneur DIEU — je ne me laisserai pas consulter par vous.

Israël devra renoncer à l'idolâtrie

[32] Ce qui envahit vos esprits n'arrivera pas ; vous avez beau dire : "Nous voulons être comme les nations, comme les clans des autres pays, servir le bois et la pierre". [33] Par ma vie — oracle du Seigneur DIEU — c'est d'une main forte, le bras étendu, en répandant ma fureur, que je régnerai sur vous. [34] Alors d'une main forte et le bras étendu, en répandant ma fureur, je vous ferai sortir du milieu des peuples et je vous rassemblerai hors des pays où vous avez été dispersés. [35] Je vous mènerai au désert des peuples [k] et là, face à face, j'établirai mon droit sur vous. [36] Comme j'avais établi mon droit sur vos pères, dans le désert du pays d'Egypte, ainsi je le ferai avec vous — oracle du Seigneur DIEU. [37] Je vous ferai passer sous la houlette [l] et je vous introduirai dans le lien de l'alliance. [38] J'ôterai de chez vous ceux qui se sont rebellés et révoltés contre moi ; je les ferai sortir

---

[h] Ézéchiel fait allusion ici à la loi de l'offrande des premiers nés (v. 26; voir Ex 13.1), selon une interprétation littérale qui ne tient pas compte de la règle du rachat (voir Ex 13.12-13) ● [i] colline élevée, arbre dru : voir 6.2-3+, 13+ et les notes — libations : voir au glossaire SACRI-FICES ● [j] vous faisiez passer vos fils par le feu : voir 16.20+ et la note ● [k] au désert des peuples : c'est-à-dire à l'écart des nations qu'Israël est tenté d'imiter (v. 32; cf. Os 2.16) ● [l] La houlette est le long bâton du berger (voir Mi 7.14; Ps 23.7); passer sous la houlette signifie donc faire partie du troupeau (voir Lv 27.32 et la note)

20.32 Le bois et la pierre (les idoles) Dt 4.28; 28.36, 64; 29.16; 2 R 19.28; Jr 3.9; cf. Jr 2.27; Hab 2.19. 20.34 Main forte, bras étendu Ex 3.19; 6.1, 6; Dt 4.34; 5.15; 7.19; 11.2; 26.8.

du pays où ils ont émigré, mais ils ne pénétreront pas sur le sol d'Israël : alors vous connaîtrez que je suis le SEIGNEUR. ³⁹ Quant à vous, maison d'Israël, ainsi parle le Seigneur DIEU : Que chacun aille servir ses idoles ; mais ensuite on verra bien si vous ne m'écoutez pas. Alors vous ne profanerez plus mon saint nom par vos dons et vos idoles. ⁴⁰ Car c'est sur ma sainte montagne, sur la haute montagne d'Israël — oracle du Seigneur DIEU — c'est là que me servira toute la maison d'Israël, établie tout entière dans le pays ; là je les accueillerai et j'accepterai vos prélèvements, le meilleur de vos offrandes, de tout ce que vous consacrez. ⁴¹ En même temps que le parfum apaisant, je vous accueillerai, lorsque je vous ferai sortir du milieu des peuples et que je vous rassemblerai hors des pays où vous avez été dispersés. Par vous, je montrerai ma sainteté aux yeux des nations. ⁴² Vous connaîtrez que je suis le SEIGNEUR quand je vous mènerai sur le sol d'Israël, dans ce pays que j'avais juré, la main levée, de donner à vos pères. ⁴³ Là-bas, vous vous souviendrez de votre conduite et de toutes les actions par lesquelles vous vous êtes souillés ; le dégoût vous montera au visage, à cause de tous les méfaits que vous avez commis. ⁴⁴ Vous connaîtrez que je suis le SEIGNEUR, quand j'agirai avec vous à cause de mon nom et non pas à cause de votre mauvaise conduite et de vos actions corrompues, maison d'Israël — oracle du Seigneur DIEU. »

Mauvaise nouvelle pour la terre d'Israël

21 ¹ Il y eut une parole du SEIGNEUR pour moi : ² « Fils d'homme, dirige ton regard vers le midi ; invective le sud, prononce un oracle contre la forêt du Néguev ^m. ³ Tu diras à la forêt du Néguev : Ecoute la parole du SEIGNEUR : Ainsi parle le Seigneur DIEU : Voici, je vais allumer un feu au milieu de toi ; il dévorera tout arbre vert et tout arbre sec ; la flamme ardente ne s'éteindra pas et tous les visages s'y brûleront, du Néguev jusqu'au nord. ⁴ Alors toute chair

verra que c'est moi, le SEIGNEUR, qui l'ai allumé et il ne s'éteindra pas. » ⁵ Et moi le prophète, je dis : « Ah, Seigneur DIEU ! Ils disent de moi : N'est-ce pas lui le rabâcheur de paraboles ? »

⁶ Il y eut une parole du SEIGNEUR pour moi : ⁷ « Fils d'homme, dirige tes regards vers Jérusalem ; invective les *sanctuaires ; prononce un oracle contre la terre d'Israël. ⁸ Tu diras à la terre d'Israël : Ainsi parle le SEIGNEUR : Je viens contre toi ; je tirerai mon épée du fourreau et je retrancherai de toi le juste et le méchant ⁿ. ⁹ C'est parce que je vais retrancher de toi le juste et le méchant, c'est pour cela que mon épée va sortir du fourreau contre toute chair, du Néguev jusqu'au nord. ¹⁰ Alors toute chair connaîtra que c'est moi, le SEIGNEUR, qui tire mon épée du fourreau où elle ne retournera plus.

¹¹ Fils d'homme, gémis, courbe-toi, avec amertume ; tu gémiras sous leurs yeux. ¹² Lorsqu'ils te diront : "Pourquoi gémis-tu ?", tu leur diras : "A cause d'une nouvelle qui arrive, tous les cœurs vont fondre ; toutes les mains faibliront ; tous les esprits défailleront et tous les genoux fondront en eau. Voici qu'elle vient, elle se réalise — oracle du Seigneur DIEU". »

Oracle de l'épée

¹³ Il y eut une parole du SEIGNEUR pour moi : ¹⁴ « Fils d'homme, prononce un oracle. Tu diras : Ainsi parle le Seigneur :
L'épée ! l'épée aiguisée
et bien polie !
¹⁵ Aiguisée en vue du massacre,
polie pour jeter des éclairs ^o.
¹⁶ Il l'a donnée à polir,
à saisir à pleine main.
On l'a aiguisée, l'épée,
on l'a polie,
pour la mettre dans la main du
     bourreau.
¹⁷ Crie, hurle, fils d'homme,
l'épée sévit parmi mon peuple ;
elle sévit parmi tous les princes d'Israël.

---

m *forêt du Néguev:* voir Es 21.1 et la note. Au temps d'Ezéchiel, la végétation y était peut-être plus abondante qu'aujourd'hui, mais il devait s'agir de fourrés et de buissons plutôt que de grands arbres ● *n le juste et le méchant:* c'est-à-dire l'ensemble de la population, qui va souffrir tout entière du siège de Jérusalem ● *o* A la fin du v., la traduction a laissé de côté un fragment de phrase incompréhensible; littéralement : *ou bien nous nous réjouirons; le sceptre de mon fils méprise tout arbre*

20.40 Haute montagne Ez 40.2; sainte montagne (Jérusalem ou le Temple) Es 2.1-3; 11.9; 24.23; 56.7; Ps 2.7; 15.1; 48.1. **20.42** Reconnaître le Seigneur par ses dons v. 44; 34.30; Ex 6.7; 16.12; 29.46; 1 R 13.28. Cf. Ez 5.13+. **21.3** Allumer un feu Gn 19.24; Es 9.18; 10.16-17; Jr 21.12, 14; Am 1.4, 7, 10, 12, 14; 2.2, 5; 7.4. **21.8** L'épée Ez 11.8; 14.17; 21.25, 33; 29.8; 38.21; Jr 12.12; 47.6; voir Ez 5.12+.

Ils ont été précipités sur l'épée avec
mon peuple.
Frappe-toi donc la cuisse p.
18 — C'est une épreuve ; et qu'arrive-
rait-il,
s'il n'y avait aussi de sceptre méprisant q ? —
oracle du Seigneur Dieu.
19 Ecoute, fils d'homme, prononce un
oracle :
Frappe dans tes mains,
l'épée frappera deux fois, trois fois.
C'est l'épée des morts,
la grande épée des morts
qu'elle a transpercés.
20 Afin de faire trembler les cœurs,
de multiplier les chutes,
à toutes leurs portes j'ai placé
le massacre de l'épée.
Elle est faite pour jeter des éclairs,
elle est polie r pour le massacre.
21 Montre-toi tranchante,
à droite, à gauche,
où que tu doives faire face s.
22 Moi aussi je frappe dans mes mains
et j'irai jusqu'au bout de ma fureur.
Moi, le Seigneur, j'ai parlé. »

D'abord l'assaut contre Jérusalem

23 Il y eut une parole du Seigneur
pour moi : 24 « Ecoute, fils d'homme,
trace deux chemins pour la venue de
l'épée du roi de Babylone. Que ces deux
chemins sortent d'un même pays. A l'entrée de chaque chemin tu mettras un
signe t donnant la direction d'une ville ;
25 tu traceras un chemin pour que l'épée
vienne contre Rabba des fils d'Ammon u
et contre Juda, retranché dans Jérusalem,
la ville forte. 26 C'est que le roi de Baby-

lone se tient à l'embranchement, à l'entrée des deux chemins, pour chercher les
présages. Il secoue les flèches, consulte les
idoles, examine le foie v. 27 Dans sa main
droite, il y a le présage : Jérusalem.
"Qu'on place des béliers w, qu'on hurle
à la tuerie, qu'on élève la voix pour lancer le cri de guerre, qu'on place des
béliers contre les portes, qu'on élève un
remblai, qu'on établisse des terrassements." 28 Cela ne leur semblera qu'un
vain présage : on leur a fait une promesse x ; ce sera le rappel de leur faute,
ils seront faits captifs. 29 C'est pourquoi,
ainsi parle le Seigneur Dieu : Parce que
vous avez rappelé le souvenir de votre
crime, quand vos rébellions ont été découvertes, quand vos péchés sont devenus
visibles en toutes vos actions, et parce
que vous avez attiré l'attention sur vous,
vous serez capturés à pleine main.
30 Ecoute, prince d'Israël, impie, méchant :
ton jour viendra y, en même temps que
le péché prendra fin. 31 Ainsi parle le
Seigneur Dieu : Qu'on ôte le turban,
qu'on enlève la couronne ; les choses ne
seront plus ce qu'elles étaient ; qu'on
élève ce qui est bas, qu'on abaisse ce qui
est élevé. 32 Ruine ! ruine ! j'en ferai
une ruine — Il n'y en a jamais eu de
pareille — jusqu'à ce que vienne celui à
qui appartient le jugement et à qui je
l'aurai confié z.

Ensuite l'assaut contre les Ammonites

33 Ecoute, fils d'homme, prononce un
oracle. Tu diras : Ainsi parle le Seigneur
Dieu au sujet des fils d'Ammon a et de
leurs sarcasmes. Tu diras :
Epée ! épée ! tu es dégainée,

---

p Se *frapper la cuisse* (avec la main) est un geste exprimant la douleur (voir Jr 31.19) ● q Cette
mention d'un *sceptre méprisant*, qu'il faut sans doute rapprocher de la fin du v. 15 (voir la
note), reste très obscure ● r *elle est polie:* traduction conjecturale d'après le v. 15 et l'araméen;
le sens du terme hébreu est inconnu ● s Tout ce v. est très difficile et la traduction est incertaine
● t un *signe* ou un *poteau indicateur;* en hébreu : une *main* (indiquant la direction) ● u *Rabba des
fils d'Ammon* est la capitale des Ammonites, à l'est du Jourdain. C'est aujourd'hui la ville
d'Amman ● v Ezéchiel énumère ici trois manières de pratiquer la divination : on secouait dans
un carquois deux flèches portant chacune une indication; celle qui sortait la première donnait la
réponse demandée. On pouvait aussi examiner, selon des règles bien définies, le foie d'animaux
sacrifiés. Sur les *idoles* (en hébreu *teraphim*), voir Jg 17.5; 2 R 23.24 et la note ● w *béliers,
remblais, terrassements:* voir 4.2 et la note ● x *leur semblera…:* il s'agit des habitants de Jérusalem — Cette *promesse* n'est pas précisée; elle peut avoir été faite par les faux prophètes qui
annonçaient la paix (voir 13.10, 16) ● y Le *prince* à qui s'adresse Ezéchiel est Sédécias, et le *jour*
dont il parle est celui de son jugement (voir 2 R 25.4-7) ● z Le *jugement* est confié à Nabuchodonosor, instrument de Dieu pour punir Israël (voir 23.23-24) ● a Les Ammonites s'étaient alliés
avec les Edomites, les Moabites, les Phéniciens de Tyr et Sidon, ainsi qu'avec Juda, pour tenter
de se révolter contre Babylone, avec l'aide de l'Egypte (voir Jr 27.2-6)

21.27 Préparation de l'attaque d'une ville Ez 4.2-3; 26.8-9; 2 S 20.15-16; Jr 32.24; *1 M* 6.20, 51.
21.31 Elève … abaisse Ez 17.24+. **21.32** Celui à qui appartient le jugement Gn 49.10. **21.33**
Contre Ammon Ez 25.1-7; Jr 49.1-6; Am 1.13-15; So 2.8-11.

polie pour le massacre,
pour dévorer, pour jeter des éclairs,
[34] pour trancher le cou des impies, des
méchants dont viendra le jour en même
temps que le péché prendra fin, tandis
qu'à ton sujet on a des visions illusoires
et on prédit le mensonge. [35] Remets l'épée au fourreau. Je te
jugerai dans le lieu où tu as été créé, au
pays de tes origines. [36] Je déverserai sur
toi mon indignation ; je soufflerai contre
toi le feu de ma fureur, je te livrerai entre
les mains de gens stupides, artisans d'extermination. [37] Tu seras une proie pour
le feu, ton sang sera répandu au milieu
du pays ; on ne se souviendra pas de toi,
car moi, le SEIGNEUR, j'ai parlé. »

Jérusalem commet des abominations

22 [1] Il y eut une parole du SEIGNEUR
pour moi : [2] « Ecoute, fils d'homme, ne dois-tu pas juger, oui, juger la ville
sanguinaire et lui faire connaître toutes
ses abominations ? [3] Tu diras : Ainsi
parle le Seigneur DIEU : C'est une ville
qui répand le sang au milieu d'elle, si
bien qu'arrive son temps, qui fabrique des
idoles chez elle, si bien qu'elle est souillée ! [4] Par le sang que tu as répandu, tu
t'es rendue coupable ; par les idoles que
tu as fabriquées, tu t'es souillée ; ainsi tu
as fait approcher ton jour [b], tu es parvenue au terme de tes années. C'est pourquoi, je fais de toi un objet de honte
pour les nations, et de risée pour tous les
pays. [5] Proches ou éloignés, ils se riront
de toi, car ton nom est souillé et tes
désordres surabondent. [6] Chez toi, les princes d'Israël versent
le sang, chacun selon la force de son
bras. [7] Chez toi, on méprise père et mère ;
au milieu de toi, on fait violence à l'émigré ; chez toi, on exploite l'orphelin et
la veuve. [8] Tu méprises mes choses saintes, tu profanes mes *sabbats. [9] Chez toi,
il y a des calomniateurs qui incitent à
répandre le sang ; chez toi, on mange
sur les montagnes ; au milieu de toi, on
commet des ordures. [10] Chez toi, on

découvre la nudité de son père ; chez toi,
on abuse de la femme en état d'*impureté.
[11] L'un commet l'abomination avec la
femme de son prochain ; l'autre souille
sa belle-fille par impudicité, et chez toi,
un autre abuse de sa sœur, la fille de son
père. [12] Chez toi, on accepte un présent
pour répandre le sang ; tu perçois des
taux usuraires ; tu profites de ton prochain par la violence ; et moi, tu m'oublies ! — Oracle du Seigneur DIEU.
[13] Voici que je bats des mains [c], à
cause du bénéfice que tu as fait et des
crimes commis au milieu de toi. [14] Ton
cœur tiendra-t-il, tes mains seront-elles
fermes, les jours où j'aurai affaire à toi ?
Moi, le SEIGNEUR, je parle et j'accomplis.
[15] Je te disperserai parmi les nations et
te disséminerai dans les pays ; je mettrai
fin à l'impureté qui est chez toi. [16] Tu
t'es profanée toi-même aux yeux des
nations, mais tu connaîtras que je suis le
SEIGNEUR. »
[17] Il y eut une parole du SEIGNEUR
pour moi : [18] « Fils d'homme, la maison
d'Israël est devenue pour moi comme des
scories [d]. Tous, qu'ils fussent de l'argent,
du bronze, de l'étain, du fer, du plomb,
ils sont devenus des scories au milieu du
creuset. [19] C'est pourquoi, ainsi parle le
Seigneur DIEU : Puisque vous êtes tous
devenus des scories, eh bien, je vais vous
entasser au milieu de Jérusalem ; [20] entas-
sement d'argent, de bronze, de fer, de
plomb, d'étain, au milieu du creuset, pour
qu'on y attise le feu, jusqu'au point de
fusion ; de même, dans ma colère et dans
ma fureur, je vous entasserai ; je vous
mettrai dans le creuset et vous ferai
fondre. [21] Je vous rassemblerai et je soufflerai sur vous le feu de ma furie ; je
vous ferai fondre au milieu de Jérusalem.
[22] Comme l'argent fond au milieu du
creuset, ainsi vous fondrez au milieu de
Jérusalem ; alors vous connaîtrez que je
suis le SEIGNEUR qui déverse sa fureur sur
vous. »
[23] Il y eut une parole du SEIGNEUR pour
moi : [24] « Fils d'homme, dis à Jérusalem
qu'elle est une terre qui n'a pas été puri-

---

b *ton jour;* en hébreu *tes jours,* c'est-à-dire ceux de la mort (voir 21.30 et 34) ● c *battre des
mains* il est ici un geste de menace (voir 21.22) ● d *scories:* les Israélites sont comparés ici aux
déchets laissés après le raffinage des métaux

22.3 Répandre le sang Gn 4.10. **22.7** Conduite à avoir envers le père et la mère Ex 20.12; Lv
19.3; Dt 5.16; 27.16, envers l'émigré Ex 12.48-49; 22.20; Lv 19.10, 33-34, envers l'orphelin et la
veuve Ex 22.21; Dt 10.18; 24.17; 27.19; cf. Ps 146.9. **22.8** Sabbats Ex 20.8-11; 23.12; 31.12-17;
Lv 19.3, 30; 23.3; Nb 15.32-36; Dt 5.12-15; *1 M* 2.29-38; Mc 2.27. **22.9** Calomniateur Lv 19.16.
22.10 Nudité du père Gn 9.20-27; Lv 18.7 — Femme impure Lv 18.19; **22.11** Adultère et
impudicité Lv 18.9, 15, 20; Dt 22.22. **22.12** Accepter un présent Ex 23.8; Dt 16.19; 27.25
— Usure Ez 18.8+. **22.15** Dispersion Ez 5.10+. **22.18** Scories Es 1.25; Jr 6.28-29. **22.20**
Fonte des métaux Ml 3.2-3.

fiée, qui n'a pas reçu de pluie au *jour de la colère. 25 Il y a une conjuration de ses *prophètes au milieu d'elle. Comme un lion rugissant qui déchire sa proie, on dévore les gens ; on prend les trésors et les richesses ; on multiplie les veuves dans la ville. 26 Ses prêtres ont violé ma Loi, profané mes choses saintes ; ils n'ont pas séparé le sacré du profane ; ils n'ont pas fait connaître la différence entre le pur et l'impur ; ils ont fermé les yeux sur mes sabbats et j'ai été profané au milieu d'eux. 27 Ses chefs sont au milieu d'elle comme des loups qui déchirent une proie, prêts à répandre le sang, à faire périr les gens pour en tirer profit. 28 Ses prophètes les enduisent de crépi *e* ; ils ont des visions pour rien et des prédictions trompeuses ; ils disent : "Ainsi parle le Seigneur DIEU", alors que le SEIGNEUR n'a pas parlé. 29 Les gens du pays pratiquent la violence, commettent des rapines ; on exploite les malheureux et les pauvres ; on fait violence à l'émigré, contre son droit. 30 J'ai cherché parmi eux un homme qui relève la muraille, qui se tienne devant moi, sur la brèche, pour le bien du pays, afin que je ne le détruise pas : je ne l'ai pas trouvé. 31 Alors j'ai déversé sur eux mon courroux ; je les ai exterminés au feu de ma fureur ; j'ai chargé leur tête du poids de leur conduite *f* — oracle du Seigneur DIEU. »

Samarie s'est prostituée

23 1 Il y eut une parole du SEIGNEUR pour moi : 2 « Fils d'homme, il y avait deux femmes, filles de la même mère ; 3 elles se prostituèrent en Egypte ; elles se prostituèrent toutes jeunes. C'est là qu'on leur pelota les seins, là qu'on tripota leur poitrine de jeune fille. 4 Voici leurs noms : Ohola, l'aînée, Oholiba *g* sa sœur. Puis elles furent à moi et elles enfantèrent des fils et des filles. Voici leurs noms : pour Samarie, Ohola et pour Jérusalem, Oholiba. 5 Mais Ohola se

prostitua au lieu de rester mienne. Elle montra sa sensualité avec ses amants, avec les Assyriens : militaires *h* 6 vêtus de pourpre *i*, gouverneurs, préfets, tous hommes jeunes, séduisants, cavaliers montant des chevaux. 7 Elle accorda ses faveurs à toute l'élite des fils d'Assour. Dans sa sensualité, elle se souilla avec toutes leurs idoles. 8 Elle poursuivit ses débauches commencées en Egypte, quand ils couchaient avec elle toute jeune, quand ils tripotaient ses seins de jeune fille et déversaient sur elle leur débauche. 9 C'est pourquoi je la livrai aux mains de ses amants, aux mains des fils d'Assour, avec qui elle avait montré sa sensualité. 10 Eux la mirent à nu *j* ; ils prirent ses fils et ses filles ; elle, ils la tuèrent par l'épée. Elle devint un symbole pour les femmes ; on avait porté sur elle la condamnation.

Jérusalem s'est prostituée

11 Sa sœur Oholiba vit tout cela, mais elle fut corrompue et plus sensuelle encore ; ses débauches devinrent pires que celles de sa sœur. 12 Elle montra sa sensualité avec les fils d'Assour : gouverneurs, préfets, militaires vêtus à la perfection, cavaliers montant des chevaux, tous jeunes hommes séduisants. 13 Et je vis qu'elle s'était rendue *impure : toutes deux avaient pris le même chemin. 14 Elle ajouta encore à ses débauches : elle vit des hommes dessinés sur le mur, des images de Chaldéens dessinés au minium ; 15 les reins serrés dans une ceinture, la tête surmontée d'un turban, tous avaient l'aspect d'écuyers, ressemblaient aux fils de Babylone en Chaldée — le pays de leur naissance. 16 Rien qu'à les voir elle leur montra sa sensualité avec eux. Elle leur envoya des messagers *k* en Chaldée. 17 Alors ils vinrent à elle, les fils de Babylone, vers la couche des amours et ils la rendirent impure par leur débauche ; elle fut impure à cause d'eux, puis de tout son être elle les prit en aversion. 18 Elle dévoila

e crépi : voir 13.10 et la note ● *f* C'est-à-dire: Dieu leur a fait subir ce qu'ils méritaient ● *g* Ces noms propres peuvent se traduire: *Ohola:* « sa tente », et *Oholiba:* « ma tente (est) en elle »; ils font probablement allusion à quelque chose que nous ne pouvons plus comprendre ● *h militaires:* autre traduction *ses voisins* ● *i* Les vêtements teints à la pourpre (violette ou rouge, voir la note sur *1 M* 4.25) n'étaient portés que par les grands personnages ● *j la mirent à nu:* allusion au pillage de Samarie en 722 avant J.C. et à l'exil de ses habitants (voir 16.37; 2 R 17.6; Os 2.5) ● *k* elle envoya des messagers: il y a peut-être là une allusion aux relations entre Ezékias et Mérodak-Baladân (voir 2 R 20.12-19; Es 39)

22.26 Prêtres profanateurs So 3.4 — Pur et impur Ez 44.23; Lv 11-16 — Sacré et profane Ez 42.20; Lv 17-22. 22.28 Prédictions trompeuses Ez 13.7+. 22.29 Rapines, exploitation Ez 18.7+. 23.3 Prostitution (idolâtrie) Ez 16.17; 20.30; Ex 34.15-16; Es 1.21; Jr 31.6-9, en Egypte Ez 20. 7-8; 23.19. 23.11 Jérusalem plus coupable que Samarie Ez 16.47, que Sodome Ez 16.49+; cf. 5.7+.

son tempérament de prostituée, elle dévoila sa nudité ; alors tout mon être à moi la prit en aversion, comme tout mon être avait déjà pris sa sœur en aversion. ¹⁹ Elle multiplia ses débauches, souvenir des jours de sa jeunesse quand elle se prostituait en Egypte. ²⁰ Elle montra sa sensualité avec leurs débauchés : leur chair est une chair d'âne, leur membre un membre de cheval.

Jérusalem sera châtiée

²¹ Tu es revenue à l'impudicité de ta jeunesse, quand les Egyptiens tripotaient tes seins, pelotant ta poitrine de jeune fille. ²² C'est pourquoi, Oholiba, ainsi parle le Seigneur DIEU : Voici que je vais dresser tes amants contre toi ; ceux que tout ton être a pris en aversion, je vais les ameuter contre toi de partout : ²³ les fils de Babylone et tous les Chaldéens, Peqod, Shoa, et Qoa *l* — tous les fils d'Assour avec eux — tous jeunes gens séduisants, gouverneurs, préfets, écuyers, dignitaires, tous montant des chevaux. ²⁴ Alors viendront contre toi, du nord, chars et véhicules : des peuples coalisés. L'écu, le bouclier, le casque, ils les placeront tout autour contre toi ; j'exposerai devant eux la cause et ils te jugeront selon leur droit *m*. ²⁵ J'exercerai ma jalousie contre toi ; ils agiront envers toi avec fureur ; ils te couperont le nez, les oreilles, et ce qui subsistera de tes habitants tombera par l'épée. Ils prendront tes fils et tes filles et ce qui subsistera de toi sera dévoré par le feu. ²⁶ Ils te dépouilleront de tes habits et prendront les objets de ta parure. ²⁷ Alors je ferai cesser ton impudicité et la prostitution qui te vient d'Egypte ; tu ne lèveras plus les yeux vers eux et tu ne te souviendras plus de l'Egypte. ²⁸ Car ainsi parle le Seigneur DIEU : Je vais te livrer aux mains de ceux que tu hais, aux mains de ceux que tout ton être a pris en aversion ; ²⁹ ils agiront envers toi avec haine ; ils prendront tout ton profit ; ils te laisseront nue et dévê-

tue, et ta nudité de prostituée sera dévoilée. C'est ton impudicité et tes débauches ³⁰ qui te le vaudront, car tu t'es prostituée en suivant les nations, et puis tu t'es rendue *impure avec leurs idoles. ³¹ Tu as pris le chemin de ta sœur : eh bien ! je mets sa coupe dans ta main. ³² Ainsi parle le Seigneur DIEU :

La coupe de ta sœur, tu la boiras ;
elle est profonde, elle est large.
Elle sera l'occasion de rire et de moquerie,
à cause de sa grande contenance :
³³ d'ivresse et d'affliction tu seras remplie.
C'est une coupe de désolation et de consternation
la coupe de ta sœur Samarie ;
³⁴ mais tu la boiras et tu la videras ;
tu la briseras de tes dents,
et de ses tessons tu te lacéreras les seins *n*,
car moi, j'ai parlé — oracle du Seigneur DIEU.

³⁵ C'est pourquoi, ainsi parle le Seigneur DIEU : Parce que tu m'as oublié et que tu m'as rejeté derrière toi, porte toi-même le poids de ton impudicité et de tes débauches. »

Dieu juge Samarie et Jérusalem

³⁶ Le SEIGNEUR me dit : « Fils d'homme, veux-tu juger Ohola et Oholiba ? Déclare-leur donc leurs abominations. ³⁷ Car elles ont commis l'adultère, il y a du sang sur leurs mains ; elles ont commis l'adultère *o* avec leurs idoles, et même elles leur ont fait manger les fils qu'elles m'avaient enfantés. ³⁸ Elles m'ont fait encore ceci : le même jour, elles ont souillé mon *sanctuaire, elles ont profané mes *sabbats. ³⁹ Quand elles immolaient leurs fils aux idoles, elles sont entrées, ce jour-là, dans mon sanctuaire en le profanant. Voilà ce qu'elles ont fait, au milieu de ma Maison. ⁴⁰ En outre, elles ont envoyé chercher des hommes venant de loin, vers qui un messager avait été envoyé. Voici qu'ils sont venus *p*, ceux pour qui tu

---

l Les *Chaldéens* sont les Babyloniens (v. 15; voir 11.24). *Peqod* est une tribu araméenne de l'est de la Babylone (voir Jr 50.21); *Shoa* et *Qoa* peuvent être deux autres tribus de la même région ● *m du nord:* traduit d'après le grec; le sens du mot hébreu correspondant étant inconnu — L'*écu* était un grand bouclier — *selon leur droit:* Jérusalem et Samarie ne seront plus protégées par leurs lois, alors que normalement, un coupable était jugé selon le droit de son propre pays ● *n* Traduction incertaine; le texte hébreu est difficile ● *o* L'*adultère,* comme la *prostitution* (v. 2, voir 16.17), est une image fréquente de l'idolâtrie (voir Os 3.1-5) ● *p* Ce passage est obscur: le texte hébreu est difficile et il fait allusion à des événements qui devaient être connus des contemporains d'Ezéchiel mais que nous ignorons

23.32 Coupe de colère Es 51.17, 22; Jr 25.15, 17, 28; 49.12; cf. Ps 11.6; coupe de la droite du Seigneur Ha 2.16; Ps 75.9; coupe de salut, de consolation Jr 16.7; Ps 16.5; 116.3. **23.37** Adultère Ez 22.11+ — Sacrifices d'enfants Ez 16.20+.

t'étais baignée, teint les yeux, parée.
41 Puis tu t'es mise sur un lit d'apparat ;
devant, une table était préparée, où tu
avais déposé mon encens et mon huile [q].
42 On entendait le bruit d'une foule animée, insouciante. A ceux-là s'ajoutait une
quantité d'hommes, venant de tous les
points du désert [r]. Ils mettaient des bracelets aux mains des femmes et une couronne splendide sur leurs têtes. 43 Alors je
dis à celle qui était usée par les adultères : C'est elle maintenant qui se livre à
ses débauches ! 44 Et on va vers elle
comme on va vers une prostituée ! Ainsi
va-t-on vers Ohola et vers Oholiba, ces
femmes impudiques. 45 Mais des hommes
justes les jugeront, du jugement qui frappe les femmes adultères et celles qui répandent le sang, car elles sont adultères et
il y a du sang sur leurs mains. »
46 Car ainsi parle le Seigneur DIEU :
« Fais monter contre elles une assemblée [s], qu'on les livre à l'épouvante et au
pillage ; 47 que l'assemblée lance des pierres contre elles [t] et les abatte par l'épée ;
qu'on tue leurs fils et leurs filles et qu'on
brûle leurs maisons. 48 Je ferai cesser l'impudicité du pays. Toutes les femmes seront prévenues et elles n'imiteront plus
votre impudicité. 49 On fera retomber sur
vous votre impudicité ; les péchés de vos
idoles, vous en supporterez le poids. Alors
vous connaîtrez que je suis le Seigneur
DIEU. »

Jérusalem est comme une marmite rouillée

24 1 La neuvième année, le dixième
mois [u], le dix du mois, il y eut une
parole du SEIGNEUR pour moi : 2 « Fils
d'homme, note par écrit la date de ce
jour : de ce jour précis ; car en ce jour
précisément le roi de Babylone a attaqué
Jérusalem.
3 Dis une parole à cette engeance de
rebelles ; tu leur diras : Ainsi parle le
Seigneur DIEU :
Prépare la marmite [v], prépare-la ; ver-
ses-y l'eau.
4 Rassembles-y les morceaux,
tous les bons morceaux : cuisse et
épaule ;
remplis-la des meilleurs os.
5 Prends le meilleur mouton,
entasse les os au fond.
Fais-la bouillir à gros bouillons,
même les os doivent cuire.
6 C'est pourquoi, ainsi dit le Seigneur
DIEU :
Malheur à la ville sanguinaire,
marmite rouillée,
dont la rouille ne s'en va pas ;
morceau par morceau on l'enlèvera.
— ce n'est pas sur elle qu'est tombé
le sort [w] ! —
7 Car le sang qu'elle a versé reste au
milieu d'elle.
Elle l'a versé sur la roche nue ;
elle ne l'a pas répandu sur la terre,
ni recouvert de poussière [x].
8 Pour faire monter ma fureur,
pour exercer ma vengeance,
je laisse sans le recouvrir
le sang qu'elle a versé sur la roche nue.
9 C'est pourquoi, ainsi parle le Seigneur
DIEU :
Malheur à la ville sanguinaire !
Je vais faire une grande flambée.
10 Entasse du bois,
allume le feu,
cuis et recuis la viande,
ajoute les épices,
que les os soient brûlés.
11 Mets la marmite vide sur les braises,
pour qu'elle chauffe,
que le bronze rougisse,
que les impuretés fondent à l'intérieur
et que la rouille se consume.
12 Que d'efforts pour de la rouille [y] !
Pourtant elle ne partira pas par le feu,
la masse de rouille de cette marmite.
13 L'impudicité est dans ta souillure ;
puisque je t'ai purifiée et que tu n'as
pas été pure, tu ne seras pas *purifiée
de ta souillure avant que j'aille jusqu'au
bout de ma fureur contre toi. 14 Moi, le
SEIGNEUR, j'ai parlé. Tout cela vient ; je

q mon encens et mon huile: cadeaux du Seigneur (voir Os 2.7), mais peut-être aussi cadeaux destinés au Seigneur (voir Ex 27.20-21; 30.7-8) • *r* La traduction de ce v. est incertaine; le texte hébreu est obscur • *s* Le terme d'*assemblée* désigne ici le rassemblement de tous les justes (v. 45) convoqués pour juger les deux coupables (voir Ps 1.5) • *t que... lance des pierres:* la lapidation était le châtiment des femmes adultères (voir 16.40; Dt 22.21, 23-24; Jn 8.5) • *u la neuvième année:* du règne de Sédécias; *le dixième mois:* décembre 589-janvier 588 avant J.C. (voir 2 R 25.1) • *v* Sur l'image de la *marmite*, voir 11.3-7 et la note sur 11.3 • *w* Expression un peu obscure qui peut signifier que Jérusalem n'est plus la ville choisie par Dieu • *x* On estimait que le sang répandu criait vers Dieu et appelait la vengeance tant qu'il n'était pas absorbé par la terre ou *recouvert de poussière* (voir Gn 4.10; Jb 16.18) • *y que d'efforts pour de la rouille:* traduction incertaine

24.3 Marmite 11.3-12. **24.7** Sang non recouvert Gn 4.10; 37.26; Es 26.21; Jb 16.18. **24.14** Dieu sans pitié Ez 5.11+.

le réalise ; je ne négligerai rien ; je serai sans pitié, sans repentir. On te jugera sur ta conduite et sur tes actions — oracle du Seigneur DIEU. »

Le deuil d'Ezéchiel

15 Il y eut une parole du SEIGNEUR pour moi : 16 « Fils d'homme, je vais t'enlever brutalement la joie de tes yeux. Tu ne célébreras pas le deuil ; tu ne feras pas de lamentation et tu ne pleureras pas. 17 Soupire en silence ; tu n'accompliras pas les rites funèbres ; noue ton turban, mets tes sandales ; ne te voile pas la moustache et n'accepte pas le pain des voisins z. »

18 Je parlai au peuple le matin, et ma femme mourut dans la soirée ; le lendemain j'exécutai les ordres reçus. 19 Les gens me dirent : « Ne nous expliqueras-tu pas ce que signifie pour nous ce que tu fais ? » 20 Alors je leur dis : « Il y a eu pour moi une parole du SEIGNEUR : 21 Parle à la maison d'Israël : Ainsi parle le Seigneur DIEU : Je vais profaner mon *sanctuaire, l'orgueil de votre force, la joie de vos yeux, l'espoir de votre vie. Vos fils et vos filles que vous avez laissés à Jérusalem a tomberont par l'épée. 22 Alors vous ferez comme j'ai fait : vous ne vous voilerez pas la moustache ; vous n'accepterez pas le pain des voisins. 23 Turbans en tête et sandales aux pieds, vous ne célébrerez pas le deuil et vous ne ferez pas de lamentation, mais vous pourrirez dans vos fautes et chacun gémira sur son frère. 24 Ezéchiel aura été pour vous un présage ; tout ce qu'il a fait, vous le ferez. Quand cela arrivera, vous connaîtrez que je suis le Seigneur DIEU. 25 Ecoute, fils d'homme, le jour où je leur prendrai leur force, leur plaisir et leur parure, la joie de leurs yeux, le délice de leurs vies, leurs fils et leurs filles, 26 ce jour-là, arrivera vers toi un rescapé, pour faire entendre la

nouvelle ; 27 ce jour-là, ta bouche s'ouvrira avec l'arrivée du rescapé ; tu parleras, tu ne seras plus muet. Tu auras été pour eux un présage ; alors ils connaîtront que je suis le SEIGNEUR. »

Menace contre les Ammonites

25 1 Il y eut une parole du SEIGNEUR pour moi : 2 « Fils d'homme, dirige ton regard vers les fils d'Ammon b, et prononce un oracle contre eux. 3 Tu diras aux fils d'Ammon : Ecoutez la parole du Seigneur DIEU : Ainsi parle le Seigneur DIEU : Parce que tu as raillé mon *sanctuaire qui a été profané, la terre d'Israël qui a été dévastée et la maison de Juda qui est partie en déportation, 4 je vais te donner en possession aux fils de l'Orient c ; ils installeront chez toi leurs camps fortifiés, ils établiront chez toi leurs demeures. C'est eux qui mangeront tes fruits, eux qui boiront tes laitages. 5 Je ferai de Rabba d un pâturage à chameaux et du pays des fils d'Ammon un bercail pour les troupeaux ; alors vous connaîtrez que je suis le SEIGNEUR.

6 Ainsi parle le Seigneur DIEU : A cause de tes applaudissements et de tes trépignements, parce que tu as eu une joie profonde, un mépris total pour ce qui arrivait à la terre d'Israël, 7 eh bien, je vais étendre la main contre toi, je te livrerai aux nations pour être pillée, je te retrancherai d'entre les peuples, je te ferai disparaître comme pays et je te supprimerai : alors tu connaîtras que je suis le SEIGNEUR.

Menace contre les Moabites

8 Ainsi parle le Seigneur DIEU : Parce que Moab et Séïr e ont dit : "La maison de Juda est devenue comme toutes les nations", 9 je vais dégarnir de villes toutes les pentes de Moab, les dégarnir de ces splendides villes du pays : Beth-Yeshi-

---

z En cas de deuil, on se lamentait bruyamment, on allait nu-tête et nu-pieds (voir 2 S 15.30), le visage partiellement voilé (voir 2 S 19.5) ; il semble aussi qu'on mangeait la nourriture offerte par les parents ou les voisins (cf. Jr 16.7), peut-être pour ne pas se souiller avec des aliments rendus impurs par la présence du cadavre (voir Nb 19.11-13) ● a Lors de la première déportation, en 597 avant J.C., seule une partie de la population avait dû quitter la Judée ● b Les fils d'Ammon (voir la note sur 21.33) abandonnèrent leurs anciens alliés judéens et profitèrent de la ruine de Jérusalem (voir 2 R 24.2) ● c Les fils de l'Orient sont les tribus de Bédouins qui s'installèrent à l'est du Jourdain, sur les territoires ammonites et moabites (v. 10) ● d Rabba : voir la note sur 21.25 ● e Séïr est le nom du plateau montagneux situé au sud de la mer Morte il est employé très souvent comme synonyme d'Edom (voir par exemple Gn 32.4 ; Nb 24.18)

24.27 Le prophète muet Ez 3.26-27 ; 29.21 ; 33.22. **25.1** Ammon Ez 21.33+. **25.4** Fils de l'Orient Jg 6.3. **25.8** Contre Moab Es 15-16 ; 25.10-12 ; Jr 48 ; Am 2.1-3 ; So 2.8-11.

moth, Baal-Meôn et Qiryataïm *f*. [10] C'est aux fils de l'Orient *g* qu'elles appartiendront, en plus des fils d'Ammon ; je donnerai le pays en possession, au point qu'on ne se souviendra plus des fils d'Ammon parmi les nations. [11] Je ferai justice de Moab, alors ils connaîtront que je suis le SEIGNEUR.

Menace contre les Edomites

[12] « Ainsi parle le Seigneur DIEU : A cause des agissements d'Edom, lorsqu'ils ont tiré vengeance de la maison de Juda, et parce qu'ils se sont rendus coupables en se vengeant d'elle *h*, [13] eh bien, ainsi parle le Seigneur DIEU : J'étends la main sur Edom ; j'en retrancherai hommes et bêtes ; j'en ferai des ruines depuis Témân et l'on tombera par l'épée jusqu'à Dedân *i*. [14] Je mettrai ma propre vengeance en Edom par la main d'Israël, mon peuple ; ils agiront à l'égard d'Edom selon ma colère et ma fureur ; alors ils connaîtront ma vengeance — oracle du Seigneur DIEU.

Menace contre les Philistins

[15] « Ainsi parle le Seigneur DIEU : Parce que les Philistins ont agi par vengeance, parce qu'ils ont tiré vengeance avec un profond mépris, pour le plaisir de détruire, à cause d'une hostilité perpétuelle *j*, [16] eh bien, ainsi parle le Seigneur DIEU : je vais étendre ma main contre les Philistins, je retrancherai les Kerétiens *k* et je ruinerai le reste du littoral. [17] Je tirerai d'eux une grande vengeance, je leur ferai subir un châtiment furieux ; alors ils connaîtront que je suis le SEIGNEUR quand je me vengerai d'eux. »

Menace contre Tyr

26 [1] La onzième année *l*, le premier du mois, il y eut une parole du SEIGNEUR pour moi : [2] « Fils d'homme, parce que Tyr *m* a dit de Jérusalem : "Ah ! Ah ! Elle est brisée la porte des peuples ! A mon tour de me remplir, elle est ruinée !" [3] Eh bien, ainsi parle le Seigneur DIEU : Je viens contre toi, ô Tyr.
Je soulève contre toi
des nations en masse
comme la mer soulève ses vagues.
[4] Elles détruiront les murs de Tyr,
elles abattront ses tours ;
je râclerai sa poussière,
je mettrai son rocher à nu.
[5] Elle deviendra au milieu de la mer un séchoir à filets
— car j'ai parlé, oracle du Seigneur DIEU —
elle sera pillée par les nations,
[6] et ses filles *n* dans la campagne seront tuées par l'épée.
Alors on connaîtra que je suis le SEIGNEUR.
[7] Car ainsi parle le Seigneur DIEU : Je vais faire venir du nord contre Tyr Nabuchodonosor, le roi de Babylone, le roi des rois *o* ; il viendra avec des chevaux, des chars, des cavaliers, une coalition, des soldats en masse.
[8] Il tuera par l'épée tes filles dans la campagne ;
il établira contre toi des terrassements.
Il entassera contre toi un remblai
et dressera contre toi des pare-flèches *p*.
[9] De son bélier *q*, il donnera des coups contre tes murailles,

---

f Ces trois villes, qui avaient appartenu à la tribu de Ruben (voir Jos 13.17, 19, 20), étaient devenues moabites. La première se trouvait au bord de la mer Morte, au nord; les deux autres sur le plateau qui la domine, à l'est ● *g Fils de l'Orient :* voir la note sur 25.4 ● *h* Les Edomites, profitant de la ruine de Juda, empiétèrent largement sur leur territoire et avancèrent jusqu'à Hébron; la région prit alors le nom d'Idumée (voir *1 M* 5.3; *Mc* 3.8) ● *i Témân :* ville ou région méridionale d'Edom. *Dedân :* l'oasis d'El Ela, au sud-est d'Edom; l'expression *depuis Témân jusqu'à Dedân* semble représenter ici l'ensemble du pays édomite, sans allusion à des localités précises ● *j hostilité perpétuelle :* les Philistins, installés sur la côte méditerranéenne (le *littoral*, v. 16), sont les ennemis d'Israël depuis l'époque des Juges (voir Jg 15-16) ● *k Kerétiens :* autre nom des Philistins ● *l* En 587 avant J.-C. ● *m Tyr*, ville phénicienne construite sur une île (voir v. 5; 27.4, 32), était l'une des plus puissantes cités commerciales de l'époque (voir 27.3). D'abord alliée de Jérusalem contre les Babyloniens (voir la note sur 21.33), elle l'abandonna ensuite et se réjouit de sa ruine qui facilitait son propre commerce ● *n ses filles:* expression hébraïque désignant ici les villes côtières qui dépendaient de Tyr ● *o roi des rois:* Nabuchodonosor fut le plus grand des rois de Babylone — Le siège de Tyr par Nabuchodonosor dura treize ans ● *p pareflèches:* sortes de boucliers fixes qui devaient protéger les assaillants contre les flèches lancées du haut des remparts ● *q béliers:* voir 4.2 et la note

25.12 Contre Edom Ez 35.1-5; Es 34.5-17; 63.1-6; Jr 49.7-22; Am 1.11-12; Ab 1-15; Ml 1.2-5. **25.15** Contre les Philistins Es 14.29-31; Jr 47.1-7; Jl 4.4-8; Am 1.6-8; So 2.4-7; Za 9.5-7. **26.2** Contre Tyr Ez 27; 28.1-19; Es 23.1-18; Jl 4.4-8; Am 1.9-10; Za 9.1-4. **26.7** Le Seigneur amène Nabuchodonosor Ez 29.17-21; Jr 46.26; 51.20-23. **26.8** Siège d'une ville Ez 21.27+.

il démolira tes tours avec ses pioches.

10 A cause de la foule de ses chevaux,
   il te couvrira de poussière ;
   au bruit des coursiers, des roues et des
      chars,
   tes murailles seront secouées lorsqu'il
      entrera dans tes portes
   comme on entre dans une ville où l'on
      a fait une brèche.

11 Il foulera toutes tes rues du sabot de
      ses chevaux,
   il tuera ta population par l'épée
   et tes stèles ʳ qui faisaient ta force
      tomberont par terre.

12 Ils feront leur butin de tes richesses,
   ils pilleront tes marchandises,
   ils abattront tes murailles
   et démoliront tes luxueuses maisons ;
   ils jetteront au fond de l'eau
   tes pierres, tes boiseries et ta poussière.

13 Je ferai cesser le tumulte de tes chants
   et la voix de tes cithares ˢ ne se fera
      plus entendre.

14 Je mettrai ton rocher à nu,
   tu deviendras un séchoir à filets,
   tu ne seras plus rebâtie :
   car moi, le SEIGNEUR, j'ai parlé
   oracle du Seigneur DIEU.

15 Ainsi parle à Tyr le Seigneur DIEU :
   Au bruit de ta chute, dans le gémissement
   des blessés, dans la tuerie qui s'accomplira au milieu de toi, les îles ᵗ ne trem-
   bleront-elles pas ?

16 Tous les princes de la mer descendront
      de leurs trônes,
   ils ôteront leurs manteaux
   et se dépouilleront de leurs vêtements
      bigarrés ᵘ ;
   vêtus de frissons et assis par terre,
   ils trembleront sans cesse
   et se désoleront sur toi.

17 Ils entonneront une complainte et di-
      ront de toi :
   « Comment a-t-elle disparu
   la ville dont les habitants venaient des
      mers,
   cette ville si célèbre

dont la force et celle de ses habitants
   étaient sur mer,
cette ville qui provoquait partout la
   terreur ? »

18 Maintenant, les îles tremblent au jour
      de ta chute,
   les îles de la mer sont épouvantées par
      ta fin.

19 Car ainsi parle le Seigneur DIEU :
Lorsque je ferai de toi une ville en ruines,
semblable aux villes inhabitées, lorsque je
ferai monter contre toi l'*Abîme et que
les grandes eaux te recouvriront, 20 je te
ferai descendre avec ceux qui sont dans
la fosse, vers les gens d'autrefois et je te
ferai habiter le pays des profondeurs ᵛ
Semblable à des ruines éternelles, tu seras
avec ceux qui sont dans la fosse : tu ne
seras plus habitée et je mettrai ma splendeur sur la terre des vivants. 21 Je ferai
de toi un objet d'épouvante et tu ne seras
plus ; on te cherchera mais on ne te
trouvera plus, plus jamais — oracle du
Seigneur DIEU. »

Début de la complainte sur la ruine de Tyr

27 1 Il y eut une parole du SEIGNEUR
   pour moi : 2 « Ecoute, fils d'homme, entonne sur Tyr une complainte ;
3 tu diras à Tyr :
   Toi qui habites les avenues de la mer,
   toi qui fais du commerce avec les peu-
      ples,
   avec les îles ʷ nombreuses,
   ainsi parle le Seigneur DIEU :
   O Tyr, toi qui as dit : "Je suis parfaite
      en beauté",
4 toi dont le territoire est au cœur des
      mers,
   tes constructeurs ˣ ont achevé ta beauté.
5 En cyprès de Senir ʸ, ils avaient cons-
      truit tout ton bordage,
   d'un cèdre pris au Liban ils avaient fait
   le mât qui te surmonte.
6 Avec les grands arbres du Bashân,

---

r Ces *stèles* sont peut-être les deux colonnes qui encadraient l'entrée du temple de Melkart, la
divinité principale de Tyr (comparer 1 R 7.15, 21) ● s *cithares*: traduction approximative; le mot
hébreu désigne un instrument de musique composé de cordes montées sur une caisse de réso-
nance en bois ● t *les îles*: celles de la Méditerranée, mais aussi les côtes lointaines où se
rendaient les navires phéniciens ● u Les *princes de la mer* sont les chefs des états riverains, qui
étaient en relation commerciale avec Tyr — Ils *descendront de leurs trônes et se dépouilleront de
leurs vêtements* en signe de deuil (voir Jon 3.6; Mi 1.8) ● v *fosse, pays des profondeurs*: voir au
glossaire SÉJOUR DES MORTS ● w *les îles*: voir 26.15 et la note ● x Tyr (voir 26.2 et la
note) est comparée à un navire ● y *Senir*: nom de l'Hermon (voir Dt 3.9) ou, plus généralement, de la chaîne de l'Antiliban, dont l'Hermon est le sommet

26.13 Dieu fait cesser la joie Es 24.8-9; Jr 25.10; Ap 18.22.   **26.16** Les princes descendent de
leur trône Jon 3.6, ils se désolent Ap 18.9-12.   **26.17** Complainte Ez 19.1-14; 27.2-9, 25-36.
26.20 Ceux qui dans la fosse Ez 32.18-32; Es 14.9-11.   **26.21** On ne te trouvera plus Ap 18.21.

ils avaient fait les rangées de tes rames,
d'ivoire, ils avaient fait ton habitacle incrusté dans du cyprès des îles de Kittim ^z ;

7 il y eut pour ta voile du lin d'Egypte bigarré ;
il te servait de pavillon.
Il y eut pour ta bâche de la pourpre violette et de la pourpre rouge des îles d'Elisha ^a.

8 Tu as eu pour rameurs les habitants de Sidon et d'Arvad ^b,
tu avais pris à ton bord des sages, ô Tyr ;
ils étaient tes matelots.

9 Les anciens de Guebal et ses sages étaient chez toi comme calfats ^c.
Tous les navires de la mer et leurs marins étaient chez toi
pour acquérir tes marchandises.

10 La Perse, Loud, Pouth ^d étaient dans ton armée,
c'étaient tes soldats ;
ils suspendaient chez toi boucliers et casques,
ils faisaient ta force.

11 Les fils d'Arvad avec ton armée étaient autour de toi sur tes murs,
et les Gammadiens sur tes tours.
Ils suspendaient leurs boucliers à tes murs d'enceinte ^e ;
ils avaient parachevé ta beauté.

Tyr était une riche commerçante

12 Tarsis ^f échangeait avec toi toutes sortes de biens en abondance : on te donnait comme fret de l'argent, du fer, de l'étain, du plomb. 13 Même Yavân, Toubal et Mèshek faisaient du commerce avec toi ; ils te fournissaient en marchandises : esclaves ^g et objets de bronze. 14 De Beth-Togarma ^h, on te donnait comme fret des chevaux, de la cavalerie et des mulets. 15 Les fils de Dedân faisaient du commerce avec toi ; de nombreuses îles participaient au trafic de ta main ⁱ : ils te payaient en retour un tribut, des cornes d'ivoire, des troncs d'ébène. 16 *Aram échangeait avec toi ce que tu fabriquais en abondance. On te donnait comme fret escarboucles, étoffes de pourpre, étoffes brochées, byssus ^j, corail, rubis. 17 Même Juda et le pays d'Israël faisaient du commerce avec toi ; ils te fournissaient en marchandise du blé de Minnith, du millet ^k, du miel, de l'huile et de la résine. 18 Damas échangeait avec toi ce que tu fabriquais en abondance, toutes sortes de biens surabondants. Ils te fournissaient en vin de Helbôn et en laine de Çahar ^l. 19 Wedân et Yavân-Méouzzal ^m te donnaient du fret : le fer forgé, la casse, le roseau aromatique qui font partie de tes marchandises. 20 Dedân faisait avec toi commerce de tissus de sellerie. 21 L'Arabie et tous les princes de Qédar ⁿ faisaient aussi des affaires avec toi ; ils échangeaient des agneaux, des béliers, des boucs. 22 Même les commerçants de Saba et de Raéma ^o faisaient du commerce avec toi. Ils te donnaient comme fret le meilleur de tous les aromates, toutes sortes de pierres précieuses et de

---

z Le *Bashân*, à l'est du lac de Kinnéreth, est le territoire d'une partie de la tribu de Manassé (voir Jos 22.7) — *Kittim* désigne ici les habitants de Chypre, des autres îles et des rivages de la Méditerranée orientale ● a *Elisha* est l'île de Chypre, appelée Alashia dans les textes babyloniens ● b *Sidon* et *Arvad*: deux villes de la côte phénicienne, proches de Tyr ● c *Guebal*: nom hébreu de Byblos, importante ville phénicienne — Les *calfats* sont les ouvriers qui « calfatent » les navires c'est-à-dire qui en rendent la coque parfaitement étanche ● d *Loud* et *Pouth*: populations de deux régions africaines voisines de l'Ethiopie. On les trouve souvent citées ensemble (voir par exemple 30.5; Es 66.19) ● e *Gammadiens*: nom d'une population inconnue — On *suspendait les boucliers* aux remparts pour les couronner, comme le montre un bas-relief assyrien (cf. Ct 4.4) ● f *Tarsis*: lieu géographique mal déterminé, voir Ps 72.10; Jn 1.3 et les notes ● g *Yavân* désigne la Grèce. *Toubal* et *Mèshek* (voir 38.2) sont des régions d'Asie Mineure ● h *Beth-Togarma*: probablement l'Arménie (voir 38.6) ● i *fils de Dedân*: voir 25.13 et la note — *participaient au trafic de ta main*: traduction incertaine d'une expression peu claire ● j *escarboucle*: traduction incertaine, mais il s'agit en tout cas d'une pierre précieuse (voir 28.13; Ex 28.18) — *pourpre*: voir la note sur 23.6 — *byssus* ou *fin lin* ● k *Minnith* était une ville du pays des Ammonites, qui a donné son nom à une variété de céréales — *millet*: traduit d'après le syriaque; le mot hébreu n'apparaît pas ailleurs ● l *Damas* était la capitale du pays d'*Aram (v. 16). La région au nord de Damas (*Helbôn*) était réputée pour son vin jusqu'en Assyrie ● *Çahar*, inconnue par ailleurs, doit être une ville voisine ● m *Wedân* et *Yavân-Méouzzal*: pays inconnus; texte hébreu obscur ● n *Qedar*: région d'Arabie (voir Es 21.13-17) ● o *Saba* et *Raéma*: régions situées au sud de l'Arabie (voir Gn 10.7; 1 R 10.1)

27.10 Loud et Pouth Ez 30.5; Es 66.19; Jr 46.9. **27.13** Toubal et Mèshek Ez 32.26; 38.3; 39.1; Es 66.19 — Commerce Ap 18.11-13. **27.21** Arabie 1 R 10.15 — Qédar Es 21.17; 60.7; Jr 49.28-29. **27.22** Richesses de Saba 1 R 10.10.

l'or. ²³ Harrân, Kanné et Eden — les commerçants de Saba — Assour, Kilmad *p* faisaient du commerce avec toi. ²⁴ Eux aussi commerçaient avec toi : vêtements d'apparat, manteaux de pourpre et de brocart, tissus bicolores, cordes tressées et câblées étaient sur ton marché.

Suite de la complainte sur Tyr

²⁵ Des navires de Tarsis *q* faisaient le transport de tes marchandises.
Tu as été remplie, chargée lourdement au cœur des mers.
²⁶ Tes rameurs t'ont menée sur les grandes eaux...
Le vent d'orient *r* t'a brisée au cœur des mers.
²⁷ Tes biens, ton fret, tes marchandises, tes marins, tes matelots,
tes calfats, tes marchands, tous les hommes de guerre,
tous ceux qui s'assemblent chez toi,
ils tombent au cœur des mers
le jour de ton écroulement.
²⁸ Au bruit de la clameur de tes matelots,
les rivages *s* tremblent.
²⁹ Alors tous ceux qui manient la rame descendent de leurs navires,
les marins, tous les matelots de la mer :
ils restent à terre.
³⁰ Ils font entendre leur voix à ton sujet,
ils crient amèrement,
ils se mettent de la poussière sur la tête,
ils se roulent dans la cendre.
³¹ Ils se rasent le crâne à cause de toi,
ils se ceignent de *sacs.
Ils pleurent sur toi, dans leur amertume,
faisant d'amères lamentations.
³² Dans leur douleur, ils entonnent une complainte sur toi
et dans leur deuil ils chantent :
"Qui était comme Tyr,
forteresse au milieu de la mer ?"
³³ En exportant ton fret sur les mers *t*,
tu avais rassasié de nombreux peuples ;

par l'abondance de tes biens et de tes marchandises,
tu avais enrichi les rois de la terre.
³⁴ C'est le temps du naufrage en mer,
dans les profondeurs des eaux ;
tes marchandises,
tous ceux qui s'assemblent chez toi
ont sombré.
³⁵ Tous les habitants des îles se désolent à cause de toi,
leurs rois frissonnent d'horreur,
ils ont le visage défait.
³⁶ Ceux qui trafiquent parmi les peuples
sifflent *u* à ton sujet :
tu es devenue un objet d'épouvante.
Pour toujours tu ne seras plus. »

Menace contre le prince de Tyr

28 ¹ Il y eut une parole du SEIGNEUR pour moi : ² « Fils d'homme, dis au prince de Tyr : Ainsi parle le Seigneur DIEU :
Parce que tu t'es enorgueilli,
que tu as dit : "Je suis un dieu,
je siège sur un trône divin
au cœur des mers"
alors que tu es homme et non Dieu,
parce que tu t'es cru égal aux dieux *v*...
³ Voici, tu es plus sage que Daniel *w*,
aucun secret ne te dépasse.
⁴ Par ta sagesse et ton intelligence, tu t'es fait une fortune ;
tu t'es acquis des trésors d'or et d'argent.
⁵ Par ton extrême sagesse, par ton commerce,
tu as multiplié ta fortune.
Tu t'es ainsi enorgueilli à force de richesses...
⁶ C'est pourquoi, ainsi parle le Seigneur DIEU :
Parce que tu as mis ton cœur au rang du cœur des dieux,
⁷ je vais faire venir contre toi des étrangers,
la plus tyrannique des nations ;
ils tireront l'épée contre ta belle sagesse

---

p Harrân, Kanné et Eden sont des villes de la vallée de l'Euphrate. *Kilmad,* inconnue, pourrait être voisine d'Assour, sur le Tigre ● *q* Les *navires de Tarsis* (voir v. 12 et la note) désignent souvent les « navires au long cours » (voir Es 2.16 ; 23.1 ; Ps 48.8) ● *r* Le *vent d'orient* était particulièrement violent (voir Ex 14.21 ; Ps 48.8 ; Jb 38.1) ● *s rivages :* traduction incertaine ● *t* Autre traduction *en sortant ton fret de la mer* ● *u sifflent :* pour exprimer l'étonnement, la crainte ou la moquerie (voir Jr 19.8 ; 49.17 ; So 2.15, etc.) ● *v au cœur des mers :* voir 26.2 et la note — *tu t'es cru égal aux dieux :* la phrase s'interrompt ici et reprend au v. 26 ● *w Daniel :* voir 14.14 et la note

27.25 Navires de Tarsis Es 2.16 ; 23.1 ; Ps 48.8. **27.26** Vent d'orient Ez 17.10 ; Ex 14.21 ; Jr 18.17 ; Os 13.15. **27.30** Poussière sur la tête Jos 7.6 ; 1 S 4.12 ; Ne 9.1 ; Jb 2.12 ; 16.15 ; Ap 18.19 ; cendre Es 58.5 ; Jr 6.26 ; Est 4.3. **27.31** Crâne rasé, sacs Ez 7.18 ; Es 22.12 ; Jr 16.6 ; Am 8.10 ; Jb 1.20 ; cf. Gn 37.34 ; 2 S 3.31. **28.2** Je suis un dieu Gn 3.5 ; 11.4 ; Es 14.13-14 ; Dn 4.20-23 ; 2 Th 2.4.

et profaneront ta majesté.
8 Ils te feront descendre dans la fosse,
tu mourras de mort violente *ˣ*
au cœur des mers.
9 Devant celui qui va te tuer,
oseras-tu dire : "Je suis un dieu",
alors que tu es homme et non Dieu
et que tu es au pouvoir de ceux qui
vont te transpercer ?
10 Par la main d'étrangers
tu mourras de la mort des *incirconcis *ʸ*.
Oui, j'ai parlé — oracle du Seigneur
DIEU. »

11 Il y eut une parole du SEIGNEUR pour
moi : 12 « Fils d'homme, entonne une
complainte sur le roi de Tyr. Tu lui diras :
Ainsi parle le Seigneur DIEU :
Toi qui scelles la perfection *ᶻ*,
toi qui es plein de sagesse, parfait en
beauté,
13 tu étais en Eden, dans le jardin de Dieu,
entouré de murs en pierres précieuses :
sardoine, topaze et jaspe,
chrysolithe, béryl et onyx,
lazulite, escarboucle et émeraude ;
et l'or dont sont ouvragés les tambourins et les flûtes *ᵃ*,
fut préparé le jour de ta création.
14 Tu étais un *chérubin étincelant,
le protecteur que j'avais établi ;
tu étais sur la montagne sainte de Dieu,
tu allais et venais au milieu des charbons ardents.
15 Ta conduite fut parfaite depuis le jour
de ta création,
jusqu'à ce qu'on découvre en toi la
perversité :
16 par l'ampleur de ton commerce,
tu t'es rempli de violence et tu as péché.
Aussi, je te mets au rang de profane
loin de la montagne de Dieu *ᵇ* ;
toi le chérubin protecteur je vais t'expulser
du milieu des charbons ardents.
17 Tu t'es enorgueilli de ta beauté,
tu as laissé ta splendeur corrompre ta
sagesse.
Je te précipite à terre,

je te donne en spectacle aux rois.
18 Par le nombre de tes péchés, par ton
commerce criminel,
tu as profané ton *sanctuaire.
Aussi je fais sortir un feu du milieu
de toi, il te dévorera,
je te réduirai en cendre sur la terre,
sous les yeux de tous ceux qui te regardent.
19 Tous ceux d'entre les peuples qui te
connaissent
seront dans la stupeur à cause de toi ;
tu deviendras un objet d'épouvante.
Pour toujours tu ne seras plus ! »

Menace contre Sidon

20 Il y eut une parole du SEIGNEUR pour
moi : 21 « Fils d'homme, dirige ton regard
vers Sidon, et prononce un oracle contre
elle. 22 Tu diras : Ainsi parle le Seigneur
DIEU :
Je viens contre toi, Sidon,
je serai glorifié au milieu de toi,
alors on connaîtra que je suis le SEI-
GNEUR
à cause des jugements que j'exécuterai
contre elle ;
alors, je manifesterai en elle ma sainteté.
23 J'y enverrai la peste *ᶜ*,
il y aura du sang dans ses rues,
les morts tomberont au milieu d'elle
à cause de l'épée dressée contre elle de
toutes parts.
Alors, on connaîtra que je suis le SEI-
GNEUR.

Israël vivra en sécurité

24 Il n'y aura plus contre la maison
d'Israël de ronces qui griffent, ou d'épines
piquantes, nulle part autour d'elle de gens
qui la méprisent. Alors ils connaîtront que
je suis le SEIGNEUR.
25 Ainsi parle le Seigneur DIEU : Quand
je rassemblerai la maison d'Israël d'entre
les peuples où elle a été dispersée, je manifesterai en elle ma *sainteté aux yeux
des nations : ils habiteront sur leur sol,

---

x fosse: voir au glossaire SÉJOUR DES MORTS — *de mort violente:* autre traduction *la mort du
transpercé* (voir v. 9) ● *y* C'est-à-dire d'une mort particulièrement infamante ● *z toi qui scelles
la perfection:* expression obscure ; la traduction est incertaine ● *a* L'identification des pierres
précieuses est incertaine, de même que la traduction des mots *tambourins* et *flûtes* ● *b* La montagne de Dieu (voir v. 14) représente le domaine sacré du roi de Tyr; lui-même est comparé à
un *chérubin, gardien du jardin d'Eden (voir v. 13-14; Gn 3.24) ● *c* La *peste était l'une des
maladies les plus redoutées de l'ancien Orient (voir 38.22; Ex 9.3, 15; Jr 21.6; Am 4.10, etc.).
Elle frappait souvent les villes assiégées

28.13 Eden Gn 2.8-15 — Pierres précieuses Ap 21.18-20. **28.21** Contre Sidon (et Tyr) Ez 26.2+.

celui que j'avais donné à mon serviteur Jacob. ²⁶ Ils habiteront en sécurité, ils construiront des maisons, planteront des vignes ; ils habiteront en sécurité. Lorsque j'exécuterai des jugements contre tous ceux qui les méprisent aux alentours, ils connaîtront que je suis le SEIGNEUR, leur Dieu. »

Menace contre l'Egypte

29 ¹ La dixième année, le dixième mois *d*, le douze du mois, il y eut une parole du SEIGNEUR pour moi : ² « Fils d'homme, dirige ton regard vers *Pharaon, roi d'Egypte, et prononce un oracle contre lui et contre l'Egypte tout entière. ³ Parle et dis : Ainsi parle le Seigneur DIEU :

Je viens contre toi, Pharaon, roi d'Egypte,
grand dragon tapi au milieu de ses Nils ;
c'est toi qui as dit : "Il est à moi mon Nil, et moi, je me suis fait moi-même *e*."

⁴ Je mettrai des crochets à tes mâchoires, j'attacherai les poissons de tes Nils à tes écailles,
je te soulèverai du milieu de tes Nils avec tous les poissons de tes Nils attachés à tes écailles.
⁵ Je te jetterai dans le désert avec tous les poissons de tes Nils ;
tu retomberas sur le sol, à la surface des champs,
sans qu'on te recueille et te rassemble *f*.
Je te donnerai en pâture aux bêtes de la terre et aux oiseaux du ciel.
⁶ Alors tous les habitants de l'Egypte connaîtront que je suis le SEIGNEUR, eux qui ont été un appui de roseau pour la maison d'Israël.
⁷ Pour ceux qui te prennent en main, tu flanches

et tu leur transperces toute l'épaule, pour ceux qui s'appuient sur toi, tu te casses
et tu paralyses leurs reins.

⁸ C'est pourquoi, ainsi parle le Seigneur DIEU : Je vais faire venir sur toi l'épée et je retrancherai de toi hommes et bêtes. ⁹ Le pays d'Egypte deviendra un désert de ruines ; alors on connaîtra que je suis le SEIGNEUR car il a dit : "Le Nil est à moi, c'est moi qui l'ai fait."

¹⁰ C'est pourquoi, je viens contre toi et contre tes Nils : je ferai du pays d'Egypte des ruines, des ruines désertiques, depuis Migdol jusqu'à Syène et jusqu'aux confins de la Nubie *g*. ¹¹ Le pied des hommes n'y passera pas, et le pied des bêtes n'y passera pas ; il sera inhabité pendant quarante *h* ans. ¹² Je ferai du pays d'Egypte un désert au milieu de pays désertiques, ses villes seront un désert au milieu de villes en ruines, pendant quarante ans, et je disperserai les Egyptiens parmi les nations, je les répandrai parmi les pays.

Le sort de l'Egypte

¹³ Mais ainsi parle le Seigneur DIEU : Au bout de quarante ans, je rassemblerai les Egyptiens d'entre les peuples où ils auront été dispersés. ¹⁴ Je changerai la destinée des Egyptiens ; je les ferai revenir au pays du Sud *i*, dans leur pays d'origine et ils y établiront un modeste royaume. ¹⁵ Il sera plus modeste que les autres royaumes et il ne s'élèvera plus au-dessus des nations. Je le diminuerai pour qu'il ne domine plus les nations. ¹⁶ Il ne représentera plus pour la maison d'Israël la sécurité qui la poussait à pécher en se tournant vers l'Egypte *j*. Alors on connaîtra que je suis le SEIGNEUR. »

¹⁷ La vingt-septième année, le premier mois *k*, le premier jour du mois, il y

---

d Décembre 588 - janvier 587 avant J.C. ● *e dragon:* monstre de la mythologie orientale, souvent présenté comme un ennemi de Dieu (voir Ps 74.13; cf. Jb 7.12). L'image évoquée est celle du crocodile, commun en Egypte — *ses Nils:* c'est-à-dire les nombreuses ramifications du Nil qui forment le « Delta » — *je me suis fait moi-même:* autre traduction d'après les anciennes versions grecque et syriaque: *c'est moi qui les ai faits* (les Nils); voir v. 9 ● *f* C'est-à-dire: sans qu'on *recueille* et *rassemble* ses restes pour les ensevelir; la privation de sépulture était considérée comme une punition extrêmement grave (voir 2 R 9.37; Jr 8.2; 22.19) ● *g* Migdol et *Syène* sont deux villes égyptiennes, la première au nord, la seconde au sud du pays. La *Nubie* est le territoire de l'actuel Soudan, au sud de l'Egypte. L'expression *depuis Migdol... jusqu'aux confins de la Nubie* signifie donc: tout le territoire égyptien ● *h quarante:* voir 4.6 et la note ● *i le pays du Sud* (ou *Patrôs*): c'est-à-dire la Haute-Egypte ● *j* Ézéchiel fait allusion aux alliances d'Israël avec l'Egypte (voir 17.15; 29.6), déjà condamnées par d'autres prophètes (voir Es 30.2; Jr 2.18; Os 7.11) ● *k* Mars-avril 571 avant J.C.

28.26 Habiter en sécurité Ez 34.25, 27, 28; 37.25; 38.8; Dt 33.28; Jr 23.6; 32.37; 33.16 — Bâtir et planter Es 65.21; Am 9.14. **29.2** Contre l'Egypte Ez 30-32; Es 19.1-25; Jr 46.2-6. **29.6** Appui de roseau 2 R 18.21; Es 36.6; cf. Es 30.1-7. **29.8** L'épée Ez 21.8+.

eut une parole du SEIGNEUR pour moi :
[18] « Fils d'homme, Nabuchodonosor, roi
de Babylone, a soumis son armée à un
grand effort contre Tyr : toutes les têtes
sont chauves, toutes les épaules écorchées, mais il n'a pas trouvé à Tyr de
salaire *l* pour lui ni pour son armée, en
récompense de l'effort qu'il avait fourni
contre la ville. [19] C'est pourquoi, ainsi
parle le Seigneur DIEU : "Je vais donner
le pays d'Egypte à Nabuchodonosor, roi
de Babylone ; il enlèvera ses richesses,
en prendra tout le butin et le pillera
complètement. L'Egypte servira de salaire à son armée. [20] En compensation de
l'effort qu'il a fourni, je lui donne le
pays d'Egypte parce que lui et son armée
ont travaillé pour moi — oracle du Seigneur DIEU."
[21] En ce jour, je ferai croître la puissance de la maison d'Israël ; et à toi-
même, fils d'homme, je donnerai la possibilité de parler au milieu d'eux. Alors
ils connaîtront que je suis le SEIGNEUR. »

Le jour du Seigneur et l'Egypte

30 [1] Il y eut une parole du SEIGNEUR
pour moi : [2] « Fils d'homme, prononce un oracle ; tu diras : Ainsi parle
le Seigneur DIEU :
Hurlez à ce jour de malheur !
[3] Car le jour est proche,
proche le *jour du SEIGNEUR.
Ce sera un jour de nuées, le temps
des nations.
[4] L'épée pénétrera en Egypte,
il y aura des frémissements en Nubie
quand les morts tomberont en
Egypte ;
on s'emparera de ses richesses,
on démolira ses fondations.
[5] La Nubie, Pouth, Loud, tout ce mélange de peuples, Kouv *m* et les gens du
pays allié tomberont avec eux sous
l'épée.
[6] Ainsi parle le SEIGNEUR :
Les soutiens de l'Egypte tomberont,
l'orgueil de sa force s'effondrera,

de Migdol à Syène *n* on tombera sous
l'épée
— oracle du Seigneur DIEU.
[7] Ces lieux seront déserts, au milieu de
pays déserts, et ses villes seront en milieu de villes en ruines. [8] Alors on connaîtra que je suis le SEIGNEUR lorsque je
mettrai le feu à l'Egypte et que tous ses
aides seront brisés. [9] En ce jour-là, des
messagers en bateau s'en iront d'auprès de
moi pour faire trembler la Nubie qui est
en sécurité ; il y aura chez eux des frémissements au jour de l'Egypte. Oui,
cela vient.

[10] Ainsi parle le Seigneur DIEU :
Je ferai cesser le tumulte de l'Egypte,
par la main de Nabuchodonosor, roi
de Babylone.
[11] Lui ainsi que son peuple, la plus tyrannique des nations,
ils ont été amenés pour détruire le
pays.
Ils tireront leurs épées contre l'Egypte
ils rempliront de morts le pays.
[12] Des Nils, je ferai une région desséchée,
je vendrai le pays aux mains de gens
méchants,
je dévasterai le pays et ce qui l'emplit
par la main d'étrangers.
Moi, le SEIGNEUR, j'ai parlé.
[13] Ainsi parle le Seigneur DIEU :
Je ferai périr les idoles,
je supprimerai de Memphis *o* les faux
dieux,
et du pays d'Egypte le prince ;
il n'y en aura plus.
Je mettrai la crainte dans le pays
d'Egypte.
[14] Je dévasterai le pays du Sud, je mettrai le feu à Tanis,
j'exécuterai des jugements à Thèbes *p*.
[15] Je déverserai ma fureur sur Sîn *q*,
place forte de l'Egypte, j'interromprai le
tumulte de Thèbes. [16] Je mettrai le feu à
l'Egypte, Sîn se tordra de douleur, Thèbes
sera fendue *r*, Memphis sera inondée.
[17] Les jeunes hommes de One et de Pi-

---

l têtes chauves, épaules écorchées: à cause des charges transportées sur la tête ou sur les épaules
pendant les treize années de siège — *il n'a pas trouvé de salaire:* Nabuchodonosor réussit à
soumettre Tyr, mais il ne put la piller ● *m Nubie:* voir 29.10 et la note. *Pouth* et *Loud:* voir
27.10 et la note — *tout ce mélange:* autre traduction *toute l'Arabie* — *Kouv:* pays inconnu;
l'ancienne traduction grecque lit ici *Loub*, la Libye ● *n Migdol et Syène:* voir 29.10 et la note ●
o Memphis: ville située au sud du Delta du Nil ● *p pays du Sud:* voir 29.14 et la note. *Tanis:*
ville du nord-est de l'Egypte. *Thèbes:* ville de Haute-Egypte ● *q Sîn:* ville du nord-est de l'Egypte
● *r fendue:* l'image est celle d'une brèche dans un rempart

29.19 L'Egypte donnée à Nabuchodonosor Jr 43.8-13.   30.3 Jour du Seigneur Ez 7.7+.   30.4
L'épée Ez 21.8+.   30.5 Pouth et Loud Ez 27.10+.   30.12 Dévastation par des étrangers Ez
7.21; 28.7; 31.12; Es 1.7; Jr 51.2. Os 7.9; 8.7; Ab 11; Lm 5.2.

Bèseth [s] tomberont par l'épée et les femmes iront en captivité. [18] A Daphné, le jour ne se lèvera pas lorsque je briserai les jougs [t] de l'Egypte. Je ferai cesser dans la ville l'orgueil de sa force ; une nuée la recouvrira et ses filles iront en captivité. [19] J'exécuterai des jugements en Egypte, alors on connaîtra que je suis le SEIGNEUR. »

Le roi de Babylone instrument de Dieu

[20] La onzième année, le premier mois [u], le septième jour du mois, il y eut une parole du SEIGNEUR pour moi : [21] « Fils d'homme, je brise le bras de *Pharaon, roi d'Egypte et on ne le panse pas, on n'y met pas de remède, on n'y applique pas de bandage, on n'y fait pas de pansement pour que ce bras retrouve sa force et tienne l'épée. [22] C'est pourquoi, ainsi parle le Seigneur DIEU : Je viens contre Pharaon, roi d'Egypte. Je briserai ses bras, le bras bien portant et celui qui est déjà brisé, et je ferai tomber l'épée de sa main. [23] Je disperserai les Egyptiens parmi les nations, je les répandrai dans les pays. [24] Mais je fortifierai les bras du roi de Babylone et je lui mettrai mon épée dans la main ; je briserai les bras de Pharaon qui poussera les gémissements d'un homme blessé à mort. [25] Je fortifierai les bras du roi de Babylone tandis que les bras de Pharaon tomberont. Alors on connaîtra que je suis le SEIGNEUR quand je mettrai mon épée dans la main du roi de Babylone et qu'il la brandira contre le pays d'Egypte. [26] Je disperserai les Egyptiens parmi les nations et je les répandrai dans les pays. Alors on connaîtra que je suis le SEIGNEUR ! »

Pharaon était comme un cèdre

31 [1] La onzième année, le troisième mois [v], le premier du mois, il y eut une parole du SEIGNEUR pour moi : [2] « Fils d'homme, dis à *Pharaon roi d'Egypte, et à sa multitude :
A qui ressembles-tu, toi qui es si grand ?

[3] A un cyprès, à un cèdre du Liban qui aurait de belles branches, formant une forêt ombreuse
et d'une taille si élevée
que son sommet serait entre les nuages ?
[4] Les eaux l'ont fait grandir ;
l'*abîme qui l'a fait croître
fait couler ses fleuves autour du lieu où il est planté
et envoie ses canaux vers tous les arbres des champs.
[5] Ainsi donc sa taille était plus élevée que celle de tous les arbres des champs,
ses rameaux s'étaient multipliés,
ses branches s'étaient allongées sous l'effet des grandes eaux
lorsqu'il sortit ses pousses.
[6] Tous les oiseaux du ciel nichaient dans ses rameaux,
toutes les bêtes sauvages mettaient bas sous ses branches
et toute la multitude des peuples habitait à son ombre.
[7] Il était beau par sa grandeur,
par l'ampleur de son branchage ;
ses racines s'étendaient jusqu'aux grandes eaux.
[8] Les cèdres du jardin de Dieu [w] ne l'égalaient pas,
les cyprès n'étaient pas comparables à ses rameaux
ni les platanes à ses branches ;
aucun arbre du jardin de Dieu ne lui était comparable en beauté.
[9] Je l'avais fait beau par l'abondance de sa ramure,
tous les arbres d'Eden qui étaient dans le jardin de Dieu le jalousaient.

Le cèdre orgueilleux est brisé

[10] C'est pourquoi, ainsi parle le Seigneur DIEU : Parce que tu [x] as élevé ta taille, parce qu'il a élevé son sommet entre les nuages, qu'il s'est élevé avec orgueil, [11] je le livre aux mains du chef des nations [y] qui le traitera selon sa méchanceté. Je l'ai chassé. [12] Des étrangers, les plus tyranniques des nations, l'ont abattu, puis abandonné.

---

s *One* et *Pi-Bèseth* sont deux villes du Delta du Nil ● t *Daphné:* ville frontière, à l'est du Delta — *je briserai les jougs:* autre traduction (d'après les anciennes versions grecque, latine et syriaque) *je briserai les sceptres* ● u Mars-avril 587 avant J.C. ● v Mai-juin 587 avant J.C. ● w *le jardin de Dieu:* l'Eden (voir v. 9, 18; Gn 2.8-9) ● x Ici, comme au v. 2, Ezéchiel s'adresse directement à Pharaon; dans le reste du chapitre, il en parle à la troisième personne ● y *le chef des nations:* Nabuchodonosor (voir 26.7 et la note; 29.19; 32.11)

30.24 Le roi de Babylone instrument de Dieu Jr 25.9; 27.6; 43.10. **31.6** Les oiseaux dans les rameaux Ez 17.23; Mt 13.23. **31.10** L'orgueil qui s'élève Gn 11.4. Es 2.12-17.

Son branchage est tombé sur les montagnes et dans toutes les vallées, ses branches ont été brisées dans tous les lits des ruisseaux de la terre, tous les peuples de la terre ont quitté son ombre, puis l'ont abandonné.
13 Tous les oiseaux du ciel se posent sur ses dépouilles,
toutes les bêtes sauvages gîtent dans ses branches.

14 C'est afin qu'aucun arbre bien arrosé ne s'élève, au point que son sommet perce les nuages, c'est afin qu'aucun arbre bien abreuvé ne se mette sauf orgueil au-dessus des autres. Car tous, ils sont livrés à la mort, au pays des profondeurs, au milieu des fils d'hommes, auprès de ceux qui descendent dans la fosse z.

15 Ainsi parle le Seigneur DIEU : Le jour où le cèdre est descendu au *séjour des morts, j'ai obligé l'*Abîme à prendre le deuil pour lui : je l'ai recouvert, j'ai arrêté ses fleuves et les grandes eaux ont été retenues, à cause de lui j'ai assombri le Liban et fait dépérir tous les arbres des champs à cause de lui. 16 J'ai fait trembler les nations au bruit de sa chute, lorsque je le fis descendre au séjour des morts avec ceux qui descendent dans la fosse. Tous les arbres d'Eden prennent leur revanche dans le pays des profondeurs : les arbres de choix, les meilleurs du Liban, tous ceux qui sont abreuvés d'eau. 17 Ceux-là aussi sont descendus avec lui au séjour des morts, auprès de ceux qui ont été transpercés par l'épée. Ils étaient son bras a et habitaient à son ombre au milieu des nations. 18 A qui es-tu semblable, en gloire, en grandeur, parmi les arbres d'Eden ? On t'a fait descendre avec les arbres d'Eden au pays des profondeurs, tu seras couché au milieu des *incirconcis, avec ceux qui ont été mutilés par l'épée. — Tel sera *Pharaon et toute sa multitude — oracle du Seigneur DIEU. »

Complainte sur Pharaon et sur l'Egypte

32 1 La douzième année, le douzième mois b, le premier du mois, il y eut une parole du SEIGNEUR pour moi : 2 « Fils d'homme, entonne une complainte sur *pharaon, roi d'Egypte, et dis :
Tu ressemblais au lionceau des nations,
tu étais comme un dragon c dans les mers,
tu faisais jaillir tes fleuves,
tu troublais l'eau de tes pattes,
tu salissais les fleuves.
3 Ainsi parle le Seigneur DIEU : J'étendrai mon filet sur toi lors de l'assemblée de nombreux peuples, et ils te tireront dans ma senne d.
4 Je te jetterai à terre,
Je te lancerai à la surface des champs,
je ferai se poser sur toi tous les oiseaux du ciel
et les animaux de toute la terre se rassasieront de toi.
5 Je mettrai ta chair sur les montagnes,
je remplirai les vallées de tes rognures,
6 j'abreuverai la terre du sang qui coule de toi sur les montagnes
et les lits des ruisseaux en seront pleins.
7 Lorsque ta lumière sera éteinte, je couvrirai les cieux,
et j'obscurcirai les étoiles,
je couvrirai le soleil d'une nuée
et la lune ne laissera pas luire sa lumière.
8 Tous les luminaires des cieux,
je les obscurcirai à cause de toi,
je mettrai les ténèbres sur ton pays
— oracle du Seigneur DIEU.
9 J'irriterai le cœur de nombreux peuples quand je ferai sentir aux nations, ces pays que tu ne connais pas, les conséquences de ton écroulement e. 10 A cause de toi, je mettrai de nombreux peuples dans la désolation et les cheveux de leurs rois se dresseront à cause de toi quand je ferai voler mon épée devant leur visage. Aucun ne cessera de trembler jusqu'au fond de lui-même le jour où tu tomberas.

11 Car ainsi parle le Seigneur DIEU :
L'épée du roi de Babylone pénétrera en toi.
12 Je ferai tomber ta multitude sous l'épée des guerriers ;
ils forment à eux tous la plus tyran-

---

z *pays des profondeurs, fosse:* expressions sensiblement synonymes de SÉJOUR DES MORTS (voir au glossaire) ● a *ils étaient son bras:* traduction incertaine d'une expression obscure. Dans l'A.T., le bras symbolise souvent la force et l'efficacité (voir la note sur Es 40.10) ● b Février-mars 585 avant J.C. ● c *dragon:* voir 29.3 et la note ● d *senne* ou *filet:* voir la note sur 12.13 ● e *quand je ferai sentir... les conséquences de ton écroulement:* autre traduction (d'après l'ancienne version grecque): *quand j'amènerai... tes prisonniers*

31.15 J'ai assombri... Ez 32.7-8+. **32.2** Dragon Ez 29.3-5; Jb 40.25—41.26; **32.3** Filet Ez 12.13+. **32.7** J'obscurcirai... Jl 2.10; 4.15; Am 8.9; Mt 24.29. **32.11** L'épée du roi de Babylone Ez 21.8+; 30.24+.

nique des nations,
ils ravageront ce qui fait l'arrogance
de l'Egypte ;
toute sa multitude sera exterminée.

13 Je ferai périr tous les animaux qu'elle
avait près des grandes eaux *f* ;
le pied de l'homme ne les troublera
plus,
les sabots des animaux ne les trouble-
ront plus.

14 Je ferai baisser les eaux de l'Egypte
et couler ses fleuves comme de l'huile
— oracle du Seigneur DIEU.

15 Quand j'aurai fait du pays d'Egypte
un désert, quand j'aurai vidé le pays de
ce qui l'emplit, en frappant tous ceux
qui y habitent, alors on connaîtra que je
suis le SEIGNEUR. »

16 C'est une complainte, on la chantera ; que les filles des nations la chantent, qu'elles chantent cette complainte
sur l'Egypte et sur toute sa multitude
— oracle du Seigneur DIEU.

Lamentation sur les peuples vaincus

17 La douzième année *g*, le quinzième
du mois, il y eut une parole du SEIGNEUR
pour moi : 18 « Fils d'homme, lamente-
toi sur la multitude de l'Egypte ; fais-la
descendre dans l'*abîme, elle et les filles
des nations.
Que malgré leur splendeur, elles tombent dans le pays des profondeurs,
avec ceux qui sont descendus dans la
fosse *h*.
19 Es-tu plus sympathique que d'autres ?
Descends dans la tombe avec les *incirconcis —
20 au milieu de ceux qui sont tombés
percés par l'épée. Maintenant l'épée
est tombée, entraînez l'Egypte et toute
sa multitude ! 21 Du milieu du *séjour
des morts, les chefs des héros avec leurs
aides lui parleront. Les incirconcis, percés par l'épée, sont descendus, ils sont
couchés dans la tombe.
22 Là se trouve toute l'assemblée d'As-

sour *i*, entourée de ses tombeaux ; tous,
ils ont été transpercés, ils sont tombés
sous l'épée. 23 Les tombeaux d'Assour ont
été placés au tréfonds de la fosse, son
assemblée entoure sa sépulture. Tous, ils
ont été transpercés, ils sont tombés sous
l'épée, eux qui mettaient la consternation
sur la terre des vivants.
24 Là se trouve Elam *j*, et toute sa
multitude entoure sa sépulture. Tous ont
été transpercés, ils sont tombés sous
l'épée ; ils sont descendus incirconcis au
pays des profondeurs, eux qui mettaient
la consternation sur la terre des vivants.
Ils portent leur déshonneur avec ceux
qui sont descendus dans la fosse. 25 Au
milieu des morts, on a placé une couche
pour Elam, parmi toute sa multitude
qu'entourent ses tombes. Tous ces incirconcis sont percés par l'épée. Pourtant,
on avait été dans la consternation à
cause d'eux sur la terre des vivants !
Ils portent leur déshonneur avec ceux
qui sont descendus dans la fosse placée
au milieu des morts.
26 Là se trouvent Mèshek, Toubal *k*,
et toute sa multitude entourée de ses
tombeaux ; tous incirconcis, percés par
l'épée car ils mettaient la consternation
sur la terre des vivants. 27 Ils ne peuvent
être couchés avec les héros, eux qui sont
tombés incirconcis. Ils sont descendus
au séjour des morts avec leur équipement
de guerre ; on a placé leurs épées sous
leurs têtes et leurs péchés sont sur leurs
ossements parce que, tels des héros, ils
ont consterné la terre des vivants. 28 Toi-
même, tu seras abattu parmi les incirconcis *l*, tu te coucheras avec ceux que
l'épée a percés.
29 Là se trouve Edom *m* : ses rois et
tous ses princes, malgré leurs exploits,
sont placés avec ceux que l'épée a percés ; eux aussi sont couchés avec des
incirconcis et avec ceux qui sont descendus dans la fosse.
30 Là se trouvent les chefs du nord,
tous, et tous les Sidoniens *n* qui sont
descendus avec les morts ; malgré la

---

f les grandes eaux: ici le Nil ● *g* En 586 avant J.C., c'est-à-dire dans l'année qui suivit la prise
de Jérusalem ● *h* fille des nations: comparer l'expression fille de Sion (voir la note sur Es 1.8) —
La fosse est ici l'équivalent de l'abîme ou du pays des profondeurs: voir au glossaire SÉJOUR
DES MORTS ● *i* Assour (ou l'Assyrie) fut le premier royaume conquis par les Babyloniens ●
j Elam: pays que se trouvait à l'est de la Babylonie ● *k* Mèshek et Toubal: voir 27.13 et la
note ● *l* Dans l'antiquité, on pensait que les héros tombés à la guerre avaient une place privilégiée parmi les morts; mais l'incirconcision rend indigne de tout honneur (voir 28.10 et la note)
● *m* Edom: voir la note sur 25.12 ● *n* Sidoniens: habitants de Sidon, ville phénicienne située
au nord de Tyr. Ce terme désigne souvent l'ensemble des Phéniciens

32.18 Descente dans la fosse Ez 31.16-18; Es 14.9-15. **32.20** L'épée Ez 21.8+. **32.26** Mèshek,
Toubal Ez 27.13+.

consternation qu'ils ont provoquée, ils sont honteux de leurs exploits et, incirconcis, ils se sont couchés avec ceux que l'épée a percés ; ils portent leur déshonneur avec ceux qui sont descendus dans la fosse. ³¹ *Pharaon les verra et il se consolera à cause de toute cette multitude. Pharaon et toute son armée seront percés par l'épée — oracle du Seigneur DIEU. ³² Oui, je l'ai laissé provoquer la consternation sur la terre des vivants, mais on le couchera au milieu des incirconcis avec ceux que l'épée a percés : Pharaon et toute sa multitude — oracle du Seigneur DIEU. »

Dieu établit Ezéchiel comme guetteur

33 ¹ Il y eut une parole du SEIGNEUR pour moi : ² « Fils d'homme, parle aux fils d'Israël et dis-leur : Soit un pays : je fais venir contre lui l'épée. Les gens de ce pays prennent parmi eux un homme et l'établissent comme guetteur. ³ Cet homme voit venir l'épée contre ce pays ; il sonne du cor et avertit le peuple. ⁴ Quelqu'un entend bien le son du cor, mais ne tient pas compte de l'avertissement : quand l'épée viendra et l'emportera, son *sang sera sur sa tête. ⁵ Il avait entendu le son du cor, mais n'avait pas tenu compte de l'avertissement. Son sang sera sur lui ᵒ. Par contre celui qui aura tenu compte de l'avertissement sauvera sa vie. ⁶ Mais le guetteur voit venir l'épée et ne sonne pas du cor : les gens ne sont pas avertis ; quand l'épée viendra et emportera l'un d'eux, c'est par la faute du guetteur que cet homme sera emporté, et je demanderai compte de son sang au guetteur. ⁷ C'est donc toi, fils d'homme, que j'ai établi guetteur pour la maison d'Israël ; tu écouteras la parole qui sort de ma bouche et tu les avertiras de ma part. ⁸ Si je dis au méchant : "Méchant, tu mourras certainement", mais que toi, tu ne parles pas pour avertir le méchant de quitter sa conduite, lui, le méchant mourra de son péché, mais c'est à toi que je demanderai compte de son sang. ⁹ Par contre, si tu avertis le méchant pour qu'il se détourne de sa conduite, et qu'il

ne veuille pas s'en détourner, il mourra de son péché, et toi, tu sauveras ta vie.

Le méchant qui revient à Dieu vivra

¹⁰ Ecoute, fils d'homme, dis à la maison d'Israël : Vous parlez ainsi : ¹¹"Nos révoltes et nos péchés sont sur nous, nous pourrissons à cause d'eux, comment pourrons-nous vivre ?" Dis-leur : Par ma vie — oracle du Seigneur DIEU — est-ce que je prends plaisir à la mort du méchant ? Bien plutôt à ce que le méchant change de conduite et qu'il vive ! Revenez, revenez de votre méchante conduite : pourquoi faudrait-il que vous mouriez, maison d'Israël ?

¹² Toi, fils d'homme, dis aux gens de ton peuple : La justice du juste ne le sauvera pas le jour de sa révolte et la méchanceté du méchant ne le fera pas trébucher le jour où il se détournera de sa méchanceté. Le juste ne pourra pas vivre de sa justice le jour où il péchera. ¹³ Si je dis au juste qu'il vivra certainement et que celui-ci, fort de sa justice, commette un méfait, aucun de ses actes justes ne sera retenu, il mourra dans le méfait qu'il aura commis. ¹⁴ Si je dis au méchant : Tu mourras certainement, et qu'il se détourne de son péché, pratique le droit et la justice, ¹⁵ s'il rend le gage, restitue ce qu'il a volé, s'il marche selon les lois de la vie ᵖ, en évitant de faire le mal, il vivra certainement, il ne mourra pas ; ¹⁶ aucun des péchés qu'il a commis ne sera retenu contre lui ; il a accompli le droit et la justice ; il vivra.

¹⁷ Les gens de ton peuple disent : "Le chemin du Seigneur n'est pas équitable" ; mais n'est-ce pas leur chemin à eux qui n'est pas équitable ? ¹⁸ Quand le juste se détourne de sa justice, commet un méfait et en meurt, ¹⁹ quand le méchant se détourne de sa méchanceté, pratique droit et justice et vit à cause d'eux, ²⁰ vous dites : "Le chemin du Seigneur n'est pas équitable !" Je vous jugerai chacun selon sa conduite, maison d'Israël. »

La terre d'Israël sera dévastée

²¹ La douzième année de notre dépor-

---

o son sang sera sur sa tête (v. 4) ou *sur lui* (v. 5): expression hébraïque signifiant: il subira les conséquences mortelles de sa faute ● *p les lois de la vie:* c'est-à-dire les lois qui sont source de vie (voir Dt 32.47; comparer Ez 20.25)

33.2 L'Epée Ez 21.8+ — Le guetteur Ez 3.17; Es 21.6, 8. **33.4** Le son du cor Ez 7.14+. **33.11** Dieu ne veut pas la mort du méchant Ez 18.23; 32; Sg 1.13. **33.15** Rendre le gage Ez 18.7+. **33.20** Chacun selon sa conduite Ez 18.30.

tation, le cinquième jour du dixième mois *q*, un rescapé arriva vers moi de Jérusalem pour dire : « La ville est tombée ! » ²² La main du Seigneur, qui avait été sur moi le soir précédant la venue du rescapé, m'ouvrit la bouche au moment où il arriva vers moi, le matin. Ma bouche s'ouvrit, je ne fus plus muet.

²³ Il y eut une parole du Seigneur pour moi : ²⁴ « Fils d'homme, les habitants de ces ruines qui se trouvent sur le sol d'Israël disent : "Abraham qui était seul prit possession du pays ; nous qui sommes nombreux, c'est à nous que le pays est donné en possession." ²⁵ C'est pourquoi, dis-leur : Ainsi parle le Seigneur Dieu : Vous mangez au-dessus du sang, vous levez les yeux vers vos idoles, vous commettez des crimes *r* et vous auriez le pays en possession ! ²⁶ Vous vivez de l'épée ; vous, les femmes, vous commettez ce qui est abominable ; vous, les hommes, vous rendez *impure la femme de votre prochain. Et vous auriez le pays en possession ! ²⁷ Tu leur diras ceci : Ainsi parle le Seigneur Dieu : Par ma vie, ceux qui sont parmi les ruines tomberont par l'épée ; celui qui est dans les champs, je le donne en pâture aux bêtes sauvages ; ceux qui sont dans les cavernes et dans les grottes mourront de la peste. ²⁸ Je ferai du pays une solitude désolée ; l'orgueil de sa force disparaîtra ; les montagnes d'Israël seront désertes parce que personne n'y passera. ²⁹ On connaîtra que je suis le Seigneur quand j'aurai fait du pays une solitude désertique à cause de toutes les abominations qu'ils ont commises.

³⁰ Ecoute, fils d'homme ! Les gens de ton peuple, ceux qui bavardent sur toi le long des murs et aux portes des maisons — parlant les uns avec les autres, chacun avec son frère — ils disent : "Venez écouter quelle parole vient de la part du Seigneur !" ³¹ Ils viendront à toi comme au rassemblement du peuple ;

ils s'assiéront devant toi, eux, mon peuple ; ils écouteront tes paroles mais ne les mettront pas en pratique car leur bouche est pleine des passions qu'ils veulent assouvir : leur cœur suit leur profit. ³² Au fond, tu es pour eux comme un chant passionné, d'une belle sonorité, avec un bon accompagnement. Ils écoutent tes paroles mais personne ne les met en pratique. ³³ Quand ce que tu as dit arrivera, et voilà que cela arrive, ils connaîtront qu'il y avait un *prophète au milieu d'eux. »

Contre les chefs d'Israël

34 ¹ Il y eut une parole du Seigneur pour moi : ² « Fils d'homme prononce un oracle contre les bergers *s* d'Israël, prononce un oracle et dis-leur, à ces bergers : Ainsi parle le Seigneur Dieu : Malheur aux bergers d'Israël qui se paissent eux-mêmes ! N'est-ce pas le troupeau que les bergers doivent paître ? ³ Vous mangez la graisse, vous vous revêtez de la toison, sacrifiant les bêtes grasses ; mais le troupeau, vous ne le paissez pas. ⁴ Vous n'avez pas fortifié les bêtes débiles, vous n'avez pas guéri la malade, vous n'avez pas fait de bandage à celle qui avait une patte cassée, vous n'avez pas ramené celle qui s'écartait, vous n'avez pas recherché celle qui était perdue, mais vous avez exercé votre autorité par la violence et l'oppression. ⁵ Les bêtes se sont dispersées, faute de pasteur, et elles ont servi de proie à toutes les bêtes sauvages ; elles se sont dispersées. ⁶ Mon troupeau s'est éparpillé par toutes les montagnes, sur toutes les hauteurs ; mon troupeau s'est dispersé sur toute la surface du pays sans personne pour le chercher, personne qui aille à sa recherche. ⁷ C'est pourquoi, bergers, écoutez la parole du Seigneur : ⁸ Par ma vie — oracle du Seigneur Dieu — parce que mon troupeau a été razzié, parce qu'il a

---

q Décembre 586-janvier 585 : Même en tenant compte du temps pris par le rescapé pour aller de Jérusalem à Babylone, cette date ne concorde pas avec celle de 2 R 25.8-9 ; Jr 39.29 (onzième année, au quatrième mois). Peut-être Ezéchiel, qui se trouve en Babylonie a-t-il une autre manière de compter le temps que les Judéens ● *r au-dessus du sang :* allusion possible à des pratiques magiques (voir Lv 19.26) — Les *crimes* sont aussi bien des fautes rituelles que des fautes sociales (voir v.15, 26, 22.3-4) ● *s* Dans le language du Proche Orient ancien, les rois étaient appelés *bergers de leur peuple* (voir 34.23) ; ce terme s'applique aussi à des chefs moins importants (voir Es 56.11 ; Za 11.4-17) ; mais le vrai berger est Dieu (voir v. 10-16)

33.22 muet Ez 3.24-27 ; 24.27. **33.24** Possession du pays Ez 11.15+. **33.25** Manger au-dessus du sang Lv 17.10-14 ; 19.26. **33.26** Femme rendue impure Ez 22.11+. **33.27** Peste Ez 28.23 ; cf. Ez 5.12+. **33.29** Connaître le Seigneur Ez 5.13+. **33.31** Ecouter sans mettre en pratique Mt 7.26 ; cf. Lc 8.21. **34.2** Berger Ez 34.10-16, 24 ; Es 56.11 ; Za 11 ; Ps 23.1 ; 80.2 ; Jn 10.11. **34.4** L'autorité exercée par la violence Ez 45.9 ; 1 S 8.11-18 ; 1 R 21 ; Mi 2.2. **34.5** Faute de berger Nb 27.10 ; 1 R 22.17 ; Za 10.2 ; Mt 9.36.

servi de proie à toutes les bêtes sauvages, faute de berger, parce que mes bergers ne sont pas allés à la recherche de mon troupeau, mais que ces bergers se paissaient eux-mêmes sans faire paître mon troupeau, [9] bergers, écoutez donc la parole du Seigneur : [10] Ainsi parle le Seigneur Dieu : Je viens contre ces bergers, je chercherai mon troupeau pour l'enlever de leurs mains, je mettrai fin à leur rôle de bergers, ils ne pourront plus se paître eux-mêmes ; j'arracherai mon troupeau de leur bouche et il ne leur servira plus de nourriture. [11] Car ainsi parle le Seigneur Dieu : Je viens chercher moi-même mon troupeau pour en prendre soin. [12] De même qu'un berger prend soin de ses bêtes le jour où il se trouve au milieu d'un troupeau débandé, ainsi je prendrai soin de mon troupeau ; je l'arracherai de tous les endroits où il a été dispersé un jour de brouillard et d'obscurité [t]. [13] Je le ferai sortir d'entre les peuples, je le rassemblerai des différents pays et je l'amènerai sur sa terre [u] ; je le ferai paître sur les montagnes d'Israël, dans le creux des vallées et dans tous les lieux habitables du pays. [14] Je le ferai paître dans un bon pâturage, son herbage sera sur les montagnes du haut pays d'Israël. C'est là qu'il pourra se coucher dans un bon herbage et paître un gras pâturage, sur les montagnes d'Israël. [15] Moi-même je ferai paître mon troupeau, moi-même le ferai coucher — oracle du Seigneur Dieu. [16] La bête perdue, je la chercherai ; celle qui se sera écartée, je la ferai revenir ; celle qui aura une patte cassée, je lui ferai un bandage ; la malade, je la fortifierai. Mais la bête grasse, la bête forte, je la supprimerai ; je ferai paître mon troupeau selon le droit.

Dieu vient au secours de son peuple

[17] « Quant à vous, mon troupeau, ainsi parle le Seigneur Dieu : Je vais juger entre brebis et brebis, entre les béliers et les boucs. [18] Ne vous suffit-il pas de paître un bon pâturage ? Faut-il encore que vous fouliez aux pieds le reste de la pâture ? Ne vous suffit-il pas de boire une eau claire ? Faut-il que vous troubliez le reste avec vos pieds ? [19] Ainsi mon troupeau doit pâturer ce que vos pieds ont foulé et boire l'eau que vous avez troublée. [20] C'est pourquoi, ainsi parle le Seigneur Dieu : Je viens juger moi-même entre la brebis grasse et la brebis maigre. [21] Parce que vous avez bousculé du flanc et de l'épaule, et parce que vous avez donné des coups de cornes à toutes celles qui étaient malades jusqu'à ce que vous les ayez dispersées hors du pâturage, [22] je viendrai au secours de mes bêtes et elles ne seront plus au pillage ; je jugerai entre brebis et brebis. [23] Je susciterai à la tête de mon troupeau un *berger unique ; lui je le ferai paître : ce sera mon serviteur David [v]. Lui je le ferai paître, lui sera leur berger. [24] Moi, le Seigneur, je serai leur Dieu et mon serviteur David sera prince au milieu d'eux. Moi, le Seigneur, j'ai parlé. [25] Je conclurai avec mon troupeau une *alliance de paix, je supprimerai du pays les bêtes féroces, il habitera en sécurité dans le désert et sommeillera dans les fourrés. [26] De ce pays et des alentours de ma colline [w] je ferai une bénédiction. Je ferai tomber en son temps la pluie qui sera une pluie de bénédiction. [27] L'arbre des champs donnera son fruit et la terre ses récoltes ; mon peuple sera en sécurité sur son territoire ; alors ils connaîtront que je suis le Seigneur quand j'aurai brisé les barres de leur *joug et que je les aurai arrachés des mains de ceux qui les asservissaient. [28] Les nations ne feront plus contre eux de razzias et les bêtes sauvages ne les dévoreront plus. Ils habiteront en sécurité sans personne pour les faire trembler. [29] Je ferai croître pour eux une plantation renommée. Il n'y aura plus dans le pays des gens emportés par la faim ; les nations ne leur feront plus porter de déshonneur. [30] Alors ils connaîtront que je suis le Seigneur, leur Dieu, qui suis avec eux, et qu'ils sont mon peuple, la maison d'Israël — oracle du Seigneur Dieu. [31] Vous êtes mon troupeau, le trou-

---

t brouillard et *obscurité:* allusion au châtiment de Dieu (ici, la ruine de Jérusalem et la déportation). Ces signes marqueront le jour du Seigneur (voir Am 5.18; 8.9; So 1.15) ● *u* Ezéchiel annonce la fin de l'exil ● *v* Le roi *David* a parfois été considéré comme le modèle du roi à venir promis par Dieu (cf. Jr 23.5) ● *w ma colline:* * Sion

34.14 Dieu fait paître son troupeau Es 40.11; Jr 23.3; Ps 23.1-3; 80.2; cf. Jn 10.1-30; 1 P 5.2-4; Ap 7.17. **34.16** Chercher la bête perdue Lc 15.4-7. **34.17** Jugement entre brebis et brebis Mt 25.32-33. **34.23** Berger unique Ez 37.22, 24. **34.25** Alliance de paix Os 2.20; cf. Es 11.6-9 — Habiter en sécurité Ez 28.26+. **34.26** La pluie en son temps Dt 11.14; 28.12; Jr 5.24. **34.30** Connaître le Seigneur Ez 20.42+.

peau de mon pâturage, vous les hommes. Moi, je suis votre Dieu — oracle du Seigneur Dieu. »

Menace contre les Edomites

35 ¹ Il y eut une parole du Seigneur pour moi : ² « Fils d'homme, dirige ton regard vers la montagne de Séïr ˣ et prononce un oracle contre elle. ³ Tu lui diras : Ainsi parle le Seigneur Dieu :
Je viens contre toi, montagne de Séïr.
J'étendrai la main sur toi
et je ferai de toi une solitude désolée.
⁴ Je mettrai tes villes en ruines ;
toi-même tu deviendras un désert :
alors tu connaîtras que je suis le Seigneur.
⁵ Parce que tu as eu une hostilité perpétuelle ʸ, et que tu as fait ruisseler le *sang des fils d'Israël par la force de l'épée au temps de leur désastre, au temps où leur péché est parvenu à son terme, ⁶ eh bien, par ma vie — oracle du Seigneur Dieu — je te mettrai en sang et le sang te poursuivra ; puisque tu n'as pas haï le sang, le sang te poursuivra.
⁷ Je ferai de la montagne de Séïr une solitude désolée, j'en retrancherai ceux qui la parcourent. ⁸ Je remplirai ses montagnes de ses morts. Parmi tes collines, tes vallées, le lit de tes ruisseaux, tomberont ceux que l'épée aura percés. ⁹ Je ferai de toi un désert éternel et tes villes ne seront pas habitées. Alors vous connaîtrez que je suis le Seigneur.
¹⁰ Parce que tu as dit : "Les deux nations et les deux pays ᶻ seront à moi, nous en prendrons possession", alors que le Seigneur est là, ¹¹ eh bien, par ma vie — oracle du Seigneur Dieu — je te traiterai selon la colère et la jalousie dont tu as fait preuve dans ta haine contre eux ; je me ferai connaître d'eux par la manière dont je te jugerai. ¹² Alors tu connaîtras que je suis le Seigneur ; j'ai entendu toutes les injures que tu as dites .contre les montagnes d'Israël : "Elles sont désertes ! Elles nous sont données en pâture." ¹³ Vous avez eu à mon égard un parler hautain, vous avez eu pour moi des paroles arrogantes : je l'ai bien entendu !

¹⁴ Ainsi parle le Seigneur Dieu : Puisque tout ce pays est dans la joie, je t'en ferai un désert ; ¹⁵ puisque tu te réjouis de ce que l'héritage de la maison d'Israël est un désert, je te rendrai la pareille.
La montagne de Séïr deviendra un désert,
tout Edom, en entier.
Alors on connaîtra que je suis le Seigneur.

Israël reprendra possession de sa terre

36 ¹ « Ecoute, fils d'homme, prononce un oracle contre les montagnes d'Israël ; tu diras : Montagnes d'Israël, écoutez la parole du Seigneur. ² Ainsi parle le Seigneur Dieu : L'ennemi a dit de vous : "Ah ! Ah ! Ces hauteurs antiques sont devenues notre possession." ³ Eh bien, prononce un oracle ; tu diras : Ainsi parle le Seigneur Dieu : Oui, parce qu'on vous a dévastées et convoitées de tous côtés, parce que vous êtes devenues la possession de toutes les autres nations, parce que lèvres et langues se sont moquées de vous parmi les peuples, ⁴ eh bien, montagnes d'Israël, écoutez la parole du Seigneur Dieu. Ainsi parle le Seigneur Dieu — aux montagnes, aux collines, aux ruisseaux, aux vallées, aux ruines désertes, aux villes abandonnées, objet des razzias et des moqueries de toutes les autres nations d'alentour — ⁵ ainsi parle le Seigneur Dieu : Je le jure, c'est dans le feu de ma jalousie que je parle contre toutes les autres nations et contre Edom ᵃ tout entier parce qu'ils se sont approprié mon pays. Ils avaient de la joie plein le cœur et le mépris dans l'âme parce que les pâturages du pays étaient un endroit à piller. ⁶ C'est pourquoi, prononce un oracle sur la terre d'Israël, dis aux montagnes, aux collines, aux ruisseaux, aux vallées : Ainsi parle le Seigneur Dieu : Me voici ! Je parle dans ma jalousie et ma fureur à cause du déshonneur que vous ont infligé les nations. ⁷ C'est pourquoi, ainsi parle le Seigneur Dieu : Je le jure, la main levée : les nations qui vous entourent porteront leur propre déshonneur. ⁸ Vous, montagnes d'Israël, vous ferez pousser vos branches et vous porterez votre fruit

---

x *Séïr* : voir 25.8 et la note ● y L'hostilité d'Edom (*Séïr*) remonte à l'époque de la conquête de la terre d'Israël (voir Nb 20.20 ; cf. Ez 25.12 et la note) ● z les *deux pays* sont les anciens royaumes d'Israël et de Juda ● a *jalousie* : voir Ex 20.5 et la note — *Edom* : voir la note sur 25.12

35.1 Contre Séïr (Edom) Ez 25.12+. **35.6** Sang Gn 9.6. **35.9** Connaître le Seigneur Ez 5.13+. **36.2** L'ennemi a dit... Ez 35.10 ; cf. Ez 25.3. **36.5** Jalousie de Dieu Ez 5.13+. **36.7** Serment du Seigneur Ez 20.6+.

pour mon peuple d'Israël, car il va bientôt revenir. [9] Oui, je viens vers vous, je me tourne vers vous : vous serez cultivées et ensemencées. [10] Je multiplierai sur vous les hommes, la maison d'Israël, tout entière ; les villes seront habitées, les ruines reconstruites. [11] Je multiplierai sur vous hommes et bêtes ; ils se multiplieront et fructifieront, je vous rendrai aussi peuplées qu'autrefois, je vous enverrai davantage de biens qu'au commencement ; alors vous connaîtrez que je suis le SEIGNEUR. [12] Je ferai marcher sur vous des hommes — mon peuple d'Israël — ils prendront possession de toi [b]. Tu seras leur héritage et tu ne les priveras plus de leurs enfants. [13] Ainsi parle le Seigneur DIEU : Parce que certains de vous disent : "Tu es un pays qui dévore les hommes, tu as privé ta nation de ses enfants", [14] eh bien, tu ne dévoreras plus d'hommes, tu ne feras plus trébucher ton peuple [c] — oracle du Seigneur DIEU. [15] Je ne te ferai plus entendre les propos déshonorants des nations, tu n'auras plus à supporter les insultes des peuples. Tu ne feras plus trébucher ton peuple — oracle du Seigneur DIEU. »

Le Seigneur va rassembler Israël

[16] Il y eut une parole du SEIGNEUR pour moi : [17] « Écoute, fils d'homme : la maison d'Israël qui résidait sur son sol l'a souillé par sa conduite et ses actions. Sa conduite a été devant moi comme la souillure d'une femme. [18] J'ai déversé sur eux ma fureur à cause du sang qu'ils ont versé sur le pays et à cause des idoles par lesquelles ils l'ont souillé. [19] Je les ai dispersés parmi les nations, ils ont été disséminés parmi les pays, je les ai jugés selon leur conduite et selon leurs actions. [20] Mon peuple est venu chez les nations, et là, ils ont profané mon saint *nom ; on disait d'eux en effet : "C'est le peuple du SEIGNEUR mais ils sont hors de son pays !" [21] Alors j'ai eu égard à mon saint nom que la maison d'Israël a profané

parmi les nations où elle est venue. [22] C'est pourquoi, dis à la maison d'Israël : Ainsi parle le Seigneur DIEU : Ce n'est pas à cause de vous que j'agis, maison d'Israël, mais bien à cause de mon saint nom que vous avez profané parmi les nations où vous êtes venus. [23] Je montrerai la sainteté de mon grand nom qui a été profané parmi les nations, mon nom que vous avez profané au milieu d'elles ; alors les nations connaîtront que je suis le SEIGNEUR — oracle du Seigneur DIEU — quand j'aurai montré ma sainteté en vous sous leurs yeux : [24] je vous prendrai d'entre les nations, je vous rassemblerai de tous les pays et je vous amènerai sur votre sol.

Le Seigneur va purifier Israël

[25] Je ferai sur vous une aspersion d'eau pure et vous serez *purs ; je vous purifierai de toutes vos impuretés et de toutes vos idoles. [26] Je vous donnerai un cœur neuf et je mettrai en vous un esprit neuf ; j'enlèverai de votre corps le *cœur de pierre et je vous donnerai un cœur de chair. [27] Je mettrai en vous mon propre esprit, je vous ferai marcher selon mes lois, garder et pratiquer mes coutumes. [28] Vous habiterez le pays que j'ai donné à vos pères ; vous serez mon peuple et je serai votre Dieu. [29] Je vous délivrerai de toutes vos souillures, j'appellerai le blé, je le ferai abonder, je ne vous imposerai plus la famine [d]. [30] Je ferai abonder le fruit de l'arbre, le produit des champs afin que vous n'ayez plus à supporter parmi les nations la honte d'avoir faim. [31] Vous vous souviendrez de vos mauvais chemins et de vos actions qui n'étaient pas bonnes. Le dégoût vous montera au visage à cause de vos péchés et de vos abominations. [32] Ce n'est pas à cause de vous que j'agis — oracle du Seigneur DIEU — il faut que vous le sachiez. Soyez honteux et confus de votre conduite, maison d'Israël.

---

b *de toi:* Ezéchiel s'adresse maintenant à la terre d'Israël ● c *tu ne feras plus trébucher ton peuple:* autre traduction (d'après les versions anciennes et de nombreux manuscrits): *tu ne priveras plus ton peuple de ses enfants;* de même au v. 15 ● d La *famine* (voir 1 R 17.1; Os 2.11), comme la peste (Ex 9.15; Jr 21.6) et l'épée (Ez 11.8; cf. Jr 15.2), est souvent considérée comme la conséquence de l'infidélité à l'égard de Dieu; elle est donc source de honte (v. 30)

36.10 Villes habitées. ruines reconstruites Es 58.12; 61.4; Jr 30.18. **36.11** Connaître le Seigneur Ez 20.42+. **36.13** Un pays qui dévore les hommes Nb 13.32. **36.17** Sol souillé Ez 22.3-12+ — Souillure d'une femme Lv 15.19-22. **36.20** Profaner le nom de Dieu Ez 20.9, 14, 39; 39.7; 43.8. **36.22** Dieu agit non à cause d'Israël Dt 9.5, mais à cause de son nom Ez 20.9+. **36.25** Eau pure Ez 47.1; Nb 19.9; 31.23. **36.26** Cœur neuf, esprit neuf Ez 11.19+ **36.28** Vous serez mon peuple et je serai votre Dieu Ez 11.20; 37.23, 27; Ex 6.7; Lv 26.12; Jr 11.4; 24.7; 31.33.

³³ Ainsi parle le Seigneur Dieu : Le jour où je vous purifierai de tous vos péchés, je peuplerai les villes, et les ruines seront relevées. ³⁴ Le pays dévasté sera cultivé, au lieu d'être un désert aux yeux de tous les passants. ³⁵ On dira : "Ce pays qui était dévasté est devenu comme un jardin d'Eden *e*, les villes qui étaient en ruines, dévastées, démolies, sont fortifiées et habitées." ³⁶ Alors les nations qui subsisteront autour de vous connaîtront que je suis le Seigneur qui reconstruit ce qui a été démoli, qui replante ce qui a été dévasté. Moi, le Seigneur, je parle et j'accomplis.

³⁷ Ainsi parle le Seigneur Dieu : Je ferai encore ceci : je me laisserai chercher par la maison d'Israël afin d'agir en sa faveur ; je les multiplierai comme un troupeau humain. ³⁸ Comme les troupeaux du *sanctuaire, comme les troupeaux à Jérusalem lors de ses fêtes, ainsi les villes en ruines seront pleines de troupeaux d'hommes. Alors, on connaîtra que je suis le Seigneur. »

La vision des ossements desséchés

37 ¹ La main du Seigneur fut sur moi ; il me fit sortir par l'esprit du Seigneur et me déposa au milieu de la vallée : elle était pleine d'ossements *f*. ² Il me fit circuler parmi eux en tout sens ; ils étaient extrêmement nombreux à la surface de la vallée, ils étaient tout à fait desséchés. ³ Il me dit : « Fils d'homme, ces ossements peuvent-ils revivre ? » Je dis : « Seigneur Dieu, c'est toi qui le sais ! » ⁴ Il me dit : « Prononce un oracle contre ces ossements ; dis-leur : Ossements desséchés, écoutez la parole du Seigneur. ⁵ Ainsi parle le Seigneur Dieu à ces ossements : Je vais faire venir en vous un souffle pour que vous viviez. ⁶ Je mettrai sur vous des nerfs, je ferai croître sur vous de la chair, j'étendrai sur vous de la peau, je mettrai en vous un souffle et vous vivrez ; alors vous connaîtrez que je suis le Seigneur ». ⁷ Je prononçai l'oracle comme j'en avais reçu l'ordre ; il y eut un bruit pendant que je prononçais l'oracle et un mouvement se produisit : les ossements se rapprochèrent les uns des autres. ⁸ Je regardai : voici qu'il y avait sur eux des nerfs, de la chair croissait et il étendit de la peau par-dessus ; mais il n'y avait pas de souffle en eux. ⁹ Il me dit : « Prononce un oracle sur le souffle, prononce un oracle, fils d'homme ; dis au souffle : Ainsi parle le Seigneur Dieu : Souffle, viens des quatre points cardinaux, souffle sur ces morts et ils vivront. » ¹⁰ Je prononçai l'oracle comme j'en avais reçu l'ordre, le souffle entra en eux et ils vécurent ; ils se tinrent debout : c'était une immense armée.

¹¹ Il me dit : « Fils d'homme, ces ossements, c'est toute la maison d'Israël. Ils disent : "Nos ossements sont desséchés, notre espérance a disparu, nous sommes en pièces *g*." ¹² C'est pourquoi, prononce un oracle et dis-leur : Ainsi parle le Seigneur Dieu : Je vais ouvrir vos tombeaux ; je vous ferai remonter de vos tombeaux, ô mon peuple, je vous ramènerai sur le sol d'Israël. ¹³ Vous connaîtrez que je suis le Seigneur quand j'ouvrirai vos tombeaux, et que je vous ferai remonter de vos tombeaux, ô mon peuple. ¹⁴ Je mettrai mon souffle en vous pour que vous viviez ; je vous établirai sur votre sol ; alors vous connaîtrez que c'est moi le Seigneur qui parle et accomplis — oracle du Seigneur. »

Le Seigneur va rétablir l'unité du peuple

¹⁵ Il y eut une parole du Seigneur pour moi : ¹⁶ « Toi, fils d'homme, prends un morceau de bois, écris dessus : Juda et les fils d'Israël qui lui sont associés. Puis prends un autre morceau de bois, écris dessus Joseph — ce sera le bois d'Ephraïm *h* — et toute la maison d'Israël qui lui est associée. ¹⁷ Rapproche ces morceaux l'un contre l'autre pour en former un seul ; ils seront unis dans ta main. ¹⁸ Lorsque les gens de ton peuple te diront : "Ne veux-tu pas nous expliquer ce que tu fais ?", ¹⁹ dis-leur : Ainsi parle le Seigneur Dieu : Je vais prendre le morceau de bois de Joseph — qui est dans la main d'Ephraïm — et des

---

e Eden: voir la note sur 31.8 ● *f* Le symbole des ossements est expliqué au v. 11 : c'est une image des Israélites ● *g* Expression très forte du désespoir des Israélites exilés : ils se comparent à des morts, mais Ezéchiel leur annonce le retour à la vie (v. 12) ● *h* Juda personnifie le royaume du Sud (voir 1 R 12-13) — *Joseph*, père d'*Ephraïm*, personnifie les tribus du royaume du Nord, disparu depuis la prise de Samarie et la déportation de ses habitants, en 721 avant J.C.

36.35 Eden Ez 28.13; Gn 2.8-17; Es 51.3. **36.38** Connaître le Seigneur Ez 20.42+. **37.1** La vallée Ez 3.22; 8.4. **37.5** Souffle cf. Gn 2.7+. **37.9** Des quatre points cardinaux Ap 7.1. **37.10** Le souffle entra et ils vécurent Gn 2.7; Ps 104.30; Ap 11.11. **37.19** Un seul morceau Za 11.7, 14.

tribus d'Israël qui lui sont associées ; je les placerai contre lui, c'est-à-dire contre le morceau de bois de Juda ; j'en ferai un seul morceau et ils seront un dans ma main. [20] Et les morceaux de bois sur lesquels tu auras écrit seront dans ta main, sous leurs yeux. [21] Dis-leur : Ainsi parle le Seigneur DIEU : Je vais prendre les fils d'Israël d'entre les nations où ils sont allés ; je les rassemblerai de partout et je les ramènerai sur leur sol. [22] Je ferai d'eux une nation unique, dans le pays, dans les montagnes d'Israël ; un roi unique sera leur roi à tous ; ils ne formeront plus deux nations et ne seront plus divisés en deux royaumes. [23] Ils ne se souilleront plus avec leurs idoles et leurs horreurs [i], ni par toutes leurs révoltes ; je les délivrerai de tous les lieux où ils habitent, les lieux où ils ont péché. Je les *purifierai, ils seront mon peuple et je serai leur Dieu. [24] Mon serviteur David [j] régnera sur eux, *berger unique pour eux tous ; ils marcheront selon mes coutumes, ils garderont mes lois et les mettront en pratique. [25] Ils habiteront le pays que j'ai donné à mon serviteur Jacob, le pays où vos pères ont habité, ils y habiteront eux, leurs fils, les fils de leurs fils, pour toujours ; mon serviteur David sera leur prince pour toujours. [26] Je conclurai avec eux une alliance de paix ; ce sera une *alliance perpétuelle avec eux. Je les établirai, je les multiplierai. Je mettrai mon *sanctuaire au milieu d'eux pour toujours. [27] Ma *demeure sera auprès d'eux ; je serai leur Dieu et eux seront mon peuple. [28] Alors, les nations connaîtront que je suis le SEIGNEUR qui consacre Israël, lorsque je mettrai mon sanctuaire au milieu d'eux, pour toujours. »

Menace contre Gog

38 [1] Il y eut une parole du SEIGNEUR pour moi : [2] « Fils d'homme, dirige ton regard vers Gog, au pays de Magog, grand prince de Mèshek et Tou-

bal [k] ; prononce un oracle contre lui. [3] Tu diras : Ainsi parle le Seigneur DIEU : Je viens contre toi, Gog, grand prince de Mèshek et Toubal, [4] et je te disloquerai, je mettrai des crochets à tes mâchoires [l], je te ferai sortir avec toute ton armée : chevaux, cavaliers superbement vêtus, vaste troupe portant écu et bouclier, tous maniant l'épée. [5] La Perse, la Nubie, Pouth [m] seront avec eux — ayant tous bouclier et casque — [6] Gomer et tous ses escadrons, Beth-Togarma [n] à l'extrême nord, avec tous ses escadrons : de nombreux peuples seront avec toi. [7] Prépare-toi bien, toi et toute l'assemblée que tu as réunie auprès de toi ; tu seras leur protection. [8] Depuis bien des jours, on aurait dû intervenir contre toi ! Cela arrivera à la fin des ans, sur une terre dont la population a été disloquée après le passage de l'épée. Venue de pays très peuplés, elle a été rassemblée sur les montagnes d'Israël qui avaient été longtemps en ruines. Cette population a été retirée des peuples et elle habitera tout entière en sécurité. [9] Tu monteras, tu arriveras en tempête, tu seras comme une nuée recouvrant le pays, toi, tous tes escadrons et les nombreux peuples qui sont avec toi.

[10] Ainsi parle le Seigneur DIEU : En ce jour-là, de nombreux projets te monteront au *cœur, tu inventeras un plan malfaisant, [11] tu diras : Je monterai contre un pays sans défense, j'arriverai vers des gens tranquilles, vivant en sécurité : ils habitent tous des villes sans murailles, ils n'ont ni verrous ni portes. [12] Tu viendras pour entasser du butin, pour piller et tourner ta main contre des ruines repeuplées, contre un peuple rassemblé d'entre les nations qui s'occupe de son bétail et de ses biens, et habite le nombril de la terre [o]. [13] Saba, Dedân, les trafiquants de Tarsis et tous ses lionceaux [p] te diront : Est-ce pour entasser du butin que tu es venu ? Pour piller, que tu as

---

i horreurs: voir les notes sur 5.9 et 11 ● *j David:* voir la note sur 34.23 ● *k* Les noms de *Gog* et du *pays de Magog*, qui n'apparaissent qu'ici, au ch. 39 et en Gn 10.2-3 sont mystérieux. Ils sont sans doute la personnification symbolique de l'ennemi; il ne faut donc pas chercher ici à les situer géographiquement de façon précise — *Mèshek* et *Toubal:* voir 27.13 et la note ● *l* On fixait des *crochets* à la mâchoire ou au nez des prisonniers de guerre pour les conduire comme du bétail (voir 19.9; comparer 29.4) ● *m Nubie, Pouth:* voir 27.10; 30.5 et les notes ● *n Gomer* et *Beth-Togarma* représentent des peuplades d'Arménie ● *o le nombril de la terre:* ici Jérusalem (comparer 5.5) ● *p Saba* (ou *Sheba*): royaume arabe (voir 1 R 10.1; Ps 72.10) — *Dedân:* voir la note sur 25.13 — *Tarsis:* voir la note sur 27.12 — Les *lionceaux* sont probablement les rois (voir 19.2-3)

37.22 Nation unique, roi unique Es 11.12-13; Jr 3.18; Os 2.2; Mi 2.12; cf. Ez 34.23; 37.20. **37.23** Ils seront mon peuple... Ez 36.28+.   **37.24** Berger unique Ez 34.23; Jn 10.16; cf. Ez 37.22+. **37.26** Alliance de paix Ez 34.25+.   **38.8** Habiter en sécurité Ez 28.26+.   **38.12** Nombril de la terre Jg 9.37.

réuni ton assemblée ? Pour prélever de l'argent et de l'or, pour prendre du bétail et des biens, pour entasser un grand butin ?

14 C'est pourquoi, prononce un oracle, fils d'homme, tu diras à Gog : Ainsi parle le Seigneur DIEU : Le jour où mon peuple d'Israël résidera en sécurité, n'auras-tu pas la connaissance *q* ? 15 Tu viendras de ton pays, de l'extrême nord, toi et de nombreux peuples avec toi ; tous montés sur des chevaux, vous formerez une grande assemblée, une immense armée. 16 Tu monteras contre mon peuple d'Israël, au point de recouvrir le pays comme une nuée. Cela se passera à la fin des temps ; je te ferai venir contre mon pays, afin que les nations me connaissent quand, sous leurs yeux, ô Gog, j'aurai montré ma *sainteté à tes dépens.

17 Ainsi parle le Seigneur DIEU : C'est bien toi dont j'ai parlé dans les temps anciens par mes serviteurs les *prophètes d'Israël qui prononcèrent des oracles ces jours-là — pendant des années — c'est toi que je ferai venir contre eux. 18 Ce jour-là, le jour où Gog arrivera sur la terre d'Israël — oracle du Seigneur DIEU — tu me feras monter la fureur au visage. 19 Dans ma jalousie *r*, dans le feu de ma furie, je le dis : oui, ce jour-là, il y aura un grand tremblement de terre sur le sol d'Israël. 20 Les poissons de la mer, les oiseaux du ciel, les bêtes sauvages, tout ce qui rampe sur le sol et tous les êtres humains à la surface du sol trembleront devant moi ; les montagnes s'abattront, les parois rocheuses s'effondreront, toutes les murailles tomberont à terre *s*. 21 Sur toutes mes montagnes, j'appellerai l'épée contre Gog — oracle du Seigneur DIEU — ; chacun tournera l'épée contre son frère. 22 J'exercerai le jugement contre lui par la peste et par le sang ; je ferai pleuvoir sur lui, sur ses escadrons et sur les nombreux peuples qui seront avec lui une pluie diluvienne, du grésil, du feu et du soufre.

23 Je montrerai ma grandeur et ma sainteté, je me ferai connaître aux yeux de nombreuses nations. Alors elles connaîtront que je suis le SEIGNEUR.

Nouvelle menace contre Gog

39 1 « Toi, fils d'homme, prononce un oracle contre Gog ; tu diras : ainsi parle le Seigneur DIEU : Je viens contre toi, Gog, grand prince de Mèshek et Toubal *t*. 2 Je te disloquerai, je te conduirai, je te ferai monter de l'extrême nord, et je t'amènerai contre les montagnes d'Israël. 3 Je te frapperai pour que ta main gauche lâche ton arc, et je ferai tomber tes flèches de ta main droite. 4 Tu tomberas sur les montagnes d'Israël, toi, tous tes escadrons et les peuples qui sont avec toi. Je te donnerai en pâture aux vautours, à tout ce qui vole, et aux bêtes sauvages *u*. 5 Tu tomberas en rase campagne ; car j'ai parlé — oracle du Seigneur DIEU. 6 J'enverrai un feu dans Magog et chez les habitants des îles *v* qui sont en sécurité ; alors ils connaîtront que je suis le SEIGNEUR. 7 Je ferai connaître mon saint *nom au milieu de mon peuple Israël et je ne laisserai plus profaner mon saint nom. Alors les nations connaîtront que je suis le SEIGNEUR, saint en Israël. 8 Voici, cela vient, c'est arrivé — oracle du Seigneur DIEU — c'est le *jour dont j'ai parlé. 9 Les habitants des villes d'Israël sortiront, ils allumeront un feu, ils feront un brasier avec le matériel de guerre : écus et boucliers, arcs et flèches, armes de poing *w* et lances ; ils auront de quoi faire du feu pendant sept ans. 10 Ils n'auront pas à ramasser de bois dans la campagne, ni à abattre d'arbres dans les forêts car c'est avec ce matériel de guerre qu'ils feront du feu. Ils dépouilleront ceux qui les ont dépouillés, ils pilleront ceux qui les ont pillés — oracle du Seigneur DIEU. 11 Alors, en ce jour, je fixerai là-bas une sépulture pour Gog, un tombeau en Israël, la vallée des Passants, à l'est de

---

q n'auras-tu pas la connaissance: autre traduction (d'après l'ancienne version grecque): *ne te mettras-tu pas en mouvement* ● *r jalousie:* voir la note sur Ex 20.5 ● *s* Ce sont les signes du *jour du Seigneur (voir Jr 4.24; cf. Es 2.10; Jl 4.16) ● *t Gog, Mèshek et Toubal:* voir la note sur 38.2 ● *u je te donnerai en pâture...* voir la note sur 29.5 ● *v iles:* voir la note sur Es 40.15 ● *w arme de poing:* poignard, épée ou javelot

38.16 Connaître le Seigneur Ez 5.13+. 38.19 Jalousie de Dieu Ez 5.13+. Tremblement de terre Am 8.8; Ap 11.13. 38.21 L'épée Ez 21.8+. 38.22 Feu et soufre Gn 19.24. 39.1 Gog Ez 38. 39.4 Je te donnerai en pâture Ez 29.5; 31.13; 32.4-5; Ap 19.17-18. 39.6 J'enverrai un feu Ez 21.3+. 39.7 Profaner le saint nom Ez 36.20+ — Le Seigneur saint Es 1.4; 5.19; 6.3; 10.17; 41.14; 43.15. 39.10 Dépouilleront... pilleront Es 33.1; Jr 30.16.

la mer *x* — elle coupe le chemin aux passants. On y ensevelira Gog et toute sa multitude et on l'appellera la Vallée de la Multitude de Gog. [12] Il faudra sept mois à la maison d'Israël pour les ensevelir afin de *purifier le pays *y*. [13] Toute la population les enterrera, elle en sera fière le jour où je me glorifierai — oracle du Seigneur DIEU. [14] Il y aura en permanence des hommes mis à part pour parcourir le pays, pour ensevelir les morts avec l'aide des passants *z*, pour purifier la terre de ceux qui sont restés dessus. Au bout de sept mois, ils se mettront en quête. [15] Chargés de parcourir le pays, ils le parcourront et s'ils voient un ossement humain, ils construiront à côté de lui un monticule *a* jusqu'à ce que les fossoyeurs les aient ensevelis dans la Vallée de la Multitude de Gog. [16] Il y aura même une ville dont le nom sera Hamona — Multitude — et ainsi ils purifieront le pays.

[17] Ecoute, fils d'homme ; ainsi parle le Seigneur DIEU : Dis aux oiseaux, à tout ce qui vole, à toutes les bêtes sauvages : Assemblez-vous, venez, réunissez-vous de partout en vue du *sacrifice que je vais offrir pour vous, un grand sacrifice sur les montagnes d'Israël. Vous pourrez manger de la chair, boire du sang ; [18] manger de la chair des héros, boire le sang des princes de la terre ; ce sont des béliers, des agneaux, des boucs, des taureaux, ils sont tous des bêtes grasses du Bashân *b*. [19] Vous pourrez manger de la graisse à satiété, boire du sang jusqu'à l'ivresse ; c'est le sacrifice que je fais pour vous. [20] A ma table vous vous rassasierez des chevaux et des bêtes de trait, des bêtes de tous les guerriers — oracle du Seigneur DIEU.

[21] Je mettrai ma gloire parmi les nations ; toutes les nations verront le jugement que j'exécuterai et la main que je poserai sur elles. [22] Alors, depuis ce jour et à l'avenir, la maison d'Israël connaîtra que je suis le SEIGNEUR son Dieu.

Résumé de la prédication d'Ezéchiel

[23] « Les nations connaîtront que la maison d'Israël est partie en exil à cause de son péché, parce qu'ils m'ont été infidèles ; c'est pourquoi je leur ai caché mon visage, je les ai livrés aux mains de leurs adversaires et ils sont tous tombés sous l'épée. [24] Je les ai traités d'après leur souillure et leur révolte ; c'est pourquoi je leur ai caché mon visage. [25] Mais ainsi parle le Seigneur DIEU : Maintenant, je changerai la destinée de Jacob *c*, j'userai de miséricorde envers toute la maison d'Israël et je me montrerai jaloux de mon saint *nom. [26] Ils oublieront leur déshonneur et toutes les infidélités qu'ils ont commises envers moi lorsqu'ils habitaient en sécurité sur leur sol, sans personne pour les faire trembler. [27] En les faisant revenir d'entre les peuples, je les rassemblerai loin des pays de leurs ennemis, je montrerai ma sainteté à travers eux, aux yeux de nombreuses nations. [28] Alors ils connaîtront que je suis le SEIGNEUR, leur Dieu, car après les avoir déportés chez les nations, je les rassemblerai sur leur propre sol ; je n'en laisserai plus là-bas. [29] Je ne leur cacherai plus mon visage puisque j'aurai répandu mon esprit sur la maison d'Israël — oracle du Seigneur DIEU. »

La vision du Temple futur

40 [1] La vingt-cinquième année de notre déportation, au début de l'année, le dix du mois, quatorze ans après la chute de la ville *d*, le même jour exactement, la main du SEIGNEUR fut sur moi. Il m'emmena là-bas. [2] Dans des visions divines, il m'emmena en terre d'Israël ; il me déposa sur une très haute montagne, sur laquelle, au sud, il y avait comme les édifices d'une ville. [3] Il m'emmena là-bas ; et voici : un homme ; son aspect était comme l'aspect du bronze. Il avait à la main comme un cordeau *e* de

---

x La *vallée des Passants* est peut-être la profonde vallée de l'Arnon, en Moab, dans les monts Abarim ; il y aurait alors un jeu de mot entre ce nom et le mot « passants », en hébreu *oberim* — La *mer* est la mer Morte ● *y* On refusait généralement toute sépulture aux ennemis (voir 2 R 9.37 ; Jr 8.1-13), mais la présence du cadavre de Gog souillerait les habitants du pays (voir Nb 19.11) ● *z pour ensevelir... passants :* traduit d'après l'araméen. Autre traduction (d'après l'hébreu) : *ensevelissant les passants, ceux qui sont restés* ● *a monticule :* tas de pierres destiné à servir de point de repère ● *b Bashân,* en Transjordanie (voir 27.6 et la note) était célèbre pour ses élevages de troupeaux (voir Am 4.1 et la note) ● *c Jacob :* voir la note sur Es 41.21 ● *d* Donc en septembre-octobre 573 avant J.C. ● *e cordeau :* instrument de mesure

39.25 Jaloux de mon saint nom Ez 5.13+ ; 20.9+. **39.26** Habiter en sécurité Ez 28.26+. **39.28** Connaître le Seigneur Ez 20.42+. **39.29** L'esprit de Dieu répandu Ez 11.19 ; 36.27 ; 37.14 ; Es 59.21 ; Jl 3.1 ; **40.1** La main du Seigneur fut sur moi Ez 1.3 ; 8.3 ; 37.1. **40.2** Haute montagne Ez 17.23 ; 20.40. 34.13-14 ; 36.1. **40.3** Cordeau Za 2.5 — Canne à mesurer Ap 11.1 ; 21.15.

lin ainsi qu'une canne à mesurer. Il se tenait à la porte. [4] L'homme me dit : « Fils d'homme, regarde de tous tes yeux ; écoute de toutes tes oreilles ; applique ton attention à tout ce que je vais te faire voir ; car c'est pour te le faire voir qu'on t'a amené ici. Tu raconteras à la maison d'Israël tout ce que tu vas voir. »

Le parvis et les porches extérieurs

[5] Et voici : le mur extérieur, tout autour du Temple. Dans la main de l'homme, une canne à mesurer, de six coudées — d'une coudée et un palme [f]. Il mesura l'épaisseur de la construction : une canne ; la hauteur : une canne. [6] Il vint vers la porte qui fait face à l'orient, il en monta les marches ; il mesura le seuil de la porte : une canne en profondeur — pour chaque seuil, une canne en profondeur. [7] Les loges [g] : une canne en longueur et une canne en largeur ; entre les loges, cinq coudées. Le seuil de la porte, du côté du vestibule de la porte, depuis l'intérieur, une canne. [8] Il mesura le vestibule de la porte [h] : [9] huit coudées ; ses piliers : deux coudées, le vestibule de la porte étant situé vers l'intérieur. [10] Les loges de la porte orientale : trois d'un côté, trois de l'autre ; mêmes dimensions pour les trois, et mêmes dimensions pour les piliers, de part et d'autre. [11] Il mesura la largeur de l'ouverture de la porte : dix coudées ; la profondeur de la porte : treize coudées. [12] Il y avait un intervalle devant les loges ; cet intervalle était d'une coudée de part et d'autre [i] — Les loges : six coudées d'un côté et six coudées de l'autre —. [13] Il mesura la porte, d'un fond à l'autre des loges ; largeur : vingt-cinq coudées, chaque entrée étant en face d'une autre entrée. [14] Il mesura le vestibule : vingt coudées ; quant au vestibule de la porte, le *parvis l'entourait [j]. [15] Le passage donnait sur la façade de la porte ;

jusqu'à la façade du vestibule — côté intérieur de la porte — cinquante coudées. [16] Des fenêtres grillagées sur les loges et sur leurs piliers, du côté intérieur de la porte, tout autour [k] ; de même pour le vestibule des fenêtres tout autour, du côté intérieur. Et sur chaque pilier, des palmes.

[17] Il me fit entrer dans le parvis extérieur ; et voici : des salles avec un dallage ; elles étaient aménagées, tout autour du parvis : trente salles sur ce dallage. [18] Le dallage, sur le côté des portes, correspondait à la largeur des portes : c'était le dallage intérieur. [19] Il mesura la distance, du devant de la porte inférieure jusqu'à la façade extérieure du parvis intérieur : cent coudées. Voilà pour l'est. Quant au nord, [20] il mesura la longueur et la largeur de la porte qui fait face au nord, sur le parvis extérieur. [21] Ses loges — trois d'un côté et trois de l'autre —, ses piliers et son vestibule étaient de mêmes dimensions que ceux de la première porte ; sa longueur : cinquante coudées ; largeur : vingt-cinq coudées. [22] Ses fenêtres, son vestibule et ses palmes étaient de mêmes dimensions que ceux de la porte qui fait face à l'orient ; on y montait par sept marches ; le vestibule était en face. [23] Il y avait une porte au parvis intérieur, face à la porte nord, comme à celle de l'est ; l'homme mesura, d'une porte à l'autre : cent coudées. [24] Il me fit aller en direction du sud ; et voici : il y avait une porte, en direction du sud. Il mesura ses piliers, son vestibule : mêmes dimensions que les autres. [25] La porte et son vestibule avaient des fenêtres tout autour, semblables aux autres fenêtres ; longueur : cinquante coudées ; largeur : vingt-cinq coudées. [26] Sept marches y accédaient face à son vestibule. Il y avait des palmes, de part et d'autre, sur ses piliers. [27] Le parvis intérieur avait une porte en direction du sud ; il mesura d'une porte à l'autre, en direction du sud : cent coudées.

f Ce *mur extérieur* devait séparer le territoire sacré du territoire profane (42.20; comparer Ex 19.12); de même, dans le Temple de l'époque du Christ, une barrière interdisait l'entrée du Temple aux païens, sous peine de mort (voir Ac 21.28) — Pour les termes *coudée*, *palme* dans les ch. 40-43, voir au glossaire POIDS ET MESURES. Ezéchiel précise qu'il s'agit ici d'une mesure plus longue que la coudée normale (0,52 m au lieu de 0,45 m) • g Les portes du Temple, comme les portes fortifiées des villes de la même époque, comportaient un seuil ouvrant sur un couloir central avec, de part et d'autre, des chambres (les *loges*), ici au nombre de trois de chaque côté (v. 10, 21); ces chambres étaient séparées par des piliers (v. 9) • h La traduction omet une phrase, probablement ajoutée par un scribe: *depuis l'intérieur, une canne; et il mesura le vestibule de la porte;* c'est une répétition de la fin du v. 7 et du v. 8 • i *de part et d'autre:* sous entendu, du couloir central; voir la note sur le v. 5 • j Ce v. est traduit d'après l'ancienne version grecque; l'hébreu est très obscur • k Ces *loges* entourant la porte et ces *fenêtres grillagées* permettent une étroite surveillance: il faut pourvoir empêcher les étrangers et les impies d'entrer dans le Temple (voir 44.7, 9, 11)

40.16 Fenêtres grillagées 1 R 6.4.   40.17 Salles du parvis 1 Ch 28.12.

Le parvis et les porches intérieurs

28 Il me fit entrer dans le *parvis intérieur par la porte sud et il mesura cette porte : mêmes dimensions que les autres [l]. 29 Ses loges, ses piliers et son vestibule : mêmes dimensions que les autres. La porte et son vestibule avaient des fenêtres, tout autour ; longueur : cinquante coudées ; largeur : vingt-cinq coudées. 30 — Des vestibules l'entouraient ; longueur : vingt-cinq coudées ; largeur : cinq coudées —. 31 Son vestibule donnait sur le parvis extérieur ; il y avait des palmes sur ses piliers ; huit marches y accédaient. 32 Il me fit entrer par l'est dans le parvis intérieur. Il mesura la porte : mêmes dimensions que les autres. 33 Ses loges, ses piliers et son vestibule : mêmes dimensions que les autres. La porte et son vestibule avaient des fenêtres, tout autour; longueur: cinquante coudées; largeur : vingt-cinq coudées. 34 Son vestibule donnait sur le parvis extérieur ; il y avait des palmes sur ses piliers, de part et d'autre. Huit marches y accédaient. 35 Il me fit venir vers la porte nord ; il mesura : mêmes dimensions que les autres. 36 Elle avait ses loges, ses piliers, son vestibule, ainsi que des fenêtres tout autour; longueur: cinquante coudées; largeur : vingt-cinq coudées. 37 Son vestibule donnait sur le parvis extérieur ; il y avait des palmes sur ses piliers, de part et d'autre ; huit marches y accédaient.

38 Une salle s'ouvrait sur le vestibule de la porte ; c'est là qu'on lave l'holocauste [m]. 39 Dans le vestibule de la porte, il y avait deux tables d'un côté et deux de l'autre, sur lesquelles on égorge les holocaustes ainsi que les victimes pour le péché et pour les *sacrifices de réparation. 40 De côté, à l'extérieur, pour qui montait vers l'entrée de la porte nord, il y avait deux tables et, de l'autre côté du vestibule de la porte, deux tables. 41 Quatre tables d'un côté et quatre tables de l'autre côté de la porte : huit tables sur lesquelles on égorge. 42 Quatre tables pour l'holocauste, en pierres de taille ; longueur : une coudée et demie ; largeur : une coudée et demie ; hauteur : une coudée. Sur ces tables on dépose les instruments avec lesquels on égorge les victimes pour les holocaustes et pour les sacrifices. 43 Des rebords d'un palme de largeur étaient aménagés à l'intérieur, tout autour. Sur les tables se trouvaient les viandes offertes. 44 Hors de la porte intérieure, il y avait les salles des chanteurs dans le parvis intérieur [n] : l'une sur le côté de la porte nord, avec sa façade au sud ; l'autre sur le côté de la porte sud, avec sa façade au nord. 45 Et l'homme me dit : « Cette salle, dont la façade est en direction sud, est pour les prêtres qui assurent le service de la Maison [o]. 46 Et la salle dont la façade est en direction du nord est pour les prêtres qui assurent le service de l'*autel ; ce sont les fils de Sadoq [p] qui, parmi les fils de Lévi, s'approchent du SEIGNEUR pour le servir. »

Description du Temple

47 L'homme mesura le *parvis ; longueur: cent coudées; largeur: cent coudées; un carré. L'*autel était devant la Maison. 48 Il me fit entrer dans le vestibule de la Maison ; il mesura les piliers du vestibule: cinq coudées d'un côté et cinq coudées de l'autre ; largeur de la porte : trois coudées d'un côté et trois coudées de l'autre. 49 Longueur du vestibule : vingt coudées ; largeur: douze coudées; des degrés y faisaient accéder. Il y avait des colonnes [q] près des piliers ; une d'un côté et une de l'autre.

41 1 Il me fit entrer dans la grande salle ; il mesura les piliers : six coudées de large, d'un côté et six coudées de large, de l'autre — largeur de la tente [r] —. 2 La largeur de l'entrée : dix

l Les portes du *parvis intérieur* sont identiques aux portes du parvis extérieur et leur sont symétriques, le vestibule des unes et des autres s'ouvrant sur le parvis extérieur (voir v. 8 et 31) • *m holocauste:* voir au glossaire SACRIFICES. Le terme désigne ici le corps de l'animal destiné à être offert en holocauste • *n Hors de la porte ... parvis intérieur:* traduction incertaine; le texte est difficile à comprendre — Les *chanteurs* jouaient un rôle important dans la liturgie du Temple (voir 1 Ch 25) • *o la Maison:* le Temple proprement dit • *p Sadoq* était le prêtre choisi par Salomon (voir 1 R 2.35); il appartenait à la tribu de Lévi (voir 2 Ch 5.27-34) et seuls ses descendants étaient considérés comme les prêtres légitimes • *q* Ces colonnes sont probablement semblables à celles du Temple de Salomon (voir 1 R 7.15-22; 2 Ch 3.15-17) • *r* La grande salle est la première des deux pièces qui constituaient le * sanctuaire; on l'appelle aussi le *lieu saint* (voir 1 R 8.8) — *largeur de la tente:* traduction de deux mots hébreux qui ne se rattachent à rien dans la phrase; l'ancienne version grecque les omet

40.28 Parvis intérieur 1 R 6.36. **40.38** Laver l'holocauste Lv 1.9, 13; 2 Ch 4.6. **40.44** Chanteurs 1 Ch 6.16-32; 9.33. **40.46** Fils de Sadoq Ez 43.19; 44.15; 48.11; 2 S 8.17; 15.24. **40.47** L'autel 1 R 8.64; 9.25. **40.48** Vestibule de la maison 1 R 6.3; 2 Ch 3.4. **41.1** Grande salle 1 R 6.3, 17; 2 Ch 3.5.

coudées ; les parois latérales de l'entrée :
cinq coudées d'un côté et cinq coudées
de l'autre. Il mesura la longueur de la
salle : quarante coudées ; la largeur :
vingt coudées. [3] Pénétrant à l'intérieur [s],
il mesura le pilier de l'entrée : deux coudées ; l'entrée : six coudées ; les parois
latérales de l'entrée : sept coudées. [4] Il
mesura la longueur de la pièce : vingt
coudées ; la largeur : vingt coudées, face
à la grande salle ; puis il me dit : « C'est
le lieu très saint. »

Les bâtiments annexes

[5] Il mesura le mur du Temple : six
coudées ; largeur de l'annexe : quatre
coudées, tout autour de la Maison [t].
[6] Les chambres annexes : les unes au-
dessus des autres ; il y en avait trois
étages de trente ; elles s'enfonçaient dans
le mur qui formait l'annexe de la Maison tout autour, de manière à s'encastrer ;
mais elles ne s'encastraient pas dans le
mur de la Maison. [7] Ces chambres
allaient en s'élargissant, étage par étage :
augmentation faite au détriment du mur,
étage par étage, tout autour de la Maison. C'est pourquoi la Maison s'élargis-
sait vers le haut. De l'étage inférieur
on montait à l'étage intermédiaire vers
celui d'en-haut. [8] Et je vis tout autour
de la Maison une élévation, d'une canne
entière, à la base des chambres annexes ;
un soubassement de six coudées. [9] Largeur du mur formant l'annexe, à l'extérieur : six coudées ; quant à l'espace
laissé entre les annexes de la Maison
[10] et les salles, largeur : vingt coudées
tout autour de la Maison. [11] Entrées des
annexes, vers l'espace libre : une entrée
en direction du nord et une entrée en
direction du sud ; largeur de l'espace
libre, cinq coudées tout autour. [12] L'édifice faisant face à la cour, du côté de la
mer [u], largeur : soixante-dix coudées ; le
mur de l'édifice, largeur : cinq coudées
tout autour ; sa longueur : quatre-vingt-
dix coudées. [13] Il mesura la Maison ;
longueur : cent coudées ; la cour, l'édifice et ses murs, longueur : cent coudées. [14] Largeur de la façade de la Maison et de la cour, vers l'est : cent coudées. [15] Il mesura la longueur de l'édi-

fice, du côté de la cour qui est derrière,
ainsi que ses galeries, de part et d'autre :
cent coudées.

L'intérieur du Temple

La grande salle à l'intérieur, les vestibules donnant sur le *parvis, [16] les seuils,
les fenêtres grillagées, les galeries, tout
autour sur trois côtés, face au seuil,
étaient de bois de sehif [v] : tout autour,
du sol jusqu'aux fenêtres ; les fenêtres
aussi étaient couvertes. [17] Jusqu'au-dessus
de l'entrée, jusqu'à l'intérieur de la Maison, ainsi qu'à l'extérieur et sur tout le
mur, tout autour, à l'intérieur et à l'extérieur, on avait ménagé un espace [18] pour
y faire des *chérubins et des palmes :
une palme entre deux chérubins ; chaque
chérubin avait deux faces : [19] une face
d'homme, tournée vers la palme, d'un
côté, et une face de lion, vers la palme,
de l'autre : l'ensemble effectué sur toute
la Maison, tout autour. [20] Du sol jusqu'au-dessus de l'entrée, sur le mur de
la grande salle, on avait fait des chérubins et des palmes. [21] La grande salle
avait des montants carrés.

Devant le lieu saint, ce qu'on voyait
avait l'aspect [22] d'un *autel de bois, haut
de trois coudées ; sa longueur : deux
coudées ; il avait ses pièces d'angles ;
son socle [w] et ses parois étaient en bois.
L'homme me dit : « C'est la table qui
est devant le Seigneur. » [23] Il y avait
une double porte à la grande salle et, au
lieu saint, [24] une double porte ; les portes avaient deux battants pivotants : deux
pour une porte et deux battants pour
l'autre. [25] On avait fait sur les portes de
la grande salle des chérubins et des palmes, comme ceux qu'on avait faits sur
les murs. Un auvent [x] de bois s'appuyait
sur la façade du vestibule, à l'extérieur.
[26] Des fenêtres grillagées et des palmes se
trouvaient de part et d'autre, sur les côtés
du vestibule, sur l'annexe de la Maison
et sur les auvents.

Les dépendances du Temple

42 [1] L'homme me fit sortir vers le
*parvis extérieur, en prenant la

---

[s] *l'intérieur* est la deuxième pièce du sanctuaire, le *lieu très saint* (v. 4; voir 1 R 8.6). Seul l'homme
y pénètre, Ezéchiel ne l'y accompagne pas ● [t] *Maison:* voir la note sur 40.45 ● [u] *du côté de
la mer:* vers l'ouest (il s'agit de la Méditerranée) ● [v] *étaient de bois de sehif:* autre traduction
étaient recouverts de bois ● [w] *son socle:* traduit d'après le grec; l'hébreu est obscur ● [x] *auvent:* voir la note sur 1 R 7.6

41.3 L'intérieur 1 R 6.19-20; 2 Ch 3.8. **41.6** Chambres annexes 1 R 6.5-6, 10. **41.16** Intérieur en
bois 1 R 6.15-18. **41.22** L'autel 1 R 6.20-21; cf. Ex 30.1-3. **41.23** Double porte 1 R 6.31-35.

direction du nord ; il me fit entrer dans les salles qui sont face à la cour et face à l'édifice, au nord. [2] Sur la façade, longueur : cent coudées, vers l'entrée nord, et largeur : cinquante coudées. [3] Devant les vingt coudées du parvis intérieur et devant le dallage du parvis extérieur, il y avait des galeries superposées sur trois étages [y]. [4] Devant les salles, une allée ; largeur : dix coudées vers le parvis intérieur ; longueur : cent coudées [z] ; leurs entrées étaient au nord. [5] Les salles supérieures étaient plus étroites car les galeries empiétaient sur elles, plus que sur les salles inférieures et intermédiaires de l'édifice. [6] Ces salles formaient trois étages et n'avaient pas de colonnes semblables aux colonnes des parvis ; aussi étaient-elles rétrécies, plus que les salles inférieures et intermédiaires, en partant du sol. [7] Le mur extérieur, correspondant aux salles, en direction du parvis extérieur, en face des salles, sa longueur : cinquante coudées. [8] Car la longueur des salles du parvis extérieur est de cinquante coudées ; par contre, face à la grande salle ; cent coudées. [9] En dessous des mêmes salles, débouchait l'entrée orientale, pour y accéder depuis le parvis extérieur. [10] Sur la largeur du mur du parvis, en direction de l'est, face à la cour et face à l'édifice, il y avait des salles, [11] avec un chemin devant elles ; même aspect que les salles qui étaient en direction du nord : même longueur et même largeur, mêmes issues, mêmes dispositions et mêmes portes. [12] C'était comme les portes des salles qui sont en direction du midi : une ouverture à l'extrémité du chemin, en face du mur de protection [a] situé en direction de l'orient, à leur entrée. [13] L'homme me dit : « Les salles du nord et les salles du midi face à la cour sont les salles du *sanctuaire ; car c'est là que les prêtres qui s'approchent du SEIGNEUR [b] doivent manger les choses très *saintes. C'est là qu'ils doivent déposer les choses saintes, l'offrande et le *sacrifice pour le péché et le

sacrifice de réparation, car ce lieu est saint. [14] Une fois entrés, les prêtres ne sortiront pas du lieu saint vers le parvis extérieur, mais ils déposeront là les vêtements avec lesquels ils officient, car ces vêtements sont sacrés. Ils mettront d'autres vêtements ; et ils pourront s'approcher des lieux destinés au peuple. »

Les mesures du mur d'enceinte

[15] L'homme compléta les mesures intérieures de la Maison ; il me fit sortir par le chemin de la porte qui fait face à l'orient et mesura tout autour. [16] Il mesura du côté de l'orient avec la canne à mesurer : cinq cents cannes, d'après la canne à mesurer, sur le pourtour. [17] Il mesura du côté du nord : cinq cents cannes d'après la canne à mesurer, sur le pourtour. [18] Il mesura aussi le côté du midi : cinq cents cannes, d'après la canne à mesurer. [19] Il finit par le côté de la mer [c] : il mesura : cinq cents cannes, d'après la canne à mesurer. [20] Il mesura l'ensemble sur les quatre côtés ; il y avait un mur d'enceinte, tout autour : longueur, cinq cents ; largeur, cinq cents. Ce mur devait séparer le sacré du profane.

La gloire de Dieu revient dans le Temple

43 [1] Il me conduisit vers la porte, la porte qui est tournée en direction de l'orient. [2] Et voici, la Gloire du Dieu d'Israël arrivait, depuis l'orient [d], avec un bruit, semblable au bruit des grandes eaux, et la terre resplendissait de sa Gloire. [3] C'était comme une vision — la vision que j'avais eue —, comme la vision que j'avais eue lorsqu'il vint pour détruire la ville ; c'était des visions semblables à la vision que j'avais eue sur le fleuve Kebar [e]. Alors je tombai sur mon visage. [4] Et la Gloire du SEIGNEUR entra dans la Maison [f], par la porte qui fait face à l'orient. [5] Et l'esprit m'enleva et

---

[y] La traduction de ce v. est incertaine. Le texte de tout le passage (v. 1-14) est difficile • [z] longueur: cent coudées: traduit d'après les anciennes versions grecque et syriaque; l'hébreu est obscur • [a] mur de protection: traduction incertaine • [b] Les prêtres s'approchent du Seigneur (voir 45.4), c'est-à-dire « s'approchent de la table » (voir 44.16) et « font le service de l'autel » (voir 40.46) en « présentant la graisse et le sang » (voir 44.15) • [c] le côté de la mer: voir la note sur 41.12 • [d] La gloire de Dieu qu'Ézéchiel avait vue s'éloigner vers l'orient (voir 10.19; 11.23) fait le chemin inverse (v. 4) • [e] Kebar: voir 1.1-3 • [f] Maison: voir la note sur 40.45

42.13 Les prêtres mangent les choses très saintes Lv 2.3, 10; 6.18-19; 7.6.   42.14 Dépôt des vêtements Ez 44.19.   42.16 Canne à mesurer Ez 40.3+.   42.20 Mur d'enceinte Ez 40.5.   43.2 Gloire de Dieu Ez 1.28+.   43.3 La vision ancienne Ez 3.12; 10.18-19; 11.22-23 — Destruction de la ville Ez 9.   43.5 L'esprit m'enleva Ez 3.14+ — La gloire remplit la maison Ex 40.34-35; 1 R 8.10-11; Es 6.1-4.

me fit entrer dans le *parvis intérieur. Et voici que la Gloire du SEIGNEUR remplissait la Maison. ⁶ Et j'entendis qu'on me parlait depuis la Maison, tandis que l'homme se tenait à côté de moi. ⁷ On me dit : « Fils d'homme, c'est l'emplacement de mon trône et la place de mes pieds ; c'est là que j'habiterai, au milieu des fils d'Israël, pour toujours.

La maison d'Israël ne souillera plus mon saint *nom ; ni elle, ni ses rois avec leurs débauches, ni les cadavres de ses rois avec leurs tombes ᵍ. ⁸ Ils ont placé leur seuil à côté de mon seuil, les montants de leurs portes à côté des miens, avec un mur mitoyen entre moi et eux. Ils ont souillé mon saint nom par les abominations qu'ils ont commises ; aussi je les ai exterminés dans ma colère. ⁹ Maintenant ils éloigneront de moi leurs débauches ainsi que les cadavres de leurs rois et j'habiterai au milieu d'eux pour toujours.

¹⁰ Et toi, fils d'homme, décris cette Maison à la maison d'Israël ; qu'ils soient honteux de leurs fautes ; qu'ils mesurent le plan. ¹¹ S'ils sont honteux de tout ce qu'ils ont commis, fais-leur connaître l'organisation de la Maison, sa disposition, ses sorties, ses entrées, toute son organisation, toutes ses prescriptions, toute son organisation, et tout son rituel. Ecris-les sous leurs yeux, afin qu'ils gardent toute son organisation et toutes ses prescriptions et qu'ils les appliquent. ¹² Telle est la loi de la Maison : au sommet de la montagne, tout son territoire, tout autour, est très saint. Voilà ! Telle est la loi de la Maison. »

L'autel et les sacrifices

¹³ Voici les dimensions de l'*autel en coudées, cette coudée valant une coudée et un palme. Le fossé, mesuré avec cette coudée : une coudée de large ; il s'étend, jusqu'au rebord qui en fait le tour, sur un empan ʰ. Voici la hauteur de l'autel : ¹⁴ du « sein-de-la-terre ⁱ », jusqu'au socle inférieur, deux coudées, sur une largeur d'une coudée ; depuis le petit socle jusqu'au grand socle, quatre coudées sur une largeur d'une coudée. ¹⁵ La « montagne-de-Dieu » : quatre coudées, et par-dessus le sommet, quatre cornes ʲ. ¹⁶ La « montagne-de-Dieu » : douze coudées de long sur douze de large ; elle est carrée par ses quatre côtés. ¹⁷ Le socle : quatorze coudées de long sur quatorze coudées de large, pour ses quatre côtés. Le rebord qui en fait le tour, une demi-coudée ; son fossé, autour de lui, une coudée. Les degrés en sont tournés vers l'orient.

¹⁸ L'homme me dit : « Fils d'homme, ainsi parle le Seigneur DIEU : Voici les prescriptions qui concernent l'autel, le jour où on le construira, pour qu'on fasse monter sur lui l'holocauste ᵏ et qu'on y répande le sang. ¹⁹ Aux prêtres-*lévites — ceux qui sont de la postérité de Sadoq, qui s'approchent pour me servir, oracle du Seigneur DIEU — tu donneras un taurillon pour le péché ˡ. ²⁰ Tu prendras de son sang, tu en mettras sur les quatre cornes de l'autel, sur les quatre angles du socle et sur le rebord qui en fait le tour ; tu feras ainsi l'expiation et la propitiation ᵐ pour l'autel. ²¹ Tu prendras le taureau qui a servi à l'expiation et on le brûlera dans un lieu déterminé de la Maison ⁿ, à l'extérieur du *sanctuaire. ²² Le second jour, tu présenteras pour l'expiation un bouc sans défaut et on fera l'expiation pour l'autel comme on l'a faite avec le taureau. ²³ Quand tu auras achevé l'expiation, tu présenteras un taurillon sans défaut et un bélier sans défaut, pris dans le petit bétail. ²⁴ Tu les présenteras devant le SEIGNEUR ; les

---

ᵍ *maison d'Israël:* cf. Es 2.5; 14.2 et les notes — La nécropole royale de Jérusalem se trouvait à l'intérieur de la cité (voir 1 R 2.10; 11.43), dans les dépendances du palais royal qui était attenant au Temple (v. 8; 1 R 7.12). De plus, Manassé et Ammon avaient été enterrés dans le « jardin d'Ouzza » (voir 2 R 21.18, 26) peut-être encore plus proche du Temple ● ʰ *une coudée et un palme:* voir la note sur 40.5. *Coudée, palme, empan:* voir au glossaire POIDS ET MESURES — Le *fossé* est la rigole qui entoure l'autel (voir 1 R 18.32) ● ⁱ *le sein de la terre:* certains pensent que cette expression désigne le fossé mentionné au v. 13, d'autres la rapprochent d'un terme babylonien et y voient la base de l'autel ● ʲ *montagne de Dieu:* terme d'origine babylonienne qui désigne ici le sommet de l'autel (voir 28.14-16) — Sur les *cornes* de l'autel, voir Ex 27.2 et la note ● ᵏ *holocauste:* voir au glossaire SACRIFICES ● ˡ *Sadoq:* voir la note sur 40.46 — *pour le péché:* c'est-à-dire en * sacrifice pour le péché ● ᵐ *expiation; propitiation:* voir au glossaire SACRIFICES ● ⁿ *Maison:* voir la note sur 40.45

43.7 Emplacement de mon trône Es 6.1; Jr 3.17; cf. Es 66.1, de la plante de mes pieds 1 Ch 28.2; Ps 99.5; 132.7; Lm 2.1; résidence du Seigneur Es 25.8; 1 R 8.12-13.   **43.13** L'autel Ex 27.1-8; 1 R 8.64; 2 Ch 4.1 — Le fossé 1 R 18.32.   **43.18** Prescriptions pour l'autel Ex 29.36-37; Lv 8.11, 15-16; 16.18-19; cf. *1 M* 4.52-56.   **43.19** Fils de Sadoq Ez 40.46+.

prêtres jetteront sur eux du sel *o* et les feront monter en holocauste pour le SEIGNEUR. 25 Sept jours durant, tu feras le *sacrifice du bouc pour le péché, chaque jour ; on fera de même pour le taurillon et le bélier sans défaut pris dans le petit bétail. 26 Sept jours durant, on fera la propitiation pour l'autel ; on le purifiera et on l'inaugurera. 27 Une fois ces jours passés, les prêtres feront sur l'autel, le huitième jour et les suivants, vos holocaustes et vos sacrifices de paix ; alors je vous serai favorable — oracle du Seigneur DIEU. »

La porte orientale réservée au prince

44 1 L'homme me ramena vers la porte extérieure du *sanctuaire, celle qui fait face à l'orient ; elle était fermée. 2 Le SEIGNEUR me dit : « Cette porte restera fermée ; on ne l'ouvrira pas ; personne n'entrera par là ; car le SEIGNEUR, le Dieu d'Israël, est entré par là ; elle restera fermée. 3 Mais le prince, puisqu'il est prince, s'y assiéra pour prendre le repas *p* devant le SEIGNEUR. C'est par le vestibule de la porte qu'il entrera et il sortira par ce chemin. »

Les étrangers ne seront pas admis au Temple

4 L'homme me fit entrer par la porte du nord, jusqu'à la façade de la Maison. Je regardai et voici, la gloire du SEIGNEUR emplissait la Maison du SEIGNEUR. Je tombai sur mon visage. 5 Le SEIGNEUR me dit : « Fils d'homme, sois bien attentif ; regarde de tes yeux, écoute de tes oreilles tout ce que je vais te dire au sujet de toutes les prescriptions relatives à la Maison du SEIGNEUR et concernant tout son rituel ; tu appliqueras ton cœur à la signification des entrées de la Maison et de toutes les sorties du sanctuaire. 6 Tu diras à ces rebelles, à la maison

d'Israël *q* : Ainsi parle le Seigneur DIEU : C'en est trop de toutes vos abominations, maison d'Israël : 7 vous introduisez des étrangers *r*, *incirconcis de cœur, incirconcis de chair, pour qu'ils soient dans mon *sanctuaire et profanent ma Maison ; vous offrez ma nourriture — la graisse et le sang —, de sorte que mon *alliance est rompue par toutes vos abominations. 8 Vous n'avez pas gardé les observances relatives à mes choses *saintes, mais vous avez établi des étrangers, afin qu'ils gardent pour vous mes observances, dans mon sanctuaire. 9 Ainsi parle le Seigneur DIEU : Aucun étranger, incirconcis de cœur et incirconcis de chair, n'entrera dans mon sanctuaire ; aucun étranger qui demeure au milieu des fils d'Israël.

Règles pour les lévites

10 Quant aux *lévites qui se sont éloignés de moi au temps où Israël errait — ils erraient loin de moi, à la poursuite de leurs idoles —, ils porteront le poids de leur péché *s*. 11 Ils seront dans mon *sanctuaire, serviteurs veillant sur les portes de la Maison, et serviteurs de la Maison ; c'est eux qui égorgeront les bêtes de l'holocauste *t* et du sacrifice pour le peuple ; et c'est eux qui se tiendront devant le peuple pour le servir. 12 Parce qu'ils l'ont servi devant les idoles et parce qu'ils firent tomber la maison d'Israël dans le péché, pour cela, je lève la main contre eux — oracle du Seigneur DIEU — ils porteront le poids de leur péché. 13 Ils ne s'approcheront pas de moi pour exercer mon sacerdoce ni pour s'approcher de toutes mes choses saintes, choses très saintes ; ils porteront le poids de leur déshonneur et des abominations qu'ils ont commises. 14 Je les établis responsables des observances de la Maison, de tout ce qui a trait à son service et de tout ce qui s'y fait.

---

o Le *sel* purifie (voir Ex 30.35 ; 2 R 2.20) et donne de la saveur (voir Mt 5.13) ; il est parfois symbole d'alliance (voir Lv 2.13 ; Nb 18.19) ● *p s'y assiéra:* probablement dans l'une des chambres mentionnées en 40.7, voir la note à cet endroit — Le *repas* est celui qui suit certains sacrifices (voir par exemple 18.6 et la note ; Lv 6.11, 22) ● *q maison d'Israël:* cf. Es 2.5 ; 14.2 et les notes ● *r étrangers:* des non-Israélites étaient parfois employés dans le Temple à des fonctions subalternes (voir Jos 9.27 ; Esd 2.55 ; 8.20) ● *s* Le *péché* des lévites est de s'être laissé entraîner à l'idolâtrie (v. 12) dans les petits sanctuaires locaux dont ils étaient les prêtres. Dans le Temple futur, ils ne seront donc chargés que de tâches secondaires (v. 13-14) ● *t holocauste:* voir au glossaire SACRIFICES

43.25 Sept jours durant Lv 8.33-35.   **43.27** Alors je vous serai favorable Ez 20.40-41.   **44.2** Le Seigneur est entré par là Ez 43.4.   **44.3** Le prince Ez 45.7 ; 46.2-18 ; 48.21-22.   **44.4** La gloire remplit la maison Ez 43.5+.   **44.7** Offrir la graisse et le sang Ez 44.15+.   **44.10** Les lévites portent le poids de leur péché Nb 18.1-6.   **44.11** Serviteurs veillant sur les portes 1 Ch 9.17-26 ; 26.1-19 — Serviteurs de la Maison 1 Ch 9.26-32 ; 26.20-28.

Règles pour les prêtres

¹⁵ Quant aux prêtres-*lévites, fils de Sadoq ᵘ, qui ont respecté les observances de mon *sanctuaire, lorsque les fils d'Israël erraient loin de moi, c'est eux qui s'approcheront de moi, pour me servir. Ils se tiendront devant moi pour me présenter la graisse et le sang — oracle du Seigneur DIEU. ¹⁶ C'est eux qui entreront dans mon sanctuaire ; c'est eux qui s'approcheront de ma table, pour me servir : ils ont respecté mes observances. ¹⁷ Alors, quand ils entreront par les portes du parvis intérieur, ils revêtiront les habits de lin. Ils ne porteront pas de laine ᵛ, quand ils officieront aux portes du *parvis intérieur et dans la Maison. ¹⁸ Ils auront sur la tête des turbans de lin et aux reins des caleçons de lin. Ils n'auront pas de ceinture, à cause de la sueur. ¹⁹ Quand ils sortiront sur le parvis extérieur, vers le peuple, ils ôteront les vêtements dans lesquels ils auront officié et les déposeront dans des salles du sanctuaire. Ils prendront d'autres vêtements et ne sanctifieront ʷ pas le peuple par leurs vêtements. ²⁰ Ils ne se raseront pas la tête ; ils ne laisseront pas leur chevelure libre, mais ils la tailleront soigneusement. ²¹ Aucun prêtre ne boira de vin quand il devra entrer dans le parvis intérieur. ²² Ils n'épouseront pas de femme veuve ou répudiée, mais seulement des vierges de la race d'Israël ; ils pourront épouser la veuve d'un prêtre. ²³ Ils enseigneront à mon peuple la distinction du sacré et du profane et ils lui feront connaître la distinction du *pur et de l'impur. ²⁴ En cas de procès, c'est eux qui interviendront en juges ; ils jugeront le cas selon mon droit ; ils observeront mes décisions et mes décrets dans toutes mes solennités et ils tiendront mes *sabbats pour sacrés. ²⁵ Ils n'entreront pas

chez un homme mort, car ils deviendraient impurs ; cependant pour un père, une mère, un fils, une fille, un frère, une sœur qui n'a pas appartenu à un homme, ils pourront se rendre impurs. ²⁶ Quand il se sera purifié, on lui comptera sept jours. ²⁷ Puis, le jour où il entrera dans le sanctuaire — dans le parvis intérieur, pour officier dans le sanctuaire —, il présentera son *sacrifice pour le péché — oracle du Seigneur DIEU. ²⁸ Ils auront un héritage et leur héritage, c'est moi ; des propriétés, vous ne leur en donnerez pas en Israël : c'est moi leur propriété. ²⁹ C'est eux qui mangeront l'offrande, la victime pour le péché et le sacrifice de réparation : tout ce qui est voué à l'interdit ˣ en Israël sera pour eux. ³⁰ Le meilleur des *prémices de tout, et de tous les prélèvements ʸ de tout, pris sur tous vos prélèvements, sera pour les prêtres ; le meilleur de vos fournées, vous le donnerez au prêtre, pour que la bénédiction repose sur ta maison. ³¹ Les prêtres ne mangeront d'aucune bête crevée ou déchiquetée, que ce soit d'un oiseau ou d'un animal.

Les territoires réservés

45 ¹ « Lorsque vous répartirez le pays en lots, vous prélèverez une part pour le SEIGNEUR ; elle sera sacrée, prise sur le pays ; longueur : vingt-cinq mille coudées ᶻ ; largeur : dix mille. Elle sera sacrée sur tout son territoire, partout. ² Il y aura, à l'intérieur, pour le *sanctuaire, un carré de cinq cents coudées de cinq cents et, tout autour de lui, une zone de cinquante coudées. ³ Sur ce que vous aurez prélevé, tu mesureras en longueur vingt-cinq mille coudées et en largeur dix mille ; là sera le sanctuaire, le lieu très saint. ⁴ Sacré, pris sur le pays, ce lieu appartiendra aux

---

u *Sadoq*: voir la note sur 40.46 ● v L'interdiction faite aux prêtres de porter de la laine, connue également chez les Cananéens et les Egyptiens, est sans doute due à un souci de propreté (voir v. 18) ● w Selon les conceptions anciennes, la sainteté était comme une force, qui se transmettait de la divinité aux objets du culte, vêtements liturgiques, etc., et à ceux qui les touchaient (voir Ex 30.29). Cette force redoutable pouvait anéantir ceux qui n'avaient pas la préparation rituelle nécessaire (voir 2 S 6.6-7) ● x *interdit* : Voir Dt 2.34 et la note ● y *prélèvement*: ce qui est pris sur les troupeaux et les récoltes pour être offert en sacrifice ● z *coudées*: voir au glossaire POIDS ET MESURES

44.15 Fils de Sadoq Ez 40.46+ — Ceux qui s'approchent du Seigneur Nb 18.7 ; 1 Ch 6.33-38 — Présenter la graisse et le sang Lv 3.2-4, 16-17 ; 4.5-9, 16-19, 25-26, 30-31 ; 9.9-10, 18-19. **44.17** Vêtements de lin Ex 28.5, 40-42 ; Lv 6.3 ; 16.4. **44.19** Dépôt de vêtements Ez 44.19. **44.20** Tête non rasée Lv 21.5, chevelure attachée Lv 10.6 ; 21.10 ; cf. Ez 24.17, 23. **44.21** Interdiction du vin Lv 10.9. **44.22** Règles pour le mariage Lv 21.7, 13. **44.23** Les prêtres enseignent Israël Lv 10.10-11 ; 15.31. **44.24** Observance des décrets et des fêtes Ez 20.19-20. **44.25** Contact avec un mort Lv 21.1-4. **44.28** Héritage des lévites Nb 18.20-24 ; Dt 18.1-2 ; Jos 13.14. **44.31** Bête crevée ou déchiquetée Ez 4.14 ; Ex 22.30 ; Lv 17.15-16 ; 22.8 ; Dt 14.21. **45.1** Répartition du pays Ez 48.1-29 ; Jos 13.6—21.43 — Part sacrée (sanctuaire et prêtres) Ez 48.8-12.

prêtres qui desservent le sanctuaire, à ceux qui s'approchent du SEIGNEUR pour le servir ; ils auront ainsi un emplacement pour leurs maisons et un lieu sacré pour le sanctuaire. 5 Une zone de vingt-cinq mille coudées de long et dix mille de large appartiendra aux *lévites qui desservent la Maison ; ils y posséderont vingt villes *a*. 6 Pour le domaine de la ville, vous donnerez cinq mille coudées en largeur et, en longueur, vingt-cinq mille correspondant à la part du sanctuaire ; ce sera pour toute la maison d'Israël. 7 Il y aura pour le prince une zone de chaque côté de la part du sanctuaire et de la part de la ville, le long de la part du sanctuaire et de la part de la ville : du côté et en direction de la mer *b*, et du côté et en direction de l'orient ; sa longueur correspondra à chacun des lots, depuis la frontière maritime jusqu'à la frontière orientale 8 du pays ; ce sera son domaine en Israël. Ainsi mes princes n'exploiteront plus mon peuple ; ils donneront le pays à la maison d'Israël, à ses tribus.

Les droits et les devoirs du prince

9 « Ainsi parle le Seigneur DIEU :
C'en est trop, princes d'Israël !
rejetez la violence et la rapine ;
pratiquez le droit et la justice ;
cessez vos exactions contre mon peuple ;
oracle du Seigneur DIEU !
10 Ayez des balances justes, un épha juste, un bath *c* juste. 11 Que l'épha et le bath soient de même capacité ; que le bath contienne un dixième de homer et l'épha un dixième de homer ; c'est d'après le homer que sera jaugée leur capacité. 12 Le sicle vaudra vingt guéras ; vingt sicles, plus vingt-cinq sicles, plus quinze sicles vous vaudront une mine *d*.
13 Voici la part que vous prélèverez : un sixième d'épha par homer de blé et

un sixième d'épha par homer d'orge. 14 Le décret sur l'huile — le bath d'huile — : un dixième de bath par kor, dix baths font un homer, puisque dix baths font un kor. 15 Un mouton par troupeau de deux cents têtes des pâturages d'Israël servira à l'offrande, à l'holocauste, aux *sacrifices de paix, pour faire le rite d'absolution sur le peuple — oracle du Seigneur DIEU. 16 Tout le peuple du pays participera à cette contribution au profit du prince en Israël.
17 Au prince incomberont les holocaustes, l'offrande et la libation *e*, lors des pèlerinages, des *néoménies, des *sabbats, lors de toutes les fêtes de la maison d'Israël ; c'est lui qui fera le sacrifice pour le péché, ainsi que l'offrande, l'holocauste et les sacrifices de paix, pour faire le rite d'absolution en faveur de la maison d'Israël.

Règles pour diverses fêtes

18 Ainsi parle le Seigneur DIEU : le premier du mois, tu prendras un taurillon sans défaut et tu feras l'expiation *f* pour le *sanctuaire. 19 Le prêtre prendra du sang de la victime pour le péché et en mettra sur les montants de la Maison *g*, sur les quatre angles du socle de l'autel et sur le montant de la porte du *parvis intérieur. 20 Tu feras de même le sept du mois, pour qui a péché par mégarde ou par distraction. Vous ferez le rite d'absolution de la Maison. 21 Le premier mois, le quatorzième jour du mois, ce sera pour vous la Pâque, une fête de sept jours ; on mangera des *pains sans levain *h*. 22 Ce jour-là, le prince fera le *sacrifice pour le péché, d'un taureau, pour lui-même et pour tout le peuple. 23 Durant les sept jours de la fête, il fera l'holocauste pour le SEIGNEUR : sept taureaux et sept béliers sans défaut, chacun des sept jours, ainsi que le sacrifice pour

---

a vingt villes: traduit d'après le grec; l'hébreu est obscur — Ces villes lévitiques (voir Lv 25.33-34; Nb 35.1-8) sont énumérées en Jos 21.1-42 et 1 Ch 6.39-66, où on en compte quarante-huit ● *b la mer:* voir la note sur 41.12 ● *c épha, bath, homer* (v. 11), *kor* (v. 14): voir au glossaire POIDS ET MESURES ● *d sicle, guéra, mine:* voir au glossaire MONNAIES ● *e libation:* voir au glossaire SACRIFICE ● *f le premier mois:* le mois de nisan; voir au glossaire CALENDRIER — *expiation:* voir au glossaire SACRIFICES ● *g Maison:* voir la note sur 40.45 ● *h* Premier témoignage de la réunion en une seule célébration de la fête de la Pâque (voir Ex 12.1-11) et de la fête des pains sans levain (voir Ex 12.15-20; cf. Lv 23.5-6). Sur ces fêtes, voir au glossaire CALENDRIER

45.5 Part des lévites Ez 48.13-14. **45.6** Part de la ville Ez 48.15-20. **45.7** Part du prince Ez 48.21-22. **45.9** Exhortation du prince Jr 22.2-3. **45.10** Balances justes Lv 19.35-36. **45.13** Prélèvements pour les offrandes Ex 30.13-16; cf. Mt 23.23. **45.19** Rite du sang Ez 12.7; Lv 16.14-15, 18-19; cf. Ez 44.15+. **45.21** Pâque Ex 12.1-14; Lv 23.5; Nb 28.16-25; Dt 16.1-8 — Pains sans levain Ex 12.15-20; Lv 23.6-7.

le péché : un bouc par jour. ²⁴ Il fera l'offrande d'un épha *ⁱ* de farine par taureau et d'un épha par bélier ; en huile, d'un hîn par épha. ²⁵ Le septième mois, le quinzième jour du mois, lors de la Fête *ʲ*, il fera de même, durant les sept jours : même sacrifice pour le péché, même holocauste, même offrande, même présentation d'huile.

Règles particulières pour le prince

46 ¹ Ainsi parle le Seigneur DIEU : La porte du parvis intérieur, qui est tournée vers l'orient, sera fermée durant les six jours de travail ; mais le jour du *sabbat elle sera ouverte ; elle sera également ouverte au jour de la *néoménie. ² Le prince, venant de l'extérieur, entrera par le vestibule de la porte et il se tiendra contre le montant de la porte ; puis les prêtres offriront l'holocauste du prince et ses *sacrifices de paix. Le prince se prosternera sur le seuil de la porte puis sortira, mais la porte ne sera pas fermée jusqu'au soir. ³ Les laïcs se prosterneront devant le SEIGNEUR à l'entrée de cette porte, lors des sabbats et des néoménies *ᵏ*. ⁴ L'holocauste que le prince offrira au SEIGNEUR, le jour du sabbat, sera de six agneaux sans défaut et d'un bélier sans défaut. ⁵ L'offrande sera d'un épha de farine, pour le bélier ; pour les agneaux, l'offrande sera un cadeau de sa part ; en huile, un hîn par épha *ˡ*. ⁶ Le jour de la néoménie, elle sera d'un taurillon sans défaut, de six agneaux et d'un bélier sans défaut. ⁷ Le prince fera aussi l'offrande d'un épha pour le taureau et d'un épha pour le bélier ; pour les agneaux, ce sera selon ses possibilités ; en huile, un hîn par épha. ⁸ Quand le prince entrera, il entrera par le vestibule du porche et il sortira par ce chemin. ⁹ Quand les laïcs viendront devant le SEIGNEUR, lors des solennités, ceux qui entreront par la porte nord, pour se prosterner, sortiront par la porte du Néguev

et ceux qui entreront par la porte du Néguev sortiront par la porte nord *ᵐ* ; on ne reprendra pas la porte par laquelle on est entré ; on sortira par la porte opposée. ¹⁰ Quant au prince, il entrera avec eux, au moment où ils entreront, et il sortira quand ils sortiront.

Règles pour les divers sacrifices

¹¹ Lors des pèlerinages et des fêtes, l'offrande sera d'un épha pour le taureau et d'un épha pour le bélier ; pour les agneaux, ce sera un cadeau de sa part ; en huile, un hîn par épha *ⁿ*. ¹² Lorsque le prince fera, pour le SEIGNEUR, un holocauste volontaire, ou un sacrifice de paix volontaire, on lui ouvrira la porte qui est tournée vers l'orient et il fera son holocauste et ses *sacrifices de paix, comme il le fait le jour du *sabbat ; puis il sortira et on fermera la porte dès sa sortie. ¹³ Avec un agneau de l'année sans défaut, tu feras, chaque jour, un holocauste au SEIGNEUR ; tu le feras chaque matin. ¹⁴ Comme offrande, tu offriras en plus, chaque matin, un sixième d'épha et, en huile, un tiers de hîn, pour humecter la farine. C'est une offrande pour le SEIGNEUR, loi perpétuelle, à jamais. ¹⁵ On offrira l'agneau, on fera l'offrande de l'huile chaque matin en holocauste perpétuel.

L'héritage des fils du prince

¹⁶ « Ainsi parle le Seigneur DIEU : Si le prince fait un don à l'un de ses fils, ce don deviendra la part de ce fils ; elle passera à ses propres enfants dont le droit de propriété sera héréditaire. ¹⁷ Si le prince fait un don à l'un de ses serviteurs, ce don pris sur sa propre part appartiendra au serviteur jusqu'à l'année de l'affranchissement *ᵒ* puis reviendra au prince ; seule la part donnée aux fils du prince restera en leur possession. ¹⁸ Le prince ne prendra rien sur la part du peuple en leur extorquant leur propriété ;

---

i offrande: voir au glossaire SACRIFICES — *hin, épha:* voir au glossaire POIDS ET MESURES ● *j* La *Fête* est celle des Tentes, célébrée au *septième mois* ou mois de tishri; voir au glossaire CALENDRIER ● *k* C'est ici le seul cas où les laïcs sont admis à la porte orientale (comparer 44.1-3; 46.12) ● *l offrande:* voir au glossaire SACRIFICES — *hin, épha:* voir au glossaire POIDS ET MESURES ● *m porte de Néguev:* porte du sud (voir 47.19) — Aux jours de fête, la foule est nombreuse; le peuple doit alors entrer dans le Temple en procession et suivre l'itinéraire établi. Le prince lui-même doit se conformer à la règle commune (voir v. 10) ● *n offrande:* voir au glossaire SACRIFICES — *hin, épha:* voir au glossaire POIDS ET MESURES ● *o l'année de l'affranchissement:* voir Lv 25.8-10

45.25 Fête (des Tentes) Lv 23.34-36, 39-43; Nb 29.12-39; Dt 16.13-15. **46.1** La porte tournée vers l'ouest Ez 44.1-3; 46.12; cf. 43.1-2. **46.9** Les laïcs viennent devant le Seigneur Ex 23.14-17; Dt 16.16. **46.12** La porte tournée vers l'orient v. 1+. **46.18** Le prince n'extorquera rien cf. 1 R 21.

c'est sur sa propriété qu'il constituera les
parts de ses fils, afin que personne de
mon peuple ne soit dispersé loin de sa
propriété. »

Les cuisines du Temple

19 Par l'entrée qui est du côté de la
porte, il me fit pénétrer vers les salles
*saintes, tournées vers le nord et desti-
nées aux prêtres. Il y avait au fond un
espace, vers l'ouest. 20 Il me dit : « C'est
le lieu où les prêtres feront bouillir le
*sacrifice pour l'offrande et pour le péché,
et feront cuire l'offrande, sans qu'on en
fasse sortir vers le *parvis extérieur, ce
qui sanctifierait [p] le peuple. » 21 Il me
fit sortir vers le parvis extérieur et me
fit passer près des quatre angles du parvis : il y avait une cour à chaque angle
du parvis. 22 Les cours étaient enserrées
dans les quatre angles du parvis : longueur quarante coudées [q] et largeur trente : mêmes dimensions pour les quatre.
23 Un élément de maçonnerie les entourait toutes quatre, et des fours avaient
été aménagés à la base de cet élément,
tout autour. 24 L'homme me dit : « Ce
sont les cuisines ; c'est là que les serviteurs de la Maison feront bouillir les
sacrifices du peuple [r]. »

La source du Temple

47 1 Il me fit venir vers l'entrée du
Temple ; or, de l'eau sortait de
dessous le seuil de la Maison, vers
l'orient, car la façade de la Maison était
à l'orient ; et l'eau descendait au bas du
côté droit de la Maison [s], au sud de
l'*autel. 2 Il me fit sortir par la porte
nord ; puis il me fit contourner l'extérieur, jusqu'à la porte extérieure qui est
tournée à l'orient, et voici que l'eau
coulait du côté droit. 3 Quand l'homme
sortit vers l'orient, le cordeau à la main
il mesura mille coudées [t] ; il me fit traverser l'eau : elle me venait aux chevilles. 4 Puis il mesura mille coudées et me
fit traverser l'eau : elle me venait aux
genoux. Puis il mesura mille coudées et
me fit traverser l'eau : elle me venait aux
reins. 5 Puis il mesura mille coudées :
c'était un torrent que je ne pouvais traverser, car l'eau avait monté : c'était de
l'eau où il fallait nager, un torrent
infranchissable. 6 Il me dit : « As-tu vu,
fils d'homme ? » Il m'emmena puis me
ramena au bord du torrent. 7 Quand il
m'eut ramené, voici que, sur le bord du
torrent, il y avait des arbres très nombreux, des deux côtés. 8 Il me dit :
« Cette eau s'en va vers le district oriental et descend dans la Araba : elle pénètre dans la mer ; quand elle s'est jetée
dans la mer les eaux sont assainies [u].
9 Et alors tous les êtres vivants qui four-
millent vivront partout où pénétrera le
torrent. Ainsi le poisson sera très abondant, car cette eau arrivera là et les eaux
de la mer seront assainies : il y aura de
la vie partout où pénétrera le torrent.
10 Alors des pêcheurs se tiendront sur la
rive ; et depuis Ein-Guèdi jusqu'à Ein-
Eglaïm, ce sera un séchoir à filets. Les
espèces de poissons seront aussi nombreuses que celles de la grande mer [v].
11 Mais ses lagunes et ses marais ne seront pas assainis ; on les laissera pour
avoir du sel. 12 Au bord du torrent, sur
les deux rives, pousseront toutes espèces
d'arbres fruitiers ; leur feuillage ne se flétrira pas et leurs fruits ne s'épuiseront
pas ; ils donneront chaque mois une nouvelle récolte, parce que l'eau du torrent
sort du sanctuaire. Leurs fruits serviront
de nourriture et leur feuillage de remède. »

Le Seigneur fixe les frontières d'Israël

13 Ainsi parle le Seigneur DIEU : « Voici les limites d'après lesquelles vous vous
distribuerez le pays, entre les douze tri-

p sanctifierait: voir la note sur 44.19 • *q enserrées:* traduction incertaine d'un mot hébreu inconnu — *coudées:* voir au glossaire: POIDS ET MESURES • *r* Les cuisines dont se sert le peuple sont distinctes de celles réservées aux prêtres (voir v. 20) • *s Maison:* voir la note sur 40.45 — Le *côté droit* est au sud • *t l'homme ... le cordeau à la main:* voir 40.3 et la note — *coudées:* voir au glossaire POIDS ET MESURES • *u Araba:* voir la note sur Es 33.9 — *la mer:* la mer Morte; elle est si salée qu'aucun être vivant ne peut y survivre, d'où la nécessité que ses eaux soient *assainies* (comparer Ex 15.23-25; 2 R 2.21-22) • *v Ein-Guèdi:* ville située sur la rive occidentale de la mer morte. *Ein-Eglaïm:* ville dont l'identification est incertaine — La *grande mer* est la mer Méditerranée

46.19 Salles destinées aux prêtres Ez 42.1-2. **46.20** Cuisson des sacrifices cf. 1 S 2.12-16. **47.1** L'eau qui sort du Temple Jl 4.18; Za 13.1; 14.18; Ap 22.1-2; cf. Gn 2.10; Ps 46.5; Jn 4.14; 7.37-39; 19.34. **47.9** Eaux assainies Ex 15.25; 2 R 2.21. **47.12** Arbres sur le bord du torrent Es 44.4; Jr 17.8; Ps 1.3 — Chaque mois des fruits nouveaux Ap 22.2 **47.13** Limites du pays Nb 34.1-12; Jos 1.1-14; Jg 20.1.

bus d'Israël, Joseph ayant deux parts *w*. ¹⁴ Vous en hériterez, chacun autant que son frère, car j'ai juré, la main levée, de le donner à vos pères ; ce pays va donc vous échoir en héritage. ¹⁵ Voici la frontière du pays : du côté nord, depuis la grande mer *x*, la route de Hétlôn — qui va à Cedad —, ¹⁶ Hamath, Bérotaï, Sivraïm — qui est entre le territoire de Damas et le territoire de Hamath —, Hacér, Tikôn qui est vers le territoire de Haurân. ¹⁷ Ainsi la frontière ira de la mer jusqu'à Haçar-Einôn, le territoire de Damas étant au nord ainsi que le territoire de Hamath. C'est le côté du nord. ¹⁸ Du côté de l'orient : vous mesurerez entre le Haurân et Damas, entre le Galaad et la terre d'Israël ; le Jourdain servira de frontière, jusqu'à la mer orientale *y*. C'est le côté de l'orient. ¹⁹ Du côté du Néguev *z*, au midi : de Tamar jusqu'aux eaux de Mériba-de-Qadesh, à Nahala vers la grande mer. C'est le côté du midi, vers le Néguev. ²⁰ Et du côté de la mer : la grande mer, depuis la frontière sud jusqu'en face de Lebo-Hamath. C'est le côté de la mer.

²¹ Vous répartirez le pays entre vous, les douze tribus d'Israël. ²² Vous le ferez en tirant au sort les parts d'héritage, pour vous et pour les émigrés *a* installés parmi vous, qui ont engendré des fils parmi vous ; ils seront pour vous comme un indigène parmi les fils d'Israël ; avec vous ils tireront au sort une part d'héritage, au milieu des tribus d'Israël. ²³ C'est dans la tribu où l'émigré séjourne, c'est là que vous lui donnerez sa part d'héritage — oracle du Seigneur DIEU.

Les parts des tribus du Nord

48 ¹ « Voici les noms des tribus : depuis l'extrémité nord, le long de la route de Hétlôn, vers Hamath, Haçar-Einôn, le territoire de Damas étant au nord, à côté de Hamath, avec un bord à l'orient, et la mer : pour Dan, une part *b*. ² Sur la frontière de Dan, du bord oriental au bord de la mer : pour Asher, une part. ³ Sur la frontière d'Asher, du bord oriental au bord de la mer : pour Nephtali, une part. ⁴ Sur la frontière de Nephtali, du bord oriental au bord de la mer : pour Manassé, une part. ⁵ Sur la frontière de Manassé, du bord oriental au bord de la mer : pour Ephraïm, une part. ⁶ Sur la frontière d'Ephraïm, du bord oriental au bord de la mer : pour Ruben, une part. ⁷ Sur la frontière de Ruben, du bord oriental au bord de la mer : pour Juda, une part.

La part du Seigneur

⁸ « Sur la frontière de Juda, du bord oriental au bord de la mer, sera la part que vous prélèverez : vingt-cinq mille coudées *c* en largeur et, en longueur, autant que l'une des parts, soit : depuis le bord oriental au bord de la mer ; le *sanctuaire sera en son milieu. ⁹ La part que vous prélèverez pour le SEIGNEUR aura, en longueur, vingt-cinq mille coudées et, en largeur, dix mille. ¹⁰ Pour les prêtres, il y aura une part *sainte ; au nord, vingt-cinq mille coudées ; vers la mer, en largeur, dix mille ; vers l'orient, en largeur, dix mille ; vers le Néguev *d*, en longueur, vingt-cinq mille. Le sanctuaire du SEIGNEUR sera au milieu. ¹¹ Aux prêtres, aux consacrés des fils de Sadoq *e* qui ont gardé mes observances, qui ne se sont pas égarés dans l'erreur des fils d'Israël, au contraire de ce qu'ont fait les *lévites, ¹² reviendra une part de la zone prélevée sur le pays, part très sainte, proche du territoire des lévites. ¹³ Quant aux lévites, leur territoire sera identique à celui des prêtres : vingt-cinq mille coudées en longueur et, en largeur, dix mille. Partout la longueur sera de vingt-

---

w Joseph reçoit *deux parts* car il est le père d'Ephraïm et de Manassé qui ont été adoptés par le patriarche Jacob (voir Gn 48) et sont désormais comptés parmi les douze tribus d'Israël (v. 21) avec les autres fils de Jacob ● *x la grande mer:* voir la note sur 47.10 ● *y* Certains territoires de Transjordanie avaient été donnés à des tribus israélites, cependant ils ne font pas partie de l'héritage promis par Dieu (voir Nb 34.12; Jos 22.19, 25) — La *mer orientale* est la mer Morte ● *z Néguev:* nom de la région aride qui se trouve au sud de la Judée ; ce terme désigne souvent simplement le sud ● *a* Sur l'*émigré*, c'est-à-dire l'étranger résidant en Israël, voir 14.7 et la note ● *b* Dans toute cette description, *la mer* désigne la Méditerranée — Les *parts* données à chaque tribu sont des bandes parallèles, occupant chacune toute la largeur du pays ; il y en a sept au nord de la part du Seigneur, de la ville et du prince (v. 8-22), et cinq au sud ● *c coudées:* voir au glossaire POIDS ET MESURES — *la mer:* voir la note sur le v.1 ● *d de Néguev:* voir la note sur 47.19 ● *e Sadoq:* voir la note sur 40.46

47.22 Tirage au sort Jos 14.2; Nb 26.55; 33.54. **48.8** La part du sanctuaire Ez 45.1-4. **48.11** Prêtres fils de Sadoq Ez 40.46+. **48.13** Part des Lévites Ez 45.5.

cinq mille coudées et la largeur, dix mille.
[14] On ne pourra rien en vendre : on n'échangera pas, on n'aliénera pas les prémices *f* du pays, car elles sont consacrées au SEIGNEUR.

Les parts de la ville et du prince

[15] Les cinq mille coudées *g* qui restent en largeur, le long des vingt-cinq mille, formeront la zone profane de la ville : agglomération et pâturages, la ville étant au milieu.

[16] En voici les dimensions : côté nord, quatre mille cinq cents coudées ; côté du Néguev, quatre mille cinq cents ; côté de l'orient, quatre mille cinq cents et côté de la mer *h*, quatre mille cinq cents. [17] Les pâturages de la ville seront : ˙vers le nord, deux cent cinquante coudées ; vers le Néguev, deux cent cinquante ; vers l'orient, deux cent cinquante et vers la mer deux cent cinquante. [18] Ce qui restera, en largeur, à l'intérieur de cette part *sainte, aura dix mille coudées vers l'orient et dix mille vers la mer ; son revenu nourrira les employés de la ville. [19] Le personnel de la ville qui le cultivera viendra de toutes les tribus d'Israël. [20] L'ensemble de la part aura vingt-cinq mille coudées sur vingt-cinq mille. Vous prélèverez un quart de cette part sainte pour le domaine de la ville. [21] Le reste sera pour le prince, des deux côtés de la part sainte et de la propriété de la ville : le long des vingt-cinq mille coudées du prélèvement jusqu'à la frontière orientale et, vers la mer, le long des vingt-cinq mille coudées, jusqu'aux confins de la mer. Pour le prince, une part identique aux autres parts ˙Il y aura donc, au centre, la part sainte avec le *sanctuaire de la Maison. [22] Le domaine des *lévites et le domaine de la ville seront entre la frontière de Juda et la frontière de Benjamin, au milieu de ce qui appartiendra au prince.

Les parts des tribus du Sud

[23] « Le reste des tribus : du bord oriental au bord de la mer *i* : pour Benjamin, une part. [24] Sur la frontière de Benjamin, du bord oriental au bord de la mer : pour Siméon, une part. [25] Sur la frontière de Siméon, du bord oriental au bord de la mer : pour Issakar, une part. [26] Sur la frontière d'Issakar, du bord oriental au bord de la mer : pour Zabulon, une part. [27] Sur la frontière de Zabulon, du bord oriental au bord de la mer : pour Gad, une part. [28] Sur la frontière de Gad, jusqu'au bord du Néguev *j*, au midi, la frontière sera : de Tamar, les eaux de Mériba-de-Qadesh, Nahala vers la grande mer. [29] Tel est le pays que vous tirerez au sort, sur l'héritage des tribus d'Israël, et telles seront leurs parts — oracle du Seigneur DIEU.

Les douze portes de Jérusalem

[30] « Voici les issues de la ville. Du côté nord — de quatre mille cinq cents coudées *k*... [31] Les portes de la ville seront nommées d'après les tribus d'Israël. Trois portes au nord : la porte de Ruben, la porte de Juda, la porte de Lévi. [32] Sur le côté oriental — de quatre mille cinq cents coudées — trois portes : la porte de Joseph, la porte de Benjamin, la porte de Dan. [33] Côté du Néguev *l* — de quatre mille cinq cents coudées — trois portes : la porte de Siméon, la porte d'Issakar, la porte de Zabulon. [34] Côté de la mer *m* — de quatre mille cinq cents coudées — trois portes : la porte de Gad, la porte d'Asher, la porte de Nephtali. [35] Le pourtour : dix-huit mille coudées.

« A partir de ce jour, le nom de la ville sera : "YHWH-Shamma" — le SEIGNEUR-est-là *n*. »

---

f Le terme de *prémices du pays* (voir glossaire) est employé ici au sens de « le meilleur du pays », « la part la plus sainte » ● *g* *coudées:* voir au glossaire POIDS ET MESURES ● *h* *Néguev:* voir la note sur 47.19 — *la mer:* voir la note sur 48.1 ● *i* *la mer:* voir la note sur 48.1 ● *j* *Néguev:* voir la note sur 47.19 ● *k* La traduction suppose que ce v. est incomplet, comparer les v. 32, 33 et 34 — *coudées:* voir au glossaire POIDS ET MESURES ● *l* *Néguev:* voir la note sur 47.19 ● *m* *la mer:* voir la note sur 48.1 ● *n* Ce nom peut être rapproché de celui d'Emmanuel (voir Es 7.14 et la note)

48.15 Part de la ville Ez 45.6. **48.16** Mesures de la ville cf. Ap 21.15-17. **48.21** Part du prince Ez 45.7-8. **48.31** Portes de la ville Ap 21.12-13. **48.35** Le nom de la ville Es 1.26; Za 8.3.

OSÉE

1 ¹ La parole du SEIGNEUR qui fut adressée à Osée, fils de Bééri, aux jours d'Ozias, de Yotam, d'Akhaz, d'Ezékias, rois de Juda, et aux jours de Jéroboam, fils de Joas, roi d'Israël *ᵃ*.

Les enfants d'Osée et de Gomer

² Début des paroles du SEIGNEUR par Osée.

Le SEIGNEUR dit à Osée :
« Va, prends-toi une femme se livrant à la prostitution
et des enfants de prostitution,
car le pays ne fait que se prostituer *ᵇ*
en se détournant du SEIGNEUR. »
³ Il alla prendre Gomer, fille de Divlaïm : elle conçut et lui enfanta un fils. ⁴ Et le SEIGNEUR dit à Osée :
« Donne-lui le nom d'Izréel, car encore un peu de temps et je ferai rendre compte à la maison de Jéhu du *sang d'Izréel *ᶜ*
et je mettrai fin à la royauté de la maison d'Israël.
⁵ Il arrivera en ce jour-là
que je briserai l'arc d'Israël
dans la vallée d'Izréel. »

⁶ Elle conçut encore et enfanta une fille, et le SEIGNEUR dit à Osée :
« Donne-lui le nom de Lo-Rouhama
— c'est-à-dire : Non-aimée —,
car je ne continuerai plus à manifester de l'amour à la maison d'Israël :
je lui retirerai tout entier *ᵈ*.
⁷ Mais la maison de Juda, je l'aimerai
et je les sauverai par le SEIGNEUR leur Dieu ;
je ne les sauverai ni par l'arc ni par l'épée ni par la guerre,
ni par les chevaux ni par les cavaliers. »

⁸ Elle sevra Lo-Rouhama, puis elle conçut et enfanta un fils. ⁹ Et le SEIGNEUR dit :
« Donne-lui le nom de Lo-Ammi
— c'est-à-dire : Celui qui n'est pas mon peuple —,
car vous n'êtes pas mon peuple
et moi je n'existe pas pour vous. »

Dieu accueillera de nouveau son peuple

2 ¹ Le nombre des fils d'Israël sera comme le sable de la mer, qu'on ne peut ni mesurer ni compter,
et il arrivera qu'à l'endroit où on leur disait :
« Vous n'êtes pas mon peuple »,
on leur dira : « Fils du Dieu vivant »,
² Les fils de Juda et les fils d'Israël se réuniront,
ils se donneront un chef unique et ils submergeront le pays :
car grand sera le jour d'Izréel *ᵉ*.

ᵃ C'est-à-dire vers l'année 750 av. J.C. ● *ᵇ* Le dieu *Baal*, adoré par les Cananéens et par beaucoup d'Israélites contemporains d'Osée, était censé favoriser la fertilité des champs et la fécondité des troupeaux ou des familles humaines (2.7). Le culte qu'on lui offrait s'accompagnait d'une prostitution sacrée; voir aussi 4.12-14 ● *ᶜ* Allusion à l'extermination de la famille du roi Akhab par Jéhu (voir 2 R 9—10). Jéroboam II (v. 1), roi d'Israël au temps d'Osée, est un descendant de Jéhu ● *ᵈ* je le lui retirerai tout entier: d'autres traduisent *je ne lui pardonnerai plus* ● *ᵉ* Voir 2.24 et la note

1.1 Ozias, Yotam, Akhaz 2 R 15—16 — Jéroboam (II) 2 R 14.23-29. **1.2** prostitution Ex 34.16; Dt 31.16; Jg 8.33; Es 1.21; Jr 2.20, 23; 3.1-2; 13.27; Ez 6.9; 16.15, 34; 23.3, 7, 8, etc. Os 4.12-14; 5.4; Na 3.4; Ps 106.39. **1.5** en ce jour-là Es 2.11; 27.1-2; Jr 39.17; Am 8.9; Jl 3.2; Za 14.9; Mt 7.22; Lc 6.23; Jn 14.20 — arc (symbole de la force) 1 S 2.4; Jb 29.20. **1.7** Juda Os 4.15; 6.11; 8.14; 10.11; 12.1, 3 — ni par l'arc, ni par l'épée... ni par les chevaux Jos 24.12; Es 31.1; Za 4.6; Ps 20.8; Pr 21.31. **1.9** mon peuple Os 2.25; Jr 31.33. **2.1** Comme le sable de la mer Gn 22.17; 1 R 4.20; Es 10.22 — vous n'êtes pas mon peuple Rm 9.26 — Dieu vivant Dt 5.26+. **2.2** réunion d'Israël et de Juda Jr 3.18; Ez 37.19 — un chef unique Ez 37.22, 24.

³ Dites à vos frères : « Ammi, mon peuple »,
et à vos cœurs: « Rouhama, Bien-aimée ».

Israël est comme une épouse infidèle

⁴ Faites un procès à votre mère, faites-lui un procès,
car elle n'est pas ma femme
et moi je ne suis pas son mari.
Qu'elle éloigne de son visage les signes de sa prostitution *f*,
et d'entre ses seins les marques de son adultère.

⁵ Sinon, je la déshabillerai et la mettrai nue,
je la mettrai comme au jour de sa naissance,
je la rendrai semblable au désert,
j'en ferai une terre desséchée
et je la ferai mourir de soif.

⁶ Ses enfants, je ne les aimerai pas,
car ce sont des enfants de prostitution.

⁷ Oui, leur mère s'est prostituée,
celle qui les a conçus s'est couverte de honte
lorsqu'elle disait :
« Je veux courir après mes amants,
ceux qui me donnent le pain et l'eau,
la laine et le lin, l'huile et les boissons. »

⁸ C'est pourquoi je vais fermer ton chemin avec des ronces,
le barrer d'une barrière
— et elle ne trouvera plus ses sentiers.

⁹ Elle poursuivra ses amants
sans les atteindre,
elle les recherchera
sans les trouver ;
elle dira :
« Je vais retourner chez mon premier mari,
car j'étais plus heureuse alors que maintenant. »

¹⁰ Et elle n'a pas compris que c'est moi qui lui donnais
blé, vin nouveau, huile fraîche ;
je lui prodiguais de l'argent,
et l'or ils l'ont employé pour *Baal *g*.

¹¹ C'est pourquoi je viendrai
reprendre mon blé en son temps, mon vin nouveau en sa saison,
j'arracherai ma laine et mon lin
qui devaient cacher sa nudité.

¹² Maintenant je vais dévoiler sa honte
aux yeux de ses amants
et personne ne l'arrachera de ma main.

¹³ Je ferai cesser toute sa joie,
ses fêtes *h*, ses *néoménies, ses *sabbats,
et toutes ses assemblées solennelles.

¹⁴ Je dévasterai sa vigne et son figuier
dont elle disait :
« Voilà le salaire que m'ont donné mes amants. »
Je les changerai en fourré
et les bêtes sauvages en feront leur nourriture.

¹⁵ Je lui ferai rendre compte des jours des Baals
auxquels elle brûlait des offrandes :
elle se parait de ses anneaux et de ses bijoux,
elle courait après ses amants
et moi elle m'oubliait !
— oracle du SEIGNEUR.

Dieu veut reconquérir le cœur de son peuple

¹⁶ Eh bien, c'est moi qui vais la séduire,
je la conduirai au désert
et je parlerai à son cœur.

¹⁷ Et de là-bas je lui rendrai ses vignobles
et je ferai de la vallée de Akor *i*
une porte d'espérance,
et là elle répondra comme au temps de sa jeunesse,
au jour où elle monta du pays d'Egypte.

¹⁸ Et il adviendra en ce jour-là

f Voir 1.2 et la note. L'infidélité d'Israël à son Dieu est comparée à une prostitution. Voir aussi 4.13 ● *g* Voir 1.2 et la note ● *h* Voir au glossaire CALENDRIER ● *i* Vallée proche de Jéricho et donnant accès au centre de la Palestine. Osée fait allusion aux événements racontés en Jos 7

2.4 Dieu en procès contre son peuple Os 4.1; 12.3; Es 1.18; 3.13-15; Mi 6.1-2 — répudiation Es 50.1 — signes distinctifs de la prostituée sacrée Os 2.15; *Ba* 6.42. **2.5** nue comme au jour de sa naissance Ez 16.4-5, 22, etc.; 23.29. **2.6** enfants de prostitution Os 1.2. **2.7** prostitution Os 1.2+ — courir après des amants Jr 2.25 une idolâtrie intéressée Jr 44.17. **2.9** recherche Os 5.15 — je vais retourner Jr 3.22; Lc 15.17-18. **2.10** le vrai donateur Dt 7.13; 8.16-17; Ag 2.8 — argent et or pour les idoles Os 8.4; 13.2. **2.12** honte dévoilée Ez 16.36-37 — personne ne l'arrachera Os 5.14; Dt 32.39; Mi 5.7; Ps 50.22; Jb 10.7; 19.21; Dn 4.32; cf. Jn 10.28. **2.14** vigne et figuier 1 R 5.5; Es 36.16; Mi 4.4; Za 3.10 — retour du pays à l'état sauvage. Lv 26.32-35; Es 5.5-6; 32.13. **2.16** séduction Jr 20.7 — Israël au désert Dt 8.2-5; Os 13.5; cf. 12.10 — parler au cœur de quelqu'un Gn 34.3; Jg 19.3; Rt 2.13. **2.17** vallée de Akor Jos 7.26; Es 65.10 — une porte Ap 3.7-8 d'espérance Jr 29.11 — comme au temps de ta jeunesse Os 11.1-3.

— oracle du SEIGNEUR —
que tu m'appelleras « mon mari »,
et tu ne m'appelleras plus « mon baal [j],
mon maître ».

19 J'ôterai de sa bouche les noms des
*Baals
et on ne mentionnera même plus leur
nom.

20 Je conclurai pour eux en ce jour-là
une *alliance
avec les bêtes des champs, les oiseaux
du ciel, les reptiles du sol ;
l'arc, l'épée et la guerre,
je les briserai, il n'y en aura plus dans
le pays,
et je permettrai aux habitants de dormir en sécurité.

21 Je te fiancerai à moi pour toujours,
je te fiancerai à moi
par la justice et le droit, l'amour et
la tendresse.

22 Je te fiancerai à moi par la fidélité
et tu connaîtras le SEIGNEUR.

23 Et il adviendra en ce jour-là que je
répondrai
— oracle du SEIGNEUR —
je répondrai à l'attente des cieux
et eux répondront à l'attente de la
terre.

24 Et la terre, elle, répondra
par le blé, le vin nouveau, l'huile
fraîche,
et eux répondront à l'attente d'Izréel [k].

25 Je l'ensemencerai pour moi dans le
pays,
et j'aimerai Lo-Rouhama,
et je dirai à Lo-Ammi : « Tu es mon
peuple »,
et lui, il dira : « Mon Dieu ».

Osée épouse Gomer et la met
à l'épreuve

3 1 Le SEIGNEUR me dit : « Va encore, aime une femme aimée par
un autre et se livrant à l'adultère :

Car tel est l'amour du SEIGNEUR pour
les fils d'Israël,
tandis qu'ils se tournent, eux, vers
d'autres dieux
et qu'ils aiment les gâteaux de raisin [l]. »

2 J'en fis l'acquisition pour quinze
sicles [m] d'argent et une mesure et demie
d'orge. 3 Et je lui dis :
« Pendant de longs jours tu resteras
à moi,
sans te prostituer et sans être à un
homme.
J'agirai de même à ton égard. »

4 Ainsi pendant de longs jours les fils
d'Israël resteront :
pas de roi, pas de chef, pas de *sacrifice,
pas de stèle, pas d'éphod ni de téraphim [n].

5 Après cela les fils d'Israël recherche-
ront à nouveau le SEIGNEUR, leur Dieu,
et David, leur roi, et ils se tourneront
en tremblant vers le SEIGNEUR et vers ses
biens, dans l'avenir.

Dieu est en procès avec Israël

4 1 Ecoutez la parole du SEIGNEUR,
fils d'Israël :
le SEIGNEUR est en procès avec les
habitants du pays,
car il n'y a ni sincérité ni amour du
prochain
ni connaissance de Dieu dans le pays.

2 Imprécations, tromperies, assassinats,
vols, adultères se multiplient :
le sang versé succède au sang versé.

3 Aussi le pays est-il désolé
et tous ses habitants s'étiolent,
en même temps que les bêtes des
champs et les oiseaux du ciel ;
et même les poissons de la mer disparaîtront.

---

[j] *baal:* à la fois nom commun (*maître*, parfois *mari*) et nom propre du dieu adoré par les Cananéens (voir v. 19) ● [k] Le nom d'*Izréel* (étymologiquement *Dieu sème*) fait jeu de mots avec le
début du v. 25 (*je l'ensemencerai*) ● [l] Offrande caractéristique du culte de Baal ● [m] Voir au
glossaire MONNAIES ● [n] *éphod* et *téraphim:* objets servant à consulter Dieu (voir Jg 8.27 et
la note; 1 S 23.9-10; 30.7-8)

2.20 alliance avec les bêtes sauvages Es 11.6-9; 65.25; Ez 34.25; Jb 5.23; Mc 1.13 — armes de
guerre Os 1.7 détruites Es 2.4; Za 9.10. **2.21** fiançailles, nouvelle alliance Es 54.5-10; Jr 31.31-33.
2.23 réponse Os 2.17; 14.9. **2.24** blé, vin, huile Os 2.7, 10. **2.25** Rm 9.25; 1 P 2.10 —
Lo-Rouhama, Lo-Ammi Os 1.3-9 — mon peuple... mon Dieu Jr 7.23+. **3.1** adultère Os 2.4
— vers d'autres dieux Ex 20.3; Dt 5.7; 6.4. **3.4** éphod et téraphim Jg 17.5; 18.14; 17. **3.5** le
Seigneur... et David Jr 30.9; Ez 37.24-25. **4.1** Dieu en procès Os 2.4+ — sincérité Ex 18.21;
Jos 24.14; 1 R 10.6 — amour (du prochain) Os 2.21; 6.4-6; 10.12; 12.7 — sincérité et amour Gn
47.29; Ex 34.6; Jos 2.14; Ps 86.11, 15 — connaissance de Dieu Os 4.6; 5.4; 6.6; Jr 5.4; 22.16.
4.2 tromperie, assassinat, vol... Ex 20.13-17; Lv 19.11; Jr 7.9. **4.3** solidarité des hommes et de la
création Gn 3.17; 6.5-7; Es 24.4-6; 33.8-9; Jr 12.4; 23.10; Os 2.23-25; So 1.3; Ag 1.10-11.

Dieu accuse les prêtres d'Israël

⁴ Attention !
que personne n'ait l'audace de se défendre, que personne ne conteste,
que ni ton peuple ni toi, prêtre, n'ose
plaider !
⁵ Tu trébucheras le jour
et le prophète aussi trébuchera avec toi
la nuit ;
je réduirai ta mère au silence,
⁶ mon peuple sera réduit au silence
faute de connaissance.
Puisque tu as repoussé la connaissance,
je te repousserai et tu ne seras plus
mon prêtre :
tu as oublié l'instruction de ton Dieu,
j'oublierai tes fils, moi aussi.
⁷ Tous tant qu'ils sont ont péché contre
moi
— je vais changer leur gloire en
infamie.
⁸ Ils se repaissent du péché de mon
peuple
et sont avides de ses fautes.
⁹ Un même sort atteindra le peuple et
le prêtre.
Je leur ferai rendre compte de leur
conduite
et je leur revaudrai leurs actions.
¹⁰ Ils mangeront sans se rassasier,
ils se prostitueront sans se multiplier,
car ils ont cessé de respecter le
SEIGNEUR.

Un esprit de prostitution égare Israël

¹¹ La débauche et l'ivresse font perdre
le sens.
¹² Mon peuple consulte son arbre
et c'est sa branche qui le renseigne *o*,
car un esprit de prostitution l'égare
et en se prostituant ils se soustraient à
leur Dieu.

¹³ Sur le sommet des montagnes ils ont
coutume de sacrifier,
et sur les collines de brûler des
offrandes,
sous le chêne, le peuplier, le térébinthe
— leur ombre est si agréable !
Aussi vos filles se prostituent-elles et
vos belles-filles sont-elles adultères *p*.
¹⁴ Je ne ferai pas le compte des prosti-
tutions de vos filles,
des adultères de vos belles-filles,
puisqu'eux-mêmes — les prêtres —
s'en vont à l'écart avec les prostituées
et partagent les *sacrifices avec les
courtisanes sacrées :
un peuple qui a si peu de discernement
va à sa perte.
¹⁵ Si toi, Israël, tu te prostitues,
que Juda du moins ne se rende pas
coupable !
N'allez pas au Guilgal, ne montez pas
à Beth-Awèn *q*
et ne prononcez pas le serment :
« Le SEIGNEUR est vivant ! »
¹⁶ Oui, Israël a été rétif comme une vache rétive
— et maintenant le SEIGNEUR devrait
les lâcher vers les pâturages, comme
des agneaux ?
¹⁷ Ephraïm *r* est l'associé des idoles :
laisse-le.
¹⁸ Leurs beuveries finies, ils poussent à
la débauche ;
ses chefs aiment provoquer l'infamie.
¹⁹ Un vent les enveloppera de ses ailes
et ils rougiront de leurs sacrifices.

Un avertissement aux prêtres et au roi

5 ¹ Ecoutez ceci, les prêtres ; sois
attentive, maison d'Israël ; maison
du roi, prêtez l'oreille :
C'était à vous de rendre la justice,
or vous avez été un piège à Miçpa et

---

o Allusion à des pratiques visant à deviner l'avenir ● *p* Voir 1.2; 2.4 et les notes ● *q* Le *Guilgal*: lieu de culte de l'ancien Israël (voir Jos 4.19-20; 5.2-9) — *Beth-Awèn* (= maison du péché) est ici une appellation ironique de Béthel (= maison de Dieu), autre lieu de culte tradi-tionnel du royaume d'Israël (Gn 28.16-19; 1 R 12.29-33) ● *r* Nom de l'une des principales tribus du royaume du nord, ou royaume d'Israël. Dans le livre d'Osée *Ephraïm* désigne souvent le royaume lui-même ou sa population (5.3; 6.10, etc.)

4.4 procès Os 2.4+. **4.5** Israël, comme une mère Os 2.4; Es 50.1; Jr 31.15; cf. Es 51.2. **4.6** connaissance de Dieu Os 4.1+. **4.10** sans se rassasier Mi 6.14 — ivresse et égarement Es 28.7; Pr 26.9. **4.12** prostitution Os 1.2+. **4.13** cultes païens sous les arbres Dt 12.2; 1 R 14.23; Jr 2.20. **4.14** participation au culte des faux-dieux Os 13.1; Nb 25.1; cf. 1 Co 10.8. **4.15** Guilgal Os 9.15; 12.12; Am 5.5; Jos 4.19; 1 S 11.14 — Beth-Awèn Os 5.8; cf. Am 5.5 — Guilgal et Beth-Awèn; cf. Am 4.4 — formule de serment 1 S 26.10, 16; 1 R 17.12; 18.10; Jr 38.16, etc. **4.17** Ephraïm Gn 41.52; Os 7.1; 13.1, etc. **4.19** vent dévastateur Os 13.15; Jr 4.11 — honte d'avoir participé aux cultes idolâtres Os 10.5-6; Es 1.29. **5.1** les responsables de la justice Dt 1.17; Mi 3.1 — Miçpa (de Transjordanie) Gn 31.49; Jg 10.17; 11.11 — le mont Tabor Jg 4.6.

un filet tendu sur le Tabor [s] ;
2 des infidèles ont creusé une fosse profonde.
Et moi je prépare leur punition à eux tous.

3 Moi je connais Ephraïm [t]
et Israël ne m'est pas caché.
Ephraïm, du fait que tu as poussé à la débauche,
Israël en a été souillé.
4 Leurs actions rendent impossible leur retour à leur Dieu,
car un esprit de prostitution [u] souffle chez eux
et ils ne connaissent pas le SEIGNEUR.
5 L'orgueil d'Israël témoigne contre lui.
Israël et Ephraïm trébuchent sur leur faute
et Juda lui aussi trébuche avec eux.
6 Avec leur petit et leur gros bétail ils viennent
pour rechercher le SEIGNEUR et ne le trouveront pas :
il s'est débarrassé d'eux.
7 Ils ont trahi le SEIGNEUR, car ils ont engendré des bâtards ;
à présent la *néoménie va les dévorer avec leur héritage.

La guerre entre Israël et Juda

8 Sonnez du cor à Guivéa,
de la trompette à Rama,
donnez l'alarme à Beth-Awèn [v].
On te prend à revers, Benjamin !
9 Ephraïm deviendra une ruine au jour du châtiment.
Parmi les tribus d'Israël, j'en fais l'annonce véridique.
10 Les chefs de Juda sont des gens qui déplacent les frontières ;
sur eux je répandrai à flots ma fureur.
11 Ephraïm est opprimé, brisé dans le jugement,
car il a persisté à courir après le néant.

12 Et moi je serai comme la teigne pour Ephraïm
et comme la carie pour la maison de Juda.
13 Ephraïm a vu sa maladie,
et Juda son ulcère ;
Ephraïm est allé vers Assour et a envoyé des messagers au grand roi [w],
mais lui il ne peut pas vous guérir ni vous débarrasser de votre ulcère.
14 Bien plus, moi je serai comme un lion pour Ephraïm
et comme un jeune lion pour la maison de Juda.
C'est moi, moi qui vais déchirer,
puis je m'en irai avec ma proie
et personne ne me l'arrachera.

Dieu, déçu, décide de se retirer

15 Je m'en irai, je retournerai chez moi,
jusqu'à ce qu'ils s'avouent coupables et qu'ils recherchent ma face.
Dans leur détresse, ils se mettront en quête de moi.

6 ¹ « Venez, retournons vers le SEIGNEUR.
C'est lui qui a déchiré et c'est lui qui nous guérira,
il a frappé et il pansera nos plaies.
2 Au bout de deux jours il nous aura rendu la vie,
au troisième jour il nous aura relevés et nous vivrons en sa présence.
3 Efforçons-nous de connaître le SEIGNEUR :
son lever est sûr comme l'aurore,
il viendra vers nous comme vient la pluie,
comme l'ondée de printemps arrose la terre. »

4 Que vais-je te faire, Ephraïm [x] ?
Que vais-je te faire, Juda ?
Votre amour est comme la nuée du

---

s *C'était à vous de rendre la justice:* autre traduction parfois adoptée *le jugement s'exercera contre vous — Miçpa:* plusieurs localités du même nom existaient en Israël; on ignore laquelle précisément Osée mentionne ici et à quel événement il fait allusion. Le nom *Miçpa* peut faire jeu de mots avec le terme traduit ici par *justice — le Tabor:* montagne isolée, qui domine la plaine d'Izréel • t Voir 4.17 et la note • u Voir 1.2 et la note • v Voir 4.15 et la note — *Ephraïm* (v. 9): voir 4.17 et la note • w C'est-à-dire au roi d'Assyrie (voir 10.6) • x Voir 4.17 et la note

5.2 tous Es 24.2; cf. Rm 3.23. 5.4 impossible retour à Dieu Jr 13.23; Pr 27.22; cf. Mt 7.17 — prostitution Os 1.2+; cf. Jn 8.34 — pas de connaissance de Dieu Os 4.1+; cf. Ep 4.18. 5.6 chercher le Seigneur sans le trouver Am 8.11-12; Jn 7.34. 5.8 alarme Jr 4.5; Jl 2.1. 5.10 Juda Os 1.7+ — bornes déplacées Dt 19.14; 27.17. 5.13 démarche en Assyrie 2 R 15.19-20; Os 7.11; 8.9; 12.2; cf. 14.4. 5.14 personne ne l'arrachera Os 2.12+. 5.15 en quête de Dieu Jr 29.13; Ps 78.34; cf. Os 5.6; 10.12. 6.1 retour au Seigneur Os 14.2; Lm 3.40; 5.21. 6.2 deux... trois Am 1.3 ss.; Mi 5.4; Pr 30.15, 18, 21...; cf. Lc 24.7; 1 Co 15.4 — en présence du Seigneur Ps 116.9; Lc 1.75. 6.3 connaître le Seigneur Os 4.1+; Ph 3.8 — la pluie au bon moment Dt 11.14; Ps 72.6; cf. Gn 8.22; Jr 33.25; Jl 2.23. 6.4 nuée du matin, rosée Os 13.3; 14.6; Mi 5.6; Pr 9.12.

matin, comme la rosée matinale qui passe.

5 C'est pourquoi j'ai frappé par les prophètes,
je les ai massacrés par les paroles de ma bouche :
et mon jugement jaillit comme la lumière.

6 Car c'est l'amour qui me plaît, non le *sacrifice ;
et la connaissance de Dieu, je la préfère aux holocaustes.

Dieu se déclare trahi par Israël

7 Mais eux, comme des hommes transgressent une *alliance,
voici où ils m'ont trahi :

8 Galaad ʸ est une cité de malfaiteurs,
pleine de traces de sang ;

9 comme une bande en embuscade, une troupe de prêtres
assassine sur le chemin de Sichem :
voilà les horreurs qu'ils commettent !

10 Dans la maison d'Israël
j'ai vu des choses horribles :
là c'est la débauche d'Ephraïm,
Israël en est souillé.

11 A toi aussi Juda, je prépare une moisson
— quand je changerai la destinée de mon peuple.

7 ¹ Au moment même où je veux guérir Israël,
se dévoilent la faute d'Ephraïm et les crimes de Samarie ᶻ :
oui, l'on pratique l'imposture ;
le voleur s'introduit dans les maisons ;
au-dehors, le brigand sévit.

2 Et ils ne se disent point dans leur *cœur que tout ce qu'ils font de mal je le garde en mémoire ;
à présent leurs actions les enveloppent,
elles sont là devant moi.

Des complots contre les rois

3 Dans leur méchanceté, ils amusent le roi,
et par leurs perfidies, les chefs.

4 Tous, ils sont adultères.
Ils sont comme un four brûlant que le boulanger cesse d'attiser
depuis que la pâte est pétrie jusqu'à ce qu'elle lève.

5 Au jour de notre roi,
les chefs se rendent malades par les fumées du vin,
on tend la main aux railleurs.

6 Car ils se sont approchés comme un feu de fournaise,
le cœur plein de fourberie :
toute la nuit leur colère ᵃ sommeille,
au matin elle brûle comme un feu violent.

7 Tous ils sont échauffés comme un four :
ils dévorent leurs souverains,
tous leurs rois sont tombés,
et il n'y en a pas un parmi eux pour crier vers moi.

L'ingratitude d'Israël envers Dieu

8 Ephraïm se laisse mélanger aux autres peuples,
Ephraïm est une crêpe qu'on n'a pas retournée.

9 Des étrangers dévorent sa vigueur,
et lui n'en sait rien ;
et même, des cheveux blancs parsèment sa tête,
et lui n'en sait rien.

10 L'orgueil d'Israël témoigne contre lui,
mais ils ne reviennent pas au SEIGNEUR, leur Dieu ;
malgré tout cela ils ne le recherchent pas.

11 Ephraïm est une colombe naïve et sans cervelle :
ils appellent l'Egypte, ils courent en Assyrie.

ʸ Galaad désigne ici une localité de Transjordanie (comparer Gn 31.46-48) ● z Ephraïm: voir 4.17 et la note — Samarie: capitale du royaume d'Israël ● a leur colère: d'après deux anciennes versions; hébreu leur boulanger

6.5 la parole de Dieu, comme une épée Es 49.2; He 4.12-13+; cf. Es 11.4; Jr 5.14; 23.29. 6.6 amour Os 4.1 — connaissance de Dieu Os 4.1+ — plutôt que des sacrifices Es 1.11-17; Am 5.22-24; Ps 40.7; 51.19; Pr 21.3; Mi 9.13; 12.7. 6.7 alliance transgressée Os 8.1; Jr 31.32; 34.15-18. 6.8 Galaad Os 12.12; cf. 2 R 15.25. 6.11 destinée changée Dt 30.3; Jr 29.14+; Ez 16.53; 29.14; 39.25; Am 9.14; So 2.7; 3.20; Lm 2.14. 7.2 Dieu se souvient 1 R 17.18; Ps 10.11; Ml 3.16; cf. Os 8.13; 9.9; Am 8.7 — leurs actions les enveloppent Jr 2.19; Pr 5.21-22. 7.7 tous leurs rois sont tombés 2 R 15.10, 14, 25. 7.9 inconscient de ce qui se passe Jr 5.3; Ap 3.17. 7.10 pas de retour au Seigneur Os 11.5; Es 9.12; Am 4.6-11. Cf. Os 5.4. 7.11 sans cervelle Os 4.11 cf. Mt 10.16 — appels à l'Egypte et à l'Assyrie Os 12.2; Jr 2.18; Lm 5.6.

12 Pendant qu'ils courent, je jette sur eux
    mon filet,
   je les abats comme les oiseaux du
    ciel,
   je les capture dès que j'entends leur
    rassemblement.
13 Malheur à eux car ils me fuient !
   Ruine sur eux car ils se sont révoltés
    contre moi !
   Et moi je devrais les racheter,
   eux qui profèrent des mensonges à
    mon endroit ?
14 Ce n'est pas du fond du cœur qu'ils
    crient vers moi :
   quand ils se lamentent sur leurs cou-
    ches,
   qu'ils se font des incisions *b* pour du
    blé et du vin nouveau,
   c'est contre moi qu'ils se montrent
    récalcitrants.
15 Moi, j'avais dirigé, fortifié leur bras,
   et ils machinaient le mal à mon en-
    droit.
16 S'ils retournent, ce n'est pas vers en
    haut,
   ils sont comme un arc défaillant.
   Leurs chefs tomberont par l'épée
   pour l'insolence de leur langage :
   on en rira au pays d'Egypte.

Dieu se plaint d'être traité en étranger

8 1 Embouche le cor !
   Comme l'aigle, le malheur fond
    sur la maison du SEIGNEUR *c*,
   parce qu'ils ont transgressé mon *al-
    liance
   et se sont révoltés contre mon instruc-
    tion.
2 Ils crient vers moi :
   « Mon Dieu, nous te connaissons, nous,
    Israël ! »
3 Israël a repoussé le bien :
   que l'ennemi le poursuive !
4 Ils ont créé des rois sans moi,
   sans moi nommé des chefs.

De leur argent et de leur or ils se
    sont fait des idoles,
   pour être anéantis eux-mêmes.
5 Il est repoussant ton veau *d*, Sama-
    rie !
   — Ma colère s'est enflammée contre
    eux. Jusqu'à quand seront-ils incapa-
    bles de pureté ? —
6 Il vient d'Israël, un artisan l'a fait,
   il n'est pas Dieu ;
   oui, le veau de Samarie s'en ira en
    morceaux.
7 Ils sèment le vent, ils récolteront la
    tempête.
   Blé sans épi ne donne pas de farine,
   et s'il en donne quand même, ce sont
    des étrangers qui l'engloutissent.
8 Israël est englouti :
   les voici parmi les nations comme un
    objet sans valeur !
9 Quand il est monté vers Assour
   — onagre livré à lui seul —,
   Ephraïm *e* s'est acheté des amants.
10 Même s'ils distribuent des cadeaux
    parmi les nations,
   je les rassemblerai maintenant
   et sous peu ils trembleront sous le
    poids du roi des princes.
11 Ephraïm a multiplié les *autels
   pour enlever le péché,
   mais voici que ces autels sont devenus
    pour lui
   une occasion de pécher.
12 Que j'écrive pour lui mille prescrip-
    tions de ma loi,
   on les considère comme venant d'un
    étranger.
13 En guise de sacrifice ils sacrifient de
    la chair et la mangent,
   mais le SEIGNEUR n'y trouve pas de
    plaisir ;
   à présent il fait mémoire de leurs
    fautes
   et il fait le compte de leurs péchés.
   Ils devront retourner en Egypte.

---

b Sans doute pour provoquer l'attention ou la pitié de Dieu. Comparer 1 R 18.28. Voir aussi
au glossaire DÉCHIRER SES VÊTEMENTS ● *c* maison du Seigneur : ici le territoire
d'Israël, comme en 9.15 ● *d* Allusion ironique à un veau d'or, honoré à Samarie (comparer
1 R 12.28, 32) ● *e* onagre (âne sauvage) fait jeu de mots, en hébreu, avec Ephraïm — *Ephraïm :*
voir 4.17 et la note

7.12 Dieu étend son filet Ez 12.13; 32.3; cf. Qo 9.12; Mt 13.47. **7.13** un rachat qui ne va pas de
soi Os 13.14. **7.16** vers en haut Os 11.7 — ironie en Egypte Os 9.6; Jr 42.18. **8.1** Palestine,
maison du Seigneur Os 9.15; Jr 12.7; cf. Za 9.1 — alliance transgressée Os 6.7+. **8.2** prétendue
connaissance de Dieu Os 6.3; cf. 4.1+. **8.4** ils ont créé des rois sans moi Os 15.10, 14, 25.
8.5 le veau (de Samarie) 2 R 17.16; Os 10.5-6; 13.2; cf. Ex 32.4, 8; Dt 9.16; 1 R 12.28, 32;
2 R 17.16; 2 Ch 11.15; 13.8; Ne 9.18; Ps 106.19; Ac 7.41. **8.7** ils sèment le vent Jb 4.8;
Pr 22.8; Ga 6.7. **8.9** vers Assour Os 5.13 — des amants Os 2.7. **8.11** multiplication des
autels Os 10.1; 12.12. **8.13** des sacrifices qui ne plaisent pas à Dieu Os 6.6; Am 5.21-24+
— Dieu se souvient Os 7.2+ — retourner en Egypte Os 9.3; 11.5.

14 Israël oublie son créateur,
il s'est construit des palais.
Quant à Juda, il multiplie ses villes
fortes.
Mais j'enverrai le feu dans ses villes
et il en dévorera les citadelles.

Israël devra manger une nourriture impure

9 **1** Israël, ne pousse pas la joie jusqu'au délire, comme les peuples,
pour avoir pratiqué la prostitution *f*
loin de ton Dieu
et pour en avoir aimé le salaire sur
toutes les aires à blé.
2 L'aire et le pressoir ne les satisferont
pas,
le vin nouveau trompera leur attente.
3 Ils ne pourront pas rester dans le pays
du SEIGNEUR :
Ephraïm *g* retournera en Egypte,
et en Assyrie ils mangeront une nourriture *impure.
4 Ils ne verseront pas de vin en libation *h* pour le SEIGNEUR,
leurs sacrifices ne lui plairont pas :
ce sera pour eux comme un pain de
deuil,
tous ceux qui en mangent deviennent
impurs,
— car leur pain assurera leur vie,
mais il n'entrera pas dans la Maison
du SEIGNEUR.
5 Que ferez-vous au jour de la solennité,
au jour de fête du SEIGNEUR ?

On s'en prend au prophète

6 Voici qu'ils ont fui la destruction,
l'Egypte verra leur rassemblement,
Memphis *i* sera leur tombeau.
Leurs trésors précieux, les chardons
en hériteront,
les ronces envahiront leurs tentes.
7 Le temps du châtiment est arrivé,
le temps des comptes est arrivé :
qu'Israël le sache !
Le *prophète devient fou, l'homme de
l'esprit délire,
à cause de la grandeur de ton crime
et de la grandeur de l'attaque que tu
subis.
8 La sentinelle d'Ephraïm est avec mon
Dieu
— c'est le prophète —,
on lui tend un piège sur tous ses chemins,
on l'attaque jusque dans la maison de
son Dieu.
9 Ils sont allés au fond de la corruption, comme aux jours de Guivéa *j*.
Dieu se souviendra de leur crime, il
fera le compte de leurs péchés.

Les conséquences d'une vieille idolâtrie

10 C'est comme des raisins au désert que
j'ai trouvé Israël,
comme un fruit précoce sur un figuier,
dans sa primeur,
que j'ai vu vos pères.
Eux, dès leur arrivée à Baal-Péor,
se sont voués à la Honte *k*
et sont devenus des abominations
comme l'objet de leur amour.
11 Ephraïm, ce qui fait sa gloire va s'envoler comme un oiseau,
dès la naissance, dès la grossesse, dès
la conception.
12 Même s'ils élèvent des fils
je les en priverai avant qu'ils soient
des hommes.
Oh oui, malheur à eux quand je vais
me retirer d'eux !
13 Ephraïm, je le vois comme une autre
Tyr *l*,
plantée dans un lieu verdoyant,
et pourtant Ephraïm devra livrer ses
fils à la tuerie.
14 Donne-leur, SEIGNEUR... Que donneras-
tu ?

---

f Voir 1.2; 2.4 et les notes ● *g* Voir 4.17 et la note ● *h* Voir au glossaire SACRIFICES ●
i Ville d'Egypte proche des pyramides (déjà célèbres au temps d'Osée) ● *j* Allusion aux événements racontés en Jg 19—21 ● *k* à Baal-Péor: allusion à la scène d'idolâtrie racontée en Nb 25
— *la Honte:* terme injurieux par lequel les Israélites remplaçaient le nom de Baal ● *l* Ville
principale de la Phénicie, construite sur une île proche de la côte

8.14 le Créateur oublié Dt 32.15, 18; Es 1.2-3; 51.13; Jr 2.32; 3.21; Ez 22.12.   **9.1** prostitution
Os 1.2+.   **9.2** des récoltes qui profitent à d'autres Os 2.11; 8.7; cf. Es 65.22; Dt 28.3 8-43.
9.3 retour en Egypte Os 8.13+ — en Assyrie Os 10.6; 11.5.   **9.5** fête Ex 23.14-17.   **9.8** le
prophète sentinelle Jr 6.17; Ez 3.17; 33.2-7 — prophète persécuté Am 7.10-17; Jr 20.1-6; 36.26;
37.15-16; 38.4-6; 2 Ch 24.20-21; Mt 23.29-36; Lc 11.51.   **9.9** les jours de Guivéa Os 10.9 —
Dieu se souviendra Os 7.2+.   **9.10** au désert Os 2.16; Dt 32.10 — Baal- (ou Beth-) Péor Dt 3.29;
4.46; 34.6.   **9.12** privés de leurs fils Dt 32.25.   **9.13** prospérité de Tyr Ez 26—28.   **9.14** ventre
stérile... Jb 3.11-12; Lc 23.29.

Donne-leur ventre stérile et mamelles
desséchées *m*.

15 Toute leur perversité s'est manifestée
au Guilgal *n* :
c'est là que je les ai pris en haine ;
à cause de la perversité de leurs actions je les chasserai de ma maison,
je n'aurai plus d'amour pour eux ;
tous leurs chefs sont des rebelles.

16 Ephraïm a été frappé,
leur racine est desséchée,
de fruit *o*, ils n'en donneront point.
Même s'ils enfantent, je ferai mourir
le fruit chéri de leur ventre.

17 Mon Dieu les repoussera, car ils ne
l'ont pas écouté,
et ils vont se mettre à errer parmi les
nations.

Fin de la royauté
et des cultes idolâtriques

10 1 Israël, vigne florissante, produisait du fruit à l'avenant.
Plus ses fruits se multipliaient, plus
il multipliait les *autels ;
plus sa terre était belle, plus ils em-
bellissaient les stèles.

2 Leur *cœur est faux,
maintenant ils vont payer :
lui-même, le SEIGNEUR, va briser leurs
autels et détruire leurs stèles.

3 A présent ils disent :
« Nous n'avons pas de roi, puisque
nous ne craignons pas le SEIGNEUR
— et le roi, que pourrait-il faire pour
nous ? »

4 On prononce des paroles,
on fait de faux serments,
on conclut des alliances,
et le droit pousse comme une plante
vénéneuse sur les sillons des champs.

5 Les habitants de Samarie tremblent
pour les génisses de Beth-Awèn,
car son peuple est en deuil au sujet
du veau,

ainsi que sa prêtraille *p*.
Qu'ils se réjouissent de sa magnificence,
maintenant qu'elle est transportée loin
de nous !

6 Le veau aussi on l'emportera en Assyrie
en offrande pour le grand roi.
Ephraïm en recueillera de la honte
et Israël rougira de ses intrigues.

7 C'en est fait de Samarie, de son roi :
il est comme un éclat de bois à la
surface de l'eau.

8 Les *hauts lieux de la Fausseté *q* seront supprimés,
ce péché d'Israël ;
les ronces et les épines grimperont sur
leurs autels
et ils diront aux montagnes : Couvrez-
nous !
et aux collines : Tombez sur nous !

9 Depuis les jours de Guivéa *r* tu as
péché, Israël
— et ils n'en ont pas bougé !
N'est-ce pas à Guivéa
que les atteindra le combat contre les
criminels ?

10 Je veux les châtier ;
parce qu'ils sont attachés *s* à leurs deux
crimes,
les peuples se ligueront contre eux.

11 Ephraïm était une génisse bien dressée
qui aimait à fouler le grain.
Lorsque je vins à passer devant la
beauté de son cou,
je mis Ephraïm à l'attelage
— Juda est au labour
et Jacob, lui, à la herse.

12 Faites-vous de justes semailles, vous
récolterez de généreuses moissons ;
défrichez-vous un champ nouveau ;
c'est maintenant qu'il faut chercher le
SEIGNEUR
jusqu'à ce qu'il vienne répandre sur
nous la justice.

---

m au lieu de la fertilité que les Israélites espéraient recevoir de Baal (voir la note sur 1.2) ●
n Voir 4.15 et la note ● *o* En hébreu le terme traduit par *fruit* (*peri*) évoque par allitération
le nom d'*Ephraïm* ● *p Beth-Awèn:* voir 4.15 et la note — *le veau:* voir 8.5 et la note — *sa
prêtraille:* terme ironique visant les prêtres des cultes contaminés par la religion de Baal (voir
2 R 23.5) ● *q la Fausseté:* en hébreu *Awèn* (v. 5); comparer Jr 5.31 et la note ● *r* Voir 9.9 et
la note ● *s* En hébreu le terme traduit par *attachés* fait jeu de mots avec celui qui est rendu
par *châtier*

9.15 Guilgal Os 4.15+ — la maison du Seigneur Os 8.1+. **10.1** Israël comme une vigne
Es 5.1-7+ — les autels multipliés Os 8.11; 12.12. **10.4** le droit comme une plante vénéneuse
Am 5.7; 6.12. **10.5** Beth-Awèn Os 4.15+ — le veau Os 8.5+. **10.6** en Assyrie Os 9.3; 11.5
— le grand roi Os 5.13. **10.8** hauts lieux Os 4.13 détruits 2 R 23.15-16 — épines et ronces Gn 3.18;
Es 5.6; 7.23, 25; 32.13 — montagnes, couvrez-vous Lc 23.30; Ap 6.16; cf. Es 2.10, 19, 21. **10.9** les
jours de Guivéa Os 9.9; cf. Jg 19—21. **10.10** deux crimes Jr 2.13. **10.12** défrichez-vous un
champ nouveau Jr 4.3 — chercher le Seigneur Os 5.15; Dt 4.29; Ps 14.2, etc. — cf. Es 55.6; 65.1; Jr 29.13;
Am 5.4; Za 8.22; Ac 17.27; cf. 1 R 22.5; 2 R 22.13; Jr 37.7, etc. — la justice Es 42.1; Ps
85.11, 14.

13 Vous avez labouré la méchanceté et
récolté l'iniquité,
vous avez mangé un fruit de mensonge.
Tu as mis ta confiance dans ta puissance,
dans la multitude de tes guerriers.
14 Le tumulte s'élève parmi ton peuple,
en sorte que toutes tes villes fortes
seront dévastées,
comme Shalmân dévasta Beth-Arvel *t*
au jour du combat où l'on écrasait la
mère sur ses fils.
15 C'est là ce que vous aura fait Béthel
à cause de votre extrême méchanceté :
à l'aurore, c'en sera fait du roi d'Israël.

Dieu est comme un père
déçu par son fils

11 1 Quand Israël était jeune, je l'ai
aimé,
et d'Egypte j'ai appelé mon fils.
2 Ceux qui les appelaient, ils s'en sont
écartés :
c'est aux *Baals qu'ils ont *sacrifié
et c'est à des idoles taillées qu'ils ont
brûlé des offrandes.
3 C'est pourtant moi qui avais appris à
marcher à Ephraïm *u*,
les prenant par les bras,
mais ils n'ont pas reconnu que je
prenais soin d'eux.
4 Je les menais avec des attaches humaines,
avec des liens d'amour,
j'étais pour eux comme ceux qui soulèvent un nourrisson contre leur joue
et je lui tendais de quoi se nourrir.
5 Il ne reviendra pas au pays d'Egypte,
c'est Assour qui sera son roi.
car ils ont refusé de revenir à moi.
6 L'épée tournoiera dans ses villes,

elle anéantira ses défenses, elle dévorera
à cause de leurs intrigues.
7 Mon peuple ! ils s'accrochent à leur
apostasie *v* :
on les appelle en haut,
mais, tous, tant qu'ils sont, ils ne
s'élèvent pas.

L'amour de Dieu l'emportera

8 Comment te traiterai-je, Ephraïm, te
livrerai-je, Israël ?
Comment te traiterai-je comme Adma,
te rendrai-je comme Cevoïm *w* ?
Mon *cœur est bouleversé en moi,
en même temps ma pitié s'est émue.
9 Je ne donnerai pas cours à l'ardeur
de ma colère,
je ne reviendrai pas détruire Ephraïm ;
car je suis Dieu et non pas homme,
au milieu de toi je suis *saint :
je ne viendrai pas avec rage.
10 Ils marcheront à la suite du SEIGNEUR.
Comme un lion il rugira ;
quand il se prendra à rugir, des fils
accourront en tremblant de l'occident.
11 De l'Egypte ils accourront en tremblant comme des moineaux,
et du pays d'Assour comme des colombes,
et je les ferai habiter dans leurs maisons
— oracle du SEIGNEUR.

Une politique mensongère

12 1 Ephraïm *x* m'entoure de mensonge et la maison d'Israël d'imposture.
Mais Juda marche encore avec Dieu
et reste fidèle au Très-Saint.
2 Ephraïm se repaît de vent
et court après le vent d'est tout le long
du jour ;

t Shalmân: probablement un roi de Moab (on le trouve mentionné dans une inscription assyrienne) — *Beth-Arvel:* une ville de Transjordanie du nord; l'expression *ses fils* est peut-être une
tournure imagée désignant les villages qui dépendent de Beth-Arvel ● *u* Voir 4.17 et la note ●
v leur apostasie ou *leur trahison* ● *w Adam* et *Cevoïm:* villes voisines de Sodome et Gomorrhe
(Dt 29.22) ● *x* Voir 4.17 et la note

10.13 récolter l'iniquité cf. Os 8.7+ — confiance dans la force armée Es 31.1; Mi 1.13.
10.14 la mère massacrée avec ses enfants Os 14.1; 2 R 8.12; Es 13.18; Na 3.10; Ps 137.9.
10.15 Béthel Os 4.15. 11.1 Israël, comme un fils Ex 4.22; Dt 32.6; Es 1.2; Jr 3.19; Ml 1.6; cf.
Es 63.16; Jr 31.9; Os 11.10 — d'Egypte j'ai appelé mon fils Mt 2.15. 11.3 comme un enfant qui
apprend à marcher Dt 1.31 — ils n'ont pas reconnu... Os 2.10; cf. 4.6; 7.9; 8.14; 13.6.
11.4 Dieu donnait de quoi manger Ex 16.4, 8, 12; Nb 11.7-9; Dt 8.16. 11.5 retour en
Egypte Os 8.13+ — sous la domination assyrienne Os 9.3; 10.6 — retour à Dieu Os 2.9; 5.4; 6.1;
7.10; 12.7; 14.2. 11.8 Adma et Cevoïm Gn 10.19; 14.2, 8. 11.9 Dieu différent de l'homme
Nb 23.19; cf. Ml 3.6; Jb 9.32 — Dieu saint Es 5.16; 6.3; cf. 1.4; Os 12.1. 11.10 le grand retour
des dispersés Es 11.10-12; 43.5-7; Jr 31.8-9. 12.1 mensonge et imposture Os 4.2; 7.1; 10.4, 13;
12.2 — Juda Os 1.7+. 12.2 du vent Os 8.7; Qo 1.6 — vent d'est Os 13.15 — politique double
Os 7.11+.

il multiplie mensonges et violences.
Ils concluent une alliance avec l'Assyrie *y* et livrent de l'huile en Egypte.

**L'ancêtre d'Israël est Jacob,
le trompeur**

3 Le SEIGNEUR a un procès avec Juda,
pour faire rendre compte à Jacob *z* de
sa conduite
et le rétribuer selon ses actions.
4 Dans le sein maternel il a supplanté
son frère
et, arrivé à l'âge mûr, il lutta avec
Dieu.
5 Il lutta avec un ange et l'emporta,
il pleura et le supplia.
A Béthel il le trouva
et c'est là que Dieu a parlé avec nous
6 — « le SEIGNEUR, Dieu des puissances,
le SEIGNEUR »,
c'est ainsi qu'il faut l'invoquer.
7 Toi donc tu reviendras chez ton Dieu :
garde la fidélité et la droiture
et mets continuellement ton espoir en
ton Dieu.

8 Canaan a dans la main une balance
trompeuse, il aime à frauder.
9 Et Ephraïm dit : « Je n'ai fait que
m'enrichir,
j'ai acquis une fortune ;
dans tout mon travail, on ne me
trouvera pas un motif de péché. »

10 Mais moi je suis le SEIGNEUR ton Dieu
depuis le pays d'Egypte.
Je te ferai de nouveau habiter sous
des tentes
comme aux jours où je vous rencontrais.
11 Je parlerai aux *prophètes et je multiplierai les visions,
et par les prophètes je dirai des paraboles.

12 Si déjà Galaad est fausseté,
ils sont devenus, eux, du néant ;
au Guilgal *a* ils ne cessent de *sacrifier
des taureaux,
et même, leurs *autels sont comme
des tas de pierres sur les sillons des
champs.

13 Jacob *b* s'enfuit aux plaines d'*Aram
et Israël servit pour une femme,
et pour une femme il se fit gardien
de troupeaux.
14 Mais par un prophète le SEIGNEUR a
fait monter Israël hors d'Egypte,
et par un prophète Israël a été gardé.

15 Ephraïm a fait à Dieu une peine
amère :
son Seigneur rejettera sur lui le *sang
qu'il a versé
et il lui rendra ses outrages.

La ruine prochaine d'Israël

13 1 Quand Ephraïm *c* parlait,
il portait, lui, la terreur en Israël.
Mais par *Baal il s'est rendu coupable
et il en est mort.
2 A présent ils continuent de pécher :
ils se sont fait un ouvrage en fonte,
de leur argent — avec leur technique
— des idoles !
Produit d'artisans que tout cela.
C'est à leurs propos que l'on dit :
« Des sacrificateurs, des hommes, offrent des baisers à des veaux *d*. »
3 C'est pourquoi ils seront comme la
nuée du matin
et comme la rosée matinale qui passe,
comme de la paille qui tourbillonne
loin de l'aire
et comme de la fumée qui sort d'une
ouverture.

4 Et moi le SEIGNEUR ton Dieu
depuis le pays d'Egypte,

● *y* A l'époque d'Osée *l'Assyrie* (à l'*est*) et l'Egypte étaient ennemies ● *z* Jacob, nom de l'ancêtre du peuple d'Israël, sert à désigner ici ce peuple lui-même (voir Gn 32.28-29 ; 35.10). Au v. 4 le verbe traduit par *supplanter* (*acab*) fait jeu de mots avec le nom *Jacob*. De même l'expression *il lutta avec Dieu* fait jeu de mots avec le nom *Israël* (voir Gn 32.28) ● *a* Galaad: voir 6.8 et la note — Guilgal: voir 4.15 et la note — *des tas de pierres* (en hébreu *gal*) fait jeu de mots avec *Gal*aad et Guil*gal* ● *b* Voir 12.3 et la note ● *c* Voir 4.17 et la note ● *d* Voir 8.5 et la note

12.3 le Seigneur en procès Os 2.4+. **12.4** Jacob supplante son frère Gn 25.26 ; 27.35-36. **12.5** Jacob lutte avec Dieu Gn 32.25, 29 — Jacob à Béthel Gn 28.12-19 — Dieu lui a parlé Gn 35.15. **12.7** retour à Dieu Os 11.5+. **12.8** Cananéen trafiquant Za 14.21 ; Pr 31.24. **12.9** enrichi Ap 3.17-18. **12.10** le Seigneur ton Dieu Os 13.4 ; Ex 20.2 ; Dt 5.6 — de nouveau sous les tentes cf. Os 2.16 ; 13.5 — rencontre Ex 33.7. **12.11** des prophètes, des visions Nb 12.2-8 ; Dt 18.15, 18-22, Ps 74.9 ; Lm 2.9. **12.12** Galaad Os 6.8+ — Guilgal Os 4.15+. **12.13** Jacob au pays d'Aram Gn 29.1-30. **12.14** Moïse prophète Nb 12.6-8 ; Dt 18.15, 18. **13.2** un ouvrage en fonte Os 8.5-6+. **13.3** comme la nuée du matin Os 6.4+. **13.4** le Seigneur ton Dieu Os 12.10+ — pas d'autre sauveur Es 44.8 ; 45.21 ; cf. Ps 18.32.

— et moi excepté, tu ne connais pas de Dieu,
et de sauveur il n'y en a point sauf moi —,

5 moi je t'ai connu au désert, dans un pays de fièvre.

6 Aussitôt arrivés au pâturage ils se rassasièrent,
une fois rassasiés, leur *cœur s'est enflé,
c'est pour cela qu'ils m'ont oublié.

7 Je devins pour eux comme un lion, comme une panthère sur le chemin je guette.

8 Je les attaque comme une ourse à qui l'on a ravi ses petits,
je déchire l'enveloppe de leur cœur,
comme une lionne je les dévore sur place,
les bêtes sauvages les mettront en pièces.

9 Te voilà détruit, Israël ;
moi seul peux te porter secours.

10 Où donc est ton roi, pour qu'il te sauve
dans toutes tes villes,
— et tes juges, eux dont tu disais : « Donne-moi un roi et des chefs » ?

11 Je te donne un roi dans ma colère,
et dans ma fureur je le reprends.

12 La faute d'Ephraïm est serrée en lieu sûr, son péché est mis en réserve.

13 Sur celle qui enfante vont survenir les douleurs ;
lui, c'est un fils qui ne sait pas s'y prendre :
venu à terme, il ne se présente pas à la sortie du sein maternel.

14 Je devrais les racheter à l'emprise du *séjour des morts ?
De la mort je devrais les garantir ?
— Mort, où sont tes calamités ?
Séjour des morts, où est ton fléau ?
Toute pitié se dérobe à mes yeux.

15 Ephraïm a beau prospérer au milieu de ses frères,
un vent d'est viendra,

un vent du SEIGNEUR, montant du désert :
la source tarira, la fontaine sera mise à sec
— on dépouillera le trésor de tous les objets précieux.

14 1 Samarie *e* devra payer,
car elle s'est révoltée contre son Dieu :
ils tomberont par l'épée,
les nourrissons seront écrasés
et les femmes enceintes éventrées.

La guérison du peuple infidèle

2 Reviens donc, Israël, au SEIGNEUR ton Dieu,
car ta faute t'a fait trébucher.

3 Prenez avec vous des paroles et revenez au SEIGNEUR,
dites-lui :
« Tu enlèves toute faute ;
accepte ce qui est bon,
en guise de taureaux
nous t'offrirons en *sacrifice
les paroles de nos lèvres.

4 L'Assyrie ne peut nous sauver,
nous ne monterons pas sur un cheval *f*
et nous ne dirons plus "Notre Dieu"
à l'ouvrage de nos mains
— ô toi par qui l'orphelin est pris en pitié ! »

5 Je les guérirai de leur apostasie *g*,
je les aimerai avec générosité :
ma colère s'est détournée de lui,

6 je serai pour Israël comme la rosée,
il fleurira comme le lis
et il enfoncera ses racines comme la forêt du Liban ;

7 ses rejetons s'étendront,
sa splendeur sera comme celle de l'olivier
et son parfum comme celui du Liban ;

8 ils reviendront, ceux qui habitaient à son ombre,
ils feront revivre le blé,
ils fleuriront comme la vigne

---

e Voir 7.1 et la note ● *f* Le *cheval* était utilisé essentiellement pour la guerre (voir Os 1.7; Es 31.1) ● *g* leur apostasie ou leur trahison

13.5 au désert Os 2.16; cf. 12.10.   **13.6** oublié Os 8.14+.   **13.10** donne-moi un roi 1 S 8.5-6.   **13.11** le roi repris Os 10.15.   **13.13** naissance impossible Es 37.3.   **13.14** mort, où sont tes calamités? 1 Co 15.55.   **13.15** vent d'orient Os 12.2; Gn 41.6; Ez 19.12.   **14.1** la mère massacrée avec ses enfants Os 10.14+; 2 R 15.16; Am 1.13.   **14.2** reviens Jr 31.21 au Seigneur Os 6.1; 11.5+.   **14.3** des paroles offertes en sacrifice He 13.15.   **14.4** l'Assyrie impuissante à sauver Os 5.13; 7.11; 8.9; 12.2; Es 31.1 — force armée Os 1.7; cf. 8.14; 10.13 — faux-dieux, ouvrages d'hommes Es 44.9, 20; Jr 2.28; 10.3-5 « notre Dieu » dit à une idole Ex 32.4, 8; 1 R 12.28; Es 44.16-17; Jr 2.27; cf. Os 2.10; 4.17; 8.4-6; 10.5-6; 11.2; 13.2 — pitié de Dieu pour les orphelins Ex 22.21-23; Ps 68.6; 146.9.   **14.5** guérison Os 6.1; 7.1; Es 30.26; 57.18; Jr 30.17 — amour Os 2.3; cf. 1.6; 9.15.   **14.6-8** renouveau pour Israël Es 27.6.

et on en parlera comme du vin du
Liban.

9 Ephraïm ! qu'ai-je encore à faire avec
les idoles ?
C'est moi qui lui réponds et qui veille
sur lui.
Je suis, moi, comme un cyprès toujours
vert,

c'est de moi que procède ton fruit.

10 Qui est assez sage pour discerner ces
choses
et assez intelligent pour les connaître ?
Oui, les chemins du SEIGNEUR sont
droits
et les justes y marcheront,
mais les rebelles y trébucheront.

JOËL

1 ¹ Parole du SEIGNEUR, qui fut
adressée à Joël, fils de Petouël.

Invasion de sauterelles et sécheresse

2 Ecoutez ceci, vous les *anciens,
prêtez l'oreille, vous tous, habitants du
pays.
Ceci est-il survenu de votre temps,
ou du temps de vos pères ?
3 Faites-en le récit à vos fils,
et vos fils à leurs fils,
et leurs fils à la génération qui viendra.
4 Ce que le « trancheur » a laissé, l'« essaimeur » le dévore,
et ce que l'« essaimeur » a laissé, le
« lécheur » le dévore,
et ce que le « lécheur » a laissé, le
« décortiqueur » ᵃ le dévore.
5 Réveillez-vous, ivrognes, et pleurez,
hurlez, vous tous, buveurs de vin,
à cause du vin nouveau dont votre
bouche est sevrée.
6 Un peuple attaque mon pays,

il est puissant et innombrable.
Ses dents, des dents de lion,
il a des mâchoires de lionne.
7 Il fait de ma vigne un désert,
mes figuiers, il les réduit en pièces.
Il les pèle, il les jette à terre,
leurs rameaux sont devenus blancs.
8 Soupire, telle une vierge
vêtue de deuil, pleurant l'époux de sa
jeunesse.
9 Offrande et libation sont supprimées
dans la Maison du SEIGNEUR.
Les prêtres sont en deuil,
les ministres du SEIGNEUR.
10 Les champs sont dévastés,
les terres en deuil.
Le blé est dévasté, le moût fait défaut,
l'huile fraîche est tarie.
11 Soyez confus, laboureurs, hurlez, vignerons,
à cause du froment et de l'orge :
la moisson des champs a péri.
12 La vigne est étiolée,
le figuier flétri ;
grenadier, palmier, pommier,

ᵃ *trancheur, essaimeur, lécheur, décortiqueur :* on rend ainsi quatre termes mal connus, désignant
peut-être diverses espèces de sauterelles du type *criquet-pèlerin*, insectes qui se déplacent en groupes
innombrables et dévorent toute végétation.

14.9 Dieu répond Os 2.23-25 — Dieu donateur Os 2.10.   **14.10** qui est sage? Jr 9.11; Ps
107.43; Qo 8.1.
1.4 sauterelles Ex 10.1-15; Dt 28.38; 1 R 8.37; Am 7.1-2; Ml 3.11; Ps 105.34-35; Ap 9.3-9.
1.5 buveurs Es 5.11; 28.7-8; 56.12; Am 4.1; Sg 2.7-9.   **1.6** dents de lion Ap 9.8.   **1.7** vigne et
figuier 1 R 5.5; Mi 4.4; Za 3.10; cf. Es 5.1; Ps 80.9-19.   **1.10** champs dévastés, terres en deuil Os 4.3
— blé, moût, huile fraîche Jl 2.19; Gn 27.28; Nb 18.12; Dt 7.13; 2 R 18.32; Es 36.17; Os 2.7, 24.
1.12 agriculture ruinée Am 4.7-9 — gaîté disparue Es 16.10; Jr 25.10.

tous les arbres des champs sont desséchés.
La gaîté, confuse, se retire
d'entre les humains.

Appel à jeûner et à supplier le Seigneur

¹³ Ceignez-vous, lamentez-vous, prêtres,
hurlez, ministres de l'*autel.
Venez, passez la nuit vêtus de *sacs,
ministres de mon Dieu :
offrande et libation ᵇ sont refusées
à la Maison de votre Dieu.
¹⁴ *Sanctifiez-vous par le *jeûne,
annoncez une réunion sacrée,
rassemblez les *anciens,
tous les habitants du pays,
dans la Maison du SEIGNEUR, votre
Dieu,
et criez au SEIGNEUR.

Jour du Seigneur, jour de dévastation

¹⁵ Hélas ! Quel jour ! Il est proche, le
*Jour du SEIGNEUR ;
il vient du Dévastateur ᶜ, comme une
dévastation.
¹⁶ N'est-ce pas sous nos yeux
que la nourriture est supprimée
et, dans la Maison du SEIGNEUR,
la joie et l'allégresse ?
¹⁷ Les graines sont desséchées sous la
glèbe ;
les silos sont ruinés, les greniers
démolis,
car le blé fait défaut.
¹⁸ Comme le bétail soupire!
Les troupeaux de bœufs s'affolent :
plus de pâture pour eux.
Même les troupeaux de petit bétail
dépérissent.

Prière du prophète

¹⁹ Vers toi, SEIGNEUR, je crie :
le feu dévore les pâturages de la
steppe ;

la flamme consume tous les arbres des
champs.
²⁰ Même les bêtes sauvages
se tournent vers toi :
les cours d'eau sont à sec
et le feu dévore les pâturages de la
steppe.

Le jour du Seigneur est proche

2 ¹ Sonnez du cor ᵈ à *Sion,
poussez une clameur sur ma montagne sainte !
Que tous les habitants du pays frémissent :
le *Jour du SEIGNEUR vient, il est
proche.
² C'est un jour de ténèbres et d'obscurité,
un jour de nuée et de sombres nuages.
Comme l'aurore, se déploie sur les
montagnes
un peuple nombreux et puissant,
tel qu'on n'en a jamais vu,
tel qu'après lui il n'y en aura plus
jamais,
jusqu'aux années des générations les
plus lointaines.
³ Devant lui, le feu dévore,
derrière, la flamme consume.
Tel le jardin d'Eden, la terre est devant
lui,
derrière, c'est un désert dévasté.
Aussi, rien ne lui échappe.
⁴ Il est semblable à des chevaux ᵉ ;
comme des coursiers, ainsi courent-ils.
⁵ C'est comme un bruit de chars bondissant
sur les sommets des montagnes ;
comme le crépitement d'un foyer brûlant
qui dévore le chaume ;
comme un peuple puissant
rangé en bataille.
⁶ Devant lui, les peuples se tordent de
douleur,
tous les visages s'empourprent.

---

b Voir au glossaire SACRIFICES ● c La traduction essaie de rendre ici un jeu de mots entre
les termes hébreux chod (dévastation) et Chaddaï (un ancien nom de Dieu traduit par Dévastateur)
● d La sonnerie du cor : un signal destiné à donner l'alarme ● e La suite du passage décrit une
invasion de sauterelles à l'aide d'images de guerre

1.14 jeûne Jl 2.12-13, 15-17; Jon 3.5-9; cf. 1 R 21.9; Esd 8.21 ; Ne 9.1 — crier au Seigneur Jl 1.19-20;
Ex 14.10; Dt 26.7; Jg 3.9, 15; 10.12; 1 S 7.8; Es 19.20; Jon 3.8; Mi 3.4; Ps 3.5; 4.2, 4, etc.; Lc
18.7. **1.15** jour du Seigneur Jl 2.1-2, 11 ; 3.4; 4.14; Es 13.6, 9; Ez 30.2-3; Am 5.18; Ab 15; So 1.7,
14-15; Za 14.1; Ml 3.2-5, 19-21; cf. Os 1.5+. **1.16** joie et allégresse Es 35.10; 51.11; Ps 14.7;
Mt 5.12 disparues Es 16.10; Jr 48.33. **1.18** solidarité des hommes et de la création Os 4.3+;
Jr 14.3-6; Jon 3.7; Ps 135.8. **1.19** crier vers le Seigneur Jl 1.14+; Ps 28.1; 30.9; 86.3 — feu,
symbole de destruction Jl 2.3; Am 1.4, 7, 10, 14; 2.2, 5. **2.1** tremblement à l'approche de Dieu
Ex 19.16-20; Ha 3.7-12; Ps 18.8-16 — jour du Seigneur Jl 1.15+. **2.2** jour de ténèbres Am
5.18; Mc 13.24-25. **2.3** le feu Jl 1.19+ — jardin d'Eden Gn 2.8-15; Es 51.3; Ez 36.35. **2.4-5**
comme l'aspect des chevaux Ap 9.7-9.

7 Comme des braves [f], ils courent ;
tels des guerriers, ils escaladent la
muraille.
Chacun va son chemin,
ils ne s'écartent pas de leur sentier.
8 Personne ne bouscule son voisin ;
chacun avance tout droit.
A travers les projectiles, ils foncent ;
ils ne se débandent pas.
9 Ils traversent la ville, courent sur les
remparts,
escaladent les maisons ;
par les fenêtres, ils entrent comme des
voleurs.
10 Devant eux, la terre frémit, le ciel
est ébranlé ;
le soleil et la lune s'obscurcissent
et les étoiles retirent leur clarté,
11 tandis que le Seigneur donne de la voix
à la tête de son armée.
Ses bataillons sont très nombreux :
puissant est l'exécuteur de sa parole.
Grand est le Jour du Seigneur.
redoutable à l'extrême : qui peut le
supporter ?

C'est le moment de revenir au Seigneur

12 Dès maintenant, oracle du Seigneur,
revenez à moi de tout votre cœur
avec des *jeûnes, des pleurs, des lamentations.
13 *Déchirez vos *cœurs, non vos vêtements
et revenez au Seigneur, votre Dieu :
Il est bienveillant et miséricordieux,
lent à la colère et plein de fidélité.
Il regrettre le malheur.
14 Qui sait, peut-être aura-t-il encore du
regret
et après lui laissera-t-il une bénédiction,
offrande et libation [g]
pour le Seigneur, votre Dieu.

Le moment de jeûner et de supplier Dieu

15 Sonnez du cor [h] à *Sion,
*sanctifiez-vous par le *jeûne,
annoncez une réunion sacrée,
16 rassemblez le peuple,
convoquez une assemblée sainte.
Groupez les vieillards, réunissez les
adolescents
et les enfants à la mamelle.
Que le jeune époux quitte sa chambre
la jeune épouse son pavillon.
17 Qu'entre le porche et l'*autel [i] pleurent les prêtres,
ministres du Seigneur.
Qu'ils disent : « Seigneur, aie pitié de
ton peuple ;
ne fais pas de ton héritage un opprobre
pour que les nations se moquent d'eux !
Pourquoi dirait-on parmi les peuples :
Où est leur Dieu ? »

Le Seigneur répond à son peuple

18 Le Seigneur déborde de zèle pour son
pays,
il a pitié de son peuple.
19 Le Seigneur répond à son peuple :
« Eh bien! je vais vous envoyer
le blé, le moût et l'huile fraîche.
Vous en serez rassasiés.
Jamais plus je ne ferai de vous
un opprobre parmi les nations.
20 Celui qui vient du nord, je l'éloigne
de vous ;
je le chasse en une terre aride et
désolée,
son avant-garde vers la mer orientale,
son arrière-garde vers la mer occidentale [j] ;
il en montera une puanteur,
il en montera une infection :
oui, il a fait de grandes choses. »

---

f Il s'agit de guerriers auxquels sont comparées les sauterelles ● g offrande et libation: voir au
glossaire SACRIFICES ● h La sonnerie du cor servait aussi à convoquer les assemblées religieuses;
voir Es 27.13 et la note; comparer Jl 2.1 et la note ● i Le porche correspond à l'entrée du bâtiment principal du temple — L'autel: probablement l'autel des *holocaustes, situé devant le
porche ● j celui qui vient du nord: sans doute l'ennemi dont il a été question aux v. 1-11; voir la
note sur Jr 1.14 — la mer orientale: la mer Morte — la mer occidentale: la mer Méditerranée

2.10 obscurcissement du soleil Jl 3.4; 4.15; Es 13.10; Am 8.9. 2.11 le Seigneur donne de la voix
Es 30.30; 33.3; Ps 18.14; 29.3-5; 46.7; He 12.26 — jour du Seigneur Jl 1.15+. 2.12 revenir à Dieu
Os 6.1+; 11.5+ — de tout votre cœur Dt 4.29; 6.5; 30.10; 1 S 7.3; 1 R 8.48; Jr 29.13; Ps 119.2;
2 Ch 15.12 — jeûne Jl 1.14+. 2.13 déchirer ses vêtements Gn 37.29; 2 S 13.19; 2 R 22.11; Mt
26.65; Ac 14.14 — Dieu, bienveillant et miséricordieux Ex 34.6+. 2.14 regret possible de Dieu
2 S 12.22; Jon 3.9; cf. Am 7.3+ — bénédiction Jl 2.19-27; Dt 7.13-15; 28.1-13. 2.15 sonnerie du cor Jg 3.27; 6.34; 1 S 13.3-4; 2 S 2.28; Jr 6.1; Ez 33.3; Os 5.8; Am 3.6; Ap 8.6-7 —
jeûne Jl 1.14+. 2.17 entre le porche et l'autel Ez 8.16; cf. Mt 23.35; Lc 11.51 — pourquoi...?
Ex 32.11-12 — Où est leur Dieu? Mi 7.10; Ps 42.4, 11; 79.10; 115.2. 2.18 le zèle du Seigneur
Za 1.14; 8.2. 2.19 blé, moût, huile Jl 1.10+. 2.20 qui vient du Nord Jr 1.14-15; 4.6; 6.1; cf.
Ez 26.7.

21 Terre, ne crains pas, exulte et réjouis-
toi :
car le SEIGNEUR fait de grandes choses.
22 Ne craignez pas, bêtes des champs :
les pâturages des steppes reverdissent,
les arbres portent leurs fruits,
le figuier et la vigne donnent leurs
richesses.
23 Vous, gens de *Sion, exultez et réjouissez-vous
dans le SEIGNEUR, votre Dieu.
Il vous donne la pluie d'automne pour
vous sauver,
il fait tomber sur vous l'averse,
la pluie d'automne, la pluie du printemps,
comme jadis.
24 Les aires se remplissent de froment,
les cuves débordent de moût et d'huile
fraîche.
25 Je compense pour vous les années
que l'« essaimeur » a mangées,
le « lécheur », le « décortiqueur », le
« trancheur » k, ma grande armée que
j'ai envoyée contre vous.
26 Vous mangerez à satiété,
vous louerez le *nom du SEIGNEUR,
votre Dieu,
qui a agi merveilleusement pour vous.
Mon peuple ne connaîtra plus la honte,
jamais.
27 Vous saurez que je suis au milieu
d'Israël, moi,
et que je suis le SEIGNEUR, votre Dieu,
et qu'il n'y en a point d'autre.
Mon peuple ne connaîtra plus la honte,
jamais.

Le Seigneur répandra son Esprit sur tous

3 1 Après cela, je répandrai mon
Esprit
sur toute chair.
Vos fils et vos filles *prophétiseront,
vos vieillards auront des songes,
vos jeunes gens auront des visions.

2 Même sur les serviteurs et les servantes,
en ce temps-là je répandrai mon Esprit.
3 Je placerai des prodiges dans le ciel
et sur la terre,
du sang, du feu, des colonnes de fumée.
4 Le soleil se changera en ténèbres et la
lune en sang
à l'avènement du *Jour du SEIGNEUR,
grandiose et redoutable.
5 Alors, tous ceux qui invoqueront le
nom du SEIGNEUR seront sauvés. En effet,
il y aura des rescapés sur la montagne
de *Sion et à Jérusalem, comme le SEI-
GNEUR l'a dit : parmi les survivants que le
SEIGNEUR appelle.

Le procès de Dieu contre les nations

4 1 Oui, précisément en ce temps-là,
lorsque je restaurerai Juda et Jérusalem l,
2 je rassemblerai toutes les nations
et je les ferai descendre dans la vallée
nommée « Le SEIGNEUR juge m ».
Et là, je plaiderai contre elles
au sujet d'Israël, mon peuple et mon
domaine :
parce qu'elles l'ont dispersé parmi les
peuples
et qu'elles ont partagé mon pays.
3 Elles ont joué mon peuple au sort ;
elles ont troqué des garçons contre
des prostituées ;
pour du vin, elles ont vendu des
fillettes,
et elles ont bu.

4 Même vous, Tyr et Sidon, et tous les
districts des Philistins : que me voulez-
vous ?
Vous vengeriez-vous sur moi ?
Mais si vous usiez contre moi de
représailles,
alors promptement, rapidement, je ferais
retomber la vengeance sur vos têtes.
5 Vous qui avez pris mon argent et mon
or,

---

k Voir 1.4 et la note ● l Comme les versions anciennes, certains traduisent lorsque je ramènerai
les captifs de Juda et de Jérusalem ● m Cette vallée ne doit pas être cherchée sur une carte; le
nom est purement symbolique

2.23 la pluie au bon moment Os 6.3+. **2.25** essaimeur, lécheur, etc. Jl 1.4+. **2.27** vous
saurez Jl 4.17; Ex 16.12; Ez 2.5; 6.7, 10, 13, 14, etc.; 7.9; 39.22 — je suis le Seigneur Ex 6.2; 7.5;
Es 42.8; Os 12.10+; Ml 3.6 — pas d'autre Dieu Es 42.8+; cf. Os 13.4+. **3.1-5** Ac 2.17-21 —
prophétiser sous l'action de l'Esprit Nb 11.25-29. **3.4** soleil obscurci Ap 6.12; Jl 2.10+ — jour
du Seigneur Jl 1.15+. **3.5** Rm 10.13 invoquer le nom du Seigneur 1 R 18.24; 2 R 5.11; So 3.9;
Za 13.9; Ps 80.19; 99.6; 116.4; Lm 3.55; Ac 22.16 — des rescapés sur la montagne de Sion Ab 17;
Ap 14.1 — ceux que le Seigneur appelle Es 42.6; 51.2; 55.5; Rm 1.6; 8.28; 9.12, 24; 1 Co 1.9,
24,26; Ga 1.15; 1 Th 2.12; 5.24; 1 P 2.9. **4.1** restauration de Juda et Jérusalem Jr 29.14+.
4.2-3 les nations accusées d'inhumanité envers Israël: Ez 25.3, 6, 8, 12, 15; Am 1.3—2.3;
Ab 11-14. **4.4** Tyr (et Sidon) Am 1.9+ — les Philistins Am 1.6+.

qui avez déposé dans vos temples mes trésors précieux,

6 vous qui avez vendu les habitants de Juda et de Jérusalem
aux habitants de Yavân [n], pour les éloigner de leur territoire :

7 c'est moi qui vais les réveiller du lieu où vous les avez vendus,
et je ferai retomber votre forfait sur vos têtes.

8 Je vendrai vos fils et vos filles aux habitants de Juda,
qui les vendront aux Sabéens [o], nation lointaine.
C'est le SEIGNEUR qui le dit !

Combat final et jugement

9 Publiez ceci parmi les nations :
*sanctifiez-vous pour la guerre,
stimulez les braves ;
qu'ils approchent, qu'ils montent, tous les guerriers.

10 De vos socs, forgez des épées,
de vos serpes, forgez des lances.
Que celui qui est faible dise : « Je suis un brave ! »

11 Venez à l'aide [p], vous toutes les nations d'alentour ;
qu'on se rassemble là !
SEIGNEUR, fais descendre tes braves !

12 Que les nations se mettent en branle ;
qu'elles montent vers la vallée nommée « Le Seigneur juge [q] » :
C'est là que je vais siéger
pour juger toutes les nations d'alentour.

13 Brandissez la faucille,
la moisson est mûre ;
venez, foulez,
le pressoir est plein ;
les cuves débordent.
Oui, leur malice est grande.

14 Des foules, des foules
dans le Val de la Décision :
le *Jour du SEIGNEUR est proche
dans le Val de la Décision [r].

15 Le soleil et la lune s'obscurcissent,
les étoiles retirent leur clarté.

16 Le SEIGNEUR rugit de *Sion,
de Jérusalem, il donne de la voix :
alors, les cieux et la terre sont ébranlés,
mais le SEIGNEUR est un abri pour son peuple,
un refuge pour les Israélites.

17 Alors vous connaîtrez que je suis le SEIGNEUR, votre Dieu,
qui demeure à Sion, ma montagne *sainte.
Jérusalem deviendra un lieu saint
et désormais les étrangers n'y passeront plus.

Nouvelle prospérité pour le peuple de Dieu

18 Ce *jour-là,
les montagnes dégoutteront de vin nouveau,
les collines ruisselleront de lait ;
dans tous les ruisseaux de Juda,
les. eaux couleront.
Une source jaillira de la Maison du SEIGNEUR
et elle arrosera la Vallée des Acacias [s].

19 L'Egypte deviendra une terre dévastée,
Edom [t] un désert dévasté
à cause de la violence faite aux fils de Juda :
ils ont répandu du *sang innocent dans leur pays.

20 Mais Juda sera habitée à jamais
et Jérusalem d'âge en âge.

21 Je déclare leur sang innocent, oui je le déclare.
C'est le SEIGNEUR qui habite à *Sion.

---

n Yavân: nom biblique de la Grèce ● o Les Sabéens: peuplade de l'Arabie du sud (voir Es 60.6) ● p Traduction incertaine; l'ancienne version grecque a compris rassemblez-vous ● q Voir 4.2 et la note ● r Il s'agit sans doute de la même vallée qu'au v. 2 ● s La localisation de cette vallée est discutée ● t Voir la note sur Am 1.11

4.6 prisonniers vendus comme esclaves Ez 27.13; Am 1.6+. 4.8 Sabéens 1 R 10.1; Es 60.6; Jr 6.20; Ez 27.22. 4.10 socs-épées, serpettes-lances Es 2.4; Mi 4.3. 4.13 moisson, vendange, images du jugement Es 63.1-6; Mt 3.12+. 4.14 jour du Seigneur Jl 1.15+. 4.15 obscurcissement du soleil Jl 2.10+. 4.16 rugissement Am 1.2+ — ébranlement de l'univers cf. Am 9.5 — le Seigneur, un abri Ps 46.2-3. 4.17 vous connaîtrez... Jl 2.27+ — Jérusalem inviolable Za 9.8. 4.18 ce jour-là Os 1.5+ — vin nouveau, lait à profusion Es 7.22; 55.1; Os 2.23-24; Am 9.13; cf. Ex 3.8 — eau abondante Es 30.25 — une source dans la maison de Dieu Ez 47.1-12; Ps 46.5; Ap 22.1. 4.19 violences commises par Edom Am 1.11; Ab 11+. 4.20 Jérusalem sera toujours habitée Jr 17.25; Ez 37.25.

AMOS

L'époque et le message d'Amos

1 ¹ Paroles d'Amos, qui fut l'un des éleveurs de Teqoa, paroles dont il eut la vision, contre Israël *a*, aux jours d'Ozias, roi de Juda, et aux jours de Jéroboam, fils de Joas, roi d'Israël, deux ans avant le tremblement de terre *b*.

² Il disait :
De *Sion, le SEIGNEUR rugit
et de Jérusalem, il donne de la voix
les pâturages des *bergers sont désolés
et la crête du Carmel *c* desséchée.

Dieu juge les Araméens

³ Ainsi parle le SEIGNEUR :
A cause des trois et à cause des quatre rébellions de Damas,
je ne révoquerai pas mon arrêt :
parce qu'ils ont haché Galaad sous des herses de fer *d*,
⁴ je mettrai le feu à la maison d'Hazaël
et il dévorera les palais de Ben-Hadad *e* ;
⁵ je ferai sauter le verrou de Damas ;
de Biqéath-Awèn, j'extirperai le monarque ;

de Beth-Eden, celui qui tient le sceptre ;
et alors le peuple d'*Aram sera déporté à Qir *f*
— dit le SEIGNEUR.

Dieu juge les Philistins

⁶ Ainsi parle le SEIGNEUR :
A cause des trois et à cause des quatre rébellions de Gaza *g*.
je ne révoquerai pas mon arrêt :
parce qu'ils ont déporté en masse des déportés,
pour les livrer à Edom *h*,
⁷ je mettrai le feu aux murs de Gaza
et il dévorera ses palais ;
⁸ d'Ashdod, j'extirperai le monarque,
et d'Ashqelôn, celui qui tient le sceptre ;
je tournerai la main contre Eqrôn,
et le reste des Philistins périra
— dit le Seigneur DIEU.

Dieu juge les Phéniciens

⁹ Ainsi parle le SEIGNEUR :
A cause des trois et à cause des quatre

---

a *Teqoa*: bourgade située à 17 km au sud de Jérusalem, dans le royaume de Juda — *Israël*: à l'époque d'Amos c'est le nom de royaume des 10 tribus du nord. Amos le nomme aussi *maison de Jacob* (3.13), *maison de Joseph* (5.6), *maison d'Isaac* (7.16) ou plus simplement *Jacob* (6.8), *Joseph* (5.15) ou *Isaac* (7.9) ● *b* Probablement vers 750 av. J.C. ● *c* Le *Carmel*: montagne fertile située dans la partie nord-ouest de la Palestine ● *d* Galaad conquis par les Araméens 2 R 10.32-33; 13.3 — *herses de fer*: traîneaux munis de pointes servant normalement à détacher les grains des épis après la moisson ● *e* *Hazaël, Ben-Hadad*: noms de plusieurs rois de Damas ● *f* *Biqéath-Awèn, Beth-Eden, Qir*: localités non identifiées. Sur *Qir*, voir Es 22.6 et la note ● *g* *Gaza* (v. 6-7), *Ashdod, Ashqelôn* et *Eqrôn* (v. 8) sont, avec *Gath* (6.2), les cinq principales villes de Philistie ● *h* Voir v. 11 et la note

1.1 Teqoa 2 S 14.2; Jr 6.1; 2 Ch 11.6 — vision prophétique Am 7.1, 4, 7; 8.1; 9.1 — Ozias 2 R 15.1-7 — Jéroboam II 2 R 14.23-29; Am 7.9-11 — tremblement de terre Am 6.11; 8.8; Za 14.5. **1.2** rugissement Am 3.8; Es 5.29; Jr 25.30; Os 11.10; Jl 4.16. **1.3** trois... quatre Os 6.2+ — contre Damas Es 17.1-3; Jr 49.23-27 — Galaad conquis par les Araméens 2 R 10.32-33; 13.3 — herses de fer Es 28.27-28; 41.15. **1.4** Hazaël Jr 19.15, 17; 2 R 8.12; 10.32 — Ben-Hadad 1 R 15.20; 20.1; 2 R 8.7. **1.5** chute de Damas, déportation à Qîr 2 R 16.9; cf. Am 9.7. **1.6** contre les Philistins Jr 47; Ez 25.15-17; So 2.4-7+ — prisonniers de guerre vendus comme esclaves 2 R 5.2. **1.9** contre Tyr Es 23; Ez 26—28 — alliance Phéniciens-Israélites 1 R 5.26; 9.10-14.

rébellions de Tyr [i],
je ne révoquerai pas mon arrêt :
parce qu'ils ont livré des déportés en
masse à Edom,
sans avoir gardé la mémoire de l'alliance entre frères,
10 je mettrai le feu aux murs de Tyr,
et il dévorera ses palais.

Dieu juge les Edomites

11 Ainsi parle le SEIGNEUR :
A cause des trois et à cause des quatre
rébellions d'Edom [j],
je ne révoquerai pas mon arrêt :
parce qu'il a poursuivi de l'épée son
frère,
et qu'il avait étouffé sa pitié ;
parce que sa colère n'a cessé de
déchirer
et que sa rancune, il l'avait obstinément gardée,
12 je mettrai le feu à Témân,
et il dévorera les palais de Boçra [k].

Dieu juge les Ammonites

13 Ainsi parle le SEIGNEUR :
A cause des trois et à cause des quatre
rébellions des fils d'Ammon,
je ne révoquerai pas mon arrêt :
parce qu'ils ont éventré les femmes
enceintes de Galaad [l],
afin de pouvoir élargir leur territoire,
14 je bouterai le feu aux murs de Rabba
et il dévorera ses palais,
au cri de guerre d'un jour de bataille,
dans la tempête d'un jour d'ouragan ;
15 leur roi s'en ira en déportation,
lui avec ses officiers en même temps
— dit le SEIGNEUR.

Dieu juge les Moabites

2 ¹ Ainsi parle le SEIGNEUR :
A cause des trois et à cause des
quatre rébellions de Moab [m],

je ne révoquerai pas mon arrêt :
parce qu'il a brûlé à la chaux les os
du roi d'Edom,
2 je mettrai le feu à Moab
et il dévorera les palais de Qeriyoth ;
Moab mourra dans le fracas,
au cri de guerre, au son du cor ;
3 de son sein, j'extirperai le juge ;
et tous les officiers, je les tuerai avec
lui
— dit le SEIGNEUR.

Dieu juge le royaume de Juda

4 Ainsi parle le SEIGNEUR :
A cause des trois et à cause des quatre
rébellions de Juda,
je ne révoquerai pas mon arrêt :
parce qu'ils ont rejeté l'enseignement
du SEIGNEUR,
et n'ont pas observé ses décrets ;
parce que leurs mensonges les avaient
égarés,
ceux que suivaient leurs pères,
5 je mettrai le feu à Juda,
et il dévorera les palais de Jérusalem.

Dieu juge le royaume d'Israël

6 Ainsi parle le SEIGNEUR :
A cause des trois et à cause des quatre
rébellions d'Israël,
je ne révoquerai pas mon arrêt :
parce qu'ils ont vendu le juste pour
de l'argent
et le pauvre pour une paire de sandales ;
7 parce qu'ils sont avides de voir la
poussière du sol sur la tête des
indigents
et qu'ils détournent les ressources des
humbles ;
après quoi le fils et le père vont vers
la même fille,
profanant ainsi mon saint *Nom ;
8 à cause des vêtements en gage qu'ils
ont extorqués près de chaque *autel

---

i Tyr: ville principale du royaume phénicien (voir Os 9.13 et la note) ● *j Edom:* peuple fixé au sud-est de la mer Morte et considéré comme le descendant d'Esaü, frère de Jacob-Israël (Gn 36) ● *k Témân et Boçra:* deux villes où résidaient les chefs d'Edom ● *l Les Ammonites:* population formant un petit royaume situé à l'est de la Transjordanie, autour de sa capitale *Rabba* (v. 14), aujourd'hui *Amman* — *Galaad:* région montagneuse (ou ville: voir Os 6.8 et la note) située au centre de la Transjordanie ● *m* Autre royaume voisin d'Israël, situé à l'est de la mer Morte. *Qeriyoth* (2.2) est la ville principale de Moab

1.11 contre les Edomites Es 34; Jr 49.7-22; Ez 25.12-14; 35; Ab; Ml 1.2-4 — hostilité d'Edom contre Israël Nb 20.14-21; Jl 4.19. **1.12** Témân Gn 36.15; Jr 49.7; Ab 9; Jb 4.1 — Boçra Jr 49.13. **1.13** contre les Ammonites Jr 49.1-6; Ez 21.33-37; 25.1-7; So 2.8-11. **2.1** contre les Moabites Es 15—16; Jr 48; Ez 25.8-11 So 2.8-11. **2.4** l'enseignement du Seigneur rejeté Lv 26.14-16; Es 5.24; Jr 7.28; Os 8.14 — idoles mensongères Es 44.9-20; Jr 10.1-5; Ps 115.4-8. **2.6** la justice corrompue Am 5.7, 12; Es 1.23; Jr 22.3; Mi 3.9, 11 — pour une paire de sandales Am 8.6. **2.7** profanation du nom de Dieu Ez 36.20-21. **2.8** manteau pris en gage Ex 22.25-26.

et du vin confisqué qu'ils boivent dans
la maison de leur dieu.

9 Alors que moi, j'avais détruit au-devant
d'eux l'*Amorite,
dont la majesté égale la majesté du
cèdre,
et la puissance, celle du chêne ;
j'en avais arraché les fruits par-dessus
et les racines par-dessous ;
10 alors que moi, je vous avais fait monter du pays d'Egypte,
et vous avais conduits quarante ans
au désert
pour prendre possession du pays de
l'Amorite ;
11 alors que j'avais suscité, d'entre vos
fils, des *prophètes
et, parmi les meilleurs d'entre vous, des
nazirs ⁿ ;
oui ou non, est-ce vrai, fils d'Israël ?
— oracle du Seigneur.
12 Mais vous faites boire du vin aux
nazirs
et vous donnez cet ordre aux prophètes :
Vous ne prophétiserez pas !
13 Me voici donc pour vous écraser sur
place,
comme écrase un char qui est tout
plein de paille :
14 le refuge se dérobera devant l'agile,
le courageux ne rassemblera pas ses
forces,
le héros ne s'échappera pas,
15 l'archer ne tiendra plus debout,
le coureur agile n'en réchappera pas,
le cavalier ne s'échappera pas,
16 le plus vaillant de ces héros
s'enfuira, tout nu,
ce *jour-là
— oracle du Seigneur.

Israël devra rendre des comptes à Dieu

3 1 Ecoutez cette parole, celle que le
Seigneur prononce contre vous,
fils d'Israël,

contre toute la famille que j'avais fait
monter du pays d'Egypte :
2 Vous seuls, je vous ai connus,
entre toutes les familles de la terre ;
c'est pourquoi je vous ferai rendre
compte
de toutes vos iniquités.

Dieu intervient, le prophète doit parler

3 Deux hommes vont-ils ensemble
s'ils ne se sont pas rencontrés ?
4 Un lion rugit-il dans la forêt
sans avoir une proie ?
Un lionceau donne-t-il de la voix dans
sa tanière
s'il n'a pas fait de capture ?
5 Un oiseau tombe-t-il à terre sur un
piège
sans qu'il y ait un appât ?
Un piège se soulève-t-il du sol
sans avoir fait de capture ?
6 Si le cor retentit dans une ville,
le peuple n'a-t-il pas été alarmé ?
S'il arrive malheur dans une ville.
n'est-ce pas le Seigneur qui l'a fait ?
7 Car le Seigneur Dieu ne fait rien
sans révéler son secret à ses serviteurs
les *prophètes.
8 Un lion a rugi, qui ne craindrait ?
Le Seigneur Dieu a parlé, qui ne pro-
phétiserait ?

Il ne restera presque rien de Samarie

9 Clamez sur les palais, dans Ashdod,
sur les palais, dans le pays d'Egypte,
et dites :
Assemblez-vous sur les montagnes de
Samarie ᵒ,
voyez quel amas de désordres en son
sein,
quelles oppressions au milieu d'elle !
10 Ils n'ont pas le sens de l'action droite,
ces entasseurs de violences et de rapines dans leurs palais
— oracle du Seigneur.

---

n *nazirs:* hommes consacrés à Dieu ; ils faisaient en particulier le vœu de s'abstenir de vin (v. 12)
● o *Ashdod:* voir 1.6 et la note — *Samarie:* capitale du royaume d'Israël à l'époque d'Amos

2.9 Dieu à l'avant-garde d'Israël Dt 7.1 ; Jos 3.6 ; 2 S 5.24. **2.10** monter du pays d'Egypte Ex
20.2 ; Jos 24.2-13 ; Am 3.1 ; 9.7. **2.11** Dieu suscite des prophètes Dt 18.18-19 — nazirs Nb 6.1-21.
2.12 interdiction aux prophètes de parler Am 7.12, 16 ; Es 30.10 ; Jr 11.21 ; Mi 2.6 ; cf. Ac 4.17-18 ;
5.28, 40. **2.15** impossible d'échapper Am 5.19 ; 9.1. **2.16** ce jour-là Am 3.14 ; 4.2 ; 8.9, 11, 13 ;
Es 2.11 ; 11.10 ; 12.1 ; 30.26 ; Jr 30.5-7 ; Jl 1.15 ; 3.4 ; 4.1 ; So 1.14-15 ; Ml 3.19-23. **3.1** monter
du pays d'Egypte Am 2.10+. **3.2** connaître, rencontre personnelle Gn 4.1 ; Lc 1.34 ; Es 63.16 ;
Jn 10.4, 14 — Dieu a choisi Israël Ex 19.5-6 ; Dt 7.6-8 ; Rm 8.29 ; cf. Gn 18.19 ; Ex 3.7 ; 4.22 ;
Es 5.1-7 ; Jr 2.2-3 ; Ez 16.6 ; Os 11.1 ; 13.4 — faire rendre compte cf. Mt 11.20-24 ; Lc 12.47-48.
3.7 le secret de Dieu Jr 23.18 ; Jb 15.8 communiqué à ses porte-parole Am 23.22 ; cf. Jn 17.8 ; Rm
16.25-26 ; Ep 3.3-13. **3.8** rugissement Am 1.2+ — contraint de parler Jr 20.9 ; 1 Co 9.16. **3.9**
appel aux témoins Es 5.3-4 ; 45.20-21 ; So 3.8 ; cf. Os 2.4+ — Samarie Am 3.12 ; 4.1 ; 6.1 ; 8.14.
3.10 violence et rapines Jr 6.7 ; 20.8 ; Ez 45.9 ; Ha 1.3 ; cf. Es 5.8-10 ; Mt 23.25.

¹¹ C'est pourquoi, ainsi parle le Seigneur
DIEU :
l'ennemi encerclera le pays,
on te dépouillera de ta puissance,
et tes palais seront pillés.

¹² Ainsi parle le SEIGNEUR :
Tout comme le *berger arrache de la
gueule du lion
deux pattes ou un bout d'oreille,
ainsi seront arrachés les fils d'Israël,
ces gens installés à Samarie,
au creux d'un divan, au confort du lit.
¹³ Ecoutez et témoignez contre la maison
de Jacob ᵖ
— oracle du Seigneur DIEU, le Dieu
des puissances :
¹⁴ c'est qu'au jour où j'interviendrai contre Israël à cause de ses forfaits,
j'interviendrai contre les *autels de
Béthel,
on cassera les cornes de l'autel �q
et elles tomberont à terre ;
¹⁵ je frapperai la maison d'été puis la
maison d'hiver,
les maisons d'ivoire disparaîtront
et les grandes maisons crouleront
— oracle du SEIGNEUR.

Les dames de Samarie

4 ¹ Ecoutez cette parole, vaches du
Bashân ʳ
qui paissez sur la montagne de Samarie,
opprimant les indigents,
broyant les pauvres,
disant à vos maîtres : Apporte à boire !
² Le SEIGNEUR le jure par sa *sainteté :
Oui, voici venir sur vous des jours
où l'on vous enlèvera avec des crocs
et vos suivantes avec des harpons,
³ vous sortirez par les brèches, chacune
pour soi,
et vous serez rejetées vers l'Harmôn ˢ
— oracle du SEIGNEUR.

Des sacrifices dérisoires

⁴ Venez à Béthel et révoltez-vous,
au Guilgal ᵗ multipliez vos révoltes,
offrez dès le matin vos sacrifices,
le troisième jour vos dîmes ;
⁵ fais fumer sans *levain un *sacrifice
de reconnaissance,
proclamez en public des dons volontaires,
car c'est ainsi que vous aimez, fils
d'Israël
— oracle du Seigneur DIEU.

Israël n'est pas revenu à Dieu

⁶ C'est moi déjà qui vous ai donné le
vide à vous mettre sous la dent
en toutes vos villes,
la disette de pain en toutes vos demeures,
mais vous n'êtes pas revenus jusqu'à
moi
— oracle du SEIGNEUR.
⁷ C'est moi déjà qui vous avais refusé
l'averse
à trois mois encore de la moisson,
j'avais fait tomber la pluie sur telle
ville,
et non sur telle autre ;
tel champ était arrosé de pluie
et le champ sans pluie se desséchait ;
⁸ deux, trois villes, titubant, étaient allées
vers une autre ville
pour boire de l'eau,
sans être désaltérées,
mais vous n'êtes pas revenus jusqu'à
moi
— oracle du SEIGNEUR.
⁹ Je vous avais frappés par la rouille et
la nielle ᵘ,
les richesses de vos jardins, de vos
vignes,
de vos figuiers et de vos oliviers,

---

p Voir la note sur 1.1 ● *q Béthel:* voir la note sur Os 4.15 — *les cornes de l'autel:* voir Ex 27.2
et la note ● *r* Le *Bashân;* plateau fertile, au nord de la Transjordanie, réputé pour ses troupeaux.
Les femmes de Samarie sont comparées aux animaux prospères de ces troupeaux ● *s* Région non
identifiée; certains lisent *vers l'Hermon,* montagne du nord de la Palestine ● *t Béthel, Guilgal:* voir
la note sur Os 4.15 ● *u* La *rouille* et la *nielle:* maladies du blé

3.12 deux pattes ou un bout d'oreille cf. Ex 22.12. **3.14** destruction des autels de Béthel 1 R
13.1-5; 2 R 23.15-16 — les cornes de l'autel Ex 27.1-2; Lv 4.30; 16.18; 1 R 1.50; 2.28; Ez 43.15.
3.15 belles maisons vouées à la ruine Am 5.11; 6.11 — maisons (décorées) d'ivoire 1 R 22.39; cf.
Am 6.4. **4.1** les femmes de la capitale Es 3.16-24 — le Bashân Dt 32.14; Ez 39.18; Ps 22.13.
— oppression des pauvres Am 2.7-8; 5.11-12; 8.4, 6; Es 3.14-15; 10.1-2 — orgies Am 6.6; Es
22.13. **4.2** serment du Seigneur Am 6.8+. **4.4** Béthel Am 7.10-13 et Guilgal Am 5.5-6; Os
4.15+ — dîme (à Béthel) Gn 28.22. **4.5** sans levain Lv 2.1-11; 7.11-12 — dons volontaires
Ps 66.13-15 — en public Mt 6.2-3. **4.6** des malheurs qui sont un avertissement Lv 26.14-39;
Dt 28.15-46 — vous [n'êtes pas revenus Es 9.12; Os 7.10; Mt 23.37-38. **4.7** sécheresse 1 R
17.1; Jr 3.3; 14.1-6; Jl 1.17-18. **4.8** soif Am 8.11-12. **4.9** la rouille et la nielle Dt 28.22;
1 R 8.37; Ag 2.17 — récoltes dévorées Am 7.2; Jl 1.4-20.

la chenille les avait dévorées,
mais vous n'êtes pas revenus jusqu'à
moi
— oracle du SEIGNEUR.

10 J'avais jeté sur vous la peste venue
d'Egypte,
j'avais tué par l'épée vos jeunes gens
tout en capturant vos chevaux
et j'avais fait monter à vos narines
la puanteur de votre camp,
mais vous n'êtes pas revenus jusqu'à
moi
— oracle du SEIGNEUR.

11 Je vous avais bouleversés
autant qu'au bouleversement divin de
Sodome et de Gomorrhe,
et vous étiez comme un tison arraché
de l'incendie,
mais vous n'êtes pas revenus jusqu'à
moi
— oracle du SEIGNEUR.

12 Eh bien, voici comment je vais te
traiter, Israël :
et puisque c'est ainsi que je vais te
traiter,
prépare-toi à rencontrer ton Dieu,
Israël :

13 Car voici :
Celui qui façonne les montagnes,
qui crée le vent,
qui révèle à l'homme quel est son
dessein,
qui, des ténèbres, produit l'aurore,
qui marche sur les hauteurs de la terre,
il se nomme le SEIGNEUR, Dieu des
puissances.

Lamentation funèbre sur Israël

5 ¹ Ecoutez cette parole,
cette lamentation *v* que je profère
sur vous, maison d'Israël :

2 Elle est tombée, elle ne se relève plus,
la vierge d'Israël,
elle gît sur sa terre,
sans personne pour la relever.

3 Car ainsi parle le Seigneur DIEU :

De la ville qui recrute un millier
d'hommes,
il ne restera qu'une centaine ;
de celle qui en recrute une centaine,
il ne restera qu'une dizaine,
pour la maison d'Israël.

Cherchez le Seigneur et vous vivrez

4 C'est ainsi que parle le SEIGNEUR à
la maison d'Israël :
Cherchez-moi et vous vivrez.

5 Mais ne cherchez pas à Béthel,
au Guilgal, n'entrez pas,
à Béer-Shéva *w* ne passez pas ;
car le Guilgal sera entièrement déporté
et Béthel deviendra iniquité.

6 Cherchez le SEIGNEUR et vous vivrez.
Prenez garde qu'il ne montre sa force,
maison de Joseph *x*,
tel un feu
qui dévore, sans personne pour éteindre, à Béthel.

7 Ils changent le droit en poison
et traînent la justice à terre.

8 L'auteur des Pléiades et d'Orion,
qui change l'obscurité en clarté matinale,
qui réduit le jour en sombre nuit,
qui convoque les eaux de la mer
pour les répandre sur la face de la
terre :
il se nomme le SEIGNEUR.

9 C'est lui qui livre au pillage l'homme
fort,
et le pillage force l'entrée de la citadelle...

10 Ils haïssent celui qui rappelle à l'ordre
le tribunal,
celui qui prend la parole avec intégrité, ils l'abominent.

11 Eh bien, puisque vous pressurez l'indigent,
lui saisissant sa part de grain,
ces maisons en pierre de taille que
vous avez bâties,

---

v Chant funèbre, souvent improvisé, et caractérisé par un rythme inégal ● *w* *Béthel, Guilgal:*
voir la note sur Os 4.15 — *Béer-Shéva:* lieu de culte traditionnel situé au sud du royaume de
Juda ● *x* Voir la note sur 1.1

4.10 la peste égyptienne Ex 9.3-7; Dt 7.15; 28.60. **4.11** Sodome et Gomorrhe Gn 19.24-28; Es
13.19; Jr 49.18; 50.40; cf. Os 11.8 — un tison arraché du feu Za 3.2; cf. Am 3.12. **4.12** prépare-toi Ex 19.11; Ez 38.7; 2 Ch 35.4 — rencontrer Dieu Jl 2.11; Ml 3.1-2. **4.13** Hymne au Dieu
créateur Am 5.8-9; 9.5-6 — Dieu révèle ses projets Am 3.7+. **5.1** lamentation funèbre Am
5.16-17; Mi 1.8; Ez 19.1. **5.3** un petit reste Dt 28.62; Am 5.15; 6.9; 9.8-10; Es 4.3+. **5.4** chercher le Seigneur Am 5.6, 14; Os 10.12+; 2 Ch 15.2-5 et vivre Ps 69.33; Mt 19.16-17; cf. Dt
30.15-16. **5.5** Béthel et Guilgal Am 4.4+; Os 4.15+; cf. Am 3.14 — Béer-Shéva Am 8.14; Gn
21.33. **5.7** droit changé en poison Am 6.12; Os 10.4; cf. Es 5.20; Lm 3.15; Ap 8.11. **5.8** Hymne
au Dieu Créateur Am 4.13+ — Les Pléiades et Orion Jb 38.21. **5.11** l'indigent opprimé Am
4.1+ — des biens dont on ne profitera pas Am 3.15; Dt 28.30-33; Mi 6.15; So 1.13.

vous n'y résiderez pas ;
ces vignes de délices que vous avez
plantées,
vous n'en boirez pas le vin.
[12] Car je connais la multitude de vos
révoltes
et l'énormité de vos péchés,
oppresseurs du juste, extorqueurs de
rançons ;
ils déboutent les pauvres au tribunal.
[13] Voilà pourquoi, en un tel temps,
l'homme avisé se tait,
car c'est un temps de malheur.

[14] Cherchez le bien et non le mal,
afin que vous viviez,
et ainsi le SEIGNEUR, Dieu des puissances, sera avec vous,
comme vous le dites.
[15] Haïssez le mal, aimez le bien,
rétablissez le droit au tribunal :
peut-être que le SEIGNEUR, Dieu des
puissances, aura pitié
du reste de Joseph *x*.

[16] Eh bien ! ainsi parle le SEIGNEUR,
Dieu des puissances, mon Seigneur :
Sur toutes les places, il y aura des
funérailles,
dans toutes les rues, on dira : Hélas !
hélas !
on invitera le paysan au deuil,
aux funérailles, les initiés en complaintes ;
[17] dans toutes les vignes, il y aura des
funérailles,
quand je passerai au milieu de toi
— dit le SEIGNEUR.

Le jour du Seigneur

[18] Malheureux ceux qui misent sur le
*jour du SEIGNEUR !
A quoi bon ? que sera-t-il pour vous,
le jour du SEIGNEUR ?
il sera ténèbres et non lumière.
[19] C'est comme un homme qui fuit devant
un lion

et que l'ours surprend ;
il rentre chez lui, appuie la main au
mur,
et le serpent le mord.
[20] Ne sera-t-il pas ténèbres, le jour du
SEIGNEUR, et non lumière,
obscur, sans aucune clarté ?

Un culte insupportable à Dieu

[21] Je déteste, je méprise vos pèlerinages,
je ne puis sentir vos rassemblements,
[22] quand vous faites monter vers moi
des holocaustes ;
et dans vos offrandes, rien qui me
plaise ;
votre *sacrifice de bêtes grasses, j'en
détourne les yeux ;
[23] éloigne de moi le brouhaha de tes
cantiques,
le jeu de tes harpes, je ne peux pas
l'entendre.
[24] Mais que le droit jaillisse comme les
eaux
et la justice comme un torrent intarissable !
[25] M'avez-vous présenté sacrifices et
offrande au désert,
pendant quarante ans, maison d'Israël ?
[26] Mais vous avez porté Sikkouth, votre
Roi, et Kiyyoun *y*, vos images,
l'étoile de vos dieux, que vous vous
êtes faits.
[27] Je vous déporterai au-delà de Damas
— dit le SEIGNEUR, Dieu des puissances,
c'est son nom.

Une fausse sécurité

6 [1] Malheureux ceux qui ont fondé
leur tranquillité sur *Sion
et ceux qui ont mis leur sécurité dans
la montagne de Samarie,
eux, l'élite de la première des nations,
vers qui vient la maison d'Israël :
[2] « Passez par Kalné, disent-ils, et regardez,
de là, rendez-vous à Hamath, la
grande,

---

x Voir la note sur 1.1 ● *y* Sikkouth, Kiyyoun: deux faux dieux d'origine probablement assyrienne (comparer 2 R 17.30)

5.12 la justice corrompue Am 2.6-7+ **5.13** garder le silence Lc 23.9; cf. Am 3.8; 7.15. **5.14** chercher cf. Am 5.4+ — le Seigneur avec vous? Mi 3.11; cf. Jr 7.4. **5.15** aimer le bien Dt 30.19-20
— rétablir le droit Es 1.17; cf. Am 5.24 — reste Am 3.12; 5.3+ — Dieu aura pitié Dt 32.36. **5.16**
jour de deuil Am 5.1; Es 15.3; Jr 9.16-20. **5.17** le passage du Seigneur Ex 12.12; Es 5.5-7. **5.18** le
jour du Seigneur Jl 1.15+; cf. Am 2.16+; jour de ténèbres Jl 2.2; Mc 13.24-25. **5.19** situation
sans issue Am 2.13-16; 9.1-4; Es 24.18; Jr 48.44; Os 13.7-8. **5.21** un culte insupportable à Dieu
Am 4.4-5; 5.5; Es 1.11-17; Jr 6.20; Os 6.6; 8.13; Ps 50.8-9. **5.24** justice sociale Am 2.6-8; 4.1;
5.7, 12; 8.4-8; cf. Mt 5.23-24. **5.25-27** Ac 7.42-43. **5.27** déportation Am 6.7; 7.11. **6.1**
Malheureux! Es 28.1-4; Lc 6.24-25+. **6.2** Kalné, Hamath Es 10.9-10 — comparaison flatteuse
avec les autres Lc 18.11.

puis descendez à Gath ^z des Philistins ;
seraient-elles plus propères que ces
royaumes-ci ?
et leur territoire serait-il plus grand
que votre territoire ? »
³ En voulant repousser le jour du
malheur,
vous rapprochez le règne de la violence.
⁴ Allongés sur des lits d'ivoire,
vautrés sur leurs divans,
ils se régalent de jeunes béliers
et de veaux choisis dans les étables ;
⁵ ils improvisent au son de la harpe,
chantant comme David leurs propres
cadences,
⁶ buvant du vin dans des coupes,
et se parfumant à l'huile des *prémices,
mais ils ne ressentent aucun tourment
pour la ruine de Joseph ^a.
⁷ C'est pourquoi, maintenant, ils vont
être déportés en tête des déportés,
et finie la confrérie des avachis !

La destruction de Samarie

⁸ Le Seigneur le jure par lui-même
— oracle du Seigneur, Dieu des puissances,
moi qui veux être l'orgueil de Jacob ^a,
mais qui déteste ses palais :
Je livrerai la ville tout entière ;
⁹ s'il arrivait que dix hommes résistent
dans une même maison, ils mourraient.
¹⁰ Le parent qui emportera les cadavres
hors de la maison pour les brûler
dira à celui qui est au fond de la
maison :
« Y a-t-il encore quelqu'un avec toi ? »
Il répondra : « C'est fini ! »
On dira : « Silence ! »
Plus personne pour invoquer le *nom
du Seigneur !

¹¹ Oui, voici le Seigneur qui commande ;
il frappe : la grande maison s'écroule,
même la petite se lézarde.
¹² Est-ce que des chevaux galopent sur
les rochers,
y laboure-t-on avec des bœufs,
pour que vous fassiez tourner le droit
en poison
et le fruit de la justice en ciguë ^b ?

Des victoires pour rien

¹³ Ils se réjouissent pour Lo-Davar —
pour rien —
et disent : « N'est-ce pas par notre
force
que nous avons fait, nous, la conquête
de Qarnaïm ^c — les deux cornes ? »
¹⁴ Me voici donc, je vais lever contre
vous, maison d'Israël
— oracle du Seigneur, Dieu des puissances —
une nation,
pour vous opprimer depuis Lebo-
Hamath
jusqu'au torrent de la Araba^d.

Première vision d'Amos : les sauterelles

7 ¹ Voici ce que me fit voir le Seigneur, mon Dieu :
il produisait des sauterelles,
quand le regain commençait à pousser
— c'était le regain qui vient après la
fenaison du roi ^e ;
² comme elles avaient dévoré toute
l'herbe du pays,
je dis :
« Seigneur, mon Dieu, pardonne, je
t'en prie,
Jacob ^f pourrait-il tenir ? il est si
petit ! »

---

z Kalné, Hamath: deux villes *araméennes importantes — *Gath:* une des cinq villes principales
de la Philistie (voir 1.6-8) ● *a* Voir la note sur 1.1 ● *b* Plante vénéneuse ● *c Lo-Davar:* une
ville de Transjordanie (2 S 9.4), peut-être parmi celles que Joas d'Israël avait reconquises selon
2 R 13.25. Le nom hébreu de cette ville permet un jeu de mots (*lo davar = rien*) — *Qarnaïm:* autre
ville de Transjordanie (Gn 14.5; *1 M* 5.26), dont le nom permet un autre jeu de mots (*qarnaïm
= deux cornes* — la *corne* est symbole de puissance) ● *d Lebo-Hamath* indique traditionnellement
l'extrémité nord de la Palestine (voir Jos 13.5) — *torrent de la Araba:* à l'extrémité sud de la Transjordanie ● *e la fenaison du roi:* première récolte de fourrage, réservée au roi ● *f* Voir la note
sur 1.1

6.4 vautrés dans le confort Am 3.12. **6.6** beuveries Am 2.8; 4.1; Es 5.11-12 — insensibles cf. Os
7.9; 11.3+; **6.7** déportation Am 5.5, 27+. **6.8** le serment du Seigneur Am 4.2; 8.7; Gn 22.16;
Jr 51.14; Ps 89.36; 110.4; He 6.13. **6.9** dix hommes qui restent Am 5.3+. **6.10** silence Am
5.13+; 8.3; Ha 2.20; So 1.7; Za 2.17; Ap 8.1. **6.11** écroulement Am 3.15; 9.1. **6.12** le droit
changé en poison Am 5.7+. **6.13** par notre force Dt 8.17; 9.4; 32.27; Jos 24.12; Jg 7.2;
Es 10.13-15 cf. Os 1.7+; Lc 12.19; Ep 2.8-9. **6.14** les Assyriens vainqueurs d'Israël 2 R 17.5-6.
7.1 sauterelles Dt 28.38; Jl 1.4-7. **7.2** intercession pour Israël Ex 32.11-13; Nb 14.13-19 — le
prophète intercesseur 1 R 18.42; Es 37.4; Jr 14.7-12; cf. Gn 20.7; Nb 11.2; 21.7; Jc 5.16-18.

³ Le S<small>EIGNEUR</small> s'en repentit :
« Cela n'arrivera pas »,
dit le S<small>EIGNEUR</small>.

Deuxième vision : le feu

⁴ Voici ce que me fit voir le Seigneur,
mon D<small>IEU</small> :
le Seigneur, mon D<small>IEU</small>, intentait procès par un feu
qui avait dévoré le grand *abîme
et dévorait le territoire ;
⁵ je dis :
« Seigneur, mon D<small>IEU</small>, arrête, je t'en
prie,
Jacob pourrait-il tenir ? il est si
petit ! »
⁶ Le S<small>EIGNEUR</small> s'en repentit :
« Cela non plus n'arrivera pas »,
dit le Seigneur, mon D<small>IEU</small>.

Troisième vision : l'étain

⁷ Voici ce qu'il me fit voir :
mon Seigneur, debout sur une muraille
d'étain ^g,
tenait de l'étain à la main.
⁸ Le S<small>EIGNEUR</small> me dit :
« Que vois-tu, Amos ? »
Je dis : « De l'étain. »
Mon Seigneur me dit :
« Voici que je viens mettre l'étain au
milieu d'Israël mon peuple ;
pour lui, je ne passerai pas une fois
de plus.
⁹ Les *hauts lieux d'Isaac seront dé-
vastés,
les *sanctuaires d'Israël, rasés,
quand je me lèverai avec l'épée contre la maison de Jéroboam. »

Amos est expulsé de Béthel

¹⁰ Le prêtre de Béthel, Amacya, en-
voya dire à Jéroboam ^h, le roi d'Israël :
« Amos conspire contre toi au sein de
la maison d'Israël ; le pays ne peut plus
rien tolérer de ce qu'il dit. Car c'est
ainsi que parle Amos :
¹¹ C'est par l'épée que mourra Jéroboam
et Israël sera entièrement déporté
loin de sa terre. »
¹² Amacya dit alors à Amos : « Va-
t-en, voyant ; sauve-toi au pays de Juda :
là-bas, tu peux gagner ton pain et *prophétiser, là-bas ! ¹³ Mais à Béthel, ne
recommence pas à prophétiser, car c'est
ici le *sanctuaire du roi, le temple
royal ! »
¹⁴ Amos répondit à Amacya : « Je
n'étais pas prophète, je n'étais pas fils de
prophète, j'étais bouvier, je traitais les
sycomores ⁱ ; ¹⁵ mais le S<small>EIGNEUR</small> m'a
pris de derrière le bétail et le S<small>EIGNEUR</small>
m'a dit : Va ! prophétise à Israël mon
peuple. ¹⁶ Maintenant donc, écoute la
parole du S<small>EIGNEUR</small> :
Tu déclares : Tu ne prophétiseras pas
contre Israël,
tu ne baveras pas sur la maison
d'Isaac !
¹⁷ C'est pourquoi, ainsi parle le S<small>EI-</small>
<small>GNEUR</small> :
Ta femme, elle se prostituera dans la
ville ;
tes fils et tes filles, ils tomberont sous
l'épée ;
ta terre, elle sera partagée au cordeau ;
toi, tu mourras sur une terre impure,
et Israël sera entièrement déporté
loin de sa terre. »

Quatrième vision : la corbeille de fruits

8 ¹ Voici ce que me fit voir le Seigneur, mon D<small>IEU</small> :
c'était une corbeille de fruits de fin
d'été.
² Il dit :
« Que vois-tu, Amos ? »

---

g Le terme hébreu rendu ici par *étain* ne se rencontre nulle part ailleurs dans la Bible.
Certains pensent qu'il désigne plutôt un *niveau muni d'un fil à plomb*, utilisé en maçonnerie; ils
traduisent *...sur un mur, un niveau à plomb dans la main* ● *h* Béthel: voir la note sur Os 4.15. Pour
la fondation du sanctuaire de Béthel par Jéroboam I, voir 1 R 12.26-33 — *Jéroboam:* il s'agit
ici de Jéroboam II (2 R 14.23-29) ● *i fils de prophètes:* voir au glossaire PROPHÈTE — *sycomores:*
ces arbres ne poussent que dans le *Bas-Pays et dans la dépression jordanienne; leurs fruits servaient à l'alimentation du bétail.

7.3 le repentir de Dieu v. 6, 8; Jr 18.8; 26.3; Jon 3.10. 7.4 feu Es 66.16; Ez 21.1-4. 7.7-8
Israël comparé à un mur qui s'écroule Ez 13.8-12; Lm 2.8; cf. 2 R 21.13. 7.9 hauts lieux
Os 4.13 détruits 2 R 23.15-16; Os 10.8. 7.10 Béthel Am 3.14; 4.4+ — le prophète accusé d'opposition au régime 1 R 18.17; Jr 26.8-11 — Jéroboam II Am 1.1+. 7.11 mort par l'épée Am
7.9; 9.4, 10 — déportation Am 5.27+. 7.13 interdiction au prophète de parler Am 2.12+. 7.14
fils de prophète 1 S 10.10; 1 R 20.35; 2 R 2.3 — bouvier cf. Am 1.1. 7.15 pris derrière le troupeau
2 S 7.8; Ps 78.71 — vocation d'Amos cf. Am 3.8. 7.17 châtiment réservé à Amacia cf. Dt 28.30-33;
Os 9.3; Mi 2.4. 8.1 corbeille de fruits Jr 24.1. 8.2 la fin Ez 7.2; Mt 24.14; cf. Ap 14.15, 18.

Je dis : « Une corbeille de fruits de fin d'été. »
Le SEIGNEUR me dit :
« La fin *j* est arrivée pour Israël mon peuple ;
pour lui, je ne passerai pas une fois de plus.
3 Les chants du temple gémiront, ce jour-là
— oracle du Seigneur, mon DIEU ;
nombreux seront les cadavres,
partout s'impose le silence. »

L'avidité des trafiquants

4 Ecoutez ceci, vous qui vous acharnez sur le pauvre
pour anéantir les humbles du pays,
5 vous qui dites :
« Quand donc la nouvelle lune sera-t-elle finie,
que nous puissions vendre du grain,
et le *sabbat, que nous puissions ouvrir les sacs de blé,
diminuant l'épha, augmentant le sicle *k*,
faussant des balances menteuses,
6 achetant des indigents pour de l'argent
et un pauvre pour une paire de sandales ?
Nous vendrons même la criblure du blé ! »
7 Le SEIGNEUR le jure par l'orgueil de Jacob *l* :
Jamais je n'oublierai aucune de leurs actions ;
8 à cause de cela, la terre ne va-t-elle pas frémir
et tous ses habitants prendre le deuil ?
elle gonflera, tout entière, comme le fleuve *m*,
elle s'enflera et s'affaissera comme le fleuve d'Egypte.

Le jour du Seigneur sera un jour de deuil

9 Il arrivera, ce jour-là
— oracle du Seigneur, mon DIEU —
où je ferai se coucher le soleil en plein midi
et enténébrerai la terre en plein jour ;
10 j'y ferai tourner en deuil vos pèlerinages,
en lamentations tous vos chants ;
je mettrai sur tous les reins un *sac,
je raserai toutes les têtes *n* ;
je vous le ferai porter comme le deuil d'un fils unique,
et ce qui s'ensuivra ressemblera à un jour d'amertume.
11 Voici venir des jours
— oracle du Seigneur, mon DIEU —
où je répandrai la famine dans le pays,
non pas la faim du pain, ni la soif de l'eau,
mais celle d'entendre la parole du SEIGNEUR.
12 On ira, titubant d'une mer à l'autre,
errant du nord à l'est,
pour chercher la parole du SEIGNEUR,
et on ne la trouvera pas !
13 Ce jour-là,
les vierges en leur beauté
et les jeunes hommes dépériront de soif ;
14 ceux qui jurent par le Péché de Samarie,
et qui disent : « Vive ton Dieu, Dan !
Vive la Puissance de Béer-Shéva *o* ! »
tomberont et ne se relèveront plus.

Cinquième vision : le sanctuaire ébranlé

9 1 Je vis mon Seigneur debout sur l'*autel, qui disait :

j Le texte hébreu fait ici un jeu de mots entre *qayiç* (fruits d'été) et *qéç* (fin) • *k nouvelle lune :* fête marquant le début du mois (1 S 20.5, 24) ; elle était chômée. Voir aussi au glossaire NÉO-MÉNIE — *épha :* voir au glossaire POIDS ET MESURES / Capacité — *sicle :* voir au glossaire POIDS ET MESURES • *l Jacob :* voir la note sur 1.1 — *l'orgueil de Jacob :* c'est une désignation de Dieu lui-même (voir 6.8) • *m* Le verset 8 *b* est traduit d'après 9.5 • *n Un sac* sur les reins, la *tête rasée :* marques de deuil ou de grande tristesse ; voir Jr 48.37 et au glossaire DÉCHIRER SES VÊTEMENTS • *o le Péché de Samarie :* désignation méprisante du dieu adoré à Samarie (voir Os 8.5 et la note) — *ton Dieu, Dan :* voir 1 R 12.29 — *la Puissance de Béer-Shéva :* le dieu adoré à Béer-Shéva (voir 5.5 et la note)

8.3 silence Am 6.10+. **8.4** oppression des pauvres Am 4.1+. **8.5** nouvelle lune 1 S 20.5, 24 ; Es 1.13-14 fête chômée Ne 10.32 ; 13.15 — pas de fraude Lv 19.35-36 ; Dt 25.13-16 ; Os 12.6 ; Mi 6.11. **8.6** pour une paire de sandales Am 2.6. **8.7** serment du Seigneur Am 6.8+ — Dieu se souviendra Os 7.2+. **8.9** ce jour-là Os 1.5+ — ténèbres en plein jour Es 13.10 ; Jl 2.2 ; So 1.15 ; Mc 15.33 par. **8.10** marques de deuil Jr 48.37 ; Ez 7.18 — deuil d'un fils unique Jr 6.26 ; Za 12.10. **8.11** famine cf. Am 4.6 ; Dt 8.3. **8.12** titubant Dt 28.28-29 — chercher la parole du Seigneur Dt 30.11-13 ; Es 55.6 — sans trouver Os 5.6+ ; Ps 74.9 ; Pr 1.28 ; Ct 5.6. **8.14** le péché de Samarie Os 8.5-6 — Dan 1 R 12.30 ; Béer-Shéva Am 5.5+. **9.1** le Seigneur sur l'autel cf. Jg 13.20 ; Es 6.1 — ruine des lieux de culte Am 3.14 ; 7.9 — fuite impossible Am 2.13-16 ; 5.19.

Frappe le chapiteau,
et les seuils trembleront ;
retranche tous ceux qui sont en tête,
et les suivants, je les tuerai par l'épée ;
ils n'auront pas un fuyard qui pourra
   s'enfuir,
ils n'auront pas un rescapé qui pourra
   s'échapper ;
2 s'ils forcent l'entrée du *séjour des
   morts, ma main les en retirera,
s'ils montent au ciel, je les en ferai descendre ;
3 s'ils se cachent sur la crête du Carmel p, je les rechercherai et les en tirerai ;
s'ils se dérobent à mes yeux au fond
   de la mer,
je donnerai l'ordre au Serpent de les
   y mordre ;
4 s'ils se rendent en captifs au-devant
   de leurs ennemis,
je donnerai l'ordre à l'épée de les y
   tuer ;
j'aurai l'œil sur eux,
pour le mal et non pour le bien.

Le Seigneur, maître de l'univers

5 Le Seigneur DIEU, le tout-puissant,
touche-t-il à la terre, qu'elle tremble,
et que tous ses habitants prennent le
   deuil ;
elle gonfle, tout entière, comme le
   fleuve,
elle s'affaisse, comme le fleuve d'Egypte ;
6 celui qui dresse son escalier dans le ciel
et qui érige son palais au-dessus de la
   terre ;
celui qui convoque les eaux de la mer
et qui les répand sur la face de la terre,
le SEIGNEUR, c'est son nom.

Dieu va châtier les coupables

7 Pour moi, n'êtes-vous pas comme des
   fils de Koushites, fils d'Israël ?
— oracle du SEIGNEUR —

N'ai-je pas fait monter Israël du pays
   d'Egypte,
les Philistins de Kaftor et *Aram de
   Qir q ?
8 Voici les yeux du Seigneur, mon DIEU,
   sur le royaume coupable :
Je vais le supprimer de la surface du
   sol,
toutefois, je ne supprimerai pas entièrement la maison de Jacob r
— oracle du SEIGNEUR.

9 Oui, voici que je vais donner des ordres :
je vais secouer, parmi toutes les nations, la maison d'Israël,
comme on secouerait dans un crible
sans que la plus petite pierre tombe
   à terre ;
10 c'est par l'épée que vont mourir tous
   les coupables de mon peuple,
eux qui disaient :
« Il ne s'approchera pas,
il ne nous arrivera pas, le malheur ! »

Dieu va restaurer le royaume de David

11 Ce jour-là, je relèverai la hutte crou-
   lante de David,
j'en colmaterai les brèches,
j'en relèverai les ruines,
je la dresserai comme aux jours d'autrefois,
12 de sorte qu'ils posséderont
le reste d'Edom et de toutes les nations
sur lesquelles mon *nom a été proclamé
— oracle du SEIGNEUR, qui va l'accomplir.
13 Voici que viennent des jours
— oracle du SEIGNEUR —
où le laboureur suit de près celui qui
   moissonne,
et le vendangeur celui qui sème ;
où les montagnes font couler le moût
et chaque colline ruisselle ;
14 je change la destinée d'Israël mon peuple :

---

p Voir 1.2 et la note ● q *Koushites:* appellation biblique des *Nubiens* (voir la note sur Es 11.11) —
Kaftor: peut-être la *Crète* — *Qir:* voir 1.5; Es 22.6 et la note ● r Voir 1.1 et la note

9.2-4 poursuivis par Dieu Jr 23.23-24; Ab 4; cf. Ps 139.7-12. 9.3 le Serpent Jb 40.25-41.26.
9.4 terrible vigilance de Dieu Jb 7.17-19; 14.16; Jr 21.10; cf. Ps 139.16. 9.5 Hymne au Dieu
créateur Am 4.13+ — la terre tremble Ps 104.32; cf. Am 1.1; 8.8. 9.7 Israël sorti d'Egypte
Am 2.10+; cf. Dt 32.8-9 — Philistins, Kaphtor Am 1.6-8; Dt 2.23; Jr 47.4 — Aram, Qir
Am 1.3-5. 9.8 pas entièrement Am 5.15; Jr 30.11. 9.9 crible Es 30.28; Lc 22.31. 9.10 fausse
sécurité Es 28.15; Jr 5.12; Mi 3.11; So 1.12; cf. 2 P 3.9-10. 9.11-12 Ac 15.16-17. 9.11 restauration
de la royauté davidique Es 9.1-6; 11.1-9. 9.12 domination des nations voisines Gn 22.17;
Nb 24.17-19; Ab 19. 9.13 abondance Lv 26.5; Jl 4.18. 9.14 destinée changée Os 6.11+ —
reconstruction Es 61.4; Ez 36.33-36 — des biens dont on profitera Es 62.8-9; Ez 36.33-38;
cf. Am 5.11.

ils rebâtissent les villes dévastées, pour
    y demeurer,
ils plantent des vignes, pour en boire
    le vin,
ils cultivent des jardins, pour en man-
    ger les fruits ;

15 je les plante sur leur terre :
ils ne seront plus arrachés de leur
    terre,
celle que je leur ai donnée
    — dit le SEIGNEUR, ton Dieu.

ABDIAS

Un message venant du Seigneur

1 Vision d'Abdias.
Ainsi parle le Seigneur DIEU au sujet
    d'Edom.
Un message ! Nous l'entendons, il
    vient du SEIGNEUR,
tandis qu'un héraut est envoyé parmi
    les nations :
« Debout ! A l'assaut de la ville *a* ! Au
    combat ! »

Le Seigneur annonce la ruine d'Edom

2 Hé bien, je vais te rapetisser au milieu
    des nations !
Méprisé, tu es très méprisé.

3 C'est ton arrogance qui t'abuse,
toi qui demeures dans les creux du
    rocher *b*
et qui habites sur les hauteurs,
toi qui penses :
« Qui me précipitera à terre ? »

4 Quand tu t'élancerais comme le vau-
    tour

et que tu placerais ton nid entre les
    étoiles,
de là je te précipiterais !
    — Oracle du SEIGNEUR.

5 Voyons : des voleurs viennent chez
    toi,
des pillards de nuit,
et tu resterais tranquille !
Ne dérobent-ils pas tout ce qu'ils peu-
    vent ?
Des vendangeurs viennent chez toi,
laissent-ils autre chose que des restes à
    grappiller ?

6 Oh, comme Esaü est fouillé !
ses trésors cachés mis à jour !

7 On te chasse de ton territoire ;
tous tes alliés te trompent.
Tes amis s'emparent de toi ;
ceux qui partageaient ton pain te tirent
    dans les jambes *c* :
« Il n'y a plus d'intelligence en lui. »

8 N'est-il pas vrai ? Ce jour même —
    oracle du SEIGNEUR —, d'Edom, je fais
    disparaître les sages *d*
et de la montagne d'Esaü l'intelligence.

---

a Sur *Edom* voir Am 1.11 et la note — *la ville:* il s'agit sans doute de Pétra, la capitale d'Edom;
elle représente ici le pays tout entier ● *b* la région habitée par les Edomites est particulièrement
rocheuse et difficile d'accès ● *c* (ils) *te tirent dans les jambes:* tournure imagée que l'hébreu exprime
ainsi *ils te mettent des bâtons sous les pieds* ● *d* Les Edomites étaient réputés pour leurs sages (voir
Jr 49.7)

9.15 plantés pour toujours sur leur terre Es 60.21; Jr 24.6; 31.28.
1 Vision Es 1.1; Jr 1.11, 13; Am 7.1, 4, 7; 8.1; 9.1; Mi 1.1; Ha 2.2-3 — Edom Am 1.11+ — un
message du Seigneur Jr 49.14-16. 3 le discours de l'orgueilleux Es 14.13-15. 4 précipité en bas
Mt 11.23. 5-6 voleurs, vendangeurs Jr 49.9-10. 7 tes amis Jr 38.22; Ps 41.10. 8 les sages
disparus Es 19.11-12; 29.14; 1 Co 1.19.

⁹ Tes héros, Témân *e*, s'effondrent
de sorte que, dans le carnage, tout
homme est retranché de la montagne
d'Esaü.

Edom a profité du malheur d'Israël

¹⁰ C'est à cause des violences exercées
contre ton frère Jacob *f*
que te couvre la honte,
que tu es exterminé à jamais.

¹¹ Le jour où tu restais planté là en face,
le jour où des étrangers le vidaient de
sa force
où des barbares pénétraient dans ses
portes
et jetaient le sort sur Jérusalem,
toi aussi tu étais comme l'un d'eux.

¹² Ne te délecte pas du jour de ton
frère,
du jour de son désastre.
Ne te réjouis pas aux dépens des fils
de Juda,
au jour de leur perdition.
Ne fais pas ta grande bouche
au jour de la détresse.

¹³ Ne pénètre pas dans la ville de mon
peuple,
au jour de sa ruine.
Ne te délecte pas, surtout pas toi, de
son malheur,
au jour de sa ruine.
Ne porte pas la main sur ce qui fait
sa force,
au jour de sa ruine.

¹⁴ Ne reste pas planté dans la brèche
pour exterminer les survivants.
Ne livre pas ses rescapés
au jour de la détresse.

¹⁵ Oui, proche est le jour du SEIGNEUR,
jour menaçant toutes les nations.

Comme tu as fait, on te fait ;
tes actes te retombent sur la tête.

Israël prendra sa revanche sur Edom

¹⁶ Oui, comme vous avez bu sur ma montagne sainte,
de même toutes les nations boivent
sans trêve.
Elles boivent, elles se gorgent...
elles deviennent comme si elles
n'étaient pas nées.

¹⁷ Mais sur la montagne de *Sion se
réfugient des rescapés,
elle redevient *sainte.
Les gens de Jacob spolient ceux qui
les ont spoliés.

¹⁸ Les gens de Jacob deviennent un feu,
et ceux de Joseph une flamme.
Mais les gens d'Esaü deviennent du
chaume.
Ceux-là les embrasent et les consument :
aucun survivant ne reste à Esaü.
Le SEIGNEUR a parlé !

Les territoires voisins seront reconquis

¹⁹ Ils occupent le Néguev — la montagne d'Esaü — et le Bas-Pays — les Philistins. Ils occupent le territoire d'Ephraïm
— le territoire de Samarie — et lui
— Benjamin — occupe Galaad *g*.
²⁰ Les exilés des fils d'Israël — cette
armée-là — chassent les Cananéens jusqu'à Sarepta, et les exilés de Jérusalem
qui habitent Séfarad *h* occupent les villes
du Néguev.
²¹ Des libérateurs gravissent la montagne de *Sion pour gouverner la montagne d'Esaü.
Et le SEIGNEUR assume son Règne !

---

e Ville située dans la partie nord du territoire édomite ● *f* Voir la note sur Am 1.11 ● *g* Le
Néguev: région située au sud de la Palestine — *Galaad:* voir Am 1.13 et la note ● *h chassent les
Cananéens:* traduction conjecturale. D'autres traduisent *posséderont le pays des Cananéens* —
Sarepta: ville de la côte phénicienne (1 R 17.9) — *Séfarad:* ville traditionnellement localisée en
Afrique du Nord

9 tes héros s'effondrent Jr 49.22. **10** violences exercées contre les Israélites Am 1.11; Jl 4.19.
11 les Edomites à Jérusalem Ez 25.12; 35.5, 12; Ps 137.7; Lm 4.21-22. **12** ne te réjouis pas Mi
7.8. **15** le jour du Seigneur Jl 1.15+; cf. Es 34.8. **16** boire (la coupe du châtiment) Jr 25.15+.
17 des rescapés sur la montagne de Sion Jl 3.5 — Sion de nouveau sainte Jl 4.17. **21** le règne
du Seigneur Mi 4.6-7; Za 14.9; Ps 22.28-30; Ap 11.15+.

JONAS

Jonas essaie de s'enfuir loin du Seigneur

1 ¹ La parole du SEIGNEUR s'adressa à Jonas fils d'Amittaï : ² Lève-toi ! va à Ninive *a* la grande ville et profère contre elle un oracle parce que la méchanceté de ses habitants est montée jusqu'à moi. ³ Jonas se leva, mais pour fuir à Tarsis hors de la présence du SEIGNEUR. Il descendit à Jaffa *b*, y trouva un navire construit pour aller à Tarsis ; il l'affréta, s'embarqua pour se faire conduire par l'équipage à Tarsis hors de la présence du SEIGNEUR. ⁴ Mais le SEIGNEUR lança sur la mer un vent violent ; aussitôt la mer se déchaîna à tel point que le navire menaçait de se briser. ⁵ Les marins, saisis de peur, appelèrent au secours, chacun s'adressant à son dieu, et, pour s'alléger, ils lancèrent à la mer tous les objets qui se trouvaient à bord. Quant à Jonas, retiré au fond du vaisseau, il s'était couché et dormait profondément. ⁶ Alors le capitaine s'approcha de lui et lui dit : « Hé ! quoi ! tu dors !... Lève-toi, invoque ton dieu. Peut-être ce dieu-là songera-t-il à nous et nous ne périrons pas. » ⁷ Puis ils se dirent entre eux : « Venez, consultons les sorts pour connaître le responsable du malheur qui nous frappe. » Ils consultèrent les sorts qui désignèrent Jonas. ⁸ Ils lui dirent donc : « Fais-nous savoir *c* quelle est ta mis-sion. D'où viens-tu ? De quel pays es-tu ? Quelle est ta nationalité ? » ⁹ Il leur répondit : « Je suis hébreu, et c'est le SEIGNEUR Dieu du *ciel que je vénère, celui qui a fait la mer et les continents. » ¹⁰ Saisis d'une grande crainte, les hommes lui dirent : « Qu'as-tu fait là ! » D'après le récit qu'il leur fit, ils apprirent, en effet, qu'il fuyait hors de la présence du SEIGNEUR. ¹¹ « Qu'allons-nous te faire, pour que la mer cesse d'être contre nous ? » lui dirent-ils, car la mer était de plus en plus démontée. ¹² Il leur dit : « Hissez-moi et lancez-moi à la mer pour qu'elle cesse d'être contre vous ; je sais bien que c'est à cause de moi que cette grande tempête est contre vous. » ¹³ Cependant les hommes ramaient pour rejoindre la terre ferme, mais en vain : la mer de plus en plus démontée se déchaînait contre eux. ¹⁴ Ils invoquèrent donc le SEIGNEUR et s'écrièrent : « Ah ! SEIGNEUR, nous ne voulons pas périr en partageant le sort de cet homme. Ne nous charge pas d'un meurtre dont nous sommes innocents. Car c'est toi SEIGNEUR qui fais ce qu'il te plaît. » ¹⁵ Les hommes hissèrent alors Jonas et le lancèrent à la mer. Aussitôt la mer immobile, calmée de sa fureur. ¹⁶ Et les hommes furent saisis d'une grande crainte à l'égard du SEIGNEUR, lui offrirent un *sacrifice et firent des vœux.

a Ninive: capitale de l'empire assyrien ● *b Tarsis:* ville du bassin méditerranéen, située fort loin de la Palestine, mais qu'on n'a pu localiser jusqu'à présent. Pour les Hébreux elle symbolisait le bout du monde. Voir aussi Ps 72.10 et la note — *Jaffa* (en grec *Joppé*, Ac 10.5) est aujourd'hui un faubourg de Tel-Aviv ● *c* Après *fais-nous savoir* l'hébreu ajoute *à cause de qui ce malheur nous frappe.* La traduction suit ici les deux meilleurs manuscrits de l'ancienne version grecque

1.1 Jonas fils d'Amittaï 2 R 14.25. **1.2** Ninive Gn 10.11; 2 R 19.36; Na 1.1; 2.9; 3.7; So 2.13; Mt 12.41; Lc 11.30 — rumeur montée jusqu'à Dieu Gn 18.21. **1.3** Tarsis Gn 10.4; Es 23.1; 66.19; Ps 72.10. **1.4** tempête sur la mer Ps 107.23-30. **1.5** pour alléger le navire Ac 27.18. **1.6** tu dors! Mt 8.24-25 par.; Mc 14.37. **1.7** consulter les sorts Jos 7.14; 1 S 14.41-42. **1.9** Dieu créateur de la mer et des continents Gn 1.9-10. **1.14** invoquer le Seigneur Ps 17.6; 50.15; 86.7; 91.15; 118.5; 138.3; Lm 3.57 — mise à mort d'un innocent Dt 21.8; Jr 26.15.

La prière de Jonas

2 ¹ Alors le S<small>EIGNEUR</small> dépêcha un grand poisson pour engloutir Jonas. Et Jonas demeura dans les entrailles du poisson, trois jours et trois nuits. ² Des entrailles du poisson, il pria le S<small>EIGNEUR</small>, son Dieu. ³ Il dit :

Dans l'angoisse qui m'étreint, j'implore le S<small>EIGNEUR</small> :
il me répond ;
du ventre de la Mort, j'appelle au secours :
tu entends ma voix.
⁴ Tu m'as jeté dans le gouffre au cœur des océans
où le courant m'encercle ;
toutes tes vagues et tes lames déferlent sur moi.
⁵ Si bien que je me dis : Je suis chassé de devant tes yeux.
Mais pourtant je continue à regarder vers ton Temple *saint.
⁶ Les eaux m'enserrent jusqu'à m'asphyxier
tandis que les flots de l'*abîme m'encerclent ;
les joncs sont entrelacés autour de ma tête.
⁷ Je suis descendu jusqu'à la matrice des montagnes ;
à jamais les verrous du pays — de la Mort — sont tirés sur moi.
Mais de la fosse tu me feras remonter ᵈ vivant,
oh ! S<small>EIGNEUR</small>, mon Dieu !
⁸ Alors que mon souffle défaille et me trahit,
je me souviens et je dis : « S<small>EIGNEUR</small> ».
Et ma prière parvient jusqu'à toi, jusqu'à ton Temple saint.
⁹ Les fanatiques des vaines idoles, qu'ils renoncent à leur dévotion !

¹⁰ Pour moi, au chant d'actions de grâce je veux t'offrir des *sacrifices,
et accomplir les vœux que je fais.
Au S<small>EIGNEUR</small> appartient le salut !

¹¹ Alors le S<small>EIGNEUR</small> commanda au poisson et aussitôt le poisson vomit Jonas sur la terre ferme.

Jonas prêche à Ninive

3 ¹ La parole du S<small>EIGNEUR</small> s'adressa une seconde fois à Jonas : ² « Lève-toi, va à Ninive la grande ville et profère contre elle l'oracle que je te communiquerai ᵉ. » ³ Jonas se leva et partit, mais — cette fois — pour Ninive, se conformant à la parole du S<small>EIGNEUR</small>. Or Ninive était devenue une ville excessivement grande : on mettait trois jours pour la traverser. ⁴ Jonas avait à peine marché une journée en proférant cet oracle : « Encore quarante jours et Ninive sera mise sens dessus dessous », ⁵ que déjà ses habitants croyaient en Dieu. Ils proclamèrent un *jeûne et se revêtirent de *sacs, des grands jusqu'aux petits. ⁶ La nouvelle parvint au roi de Ninive. Il se leva de son trône, fit glisser sa robe royale, se couvrit d'un sac, s'assit sur de la cendre ᶠ, ⁷ proclama l'état d'alerte et fit annoncer dans Ninive : « Par décret du roi et de son gouvernement, interdiction est faite aux hommes et aux bêtes, au gros et au petit bétail, de goûter à quoi que ce soit ; interdiction est faite de paître et interdiction est faite de boire de l'eau. ⁸ Hommes et bêtes se couvriront de sacs et ils invoqueront Dieu avec force. Chacun se convertira de son mauvais chemin et de la violence qui reste attachée à ses mains. ⁹ Qui sait ! peut-être Dieu se ravisera-t-il, reviendra-t-il

---

ᵈ *les verrous du pays :* expression poétique désignant probablement le domaine de la mort, que Jonas compare à un pays fermé — *la fosse :* voir au glossaire SÉJOUR DES MORTS — *tu me feras remonter :* autre traduction *tu m'as fait remonter* ● *e que je te communiquerai :* autre traduction *que je te communique* ● *f s'asseoir sur de la cendre :* en signe de deuil ou de grande tristesse (comparer Ez 27.30)

2.1 trois jours et trois nuits Mt 12.40. **2.3** j'implore le Seigneur Ps 18.7 ; 120.1 ; 130.1 ; Lm 3.55-57 — dans le ventre de la mort Gn 37.35 ; 42.38. **2.4** submergé par les vagues Ps 42.8. **2.5** devant les yeux, loin des yeux Jr 32.19 ; Ps 31.23 ; 32.8 ; 34.16 ; 123.1 ; cf. Ez 5.11 — vers ton temple saint Mi 1.2 ; Ps 5.8 ; 11.4. **2.6** enserré par les eaux Ps 69.3 ; cf. Ps 116.3. **2.7** remonter de la fosse Ps 16.10 ; 30.4 ; 103.4 ; 107.20 ; Jb 33.18. **2.8** mon souffle défaille Ps 142.4 ; 143.4 — temple saint v. 5. **2.9** vaines idoles Es 31.7. **2.10** accomplir des vœux Ps 22.26 — au Seigneur le salut Ps 3.9. **2.11** sur le continent Jon 1.9, 13. **3.2** va à Ninive Jon 1.2+. **3.4** Dieu menace Jr 36.7 — 40 jours cf. Ac 1.3+. **3.5** proclamer un jeûne 1 R 21.9 ; Jr 36.9 ; Jl 1.14+ ; cf. Ps 35.13 — se revêtir de sacs Est 4.1 — la repentance des gens de Ninive Lc 11.30-32. **3.6** roi dépouillé de ses ornements Ez 26.16 — sac, cendre Ez 27.30-31. **3.8** renoncer à sa mauvaise conduite Jr 26.3 ; 35.15 ; 36.7 ; Ez 36.31 — violence dans les mains Jb 16.17 ; 31.7. **3.9** peut-être Jr 36.3, 7 ; Jl 2.14 ; Am 5.15 ; cf. Lc 20.13 — Dieu revient sur sa décision Am 7.3+.

sur sa décision et retirera-t-il sa menace ; ainsi nous ne périrons pas. » [10] Dieu vit leur réaction : ils revenaient de leur mauvais chemin. Aussi revint-il sur sa décision de leur faire le mal qu'il avait annoncé. Il ne le fit pas.

Jonas apprend pourquoi Dieu a pitié de Ninive

4 [1] Jonas le prit mal, très mal, et il se fâcha. [2] Il pria le SEIGNEUR et dit : « Ah ! SEIGNEUR ! n'est-ce pas précisément ce que je me disais quand je vivais sur mon terroir ? Voilà pourquoi je m'étais empressé de fuir à Tarsis. Je savais bien que tu es un Dieu bienveillant et miséricordieux, lent à la colère et plein de fidélité, et qui revient sur sa décision. [3] Maintenant, SEIGNEUR, je t'en prie, retire-moi la vie ; mieux vaut pour moi mourir que vivre ! » — [4] « As-tu raison de te fâcher ? » lui dit le SEIGNEUR. [5] Jonas sortit et s'installa à l'est de la ville. Là, il se construisit une hutte et s'assit dessous, à l'ombre, en atten-dant de voir ce qui se passerait dans la ville. [6] Alors le SEIGNEUR Dieu dépêcha une plante *g* qui grandit au-dessus de Jonas de sorte qu'il y avait de l'ombre sur sa tête pour le tirer de sa mauvaise passe. Cette plante causa une grande joie à Jonas. [7] Le lendemain, à l'aurore, Dieu dépêcha un ver qui attaqua la plante ; elle creva. [8] Puis, quand le soleil se mit à briller, Dieu dépêcha un vent d'est *h* cinglant et le soleil tapa sur la tête de Jonas... Prêt à s'évanouir, Jonas demandait à mourir ; il disait : « Mieux vaut pour moi mourir que vivre. » [9] Alors Dieu lui dit : « As-tu raison de te fâcher à cause de cette plante ? » Jonas lui répondit : « Oui, j'ai raison de me fâcher à mort. » [10] Le SEIGNEUR lui dit : « Toi, tu as pitié de cette plante pour laquelle tu n'as pas peiné et que tu n'as pas fait croître ; fille d'une nuit, elle a disparu âgée d'une nuit. [11] Et moi je n'aurais pas pitié de Ninive la grande ville où il y a plus de cent vingt mille êtres humains qui ne savent distinguer leur droite de leur gauche, et des bêtes sans nombre ! »

g Le type de plante désigné par le terme employé ici nous reste inconnu ● *h* Vent chaud et desséchant qui vient du désert

3.10 la réaction des Ninivites Mt 12.41 ; cf. Eph 3.6.   **4.1** la mauvaise humeur de Jonas cf. Lc 15.28.   **4.2** un Dieu bienveillant et miséricordieux Ex 34.6+ ; cf. Dt 5.10 ; Jr 32.18.   **4.3** retire-moi la vie v. 8 ; 1 R 19.4 ; cf. Jb 7.15.   **4.11** 120.000 : *Jdt* 2.5, 15 ; cf. Ap 7.4.

MICHÉE

1 ¹ Parole du SEIGNEUR qui fut adressée à Michée de Morèsheth, aux jours de Yotam, Akhaz et Ezékias, rois de Juda : visions qu'il eut à propos de Samarie et de Jérusalem *a*.

Le Seigneur va juger son peuple coupable

² Ecoutez, tous les peuples !
Sois attentive, terre et ce qui la remplit.
Le Seigneur DIEU va témoigner contre vous,
le Seigneur, depuis son sanctuaire.
³ Voici que le SEIGNEUR sort de sa demeure.
Il descend, il marche sur les hauts lieux de la terre *b*.
⁴ Les montagnes fondent sous ses pas,
les fonds de vallée se crevassent,
comme la cire devant le feu,
comme l'eau répandue sur une pente.
⁵ Tout cela, à cause de la révolte de Jacob,
à cause des péchés de la maison d'Israël *c*.
Quelle est la révolte de Jacob ?
N'est-ce pas Samarie ?
Quels sont les *hauts lieux de Juda ?
N'est-ce pas Jérusalem ?

⁶ Je vais faire de Samarie un champ de ruines,
une terre à vigne.
Je ferai débouler ses pierres au ravin,
et ses fondations, je les mettrai à nu.
⁷ Ses statues seront toutes brisées,
ses gains seront tous livrés aux flammes.
Toutes ses idoles, je les mettrai en pièces
car, amassées avec des gains de prostituées *d*,
gains de prostituées elles redeviendront.

Un chant de deuil sur les villes de Juda

⁸ Aussi vais-je me lamenter et hurler.
J'irai déchaussé et nu.
J'entonnerai une lamentation *e* à la manière des chacals,
un chant de deuil, comme les autruches.
⁹ Vraiment irréparable, le coup qui la frappe !
Car il vient jusqu'à Juda,
jusqu'à toucher la porte de mon peuple,
jusqu'à Jérusalem.
¹⁰ Dans Gath, ne faites pas de proclamation *f*.
..., pleurez.

a Samarie : capitale du royaume d'Israël ; elle fut conquise par les Assyriens en 722/721 av. J.C. — *Jérusalem* : capitale du royaume de Juda. Ces deux villes représentent ici les deux royaumes ● *b les hauts lieux de la terre* : autre traduction *les hauteurs de la terre* (voir Am 4.13) ● *c Jacob, maison d'Israël* : le royaume du nord (voir Am 1.1 et la note) ● *d* Les dons alloués aux prostituées sacrées (voir Os 1.2 et la note) devaient servir à embellir les temples de Baal, notamment par de nouvelles idoles ● *e* Au v. 8, c'est le prophète lui-même qui parle — *une lamentation* : voir Am 5.1 et la note ● *f* Dans les v. 10-15 le prophète fait une série de jeux de mots sur le nom des villes qu'il mentionne. Le mauvais état du texte n'a cependant pas permis de retrouver certains de ces noms (indiqués dans la traduction par ... aux v. 10-11). Toutes ces villes sont situées en Juda, et sont menacées par l'invasion assyrienne

1.1 Michée de Morèsheth Jr 26.18 — Yotam 2 R 15.32-38 — Akhaz 2 R 16.1-19 — Ezékhias 2 R 18 cf. Es 1.1 — visions Ab 1+. **1.2** convocation des peuples Am 3.9+ ; cf. Es 1.2. **1.3** Le Seigneur sort de sa demeure Es 26.21. **1.3-4** la marche du Seigneur Am 4.13 ; Za 14.4. **1.4** comme la cire devant le feu Ps 68.3 ; 97.5. **1.6** la ruine de Samarie 2 R 17.5-6. **1.7** idolâtrie et prostitution Os 1.2+. **1.8** lamentation Am 5.1+ — déchaussé et nu 2 S 15.30 ; Es 20.2-4. **1.10** Gath 2 S 1.20 ; cf. 1 S 5.8 ; 17.4 ; 1 R 2.41 ; Am 6.2.

Dans Beth-Léafra,
roule-toi dans la poussière.
11 Passe...
habitante de Shafir,
honteuse et nue.
Elle ne sortira plus,
l'habitante de Çaanân.
Lamentation à Beth-Ecel !
Tout soutien *g* vous est retiré.
12 Elle est malade pour de bon,
l'habitante de Maroth.
Oui, le malheur est descendu d'auprès
du Seigneur
à la porte de Jérusalem.
13 Attelle les coursiers au char,
habitante de Lakish
— Là fut l'origine du péché pour la
fille de *Sion
car en toi se sont trouvées les rébellions d'Israël —.
14 C'est pourquoi tu établiras un acte de
divorce
pour Morèsheth-Gath.
Les maisons d'Akziv seront un leurre
pour les rois d'Israël.
15 A nouveau, je ferai venir sur toi le
conquérant,
habitante de Marésha.
Jusqu'à Adoullam s'en ira
la gloire d'Israël.
16 Rase-toi, coupe-toi les cheveux,
à cause des fils que tu aimais ;
rends-toi aussi chauve que le vautour *h*,
car ils sont exilés loin de toi.

Ceux qui abusent de leur pouvoir

2 1 Malheureux, ceux qui projettent
le méfait
et qui manigancent le mal sur leurs
lits !
Au point du jour, ils l'exécutent,
car ils en ont le pouvoir.
2 Convoitent-ils des champs, ils les volent,
des maisons, ils s'en emparent.

Ils saisissent le maître et sa maison,
l'homme et son héritage.
3 C'est pourquoi, ainsi parle le Seigneur :
Voici que je projette contre ces gens-
là un malheur ;
vous ne pourrez en retirer vos cous,
ni marcher la tête haute,
car ce sera un temps de malheur.
4 En ce jour-là, on lancera contre vous
un pamphlet,
on entonnera une complainte — c'est
déjà fait —,
on dira : « Nous sommes complètement dévastés.
On aliène la part de mon peuple.
Comment se fait-il qu'on me l'enlève ?
Entre les rebelles, on partage nos
champs. »
5 C'est pourquoi tu n'auras personne
pour te mesurer une part dans l'assemblée du Seigneur *i*.

Ceux qui contestent le message du prophète

6 « Ne délirez pas *j*, délirent-ils ;
on ne doit pas délirer de la sorte :
Non l'outrage ne s'éloignera pas.
7 Cela aurait-il été dit, maison de Jacob ?
La patience du Seigneur est-elle à
bout ?
Est-ce là sa manière d'agir ?
Ses paroles *k* ne sont-elles pas bienveillantes
pour celui qui marche droit ? »
8 Hier, mon peuple se dressait contre un
ennemi ;
de dessus la tunique, vous enlevez le
manteau
à ceux qui, au retour de la guerre,
passent en toute sécurité.
9 Les femmes de mon peuple, vous les
chassez,
chacune, de la maison qu'elle aimait.

---

g Sans doute le soutien du Seigneur ● *h* Se raser la tête: un rite de deuil (voir Am 8.10 et la note). Le cou et le crâne déplumés des *vautours* évoque ces têtes rasées pour un deuil ● *i* Allusion à une répartition périodique des terres entre les familles d'un village (voir Nb 26.55-56; 33.54; 36.2; Es 34.17; Ps 16.5-6) ● *j* *délirer* (ou *baver*): terme méprisant par lequel certains désignaient le discours du prophète (v. 11; Am 7.16) — Les v. 6-7 rapportent les paroles des adversaires du prophète, qui cherchent à le contredire tout en l'imitant ● *k* *Ses paroles:* d'après l'ancienne version grecque; hébreu *mes paroles*

1.13 Lakish Jos 10.31; 15.39; 2 R 14.19; 18.14; Jr 34.7; Ne 11.30 — confiance dans la force armée Es 31.1; Os 8.14; 10.13; 14.4. **1.14** Morèsheth-Gath cf. v. 1 — Akziv Jos 15.44. **1.15** Marésha Jos 15.44; 2 Ch 11.8; 14.8 — Adoullam Jos 12.15; Ne 11.30; 2 Ch 11.7. **1.16** tonsure en signe de deuil Es 15.2-3; 22.12; Jr 48.37; Am 8.10. **2.1** malheureux Es 5.8-24; 28.1-4; Am 6.1; Ha 2.6-20; Mt 11.21+; Lc 6.24+. **2.2** avidité des puissants Es 5.8; Jr 22.13-14; Am 3.10; 8.4-6. **2.3** un malheur en perspective Ez 7.5, 26 — un temps de malheur Am 5.13. **2.5** mesurer une part Es 34.17; Ps 16.5-6. **2.6** délirer v. 11; Es 21.2, 7; Am 7.16 — contestation du message prophétique Am 2.12+. **2.8** enlever le manteau Dt 24.10-13.

A leurs enfants vous arrachez pour toujours
l'honneur qui vient de moi.
10 Levez-vous, allez ; ce n'est plus l'heure
du repos.
Par ton *impureté, tu provoques la
destruction
et la destruction sera cuisante.
11 Y aurait-il un homme courant après
le vent
et débitant des mensonges :
« Pour vin et boisson forte, je vais
délirer en ta faveur » ;
alors, il serait le prêcheur de ce peuple-là.

Dieu va rassembler le reste d'Israël

12 Je vais te rassembler, Jacob, tout entier,
je vais réunir le reste d'Israël.
Je les mettrai ensemble, comme les
brebis de Boçra *l*,
comme un troupeau au milieu de son
pâturage.
Et d'elles sortira une rumeur humaine.
13 Il est monté devant eux, celui qui ouvre la brèche ;
ils ont ouvert la brèche ;
ils ont passé une porte ;
ils sont sortis par elle ;
leur roi est passé devant eux,
le SEIGNEUR, à leur tête.

Avertissement aux chefs indignes

3 1 Et je dis :
Ecoutez donc, chefs de Jacob *m*,
magistrats de la maison d'Israël :
N'est-ce pas à vous de connaître le
droit ?
2 Vous qui haïssez le bien et aimez le
mal,
qui arrachez la peau de dessus les
gens
et la chair de dessus leurs os.

3 Ceux qui mangent la chair de mon
peuple,
qui leur raclent la peau,
qui leur brisent les os,
qui les découpent comme chair en la
marmite *n*,
comme viande au fond du chaudron,
4 quand ils crieront vers le SEIGNEUR,
il ne leur répondra pas.
Il leur cachera sa face en ce temps-là,
à cause des crimes qu'ils ont commis.

Contre les prophètes qui égarent Israël

5 Ainsi parle le SEIGNEUR
contre les *prophètes qui égarent mon
peuple :
Peuvent-ils mordre à belles dents ?
ils proclament la paix ;
mais à qui ne leur met rien dans la
bouche,
ils déclarent la guerre sainte.
6 Aussi, pour vous, c'est la nuit : plus
de vision.
Pour vous, ce sont les ténèbres : plus
de divination.
Le soleil se couchera sur les prophètes,
le jour sur eux s'assombrira.
7 Honte sur les voyants,
confusion sur les devins !
Ils se couvriront tous la barbe *o*,
car Dieu ne répond pas.
8 Moi, en revanche — grâce à l'esprit
du SEIGNEUR —
je suis rempli de force *p*,
d'équité et de courage,
pour révéler à Jacob sa révolte et à
Israël son péché.

Michée prédit la ruine de Jérusalem

9 Ecoutez donc ceci, chefs de la maison
de Jacob,
magistrats de la maison d'Israël,

---

l Boçra : deux villes portaient ce nom, l'une en Edom (Gn 36.33 ; Am 1.12), l'autre en Moab (Jr 48.24) ● *m Jacob :* voir 1.5 et la note ● *n* D'après l'ancienne version grecque ; hébreu *ils découperont d'après ce qui est dans la marmite* ● *o se couvrir la barbe :* geste exprimant la honte ou la tristesse (comparer Ez 24.17, 22) ● *p* Au v. 8 c'est le prophète qui s'exprime personnellement

2.11 boissons fortes Es 5.11, 22-23 ; Am 4.1 — prophètes sans vocation Jr 5.31 ; 28.15 ; 29.9, 31 ; cf. Am 7.12. 2.12 rassemblement d'Israël dispersé Mi 4.6-7 ; Es 11.12 ; Jr 29.14 ; 31.8, 10 ; Ez 37.21 ; Os 2.2 — comme un troupeau Es 40.11 ; Jr 23.3-4 ; Ez 34.1-31 — le reste d'Israël Es 4.3+ — Boçra Gn 36.33 ; Am 1.12. 2.13 celui qui ouvre le passage Jn 10.3-4. 3.1 les responsables du droit Os 5.1 ; Am 5.7. 3.2 haïr le bien, aimer le mal cf. Am 5.15 ; Es 5.20. 3.4 le Seigneur ne répond pas Es 1.14-15 ; 59.2 ; Jr 11.11 ; cf. Am 8.12+. 3.5 des prophètes qui égarent le peuple de Dieu Jr 14.13-16 ; 23.13-22 ; 27.9-10, 16-18 ; 28.16 ; 29.8-9, 31 ; Ez 13.2-10 — des prophètes avides cf. Mi 2.11 — proclamer la paix Jr 6.14 ; 14.13 ; 23.17 ; 28.8-9 ; Ez 13.10, 16. 3.6 les faux-prophètes privés de leurs moyens Jr 23.12. 3.7 se couvrir la barbe cf. Lv 13.45 ; Ez 24.17, 22. 3.9 ceux qui tordent le droit Am 5.7.

qui avez le droit en horreur
et rendez tortueuse toute droiture,
10 en bâtissant *Sion dans le sang
et Jérusalem dans le crime.
11 Ses chefs jugent pour un pot-de-vin,
ses prêtres enseignent pour un profit,
ses prophètes pratiquent la divination
pour de l'argent.
Et c'est sur le SEIGNEUR qu'ils s'appuient en disant :
« Le SEIGNEUR n'est-il pas au milieu de
nous ?
Non, le malheur ne viendra pas sur
nous. »
12 C'est pourquoi, à cause de vous,
Sion sera labourée comme un champ,
Jérusalem deviendra un monceau de
décombres,
et la montagne du Temple, une hauteur broussailleuse.

Jérusalem, capitale de la paix

4 1 Il arrivera dans l'avenir
que la montagne de la Maison du
SEIGNEUR
sera établie au sommet des montagnes
et elle dominera les collines.
Des peuples y afflueront.
2 Des nations nombreuses se mettront en
marche et diront :
« Venez, montons à la montagne du
SEIGNEUR,
à la maison du Dieu de Jacob.
Il nous montrera ses chemins
et nous marcherons sur ses routes.
Oui, c'est de *Sion que vient l'instruction,
et de Jérusalem la Parole du SEIGNEUR. »
3 Il sera juge entre des peuples nombreux,
l'arbitre de nations puissantes, même
au loin.
Martelant leurs épées, ils en feront des
socs,
et de leurs lances, ils feront des serpes.
On ne brandira plus l'épée, nation
contre nation,

on n'apprendra plus à se battre.
4 Ils demeureront chacun sous sa vigne
et son figuier,
et personne pour les troubler.
Car la bouche du SEIGNEUR le toutpuissant a parlé.
5 Si tous les peuples marchent chacun
au nom de son dieu,
nous, nous marchons au nom du SEIGNEUR notre Dieu à tout jamais.

Le Seigneur, roi à Jérusalem

6 En ce jour-là — oracle du SEIGNEUR —
je rassemblerai ce qui boite,
je réunirai ce qui est dispersé,
ce que j'ai maltraité.
7 De ce qui boite, je ferai un reste ;
de ce qui est éloigné, une nation puissante.
Sur la montagne de *Sion, le SEIGNEUR sera leur roi
dès maintenant et à jamais.
8 Et toi, tour du troupeau, hauteur de
la fille de Sion,
vers toi fera retour la souveraineté
d'antan,
la royauté qui revient à la fille de
Jérusalem q.

Epreuves et délivrance de Jérusalem

9 Maintenant pourquoi pousses-tu des
cris ?
N'y a-t-il pas de roi chez toi ?
Ton conseiller est-il perdu,
que la douleur t'ait saisie
comme la femme qui enfante ?
10 Tords-toi de douleur et hurle, fille de
*Sion,
comme la femme qui enfante,
car maintenant tu vas sortir de la cité,
tu vas demeurer dans les champs,
tu iras jusqu'à Babylone.
Là tu seras délivrée,
là le SEIGNEUR te rachètera de la main
de tes ennemis.
11 Et maintenant se sont rassemblées contre toi

---

q *fille de Sion, fille de Jérusalem:* deux manières poétiques de désigner la population de Jérusalem

3.10 bâtir dans le sang Ha 2.12. — **3.11** vénalité des responsables Es 1.23; cf. Ez 13.19 — le Seigneur au milieu de nous cf. Mi 2.7; Jr 7.4; Os 6.1-2 — le malheur ne viendra pas Jr 5.12. **3.12** verset cité en Jr 26.18 — un monceau de décombres Mi 1.6. **4.1-3** versets reproduits en Es 2.2-4. — **4.1** afflux des peuples à Jérusalem Es 56.6-8; 60; 66.18-20; Jr 3.17; Za 8.20-23; 14.16; cf. Ag 2.7. — **4.2** de Jérusalem vient la parole du Seigneur cf. Jn 4.22. — **4.3** épées changées en socs cf. Os 2.20+; Jl 4.10. — **4.4** chacun sous sa vigne et son figuier 1 R 5.5; Za 3.10. — **4.5** marcher au nom du Seigneur cf. Es 2.5. — **4.6-7** Dieu rassemblera son peuple Mi 2.12-13+. — **4.9-10** douleurs des derniers temps, douleurs de l'enfantement: Es 66.7-9; Jr 4.31; 6.24; 22.23; 30.6; cf. Mt 24.8+. — **4.11** rassemblement des nations et combat final Ez 38-39; Ap 19.11-21; 20.7-10.

de nombreuses nations,
celles qui disent : « Qu'elle soit profanée ;
et que nos yeux se repaissent de la
vue de Sion. »
¹² C'est qu'elles ne connaissent pas les
projets du SEIGNEUR,
elles ne saisissent pas ses intentions :
Il les a réunies comme gerbes sur l'aire.
¹³ Debout, foule le grain, fille de Sion ;
tes cornes, je les rendrai de fer,
tes sabots, je les rendrai de bronze.
Tu broieras des peuples nombreux,
tu voueras par interdit ʳ leur butin au
SEIGNEUR
et leurs richesses au maître de toute la
terre.
¹⁴ Maintenant, fais-toi des incisions ˢ, fille
guerrière,
on nous a assiégés.
A coups de bâton, on frappe à la joue
le juge d'Israël.

Bethléem, patrie du roi sauveur

5 ¹ Et toi, Bethléem Ephrata,
trop petite pour compter parmi les
clans de Juda,
de toi sortira pour moi ᵗ
celui qui doit gouverner Israël.
Ses origines remontent à l'antiquité,
aux jours d'autrefois.
² C'est pourquoi, Dieu les abandonnera
jusqu'aux temps où enfantera celle qui
doit enfanter.
Alors ce qui subsistera de ses frères
rejoindra les fils d'Israël.
³ Il ᵘ se tiendra debout et fera paître son
troupeau
par la puissance du SEIGNEUR,
par la majesté du *Nom du SEIGNEUR
son Dieu.
Ils s'installeront, car il sera grand
jusqu'aux confins de la terre.
⁴ Lui-même, il sera la paix.

Au cas où Assour entrerait sur notre
terre
et foulerait nos palais,
nous dresserons contre lui sept bergers,
huit princes humains.
⁵ Ils feront paître la terre d'Assour avec
l'épée
et la terre de Nemrod avec le poignard ᵛ.
Mais lui nous délivrerait d'Assour,
au cas où celui-ci entrerait sur notre
terre
et foulerait notre frontière.

Le reste d'Israël parmi les nations

⁶ Alors le reste de Jacob ʷ sera,
au milieu de peuples nombreux,
comme une rosée venant du SEIGNEUR,
comme des ondées sur l'herbage,
qui n'attend rien de l'homme,
qui n'espère rien des humains.
⁷ Alors le reste de Jacob sera,
parmi les nations,
au milieu de peuples nombreux,
comme un lion parmi les bêtes de la
forêt,
comme un lionceau parmi les troupeaux de moutons ;
qu'il passe, il écrase et déchire,
et personne ne peut en délivrer.

Le peuple de Dieu privé de ses faux appuis

⁸ Que ta main se lève sur tes adversaires
et que tous tes ennemis soient supprimés !
⁹ Voici ce qui arrivera en ce jour-là
— oracle du SEIGNEUR — :
Je retrancherai de chez toi les chevaux ˣ

---

r La *corne* est souvent symbole de force dans l'A.T. Ici la population de Jérusalem est comparée
à un bœuf aux cornes redoutables et aux sabots puissants pour fouler le grain après la moisson
— *tu voueras par interdit:* d'après les anciennes versions grecque, syriaque et latine; hébreu *j'ai
voué par interdit* — *vouer par interdit:* voir Dt 2.34 et la note ● s On se faisait des *incisions* en
signe de deuil (Jr 48.37) ou pour attirer l'attention d'un dieu (voir Os 7.14 et la note) ● *t* C'est
probablement le Seigneur qui parle ici ● u *Il* reprend *celui qui doit gouverner Israël* (v.1), c'est-
à-dire le roi sauveur attendu ● v Selon Gn 10.8-11, *Nemrod* est l'ancêtre des peuples habitant
la Mésopotamie — *avec le poignard:* d'après un manuscrit de l'ancienne version grecque et dans
la ligne du contexte; hébreu *dans ses portes* ● w *Jacob:* voir 1.5 et la note ● x Voir Os 14.4 et
la note

4.12 les plans du Seigneur Es 5.12; 55.8-9; Ps 28.5. 4.13 cornes de fer 1 R 22.11 — les richesses
des nations pour le Seigneur Es 60.3-5; Ps 72.10-11; Ap 21.24. 5.1 verset cité en Mt 2.6; Jn 7.42
— Bethléem Ephrata 1 S 17.12; Rt 4.11; Mt 2.1+ — Celui qui doit gouverner Israël 2 S 5.2;
Rt 4.17-22; 2 S 7.8. 5.2 celle qui doit enfanter Es 7.14; cf. Lc 1.26-38. 5.3 le Messie berger
Ez 34.23-31; Jn 10.1-18. 5.4 il sera la paix Es 9.5 — sept ... huit Os 6.2+. 5.6 le reste de Jacob
Es 4.3+ — comme une rosée Os 14.6. 5.7 personne pour délivrer Os 2.12+. 5.9 suppression
des chevaux et des chars Os 14.4; Za 9.10.

et je ferai disparaître tes chars.
¹⁰ Je retrancherai les villes de ton pays
et je démolirai toutes tes forteresses.
¹¹ Je retrancherai de ta main les sorcelleries
et il n'y aura plus pour toi de magiciens.
¹² Je retrancherai de chez toi
les statues et les stèles ʸ ;
tu ne te prosterneras plus devant l'œuvre de tes mains.
¹³ J'arracherai de chez toi les poteaux sacrés ᶻ
et j'anéantirai tes villes.
¹⁴ Avec colère, avec fureur, je tirerai vengeance
des nations qui n'ont pas obéi.

Le procès que Dieu fait à son peuple

6 ¹ Ecoutez donc ce que dit le SEIGNEUR :
Debout, engage un procès devant les montagnes,
que les collines entendent ta voix.
² Ecoutez, montagnes, le procès du SEIGNEUR
et vous, immuables fondements de la terre ;
voici le procès du SEIGNEUR avec son peuple,
avec Israël, il entre en débat.

³ Mon peuple, que t'ai-je fait ?
En quoi t'ai-je fatigué ? Réponds-moi.
⁴ En te faisant monter du pays d'Egypte ?
En te rachetant de la maison de servitude ?
En t'envoyant comme guides Moïse, Aaron et Miryam ?
⁵ Mon peuple, rappelle-toi donc
ce que tramait Balaq, roi de Moab,
ce que lui répondit Balaam, fils de Béor,

le passage de Shittim à Guilgal,
et tu reconnaîtras alors les victoires du SEIGNEUR.

⁶ Avec quoi me présenter devant le SEIGNEUR,
m'incliner devant le Dieu de là-haut ?
Me présenterai-je devant lui avec des holocaustes ᵃ ?
Avec des veaux d'un an ?
⁷ Le SEIGNEUR voudra-t-il des milliers de béliers ?
des quantités de torrents d'huile ?
Donnerai-je mon premier-né pour prix de ma révolte ?
Et l'enfant de ma chair pour mon propre péché ?
⁸ On t'a fait connaître, ô homme, ce qui est bien,
ce que le SEIGNEUR exige de toi :
Rien d'autre que le respect du droit,
l'amour de la fidélité,
la vigilance dans ta marche avec Dieu.

Le Seigneur châtie la fraude et la violence

⁹ La voix du SEIGNEUR appelle la ville :
— il sauvera ceux qui craignent son
*nom —
Ecoutez, tribu et assemblée de la ville ᵇ.
¹⁰ Puis-je supporter, maison d'iniquité,
des trésors iniques, un épha ᶜ réduit et maudit ?
¹¹ Puis-je tenir quitte ᵈ pour des balances iniques ?
pour un sac de poids truqués ?
¹² Ville dont les riches sont pleins de violence
et dont les habitants parlent avec fourberie ;
dans leur bouche, leur langue n'est que tromperie.
¹³ Alors, je t'ai rendue malade, à force de frapper,

---

y stèles: voir Gn 28.18 et la note ● *z poteaux sacrés*: Voir la note sur Jg 3.7 ● *a* Voir au glossaire SACRIFICES ● *b* il sauvera ceux qui craignent son nom (ou *ceux qui respectent son autorité*) et *assemblée de la ville*: d'après l'ancienne version grecque; hébreu obscur ● *c puis-je supporter*: traduction conjecturale. Autre traduction *puis-je supporter un bath inique, des trésors iniques...* — *épha, bath*: voir au glossaire POIDS ET MESURES ● *d* tenir quitte: d'après l'ancienne version latine; hébreu *puis-je être quitte...*

5.10 villes et forteresses Es 2.15. **5.11** suppression de la sorcellerie Es 3.3. **5.12** suppression des statues et des stèles Ex 23.24; 34.13; Os 3.4; 10.2 — prosternés devant l'ouvrage de leurs mains Es 2.8; cf. Es 17.8; 44.17. **6.1-2** procès de Dieu contre son peuple Os 2.4+; cf. Es 5.3-4. **6.4** monté du pays d'Egypte Lv 11.45; 1 S 8.8; Jr 2.6; Os 12.14; Am 5.21-24; Ps 81.11 — la maison de servitude Ex 20.2+ — Dieu a envoyé Moïse et Aaron 1 S 12.6; Ps 77.21. **6.5** Balaq et Balaam Nb 22—24; Dt 23.5; Jos 24.9; Ne 13.2; Ap 2.14 — de Shittim à Guilgal Jos 3.1—4.24. **6.7** offrir son premier-né Lv 18.21; 20.2-5; 1 R 16.34; 2 R 16.3; 21.6. **6.8** ce que le Seigneur exige de toi 1 S 15.22; Es 1.11-17; 58.1-12; Os 6.6; 8.11-14; Jl 2.13; Za 7.4-6; Ps 40.7-9; 50.8-15; 51.18-19 — le droit Am 5.24+ — la fidélité Os 2.21; 4.1 — faire route avec Dieu Gn 5.24. **6.10-11** mesures truquées Am 8.5+. **6.12** violence Mi 2.1-2; Es 30.12; Ez 22.29; Am 3.10+; Ps 55.10; 73.6; Lc 3.14. **6.13** à force de frapper Es 1.5-9.

de te dévaster, à cause de tes péchés.
14 Toi, tu mangeras, sans pouvoir te
rassasier.
La famine s'installera chez toi.
Tu mettras de côté mais sans rien
pouvoir conserver.
Ce que tu conserverais, je le livrerais
à l'épée.
15 Toi, tu sèmeras mais tu ne moissonneras pas.
Toi, tu presseras l'olive mais tu ne
t'enduiras pas d'huile,
tu feras couler le moût mais tu ne boiras pas de vin.
16 Tu gardes les prescriptions d'Omri
et toutes les pratiques de la maison
d'Akhab *e*.
Vous marchez selon leurs directives,
si bien que je te livrerai à l'épouvante,
et tes habitants à la dérision.
Vous subirez la disgrâce de mon peuple.

Il n'y a plus de fidèles dans le pays

7 ¹ Malheur à moi ! Je suis comme
les moissonneurs en été *f*,
comme aux grappillages de la vendange.
Mais pas une grappe à manger,
pas un de ces fruits précoces que j'aimerais tant !
2 Le fidèle a disparu du pays,
plus de juste parmi les hommes.
Tous sont à l'affût pour répandre le
sang ;
chacun traque son frère au filet.
3 Leurs mains s'emploient au mal.
Pour faire du bien, le prince pose ses
exigences,
le juge demande une gratification,
le notable parle pour satisfaire sa cupidité... *g*
4 Le meilleur d'entre eux est comme une
ronce,

le juste pire qu'une haie d'épines.
Au jour annoncé par tes sentinelles, tu
es intervenu ;
c'est maintenant leur confusion.
5 Ne croyez pas l'un de vos proches, ne
vous fiez pas à un ami.
Devant celle qui repose entre tes bras,
attention à ce qui sort de tes lèvres.
6 Car le fils traite son père de fou,
la fille se dresse contre sa mère,
la belle-fille contre sa belle-mère.
Chacun a pour ennemi les gens de sa
propre maison.

7 Mais moi, je guette le SEIGNEUR,
j'espère en Dieu, mon sauveur ;
il m'écoutera, mon Dieu.

L'espérance de Jérusalem

8 Ne ris pas de moi, ô mon ennemie *h*.
Si je suis tombée, je me relève,
si je demeure dans les ténèbres,
le SEIGNEUR est ma lumière.
9 L'indignation du SEIGNEUR, je dois la
supporter
— car j'ai péché contre lui —
jusqu'à ce qu'il juge ma cause
et rétablisse mon droit.
Il me fera sortir à la lumière
et je contemplerai son œuvre de justice.
10 Elle verra bien, mon ennemie,
elle en sera couverte de honte ;
elle qui me disait :
« Où est-il le SEIGNEUR ton Dieu ? »
Mes yeux la contempleront.
Elle va être piétinée,
comme la boue des rues.

11 Le jour de rebâtir tes remparts,
ce jour-là, on repoussera tes frontières,
12 ce jour-là, on viendra vers toi,
depuis Assour jusqu'à l'Egypte,

---

e tu gardes: d'après les anciennes versions grecque, syriaque et latine; hébreu *il s'applique à
garder* — *Omri:* un des rois d'Israël (1 R 16.23-28). Son fils *Akhab* est tristement célèbre pour
avoir favorisé la religion de Baal (1 R 18.17-40) ● *f* En Palestine la moisson est habituellement
terminée à la Pentecôte. En été il n'y a donc plus rien à récolter ● *g* Le texte hébreu de la fin du
v. 3 est trop obscur pour permettre une traduction sûre. Les versions anciennes ne sont ici d'aucun
secours ● *h* C'est sans doute la ville de Jérusalem personnifiée qui s'exprime dans les v. 8-10, et
à laquelle sont adressées les promesses des v. 11-13 — *l'ennemie:* peut-être Edom (voir Ab 12),
personnifié aussi par une figure féminine

6.14 sans pouvoir te rassasier Os 4.10.　**6.15** des biens dont on ne profitera pas Am 5.11+.
7.2 plus de fidèles Jr 5.1 ; Ps 14.2-3 — à l'affût pour répandre le sang Jr 5.26 ; Os 6.9 ; Ps 10.9 ;
59.4.　**7.3** vénalité des responsables Mi 3.11+.　**7.6** cité en Mt 10.35-36 par.　**7.7** guetter le
Seigneur Ha 2.1.　**7.8** ne ris pas de moi Ab 12 — dans les ténèbres Es 42.7 ; 49.9 ; Ps 88.7 ;
107.10 ; 143.3 ; Qo 5.16 ; Lc 1.79 ; Jn 8.12 ; 12.46 — le Seigneur est ma lumière Ps 18.29 ; 27.1 ; 36.10.
7.9 supporter l'indignation du Seigneur Jr 10.19 — jusqu'à ce qu'il juge ma cause Jr 11.20 ;
Ps 35.23.　**7.10** Où est ton Dieu? Ps 42.4, 11.　**7.11** reconstruction des remparts Ps 51.20 ; Ne 2.17 ;
6.15 — repousser tes frontières Dt 19.8 ; Es 54.2.

depuis l'Egypte jusqu'au fleuve [i],
d'une mer à l'autre,
d'une montagne à l'autre.
13 La terre deviendra un désert à cause
de ses habitants ;
ce sera le fruit de leur conduite.

14 Fais paître ton peuple sous ta houlette,
le troupeau, ton héritage,
qui demeure solitaire dans un maquis,
au milieu des vergers.
Qu'il pâture en Bashân et Galaad,
comme aux jours d'autrefois [j].
15 Comme aux jours où tu sortis du pays
d'Egypte,
je lui [k] ferai voir des merveilles.
16 Les nations regarderont, elles seront
couvertes de honte,
en dépit de toute leur puissance ;
elles mettront la main sur la bouche ;
leurs oreilles seront assourdies ;
17 elles lécheront la poussière comme le
serpent,

comme les bêtes qui rampent sur la
terre.
Tremblantes, elles sortiront de leurs
forteresses,
— vers le SEIGNEUR notre Dieu —
elles seront terrifiées,
elles auront peur de toi.
18 A quel Dieu te comparer,
toi qui ôtes le péché,
toi qui passes sur les révoltes ?
Pour l'amour du reste, son héritage,
loin de s'obstiner dans sa colère,
lui, il se plaît à faire grâce.
19 De nouveau, il nous manifestera sa
miséricorde,
il piétinera nos péchés.
Tu jetteras toutes leurs fautes
au fond de la mer.
20 Tu accorderas à Jacob ta fidélité
et ta grâce à Abraham [l].
C'est ce que tu as juré à nos pères,
depuis les jours d'autrefois.

---

i jusqu'à l'Egypte: traduction conjecturale; hébreu *et les villes d'Egypte* — *le fleuve:* appellation fréquente de l'Euphrate ● *j* Le v. 14 exprime la prière de Jérusalem personnifiée, les v. 15-17 la réponse de Dieu — *ta houlette* ou *ton bâton de berger* — *Bashân:* voir Am 4.1 et la note — *Galaad:* voir la note sur Am 1.13 ● *k lui:* c'est-à-dire au troupeau (v.14), image du peuple de Dieu ● *l Jacob, Abraham* représentent ici le peuple de Dieu, dont ils sont les ancêtres

7.14 le Seigneur, berger de son peuple Mi 5.3; Jr 23.3; Ez 34.11-16; Ps 80.2; 95.7 — ton héritage Dt 9.26, 29; 1 R 8.53; Jr 10.16; Ps 28.9; 74.2 — comme aux jours d'autrefois Am 9.11; Ps 143.5. 7.15 sortie d'Egypte Ex 12.41-42; 13.3; 20.2; Jos 24.17; Jr 32.21; Ac 13.17. 7.16-17 nations couvertes de honte Es 26.11. 7.18 Dieu incomparable Es 40.18; Ps 89.7 — Dieu ôte le péché Jr 50.20; Ps 32.1-2 — Dieu renonce à sa colère Nb 14.18; Jl 2.13+; Na 1.3; Ps 103.9 — Dieu se plaît à faire grâce Es 30.18; cf. Ex 33.19. 7.20 la promesse du Seigneur Gn 22.16-18; cf. 28.13-15; Lc 1.73.

NAHOUM

1

¹ Proclamation sur Ninive.
Livre de la vision de Nahoum
l'Elqoshite ᵃ.

Le Seigneur, un Dieu terrible et bon

(Alef)

² Le SEIGNEUR est un Dieu jaloux et vengeur.
Le SEIGNEUR est vengeur ; sa colère
est terrible.
Le SEIGNEUR se venge de ses adversaires ;
il s'enflamme contre ses ennemis ᵇ.
³ Certes le SEIGNEUR est *lent à la colère*
et d'une grande puissance,
mais le SEIGNEUR *ne laisse rien passer.*

(Beth)

Il s'avance dans la tourmente et la
tempête ;
la nuée, c'est la poussière que soulèvent ses pas.

(Guimel)

⁴ Il fulmine contre la mer et la met à
sec ;
il tarit toutes les rivières.

(Daleth)

Ils dépérissent, le Bashân et le Carmel ;
la flore du Liban ᶜ dépérit.

(Hé)

⁵ Les montagnes tremblent devant lui,
et les collines chavirent.

(Waw)

Devant sa face la terre est bouleversée ᵈ,
tout l'univers habité.

(Zaïn)

⁶ Face à son indignation, qui tiendrait ?
Qui se dresserait quand s'embrase sa
colère ?

(Heth)

Sa fureur déferle comme l'incendie ;
les roches s'éboulent devant lui.

(Teth)

⁷ Le SEIGNEUR est bon ;
il est un abri au jour de détresse.

(Yod)

Il prend soin de ceux qui cherchent en

---

a Ninive: capitale de l'empire assyrien, qu'elle symbolise et personnifie tout entier — *Elqoshite*: le
sens de ce qualificatif est discuté; *originaire d'Elqosh* (village non identifié)? ou *celui qui est comme la
pluie d'arrière-saison?* ● *b* (*Alef*): voir Ps 25.1 et la note — *jaloux*: voir Ex 20.5 et la note — *il
s'enflamme contre ses ennemis*: autre traduction *il garde rancune à ses ennemis* ● *c* Le *Bashân*: voir
la note sur Am 4.1 — *le Carmel*: voir Am 1.2 et la note — *le Liban*: voir Es 10.34 et la note. L'A.T.
mentionne souvent ces régions pour leur richesse ● *d est bouleversée*: d'après trois versions
anciennes; hébreu *se soulève*

1.1 Proclamation Es 13.1+ — Ninive Gn 10.11; 2 R 19.36; Jon 1.2; So 2.13 — vision Ez 7.26;
Ab 1+. **1.2** Dieu jaloux Ex 20.5+ — le Seigneur vengeur Dt 7.10; Es 59.17; Jr 5.9; Si 12.6;
Ap 19.2; cf. Ex 34.7. **1.3** lent à la colère Ex 34.6-7; Nb 14.18; Jl 2.13; Ps 103.8; 145.8; Ne 9.17
— dans la tempête Jr 23.19; Ez 13.13; Jb 38.1 — la nuée Ex 13.21-22; 19.9; 33.9-10;
1 R 8.10-11; Ps 99.7; cf. Jl 2.2; So 1.15; Es 18.10; 97.2. **1.4** la mer asséchée Ex 14.21; Es 50.2;
51.10; Ps 106.9; voir aussi Gn 1.9; Ps 18.16 — Bashân Am 4.1+ — Carmel Es 33.9; 35.2 — Liban
Es 2.13+. **1.5** tremblement des montagnes Jr 4.24; Ps 18.8+. **1.6** qui tiendrait? Jl 2.11; Ml 3.2;
Ps 76.8; 130.3; 143.2; Ap 6.17. **1.7** le Seigneur est bon Jr 33.11; Rm 11.22; cf. Si 5.6 — un abri
au jour de la détresse Es 4.6; 25.4; Ps 46.2; 77.3+; 119.114; cf. 18.3; 61.5 — chercher refuge en
Dieu Ps 7.2+.

lui leur refuge,
8 même quand passe le flot impétueux.

(Kaf)

Il rase les assises de la ville *e*
et il expulse ses ennemis dans les ténèbres.

Messages successifs pour Juda et pour Ninive

(Aux chefs de Juda)

9 Que tramez-vous à l'encontre du SEI-
GNEUR ?
Lui, il fait table rase ;
la détresse ne reparaîtra plus.
10 Car ils ne sont plus que ronces entre-
lacées *f*
— et dans leurs beuveries, ils sont
ivres — ;
ils seront consumés comme du chaume
bien sec, entièrement.

(A Ninive)

11 De toi est sorti celui qui trame le
mal contre le SEIGNEUR,
un homme aux desseins infernaux.

(A Juda)

12 Ainsi parle le SEIGNEUR :
Même si leurs rangs sont au complet,
ils seront fauchés,
et ce sera fini.
Si je t'ai humiliée,
je ne t'humilierai plus *g*.
13 Maintenant, je brise son *joug qui
t'écrase
et je détache tes liens.

(Au roi de Ninive)

14 Le SEIGNEUR décrète contre toi :
Nulle descendance ne perpétuera ton
nom ;

du temple de tes dieux, je vais supprimer
les idoles sculptées ou fondues ;
je prépare ta tombe
car tu ne fais pas le poids.

(A Juda)

2 1 Sur les montagnes, accourt un
messager ;
il annonce la paix.
Célèbre tes fêtes, Juda,
accomplis tes vœux !
Car l'être infernal *h* ne passera plus
jamais chez toi,
il est complètement anéanti.

(A Ninive)

2 Une troupe de choc t'attaque de front.
Monte la garde à la forteresse,
fais le guet au chemin de ronde *i*,
tiens ferme, bande toute ton énergie !

(De Juda)

3 Car le SEIGNEUR revient avec la fierté de
Jacob,
il est lui-même la fierté d'Israël.
Des pillards les avaient dépouillés,
saccageant le vignoble *j*.

Ninive prise d'assaut et pillée

4 Le bouclier de ses braves est teint de
rouge ;
les guerriers sont vêtus d'écarlate.
Les chars flamboient de tous leurs
aciers *k*
quand ils montent en ligne.
Les lances s'agitent.
5 Dans la campagne, les chars foncent
avec furie ;
ils se ruent sur les places ;
on dirait une flambée ;
ils s'élancent comme la foudre.

---

e *le flot impétueux :* image du châtiment que Dieu envoie contre Ninive — *la ville :* Ninive (v. 1)
● f *ils :* les ennemis de Juda, c'est-à-dire les Assyriens ; de même aux v. 12-13 ● g Autre traduction *Je t'humilierai et n'aurai plus à t'humilier de nouveau ;* dans ce cas la déclaration s'adresserait à Ninive ● h Dans l'ancienne version latine, suivie encore par quelques traductions
modernes, Na 2.1 est numéroté 1.15 ; en conséquence 2.2 est noté 2.1, etc. — *l'être infernal :*
sans doute le roi d'Assyrie évoqué en 1.11 ● i Autre traduction *garde la forteresse, surveille la
route* ● j *le vignoble :* image traditionnelle du peuple de Dieu (Es 5.1-7 ; Ps 80.9-17) ● k *ses braves :*
allusion à l'assaillant évoqué au v. 2 — *flamboient de tous leurs aciers :* hébreu peu clair et traduction incertaine

1.8 passage du flot impétueux Ps 124.4-5+. **1.9** tramer contre le Seigneur Es 29.15 ; 30.1-2 ;
Os 7.15 — le Seigneur fait table rase Jr 30.11 ; 1 Co 1.19. **1.11** qui trame le mal contre le
Seigneur 2 R 19.4, 16 ; Es 37.23-24. **1.13** joug brisé Lv 26.13 ; Es 14.25 ; Jr 30.8 ; Ez 34.27 ; cf.
Ps 107.14. **1.14** tu ne fais pas le poids Dn 5.27. **2.1** un messager de bonne nouvelle et de paix
Es 52.7 — accomplir ses vœux Nb 30.3. **2.2** attaque (de Ninive) Es 21.2. **2.3** le Seigneur
revient (pour restaurer son peuple) So 3.14-20 ; Ps 80.15 ; 90.13 ; *Tb* 13.6 — fierté (de Jacob-
Israël) cf. Es 4.2 ; Rm 2.17 — vigne (symbole du peuple de Dieu) Es 5.1-7 saccagée Ps 80.13-17
2.4 chute de Ninive So 2.13-15.

6 — Le roi d'Assyrie évoque ses vaillants
capitaines.
Leur démarche est chancelante ! —
On se précipite jusqu'aux remparts ;
l'abri *l* est mis en place.
7 Les portes donnant sur les fleuves
sont forcées ;
au palais, c'est l'effondrement *m* !
8 La Statue est découverte, enlevée ;
ses desservantes, colombes plaintives,
sont emmenées ;
elles se frappent la poitrine *n*.

9 Depuis toujours, Ninive était comme
un réservoir
aux eaux abondantes.
et les voilà qui s'échappent !
Tenez bon, tenez ferme !
Mais aucun ne se retourne !

10 Raflez l'argent, raflez l'or,
c'est une mine inépuisable,
un monceau de toutes sortes d'objets
précieux !
11 Tout est pillé, dépouillé, pilonné *o* ;
le courage s'évanouit,
les genoux flageolent,
ils tremblent de tout leur corps,
tous les visages sont cramoisis.

Ninive comme un lion vaincu

12 Où est-il l'antre des lions *p* ?
Les lionceaux y recevaient leur pâture ;
quand le lion s'en allait la chercher,
personne n'inquiétait le petit du lion.
13 Le lion dépeçait pour gaver ses petits,
il étranglait pour ses lionnes ;
il emplissait ses tanières de rapines,
ses antres de viande dépecée.

14 Me voici contre toi
— oracle du SEIGNEUR le tout-puissant !
Oui, je vais réduire ses chars *q* en
fumée.
Tes lionceaux, l'épée les dévorera.
Sur la terre, je vais mettre fin à tes
rapines

et l'on n'entendra plus la voix de tes
envoyés.

La ville sanguinaire livrée au carnage

3 **1** Malheur ! une ville sanguinaire,
toute pleine de fraudes et d'escro-
queries
dont les rapines sont incessantes !

2 Claquement du fouet ! Fracas des
roues !
Chevaux au galop ! Chars bondissants !
3 Charge de cavalerie !
Flamboiement des épées !
Eclairs des lances !
Victimes sans nombre ! Monceaux de
corps !
Cadavres à l'infini !
— On bute sur les cadavres.

Ninive comme une prostituée ridiculisée

4 A cause des multiples débauches de la
prostituée,
habile ensorceleuse, d'une grâce
exquise,
qui asservissait les nations par ses
débauches,
les peuplades par ses sortilèges,
5 me voici contre toi
— oracle du SEIGNEUR le tout-puissant !
Je retrousse ta jupe jusqu'à ta figure
pour exhiber devant les nations ta
nudité,
devant les royaumes, ton infamie.
6 Je te couvre d'ordures
pour te flétrir
et de toi, faire un exemple.
7 Aussi, quiconque te voit
s'enfuit en s'écriant :
« Ninive est dévastée !
Qui aurait pour elle un geste de
pitié ? »
Pour toi, où chercherais-je
des consolateurs ?

---

l Sorte de bouclier collectif, qui protège les assaillants au pied du rempart ● *m* Ninive était construite en bordure de deux fleuves, le Tigre et son affluent le Khoser. Le palais royal était protégé par une boucle du Khoser ● *n La Statue* (de la déesse assyrienne Ishtar): d'après l'ancienne version grecque; hébreu peu clair — *se frappent la poitrine*: un des gestes exprimant le deuil ou la tristesse ● *o pillé, dépouillé, pilonné*: la traduction essaie de rendre ainsi la répétition des mêmes consonnes dans trois verbes hébreux qu'on pourrait traduire aussi *pillé, ravagé, dévasté* ● *p Le lion* était l'emblème de Ninive ● *q ses chars*: les chars de Ninive. Autre traduction (en partie conjecturale) *je viderai ton repaire en t'enfumant*

2.14 me voici contre toi Na 3.5; Jr 21.13; Ez 26.3; 28.22 — la fin du prédateur Jr 51.13; Ez 19.8-9. **3.1** ville sanguinaire Ez 22.2-3; 24.6-9; Ha 2.12. **3.4** ville prostituée Ap 17.1—18.3 — qui asservissait les nations Ap 19.2. **3.5** me voici contre toi Na 2.14+ — exhibée toute nue devant tous Es 47.2-3; Jr 13.22, 26; Ez 16.37-39; Os 2.5; Ap 17.16. **3.7** Ninive dévastée Na 2.4+ — qui aura pitié? Jr 15.5 — pas de consolateurs Es 51.19; Ps 69.21; Lm 1.2, 9.

Ninive va subir le même sort que Thèbes

8 Aurais-tu quelque avantage sur Thèbes,
qui était installée au milieu des bras
du Nil
avec de l'eau tout autour,
une mer comme glacis *r*,
plus qu'une mer comme rempart ?
9 La Nubie avec l'Egypte étaient son
assurance,
ressources inépuisables !
Pouth et les Libyens étaient tes alliés *s*.
10 A son tour, elle fut déportée ;
elle dut partir en captivité.
A leur tour, ses bébés furent écrasés
à tous les carrefours.
Ses notables furent tirés au sort *t*,
tous ses grands rivés aux chaînes.
11 A ton tour de t'enivrer *u*
et de sombrer !
A ton tour de chercher un abri
devant l'ennemi !

Ninive incapable de résister

12 Toutes tes places fortes sont des
figuiers,
chargés de figues-fleurs *v* ;
à la moindre secousse, elles tombent
dans une bouche vorace.
13 En fait de troupes tu n'as plus que des
femmes.
Les portes de ton pays
sont grandes ouvertes à tes ennemis :
le feu a dévoré tes verrous *w*.
14 Puise de l'eau pour le siège,
renforce ta défense,
va dans la boue, patauge dans l'argile,
attrape le moule à briques !

15 C'est là que le feu te dévorera,
que l'épée te supprimera ;
— ils te dévoreront, comme dévorent
les criquets.

Toute une population disparaît

Pullule comme le criquet,
pullule comme la sauterelle.
16 Tu as multiplié tes commis-voyageurs
plus que les étoiles du ciel,
— des criquets qui prennent leur en-
vol ! —
17 tes inspecteurs, comme des sauterelles,
tes sergents recruteurs, comme des
essaims !
Ils se posent dans les haies
par temps froid ;
le soleil brille et tout s'envole
vers on ne sait quel endroit...
Où sont-ils ?

Un désastre irréparable

18 Tes *bergers sont assoupis, roi d'Assyrie !
Tes vaillants capitaines sont bien
installés !
Tes troupes sont disséminées sur les
montagnes *x*,
et personne pour les rassembler !

19 Irréparable, ton désastre,
incurables, tes blessures !
Quiconque apprend de tes nouvelles
applaudit à ton mal.
Eh oui ! sur qui ta cruauté
n'a-t-elle pas passé
et repassé ?

---

r Thèbes: voir Jr 46.25 et la note. En 663 av. J.C. la ville avait été reprise et pillée par le roi assyrien Assourbanipal — *glacis* ou *défense avancée* ● *s La Nubie:* région située au sud de l'Egypte
et correspondant à l'actuel Soudan — *Pouth:* voir Es 66.19 et la note — *tes alliés:* l'ancienne
version grecque a lu *ses alliés* ● *t tirés au sort:* pour être attribués comme esclaves aux vainqueurs
● *u* Allusion à la coupe de la colère du Seigneur (voir les notes sur Jr 25.15 et Ha 2.16) ● *v des
figues-fleurs* ou *de figues d'été* (qui ne sont pas mûres à l'automne, mais restent sur l'arbre pendant
l'hiver et mûrissent seulement l'été suivant) ● *w tes verrous:* le système de fermeture des portes
était en bois. Le terme désignant les *verrous* servait aussi, au sens figuré, à désigner l'ensemble
des forteresses qui défendaient l'approche de la capitale ● *x installés:* sans doute dans le silence
de la tombe — *disséminés sur les montagnes:* en 609 av. J.C. les dernières troupes assyriennes,
poursuivies par les Babyloniens, se dispersèrent jusque dans les montagnes d'Arménie. Mais il
peut s'agir aussi d'une expression stéréotypée comme en 1 R 22.17; Ez 34.6

3.9 la Nubie et l'Egypte Es 20.5 — Pouth Jr 46.9; Ez 27.10; 30.5 — Libyens Dn 11.43; 2 Ch 16.8.
3.10 déportation des Egyptiens Es 20.4 — prisonniers tirés au sort Jl 4.3; Ab 11. **3.11** ivresse
Jr 25.15+. **3.15** nombreux comme les sauterelles Jg 7.12; Jr 46.23; Jl 2.2. **3.18** disséminés
Nb 27.17; Za 13.7; Mt 18.12. **3.19** blessure incurable Jr 10.19; 30.12.

HABAQUQ

1 ¹ La proclamation dont fut chargé le prophète Habaquq dans une vision.

Premier appel du prophète à Dieu

² Jusqu'où, SEIGNEUR, mon appel au secours ne s'est-il pas élevé ?
Tu n'écoutes pas.
Je te crie à la violence,
tu ne sauves pas.
³ Pourquoi me fais-tu voir la fatalité, acceptes-tu le spectacle de l'oppression ?
En face de moi il n'y a que ravage et violence ;
lorsqu'il y a procès, l'invective l'emporte ᵃ.
⁴ Alors, la loi est engourdie,
et le droit ne voit plus jamais le jour.
Quand un méchant peut garrotter ᵇ le juste,
alors, le droit qui vient au jour est perverti.

Réponse de Dieu : invasion des Chaldéens

⁵ Voyez le spectacle parmi les nations, soyez pris de saisissement !
Car, dès maintenant quelqu'un passe aux actes ᶜ,
et vous n'y prêtez pas foi quand on vous le rapporte !
⁶ Car me voici ! Je fais surgir les Chaldéens ᵈ,
ce peuple impitoyable et impétueux
qui parcourt des étendues de pays
pour s'approprier des demeures qui ne sont pas à lui.
⁷ Il est épouvantable et terrible,
c'est lui-même qui fonde
son droit et sa suprématie.
⁸ Ses chevaux sont plus lestes que des léopards,
ils ont plus de mordant que les loups du soir.
Ses cavaliers se déploient,
ses cavaliers viennent de loin, ils volent
comme l'aigle qui fond sur sa proie.
⁹ Tout à la violence, le voilà qui vient,
le visage tendu vers l'avant ;
il a entassé des captifs comme du sable ᵉ.
¹⁰ C'est lui qui se moque des rois,
les princes sont un jouet pour lui.
C'est lui qui se joue de toute forteresse :
pour la prendre, il fait une levée de terre.
¹¹ C'est alors que l'esprit a changé.

ᵃ Autre traduction *il y a eu des disputes, on a entendu la querelle* ● ᵇ garrotter: autre traduction *circonvenir* ● ᶜ Au lieu de *parmi les nations* l'ancienne version grecque a lu *vous, les arrogants*, et, au lieu de *quelqu'un passe aux actes, je passe aux actes.* Ac 13.41 a repris ce verset sous la forme qu'il a dans l'ancienne version grecque ● ᵈ *Chaldéens:* habitants de la Chaldée, région la plus basse de Mésopotamie. Dans l'A.T. le terme désigne souvent l'empire néo-babylonien, qui dura de 626 à 539 av. J.C. et s'étendit rapidement à tout le Proche Orient, notamment sous le règne du roi Nabuchodonosor ● ᵉ le visage tendu vers l'avant: autre traduction *son visage est ardent comme le vent d'est — comme du sable:* expression condensée pour signifier que les captifs sont *aussi nombreux que les grains de sable au bord de la mer* (voir Gn 22.17; 1 R 4.20)

1.1 proclamation Es 13.1+; vision Na 1.1+. **1.2** Je crie à la violence Jr 20.8: Jb 19.7; Tu ne sauves pas Jr 14.9; Ps 22.2-3. **1.3** ravage et violence Jr 6.7; Am 3.10; Ps 55.10-12. **1.4** le droit étouffé Es 59.14 — le juste victime du méchant Mi 7.2. **1.5** saisissement Es 29.9 — vous n'y prêtez pas foi Es 5.12. **1.6** Je fais surgir... 2 R 24.2-4; Es 10.6; Jr 5.15-19; 25.9-11; 27.6-7; 51.20-23; Am 3.11. **1.7** il fait la loi Es 10.13. **1.11** sa force est son dieu Es 10.13; Jr 17.5.

Il a passé outre *f* et s'est rendu coupable ;
celui-là, sa force est son dieu !

Deuxième appel du prophète à Dieu

¹² N'est-ce pas toi qui, dès l'origine, es le SEIGNEUR,
mon Dieu, mon Saint ? Nous ne mourrons pas !
SEIGNEUR, tu l'as établi pour le jugement ;
Rocher, tu l'as affermi pour un rappel à l'ordre *g*.

¹³ Tu as les yeux trop purs pour voir le mal,
tu ne peux accepter le spectacle de l'oppression ;
pourquoi donc acceptes-tu le spectacle des traîtres,
gardes-tu le silence quand un méchant engloutit plus juste que lui ?

¹⁴ Tu fais désormais les hommes à l'image des poissons de la mer,
de ce qui grouille sans maître :

¹⁵ celui-là *h* les enlève tous à l'hameçon,
il les drague au filet,
les ramasse au chalut.
Alors, il est joyeux, il exulte,

¹⁶ alors, il offre un *sacrifice à son filet,
de l'*encens à son chalut,
car ils sont gonflés pour lui d'une part abondante,
d'une nourriture copieuse.

¹⁷ Alors, videra-t-il son filet
pour encore assassiner des nations
sans trêve ni pitié ?

2 ¹ Je tiendrai bon à mon poste de garde,

je resterai debout sur les retranchements.
Je guetterai pour voir ce qu'il *i* dira contre moi
et ce que je répondrai au rappel à l'ordre.

Réponse de Dieu : le juste et l'oppresseur

² Le SEIGNEUR m'a répondu, il m'a dit :
Ecris une vision,
donnes-en l'explication sur les tables *j*
afin qu'on la lise couramment,

³ car c'est encore une vision concernant l'échéance.
Elle aspire à sa fin *k*, elle ne mentira pas ;
si elle paraît tarder, attends-la,
car elle viendra à coup sûr, sans différer.

⁴ Le voici plein d'orgueil, il ignore la droiture *l*,
mais un juste vit par sa fidélité.

⁵ Assurément le vin est traître :
cet homme présomptueux ne reste pas à sa place,
lui qui élargit sa gorge comme la Fosse *m*,
insatiable comme la mort.
Il a entassé près de lui toutes les nations,
attiré à lui tous les peuples.

⁶ Mais ceux-ci, tous ensemble,
ne lanceront-ils pas contre lui des formules
d'une ironie mordante ?
On dira :

---

f l'esprit a changé. Il a passé outre: On peut penser que le conquérant, d'abord obéissant à un ordre de Dieu (comparer Es 44.28—45.6), a outrepassé ensuite son mandat, comme avant lui le roi d'Assyrie d'après Es 10.5-15, ou Gog d'après Ez 38.8-12. Autres traductions *alors son ardeur se renouvelle et il poursuit sa route:* ou *le vent a changé et s'en est allé* (ce serait alors une image de l'invasion qui continue ailleurs) ● *g nous ne mourrons pas:* selon une tradition juive le texte primitif a été modifié ici; il comportait probablement *tu ne mourras pas — tu l'as établi:* le prophète parle sans doute du conquérant — *Rocher... à l'ordre:* on peut aussi comprendre, comme plusieurs versions anciennes, *tu l'as affermi comme le roc pour...* ● *h* Il s'agit toujours du conquérant ● *i il: Dieu* ● *j* Il s'agit de tablettes (bois, pierre tendre, argile) sur lesquelles le prophète doit noter ce que Dieu lui révèle (la *vision*) ● *k* Autre traduction *elle concerne la fin* ● *l* Le prophète fait encore allusion au conquérant ● *m le vin est traître:* le prophète semble comparer le conquérant à un homme ivre, qui a perdu le sens de la mesure — *Fosse:* voir au glossaire SÉJOUR DES MORTS

1.12 dès l'origine Ps 90.1-2; 93.2 — mon Saint Es 1.4+ ; 6.3+ ; Ps 22.4 — Dieu Rocher Ps 28.1+. **1.13** yeux trop purs pour voir le mal Ps 5.5-6. — pourquoi? Jr 12.1; 15.18; 20.18; Ps 10.1; 22.2; 42.10; Jb 3.11-12, 20; 7.20, etc. — silence de Dieu Ps 22.3; 28.1+. **1.15** pêche ou chasse, images de la guerre victorieuse Jr 16.16; Ez 12.13; 17.20. **2.1** le prophète sentinelle Es 21.6-8, 11; Jr 6.17; Ez 3.17; 33.1-9; Mi 7.7. **2.2** le message de Dieu mis par écrit Ex 24.12; Dt 4.13; 27.8; Es 8.1; 30.8; Jr 30.2; 36.2, 4, 32; Ap 1.19. **2.3** l'échéance Dn 8.19; 10.14; 11.27, 35 — retard 2 P 3.9. **2.4** un juste vit par sa fidélité Rm 1.17; Ga 3.11; He 10.38. **2.6-12** Malheur! Es 10.1+ à l'oppresseur Jr 22.13-19. **2.6** formules ironiques Es 14.4; Mi 2.4. **2.6** celui qui accumule Es 5.8 — jusques à quand? Ps 6.4.

Cinq « Malédictions »

MALHEUR ! Il accumule ce qui n'est
  pas à lui !
Jusques à quand ?
Il se charge d'une dette de plus en plus
  lourde.
[7] Ne vont-ils pas se dresser tout à coup,
  tes créanciers,
se réveiller, ceux qui te secoueront ?
Tu deviendras une bonne prise pour
  eux !
[8] Comme tu as pillé des nations en
  nombre,
tout le reste des peuples te pillera,
à cause du *sang humain, à cause de
  la violence faite au pays,
à la cité et à tous ses habitants.

[9] MALHEUR ! Il se taille une part
  malhonnête pour sa maison,
afin de faire son nid tout en haut
pour esquiver la main du malheur.
[10] C'est la honte de ta maison que tu
  as décidée [n] :
causer la fin de peuples en nombre
est une atteinte à ta propre vie.
[11] Oui, la pierre du mur criera
et la poutre de la charpente lui
  répondra.

[12] MALHEUR ! Il construit une ville
  sur le sang,
il fonde une cité sur le crime !
[13] Ceci ne vient-il pas du SEIGNEUR le
  tout-puissant :
Les peuples peinent pour du feu,
les nations s'éreintent en vain ;
[14] *car le pays sera rempli de la connais-*
sance de la gloire du SEIGNEUR,
comme les eaux comblent la mer [o] ?

[15] MALHEUR ! Il fait boire son prochain !
Tu mêles ton poison [p] jusqu'à l'ivresse

pour qu'on jouisse du spectacle de sa
  nudité.
[16] Tu es gorgé d'infamie et non de gloire !
A ton tour de boire et d'exhiber ton
  prépuce :
la coupe [q] de la droite du SEIGNEUR
  se renverse sur toi,
et après la gloire, c'est la déconvenue !
[17] Oui, la violence faite au Liban te
  submergera,
et les bêtes qui ravageaient seront
  écrasées [r]
à cause du sang humain, à cause de
  la violence faite au pays,
à la cité et à tous ses habitants.
[18] A quoi bon une statue, sculptée par
  l'artisan,
ou fondue pour enseigner la fausseté [s],
si l'artisan de cet ouvrage se confie
  en lui
pour en faire des idoles muettes ?

[19] MALHEUR ! Il dit à un morceau de
  bois : « Lève-toi ! »
ou : « Réveille-toi ! » à une pierre
  silencieuse,
et annonce : « Elle va enseigner ! »
La voici plaquée d'or et d'argent,
mais aucun souffle ne l'anime.
[20] En revanche, le SEIGNEUR est dans son
  Temple *saint :
Silence devant lui, terre entière !

Psaume d'Habaquq : Dieu intervient

3 [1] *Prière du prophète Habaquq.*
  Sur le mode des complaintes [t].
[2] SEIGNEUR, j'ai entendu ce que tu as
  annoncé [u],
je suis saisi de crainte.
SEIGNEUR, vivent tes actes au cours des
  années !
Au cours des années, fais-les reconnaître,
mais dans le bouleversement

---

[n] Le prophète interpelle directement le conquérant ● [o] Le v. 13 cite approximativement Jr 51.58, et le v. 14 Es 11.9 ● [p] *tu mêles ton poison:* autres traductions *tu vides ton outre* ou *tu accumules ta fureur.* Le prophète interpelle à nouveau le conquérant ● [q] *exhiber ton prépuce:* du point de vue d'un ancien Israélite ivre mort qui frappera le conquérant sera double : 1) il apparaîtra tout nu, 2) on reconnaîtra qu'il n'est pas *circoncis — *la coupe* est un symbole de la condamnation que Dieu inflige (voir aux références parallèles) ● [r] Le conquérant et ses troupes sont comparés à des bêtes sauvages; leur bestialité se retournera contre eux ● [s] ou *pour rendre des oracles mensongers* ● [t] Autre traduction *des confessions* ● [u] *ce que tu as annoncé:* autres traductions *ta renommée* ou *le récit de ce que tu as fait*

2.8 le pilleur pillé à son tour Es 33.1; Jr 30.16; 50.10, 29; Ab 15; Ap 18.6-7; cf. Jr 2.19. **2.10** causer la fin de nombreux peuples Ha 1.17; Es 10.7. **2.11** cri des pierres Lc 19.40. **2.12** ville construite sur le crime Jr 22.13; Mi 3.10. **2.14** la gloire du Seigneur remplit la terre Es 6.3+. **2.15** ivresse et nudité Gn 9.20-25. **2.16** à son tour! Lm 4.21 — honte d'être nu Gn 3.7; Na 3.5+ — incirconcis (en mauvaise part) 1 S 17.26; Ez 28.10; 31.18, etc. — la coupe Jr 25.15+. **2.17** violence faite au Liban Es 37.24. **2.18-19** le culte des idoles ridiculisé Es 40.19+. **2.18** idoles muettes 1 Co 12.2. **2.20** le temple céleste du Seigneur Dt 26.15; 1 R 8.30; Es 40.22; Mi 1.2; Ps 11.4 — Silence devant le Seigneur! So 1.7; Za 2.17; cf. Ap 8.1. **3.1** Prière (comme titre) Ps 17.1; 86.1; 90.1; 102.1; 142.1. **3.2** bouleversement et miséricorde de Dieu Es 54.8.

rappelle-toi d'être miséricordieux !

3 Dieu vient de Témân, le *Saint du
mont Parân ʳ.

Pause

Sa majesté comble le ciel,
sa louange emplit la terre.

4 La lumière devient éclatante.
Deux rayons sortent de sa propre main :
c'est là le secret de sa force.

5 Devant lui marche la peste,
et la fièvre met ses pas dans les siens.

6 Il s'est arrêté, il a pris la mesure de la
terre.
Il a regardé et fait sursauter les nations.
Les montagnes éternelles se sont disloquées,
les collines antiques se sont effondrées.
A lui les antiques parcours ʷ !

7 J'ai vu les tentes de Koushân réduites
à néant ;
les abris du pays de Madiân sont bouleversés ˣ.

8 Le SEIGNEUR s'est-il enflammé contre
des rivières ?
Ta colère s'adresse-t-elle aux rivières,
ta fureur à la mer,
lorsque tu montes sur tes chevaux,
sur tes chars victorieux ?

9 Ton arc est mis à nu,
les paroles des serments sont des
épieux ʸ.

Pause

Tu crevasses la terre par des torrents.

10 Les montagnes t'ont vu : elles tremblent.
Une trombe d'eau est passée,
l'*Abîme a donné de la voix,
il a tendu ses mains vers le haut.

11 Le soleil et la lune se sont arrêtés
dans leur demeure
à la lumière de tes flèches qui partent,
à l'éclat foudroyant de ta lance.

12 Tu parcours la terre dans ton courroux,
tu foules aux pieds les nations dans

ta colère.

13 Tu es sorti pour le salut de ton peuple,
pour le salut de ton *messie.
Tu as décapité la maison du méchant :
place nette au ras des fondations !

Pause

14 Tu as percé de leurs propres épieux
la tête de ses chefs,
alors qu'ils arrivaient en tempête
pour m'écarteler allègrement,
comme si, dans l'embuscade, ils dévo-
raient déjà le vaincu.

15 Tu as frayé le chemin de tes chevaux
dans la mer,
dans le bouillonnement des eaux puissantes.

16 J'ai entendu et je suis profondément
bouleversé.
A ce bruit, mes lèvres balbutient,
je suis tout décomposé.
Je reste sur place, bouleversé.
Car je dois attendre sans bouger
le jour de la détresse,
pour monter vers le peuple qui nous
assaille ᶻ.

17 Oui, le figuier ne fleurit pas,
les vignes ne rapportent rien,
la culture de l'olivier trompe l'attente,
les champs ne donnent rien à manger,
le petit bétail disparaît des bergeries,
il n'y a plus de gros bétail dans les
étables.

18 Moi, je serai dans l'allégresse à cause
du SEIGNEUR,
j'exulterai à cause du Dieu qui me sauve.

19 Le SEIGNEUR est mon seigneur,
il est ma force,
il rend mes pieds comme ceux des biches
et me fait marcher sur mes hauteurs.

*Du chef de chœur. Avec des instru-
ments à cordes ᵃ.*

---

v *Témân*: province du royaume d'Edom, au sud-est de Juda — *Parân*: montagne du désert situé au
sud de la Palestine (voir Dt 33.2) ● w *les antiques parcours*: le prophète fait probablement allusion aux itinéraires parcourus autrefois par les patriarches, et par le peuple d'Israël après la
sortie d'Egypte ● x *Koushân* désigne sans doute une peuplade nomade du désert sinaïtique,
comme *Madiân* (voir la note sur Nb 12.1) ● y *les paroles ʼdes serments* ou *les serments que
Dieu fait* (dans sa colère) sont comparés ici à des armes de jet ● z *le jour de… assaille*: autre
traduction *qu'un jour de détresse monte sur le peuple qui nous assaille!* ● a Ces formules figurent
en tête de certains psaumes (Ps 4 ; 6 ; 54 ; 55 ; 67 ; 76)

3.3 Dieu arrive du Sinaï par le pays d'Edom Dt 33.2; Jg 5.4; cf. Ps 18.8-15 — sa louange emplit
la terre cf. Nb 14.21; Na 2.14+. 3.6 la mesure de la terre Es 40.12 — montagnes et collines
ébranlées à l'approche de Dieu v. 10; Ex 19.18; Jg 5.4-5; Es 42.15; Na 1.5+; Ps 18.8+; 68.8-9;
114.4. 3.8 les montures de Dieu Dt 33.26; Ps 18.10. 3.9 l'arc de Dieu Gn 9.13; Lm 2.4; 3.12
— les traits qu'il lance Dt 32.23; Ez 5.16; Ps 18.15. 3.11 le soleil et la lune arrêtés Jos 10.12.
3.13 le peuple de Dieu qualifié de messie Ps 28.8; 105.15. 3.14 le malheureux assailli par ses
ennemis Ps 10.2, 9; 12.6; 18.28, etc. 3.15 chemin frayé dans la mer Es 43.16-17; 51.10; Ps 77.20.
3.16 bouleversé Es 21.3-4; Jr 4.19; 23.9; Dn 8.18, 27; 10.8; le jour de la détresse Ps 77.3+.
3.17 rien à manger Jr 5.17; Os 9.2. 3.18 dans l'allégresse à cause du Dieu qui me sauve Lc 1.47;
cf. Es 61.10; Jl 2.23; Ps 5.12; 32.11; 33.1 — Dieu qui me sauve Es 43.3+; Mi 7.7. 3.19 Du chef
de chœur Ps 4.1; 5.1, etc.

SOPHONIE

1 ¹ Parole du SEIGNEUR, qui fut adressée à Sophonie, fils de Koushi, fils de Guedalya, fils d'Amarya, fils d'Ezékias, au temps de Josias *a*, fils d'Amôn, roi de Juda.

Dieu va intervenir contre la terre entière

² Je vais tout extirper de la surface de la terre
— oracle du SEIGNEUR.
³ J'extirperai hommes et bêtes,
oiseaux du ciel et poissons de la mer
et ce qui fait trébucher les méchants *b*,
je supprimerai les hommes de la surface de la terre
— oracle du SEIGNEUR.

Dieu va intervenir contre Juda et Jérusalem

⁴ J'étendrai la main contre Juda
et contre tous les habitants de Jérusalem,
et je supprimerai de ce lieu ce qui reste du *Baal,

le nom de ses officiants et les prêtres avec eux ;
⁵ ceux qui se prosternent sur les terrasses
devant l'armée des cieux,
ceux qui se prosternent devant le SEIGNEUR
et qui jurent par leur dieu Mélek *c* ;
⁶ ceux qui se détournent du SEIGNEUR,
qui ne le recherchent pas
et ne le consultent pas.
⁷ — Silence devant le Seigneur DIEU,
car le *jour du SEIGNEUR est proche.
Le SEIGNEUR prépare un *sacrifice,
il consacre ses invités *d* —.
⁸ Or, au jour du sacrifice du SEIGNEUR,
j'interviendrai contre les ministres,
contre les princes
et contre tous ceux qui s'habillent à la mode étrangère *e*.
⁹ J'interviendrai, en ce jour-là,
contre tous ceux qui sautent par-dessus le seuil *f*,
qui remplissent la maison de leur seigneur
du produit de la violence et de la fourberie.

---

a fils d'Ezékias: on ignore si cet *Ezékias,* ancêtre de Sophonie, est le roi du même nom contemporain du prophète Esaïe — *au temps de Josias:* c'est-à-dire entre les années 640 et 609 av. J.C. Sophonie était donc contemporain du prophète Jérémie (voir Jr 1.2); son nom signifie *(Que) le Seigneur conserve* ● *b* Sophonie semble annoncer ici que Dieu va éliminer toutes les créatures qui ont été l'objet d'un culte idolâtrique (comparer Rm 1.23) ● *c l'armée des cieux:* formule fréquente dans l'A.T. pour désigner les astres objets d'un culte idolâtre dans les religions mésopotamiennes. Les rois Manassé et Amôn (v. 1) de Juda avaient favorisé ce genre de culte (voir 2 R 21.3-5, 21-22) — *ceux qui se prosternent:* l'hébreu ajoute *et qui jurent par,* mots empruntés à la fin du verset — *par leur dieu Mélek* (ou *par leur roi):* les anciennes versions ont lu *par Milkôm* (la principale divinité des Ammonites; voir 1 R 11.33) ● *d* L'exécution du jugement de Dieu contre Jérusalem est comparée ici à un *sacrifice.* Pour le repas qui suivait normalement un sacrifice l'offrant et *ses invités* devaient se soumettre à certaines règles de purification. Il n'est guère possible de préciser ici quels sont ces *invités* du Seigneur ● *e* Adopter la mode vestimentaire des peuples étrangers était souvent le signe qu'on adoptait aussi leurs particularités culturelles et leur religion (voir 2 M 4.13-14) ● *f ceux qui sautent par-dessus le seuil:* coutume religieuse païenne (voir 1 S 5.5). Autre traduction *ceux qui montent sur l'estrade* (où se trouve l'autel de la divinité)

1.1 Josias 2 R 22.1. **1.3** hommes et bêtes Jr 7.20 oiseaux et poissons Os 4.3. **1.4** ce qui reste du Baal 2 R 23.4-5. **1.5** sur les terrasses 2 R 23.12 — l'armée des cieux Dt 4.19. **1.6** se détourner du Seigneur Es 1.4; 9.12. **1.7** Silence devant le Seigneur! Ha 2.20; Za 2.17 — le jour du Seigneur So 1.14; 2.2-3; Os 1.5+; Jl 1.15+; Am 5.18+ — les invités au sacrifice Ap 19.17-18.

¹⁰ Or en ce jour-là — oracle du SEI-
GNEUR —
on entendra une clameur à la Porte
des Poissons,
un hurlement dans la Ville Neuve *g*,
un grand fracas sur les collines ;
¹¹ hurlez, habitants du Mortier *h*,
car le peuple des marchands est
anéanti,
tous les peseurs d'argent sont supprimés.
¹² Or en ce temps-là,
je fouillerai Jérusalem avec des torches
et j'interviendrai contre les hommes
qui croupissent dans leur ordure *i*
et qui disent en eux-mêmes :
le SEIGNEUR ne peut faire ni du bien
ni du mal.
¹³ Alors leurs richesses seront livrées au
pillage
et leurs maisons à la dévastation
Ils ont bâti des màisons mais ne les
habiteront pas ;
ils ont planté des vignes mais n'en
boiront pas le vin.

Le jour du Seigneur

¹⁴ Il est proche, le grand *jour du
SEIGNEUR,
il est proche, il vient en grande hâte.
Il y aura des clameurs amères au jour
du SEIGNEUR,
le brave lui-même appellera au secours.
¹⁵ Jour de fureur que ce jour,
jour de détresse et d'angoisse,
jour de désastre et de désolation,
jour de ténèbres et d'obscurité,
jour de nuée et de sombres nuages,
¹⁶ jour de sonneries de cor èt de cris de
guerre
contre les villes fortes et contre les
hautes tours d'angle.
¹⁷ Je jetterai les hommes dans la détresse

et ils marcheront comme des aveugles,
car ils ont péché contre le SEIGNEUR.
Leur sang sera répandu comme de la
poussière
et leurs tripes comme des ordures.
¹⁸ Ni leur argent ni leur or ne pourra
les délivrer :
au jour de la fureur du SEIGNEUR,
au feu de sa jalousie,
toute la terre sera dévorée ;
car il va faire l'extermination
— et ce sera terrible —
de tous les habitants de la terre.

Appel aux humbles

2 ¹ Entassez-vous, tassez-vous,
ô nation sans honte,
² avant que survienne le décret
et que le jour se soit enfui comme la
bale *j* ;
avant que vienne sur vous l'ardeur de
la colère du SEIGNEUR,
avant que vienne sur vous le jour de
la colère du SEIGNEUR.
³ Recherchez le SEIGNEUR, vous tous les
humbles de la terre,
qui mettez en pratique le droit qu'il a
établi ;
recherchez la justice, recherchez l'humilité,
peut-être serez-vous à l'abri
au jour de la colère du SEIGNEUR.

Menaces contre les peuples de l'ouest

⁴ Gaza va être abandonnée,
Ashqelôn dévastée ;
Ashdod, en plein midi, on l'expulsera
et Eqrôn sera déracinée.
⁵ Malheur à vous, habitants de la ligue
de la mer,
nation des Crétois *k* ;

---

g la Porte des Poissons donnait accès à l'ancienne Jérusalem par le nord-ouest — *la Ville Neuve:* quartier qui s'était développé au nord-ouest de la ville ancienne ● *h Le Mortier* (ou *le Creux):* autre quartier de Jérusalem, non identifié ● *i avec des torches:* pour inspecter les recoins les plus cachés — *sur leur ordure:* image de la situation dans laquelle se complaisent les idolâtres ● *j le décret* ou *la sentence* (de condamnation qui sera exécutée le *jour du Seigneur) — *comme la bale:* voir la note sur Ps 1.4 ● *k Gaza, Ashqelôn, Ashdod, Eqrôn* (v. 4): ces villes de Philistie formaient une confédération appelée ici *ligue de la mer*. Les Philistins étaient originaires de l'île de *Crète*

1.10 Porte des Poissons Ne 3.3 — la Ville Neuve 2 R 22.14. **1.11** les marchands Es 23.8; Za 14.21. **1.12** « le Seigneur ne peut faire ni bien ni mal » Jr 5.12; Ps 10.4, 11; 14.1; 73.11; 94.7. **1.13** un travail dont on ne profitera pas Am 5.11+. **1.14** le jour du Seigneur v. 7+ est proche Jl 2.1. **1.15** jour de ténèbres... Jl 2.2; Am 5.18, 20. **1.16** contre les hautes tours Es 2.12-16. **1.17** comme des aveugles Dt 28.29; Es 59.10; Jb 12.25; Lm 4.14 — comme des ordures Jr 9.21; Ps 79.2-3. **1.18** or et argent impuissants à sauver Ez 7.19; Pr 11.4 — la jalousie de Dieu Ex 20.5+; Na 1.2 est comme un feu Dt 4.24; 32.22; He 12.29. **2.2** le jour So 1.7+. **2.3** rechercher le Seigneur Am 5.4+ — les humbles de la terre So 3.12; Es 57.15; 66.2. **2.4** Menaces contre les Philistins Es 14.28-32; Jr 47.1-7; Ez 25.15-17; Jl 4.4-8; Am 1.6-8; Za 9.5-7.

La parole du SEIGNEUR est contre vous,
Canaan, terre des Philistins :
Je vais te faire périr faute d'habitants.
6 La ligue de la mer sera changée en
pâturages,
en pacages pour les bergers, en enclos
pour les troupeaux ;
7 et la ligue appartiendra à ce qui reste
de la maison de Juda ;
ils *l* mèneront paître en ces lieux,
le soir, ils se reposeront dans les maisons d'Ashqelôn,
car le SEIGNEUR leur Dieu interviendra
en leur faveur
et il changera leur destinée.

Menaces contre les peuples de l'est

8 J'ai entendu les insultes de Moab,
les sarcasmes des fils d'Ammon *m*,
eux qui insultaient mon peuple
et s'agrandissaient aux dépens de son
territoire.
9 C'est pourquoi, par ma vie !
— oracle du SEIGNEUR le tout-puissant,
Dieu d'Israël —
Moab deviendra comme Sodome
et les fils d'Ammon comme Gomorrhe :
un domaine de ronces, une mine de sel,
une terre dévastée à jamais.
Ce qui reste de mon peuple les pillera,
ce qui subsiste de ma nation en héritera.
10 Voilà ce qu'ils recevront pour leur
orgueil
car ils ont insulté le peuple du SEI-
GNEUR le tout-puissant
et se sont agrandis à ses dépens.
11 Le SEIGNEUR se montrera terrible à
leur égard,
il abaissera tous les dieux de la terre,
et toutes les nations les plus lointaines
se prosterneront devant lui,
chacune sur son sol.

Menaces contre les peuples du sud et du nord

12 Et vous aussi, les Nubiens *n* !
— Mon épée les a transpercés.
13 Il étendra la main contre le Nord et
fera périr Assour.
Il fera de Ninive *o* une terre dévastée,
aride comme le désert ;
14 au milieu d'elle se reposeront les troupeaux
et des bêtes de toutes sortes :
le hibou comme le hérisson passeront
la nuit dans ses chapiteaux,
on entendra un hululement à la fenêtre.
Dès le seuil, ce seront des ruines,
les poutres de cèdre sont mises à nu.
15 Telle sera la ville joyeuse qui trônait
en sécurité,
celle qui disait en elle-même : « Moi
et nulle autre ! »
Comment est-elle devenue une terre
désolée,
un repaire pour les bêtes ?
Quiconque passe près d'elle siffle et
agite la main *p*.

Jérusalem n'a pas écouté l'appel de Dieu

3 1 Malheur à la rebelle, à l'impure,
à la ville tyrannique !
2 Elle n'a pas écouté l'appel,
elle n'a pas accepté la leçon,
elle n'a pas eu confiance dans le SEI-
GNEUR,
elle ne s'est pas approchée de son
Dieu.
3 Ses ministres, au milieu d'elle,
sont des lions rugissants ;
ses juges, des loups au crépuscule,
qui n'ont plus rien à ronger au matin.
4 Ses *prophètes sont des vantards, des
tricheurs ;

---

l la maison de Juda : tournure hébraïque équivalant ici à *le royaume de Juda* — *ils :* les survivants de
Juda ● *m Moab, Ammon :* peuples installés à l'est du Jourdain et de la mer Morte ● *n Nubiens :*
peuple qui vivait sur le territoire de l'actuel Soudan. Les Nubiens ont dominé l'Egypte à certaines
époques ● *o Assour :* nom hébreu de l'Assyrie — *Ninive :* voir Na 1.1 et la note ● *p siffler* et
agiter la main : pour exprimer la moquerie ou l'étonnement, voire l'effroi. Mais certains pensent
que ces manifestations avaient une signification magique (pour chasser les mauvais esprits)

2.6-7 ville transformée en pacage Es 7.25+. **2.7** destinée changée Os 6.11+. **2.8** Menaces
contre Moabites Es 15—16; Jr 48; Am 2.1-3 et Ammonites Jr 49.1-6; Ez 25.1-11; Am 1.13-15.
2.9 comme Sodome et Gomorrhe : Gn 19.24-25; Es 1.9+ — domaine des ronces cf. Es 5.6+.
2.11 toutes les nations se prosterneront Ps 22.28; cf. Es 2.2-3; Za 2.15; Ps 72.11; 86.9; 102.16, 23.
2.12 Menaces contre les nations Es 18.1-7. **2.13** Menaces contre Ninive et les Assyriens Es
10.5-19; 14.24-27; Na 2.2—3.19. **2.14** ville livrée aux bêtes sauvages Es 13.21+. **2.15** Moi!
Es 47.8, 10. **3.1** Menaces contre Jérusalem Jr 6.6-10. **3.2** refus d'écouter Jr 5.3; 7.26, 28;
22.21. **3.3** ministres indignes Jr 6.13-15; Ez 22.25. **3.4** prophètes et prêtres indignes Jr 23.11;
Ez 22.26.

ses prêtres ont profané ce qui est sacré,
ils ont violé la loi.
5 Au milieu de la ville, le SEIGNEUR
est juste,
il ne commet pas d'iniquité.
Chaque matin il prononce son jugement,
au point du jour, il ne fait pas défaut.
— Mais l'impie ne connaît pas la
honte. —
6 J'ai supprimé *q* des nations,
leurs tours d'angle ont été démante-
lées ;
j'ai dévasté leurs rues : plus de passants ;
leurs villes sont saccagées : plus personne, plus d'habitants.
7 Je m'étais dit : « Au moins tu me
respecteras,
tu accepteras la leçon
et sa demeure ne sera pas supprimée. »
Chaque fois que je suis intervenu
ils n'ont été que plus empressés de
corrompre toutes leurs actions *r*.
8 Eh bien, attendez-moi ! — Oracle du
SEIGNEUR.
Attendez le jour où je me lèverai
comme témoin à charge !
Ma sentence sera d'extirper les nations,
d'entasser les royaumes,
de déverser sur eux mon indignation,
toute l'ardeur de ma colère,
car la terre tout entière sera consumée au feu de ma jalousie.

Dieu convertira les peuples

9 Alors je ferai que les peuples aient les
lèvres *pures *s*
pour qu'ils invoquent tous le *nom
du SEIGNEUR,
pour qu'ils le servent dans un même
effort.

10 D'au-delà des fleuves de Nubie *t*,
ceux qui m'adorent — ceux que j'ai
dispersés —
m'apporteront une offrande.

Le reste d'Israël

11 En ce jour-là, tu n'auras plus à rougir
de toutes tes mauvaises actions,
de ta révolte contre moi ;
car à ce moment, j'aurai enlevé du
milieu de toi
tes vantards orgueilleux
et tu cesseras de faire l'arrogante
sur ma montagne *sainte.
12 Je maintiendrai au milieu de toi
un reste de gens humbles et pauvres ;
ils chercheront refuge dans le nom du
SEIGNEUR.
13 Le reste d'Israël ne commettra plus
d'iniquité ;
ils ne diront plus de mensonges,
on ne surprendra plus dans leur bouche
de langage trompeur :
mais ils paîtront et se reposeront
sans personne pour les faire trembler.

La restauration de Jérusalem

14 Crie de joie, fille de *Sion,
pousse des acclamations, Israël,
réjouis-toi, ris de tout ton cœur,
fille de Jérusalem *u*.
15 Le SEIGNEUR a levé les sentences qui
pesaient sur toi,
il a détourné ton ennemi.
Le roi d'Israël, le SEIGNEUR lui-même,
est au milieu de toi,
tu n'auras plus à craindre le mal.
16 En ce jour-là, on dira à Jérusalem :
« N'aie pas peur, Sion,
que tes mains ne faiblissent pas ;
17 le SEIGNEUR ton Dieu est au milieu de
toi

---

q j'ai supprimé: ici et au verset suivant le prophète cite les paroles mêmes de Dieu • *r* Dans le
v. 7 le prophète personnifie Jérusalem soit pour l'interpeller (*tu me respecteras*), soit pour parler
d'elle à la troisième personne (*sa demeure*); la fin du verset évoque ses habitants (*ils...*) • *s* Les
lèvres des peuples païens sont *impures* parce qu'elles ont prononcé le nom des faux dieux • *t* Voir
la note sur 2.12 • *u fille de Sion, fille de Jérusalem:* tournures poétiques pour désigner la population de Jérusalem

3.5 au milieu d'elle le Seigneur So 3.17 — insensible à la honte Jr 6.15. **3.7** Je m'étais dit Jr
3.19. **3.8** la colère de Dieu So 1.18. **3.9** lèvres purifiées Es 6.5-7; pour invoquer le nom du
Seigneur Jl 3.5; Ps 80.19; cf. Gn 12.8; 13.4, etc. — le nom du Seigneur Ml 1.11; Ps 86.9. **3.10**
offrandes des peuples lointains Es 18.7. **3.11** tu n'auras plus à rougir Es 54.4 — montagne sainte
Ps 3.5+; Es 11.9; 56.7; Ez 20.40. **3.12** un reste So 2.7, 9; Es 4.3+ — humbles So 2.3+ —
refuge Ps 7.2+. **3.13** plus de mensonge Ap 14.5 — sans personne pour les troubler Jr 30.10;
Ez 34.28; Mi 4.4. **3.14** cris de joie à Sion Es 12.6; 54.1; Za 2.14; 9.9. **3.15** le Seigneur a levé la
sentence Es 40.2 — le Seigneur comme roi (d'Israël) 1 S 12.12; Es 33.22; 41.21+; Jr 8.19; Ps 5.3;
149.2. **3.16** n'aie pas peur... Es 35.3-4; 41.13-14. **3.17** ton Dieu au milieu de toi Es 12.6; cf.
Ez 48.35 — le Seigneur tout joyeux Jr 32.41; cf. Es 62.5.

en héros, en vainqueur.
Il est tout joyeux à cause de toi,
dans son amour, il te renouvelle *r*,
il danse et crie de joie à cause de toi. »
18 Je rassemble ceux qui étaient privés
de fêtes ;
ils étaient loin de toi
— honte qui pesait sur Jérusalem.
19 Je vais agir à l'égard de tous ceux qui
te maltraitent
— en ce temps-là —,
je sauverai les brebis boiteuses,
je rassemblerai les égarées.

Je vous mettrai à l'honneur et votre
renom s'étendra
dans tous les pays où vous avez connu
la honte.

20 En ce temps-là je vous ramènerai,
ce sera au temps où je vous rassemblerai ;
votre renom s'étendra et je vous mettrai à l'honneur parmi tous les peuples
de la terre quand, sous vos yeux, je
changerai votre destinée *w*, dit le SEI-
GNEUR.

AGGÉE

Le moment de rebâtir le temple

1 1 L'an deux du règne de Darius, le
sixième mois, le premier jour du
mois, la parole du SEIGNEUR fut adressée
par l'intermédiaire d'Aggée, le *prophète,
à Zorobabel, fils de Shaltiel *a*, le gouverneur de Juda, et à Josué, fils de Yehosadaq, le grand prêtre : 2 « Ainsi parle
le SEIGNEUR, le tout-puissant : Ces gens-là
déclarent : Il n'est pas venu, le moment
de rebâtir la Maison du SEIGNEUR *b*. »
3 Or la parole du SEIGNEUR arriva par

l'intermédiaire d'Aggée, le prophète :
4 « Est-ce le moment pour vous d'habiter
vos maisons lambrissées, alors que cette
Maison-ci est en ruine ? 5 Et maintenant,
ainsi parle le SEIGNEUR, le tout-puissant :
Réfléchissez bien à quoi vous êtes arrivés. 6 Vous avez semé beaucoup, mais
peu récolté ; vous mangez, mais sans
vous rassasier ; vous buvez, mais sans
être gais ; vous vous habillez, mais sans
vous réchauffer et le gain du salarié va
dans une bourse trouée. 7 Ainsi parle le
SEIGNEUR, le tout-puissant : Réfléchissez

v en vainqueur ou en sauveur — il te renouvelle: d'après l'ancienne version grecque; hébreu il
reste silencieux ● w je changerai votre destinée: autre traduction je ramènerai vos captifs
a L'an deux du règne de Darius (roi de Perse), le sixième mois: vers la fin d'août 520 av. J.C. — Le
premier jour du mois: voir au glossaire NÉOMÉNIE — fils de Shaltiel, Zorobabel était un petit-
fils du roi de Juda Yoyakîn (ou Yekonia) d'après 1 Ch 3.17-19; il était donc descendant de David.
Le roi de Perse l'avait nommé gouverneur de Juda ● b Le temple de Jérusalem avait été pillé et
incendié en 587 av. J.C. par les Babyloniens (Jr 52.12-23). Les premiers déportés revenus d'exil,
parmi lesquels Zorobabel et Josué (Esd 3.1-9), avaient commencé à rebâtir le temple. Mais l'opposition des Samaritains les avaient obligés à interrompre les travaux (Esd 4.4-5)

3.19 le Seigneur berger de son peuple Jr 23.3; Ez 34.11 — brebis boiteuses sauvées, brebis égarées
rassemblées Ez 34.16; Mi 4.6-7. 3.20 je vous rassemblerai Jr 32.37 — destinée changée Os
6.11+.
1.1 Darius Ag 2.10; Za 1.1, 7; 7.1; Esd 4.5; 5.5; 6.1; Ne 12.22 — premier jour du mois (néoménie) Nb 28.11-15; Es 1.13; 66.23; Os 2.13; Am 8.5 — Aggée Esd 5.1; 6.14 — Zorobabel et
Josué Esd 3.2, 8; 5.2; Ne 12.1; cf. Za 3.1; 4.6-10; 6.11; Mt 1.12. 1.2 rebâtir la maison du
Seigneur Ag 1.2-4; 3.8-9, 11; 4.1, 24; 5.2-3, 8-9, 11-17. 1.4 des maisons lambrissées Jr
22.14 mais pas de temple 2 S 7.2 — lambris 1 R 6.9; 7.3, 7. 1.6 résultats décevants Ag 2.16;
Os 4.10; Mi 6.14; Za 8.10.

bien à quoi vous êtes arrivés. ⁸ Montez à la montagne, rapportez du bois et rebâtissez ma Maison ; j'y trouverai plaisir et je manifesterai ma gloire, dit le Seigneur. ⁹ Vous attendiez beaucoup et maigre fut la récolte ; quand vous l'avez rentrée chez vous, j'ai soufflé dessus ᶜ. Pourquoi donc ? — oracle du Seigneur, du tout-puissant : A cause de ma Maison qui, elle, est en ruine, alors que chacun de vous s'affaire auprès de sa propre maison. ¹⁰ C'est pourquoi, au-dessus de vous, les cieux ont retenu la rosée, et la terre a retenu son fruit. ¹¹ J'ai appelé la sécheresse sur la terre, sur les montagnes, sur le blé, le vin nouveau, l'huile fraîche et sur tout ce que produit le sol ; sur les hommes, les bêtes et sur tout le fruit de vos travaux. » ¹² Alors Zorobabel, fils de Shaltiel, et Josué, fils de Yehosadaq, le grand prêtre, et tout le reste du peuple ᵈ écoutèrent la voix du Seigneur, leur Dieu, et les paroles d'Aggée, le prophète, selon la mission que lui avait donnée le Seigneur, leur Dieu. Et le peuple éprouva de la crainte devant le Seigneur. ¹³ Et Aggée, le messager du Seigneur, parla selon le message reçu du Seigneur pour le peuple : « Je suis avec vous — oracle du Seigneur. » ¹⁴ Et le Seigneur réveilla l'esprit de Zorobabel, fils de Shaltiel, le gouverneur de Juda, et l'esprit de Josué, fils de Yehosadaq, le grand prêtre, et l'esprit de tout le reste du peuple : ils vinrent et se mirent à l'œuvre dans la Maison du Seigneur, du tout-puissant, leur Dieu. ¹⁵ — Le vingt-quatre du sixième mois ᵉ.

La splendeur du nouveau temple

L'an deux du règne de Darius,
2 ¹ le septième mois, le vingt-et-un du mois ᶠ, la parole du Seigneur arriva par l'intermédiaire d'Aggée, le prophète : ² « Parle donc à Zorobabel, fils

de Shaltiel, le gouverneur de Juda, et à Josué, fils de Yehosadaq, le grand-prêtre et à tout le reste du peuple ᵍ, et dis-leur : ³ Quel est parmi vous le survivant qui a vu cette Maison ʰ dans son ancienne gloire ? Et comment la voyez-vous à présent ? N'apparaît-elle pas à vos yeux comme rien ? ⁴ Mais maintenant, courage, Zorobabel, — oracle du Seigneur — et courage, Josué, fils de Yehosadaq, grand prêtre, et courage, vous tout le peuple du pays — oracle du Seigneur —, au travail ! Car je suis avec vous — oracle du Seigneur, du tout-puissant. ⁵ Selon l'engagement que j'ai pris envers vous lors de votre sortie d'Egypte, et puisque mon esprit se tient au milieu de vous, ne craignez rien ! ⁶ Oui, ainsi parle le Seigneur, le tout-puissant : encore un moment — il sera court — et je vais ébranler ciel et terre, mer et continent. ⁷ J'ébranlerai toutes les nations et les trésors de toutes les nations afflueront, et j'emplirai de splendeur cette Maison, déclare le Seigneur, le tout-puissant. ⁸ L'argent est à moi, à moi l'or — oracle du Seigneur, du tout-puissant. ⁹ La gloire dernière de cette Maison dépassera la première, dit le Seigneur, et dans ce lieu j'établirai la paix — oracle du Seigneur, du tout-puissant.

Un peuple en état d'impureté

¹⁰ Le vingt-quatre du neuvième mois, l'an deux de Darius ⁱ, la parole du Seigneur fut adressée à Aggée, le *prophète : ¹¹ « Ainsi parle le Seigneur, le tout-puissant : Sollicite donc des prêtres une directive ʲ en leur demandant : ¹² Si quelqu'un porte de la viande *sanctifiée ᵏ dans le pan de son vêtement et, de ce pan, touche du pain, des légumes, du vin, de l'huile ou n'importe quel aliment, seront-ils sanctifiés ? » Les prêtres répon-

c *j'ai soufflé dessus:* c'est-à-dire qu'il n'en est presque rien resté, comme lorsqu'on souffle sur quelques brins de paille ● d *de le reste du peuple* : les fidèles revenus de l'exil (voir Esd 1.4 ; 9.8, 14 ; Za 8.6, 11) ● e Comparer 1.1 ; cette indication chronologique devait introduire un message d'Aggée qui n'a pas été conservé, ou qui a été déplacé (peut-être 2.15-19) ● f C'est-à-dire vers mi-octobre 520 av. J.C. ● g Voir 1.12 et la note ● h *cette Maison* ou *ce Temple* ● i Vers la mi-décembre 520 av. J.C. ● j C'était aux prêtres qu'il revenait de trancher les questions difficiles soulevées par l'application de la loi de Moïse. Voir Lv 10.10-11 ; 14.54-57, etc. ● k Cette viande provient d'un *sacrifice

1.11 répercussions de la rupture avec Dieu Gn 3.17-18 ; Jr 4.23-28 ; 12.4 ; 14.2-9 ; Os 4.1-3 — sécheresse Am 4.7+. **1.12** le reste Es 4.3+. **1.13** avec vous Ag 2.4 ; Jg 6.12 ; 2 S 7.3 ; Es 41.10. **1.14** réveil Esd 1.5. **2.2** le reste du peuple Ag 1.12+. **2.3** ceux qui ont connu l'ancien temple Esd 3.10-13. **2.4** avec vous Ag 1.13. **2.5** au milieu de vous cf. Ex 13.21-22 ; 14.19. **2.6** verset cité en He 12.26-27 — encore un court moment Jn 13.33 ; 14.19 ; 16.16 — ébranlement général Es 13.13 ; Ha 3.6 ; Ps 18.8. **2.7** les trésors de toutes les nations afflueront Es 60.5-11 ; 66.12 ; Ap 21.24-26. **2.9** paix Es 11.6-9 ; Jr 33.6-9 ; Za 8.4-5, 12. **2.11** consultation des prêtres Lv 27.8, 11-12, 14 ; Jr 2.8 ; Ez 7.26 ; Za 7.1-3 ; Ml 2.7.

dirent et déclarèrent : « Non ». [13] Aggée reprit : « Si un homme rendu *impur par le contact d'un mort touche à l'une de ces choses, sera-t-elle impure ? » Les prêtres répondirent et déclarèrent : « Elle sera impure. » [14] Aggée répliqua : « Tel est ce peuple, telle est cette nation devant moi — oracle du SEIGNEUR. Tel est l'ouvrage de leurs mains, et ce qu'ils offrent là est impur [l]. »

Soyez attentifs dès aujourd'hui

[15] « Et maintenant, soyez bien attentifs, à partir d'aujourd'hui et pour l'avenir. Avant qu'on eût posé pierre sur pierre dans le Temple du SEIGNEUR, [16] avant qu'elles n'y soient, on venait à un tas de grain estimé à vingt mesures et il ne s'en trouvait que dix ; on venait au pressoir vider la cuve de cinquante mesures, et il ne s'en trouvait que vingt. [17] Je vous ai frappés dans tout le travail de vos mains par la rouille, la nielle [m], la grêle, sans réussir à vous ramener vers moi — oracle du SEIGNEUR. [18] Soyez bien attentifs, dès aujourd'hui et pour l'avenir, — à partir du vingt-quatre du neuvième mois [n] — depuis le jour où fut fondé le Temple du SEIGNEUR, soyez attentifs : [19] Reste-t-il encore du grain dans le grenier ? Même la vigne, le figuier, le grenadier et l'olivier n'ont rien porté. A partir d'aujourd'hui, je vais bénir. »

Promesses à Zorobabel, l'élu du Seigneur

[20] La parole du SEIGNEUR fut adressée une seconde fois à Aggée, le vingt-quatre du mois : [21] « Parle à Zorobabel, le gouverneur de Juda, et dis-lui : Je vais ébranler ciel et terre. [22] Je vais renverser les trônes des royaumes et anéantir la force des royaumes des nations ; je vais renverser chars et conducteurs ; chevaux et cavaliers tomberont, chacun sous l'épée de son frère. [23] En ce jour-là — oracle du SEIGNEUR, du tout-puissant — je te prendrai, Zorobabel, fils de Shaltiel, mon serviteur — oracle du SEIGNEUR. Je t'établirai comme l'anneau à cacheter, car c'est toi que j'ai élu [o] — oracle du SEIGNEUR, du tout-puissant. »

---

[l] Par cette image empruntée au droit religieux d'Israël, le prophète explique que Dieu refuse d'agréer les sacrifices qui lui sont offerts, tant que le peuple néglige la reconstruction du Temple. Même refus, mais pour d'autres motifs en Es 1.13 et Am 5.21-24 ● [m] rouille, nielle: maladies du blé. Voir Am 4.9 ● [n] Voir au glossaire CALENDRIER ● [o] l'anneau à cacheter servait à authentifier les documents officiels et les ordres donnés par le roi. Zorobabel est comparé à l'anneau à cacheter du Seigneur — c'est toi que j'ai élu ou c'est toi que j'ai choisi

2.13 le contact d'un mort Lv 22.4. **2.16** résultats décevants Ag 1.6+. **2.17** je vous ai frappés... en vain Am 4.6+ — rouille, nielle Am 4.9+. **2.19** bénédiction Gn 39.5; 49.25; Dt 12.7; 15.14; Es 65.8; Ml 3.10; Ps 84.7; Jb 1.10; 42.12. **2.21** ébranlement du ciel et de la terre Ag 2.6+. **2.22** chacun sous l'épée de son frère Jg 7.22; Ez 38.21; Za 14.13. **2.23** comme l'anneau à cacheter Jr 22.24 (voir Gn 38.18; Ct 8.6) — c'est toi que j'ai élu Dt 7.6; Es 43.10; 44.1-2; 45.4; Ps 78.68, 70; 135.4; Mt 3.17 par.

ZACHARIE

PREMIÈRE PARTIE

Un appel du Seigneur : Revenez à moi

1 ¹ Au huitième mois, la deuxième année du règne de Darius la parole du SEIGNEUR fut adressée au *prophète Zacharie ᵃ, fils de Bèrèkya, fils de Iddo :
² — « Le SEIGNEUR s'est violemment irrité contre vos pères ᵇ. »
³ Dis-leur :
« Ainsi parle le SEIGNEUR, le tout-puissant :
Revenez à moi — oracle du SEIGNEUR, le tout-puissant —
et je reviendrai à vous, dit le SEIGNEUR, le tout-puissant.
⁴ N'imitez pas vos pères, eux que les prophètes de jadis ont interpellés en termes : "Ainsi parle le SEIGNEUR, le tout-puissant : Revenez donc, renoncez à vos chemins mauvais et à votre conduite mauvaise", mais ils n'ont pas écouté et n'ont pas pris garde à moi — oracle du SEIGNEUR. ⁵ Vos pères, où sont-ils, eux ? Et les prophètes vivent-ils toujours ? ⁶ Pourtant mes déclarations et mes décisions, celles dont j'avais chargé mes serviteurs les prophètes, n'ont-elles pas atteint vos pères ? Alors ils sont revenus et ils ont avoué : "Le SEIGNEUR, le tout-puissant, avait décidé de nous traiter selon nos chemins et notre conduite, et c'est bien ainsi qu'il nous a traités". »

Première vision : les chevaux

⁷ Le vingt-quatre du onzième mois — le mois de Shevat —, la deuxième année du règne de Darius ᶜ, la parole du SEIGNEUR fut adressée au prophète Zacharie, fils de Bèrèkya, fils de Iddo en ces termes :
⁸ J'ai eu cette nuit une vision : c'était un homme monté sur un cheval roux ; il se tenait parmi les myrtes, dans la profondeur ᵈ, et derrière lui il y avait des chevaux roux, alezans et blancs. ⁹ Je lui demandai : « Que représentent-ils, mon Seigneur ? » Alors l'*ange qui me parlait me répondit : « Je vais te montrer ce qu'ils représentent. » ¹⁰ Et l'homme qui se tenait parmi les myrtes intervint en disant : « Ce sont ceux que le SEIGNEUR a envoyés parcourir la terre. » ¹¹ Alors ceux-ci s'adressèrent ᵉ à l'ange du SEIGNEUR qui se tenait parmi les myrtes et lui dirent : « Nous avons parcouru la terre et voici que toute la terre est tranquille et en repos. »
¹² L'ange du SEIGNEUR reprit alors :

---

a *Au huitième mois, la deuxième année...:* en octobre-novembre 520 av. J.C. — *Zacharie* (dont le nom signifie *le Seigneur se souvient*) était aussi prêtre d'après Ne 12.16 ● b *vos pères* ou *vos ancêtres* ● c *Vers la mi-février 519 av. J.C. — Shevat:* voir au glossaire CALENDRIER ● d *les myrtes:* voir Es 41.19 et la note — *la profondeur:* le terme semble souligner ici l'origine surnaturelle du personnage de la vision ● e On peut penser que les chevaux mentionnés au v. 8 sont montés par des cavaliers, et que ceux-ci, désignés au v. 10 comme les *envoyés* du Seigneur, prennent maintenant la parole

1.1 Darius Ag 1.1+ — Zacharie v. 7; Esd 5.1; 6.14; Ne 12.16.   **1.3** revenir au Seigneur Dt 30.2; Jr 3.22; Jl 2.13; Am 4.6; Ml 3.7; Jc 4.8.   **1.4** l'appel des prophètes de jadis Jr 25.5 — message prophétique non écouté: Jr 7.28; 11.10; 13.10; So 3.2.   **1.6** atteints par la parole de Dieu Jos 23.15; Es 55.11 — aveu 1 R 8.46-51; Dn 9.10; Ne 9.34.   **1.7** Darius Ag 1.1+.   **1.8** une vision Am 7.1, 7; Dn 7.1; Ap 1.2 — myrtes Es 41.19; 55.13; cf. Ne 8.15 — des chevaux Za 6.1-8; 2 R 2.11; Ap 6.1-8.   **1.9** un ange qui explique Dn 7.16; Ap 17.7.   **1.12** jusqu'à quand?... Jr 12.4; Ps 6.4+; Dn 8.13; Ap 6.10 — soixante-dix ans Jr 25.11; 29.10; cf. 2 Ch 36.21.

« SEIGNEUR tout-puissant, jusqu'à quand tarderas-tu à prendre en pitié Jérusalem et les villes de Juda contre lesquelles tu es irrité depuis déjà soixante-dix ans *f* ? »
¹³ Alors à l'ange qui me parlait, le SEIGNEUR donna une réponse encourageante, une réponse consolante.

Le Seigneur va de nouveau consoler Sion

¹⁴ Et l'*ange qui me parlait me dit : « Proclame : "Ainsi parle le SEIGNEUR, le tout-puissant :
Je ressens une intense jalousie *g* pour Jérusalem et pour *Sion.
¹⁵ Mais je suis violemment irrité contre les nations bien établies ;
alors que moi, je n'étais que faiblement irrité,
elles, elles sont venues ajouter à son malheur.

¹⁶ Voilà pourquoi, ainsi parle le SEIGNEUR :
Je reviens vers Jérusalem avec compassion,
ma Maison y sera rebâtie
— oracle du SEIGNEUR, le tout-puissant —
et le cordeau sera tendu sur Jérusalem *h*."
¹⁷ Fais encore cette proclamation : "Ainsi parle le SEIGNEUR, le tout-puissant :
Mes villes sont encore privées de bonheur.
Mais le SEIGNEUR va de nouveau consoler Sion
et choisir Jérusalem". »

Deuxième vision : cornes et forgerons

2 ¹ Je levai les yeux et j'eus une vision : c'étaient quatre cornes *i*. ² Je demandai alors à l'*ange qui me parlait : « Que représentent-elles ? » Il me répondit : « Ce sont les cornes qui ont dispersé Juda, Israël et Jérusalem. »
³ Puis le SEIGNEUR me fit voir quatre forgerons. ⁴ Alors je demandai : « Ceux-ci, que viennent-ils faire ? » Il me répondit : « Les cornes sont celles qui ont dispersé Juda au point que personne ne relevait plus la tête. Mais ces forgerons sont venus pour les faire trembler, pour abattre les cornes de ces nations, celles qui ont levé leurs cornes sur le pays de Juda en vue de le disperser. »

Troisième vision : le cordeau à mesurer

⁵ Je levai les yeux et j'eus une vision : c'était un homme tenant à la main un cordeau à mesurer *j*. ⁶ Je lui demandai : « Où vas-tu ? » Il me répondit : « Mesurer Jérusalem, voir quelle en sera la largeur et la longueur. »
⁷ Et voici que l'*ange qui me parlait s'avança tandis qu'un autre ange venait à sa rencontre. ⁸ Il lui dit : « Cours, parle à ce jeune homme, là-bas *k*, et dis-lui : "Jérusalem doit rester ville ouverte
à cause de la foule des gens et des bêtes qui s'y trouveront.
⁹ Et moi JE SERAI LA *l* — oracle du SEIGNEUR —
je serai pour elle un rempart de feu et au milieu d'elle je serai sa gloire !" »

Le Seigneur rappelle les exilés

¹⁰ Allons ! Allons ! Quittez en hâte le pays du nord
— oracle du SEIGNEUR.
C'est aux quatre vents du ciel *m* que je vous avais dispersés
— oracle du SEIGNEUR.

---

f soixante-dix ans: le nombre 70 doit sans doute être compris comme désignant symboliquement une période assez longue (voir Jr 25.11; 29.10) ● *g* Voir la note sur Ex 20.5 ● *h ma Maison* ou *le Temple* — le *cordeau* servait à délimiter le terrain avant de construire. Il est ici un symbole de la future reconstruction de Jérusalem ● *i* Dans l'A.T. la *corne* est souvent symbole de puissance. Ces *cornes* désignent ici les ennemis d'Israël (v. 2) ● *j* Voir 1.16 et la note ● *k* Ce *jeune homme* est le personnage mentionné au v. 5 ● *l JE SERAI LA:* certains voient ici une allusion à l'appellation que Dieu s'est donnée lui-même quand il s'est révélé à Moïse (Ex 3.14) ● *m le pays du nord:* cette expression désigne l'empire babylonien (v. 11). Bien que la Babylonie soit située à l'est de la Palestine, l'itinéraire normal pour aller de l'une à l'autre passait par le *nord* de la Palestine (voir Jr 1.13-14; 3.12 et les notes) — *aux quatre vents du ciel,* c'est-à-dire aux quatre points cardinaux, ou encore *dans toutes les directions.*

1.14 jalousie de Dieu pour Sion Za 8.2; cf. Es 42.13+; 54.7; Os 11.8; Jl 2.18. **1.15** Dieu irrité contre son peuple: Es 47.6; 54.8. **1.16** le cordeau du bâtisseur Za 2.5; Jr 31.38-40; Ez 40.3. **1.17** consolation (réconfort) Es 40.1; 5.13 — le choix de Dieu Dt 7.7-8; 1 R 3.8; Ag 2.23; 1 Ch 15.2. **2.1** cornes Dn 7.7-8; Ap 13.1. **2.5** cordeau à mesurer Za 1.16+. **2.6** mesurer Jérusalem Ap 21.15. **2.10** quitter le pays Es 48.20; Ap 18.4.

11 Allons ! *Sion, échappe-toi,
toi qui es installée à Babylone.

12 Ainsi parle le SEIGNEUR, le tout-puissant — lui qui m'a envoyé avec autorité — à propos des nations qui vous ont pillés :
Oui, quiconque vous touche, touche à la prunelle de mon œil.

13 Oui, me voici, je vais lever la main contre elles,
afin qu'elles deviennent le butin de leurs esclaves,
et vous reconnaîtrez que c'est le SEIGNEUR le tout-puissant qui m'a envoyé.

14 Crie de joie, réjouis-toi, fille de Sion,
car me voici, je viens demeurer au milieu de toi
— oracle du SEIGNEUR.

15 Des peuples nombreux s'attacheront au SEIGNEUR,
en ce jour-là.

Ils deviendront mon propre peuple
et je demeurerai au milieu de toi,
et tu reconnaîtras que c'est le SEIGNEUR le tout puissant qui m'a envoyé vers toi *n*.

16 Le SEIGNEUR s'attribuera Juda.
comme son héritage *o* sur la Terre *Sainte
et il choisira encore une fois Jérusalem.

17 Silence, toute créature, devant le SEIGNEUR,
car il se réveille et sort de sa demeure sainte.

Quatrième vision : le grand prêtre Josué

3 **1** Puis le SEIGNEUR me fit voir Josué, le grand prêtre, debout devant l'*ange du SEIGNEUR : or le *Satan se tenait à sa droite pour l'accuser.
2 L'ange du SEIGNEUR dit au Satan : « Que le SEIGNEUR te réduise au silence, Satan ; oui, que le SEIGNEUR te réduise au silence, lui qui a choisi Jérusalem. Quant à cet homme-là, n'est-il pas un tison arraché au feu *p* » ?
3 Josué, debout devant l'ange, portait des habits sales. **4** L'ange reprit et dit à ceux qui se tenaient devant lui : « Enlevez-lui ses habits sales.» Puis il dit à Josué : « Vois, je t'ai débarrassé de ton péché et on te revêtira d'habits de fête.» **5** Et il reprit : « Qu'on mette sur sa tête un turban propre.» Ils lui posèrent sur la tête le turban propre et lui mirent les habits *q*. Et l'ange du SEIGNEUR se tenait là.
6 Alors l'ange du SEIGNEUR fit à Josué cette déclaration :
7 « Ainsi parle le SEIGNEUR, le tout-puissant :
Si tu marches dans mes chemins,
si tu gardes mes commandements,
toi-même tu gouverneras ma maison,
tu veilleras aussi sur mes *parvis.
et je te ferai accéder au rang de ceux qui se tiennent ici *r*. »

Dieu va faire venir son serviteur « Germe »

8 Ecoute, Josué, grand prêtre, toi et tes collègues qui siègent devant toi — car ces hommes constituent un présage :
Voici que je fais venir mon serviteur « Germe » *s*.
9 En effet, voici la pierre que je remets à Josué.
Sept yeux surmontent cette pierre unique.
Moi-même je vais graver son inscription *t*
— oracle du SEIGNEUR, le tout-puissant —
et je vais éliminer le péché de ce pays en un seul jour.
10 En ce jour-là
— oracle du SEIGNEUR, le tout-puissant —

---

n Dans la dernière phrase du v. 15 c'est le prophète, et non plus Dieu, qui parle à la première personne du singulier. Il s'adresse à Jérusalem personnifiée (*tu reconnaîtras...*) ● *o* Voir la note sur 1 S 10.1 ● *p un tison arraché au feu* : manière imagée de rappeler que Josué, est revenu d'exil avec les premiers groupes de rapatriés (Esd 2.36) ● *q* Il s'agit du *turban* et des *habits* que les prêtres portaient en service (voir Ex 28.39-43) ● *r qui se tiennent ici*, c'est-à-dire *auprès de Dieu* ● *s* Désignation du *messie attendu. Voir aux références parallèles ● *t* Selon certains cette *pierre* symboliserait le temple, et les *sept yeux* la présence protectrice de Dieu — *son inscription* ou *sa décoration*.

2.11 installée à Babylone Es 52.2. **2.12** la mission de Zacharie 2.13, 15; 4.9; 6.15 — la prunelle de l'œil Dt 32.10. **2.14** cris de joie Za 9.9; Es 52.9; So 3.14. **2.17** silence devant le Seigneur Ha 2.20+ — le réveil du Seigneur Ps 35.23+. **3.1** le Satan Jb 1.6; 1 Ch 21.1; Mc 1.13+. **3.2** le Satan réduit au silence Jude 9 — un tison arraché au feu Am 4.11. **3.4** débarrassé de tes péchés Jr 31.34 — habits de fête Ex 29.5; Lv 8.7. **3.5** turban Ex 29.6; Lv 8.9. **3.7** Si tu marches... 1 R 2.4; 9.4. **3.8** mon serviteur: Es 49.5-6; 52.13; Ag 2.23 — « Germe » Jr 23.5; 33.15; cf. Es 11.1-2. **3.9** sept yeux Za 4.10. **3.10** sous la vigne et le figuier Mi 4.4+.

vous vous inviterez mutuellement
sous la vigne et sous le figuier [u].

Cinquième vision : chandelier et oliviers

4 [1] L'*ange qui me parlait revint
m'éveiller comme un homme qu'on
doit tirer de son sommeil. [2] Il me demanda : « Que vois-tu ? » Je répondis : « J'ai
une vision : c'est un chandelier tout en
or, muni d'un réservoir à la partie supérieure et, tout en haut, de sept lampes [r]
et de sept becs pour ces lampes ; [3] à ses
côtés, deux oliviers, l'un à droite du réservoir et l'autre à gauche. »
[4] Je repris et demandai à l'ange qui
me parlait : « Qu'est-ce que cela représente, mon Seigneur ? » [5] L'ange qui me
parlait me répondit : « Ne sais-tu pas ce
que cela représente ? » Et je dis : « Non,
mon Seigneur. » [6] Il reprit et me dit : ... [w]
[10b] « Ces sept lampes représentent les
yeux du SEIGNEUR ; ils inspectent toute la
terre. » [11] Je repris alors et lui demandai : « Que représentent ces deux oliviers
à droite et à gauche du chandelier ? »
[12] Je repris une seconde fois et lui demandai : « Que représentent ces deux
branches d'olivier qui, par le moyen de
deux conduits en or, déversent leur huile
dorée ? » [13] Il me dit : « Ne sais-tu pas
ce qu'ils représentent ? » Je répondis :
« Non, mon Seigneur. » [14] Il me dit
alors :
« Ce sont les deux hommes désignés
    pour l'huile [x],
ceux qui se tiennent devant le Maître
    de toute la terre. »

Trois messages pour Zorobabel

[6b] Telle est la parole du SEIGNEUR à l'intention de Zorobabel [y] :
Ni par la bravoure, ni par la violence,
mais bien par mon Esprit,
déclare le SEIGNEUR, le tout-puissant.

[7] Qu'étais-tu, toi, grande montagne ?
Devant Zorobabel, tu es devenue une
    plaine [z]
d'où il a dégagé la pierre principale
aux cris de « Bravo, bravo pour elle ! »
[8] La parole du SEIGNEUR me fut adres-
    sée en ces termes :
[9] Ce sont les mains de Zorobabel qui ont
    posé les fondements de cette Maison,
ce sont elles aussi qui l'achèveront,
et vous reconnaîtrez que c'est le SEI-
GNEUR le tout-puissant qui m'a envoyé
    vers vous [a].
[10] Qui donc dédaignait le jour des modes-
    tes débuts ?
Qu'on se réjouisse en voyant la pierre
    choisie
dans la main de Zorobabel !

Sixième vision : le livre qui vole

5 [1] Je levai de nouveau les yeux et
j'eus une vision : c'était un livre qui
volait [b]. [2] Et l'*ange me dit : « Que vois-
tu ? » Je répondis : « Je vois un livre
qui vole, long de vingt coudées [c] et large
de dix. »
[3] Alors il me dit : « C'est la malédiction
qui s'élance sur tout le pays.
Aussi, d'après l'une de ses faces, tout
voleur sera éliminé et, d'après l'autre,
tout parjure sera éliminé. »
[4] Je l'ai lancée
    — oracle du SEIGNEUR, le tout-puis-
    sant —
pour qu'elle atteigne la maison du
    voleur

---

u sous la vigne et le figuier: expression traditionnelle exprimant la prospérité et la sécurité (voir
1 R 5.5; Mi 4.4; *1 M* 14.12) ● *v* Le v. 2 décrit une grande lampe à huile munie de *sept* mèches,
équivalant donc à sept *lampes* ordinaires ● *w* Les v. 6 *b* à 10 *a*, concernant *Zorobabel,* inter-
rompent la réponse annoncée au v. 6 *a.* Ils ont été reportés après le v. 14 ● *x les deux hommes
désignés pour l'huile:* cette expression semble se rapporter au grand prêtre *Josué* et au gouverneur
Zorobabel (v. 6 *b* et la note) ● *y Zorobabel* était un lointain descendant de David (voir la note sur
Ag 1.1). A ce titre il était donc susceptible d'être le *messie attendu (voir au glossaire FILS DE
DAVID) ● *z* Le prophète semble évoquer ici la *montagne* de décombres accumulés sur l'emplacement du temple depuis la destruction de celui-ci. Zorobabel a organisé le déblaiement de ces
décombres pour dégager les fondations du temple et permettre la reconstruction de celui-ci sur
les anciennes bases de l'édifice ● *a* Voir la note sur 2.15 ● *b* Sur la forme des livres de cette
époque voir la note sur Jr 30.2. D'après Za 5.3 le *livre* est écrit au recto et au verso, comme
celui d'Ez 2.10 ● *c* Voir au glossaire POIDS ET MESURES

4.2 Que vois-tu? Za 5.2; Jr 1.11-13; Am 7.8; 8.2 — chandelier Ex 25.31; 1 R 7.49; Ap 2.1.
4.10b yeux Za 3.9. **4.14** le Maître de toute la terre Za 6.5; Ap 11.4. **4.6b** Zorobabel Ag 1.1+
— ni par bravoure ni par violence 1 S 17.47; Es 31.1; Os 1.7; Ps 20.8; 33.16. **4.7** pierre principale
Es 28.16; 1 P 2.4. **4.9** la mission de Zacharie Za 2.12+. **4.10a** modestes débuts Ag 2.3-5.
5.1 un livre Ez 2.10. **5.2** Que vois-tu? Za 4.2+ — dimensions : vingt coudées sur dix 1 R 6.3.
5.3 parjure Za 8.17; Ml 3.5. **5.4** malédiction lancée cf. Es 9.7 — poutres et pierres Esd 6.11.

et la maison du parjure,
qu'elle loge au cœur de sa maison
et la consume, poutres et pierres.

Septième vision : le boisseau

5 L'*ange qui me parlait s'avança et me dit : « Lève donc les yeux et regarde ce qui s'avance là. » 6 Je demandai : « Qu'est-ce que cela représente ? » Il répondit : « C'est là un boisseau qui s'avance. » Et il ajouta : « C'est leur péché d dans tout le pays. » 7 Et voici qu'un disque de plomb se souleva : une femme était installée à l'intérieur du boisseau. 8 Alors il dit : « C'est la méchanceté. » Puis il la repoussa à l'intérieur du boisseau et jeta la masse de plomb sur l'ouverture. 9 Puis je levai les yeux et j'eus une vision : c'étaient deux femmes qui s'avançaient. Le vent soufflait dans leurs ailes, des ailes semblables à celles de la cigogne. Elles soulevèrent le boisseau entre terre et ciel. 10 Je demandai à l'ange qui me parlait : « Où emportent-elles le boisseau ? » 11 Il me dit : « Au pays de Shinéar e, pour lui construire un *sanctuaire. On la fixera et on l'immobilisera là-bas sur son piédestal. »

Huitième vision : les quatre chars

6 1 Je levai de nouveau les yeux et j'eus une vision : c'étaient quatre chars qui s'avançaient d'entre les deux montagnes et ces montagnes étaient de bronze. 2 Le premier char était attelé de chevaux roux ; le second, de chevaux noirs ; 3 le troisième, de chevaux blancs et le quatrième, de chevaux tachetés rouges. 4 Je repris et demandai à l'*ange qui me parlait : « Que représentent-ils, mon Seigneur ? » 5 L'ange me répondit : « Ce sont là les quatre vents du ciel qui s'avancent après s'être tenus devant le

Maître de toute la terre. » 6 L'attelage aux chevaux noirs s'avance vers le pays du nord f. Les btancs s'avancent à leur suite, tandis que les tachetés s'avancent vers le pays du midi. 7 Les rouges s'avancent, impatients d'aller parcourir la terre. Alors le SEIGNEUR leur ordonna : « Allez, parcourez la terre. » Et les chars parcourent la terre. 8 Il m'appela pour me dire : « Regarde, ceux qui s'avancent vers le nord font reposer mon esprit dans le pays du nord.

Couronnement prophétique de Josué

9 La parole du SEIGNEUR me fut adressée en ces termes : 10 « Reçois les dons des déportés, de Heldaï, Toviya et Yedaya. Entre toi-même aujourd'hui, entre dans la maison de Yoshiya, fils de Cefanya g, où ils viennent d'arriver de Babylone. 11 Tu prendras de l'argent et de l'or pour en faire une couronne et tu la poseras sur la tête de Josué, fils de Yehosadaq, le grand prêtre. 12 Et tu lui parleras en ces termes : "Ainsi parle le SEIGNEUR, tout-puissant :

Voici un homme dont le nom est "Germe" h,
sous ses pas tout germera
et il construira le Temple du SEIGNEUR.
13 C'est lui qui construira le Temple du SEIGNEUR.
C'est lui qui sera revêtu de majesté,
il siégera sur son trône pour dominer.
Un prêtre aussi siégera sur un trône
et tous deux témoigneront d'une . entente parfaite entre eux..."
14 Quant à la couronne, elle servira de mémorial dans le Temple du SEIGNEUR en l'honneur de Heldaï i, de Toviya et de Yedaya et en souvenir de la bonté du fils de Cefanya. 15 Et ceux qui sont au loin viendront travailler au Temple du SEIGNEUR — et vous reconnaîtrez que le SEIGNEUR, le

---

d boisseau ou épha: voir au glossaire POIDS ET MESURES / Capacité — leur péché: d'après les anciennes versions grecque et syriaque; hébreu leur œil • e au pays de Shinéar: manière ancienne de désigner la région de Babylone (Gn 11.2) • f le pays du nord: voir la note sur 2.10. Il est probable que cette expression fait allusion aux Israélites exilés en Babylonie: par son Esprit Dieu va les inciter à envoyer des dons ou à revenir pour reconstruire le Temple (v. 10, 15) • g les dons des déportés: voir Esd 1.4, 9-11; 2.68-69 — le prêtre Cefanya, père de Yoshiya, est peut-être l'ami de Jérémie mentionné en Jr 29.29 • h Voir 3.8 et la note • i Heldaï: d'après le v. 9; hébreu Hélem.

5.9 ailes Ap 12.14. 5.11 le pays de Shinéar Gn 10.10; 11.2; Es 11.11; Dn 1.2. 6.2 chevaux Za 1.8+. 6.5 les quatre vents du ciel Jr 49.36; Ez 37.9; Dn 7.2; 11.4 — le Maître de toute la terre Za 4.14. 6.7 parcourir la terre Za 1.10-11. 6.10 Cefanya 2 R 25.18; Jr 29.25, 29; 37.3. 6.11 Josué, le grand-prêtre Ag 1.1. 6.12 il construira le temple 2 S 7.13; 1 R 8.20. 6.13 revêtu de majesté Ps 93.1; cf. Ha 3.3 — tous deux cf. Za 4.14. 6.15 ceux qui sont au loin: cf. v. 8— travailler au temple du Seigneur Ag 1.8, 14 — Mission de Zacharie Za 2.12+ — obéir à la voix du Seigneur Dt 28.1.

tout-puissant, m'a envoyé vers vous *j*. Cela arrivera si vous obéissez pleinement à la voix du SEIGNEUR votre Dieu.

Le jeûne commémorant la ruine de Jérusalem

7 ¹ La quatrième année du règne de Darius, la parole du SEIGNEUR fut adressée à Zacharie, le quatrième jour du neuvième mois, du mois de Kislew *k*. ² Béthel-Sarècèr, grand officier du roi, et ses gens envoyèrent une délégation pour apaiser le SEIGNEUR *l*, ³ pour poser aux prêtres attachés au Temple du SEIGNEUR, le tout-puissant, ainsi qu'aux *prophètes la question suivante : « Dois-je pleurer au cinquième mois *m* en m'imposant des privations, comme je l'ai fait depuis tant d'années ? »

⁴ Alors la parole du SEIGNEUR, le tout-puissant, me fut adressée en ces termes : ⁵ « Dis à tout le peuple du pays et aux prêtres : Quand vous avez *jeûné, avec des lamentations, au cinquième et au septième mois et cela depuis soixante-dix ans *n*, ce jeûne, l'avez-vous pratiqué pour moi ? ⁶ Et quand vous mangiez et buviez, n'était-ce pas pour vous-mêmes que vous mangiez et buviez ? ⁷ N'est-ce pas là le sens des paroles que le SEIGNEUR proclamait par l'intermédiaire des anciens *prophètes, lorsque Jérusalem était paisible et tranquille, entourée de ses villes, et que le Néguev *o* et le *Bas-Pays étaient peuplés ? »

⁸ La parole du SEIGNEUR fut adressée à Zacharie en ces termes : ⁹ « Ainsi parlait le SEIGNEUR, le tout-puissant : "Prononcez des jugements véridiques et que chacun use de loyauté et de miséricorde à l'égard de son frère. ¹⁰ La veuve et l'or-

phelin, l'émigré et le pauvre, ne les exploitez pas ; que personne de vous ne prémédite de faire du mal à son frère." ¹¹ Mais ils ont refusé de prêter attention ; ils se sont fait une épaule rétive, ils ont endurci leurs oreilles pour ne pas entendre. ¹² Ils se firent un *cœur aussi dur que le diamant pour ne pas entendre l'instruction et les paroles que le SEIGNEUR, le tout-puissant, leur avait adressées par son Esprit, par l'intermédiaire des anciens prophètes. Le SEIGNEUR, le tout-puissant, est entré alors dans une grande colère. ¹³ En conséquence, le SEIGNEUR, le tout-puissant, a déclaré "Tout comme je les ai appelés sans qu'ils m'écoutent, de même ils m'ont appelé sans que je les écoute. ¹⁴ Je les ai balayés vers toutes sortes de peuples qu'ils ne connaissaient pas. Le pays fut dévasté derrière eux : plus d'allées et venues. D'une terre de délices, ils firent une désolation". »

Le Seigneur promet paix et bénédiction

8 ¹ La parole du SEIGNEUR, le tout-puissant, me fut adressée en ces termes :

² Ainsi parle le SEIGNEUR, le tout-puissant :
J'éprouve une immense jalousie *p* pour *Sion
et je brûle d'une ardente passion pour elle.

³ Ainsi parle le SEIGNEUR :
Je vais revenir vers Sion,
habiter au milieu de Jérusalem.
On surnommera Jérusalem « Ville-fidèle »
et la montagne du SEIGNEUR, le tout-puissant, « Montagne *Sainte ».

---

j ceux qui sont au loin: ceux qui vivent encore en exil — *vous reconnaîtrez...:* voir 2.15 et la note; 4.9 ● *k La quatrième année du règne de Darius...:* en novembre 518 av. J.C. — *mois de Kislew:* voir au glossaire CALENDRIER ● *l* Le texte hébreu de ce verset est obscur; la traduction essaie de s'accorder au sens général ● *m La délégation* (v. 2) qui arrive à Jérusalem doit consulter les prêtres sur le *jeûne* (v. 5) pratiqué chaque année lors du *cinquième mois*, c'est-à-dire à l'anniversaire de la destruction du temple (2 R 25.8-9). Les travaux de reconstruction du temple ayant déjà commencé (Ag 2.18; Za 4.7, 9), on se demandait s'il était nécessaire de maintenir l'usage de cette commémoration (voir la note sur Ag 2.11) ● *n au septième mois:* c'est-à-dire à l'anniversaire de l'assassinat de Guedalias (2 R 25.25; Jr 41.1-3) — *soixante-dix ans:* voir 1.12 et la note ● *o Le Néguev:* région sud de la Palestine ● *p* Voir 1.14 et la note sur Ex 20.5

7.2 apaiser le Seigneur Za 8.21; Ex 32.11; 1 S 13.12; 1 R 13.6; Jr 26.19; Ml 1.9; Ps 119.58. **7.3** consultation des prêtres: Lv 27.8. 11-12, 14; Jr 2.8; Ez 7.26; Za 7.1-3; Ml 2.7 — pleurs Ps 137.1; Lm 2.18 et jeûne Jl 2.12-17. **7.5** un jeûne discutable Es 58.5; Mt 6.16 — soixante-dix ans Jr 25.11; 29.10. **7.10** la veuve et l'orphelin... Es 1.16-17+; cf. Am 8.4. **7.11** oreilles endurcies Es 6.10; Jr 18.12; Ez 2.4-5. **7.12** un cœur dur comme le diamant cf. 2 R 17.14; Ez 11.19; Ne 9.16 — l'instruction et les paroles (la Loi et les Prophètes) Mt 7.12; 22.40. **7.13** appels sans réponse Es 50.2; 65.12; 66.4; Jr 7.13; 35.17; Pr 1.24-33. **8.2** jalousie de Dieu Za 1.14+. **8.3** nouveau nom Es 1.26+ pour Jérusalem 62.12; Jr 33.16; Ba 5.4.

⁴ Ainsi parle le SEIGNEUR, le tout-puissant :
Vieux et vieilles s'assiéront encore sur
les places de Jérusalem,
chacun le bâton à la main
si grand sera leur âge.
⁵ Les places de la ville seront pleines d'enfants,
garçons et filles, qui s'y amuseront.

⁶ Ainsi parle le SEIGNEUR, le tout-puissant :
Si le reste du peuple trouve cela impossible
— pour ce jour-là —
devrai-je moi aussi l'estimer impossible ?
— oracle du SEIGNEUR, le tout-puissant.

⁷ Ainsi parle le SEIGNEUR, le tout-puissant :
Oui, je vais délivrer mon peuple
du pays du soleil levant et du soleil couchant.
⁸ Je les ramènerai
et ils habiteront au milieu de Jérusalem.
Ils seront mon peuple et je serai leur Dieu,
dans la fidélité et la justice.

⁹ Ainsi parle le SEIGNEUR, le tout-puissant :
Prenez courage,
vous qui entendez ces paroles
prononcées par les *prophètes
en ces jours-ci où l'on pose les fondations de la Maison du SEIGNEUR
pour reconstruire le Temple.
¹⁰ Car avant ces jours-ci
les hommes n'avaient pas de revenu
et les bêtes ne rapportaient rien.
Pour qui allait et venait,
aucune sécurité face à l'agresseur,
car j'avais lâché tous les hommes
les uns contre les autres.
¹¹ Mais à présent, pour le reste de ce peuple, je ne suis plus comme avant

— oracle du SEIGNEUR, le tout-puissant.
¹² En effet je sèmerai la paix,
la vigne donnera son fruit,
la terre donnera son produit,
les cieux donneront leur rosée
et je donnerai tout cela en partage
au reste de ce peuple.
¹³ Et alors, de même que vous avez manifesté la malédiction parmi les nations
— maison de Juda et maison d'Israël q —,
de même je vous sauverai et vous manifesterez la bénédiction.
Ne craignez pas, prenez courage !

¹⁴ En effet, ainsi parle le SEIGNEUR, le tout-puissant :
De même que j'avais décidé de vous maltraiter parce que vos pères r m'avaient irrité, déclare le SEIGNEUR, le tout-puissant, et que je n'y ai pas renoncé ; ¹⁵ ainsi, me ravisant, j'ai décidé maintenant de faire du bien à Jérusalem et à la maison de Juda. Ne craignez point. ¹⁶ Voici les préceptes que vous observerez : dites-vous la vérité l'un à l'autre ; dans vos tribunaux prononcez des jugements véridiques qui rétablissent la paix ; ¹⁷ ne préméditez pas de faire du mal l'un à l'autre ; n'aimez pas le faux serment, car toutes ces choses, je les déteste
— oracle du SEIGNEUR.

Les jours de jeûne deviendront jour de fête

¹⁸ La parole du SEIGNEUR, le tout-puissant, me fut adressée en ces termes :
¹⁹ Ainsi parle le SEIGNEUR, le tout-puissant : Le *jeûne du quatrième mois, le jeûne du cinquième, le jeûne du septième et le jeûne du dixième mois deviendront pour la maison de Juda s, des jours d'allégresse, de réjouissance, de joyeuse fête.
Mais aimez la vérité et la paix.

q maison de Juda, maison d'Israël ou peuple de Juda, peuple d'Israël ● r vos pères ou les générations qui vous ont précédés ● s Le jeûne du quatrième mois commémorait la première brèche faite par les Babyloniens dans les remparts de Jérusalem (Jr 52.6-7); pour les jeûnes du cinquième et du septième mois, voir 7.3, 5 et les notes; le jeûne du dixième mois commémorait le début du siège de Jérusalem (2 R 25.1) — maison de Juda: voir 8.13 et la note

8.4 grand âge Es 65.20. 8.6 impossible Gn 18.14; Jr 32.27; Lc 1.37; cf. Es 50.2. 8.8 Dieu ramènera son peuple Za 10.10; 1 R 8.34; Es 43.5; 49.6; Jr 3.14; 12.15; 32.37; Ez 34.13; 37.12; So 3.20; Ps 14.7; Ne 1.9 — mon peuple... leur Dieu Za 13.9; Jr 7.23+ — fidélité et justice 1) de Dieu Es 11.5; Ps 19.10; 85.14; 2) du peuple 1 R 3.6; Jr 4.2. 8.9 courage... pour reconstruire Ag 1.5-11; 2.4-5. 8.10 avant ces jours-ci Ag 2.15. 8.11 le reste du peuple Es 4.3+. 8.13 bénédiction Ag 2.19. 8.14 Dieu n'avait pas renoncé Nb 23.19; 1 S 15.29; Jr 4.28; Am 1.3; Ps 110.4; Rm 11.29; He 6.17-18. 8.15 Dieu se ravise Jr 18.8; 26.3; Jl 2.13; Am 7.3; Jon 4.2. 8.16 vérité et justice Za 7.8-10 — dans vos tribunaux Am 5.10. 8.19 deuil changé en joie Es 60.20; Jr 31.10-14; Ps 90.15; Jn 16.20.

²⁰ Ainsi parle le Seigneur, le tout-
puissant :
Oui, on verra encore affluer des peuples,
et des habitants de grandes cités.
²¹ Et les gens de l'une s'en iront dire à
ceux de l'autre :
« Allons, partons apaiser le Seigneur,
rechercher le Seigneur, le tout-
puissant ;
j'y vais moi aussi. »
²² Des peuples nombreux et des nations
puissantes

viendront à Jérusalem rechercher le
Seigneur, le tout-puissant,
et apaiser le Seigneur.

²³ Ainsi parle le Seigneur, le tout-
puissant : En ces jours-là dix hommes ᵗ
de toutes les langues que parlent les
nations s'accrocheront à un Juif par le
pan de son vêtement en déclarant :
« Nous voulons aller avec vous, car nous
l'avons appris : Dieu est avec vous. »

DEUXIÈME PARTIE

Purification des peuples voisins d'Israël

9 ¹ Proclamation.
La parole du Seigneur est arrivée
au pays de Hadrak
et à Damas elle a fait halte,
car au Seigneur appartient le joyau
d'*Aram ᵘ
tout comme l'ensemble des tribus
d'Israël,
² de même Hamath, sa voisine,
ainsi que Tyr et Sidon ʳ,
où l'on est très habile.
³ Tyr s'est construit une forteresse,
elle a accumulé de l'argent, épais
comme la poussière
et de l'or, comme la boue des rues,
⁴ mais voici que le Seigneur s'en emparera,
il abattra son rempart dans la mer,
et elle-même, le feu la dévorera.

⁵ A ce spectacle, Ashqelôn sera épouvantée,
Gaza se tordra de douleur
et Eqrôn se verra privée de son appui ᵂ.
Le roi sera éliminé de Gaza
et Ashqelôn ne sera plus habitée.
⁶ Des bâtards ˣ s'installeront à Ashdod,
je rabattrai l'insolence du Philistin.
⁷ J'ôterai de sa bouche le *sang
et d'entre ses dents les mets abominables ;
alors lui aussi, comme un reste, appartiendra à notre Dieu.
Il aura sa place parmi les clans de
Juda
et Eqrôn sera pareil au Jébusite ʸ.
⁸ Je camperai auprès de ma maison,
montant la garde
contre ceux qui passent et repassent ᶻ ;
plus aucun tyran ne l'accablera au
passage

---

t Comme souvent dans la Bible le nombre *dix* a sans doute ici une valeur plus symbolique qu'a-
rithmétique, et suggère un assez grand nombre (comme en Lv 26.26) ● *u* Hadrak : ville située
en Syrie du Nord — *le joyau d'Aram* (figure poétique pour désigner *Damas*): traduction conjecturale; hébreu *l'œil de l'homme* (la différence graphique entre les deux expressions est infime
dans le texte hébreu ● *v* Hamath : voir la note sur Es 10.9 — *Tyr et Sidon:* voir les notes sur Es
23.1, 2; Os 9.13 ● *w* Ashqelôn, Gaza, Eqrôn: voir la note sur Am 1.6 — *l'appui* qui va manquer
à ces trois villes est celui de *Tyr* (v. 3), dont l'activité économique dominait toute la région côtière
● *x* Ce terme méprisant désigne sans doute une population métissée, issue de conjoints dont
l'un était juif et l'autre païen ● *y le sang*: le prophète fait allusion à des viandes qui n'ont
pas été saignées selon le rite juif (Lv 17.11-12; Dt 12.15-16) — les *mets abominables* proviennent sans doute des sacrifices offerts aux idoles — *le Jébusite:* voir au glossaire AMORITES.
Après que David eut pris Jébus/Jérusalem (2 S 5.6-9) les Jébusites vécurent en paix parmi les
Israélites (voir Jos 15.63) ● *z ma maison:* l'expression désigne ici l'ensemble du pays d'Israël,
comme en Os 8.1; 9.15, etc. — *montant la garde:* d'après l'ancienne version grecque; hébreu obscur
— *ceux qui passent et repassent:* les divers envahisseurs de la Palestine

8.21 apaiser le Seigneur Za 7.2+ — rechercher le Seigneur Ps 9.11+. **8.22** afflux des peuples
à Jérusalem Za 14.16; Mi 4.1+. **8.23** Juif (judéen) Est 2.5; 3.6, 10, etc.; Ne 1.2 — Dieu est avec
vous cf. Es 7.14+. **9.1** proclamation Es 13.1+ — Damas Es 7.8+. **9.2** Hamath Es 10.9+
— Tyr et Sidon Am 1.9+. **9.3** richesse de Tyr Ez 27.2-27. **9.4** chute de Tyr Ez 27.34. **9.5-6** Ashqelôn, Gaza, Eqrôn, Ashdod Jos 13.2-3; Am 1.6-8; Sp 2.4-7. **9.6** bâtards Dt 23.3. **9.7** interdiction de consommer une viande non saignée Gn 9.4; Lv 19.26; Ez 33.25 — reste Am 4.3+ —
à notre Dieu cf. Ps 87.4-6. **9.8** la maison de Dieu (= tout le pays) Jr 12.7; Os 8.1; 9.15 — Dieu
attentif Ex 3.7-9.

car, à présent, j'y veille de mes propres yeux.

Le *Messie, humble et porteur de paix

9 Tressaille d'allégresse, fille de *Sion !
Pousse des acclamations, fille de Jérusalem !
Voici que ton roi s'avance vers toi ;
il est juste et victorieux,
humble, monté sur un âne
— sur un ânon tout jeune —
10 Il supprimera d'Ephraïm le char de guerre
et de Jérusalem le char de combat.
Il brisera l'arc de guerre
et il proclamera la paix pour les nations.
Sa domination s'étendra d'une mer à l'autre
et du Fleuve jusqu'aux extrémités du pays *a*.

La libération des captifs

11 Quant à toi, à cause de l'*alliance conclue avec toi dans le *sang,
je renverrai tes captifs de la fosse où il n'y a point d'eau.
12 Rentrez dans la place forte *b*,
captifs pleins d'espérance.
Aujourd'hui même je l'affirme :
je t'accorderai double compensation.
13 Je bande mon arc, c'est Juda,
je l'arme d'une flèche, c'est Ephraïm.
Je vais exciter tes fils, *Sion,
— contre tes fils, Yavân *c* —
et je te brandirai tel un héros son épée.

14 Le SEIGNEUR au-dessus d'eux apparaîtra
et sa flèche jaillira comme l'éclair.
Le Seigneur DIEU, sonnant du cor,
s'avancera dans les ouragans du midi *d*.
15 Le SEIGNEUR, le tout-puissant, les protégera,
les pierres de fronde dévoreront, écraseront,
elles boiront le sang comme du vin,
elles se gorgeront comme la coupe d'aspersion,
comme les cornes de l'*autel *e*.
16 Le SEIGNEUR leur Dieu les sauvera
— en ce jour-là —
eux, les brebis de son peuple.
Semblables à des pierres précieuses
ils étincelleront sur sa terre.
17 Comme ils seront heureux !
Comme ils seront beaux !
Le froment épanouira les jeunes gens
et le vin nouveau les jeunes filles.

Demander au Seigneur et non aux idoles

10 1 Demandez au SEIGNEUR la pluie tardive du printemps.
C'est le SEIGNEUR qui provoque les orages ;
il accordera la pluie en averse,
à chacun les produits des champs.
2 En effet, les idoles ont donné des réponses vides
et les devins ont eu des visions mensongères,
ils ont débité des songes creux
et des consolations illusoires.
Voilà pourquoi le peuple a dû s'en

---

a Il supprimera: d'après l'ancienne version grecque; hébreu *je supprimerai* — *Ephraïm:* voir la note sur Os 4.17 — *d'une mer à l'autre:* de la mer Morte à la Méditerranée — *du Fleuve:* c'est-à-dire depuis l'Euphrate (voir la note sur Es 7.20) — *les extrémités du pays* représentent les limites les plus lointaines du royaume de David et de Salomon ● *b la place forte:* c'est-à-dire Jérusalem restaurée ● *c Ephraïm:* voir 9.10 et la note sur Os 4.17 — *Yavân:* désignant souvent les régions de culture grecque, ce nom paraît être utilisé ici en un sens élargi qui englobe collectivement tous les ennemis d'Israël ● *d* ou *de Témân* (voir Ha 3.3 et la note) ● *e elles boiront le sang comme du vin:* d'après l'ancienne version grecque (texte hébreu traditionnel peu clair); il s'agit du *sang* des ennemis vaincus — *la coupe d'aspersion* (voir 1 R 7.45): récipient pour recueillir le sang des animaux sacrifiés — *les cornes de l'autel:* voir Ex 27.2 et la note; 29.12

9.9 verset cité en Mt 21.5 par. — acclamations 1) avant la guerre sainte Nb 10.9; Jos 6.10; 1 S 17.20; 2) de la royauté du Seigneur So 3.14; Ps 47.2; 95.1; 98.4, 6 — ton roi Es 9.5; 11.1; Ez 37.22 — juste Es 9.6; 11.4; 16.5; Jr 23.5 — victorieux Es 33.16-18; humble Es 57.15; 61.1-2; So 2.3; Ps 69.33-34. **9.10** destruction des armes de guerre Es 2.4+ — la paix aux nations Es 9.5-6; 11.6-9; 42.1-4; 57.19; Ps 46.10; 72.7 — domination universelle Ps 72.8+ — d'une mer à l'autre, du Fleuve... Gn 15.18; 1 R 5.1; 8.65; Ps 80.12. **9.11** alliance scellée par le sang Ex 24.5-8; Ps 50.5 — captifs dans une citerne asséchée Gn 37.20-29; Jr 38.6. **9.12** la place forte (Jérusalem) Ps 122.3 — une double compensation Es 61.7+. **9.13** Yavân Es 66.19; Ez 27.13; Jl 4.6. **9.14** apparition du Seigneur (ses flèches) Ps 18.14-15 — sonnerie de cor Ex 19.16; Es 27.13; Jr 4.5; Mt 24.31; Ap 8.6-7, etc. — Dieu s'avançant du sud Dt 33.2; Jg 5.4; Ha 3.3-4. **9.15** le sang sur les cornes de l'autel Ex 29.12; Lv 4.7; 8.15; 16.18 **9.16** Dieu sauveur Es 43.3+ — les brebis de son peuple Ps 77.21+. **9.17** froment, vin nouveau Jr 31.12-13. **10.1** le SEIGNEUR qui donne la pluie Dt 28.12; 1 R 18.41-45. **10.2** la réponse vide des idoles Es 44.20; 46.7; Jr 10.5; Ps 115.5-7; visions mensongères Ez 12.24; 13.6-9; 21.34; 22.28; comme un troupeau sans berger Ez 34.5; Mt 9.36 par.

aller comme un troupeau,
malheureux, faute de *berger.

Un nouvel Exode

³ C'est contre les *bergers que ma colère
s'enflamme,
contre les boucs que je vais intervenir.
Oui, le SEIGNEUR, le tout-puissant,
visitera son troupeau
— la maison de Juda ᶠ.
Il en fera son glorieux cheval de
bataille.

⁴ De Juda sortira la pierre de l'angle,
le piquet de la tente ᵍ,
l'arc de la guerre ;
de lui sortiront tous les chefs.
Ensemble, ⁵ pareils à des héros,
ils combattront, foulant la boue des
rues.
Ils lutteront, car le SEIGNEUR sera avec
eux
et les cavaliers sur leur monture seront
couverts de honte ʰ.

⁶ J'affermirai le courage de la maison
de Juda,
et je sauverai la maison de Joseph ⁱ.
Je les rétablirai parce que j'aurai pitié
d'eux
comme si je ne les avais jamais rejetés,
car je suis le SEIGNEUR leur Dieu,
et je les exaucerai.

⁷ Ceux d'Ephraïm ʲ auront la vaillance
des héros,
ils seront pleins d'une joie comme celle
du vin.
En les voyant, leurs fils se réjouiront,
et ils seront pleins d'allégresse à cause
du SEIGNEUR.

⁸ Je leur ferai entendre mon signal pour
les rassembler

car je les ai rachetés,
et ils multiplieront autant qu'autrefois.

⁹ Je les ai disséminés parmi les nations
mais même au loin, ils se souviendront
de moi,
ils donneront la vie à des fils
et ils reviendront.

¹⁰ Je les ferai revenir du pays d'Egypte
et d'Assyrie je les rassemblerai.
Je les introduirai au pays de Galaad
et au Liban ᵏ
et même cela n'y suffira pas.

¹¹ Ils traverseront la mer d'Egypte ˡ
— Le SEIGNEUR frappera les flots en
pleine mer —
Toutes les profondeurs du Nil seront
asséchées.
L'orgueil de l'Assyrie sera abattu
et le sceptre de l'Egypte sera écarté.

¹² Ils mettront leur force dans le SEIGNEUR
et c'est en son *nom qu'ils marcheront
— oracle du SEIGNEUR.

Les grandes puissances sont abattues

11 ¹ Ouvre tes portes, Liban ᵐ,
et que le feu dévore tes cèdres.

² Gémis de douleur, cyprès,
parce que le cèdre est tombé,
parce que les puissants ont été abattus.
Gémissez, chênes de Bashân ⁿ,
car elle est à terre, la forêt impénétrable.

³ Ecoutez le gémissement des *bergers,
car leur splendeur est anéantie.
Ecoutez le rugissement des lionceaux
car il est abattu, l'orgueil du Jourdain.

Le bon berger et le berger insensé

⁴ Ainsi parle le SEIGNEUR, mon Dieu :

---

f *contre les bergers:* le prophète semble viser ici les chefs des nations étrangères — *maison de Juda:* voir la note sur 8.13 ● g *la pierre de l'angle:* en Jg 20.2 et 1 S 14.38 le même terme (au pluriel) est traduit par *chefs.* Cette expression imagée désigne en effet les chefs du peuple réunis en assemblée plénière; voir aussi Es 19.13 — *le piquet de la tente:* autre expression imagée désignant un *chef* (comparer Es 22.23), de même que *l'arc de guerre.* Le prophète annonce que le peuple d'Israël sera enfin gouverné non plus par des étrangers mais par des chefs israélites, qui le conduiront eux-mêmes au combat ● h Il s'agit des cavaliers ennemis (les anciens Israélites n'avaient pas de forces de cavalerie) ● i *la maison de Joseph:* l'ancien royaume du Nord (ou d'Israël); voir la note sur Am 1.1 ● j Voir 9.10 et la note sur Os 4.17 ● k Le *pays de Galaad* correspond aux territoires situés à l'est du Jourdain — *Liban:* voir Es 10.34 et la note ● l *la mer d'Egypte* (c'est-à-dire la mer Rouge): traduction conjecturale; hébreu *la mer étroite* ● m Voir Es 10.34 et la note ● n Voir Es 33.9 et la note

10.4 la pierre de l'angle Za 4.7; Ps 118.22. **10.5** le Seigneur avec eux Za 8.23; Es 7.14+. **10.6** je les rétablirai Es 14.1; Jr 27.11; Ez 37.14 — j'aurai pitié d'eux Os 2.25 — sauvés après avoir été rejetés Es 54.6-8. **10.8** le signal du Seigneur Es 5.26. **10.9** disséminés Jr 31.10; Ez 11.16; 34.5 — ils se souviendront de moi Ez 6.9; 36.31; Lm 3.20; cf. Jr 51.50 — ils reviendront Dt 30.1-3. **10.10** le pays de Galaad Os 12.12; Mi 7.14. **10.11** traversée de la mer d'Egypte Ex 14.21-22; Es 51.10; Ps 106.9 — orgueil assyrien abattu Es 10.12, 15. **10.12** marcher au nom du Seigneur Mi 4.5. **11.1-2** Liban et cèdres Jg 9.15; Ez 27.5; 31.3; Ps 29.5 — cèdres abattus Es 2.13; 10.33-34; Ez 31 — Bashân Dt 32.14; Es 2.13; Ez 27.6; Am 4.1; Mi 7.14. **11.3** bergers et lions (symboles des ennemis d'Israël) Jr 49.19. **11.4** brebis vouées à l'abattoir et bon berger Ez 34.8-22.

« Fais paître ces brebis vouées à l'abattoir, 5 elles que leurs acheteurs abattent
impunément ; elles que l'on vend en
disant "Béni soit le SEIGNEUR, me voilà
riche !" tandis que leurs *bergers n'éprouvent pour elles aucune pitié. 6 Non, je
n'aurai plus pitié des habitants de la terre,
oracle du SEIGNEUR. En effet je vais livrer
les hommes, chacun aux mains de son
voisin et de son roi. Les rois saccageront
la terre, mais je ne délivrerai pas les
gens de leurs mains. » 7 Je fis donc paître le troupeau que les trafiquants
vouaient à l'abattoir. Je pris deux houlettes [o]. J'appelai la première « Faveur » et
la seconde « Entente », et je me mis à
paître le troupeau. 8 Puis je supprimai
les trois bergers en un seul mois. Je
perdis patience avec elles [p] et elles, de
leur côté, se lassèrent de moi. 9 Alors je
déclarai : « Je ne vous mènerai plus paître ! Celle qui doit mourir, qu'elle meure ! Celle qui doit disparaître, qu'elle disparaisse ! celles qui survivront, qu'elles
se dévorent entre elles ! » 10 Je saisis ma
houlette « Faveur » et la brisai pour
rompre l'accord auquel j'avais soumis
tous les peuples [q]. 11 Il fut donc dénoncé,
en ce jour-là, et les trafiquants [r] du troupeau qui m'observaient reconnurent que
c'était là une parole du SEIGNEUR.
12 Alors je leur déclarai : « Si bon
vous semble, payez-moi mon salaire, sinon, laissez-le. » De fait, ils payèrent
mon salaire : trente sicles d'argent [s]. 13 Le
SEIGNEUR me dit : « Jette-le au fondeur,
ce joli prix auquel je fus estimé par eux. »
Je pris les trente sicles d'argent et les
jetai au fondeur [t], dans la Maison du SEI-
GNEUR. 14 Puis je brisai ma seconde houlette « Entente » pour rompre la fraternité
entre Juda et Israël [u].
15 Le SEIGNEUR me dit : « Procure-toi
maintenant un équipement de berger, qui
sera un insensé. 16 En effet, voici que je
vais susciter un berger dans ce pays : la
brebis perdue, il ne s'en souciera pas ;
celle qui s'est égarée, il ne la recherchera
pas ; celle qui est blessée, il ne la soignera pas ; celle qui est bien portante,
il ne l'améliorera pas. Il mangera les bêtes
grasses et leur fendra le sabot. »

17 Malheur au berger vaurien
qui délaisse le troupeau !
Que l'épée lui déchire le bras
et lui crève l'œil droit !
Que son bras se dessèche, oui qu'il
se dessèche !
Que son œil droit s'éteigne, oui qu'il
s'éteigne !

Siège et délivrance de Jérusalem

12 1 Proclamation.
Parole du SEIGNEUR adressée à
Israël.
Oracle du SEIGNEUR qui a déployé les
cieux
et fondé la terre,
qui a formé l'esprit humain dans les
hommes :
2 Je vais faire de Jérusalem une coupe
enivrante [v] pour tous les peuples d'alentour. Il en sera de même de Juda lors du
siège de Jérusalem. 3 Oui, en ce jour-là, je
poserai Jérusalem face à tous les peuples
comme un bloc de pierre impossible à
soulever. Quiconque voudra la soulever
s'y écorchera. Aussi toutes les nations de
la terre vont-elles se coaliser contre elle.
4 En ce jour-là — oracle du SEIGNEUR —
je frapperai tous les chevaux d'affolement
et les cavaliers de démence — mais sur
la maison de Juda [w] j'aurai les yeux ouverts — et tous les chevaux des nations,

o les trafiquants: d'après l'ancienne version grecque; hébreu obscur — *deux houlettes* ou *deux bâtons de berger* (voir Ps 23.4) • *p les trois bergers:* le prophète fait allusion à trois responsables connus de ses lecteurs, et qui ont été éliminés successivement. Peut-être s'agit-il de trois grands prêtres? — *avec elles:* c'est-à-dire avec les brebis du troupeau, qui symbolisent ici les membres du peuple d'Israël • *q accord... tous les peuples:* le prophète sous-entend « pour que ceux-ci laissent Israël en paix » (voir Os 2.20; Jr 2.3) • *r* Voir la note sur 11.7 • *s sicles:* voir au glossaire MONNAIES; *trente sicles d'argent* représentaient le prix d'un esclave d'après Ex 21.32 • *t* Au temple de Jérusalem un *fondeur* réduisait en lingots les pièces de métal offertes par les fidèles; autre traduction parfois adoptée *au potier* • *u* Le prophète fait peut-être allusion à la rupture survenue vers 328 av. J.C. entre les Juifs de Jérusalem (Juda) et les *Samaritains (Israël) • *v* Voir les notes sur Jr 25.15; Ha 2.16 • *w la maison de Juda* ou *le peuple de Juda* (8.13, 19)

11.9 brebis livrées à leur sort Jr 15.2; 43.11; cf. Ap 13.10. **11.10** alliance rompue Jr 11.10; 31.32; 33.21 — accord pour la tranquillité d'Israël Jr 2.3; Os 2.20. **11.12** trente sicles d'argent Mt 26.15. **11.13** argent jeté Mt 27.3-10. **11.14** fraternité entre Juda et Israël Jr 3.18; Ez 37.15-28; Os 2.2. **11.16** berger négligent Jr 23.1; Ez 34.4. **11.17** berger vaurien Jn 10.12-13. **12.1** Proclamation Es 13.1+ — qui a déployé les cieux Es 40.22; 42.5; 44.24; Ps 104.2 et fondé la terre Es 44.24+ ; Ps 78.69; 102.26; 104.5+ — qui a formé l'esprit humain cf. 44.24. **12.2** une coupe enivrante Jr 25.15+. **12.3** nations coalisées Mi 4.11.

je les frapperai de cécité. ⁵ Les chefs de Juda se diront en eux-mêmes : « Pour les habitants de Jérusalem *ˣ*, leur force réside dans le SEIGNEUR, le tout-puissant, leur Dieu. » ⁶ Ce jour-là je rendrai les chefs de Juda pareils à un brasier allumé sous le bois, à une torche allumée sous les gerbes. Ils dévoreront à droite et à gauche tous les peuples d'alentour. Mais Jérusalem restera installée à la même place.

⁷ Le SEIGNEUR sauvera en premier lieu les tentes de Juda, afin que la fierté de la maison de David *ʸ* et la fierté de l'habitant de Jérusalem ne s'exaltent pas au détriment de Juda. ⁸ Ce jour-là, le SEIGNEUR étendra sa protection autour des habitants de Jérusalem : le plus chancelant d'entre eux — en ce jour — sera là comme David, et la maison de David sera là comme Dieu, comme l'*ange du SEIGNEUR devant eux.

Deuil dans tout le pays

⁹ Ce jour-là, je m'appliquerai *ᶻ* à exterminer tous les peuples venus attaquer Jérusalem. ¹⁰ Et je répandrai sur la maison de David et sur l'habitant de Jérusalem un esprit de bonne volonté et de supplication. Alors ils regarderont vers moi, celui qu'ils ont transpercé *ᵃ*. Ils célébreront le deuil pour lui, comme pour le fils unique. Ils le pleureront amèrement comme on pleure un premier-né. ¹¹ Ce jour-là, le deuil de Jérusalem sera aussi grand que le deuil de Hadad-Rimmôn, dans la plaine de Meguiddo *ᵇ*. ¹² Le pays célébrera le deuil, chaque clan séparément :

le clan de la maison de David à part et les femmes à part ;
le clan de la maison de Natân *ᶜ* à part et les femmes à part ;
¹³ le clan de la maison de Lévi à part et les femmes à part ;
le clan de Shiméï à part et les femmes à part ;
¹⁴ tous les autres clans, séparément, et les femmes à part.

13 ¹ Ce jour-là, une source jaillira pour la maison de David et les habitants de Jérusalem en remède au péché et à la souillure.

Dieu éliminera idoles et faux prophètes

² Il arrivera en ce jour-là — oracle du SEIGNEUR, le tout-puissant — que j'éliminerai du pays le nom des idoles ; on n'en fera plus mention. J'expulserai aussi du pays les *prophètes et leur esprit d'*impureté. ³ Alors, si quelqu'un continue de prophétiser, son propre père et sa propre mère lui signifieront : « Tu ne dois plus rester en vie : ce sont des mensonges que tu profères au nom du SEIGNEUR. » Alors son propre père et sa propre mère le transperceront pendant qu'il prophétisera. ⁴ En ce jour-là, chaque prophète rougira de sa vision pendant qu'il prophétisera et il ne revêtira plus le manteau de poil *ᵈ* pour tromper. ⁵ Il protestera : « Je ne suis pas un prophète, je suis un paysan, moi. Je possède même de la terre *ᵉ* depuis ma jeunesse. » ⁶ Alors on lui demandera : « Qu'est-ce que ces blessures sur ta poitrine ? » Il répondra : « Je les ai reçues dans la maison de mes amants *ᶠ*. »

---

x pour les habitants de Jérusalem: d'après l'ancienne version araméenne; hébreu obscur ● *y les tentes de Juda:* tournure imagée pour désigner les habitations des Judéens; le prophète oppose ici la campagne de Juda à la capitale Jérusalem — *la maison de David:* contrairement à son sens habituel (l'ensemble des descendants vivants de David, et particulièrement le roi régnant à Jérusalem) cette expression semble viser ici les dirigeants de Jérusalem en général ● *z je m'appliquerai:* comme aux v. 2 et suivants, c'est Dieu qui parle ici ● *a Le Seigneur se déclare lui-même intéressé par la mort infligée à son envoyé; mais la phrase suivante fait à nouveau la distinction entre Dieu et son envoyé (lui)* ● *b Hadad-Rimmôn:* divinité phénicienne de la végétation, qui était censée mourir à la fin des récoltes pour renaître à la période des pluies (comparer Ez 8.14). Il est probable que le culte d'*Hadad-Rimmôn* était particulièrement développé dans la région agricole d'Izréel ou *plaine de Meguiddo* ● *c Sur l'expression maison de... voir les notes sur 12.7; Es 7.2; Ps 115.10 — Natân:* un des fils de David d'après 2 S 5.14; voir Lc 3.31 ● *d le manteau de poil:* vêtement caractéristique du prophète d'après 2 R 1.8; Mt 3.4 ● *e je possède même de la terre:* traduction conjecturale d'après le contexte; hébreu obscur ● *f blessures sur la poitrine:* en l'honneur des divinités de la fécondité, comme Hadad-Rimmôn (voir la note sur 12.11), on se tailladait le corps (voir Lv 21.5; Dt 14.1; 1 R 18.28 et la note) — *mes amants:* désignation des faux dieux (voir Os 2.7; Ez 16.33); autre traduction *mes amis*

12.10 esprit répandu Ez 39.29; Jl 3.1-2; cf. Es 44.3 — transpercé Jn 19.37; Ap 1.7; cf. Es 53 — un deuil comme pour un fils unique Jr 6.26; Am 8.10; cf. Ex 12.30. **13.1** une source jaillira Za 14.8; Ez 47.1 — souillure Jr 2.23; Ez 22.3; 36.25; Os 5.3; 6.10. **13.2** expulsion des prophètes impurs Mi 5.11-12. **13.3** la mort pour les faux prophètes Dt 18.20 — prophètes menteurs Jr 14.14-15; 23.16-17; 27.14-15; 28.15. **13.4** honte des prophètes cf. Mi 3.7.

L'Alliance renouvelée

7 Epée, réveille-toi contre mon *berger,
contre mon compagnon valeureux
— oracle du SEIGNEUR, le tout-puissant.
Frappe le berger, les brebis seront dispersées
et ma main reviendra frapper même les
petits.
8 Alors dans tout le pays
— oracle du SEIGNEUR —
les deux tiers périront, retranchés,
mais un tiers y survivra.
9 Je ferai passer ce tiers par le feu,
je l'épurerai comme on épure l'argent,
je l'éprouverai comme on éprouve l'or.
Lui, il invoquera mon *nom
et moi, je l'exaucerai.
Je dirai : « C'est mon peuple »,
et lui, il dira : « Mon Dieu, c'est le
SEIGNEUR g. »

La bataille finale
et l'arrivée du Seigneur

14 1 Voici venir pour le SEIGNEUR un
jour où l'on partagera le butin au
milieu de toi, Jérusalem. 2 Je rassemblerai toutes les nations près de Jérusalem
pour engager la bataille. La ville sera prise, les maisons saccagées, les femmes violées. La moitié de la population ira en
déportation, mais celle qui restera ne
sera pas éliminée de la ville. 3 Alors le
SEIGNEUR entrera en campagne contre
ces peuples-là, le jour où il se battra, le
jour de la mêlée. 4 En ce jour-là, ses
pieds se poseront sur le mont des Oliviers, qui est en face de Jérusalem, à
l'orient. Le mont des Oliviers se fendra
par le milieu, d'est en ouest, changé en
une immense vallée. Une moitié de la
montagne reculera vers le nord et l'autre
vers le sud. 5 Alors vous fuirez par la
vallée de mes montagnes, car la vallée
des montagnes atteindra Açal h. Vous fuirez tout comme vous avez fui le tremblement de terre à l'époque d'Ozias, roi de
Juda. Puis le SEIGNEUR mon Dieu arrivera,
accompagné de tous ses *saints. 6 En ce
jour-là, il n'y aura plus ni luminaire, ni
froidure, ni gel i. 7 Ce sera un jour unique — le SEIGNEUR le connaît. Il n'y aura
plus de jour et de nuit, mais à l'heure
du soir brillera la lumière. 8 En ce jour-
là, des eaux vives sortiront de Jérusalem,
moitié vers la mer orientale, moitié vers
la mer occidentale j. Il en sera ainsi l'été
comme l'hiver. 9 Alors le SEIGNEUR se
montrera le roi de toute la terre. En
ce jour-là, le SEIGNEUR sera unique et son
*nom unique k.
10 Tout le pays sera transformé en plaine, depuis Guèva jusqu'à Rimmôn, au sud
de Jérusalem. Celle-ci sera surélevée, sur
place, depuis la porte de Benjamin jusqu'à l'emplacement de l'ancienne porte,
jusqu'à la porte de l'Angle, et depuis la
tour de Hananéel jusqu'aux pressoirs du
roi l. 11 On s'y installera ; il n'y aura plus
d'anathème m ; Jérusalem demeurera en
sécurité.
12 Et voici le fléau dont le SEIGNEUR

g Formule traditionnelle pour évoquer la conclusion ou la restauration de l'*alliance; voir aux
références parallèles ● h Açal: localité non identifiée, sans doute à l'est ou au sud-est de Jérusalem ● i luminaire: désignation du soleil, de la lune et des étoiles dans le récit de la création
(Gn 1.14-18; cf. Ps 136.7) — ni froidure ni gel: d'après plusieurs versions anciennes; hébreu
obscur ● j la mer orientale: la mer Morte — la mer occidentale: la Méditerranée ● k C'est-à-
dire que le Seigneur sera seul reconnu et adoré comme Dieu ● l Guèva: à une dizaine de km
au nord de Jérusalem, à proximité de la frontière entre les tribus de Juda et de Benjamin — Rimmôn: à la frontière sud de Juda — la porte de Benjamin: dans la partie nord de la muraille —
l'ancienne porte: voir la note sur Ne 3.6 — la porte de l'Angle: dans la muraille ouest de la ville
— la tour de Hananéel: au nord-est de la ville — les pressoirs du roi: probablement dans les
« jardins du roi » (2 R 25.4), au sud-est de la ville ● m il n'y aura plus d'anathème: ou il n'y
aura plus de malédiction et de destruction totale.

13.7 le berger du Seigneur Za 11.4-17 — frappe le berger... Mt 26.31; Mc 14.27 — même les
petits Jr 44.12. 13.8 deux tiers périront cf. Ez 5.1-4 — un tiers survivra cf. Es 4.3+. 13.9 feu
purificateur Ml 3.2-3 — épuré Es 48.10 — mon peuple... mon Dieu (formule de l'alliance) Za 8.8;
Jr 7.23+. 14.1 un jour Jl 1.15+ — partage du butin Es 9.2. 14.2 rassemblement des nations
contre Jérusalem Ez 38.9; Jl 4.2, 12 — ce qui restera: cf. Es 4.3+. 14.3 le Seigneur entrera
en campagne Es 31.4. 14.4 montagne fendue Mi 1.4; cf. Jl 3.3-4; Mt 24.29-31. 14.5 tremblement
de terre à l'époque d'Ozias Am 1.1 — arrivée du Seigneur Dt 33.2-3; cf. Mt 16.27 — les saints
(êtres célestes) Ps 89.6; Dn 4.10, etc.; Jude 14. 14.7 le Seigneur connaît le jour Mc 13.32 —
lumière à toute heure Es 60.20; Ap 22.5. 14.8 les eaux vives à Jérusalem Za 13.1; Ez 47.1-12;
Jl 4.18; Ps 46.5; Ap 22.1-2; cf. Jn 4.10; 7.38. 14.9 le roi de toute la terre Ps 22.28-29; Dn 2.44;
Ap 11.15; cf. Za 4.14; 6.5 — Seigneur unique Dt 6.4. 14.10 Guèva 1 R 15.22; 2 R 23.8 — Rimmôn
Jos 15.32; Ne 11.29 — Jérusalem surélevée Mi 4.1 sur place Za 12.6. 14.11 plus d'anathème
Ap 22.3 — en sécurité Dt 33.28.

frappera tous les peuples qui auront combattu contre Jérusalem : il les fera pourrir alors que chacun se tiendra encore debout sur ses pieds ; leurs yeux pourriront dans l'orbite et leur langue pourrira dans la bouche. [13] En ce jour-là, le SEIGNEUR provoquera une immense panique parmi eux, chacun empoignera son compagnon ; ils lutteront corps à corps. [14] Juda se joindra au combat de Jérusalem. Alors toutes les ressources des nations d'alentour seront rassemblées : or, argent, vêtements en quantités énormes. [15] Un fléau semblable [n] atteindra les chevaux, les mulets, les chameaux, les ânes et toutes les bêtes qui seront dans leur camp : ce sera le même fléau.

[16] Alors tous les survivants des peuples qui auront marché contre Jérusalem monteront d'année en année pour se prosterner devant le roi, le SEIGNEUR, le tout-puissant, et pour célébrer la fête des Tentes [o]. [17] Mais pour les familles de la terre qui ne monteront pas à Jérusalem se prosterner devant le roi, le SEIGNEUR, le tout-puissant, il ne tombera pas de pluie. [18] Et si la famille d'Egypte ne se met pas à monter, alors le fléau dont le SEIGNEUR frappera les nations qui ne montent pas célébrer la fête des Tentes, ne fondra-t-il pas sur elle ? [19] Tel sera le châtiment de l'Egypte et tel sera le châtiment de toutes les nations qui ne monteront pas célébrer la fête des Tentes.

[20] En ce jour-là, les clochettes des chevaux porteront l'inscription : « Consacré au SEIGNEUR » ; les marmites, dans la Maison du SEIGNEUR, seront comme des coupes d'aspersion devant l'*autel : [21] Toute marmite à Jérusalem et en Juda sera consacrée au SEIGNEUR, le tout-puissant. Tous ceux qui viendront présenter un *sacrifice s'en serviront pour cuire leur offrande. Il n'y aura plus de marchand dans la Maison du SEIGNEUR le tout-puissant, en ce jour-là.

---

n Le v. 15 constitue la suite directe du v. 12 ● *o* la fête des Tentes: voir au glossaire CALENDRIER

14.13 chacun empoignera son compagnon Jg 7.22; Ez 38.21. **14.14** toutes les ressources des nations Ez 39.10. **14.16** les nations viennent adorer le Seigneur Mi 4.1+ — le Seigneur, le roi Za 14.9; Ps 93.1+ — la fête des Tentes Dt 16.13-15; Ne 8.13-18. **14.20** consacré au Seigneur Ex 28.36. **14.21** plus de marchands Jn 2.16 par.

MALACHIE

C'est Israël que le Seigneur a choisi

1 ¹ Proclamation. Parole du SEIGNEUR à Israël par l'intermédiaire de Malachie ᵃ. ² Je vous aime, dit le SEIGNEUR ; et vous dites : « En quoi nous aimes-tu ? » Esaü n'était-il pas le frère de Jacob ᵇ ? — oracle du SEIGNEUR. Pourtant, j'ai aimé Jacob ³ et j'ai haï Esaü. J'ai livré ses montagnes à la désolation et son héritage aux chacals du désert ᶜ. ⁴ Si Edom dit : « Nous avons été détruits, mais nous relèverons nos ruines », ainsi parle le SEIGNEUR, le tout-puissant : Qu'ils construisent, eux ! mais moi, je démolirai. On les nommera : Territoire-de-méchanceté et Le-Peuple-que-le-SEIGNEUR-réprimande-sans-fin. ⁵ Vos yeux le verront et vous, vous direz : « Grand est le SEIGNEUR au-dessus du territoire d'Israël. »

Un culte indigne du Seigneur

⁶ Un fils honore son père, un serviteur, son maître. Or, si je suis père, où est l'honneur qui me revient ? Et si je suis maître, où est le respect qui m'est dû ? vous déclare le SEIGNEUR, le tout-puissant, à vous les prêtres qui méprisez mon *nom. Et vous dites : « En quoi avons-nous méprisé ton nom ? » ⁷ — En apportant sur mon *autel un aliment *impur ᵈ. Et vous dites : « En quoi t'avons-nous rendu impur ? » — En affirmant : « La table du SEIGNEUR est sans importance. » ⁸ Et quand vous présentez au *sacrifice une bête aveugle, n'est-ce pas mal ? Et quand vous en présentez une boiteuse et une malade, n'est-ce pas mal ? Offre-la donc à ton gouverneur. Sera-t-il satisfait de toi ? T'accueillera-t-il avec faveur ? dit le SEIGNEUR, le tout-puissant. ⁹ Après quoi, essayez donc d'apaiser Dieu ᵉ pour qu'il nous prenne en pitié ! — C'est de vos mains que cela vient —. Vous accueillera-t-il avec faveur, dit le SEIGNEUR, le tout-puissant ? ¹⁰ Se trouvera-t-il enfin parmi vous quelqu'un pour fermer la porte, pour que vous n'embrasiez pas en pure perte mon autel ? Je ne prends aucun plaisir en vous, dit le SEIGNEUR, le tout-puissant. Et l'offrande ᶠ, je ne l'agrée pas de vos mains. ¹¹ Car du Levant au Couchant, grand est mon nom parmi les nations. En tout lieu un sacrifice d'*encens est présenté à mon nom, ainsi qu'une offrande pure, car grand est mon nom parmi les nations, dit le SEIGNEUR, le tout-puissant. ¹² Vous, cependant, vous le profanez en disant : « La table du SEIGNEUR est impure. Son

---

a Le nom du prophète signifie *mon messager* (voir 3.1). On estime que Malachie a dû apporter son message vers les années 480/460 av. J.C., c'est-à-dire vingt ou trente ans avant l'arrivée de Néhémie à Jérusalem (voir la note sur Ne 1.1) ● *b* Esaü est l'ancêtre des Edomites, ennemis traditionnels d'Israël (voir aux références parallèles). *Jacob* est l'ancêtre des Israélites (voir Os 12.34 et la note) ● *c j'ai aimé Jacob et j'ai haï Esaü:* tournure hébraïque qu'on pourrait aussi traduire *j'ai choisi Jacob plutôt qu'Esaü* — Autre traduction pour la fin du v. 3 (soutenue par l'ancienne version grecque) *J'ai fait de ses montagnes une désolation et de son héritage des repaires abandonnés* ● *d* Ici les sacrifices sont déclarés *impurs* car ils ne sont pas offerts selon les règles fixées (comparer le v. 8 et Lv 22.17-30 ; Dt 15.21) ● *e apaiser Dieu:* voir 2 R 13.4 et la note ● *f quelqu'un pour fermer la porte:* c'est-à-dire pour empêcher que l'on continue à offrir des sacrifices indignes sur l'autel — *l'offrande:* voir au glossaire SACRIFICES

1.1 Proclamation Es 13.1+. **1.2** je vous aime Dt 4.37 — Esaü/Edom et Jacob/Israël Gn 25.29-34 ; 36.8 ; 1 R 11.15 ; Jr 49.17 ; Ez 25.12-14 ; Jl 4.19 ; Am 1.11-12 ; Ab 1.21 ; Ps 137.7. **1.3** Jacob plutôt qu'Esaü Gn 27 ; Rm 9.13 (voir v. 6-16). **1.4** nous relèverons nos ruines Es 9.8-9. **1.6** honneur dû au père Ex 20.12. **1.9** apaiser Dieu Za 7.2+. **1.10** offrande non agréée Jr 6.20 ; Am 5.21-25+. **1.11** offrandes pures offertes par les nations So 3.9-10. **1.12** vous profanez (le nom du Seigneur) voir Ez 36.22.

rapport en nourriture est dérisoire *g*. »
¹³ Et vous dites : « Voyez, quel ennui »,
et vous la repoussez avec dédain, dit le
SEIGNEUR, le tout-puissant. Vous apportez
quelque animal récupéré, soit boiteux,
soit malade, et vous le présentez en offrande. Puis-je l'agréer de vos mains ? dit
le SEIGNEUR. ¹⁴ Maudit soit le fraudeur
qui, possédant un mâle dans son troupeau, fait un vœu et sacrifie au Seigneur
une bête tarée ! Car je suis un grand roi,
dit le SEIGNEUR, le tout-puissant, et mon
nom doit être craint parmi les nations.

Avertissement aux prêtres

2 ¹ Maintenant, à vous, prêtres, cet
avertissement : ² Si vous n'écoutez
pas, si vous ne prenez pas à cœur de
donner gloire à mon *nom, dit le SEI-
GNEUR, le tout-puissant, je lancerai contre
vous la malédiction et maudirai vos bénédictions *h*. — Oui, je les maudis, car
aucun de vous ne prend rien à cœur —.
³ Me voici, je vais porter la menace contre votre descendance. Je vous jetterai
du fumier à la figure, le fumier de vos
fêtes *i* ; et on vous enlèvera avec lui.
⁴ Vous saurez que je vous ai adressé cet
avertissement pour que devienne réelle
mon alliance avec Lévi *j*, dit le SEIGNEUR,
le tout-puissant. ⁵ Mon alliance avec lui
était vie et paix, car je les lui accordais
ainsi que la crainte pour qu'il me révère.
Devant mon nom il était frappé de saisissement. ⁶ Sa bouche donnait un enseignement véridique et nulle imposture ne se
trouvait sur ses lèvres. Dans l'intégrité
et la droiture, il marchait avec moi, détournant beaucoup d'hommes de la per-

version. ⁷ — En effet, les lèvres du prêtre gardent la connaissance et de sa bouche on recherche l'instruction *k*, car il est
messager du SEIGNEUR, le tout-puissant. —
⁸ Vous, au contraire, vous avez dévié
du chemin. Vous en avez fait vaciller
beaucoup par votre enseignement. Vous
avez détruit l'alliance de Lévi, dit le
SEIGNEUR, le tout-puissant. ⁹ A mon tour,
je vous rends méprisables et vils à tout
le peuple, dans la mesure où vous ne
suivez pas mes voies et où vous faites
preuve de partialité dans vos décisions.

Deux manières de trahir l'Alliance

¹⁰ N'avons-nous pas tous un seul père ?
Un seul Dieu ne nous a-t-il pas créés ?
Pourquoi sommes-nous traîtres l'un envers l'autre, profanant ainsi l'*alliance
avec nos pères ? ¹¹ Juda a trahi. Une
abomination a été commise en Israël et
à Jérusalem. Oui, Juda a profané le lieu
*saint cher au SEIGNEUR, en épousant la
fille d'un dieu étranger *l*. ¹² L'homme qui
agit ainsi, que le SEIGNEUR lui retranche
fils et famille des tentes de Jacob,
même celui qui présente l'offrande *m* au
SEIGNEUR, le tout-puissant. ¹³ Voici en
deuxième lieu ce que vous faites : Inonder de larmes l'*autel du SEIGNEUR —
pleurs et gémissements — parce qu'il ne
prête plus attention à l'offrande et ne la
reçoit plus favorablement de vos mains.
¹⁴ Vous dites : « Pourquoi cela ? » Parce
que le SEIGNEUR a été témoin entre toi
et la femme de ta jeunesse *n* que, toi, tu
as trahie. Elle était pourtant ta compagne,
ton élue ! ¹⁵ Et le SEIGNEUR n'a-t-il pas
fait un être unique, chair animée d'un

---

g Texte hébreu difficile. Le prophète fait sans doute allusion à la part des sacrifices qui revenait aux prêtres (voir au glossaire SACRIFICES, A/3) ● *h* Tournure condensée pour signifier que
Dieu changera en malheurs les bienfaits que les prêtres auront annoncés de sa part ● *i le fumier
de vos fêtes* : c'est-à-dire le fumier des victimes offertes en sacrifice au moment des fêtes. Selon
Ex 29.14 il devait être brûlé au-dehors ● *j* L'*alliance avec Lévi* n'est mentionnée nulle part
ailleurs dans l'A.T. Elle correspond au fait que les descendants de Lévi avaient l'exclusivité du
ministère sacerdotal (voir au glossaire LÉVITES) ● *k* Voir la note sur Ag 2.11 ● *l le lieu saint* :
autre traduction *les choses saintes* — *la fille d'un dieu étranger* : une femme païenne ● *m les
tentes de Jacob* : expression imagée désignant les habitations israélites — *offrande* : voir au
glossaire SACRIFICES ● *n la femme de ta jeunesse* : expression hébraïque condensée pour
désigner *la femme que tu as aimée et épousée quand tu étais jeune*

1.13 « quel ennui » cf. Dt 14.26; 16.14-15. **1.14** le Seigneur, un grand roi Ps 47.3+ — craint
parmi les nations Es 59.19+; Ps 102.16. **2.2** donner gloire au nom du Seigneur Jos 7.19; 1 S 6.5;
Es 42.12; Jr 13.16; Ps 115.1; Jn 9.24; Ac 12.23; Ap 11.13. **2.4** la tribu de Lévi à l'exclusivité du
sacerdoce Nb 25.10-13; Dt 18.1-8; 33.8-11; Jr 33.20-22; Ne 13.29; Si 45.23-26. **2.6** enseignement
et réponses donnés par le prêtre Lv 10.11; Dt 21.5; 33.10; Ez 7.26; Os 4.6; Ne 8.7-8; 2 Ch
15.3; 17.7-9. **2.7** l'instruction donnée par les prêtres Za 7.3+. **2.9** décisions partiales Lv
19.15; Ps 82.2-4; Jc 2.1-9; cf. Dt 10.17; Rm 2.11. **2.10** un seul père pour tous Dt 32.6; Ep 4.6.
2.11 mariage avec des étrangères 1 R 11.1-8; Esd 9—10; Ne 13.23-27. **2.14** maris et femmes
devant Dieu Ep 5.25-32 — la femme de ta jeunesse Pr 5.18 — répudiation - trahison v. 15; Mt 5.32;
19.1-9. **2.15** un être unique Gn 2.24; Mt 19.5.

souffle de vie ? Et que cherche cet unique ? *o* Une descendance accordée par Dieu ? — Respectez votre vie —. Que personne ne soit traître envers la femme de sa jeunesse. [16] En effet, répudier par haine, dit le SEIGNEUR, le Dieu d'Israël, c'est charger son vêtement de violence *p*, dit le SEIGNEUR, le tout-puissant. Respectez votre vie. Ne soyez pas traîtres.

Le Seigneur va envoyer son messager

[17] Vous fatiguez le SEIGNEUR avec vos discours. Vous dites : « En quoi le fatiguons-nous ? » — En disant : « Quiconque fait le mal est bon aux yeux du SEIGNEUR, en ces gens-là il prend plaisir » ; ou encore : « Où est le Dieu qui fait justice ? »

3 [1] Voici, j'envoie mon messager. Il aplanira le chemin devant môi. Subitement, il entrera dans son Temple, le maître que vous cherchez, l'*Ange de l'*alliance que vous désirez ; le voici qui vient, dit le SEIGNEUR, le tout-puissant. [2] Qui supportera le *jour de sa venue ? Qui se tiendra debout lors de son apparition ? Car il est comme le feu d'un fondeur, comme la lessive des blanchisseurs. [3] Il siégera pour fondre et purifier l'argent. Il purifiera les fils de Lévi. Il les affinera comme on affine l'or et l'argent. Ils seront pour le SEIGNEUR ceux qui présentent l'offrande *q* comme elle doit l'être. [4] L'offrande de Juda et de Jérusalem sera agréable au SEIGNEUR comme aux jours d'antan, comme dans les années d'autrefois. [5] Je m'approcherai de vous pour le jugement. Je serai un prompt accusateur contre les magiciens et les adultères *r*, contre les parjures, contre ceux qui réduisent le salaire de l'ouvrier, de la veuve et de l'orphelin, qui oppriment l'émigré et ne me craignent pas, dit le SEIGNEUR, le tout-puissant.

Revenir au Seigneur

[6] Non ! moi, le SEIGNEUR, je n'ai pas changé. Mais vous, vous ne cessez d'être fils de Jacob *s*. [7] Depuis les temps de vos pères, vous vous écartez de mes prescriptions et ne les observez pas. Revenez à moi et je reviendrai à vous, déclare le SEIGNEUR, le tout-puissant. Vous dites : « Comment revenir ? » — [8] Un homme peut-il tromper Dieu ? Et vous me trompez ! Vous dites : « En quoi t'avonsnous trompé ? » — Pour la dîme et les redevances. [9] Vous êtes sous le coup de la malédiction et c'est moi que vous trompez, vous, le peuple tout entier ? [10] Apportez intégralement la dîme à la salle du trésor. Qu'il y ait de la nourriture dans ma Maison. Mettez-moi donc à l'épreuve à ce propos, dit le SEIGNEUR, le tout-puissant, pour voir si je n'ouvre pas pour vous les écluses du ciel *t* et si je ne répands pas sur vous la bénédiction en abondance. [11] Je tancerai en votre faveur l'insecte vorace *u* pour qu'il ne détruise plus les produits de votre sol et que la vigne de vos campagnes ne soit plus stérile, déclare le SEIGNEUR, le tout-puissant. [12] Heureux vous proclameront toutes les nations, car vous serez une terre de délices, déclare le SEIGNEUR, le tout-puissant.

Le jour où Dieu révélera sa justice

[13] Vos propos sont durs à mon égard,

---

o Le texte hébreu du début du verset est obscur; traduction en partie conjecturale d'après le contexte ● *p* *répudier par haine:* traduction conjecturale d'un texte obscur — *charger ses vêtements de violence:* tournure hébraïque équivalant à peu près à *se rendre coupable de violence* (Ps 73.6) ● *q* Voir au glossaire SACRIFICES ● *r* L'A.T. qualifie souvent d'*adultère* celui qui abandonne Dieu pour les idoles; voir Ez 16.32; Os 4.13 et la note ● *s* Voir 1.22 et la note. *Jacob* est cité ici comme le type du trompeur (v. 8) ● *t* La dîme était affectée à l'entretien des prêtres; elle garantissait donc la continuité du culte. — *de la nourriture dans ma Maison:* la dîme était toujours offerte en nature (voir Dt 14.24-27) — *ouvrir les écluses du ciel:* expression imagée pour *faire pleuvoir* (voir Gn 7.11; 8.2); le prophète fait sans doute allusion à une abondance de bénédictions ● *u* *l'insecte vorace:* probablement les sauterelles (voir Jl 1.4, 7)

2.17 fatiguer le Seigneur Es 43.24 — le succès des méchants: Ml 3.15; Jr 12.1-2; Ha 1.13; Ps 10.4-13; 37.1; 73.3-13; Jb 21.7-33; Qo 8.11.   **3.1** j'envoie mon messager Mt 11.10 — il aplanira le chemin Es 40.3 — subitement Es 29.5-6; 47.9; 1 Th 5.3 — le maître Za 4.14.   **3.2** qui supportera... qui se tiendra debout?... Na 1.6 + — le jour de sa venue Jl 1.15 + — comme le feu Ml 3.19 du fondeur Es 1.25; Jr 9.6; Za 13.9; Si 2.5; 1 P 1.7.   **3.4** comme autrefois Es 1.26.   **3.5** un prompt accusateur... Mi 1.2 contre les magiciens Ex 22.17; Lv 19.26; Dt 18.10; Ga 5.20 et les adultères Es 16.15-19; Os 2.4 — le droit de l'ouvrier, de la veuve et de l'orphelin Dt 24.17-21; Jr 7.6.   **3.6** le Seigneur ne change pas Nb 23.19; cf. Os 11.9 — Jacob le trompeur Es 43.27; Os 12.4. **3.7** revenir au Seigneur Za 1.3 +.   **3.8** la dîme Lv 27.30-32; Nb 18.21-29; Ne 10.38.   **3.10** dîme et abondance Pr 3.9-10; cf. Dt 28.8-12.

déclare le SEIGNEUR, et vous dites :
« Quels propos avons-nous échangés contre toi ? » ¹⁴ Vous prétendez : « Inutile de servir Dieu ; à quoi bon avoir gardé ses observances et marché dans le deuil *v* devant le SEIGNEUR, le tout-puissant ? ¹⁵ A présent, nous devons déclarer heureux les arrogants. Et même ils prospèrent, les méchants ; s'ils mettent Dieu à l'épreuve, ils en réchappent. » ¹⁶ Ainsi s'entretenaient ceux qui craignent le SEIGNEUR. Mais le SEIGNEUR prêta attention et il entendit. Un mémoire fut écrit devant lui en faveur de ceux qui craignent le SEIGNEUR et qui vénèrent son *nom. ¹⁷ Ils m'appartiendront, dit le SEIGNEUR, le tout-puissant, au jour que je prépare, comme ma part personnelle. Je les épargnerai comme un père épargne son fils qui le sert. ¹⁸ Alors vous verrez à nouveau la différence entre le juste et le méchant, entre celui qui sert Dieu et celui qui ne le sert pas. ¹⁹ *w* Car voici que vient le *jour, brûlant comme un four. Tous les arrogants et les méchants ne

seront que paille. Le jour qui vient les embrasera, dit le SEIGNEUR, le tout-puissant. — Il ne leur laissera ni racines ni rameaux —. ²⁰ Pour vous qui craignez mon nom, le soleil de justice se lèvera portant la guérison dans ses rayons. Vous sortirez et vous gambaderez comme des veaux à l'engrais. ²¹ Vous piétinerez les méchants, car ils seront comme cendre sous la plante de vos pieds en ce jour que je prépare, dit le SEIGNEUR, le tout-puissant.

Le retour d'Elie

²² Souvenez-vous de la Loi de Moïse, mon serviteur, à qui j'ai donné sur l'Horeb *x* des prescriptions et des sentences pour tout Israël. ²³ Voici que je vais vous envoyer Elie, le *prophète, avant que ne vienne le *jour du SEIGNEUR, jour grand et redoutable. ²⁴ Il ramènera le cœur des pères vers leurs fils, celui des fils vers leurs pères pour que je ne vienne pas frapper la terre d'interdit *y*.

v A l'occasion de grandes calamités on convoquait le peuple à des cérémonies de deuil comportant *jeune, lamentations et sacrifices. Certains pensaient que ces cérémonies suffisaient pour amener Dieu à se montrer plus favorable ● *w* Certaines éditions de la Bible ont une autre numérotation à partir de ce verset: au lieu de 3.19-24 elles proposent 4.1-6 ● *x* Autre nom du mont Sinaï (voir Ex 3.1 et la note) ● *y* *frapper d'interdit:* voir Dt 2.34 et la note

3.14 « à quoi bon servir Dieu ? » Es 58.3; Jb 21.14-15 — marcher devant Dieu Gn 17.1; 48.15; 1 R 8.23; Ps 56.14; 116.9; cf. Gn 5.22; 6.9; Mi 6.8 dans le deuil Ps 35.14; 38.7. 3.15 « heureux les arrogants! », les méchants prospèrent Ml 2.17+. 3.16 ceux qui craignent le Seigneur Ps 15.4+ — un mémoire écrit devant le Seigneur Ez 13.9; Ap 3.5+. 3.17 ils m'appartiendront comme ma part personnelle Ex 19.5 (cf. 6.7); Dt 7.6; Ez 18.4; Ps 135.4+; Tt 2.14 — comme un père pour son fils 2 S 7.14; Ps 103.13; 2 Co 6.18. 3.19 le jour (du Seigneur) Jl 1.15+ — paille Es 47.14; Jl 2.5. 3.20 soleil de justice Lc 1.78 — la guérison Es 57.18; Jr 33.6. 3.21 les méchants piétinés Mi 4.11-13. 3.22 Moïse, mon serviteur Es 63.11; la loi de Moïse Ex 24.12; Dt 33.4; Jos 1.7; 1 R 2.3; 2 R 23.25; Esd 7.6; Ne 8.1; Lc 24.44, etc. 3.23 Elie 1 R 17—21; 2 R 2.1-17; Mt 17.1-13 — jour du Seigneur v. 19. 3.24 le cœur des pères vers leurs fils Lc 1.17 — l'interdit Jos 6.17; 7.1; 1 R 20.42.

Les autres Ecrits

LES PSAUMES

PREMIER LIVRE (Ps 1—41)

PSAUME 1

¹ Heureux l'homme
qui ne prend pas le parti des méchants,
ne s'arrête pas sur le chemin des pécheurs
et ne s'assied pas au banc des impies ;
² mais qui se plaît à la loi du SEIGNEUR
et récite *a* sa loi jour et nuit !

³ Il est comme un arbre planté près des ruisseaux :
il donne du fruit en sa saison
et son feuillage ne se flétrit pas ;
il réussit tout ce qu'il fait.

⁴ Tel n'est pas le sort des méchants :
ils sont comme la bale que disperse le vent *b*.
⁵ Lors du jugement, les méchants ne se relèveront pas,
ni les pécheurs au rassemblement des justes.
⁶ Car le SEIGNEUR connaît le chemin des justes,
mais le chemin des méchants se perd.

PSAUME 2

¹ Pourquoi cette agitation des peuples,
ces grondements inutiles des nations ?
² Les rois de la terre s'insurgent
et les grands conspirent entre eux,
contre le SEIGNEUR et contre son *messie :
³ « Brisons leurs liens *c*,
rejetons leurs entraves. »

⁴ Il rit, celui qui siège dans les cieux ;
le Seigneur se moque d'eux.

---

a Chez les anciens la lecture se pratiquait à haute voix ou à mi-voix (voir Ac 8.28-30) ● *b* La *bale* est l'enveloppe du grain de blé; après avoir battu le blé on projetait en l'air le mélange de bale et de grain; celui-ci, plus lourd, retombait sur place, tandis que le vent emportait la bale, plus légère ● *c* Brisons leurs liens...: paroles des rois révoltés

1.1 Heureux Ps 2.12; 32.1; 33.12; 34.9; 40.5; 41.2; 84.5-6; 94.12; 106.3; 112.1; 119.1-2; 127.5; 128.1; 137.8; 144.15; 146.5; 1 R 10.8; Es 30.18; 32.20; 56.2; Jb 5.17; Pr 3.13; 8.32, 34; 14.21; 16.20; 29.18; Qo 10.17; Dn 12.12; Mt 5.3+ — avec les impies Ps 26.4-5; cf. 28.3. **1.2** la loi du Seigneur Ps 19.8-15; 119 — jour et nuit Jos 1.7-8; cf. Ps 35.28; Si 14.20-21. **1.3** comme un arbre près de l'eau Jr 17.8 — il réussit Ps 37.4, 19; Jos 1.8. **1.4** comme la bale Ps 35.5; Es 29.5; Jb 21.18; cf. Mt 3.12+. **1.6** le Seigneur connaît Ps 31.8; 37.18; 139.1-6, 14, 23 — le chemin (des méchants) Jr 21.8; Pr 4.18-19; cf. Mt 7.13-14. **2.1-2** cité en Ac 4.25-26. **2.2** conspiration Ps 48.5; 83.6; Es 7.4-6; Os 7.3-7; Ap 19.19 — son messie Ps 18.51; 20.7; 28.8; 84.10; 89.39; 132.10; 1 S 2.10; 10.1; 16.1; 13. **2.3** liens imposés aux rois étrangers Ps 149.8. **2.4** celui qui siège dans les cieux Ps 115.3; 123.1; cf. Mt 6.9 — le rire du Seigneur Ps 37.13; 59.9.

⁵ Alors il leur parle avec colère,
et sa fureur les épouvante :
⁶ « Moi, j'ai sacré mon roi
sur *Sion, ma montagne sainte. »

⁷ Je publierai le décret :
le SEIGNEUR m'a dit :
« Tu es mon fils ;
moi, aujourd'hui, je t'ai engendré ᵈ.
⁸ Demande-moi,
et je te donne les nations en héritage,
en propriété les extrémités de la terre.
⁹ Tu les écraseras avec un sceptre de fer,
et, comme un vase de potier, tu les mettras en pièces. »

¹⁰ Et maintenant, rois, soyez intelligents ;
laissez-vous corriger, juges de la terre !
¹¹ Servez le SEIGNEUR avec crainte,
exultez en tremblant ;
¹² — rendez hommage au fils ᵉ — ;
sinon il se fâche, et vous périssez en chemin,
un rien, et sa colère s'enflamme !
Heureux tous ceux dont il est le refuge.

PSAUME 3

¹ Psaume de David. Quand il fuyait devant son fils Absalom.

² SEIGNEUR, que mes adversaires sont nombreux :
nombreux à se lever contre moi,
³ nombreux à dire sur moi :
« Pas de salut pour lui auprès de Dieu ! »   *Pause.

⁴ Mais toi, SEIGNEUR, tu es un bouclier pour moi ;
tu es ma gloire, celui qui relève ma tête.
⁵ A pleine voix, j'appelle le SEIGNEUR :
il m'a répondu de sa montagne sainte.   Pause.

⁶ Je me suis couché et j'ai dormi ;
je me suis réveillé : le SEIGNEUR est mon appui.
⁷ Je ne crains pas ces gens si nombreux
postés autour de moi.

⁸ Lève-toi, SEIGNEUR ! Sauve-moi, mon Dieu !
toi qui frappes tous mes ennemis à la mâchoire
et casses les dents des méchants.

---

d Je publierai le décret...: c'est le roi, désigné comme messie au v. 2, qui parle — Tu es mon fils...: formule d'adoption; voir aussi 2 S 7.14 ● e rendez hommage au fils ou donnez un baiser au fils: le baiser était un signe d'hommage. Le texte hébreu du début du v. 12 est obscur

2.6 le sacre du roi 1 R 1.33-35; 2 R 11.12 — Sion Ps 20.3; 110.2 — montagne sainte Ps 3.5+. 2.7 cité en Ac 13.33; He 1.5; 5.5; cf. Mt 3.17; 17.5; 2 P 1.17 — mon fils 2 S 7.14. 2.8 demande-moi Ps 21.5; 1 R 3.5 — les nations en propriété Ps 82.8. 2.9 sceptre de fer Ap 2.27; 12.5; 19.15 — en pièces Ps 68.22; 110.5-6. 2.10 Et maintenant, rois... Sg 6.1-11. 2.11 les rois au service du Seigneur Ps 72.11; Dn 7.14. 2.12 Heureux Ps 1.1+; 34.9 — le Seigneur, un refuge Ps 118.8-9; cf. Jg 9.15. 3.1 David fuyant devant Absalom 2 S 15-17. 3.3 propos des adversaires Ps 22.9; 71.11. 3.4 le Seigneur, un bouclier Ps 18.3; 28.7; 84.12; 89.19; 91.4; 115.9-11; 119.114; Dt 33.29 — celui qui relève ma tête Ps 27.6; 110.7. 3.5 appel au Seigneur Ps 4 2, 4; 18.7; 22.3, 6; 28.1; 30.3; 31.23; 34.7, 18,55.17; 57.3; 61.3; 86.3, 7; 107.6; 120.1; 130.1; 140.2; 141.1; Ex 8.8; Nb 20.16; Dt 26.7; Jos 24.7; Jg 3.9; 1 S 7.8; Es 19.20; 58.9; Jl 1.19-20; Jon 2.3, 3.8; Jb 30.20 — montagne sainte Ps 2.6; 15.1; 48.2; 87.1; Es 27.13; Jr 31.23; Ez 20.40; Jon 2.1. 3.6 sommeil paisible Ps 4.9; 91.5-6; Pr 3.24 — mon appui Ps 37.17, 24. 3.7 sans peur Ps 23.4; 27.1. 3.8 lève-toi Ps 7.7; 9.20; 10.12; 21.14; 44.27; 94.2; 132.8; Nb 10.35.

⁹ Auprès du SEIGNEUR est le salut,
sur ton peuple, la bénédiction !   *Pause.*

PSAUME 4

¹ *Du* **chef de chœur, avec instruments à cordes.*
Psaume de David.

² Quand j'appelle réponds-moi, Dieu, ma justice !
Dans la détresse tu m'as soulagé ;
par pitié, écoute ma prière.

³ Hommes, jusqu'où irez-vous dans le mépris de ma gloire,
l'amour du vide
et la poursuite du mensonge *f* ?   **Pause.*
⁴ Sachez que le SEIGNEUR a mis à part son fidèle ;
quand j'appelle le SEIGNEUR, il m'écoute.

⁵ Frémissez et ne péchez pas ;
sur votre lit *g* réfléchissez, et taisez-vous.   *Pause.*
⁶ Offrez les *sacrifices prescrits,
et comptez sur le SEIGNEUR.

⁷ Ils sont nombreux à dire : « Qui nous fera voir le bonheur ? »
— Fais lever *h* sur nous la lumière de ta face, SEIGNEUR ! —
⁸ Tu m'as mis plus de joie au cœur
qu'au temps où abondaient leur blé et leur vin.
⁹ Pareillement comblé, je me couche et m'endors,
car toi seul, SEIGNEUR, me fais demeurer en sécurité *i*.

PSAUME 5

¹ *Du* **chef de chœur, pour flûtes. Psaume de David.*

² Prête l'oreille à mes paroles, SEIGNEUR ;
perçois mes gémissements.
³ Sois attentif à ma voix et à mes cris,
mon roi et mon Dieu,
c'est toi que je prie.
⁴ SEIGNEUR, le matin, tu entends ma voix ;
le matin, je prépare tout pour toi *j*
et j'attends... !

⁵ Tu n'es pas un dieu ami du mal ;
le méchant n'est pas reçu chez toi,
⁶ l'insolent ne se présente pas devant tes yeux.
Tu détestes tous les malfaisants ;
⁷ tu fais périr les menteurs.
L'homme fourbe et sanguinaire,
le SEIGNEUR l'exècre.

---

f vide et *mensonge* sont peut-être ici des images désignant les idoles (voir Am 2.4) ● *g* ou *votre natte* (voir Ps 149.5) ● *h Fais lever :* traduction incertaine ● *i* Autre traduction du début du v. 9 *En paix je me couche et m'endors aussitôt — car toi seul... en sécurité :* autre traduction *car toi, SEIGNEUR, tu me fais 'demeurer en sécurité dans la solitude* ● *j* Autres traductions possibles: *je prépare pour toi ma prière* ou *mon sacrifice* (comparer Lv 6.5)

3.9 le salut Jon 2.10 ; cf Pr 21.31. **4.2** réponds-moi Ps 17.6 ; 20.10 ; 102.3 **4.4** le Seigneur m'écoute Ps 34.7 ; 116.1 ; 145.19 ; Ex 22.26 ; Es 30.19 ; Jon 2.3. **4.5** Frémissez, mais ne péchez pas Ep 4.26 — garder le silence Ps 39.2-4 ; Ez 24.17 ; Jb 2.10. **4.6** sacrifices prescrits Ps 51.21 ; Dt 33.19 — compter sur le Seigneur Ps 9.11+ ; 55.24+. **4.7** la lumière de face Nb 6.25 ; Ps 31.17 ; 44.4 ; 80.4 ; 89.16. **4.8** joie au cœur Qo 5.19. **4.9** sommeil paisible Ps 3.6+. **5.2** prête l'oreille Ps 17.1 ; 86.6 ; cf. 71.2+. **5.3** attentif Ps 34.16 ; 61.2 ; 66.19 ; 86.6 ; 102.18 ; 130.2 ; 142.7 — mon roi et mon Dieu Ps 68.25 ; 74.12 ; 84.4 ; 145.1. **5.5** être reçu chez Dieu Ps 15.

8 Mais moi, grâce à ta fidélité,
j'entre dans ta maison ;
avec crainte je me prosterne
vers ton temple saint.
9 SEIGNEUR, conduis-moi par ta justice
malgré ceux qui me guettent ;
aplanis devant moi ton chemin.

10 Rien dans leur bouche n'est sûr,
leur cœur est plein de crimes ;
leur gosier est une tombe béante
et leur langue une pente glissante.
11 Dieu, fais-les expier !
Que leurs projets causent leur chute !
Pour toutes leurs fautes, expulse-les,
puisqu'ils te sont rebelles.

12 Et tous ceux qui t'ont pour refuge se réjouiront,
toujours ils exulteront ; tu les abriteras,
tu feras crier de joie ceux qui aiment ton nom.

13 C'est toi, SEIGNEUR, qui bénis le juste ;
tu l'entoures de ta faveur comme d'un bouclier.

PSAUME 6

1 *Du *chef de chœur, avec instruments à huit cordes.
Psaume de David.*

2 SEIGNEUR, châtie-moi sans colère,
corrige-moi sans fureur k !
3 Pitié, SEIGNEUR, je dépéris ;
guéris-moi, SEIGNEUR, je tremble de tous mes os,
4 je tremble de tout mon être.

Alors, SEIGNEUR, jusqu'à quand... ?
5 Reviens, SEIGNEUR, délivre-moi,
sauve-moi à cause de ta fidélité !
6 Car, chez les morts, on ne prononce pas ton nom.
Aux enfers, qui te rend grâce ?

7 Je suis épuisé à force de gémir.
Chaque nuit, mes larmes baignent mon lit,
mes pleurs inondent ma couche.
8 Mes yeux sont rongés de chagrin,
ma vue faiblit tant j'ai d'adversaires.

9 Ecartez-vous de moi, vous tous, malfaisants,
car le SEIGNEUR a entendu mes sanglots.
10 Le SEIGNEUR a entendu ma supplication,
le SEIGNEUR accueille ma prière.

---

k Autre traduction *ne me châtie pas dans ta colère, ne me corrige pas dans ta fureur*

5.8 entrer dans la maison de Dieu Ps 66.13 ; 100.4 ; cf. 42.3 — prosterné vers le Temple Ps 138.2 ;
1 R 8.44, 48 ; cf Dn 6.11. **5.9** conduis-moi Ps 25.5 ; 27.11 ; 61.3 ; 119.35 ; 139.24 — chemin
aplani Es 45.13 ; Pr 3.6 ; 11.5. **5.10** dans la bouche des méchants Ps 10.7 ; 36.4 — leur gosier...
Rm 3.13 — langue malfaisante Ps 10.7 ; 12.3-5 ; 31.21 ; 50.19 ; 52.4 ; 55.22 ; 64.4 ; 109.2 ; 120.2-3 ;
140.4 ; Jr 9.2, 7 ; Jc 3.6. **5.12** refuge en Dieu et joie Ps 64.11 — ceux qui aiment ton nom Ps
69.37 ; 119.132. **6.2** sans colère Ps 38.2 ; Jr 10.24 ; cf. Pr 3.11-12. **6.3** guéris-moi Ps 30.3 ; 41.5 ;
cf. 107.20. **6.4** jusqu'à quand ? Ps 80.5 ; 90.13 ; Es 6.11 ; Ha 1.2 ; Za 1.12 ; cf. Ps 13.2 ; 74.9 ; 89.47 ;
94.3 ; Ap 6.10. **6.5** Reviens, Seigneur Ps 90.13. **6.6** chez les morts, pas de louange à Dieu
Ps 30.10 ; 88.6, 11-13 ; 115.17 ; Es 38.18. **6.7** épuisé Ps 69.4 ; Jr 45.3. **6.8** mes yeux rongés de
chagrin Ps 31.10. **6.9** Ecartez-vous Ps 119.115 ; 139.19 ; Mt 7.23 ; Lc 13.27 ; cf. Mt 25.41. **6.10**
le Seigneur a entendu Ps 4.4 ; 34.7 ; 116.1 ; 145.19 ; Gn 16.11 ; Ex 2.24 ; 3.7 ; 22.22, 26 ; Es 30.19 ;
Jon 2.3 ; Ne 9.9.

[11] Que mes ennemis, honteux et tout tremblants,
s'en retournent tous, soudain couverts de honte !

PSAUME 7

[1] *Confession ; de David. Il chanta au Seigneur,*
sur Koush le Benjaminite [l].

[2] SEIGNEUR mon Dieu, tu es mon refuge ;
sauve-moi de tous mes persécuteurs et délivre-moi !
[3] Sinon, comme des lions, ils m'égorgent,
ils arrachent, et nul ne délivre.

[4] SEIGNEUR mon Dieu, si j'ai fait cela :
si j'ai un crime sur les mains,
[5] si j'ai mal agi envers mon allié
en laissant échapper mon adversaire [m],
[6] qu'un ennemi me poursuive et me rattrape,
qu'il me piétine tout vif à terre,
et qu'il roule mon honneur dans la poussière !   **Pause.*

[7] Lève-toi, SEIGNEUR, avec colère !
Surmonte la furie de mes adversaires,
veille à mon côté, toi qui dictes le droit !
[8] Une assemblée de peuples t'entoure ;
là-haut, reprends place au-dessus d'elle !
[9] Le SEIGNEUR juge les nations :
juge-moi, SEIGNEUR,
selon ma justice et mon innocence.

[10] Que cesse la méchanceté des impies !
Affermis le juste !
Car celui qui examine les cœurs et les reins [n],
c'est le Dieu juste.
[11] Mon bouclier est près de Dieu,
le sauveur des *cœurs droits.
[12] Dieu est le juste juge,
un Dieu menaçant chaque jour.

[13] S'il ne se reprend pas [o],
il aiguise son épée,
tend son arc et le tient prêt.
[14] Il apprête des engins de mort
et, de ses flèches, fait des brandons [p].

[15] Qui conçoit un méfait et porte le crime
enfante la déception.
[16] Qui creuse un trou et l'approfondit,
tombe dans la fosse qu'il a faite.
[17] Son crime lui revient sur la tête,
sa violence lui retombe sur le crâne.

---

l Koush le Benjaminite: personnage non identifié ● *m* Autre traduction *si j'ai dépouillé sans raison mon adversaire* ● *n qui examine les cœurs et les reins:* c'est-à-dire qui connaît ce qu'il y a de plus secret dans la personne humaine (pensées, intentions, sentiments) ● *o S'il ne se reprend pas:* autre traduction *Si on ne se convertit pas* ● *p* ou *il lance des flèches enflammées*

6.11 honteux et tremblants Ps 83.18.   **7.2** mon refuge Ps 11.1; 17.7; 31.2-4, 20; 34.9, 23; 37. 40; 46.2; 61.4; 71.1-3; 91.9; 141.8; 142.6.   **7.3** nul ne délivre Ps 50.22; 71.11; Jg 18.28; Os 2.12+; Jb 5.4.   **7.4** un homme innocent Ps 17.3-5; 26.4-5.   **7.9** le Seigneur juge les nations Ps 9.9 — juge-moi Ps 26.1; 35.24; 43.1.   **7.10** Celui qui examine... Ps 11.4-5; 17.3; 26.2; 139.23 — les cœurs et les reins Ps 26.2; Jr 11.20; 17.10; 20.12; Ap 2.23.   **7.12** Dieu, juste juge Ps 9.5; 82.1; Jr 11.20. **7.14** des engins de mort cf. Ps 11.6; 64.8.   **7.15** celui qui conçoit un méfait Es 59.4-5; Jb 15.35. **7.16** tomber dans la fosse qu'on a creusée Ps 9.16; 35.7-8; 57.7; 141.10; Pr 26.27.   **7.17** victime de sa propre violence Ps 37.15; 94.23; Jr 2.19; Jb 4.8; Pr 5.22; 22.8; Ga 6.7-8.

18 Je rendrai grâce au SEIGNEUR pour sa justice,
et je chanterai le nom du SEIGNEUR, le Très-Haut.

PSAUME 8

1 *Du *chef de chœur, sur la guittith* [q]. *Psaume de David.*

2 SEIGNEUR, notre Seigneur,
que ton nom est magnifique
par toute la terre !
Mieux que les cieux, elle chante ta splendeur [r] !

3 Par la bouche des tout-petits et des nourrissons,
tu as fondé une forteresse [s]
contre tes adversaires,
pour réduire au silence l'ennemi revanchard.

4 Quand je vois tes cieux, œuvre de tes doigts,
la lune et les étoiles que tu as fixées,
5 qu'est donc l'homme pour que tu penses à lui,
l'être humain pour que tu t'en soucies ?

6 Tu en as presque fait un dieu [t] :
tu le couronnes de gloire et d'éclat ;
7 tu le fais régner sur les œuvres de tes mains ;
tu as tout mis sous ses pieds :
8 tout bétail, gros ou petit,
et même les bêtes sauvages,
9 les oiseaux du ciel, les poissons de la mer,
tout ce qui court les sentiers des mers.

10 SEIGNEUR, notre Seigneur,
que ton nom est magnifique
par toute la terre !

PSAUME 9

1 *Du *chef de chœur ; almouth labbén* [u]. *Psaume de David.*

2 SEIGNEUR, je rendrai grâce de tout mon cœur,
je redirai toutes tes merveilles.
3 Tu me fais danser de joie,
et je chante ton nom, Dieu Très-Haut.

4 Mes ennemis, qui battent en retraite,
trébuchent et périssent devant toi,

q guittith: mot inconnu. Certaines versions anciennes y ont vu un instrument de musique, originaire de la ville de Gath; les autres un chant pour les vendanges • *r* Le texte de la fin du v. 2 est obscur. L'ancienne version grecque a compris *parce que ta splendeur a été exaltée au-dessus des cieux;* les versions syriaque, araméenne et latine *parce que tu as placé ta splendeur au-dessus des cieux* — Autre traduction possible *ton nom redit ta majesté céleste par la bouche des tout-petits et des nourrissons* • *s tu as fondé une forteresse:* l'ancienne version grecque a compris *tu t'es préparé une louange.* C'est sous cette dernière forme que ce verset est cité en Mt 21.16 • *t* Les versions anciennes ont compris *tu l'abaissas quelque peu par rapport aux anges.* C'est sous cette forme que ce verset est cité en He 2.7 • *u almouth labbén:* transcription de deux mots dont on ne connaît pas le sens. L'ancienne version grecque a compris *sur les secrets du fils;* l'ancienne version araméenne *sur la mort du fils.* Certains estiment plutôt que cette expression désigne des instruments de musique (sans qu'on puisse aujourd'hui préciser lesquels)

8.2 le nom magnifique du Seigneur Ps 113.1-3 — par toute la terre Ps 19.5; 104. **8.3** Dieu et les petits enfants Ps 148.12-13; *Sg* 10.21; cf. Mt 11.25. **8.4** les doigts de Dieu Ex 8.15; Lc 11.20. **8.5** Qu'est donc l'homme? Ps 144.3; Jb 7.17-18; He 2.6-8. **8.6** presque un Dieu Gn 1.26-27; *Sg* 2.23; *Si* 17.3-4. **8.7** tu le fais régner Gn 1.28; *Sg* 9.2-3 — tout sous ses pieds 1 Co 15.27; Ep 1.22. **9.2** de tout mon cœur Ps 111.1; 138.1 — redire les merveilles de Dieu Ps 26.7; 66.16; 75.2; 107.22; 118.17. **9.3** je chante ton nom Ps 7.18; 92.2. **9.4** mes ennemis périssent devant toi Ps 68.3.

⁵ car tu as défendu mon droit et ma cause ;
tu t'es assis sur ton trône, juste juge.

⁶ Tu as menacé des nations, fait périr l'infidèle,
effacé leur nom à tout jamais.
L'ennemi est achevé, ruiné pour toujours ;
tu as rasé des villes, le souvenir en est perdu.

⁸ Mais le SEIGNEUR siège pour toujours,
il affermit son trône pour le jugement.
⁹ C'est lui qui gouverne le monde avec justice
et juge les peuples avec droiture.

¹⁰ Que le SEIGNEUR soit une citadelle pour l'opprimé,
une citadelle pour les temps de détresse !
¹¹ Qu'ils comptent sur toi, ceux qui connaissent ton nom,
car tu n'abandonnes pas ceux qui te cherchent, SEIGNEUR !

¹² Chantons pour le SEIGNEUR qui siège à Sion,
proclamez parmi les peuples ses exploits !
¹³ Lui qui recherche le meurtrier, il se souvient,
il n'oublie pas le cri des malheureux.
¹⁴ Pitié, SEIGNEUR ! Vois comme mes adversaires m'ont humilié,
toi qui me tires des portes de la mort ᵛ,
¹⁵ pour que je redise toutes tes louanges,
aux portes de la fille de Sion,
et que j'exulte à cause de ton salut.

¹⁶ Les nations ont sombré dans la fosse qu'elles avaient creusée,
leur pied s'est pris au filet qu'elles avaient caché.
¹⁷ Le SEIGNEUR s'est fait connaître, il a rendu la sentence,
il prend l'infidèle à son propre piège.   *Sourdine ʷ, *Pause*

¹⁸ Que les infidèles retournent aux enfers,
toutes ces nations oublieuses de Dieu.
¹⁹ Non, le pauvre ne sera pas toujours oublié,
ni l'espoir des malheureux à jamais perdu.

²⁰ Debout, SEIGNEUR ! Que l'homme ne triomphe pas !
Que les nations soient jugées devant ta face !
²¹ SEIGNEUR, répands sur elles la terreur,
et que les nations se reconnaissent mortelles.   *Pause.*

PSAUME 10 (9 suite)

¹ Pourquoi ˣ, SEIGNEUR, rester éloigné
et te cacher dans les temps de détresse ?

ᵛ *les portes de la mort:* expression imagée qui désigne le domaine de la mort ● ʷ *sourdine :* indication liturgique (la musique doit jouer plus doucement) ● ˣ Dans les anciennes versions grecque et latine les Ps 9 et 10 sont considérés comme formant un seul psaume; d'où un décalage dans la numérotation des psaumes qui suivent

9.5 Dieu défend ma cause Ps 35.23; 43.1+ ; 1 S 25.39; Mi 7.9 — Dieu, juste juge Ps 7.12+. **9.6** menaces aux nations Ps 2.10-12 — leur nom effacé Dt 9.14. **9.7** souvenir perdu Jb 18.17. **9.8** le Seigneur, roi pour toujours Ps 10.16; 29.10; 102.13; 145.13; 146.10; Jr 10.10; Lm 5.19. **9.9** le Seigneur gouverne avec justice Ps 96.10-13; 98.9; cf. 75.3. **9.10** temps de détresse Ps 77.3+ — le Seigneur, une citadelle Ps 18.3; 46.8; 48.4; 59.10, 17-18; 62.3, 7; 144.2; cf. 27.1+. **9.11** compter sur le Seigneur Ps 4.6; 18.31; 21.8; 22.5-6; 25.2; 26.1; 31.7; 32.10; 37.3; 52.10; 55.24+ — ceux qui connaissent ton nom Ps 91.14; Es 52.6 — chercher le Seigneur Ps 14.2; 22.27; 24.6; 34.5; 40.17; 63.2; 69.7, 33; 70.5; 77.3; 105.4; 119.2, 10; Dt 4.29; Es 26.9; 55.6; 65.1; Jr 29.13; Os 10.12; Am 5.4, 6; So 2.3; Za 8.22; 2 Ch 22.9; 30.19. **9.12** chanter pour le Seigneur Ps 96.1+ — à Sion Ps 132.13-14 — parmi les peuples Ps 96.3; 105.1; Es 66.19. **9.13** le Seigneur recherche le meurtrier Gn 9.5. **9.14** les portes de la mort Ps 107.18; Es 38.10; Sg 16.13; Mt 16.18. **9.16** la fosse Ps 7.16+ — filet Ps 10.9; 35.7; 57.7; 140.6; 141.9-10; Lm 1.13 — pris à leur propre piège Ps 64.9. **9.18** retour aux enfers Ps 90.3; 104.29; Jb 30.23; cf. Jb 1.21. **9.20** Debout! Ps 3.8+. **9.21** mortel Ps 10.18; 56.5, 12. **10.1** Pourquoi? Ps 22.2.

² L'arrogance de l'impie consume les malheureux,
ils sont pris aux ruses qu'il a combinées.
³ Aussi l'impie se loue d'avoir atteint son but ;
ayant gagné, il bénit ᵞ — non, il nargue — le SEIGNEUR.

⁴ Dans sa suffisance, l'impie ne cherche plus :
« Il n'y a pas de Dieu ᶻ », voilà toute son astuce.
⁵ Sa réussite se confirme en tout temps,
là-haut tes sentences sont trop loin de lui ;
il crache sur tous ses adversaires.

⁶ Il se dit : « Je suis inébranlable,
il ne m'arrivera jamais malheur. »
⁷ Sa bouche est pleine de malédiction,
de tromperie et de violence ;
il a sous la langue forfait et méfait.

⁸ Il se tient à l'affût près des hameaux ;
bien caché, il tue l'innocent :
ses yeux épient le faible,
⁹ il est à l'affût, bien caché comme un lion dans son fourré ;
il est à l'affût pour attraper le malheureux ;
il attrape le malheureux en l'entraînant dans son filet ;
¹⁰ il rampe, il se tapit,
et de tout son poids tombe sur les faibles ᵃ.
¹¹ Il se dit : « Dieu oublie,
sa face est cachée, il n'y voit jamais rien. »

¹² Debout, SEIGNEUR ! Dieu, lève la main !
n'oublie pas les malheureux !

¹³ Pourquoi l'impie a-t-il nargué Dieu,
en se disant : « Tu n'iras pas me chercher ? »

¹⁴ Pourtant, tu as vu les forfaits et la souffrance,
et tu veilles à tout prendre en main.
Le faible s'abandonne à toi,
tu viens en aide à l'orphelin.

¹⁵ Casse le bras de l'impie,
et si tu cherches l'impiété du méchant,
tu ne trouveras rien.
¹⁶ Le SEIGNEUR est roi à tout jamais ;
les nations ont disparu de son pays.

¹⁷ SEIGNEUR, tu as exaucé le désir des humbles,
tu rassures leur cœur, tu prêtes une oreille attentive,
¹⁸ pour faire droit à l'orphelin et à l'opprimé ;
et plus un mortel sur terre ne se fera tyran ᵇ.

---

y Autre traduction *il maudit* (comme en 1 R 21.10, 13 ; Jb 1.5, 11 ; 2.5, 9). Pour éviter une tournure choquante (maudire le Seigneur), l'auteur a préféré s'exprimer d'une façon détournée ● z *Il n'y a pas de Dieu :* autre traduction *Dieu est incapable d'agir* (voir v. 11 et 13) ● a *et de tout son poids tombe sur les faibles :* autre traduction *écrasés, les faibles s'affaissent et tombent en son pouvoir* ● b Autre traduction *on ne continuera plus à terroriser l'homme issu de la terre*

10.3 narguer le Seigneur v. 13 ; Ps 74.10, 18.   10.4 il n'y a pas de Dieu Ps 14.1 ; 36.2 ; 73.11 ; Jr 5.12 ; So 1.12.   10.5 la réussite de l'impie Ps 73.4-12 — il crache Ps 12.6 ; cf. Mc 14.65.   10.6 je suis inébranlable Ps 30.7.   10.7 leur bouche... Rm 3.14.   10.9 à l'affût Ps 17.12 ; Jr 5.26 ; Os 6.9 — filet Ps 9.16+ — il attrape le malheureux Ps 64.3-7.   10.11 Dieu oublie Ps 73.11 ; 94.7 ; Ez 9.9 ; Jb 22.13 ; cf. Ps 44.25 ; 74.23.   10.12 Debout, Seigneur ! Ps 3.8+.   10.14 tu as vu... Ps 31.8 ; cf. Ex 3.7.   10.16 le Seigneur, roi pour toujours Ps 9,8+.   10.18 faire droit à l'orphelin et à l'opprimé Ps 72.4 ; 82.3 ; 103.6 ; 140.13 ; 146.7 ; Dt 10.18 ; Es 1.17 ; Jr 5.28 ; Jb 36.6.

PSAUME 11 (10)

¹ *Du* **chef de chœur. De David.*

J'ai fait du SEIGNEUR mon refuge.
Comment pouvez-vous me dire :
Filez dans votre montagne, petits oiseaux *c* !
² Voici que les méchants tendent l'arc,
ajustent leur flèche sur la corde,
pour tirer dans l'ombre sur les *cœurs droits.
³ Quand les fondements sont démolis,
que peut faire le juste ?

⁴ Le SEIGNEUR est dans son temple saint ;
le SEIGNEUR a son trône dans les *cieux.
Ses yeux observent,
du regard il apprécie les humains.
⁵ Le SEIGNEUR apprécie le juste ;
il déteste le méchant et l'ami de la violence.

⁶ Qu'il fasse pleuvoir des filets sur les méchants !
Feu, soufre et tourmente,
telle est la coupe qu'ils partagent *d* !
⁷ Car le SEIGNEUR est juste ;
il aime les actes de justice,
et les hommes droits le regardent en face *e*.

PSAUME 12 (11)

¹ *Du* **chef de chœur, avec instruments à huit cordes.*
Psaume de David.

² Au secours, SEIGNEUR ! Il n'y a plus de fidèle ;
toute loyauté a disparu parmi les hommes ;
³ entre eux ils disent du mal,
les lèvres flatteuses, le *cœur double.

⁴ Que le SEIGNEUR coupe toutes ces lèvres flatteuses
et la langue arrogante
⁵ de ceux qui disent : « Par notre langue nous vaincrons ;
nos lèvres sont avec nous ; qui sera notre maître ? »

⁶ — « Devant l'oppression des humbles et la plainte des pauvres,
maintenant je me lève, dit le SEIGNEUR,
je mets en lieu sûr celui sur qui l'on crache *f*. »

⁷ Les paroles du SEIGNEUR sont des paroles claires,
de l'argent affiné dans un creuset de terre *g*,

c Psaume 11 (10): le nombre indiqué entre parenthèses correspond au numéro du psaume dans les anciennes versions grecque et latine. Voir Ps 10.1 et la note — *Filez dans votre montagne:* autre traduction *fuyez votre montagne* ● *d des filets:* autre traduction (soutenue par une version grecque) *des charbons enflammés* — *telle est la coupe qu'ils partagent* ou *tel est le sort auquel ils ont part* ● *e et les hommes droits le regardent en face:* autre traduction (soutenue par plusieurs versions anciennes) *sa face regarde la droiture* ● *f celui sur qui l'on crache:* autre traduction possible *celui qui le désire* ● *g dans un creuset de terre:* traduction incertaine

11.1 mon refuge Ps 7.2+ — fuite (dans les montagnes) Ps 55.7-8; 1 S 22.1; 1 M 2.28. **11.2** les méchants tendent l'arc Ps 7.13; 64.4-5. **11.4** le Seigneur dans son temple saint Ps 5.8; Ha 2.20 — son trône dans les cieux Ps 2.4; 103.19; cf. 47.9+ — le Seigneur observe Ps 14.2; 102.20; 113.6. **11.5** le Seigneur apprécie Jr 20.12. **11.6** feu et soufre Gn 19.24; Ez 38.22; Ap 20.10 — la coupe Ps 75.9; Es 51.17, 22; Jr 25.15-29; Mt 20.22+; Mc 10.38+. **11.7** en face Ps 17.15; 63.3. **12.2** plus de fidèles Ps 14.3; Es 57.1; Jr 5.1; Mi 7.2; cf. Rm 3.10-12. **12.3** lèvres flatteuses Ps 55.22; 59.8, 13; 140.4; Jr 9.2-10. **12.4** langue arrogante Ap 31.19. **12.6** oppression des humbles Ps 72.14; Dt 24.14; Es 3.15; 10.2; Am 2.6; 5.12; Pr 14.31; 22.16 — je me lève Es 33.10. **12.7** les paroles du Seigneur Ps 18.31; 119.140; Pr 30.5.

et sept fois épuré.
8 Toi, SEIGNEUR, tu tiens parole.

Tu nous protégeras toujours de cette engeance-là.
9 Partout rôdent des impies,
et le vice gagne parmi les hommes [h].

PSAUME 13 (12)

1 *Du* *chef de chœur. Psaume de David.*

2 Jusqu'à quand SEIGNEUR ? M'oublieras-tu toujours ?
Jusqu'à quand me cacheras-tu ta face ?
3 Jusqu'à quand me mettrai-je en souci,
le chagrin au cœur chaque jour ?
Jusqu'à quand mon ennemi aura-t-il le dessus ?

4 Regarde, réponds-moi, SEIGNEUR mon Dieu !
Laisse la lumière à mes yeux, sinon je m'endors dans la mort,
5 mon ennemi dira : « Je l'ai vaincu »,
et mes adversaires jouiront de ma chute.

6 Moi, je compte sur ta fidélité :
que mon cœur jouisse de ton salut,
que je chante au SEIGNEUR pour le bien qu'il m'a fait !

PSAUME 14 (13)

(*Voir Ps 53*)
1 *Du* *chef de chœur. De David.*

Les fous se disent :
« Il n'y a pas de Dieu [i] ! »
Corrompus, ils ont commis des horreurs ;
aucun n'agit bien.

2 Des cieux, le SEIGNEUR s'est penché
vers les hommes,
pour voir s'il en est un d'intelligent
qui cherche Dieu.

3 Tous dévoyés, ils sont unis dans le vice ;
aucun n'agit bien,
pas même un seul.

4 Sont-ils ignorants tous ces malfaisants,
qui mangeaient mon peuple, en mangeant leur pain,
et n'invoquaient pas le SEIGNEUR !
5 Et voilà qu'ils se sont mis à trembler,
car Dieu était dans le camp des justes.
6 Vous bafouez les espoirs du malheureux,
mais le SEIGNEUR est son refuge.

---

[h] Le texte de la fin du psaume est obscur ● [i] *Il n'y a pas de Dieu* ou, comme l'a compris l'ancienne version araméenne, *Dieu n'a aucun pouvoir sur terre;* voir aussi Ps 10.4 et la note

13.2 jusqu'à quand? Ps 67.4 + ; 74.10; 79.5; 89.4 m'oublieras-tu Lm 5.20 — Dieu cache sa face Ps 10.11; 22.25; 27.9; 30.8; 69.18; 102.3. **13.4** la lumière Ps 19.9; 1 S 14.27, 29; cf. Ps 27.1; Jn 8.12+. **13.5** des ennemis qui se réjouissent Ps 38.17. **13.6** compter sur la fidélité de Dieu Ps 52.10; cf. 9.11 + — salut et joie Ps 21.2. **14.1** « pas de Dieu» Ps 10.4+. **14.2** le Seigneur s'est penché Ps 102.20 — pour voir Ps 11.4; Gn 11.5. **14.3** tous dévoyés... Rm 3.10-12. **14.4** ignorants Ps 79.6 — ils mangeaient mon peuple Ps 79.7; Mi 3.3. **14.5** ils se sont mis à trembler Ps 48.6-7 — Dieu dans le camp des justes Ps 46.6. **14.6** le Seigneur, refuge du malheureux Ps 46.2; cf. 7.2 +.

[7] Qui donne, depuis *Sion, la victoire à Israël ?
Quand le SEIGNEUR ramène les captifs de son peuple [j],
Jacob exulte, Israël est dans la joie.

PSAUME 15 (14)

[1] *Psaume. De David.*

SEIGNEUR, qui sera reçu dans ta tente [k] ?
Qui demeurera sur ta montagne sainte ?

[2] L'homme à la conduite intègre,
qui pratique la justice
et dont les pensées sont honnêtes [l].
[3] Il n'a pas laissé courir sa langue,
ni fait tort aux autres,
ni outragé son prochain.

[4] A ses yeux, le réprouvé est méprisable ;
mais il honore ceux qui craignent le SEIGNEUR.
Se fait-il tort dans un serment, il ne se rétracte pas.
[5] Il n'a pas prêté son argent à intérêt,
ni rien accepté pour perdre un innocent.

Qui agit ainsi reste inébranlable.

PSAUME 16 (15)

[1] *Miktâm [m] de David.*

Dieu, garde-moi, car j'ai fait de toi mon refuge.
[2] Je dis [n] au SEIGNEUR : « C'est toi le Seigneur !
Je n'ai pas de plus grand bonheur que toi ! »

[3] Les divinités de cette terre,
ces puissances qui me plaisaient tant [o],
[4] augmentent leurs ravages ; on se rue à leur suite.
Mais je ne leur offrirai plus de libations [p] de sang,
et mes lèvres ne prononceront plus leurs noms.

[5] SEIGNEUR, toi mon héritage et ma part à la coupe [q],
mon destin est dans ta main.

---

j ramène les captifs de son peuple: autre traduction *change, le sort de son peuple* (voir Os 6.11) ● *k La tente* du Seigneur désigne d'une manière poétique le temple de Dieu à Jérusalem (voir Ps 76.3), soit en souvenir de la *tente de la rencontre à l'époque de l'Exode (Ex 33.7), soit en souvenir de la tente dressée par David pour abriter l'*arche de l'alliance (2 S 6.17) ● *l* ou *qui dit la vérité comme il la pense* ● *m Miktâm:* on a renoncé à traduire ce terme probablement technique, dont le sens est perdu. On le retrouve dans la suscription des Ps 56-60 ● *n Je dis:* d'après quelques manuscrits hébreux, ainsi que les anciennes versions grecque et latine. La plupart des manuscrits hébreux lisent *tu dis* (au féminin singulier) ● *o* Le texte hébreu du v. 3 est obscur. Au lieu de *les divinités de cette terre* certains traduisent *les fidèles qui sont dans le pays* ● *p on se rue à leur suite:* autre traduction *on achète un autre* (dieu) — *libations:* voir au glossaire SACRIFICES ● *q ma part à la coupe* ou *la part qui me revient* (voir Dt 18.2) ou encore *mon sort* (voir Ps 11.6 et la note)

14.7 le Seigneur ramène les captifs Ps 53.7; 85.2; 126.1-4. **15.1** qui sera reçu ? Ps 24.3-6; Es 33.14-16 — la tente du Seigneur Ps 27.5; 76.3; 78.60; Es 33.20. **15.2** conduite intègre Jr 7.5-7; Ez 18.5-9; Mi 6.6-8; Pr 6.16-19. **15.3** il maîtrise sa langue Ps 39.2; Jb 31.30; Pr 21.23. **15.4** ceux qui craignent le Seigneur Ps 22.24; 25.14; 31.20; 33.18; 34.8, 10; 60.6; 66.16; 85.10; 103.11, 13, 17; 111.5; 112.1; 115.13; 118.4; 119.38, 63; 128.1; 130.4+; 135.20; 145.19; 147.11; Lc 1.50; Ac 10.35; 13.16; 17.17; Ap 19.5. **15.5** prêt à intérêt Ex 22.24 — ne pas se laisser acheter Ex 23.8 — inébranlable Ps 16.8; 112.6; 125.1; Pr 10.25, 30.7. **16.1** mon refuge Ps 7.2+ **16.4** libations Jr 7.18 — ne pas prononcer le nom des faux-dieux Ex 23.13; Os 2.19; Za 13.2. **16.5** le Seigneur, mon héritage Nb 18.20; Dt 10.9; Lm 3.24; cf. Ps 142.6 — mon destin Jr 13.25 — dans ta main Ps 31.6.

⁶ Le sort qui m'échoit est délicieux,
le lot que j'ai reçu est le plus beau.

⁷ Je bénis le Seigneur qui me conseille,
même la nuit, ma conscience ʳ m'avertit.

⁸ Je garde sans cesse le Seigneur devant moi,
comme il est à ma droite, je suis inébranlable.

⁹ Aussi mon cœur se réjouit, mon âme exulte
et ma chair demeure en sûreté,
¹⁰ car tu ne m'abandonnes pas aux enfers,
tu ne laisses pas ton fidèle voir la *fosse.

¹¹ Tu me fais connaître la route de la vie ;
la joie abonde près de ta face,
à ta droite, les délices éternelles.

PSAUME 17 (16)

¹ *Prière. De David.*

Justice, Seigneur ! Ecoute,
sois attentif à ma plainte ;
prête l'oreille à ma prière
qui ne vient pas de lèvres trompeuses.
² Que mon jugement ressorte de ta face,
que tes yeux voient où est le droit !

³ Tu as examiné mon cœur ; la nuit, tu as enquêté ;
tu m'as soumis à l'épreuve, tu n'as rien trouvé.
Ce que j'ai pensé n'a pas franchi ma bouche.
⁴ Pour agir comme les hommes
qui suivent les paroles de tes lèvres,
j'ai gardé les routes prescrites ˢ ;
⁵ j'ai marché sur tes traces,
mes pieds n'ont pas chancelé.

⁶ Je t'appelle car tu me répondras, mon Dieu.
Tends l'oreille vers moi, écoute ma parole !
⁷ Fais éclater ta fidélité, sauveur des réfugiés
qui, par ta droite, échappent aux agresseurs.
⁸ Garde-moi comme la prunelle de l'œil,
cache-moi à l'ombre de tes ailes,
⁹ loin des méchants qui m'ont pillé
et des ennemis mortels ᵗ qui me cernent.

¹⁰ Ils sont bouffis de graisse ᵘ,
leur bouche parle avec arrogance.
¹¹ Les voici sur nos talons ᵛ ; maintenant ils m'entourent,
l'œil sur moi pour me terrasser.

---

r ma conscience (héb. *mes reins*): Les Israélites situaient parfois dans *les reins* le siège des pensées et des sentiments secrets (voir Jr 12.2 ; Ps 7.10 et note) ● *s qui suivent les paroles de tes lèvres:* le texte hébreu correspondant est peu clair. Autre traduction *l'homme étant rétribué selon la parole de tes lèvres, j'ai gardé…* — *les routes prescrites :* traduction incertaine ● *t ennemis mortels:* autres traductions *des ennemis qui me cernent avec animosité* ou *avec voracité* ● *u bouffis de graisse:* traduction incertaine ● *v sur nos talons:* le texte hébreu correspondant est peu clair

16.8-11 cité en Ac 2.25-28 — le Seigneur à ma droite Ps 109.31 ; 121.5 ; cf. 110.5. **16.10** tu ne laisseras pas … cité en Ac 13.35. **16.11** la route de la vie Pr 5.6 ; 15.24. **17.1** appel à la justice de Dieu Ps 7.9 ; 26.1 — sois attentif 61.2. **17.3** Dieu examine le cœur Ps 7.10 ; 26.2 ; 139.1-3, 23 ; Jb 7.18 ; 23.10 ; cf. 1 S 16.7. **17.4** suivre les paroles (de Dieu) Jb 23.11-12. **17.7** la fidélité de Dieu Ps 23.6 ; 31.22 ; 62.13 ; 63.4 ; 69.17 ; cf. 25.10+ — la (main) droite de Dieu Ps 18.36+ ; 44.4 ; 48.11 ; 77.11 ; 80.16 ; 98.1 ; 108.7 ; 118.15 ; 139.10 ; Ex 15.6 ; Es 41.10 ; 48.13. **17.8** comme la prunelle de l'œil Dt 32.10 — à l'ombre de tes ailes Ps 36.8 ; 57.2 ; 61.5 ; 63.8 ; Dt 32.11 ; cf. Ps 91.4. **17.10** bouffis de graisse Ps 73.4, 7 ; 119.70 ; Dt 32.15 ; Jb 15.27.

¹² Ils sont pareils au lion impatient de déchirer,
au fauve placé en embuscade.

¹³ Lève-toi, SEIGNEUR ! Affronte-le, fais-le plier !
Par ton épée, libère-moi du méchant !

¹⁴ Que ta main, SEIGNEUR, les chasse de l'humanité,
hors de l'humanité et du monde *ʷ*.
Voilà leur part pendant cette vie !
Gave-les de ce que tu tiens en réserve !
Que leurs fils en soient rassasiés
et qu'ils en laissent pour leurs nourrissons.

¹⁵ Moi, et c'est justice, je verrai ta face ;
au réveil, je me rassasierai de ton image.

PSAUME 18 (17)

(Voir 2 S 22.2-51)

¹ *Du *chef de chœur. Du serviteur du SEIGNEUR, de David. Il adressa
au SEIGNEUR les paroles de ce chant, le jour où le SEIGNEUR le
délivra de la poigne de tous ses ennemis et de la main de Saül.*
² *Il dit :*

Je t'aime, SEIGNEUR, ma force.

³ Le SEIGNEUR est mon roc, ma forteresse et mon libérateur.
Il est mon Dieu, le rocher où je me réfugie,
mon bouclier, l'arme *ˣ* de ma victoire, ma citadelle.

⁴ Loué soit-il ! J'ai appelé le SEIGNEUR,
et j'ai été vainqueur de mes ennemis.

⁵ Les liens de la mort m'ont enserré,
les torrents de Bélial *ʸ* m'ont surpris,

⁶ les liens des enfers m'ont entouré,
les pièges de la mort étaient tendus devant moi.

⁷ Dans ma détresse, j'ai appelé le SEIGNEUR
et j'ai crié vers mon Dieu.
De son temple, il a entendu ma voix ;
le cri jeté vers lui est parvenu à ses oreilles.

⁸ Alors la terre se troubla et trembla *ᶻ* ;
les fondations des montagnes frémirent
et furent troublées quand il se mit en colère.

⁹ De son nez monta une fumée,
de sa bouche un feu dévorant
avec des braises enflammées.

¹⁰ Il déplia les cieux et descendit
un épais nuage sous les pieds.

---

w *hors de l'humanité et du monde :* le texte hébreu correspondant est peu clair • x Le terme traduit
ici par *arme* désigne habituellement la *corne*, symbole de puissance • y Au lieu de *lès liens* on
trouve dans le texte correspondant de 2 S 22.5 *les vagues* — *Bélial* (c'est-à-dire ce qui ne vaut
rien) apparaît ici comme le nom propre de la mort personnifiée. Sous la forme *Béliar* le N.T.
utilise ce même terme pour désigner le diable (2 Co 6.15) • z *se troubla et trembla :* la traduction
essaie ici de rendre deux verbes hébreux aux consonances voisines

17.12 comme un lion Ps 10.9; 57.5.   **17.15** voir la face de Dieu Ps 11.7; 42.3; 63.3; Ex 24.11;
Mt 5.8; Ap 22.4 — ta face Nb 12.8; cf. Ps 42.3+.   **18.2** Je t'aime, Seigneur cf. Ps 116.1 — ma
force Ps 118.14; Ex 15.2; Es 12.2; Ha 3.19.   **18.3** le Seigneur, mon roc Ps 28.1+; ma forteresse
Ps 27.1+; mon libérateur Ps 40.18; 144.2; Lc 1.69 — mon Dieu Ps 22.11+; Ex 15.2; mon refuge
Ps 7.2+ — mon bouclier Ps 3.4+.   **18.4** appel au Seigneur v. 7; Ps 3.5+.   **18.5** les liens de la
mort Ps 116.3; cf. Ac 2.24.   **18.6** les pièges de Pr 13.14; 14.27.   **18.7** appel au Seigneur
Ps 3.5+ — il a entendu Ps 4.4; 34.7; 116.1; 145.19; Ex 3.7; Es 30.19; Jon 2.3.   **18.8** la terre trembla
1 R 19.11-12; Ha 3.6 — les montagnes frémirent Ex 19.16, 18; Ha 3.10 — colère de Dieu Ha 3.8, 12.
18.10 il déplia les cieux et descendit Ps 144.5; cf. Ex 3.8; 19.11, 18, 20; Es 63.19.

¹¹ Il chevaucha un *chérubin^a et s'envola,
planant sur les ailes du vent.
¹² Il fit des ténèbres sa cachette,
de leurs replis son abri :
ténèbres diluviennes, nuages sur nuages !

¹³ Une lueur le précéda et ses nuages passèrent :
grêle et braises en feu !
¹⁴ Dans les cieux, le Seigneur fit tonner,
le Très-Haut donna de la voix :
grêle et braises en feu !
¹⁵ Il lança ses flèches et les dispersa ;
il décocha des éclairs et les éparpilla.
¹⁶ Le lit des eaux apparut
et les fondations du monde furent dévoilées,
par ton grondement, Seigneur,
par le souffle exhalé de ton nez.

¹⁷ D'en haut, il m'envoie prendre,
il me retire des grandes eaux ^b.
¹⁸ Il me délivre de mon puissant ennemi,
de ces adversaires plus forts que moi.
¹⁹ Le jour de ma défaite, ils m'affrontaient,
mais le Seigneur s'est fait mon appui.
²⁰ Il m'a dégagé, donné du large ;
il m'a délivré, car il m'aime.

²¹ Le Seigneur me traite selon ma justice,
il me traite selon la pureté de mes mains,
²² car j'ai gardé les chemins du Seigneur,
je n'ai pas été infidèle à mon Dieu.
²³ Toutes ses lois ont été devant moi,
et je n'ai pas répudié ses commandements.
²⁴ J'ai été intègre avec lui,
et je me suis gardé de toute faute.
²⁵ Alors le Seigneur m'a rendu selon ma justice,
selon la pureté qu'il a vue sur mes mains.

²⁶ Avec le fidèle, tu es fidèle ;
avec l'homme intègre, tu es intègre.
²⁷ Avec le pur, tu es pur ;
avec le pervers, tu es retors.

²⁸ C'est toi qui rends vainqueur un peuple humilié,
et qui fais baisser les regards hautains.
²⁹ C'est toi qui allumes ma lampe ^c.
Le Seigneur mon Dieu illumine mes ténèbres.

---

a *Il chevauche un chérubin:* la traduction essaie de rendre ici deux termes hébreux aux consonances voisines ● b *les grandes eaux:* expression imagée désignant un grand danger auquel on semble ne pas pouvoir échapper ● c *tu allumes ma lampe :* expression figurée signifiant sans doute que Dieu maintient un descendant de David comme roi à Jérusalem (voir Ps 132.17; 2 S 21.17; 1 R 11.36 et la note)

18.11 chérubins *a)* gardiens du jardin d'Eden Gn 3.24; Ez 28.14,16; *b)* monture du Seigneur Ps 80.2; 99.1; 1 S 4.4; 2 S 6.2; 2 R 19.15; *c)* figures décorant le Temple 1 R 6.23-29; 2 Ch 3.14 — sur les ailes du vent Ps 104.3. **18.12** ténèbres, nuages Ps 97.2; Dt 4.11 **18.14** la voix du Très-Haut Ps 29; 77.18-19. **18.15** flèches éclairs Ps 144.6. **18.16** le souffle du Seigneur Ex 15.8; Jb 37.10. **18.17** d'en haut. ... retiré des grandes eaux Ps 144.7. **18.18** il me délivre Ps 142.7. **18.20** il m'a délivré parce qu'il m'aime Ps 22.9. **18.22** les chemins du Seigneur v. 31; Ps 25.9; 37.34; 77.14; 103.7; 128.1; Gn 18.19; Es 2.3; 40.3; Mc 1.3 par. **18.23** respect des commandements Ps 119.102. **18.24** intègre avec Dieu Dt 18.13. **18.27** retors avec le pervers Pr 3.34. **18.28** il fait baisser les regards hautains Es 2.11; 5.15; Pr 6.16-17.

³⁰ C'est avec toi que je saute le fossé *d*,
avec mon Dieu que je franchis la muraille.
³¹ De ce Dieu, le chemin est parfait,
la parole du Seigneur a fait ses preuves.
Il est le bouclier de tous ceux qui l'ont pour refuge.
³² Qui donc est dieu sinon le Seigneur ?
Qui donc est le Roc hormis notre Dieu ?

³³ Ce Dieu me ceint de vigueur,
il rend mon chemin parfait
³⁴ et mes pieds comme ceux des biches.
Il me maintient sur mes hauteurs.
³⁵ Il entraîne mes mains pour le combat,
et mes bras plient l'arc de bronze.
³⁶ Tu me donnes ton bouclier vainqueur,
ta droite me soutient, ta sollicitude *e* me grandit.
³⁷ Tu allonges ma foulée,
et mes chevilles ne fléchissent pas.

³⁸ Je poursuis mes ennemis, je les rattrape,
je ne reviens pas avant de les avoir achevés.
³⁹ Je les massacre, ils ne peuvent se relever,
ils tombent sous mes pieds.
⁴⁰ Tu me ceins de vigueur pour le combat,
tu fais plier sous moi les agresseurs.
⁴¹ De mes ennemis, tu me livres la nuque *f*,
et j'extermine mes adversaires.
⁴² Ils crient, mais nul ne secourt ;
ils crient vers le Seigneur, mais il ne répond pas.
⁴³ J'en fais de la poussière pour le vent,
je les balaie comme la boue des rues.

⁴⁴ Tu me libères des séditions du peuple,
tu me places à la tête des nations.
Un peuple d'inconnus se met à mon service ;
⁴⁵ au premier mot ils m'obéissent ;
des étrangers deviennent mes courtisans ;
⁴⁶ des étrangers s'effondrent,
ils évacuent leurs bastions *g*.

⁴⁷ Vive le Seigneur ! Béni soit mon Roc !
Qu'il triomphe, le Dieu de ma victoire !
⁴⁸ Ce Dieu m'accorde la revanche
et me soumet des peuples.
⁴⁹ Tu me libères de mes ennemis ;
bien plus, tu me fais triompher de mes agresseurs
et tu me délivres d'hommes violents.
⁵⁰ Aussi je te rends grâce parmi les nations, Seigneur !

---

d je saute le fossé: autre traduction, soutenue par l'ancienne version grecque *j'échappe à une troupe* (de pirates) ● *e ta* (main) *droite:* c'est la main favorable (voir Ps 17.7) — *ta sollicitude me grandit:* autre traduction *en t'abaissant jusqu'à moi* (voir v. 10) *tu me grandis* ● *f* Manière imagée de décrire les adversaires en fuite (on aperçoit leur nuque) ou complètement vaincus (le vainqueur pose le pied sur la nuque du vaincu) ● *g ils évacuent leurs bastions:* traduction incertaine. Autres textes : anciennes versions grecque et syriaque *ils boitent hors de leurs chemins;* ancienne version araméenne *ils décampent...*

18.31 la parole du Seigneur Ps 12.7; Pr 30.5. **18.32** Qui donc est dieu... Ps 46.11; 86.10; 90.2; Es 43.10; 44.6, 8; 45.6, 14, 21, 22; Mc 12.32; Jn 17.3; 1 Co 8.4; Ga 3.20; Ep 4.5-6; 1 Tm 2.5. **18.34** des pieds comme ceux des biches Ha 3.19. **18.35** mains exercées au combat Ps 144.1 **18.36** ta (main) droite Ps 17.7+; 63.9; 98.1; me soutient Ps 20.3; Es 9.6. **18.44** à la tête des nations Ps 2.8-9; Ap 2.26-27. **18.46** ils évacuent leurs bastions Mi 7.17. **18.48** Dieu me soumet des peuples Ps 47.4; 144.2. **18.50** je te rends grâce parmi les nations Rm 15.9.

et je chanterai en l'honneur de ton nom :
⁵¹ Il donne de grandes victoires à son roi,
il agit avec fidélité envers son *messie,
envers David et sa dynastie, pour toujours.

PSAUME 19 (18)

¹ *Du *chef de chœur. Psaume de David.*

² Les *cieux racontent la gloire de Dieu,
le firmament proclame l'œuvre de ses mains.

³ Le jour en prodigue au jour le récit,
la nuit en donne connaissance à la nuit.

⁴ Ce n'est pas un récit, il n'y a pas de mots,
leur voix ne s'entend pas.
⁵ Leur harmonie éclate sur toute la terre
et leur langage jusqu'au bout du monde.

Là-bas ʰ, Dieu a dressé une tente pour le soleil :
⁶ c'est un jeune époux sortant de la chambre,
un champion joyeux de prendre sa course.
⁷ D'un bout du ciel il surgit,
il vire à l'autre bout,
et rien n'échappe à sa chaleur.

⁸ La loi du SEIGNEUR est parfaite,
elle rend la vie ;
la *charte du SEIGNEUR est sûre,
elle rend sage le simple.
⁹ Les préceptes du SEIGNEUR sont droits,
ils rendent joyeux le cœur ;
le commandement du SEIGNEUR est limpide,
il rend clairvoyant ⁱ.
¹⁰ La crainte du SEIGNEUR est chose claire,
elle subsiste toujours ;
les décisions du SEIGNEUR sont la vérité,
toutes elles sont justes.

¹¹ Plus désirables que l'or
et quantité d'or fin ;
plus savoureuses que le miel,
que le miel nouveau !

¹² Ton serviteur lui-même en est éclairé ʲ ;
il trouve grand profit à les garder.
¹³ Qui s'aperçoit des erreurs ?
Acquitte-moi des fautes cachées !
¹⁴ Eloigne aussi ton serviteur des orgueilleux :
qu'ils n'aient pas d'emprise sur moi,
alors je serai parfait
et innocent d'un grand péché.

---

h *Leur harmonie* (c'est-à-dire les sons harmonieux qu'ils produisent) : traduction incertaine;
autre traduction *Leur écriture* (représentée par les constellations) est lisible sur toute la terre
— *Là-bas:* c'est-à-dire *dans les cieux* (v. 2) ou *au bout du monde* (v. 5a) ● i *il rend clairvoyant:*
autre traduction *il rend le regard brillant* ● j *est éclairé:* autre traduction *en devient avisé*

18.51 messie Ps 2.2+ — David et sa dynastie 2 S 7.16-29 — pour toujours Ps 89.5, 30.   **19.2** le
message des cieux Ps 50.6; 89.6; 96.11; 97.6; cf. Rm 1.20.   **19.5** sur toute la terre Rm 10.18.
19.5-7 le soleil Si 43.1-5.   **19.8** la loi du Seigneur Ps 119 — la charte du Seigneur cf. Ps 93.5.
19.10 la crainte du Seigneur Ps 111.10; Jb 28.28; Pr 1.7; 9.10; 10.27; 14.27; 19.23; Es 33.6 —
chose claire Ps 12.7; Jc 1.27.   **19.11** plus que l'or Ps 119.127 — plus que le miel Ps 119.103.

¹⁵ Que les paroles de ma bouche
et le murmure de mon cœur
soient agréés en ta présence,
SEIGNEUR, mon roc et mon défenseur !

PSAUME 20 (19)

¹ *Du *chef de chœur. Psaume de David.*

² Que le SEIGNEUR te réponde ^{*k*} au jour de la détresse ;
que le *nom du Dieu de Jacob te protège !
³ Du *sanctuaire, qu'il t'envoie de l'aide,
et depuis *Sion, qu'il te soutienne !

⁴ Qu'il se rappelle toutes tes offrandes ;
qu'il apprécie ton holocauste ^{*l*} !   **Pause.*
⁵ Qu'il te donne ce que tu veux,
et qu'il accomplisse tout ton projet !

⁶ Alors nous acclamerons ta victoire,
en pavoisant au nom de notre Dieu.
Que le SEIGNEUR accomplisse toutes tes demandes !

⁷ Maintenant je le sais :
le SEIGNEUR donne la victoire à son *messie ;
il lui répond de son sanctuaire *céleste,
par les prouesses victorieuses de sa droite.

⁸ Aux uns les chars,
aux autres les chevaux,
mais à nous le nom du SEIGNEUR notre Dieu :
c'est lui que nous invoquons.
⁹ Eux, ils plient, ils tombent,
et nous, debout, nous résistons.

¹⁰ SEIGNEUR, donne la victoire !
Le roi nous répondra ^{*m*}
le jour où nous l'appellerons.

PSAUME 21 (20)

¹ *Du *chef de chœur. Psaume de David.*

² SEIGNEUR, le roi se réjouit de ta force :
quelle joie lui apporte ta victoire !
³ Tu as satisfait le désir de son cœur,
tu n'as pas repoussé le souhait de ses lèvres.   **Pause.*

⁴ Tu prends les devants pour le bénir de bienfaits ;
tu poses sur sa tête une couronne d'or.
⁵ Il t'a demandé la vie, tu la lui as donnée :
de longs jours qui ne finiront pas.

⁶ Par ta victoire, grande est sa gloire ;
tu places sur lui la splendeur et l'éclat.

---

k Cette bénédiction est prononcée sur le roi de Jérusalem (voir v. 6, 7, 10) ● *l* Voir au glossaire SACRIFICES ● *m Donne la victoire! le roi nous répondra:* autre traduction, appuyée sur l'ancienne version grecque, *donne la victoire au roi et réponds-nous!*

19.15 mon roc Ps 28.1+. **20.2** jour de la détresse Ps 77.3+. **20.3** depuis Sion Ps 14.7; 110.2; 128.5; 133.3; 134.3; cf. 2.6; 118.26 — qu'il te soutienne Ps 18.36; Es 9.6. **20.5** ce que tu veux Ps 21.3. **20.7** messie Ps 2.2+. **20.8** chars et chevaux Ps 33.16-17+; Os 1.7+; cf. 2 Ch 20.15 — le nom du Seigneur notre Dieu Ps 124.8+. **20.9** ceux qui plient et ceux qui tiennent Es 40.30-31. **20.10** donne la victoire Ps 118.25. **21.2** le roi se réjouit Ps 63.12. **21.3** désirs satisfaits Ps 20.5. **21.5** il t'a demandé Ps 2.8 — de longs jours Ps 61.8; 1 R 3.14; 2 R 20.1-7 qui ne finiront pas Ps 89.37-38. **21.6** splendeur, éclat Ps 45.4; 96.6.

⁷ Tu fais de lui une bénédiction pour toujours,
près de ta face, tu lui donnes la joie.
⁸ Oui, le roi compte sur le SEIGNEUR,
et la fidélité du Très-Haut le rend inébranlable.

⁹ Tu mettras la main sur tous tes ennemis ⁿ,
et ta droite sur tes adversaires.
¹⁰ Tu en feras un brasier
quand ta face paraîtra.
Avec colère, le SEIGNEUR les engloutira,
et un feu les dévorera.

¹¹ Tu aboliras leur postérité sur la terre
et leur race parmi les hommes.
¹² S'ils prétendent te faire du mal
et méditent un complot, ils ne peuvent rien ;
¹³ car tu les mets sur le dos,
avec ton arc, tu les vises en pleine face.

¹⁴ Dresse-toi, SEIGNEUR, dans ta force !
Chantons ta prouesse par un psaume !

PSAUME 22 (21)

¹ Du *chef de chœur, sur « Biche de l'aurore » ᵒ.
Psaume de David.

² Mon Dieu, mon Dieu, pourquoi m'as-tu abandonné ?
J'ai beau rugir, mon salut reste loin.
³ Le jour, j'appelle, et tu ne réponds pas, mon Dieu ;
la nuit, et je ne trouve pas le repos.

⁴ Pourtant tu es le *Saint ;
tu trônes, toi la louange d'Israël ᵖ !
⁵ Nos pères comptaient sur toi ;
ils comptaient sur toi, et tu les libérais.
⁶ Ils criaient vers toi, et ils étaient délivrés ;
ils comptaient sur toi, et n'étaient pas déçus.

⁷ Mais moi, je suis un ver et non plus un homme,
injurié par les gens, rejeté par le peuple.
⁸ Tous ceux qui me voient, me raillent ;
ils ricanent et hochent la tête :
⁹ « Tourne-toi vers le SEIGNEUR !
Qu'il le libère, qu'il le délivre,
puisqu'il l'aime ! »

¹⁰ Toi, tu m'as fait surgir du ventre de ma mère
et tu m'as mis en sécurité sur sa poitrine.
¹¹ Dès la sortie du sein, je fus remis à toi ;
dès le ventre de ma mère, mon Dieu c'est toi !

---

n tu mettras la main... : les paroles des v. 9-13 semblent adressées au roi ● o sur « Biche de l'aurore » : probablement premiers mots d'un air connu, sur lequel on devait chanter ce psaume
● p toi, la louange d'Israël : autre traduction tu trônes au milieu des louanges d'Israël

21.7 Tu fais de lui une bénédiction Gn 12.2-3 ; cf. Ps 72.17. **21.8** compter sur le Seigneur Ps 9.11+ ;
55.24+ — la fidélité du Très-Haut Ps 61.8 ; 89.2 ; 2 S 7.15 ; Pr 20.28. **21.13** le dos des ennemis
Ps 18.41. **21.14** dresse-toi, Seigneur Ps 7.7 ; 57.6, 12. **22.2** Mon Dieu... Mt 27.46 par. —
abandonné Ps 38.22 ; 71.18 ; Es 54.7. **22.4** le Saint Es 6.3+. **22.6** crier vers le Seigneur
Ps 3.5+ ; Jg 3.9, 15 — pas déçus Ps 31.2+. **22.7** un ver Es 41.14 ; Jb 25.6 — non plus un
homme Es 53.3. **22.8** moqueries Mt 27.29 par. — hochements de tête Mt 27.39 par. ; Ps 64.9 ;
109.25 ; Lm 2.15. **22.9** que Dieu le délivre ! Mt 27.43 par. ; cf. Sg 2.18 ; Ps 3.3+ — tourne-toi
vers le Seigneur Ps 37.5 ; Pr 16.3. **22.10** sécurité maternelle Ps 71.6 ; cf. 139.13. **22.11** naissance et adoption cf. Gn 30.3 ; 48.12 ; Jb 3.12 — mon Dieu, c'est toi Ps 31.15 ; 63.2 ; 118.28 ;
140.7 ; 143.10 ; cf. 18.3.

¹² Ne reste pas si loin
car le danger est proche
et il n'y a pas d'aide.

¹³ De nombreux taureaux me cernent,
des bêtes de Bashân ^q m'encerclent.

¹⁴ Ils ouvrent la gueule contre moi,
ces lions déchirant et rugissant.

¹⁵ Comme l'eau je m'écoule ;
tous mes membres se disloquent.
Mon cœur est pareil à la cire,
il fond dans mes entrailles.

¹⁶ Ma vigueur est devenue sèche comme un tesson,
la langue me colle aux mâchoires.
Tu me déposes dans la poussière de la mort.

¹⁷ Des chiens me cernent ;
une bande de malfaiteurs m'entoure :
comme au lion ^r ils me lient les mains et les pieds.

¹⁸ Je peux compter tous mes os ;
des gens me voient, ils me regardent.

¹⁹ Ils se partagent mes vêtements
et tirent au sort mes habits.

²⁰ Mais toi, SEIGNEUR, ne reste pas si loin !
O ma force, à l'aide ! Fais vite !

²¹ Sauve ma vie de l'épée
et ma personne des pattes du chien ;

²² arrache-moi à la gueule du lion,
et aux cornes des buffles...

Tu m'as répondu !

²³ Je vais redire ton nom à mes frères
et te louer en pleine assemblée :

²⁴ Vous qui craignez le SEIGNEUR, louez-le !
Vous tous, race de Jacob, glorifiez-le !
Vous tous, race d'Israël, redoutez-le !

²⁵ Il n'a pas rejeté ni réprouvé un malheureux dans la misère ;
il ne lui a pas caché sa face ;
il a écouté quand il criait vers lui.

²⁶ De toi vient ma louange ! Dans la grande assemblée,
j'accomplis mes vœux devant ceux qui le craignent :

²⁷ Les humbles mangent à satiété ;
ils louent le SEIGNEUR, ceux qui cherchent le SEIGNEUR :
« A vous, longue et heureuse vie ! »

²⁸ La terre tout entière se souviendra et reviendra vers le SEIGNEUR ;
toutes les familles des nations se prosterneront devant sa face :

²⁹ Au SEIGNEUR, la royauté ! Il domine les nations.

³⁰ Tous les heureux ^s de la terre ont mangé : les voici prosternés !

---

q *le Bashân:* région célèbre par ses élevages de gros bétail; elle est située au nord de la Transjordanie ● r *comme au lion:* le texte hébreu correspondant est peu clair ● s *tous les heureux:*
le texte hébreu des v. 30-32 est peu clair et la traduction incertaine

22.12 ne reste pas si loin Ps 35.22; 38.22; 71.12 — aide Ps 40.14. **22.13** Bashân Am 4.1+.
22.14 lions Ps 17.12; 57.5. **22.15-16** image de l'agonie Ps 102.4-6. **22.17** des chiens Ps 59.7, 15.
22.19 vêtements tirés au sort Mt 27.35 par. **22.20** vite à l'aide! Ps 38.23; 40.14; 70.2; 71.12; 109.26.
22.21 sauve ma vie Ps 35.17. **22.23** louer Dieu dans l'assemblée He 2.12; cf. Ps 35.18; 40.10.
22.24 ceux qui craignent le Seigneur Ps 15.4+. **22.26** dans la grande assemblée Ps 35.18+.
22.27 chercher le Seigneur Ps 9.11+ — longue et heureuse vie Ps 69.33. **22.28** la terre entière
prosternée devant Dieu Ps 72.8-11; Jr 16.19-20. **22.29** la royauté est au Seigneur Ps 103.19;
Ab 21; Ap 11.15; cf. Ps 93.1. **22.30** les moribonds Ps 28.1; 30.4; 88.5; 143.7; Nb 16.33; Ez
26.20-21.

Devant sa face, se courbent tous les moribonds :
il ne les a pas laissé vivre.

³¹ Une descendance servira le SEIGNEUR ;
on parlera de lui à cette génération ;
³² elle viendra proclamer sa justice,
et dire au peuple qui va naître ce que Dieu a fait.

PSAUME 23 (22)

¹ *Psaume de David.*

Le SEIGNEUR est mon *berger,
je ne manque de rien.
² Sur de frais herbages il me fait coucher ;
près des eaux du repos il me mène,
³ il me ranime.

Il me conduit par les bons sentiers,
pour l'honneur de son nom.
⁴ Même si je marche dans un ravin d'ombre et de mort,
je ne crains aucun mal, car tu es avec moi :
ton bâton et ta canne, voilà qui me rassure.

⁵ Devant moi tu dresses une table,
face à mes adversaires.
Tu parfumes d'huile ma tête,
ma coupe est enivrante *t.*

⁶ Oui, bonheur et fidélité me poursuivent
tous les jours de ma vie,
et je reviendrai *u* à la maison du SEIGNEUR,
pour de longs jours.

PSAUME 24 (23)

¹ *Psaume. De David.*

Au SEIGNEUR, la terre et ses richesses,
le monde et ses habitants !
² C'est lui qui l'a fondée sur les mers
et la tient stable sur les flots.

³ Qui gravira la montagne du SEIGNEUR ?
Qui se tiendra dans son saint lieu ?
⁴ — L'homme aux mains innocentes et au cœur pur,
qui ne se sert pas de Dieu pour le mal *v*
et ne jure pas pour tromper.

⁵ Il obtient du SEIGNEUR la bénédiction,
et de son Dieu sauveur la justice.

---

t tu parfumes d'huile ma tête: usage de l'hospitalité orientale (voir Lc 7.46) — *ma coupe est enivrante:* autre traduction *ma coupe déborde* ● *u je reviendrai:* certaines traductions suivent les versions anciennes et lisent *j'habiterai* (voir Ps 27.4) ● *v qui ne se sert pas de Dieu pour le mal:* autre traduction, appuyée sur les versions anciennes, *qui ne s'élève pas lui-même vers le mal*

22.31 on parlera du Seigneur Ps 48.14 ; 71.18 ; 78.6 ; 102.19. **23.1** le Seigneur, un berger Ps 28.9 ; 80.2 ; Ez 34.11-16 ; cf. Jn 10.11-16. **23.2** il me mène Ps 73.24 ; Pr 4.11. **23.3** pour l'honneur de son nom Ps 25.11 ; 31.4 ; 79.9 ; 106.8 ; 109.21 ; Jr 14.7 ; Ez 20.9. **23.4** une table Ps 78.19. **23.5** onction d'huile parfumée Ps 92.11 ; 133.2 ; Qo 9.8. **23.6** fidélité Ps 17.7+ — dans la maison du Seigneur Ps 27.4. **24.1** au Seigneur appartient la terre Ps 50.12 ; 89.12 ; 95.4-5 ; 1 Co 10.26. **24.2** fondations de la terre Ps 75.4 ; 104.5 ; Jb 38.4-6. **24.3** Qui...? Ps 15.1. **24.4** l'homme aux mains innocentes Ps 15.2-5 ; 26.6 ; Gn 20.5 ; Es 33.14-15 ; cf. Mt 5.8. **24.5** la bénédiction du Seigneur Ps 129.8.

⁶ Telle est la race de ceux qui le cherchent,
qui recherchent ta face : c'est Jacob ¹⁰ !   *Pause.*

⁷ Portes, levez la tête !
élevez-vous, portails antiques !
qu'il entre, le roi de gloire !
⁸ — Qui est le roi de gloire ?
— Le SEIGNEUR, fort et vaillant,
le SEIGNEUR, vaillant à la guerre.

⁹ Portes, levez la tête !
levez-la, portails antiques !
qu'il entre, le roi de gloire !
¹⁰ — Qui est-il, ce roi de gloire ?   *Pause.*
— Le SEIGNEUR, le tout-puissant,
c'est lui le roi de gloire.

PSAUME 25 (24)

¹ De David.

Alef ᶻ	SEIGNEUR, je suis tendu vers toi.
Beth	² Mon Dieu, je compte sur toi ; ne me déçois pas ! Que mes ennemis ne triomphent pas de moi !
Guimel	³ Aucun de ceux qui t'attendent n'est déçu, mais ils sont déçus, les traîtres avec leurs mains vides.
Daleth	⁴ Fais-moi connaître tes chemins, SEIGNEUR ; enseigne-moi tes routes.
Hé	⁵ Fais-moi cheminer vers ta vérité et enseigne-moi, car tu es le Dieu qui me sauve. Je t'attends à longueur de jours.
Zaïn	⁶ SEIGNEUR, pense à la tendresse et à la fidélité que tu as montrées depuis toujours ;
Heth	⁷ Ne pense plus à mes péchés de jeunesse ni à mes fautes ; pense à moi dans ta fidélité, à cause de ta bonté, SEIGNEUR.
Teth	⁸ Le SEIGNEUR est si bon et si droit qu'il montre le chemin aux pécheurs.
Yod	⁹ Il fait cheminer les humbles vers la justice et enseigne aux humbles son chemin.
Kaf	¹⁰ Toutes les routes du SEIGNEUR sont fidélité et vérité, pour ceux qui observent les clauses de son *alliance.
Lamed	¹¹ Pour l'honneur de ton nom, SEIGNEUR, pardonne ma faute qui est si grande !

---

w *c'est Jacob* : autrement dit ce sont de véritables Israélites — Autres textes : ancienne
version grecque *qui recherchent la face* (c'est-à-dire la présence) *du Dieu de Jacob* : ancienne
version syriaque *qui recherchent ta face, ô Dieu de Jacob* ● x *Alef, Beth, Guimel*... sont les
noms des consonnes successives de l'alphabet hébreu. Dans le texte hébreu de ce psaume chaque
verset commence par la consonne indiquée, d'où le nom de « psaumes alphabétiques » donné
aux psaumes composés selon ce principe : 34 ; 37 ; 111 ; 112 ; 119 ; 145 et, en partie, l'ensemble
formé par les Ps 9 et 10. Voir aussi Pr 31.10-31 ; Lm 1—4 ; Na 1.2-11 ; Si 51.13-30

24.6 chercher le Seigneur Ps 9.11+ — chercher la face du Seigneur Ps 27.8 ; 105.4 ; Os 5.15.
24.7 portes (du Temple) Ps 118.19-20 — entrée du roi de gloire cf. 2 S 6.12-16 ; 1 R 8.1-6 ;
Ez 44.2 ; Ml 3.1. 24.8 le roi de gloire cf. Ex 24.16-17 ; 1 Co 2.8. 25.1 tendu vers le Seigneur
Ps 86.4 ; 143,8. 25.3 attendre le Seigneur, espérer en lui Ps 27.14 ; 31.25+ ; 33.18 ; 52.11 ; 104.27 ;
119.43 ; 147.11 — pas de déception Ps 31.2+ ; Es 49.23. 25.4 fais-moi connaître tes chemins
Ps 27.11 ; 86.11 ; 119.35 ; 143.8 ; Jn 14.4-6. 25.5 vers ta vérité Jn 16.13. 25.7 ne pense plus...
Ps 79.8 — pense à moi... Ps 106.4. 25.10 fidélité et vérité Ps 40.11-12 ; 57.4 ; 61.8 ; 85.11 ; 86.15 ;
115.1 ; 138.2 ; Gn 24.27, 49 ; 32.11 ; 47.29 ; Ex 34.6 ; Jos 2.14 ; 2 S 2.6 ; 15.20 ; Pr 3.3 ; 14.22 ; 16.6 ;
20.28 ; voir aussi Ps 26.3 ; 57.11 ; 69.14 ; 108.5 ; 117.2 ; Os 4.1 ; Mi 7.20. 25.11 pour l'honneur de
son nom Ps 23.3+ — pardonne Ps 103.3.

Mem   12 Un homme craint-il le SEIGNEUR ?
      Celui-ci lui montre quel chemin choisir.
Noun 13 Il passe des nuits heureuses,
      et sa race possédera la terre.
Samek 14 Le SEIGNEUR se confie à ceux qui le craignent,
      en leur faisant connaître son alliance.

Aïn   15 J'ai toujours les yeux sur le SEIGNEUR,
      car il dégage mes pieds du filet.
Pé   16 Tourne-toi vers moi ; aie pitié,
      car je suis seul et humilié.

Çadé 17 Les malheurs m'ont ouvert l'esprit ʸ ;
      dégage-moi de mes tourments !
Qof   18 Vois ma misère et ma peine,
      enlève tous mes péchés !
Resh 19 Vois mes ennemis si nombreux,
      leur haine et leur violence.

Shîn 20 Garde-moi en vie et délivre-moi !
      J'ai fait de toi mon refuge, ne me déçois pas !
Taw   21 Intégrité et droiture me préservent,
      car je t'attends.

      22 O Dieu, rachète Israël !
      Délivre-le de tous ses malheurs !

PSAUME 26 (25)

1 De David.

Rends-moi justice, SEIGNEUR,
car ma conduite est intègre
et j'ai compté sur le SEIGNEUR sans fléchir.
2 Examine-moi, SEIGNEUR, soumets-moi à l'épreuve,
passe au feu mes reins et mon cœur ᶻ.

3 Ta fidélité est restée devant mes yeux ;
je me suis conduis selon ta vérité.
4 Je n'ai pas été m'asseoir chez des imposteurs ;

je ne suis pas entré chez des hypocrites ;
5 j'ai pris en haine la bande des malfaiteurs ;
je n'ai pas été m'asseoir chez des impies.

6 Je lave mes mains en signe d'innocence,
pour faire le tour de ton *autel, SEIGNEUR,
7 en clamant l'action de grâce,
et en redisant toutes tes merveilles.

8 SEIGNEUR, j'aime la maison où tu résides,
et le lieu où demeure ta gloire.

---

y Le texte hébreu de ce verset est peu clair — Versions anciennes *les angoisses de mon cœur se sont multipliées* ● z *mes reins et mon cœur:* voir Ps 7.10 et la note

25.13 posséder la terre Ps 37.9; Gn 15.7, 18; Es 60.21; cf. Mt 5.4. **25.14** le Seigneur confie son secret Jn 15.15 — ceux qui craignent le Seigneur Ps 15.4+. **25.15** les yeux fixés sur le Seigneur Ps 123,1; 141.8 — dégagé du filet Ps 31.5; 141.9. **25.16** tourne-toi vers moi Ps 86.16; 119.132. **25.17** dégagé des tourments Ps 107.28. **25.18** vois ma misère Ps 119.153 — péchés enlevés Ps 32.5; 85.3. **25.20** Dieu, un refuge Ps 34.9, 23. **25.21** préservé Ps 40.12; 61.8. **25.22** Dieu rachète Ps 34.23. **26.1** appel à la justice de Dieu Ps 7.9; 17.1 — une conduite intègre Ps 15.2-5; 18.21-28; 101.2. **26.2** examine-moi Ps 7.10; 17.3; 139.23 — les reins et les cœurs Ps 7.10+. **26.3** fidélité et vérité Ps 25.10+. **26.4-5** pas de relations avec les imposteurs Ps 1.1-2. **26.6** innocence et mains lavées Ps 73.13; Dt 21.6-7; Mt 27.24; cf. Ex 30.17-21. **26.7** redire les merveilles de Dieu Ps 9.2. **26.8** j'aime ta maison cf. Ps 122.1 — le lieu où demeure ta gloire Ps 29.9; 63.3; cf. Ex 16.7+.

⁹ Ne lie pas mon sort à celui des pécheurs,
ne me rends pas solidaire des assassins.
¹⁰ Ils ont de l'ordure sur les mains,
leur droite est pleine de pots-de-vin.
¹¹ Ma conduite est intègre,
libère-moi, par pitié !
¹² Mon pied se tient sur du solide,
et dans les assemblées, je bénirai le SEIGNEUR.

PSAUME 27 (26)

¹ *De David.*

Le SEIGNEUR est ma lumière et mon salut,
de qui aurais-je peur ?
Le SEIGNEUR est la forteresse de ma vie,
devant qui tremblerais-je ?

² Si des malfaiteurs m'attaquent
pour me déchirer *ᵃ*,
ce sont eux, mes adversaires et mes ennemis,
qui trébuchent et tombent.

³ Si une armée vient camper contre moi,
mon cœur ne craint rien.
Même si la bataille s'engage,
je garde confiance.

⁴ J'ai demandé une chose au SEIGNEUR,
et j'y tiens :
habiter la maison du SEIGNEUR
tous les jours de ma vie,
pour contempler la beauté *ᵇ* du SEIGNEUR
et prendre soin de son temple.

⁵ Car il me dissimule dans son abri
au jour du malheur ;
il me cache au secret de sa tente *ᶜ*,
il m'élève sur un rocher.

⁶ Et maintenant ma tête domine
les ennemis qui m'entourent.
Dans sa tente je peux offrir
des sacrifices avec l'ovation
et chanter un psaume pour le SEIGNEUR.

⁷ SEIGNEUR, écoute mon cri d'appel !
Par pitié, réponds-moi !
⁸ Je pense à ta parole *ᵈ* :
« Cherchez ma face ! »
Je cherche ta face, SEIGNEUR.

⁹ Ne me cache pas ta face !
N'écarte pas avec colère ton serviteur !

---

a pour me déchirer ou *pour dévorer ma chair*: l'expression désigne peut-être la calomnie ● *b la beauté* ou *la douceur* (voir Ps 90.17) ● *c* la *tente* de Dieu: voir Ps 15.1 et la note ● *d je pense à ta parole*: texte hébreu obscur; autre traduction *mon cœur dit de ta part*

26.9 rien de commun avec les pécheurs Ps 28.3; cf. Ps 1.1.   **26.12** sur un chemin sûr Ps 25.4; 27.11; 143.10.   **27.1** lumière Ps 4.7; 18.29; 36.10; 43.3; Jn 8.12+ — forteresse Ps 28.7-8; 31.3-4; 37.39; 52.9; 91.2; 94.22; cf. 9.10+.   **27.2** me déchirer Jb 19.22.   **27.4** dans la maison du Seigneur Ps 23.6 — contempler Dieu Ex 24.11; Ps 11.7; 17.15; 42.3; 63.3.   **27.5** à l'abri Ps 17.8; 31.21; 64.3 — sur un rocher Ps 61.3.   **27.6** ovation Ps 33.3; Lv 23.24.   **27.8** cherchez ma face Ps 24.6; 105.4; Os 5.15; cf. 2 S 21.1.   **27.9** ne me cache pas ta face Ps 13.2; 30.8; 44.25; 69.18; 88.15; 102.3; 143.7.

Toi qui m'as secouru,
ne me quitte pas, ne m'abandonne pas,
Dieu de mon salut.
¹⁰ Père et mère m'ont abandonné,
le Seigneur me recueille.

¹¹ Montre-moi, Seigneur, ton chemin,
et conduis-moi sur une bonne route
malgré ceux qui me guettent.
¹² Ne me livre pas à l'appétit de mes adversaires,
car de faux témoins se sont levés contre moi,
en crachant la violence.
¹³ Je suis sûr de voir les bienfaits du Seigneur ᵉ
au pays des vivants.
¹⁴ Attends le Seigneur ᶠ ;
sois fort et prends courage ;
attends le Seigneur.

PSAUME 28 (27)

¹ *De David.*

Seigneur, je fais appel à toi.
Mon roc, ne sois pas sourd !
Si pour moi tu restes muet,
je ressemblerai aux moribonds.
² Ecoute ma voix suppliante
quand je crie vers toi,
quand je lève les mains ᵍ
vers le fond de ton *sanctuaire.

³ Ne me traîne pas avec les méchants
ni avec les malfaisants :
aux autres ils parlent de paix,
mais le mal est dans leur cœur.

⁴ Traite-les selon leurs actes
et selon leurs méfaits !
Traite-les selon leurs œuvres,
rends-leur ce qu'ils méritent !
⁵ Ils ne prennent pas garde aux actes du Seigneur,
ni à l'œuvre de ses mains :
qu'il les démolisse et ne les reconstruise plus !

⁶ Béni soit le Seigneur,
car il a écouté ma voix suppliante.
⁷ Le Seigneur est ma forteresse et mon bouclier ;

---

e Le début du v. 31 est signalé comme obscur dans les manuscrits hébreux ● *f* Dans le v. 14 on peut penser que l'auteur du psaume se parle à lui-même ● *g je lève les mains:* geste de la prière (voir Ne 8.6; Esd 9.5 et la note)

27.10 Dieu, comme un père ou une mère Es 49.14-15; Jr 31.20. **27.11** montre-moi ton chemin Ps 25.4, 12; 86.11; 139.24. **27.12** faux témoins Ps 35.11; 1 R 21.10-13; Mc 14.56 par.; Ac 6.13. **27.14** attendre le Seigneur Ps 37.34; 130.5-6 — sois fort et prends courage Ps 31.25; Jos 1.9; 1 Co 16.13. **28.1** appel au Seigneur Ps 3.5+ — Dieu, mon Roc Ps 18.3, 32, 47; 19.15; 31.3-4; 42.10; 62,3, 8, etc.; 144.2; Dt 32.4, 15, 18, etc.; 1 S 2.2; 2 S 23.3; Es 17.10; 30.29; 44.8; cf. 1 Co 10.4 — Dieu muet Ps 35.22; 83.2; 109.1 — Dieu sourd Ps 39.13 — les moribonds Ps 22.30+. **28.2** ma voix suppliante Ps 31.23; 140.7 — le fond du sanctuaire 1 R 8.6 — vers le sanctuaire Ps 5.8+; 134.2 — mains levées Ps 63.5; 119.48; 134.2; 1 R 8.22; Es 1.15; Lm 2.19; 3.41; Ne 8.6; 1 Tm 2.8. **28.3** pas avec les méchants Ps 26.9+ — ils parlent de paix Jr 6.14; 8.11; Ez 13.10 — langage trompeur Ps 12.3; cf. Pr 26.24-25. **28.4** selon leurs actes Ps 94.2; 137.8; Es 21.23-25; Jr 50.29; cf 2 Co 11.15; 1 P 1.17; Ap 20.12. **28.5** inattentifs aux actes du Seigneur Es 5.12 — démolir Ps 52.7 et reconstruire Jr 1.10+ **28.6** Béni soit le Seigneur! Ps 31.22; 41.14; 66.20; 68.20; 72.19; 89.53; 106.48; 124.6; 135.21; 144.1; Ex 18.10; Dn 3.28; Lc 1.68; 2 Co 1.3. **28.7** le Seigneur, une forteresse Ps 27.1+; cf. 9.10+.

mon cœur a compté sur lui et j'ai été secouru.
J'exulte de tout mon cœur
et je lui rends grâce en chantant :

[8] Le SEIGNEUR est la force de son peuple,
la forteresse qui sauve son *messie [h].
[9] Sauve ton peuple,
bénis ton héritage,
sois leur *berger et porte-les toujours !

PSAUME 29 (28)

[1] *Psaume. De David* [i].

Donnez au SEIGNEUR, vous les dieux,
donnez au SEIGNEUR gloire et force !
[2] Donnez au SEIGNEUR la gloire de son nom !
Prosternez-vous devant le SEIGNEUR, quand éclate sa sainteté [j] !

[3] La voix du SEIGNEUR domine les eaux
— le Dieu de gloire fait gronder le tonnerre —
le SEIGNEUR domine les grandes eaux.

[4] La voix puissante du SEIGNEUR,
la voix éclatante du SEIGNEUR,
[5] la voix du SEIGNEUR casse les cèdres,
le SEIGNEUR fracasse les cèdres du Liban.

[6] Il fait bondir le Liban comme un veau,
et le Sirion [k] comme un jeune buffle.
[7] La voix du SEIGNEUR taille des lames de feu [l].

[8] La voix du SEIGNEUR fait trembler le désert,
le SEIGNEUR fait trembler le désert de Qadesh [m].
[9] La voix du SEIGNEUR fait trembler les biches en travail ;
elle dénude les forêts [n].

Et dans son temple, tout dit : « Gloire ! »
[10] Le SEIGNEUR trône sur le déluge [o],
le SEIGNEUR trône comme roi éternel.
[11] Le SEIGNEUR donnera de la force à son peuple,
le SEIGNEUR bénira son peuple par la prospérité.

---

[h] *la force de son peuple:* d'après deux versions anciennes et quelques manuscrits hébreux — Autre traduction possible du v. 8*b la force qui sauve, c'est son messie* ● [i] La version grecque précise ici *Pour conclure la fête des Tentes* (voir Dt 16.13-15). Selon Za 14.13-19, pendant cette fête on priait pour obtenir la pluie ● [j] *quand éclate sa sainteté:* traduction incertaine d'un texte obscur; versions grecque et syriaque *dans la cour de son *sanctuaire;* version latine *en ornements sacrés* ● [k] *Le Sirion:* nom donné par les Cananéens au mont Hermon (Dt 3.9) ● [l] *des lames de feu:* c'est-à-dire *des éclairs* ● [m] *le désert de Qadesh:* voir Nb 20.1 ● [n] *elle dénude les forêts:* le texte hébreu est obscur et la traduction incertaine. Autre traduction *elle pousse les gazelles à mettre bas prématurément* ● [o] *sur le déluge* ou *depuis le déluge* ou encore *sur le grand océan* (masse d'eau qui entourait la terre selon les conceptions anciennes)

28.8 salut Ps 3.9 — force Ps 29.11; 68.36 — le Seigneur et son messie 1 S 2.10; cf. Ps 2.2+. **28.9** sauve ton peuple Jr 31.7 — il les porte Dt 32.11 — tel un berger Es 40.11; Ps 23.1+. **29.1** les dieux Ps 138.1+. **29.1-2** donner gloire au Seigneur Ps 96.7-8. **29.3** la voix du Seigneur et les forces de la nature Ex 19.16, 18, 19; Ps 18.11-16; 77.18-19; 97.2-4; Ha 3.4-11; Jb 37.2-5. **29.6** il fait bondir le Liban Ps 114.4 — le Sirion/Hermon Ps 42.7; 89.13; 133.3. **29.7** lames de feu Na 3.3; Ha 3.11; cf. Gn 3.24. **29.9** les biches en travail Jb 39.1-4. **29.10** le déluge Gn 6-9 — le Seigneur, roi éternel Ps 9.8+; cf. 93.1. **29.11** de la force pour son peuple Ps 28.8; 68.36.

PSAUME 30 (29)

1 *Psaume : chant pour la dédicace de la maison de David* [p].

2 Je t'exalte, SEIGNEUR, car tu m'as repêché ;
tu n'as pas réjoui mes ennemis à mes dépens.
3 SEIGNEUR mon Dieu,
j'ai crié vers toi, et tu m'as guéri ;
4 SEIGNEUR, tu m'as fait remonter des enfers,
tu m'as fait revivre quand je tombais dans la *fosse [q].

5 Chantez pour le SEIGNEUR, vous ses fidèles,
célébrez-le en évoquant sa *sainteté :
6 Pour un instant sous sa colère,
toute une vie dans sa faveur.
Le soir s'attardent les pleurs,
mais au matin crie la joie.

7 Et moi, tranquille, je disais :
« Je resterai inébranlable.
8 SEIGNEUR, dans ta faveur,
tu as fortifié ma montagne [r]. »

Mais tu as caché ta face,
et je fus épouvanté.
9 SEIGNEUR, j'ai fait appel à toi ;
j'ai supplié le Seigneur :
10 « Que gagnes-tu à mon sang [s]
et à ma descente dans la fosse ?
La poussière peut-elle te rendre grâce ?
Proclame-t-elle ta fidélité ?
11 Ecoute, SEIGNEUR ! par pitié !
SEIGNEUR, sois mon aide ! »

12 Tu as changé mon deuil en une danse,
et remplacé mon *sac par des habits de fêtes.
13 Aussi, l'âme te chante sans répit ;
SEIGNEUR mon Dieu, je te rendrai grâce toujours.

PSAUME 31 (30)

1 *Du *chef de chœur. Psaume de David.*

2 SEIGNEUR, j'ai fait de toi mon refuge,
que je ne sois jamais déçu !
Libère-moi par ta justice ;
3 tends vers moi l'oreille !
Vite ! Délivre-moi !

p la maison de David: ou bien le palais royal (voir *2 S* 5.11), comme l'a compris l'ancienne version grecque; ou bien le Temple, comme l'a compris l'ancienne version araméenne. La liturgie juive utilise ce psaume pour célébrer l'anniversaire de la dédicace de l'autel du Temple (voir *1 M* 4.52-59) • *q quand je tombais dans la fosse:* autre traduction *loin de ceux qui descendent dans la fosse* • *r* texte incertain. Autre traduction *tu as établi une forteresse sur ma montagne* • *s mon sang:* expression figurée fréquente en hébreu pour désigner la *mort*

30.1 dédicace *1 M* 4.36-59; Jn 10.22. **30.3** appel au Seigneur Ps 3.5+ — guéri Ps 6.3; 41.5. **30.4** tu m'as fait revivre Es 38.16-18 — quand je tombais dans la fosse Ps 22.30+. **30.5** chantez Ps 96.1+ — célébrez-le Ps 97.12. **30.6** pour un instant Es 54.7-8. **30.7** inébranlable Ps 10.6. **30.8** tu as fortifié ma montagne cf. Ps 18.34; 2 S 5.9-11; 1 R 15.4; 2 Ch 24.13 — tu as caché ta face Ps 27.9+ — épouvanté Ps 104.29. **30.9** appel au Seigneur Ps 3.5+. **30.10** les morts peuvent-ils rendre grâce à Dieu? Ps 6.6+. **30.12** du deuil à la joie Ps 126.5+. **31.2** le Seigneur, mon refuge Ps 7.2+— jamais déçu Ps 22.6; 25.3, 20; 31.18; 37.19; 119.6; Es 49.23. **31.3** tends l'oreille Ps 71.2+ — vite! Ps 69.18; 70.2, 6; 79.8; 102.3; 141.1; 143.7 — rocher fortifié Ps 18.3; 71.3; cf. 9.10+; 27,1+.

Sois pour moi le rocher fortifié,
le château-fort qui me sauvera.
⁴ C'est toi mon roc et ma forteresse.
Pour l'honneur de ton nom, tu me conduiras et me guideras.
⁵ Tu me dégageras du filet tendu contre moi,
car c'est toi ma forteresse.
⁶ Dans ta main je remets mon souffle.
Tu m'as racheté, SEIGNEUR, toi le Dieu vrai.
⁷ Je hais ceux qui tiennent aux vaines chimères *t* ;
moi, je compte sur le SEIGNEUR.

⁸ Je danserai de joie pour ta fidélité,
car tu as vu ma misère
et connu ma détresse.
⁹ Tu ne m'as pas livré aux mains d'un ennemi,
tu m'as remis sur pied, tu m'as donné du large.

¹⁰ Pitié, SEIGNEUR ! Je suis en détresse :
le chagrin me ronge les yeux,
la gorge et le ventre.
¹¹ Ma vie s'achève dans la tristesse,
mes années dans les gémissements.
Pour avoir péché, je perds mes forces
et j'ai les os rongés.

¹² Je suis injurié par tous mes adversaires,
plus encore, par mes voisins ;
je fais peur à mes intimes :
s'ils me voient dehors, ils fuient.

¹³ On m'oublie; tel un mort effacé des mémoires,
je ne suis plus qu'un débris.
¹⁴ Et j'entends les ragots de la foule :
« Il épouvante les alentours *u* ! »
Ils se sont mis d'accord contre moi,
ils conspirent pour m'ôter la vie.

¹⁵ Mais je compte sur toi, SEIGNEUR.
Je dis : « Mon Dieu, c'est toi. »
¹⁶ Mes heures sont dans ta main ;
délivre-moi de la main d'ennemis acharnés !
¹⁷ Fais briller ta face sur ton serviteur,
sauve-moi par ta fidélité !

¹⁸ SEIGNEUR, que je ne sois pas déçu de t'avoir appelé !
Mais que les impies soient déçus
et réduis au silence des enfers !
¹⁹ Qu'elles soient muettes, ces lèvres menteuses
qui parlent contre le juste avec insolence,
arrogance et mépris !

---

t vaines chimères: expression péjorative pour désigner les idoles (voir références parallèles)
● *u* Autre traduction possible *j'entends les ragots de la foule, alentour c'est la terreur* (voir
Jr 6.25)

31.4 mon roc Ps 28.1+ — ma forteresse Ps 27.1+ — pour l'honneur de ton nom Ps 23.3;
25.11. **31.5** dégagé du filet Ps 25.15+. **31.6** dans ta main... Lc 23.46; cf. Ac 7.59; 1 P 4.19.
31.7 idoles, vaines chimères Dt 32.21; Jr 8.19; 10.8; Ps 4.3; cf. Jon 2.9 — compter sur le Seigneur
v. 15; Ps 9.11+; 55.24+. **31.8** le Seigneur connaît Ps 1.6; 37.18. **31.9** mis au large Ps 18.20;
118.5. **31.10** des yeux rongés de chagrin Ps 6.8. **31.12** mes intimes... fuient Ps 38.12; 41.10;
69.9; 88.9, 19; Jb 19.13-19; Lc 23.49. **31.14** terreur alentour Jr 6.25+ — conspiration Ps 64.3;
83.4; Es 8.12+. **31.15** compter sur le Seigneur v. 7+ — mon Dieu, c'est toi Ps 22.11+. **31.17** fais
briller ta face Ps 67.2; 80.4, 8, 20; 119.135; Nb 6.25; Dn 9.17. **31.18** jamais déçu v. 2+.
31.19 arrogance Ps 12.4; 75.6.

²⁰ Qu'ils sont grands les bienfaits
que tu réserves à ceux qui te craignent !
Tu les accordes à tous ceux dont tu es le refuge,
devant tout le monde.
²¹ Tu les caches là où se cache ta face,
loin des intrigues ᵛ des hommes.
Tu les mets à l'abri
des attaques de la langue.

²² Béni soit le Seigneur,
car sa fidélité a fait pour moi un miracle
dans une ville retranchée.
²³ Et moi, désemparé, je disais :
« Je suis exclu de ta vue.»
Mais tu as entendu ma voix suppliante
quand j'ai crié vers toi.

²⁴ Aimez le Seigneur, vous tous ses fidèles !
Le Seigneur préserve les croyants,
mais à l'arrogant, il rend avec usure.
²⁵ Soyez forts et prenez courage,
vous tous qui espérez dans le Seigneur !

PSAUME 32 (31)

¹ De David. Instruction.

Heureux l'homme dont l'offense est enlevée
et le péché couvert !
² Heureux celui à qui le Seigneur ne compte pas la faute,
et dont l'esprit ne triche pas !

³ Tant que je me taisais, mon corps s'épuisait
à grogner tout le jour,
⁴ car, jour et nuit, ta main pesait sur moi,
ma sève s'altérait aux ardeurs de l'été ᵂ   *Pause.

⁵ Je t'ai avoué mon péché,
je n'ai pas couvert ma faute.
J'ai dit : « Je confesserai mes offenses au Seigneur»,
et toi, tu as enlevé le poids de mon péché.   Pause.

⁶ Ainsi tout fidèle te prie
le jour où il te rencontre.
Même si les grandes eaux ˣ débordent,
elles ne l'atteignent pas.

⁷ Tu es pour moi un abri,
tu me préserves de la détresse,
tu m'entoures de chants de délivrance ʸ.

---

v *loin des intrigues*: certains pensent que l'auteur fait ainsi allusion à des pratiques magiques
● w Le texte de la deuxième partie du v. 4 est obscur et la traduction incertaine ● x *le jour où il te rencontre* ou, en suivant l'ancienne version grecque, *au moment favorable* (comme en Es 49.8; Ps 69.14) — *les grandes eaux*: voir Ps 18.17 et la note ● y Le texte hébreu de la dernière partie du v. 7 est obscur

31.20 ceux qui craignent le Seigneur Ps 15.4+. **31.21** cachés avec Dieu Ps 27.5 — attaques de la langue Ps 5.10+. **31.22** Béni soit le Seigneur Ps 28.6+ — fidélité de Dieu Ps 17.7+. **31.23** désemparé Ps 116.11 — exclu de la vue de Dieu Jon 2.5 — ma voix suppliante Ps 28.2 — crier vers le Seigneur Ps 3.5+. **31.25** soyez forts et prenez courage Ps 27.14+ — espérer dans le Seigneur Ps 37.7; 38.16; 42.6, 12; 43.5; 69.7; 145.15; Es 8.17; 30.18; 33.2; 51.5; 60.9; Jr 14.22; Os 12.7; Pr 20.22; Lm 3.25. **32.1-2** Heureux l'homme dont les péchés... Rm 4.6-8. **32.1** Heureux! Ps 1.1+ — offense enlevée, péché couvert Ps 25.18; 85.3. **32.2** sans tricherie Jn 1.47. **32.3** tant que je me taisais Ps 39.2-4 — mon corps s'épuisait Ps 31.11. **32.5** confession des péchés Ps 38.19; 51.5; Jb 31.33; 2 S 12.13; 1 Jn 1.9, 10. **32.6** (le jour favorable), etc. **32.7** abri cf. Ps 7.2+.

⁸ Je vais t'instruire, t'indiquer la route à suivre,
et te donner un conseil, en veillant sur toi :
⁹ N'imite pas le cheval ou la mule stupides,
dont mors et bride doivent freiner la fougue,
et il ne t'arrivera rien ᶻ !

¹⁰ Beaucoup de douleurs attendent l'impie,
mais la fidélité entoure celui qui compte sur le SEIGNEUR.
¹¹ Exultez à cause du SEIGNEUR,
réjouissez-vous, les justes,
et criez de joie, vous tous les *cœurs droits !

PSAUME 33 (32)

¹ Justes, acclamez le SEIGNEUR !
La louange convient aux hommes droits.
² Rendez grâce au SEIGNEUR sur la cithare ᵃ ;
sur la harpe à dix cordes, jouez pour lui !
³ Chantez pour lui un chant nouveau,
jouez de votre mieux ᵇ pendant l'ovation.

⁴ Car la parole du SEIGNEUR est droite,
et toute son œuvre est sûre.
⁵ Il aime la justice et l'équité ;
la terre est remplie de la fidélité du SEIGNEUR.

⁶ Par sa parole, le SEIGNEUR a fait les cieux,
et toute leur armée par le souffle de sa bouche.
⁷ Il amasse et endigue les eaux de la mer ;
dans des réservoirs il met les océans.

⁸ Que toute la terre ait la crainte du SEIGNEUR,
que tous les habitants du monde le redoutent :
⁹ c'est lui qui a parlé, et cela arriva ;
lui qui a commandé, et cela exista ᶜ.

¹⁰ Le SEIGNEUR a brisé le plan des nations,
il a anéanti les desseins des peuples.
¹¹ Le plan du SEIGNEUR subsiste toujours,
et les desseins de son cœur, d'âge et âge.
¹² Heureuse la nation qui a le SEIGNEUR pour Dieu !
Heureux le peuple qu'il s'est choisi pour héritage !

¹³ Des cieux, le SEIGNEUR regarde
et voit tous les hommes.
¹⁴ Du lieu où il siège, il observe
tous les habitants de la terre,
¹⁵ lui qui leur modèle un même cœur,
lui qui est attentif à toutes leurs œuvres.

---

z il ne t'arrivera rien: le texte hébreu correspondant est obscur; les versions anciennes ont compris (*pour qu'*)*il*(*s*) *ne s'approche*(*nt*) *pas de toi* ● *a* Voir Ps 92.4 et la note ● *b jouez de votre mieux* ou *pincez bien vos cordes* (il s'agit des instruments de musique nommés au v. 2) ● *c* Autre traduction *C'est lui qui parle, et cela arrive,* / *lui qui commande et cela existe*

32.8 Dieu veille sur toi Ps 33.18. **32.10** compter sur le Seigneur Ps 9.11+ ; 55.24+. **32.11** justes... cœurs droits Ps 33.1; cf. 97.12. **33.1** appel aux justes Ps 32.11; 97.12. **33.2** jouer pour le Seigneur Ps 147.7+. **33.3** chant nouveau Ps 40.4; 96.1; 98.1; 144.9; 149.1; Es 42.10; Ap 5.9; 14.3 — ovation Ps 27.6; Lv 23.24. **33.5** justice, équité, fidélité Ps 89.15 — la fidélité du Seigneur remplit la terre Ps 119.64. **33.6** parole créatrice Gn 1.3, 6, etc.; He 11.3. **33.7** les eaux de la mer endiguées cf. Ps 78.13; 104.9; Ex 15.8; Jb 38.8-11; Pr 8.29. **33.8** crainte du Seigneur sur toute la terre Ps 67.8; 102.16. **33.9** la parole efficace de Dieu Ps 148.5; Gn 1.3, 6, etc.; Es 48.13. **33.10** plans des nations Ps 83.4-6 déjoués Ps 2.2-6. **33.11** le plan du Seigneur Es 46.10; Pr 19.21. **33.12** heureux! Ps 1.1+ — heureuse la nation... Ps 144.15 — un peuple choisi Dt 7.6. **33.13** du haut des cieux Ps 14.2. **33.15** Dieu modeleur Ps 94.9-11; 139.13-16; Gn 2.7-8.

16 Il n'est pas de roi que sauve une grande armée,
ni de brave qu'une grande vigueur délivre.
17 Pour vaincre, le cheval n'est qu'illusion,
toute sa force ne permet pas d'échapper.

18 Mais le Seigneur veille sur ceux qui le craignent,
sur ceux qui espèrent en sa fidélité,
19 pour les délivrer de la mort
et les garder en vie durant la famine.

20 Nous, nous attendons le Seigneur :
Notre aide et notre bouclier, c'est lui !
21 La joie de notre cœur vient de lui,
et notre confiance est en son *nom très saint.
22 Que ta fidélité, Seigneur, soit sur nous,
comme notre espoir est en toi !

PSAUME 34 (33)

1 De David. Quand il se déprécia aux yeux d'Abimélek qui le chassa,
et David s'en alla d.

Alef e   2 Je bénirai le Seigneur en tout temps,
sa louange sans cesse à la bouche.

Beth   3 Je suis fier du Seigneur ;
que les humbles se réjouissent en m'écoutant :

Guimel 4 Magnifiez avec moi le Seigneur,
exaltons ensemble son nom.

Daleth   5 J'ai cherché le Seigneur, et il m'a répondu,
il m'a délivré de toutes mes terreurs.

Hé   6 Ceux qui ont regardé vers lui sont radieux,
et leur visage n'a plus à rougir.

Zaïn f   7 Un malheureux a appelé : le Seigneur a entendu
et l'a sauvé de toutes ses détresses.

Heth   8 *L'ange du Seigneur campe
autour de ceux qui le craignent, et il les délivre.

Teth   9 Voyez et appréciez combien le Seigneur est bon.
Heureux l'homme dont il est le refuge !

Yod   10 Craignez le Seigneur, vous qu'il a consacrés g,
car rien ne manque à ceux qui le craignent.

Kaf   11 Les lions h connaissent le besoin et la faim,
mais rien ne manque à ceux qui cherchent le Seigneur.

Lamed 12 Fils, venez m'écouter !
Je vous enseignerai la crainte du Seigneur.

---

d Allusion à l'épisode rapporté en 1 S 21.14-15 (où le roi Philistin est d'ailleurs nommé Akish)
• e Voir Ps 25.1 et la note • f Le verset commençant par la lettre Waw manque • g vous qu'il a
consacrés: autre traduction vous qui lui êtes consacrés • h Les lions: les anciennes versions
grecque et syriaque ont cru reconnaître ici un langage imagé et ont traduit les riches

33.16 vrais et faux sauveurs Ps 20.8; 147.10-11; Dt 17.16; 1 S 17.45-47; Es 31.1; Os 1.7+;
14.4; Mi 5.9-10; Za 9.10; 10.5; Pr 21.31.   33.18 le Seigneur veille Ps 32.8; 34.16 — ceux qui
craignent le Seigneur Ps 15.4+ — ceux qui espèrent en sa bonté Ps 147.11; cf. 25.3+; 31.25+;
119.43, 49.   33.19 délivrés de la mort Ps 16.10.   33.20 notre aide et notre bouclier Ps 115.9-11.
33.21 le nom du Seigneur Ps 124.8+.   33.22 ta fidélité sur nous Ps 90.17.   34.1 David chez le
roi Philistin 1 S 21.11-22.1.   34.2 bénir le Seigneur en tout temps Ps 16.7; 145.1.   34.5 chercher
le Seigneur Ps 9.11+.   34.7 appel au Seigneur Ps 3.5+ — le Seigneur a entendu Ps 4.4+.
34.8 l'ange du Seigneur Ps 35.5-6; 91.11; Ex 14.19; 23.20 — ceux qui le craignent Ps 15.4+.
34.9 le Seigneur est bon 1 P 2.3 — Heureux l'homme... Ps 1.1+ — le Seigneur, un refuge
Ps 7.2+.   34.10 rien ne manque Ps 23.1; 111.5.   34.12 Fils, venez... Pr 1.8.

Mem	13 Quelqu'un aime-t-il la vie ?
	Veut-on voir des jours heureux ?
Noun	14 Garde ta langue du mal
	et tes lèvres des médisances.
Samek	15 Evite le mal, agis bien,
	recherche la paix et poursuis-la !
Aïn	16 Le SEIGNEUR a les yeux sur les justes,
	et l'oreille attentive à leurs cris.
Pé	17 Le SEIGNEUR affronte les malfaisants
	pour retrancher de la terre leur souvenir.
Çadé	18 Ils crient *i*, le SEIGNEUR entend
	et les délivre de toutes leurs détresses.
Qof	19 Le SEIGNEUR est près des cœurs brisés,
	et il sauve les esprits abattus.
Resh	20 Le juste a beaucoup de malheurs,
	chaque fois le SEIGNEUR le délivre.
Shîn	21 Il veille sur tous ses os,
	pas un seul ne s'est brisé.
Taw	22 Le malheur fera mourir le méchant,
	les ennemis du juste seront punis.

23 Le SEIGNEUR rachète la vie de ses serviteurs :
aucun de ceux qui l'ont pour refuge ne sera puni.

PSAUME 35 (34)

1 *De David.*

O SEIGNEUR, accuse mes accusateurs,
attaque ceux qui m'attaquent !
2 Saisis bouclier et cuirasse,
et lève-toi pour me secourir !
3 Dégaine la lance, barre la route *j*
à mes poursuivants,
et dis-moi : « Je suis ton salut ! »

4 Qu'ils soient déçus et déshonorés,
ceux qui en veulent à ma vie !
Qu'ils reculent couverts de honte,
ceux qui préméditent mon malheur !
5 Qu'ils soient comme la bale *k* en plein vent
quand *l'ange du SEIGNEUR les refoulera !
6 Que leur chemin soit sombre et glissant
quand l'ange du SEIGNEUR les poursuivra.

7 Sans motif *l*, ils ont caché une fosse sous un filet ;
sans motif, ils l'ont creusée pour moi.
8 Qu'un désastre sans précédent les surprenne,
que le filet caché par eux les attrape,
et qu'ils succombent *m* dans ce désastre !

i ils crient: il s'agit des *justes*, mentionnés au v.16 ● *j* Autre traduction possible pour le début du v. 3 *dégaine la lance et la hache devant mes poursuivants* ● *k* la *bale:* voir Ps 1.4 et la note ● *l* Autre traduction *sans succès* ● *m* Ou *Qu'un désastre... le surprenne, que le filet caché par eux l'attrape, et qu'il succombe...* (le v. 8 exprimerait alors une malédiction prononcée contre l'auteur du psaume par ses ennemis)

34.13-17 aimer la vie 1 P 3.10-12.   34.15 évite le mal Ps 37.27.   34.16 le regard du Seigneur Ps 33.18.   34.18 appel au Seigneur Ps 3.5+.   34.19 cœurs brisés Ps 51.19.   34.21 pas un seul (os) brisé Jn 19.36.   34.23 le Seigneur rachète Ps 25.22.   35.4 honte à ceux qui veulent ma mort v. 26; 40.15; 70.3; 71.13.   35.5 comme la bale Ps 1.4; 83.14 — l'ange du Seigneur Ps 34.8+.   35.6 chemin glissant Ps 73.18; cf. Jr 23.12.   35.7 fosse Ps 7.16+ et filet Ps 9.16+; 57.7; 140.6; Lm 1.13.   35.8 un désastre Es 47.11.

⁹ Alors j'exulterai à cause du SEIGNEUR
et je danserai, joyeux d'être sauvé.
¹⁰ Tout mon être dira :
« SEIGNEUR, qui est comme toi ?
Tu délivres l'humilié d'un plus fort que lui,
l'humilié et le pauvre de leur exploiteur. »

¹¹ De faux témoins se lèvent
et m'interrogent sur ce que je ne sais pas.
¹² Ils me rendent le mal pour le bien ;
me voici tout seul.

¹³ Pendant leurs maladies, moi je revêtais un *sac,
je m'humiliais en *jeûnant
et je ruminais ma prière.
¹⁴ Comme pour un ami ou pour mon frère, j'allais et venais.
Comme en deuil d'une mère, j'étais sombre et prostré.

¹⁵ Et quand j'ai trébuché, ils se sont attroupés joyeux :
des estropiés se sont attroupés contre moi,
je ne sais pas pourquoi ⁿ ;
ils déchirent sans répit,
¹⁶ et en cercle, ces impurs, ces moqueurs ᵒ
grincent des dents contre moi.

¹⁷ Seigneur, comment peux-tu voir cela ?
Soustrais ma vie à ce désastre
et ma personne à ces lions.
¹⁸ Je te rendrai grâce dans la grande assemblée,
au milieu de la foule, je te louerai.

¹⁹ Que je ne fasse pas la joie de ceux qui m'en veulent injustement,
qu'ils ne clignent pas de l'œil, ceux qui me détestent sans motif !
²⁰ Ils n'ont jamais un mot de paix ;
contre les gens tranquilles du pays,
ils inventent des calomnies.
²¹ La bouche grande ouverte contre moi,
ils disent : « Ah, ah ! notre œil l'a vu. »

²² Tu as vu, SEIGNEUR ! Ne sois pas sourd !
Seigneur, ne t'éloigne pas de moi !
²³ Réveille-toi et lève-toi pour défendre mon droit
et ma cause, ô mon Dieu et mon Seigneur !
²⁴ Selon ta justice, défends mon droit, SEIGNEUR mon Dieu,
et que je ne fasse pas leur joie !

²⁵ Qu'ils ne se disent pas :
« Ah, ah ! nous n'en ferons qu'une bouchée. »
Qu'ils ne disent pas : « Nous l'avons avalé. »
²⁶ Qu'ensemble ils rougissent de honte,
ceux qui se réjouissaient de mon malheur !
Qu'ils soient vêtus de honte et de déshonneur,
ceux qui triomphaient de moi !

---

n des estropiés: traduction incertaine — *je ne sais pas pourquoi* ou *je ne les connais pas* ● *o ces moqueurs:* la traduction du v. 16 est incertaine

35.10 qui est comme toi ? Ps 40.6; 71.19; 77.14; 89.7; 113.5. **35.11** faux témoins Ps 27.12+. **35.12** le mal en échange du bien Ps 38.21; 109.4-5; Pr 17.13. **35.14** en deuil Ps 38.7. **35.15** des estropiés contre moi 2 S 5.6, 8. **35.17** sauve ma vie Ps 22.21. **35.18** dans la grande assemblée Ps 22.16; 35.18; 40.10; 107.32; cf. 111.1+. **35.19** cligner de l'œil Pr 6.13; 10.10; Si 27.22 — sans motif Ps 38.20; 69.5; Jn 15.25. **35.20** ennemis de la paix Ps 120.6. **35.21** Ah, Ah! Ps 40.16; 70.4. **35.22** ne t'éloigne pas Ps 22.12+. **35.23** réveille-toi Ps 7.7; 44.24; cf. 59.5-6; 80.3; Es 51.9. **35.25** les propos des adversaires Ps 40.14-17; 70.3-5.

27 Ceux qui voulaient pour moi la justice crieront de joie,
ils diront sans cesse : « Le SEIGNEUR triomphe,
lui qui a voulu le bonheur de son serviteur. »
28 Alors ma langue redira ta justice
en te louant tous les jours.

PSAUME 36 (35)

1 *Du *chef de chœur, du serviteur du* SEIGNEUR, *de David.*

2 L'oracle impie de l'infidèle me vient à l'esprit ;
à ses yeux, il n'y a pas à trembler devant Dieu.
3 Car il se voit d'un œil trop flatteur
pour trouver sa faute et la détester.

4 Il n'a que méfait et tromperie à la bouche.
il a perdu le sens du bien.
5 Sur sa couche, il prémédite un méfait ;
ils s'obstine dans une voie qui n'est pas bonne,
il ne rejette pas le mal.

6 SEIGNEUR, ta loyauté est dans les cieux,
ta fidélité va jusqu'aux nues.
7 Ta justice est pareille aux montagnes divines [p],
et tes jugements au grand *Abîme.

SEIGNEUR, tu sauves hommes et bêtes.
8 Dieu, qu'elle est précieuse ta fidélité !
Les hommes se réfugient à l'ombre de tes ailes.
9 Ils se gavent des mets plantureux de ta maison
et tu les abreuves au fleuve de tes délices [q].

10 Car chez toi est la fontaine de la vie,
à ta lumière nous voyons la lumière.
11 Prolonge ta fidélité pour ceux qui te connaissent
et ta justice pour les *cœurs droits.

12 Que l'arrogant ne mette pas le pied chez moi,
que la main des infidèles ne me chasse pas !
13 Là sont tombés les malfaisants :
renversés, ils n'ont pu se relever.

PSAUME 37 (36)

(*Voir Ps 49; 73; Jb 21.1-26*)

1 *De David.*

Alef Ne t'enflamme pas contre les méchants,
ne fais pas de zèle contre les criminels [r],
2 car ils se faneront aussi vite que l'herbe,
et comme la verdure, ils se flétriront.

Beth 3 Compte sur le SEIGNEUR et agis bien
pour demeurer dans le pays et paître en sécurité.

p aux montagnes divines ou *aux plus hautes montagnes* • *q* Le mot hébreu traduit par *délices* évoque le jardin d'*Eden* (Gn 2.8) • *r Alef:* voir Ps 25.1 et la note — *ne fais pas de zèle contre les criminels* ou *ne sois pas jaloux des criminels*

35.28 ma langue redira ta justice Ps 71.24. **36.2** à ses yeux cf. Rm 3.18. **36.3** trouver la faute Ps 10.15; 17.3; Gn 44.16; 1 S 29.3, 6; Os 12.9. **36.6** ta loyauté... ta fidélité Ps 57.11; leurs dimensions cf. Ep 3.18-19. **36.7** montagnes divines Ps 68.16; cf. 80.11; Es 14.13. **36.8** à l'ombre de tes ailes Ps 17.8+. **36.9** les mets de ta maison Ps 23.5; 63,6; Jr 31.14. **36.10** fontaine de vie Jr 2.13; 17.13; cf. Ez 47; Jl 4.18; Za 14.8; Jn 4.14+; Ap 22.1 — lumière (image de la vie) Ps 4.7; 27.1; 43.3; 44.4; 56.14; 89.16; Jb 33.30; Jn 8.12+. **36.13** chute des malfaisants Ps 14.5; 73.17-18 — impossible de se relever Ps 18.39. **37.1** Ne t'enflamme pas...Pr 24.19; cf. 23.17. **37.2** aussi vite que l'herbe Ps 90.6+. **37.3** compter sur le Seigneur Ps 9.11+; 55.24+.

⁴ Fais tes délices du Seigneur,
il te donnera ce que ton cœur demande.

Guimel ⁵ Tourne tes pas ˢ vers le Seigneur,
compte sur lui : il agira,
⁶ il fera paraître ta justice comme l'aurore
et ton droit comme le plein midi.

Daleth ⁷ Reste calme près du Seigneur, espère en lui ;
ne t'enflamme pas contre celui qui réussit,
contre l'homme qui agit avec ruse.

Hé ⁸ Laisse la colère, abandonne la fureur,
ne t'enflamme pas ; cela finira mal ᵗ,
⁹ car les méchants seront arrachés,
mais ceux qui attendent le Seigneur posséderont le pays.

Waw ¹⁰ Encore un peu et il n'y a plus d'impie ;
tu examines sa place, il n'y a plus rien.
¹¹ Mais les humbles posséderont le pays,
ils jouiront d'une paix totale.

Zaïn ¹² L'impie intrigue contre le juste ;
contre lui il grince des dents.
¹³ Mais le Seigneur rit de lui,
car il voit venir son jour ᵘ.

Heth ¹⁴ Les impies ont dégainé l'épée et tendu l'arc
pour abattre l'humble et le pauvre,
pour égorger celui qui marche droit ᵛ.
¹⁵ Mais leur épée entrera dans leur cœur
et leurs arcs se casseront.

Teth ¹⁶ Le peu qu'a le juste vaut mieux
que la fortune de nombreux impies,
¹⁷ car les bras des impies casseront,
mais le Seigneur soutient les justes.

Yod ¹⁸ Le Seigneur connaît les jours des hommes intègres,
et leur héritage subsistera toujours.
¹⁹ Ils ne seront pas déçus au temps du malheur,
aux jours de famine ils seront rassasiés.

Kaf ²⁰ Ils périront les impies ;
et les ennemis du Seigneur,
pareils à la parure des prés,
sont partis, partis en fumée.

---

s *tes pas* ou *ton chemin* (c'est-à-dire ta conduite) ou *ton sort* — Ancienne version grecque *Révèle ton chemin au Seigneur* ● t *cela finira mal:* autres traductions *cela ferait mal* ou *ce serait mal faire* ● u *il voit venir son jour:* le texte hébreu ne précise pas s'il s'agit du *jour du Seigneur* (voir Es 2.12) ou du *jour de l'impie,* c'est-à-dire du jour où celui-ci devra supporter les conséquences de ses méfaits (voir Ez 21.30) ● v *celui qui marche droit:* l'expression hébraïque correspondante est unique dans l'A.T. ; l'ancienne version grecque l'a remplacée par *les hommes au cœur droit* (voir Ps 7.11)

37.4 ton délice, le Seigneur Es 58.14 — il te donnera ce que ton cœur demande Ps 20.5 ; 21.3 ; 78.29 ; Pr 10.24 **37.5** tourné vers le Seigneur Ps 22.9. **37.6** comme le plein midi Es 58.10. **37.7** reste calme Ps 4.5 ; 62.6 ; Es 30.15 — celui qui réussit Ps 1.3 ; 10.5 ; Jr 12.1. **37.8** laisse la colère Ep 4.31 ; Col 3.8 ; Jc 1.20. **37.9** ceux qui posséderont le pays v. 11, 22, 29, 34 ; Ps 25.13 ; Es 57.13 ; 60.21 ; Ez 11.17 ; cf. Mt 5.4. **37.10** sa place est vide Ps 103.16+. **37.12** grincements de dents Ps 35.16 ; 112.10. **37.13** le Seigneur rit de lui Ps 2.4+. **37.14** l'épée et l'arc des impies Ps 7.13 ; 11.2. **37.15** leur épée entrera dans leur cœur Ps 7.17+ — leurs arcs casseront Ps 46.10. **37.16** le peu que possède le juste Pr 15.16 ; 16.8. **37.17** le Seigneur soutient les justes Ps 41.4, 13 ; 55.23 ; cf. Ps 145.14 ; 146.9 ; 147.6 ; Es 42.1. **37.18** le Seigneur connaît... Ps 1.6 ; 31.8. **37.19** pas déçus Ps 31.2+ — au temps du malheur Ps 27.5 ; 41.2 ; 49.6 ; 94.13.

Lamed ²¹ L'impie emprunte, il ne rend pas ;
le juste a pitié et il donne.
²² Oui, ceux qu'il bénit ᵂ posséderont le pays,
et ceux qu'il maudit seront arrachés.

Mem ²³ Grâce au SEIGNEUR, les pas de l'homme sont assurés,
et son chemin lui plaît.
²⁴ S'il trébuche, il ne tombe pas,
car le SEIGNEUR le tient par la main.

Noun ²⁵ J'ai été jeune et j'ai vieilli
sans jamais voir un juste abandonné,
ni ses descendants mendier leur pain.
²⁶ Tous les jours le juste a pitié, il prête,
et sa descendance est une bénédiction.

Samek ²⁷ Evite le mal, agis bien,
et tu auras toujours une demeure,
²⁸ car le SEIGNEUR aime le droit,
il n'abandonne pas ses fidèles.

Aïn Il les garde toujours,
mais la descendance des impies est arrachée.
²⁹ Les justes posséderont le pays,
ils y demeureront toujours.

Pé ³⁰ La bouche du juste répète la sagesse,
et sa langue énonce le droit.
³¹ La loi de son Dieu est dans son cœur,
ses pas ne fléchiront point.

Çadé ³² Les impies guettent le juste
et cherchent à le faire mourir ;
³³ Mais à leurs mains, le SEIGNEUR ne l'abandonne pas ;
il ne le laisse pas condamner s'il est jugé.

Qof ³⁴ Attends le SEIGNEUR et garde son chemin ;
il t'érigera en possesseur du pays,
et tu verras les impies arrachés.

Resh ³⁵ J'ai vu l'impie abuser de sa force
et se déployer comme une plante vivace.
³⁶ Mais il a passé : il n'est plus ;
je l'ai cherché, il était introuvable.

Shîn ³⁷ Regarde l'homme honnête, vois l'homme droit ˣ :
il y a une postérité pour l'homme pacifique.
³⁸ Mais les rebelles sont exterminés tous ensemble,
et la postérité des impies est arrachée.

Taw ³⁹ Le salut des justes vient du SEIGNEUR :
il est leur forteresse au temps du danger.

---

w ceux qu'il bénit : le texte hébreu ne permet pas de préciser si l'on doit comprendre *ceux que Dieu bénit* ou *ceux que le juste bénit* ● *x Regarde l'homme honnête, vois l'homme droit :* autre traduction, soutenue par les versions anciennes *regarde à l'honnêteté, vois la droiture*

37.21 le juste donne Ps 112.9; Pr 21.26; cf. Mt 5.42; 10.8; Ac 3.6; 20.35; Rm 12.8; Ep 4.28.
37.22 ceux qu'il bénit... ceux qu'il maudit Mt 25.34, 41.   **37.23** les pas de l'homme, assurés grâce à Dieu Pr 20.24.   **37.24** tenu par la main cf. v. 17; Ps 3.6; 119.116.   **37.26** il prête Ps 112.5 — sa descendance est une bénédiction Gn 22.18; 26.4; 28.14; cf. 12.3; 18.18.   **37.27** évite le mal, agis bien Ps 34.15.   **37.31** la Loi dans son cœur Dt 6.6; Jr 31.33 — ses pas ne fléchiront pas Ps 26.1.   **37.33** le Seigneur ne l'abandonne pas v. 28; Ps 9.11; 94.14; Dt 4.31; Es 41.17.   **37.35** la réussite de l'impie Ps 73.3-12; Jb 20.6-7; Ez 31.10-12.   **37.36** introuvable v. 10.   **37.37** une postérité pour l'homme pacifique Pr 23.18.   **37.39** le salut des justes vient du Seigneur Ps 3.9; 57.4; 144.10; Es 45.17; Jr 3.23; Ac 4.12 — forteresse Ps 27.1 + — au temps du danger voir Ps 77.3 +.

⁴⁰ Le SEIGNEUR les aide et les libère ;
il les libère des impies et il les sauve,
car ils l'ont pris pour refuge.

PSAUME 38 (37)

¹ *Psaume de David, en mémorial* ʸ.

² SEIGNEUR, châtie-moi sans courroux,
corrige-moi sans fureur ᶻ.
³ Tes flèches se sont abattues sur moi,
ta main s'est abattue sur moi.
⁴ Rien d'intact dans ma chair, et cela par ta colère,
rien de sain dans mes os, et cela par mon péché !
⁵ Car mes fautes ont dépassé ma tête,
comme un pesant fardeau, elles pèsent trop sur moi.

⁶ Mes plaies infectées suppurent,
et cela par ma sottise.
⁷ Je suis courbé et tout prostré ;
sombre, je me traîne tout le jour,
⁸ car mes reins sont envahis par la fièvre,
plus rien n'est intact dans ma chair.

⁹ Je suis engourdi, tout brisé ;
mon cœur gronde, je rugis.
¹⁰ Seigneur, tous mes soupirs sont devant toi,
et mes gémissements ne te sont pas cachés.
¹¹ Mon cœur palpite, les forces m'ont abandonné,
j'ai perdu jusqu'à la lumière de mes yeux.

¹² Mes amis, mes compagnons reculent devant mes plaies,
mes proches se tiennent à distance.
¹³ Ceux qui en veulent à ma vie ont tendu des pièges,
ceux qui cherchent mon malheur ont parlé pour me perdre,
en murmurant chaque jour des perfidies.

¹⁴ Mais moi, comme un sourd, je n'entends pas ;
je suis un muet qui n'ouvre pas la bouche.
¹⁵ Je suis un homme qui n'entend pas
et qui n'a pas de réplique à la bouche.
¹⁶ C'est en toi, SEIGNEUR, que j'espère :
tu répondras, Seigneur mon Dieu !

¹⁷ Je disais : « Que je ne fasse pas la joie
de ceux qui triomphent de moi quand je vacille »,
¹⁸ et me voici prêt à défaillir,
ma douleur m'est sans cesse présente.
¹⁹ Oui, je proclame ma faute
et je m'effraie de mon péché.

²⁰ Mes ennemis, pleins de vie, sont puissants ;
ils sont nombreux ceux qui me haïssent injustement.

---

y L'ancienne version grecque rattache ce *mémorial* à la célébration du sabbat, d'après Lv 24.7-8. Au Ps 70.1 la version araméenne le rattache à l'offrande d'encens, d'après Lv 2.2 ● *z* Voir Ps 6.2 et la note

---

37.40 refuge Ps 7.2+. **38.1** sans courroux Ps 6.2+. **38.2** tes flèches Jb 6.4 ; 16.13. **38.3** rien d'intact Es 1.5-6. **38.4** plus haut que ma tête Esd 9.6. **38.5** mes fautes Ps 40.13. **38.7** sombre et prostré Ps 35.14 ; 42.10. **38.9** engourdi Ps 102.4-6. **38.10** mes soupirs sont devant toi Ex 2.24 ; 6.5 ; Ps 5.2 ; 79.11. **38.11** vue affaiblie Ps 6.8 ; Ps 10-11. **38.12** mes amis se tiennent à distance Ps 31.12+. **38.13** pièges Ps 35.7 ; 57.7 — perfidies Ps 35.20. **38.14** comme un muet Ps 39.2-3+. **38.16** espérer en Dieu Ps 31.25 ; cf. Ps 25.3 ; 27.14. **38.17** ceux qui profitent de ma faiblesse Ps 35.15, 19. **38.19** confession des péchés Ps 32.5+. **38.20** injustement Ps 35.19+.

²¹ Ceux qui me rendent le mal pour le bien
m'accusent pour le bien que je poursuivais.
²² SEIGNEUR, ne m'abandonne pas.
Mon Dieu, ne reste pas si loin.
²³ Vite ! A l'aide !
toi, Seigneur, mon salut !

PSAUME 39 (38)

¹ *Du *chef de chœur, de Yedoutoun ᵃ. Psaume de David.*

² Je disais : « Dans ma conduite je me garderai
des écarts de langage ;
je garderai un bâillon à la bouche
tant qu'un infidèle sera en ma présence. »

³ Je me suis enfermé dans le silence,
et plus qu'il n'était bon ᵇ, je me suis tu.
Ma douleur devint insupportable,
⁴ mon cœur brûlait dans ma poitrine.
Obsédé, et brûlé par un feu,
j'ai laissé parler ma langue :
⁵ SEIGNEUR, fais-moi connaître ma fin
et quelle est la mesure de mes jours,
que je sache combien je suis éphémère !

⁶ Voici, tu as donné à mes jours une largeur de main,
et ma durée ᶜ n'est presque rien devant toi.
Oui, tout homme solide n'est que du vent !   **Pause.*
⁷ Oui, l'homme va et vient comme un reflet !
Oui, son agitation c'est du vent !
Il entasse, et ne sait qui ramassera.

⁸ Dès lors, que puis-je attendre, Seigneur ?
Mon espérance est en toi :
⁹ délivre-moi de tous mes péchés,
ne m'expose pas à l'insulte des fous.
¹⁰ J'ai fermé la bouche, je ne l'ouvrirai plus,
car c'est toi qui agis.

¹¹ Détourne de moi tes coups,
je succombe sous l'attaque de ta main.
¹² En punissant la faute, tu corriges l'homme,
comme une teigne tu corromps ce qu'il chérit :
Oui, tout homme c'est du vent !   *Pause.*

¹³ Ecoute ma prière, SEIGNEUR, et mon cri ;
prête l'oreille à mes larmes, ne reste pas sourd,
car je ne suis qu'un invité chez toi,
un hôte comme tous mes pères.
¹⁴ Ne me regarde plus, je pourrai enfin sourire,
avant de m'en aller et de n'être plus rien.

---

a Yedoutoun ou *Yeditoun :* d'après 1 Ch 16.38-42, *Yedoutoun* est l'ancêtre d'un groupe de *lévites, chargé du chant pendant le culte et de la surveillance des portes du Temple ● *b plus qu'il n'était bon :* autres traductions *sans profit*, ou *pour de bon*, ou *à cause de son bonheur* ● *c* En hébreu il y a un jeu de mots entre les termes rendus ici par *ma durée* et au v. 5 par *éphémère*

38.21 le mal en échange du bien Ps 35.12+. **38.22** ne m'abandonne pas Ps 22.2; 27.9; 71.18; 119.8 — ne reste pas si loin Ps 22.12; 35.22; 71.12. **38.23** vite, à l'aide! Ps 22.20+. **39.1** Yedoutoun Ps 62.1; 77.1. **39.2** écarts de langage Jb 2.10. **39.3** enfermé dans le silence Ps 32.3; 38.14. **39.5** une vie éphémère Ps 89.48; 90.9-10; Jb 7.6-21; 14.1-5; cf. Es 40.7; Qo 6.2. **39.6** du vent Ps 62.10; 144.4. **39.8** que puis-je attendre? Jb 17.13-16. **39.12** comme une teigne Jb 13.28. **39.13** seulement un invité Ps 119.19; Gn 23.4; Lv 25.23; 1 Ch 29.15; He 11.13; 1 P 2.11. **39.14** ne me regarde plus Jb 7.19, 21; 10.20-22; 14.6.

PSAUME 40 (39)

(*v. 14-18: Voir Ps 70.2-6*)

¹ *Du *chef de chœur. De David, psaume.*

² J'ai attendu, attendu le SEIGNEUR :
   il s'est penché vers moi, il a entendu mon cri,
³ il m'a tiré du gouffre tumultueux,
   de la vase des grands fonds.
   Il m'a remis debout, les pieds sur le rocher,
   il a assuré mes pas.

⁴ Il a mis dans ma bouche un chant nouveau,
   une louange pour notre Dieu.
   Beaucoup verront, ils craindront
   et compteront sur le SEIGNEUR :
⁵ Heureux cet homme qui a mis sa confiance dans le SEIGNEUR,
   et ne s'est pas tourné vers les hommes de Rahav *d*
   ni vers les suppôts du mensonge !

⁶ Qu'ils sont grands, SEIGNEUR mon Dieu,
   les projets et les miracles que tu as faits pour nous !
   Tu n'as pas d'égal.
   Je voudrais l'annoncer, le répéter,
   mais il y en a trop à dire.

⁷ Tu n'as voulu ni *sacrifice ni offrande,
   — tu m'as creusé des oreilles pour entendre *e* —
   tu n'as demandé ni holocauste ni expiation.
⁸ Alors j'ai dit : « Voici, je viens
   avec le rouleau d'un livre écrit pour moi *f*.
⁹ Mon Dieu, je veux faire ce qui te plaît,
   et ta loi est tout au fond de moi. »

¹⁰ Dans la grande assemblée, j'ai annoncé ta justice ;
    non, je n'ai pas retenu mes lèvres,
    SEIGNEUR, tu le sais !
¹¹ Je n'ai pas caché ta justice au fond de mon cœur,
    j'ai parlé de ta loyauté et de ton salut,
    je n'ai pas dissimulé ta fidélité et ta vérité
    à la grande assemblée.
¹² Toi, SEIGNEUR, tu ne retiendras pas loin de moi ta miséricorde,
    ta fidélité et ta vérité me préserveront toujours.

¹³ Des malheurs sans nombre allaient me submerger,
    mes fautes m'ont assailli, et j'en ai perdu la vue ;
    j'en ai plus que de cheveux sur la tête, et le cœur me manque.

¹⁴ SEIGNEUR, daigne me délivrer !
    SEIGNEUR, viens vite à mon aide !

---

d les hommes de Rahav: traduction incertaine. *Rahav* (voir Ps 89.11): un des monstres du chaos primitif; comparer avec Jb 9.13 — Anciennes versions grecque et syriaque: *et ne s'est pas tourné vers les vaines* (*idoles*) ● *e des oreilles pour entendre* (que le Seigneur ne réclame pas de sacrifices) — Autre texte (version grecque et psautier romain) *tu m'as formé un corps;* c'est sous cette dernière forme que le verset est cité en He 10.5 ● *f* Traduction incertaine. Autre traduction *au rouleau du livre il m'est prescrit de faire ta volonté* — Versions anciennes *avec le rouleau d'un livre écrit à mon sujet* (voir Jn 5.39; He 10.7).

40.2 le Seigneur m'a entendu Ps 4.4+. **40.3** le gouffre Ps 18.5; 69.3. **40.4** un chant nouveau Ps 33.3+ — compter sur le Seigneur Ps 9.11+; 55.24+. **40.5** heureux! Ps 1.1+ — mettre sa confiance dans le Seigneur Ps 71.5. **40.6** Dieu n'a pas d'égal Ps 35.10+ — trop de choses à dire Ps 71.15+; Jn 20.30; 21.25. **40.7** ni sacrifices ni offrandes Ps 50.8-10; 51.18-21; 69.31-32; Os 6.6; Am 5.22; He 10.5 — des oreilles pour entendre Es 50.4-5; Ez 12.2; Pr 20.12; Mt 11.15+. **40.8** un livre pour moi 2 R 22.13. **40.10** dans la grande assemblée Ps 35.18+. **40.11** je n'ai pas caché... Ps 78.4. **40.12** préservé Ps 25.21+ — fidélité et vérité Ps 25.10+. **40.13** mes fautes Ps 38.5. **40.14** vite à mon aide! Ps 22.20+.

15 Qu'ensemble ils rougissent de honte,
   ceux qui cherchent à m'ôter la vie !
   Qu'ils reculent déshonorés,
   ceux qui désirent mon malheur !
16 Qu'ils soient ravagés, talonnés par la honte,
   ceux qui font « Ah ! ah ! »
17 Qu'ils exultent de joie à cause de toi,
   tous ceux qui te cherchent !
   Qu'ils ne cessent de dire : « Le SEIGNEUR est grand »,
   ceux qui aiment ton salut !

18 Je suis pauvre et humilié,
   le Seigneur pense à moi.
   Tu es mon aide et mon libérateur ;
   mon Dieu, ne tarde pas !

PSAUME 41 (40)

1 *Du *chef de chœur. Psaume de David.*

2 Heureux celui qui pense au faible !
   Au jour du malheur, le SEIGNEUR le délivre,
3 le SEIGNEUR le garde vivant et heureux sur la terre.
   Ne le livre pas à la voracité de ses ennemis !
4 Le SEIGNEUR le soutient sur son lit de souffrance,
   en retournant souvent sa couche de malade *g*.

5 Je disais : « SEIGNEUR, par pitié, guéris-moi,
   car j'ai péché contre toi. »
6 Mes ennemis disent du mal de moi :
   « Quand mourra-t-il, que son nom disparaisse ? »
7 Si quelqu'un vient me voir, il pense à mal,
   il fait provision de méchancetés ;
   sorti, il en parle dans la rue.
8 Réunis chez moi, tous ces adversaires chuchotent,
   et chez moi, ils évaluent mon malheur :
9 « Il a attrapé une sale affaire,
   une fois couché, on ne s'en relève pas ! »

10 Même l'ami sur qui je comptais,
   et qui partageait mon pain, a levé le talon sur moi.
11 Mais toi, SEIGNEUR, par pitié, relève-moi,
   que je prenne ma revanche !

12 Voici à quoi je reconnais ta bienveillance :
   mon ennemi ne crie plus victoire.
13 Tu m'as soutenu à cause de mon innocence *h*,
   et pour toujours tu m'as rétabli devant toi.

14 Béni soit le SEIGNEUR, le Dieu d'Israël,
   depuis toujours et pour toujours !
   *Amen et amen *i* !

---

g Le Seigneur est comparé à un ami qui prend soin du malade ● *h* Autre traduction *tu m'as maintenu dans mon innocence* ● *i* Ce dernier verset sert de conclusion au premier livre du psautier (Ps 1-41). Voir Ps 72.18-19 ; 89.53.

40.15 honte à ceux qui veulent ma mort Ps 35.4 +. **40.16** Ah, Ah! Ps 35.21, 25 + — joie Ps 35.27. **40.17** chercher le Seigneur Ps 9.11 +. **40.18** mon libérateur Ps 18.3 ; 144.2. **41.2** Heureux! Ps 1.1 +. **41.3** le Seigneur ne le livre pas Ps 27.12 — voracité des ennemis Ps 17.9. **41.5** pitié! guéris-moi Ps 6.3 + — j'ai péché contre toi Ps 51.6 ; cf. Lc 15.21. **41.6** mes ennemis Ps 31.12-14 ; 38.17-20 — propos des adversaires Ps 35.25 +. **41.8** ceux qui préméditent mon malheur Ps 36.5. **41.10** même l'ami... Ps 38.12 ; 55.14 ; 88.9 ; Jb 19.13-21 ; cf. 2.11-13 — celui qui partageait mon pain Mc 14.18 a levé le talon contre moi Jn 13.18. **41.14** Béni soit le Seigneur! Ps 72.18 ; 89.53 ; 106.48 ; Lc 1.68.

DEUXIÈME LIVRE (Ps 42-72)

PSAUME 42 (41)

¹ *Du *chef de chœur. Instruction des fils de Coré* ʲ.

² Comme une biche se penche
sur des cours d'eau,
ainsi mon âme penche
vers toi, mon Dieu.
³ J'ai soif de Dieu,
du Dieu vivant :
Quand pourrai-je entrer
et paraître face à Dieu ?

⁴ Jour et nuit,
mes larmes sont mon pain,
quand on me dit tout le jour :
« Où est ton Dieu ? »
⁵ Je me laisse aller
à évoquer le temps
où je passais la barrière,
pour conduire ᵏ jusqu'à la maison de Dieu,
parmi les cris de joie et de louange,
une multitude en fête.

⁶ Pourquoi te replier, mon âme,
et gémir sur moi ?
Espère en Dieu !
Oui, je le célébrerai encore,
lui et sa face qui sauve.

⁷ Mon âme s'est repliée contre moi, ô mon Dieu,
c'est pourquoi je t'évoque
depuis le pays du Jourdain, des cimes de l'Hermon,
et du mont Micéar ˡ.

⁸ Les flots de *l'abîme s'appellent l'un l'autre,
au fracas de tes cataractes.
En se brisant et en roulant,
toutes tes vagues ont passé sur moi.

⁹ Le jour, le SEIGNEUR exerçait sa fidélité ;
la nuit, je le chantais,
et je priais Dieu qui est ma vie ᵐ.

¹⁰ Je veux dire à Dieu mon rocher :
« Pourquoi m'as-tu oublié ?
Pourquoi m'en aller, lugubre
et pressé par l'ennemi ? »

---

j D'après 1 Ch 6.22 ; 9.19 ; 26.1 ; 2 Ch 20.19 les descendants de *Coré* étaient chantres ou portiers au Temple. Les Ps 42-49 ; 84-85 ; 87-88 appartenaient à leur répertoire ● *k je passais la barrière:* traduction incertaine — *pour conduire:* la traduction suit ici l'ancienne version grecque ● *l l'Hermon:* imposante montagne située au nord de la Palestine — Le *mont Micéar* (ou *Petit-Mont*) n'a pas pu être identifié ● *m la nuit... ma vie:* traduction incertaine

42.2 penché sur les cours d'eau Jl 1.20. **42.3** soif de Dieu Ps 36.10 ; 63.2 ; 84.3 ; Jn 4.10-14 ; cf. Jn 7.38 — paraître face à Dieu Ps 11.7 ; 17.15 ; 63.3 ; 84.8 ; Ex 23.15-17 ; 24.11 ; Es 1.12 ; cf. Ex 33.20 ; Ap 22.4. **42.4** des larmes comme pain Ps 80.6 ; 102.10 — où est ton Dieu ? Ps 79.10 ; 115.2 ; Jl 2.17 ; Mi 7.10 ; Ml 2.17. **42.5** se laisser aller Ps 62.9 ; 102.1 ; 1 S 1.15 ; Jb 30.16 ; Lm 2.12 — la maison de Dieu Ps 27.4. **42.6** Pourquoi...? v. 12 ; Ps 43.5 ; cf. Jn 12.27. **42.7** mon âme repliée contre moi Lm 3.20 — les cimes de l'Hermon Ps 89.13 ; 133.3 ; Dt 3.8 ; 4.48 ; Jos 12.1. **42.8** tes vagues ont passé sur moi Ps 69.3 ; 88.8 ; Jon 2.4. **42.10** Dieu mon rocher Ps 28.1+ — pourquoi m'en aller... Ps 43.2.

¹¹ Mes membres sont meurtris,
mes adversaires m'insultent
en me disant tout le jour :
« Où est ton Dieu ? »

¹² Pourquoi te replier, mon âme,
pourquoi gémir sur moi ?
Espère en Dieu !
Oui, je le célébrerai encore,
lui, le salut de ma face et mon Dieu.

PSAUME 43 (42)

¹ Dieu, rends-moi justice ⁿ
et plaide ma cause
contre des gens infidèles.
Libère-moi de l'homme trompeur et criminel.
² Dieu, toi ma forteresse,
pourquoi m'as-tu rejeté ?
Pourquoi m'en aller, lugubre
et pressé par l'ennemi ?

³ Envoie ta lumière et ta vérité :
elles me guideront,
me feront parvenir à ta montagne sainte
et à tes *demeures.
⁴ Je parviendrai à l'autel de Dieu,
au Dieu qui me fait danser de joie,
et je célébrerai sur la cithare ^o,
Dieu, mon Dieu !

⁵ Pourquoi te replier, mon âme,
pourquoi gémir sur moi ?
Espère en Dieu !
Oui, je le célébrerai encore,
lui, le salut de ma face et mon Dieu.

PSAUME 44 (43)

(*Voir Ps 74, 79 ; 80*)
¹ *Du *chef de chœur, des fils de Coré ^p, instruction.*

² Dieu, nous avons entendu de nos oreilles,
nos pères nous ont raconté
l'exploit que tu fis en leur temps,
au temps d'autrefois.

³ Pour les implanter, de ta main, tu as dépossédé des nations,
et pour les déployer, tu as maltraité des peuples.
⁴ Ce n'est pas leur épée qui les a rendus maîtres du pays,
ce n'est pas leur bras qui les a fait vaincre,
mais ce fut ta droite, ton bras, et la lumière de ta face,
car tu les aimais.

---

n La reprise de certains versets (43.2*b* = 42.10*b*) et surtout du même refrain (43.5 = 42.6, 12) permet de penser que les Ps 42 et 43 formaient à l'origine un psaume unique ● *o* Voir Ps 92.4 et la note ● *p fils de Coré :* voir Ps 42.1 et la note

42.12 Pourquoi...? v. 6. **43.1** plaide ma cause Ps 9.5+ ; 119.154. **43.2** pourquoi m'as-tu rejeté? Ps 44.10, 24 ; 60.12 ; 74.1 — pourquoi m'en aller...? Ps 42.10. **43.3** Envoie ta vérité Ps 57.4. **43.5** Pourquoi te replier...? Ps 42.6, 12. **44.1** Coré et ses fils Ps 42.1. **44.2** entendu de nos oreilles 2 S 7.22 — nos pères nous ont raconté Ps 78.3 — temps d'autrefois Ps 77.6. **44.3** nations dépossédées Ps 78.55 — les implanter Ps 80.9 ; Ex 15.17. **44.4** ce n'est pas leur épée Dt 8.17-18 ; Jos 24.12 ; Os 1.7 — la lumière de ta face Ps 4.7 — ta droite Ps 17.7+ — tu les aimais Ps 41.12 ; Dt 7.8.

⁵ O Dieu, toi qui es mon roi,
commande, et Jacob vaincra *q*.

⁶ Grâce à toi, nous avons encorné nos adversaires,
par ton *nom, nous avons piétiné nos agresseurs.
⁷ Je ne comptais pas sur mon arc,
mon épée ne me donnait pas la victoire.
⁸ C'est toi qui nous as fait vaincre nos adversaires,
et tu as déshonoré nos ennemis.
⁹ Tous les jours nous chantions les louanges de Dieu
en célébrant sans cesse ton nom.   *Pause.

¹⁰ Pourtant, tu nous as rejetés et bafoués,
tu ne sors plus avec nos armées.
¹¹ Tu nous fais reculer devant l'adversaire,
et nos ennemis ont emporté le butin.

¹² Tu nous livres comme agneaux de boucherie,
tu nous as dispersés parmi les nations.
¹³ Tu cèdes ton peuple sans bénéfices,
et tu n'as rien gagné à le vendre.

¹⁴ Tu nous exposes aux outrages de nos voisins,
à la moquerie et au rire de notre entourage.
¹⁵ Tu fais de nous la fable des nations,
et devant nous les peuples haussent les épaules *r*.

¹⁶ Tout le jour, j'ai devant moi ma déchéance,
et la honte couvre mon visage,
¹⁷ sous les cris d'outrage et de blasphème,
face à un ennemi revanchard.

¹⁸ Tout cela nous est arrivé, et nous ne t'avions pas oublié,
nous n'avions pas démenti ton *alliance ;
¹⁹ notre cœur ne s'était pas repris,
nos pas n'avaient pas dévié de ta route,
²⁰ quand tu nous as écrasés au pays des chacals *s*,
et recouverts d'une ombre mortelle.

²¹ Si nous avions oublié le nom de notre Dieu,
tendu les mains vers un dieu étranger,
²² Dieu ne l'aurait-il pas remarqué,
lui qui connaît les secrets des *cœurs ?
²³ C'est à cause de toi *t* qu'on nous tue tous les jours,
qu'on nous traite en agneaux d'abattoir !

²⁴ Réveille-toi, pourquoi dors-tu, Seigneur ?
Sors de ton sommeil, ne rejette pas sans fin !

---

q Jacob, ancêtre du peuple d'Israël, personnifie ici ce peuple tout entier; voir Ps 14.7 • *r haussent les épaules:* l'hébreu exprime ce signe de mépris par l'expression équivalente *ils hochent la tête* • *s au pays des chacals:* c'est-à-dire *au désert* • *t à cause de toi:* autre traduction possible *contre toi*, c'est-à-dire *en t'offensant*

44.5 mon roi Ps 74.12; Es 33.22.   **44.6** encorner l'adversaire 1 R 22.11 — piétiner les agresseurs Ps 60.14; 108.14.   **44.7** refus de compter sur les armes Ps 20.8; Os 1.7.   **44.8** victoire due au Seigneur Ps 37.39-40 — ennemis déshonorés Ps 132.18.   **44.9** louange en tout temps Ps 34.2.   **44.10** tu nous as rejetés Ps 60.12; 74.1; 77.8; 89.39.   **44.11** reculer devant l'adversaire Dt 28.25 — pillé par l'ennemi Jg 2.14.   **44.12** comme agneaux de boucherie Es 53.7 — dispersés parmi les nations Ps 106.27; Lv 26.33; Dt 28.64.   **44.13** peuple vendu Dt 32.30 pour rien Es 52.3.   **44.14** outrages des voisins Ps 79.4.   **44.15** la fable des nations Ps 69.12 — mépris cf. Jr 48.17.   **44.16** devant moi Ps 38.18 — honte sur le visage Ps 69.8.   **44.18** nous ne t'avions pas oublié Ps 78.7; 103.2.   **44.20** chacals Es 34.13.   **44.22** Dieu l'aurait remarqué Pr 5.21 — les secrets des cœurs Jr 17.10.   **44.23** à cause de toi... Rm 8.36.   **44.24** réveille-toi Ps 35.23+ — rejeter sans fin Ps 74.1; 79.5; 80.

²⁵ Pourquoi caches-tu ta face
et oublies-tu notre malheur et notre oppression ?
²⁶ Car notre gorge traîne dans la poussière,
notre ventre est cloué au sol.
²⁷ Lève-toi ! A l'aide !
Rachète-nous au nom de ta fidélité !

PSAUME 45 (44)

¹ Du *chef de chœur, sur les lis ; des fils de Coré. Instruction ;
chant d'amour ".

² Le cœur vibrant de belles paroles,
je dis mes poèmes en l'honneur d'un roi.
Que ma langue soit la plume d'un habile écrivain !

³ Tu es le plus beau des hommes,
la grâce coule de tes lèvres ;
aussi Dieu t'a béni à tout jamais.

⁴ O brave, ceins ton épée au côté,
ta splendeur et ton éclat.
⁵ Avec éclat, chevauche et triomphe
pour la vraie cause
et la juste clémence.

Que ta droite lance la terreur ᵛ :
⁶ tes flèches barbelées.
Sous toi tomberont des peuples,
les ennemis du roi en plein cœur ʷ.

⁷ O Dieu ˣ, ton trône est éternel,
ton sceptre royal est un sceptre de droiture.
⁸ Tu aimes la justice, tu détestes le mal,
aussi Dieu, ton Dieu, t'a *oint d'une huile de joie,
de préférence à tes compagnons.

⁹ Tes vêtements ne sont que myrrhe, aloès et cannelle.
Sortant des palais d'ivoire, des mélodies ʸ te réjouissent.
¹⁰ Des filles de rois sont là avec tes bijoux,
et debout à ta droite, la dame avec de l'or d'Ofir ᶻ.

u *sur les lis: les lis* représentent peut-être les premiers mots d'un chant connu sur l'air duquel on devait chanter ce psaume. Certains cependant pensent que le terme traduit par *lis* désigne plutôt un instrument de musique — *fils de Coré:* voir Ps 42.1 et la note — *chant d'amour:* autre traduction *chant des bien-aimés* ● v *que ta (main) droite lance la terreur:* traduction incertaine; autre traduction possible *que ta (main) droite te fasse lancer des coups terribles* — s. Jérôme (version latine) et Ibn Ezra (ancien commentateur juif) ont compris *que ta (main) droite t'enseigne des coups terribles* — Ancienne version grecque *ta (main) droite te guidera miraculeusement* ● w *en plein cœur:* on peut sous-entendre: les ennemis du roi *sont frappés* en plein cœur ● x L'A.T. applique parfois le terme *dieu* à des humains (Ps 82.6; Ex 4.16; voir Jn 10.34-35). Il semble ici appliqué au roi. Les anciennes versions ont traduit le v. 7 comme s'adressant au Seigneur; He 1.8-9 l'applique au Fils — Les traducteurs modernes proposent parfois *ton trône est celui de Dieu* (voir 1 Ch 29.23), ou *ton trône est comme celui de Dieu* ● y *myrrhe, aloès, cannelle:* des parfums d'origine végétale — *des mélodies:* traduction incertaine ● z *la dame:* le terme hébreu correspondant ne se retrouve ailleurs qu'en Ne 2.6; il désigne peut-être la reine mère — *Ofir:* voir 1 R 9.28 et la note; l'*or* importé de ce pays était particulièrement réputé

44.25 cacher sa face (pour ne pas voir) Ps 10.11.   **44.26** dans la poussière Ps 119.25.   **44.27** lève-toi! Ps 3.8; 35.2.   **45.2** cœur vibrant de belles paroles Jb 32.18-20 — habile Pr 22.29.   **45.3** le plus beau des hommes Ez 28.12, 17 — il prononce la grâce Lc 4.22 — béni à tout jamais Ps 21.7.   **45.5-6** triomphe du roi contre ses ennemis Ps 2.9; 21.9; 110.2.   **45.7** droiture (pour juger) Es 11.3-5.   **45.8** onction du roi Jg 9.8; 1 S 10.1; 2 S 2.4; 5.3; 1 R 1.45; 19.15; 2 R 9.6; 11.12 — de préférence à tes compagnons 1 S 16.6-13.   **45.9** palais d'ivoire 1 R 22.39; Am 3.15.   **45.10** filles de roi Ct 6.8 — or d'Ofir Es 13.12+.

¹¹ Ecoute, ma fille ^a ! regarde et tends l'oreille :
oublie ton peuple et ta famille ;
¹² que le roi s'éprenne de ta beauté !
C'est lui ton seigneur,
prosterne-toi devant lui.
¹³ Alors, fille de Tyr ^b, les plus riches du peuple
te flatteront avec des présents.

¹⁴ Majestueuse, la fille de roi est à l'intérieur
en robe brochée d'or.
¹⁵ Parée de mille couleurs, elle est menée vers le roi ;
les demoiselles de sa suite, ses compagnes,
sont introduites auprès de toi.
¹⁶ En un joyeux cortège,
elles entrent dans le palais royal.

¹⁷ Tes fils remplaceront tes pères,
tu en feras des princes sur toute la terre.
¹⁸ Je rappellerai ton *nom dans tous les âges ;
aussi les peuples te célébreront à tout jamais.

PSAUME 46 (45)

¹ *Du *chef de chœur ; des fils de Coré ; al-alamôth ^c ; chant.*

² Dieu est pour nous un refuge et un fort,
un secours toujours offert dans la détresse.
³ Aussi nous ne craignons rien quand la terre bouge,
et quand les montagnes basculent au cœur des mers.

⁴ Leurs eaux grondent en écumant,
elles se soulèvent et les montagnes tremblent.   *Pause.*
⁵ Mais il est un fleuve dont les bras réjouissent la ville de Dieu,
la plus sainte des demeures du Très-Haut.

⁶ Dieu est au milieu d'elle ; elle n'est pas ébranlée.
Dieu la secourt dès le point du jour :
⁷ Des nations ont grondé, des royaumes se sont ébranlés ;
il a donné de la voix et la terre a fondu.

⁸ Le SEIGNEUR, le tout-puissant, est avec nous.
Nous avons pour citadelle le Dieu de Jacob.

⁹ Allez voir les actes du SEIGNEUR,
les ravages qu'il a faits sur la terre.
¹⁰ Il arrête les combats jusqu'au bout de la terre,
il casse l'arc, brise la lance,

---

a Les v. 11-17 paraissent s'adresser à la reine, le jour de son mariage ● *b* fille de Tyr: selon
certains cette expression ferait allusion à Jézabel, princesse tyrienne qu'épousa le roi Akhab
d'Israël (1 R 16.31). Plus probablement *fille de Tyr* est une expression figurée qui souligne la
richesse de la fiancée royale ● *c fils de Coré:* voir Ps 42.1 et la note — *al-alamôth:* certaines
versions anciennes ont compris *pour les jeunes filles;* l'ancienne version grecque *pour les secrets.* De
toute façon il s'agirait des premiers mots d'un chant connu. Certains ont voulu rapprocher ce
terme du titre *almouth* qu'on trouve au Ps 9.1 (voir la note)

45.11 oublie ton peuple et ta famille Rt 1.16. **45.12** ton Seigneur Ex 21.8; 1 P 3.6 — prosterne-toi devant lui Ep 5.24. **45.13** flattée avec des présents Ps 72.10-12. **45.18** à tout jamais
2 S 7.29. **46.2** un refuge Ps 62.8-9; 71.7. **46.3** terre qui bouge et montagnes qui basculent
Es 24.19; 54.10; Jb 9.5-6. **46.4** fureur de la mer Ps 93.3. **46.5** un fleuve Ez 47.2-12; Jl 4.18;
Ap 22.1-2; cf. Es 8.6; Ps 65.10 — demeure du Très-Haut Ps 68.17; 78.68. **46.6** Sion n'est pas
ébranlée Ps 125.1 — Dieu la secourt dès le point du jour Es 37.36-37. **46.7** grondement des
nations Ps 2.1-3; Ap 11.18 — la voix du Seigneur Ps 29. **46.8** le Seigneur est avec nous Es 7.14;
8.10 — le Seigneur, une citadelle Ps 9.10+. **46.9** allez voir les actes du Seigneur Ps 66.5 — ravages
Es 13.9. **46.10** il arrête les combats Es 2.4 — destruction des armes de guerre Ps 76.4; Os 2.20.

il incendie les chariots *d*.
11 Lâchez les armes ! reconnaissez que je suis Dieu !
Je triomphe des nations, je triomphe de la terre.

12 Le SEIGNEUR, le tout-puissant, est avec nous.
Nous avons pour citadelle le Dieu de Jacob.   *Pause.*

PSAUME 47 (46)

(*Voir Ps 93; 96-99*)

1 *Du *chef de chœur ; des fils de Coré e ; psaume.*

2 Peuples, battez tous des mains,
acclamez Dieu par un ban joyeux.
3 Car le SEIGNEUR, le Très-Haut, est terrible ;
il est le grand roi sur toute la terre.

4 Il nous soumet des peuples
et met des nations sous nos pieds.
5 Il choisit pour nous un héritage,
fierté de Jacob *f* son bien-aimé.   **Pause.*

6 Dieu a monté parmi les ovations,
à la sonnerie du cor, lui le SEIGNEUR.
7 Chantez Dieu, chantez !
chantez pour notre roi, chantez !

8 Car le roi de toute la terre, c'est Dieu.
Chantez pour le faire savoir.
9 Dieu règne sur les nations ;
Dieu s'est assis sur son trône sacré.

10 Les princes des peuples se sont rassemblés :
c'est le peuple du Dieu d'Abraham *g*.
Car les boucliers *h* de la terre sont à Dieu,
qui est monté au-dessus de tout.

PSAUME 48 (47)

1 *Chant, psaume. Des fils de Coré i.*

2 Il est grand le SEIGNEUR, il est comblé de louanges,
dans la ville de notre Dieu, sa montagne sainte.
3 Belle et altière, elle réjouit toute la terre.
L'Extrême-Nord *j*, c'est la montagne de *Sion,
la cité du grand roi.
4 Dans les palais de *Sion,
Dieu est connu comme la citadelle.

---

d Au lieu de *chariots* les versions grecque et araméenne ont lu *boucliers* ● *e fils de Coré:* voir
Ps 42.1 et la note ● *f Jacob:* voir Ps 44.5 et la note ● *g* Les anciennes versions grecque et
syriaque ont traduit *les princes des peuples se sont réunis au Dieu d'Abraham* ● *h* Comme en Ps 84.10
et 89.19 les *boucliers* sont ici une appellation imagée des *rois* ● *i fils de Coré:* voir Ps 42.1 et la
note ● *j L'Extrême-Nord:* en Es 14.13 cette même expression fait allusion à la mythologie cananéenne ; elle désigne la montagne où s'assemblent les dieux cananéens, le centre où, selon cette
mythologie, sont prises les décisions concernant la terre. Sous forme imagée le Ps 48 affirme ici
que ce centre est en réalité à Sion, la cité de Dieu

46.11 reconnaissez que je suis Dieu Dt 32.39; Ez 12.16 — Dieu au-dessus des nations Ps 47.8-9.
47.2 invitation à acclamer Dieu So 3.14-15.   **47.3** Dieu terrible Ps 68.36; 76.8; 96.4; Dt 7.21;
Dn 9.4 — le grand roi Ps 95.3; Ex 15.18; Es 52.7; Ml 1.14; 1 Tm 6.15 sur toute la terre Za 14.9.
47.5 il choisit Ps 132.13+ — fierté de Jacob Am 8.7.   **47.6** Dieu a monté Ps 68.19 parmi les
ovations Ps 24.7-10; 89.16 — sonnerie du cor Ps 98.6.   **47.7** chantez Ps 96.1+.   **47.9** le trône
de Dieu Ps 9.5; 11.4; 89.15; 93.2; 97.2; 103.19; 1 R 22.19; Es 6.1; Ap 4.2.   **47.10** rassemblés
Es 2.2 — le peuple du Dieu d'Abraham Gn 22.18; cf. Ps 87 — au-dessus de tout Ps 97.9; cf. 95.3;
96.4.   **48.2** grandeur du Seigneur et louange Ps 96.4.   **48.3** beauté de Sion Ps 50.2 — la cité du
grand roi Mt 5.35.   **48.4** Dieu, citadelle Ps 9.10+.

⁵ Voici, des rois s'étaient donné rendez-vous ;
  ensemble ils avançaient.
⁶ Ils ont vu : aussitôt, stupéfaits,
  épouvantés, ils détalèrent.

⁷ Un tremblement les cloua sur place,
  tordus comme femme en travail.
⁸ C'était le vent d'est,
  quand il fracasse les bateaux de Tarsis ᵏ.

⁹ Ce que nous avions entendu dire, nous .l'avons vu
  dans la ville du SEIGNEUR, le tout-puissant,
  dans la ville de notre Dieu :
  Dieu l'affermit pour toujours.   *Pause.

¹⁰ Dieu, nous revivons ta fidélité
   au milieu de ton temple.
¹¹ Ta louange, comme ton nom, Dieu,
   couvre l'étendue de la terre.
   Ta droite est pleine de justice ;
¹² la montagne de Sion se réjouit,
   les villes de Juda exultent
   à cause de tes jugements.

¹³ Défilez sur les murailles de Sion ;
   comptez-en les tours.
¹⁴ Admirez son rempart,
   dénombrez ses palais,
   pour annoncer à la génération suivante
¹⁵ que ce Dieu est notre Dieu à tout jamais.
   Il nous mène... ˡ.

PSAUME 49 (48)

¹ Du *chef de chœur, des fils de Coré ᵐ, psaume.

² Peuples, écoutez tous ceci ;
  habitants de l'univers, prêtez tous l'oreille,
³ gens du peuple, gens illustres,
  riches et pauvres, tous ensemble.

⁴ Ma bouche dit des paroles de sagesse,
  mon cœur murmure des propos de bon sens.
⁵ L'oreille attentive au proverbe,
  sur ma cithare ⁿ, je résous une énigme.

⁶ Pourquoi craindre, aux mauvais jours,
  la malice des fourbes qui me cernent ᵒ,

---

k les bateaux de Tarsis sont probablement des navires capables d'effectuer de longs trajets ;
voir Ps 72.10 ; Jon 1.3 et les notes ● l La fin du verset est difficilement compréhensible. Les
anciennes versions proposent des sens très divers : grec *pour toujours ;* latin *dans la mort ;* syriaque
au-delà de la mort ; araméen *comme au temps de notre jeunesse* ● m *fils de Coré :* voir Ps 42.1 et
la note ● n *cithare :* voir Ps 92.4 et la note ● o *la malice des fourbes qui me cernent :* texte
hébreu obscur et traduction incertaine

48.5 le rendez-vous des rois Ps 2.2 + — attaque manquée contre Jérusalem Es 36—37. **48.6**
dispersion des rois Ps 68.13. **48.7** comme une femme en travail Ex 15.14. **48.8** vent d'est Jr
18.17 — bateaux de Tarsis 1 R 10.22 ; 22.49 ; Es 2.16 ; 23.1 ; 60.9 ; Ez 27.25 ; Jon 1.3. **48.9** ce
qu'il y a à voir Ps 46.9 — la ville du Seigneur est affermie Ps 46.6. **48.11** louange à Dieu sur
toute la terre Ps 113.3. **48.12** joie sur la montagne de Sion Ps 97.8. **48.14** annoncer à la
génération suivante Ps 78.4. **48.15** notre Dieu à tout jamais Ps 90.2. **49.2** peuples, écoutez...
Pr 8.4. **49.4-5** ma bouche dit... Ps 45.2 ; 78.2. **49.6** au mauvais jours Ps 37.19 +.

⁷ et ceux qui comptent sur leur fortune
et se vantent de leur grande richesse ?

⁸ Un homme ne peut pas en racheter un autre,
ni payer à Dieu sa rançon *p*.
⁹ Quel que soit le prix versé pour une vie,
elle devra cesser pour toujours *q*.

¹⁰ Il vivrait encore, indéfiniment ?
Jamais il ne verrait la fosse ?
¹¹ Alors qu'on voit les sages mourir,
périr avec l'imbécile et la brute,
en laissant à d'autres leur fortune.

¹² Ils croyaient leurs maisons éternelles,
leurs demeures impérissables,
et ils avaient donné leurs noms à des terres *r* !

¹³ L'homme avec ses honneurs ne passe pas la nuit :
il est pareil à la bête qui s'est tue.

¹⁴ Voici le destin de ceux qui ont une folle confiance en eux,
l'avenir de ceux qui se plaisent à leurs discours :   **Pause.*
¹⁵ Ils sont parqués aux enfers comme des brebis ;
la Mort les mène paître.
Le lendemain, des hommes droits les piétinent,
leurs traits *s* s'effacent aux enfers,
ils sont loin de leurs palais.
¹⁶ Mais Dieu rachètera ma vie au pouvoir des enfers ;
oui, il me prendra.   *Pause.*

¹⁷ Ne crains plus quand un homme s'enrichit
et quand la gloire de sa maison grandit.
¹⁸ Car en mourant, il n'emporte rien,
et sa gloire ne descend pas avec lui.

¹⁹ De son vivant, il se félicitait :
« On t'applaudit, car tout va bien pour toi ! »
²⁰ Il rejoindra le cercle de ses pères
qui plus jamais ne verront la lumière.

²¹ L'homme avec ses honneurs, mais qui n'a pas compris *t*,
est pareil à la bête qui s'est tue.

---

p sa rançon: l'hébreu ne permet pas de savoir si l'on doit comprendre *sa propre rançon* (ainsi l'ancienne version grecque) ou *la rançon de l'autre* (ainsi la version latine de s. Jérôme) ● *q* Autre traduction possible du v. 9 *La rançon de leur vie est coûteuse;* | *il manquera toujours (de l'argent pour la payer)* ● *r Ils croyaient leurs maisons éternelles:* traduction incertaine; les versions anciennes ont compris *leur tombe est leur demeure pour toujours — Donner son nom à une terre:* expression imagée qui signifie qu'on se considère comme le propriétaire éternel de cette terre. Voir une expression analogue en 2 S 12.28 ● *s leurs traits:* d'après le texte hébreu « écrit »; texte hébreu que la tradition juive considère comme « à lire » *leur rocher,* c'est-à-dire leur secours (ainsi l'ancienne version grecque) ou bien *leur dieu* (comme en Dt 32.31) — Le texte hébreu de la fin du verset est obscur ● *t mais qui n'a pas compris:* en hébreu cette partie du v. 21 fait jeu de mots avec la partie correspondante du v. 13 *(il) ne passe pas la nuit.* Les versions anciennes traduisent les deux versets de la même manière

---

49.7 ceux qui se vantent de leur richesse Jr 9.22; Lc 12.16-21.   49.9 la vie ne peut être achetée Mt 16.26; Rm 3.24.   49.11 les sages meurent aussi Jb 21.23-26; Qo 2.14-16; 6.8 — leur fortune passe à d'autres v. 18; Si 11.19.   49.13 l'homme comme les bêtes Qo 3.18-21.   49.14 ceux qui se plaisent à leurs discours Ps 73.10.   49.16 Dieu rachètera ma vie 2 S 4.9; Os 13.14.   49.17 quand un homme s'enrichit Ps 73.12-20.   49.18 il n'emporte rien 1 Tm 6.7.   49.20 plus jamais la lumière Jb 10.21-22.

PSAUME 50 (49)

¹ *Psaume ; d'Asaf* ᵘ.

Le Dieu des dieux ᵛ, le SEIGNEUR, a parlé ;
il a convoqué la terre,
du soleil levant au soleil couchant.
² De *Sion, beauté parfaite,
Dieu resplendit.
³ Qu'il vienne, notre Dieu,
et ne se taise pas !
Devant lui un feu dévore,
autour de lui, c'est l'ouragan.

⁴ Il convoque les *cieux d'en haut
et la terre pour le jugement de son peuple :
⁵ Rassemblez mes fidèles,
qui ont fait *alliance avec moi par un *sacrifice.
⁶ Et les cieux proclament sa justice :
Le juge, c'est Dieu⁻ !   *Pause.*

⁷ Ecoute mon peuple, je vais parler ;
Israël, je vais témoigner contre toi :
« C'est moi Dieu, ton Dieu ! »

⁸ Ce n'est pas pour tes sacrifices que je t'accuse ;
à perpétuité, tes holocaustes sont devant moi.
⁹ Je ne prendrai pas un taureau dans ta maison,
ni des boucs dans tes enclos ;
¹⁰ car tous les animaux des forêts sont à moi,
et les bêtes des hauts pâturages ʷ.
¹¹ Je connais tous les oiseaux des montagnes,
et la faune sauvage m'appartient.

¹² Si j'avais faim, je ne te le dirais pas,
car le monde et ce qui le remplit est à moi.
¹³ Vais-je manger la viande des taureaux
et boire le sang des boucs ?

¹⁴ Offre à Dieu la louange comme *sacrifice ˣ
et accomplis tes vœux envers le Très-Haut.
¹⁵ Puis appelle-moi au jour de la détresse,
je te délivrerai, et tu me glorifieras.

¹⁶ Dieu dit à l'impie :
Pourquoi réciter mes commandements
et avoir mon alliance à la bouche,

ᵘ *Asaf* est l'ancêtre d'une famille de *lévites chargée du chant dans le Temple (1 Ch 6.16-17, 24 ;
2 Ch 35.15). Les Ps 73-80 faisaient partie de son répertoire ● ᵛ *Le Dieu des dieux* ou *Le plus grand des dieux,* ou *Le Dieu suprême* ● ʷ *les bêtes des hauts pâturages :* les anciennes versions grecque et syriaque ont lu *les bêtes des montagnes et les bœufs* ● ˣ *la louange comme sacrifice :* traduction soutenue par l'ancienne version araméenne — Autre traduction *Offre à Dieu le sacrifice de louange ;* même possibilité au v. 25

50.1 Asaf Ps 73—83 ; 1 Ch 16.5-7 ; 25.1-2 — Dieu des dieux Dt 10.17 — du soleil levant au soleil couchant Ps 113.3+. **50.2** beauté de Sion Ps 48.3 — Dieu resplendit Dt 33.2. **50.3** Dieu vient Es 59.20 ; 63.19 — qu'il ne se taise pas Ps 83.2 — devant lui un feu Ps 97.3 ; Dt 32.22 ; 1 R 19.12 ; Dn 7.10 — ouragan autour de lui Jb 38.1 ; 40.6. **50.5** le sacrifice de l'alliance Ex 24.4-8. **50.6** les cieux proclament... Ps 19.2 — Dieu comme juge Ps 7.12 ; 94.2 ; Es 33.22 ; Jr 11.20 ; Jb 9.15 ; 23.7. **50.7** écoute, mon peuple Ps 78.1 ; 81.9. **50.8-11** problèmes posés par les sacrifices Ps 40.7 ; 51.18-19 ; 1 S 15.22 ; Es 1.11-17 ; Jr 6.20 ; 7.21-23 ; Os 6.6 ; Am 5.21-25 ; Mi 6.6-8. **50.12** Dieu possède le monde... Ps 24.1+. **50.13** Dieu n'a que faire des animaux sacrifiés Ps 69.32. **50.14** la louange comme sacrifice Ps 69.31 ; Os 14.3 ; He 13.15 — accomplis tes vœux Ps 56.13 ; 76.12 ; Dt 23.22 ; Qo 5.3-4 ; Mt 5.33. **50.15** appelle-moi Jr 33.3 — au jour de la détresse Ps 77.3+.

¹⁷ toi qui détestes la correction
et rejettes mes paroles ?
¹⁸ Si tu vois un voleur, tu deviens son complice,
tu prends ta place chez les adultères.
¹⁹ Tu livres ta bouche à la méchanceté,
tu associes ta langue au mensonge.
²⁰ Tu t'assieds, tu parles contre ton frère,
tu salis le fils de ta mère.
²¹ Voilà ce que tu as fait, et je me tairais ?
Tu t'imagines que je suis comme toi *y* ?
Je t'accuse, j'étale tout sous tes yeux.
²² Comprenez-le, vous qui oubliez Dieu !
Sinon je déchire, et nul ne délivrera.

²³ Qui offre la louange comme *sacrifice me glorifie,
et il prend le chemin *z* où je lui ferai voir le salut de Dieu.

PSAUME 51 (50)

¹ Du *chef de chœur. Psaume de David.
² Quand le prophète Natan alla chez lui, après que David fut allé
chez Bethsabée.

³ Aie pitié de moi, mon Dieu, selon ta fidélité ;
selon ta grande miséricorde efface mes torts.
⁴ Lave-moi à grande eau de ma faute
et purifie-moi de mon péché.
⁵ Car je reconnais mes torts,
j'ai sans cesse mon péché devant moi.
⁶ Contre toi, et toi seul, j'ai péché,
ce qui est mal à tes yeux, je l'ai fait,
ainsi tu seras juste quand tu parleras,
irréprochable quand tu jugeras *a*.
⁷ Voici, dans la faute j'ai été enfanté
et, dans le péché, conçu des ardeurs de ma mère.
⁸ Voici, tu aimes la vérité dans les ténèbres *b*,
dans ma nuit, tu me fais connaître la sagesse.
⁹ Ote mon péché avec l'hysope *c* et je serai *pur ;
lave-moi, et je serai plus blanc que la neige.
¹⁰ Fais que j'entende l'allégresse et la joie,
et qu'ils dansent, les os que tu as broyés.
¹¹ Devant mes péchés, détourne-toi,
toutes mes fautes, efface-les.

---

y Le texte hébreu fait ici difficulté ; il semble avoir conservé côte à côte deux formes possibles de
ce vers : 1) *tu t'imagines que je suis comme toi* (forme confirmée par les versions anciennes) ; 2) *tu
t'imagines être « Je suis »* (« Je suis » étant le nom par lequel Dieu se désigne en Ex 3.14) • *z* Au
lieu de *et il prend le chemin* les anciennes versions grecque et syriaque ont lu *là est le chemin où...* ;
une autre version grecque et la version latine ont lu *à celui dont la conduite est intègre je ferai
voir...* • *a* Les versions grecque et syriaque ont un texte différent : *ainsi tu seras reconnu juste
dans tes paroles, et tu triompheras lorsqu'on te jugera.* C'est sous cette dernière forme que le verset
est cité en Rm 3.4 • *b* ténèbres : le sens du terme ainsi traduit est incertain • *c* Voir Lv 14.4 et
la note

50.18 voleur et adultère Rm 2.21-22.   **50.22** personne pour délivrer Os 5.14 ; cf. Os 2.12+.
50.23 je lui ferai voir le salut Ps 91.16.   **51.2** quand le prophète Natan 2 S 12.1.   **51.3** aie pitié
Ps 41.5 — efface mes torts Es 43.25 ; 44.22.   **51.4** à grande eau Ez 36.25 — purifie-moi Ez
37.23.   **51.5** torts reconnus Jb 31.33.   **51.6** j'ai péché contre toi. 2 S 12.13 ; Lc 15.18 — tu
seras juste quand... Rm 3.4 — irréprochable quand tu jugeras Ps 7.12.   **51.7** enfanté dans la
faute Jn 9.34 ; cf. Rm 7.14.   **51.9** plus blanc que la neige Es 1.18.   **51.10** les os que tu as broyés...
Ez 37.11.

¹² Crée pour moi un cœur pur, Dieu ;
enracine en moi un esprit tout neuf.

¹³ Ne me rejette pas loin de toi,
ne me reprends pas ton esprit saint ;
¹⁴ rends-moi la joie d'être sauvé,
et que l'esprit généreux me soutienne !

¹⁵ J'enseignerai ton chemin aux coupables,
et les pécheurs reviendront vers toi.
¹⁶ Mon Dieu, Dieu sauveur, libère-moi du *sang ᵈ ;
que ma langue crie ta justice !
¹⁷ Seigneur, ouvre mes lèvres,
et ma bouche proclamera ta louange.

¹⁸ Tu n'aimerais pas que j'offre un *sacrifice,
tu n'accepterais pas d'holocauste.
¹⁹ Le sacrifice voulu par Dieu, c'est un esprit brisé ;
Dieu, tu ne rejettes pas un cœur brisé et broyé.

²⁰ Fais du bien à *Sion,
rebâtis les murs de Jérusalem.
²¹ Alors tu aimeras les sacrifices prescrits,
offrande totale ᵉ et holocauste ;
alors on offrira des taureaux sur ton autel.

PSAUME 52 (51)

¹ Du *chef de chœur. Instruction de David.
² Quand Doëg l'Edomite vint annoncer à Saül : « David est entré
dans la maison d'Ahimélek. »

³ Pourquoi, bravache, te vanter de faire le mal ?
La fidélité de Dieu est pour tous les jours !

⁴ Ta langue prémédite des crimes ;
elle est perfide comme un rasoir aiguisé ;
elle est habile à tromper.
⁵ Au bien tu préfères le mal,
et à la franchise le mensonge.   *Pause.
⁶ Tu aimes toute parole qui détruit,
langue perfide !

⁷ Dieu lui-même te ruinera pour toujours,
il te tirera, t'arrachera de la tente,
il te déracinera du pays des vivants.   Pause.
⁸ Alors les justes verront et craindront ;
ils riront de lui :
⁹ Le voici ce brave ᶠ,
qui ne prenait pas Dieu pour forteresse.

---

d libère-moi du sang : autres traductions dispense-moi du sang (des sacrifices); ou fais que mon
sang ne soit pas versé ; ou encore purifie-moi du sang (que j'ai versé), voir 2 S 11.14-17 ● e offrande
totale : voir Lv 6.15-16 ● f brave : les versions anciennes ont traduit homme ; mais la traduction
a essayé ici de reproduire un jeu de mots que l'hébreu fait entre guibbôr au v. 3 (bravache, fan-
faron) et guèbèr (v. 9), rendu par brave

51.12 un esprit tout neuf Ez 11.19; 36.26; 2 Co 5.17.   **51.13** esprit saint Es 63.11.   **51.15** reviendront vers toi Ps 22.28.   **51.16** Dieu sauveur Es 17.10+ — du sang 2 S 12.9; Ez 7.23; 9.9.
51.17 des lèvres pour la louange Ps 119.171.   **51.18** pas d'holocaustes Am 5.21-24.   **51.19** le
sacrifice voulu par Dieu Os 6.6 — un cœur brisé Ps 69.21; Es 61.1; Ez 6.9.   **51.20** fais du bien
à Sion Ps 102.14-18 — reconstruction Ez 36.33.   **51.21** sacrifices prescrits Ps 4.6.   **52.2** le
rapport de Doëg, l'Edomite 1 S 21.8; 22.9-10.   **52.4** langue malfaisante Ps 5.10+ — habile à
tromper Mi 6.12; Jb 27.4.   **52.5** préférer le mal au bien Jr 4.22.   **52.7** arraché de sa tente
Jb 18.14 — déraciné du pays Pr 2.22.   **52.8** voir et craindre Ps 40.4.   **52.9** Dieu, une forteresse
Ps 27.1; 28.7; 31.3-4; cf. 9.10 + — compter sur la richesse Pr 11.28.

mais qui comptait sur sa grande richesse,
fort de ses crimes !

10 Mais moi, comme un olivier verdoyant
dans la maison de Dieu,
je compte sur la fidélité de Dieu
à tout jamais.
11 Toujours je te rendrai grâces, car tu as agi ;
j'attends que ton nom soit dit, car il est bon,
en présence de tes fidèles.

PSAUME 53 (52)

(*Voir Ps 14*)

1 Du *chef de chœur, al-mâhalath *g*. Instruction de David.

2 Les fous se disent *h* :
« Il n'y a pas de Dieu ! »
Corrompus, ils se sont pervertis dans des horreurs ;
aucun n'agit bien.

3 Des cieux, Dieu s'est penché
vers les hommes,
pour voir s'il en est un d'intelligent
qui cherche Dieu.

4 Tous fourvoyés, ils sont unis dans le vice ;
aucun n'agit bien,
pas même un seul.

5 Sont-ils ignorants, ces malfaisants,
qui mangeaient mon peuple en mangeant leur pain,
et n'invoquaient pas Dieu !

6 Et là où ils se sont mis à trembler,
il n'y avait pas de quoi trembler,
car Dieu a éparpillé les os de tes assiégeants.
Tu les as bafoués, car Dieu les a repoussés.

7 Qui donne, depuis Sion, des victoires à Israël ?
Quand Dieu ramène les captifs de son peuple,
Jacob exulte, Israël est dans la joie.

PSAUME 54 (53)

1 Du *chef de chœur, avec instruments à cordes. Instruction de David.
2 Quand les Zifites *i* vinrent dire à Saül : « David n'est-il pas caché
parmi nous ? »

3 Dieu, sauve-moi par ton nom ;
par ta bravoure, rends-moi justice.

---

g al-mâhalath : terme technique de sens inconnu, qu'on retrouve au Ps 88.1. L'ancienne version
grecque l'a traduit comme un nom propre (voir Gn 28.9); les autres versions grecques et la
version latine ont compris *en chœur* ● h Le Ps 53 reproduit le Ps 14 à quelques détails près:
il possède une suscription (v. 1); le nom *Dieu* remplace l'appellation *le Seigneur;* enfin le contenu
du v. 6 diffère de celui des versets correspondants dans le Ps 14 — Pour les notes voir au Ps 14
● i Les Zifites sont les habitants du village de Zif, dans le sud du territoire de Juda; ils dénoncèrent à Saül la cachette de David (1 S 23.19)

52.10 verdoyant Ps 1.3 — dans la maison de Dieu Ps 92.13-14 — compter sur le Seigneur Ps
9.11+. **52.11** tu as agi 1 R 8.32. **53.2** pas de Dieu Ps 14.1; 10.4+, 11, 13. **53.3** Dieu s'est
penché Ps 14.2; 102.20 — pour voir Ps 11.4; Gn 11.5. **53.4** aucun n'agit bien Rm 3.10-12.
53.5 ignorants Ps 79.6 — ils mangeaient mon peuple Ps 79.7; Mi 3.3. **53.7** Dieu ramène les
captifs Ps 14.7+.

⁴ O Dieu, écoute ma prière,
prête l'oreille aux paroles de ma bouche.
⁵ Car des étrangers m'ont attaqué
et des tyrans en veulent à ma vie.
Ils n'ont pas tenu compte de Dieu.   *Pause.
⁶ Voici, Dieu est mon aide,
le Seigneur est mon seul appui ʲ.
⁷ Qu'il rende le mal à ceux qui m'espionnent !
Par ta fidélité, extermine-les.

⁸ De bon cœur je t'offrirai des *sacrifices ;
Seigneur, je célébrerai ton nom car il est bon :
⁹ Il m'a délivré de toute détresse,
et je toise mes ennemis.

PSAUME 55 (54)

¹ *Du *chef de chœur, avec instruments à cordes. Instruction de David.*

² O Dieu, prête l'oreille à ma prière ;
quand je supplie, ne te dérobe pas.
³ Fais attention à moi et réponds-moi.
Bouleversé, je me plains et je divague,
⁴ aux cris d'un ennemi
et sous la pression d'un impie ;
car ils déversent sur moi des méfaits
et m'attaquent avec colère.

⁵ Mon cœur se crispe dans ma poitrine ;
des frayeurs mortelles tombées sur moi,
⁶ crainte et tremblement me pénètrent,
et je suis couvert de frissons.
⁷ Alors j'ai dit : « Ah, si j'avais des ailes de colombe !
je m'envolerais pour trouver un abri.
⁸ Oui, je fuirais au loin
pour passer la nuit au désert.   *Pause.
⁹ Je gagnerais en hâte un refuge
contre le vent de la tempête. »

¹⁰ Seigneur, mets la brouille
et la division dans leur langage.
Car j'ai vu la violence
et la discorde dans la ville.
¹¹ Jour et nuit, elles rôdent
sur ses murailles.
A l'intérieur, il y a méfait et forfait ;
¹² à l'intérieur, il y a des crimes ;
brutalité et tromperie
ne quittent pas ses rues.

¹³ Ce n'est pas un ennemi qui m'insulte,
car je le supporterais.
Ce n'est pas un adversaire qui triomphe de moi,
je me déroberais à lui.

ʲ *mon seul appui :* autre traduction *le Seigneur est parmi ceux qui me soutiennent*

54.5 des orgueilleux m'ont attaqué Ps 86.14.   **54.8** ton nom Ps 52.11.   **54.9** je toise mes ennemis
Ps 59.11 ; 112.8 ; 118.7.   **55.2** prête l'oreille Ps 17.1 ; 71.2+ ; 86.6.   **55.6** crainte et tremblement
Jb 4.14.   **55.7** si j'avais des ailes Ps 139.9   **55.8** fuir au loin, au désert Jr 9.1.   **55.10** division
dans leur langage Gn 11.1-9.   **55.11** elles rôdent Ps 59.7.

¹⁴ Mais c'est toi, un homme de mon rang,
mon familier, mon intime.
¹⁵ Nous échangions de douces confidences,
et nous marchions de concert dans la maison de Dieu.
¹⁶ Que la ruine fonde sur eux !
Qu'ils descendent vivants aux enfers,
car la méchanceté est chez eux ᵏ, elle est en eux.
¹⁷ Moi, je fais appel à Dieu,
et le SEIGNEUR me sauvera.
¹⁸ Le soir, le matin. à midi,
bouleversé, je me plains.
Il a entendu ma voix,
¹⁹ il m'a libéré, gardé sain et sauf,
quand on me combattait,
car il y avait foule auprès de moi.
²⁰ Que Dieu entende et qu'il les humilie,
lui qui trône dès l'origine !   *Pause.*
Ils ne changeront pas,
ils ne craignent pas Dieu.

²¹ Cet homme ˡ a porté la main sur ses amis,
il a profané son *alliance.
²² L'onction glisse de sa bouche,
mais son cœur fait la guerre.
Ses paroles sont plus douces que l'huile,
mais ce sont des poignards.

²³ Rejette ton fardeau, mets-le sur le SEIGNEUR,
il te réconfortera,
il ne laissera jamais chanceler le juste ᵐ.

²⁴ Et toi, Dieu, tu les feras descendre
dans un charnier béant.
Les hommes sanguinaires et trompeurs
ne vivront pas la moitié de leurs jours.
Mais moi, je compte sur toi.

PSAUME 56 (55)

¹ Du *chef de chœur. Al yônath élèm rehôqîm. De David, miktâm ⁿ.
Quand les Philistins le saisirent à Gath.

² Pitié, Dieu ! Car un homme me harcèle ;
tout le jour il combat, il m'opprime.
³ Des espions me harcèlent tout le jour,

---

k *Que la ruine fonde sur eux!* traduction incertaine — *la méchanceté est chez eux:* autre traduction *quand les malheurs viendront chez eux* ● l *cet homme:* l'auteur semble désigner ici un de ses adversaires en particulier, peut-être un de ses anciens amis ● m *ton fardeau:* le terme hébreu correspondant ne se trouve nulle part ailleurs dans l'A.T. Il est traduit ici d'après le sens qu'il a dans les commentaires juifs traditionnels (Talmud); la traduction reste incertaine — *il ne laissera jamais chanceler le juste:* autre traduction *il ne laissera pas le juste chanceler à jamais* ● n *Al yônath élèm rehôqîm:* la traduction a renoncé à rendre ces quatre mots hébreux, qui indiquaient peut-être le titre d'une mélodie sur laquelle on devait chanter le Ps 56. En modifiant quelque peu le texte certains proposent de traduire *Sur « la colombe des dieux lointains »* — *miktâm:* voir Ps 16.1 et la note

55.14 mon familier Ps 41.10; Jr 9.3; Mi 7.6. **55.16** descendre vivant aux enfers Nb 16.33.
55.17 appel au Seigneur Ps 3.5+. **55.18** le soir, le matin, à midi Dn 6.11. **55.20** qui trône dès l'origine Ps 29.10. **55.22** langage hypocrite Ps 5.10; 12.3+ — paroles acérées Ps 57.5; 59.8; 64.4. **55.23** remets au Seigneur ton fardeau Ps 37.5; 1 P 5.7. **55.24** la moitié de la vie Ps 102.25 — compter sur le Seigneur Ps 9.11+; 56.4-5; 62.6, 9; 71.5; 84.13; 86.2; 91.2; 104.27; 112.7; 115.9-11; 125.1; 143.8; Es 26.4; Jr 17.7. **56.1** David à Gath 1 S 21.11-13. **56.3** harcelé Ps 57.4; cf. 5.9.

mais là-haut, une grande troupe combat pour moi.
4 Le jour où j'ai peur, je compte sur toi.

5 Sur Dieu, dont je loue la parole,
sur Dieu je compte, je n'ai pas peur :
que ferait pour moi un être de chair ?

6 Tout le jour ils me font souffrir [o],
ils ne pensent qu'à me nuire.
7 A l'affût ils épient
et ils observent mes traces
pour attenter à ma vie.
8 Pour ce méfait, échapperaient-ils ?
Dieu, que ta colère abatte ces gens !

9 Tu as compté mes pas de vagabond ;
dans ton outre recueille mes larmes.
N'est-ce pas écrit dans tes comptes [p] ?

10 Mes ennemis battront en retraite
le jour où j'appellerai ;
je le sais, Dieu est pour moi.

11 Sur Dieu, dont je loue les paroles,
— sur le SEIGNEUR, dont je loue les paroles —
12 sur Dieu je compte, je n'ai pas peur :
que feraient pour moi les hommes ?

13 Dieu, je suis tenu par mes vœux ;
j'accomplis pour toi les *sacrifices de louange.
14 Car tu m'as délivré de la mort.
N'as-tu pas préservé mes pieds de la chute,
pour que je marche devant Dieu
à la lumière de la vie ?

PSAUME 57 (56)

(*v. 8-12: Voir Ps 108.2-6*)

1 *Du *chef de chœur, al-tashehéth. De David, miktâm* [q]. *Quand, dans la caverne, il fuyait Saül.*

2 Pitié, Dieu ! aie pitié de moi,
car je t'ai pris pour refuge ;
et je me réfugie à l'ombre de tes ailes,
tant que dure le malheur.
3 Je fais appel à Dieu, le Très-Haut,
au Dieu qui fera tout pour moi :
4 Que, des cieux, il m'envoie le salut !
Celui qui me harcèle a blasphémé, **Pause.*
que Dieu envoie sa fidélité et sa vérité !

5 Je suis au milieu de lions,
et gisant parmi des êtres qui crachent du feu [r].

o ils me font souffrir: traduction conjecturale • *p dans tes comptes* ou *dans ton livre* • *q Al-tashehéth* (ne détruis pas) est peut-être le titre d'une mélodie sur laquelle on devait chanter les Ps 57; 58; 59; 75 — *miktâm:* voir Ps 16.1 et la note • *r qui crachent du feu* ou *qui dévorent comme une flamme*

56.5 valeur du secours humain Ps 60.13 — compter sur Dieu Ps 9.11+; 55.24+. **56.8** que ta colère... Jr 18.23. **56.9** larmes Es 38.5 — écrit dans les comptes de Dieu cf. Ps 69.29; Ap 3.5+. **56.10** ennemis en retraite Ps 9.4 — Dieu est pour moi Ps 118.7; 124.1-2. **56.14** délivré de la mort Ps 33.19; 116.8 — la lumière de la vie Ps 36.10. **57.1** David dans la caverne 1 S 22.1-2; 24.1-9; cf. Ps 142,1. **57.2** à l'ombre de tes ailes Ps 17.8+. **57.3** appel à Dieu Ps 3.5+ — Dieu fera tout pour moi Ps 138.8. **57.4** celui qui me harcèle Ps 56.3; cf. 5.9 — que Dieu envoie... sa vérité Ps 43.3 — fidélité et vérité Ps 25.10+. **57.5** au milieu des lions Ps 17.12; Dn 6.17 — qui crachent le feu Jb 41.13 — langue acérée Ps 55.22; 64.4.

Ces hommes ont pour dents des lances et des flèches,
et pour langue, une épée acérée.

6 Dieu, dresse-toi sur les cieux ;
que ta gloire domine toute la terre !

7 Sur mon passage, ils ont préparé un filet :
J'ai baissé la tête.
Devant moi, ils ont creusé une trappe :
ils sont tombés en plein milieu.   *Pause.*

8 Le cœur rassuré, mon Dieu,
le cœur rassuré,
je vais chanter un hymne :
9 Réveille-toi, ma gloire ;
réveillez-vous, harpe et cithare *,
je vais réveiller l'aurore.

10 Je te rendrai grâces parmi les peuples, Seigneur ;
je te chanterai parmi les nations.
11 Car ta fidélité s'élève jusqu'aux cieux
et ta vérité jusqu'aux nues.

12 Dieu, dresse-toi sur les cieux ;
que ta gloire domine toute la terre !

PSAUME 58 (57)

1 *Du *chef de chœur, al-tashehéth. De David, miktâm ^t.*

2 C'est vrai ! Quand vous parlez, la justice est muette ^u.
Fils des hommes, jugez-vous avec droiture ?
3 Non ! Sciemment, vous commettez des crimes :
sur la terre, vous propagez ^v la violence de vos mains.
4 A peine conçus, les méchants sont dévoyés,
les menteurs divaguent dès leur naissance.
5 Ils ont un venin pareil au venin du serpent ;
ils sont comme la vipère sourde, qui se bouche l'oreille,
6 qui n'obéit pas à la voix des enchanteurs
et du charmeur le plus habile aux charmes.
7 Dieu ! casse-leur les dents dans la gueule ;
SEIGNEUR, démolis les crocs de ces lions.
8 Qu'ils s'écoulent comme les eaux qui s'en vont !
Que Dieu ajuste ses flèches, et les voici fauchés ^w !
9 Qu'ils soient comme la limace qui s'en va en bave !
Comme le fœtus avorté, qu'ils ne voient pas le soleil !
10 Avant que vos marmites ne sentent la flambée d'épines,
aussi vif que la colère ^x, il les balayera.

---

s Voir Ps 92.4 et la note ● t Al tashehéth : voir Ps 57.1 et la note — miktâm : voir Ps 16.1 et
la note ● u La traduction des premiers mots de ce psaume est incertaine ; autre traduction (conjecturale) : *est-il vrai, vous les dieux, que vous disiez la justice ?* ● v *vous propagez* : traduction incertaine.
Autre traduction *vous pesez* (allusion à la balance, image de la justice). Les anciennes versions
grecque et syriaque ont compris *vos mains tissent l'injustice* ● w *les voici fauchés* : traduction
conjecturale ● x *aussi vif que la colère* : traduction conjecturale

57.6 Dieu dressé sur les cieux v. 12 ; Ps 108.6.   57.7 filet Ps 9.16 + — trappe cf. Ps 7.16 + —
pris à leur propre piège Ps 9.16 ; 64.9.   57.8 cœur rassuré Ps 108.2.   57.9 réveiller l'aurore Ps
119.62, 147.   57.10 parmi les nations Ps 18.50.   57.11 ta fidélité jusqu'aux cieux Ps 36.6 ;
103.11 — fidélité et vérité v. 4 ; Ps 25.10 +.   57.12 sur les cieux Ps 8.2 ; 113.4 ; cf. Es 2.11.
58.2 juges injustes Ps 82.2.   58.5 un venin de serpent Ps 140.4.   58.6 un serpent qui ne se laisse pas charmer Qo 10.11.   58.7 casse-leur les dents Ps 3.8 —
crocs de lion Ps 57.5.   58.8 comme l'eau qui s'écoule Jb 11.16 — flèches de Dieu Ps 18.15.
58.9 comme le fœtus avorté Jb 3.16.

¹¹ Le juste se réjouira en voyant la vengeance :
il lavera ses pieds dans le sang des méchants.
¹² Et les hommes diront : « Oui, le juste fructifie ;
oui, il y a un Dieu qui juge sur la terre. »

PSAUME 59 (58)

¹ *Du *chef de chœur, al-tashehéth. De David, miktâm* ⁹. *Quand Saül envoya garder la maison pour le faire mourir.*

² Dieu, délivre-moi de mes ennemis ;
protège-moi de mes agresseurs.
³ Délivre-moi des malfaisants
et sauve-moi des hommes sanguinaires.

⁴ Car les voici en embuscade contre moi,
des puissants m'attaquent,
sans que j'aie commis de faute ou de péché, SEIGNEUR !
⁵ Je ne suis pas coupable, et ils courent se poster.
Sors du sommeil ! Viens à ma rencontre et vois !
⁶ Toi, SEIGNEUR Dieu, le tout-puissant, Dieu d'Israël,
réveille-toi pour punir toutes ces nations ;
sois sans pitié pour tous ces traîtres de malheur.   **Pause.*

⁷ Le soir, ils reviennent,
grondant comme des chiens ;
ils rôdent par la ville.
⁸ Les voici, de la bave plein la gueule,
des épées sur les babines :
« Qui donc entend ? »

⁹ Et toi, SEIGNEUR, tu ris d'eux,
tu te moques de toutes ces nations.
¹⁰ Je regarderai vers toi, la force.
Ma citadelle, c'est Dieu.
¹¹ Le Dieu fidèle vient au-devant de moi :
Dieu me fait toiser ceux qui m'espionnent.

¹² Ne les massacre pas, sinon mon peuple oubliera.
Que ta vigueur les secoue et les rabaisse,
Seigneur notre bouclier !
¹³ Dès qu'ils parlent, ils ont le péché à la bouche ;
qu'ils soient pris à leur orgueil,
pour la malédiction et le mensonge qu'ils profèrent !
¹⁴ Achève avec fureur ;
achève, et qu'il n'en reste rien !
et qu'ils sachent que Dieu
est le souverain de Jacob ᶻ,
jusqu'aux extrémités de la terre.   *Pause.*

¹⁵ Le soir, ils reviennent,
grondant comme des chiens ;

---

y Al tashehéth: voir Ps 57.1 et la note — *miktâm:* voir Ps 16.1 et la note ● *z Jacob:* voir Ps 44.5 et la note

58.11 le juste se réjouira Ps 35.27 — en voyant la vengeance Jr 11.20; Ez 25.17. **58.12** le juste fructifie Ps 1.3 — un Dieu qui juge la terre Ml 2.17; Jb 19.29. **59.1** Saül essaie de surprendre David 1 S 19.11-17. **59.2** délivre-moi de mes ennemis Ps 31.16. **59.3** hommes sanguinaires Ps 5.7. **59.4** en embuscade Ps 10.9; Pr 1.11; Lm 4.19. **59.5** sors du sommeil Ps 35.23; 44.24. **59.6** sans pitié pour ces traîtres Es 26.10. **59.7** comme des chiens Ps 22.17 — ils rôdent Ps 55.11. **59.8** langage acéré Ps 55.22. **59.9** le Seigneur se rit d'eux Ps 2.4; 37.13. **59.11** toiser Ps 54.9; 112.8; 118.7. **59.12** quelques survivants pour qu'on se souvienne... Ez 12.16. **59.13** pris au piège de leur orgueil Es 13.11; Ez 7.24. **59.14** achève... Nb 16.21; Jr 14.12 — Dieu, souverain de Jacob-Israël Jg 8.23.

ils rôdent par la ville.
16 Ils errent en quête de nourriture ;
s'ils ne sont pas repus,
ils passent la nuit à geindre *a*.

17 Et moi je chante ta force,
le matin, j'acclame ta fidélité,
car tu as été pour moi une citadelle,
un refuge au jour de ma détresse.
18 Je te chanterai, toi ma force.
Ma citadelle, c'est Dieu,
le Dieu qui m'est fidèle !

PSAUME 60 (59)

(*v. 7-14: Voir Ps 108.7-14*)
1 *Du* *chef de chœur ; al-shoushân édouth. Miktâm* *b* *de David.*
Pour enseigner.
2 *Quand il combattait les* *Araméens de Mésopotamie et ceux de*
Çova. Et Joab revint et battit Edom,
soit douze mille hommes, dans la vallée du Sel.

3 Dieu, tu nous as rejetés, disloqués ;
tu t'es irrité : rétablis-nous !
4 Tu as fait trembler la terre, tu l'as crevassée :
réduis ses fractures, car elle chancelle !
5 Tu as fait voir de durs moments à ton peuple,
tu nous as fait boire un vin qui saoule.

6 A ceux qui te craignent, tu as donné le signal
pour fuir devant l'archer.   *Pause.
7 Pour que tes bien-aimés soient délivrés,
sauve par ta droite et réponds-nous.

8 Dieu a parlé dans le *sanctuaire :
J'exulte ; je partage Sichem
et je mesure la vallée de Soukkoth *c*.
9 Galaad est à moi ; Manassé est à moi ;
Ephraïm est le casque de ma tête ;
Juda est mon sceptre ;
10 Moab, la cuvette où je me lave.
Sur Edom, je jette ma sandale ;
Philistie, brise-toi contre moi en criant *d* !

11 Qui me mènera à la ville retranchée ?
Qui me conduira jusqu'en Edom,
12 sinon toi, le Dieu qui nous a rejetés,
le Dieu qui ne sortait plus avec nos armées ?

---

a Texte hébreu *ils passent la nuit;* trois versions anciennes *ils geignent.* En hébreu les deux
verbes correspondant à ces traductions ont des formes très voisines. La traduction suppose que
le texte hébreu est intentionnellement ambigu ● *b al-shoushân édouth* indique sans doute le
titre d'un chant de même mélodie que le Ps 60. Le sens de ce titre est inconnu — *miktâm:* voir
Ps 16.1 et la note ● *c dans le sanctuaire* ou *selon sa sainteté* — *Sichem* (en Palestine centrale)
et *Soukkoth* (en Transjordanie) sont deux étapes de Jacob à son retour en Palestine (voir Gn
33.17-18) ● *d jeter sa sandale:* geste signifiant qu'on prenait possession d'un terrain (comparer
Dt 25.9; Rt 4.7) — *en criant:* autre traduction *pousse des cris de joie contre moi*

59.17 le matin Ps 5.4; 30.6 — au jour de ma détresse Ps 77.3+. **59.18** Dieu, ma citadelle
cf. Ps 31.3+. **60.2** Victoire de David sur les Araméens de Çova 2 S 8.3-5 — victoire contre les
Edomites dans la vallée du Sel 2 S 8.13. **60.3** tu nous as rejetés Ps 44.10; 74.1; 89.39. **60.4** tu
as fait trembler la terre Ag 2.6; cf. Am 1.1; 8.8; Za 14.5 — elle chancelle Es 24.20; 54.10.
60.5 un vin qui saoule Es 51.17; Jr 25.15, 27; cf. Ps 75.9. **60.6** ceux qui craignent Dieu Ps
15.4+. **60.7** par ta droite Ps 17.7; 21.9; 44.4; 45.5; 48.11; 77.11; 118.15-16; 139.10. **60.9** Juda
est mon sceptre Gn 49.10. **60.12** Dieu, qui ne sortait plus avec nos armées Ps 44.10.

¹³ Viens à notre aide contre l'adversaire,
car le secours de l'homme est illusion.
¹⁴ Avec Dieu nous ferons des exploits :
c'est lui qui piétinera nos adversaires.

PSAUME 61 (60)

¹ Du *chef de chœur, sur l'instrument à cordes de David.

² O Dieu, écoute mes cris,
sois attentif à ma prière.
³ Du bout de la terre,
je fais appel à toi
quand le *cœur me manque.

Sur le rocher trop élevé pour moi
tu me conduiras.
⁴ Car tu es pour moi un refuge,
un bastion face à l'ennemi.

⁵ Je voudrais être reçu sous ta tente pour des siècles,
et m'y réfugier, caché sous tes ailes.   *Pause.
⁶ C'est toi, Dieu, qui as exaucé mes vœux,
et donné leur héritage à ceux qui craignent ton nom ᵉ.

⁷ Aux jours du roi, ajoute des jours ;
que ses années soient des siècles !
⁸ Qu'il siège toujours en face de Dieu !
Charge la fidélité et la vérité de le préserver.
⁹ Alors je chanterai sans cesse ton nom,
pour accomplir chaque jour mes vœux.

PSAUME 62 (61)

¹ Du *chef de chœur, d'après Yedoutoun ᶠ. Psaume de David.

² Oui, mon âme est tranquille devant Dieu ;
mon salut vient de lui.
³ Oui, il est mon rocher, mon salut,
ma citadelle ; je suis presque inébranlable.

⁴ Allez-vous longtemps vous ruer tous ensemble
contre un homme, pour l'abattre
comme un mur qui penche
ou une clôture branlante ?
⁵ Oui, à cause de son rang.
ils projettent de le bannir ;
ils se plaisent au mensonge :
de la bouche ils bénissent,
mais au fond d'eux-mêmes, ils maudissent.   *Pause.

⁶ Oui, sois tranquille près de Dieu, mon âme ;
car mon espoir vient de lui.

ᵉ Autre traduction possible *tu m'as donné en héritage ceux qui craignent ton nom* ● ᶠ *Yedoutoun :*
voir Ps 39.1 et la note

60.13 viens à notre aide 2 Ch 14.10 — le secours humain Ps 56.5 ; cf. 118.8. **60.14** avec Dieu
Ps 18.30 ; 44.6-9 ; He 11.33 — adversaires piétinés Ps 44.6 ; cf. Rm 16.20. **61.2** écoute mes
cris Ps 5.2 ; 17.1 ; 28.2 ; 54.4 ; 55.2 ; 64.2 ; 141.1 — sois attentif Ps 5.3 +. **61.3** du bout de la terre
Es 41.9 — appel à Dieu Ps 3.5 + — tu me conduiras Ps 60.11 ; cf. 5.9 +. **61.4** un refuge pour
moi Ps 5.12 ; 7.2 +. **61.5** sous la tente Ps 15.1 — sous tes ailes Ps 17.8 +. **61.7** longue vie au
roi Ps 21.5. **61.8** Qu'il siège... Ps 110.1 ; Es 16.5 — fidélité et vérité Ps 25.10 +. **61.9** accomplir
mes vœux Ps 66.13. **62.2** tranquille devant Dieu Ps 37.7 — le salut vient de Dieu Es 12.2.
62.3 rocher, salut Ps 89.27 ; cf. 27.5 ; 61.3 — citadelle Ps 9.10 +. **62.5** bénédiction hypocrite
Ps 28.3. **62.6** le Seigneur, mon espoir Ps 71.5 ; Gn 49.18.

⁷ Oui, il est mon rocher et mon salut,
ma citadelle : je suis inébranlable.
⁸ Mon salut et ma gloire sont tout près de Dieu ;
mon rocher fortifié, mon refuge sont en Dieu.
⁹ Comptez sur lui en tout temps, vous, le peuple !
Epanchez devant lui votre cœur ;
Dieu est pour nous un refuge.   *Pause.*

¹⁰ Oui, les gens du peuple sont un souffle,
les gens illustres, un mensonge.
Quand on soulève la balance ᵍ,
à eux tous, ils pèsent moins qu'un souffle.

¹¹ Ne comptez pas sur la violence :
ne vous essoufflez pas en rapines.
Si votre fortune augmente,
n'y mettez pas votre cœur.

¹² Dieu a dit une chose,
deux choses que j'ai entendues,
ceci : que la force est à Dieu,
¹³ et à toi, Seigneur, la fidélité ;
et ceci : que tu rends à chacun selon ses œuvres.

PSAUME 63 (62)

¹ *Psaume de David. Quand il était dans le désert de Juda.*

² Dieu, c'est toi mon Dieu ! Dès l'aube je te désire ʰ ;
mon âme a soif de toi ;
ma chair languit après toi,
dans une terre desséchée, épuisée, sans eau.

³ Oui, je t'ai contemplé dans le *sanctuaire
en voyant ta force et ta gloire ;
⁴ ta fidélité valant mieux que la vie,
mes lèvres te célébraient.

⁵ Oui, je te bénirai ma vie durant,
et à ton nom, je lèverai les mains ⁱ.
⁶ Comme de graisse et d'huile, je me rassasierai,
et la joie aux lèvres, ma bouche chantera louanges.

⁷ Quand sur mon lit je pense à toi,
je passe des heures à te prier.
⁸ Car tu as été mon aide,
à l'ombre de tes ailes j'ai crié de joie.
⁹ Je m'attache à toi de toute mon âme,
et ta droite me soutient.

---

g *quand on soulève la balance:* les balances de l'époque avaient un fléau suspendu; autre traduction *en montant sur la balance* ● h *je te désire:* en hébreu les termes traduits par *aube* et *je te désire* comportent les mêmes consonnes; le texte joue sur cette ressemblance ● i *à ton nom:* autre traduction *en entendant prononcer ton nom* ou *en ta présence* — *je lèverai les mains:* voir Ps 28.2 et la note

62.8 mon refuge Ps 46.2; 71.7; cf. Ps 27.5+. **62.9** compter sur Dieu Ps 9.11+; 55.24+ — épancher son cœur devant Dieu Ps 42.5; 142.3; 1 S 1.15. **62.10** gens du peuple, gens illustres Ps 49.3 — un souffle Ps 39.6-7 — la balance Es 40.15. **62.11** ne pas compter sur la violence Es 30.12 — ne pas compter sur sa fortune Jb 27.16; 31.25; Mt 19.22; 1 Tm 6.17. **62.12** une chose, deux choses Os 6.2+. **62.13** fidélité Ps 17.7+ — à chacun selon ses œuvres Jr 25.14; Jb 34.11; Rm 2.6; 2 Tm 4.14. **63.1** David au désert de Juda 1 S 23.14. **63.2** soif de toi Ps 42.3+ — une terre desséchée Ps 143.6. **63.3** contempler Dieu Ps 17.15+ — ta force et ta gloire Ps 29.1; cf. 78.61. **63.4** ta fidélité Ps 17.7+. **63.5** je te bénirai Ps 145.2 — lever les mains (prier) Ps 28.2+. **63.6** se rassasier Ps 36.9. **63.8** à l'ombre de tes ailes Ps 17.8+. **63.9** s'attacher à Dieu Dt 13.5 — ta droite me soutient Ps 18.36; Es 41.10.

10 Qu'ils aillent à la ruine, ceux qui en veulent à ma vie !
Qu'ils rentrent dans les profondeurs de la terre !
11 Qu'on les passe au fil de l'épée !
Qu'ils soient la part des chacals !
12 Et le roi se réjouira de Dieu :
quiconque jure par lui *j* n'aura qu'à s'en louer ;
car la bouche des menteurs sera close.

PSAUME 64 (63)

1 Du *chef de chœur. Psaume de David.

2 Dieu ! écoute ma plainte ;
préserve ma vie d'un ennemi terrifiant ;
3 cache-moi loin du complot des scélérats,
loin des malfaisants qui se concertent.

4 Ils ont affûté leur langue comme une épée ;
ils ont ajusté leurs flèches, leurs paroles venimeuses,
5 pour tirer en cachette sur un homme intègre :
ils tirent soudain, sans rien craindre *k*.
6 Ils se forgent une parole maligne ;
ils calculent pour dissimuler des pièges ;
ils disent : « Qui s'en apercevra ? »
7 Ils combinent des crimes :
« Nous avons bien combiné notre affaire :
au fond de l'homme, le cœur est impénétrable ! »

8 Mais Dieu leur a tiré dessus ;
soudain, voici la flèche :
ce sont leurs propres coups,
9 leur langue s'est retournée contre eux.

En les voyant, chacun hoche la tête ;
10 tout homme est saisi de crainte,
il proclame ce que Dieu a fait,
et de cet acte, il tire la leçon.

11 Que le juste se réjouisse du SEIGNEUR,
qu'il le prenne pour refuge,
et tous les *cœurs droits s'en loueront.

PSAUME 65 (64)

1 Du *chef de chœur, psaume. De David, chant.

2 Dieu qui es en *Sion,
la louange te convient *l*,
et pour toi on accomplit des vœux.
3 Jusqu'à toi qui entends la prière,
tout être de chair peut venir.

---

j Le contexte ne permet pas de préciser s'il s'agit d'un serment fait en invoquant le nom du roi
ou celui de Dieu ● *k* Le texte hébreu joue ici sur la ressemblance des verbes traduits par *tirer*
et *craindre* ● *l* la louange te convient : traduction incertaine, mais soutenue par les anciennes
versions grecque et syriaque. D'après d'autres versions anciennes : *pour toi le silence est une louange*
ou *à toi une louange silencieuse*

63.12 le roi se réjouira Ps 21.2.   64.2 écoute ma plainte Ps 5.2 ; 17.1, 6.   64.3 complot Ps 31.14+.
64.4 langue acérée Ps 5.10+ ; cf. 55.22 — flèches Ps 11.2+ ; Jr 9.2.   64.6 Qui s'en apercevra ?
Es 29.15.   64.9 retournée contre eux Ps 9.16 — hochements de tête Ps 22.8+ ; cf. 44.15.   64.10 tous
saisis de crainte Ps 40.4.   64.11 réjouissance Ps 5.12 ; 69.33 — cœurs droits Ps 32.11.   65.2 Dieu
qui es en Sion Ps 132.13 ; 135.21 ; Es 31.9 ; 46.13 ; Jr 8.19 ; 31.6 ; Jl 4.17 ; Lm 4.11 — accomplir
des vœux Ps 76.12+.   65.3 Dieu entend la prière Ps 17.1 ; 66.19-20 ; Jon 2.8 ; Pr 15.29 cf. Ps 34.16
— tout être peut venir à Dieu Es 66.23.

⁴ Les fautes ont été plus fortes que moi,
mais tu effaces nos péchés.
⁵ Heureux l'invité que tu choisis,
il demeurera dans tes *parvis.
Nous serons rassasiés des biens de ta maison,
des choses *saintes de ton temple.

⁶ Avec justice, tu nous réponds par des merveilles,
Dieu notre sauveur,
sécurité de la terre entière
jusqu'aux mers lointaines.

⁷ Il affermit les montagnes par sa vigueur ;
il se ceint de bravoure.
⁸ Il apaise le vacarme des mers,
le vacarme de leurs vagues
et le grondement des peuples.

⁹ Au bout du monde, on s'émerveille de tes *signes ᵐ,
tu fais crier de joie les régions du levant et du couchant.

¹⁰ Tu as visité la terre, tu l'as abreuvée ;
tu la combles de richesses.
La rivière de Dieu regorge d'eau,
tu prépares le froment des hommes.
Voici comment tu prépares la terre :
¹¹ Enivrant ses sillons,
tassant ses mottes,
tu la détrempes sous les averses,
tu bénis ce qui germe.

¹² Tu couronnes tes bienfaits de l'année,
et sur ton passage la fertilité ruisselle.
¹³ Les pacages du désert ruissellent,
les collines prennent une ceinture de joie,
¹⁴ les prés se parent de troupeaux ;
les plaines se drapent de blé :
tout crie et chante.

PSAUME 66 (65)

¹ Du *chef de chœur ; chant, psaume.

Acclamez Dieu, toute la terre ;
² chantez la gloire de son nom,
glorifiez-le par la louange ⁿ.
³ Dites à Dieu : « Que tes œuvres sont terribles !
devant ta grande force, tes ennemis se font courtisans.
⁴ Toute la terre se prosterne devant toi,
elle chante pour toi, elle chante ton nom. »   *Pause.

m on s'émerveille ou on s'effraie ● n La traduction de la fin du v. 2 est incertaine; certains
proposent c'est votre gloire que de le louer

65.4 tu effaces tous nos péchés Ps 78 ; 38 ; Dt 21.8 65.5 Heureux...! Ps 1.1+ — dans tes parvis
Ps 84.3 ; 92.14 ; 96.8 ; 100.4 ; 135.2 ; Es 1.12 ; Za 3.7 — rassasiés des biens de ta maison Ps 36.9 ;
90.14 ; Jr 31.14. 65.6 tu nous réponds par des merveilles Dt 10.21 ; Es 64.2 — Dieu sauveur
Es 17.10+. 65.7 il affermit les montagnes Ps 24.2 ; 119.90 ; Jr 10.12 — ceint de bravoure
Ps 93.1. 65.8 il apaise la mer Ps 89.10+ — et le grondement des peuples Es 29.7 ; Ps 2.1.
65.9 cris de joie d'un bout à l'autre de la terre Ps 67.5. 65.10 la terre abreuvée de pluie Es 30.23 ;
Jl 2.23 — la rivière de Dieu Ps 46.5+ — le froment des hommes Os 2.10 ; Jl 2.19. 65.12 fertilité
débordante Ps 72.16 ; Am 9.13. 65.13 une ceinture de joie pour les collines Ps 96.12. 66.1 toute
la terre invitée à acclamer Dieu Ps 98.4+. 66.2 la gloire de son nom Ps 29.2 ; 96.8 ; 115.1.
66.3 tes ennemis se font courtisans Ps 18.45 ; Dt 33.29. 66.4 toute la terre prosternée Es 49.23 ;
Ez 46.3.

⁵ Venez, vous verrez les actes de Dieu.
qui terrifie les hommes par son exploit :
⁶ Il changea la mer en terre ferme,
on passait le fleuve à pied sec ;
là, nous lui faisons fête.
⁷ Par sa bravoure il domine à tout jamais,
ses yeux surveillent les nations ;
que les rebelles ne se redressent pas !   *Pause.*

⁸ Peuples, bénissez notre Dieu ;
faites résonner sa louange.
⁹ Celui qui nous fait vivre
n'a pas laissé nos pieds chanceler.

¹⁰ Dieu, tu nous as examinés,
affinés comme on affine l'argent.
¹¹ Tu nous as menés dans un piège,
tu as surchargé nos reins ;
¹² tu as permis qu'on nous traite en bête de somme ᵒ.
Nous sommes entrés dans le feu et dans l'eau,
mais tu nous as fait sortir pour un banquet.

¹³ J'entre dans ta maison avec des holocaustes ᵖ ;
envers toi, j'accomplis les vœux
¹⁴ qui ont ouvert mes lèvres
et que ma bouche a prononcés dans ma détresse.
¹⁵ Je t'offre des bêtes grasses en holocauste,
avec le fumet des béliers ;
j'apprête des taureaux et des boucs.   *Pause.*

¹⁶ Venez, vous tous qui craignez Dieu,
vous m'entendrez raconter
ce qu'il a fait pour moi.
¹⁷ Quand ma bouche l'appelait,
la louange soulevait ma langue.

¹⁸ Si j'avais pensé à mal,
le Seigneur n'aurait pas écouté.
¹⁹ Mais Dieu a écouté,
il a été attentif à ma prière.
²⁰ Béni soit Dieu,
qui n'a pas écarté de lui ma prière,
ni de moi sa fidélité.

PSAUME 67 (66)

¹ *Du *chef de chœur, avec instruments à cordes. Psaume, chant.*

² Que Dieu nous prenne en pitié et nous bénisse !
Qu'il fasse briller sa face parmi nous,   **Pause.*

ᵒ La traduction du début du v. 12 est incertaine. Toutes les versions anciennes ont discerné ici
une image de l'oppression subie par Israël ● ᵖ Voir au glossaire SACRIFICES

66.5 venez voir Ps 46.9.   **66.6** la mer, le fleuve, à sec Ps 74.15; 114.3, 5; Ex 14.16; Jos 3.13;
Es 44.27; 50.2.   **66.7** ses yeux surveillent les nations Ps 14.2; 33.13; Jb 28.24; 2 Ch 16.9.   **66.8**
peuples, bénissez notre Dieu Ps 22.28-29; 117.1; 145.21.   **66.9** pieds qui ne chancellent pas
Ps 55.23; 121.3.   **66.10** examinés, affinés Ps 26.2; Es 48.10; Jr 9.6; Za 13.9; 1 P 1.7.   **66.12** pour
un banquet Ps 23.5.   **66.13** accomplir ses vœux Ps 76.12+.   **66.15** holocaustes Ps 51.21.
66.16 ceux qui craignent Dieu Ps 15.4+ — raconter ce qu'il a fait Ps 9.2+.   **66.18** penser à
mal cf. Es 1.16 — le Seigneur n'aurait pas écouté Jn 9.31.   **66.19** Dieu attentif à la prière
Ps 65.3+.   **66.20** Béni soit Dieu! Ps 28.6+.   **67.2** formule de bénédiction Nb 6.24-25.

³ pour que, sur la terre, on connaisse ton chemin,
et parmi tous les païens *q*, ton salut.

⁴ Que les peuples te rendent grâce, Dieu !
Que les peuples te rendent grâce, tous ensemble !

⁶ Que les nations chantent leur joie,
car tu gouvernes les peuples avec droiture,
et sur terre tu conduis les nations.   *Pause.*

⁶ Que les peuples te rendent grâce, Dieu !
Que les peuples te rendent grâce, tous ensemble !

⁷ La terre a donné sa récolte :
Dieu, notre Dieu, nous bénit.
⁸ Que Dieu nous bénisse,
et que la terre tout entière
le craigne !

PSAUME 68 (67)

¹ *Du *chef de chœur, de David ; psaume, chant.*

² Dieu se lève, ses ennemis se dispersent
et ses adversaires fuient devant lui.
³ Comme se dissipe la fumée, tu les dissipes ;
comme la cire fond au feu,
les infidèles périssent devant Dieu.

⁴ Mais les justes se réjouissent,
ils exultent devant Dieu,
ils dansent de joie :
⁵ Chantez pour Dieu, chantez son nom ;
exaltez ʳ celui qui chevauche dans les steppes.
Son nom est : LE SEIGNEUR ; exultez devant lui.

⁶ Père des orphelins, justicier des veuves,
tel est Dieu dans sa sainte demeure.
⁷ Aux isolés, Dieu procure un foyer :
il fait sortir les captifs pour une heureuse délivrance ˢ,
mais les rebelles habitent des lieux arides.

⁸ Dieu, quand tu sortis à la tête de ton peuple,
quand tu t'avanças dans les solitudes,   *Pause.*
⁹ la terre trembla, les cieux mêmes ont ruisselé,
devant Dieu — celui du Sinaï —
devant Dieu, le Dieu d'Israël.

¹⁰ Dieu, tu répandais une pluie généreuse ;
ton héritage était épuisé, tu l'as rétabli.

---

q ton chemin: expression figurée fréquente dans l'A.T.; elle sert ici à désigner la conduite de
Dieu à l'égard d'Israël — *tous les païens:* autre traduction *toutes les nations* ● *r exaltez:* autre
traduction *louez* ou *préparez une route pour...* ● *s une heureuse délivrance:* le terme hébreu
ainsi traduit est unique dans l'A.T. et sa traduction incertaine. Dans la littérature cananéenne
d'Ougarit le même terme désignait les sages-femmes du monde des dieux

67.3 le chemin (la manière de faire) de Dieu Ps 51.15 — que les païens connaissent le salut Ac 28.28;
cf. 1 R 8.43, 60. **67.4** action de grâce universelle Ps 99.1-3. **67.5** Dieu gouverne les peuples
avec droiture Ps 98.9 ·; cf. 9.9 ·. **67.7** la récolte, signe de bénédiction Ps 65.10-14; 85.13. **67.8** la
terre tout entière Ps 22.28; 33.8; Es 41.5; Jr 10.7. **68.2** Dieu se lève, dispersion et fuite des ennemis
Nb 10.35. **68.3** comme une fumée Ps 37.20; Os 13.3 — comme la cire Ps 22.15; 97.5; Mi 1.4.
68.4 joie des justes Ps 32.11; 97.12; Jb 22.19. **68.5** chantez pour Dieu... Ps 96.1· ; Jr 20.13 —
celui qui chevauche... Ps 18.10-11; Es 19.1. **68.6** orphelins, veuves Ps 146.9÷; Ex 22.21-22;
cf. *Ba* 6.37. **68.7** un foyer Ps 113.9. **68.8** sortie de Dieu Jg 5.4; Dt 33.2; Ha 3.3-6. **68.9** tremblement de terre Ex 19.18; He 12.26 — ruissellement des montagnes Jg 5.5 — Dieu d'Israël
Ps 59.6.

¹¹ Ton domaine où ils se sont installés,
c'est toi, Dieu, qui l'établis
dans ta bonté pour le pauvre *t*.

¹² Le Seigneur donne un ordre,
et ses messagères sont une grande armée.
¹³ Rois et armées détalent, détalent,
et tu partages comme butin les parures *u* des maisons.
¹⁴ Resteriez-vous couchés au bivouac ?

Les ailes de la colombe sont lamées d'argent,
et son plumage d'or pâle.
¹⁵ Lorsqu'en ce lieu le Souverain dispersa des rois,
il neigeait sur le Mont-Sombre *v*.

¹⁶ Montagne divine, montagne du Bashân *w*,
montagne bossue, montagne du Bashân,
¹⁷ pourquoi loucher, montagnes bossues ,
sur la montagne où Dieu a désiré habiter ?
Mais oui ! Le Seigneur y demeurera toujours.

¹⁸ La cavalerie de Dieu a deux myriades d'escadrons flamboyants.
Le Seigneur est parmi eux ; le Sinaï est dans le *sanctuaire *x*.
¹⁹ Tu es monté sur la hauteur ; tu as fait des prisonniers,
tu as pris des dons *y* parmi les hommes, même rebelles,
pour avoir une demeure, Seigneur Dieu !

²⁰ Béni soit le Seigneur chaque jour !
Ce Dieu nous apporte la victoire.   *Pause.*
²¹ Ce Dieu est pour nous le Dieu des victoires,
et les portes de la mort *z* sont à Dieu le Seigneur.
²² Mais Dieu écrase la tête de ses ennemis,
le crâne chevelu de celui qui vit dans ses crimes.

²³ Le Seigneur a dit : « J'en ramène du Bashân,
j'en ramène des gouffres de la mer,
²⁴ afin que tu les piétines dans le sang,
et que la langue de tes chiens ait sa ration d'ennemis. »

²⁵ Dieu, ils ont vu tes cortèges,
les cortèges de mon Dieu, de mon roi, dans le sanctuaire :
²⁶ en tête les chanteurs, les musiciens derrière,
parmi des filles jouant du tambourin.

²⁷ Dans les assemblées, bénissez Dieu,
le Seigneur. à la source d'Israël *a*.
²⁸ Il y a là Benjamin, le cadet...,

---

t Autre traduction *c'est toi, Dieu, qui l'établit pour le pauvre, dans ta bonté* ● *u* parures: traduction incertaine ; le terme ainsi rendu ne se retrouve qu'en Jb 8.6 au sens de *splendeur* ● *v* Cette montagne n'a pas été identifiée ● *w* le Bashân: voir Ps 22.13 et la note ● *x* Autre texte, suivi par les versions grecque et latine *Le Seigneur est parmi eux, dans le Sinaï, dans le sanctuaire* ● *y* Les versions syriaque et araméenne ont lu *tu as fait des dons aux hommes* (ce serait alors une allusion à la loi donnée par Dieu à Israël lors du séjour au pied du Sinaï). C'est sous cette dernière forme que le verset est cité en Ep 4.8 ● *z* les portes de la mort ou les moyens d'échapper à la mort. Certains traducteurs anciens ont compris *les portes qui conduisent à la mort* ● *a* la Source d'Israël: peut-être la source du *Guihôn*, proche des murailles de Jérusalem, à l'est de la ville, et d'où partaient certains cortèges (voir 1 R 1.33-40)

68.12 messagères du Seigneur Es 40.9. **68.13** rois et armées Ps 48.5. **68.14** rester couché Jg 5.16. **68.15** neige Jb 38.22-23; cf. Jg 5.20. **68.16** Bashân Am 4.1. **68.17** la montagne où Dieu a désiré habiter Ps 78.68 — toujours Ez 43.7. **68.18** la cavalerie de Dieu 2 R 6.17 — escadrons flamboyants Jos 5.13-15. **68.19** tu es monté Ps 47.6; Ep 4.8. **68.20** Béni soit le Seigneur Ps 28.6+. **68.21** les portes de la mort cf. Mt 16.18. **68.22** ennemis écrasés Es 63.3 — crâne chevelu Jg 5.2. **68.24** la langue des chiens 2 R 9.36. **68.27** bénir Dieu dans les assemblées Ps 26.12.

les princes de Juda... *b*,
les princes de Zabulon, les princes de Nephtali.

²⁹ Ton Dieu a décidé que tu serais fort :
montre ta force, Dieu *c* ! toi qui as agi pour nous.
³⁰ A la vue de ton palais qui domine Jérusalem,
des rois t'apporteront leurs présents.

³¹ Menace la bête des roseaux,
la harde des taureaux
avec ces peuples de veaux,
ceux qui rampent avec leurs pièces d'argent *d*.

Il a éparpillé des peuples belliqueux ;
³² de riches étoffes arrivent d'Egypte ;
la Nubie accourt vers Dieu, les mains pleines *e*.

³³ Royaumes de la terre,
chantez pour Dieu ;
jouez pour le Seigneur *f*,   *Pause.*
³⁴ celui qui chevauche au plus haut des cieux antiques.
Voici qu'il donne de la voix, une forte voix.
³⁵ Donnez à Dieu la force.

Sa majesté est sur Israël,
sa force est dans les nuées.
³⁶ Dieu, tu es terrifiant depuis tes sanctuaires.
C'est le Dieu d'Israël,
qui donne au peuple force et puissance.
Béni soit Dieu !

PSAUME 69 (68)

¹ *Du *chef de chœur, sur les lis *g*, de David.*

² Dieu, sauve-moi :
l'eau m'arrive à la gorge.
³ Je m'enlise dans un bourbier sans fond.
et rien pour me retenir.
Je coule dans l'eau profonde,
et le courant m'emporte.

⁴ Je m'épuise à crier,
j'ai le gosier en feu ;
mes yeux se sont usés
à force d'attendre mon Dieu.

---

b le cadet...: la traduction a renoncé à rendre ici un terme inintelligible qui termine cette première phrase du verset; les versions anciennes proposent des sens trop divers pour être de quelque utilité — *de Juda...:* même remarque pour un autre terme à la fin de cette deuxième phrase du verset ● *c* L'appellation *dieu* s'applique peut-être ici au roi (voir Ps 45.7) ● *d la bête des roseaux:* peut-être l'hippopotame ou le crocodile. Certains pensent que cette expression fait allusion à l'Egypte — *ceux qui rampent avec leurs pièces d'argent:* traduction incertaine ● *e de riches étoffes:* le mot ainsi traduit ne se trouve nulle part ailleurs et sa traduction reste incertaine. Autres textes *des ambassadeurs* (ancienne version grecque); *en hâte ils arrivent* (une autre version grecque et la version latine) — *les mains pleines:* traduction incertaine; anciennes versions grecque et syriaque *l'Ethiopie avance sa main vers Dieu* ● *f jouez pour le Seigneur* ou *faites de la musique pour le Seigneur* (voir Ps 144.9; 149.3) ● *g sur les lis:* probablement titre d'une mélodie sur laquelle on devait chanter le Ps 69

68.30 les rois t'apporteront des présents Ps 72.10; 76.12; 1 R 10.24-25. **68.31** taureaux Ps 22.13. **68.32** dons pour Dieu Es 18.7. **68.33** jouer (de la musique) pour le Seigneur Ps 147.7+. **68.34** celui qui chevauche... Ps 18.11; Dt 33.26 — il donne de ta voix Ps 29. **68.36** il donne de la force au peuple Ps 29.11. **69.2** de l'eau jusqu'à la gorge Ps 18.5; Jon 2.4-6. **69.3** eau profonde Ps 130.1. **69.4** je m'épuise à crier Ps 6.7; Jr 45.3 — mes yeux usés Ps 119.82, 123; Lm 2.11 — attendre mon Dieu Ps 33.22; 71.14.

⁵ Ils sont plus nombreux que les cheveux de ma tête,
ceux qui me détestent sans motif ;
ils sont puissants, ces destructeurs
qui m'en veulent injustement.
— Ce que je n'ai pas volé,
puis-je le rendre ? —
⁶ Dieu, tu connais ma sottise,
et mes fautes ne te sont pas cachées.
⁷ Seigneur DIEU tout-puissant,
que je ne sois pas la honte
de ceux qui espèrent en toi,
ni le déshonneur
de ceux qui te cherchent,
Dieu d'Israël !
⁸ C'est à cause de toi que je supporte l'insulte,
que le déshonneur couvre mon visage,
⁹ et que je suis un étranger pour mes frères,
un inconnu pour les fils de ma mère.
¹⁰ Oui, le zèle pour ta maison m'a dévoré ʰ ;
ils t'insultent, et leurs insultes retombent sur moi.

¹¹ J'ai pleuré et *jeûné,
cela m'a valu des insultes.
¹² J'ai revêtu le *sac du deuil,
je suis devenu leur fable.
¹³ Les gens assis à la porte jasent sur moi,
et je suis la chanson des buveurs.

¹⁴ SEIGNEUR, voici ma prière ;
c'est le moment d'être favorable ;
Dieu dont la fidélité est grande,
réponds-moi, car tu es le vrai salut.

¹⁵ Arrache-moi à la boue ; que je ne m'enlise pas ;
que je sois arraché à ceux qui me détestent
et aux eaux profondes !
¹⁶ Que le courant des eaux ne m'emporte pas,
que le gouffre ne m'engloutisse pas,
que le puits ne referme pas sa gueule sur moi !

¹⁷ Réponds-moi, SEIGNEUR, car ta fidélité est bonne ;
selon la grande miséricorde, tourne-toi vers moi,
¹⁸ et ne cache plus ta face à ton serviteur.
Je suis dans la détresse ; vite, réponds-moi ;
¹⁹ viens près de moi, sois mon défenseur ;
j'ai des ennemis, libère-moi.

²⁰ Tu me sais insulté,
déshonoré, couvert de honte ;
tous mes adversaires sont devant toi.
²¹ L'insulte m'a brisé le cœur et j'en suis malade ⁱ ;

---

h m'a dévoré : le texte hébreu est grammaticalement ambigu ; on peut comprendre *le zèle que j'éprouve pour ta maison...* ou *la jalousie que ta maison éveille (chez mon adversaire)...* • *i j'en suis malade :* traduction incertaine (le verbe hébreu correspondant ne se retrouve nulle part ailleurs)

69.5 plus nombreux que mes cheveux Ps 40.13 — ceux qui m'en veulent injustement Ps 35.19 ; Jn 15.25. 69.6 ma sottise Ps 38.6. 69.7 chercher le Seigneur Ps 9.11+. 69.8 à cause de toi... Jr 15.15 — déshonneur sur le visage Ps 44.16. 69.9 un étranger pour tous mes frères Jb 19.13, 15. 69.10 le zèle pour ta maison Ps 119.139 ; Jn 2.17 ; cf. Rm 15.3 — leurs insultes tombent sur moi Ps 79.4. 69.11 jeûne Ps 109.24-25. 69.14 le moment favorable Es 49.8 — ta fidélité est grande Lm 3.32. 69.17 ta fidélité Ps 17.7+ ; 109.21. 69.18 ne cache plus ta face Ps 13.2+ — vite Ps 31.3+. 69.19 près de moi Lm 3.57. 69.21 pas de consolateurs Es 51.19.

j'ai attendu un geste, mais rien ;
des consolateurs, et je n'en ai pas trouvé.

²² Ils ont mis du poison dans ma nourriture ;
quand j'ai soif, ils me font boire du vinaigre.
²³ Que leur table devienne pour eux un piège,
et pour leurs amis, un traquenard !
²⁴ Que leurs yeux s'obscurcissent et ne voient plus ;
fais-leur sans cesse ployer les reins.

²⁵ Répands sur eux ta fureur ;
que ton ardente colère les atteigne !
²⁶ Que leur campement soit ravagé,
que nul n'habite sous leurs tentes,
²⁷ car celui que tu avais frappé, ils l'ont persécuté ;
ils comptent *j* les coups subis par tes victimes.

²⁸ Impute-leur faute sur faute ;
qu'ils n'aient plus accès à ta justice !
²⁹ Qu'ils soient effacés du livre de vie,
qu'ils ne soient pas inscrits avec les justes !

³⁰ Et moi, humilié et meurtri,
ton salut, Dieu, me mettra hors d'atteinte.
³¹ Je pourrai louer le nom de Dieu par un chant
et le magnifier par des actions de grâces.

³² Voilà qui plaît au SEIGNEUR plus qu'un bœuf,
qu'un taureau avec cornes et sabots.
³³ En voyant cela, les humbles se réjouissent :
« A vous qui cherchez Dieu,
à vous, longue vie ! »
³⁴ Car le SEIGNEUR exauce les pauvres,
il ne rejette pas les siens quand ils sont captifs.

³⁵ Louez-le, cieux, terre,
mers et tout ce qui y grouille.
³⁶ Car Dieu sauvera *Sion
et rebâtira les villes de Juda.
On les possédera, on y habitera :
³⁷ la race de ses serviteurs en héritera,
et ceux qui aiment son nom y feront leur demeure.

PSAUME 70 (69)

(*v. 2-6: Voir Ps 40.14-18*)

¹ *Du *chef de chœur : de David, en mémorial* ᵏ.

² O Dieu, viens me délivrer,
SEIGNEUR, viens vite à mon aide !

³ Qu'ils rougissent de honte,
ceux qui cherchent ma mort ;

---

j ils comptent ou *ils racontent* ● *k mémorial:* voir Ps 38.1 et la note — Le Ps 70 reproduit à quelques détails près le Ps 40.14-18

69.22 vinaigre Mc 15.36. **69.23** que leur table... Rm 11.9-10. **69.25** répands ta fureur Ez 21.36; So 3.8; Ap 16.1. **69.26** que leur campement... Ac 1.20. **69.29** livre de vie Ap 3.5+. **69.31** actions de grâces Ps 50.14. **69.32** plus qu'un sacrifice Ps 50.8; 51.18-19; Os 6.6; Am 5.21-24; Mi 6.6-8. **69.33** les humbles se réjouissent Ps 34.3 — chercher Dieu Ps 9.11+ — longue vie Ps 22.27. **69.34** le Seigneur exauce les pauvres Ps 140.13 — il ne rejette pas les captifs Za 9.11. **69.36** Dieu rebâtira les villes de Juda Ps 102.17; Es 44.26; Jr 30.18; Ez 36.10. **69.37** la race de ses serviteurs Es 65.9 — ceux qui aiment ton nom Ps 5.12+. **70.2** vite à mon aide! Ps 22. 20+. **70.3** honte à ceux qui veulent ma mort! Ps 35.4+.

qu'ils reculent déshonorés,
ceux qui désirent mon malheur !
4 Qu'ils repartent sous le poids de la honte,
ceux qui font : « Ah ! ah ! »
5 Qu'ils exultent de joie à cause de toi,
tous ceux qui te cherchent !
Qu'ils disent sans cesse : « Dieu est grand »,
ceux qui aiment ton salut !
6 Je suis pauvre et humilié ;
Dieu, viens vite à moi !
Tu es mon aide et mon libérateur :
SEIGNEUR, ne tarde pas !

PSAUME 71 (70)

1 SEIGNEUR, je t'ai pris pour refuge ;
que jamais plus je ne sois humilié !
2 Tu vas me délivrer, me libérer, dans ta justice.
Tends l'oreille vers moi, sauve-moi.
3 Sois le rocher où je m'abrite,
où j'ai accès à tout instant :
tu as décidé de me sauver.
Oui, tu es mon roc, ma forteresse.

4 Mon Dieu, délivre-moi des mains du méchant,
de la poigne des criminels et des violents.
5 Tu es mon espérance, Seigneur DIEU,
ma sécurité dès ma jeunesse.
6 Je m'appuie sur toi depuis ma naissance,
tu m'as séparé *l* du ventre maternel.
A toi sans cesse va ma louange !

7 Pour beaucoup, je tenais du prodige ;
tu étais mon refuge fortifié.
8 Je n'avais que ta louange à la bouche,
que ta splendeur, au long des jours.

9 Ne me rejette pas, maintenant que je suis vieux ;
quand mes forces déclinent, ne m'abandonne pas.
10 Car mes ennemis parlent de moi,
ceux qui me surveillent se sont entendus.
11 Ils disent : « Dieu l'a abandonné ;
traquez-le, attrapez-le,
personne n'ira le délivrer ! »

12 Dieu, ne t'éloigne pas de moi,
mon Dieu, viens vite à mon aide !
13 Qu'ils aillent se perdre dans la honte,
ceux qui s'en prennent à ma vie !
Qu'ils se couvrent de déshonneur et d'infamie,
ceux qui cherchent mon malheur !

14 Pour moi, je ne cesse pas d'espérer
et je persiste à chanter tes louanges.

---

l tu m'as séparé: le terme hébreu correspondant est unique et son sens incertain

70.4 Ah, Ah! Ps 35.21, 25+. — 70.5 joie Ps 35.27 — chercher le Seigneur Ps 9.11+. 71.1 le Seigneur, un refuge Ps 7.2+. 71.2 tends l'oreille Ps 5.2; 17.1; 31.3; 86.1, 6; 88.3; 102.3; 140.7; 141.1. 71.3 rocher Ps 18.3; 31.3. 71.6 depuis ma naissance Ps 22.10-11. 71.7 refuge fortifié Ps 46.2; 62.8-9. 71.9 ne m'abandonne pas Ps 22.12; 38.22. 71.11 propos des adversaires Ps 3.3+. 71.12 ne t'éloigne pas cf. v. 9 — vite à mon aide Ps 22.20+. 71.13 honte à ceux qui s'en prennent à ma vie Ps 35.4+.

¹⁵ J'ai tout le jour à la bouche les récits
de ta justice et de ton salut,
et je n'en connais pas le nombre ᵐ.
¹⁶ J'ai part aux prouesses ⁿ du Seigneur DIEU ;
de toi seul j'évoque la justice.
¹⁷ Dieu, tu m'as instruit dès ma jeunesse,
et jusqu'ici, j'ai proclamé tes merveilles.
¹⁸ Malgré ma vieillesse et mes cheveux blancs,
ne m'abandonne pas, Dieu :
que je puisse proclamer les œuvres de ton bras à cette génération,
ta vaillance à tous ceux qui viendront.
¹⁹ Si haute est ta justice, Dieu !
Toi qui as fait de grandes choses,
Dieu, qui est comme toi ?

²⁰ Toi qui nous as tant fait voir
de détresses et de malheurs,
tu vas à nouveau nous laisser vivre ᵒ.
Tu vas à nouveau m'élever
hors des *abîmes de la terre.
²¹ Tu rehausseras ma dignité,
et à nouveau tu me réconforteras.

²² Alors, je m'accompagnerai de la harpe
pour te célébrer, mon Dieu, et ta fidélité ;
sur la cithare ᵖ, je jouerai pour toi,
*Saint d'Israël !
²³ Je jouerai pour toi,
mes lèvres chanteront de joie,
car tu as racheté ma vie.
²⁴ Et ma langue, tout le jour,
redira ta justice,
car c'est la honte et l'infamie
pour ceux qui cherchaient mon malheur.

PSAUME 72 (71)

¹ *De Salomon.*

Dieu, confie tes jugements au roi,
ta justice à ce fils de roi.
² Qu'il gouverne ton peuple avec justice,
et tes humbles selon le droit.

³ Grâce à la justice, que montagnes et collines
portent la prospérité pour le peuple !
⁴ Qu'il fasse droit aux humbles du peuple,
qu'il soit le salut des pauvres,
qu'il écrase l'exploiteur !

⁵ Que l'on te craigne,
tant que soleil et lune brilleront,
jusqu'au dernier des siècles !

---

m je n'en connais pas le nombre : traduction conjecturale, d'après une version grecque et la version
araméenne ● *n j'ai part aux prouesses du Seigneur* ou *j'en viens au récit de tes prouesses, Seigneur...*
● *o* La traduction suit ici le texte « écrit » ; texte que la tradition juive considère comme « à
lire » : *toi qui m'as tant fait voir... à nouveau me laisser vivre* ● *p* Voir Ps 92.4 et la note

71.15 je n'en connais pas le nombre Ps 40.6 ; 139.17-18. **71.18** bonne nouvelle pour cette génération Ps 22.31+. **71.19** hauteur de la justice de Dieu Ps 36.6+. **71.22** jouer (de la musique)
pour Dieu Ps 147.7+ — saint d'Israël Es 1.4+. **71.24** louange Ps 35.28 — ceux qui cherchaient
mon malheur Ps 35.26. **72.1** Salomon 1 R 3.12-28 — confie tes jugements au roi 1 R 3.9 — ta
justice Ps 36.7 ; 89.15. **72.3** prospérité 1 R 4.20. **72.4** faire droit aux humbles Jr 22.15-16 ;
Pr 29.14 — écraser l'exploiteur cf. Ps 60.14 ; 108.14. **72.5** tant que le soleil et la lune... Ps 89.37.

6 Qu'il descende, comme l'averse sur les regains,
comme la pluie qui détrempe la terre !
7 Pendant son règne, que le juste soit florissant,
et grande la prospérité,
jusqu'à la fin des lunaisons !

8 Qu'il domine d'une mer à l'autre,
et du Fleuve jusqu'au bout de la terre [q] !
9 Les nomades s'inclineront devant lui,
ses ennemis lécheront la poussière.
10 Les rois de Tarsis et des Iles
enverront des présents ;
les rois de Saba et de Séva [r]
paieront le tribut.
11 Tous les rois se prosterneront devant lui,
toutes les nations le serviront.

12 Oui [s], il délivrera le pauvre qui appelle,
et les humbles privés d'appui.
13 Il prendra souci du pauvre et du faible ;
aux pauvres, il sauvera la vie :
14 Il les défendra contre la brutalité et la violence,
il donnera cher de leur vie [t].

15 Qu'il vive ! On lui donnera l'or de Saba,
on priera pour lui sans relâche,
on le bénira tout le jour !

16 Qu'il y ait dans le pays,
et jusqu'au sommet des montagnes,
une étendue de champs,
dont les épis ondulent comme le Liban,
et de la ville, on ne verra qu'un pays de verdure [u].

17 Qu'il se fasse un nom éternel,
qu'il le propage [v] sous le soleil,
afin qu'on se bénisse l'un l'autre en le nommant
et que toutes les nations le disent bienheureux.

18 Béni soit le SEIGNEUR Dieu, le Dieu d'Israël,
le seul qui fasse des miracles !
19 Béni soit à jamais son nom glorieux !
Que toute la terre soit remplie de sa gloire !
*Amen et amen [w] !

20 Fin des prières de David fils de Jessé [x].

q qu'il domine: le terme hébreu ainsi traduit fait jeu de mots avec le verbe rendu par *qu'il descende* (v.6) — *le Fleuve:* voir Ps 80.12 et la note • *r Tarsis* désigne peut-être l'Espagne (voir aussi la note sur Jon 1.3) — *Les Iles* désignent habituellement les pays situés au-delà de la mer Méditerranée — *Saba* est sans doute situé dans le sud de l'Arabie et *Séva* au nord de l'actuel Soudan (voir Es 43.3) • *s* Autre traduction *Car* • *t il donnera cher de leur vie:* on sous-entend *quand il jugera leur meurtrier* • *u une étendue de champs:* traduction incertaine — *et de la ville, on ne verra qu'un pays de verdure:* traduction traditionnelle *ils fleuriront depuis la ville comme l'herbe de la terre* • *v qu'il le propage:* d'après le texte « écrit »; texte que la tradition juive considère comme « à lire » *qu'il croisse;* ancienne version grecque (pour tout le début du v. 17) *Que son nom soit béni à jamais, qu'il persiste devant le soleil* • *w* Les v. 18-19 forment à la fois la conclusion du psaume et la conclusion de la deuxième partie du psautier (Ps 42-72); voir Ps 41.14 et la note • *x* Ces derniers mots indiquent peut-être la fin d'une des collections de Psaumes portant le titre *de David*

72.6 comme l'averse sur les regains 2 S 23.4. **72.7** que le juste soit florissant cf. Ps 37.11. **72.8** d'une mer à l'autre, et du Fleuve... Za 9.10; *Si* 44.21; voir aussi Gn 15.18; 1 R 5.1. **72.10** rois de Saba 1 R 10.1-13 — tribut 1 R 5.1. **72.12** délivrance du pauvre qui appelle Jb 29.12. **72.14** il donnera cher de leur vie Ps 116.15. **72.15** Qu'il vive! 1 S 10.24; 1 R 1.25, 34, 39; 2 R 11.12; 2 Ch 23.11 — l'or de Saba 1 R 10.1-22. **72.17** qu'on se bénisse l'un l'autre... Gn 12.3; 22.18. **72.19** Béni soit... Ps 28.6+ — toute la terre remplie de sa gloire Ha 3.3.

TROISIÈME LIVRE (Ps 73—89)

PSAUME 73 (72)

¹ *Psaume. D'Asaf* ᵞ.

En vérité, Dieu est bon pour Israël,
pour les hommes au cœur pur.

² Pourtant, j'avais presque perdu pied,
un rien, et je faisais un faux pas,
³ car j'étais jaloux des parvenus ᶻ,
je voyais la chance des impies.
⁴ Ils ne se privent de rien jusqu'à leur mort,
ils ont la panse bien grasse.
⁵ Ils ne partagent pas la peine des gens,
ils ne sont pas frappés avec les autres.

⁶ Alors, ils plastronnent avec orgueil,
drapés dans leur violence.
⁷ Leur œil apparaît-il malgré leur graisse,
les visées de leur cœur y sont transparentes ᵃ.
⁸ Ils ricanent, ils parlent d'exploiter durement,
et c'est de haut qu'ils parlent.
⁹ Ils ouvrent la bouche jusqu'au ciel,
et leur langue balaie la terre.

¹⁰ Aussi, le peuple de Dieu se tourne de ce côté ᵇ,
où on lui verse de l'eau en abondance.
¹¹ Ils disent : « Comment Dieu saurait-il ?
Y a-t-il un savoir chez le Très-Haut ? »
¹² Et les voilà ces impies,
qui, toujours tranquilles, accroissent leur fortune !

¹³ En vérité, c'est en vain que j'ai gardé mon cœur pur
et lavé mes mains en signe d'innocence.
¹⁴ J'étais frappé chaque jour,
corrigé chaque matin.
¹⁵ Si j'avais dit : « Je vais calculer comme eux »,
j'aurais trahi la race de tes fils.

¹⁶ Je réfléchissais pour comprendre
ce qui m'était pénible à voir,
¹⁷ jusqu'au jour où, entrant dans le *sanctuaire de Dieu,
j'ai saisi quel serait leur avenir :

¹⁸ En vérité, tu les mets sur un terrain glissant
pour les précipiter vers la ruine.
¹⁹ Soudain, quel ravage !

y Voir Ps 50.1 et la note ● *z les parvenus:* le sens du terme hébreu correspondant n'est pas certain; ancienne version araméenne *les railleurs;* ancienne version grecque *les transgresseurs* ● *a* ou *ce que leur cœur convoite y est parfaitement visible* ● *b* La traduction suit ici le texte que la tradition juive considère comme « à lire »; texte « écrit » *il fait revenir son peuple ici*

73.1 Asaf Ps 50.1+ — Dieu est bon Ps 25.8; 100.5; 119.68. **73.3** envieux Ps 37.1; Jb 21.7; Jr 12.1 — les parvenus (insolents, prétentieux) Ps 5.6; 75.5. **73.6** drapés dans leur violence Ps 109.18; cf. Ep 4.22-24. **73.7** leur graisse Ps 17.10+. **73.10** succès de prestige des parvenus Ps 10.5; 49.14. **73.11** comment Dieu saurait-il? cf. Ps 10.4+. **73.12** ils accroissent leur fortune Ps 49.7; cf. 62.11. **73.13** mains lavées en signe d'innocence Ps 26.6; Dt 21.6; cf. Mt 27.24. **73.14** frappé tous les jours Ps 44.23.

les voici finis, anéantis par l'épouvante.
²⁰ Tu chasses de la ville, Seigneur, jusqu'à leur image ᶜ,
comme un songe au réveil.

²¹ Tant que j'avais le cœur aigri,
les reins déchirés,
²² moi, stupide, ne comprenant rien,
j'étais comme une bête ᵈ, mais j'étais avec toi.

²³ Car j'ai toujours été avec toi :
tu m'as saisi la main droite,
²⁴ tu me conduis selon tes vues,
tu me prendras ensuite, avec gloire ᵉ.

²⁵ Qui aurai-je au ciel,
si, étant avec toi,
je ne me plais pas sur terre ?
²⁶ J'ai le corps usé, le cœur aussi ;
mais le soutien de mon cœur, mon patrimoine,
c'est Dieu pour toujours.

²⁷ Voici donc : qui s'éloigne de toi périra ;
tu détruis qui te laisse et se prostitue ᶠ.
²⁸ Mon bonheur à moi, c'est d'être près de Dieu ;
j'ai pris refuge auprès du Seigneur DIEU,
pour annoncer toutes tes actions.

PSAUME 74 (73)

¹ Instruction. D'Asaf ᵍ.

Pourquoi, Dieu, ce rejet sans fin,
cette colère qui fume contre le troupeau de ton pâturage ?
² Rappelle-toi la communauté que tu acquis dès l'origine,
la tribu que tu revendiquas pour héritage,
la montagne de *Sion où tu fis ta demeure.

³ Porte tes pas vers ces ruines sans fin :
dans le *sanctuaire, l'ennemi a tout saccagé,
⁴ tes adversaires ont hurlé là même où tu nous rencontrais ;
comme signes ils ont mis leurs enseignes ʰ.

⁵ On les aurait crus dans un taillis,
levant la cognée,
⁶ quand ils ont brisé toutes les sculptures
à coups de hache et de masse ⁱ.

---

c Autres traductions: *Tu chasses leurs images* (= leurs idoles) *de la ville, Seigneur...;* ou *Comme un songe, Seigneur, en t'éveillant tu chasses jusqu'à leur image* (en hébreu le terme traduit par *en t'éveillant* s'écrit et se prononce comme celui qu'on a traduit par *de la ville*) ● *d comme une bête:* le texte hébreu exprime cette idée d'une manière plus particulière *comme l'hippopotame* (voir Jb 40.15 et la note) ● *e* Autre traduction, appuyée sur les versions latine de s. Jérôme et grecque de Symmaque, *tu me prendras derrière ta gloire* (voir Es 58.8) ● *f* Comme en Os 1.2b et de nombreux autres passages des livres prophétiques, le verbe *se prostituer* est employé ici en un sens figuré; il équivaut à *rendre un culte à d'autres dieux* ● *g* Voir Ps 50.1 et la note ● *h* On peut penser que ces *enseignes* sont les symboles ou les statues des faux dieux que les envahisseurs ont placés dans le Temple de Jérusalem ● *i* Le texte hébreu des v. 5 et 6 est obscur

73.20 comme un songe au réveil Ps 90.5; Es 29.7-8; Jb 20.8. **73.22-23** j'étais avec toi Ps 63.9 — saisi par la main droite cf. Ps 18.36; Es 41.10. **73.24** tu me conduis Ps 23.2; Pr 4.11 — tu me prendras cf. Ps 16.10. **73.26** corps et cœur usés Ps 32.3; Ha 3.16; Pr 5.11 — Dieu mon soutien cf. Ps 28.1+ — mon patrimoine Ps 16.5; 142.6. **73.27** prostitution Ps 106.39; Os 1.2+. **73.28** refuge Ps 7.2+ — annoncer tes actions Ps 9.2; 22.23, 32; 26.7; 48.14-15; 66.16; 77.13; 118.17. **74.1** Asaf Ps 50.1+ — rejet Ps 44.10; 60.12; 77.8; 89.39 — troupeau de Dieu Ps 77.21+. **74.2** rappelle-toi Ps 119.49; 132.1; Ex 32.13; Ha 3.2; Lm 5.1 — acquis dès l'origine Dt 7.6 — l'héritage de Dieu Ps 28.9; 33,12; Dt 32.9; 1 R 8.53; Jr 10.16; 51.19. **74.3** Jérusalem en ruines, le Temple saccagé 2 R 25.8-11. **74.4** des enseignes païennes dans le Temple, cf. Dn 9.27.

7 Ils ont livré au feu ton sanctuaire,
abattu et profané la *demeure de ton nom.
8 Leur engeance unanime s'est concertée
pour brûler dans le pays tout lieu de rencontre avec Dieu.

9 Nous ne voyons plus nos signes,
il n'y a plus de *prophètes,
et parmi nous, nul ne sait jusqu'à quand !
10 O Dieu, jusqu'où iront les blasphèmes de l'adversaire ?
L'ennemi en finira-t-il d'outrager ton nom ?
11 Pourquoi retirer ta main, ta main droite,
et la retenir contre toi *j* ?

12 Toi pourtant, Dieu, mon roi dès l'origine,
et l'auteur des victoires au sein du pays,
13 tu as maîtrisé la mer par ta force,
fracassant la tête des dragons sur les eaux *k* ;
14 tu as écrasé les têtes de Léviathan,
le donnant à manger à une bande de chacals *l*.

15 C'est toi qui as creusé les sources et les torrents,
et mis à sec des fleuves intarissables.
16 A toi le jour, à toi aussi la nuit :
tu as mis à leur place la lune et le soleil ;
17 tu as fixé toutes les bornes de la terre ;
l'été et l'hiver, c'est toi qui les as inventés !

18 Rappelle-toi : l'ennemi a blasphémé le Seigneur.
Un peuple de fous outrage ton nom.
19 Ne livre pas à la bête la gorge de ta tourterelle *m*,
n'oublie pas sans fin la vie des tiens dans le malheur.

20 Regarde à *l'alliance :
on s'entasse dans les cachettes du pays,
devenu le domaine de la violence.
21 Que l'opprimé ne soit plus déshonoré,
que le pauvre et le malheureux louent ton nom !

22 Lève-toi, Dieu ! Défends ta cause !
Rappelle-toi le *blasphème continuel de ces fous.
23 N'oublie pas les clameurs de tes adversaires,
le vacarme sans cesse grandissant de tes agresseurs.

PSAUME 75 (74)

1 *Du *chef de chœur. Al-tashehéth ; psaume, d'Asaf *n*, chant.*

2 Dieu, nous te célébrons,
nous célébrons ton nom, car il est proche,
tes merveilles sont annoncées.

---

j ta main droite: la main bienfaisante — *contre toi:* d'après le texte que la tradition juive considère comme « à lire » ● *k des dragons* ou *des monstres marins* ● *l* Les poèmes cananéens trouvés à
Ougarit décrivent *Léviatan* comme un monstre marin à sept têtes — *à une bande de chacals* ou *aux
habitants du désert* ● *m* Autre traduction *ne livre pas ta tourterelle à la bête affamée* ● *n Al-
tashehéth:* voir Ps 57.1 et la note — *Asaf:* voir Ps 50.1 et la note

74.7 le sanctuaire incendié 2 R 25.9; Es 64.10; Jr 52.13.   74.9 plus de prophètes Ps 77.9; Ez 7.26;
Lm 2.9 — jusqu'à quand? Ps 6.4+.   74.12 mon roi Ps 5.3+.   74.13 la mer maîtrisée Ps 77.17;
89.10-11; 93.3-4; 104.7; 107.29; Es 51.9; Jb 9.13; 26.12.   74.14 Léviatan Ps 104.26; Es 27.1;
Am 9.3; Jb 3.8; 26.13; 40.25—41.26.   74.15 sources Ex 17.1-7; Nb 20.2-13 — fleuves mis à sec
Jos 3.15-16; cf. Ps 66.6; 114.5.   74.22 lève-toi! Nb 10.35; Ps 132.8; 2 Ch 6.41.   75.1 Asaf Ps 50.1+.
75.2 tes merveilles annoncées He 2.12.

[3] Quand je donne rendez-vous [o],
moi, je juge avec droiture.
[4] La terre s'effondrera avec tous ses habitants.
N'est-ce pas moi qui en ai fixé les colonnes ? *Pause.

[5] J'ai dit aux prétentieux : « Plus de prétention ! »
et aux impies : « Ne levez pas le front !
[6] Ne levez pas si haut votre front ;
ne parlez pas ainsi, la nuque insolente. »

[7] Non, il ne vient ni de l'est ni de l'ouest,
il ne vient pas du désert le relèvement [p].
[8] C'est Dieu qui juge :
il abaisse l'un, il relève l'autre.

[9] Le SEIGNEUR tient en main une coupe,
il verse un vin âpre et fermenté :
ils le boiront, ils en laperont même la lie,
tous les impies de la terre.

[10] Pour moi, je proclamerai toujours,
en chantant pour le Dieu de Jacob :
[11] « Je vais briser le front de tous les impies,
mais le front du juste se relèvera. »

PSAUME 76 (75)

[1] *Du *chef de chœur, avec instruments à cordes.*
Psaume, d'Asaf [q], chant.

[2] En Juda, Dieu s'est fait connaître ;
son nom est grand en Israël.
[3] Sa tente s'est fixée à Salem [r],
et à *Sion, sa demeure.

[4] Là, il a brisé les foudres de l'arc,
le bouclier et l'épée, la guerre. *Pause.
[5] Tu resplendis, magnifique,
à cause des montagnes de butin [s].

[6] Ils ont été dépouillés,
ces cœurs indomptables pris par le sommeil,
tous ces hommes valeureux qui ne trouvaient plus leurs mains.
[7] Sous ta menace, Dieu de Jacob,
le char et le cheval se sont figés :
[8] C'est toi qui es terrifiant ;
qui tiendrait devant toi
lors de ta colère ?

o Les v. 3-6 rapportent les paroles de Dieu • *p il ne vient pas du désert, le relèvement:* d'après quelques manuscrits hébreux et l'ancienne version grecque il faudrait traduire *il ne vient pas non plus du désert des montagnes* • *q* Voir Ps 50.1 et la note • *r Salem:* nom abrégé de Jérusalem. En hébreu *Salem* s'écrit presque comme le terme qui désigne la *paix* (voir He 7.2); d'où la traduction de l'ancienne version grecque *dans la paix.* Voir aussi Ps 122.6 • *s montagnes de butin:* le sens de l'expression hébraïque est incertain; autre traduction possible *plus que des montagnes de butin*

75.3 Dieu juge avec droiture Ps 9.9; 67.5; 96.10; cf. Ps 35.24; 1 P 2.23. **75.4** effondrement de la terre cf. Ps 46.3-4 — les colonnes de la terre 1 S 2.8; cf. Ps 104.5; Jb 26.7. **75.5-6** avertissement aux prétentieux 1 S 2.3. **75.8** le juge, c'est Dieu Ps 50.6+ — il abaisse l'un, il relève l'autre 1 S 2.4-8; Ez 21.31; Lc 1.51-54. **75.9** la coupe (du jugement) Ps 11.6; Jr 25. 15-17+; cf. Ps 60.5; Ab 16. **75.10** jouer de la musique pour le Seigneur Ps 147.7+. **76.1** Asaf Ps 50.1+. **76.2** Dieu s'est fait connaître Ps 48.4 — son nom est grand Ps 48.2; 99.3; Jos 7.9; 1 S 12.22; 1 R 8.42; Jr 10.6; 44.26; Ez 36.23; Ml 1.11; 2 Ch 6.32. **76.3** sa tente à Salem 2 S 6.17; 7.2; cf. Ps 132.5 — Salem Gn 14.18; He 7.1. **76.4** armes de guerre brisées Ps 46.10; cf. 48.4-8; Os 2.20. **76.6** dépouillés pendant leur sommeil 2 R 19.35. **76.7** char et cheval figés Ex 14.25.

⁹ Des cieux, tu énonces le verdict :
  terrifiée, la terre se calme,
¹⁰ quand Dieu se lève pour le jugement,
  pour sauver tous les humbles de la terre.   *Pause.*
¹¹ Même la fureur des hommes *ᵗ* fait ta gloire ;
  ceux qui échappent à cette fureur, tu te les attaches.

¹² Faites des vœux et accomplissez-les pour le SEIGNEUR votre Dieu ;
  apportez vos présents à ce Dieu terrible, vous tous qui l'entourez,
¹³ car il coupe le souffle aux princes,
  il terrifie les rois de la terre.

PSAUME 77 (76)

¹ *Du* **chef de chœur, sur Yeditoun ; d'Asaf ᵘ, psaume.*

² C'est Dieu que j'appelle et je crie ;
  c'est Dieu que j'appelle, il m'écoutera.
³ Au temps de ma détresse, je cherche le Seigneur.
  Dans la nuit, les mains tendues *ᵛ* sans faiblir,
  je refuse tout réconfort.

⁴ Je me rappelle Dieu et je gémis ;
  plus j'y reviens, plus mon esprit s'embrouille ;   **Pause.*
⁵ tu tiens mes paupières ouvertes,
  je suis troublé, je ne sais que dire :
⁶ je réfléchis aux jours d'autrefois,
  aux années de jadis.
⁷ La nuit, je me rappelle mon refrain,
  mon cœur y revient,
  et mon esprit s'interroge :

⁸ Le Seigneur va-t-il rejeter pour toujours ?
  Ne sera-t-il plus jamais favorable ?
⁹ Sa fidélité a-t-elle tout à fait disparu ?
  La parole s'est-elle tue pour des siècles ?
¹⁰ Dieu a-t-il oublié de faire grâce ?
  De colère, a-t-il fermé son cœur ?   *Pause.*
¹¹ Je le dis, mon mal vient de là :
  la droite du Très-Haut a changé !

¹² Je rappelle les exploits du SEIGNEUR ᵂ ;
  oui, je me rappelle ton miracle d'autrefois.
¹³ Je me redis tout ce que tu as accompli,
  j'en reviens à tes exploits :

¹⁴ Dieu, ton chemin n'est que sainteté !
  Quel dieu est aussi grand que Dieu ?

---

t Les mots hébreux traduits par *fureur* et *hommes* peuvent évoquer, par jeu de mots, les noms propres de *Hamat* (ville de Syrie) et d'*Edom*, ennemis traditionnels du peuple d'Israël ● *u Yeditoun:* voir Ps 39.1 et la note — *Asaf:* voir Ps 50.1 et la note ● *v mains tendues:* voir Ps 28.2; 88.10 et les notes ● *w Je rappelle les exploits du Seigneur:* d'après le texte hébreu « écrit »; texte hébreu que la tradition juive considère comme « à lire » et versions anciennes *je me souviens des exploits du Seigneur*

76.9 Dieu, juge de la terre Ps 94.2+.   **76.10** sauver les humbles Ps 12.6; 34.7; Es 11.4; Jr 20.13; cf. Ps 72.2, 4, 12; 82.3   **76.12** accomplir ses vœux Ps 22.26; 56.13; 65.2; 66.13; Qo 5.3-4.   **77.1** Asaf 50.1+.   **77.2** appel à Dieu Ps 3.5+ — il m'écoutera Ps 17.6; 20.2, 10; 28.6; 120.1+. **77.3** au temps de ma détresse Ps 9.10; 20.2; 37.39; 50.15; 59.17; 86.7; 102.3; Gn 35.3; Es 33.2; Jr 14.8; Na 1.7; Ha 3.16 — chercher le Seigneur Ps 9.11+.   **77.4** je me rappelle... cf. Ps 42.5 — je gémis Ps 42.6, 12; 43.5.   **77.6** les jours d'autrefois Ps 143.5.   **77.8** rejeter Ps 44.10+ pour toujours Lm 3.31; 5.22.   **77.9** sa fidélité a-t-elle disparu? Lm 3.21-22.   **77.11** la droite du Très-Haut Ps 17.7+.   **77.14** grandeur de Dieu Ps 48.2; 86.10; 95.3; 96.4; 104.1; 135.5; 145.3; 147.5; Jr 32.18-19; Dn 9.4.

¹⁵ C'est toi le dieu qui a fait le miracle,
   et ta force, tu l'as montrée parmi les peuples.
¹⁶ Par ton bras, tu as affranchi ton peuple,
   les fils de Jacob et de Joseph.   *Pause.*

¹⁷ Les eaux t'ont vu, Dieu,
   les eaux t'ont vu, elles tremblaient,
   *l'abîme lui-même frémissait.

¹⁸ Les nuages ont déversé leurs eaux,
   les nuées ont donné de la voix,
   et tes flèches volaient de tous côtés.

¹⁹ Au roulement de ton tonnerre,
   les éclairs ont illuminé le monde,
   la terre a frémi et tremblé.

²⁰ Dans la mer tu fis ton chemin,
   ton passage dans les eaux profondes,
   et nul n'a pu connaître tes traces.

²¹ Tu as guidé ton peuple comme un troupeau,
   par la main de Moïse et d'Aaron.

PSAUME 78 (77)

¹ *Instruction ; d'Asaf ˣ.*

   O mon peuple, écoute ma loi,
   tends l'oreille aux paroles de ma bouche.
² Je vais ouvrir la bouche pour une parabole
   et dégager les leçons du passé.

³ Ce que nous avons entendu et connu,
   ce que nos pères nous ont transmis,
⁴ nous ne le tairons pas à leurs descendants,
   . mais nous transmettrons à la génération suivante
   les titres de gloire du Seigneur,
   sa puissance et les merveilles qu'il a faites.

⁵ Il a fixé une règle en Jacob ʸ,
   établi une loi en Israël.
   Elle ordonnait à nos pères
   d'enseigner ces choses à leurs fils,
⁶ afin que la génération suivante les apprenne,
   ces fils qui allaient naître :

   Qu'ils se lèvent et les transmettent à leurs fils ;
⁷ qu'ils mettent leur confiance en Dieu,
   qu'ils n'oublient pas les exploits de Dieu,
   qu'ils observent ses commandements,

x Voir Ps 50.1 et la note ● y Jacob: voir Ps 44.5 et la note

77.17 les eaux... Ps 114.3; Es 51.10; Jb 38.8-11. **77.19** roulement de tonnerre Ex 19.16 — frémissement de la terre Ps 97.4. **77.20-21** chemin dans la mer, Ps 114.3-5; Es 63.12-13; *Sg* 19. 7-8; cf. Ex 15.8. **77.21** ton peuple comme un troupeau Ps 74.1; 79.13; 80.2; 95.7; 10.03; Es 40.11; Jr 13.17, 20; cf. Lc 12.32+; Jn 10.16; 1 P 5.2-3 — par la main de Moïse et d'Aaron Ex 4.14-16; 7.1; Jos 24.5; 1 S 12.8; Mi 6.4; cf. Ps 99.6. **78.1** Asaf Ps 50.1+ — ô mon peuple Ps 50.7; 81.9 — écoute, tends l'oreille Dt 32.1; Es 28.23; cf. Pr 22.17. **78.2** je vais ouvrir la bouche Mt 13.35 pour une parabole cf. Ps 49.5. **78.3** entendu et connu Ps 44.2; Dt 4.9. **78.4** à la génération suivante Ps 22.31; 48.14; 102.19. **78.5** que les pères enseignent leurs fils Ex 12.26-27; Dt 4.9; 6.7, 20-25. **78.7** mettre sa confiance en Dieu Ps 40.5; 2 R 18.5; Es 30.15; Pr 22.19; cf. Ps 9.11+; 55.24+; Gn 15.6 — ne pas oublier les exploits de Dieu Ps 77.12; 103.2; 106.13 — observer ses commandements Ps 119.60, 115; Dt 4.40; 6.17; 8.6; 10.13; 11.1, etc.: 1 R 8.58, 61; Qo 12.13; Mt 19.17.

⁸ pour ne pas être comme leurs pères,
la génération indocile et rebelle,
la génération au *cœur inconstant,
dont l'esprit ne se fiait pas à Dieu.

⁹ Si les fils d'Ephraïm ᶻ, archers bien équipés,
ont détalé le jour du combat,
¹⁰ c'est qu'ils n'avaient pas gardé *l'alliance de Dieu,
refusant de suivre sa loi.

¹¹ Ils avaient oublié ses exploits
et les merveilles qu'il leur avait montrées :

¹² Devant leurs pères, il avait fait le miracle,
au pays d'Egypte, dans la région de Tanis ᵃ.

¹³ Il fendit la mer pour les faire passer,
dressant les eaux comme une digue.

¹⁴ Le jour, il les guidait par la nuée,
et chaque nuit, par la lumière d'un feu.

¹⁵ Il fendait des rochers au désert,
pour les faire boire comme à la source du grand *Abîme.

¹⁶ Du roc il fit jaillir des ruisseaux
et couler l'eau comme des fleuves.

¹⁷ Or ils continuèrent à pécher contre lui,
à se rebeller contre le Très-Haut dans la steppe.

¹⁸ Sciemment, ils mirent Dieu à l'épreuve
et demandèrent de manger selon leur appétit.

¹⁹ Ils s'en prirent à Dieu
en disant : « Dieu est-il capable
de dresser la table dans le désert ?

²⁰ Oui, il a frappé le rocher,
l'eau a coulé en torrents abondants,
mais peut-il aussi fournir le pain
et préparer la viande pour son peuple ? »

²¹ Alors entendant cela, le Seigneur s'emporta :
un feu s'alluma contre Jacob,
la colère monta contre Israël,

²² car ils ne s'étaient pas fiés à Dieu,
ils ne croyaient pas qu'il les sauverait.

²³ Il commanda aux nuées d'en haut,
il ouvrit les portes des cieux.

²⁴ Pour les nourrir, il fit pleuvoir la manne,
il leur donna le blés des *cieux :

²⁵ chacun mangea le pain des Forts ᵇ ;
il leur envoya des vivres à satiété.

---

z *les fils d'Ephraïm: Ephraïm* est l'un des fils de Joseph (Gn 48.1) et l'ancêtre d'une des principales tribus constituant le royaume du nord ou royaume d'Israël; voir Os 4.17 et la note. *Les fils d'Ephraïm:* tournure hébraïque qui désigne les descendants d'Ephraïm, c'est-à-dire les membres de la tribu qui porte son nom ● *a Tanis:* ville égyptienne, symbolisant ici l'Egypte tout entière (voir Nb 13.22) ● *b les Forts:* appellation exceptionnelle des *anges* (voir Ps 103.20). Le *pain des Forts* est la *manne* (v. 24), appelée aussi pain des cieux en Ps 105.40; voir Sg 16.20

78.8 comme leurs pères v. 57; Ps 106.6 — indocile et rebelle Ex 32.9; 33.3, 5; 34.9; Dt 9.6, 13; 21.18, 20; 31.27. 78.12 Tanis (Çoan) Es 30.4; Ez 30.14. 78.13 le passage de la mer Ex 14—15; cf. Ps 106.9; 136.13-15. 78.14 nuée, feu Ps 105.39; Ex 13.21; 14.20 24; Nb 9.15-22; 10.11-12; Es 4.5. 78.15-16 l'eau du rocher Ps 105.41; 114.8; Ex 17.1-7; Nb 20.1-13; Es 43.20; 48.21; Ne 9.15; Sg 11.4 78.18-20 ils mirent Dieu à l'épreuve Ps 95.9; 106.14; Ex 17.2.7; Nb 14.22; Dt 6.16; Es 7.12; Mt 4.7; Ac 15.10; 1 Co 10.9 — ils réclamèrent à manger Ps 105.40; 106.15; Ex 16.2-36. 78.21 le Seigneur s'emporta Nb 11.33-34. 78.22 ils ne croyaient pas... Ps 106.13. 78.23-25 la manne Ex 16.15; Nb 11.7-9; Dt 8.3; Ne 9.15; Sg 16.20; Jn 6.49, 58. 78.24 le blé des cieux Ex 16.4, 11-15; Jn 6.31. 78.25 le pain des Forts (anges) cf. 1 Co 10.3

²⁶ Dans le ciel, il éloigna le vent d'est ;
  par sa puissance, il amena le vent du sud.
²⁷ Il fit pleuvoir sur eux de la viande, abondante comme la poussière,
  des oiseaux nombreux comme le sable de la mer.
²⁸ Il les jetait au milieu de leur camp,
  tout autour de leurs demeures.

²⁹ Ils mangèrent et se gavèrent :
  il avait accédé à leur désir.
³⁰ Leur désir n'était pas assouvi,
  ils avaient encore la bouche pleine,
³¹ que la colère de Dieu les assaillit,
  et qu'il tua parmi eux les plus importants,
  terrassant la jeunesse d'Israël.

³² Malgré cela, ils péchaient toujours,
  ils ne se fiaient pas à ses merveilles.
³³ Il réduisit leurs jours à du vent
  et leurs années à l'épouvante.

³⁴ Quand Dieu les tuait, eux le cherchaient ;
  ils se reprenaient, ils se tournaient vers lui,
³⁵ se souvenant que Dieu était leur rocher,
  que le Dieu Très-Haut était leur défenseur.

³⁶ Mais leur bouche le trompait,
  leur langue lui mentait ;
³⁷ leur cœur n'était pas fermement avec lui,
  et ils ne se fiaient pas à son alliance.

³⁸ Et lui, le miséricordieux,
  au lieu de détruire, il effaçait la faute.
  Souvent il retint sa colère,
  il ne réveilla pas toute sa fureur,
³⁹ se souvenant qu'ils n'étaient que chair,
  un souffle qui s'en va sans retour.

⁴⁰ Que de fois ils lui furent rebelles dans le désert,
  ils l'offensèrent dans les solitudes !
⁴¹ De nouveau ils mirent Dieu à l'épreuve,
  attristant le *saint d'Israël.
⁴² Ils ne se rappelaient plus ce que sa main avait fait,
  le jour où il les avait rachetés à l'adversaire :

⁴³ Il impose ses *signes à l'Egypte,
  ses prodiges aux habitants de Tanis.
⁴⁴ Il change en sang leurs canaux
  et leurs ruisseaux, pour les empêcher de boire.
⁴⁵ Il leur envoie une vermine qui les dévore,
  des grenouilles qui les infestent.

⁴⁶ Il livre leurs récoltes aux sauterelles,
  le fruit de leur travail aux criquets.
⁴⁷ Il ravage leurs vignes par la grêle,

78.26-28 les cailles Nb 11.31. **78.29-31** ils avaient encore la bouche pleine... Nb 11.33; Sg 16.2-3; 19.11-12. **78.32** ils péchaient toujours Ps 106.7. **78.34** ils se reprenaient cf. Jg 2.11-19; 3.7-9, etc. **78.35** Dieu leur rocher Ps 28.1+. **78.37** leur cœur Ac 8.21. **78.38** le miséricordieux Ex 34.6+; Dt 4.31 — il retint sa colère Nb 14.18. **78.39** ils n'étaient que chair Gn 6.3 — un souffle qui s'en va. Ps 3.6.9; 144.4. **78.40-42** rebelles dans le désert v. 32+. **78.41** ils mirent à l'épreuve v. 18+ — le Saint d'Israël Es 1.4+. **78.42** ils ne se rappelaient plus Ps 106.7, 13,21. **78.43** signes miraculeux en Egypte Ps 105.27; 135.9; Ex 7.3; Jr 32.20 — Tanis v. 12. **78.44** eaux changées en sang (1ʳᵉ plaie) Ps 105.29; Ex 7.14-25; Sg 11.4-14; Ap 16.4. **78.45** vermine (4ᵉ plaie) Ps 105.31; Ex 8.16-28 et grenouilles (2ᵉ plaie) Ps 105.30; Ex 7.26—8.10. **78.46** sauterelles (8ᵉ plaie) Ps 105.34; Ex 10.1-20; Sg 16.9; cf. Jl 1.4-12; Ap 9.3-11. **78.47-48** grêle (7ᵉ plaie) Ps 105.32; Ex 9.13-35; Sg 16.16; Ap 8.7; 16.21.

leurs sycomores ^c par le gel.
⁴⁸ Il abandonne leur bétail aux grêlons,
leurs troupeaux à la foudre.

⁴⁹ Il lâche sur eux son ardente colère :
fureur, rage, suffocation,
*anges de malheur en mission.
⁵⁰ Livrant passage à sa colère,
il ne les préserve plus de la mort,
il abandonne leur vie à la peste.
⁵¹ Il frappe tous les fils aînés de l'Egypte,
les prémices de la maturité sous les tentes de Cham ^d.

⁵² Il fait partir son peuple comme un troupeau,
il les mène au désert comme des brebis ;
⁵³ il les guide avec sûreté, ils n'ont pas à trembler
quand la mer recouvre leurs ennemis.

⁵⁴ Il les amène à son domaine sacré,
à la montagne acquise par sa droite.
⁵⁵ Il chasse devant eux des nations,
il leur distribue par lots un héritage,
il installe sous leurs tentes
les tribus d'Israël.

⁵⁶ Rebelles, ils mirent à l'épreuve le Dieu Très-Haut,
ne gardant pas ses institutions.
⁵⁷ Ils désertèrent, ils trahirent comme leurs pères,
ils se retournèrent comme un arc vicieux.
⁵⁸ Ils l'indignaient avec leurs *hauts lieux ;
leurs idoles excitaient sa jalousie.

⁵⁹ Dieu entendit et s'emporta,
il rejeta complètement Israël ;
⁶⁰ il quitta la *demeure de Silo,
la tente qu'il avait dressée ^e parmi les hommes.
⁶¹ Il livra sa force ^f à la captivité,
sa majesté à des mains ennemies.

⁶² Il abandonna son peuple à l'épée,
il s'emporta contre son héritage.
⁶³ Un feu dévora les jeunes gens,
pour les jeunes filles, on ne chanta plus l'éloge.
⁶⁴ Les prêtres tombèrent sous l'épée,
et les veuves ne firent pas les lamentations.

---

c Voir Am 7.14 et la note ● *d Cham:* ancêtre de la population égyptienne d'après Gn 10.6; *les tentes de Cham:* expression figurée désignant les habitations des Egyptiens ● *e la demeure de Silo* est l'ancien *sanctuaire des Israélites, situé en Palestine centrale; on y avait entreposé l'*arche de l'alliance jusqu'à l'époque du jeune Samuel (1 S 4.3) — *la tente qu'il avait dressée:* autre texte (suivi par les anciennes versions) *la tente qu'il avait habitée; la tente* désigne ici sans doute le sanctuaire de Silo (comparer Ps 15.1 et la note) ● *f sa force... sa majesté:* ces mots désignent parfois l'*arche de l'alliance (comparer 1 S 4.22; Ps 96.6)

78.49-51 mort des fils aînés (10e plaie) Ps 105.36; 135.8; 136.10; Ex 11.1-10; 12.29; Sg 18.5-19. **78.51** Cham Ps 105.23, 27; 106.22. **78.52** comme un troupeau Ps 77.21+ — au désert Ps 68.8; 136.16; Ex 13.18; Dt 29.4; Jos 24.7; Jr 2.6; 31.2; Ez 20.10; Ne 19.19, 21. **78.53** il les guide Ps 23.2; Es 63.12-13 — quand la mer recouvre... Ps 106.11; Ex 14.27-28; 15.10. **78.54** à la montagne... Ex 15.17; Es 56.7. **78.55** il chasse des nations Ps 135.10; 136.17-20 — il leur distribue... Ps 105.44; 135.12; 136.21-22; Gn 15.13-16; Dt 4.1, 38; 6.10; Jos 23.4. **78.56** rebelles v. 32+, 40-42 — ils mirent Dieu à l'épreuve v. 18+, 41. **78.57** ils trahirent Dt 32.15; Jg 2.13. **78.58** leurs idoles Ps 106.28, 36-39. **78.59** indignation de Dieu Ps 106.29; Dt 32.19; Es 59.15 — rejet d'Israël Ps 60.3, 12; Rm 11.1. **78.60** il quitta la demeure de Silo 1 S 4.16; Jr 7.14; 26.9. **78.61** l'arche aux mains des Philistins 1 S 5.1—6.12.

65 Tel un dormeur, le Seigneur s'éveilla,
   tel un brave que le vin ragaillardit.
66 Il frappa ses ennemis par derrière *g*,
   leur infligeant un outrage éternel.
67 Il écarta la famille de Joseph,
   il refusa de choisir la tribu d'Ephraïm *h*.
68 Il choisit la tribu de Juda,
   la montagne de *Sion qu'il aime.
69 Il bâtit son *sanctuaire pareil aux cimes,
   et comme la terre *i*, il l'a fondé pour toujours.

70 Il choisit David son serviteur,
   le prenant dans une bergerie :
71 de derrière ses brebis, il le fit venir ;
   il en fit le berger de Jacob son peuple,
   d'Israël son héritage.
72 *Berger au cœur irréprochable,
   il les guida d'une main avisée.

PSAUME 79 (78)

1 *Psaume ; d'Asaf* *k*.

   Dieu, les nations ont envahi ton héritage,
   souillé ton temple saint,
   et mis en ruines Jérusalem.
2 Elles ont livré les cadavres de tes serviteurs
   en pâture aux oiseaux du ciel,
   la chair de tes fidèles aux bêtes de la terre,
3 et elles ont versé leur sang à flots
   tout autour de Jérusalem,
   les privant de sépulture *l*.

4 Nous voici, outragés par nos voisins,
   la moquerie et la risée de ceux qui nous entourent.
5 Jusqu'où ira, SEIGNEUR, cette colère qui n'en finit pas,
   cette jalousie qui brûle comme un feu ?

6 Répands ta fureur sur les nations qui t'ignorent,
   sur les royaumes qui n'invoquent pas ton nom,
7 car ils ont mangé Jacob, ravagé son domaine *m*.

8 N'invoque pas contre nous les fautes anciennes.
   Vite ! que ta pitié vienne au-devant de nous,
   car nous sommes au plus bas.
9 Aide-nous, Dieu notre sauveur,
   pour la gloire de ton *nom.

---

g Allusion probable aux malheurs des Philistins racontés en 1 S 5.6-12 ● h *la famille de Joseph...
la tribu d'Ephraïm :* voir v. 9 et la note ● i *et comme la terre :* autre texte (plusieurs manuscrits
hébreux, anciennes versions grecque et syriaque) *et sur la terre* ● k Voir Ps 50.1 et la note ●
l *Etre privé de sépulture* était considéré comme un très grand malheur (voir Jr 14.16; Qo 6.3), et
même comme un châtiment divin (Jr 36.30) ● m *Jacob :* voir Ps 44.5 et la note — *son domaine :*
autre traduction *ils ont ravagé le domaine de Dieu*

78.65 le réveil du Seigneur ¦ Ps 35.23+. **78.66** il frappa ses ennemis 1 S 5.6. **78.68** il a choisi...
Sion Ps 132.13; 135.21; Es 46.13; 31.9; Jl 4.17 — il aime la montagne de Sion Ps 87.2; cf. Ps
2.6+; cf. 2 S 5.7. **78.70-72** il choisit David 1 S 13.14; 16.11-13; 2 S 7.8-9. **78.71** derrière ses
brebis cf. Am 7.15 — le berger de Jacob Ez 34.23. **79.1** Asaf Ps 50.1+ — l'héritage de Dieu
envahi... 2 R 25.9; Lm 1.10; Ps 74.3-9. **79.2** massacres, cadavres sans sépulture 1 M 7.17; cf. Jr
19.7. **79.3** du sang à flots Ap 16.6. **79.4** outragés par nos voisins... Ps 44.14. **79.5** jusqu'où
ira cette colère? Ps 85.6; 89.47. **79.6** déverse ta fureur... Jr 10.25 — qui n'invoquent pas ton
nom 1 Th 4.5. **79.8** fautes anciennes non retenues Ps 25.7 — vite! Ps 31.3+ — nous sommes
au plus bas Ps 142.7. **79.9** Dieu, notre sauveur Es 43.3+ — efface nos péchés Ps 51.3, 11; Es
43.2 44.25;2; Ac 3.19.

Délivre-nous, efface nos péchés
pour l'honneur de ton nom.

¹⁰ Pourquoi laisser dire aux nations :
« Où est leur dieu ? »
Que les nations apprennent, sous nos yeux,
qu'il y a une vengeance pour le meurtre de tes serviteurs !

¹¹ Que la plainte des prisonniers parvienne jusqu'à toi ;
ton bras est grand, maintiens donc en vie des condamnés.

¹² Rends sept fois à nos voisins, en plein cœur,
l'outrage qu'ils t'ont fait, Seigneur.

¹³ Et nous, ton peuple, le troupeau de ton pâturage,
nous pourrons te célébrer toujours,
et proclamer tes louanges d'âge en âge.

PSAUME 80 (79)

¹ Du *chef de chœur, èl-shôshannîm. Témoignage d'Asaf ⁿ, psaume.

² *Berger d'Israël, écoute.
Toi qui mènes Joseph comme un troupeau,
toi qui sièges sur les *chérubins, révèle-toi,

³ devant Ephraïm, Benjamin, et Manassé ⁰.
Réveille ta vaillance,
viens pour nous sauver.

⁴ Dieu, fais-nous revenir ;
que ton visage s'éclaire et nous serons sauvés.

⁵ SEIGNEUR Dieu, le tout-puissant,
jusqu'à quand t'enflammer contre les prières de ton peuple ᵖ,

⁶ le nourrir d'un pain pétri de larmes
et l'abreuver d'une triple mesure de larmes ?

⁷ Tu fais de nous la querelle de nos voisins,
et nos ennemis ont de quoi rire.

⁸ Dieu le tout-puissant, fais-nous revenir ;
que ton visage s'éclaire et nous serons sauvés.

⁹ La vigne que tu as retirée d'Egypte,
tu l'as replantée en chassant des nations ;

¹⁰ tu as déblayé le sol devant elle,
pour qu'elle prenne racine
et remplisse le pays.

¹¹ Son ombre couvrait les montagnes,
et ses pampres, les cèdres divins.

¹² Elle déployait ses sarments jusqu'à la mer,
et ses rejets jusqu'au Fleuve �q.

---

n èl-shôshannîm pourrait être traduit vers les lis (voir Ps 45.1) — Asaf : voir Ps 50.1 et la note ●
o Ephraïm et Manassé : tribus descendant des deux fils de Joseph (voir Gn 41.50-52) ; avec Benjamin
elles rassemblent les descendants de Rachel (Gn 30.22-23 ; 35.16-20) ● p contre les prières de ton
peuple : autre traduction possible quand ton peuple prie ● q Le Fleuve est une appellation
habituelle de l'Euphrate (Gn 15.18), limite de l'empire de David et de Salomon (1 R 5.1, 4)

79.10 ne pas laisser dire aux païens... Ps 115.2 ; Jl 2.17 — où est leur Dieu ? Ps 42.4 ; Mi 7.10 ; Ml
2.17 — une vengeance pour le meurtre Nb 35.19. 79.11 la plainte des prisonniers Ps 102.21.
79.12 un outrage à ne pas oublier Ps 89.51. 79.13 le troupeau de ton pâturage Ps 77.21+.
80.1 Asaf Ps 50.1+. 80.2 Berger d'Israël Ps 23.1+ ; cf. 77.21+ — Dieu siège sur les chérubins 1 S 4.4 ; Ps 18.11. 80.3 le réveil de Dieu Ps 35.23+. 80.4 fais-nous revenir Ps 85.5 ; Jr
31.18 — que ton visage s'éclaire Ps 31.17+. 80.5 jusqu'à quand Ps 6.4+. 80.6 pain pétri
de larmes Ps 42.4+. 80.7 le rire de nos ennemis Ps 79.4. 80.9 vigne (symbole d'Israël) Es
5.1+ ; Mc 12.1 par. 80.12 jusqu'au Fleuve Ps 72.8+ ; 2 R 24.7.

¹³ Pourquoi as-tu défoncé ses clôtures,
que tous les passants y grappillent ?
¹⁴ Le sanglier venu de la forêt la ravage,
les bêtes des champs la broutent.

¹⁵ Dieu le tout-puissant, reviens donc ;
regarde du haut des cieux et vois.
Interviens pour cette vigne,
¹⁶ pour la souche plantée par ta droite,
— et sur le fils qui te doit sa force ʳ.

¹⁷ La voici incendiée, coupée :
devant ton visage menaçant ils ˢ périssent.
¹⁸ Pose ta main sur l'homme qui est à ta droite,
et sur le fils d'homme qui te doit sa force.
¹⁹ Alors, nous ne te quitterons pas ;
tu nous feras vivre et nous invoquerons ton nom.

²⁰ SEIGNEUR Dieu, le tout-puissant, fais-nous revenir ;
que ton visage s'éclaire et nous serons sauvés.

PSAUME 81 (80)

¹ Du *chef de chœur, sur la guittith, d'Asaf ᵗ.

² Criez de joie pour Dieu notre force,
acclamez le Dieu de Jacob.
³ Mettez-vous à jouer, faites donner le tambour,
avec la cithare mélodieuse, avec la harpe ᵘ.
⁴ Sonnez du cor au mois nouveau,
à la pleine lune, pour notre jour de fête ᵛ.

⁵ C'est là pour Israël une loi,
une décision du Dieu de Jacob,
⁶ une règle qu'il a imposée à Joseph
quand il sortit ʷ contre le pays d'Egypte :

J'entends un langage que je ne connais pas ˣ ;
⁷ j'ai ôté la charge de son épaule ʸ
et ses mains ont déposé le fardeau.
⁸ Quand tu criais sous l'oppression, je t'ai délivré,

---

r Autre traduction *et sur le fils que tu as rendu fort pour toi.* Certains pensent que ce *fils* désigne un rejeton de la vigne, symbole traditionnel du peuple de Dieu (voir Es 5.1-7); d'autres, avec l'ancienne version araméenne, voient ici une allusion au roi-*messie — La fin du v. 16 semble empruntée au v. 18 • s ils: le texte hébreu est ambigu; on ne peut déterminer s'il s'agit ici des ravageurs décrits aux v. 13-14 ou des Israélites représentés par la vigne • t sur la guittith: voir Ps 8.1 et la note — Asaf: voir Ps 50.1 et la note • u cithare, harpe: voir Ps 92.4 et la note • v Dans le calendrier israélite le début du *mois nouveau* coïncidait avec la nouvelle lune; il était marqué par une *fête* chômée (Lv 23.24; Nb 29.1-6); voir au glossaire NÉOMÉNIE • w *Joseph* personnifie ici le peuple d'Israël quand il était en Egypte — *il sortit...:* c'est-à-dire *Dieu* sortit (voir cependant la note suivante) • x L'ancienne version grecque rattache cette dernière ligne du v. 6 à la précédente; elle a compris: *Quand Joseph sortit d'Egypte, il entendit un langage qu'il ne connaissait pas.* Quant au texte hébreu, il peut être compris soit comme une remarque de l'auteur du psaume annonçant la déclaration de Dieu (v. 7 et suivants), soit comme le début de cette déclaration elle-même • y *son épaule:* Dieu parle d'Israël en le personnifiant sous les traits d'un homme épuisé. Au verset suivant il s'adresse directement à son peuple

80.13-14 pillage du domaine de Dieu Jr 12.7-13. 80.18 l'homme qui est à ta droite Ps 110.1 — qui te doit sa force Ps 89.22. 81.1 Asaf Ps 50.1+. 81.2-4 voix humaines et accompagnement musical Ps 47.6-8; 98.4-6; 150.1-5; 2 Ch 5.13; Voir Ps 96.1+. 81.3-4 jouer de la musique pour le Seigneur Ps 147.7+. 81.4 cérémonies au mois nouveau 2 R 4.23; Es 1.13; Os 2.13; Am 8.5. 81.5 la loi pour la célébration des fêtes Ex 23.14. 81.7 la charge pesant sur Israël Ex 1.11-14; 5.6-9 — Israël déchargé Ex 2.24; 3.8; 6.6; cf. Ps 55.23; Mt 11.29-30; 1 P 5.7. 81.8 oppression et délivrance Ps 4.2; 25.17; 34.7+; 50.15+; 107.6, 13, 19, 28; 118.5; 120.1; Jon 2.3 — dans le secret de l'orage Ex 19.16 — épreuve à Mériba Ps 95.8+.

je t'ai répondu dans le secret de l'orage ;
je t'ai mis à l'épreuve près des eaux de Mériba.   *Pause.

⁹ Ecoute, mon peuple, je t'en adjure !
Israël, si tu m'écoutes,
¹⁰ il n'y aura pas chez toi de dieu étranger,
tu ne te prosterneras pas devant un dieu différent.
¹¹ C'est moi, le SEIGNEUR ton Dieu,
qui t'ai fait monter du pays d'Egypte.
Ouvre grand la bouche, et je la remplirai !

¹² Mais mon peuple n'a pas écouté ma voix,
Israël n'a pas voulu de moi,
¹³ et je les ai renvoyés à leur cœur endurci :
qu'ils suivent donc leurs projets !

¹⁴ Ah ! si mon peuple m'écoutait,
si Israël suivait mes chemins,
¹⁵ j'aurais vite fait d'humilier leurs ennemis,
de détourner ma main contre leurs oppresseurs.

¹⁶ Ceux qui haïssent le SEIGNEUR le courtiseraient,
ce serait leur destin pour toujours ᶻ.
¹⁷ Il nourrirait Israël de fleur de froment,
et de miel sauvage il le rassasierait.

PSAUME 82 (81)

¹ *Psaume ; d'Asaf.*

Dieu s'est dressé dans l'assemblée divine,
au milieu des dieux ᵃ, il juge :

² Jusqu'à quand jugerez-vous de travers
en favorisant les coupables ?   *Pause.
³ Soyez des juges pour le faible et l'orphelin,
rendez justice au malheureux et à l'indigent ;
⁴ libérez le faible et le pauvre,
délivrez-les de la main des coupables.

⁵ Mais ils ne savent pas, ils ne comprennent pas,
ils se meuvent dans les ténèbres,
et toutes les assises de la terre sont ébranlées.

⁶ Je le déclare, vous êtes des dieux,
vous êtes tous des fils du Très-Haut,
⁷ pourtant vous mourrez comme les hommes,
vous tomberez tout comme les princes.

⁸ Lève-toi, Dieu ! Sois le juge de la terre,
car tu as toutes les nations en héritage.

---

z *ce serait leur destin pour toujours:* traduction incertaine d'un texte obscur — Ancienne version syriaque *ce serait leur terreur pour toujours* ● a *Asaf:* voir Ps 50.1 et la note — *au milieu des dieux:* autres traductions *au milieu des anges* (anciennes versions grecque et syriaque); *au milieu des juges (terrestres)* (ancienne version araméenne)

81.9 Ecoute! Ps 50.7; 78.1; Dt 6.4 — si tu m'écoutes Ps 95.7.   **81.10** pas de dieu étranger Ex 20.3; Jos 24.23 — tu ne te prosterneras pas... Ex 20.5 **81.11** c'est moi, ton Dieu Ps 50.7; Ex 20.2; Es 41.10 qui t'ai fait monter du pays d'Egypte Lv 11.45; 1 S 8.8; Jr 2.6; Os 12.14; Am 2.10. **81.12** mon peuple n'a pas écouté Dt 1.43; Es 66.4; Jr 7.24, 28; 11.10; 13.10-11; 35.16; So 3.2. **81.13** renvoyés Ac 7.42; Rm 1.24; cf. Jr 2.19; 14.16; Ez 18.20; Ga 6.7-8 à leur cœur endurci Jr 3.17; 7.24; Dt 29.18.   **81.14-15** si mon peuple m'écoutait...! v. 9; Es 48.18-19.   **81.17** miel sauvage Dt 32.13; Es 7.22; cf. Mc 1.6. **82.1** Asaf Ps 50.1+ — dans l'assemblée divine Ps 89.6 — dieux cf. Ex 4.16. **82.2** une justice mal rendue Jr 5.28; Ez 22.27; Mi 3.1-4; cf. Za 9.9. **82.3** pour le faible et l'orphelin Ex 23.6; Es 1.17; Jb 29.12. **82.6** vous êtes des dieux Jn 10.34; cf. Ps 58.2. **82.8** Dieu, maître des nations cf. Dt 32.8.

PSAUME 83 (82)

¹ *Chant, psaume d'Asaf* ᵇ.

² O Dieu, sors de ton silence ;
Dieu, ne reste pas inerte et muet.
³ Voici tes ennemis qui grondent,
tes adversaires qui relèvent la tête.

⁴ Contre ton peuple, ils trament un complot,
ils intriguent contre ton trésor :
⁵ ils disent : « Allez ! supprimons leur nation,
que le nom d'Israël ne soit plus mentionné ! »

⁶ D'un commun accord ils ont intrigué
pour faire alliance contre toi :
⁷ les gens d'Edom et les Ismaélites,
Moab et les enfants d'Hagar,
⁸ Gueval, Ammon, Amaleq,
la Philistie avec les habitants de Tyr.
⁹ Même Assour s'est joint à eux,
prêtant main-forte aux fils de Loth ᶜ.   *Pause.*

¹⁰ Traite-les comme Madiân,
comme Sisera et Yavîn au torrent du Qishôn.
¹¹ Ils furent anéantis à Ein-Dor,
ils ont servi de fumier à la terre.
¹² Leurs princes, rends-les comme Orev et Zéev
et tous leurs chefs, comme Zèvah et Çalmounna,
¹³ eux qui disaient : « Emparons-nous
des domaines de Dieu ! »

¹⁴ Mon Dieu, fais-les tourbillonner
comme de la paille en plein vent.
¹⁵ Tel un feu qui dévore la forêt,
telle une flamme qui embrase les montagnes,
¹⁶ poursuis-les de ta tempête,
épouvante-les par ton ouragan.

¹⁷ Couvre de confusion leur visage,
et qu'ils cherchent ton nom, SEIGNEUR !
¹⁸ Frappés pour toujours d'épouvante et de honte,
qu'ils périssent, déshonorés,
¹⁹ qu'ils sachent que tu portes le nom de SEIGNEUR, toi seul,
le Très-Haut sur toute la terre !

ᵇ *Asaf:* voir Ps 50.1 et la note • ᶜ *Edom* (v. 7): population installée au sud de la Palestine — les *Ismaélites* et les *enfants d'Hagar* (v. 7): tribus arabes (voir Gn 21.9-21 ; 1 Ch 5.19-20) — *Moab* (v. 7) et *Ammon* (v. 8): deux petits royaumes, à l'est du Jourdain et de la mer Morte; ce sont les *fils de Loth* (Gn 19.30-38) — *Gueval* (v. 8): population installée au sud de la mer Morte — *Amaleq* (v. 8): peuple nomade de la région du Néguev, souvent présenté comme l'ennemi traditionnel d'Israël (Ex 17.8-16) — *Philistie* et *Tyr* désignent ici toutes les populations habitant la côte méditerranéenne de la Palestine — *Assour:* soit une tribu transjordanienne (Gn 25.3, 18; 2 S 2.9), soit l'empire assyrien

83.1 Asaf Ps 50.1+. **83.2** ne reste pas muet Ps 28.1+ ; cf. 44.24; 50.3. **83.4** complot Ps 31.14; **83.7** Edom contre Israël Nb 20.14-21; Am 1.11+ — Moab Am 2.1+. 64.3. **83.8** Ammon Am 1.13+ — Amaleq Ex 17.8-16; Dt 25.17; Jg 6.3, 33; 10.12; 1 S 15.2 — Philistie Am 1.6+ — Tyr Am 1.9+. **83.10** comme Madiân Jg 6—8; Es 9.3 — Sisera et Yavîn Jg 4—5; 1 S 12.9. **83.12** Orev et Zéev Jg 7.25 — Zèvah et Çalmounna Jg 8.5-12. **83.14** comme la paille en plein vent Es 17.13; Jb 27.21. **83.17** chercher le (nom du) Seigneur cf. Ps 9.11+. **83.19** qu'ils sachent... Ps 46.11; cf. 2 R 19.19; Ez 7.9; 39.22; Dn 4.29 — le Très-Haut sur toute la terre Ps 97.9.

PSAUME 84 (83)

¹ *Du *chef de chœur ; sur la guittith* ᵈ.
Des fils de Coré, psaume.

² Comme elles sont aimées tes demeures,
SEIGNEUR tout-puissant !
³ Je languis à rendre l'âme
après les *parvis du SEIGNEUR.
Mon cœur et ma chair crient
vers le Dieu vivant.

⁴ Le moineau lui-même trouve une maison,
et l'hirondelle un nid pour mettre sa couvée,
près de tes *autels ᵉ, SEIGNEUR tout-puissant,
mon roi et mon Dieu.
⁵ Heureux les habitants de ta maison :
ils te louent sans cesse !   *Pause.*

⁶ Heureux l'homme qui trouve chez toi sa force :
de bon cœur il se met en route ᶠ ;
⁷ en passant par le val des Baumiers
ils en font une oasis ᵍ,
les premières pluies le couvrent de bénédictions.
⁸ Toujours plus ardents, ils avancent
et se présentent devant Dieu à *Sion.

⁹ SEIGNEUR Dieu tout-puissant,
écoute ma prière ;
prête l'oreille, Dieu de Jacob.   *Pause.*
¹⁰ O Dieu, vois celui qui est notre bouclier ʰ,
regarde le visage de ton *messie.

¹¹ Puisqu'un jour dans tes parvis
en vaut plus de mille,
j'ai choisi :
plutôt rester au seuil de la maison de mon Dieu
que de loger sous les tentes des infidèles.

¹² Oui, le SEIGNEUR Dieu est un soleil et un bouclier ;
le SEIGNEUR donne la grâce et la gloire,
il ne refuse pas le bonheur
à ceux qui vont sans reproche.

¹³ SEIGNEUR tout-puissant,
heureux l'homme qui compte sur toi !

---

d sur la guittith: voir Ps 8.1 et la note — *fils de Coré:* voir Ps 42.1 et la note ● *e près de tes autels,
Seigneur...:* autre traduction... *couvée. Tes autels, Seigneur...!* ● *f en route:* on sous-entend *pour
le pèlerinage qui les mènera vers Jérusalem* ● *g* Le *baumier* (ou *micocoulier*): arbre à sève abondante, poussant dans les vallées sèches. Le *val des Baumiers* permettait d'accéder à la porte
ouest de Jérusalem — *une oasis:* ou *une fontaine* — Le texte hébreu de la fin du v. 7 est obscur
● *h* Autre traduction: *Vois, ô Dieu qui es notre bouclier* — Voir aussi Ps 47.10 et la note

84.2-3 désir de la présence de Dieu Ps 42.3, 9 ; Ps 63.2-3.   **84.3** les parvis du Seigneur Ps 65.5+.
84.4 mon roi et mon Dieu Ps 5.3+.   **84.5** Heureux... Ps 1.1+ les habitants de ta maison Ps 23.6 ;
27.4 ; 65.5 ; 101.7 ; 135.2 ; 140.14 ; cf. 122.1.   **84.6** en route vers la maison de Dieu Ps 120—134.
84.7 baumiers 2 S 5.23-24.   **84.8** se présenter devant Dieu Es 1.12 ; Jr 7.10 ; Mi 6.6 ; cf. Jb 1.6 ;
2.1.   **84.9** écoute ma prière Ps 39.13 ; 143.1 ; 1 R 8.28 ; Dn 9.17 ; cf. Ps 6.10 ; 65.3.   **84.12** Dieu,
un bouclier Ps 3.4+.   **84.13** heureux l'homme... Ps 1.1+ — compter sur le Seigneur Ps 9.11+ ;
55.24+.

PSAUME 85 (84)

¹ *Du* **chef de chœur, des fils de Coré* ⁱ*, psaume.*

² Tu as montré ton amour pour ton pays, SEIGNEUR !
tu as fait revenir les captifs de Jacob ʲ ;
³ tu as enlevé la faute de ton peuple,
tu as couvert tout son péché.   **Pause.*
⁴ Tu as mis fin à ton emportement,
tu es revenu de ton ardente colère.

⁵ Fais-nous revenir, Dieu notre sauveur !
renonce à ta rancune envers nous.
⁶ Seras-tu toujours irrité contre nous,
prolongeant ta colère d'âge en âge ?

⁷ N'est-ce pas toi qui reviendras nous faire vivre
et qui seras la joie de ton peuple ?
⁸ Montre-nous ta fidélité, SEIGNEUR,
et donne-nous ton salut.

⁹ J'écoute ce que dit Dieu, le SEIGNEUR ;
il dit : « Paix », pour son peuple et pour ses fidèles,
mais qu'ils ne reviennent pas à leur folie !
¹⁰ Son salut est tout proche de ceux qui le craignent,
et la gloire va demeurer dans notre pays.

¹¹ Fidélité et Vérité se sont rencontrées,
elles ont embrassé Paix et Justice ᵏ.
¹² La Vérité germe de la terre
et la Justice se penche du ciel.

¹³ Le SEIGNEUR lui-même donne le bonheur,
et notre terre donne sa récolte.
¹⁴ La Justice marche devant lui,
et ses pas tracent le chemin ˡ.

PSAUME 86 (85)

¹ *Prière ; de David.*

SEIGNEUR, tends l'oreille, réponds-moi,
car je suis un malheureux et un pauvre.
² Garde-moi en vie, car je suis fidèle.
Toi mon Dieu, sauve ton serviteur
qui compte sur toi.

³ Prends pitié de moi, Seigneur,
c'est toi que j'appelle chaque jour.

---

i *fils de Coré :* voir Ps 42.1 et la note • j *tu as fait revenir les captifs de Jacob :* autre traduction *tu as changé le sort de Jacob* — Sur *Jacob,* voir Ps 44.5 et la note • k Autre traduction (soutenue par les versions anciennes) : *Paix et Justice se sont embrassées* • l Autre traduction (soutenue par l'ancienne version latine) *il* (c'est-à-dire Dieu, ou *elle,* c'est-à-dire la Justice) *mettra ses pas sur le chemin*

85.2 Dieu a ramené les captifs de Jacob Ps 14.7 ; cf. Ps 126.   85.3 faute enlevée Ps 32.5.
85.4 Dieu renonce à sa colère Ps 78.38 ; Ex 32.14 ; Es 48.9 ; Ez 20.21-22 ; Os 11.9.   85.5 Fais-nous revenir Ps 80.4 ; Jr 31.18 — Dieu, notre sauveur Es 43.3+.   85.6 une colère sans fin ? Ps 79.5.
85.9 écouter ce que dit le Seigneur Ha 2.1 ; He 2.1 — Paix ! Es 57.19 ; Ps 125.5 ; 128.6 ; Lc 2.14.
85.10 le salut tout proche Es 51.5 — ceux qui le craignent Ps 15.4+ — la gloire du Seigneur demeure... Ex 24.16.   85.11 fidélité et vérité Ps 89.15 ; cf. 97.2 ; Ep 4.15.   85.12 la Vérité germe... Es 45.8.   85.13 récolte et bonheur Ps 67.7 ; Za 8.12.   85.14 la Justice marche devant Es 58.8.
86.1 tends l'oreille Ps 71.2+ — malheureux et pauvre Ps 40.18 ; 140.13.   86.2 garde-moi en vie Ps 25.20 — compter sur Dieu Ps 9.11+ ; 55.24+.   86.3 prends pitié de moi Ps 57.2.

4 Réjouis le ᵗcœur de ton serviteur,
car, Seigneur, je suis tendu vers toi.

5 Seigneur, toi qui es bon et qui pardonnes,
riche en fidélité pour tous ceux qui t'appellent,
6 prête l'oreille à ma prière, SEIGNEUR !
Sois attentif à ma voix suppliante !
7 Au jour de la détresse je t'appelle,
et tu me réponds.

8 Nul n'est comme toi parmi les dieux, Seigneur !
Ce que tu fais est incomparable.
9 Toutes les nations que tu as faites
viendront se prosterner devant toi, Seigneur,
et glorifier ton nom.
10 Car tu es grand, tu fais des miracles,
tu es Dieu, toi seul !

11 SEIGNEUR, montre-moi ton chemin
et je me conduirai selon ta vérité.
Unifie mon cœur ᵐ
pour qu'il craigne ton *nom.

12 Seigneur mon Dieu, je veux te célébrer de tout mon cœur,
et glorifier ton nom pour toujours,
13 car ta fidélité est grande envers moi
et tu m'as délivré des profondeurs des enfers.

14 Dieu ! des orgueilleux m'ont attaqué
et une ligue de tyrans en veut à ma vie ;
ils ne tiennent pas compte de toi :
15 Mais toi, Seigneur, Dieu miséricordieux et bienveillant,
lent à la colère, plein de fidélité et de loyauté,
16 tourne-toi vers moi ; prends pitié de moi,
donne ta force à ton serviteur
et sauve le fils de ta servante.
17 Agis avec éclat en ma faveur,
alors mes ennemis seront confondus en voyant
que toi, SEIGNEUR, tu me secours et me consoles.

PSAUME 87 (86)

1 *Des fils de Coré* ⁿ, *psaume, chant.*

Le SEIGNEUR a fondé Sion sur les montagnes saintes,
2 il en aime les portes
plus que toutes les demeures de Jacob ᵒ.
3 On fait sur toi des récits de gloire,
ville de Dieu !   *Pause.*

---

m Unifie mon cœur : expression condensée, à peu près équivalente à *fais que mes pensées, mes décisions (et mes sentiments) n'aient qu'un seul but...* — Autre traduction appuyée sur les anciennes versions grecque et syriaque *réjouis mon cœur* ● *n fils de Coré :* voir Ps 42.1 et la note ● *o Jacob :* voir Ps 44.5 et la note

86.4 tendu vers le Seigneur Ps 25.1 +. 86.5 pardon Ps 25.11 — riche en fidélité Ps 103.8. 86.6 sois attentif Ps 5.3 + ; cf. 28.2. 86.7 au jour de la détresse Ps 77.3 + '— tu me réponds Ps 17.6. 86.8 nul n'est comme toi Ex 15.11. 86.9 toutes les nations viendront... Ap 3.9 ; 15.4. 86.11 montre-moi ton chemin Ps 25.4, 8, 12 ; 27.11 — selon ta vérité Ps 25.6 ; 26.3 — unifie mon cœur Jc 1.8. 86.12 de tout mon cœur Ps 9.2. 86.13 profondeurs des enfers Dt 32.22. 86.14 attaqué Ps 54.5. 86.15 bienveillant et miséricordieux Ex 34.6 +. 86.16 tourne-toi vers moi Ps 25.16 — ton serviteur Ps 116.16. 87.1 Le Seigneur, fondateur de Sion Es 14.32 ; cf. 28.16 — montagnes saintes Ps 3.5 +.

4 Je mentionne Rahav et Babylone
parmi ceux qui me connaissent [p].
Certes, c'est en Philistie, à Tyr ou en Nubie,
que tel homme est né.
5 Mais on peut dire de *Sion [q] :
« En elle, tout homme est né,
et c'est le Très-Haut qui la consolide ! »

6 Le SEIGNEUR inscrit dans le livre des peuples :
« A cet endroit est né tel homme »,
7 mais ils dansent et ils chantent :
« Toutes mes sources sont en toi ! »

PSAUME 88 (87)

1 *Chant, psaume ; des fils de Coré. Du *chef de chœur, al-mâhalath le-annôth* [r]. *Instruction ; d'Hémân l'Ezrahite.*

2 SEIGNEUR, mon Dieu sauveur !
le jour, la nuit, j'ai crié vers toi.
3 Que ma prière parvienne jusqu'à toi ;
tends l'oreille à ma plainte.

4 Car ma vie est saturée de malheurs
et je frôle les enfers.
5 On me compte parmi les moribonds ;
me voici comme un homme fini,
6 reclus parmi les morts,
comme les victimes couchées dans la tombe,
et dont tu perds le souvenir
car ils sont coupés de toi.

7 Tu m'as déposé dans les profondeurs de la *Fosse,
dans les Ténèbres, dans les gouffres.
8 Ta fureur s'est appesantie sur moi ;
de chacune de tes vagues tu m'accables. **Pause.*

9 Tu as éloigné de moi mes intimes ;
à leurs yeux, tu as fait de moi une horreur.
Enfermé, je n'ai pas d'issue.
10 Mes yeux sont épuisés par la misère.
Je t'ai appelé tout le jour, SEIGNEUR !
les mains ouvertes vers toi [s].

11 Feras-tu un miracle pour les morts ?
Les trépassés se lèveront-ils pour te célébrer ? *Pause.*
12 Dans la Tombe peut-on dire ta fidélité,
et dans *l'Abîme [t] dire ta loyauté ?

p Comme en Es 30.7 *Rahav* est sans doute ici une désignation symbolique de l'Egypte (voir aussi Ps 40.5 et la note) — *qui me connaissent:* le texte hébreu ne permet pas de reconnaître si c'est Dieu ou Jérusalem personnifiée qui parle ici • *q* Autre traduction (soutenue par les versions latine et araméenne) *mais on dira à Sion* — Autre texte (ancienne version grecque) *Mère Sion, dira l'homme* (voir Ga 4.26) • *r fils de Coré:* voir Ps 42.1 et la note — *al-mâhalath:* voir Ps 53.1 et la note — *le-annôth* peut signifier *pour répondre* ou *pour affliger* • *s les mains ouvertes vers toi:* c'est le geste de la prière (comparer Ps 28.2 et la note) • *t l'Abîme* ou *le lieu de la perdition:* désignation imagée du *Séjour des morts (comparer Jb 26.6; Ap 9.11)

87.4 ceux qui me connaissent Es 19.21; cf. Jr 2.8; Jn 17.3. **87.6** le Seigneur inscrit... Es 4.3; Ez 13.9; cf. Ap 3.5+. **88.1** fils de Coré Ps 42.1 — Hémân 1 Ch 6.18; cf. 1 R 5.11; 1 Ch 2.6 l'Ezrahite Ps 89.1. **88.2** le jour... la nuit Ps 22.3 — crier vers le Seigneur cf. Ps 3.5+. **88.3** ma prière jusqu'à toi Ps 102.2 — tends l'oreille Ps 71.2. **88.5** parmi les moribonds Ps 22.30+. **88.7** au bord de la mort Ps 18.5-6. **88.8** tes vagues Ps 42.8. **88.9** éloigné de mes intimes Ps 31.12+. **88.10** les mains étendues Ps 77.3; 143.6. **88.11** on ne loue plus Dieu chez les morts Ps 6.6; Es 38.18 — les trépassés Es 26.14. **88.12** l'Abîme Jb 26.6; 28.22; Pr 15.11; Ap 9.11.

¹³ Ton miracle se fera-t-il connaître dans les Ténèbres,
et ta justice au pays de l'Oubli ?
¹⁴ Mais moi, je crie vers toi SEIGNEUR !
le matin, ma prière est déjà devant toi.
¹⁵ SEIGNEUR, pourquoi me rejeter,
me cacher ton visage ?
¹⁶ Malheureux, exténué dès l'enfance,
j'ai subi tes épouvantes et je suis hébété [u].
¹⁷ Tes fureurs ont passé sur moi,
tes terreurs m'ont anéanti.
¹⁸ Tous les jours elles m'ont cerné comme les eaux,
elles m'ont encerclé de partout.
¹⁹ Tu as éloigné de moi compagnons et amis ;
pour intimes, j'ai les ténèbres.

PSAUME 89 (88)

¹ *Instruction ; d'Etân l'Ezrahite.*

² Je chanterai toujours les bontés du SEIGNEUR.
Ma bouche fera connaître ta loyauté pour des siècles.
³ Oui, je le dis : « Ta bonté est édifiée pour toujours ;
dans les cieux, tu établis ta loyauté. »

⁴ — J'ai conclu une *alliance avec mon élu [v],
j'ai juré à David mon serviteur :
⁵ j'établis ta dynastie pour toujours,
je t'ai édifié un trône pour tous les siècles. —   *Pause.*

⁶ Que les cieux célèbrent cette merveille, SEIGNEUR !
et ta loyauté dans l'assemblée des saints [w].
⁷ Qui donc là-haut est égal au SEIGNEUR ?
qui ressemble au SEIGNEUR parmi les dieux ?
⁸ Dans le conseil des *saints, Dieu est grandement redoutable,
plus terrible que tous ceux qui l'entourent.
⁹ SEIGNEUR, Dieu des puissances !
qui est fort comme toi, SEIGNEUR ?
Ton entourage, c'est ta loyauté.

¹⁰ C'est toi qui maîtrises l'orgueil de la Mer ;
quand ses vagues se soulèvent, c'est toi qui les apaises.
¹¹ C'est toi qui as écrasé le cadavre de Rahav [x],
qui as dispersé tes ennemis par la force de ton bras.

¹² A toi les cieux ! à toi aussi la terre !
le monde et ses richesses, c'est toi qui les fondas.
¹³ Le Nord et le Midi, c'est toi qui les créas ;
le Tabor et l'Hermon [y] crient de joie à ton *nom.

---

u je suis hébété: le terme hébreu ne se trouve nulle part ailleurs; la traduction est incertaine
● *v* Les v. 4-5 résument la déclaration de Dieu faite à David par l'intermédiaire du prophète
Natan (voir 2 S 7.11-16) ● *w* Les *saints* désignent ici les anges qui entourent Dieu comme les
membres de sa cour royale (voir Jb 5.1; 15.15) ● *x Rahav:* voir Ps 40.5 et la note; voir aussi
Jb 7.12 et la note ● *y* Le *Tabor:* montagne isolée située en Galilée — L'*Hermon:* voir Ps 42.7 et
la note

88.14 crier vers le Seigneur v. 2 — dès le matin Ps 59.17; 143.8.   **88.19** éloigné de mes amis v. 9;
Ps 31.12+.   **89.1** Etân 1 Ch 15.17-19 l'Ezrahite Ps 88.1+.   **89.4-5** promesse de Dieu à David
2 S 7.11-17; 2 S 23.5; Ac 2.30.   **89.6-7** les saints, les dieux v. 7-9; Ps 138.1+.   **89.7-9** Qui est
égal au Seigneur? Es 40.18, 25; 46.5.   **89.10** le Seigneur maîtrise et apaise la mer Ps 65.8; 107.29;
Jb 38.8-11; Mc 4.41.   **89.11** victoire du Seigneur sur la mer Ps 74.13.   **89.12** A toi les cieux, la
terre... Ps 24.1-2.   **89.13** le Tabor Os 5.1 — l'Hermon Ps 42.7+.

¹⁴ A toi ce bras plein de vaillance,
   cette main puissante, cette droite levée !
¹⁵ La justice et le droit sont les bases de ton trône ;
   la fidélité et la vérité précèdent ta face.

¹⁶ Heureux le peuple qui sait t'acclamer !
   il marchera à la lumière de ta face, SEIGNEUR !
¹⁷ A ton nom, ils danseront de joie tout le jour,
   à cause de ta justice ils se redressent.

¹⁸ Oui, tu es leur force éclatante ;
   tu redresses notre front par ta faveur ^z.
¹⁹ Notre bouclier ^a dépend du SEIGNEUR,
   et notre roi, du *saint d'Israël.

²⁰ Un jour, dans une apparition, tu parlas ainsi à tes fidèles :
   J'ai accordé mon aide à un brave,
   j'ai exalté un jeune homme de mon peuple.
²¹ J'ai trouvé David mon serviteur,
   je l'ai sacré avec mon huile sainte.
²² Solide, ma main sera près de lui
   et mon bras le rendra fort.

²³ L'ennemi ne pourra le surprendre,
   le rebelle ne pourra l'humilier,
²⁴ car j'écraserai devant lui ses adversaires,
   je frapperai ceux qui le haïssent.

²⁵ Ma loyauté et ma fidélité seront près de lui,
   et à mon nom, il redressera le front.
²⁶ Je mettrai la mer sous sa main,
   les fleuves sous sa droite.

²⁷ Lui m'appellera : « Mon père !
   mon Dieu ! le rocher qui me sauve ! »
²⁸ Et moi, je ferai de lui l'aîné,
   le très-haut parmi les rois de la terre.

²⁹ Pour toujours je lui garderai ma fidélité ;
   mon *alliance lui sera assurée.
³⁰ J'établirai sa dynastie à jamais,
   et son trône pour la durée des cieux.

³¹ Si ses fils abandonnent ma loi,
   et ne suivent pas mon droit,
³² s'ils violent mes préceptes
   et ne gardent pas mes commandements,
³³ je punirai leur rébellion par la trique
   et leur faute par des coups,
³⁴ mais sans lui retirer ma fidélité ^b
   ni démentir mon alliance.

---

z *tu redresses notre front par ta faveur*: la traduction suit ici le texte hébreu « écrit », suivi par la version latine de s. Jérôme et la version araméenne — Le texte hébreu que la tradition juive considère comme « à lire », suivi par les versions grecque et syriaque, a compris *notre front se redresse à cause de ta faveur* ● a *notre bouclier*: voir Ps 47.10 et la note ● b Autre texte, présenté par quelques manuscrits hébreux et soutenu par les versions syriaque et latine *mais sans briser ma fidélité à son égard*

89.15 justice et droit, appuis du trône de Dieu Es 9.6+ — fidélité et vérité Ps 85.11+.   **89.16** Heureux! Ps 1.1+ — la lumière de ta face Ps 80.4.   **89.19** saint d'Israël Es 1.4+.   **89.20** un jeune homme de mon peuple 2 S 7.8.   **89.21** j'ai trouvé David Ac 13.22 — sacré avec l'huile sainte 1 S 16.13.   **89.27** mon père 2 S 7.14; Ps 2.7 — mon Dieu Ps 22.11+ — le rocher qui me sauve Ps 18.3+.   **89.28** l'aîné, le très-haut parmi les rois Ap 1.5.   **89.29** alliance avec David Jr 33.21.   **89.30** dynastie et trône de David 2 S 7.16; Jr 33.26.   **89.31-33** si ses fils... 2 S 7.14.   **89.34** sans lui retirer ma fidélité 2 S 7.15.

³⁵ Je ne violerai pas mon alliance,
   je ne changerai pas ce qui est sorti de ma bouche.
³⁶ Une fois pour toutes, je l'ai juré sur ma *sainteté :
   non ! je ne tromperai pas David !
³⁷ Sa dynastie durera toujours ;
   et son trône sera devant moi, comme le soleil,
³⁸ comme la lune, toujours là, solide,
   en témoin fidèle dans les nues ᶜ.   Pause.

³⁹ C'est toi pourtant, qui as rejeté, méprisé ton *messie,
   qui t'es emporté contre lui.
⁴⁰ Tu as renié l'alliance avec ton serviteur,
   jeté à terre et profané son diadème.

⁴¹ Tu as défoncé toutes ses clôtures,
   démantelé ses forteresses ;
⁴² tous les passants l'ont pillé ;
   le voici outragé par ses voisins.

⁴³ Tu as relevé la puissance de l'ennemi,
   tu as réjoui tous ses adversaires ;
⁴⁴ et même, tu as émoussé le tranchant de son épée ᵈ,
   tu ne l'as pas appuyé pendant le combat.

⁴⁵ Tu as mis fin à sa splendeur
   et renversé à terre son trône.
⁴⁶ Tu as abrégé le temps de sa jeunesse,
   tu l'as couvert de honte.   Pause.

⁴⁷ Jusqu'à quand SEIGNEUR ? Te cacheras-tu constamment ?
   Laisseras-tu flamber ta colère ?
⁴⁸ Pense à ce que dure ma vie :
   tu as créé l'homme pour une fin si dérisoire !
⁴⁹ Quel homme vivrait sans voir la mort,
   échappant à l'emprise des enfers ?   Pause.

⁵⁰ Seigneur ! où sont tes bontés d'autrefois ?
   Tu avais juré à David sur ta fidélité !
⁵¹ Seigneur ! pense à tes serviteurs outragés,
   à tout ce peuple dont j'ai la charge ᵉ.
⁵² Tes ennemis l'ont outragé, SEIGNEUR !
   en crachant sur les pas de ton messie ᶠ.

⁵³ Béni soit le SEIGNEUR pour toujours !
   *Amen et amen ᵍ !

ᶜ Autre traduction (*son trône sera*) *solide comme la lune, toujours là ; il y aura un témoin fidèle dans les nues* ● ᵈ *tu as émoussé le tranchant de son épée:* traduction incertaine ● ᵉ *à tout le peuple dont j'ai la charge:* traduction incertaine. D'autres proposent *j'ai supporté les persécutions de tous les peuples* ● ᶠ Le sens du v. 52 est incertain ● ᵍ Le v. 53 constitue à la fois la conclusion du psaume et la conclusion du troisième livre du psautier (Ps 73-89). Voir Ps 41.14 ; 72.19

89.38 témoin fidèle Ap 1.5.   **89.39** tu as rejeté Ps 74.1 ; 77.8 ; 2 R 23.27 ; Jr 7.15, 29 ; 14.19 ; 33.24 ; Lm 3.31 ; 5.22.   **89.41** clôtures défoncées Ps 80.13.   **89.42** pillé par les passants Ps 80.13-14.   **89.43** la puissance de l'ennemi Ps 44.11, 14 ; cf. Lc 10.19.   **89.47** jusqu'à quand? Ps 6.4+ laisseras-tu flamber ta colère Ps 79.5.   **89.48** l'homme créé pour une fin dérisoire Ps 39.6 ; 90.9-10 ; 103.15-16 ; Jb 10.20-21 ; 14.1-2 ; cf. Sg 2.1-5.   **89.53** Béni soit le Seigneur... Ps 28.6+.

QUATRIÈME LIVRE (Ps 90—106)

PSAUME 90 (89)

¹ *Prière, de Moïse l'homme de Dieu.*

> Seigneur, d'âge en âge
> tu as été notre abri.

² Avant que les montagnes naissent
et que tu enfantes la terre et le monde,
depuis toujours, pour toujours, tu es Dieu.

³ Tu fais retourner l'homme à la poussière,
car tu as dit : « Fils d'Adam, retournez-y ! »
⁴ Oui, mille ans, à tes yeux,
sont comme hier, un jour qui s'en va,
comme une heure de la nuit.

⁵ Tu les balayes *ʰ*, pareils au sommeil,
qui, au matin, passe comme l'herbe ;
⁶ elle fleurit le matin, puis elle passe ;
elle se fane sur le soir, elle est sèche.

⁷ Oui, nous avons été achevés par ta colère,
épouvantés par ta fureur.
⁸ Tu as placé nos fautes en ta présence,
nos secrets à la clarté de ta face.

⁹ Oui, devant ta fureur s'effacent tous nos jours ;
le temps d'un soupir, nos années s'achèvent :
¹⁰ Soixante-dix ans c'est la durée de notre vie,
quatre-vingts, si elle est vigoureuse.
Son agitation n'est que peine et misère ;
c'est vite passé, et nous nous envolons.

¹¹ Qui peut connaître la force de ta colère ?
Plus on te craint, mieux on connaît ton courroux !
¹² Alors, apprends-nous à compter nos jours,
et nous obtiendrons la sagesse du *cœur *ⁱ*.

¹³ Reviens, SEIGNEUR ! Jusqu'à quand ?
ravise-toi en faveur de tes serviteurs.
¹⁴ Dès le matin, rassasie-nous de ta fidélité,
et nous crierons de joie nos jours durant.

¹⁵ Rends-nous en joie tes jours de châtiment,
les années où nous avons vu le malheur.
¹⁶ Que ton action soit visible pour tes serviteurs,
et ta splendeur pour leurs fils !

¹⁷ Que la douceur du Seigneur notre Dieu soit sur nous !
Consolide pour nous l'œuvre de nos mains,
oui, consolide cette œuvre de nos mains.

---

h tu les balayes: il s'agit sans doute des *fils d'Adam* (v. 3), c'est-à-dire des humains ● *i nous obtiendrons la sagesse du cœur :* le texte hébreu est obscur et la traduction incertaine

90.1 Moïse, homme de Dieu Dt 33.1. **90.2** avant même la création Gn 1.1-2; Jb 38.4-7; Pr 8.22-31; Jn 1.1-5 — depuis toujours Ps 93.2; Ha 1.12. **90.3** retourner à la poussière Ps 104.29; Gn 3.19; Jb 34.15; Qo 3.20; 12.7 — mille ans comme un jour 2 P 3.8. **90.5-6** éphémère comme l'herbe Ps 37.2; 103.15-16; Es 40.6-7; Jb 14.2; Jc 1.10-11. **90.10** c'est vite passé Qo 12.1-7; Si 18.9-10. **90.12** compter nos jours cf. Ga 6.10 — respect du Seigneur et sagesse Pr 1.7. **90.13** Reviens, Seigneur! Ps 6.5 — jusqu'à quand? Ps 6.4+. **90.14** rassasiés Ps 17.15.

PSAUME 91 (90)

¹ Celui qui habite là où se cache le Très-Haut
passe la nuit à l'ombre du Dieu-Souverain.

² — Je dis du SEIGNEUR ʲ : « Il est mon refuge, ma forteresse,
mon Dieu : sur lui je compte ! » —

³ C'est lui qui te délivre du filet du chasseur
et de la peste pernicieuse.

⁴ De ses ailes il te fait un abri
et sous ses plumes tu te réfugies.
Sa fidélité est un bouclier et une armure.

⁵ Tu ne craindras ni la terreur de la nuit,
ni la flèche qui vole au grand jour,

⁶ ni la peste qui rôde dans l'ombre,
ni le fléau qui ravage en plein midi.

⁷ S'il en tombe mille à ton côté
et dix mille à ta droite,
toi, tu ne seras pas atteint.

⁸ Ouvre seulement les yeux
et tu verras comment sont payés les infidèles.

⁹ Oui, SEIGNEUR, c'est toi mon refuge ! —
Tu as fait du Très-Haut ta demeure,

¹⁰ il ne t'arrivera pas de malheur,
aucun coup ne menacera ta tente,

¹¹ car il chargera ses *anges
de te garder en tous tes chemins.

¹² Ils te porteront dans leurs bras
pour que ton pied ne heurte pas de pierre ;

¹³ tu marcheras sur le lion et la vipère,
tu piétineras le tigre et le dragon.

¹⁴ — Puisqu'il s'attache à moi, je le libère ᵏ,
je le protégerai car il connaît mon nom.

¹⁵ S'il m'appelle, je lui répondrai,
je serai avec lui dans la détresse ;
je le délivrerai et le glorifierai ;

¹⁶ je le comblerai de longs jours
et je lui manifesterai mon salut.

PSAUME 92 (91)

¹ *Psaume, chant ; pour le jour du *sabbat.*

² Qu'il est bon de célébrer le SEIGNEUR
et de chanter pour ton nom, Dieu Très-Haut !

³ de proclamer dès le matin ta fidélité
et ta loyauté durant les nuits,

⁴ sur le luth et sur la harpe,
au son de la cithare ˡ.

---

j Je dis du SEIGNEUR: ce psaume se déroule comme un dialogue entre un catéchète et un
fidèle ; aux v. 2 et 9a le fidèle exprime son assentiment à l'enseignement qu'il reçoit ● *k je le libère*
ou *je l'ai libéré;* à partir du v. 14 c'est Dieu qui prend la parole ; il parle du fidèle qui s'est
exprimé aux v. 2 et 9a ● *l luth, harpe, cithare:* ces noms traduisent approximativement trois termes
hébreux désignant des instruments de musique à cordes

91.2 Refuge, forteresse cf. Ps 27.1+ ; 62.3, 8 — compter sur Dieu Ps 9.11+ ; 55.24. **91.3** délivré
du filet Ps 124.7+ ; cf. 9.16+. **91.4** à l'abri sous ses ailes Dt 32.11 ; Ps 17.8+. **91.11** il chargera
ses anges... Mt 4.6. **91.13** dangers neutralisés Jb 5.19-22 — piétiner... le dragon Lc 10.19. **91.16**
je lui manifesterai mon salut Ps 50.23. **92.3** dès le matin Ps 59.17; 88.14 — durant les nuits Ps
16.7; 77.7; 119.55; Es 26.9. **92.4** louer Dieu en musique Ps 33.2; 57.9; 147.7+.

⁵ Car ton action me réjouit, SEIGNEUR !
et devant les œuvres de tes mains, je crie de joie.
⁶ Que tes œuvres sont grandes, SEIGNEUR,
et insondables tes desseins !

⁷ L'homme stupide n'y connaît rien,
l'esprit borné n'y comprend rien.
⁸ Si les infidèles poussent comme l'herbe,
si tous les malfaisants fleurissent,
c'est pour être supprimés à tout jamais.

⁹ Mais toi, là-haut,
tu es pour toujours le SEIGNEUR.
¹⁰ Voici que tes ennemis, SEIGNEUR !
voici que tes ennemis vont périr,
et tous les malfaisants se disperser.

¹¹ Tu as relevé mon front comme la corne du buffle,
et je baigne dans l'huile fraîche ᵐ.
¹² Mon œil repère ceux qui m'espionnent ⁿ ;
et les méchants qui m'attaquent,
mon oreille les entend.

¹³ Le juste pousse comme un palmier,
s'étend comme un cèdre du Liban :
¹⁴ planté dans la maison du SEIGNEUR,
il pousse dans les *parvis de notre Dieu.

¹⁵ Même âgé, il fructifie encore,
il reste plein de sève et de verdeur,
¹⁶ proclamant la droiture du SEIGNEUR :
« Il est mon rocher ! En lui pas de détours ! »

PSAUME 93 (92)

¹ Le SEIGNEUR est roi.
Il est vêtu de majesté.
Le SEIGNEUR est vêtu,
avec la force pour baudrier.

Oui, le monde reste ferme, inébranlable.
² Depuis lors ton trône est ferme ;
depuis toujours tu es.

³ Les flots ont enflé, SEIGNEUR !
les flots ont enflé leur voix ;
les flots enflent leur fracas.

⁴ Plus que la voix des grandes eaux,
et des vagues superbes de la mer,
superbe est le SEIGNEUR dans les hauteurs !

---

m la corne du buffle : l'image symbolise la force que Dieu a rendue au fidèle — je baigne dans l'huile fraîche : image de la prospérité retrouvée ● n ceux qui m'espionnent : on traduit ainsi un terme qui ne se retrouve nulle part ailleurs dans l'A.T. et que les anciennes versions grecque et syriaque ont compris comme signifiant mes ennemis

92.6 desseins insondables Ps 139.17-18.   **92.8** prospérité et disparition des infidèles Ps 37.35-36; 73.3-20.   **92.9** Seigneur pour toujours Ps 90.2.   **92.11** front relevé Ps 75.11 — huile fraîche Ps 23.5.   **92.13** prospérité du juste Ps 1.3.   **92.14** planté dans la maison du Seigneur Ps 52.10.   **92.15** même âgé... Ps 103.5.   **92.16** mon rocher Ps 28.1+.   **93.1** le Seigneur est roi Ps 29.10; 47.9; 59.14; 96.10; 97.1; 99.1; 145.1; 146.10; Ex 15.18; Za 14.9; 52.7; 1 Ch 16.31; Ap 19.6; cf. Ps 9.8+ — vêtu de majesté Ps 104.1+ — inébranlable cf. Ps 125.1.   **93.2** ton trône Ps 47.9+ — depuis toujours tu es Ps 90.2; Ha 1.12.   **93.4** le Seigneur domine les éléments révoltés Ps 29.10; Jb 38.8.

⁵ Tes décrets sont vraiment sûrs.
La *sainteté est l'apanage ᵒ de ta maison,
SEIGNEUR, pour la suite des temps.

PSAUME 94 (93)

¹ SEIGNEUR, Dieu qui venges !
révèle-toi, Dieu qui venges !
² Lève-toi, juge de la terre,
rends leur dû aux orgueilleux.

³ Pour combien de temps, SEIGNEUR, ces impies ?
combien de temps les impies vont-ils triompher ?
⁴ Ils fanfaronnent, ils disent des insolences,
ils se vantent, tous ces malfaisants.

⁵ Ils écrasent ton peuple, SEIGNEUR !
ils humilient ceux de ton héritage ;
⁶ ils massacrent la veuve et l'immigré,
ils assassinent les orphelins.

⁷ Ils disent : « Le SEIGNEUR n'y voit rien ;
le Dieu de Jacob ne sait rien ! »
⁸ Gens stupides entre tous, sachez-le ;
esprits bornés, comprendrez-vous un jour ?

⁹ Il a planté l'oreille, ne peut-il pas entendre ?
Il a façonné l'œil, ne peut-il regarder ?
¹⁰ Il a corrigé des nations, ne peut-il punir ?
Lui qui a donné à l'homme la connaissance,
¹¹ le SEIGNEUR connaît la vanité des projets de l'homme.

¹² Heureux l'homme que tu corriges, SEIGNEUR,
que tu enseignes par ta loi,
¹³ pour le reposer des mauvais jours
pendant que se creuse une fosse pour les impies.

¹⁴ Car le SEIGNEUR ne délaisse pas son peuple,
il n'abandonne pas son héritage :
¹⁵ on jugera de nouveau selon la justice,
et tous les cœurs droits s'y conformeront.

¹⁶ Qui va plaider ma cause contre ces méchants,
prendre mon parti contre ces malfaisants ?
¹⁷ Si le SEIGNEUR ne m'avait secouru,
le Silence ᵖ devenait bientôt ma demeure.

¹⁸ Quand je disais : « Je vais tomber ! »,
ta fidélité, SEIGNEUR, me soutenait.
¹⁹ Quand mille soucis m'envahissaient,
je savourais ton réconfort.

---

o tes décrets: un des termes utilisés pour désigner les commandements de Dieu — l'apanage ou
le privilège ● p le Silence: désignation poétique du *séjour des morts, comme en Ps 115.17

93.5 pour la suite des temps 1 R 8.13. **94.1** Dieu qui venge Dt 32.35; Es 35.4; Na 1.2; Rm
12.19; 1 Th 4.6. **94.2** lève-toi Ps 3.8+ — juge de la terre Gn 18.25; cf. Ps 9.20; 50.6; 75.8;
76.9. **94.3** pour combien de temps? Ps 6.4+. **94.4** discours arrogants des impies Ps 73.3-12.
94.6 la veuve, l'immigré, les orphelins Ex 22.20-21; Dt 24.17, 19-21. **94.7** « le Seigneur n'y
voit rien » Ps 10.11; 73.11. **94.9** il a planté l'oreille... Ex 4.11; Pr 20.12. **94.11** le Seigneur
connaît... 1 Co 3.20 — vanité des projets humains Qo 1.2. **94.12** Heureux l'homme que le
Seigneur corrige Ps 119.71; Jb 5.17. **94.14** le Seigneur ne délaisse pas son peuple 1 S 12.22;
Si 47.22; Rm 11.1-2. **94.16** plaider ma cause... Ps 43.1. **94.17** si le Seigneur ne m'avait secouru
Ps 124.1-5.

²⁰ Serait-il ton complice, ce trône criminel
   qui crée la misère au mépris des lois *q* ?
²¹ Ils s'attaquent à la vie du juste,
   ils déclarent coupable une victime innocente.

²² Mais le Seigneur est devenu ma forteresse ;
   mon Dieu est le rocher où je me réfugie.
²³ Il leur a rendu leur crime ;
   il les anéantit par leur propre méchanceté ;
   il les anéantit, le Seigneur notre Dieu.

PSAUME 95 (94)

¹ Venez ! crions de joie pour le Seigneur,
  acclamons le rocher qui nous sauve ;
² présentons-nous devant lui en rendant grâce,
  acclamons-le avec des hymnes.

³ Car le Seigneur est le grand Dieu,
  le grand roi au-dessus de tous les dieux.
⁴ Il tient dans sa main les gouffres de la terre ;
  les crêtes des montagnes sont à lui.
⁵ A lui la mer, c'est lui qui l'a faite,
  et les continents que ses mains ont formés !

⁶ Entrez ! allons nous incliner, nous prosterner ;
  à genoux devant le Seigneur qui nous a faits !

⁷ Car il est notre Dieu ;
  nous sommes le peuple qu'il fait paître,
  le troupeau qu'il garde.

   — Aujourd'hui, pourvu que vous obéissiez à sa voix !
⁸ Ne durcissez pas votre cœur comme à Mériba,
  comme au jour de Massa dans le désert,
⁹ où vos pères m'ont défié et mis à l'épreuve *r*,
  alors qu'ils m'avaient vu à l'œuvre.

¹⁰ Pendant quarante ans cette génération m'a écœuré,
   et j'ai dit : « C'est un peuple à l'esprit égaré ;
   ils ne connaissent pas mes chemins. »
¹¹ Alors, dans ma colère, je l'ai juré :
   « Non, ils n'entreront pas dans mon lieu de repos ! »

---

q Autre traduction possible *qui crée des peines contraires aux lois* ● *r* défié et *mis à l'épreuve* :
en hébreu ces deux verbes évoquent les noms de *Mériba* (discorde, contestation) et *Massa*
(tentation, épreuve) mentionnés au v. 8

94.21 l'innocent déclaré coupable Pr 17.15. **94.22** le Seigneur, ma forteresse... Ps 18.3+ —
rocher Ps 28.1+. **94.23** anéantis par leur propre méchanceté Ps 7.17+. **95.1-2** invitation
à la louange Ps 81.2; 100; 105.1-6; 106.1; 107.1; 113.1; 117; 118.1; 135.1-3; 136.1-3; 147.1; 148;
149.1-3; 150. **95.3** grandeur de Dieu Ps 77.14+ — Dieu roi Ps 5.3+; 9.8+; 24.7; 47.3-8; 99.4;
Jr 10.7, 10; Za 14.9; Ml 1.14; 1 Tm 1.17; 6.15; Ap 17.14; 19.16; cf. Ps 93.1+ — au-dessus de tous
les dieux Ps 96.4; 97.9. **95.4-5** Dieu maître de toute la terre Ps 24.1+. **95.6** entrez! Ps 100.4.
95.7-11 passage cité en He 3.7-11. **95.7** son peuple, son troupeau Ps 100.3; Ez 34.11-12 —
pourvu que vous obéissiez Ps 81.9, 14-15; Es 48.18-19. **95.8-9** Massa et Mériba Ex 17.1-7;
Dt 33.8 — à Mériba Nb 20.2-13; Ps 81.8; 106.32 — à Massa Dt 6.16; 9.22. **95.9** Dieu mis à
l'épreuve Ps 78.18+. **95.10** quarante ans au désert Ex 16.35; Nb 14.33-34; 32.13; Dt 2.7;
29.4; Am 2.10. **95.11** le serment de Dieu Ps 106.26; Nb 14.30; He 3.18 — mon lieu de repos
Dt 12.9.

PSAUME 96 (95)

(Voir Ps 105; 106; 1 Ch 16.23-33)

1 Chantez au SEIGNEUR un chant nouveau,
chantez au SEIGNEUR, terre entière ;
2 chantez au SEIGNEUR, bénissez son *nom !

Proclamez son salut de jour en jour ;
3 annoncez sa gloire parmi les nations,
ses merveilles parmi tous les peuples !

4 Car le SEIGNEUR est grand et comblé de louanges,
il est terrible et supérieur à tous les dieux :
5 toutes les divinités des peuples sont des vanités *s*.

Le SEIGNEUR a fait les cieux.
6 Splendeur et éclat sont devant sa face,
force et majesté *t* dans son *sanctuaire.

7 Donnez au SEIGNEUR, familles des peuples ;
donnez au SEIGNEUR gloire et force ;
8 donnez au SEIGNEUR la gloire de son nom.

Apportez votre offrande, entrez dans ses *parvis ;
9 prosternez-vous devant le SEIGNEUR, quand éclate sa *sainteté *u* ;
tremblez devant lui, terre entière.

10 Dites parmi les nations : « Le SEIGNEUR est roi.
Oui, le monde reste ferme, inébranlable.
Il juge les peuples avec droiture. »

11 Que les *cieux se réjouissent, que la terre exulte,
et que grondent la mer et ses richesses !
12 Que la campagne tout entière soit en fête,
que tous les arbres des forêts crient alors de joie,
13 devant le SEIGNEUR, car il vient,
car il vient pour gouverner la terre.
Il gouvernera le monde avec justice
et les peuples selon sa loyauté.

PSAUME 97 (96)

1 Le SEIGNEUR est roi.
Que la terre exulte,
que tous les rivages se réjouissent !

2 Ténèbres et nuée l'entourent ;
la justice et le droit sont les bases de son trône.

---

s divinités... vanités: la traduction essaie de rendre ainsi le jeu de mots que l'on trouve en hébreu entre les deux termes correspondants, et qu'on pourrait aussi traduire *dieux... insignifiants* ● *t force et majesté:* l'ensemble de ces deux termes abstraits peut désigner ici l'*arche de l'alliance (voir Ps 78.61 et la note) ● *u quand éclate ta sainteté:* traduction incertaine (voir Ps 29.2 et la note)

96.1 chant nouveau Ps 33.3+ — chantez... au Seigneur Ps 9.12; 30.5; 47.7; 66.2; 68.5; 81.2; 135.3; Ex 15.21; 1 Ch 16.9, 23.   96.2 proclamer son salut (sa victoire) Ps 98.2.   96.3 parmi les peuples Ps 9.12+.   96.4 grand, comblé de louanges Ps 48.2; 145.3; cf. 99.2 — terrible Ps 47.3+ — supérieur à tous les dieux Ps 95.3+.   96.5 des vanités Ps 97.7; 115.4-8; 1 Co 8.4-6 — le Seigneur a fait les cieux Gn 1.6-8; cf. Ps 121.2+.   96.6 splendeur et éclat Ps 104.1.   96.7 donnez gloire au Seigneur Ps 29.1-2.   96.9 prosternez-vous Ps 99.9 — parmi les nations Ps 9.12+.   96.10 le Seigneur est roi Ps 93.1+ — le monde reste ferme Ps 93.1 — le Seigneur juge les peuples avec droiture Ps 9.9; cf. 98.9.   96.11 que les cieux... Es 44.23; 49.13; Ap 12.12; 18.20 — que la terre... Ps 97.1 — que la mer... Ps 98.7; Es 42.10-12.   96.12 que tous les arbres... Es 55.12.   96.13 le Seigneur vient gouverner la terre Ps 98.9.   97.1 le Seigneur est roi Ps 93.1+ — que la terre exulte Ps 96.11 — que tous les rivages... cf. Es 42.10-12.   97.2 ténèbres et nuées Ps 18.9-12; Ex 19.16-18; Dt 4.11; 5.22 — justice et droit Es 9.6+.

³ Un feu marche devant lui,
    dévorant à l'entour ses adversaires.

⁴ Ses éclairs ont illuminé le monde ;
    la terre l'a vu, elle a tremblé ;
⁵ les montagnes, comme la cire,
    ont fondu devant le SEIGNEUR,
    devant le Seigneur de toute la terre.

⁶ Les *cieux ont proclamé sa justice,
    et tous les peuples ont vu sa gloire :
⁷ « Honte à tous les idolâtres,
    qui se vantent des vanités ;
    prosternez-vous devant lui,
    vous toutes les divinités ᵛ ! »

⁸ *Sion l'a entendu, elle se réjouit ;
    les villes de Juda exultent
    à cause de tes jugements, SEIGNEUR !
⁹ Car c'est toi, SEIGNEUR,
    le Très-Haut sur toute la terre,
    dominant de haut tous les dieux.

¹⁰ Vous qui aimez le SEIGNEUR, haïssez le mal.
    Il garde la vie de ses fidèles,
    les délivrant de la main des impies.

¹¹ Pour le juste une lumière est semée ;
    et c'est une joie pour les *cœurs droits.
¹² Justes, réjouissez-vous à cause du SEIGNEUR,
    célébrez-le en évoquant sa *sainteté.

PSAUME 98 (97)

¹ *Psaume.*

    Chantez au SEIGNEUR un chant nouveau,
    car il a fait des merveilles.
    Sa droite, son bras très saint
    l'ont rendu vainqueur.

² Le SEIGNEUR a fait connaître sa victoire ;
    aux yeux des nations il a révélé sa justice.
³ Il s'est rappelé sa fidélité, sa loyauté,
    en faveur de la maison d'Israël ʷ.
    Jusqu'au bout de la terre, on a vu
    la victoire de notre Dieu.

⁴ Acclamez le SEIGNEUR, terre entière ;
    faites éclater vos chants de joie et vos musiques ;

---

v qui se vantent... vanités... divinités: on a ici un jeu de mots analogue à celui du Ps 96.5 (voir ce passage et la note) — *toutes les divinités:* l'ancienne version grecque a compris *tous les anges,* et c'est sous cette dernière forme que le verset est cité en He 1.6 ● *w la maison d'Israël:* expression sémitique fréquente dans l'A.T. et qui désigne ici l'ensemble du peuple d'Israël, considéré comme une grande famille

97.3 un feu devant lui Ps 50.3+ — dévorant Ps 106.18. **97.4** ses éclairs Ps 77.19 — la terre a tremblé Ps 96.9. **97.5** comme la cire Ps 68.3+. **97.6** les cieux ont proclamé Ps 19.2 sa justice Ps 50.6. **97.7** vanités (faux dieux) Ps 96.5+ — prosternez-vous He 1.6. **97.8** réjouissance de Sion et des villes de Juda Ps 48.12. **97.9** c'est toi... le Très-Haut Ps 83.19 — sur toute la terre Ps 47.3 — dominant tous les dieux Ps 95.3+. **97.11** une lumière Ps 112.4; Es 58.10 — Justes, réjouissez-vous Ps 32.11. **97.12** en évoquant sa sainteté Ps 30.5. **98.1** chant nouveau Ps 33.3+ — il a fait des merveilles Ps 86.10; Ex 34.10; Lc 1.49 — sa (main) droite Ps 17.7+ — son bras Es 59.16; 63.5. **98.2** le Seigneur a fait connaître sa victoire Ps 67.3; Es 49.6; Lc 2.30-32. **98.3** fidélité et loyauté Voir Ps 25.10+ envers Israël Lc 1.54 — jusqu'au bout de la terre Es 52.10; Lc 3.6. **98.4** acclamation universelle Ps 66.1; 100.1.

⁵ jouez pour le Seigneur sur la cithare *,
sur la cithare, au son des instruments.
⁶ Avec les trompettes, au son du cor,
acclamez le roi, le Seigneur.
⁷ Que grondent la mer et ses richesses,
le monde et ses habitants !
⁸ Que les fleuves battent des mains,
qu'avec eux les montagnes crient de joie
⁹ devant le Seigneur, car il vient
pour gouverner la terre.
Il gouvernera le monde avec justice
et les peuples avec droiture.

PSAUME 99 (98)

¹ Le Seigneur est roi :
Que les peuples tremblent !
Il siège sur les *chérubins :
que la terre frémisse !

² Le Seigneur est grand dans *Sion,
et il domine tous les peuples :
³ qu'ils célèbrent ton nom grand et terrible !
Il est saint !

⁴ La force d'un roi c'est d'aimer le droit.
C'est toi qui as établi l'ordre.
Le droit et la justice en Jacob ʸ,
c'est toi qui les as faits :
⁵ Exaltez le Seigneur notre Dieu,
prosternez-vous devant son piédestal !
Il est *saint !

⁶ Moïse et Aaron parmi ses prêtres,
et Samuel parmi ceux qui invoquaient son *nom,
faisaient appel au Seigneur,
et il leur répondait.
⁷ Dans la colonne de nuée il leur parlait.
Ils ont gardé ses institutions,
et les lois qu'il leur avait données.

⁸ Seigneur notre Dieu, tu leur répondis toi-même,
tu fus pour eux un Dieu patient
mais qui se vengeait de leurs méfaits ᶻ :

⁹ Exaltez le Seigneur notre Dieu ;
prosternez-vous vers sa montagne sainte,
car il est saint, le Seigneur notre Dieu !

---

x cithare: voir Ps 92.4 et la note ● y Jacob: voir Ps 44.5 et la note ● z de leurs méfaits: il
s'agit sans doute des méfaits commis par le peuple. Voir pourtant Nb 20.12, 24; 27.14; on
pourrait alors penser que le psaume fait allusion aux fautes commises par Moïse et Aaron

98.5 jouer (de la musique) pour le Seigneur Ps 147.7 + . 98.6 Dieu roi Ps 47.3, 7-9; 93.1 +.
98.7 que gronde la mer... Ps 96.11. 98.9 le Seigneur vient gouverner la terre... Ps 67.5; 96.13
— il gouvernera le monde avec justice Ps 9.9 + ; cf. Ac 17.31 — et les peuples avec droiture
Ps 96.10. 99.1 le Seigneur est roi Ps 93.1 + — il siège sur les chérubins Ps 18.11 +. 99.2 le
Seigneur est grand Ps 96.4 dans Sion Es 12.6 — il domine tous les peuples Ps 113.4 +. 99.3 ton
nom est grand Ps 76.2 +. 99.4 la force d'un roi... Pr 16.12 — l'auteur du droit en Israël Ps 11.7;
cf. 72.1-2. 99.5 exaltez le Seigneur Ps 107.32 — prosternez-vous... Ps 132.7. 99.6 Moïse et
Aaron Ex 28.1; voir Ps 77.21 + — et Samuel Jr 15.1 — appel à Dieu et réponse Ps 107.6 + ;
118.5; Ex 19.19; 33.11; 1 S 7.9; 12.18; Si 46.16; cf. Ps 3.5 +. 99.7 colonne de nuée Ex 33.9;
Nb 12.5. 99.8 un Dieu patient Ex 34.6. 99.9 exalter le Seigneur Ex 15.2; Es 25.1 — prosternez-vous... Ps 97.7 — vers sa montagne sainte Ps 3.5; Dn 6.11; cf. Ps 121.1 — il est saint v. 3, 5;
Lv 19.2; Es 6.3.

PSAUME 100 (99)

¹ *Psaume pour l'action de grâce.*

Acclamez le SEIGNEUR, terre entière ;
² servez le SEIGNEUR avec joie ;
entrez devant lui avec allégresse.

³ Reconnaissez que le SEIGNEUR est Dieu.
Il nous a faits et nous sommes à lui *ᵃ*,
son peuple et le troupeau de son pâturage.

⁴ Entrez par ses portes en rendant grâce,
dans ses *parvis en le louant ;
célébrez-le, bénissez son nom.

⁵ Car le SEIGNEUR est bon :
sa fidélité est pour toujours,
et sa loyauté s'étend d'âge en âge.

PSAUME 101 (100)

¹ *De David. Psaume.*

Je veux chanter la fidélité et le droit
et jouer pour toi, SEIGNEUR *ᵇ* !
² Je veux progresser dans l'intégrité :
quand viendras-tu vers moi *ᶜ* ?
En ma maison je saurai me conduire,
le cœur intègre.

³ Je n'aurai de regard
pour aucune chose funeste *ᵈ*.
Je haïrai l'apostasie,
elle n'aura pas prise sur moi.

⁴ Loin de moi le *cœur tortueux :
le mal, je ne veux pas le connaître.

⁵ Celui qui diffame les autres en secret,
je le réduirai au silence.
Le regard hautain, le cœur ambitieux,
je ne puis les tolérer.

⁶ Je distinguerai les hommes sûrs du pays
pour qu'ils siègent à mes côtés.
Celui qui a une conduite intègre,
celui-là sera mon ministre.

⁷ Il ne siégera pas en ma maison,
l'homme habile à tromper.

---

a à lui: autre texte (manuscrits hébreux, anciennes versions grecque et syriaque) *c'est lui qui nous a faits, ce n'est pas nous* • *b jouer pour toi:* voir Ps 68.33 et la note • *c* Autre traduction *quand viendras-tu pour moi?* • *d chose funeste:* autres traductions possibles *mauvais procédé* ou *agissement de vaurien* ou encore *pratique démoniaque*

100.1 acclamation universelle Ps 98.4+. **100.2** servir Dt 28.47 avec joie Ps 68.4 ; Ne 8.10 — avec allégresse Ps 47.2 ; 95.1. **100.3** reconnaître le Seigneur comme Dieu Ps 31.15 ; 105.7 ; Dt 4.39 ; 1 R 18.36 ; Ez 6.7 ; Mt 6.9 — il nous a faits Ps 149.2 ; Dt 32.6 ; Ep 2.10 — son peuple et son troupeau Ps 79.13 ; 95.7 ; Ez 34.31 ; cf. Jn 10.16. **100.4** entrer dans la maison du Seigneur Ps 5.8 ; 118.19 en rendant grâce Ps 116.17-19 — bénissez son nom Ps 96.2. **100.5** le Seigneur est bon Ps 106.1+ — fidélité éternelle Ps 103.17+ — sa loyauté Ps 117.2. **101.1** fidélité et droit Mi 6.8 — jouer (de la musique) pour le Seigneur Ps 147.7+. **101.2** intégrité v. 6 ; Ps 119.1 ; Pr 11.20 — en ma maison Jos 24.15 ; 1 Tm 3.4 — cœur intègre Ps 78.72 ; 1 R 9.4. **101.3** pas un regard Es 33.15 — je haïrai Pr 8.13 ; Jude 23. **101.4** cœur tortueux Pr 11.20. **101.5** diffamation Lv 19.16 ; cf. Ps 50.20 — regard hautain Ps 18.28 ; 131.1 ; Es 2.11 ; Pr 21.4. **101.6** conduite intègre Ps 15.2. **101.7** l'homme habile à tromper Ps 26.4-5 ; 52.4.

Le diseur de mensonges
ne tiendra pas devant mon regard.

⁸ Chaque matin je réduirai au silence
tous les méchants du pays,
en extirpant de la ville du SEIGNEUR
tous les malfaisants.

PSAUME 102 (101)

¹ *Prière du malheureux qui défaille et se répand en plaintes*
devant le SEIGNEUR.

² SEIGNEUR, écoute ma prière,
que mon cri parvienne jusqu'à toi !
³ Ne me cache pas ton visage
au jour de ma détresse.
Tends vers moi l'oreille.
Le jour où j'appelle,
vite, réponds-moi.

⁴ Car mes jours sont partis en fumée,
mes os ont brûlé comme un brasier.
⁵ Comme l'herbe coupée,
mon cœur se dessèche ;
j'en oublie de manger mon pain.
⁶ A force de gémir,
je n'ai plus que la peau sur les os.

⁷ Je ressemble au choucas du désert,
je suis comme le hibou des ruines.
⁸ Je reste éveillé, et me voici
comme l'oiseau solitaire sur un toit.

⁹ Tout le jour mes ennemis m'outragent,
furieux contre moi, ils jurent sur ma tête.
¹⁰ Comme pain je mange de la cendre,
et je mêle des larmes à ma boisson.

¹¹ Par ton indignation et ton courroux
tu m'as soulevé et rejeté.
¹² Mes jours s'en vont comme l'ombre,
et je me dessèche comme l'herbe.

¹³ Mais toi, SEIGNEUR, tu sièges pour toujours,
et tous les âges feront mention de toi.
¹⁴ Tu te lèveras, par amour pour *Sion,
car il est temps d'en avoir pitié :
oui, le moment est venu !
¹⁵ Tes serviteurs tiennent à ses pierres,
et sa poussière leur fait pitié.

¹⁶ Les nations craindront le nom du SEIGNEUR,
et tous les rois de la terre, ta gloire,

101.8 élimination des malfaisants Lv 20.6; Es 52.1; Ap 21.27. **102.1** plaintes devant le Seigneur Ps 142.3. **102.2** écoute ma prière Ps 39.13; 84.9; 143.1 — jusqu'à toi Ps 18.7; 88.3; 119.169. **102.3** ne me cache pas ton visage Ps 27.9+ — au jour de ma détresse Ps 77.3+ — tends vers moi l'oreille Ps 71.2+ — le jour où j'appelle Ps 56.10; cf. Ps 3.5+ — vite Ps 31.3+. **102.4** nos jours partis en fumée Ps 90.9; Jc 4.14 — mes os ont brûlé Jb 30.30. **102.5** comme l'herbe Ps 90.6; Es 40.7 — j'en oublie de manger 1 S 1.7. **102.6** gémir Ps 6.7; 31.11; Lm 1.21. **102.9** mes ennemis m'outragent Ps 42.11; 44.17 — ils jurent sur ma tête Es 65.15. **102.10** pain et larmes Ps 42.4+. **102.11** ton indignation et ton courroux Na 1.6. **102.12** mes jours s'en vont Ps 90.9; 103.15; 109.23; 144,4; Jb 14.1-2. **102.13** tu sièges pour toujours Ps 9.8; Lm 5.19 — tous les âges Ps 135.13; Ex 3.15. **102.14** pitié Ps 67.2; 135.14; Dt 32.36; Es 14.1; Jr 31.20; Ez 39.25; Am 5.15 — le moment est venu Ps 69.14; 119.126. **102.15** pierres et poussière de Jérusalem Es 52.2; Lm 4.1; cf. Dn 9.17; Ne 2.3. **102.16** rois et nations devant le Seigneur Es 59.19; 66.18.

¹⁷ quand le Seigneur rebâtira Sion
et deviendra visible dans sa gloire,
¹⁸ quand il se tournera vers la prière des spoliés
et cessera de les repousser.

¹⁹ Que cela soit écrit pour la génération suivante,
et un peuple recréé louera le Seigneur :
²⁰ Il s'est penché du haut de son *sanctuaire ;
le Seigneur, depuis les cieux, a regardé la terre,
²¹ pour écouter le gémissement des prisonniers
et relâcher les condamnés à mort.

²² On publiera le *nom du Seigneur dans Sion
et sa louange dans Jérusalem,
²³ quand se réuniront peuples et royaumes
pour servir le Seigneur.

²⁴ Il a réduit mes forces ᵉ en pleine course ;
il a abrégé mes jours.
²⁵ Mon Dieu, ai-je dit ᶠ,
ne m'enlève pas au milieu de mes jours !

Tes années couvrent tous les siècles.
²⁶ Autrefois tu as fondé la terre,
et les cieux sont l'œuvre de tes mains.
²⁷ Ils périront, toi tu resteras.
Ils s'useront tous comme un vêtement,
tu les remplaceras comme un habit,
et ils céderont la place.

²⁸ Voilà ce que tu es, et tes années ne finissent pas.
²⁹ Les fils de tes serviteurs s'établiront,
et leurs descendants se maintiendront devant toi.

PSAUME 103 (102)

¹ De David.

Bénis le Seigneur, ô mon âme,
que tout mon cœur bénisse son saint *nom !
² Bénis le Seigneur, ô mon âme,
et n'oublie aucune de ses largesses !

³ C'est lui qui pardonne entièrement ta faute
et guérit tous tes maux.
⁴ Il réclame ta vie à la *fosse
et te couronne de fidélité et de tendresse.

---

e mes forces: d'après le texte hébreu que la tradition juive considère comme « à lire » et plusieurs versions anciennes — texte hébreu « écrit » et ancienne version grecque: *sa force* ● *f* Les versions grecque et syriaque ont lié la fin du v. 24 et le début du v. 25; elles ont compris *la brièveté de mes jours, fais-la moi savoir*

102.17 rebâtir Sion Ps 51.20; 147.2; cf. Jr 30.18 — la gloire du Seigneur Es 60.1. **102.18** attentif à la prière des pauvres Ps 22.25; 69.34; 1 R 8.28. **102.19** pour la génération suivante Ps 22.31-32 — un peuple recréé Es 43.1, 21. **102.20** le Seigneur s'est penché Ps 14.2 — il a regardé la terre Ps 11.4+; Dt 26.15; Es 63.15. **102.21** gémissement des prisonniers Ps 79.11. **102.23** peuples réunis pour servir le Seigneur Ps 86.9; Es 45.14; 60.3; Ml 1.11; Ap 15.4; 21.24. **102.24** jours abrégés Ps 89.46. **102.25** les années de Dieu v. 28; Ps 90.2, 4. **102.26-28** usure du ciel et de la terre Es 34.4; 51.6-8; He 1.10-12. **102.27** cieux remplacés Es 65.17; cf. 2 P 3.10; Ap 20.11. **102.29** les fils de tes serviteurs Ps 69.37; Ez 37.25. **103.1** mon âme, bénis le Seigneur v. 22; Ps 104.1, 35 — que mon cœur bénisse... Ps 145.21; cf. Dt 6.5 son saint nom Ps 105.3; 106.47; Lc 1.49. **103.2** n'oublie pas... Dt 6.12; 8.11. **103.3** celui qui pardonne entièrement Ps 130.8; Ex 34.9; Mt 9.6; et guérit Ps 30.3; Es 53.5; Jr 3.22. **103.4** arraché à la mort Ps 107.20; Es 38.17; Jon 2.7.

⁵ Il nourrit de ses biens ta vigueur ⁹,
et tu rajeunis comme l'aigle.
⁶ Le Seigneur accomplit des actes de justice,
il fait droit à tous les exploités.
⁷ Il révèle ses chemins à Moïse
et aux fils d'Israël ses hauts faits.
⁸ Le Seigneur est miséricordieux et bienveillant,
lent à la colère et plein de fidélité.
⁹ Il n'est pas toujours en procès
et ne garde pas rancune indéfiniment.
¹⁰ Il ne nous traite pas selon nos péchés,
il ne nous rend pas selon nos fautes.

¹¹ Comme les cieux dominent la terre,
sa fidélité dépasse ceux qui le craignent.
¹² Comme le levant est loin du couchant,
il met loin de nous nos offenses.

¹³ Comme un père est tendre pour ses enfants,
le Seigneur est tendre pour ceux qui le craignent ;
¹⁴ il sait bien de quelle pâte nous sommes faits ʰ,
il se souvient que nous sommes poussière.

¹⁵ L'homme ! ses jours sont comme l'herbe ;
il fleurit comme la fleur des champs :
¹⁶ Que le vent passe, elle n'est plus,
et la place où elle était l'a oubliée ⁱ.

¹⁷ Mais la fidélité du Seigneur,
depuis toujours et pour toujours,
est sur ceux qui le craignent,
et sa justice pour les fils de leurs fils,
¹⁸ pour ceux qui gardent son *alliance
et pensent à exécuter ses ordres.

¹⁹ Le Seigneur a établi son trône dans les cieux,
et sa royauté domine tout.
²⁰ Bénissez le Seigneur, vous ses *anges,
forces d'élite au service de sa parole,
qui obéissez dès que retentit sa parole.
²¹ Bénissez le Seigneur, vous toutes ses armées,
vous ses ministres qui faites sa volonté.
²² Bénissez le Seigneur, vous toutes ses œuvres,
partout dans son empire.
Bénis le Seigneur, ô mon âme.

---

g *ta vigueur:* traduction incertaine; ancienne version grecque *ton désir;* autres versions *ton corps,* ou *ta parure,* ou *ta durée* ou encore *ta vieillesse* ● h Le mot rendu par *de quelle pâte nous sommes faits* (ou *façonnés*) évoque l'action du potier, qui a façonné son ouvrage, comme en Gn 2.7; autre traduction possible *il connaît nos penchants* ● i ou *et la place où l'homme était l'a oublié*

103.5 rajeunissement Ps 92.15 comme l'aigle Es 40.31. **103.6** justice pour les exploités Ps 146.7. **103.7** il révèle ses chemins à Moïse Ex 33.13, 17 — à Israël Ps 78.11; 111.6. **103.8** tendre et compatissant Ex 34.6+; Jc 5.11. **103.9** pas toujours en procès Es 57.16; Jr 3.12; Mi 7.18. **103.10** pas selon nos fautes Ez 20.44; Jb 33.27; Esd 9.13; Rm 5.8. **103.11** sa fidélité dépasse... Ps 36.6; 117.2; Es 55.9 — ceux qui craignent le Seigneur Ps 15.4+. **103.12** il éloigne nos offenses Es 38.17; 44.22; Jr 50.20; Mi 7.19. **103.13** comme un père Es 49.15; Jr 31.20; Ml 3.17 — tendresse du Seigneur Dt 4.31. **103.14** il sait de quoi nous sommes faits Jb 10.9 — poussière Ps 78.39; 90.3; 104.29; 146.4; Gn 2.7; 3.19; 18.27. **103.15** comme l'herbe Ps 90.5-6; 102.12; Es 40.6-7. **103.16** oublié Ps 37.10, 36; Jb 7.10; 8.18. **103.17** fidélité éternelle Ps 100.5; 106.1; 107.1; 119.90, 136; Ex 20.6; Lc 1.50 — justice de Dieu Ps 99.4; Rm 3.21 — pour les fils de leurs fils Es 51.8. **103.18** garder son alliance Gn 17.9; Ex 19.5; Dt 33.9. **103.19** le trône du Seigneur Ps 11.4+ — la royauté du Seigneur Ps 22.29+; 93.1+; Dn 3.33. **103.20** ses anges Ps 148.2; *Dn grec* 3.58; Lc 2.13; 2 P 2.11; Ap 5.11 — qui obéissez à sa parole Ps 148.8; Ba 3.33-35.

PSAUME 104 (103)

¹ Bénis le Seigneur, ô mon âme !

SEIGNEUR mon Dieu, tu es si grand !
Vêtu de splendeur et d'éclat,
² drapé de lumière comme d'un manteau,
tu déploies les cieux comme une tenture.
³ Il étage ses demeures au-dessus des eaux *j* ;
des nuages il fait son char ;
il marche sur les ailes du vent.
⁴ Des vents il fait ses messagers,
et des flammes, ses ministres.
⁵ Il a fondé la terre sur ses bases,
elle est à tout jamais inébranlable.
⁶ Tu l'as couverte de l'Océan comme d'un habit ;
les eaux restaient sur les montagnes.

⁷ A ta menace elles ont fui,
affolées par tes coups de tonnerre :
⁸ escaladant les montagnes, descendant les vallées
vers le lieu que tu leur avais fixé.
⁹ Tu leur as imposé une limite à ne pas franchir ;
elles ne reviendront plus couvrir la terre.

¹⁰ Il envoie l'eau des sources dans les ravins :
elle s'en va entre les montagnes ;
¹¹ elle abreuve toutes les bêtes des champs,
les ânes sauvages étanchent leur soif.
¹² Près d'elle s'abritent les oiseaux du ciel
qui chantent dans le feuillage.

¹³ Depuis ses demeures il abreuve les montagnes,
la terre se rassasie du fruit de ton travail :
¹⁴ tu fais pousser l'herbe pour le bétail,
les plantes que cultive l'homme,
tirant son pain de la terre.
¹⁵ Le vin réjouit le *cœur des humains
en faisant briller les visages plus que l'huile.
Le pain réconforte le cœur des humains.

¹⁶ Les arbres du SEIGNEUR se rassasient,
et les cèdres du Liban qu'il a plantés.
¹⁷ C'est là que nichent les oiseaux,
la cigogne a son logis dans les cyprès.
¹⁸ Les hautes montagnes sont pour les bouquetins,
les rochers sont le refuge des damans *k*.

---

j au-dessus des eaux : il s'agit ici de la masse d'eau que l'on situait au-dessus de la voûte du ciel (voir Gn 1.7 ; Ps 148.4). C'est une manière poétique d'exprimer que le Seigneur est au-dessus de tout ce qui existe ● *k* Le *daman des rochers* est un petit mammifère herbivore de la taille d'un lapin, appartenant à la même famille que les espèces africaines (daman des arbres et daman des steppes) ; il vit en colonies

104.1 mon âme, bénis le Seigneur Ps 103.1 + — Dieu, si grand Ps 95.3 ; 2 S 7.22 — vêtu de splendeur Ps 93.1 ; 111.3 ; Jb 40.10.   **104.2** il déploie les cieux Gn 1.6 ; Es 40.22 ; 42.5 ; 44.24 ; 45.12 ; Jr 10.12 ; Za 12.1 ; Jb 9.8.   **104.3** les nuages, char du Seigneur Es 19.1 — sur les ailes du vent Ps 18.11.   **104.4** vents et flammes He 1.7 ; cf. Ps 148.8 ; 1 R 19.11, 12.   **104.5** il a fondé la terre Ps 24.2 ; 93.1 ; 119.90 ; Jb 38.4 ; Pr 8.29.   **104.7** menaces du Seigneur contre la mer Ps 18.14, 16 ; 106.9 ; Es 50.2 ; Na 1.4.   **104.9** une limite imposée à la mer Jr 5.22 ; Jb 38.8-11 ; Pr 8.29 — les flots ne reviendront plus cf. Gn 9.11.   **104.10** l'eau des sources Ps 74.15 ; Dt 8.7.   **104.13** le Seigneur fertilise la terre Ps 65.10 ; Es 55.10 ; Jr 14.22 ; Ac 14.17.   **104.14** pour le bétail Ps 147.9 ; Gn 1.30 — le pain de l'homme Gn 1.29 ; Jb 28.5.   **104.15** le vin réjouit Ps 4.8 ; Jg 9.13 — le pain réconforte Gn 18.5 ; Mt 6.11.   **104.17** la cigogne Jr 8.7.   **104.18** les bouquetins Jb 39.1 — les damans Pr 30.26.

¹⁹ Il a fait la lune pour fixer les fêtes,
et le soleil qui sait l'heure de son coucher.
²⁰ Tu poses les ténèbres, et c'est la nuit
où remuent toutes les bêtes des bois.
²¹ Les lions rugissent après leur proie
et réclament à Dieu leur nourriture.

²² Au lever du soleil ils se retirent,
se couchent dans leurs tanières,
²³ et l'homme s'en va à son travail,
à ses cultures jusqu'au soir.

²⁴ Que tes œuvres sont nombreuses, SEIGNEUR !
Tu les as toutes faites avec sagesse,
la terre est remplie de tes créatures.

²⁵ Voici la mer, grande et vaste de tous côtés,
où remuent, innombrables,
des animaux petits et grands.
²⁶ Là, vont et viennent les bateaux,
et le Léviatan *l* que tu as formé pour jouer avec lui.

²⁷ Tous comptent sur toi
pour leur donner en temps voulu la nourriture :
²⁸ tu donnes, ils ramassent ;
tu ouvres ta main, ils se rassasient.

²⁹ Tu caches ta face, ils sont épouvantés ;
tu leur reprends le souffle, ils expirent
et retournent à leur poussière.
³⁰ Tu envoies ton souffle, ils sont créés,
et tu renouvelles la surface du sol.

³¹ Que la gloire du SEIGNEUR dure toujours,
que le SEIGNEUR se réjouisse de ses œuvres !
³² Il regarde la terre, et elle tremble ;
il touche les montagnes, et elles fument.

³³ Toute ma vie je chanterai le SEIGNEUR,
le reste de mes jours je jouerai pour mon Dieu *m*.
³⁴ Que mon poème lui soit agréable !
et que le SEIGNEUR fasse ma joie !

³⁵ Que les pécheurs disparaissent de la terre,
et que les infidèles n'existent plus !
Bénis le SEIGNEUR, ô mon âme !
Alléluia *n* !

---

l Léviatan : à la différence de Ps 74.14, ce terme désigne ici, semble-t-il, les grands animaux marins (baleines, dauphins...) ● *m je jouerai :* Voir Ps 68.33 et la note ● *n Alleluia ! :* exclamation qui pourrait être traduite par *louez le Seigneur* ou encore *vive le Seigneur !*

104.19 la lune et le soleil Gn 1.14-18 ; *Si* 43.2-8 ; cf. Ps 19.5-6. **104.21-22** les lions Jb 38.39-40 réclament à Dieu leur nourriture Ps 145.15 ; Jb 38.41. **104.23** l'homme au travail Gn 2.15 ; Ex 20.9 ; Jn 9.4. **104.24** œuvres nombreuses du Seigneur Ps 40.6 ; Jb 5.9 — sagesse de Dieu Gn 1.31 ; Jr 10.12 ; Jb 28.23-28 ; Pr 3.19-20. **104.25** la mer et ce qui la peuple Ps 69.35 ; Gn 1.20 ; *Si* 43.25. **104.26** bateaux et navigateurs Ps 107.23-30. **104.27** tous comptent sur toi... Ps 145.15. **104.28** tu ouvres ta main Ps 145.16, ils se rassasient Jb 36.31 ; Mt 6.26. **104.29** tu caches ta face Ps 30.8 — retour à la poussière Ps 90.3 ; 146.4 ; Gn 3.19 ; Jb 34.15 ; *Sg* 2.3. **104.30** le souffle de Dieu fait vivre Ps 33.6 ; Gn 2.7 ; Ez 37.10 ; Jb 33.4 ; Ac 17.25 ; cf. Jl 3.1-2. **104.31** gloire éternelle du Seigneur Rm 11.36 — joie du Seigneur devant ses œuvres Gn 1.31. **104.32** la terre tremble Ps 18.8 ; Am 9.5 ; *Si* 16.19 — les montagnes fument Ps 144.5 ; Ex 19.18. **104.33** toute ma vie... Ps 63.5 ; 146.2 — musique pour le Seigneur Ps 147.7+. **104.34** agréable au Seigneur Ps 19.15 — le Seigneur, ma joie Ps 32.11 ; Jl 2.23. **104.35** disparition des pécheurs Ps 37.38 ; Es 13.9 ; Ap 21.27 — Alléluia (final) Ps 105-106 ; 113 ; 115-117 ; 135 ; 146-150 ; Ap 19.1-6.

PSAUME 105 (104)

(*v. 1-15: Voir 1 Ch 16.8-22*)

1 Célébrez le SEIGNEUR, proclamez son nom,
faites connaître ses exploits parmi les peuples.
2 Chantez pour lui, jouez pour lui [o] ;
redites tous ses miracles.

3 Soyez fiers de son saint nom
et joyeux, vous qui recherchez le SEIGNEUR.
4 Cherchez le SEIGNEUR et sa force,
recherchez toujours sa face.
5 Rappelez-vous les miracles qu'il a faits,
ses prodiges et les jugements sortis de sa bouche,
6 vous, race d'Abraham son serviteur,
vous, fils de Jacob [p], ses élus !

7 C'est lui le SEIGNEUR notre Dieu
qui gouverne toute la terre.
8 Il s'est toujours rappelé son alliance,
mot d'ordre pour mille générations,
9 celle qu'il a conclue avec Abraham,
confirmée par serment à Isaac,
10 qu'il a érigée en décret pour Jacob,
*alliance éternelle pour Israël,
11 quand il a dit : « Je te donne la terre de Canaan ;
c'est le lot dont vous héritez ! »

12 Alors on pouvait les compter,
c'était une poignée d'immigrants.
13 Ils allaient et venaient de nation en nation,
d'un royaume vers un autre peuple.

14 Mais il ne laissa personne les opprimer,
il châtia des rois à cause d'eux :
15 « Ne touchez pas à mes *messies [q],
ne faites pas de mal à mes *prophètes ! »
16 Il appela la famine sur le pays ;
il coupa tous les vivres.
17 Il envoya devant eux un homme,
Joseph, qui fut vendu comme esclave.

o jouez pour lui: voir Ps 68.33 et la note • *p fils de Jacob:* expression sémitique pour désigner les Israélites • *q messies* (c'est-à-dire ceux qui ont reçu l'*onction d'huile; voir Ps 133.2): habituellement ce terme s'applique aux rois (voir 1 S 10.1) ou aux prêtres (Ex 29.7); il est utilisé ici au sens figuré (ceux que Dieu a choisis) et semble s'appliquer aux ancêtres du peuple d'Israël (voir Gn 20.6; 26.11)

105.1 célébrer le Seigneur... Es 12.4; cf. Ps 33.2; 106.1; 107.1; 136.1 — proclamer son nom Ps 80.19; 116.4; Gn 4.26; Ex 34.5; Jl 3.5 — faire connaître ses exploits Ps 9.12; 96.3; 145.12. **105.2** chanter pour lui Ps 9.3; 68.5 — musique pour le Seigneur Ps 147.7+ — redire ses miracles Ps 9.2; Ac 2.11. **105.3** son saint nom Ps 33.21; 103.1+; 124.8+ — joyeux Ps 40.17; 70.5; 106.5. **105.4** chercher le Seigneur Ps 9.11+ — rechercher sa face Ps 24.6+. **105.5** rappelez-vous ses miracles Ps 77.12; 111.4+; cf. 136.4 — ses prodiges Ps 78.43; Ex 11.9 **105.6** race d'Abraham Es 41.8; Jn 8.33; Rm 4.13; Ga 3.16 — fils de Jacob Ps 22.24; Es 45.19. **105.7** le Seigneur notre Dieu Ps 95.7; 100.3; 2 Ch 14.10 — gouverne toute la terre Ps 94.2; Gn 18.25; Es 26.9; Mi 4.3. **105.8-9** il s'est rappelé son alliance Ps 106.45. **105.8** pour mille générations Dt 7.9; cf. Ex 20.6; Dt 5.10. **105.9** avec Abraham Gn 15.18; cf. 12.3; 22.17 — alliance confirmée à Isaac Gn 26.3. **105.10-11** et pour Jacob Gn 28.13-15 — alliance éternelle Ps 111.9; Gn 17.7; Jg 2.1 — Canaan, le lot dont vous héritez Ps 78.55. **105.12** une poignée Gn 34.30; Dt 7.7; 26.5. **105.13** de nation en nation Gn 47.9; He 11.9, 13. **105.14** personne ne les opprima Gn 35.5; *Sg* 10.11-12 — il châtia des rois Gn 12.17; 20.3, 7. **105.15** ne touchez pas Gn 26.11; cf. 20.6 à mes prophètes Gn 20.7. **105.16** famine sur le pays Gn 41.54, 57 — plus de vivres Es 3.1; Ez 4.16. **105.17** Joseph envoyé devant Gn 45.5 — vendu comme esclave Gn 37.27-28; Ac 7.9.

¹⁸ On lui entrava les pieds,
 on lui passa un collier de fer ;
¹⁹ jusqu'à l'accomplissement de sa prédiction
 la parole du SEIGNEUR l'éprouva ʳ.

²⁰ Le roi ordonna de le délier,
 le maître des peuples le fit relâcher.
²¹ Il l'établit seigneur de sa maison
 et maître de toutes ses possessions,
²² pour qu'il attache les princes à sa personne,
 et qu'il donne aux *anciens la sagesse.

²³ Et Israël entra en Egypte,
 Jacob émigra au pays de Cham ˢ.
²⁴ Dieu rendit son peuple très prolifique
 et plus puissant que ses adversaires.
²⁵ Il changea leur cœur, les fit haïr son peuple
 et traiter ses serviteurs avec perfidie.

²⁶ Il envoya Moïse son serviteur
 et Aaron qu'il avait choisi.
²⁷ Leur parole imposa des *signes en Egypte,
 les prodiges de Dieu dans le pays de Cham ᵗ.

²⁸ Il envoya les ténèbres, et les ténèbres vinrent,
 et sa parole ne fut pas contestée.
²⁹ Il changea les eaux en sang
 et fit mourir leurs poissons.

³⁰ Leur pays grouilla de grenouilles
 jusque dans les chambres de leurs rois.
³¹ Il parla, et vinrent la vermine
 et les moustiques sur tout leur territoire.

³² Au lieu de pluies, il leur donna la grêle,
 du feu et des flammes sur leur pays.
³³ Il frappa leurs vignes et leurs figuiers,
 et brisa les arbres de leur territoire.

³⁴ Il parla, et vinrent les sauterelles
 et les larves innombrables.
³⁵ Elles mangèrent toute l'herbe du pays,
 elles mangèrent les fruits du sol.

³⁶ Il frappa tous les aînés du pays,
 prémices de leur maturité.
³⁷ Il fit sortir son peuple ᵘ avec de l'argent et de l'or,
 et nul ne chancela parmi ses tribus.

ʳ Autre traduction *jusqu'à ce que le Seigneur eût prouvé son innocence* ● s Voir Ps 78.51 et la note ● *t* La traduction du v. 27 est incertaine; autre traduction *ils imposèrent chez eux les signes dont il avait parlé et des prodiges dans le pays de Cham* ● u la traduction suit ici le texte d'un manuscrit des Psaumes trouvé à Qoumrân, près de la mer Morte; voir aussi v. 43 et Ps 78.52; texte hébreu traditionnel *il les fit sortir*

105.18 Joseph emprisonné Gn 39.20.   **105.19** la prédiction de Joseph Gn 40.12-13; 41.13, 54.
105.20 Joseph relâché Gn 41.14.   **105.21** Joseph, maître de l'Egypte Gn 41.40; Ac 7.10.
105.23 émigration de Jacob en Egypte Gn 46.6-7; cf. Ac 13.17 — le pays de Cham Ps 78.51+;
Gn 10.6.   **105.24** Israël rendu prolifique et puissant Ex 1.7; Dt 26.5.   **105.25** changement chez
les Egyptiens Ex 1.9-10; 7.3; Ac 7.19.   **105.26** Dieu envoya Moïse Ex 3.10, son serviteur He
3.5 et Aaron Ex 4.14, 27 — qu'il avait choisi Nb 16.5.   **105.27** signes et prodiges en Egypte
Ps 78.43+.   **105.28** ténèbres (9ᵉ plaie) Ex 10.21-29; Sg 17.1 — 18.4; Ap 16.10-11.   **105.29** eau
changée en sang (1ʳᵉ plaie) Ps 78.44+.   **105.30** grenouilles (2ᵉ plaie) Ps 78.45+.   **105.31** vermine
(4ᵉ plaie) Ps 78.45+ — moustiques (3ᵉ plaie) Ex 8.12-15; Sg 19.10.   **105.32-33** grêle et flammes
(7ᵉ plaie) Ps 78.47-48+.   **105.34-35** sauterelles (8ᵉ plaie) Ps 78.46+.   **105.36** les aînés (10ᵉ plaie)
Ps 78.49-51+.   **105.37** avec de l'argent et de l'or Ex 12.35-36; cf. Gn 15.14 — nul ne chancela
Es 63.13.

³⁸ L'Egypte se réjouit de leur sortie,
car la terreur était tombée sur elle.
³⁹ Il étendit une nuée pour servir de rideau,
et un feu pour illuminer la nuit.
⁴⁰ A leur demande ᵛ il fit venir les cailles ;
il les rassasia du pain des cieux.
⁴¹ Il ouvrit le rocher, l'eau ruissela
et s'écoula dans les steppes comme un fleuve.
⁴² Il s'est rappelé sa sainte parole
envers Abraham son serviteur.
⁴³ Il a fait sortir son peuple dans l'allégresse,
ses élus avec des cris de joie.

⁴⁴ Il leur a donné les terres des nations,
et ils recueillent le travail des peuples,
⁴⁵ pourvu ʷ qu'ils gardent ses décrets
et qu'ils observent ses lois.

Alléluia !

PSAUME 106 (105)
(v. 1, 47-48 : Voir 1 Ch 16.34-36)

¹ Alléluia !

Célébrez le SEIGNEUR, car il est bon.
car sa fidélité est pour toujours.
² Qui peut dire les prouesses du SEIGNEUR
et faire entendre toutes ses louanges ?

³ Heureux ceux qui observent le droit
et pratiquent la justice en tout temps !
⁴ Quand tu seras favorable à ton peuple,
pense à moi, SEIGNEUR !
Lorsque tu le sauveras, occupe-toi de moi,
⁵ que je puisse voir le bonheur de tes élus,
me réjouir de la joie de ton peuple
et partager la fierté de tes héritiers.

⁶ Tout comme nos pères, nous avons péché,
nous avons dévié, nous avons été coupables.
⁷ Nos pères, en Egypte,
n'ont rien compris à tes miracles.
Ils ont oublié tes nombreuses bontés,
ils se sont révoltés près de la mer, la *mer des Joncs.

---

v A leur demande : la traduction suit ici le texte des anciennes versions ; texte hébreu traditionnel
à sa demande (c'est-à-dire à la demande d'Israël) ● w Les versions anciennes ont compris afin
qu'ils gardent (ancienne version araméenne parce qu'ils gardent...)

105.38 les Egyptiens heureux du départ d'Israël Ex 12.33 — la terreur Ex 15.16. 105.39 une
nuée, un feu Ps 78.14+. 105.40 à leur demande... des cailles Ps 78.18+, 26+ — pain des cieux
Ps 78.24-25+. 105.41 l'eau coulant du rocher Ps 78.15-16+. 105.42 sa parole à Abraham
Gn 15.13-14 ; Ex 2.24 ; Lc 1.54-55. 105.43 sortie dans l'allégresse Ps 106.5 ; Ex 15.20-21.
105.44 les terres des nations Ps 78.54-55+. 105.45 Pourvu qu'ils observent ses lois Ps 78.7 ;
119 ; Ez 36.27 ; Ep 2.10 — Alléluia Ps 104.35+. 106.1 Alleluia Ps 111.1 ; 112.1 ; 113.1 ; 135.1 ;
146-150 — célébrez le Seigneur Ps 105.1+ car il est bon Ps 100.5 ; 107.1 ; 118.1, 29 ; 119.68 ;
135.3 ; 136.1 ; Jr 33.11 ; Na 1.7 ; Esd 3.11 ; 2 Ch 5.13 ; 1 M 4.24 — sa fidélité est pour toujours
1 Ch 16.41. 106.2 Qui peut dire... Dt 3.24 ; Jb 26.14 ; Qo 1.8 ; Si 18.4 ; 43.32. 106.3 Heureux!
Ps 1.1+ — observer le droit et pratiquer la justice Es 56.1 ; Jr 22.15. 106.4 quand tu seras
favorable Ps 102.14 — pense à moi Ps 25.7 ; Jr 15.15 ; Ne 5.19. 106.5 le bonheur de tes élus
Ps 105.43 ; Es 65.9 ; cf. 66.10. 106.6 comme nos pères... Jr 3.25 ; Dn 9.5. 106.7 oublié Ps
78.11 ta bonté Ps 89.2 — révoltés près de la mer des Joncs Ex 14.10-12 ; Ne 9.17.

⁸ Mais il les sauva à cause de son nom,
pour montrer sa puissance.
⁹ Il menaça la *mer des Joncs, et elle sécha ;
il les fit marcher dans les *abîmes comme dans le désert.

¹⁰ Il les sauva des mains hostiles,
il les défendit contre la main de l'ennemi :
¹¹ les eaux recouvrirent leurs adversaires,
il n'en resta pas un.
¹² Et ils ont cru en ses paroles,
ils chantaient sa louange.

¹³ Bien vite ils ont oublié ses actes,
ils n'ont pas attendu la suite de son dessein :
¹⁴ dans le désert ils se sont pris de convoitise,
dans les solitudes ils ont mis Dieu à l'épreuve.
¹⁵ Il leur donna ce qu'ils demandaient,
mais il envoya trop peu pour leur appétit ˣ.

¹⁶ Dans le camp ils ont jalousé Moïse,
et Aaron l'homme consacré au SEIGNEUR.
¹⁷ La terre s'ouvrit et engloutit Datân,
elle recouvrit la bande d'Abirâm.
¹⁸ Un feu consuma leur bande,
une flamme dévora les impies.

¹⁹ A l'Horeb ʸ ils ont façonné un veau ;
ils se sont prosternés devant du métal,
²⁰ et ils ont troqué leur Gloire ᶻ
contre la copie d'un bœuf, d'un herbivore !

²¹ Ils ont oublié Dieu, leur sauveur,
qui avait fait de grandes choses en Egypte,
²² des miracles au pays de Cham ᵃ,
des actes terribles près de la mer des Joncs.

²³ Il décida de les exterminer,
mais Moïse son élu,
se tenant sur la brèche ᵇ devant lui,
détourna sa fureur destructrice.

²⁴ Ils ont méprisé un pays merveilleux,
ils n'ont pas cru à sa parole,

ˣ Autre traduction *et il leur envoya le dépérissement;* autre texte (anciennes versions grecque et syriaque) *et il leur envoya de quoi manger à satiété* • ʸ *A l'Horeb:* c'est-à-dire *au mont Horeb* (autre nom du mont Sinaï) • ᶻ *leur Gloire:* on retrouve cette même appellation du Seigneur en Jr 2.11; Os 4.7; voir aussi Rm 1.23 • ᵃ *le pays de Cham:* voir Ps 78.51 et la note • ᵇ *se tenant sur la brèche:* comme en Ez 22.30 l'expression est à prendre ici au sens figuré: Moïse est présenté comme le seul défenseur d'Israël devant Dieu (allusion à l'intercession de Moïse pour Israël en Ex 32.11-14)

106.8 à cause de son nom Ez 20.9. 106.9 il menaça la mer Ps 104.7+ ; Mt 8.26; — elle sécha Ps 66.6 — il les fit marcher Ps 78.13. 106.10 il les sauva... Ps 107,2; voir Ex 14.30; Lc 1.71. 106.11 les eaux recouvrirent Ex 14.28; 15.5; Dt 11.4. 106.12 ils ont cru Ex 14.31 — ils chantaient Ex 15.1-18, 21. 106.13 ils ont oublié v. 7,21; Ps 78.11; cf. Dt 4.9 — attendre cf. Lm 3.26 — le dessein de Dieu Ps 107.11. 106.14 convoitise dans le désert Nb 11.4; 1 Co 10.6 — Dieu mis à l'épreuve Ps 78.18+. 106.15 ce qu'ils demandaient Ps 78.18-20+. 106.16 Moïse jalousé Nb 16.2-7. 106.17 la terre s'ouvrit Nb 16.31-32 — Datân, Abirâm Nb 16.1. 106.18 un feu consuma leur bande Nb 16.35; He 10.27. 106.19 à l'Horeb Dt 9.8 — un veau Ex 32.4; Dt 4.16-19; 9.12, 16, 21; Ne 9.18; Ac 7.41 — prosternés Ex 32.8. 106.20 ils ont troqué leur gloire Rm 1.23; cf. Jr 2.13; Sg 12.24. 106.21 ils ont oublié v. 7, 13; Dt 32.18; Jr 2.32 leur sauveur Es 17.10+. 106.22 au pays de Cham Ps 78.51+ — les actes terribles Jr 32.21. 106.23 intercession de Moïse Ex 32.11-14, Nb 14.13-20; Dt 9.25-29 — se tenir sur la brèche Ez 22.30. 106.24 ils ont méprisé le pays Nb 13.32; 14.31 — ils n'ont pas cru Nb 14.11; Dt 1.32; 9.23.

²⁵ ils ont récriminé sous leurs tentes
et n'ont pas obéi à la voix du SEIGNEUR.

²⁶ La main levée, il jura
de les abattre dans le désert,
²⁷ de disperser leurs descendants dans tous les pays,
de les abattre chez les païens.

²⁸ Puis ils se sont accouplés ᶜ au *Baal de Péor,
ils ont mangé les sacrifices des morts,
²⁹ ils ont ulcéré Dieu par leurs agissements
et un fléau fit irruption parmi eux.

³⁰ Alors Pinhas se tint debout, il trancha ᵈ,
et le fléau fut enrayé.
³¹ Cela lui fut compté comme acte juste,
d'âge en âge, pour toujours.

³² Ils ont irrité Dieu près des eaux de Mériba
et causé le malheur de Moïse,
³³ en étant indociles à son esprit ᵉ,
et Moïse parla sans réfléchir.

³⁴ Ils n'ont pas supprimé les peuples
dont le SEIGNEUR leur avait parlé.
³⁵ Ils ont eu commerce avec les païens
et se sont initiés à leurs pratiques.

³⁶ Ils ont servi leurs idoles
qui devinrent un piège pour eux.
³⁷ Ils ont *sacrifié leurs fils
et leurs filles aux *démons.

³⁸ Ils ont répandu un *sang innocent,
le sang de leurs fils et de leurs filles
qu'ils sacrifièrent aux idoles cananéennes,
et le pays fut sali par des flots de sang.
³⁹ Ils se sont souillés par leurs pratiques
et prostitués par leurs agissements ᶠ,

⁴⁰ La colère du SEIGNEUR s'enflamma contre son peuple
et il prit en horreur son héritage.
⁴¹ Il les livra aux mains des nations,
et leurs adversaires les ont dominés ;
⁴² l'ennemi les a opprimés,
et ils ont fléchi sous sa main.

⁴³ Bien des fois il les a délivrés,
mais ils s'obstinaient dans leur révolte
et s'enfonçaient dans leur faute.

---

44 Il regarda leur détresse
quand il entendit leurs cris.
45 Il se souvint de son alliance avec eux,
et dans sa grande fidélité il se ravisa.
46 Il les fit prendre en pitié
par tous ceux qui les avaient déportés.

47 Sauve-nous, SEIGNEUR notre Dieu :
rassemble-nous du milieu des nations.
Alors nous célébrerons ton saint *nom
en nous glorifiant de te louer.

48 Béni soit le SEIGNEUR, le Dieu d'Israël,
depuis toujours et pour toujours.
Et tout le peuple dira :
« Amen ! Alléluia ! » *g*.

CINQUIÈME LIVRE (Ps 107—150)

PSAUME 107 (106)

1 Célébrez le SEIGNEUR car il est bon,
car sa fidélité est pour toujours,

2 Qu'ils le redisent, ceux que le SEIGNEUR a défendus,
ceux qu'il a défendus contre la main de l'adversaire,
3 qu'il a rassemblés de tous les pays,
du levant et du couchant,
du nord et de la mer *h*.

4 Certains s'égarèrent dans les solitudes
par un chemin désert, sans trouver de ville habitée.
5 Affamés, assoiffés, la vie les abandonnait.

6   Ils crièrent vers le SEIGNEUR dans leur détresse,
et il les a délivrés de leurs angoisses :
7   il leur a fait prendre un chemin direct
pour aller vers une ville habitée.

8   Qu'ils célèbrent le SEIGNEUR pour sa fidélité
et pour ses miracles en faveur des humains :
9   car il a désaltéré le gosier avide
et bien rempli le ventre affamé.

10 Certains habitaient dans les ténèbres et l'ombre mortelle,
prisonniers de la misère et des fers,

---

g Le v. 48 sert à la fois de conclusion au Ps 106 et au quatrième livre du psautier (voir Ps 41.14;
72.19; 89.53; 150) ● h L'ancienne version araméenne précise ici *la mer Rouge*

106.44 Dieu regarda et entendit Ps 107.6+. **106.45** il se souvint Ps 98.3 de son alliance Ps 105.8;
Lc 1.72— et se ravisa Ps 90.13; Jr 26.19. **106.46** il les fit prendre en pitié 1 R 8.50; Jr 42.12;
Esd 9.9. **106.47** rassemble-nous: voir Ps 107.3+; Dt 30.3; 2 M 1.27 — ton saint nom Ps 103.1+
— en nous glorifiant... 1 Ch 16.35-36. **106.48** Béni soit le Seigneur Ps 28.6+ — tout le peuple
dira Amen Dt 27.15; Ne 5.13; 8.6; 1 Ch 16.36 — Amen! Alléluia Ap 19.4 — Alléluia! Ps 104.35+.
107.1 célébrez le Seigneur Ps 105.1+ car il est bon et sa fidélité... Ps 106.1+. **107.2** le Seigneur
défenseur Ps 19.15; 106.10; cf. Ex 6.6. **107.3** le Seigneur rassemble Ps 106.47; Es 11.12; 43.5;
Jr 29.14; 31.8; Ez 20.34; 39.27; *Si* 36.10 — du nord et de la mer Es 49.12. **107.4** par un chemin
désert Jr 2.6. **107.5** affamés, assoiffés Ex 15.22; 16.3; Es 41.17. **107.6** appel et délivrance Ps 81.8;
Jg 3.9, 15, etc.; Ne 9.27. **107.9** il a désaltéré cf. Mt 5.6; Jn 4.14; 7.37 — affamés, rassasiés Lc 1.53;
cf. Ps 146.7. **107.10** dans les ténèbres Es 9.1; 42.7.

¹¹ car ils s'étaient révoltés contre les ordres de Dieu,
ils avaient nargué le dessein du Très-Haut.
¹² Il dompta leur cœur par la souffrance,
ils flanchèrent et nul ne les aidait.

¹³   Ils crièrent vers le SEIGNEUR dans leur détresse,
et il les a sauvés de leurs angoisses :
¹⁴   il les a tirés des ténèbres et de l'ombre mortelle,
il a rompu leurs liens.

¹⁵   Qu'ils célèbrent le SEIGNEUR pour sa fidélité
et pour ses miracles en faveur des humains ;
¹⁶   car il a brisé les portes de bronze
et fait sauter les verrous de fer.

¹⁷ Certains, abrutis par leurs dérèglements,
avilis par leurs péchés,
¹⁸ étaient dégoûtés de toute nourriture
et touchaient aux portes de la mort.

¹⁹   Ils crièrent vers le SEIGNEUR dans leur détresse,
et il les a sauvés de leurs angoisses :
²⁰   il a envoyé sa parole pour les guérir
et les soustraire à la *fosse.

²¹   Qu'ils célèbrent le SEIGNEUR pour sa fidélité
et pour ses miracles en faveur des humains.
²²   Qu'ils offrent des *sacrifices de louange
et proclament ses œuvres en criant leur joie.

²³ Ceux qui partent en mer sur des navires
et exercent leur métier sur les grandes eaux,
²⁴ ceux-là virent les œuvres du SEIGNEUR
et ses miracles en haute mer.

²⁵ A sa parole se leva un vent de tempête
qui soulevait des vagues.
²⁶ Ils montent aux cieux,
descendent aux abîmes,
sont malades à rendre l'âme ;
²⁷ ils roulent et tanguent comme l'ivrogne
et toute leur adresse est engloutie.

²⁸   Ils crièrent au SEIGNEUR dans leur détresse,
et il es a tirés de leurs angoisses :
²⁹   il a réduit la tempête au silence,
et les vagues se sont tues.
³⁰   Ils se sont réjouis de ce retour au calme
et Dieu les a guidés au port désiré.

³¹   Qu'ils célèbrent le SEIGNEUR pour sa fidélité
et pour es miracles en faveur des humains.
³²   Qu'ils l'exaltent dans l'assemblée du peuple
et le louent à la séance des *anciens.

³³ Il peut changer les fleuves en désert,
les sources en pays de la soif,

107.11 révoltés et narguant le dessein de Dieu Ps 106.43 ; Es 28.7-13 ; 2 Ch 36.16 ; 2 P 3.3.   **107.14** tirés des ténèbres Col 1.13.   **107.16** portes de bronze et verrous de fer Es 45.2.   **107.18** dégoûtés de toute nourriture Ps 102.5 — aux portes de la mort Ps 88.4.   **107.20** guérir et soustraire à la mort Ps 103.3-4 — parole du Seigneur et guérison Mt 8.8.   **107.22** sacrifices de louange Ps 50.14 ; He 13.15.   **107.25** tempête commandée par le Seigneur Jon 1.4.   **107.29** tempête réduite au silence Ps 89.10 ; Jon 1.15 ; Mc 4.39 par.   **107.30** au port désiré Jn 6.21.   **107.32** dans l'assemblée du peuple Ps 35.18+.   **107.33** changer les fleuves en désert Es 42.15 ; 50.2.

³⁴ une terre fertile en saline,
à cause de la méchanceté de ses habitants.
³⁵ Il peut changer le désert en nappe d'eau
et la steppe en source.
³⁶ Il y fait habiter des affamés
qui fondent une ville habitable.
³⁷ Ils ensemencent des champs,
plantent des vignes,
ils en récoltent les fruits.

³⁸ Dieu les bénit :
ils se multiplient de plus en plus,
et Dieu ne laisse pas leur cheptel s'amoindrir.
³⁹ Puis ils diminuent et déclinent
sous les privations, le malheur et la douleur.

⁴⁰ Il répand le mépris sur les nobles
et les égare dans un maquis sans chemin.
⁴¹ Mais il protège le pauvre de la misère
et rend les familles aussi nombreuses que des troupeaux.

⁴² A cette vue, les hommes droits se réjouissent,
et toute injustice ferme la bouche.
⁴³ Qui veut être sage ?
qu'il prenne garde à tout cela,
et que l'on discerne les bontés du Seigneur !

PSAUME 108 (107)

(*v. 2-6: Ps 57.8-12; v. 7-14: Ps 60.7-14*)

¹ *Chant, psaume de David.*

² Le cœur rassuré, mon Dieu,
je vais chanter un hymne :
voilà ma gloire !
³ Réveillez-vous, harpe et cithare ⁱ,
je vais réveiller l'aurore.

⁴ Je te rendrai grâces parmi les peuples, Seigneur,
je te chanterai parmi les nations ;
⁵ car ta fidélité est plus grande que les cieux
et ta vérité va jusqu'aux nues.

⁶ Dieu, dresse-toi sur les cieux,
et que ta gloire domine toute la terre.

⁷ Pour que tes bien-aimés soient délivrés,
sauve par ta droite, et réponds-moi.

⁸ Dieu a parlé dans son *sanctuaire :
J'exulte ! Je partage Sichem
et je mesure la vallée de Soukkoth ^j.

---

i Voir Ps 92.4 et la note ● *j* Pour *sanctuaire*, *Sichem* et *Soukkoth*, voir Ps 60.8 et la note

107.35 le désert changé en nappes d'eau Ps 114.8; Es 35.7; 41.18; 43.20. **107.37** semailles, plantations, récoltes Jr 31.5; Am 9.13-15. **107.38** bénédiction et prospérité Gn 1.28; Ex 1.7; Dt 7.13; Jr 31.27; Pr 10.22. **107.39** décadence 1 S 2.4; Jb 12.23. **107.40** les grands, méprisés et égarés Jb 12.21, 24; 1 S 2.4-5; Lc 1.51-52. **107.41** les pauvres, relevés Ps 113.7; 147.6; 1 S 2.8; Lc 1.52-53. **107.42** l'injustice muselée Ps 58.11-12; 63.12. **107.43** sage Jr 9.11; Os 14.10. **108.3** réveiller l'aurore Ps 119.62. **108.4** parmi les nations Ps 18.50. **108.5** ta fidélité plus grande que les cieux Ps 36.6; 103.11 — fidélité et vérité Ps 25.10+. **108.6** sur les cieux Ps 8.2; 113.4; cf. Es 2.11. **108.7** ta droite Ps 60.7+. — réponds-moi Ps 20.7.

⁹ Galaad est à moi ; Manassé est à moi ;
Ephraïm est le casque de ma tête ;
Juda est mon sceptre ;
¹⁰ Moab, la cuvette où je me lave.
Sur Edom je jette ma sandale *k*.
Je crie contre la Philistie.

¹¹ Qui me mènera à la ville fortifiée ?
Qui me conduira jusqu'en Edom ?
¹² Sinon toi, le Dieu qui nous a rejetés,
le Dieu qui ne sortait plus avec nos armées !

¹³ Viens à notre aide contre l'adversaire,
car le secours de l'homme est illusion.
¹⁴ Avec Dieu nous ferons des exploits :
c'est lui qui piétinera nos adversaires.

PSAUME 109 (108)

¹ *Du* **chef de chœur ; de David, psaume.*

Dieu que je loue, ne reste pas muet,
² car ils ont ouvert contre moi
une bouche méchante et trompeuse,
Ils m'ont parlé avec une langue menteuse ;
³ des paroles de haine m'ont cerné,
et ils m'ont combattu sans motif.

⁴ Pour prix de mon amitié ils m'ont accusé ;
et moi je suis en prières.
⁵ Ils m'ont rendu le mal pour le bien
et la haine pour l'amitié.

⁶ — Désigne contre lui un accusateur *l*,
un méchant, qui se tienne à sa droite.
⁷ De son procès, qu'il sorte coupable,
que sa prière devienne un péché,
⁸ que ses jours soient réduits,
qu'un autre prenne sa charge,
⁹ que ses fils soient orphelins,
que sa femme soit veuve,
¹⁰ que ses fils soient vagabonds et suppliants,
qu'ils mendient *m* hors de leurs ruines,
¹¹ qu'un usurier saisisse tous ses biens,
que des étrangers raflent ses gains,
¹² que personne ne lui reste loyal,
que personne n'ait pitié de ses orphelins,
¹³ que ses descendants soient supprimés,
qu'en une génération leur *nom *n* soit effacé,

---

k jeter sa sandale: voir Ps 60.10 et la note ● *l* Les v. 6-19 citent les paroles de malédiction que les adversaires ont prononcées contre l'auteur du psaume ● *m qu'ils mendient* ou *qu'ils soient poursuivis* ● *n* Plusieurs manuscrits hébreux et trois versions anciennes ont lu *son nom*

108.9 Juda est mon sceptre cf. Gn 49.10. **108.12** Dieu ne sortait plus avec nos armées Ps 44.10.
108.13 Viens à notre aide 2 Ch 14.10; cf. Ps 22.20+ — le secours humain Ps 56.5; cf. 33.15+ ; 118.8.
108.14 avec Dieu nous ferons des exploits Ps 18.30; 44.6-9; He 11.33 — adversaires piétinés Ps 44.6;
cf. Rm 16.20. **109.1** Dieu que je loue v. 30; Jr 17.14 — Dieu muet Ps 28.1+. **109.2** langue menteuse Ps 52.4; 120.2; cf. 5.10+. **109.3** sans motif Ps 69.5. **109.5** le mal rendu pour le bien Ps
35.12+. **109.6** à sa droite Za 3.1; Jb 30.12 un accusateur Jb 1.6; Ap 12.10. **109.8** Qu'un autre...
Ac 1.20. **109.9** que ses fils... que sa femme... Ex 22.23; Jr 18.21. **109.11** des biens dont on ne
peut profiter Jb 5.5; 20.18. **109.13** descendants supprimés Ps 37.28 — leur nom effacé Jb 18.17,
19; Pr 10.7; Si 41.11.

¹⁴ qu'on rappelle au SEIGNEUR le péché de ses pères,
   que la faute de sa mère ne soit pas effacée !
¹⁵ Que tout cela reste présent au SEIGNEUR
   et qu'il supprime de la terre leur souvenir ! —

¹⁶ Attendu qu'il ne s'est pas soucié d'agir avec loyauté,
   qu'il a persécuté à mort un pauvre,
   un malheureux, frappé au cœur,
¹⁷ qu'il aimait la malédiction,
   et qu'elle est venue à lui,
   qu'il ne voulait pas la bénédiction,
   et qu'elle s'est éloignée de lui,
¹⁸ qu'il a revêtu la malédiction comme un manteau,
   et qu'elle a pénétré en lui comme de l'eau,
   et dans ses membres comme une huile :
¹⁹ Qu'elle soit donc le vêtement dont il se couvre,
   la ceinture qu'il portera toujours !

²⁰ Voilà comment le SEIGNEUR paiera mes accusateurs ⁰
   et ceux qui disent du mal de moi !

²¹ Et toi, DIEU, Seigneur,
   agis pour moi à cause de ton nom.
   Ta loyauté est bienfaisante, délivre-moi.

²² Pauvre et malheureux, je le suis,
   et au fond de moi, le cœur est blessé ᵖ.
²³ J'ai dû m'en aller comme l'ombre qui s'évanouit,
   on me chasse ᑫ comme les sauterelles.

²⁴ J'ai tant *jeûné que mes jambes flageolent ;
   privé d'huile je suis décharné.
²⁵ Pour eux je suis devenu abject ;
   en me voyant, ils hochent la tête.

²⁶ A l'aide, SEIGNEUR mon Dieu !
   Sauve-moi selon ta fidélité ;
²⁷ qu'ils reconnaissent là ta main
   et ton œuvre, SEIGNEUR !

²⁸ Eux maudissent, toi tu bénis.
   Ils s'étaient dressés, ce fut leur honte,
   et ton serviteur se réjouit.
²⁹ Que mes accusateurs soient vêtus de déshonneur
   et couverts de leur honte comme d'un manteau !

³⁰ Je célébrerai le SEIGNEUR à voix haute,
   je le louerai au milieu de la multitude.
³¹ Car il se tient à la droite ʳ du pauvre
   pour le sauver de ses juges.

---

o *comment le Seigneur paiera mes accusateurs:* l'ancienne version grecque a compris *voilà le travail de mes accusateurs auprès du Seigneur* ● p *le cœur est blessé:* d'après trois versions anciennes; autre texte (d'après les anciennes versions grecque et syriaque) *le cœur est troublé* ● q *on me chasse:* le verbe hébreu évoque le geste de *secouer* un arbre ou un vêtement pour en faire tomber les sauterelles ● r *à la droite:* la droite était considérée comme le côté honorifique (Ps 110.1) ou favorable (ici et Ps 110.5)

109.15 que le Seigneur n'oublie pas... Jr 18.23; Lm 1.22 — souvenir supprimé Ps 34.17. 109.16 un malheureux frappé au cœur v. 22; Ps 34.19. 109.17 la malédiction revenue sur lui Ps 59.13+; Jr 2.19; Ez 35.6; Jc 2.13. 109.18 comme de l'eau Nb 5.22. 109.19 comme un vêtement... v. 29; Ps 73.6. 109.20 le Seigneur paiera mes accusateurs Ps 35.1, 4; 69.23. 109.21 à cause de ton nom Ps 23.3+ — ta loyauté bienfaisante Ps 69.17. 109.22 pauvre et malheureux Ps 40.18; 86.1; 140.13. 109.25 ils hochent la tête Ps 22.8+. 109.26 A l'aide! Ps 22.20+. 109.28 ils maudissent, tu bénis Nb 24.10; cf. Mt 5.11. 109.29 comme d'un manteau v. 19; Ps 71.13. 109.30 je louerai le Seigneur Ps 71.14. 109.31 le Seigneur à la droite du pauvre Ps 16.8+.

PSAUME 110 (109)

¹ *De David. Psaume.*

Oracle du SEIGNEUR à mon seigneur :
« Siège à ma droite ˢ,
que je fasse de tes ennemis
l'escabeau de tes pieds ! »

² Que le SEIGNEUR étende de *Sion
la puissance de ton sceptre !
Domine au milieu de tes ennemis !

³ Ton peuple est volontaire
le jour où paraît ta force.
Avec une sainte splendeur,
du lieu où naît l'aurore
te vient une rosée de jouvence ᵗ.

⁴ Le SEIGNEUR l'a juré,
il ne s'en repentira pas :
« Tu es prêtre pour toujours,
à la manière de Melkisédeq. »

⁵ Le Seigneur est à ta droite ᵘ :
il a écrasé des rois au jour de sa colère ;
⁶ il juge les nations ; les cadavres s'entassent ;
partout sur la terre, il a écrasé des têtes.
⁷ En chemin il boit ᵛ au torrent,
aussi relève-t-il la tête.

PSAUME 111 (110)

(*Voir Ps 112*)

¹ Alléluia.

Alef ¹⁰	De tout cœur je célébrerai le SEIGNEUR
Beth	au cœur des hommes droits et dans l'assemblée.
Guimel	² Grandes sont les œuvres du SEIGNEUR !
Daleth	Tous ceux qui les aiment les étudient.
Hé	³ Son action éclate de splendeur
Waw	et sa justice subsiste toujours.
Zaïn	⁴ Il a voulu qu'on rappelle ˣ ses miracles ;
Heth	le SEIGNEUR est bienveillant et miséricordieux.

---

s *mon seigneur:* titre respectueux donné au roi — *ma droite:* voir Ps 109.31 et la note ● *t* Au lieu de *avec une sainte splendeur*, certains manuscrits hébreux, ainsi qu'une version grecque et la version latine de s. Jérôme ont compris *sur les montagnes saintes* — *du lieu où naît l'aurore:* traduction conjecturale — *une rosée de jouvence:* traduction conjecturale; ancienne version grecque *je t'ai engendré* (voir Ps 2.7) ● *u* Voir Ps 109.31 et la note ● *v* Il s'agit du roi; peut-être a-t-on ici une allusion à l'un des épisodes du couronnement; celui-ci se déroulait en effet près d'une source (voir 1 R 1.33-35) ● *w* Voir Ps 25.1 et la note ● *x il a voulu qu'on rappelle...* ou *il laisse un mémorial de...:* voir Ex 12.14; 13.9 et les notes

110.1 verset cité en Mt 22.44; 26.64; Mc 12.36; 14.62; 16.19; Lc 20.42-43; 22.69; Ac 2.34-35; Rm 8.34; 1 Co 15.25; Ep 1.20; Col 3.1; He 1.3, 13; 8.1; 10.12, 13; 12.2 — à la droite de Dieu Ps 16.11. 110.2 depuis Sion Ps 14.7; 20.3; 128.5; Es 2.3. 110.3 rosée Es 26.19. 110.4 verset cité en Jn 12.34; He 5.6, 10; 6.20; 7.3, 17, 21 — le Seigneur l'a juré Ps 89.4; 132.11 — Melkisédeq Gn 14.18. 110.5 au jour de sa colère Ps 76.8; Es 63.6; Na 1.6. 110.6 il juge les nations Ps 7.9. 111.1 Alléluia Ps 106.1 + — de tout cœur Ps 138.1; Ep 5.19 — dans l'assemblée Ps 35.18 + ; 109.30; 149.1. 111.2 œuvres grandes Ps 92.6; 104.24; Ap 15.3. 111.3 splendeur Ps 96.6; 104.1 — justice éternelle Ps 112.3. 111.4 qu'on rappelle ses miracles (mémorial) Ex 3.15 + ; Lc 22.19; cf. Ps 105.5; 107.8; Ex 13.9 — bienveillant et miséricordieux Ex 34.6 +.

Teth	⁵ A qui le craint il a donné le butin *ᵞ*,
Yod	il se rappelle toujours son alliance.
Kaf	⁶ A son peuple il a montré la puissance de ses œuvres,
Lamed	en lui donnant l'héritage des nations.
Mem	⁷ Les œuvres de ses mains sont vraies et justes,
Noun	tous ses préceptes sont sûrs,
Samek	⁸ établis à tout jamais,
Aïn	faits de droiture et de vérité *ᶻ*.
Pé	⁹ A son peuple il a envoyé la délivrance,
Çadé	prescrit pour toujours son *alliance.
Qof	Son *nom est *saint et terrible.
Resh	¹⁰ Le principe de la sagesse c'est de craindre le Seigneur :
Shin	tous ceux qui font cela *ᵃ* sont bien avisés.
Taw	Sa louange subsiste toujours.

PSAUME 112 (111)

(Voir Ps 111)

¹ Alléluia.

Alef ᵇ	Heureux l'homme qui craint le SEIGNEUR
Beth	et qui aime ses commandements :
Guimel	² Sa lignée est puissante sur la terre,
Daleth	la race des hommes droits sera bénie.
Hé	³ Il y a chez lui biens et richesses,
Waw	et sa justice subsiste toujours.
Zaïn	⁴ Dans l'obscurité se lève une lumière pour les hommes droits.
Heth	Il est juste, bienveillant et miséricordieux *ᶜ*.
Teth	⁵ L'homme fait bien de compatir et de prêter :
Yod	il gérera ses affaires selon le droit :
Kaf	⁶ pour toujours il sera inébranlable,
Lamed	on gardera toujours la mémoire du juste *ᵈ*.
Mem	⁷ Il ne craindra pas les rumeurs méchantes *ᵉ* ;
Noun	le cœur assuré, il compte sur le SEIGNEUR ;
Samek	⁸ le cœur ferme, il ne craindra rien,
Aïn	et il peut toiser ses ennemis.

ᵞ le butin: autre traduction *la nourriture* ● *ᶻ* Autre traduction *faits avec droiture et vérité* ● *ᵃ qui font cela* ou *qui appliquent* (*les préceptes du Seigneur*, voir v. 7); autre texte (anciennes versions grecque, syriaque et latine) *qui suivent* (*le principe de la sagesse*) ● *ᵇ* Voir Ps 25,1 et la note ● *ᶜ juste, bienveillant et miséricordieux:* une formule traditionnelle que l'A.T. réserve habituellement à Dieu (voir Ex 34.6). Certains manuscrits de l'ancienne version grecque ont donc ici *le Seigneur Dieu est juste, bienveillant et miséricordieux...*, dans le même sens que Ps 111. 4 ● *ᵈ* C'est-à-dire: le juste restera toujours présent, non seulement par le souvenir qu'il laissera, mais aussi par l'exemple qu'il aura donné et les actions qu'il aura faites ● *ᵉ* Autre traduction *il n'aura pas peur devant une mauvaise nouvelle* (voir Jr 49.23) ou *il ne craindra pas qu'une mauvaise nouvelle lui arrive*

111.5 celui qui craint le Seigneur Ps 15.4+ — le Seigneur prend soin d'eux Ps 34.10 — il se souvient de son alliance Ps 105.8; 106.45. **111.6** puissance de ses œuvres Jr 27.5 — héritage des nations Ps 44.3. **111.7** vraies et justes Dn 4.34; Ap 15.3 — préceptes sûrs Ps 19.8; 93.5. **111.8** à tout jamais Es 40.8; cf. Mt 5.18 — droiture et vérité Ps 19.10. **111.9** délivrance Lc 1.68 — alliance pour toujours Ps 105.10 — saint et terrible Dt 28.58; Lc 1.49. **111.10** crainte du Seigneur et sagesse Es 33.6; Jb 28.28; Pr 9.10; *Si* 1.16 — louange pour toujours Ap 7.12. **112.1** Alléluia Ps 106.1+ — Heureux l'homme... Ps 1.1+ qui craint le Seigneur Ps 115.13; 128.1; cf. *Si* 25.11; 34.14; voir Ps 15.4+ — aimer les commandements du Seigneur Ps 119.48. **112.2** sa lignée Ps 25.13; 102.29; Pr 11.21; 20.7; sera bénie Pr 10.7. **112.3** sa justice... v. 9; Ps 111.3. **112.4** lumière Ps 37.6; 97.11; Es 58.10; Jn 8.12 — bienveillant et miséricordieux Ex 34.6+. **112.5** compatir et prêter Ps 37.26; Pr 14.21; 19.17; Lc 6.35. **112.6** inébranlable Ps 15.5+; cf. 55.23. **112.7** le cœur assuré Ps 108.2 — compter sur le Seigneur Ps 9.11+; 55.24+. **112.8** il ne craindra rien Ps 27.3, 14 — toiser ses ennemis Ps 54.9+.

Pé	⁹ Il a donné largement aux pauvres :
Çadé	sa justice subsiste toujours,
Qof	son front se relève avec fierté.
Resh	¹⁰ L'impie le voit, il enrage,
Shîn	il grince des dents et s'effondre ;
Taw	les souhaits des impies sont réduits à néant.

PSAUME 113 (112)

¹ Alléluia.

Serviteurs du SEIGNEUR, louez,
louez le *nom du SEIGNEUR.
² Que le nom du SEIGNEUR soit béni
dès maintenant et pour toujours !
³ Du soleil levant au soleil couchant ᶠ,
loué soit le nom du SEIGNEUR !

⁴ Le SEIGNEUR domine toutes les nations,
et sa gloire est au-dessus des cieux.
⁵ Qui ressemble au SEIGNEUR notre Dieu ?
Il siège tout en haut
⁶ et regarde tout en bas
les cieux et la terre.

⁷ Il relève le faible de la poussière,
il tire le pauvre du tas d'ordures,
⁸ pour l'installer avec les princes,
avec les princes de son peuple.
⁹ Il installe au foyer la femme stérile,
en joyeuse mère de famille.

Alléluia !

PSAUME 114 (113 A)

¹ Quand Israël sortit d'Egypte,
quand la famille de Jacob quitta un peuple barbare,
² Juda devint son *sanctuaire,
et Israël son domaine.

³ A cette vue, la mer s'enfuit,
le Jourdain reflua,
⁴ les montagnes bondirent comme des béliers,
les collines comme des cabris.

⁵ Mer, pourquoi t'enfuir ?
Jourdain, pourquoi refluer ?
⁶ Montagnes, pourquoi bondir comme des béliers,
et vous collines, comme des cabris ?

---

f Ou *depuis le lever jusqu'au coucher du soleil*

112.9 donner largement aux pauvres Ps 37.21 ; Pr 11.24 ; 21.26 ; 28,27 ; 2 Co 9.9. **112.10** grincer des dents Ps 35.16 — réduits à néant Ps 1.6 ; Jb 8.13. **113.1** Alléluia Ps 106.1 + — serviteurs du Seigneur Ps 134.1 ; 135.1 ; *Dn grec* 3.85 — louer le nom du Seigneur Ps 135.1. **113.2** béni pour toujours Ps 41.14 ; Jb 1.21 ; Dn 2.20. **113.3** du soleil levant au soleil couchant Ps 50.1 ; Ml 1.11 ; cf. Es 59.19. **113.4** le Seigneur domine Ps 57.6 ; 97.9 ; 99.2. **113.5** qui ressemble au Seigneur ? Ps 35.10+. **113.6** il regarde tout en bas Ps 11.4+ ; 138.6 ; Es 63.15 ; cf. Ep 4.10. **113.7** il relève le faible 1 S 2.8 ; Lc 1.52 ; Jc 2.5. **113.9** stérile... mère Gn 18.10-11 ; 25.21 ; 30.22 ; 1 S 1.2, 19-20 ; Es 54.1 ; Lc 1.7, 13 — Alléluia Ps 104.35+. **114.1** sortie d'Egypte Ex 12.41. **114.2** Juda, sanctuaire de Dieu Ps 78.68-69 ; Ex 15.17 ; 25.8 ; Lv 20.26 ; Dt 7.6 ; Jr 2.3 ; 1 Co 3.16 ; 6.19-20 ; cf. 1 P 2.4-5. **114.3** la mer s'enfuit Ps 77.17 ; 104.7 ; Ex 14.21+. **114.4** les montagnes bondirent Ps 29.6 ; cf. Ex 19.18. **114.5** reflux du Jourdain Ps 66.6 ; 74.15 ; Jos 3.15-16.

⁷ Terre, tressaille devant le Maître.
devant le Dieu de Jacob,
⁸ lui qui change le roc en étang
et le granit en fontaine.

PSAUME 115 (113 B)

¹ Non pas à nous, SEIGNEUR, non pas à nous.
mais à ton *nom rends gloire,
pour ta fidélité, pour ta loyauté.
² Pourquoi les nations disent-elles :
« Où donc est leur Dieu ? »
³ Notre Dieu est dans les cieux ;
tout ce qu'il a voulu, il l'a fait.

⁴ Leurs idoles sont d'argent et d'or,
faites de main d'homme :
⁵ Elles ont une bouche, et ne parlent pas ;
elles ont des yeux, et ne voient pas ;
⁶ elles ont des oreilles, et n'entendent pas ;
elles ont un nez, et ne sentent pas ;
⁷ des mains, et elles ne palpent pas ;
des pieds, et elles ne marchent pas ;
elles ne tirent aucun son de leur gosier.
⁸ Que leurs auteurs leur ressemblent,
et tous ceux qui comptent sur elles !

⁹ Fils d'Israël ᵍ ! comptez sur le SEIGNEUR.
— leur aide et leur bouclier, c'est lui !
¹⁰ Maison d'Aaron ʰ ! comptez sur le SEIGNEUR.
— leur aide et leur bouclier, c'est lui !
¹¹ Vous qui craignez le SEIGNEUR ⁱ ! comptez sur le SEIGNEUR.
— leur aide et leur bouclier, c'est lui !

¹² Le SEIGNEUR se souvient de nous ; il bénira :
il bénira la maison d'Israël ʲ,
il bénira la maison d'Aaron,
¹³ il bénira ceux qui craignent le SEIGNEUR,
les petits comme les grands.
¹⁴ Que le SEIGNEUR vous fasse prospérer.
vous et vos enfants !

---

g Fils d'Israël: expression sémitique, fréquente dans l'A.T pour désigner ceux qui forment le peuple d'Israël ● h Aaron, frère de Moïse (Ex 4.14) est considéré dans l'A.T. comme l'ancêtre des prêtres d'Israël (voir Ex 28.1). L'expression *maison d'Aaron* désigne l'ensemble de ses descendants, c'est-à-dire les prêtres en fonction ● i *ceux qui craignent le Seigneur:* après l'exil cette expression a désigné plus particulièrement les non-juifs convertis à la foi d'Israël ● j *maison d'Israël:* voir Ps 98.3 et la note

114.7 la terre tressaille devant Dieu Ps 96.9. 114.8 le roc changé en étang Ps 78.15-16 ; 105.41 ; 107.35+ ; Ex 17.5-6 ; Dt 8.15 ; Ne 9.15. 115.1 A Dieu seul la gloire Es 48.11 ; Ez 36.22 ; *Dn grec* 3.43 ; Ac 12.23 — fidélité et loyauté de Dieu Ps 108.5 ; cf. 25.10+. 115.2 pourquoi les nations...? Ps 79.10+ ; Ex 32.12 ; Nb 14.15-16. 115.3 dans les cieux Ps 2.4+ ; 11.4+ ; 123.1+ — il a fait tout ce qu'il a voulu Ps 135.6. 115.4-7 impuissance des idoles Ps 135.15-18 ; Dt 4.28 ; Es 40.19-20 ; 41.6-7 ; 44.9-20 ; 46.6-7 ; Jr 10.3-15 ; 16.20 ; Os 8.5-6 ; Ha 2.18 ; *Sg* 13.10—14.31 ; 15.15 ; *Lt-Jr* 3.54-55 ; *Dn grec* 14 ; Ac 19.26 ; Ap 9.20. 115.8 qu'ils leur ressemblent! Dt 27.15 ; Jr 2.5 ; *Sg* 14.8. 115.9 compter sur le Seigneur Ps 9.11+ ; 55.24+ — notre aide et notre bouclier Ps 33.20 ; voir Ps 3.4+. 115.10 maison d'Aaron Ps 118.3 ; 135.19. 115.11 ceux qui craignent le Seigneur Ps 15.4+. 115.12 le Seigneur se souvient Es 49.15 — Dieu bénira Ps 28.9 ; 67.7 ; 109.28 ; Ep 1.3 Israël Nb 6.23-26 et la maison d'Aaron cf. Jr 33.18. 115.13 bénédiction pour ceux qui craignent le Seigneur Ps 128.4 — petits et grands Jr 31.34 ; Ap 11.18. 115.14 vous et vos enfants Dt 1.11 ; Ac 2.39.

¹⁵ Soyez bénis par le SEIGNEUR,
l'auteur des cieux et de la terre.
¹⁶ Les cieux sont les cieux du SEIGNEUR,
mais la terre, il l'a donnée aux hommes.
¹⁷ Ce ne sont pas les morts qui louent le SEIGNEUR,
eux qui tous descendent au Silence ᵏ.
¹⁸ Mais nous, nous bénissons le SEIGNEUR,
dès maintenant et pour toujours.

Alléluia !

PSAUME 116 (114-115)

¹ J'aime le SEIGNEUR,
car il entend ma voix suppliante.
² il a tendu vers moi l'oreille,
et toute ma vie je l'appellerai.

³ Les liens de la mort m'ont enserré,
les entraves des enfers m'ont saisi ;
j'étais saisi par la détresse et la douleur,
⁴ et j'appelais le SEIGNEUR par son nom :
« Eh bien ! SEIGNEUR, libère-moi ! »

⁵ Le SEIGNEUR est bienveillant et juste ;
notre Dieu fait miséricorde.
⁶ Le SEIGNEUR garde les gens simples ;
j'étais faible, et il m'a sauvé.
⁷ Retrouve le repos, mon âme,
car le SEIGNEUR t'a fait du bien.

⁸ Tu m'as délivré de la mort,
tu as préservé mes yeux des larmes
et mes pieds de la chute,
⁹ pour que je marche devant le SEIGNEUR,
au pays des vivants.

¹⁰ J'ai gardé confiance même quand je disais ˡ :
« Je suis très malheureux ! »
¹¹ Désemparé, je disais :
« Tous les hommes sont des menteurs. »
¹² Comment rendrai-je au SEIGNEUR
tout le bien qu'il m'a fait ?

¹³ Je lèverai la coupe de la victoire
et j'appellerai le SEIGNEUR par son nom ;
¹⁴ j'accomplirai mes vœux envers le SEIGNEUR,
et en présence de tout son peuple.

---

k *le Silence:* voir Ps 94.17 et la note; voir aussi Ps 6.6 ● *l* Autre texte (ancienne version grecque)
j'ai cru, c'est pourquoi j'ai parlé; c'est sous cette forme que le verset est cité en 2 Co 4.13

115.15 bénis par le créateur Ps 134.3; Gn 14.19; cf. Rt 2.20 — l'auteur des cieux et de
la terre Ps 121.2+. **115.16** les cieux v. 3+ — la terre aux hommes Jr 27.5; Ac 17.26. **115.17** les
morts ne peuvent louer le Seigneur Ps 6.6+ **115.18** mais nous... Es 38.19 — dès maintenant et
pour toujours Ps 113.2; 121.8 — Alléluia Ps 104.35+. **116.1** J'aime le Seigneur Ps 18.2 — supplication entendue Ps 28.2; 66.19. **116.2** Dieu tend l'oreille Ps 102.3. **116.3** les liens de la mort
Ps 18.5 — détresse et douleur Ps 31.11. **116.4** le Seigneur appelé par son nom Ps 118.5 — libère-
moi Ps 6.5; 22.6. **116.5** le Seigneur, compatissant et juste Ex 34.6+ ; Ps 112.4; 145.17 — Dieu
fait miséricorde Ps 103.13. **116.6** faible Ps 142.7 **116.7** le Seigneur m'a fait du bien Ps 13.7.
116.8 délivré de la mort Ps 16.10; 49.16; 86.13; *Dn grec* 3.88; Ac 2.24; cf. He 5.7 — larmes Es 25.8;
Ap 21.4 — préservé de la chute Ps 56.14. **116.11** désemparé Ps 31.23 — tous les hommes menteurs
Ps 12.3; 62.10; Rm 3.4. **116.13** lever la coupe 1 Co 10.16. **116.14** vœux accomplis v. 18;
Ps 50.14; 56.13; Jon 2.10.

¹⁵ Il en coûte au SEIGNEUR
de voir mourir ses fidèles.
¹⁶ Eh bien ! SEIGNEUR, puisque je suis ton serviteur,
ton serviteur, le fils de ta servante,
tu as dénoué mes liens.

¹⁷ Je t'offrirai un *sacrifice de louange
et j'appellerai le SEIGNEUR par son nom ;
¹⁸ j'accomplirai mes vœux envers le SEIGNEUR,
et en présence de tout son peuple,
¹⁹ dans les *parvis de la maison du SEIGNEUR,
au milieu de toi, Jérusalem !

Alléluia ! ^m

PSAUME 117 (116)

¹ Nations, louez toutes le SEIGNEUR.
Peuples, glorifiez-le tous.
² Car sa fidélité nous dépasse,
et la loyauté du Seigneur est pour toujours.

Alléluia ! ^m

PSAUME 118 (117)

¹ Célébrez le SEIGNEUR, car il est bon,
et sa fidélité est pour toujours.

² Qu'Israël le redise :
« Sa fidélité est pour toujours ! »
³ Que la maison d'Aaron ⁿ le redise :
« Sa fidélité est pour toujours ! »
⁴ Que ceux qui craignent le SEIGNEUR ^o le redisent :
« Sa fidélité est pour toujours ! »

⁵ Quand j'étais assiégé, j'ai appelé le SEIGNEUR ;
le SEIGNEUR m'a répondu en me mettant au large.
⁶ Le SEIGNEUR est pour moi, je ne crains rien,
que me feraient les hommes ^p ?
⁷ Le SEIGNEUR est pour moi, il me vient en renfort ^q,
et je toise mes ennemis.

⁸ Mieux vaut se réfugier près du SEIGNEUR
que compter sur les hommes !
⁹ Mieux vaut se réfugier près du SEIGNEUR
que compter sur les princes !

---

m Alléluia : voir Ps 104.35 et la note ● *n* Voir Ps 115.10 et la note ● *o* Voir Ps 115.11 et la note
● *p que me feraient les hommes?* Autre traduction *que feraient pour moi les hommes?* (voir Ps
56.12) ● *q il me vient en renfort :* autre traduction *il est le seul aide que j'aie* (Ps 54.6)

116.15 prix de la vie des fidèles Ps 72.14. **116.16** ton serviteur Ps 119.125; 143.12 — liens
dénoués Jr 30.8. **116.17** sacrifice de louange Ps 107.22; cf. Lv 7.12. **116.19** Alléluia Ps 104.35+.
117.1 Nations, louez toutes... Rm 15.11. **117.2** sa fidélité nous dépasse Ps 103.11; Rm 5.20
— loyauté éternelle du Seigneur Ps 100.5; Mi 7.20 — Alléluia Ps 104.35+. **118.1** célébrez
le Seigneur Ps 105.1+ car il est bon et sa fidélité... Ps 106.1+. **118.3** maison d'Aaron Ps
115.10+. **118.4** ceux qui craignent le Seigneur Ps 15.4+. **118.5** appel au Seigneur et réponse
Ps 99.6+; cf. 3.5+. **118.6** le Seigneur est pour moi He 13.6; Jr 1.8; Rm 8.31 — je ne crains
rien Ps 56.5; Es 12.2; 43.1; 44.2; Jr 1.8; So 3.16 — que me feraient les hommes? Es 51.12;
Jr 1.19. **118.7** je toise mes ennemis Ps 54.9+. **118.8** le Seigneur, un refuge Ps 7.2+ —
mieux vaut... le Seigneur... que les hommes Ps 60.13; Jr 17.5, 7; cf. Ps 62.9, 10. **118.9** ou que
les princes Ps 146.3; Es 30.3.

¹⁰ Toutes les nations m'avaient encerclé :
au *nom du SEIGNEUR, je les pourfendais ʳ.
¹¹ Elles m'ont encerclé :
au nom du SEIGNEUR, je les pourfendais.

¹² Elles m'ont encerclé comme des guêpes ;
elles se sont éteintes comme un feu d'épines,
au nom du SEIGNEUR, je les pourfendais.

¹³ Tu m'avais bousculé ˢ pour m'abattre,
mais le SEIGNEUR m'a aidé.
¹⁴ « Ma force et mon cri de guerre, c'est LUI ! »
« Je lui dois la victoire ! »
¹⁵ Clameur de joie et de victoire
dans les tentes des justes :
« La droite du SEIGNEUR fait un exploit !
¹⁶ la droite du SEIGNEUR est levée !
la droite du SEIGNEUR fait un exploit ! »

¹⁷ Non, je ne mourrai pas, je vivrai
pour raconter les œuvres du SEIGNEUR :
¹⁸ Certes le SEIGNEUR m'a corrigé,
mais il ne m'a pas livré à la mort.
¹⁹ Ouvrez-moi les portes de la justice,
j'entrerai pour célébrer le SEIGNEUR.
²⁰ — C'est la porte du SEIGNEUR ;
que les justes entrent !

²¹ Je te célèbre car tu m'as répondu,
et je te dois la victoire.
²² La pierre que les maçons ont rejetée
est devenue la pierre angulaire.
²³ Cela vient du SEIGNEUR :
c'est une merveille à nos yeux !

²⁴ Voici le jour que le SEIGNEUR a fait :
qu'il soit notre bonheur et notre joie !
²⁵ Donne, SEIGNEUR, donne la victoire ᵗ !
Donne, SEIGNEUR, donne le triomphe !

²⁶ Béni soit celui qui entre, au *nom du SEIGNEUR !
— Nous vous bénissons depuis la maison du SEIGNEUR.
²⁷ Le SEIGNEUR est Dieu et il nous a donné la lumière :
Formez le cortège, rameaux en main,
jusqu'aux cornes de l'*autel ᵘ.

---

r *je les pourfendais:* traduction incertaine; versions anciennes *je les ai repoussées* (grec); *je me suis vengé d'elles* (latin); *je les extermine* (araméen) ● s *tu m'avais bousculé:* le texte hébreu ne permet pas de reconnaître à quel interlocuteur le psaume s'adresse ici. Anciennes versions *on m'a poussé pour que je tombe* ● t *donne la victoire:* autre traduction *sauve donc.* Le terme correspondant, transposé en *Hosanna* dans les milieux grecs, est devenu plus tard une acclamation (voir Mt 21.9) ● u *Formez le cortège:* traduction incertaine; le sens du v. 27 est discuté — *les cornes de l'autel:* voir Ex 27.2 et la note

118.10 encerclé Ps 22.13.   **118.12** feu d'épines Es 33.12.   **118.13** pour m'abattre Ps 62.4.   **118.14** ma force et mon cri de guerre cf. Ex 15.2; Es 12.2.   **118.15** la (main) droite du Seigneur Ex 15.6.   **118.17** raconter ses œuvres Ps 9.2+; Jr 51.10.   **118.18** corrigé par le Seigneur Ps 107.12; Jr 30.11; 31.18 — mais... Sg 12.21-22; 2 Co 6.9.   **118.19** portes ouvertes Ps 24.7; Es 26.2.   **118.20** que les justes entrent! Ps 15.2-3; 24.4.   **118.21** m'as répondu Ps 66.19; 116.1-2.   **118.22** la pierre... angulaire Es 28.16; Za 4.7; Mc 12.10 par.; Ac 4.11; 1 P 2.4-7.   **118.24** le jour que le Seigneur a fait Ps 75.3; Ex 49.8; Ne 8.9.   **118.25** victoire et triomphe Jr 31.7; Jn 12.13 par.   **118.26** Béni soit...! Ps 28.6+ au nom du Seigneur Dt 21.5; Mt 21.9 par.; 23.39 — nous vous bénissons Ps 129.8 — depuis la maison du Seigneur Ps 20.3+.   **118.27** le Seigneur est Dieu Dt 4.35; 1 R 18.39 — la lumière Ps 18.29; 67.2; Ex 13.21; Nb 6.25; Es 60.1; 1 Jn 2.8; cf. Ps 27.1+.

²⁸ — Tu es mon Dieu ! et je te célèbre,
mon Dieu, et je t'exalte.

²⁹ Célébrez le SEIGNEUR, car il est bon
et sa fidélité est pour toujours.

PSAUME 119 (118)

(Voir Ps 19.8-15 ; Si 2.16)

Alef ᵛ   ¹ Heureux ceux dont la conduite est intègre
et qui suivent la Loi du SEIGNEUR.
² Heureux ceux qui observent ses édits,
de tout cœur ils le cherchent.
³ Ils n'ont pas commis de crime,
ils ont suivi ses chemins.
⁴ C'est toi qui as promulgué tes préceptes
pour qu'on les garde avec soin.
⁵ Que ma conduite s'affermisse
pour garder tes décrets ;
⁶ alors je ne serai pas déçu
en contemplant tous tes commandements.
⁷ Je te célébrerai d'un cœur droit
en étudiant tes justes décisions.
⁸ Tes décrets, je les garde,
ne m'abandonne pas complètement !

Beth   ⁹ Comment un jeune homme aura-t-il une conduite pure ?
C'est en prenant garde selon ta parole.
¹⁰ De tout mon cœur je t'ai cherché,
ne me laisse pas errer loin de tes commandements.
¹¹ Dans mon cœur je conserve tes ordres
afin de ne pas pécher contre toi.
¹² Béni sois-tu, SEIGNEUR !
enseigne-moi tes décrets.
¹³ Mes lèvres ont récité
toutes les décisions de ta bouche.
¹⁴ A suivre tes édits, j'ai trouvé la joie
comme au comble de la fortune.
¹⁵ Tes préceptes, je les méditerai
et je contemplerai tes voies.
¹⁶ Je me délecte de tes décrets,
je n'oublie pas ta parole.

Guimel ¹⁷ Agis en faveur de ton serviteur : je vivrai
et je garderai ta parole.
¹⁸ Dessille mes yeux, et je verrai
les merveilles de ta Loi.
¹⁹ Je suis un étranger sur la terre,
ne me cache pas tes commandements.

---

v Voir Ps 25.1 et la note sur les psaumes alphabétiques. Le Ps 119 comprend 22 strophes de 8 versets ; chacun d'eux mentionne un des nombreux termes synonymes désignant les commandements de Dieu : *loi, édits, chemins, préceptes,* etc.

118.28 mon Dieu Ps 22.11+ ; je t'exalte Es 25.1 ; cf. Ps 99.5 ; 107.32 ; Lc 1.46.   **119.1** heureux Ps 1.1+ — conduite intègre Ps 84.12-13 ; Pr 11.20 ; 13.6 ; Lc 11.28.   **119.2** chercher le Seigneur Ps 9.11+ de tout son cœur v. 10, 145 ; Dt 4.29 ; 2 Ch 30.19 ; 31.21.   **119.4** garder les préceptes de Dieu Dt 6.2 ; cf. Mt 5.19.   **119.5** une conduite affermie v. 133.   **119.6** pas déçu v. 31 ; Ps 31.2+ ; 1 Jn 2.28 — contempler les commandements de Dieu v. 15 ; Jc 1.23-25.   **119.8** ne m'abandonne pas Ps 38.22+ ; Jn 8.29.   **119.9** jeune homme Pr 1.4.   **119.10** ne me laisse pas errer Ps 139.24.   **119.12** Béni sois-tu 1 Ch 29.10, 18 ; cf. Ps 28.6+.   **119.13** réciter... Ps 1.2.   **119.14** joie v. 111, 162.   **119.19** étranger sur la terre v. 54 ; Ps 39.13 ; He 11.13 ; 1 P 1.1 ; 2.11.

²⁰ J'aime avec passion
tes décisions de chaque instant.
²¹ Tu as menacé ces maudits orgueilleux
qui s'égarent loin de tes commandements.
²² Débarrasse-moi de l'insulte et du mépris,
car j'ai observé tes édits.
²³ Même si des princes siègent pour discuter contre moi,
ton serviteur médite tes décrets.
²⁴ Tes édits eux-mêmes font mes délices,
ils sont mes conseillers.

Daleth ²⁵ Me voici collé à la poussière,
selon ta parole, fais-moi revivre.
²⁶ Je t'ai décrit mes chemins et tu m'as répondu,
enseigne-moi tes décrets.
²⁷ Fais-moi discerner le chemin de tes préceptes
et je méditerai tes merveilles.
²⁸ Le chagrin a fait couler mes larmes ;
relève-moi selon ta parole.
²⁹ Ecarte de moi le chemin du mensonge
et fais-moi la grâce de ta Loi.
³⁰ J'ai choisi le chemin de la loyauté,
je me suis aligné sur tes décisions.
³¹ A tes édits, je me tiens collé ;
SEIGNEUR, fais que je ne sois pas déçu.
³² Je cours sur le chemin de tes commandements
car tu m'ouvres l'esprit.

Hé ³³ SEIGNEUR, indique-moi le chemin de tes décrets,
et ma récompense sera de les observer *w*.
³⁴ Rends-moi intelligent, j'observerai ta Loi
et je la garderai de tout cœur.
³⁵ Conduis-moi sur le sentier de tes commandements,
car je m'y plais.
³⁶ Incline mon cœur vers tes édits,
et non vers le profit.
³⁷ Détourne mes yeux de l'illusion,
fais-moi revivre dans tes chemins.
³⁸ Pour ton serviteur réalise *x* tes ordres,
et l'on te craindra.
³⁹ Détourne l'insulte que je redoute,
car tes décisions sont bonnes.
⁴⁰ Oui, j'aime tes préceptes ;
par ta justice fais-moi revivre.

Waw ⁴¹ Que viennent sur moi tes bontés, SEIGNEUR,
le salut conforme à tes ordres.
⁴² Et j'aurai une parole pour qui m'insulte,
car je compte sur ta parole.
⁴³ N'ôte pas de ma bouche toute parole de vérité,
car j'espère en tes décisions.

---

w Voir v. 112; autre traduction *je les garderai avec profit* (voir Ps 19.12); ancienne version grecque *je les garderai continuellement* ● *x réalise* ou *confirme*

119.25 collé à la poussière Ps 44.26 — revivre v. 50, 88, 93, 149, 156, 159; Ps 85.7; Os 6.2. **119.26** tu m'as répondu Ps 118.21. **119.27** méditer les merveilles de Dieu Ps 105.2. **119.28** larmes Ps 116.8. **119.31** collé Dt 11.22; cf. Jr 13.11. **119.32** courir He 12.1 sur le chemin de tes commandements cf. Jr 31.33. **119.33** ma récompense v. 112. **119.34** intelligence Jr 9.23. **119.35** conduis-moi Ps 5.9+. **119.36** non vers le profit cf. Es 33.15; Jr 22.17; He 13.5. **119.37** idoles illusoires Jr 18.15; 1 Jn 5.21. **119.38** pour ton serviteur Lc 1.38. **119.41** tes bontés Ps 89.2. **119.43** espérer v. 49, 74; Ps 33.18+; 147.11.

⁴⁴ Je garderai sans cesse ta Loi,
et à tout jamais.
⁴⁵ Je marcherai à l'aise,
car je recherche tes préceptes.
⁴⁶ Devant des rois je parlerai de tes édits,
et je n'aurai pas honte.
⁴⁷ Je me délecte de tes commandements
que j'aime tant.
⁴⁸ Je lève les mains vers tes commandements que j'aime tant,
et je méditerai tes décrets.

Zaïn
⁴⁹ Rappelle-toi la parole dite à ton serviteur,
en laquelle tu me fis espérer.
⁵⁰ C'est ma consolation dans la misère,
car tes ordres m'ont fait revivre.
⁵¹ Les orgueilleux se sont bien moqués de moi,
mais je n'ai pas dévié de ta Loi.
⁵² Je me rappelle tes décisions de toujours, SEIGNEUR,
elles sont ma consolation.
⁵³ La rage m'a saisi devant les infidèles
qui abandonnent ta Loi.
⁵⁴ Tes décrets sont devenus mes cantiques
dans la maison où je ne fais que passer.
⁵⁵ La nuit, je me rappelle ton nom, SEIGNEUR,
pour garder ta Loi.
⁵⁶ Ce qui m'appartient,
c'est d'observer tes préceptes.

Heth
⁵⁷ Ma part, SEIGNEUR, ai-je dit,
c'est de garder tes paroles.
⁵⁸ J'ai mis tout mon cœur à détendre ton visage,
fais-moi grâce selon tes ordres.
⁵⁹ J'ai réfléchi à ma conduite
et je ramène mes pas vers tes édits.
⁶⁰ Sans perdre un instant je me suis hâté
de garder tes commandements.
⁶¹ Les cordes des infidèles m'ont ligoté,
ta Loi, je ne l'ai pas oubliée.
⁶² En pleine nuit je me lève pour te célébrer
à cause des justes décisions.
⁶³ Je m'associe à tous ceux qui te craignent
et qui gardent tes préceptes.
⁶⁴ De ta fidélité, SEIGNEUR, la terre est comblée ;
enseigne-moi tes décrets.

Teth
⁶⁵ Tu as fait le bonheur de ton serviteur,
selon ta parole, SEIGNEUR.
⁶⁶ Enseigne-moi les bienfaits ʸ du jugement et de la science,
car je me fie à tes commandements.

---

y Enseigne-moi les bienfaits du jugement...: autre traduction enseigne-moi ce qu'il y a de bien dans le jugement et la science; anciennes versions grecque et syriaque enseigne-moi la bonté, la correction et la science

119.45 à l'aise cf. Jn 8.31-32 — je recherche tes préceptes Ps 112.2. 119.46 parler sans honte Ac 18.26; 19.8; Ep 6.20; Ph 1.13-14. 119.47 je me délecte v. 70, 143; Jn 4.34. 119.48 lever les mains Ps 28.2+. 119.49 rappelle-toi Jr 15.15 — la parole dite Ps 105.42. 119.50 ma consolation 1 M 12.9; Rm 15.4. 119.51 on se moque de moi Ps 123.3. 119.54 des cantiques Ps 101.1; 137.4 — je ne fais que passer v. 19+. 119.55 la nuit... Ps 63.7; 134.1 — ton nom Ps 20.8; Ps 124.8+. 119.57 ma part Ps 16.5. 119.58 détendre le visage du Seigneur Ex 32.11; Ml 1.9. 119.59 réfléchir à sa conduite Lc 15.17. 119.62 en pleine nuit Ps 42.9; Ac 16.25. 119.63 ceux qui te craignent Ps 15.4+. 119.64 la terre est comblée Ps 65.10. 119.65 le bonheur Ps 86.17. 119.66 jugement... science (connaissance de Dieu) Os 4.2+; Ph 1.9; Jc 1.5.

⁶⁷ Avant d'être humilié, je m'égarais ;
à présent je garde tes ordres.
⁶⁸ Tu es bon et bienfaisant,
enseigne-moi tes décrets.
⁶⁹ Des orgueilleux m'ont sali de leurs mensonges,
moi, de tout cœur, j'observe tes préceptes.
⁷⁰ Leur cœur s'est figé comme de la graisse ;
moi je me délecte de ta Loi.
⁷¹ Il me fut bon d'être humilié
pour étudier tes décrets.
⁷² La Loi sortie de ta bouche vaut mieux pour moi
que des millions d'or et d'argent.

Yod ⁷³ Tes mains m'ont fait et affermi ;
rends-moi intelligent et j'étudierai tes commandements.
⁷⁴ En me voyant, ceux qui te craignent se réjouissent,
car j'espère en ta parole.
⁷⁵ Je reconnais, SEIGNEUR, que tes décisions sont justes,
et que tu avais raison de m'humilier.
⁷⁶ Que ta fidélité me console,
comme tu l'as ordonné pour ton serviteur.
⁷⁷ Que ta miséricorde me pénètre et je vivrai,
car ta Loi fait mes délices.
⁷⁸ Honte aux orgueilleux qui m'ont accablé de mensonges ;
moi je médite tes préceptes.
⁷⁹ Que reviennent à moi ceux qui te craignent,
ils connaîtront ᶻ tes édits.
⁸⁰ Que je suive parfaitement tes décrets,
pour ne pas éprouver la honte.

Kaf ⁸¹ Je me suis usé à attendre ton salut,
j'ai espéré en ta parole.
⁸² Mes yeux se sont usés à chercher tes ordres,
et je dis : « Quand me consoleras-tu ? »
⁸³ J'étais pareil à une outre racornie ᵃ,
mais je n'ai pas oublié tes décrets.
⁸⁴ Combien ces jours dureront-ils pour ton serviteur ?
Quand prendras-tu une décision contre mes persécuteurs ?
⁸⁵ Contre moi des orgueilleux ont creusé des fosses,
au mépris de ta Loi.
⁸⁶ Tous tes commandements sont fidélité ;
on me poursuit avec perfidie, aide-moi.
⁸⁷ Usé et presque terrassé,
je n'ai pas abandonné tes préceptes.
⁸⁸ Selon ta fidélité, fais-moi revivre,
et je garderai ce que ta bouche édicte.

Lamed ⁸⁹ A jamais, SEIGNEUR,
ta parole se dresse dans les cieux.
⁹⁰ Ta fidélité dure d'âge en âge :
tu as fixé la terre, et elle tient ;

---

z ils connaîtront: d'après le texte hébreu « écrit »; texte hébreu que la tradition juive considère
comme « à lire » et versions anciennes et qui connaissent ● a outre: voir Mc 2.22 et la note; une
outre racornie : l'hébreu exprime cette idée en précisant une outre qui a été exposée à la fumée

119.67 avant d'être humilié Pr 15.33. 119.68 Tu es bon Ps 25.8; 73.1; 100.5. 119.70 cœur figé
Es 6.10 — graisse Ps 17.10+. 119.72 or et argent Ps 19.11. 119.73 tes mains m'ont fait Es 64.7;
Jb 10.8; Sg 7.1; cf. Ps 139.15. 119.74 ceux qui te craignent Ps 15.4+ se réjouissent Ps 107.42.
119.82 quand me consoleras-tu? Ps 101.2. 119.84 contre mes persécuteurs Ps 7.2. 119.85 des
fosses Ps 57.7. 119.86 commandements, fidélité Ps 33.4; 111.7-8. 119.89 ta parole Es 40.8;
Sg 18.15; Jn 1.1. 119.90 ta fidélité dure d'âge en âge Ps 103.17+ — la terre tient Ps 104.5.

⁹¹ selon tes décisions, tout tient jusqu'à ce jour,
    car l'univers est ton serviteur.
⁹² Si ta Loi n'avait pas fait mes délices,
    j'aurais péri de misère.
⁹³ Jamais je n'oublierai tes préceptes,
    car par eux tu m'as fait revivre.
⁹⁴ Je suis à toi ! sauve-moi,
    car j'ai cherché tes préceptes.
⁹⁵ Des infidèles ont espéré me perdre,
    moi, je reste attentif à tes édits.
⁹⁶ A toute perfection j'ai vu une limite,
    mais ton commandement est d'une ampleur infinie.

Mem   ⁹⁷ Combien j'aime ta Loi,
    tous les jours je la médite.
⁹⁸ Ton commandement me rend plus sage que mes ennemis,
    je le fais mien pour toujours.
⁹⁹ Je suis plus avisé que tous mes maîtres,
    car j'ai médité tes édits.
¹⁰⁰ J'ai plus de discernement que les *anciens,
    car j'ai observé tes préceptes.
¹⁰¹ J'ai évité toutes les routes du mal
    afin de garder ta parole.
¹⁰² Je ne me suis pas détourné de tes décisions,
    car c'est toi qui m'as instruit.
¹⁰³ Que tes ordres sont doux à mon palais,
    plus que le miel à ma bouche !
¹⁰⁴ Grâce à tes préceptes j'ai du discernement,
    aussi je déteste toutes les routes du mensonge.

Noun   ¹⁰⁵ Ta parole est une lampe pour mes pas,
    une lumière pour mon sentier.
¹⁰⁶ J'ai juré, et je le confirme,
    de garder tes justes décisions.
¹⁰⁷ Je suis bien trop humilié,
    SEIGNEUR, fais-moi revivre selon ta parole.
¹⁰⁸ Agrée, SEIGNEUR, l'offrande de mes prières,
    enseigne-moi tes décisions.
¹⁰⁹ Au constant péril de ma vie
    je n'ai pas oublié ta Loi.
¹¹⁰ Des infidèles m'ont tendu un piège
    mais je n'ai pas erré loin de tes préceptes.
¹¹¹ Tes édits sont à jamais mon héritage ;
    ils sont la joie de mon cœur.
¹¹² Je m'applique à pratiquer tes décrets ;
    c'est à jamais ma récompense.

Samek   ¹¹³ Je déteste les cœurs partagés
    et j'aime ta Loi.
¹¹⁴ Mon abri et mon bouclier, c'est toi !
    j'espère en ta parole.
¹¹⁵ Méchants, détournez-vous de moi,
    et j'observerai les commandements de mon Dieu.

119.91 selon tes décisions tout tient Ps 105.7; Jr 33.25. **119.93** revivre v. 25+. **119.94** je suis à toi Ps 100.3; 1 Co 3.23. **119.97** combien j'aime ta loi Ps 40.9. **119.98** ton commandement me rend plus sage Dt 4.6. **119.99** plus avisé que mes maîtres Mt 11.25. **119.103** plus doux que le miel Ps 19.11; Si 23.27; 24.20. **119.105** ta parole, une lampe Pr 6.23; cf. Sg 18.4; Jn 8.12+. **119.107** appel de l'humilié Ps 70.6; 116.10. **119.108** agrée l'offrande... Ps 51.21; 1 S 26.19; Es 56.7; cf. Mi 6.7; Ml 1.13. **119.110** piège Jr 9.7; cf. Ps 9.16+. **119.111** joie v. 14; Jr 15.16. **119.112** ma récompense v. 33. **119.113** cœurs partagés Si 2.12; Mt 6.24; Jc 1.8. **119.114** mon bouclier Ps 3.4+. **119.115** détournez-vous de moi Ps 6.9+.

¹¹⁶ Selon tes ordres, sois mon appui et je vivrai ;
ne déçois pas mon attente.
¹¹⁷ Soutiens-moi, et je serai sauvé,
et je ne perdrai pas de vue tes décrets.
¹¹⁸ Tu as rejeté tous ceux qui s'égaraient loin de tes décrets,
car leurs manœuvres n'étaient que mensonge.
¹¹⁹ Tu as réduit en scories tous les infidèles du pays,
aussi j'aime tes édits.
¹²⁰ Ma chair frissonne de terreur devant toi
et de crainte devant tes décisions.

Aïn ¹²¹ J'ai agi selon le droit *b* et la justice ;
ne me livre pas à mes oppresseurs.
¹²² Garantis le bonheur de ton serviteur ;
que les orgueilleux ne m'oppriment pas.
¹²³ Mes yeux se sont usés à attendre ton salut
et à chercher les ordres de ta justice.
¹²⁴ Agis envers ton serviteur selon ta fidélité
et enseigne-moi tes décrets.
¹²⁵ Je suis ton serviteur ; donne-moi du discernement,
et je connaîtrai tes édits.
¹²⁶ Pour le SEIGNEUR, il est temps d'agir *c* :
on a violé ta Loi.
¹²⁷ Aussi j'aime tes commandements
plus que l'or, même le plus fin.
¹²⁸ Aussi je trouve justes en tous points tous les préceptes ;
je déteste toutes les routes du mensonge.

Pé ¹²⁹ Tes édits sont des merveilles,
aussi je les observe.
¹³⁰ La découverte de tes paroles illumine,
elle donne du discernement aux simples.
¹³¹ La bouche grande ouverte, j'aspire,
avide de tes commandements.
¹³² Tourne-toi vers moi et fais-moi grâce,
comme il en est décidé pour ceux qui aiment ton nom.
¹³³ Affermis mes pas par tes ordres
et ne laisse aucun mal me dominer.
¹³⁴ Libère-moi de l'oppression des hommes,
et je garderai tes préceptes.
¹³⁵ Pour ton serviteur que ton visage s'illumine ;
enseigne-moi tes décrets.
¹³⁶ Des larmes ont ruisselé de mes yeux,
car on ne garde pas ta Loi.

Çadé ¹³⁷ SEIGNEUR, tu es juste,
et tes décisions sont droites.
¹³⁸ Tu as promulgué tes édits, c'est la justice
et la pleine fidélité.
¹³⁹ Mon zèle m'a consumé

---

b le droit : partout ailleurs dans le psaume le terme hébreu correspondant figure au pluriel et a été rendu par *décisions* ● *c* On peut comprendre *il est temps d'agir en faveur du Seigneur* ou *il est temps que le Seigneur agisse.* Voir aux références parallèles

119.116 mon appui Ps 63.9. **119.117** soutiens-moi Ps 18.36. **119.125** ton serviteur Ps 116.16; 143.12. **119.126** il est temps d'agir Ps 69.14; 102.14. **119.130** illumination v. 105+; Ps 19.9 — du discernement aux simples Pr 1.4; cf. Mt 11.25. **119.132** tourne-toi vers moi Nb 6.26; 2 R 13.23 — fais-moi grâce Es 30.18-19; Pr 3.34 ;—ceux qui aiment ton nom Ps 69.37; Es 56.6; cf. Ps 97.10; 145.20. **119.133** affermis mes pas Ps 37.23; 40.3; Dt 7.9; Jg 5.31 — ne laisse aucun mal Rm 6.12. **119.134** libère-moi de l'oppression Es 54.14; Lc 1.74. **119.135** que ton visage s'illumine Ps 31.17+. **119.137** tu es juste Dt 32.4; Ap 16.7; 19.2. **119.139** mon zèle m'a consumé Ps 69.10.

quand mes adversaires oubliaient tes paroles.
¹⁴⁰ Tes ordres sont à toute épreuve *d*,
et ton serviteur les aime.
¹⁴¹ Même chétif et méprisé
je n'ai pas oublié tes préceptes.
¹⁴² Ta justice est la justice éternelle,
et ta Loi est la vérité.
¹⁴³ La détresse et l'angoisse m'ont saisi,
mais tes commandements sont mes délices.
¹⁴⁴ Tes édits sont la justice éternelle ;
donne-moi du discernement et je vivrai.

Qof   ¹⁴⁵ J'ai appelé de tout cœur, réponds-moi, SEIGNEUR ;
j'observerai tes décrets.
¹⁴⁶ Je t'ai appelé, sauve-moi
et je garderai tes édits.
¹⁴⁷ J'ai devancé l'aurore et je crie ;
j'espère en tes paroles.
¹⁴⁸ Avant l'heure j'ai ouvert les yeux
pour méditer tes ordres.
¹⁴⁹ Selon ta fidélité écoute ma voix ;
SEIGNEUR, selon tes décisions, fais-moi revivre.
¹⁵⁰ Ils approchent ces persécuteurs infâmes
qui s'éloignent de ta Loi.
¹⁵¹ Toi, tu es proche, SEIGNEUR,
et tous tes commandements sont la vérité.
¹⁵² Tes édits, je sais depuis longtemps
que tu les as établis pour toujours.

Resh   ¹⁵³ Vois ma misère et délivre-moi,
car je n'ai pas oublié ta Loi.
¹⁵⁴ Soutiens ma cause et défends-moi ;
par tes ordres fais-moi revivre.
¹⁵⁵ Le salut est loin des infidèles,
car ils n'ont pas recherché tes décrets.
¹⁵⁶ SEIGNEUR, tes miséricordes sont nombreuses,
selon tes décisions, fais-moi revivre.
¹⁵⁷ Nombreux sont mes persécuteurs et mes adversaires,
mais je ne me suis pas écarté de tes édits.
¹⁵⁸ J'ai vu des traîtres et je suis écœuré,
car ils n'ont pas gardé tes ordres.
¹⁵⁹ Vois combien j'aime tes préceptes,
selon ta fidélité, SEIGNEUR, fais-moi revivre.
¹⁶⁰ Le principe de ta parole, c'est la vérité ;
toute décision de ta justice est éternelle.

Shîn   ¹⁶¹ Des princes m'ont persécuté sans motif,
mon cœur ne redoute que tes paroles.
¹⁶² Je me réjouis de tes ordres
comme celui qui trouve un grand butin.
¹⁶³ Je déteste le mensonge, je l'abhorre,
c'est ta Loi que j'aime.
¹⁶⁴ Sept fois par jour je t'ai loué

---

d Tes ordres sont à toute épreuve: l'hébreu exprime cette idée d'une manière imagée: *ta parole est bien affinée au feu* (sous-entendu *comme un métal précieux*); voir Ps 12.7

119.143 détresse et angoisse cf. Jn 12.27. **119.145** appel à Dieu Ps 3.5+ — de tout cœur v. 2+ ; *Sg* 8.21. **119.147** devancer l'aurore Ps 57.9. **119.151** le Seigneur est proche Ps 34.19; Dt 4.7; Jr 1.8. **119.152** pour toujours Mt 5.18; 1 P 1.25. **119.156** miséricorde Ps 69.17; 145.9. **119.157** adversaires nombreux Ps 3.2; 69.5. **119.158** écœuré Ps 95.10. **119.160** ta parole... la vérité Jn 17.17. **119.161** persécuté sans motif 1 S 26.18. **119.162** comme un grand butin Es 9.2; Mt 13.44.

pour tes justes décisions.
165 Grande est la paix de ceux qui aiment ta Loi :
pour eux plus d'obstacle !
166 SEIGNEUR, j'ai attendu de toi le salut
et j'ai accompli tes commandements.
167 J'ai gardé tes édits,
je les aime vraiment.
168 J'ai gardé tes préceptes et tes édits,
tous mes chemins sont devant toi.

Taw　169 Que mon cri parvienne en ta présence, SEIGNEUR,
donne-moi du discernement selon ta parole !
170 Que ma supplique arrive en ta présence ;
selon tes ordres délivre-moi !
171 Que mes lèvres prodiguent la louange,
car tu m'enseignes tes décrets.
172 Que ma langue chante tes ordres,
car tous tes commandements sont la justice.
173 Que ta main me vienne en aide,
car j'ai choisi tes préceptes.
174 De toi, SEIGNEUR, je désire le salut,
et ta Loi fait mes délices.
175 Que je puisse vivre pour te louer,
et tes décisions me viendront en aide.
176 Je suis errant comme une brebis perdue :
recherche ton serviteur,
car je n'ai pas oublié tes commandements.

PSAUME 120 (119)

1 *Chant des montées* [e].

Dans ma détresse, j'ai appelé
le SEIGNEUR, et il m'a répondu.
2 « SEIGNEUR, délivre-moi des lèvres fausses,
d'une langue à mensonge ! »

3 Que te donner, que t'infliger de plus,
langue à mensonge ?
4 Des flèches de guerre, barbelées,
avec des braises de genêt [f].

5 Malheur à moi ! j'ai dû émigrer à Mèshek,
rester parmi les tentes de Qédar [g].
6 Je suis trop resté
chez ceux qui détestent la paix.
7 Je suis la paix ! mais si je parle [h],
ils sont pour la guerre.

---

e *Chant des montées :* Titre commun aux Ps 120-134. On pense qu'il s'agit des psaumes chantés par les pèlerins qui *montaient* à Jérusalem (Voir Es 2.3; Jr 31.6; Ps 84) en particulier pour les trois grandes fêtes prescrites en Ex 25.14-17. Les versions grecque et latine ont traduit *chant des degrés*, c'est-à-dire des quinze marches qu'il fallait gravir pour accéder à la cour d'Israël dans le Temple de Jérusalem ● f *des flèches... avec des braises de genêt :* certains pensent qu'il s'agit de flèches incendiaires ● g *Mèshek* (Gn 10.2; Ez 27.13; 38.2): situé en Asie Mineure — *Qédar* (Gn 25.13); tribu nomade d'Arabie ● h Autre traduction (avec la version latine) *moi, je parle de paix, mais ils...*

119.166 j'ai attendu de toi... Ps 33.18+. 119.168 mes chemins Ps 39.2; 139.3. 119.169 que mon cri...! Ps 18.7; 102.2; cf. Ps 88.3. 119.170 que ma supplique...! Ps 140.7; 143.1. 119.172 commandements, justice Rm 7.12. 119.173 ta main à mon aide cf. Ps 63.9. 119.176 errant comme une brebis perdue Es 53.6; Ez 34.6; 1 P 2.25 — recherche ton serviteur Lc 15. 120.1 détresse, appel et réponse du Seigneur Ps 34.7; 81.8; 86.7; 118.5; Jon 2.3 — appel au Seigneur Ps 3.5+. 120.2 lèvres fausses, langue mensongère Ps 31.19; 52.4, 6; 109.2; Si 51.2; cf. Ps 5.10+. 120.4 flèches barbelées Ps 45.6 — braises Ps 140.11.

PSAUME 121 (120)

¹ *Chant. Pour les montées* ⁱ.

Je lève les yeux vers les montagnes :
d'où le secours me viendra-t-il ?
² Le secours me vient du SEIGNEUR,
l'auteur des cieux et de la terre.
³ — Qu'il ne laisse pas chanceler ton pied,
que ton gardien ne somnole pas ! —
⁴ Non ! il ne somnole ni ne dort,
le gardien d'Israël.
⁵ Le SEIGNEUR est ton gardien,
Le SEIGNEUR est ton ombrage.
Il est à ta droite ʲ.
⁶ De jour, le soleil ne te frappera pas,
ni la lune pendant la nuit.
⁷ Le SEIGNEUR te gardera de tout mal.
Il gardera ta vie.
⁸ Le SEIGNEUR gardera tes allées et venues,
dès maintenant et pour toujours.

PSAUME 122 (121)

¹ *Chant des montées* ᵏ. *De David.*

Quelle joie quand on m'a dit :
« Allons à la maison du SEIGNEUR ! »
² Nous nous sommes arrêtés
à tes portes, Jérusalem !
³ Jérusalem, la bien bâtie,
ville d'un seul tenant ˡ !
⁴ C'est là que sont montées les tribus,
les tribus du SEIGNEUR,
selon la règle en Israël ᵐ,
pour célébrer le nom du SEIGNEUR.
⁵ Car là sont placés des trônes pour la justice,
des trônes pour la maison de David.
⁶ Demandez la paix pour Jérusalem :
Que tes amis vivent tranquilles ;
⁷ que la paix soit dans tes remparts
et la tranquillité dans tes palais ⁿ !

---

i montées: voir Ps 120.1 et la note ● *j* Voir Ps 109.31 et la note ● *k* Voir Ps 120.1 et la note ●
l ville d'un seul tenant: traduction incertaine d'un texte obscur ● *m la règle en Israël:* autre texte
(manuscrit hébreu des Psaumes trouvé à Qumrân) *la communauté d'Israël* ● *n tes amis...* (v. 6),
tes remparts, ... tes palais: les v. 6*b* et 7 représentent la prière réclamée aux fidèles au v. 6*a*. La
ville de Jérusalem est interpellée ici comme une personne

121.1 je lève les yeux Ps 123.1 — vers les montagnes Ps 48.2 ; 133.3 — secours Ps 3.5 ; 20.3.   **121.2**
l'auteur des cieux et de la terre Ps 115.15 ; 124.8 ; 134.3 ; 136.5 ; 146.6 ; Gn 1.1 ; Ex 20.11 ; Es 42.5 ;
Pr 3.19 ; Ac 14.15 ; Ap 14.7.   **121.3** préservé du faux pas Ps 66.9 ; 1 S 2.9 ; Pr 3.23 — le Seigneur,
gardien vigilant Ps 127.1 ; Es 27.3.   **121.4** le Seigneur ne dort pas 1 R 8.52 ; 18.27.   **121.5** à l'ombre
du Seigneur Ps 91.1 ; Es 25.4 ; Lc 1.35 — à ta droite Ps 16.8+.   **121.6** protégé des coups du soleil
Es 49.10 ; *Sg* 18.3 ; Ap 7.16.   **121.7** gardé de tout mal Ps 41.3 ; 97.10 ; Gn 28.15 ; 1 Th 5.23 ;
2 Tm 4.18.   **121.8** tes allées et venues Dt 28.6 — dès maintenant et pour toujours Ps 125.2 ; 131.3.
122.1 à la maison du Seigneur Ps 27.4 ; 42.5 ; 43.4 ; Es 2.3 ; 30.29 ; cf. Za 8.21.   **122.3** Jérusalem,
la bien bâtie Mc 13.1 ; cf. 1 P 2.5 ; Ap 21.10-27.   **122.4** la règle en Israël Ps 81.5 ; Ex 34.24 ; Lc 2.41-42.
122.5 des trônes pour la justice Dt 17.8-11 ; 1 R 7.7 ; 2 Ch 19.8.   **122.6** la paix pour Jérusalem
Ps 51.20.

8 A cause de mes frères et de mes compagnons,
je dirai : « La paix soit chez toi ! »
9 A cause de la maison du SEIGNEUR notre Dieu,
je veux ton bonheur.

PSAUME 123 (122)

1 *Chant des montées* [o].

J'ai levé les yeux vers toi
qui sièges dans les cieux :
2 Oui, comme les yeux des esclaves
vers la main de leurs maîtres,
et les yeux d'une servante
vers la main de sa maîtresse,
ainsi nos yeux sont levés
vers le SEIGNEUR notre Dieu,
dans l'attente de sa pitié.
3 Pitié, SEIGNEUR, pitié !
car nous sommes saturés de mépris,
4 nous en sommes saturés, nous en sommes gorgés.

Les repus ne sont qu'une plaisanterie [p] !
Aux arrogants le mépris !

PSAUME 124 (123)

1 *Chant des montées* [q]. *De David.*

Sans le SEIGNEUR qui était pour nous,
— qu'Israël le redise ! —
2 Sans le SEIGNEUR qui était pour nous
quand des hommes nous attaquèrent,
3 alors, dans leur ardente colère contre nous,
ils nous avalaient tout vifs,
4 alors des eaux nous entraînaient,
un torrent nous submergeait ;
5 alors nous submergeaient
des eaux bouillonnantes.
6 Béni soit le SEIGNEUR
qui n'a pas fait de nous
la proie de leurs dents !
7 Comme un oiseau, nous avons échappé
au filet des chasseurs ;
le filet s'est rompu,
nous avons échappé.

8 Notre secours, c'est le *nom du SEIGNEUR [r],
l'auteur des cieux et de la terre.

o Voir Ps 120.1 et la note • *p* L'ancienne version grecque a compris *Honte aux hommes repus!* • *q* Voir Ps 120.1 et la note • *r c'est le nom du SEIGNEUR:* autre traduction (soutenue aussi par la version grecque) *notre secours est dans le nom* (ou *la personne*) *du SEIGNEUR*

122.9 la maison du Seigneur Ps 26.8. **123.1** les yeux levés Ps 121.1 — le Seigneur siège aux cieux Ps 103.19; 115.3; Es 40.22; *2 M* 3.39; Mt 5.34; 6.9. **123.2** nos yeux levés vers le Seigneur Ps 25.15; 141.8 — dans l'attente que Dieu ait pitié; Ps 69.4. **123.3** saturés de mépris Ps 44.14-17; Ne 3.36. **123.4** aux arrogants le mépris Pr 16.18; 18.12. **124.1** Si nous n'avions eu le Seigneur Ps 94.17 — le Seigneur pour nous Ps 118.13 — qu'Israël le redise Ps 118.2; 129.1. **124.2** attaqués Ps 3.2. **124.3** avalés tout vifs Ps 35.25; Jr 51.34; Pr 1.12. **124.4-5** submergés Ps 18.5; 32.6; 42.8; 69.2-3; Es 8.7-8. **124.6** Béni soit le Seigneur ! Ps 28.6+. **124.7** échappé au filet Ps 91.3; 107.20; Pr 6.5; cf. Ps 25.15+. **124.8** le nom du Seigneur, notre secours Ps 20.8; 33.21; Pr 18.10 — l'auteur des cieux et de la terre Ps 121.2+.

PSAUME 125 (124)

¹ *Chant des montées* ⁸.

Ceux qui comptent sur le Seigneur
sont comme le mont *Sion :
il est inébranlable,
il demeure toujours.

² Jérusalem ! des montagnes l'entourent !
Ainsi le SEIGNEUR entoure son peuple
dès maintenant et pour toujours.

³ Non, un sceptre ᵗ indigne ne pèsera pas
sur le domaine des justes,
et les justes ne tendront pas la main
vers le crime.

⁴ Sois bon, SEIGNEUR, pour qui est bon,
pour l'homme au *cœur droit.

⁵ Mais les dévoyés aux menées tortueuses,
que le SEIGNEUR les chasse
avec les malfaisants !

La paix sur Israël !

PSAUME 126 (125)

¹ *Chant des montées.*

Quand revint le SEIGNEUR avec les revenants de *Sion,
nous avons cru rêver ᵘ,

² Alors notre bouche était pleine de rires
et notre langue criait sa joie ;
alors on disait parmi les nations :
« Pour eux le SEIGNEUR a fait grand ! »

³ Pour nous le SEIGNEUR a fait grand
et nous étions joyeux.

⁴ SEIGNEUR, reviens avec nos captifs,
comme les torrents du Néguev ᵛ.

⁵ Qui a semé dans les larmes
moissonne dans la joie !

⁶ Il s'en va, il s'en va en pleurant,
chargé du sac de semence.
Il revient, il revient avec joie,
chargé de ses gerbes.

---

s Voir Ps 120.1 et la note ● t le *sceptre:* emblème de la royauté, il désigne ici, au sens figuré, la royauté elle-même ● u *montées:* Voir Ps 120.1 et la note — *Quand revint...:* Autre traduction possible, soutenue par les versions anciennes *Quand le Seigneur ramena les captifs... ou Quand le Seigneur changea le sort de Sion — nous avons cru rêver:* autre traduction possible (soutenue par l'ancienne version araméenne) *nous étions comme des gens guéris* ● v *reviens avec nos captifs* ou *ramène nos captifs* ou encore *change notre sort* — le *Néguev:* région semi-désertique du sud de la Palestine. Quand une pluie soudaine remplit ses torrents, ceux-ci apportent la fertilité tout le long de leur cours

125.1 compter sur le Seigneur Ps 9.11+ ; 55.24+ — inébranlable Ps 15.5+ ; 55.23 — Sion demeure toujours Jl 4.20; cf. 1 J 2.17.   **125.2** le Seigneur entoure son peuple Ps 32.10; Za 2.9 — dès maintenant et pour toujours Ps 121.8; 131.3.   **125.3** un pouvoir pesant Es 9.3; 10.27; 14.5.   **125.4** pour qui est bon Ps 18.26-27 — cœur droit Ps 7.11.   **125.5** les malfaisants chassés Ps 92.8-10; Mt 7.23 — paix sur Israël! Ps 128.6; Ga 6.16; cf. Es 32.18.   **126.1** retour des captifs Ps 14.7; 53.7; 85.2.   **126.2** la bouche pleine de rires Jb 8.21.   **126.5** des larmes à la joie Ps 30.12; Es 25.8-9; 61.3; 65.19; Jr 31.9; 13; Ba 4.23; Jn 16.20.

PSAUME 127 (126)

¹ *Chant des montées. De Salomon.*

Si le SEIGNEUR ne bâtit la maison ʷ,
ses bâtisseurs travaillent pour rien.
Si le SEIGNEUR ne garde la ville,
la garde veille pour rien.

² Rien ne sert de vous lever tôt,
de retarder votre repos,
de manger un pain pétri de peines !
A son ami qui dort, il donnera tout autant ˣ.

³ Mais oui ! des fils sont un héritage du SEIGNEUR,
et la progéniture un salaire.
⁴ Telles des flèches aux mains d'un guerrier,
tels sont les fils de votre jeunesse.

⁵ Heureux l'homme qui en a rempli son carquois !
Il ne perdra pas la face s'il doit affronter
l'adversaire aux portes de la ville ʸ.

PSAUME 128 (127)

¹ *Chant des montées* ᶻ.

Heureux tous ceux qui craignent le SEIGNEUR
et suivent ses chemins !
² Tu te nourris du labeur de tes mains.
Heureux es-tu ! A toi le bonheur !
³ Ta femme est une vigne généreuse
au fond de ta maison ;
tes fils, des plants d'oliviers
autour de ta table.
⁴ Voilà comment est béni l'homme
qui craint le SEIGNEUR.

⁵ Que le SEIGNEUR te bénisse depuis *Sion,
et tu verras la prospérité de Jérusalem
tous les jours de ta vie,
⁶ et tu verras les fils de tes fils.

La paix sur Israël !

PSAUME 129 (128)

¹ *Chant des montées* ᵃ.

Que de fois, dès ma jeunesse, on m'a combattu,
— qu'Israël le redise ! —

ʷ *montées :* voir Ps 120.1 — Certains ont vu dans la *maison* mentionnée ici une allusion au Temple de Jérusalem (interprétation que pourrait suggérer la mention de *Salomon* dans le titre du Psaume ; voir 1 R 5.15—7.51) ; d'autres pensent que le psaume énonce ici une phrase en forme de proverbe ● ˣ Autre traduction (soutenue par les versions anciennes) *alors qu'il donnera à son ami le sommeil* ● ʸ *aux portes de la ville :* il s'agit des portes ménagées dans le mur de défense qui entourait la ville. La place qui se trouvait devant ces portes servait pour le marché et pour les séances du tribunal (Dt 25.7 ; Am 5.12 ; Pr 22.22 ; 31.23) ● ᶻ Voir Ps 120.1 et la note ● ᵃ Voir Ps 120.1 et la note

127.1 Si le Seigneur... Ps 128 ; Dt 8.17-18 ; Pr 10.22 ; cf. Ps 33.16+. **127.2** rien ne sert de vous lever tôt Mt 6.25-34 — un pain pétri de peines Gn 3.19. **127.3** des fils Ps 128.3-4 ; Pr 17.6. **127.5** aux portes de la ville Jb 29.5, 7-12. **128.1** Heureux ! Ps 1.1+ — ceux qui craignent le Seigneur Ps 15.4+ — les chemins du Seigneur Ps 18.22+. **128.3** ta femme Pr 18.22 ; 19.14 — tes fils 127.3-5 ; 144.12. **128.5** que le Seigneur te bénisse Ps 134.3 — depuis Sion Ps 20.3+. **128.6** paix sur Israël Ps 125.5+. **129.1** qu'Israël le redise Ps 118.2 ; 124.1.

² que de fois, dès ma jeunesse, on m'a combattu
sans rien pouvoir contre moi.

³ Des laboureurs *b* ont labouré mon dos,
ils ont tracé leurs longs sillons.

⁴ Le Seigneur est juste,
il a brisé les cordes des infidèles.

⁵ Qu'ils perdent la face, qu'ils reculent
tous ceux qui détestent *Sion !

⁶ Qu'ils soient comme l'herbe des toits
qui est sèche avant de grandir *c*.

⁷ Le moissonneur n'en remplit pas sa main,
le javeleur n'en fait pas une brassée,

⁸ et les passants ne disent pas :
« Le Seigneur vous a bénis ! »

Nous vous bénissons au nom du Seigneur.

PSAUME 130 (129)

¹ *Chant des montées *d*.*

Des profondeurs je t'appelle, Seigneur :
² Seigneur, entends ma voix ;
que tes oreilles soient attentives
à ma voix suppliante !

³ Si tu retiens les fautes, Seigneur !
Seigneur, qui subsistera ?

⁴ Mais tu disposes du pardon
et l'on te craindra.

⁵ J'attends le Seigneur,
j'attends de toute mon âme
et j'espère en sa parole.

⁶ Mon âme désire le Seigneur,
plus que la garde ne désire le matin,
plus que la garde le matin.

⁷ Israël, mets ton espoir dans le Seigneur,
car le Seigneur dispose de la grâce
et, avec largesse, du rachat.

⁸ C'est lui qui rachète Israël
de toutes ses fautes.

PSAUME 131 (130)

¹ *Chant des montées *e*. De David.*

Seigneur, mon cœur est sans prétentions :
mes yeux n'ont pas visé trop haut.

---

b des laboureurs : autre texte (manuscrit hébreu trouvé à Qumrân et ancienne version grecque)
des infidèles : l'image du labour fait allusion aux mauvais traitements longtemps subis par le peuple
de Dieu ● *c avant de grandir :* traduction incertaine ; autre traduction possible (soutenue par
l'ancienne version grecque) *avant qu'on ne l'arrache* ● *d* Voir Ps 120.1 et la note ● *e* Voir
Ps 120.1 et la note

129.4 le Seigneur est juste Ps 7.10, 12 ; 11.7 ; 51.6 ; 119.137 ; 145.17 ; Es 45.21 ; So 3.5 ; Lm 1.18 ;
Dn 4.34 ; 9.14 ; Esd 9.15 ; Ne 9.33. **129.5** qu'ils reculent Ps 35.4 ; 40.15. **129.6** l'herbe des toits
2 R 19.26. **129.8** nous vous bénissons Ps 118.26. **130.1** appel au Seigneur Ps 3.5+. **130.2** oreilles
attentives Ps 71.2+ ; Ne 1.6 ; 2 Ch 6.40 — ma voix suppliante Ps 5.3 ; 140.7. **130.3** qui subsistera ?
Ps 143.2. **130.4** craindre le Seigneur Ps 25.12, 14 ; 67.8 ; 72.5 ; 111.10 ; 112.1 ; Es 8.13 ; 50.10 ; Pr 3.7 ;
Qo 3.14 ; cf. Ps 15.4+. **130.5** attendre le Seigneur Ps 27.14 ; 37.34 ; 40.2. **130.6** désirer le Seigneur
Es 26.9. plus que la garde Es 21.11. **130.8** qui rachète Israël Ps 25.22. **131.1** merveilles qui
me dépassent Ps 139.6.

Je n'ai pas poursuivi ces grandeurs,
ces merveilles qui me dépassent.
² Au contraire, mes désirs se sont calmés
et se sont tus,
comme un enfant sur sa mère.
Mes désirs sont pareils à cet enfant ʳ.

³ Israël, mets ton espoir dans le SEIGNEUR,
dès maintenant et pour toujours.

PSAUME 132 (131)
¹ *Chant des montées ᵍ.*

SEIGNEUR, souviens-toi de David,
rappelle-toi toute sa peine.
² C'est lui qui jura au SEIGNEUR,
et fit ce vœu au Taureau de Jacob ʰ :

³ « Jamais je ne rentrerai sous ma tente,
jamais, je n'irai m'étendre sur mon lit,
⁴ jamais je ne laisserai mes yeux se fermer
ni mes paupières céder au sommeil,
⁵ avant d'avoir trouvé une place pour le SEIGNEUR,
une demeure pour le Taureau de Jacob ! »

⁶ Nous avons appris qu'elle était à Ephrata,
nous l'avons trouvée dans la campagne de Yaar ⁱ :
⁷ « Allons à sa demeure,
prosternons-nous devant son piédestal.
⁸ Lève-toi, SEIGNEUR, viens à ton lieu de repos,
toi et l'*arche où réside ta force !
⁹ Que tes prêtres soient vêtus de justice,
que tes fidèles crient leur joie !
¹⁰ A cause de David ton serviteur,
ne congédie pas ton *messie ! »

¹¹ Le SEIGNEUR l'a juré à David ;
c'est la vérité, il ne la reniera pas :
« C'est quelqu'un sorti de toi
que je mettrai sur ton trône.
¹² Si tes fils gardent mon alliance
et les exigences que je leur enseignerai,
leurs fils aussi
siégeront à perpétuité sur ton trône. »

---

f *cet enfant :* le terme employé par l'hébreu désigne *l'enfant sevré* (c'est-à-dire âgé déjà de plusieurs années); l'image est celle du jeune enfant que la mère porte encore sur le dos ● g Voir Ps 120.1 et la note ● h *Le Taureau de Jacob :* cette ancienne désignation symbolique de Dieu soulignait en particulier la force du Seigneur; voir Gn 49.24; Es 49.26; 60.16, où le même titre est traduit *l'Indomptable de Jacob* ● i *elle* désigne ici l'*arche de l'alliance* (v. 8), qui resta un certain temps à Qiryath-Yéarim après son séjour chez les Philistins (voir 1 S 7.2) — *Ephrata :* désigne ici probablement une localité de la tribu d'Ephraïm (voir 1 S 1.1) — *Yaar :* sans doute nom abrégé de *Qiryath-Yéarim*

131.2 calme et confiance cf. Es 30.15 — comme un enfant Mt 18.3; cf. Es 66.13; Os 11.3, 4. **131.3** ton espoir dans le Seigneur cf. Ps 62.9 — dès maintenant et à toujours Ps 121.8+. **132.2-5** le vœu de David 2 S 7.2-3. **132.6** pérégrination de l'arche 1 S 5.1-7.1; 2 S 6.1-19. **132.7** devant son piédestal Ps 99.5. **132.8-9** lève-toi, Seigneur 2 Ch 6.41; cf. Nb 10.35; Ps 68.2. **132.10** ne congédie pas 2 Ch 6.42 ton messie Ps 2.2+. **132.11** promesse du Seigneur à David 2 S 7.9-17; Jr 33.21-22, 26 — quelqu'un sorti de toi 2 S 7.12; Jr 33.17. **132.12** si tes fils... 2 S 7.14-16.

¹³ Car le SEIGNEUR a choisi *Sion,
il l'a voulue pour résidence :
¹⁴ « Elle sera toujours mon lieu de repos,
j'y résiderai ; c'est elle que j'ai voulue.
¹⁵ Je bénirai, je bénirai ses ressources,
je rassasierai de pain ses pauvres.
¹⁶ Je revêtirai du salut ses prêtres,
et ses fidèles crieront leur joie.
¹⁷ Là, je ferai germer la vigueur de David,
et je préparerai une lampe ʲ pour mon messie.
¹⁸ Je revêtirai de honte ses ennemis,
et sur lui son diadème fleurira. »

PSAUME 133 (132)

¹ *Chant des montées. De David.*

Oh ! quel plaisir, quel bonheur
de se trouver entre frères ᵏ !
² C'est comme l'huile qui parfume la tête,
et descend sur la barbe,
sur la barbe d'Aaron ˡ,
qui descend sur le col de son vêtement.

³ C'est comme la rosée de l'Hermon ᵐ,
qui descend sur les montagnes de *Sion ⁿ.
Là, le SEIGNEUR a décidé de bénir :
c'est la vie pour toujours !

PSAUME 134 (133)

¹ *Chant des montées ᵒ.*

Allons ! bénissez le SEIGNEUR,
vous tous, serviteurs du SEIGNEUR,
qui vous tenez dans la maison du SEIGNEUR
pendant les nuits.

² Levez les mains vers le *sanctuaire
et bénissez le SEIGNEUR.
³ Qu'il te bénisse depuis *Sion, le SEIGNEUR,
l'auteur des cieux et de la terre.

ʲ Voir Ps 18.29 et la note; 1 R 11.36 et la note ● **k** *Chant des montées:* voir Ps 120.1 et la note
— *de se trouver entre frères* ou *que des frères habitent ensemble* ● **l** *Aaron,* ancêtre des prêtres
d'Israël, personnifie ceux-ci (voir Ps 115.10 et la note) — *l'huile qui parfume la tête* est l'huile qui
était répandue sur la tête des prêtres au moment de leur consécration (voir Ex 29.7) ● **m** *l'Hermon:* voir Ps 42.7 et la note ● **n** *les montagnes de Sion:* appellation poétique des collines sur
lesquelles étaient bâtis Jérusalem et le Temple ● **o** Voir Ps 120.1 et la note

132.13 Sion, résidence que Dieu a choisie Ps 48.2-3; 68.17; 78.68; 87.2; 135.21; Es 31.9; 46.13;
Jr 8.19; 31.6; Jl 4.17; Za 1.17; Lm 4.11; cf. Dt 12.5, etc. **132.17** je ferai germer... cf. Es 11.1.
Jr 23.5; 33.15; Za 3.8; 6.12 — une lampe 2 S 21.17; 1 R 11.36; 15.4; 2 R 8.19. **133.2** onction
d'huile (consécration des prêtres) Ex 29.7-9; 30.30-32. **133.3** rosée Ps 110.3; Gn 27.28; Dt 32.2;
Es 26.19; Os 14.6; Pr 19.12 — l'Hermon Ps 42.7+ — montagnes de Sion et bénédiction Ps 20.3+.
134.1 invitation à bénir Dieu cf. Ps 95.1+ — vous tous, serviteurs du Seigneur Ps 113.1+ —
dans la maison du Seigneur Ps 135.2 — pendant les nuits Es 30.29; 1 Ch 9.33. **134.2** mains levées
vers le sanctuaire Ps 28.2+ — bénir le Seigneur Ps 68.27; 103.21-22; 135.19-20; Ne 9.5; 1 Ch 29.20.
134.3 depuis Sion Ps 20.3+ — l'auteur des cieux et de la terre Ps 121.2+.

PSAUME 135 (134)

¹ Alléluia ! *p*
Louez le nom du SEIGNEUR.
Louez-le, serviteurs du SEIGNEUR,
² qui vous tenez dans la maison du SEIGNEUR,
dans les *parvis de la maison de notre Dieu.
³ Alléluia ! que le SEIGNEUR est bon !
Chantez son nom, qu'il est aimable !
⁴ Car le SEIGNEUR s'est choisi Jacob,
il a fait d'Israël son apanage *q*.

⁵ Oui, je le sais : le SEIGNEUR est grand ;
notre Seigneur surpasse tous les dieux,
⁶ Tout ce qu'a voulu le SEIGNEUR, il l'a fait,
dans les cieux et sur la terre,
dans les mers et dans tous les *abîmes.

⁷ Du bout de la terre, soulevant les nuées,
il a fait les éclairs pour qu'il pleuve ;
il tire le vent de ses réservoirs.

⁸ C'est lui qui frappa les aînés d'Egypte,
depuis l'homme jusqu'au bétail.
⁹ Au milieu de toi, Egypte,
il envoya *signes et prodiges
contre *Pharaon et tous ses serviteurs.

¹⁰ C'est lui qui frappa des nations nombreuses,
et tua des rois puissants :
¹¹ Sihôn, le roi des *Amorites,
Og, le roi du Bashân *r*,
et tous les royaumes de Canaan.
¹² Puis il donna leur pays en héritage,
en héritage à Israël, son peuple.

¹³ SEIGNEUR, on dira toujours ton nom.
SEIGNEUR, on fera mention de toi d'âge en âge.
¹⁴ Car le SEIGNEUR rend justice à son peuple,
il se ravise en faveur de ses serviteurs.

¹⁵ Les idoles des nations sont d'argent et d'or,
faites de main d'homme.
¹⁶ Elles ont une bouche, et ne parlent pas ;
elles ont des yeux, et ne voient pas ;
¹⁷ elles ont des oreilles, et n'entendent pas ;
pas le moindre souffle dans leur bouche *s* !
¹⁸ Que leurs auteurs leur ressemblent,
et tous ceux qui comptent sur elles !

---

p Voir Ps 104.35 et la note ● *q son apanage* ou *sa part personnelle* (comme en Ex 19.5) ● *r le Bashân:* voir Ps 22.13 et la note ● *s pas le moindre souffle dans leur bouche:* autre traduction possible (*elles ont*) *un nez mais pas de souffle dans leur bouche*

135.1 Alléluia Ps 106.1+ — serviteurs... louez Ps 113.1. **135.2** dans la maison du Seigneur Ps 134.1. **135.3** le Seigneur est bon Ps 106.1+ — chantez Ps 96.1+. **135.4** Il s'est choisi Jacob Dt 7.6; 14.2 — Israël, la part personnelle de Dieu Dt 14.2; 26.18; Ml 3.17. **135.5** plus grand que les dieux Ps 95.3; Ex 18.11. **135.6** tout ce qu'il veut Ps 115.3. **135.7** nuée, éclairs, pluie, vent Jr 10.13; 51.16. **135.8** les premiers-nés d'Egypte Ps 78.51; 105.36; 136.10; Ex 12.29; cf. Sg 18.5-13. **135.9** signes et prodiges en Egypte Ps 78.43; 105.27; Ex 7—11; 14; Jr 32.20. **135.10-11** élimination des rois cananéens Ps 136.17-20. **135.11** Sihôn Nb 21.21-30 — Og Nb 21.33-35. **135.12** en héritage Ps 78.55; 136.21-22. **135.13** d'âge en âge Ps 102.13; Ex 3.15. **135.14** le Seigneur rend justice à son peuple Dt 32.36. **135.15-18** impuissance des idoles Ps 115.4-8+.

¹⁹ Maison d'Israël, bénissez le SEIGNEUR.
Maison d'Aaron ᵗ, bénissez le SEIGNEUR.
²⁰ Maison de Lévi, bénissez le SEIGNEUR.
Vous qui craignez le SEIGNEUR ᵘ, bénissez le SEIGNEUR.
²¹ Depuis *Sion, béni soit le SEIGNEUR
qui demeure à Jérusalem!

Alléluia!

PSAUME 136 (135)

¹ Célébrez le SEIGNEUR, car il est bon
et sa fidélité est pour toujours ᵛ.
² Célébrez le Dieu des dieux,
car sa fidélité est pour toujours.
³ Célébrez le Seigneur des seigneurs,
car sa fidélité est pour toujours.

⁴ Il est le seul auteur de grands miracles,
car sa fidélité est pour toujours,
⁵ l'auteur intelligent des cieux,
car sa fidélité est pour toujours,
⁶ affermissant la terre sur les eaux,
car sa fidélité est pour toujours.
⁷ Il est l'auteur des grandes lumières ᵂ,
car sa fidélité est pour toujours.
⁸ le soleil qui règle les jours,
car sa fidélité est pour toujours,
⁹ la lune et les étoiles qui règlent les nuits,
car sa fidélité est pour toujours.

¹⁰ Frappant l'Egypte dans ses aînés,
car sa fidélité est pour toujours,
¹¹ il en fit sortir Israël,
car sa fidélité est pour toujours,
¹² à main forte et à bout de bras,
car sa fidélité est pour toujours.
¹³ Coupant en deux la *mer des Joncs ˣ,
car sa fidélité est pour toujours,
¹⁴ il fit passer Israël au milieu,
car sa fidélité est pour toujours,
¹⁵ précipita *Pharaon et son armée dans la mer des Joncs,
car sa fidélité est pour toujours.

¹⁶ Menant son peuple à travers le désert,
car sa fidélité est pour toujours,

t *maison d'Israël:* voir Ps 98.3 et la note — *maison d'Aaron:* voir Ps 115.10 et la note ●
u *maison de Lévi:* les *lévites* comprenaient diverses familles de prêtres subalternes; sur l'expression *maison de...* voir Ps 115.10 et la note — *Vous qui craignez le SEIGNEUR:* voir Ps 115.11 et la note ● v D'après 2 Ch 7.3 il est probable que le refrain *car il est bon...* était repris en chœur par l'assemblée réunie pour le culte ● w Pour *les grandes lumières* voir v. 8-9 ● x Voir Ex 13.18

135.19 maison d'Israël, maison d'Aaron Ps 115.9-10; 118.2-3. **135.20** ceux qui craignent le Seigneur Ps 15.4+. **135.21** Béni soit le Seigneur Ps 28.6+ — Alléluia Ps 104.35+. **136.1** célébrez le Seigneur Ps 105.1+ car il est bon Ps 106.1+. **136.2-3** Dieu des dieux, Seigneur des seigneurs Dt 10.17. **136.4** seul auteur de grands miracles Ps 72.18. **136.5** auteur des cieux Gn 1.1, 6-8; cf. Ps 121.2+. **136.6** la terre affermie sur les eaux Ps 24.2. **136.7-9** les grandes lumières Gn 1.14-18. **136.10** les aînés d'Egypte Ps 135.8+. **136.11** il en fit sortir Israël Ex 12.31, 51; 13.3. **136.12** à main forte et à bout de bras Dt 4.34; 5.15; 7.19; 11.2; 26.8; 1 R 8.42; Jr 32.21; Ez 20.33-34; 2 Ch 6.32. **136.13** la mer coupée en deux Ex 14.21; Ps 78.13. **136.14** passage d'Israël au milieu de la mer Ex 14.22, 29. **136.15** le Pharaon et son armée Ex 14.26-28; 15.4-5, 21. **136.16** Israël à travers le désert Ps 78.52; Ex 15.22; Dt 8.2, 15; Jr 2.6.

¹⁷ frappant de grands rois,
    car sa fidélité est pour toujours,
¹⁸ il tua des rois superbes,
    car sa fidélité est pour toujours.
¹⁹ Sihôn, le roi des *Amorites,
    car sa fidélité est pour toujours,
²⁰ et Og, le roi du Bashân ᵞ,
    car sa fidélité est pour toujours.

²¹ Puis il donna leur pays en héritage,
    car sa fidélité est pour toujours,
²² en héritage à Israël, son serviteur,
    car sa fidélité est pour toujours.
²³ Dans notre abaissement, il se souvint de nous,
    car sa fidélité est pour toujours,
²⁴ il nous arracha à nos adversaires,
    car sa fidélité est pour toujours.

²⁵ Il donne du pain à toute créature,
    car sa fidélité est pour toujours.
²⁶ Célébrez le Dieu des *cieux,
    car sa fidélité est pour toujours.

PSAUME 137 (136)

¹ Là-bas, au bord des fleuves de Babylone.
    nous restions assis tout éplorés
    en pensant à *Sion.
² Aux saules du voisinage
    nous avions pendu nos cithares ᶻ.

³ Là, nos conquérants nous ont demandé des chansons,
    et nos bourreaux ᵃ des airs joyeux :
    « Chantez-nous quelque chant de Sion. »

⁴ Comment chanter un chant du SEIGNEUR
    en terre étrangère ?
⁵ Si je t'oublie, Jérusalem,
    que ma droite oublie ᵇ... !
⁶ Que ma langue colle à mon palais
    si je ne pense plus à toi,
    si je ne fais passer Jérusalem
    avant toute autre joie.

⁷ SEIGNEUR, pense aux fils d'Edom,
    qui disaient au jour de Jérusalem ᶜ :
    « Rasez, rasez jusqu'aux fondations ! »

⁸ Fille de Babylone ᵈ, promise au ravage,
    heureux qui te traitera

---

y Sur *le Bashân,* voir Ps 22.13 et la note ● z Voir Ps 92.4 et la note ● a *nos bourreaux:* traduction incertaine (le mot hébreu correspondant est inconnu par ailleurs); anciennes versions
grecque et syriaque *ceux qui nous affligeaient;* ancienne version araméenne *celui qui nous pille*
● b Sans doute faut-il sous-entendre: (oublie) *elle aussi l'art de jouer;* anciennes versions: syriaque
m'oublie; grecque et latine *soit oubliée.* Certains supposent que deux consonnes du texte hébreu
ont été inversées et traduisent *se dessèche* ● c *jour de Jérusalem:* allusion au jour où Jérusalem
succomba devant l'assaut des Babyloniens (2 R 25). Sur l'intervention des Edomites à cette occasion, voir Ab 11 ● d *fille de Babylone:* manière hébraïque de désigner la population de Babylone

136.17-20 les rois cananéens éliminés Ps 135.10-11+.   **136.22** leur pays en héritage Ps 135.12+
— Israël, ton serviteur Es 44.21.   **136.23** il se souvint Ps 106.45; cf. Lc 1.72.   **136.24** arrachés
à nos adversaires Lc 1.71.   **136.25** du pain à toute créature Ps 104.27-28; 145.15-16.   **137.1** au
bord des fleuves de Babylone Ez 3.15.   **137.5** Si je t'oublie, Jérusalem Jr 51.50.   **137.7** les
Edomites lors de la chute de Jérusalem Ez 35.5; Jl 4.19; Ab 1-21; Lm 4.21; cf. Jr 49.7-22.

comme tu nous as traités !
9 Heureux qui saisira tes nourrissons
pour les broyer sur le roc !

PSAUME 138 (137)

1 *De David.*

Je te célèbre *e* de tout mon cœur ;
face aux dieux *f* je te chante.
2 Je me prosterne vers ton temple saint
et je célèbre ton nom,
à cause de ta fidélité et de ta loyauté,
car tu as fait des promesses
qui surpassent encore ton nom.
3 Le jour où j'ai appelé et où tu m'as répondu,
tu as stimulé mes forces.
4 Que tous les rois de la terre te célèbrent, SEIGNEUR,
car ils ont entendu les promesses de ta bouche.
5 Qu'ils chantent sur les routes du SEIGNEUR :
« Grande est la gloire du SEIGNEUR !
6 Si haut que soit le SEIGNEUR,
il voit le plus humble
et reconnaît de loin l'orgueilleux. »

7 Si je marche en pleine détresse,
tu me fais revivre,
tu envoies ton poing
sur le nez *g* de mes adversaires,
et ta droite me rend vainqueur.
8 Le SEIGNEUR fera tout pour moi.
SEIGNEUR, ta fidélité est pour toujours !
N'abandonne pas les œuvres de tes mains *h*.

PSAUME 139 (138)

1 *Du *chef de chœur ; de David, psaume.*

SEIGNEUR, tu m'as scruté et tu connais,
2 tu connais mon coucher et mon lever ;
de loin tu discernes mes projets ;
3 tu surveilles ma route et mon gîte,
et tous mes chemins te sont familiers.

4 Un mot n'est pas encore sur ma langue,
et déjà, SEIGNEUR, tu le connais.
5 Derrière et devant, tu me serres de près *i*,
tu poses la main sur moi.

---

e Après *je te célèbre* certains manuscrits ajoutent *SEIGNEUR* ● f *les dieux:* on sous-entend
des nations. Certaines versions anciennes ont interprété autrement: grecque *les anges;* araméenne
les juges; syriaque *les rois* ● g *sur le nez:* autre traduction, soutenue par les anciennes versions
grecque, syriaque et latine *contre la colère* (le même terme hébreu sert à désigner *le nez* ou *la colère*)
● h Autre traduction *ne relâche pas l'œuvre de tes mains* ● i *derrière et devant:* toutes les versions
anciennes sauf l'araméenne rattachent ces mots à la fin du v. 4 et interprètent *tu connais ce qui
est derrière et ce qui est devant* (c'est-à-dire le passé et l'avenir) — *tu me serres de près:* autre texte
(versions anciennes sauf l'araméenne) *tu m'as créé*

137.9 enfants écrasés sur le rocher Es 13.16; Os 14.1; Na 3.10.   138.1 de tout mon cœur Ps 9.2+
— les dieux Ps 29.1; 82.1; 86.8; 89.7; cf. Jb 1.6; 2.1.   138.2 prosterné dans ton temple Ps 5.8.
138.3 appel et réponse Ps 99.6+.   138.4 tous les rois de la terre Ps 68.33.   138.6 Dieu attentif aux
humbles Ps 113.6-8; Es 57.15; cf. Lc 1.48.   138.8 fidélité éternelle Ps 100 5; 107.1+; 136.1.   139.1
tu m'as scruté Ps 11.4-5; Jr 12.3; 1 Ch 28.9; He 4.13.   139.2 mon coucher et mon lever 2 R 19.27
— projets discernés à l'avance Am 4.13; Jb 31.4.

⁶ Mystérieuse connaissance qui me dépasse,
si haute que je ne puis l'atteindre !

⁷ Où m'en aller, pour être loin de ton souffle ?
Où m'enfuir, pour être loin de ta face ?
⁸ Je gravis les cieux, te voici !
Je me couche aux enfers, te voilà !
⁹ Je prends les ailes de l'aurore
pour habiter au-delà des mers *j*,
¹⁰ là encore, ta main me conduit,
ta droite me tient.

¹¹ J'ai dit : « Au moins que les ténèbres m'engloutissent,
que la lumière autour de moi soit la nuit ! »
¹² Même les ténèbres ne sont pas ténébreuses pour toi,
et la nuit devient lumineuse comme le jour :
les ténèbres sont comme la lumière !

¹³ C'est toi qui as créé mes reins ;
tu m'abritais *k* dans le sein maternel.
¹⁴ Je confesse que je suis une vraie merveille *l*,
tes œuvres sont prodigieuses :
oui, je le reconnais bien.

¹⁵ Mes os ne t'ont pas été cachés
lorsque j'ai été fait dans le secret,
tissé dans une terre profonde *m*.

¹⁶ Je n'étais qu'une ébauche et tes yeux m'ont vu.
Dans ton livre ils étaient tous décrits,
ces jours qui furent formés
quand aucun d'eux n'existait *n*.

¹⁷ Dieu ! que tes projets sont difficiles pour moi,
que leur somme est élevée *o* !
¹⁸ Je voudrais les compter, ils sont plus nombreux que le sable.
Je me réveille, et me voici encore avec toi.

¹⁹ Dieu ! si tu voulais massacrer l'infidèle !
Hommes sanguinaires, éloignez-vous de moi.
²⁰ Tes adversaires disent ton nom pour tromper,
ils le prononcent pour nuire *p*.

²¹ SEIGNEUR, comment ne pas haïr ceux qui te haïssent ?
Comment ne pas vomir ceux qui te combattent ?
²² Je les hais d'une haine parfaite,
ils sont devenus mes propres ennemis.

²³ Dieu ! scrute-moi et connais mon *cœur ;
éprouve-moi et connais mes soucis.

---

j au-delà des mers: autre traduction *aux limites de l'Occident* ● *k tu m'abritais:* autres traductions *tu m'as tissé* (version latine de s. Jérôme; voir Jb 10.11); *tu m'as pris* (versions grecque et syriaque) ● *l* Autre traduction *Je te remercie d'avoir fait de moi une vraie merveille* ● *m* L'intérieur de la terre est ici une image poétique du sein maternel (voir v. 13; Jb 1.21 et la note; Si 40.1) ● *n ébauche:* traduction incertaine d'un terme qui ne se trouve qu'ici dans l'A.T. — *quand aucun d'eux n'existait:* traduction incertaine ● *o que leur somme est élevée:* autre traduction *que leurs principes sont élevés!* ● *p* Le texte hébreu est obscur; la traduction (incertaine) est inspirée d'Ex 20.7

139.6 connaissance qui me dépasse Jb 11.7-9; Rm 11.33. **139.8-10** impossible de se cacher à Dieu Jr 23.23-24. **139.8** aux cieux Am 9.2-4. **139.9** ailes Ps 55.7. **139.12** ténèbres illuminées Jb 12.22; 34.21-22; 1 Co 4.5. **139.14-15** façonné par Dieu dans le secret Jb 10.8-12; Qo 11.5. **139.17** tes projets Ps 40.6. **139.19** éloignez-vous Ps 6.9+. **139.23** scrute-moi Ps 26.2+; Jb 31.6.

²⁴ Vois donc si je prends le chemin périlleux,
et conduis-moi sur le chemin de toujours *q*.

PSAUME 140 (139)

¹ *Du* *chef *de chœur. Psaume de David.*

² SEIGNEUR, délivre-moi de l'homme mauvais,
préserve-moi de l'homme violent,
³ de ceux qui ont prémédité le mal,
qui provoquent des guerres chaque jour.
⁴ Ils ont dardé leur langue comme le serpent,
ils ont du venin d'aspic *r* entre les lèvres.   *Pause.

⁵ SEIGNEUR, garde-moi des mains de l'impie,
préserve-moi de l'homme violent,
de ceux qui ont médité ma chute.
⁶ Des orgueilleux ont dissimulé des pièges devant moi,
ils ont tendu des cordes, un filet au bord du chemin,
ils m ont posé des traquenards.   Pause.

⁷ J'ai dit au SEIGNEUR : « Tu es mon Dieu ! »
SEIGNEUR, prête l'oreille à ma voix suppliante.
⁸ Dieu, Seigneur, la force qui me sauve,
tu as protégé ma tête le jour du combat.

⁹ SEIGNEUR, ne cède pas aux désirs de l'impie,
ne laisse pas réussir leurs intrigues,
car ils se redresseraient.   Pause.

¹⁰ Que le crime de leurs lèvres recouvre
mes assiégeants jusqu'à la tête !
¹¹ Que des braises se déversent sur eux,
qu'il les précipite *s* dans le feu,
dans des gouffres d'où ils ne se relèveront pas !

¹² Les mauvaises langues ne resteront pas dans le pays ;
l'homme violent et méchant,
on le pourchassera sans répit *t*.
¹³ Je sais que le SEIGNEUR fera justice aux malheureux,
qu'il fera droit aux pauvres.
¹⁴ Oui, les justes célébreront ton nom
et les hommes droits habiteront en ta présence.

PSAUME 141 (140)

¹ *Psaume. De David.*

SEIGNEUR, je t'ai appelé ; vite ! à moi !
prête l'oreille à ma voix quand je t'appelle.

---

q le chemin périlleux: on peut comprendre aussi, avec la version latine de s. Jérôme, *le chemin des idoles,* ou avec la version syriaque *le chemin du mensonge* — *le chemin de toujours:* on peut comprendre soit *le chemin qui a toujours été le tien* (c'est-à-dire la conduite qui est enseignée tradition-nellement en Israël; voir Jr 6.16; 18.15); soit *le chemin de l'éternité* (avec les versions grecque et syriaque) • *r aspic:* le sens du terme hébreu correspondant n'est pas connu; on l'a traduit ici d'après les anciennes versions grecque, syriaque et latine. Mais les manuscrits hébreux de Psaumes trouvés à Qumrân et la version araméenne ont compris qu'il s'agissait de *l'araignée* • *s qu'il les précipite:* le texte hébreu laisse hésiter entre deux interprétations possibles *que Dieu les préci-pite...,* ou *que le crime les précipite...;* les anciennes versions grecque et latine ont lu *tu* (c'est-à-dire Dieu) *les précipiteras...* • *t sans répit:* traduction incertaine; version araméenne *dans la* *Géhenne;* versions grecque, syriaque et latine *pour la perdition*

139.24 conduis-moi Ps 5.9+.   **140.4** venin d'aspic Rm 3.13; cf. Ps 58.5; Jb 20.16.   **140.6** filet Ps 9.16+.   **140.7** tu es mon Dieu Ps 22.11+ — prête l'oreille Ps 71.2+.   **140.11** braises Ps 120.4; cf. 11.6.   **140.13** Dieu fait droit aux pauvres Ps 72.4; 146.7; Jb 36.6; Pr 29.26.   **140.14** les hommes droits Ps 11.7.   **141.1** appel au Seigneur Ps 3.5+ — vite! Ps 31.3+ — prête l'oreille Ps 71.2+.

² Que ma prière soit *l'encens placé devant toi,
et mes mains levées ᵘ l'offrande du soir.

³ SEIGNEUR, mets une garde à ma bouche,
surveille la porte de mes lèvres ;
⁴ retiens mon cœur sur la pente du mal,
que je ne me livre pas à des pratiques impies
avec des hommes malfaisants :
alors je ne goûterai pas de leurs régals ᵛ.

⁵ Que, par fidélité, le juste me frappe et me reprenne !
Que l'huile parfumée n'enduise pas ma tête ʷ,
mais que dure ma prière face à leurs méchancetés !

⁶ Leurs chefs ont été précipités sur le rocher,
eux qui s'étaient régalés de m'entendre dire :
⁷ « Comme on laboure et défonce le sol,
on a dispersé nos os à la gueule des enfers. »

⁸ Les yeux sur toi, DIEU Seigneur,
je me suis réfugié près de toi ; ne me laisse pas rendre l'âme ;
⁹ garde-moi du filet qu'on m'a tendu
et des prières des malfaisants.
¹⁰ Les infidèles tomberont dans leur trappe,
tandis que moi, je passerai outre.

PSAUME 142 (141)

¹ *Instruction de David. Prière quand il était dans la caverne.*

² A pleine voix, je crie vers le SEIGNEUR ;
à pleine voix, je supplie le SEIGNEUR.
³ Je répands devant lui ma plainte,
devant lui j'expose ma détresse.

⁴ Quand je suis à bout de souffle,
c'est toi qui sais où je vais :
sur la route où je marche,
on m'a tendu un piège.

⁵ Regarde à droite et vois :
personne qui me reconnaisse !
plus de refuge pour moi,
personne qui ait souci de ma vie !

⁶ J'ai crié vers toi, SEIGNEUR !
en disant : « C'est toi mon asile,
ma part sur la terre des vivants ! »

⁷ Sois attentif à mes cris,
car je suis si faible !
Délivre-moi de mes persécuteurs,
car ils sont plus forts que moi.

⁸ Sors-moi de ma prison
pour que je célèbre ton nom.
Autour de moi les justes feront cercle
quand tu m'auras fait du bien.

---

u geste de la prière (voir Ps 28.2 et la note) ● *v leurs régals:* traduction incertaine ● *w* Le texte
des v. 5-7 est obscur et la traduction incertaine — *l'huile parfumée:* voir Ps 23.5 et la note

141.2 mains levées Ps 28.2+. **141.8** réfugié près de Dieu Ps 7.2+. **141.9** filet Ps 9.16+ — pris
à leur propre piège Ps 7.16+. **142.1** David dans la caverne 1 S 24; cf. Ps 57.1. **142.2** appel
au Seigneur Ps 3.5+. **142.4** tu sais Ps 139.2-3 — un piège Ps 141.9. **142.6** mon asile cf. Ps 7.2+
— ma part Ps 73.26; cf. 16.5. **142.7** sois attentif Ps 5.3+ — si faible Ps 79.8 — délivre-moi
Jr 31.11.

PSAUME 143 (142)

¹ *Psaume. De David.*

SEIGNEUR, écoute ma prière,
prête l'oreille à mes supplications,
par ta fidélité, par ta justice, réponds-moi !
² N'entre pas en jugement avec ton serviteur,
car nul vivant n'est juste devant toi.

³ L'ennemi m'a persécuté,
il m'a terrassé, écrasé ;
il m'a fait habiter dans les ténèbres,
comme les morts des temps passés ˣ.

⁴ En moi le souffle s'éteint,
la désolation est dans mon cœur.
⁵ J'évoque les jours d'autrefois,
je me redis tout ce que tu as fait,
je me répète l'œuvre de tes mains.
⁶ Je tends les mains vers toi ʸ ;
me voici devant toi, comme une terre assoiffée.   *Pause.*

⁷ Vite ! réponds-moi, SEIGNEUR !
je suis à bout de souffle.
Ne me cache pas ta face,
sinon je ressemble à ceux qui descendent dans la *fosse.

⁸ Dès le matin, annonce-moi ta fidélité,
car je compte sur toi.
Révèle-moi le chemin à suivre
car je suis tendu vers toi.
⁹ SEIGNEUR, délivre-moi de mes ennemis ;
j'ai fait un abri ᶻ près de toi.
¹⁰ Enseigne-moi à faire ta volonté
car tu es mon Dieu.
Ton esprit est bon,
qu'il me conduise sur un sol uni !

¹¹ A cause de ton nom, SEIGNEUR, tu me feras vivre ;
par ta justice tu me sortiras de la détresse ;
¹² par ta fidélité tu extermineras mes ennemis
et tu feras périr tous mes adversaires,
car je suis ton serviteur.

PSAUME 144 (143)

¹ *De David.*

Béni soit le SEIGNEUR, mon rocher,
qui entraîne mes mains pour le combat,
mes poings ᵃ pour la bataille.

---

x *comme les morts des temps passés:* autre traduction possible *comme ceux qui sont morts pour toujours* • y Voir Ps 28.2 et la note • z *j'ai fait un abri:* autres textes *je me suis réfugié* (ancienne version grecque); *j'ai été protégé* (ancienne version latine) • a *mes poings* ou *mes doigts*

143.1 écoute Ps 4.4; 102.2; 145.19 — prête l'oreille Ps 71.2+ — supplications Ps 55.2; 119.170; 140.7; 1 R 8.28. **143.2** nul vivant n'est juste Rm 3.20. **143.5** les jours d'autrefois Ps 77.6 — ce que tu as fait Ps 77.13. **143.6** les mains vers toi Ps 77.3; 88.10; cf. Ps 28.2+ — une terre assoiffée Ps 63.2; Es 32.2. **143.7** vite, réponds-moi Ps 31.3+ — ne me cache pas ta face Ps 27.9+ — ceux qui descendent dans la fosse Ps 22.30+. **143.8** dès le matin ta fidélité Ps 59.17 — compter sur le Seigneur Ps 9.11+; 55.24+ — le chemin à suivre Ps 25.4+ — tendu vers toi Ps 86.4. **143.10** tu es mon Dieu Ps 22.11+. **143.12** je suis ton serviteur Ps 86.16; 116.16. **144.1** Béni soit le Seigneur Ps 28.6+ — mon rocher Ps 28.1+ — entraîne mes mains au combat Ps 18.35.

² Il est mon allié, ma forteresse,
ma citadelle, et mon libérateur,
mon bouclier, et je me réfugie près de lui ;
il range mon peuple ^b sous mon pouvoir.

³ SEIGNEUR, qu'est-ce que l'homme, pour que tu le connaisses,
ce mortel pour que tu penses à lui ?
⁴ L'homme ressemble à du vent,
et ses jours à une ombre qui passe.

⁵ SEIGNEUR, déplie les cieux et descends.
Touche les montagnes et qu'elles fument.
⁶ Lance les éclairs, disperse-les,
envoie tes flèches, éparpille-les ^c.
⁷ D'en haut, tends la main pour me sauver,
pour me délivrer des grandes eaux,
des mains d'une race étrangère,
⁸ dont la bouche est menteuse
et la droite parjure ^d.

⁹ Dieu, je te chanterai un chant nouveau,
et pour toi je jouerai de la harpe à dix cordes :
¹⁰ c'est toi qui donnes la victoire aux rois,
qui sauves ton serviteur David
de l'épée meurtrière.
¹¹ Sauve-moi et délivre-moi
des mains d'une race étrangère,
dont la bouche est menteuse
et la droite parjure.

¹² Ainsi nos fils sont comme des plantes,
bien venus dès leur jeune âge ;
et nos filles sont des cariatides ^e,
des modèles pour un palais.

¹³ Nos greniers sont pleins,
regorgeant de toutes sortes de choses.
Nos troupeaux multiplient par milliers,
par dizaines de mille dans nos campagnes.

¹⁴ Nos alliés portent le fardeau ^f ;
plus de brèche ni de sortie,
plus d'alerte sur nos places.

¹⁵ Heureux le peuple qui a tout cela !
Heureux le peuple qui a pour Dieu le SEIGNEUR !

---

b *mon allié :* d'autres traduisent *mon amour* ou *ma force* — *mon peuple :* certains manuscrits hébreux (dont un trouvé à Qumrân) et plusieurs versions anciennes ont lu ici *les peuples* (voir Ps 18.48) ●
c *éparpille-les :* le texte hébreu est ambigu ; il peut s'agir des *éclairs* (*disperse-les*) et des *flèches* (*éparpille-les*), ou des ennemis du roi et du peuple d'Israël. Les anciennes versions ont choisi ce dernier sens ; dans ce cas on pourrait aussi traduire ainsi la fin du verset *mets-les en déroute* ● *d la* (main) *droite* est *parjure :* c'est elle, en effet, que l'on a levée pour prêter serment (Dn 12.7), alors que ce serment n'a pas été tenu ● *e Ainsi :* le sens du terme hébreu correspondant, qui introduit cette deuxième partie du psaume, est peu clair — *cariatides :* figures féminines sculptées dans la pierre et servant de colonnes ; autre traduction *angles sculptés* ● *f* Autre traduction *nos bœufs sont gras* ou encore *nos bœufs sont chargés*

144.2 tout le verset Ps 18.3+ — citadelle Ps 9.10+. **144.3** qu'est-ce que l'homme? Ps 8.5+. **144.4** du vent Ps 39.6; 62.10 — une ombre qui passe Ps 102.12; Jb 8.9; 14.2, 3. **144.5** déplie les cieux et descends Ps 18.10+ — que les montagnes fument Ps 104.32+. **144.6** éclairs, flèches Ps 18.15. **144.7** d'en haut... grandes eaux Ps 18.17. **144.8** main droite parjure Ps 26.10. **144.9** chant nouveau Ps 33.3+ — musique pour le Seigneur Ps 147.7+. **144.10** Dieu donne la victoire Ps 33.16-19. **144.12** nos fils comme... Ps 128.3. **144.13** greniers pleins Dt 28.8; Pr 3.10; cf. Lc 12.16-21. **144.15** Heureux Ps 1.1+ le peuple... Ps 33.12.

PSAUME 145 (144)

¹ *Louange. De David.*

Alef	Mon Dieu, mon roi, je t'exalterai et je bénirai ton nom à tout jamais *g*.
Beth	² Tous les jours je te bénirai et je louerai ton nom à tout jamais.
Guimel	³ Le SEIGNEUR est grand, comblé de louanges : sa grandeur est insondable.
Daleth	⁴ D'une génération à l'autre on vantera tes œuvres, on proclamera tes prouesses.
Hé	⁵ Je répéterai le récit de tes miracles, la gloire éclatante de ta splendeur.
Waw	⁶ On dira la puissance de tes prodiges et je raconterai tes hauts faits.
Zaïn	⁷ On célébrera le souvenir de tes immenses bienfaits, on acclamera ta justice.
Heth	⁸ Le SEIGNEUR est bienveillant et miséricordieux, lent à la colère et d'une grande fidélité.
Teth	⁹ Le SEIGNEUR est bon pour tous, plein de tendresse pour toutes ses œuvres.
Yod	¹⁰ Toutes ensemble, tes œuvres te loueront, SEIGNEUR, et tes fidèles te béniront.
Kaf	¹¹ Ils te diront la gloire de ton règne et parleront de ta prouesse,
Lamed	¹² en révélant aux hommes tes prouesses et la gloire éclatante de ton règne.
Mem	¹³ Ton règne est un règne de tous les temps et ton empire dure à travers tous les âges.
Noun	¹³ *bis* (Dieu est véridique, fidèle en tous ses actes.) *h*
Samek	¹⁴ Le SEIGNEUR est l'appui de tous ceux qui tombent, il redresse tous ceux qui fléchissent.
Aïn	¹⁵ Les yeux sur toi, ils espèrent tous, et tu leur donnes la nourriture en temps voulu ;
Pé	¹⁶ tu ouvres ta main et tu rassasies tous les vivants que tu aimes.
Çadé	¹⁷ Le SEIGNEUR est juste dans toutes ses voies, fidèle en tous ses actes.
Qof	¹⁸ Le SEIGNEUR est proche de tous ceux qui l'invoquent, de tous ceux qui l'invoquent vraiment.
Resh	¹⁹ Il fait la volonté de ceux qui le craignent *i*, il écoute leurs cris et les sauve.

g Alef: voir Ps 25.1 et la note — Dans un manuscrit des psaumes trouvé à Qumrân chaque verset du Ps 145 est suivi de ce refrain *le Seigneur est béni et son nom est béni à tout jamais* ● *h* Ce verset 13 bis, omis dans le texte hébreu traditionnel, a été conservé par les versions anciennes; il figure aussi dans un des manuscrits des Psaumes trouvé à Qumrân ● *i* Autre traduction *il exerce sa faveur envers ceux qui le craignent*

145.1 mon Dieu, mon roi Ps 5.3; 44.5; 84.4; cf. 93.1+ — je t'exalterai Ps 30.2 — je bénirai ton nom Ps 34.2; cf. 68.20. **145.3** le Seigneur est grand Ps 48.2; 95.3; 147.5 — comblé de louanges Ps 18.4; 96.4. **145.4** d'une génération à l'autre Ps 78.4. **145.8** bienveillant et miséricordieux Ex 34.6+. **145.10** tes œuvres te loueront Ps 103.22. **145.11** la gloire de ton règne 1 Ch 29.11. **145.13** règne de tous les temps Ps 9.8+; Dn 4.31. **145.14** l'appui de ceux qui tombent Ps 94.18 — il redresse Ps 146.8. **145.15-16** ils espèrent... tu donnes Ps 104.27-28. **145.17** fidèle et juste dans toutes tes voies Dt 32.4. **145.18** proche de ceux qui l'invoquent Dt 4.7; Es 58.9; Jr 29. 13. **145.19** ceux qui craignent le Seigneur Ps 15.4+ — il écoute et sauve Ps 34.18.

Shîn   20 Le SEIGNEUR garde tous ses amis,
        mais il supprimera tous les infidèles.
Taw   21 Ma bouche dira la louange du SEIGNEUR,
        et toute chair bénira son saint *nom,
        ... à tout jamais ^j !

PSAUME 146 (145)

1 Alléluia ! ^k

O mon âme, loue le SEIGNEUR !
2 Toute ma vie je louerai le SEIGNEUR,
   le reste de mes jours, je jouerai pour mon Dieu ^l.

3 Ne comptez pas sur les princes,
   ni sur les hommes incapables de sauver :
4 leur souffle partira, ils retourneront à leur poussière,
   et ce jour-là, c'est la ruine de leurs plans.

5 Heureux qui a pour aide le Dieu de Jacob,
   et pour espoir le SEIGNEUR, son Dieu !

6 Auteur de la terre et des cieux,
   de la mer, de tout ce qui s'y trouve,
   il est l'éternel gardien de la vérité :
7 il fait droit aux opprimés,
   il donne du pain aux affamés ;
   le SEIGNEUR délie les prisonniers,
8 le SEIGNEUR ouvre les yeux des aveugles,
   le SEIGNEUR redresse ceux qui fléchissent,
   le SEIGNEUR aime les justes,
9 le SEIGNEUR protège les émigrés,
   il soutient l'orphelin et la veuve,
   mais déroute les pas des méchants.

10 Le SEIGNEUR régnera toujours.
   Il est ton Dieu, *Sion, d'âge en âge !

   Alléluia !

PSAUME 147 (146-147)

1 Alléluia ! ^m

Qu'il est bon de chanter notre Dieu,
qu'il est agréable de le bien louer !
2 Le SEIGNEUR, qui rebâtit Jérusalem ^n,

---

j. ... à tout jamais : ces mots, en excédent dans le dernier vers, proviennent probablement du refrain
que le texte hébreu traditionnel n'a pas conservé (voir v. 1 et la note) • k Voir Ps 104.35 et la
note • l je jouerai pour mon Dieu : voir Ps 68.33 et la note • m Voir Ps 104.35 et la note •
n La reconstruction de Jérusalem, en particulier des murailles de la ville, s'est effectuée principalement au temps de Néhémie (après l'année 445 avant Jésus-Christ). Voir Ne 3—4

146.1 Alléluia Ps 106.1+ — ô mon âme Ps 103.1, 22; 104.1, 35. **146.2** toute ma vie Ps 104.33
— musique pour le Seigneur Ps 147.7+. **146.3** ne comptez pas sur les princes... les hommes
Ps 60.13; 118.8-9. **146.4** retour à la poussière Ps 103.14+ — la ruine de leurs plans Ps 33.10.
146.5 heureux Ps 1.1+ — Dieu comme aide Ps 27.9; 46.2; 121.2; 124.8 — Dieu comme espoir
Ps 25.5; 40.1; 71.5; 130.7; 131.3. **146.6** auteur de la terre, des cieux... Ps 121.2+. **146.7** il fait
droit aux opprimés Ps 10.18; 103.6 — du pain aux affamés Ps 107.9 — libération des prisonniers
Ps 68.7; 107.14-16; Es 42.7; 49.9; 61.1. **146.8** il ouvre les yeux des aveugles Es 29.18; 35.5;
42.7; Jn 9.7, 32 — il redresse Ps 145.14; Lc 13.13. **146.9** l'émigré, l'orphelin, la veuve Ps 10.
18; 68.6; Dt 10.18. **146.10** il règnera toujours Ps 9.8+; Ps 104.35+.
147.1 Alléluia Ps 106.1+ — Qu'il est bon de... Ps 92.2. **147.2** le Seigneur rebâtit Jérusalem Ps
102.17+; Es 44.28; Am 9.11 — les bannis d'Israël rassemblés Es 11.12; 56.8.

rassemblera les bannis d'Israël.
3 C'est lui qui guérit les cœurs brisés
et panse leurs blessures.

4 Il dénombre les étoiles ;
sur chacune il met un nom.
5 Notre Seigneur est grand et plein de force ;
son intelligence est infinie.
6 Le SEIGNEUR soutient les humbles,
jusqu'à terre il abaisse les infidèles.

7 Entonnez pour le SEIGNEUR l'action de grâce,
jouez pour notre Dieu sur la cithare [o] ;
8 c'est lui qui couvre les cieux de nuages,
qui prépare la pluie pour la terre
et fait pousser l'herbe sur les montagnes ;
9 il donne la nourriture au bétail
et aux petits du corbeau qui réclament.

10 Il n'apprécie pas les prouesses du cheval,
il ne s'intéresse pas aux muscles [p] de l'homme.
11 Mais le SEIGNEUR s'intéresse à ceux qui le craignent,
à ceux qui espèrent en sa fidélité.

12 Glorifie le SEIGNEUR, Jérusalem !
*Sion, loue ton Dieu.
13 Car il a renforcé les verrous de tes portes [q] ;
chez toi il a béni tes fils.
14 Lui qui donne la paix à ton territoire,
il te rassasie de fleur de froment.

15 Il envoie ses ordres à la terre,
et aussitôt court sa parole.
16 Il répand la neige comme des flocons de laine,
il éparpille le givre comme de la cendre.
17 Il jette ses glaçons comme des miettes ;
devant ses gelées qui résistera ?
18 Il envoie sa parole, c'est le dégel ;
il fait souffler le vent, les eaux s'écoulent.

19 Il proclame sa parole à Jacob,
ses décrets et ses commandements à Israël.
20 Cela, il ne l'a fait pour aucune des nations,
et elles ne connaissent pas ses commandements.

Alléluia !

o Voir Ps 92.4 et la note • *p aux muscles* ou *aux jambes* (c'est-à-dire *à l'agilité*) • *q tes portes:* il s'agit des portes de la ville, aménagées dans les murs de défense qui la protégeaient des agressions extérieures

147.3 il guérit les cœurs brisés Es 61.1; cf. Jb 5.18. **147.4** il nomme chaque étoile Es 40.26; *Ba* 3.34-35. **147.5** notre Seigneur est grand Ps 145.3+ — son intelligence est infinie Es 40.28. **147.6** il soutient les humbles Ps 146.9; Es 40.29. **147.7** musique pour le Seigneur Ps 33.2; 68.33; 71.22-23; 81.3-4; 98.4-5; 101.1; 104.33; 105.2; 144.9; 146.2; 149.3; Jg 5.3l cf. Col 3.16. **147.8** nuages, pluie Ps 104.13, 14; 135.7; Jb 5.10. **147.9** nourriture pour le bétail Ps 104.27-28; 145.15-16 — pour les petits du corbeau Jb 38.41. **147.10** les chevaux, la force musclée Ps 20.8-9; 33.16-17; Am 2.15. **147.11** ceux qui craignent le Seigneur Ps 15.4+ — espérer en sa fidélité Ps 33.18+. **147.15** il envoie ses ordres Ps 33.9; 107.20; Es 9.7; 55.11. **147.16-17** neige glace Jb 37.10; 38.22. **147.18** dégel Jb 6.16. **147.19** parole de Dieu pour Israël Dt 4.7-8. **147.20** nations ignorantes du commandement de Dieu Ac 14.16 — Alléluia Ps 104.35+.

PSAUME 148

¹ Alléluia !

Louez le Seigneur depuis les cieux :
louez-le dans les hauteurs ;
² louez-le, vous tous ses *anges ˢ ;
louez-le, vous toute son armée ᵗ ;
³ louez-le, soleil et lune ;
louez-le, vous toutes les étoiles brillantes ;
⁴ louez-le, vous les plus élevés des *cieux,
et vous les eaux qui êtes par-dessus les cieux.

⁵ Qu'ils louent le nom du Seigneur,
car il commanda, et ils furent créés.
⁶ Il les établit à tout jamais ;
il fixa des lois qui ne passeront pas ᵘ.

⁷ Louez le Seigneur depuis la terre :
dragons et vous tous les abîmes ᵛ,
⁸ feu et grêle, neige et brouillard,
vent de tempête exécutant sa parole,
⁹ montagnes et toutes les collines,
arbres fruitiers et tous les cèdres,
¹⁰ bêtes sauvages et tout le bétail,
reptiles et oiseaux,
¹¹ rois de la terre et tous les peuples,
princes et tous les chefs de la terre,
¹² jeunes gens, vous aussi jeunes filles,
vieillards et enfants !

¹³ Qu'ils louent le *nom du Seigneur,
car son nom est sublime, lui seul,
sa splendeur domine la terre et les cieux.
¹⁴ Il a relevé le front de son peuple.
Louange pour tous ses fidèles,
les fils d'Israël, le peuple qui lui est proche !
Alléluia !

PSAUME 149

¹ Alléluia ! ʷ

Chantez pour le Seigneur un chant nouveau ;
chantez sa louange dans l'assemblée des fidèles.
² Qu'Israël se réjouisse de son Auteur,
que les fils de *Sion ˣ fêtent leur roi.
³ Qu'ils louent son nom par la danse ;
qu'ils jouent pour lui du tambour et de la cithare ʸ.

---

r Voir Ps 104.35 et la note ● s ses anges: autre traduction ses messagers ● t toute son armée : d'après le texte hébreu « écrit ». Le texte hébreu que la tradition juive considère comme « à lire » et les versions anciennes ont compris toutes ses armées ● u qui ne passeront pas: autre traduction et il ne les trangressera pas ● v dragons: ou monstres marins — les abîmes semblent personnifier ici les puissances de la nature dangereuses pour l'homme ● w Voir Ps 104.35 et la note ● x les fils de Sion: expression hébraïque désignant les habitants de Jérusalem ● y Voir Ps 92.4 et la note

148.1 Alléluia Ps 106.1+ — depuis les cieux Lc 2.14. 148.2 ses anges, son armée Ps 103.20, 21. 148.5 il commande et ils furent créés Ps 33.9. 148.6 des lois permanentes Jr 31.35-36; 33.25. 148.8 neige... Ps 147.16-17; Jb 38.22 — vent exécutant sa parole Ps 104.4. 148.13 son nom est sublime Ps 8.2; 113.4. 148.14 proche de Dieu Es 58.2 — Alléluia Ps 104.35+. 149.1 Alléluia Ps 106.1+ — chant nouveau Ps 33.3+ — dans l'assemblée des fidèles Ps 68.27. 149.3 musique pour le Seigneur Ps 147.7+.

⁴ car le SEIGNEUR favorise son peuple ;
il pare de victoire les humbles.

⁵ Que les fidèles exultent en rendant gloire,
que sur leurs nattes ils crient de joie,
⁶ exaltant Dieu à plein gosier,
tenant en main l'épée à deux tranchants.
⁷ Tirer vengeance des nations
et châtier les peuples,
⁸ enchaîner leurs rois
et mettre aux fers leurs élites,
⁹ exécuter contre eux la sentence écrite,
c'est l'honneur de tous ses fidèles !

Alléluia !

PSAUME 150

¹ Alléluia ! ᶻ

Louez Dieu dans son *sanctuaire ;
louez-le dans la forteresse de son firmament.
² Louez-le pour ses prouesses ;
louez-le pour tant de grandeur.

³ Louez-le avec sonneries de cor ;
louez-le avec harpe et cithare ᵃ ;
⁴ louez-le avec tambour et danse ;
louez-le avec cordes et flûte ;
⁵ louez-le avec des cymbales sonores ;
louez-le avec les cymbales de l'ovation ᵇ.

Que tout ce qui respire loue le SEIGNEUR !

Alléluia ! ᶜ

ᶻ *Alléluia!:* voir Ps 104.35 et la note — Le Ps 150 sert de conclusion à l'ensemble du psautier comme 41.14 ; 72.19 ; 89.53 ; 106.48 servaient successivement de conclusion aux quatre premiers livres du psautier ● *a* Voir Ps 92.4 et la note ● *b cymbales sonores... cymbales de l'ovation:* ou *petites et grosses cymbales* ● *c* L'ancienne version grecque de l'A.T. a retenu un psaume qui ne figure pas dans les manuscrits hébreux. Il semble consister en extraits de deux psaumes non canoniques, dont certaines parties (en hébreu) ont été découvertes à Qumrân. En voici le texte : 1 Psaume écrit spécialement pour David et hors du compte. Quand il livra à Goliath le combat singulier. *J'étais le plus petit d'entre mes frères, le plus jeune des fils de mon père. Je menais paître le troupeau de mon père. 2 Mes mains ont fabriqué une flûte, mes doigts ont confectionné une harpe. 3 Qui l'annoncera à mon Seigneur? Le Seigneur lui-même, en personne, entend. 4 Il a envoyé son messager, il m'a pris au milieu du troupeau de mon père et m'a donné l'onction de son huile. 5 Mes frères étaient beaux et grands, pourtant le Seigneur ne les a pas préférés. 6 Je suis allé affronter le Philistin. Il m'a maudit par ses idoles. 7 Mais moi, j'ai arraché son épée, je l'ai décapité et j'ai lavé de l'affront les enfants d'Israël*

149.9 Alléluia Ps 104.35 +.   **150.1** Alléluia Ps 106.1 +.   **150.2** pour ses prouesses Ps 105.2 ; 145.4.
150.3-5 louange à Dieu avec instruments de musique Ps 147.7 +.   **150.5** Alléluia Ps 104.35 +.

JOB

Première épreuve de Job

1 ¹ Il y avait au pays de Ouç *a* un homme du nom de Job. Il était, cet homme, intègre et droit, craignait Dieu et s'écartait du mal. ² Sept fils et trois filles lui étaient nés. ³ Il possédait sept mille moutons, trois mille chameaux, cinq cents paires de bœufs, cinq cents ânesses et une très nombreuse domesticité. Cet homme était le plus grand de tous les fils de l'Orient *b*.

⁴ Or ses fils allaient festoyer les uns chez les autres à tour de rôle et ils conviaient leurs trois sœurs à manger et à boire. ⁵ Lorsqu'un cycle de ces festins était achevé, Job les faisait venir pour les *purifier. Levé dès l'aube, il offrait un holocauste *c* pour chacun d'eux, car il se disait : « Peut-être mes fils ont-ils péché et maudit Dieu dans leur *cœur ! » Ainsi faisait Job, chaque fois.

⁶ Le jour advint où les Fils de Dieu se rendaient à l'audience du SEIGNEUR. L'Adversaire *d* vint aussi parmi eux. ⁷ Le SEIGNEUR dit à l'Adversaire : « D'où viens-tu ? » — « De parcourir la terre, répondit-il, et d'y rôder. » ⁸ Et le SEIGNEUR lui demanda : « As-tu remarqué mon serviteur Job ? Il n'a pas son pareil sur terre. C'est un homme intègre et droit qui craint Dieu et s'écarte du mal. » ⁹ Mais l'Adversaire répliqua au SEIGNEUR : « Est-ce pour rien que Job craint Dieu ?

¹⁰ Ne l'as-tu pas protégé d'un enclos, lui, sa maison et tout ce qu'il possède ? Tu as béni ses entreprises, et ses troupeaux pullulent dans le pays. ¹¹ Mais veuille étendre ta main et touche à tout ce qu'il possède. Je parie qu'il te maudira en face ! » ¹² Alors le SEIGNEUR dit à l'Adversaire : « Soit ! Tous ses biens sont en ton pouvoir. Evite seulement de porter la main sur lui. » Et l'Adversaire se retira de la présence du SEIGNEUR.

¹³ Le jour advint où ses fils et ses filles étaient en train de manger et de boire du vin chez leur frère aîné. ¹⁴ Un messager arriva auprès de Job et dit : « Les bœufs étaient à labourer et les ânesses paissaient auprès d'eux. ¹⁵ Un rezzou de Sabéens *e* les a enlevés en massacrant tes serviteurs. Seul j'en ai réchappé pour te l'annoncer. » ¹⁶ Il parlait encore quand un autre survint qui disait : « Un feu de Dieu est tombé du ciel, brûlant moutons et serviteurs. Il les a consumés, et seul j'en ai réchappé pour te l'annoncer. » ¹⁷ Il parlait encore quand un autre survint qui disait : « Des Chaldéens formant trois bandes se sont jetés sur les chameaux et les ont enlevés en massacrant tes serviteurs. Seul j'en ai réchappé pour te l'annoncer. » ¹⁸ Il parlait encore quand un autre survint qui disait : « Tes fils et tes filles étaient en train de manger et de boire du vin chez leur frère aîné ¹⁹ lorsqu'un grand vent venu d'au-delà

---

a District du pays d'Edom, au sud-est de la mer Morte; voir Lm 4.21 ● *b* L'expression *fils de l'Orient* désigne en général les nomades qui vivent à l'est de la Palestine ● *c* Voir au glossaire SACRIFICES ● *d* Fils de Dieu: tous les êtres dont Dieu est entouré, comme un roi est entouré de sa cour et de ses conseillers. — *Adversaire:* le mot hébreu (qu'on peut traduire aussi par *Accusateur*) est devenu par la suite le nom propre *Satan* (voir 1 Ch 21.1) ● *e* rezzou: bande de nomades pillards. — *Sabéens* (et *Chaldéens*, v. 17): diverses populations nomades

1.1 Job Ez 14.14; Jc 5.11 — intègre et droit 1.8; 2.3, 9; 12.4; Gn 6.9; Ps 26.1. **1.3** il possédait Gn 24.35; 26.14. **1.5** purification Jn 35.2; 1 S 16.5. **1.6** l'audience 2.1-3; 1 R 22.19-22; Ps 82.1; Dn 7.9-10; Ap 5.11 — l'Adversaire Za 3.1-2; Ap 12.10. **1.10** protégé d'un enclos 3.23. **1.11** maudira en face 2.5-6. **1.15** un rezzou Jg 6.3-6; 1 S 27.8-9. **1.16** un feu de Dieu Lv 10.2; 2 R 1.10-14; Lc 9.54. **1.19** un grand vent Mt 7.27.

du désert a frappé les quatre coins de la maison. Elle est tombée sur les jeunes gens. Ils sont morts. Seul j'en ai réchappé pour te l'annoncer. » ²⁰ Alors Job se leva. Il *déchira son manteau et se rasa la tête. Puis il se jeta à terre, adora ²¹ et dit :

« Sorti nu du ventre de ma mère, nu j'y retournerai ᶠ.
Le SEIGNEUR a donné, le SEIGNEUR a ôté :
Que le nom du SEIGNEUR soit béni ! »
²² En tout cela, Job ne pécha pas. Il n'imputa rien d'indigne à Dieu.

Seconde épreuve de Job

2 ¹ Le jour advint où les Fils de Dieu se rendaient à l'audience du SEIGNEUR. L'Adversaire vint aussi parmi eux à l'audience du SEIGNEUR. ² Le SEIGNEUR dit à l'Adversaire : « D'où est-ce que tu viens ? » — « De parcourir la terre, répondit-il, et d'y rôder. » ³ Et le SEIGNEUR lui demanda : « As-tu remarqué mon serviteur Job ? Il n'a pas son pareil sur terre. C'est un homme intègre et droit qui craint Dieu et se garde du mal. Il persiste dans son intégrité et c'est bien en vain que tu m'as incité à l'engloutir. » ⁴ Mais l'Adversaire répliqua au SEIGNEUR : « Peau pour peau ᵍ ! Tout ce qu'un homme possède, il le donne pour sa vie. ⁵ Mais veuille étendre ta main, touche à ses os et à sa chair. Je parie qu'il te maudira en face ! » ⁶ Alors le SEIGNEUR dit à l'Adversaire : « Soit ! Il est en ton pouvoir ; respecte seulement sa vie. »

⁷ Et l'Adversaire, quittant la présence du SEIGNEUR, frappa Job d'une *lèpre maligne ʰ depuis la plante des pieds jusqu'au sommet de la tête. ⁸ Alors Job prit un tesson pour se gratter et il s'installa parmi les cendres ⁱ. ⁹ Sa femme lui dit : « Vas-tu persister dans ton intégrité ? Maudis Dieu, et meurs ! » ¹⁰ Il lui dit : « Tu parles comme une folle. Nous acceptons le bonheur comme un don de Dieu. Et le malheur, pourquoi ne l'accepterions-nous pas aussi ? » En tout cela, Job ne pécha point par ses lèvres.

Trois amis de Job viennent le consoler

¹¹ Les trois amis de Job apprirent tout ce malheur qui lui était advenu et ils arrivèrent chacun de son pays, Elifaz de Témân, Bildad de Shouah et Çofar de Naama ʲ. Ils convinrent d'aller le plaindre et le consoler. ¹² Levant leurs yeux de loin, ils ne le reconnurent pas. Ils pleurèrent alors à grands cris. Chacun *déchira son manteau et ils jetèrent en l'air de la poussière qui retomba sur leur tête. ¹³ Ils restèrent assis à terre avec lui pendant sept jours et sept nuits. Aucun ne lui disait mot, car ils avaient vu combien grande était sa douleur.

3 ¹ Enfin, Job ouvrit la bouche et maudit son jour ᵏ.

DIALOGUE ENTRE JOB ET SES AMIS

Job regrette d'être né

² Job prit la parole et dit :
³ Périsse le jour où j'allais être enfanté et la nuit qui a dit : « Un homme a été conçu ! »
⁴ Ce jour-là, qu'il devienne ténèbres, que, de là-haut, Dieu ne le convoque pas,
que ne resplendisse sur lui nulle clarté ;

ᶠ *j'y retournerai:* la tombe est comparée au ventre maternel ● ᵍ *Peau pour peau:* proverbe, inconnu par ailleurs ; la fin du verset en donne certainement le sens ● ʰ Autre traduction *inflammation mauvaise.* Il s'agit probablement d'une maladie tropicale de la peau, autre que la lèpre proprement dite ● ⁱ Job est allé s'installer hors de la ville (voir Lv 13.46), près de l'endroit où l'on déverse les ordures ● ʲ *Témân:* ville édomite, renommée pour la sagesse de ses habitants (voir Jr 49.7) ; *Shouah* et *Naama:* localités ou régions non identifiées ● ᵏ *son jour* désigne le jour de sa naissance, voir v. 3

1.20 gestes de deuil 2.12 ; Lv 10.6+ ; Jos 7.6 ; Ez 27.30-31.   **1.21** nu j'y retournerai Gn 3.19 ; Ps 49.18 ; Qo 5.14 ; Si 40.1 ; 1 Tm 6.7 — le nom soit béni Ps 113.2 ; cf. Jc 5.11.   **2.3** intègre et droit 1.1+ — engloutir 10.8.   **2.6** en ton pouvoir Lc 22.31.   **2.7** lèpre maligne Dt 28.35.   **2.9** intégrité 1.1+ ; Tb 2.14 — maudis Dieu Lv 24.11-14 ; 1 R 21.13.   **2.10** comme une folle 1 S 25.25 ; Ps 14.1 — et le malheur Rm 8.28.   **2.12** ils ne le reconnurent pas Es 52.14 — gestes de deuil 1.20+.   **2.13** aucun ne disait mot Am 5.13 ; Lm 3.26 ; cf. Mt 27.14 par. ; Lc 23.9.   **3.1** il maudit son jour Jr 20.14-18.   **3.3** le jour de l'enfantement 10.18 ; Si 23.14 ; Mt 26.24 par.

⁵ que le revendiquent la ténèbre et l'ombre de mort,
que sur lui demeure une nuée,
que le terrifient les éclipses !
⁶ Cette nuit-là, que l'obscurité s'en empare,
qu'elle ne se joigne pas à la ronde des jours de l'année,
qu'elle n'entre pas dans le compte des mois !
⁷ Oui, cette nuit-là, qu'elle soit infécondée,
que nul cri de joie ne la pénètre ;
⁸ que l'exècrent les maudisseurs du jour,
ceux qui se préparèrent à éveiller le Tortueux *l* ;
⁹ que s'enténèbrent les astres de son aube,
qu'elle espère la lumière — et rien !
Qu'elle ne voie pas les pupilles *m* de l'aurore!
¹⁰ Car elle n'a pas clos les portes du ventre où j'étais,
ce qui eût dérobé la peine à mes yeux.
¹¹ Pourquoi ne suis-je pas mort dès le sein ?
A peine sorti du ventre, j'aurais expiré.
¹² Pourquoi donc deux genoux m'ont-ils accueilli,
pourquoi avais-je deux mamelles à téter ?
¹³ Désormais, gisant, je serais au calme,
endormi, je jouirais alors du repos,
¹⁴ avec les rois et les conseillers de la terre,
ceux qui rebâtissent pour eux des ruines,
¹⁵ ou je serais avec les princes qui détiennent l'or,
ceux qui gorgent d'argent leurs demeures,
¹⁶ ou comme un avorton enfoui je n'existerais pas,
comme les enfants qui ne virent pas la lumière.
¹⁷ Là, les méchants ont cessé de tourmenter,

là, trouvent repos les forces épuisées.
¹⁸ Prisonniers, tous sont à l'aise,
ils n'entendent plus la voix du gardechiourme.
¹⁹ Petit et grand, là, c'est tout un,
et l'esclave y est affranchi de son maître.
²⁰ Pourquoi donne-t-il *n* la lumière à celui qui peine,
et la vie aux ulcérés ?
²¹ Ils sont dans l'attente de la mort, et elle ne vient pas,
ils fouillent à sa recherche plus que pour des trésors.
²² Ils seraient transportés de joie,
ils seraient en liesse s'ils trouvaient un tombeau.
²³ Pourquoi ce don de la vie *o* à l'homme dont la route se dérobe ?
Et c'est lui que Dieu protégeait d'un enclos !
²⁴ Pour pain je n'ai que mes sanglots,
ils déferlent comme l'eau, mes rugissements.
²⁵ La terreur qui me hantait, c'est elle qui m'atteint,
et ce que je redoutais m'arrive.
²⁶ Pour moi, ni tranquillité, ni cesse, ni repos.
C'est le tourment qui vient.

Dieu est digne de confiance

4 ¹ Alors Elifaz de Témân prit la parole et dit :

² Te met-il pour une fois à l'épreuve, tu fléchis !
Mais qui peut contraindre ses paroles ?
³ Tu t'es fait l'éducateur des foules,
tu savais rendre vigueur aux mains lasses.
⁴ Tes paroles redressaient ceux qui perdent pied,
tu affermissais les genoux qui ploient.
⁵ Que maintenant cela t'arrive, c'est toi qui fléchis.

---

l Autre traduction *le Léviathan*, voir 40.25 — 41.26. C'est un animal fabuleux, décrit sous les traits du crocodile. On pensait que, sous l'influence des magiciens, il pouvait provoquer des éclipses de soleil (v. 9). ● *m* Lorsque *les pupilles de l'aurore* s'entrouvrent, le soleil apparaît ● *n* Le sujet sous-entendu est *Dieu* ● *o* Les mots *Pourquoi ce don de la vie*, sous-entendus dans le texte original, constituent une reprise de la pensée du v. 20.

3.8 le Tortueux (ou Léviathan) Es 27.1 ; Ps 74.14 ; 104.26. **3.10** clore le ventre Gn 29.31 ; 30.22 ; 1 S 1.5. **3.14** avec les rois Es 14.9-11 ; Ez 32.18-30. **3.16** comme un avorton 10.19 ; Ps 58.9 ; Qo 6.3. **3.17** trouver du repos Ap 14.13. **3.19** même séjour des morts pour tous 21.26 ; Qo 9.2-3. **3.21** l'attente de la mort 6.9 ; 7.15 ; 1 R 19.4 ; Jr 8.3 ; Jon 4.3 ; Ap 9.6. **3.23** enclos 1.10. **3.24** mes sanglots Ps 42.4 ; 80.6 ; 102.10. **3.25** ce que je redoute m'arrive 15.24 ; Pr 10.24 ; Ez 11.8. **3.26** pas de repos Dt 28.65-67 ; Mt 11.28-29 ; Ap 14.11. **4.3** rendre vigueur aux lassés 1 S 23.16 ; Es 35.3-4 ; Ne 6.9. **4.5** c'est toi qui fléchis Pr 24.10.

Te voici atteint, c'est l'affolement.

6 Ta piété ne tenait-elle qu'à ton bien-
être,
tes espérances fondaient-elles seules ta
bonne conduite ?

7 Rappelle-toi : quel innocent a jamais
péri,
où vit-on des hommes droits disparaître ?

8 Je l'ai bien vu : les laboureurs de
gâchis
et les semeurs de misère en font eux-
mêmes la moisson.

9 Sous l'haleine de Dieu ils périssent,
au souffle de sa narine ils se consument.

10 Rugissement de lion, feulement de
tigre ;
les dents des lionceaux mordent à vide.

11 Le guépard périt faute de proie,
les petits de la lionne se débandent.

12 Une parole, furtivement, m'est venue,
mon oreille en a saisi le murmure.

13 Lorsque divaguent les visions de la
nuit,
quand une torpeur écrase les humains,

14 un frisson d'épouvante me surprit
et fit cliqueter tous mes os :

15 un souffle passait sur ma face,
hérissait le poil de ma chair.

16 Il se tenait debout, je ne le reconnus
pas.
Le spectre restait devant mes yeux.
Un silence, puis j'entendis une voix :

17 « Le mortel serait-il plus juste que
Dieu,
l'homme serait-il plus *pur que son
auteur ?

18 Vois : ses serviteurs, il ne leur fait pas
confiance,
en ses *anges même il trouve de la
folie.

19 Et les habitants des maisons d'argile,
alors,
ceux qui se fondent sur la poussière !
On les écrase comme une teigne.

20 D'un matin à un soir ils seront broyés.
Sans qu'on y prenne garde, ils périront
à jamais.

21 Les cordes de leurs tentes ne sont-elles
pas déjà arrachées ?
Ils mourront, faute de sagesse. »

5 1 Fais donc appel ! Existe-t-il quelqu'un pour te répondre ?
Auquel des *saints t'en prendras-tu ?

2 Oui, l'imbécile, c'est la rogne qui
l'égorge,
et le naïf, la jalousie le tue.

3 Je l'ai bien vu, l'imbécile, qui poussait
ses racines,
mais j'ai soudain maudit sa demeure :

4 « Que ses fils échappent à tout secours,
qu'ils soient écrasés au tribunal sans
que nul n'intervienne,

5 et lui, ce qu'il a moissonné, que l'affamé
s'en nourrisse,
qu'on s'en saisisse malgré les haies
d'épines
et que les assoiffés engouffrent son
patrimoine ! »

6 Car le gâchis ne sort pas de terre
et la misère ne germe pas du sol.

7 Oui, c'est pour la misère que l'homme
est né,
et l'étincelle *p* pour prendre son essor.

8 Quant à moi, je m'adresserais à Dieu,
c'est à Dieu que j'exposerais ma
cause.

9 L'ouvrier des grandeurs insondables,
dont les merveilles épuisent les nombres,

10 c'est lui qui répand la pluie sur la
face de la terre,
qui fait ruisseler le visage des champs,

11 pour placer au sommet ceux qui gisent
en bas
et pour que les assombris se dressent,
sauvés.

12 C'est lui qui déjoue les intrigues des
plus roués.
Pour leurs mains point de réussite.

13 C'est lui qui prend les sages au piège
de leur astuce,
et qui devance les desseins des fourbes.

14 En plein jour ils se buttent aux ténèbres,
à midi ils tâtonnent comme de nuit.

---

p Autre traduction *l'aigle*. Le texte hébreu parle de *fils de l'éclair* (= *étincelle*) ou de *fils de
Resheph*, dieu cananéen de l'orage (= *aigle*)

4.7 quel innocent a péri Ps 34.20-21; Pr 12.21; *Si* 2.10; 2 P 2.9. **4.8** on récolte ce qu'on
a semé *Si* 7.3; Ga 6.7+. **4.9** ils périssent cf. 27.3+. **4.13** les visions de la nuit 7.14; 33.15.
4.14 un frisson d'épouvante Gn 15.12. **4.17** plus juste que Dieu 9.2; 15.14; 25.4; 32.2; 35.2;
40.8; Ps 143.2. **4.18** pas confiance 15.15. **4.20** d'un matin à un soir Ps 90.5-6. **5.1** les
saints 15.15; Za 14.5; Dn 4.14. **5.7** né pour la misère Gn 3.17-19. **5.9** les grandeurs insondables 9.10; Ps 40.6. **5.11** Dieu élève les humbles 42.10; 1 S 2.7-8; Lc 1.52-53. **5.13** prendre
les sages au piège 37.24; 1 Co 3.19. **5.14** butter aux ténèbres Pr 4.19; Mt 27.45 par.;
1 Jn 2.9-11.

¹⁵ Mais il a sauvé de leur épée, de leur gueule,
de leur serre puissante, le pauvre.
¹⁶ Il y eut pour le faible une espérance,
et l'infamie s'est trouvée muselée.
¹⁷ Vois : Heureux l'homme que Dieu réprimande !
Ne dédaigne donc pas la semonce du Puissant.

¹⁸ C'est lui qui, en faisant souffrir, répare,
lui dont les mains, en brisant, guérissent.
¹⁹ De six angoisses il te tirera
et à la septième, le mal ne t'atteindra plus.
²⁰ Lors de la famine, il te racheta à la mort
et en plein combat au pouvoir de l'épée.
²¹ Du fouet de la langue *q*, tu seras à l'abri ;
rien à craindre d'un désastre à venir.
²² Désastre, disette, tu t'en riras,
et des bêtes sauvages, n'aie pas peur !
²³ Car tu as une alliance avec les pierres des champs,
et l'on t'a concilié les fauves de la steppe.
²⁴ Tu découvriras la paix dans ta tente ;
inspectant tes pâtures, tu n'y trouveras rien en défaut.
²⁵ Tu découvriras que ta postérité est nombreuse
et que tes rejetons sont comme la verdure de la terre.
²⁶ Tu entreras dans la tombe en pleine vigueur,
comme on dresse un gerbier en son temps.
²⁷ Vois, cela, nous l'avons étudié à fond :
il en est ainsi,
écoute et fais-en ton profit.

Dieu ferait mieux de me tuer

6 ¹ Alors Job prit la parole et dit :

² Si l'on parvenait à peser ma hargne,
si l'on amassait ma détresse sur une balance !
³ Mais elles l'emportent déjà sur le sable des mers.
C'est pourquoi mes paroles s'étranglent.
⁴ Car les flèches du Puissant sont en moi,
et mon souffle en aspire le venin.
Les effrois de Dieu s'alignent contre moi.

⁵ L'âne sauvage se met-il à braire auprès du gazon,
le bœuf à meugler sur son fourrage ?
⁶ Ce qui est fade se mange-t-il sans sel
et y a-t-il du goût à la bave du pourpier *r* ?
⁷ Mon gosier les vomit,
ce sont vivres immondes.

⁸ Qui fera que ma requête s'accomplisse,
que Dieu me donne ce que j'espère ?
⁹ Que Dieu daigne me broyer,
qu'il dégage sa main et me rompe *s* !
¹⁰ J'aurai du moins un réconfort,
un sursaut de joie dans la torture implacable :
je n'aurai mis en oubli aucune des sentences du *Saint.

¹¹ Quelle est ma force pour que j'espère ?
Quelle est ma fin pour persister à vivre ?
¹² Ma force est-elle la force du roc,
ma chair est-elle de bronze ?
¹³ Serait-ce donc le néant, ce secours que j'attends ?
Toute ressource m'a-t-elle échappé ?

¹⁴ L'homme effondré a droit à la pitié de son prochain ;
sinon, il abandonnera la crainte du Puissant.

¹⁵ Mes frères ont trahi comme un torrent,
comme le lit des torrents qui s'enfuient.
¹⁶ La débâcle des glaces les avait gonflés
quand au-dessus d'eux fondaient les neiges.
¹⁷ A la saison sèche ils tarissent ;
à l'ardeur de l'été ils s'éteignent sur place.

---

q *Le fouet de la langue* est une image de la calomnie ● r *bave du pourpier:* sève d'une plante comestible. Autre traduction *blanc d'œuf* ● s *qu'il dégage sa main et me rompe:* geste du tisserand qui coupe la trame lorsqu'il a terminé son ouvrage; voir Es 38.12

5.17 Dieu réprimande Dt 8.5; Ap 3.19. **5.18** Dieu blesse et guérit 36.15; Dt 32.39; Os 6.1. **5.20** il protège de la famine Ps 33.19 — il protège de l'épée Jr 39.18. **5.21** il protège de la calomnie Es 54.17; Ps 12; 31.21. **5.23** alliance avec les pierres 2 R 3.19,25; Es 5.2 — alliance avec les fauves Es 11.6-8; Ez 34.25; Os 2.20. **5.25** postérité nombreuse Dt 28.4, 11. **5.26** en pleine vigueur 42.17. **6.4** les flèches du Puissant 16.13; 34.6; Ps 38.3 — les effrois de Dieu 9.34; 13.21; 30.15; Ps 88.16-18. **6.9** que Dieu me broie 3.21+. **6.10** ne pas oublier la loi de Dieu Dt 6.6-9; Ps 78.1-7 — le Saint Es 6.3; 40.25; Ha 3.3. **6.14** la pitié du prochain 29.12-13; 31.16-20 — la crainte du Puissant Pr 30.9. **6.15** trahir comme un torrent Jr 15.18; cf. Jr 2.13.

¹⁸ Les caravanes se détournent de leurs
cours,
elles montent vers les solitudes et se
perdent.
¹⁹ Les caravanes de Téma les fixaient des
yeux ;
les convois de Saba *t* espéraient en
eux.
²⁰ On a honte d'avoir eu confiance :
quand on y arrive, on est confondu.
²¹ Ainsi donc, existez-vous ? Non !
A la vue du désastre, vous avez pris
peur.
²² Vous ai-je jamais dit : « Faites-moi
un don !
De votre fortune soyez prodigues en
ma faveur
²³ pour me délivrer de la main d'un
ennemi,
me racheter de la main des tyrans ? »
²⁴ Eclairez-moi, et moi je me tairai.
En quoi ai-je failli ? Montrez-le-moi !
²⁵ Des paroles de droiture seraient-elles
blessantes ?
D'ailleurs, une critique venant de vous,
que critique-t-elle ?
²⁶ Serait-ce des mots que vous prétendez
critiquer ?
Les paroles du désespéré s'adressent
au vent.
²⁷ Vous iriez jusqu'à tirer au sort un
orphelin,
à mettre en vente votre ami.
²⁸ Eh bien ! daignez me regarder :
vous mentirais-je en face ?
²⁹ Revenez donc ! Pas de perfidie !
Encore une fois, revenez ! Ma justice
est en cause.
³⁰ Y a-t-il de la perfidie sur ma langue ?
Mon palais ne sait-il pas discerner la
détresse ?

7 ¹ N'est-ce pas un temps de corvée
que le mortel vit sur terre,
et comme jours de saisonnier que passent ses jours ?

² Comme un esclave soupire après l'ombre,
et comme un saisonnier attend sa paye,
³ ainsi des mois de néant sur mon partage
et l'on m'a assigné des nuits harassantes :
⁴ A peine couché, je me dis : « Quand
me lèverai-je ? »
Le soir n'en finit pas,
et je me saoule de délires jusqu'à
l'aube.
⁵ Ma chair s'est revêtue de vers et de
croûtes terreuses,
ma peau se crevasse et suppure.

⁶ Mes jours ont couru, plus vite que
la navette,
ils ont cessé, à bout de fil *u*.
⁷ Rappelle-toi que ma vie n'est qu'un
souffle,
et que mon œil ne reverra plus le
bonheur.
⁸ Il ne me discernera plus, l'œil qui me
voyait.
Tes yeux seront sur moi, et j'aurai
cessé d'être.

⁹ Une nuée se dissipe et s'en va :
voilà celui qui descend sous terre pour
n'en plus remonter !
¹⁰ Il ne fera plus retour en sa maison,
son foyer n'aura plus à le reconnaître.
¹¹ Donc, je ne briderai plus ma bouche ;
le souffle haletant, je parlerai ;
le cœur aigre, je me plaindrai :

¹² Suis-je l'Océan ou le Monstre marin *v*
que tu postes une garde contre moi ?
¹³ Quand je dis : « Mon lit me soulagera,
ma couche apaisera ma plainte »,
¹⁴ alors, tu me terrorises par des songes,
et par des visions tu m'épouvantes.
¹⁵ La pendaison me séduit.
La mort plutôt que ma carcasse !

¹⁶ Je m'en moque ! Je ne vivrai pas
toujours.
Laisse-moi, car mes jours s'exhalent.

---

t Téma: oasis de l'Arabie septentrionale; *Saba:* région de l'Arabie méridionale ● *u navette:*
instrument utilisé pour tisser l'étoffe; même image qu'en 6.9 — *à bout de fil:* autre traduction
sans espérance ● *v* Allusion à de vieux récits de création, où *l'Océan* et *le Monstre marin*
symbolisaient des puissances mauvaises maîtrisées par le dieu de l'ordre

6.23 de la main des tyrans Jr 15.21. **6.24** montrez-le-moi 10.2; 13.23. **6.26** s'adresser au vent
35.13. **7.1** un temps de corvée 14.14; *Si* 40.1. **7.2** attendre sa paye Lv 19.13+; Mt 20.8.
7.3 les nuits harassantes Qo 2.23. **7.4** quand me lèverai-je Dt 28.67. **7.5** vers et suppuration
2 M 9.9. **7.6** mes jours ont couru 9.25. **7.7** ma vie n'est qu'un souffle 7.16; 14.1-2; Ps 78.39.
7.9 une nuée se dissipe *Sg* 2.1-4; Jc 4.14 — pour n'en plus remonter 10.21; 16.22; 2 S 12.23.
7.10 le reconnaître 8.18; Ps 103.16. **7.11** le cœur aigre 10.1; 21.25; 27.2. **7.12** poster une garde
contre l'Océan 38.8-11. **7.14** tu m'épouvantes 4.13+. **7.15** la pendaison me séduit 2 S 17.23;
Mt 27.5 — la mort 3.21+. **7.16** brièveté de la vie 7.7+.

¹⁷ Qu'est-ce qu'un mortel pour en faire
   si grand cas,
   pour fixer sur lui ton attention
¹⁸ au point de l'inspecter chaque matin,
   de le tester à tout instant ?
¹⁹ Quand cesseras-tu de m'épier ?
   Me laisseras-tu avaler ma salive ?
²⁰ Ai-je péché ? Qu'est-ce que cela te
   fait,
   espion de l'homme ?
   Pourquoi m'avoir pris pour cible ?
   En quoi te suis-je à charge *w* ?
²¹ Ne peux-tu supporter ma révolte,
   laisser passer ma faute ?
   Car déjà me voici gisant en poussière.
   Tu me chercheras à tâtons : j'aurai
   cessé d'être.

Dieu est absolument juste

8 ¹ Alors Bildad de Shouah prit la
   parole et dit :

² Ressasseras-tu toujours ces choses
   en des paroles qui soufflent la tempête ?
³ Dieu fausse-t-il le droit ?
   Le Puissant fausse-t-il la justice ?
⁴ Si tes fils ont péché contre lui,
   il les a livrés au pouvoir de leur crime.

⁵ Si toi tu recherches Dieu,
   si tu supplies le Puissant,
⁶ si tu es honnête et droit,
   alors, il veillera sur toi
   et te restaurera dans ta justice.
⁷ Et tes débuts auront été peu de chose
   à côté de ton avenir florissant.

⁸ Interroge donc les générations d'antan,
   sois attentif à l'expérience de leurs
   ancêtres.
⁹ Nous ne sommes que d'hier, nous ne
   savons rien,
   car nos jours ne sont qu'une ombre
   sur la terre.
¹⁰ Mais eux t'instruiront et te parleront,
   et de leurs mémoires ils tireront ces
   sentences :

¹¹ « Le jonc pousse-t-il hors des marais,
   le roseau peut-il croître sans eau ?
¹² Encore en sa fleur, et sans qu'on le
   cueille,
   avant toute herbe il se dessèche. »

¹³ Tel est le destin de ceux qui oublient
   Dieu ;
   l'espoir de l'impie périra,
¹⁴ son aplomb sera brisé,
   car son assurance n'est que toile
   d'araignée.
¹⁵ S'appuie-t-il sur sa maison, elle branle.
   S'y cramponne-t-il, elle ne résiste pas.

¹⁶ Le voilà plein de sève sous le soleil,
   au-dessus du jardin il étend ses rameaux.
¹⁷ Ses racines s'entrelacent dans la pier-
   raille,
   il explore les creux des rocs.
¹⁸ Mais si on l'arrache à sa demeure,
   celle-ci le renie : « Je ne t'ai jamais
   vu ! »
¹⁹ Vois, ce sont là les joies de son destin,
   et de cette poussière un autre germera.

²⁰ Vois, Dieu ne méprise pas l'homme
   intègre,
   ni ne prête main-forte aux malfaiteurs.
²¹ Il va remplir ta bouche de rires
   et tes lèvres de hourras.
²² Tes ennemis seront vêtus de honte,
   et les tentes des méchants ne seront
   plus.

Dieu refuse de discuter avec moi

9 ¹ Alors Job prit la parole et dit :

² Certes, je sais qu'il en est ainsi.
   Comment l'homme sera-t-il juste contre
   Dieu ?
³ Si l'on veut plaider contre lui,
   à mille mots il ne réplique pas d'un
   seul.
⁴ Riche en sagesse ou taillé en force,
   qui l'a bravé et resta indemne ?

---

w En quoi te suis-je à charge ? : d'après une ancienne tradition juive et l'ancienne version
grecque ; hébreu : *En quoi me suis-je à charge ?*

7.17 qu'est-ce qu'un mortel Ps 8.5 ; 144.3. **7.19** Dieu épie l'homme 33.11 ; 34.23 ; Ps 139 — Dieu
ne laisse pas de répit 9.18 ; 14.6 ; Ps 39.14. **7.20** le péché n'atteint pas Dieu 35.3, 6 ; Jr 7.18-19
— Dieu prend Job pour cible 6.4+. **8.3** droiture et justice de Dieu 34.10-12 ; Dt 32.4 ; Ps 89.15.
8.6 il te restaura 42.10 ; cf. 9.28-29. **8.8** interroger les gens d'expérience 12.12 ; 32.7 ; Dt
32.7 ; Si 8.9. **8.9** brièveté de la vie 7.7+. **8.12** la vie, une plante qui sèche 14.2 ; Es 40.6-8 ;
Ps 90.5-6. **8.13** ceux qui oublient Dieu Ps 9.18 — l'espoir de l'impie périt Pr 10.28. **8.15** sa
maison ne résiste pas Ez 13.10-14 ; Mt 7.26-27. **8.18** sa demeure le renie 7.10+. **8.20** Dieu ne
méprise pas l'homme intègre cf. 9.23 — il ne soutient pas les malfaiteurs cf. 9.24. **8.22** les
ennemis couverts de honte Ps 35.26 ; 132.18 — leurs tentes détruites Pr 14.11. **9.2** juste contre
Dieu 4.17+. **9.3** en procès contre Dieu 9.32 ; 13.18 ; 22.4 ; 33.13 ; cf. Es 41.1 ; Mi 6.1-8.

⁵ Lui qui déplace les montagnes à leur
    insu,
    qui les culbute en sa colère,
⁶ il ébranle la terre de son site,
    et ses colonnes *x* chancellent.
⁷ Sur son ordre le soleil ne se lève pas,
    il met les étoiles sous scellés.
⁸ A lui seul il étend les cieux
    et foule les houles des mers.
⁹ Il fabrique l'Ourse, Orion,
    et les Pléiades et les Cellules du Sud *y*.
¹⁰ Il fabrique des grandeurs insondables,
    ses merveilles épuisent les nombres.
¹¹ Il passe près de moi et je ne le vois
    pas ;
    il s'en va, je n'y comprends rien.
¹² S'il fait main basse, qui l'en dissuade,
    qui lui dira : que fais-tu ?
¹³ Dieu ne refrène pas sa colère,
    sous lui sont prostrés les alliés du
    Typhon *z*.
¹⁴ Serait-ce donc moi qui répliquerais,
    me munirais-je de paroles contre lui ?
¹⁵ Si même je suis juste, à quoi bon
    répliquer ?
    C'est mon accusateur qu'il me faut
    implorer.
¹⁶ Même si j'appelle, et qu'il me réponde,
    je ne croirais pas qu'il ait écouté ma
    voix.
¹⁷ Lui qui dans l'ouragan m'écrase
    et multiplie sans raison mes blessures,
¹⁸ il ne me laisse pas reprendre haleine
    mais il me sature de fiel.
¹⁹ Recourir à la force ? Il est la puissance
    même.
    Faire appel au droit ? Qui m'assi-
    gnera ?
²⁰ Fussé-je juste, ma bouche me condam-
    nerait ;
    innocent, elle me prouverait pervers.
²¹ Suis-je innocent ? je ne le saurai moi-
    même.
    Vivre me répugne.

²² C'est tout un, je l'ai bien dit :
    l'innocent, comme le scélérat, il l'a-
    néantit,
²³ Quand un fléau jette soudain la mort,
    de la détresse des hommes intègres il
    se gausse.
²⁴ Un pays a-t-il été livré aux scélérats,
    il voile la face de ses juges ;
    si ce n'est lui, qui est-ce donc ?

²⁵ Mes jours battent à la course les
    coureurs,
    ils ont fui sans avoir vu le bonheur.
²⁶ Avec les barques de jonc *a*, ils ont filé,
    comme un aigle fond sur sa proie.

²⁷ Si je me dis : Oublie ta plainte,
    déride ton visage, sois gai,
²⁸ je redoute tous mes tourments ;
    je le sais : tu ne m'acquitteras pas.
²⁹ Il faut que je sois coupable !
    Pourquoi me fatiguer en vain ?
³⁰ Que je me lave à l'eau de neige,
    que je décape mes mains à la soude,
³¹ alors, dans la fange tu me plongeras,
    et mes vêtements me vomiront.

³² C'est qu'il n'est pas homme comme
    moi, pour que je lui réplique,
    et qu'ensemble nous comparaissions en
    justice.
³³ S'il existait entre nous un arbitre
    pour poser sa main sur nous deux,
³⁴ il écarterait de moi la cravache de
    Dieu,
    et sa terreur ne m'épouvanterait plus.
³⁵ Je parlerais sans le craindre.
    Puisque cela n'est pas, je suis seul avec
    moi.

10 ¹ La vie m'écœure,
        je ne retiendrai plus mes plaintes ;
    d'un cœur aigre je parlerai.
² Je dirai à Dieu : Ne me traite pas en
    coupable,
    fais-moi connaître tes griefs contre moi.

---

x ses colonnes: allusion à une conception ancienne selon laquelle la terre ferme reposait sur des
colonnes ● *y l'Ourse, Orion, les Pléiades, les Cellules du Sud:* identification probable de quatre
noms de constellations mentionnées en hébreu ● *z Ou de Rahav* personnification de *l'Océan*
(voir 7.12 et la note) ● *a barques de jonc:* embarcations légères et rapides en usage sur le Nil

9.5 Dieu ébranle la terre Es 13.13; Ps 114.7; He 12.26. **9.7** Dieu commande au soleil Jos
10.12-14; Jl 2.10; Am 8.9. **9.8** Dieu étend les cieux Es 40.22; Jr 10.12; Ps 104.2. **9.9** Dieu
maître des astres 38.31-32; Am 5.8. **9.10** les grandeurs insondables 5.9+. **9.11** Dieu échappe
aux regards 23.3, 8-9; 35.14. **9.12** Dieu ne rend pas de comptes 11.10; Sg 12.12. **9.13** Le Typhon
(ou Rahav) 7.12; 26.12; Es 51.9; Ps 89.11. **9.14** répliquer à Dieu 9.32; Es 29.16; Qo 6.10; Rm
9.20. **9.17** Dieu écrase l'homme dans l'ouragan 38.1; 40.6. **9.18** Dieu ne laisse pas de
répit 7.19+. **9.22** sort identique Qo 9.2-3. **9.23** Dieu se moque des justes cf. 8.20. **9.24** Dieu
soutient les scélérats cf. 8.20. **9.25** rapidité des jours 7.6. **9.28** tu ne m'acquitteras pas cf. 8.6.
9.30 laver les péchés Es 1.18; Jr 2.22; Ps 51.9. **9.32** répliquer à Dieu 9.14+ — comparaître en
justice 9.3+. **9.34** la terreur de Dieu 6.4+. **10.1** le cœur aigre 7.11+. **10.2** fais-moi connaître
tes griefs 6.24+.

³ Prends-tu plaisir à m'accabler,
à mépriser la peine *b* de tes mains
et à favoriser les intrigues des méchants ?
⁴ Aurais-tu des yeux de chair,
serait-ce à vue d'homme que tu vois ?
⁵ Est-ce la durée d'un mortel que la
tienne
et tes années sont-elles celles d'un
humain
⁶ pour que tu recherches mon crime
et que tu enquêtes sur mon péché,
⁷ bien que tu saches que je ne suis pas
coupable
et que nul ne m'arrachera à ta main ?

⁸ Tes mains, elles m'avaient étreint ;
ensemble, elles m'avaient façonné de
toutes parts et tu m'as englouti.
⁹ Rappelle-toi : tu m'as façonné comme
une argile,
et c'est à la poussière que tu me
ramènes.
¹⁰ Ne m'as-tu pas coulé comme du lait,
puis fait cailler comme du fromage ?
¹¹ De peau et de chair tu me vêtis,
d'os et de nerfs tu m'as tissé.
¹² Vie et fougue tu m'accordes
et ta sollicitude a préservé mon souffle.

¹³ Or voici ce que tu dissimulais en ton
cœur,
c'est cela, je le sais, que tu tramais :
¹⁴ Si je pèche, me prendre sur le fait
et ne me passer aucune faute.
¹⁵ Suis-je coupable — malheur à moi !
Suis-je juste — je ne lève pas la tête,
gorgé de honte, ivre de ma misère.
¹⁶ Si je me relève, tel un tigre tu me
prends en chasse.
Et tu répètes contre moi tes exploits,
¹⁷ tu renouvelles tes assauts contre moi,
tu redoubles de colère envers moi,
des armées se relayent contre moi.

¹⁸ Pourquoi donc m'as-tu fait sortir du
ventre ?
J'expirais. Aucun œil ne m'aurait vu.
¹⁹ Je serais comme n'ayant pas été,
du ventre à la tombe on m'eût porté.
²⁰ Mes jours sont-ils si nombreux ? Qu'il
cesse,

qu'il me lâche, que je m'amuse un peu,
²¹ avant de m'en aller sans retour
au pays de ténèbre et d'ombre de mort,
²² au pays où l'aurore est nuit noire,
où l'ombre de mort couvre le désordre,
et la clarté y est nuit noire.

Dieu est parfait et insaisissable

11 ¹ Alors Çofar de Naama prit la
parole et dit :
² Un tel flot de paroles restera-t-il sans
réponse ?
L'homme éloquent aura-t-il raison ?
³ Tes hâbleries laissent les gens bouche
bée,
tu railles sans qu'on te fasse honte.
⁴ Et tu as osé dire : « Ma doctrine est
irréprochable,
et je suis *pur à tes yeux ! »
⁵ Ah ! si seulement Dieu intervenait,
s'il desserrait les lèvres pour te parler,
⁶ s'il t'apprenait les secrets de la sagesse
— car ils déroutent l'entendement —
alors tu saurais que Dieu oublie une
part de tes crimes.
⁷ Prétends-tu sonder la profondeur de
Dieu,
sonder la perfection du Puissant ?
⁸ Elle est haute comme les cieux — que
feras-tu ?
Plus creuse que les enfers *c* — qu'en
sauras-tu ?
⁹ Plus longue que la terre elle s'étend,
et plus large que la mer.
¹⁰ S'il fonce, emprisonne
et convoque le tribunal, qui fera
opposition ?
¹¹ Car lui connaît les faiseurs de mensonge,
il discerne les méfaits sans effort
d'attention ;
¹² tandis que l'homme accablé perd le
jugement
et que tout homme, à sa naissance,
n'est qu'un ânon sauvage.

¹³ Toi, quand tu auras affermi ton jugement,
quand tu étendras vers lui les paumes
de tes mains,

---

b la peine: tournure imagée pour désigner *l'homme*, produit de l'effort créateur de Dieu ● *c* Voir
au glossaire SÉJOUR DES MORTS

10.4 Dieu ne regarde pas comme un homme 1 S 16.7. **10.7** On n'échappe pas à la main de
Dieu Dt 32.39; *Sg* 16.15. **10.8** Dieu a façonné l'homme 33.6; Gn 2.7; Es 64.7 — Dieu
engloutit Job 2.3. **10.11** Dieu forme l'embryon Jr 1.5; Ps 139.13. **10.18** la naissance 3.3+;
3.11-13. **10.20** brièveté de la vie 7.7+. **11.4** je suis pur 16.17; 33.9. **11.5** intervention de
Dieu 38.1. **11.6** la sagesse de Dieu 28; Rm 11.33; 1 Co 2.6-16. **11.7** sonder Dieu Ep 3.18.
11.10 qui fera opposition 9.12+. **11.13** étendre les mains vers Dieu (= prier) Ex 9.29; Es 1.15;
Ps 88.10.

14 s'il y a des méfaits dans tes mains,
   jette-les au loin,
   et que la perversité n'habite pas sous
   ta tente.
15 Alors tu lèveras un front sans tache ;
   purifié des scories, tu ne craindras plus.
16 Car tu ne penseras plus à ta peine,
   tu t'en souviendras comme d'une eau
   écoulée.
17 La vie se lèvera, plus radieuse que
   midi,
   l'obscurité deviendra une aurore.
18 Tu seras sûr qu'il existe une espérance ;
   même si tu as perdu la face, tu dor-
   miras en paix.
19 Dans ton repos nul n'osera te troubler
   et beaucoup te caresseront le visage *d*.
20 Quant aux méchants, leurs yeux se
   consument
   et tout refuge leur fait défaut.
   Leur espérance, c'est de rendre l'âme.

Dieu me traite en ennemi

12 ¹ Alors Job prit la parole et dit :

2 Vraiment, la voix du peuple c'est vous,
   et avec vous mourra la sagesse.
3 Moi aussi, j'ai une raison, tout comme
   vous,
   je ne suis pas plus déchu que vous.
   Qui ne dispose d'arguments semblables?
4 La risée de ses amis, c'est moi,
   moi qui m'époumonne vers ce Dieu
   qui jadis répondait.
   La risée des hommes, c'est le juste, le
   parfait.
5 Mépris à la guigne ! c'est la devise
   des chanceux,
   celle qu'ils destinent à ceux dont le
   pied glisse.
6 Elles sont en paix, les tentes des
   brigands,
   ils sont tranquilles, ceux qui provoquent
   Dieu,

et même celui qui capte Dieu dans sa
main *e*.

7 Mais interroge donc les bestiaux, ils
   t'instruiront,
   les oiseaux du ciel, ils t'enseigneront.
8 Cause avec la terre, elle t'instruira,
   et les poissons de la mer te le raconteront.
9 Car lequel ignore, parmi eux tous,
   que « c'est la main du SEIGNEUR qui
   fit cela ».
10 Lui qui tient en son pouvoir l'âme
   de tout vivant
   et le souffle de toute chair d'homme.
11 « L'oreille, dit-on, apprécie les paroles,
   comme le palais goûte les mets ;
12 la sagesse serait chez les hommes
   mûrs ;
   l'intelligence siérait au grand âge. »
13 Or, sagesse et puissance l'accompagnent,
   conseil et intelligence sont à lui.
14 Ce qu'il détruit ne se rebâtit pas,
   l'homme qu'il enferme ne sera pas
   libéré.
15 S'il retient les eaux, c'est la sécheresse,
   s'il les déchaîne, elles ravagent la terre.
16 Force et succès l'accompagnent,
   l'homme égaré et celui qui l'égare sont
   à lui.
17 Il fait divaguer les experts
   et frappe les juges de démence.
18 Il desserre l'emprise des rois
   et noue un pagne *f* à leurs reins.
19 Il fait divaguer les prêtres
   et renverse les inamovibles.
20 Il ôte la parole aux orateurs
   et ravit le discernement aux vieillards.
21 Il déverse le mépris sur les nobles
   et desserre le baudrier *g* des tyrans.
22 Il dénude les abîmes de leurs ténèbres
   et expose à la lumière l'ombre de mort.
23 Il grandit les nations, puis les ruine,
   il laisse s'étendre les nations, puis les
   déporte.

---

d caressent le visage: geste de flatterie • *e celui qui capte…:* allusion à des pratiques magiques
et idolâtriques • *f pagne:* seul vêtement accordé à un prisonnier ou à un déporté • *g* Autre
traduction *la ceinture* (à laquelle on accrochait l'épée ou le poignard). *Desserrer le baudrier* de
quelqu'un, c'est faire tomber ses armes, donc le priver de ce qui fait sa force.

11.15 relever la tête 22.26. **11.17** l'obscurité devient lumière Es 9.1 ; 42.16 ; Ps 139.12 ; Jn 1.5.
11.20 l'espérance de la mort 3.21+. **12.3** pas plus déchu que vous 13.2 ; 2 Co 11.5. **12.4**
on se moque du juste 17.6 ; 30.1 ; Ps 22.8 ; Mt 27.41 par. — juste et parfait 1.1+. **12.6** tranquillité
des méchants 21.7 ; Jr 12.1-2 ; Ps 73.3-12. **12.7** les enseignements de la nature 37.2-18 ; 38—39 ;
Mt 6.26-30. **12.10** Dieu maître de la vie 34.14-15 ; Nb 16.22 ; Dn 5.23. **12.12** la sagesse chez les
hommes mûrs 8.8+. **12.13** sagesse et puissance à Dieu Es 11.2 ; Pr 8.14. **12.14** ce que Dieu
ferme est fermé Es 22.22 ; Ap 3.7. **12.16** l'homme égaré est à Dieu 1 R 22.23. **12.21** Dieu
méprise les nobles Ps 107.40.

²⁴ Il ôte la raison aux chefs de la
    populace
    et les égare dans un chaos sans issue.
²⁵ Ceux-là tâtonnent en des ténèbres sans
    lumière,
    et Dieu les égare comme des ivrognes.

13 ¹ Oui, tout cela mon œil l'a vu ;
        mon oreille l'a entendu et compris.
² Ce que vous savez, je le sais, moi
    aussi.
    Je ne suis pas plus déchu que vous.
³ Mais moi, c'est au Puissant que je
    vais parler,
    c'est contre Dieu que je veux me
    défendre.
⁴ Quant à vous, plâtriers de mensonge,
    vous n'êtes tous que des guérisseurs
    de néant.
⁵ Qui vous réduira une bonne fois au
    silence ?
    Cela vous servirait de sagesse.

⁶ Ecoutez donc ma défense,
    au plaidoyer de mes lèvres, prêtez
    l'oreille.
⁷ Est-ce au nom de Dieu que vous parlez
    en fourbes,
    en sa faveur que vous débitez des
    tromperies ?
⁸ Est-ce son parti que vous prenez,
    est-ce pour Dieu que vous plaidez ?
⁹ Serait-il bon qu'il vous scrutât ?
    Vous joueriez-vous de lui comme on se
    joue d'un homme ?
¹⁰ Il vous reprocherait sûrement
    d'avoir pris parti en secret !
¹¹ Sa majesté ne vous épouvante-t-elle
    pas,
    sa terreur ne s'abat-elle pas sur vous ?
¹² Vos rabâchements sont des sentences
    de cendre,
    vos retranchements sont devenus d'ar-
    gile.

¹³ Taisez-vous ! Laissez-moi ! C'est moi
    qui vais parler,
    quoi qu'il m'advienne.

¹⁴ Aussi saisirai-je ma chair entre mes
    dents ʰ
    et risquerai-je mon va-tout.
¹⁵ Certes, il me tuera. Je n'ai pas d'es-
    poir ⁱ.
    Pourtant, je défendrai ma conduite
    devant lui.
¹⁶ Et cela même sera mon salut,'
    car nul hypocrite n'accède en sa pré-
    sence.

¹⁷ Ecoutez, écoutez ma parole,
    que mon explication entre en vos
    oreilles.
¹⁸ Voici donc : j'ai introduit une instance,
    je sais que c'est moi qui serai justifié !
¹⁹ Qui donc veut plaider contre moi ?
    Car déjà j'en suis à me taire et à
    expirer.

²⁰ Epargne-moi seulement deux choses
    et je cesserai de me cacher devant toi.
²¹ Eloigne ta griffe ʲ de dessus moi.
    Ne m'épouvante plus par ta terreur.
²² Puis appelle, et moi je répliquerai,
    ou bien si je parle, réponds-moi.

²³ Combien ai-je de crimes et de fautes ?
    Ma révolte et ma faute, fais-les-moi
    connaître.
²⁴ Pourquoi dérobes-tu ta face
    et me prends-tu pour ton ennemi ?
²⁵ Veux-tu traquer une feuille qui s'en-
    vole,
    pourchasser une paille sèche,
²⁶ pour que tu rédiges contre moi d'amers
    verdicts
    en m'imputant les crimes de ma jeu-
    nesse,
²⁷ pour que tu mettes mes pieds dans les
    fers
    et que tu épies toutes mes démarches
    en scrutant les empreintes de mes
    pas ?
²⁸ — Et pourtant l'homme s'effrite comme
    un bois vermoulu,
    comme un vêtement mangé des mites.

---

h Saisir sa chair entre ses dents: probablement expression proverbiale signifiant *risquer sa vie*
● *i Je n'ai pas d'espoir:* autre traduction, suggérée par une ancienne tradition juive *j'espère en
lui* ● *j* Ou *ta main*

13.2 pas plus déchu que vous 12.3+. **13.3** se défendre contre Dieu 9.3+. **13.5** la sagesse
du silence Pr 17.28. **13.7** vous parlez en fourbes 42.7. **13.9** on ne se moque pas de Dieu
Ml 3.2; Ps 78.36; Ga 6.7. **13.11** la majesté écrasante de Dieu Lv 16.2; Es 6.1-5; Ps 119.120.
13.15 je n'ai pas d'espoir 14.19; 17.15-16; 1 Ch 29.15. **13.18** en procès contre Dieu 9.3+.
13.19 qui veut plaider contre moi Es 50.8. **13.21** la griffe de Dieu 19.21+ — la terreur de
Dieu 6.4+; 33.7. **13.22** si je parle, réponds-moi 19.7; 30.20; 31.35. **13.23** fais-moi connaître
ma faute 6.24+. **13.24** Dieu cache sa face Ps 88.15; cf. Ps 4.7; Dn 9.17. **13.25** l'homme, un
brin de paille Ps 1.4; cf. 1 S 24.15. **13.26** les crimes de la jeunesse Ps 25.7; cf. Qo 11.9.
13.28 l'homme s'effrite comme un vêtement Es 50.9; Ps 102.27.

14 ¹ L'homme enfanté par la femme est bref de jours et gorgé de tracas.
² Comme fleur cela éclôt puis c'est coupé,
cela fuit comme l'ombre et ne dure pas.
³ Et c'est là-dessus que tu ouvres l'œil, et c'est moi que tu cites avec toi en procès !
⁴ Qui tirera le *pur de l'impur ? Personne.
⁵ Puisque sa durée est fixée, que tu as établi le compte de ses mois et posé un terme qu'il ne peut franchir,
⁶ regarde ailleurs : Qu'il ait du répit et jouisse comme un saisonnier de son congé.

⁷ Car il existe pour l'arbre un espoir ; on le coupe, il reprend encore et ne cesse de surgeonner.
⁸ Que sa racine ait vieilli en terre, que sa souche soit morte dans la poussière,
⁹ dès qu'il flaire l'eau, il bourgeonne et se fait une ramure comme un jeune plant.
¹⁰ Mais un héros meurt et s'évanouit. Quand l'homme expire, où donc est-il ?
¹¹ L'eau aura quitté la mer, le fleuve tari aura séché,
¹² les gisants ne se relèveront pas. Jusqu'à ce qu'il n'y ait plus de cieux, ils ne s'éveilleront pas et ne surgiront pas de leur sommeil.
¹³ Si seulement tu me cachais sous terre, si tu m'abritais jusqu'à ce que reflue ta colère, si tu me fixais un terme où te souvenir de moi...
¹⁴ — mais l'homme qui meurt va-t-il revivre ? — tout le temps de ma corvée, j'attendrais, jusqu'à ce que vienne pour moi la relève.
¹⁵ Tu appellerais, et moi je te répondrais, tu pâlirais pour l'œuvre de tes mains.
¹⁶ Alors que maintenant tu dénombres mes pas, tu ne prendrais pas garde à ma faute.
¹⁷ Scellée dans un sachet serait ma rébellion,

et tu aurais maquillé mon crime.
¹⁸ Et pourtant une montagne croule et s'effrite, un roc émigre de son lieu ;
¹⁹ l'eau peut broyer des pierres, son ruissellement ravine la terre friable, l'espérance de l'homme aussi tu l'as ruinée.
²⁰ Tu le mets hors de combat et il s'en va, l'ayant défiguré, tu le chasses.
²¹ Ses fils sont honorés, il ne le sait, sont-ils avilis, il l'ignore.
²² Pour lui seul souffre sa chair, pour lui seul son *cœur s'endeuille.

Job est un insensé et un orgueilleux

15 ¹ Alors Elifaz de Témân prit la parole et dit :
² Est-ce d'un sage de répondre par une science de vent, de s'enfler le ventre de sirocco,
³ d'argumenter avec des mots sans portée, avec des discours qui ne servent à rien ?
⁴ Tu en viens à saper la piété, et tu ruines la méditation devant Dieu.
⁵ Puisque ton crime inspire ta bouche et que tu adoptes le langage des fourbes,
⁶ c'est ta bouche qui te condamne, ce n'est pas moi, tes propres lèvres témoignent contre toi.
⁷ Es-tu Adam, né le premier ᵏ, as-tu été enfanté avant les collines ?
⁸ Aurais-tu écouté au conseil de Dieu pour y accaparer la sagesse ?
⁹ Que sais-tu que nous ne sachions ? Qu'as-tu compris qui ne nous soit familier ?
¹⁰ Vois parmi nous un ancien, un vieillard, et l'autre plus chargé d'ans que ne le serait ton père.
¹¹ Sont-elles indignes de toi, les consolations de Dieu,

k Es-tu Adam...: autre traduction Es-tu le premier homme qui soit né

14.1 brièveté de la vie 7.7+ ; Si 40.1. 14.2 la vie, une plante qui sèche 8.12+ — la vie, une ombre qui passe 8.9; Ps 144.4; 1 Ch 29.15. 14.6 Dieu ne laisse pas de répit 7.19+. 14.7 un espoir pour l'arbre 19.10; Es 6.13. 14.11 l'eau aura quitté la mer Es 19.5. 14.12 ils ne se relèveront pas 7.9+. 14.13 à l'abri de la colère 2.10; Es 26.20. 14.16 Dieu surveille Job 7.19+. 15.2 les paroles sont du vent 8.2; 16.3. 15.6 témoigne contre soi-même Pr 18.7; Mt 22.15 par. 15.7 né le premier 38.4, 21; Pr 8.25; Si 49.16. 15.8 participer au conseil de Dieu Jr 23.18. 15.10 les vieillards, gens sages 8.8+. 15.11 les consolations 16.2; 21.34.

et les paroles si modérées que nous
t'adressons ?
¹² Pourquoi la passion t'emporte-t-elle
et pourquoi ces yeux qui clignent,
¹³ lorsque tu tournes ta rancœur contre
Dieu
et que ta bouche pérore ?
¹⁴ Qu'est-ce donc que l'homme pour
jouer au *pur,
celui qui est né de la femme, pour se
dire juste ?
¹⁵ Même à ses *saints Dieu ne se fie pas
et les *cieux ne sont pas purs à ses
yeux.
¹⁶ Combien moins le répugnant, le corrompu,
l'homme qui boit la perfidie comme
de l'eau !

¹⁷ Je vais t'instruire, écoute-moi.
Ce que j'ai contemplé, je le rappor-
terai,
¹⁸ ce que les sages, sans en rien cacher,
relatent comme reçu de leurs ancêtres,
¹⁹ de ceux à qui le pays fut donné en
propre,
quand aucun étranger ne s'était infiltré
parmi eux.
²⁰ Voici : pendant toute sa vie, le méchant se tourmente.
Quel que soit le nombre des ans réservés au tyran,
²¹ les voix de l'effroi hantent ses oreilles :
En pleine paix le démolisseur ne va-
t-il pas l'attaquer ?
²² Il n'ose croire qu'il ressortira des
ténèbres,
lui que guette le glaive.
²³ Il erre pour chercher du pain, mais
où aller ?
Il sait que le sort qui l'attend, c'est
le jour des ténèbres.
²⁴ La détresse et l'angoisse vont le terrifier,
elles se ruent sur lui comme un roi
prêt à l'assaut.
²⁵ C'est qu'il a levé la main contre Dieu,
et qu'il a bravé le Puissant.
²⁶ Il fonçait sur lui tête baissée,
sous le dos blindé de ses boucliers.
²⁷ C'est que la graisse a empâté son
visage

et le lard a alourdi ses reins ¹.
²⁸ Il avait occupé des villes détruites,
des maisons qui n'étaient plus habitables
et qui croulaient en éboulis.
²⁹ Mais il ne s'enrichira pas, sa fortune
ne tiendra pas,
son succès ne s'étalera plus sur la
terre.
³⁰ Il ne fuira pas les ténèbres,
une flamme desséchera ses rameaux
et il fuira sa propre haleine.
³¹ Qu'il ne mise pas sur la duperie, il
ferait fausse route,
car la duperie sera son salaire.
³² Cela s'accomplira avant sa fin
et sa ramure ne reverdira plus.
³³ Il laissera tomber, comme une vigne,
ses fruits encore verts,
et perdra, comme un olivier, sa floraison.
³⁴ Oui, l'engeance de l'impie est stérile
et un feu dévore les tentes de l'homme vénal.
³⁵ Qui conçoit la peine enfante le
malheur,
et son ventre mûrit la déception.

J'en appelle à Dieu pour qu'il me protège

16 ¹ Et Job prit la parole et
dit :

² J'en ai entendu beaucoup sur ce ton,
en fait de consolateurs, vous êtes tous
désolants.
³ Me dire : « Sont-elles finies, ces paroles de vent ? »
Et : « Qu'est-ce qui te contraint à répondre encore ? »
⁴ Moi aussi je parlerais à votre façon
si c'était vous qui teniez ma place.
Je composerais contre vous des discours
et je hocherais la tête contre vous.
⁵ Je vous réconforterais par ma bouche
et l'agilité de mes lèvres serait un
calmant.
⁶ Moi, si je parle, ma douleur n'en est
point calmée,
et si je me tais, me quittera-t-elle ?

l alourdi ses reins : l'embonpoint était considéré comme un signe de réussite matérielle ; voir 21.24

15.14 justice de l'homme 4.17+. **15.15** Dieu ne se fie pas à ses saints 4.18. **15.17** je vais t'instruire 32.10 ; 36.2 ; *Si* 16.25. **15.20** inquiétude du méchant 18.11-14 ; *Sg* 17 ; cf. 6.4+. **15.25**
braver Dieu cf. Es 14.13-14 ; Ez 28.2. **15.30** le méchant se dessèche 8.12+. **15.31** miser sur
la duperie Es 28.15, 18. **15.35** enfanter le malheur Es 59.4 ; Ps 7.15. **16.2** les consolations
15.11+. **16.5** les paroles réconfortantes Pr 12.25.

7 Mais c'est que maintenant il m'a
poussé à bout :
Oui, tu as ravagé tout mon entourage,
8 tu m'as creusé des rides qui témoignent contre moi,
ma maigreur m'accuse et me charge.
9 Oui, pour me déchirer, sa colère me
traque,
contre moi il grince des dents,
mon ennemi darde sur moi ses
regards.
10 Gueule béante contre moi,
on me gifle d'insultes,
on s'ameute contre moi.
11 Dieu m'a livré au caprice d'un gamin,
il m'a jeté en proie à des crapules.
12 J'étais au calme. Il m'a bousculé.
Il m'a saisi par la nuque et disloqué,
puis m'a dressé pour cible.
13 Ses flèches m'encadrent.
Il transperce mes reins sans pitié
et répand à terre mon fiel.
14 Il ouvre en moi brèche sur brèche,
fonce sur moi, tel un guerrier.
15 J'ai cousu un *sac sur mes cicatrices m
et enfoncé mon front dans la poussière.
16 Mon visage est rougi par les pleurs
et sur mes paupières est l'ombre de
mort.
17 Pourtant, il n'y avait pas de violence
en mes mains,
et ma prière était *pure.

18 Terre, ne couvre pas mon *sang,
et que ma clameur ne trouve point
de refuge.
19 Dès maintenant, j'ai dans les *cieux
un témoin,
je possède en haut lieu un garant.
20 Mes amis se moquent de moi,
mais c'est vers Dieu que pleurent mes
yeux.
21 Lui, qu'il n défende l'homme contre
Dieu,
comme un humain intervient pour un
autre.

22 Mais le nombre de mes ans est
compté,
et je m'engage sur le chemin sans
retour.

17 1 Mon souffle s'affole, mes jours
s'éteignent, à moi la tombe !
2 Ne suis-je pas entouré de cyniques ?
Leurs insolences obsèdent mes veilles.
3 Engage-toi donc, sois ma caution
auprès de toi !
Qui consentirait à toper dans ma
main o ?
4 Vraiment, tu as fermé leur *cœur à la
raison,
aussi, tu ne toléreras pas qu'ils triomphent.
5 Tel convoque ses amis au partage,
alors que languissent les yeux de ses
fils.
6 On a fait de moi la fable des peuples.
Je serai un lieu commun de l'épouvante p.
7 Mon œil s'éteint de chagrin
et tous mes membres ne sont qu'une
ombre.
8 Les hommes droits en seront stupéfaits,
et l'homme intègre s'indignera contre
l'hypocrite.
9 Mais que le juste persiste en sa
conduite,
et que l'homme aux mains *pures
redouble d'efforts !
10 Quant à vous, revenez tous, venez
donc !
Parmi vous je ne trouverai pas un
sage.

11 Mes jours ont passé, ce que je tramais
s'est rompu,
l'apanage de mon désir q.
12 Ils prétendent que la nuit c'est le jour,
ils disent que la lumière est proche,
quand tombe la ténèbre.
13 Qu'ai-je à espérer ? Les enfers r sont
ma demeure.

---

m Ou sur ma peau; il s'agit de toute façon de signes de deuil; voir Mi 4.14 et la note • n Il
s'agit probablement du témoin et garant évoqué au v. 19, sans que l'on sache pourtant qui il est
exactement • o Toper dans la main: geste juridique par lequel on s'engage à porter la responsabilité qui pourrait peser sur une autre personne • p Autre traduction Je suis celui à qui l'on
crache au visage • q l'apanage de mon désir ou les espoirs que je chérissais • r Voir au
glossaire SÉJOUR DES MORTS

16.8 la maigreur 19.20; 33.21. 16.11 la proie des crapules 30.9-14; Ps 22.13-19. 16.13 les
flèches de Dieu 6.4+. 16.17 ma prière était pure 31.1-34; Ps 141.2; 1 Tm 2.8; cf. Mc 12.40 par.
16.18 couvrir le sang Gn 37.26; Ez 24.7-8; Ap 16.6+ — la clameur monte vers Dieu Ex 14.10;
Ps 88.2-3; cf. Lm 3.44. 16.21 Lui 33.23-24; Ac 12.15+. 16.22 le chemin sans retour 7.9+.
17.1 à moi la tombe Es 38.10; Ps 88.4-6. 17.3 toper dans la main (= se porter garant) Pr 6.1;
Si 29.14-20. 17.6 la fable des peuples 12.4+. 17.8 la stupéfaction Es 52.14-15. 17.12 la nuit,
c'est le jour cf. 11.17+.

De ténèbres j'ai capitonné ma couche.
14 Au charnier, j'ai clamé : « Tu es mon
père ! »
A la vermine : « O ma mère, ô ma
sœur ! »
15 Où donc est passée mon espérance ?
Mon espérance, qui l'entrevoit ?
16 Au fin fond des enfers elle sombrera,
quand ensemble nous nous prélasse-
rons dans la poussière.

Job mérite le sort des méchants

18 1 Alors Bildad de Shouah prit la
parole et dit :

2 Jusques à quand vous retiendrez-vous
de parler ?
Réfléchissez, et ensuite nous prendrons la parole.
3 Pourquoi nous laisser traiter d'abrutis ?
Pourquoi passerions-nous pour bornés
à vos yeux *s* ?

4 O toi qui te déchires dans ta colère,
faut-il qu'à cause de toi la terre devienne déserte
et que le roc émigre de son lieu ?
5 Oui, la lumière du méchant va s'éteindre
et la flamme de son foyer va cesser de
briller.
6 La lumière s'assombrit sous sa tente
et sa lampe au-dessus de lui va
s'éteindre.
7 Ses pas, jadis vigoureux, se feront
courts,
et il trébuchera dans ses propres intrigues,
8 car ses pieds le jettent dans un filet
et il chemine sur des mailles.
9 Un piège lui saisira le talon,
un lacet s'emparera de lui.
10 Pour lui un cordeau se cache à terre,
une trappe sur son chemin.
11 De toutes parts des terreurs l'épouvantent,
elles le suivent pas à pas.
12 La famine le frappera en pleine
vigueur.

La misère se tient à son côté,
13 elle dévorera des lambeaux de sa peau,
et le premier-né de la mort *t* dévorera
ses membres.
14 On l'arrachera à la sécurité de sa
tente,
et tu pourras le mener vers le roi des
terreurs *u*.
15 Tu pourras habiter la tente qui n'est
plus à lui,
on répandra du soufre *v* sur son
domaine.
16 En bas, ses racines sécheront,
en haut, sa ramure sera coupée.
17 Son souvenir s'est perdu dans le pays,
son nom ne figure plus au cadastre.
18 On le repousse de la lumière dans les
ténèbres,
on le bannit de l'univers.
19 Il n'a ni lignée ni postérité dans son
peuple,
aucun survivant dans sa demeure.
20 Son destin stupéfie l'Occident,
l'Orient en est saisi d'horreur :
21 « Il ne reste que cela des repaires du
brigand :
le voilà, ce lieu où l'on ignorait
Dieu ! »

Je sais que Dieu aura le dernier mot

19 1 Et Job prit la parole et
dit :

2 Jusques à quand me tourmenterez-
vous
et me broierez-vous avec des mots ?
3 Voilà dix fois que vous m'insultez.
N'avez-vous pas honte de me torturer ?
4 Même s'il était vrai que j'aie erré,
mon erreur ne regarderait que moi.
5 Si vraiment vous voulez vous grandir
à mes dépens,
en me reprochant ce dont j'ai honte,
6 sachez donc que c'est Dieu qui a violé
mon droit
et m'a enveloppé dans son filet.
7 Si je crie à la violence, pas de réponse,

---

s Bildad s'adresse au public, après avoir interpellé ses deux amis. D'après l'ancienne version
grecque, il s'adresse à Job dès le v. 2 ● *t le premier-né de la mort:* expression poétique pour
désigner *le pire des fléaux* ● *u le roi des terreurs:* autre expression poétique pour désigner *le
souverain du monde des morts* ● *v* Procédé de désinfection des lieux après la mort de quelqu'un,
ou symbole d'anéantissement

17.15 où est passée mon espérance 13.15+, **18.5** la lumière du méchant s'éteint 18.18; Jr
25.10; Pr 13.9. **18.7** le méchant trébuche Ps 27.2; Pr 4.12; cf. Ps 37.30-31. **18.8** filets et
pièges 19.6; 22.10; Ps 35.7-8; Pr 7.21-23. **18.11** les terreurs l'épouvantent 15.20+. **18.15** répandre du soufre Gn 19.24; Dt 29.22; Ap 9.17-18. **18.16** sa ramure sera coupée Dn 4.11, 20.
18.17 son souvenir s'est perdu Es 14.20; Ps 9.6; Pr 10.7. **18.19** privé de postérité Es 14.22;
Ps 37.28; cf. Si 47.22. **19.4** mon erreur ne regarde que moi Pr 9.12. **19.6** le filet 18.8+. **19.7** si
je crie, pas de réponse 13.22+.

si je fais appel, pas de justice.

8 Il a barré ma route pour que je ne passe pas,
et sur mes sentiers, il met des ténèbres.

9 Il m'a dépouillé de ma gloire,
il a ôté la couronne de ma tête.

10 Il me sape de toutes parts et je trépasse,
il a arraché l'arbre de mon espoir *w*

11 Sa colère a flambé contre moi,
il m'a traité en ennemi.

12 Ses hordes arrivent en masse,
elles se fraient un accès jusqu'à moi
et mettent le siège autour de ma tente.

13 Mes frères, il les a éloignés de moi,
ceux qui me connaissent se veulent étrangers.

14 Mes proches ont disparu,
mes familiers m'ont oublié.

15 Les hôtes de ma maison et mes servantes me traitent en étranger,
je suis devenu un intrus à leurs yeux.

16 J'ai appelé mon serviteur, il ne répond pas
quand de ma bouche je l'implore.

17 Mon haleine répugne à ma femme,
et je dégoûte les fils de mes entrailles *x*.

18 Même des gamins me méprisent ;
quand je me lève, ils jasent sur moi.

19 Tous mes intimes m'ont en horreur,
même ceux que j'aime se sont tournés contre moi.

20 Mes os collent à ma peau et à ma chair,
et je m'en suis tiré avec la peau de mes dents *y*.

21 Pitié pour moi, pitié pour moi, vous mes amis,
car la main de Dieu m'a touché.

22 Pourquoi me pourchassez-vous, comme Dieu ?
Seriez-vous insatiables de ma chair ?

23 Ah ! si seulement on écrivait mes paroles,

si on les gravait en une inscription !

24 Avec un burin de fer et du plomb *z*,
si pour toujours dans le roc elles restaient incisées !

25 Je sais bien, moi, que mon rédempteur *a* est vivant,
que le dernier, il surgira sur la poussière.

26 Et après qu'on aura détruit cette peau qui est mienne,
c'est bien dans ma chair que je contemplerai Dieu.

27 C'est moi qui le contemplerai, oui, moi !
Mes yeux le verront, lui, et il ne sera pas étranger *b*.
Mon *cœur en brûle au fond de moi.

28 Si vous dites : « Comment le torturer afin de trouver contre lui prétexte à procès ? »

29 alors redoutez le glaive pour vous-mêmes,
car l'acharnement est passible du glaive.
Ainsi vous saurez qu'il existe un jugement.

Le triomphe des méchants est bref

20 1 Alors Çofar de Naama prit la parole et dit :

2 Voici à quoi mes doutes me ramènent
et cette impatience qui me prend :

3 J'entends une leçon qui m'outrage,
mais ma raison me souffle la réplique.

4 Ne sais-tu pas que, depuis toujours,
depuis que l'homme a été mis sur terre,

5 le triomphe des méchants fut bref ?
La joie de l'impie n'a duré qu'un instant.

6 Quand sa taille s'élèverait jusqu'au ciel
et sa tête toucherait aux nues,

---

w Ou *il a arraché mon espoir comme un arbre* ● *x les fils de mes entrailles:* l'expression désigne vraisemblablement ceux qui sont sortis des mêmes entrailles que lui, c'est-à-dire *ses frères* ● *y* avec *la peau de mes dents:* peut-être expression proverbiale dont le sens précis nous échappe ● *z* Le *plomb* pouvait servir à noircir les lettres gravées dans le rocher ● *a rédempteur:* celui à qui la loi israélite confiait la responsabilité d'aider un parent en difficulté. Il s'agit peut-être du même personnage anonyme qu'en 16.19, 21 ● *b Mes yeux...:* autre traduction *C'est bien mes yeux qui le verront, et non ceux d'un étranger* — Le texte des versets 25-27 est parfois obscur et la traduction incertaine

19.8 il a barré ma route Nb 22.22-35. 19.10 l'arbre de mon espoir 14.7+. 19.11 traité en ennemi 33.10. 19.13 les proches prennent leurs distances Ps 38.12; 88.19; Si 6.8. 19.20 la maigreur 16.8+. 19.21 la main de Dieu 13.21; Jg 2.15; 1 S 5.6-11; Rt 1.13. 19.22 dévorer la chair Ps 27.2. 19.24 gravé dans la pierre Ac 17.23. 19.25 rédempteur Es 43.14; 47.4; Ps 12.6. 19.27 mes yeux le verront 33.26; 42.5; Gn 32.31; Ps 6.5; Mt 5.8; Jn 14.9; He 11.27; Ap 1.7. 19.28 torturer 34.36. 20.5 le triomphe des méchants est bref 18.5-21; Ps 37; 73. 20.6 le méchant s'élève jusqu'au ciel Gn 11.4; Es 14.13-14; Dn 4.8, 17.

7 comme son ordure il disparaîtra sans
retour ;
ceux qui le voyaient diront : Où est-il ?

8 Comme un songe il s'envolera — qui
le trouvera
quand il est mis en fuite comme une
vision de la nuit ?

9 L'œil qui l'apercevait ne le verra plus,
même sa demeure l'aura perdu de vue.

10 Ses fils devront indemniser les pauvres,
ses propres mains restitueront son
avoir.

11 Ses os regorgeaient de jeunesse,
mais elle couchera avec lui dans la
poussière.

12 Puisque le mal est si doux à sa bouche
qu'il l'abrite sous sa langue,

13 le savoure sans le lâcher
et le retient encore sous son palais,

14 son aliment se corrompt dans ses entrailles
et y devient un venin d'aspic.

15 La fortune qu'il avait avalée, la voilà
vomie :
à son ventre, Dieu la fera rejeter.

16 C'est un venin d'aspic qu'il suçait,
la langue de la vipère le tuera.

17 Il ne verra plus les ruisseaux,
les fleuves, les torrents de miel et de
crème.

18 Il rend ce qu'il a gagné et ne peut
l'avaler,
quoi que lui aient rapporté ses échanges, il n'en jouira pas.

19 Puisqu'il a écrasé et délaissé les
pauvres,
qu'il a volé une maison au lieu de la
bâtir,

20 puisque son ventre n'a pas su se contenter,
il ne sauvera aucun de ses trésors.

21 Rien n'échappait à sa voracité,
aussi son bonheur ne durera pas.

22 Au comble de l'abondance, la détresse
va le saisir,
la main de tous les misérables s'abattra
sur lui.

23 Il en sera à se remplir le ventre
quand Dieu déchaînera sur lui sa
colère.
Elle pleuvra sur lui en guise de nourriture.

24 Fuit-il l'arme de fer,
l'arc de bronze le transperce.

25 Il arrache la flèche, elle sort de son
corps,
et dès que la pointe quitte son foie
les terreurs sont sur lui.

26 Des ténèbres se dissimulent en toutes
ses caches,
un feu les dévore que nul n'attise,
le malheur frappe ce qui subsiste en
sa tente.

27 Les cieux dévoilent son crime
et la terre se soulève contre lui.

28 Les richesses de sa maison s'en vont
comme des eaux qui s'écoulent au jour
de la colère.

29 Le voilà, le sort que Dieu réserve à
l'homme méchant,
la part d'héritage que Dieu a décrétée
pour lui.

Les méchants ont souvent une vie heureuse

21 1 Et Job prit la parole et
dit :

2 Ecoutez, écoutez mes paroles.
C'est ainsi que vous me consolerez.

3 Supportez-moi, et moi je parlerai.
Et quand j'aurai parlé, tu te moqueras.

4 Moi, est-ce d'un homme que je me
plains ?
Alors, pourquoi ne perdrais-je pas patience ?

5 Tournez-vous vers moi. Vous serez
stupéfaits
et mettrez la main sur votre bouche.

6 Moi-même, ce souvenir me bouleverse
et un frisson saisit ma chair :

7 Pourquoi les scélérats vivent-ils ?
Vieillir, c'est pour eux accroître leur
pouvoir.

8 Leur postérité s'affermit en face d'eux,
en même temps qu'eux
et ils ont leurs rejetons sous leurs
yeux.

9 Leurs maisons en paix ignorent la
peur.
La férule de Dieu les épargne.

10 Leur taureau féconde sans faillir,
leur vache met bas sans avorter.

20.8 envolé comme un songe Ps 73.20; 90.5.   20.12-14 doux à la bouche, amer au ventre Ez 3.3; Ap 10.9-10.   20.16 venin de serpent Dt 32.32-33; Ps 58.5; Jc 3.8.   20.17 les torrents de crème 29.6.   20.19 voler la maison des pauvres Mc 12.40.   20.23 Dieu déchaîne sa colère Lc 12. 19-20.   20.24 une menace remplace l'autre Es 24.18; Am 5.19.   20.25 la terreur est sur lui 6.4+. 20.26 que nul n'attise Dn 2.34, 45.   20.27 inutilité des richesses So 1.18; Pr 11.4.   20.29 l'héritage des méchants 27.13; Ap 21.8; cf. 1 Co 6.9-10.   21.5 mettre la main sur la bouche 29.9; 40.4; Mi 7.16; Si 5.12.   21.7 tranquillité des méchants 12.6+.

¹¹ Ils laissent leurs gamins s'ébattre en troupeaux
et leur marmaille danser.

¹² On improvise sur le tambourin et la harpe,
on se divertit au son de la flûte.

¹³ Ils consument leurs jours dans le bonheur,
en un instant ils descendent sous terre.

¹⁴ Or ils avaient dit à Dieu : « Ecarte-toi de nous,
connaître tes voies ne nous plaît pas.

¹⁵ Le Puissant vaut-il qu'on se fasse son esclave ?
Et que gagne-t-on à l'invoquer ? »

¹⁶ Le bonheur n'est-il pas en leurs mains ?
Pourquoi dire alors : Loin de moi, les intrigues des scélérats !

¹⁷ Est-ce souvent que la lampe des scélérats s'éteint,
que leur ruine fond sur eux,
que Dieu leur assigne pour lot sa colère ?

¹⁸ Et pourtant l'on dit : « Qu'ils soient comme paille au vent,
comme bale qu'emporte la tempête ! »

¹⁹ Dieu, dira-t-on, réserve aux fils le châtiment du père ?
Qu'il pâtisse lui-même, il le sentira !

²⁰ Qu'il voie de ses yeux sa ruine
et qu'il s'abreuve à la fureur du Puissant !

²¹ Que lui importe, en effet, sa maison après lui,
une fois que le nombre de ses mois est tranché ?

²² Est-ce à Dieu qu'on enseignera la science,
lui qui juge le *sang versé ᶜ !

²³ L'un meurt en pleine vigueur,
tout heureux et tranquille ;

²⁴ ses flancs sont lourds de graisse ᵈ,
la moelle de ses os est encore fraîche.

²⁵ L'autre meurt, le *cœur aigre,
sans avoir goûté au bonheur.

²⁶ Ensemble, ils s'étendent sur la poussière,
et les vers les recouvrent.

²⁷ Oh ! je connais bien vos pensées
et les idées que vous vous faites sur mon compte.

²⁸ Car vous dites : « Où est la maison du tyran,
qu'est devenue la tente où gîtaient les bandits ? »

²⁹ N'avez-vous pas interrogé les voyageurs,
n'avez-vous pas su interpréter leur langage ?

³⁰ Au jour du désastre le méchant est préservé.
Au jour des fureurs il est mis à l'abri.

³¹ Qui lui jettera sa conduite à la face
et ce qu'il a fait, qui le lui paiera ?

³² Lui on l'escorte au cimetière
et on veille sur son tertre.

³³ Douces lui sont les mottes de la vallée
et derrière lui toute la population défile.
L'assistance est innombrable.

³⁴ Pourquoi donc vous perdre en consolations ?
De vos réponses, il ne reste que fausseté.

Confesse tes péchés et Dieu te pardonnera

22 ¹ Alors Elifaz de Témân prit la parole et dit :

² Est-ce à Dieu qu'un brave peut être utile,
alors que le sage n'est utile qu'à lui-même ?

³ Le Puissant s'intéresse-t-il à ta justice,
que gagne-t-il si tu réformes ta conduite ?

⁴ Est-ce par crainte pour toi ᵉ qu'il te présentera sa défense,
qu'il ira avec toi en justice ?

⁵ Vraiment ta méchanceté est grande,
il n'y a pas de limites à tes crimes,

⁶ Tu prenais sans motif des gages à tes frères,

---

c *le sang versé:* autre texte hébreu *les êtres supérieurs* (= la cour céleste, voir 1.6 et la note)
● d Voir 15.27 et la note ● e *par crainte pour toi* ou *à cause de ta piété*

21.11 la marmaille qui s'ébat cf. Za 8.5. **21.12** divertissements musicaux Es 5.12; 14.11; Am 6.5. **21.13** soudaineté de la mort 24.24; Lc 12.20. **21.14** écarte-toi de nous 22.17; Es 30.11; Jr 2.31 — servir Dieu est déplaisant Ml 3.14; cf. Ps 16.11. **21.17** la lumière des méchants s'éteint 18.5+. **21.18** bale emportée par le vent Ps 1.4. **21.19** enfants punis pour les parents Ex 20.5-6 note; cf. Dt 24.16; Ez 18.2-4. **21.21** sa maison après lui 2 R 20.19. **21.25** le cœur aigre 7.11+. **21.26** ensemble au séjour des morts 3.19+. **21.30** méchant préservé 24.22-23; Ps 73.5; Rm 9.22. **21.32** escorté au cimetière Lc 16.22. **21.34** les consolations 15.11+. **22.3** que gagne-t-il 35.7; Lc 17.9-10; cf. Jb 19.4. **22.4** en procès avec Dieu 9.3+. **22.6-9** exactions diverses cf. 31.16-22; Mt 25.34-36. **22.6** prendre des gages Ex 22.25-26; Dt 24.10-13; Ez 18.12.

tu les dépouillais de leurs vêtements jusqu'à les mettre nus.

⁷ Tu ne donnais pas d'eau à l'homme épuisé,
à l'affamé tu refusais le pain.

⁸ L'homme à poigne possédait la terre et le favori s'y installait.

⁹ Tu as renvoyé les veuves les mains vides,
et les bras des orphelins étaient broyés.

¹⁰ C'est pour cela que des pièges t'entourent,
que te trouble une terreur soudaine.

¹¹ Ou bien c'est l'obscurité, tu n'y vois plus,
et une masse d'eau te submerge.

¹² Dieu n'est-il pas en haut des *cieux ?
Vois la voûte étoilée, comme elle est haute.

¹³ Tu en as conclu : « Que peut savoir Dieu ?
Peut-il juger à travers la nuée sombre ?

¹⁴ Les nuages lui sont un voile et il n'y voit pas,
il ne parcourt que le pourtour des cieux. »

¹⁵ Veux-tu donc suivre la route de jadis,
celle que foulèrent les hommes pervers ?

¹⁶ Ils furent emportés avant le temps ;
leurs fondations, c'est un fleuve qui s'écoule.

¹⁷ Eux qui disaient à Dieu : « Détourne-toi de nous ! »
Car, que pourrait leur faire le Puissant ?

¹⁸ C'était pourtant lui qui avait rempli leurs maisons de bonheur.
— loin de moi, les intrigues des scélérats ! —

¹⁹ Les justes verront et se réjouiront,
l'homme honnête se moquera d'eux :

²⁰ « Voilà nos adversaires anéantis,
le feu a dévoré leurs profits ! »

²¹ Réconcilie-toi donc avec lui et fais la paix.

Ainsi le bonheur te sera rendu.

²² Accepte donc de sa bouche l'instruction
et fixe ses sentences en ta conscience.

²³ Si tu reviens vers le Puissant, tu seras rétabli,
si tu éloignes la perfidie de ta tente.

²⁴ Jette ensuite à la poussière les lingots
et aux cailloux du torrent l'or d'Ofir ʄ.

²⁵ C'est le Puissant qui te tiendra lieu de lingots
et de monceaux d'argent.

²⁶ Car alors tu feras du Puissant tes délices
et tu élèveras vers Dieu ton visage.

²⁷ Quand tu le supplieras, il t'exaucera,
et tu n'auras plus qu'à t'acquitter de tes vœux.

²⁸ Si tu prends une décision, elle te réussira
et sur ta route brillera la lumière.

²⁹ Si certains sont abattus, tu pourras leur dire : « Debout ! »
Car il sauve l'homme aux yeux baissés.

³⁰ Il délivrera même celui qui n'est pas innocent ;
oui, celui-ci sera délivré par la *pureté de tes mains.

Dieu sait que je n'ai pas péché

23 ¹ Alors Job prit la parole et dit :

² Aujourd'hui encore ma plainte se fait rebelle,
quand ma main pèse sur mon gémissement.

³ Ah ! si je savais où le trouver,
j'arriverais jusqu'à son trône.

⁴ J'exposerais devant lui ma cause,
j'aurais la bouche pleine d'arguments.

⁵ Je saurais par quels discours il me répondrait,
et je comprendrais ce qu'il a à me dire.

⁶ La violence serait-elle sa plaidoirie ?
Non ! Lui au moins me prêterait attention.

ʄ Voir 1 R 9.28 et la note; *l'or d'Ofir* était réputé pour sa qualité

22.7 refuser pain et eau Mt 25.42-43; cf. Es 58.7. 22.8 favoriser les injustes cf. 29.17. 22.9 pressurer les faibles 24.3-11; cf. 29.12-13; Dt 15.7-11. 22.10 les pièges 18.6+ — la terreur 6.4+. 22.12 Dieu est au ciel Es 40.22; Qo 5.1. 22.13 Dieu peut-il savoir Es 29.15; Ps 73.11. 22.15 la route des hommes pervers Gn 6.5, 12-13. 22.17 détourne-toi de nous 21.14+. 22.18 le bonheur Os 2.10. 22.19 les justes verront Ps 52.8; 107.42; Ap 18.20. 22.21 réconciliation et paix avec Dieu Es 27.5; Rm 5.10+. 22.23 revenir à Dieu Dt 30.2-10; 1 R 8.46-51; Es 44.22. 22.24 se libérer des richesses Mt 6.19-21; 19.21. 22.25 Dieu est ta richesse Ps 16.5-6; Lm 3.24; cf. 31.24. 22.26 Dieu tes délices 27.10; Es 58.14 — relever la tête 11.15. 22.27 s'acquitter de ses vœux Na 2.1; Ps 66.13; Qo 5.3-4. 22.29 Dieu sauve les humbles Es 57.15; Ps 18.28. 22.30 Job pardonné deviendra sauveur 42.8; cf. Ez 14.12-20. 23.3 Dieu inaccessible 9.11+. 23.5 la réponse de Dieu 38—41.

⁷ Alors un homme droit s'expliquerait avec lui
et j'échapperais, victorieux, à mon juge.

⁸ Mais si je vais à l'orient, il n'y est pas,
à l'occident, je ne l'aperçois pas.

⁹ Est-il occupé au nord, je ne peux l'y découvrir,
se cache-t-il au midi, je ne l'y vois pas.

¹⁰ Pourtant il sait quel chemin est le mien,
s'il m'éprouve, j'en sortirai pur comme l'or.

¹¹ Mon pied s'est agrippé à ses traces,
j'ai gardé sa voie et n'ai pas dévié,

¹² le précepte de ses lèvres et n'ai pas glissé.
J'ai prisé ses décrets plus que mes principes.

¹³ Mais lui, il est tout d'une pièce. Qui le fera revenir ?
Son bon plaisir, c'est chose faite.

¹⁴ Aussi exécutera-t-il ma sentence
comme tant d'autres qu'il garde en instance.

¹⁵ Voilà pourquoi sa présence me bouleverse.
Plus je réfléchis, plus j'ai peur de lui.

¹⁶ Dieu a amolli mon courage,
le Puissant m'a bouleversé,

¹⁷ car je n'ai pas été anéanti avant la tombée des ténèbres
mais il ne m'a pas épargné l'obscurité qui vient.

24 ¹ Pourquoi le Puissant n'a-t-il pas des temps en réserve,
et pourquoi ses fidèles ne voient-ils pas ses jours *g* ?

² On déplace les bornes,
on fait paître des troupeaux volés,

³ c'est l'âne des orphelins qu'on emmène,
c'est le bœuf de la veuve qu'on retient en gage.

⁴ On écarte de la route les indigents,
tous les pauvres du pays n'ont plus qu'à se cacher.

⁵ Tels des onagres *h* dans le désert,
ils partent au travail dès l'aube, en quête de pâture.
Et c'est la steppe qui doit nourrir leurs petits.

⁶ Dans les champs ils se coupent du fourrage,
et ils grappillent la vigne du méchant.

⁷ La nuit, ils la passent nus, faute de vêtement,
ils n'ont pas de couverture quand il fait froid.

⁸ Ils sont trempés par la pluie des montagnes,
faute d'abri, ils étreignent le rocher.

⁹ On arrache l'orphelin à la mamelle,
du pauvre on exige des gages.

¹⁰ On le fait marcher nu, privé de vêtement,
et aux affamés on fait porter des gerbes.

¹¹ Dans les enclos des autres, ils pressent de l'huile,
et ceux qui foulent au pressoir ont soif.

¹² Dans la ville les gens se lamentent,
le râle des blessés hurle
et Dieu reste sourd à ces infamies *i* !

¹³ Leurs auteurs sont en révolte contre la lumière,
ils en ont méconnu les voies,
ils n'en ont pas fréquenté les sentiers.

¹⁴ Le meurtrier se lève au point du jour,
il assassine le pauvre et l'indigent,
et la nuit, il agit en voleur.

¹⁵ L'œil de l'adultère épie le crépuscule.
« Nul œil ne me verra », dit-il
et il se met un masque.

¹⁶ C'est dans les ténèbres que celui-là force les maisons.
De jour, on se tient claquemuré
sans connaître la lumière.

¹⁷ Pour eux tous, l'aube c'est l'ombre de mort.
Mais le pillard est habitué aux épouvantes de l'ombre de mort.

¹⁸ Il surnage comme sur des eaux,
son domaine est maudit par les gens du pays.

g Les *temps* et les *jours* de Dieu sont les moments fixés par lui pour exercer la justice
● *h onagres:* ânes sauvages ● *i à ces infamies:* autre texte hébreu *à leur prière*

23.8-9 Dieu inaccessible 9.11+. **23.10** Dieu connaît notre chemin Ps 139.1-6 — Dieu éprouve l'homme Za 13.9; Ps 17.3; 1 P 1.7+; cf. Lc 22.31. **23.11** garder la voie de Dieu Ps 17.5. **23.12** garder les préceptes de Dieu Ps 17.4. **23.13** son bon plaisir Es 46.10; Ps 115.3; Dn 4.32. **23.15** sa présence me bouleverse Ps 119.120; cf. Mt 8.34 par. **24.2** déplacer les bornes Dt 19.14; Os 5.10; Pr 22.28. **24.3-11** pressurer les faibles 22.9+. **24.3** le gage de la veuve Dt 24.17. **24.4** les pauvres se cachent Pr 28.12, 28. **24.7** le pauvre privé de couverture Dt 24.12-13. **24.10** l'affamé transporte de la nourriture cf. Dt 28.30-33. **24.12** lamentations et hurlements 35.9-13; So 1.10-11; Qo 4.1 — Dieu reste sourd Ps 94.5-7. **24.14** on assassine le pauvre Ps 10.8-9. **24.15** l'adultère attend le soir Pr 7.9-10: *Si* 23.18.

Mais lui ne prend pas le chemin des vignes.

19 « Le sol altéré et la chaleur engloutissent l'eau des neiges.
Ainsi, dit-on, les enfers *j* engloutissent celui qui a péché.

20 Le sein qui le porta l'oublie, mais la vermine fait de lui ses délices
on ne se souvient plus de lui.
La perfidie a été brisée comme un arbre. »

21 En fait, quelqu'un entretient une femme stérile qui n'enfante pas
mais il ne donne pas la joie à la veuve *k*.

22 Alors, Dieu qui par force a emporté les puissants
se dresse, et notre homme ne compte plus sur la vie.

23 Pourtant Dieu lui accorde de s'affermir dans la tranquillité,
tandis que ses yeux surveillent la conduite des autres.

24 Eux sont élevés pour un peu de temps, et puis plus rien.
Ils se sont effondrés comme tous ceux qui sont moissonnés,
ils seront coupés comme une tête d'épi.

25 S'il n'en est pas ainsi, qui me démentira,
qui réduira mon discours à néant ?

On ne discute pas avec le Tout-Puissant

25 1 Alors Bildad de Shouah prit la parole et dit :

2 A lui l'empire et la terreur,
lui qui fait la paix dans ses hauteurs.

3 Peut-on compter ses légions ?
Sur qui sa lumière ne se lève-t-elle pas ?

4 Et comment l'homme serait-il juste contre Dieu,
comment jouerait-il au *pur, celui qui est né de la femme ?

5 Si même la lune perd sa brillance,

et si les étoiles ne sont pas pures à ses yeux,

6 que dire de l'homme, ce ver,
du fils d'Adam, cette larve !

Dieu est plus puissant qu'on ne l'imagine

26 1 Alors Job prit la parole et dit :

2 Comme tu assistes l'homme sans force,
et secours le bras sans vigueur !

3 Comme tu conseilles l'homme sans sagesse
et dispenses le savoir-faire !

4 A qui tes paroles s'adressent-elles,
de qui vient cette inspiration qui émane de toi ?

5 Plus profond que les eaux et que ceux qui les habitent,
tremblent les trépassés.

6 Les enfers sont à nu devant lui *l*,
et le gouffre n'a point de voile.

7 C'est lui qui étend l'Arctique sur le vide,
qui suspend la terre sur le néant,

8 qui stocke les eaux dans ses nuages,
sans que la nuée crève sous elles,

9 qui dérobe la vue de son trône
en étendant sur lui sa nuée.

10 Il a tracé un cercle sur la face des eaux,
aux confins de la lumière et des ténèbres.

11 Les colonnes des cieux *m* vacillent,
épouvantées, à sa menace.

12 Par sa force, il a fendu l'Océan,
par son intelligence, il a brisé le Typhon.

13 Son souffle a balayé les cieux,
sa main a transpercé le Serpent fuyard *n*.

14 Si telles sont les franges de ses œuvres,
le faible écho que nous en percevons,
qui donc comprendrait le tonnerre de ses exploits ?

---

j Voir au glossaire SÉJOUR DES MORTS ● *k* Allusion probable à la loi de Dt 25.5-10 ● *l* *enfers:* voir au glossaire SÉJOUR DES MORTS — *devant lui,* c'est-à-dire *devant Dieu* ● *m* Les *colonnes des cieux* sont les montagnes de l'horizon sur lesquelles le ciel semble reposer ● *n* Océan, Typhon (v. 12), Serpent fuyard: voir 7.12; 9.13 et les notes

24.19 les enfers engloutissent le pécheur Ps 49.15.   **24.20** la vermine Es 14.11 — on ne se souvient plus du méchant Es 26.14; Ez 21.37; cf. Mt 26.13.   **24.23** tranquillité du méchant 21.30+.   **25.2-3** Domination universelle de Dieu Ps 103.19; He 2.8+; cf. 1 Jn 5.19 — homme juste devant Dieu 4.17+.   **26.4** de qui vient l'inspiration 1 R 22.24.   **26.5** les trépassés tremblent Es 14.9; Ps 88.11.   **26.6** Dieu domine aussi les enfers Am 9.2; Ps 139.8; Pr 15.11.   **26.7** sur le néant cf. 9.6; 38.6.   **26.9** la nuée pour cacher son trône Ex 40.34; Lv 16.2.   **26.10** les eaux, la lumière Gn 1; Pr 8.27.   **26.12** l'Océan, le Typhon 9.13+.   **26.13** le Serpent fuyard Es 27.1.   **26.14** les franges de ses œuvres 11.7; Si 43.32; cf. Ep 3.18.

**Je n'ai pas péché
et je ne pécherai pas**

27 ¹ Alors Job continua de prononcer son poème et dit :

² Par la vie du Dieu qui me dénie justice,
par le Puissant qui m'a aigri le *cœur,
³ tant que je pourrai respirer
et que le souffle de Dieu sera dans mes narines,
⁴ je jure que mes lèvres ne diront rien de perfide
et que ma langue ne méditera rien de fourbe.
⁵ Malheur à moi, si je vous donnais raison.
Jusqu'à ce que j'expire, je maintiendrai mon innocence.
⁶ Je tiens à ma justice et ne la lâcherai pas !
Ma conscience ne me reproche aucun de mes jours.
⁷ Qu'il en soit de mon ennemi comme du méchant,
de mon adversaire comme du malfaiteur !
⁸ Ne dites-vous pas : « Quel profit peut espérer l'impie
alors que Dieu va le dépouiller de la vie ?
⁹ Dieu entendra-t-il son cri
quand la détresse le surprendra ?
¹⁰ S'il s'était délecté auprès du Puissant,
il aurait invoqué Dieu à tout moment. »

¹¹ Je vais vous la prouver, la maîtrise de Dieu,
je ne cacherai pas la pensée du Puissant.
¹² Puisque vous tous l'avez constatée,
pourquoi vous être évanouis en vanité ?
¹³ Voici le lot que Dieu réserve à l'homme méchant,
l'héritage qu'un tyran recevra du Puissant :
¹⁴ « Si ses fils se multiplient, ce sera pour le glaive,
et ses descendants manqueront de pain.

¹⁵ Ses survivants seront enterrés par la malemort,
sans que ses veuves puissent les pleurer.
¹⁶ S'il amasse l'argent comme de la poussière,
s'il entasse les vêtements comme de la glaise,
¹⁷ qu'il entasse, c'est le juste qui s'en vêtira,
quant à l'argent, c'est l'homme honnête qui le touchera.
¹⁸ Il a bâti sa maison comme le fait la mite ᵒ,
comme la hutte qu'élève un guetteur.
¹⁹ Riche il se couche, mais c'est la fin ;
il ouvre les yeux : plus rien.
²⁰ Les terreurs l'atteignent comme un flot.
En une nuit, un tourbillon l'enlève.
²¹ Le sirocco ᵖ l'emporte et il s'en va,
le vent l'arrache de chez lui.
²² Sans pitié on tire sur lui,
et il s'efforce de fuir la main de l'archer.
²³ On applaudit à sa ruine,
de sa propre demeure on le siffle. »

Où peut-on trouver la sagesse ?

28 ¹ Certes, des lieux d'où extraire l'argent
et où affiner l'or, il n'en manque pas.
² Le fer, c'est du sol qu'on l'extrait,
et le roc se coule en cuivre.
³ On a mis fin aux ténèbres
et l'on fouille jusqu'au tréfonds
la pierre obscure dans l'ombre de mort.
⁴ On a percé des galeries loin des lieux habités,
là, inaccessible aux passants,
on oscille, suspendu loin des humains.
⁵ La terre, elle d'où sort le pain,
fut ravagée en ses entrailles comme par un feu.
⁶ Ses rocs sont le gisement du saphir
et là se trouve la poussière d'or.
⁷ Les rapaces en ignorent le sentier
et l'œil du vautour ne l'a pas repéré
⁸ Les fauves ne l'ont point foulé
ni le lion ne l'a frayé.

ᵒ La comparaison avec *la mite*, qui détruit, doit montrer le caractère précaire de cette construction ● ᵖ *sirocco*: vent du sud-est, chaud et sec

27.2 Dieu dénie justice 34.5, 12 — le cœur aigri 7.11+. **27.3** le souffle de Dieu 33.4; Gn 2.7; Ps 104.30; cf. Jb 4.9; Es 11.4. **27.4** rien de perfide 6.28-30; 42.7-8; Es 59.3. **27.6** je tiens à ma justice 13.18; 17.9; cf. Ps 143.2; Rm 3.10. **27.8** l'espérance de l'impie Lc 12.20. **27.10** se délecter de Dieu 22.26+. **27.13** l'héritage des tyrans 20.29+. **27.15** la malemort 18.13; Jr 15.2; Ap 6.8. **27.20** les terreurs l'atteignent 6.4+. **27.22** fuir la main de l'archer 33.18; 36.12. **28.1** mines d'or et d'argent 1 R 10.22. **28.2** mines de fer et de cuivre Dt 8.9. **28.5** la terre fournit le pain Ps 104.14-15.

⁹ On s'est attaqué au silex,
on a ravagé les montagnes par la
racine.
¹⁰ Dans les rochers on a percé des
réseaux de galeries,
et tout ce qui est précieux, l'œil de
l'homme l'a vu.
¹¹ On a tari les sources des fleuves
et amené au jour ce qui était caché.

¹² Mais la sagesse, où la trouver ?
Où réside l'intelligence ?
¹³ On en ignore le prix chez les hommes
et elle ne se trouve pas au pays des
vivants.
¹⁴ L'*Abîme déclare : « Elle n'est pas
en moi. »
Et l'Océan : « Elle ne se trouve pas
chez moi. »
¹⁵ Elle ne s'échange pas contre de l'or
massif,
elle ne s'achète pas au poids de l'argent.
¹⁶ L'or d'Ofir ne la vaut pas,
ni l'onyx précieux, ni le saphir.
¹⁷ Ni l'or ni le verre n'atteignent son
prix,
on ne peut l'avoir pour un vase d'or fin.
¹⁸ Corail, cristal n'entrent pas en ligne
de compte.
Et mieux vaudrait pêcher la sagesse
que les perles.
¹⁹ La topaze d'Ethiopie n'atteint pas son
prix.
Même l'or pur ne la vaut pas.

²⁰ Mais la sagesse, d'où vient-elle,
où réside l'intelligence ?
²¹ Elle se cache aux yeux de tout vivant,
elle se dérobe aux oiseaux du ciel.
²² Le gouffre et la mort déclarent :
« Nos oreilles ont eu vent de sa
renommée. »
²³ Dieu en a discerné le chemin,
il a su, lui, où elle réside.
²⁴ C'était lorsqu'il portait ses regards jusqu'aux confins du monde
et qu'il inspectait tout sous les cieux
²⁵ pour régler le poids du vent,
et fixer la mesure des eaux.

²⁶ Quand il assignait une limite à la pluie
et frayait une voie à la nuée qui tonne,
²⁷ alors il l'a vue et dépeinte,
il l'a discernée �q et même scrutée.
²⁸ Puis il a dit à l'homme :
« La crainte du Seigneur, voilà la
sagesse.
S'écarter du mal, c'est l'intelligence ! »

Job regarde son passé

29 ¹ Alors Job continua de prononcer
son poème et dit :

² Qui me fera revivre les lunes d'antan,
ces jours où Dieu veillait sur moi,
³ quand sa lampe brillait sur ma tête,
et dans la nuit j'avançais à sa clarté ;
⁴ tel que j'étais aux jours féconds de
mon automne ʳ,
quand l'amitié de Dieu reposait sur
ma tente,
⁵ quand le Puissant était encore avec
moi
et que mes garçons m'entouraient,
⁶ quand je lavais mes pieds dans la
crème
et le roc versait pour moi des flots
d'huile ˢ.
⁷ Si je sortais vers la porte de la cité,
si j'installais mon siège sur la place,
⁸ à ma vue les jeunes s'éclipsaient,
les vieillards se levaient et restaient
debout.
⁹ Les notables arrêtaient leurs discours
et mettaient la main sur leur bouche.
¹⁰ La voix des chefs se perdait,
leur langue se collait au palais.
¹¹ L'oreille qui m'entendait me disait
heureux,
l'œil qui me voyait me rendait témoignage.
¹² Car je sauvais le pauvre qui crie à
l'aide,
et l'orphelin sans secours.
¹³ La bénédiction du mourant venait sur
moi,
et je rendais la joie au cœur de la
veuve ᵗ.

---

q Autre texte hébreu *il l'a fondée* ● r En Israël, l'*automne* est la saison marquée par la célébration de la fête de la Récolte, voir Ex 23.16 ● s *crème, flots d'huile :* symboles de la richesse
du pays de Job. Les pressoirs pour l'extraction de l'huile d'olive étaient creusés à même *le roc*
● t Voir 24.21 et la note

28.12 la sagesse 28.20, 28 ; 1 R 3 ; Pr 8.22-31 ; *Sg ; Si* 1.6 ; *Ba* 3.9—4.4. **28.15-19** la sagesse vaut
plus que tout Pr 2.1-5 ; 3.13-15. **28.25** Dieu fixe la mesure des eaux Es 40.12. **28.26** la pluie
36.27-28 ; 38.28. **28.27** Dieu scrute la sagesse *Si* 1.8-9, 19 ; *Ba* 3.32. **28.28** la crainte du Seigneur
1.1+ ; Ps 111.10 ; Pr 9.10. **29.2** Dieu veillait sur moi 1.1-5 ; 8.6 ; 42.10-17 ; 1 S 2.9 ; Ps 40.12 ;
Esd 5.5. **29.4** amitié de Dieu Pr 3.32 ; Jc 2.23+ ; cf. Jn 15.14-15. **29.6** abondance de crème
20.17. **29.8** les vieillards se levaient cf. Lv 19.32. **29.9** la main sur la bouche 21.5+.
29.12 pitié pour le faible 6.14+ ; Ps 72.12 ; cf. Jb 22.9+.

14 Je revêtais la justice, c'était mon vêtement.
Mon droit me servait de manteau et de turban.
15 J'étais devenu les yeux de l'aveugle, et les pieds de l'impotent, c'était moi.
16 Pour les indigents, j'étais un père, la cause d'un inconnu, je la disséquais.
17 Je brisais les crocs de l'injuste, et de ses dents, je faisais tomber sa proie.
18 Je me disais : « Quand j'expirerai dans mon nid, comme le phénix *u* je multiplierai mes jours.
19 L'eau accède à ma racine, la rosée passe la nuit sur ma ramure.
20 Ma gloire retrouvera sa fraîcheur, et dans ma main mon arc rajeunira. »
21 On m'écoutait, dans l'attente. On accueillait en silence mes avis.
22 Quand j'avais parlé, nul ne répliquait, sur eux goutte à goutte tombaient mes paroles.
23 Ils m'attendaient comme on attend la pluie. Leur bouche s'ouvrait comme à l'ondée tardive.
24 Je leur souriais, ils n'osaient y croire, et recueillaient avidement tout signe de ma faveur.
25 Leur fixant la route, je siégeais en chef, campé, tel un roi, parmi ses troupes, comme il console des affligés.

Job regarde son présent

30 1 Et maintenant, je suis la risée de plus jeunes que moi, dont j'eusse dédaigné de mettre les pères parmi les chiens de mon troupeau.
2 Qu'aurais-je fait des efforts de leurs bras ? Toute leur vigueur avait péri.
3 Desséchés par la misère et la faim,

ils rongeaient la steppe, lugubre et vaste solitude.
4 Ils cueillent l'arroche *v* sur les buissons, ils ont pour pain la racine des genêts.
5 Bannis de la société des hommes qui les hue comme des voleurs,
6 ils logent au flanc des précipices, dans les antres de la terre et les cavernes.
7 Ils beuglent parmi les broussailles et s'entassent sous les ronces,
8 fils de l'infâme, fils de l'homme sans nom, chassés du pays à coups de bâton.
9 Et maintenant je sers à leur chanson, me voici devenu leur fable.
10 Ils m'ont en horreur et s'éloignent. Sans sè gêner, ils me crachent au visage.
11 Puisque Dieu a détendu mon arc et m'a terrassé, ils perdent toute retenue en ma présence.
12 Ils grouillent à ma droite, ils me font lâcher pied, ils se fraient un accès jusqu'à moi pour me perdre.
13 Ils me coupent la retraite et s'affairent à ma ruine, sans qu'ils aient besoin d'aide.
14 Ils affluent par la brèche *w*, ils se bousculent sous les décombres.
15 L'épouvante fonce contre moi. En coup de vent, elle chasse mon assurance. Mon bien-être a disparu comme un nuage.
16 Et maintenant la vie s'écoule de moi, les jours de peine m'étreignent.
17 La nuit perce mes os et m'écartèle ; et mes nerfs n'ont pas de répit.
18 Sous sa violence, mon vêtement s'avilit, comme le col de ma tunique il m'enserre.
19 Il m'a jeté dans la boue. Me voilà devenu poussière et cendre.

u Oiseau mythologique dont on croyait qu'il vivait plusieurs siècles, et que, brûlé, il pouvait renaître de ses cendres. Autre traduction *mes jours seront nombreux comme des grains de sable*
● *v* Plante symbolisant, selon une vieille tradition juive, la nourriture des temps de famine
● *w* Dans les versets 12-14, Job présente les attaques dont il est l'objet sous l'image de l'assaut porté contre une ville fortifiée

29.14 vêtement de justice 19.9; Ps 132.9; cf. Es 59.17. **29.15** soutien de l'aveugle Lv 19.14. **29.16** père des pauvres Es 22.21 — soutien du faible Pr 29.7. **29.17** maîtriser l'injuste Es 11.4; cf. 22.8. **29.18** renouveler sa vie Es 40.31; Ps 103.5. **29.19** la racine près de l'eau Ps 1.3 — la rosée bienfaisante Gn 27.28; Os 14.6; Pr 19.12. **29.20** la force de l'arc cf. 30.11; Gn 49.24; Jr 49.35. **29.21** écouter en silence 21.5+. **29.22** les paroles comme la rosée Dt 32.2. **29.23** comme une pluie bienfaisante Pr 16.15. **30.6** loger dans les cavernes Jg 6.2; 1 S 13.6. **30.8** chassé du pays Gn 21.10; Jg 11.2. **30.9-14** la proie des ennemis 16.11+. **30.9** sujet de chansons 17.6; Es 14.4; Lm 3.14, 63. **30.10** cracher au visage Es 50.6; Mt 26.67. **30.11** détendre (ou briser) l'arc cf. 29.20+. **30.12** se tenir à droite Za 3.1; Ps 109.6. **30.15** l'épouvante 6.4+.

20 Je hurle vers toi, et tu ne réponds pas.
Je me tiens devant toi, et ton regard
me transperce.
21 Tu t'es changé en bourreau pour moi,
et de ta poigne tu me brimes.
22 Tu m'emportes sur les chevaux du vent
et me fais fondre sous l'orage.
23 Je le sais : tu me ramènes à la mort,
le rendez-vous de tous les vivants.
24 Mais rien ne sert d'invoquer quand il
étend sa main,
même si ses fléaux leur arrachent des
cris.
25 Pourtant, n'ai-je point pleuré avec ceux
qui ont la vie dure ?
Mon cœur ne s'est-il pas serré à la
vue du pauvre ?
26 Et quand j'espérais le bonheur, c'est
le malheur qui survint.
Je m'attendais à la lumière... l'ombre
est venue.

27 Mes entrailles ne cessent de fermenter,
des jours de peine sont venus vers moi.
28 Je marche bruni, mais non par le
soleil.
En pleine assemblée, je me dresse et
je hurle.
29 Je suis entré dans l'ordre des chacals
et dans la confrérie des effraies *x*.
30 Ma peau noircit et tombe,
mes os brûlent et se dessèchent.
31 Ma harpe s'accorde à la plainte,
et ma flûte à la voix des pleureurs.

Job en appelle à la justice de Dieu

31 1 J'avais conclu un pacte avec mes
yeux :
ne pas fixer le regard sur une vierge.
2 Quelle part, en effet, Dieu assigne-t-il
d'en haut,
quel héritage le Puissant fixe-t-il depuis
les *cieux ?
3 N'est-ce pas la ruine pour le pervers,
l'adversité pour les malfaiteurs ?
4 Ne voit-il pas, lui, ma conduite ?
Ne tient-il pas le compte de tous mes
pas ?

5 Alors, ai-je fait route avec le mensonge,
mon pied s'est-il hâté vers la fraude ?
6 Qu'il me pèse à de justes balances
et Dieu reconnaîtra mon intégrité.
7 Si mes pas ont dévié,
si mon cœur a suivi mes yeux,
si une souillure imprègne mes mains,
8 alors, ce que je sème, qu'un autre le
mange,
mes rejetons, qu'on les déracine !
9 Si mon cœur fut séduit par une femme,
si j'ai fait le guet à la porte du voisin,
10 que pour un autre ma femme tourne
la meule,
et que sur elle d'autres se couchent,
11 car ç'aurait été une infamie,
un forfait que punit mon juge.
12 Un feu m'eût dévoré jusqu'à la perdition,
ruinant tout mon fruit jusqu'à la racine.
13 Si j'ai méconnu le droit de mon serviteur ou de ma servante
dans leurs litiges avec moi,
14 que faire quand Dieu se lèvera ?
Quand il enquêtera, que lui répondre ?
15 Celui qui m'a fait dans le ventre, ne
les a-t-il pas faits aussi ?
C'est le même Dieu qui nous a formés
dans le sein.
16 Est-ce que je repoussais la demande
des pauvres,
laissais-je languir les yeux de la veuve ?
17 Ma ration, l'ai-je mangée seul,
sans que l'orphelin en ait eu sa part,
18 alors que dès mon enfance il a grandi
avec moi comme avec un père,
et qu'à peine sorti du ventre de ma
mère je fus le guide de la veuve ?
19 Voyais-je un miséreux privé de vêtement,
un indigent n'ayant pas de quoi se
couvrir,
20 sans que ses reins m'aient béni
et qu'il fût réchauffé par la toison de
mes brebis ?
21 Si j'ai brandi le poing contre un
orphelin,

---

x Autre traduction *autruches*. De toute façon, il s'agit d'animaux (*chacals*, *effraies* ou *autruches*) souvent associés aux régions désertiques et aux ruines.

30.20 je hurle, et tu ne réponds pas 13.22+. **30.23** tous les hommes mourront Gn 3.19; Ps 82.7; 1 Co 15.22. **30.25** attitude compatissante 29.12-17; Ps 35.13-14; Rm 12.15. **30.26** j'espérais le bonheur et la lumière Es 59.9; Jr 8.15. **30.27** les entrailles qui font souffrir Ps 38.8; Jr 4.19; Lm 1.20. **30.28** bruni par la maladie Lm 4.8. **30.29** chacals et effraies Mi 1.8; Ps 102.7-8. **30.30** la peau et les os desséchés Ps 102.4-6; Lm 3.4. **30.31** musique de deuil Am 8.10; Lm 5.15. **31.1** regarder une vierge Ex 20.17; Si 9.5; Mt 5.28. **31.2-3** l'héritage des pervers 20.29+. **31.6** mon intégrité 1.1+; 27.6+; Ps 17.1-5. **31.9** la femme séductrice Pr 6.23-26; Qo 7.26. **31.11** la punition de l'adultère Dt 22.22; Pr 6.32; Jn 8.4-5. **31.13** le droit du serviteur Ex 21.2-3; Lv 25.39-43; Jr 34.8-9. **31.15** Dieu nous a formés 10.11+; Pr 22.2. **31.16-20** pitié pour le faible 6.14+; Es 58.6-7; *Tb* 4.7-11, 16.

me sachant soutenu au tribunal,
²² que mon épaule se détache de mon dos
et que mon bras se rompe au coude.

²³ Non, le châtiment de Dieu était ma terreur,
je ne pouvais rien devant sa majesté.

²⁴ Si j'ai placé dans l'or ma confiance,
si j'ai dit au métal fin : « Tu es ma sécurité »,

²⁵ si j'ai tiré joie de l'abondance de mes biens,
de ce que mes mains avaient beaucoup gagné,

²⁶ si, en voyant la lumière resplendir
et la lune s'avancer radieuse,

²⁷ mon cœur en secret s'est laissé séduire,
et si ma main s'est portée à ma bouche
pour un baiser *y*,

²⁸ cela aussi aurait été un forfait que
punit mon juge,
car j'aurais renié le Dieu d'en haut.

²⁹ Me suis-je réjoui de la ruine de mon ennemi,
ai-je tressailli de joie quand le malheur l'a frappé ?

³⁰ Moi qui ne permettais pas à ma bouche de pécher
en le vouant à la mort par une imprécation !

³¹ Mes hôtes même n'ont-ils pas dit :
« Qui n'a-t-il pas rassasié de viande ? »

³² L'étranger ne passait pas la nuit dehors :
j'ouvrais mes portes au voyageur.

³³ Ai-je comme Adam dissimulé mes révoltes,
caché dans mon sein ma faute ?

³⁴ Et cela parce que j'aurais redouté l'opinion des foules
et que le mépris des familles m'eût terrorisé,
réduit à me taire et à ne plus franchir ma porte...

³⁵ Qui me donnera quelqu'un qui m'écoute ?
Voilà mon dernier mot. Au Puissant de me répondre !

³⁶ Quant au réquisitoire écrit par mon adversaire,
eh bien, je le porterai sur mon épaule,
je m'en parerai comme d'une couronne.

³⁷ Oui, je lui rendrai compte de mes pas,
je lui ferai un accueil princier !

³⁸ Si ma terre a protesté contre moi,
si ses sillons ont fondu en larmes,

³⁹ si j'ai dévoré sa vigueur sans avoir payé,
ayant fait rendre l'âme à son maître,

⁴⁰ alors qu'au lieu du froment l'épine y croisse
et au lieu d'orge, l'herbe puante.
Ici finissent les paroles de Job.

L'INTERVENTION D'ELIHOU

Elihou se met en colère

32 ¹ Alors ces trois hommes cessèrent de répondre à Job, puisqu'il s'estimait juste. ² Mais Elihou se mit en colère. Il était fils de Barakéel le Bouzite *z*, du clan de Ram. Il se mit en colère contre Job parce que celui-ci se prétendait plus juste que Dieu. ³ Il se mit en colère aussi contre ses trois amis parce qu'ils n'avaient plus trouvé de réponse et avaient ainsi reconnu Dieu coupable *a*. ⁴ Or Elihou s'était retenu de parler à Job parce que les autres étaient plus âgés que lui. ⁵ Mais quand Elihou vit que ces trois hommes n'avaient plus de réponse à la bouche, il se mit en colère.

y Geste d'adoration, dans la religion assyro-babylonienne ● *z* D'après Gn 22.21, Bouz était frère d'Ouç (1.1). Elihou se sent donc plus intimement lié à Job que ne l'étaient les trois autres amis ● *a* Hébreu: *reconnu Job coupable;* mais la tradition juive reconnaît qu'il s'agit d'une correction volontaire du texte par les copistes, pour éviter de placer le nom de *Dieu* à côté du verbe *reconnaître coupable*

31.23 la crainte de la punition Ps 119.120. **31.24** confiance dans les richesses 22.24-25; Pr 11.28; Lc 12.19-21. **31.26-27** adoration des astres Dt 4.19; Jr 8.2; Sg 13.2. **31.29** se réjouir du malheur des autres Pr 24.17; cf. Mt 5.44 par. **31.31** nourrir les pauvres Es 58.10. **31.32** accueillir les voyageurs Gn 19.2; Jg 19.20. **31.33** cacher sa faute Gn 3.10-13. **31.35** réponds-moi 13.22+. **31.36** le réquisitoire de l'adversaire 13.19; cf. 30.12+. **31.38** la terre qui proteste Lv 26.34-35; 2 Ch 36.21. **32.2** plus juste que Dieu 4.17+. **32.4** plus âgés que lui 8.8+; Lv 19.32.

Elihou se présente

6 Alors Elihou, fils de Barakéel le Bou-
    zite, prit la parole et dit :
Je suis un jeune, moi,
et vous, des vieux.
Aussi craignais-je et redoutais-je
de vous exposer mon savoir.

7 Je me disais : « L'âge parlera,
le nombre des années enseignera la
    sagesse. »

8 Mais en réalité, dans l'homme, c'est le
    souffle,
l'inspiration du Puissant, qui rend intel-
    ligent.

9 Etre un *ancien ne rend pas sage,
et les vieillards ne discernent pas le
    droit.

10 C'est pourquoi je dis : « Ecoute-moi
et je t'exposerai mon savoir, moi
    aussi. »

11 Voyez, je comptais sur vos discours,
je prêtais l'oreille à vos raisonnements,
à votre critique de ses propos.

12 Je vous ai suivis avec attention,
mais aucun de vous n'a répondu à Job,
aucun de vous n'a réfuté ses dires.

13 Et ne dites pas : « Nous avons trouvé
    la sagesse :
Dieu seul peut triompher de lui, non
un homme. »

14 Ce n'est pas à moi qu'il a adressé
ses discours,
et ce n'est pas avec vos déclarations
que je lui répondrai.

15 Les voilà interdits, ils ne répondent
    plus,
ils ont la parole coupée.

16 J'aurais beau attendre, ils ne parleront
    pas,
car ils ont cessé de donner la réplique.

17 Cette réplique, c'est moi qui la don-
    nerai, pour ma part,
j'exposerai mon savoir, moi aussi.

18 Car je suis plein de mots
et le souffle de mon ventre me presse.

19 En mon ventre, c'est comme un vin
qui ne trouve pas d'issue.
comme des outres neuves qui vont
éclater !

20 Que je parle donc pour respirer à
    l'aise.
J'ouvrirai les lèvres et je répliquerai.

21 Je m'interdis de favoriser personne
et de flatter qui que ce soit.

22 D'ailleurs, je ne sais pas flatter,
sinon celui qui m'a fait m'aurait vite
anéanti.

Elihou accuse Job d'être orgueilleux

33 1 Veuille donc entendre, ô Job,
    mes discours,
prête l'oreille à toutes mes paroles.

2 Voici donc que j'ouvre la bouche,
que ma langue parle en mon palais.

3 C'est la rectitude de ma conscience
qui parlera,
et mes lèvres diront la vérité pure.

4 C'est le souffle de Dieu qui m'a fait,
l'inspiration du Puissant qui me fait
vivre.

5 Si tu le peux, réponds-moi,
argumente contre moi, prends position !

6 Vois, devant Dieu je suis ton égal,
j'ai été pétri d'argile, moi aussi !

7 Voyons, la terreur de moi n'a pas à
t'épouvanter,
et mon autorité n'a pas à t'accabler.

8 Mais tu as bien dit à mes oreilles
et j'entends encore le son des paroles :

9 « Je suis *pur, sans péché *b*.
Je suis net, moi, exempt de faute.

10 Mais Dieu invente contre moi des
griefs,
il me traite en ennemi.

11 Il me met les pieds dans les fers
et il épie toutes mes traces ! »

12 Voyons, en cela tu n'as pas raison,
te dirai-je.
Car Dieu est bien plus que l'homme.

13 Pourquoi lui as-tu intenté un procès,
à lui qui ne rend compte d'aucun de
ses actes ?

14 Pourtant Dieu parle d'abord d'une
manière
et puis d'une autre, mais l'on n'y prend
pas garde :

15 dans le songe, la vision nocturne,

---

b Nulle part Job ne prononce précisément les paroles rapportées dans les versets 9-11, mais Elihou
y résume la teneur générale de ses propos

32.8 l'inspiration du Tout-Puissant Gn 41.38-39; Dn 1.17; *Dn grec* 13.45. **32.9** l'âge ne rend
pas sage *Sg* 4.8-9; *Dn grec* 13.52-53. **32.11** j'écoutais vos raisonnements *Si* 5.11; Jc 1.19.
32.12 réfuter une opinion 35.4; Tt 1.9. **32.13** Dieu seul peut triompher 36.22; Gn 41.16;
Dn 2.27-28. **32.18-19** obligé de parler Jr 20.9. **32.19** les outres neuves Mt 9.17 par.
32.21-22 favoriser et flatter 13.7-10; Pr 29.5. **33.4** le souffle de Dieu 27.3+. **33.6** pétri
d'argile 10.8+. **33.7** la terreur d'Elihou 13.21; cf. 6.4+. **33.9** je suis sans péché 11.4;
16.17. **33.10** traité en ennemi 19.11. **33.11** Dieu épie l'homme 7.19+. **33.13** en procès contre
Dieu 9.3+. **33.15** Dieu parle par des songes 4.13+; Gn 41.25; 1 R 3.5; Dn 7.1.

lorsqu'une torpeur accable les humains,
endormis sur leur couche.

16 Alors il ouvre l'oreille des humains
et y scelle les avertissements qu'il leur
adresse,

17 afin de détourner l'homme de ses actes,
d'éviter l'orgueil au héros.

18 Ainsi il préserve son existence de la
fosse
et l'empêche d'offrir sa vie au javelot.

19 Parfois, il le réprimande dans son lit
par la douleur
et la lutte n'a de cesse dans ses os.

20 Le pain lui donne la nausée,
il n'a plus d'appétit pour la bonne
chère.

21 Il dépérit à vue d'œil,
ses os qu'on ne voyait pas deviennent
saillants.

22 Alors son existence frôle la fosse,
et sa vie est livrée aux exterminateurs.

23 Mais s'il se trouve pour lui un *ange,
un interprète entre mille
pour faire connaître à l'homme son
devoir,

24 qu'il ait compassion de lui et dise :
« Exempte-le de descendre dans la
fosse,
j'ai découvert une rançon ! »

25 Alors sa chair retrouve la sève de la
jeunesse,
il revient aux jours de son adolescence,

26 il invoque Dieu qui se plaît en lui,
criant de joie il voit la face
de celui qui rend à l'homme sa justice ;

27 il chante devant les hommes en disant :
« J'avais péché, j'avais violé le droit,
mais lui ne s'est pas conduit comme
moi.

28 Il a racheté mon existence au bord de
la fosse
et ma vie contemplera la lumière ! »

29 Vois, tout cela Dieu l'accomplit,
deux fois, trois fois pour l'homme,

30 pour retirer son existence de la fosse,
pour l'illuminer de la lumière des
vivants.

31 Sois attentif, Job, écoute-moi ;
tais-toi, c'est moi qui parlerai.

32 Si tu as des mots pour répondre,
parle, car je voudrais te trouver juste ;

33 sinon, c'est à toi de m'écouter.
Tais-toi, je vais t'apprendre la sagesse.

Elihou considère les sages comme incompétents

34 1 Alors Elihou reprit et dit :

2 Ecoutez, sages, mes discours,
et vous, savants, prêtez-moi l'oreille.

3 Car c'est à l'oreille d'apprécier les
discours
comme au palais de goûter les mets.

4 A nous de discerner ce qui est juste ;
reconnaissons donc entre nous ce qui
est bien.

5 Job n'a-t-il pas dit : « Je suis juste c,
mais Dieu me dénie justice ;

6 quand je cherche justice, je passe pour
menteur.
Une flèche m'a blessé à mort, sans
que j'aie péché » ?

7 Y a-t-il un brave comme Job ?
Il boit le sarcasme comme de l'eau.

8 Il chemine de pair avec les malfaiteurs
et fait route avec les méchants.

9 N'a-t-il pas dit : « L'homme ne gagne
rien
à se plaire en Dieu » ?

10 Ecoutez-moi donc, hommes sensés!
Loin de Dieu la méchanceté,
loin du Puissant la perfidie.

11 Car il rend à l'homme selon ses
œuvres
et traite chacun selon sa conduite.

12 Non, en vérité, Dieu n'agit pas méchamment,
le Puissant ne viole pas le droit.

13 Est-ce quelqu'un d'autre qui lui a
confié la terre,
est-ce quelqu'un d'autre qui l'a chargé
du monde entier ?

14 S'il ne pensait qu'à lui-même,
s'il concentrait en lui son souffle et son
haleine,

---

c Voir 33.9 et la note

33.18 menacé du javelot 27.22+.   **33.19** Dieu réprimande par la douleur 5.17-18; 30.17; 36.15; cf. 2 Co 12.5-10.   **33.21** la maigreur 16.8+.   **33.23** l'ange médiateur 16.19; 19.25; Dn 9.21-23; Tb 12.12; Ap 8.3-4.   **33.25** le rétablissement 29.18-20; Ps 103.5.   **33.26** voir la face de Dieu 19.27+.   **33.27** le pardon Ps 103.10; Rm 6.23.   **33.30** Dieu arrache l'homme à la tombe Es 38.17; Jon 2.7; Ps 103.4.   **33.33** la sagesse 28.12+.   **34.5** je suis juste 31.6+ — Dieu dénie justice 27.2+.   **34.6** blessé par une flèche 6.4+.   **34.9** aucun profit à servir Dieu cf. 21.7-12.   **34.11** Dieu nous traite d'après notre conduite Jr 32.19; Pr 24.12; Mt 16.27+.   **34.12** Dieu ne viole pas le droit 8.3+; 27.2+.   **34.14** Dieu maître de la vie 12.10+; Ps 104.29; Qo 12.7.

¹⁵ toute chair expirerait à la fois
et l'homme retournerait en poussière.
¹⁶ Puisque tu as de l'intelligence, écoute
ceci,
prête l'oreille au son de mes discours.
¹⁷ Un ennemi de la justice pourrait-il
régner ?
Oses-tu condamner le Juste, le Très-
Noble ?
¹⁸ Dit-on au roi : « Vaurien » ?
Traite-t-on les grands de criminels ?
¹⁹ Lui seul ne favorise pas les princes
et ne fait pas plus de cas du richard
que du pauvre,
car tous sont l'œuvre de ses mains.
²⁰ En un instant, ils meurent en pleine
nuit,
le peuple s'agite et ils disparaissent,
on écarte un potentat sans qu'une main
se lève.
²¹ Car Dieu a les yeux sur la conduite
de l'homme,
il observe tous ses pas.
²² Ni les ténèbres ni l'ombre de mort
ne peuvent dissimuler les malfaiteurs.
²³ Il n'a pas besoin d'épier longtemps
l'homme
pour que celui-ci comparaisse devant
lui en jugement.
²⁴ Sans enquête, il brise les nobles
et en met d'autres à leur place.
²⁵ C'est qu'il évente leurs manœuvres ;
en une nuit il les renverse, les voilà
écrasés.
²⁶ Comme des criminels, il les soufflette
en public.
²⁷ C'est qu'ils n'ont plus voulu le suivre,
qu'ils ont ignoré tous ses chemins,
²⁸ jusqu'à faire monter vers lui le cri du
pauvre ;
et le cri des opprimés, lui l'entend.
²⁹ Mais s'il reste impassible, qui le condamnera,
s'il cache sa face, qui le percera à nu ?
Il veille pourtant sur les nations
comme sur les hommes,
³⁰ ne voulant pas que règne l'impie,
ni que l'on tende des pièges au peuple.

³¹ Mais si quelqu'un dit à Dieu :
« J'ai expié, je ne ferai plus le mal.
³² Ce qui échappe à ma vue, montre-le-
moi toi-même ;
si j'ai agi en pervers, je ne récidiverai
pas. »
³³ Selon toi, devrait-il punir ?.... Je sais
que tu t'en moques ᵈ.
Ainsi en as-tu décidé, toi, mais pas moi.
Dis quand même ce que tu en sais.
³⁴ Les hommes sensés me diront,
comme tout homme sage qui m'écoute :
³⁵ « Ce grand parleur de Job n'y connaît
rien,
il discourt sans rime ni raison. »
³⁶ Je veux qu'on soumette Job à la
question, jusqu'à ce qu'il cède,
sur ses propos dignes d'un mécréant ;
³⁷ car à sa faute il ajoute la révolte,
il sème le doute parmi nous
et accumule ses remontrances contre
Dieu.

Elihou accuse Job d'être insensé

35 ¹ Alors Elihou reprit et dit :

² Prétends-tu être dans ton droit
quand tu dis : « Je suis plus juste que
Dieu ᵉ »?
³ Puisque tu déclares : « Que t'importe,
et quel profit pour moi à ne pas
pécher ? »
⁴ Moi je te réfuterai par mes discours,
toi et tes amis du même coup.
⁵ Considère les *cieux et vois,
contemple les nues, comme elles te
dominent !
⁶ Si tu pèches, le touches-tu ?
Multiplie tes révoltes, que lui fais-tu ?
⁷ Si tu es juste, en profite-t-il,
reçoit-il de toi quelque chose ?
⁸ Ta méchanceté n'atteint que tes semblables,
ta justice ne profite qu'à des hommes.
⁹ On gémit sous les excès de l'oppression,

d Voir 7.16 ● *e* Cette fois, Elihou dépasse la pensée et les paroles de Job (voir 33.9 et la note)

34.15 retour à la poussière Gn 3.19; Qo 12.7.   **34.17** Dieu n'est pas ennemi de la justice Gn 18.25.   **34.18** vaurien 2 S 16.7.   **34.19** impartialité de Dieu Dt 10.17; cf. Lv 19.15.   **34.20** mort soudaine Ex 12.29; Sg 18.14-16; Lc 12.20.   **34.21** Dieu veille sur notre conduite 24.23; 31.4; Jr 32.19; Ps 33.14-15.   **34.22** Dieu voit même dans les ténèbres Ps 139.11-12.   **34.23** Dieu épie l'homme 7.19+.   **34.24** Dieu destitue et institue 12.19; 34.20; 1 S 16.1; Dn 4.14; Lc 1.52.   **34.26** souffleter en public cf. Mt 26.67 par.; Jn 18.22; Ac 23.2-3.   **34.28** Dieu entend le cri des opprimés Ex 2.23-24; 1 S 9.16; Jc 5.4.   **34.36** soumettre à la question 19.28.   **35.2** plus juste que Dieu 4.17+.   **35.3** quel profit à ne pas pécher 7.20+.   **35.4** réfuter une opinion 32.12+; 32.14.   **35.5** les cieux qui nous dominent Gn 15.5; Es 55.9.   **35.6** le péché n'atteint pas Dieu 7.20+.   **35.7** Dieu ne gagne rien à notre justice 22.3+.   **35.9-13** Dieu n'entend pas les cris des opprimés 24.12+; cf. 34.28+.

on crie sous la poigne des grands.
10 Mais nul ne dit : « Où est Dieu qui m'a fait ?

Lui qui inspire des chants dans la nuit,
11 qui nous dresse mieux que les bêtes de la terre
et nous rend plus sages que les oiseaux du ciel. »
12 Alors on crie, mais lui ne répond pas, à cause de l'orgueil des méchants.
13 Il n'y a que les paroles creuses que Dieu n'écoute pas,
que le Puissant ne perçoit pas.

14 Or, tu oses dire que tu ne l'aperçois pas,
que ta cause lui est soumise et que tu es là à l'attendre.
15 Mais maintenant, si sa colère n'intervient pas
et s'il ignore cette débauche de paroles,
16 c'est que Job ouvre la bouche à vide
et accumule des discours insensés.

Elihou exalte la toute-puissance de Dieu

36 1 Puis Elihou continua et dit :

2 Supporte-moi un moment, je vais t'instruire.
Il y a d'autres choses à dire en faveur de Dieu.
3 Je vais tirer ma science de loin
pour justifier celui qui m'a fait.
4 Car certes mes discours ne mentent pas,
et c'est un homme au savoir sûr qui est près de toi.

5 Vois la noblesse de Dieu ! Lui ne dirait pas : « Je m'en moque f »,
il est Très-Noble par la fermeté de ses décisions.
6 Il ne laisse pas en vie le méchant
mais fait justice aux opprimés.
7 Il ne détourne pas ses yeux des justes.
Sont-ils avec les rois sur le trône
où il les a établis pour toujours ? Eux s'en grisent.
8 Et s'ils se trouvent prisonniers dans les chaînes,
s'ils sont pris dans les liens de l'oppression,

9 c'est qu'il a voulu dénoncer devant eux leurs œuvres
et leurs révoltes quand ils jouaient au héros.
10 Il a ouvert leur oreille à sa semonce
et leur a dit de se détourner du désordre.
11 S'ils écoutent et se soumettent,
ils achèveront leurs jours dans le bonheur
et leurs années dans les délices.
12 Mais s'ils n'écoutent pas, ils s'offriront au javelot
et expireront sans s'en rendre compte.
13 Quant aux impies endurcis dans leur colère,
eux n'imploreront pas, lorsqu'il les enchaîne.
14 Leur existence s'éteint en pleine jeunesse
et leur vie s'achève parmi les prostitués g.
15 Mais l'opprimé, il le sauve par l'oppression,
et par la détresse il lui ouvre l'oreille.

16 Toi aussi, il a voulu te faire passer de la contrainte
aux grands espaces où rien ne gêne,
et la table qu'on t'y servira sera chargée de mets savoureux.
17 Mais si tu encours un verdict de condamnation,
verdict et jugement l'emporteront.
18 Que la menace du châtiment ne te pousse pas à la révolte !
Tu peux te soudoyer beaucoup ? Ne te fourvoie pas !
19 Tes richesses suffiront-elles ? Les lingots pas plus,
ni toutes les ressources de la force.
20 Ne soupire pas après cette nuit
où les peuples seront déracinés.
21 Garde-toi de te tourner vers le désordre
que tu préférerais à l'oppression h.

22 Vois, Dieu est souverain dans sa puissance,
quel maître enseignerait mieux ?
23 Quelqu'un inspecte-t-il sa conduite,
quelqu'un lui dit-il : « Tu commets le mal » ?
24 Songe à célébrer son œuvre

---

f Voir 7.16 et 34.33 ● g Voir 1 R 14.24 et la note ● h Le texte des versets 18-21 est obscur et la traduction incertaine

35.13 Dieu n'écoute pas les paroles creuses 6.26. **35.14** Dieu inaccessible 9.11+. **36.5** je m'en moque 7.16; 34.33. **36.6** Dieu fait justice 34.12+. **36.7-11** Dieu détrône les rois 34.24+; Dn 4.25-34; 2 Ch 33.9-13. **36.12** menacé du javelot 27.22+. **36.15** la détresse ouvre l'oreille 5.18+. **36.16** Dieu te mettra au large Gn 26.22; Ps 18.20. **36.22-23** qui pourrait conseiller Dieu 38.3; 40.7; Es 40.13-14.

que chantent les hommes.
²⁵ Tous les humains la contemplent,
de loin le mortel la distingue.

²⁶ Vois, Dieu est grand et nous ne comprenons pas.
Le nombre de ses ans est incalculable.
²⁷ Il attire les gouttes d'eau,
puis les filtre en pluie pour son déluge
²⁸ que les nues déversent
et répandent sur les foules des hommes.
²⁹ Qui prétendrait comprendre le déploiement des nuages,
et le tonnerre de sa voûte ?
³⁰ Vois, il a déployé sur eux sa foudre
et il a submergé les fondations de l'océan.
³¹ C'est par eux qu'il juge *i* les peuples
et donne la nourriture en abondance.
³² Ses deux paumes, il les a couvertes de foudre,
et à celle-ci il a assigné une cible.
³³ Son tonnerre annonce sa venue,
les troupeaux même pressentent son approche.

37 ¹ Mon cœur aussi en frémit
et bondit hors de sa place.
² Ecoutez, écoutez donc vibrer sa voix,
et le grondement qui sort de sa bouche.
³ Sous tous les cieux il le répercute
et sa foudre frappe les extrémités de la terre.
⁴ Puis son rugissement retentit,
sa majesté tonne à pleine voix,
et il ne retient plus les éclairs
dès que sa voix s'est fait entendre.
⁵ Dieu tonne à pleine voix ses miracles,
il en fait de grandioses qui nous échappent.

⁶ Quand il dit à la neige : « Tombe sur la terre »,
quand il déclenche les averses,
les averses torrentielles,
⁷ il met sous scellés la main de chacun *j*
pour que les hommes qu'il a faits
prennent conscience.

⁸ La bête rentre en sa tanière
et se tapit dans son gîte.
⁹ L'ouragan, lui, sort de sa cellule,
et de la bise vient le gel.
¹⁰ Au souffle de Dieu se forme la glace
et les étendues d'eau se prennent.
¹¹ Puis le beau temps emporte les nuages
et disperse les nuées chargées d'éclairs.
¹² C'est lui qui les fait tournoyer en cercles
pour qu'elles accomplissent, selon ses desseins,
tout ce qu'il leur commande sur tout l'univers.
¹³ Qu'il s'agisse d'accabler ou d'arroser la terre
ou de la bénir, c'est eux qu'il délègue.

¹⁴ Prête l'oreille à cela, Job,
arrête-toi et considère les miracles de Dieu.
¹⁵ Lorsque Dieu les projette, le sais-tu ?
Sais-tu quand il fait briller la foudre dans sa nuée ?
¹⁶ Sais-tu l'équilibre des nuages,
merveilles d'un savoir sûr ?
¹⁷ Toi dont les vêtements sont trop chauds
quand la terre s'alanguit sous le vent du midi,
¹⁸ l'assistais-tu pour laminer les nues,
solides comme un miroir de métal *k* ?

¹⁹ Apprends-moi ce que nous pourrions lui dire !
— Mais nous ne pourrons argumenter
à cause des ténèbres.
²⁰ Quand je parle, faut-il qu'on l'en avise ?
Faut-il le lui dire pour qu'il en soit informé ?

²¹ Soudain, on ne voit plus la lumière,
elle est obscurcie par les nues,
puis un vent a soufflé et les a balayées.
²² Du Nord arrive une clarté d'or,
autour de Dieu, une effrayante splendeur.

---

i Autres traductions *il dirige* ou *il gouverne;* les nuages et la pluie sont des moyens que Dieu utilise pour montrer qu'il domine le monde (voir 1 R 17.1) ● *j il met sous scellés...*: autre traduction *il paralyse l'activité des hommes* ● *k* Allusion à une conception ancienne selon laquelle le ciel était une voûte solide

36.26 grandeur incompréhensible de Dieu Ps 145.3 — son âge incalculable Dn 7.9. **36.27—37.24** les phénomènes météorologiques 38.22-38; Ps 147.16-18; Si 43.13-22. **36.29** le déploiement des nuages Ps 18.10-15. **36.30** submerger les fondations de l'océan cf. Ps 18.16. **36.31** Dieu donne la nourriture Ps 104, 13-15. **37.2** le tonnerre, voix de Dieu Ex 19.16-19; Ps 29; Jn 12.28-29. **37.3** la foudre frappe les extrémités de la terre Mt 24.27 par. **37.11** les nuages dispersés 37.21. **37.14** considère les miracles de Dieu Ps 8.4; 111.2-4. **37.20** faut-il informer Dieu Ps 139.4. **37.21** le vent balaie les nuages 26.13; 37.11. **37.22** une effrayante splendeur Ex 24.16-17; Ez 1.4-28; Mt 17.2 par.

²³ C'est le Puissant que nous ne pouvions
   atteindre,
suprême en force et en équité,
il n'opprime pas celui en qui la justice
   abonde.

²⁴ C'est pourquoi les hommes le craignent,
mais lui ne tient pas compte de ceux
   qui se croient sages.

DIALOGUE ENTRE DIEU ET JOB

38 ¹ Le SEIGNEUR répondit alors à Job
         du sein de l'ouragan et dit :
² Qui est celui qui dénigre la providence
   par des discours insensés ?
³ Ceins donc tes reins *l*, comme un
   brave :
je vais t'interroger et tu m'instruiras.

Les merveilles de la création

⁴ Où est-ce que tu étais quand je fondai
   la terre ?
Dis-le-moi puisque tu es si savant.
⁵ Qui en fixa les mesures, le saurais-tu ?
Ou qui tendit sur elle le cordeau ?
⁶ En quoi s'immergent ses piliers *m*,
et qui donc posa sa pierre d'angle
⁷ tandis que les étoiles du matin chantaient en chœur
et tous les Fils de Dieu *n* crièrent
   hourra ?

⁸ Quelqu'un ferma deux battants sur
   l'Océan
quand il jaillissait du sein maternel,
⁹ quand je lui donnais les brumes pour
   se vêtir,
et le langeais de nuées sombres.
¹⁰ J'ai brisé son élan par mon décret,
j'ai verrouillé les deux battants
¹¹ et j'ai dit : « Tu viendras jusqu'ici,
   pas plus loin ;
là s'arrêtera l'insolence de tes flots ! »
¹² As-tu, un seul de tes jours, commandé
   au matin,
et assigné à l'aurore son poste,

¹³ pour qu'elle saisisse la terre par ses
   bords
et en secoue les méchants *o* ?
¹⁴ La terre alors prend forme comme
   l'argile sous le sceau,
et tout surgit, chamarré *p*.
¹⁵ Mais les méchants y perdent leur
   lumière
et le bras qui s'élevait est brisé.

¹⁶ Es-tu parvenu jusqu'aux sources de la
   mer,
as-tu circulé au fin fond de l'*abîme ?
¹⁷ Les portes de la mort te furent-elles
   montrées ?
As-tu vu les portes de l'ombre de
   mort ?
¹⁸ As-tu idée des étendues de la terre ?
Décris-la, toi qui la connais tout
   entière.

¹⁹ De quel côté habite la lumière,
et les ténèbres, où donc logent-elles
²⁰ pour que tu les accueilles dès leur
   seuil
et connaisses les accès de leur demeure ?
²¹ Tu le sais bien puisque tu étais déjà né
et que le nombre de tes jours est si
   grand !

²² Es-tu parvenu jusqu'aux réserves de
   neige,
et les réserves de grêle, les as-tu vues,
²³ que j'ai ménagées pour les temps de
   détresse,
pour le jour de lutte et de bataille ?
²⁴ De quel côté se diffuse la lumière,
par où le sirocco *q* envahit-il la terre ?

---

l Ceindre ses reins signifie se préparer à affronter quelque chose (en particulier un combat) ● *m* Voir 9.6 et la note ● *n les Fils de Dieu*: voir 1.6 et la note ● *o en secoue les méchants*: comme la maîtresse de maison qui, au matin, secoue une couverture ou un tapis pour en chasser les parasites ● *p* Autre traduction *en habit (de cérémonie)* ● *q* Voir 27.21 et la note

37.24 Dieu ignore les sages 5.13+. **38.1** Dieu au sein de l'ouragan 9.17+ ; cf. 2 R 2.1. **38.3** ceins tes reins 40.7. **38.4** où étais-tu aux origines 15.7+. **38.5** tendre le cordeau pour mesurer Jr 31.38-39 ; Za 1.16 ; Ap 11.1-2. **38.6** les piliers de la terre 9.6 ; 1 S 2.8 ; Ps 104.5 — la pierre d'angle Ps 118.22 ; Mt 21.42 par. ; 1 P 2.6-7. **38.7** le chant des étoiles Za 4.7 ; *Ba* 3.34-35 ; cf. Lc 19.40. **38.8-11** l'Océan 7.12. **38.11** les limites de la mer Jr 5.22 ; Ps 104.9 ; Pr 8.29. **38.16** au fond de l'abîme Jon 2.7. **38.17** les portes du séjour des morts 10.21 ; Es 38.10 ; Ps 107.18 ; *Sg* 16.13. **38.21** tu étais déjà né 15.7+. **38.22-38** les phénomènes météorologiques 36.27—37.24+. **38.22-23** la grêle Ex 9.18-26 ; Jos 10.11 ; Es 30.30 ; Ps 78.47 ; Ap 16.21. **38.24** le vent violent Ex 14.21 ; Ps 48.8 ; Ac 27.20.

25 Qui a creusé des gorges pour les torrents d'orage
et frayé la voie à la nuée qui tonne,
26 pour faire pleuvoir sur une terre sans hommes,
sur un désert où il n'y a personne,
27 pour saouler le vide aride,
en faire germer et pousser la verdure ?
28 La pluie a-t-elle un père ?
Qui engendre les gouttes de rosée ?
29 Du ventre de qui sort la glace ?
Qui enfante le givre des cieux ?
30 Alors les eaux se déguisent en pierre *r*
et la surface de l'abîme se prend.

31 Peux-tu nouer les liens des Pléiades
ou desserrer les cordes d'Orion,
32 faire apparaître les signes du zodiaque en leur saison,
conduire l'Ourse *s* avec ses petits ?
33 Connais-tu les lois des cieux,
fais-tu observer leur charte sur terre ?
34 Te suffit-il de crier vers les nuages
pour qu'une masse d'eau t'inonde ?
35 Est-ce quand tu les lâches que partent les éclairs
en te disant : Nous voici ?
36 Qui a mis dans l'ibis la sagesse,
donné au coq l'intelligence *t* ?
37 Qui s'entend à dénombrer les nues
et incline les outres des cieux
38 tandis que la poussière se coule en limon
et que prennent les mottes ?

Les merveilles du monde animal

39 Est-ce toi qui chasses pour la lionne une proie
et qui assouvis la voracité des lionceaux
40 quand ils sont tapis dans leurs tanières,
ou s'embusquent dans les fourrés ?
41 Qui donc prépare au corbeau sa provende
quand ses petits crient vers Dieu
et titubent d'inanition ?

39 1 Sais-tu le temps où enfantent les bouquetins ?

As-tu observé les biches en travail,
2 as-tu compté les mois de leur gestation,
et su l'heure de leur délivrance ?
3 Elles s'accroupissent, mettent bas leurs petits
et sont quittes de leurs douleurs.
4 Leurs faons prennent force et grandissent à la dure,
ils partent et ne leur reviennent plus.
5 Qui mit en liberté l'âne sauvage,
qui délia les liens de l'onagre *u*
6 auquel j'ai assigné la steppe pour maison,
la terre salée pour demeure ?
7 Il se rit du vacarme des villes
et n'entend jamais l'ânier vociférer.
8 Il explore les montagnes, son pâturage,
en quête de la moindre verdure.
9 Le bison consentira-t-il à te servir,
passera-t-il ses nuits à ton étable ?
10 L'astreindras-tu à labourer,
hersera-t-il derrière toi les vallons ?
11 Est-ce parce que sa force est grande
que tu lui feras confiance
et que tu lui abandonneras ta besogne ?
12 Compteras-tu sur lui pour rentrer ton grain,
pour engranger ta récolte ?
13 L'aile de l'autruche bat allègrement,
mais que n'a-t-elle les pennes de la cigogne *v* et ses plumes ?
14 Quand elle abandonne par terre ses œufs,
et les laisse chauffer sur la poussière,
15 elle a oublié qu'un pied peut les écraser,
une bête sauvage les piétiner.
16 Dure pour ses petits comme s'ils n'étaient pas les siens,
elle ne s'inquiète pas d'avoir peiné en pure perte.
17 C'est que Dieu lui a refusé la sagesse
et ne lui a pas départi l'intelligence.
18 Mais dès qu'elle se dresse et s'élance,
elle se rit du cheval et du cavalier.
19 Est-ce toi qui donnes au cheval la bravoure,

---

r C'est-à-dire que l'eau devient glace ● *s* les *Pléiades, Orion* (v. 31), *l'Ourse*: voir 9.9 et la note ● *t* En Egypte, l'*ibis* était l'oiseau considéré comme capable d'annoncer la crue du Nil; quant au *coq*, on pensait qu'il prédisait l'arrivée des pluies d'automne ● *u* onagre: autre nom de l'*âne sauvage* ● *v* En hébreu, le nom de *la cigogne* signifie aussi *la fidèle;* le Seigneur l'oppose à *l'autruche,* qui *abandonne ses œufs* (v. 14)

38.31 Dieu maître des astres 9.9+. **38.34** crier vers les nuages 1 R 17.1; 18.41-45. **38.35** nous voici cf. *Ba* 3.34-35. **38.39-41** Dieu nourrit les animaux sauvages Ps 104.21; 147.9. **39.1** bouquetin 1 S 24.3; Ps 104.18 — biche en travail Ps 29.9. **39.5** âne sauvage, onagre 6.5; 11.12; 24.5; Gn 16.12; Os 8.9. **39.6** terre salée Jr 17.6. **39.7** n'entend pas l'ânier vociférer cf. Es 14.8. **39.9** le bison Ps 22.22. **39.11** sa grande force Nb 23.22; Dt 33.17; Ps 92.11. **39.13** l'autruche Lv 11.16; Es 13.21; Mi 1.8 — la cigogne Jr 8.7; Ps 104.17. **39.16** dure pour ses petits Lm 4.3. **39.19** la force du cheval Ps 33.17; 147.10.

qui revêts son cou d'une crinière,
²⁰ qui le fais bondir comme la sauterelle ?
Son fier hennissement est terreur.
²¹ Exultant de force, il piaffe dans la vallée
et s'élance au-devant des armes.
²² Il se rit de la peur, il ignore l'effroi,
il ne recule pas devant l'épée.
²³ Sur lui résonnent le carquois,
la lance étincelante et le javelot.
²⁴ Frémissant d'impatience, il dévore l'espace,
il ne se tient plus dès que sonne la trompette.
²⁵ A chaque coup de trompette, il dit : Aha !
De loin, il flaire la bataille,
tonnerre des chefs et cri de guerre.

²⁶ Est-ce par ton intelligence que s'emplume l'épervier
et qu'il déploie ses ailes vers le sud *w* ?
²⁷ Est-ce sur ton ordre que l'aigle s'élève
et bâtit son aire sur les sommets ?
²⁸ Il habite un rocher et il gîte
sur une dent de roc inexpugnable.
²⁹ De là, il épie sa proie,
il plonge au loin son regard.
³⁰ Ses petits s'abreuvent de sang,
là où il y a charnier, il y est.

40 ¹ Le SEIGNEUR apostropha alors Job et dit :

² Celui qui dispute avec le Puissant a-t-il à critiquer ?
Celui qui ergote avec Dieu, voudrait-il répondre ?

Première réponse de Job

³ Job répondit alors au SEIGNEUR et dit :
⁴ Je ne fais pas le poids, que te répliquerai-je ?
Je mets la main sur ma bouche.

⁵ J'ai parlé une fois, je ne répondrai plus,
deux fois, je n'ajouterai rien.

Le Seigneur interroge de nouveau Job

⁶ Le SEIGNEUR répondit alors à Job du sein de l'ouragan et dit :
⁷ Ceins donc tes reins, comme un brave.
Je vais t'interroger et tu m'instruiras.
⁸ Veux-tu vraiment casser mon jugement,
me condamner pour te justifier ?
⁹ As-tu donc un bras comme celui de Dieu,
ta voix est-elle un tonnerre comme le sien ?
¹⁰ Allons? pare-toi de majesté et de grandeur,
revêts-toi de splendeur et d'éclat !
¹¹ Epanche les flots de ta colère,
et d'un regard abaisse tous les hautains,
¹² D'un regard fais plier tous les hautains,
écrase sur place les méchants.
¹³ Enfouis-les pêle-mêle dans la poussière,
bâillonne-les dans les oubliettes.
¹⁴ Alors moi-même je te rendrai hommage,
car ta droite t'aura valu la victoire.

Le « Bestial » ou l'hippopotame

¹⁵ Voici donc le Bestial *x*. Je l'ai fait comme je t'ai fait.
Il mange de l'herbe, comme le bœuf.
¹⁶ Vois quelle force dans sa croupe
et cette vigueur dans les muscles de son ventre !
¹⁷ Il raidit sa queue comme un cèdre,
ses cuisses sont tressées de tendons.
¹⁸ Ses os sont des tubes de bronze,
ses côtes du fer forgé.
¹⁹ C'est lui le chef-d'œuvre de Dieu,

---

w Allusion aux migrations annuelles des oiseaux *vers le sud;* ou au fait, encore observé au moyen âge, que l'épervier s'exposait au vent du *sud* pour que la chaleur facilite le renouvellement de son plumage ● *x* Animal fabuleux, décrit sous les traits de l'hippopotame. Il symbolise la force brutale, et souligne ainsi la toute-puissance de son créateur

39.20 comme la sauterelle cf. Jl 2.4-5.   39.24 l'impatience du cheval Za 6.6-7 — la sonnerie de trompette Nb 10.9.   39.26 l'épervier Lv 11.16 — l'aigle 9.26; Dt 28.49; Pr 23.5.   39.27 son aire sur les sommets Jr 49.16; Ab 4.   39.30 l'aigle au charnier Mt 24.28; Lc 17.37. 40.2 disputer avec Dieu 9.3+ — veux-tu répondre 38.3.   40.4 je ne fais pas le poids Gn 18.27-32; Es 6.5 — la main sur ta bouche 21.5+.   40.6 au sein de l'ouragan 9.17+.   40.7 ceins tes reins 38.3.   40.8 pour te justifier 4.17+.   40.9 le bras de Dieu Ps 89.10-14; Lc 1.51 — le tonnerre, voix de Dieu 37.2-5.   40.10 vêtu de majesté et d'éclat Ps 93.1; 104.1-2.   40.11 les flots de colère Na 1.6 — abaisser les hautains Es 2.11-18; Pr 29.23.   40.13 dans les oubliettes Es 14.9-15. 40.14 rendre hommage cf. Ps 7.18; 18.50 — la droite qui donne la victoire Ps 138.7.   40.15 Dieu les a faits les deux Gn 2.7, 19; Qo 3.19-21.   40.19 le chef-d'œuvre de Dieu Pr 8.22 — la menace du glaive Gn 3.24.

mais son auteur le menaça du glaive.

20 Aussi est-ce du foin que lui servent
   les montagnes,
   et autour de lui se jouent les bêtes
   des champs.
21 Il se couche sous les jujubiers,
   sous le couvert des roseaux et des
   marais.
22 Les jujubiers *y* le protègent de leur
   ombre,
   les peupliers de la rivière l'entourent.
23 Le fleuve se déchaîne, mais lui ne
   s'émeut pas.
   Un Jourdain lui jaillirait à la gueule
   sans qu'il bronche.
24 Quelqu'un pourtant lui fera front et
   s'emparera de lui,
   l'entravera et lui percera le naseau.

Le « Tortueux » ou le crocodile

25 Et le Tortueux *z*, vas-tu le pêcher à
   l'hameçon
   et de ta ligne le ferrer à la langue ?
26 Lui passeras-tu un jonc dans le
   naseau,
   perceras-tu d'un croc sa mâchoire ?
27 Est-ce toi qu'il pressera de supplications,
   te dira-t-il des tendresses ?
28 S'engagera-t-il par contrat envers toi,
   le prendras-tu pour esclave à vie ?
29 Joueras-tu avec lui comme avec un
   passereau,
   le tiendras-tu en laisse pour tes filles ?
30 Vous associez-vous pour le mettre aux
   enchères ?
   Le débitera-t-on entre marchands ?
31 Vas-tu cribler sa peau de dards,
   puis sa tête de harpons ?
32 Pose donc la main sur lui ;
   au souvenir de la lutte, tu ne recommenceras plus !

41 1 Vois, devant lui l'assurance n'est
   qu'illusion,
   sa vue seule suffit à terrasser.
2 Nul n'est assez téméraire pour
   l'exciter.

Qui donc alors oserait me tenir tête ?
3 Qui m'a fait une avance qu'il me faille
   rembourser ?
   Tout ce qui est sous les cieux est à
   moi !
4 Je ne tairai pas ses membres,
   le détail de ses exploits, la beauté de
   sa structure.
5 Qui a ouvert par devant son vêtement,
   qui a franchi sa double denture ?
6 Qui a forcé les battants de son mufle ?
   Autour de ses crocs, c'est la terreur !
7 Quel orgueil ! de si solides boucliers *a* !
   bien clos, scellés, pressés !
8 L'un touche l'autre,
   et un souffle ne s'y glisserait pas.
9 Chacun colle à son voisin,
   ils s'agrippent, inséparables.
10 De ses éternuements jaillit la lumière,
   ses yeux sont comme les pupilles de
   l'aurore.
11 De sa gueule partent des éclairs,
   des étincelles de feu s'en échappent.
12 Une fumée sort de ses naseaux,
   comme d'une marmite bouillante ou
   d'un chaudron.
13 Son haleine embrase les braises,
   de sa gueule sortent des flammes.
14 Dans son cou réside la force,
   devant lui bondit l'épouvante.
15 Les fanons de sa chair sont massifs,
   ils ont durci sur lui, inébranlables.
16 Son cœur a durci comme la pierre,
   il a durci comme la meule de
   dessous *b*.
17 Quand il se dresse, les dieux prennent
   peur,
   la panique les débande.
18 L'épée l'atteint sans trouver prise.
   Lance, javeline, flèche...
19 Il tient le fer du chaume
   et le bronze pour du bois pourri.
20 Les traits de l'arc ne le font pas fuir,
   pour lui, les pierres de fronde se
   changent en paille.
21 La massue lui semble une paille
   et il se rit du sifflement des sagaies.

---

y jujubier: buisson épineux et fourni qui prospère dans les lieux humides ● *z* Autre animal fabuleux
(monstre crachant du feu, 41.13), décrit sous les traits du crocodile. Il sert aussi à souligner la
toute-puissance de son créateur. Comparer 3.8 et la note ● *a* Il s'agit des écailles du crocodile ●
b la meule de dessous: partie inférieure du moulin familial servant à moudre le grain; elle était
faite d'une pierre très dure

40.21 parmi les roseaux Ps 68.31. **40.25** le Tortueux (ou Léviathan) 3.8+ ; 26.13; cf. Ez 29.3-5;
32.2-8. **40.26** attraper avec un croc Ez 19.4, 9; cf. Es 37.29. **40.28** pas de contrat avec lui cf.
5.23 — esclave 39.10. **40.29** jouet comme un passereau Mt 10.29-31; Lc 12.6-7. **40.30** le débiter
entre marchands cf. Ez 32.4-5. **41.2** qui oserait tenir tête à Dieu 9.4; 40.4; Lv 26.21, 23,
27; Na 1.6. **41.3** qui pourrait prêter à Dieu Rm 11.35 — tout est à Dieu 34.13; Ex 19.5;
Dt 10.14; 1 Co 10.26+; cf. 1 Co 3.21-23. **41.7** comme des boucliers 15.26. **41.11-13** il crache
du feu Ps 18.9; Ap 9.17-18. **41.16** le cœur dur comme pierre cf. Ez 11.19; 36.26.

²² Il a sous lui des tessons aigus,
comme une herse, il se traîne sur la
vase.
²³ Il fait bouillonner le gouffre comme
une chaudière,
il change la mer en brûle-parfums.
²⁴ Il laisse un sillage de lumière,
l'*abîme a comme une toison blanche.
²⁵ Sur terre, nul n'est son maître.
Il a été fait intrépide.
²⁶ Il brave les colosses,
il est roi sur tous les fauves.

Seconde réponse de Job

42 ¹ Job répondit alors au SEIGNEUR
et dit :

² Je sais que tu peux tout
et qu'aucun projet n'échappe à tes
prises.
³ « Qui est celui qui dénigre la providence
sans y rien connaître ? »
Eh oui ! j'ai abordé, sans le savoir,
des mystères qui me confondent.
⁴ « Ecoute-moi », disais-je, « à moi la
parole,
je vais t'interroger et tu m'instruiras. »
⁵ Je ne te connaissais que par ouï-dire,
maintenant, mes yeux t'ont vu.
⁶ Aussi, j'ai horreur de moi et je me
désavoue
sur la poussière et sur la cendre.

Le Seigneur réprimande les amis de Job

⁷ Or, après qu'il eut adressé ces paroles à Job, le SEIGNEUR dit à Elifaz de
Témân : « Ma colère flambe contre toi
et contre tes deux amis, parce que vous
n'avez pas parlé de moi avec droiture
comme l'a fait mon serviteur Job.
⁸ Maintenant prenez pour vous sept
taureaux et sept béliers, allez trouver
mon serviteur Job, et offrez-les pour
vous en holocauste ᶜ tandis que mon
serviteur Job intercédera pour vous. Ce
n'est que par égard pour lui que je ne
vous traiterai pas selon votre folie, vous
qui n'avez pas parlé de moi avec droiture
comme l'a fait mon serviteur Job. »
⁹ Elifaz de Témân, Bildad de Shouah et
Çofar de Naama s'en furent exécuter
l'ordre du SEIGNEUR, et le SEIGNEUR eut
égard à Job.

Le Seigneur rétablit la situation de Job

¹⁰ Et le SEIGNEUR rétablit les affaires
de Job tandis qu'il était en intercession
pour son prochain. Et même, le SEIGNEUR
porta au double tous les biens de Job.
¹¹ Ses frères, ses sœurs et ses connaissances d'autrefois vinrent tous alors le
visiter. Ils mangèrent le pain avec lui
dans sa maison. Ils le plaignirent et le
consolèrent de tout le malheur que lui
avait envoyé le SEIGNEUR. Et chacun lui
fit cadeau d'une pièce d'argent et d'un
anneau d'or.
¹² Le SEIGNEUR bénit les nouvelles années de Job plus encore que les premières. Il eut quatorze mille moutons et six
mille chameaux, mille paires de bœufs et
mille ânesses. ¹³ Il eut aussi sept fils et
trois filles. ¹⁴ La première, il la nomma
Tourterelle, la deuxième eut nom Fleur-
de-cannelle et la troisième Ombre-à-paupière ᵈ. ¹⁵ On ne trouvait pas dans tout
le pays d'aussi belles femmes que les
filles de Job, et leur père leur donna une
part d'héritage ᵉ avec leurs frères.
¹⁶ Job vécut encore après cela cent
quarante ans, et il vit ses fils et les fils
de ses fils jusqu'à la quatrième génération. ¹⁷ Puis Job mourut vieux et rassasié
de jours.

---

c Voir au glossaire SACRIFICES ● d En hébreu les trois noms sont *Yemima, Qecia* et *Qéren-
Happouk* — L'ombre-à-paupière (ou kohl) est une crème grasse, de couleur sombre, utilisée pour
se farder les paupières, les cils et les sourcils ● e Selon le droit israélite, les filles ne recevaient
une *part d'héritage* que s'il n'y avait pas de fils, voir Nb 27.1-11

41.22 il se traîne sur la vase Ez 29.3. **41.23** il fait bouillonner le gouffre Ez 32.2; cf. Ps 69.3.
42.2 tu peux tout Mt 19.26+; Mc 9.23; Lc 1.37; Ph 4.13. **42.3** dénigrer la providence 38.2 —
des mystères 11.6. **42.5** mes yeux t'ont vu 19.27+. **42.6** je me désavoue cf. 40.4 — sur la
poussière et la cendre 2.8+. **42.7** parler de Dieu avec droiture 13.7-10; 27.4+. **42.8** par
égard pour Job 22.30; cf. Ez 14.20. **42.9** Dieu a égard à Job Gn 20.17; Es 53.12; Jc 5.16.
42.10 tout à double 8.7; Dt 30.3-5; Ps 90.15. **42.11** ses proches reviennent Pr 14.20; cf.
19.13-14 — consolations 2.11; 21.34; Gn 37.35; Mt 5.4; Jn 11.19 — anneau d'or Gn 24.22.
42.17 mourir vieux 5.26; Gn 25.8.

LES PROVERBES

But du livre

1 ¹ Proverbes de Salomon, fils de David, roi d'Israël,
² destinés à faire connaître la sagesse, à donner l'éducation ᵃ et l'intelligence des sentences pleines de sens,
³ à faire acquérir une éducation éclairée :
justice, équité, droiture ᵇ ;
⁴ à donner aux naïfs la prudence, aux jeunes, connaissance et discernement ;
⁵ — que le sage écoute et il augmentera son acquis,
l'homme intelligent, et il acquerra l'art de diriger —
⁶ destinés à donner l'intelligence des proverbes et énigmes,
des propos des sages et de leurs charades ᶜ.
⁷ La crainte du SEIGNEUR est le principe du savoir ᵈ ;
sagesse et éducation, seuls les fous s'en moquent.

Mise en garde contre les mauvais garçons

⁸ Mon fils, observe la discipline que t'impose ton père
et ne néglige pas l'enseignement de ta mère ;

⁹ car ce sera pour ta tête une couronne gracieuse,
des colliers autour de ton cou.
¹⁰ Mon fils, si des mauvais garçons veulent t'entraîner,
n'accepte pas !
¹¹ S'ils disent : « Viens avec nous, embusquons-nous pour verser le sang !
Par plaisir nous allons surprendre l'innocent !
¹² Nous l'avalerons tout vif comme fait le Monde-d'en-bas ᵉ,
tout entier, tels ceux qui descendent dans la fosse.
¹³ Nous trouverons toutes sortes de biens précieux.
Nous remplirons nos maisons de butin.
¹⁴ Tu tireras ton lot ᶠ avec nous
car il n'y aura qu'une bourse pour nous tous ! »,
¹⁵ mon fils, ne chemine pas avec eux, évite soigneusement les ruelles où ils se tiennent ;
¹⁶ car leurs pieds courent vers le mal, se hâtent pour verser le sang.
¹⁷ — Oui, il est bien inutile de tendre le filet
quand toute la gent ailée le voit ᵍ ! —
¹⁸ Mais eux, c'est à leur propre sang qu'ils tendent une embuscade,
c'est à leur propre vie qu'ils attentent.
¹⁹ Ainsi en va-t-il de quiconque pratique la rapine.
Elle prendra la vie de qui en use.

---

a l'éducation: autre traduction *un enseignement* ● *b* Autre traduction *à faire acquérir des leçons de bon sens, de justice, d'équité et de droiture* ● *c* Après l'exhortation du v. 5 qui interrompt le cours de la phrase, le v. 6 reprend le développement commencé au v. 2 ● *d* Ou *Respecter le Seigneur est le point de départ de la connaissance* ● *e* Ou le **séjour des morts* ● *f* Autre traduction *Tu tireras ta part au sort* ● *g* Ce verset fait ressortir la stupidité de l'attitude des mauvais garçons. Il lui oppose l'attitude du chasseur qui connaît l'inutilité du piège lorsque ceux à qui il est destiné le voient

1.7 crainte du Seigneur et sagesse Pr 9.10+.   **1.8** l'enseignement transmis par la famille Pr 6.20; Ex 13.8; Dt 4.9; Ps 78.5.   **1.12** Monde-d'en-bas Pr 5.5; 7.27; 9.18; Es 14.9.   **1.19** rapine Pr 15.27; Jr 8.10.

Appel et avertissement de la Sagesse

20 La Sagesse *h*, au-dehors, va clamant,
le long des avenues elle donne de la
voix.
21 Dominant le tumulte elle appelle ;
à proximité des portes, dans la ville
elle proclame *i* :
22 « Jusques à quand, niais, aimerez-vous
la niaiserie ?
Jusques à quand les moqueurs *j* se
plairont-ils à la moquerie
et les sots haïront-ils la connaissance ?
23 Rendez-vous à mes arguments !
Voici, je veux répandre pour vous mon
esprit,
vous faire connaître mon message.
24 Puisque j'ai appelé et que vous vous
êtes rebiffés,
puisque j'ai tendu la main et que
personne n'a prêté attention ;
25 puisque vous avez rejeté tous mes
conseils
et que vous n'avez pas voulu de mes
arguments,
26 à mon tour je rirai de votre malheur,
je me moquerai quand l'épouvante
viendra sur vous.
27 Quand l'épouvante tombera sur vous
comme une tempête,
quand le malheur fondra sur vous
comme un typhon,
quand l'angoisse et la détresse vous
assailliront...
28 alors ils m'appelleront, mais je ne
répondrai pas,
ils me chercheront mais ne me trouveront pas.

29 Puisqu'ils ont haï la connaissance
et n'ont pas choisi la crainte du
SEIGNEUR ;
30 puisqu'ils n'ont pas voulu de mes
conseils
et ont méprisé chacun de mes avis,
31 eh bien ! ils mangeront du fruit de
leur conduite
et se repaîtront de leurs propres éluçu-
brations.

32 C'est leur indocilité qui tue les gens
stupides
et leur assurance qui perd les sots.
33 Mais qui m'écoute repose en sécurité,
tranquille, loin de la crainte du mal
heur. »

La sagesse, un trésor caché

2 **1** Mon fils, si tu acceptes mes
paroles,
si mes préceptes sont pour toi un
trésor,
2 si, prêtant une oreille attentive à la
sagesse
tu soumets ton *cœur à la raison ;
3 oui, si tu fais appel à l'intelligence,
si tu invoques la raison,
4 si tu la cherches comme l'argent,
si tu la déterres comme un trésor,
5 alors tu comprendras ce qu'est la
crainte du SEIGNEUR,
tu trouveras la connaissance de Dieu.
6 Car c'est le SEIGNEUR qui donne la
sagesse,
et de sa bouche viennent connaissance
et raison.
7 Aux hommes droits il réserve le succès.
Tel un bouclier pour qui se conduit
honnêtement,
8 il protège celui qui chemine selon le
droit,
il garde la conduite de ses fidèles.
9 Alors tu comprendras ce que sont
justice, équité, droiture :
toutes choses qui conduisent au bonheur.

La sagesse préserve du mal

10 Ainsi la sagesse pénétrera ton *cœur
et la connaissance fera tes délices.
11 Le discernement te préservera,
la raison sera ta sauvegarde,
12 t'arrachant à la mauvaise conduite,
à quiconque tient des propos pervers,
13 à ceux qui délaissent le droit chemin
pour emprunter des chemins obscurs,
14 qui prennent plaisir à faire le mal,

h Ici comme souvent ailleurs la sagesse est personnifiée (voir 8.1—9.6; *Si* 24.1-22) ● *i Dominant le tumulte:* autre traduction *A l'angle des carrefours* — Les *portes* d'une ville étaient l'endroit
où l'on rendait la justice et traitait des affaires publiques ● *j* Le terme désigne tous ceux qui
croient pouvoir se passer des enseignements de la sagesse et tournent en dérision ceux qui les
écoutent

1.20 appel de la Sagesse Pr 8.1-10; 9.3; *Si* 24.19-22; cf. Mt 22.1-14; Lc 14.15-24; Jn 7.37.
1.22 les moqueurs Pr 13.1; 14.6; 15.12; Mt 20.19; 2 P 3.3; cf. Pr 9.7. **1.24-25** refus d'écouter la
sagesse Es 65.12; 66.4; Jr 7.13. **1.28** Je ne répondrai pas, ils ne trouveront pas Jr 11.11; Os 5.6;
Am 8.11, 12; Mi 3.3-4; Jn 7.34. **1.29** la crainte du Seigneur Gn 20.11; 2 S 23.3; Ps 19.10; Lc 18.2;
Ac 9.31; 1 P 2.7; cf. Pr 8.13+; 9.10+; 10.27+. **2.4** la sagesse un trésor Pr 8.11+. **2.5** la
crainte du Seigneur Pr 8.13+. **2.6** la sagesse, don de Dieu Ex 31.3; 1 R 5.9; Qo 2.26; *Sg* 8.21;
Si 1.1; Lc 21.15; Ep 1.17. **2.7** le Seigneur, un bouclier Ps 3.4+.

qui exultent dans leurs affreuses perversions :
15 eux dont le comportement est dépravé
et les chemins tortueux.
16 Tu t'arracheras ainsi à la femme dévergondée [k],
à l'étrangère aux paroles enjôleuses,
17 qui a délaissé l'ami de sa jeunesse
et oublié l'*alliance de son Dieu [l].
18 Oui, sa maison bascule vers la mort
et ses menées conduisent chez les Ombres [m].
19 Quiconque va chez elle n'en revient plus
et n'atteint pas les chemins de la vie.
20 Ainsi, ta conduite sera celle des braves gens,
tu observeras celle des justes.
21 Les hommes droits habiteront la terre [n],
les hommes intègres y resteront,
22 tandis que les méchants seront retranchés de la terre
et que les perfides en seront arrachés.

Sagesse et respect du Seigneur

3 1 Mon fils, n'oublie pas mon enseignement
et que ton cœur observe mes préceptes.
2 Ils sont longueur de jours et années de vie
et pour toi plus grande paix [o].
3 Que fidélité et loyauté ne te quittent pas.
Attache-les à ton cou,
écris-les sur la table de ton cœur [p].
4 Tu trouveras la faveur et seras bien avisé
aux yeux de Dieu et des hommes.
5 Fie-toi au SEIGNEUR de tout ton cœur
et ne t'appuie pas sur ton intelligence.
6 Dans toute ta conduite sache le reconnaître
et lui dirigera tes démarches.
7 Ne sois pas sage à tes propres yeux,
crains plutôt le SEIGNEUR [q] et détourne-toi du mal.
8 Ce sera un remède pour ton corps,
un rafraîchissement pour tes membres.
9 Honore le SEIGNEUR de tes biens,
des *prémices de tes revenus,
10 et tes greniers seront remplis de blé
tandis que le vin débordera de tes pressoirs.
11 Ne rejette pas, mon fils, l'éducation du SEIGNEUR,
et ne te lasse pas de ses avis.
12 Car le SEIGNEUR réprimande celui qu'il aime
tout comme un père le fils qu'il chérit.

La sagesse, un bien plus précieux que l'or

13 Heureux qui à trouvé la sagesse,
qui s'est procuré la raison !
14 Car sa possession vaut mieux que possession d'argent
et son revenu est meilleur que l'or.
15 Elle est plus estimable que le corail
et rien de ce que l'on peut désirer ne l'égale.
16 Dans sa droite, longueur de jours,
dans sa gauche [r], richesse et gloire.
17 Ses voies sont des voies délicieuses
et ses sentiers sont paisibles.
18 L'arbre de vie [s] c'est elle
pour ceux qui la saisissent,
et bienheureux ceux qui la tiennent !

19 Le SEIGNEUR a fondé la terre par la sagesse,
affermissant les cieux par la raison.

k Ou *étrangère*. En hébreu le terme est synonyme de celui du v. 16b; il renvoie à une femme mariée à un autre (v. 17) et par conséquent *étrangère* à l'homme qu'elle tente • *l* Le mariage est dans la Bible un des symboles de *l'alliance* du peuple d'Israël avec Dieu. Cela explique le parallélisme établi ici entre l'adultère et la rupture de l'alliance (voir Os 2.4) • *m* Il s'agit des morts qui habitent dans le Monde-d'en-bas ou *séjour des morts • *n* C'est-à-dire le pays donné par Dieu aux ancêtres du peuple d'Israël • *o* Ou *Ils augmenteront la durée de tes jours et ton bien-être* • *p la table* ou *la tablette* (pour écrire). L'expression équivaut donc à *inscris-les dans ton cœur*. Elle évoque les tables de pierre que Dieu avait données à Moïse et sur lesquelles étaient gravés ses commandements (voir Ex 24.12) • *q crains plutôt le Seigneur* ou *respecte plutôt le Seigneur* • *r* C'est-à-dire *Dans sa main droite... dans sa main gauche...* • *s* Allusion à *l'arbre de vie* mentionné en Gn 2.9 et 3.22

2.16 la femme dévergondée Pr 5.3, 20; 6.24—7.27; 22.14; cf. 6.26+. **2.18** les Ombres Pr 9.18; 21.16; Es 14.9. **2.21** habiter la terre Dt 5.33; Ps 37.9+. **2.22** sort des méchants Pr 3.33+. **3.1** garder l'enseignement Pr 1.8; 6.20, 21; 7.2, 3; Dt 30.16. **3.2** prolongation de la vie Pr 4.10; 9.11; 10.27; Dt 4.40. **3.3** la table de ton cœur Dt 6.6; Jr 31.33; 2 Co 3.3. **3.5-6** confiance en Dieu Pr 22.19; Ps 9.11+; 55.24+. **3.7** crains le Seigneur Pr 8.13+. **3.11-12** le Seigneur réprimande Dt 8.5; 2 S 7.14; *Sg* 11.10; 1 Co 11.31-32. **3.15** valeur de la sagesse Pr 8.11+. **3.19-20** Dieu et la sagesse Pr 8.22-31; *Sg* 7.25-26; *Si* 24.1-10.

²⁰ C'est par sa science que se sont ouverts
les *abîmes
et que les nuages ont distillé la pluie *t*.

Le Seigneur protège le sage

²¹ Mon fils, que prudence et discernement
ne s'éloignent pas de tes yeux :
observe-les !
²² Ils seront vie pour ta gorge
et grâce pour ton cou.
²³ Alors tu iras ton chemin en sécurité
et ton pied n'achoppera pas *u*.
²⁴ Si tu te couches, ce sera sans terreur ;
une fois couché, ton sommeil sera
agréable.
²⁵ Ne crains pas une terreur soudaine,
ni l'irruption des méchants, quand elle
viendra ;
²⁶ car le SEIGNEUR sera ton assurance
et du piège il gardera tes pas.

Aimer son prochain

²⁷ Ne refuse pas de faire du bien à qui
en a besoin
quand tu peux le faire.
²⁸ Ne dis pas à ton prochain : « Va-t'en !
tu reviendras demain,
alors je te donnerai », quand tu as
ce qu'il faut.
²⁹ Ne manigance rien de mal contre ton
ami
alors qu'il est assis en toute confiance
près de toi.
³⁰ Ne te querelle pas sans motif avec
quelqu'un
alors qu'on ne t'a rien fait de mal.
³¹ Ne jalouse pas le violent
et n'adopte aucun de ses procédés ;
³² car le pervers est en horreur au SEI-
GNEUR
qui réserve son intimité aux hommes
droits.
³³ La malédiction du SEIGNEUR est sur
la maison du méchant,
mais il bénit la demeure des justes.
³⁴ S'il se moque des moqueurs *v*,
il accorde sa faveur aux humbles.

³⁵ Les sages hériteront la gloire
alors que les insensés porteront la
honte.

Acquérir et garder la sagesse

4 ¹ Ecoutez, fils, la leçon d'un père,
appliquez-vous à connaître ce qu'est
l'intelligence.
² Oui, c'est une bonne doctrine que je
vous ai transmise,
ne répudiez pas mon enseignement.
³ Moi aussi, j'ai été un bon fils pour
mon père,
et ma mère me chérissait comme un
fils unique.
⁴ Mon père m'enseigna en ces termes :
Que ton cœur saisisse mes paroles ;
garde mes préceptes et tu vivras.
⁵ Acquiers la sagesse, acquiers l'intelligence.
N'oublie pas mes propos et ne t'en
détourne pas.
⁶ N'abandonne pas la sagesse et elle te
gardera,
aime-la et elle te préservera.
⁷ Principe de la sagesse : acquiers la
sagesse
et, au prix de tout ce que tu as acquis,
acquiers l'intelligence.
⁸ Etreins-la et elle t'élèvera,
elle t'ennoblira si tu l'embrasses.
⁹ Elle placera sur ta tête une couronne
gracieuse,
elle te gratifiera d'un diadème de
splendeur *w*.

Eviter le chemin des méchants

¹⁰ Ecoute, mon fils, recueille mes paroles
et les années de vie se multiplieront.
¹¹ Je t'ai dirigé dans la voie de la sagesse,
je t'ai fait cheminer dans les sentiers
de la droiture.
¹² Tu ne seras pas handicapé dans ta
marche
et tu ne trébucheras pas si tu cours.
¹³ Tiens-toi fermement à ton éducation,
ne l'abandonne pas ;
conserve-la, elle est ta vie !

---

t Au moment de la création (Gn 1.7) Dieu a séparé les eaux d'en-bas (*abîmes*) des eaux d'en-
haut (*pluie*) ● *u* Ou *ton pied ne trébuchera pas sur un obstacle* ● *v* Voir 1.22 et la note
● *w* Aux v. 8 et 9 la sagesse est de nouveau personnifiée (voir 1.20 et la note)

3.28 prochain Lv 19.18; Lc 10.25-37. **3.31** ne pas envier le méchant Pr 23.17; 24.1, 19; Ps 73.3+.
3.32 être en horreur au Seigneur Pr 6.16-19; 15.8-9, 26; 17.15; 20.23; Dt 25.16. **3.33** le sort des
méchants Pr 2.22; 24.20; 1 S 2.9; Es 3.11; Jb 20.4-29; Mt 25.45-46 et le sort des justes Pr
10.6-7; Ps 5.13; Es 3.10; Sg 5.15; Mt 25.46. **3.34** moqueurs et humbles Jc 4.6; 1 P 5.5. **4.4** garder
l'enseignement Pr 3.1+. **4.5** acquérir la sagesse Pr 4.7; Mt 13.44-46. **4.10** prolongation de la
vie Pr 3.2+. **4.13** sagesse et vie Pr 3.18, 22; 6.23; 10.17; 13.14; Si 21.13; cf. Pr 3.2+.

14 Ne t'avance pas sur la piste des
méchants
et ne t'engage pas sur le chemin des
malfaiteurs.
15 Laisse-le, n'y passe pas !
Evite-le et passe outre !
16 Ils ne s'endorment pas avant d'avoir
commis le mal,
ils perdent le sommeil s'ils n'ont fait
tomber quelqu'un.
17 Ils mangent un pain gagné malhonnêtement,
le vin qu'ils boivent est le fruit de
la violence.
18 Au contraire, le chemin des justes est
une lumière d'aurore
dont la clarté grandit jusqu'au plein
jour.
19 Le chemin des méchants c'est l'obscurité,
ils ne savent pas sur quoi ils vont
trébucher.

Garder une conduite ferme

20 Mon fils, prête attention à mes paroles,
tends l'oreille à mes propos.
21 Qu'ils ne s'éloignent pas de tes yeux ;
garde-les au fond de ton cœur.
22 Car ils sont vie pour qui les recueille
et santé pour tout son être.
23 Garde ton cœur en toute vigilance
car de lui dépendent les limites de
la vie.
24 Proscris loin de toi le langage pervers,
éloigne de toi la médisance.
25 Que tes yeux fixent bien en face
et que ton regard aille droit devant toi.
26 Fraye un sentier pour tes pieds
et que tes routes soient fermes.
27 Ne te détourne ni à droite ni à
gauche.
Eloigne tes pieds du mal.

Mise en garde contre
la femme dévergondée

5 1 Mon fils, sois attentif à ma
sagesse
et tends l'oreille à ma raison
2 pour conserver la clairvoyance.
Alors ton langage gardera le savoir.
3 Oui, les lèvres de la dévergondée *x*
distillent le miel

et sa bouche est plus onctueuse que
l'huile.
4 Mais, en fin de compte, elle est amère
comme l'absinthe,
acérée comme une épée à double tranchant.
5 Ses pieds descendent vers la mort.
C'est le Monde-d'en-bas *y* qu'atteignent
ses pas.
6 Loin de frayer une voie vers la vie,
ses sentiers se perdent elle ne sait où.
7 Et maintenant, fils, écoutez-moi.
Ne vous détournez pas de mes propos.
8 Eloigne d'elle ta route
et ne t'approche pas du seuil de sa
maison,
9 de peur qu'elle ne livre à d'autres ton
honneur
et tes années à un homme implacable ;
10 de peur que des étrangers ne se rassasient de ta force,
que le fruit de ton labeur ne passe
aux mains d'un inconnu
11 et que finalement tu ne rugisses
quand seront épuisés ton corps et ta
chair.
12 Tu dirais alors : « Comment ai-je pu
détester l'éducation ?
Comment mon cœur a-t-il pu mépriser
les avis ?
13 Pourquoi n'ai-je pas écouté la voix de
mes maîtres
et n'ai-je pas prêté l'oreille à ceux qui
m'instruisaient ?
14 Ainsi, peu s'en faut que je ne sois au
comble du malheur,
au milieu de l'assemblée et de la communauté *z* ! »

La femme de ta jeunesse

15 Bois l'eau de ta propre citerne
et celle qui sourd au milieu de ton
puits *a*.
16 Tes sources s'épancheraient-elles au-
dehors
ou tes ruisseaux dans les rues ?
17 Qu'elles soient pour toi seul
et pas pour des étrangers avec toi.
18 Que ta fontaine soit bénie
et jouis de la femme de ta jeunesse,
19 biche amoureuse et gracieuse gazelle.
Que ses seins te comblent en tout temps.
Enivre-toi toujours de son amour.

---

x Voir 2.16 et la note ● *y* Ou *le *séjour des morts* ● *z* Sous-entendu: de mon peuple ● *a* Ces
images font allusion à la femme légitime (v. 18b)

4.14-19 méchants et justes Pr 3.33+. **4.27** ni à droite ni à gauche Dt 5.32; 28.14. **5.3-5** la femme
dévergondée conduit à la mort Pr 7.6-27; 22.14; Qo 7.26. **5.15** puits Ct 4.12, 15. **5.19** gazelle
Ct 4.5; 7.4.

²⁰ Pourquoi t'enivrerais-tu, mon fils, d'une dévergondée *b*
et embrasserais-tu le sein d'une étrangère ?

²¹ Oui, la conduite de chacun tombe sous les yeux du SEIGNEUR
et il examine tous ses sentiers *c*.

²² Ses propres crimes prendront au piège le méchant
et il sera enserré dans les liens de son péché.

²³ Il mourra faute d'éducation,
enivré de l'excès de sa folie.

Le cautionnement imprudent

6 ¹ Mon fils, si tu t'es porté garant envers ton prochain,
si, pour un étranger, tu as topé dans la main *d*,

² si tu t'es jeté dans le filet par les paroles de ta bouche,
si tu t'es piégé par les paroles de ta bouche,

³ fais donc ceci, mon fils, pour te libérer :
puisque tu es tombé aux mains de ton prochain,
va, insiste, importune ton prochain.

⁴ N'accorde pas de sommeil à tes yeux
ni d'assoupissement à tes paupières.

⁵ Libère-toi du piège, comme le cerf,
du piège tendu, comme l'oiseau.

Le paresseux et la fourmi

⁶ Va vers la fourmi *e*, paresseux !
Considère sa conduite et deviens un sage.

⁷ Elle n'a pas de surveillant,
ni de contremaître, ni de patron.

⁸ En été elle assure sa provende *f*,
pendant la moisson elle amasse sa nourriture.

⁹ Jusques à quand, paresseux, resteras-tu couché ?
Quand surgiras-tu de ton sommeil ?

¹⁰ Un peu dormir, un peu somnoler,
un peu s'étendre, les mains croisées,

¹¹ et comme un rôdeur te viendra la pauvreté,
la misère comme un soudard *g*.

Portrait du fourbe

¹² C'est un vaurien, un malfaiteur,
celui qui marche la fausseté à la bouche !

¹³ Il cligne de l'œil, appelle du pied,
fait signe des doigts.

¹⁴ La perversité au cœur
il manigance le mal en tout temps,
il suscite des querelles.

¹⁵ C'est pourquoi sa ruine sera brutale,
soudain il sera brisé, sans remède !

Ce que le Seigneur déteste

¹⁶ Il y a six choses que hait le SEIGNEUR
et sept lui sont en horreur *h* :

¹⁷ des yeux hautains, une langue menteuse,
des mains qui répandent le sang innocent,

¹⁸ un cœur qui machine des plans pervers,
des pieds empressés à courir vers le mal,

¹⁹ un faux témoin qui profère des mensonges
et celui qui suscite des querelles entre frères.

Mise en garde contre l'adultère

²⁰ Mon fils, observe les préceptes de ton père
et ne néglige pas l'enseignement de ta mère.

²¹ Attache-les toujours à ton cœur,
fixe-les autour de ton cou.

²² Dans tes allées et venues ils te guideront,
près de ton lit ils veilleront sur toi
et à ton réveil ils dialogueront avec toi.

---

b Voir 2.16 et la note ● *c* Ou *ses agissements* ● *d* *toper dans la main*: geste indiquant que l'on s'engage envers quelqu'un. Le cautionnement par lequel on s'engage à répondre de l'attitude de quelqu'un ou — comme ici — à honorer ses dettes était une vieille coutume en Israël ● *e* Dans bien des cultures *la fourmi* est considérée comme un symbole du travail et de la prévoyance ● *f* Ou *elle fait ses provisions* (sous-entendu pour l'hiver) ● *g* Ou *un soldat pillard*. La comparaison suggère que la pauvreté viendra d'une manière soudaine et imprévue ● *h* Ces formules numériques parallèles constituent un procédé d'enseignement, comparer Pr 30.15-31

5.20 dévergondée Pr 2.16+. **5.22** les liens de son péché Ps 7.17+; cf. Pr 26.27. **6.1-5** danger de la caution Pr 20.16; 22.26-27; *Si* 8.13; 29.18-20. **6.6** le paresseux Pr 19.24; 26.13-16. **6.11** sort du paresseux Pr 15.19; 21.25; 24.30-34. **6.12-14** fausseté Pr 26.24-25+. **6.15** sort des méchants Pr 3.33+. **6.16** six... sept Os 6.2+ — être en horreur au Seigneur Pr 3.32+. **6.19** faux témoin Pr 19.5; 25.18; Ex 20.16+. **6.20** garder l'enseignement Pr 3.1+ transmis par la famille Pr 1.8+.

²³ Car le précepte est une lampe, et l'enseignement une lumière,
un chemin de vie, les leçons d'une sage éducation,
²⁴ pour te garder de la femme funeste et de la langue enjôleuse de l'étrangère *i*.
²⁵ Ne désire pas sa beauté en ton cœur et qu'elle ne te captive pas par ses œillades.
²⁶ Car la prostituée se contente d'un quignon de pain
mais l'adultère prend en chasse une vie précieuse.
²⁷ Quelqu'un prend-il sur lui du feu sans que son vêtement s'enflamme ?
²⁸ Ou, s'il marche sur des braises, ses pieds ne brûleront-ils pas ?
²⁹ Ainsi en est-il de qui va vers la femme de son prochain :
quiconque la touche n'en sortira pas indemne.
³⁰ On ne méprise pas le voleur de ce qu'il a volé
pour remplir son estomac affamé.
³¹ Si cependant il est découvert, il rendra sept fois plus,
il donnera tous les biens de sa maison.
³² Qui commet l'adultère avec une femme est un dément,
il fait d'elle la ruine de sa vie.
³³ Il récoltera les coups et l'infamie et son ignominie ne s'effacera pas.
³⁴ Car la jalousie met le mâle en fureur et il sera sans pitié au jour de la vengeance.
³⁵ Il n'envisagera aucune compensation. Il n'en voudra pas, même si tu multiplies les offres.

La femme adultère séduit un jeune homme

7 ¹ Mon fils, garde mes paroles, que mes préceptes soient pour toi un trésor.
² Si tu veux vivre, garde mes préceptes et mon enseignement comme la prunelle de tes yeux.
³ Attache-les à tes doigts. Ecris-les sur la table de ton cœur *j*.
⁴ Dis à la sagesse : « Tu es ma sœur »

et réclame l'intelligence pour parente ;
⁵ cela te gardera de la femme dévergondée *k*,
de l'étrangère aux propos enjôleurs.
⁶ Comme j'étais à ma fenêtre, j'ai regardé par le treillis.
⁷ Je vis un de ces niais, j'aperçus, parmi les jeunes, un adolescent dénué de sens.
⁸ Passant dans la rue marchande, près du coin où elle *l* se trouvait, il prit le chemin de sa maison.
⁹ Que ce soit à la brune, à la tombée du jour,
que ce soit au cœur de la nuit et de l'obscurité,
¹⁰ voilà cette femme qui va à sa rencontre,
mise comme une prostituée, pleine d'audace.
¹¹ Tourbillonnante *m* et sans retenue, ses pieds ne tiennent pas en place chez elle.
¹² Tantôt sur la place, tantôt dans les rues,
à tous les coins elle fait le guet.
¹³ Et voilà qu'elle le saisit, le couvre de baisers,
lui dit d'un air effronté :
¹⁴ « Je devais des *sacrifices d'action de grâces.
Aujourd'hui je suis quitte de mes vœux *n*.
¹⁵ C'est pourquoi je suis sortie à ta rencontre
pour te chercher. Et je t'ai trouvé.
¹⁶ J'ai recouvert mon lit de couvertures, d'étoffes multicolores, de lin d'Egypte.
¹⁷ J'ai aspergé ma couche de myrrhe, d'aloès, de cinnamome *o*.
¹⁸ Viens, enivrons-nous de volupté jusqu'au matin.
Jouissons ensemble de l'amour.
¹⁹ Car mon mari n'est pas à la maison. Il est parti en voyage, bien loin.
²⁰ Il a emporté l'argent dans un sac. Il ne reviendra qu'à la pleine lune. »
²¹ Par ses propos flatteurs, elle le fait fléchir.
Elle l'entraîne de ses paroles enjôleuses.
²² Il la suit aussitôt,
comme un bœuf va à l'abattoir.

---

i Voir 2.16 et la note ● *j* Voir 3.3 et la note ● *k* Voir 2.16 et la note ● *l* Il s'agit de la femme décrite dans les versets suivants ● *m* Ou *agitée, excitée* ● *n* La femme ayant offert les *sacrifices* qu'elle avait promis à Dieu (= ses *vœux*) invite celui qu'elle veut séduire à participer au repas qui clôt la cérémonie sacrificielle ● *o* Voir Ct 4.14 et la note

6.23 sagesse et vie Pr 4.13+. **6.24** dévergondée Pr 2.16+. **6.26** adultère Pr 30.20; Si 9.9; 23.22-27; cf. Pr 2.16+. **7.22-23** la femme dévergondée conduit à la mort Pr 5.3-5+.

Ainsi ligoté il va au châtiment, le fou !
²³ jusqu'à ce qu'un trait lui traverse le corps.
Et comme un oiseau qui se hâte vers le filet,
il ne sait pas qu'il y va de sa vie.
²⁴ Et maintenant, fils, écoutez-moi
et soyez attentifs aux paroles de ma bouche.
²⁵ Que ton cœur ne s'engage pas dans ses voies.
Ne t'égare pas sur ses sentiers.
²⁶ Car nombreux sont ceux que, blessés, elle a fait tomber
et vigoureux tous ceux qu'elle a tués !
²⁷ Sa maison est le chemin du Monde-d'en-bas *p*.
Il descend vers les sombres demeures de la mort.

Nouvel appel de la Sagesse

8 ¹ N'est-ce pas la Sagesse *q* qui appelle ?
et l'intelligence qui donne de la voix ?
² Au sommet des hauteurs qui dominent la route,
à la croisée des chemins, elle se dresse ;
³ près des portes qui ouvrent sur la cité,
sur les lieux de passage, elle crie :
⁴ « C'est vous, braves gens, que j'appelle ;
ma voix s'adresse à vous, les hommes *r*.
⁵ Niais, apprenez la prudence,
insensés, apprenez le bon sens.
⁶ Ecoutez, c'est capital ce que je vais dire ;
et la parole de mes lèvres est la droiture même.
⁷ Oui, ma bouche profère la vérité
car la méchanceté est abominable à mes lèvres.
⁸ Toutes les paroles de ma bouche sont justes,
en elles, rien de retors ni de pervers.
⁹ Toutes sont franches pour qui sait comprendre
et simples pour qui a découvert la connaissance.
¹⁰ Acceptez ma discipline et non l'argent,
la connaissance plutôt que l'or de choix. »

¹¹ — Car la sagesse est meilleure que le corail
et rien n'est plus désirable. —

La Sagesse se présente

¹² Moi, la Sagesse, j'ai pour demeure la prudence.
J'ai découvert la science de l'opportunité *s*.
¹³ — Craindre le SEIGNEUR *t* c'est haïr le mal. —
L'orgueil, l'arrogance, le chemin du mal
et la bouche perverse, je les hais.
¹⁴ Je détiens conseil et succès ;
à moi l'intelligence, à moi la puissance.
¹⁵ Par moi règnent les rois
et les grands fixent de justes décrets.
¹⁶ Par moi les princes gouvernent
et les notables sont tous de justes juges *u*.
¹⁷ Moi, j'aime ceux qui m'aiment
et ceux qui sont en quête de moi me trouveront.
¹⁸ Richesse et gloire sont avec moi,
fortune séculaire et prospérité.
¹⁹ Meilleur est mon fruit que l'or, que l'or fin,
et mon produit que l'argent de choix.
²⁰ Sur un chemin de justice je m'avance,
dans le sentier du droit.
²¹ Pourvoyant de ressources ceux qui m'aiment,
je remplis leurs trésors.

²² Le SEIGNEUR m'a engendrée *v* *prémice de son activité,
prélude à ses œuvres anciennes.
²³ J'ai été sacrée *w* depuis toujours,
dès les origines, dès les premiers temps de la terre.
²⁴ Quand les *abîmes n'étaient pas, j'ai été enfantée,
quand n'étaient pas les sources profondes des eaux.
²⁵ Avant que n'aient surgi les montagnes,
avant les collines, j'ai été enfantée,
²⁶ alors qu'Il n'avait pas encore fait la terre et les espaces
ni l'ensemble des molécules *x* du monde.

---

p Ou *séjour des morts* ● *q* Voir 1.20 et la note ● *r* Ou *les humains* ● *s* Ou *l'art d'agir avec discernement* ● *t* Ou *Respecter le Seigneur* ● *u* Autre traduction *ainsi que les notables et tous les juges de la terre* ● *v* Autres traductions *Le Seigneur m'a acquise* ou *Le Seigneur m'a créée* ● *w* Comme reine ● *x* *la terre et les espaces:* autre traduction *la terre et les champs — molécules*, c'est-à-dire les plus petits éléments matériels qui composent le monde

8.1 appel de la Sagesse Pr 1.20+. **8.11** valeur de la sagesse Pr 2.4; 3.14-16; Jb 28.15-19; Qo 9.16-18; Sg 7.8-14; Si 24.12-22; Mt 13.44. **8.13** ce qu'est la crainte du Seigneur Pr 3.7; 14.2; Dt 8.6; Qo 12.13; Si 15.1; 19.20; 21.6; cf. Pr 9.10+; 10.27+. **8.14-16** sagesse et royauté Es 11.2-5. **8.22** engendrée Si 1.4, 9; 24.9 — prémice de son activité Pr 3.19-20. **8.23** les premiers temps de la terre Gn 1.1; Jn 1.1.

²⁷ Quand Il affermit les cieux, moi, j'étais
là,
quand Il grava un cercle ʸ face à
l'abîme,
²⁸ quand Il condensa les masses nua-
geuses en haut
et quand les sources de l'abîme montraient leur violence ;
²⁹ quand Il assigna son décret à la mer
— et les eaux n'y contreviennent
pas ᶻ —,
quand Il traça les fondements de la
terre.
³⁰ Je fus maître d'œuvre ᵃ à son côté,
objet de ses délices chaque jour,
jouant en sa présence en tout temps,
³¹ jouant dans son univers terrestre ;
et je trouve mes délices parmi les
hommes.

Heureux l'homme qui écoute la Sagesse

³² Et maintenant, fils, écoutez-moi.
Heureux ceux qui gardent mes voies !
³³ Ecoutez la leçon pour être sages
et ne la négligez pas.
³⁴ Heureux l'homme qui m'écoute,
veillant tous les jours à ma porte,
montant la garde à mon seuil !
³⁵ Car celui qui me trouve a trouvé la vie
et il a rencontré la faveur du SEIGNEUR.
³⁶ Mais celui qui m'offense se blesse
lui-même.
Tous ceux qui me haïssent aiment la
mort.

La Sagesse et ses invités

9 ¹ Sagesse a bâti sa maison,
elle a taillé ses sept colonnes ᵇ,
² elle a tué ses bêtes, elle a mêlé son
vin,
et même elle a dressé sa table.
³ Elle a envoyé ses servantes, elle a crié
son invitation
sur les hauteurs de la ville :
⁴ « Y a-t-il un homme simple ? Qu'il

vienne par ici ! »
A qui est dénué de sens elle dit :
⁵ « Allez, mangez de mon pain,
buvez du vin que j'ai mêlé.
⁶ Abandonnez la niaiserie et vous
vivrez !
Puis, marchez dans la voie de l'intelligence. »

Le sceptique et le sage

⁷ Qui reprend un sceptique ᶜ n'en reçoit
que mépris
et qui reprend un méchant n'obtient
que ses outrages.
⁸ Ne reprends pas un sceptique, sinon
il te haïra ;
mais si tu reprends un sage, il t'en
aimera.
⁹ Donne au sage, et il deviendra plus
sage,
instruis le juste, et il augmentera son
acquis.
¹⁰ La crainte du SEIGNEUR est le commencement de la Sagesse
et l'intelligence est la science des
*saints ᵈ.
¹¹ Oui, grâce à moi ᵉ tes jours seront
nombreux
et les années de ta vie se multiplieront.
¹² Si tu es sage, tu es sage pour toi
et si tu es sceptique, tu en es seul
responsable.

La Folie et ses invités

¹³ Dame Folie est tapageuse,
niaise et n'y entendant rien.
¹⁴ Elle s'assied à la porte de sa maison
sur un siège, sur les hauteurs de la
ville
¹⁵ pour interpeller les passants
qui vont droit leur chemin.
¹⁶ « Y a-t-il un homme simple ? Qu'il
vienne par ici ! »

ʸ Il s'agit du *cercle* de l'horizon, considéré ici comme la limite que Dieu impose aux eaux d'en-
bas ● ᶻ Autre traduction *lorsqu'Il imposa à la mer ses limites pour que les eaux n'en franchissent
pas le bord* ● ᵃ *maître d'œuvre*: le sens du mot hébreu ainsi traduit est incertain. Autre traduction
architecte. Certains conjecturent un autre mot que l'on peut traduire par *enfant chéri* ● ᵇ *Sagesse*:
voir 1.20 et la note — Par ses *colonnes* la maison de la Sagesse fait penser à un palais royal ou
à un temple — Dans la Bible le nombre *sept* est souvent symbole de perfection ● ᶜ Ou *moqueur*:
voir 1.22 et la note ● ᵈ *La crainte du Seigneur* ou *Respecter le Seigneur* — *l'intelligence est la
science des saints*: autre traduction *connaître le Saint* (= Dieu) *procure l'intelligence* ● ᵉ C'est
encore la Sagesse personnifiée qui parle ici

8.29 les limites de la mer Jb 38.11+. **8.31** parmi les hommes Sg 1.6; Ba 3.38. **8.35** faveur de
Dieu Pr 3.4, 34; 11.1, 20; 12.2. **9.3** appel de la Sagesse Pr 1.20+. **9.5** mangez et buvez Es 55.1-3;
Jn 6.35. **9.7** sceptique Pr 21.24 cf. Pr 1.22+. **9.10** crainte du Seigneur et sagesse Pr 1.7; 2.5;
15.33; Ps 111.10+; Si 1.14, 16; cf. Pr 8.13+; 10.27+. **9.11** prolongation de la vie Pr 3.2+.

A qui est dénué de sens elle dit :
17 « Les eaux dérobées sont douces
et les mets clandestins, délicieux ! »
18 Et il ne sait pas que les Ombres sont
là ;
et ses invités, dans les plaines du
Monde-d'en-bas *f* !

Collection de proverbes sur la vie morale

10 1 Proverbes de Salomon.

Un fils sage réjouit son père,
un fils insensé chagrine sa mère.

2 Des trésors iniques ne profitent pas,
mais la justice libère de la mort.

3 Le SEIGNEUR ne permet pas que le
juste ait faim,
mais il repousse les appétits des méchants.

4 Paume indolente appauvrit,
main diligente enrichit.

5 Qui recueille en été est un homme
avisé ;
qui dort à la moisson est méprisable !

6 Bénédiction sur la tête du juste !
mais la bouche des méchants dissimule
la violence.

7 Le souvenir du juste est en bénédiction *g*
tandis que le nom des méchants pourrira.

8 Un esprit sage accepte les préceptes,
mais l'homme aux propos stupides
court à sa perte.

9 Qui marche dans l'intégrité marche en
sécurité,
mais celui qui suit des voies tortueuses
sera puni.

10 Celui qui cligne de l'œil causera du
tourment
et l'homme aux propos stupides court
à sa perte *h*.

11 La bouche du juste est une fontaine
de vie
mais celle des méchants dissimule la
violence.

12 La haine provoque les querelles,
mais l'amour dissimule toutes les
fautes *i*.

13 On trouve la sagesse dans les propos
de l'homme intelligent ;
mais, pour le dos de l'insensé, le bâton !

14 Les sages thésaurisent le savoir *j* ;
le propos du fou c'est la ruine prochaine !

15 Les biens du riche sont sa ville forte
tandis que la pauvreté des petites gens
est leur ruine.

16 Le salaire du juste conduit à la vie,
le revenu du méchant, au péché.

17 Celui qui observe la discipline chemine
vers la vie,
mais celui qui méprise l'avertissement
s'égare.

18 Qui dissimule sa haine parle hypocri-
tement,
qui propage la calomnie est un fou.

19 Où abondent les paroles le péché ne
manque pas,
mais qui réfrène son langage est un
homme avisé.

20 La langue du juste est un argent de
choix,
le *cœur des méchants ne vaut pas
grand-chose.

21 Les propos du juste repaissent les
foules,
mais les fous mourront du manque
de sens.

22 C'est la bénédiction du SEIGNEUR qui
enrichit
et le tourment n'y ajoutera rien.

23 La pratique de l'infamie est un sport
pour l'insensé,

---

f Ombres: voir 2.18 et la note — *Monde-d'en-bas* ou **séjour des morts* ● *g* C'est-à-dire les hommes se souviendront de l'homme juste avec reconnaissance (comparer Ps 112.6) ● *h Cligner
de l'œil* est une attitude qui trahit la fausseté (voir 6.13) — La deuxième partie du verset
répète 8b. L'ancienne version grecque porte ici *mais celui qui reprend (son prochain) avec franchise procure la paix* ● *i* Ou *ne tient pas compte des fautes,* comparer 17.9. Le verbe *dissimuler* a
ici un sens positif en contraste avec le sens négatif des v. 6, 11 et 18 ● *j* Ou *les sages amassent un
trésor de connaissances*

10.3 le juste ne rassasié Pr 13.25 ; Ps 34.10+ ; cf. Pr 3.33+. **10.6-7** bénédiction du juste Pr 11.11 ;
24.25 ; 3.33+ et sort des méchants Pr 3.33+. **10.11** justice et vie Pr 10.2, 16 ; 11.4, 19 ; 12.28 ;
cf. 4.13+. **10.12** dissimule les fautes Pr 17.9 ; Jc 5.20 ; 1 P 4.8 ; cf. 1 Co 13.7. **10.13** le bâton
Pr 13.24+. **10.15** riche et pauvre Pr 14.20 ; 22.7 ; cf. 22.2+. **10.20-21** paroles des justes Pr 10.31,
32 ; 12.6 ; 15.28 ; Ps 37.30.

de même la sagesse pour l'homme raisonnable.

24 Ce que craint le méchant, c'est ce qui lui arrive ;
ce que désirent les justes, On le leur accordera *k*.

25 Le typhon passé, le méchant n'est plus !
Le juste est une fondation immuable.

26 Comme le vinaigre pour les dents et la fumée pour les yeux,
tel le paresseux pour ceux qui l'emploient.

27 La crainte du SEIGNEUR *l* accroît les jours,
mais les années des méchants seront raccourcies.

28 L'attente des justes, c'est la joie ;
quant à l'espérance des méchants, elle périra.

29 La voie du SEIGNEUR est une citadelle pour l'homme intègre,
mais pour les malfaisants, c'est une ruine.

30 Le juste ne sera jamais ébranlé,
mais les méchants n'habiteront pas la terre *m*.

31 La bouche du juste produit la sagesse,
mais la langue aux propos pervers sera coupée.

32 Les paroles du juste sauront plaire,
mais la langue des méchants n'est que propos pervers.

11 1 Une balance faussée est en horreur au SEIGNEUR,
mais un poids exact a sa faveur.

2 Que vienne l'orgueil, viendra le mépris,
mais la sagesse est avec les humbles.

3 L'intégrité des hommes droits les guidera,
mais la ruse des perfides les ruinera.

4 La richesse est inutile au *jour de la colère,
mais la justice libérera de la mort.

5 La justice de l'homme intègre rend droite sa conduite,
mais le méchant succombe dans sa méchanceté.

6 La justice des hommes droits les libère,
mais les perfides sont pris au piège par leur convoitise.

7 Quand meurt le méchant, son espoir périt,
et l'espoir mis en ses richesses périt aussi.

8 Le juste a été délivré de l'angoisse et le méchant y est tombé à sa place.

9 L'impie ruine son prochain par sa bouche *n*,
mais les justes seront sauvés par le savoir.

10 La ville se réjouit du bonheur des justes,
pour la perte des méchants elle pousse un cri de joie.

11 Une cité s'élève par la bénédiction due aux hommes droits *o*,
elle disparaît par la bouche des méchants.

12 Qui méprise son prochain manque de sens ;
l'homme raisonnable garde le silence.

13 Qui se répand en commérages dévoile les secrets ;
l'homme loyal n'en souffle mot.

14 Faute de politique *p* un peuple tombe ;
le salut est dans le nombre des conseillers.

15 On se trouve fort mal de se porter garant pour un étranger ;
qui répugne aux engagements s'assure la tranquillité.

---

k On le leur accordera ou *cela leur sera accordé* (sans doute par Dieu), voir Mt 7.2 et la note ● *l La crainte du Seigneur* ou *Respecter le Seigneur* ● *m* Voir 2.21, 22 et la note ● *n sa bouche* ou *ses paroles* ● *o par la bénédiction due...* ou *par les bienfaits que Dieu accorde aux hommes droits* ● *p Faute de politique* ou *Faute d'être bien dirigé.* Le terme *politique* désigne ici l'art de conduire les affaires publiques

10.27 bienfaits de la crainte du Seigneur Pr 14.26, 27 ; 19.23 ; Ps 33.18 ; 85.10 ; 103.11 ; Qo 7.18 ; 8.12 ; Si 6.16 ; 40.26 ; Lc 1.50 ; cf. Pr 8.13+ ; 9.10+. **10.28** espérance des méchants Pr 11.7 ; Jb 8.13 ; Ps 112.10 ; cf. Pr 3.33+. **10.30** le juste est inébranlable Ps 15.5+ — habiter la terre Pr 2.21+. **11.1** un poids exact Lv 19.36+ ; Mi 6.9-12 ; cf. Si 26.29—27.3. **11.2** les humbles Pr 3.34 ; 15.33 ; 16.19 ; 22.4 ; 29.23 ; cf. Pr 21.24. **11.4** jour de la colère Es 13.13 ; So 1.14-18 ; Ps 110.5. **11.9** par sa bouche Pr 12.6+. **11.11** bénédiction Gn 12.2-3 ; Jdt 13.18-20 ; cf. Pr 10.6-7+. **11.14** nombreux conseillers Pr 15.22 ; 24.6 ; Sg 6.24 ; cf. Pr 29.16. **11.15** dangers de la caution Pr 6.1-5+.

16 La femme gracieuse acquiert la gloire *q*
et les forts acquièrent la richesse.

17 Un homme fidèle se fait du bien à
lui-même,
qui se tracasse se rend malheureux.

18 Le méchant recueille un salaire décevant,
une récompense est assurée à qui sème
la justice.

19 Oui, la justice mène à la vie,
mais qui poursuit le mal va à la mort.

20 Les *cœurs tortueux sont en horreur
au SEIGNEUR,
les gens intègres ont sa faveur.

21 En fin de compte le méchant ne restera
pas impuni,
mais la race des justes sera sauve.

22 Un anneau d'or au groin d'un porc,
telle la femme belle mais dissolue.

23 Les justes ne peuvent attendre que le
bien,
les méchants ne peuvent espérer que
la colère *r*.

24 Tel fait des largesses et s'enrichit
encore,
tel autre épargne plus qu'il ne faut et
connaît l'indigence.

25 Une personne généreuse sera comblée,
et qui donne à boire sera lui-même
désaltéré.

26 Le peuple maudit l'accapareur de blé *s*
mais bénit celui qui le met sur le
marché.

27 Qui poursuit le bien cherche aussi la
faveur *t*,
qui recherche le mal, le mal l'atteindra.

28 Celui qui se confie en sa richesse
tombera,
mais les justes, tel un feuillage, s'épanouiront.

29 Qui jette le trouble chez lui héritera
le vent,
le fou deviendra l'esclave du sage.

30 L'arbre de vie est le fruit du juste *u*
et le sage captive les gens.

31 Le juste, certes, a sa rétribution sur
terre ;
que dire du méchant et du pécheur !

12 **1** Qui aime l'éducation aime la
science,
qui déteste les avis est stupide.

2 L'homme de bien s'attire la faveur du
SEIGNEUR,
l'astucieux *v*, le SEIGNEUR le condamne.

3 Personne ne s'affermit par la méchanceté,
mais la racine des justes ne sera pas
ébranlée.

4 Une femme de caractère est une couronne pour son mari,
mais une femme éhontée est une carie
dans ses os.

5 Les justes ne songent qu'au droit,
les méchants qu'à la fausseté.

6 Les paroles des méchants sont des
embûches meurtrières,
mais la bouche des hommes droits les
sauve.

7 Renverse les méchants, ils ne sont plus !
mais la maison des justes tient debout.

8 On loue quelqu'un pour son bon sens,
qui a l'esprit tordu est voué au mépris.

9 Il vaut mieux être méprisé et avoir un
serviteur
que faire l'homme important quand on
manque de pain.

10 Le juste connaît les besoins de son
bétail,
mais les entrailles des méchants sont
cruelles.

11 Qui cultive sa terre sera rassasié de
pain,
qui poursuit des chimères manque de
sens.

12 L'impie convoite la proie des méchants,

---

q la gloire ou *une situation enviable* ● *r* Sous-entendu *de Dieu* ● *s* Il s'agit de spéculateurs qui
refusent de vendre leur blé en temps normal et le stockent pour en tirer davantage de bénéfices
en période de pénurie ● *t* Bien que le texte ne le précise pas, il s'agit sans doute de la *faveur* de
Dieu ● *u* C'est-à-dire les actes du juste entretiennent la vie ● *v* ou *l'homme malintentionné*

11.19 justice et vie Pr 10.11+. **11.23** espérance des méchants Pr 10.28+. **11.25** généreuse Pr
14.21+. **11.28** ils s'épanouiront Ps 1.3. **11.30** justice et vie Pr 10.11+. **11.31** rétribution
du juste Pr 10.6-7+ ; 11.21, 25 ; Ps 37.25, 26 ; cf. Pr 8.35+ ; 13.13+ et du pécheur Pr 11.21 ;
1 P 4.18. **12.3** inébranlable Pr 10.30+. **12.6** paroles des méchants Pr 10.31, 32 ; 11.9 ; 15.28 ;
Es 32.6-7 ; cf. Pr 6.19+ — paroles des justes Pr 10.21+. **12.10** soin des animaux Dt 22.4, 6-7 ;
25.4. **12.12** racine des justes Jr 17.7-8 ; Ps 1.3 ; cf. Pr 11.28.

mais c'est la racine des justes qui
rapporte.

13 Des lèvres criminelles recèlent un piège
funeste,
mais le juste échappe à l'angoisse.

14 Du fruit de ses paroles, chacun tire
du bien en abondance
et recueille le salaire de son travail.

15 Le fou juge droit son comportement,
mais qui écoute un conseil est un sage.

16 Le fou laisse éclater sur l'heure sa
colère,
mais l'homme prudent avale l'injure.

17 Qui profère la vérité fait éclater la
justice ;
le faux témoin, la fausseté.

18 Où il y a un bavard, il y a des coups
d'épée !
mais la langue des sages est un
remède.

19 L'homme véridique subsiste à jamais ;
le menteur : le temps d'un clin d'œil !

20 Dans le *cœur des artisans de mal, il y
a la fausseté ;
mais pour ceux qui conseillent la paix,
c'est la joie !

21 Aucune misère n'atteint le juste,
mais les méchants sont remplis de
maux.

22 Les lèvres mensongères sont en horreur
au SEIGNEUR,
il se complaît en ceux qui pratiquent
la vérité.

23 L'homme prudent cache ce qu'il sait,
le cœur des sots crie leur folie.

24 Les mains actives commanderont,
la paresse mène au travail forcé.

25 Un souci dans le cœur de l'homme le
déprime,
mais une bonne parole le réjouit.

26 Le juste explore la voie pour autrui *w*,
mais la route des méchants les égare.

27 L'indolent ne fait pas rôtir son gibier,
mais c'est un bien précieux qu'un
homme actif.

28 Sur la route de la justice se trouve
la vie,
un sentier battu va vers la mort *x*.

13 1 Un fils sage reflète l'éducation
du père *y*,
l'esprit fort n'écoute pas le reproche.

2 Du fruit de ses paroles chacun tire une
bonne nourriture,
mais la vie des perfides n'est que
violence.

3 Qui surveille sa bouche protège sa vie,
qui ouvre trop large ses lèvres se ruine.

4 Le paresseux convoite, mais sans
âme *z* ;
par contre le désir des gens énergiques
sera comblé.

5 Le juste déteste une parole mensongère ;
le méchant répand honte et ignominie.

6 Si la justice protège celui dont la voie *a*
est intègre,
le péché cause la ruine des méchants.

7 Tel fait le riche qui n'a rien du tout,
tel fait le pauvre qui a de grands biens.

8 Ce qui garantit la vie d'un homme,
c'est sa richesse ;
mais l'indigent n'entend pas de menaces *b*.

9 La lumière des justes brillera gaiement,
la lampe des méchants s'éteindra *c*.

10 Par l'orgueil, on n'obtient que contestation,
la sagesse se trouve chez ceux qui
admettent les conseils.

11 Une richesse acquise à la hâte s'ame-
nuisera,
mais celui qui l'amasse petit à petit
l'augmentera.

---

w Le sens du texte hébreu est incertain. Autre traduction *Le juste évite ce qui est un danger pour lui* ● *x* Sur la route de la justice ou *Là où l'on pratique la justice — un sentier battu:* le texte hébreu est peu clair. L'ancienne version grecque porte *le chemin des pervers* ● *y* Ou *tient compte des avertissements de son père* ● *z* sans âme, c'est-à-dire qu'il ne fait rien pour obtenir ce qu'il convoite ● *a* Ou *la conduite* ● *b* Ou *mais le pauvre ne risque pas d'être menacé* ● *c* La *lumière* et la *lampe* sont des symboles de la vie et de la joie

12.17 le faux témoin Pr 6.19+. **12.21** sort des justes et des méchants Pr 3.33+. **12.22** en horreur au Seigneur Pr 3.32+. **12.28** justice et vie Pr 10.11+; cf. Mt 7.13-14; Jn 14.6. **13.1** l'esprit fort Pr 15.12; 24.9; cf. 1.22+. **13.3** dangers de la parole Pr 10.14, 19; 18.6-7; *Si* 5.13; Jc 3.1-12; cf. Pr 12.6+; 17.27, 28. **13.9** sort des justes et des méchants Pr 3.33+. **13.10** orgueil et humilité Pr 11.2+.

¹² L'espoir différé rend le cœur malade,
le désir comblé, c'est un arbre de vie !

¹³ Qui méprise la parole *d* se perd,
qui respecte le commandement sera
récompensé.

¹⁴ L'enseignement du sage est une fontaine de vie
pour se détourner des pièges de la mort.

¹⁵ Un solide bon sens procure la faveur,
mais le chemin des perfides est interminable *e*.

¹⁶ Tout homme prudent agit en connaissance de cause,
mais le sot fait éclater sa folie.

¹⁷ Un messager méchant tombera dans
le malheur,
un ambassadeur fidèle est un remède.

¹⁸ Misère et honte à qui fait fi de l'éducation ;
qui tient compte de l'avertissement sera
honoré.

¹⁹ Un désir réalisé est agréable à l'âme ;
les sots ont en horreur de se détourner
du mal.

²⁰ Qui chemine avec les sages sera sage,
qui fréquente les sots s'en trouvera
mal.

²¹ Le mal poursuit les pécheurs
et le bien récompense les justes.

²² L'homme de bien transmet son héritage aux fils de ses fils,
mais la fortune du pécheur est mise
en réserve pour le juste.

²³ Les sillons des pauvres abondent de
nourriture,
mais tel périt faute d'équité *f*.

²⁴ Qui épargne le bâton n'aime pas son
fils,
mais qui l'aime se hâte de le châtier.

²⁵ Le juste mange à satiété,
mais le ventre des méchants est vide.

14 ¹ Une femme sage a construit sa
maison,
mais une folle peut la renverser de ses
propres mains.

² Qui se conduit avec droiture craint le
SEIGNEUR *g*,
qui se dévoie le méprise.

³ Dans les paroles du fou bourgeonne
l'orgueil,
mais les propos des sages les protègent.

⁴ Qui n'a point de bétail a certes des
gerbes dans la mangeoire *h*,
mais la force des bœufs procure des
revenus abondants.

⁵ Un témoin véridique ne trompe pas,
le faux témoin respire le mensonge.

⁶ L'esprit fort cherche-t-il la sagesse ?
Il ne trouve rien ;
mais pour l'homme intelligent le savoir
est aisé.

⁷ Eloigne-toi du sot !
Tu ne reconnaîtrais chez lui aucun
propos savant.

⁸ Rendre compréhensible sa conduite,
c'est sagesse d'homme prudent,
mais la fourberie est la folie des sots.

⁹ Les fous se moquent de la faute ;
mais la faveur divine est parmi les
hommes droits *i*.

¹⁰ Le cœur connaît sa propre amertume
et aucun étranger ne peut s'associer
à sa joie.

¹¹ La maison des méchants sera détruite
tandis que la tente des hommes droits
sera florissante.

¹² Tel juge droite sa conduite,
mais en fin de compte elle mène à la
mort.

¹³ Même dans le rire le cœur s'attriste
et la joie finit en chagrin.

¹⁴ Le dévoyé sera vite rassasié de sa
conduite,

---

d Sous-entendu *d'avertissement* ou *de commandement* ● *e la faveur:* sans doute celle des autres hommes — *le chemin des perfides est interminable* indique que les perfides n'arrivent jamais à ce qu'ils désirent ● *f faute d'équité* ou *parce qu'il n'est pas juste* ● *g craint le Seigneur* ou *respecte le Seigneur* ● *h* Autre traduction *En l'absence de bœufs la mangeoire est vide* ● *i* Le texte hébreu n'est pas clair. Autres traductions *Les fous se moquent de réparer un tort mais la faveur...* ou *Les fous se moquent du péché mais seuls les hommes droits éprouvent du contentement*

13.13 respect du commandement et récompense Pr 13.21; Dt 4.40; 7.12-15; 11.22-25; cf. Pr 11.31+. **13.14** sagesse et vie Pr 4.13+. **13.17** sort du méchant messager 2 S 1.1-16. **13.18** tenir compte de l'avertissement Pr 15.5+. **13.21** sort des méchants et des justes Pr 3.33+; cf. 11.31+. **13.24** châtiments corporels Pr 10.13; 19.29; 23.13, 14; 29.15, 17. **13.25** à satiété Pr 10.3+. **14.1** une femme sage Pr 31.10-31. **14.2** craindre le Seigneur Pr 8.13+. **14.5** le faux témoin Pr 6.19+. **14.6** l'esprit fort Pr 13.1+. **14.11** sort des méchants et des justes Pr 3.33+.

en cela l'homme de bien lui est supérieur.

¹⁵ Le naïf croit tout ce qu'on dit,
mais l'homme prudent avance avec réflexion.

¹⁶ Le sage craint le mal et s'en détourne,
le sot s'emporte, plein d'assurance.

¹⁷ Qui est prompt à la colère fait des sottises
et l'homme astucieux ʲ se rend odieux.

¹⁸ Les naïfs ont en partage la folie,
la science est la couronne des gens avisés.

¹⁹ Les mauvais s'abaisseront devant les bons
et les méchants feront antichambre chez les justes.

²⁰ L'indigent est haï même de son camarade,
mais les amis du riche šont nombreux !

²¹ Qui méprise son prochain pèche,
mais qui a pitié des humbles est heureux.

²² Ne s'égarent-ils pas ceux qui forgent le mal ?
Mais fidélité et loyauté chez ceux qui forgent le bien !

²³ Tout labeur donne du profit,
mais le bavardage n'aboutit qu'au dénuement.

²⁴ Leur richesse est la couronne des sages,
la folie des sots n'est que folie.

²⁵ Un témoin véridique sauve des vies,
mais qui respire le mensonge égare.

²⁶ Il y a une puissante assurance dans la crainte du SEIGNEUR,
pour ses enfants il est un refuge.

²⁷ La crainte du SEIGNEUR est fontaine de vie ᵏ !
Elle détourne des pièges de la mort.

²⁸ Un peuple nombreux est l'honneur d'un roi
mais la dépopulation est la perte d'un prince.

²⁹ Qui est lent à la colère est très raisonnable,
l'homme irascible étale sa folie.

³⁰ Un cœur paisible est vie pour le corps,
mais la jalousie est une carie pour les os.

³¹ Qui opprime le faible outrage son Créateur,
mais qui a pitié du pauvre l'honore.

³² Le méchant est terrassé par sa malice,
mais, dans la mort même, le juste garde confiance.

³³ La sagesse repose dans le cœur intelligent,
mais parmi les insensés sera-t-elle reconnue ?

³⁴ La justice grandit un peuple,
mais le péché est la honte des nations.

³⁵ La faveur du roi ira au serviteur avisé,
mais sa colère sera pour qui est source de honte.

15 ¹ Une réponse douce fait rentrer la colère
mais une parole blessante fait monter l'irritation.

² La langue des sages rend la science aimable,
mais la folie fermente dans la bouche des sots.

³ Les yeux du SEIGNEUR sont partout,
observant les méchants et les bons.

⁴ Une parole réconfortante est un arbre de vie !
La perversité s'en mêle-t-elle ? C'est la consternation.

⁵ Un fou méprise l'éducation de son père,
qui tient compte de l'avertissement est bien avisé.

⁶ C'est un grand trésor que la maison du juste
mais le revenu du méchant est trouble ˡ.

⁷ Les lèvres du sage diffusent le savoir,
le cœur des sots, c'est tout autre chose !

ʲ Ou *malintentionné* ● k Ou *respecter le Seigneur procure la vie* ● *l* Autre traduction *le revenu des méchants est une source de troubles*

14.17 dangers de la colère Pr 15.18 29.22; cf. 19.11. **14.20** les amis du riche Pr 19.4, 6-7; *Si* 6.11-12; 13.21. **14.21** avoir pitié des humbles Pr 14.31; 19.17; 22.9; Ps 41.2; cf. Pr 17.5; 21.13. **14.27** la crainte du Seigneur Pr 10.27+. **15.5** tenir compte de l'avertissement Pr 10.17; 12.1; 13.18; 15.31, 32. **15.6** le revenu du méchant est trouble Pr 11.28; 23.4-5; Es 5.8-10; Am 4.1-3; 6.1-7; Jc 5.1-6.

8 Le *sacrifice des méchants est en horreur au SEIGNEUR,
il se complaît à la prière des hommes droits.

9 La conduite des méchants est en horreur au SEIGNEUR,
mais il aime qui aspire à la justice.

10 Sévère correction pour qui abandonne le chemin *m*,
qui déteste l'avertissement mourra.

11 Le monde-d'en-bas *n* et l'*Abîme sont devant le SEIGNEUR,
combien plus les *cœurs des humains !

12 L'esprit fort n'aime pas qui l'avertit,
il ne va pas vers les sages.

13 Un cœur joyeux rend aimable le visage,
mais dans le chagrin l'esprit est abattu.

14 Un cœur intelligent recherche le savoir,
mais la bouche des sots broute la folie !

15 Tous les jours du malheureux sont mauvais,
mais la vie de l'homme heureux est un festin perpétuel !

16 Mieux vaut peu de biens avec la crainte du SEIGNEUR *o*
qu'un grand trésor avec du tracas.

17 Mieux vaut un plat de légumes là où il y a de l'amour
qu'un bœuf gras assaisonné de haine.

18 L'homme irascible provoque la querelle,
qui garde son sang-froid apaise l'altercation.

19 Le chemin du paresseux n'est jamais qu'un roncier,
mais la route des hommes droits est bien frayée.

20 Un fils sage réjouit son père,
mais un sot méprise sa mère.

21 La folie fait la joie de l'insensé,
mais qui est intelligent va droit son chemin.

22 Les projets avortent faute de délibération,
avec de nombreux conseillers ils tiendront.

23 Joie pour un homme dans ses réparties !
Un mot dit à propos, comme c'est bon !

24 Le chemin de vie mène en haut l'homme avisé,
le détournant du Monde-d'en-bas *p*.

25 Le SEIGNEUR renverse la maison des orgueilleux
mais affermit la borne de la veuve *q*.

26 Les calculs pervers sont en horreur au SEIGNEUR
mais les paroles bienveillantes sont pures.

27 Qui pratique la rapine jette le trouble chez lui,
mais qui déteste les pots-de-vin vivra.

28 Le juste réfléchit avant de répondre,
mais les méchants vomissent des insanités.

29 Le SEIGNEUR se tient à distance des méchants
mais il écoute la prière des justes.

30 Un regard lumineux donne une joie profonde,
une bonne nouvelle donne des forces.

31 Qui prête une oreille attentive à un avertissement salutaire
habitera parmi les sages.

32 Qui rejette l'éducation se méprise lui-même,
mais qui écoute l'avertissement acquiert du bon sens.

Le Seigneur dans la vie quotidienne

33 La crainte du SEIGNEUR est une discipline de sagesse ;
avant la gloire : l'humilité.

---

m Il s'agit du *chemin* (= la conduite) du juste et du sage (voir v. 24) ● *n* Ou *séjour des morts* ● *o* avec la crainte du Seigneur ou en respectant le Seigneur ● *p* Ou *séjour des morts* ● *q* La borne est celle qui marque la limite d'un champ. La loi interdisait de déplacer de telles bornes (voir Dt 19.14). Dieu exige tout particulièrement le respect de cette règle à l'égard des gens sans défense tels que l'étranger, l'orphelin et la *veuve*

15.8 le sacrifice des méchants 1 S 15.22+. **15.8-9** en horreur au Seigneur Pr 3.32+. **15.12** l'esprit fort Pr 13.1+. **15.16** peu de biens Pr 16.8+. **15.22** de nombreux conseillers Pr 11.14+. **15.25** la borne de la veuve Pr 22.28+. **15.27** les pots-de-vin Pr 17.23; Dt 16.19; Es 1.23; Ez 22.12. **15.33** crainte du Seigneur et sagesse Pr 9.10+.

16

¹ A l'homme les projets ;
au SEIGNEUR la réponse ʳ.

² Toutes les voies de l'homme sont pures à ses yeux ˢ,
mais c'est le SEIGNEUR qui pèse les
*cœurs.

³ Expose ton action au SEIGNEUR
et tes plans se réaliseront.

⁴ Le SEIGNEUR a tout fait avec intention,
même le méchant pour le *jour du
malheur.

⁵ Tout orgueilleux est en horreur au
SEIGNEUR,
en fin de compte il ne restera pas
impuni.

⁶ La faute est effacée par la fidélité et
la loyauté,
et on se détourne du mal par la
crainte du SEIGNEUR ᵗ.

⁷ Quand le SEIGNEUR prend plaisir à la
conduite de quelqu'un,
il lui concilie même ses ennemis.

⁸ Mieux vaut peu de bien avec la justice
qu'abondants revenus sans équité.

⁹ Le cœur de l'homme étudie sa route,
mais c'est le SEIGNEUR qui affermit ses
pas.

A propos des rois

¹⁰ Oracle sur les lèvres du roi ᵘ,
quand il jugera ce sera sans parti-pris.

¹¹ Au SEIGNEUR un fléau et des balances
justes,
et tous les poids sont son affaire.

¹² Faire le mal est en horreur aux rois
car un trône s'affermit par la justice.

¹³ La faveur des rois va aux lèvres justes ;
ils aiment ceux qui parlent avec droiture.

¹⁴ Fureur du roi, envoi des tueurs ᵛ !
mais un sage peut l'apaiser.

¹⁵ Quand le visage du roi est radieux,
c'est la vie !
et sa faveur est comme un nuage de
pluie printanière ʷ.

La vie sociale et morale

¹⁶ Acquérir la sagesse vaut mieux que
l'or fin,
acquérir l'intelligence est préférable à
l'argent.

¹⁷ La route des hommes droits se détourne du mal ;
qui veut protéger sa vie prend garde
à sa conduite.

¹⁸ Avant la ruine, il y a l'orgueil ;
avant le faux-pas, l'arrogance ˣ.

¹⁹ Mieux vaut se situer modestement
avec les humbles
que de partager le butin avec les
orgueilleux.

²⁰ Qui réfléchit mûrement à une affaire
s'en trouvera bien ;
qui se confie dans le SEIGNEUR, heureux est-il !

²¹ Qui a un jugement sage peut être
appelé intelligent ;
des paroles douces sont plus persuasives ʸ.

²² Le bon sens est source de vie pour
qui en a ;
mais le châtiment des fous, c'est la
folie.

²³ Le jugement du sage rend ses paroles
avisées ;
sa conversation en est plus persuasive.

²⁴ Des paroles aimables sont un rayon
de miel ;
c'est doux au palais, salutaire au corps.

²⁵ Tel juge droite sa conduite
qui, en fin de compte, mène à la mort.

²⁶ C'est la faim qui fait travailler le travailleur,
c'est sa bouche qui l'y pousse.

ʳ Ce verset est l'équivalent du proverbe français *l'homme propose, Dieu dispose* ● ˢ C'est-à-dire
l'homme trouve toujours qu'il a correctement agi ● ᵗ *par la crainte du Seigneur* ou *quand on
respecte le Seigneur* ● ᵘ Ou *Le roi prononce un oracle* ● ᵛ Ou *La colère du roi peut entraîner
mort d'hommes* ● ʷ En Israël les pluies cessent normalement vers la fin avril et elles sont accueil-
lies avec reconnaissance après cette date ● ˣ Ou *L'orgueil entraîne la ruine, l'arrogance entraîne
la chute* ● ʸ *plus persuasives* ou *particulièrement persuasives*

16.2 le Seigneur pèse les cœurs Pr 21.2; 1 S 2.3; Jb 31.6; Lc 16.15. **16.4** le jour du malheur
Pr 11.4+. **16.6** la faute effacée Pr 10.12; 1 P 4.8 — la crainte du Seigneur Pr 8.13+. **16.8**
peu de biens avec la justice Pr 15.16; Ps 37.16; Tb 12.8-9. **16.10** roi et justice Pr 31.4-5, 8-9;
1 R 3.28; Ps 72.1-4. **16.11** des balances justes Pr 11.1+. **16.16** valeur de la sagesse Pr 8.11+.
16.20 confiance en Dieu Pr 3.5-6+.

27 Le vaurien fomente le mal,
il y a sur ses lèvres un feu dévorant.

28 L'homme pervers suscite des querelles
et le calomniateur divise les amis.

29 Le violent circonvient son camarade
pour le conduire dans une mauvaise
voie.

30 Qui, machinant de mauvais tours,
ferme les yeux
et clôt les lèvres z, a déjà accompli le
mal.

31 Les cheveux gris sont une couronne
magnifique ;
on les rencontre sur les chemins de la
justice a.

32 Qui est lent à la colère vaut mieux
qu'un héros,
qui est maître de soi vaut mieux
qu'un conquérant.

33 On agite les dés dans le gobelet b
mais quelle que soit leur décision, elle
vient du Seigneur.

17 ¹ Mieux vaut un morceau de
pain sec et la tranquillité
qu'une maison pleine de festins à
disputes.

² Un serviteur avisé supplantera un fils
qui fait honte
et il héritera avec les frères.

³ Il y a un creuset pour l'argent et un
four pour l'or,
mais c'est le Seigneur qui éprouve les
*cœurs.

⁴ Le malfaisant est suspendu aux lèvres
iniques,
le menteur prête l'oreille à la langue
pernicieuse.

⁵ Qui se moque de l'indigent insulte
son Créateur ;
qui se réjouit d'un malheur ne le fera
pas impunément.

⁶ La couronne des grands-parents, c'est

leurs petits-enfants
et la parure des fils, leur père.

⁷ Un langage avantageux ne convient
pas à un homme stupide,
à plus forte raison un langage men-
songer à un notable.

⁸ Un cadeau est une pierre magique c
aux yeux de qui en dispose ;
où qu'il se tourne, c'est la réussite.

⁹ Qui recherche l'amitié oublie les torts ;
y revenir sépare de l'ami.

10 Un reproche fait plus d'effet à un
homme intelligent
que cent coups à un sot.

11 Le méchant ne cherche que la révolte,
mais contre lui un messager cruel sera
déchaîné d.

12 Mieux vaut tomber sur une ourse privée de ses petits
que sur un sot en pleine folie.

13 Celui qui rend le mal pour le bien,
le malheur ne quittera pas sa demeure.

14 Commencer une querelle c'est ouvrir
une vanne e :
avant que s'exaspère la dispute, abandonne !

15 Justifier un coupable ou faire passer
pour coupable un juste
sont tous deux en horreur au Seigneur.

16 A quoi bon de l'argent dans la main
d'un sot ?
pour acquérir la sagesse ? Mais son
intelligence est nulle !

17 Un ami aime en tout temps,
mais un frère est engendré pour celui
de l'adversité f.

18 C'est un insensé celui qui tope dans
la main g
pour se porter garant envers son prochain.

19 Qui aime la querelle aime le péché ;

z Fermer les yeux et clore les lèvres : ces attitudes permettent de mieux réfléchir aux mauvais coups que l'on prépare ● a sur les chemins de la justice : ceux qui pratiquent la justice bénéficient d'une longue vie (les cheveux gris) ● b Allusion à la coutume consistant à utiliser les dés sacrés pour connaître la volonté de Dieu (voir Ex 28.30 et la note) ● c pierre magique ou porte-bonheur. Allusion aux pouvoirs magiques attribués à certaines pierres précieuses ● d Ou le Seigneur enverra contre lui un ange cruel (voir Ex 12.23 ; Ps 78.49) ● e C'est-à-dire libérer une force que l'on ne peut pas contrôler ● f Ou et un frère existe pour le temps de l'adversité ● g Voir 6.1 et la note

16.27 un feu dévorant Jc 3.6 ; cf. Pr 13.3+. 17.5 pas impunément Pr 3.33+ ; 11.31+. 17.8 un cadeau Pr 18.16 ; 19.6 ; 21.14 ; cf. 15.27+. 17.9 oublier les torts Pr 10.12+. 17.15 pervertir la justice Pr 24.23+ ; cf. Pr 15.27 est en horreur au Seigneur Pr 3.32+. 17.17 un ami Pr 27.10+. 17.18 dangers de la caution Pr 6.1-5+.

qui surélève sa porte *h* recherche la ruine.

20 L'esprit pervers ne trouvera pas le bonheur,
et qui s'entortille en ses propos tombera dans le malheur.

21 Qui engendre un sot, à lui la peine,
et le père d'un fou n'aura pas à s'en réjouir.

22 Un cœur joyeux favorise la guérison,
un esprit attristé dessèche les membres.

23 Le méchant accepte un pot-de-vin en cachette
pour faire dévier le droit de son cours.

24 La sagesse se lit sur le visage d'un homme intelligent
mais les yeux du sot fixent le bout de la terre *i* !

25 Un fils insensé est le chagrin de son père,
l'amertume de celle qui l'a enfanté.

26 Punir le juste n'est pas bien du tout ;
frapper les gens honorables va contre le droit.

27 Qui met un frein à ses paroles est plein de savoir ;
et qui garde son calme est un homme raisonnable.

28 Même un fou, s'il se tait, peut être pris pour un sage,
pour quelqu'un d'intelligent s'il garde les lèvres closes.

18 **1** L'égoïste ne suit que ses désirs ;
il s'exaspère contre tout conseil.

2 Le sot ne se complaît pas dans la raison,
mais bien à faire étalage de son opinion.

3 Vienne le méchant, viendra aussi l'infamie,
et avec le mépris, l'insulte.

4 Les paroles humaines sont des eaux profondes,
un torrent débordant, une source de sagesse *j* !

5 Ce n'est pas bien de réhabiliter le méchant
en égarant le juste lors du jugement.

6 Les lèvres du sot provoquent la querelle,
sa bouche appelle les coups.

7 La bouche du sot est sa ruine,
ses lèvres sont un piège pour lui-même.

8 Les paroles du calomniateur sont comme des friandises ;
elles coulent jusqu'au tréfonds des entrailles.

9 Celui qui se relâche dans son travail
est déjà le frère du destructeur.

10 Le *nom du Seigneur est un puissant bastion ;
le juste y accourt et s'y trouve en sécurité.

11 Les biens du riche sont sa ville forte ;
dans son imagination c'est un rempart inaccessible.

12 Avant la ruine, l'esprit humain est plein d'orgueil ;
mais avant la gloire, il y a l'humilité.

13 Qui répond avant d'écouter :
pure folie, et honte pour lui !

14 Le moral de l'homme surmonte la maladie ;
mais si ce moral est brisé, qui le relèvera ?

15 Un *cœur intelligent acquiert la connaissance,
et l'oreille des sages la recherche.

16 Le cadeau d'un homme le met à l'aise
et l'introduit auprès des grands.

17 Le premier à parler dans son procès paraît juste ;
vienne la partie adverse, elle le contestera.

18 Les dés jetés font cesser les querelles *k*,
ils tranchent entre les puissants.

19 Un frère offensé est plus inaccessible qu'une ville forte ;
et les querelles sont solides comme un verrou de donjon.

20 Du fruit de ses paroles chacun tire sa nourriture ;

---

h C'est-à-dire qui s'élève au-dessus de sa place par orgueil ● *i fixent le bout de la terre* ou *s'évadent hors du réel* ● *j un torrent débordant, une source de sagesse:* autre traduction *la source de la sagesse est un torrent débordant* ● *k* Voir 16.33 et la note

17.23 un pot-de-vin Pr 15.27+. **18.5** égarer le juste Ps 35.11; cf. Pr 24.23-24+. **18.6** les lèvres du sot Pr 13.3+. **18.10** le Seigneur, un bastion Ps 124.8+. **18.16** le cadeau Pr 17.8+.

son langage lui rapporte de quoi se rassasier.

²¹ La mort et la vie dépendent du langage,
qui l'affectionne pourra manger de son fruit.

²² Qui a trouvé une femme a trouvé le bonheur ;
il a obtenu une faveur du SEIGNEUR.

²³ L'indigent parle en suppliant,
le riche répond avec dureté.

²⁴ Qui a beaucoup de camarades en sera écartelé *l* ;
mais tel ami est plus attaché qu'un frère.

19 ¹ Mieux vaut un indigent qui se conduit honnêtement
qu'un homme au langage tortueux qui n'est qu'un sot.

² Dans un désir irréfléchi, il n'y a sûrement rien de bon
et qui précipite ses pas commet une faute.

³ La folie d'un homme brise-t-elle sa destinée
qu'il s'en prend rageusement au SEIGNEUR !

⁴ La richesse multiplie le nombre des amis,
mais le faible est coupé même de son ami.

⁵ On n'est pas faux témoin impunément,
et qui profère des mensonges n'échappera pas.

⁶ Nombreux ceux qui flattent en face un notable,
et tout le monde est l'ami de qui fait des cadeaux.

⁷ Tous ses frères détestent l'indigent,
à plus forte raison ses amis s'éloignent-ils de lui.
Tandis qu'il poursuit ses discours, ils ne sont plus là *m* !

⁸ Qui acquiert du jugement s'aime soi-même ;
qui garde la raison s'en trouvera bien.

⁹ On n'est pas faux témoin impunément,
et qui profère des mensonges se perd.

¹⁰ Il ne convient pas au sot de vivre dans le plaisir,
encore moins à l'esclave de commander à des princes.

¹¹ Le bon sens de l'homme retarde sa colère
et sa gloire, c'est de passer par-dessus une offense.

¹² La colère du roi est comme un rugissement de lion,
mais sa faveur comme la rosée sur l'herbe.

¹³ Un fils insensé est une calamité pour son père ;
les querelles de femmes : une gouttière qui ne cesse de couler.

¹⁴ Une maison et des biens sont un héritage des pères,
mais une femme avisée est un don du SEIGNEUR.

¹⁵ La paresse plonge dans la torpeur,
et l'estomac du nonchalant a faim.

¹⁶ Qui garde les préceptes se garde lui-même,
qui est indifférent à sa propre conduite mourra.

¹⁷ Celui qui a pitié du faible prête au SEIGNEUR
qui le lui rendra.

¹⁸ Corrige ton fils car il y a de l'espoir *n*,
mais ne t'emporte pas jusqu'à le faire mourir.

¹⁹ Une violente colère comporte une amende ;
si tu en exemptes, tu incites à recommencer.

²⁰ Ecoute le conseil, accepte la discipline,
pour qu'enfin tu deviennes sage.

²¹ Nombreux les projets dans le cœur humain !
mais seul le dessein du SEIGNEUR tiendra.

---

l Autre traduction *Il y a des compagnons qui mènent à la ruine* ● *m Tandis qu'il..., ils ne sont plus là*: le sens du texte hébreu est peu clair et la traduction incertaine ● *n* Autre traduction *Corrige ton fils tant qu'il y a de l'espoir*

18.21 pouvoir du langage Pr 16.27+. **18.22** femme et bonheur Pr 19.14; 31.10, 11; Gn 2.18; Si 26.1-4; cf. Pr 19.13+. **19.4** pauvreté et amitié Pr 14.20+. **19.5** punition du faux témoin Pr 6.19+. **19.6** faire des cadeaux Pr 17.8+. **19.9** cf. Pr 19.5. **19.13** les querelles de femmes Pr 21.9, 19; Si 25.13-26; cf. Pr 18.22+. **19.14** une femme avisée Pr 18.22+. **19.15** sort du paresseux Pr 6.11+. **19.21** le dessein du Seigneur Pr 16.1, 9.

22 Ce qu'on désire d'un homme, c'est la fidélité ;
aussi, mieux vaut un indigent qu'un menteur.

23 La crainte du SEIGNEUR [o] mène à la vie
et, comblé, on passera des nuits sans la visite du malheur.

24 Le paresseux plonge sa main dans le plat,
mais il ne la ramène pas à la bouche.

25 Tape sur le moqueur [p], le niais en deviendra prudent ;
reprends l'homme intelligent, il comprendra ce qu'est le savoir.

26 Il fait violence à son père et fait fuir sa mère,
le fils qui cause honte et déshonneur.

27 Cesse, mon fils, d'obéir à une discipline :
ce sera pour errer hors des propos du savoir [q].

28 Un vaurien appelé en témoignage se moque du droit ;
la bouche des méchants se repaît d'iniquité.

29 Les châtiments sont établis pour les moqueurs,
et les coups pour le dos des sots.

20 1 Le vin est moqueur, l'alcool tumultueux ;
quiconque se laisse enivrer par eux ne pourra être sage.

2 Comme fait un rugissement de lion, ainsi la peur du roi [r] ;
qui l'irrite met sa vie en péril.

3 S'abstenir des disputes est un honneur pour l'homme,
mais tous les fous ont la tête près du bonnet [s].

4 Comme c'est l'hiver, le paresseux ne veut pas labourer,
mais à la moisson il cherchera et ne trouvera rien.

5 Les pensées dans le *cœur humain sont des eaux profondes !
l'homme raisonnable y puisera.

6 Il y a beaucoup d'hommes dont on proclame la fidélité :
mais un homme sûr, qui le trouvera ?

7 Le juste va honnêtement son chemin,
heureux ses fils après lui !

8 Le roi, quand il siège au tribunal,
discerne tout mal du regard.

9 Qui peut dire : J'ai purifié mon cœur,
je suis net de mon péché ?

10 Deux poids, deux mesures
sont l'un et l'autre en horreur au SEIGNEUR.

11 On reconnaît, certes, le jeune homme à ses actes,
si son œuvre est pure et si elle est juste.

12 L'oreille pour entendre, l'œil pour voir,
c'est le SEIGNEUR qui les a faits tous deux.

13 N'aime pas le sommeil pour ne pas t'appauvrir ;
tiens tes yeux ouverts si tu veux te rassasier de pain.

14 L'acheteur dit : « Mauvais, mauvais ! »
mais en s'en allant il se félicite.

15 L'or et le corail abondent ;
mais un langage plein de savoir, quelle chose rare !

16 Saisis son manteau [t] car il s'est porté garant d'un étranger ;
retiens-lui un gage car il a cautionné une étrangère.

17 On trouve agréable le pain du mensonge :
mais une fois la bouche pleine, c'est du gravier !

18 Fais tes projets avec réflexion, tu seras sûr de toi ;
conduis la guerre en calculant bien.

o La crainte du Seigneur ou *Respecter le Seigneur* • *p* Voir 1.22 et la note • *q* Ou *Mon fils, si tu cesses d'obéir à une discipline, tu erreras...* Le sens du texte hébreu est incertain. Autre traduction *Mon fils, cesse d'écouter l'instruction si celle-ci t'éloigne de l'enseignement des sages* • *r* Ou *la peur qu'inspire le roi* • *s ont la tête près du bonnet* ou *se mettent facilement en colère* • *t* Sous-entendu *en gage.* Il s'agit d'un conseil donné au créancier dont le débiteur s'est imprudemment porté garant d'un inconnu

19.23 la crainte du Seigneur Pr 10.27+. **19.25** le moqueur Pr 1.22+. **19.26** le fils indigne Pr 20.20+. **19.29** les châtiments corporels Pr 13.24+. **20.1** danger du vin Pr 21.17; 23.20-21, 29-35; 31.4-5. **20.4** sort du paresseux Pr 6.11+. **20.8** roi et justice Pr 16.10+. **20.9** net de péché Qo 7.20+. **20.10** deux poids, deux mesures Pr 11.1+ sont en horreur au Seigneur Pr 3 32+. **20.12** il les a faits Ps 94.9. **20.16** dangers de la caution Pr 6.1-5+.

¹⁹ Qui dévoile des secrets commet une trahison ;
n'aie donc pas de relation avec qui parle trop.

²⁰ Qui maudit père et mère,
sa lampe ^u s'éteindra au milieu des ténèbres.

²¹ Une propriété obtenue avec trop de hâte au début
ne saurait être bénie par la suite.

²² Ne dis pas : « Je rendrai le mal qu'on m'a fait ! »
Espère plutôt dans le SEIGNEUR et il te sauvera.

²³ Poids et poids ^v sont en horreur au SEIGNEUR ;
des balances faussées, ce n'est pas bon.

²⁴ Grâce au SEIGNEUR, les pas de l'homme sont assurés ;
mais lui, comment pourrait-il comprendre où il va ?

²⁵ C'est un piège pour l'homme de dire étourdiment : C'est sacré ^w !
comme, après des vœux, d'y réfléchir.

²⁶ Un roi sage disperse les méchants
et fait passer sur eux la roue ^x.

²⁷ Le souffle de l'homme est une lampe du SEIGNEUR
qui explore les tréfonds de l'être ^y.

²⁸ Fidélité et loyauté garderont le roi ;
son trône s'affermit par la fidélité.

²⁹ La force est la parure des jeunes gens,
les cheveux gris sont l'honneur des vieillards.

³⁰ Les plaies d'une blessure sont un remède au mal ^z,
de même les coups pour le tréfonds de l'être.

21 ¹ Le *cœur du roi est un cours d'eau dans la main du SEIGNEUR,
il le dirige vers tout ce qui lui plaît.

² Toutes les voies de l'homme sont droites à ses yeux,
mais c'est le SEIGNEUR qui pèse les cœurs.

³ Pratiquer la justice et le droit
est préféré par le SEIGNEUR au *sacrifice.

⁴ Les yeux hautains, le cœur gonflé,
l'éclat des méchants : tout cela est péché !

⁵ Les calculs de l'homme actif sont un profit assuré,
mais l'impatience mène sûrement à l'indigence.

⁶ Une fortune acquise grâce à des paroles frauduleuses :
illusion fugace de gens qui cherchent la mort !

⁷ La violence des méchants les emporte
car ils refusent de pratiquer le droit.

⁸ La conduite du criminel est tortueuse
mais l'activité de l'honnête homme est droite.

⁹ Mieux vaut habiter en un coin sous les toits
que partager la maison d'une femme querelleuse.

¹⁰ Tout l'être du méchant aspire au mal,
même son ami ne trouve pas grâce à ses yeux.

¹¹ Le niais deviendra sage par la punition du sceptique
et il acquerra la science par la formation donnée au sage.

¹² Le juste porte attention au clan des méchants,
les poussant dans le malheur.

¹³ Qui se bouche les oreilles au cri du faible
appellera lui aussi sans obtenir de réponse.

¹⁴ Fait discrètement, un cadeau éteint la colère ;
glissé dans la poche, un présent éteint une violente fureur.

---

u Voir 13.9 et la note ● *v* Comparer 20.10 ● *w* C'est sacré: il s'agit d'une formule de vœu signifiant « je consacre ceci à Dieu » ● *x* Allusion à un procédé de battage qui utilise des sortes de chariots ● *y* Le souffle de l'homme ou l'esprit de l'homme — Ce verset signifie sans doute que l'esprit humain est une lumière donnée par Dieu et permettant à l'homme de se connaître et de se juger ● *z* Le sens du texte hébreu est incertain

20.20 qui maudit père et mère Ex 21.17+. 20.25 accomplissement des vœux Qo 5.3-5+. 20.27 le souffle de l'homme Jb 32.8; 1 Co 2.11. 20.28 son trône s'affermit Pr 29.14+. 21.2 le Seigneur pèse les cœurs Pr 16.2+. 21.3 la justice préférable au sacrifice 1 S 15.22+. 21.9 une femme querelleuse Pr 19.13+.

15 L'exercice du droit est une joie pour le juste,
mais c'est une calamité pour le malfaiteur.

16 Quiconque s'écarte du chemin du bon sens
ira se reposer dans la communauté des Ombres *a*.

17 L'amateur de plaisir est voué au dénuement,
qui aime le vin et la bonne chère ne s'enrichit pas.

18 Le méchant est une rançon pour le juste
et le perfide pour les hommes droits.

19 Mieux vaut habiter une région déserte
qu'avoir une femme querelleuse et chagrine.

20 Il y a un trésor précieux et de l'opulence chez le sage :
tout cela le sot l'engloutit !

21 Qui poursuit justice et fidélité
trouvera vie, justice, honneur.

22 Un sage peut s'emparer d'une ville fortement défendue
et démanteler la citadelle, son espoir *b*.

23 Qui garde sa bouche et sa langue
se protège des angoisses.

24 Un orgueilleux insolent, c'est cela un sceptique :
il agit dans un débordement d'orgueil.

25 La convoitise du paresseux le fera mourir
car ses mains refusent d'agir.

26 Toute la journée il est en proie à la convoitise !
— Mais le juste donne sans rien réserver.

27 Le sacrifice des méchants est une horreur
d'autant plus qu'ils l'offrent avec malice.

28 Le faux témoin périra,
mais qui sait écouter saura toujours parler.

29 Le méchant prend un air effronté
mais l'homme droit donne une base solide à sa conduite.

30 Il n'est ni sagesse ni raison
ni réflexion en face du Seigneur *c*.

31 On prépare une cavalerie pour le jour du combat,
mais en définitive la victoire dépend du Seigneur.

22 1 Bonne renommée vaut mieux que grande richesse,
faveur est meilleure qu'argent et or.

2 Le riche et l'indigent se rejoignent,
le Seigneur les a faits tous deux.

3 Voit-il poindre le malheur, l'homme prudent se cache,
mais les niais passent outre et en portent la peine.

4 La conséquence de l'humilité, c'est crainte du Seigneur,
richesse, honneur et vie *d*.

5 Des épines, des pièges jonchent la route du tortueux,
qui veut garder sa vie s'en éloigne.

6 Donne de bonnes habitudes au jeune homme en début de carrière ;
même devenu vieux, il ne s'en départira pas.

7 Le riche domine les indigents
et le débiteur est esclave de son créancier.

8 Qui sème l'injustice récolte la calamité ;
l'aiguillon de sa passion s'émoussera *e*.

9 Qui a le regard bienveillant sera béni
pour avoir donné de son pain au pauvre.

10 Chasse le moqueur et la querelle s'en ira :
plus de disputes ni d'outrages !

---

a Voir 2.18 et la note ● *b son espoir,* c'est-à-dire le dernier espoir des assiégés ● *c* Ou *Aucune sagesse, intelligence ou réflexion humaines ne peuvent prévaloir contre le Seigneur* ● *d* Autre traduction *L'homme humble qui respecte le Seigneur a pour récompense la richesse, l'honneur et la vie* ● *e* C'est-à-dire qu'il se lassera de commettre des injustices. Mais le sens du texte hébreu est incertain

21.17 danger du vin Pr 20.1+. **21.18** le méchant rançon du juste Pr 11.8; Es 43.4. **21.20** la sagesse, un trésor précieux Pr 8.11+. **21.23** garder sa bouche Pr 13.3+. **21.24** un sceptique Pr 9.7. **21.27** le sacrifice des méchants 1 S 15.22+. **21.28** le faux témoin périra Pr 6.19+. **21.31** une cavalerie Ps 20.8+. **22.2** riche et indigent se rejoignent Pr 13.23; 14.31; cf. Pr 10.15+ — le Seigneur les a faits Pr 29.13; Jb 31.15; Sg 6.7. **22.4** l'humilité Pr 11.2+ c'est crainte du Seigneur Pr 10.27+. **22.7** esclave Ne 5.5-11; cf. Lv 25.39+. **22.9** le regard bienveillant Pr 14.21+ sera béni Pr 10.6+.

11 Celui qui aime l'homme au cœur pur
et dont les paroles sont bienveillantes,
le roi est son ami.

12 Les yeux du SEIGNEUR veillent sur le
savoir ;
il confond les paroles du perfide.

13 Le paresseux dit : « Il y a un lion
dehors,
en pleine rue ! Je vais être tué ! »

14 La bouche *f* des femmes dévergondées
est une fosse profonde ;
celui que le SEIGNEUR réprouve y
tombera.

15 La folie est liée au cœur des jeunes,
le bâton qui châtie les en éloignera.

16 On exploite le faible : finalement il en
sort grandi ;
on donne au riche : finalement ce n'est
qu'appauvrissement *g*.

Mises en garde diverses

17 Tends l'oreille pour entendre les paroles
des sages
et porte ton attention à mon expérience ;

18 tu auras plaisir à les garder au fond
de ton être,
elles seront toutes ensemble prêtes sur
tes lèvres.

19 Pour que ta confiance soit dans le
SEIGNEUR,
je vais t'instruire aujourd'hui toi aussi.

20 Voici que j'ai écrit à ton intention
trente maximes *h*
en matière de conseil et de savoir

21 pour que tu fasses connaître la réalité
des paroles de vérité,
et que tu rapportes des paroles, en
toute fidélité, à ceux qui t'envoient.

22 Ne dépouille pas le faible : c'est un
faible *i* !
et n'écrase pas l'homme d'humble condition en justice :

23 car le SEIGNEUR plaidera leur cause
et ravira la vie de leurs ravisseurs.

24 Ne te fais pas l'ami d'un homme
irascible

25 et ne va pas avec l'emporté,
pour ne pas t'habituer à son travers
et ne pas laisser prendre ta vie au
piège.

26 Ne sois pas de ceux qui topent dans
la main *j*,
qui se portent garants d'un emprunt ;

27 car tu n'auras peut-être pas de quoi
rembourser !
Pourquoi devrait-on saisir ton lit quand
tu es dessus *k* ?

28 Ne déplace pas une borne *l* ancienne
que tes pères ont posée.

29 As-tu aperçu quelqu'un d'habile dans
ce qu'il fait ?
Il pourra se présenter devant les rois
au lieu de rester parmi les gens
obscurs.

23 1 Si tu es à table avec un puissant,
fais bien attention à celui qui est
devant toi.

2 Mets un couteau sur ta gorge *m*
si tu es un glouton !

3 Ne convoite pas ses bons plats !
Après tout, c'est une nourriture déce-
vante !

4 Ne te fatigue pas pour acquérir la
richesse,
cesse d'y penser.

5 Tes regards se seront à peine posés
sur elle
qu'elle aura disparu.
Car elle sait se faire des ailes !
Comme un aigle elle s'envolera vers
les cieux.

6 Ne mange pas le pain de l'homme au
regard mauvais
et ne convoite pas ses bons plats ;

7 car il est comme quelqu'un qui a déjà
pris sa décision *n* :
« Mange et bois », te dit-il,
mais son cœur n'est pas avec toi !

8 La bouchée que tu viens d'avaler, tu
la vomiras
et toute ton amabilité aura été en
pure perte.

9 Ne parle pas aux oreilles d'un sot,

---

f La bouche ou *les paroles* ● *g* Sous-entendu: pour celui qui donne ● *h trente maximes:*
le texte hébreu est obscur. Autres traductions *à plusieurs reprises* ou *depuis longtemps* ● *i* Ou
sous prétexte qu'il est faible ● *j* Voir 6.1 et la note ● *k* Sous-entendu: pour le prendre en gage
● *l* Voir 15.25 et la note ● *m* Ou *réfrène ton appétit* ● *n* C'est-à-dire, probablement, il ne
pense pas ce qu'il dit

22.11 le roi est son ami Pr 14.35; 16.13; cf. Pr 24.21. **22.14** les femmes dévergondées Pr 2.16+. **22.15** le bâton qui châtie Pr 13.24+. **22.19** confiance dans le Seigneur Pr 3.5-6+. **22.23** il plaidera leur cause Pr 23.11+. **22.26** dangers de la caution Pr 6.1-5+. **22.28** respect des bornes Pr 15.25; 23.10, 11; Jb 24.2+.

il mépriserait le bon sens de tes propos.

10 Ne déplace pas une borne ancienne
et n'entre pas dans le champ des orphelins *o* ;
11 car leur défenseur *p* est puissant,
c'est lui qui plaidera leur cause contre toi !
12 Dirige ton cœur vers l'éducation
et tes oreilles vers les paroles de l'expérience.
13 N'écarte pas des jeunes le châtiment !
si tu les frappes du bâton, ils n'en mourront pas !
14 Bien plutôt, en les frappant du bâton,
tu les sauveras du Monde-d'en-bas *q*.

Conseils d'un père à son fils

15 Mon fils, si ton *cœur est sage,
mon cœur à moi aussi se réjouit.
16 Tout mon être exultera
quand tu t'exprimeras avec droiture.

17 Ne jalouse pas intérieurement les pécheurs,
mais toute la journée aie la crainte du SEIGNEUR *r*.
18 Car, assurément, il y a un avenir
et ton espérance ne sera pas fauchée.
19 Et toi, mon fils, écoute et deviens sage
et tu iras droit ton chemin.

20 Ne te range pas parmi les buveurs
ni parmi ceux qui se gavent de viande.
21 Car, qui boit et se gave, tombe dans la misère
et la somnolence habille de haillons !
22 Ecoute ton père, lui qui t'a engendré,
et ne méprise pas ta mère parce qu'elle a vieilli.

23 Acquiers la vérité, n'en fais pas commerce,
de même pour la sagesse, l'éducation et l'intelligence.

24 Le père d'un juste sautera de joie,
qui met au monde un sage se réjouira.
25 Puissent-ils se réjouir, ton père et ta mère,

sauter de joie, celle qui t'a mis au monde !

26 Mon fils, donne-moi ta confiance
et que tes yeux se réjouissent de mon exemple *s*.
27 Oui, la prostituée est une fosse profonde
et l'étrangère un puits étroit *t* !
28 Elle aussi, comme un brigand, elle fait le guet,
elle multiplie les perfidies parmi les hommes.

Portrait de l'ivrogne

29 Pour qui les : « Ah ! » ? Pour qui les : « Hélas ! » ?
Pour qui les querelles ? Pour qui les plaintes ?
Pour qui les disputes sans raison ?
Pour qui les yeux qui voient double ?
30 Pour ceux qui s'attardent au vin,
pour ceux qui recherchent les boissons capiteuses.
31 Ne regarde pas le vin qui rougeoie,
qui donne toute sa couleur dans la coupe
et qui glisse facilement.
32 En fin de compte il mord comme un serpent,
il pique comme une vipère.
33 Tes yeux verront des choses étranges
et ton esprit te fera tenir des propos absurdes.
34 Tu seras comme un homme couché en pleine mer,
couché au sommet d'un mât.
35 « On m'a frappé... ! Je n'ai pas mal !
On m'a battu... ! Je n'ai rien senti !
Quand m'éveillerai-je... ?
J'en redemanderai encore ! »

Le sage et le méchant

24 1 Ne jalouse pas les méchants,
ne désire pas leur compagnie ;
2 car ils ne pensent qu'à faire des ravages
et leurs lèvres ne parlent que de forfaits.

---

o Au sujet de la *borne* et du droit des *orphelins* voir 15.25 et la note ● *p* Il s'agit de Dieu lui-même, comparer 22.23 ● *q* Ou *séjour des morts* ● *r* aie la crainte du Seigneur ou *respecte le Seigneur* ● *s* Ou *prends plaisir à observer mon exemple* ● *t* une fosse et un puits étroit: ces deux images indiquent des pièges mortels — *l'étrangère:* voir 2.16 et la note

23.10 respect des bornes Pr 22.28+. **23.11** leur défenseur Pr 22.23; Ps 72.12-14. **23.13-14** châtiment corporel Pr 13.24+. **23.17** ne jalouse pas les pécheurs Pr 3.31+. **23.18** un avenir Pr 14.32; cf. Ps 16.9-11; 49.16; 73.23-24. **23.22** respecte tes parents cf. Pr 20.20+. **23.27** la prostituée et l'étrangère Pr 2.16+. **23.29-35** danger du vin Pr 20.1+. **24.1** ne jalouse pas les méchants Pr 3.31+.

3 Avec la sagesse on peut bâtir une maison,
avec la raison on la rend solide,
4 avec l'expérience on en remplit les chambres
de toutes sortes de biens précieux et agréables.
5 Un homme viril et sage est tout énergie
et l'homme d'expérience double sa puissance.
6 Aussi tu mèneras la guerre en calculant bien :
la victoire vient du grand nombre des conseillers.
7 Les données de la sagesse sont une montagne pour le fou,
au Conseil *u* il est incapable d'ouvrir la bouche.
8 Celui qui combine le mal,
on l'appelle un malin !
9 La folie n'a qu'une pensée : le péché !
et l'esprit fort est en horreur à l'humanité.
10 Tu t'effondres au jour de la détresse ?
Ton énergie est donc bien mince !
11 Sauve les condamnés à mort,
et ceux qui vacillent en allant au supplice, épargne-les *v*.
12 Tu diras sans doute : « Voilà, nous ne l'avons pas su ! »
N'y a-t-il pas quelqu'un qui pèse les *cœurs ? Lui, il comprend.
Et celui qui t'observe, il sait, lui,
et il rendra à chacun selon ses œuvres !
13 Mange du miel, mon fils, c'est bon ;
un rayon de miel sera doux pour ton palais.
14 Telle sera pour toi la sagesse, sache-le bien !
Si tu la trouves, tu auras un avenir
et ton espérance ne sera pas fauchée.
15 Méchant, ne dresse pas d'embûche à la demeure du juste,
ne ravage pas sa retraite ;
16 car le juste pourra tomber sept fois *w*,

il se relèvera,
tandis que les méchants perdent pied dans le malheur.
17 Ne te réjouis pas de la chute de ton ennemi,
ne saute pas de joie quand il perd pied
18 de peur que le SEIGNEUR ne regarde,
que ce soit mal à ses yeux
et qu'il ne détourne de lui sa colère.
19 Ne t'échauffe pas contre les malfaisants,
ne jalouse pas les méchants ;
20 car il n'y a pas d'avenir pour le malfaisant
et la lampe *x* des méchants s'éteindra.
21 Mon fils, crains le SEIGNEUR et le roi.
Ne te mêle pas aux novateurs !
22 Car le malheur peut se lever soudain contre eux.
Et qui sait quelle détresse l'un et l'autre pourront causer *y* ?

Autres conseils des sages

23 Ceci est encore des Sages.
Ce n'est pas bien d'être partial dans un jugement.
24 Quiconque déclare au coupable : « Tu es innocent »,
la foule le maudit, la nation le honnit.
25 Pour ceux qui le reprennent il y aura du bonheur
et sur eux viendront bénédiction et félicité.
26 Il donne un baiser sur les lèvres
celui qui répond franchement.
27 Assure ton travail au-dehors,
prépare-le dans ton champ ;
après, tu pourras bâtir ta maison.
28 Ne témoigne pas sans motif contre ton prochain.
Voudrais-tu tromper par tes paroles ?
29 Ne dis pas : « Comme il m'a fait, je lui ferai ;
Je rendrai à chacun selon son œuvre. »

u au Conseil: il s'agit de l'assemblée où l'on traite des affaires publiques et rend la justice ● *v* Les sages exhortent ici à tout faire pour éviter que des injustices ne soient commises ● *w sept fois,* c'est-à-dire un nombre illimité de fois ● *x* Voir 13.9 et la note ● *y* Le texte de la deuxième partie du verset est obscur. Dans la traduction proposée ici *l'un et l'autre* renvoient au Seigneur et au roi (v. 21). Autre traduction *et qui sait quand viendra la ruine des uns et des autres* (= les novateurs)

24.3 bâtir une maison Pr 9.1 ; 14.1. **24.6** en calculant bien Lc 14.31. **24.9** l'esprit fort Pr 13.1+. **24.11** épargne-les *Dn grec* 13. **24.12** celui qui pèse les cœurs Pr 16.2+— rendra à chacun selon ses œuvres Pr 11.31+. Ps 62.13+. **24.14** un avenir Pr 23.18+. **24.20** sort des méchants Pr 33.3+. **24.23-24** partial dans un jugement Pr 18.5 ; Lv 19.15 ; Mi 3.9-12 ; cf. Es 11.3-5 ; Ga 2.6. **24.28** témoigner sans motif cf. Pr 6.19+. **24.29** à chacun selon ses œuvres cf. Pr 24.12+ ; Lv 24.19+.

Le sort du paresseux

³⁰ Je suis passé près du champ d'un paresseux,
près de la vigne d'un homme sans courage.
³¹ Et voici : tout n'était qu'un roncier ;
tout était masqué par les épines
et la murette de pierres était écroulée.
³² Moi, je regardai, j'appliquai mon attention.
Je vis et j'en retins une leçon :

³³ Un peu dormir, un peu somnoler,
un peu s'étendre les mains croisées,
³⁴ et, en se promenant, te viendra la pauvreté,
la misère comme un soudard ᶻ.

Proverbes divers

25 ¹ Ce qui suit est encore une transcription de proverbes salomoniens due aux gens d'Ezékias, roi de Juda.

² La gloire de Dieu, c'est d'agir dans le mystère
et la gloire des rois, c'est d'agir après examen ᵃ.

³ Les cieux en leur hauteur, la terre en sa profondeur
et le *cœur des rois sont impénétrables.

⁴ Ote les scories de l'argent
et un vase sortira pour l'orfèvre ;
⁵ ôte le méchant de devant le roi
et son trône sera affermi dans la justice.

⁶ Ne fais pas l'arrogant devant le roi
et ne te tiens pas dans l'entourage des grands.
⁷ Car mieux vaut qu'on te dise : « Monte ici ! »
que de te voir humilié devant un notable.

Ce que tes yeux ont vu,
⁸ ne le produis pas trop vite au procès.
Que ferais-tu en fin de compte
si ton adversaire te confondait ?

⁹ Dispute ta cause avec ton adversaire
mais ne révèle pas les confidences d'un autre,

¹⁰ de peur qu'il ne t'insulte, s'il en a eu vent,
et que tu ne puisses rattraper tes mauvais propos.

¹¹ Des pommes d'or avec des motifs d'argent,
telle une parole dite à propos ;
¹² un anneau d'or et un collier d'or rouge,
telle la réprimande d'un sage pour une oreille attentive.

¹³ Telle la fraîcheur de la neige au temps de la moisson,
tel un messager fidèle pour qui l'envoie :
il réconforte son maître.

¹⁴ Des nuages, du vent, oui ; de la pluie, non !
Tel celui qui se targue d'un cadeau illusoire ᵇ.

¹⁵ Par une longue patience on peut circonvenir un magistrat,
tout comme une langue tendre peut briser un os ᶜ.

¹⁶ Tu as trouvé du miel ? Manges-en ce qui te suffit ;
autrement, gavé, tu le vomirais.

¹⁷ Mets rarement les pieds chez ton ami,
autrement, exaspéré, il te prendrait en grippe.

¹⁸ Massue, épée, flèche acérée,
tel est l'homme qui porte un faux témoignage contre son prochain.

¹⁹ Dent branlante et pied chancelant,
telle, au jour de la détresse, la confiance mise en un traître.

²⁰ Faire enlever un manteau un jour de froid,
ajouter du vinaigre au nitre
et chanter des chansons en présence d'un affligé, c'est pareil.

²¹ Si ton ennemi a faim, donne-lui à manger ;
s'il a soif, donne-lui à boire.
²² Ce faisant, tu prendras, toi, des charbons ardents sur sa tête ᵈ.
Mais le SEIGNEUR te le revaudra.

ᶻ Voir 6.11 et la note ● ᵃ Autre traduction *C'est la gloire de Dieu de cacher une chose et la gloire des rois de chercher à la comprendre* ● ᵇ Ou *Tel celui qui se vante d'un cadeau qu'il ne fait pas* ● ᶜ C'est-à-dire tout comme des paroles douces peuvent briser bien des résistances ● ᵈ C'est-à-dire tu prendras à ton compte l'angoisse des malheurs qui pèsent sur lui. Autre traduction *tu amasseras des charbons ardents sur sa tête* (voir Rm 12.20)

24.34 sort du paresseux Pr 6.11+. **25.1** Ezékias, roi de Juda 2 R 18.1-8. **25.2** Dieu agit dans le mystère Dt 29.28; Rm 11.33+; cf. Tb 12.7. **25.5** son trône sera affermi Pr 29.14+. **25.7** monte ici Lc 14.7-11. **25.18** un faux témoignage Pr 6.19+.

23 Le vent du nord enfante la pluie,
un visage furieux engendre un langage
trompeur.

24 Mieux vaut habiter en un coin sous
les toits
que partager la maison d'une femme
querelleuse.

25 De l'eau fraîche pour une gorge
altérée,
telles de bonnes nouvelles reçues d'un
pays lointain.

26 Une source troublée, une fontaine
souillée,
tel le juste qui vacille devant le
méchant.

27 Ce n'est pas bon de manger trop de
miel,
mais l'étude des choses importantes,
c'est important *e*.

28 Une ville démantelée n'a plus de
rempart,
tel est l'homme dont l'esprit n'a plus
de frein *f*.

Le sot

26 1 Pas plus que neige en été ou
pluie à la moisson,
un honneur n'est désirable pour le sot.

2 Comme le moineau qui volette, comme
l'hirondelle qui vole,
ainsi une malédiction gratuite n'atteint
pas son but.

3 Le fouet est pour le cheval, la bride
pour l'âne
et le bâton pour le dos des sots.

4 Ne réponds pas au sot selon sa folie
de peur que tu ne lui ressembles toi
aussi ;

5 réponds au sot selon sa folie
de peur qu'il ne s'imagine être sage *g*.

6 Il se coupe les pieds, il s'abreuve de
violence
celui qui fait porter ses messages par
un sot.

7 Les jambes se dérobent sous le boiteux,

de même une maxime à la bouche des
sots.

8 Autant attacher un caillou sur une
fronde *h*
que rendre honneur à un sot !

9 Tel un rameau épineux brandi par un
ivrogne,
telle une maxime dans la bouche des
sots.

10 Tel un chef qui blesse tout le monde,
tel celui qui embauche un sot, ou
encore, des passants *i*.

11 Tel le chien qui retourne à ce qu'il
a vomi,
tel le sot qui réitère sa folie.

12 Vois-tu un homme sage à ses propres
yeux ?
Il y a plus à espérer d'un sot que
de lui.

Portrait du paresseux

13 Le paresseux dit : « Il y a un fauve
sur la route,
un lion dans les rues ! »

14 La porte tourne sur ses gonds
et le paresseux sur son lit.

15 Le paresseux plonge sa main dans le
plat,
mais la ramener à sa bouche le fatigue.

16 Le paresseux est plus sage à ses
propres yeux
que sept experts avisés.

Autres proverbes

17 Il veut attraper un chien par les
oreilles,
le passant qui s'excite pour une querelle
où il n'a que faire.

18 Tel celui qui, faisant le fou,
lance des traits enflammés, des flèches,
bref, la mort ;

19 tel celui qui trompe son prochain
et dit ensuite : « Je plaisantais ! »

20 Quand il n'y a plus de bois, le feu
s'éteint ;

---

e Le texte hébreu de la deuxième partie du verset est obscur. L'ancienne version grecque porte *ni de rechercher les honneurs excessifs* ● *f* dont l'esprit n'a plus de frein ou *qui n'est pas maître de lui* ● *g* Dans les versets 4 et 5 il est sans doute conseillé d'agir avec le sot selon les cas : tantôt en s'abstenant de discuter avec lui (v. 4), tantôt en lui répondant comme le mérite sa sottise (v. 5) ● *h attacher un caillou à une fronde* est un acte stupide puisque le caillou ne peut plus être lancé ● *i* Le texte hébreu de ce verset est obscur et la traduction incertaine

25.24 une femme querelleuse Pr 19.13+. **26.3** le bâton Pr 13.24+. **26.11** ce qu'il a vomi 2 P 2.22. **26.13-16** le paresseux Pr 6.6+.

quand il n'y a plus de calomniateur, la querelle s'apaise.

21 Le charbon donne de la braise, les bûches donnent du feu, ainsi le querelleur attise la querelle.

22 Les paroles du calomniateur sont comme des friandises, elles coulent jusqu'au tréfonds des entrailles.

23 De l'argent non purifié plaqué sur de l'argile, telles des paroles ardentes et un cœur mauvais.

24 Le haineux se masque en ses propos et au fond de lui-même il installe la fausseté.

25 S'il use d'un langage bienveillant, ne t'y fie pas, il couve mille pensées abominables.

26 La haine peut bien se couvrir d'un masque, sa méchanceté se révélera aux yeux de tous.

27 Qui creuse une fosse y tombera ; qui roule une pierre, elle lui retombera dessus.

28 Une langue mensongère déteste ceux qu'elle frappe et une bouche enjôleuse amène la ruine.

27 **1** Ne te félicite pas du lendemain car tu ne sais pas ce qu'aujourd'hui enfantera.

2 Qu'un autre te loue, mais non pas ta bouche, un étranger, mais non pas tes lèvres.

3 La pierre est lourde, le sable pesant, mais la colère du fou est encore plus pesante.

4 La fureur est cruauté, la colère débordement, mais qui tiendra devant la jalousie ?

5 Mieux vaut un franc avertissement qu'une amitié trop réservée.

6 Les blessures d'un ami sont loyales, les embrassements d'un ennemi sont trompeurs *j*.

7 Un gosier rassasié méprise un rayon de miel, un gosier affamé trouve doux tout ce qui est amer.

8 Tel un moineau qui erre loin de son nid, tel l'homme qui erre loin de son pays.

9 Huile et parfum mettent le cœur en fête et la douceur d'un ami vaut mieux que le propre conseil.

10 N'abandonne pas ton ami ni celui de ton père et ne va pas chez ton frère quand tu es en difficulté ; mieux vaut un voisin proche qu'un frère lointain.

11 Sois sage, mon fils, mon cœur se réjouira et je pourrai répondre à qui me méprise.

12 Voit-il poindre le malheur, l'homme prudent se cache ; mais les niais passent outre et s'en mordent les doigts.

13 Saisis son manteau, car il s'est porté garant d'un étranger ; retiens-lui un gage, car il a cautionné une étrangère.

14 Qui vient saluer son prochain à grands cris et tôt le matin, sa bénédiction sera considérée comme une malédiction.

15 Une gouttière qui coule sans cesse un jour de pluie et une femme querelleuse sont pareilles.

16 La retenir ? Autant retenir du vent ou, de la main, saisir de l'huile !

17 Le fer se polit par le fer et l'homme par le contact de son prochain.

18 Qui soigne son figuier en mangera les fruits, qui veille sur son maître en sera honoré.

19 Comme l'eau est un miroir pour le visage,

---

j trompeurs: traduction incertaine d'un mot hébreu obscur

26.24-25 la fausseté Pr 6.12-14 ; 12.22 ; Ps 35.19 ; *Si* 27.22, 23. **26.27** elle lui retombera dessus Ps 7.16+ ; *Si* 27.25-27 ; cf. Pr 5.22+. **27.2** être humble Pr 11.2+. **27.10** ami et frère Pr 17.17 ; 18.24. **27.13** dangers de la caution Pr 6.1-5+. **27.15** une femme querelleuse Pr 19.13+.

le cœur de l'homme l'est pour
l'homme.

20 Le Monde-d'en-bas *k* et l'Abîme sont
insatiables,
insatiables aussi les yeux de l'homme.

21 Il y a un creuset pour l'argent et un
four pour l'or,
et pour l'homme il y a sa réputation.

22 Si tu pilais le fou dans un mortier,
parmi les grains, avec un pilon,
sa folie ne se détacherait pas de lui.

23 Connais bien l'état de ton bétail
et porte attention à tes troupeaux.

24 Car la richesse n'est pas éternelle
et un diadème ne passe pas de génération en génération !

25 L'herbe enlevée, le regain paru
et le foin des montagnes ramassé,

26 aie des agneaux pour te vêtir,
des boucs pour acheter un champ

27 et du lait de chèvre en abondance pour
te nourrir,
pour nourrir ta maisonnée et faire
vivre tes servantes.

28 1 Le méchant fuit alors même que
personne ne le poursuit, mais le
juste, comme un lionceau, est sûr de
lui.

2 Quand un pays est en révolte, nombreux sont les chefs,
mais l'ordre règne avec un homme
intelligent et expérimenté.

3 Un maître pauvre et qui exploite les
faibles
est une pluie dévastatrice : plus de
pain !

4 Ceux qui abandonnent la Loi félicitent
le méchant,
ceux qui observent la Loi le combattent.

5 Les hommes mauvais ne comprennent
rien au droit,
mais ceux qui cherchent le SEIGNEUR
comprennent tout.

6 Mieux vaut un pauvre qui se conduit
honnêtement
que l'homme à la conduite tortueuse,
même s'il est riche.

7 Qui garde la Loi est un fils intelligent,
mais qui fréquente les débauchés fait
honte à son père.

8 Qui accroît son bien par intérêt et
usure
l'amasse pour celui qui a pitié des
faibles *l*.

9 Qui détourne l'oreille de l'écoute de
la Loi,
sa prière même est une horreur.

10 Qui égare les hommes droits dans un
mauvais chemin
tombera dans sa propre fosse ;
mais les hommes intègres hériteront
le bonheur.

11 Le riche est sage à ses propres yeux,
le miséreux intelligent le démasquera.

12 Quand les justes triomphent, il y a
grande gloire ;
quand les méchants se dressent, chacun
se cache.

13 Qui cache ses fautes ne réussira pas,
qui les avoue et y renonce obtiendra
miséricorde.

14 Heureux l'homme qui est constamment
sur ses gardes,
mais l'obstiné tombera dans le malheur.

15 Un lion qui rugit, un ours qui bondit,
tel le méchant qui domine un peuple
de miséreux.

16 Un prince insensé multiplie les extor-
sions,
mais qui déteste la rapine prolongera
ses jours.

17 Un homme accablé sous le poids d'un
meurtre
fuira jusqu'à la prison : inutile de
l'arrêter !

18 Qui se conduit en toute simplicité
sera sauvé,
mais qui mêle deux façons d'agir
achoppera dans l'une d'elles.

19 Qui cultive sa terre sera rassasié de
pain,
qui poursuit des chimères sera rassasié
d'indigence.

---

k Ou *le *séjour des morts* ● *l intérêt et usure:* la loi mosaïque interdit la pratique du prêt à *intérêt*
et à plus forte raison l'*usure* (voir Ex 22.24) — Ce verset semble affirmer que l'argent gagné de
façon malhonnête changera de main et profitera finalement aux pauvres

27.20 insatiables Pr 30.15-16.   **27.23** soin des troupeaux Pr 12.10; *Si* 7.22.   **28.3** une pluie dévastatrice cf. 72.6.   **28.5** tout comprendre *Sg* 3.9.   **28.8** intérêt et usure Ex 22.24+.   **28.10** sa propre
fosse Pr 26.27+.   **28.13** avouer ses fautes Ps 32.5+; *Si* 4.26; Lc 18.9-14.

20 L'homme loyal est comblé de bénédictions,
mais qui veut s'enrichir rapidement ne restera pas impuni.

21 Il n'est pas bon d'être partial,
mais un homme important est capable de pécher pour une bouchée de pain.

22 Celui qui court après la richesse a de mauvais yeux *m* !
Il ne sait pas que l'indigence va s'abattre sur lui.

23 Qui reprend quelqu'un obtiendra finalement sa faveur,
bien mieux que l'homme au langage enjôleur.

24 Qui dépouille père et mère en disant :
« Ce n'est pas un péché »
n'est rien autre qu'un complice de brigands.

25 L'homme qui a de gros appétits provoque la querelle,
mais qui se confie dans le Seigneur sera comblé.

26 Qui se confie en son propre sens est un sot ;
mais qui se conduit selon la sagesse, celui-là sera sauf.

27 Qui donne à l'indigent ne manquera de rien,
qui refuse de le regarder sera couvert de malédictions.

28 Quand les méchants se dressent, chacun se cache ;
et quand ils périssent, les justes se multiplient.

29 **1** L'homme qui, réprimandé, raidit la nuque *n*
sera brisé soudain et sans remède !

2 Quand les justes ont le pouvoir, le peuple se réjouit ;
mais quand c'est un méchant qui gouverne, le peuple gémit.

3 Celui qui aime la sagesse, son père se réjouit ;
mais qui fréquente les prostituées dissipe son bien.

4 Par l'exercice du droit un roi rend stable le pays,
mais celui qui est avide d'impôts le ruine.

5 Qui flatte son prochain
tend un filet sous ses pas.

6 Dans le péché du méchant il y a un piège,
mais le juste exulte et se réjouit.

7 Le juste connaît la cause des faibles,
le méchant n'a pas l'intelligence de la reconnaître.

8 Les frondeurs mettent la cité en effervescence,
mais les sages y refoulent la colère.

9 Un sage est-il en procès avec un fou ?
Qu'il se fâche ou qu'il rie, il n'aura pas de repos !

10 Les meurtriers haïssent l'homme honnête,
mais les hommes droits le recherchent.

11 Le sot donne libre cours à toutes ses passions,
mais le sage, en les retenant, les apaise.

12 Un chef prête-t-il attention à une parole mensongère,
tous ses officiers deviennent des méchants.

13 L'indigent et l'homme de fraude se rejoignent,
mais c'est le Seigneur qui donne la lumière aux yeux de tous les deux.

14 Un roi qui rend justice aux faibles en toute vérité
voit son trône affermi pour toujours.

15 Le bâton et la réprimande donnent la sagesse,
mais le jeune homme livré à lui-même fait honte à sa mère.

16 Quand les méchants ont le pouvoir, les péchés abondent,
mais les justes seront témoins de leur chute.

17 Châtie ton fils, tu seras tranquille
et il te comblera de délices.

---

m Autre traduction *L'homme à l'œil mauvais* (ou *l'envieux*) *court après la richesse* ● *n raidit la nuque* ou *s'entête*

28.21 ne pas être partial Pr 24.23-24+. **28.24** devoirs envers les parents Si 3.1-16; cf. Pr 20.20+. **28.27** donner à l'indigent Pr 14.21+. **29.3** fréquenter les prostituées Si 9.6; Lc 15.30; cf. Pr 2.16+. **29.12** une parole mensongère cf. Pr 12.6+. **29.14** son trône affermi Pr 16.12; 20.28; 25.5; Es 16.5. **29.15** bâton Pr 13.24+ et réprimande Pr 10.17; cf. Pr 15.5+. **29.16** leur chute Es 22.15-23; 28.14-15, 18-19. **29.17** châtie ton fils Pr 13.24+.

18 Quand il n'y a plus de vision [o], le peuple est sans frein ;
mais qui observe la Loi est heureux !

19 On ne corrige pas un serviteur avec des paroles,
car il comprendra mais n'obéira pas.

20 Aperçois-tu un homme prompt à parler ?
Il y a plus à espérer d'un sot que de lui.

21 Qui gâte son serviteur dès l'adolescence
finira par faire de lui un fainéant.

22 Le coléreux provoque la querelle
et l'homme emporté multiplie les péchés.

23 L'orgueil de l'homme l'humiliera,
mais un esprit humble obtiendra l'honneur.

24 Celui qui partage avec le voleur se hait :
il entend l'adjuration et ne le dénonce pas [p].

25 La peur tend un piège à l'homme,
mais qui se confie dans le SEIGNEUR est en sécurité.

26 Beaucoup recherchent le regard du prince,
mais seul le SEIGNEUR peut rendre à chacun son droit.

27 L'homme inique est en horreur aux justes,
qui suit le droit chemin est en horreur aux méchants.

Paroles d'Agour

30 1 Paroles d'Agour fils de Yaqè : oracle.
Sentence de cet homme à Itiël, à Itiël et Oukal [q].

2 Oui, je suis le plus stupide des hommes,
humainement, l'intelligence me fait défaut.

3 Je n'ai pas appris la sagesse
mais je connais la science sainte [r].

4 Qui, étant monté aux cieux, en est redescendu ?
Qui a jamais recueilli le vent dans ses mains ?
Qui a enserré l'eau dans son manteau ?
Qui a établi toutes les limites de la terre ?
Quel est son nom ? Quel sera le nom de son fils ?
Sûrement tu le sais [s] !

5 Toute déclaration de Dieu est éprouvée.
Il est un bouclier pour ceux qui s'abritent en lui.

6 N'ajoute rien à ses paroles :
il te reprendrait et tu serais convaincu de mensonge.

7 Je t'ai demandé deux choses [t],
ne me les refuse pas avant que je meure :

8 Eloigne de moi fausseté et mensonge,
ne me donne ni indigence ni richesse ;
dispense-moi seulement ma part de nourriture,

9 car, trop bien nourri, je pourrais te renier
en disant : « Qui est le SEIGNEUR ? »
ou, dans la misère, je pourrais voler,
profanant ainsi le nom de mon Dieu.

10 Ne calomnie pas un serviteur auprès de son maître,
il te maudirait et tu en porterais la faute [u].

11 Génération [v] qui maudit son père
et ne bénit pas sa mère !

12 Génération pure à ses propres yeux
mais qui n'est pas lavée de sa souillure !

o Il s'agit des *visions* prophétiques. L'auteur déplore l'absence de *prophète • *p se hait* ou *se fait du tort à lui-même — adjuration:* il s'agit d'une formule par laquelle on demande à ceux qui connaissent un coupable de le dénoncer sous peine de malédiction (voir Lv 5.1) • *q* Le sens du texte hébreu est incertain. Les noms propres placés à la fin du verset peuvent aussi être compris comme des verbes: *Je me suis fatigué, ô Dieu, je me suis fatigué, ô Dieu, et je suis épuisé* • *r* On peut aussi comprendre *et je ne connais pas la science sainte — la science sainte* ou *la sagesse qui vient de Dieu* • *s tu le sais:* on peut comprendre soit que Dieu s'adresse au sage, soit que le sage s'adresse à son disciple • *t* Aux v. 7 à 9 le sage adresse une prière à Dieu • *u* Le v. 10 est une recommandation du sage à ses disciples • *v* Par ce terme le sage apostrophe l'ensemble de ses contemporains

29.18 plus de vision Ps 74.9+ — heureux Ps 1.1+. **29.22** le coléreux Pr 14.17+. **29.23** un esprit humble Pr 11.2+. **29.25** confiance en Dieu Pr 3.5-6+. **30.1** oracle Pr 16.10; Es 14.22; Am 3.15; 4.3... **30.4** qui? Jb 38.1-38; *Si* 1.2-3; *Ba* 3.29-31. **30.5** Dieu, un bouclier Ps 3.4+. **30.6** n'ajoute rien Dt 4.2; Jb 42.2-6.

¹³ Génération démesurément hautaine,
aux regards altiers !
¹⁴ Génération dont les dents sont des glaives
et les mâchoires des couteaux,
dévorant les humbles du pays
et les plus pauvres du peuple !

Proverbes numériques

¹⁵ La sangsue a deux filles : Donne, donne.

Trois choses sont insatiables,
quatre ne disent pas : « Assez *w* ! » :
¹⁶ le monde-d'en-bas *x*, le sein stérile,
une terre non rassasiée d'eau
et le feu qui ne dit jamais : « Assez ! »
¹⁷ L'œil qui se rit d'un père
et qui refuse l'obéissance due à une mère,
les corbeaux du torrent le crèveront
et les aigles le dévoreront.

¹⁸ Voici trois choses qui me dépassent
et quatre que je ne comprends pas :
¹⁹ le chemin de l'aigle dans le ciel,
le chemin du serpent sur le rocher,
le chemin du navire en haute mer
et le chemin de l'homme vers la jeune femme.
²⁰ Telle est la conduite de la femme adultère :
elle mange, s'essuie la bouche *y*
et dit : « Je n'ai rien fait de mal ! »
²¹ Voici trois choses qui font frémir un pays
et quatre qu'il ne peut supporter :
²² un esclave qui devient roi,
un fou qui se gave,
²³ une mégère qui se marie
et une servante qui supplante sa maîtresse *z*.

²⁴ Il existe sur terre quatre êtres tout petits
et pourtant sages parmi les sages :
²⁵ les fourmis, peuple sans force,
qui, en été, savent assurer leur nourriture ;
²⁶ les damans *a*, peuple sans puissance,
qui savent placer leur maison dans le roc ;

²⁷ les sauterelles qui n'ont pas de roi
et qui savent sortir toutes en bande ;
²⁸ le lézard qui peut être attrapé à la main
et qui pourtant est dans le palais des rois !

²⁹ Ils sont trois à avoir belle allure,
et quatre ont une belle démarche ;
³⁰ le lion, le plus valeureux des animaux,
qui ne recule devant rien ;
³¹ le zèbre aux reins puissants ou le bouc
et le roi à la tête de son armée.

³² Si tu as agi follement en cherchant à t'élever
et que tu aies réfléchi, mets ta main sur ta bouche :
³³ battre la crème produit le beurre,
frapper le nez fait jaillir le sang,
exploser de colère provoque la dispute !

Conseils à un roi

31 ¹ Paroles du roi Lemouël.
Leçon *b* que sa mère lui inculqua.

² Ah ! mon fils ! Ah ! fils de mes entrailles !
Ah ! fils appelé de mes vœux !
³ Ne livre pas ta vigueur aux femmes
et ton destin à celles qui perdent les rois.
⁴ Aux rois, Lemouël, aux rois le vin ne convient pas
ni aux princes l'alcool.
⁵ Car, s'ils en boivent, ils oublieront les lois
et trahiront la cause des petites gens.
⁶ Qu'on donne plutôt de l'alcool à celui qui va périr
et du vin à qui est plongé dans l'amertume.
⁷ Il boira et oubliera sa misère
et ne se souviendra plus de sa peine.
⁸ Ouvre la bouche au service du muet
et pour la cause de tous les vaincus du sort.
⁹ Ouvre la bouche pour juger avec équité
et pour la cause des humbles et des pauvres.

---

w Donne, donne ou *qui s'appellent: Donne, donne* — *Trois... quatre:* voir 6.16 et la note ● *x* Ou *le ⁎séjour des morts* ● *y elle mange, s'essuie la bouche:* façon imagée de dire que les actions immorales de la femme ne lui causent aucun scrupule ● *z* Autre traduction *qui hérite de sa maîtresse* ● *a* Voir Ps 104.18 et la note ● *b du roi Lemouël. Leçon:* autre traduction *de Lemouël, roi de Massa* (en Arabie)

30.14 dévorant les pauvres Ps 14.4+. **30.15** trois... quatre Os 6.2+ ; cf. Pr 6.16. **30.16** le Monde-d'en-bas Pr 1.12+ est insatiable Pr 27.20. **30.17** mépris des parents cf. Pr 20.20+ ; 23.22. **30.20** la femme adultère Pr 2.16+. **31.3** mise en garde contre les femmes Dt 17.17 ; 1 R 11.4 ; cf. Pr 2.16+. **31.5** dangers du vin Pr 20.1+.

La femme de caractère

(Alef) [c]

10 Une femme de caractère, qui la trouvera ?
Elle a bien plus de prix que le corail.

(Beth)

11 Son mari a pleine confiance en elle,
les profits ne lui manqueront pas.

(Guimel)

12 Elle travaille pour son bien et non
pour son malheur
tous les jours de sa vie.

(Daleth)

13 Elle cherche avec soin de la laine et
du lin
et ses mains travaillent allègrement.

(Hé)

14 Elle est comme les navires marchands,
elle fait venir de loin sa subsistance.

(Waw)

15 Elle se lève quand il fait encore nuit
pour préparer la nourriture de sa maisonnée
et donner des ordres à ses servantes.

(Zaïn)

16 Elle jette son dévolu sur un champ et
l'achète,
avec le fruit de son travail elle plante
une vigne.

(Heth)

17 Elle ceint de force ses reins
et affermit ses bras [d].

(Teth)

18 Elle considère que ses affaires vont
bien
et sa lampe ne s'éteint pas de la nuit.

(Yod)

19 Elle met la main à la quenouille
et ses doigts s'activent au fuseau.

(Kaf)

20 Elle ouvre sa main au misérable
et la tend au pauvre.

(Lamed)

21 Elle ne craint pas la neige pour sa
maisonnée,
car tous ont double vêtement.

(Mem)

22 Elle se fait des couvertures,
ses vêtements sont de lin raffiné et de
pourpre.

(Noun)

23 Aux réunions de notables son mari
est considéré,
quand il siège parmi les anciens du
lieu.

(Samek)

24 Elle fabrique de l'étoffe pour la
vendre
et des ceintures qu'elle cède au marchand.

(Aïn)

25 Force et honneur la revêtent,
elle pense à l'avenir en riant.

(Pé)

26 Elle ouvre la bouche avec sagesse
et sa langue fait gentiment la leçon.

(Çadé)

27 Elle surveille la marche de sa maison
et ne mange pas paresseusement son
pain.

(Qof)

28 Ses fils, hautement, la proclament
bienheureuse
et son mari fait son éloge :

(Resh)

29 « Bien des filles ont fait preuve de
caractère ;
mais toi, tu les surpasses toutes ! »

(Shîn)

30 La grâce trompe, la beauté ne dure
pas.
La femme qui craint le SEIGNEUR [e],
voilà celle qu'on doit louer.

(Taw)

31 A elle le fruit de son travail
et que ses œuvres publient sa louange [f].

c *(Alef):* sur les poèmes alphabétiques, voir Ps 25.1 et la note ● *d* Ces deux expressions indiquent que la femme ne craint pas le travail ● *e qui craint le Seigneur* ou *qui respecte le Seigneur* ● *f que ses œuvres publient sa louange* ou *que son travail suscite le respect de tous.*

31.10 plus de prix que le corail cf. Pr 3.15+. **31.11** son mari a confiance Pr 18.22+. **31.30** la femme qui craint le Seigneur Pr 1.29+.

RUTH

La famille d'Elimélek émigre en Moab

1 ¹ Il y eut une fois, au temps des Juges, une famine dans le pays. Du coup un homme de Bethléem de Juda émigra dans la campagne de Moab *a*, lui, sa femme et ses deux fils. ² Cet homme s'appelait Elimélek ; sa femme, Noémi ; et ses deux fils, Mahlôn et Kilyôn *b*. C'étaient des Ephratéens de Bethléem de Juda *c*. Ils arrivèrent donc dans la campagne de Moab et vécurent là. ³ Voici que mourut Elimélek, le mari de Noémi ; et elle resta, elle et ses deux fils. ⁴ Ils prirent pour femmes des Moabites ; l'une s'appelait Orpa et la seconde Ruth *d*. Ils demeurèrent là environ dix ans. ⁵ Puis Mahlôn et Kilyôn moururent aussi, tous les deux, et cette femme resta, sans ses deux enfants ni son mari.

Ruth décide de rester avec Noémi

⁶ Alors elle se leva, elle et ses belles-filles, et s'en revint de la campagne de Moab ; car elle avait entendu dire dans la campagne de Moab que le SEIGNEUR s'était occupé de son peuple pour lui donner du pain *e*. ⁷ Aussi partit-elle de la localité où elle vivait avec ses deux belles-filles. Elles se mirent donc en che-min pour retourner au pays de Juda. ⁸ Mais Noémi dit à ses deux belles-filles : « Allez, retournez chacune chez sa mère. Que le SEIGNEUR agisse envers vous avec fidélité *f* comme vous avez agi envers les défunts et envers moi. ⁹ Que le SEIGNEUR vous donne de trouver un état *g* chacune chez son mari. » Et elle les embrassa. Alors elles élevèrent la voix et pleurè-rent. ¹⁰ Puis elles lui dirent : « Non ! Avec toi nous retournerons à ton peu-ple ! » ¹¹ Mais Noémi dit : « Retournez, mes filles. Pourquoi iriez-vous avec moi ? Ai-je encore des fils dans mon ventre qui deviendraient vos maris ? *h* ¹² Retournez, mes filles, allez, car je suis trop vieille pour appartenir à un homme. Et même si je disais : "J'ai de l'espoir ; oui, j'ap-partiendrai cette nuit à un homme ; oui, j'enfanterai des fils", ¹³ est-ce que pour autant vous attendriez qu'ils aient grandi ? Est-ce que pour autant vous vous abstien-driez d'appartenir à un homme ? Non, mes filles. Car pour moi l'amertume est extrême, plus que pour vous ; c'est con-tre moi que s'est manifestée la poigne du SEIGNEUR. »

¹⁴ Alors elles élevèrent la voix et pleu-rèrent encore. Puis Orpa embrassa sa belle-mère. Mais Ruth s'attacha à elle *i*. ¹⁵ Alors elle dit : « Vois, ta belle-sœur

---

a au temps des Juges: c'est-à-dire aux environs de 1100 av. J.C. Voir le livre des Juges — *le pays:* c'est-à-dire le pays d'Israël — *Moab:* plateau fertile situé à l'est de la mer Morte ● *b* Ces noms propres ont probablement une valeur symbolique: *Elimélek* signifie « Mon Dieu est roi », *Noémi* « Ma grâcieuse », *Mahlôn* « Maladie », *Kilyôn* « Fragilité » ● *c Ephratéens:* clan de Juda fixé dans la région de *Bethléem*, village situé à quelques km au sud de Jérusalem ● *d Ruth:* ce nom peut signifier « Amie » ou « Réconfortée » ● *e du pain:* en hébreu le terme correspondant fait jeu de mots avec *Bethléem* (1.2), nom qui signifie « Maison du pain » ● *f fidélité:* autres traductions *bonté, bienveillance* (voir également 2.20) ● *g* autre traduction *trouver une situation stable* ● *h* Quand un homme mourait sans enfant, son frère, ou à défaut son plus proche parent, devait épouser la veuve pour assurer une descendance au défunt. C'est la coutume appelée lévirat. Voir Dt 25.5-10; Gn 38.6-8; Mt 22.24 ● *i* Après *Orpa embrassa sa belle-mère*, l'ancienne version grecque précise *et retourna vers son peuple* — *s'attacha à elle* ou *décida de rester avec elle*

1.1 Au temps des Juges Jg 2.16; 21.25 — une famine Gn 12.10; 26.1; 43.1 — Bethléem de Juda Jg 17.7; 1 S 17.12; Mi 5.1; Mt 2.6; Lc 2.4; Jn 7.42. **1.4** Moabites Nb 22.3; Jos 24.9; Jg 3.12, 30. **1.8** fidélité Rt 2.20; 3.10; Gn 24.27; 1 S 26.23; Es 38.19; Ps 25.10; 100.5; Mt 23.23. **1.13** l'amer-tume Rt 1.20 — la poigne du Seigneur Ex 9.3; Dt 2.15; 1 S 12.15; 2 S 24.17; Ez 13.9.

s'en est retournée vers son peuple et vers ses dieux. Retourne, à la suite de ta belle-sœur. »

16 Mais Ruth dit : « Ne me presse pas de t'abandonner, de retourner loin de toi ; car
où tu iras j'irai,
et où tu passeras la nuit je la passerai :
ton peuple sera mon peuple
et ton dieu mon dieu ;
17 où tu mourras je mourrai,
et là je serai enterrée.
Le SEIGNEUR me fasse ainsi et plus encore *j*

si ce n'est pas la mort qui nous sépare ! »
18 Voyant qu'elle s'obstinait à aller avec elle, elle cessa de lui en parler *k*.

19 Elles marchèrent donc toutes deux jusqu'à ce qu'elles arrivent à Bethléem. Voilà que, lorsqu'elles arrivèrent à Bethléem, toute la ville fut en ébullition à leur sujet. Les femmes disaient : « C'est Noémi ? » 20 Mais elle leur dit : « Ne m'appelez pas Noémi ! Appelez-moi Mara ! Car le Puissant *l* m'a rendue amère à l'extrême.
21 C'est comblée que j'étais partie, et démunie me fait revenir le SEIGNEUR. Pourquoi m'appelleriez-vous Noémi, alors que le SEIGNEUR a déposé *m* contre moi
et que le Puissant m'a fait du mal ? »
22 Ainsi revint Noémi, et avec elle Ruth la Moabite, sa belle-fille, celle qui est revenue de la campagne de Moab : elles arrivèrent à Bethléem au début de la moisson de l'orge *n*.

Ruth glane dans le champ de Booz

2 1 Or Noémi avait un parent du côté de son mari, un notable for-

tuné, de la famille d'Elimélek, qui s'appelait Booz *o*. 2 Ruth la Moabite dit à Noémi : « Je voudrais bien aller aux champs glaner des épis, derrière quelqu'un qui me considérerait avec faveur. » Elle répondit : « Va, ma fille. » 3 Elle alla donc, et entra glaner *p* dans un champ derrière les moissonneurs. Sa chance fut de tomber sur une parcelle de terre appartenant à Booz de la famille d'Elimélek. 4 Or voici que Booz arriva de Bethléem. Il dit aux moissonneurs : « Le SEIGNEUR soit avec vous ! » Ils lui dirent : « Que le SEIGNEUR te bénisse ! » 5 Alors Booz dit à son chef des moissonneurs : « A qui est cette jeune femme ? » 6 Le chef des moissonneurs répondit en disant : « C'est une jeune femme moabite, celle qui est revenue avec Noémi de la campagne de Moab. 7 Elle a dit : "Je voudrais bien glaner et ramasser entre les javelles derrière les moissonneurs". Elle est venue et s'est tenue là depuis ce matin jusqu'à présent ; ceci est sa résidence : la maison l'est peu *q*. » 8 Alors Booz dit à Ruth : « Tu entends, n'est-ce pas, ma fille ? Ne va pas glaner dans un autre champ ; non, ne t'éloigne pas de celui-ci. Aussi t'attacheras-tu à mes domestiques *r*. 9 Ne quitte pas des yeux le champ qu'ils moissonnent et va derrière eux. J'ai interdit aux jeunes gens de te toucher, n'est-ce pas ? Quand tu auras soif, tu iras aux cruches et tu boiras de ce que les domestiques auront puisé. » 10 Alors elle tomba sur sa face et se prosterna jusqu'à terre ; et elle lui dit : « Pourquoi m'as-tu considérée avec faveur jusqu'à me reconnaître, moi une inconnue *s* ? » 11 Booz lui répondit en disant : « On m'a conté et reconté tout ce que tu as fait envers ta belle-mère après la mort de ton mari, comment tu as abandonné ton père et ta mère et ton pays natal pour

j Voir 1 S 14.44 et la note ● *k* *Elle cessa de lui parler* ou *Noémi cessa d'insister* ● *l* *Mara*, c'est-à dire « Amère », jeu de mots entre *Mara* et le verbe hébreu traduit par *m'a rendue amère* qui reprend le thème du verset 13 — *Le Puissant* (ou *Shaddaï*) d'après l'hébreu : nom divin typique de l'époque des Patriarches. Voir le v. 21 et Gn 17.1 et la note ● *m* *a déposé* ou *a témoigné* ● *n* c'est-à-dire en avril-mai ● *o* *Booz* : ce nom peut signifier « En lui est la force » ● *p* Les pauvres avaient l'autorisation de ramasser les épis oubliés par les moissonneurs (voir Lv 19.9-10; Dt 24.19-21) ● *q* La traduction de ce verset difficile est très discutée. Selon cette autre traduction, Ruth a travaillé sans prendre le temps de se reposer à la maison ● *r* *t'attacheras-tu à mes domestiques* : autre traduction *te joindras-tu à mes servantes* ● *s* *tomba sur sa face et se prosterna* : geste habituel devant Dieu ou un grand personnage (voir Gn 17.3; Lv 9.24) — La traduction cherche dans ce verset à reproduire le jeu de mots que l'on trouve en hébreu entre les termes rendus par *reconnaître* et *inconnue*

1.15 vers ses dieux Jos 24.15; 1 R 11.7.   **1.21** démunie Rt 3.17; Jb 1.21 — m'a fait du mal Ex 5.22-23; Nb 11.11; Jos 24.20; Za 8.14; Es 45.7.   **2.1** Booz Mt 1.5.   **2.2** qui me considère avec faveur Gn 6.8; Nb 32.5; 1 S 25.8; Est 7.3; Lc 1.30.   **2.4** Le Seigneur soit avec vous Jg 6.12; 1 S 20.13; 2 Th 3.16.   **2.10** elle tomba sur sa face Gn 17.3; Lv 9.24; 2 S 14.4, 22.   **2.11** tu as abandonné ton père Rt 1.14-19; Gn 2.24; 24.7; Mt 19.29 — ton pays natal Gn 12.1; 24.7.

aller vers un peuple que tu ne connaissais ni d'hier ni d'avant-hier *t*. ¹² Que le SEI-GNEUR récompense pleinement ce que tu as fait et que ton salaire soit complet de par le SEIGNEUR, le Dieu d'Israël, sous la protection de qui tu es venue chercher refuge *u*. » ¹³ Elle dit alors : « Considère-moi avec faveur, maître, puisque tu m'as consolée et puisque tu as parlé au *cœur de ta servante ; et pourtant, moi, je ne serai pas comme une de tes servantes ! »

¹⁴ Puis, au moment du repas, Booz lui dit : « Approche ici pour manger du pain et tremper ton morceau dans la vinaigrette. » Alors elle s'assit à côté des moissonneurs. Il lui tendit du pain grillé. Elle mangea, fut rassasiée et en eut de reste. ¹⁵ Puis elle se leva pour glaner. Alors Booz donna cet ordre à ses domestiques : « Même parmi les javelles elle glanera. Vous ne lui ferez pas d'affront. ¹⁶ Pour sûr, vous tirerez même pour elle des épis hors des brassées et les abandonnerez : elle les glanera, et vous ne lui ferez pas de reproche. »

Noémi approuve Ruth de glaner chez Booz

¹⁷ Elle glana donc dans le champ jusqu'au soir. Puis elle battit ce qu'elle avait glané : il y eut à peu près quarante litres d'orge. ¹⁸ Elle l'emporta et rentra en ville. Sa belle-mère vit ce qu'elle avait glané. Ce qui lui était resté une fois rassasiée, elle le sortit et le lui donna. ¹⁹ Sa belle-mère lui dit :

« Où as-tu glané aujourd'hui ? Où as-tu travaillé ?

Béni soit celui qui t'a reconnue ! »

Alors elle raconta à sa belle-mère chez qui elle avait travaillé ; et elle dit : « L'homme chez qui j'ai travaillé aujourd'hui s'appelle Booz. » ²⁰ Alors Noémi dit à sa belle-fille :

« Béni soit-il du SEIGNEUR, celui qui n'abandonne sa fidélité *v*
ni envers les vivants ni envers les morts. »

Puis Noémi lui dit : « Cet homme nous est proche ; c'est un de nos racheteurs *w*. » ²¹ Ruth la Moabite dit : « Il m'a dit aussi : Tu t'attacheras à mes domestiques jusqu'à ce qu'ils aient achevé toute ma moisson. » ²² Alors Noémi dit à Ruth sa belle-fille : « C'est bien, ma fille, que tu sortes avec ses domestiques, et qu'on ne te rudoie pas dans un autre champ. » ²³ Elle s'attacha donc aux domestiques de Booz pour glaner jusqu'à l'achèvement de la moisson de l'orge *x*, puis de la moisson du blé. Elle demeurait avec sa belle-mère.

Ruth passe la nuit aux pieds de Booz

3 ¹ Noémi sa belle-mère lui dit : « Ma fille, n'ai-je pas à chercher pour toi un état qui te rende heureuse ? ² Et maintenant, n'est-il pas notre parent, ce Booz avec ses domestiques de qui tu as été ? Le voici qui vanne l'orge sur l'aire *v* cette nuit. ³ Lave-toi donc, parfume-toi *z*, mets ton manteau et descends sur l'aire. Mais ne te fais pas connaître de cet homme jusqu'à ce qu'il ait achevé de manger et de boire. ⁴ Quand il se couchera, tu sauras le lieu où il se couche : arrive, découvre ses pieds et couche-toi. Lui t'indiquera ce que tu auras à faire. » ⁵ Elle lui dit : « Je ferai tout ce que tu m'as dit. »

⁶ Elle descendit donc sur l'aire et fit tout à fait comme le lui avait commandé sa belle-mère. ⁷ Booz mangea et but, et son *cœur fut heureux ; et il vint se coucher au bord du tas *a*. Alors elle vint furtivement, découvrit ses pieds et se coucha. ⁸ Puis, au milieu de la nuit, l'homme eut un frisson ; il se pencha donc en avant : voici qu'une femme était cou-

---

t c'est-à-dire *vers un peuple que tu n'avais jamais connu;* voir Ex 4.10 et la note ● *u ton salaire:* autre traduction *ta récompense — sous la protection...:* l'hébreu exprime ici cette idée sous forme imagée *sous les ailes de qui tu es venue chercher refuge;* voir Ps 17.8; 91.1, 4; Mt 23.37 ● *v* La phrase est ambiguë: *celui qui n'abandonne pas sa fidélité* peut être soit le Seigneur soit Booz ● *w* Celui qu'on appelait le *racheteur* était le proche parent d'un défunt. Il avait une priorité pour racheter la terre de celui-ci et la conserver dans la famille. Voir 3.9; 4.1, 8, 14; Ex 6.6; 2 S 14.11; Jr 32.7-9 ● *x* deux ou trois semaines après celle de l'orge: voir la note sur 1.22 ● *y qui vanne:* voir la note sur Ps 1.4 — *l'aire:* voir Nb 18.27 et la note ● *z* Préparatifs de fiançailles: voir Ez 16.9 ● *a fut heureux:* cette expression ne laisse pas entendre que Booz est ivre mais simplement qu'il se sent bien — *tas:* il surveille le *tas d'orge* ou *de grain* pendant la nuit

2.13 tu as parlé au cœur Gn 50.21; Es 40.2; Os 2.16. **2.20** béni soit-il du Seigneur Rt 3.10; 2 S 2.5. **3.1** chercher un état Rt 1.9.

chée à ses pieds ! ⁹ « Qui es-tu ? » dit-il. Elle dit : « C'est moi, Ruth, ta servante *b*. Epouse ta servante, car tu es racheteur. » ¹⁰ Alors il dit : « Bénie sois-tu du SEIGNEUR, ma fille. Tu as montré ta fidélité *c* de façon encore plus heureuse cette fois ci que la première, en ne courant pas après les garçons, pauvres ou riches. ¹¹ Maintenant donc, ma fille, n'aie pas peur. Tout ce que tu diras je le ferai pour toi. Car tout le monde chez nous sait bien que tu es une femme de valeur. ¹² Maintenant il est vrai que, si je suis racheteur *d*, il y a cependant un autre racheteur plus proche que moi. ¹³ Passe donc la nuit. Au matin, s'il te rachète, bon, qu'il rachète. Mais s'il ne désire pas te racheter, alors moi je te rachèterai, aussi vrai que le SEIGNEUR est vivant ! Couche-toi jusqu'au matin. »

¹⁴ Elle se coucha donc à ses pieds jusqu'au matin. Mais elle se leva avant qu'on puisse se reconnaître l'un l'autre. Car il disait : « Qu'on ne sache pas que cette femme est venue sur l'aire ! » ¹⁵ Il dit : « Donne la cape qui est sur toi ; tiensla. » Elle la tint donc. Alors il mesura vingt litres d'orge et l'en chargea. Puis il rentra en ville. ¹⁶ Elle rentra alors chez sa belle-mère, qui dit : « Qu'es-tu devenue, ma fille ? » Elle lui raconta tout ce que cet homme avait fait pour elle. ¹⁷ Et elle dit : « Il m'a donné ces vingt litres d'orge, car, m'a-t-il dit : Tu ne rentreras pas démunie chez ta belle-mère. » ¹⁸ Noémi dit : « Demeure, ma fille, jusqu'à ce que tu saches comment l'affaire aboutira. Car cet homme n'aura de cesse qu'il n'ait conclu cette affaire aujourd'hui même. »

Booz s'occupe de la succession d'Elimélek

4 ¹ Booz était monté au tribunal et s'y était assis. Voici que vint à passer le racheteur *e* dont Booz avait parlé. Booz dit : « Un Tel, arrête-donc, assieds-toi donc ici ! » Celui-ci s'arrêta et s'assit. ² Alors Booz prit dix hommes parmi les *anciens *f* de la ville et dit : « Asseyez-vous ici. » Ils s'assirent. ³ Puis il dit au racheteur : « Noémi, celle qui est revenue de la campagne de Moab, vend une parcelle de terre qui était à notre frère *g* Elimélek. ⁴ Et moi j'ai dit que je te mettrai au courant en disant : "Acquiers, en présence des habitants et en présence des anciens de mon peuple". Si tu veux racheter, rachète. Mais si tu ne veux pas racheter, indique-le moi donc, que je le sache ; car nul excepté toi ne peut racheter ; moi, je suis après toi. » Il dit : « Moi, je veux racheter. » ⁵ Alors Booz dit : « Le jour où tu acquiers le champ de la main de Noémi, tu acquiers aussi Ruth la Moabite, la femme du défunt *h* pour relever le nom du défunt sur son héritage. » ⁶ Alors le racheteur dit : « Je ne peux pas racheter pour moi, sinon je ruinerai mon héritage. Toi rachète pour toi mon droit de rachat, puisque je ne peux pas racheter. »

⁷ Ainsi en était-il autrefois en Israël, à propos du rachat et à propos de l'échange, pour enlever toute affaire : l'un ôtait sa sandale *i* et la donnait à l'autre. Ainsi en était-il de l'attestation en Israël. ⁸ Le racheteur dit donc à Booz : « Acquiers pour toi ! » Et il ôta sa sandale. ⁹ Alors Booz dit aux anciens et à tout le peuple : « Vous êtes témoins aujourd'hui que j'acquiers de la main de Noémi tout ce qui était à Elimélek et tout ce qui était à Kilyôn et Mahlôn, ¹⁰ et que j'acquiers aussi pour moi comme femme Ruth la Moabite, la femme de Mahlôn, afin de relever le nom du défunt sur son héritage, pour que le nom du défunt ne soit pas effacé chez ses frères ni au tribunal *j* de sa localité. Vous en êtes témoins aujourd'hui. » ¹¹ Alors tout le peuple qui était au tribunal et les anciens dirent : « Témoins ! Que le SEIGNEUR rende la femme qui entre dans ta maison comme Rachel et comme Léa qui ont bâti, elles deux, la maison d'Israël. Fais fortune en Ephrata, et proclame un nom en Bethléem : ¹² qu'ainsi, par la descendance

---

b L'hébreu exprime cette idée par l'image suivante : *étends l'aile de ton manteau sur ta servante,* geste de protection et signe d'union conjugale. Comparer 2.12; Ez 16.8 et les notes ● *c* Voir 1.8 et la note ● *d* Voir 2.20 et la note ● *e au tribunal :* autre traduction *à la porte de la ville;* c'est là qu'avaient lieu réunions, jugements, marchés, affaires de toutes sortes — *racheteur :* voir 2.20 et la note ● *f* Booz requiert des témoins (voir v. 10-11) pour l'affaire qui va se dérouler ● *g* ou *à notre parent* ● *h* Booz rappelle que celui qui acceptera de racheter la terre d'Elimélek (voir 2.20 et la note) doit se soumettre aussi à la règle du lévirat (voir 1.11 et la note) et épouser Ruth ● *i* Ce geste exprime que l'on renonce au droit de propriété ● *j* Voir 4.1 et la note

3.9 ta servante 1 S 25.41; Lc 1.38.   **3.11** femme de valeur Pr 12.4; 31.10; Si 26.1-3.   **3.13** qu'il te rachète Dt 25.5; Mt 22.24.   **4.5** relever le nom Gn 38.8; Dt 25.5-7.   **4.11** Rachel, Léa Gn 29-30; 35.16-26.   **4.12** Tamar Gn 38.29; Mt 1.3.

que le SEIGNEUR te donnera de cette jeune femme, ta maison soit comme la maison de Pèrèç que Tamar enfanta à Juda *k* ! »

Booz épouse Ruth ; naissance d'Oved

13 Alors Booz prit Ruth et elle devint sa femme. Il vint vers elle ; le SEIGNEUR lui accorda une grossesse, et elle enfanta un fils. 14 Aussi les femmes dirent-elles à Noémi :

« Béni soit le SEIGNEUR
qui ne te laisse plus manquer aujourd'hui d'un racheteur *l*
dont le nom soit proclamé en Israël !
15 Il ranimera ta vie
et il assurera tes vieux jours,
puisque ta belle-fille qui t'aime l'a enfanté :

elle vaut mieux pour toi que sept fils. »
16 Alors Noémi prit l'enfant et le mit sur sa poitrine *m* et elle devint sa mère nourricière. 17 Les voisines proclamèrent un nom pour lui en disant : « Un fils est né à Noémi ! » Elles proclamèrent son nom : « Oved » *n*. Il fut le père de Jessé, père de David.

18 Voici les générations de Pèrèç : Pèrèç engendra Hèçrôn ; 19 Hèçrôn engendra Râm ; Râm engendra Amminadav ; 20 Amminadav engendra Nahshôn ; Nahshôn engendra Salma ; 21 Salma engendra Booz ; Booz engendra Oved ; 22 Oved engendra *o* Jessé, et Jessé engendra David.

---

k *Pèrèç* est un ancêtre de Booz (voir 4.18-21 ; 1 Ch 2.5, 9-12) ● *l* Le *racheteur* désigne ici l'enfant qui assurera la descendance mâle d'Elimélek ● *m* peut-être geste d'adoption (voir Gn 30.3-8 ; 48.5-12 ; 50.23) ● *n* *Oved* signifie *Serviteur;* c'est peut-être une forme abrégée d'*Ovadia*, qui signifie *Serviteur de Seigneur* ● *o* Voir Mt 1.5-6

4.13 lui accorda Gn 29.31 ; 30.22.   **4.17** un fils est né Es 9.5.   **4.18** voici les générations 1 Ch 2.5-15 ; Mt 1.3-5 ; Lc 3.31-33.   **4.19** Nahshôn Nb 1.7 ; 2.3.   **4.22** David 1 S 17.12 ; Mt 1.6.

LE CANTIQUE DES CANTIQUES

1 ¹ Le plus beau chant *a* — de Salomon.

Elle et lui, le dialogue des amoureux

(Elle)

² Qu'il m'embrasse à pleine bouche !
Car tes caresses *b* sont meilleures que du vin,
³ meilleures que la senteur de tes parfums.
Ta personne est un parfum raffiné.
C'est pourquoi les adolescentes sont amoureuses de toi.
⁴ Entraîne-moi après toi, courons.
Le roi me fait entrer dans sa chambre :
« Soyons heureux et joyeux grâce à toi *c*. »
Célébrons tes caresses plus que du vin.
C'est à bon droit qu'elles sont amoureuses de toi.
⁵ Je suis noire *d*, moi, mais jolie, filles de Jérusalem,
comme les tentes en poil sombre,
comme les rideaux somptueux.
⁶ Ne faites pas attention si je suis noiraude,
si le soleil m'a basanée.
Mes frères m'ont tannée :
ils m'ont mise à surveiller les vignes ;
ma vigne à moi, je ne l'ai pas surveillée *e*.
⁷ Explique-moi donc, toi que j'aime,
où tu feras paître, où tu feras reposer à midi,
pour que je n'aie pas l'air d'une coureuse *f*
près des troupeaux de tes camarades.
⁸ « Si tu ne le sais pas, toi, la plus belle des femmes,
toi, sors sur les traces du bétail
et fais paître tes biquettes près des demeures des pâtres *g*. »

(Lui)

⁹ A une cavale d'équipage de luxe,
je te compare, ma compagne.
¹⁰ Tes joues sont jolies entre les torsades,
ton cou dans les guirlandes.
¹¹ Des torsades d'or nous te ferons faire
avec incrustation d'argent.

(Elle)

¹² D'ici que le roi soit à son enclos,
mon nard donne sa senteur *h*.

---

a Le plus beau chant: équivalent français d'un superlatif hébreu, dont la forme *a* été conservée dans le titre traditionnel *Cantique des cantiques.* Comparer Dt 10.17; Ps 136.2-3 ● *b* Les Hébreux pouvaient passer de la troisième personne (*il*) à la deuxième (*tes caresses*) quand ils s'adressaient à quelqu'un ● *c le roi:* cette appellation semble désigner ici le jeune homme lui-même, comme en 1.12; 7.6. En 3.9, 11 la même expression est appliquée à Salomon, mais c'est peut-être encore une manière de désigner le jeune homme du poème — *grâce à toi:* la jeune fille cite une parole de son amoureux ● *d* C'est-à-dire hâlée par le soleil (v. 6) ● *e m'ont tannée* ou *m'ont querellée* — *ma vigne à moi:* manière indirecte pour la jeune fille de parler d'elle-même ● *f où tu feras paître... reposer...:* le texte sous-entend *ton troupeau* — *une coureuse:* autre traduction *une vagabonde* ● *g* La jeune fille cite ici la réponse que des *bergers (ou *pâtres*) ont donnée à sa question du v. 7 ● *h le roi:* voir 1.4 et la note — *son enclos:* comme le *jardin* mentionné en 4.12-14, ce terme semble pris ici au sens figuré et faire allusion à la jeune fille elle-même — *nard:* parfum extrait d'une plante originaire du nord de l'Inde

1.1 Salomon 1 R 5.12; Ct 8.11-12; cf. 3.7.   **1.2** baiser Ct 8.1 — vin (symbole de tous les plaisirs) v. 4; 4.10; 5.1; 7.10; 8.2; cf. 2.4; Qo 2.3.   **1.3** adolescentes (filles) Ct 2.2; 6.8-9; cf. Gn 24.43; Es 7.14; Pr 30.19.   **1.4** le jeune homme comparé à un roi v. 12; 7.6; cf. 3.7-11.   **1.6** frères Ct 8.8 — vigne (symbole de la jeune fille) 2.15; 7.13; 8.12; cf. 8.11; Es 5.1.   **1.10** tes joues Ct 5.13 — ton cou Ct 4.4; 7.5.   **1.12** enclos (jardin) Ct 4.12, 16; 5.1; 6.2 — parfums symbolisant les attraits de la jeune fille Ct 4.6, 10, 13-14; 5.1, 5; 8.2; cf. 4.11 ou ceux du jeune homme v. 13, 14; 5.13; cf. 3.6.

13 Mon chéri pour moi est un sachet de myrrhe :
entre mes seins il passe la nuit [i].

14 Mon chéri pour moi est une grappe de henné
à la vigne de la Font-au-Biquet [j].

(Lui)

15 Que tu es belle, ma compagne, que tu es belle !
Tes yeux sont des colombes !

(Elle)

16 Que tu es beau, mon chéri, combien gracieux !
Combien verdoyante est notre couche !

17 Les poutres de notre maison sont les pins,
et nos lambris, les genévriers.

2 **1** Je suis un narcisse de la Plaine, un lis des vallées [k].

(Lui)

2 Comme un lis parmi des ronces,
telle est ma compagne parmi les filles.

(Elle)

3 Comme un pommier au milieu des arbres de la forêt,
tel est mon chéri parmi les garçons.
A son ombre, selon mon désir, je m'assieds ;
et son fruit est doux à mon palais.

4 Il me fait entrer au cabaret [l],
mais son enseigne au-dessus de moi est Amour.

5 Restaurez-moi avec des gâteaux de raisins ;
soutenez-moi avec des pommes :
car je suis malade d'amour.

6 Sa gauche est sous ma tête,
et sa droite m'enlace !

(Lui)

7 Je vous en conjure, filles de Jérusalem,
par les gazelles ou par les biches de la campagne :
N'éveillez pas, ne réveillez pas mon Amour [m]
avant son bon vouloir.

Le voici, il vient

(Elle)

8 J'entends mon chéri !
Le voici : il vient !
Sautant par-dessus les monts,
bondissant par-dessus les collines,

9 mon chéri est comparable à une gazelle
ou à un faon de biche.
Le voici : il s'arrête derrière notre mur ;
il regarde par la fenêtre ;
il épie par le treillis.

10 Mon chéri chante
et me dit :
« Debout, toi, ma compagne,
ma belle, et viens-t'en.

11 Car voici que l'hiver passe ;
la pluie cesse, elle s'en va.

12 On voit des fleurs dans le pays ;
la saison de la chanson arrive ;
et on entend dans notre pays
la voix de la tourterelle.

13 Le figuier mûrit son fruit vert
et les ceps en bouton donnent leur senteur.
Debout, toi, ma compagne,
ma belle, et viens-t'en.

14 Ma colombe au creux d'un rocher,
au plus caché d'une falaise,
fais-moi voir ton visage,
fais-moi entendre ta voix ;
car ta voix est agréable,
et ton visage est joli. »

15 « Saisissez-nous les renards,

---

i myrrhe: parfum d'origine végétale — *entre mes seins:* les femmes de cette époque avaient coutume de porter un sachet parfumé pendu à leur cou ● *j* Le *henné*, plante aux fleurs en grappes fortement parfumées, poussait dans l'oasis de *Font-au-Biquet* (ou *Source du Chevreau,* en hébreu *Ein-Guèdi*), sur la rive occidentale de la mer Morte ● *k narcisse, lis* (ou *anémone*): les fleurs désignées ici n'ont pas été identifiées de façon certaine; d'après 5.13 la seconde est probablement rouge — *la Plaine,* c'est-à-dire la plaine du *Sharôn,* en bordure de la côte méditerranéenne ● *l* Le *cabaret* semble désigner ici, au sens figuré, le lieu où les deux amoureux s'enivrent de leur amour ● *m* mon *Amour* ou *celle que j'aime; autre traduction l'Amour*

1.13 mon chéri Ct 5.8-9. **1.14** la Font-au-Biquet (Ein Guèdi) 1 S 24.1-2. **1.15** Que tu es belle! Ct 4.1, 7; 6.4; 7.7 — colombe Ct 2.14; 5.12; 6.9. **2.1** fleur de la Plaine (du Sharôn) Es 35.1-2; cf. 33.9 — lis v. 16; 4.5; 6.2-3; cf. Os 14.6; Mt 6.28. **2.3** pommier Ct 8.5 — palais Ct 5.16; 7.10. **2.5** gâteaux de raisins Es 16.7; Jr 7.18; 44.19; Os 3.1 — pommes v. 3; Ct 7.9. — malade d'amour Ct 5.8. **2.6** sa gauche... sa droite... Ct 8.3. **2.7** mon Amour (celle que j'aime) Ct 7.7. **2.10** Viens... Ct 7.12. **2.14** ma colombe Ct 1.15+. **2.15** renards/chacals Ez 13.4; Ne 3.35; Lc 13.32 — vigne Ct 1.6+.

les petits renards
qui ravagent les vignes,
alors que notre vigne est en bouton [n] ! »
[16] Mon chéri est à moi, et je suis à lui,
qui paît parmi les lis [o],
[17] d'ici que le jour respire
et que les ombres soient fuyantes,
retourne !... toi, sois comparable, mon
chéri,
à une gazelle ou à un faon de biche,
sur des monts séparés [p].

Elle rêve qu'elle le cherche et le trouve

(Elle)

3 [1] Sur mon lit, au long de la nuit,
je cherche celui que j'aime.
Je le cherche mais ne le rencontre pas.
[2] Il faut que je me lève
et que je fasse le tour de la ville ;
dans les rues et les places,
que je cherche celui que j'aime.
Je le cherche mais ne le rencontre pas.
[3] Ils me rencontrent, les gardes
qui font le tour de la ville :
« Celui que j'aime, vous l'avez vu ? »
[4] A peine les ai-je dépassés
que je rencontre celui que j'aime.
Je le saisis et ne le lâcherai pas
que je ne l'aie fait entrer chez ma
mère,
dans la chambre de celle qui m'a
conçue.
[5] « Je vous en conjure, filles de Jérusalem,
par les gazelles ou par les biches de
la campagne :

N'éveillez pas, ne réveillez pas mon
Amour [q]
avant son bon vouloir. »
[6] « Qui est-ce qui monte du désert
comme en une colonne de fumée
vaporisée de myrrhe et d'*encens [r],
de toute poudre d'importation ? »
[7] Voici sa litière — celle de Salomon —
entourée de soixante braves
d'entre les braves d'Israël,
[8] tous s'étant saisis de l'épée,
initiés au combat,
chacun son épée sur sa hanche
pour s'abriter de la terreur nocturne.
[9] Le roi Salomon s'est fait faire un
palanquin :
de bois du Liban [s]
[10] il a fait faire ses piliers ;
en argent, son appui ;
en or, son siège ;
en pourpre [t], son intérieur,
arrangé amoureusement
par les filles de Jérusalem.
[11] Sortez admirer, filles de *Sion, le roi
Salomon
avec la couronne dont le couronne sa
mère
au jour de son mariage :
au jour où son être est dans la joie.

(Lui)

4 [1] Que tu es belle, ma compagne !
Que tu es belle !
Tes yeux sont des colombes à travers
ton voile.
Ta chevelure est comme un troupeau
de chèvres
dégringolant du mont Galaad [u].

---

n Comme en 1.4, 8, la jeune fille cite sans doute ici des paroles entendues. C'est peut-être la mère, qui envoie ses fils à la poursuite du jeune homme (*les renards*), qu'elle accuse de nuire à sa fille (*notre vigne*) ● *o qui paît:* on peut comprendre soit *qui fait paître son troupeau* (comme en 1.7), soit *qui broute* (comme en 4.5) — *les lis:* voir 2.1 et la note ● *p* Les expressions imagées du début du verset font allusion au prochain matin — *retourne... toi:* expression intentionnellement ambiguë; la jeune fille fait semblant de congédier son amoureux (*retourne*, au sens de *va-t-en*) tout en lui donnant un nouveau rendez-vous (*retourne* au sens de *reviens*) — *des monts séparés* ou *des monts de Bètèr:* lieu inconnu dont le nom a peut-être une valeur symbolique ● *q* Voir 2.7 et la note ● *r* Les v. 6-11 reproduisent peut-être un poème composé pour le mariage du roi Salomon; la jeune fille l'applique maintenant à son amoureux — *myrrhe:* voir 1.13 et la note ● *s un palanquin:* le mot hébreu correspondant est mal connu et la traduction incertaine — *de bois du Liban:* c'est-à-dire *de cèdre* (voir la note sur Es 10.34) ● *t* Teinture de luxe (rouge foncé): par extension le terme désigne aussi les tissus de cette couleur ● *u ton voile:* le jour des noces la mariée se présentait voilée au marié — Les *chèvres* de cette région sont noires — le *mont Galaad* est situé à l'est du Jourdain.

2.16 il est à moi, je suis à lui Ct 6.3; 7.11; cf. Os 2.4-25 — lis v. 1+.   **2.17** d'ici que le jour... Ct 4.6 — comme une gazelle... Ct 8.14.   **3.1** je le cherche Ct 5.6; Es 65.1; Jr 29.13; Os 2.9; 5.6; Pr 1.28; cf. Mt 7.7.   **3.3** les gardes Ct 5.7.   **3.4** je ne le lâcherai pas Gn 2.24 — mère de la jeune fille Ct 6.9; 8.2 du jeune homme 3.11; 8.5.   **3.6** Qui est?... Ct 6.10; 8.5 — myrrhe et encens cf. Ct 1.12+ — importation 1 R 10.15; Ez 27.13-24; Na 3.16.   **3.7** Salomon v. 9, 11; 8.11-12.   **3.8** terreur nocturne Ps 91.5; *Tb* 3.7-8; 6.14.   **3.11** couronne Es 61.10; 62.3 — mariage et joie Es 62.5.   **4.1-14** éloge de la bien aimée Ct 6.4-10; 7.2-10 du bien aimé 5.10-16.   **4.1** que tu es belle! Ct 1.15+ — mariée voilée Gn 24.65 — ta chevelure... Ct 6.5 — Mont Galaad Gn 31.21.

² Tes dents sont comme un troupeau
de bêtes à tondre
qui remontent du lavoir :
toutes ont des jumeaux,
on ne les arrache à aucune.

³ Comme un ruban écarlate sont tes
lèvres,
et ta babillarde *v* est jolie.
Comme la tranche d'une grenade est
ta tempe
à travers ton voile.

⁴ Comme la Tour-de-David est ton cou,
bâti pour des trophées :
un millier de boucliers y est pendu,
toutes sortes d'armures de braves *w*.

⁵ Tes deux seins sont comme deux faons,
jumeaux d'une gazelle,
qui paissent parmi les lis.

⁶ D'ici que le jour respire
et que les ombres soient fuyantes,
je m'en irai au mont emmyrrhé
et à la colline encensée *x*.

⁷ Tu es toute belle, ma compagne !
De défaut, tu n'en as pas !

⁸ Avec moi, du Liban, ô fiancée,
avec moi, du Liban tu viendras ;
tu dévaleras du sommet de l'Amana,
du sommet du Senir et de l'Hermon *y*,
des retraites de lions et des montagnes
à panthères.

⁹ Tu me rends fou, ma sœur, ô fiancée,
tu me rends fou par une seule de tes
œillades,
par un seul cercle de tes colliers.

¹⁰ Que tes caresses sont belles, ma sœur,
ô fiancée !
Que tes caresses sont meilleures que
du vin,

et la senteur de tes parfums, que tous
les baumes !

¹¹ Tes lèvres distillent du nectar, ô fiancée ;
du miel et du lait sont sous ta langue ;
et la senteur de tes vêtements
est comme la senteur du Liban.

¹² Tu es un jardin verrouillé, ma sœur,
ô fiancée ;
une source *z* verrouillée,
une fontaine scellée !

¹³ Tes surgeons sont un paradis de
grenades,
avec des fruits de choix :
le henné avec le nard *a*,

¹⁴ du nard et du safran,
de la cannelle et du cinnamome,
avec toutes sortes d'arbres à encens ;
de la myrrhe et de l'aloès *b*,
avec tous les baumes de première
qualité.

(Elle)

¹⁵ Je suis une fontaine de jardins,
un puits d'eaux courantes,
ruisselant du Liban !

¹⁶ Eveille-toi, Aquilon ! Viens, Autan *c* !
Fais respirer mon jardin,
et que ses baumes ruissellent !
Que mon chéri vienne à son jardin
et en mange les fruits de choix !

(Lui)

5 ¹ Je viens à mon jardin, ma sœur,
ô fiancée ;
je récolte ma myrrhe avec mon baume ;
je mange mon rayon avec mon miel ;
je bois mon vin avec mon lait !

---

v ta babillarde ou *ta langue* ● *w* Le collier de pièces de monnaie que porte la jeune fille évoque les *boucliers* qui ornent la *Tour de David* (monument inconnu par ailleurs) ● *x emmyrrhé,
encensée:* parfumés respectivement à la myrrhe (voir 1.13 et la note) et à l'*encens ● *y Liban,
Amana, Senir, Hermon:* montagnes situées au nord de la Palestine ● *z* Au lieu de *une source*
certains manuscrits hébreux et les versions anciennes proposent *un jardin*, répétant ainsi le vers
précédent ● *a* Le terme traduit pas *surgeons* évoque par assonance le mot désignant la dot (voir
1 R 9.16), et le terme rendu par *choix* rappelle le cadeau que le fiancé faisait à son futur beau-père
(Gn 24.53). Mais ici, par contraste, tout est gratuit dans le don que les amants font d'eux-mêmes
l'un à l'autre — *henné:* voir 1.14 et la note — *nard:* voir 1.12 et la note ● *b cannelle, myrrhe,
aloès* (Ps 45.9), *safran, cinnamome:* parfums d'origine végétale ● *c Aquilon, Autan:* vents du nord
et du sud respectivement; ils doivent répandre les senteurs du « jardin » (voir 1.12 et la note)

4.2 tes dents Ct 6.6. **4.3** grenade Ct 4.13; 6.7, 11; 7.13; 8.2. **4.4** ton cou Ct 1.10+ — boucliers
suspendus Ez 27.10-11. **4.5** tes seins Ct 7.4, 8, 9; 8.10; Pr 5.19 — comme deux faons Ct 7.4;
cf. 2.9, 17 — qui paissent parmi les lis Ct 2.16. **4.6** d'ici que le jour... Ct 2.17 — parfums Ct
1.12+. **4.7** belle Ct 1.15+ — sans défaut cf. Ep 5.27. **4.8** Liban, Senir, Hermon Ct 7.5; Dt
3.8-9; 1 Ch 5.23. **4.9** Tu me rends fou Ct 6.5. **4.10** vin Ct 1.2+ — parfums Ct 1.12+. **4.11**
Tes lèvres distillent... Pr 5.3 — du miel et du lait Ex 3.8; Es 55.1 — vêtements parfumés Ps 45.9;
Pr 7.17 — senteur du Liban Os 14.7. **4.12** jardin (symbole de la jeune fille) Ct 1.12+ —
fontaine scellée Pr 5.16. **4.13** paradis 2 Co 12.4+ — fruits de choix Ct 4.16; 7.14. **4.14** parfums Ct 1.12+; Ps 45.9; Pr 7.17. **4.16** son jardin cf. Ct 1.12+. **5.1** parfums Ct 1.12+ —
vin Ct 1.2+.

(Chœur)

« Mangez, compagnons ;
buvez, enivrez-vous, chéris *d* ! »

Elle lui ouvre sa porte, mais trop tard

(Elle)

2 Je dormais, mais je m'éveille :
j'entends mon chéri qui frappe !
« Ouvre-moi, ma sœur, ma compagne,
ma colombe, ma parfaite ;
car ma tête est pleine de rosée ;
mes boucles, des gouttes de la nuit. »

3 « J'ai enlevé ma chemise : comment !
je la revêtirais ?
J'ai lavé mes pieds : comment ! je les
salirais *e* ? »

4 Mon chéri avance la main par le
trou *f* ;
et mon ventre s'en émeut.

5 Moi, je me lève pour ouvrir à mon
chéri !
Et mes mains distillent de la myrrhe,
et mes doigts de la myrrhe fluide,
sur les paumelles du verrou *g*.

6 Moi, j'ouvre à mon chéri !
Mais mon chéri s'est détourné, il a
passé.
Hors de moi je sors à sa suite :
je le cherche mais ne le rencontre pas ;
je l'appelle mais il ne me répond pas.

7 Ils me rencontrent, les gardes
qui font le tour de la ville ;
ils me frappent, ils me blessent ;
ils enlèvent de dessus moi ma houp-
pelande *h*,
les gardes des remparts.

8 Je vous en conjure, filles de Jérusalem :
Si vous rencontrez mon chéri,
que lui expliquerez-vous ?
Que je suis malade d'amour !

(Chœur)

9 Celui que tu chéris, qu'a-t-il de plus
qu'un autre,

ô la plus belle des femmes ?
Celui que tu chéris, qu'a-t-il de plus
qu'un autre,
pour qu'ainsi tu nous conjures ?

(Elle)

10 Mon chéri est clair et rose,
il est insigne plus que dix mille.

11 Sa tête est un lingot d'or fin.
Ses boucles sont des panicules *i*,
noires comme un corbeau.

12 Ses yeux sont comme des colombes
sur des bassins à eau,
se lavant dans du lait,
se posant sur des vasques.

13 Ses joues sont comme un parterre
embaumé
produisant des aromates *j*.
Ses lèvres sont des lis
distillant de la myrrhe fluide.

14 Ses mains sont des bracelets d'or
remplis de topazes.
Son ventre est une plaque d'ivoire
couverte de saphirs *k*,

15 Ses jambes sont des piliers d'albâtre
fondés sur des socles d'or fin.
Son visage est comme le Liban :
c'est l'élite, comme les pins.

16 Son palais est la douceur même ;
et tout son être est l'objet même du
désir.
Tel est mon chéri, tel est mon compagnon,
filles de Jérusalem !

(Chœur)

6 1 Où est allé ton chéri,
ô la plus belle des femmes ?
Où s'est dirigé ton chéri,
que nous le cherchions avec toi ?

(Elle)

2 Mon chéri descend à son jardin,
aux parterres embaumés,
pour paître au jardin

---

d La fin du v. 1 s'adresse aux deux amoureux. Elle conclut le rêve que la jeune fille a commencé
en 3.1 ● *e* Le v. 3 cite les objections que la jeune fille fait à son amoureux ● *f* Le texte sous-
entend *de la porte:* le jeune homme essaie d'ouvrir le loquet intérieur ● *g myrrhe:* voir 1.13 et
la note — *les paumelles* ou *la poignée* ● *h* Elle a mis cet ample manteau pour sortir précipitamment, au saut du lit, et les gardes la prennent pour une fille de mauvaise conduite ● *i* Ces
fruits en grappes de certaines variétés de palmier sont noirs comme les cheveux du jeune homme
● *j produisant:* d'après les anciennes versions; hébreu obscur — *des aromates* ou *des parfums*
● *k topazes:* pierres précieuses de couleur ambrée; allusion à des bagues, ou plus vraisemblablement aux ongles du jeune homme — *saphirs:* pierres précieuses de teinte bleue; allusion aux
veines qui apparaissent sous la peau

5.5 parfums Ct 1.12+. **5.6** je le cherche, mais... Ct 3.1-2. **5.7** les gardes Ct 3.3. **5.8** malade
d'amour Ct 2.5. **5.10-16** éloge du bien aimé cf. Ct 4.1-14+. **5.10** clair et rose cf. 1 S 16.12
— plus que dix mille 2 S 18.3. **5.12** colombes Ct 1.15+. **5.13** joues Ct 1.10 — parfums Ct
1.12+. **5.15** piliers cf. Ps 144.12; Si 26.18. **5.16** son palais Ct 2.3. **6.1** que nous le cherchions
Ct 3.1. **6.2** jardin Ct 1.12+ — parterres embaumés Ct 5.13; cf. 1.12+ — lis Ct 2.1+.

et pour cueillir des lis [l].

3 Je suis à mon chéri, et mon chéri
est à moi,
lui qui paît parmi les lis [m].

Portrait de la bien-aimée

(Lui)

4 Tu es belle, ma compagne, comme
Tirça [n],
jolie comme Jérusalem,
terrible comme ces choses insignes.
5 Détourne de moi tes yeux,
car eux m'ensorcellent.
Ta chevelure est comme un troupeau
de chèvres
dégringolant du Galaad [o].
6 Tes dents sont comme un troupeau
de brebis
qui remontent du lavoir :
toutes ont des jumeaux,
on ne les arrache à aucune.
7 Comme la tranche d'une grenade est
la tempe
à travers ton voile.
8 Soixante sont les reines,
et quatre-vingts les maîtresses,
et les adolescentes sans nombre [p].
9 Elle est unique, ma colombe, ma
parfaite.
Elle est unique pour sa mère,
brillante [q] pour celle qui l'enfanta.
Les filles la voient : elles la disent
heureuse ;
les reines et les maîtresses : elles font
son éloge :
10 « Qui est Celle qui toise comme
l'Aurore,
belle comme la Lune,

brillante comme le Soleil,
terrible comme ces choses insignes [r] ? »
11 Au jardin des noyers je descends
pour admirer les pousses de la gorge [s],
pour voir si le cep bourgeonne,
si les grenadiers fleurissent.

(Elle)

12 Je ne reconnais pas mon propre moi :
il me rend timide,
bien que fille de nobles gens [t] !

(Chœur)

7 « 1 Reviens, reviens, Sulamite !
Reviens, reviens, que nous te con-
templions ! »

(Lui)

- Comment contemplerez-vous la Sulamite ?
- Comme en une contredanse [u] !
2 Comme sont beaux tes pieds dans les
sandales,
fille de noble !
Les contours de tes hanches sont
comme des anneaux,
œuvre de mains d'artiste.
3 Ton nombril [v] est une coupe en demi-
lune :
que le mélange ne manque pas !
Ton abdomen est un monceau de blé
bordé de lis.
4 Tes deux seins sont comme deux faons,
jumeaux d'une gazelle.
5 Ton cou est comme la Tour-d'Ivoire.
Tes yeux sont des étangs à Heshbôn,
près de la porte Populeuse.
Ton nez est comme la Tour-du-
Liban [w],

---

l Comme en 2.1-2; 4.12-16 le *jardin* et le *lis* sont ici des symboles de la jeune fille ● *m* Voir 2.1
et la note ● *n* *Tirça* (Plaisance) fut la capitale du royaume d'Israël avant Samarie (voir 1 R
15.33; 16.8, 23) ● *o* Voir 4.1 et la note ● *p* Le poème évoque ici le harem de Salomon, pour
faire ressortir par contraste les qualités exceptionnelles de la jeune fille (v. 9) ● *q* *brillante:*
autres traductions *pure, resplendissante* ou *préférée* ● *r* Le v. 10 cite les louanges que les femmes du harem royal adressent à la jeune fille ● *s* *de la gorge* ou *de la vallée* ● *t* *il me rend...
nobles gens:* traduction conjecturale; hébreu obscur ● *u* *Sulamite:* nom propre qui pourrait être
considéré comme le féminin de *Salomon.* Les deux noms sont construits sur la racine qui désigne
la paix (voir 8.10). Ceux qui interpellent ainsi la jeune fille la considèrent comme une reine, inséparable de son « roi Salomon » (voir la note sur 1.4) — *contredanse* ou *danse à deux* (deux partenaires
ou deux groupes) ● *v* Le sens exact du terme hébreu ainsi traduit d'après Ez 16.4 est incertain.
Peut-être est-ce un euphémisme pour désigner le sexe féminin ● *w* *Heshbôn:* ville de Transjordanie; les archéologues y ont découvert d'anciens réservoirs d'eau — *la Tour-du-Liban:* peut-être
désignation poétique du mont Hermon

6.3 je suis à lui, il est à moi Ct 2.16+.   **6.4-10** éloge de la bien-aimée Ct 4.1-14+.   **6.4** tu es
belle Ct 1.15+.   **6.5** tes yeux m'ensorcellent Ct 4.9 — ta chevelure... Ct 4.1.   **6.6** tes dents
Ct 4.2.   **6.7** comme la tranche d'une grenade Ct 4.3+.   **6.8** harem de Salomon 1 R 11.3 —
adolescentes (filles) Ct 1.3+; cf. Est 2.12-17.   **6.9** colombe Ct 1.15+ — unique pour sa mère
Pr 4.3 — les filles Ct 1.3+ — la disent heureuse Pr 31.28; cf. Ps 1.1+; Mt 5.3+.   **6.10** Qui est?...
Ct 3.6+ — l'Aurore Es 14.12 — comme le soleil Si 26.16 — belle... terrible v. 4.   **6.11** pour voir
si le cep... Ct 7.13.   **7.2-10** éloge de la bien-aimée Ct 4.1-14+.   **7.4** tes seins comme deux faons...
Ct 4.5+.   **7.5** cou Ct 1.10+ — tour Ct 4.4 — Heshbôn Nb 21.27; Es 15.4 — Liban Ct 4.8.

sentinelle face à Damas.
6 Ta tête sur ton corps est comme le
  Carmel,
  et ses mèches sont comme la pourpre :
  un roi est enchaîné par ces flots *x*.
7 Que tu es belle, et que tu es gracieuse,
  amour, fille délicieuse !
8 Ta stature que voici est comparable à
  un palmier ;
  et tes seins, à des grappes.
9 Je dis : « Il faut que je monte au
  palmier,
  que je saisisse ses régimes » :
  Que tes seins soient donc comme les
  grappes d'un cep,
  et la senteur de ta narine comme des
  pommes,
10 et ton palais comme un vin de
   marque...

(Elle)

... allant tout droit à mon chéri,
coulant aux lèvres des dormeurs.

Le bonheur d'être aimé

(Elle)

11 Je suis à mon chéri et vers moi est
   son élan.
12 Viens, mon chéri ; sortons à la campagne ;
   passons la nuit au Village ;
13 de bonne heure, aux vignes,
   allons voir si le cep bourgeonne,
   si le bouton s'ouvre,
   si les grenadiers fleurissent.
   Là je te donnerai mes caresses.
14 Les pommes d'amour donnent leur
   senteur ;
   et à nos ouvertures *y* sont toutes sortes
   de fruits de choix :

nouveaux, anciens aussi, mon chéri, je
les réserve pour toi.

8 1 Que n'es-tu vraiment mon frère,
  nourri aux seins de ma mère !
Je te rencontrerais dehors, je t'embras-
  serais :
cependant les gens ne me mépriseraient
  pas.
2 Je te conduirais ; je te ferais entrer
  chez ma mère.
Tu m'initierais ;
je te ferais boire du vin aromatisé,
de mon jus de grenades.
3 Sa gauche sous ma tête,
  et sa droite m'enlace !

(Lui)

4 « Je vous en conjure, filles de Jérusalem,
n'éveillez pas, ne réveillez pas mon
  Amour
avant son bon vouloir. »

L'Amour est aussi fort que la Mort

(Chœur)

5 « Qui est-ce qui monte du désert,
  s'appuyant sur son chéri ? »

(Elle)

- Sous le pommier je te réveille :
là où fut enceinte de toi ta mère,
là où fut enceinte celle qui t'enfanta,
6 mets-moi comme un sceau sur ton
  cœur,
comme un sceau sur ton bras.
Car :
Fort comme la Mort est Amour ;
inflexible comme Enfer est Jalousie ;
ses flammes sont des flammes ardentes :
un coup de foudre sacré *z*.

---

x le Carmel: voir la note sur Es 33.9 — *pourpre:* cette couleur (rouge ou violette) très foncée
décrit les reflets de la chevelure — *un roi:* voir 1.4 et la note — *ces flots:* image pour les longs
cheveux ondulés de la jeune fille ● *y pommes d'amour* ou *mandragores:* ces fruits étaient considérés comme favorisant la fécondité (Gn 30.14-16) — *à nos ouvertures* ou *à nos portes* ● *z Le sceau*
(voir la note sur Ex 28.11 pouvait se porter en pendentif autour du cou. La fiancée désire à la fois
représenter pour son fiancé ce qu'il aura toujours de plus personnel et en quelque sorte apposer
sa marque sur lui — *un coup de foudre sacré* ou *une flamme du Seigneur*

7.6 le Carmel Es 35.2 — un roi Ct 1.4+. **7.7** belle Ct 1.15+ — amour Ct 2.7. **7.8** palmier
(Tamar) Gn 38.6 ; 2 S 13.1 ; 14.27. **7.9** pommes Ct 2.5. **7.10** palais Ct 2.3 — vin Ct 1.2+.
7.11 je suis à lui... Ct 2.16+. **7.12** Viens... Ct 2.10, 13 ; cf. Ap 22.17. **7.13** voir si le cep... Ct 6.11
— caresses Ct 1.2. **7.14** fruits de choix Ct 4.13, 16 — nouveaux, anciens... Lv 26.10. **8.1** mon
frère Ct 4.9 — baisers Ct 1.2 en public Pr 7.13. **8.2** entre chez ma mère Ct 3.4 — vin Ct
1.2+ — grenades Ct 4.13. **8.3** sa gauche... sa droite... Ct 2.6. **8.5** Qui est...? Ct 3.6+ — pommier
Ct 2.3. **8.6** un sceau Gn 38.18 ; 1 R 21.8 ; Jr 22.24 ; Ag 2.23 — fort comme la mort Es 28.15 ;
Os 13.14 ; Ha 2.5 — jalousie Ex 20.5 — foudre (feu du Seigneur) Nb 11.1, 3 ; 1 R 18.38 ; 2 R
1.12 ; Jb 1.16.

7 Les Grandes Eaux *a* ne pourraient
 éteindre l'Amour
 et les Fleuves ne le submergeraient pas.
 Si quelqu'un donnait tout l'avoir de
 sa maison en échange de l'amour,
 à coup sûr on le mépriserait.

8 « Nous avons une sœur. Elle est petite :
 elle n'a pas de seins.
 Que ferons-nous de notre sœur
 au jour où l'on parlera d'elle *b* ?

9 Si elle était un rempart,
 nous bâtirions sur elle des créneaux
 d'argent.
 Si elle était une porte,
 nous la bloquerions d'une planche de
 pin. »

10 - Je suis un rempart
 - et mes seins sont vraiment des tours ?
 Alors j'existe à ses yeux
 comme celle qui rencontre la paix *c*.

(Lui)

11 Salomon a une vigne à Baal-Hamôn *d*.
 Il donne la vigne aux surveillants.
 Chacun fera rentrer pour son fruit
 mille pièces d'argent.

12 Ma vigne à moi est à ma disposition.
 Les mille sont à toi, Salomon,
 mais deux cents à ceux qui en surveillent le fruit *e*.

13 Toi qui es assise au milieu des jardins,
 des camarades sont attentifs à ta voix ;
 fais-moi entendre :

(Elle)

14 « Echappe, mon chéri ! Et sois comparable, toi,
 à une gazelle ou à un faon de biche,
 sur des monts embaumés *f*. »

---

a Les Grandes Eaux ou *toute l'eau de l'univers* ● *b* Le rôle des frères était de défendre leur
sœur (comparer 1.6) et de veiller à son mariage (voir Gn 24.50; 34; 2 S 13) — Les v. 8-9
évoquent rétrospectivement leurs intentions concernant la jeune fille du poème ● *c qui rencontre
la paix* ou *qui procure la paix:* le terme ainsi traduit évoque par assonance les noms de *Salomon*
(voir la note sur 1.4) et de la *Sulamite* (voir 7.1 et la note) ● *d* Lieu non identifié, dont le nom
est sans doute symbolique: « possesseur de foule » ou « possesseur de richesses »; c'est peut-être
une allusion au harem de Salomon (voir la note sur 6.8) ● *e* Sur la *vigne* comme symbole de la
jeune fille voir 1.6 et la note. Par contraste avec le jeune homme du poème, *Salomon* ne peut
profiter seul du fruit de sa « vigne » ● *f* Comparer 2.17 et la note

8.7 Grandes Eaux Ez 26.19; Ha 3.15; Ps 18.17 — les Fleuves Es 43.2; Ha 3.8 — tout l'avoir
de sa maison Gn 34.12; Pr 6.31; 31.10. **8.8** les frères de la jeune fille Ct 1.6. **8.10** recherche
et rencontre cf. Ct 3.1-4; 5.6-8. **8.11** Salomon Ct 3.7+ — vigne à surveiller Ct 1.6 — mille
pièces d'argent Es 7.23. **8.12** vigne (symbole de la jeune fille) Ct 1.6+. **8.13** jardins Ct 4.12+.
8.14 comme une gazelle... Ct 2.17.

QOHÉLETH

OU L'ECCLÉSIASTE

La vie n'a pas de sens

1 ¹ Paroles de Qohéleth, fils de David, roi à Jérusalem *a*.

² Vanité des vanités, dit Qohéleth, vanité des vanités, tout est vanité *b*.

³ Quel profit y a-t-il pour l'homme de tout le travail qu'il fait sous le soleil *c* ?
⁴ Un âge *d* s'en va, un autre vient, et la terre subsiste toujours.
⁵ Le soleil se lève et le soleil se couche, il aspire à ce lieu d'où il se lève *e*.
⁶ Le vent va vers le midi et tourne vers le nord,
le vent tourne, tourne et s'en va, et le vent reprend ses tours.
⁷ Tous les torrents vont vers la mer, et la mer n'est pas remplie ;
vers le lieu où vont les torrents, là-bas, ils s'en vont de nouveau.
⁸ Tous les mots sont usés *f*, on ne peut plus les dire,
l'œil ne se contente pas de ce qu'il voit,
et l'oreille ne se remplit pas de ce qu'elle entend.
⁹ Ce qui a été, c'est ce qui sera, ce qui s'est fait, c'est ce qui se fera :
rien de nouveau sous le soleil !

¹⁰ S'il est une chose dont on puisse dire : « Voyez, c'est nouveau, cela ! »
— cela existe déjà depuis les siècles qui nous ont précédés.
¹¹ Il n'y a aucun souvenir des temps anciens ;
quant aux suivants qui viendront, il ne restera d'eux aucun souvenir
chez ceux qui viendront après.

Confession d'un roi

¹² Moi, Qohéleth, j'ai été roi sur Israël, à Jérusalem *g*.
¹³ j'ai eu à cœur de chercher et d'explorer par la sagesse
tout ce qui se fait sous le ciel.
C'est une occupation de malheur que Dieu a donnée
aux fils d'Adam *h* pour qu'ils s'y appliquent.
¹⁴ J'ai vu toutes les œuvres qui se font sous le soleil *i* ;
mais voici que tout est vanité et poursuite de vent.
¹⁵ Ce qui est courbé, on ne peut le redresser,
ce qui fait défaut ne peut être compté *j*.

¹⁶ Je me suis dit à moi-même : « Voici que j'ai fait grandir et progresser la sagesse

---

a Qohéleth: le sens de ce nom n'est pas sûr; il peut signifier «celui qui parle dans l'assemblée » ou «celui qui préside l'assemblée ». Il est employé ici de façon symbolique — *fils de David, roi à Jérusalem:* ces précisions ne peuvent renvoyer qu'à Salomon sous l'autorité duquel le livre est placé ● *b* Ou *Tout est absolument vain, dit Qohéleth, tout est absolument vain, rien n'a de sens.* En hébreu l'expression traduite par *vanités des vanités* a la valeur d'un superlatif ● *c sous le soleil:* cette expression qui revient souvent dans le livre de Qo, peut signifier, suivant les contextes, *sur la terre* ou *pendant la vie* (de l'homme), ou les deux à la fois ● *d Un âge* ou *Une génération* ● *e* Ou *il retourne en hâte à l'endroit où il va se lever de nouveau* ● *f* Autre traduction *Toutes les choses sont lassantes* ● *g* Voir 1.1 et la note ● *h* aux *fils d'Adam* ou *aux humains* ● *i sous le soleil,* c'est-à-dire sur la terre ● *j* Ou *on ne peut pas tenir compte de ce qui n'existe pas*

1.2 vanité des vanités Ps 62.10; Rm 8.20. **1.3** quel profit? Qo 2.20-22; 3.9-11. **1.4** un âge s'en va... *Si* 14.18. **1.7** ils s'en vont de nouveau *Si* 40.11. **1.11** aucun souvenir Qo 2.16+. **1.14** vanité et poursuite de vent Qo 2.11, 17, 26; 4.4, 16; 6.9; 11.8, 10; cf. 1.3+. **1.16** la sagesse de Salomon 1 R 3.12; 5.9-10; 10.1-13, 23-24; *Si* 47.14-17.

plus que quiconque m'a précédé comme roi sur Jérusalem. »
J'ai fait l'expérience de beaucoup de sagesse et de science,
17 j'ai eu à cœur de connaître la sagesse et de connaître la folie et la sottise ; j'ai connu que cela aussi, c'est poursuite de vent.
18 Car en beaucoup de sagesse, il y a beaucoup d'affliction ;
qui augmente le savoir augmente la douleur.

2 ¹ Je me suis dit en moi-même : « Allons, que je t'éprouve par la joie, goûte au bonheur ! »
Et voici, cela aussi est vanité.
² Du rire, j'ai dit : « C'est fou ! »
Et de la joie : « Qu'est-ce que cela fait ? »
³ J'ai délibéré en mon *cœur
de traîner ma chair dans le vin
et, tout en conduisant mon cœur avec sagesse,
de tenir à la sottise,
le temps de voir ce qu'il est bon pour les fils d'Adam
de faire sous le ciel
pendant les jours comptés de leur vie ᵏ.

⁴ J'ai entrepris de grandes œuvres :
je me suis bâti des maisons, planté des vignes ;
⁵ je me suis fait des jardins et des vergers,
j'y ai planté toutes sortes d'arbres fruitiers ;
⁶ je me suis fait des bassins
pour arroser de leur eau une forêt de jeunes arbres.

⁷ J'ai acheté des esclaves et des servantes,
j'ai eu des domestiques,
et aussi du gros et du petit bétail en abondance
plus que tous mes prédécesseurs à Jérusalem.
⁸ J'ai aussi amassé de l'argent et de l'or,
la fortune des rois et des Etats ;
je me suis procuré des chanteurs et des chanteuses

et, délices des fils d'Adam, une dame, des dames ˡ.
⁹ Je devins grand, je m'enrichis
plus que tous mes prédécesseurs à Jérusalem.
Cependant ma sagesse, elle, m'assistait.
¹⁰ Je n'ai rien refusé à mes yeux de ce qu'ils demandaient ᵐ ;
je n'ai privé mon cœur d'aucune joie,
car mon cœur jouissait de tout mon travail :
c'était la part qui me revenait de tout mon travail.

Bilan négatif de l'expérience du roi

¹¹ Mais je me suis tourné vers toutes les œuvres
qu'avaient faites mes mains
et vers le travail que j'avais eu tant de mal à faire.
Eh bien ! tout cela est vanité et poursuite de vent,
on n'en a aucun profit sous le soleil ⁿ.
¹² Je me suis aussi tourné, pour les considérer,
vers sagesse, folie et sottise.
Voyons ! que sera l'homme qui viendra après le roi ?
Ce qu'on aura déjà fait de lui ᵒ !

¹³ Voici ce que j'ai vu :
On profite de la sagesse plus que de la sottise,
comme on profite de la lumière plus que des ténèbres.
¹⁴ Le sage a les yeux là où il faut,
l'insensé marche dans les ténèbres.
Mais je sais, moi, qu'à tous les deux un même sort ᵖ arrivera.

¹⁵ Alors, moi, je me dis en moi-même :
Ce qui arrive à l'insensé m'arrivera aussi,
pourquoi donc ai-je été si sage ?
Je me dis à moi-même que cela aussi est vanité.
¹⁶ Car il n'y a pas de souvenir du sage,
pas plus que de l'insensé, pour toujours.
Déjà dans les jours qui viennent, tout sera oublié :

---

k *trainer ma chair dans le vin* ou *m'adonner au vin*. Le *vin* représente ici les jouissances matérielles — *tenir à la sottise* ou *faire l'expérience d'une vie insensée* ● l *une dame, des dames*, c'est-à-dire *de nombreuses femmes* ● m Ou *Je ne me suis rien refusé de ce que je désirais*. Les *yeux* sont considérés ici comme le siège du désir ● n Voir 1.3 et la note ● o *Ce qu'on aura déjà fait de lui:* autre traduction *Il agira comme le roi a.agi* ● p *un même sort*, c'est-à-dire la mort (voir v. 16)

2.1 vanité Qo 1.14+.   **2.3** ce qu'il est bon de faire Qo 5.17; 6.12 pendant les jours comptés Jb 14.5.   **2.11** vanité et poursuite de vent Qo 1.14+.   **2.14** l'insensé marche dans les ténèbres cf. Jn 8.12; 1 Jn 2.11+.   **2.16** pas de souvenir Qo 1.11; Sg 2.4; cf. Si 44.8-15 — le sage meurt aussi Ps 49.11+.

Eh quoi ? le sage meurt comme l'insensé !

¹⁷ Donc, je déteste la vie,
car je trouve mauvais ce qui se fait
sous le soleil :
tout est vanité et poursuite de vent.

¹⁸ Moi, je déteste tout le travail que j'ai
fait sous le soleil
et que j'abandonnerai à l'homme qui
me succédera.

¹⁹ Qui sait s'il sera sage ou insensé ?
Il sera maître de tout mon travail,
que j'aurai fait avec ma sagesse sous
le soleil :
Cela aussi est vanité.

²⁰ J'en suis venu à me décourager
pour tout le travail que j'ai fait sous le
soleil.

²¹ En effet, voici un homme qui a fait
son travail
avec sagesse, science et succès :
C'est à un homme qui n'y a pas travaillé
qu'il donnera sa part.
Cela aussi est vanité et grand mal.

²² Oui, que reste-t-il pour cet homme
de tout son travail et de tout l'effort
personnel
qu'il aura fait, lui, sous le soleil ?

²³ Tous ses jours, en effet, ne sont que
douleur,
et son occupation n'est qu'affliction ;
même la nuit, son *cœur est sans
repos :
Cela aussi est vanité.

²⁴ Rien de bon pour l'homme, sinon de
manger et de boire,
de goûter le bonheur dans son travail.
J'ai vu, moi, que cela aussi vient de la
main de Dieu.

²⁵ En effet, dit-Il, « Qui peut manger
et se faire du souci à mon insu ᵠ ? »

²⁶ Oui, Il donne à l'homme qui lui plaît
sagesse, science et joie, mais au pécheur
Il donne comme occupation de rassembler et d'amasser, pour donner à celui
qui plaît à Dieu. Cela aussi est vanité
et poursuite de vent.

Un temps pour chaque chose

3 ¹ Il y a un moment pour tout
et un temps pour chaque chose
sous le ciel :

² un temps pour enfanter et un temps
pour mourir,
un temps pour planter et un temps
pour arracher le plant,

³ un temps pour tuer et un temps pour
guérir,
un temps pour saper et un temps pour
bâtir,

⁴ un temps pour pleurer et un temps
pour rire,
un temps pour se lamenter et un temps
pour danser,

⁵ un temps pour jeter des pierres et un
temps pour amasser des pierres,
un temps pour embrasser et un temps
pour éviter d'embrasser,

⁶ un temps pour chercher et un temps
pour perdre,
un temps pour garder et un temps
pour jeter,

⁷ un temps pour déchirer et un temps
pour coudre,
un temps pour se taire et un temps
pour parler,

⁸ un temps pour aimer et un temps pour
haïr,
un temps de guerre et un temps de
paix.

⁹ Quel profit a l'artisan du travail qu'il
fait ?

¹⁰ Je vois l'occupation que Dieu a donnée
aux fils d'Adam ʳ pour qu'ils s'y occupent.

¹¹ Il fait toute chose belle en son temps ;
à leur *cœur il donne même le sens
de la durée
sans que l'homme puisse découvrir
l'œuvre que fait Dieu depuis le début
jusqu'à la fin.

¹² Je sais qu'il n'y a rien de bon pour lui
que de se réjouir et de se donner du
bon temps durant sa vie.

¹³ Et puis, tout homme qui mange et boit

ᵠ dit-Il ou dit Dieu — se faire du souci : le sens du texte hébreu est incertain ; autre traduction,
d'après les versions anciennes, boire ● ʳ aux fils d'Adam ou aux humains

2.22 que reste-t-il pour cet homme? Si 11.18-19; cf. Qo 1.3+.   **2.23** même la nuit Qo 8.16;
Jb 7.1-4; Si 40.5.   **2.24** jouir de la vie Qo 3.12-13; 5.17; 8.15; 9.7; 11.9; Si 14.14; cf. 1 Co
15.32+.   **2.26** le pécheur rassemble pour d'autres Jb 27.16-17; Pr 13.22.   **3.9** quel profit Qo
1.3+.   **3.11** l'homme ne peut pas découvrir Qo 6.12; 7.14; 8.17; 11.5; Si 18.6 — l'œuvre de
Dieu Ps 139.14-17; Pr 30.18, 19; Si 11.4; 39.16; Rm 11.33.   **3.12-13** jouir de la vie Qo 2.24+.

et goûte au bonheur en tout son travail,
cela, c'est un don de Dieu.

14 Je sais que tout ce que fait Dieu, cela
durera toujours ;
il n'y a rien à y ajouter, ni rien à en
retrancher,
et Dieu fait en sorte qu'on ait de la
crainte devant sa face *s*.

15 Ce qui est a déjà été, et ce qui sera
a déjà été,
et Dieu va rechercher ce qui a disparu *t*.

Tout se termine par la mort

16 J'ai encore vu sous le soleil *u*
qu'au siège du jugement, là était la
méchanceté,
et qu'au siège de la justice, là était
la méchanceté.

17 Je me suis dit en moi-même :
Dieu jugera le juste et le méchant,
car il y a là un temps
pour chaque chose et pour chaque
action *v*.

18 Je me suis dit en moi-même,
au sujet des fils d'Adam *w*,
que Dieu veut les éprouver ;
alors on verra qu'en eux-mêmes, ils
ne sont que des bêtes.

19 Car le sort des fils d'Adam, c'est le
sort de la bête,
c'est un sort identique :
telle la mort de celle-ci, telle la mort
de ceux-là,
ils ont tous un souffle identique :
la supériorité de l'homme sur la bête
est nulle,
car tout est vanité.

20 Tout va vers un lieu unique,
tout vient de la poussière
et tout retourne à la poussière.

21 Qui connaît le souffle des fils d'Adam
qui monte, lui, vers le haut,

tandis que le souffle des bêtes
descend vers le bas, vers la terre *x* ?

22 Je vois qu'il n'y a rien de mieux pour
l'homme
que de jouir de ses œuvres, car telle
est sa part.
Qui en effet l'emmènera voir ce qui
sera après lui ?

Mieux vaut être mort que vivant

4 1 D'autre part, je vois toutes les
oppressions
qui se pratiquent sous le soleil.
Regardez les pleurs des opprimés :
ils n'ont pas de consolateur ;
la force est du côté des oppresseurs :
ils n'ont pas de consolateur.

2 Et moi, de féliciter les morts qui sont
déjà morts
plutôt que les vivants qui sont encore
en vie.

3 Et plus heureux que les deux
celui qui n'a pas encore été,
puisqu'il n'a pas vu l'œuvre mauvaise
qui se pratique sous le soleil.

Mieux vaut le repos que le travail

4 Je vois, moi, que tout le travail,
tout le succès d'une œuvre,
c'est jalousie des uns envers les autres :
cela est aussi vanité et poursuite de
vent.

5 L'insensé se croise les bras
et dévore sa propre chair *y* :

6 Mieux vaut le creux de la main plein
de repos
que deux poignées de travail, de poursuite de vent *z*.

Mieux vaut être deux que tout seul

7 Par ailleurs je vois une vanité sous
le soleil *a*.

---

s de la crainte devant sa face ou *du respect pour lui* ● *t* Ou *et Dieu fait que ce qui a disparu (dans
le passé) se produise de nouveau* ● *u sous le soleil*, c'est-à-dire sur la terre ● *v* L'adverbe *là* renvoie
vraisemblablement au lieu où se déroulera le jugement de Dieu (voir première partie du verset). On
peut aussi comprendre *car il y a un temps pour toute chose et un jugement sur chaque action*
● *w des fils d'Adam* ou *des humains* ● *x* Autre traduction *Qui sait si le souffle (de vie) des humains
monte vers le haut et si le souffle (de vie) des bêtes descend en bas vers la terre?* ● *y* dévore sa
propre chair ou cause son propre malheur ● *z le creux de la main plein de repos* ou *un peu de repos
— deux poignées de travail, de poursuite de vent* ou *beaucoup de travail, ce qui ne sert à rien* ● *a* Ou
Je vois un autre exemple de non-sens dans la vie

3.14 cela durera toujours Ps 33.11+ — la crainte de Dieu Pr 1.29+. **3.17** Dieu jugera Qo
11.9; 12.14; cf. Pr 11.31+; 1 P 1.17+. **3.19** l'homme et la bête Ps 49.13-21. **3.20** tout retourne
à la poussière Gn 3.19+; Ps 104.29; Si 17.1. **3.22** qui l'emmènera voir? cf. Qo 3.11+. **4.1** les
oppressions Qo 5.7+. **4.2-3** mieux vaudrait ne pas être né Qo 6.3; Jr 20.18; Jb 3.11-16;
10.18-19. **4.4** vanité et poursuite de vent Qo 1.14+. **4.5** sort du paresseux Pr 6.11+.

8 Voici un homme seul, sans compagnon,
n'ayant ni fils ni frère.
Pas de limite à tout son travail,
même ses yeux ne sont jamais rassasiés de richesses.
Alors, moi, je travaille,
je me prive de bonheur : c'est pour qui ?
Cela est aussi vanité, c'est une mauvaise affaire.

9 Deux hommes valent mieux qu'un seul,
car ils ont un bon salaire pour leur travail.

10 En effet, s'ils tombent, l'un relève l'autre.
Mais malheur à celui qui est seul !
S'il tombe, il n'a pas de second pour le relever.

11 De plus, s'ils couchent à deux, ils ont chaud,
mais celui qui est seul, comment se réchauffera-t-il ?

12 Et si quelqu'un vient à bout de celui qui est seul,
deux lui tiendront tête ;
un fil triple ne rompt pas vite *b*.

A propos du pouvoir politique

13 Mieux vaut un gamin indigent, mais sage,
qu'un roi vieux, mais insensé, qui ne sait plus se laisser conseiller.

14 Que ce garçon soit sorti de prison pour régner,
qu'il soit même né mendiant pour exercer sa royauté,

15 j'ai vu tous les vivants qui marchent sous le soleil
être du côté du gamin, du second,
celui qui surgit à la place de l'autre.

16 Pas de fin à tout ce peuple, à tous ceux dont il est le chef.
Toutefois la postérité pourrait bien ne pas s'en réjouir,
car cela aussi est vanité et poursuite de vent.

Les abus de la parole devant Dieu

17 Surveille tes pas quand tu vas à la Maison de Dieu,
approche-toi pour écouter plutôt que pour offrir le *sacrifice des insensés ;
car ils ne savent pas qu'ils font le mal.

5 ¹ Que ta bouche ne se précipite pas
et que ton cœur ne se hâte pas
de proférer une parole devant Dieu.
Car Dieu est dans le ciel, et toi sur la terre.
Donc, que tes paroles soient peu nombreuses !

2 Car de l'abondance des occupations vient le rêve *c*
et de l'abondance des paroles, les propos ineptes.

3 Si tu fais un vœu à Dieu,
ne tarde pas à l'accomplir.
Car il n'y a pas de faveur pour les insensés ;
le vœu que tu as fait, accomplis-le.

4 Mieux vaut pour toi ne pas faire de vœu
que faire un vœu et ne pas l'accomplir.

5 Ne laisse pas ta bouche te rendre coupable tout entier,
et ne va pas dire au messager de Dieu *d* : « C'est une méprise. »
Pourquoi Dieu devrait-il s'irriter de tes propos
et ruiner l'œuvre de tes mains ?

6 Quand il y a abondance de rêves, de vanités,
et beaucoup de paroles, alors, crains Dieu *e*.

Les abus de l'autorité

7 Si, dans l'Etat, tu vois l'indigent opprimé,
le droit et la justice violés,
ne sois pas surpris de la chose ;

---

b Ce proverbe est l'équivalent du proverbe français « l'union fait la force » ● *c le rêve* : il s'agit vraisemblablement du mauvais rêve ● *d* Le *messager de Dieu* désigne ici probablement le prêtre ● *e* Le sens du texte hébreu est incertain. On peut comprendre aussi *Quand il y a beaucoup de paroles, il y a beaucoup de rêves et d'actions vaines : mais toi crains Dieu — crains Dieu* ou *respecte Dieu* (en ne faisant pas de vœu à la légère)

4.16 vanité et poursuite de vent Qo 1.14+. **4.17** l'obéissance vaut mieux que le sacrifice 1 S 15.22+. **5.1** Dieu est dans le ciel Dt 4.39; Jos 2.11; Jb 22.12. **5.1-2** les paroles doivent être peu nombreuses Si 7.14; Mt 6.7; cf. Qo 6.11; Pr 13.3+. **5.3-5** les vœux et leur accomplissement Nb 30.2-17+. **5.6** abondance de rêves Si 34.1-7 — craindre Dieu Pr 8.13+. **5.7** le droit violé Qo 3.16; 4.1; Jb 9.24.

car au-dessus d'un grand personnage,
veille un autre grand,
et au-dessus d'eux, il y a encore des
grands.

8 Et à tous, la terre profite ;
le roi est tributaire de l'agriculture *f*.

Inutilité de la richesse

9 Qui aime l'argent ne se rassasiera pas
d'argent,
ni du revenu celui qui aime le luxe.
Cela est aussi vanité.

10 Avec l'abondance des biens abondent
ceux qui les consomment,
et quel bénéfice pour le propriétaire,
sinon un spectacle pour les yeux ?

11 Doux est le sommeil de l'ouvrier,
qu'il ait mangé peu ou beaucoup ;
mais la satiété du riche, elle, ne le
laisse pas dormir.

12 Il y a un mal affligeant que j'ai vu
sous le soleil :
la richesse conservée par son propriétaire pour son malheur.

13 Cette richesse périt dans une mauvaise
affaire ;
s'il engendre un fils, celui-ci n'a plus
rien en main.

14 Comme il est sorti du sein de sa mère,
nu, il s'en retournera comme il était
venu :
il n'a rien retiré de son travail
qu'il puisse emporter avec lui.

15 Et cela est aussi un mal affligeant
qu'il s'en aille ainsi qu'il était venu :
quel profit pour lui d'avoir travaillé
pour le vent ?

16 De plus, il consume tous ses jours dans
les ténèbres ;
il est grandement affligé, déprimé, irrité.

17 Ce que, moi, je reconnais comme bien,
le voici :
il convient de manger et de boire,
de goûter le bonheur dans tout le travail
que l'homme fait sous le soleil,
pendant le nombre des jours de vie
que Dieu lui donne,

car telle est sa part.

18 De plus, tout homme à qui Dieu donne richesse et ressources
et à qui Il a laissé la faculté d'en
manger,
d'en prendre sa part et de jouir de
son travail,
c'est là un don de Dieu ;

19 non, il ne songe guère aux jours de sa
vie,
tant que Dieu le tient attentif à la joie
de son cœur.

6 1 Il y a un mal que j'ai vu sous
le soleil,
et il est immense pour l'humanité.

2 Soit un homme à qui Dieu donne richesse, ressources et gloire,
à qui rien ne manque pour lui-même
de tout ce qu'il désire,
mais à qui Dieu ne laisse pas la
faculté d'en manger,
car c'est quelqu'un d'étranger qui le
mange :
cela aussi est vanité et mal affligeant *g*.

Une longue vie sans bonheur

3 Soit un homme qui engendre cent fois
et vit de nombreuses années,
mais qui, si nombreux soient les jours
de ses années,
ne se rassasie pas de bonheur
et n'a même pas de sépulture.
Je dis : L'avorton vaut mieux que lui,

4 car c'est en vain qu'il est venu
et il s'en va dans les ténèbres,
et par les ténèbres son nom sera
recouvert *h* ;

5 il n'a même pas vu le soleil et ne l'a
pas connu,
il a du repos plus que l'autre.

6 Même si celui-ci avait vécu deux fois
mille ans,
il n'aurait pas goûté le bonheur.
N'est-ce pas vers un lieu unique *i* que
tout va ?

La vie insatisfaisante de l'homme

7 Tout le travail de l'homme est pour
sa bouche,

---

f C'est-à-dire le roi lui-même profite d'une agriculture prospère. Mais le sens du texte hébreu
est incertain ● *g* la faculté d'en manger ou la possibilité d'en profiter — étranger: soit quelqu'un d'une autre famille soit quelqu'un d'un autre pays ● *h* il est venu...: il s'agit de l'avorton
— son nom, c'est-à-dire ce qu'il aurait pu être s'il avait vécu ● *i* un lieu unique, c'est-à-dire la mort

5.9-10 qui aime l'argent... Qo 6.2; *Si* 14.3.   **5.14** il s'en retournera nu Jb 1.21+.   **5.17-19** jouir
de la vie Qo 2.24+.   **6.2** un étranger le mange *Si* 14.3-4; Lc 12.20.   **6.3** l'avorton vaut mieux que Qo
4.3+.   **6.6** vers un lieu unique *Si* 41.4; cf. Qo 3.20+.

et pourtant l'appétit n'est pas comblé *j*.

8 En effet, qu'a de plus le sage que
l'insensé,
qu'a le pauvre qui sait aller de l'avant
face à la vie *k* ?

9 Mieux vaut la vision des yeux que le
mouvement de l'appétit *l* :
cela est aussi vanité et poursuite de
vent.

10 Ce qui a été a déjà reçu un *nom
et on sait ce que c'est, l'homme ;
mais il ne peut entrer en procès
avec plus fort que lui *m*.

11 Quand il y a des paroles en abondance,
elles font abonder la vanité :
qu'est-ce que l'homme a de plus ?

12 En effet, qui sait ce qui est le mieux
pour l'homme pendant l'existence,
pendant les nombreux jours de sa
vaine existence
qu'il passe comme une ombre ?
Qui indiquera donc à l'homme
ce qui sera après lui sous le soleil ?

Conseils de sagesse

7 ¹ Mieux vaut le renom que l'huile
exquise,
et le jour de la mort que le jour de la
naissance *n*.

2 Mieux vaut aller à la maison de deuil
qu'à la maison du banquet ;
puisque c'est la fin de tout homme,
il faut que les vivants y appliquent
leur *cœur.

3 Mieux vaut le chagrin que le rire,
car sous un visage en peine, le cœur
peut être heureux ;

4 le cœur des sages est dans la maison
de deuil,
et le cœur des insensés, dans la maison
de joie.

5 Mieux vaut écouter la semonce du sage,
qu'être homme à écouter la chanson
des insensés.

6 Car, tel le pétillement des broussailles
sous la marmite,
tel est le rire de l'insensé.
Mais cela aussi est vanité,

7 que l'oppression rende fou le sage
et qu'un présent perde le cœur *o*.

8 Mieux vaut l'aboutissement d'une chose
que ses prémices,
mieux vaut un esprit patient qu'un
esprit prétentieux.

9 Que ton esprit ne se hâte pas de
s'irriter,
car l'irritation gît au cœur des insensés.

10 Ne dis pas : Comment se fait-il
que les temps anciens aient été meilleurs que ceux-ci ?
Ce n'est pas la sagesse
qui te fait poser cette question.

11 La sagesse est bonne comme un héritage ;
elle profite à ceux qui voient le soleil :

12 Car être à l'ombre de la sagesse,
c'est être à l'ombre de l'argent *p*,
et le profit du savoir,
c'est que la sagesse fait vivre ceux
qui la possèdent.

13 Regarde l'œuvre de Dieu :
Qui donc pourra réparer ce qu'Il a
courbé ?

14 Au jour du bonheur, sois heureux,
et au jour du malheur, regarde :
celui-ci autant que celui-là, Dieu les
a faits
de façon que l'homme ne puisse rien
découvrir
de ce qui sera après lui.

15 Dans ma vaine existence, j'ai tout vu :
un juste qui se perd par sa justice,
un méchant qui survit par sa malice.

16 Ne sois pas juste à l'excès,
ne te fais pas trop sage ;
pourquoi te détruire ?

---

j est pour sa bouche, c'est-à-dire pour manger ou, d'une façon plus générale, pour satisfaire ses
désirs — *l'appétit*: le mot peut désigner le désir en général ● *k aller de l'avant face à la vie* ou
affronter la vie ● *l la vision des yeux* ou *ce que l'on voit* — *le mouvement de l'appétit* ou *l'agitation
causée par le désir* ● *m plus fort que lui*: il s'agit d'une référence implicite à Dieu ● *n* Ce
verset oppose ce qui demeure (*le renom*) à ce qui est éphémère (*l'huile*, utilisée comme parfum), et
ce qui marque la fin des soucis terrestres (*le jour de la mort*) à ce qui en marque le début (*le jour de
la naissance*) ● *o* Ce verset explique que le sage peut devenir insensé dans certaines circonstances, par exemple lorsqu'il est opprimé ou lorsqu'on l'achète par des présents ● *p l'ombre* symbolise ici l'abri, la protection. L'idée est que la sagesse donne autant de sécurité que l'argent

6.9 vanité et poursuite de vent Qo 1.14+.   **6.10** entrer en procès avec Dieu Jb 9.14+.   **6.11** vanité
des paroles cf. Pr 13.3+.   **6.12** qui sait? Qo 3.11+. — comme une ombre Ps 102.12; 109.23;
Jb 14.2+.   **7.1** le renom Pr 22.1; Si 41.12.   **7.4** deuil et joie cf. Ps 126.5; Lc 6.25.   **7.9** ne pas
s'irriter Jc 1.19-20.   **7.11** valeur de la sagesse Pr 8.11+.   **7.13** l'œuvre de Dieu Qo 3.11+.
7.14 le jour du bonheur et le jour du malheur Jb 2.10.   **7.15** le juste et le méchant Qo 8.14; 9.2;
cf. 3.17; 8.12-13.

¹⁷ Ne fais pas trop le méchant
et ne deviens pas insensé ;
pourquoi mourir avant ton temps ?

¹⁸ Il est bon que tu tiennes à ceci
sans laisser ta main lâcher cela.
Car celui qui craint Dieu ^q
fera aboutir l'une et l'autre chose.

¹⁹ La sagesse rend le sage plus fort
que dix gouverneurs présents dans une
ville.

²⁰ Car aucun homme n'est assez juste
sur terre
pour faire le bien sans pécher.

²¹ D'ailleurs à tous les propos qu'on
profère,
ne prête pas attention ;
ainsi, tu n'entendras pas ton serviteur
te dénigrer,

²² car bien des fois, tu as eu conscience,
toi aussi, de dénigrer les autres.

Peu d'hommes parviennent à la sagesse

²³ J'ai essayé tout cela avec sagesse,
je disais : Je serai un sage.
Mais elle ^r est loin de ma portée.

²⁴ Ce qui est venu à l'existence est lointain
et profond, profond ^s ! Qui le découvrira ?

²⁵ Moi, je m'appliquerai de tout cœur
à connaître, à explorer, à rechercher
la sagesse et la logique ^t,
à connaître aussi que la méchanceté
est une sottise,
une sottise affolante.

²⁶ Et je trouve, moi, plus amère que la
mort
une femme quand elle est un traquenard,
et son cœur un filet, ses mains des
liens :
celui qui plaît à Dieu lui échappera,
mais le pécheur se laissera prendre
par elle.

²⁷ Voilà ce que j'ai trouvé, a dit Qohéleth,

en les voyant l'une après l'autre pour
trouver une opinion ^u.

²⁸ J'en suis encore à chercher et n'ai pas
trouvé :
Un homme sur mille, je l'ai trouvé,
mais une femme parmi elles toutes,
je ne l'ai pas trouvée.

²⁹ Seulement, vois-tu ce que j'ai trouvé :
Dieu a fait l'homme droit,
mais eux ^r, ils ont cherché une foule
de complications.

Le sage face au pouvoir du roi

8 ¹ Qui est comme le sage
et sait interpréter cette parole :
« La sagesse d'un homme illumine son
visage
et la dureté de son visage en est transformée » ?

² Moi ! Observe l'ordre du roi,
et, à cause du serment divin ^w,

³ ne te presse pas de t'écarter de lui,
ne t'obstine pas dans un mauvais cas,
car il fera tout ce qui lui plaira,

⁴ car la parole du roi est souveraine,
et qui lui dira : « Que fais-tu ? »

L'homme ne sait rien de l'avenir

⁵ Celui qui observe le commandement
ne connaîtra rien de mauvais.
Le temps et le jugement, le *cœur du
sage les connaît.

⁶ Oui, il y a pour chaque chose un temps
et un jugement,
mais il y a un grand malheur pour
l'homme :

⁷ il ne sait pas ce qui arrivera,
qui lui indiquera quand cela arrivera ?

⁸ Personne n'a de pouvoir sur le souffle
vital
pour retenir ce souffle ;
personne n'a de pouvoir sur le jour de
la mort ;
il n'y a pas de relâche dans le combat

q qui craint Dieu ou *qui respecte Dieu* ● *r elle* ou *la sagesse* ● *s lointain et profond, profond,* c'est-
à-dire impossible à comprendre totalement ● *t la logique* ou *la raison d'être des choses* ● *u* Ou
en voyant une femme après l'autre pour me faire une opinion. Mais le texte hébreu est obscur et
l'on traduit aussi *en considérant les choses une à une pour en trouver la raison* ● *v eux,* c'est-à-dire
les hommes en général ● *w Moi:* le texte hébreu est obscur. Certaines traductions omettent
moi. D'autres comprennent *je te dis: observe... — le serment divin* ou *le serment prêté devant
Dieu (au roi).* On peut aussi comprendre *le serment que Dieu a fait (au roi)*

7.20 aucun homme n'est juste Ps 143.2; Jb 4.17; Pr 20.9; *Si* 8.5; Rm 3.20; 1 Jn 1.8.   **7.26** la
femme, un piège Pr 22.14 cf. Pr 2.16+.   **8.2** observe l'ordre du roi Rm 13.1.   **8.5** observer le
commandement Qo 12.13; Pr 19.16.   **8.7** l'homme ne sait pas Qo 3.11+.   **8.8** pas de pouvoir
sur la mort *Sg* 2.1.

et la méchanceté ne sauve pas son
homme.

9 Tout cela, je l'ai vu en portant mon
attention
sur tout ce qui se fait sous le soleil,
au temps où l'homme a sur l'homme
le pouvoir de lui faire du mal.

Le mystère de l'œuvre de Dieu

10 Ainsi, j'ai vu des méchants mis au
tombeau ;
on allait et venait depuis le lieu saint
et on oubliait dans la ville comme ils
avaient agi.
Cela aussi est vanité.

11 Parce que la sentence contre l'œuvre
mauvaise
n'est pas vite exécutée,
le *cœur des fils d'Adam *x* est rempli
de malfaisance.
12 Que le pécheur fasse le mal cent fois,
alors même il prolonge sa vie.
Je sais pourtant, moi aussi,
« qu'il y aura du bonheur pour ceux
qui craignent Dieu *y*,
parce qu'ils ont de la crainte devant
sa face,
13 mais qu'il n'y aura pas de bonheur
pour le méchant
et que, passant comme l'ombre, il ne
prolongera pas ses jours,
parce qu'il est sans crainte devant la
face de Dieu ».
14 Il est un fait, sur la terre, qui est
vanité,
il est des justes qui sont traités selon
le fait des méchants,
et des méchants qui sont traités selon
le fait des justes.
J'ai déjà dit que cela est aussi vanité,
15 et je fais l'éloge de la joie ;
car il n'y a pour l'homme sous le soleil
rien de bon, sinon de manger, de boire,
de se réjouir ;
et cela l'accompagne dans son travail
durant les jours d'existence

que Dieu lui donne sous le soleil.
16 Quand j'eus à cœur de connaître la
sagesse
et de voir les occupations auxquelles
on s'affaire sur terre,
— même si, le jour et la nuit, l'homme
ne voit pas de ses yeux le sommeil —
17 alors j'ai vu toute l'œuvre de Dieu *z* ;
l'homme ne peut découvrir l'œuvre
qui se fait sous le soleil,
bien que l'homme travaille à la rechercher, mais sans la découvrir ;
et même si le sage affirme qu'il sait,
il ne peut la découvrir.

Un même sort attend tous les hommes

9 1 Oui, tout cela, je l'ai pris à cœur,
et voici tout ce que j'ai éprouvé :
c'est que les justes, les sages et leurs
travaux
sont entre les mains de Dieu.
Ni l'amour, ni la haine, l'homme ne
les connaît,
tout cela le devance *a* ;
2 tout est pareil pour tous,
un sort identique échoit au juste et
au méchant,
au bon et au *pur comme à l'impur,
à celui qui *sacrifie et à celui qui ne
sacrifie pas ;
il en est du bon comme du pécheur,
de celui qui prête serment comme de
celui qui craint de le faire.
3 C'est un mal dans tout ce qui se fait
sous le soleil
qu'un sort identique pour tous ;
aussi le cœur des fils d'Adam est-il
plein de malice,
la folie est dans leur cœur pendant
leur vie,
et après..., on s'en va vers les morts *b*.
4 En effet, qui sera préféré ?
Pour tous les vivants, il y a une chose
certaine :
un chien vivant vaut mieux qu'un lion
mort *c*.

---

x des fils d'Adam ou des humains ● *y* qui craignent Dieu ou qui respectent Dieu ● *z* C'est-à-dire j'ai
fait cette constatation au sujet de l'œuvre de Dieu ● *a* le devance ou est imprévisible pour lui ● *b* des
fils d'Adam ou des humains — et après... on s'en va vers les morts: le texte hébreu est obscur et
la traduction incertaine ● *c* qui sera préféré?: sous-entendu par Dieu (au moment du jugement).
Mais le texte hébreu du v. 4a est incertain ; d'après certains manuscrits on peut traduire Pour celui
qui fait partie de la société des vivants il y a de l'espoir — Dans la culture biblique le chien est considéré comme un animal méprisable

8.12-13 crainte de Dieu Pr 10.27+ et bonheur Ps 73.   8.14 les justes et les méchants Qo 7.15+.
8.15 jouir de la vie Qo 2.24+.   8.17 découvrir l'œuvre de Dieu Qo 3.11+.   9.1 entre les mains
de Dieu Dt 33.3 ; Ps 16.1 ; Sg 7.16.   9.2 le juste et le méchant Qo 7.15+.   9.4 un chien Ps 22.17 ;
Pr 26.11 ; Mt 7.6 ; Lc 16.21.

5 Car les vivants savent qu'ils mourront ;
 mais les morts ne savent rien du tout ;
 pour eux, il n'y a plus de rétribution,
 puisque leur souvenir est oublié.
6 Leurs amours, leurs haines, leurs ja-
 lousies ont déjà péri ;
 ils n'auront plus jamais de part
 à tout ce qui se fait sous le soleil.

Jouir de la vie comme d'un don de Dieu

7 Va, mange avec joie ton pain
 et bois de bon cœur ton vin,
 car déjà Dieu a agréé tes œuvres.
8 Que tes vêtements soient toujours
 blancs
 et que l'huile ne manque pas sur ta
 tête *d* !

9 Goûte la vie avec la femme que tu
 aimes
 durant les jours de ta vaine existence,
 puisque Dieu te donne sous le soleil
 tous tes jours vains ;
 car c'est là ta part dans la vie
 et dans le travail que tu fais sous le
 soleil.

10 Tout ce que ta main se trouve capable
 de faire,
 fais-le par tes propres forces ;
 car il n'y a ni œuvre, ni bilan, ni
 savoir, ni sagesse
 dans le *séjour des morts où tu t'en
 iras.

Le malheur arrive à l'improviste

11 Je vois encore sous le soleil
 que la course n'appartient pas aux
 plus robustes,
 ni la bataille aux plus forts,
 ni le pain aux plus sages,
 ni la richesse aux plus intelligents,
 ni la faveur aux plus savants,
 car à tous leur arrivent heur et
 malheur.

12 En effet, l'homme ne connaît pas plus
 son heure
 que les poissons qui se font prendre
 au filet de malheur,

que les passereaux pris au piège.
 Ainsi les fils d'Adam sont surpris par
 le malheur
 quand il tombe sur eux à l'improviste *e*.

La sagesse est souvent méconnue

13 J'ai encore vu sous le soleil, en fait
 de sagesse,
 une chose importante à mes yeux.
14 Il y avait une petite ville, de peu
 d'habitants.
 Un grand roi marcha contre elle, l'investit
 et dressa contre elle de grandes embuscades.
15 Il s'y trouvait un homme indigent et
 sage ;
 il sauva la ville par sa sagesse,
 mais personne ne se souvint de cet
 indigent *f*.
16 Alors je dis, moi :
 mieux vaut la sagesse que la puissance,
 mais la sagesse de l'indigent est méprisée
 et ses paroles ne sont pas écoutées.
17 Les paroles des sages se font entendre
 dans le calme,
 mieux que les cris d'un souverain
 parmi les insensés.
18 Mieux vaut la sagesse que des engins
 de combat,
 mais un seul maladroit annule beaucoup de bien.

10 1 Des mouches mortes infectent et
 font fermenter
 l'huile du parfumeur.
 Un peu de sottise pèse plus
 que la sagesse, que la gloire.

2 L'esprit du sage va du bon côté,
 mais l'esprit de l'insensé va gauche-
 ment.
3 Même en chemin, quand l'insensé
 s'avance,
 l'esprit lui fait défaut ;
 il fait dire à tout le monde qu'il est
 insensé *g*.

---

d Les jours de fête il était d'usage de porter des *vêtements blancs* et de répandre de *l'huile* parfumée sur sa tête ● *e son heure*, c'est-à-dire l'heure de sa mort ou, de façon plus générale, l'heure
où il rencontrera l'adversité — *les fils d'Adam* ou *les humains* ● *f il sauva la ville...*: autre traduction *il aurait pu sauver la ville par sa sagesse mais personne ne pensa à cet indigent* ● g Autre
traduction *et il dit de chacun*: « *c'est un sot* »

9.7 jouir de la vie Qo 2.24+. **9.9** la femme que tu aimes Pr 5.18. **9.12** l'homme ne connaît pas
son heure Lc 12.20. **9.16** valeur de la sagesse Pr 8.11+.

⁴ Si l'humeur du chef s'élève contre toi,
n'abandonne pas ton poste,
car le sang-froid évite de grandes mala-
dresses.

⁵ Il y a un mal que j'ai vu sous le soleil,
comme une méprise échappée au souverain :
⁶ la sottise élevée aux plus hautes situations,
et des riches demeurant dans l'abaissement ;
⁷ j'ai vu des esclaves sur des chevaux,
et des princes marcher à pied comme
des esclaves.

Les risques de l'action

⁸ Qui creuse une fosse tombe dedans,
qui sape un mur, un serpent le mord,
⁹ qui extrait des pierres peut se blesser
avec,
qui fend du bois encourt un danger.
¹⁰ Si le fer est émoussé et qu'on n'en
aiguise pas le tranchant,
il faut redoubler de forces ;
il y a profit à exercer comme il convient la sagesse.
¹¹ Si le serpent mord faute d'être charmé,
pas de profit pour le charmeur.

Les paroles de l'insensé

¹² Ce que dit la bouche d'un sage plaît,
mais les lèvres de l'insensé le ravalent ʰ ;
¹³ le début de ses propos est sottise,
et la fin de ses propos, folie mauvaise.
¹⁴ L'insensé multiplie les paroles ;
l'homme ne sait plus ce qui arrivera :
qui lui indiquera ce qui arrivera après
lui ?
¹⁵ Le travail de l'insensé l'épuise,
il ne sait même pas comment aller à
la ville ⁱ.

A propos des rois

¹⁶ Malheur à toi, pays dont le roi est un
gamin

et dont les princes festoient dès le
matin !
¹⁷ Heureux es-tu, pays dont le roi est
de souche noble
et dont les princes festoient en temps
voulu,
pour prendre des forces et non pour
boire !
¹⁸ Avec deux bras paresseux, la poutre
cède ʲ,
quand les mains se relâchent, il pleut
dans la maison.
¹⁹ Pour se divertir, on fait un repas,
et le vin réjouit la vie
et l'argent répond à tout.
²⁰ Ne maudis pas le roi dans ton for
intérieur,
ne maudis pas le riche même en ta
chambre à coucher,
car l'oiseau du ciel en emporte le bruit
et la bête ailée fera connaître ce qu'on
dit.

Savoir prendre des risques

11 ¹ Lance ton pain à la surface des
eaux,
car à la longue tu le retrouveras.
² Donne une part à sept ou même à
huit ᵏ personnes,
car tu ne sais pas quel malheur peut
arriver sur la terre.
³ Si les nuages se remplissent,
ils déversent la pluie sur la terre ;
qu'un arbre tombe au sud aussi bien
qu'au nord,
à l'endroit où il est tombé, il reste.
⁴ Qui observe le vent ne sème pas,
qui regarde les nuages ne moissonne
pas.
⁵ De même que tu ignores le chemine-
ment du souffle vital,
comme celui de l'ossification dans le
ventre d'une femme enceinte,
ainsi tu ne peux connaître l'œuvre
de Dieu,
Lui qui fait toutes choses.
⁶ Le matin, sème ta semence,
et le soir, ne laisse pas de repos à ta
main,

---

h les lèvres de l'insensé le ravalent ou *l'insensé se déconsidère par ses discours* ● *i* L'insensé se
fatigue beaucoup pour peu car il ignore les choses les plus simples telles que le chemin pour *aller à
la ville* ● *j* C'est-à-dire si un homme est trop paresseux (pour réparer le toit de sa maison), le toit
s'effondre ● *k à sept ou même à huit personnes* ou *à de nombreuses personnes.* La progression dans le
nombre indique habituellement une grande quantité

10.6-7 le désordre social Pr 19.10; 30.22; cf. 1 S 2.7-8.   **10.8** tombe dedans cf. Ps 7.16+.
10.13-14 les paroles de l'insensé cf. Es 32.6; Ps 14.1.   **10.16-17** le roi est un gamin Es 3.4-12 et
les princes festoient cf. Pr 31.4; 20.1+.   **10.19** le vin réjouit Ps 104.15+.   **11.5** l'homme ne
connaît pas l'œuvre de Dieu Qo 3.11+.

car tu ne sais pas, de l'une ou de
l'autre activité, celle qui convient,
ou si toutes deux sont également
bonnes.

Jouir de la vie avec discernement

7 Douce est la lumière,
c'est un plaisir pour les yeux de voir
le soleil.
8 Si l'homme vit de nombreuses années,
qu'il se réjouisse en elles toutes,
mais qu'il se souvienne que les jours
sombres sont nombreux,
que tout ce qui vient est vanité.

9 Réjouis-toi, jeune homme dans ta jeunesse,
que ton cœur soit heureux aux jours
de ton adolescence,
marche selon les voies de ton *cœur
et selon la vision de tes yeux *l*.
Mais sache que pour tout cela,
Dieu te fera comparaître en jugement.
10 Eloigne de ton cœur l'affliction,
écarte de ta chair le mal,
car la jeunesse et l'aurore de la vie
sont vanité.

L'approche de la mort

12 1 Et souviens-toi de ton Créateur
aux jours de ton adolescence,
— avant que ne viennent les mauvais
jours
et que n'arrivent les années dont tu
diras :
« Je n'y ai aucun plaisir »,
2 — avant que ne s'assombrissent le
soleil et la lumière
et la lune et les étoiles,
et que les nuages ne reviennent, puis
la pluie *m*,
3 au jour où tremblent les gardiens de
la maison,
où se courbent les hommes vigoureux,

où s'arrêtent celles qui meulent, trop
peu nombreuses,
où perdent leur éclat celles qui regardent par la fenêtre,
4 quand les battants se ferment sur la rue,
tandis que tombe la voix de la meule,
quand on se lève au chant de l'oiseau
et que les vocalises s'éteignent ;
5 alors, on a peur de la montée,
on a des frayeurs en chemin,
tandis que l'amandier est en fleurs,
que la sauterelle s'alourdit
et que le fruit du câprier éclate ;
car l'homme s'en va vers sa maison
d'éternité
et déjà les pleureuses rôdent dans la
rue *n* ;
6 — avant que ne se détache le fil
argenté
et que la coupe d'or ne se brise,
que la jarre ne se casse à la fontaine
et qu'à la citerne la poulie ne se brise *o*,
7 — avant que la poussière ne retourne
à la terre, selon ce qu'elle était,
et que le souffle ne retourne à Dieu
qui l'avait donné.

Conclusion

8 Vanité des vanités, a dit le Qohéleth,
tout est vanité *p*.

9 Ce qui ajoute à la sagesse de Qohéleth,
c'est qu'il a encore enseigné la science
au peuple ;
il a pesé, examiné, ajusté, un grand
nombre de proverbes.
10 Qohéleth s'est appliqué à trouver des
paroles plaisantes
dont la teneur exacte est ici transcrite :
ce sont les paroles authentiques *q*.
11 Les paroles des sages sont comme des
aiguillons,
les auteurs des recueils sont des jalons
bien plantés ;
tel est le don d'un pasteur unique *r*.

---

l (*marche*) *selon la vision de tes yeux* ou *fais ce que tu désires*, voir 2.10 et la note ● *m le soleil, la
lumière... qui s'assombrissent* symbolisent la joie de vivre qui diminue. *Les nuages* et *la pluie* symbolisent ici la tristesse du déclin de l'homme ● *n* Les v. 3 à 5 évoquent la fin de la vie avec des
images que l'on peut interpréter de diverses manières mais qui se réfèrent toutes à l'affaiblisse-
ment et aux infirmités qui atteignent l'homme vieillissant — *les pleureuses:* voir Jr 9.16 et la
note ● *o avant que* dépend du *souviens-toi* du v. 1a (voir v. 1b, 2 et 7) — Les images du v. 6 illus-
trent le phénomène de la mort ● *p Vanité des vanités:* voir 1.2 et la note — *Qohéleth:* voir
1.1 et la note ● *q dont la teneur exacte... les paroles authentiques:* autre traduction *et à transcrire exactement des paroles vraies* ● *r les auteurs des recueils sont des jalons bien plantés:* le texte
hébreu est incertain; autre traduction *elles* (= les paroles des sages) *sont comme des jalons
plantés par les maîtres des troupeaux* — *pasteur* ou **berger:* allusion possible à l'auteur du livre

---

11.7-9 jouir de la vie Qo 2.24+. **11.9** Dieu jugera Qo 3.17+. **12.7** la poussière retourne à
la terre Qo 3.20+ — Dieu a donné le souffle de vie Gn 2.7+.

¹² Garde-toi, mon fils, d'y ajouter :
à multiplier les livres, il n'y a pas de
limites,
et à beaucoup étudier, le corps
s'épuise.

¹³ Fin du discours : Tout a été entendu.
Crains Dieu et observe ses commande-

ments,
car c'est là tout l'homme ⁸ :

¹⁴ Dieu fera venir toute œuvre en jugement
sur tout ce qu'elle recèle de bon ou
de mauvais.

LES LAMENTATIONS

Jérusalem, comme une veuve abandonnée

(Alef) ᵃ

1 ¹ Comment !
Elle habite à l'écart,
la Ville qui comptait un peuple nombreux !
elle se trouve comme veuve.
Elle, qui comptait parmi les nations,
princesse parmi les provinces,
elle est bonne pour le bagne.

(Beth)

² Elle pleure et pleure dans la nuit :
des larmes plein les joues ;
pour elle pas de consolateur

parmi tous ses amants.
Tous ses compagnons la trahissent ᵇ :
ils deviennent ses ennemis.

(Guimel)

³ Sous l'humiliation, sous le poids de
l'esclavage,
Judée va en déportation ;
elle, elle habite parmi les nations,
elle ne trouve pas à s'établir.
Tous ses persécuteurs la traquent
dans des étranglements.

(Daleth)

⁴ Les routes de *Sion sont en deuil,
sans personne venant au Rendez-
vous ᶜ ;

---

s *Crains Dieu* ou *Respecte Dieu* — *c'est là tout l'homme:* autres traductions *c'est le devoir de tout homme* ou *cela vaut pour tous les hommes* **a** Sur les poèmes *alphabétiques* voir Ps 25.1 et la note ● **b** *amants, compagnons:* désignation imagée des peuples étrangers, dont la population de Jérusalem, symbolisée ici par une femme, avait préféré l'appui à celui du Seigneur; voir aussi les notes sur Os 1.2; 2.4 et Za 13.6 — *la trahissent:* allusion à l'attitude des peuples sur lesquels le royaume de Juda comptait au moment de l'attaque babylonienne de 588-587 av. J.C. Les Egyptiens ont eu peur d'intervenir; les Edomites ont participé au pillage de Jérusalem ● **c** Allusion aux fêtes célébrées dans le temple de Jérusalem, où les fidèles venaient en pèlerinage pour adorer Dieu. En hébreu c'est le même terme qui est employé dans l'expression la *tente de la rencontre (Ex 27.21, etc.)

12.13 crains Dieu Pr 8.13+. **1.1** à l'écart Lv 13.46 — comme veuve Lm 5.3; *Ba* 4.12. **1.2** nuit passée à pleurer Ps 6.7 — pas de consolateur v. 9, 16, 17, 21 ; Ps 69.21 (consolateur, consolation Es 12.1; 40.1; Ps 71.21; 86.17; Lc 2.25; Jn 14.16, 26; 15.26; 16.7 — ils deviennent ses ennemis Jr 30.14. **1.3** étranglements Ps 116.3. **1.4** En deuil Es 3.26; Jr 14.2 — Rendez-vous 1.15; 2.6, 22 — amertume (de la mort) 1 S 15.32; Rt 1.13; Qo 7.26.

ses portes sont toutes ruinées,
ses prêtres gémissent.
Ses jeunes filles sont affligées ;
quelle amertume pour elle.

(Hé)

5 Ses adversaires se trouvent au pinacle [d],
ses ennemis sont bien aise
car le SEIGNEUR l'afflige,
vu le poids de ses révoltes.
Ses bambins s'en vont,
captifs, devant l'adversaire.

(Waw)

6 Et de la Belle Sion [e] séchappe
tout son honneur.
Ses princes, les voilà comme des cerfs
qui ne trouvent point de pâture :
ils s'en vont sans énergie
devant le persécuteur.

(Zaïn)

7 Jérusalem se rappelle,
en ses jours d'errance et d'humiliation,
tous ses charmes [f]
qui existaient aux jours de l'ancien
temps !
Quand son peuple tombe aux mains
de l'adversaire
et que personne ne vient l'aider,
les adversaires la voient :
ils rient de son anéantissement.

(Heth)

8 Elle a commis la faute, Jérusalem ;
et la voilà devenue une ordure [g].
Tous ceux qui la glorifient l'avilissent,
car ils voient sa nudité ;
pour sa part, elle gémit
et tourne le dos.

(Teth)

9 Sa souillure est sur sa jupe ;
elle ne songeait pas à ce qui s'ensui-
vrait.

Sa déchéance est prodigieuse ;
pas de consolateur pour elle.
« Vois, SEIGNEUR, mon humiliation ;
l'ennemi en effet se grandit. »

(Yod)

10 L'adversaire étend la main
sur tous ses charmes.
Oui, dans son *sanctuaire
elle voit entrer des nations
auxquelles tu as commandé de ne pas
entrer
dans l'assemblée qui est à toi.

(Kaf)

11 Son peuple tout entier gémit :
ils cherchent du pain ;
ils donnent leurs charmes contre de
la nourriture,
pour se ranimer.
« Vois, SEIGNEUR, et regarde
combien je me trouve avilie. »

(Lamed)

12 « Rien de tel pour vous tous qui
passez sur le chemin ;
regardez et voyez
s'il est douleur comme ma douleur,
celle qui me fait si mal,
celle que le SEIGNEUR inflige
au jour de son ardente colère.

(Mem)

13 De là-haut, il a envoyé du feu
dans mes os ; il en est le maître.
Il a tendu un filet à mes pieds ;
il m'a culbutée ;
il a fait de moi une femme ruinée [h],
tout le temps indisposée.

(Noun)

14 Le voilà lié, le *joug formé de mes
révoltes ;
dans sa main elles se sont nouées ;
elles sont hissées sur mon cou ;

---

d *au pinacle* ou *au sommet de leur gloire* ● e *la Belle Sion:* comme souvent ailleurs la ville de Jérusalem est ici personnifiée par une jeune fille ou une jeune femme ; autre traduction *la popu-lation de Sion* ● f *tous ses charmes* ou *tout ce qu'elle aimait* ● g *une ordure* ou *une chose impure* (terme qui peut s'entendre du sang menstruel ; voir Lv 15.19-24) ● h *mes os:* pour les anciens Israélites les *os* représentaient ce qui reste d'un homme après sa mort ; ils pouvaient donc sym-boliser ainsi la partie la plus fondamentale de son être — *ruinée* ou *abandonnée*

1.6 l'honneur de Sion s'échappe Ez 10.18-22 ; 11.22-23. **1.7** errance et humiliation Es 58.7 — tout ce qu'elle aimait cf. 1.10, 11 ; 2.4 ; 1 R 20.6 ; Ez 24.16, 21 ; Dn 11.37 — rire des adversaires Ps 13.5 ; 35.19 ; 38.17. **1.8** toute nue Es 47.3 ; Ez 16.37. **1.9** penser aux conséquences Dt 32.29 ; Es 47.7 ; cf. Lc 14.28 — vois, Seigneur v. 11 ; 2.20 ; 3.59 ; 5.1. **1.10** l'ennemi s'empare de tout ce qui est précieux 2 R 24.13 ; Es 64.10 — étrangers non admis à l'assemblée Dt 23.4 ; Ez 44.7-9 ; Ac 21.28. **1.11** famine Dt 28.51 ; Jr 52.6. **1.12** une douleur comme la mienne 1.18 ; cf. 2, 13, 20 ; Dn 9.12 ; 12.1 ; Mt 24.21 — le jour de la colère du Seigneur Lm 2.1, 21, 22 ; 4.11 ; Ez 7.19 ; So 2.2-3 ; Ps 110.5 ; Jb 20.28 ; Pr 11.4 ; Rm 2.5 ; Ap 6.17 ; Ps 31.11 ; 51.10, **1.13** mes os Lm 3.4 ; Es 38.13 ; Ps 31.11 ; 51.10 — filet Ps 9.16+ — une femme ruinée / abandonnée 2 S 13.20 ; Es 54.1 — indisposée Lv 15.33 ; 20.18. **1.14** joug Dt 28.48 ; Jr 27.2.

il fait chanceler mon énergie.
Le Seigneur m'a livrée en de telles
   mains
que je ne peux pas tenir debout.

(Samek)

¹⁵ Le Seigneur a expulsé tous les vaillants
qui étaient chez moi ;
il a fixé un rendez-vous *i* contre moi
pour briser mes jeunes gens.
Le Seigneur a foulé au pressoir
la jeune fille, la Belle Judée.

(Aïn)

¹ C'est là-dessus que je pleure :
mes deux yeux se liquéfient ;
car loin de moi est le consolateur.
celui qui me ranimerait.
Mes fils, les voilà ruinés,
car l'ennemi a été le plus fort. »

(Pé)

¹⁷ Sion tend les mains ;
pas de consolateur pour elle ;
le Seigneur mande contre Jacob
autour de lui ses adversaires.
Jérusalem, au milieu d'eux,
est devenue une ordure *j*.

(Çadé)

¹⁸ « Il est juste le Seigneur,
puisque j'avais désobéi à son ordre.
Ecoutez donc tous, peuples,
et voyez ma douleur.
Mes jeunes filles et mes jeunes gens
sont allés en captivité.

(Qof)

¹⁹ J'appelais mes amants *k* :
eux, ils m'ont trompée ;
mes prêtres et mes *anciens
ont expiré dans la Ville
alors qu'ils cherchaient de la nourriture
   pour eux
afin de se ranimer.

(Resh)

²⁰ Vois, Seigneur, que pour moi c'est la
   détresse ;

mon ventre en est remué ;
au fond de moi mon *cœur est bouleversé,
car pour désobéir, j'ai désobéi !
Dehors l'épée privait de descendance,
dedans c'était comme chez la Mort.

(Shin)

²¹ Ils m'entendaient gémir :
pas de consolateur pour moi ;
tous mes ennemis entendaient mon
   malheur,
ils jouissaient ; en fait c'est toi qui
   agissais :
tu as fait venir le jour que tu avais
   fixé.
Qu'eux aussi soient comme moi !

(Taw)

²² Que vienne devant toi toute leur
   malice,
et traite-les
comme tu m'as traitée
à cause de toutes mes révoltes.
Car nombreux sont mes gémissements,
et tout mon être est malade. »

Le Seigneur, un ennemi pour Jérusalem

(Alef)

2 ¹ Comment !
Le Seigneur, dans sa colère,
veut assombrir la Belle *Sion !
Il jette de ciel en terre
la splendeur d'Israël.
Il ne se souvient pas de l'escabeau de
   ses pieds *l*
au jour de sa colère.

(Beth)

² Le Seigneur engloutit sans pitié
toutes les prairies de Jacob *m* ;
il démolit dans son déchaînement
les fortifications de la Belle Judée :
il fait toucher terre,
il profane la royauté et ses princes.

(Guimel)

³ Dans l'ardeur de la colère il supprime

---

i Le texte sous-entend *à mes ennemis* ● *j* Voir v. 8 et la note ● *k* Voir v. 2 et la note ● *l (Alef):* voir Ps 25.1 et la note — *la splendeur d'Israël:* Jérusalem et son temple — *l'escabeau de ses pieds:* probablement la colline de Sion ● *m* Jacob, ancêtre du peuple d'Israël, personnifie ici l'ensemble de ce peuple

1.15 Rendez-vous 1.4+ — au pressoir Es 63.2; Jl 4.13 — le peuple de Dieu comparé à une jeune fille 2.13; Jr 18.13; 31.4, 21; Am 5.2.   **1.16** pleurs sur le malheur de Jérusalem Jr 13.17.   **1.18** il est juste, le Seigneur Ps 51.6 — aveu de désobéissance 1.20, 22; 3.42; 5.16 cf. 1.5, 8 — voyez ma douleur v. 12.   **1.19** mes amants Jr 30.14 m'ont trompée v. 2.   **1.20** douleurs de ventre Lm 2.11; Es 16.11; Jr 4.19 — dehors l'épée Dt 32.25; Jr 9.20.   **1.21** consolateur v. 2 + le jour du Seigneur Jl 1.15+.   **1.22** appel à Dieu contre les adversaires Jr 17.18 — comme tu m'as traitée Jr 51.35. **2.1** la splendeur d'Israël Es 60.7; 64.10 — l'escabeau du Seigneur Es 66.1; Ez 43.7; Ps 99.5; 132.7; 1 Ch 28.2.   **2.2** fortifications démolies Dt 28.52.   **2.3** puissance abattue Jr 48.25; Ps 75.11.

toute la puissance d'Israël ;
il ne maintient pas sa droite [n]
devant l'ennemi.
Il allume en Jacob comme un brasier
qui dévore à l'entour.

(Daleth)

4 Il bande son arc comme un ennemi,
la droite en position
comme un adversaire,
et il tue tous ceux qui charmaient les
yeux.
Sur la tente de la Belle Sion
il déverse comme un feu sa fureur.

(Hé)

5 Le Seigneur se comporte comme un
ennemi ;
il engloutit Israël ;
il engloutit tous ses donjons ;
il ruine ses fortifications.
Il multiplie pour la Belle Judée
plainte et complainte.

(Waw)

6 Il dévaste et le Jardin, et sa Cabane ;
il ravage son lieu de Rendez-vous [o].
Le SEIGNEUR fait oublier dans Sion
Rendez-vous et *Sabbat ;
il réprouve, dans sa fulminante colère,
roi et prêtre.

(Zaïn)

7 Le Seigneur rejette son *autel ;
il exècre son *sanctuaire ;
il livre aux mains de l'ennemi
les remparts des donjons de la Ville.
On donne de la voix dans la Maison
du SEIGNEUR
comme au jour du Rendez-vous.

(Heth)

8 Le SEIGNEUR médite de ravager
le rempart de la Belle Sion ;
il va niveler ;
il ne ramène pas sa main avant d'avoir
englouti.

Il endeuille retranchement et rempart :
ensemble ils se délabrent.

(Teth)

9 Les portes de Sion s'enfoncent dans la
terre ;
il détruit et brise ses verrous.
Son roi et ses princes sont parmi les
nations ;
il n'y a plus de Loi [p]
même ses *prophètes ne trouvent pas
de vision venant du SEIGNEUR.

(Yod)

10 Assis à terre, silencieux,
les *anciens de la Belle Sion
se mettent de la poussière sur la
tête [q] ;
ils se sanglent dans des *sacs.
Elles laissent choir leur tête jusqu'à
terre,
les jeunes filles de Jérusalem.

(Kaf)

11 Mes yeux sont consumés de larmes ;
mon ventre en est remué ;
je suis vidé de ma force, elle est par
terre,
car mon peuple, cette belle [r], est brisé
quand défaillent bambin et nourrisson
sur les places de la Cité.

(Lamed)

12 A leurs mères ils disent :
« Où sont le blé et le vin ? »
quand ils défaillent comme des blessés
sur les places de la Ville,
quand leur vie s'échappe
au giron de leurs mères.

(Mem)

13 Quel témoignage te citer ? Que com-
parerai-je à toi,
Belle Jérusalem ?
Qu'égalerai-je à toi afin de te consoler,
jeune fille, Belle Sion [r] ?

---

n *sa droite* ou *sa main droite:* il s'agit de la main favorable de Dieu ● o *le Jardin:* désignation
poétique de la Palestine (voir Nb 24.6; Jl 2.3) — *sa Cabane,* c'est-à-dire Jérusalem (voir Es 1.8;
Am 9.11) — *le lieu de Rendez-vous:* le temple (voir 1.4 et la note) ● p *parmi les nations,* c'est-
à-dire en exil — *il n'y a plus de Loi* ou *il n'y a plus d'oracle* (prononcé par le prêtre de la part
de Dieu ● q *se mettre de la poussière sur la tête:* geste exprimant une grande tristesse (voir
aussi au glossaire DÉCHIRER SES VÊTEMENTS) ● r Voir 1.6 et la note

2.4 Dieu comme un ennemi pour son peuple Jr 21.5-6 — la fureur de Dieu Es 42.25. **2.5** plainte
et complainte Es 29.2. **2.6** Rendez-vous Lm 1.4+ — temple ravagé Jr 52.13; 2 Ch 36.19 — colère
de Dieu So 3.8. **2.7** le Seigneur rejette son sanctuaire Ez 24.21; Ps 89.40. **2.8** ravages Jr 5.10
— nivellement (au cordeau) 2 R 21.13; Es 34.11. **2.9** roi et princes exilés Dt 28.36; 2 R 25.7 —
Loi Dt 4.5-8 — plus de prophètes Ps 74.9 — plus de visions Ez 7.26. **2.10** poussière sur la tête,
sacs Jr 6.26. **2.11** peuple brisé Jr 8.21-22. **2.12** blé et vin cf. Dt 7.13; Jl 1.10; 2.19. **2.13** le
peuple de Dieu comparé à une jeune fille 1.15+ — pour te consoler? Es 51.19 — qui te guérira?
Jr 30.12.

Car grand comme la mer est ton brisement.
Qui te guérira ?

(Noun)

14 Tes prophètes ont des visions pour
toi :
du vide et de l'insipide *s* ;
ils ne dévoilent pas ta perversité,
ce qui retournerait ta situation.
Ils ont des visions pour toi :
proclamations de vide et de séduction.

(Samek)

15 Ils applaudissent à tes dépens,
tous les passants du chemin ;
ils sifflent et hochent la tête *t*
aux dépens de la Belle Jérusalem :
« Est-ce la Ville qu'on devrait dire
beauté parfaite, réjouissance pour
toute la terre ? »

(Pé)

16 Ils ouvrent la bouche à tes dépens,
tous tes ennemis ;
ils sifflent et grincent des dents ;
ils disent : « Nous engloutissons.
Enfin ! Le voici, le jour que nous
attendions :
nous le trouvons, nous le voyons ! »

(Aïn)

17 Le SEIGNEUR fait ce qu'il a projeté ;
il accomplit sa parole
qu'il a mandée depuis les jours de
l'ancien temps ;
il démolit sans pitié.
Il fait exulter l'ennemi à tes dépens ;
il rehausse la puissance de tes adversaires.

(Çadé)

18 Leur *cœur *u* crie vers le Seigneur.
Rempart de la Belle Sion,
laisse couler tes larmes comme un
torrent
jour et nuit ;

ne te donne pas de répit ;
que la pupille de ton œil ne tarisse
pas.

(Qof)

19 Lève-toi ; clame, la nuit,
à chaque relève de garde ;
répands ton cœur comme de l'eau
devant la face du Seigneur.
Elève vers lui tes mains *v*
pour la vie de tes bambins
— défaillant de faim
à tous les coins de rues.

(Resh)

20 Vois, SEIGNEUR, et regarde
qui tu traites ainsi.
Si des femmes mangent leur fruit,
des bambins bien formés !...
Si prêtre et prophète sont tués
dans le sanctuaire du Seigneur !...

(Shîn)

21 Par terre dans les rues sont couchés
jeunes et vieux ;
mes jeunes filles et mes jeunes gens
tombent par l'épée ;
tu massacres au jour de ta colère ;
tu égorges sans pitié.

(Taw)

22 Tu vas convoquer, comme au jour du
Rendez-vous,
les terreurs qui m'entourent ;
et il n'existe, au jour de la colère du
SEIGNEUR,
ni rescapé ni survivant.
Ceux que je forme et que je développe *w*,
mon ennemi les achève.

Détresse et espoir

(Alef)

3 1 Je suis l'homme qui voit l'humiliation
sous son bâton *x* déchaîné ;

---

s Autre traduction *du badigeon* (voir Ez 13.10-15), c'est-à-dire quelque chose qui n'est là que
pour l'apparence ● *t* *siffler, hocher la tête:* signes d'un grand étonnement, réel ou simulé (Jr
18.16), d'où ici, de moquerie; voir Ps 22.8 ● *u* *leur cœur:* le cœur des habitants de Jérusalem
● *v* *élever les mains* (vers Dieu): geste de la prière (Ps 28.2) ● *w* *Rendez-vous:* voir 1.4 et la
note — *Ceux que je forme et que je développe,* c'est-à-dire *mes enfants* ● *x* (*Alef*): voir Ps 25.1
et la note — *Je suis:* on ne sait si celui qui s'exprime ici est l'auteur lui-même ou le peuple
personnifié sous les traits d'un homme dans le malheur — *son bâton:* le bâton de Dieu

2.14 visions prophétiques sans valeur Jr 23.9-40; 28; 29.8-9; Ez 12.24; f3.6-23; 21.34; 22.28.
2.15 hochements de tête Ps 22.8+ — beauté parfaite Ez 16.14; Ps 50.2 — Jérusalem sujet de joie
pour toute la terre Es 60.15; Ps 48.3. **2.17** l'ancienne parole de Dieu se réalise Dt 28.15.
2.19 élever les mains pour la prière Lm 3.41; Ps 28.2+ ; 44.21; 141.2 — à tous les coins de rue
Lm 4.1; Es 51.20. **2.20** Vois Seigneur... 1.9+ — femmes réduites à manger leurs enfants Lm
4.10; Lv 26.29; Dt 28.53-57 2 R 6.28-29; Es 49.26; Jr 19.9; Ez 5.10; Ba 2.3. **2.22** Rendez-vous
1.4+ — terreurs tout autour Jr 6.25; 20.3, 10; Ps 31.14.

2 c'est moi qu'il emmène et fait marcher
dans la ténèbre et non dans la lumière ;
3 oui, contre moi [y] il recommence à
tourner
son poing toute la journée.

(Beth)

4 Il ronge ma chair et ma peau,
il brise mes os ;
5 il amoncelle contre moi et il met tout
autour
poison et difficulté ;
6 dans les ténèbres il me fait habiter
comme les morts de la nuit des temps.

(Guimel)

7 Il m'emmure pour que je ne sorte pas ;
il alourdit ma chaîne.
8 J'ai beau crier et appeler au secours,
il étouffe ma prière.
9 Il mure mes chemins avec des pierres
de taille ;
il brouille mes sentiers.

(Daleth)

10 Il est pour moi un ours à l'affût,
un lion en embuscade ;
11 il détourne mes chemins ; il me laisse
en friche,
ruiné ;
12 il bande son arc et il me dresse
comme cible pour la flèche.

(Hé)

13 Il fait pénétrer dans mes reins
le contenu de son carquois.
14 Me voilà la risée de tout mon peuple [z],
sa perpétuelle rengaine ;
15 il me sature d'amertumes,
il me soûle d'absinthe.

(Waw)

16 Il me fait concasser du gravier avec
les dents ;
il m'enfouit dans la cendre ;

17 tu me rejettes [a] loin de la paix ;
j'oublie le bonheur ;
18 et je dis : Ç'en est fini de ma continuité,
de mon espoir qui venait du SEIGNEUR.

(Zaïn)

19 Souviens-toi de mon humiliation et de
mon errance :
absinthe et poison !
20 Je me souviens, je me souviens, et je
suis miné par mon propre cas.
21 Voici ce que je vais me remettre en
mémoire,
ce pour quoi j'espérerai :

(Heth)

22 Les bontés du SEIGNEUR ! C'est qu'elles ne sont pas finies [b] !
C'est que ses tendresses ne sont pas
achevées !
23 Elles sont neuves tous les matins.
Grande est ta fidélité !
24 Ma part, c'est le SEIGNEUR, me dis-je ;
c'est pourquoi j'espérerai en lui.

(Teth)

25 Il est bon, SEIGNEUR, pour qui l'attend,
pour celui qui le cherche ;
26 Il est bon d'espérer en silence
le salut du SEIGNEUR ;
27 il est bon pour l'homme de porter
le *joug dans sa jeunesse.

(Yod)

28 Il doit s'asseoir à l'écart et se taire
quand le SEIGNEUR le lui impose ;
29 mettre sa bouche dans la poussière
— il y a peut-être de l'espoir ! —
30 tendre la joue à qui le frappe ;
être saturé d'insultes.

(Kaf)

31 Car le Seigneur
ne rejettera pas pour toujours ;
32 car s'il afflige, il est plein de tendresse,
selon sa grande bonté ;

---

y *Oui, contre moi:* autre traduction *contre moi seul* ● z *de tout mon peuple:* autre texte (certains manuscrits hébreux et ancienne version syriaque) *de tous les peuples* ● a *tu me rejettes:*
l'auteur s'adresse ici directement à Dieu ● b *qu'elles ne sont pas finies:* d'après un manuscrit
hébreu et certaines versions anciennes; texte hébreu traditionnel *que nous ne sommes pas finis*

3.2 ténèbres opposées à lumière Gn 1.3-5; Es 9.1; Am 5.18; cf. Es 45.7; Jn 8.12.   **3.4** il ronge ma
chair et ma peau Jb 30.30 — mes os 1.13+.   **3.10** un ours, un lion Os 13.7-8; cf. Jb 10.16.
3.12 cible des flèches de Dieu Jb 16.12-13.   **3.14** la risée de tout le monde Dt 28.37; Jr 20.7; Ps
69.12-13; Jb 30.9.   **3.15** absinthe Jr 23.15; Ps 69.22; cf. Mt 27.34.   **3.17** loin de la paix Jr 16.5.
3.18 espoir fini Jb 17.15.   **3.21** se souvenir... Es 44.21; 46.8.   **3.22** tendresse de Dieu Ex 34.6-7.
3.24 ma part, c'est le Seigneur Ps 16.5; 73.26 — j'espérerai en lui Mi 7.7   **3.25** attendre le Seigneur Es 8.17; 25.9; Ps 25.3+; 40.2; 69.7 — chercher le Seigneur Ps 9.11+.   **3.28** s'asseoir en
silence Lm 2.10 — quand le Seigneur l'impose Jr 15.17   **3.29** il y a peut-être de l'espoir cf. 2 S
12.15-23.   **3.30** tendre la joue Es 50.6; Mt 5.39.   **3.31.** pas pour toujours Jr 3.12   **3.32** il afflige,
il est plein de tendresse Es 54.8-9 — sa grande bonté Es 63.7.

33 car ce n'est pas de bon cœur qu'il
humilie
et qu'il afflige les humains.

(Lamed)
34 Quand on piétine
tous les prisonniers d'un pays *c*,
35 quand on fausse le droit de l'homme
à la face du Très-Haut,
36 quand on fait du tort à un homme
dans son procès,
le Seigneur ne voit pas ?

(Mem)
37 Qui est-ce qui parle, et cela existe ?
Le Seigneur ne commande pas ?
38 De la bouche du Très-Haut ne sortent
pas
maux et bonheur ?
39 De quoi se plaindrait l'homme vivant,
debout en dépit de ses fautes ?

(Noun)
40 Examinons nos chemins et explorons ;
revenons au SEIGNEUR.
41 En même temps que nos mains *d*, éle-
vons notre cœur
vers Dieu qui est aux cieux.
42 Nous, nous sommes révoltés, nous
sommes désobéissants ;
toi, tu ne pardonnes pas !

(Samek)
43 Tu te retranches dans la colère et tu
nous persécutes,
tu massacres sans pitié ;
44 tu te retranches dans ton nuage
pour que la prière ne passe pas ;
45 tu fais de nous un déchet, un rebut,
au milieu des peuples.

(Pé)
46 Ils ouvrent la bouche contre nous,
tous nos ennemis ;
47 effroi et gouffre, c'est pour nous,
désastre et brisement ;

48 mes yeux ruissellent
car mon peuple, cette belle *e*, est brisé.

(Aïn)
49 Mes yeux coulent sans tarir
parce qu'il n'y a pas de répit,
50 jusqu'à ce que des cieux le SEIGNEUR
se penche pour voir ;
51 mes yeux me font mal
au spectacle de toutes les filles de ma
Ville *f*.

(Çadé)
52 Ils me chassent, ils me pourchassent
comme un oiseau,
ceux qui sont mes ennemis sans motif ;
53 ils anéantissent ma vie dans la
fosse *g* ;
ils abattent une pierre sur moi ;
54 les eaux débordent sur ma tête ;
je dis : Je suis perdu !

(Qof)
55 J'invoque ton nom, SEIGNEUR,
depuis la fosse infernale ;
56 tu entends ma voix : « Ne bouche pas
tes oreilles
à mon halètement et à mon appel au
secours ! »
57 Tu t'approches le jour où je t'invoque ;
tu dis : « N'aie pas peur ! »

(Resh)
58 Tu plaides, Seigneur, un procès dont
je suis l'enjeu ;
tu rachètes ma vie ;
59 tu vois, SEIGNEUR, comme on me fait
tort ;
fais droit à mon droit !
60 Tu vois toute leur vengeance,
toutes leurs machinations envers moi.

(Shîn)
61 Tu entends leur insulte, SEIGNEUR,
toutes leurs machinations contre moi ;

---

c d'un pays: autre traduction *du pays* (c'est-à-dire de Juda) ● *d élever les mains (vers Dieu):* voir
2.19 et la note ● *e cette belle:* voir 1.6 et la note ● *f les filles de ma Ville:* tournure hébraïque
pour désigner *les villages* voisins *qui dépendent de Jérusalem* ● *g la fosse* ou *la tombe;* voir aussi
au glossaire SÉJOUR DES MORTS.

3.33 pas de bon cœur Ez 33.11. **3.34** quand on piétine les prisonniers Am 1.6-9. **3.35** quand
on fausse le droit Am 5.7, 10. **3.37** qui parle, et cela existe Gn 1 ; Ps 33.9. **3.38** maux et bonheur
Es 45.7. **3.39** de quoi se plaindrait le réchappé? Nb 11.1; Jr 45.5. **3.40** revenons au Seigneur
Es 55.7; Jr 3.22; Os 6.1+. **3.41** mains levés vers Dieu Lm 2.19+. **3.42** aveu de désobéissance
1.18+; Jr 3.25; 8.14; 14.7. **3.44** une prière qui ne passe pas v. 8; cf. Jr 7.16; 11.14; 14.11.
3.50 le Seigneur se penche pour voir Es 63.15; Ps 14.2; 102.20. **3.52** ennemis sans motif Ps 35.19;
69.5. **3.53** dans la fosse Gn 37.20; Jr 38.6. **3.54** les eaux débordent sur ma tête Jon 2.4;
Ps 42.8; 69.2-3. **3.55** depuis la fosse infernale Ps 130.1-2. **3.57** N'aie pas peur Es 41.10-14;
Jr 1.8; 30.10. **3.59** tu vois, Seigneur... 1.9+. **3.60** leurs machinations Jr 11.19; 18.23.

⁶² les lèvres de mes agresseurs et leur
   chuchotement
sont contre moi à longueur de jour ;
⁶³ qu'ils soient assis, qu'ils soient debout,
   regarde-les :
c'est moi leur rengaine ʰ.

(Taw)
⁶⁴ Tu leur rendras la pareille, SEIGNEUR,
   selon leurs actions ;
⁶⁵ tu vas les hébéter :
sur eux sera ta malédiction !
⁶⁶ Plein de colère, tu les persécuteras et
   les extirperas
de dessous les cieux du SEIGNEUR.

Siège, famine et fin prochaine de Jérusalem

(Alef) ⁱ

4 ¹ Comment !
   L'or peut-il se ternir,
le bon lingot s'altérer,
les pierres saintes s'éparpiller
à tous les coins de rues ?

(Beth)
² Les fils de *Sion ʲ, précieux,
   estimés à valeur d'or fin,
comment ! ils sont comptés pour des
   cruches de terre,
œuvre des mains du potier !

(Guimel)
³ Même chez les chacals on donne à
   téter,
on nourrit ses petits ;
cette belle ᵏ qu'est mon peuple devient
   aussi cruelle
que les autruches de la steppe.

(Daleth)
⁴ De soif, la langue du nourrisson
   colle à son palais ;
les bambins réclament du pain ;
personne ne leur en présente.

(Hé)
⁵ Les mangeurs de gourmandises
   sont ruinés, à la rue ;
les personnages élevés dans la pourpre
étreignent le tas de détritus ˡ.

(Waw)
⁶ Et la perversité de cette belle qu'est
   mon peuple
est plus grande que la faute de Sodome,
qui fut chavirée en un instant
sans que des mains s'y soient déme-
   nées.

(Zaïn)
⁷ Ses consacrés ᵐ plus purs que la neige,
   plus blancs que le lait,
plus roses de corps que le corail,
aux veines de saphir,

(Heth)
⁸ leur aspect est plus ténébreux que la
   suie :
on ne les reconnaît pas dans les rues ;
leur peau se ratatine sur leurs os :
elle est sèche comme du bois.

(Teth)
⁹ Plus heureuses sont les victimes de
   l'épée
que les victimes de la faim
qui, elles, fondront, diaphanes,
faute de produits des champs.

(Yod)
¹⁰ De leurs mains, des femmes faites
   pour la tendresse
font bouillir leurs enfants ;
elles sont pour eux des vampires,
car mon peuple, cette belle ⁿ, est brisé.

(Kaf)
¹¹ Le SEIGNEUR assouvit sa fureur,
   il déverse son ardente colère ;

---

h ou c'est de moi qu'ils se moquent dans leurs chansons ● *i (Alef):* voir Ps 25.1 et la note ● *j les
fils de Sion* ou *ceux qui ont leur domicile à Sion* ● *k cette belle:* voir 1.6 et la note ● *l dans
la pourpre* ou *dans des vêtements de luxe — le tas de détritus,* c'est-à-dire la décharge publique;
comparer Jb 2.8 ● *m* Le terme hébreu correspondant désigne habituellement des *hommes qui ont
consacré leur vie à Dieu* par un vœu (voir Nb 6.2-8; Jg 13.5); mais il semble pouvoir désigner
aussi des *princes* (Gn 49.26; Dt 33.16). Autre traduction (conjecturale) proposée par certains *ses
jeunes gens* ● *n vampire:* le terme ainsi traduit désigne, en Mésopotamie, un démon féminin,
dont on disait qu'il dévorait les enfants. La traduction traditionnelle *qui sont devenus leur
nourriture* fait difficulté — *cette belle:* voir 1.6 et la note

3.63 le sujet de leurs chansons v. 14+. **3.64** rends-leur la pareille Jr 51.56. **4.3** chacals Es
43.20 — cruelle comme l'autruche Jb 39.13-18. **4.4** soif Es 41.17. **4.5** le tas de détritus 1 S
2.8; Ps 113.7; Ne 2.13. **4.6** comme Sodome Es 1.10; Jr 23.14 — la faute de Sodome Ez
16.46-52; Mt 10.15; 11.23-24 — chavirée en un instant Gn 19.23-25. **4.7** consacrés Nb 6.1-21.
4.10 femmes réduites à manger leurs enfants 2.20+. **4.11** la colère du Seigneur Lm 1.12+.

dans Sion il allume un feu
qui dévore ses fondations.

(Lamed)

¹² Ils ne le croyaient pas, ni les rois de
la terre,
ni aucun habitant du monde,
que l'adversaire et l'ennemi entreraient
dans l'enceinte de Jérusalem.

(Mem)

¹³ C'est à cause des fautes de ses *prophètes,
des perversités de ses prêtres,
qui ont répandu au milieu d'elle
le sang des justes !

(Noun)

¹⁴ Ils vagabondent, aveugles, dans les
rues ;
ils sont souillés de sang,
si bien qu'il n'est pas permis de toucher à leurs vêtements.

(Samek)

¹⁵ « Gare ! un *impur ! » crie-t-on pour
eux.
« Gare ! Gare ! ne touchez pas ! »
Ils fuient, ils vagabondent, mais on
dit chez les nations :
« Ils ne peuvent plus être nos hôtes. »

(Pé)

¹⁶ L'apparition du SEIGNEUR les disperse ;
il ne veut plus les voir !
On ne respecte pas les prêtres,
on n'a pas d'égards pour les *anciens.

(Aïn)

¹⁷ Nous, nos yeux se consument encore
dans l'attente d'une aide illusoire ;
à nos postes de guet nous guettons

la venue d'une nation qui ne peut pas
sauver ᵒ.

(Çadé)

¹⁸ On nous fait la chasse à la trace :
impossible d'aller sur nos places.
Notre fin est proche ; nos jours sont
au complet ;
oui, notre fin arrive.

(Qof)

¹⁹ Nos persécuteurs sont plus rapides
que les aigles des cieux :
sur les montagnes ils nous harcèlent,
dans la steppe ils sont à l'affût de
nous.

(Resh)

²⁰ Le souffle de nos narines, le *messie
du SEIGNEUR,
est captif dans leurs oubliettes ᵖ,
lui dont nous disions : « Sous sa protection,
au milieu des nations, nous vivrons. »

(Shîn)

²¹ Sois joyeuse et exultante, Belle Edom
qui habites au pays de Ouç !
A toi aussi passera la coupe :
tu t'enivreras et tu te mettras nue ᵠ !

(Taw)

²² Ç'en est fini de ta perversité, Belle
Sion :
il ne te déportera plus ;
il passe en revue ta perversité, Belle
Edom :
il fait un rapport sur tes fautes !

Fais-nous revenir à toi, Seigneur

5 ¹ Souviens-toi, SEIGNEUR, de ce
qui nous arrive :
regarde et vois comme on nous insulte.

ᵒ Allusion au secours que le royaume de Juda attendait de l'Egypte (voir Jr 37.5-7) ● *p Le
souffle de nos narines:* c'est-à-dire *ce qui nous fait vivre;* l'image est appliquée au roi de Juda.
Les v. 19-20 semblent faire allusion, en effet, à la fuite et à la capture du roi Sédécias
(2 R 25.4-7; Jr 52.6-11) — *dans leurs oubliettes* ou *dans un cachot* (babylonien); pour le roi prisonnier c'est déjà une sorte de tombe ● *q Belle Edom:* comme pour Juda en 1.6 et ailleurs, la
nation édomite est ici personnifiée — *le pays de Ouç:* voir Jb 1.1 et la note — *coupe, enivrée, nue:*
voir Jr 25.15; Ha 2.16 et les notes

4.12 ils ne le croyaient pas Es 52.15—53.1 **4.13** les fautes des prophètes et des prêtres Jr 5.31;
6.13. **4.14** souillés de sang Nb 35.33; Es 59.3. **4.15** Gare! un impur cf. Lv 13.45-46; Es 52.11.
4.16 anciens non respectés 5.12. **4.17** une nation qui ne peut pas sauver Ez 29.6-16. **4.18** notre
fin est proche Ez 7.1-14. **4.20** le roi, gage de protection cf. Os 10.3. **4.21** sois joyeuse Es 66.10
— Edom Am 1.11+ — la coupe Jr 25.15+ ivre et nue Ha 2.15-16. **4.22** c'en est fini Es 40.2 —
perversités d'Edom lors de la prise de Jérusalem Jl 4.19; Ab 11+ — châtiment d'Edom Jr
49.8; Ez 25.14. **5.1** souviens-toi... Jg 16.28; 1 S 1.11; 2 R 20.3; Ps 89.51; 106.4; 137.7; Lc
23.42 — regarde et vois... Lm 1.9+; Es 63.15.

2 Notre héritage est détourné au profit
de métèques *r*,
nos maisons au profit d'inconnus.
3 Nous voilà orphelins, sans père *s* ;
nos mères sont comme veuves.
4 Notre eau, nous la buvons à prix d'argent ;
nos fagots rentrent contre paiement.
5 Ils sont sur notre dos ; nous sommes
persécutés ;
nous sommes exténués ; pas de repos
pour nous.
6 A l'Egypte nous tendons la main,
à l'Assyrie, pour nous rassasier de
pain.
7 Nos pères *t* ont failli : ils ne sont
plus ;
c'est nous qui sommes chargés de leurs
perversités.
8 Des esclaves dominent sur nous :
personne pour nous arracher de leur
main !
9 Nous faisons rentrer notre pain au
péril de notre vie,
à cause des brigands de la steppe.
10 Notre peau est fiévreuse comme au
four
à cause des affres de la faim.
11 Ils violent des femmes dans Sion,
des jeunes filles dans les villes de
Judée.
12 Par leur main des princes sont
pendus ;

la personne des *anciens n'est pas ho-
norée.
13 Des jeunes gens portent la meule
et des garçons sous le bois trébuchent.
14 Les anciens cessent d'aller au Conseil ;
les jeunes gens, de chanter leur refrain.
15 Elle cesse, la joie de notre cœur ;
notre danse a dégénéré en deuil.
16 Elle tombe, la couronne de notre tête.
Oh, malheur à nous, car nous avons
failli !
17 Voici pourquoi tout notre être est
malade ;
voici pourquoi nos yeux sont enténébrés :
18 c'est à cause du mont *Sion qui est
ruiné,
et où rôdent les renards.
19 Toi, SEIGNEUR, tu sièges pour toujours ;
ton trône subsiste de génération en génération.
20 Pourquoi nous oublierais-tu continuellement,
nous abandonnerais-tu à longueur de
jours ?
21 Fais-nous revenir vers toi, SEIGNEUR,
et nous reviendrons ;
renouvelle nos jours comme dans l'ancien temps.
22 A moins que tu ne nous mettes vraiment
au rebut,
tu t'irrites contre nous beaucoup trop !

---

r Notre héritage: le pays que nous avons reçu de Dieu — *métèques* ou *étrangers* (avec une
nuance de mépris) ● *s sans père,* c'est-à-dire *sans protecteur:* le royaume est privé de son roi,
et les familles de leur chef ● *t Nos pères* ou *les générations qui nous ont précédés*

5.2 notre héritage passe à des étrangers Ab 11; cf. Es 60.5. **5.3** orphelins Jn 14.18 et veuves
Ps 68.6. **5.4** à prix d'argent cf. Es 55.1. **5.6** Egypte et Assyrie sollicitées Lm 4.17; Jr 2.18;
Os 12.2. **5.7** défaillance des pères Jr 2.5; 7.25-26 — des enfants qui paient les fautes des parents
Ex 20.5; Jr 16.10-13; 31.29-30; Ez 18.2; cf. Es 53.6. **5.9** au péril de notre vie 2 S 23.17; 1 Ch 11.19.
5.14 le conseil (siégeant à la porte de la ville) Rt 4.1, 11. **5.16** aveu de désobéissance Lm 1.18+.
5.17 malade Lm 1.13, 20, 22 — yeux enténébrés Lm 4.14. **5.18** mont Sion Mi 3.12 ruiné Lm 1.4,
13, 16; 3.11; 4.5 — renards qui rôdent Ez 13.4. **5.19** roi pour toujours Ps 9.8+ — perennité
du trône de Dieu Ps 146.10. **5.20** Pourquoi? Jr 14.8-9; Ha 1.13; Ps 10.1; 74.11 — nous oublier
Es 49.14; Ps 42.10; 44.25, nous abandonner Ps 22.2. **5.21** fais-nous revenir à toi Jr 31.18 —
retour au Seigneur Lm 3.40+; Es 44.22; Os 2.8-9. **5.22** au rebut Jr 14.19; 33.24-26 — l'irritation
de Dieu Es 64.8.

ESTHER

Le banquet du roi Xerxès

1 ¹ C'était au temps de Xerxès *a*. Ce Xerxès régna sur cent vingt-sept provinces depuis l'Inde jusqu'à l'Ethiopie. ² A cette époque-là, lorsque le roi Xerxès vint prendre place sur son trône royal de Suse-la-citadelle *b*, ³ la troisième année de son règne, il organisa un banquet pour tous ses ministres et serviteurs. L'armée de Perse et de Médie, les nobles et les ministres des provinces vinrent devant lui *c*. ⁴ Longtemps, cent quatre-vingts jours durant, il montra la richesse de sa gloire royale et la splendeur de sa grande magnificence. ⁵ Après cette période, pour tous les gens qui se trouvaient à Suse-la-citadelle, du plus important au plus humble, le roi organisa un banquet de sept jours, dans la cour du jardin du palais. ⁶ De la dentelle, de la mousseline, de la pourpre étaient attachées par des cordelières de lin et d'écarlate à des anneaux d'argent et des colonnes d'albâtre ; il y avait des divans d'or et d'argent sur un pavement de jade, d'albâtre, de nacre et de jais *d*. ⁷ On faisait boire dans des coupes d'or, toutes de formes différentes ; et le vin du royaume coulait à flots, royalement. ⁸ La règle était de boire sans contrainte, car le roi avait ordonné à tous les maîtres d'hôtel d'agir selon le bon plaisir de chacun. ⁹ Vasti, la reine, avait également organisé un banquet pour les femmes dans le palais royal du roi Xerxès.

Disgrâce de la reine Vasti

¹⁰ Le septième jour, le roi était gai, à cause du vin. Il dit à Mehoumân, Bizta, Harbona, Bigta et Avagta, Zétar et Karkas — les sept *eunuques au service du roi Xerxès — ¹¹ de faire venir Vasti la reine, devant le roi, avec le diadème royal, pour montrer aux peuples et aux ministres sa beauté : c'est qu'elle était belle à regarder ! ¹² Mais la reine Vasti refusa de venir selon l'ordre du roi transmis par les eunuques. Alors le roi se mit dans une grande colère et s'enflamma de fureur. ¹³ Or toute affaire royale devait aller devant tous les spécialistes de la loi et du droit ; ¹⁴ et il y avait près du roi Karshena, Shétar, Admata, Tarshish, Mèrès, Marsena, Memoukân — les sept ministres de Perse et de Médie *e* —, admis à voir le roi et siégeant au premier rang dans le royaume. ¹⁵ Donc, le roi dit aux astrologues *f* : « D'après la loi, que faire à la reine Vasti, attendu qu'elle n'a pas exécuté la parole du roi Xerxès transmise par les eunuques ? »
¹⁶ Memoukân prit alors la parole en présence du roi et des ministres : « Ce

---

a Il s'agit vraisemblablement ici de *Xerxès* 1ᵉʳ qui régna sur l'empire perse de 486 à 464 av. J.C. Ce roi est aussi connu sous le nom d'*Assuérus* ● *b La citadelle de Suse* était distincte de la ville elle-même (voir 3.15 et 8.14, 15). *Suse*, située à l'est de Babylone, était la résidence d'hiver des rois perses ● *c La Médie*, région située au nord-ouest de l'Iran actuel, avait été soumise par les Perses. *L'armée de Perse et de Médie* comprenait les troupes des différents peuples composant l'empire perse ● *d pourpre* et *écarlate* ou *pourpre violette* et *pourpre rouge ;* voir Ex 25.4 et la note — *des divans d'or et d'argent :* les convives mangeaient étendus sur des divans (voir Am 6.4). La signification de plusieurs des mots hébreux employés dans ce verset est incertaine ● *e* Voir 1.3 et la note ● *f Les astrologues* font partie des *spécialistes de la loi et du droit* déjà nommés (voir v. 13). Le terme désigne des conseillers du roi dont l'autorité s'appuie sur des connaissances particulières concernant les astres et leurs influences — Dans le texte hébreu les mots traduits par *le roi dit aux astrologues* figurent au début du v. 13. Ils ont été transposés ici dans la traduction pour une plus grande clarté du texte

1.1 Xerxès Esd 4.6 **1.10** les sept eunuques cf. 2 R 20.18. **1.14** les sept ministres Esd 7.14.

n'est pas seulement le roi que Vasti, la reine, a bafoué, mais tous les ministres et tous les peuples de toutes les provinces du roi Xerxès. ¹⁷ Car la conduite de la reine filtrera jusqu'à toutes les femmes, les poussant à mépriser leurs maris, en disant : "Le roi Xerxès avait dit de faire venir devant lui Vasti, la reine, mais elle n'est pas venue !" ¹⁸ Et dès aujourd'hui les femmes des ministres de Perse et de Médie, qui ont entendu parler de la conduite de la reine, vont se mettre à répliquer à tous les ministres du roi. Et à ce mépris correspondra la colère. ¹⁹ S'il plaît au roi, que sorte de sa part une ordonnance royale, qui sera inscrite dans les lois de Perse et de Médie et sera irrévocable, selon laquelle "Vasti ne viendra plus en présence du roi Xerxès, qui donnera son titre de reine à une autre meilleure qu'elle". ²⁰ Et le décret que le roi aura rendu retentira dans tout son royaume — et il est grand ! Alors toutes les femmes entoureront d'égards leurs maris, du plus important au plus humble.» ²¹ La chose plut au roi et aux ministres. Aussi le roi agit-il suivant les paroles de Memoukân. ²² Il expédia des lettres à toutes les provinces royales, à chaque province selon son écriture et à chaque peuple selon sa langue, pour que tout homme soit maître chez soi et parle la langue de son peuple *g*.

Esther devient reine

2 ¹ Après ces événements, une fois que la fureur du roi Xerxès fut calmée, il se souvint de Vasti, de ce qu'elle avait fait, et de ce qui avait été décidé à son sujet. ² Les courtisans à son service dirent alors : « Qu'on cherche pour le roi des jeunes filles, vierges et belles à regarder. ³ Que le roi établisse des commissaires dans toutes les provinces de son royaume pour ramasser toutes les jeunes filles vierges et belles à regarder, dans Suse-la-citadelle *h*, au harem, sous l'autorité d'Hégué, l'*eunuque royal gardien des femmes. Et qu'on leur donne des crèmes de beauté. ⁴ La jeune fille qui plaira au roi régnera à la place de Vasti.» La chose plut au roi qui agit de la sorte.

⁵ Il y avait à Suse-la-citadelle un Juif nommé Mardochée, descendant de Yaïr, de Shiméï, de Qish *i*, un Benjàminite ⁶ qui avait fait partie de ceux que, de Jérusalem, Nabuchodonosor le roi de Babylone avait déporté avec Yoyakîn le roi de Juda *j*. ⁷ Or il était tuteur de Myrte — c'est Esther *k* — sa cousine, car elle n'avait ni père ni mère. La jeune fille avait un corps splendide et elle était belle à regarder. A la mort de son père et de sa mère, Mardochée l'avait adoptée pour fille.

⁸ Après la proclamation de l'ordonnance du roi et de son décret, et le ramassage de nombreuses jeunes filles à Suse-la-citadelle sous l'autorité d'Hégué, Esther fut emmenée au palais, sous l'autorité d'Hégué, le gardien des femmes. ⁹ La jeune fille lui plut et gagna sa faveur. Il se dépêcha de lui donner ses crèmes de beauté et son régime, et de lui donner les sept filles les plus remarquables du palais *l*. Puis il la transféra, elle et ses filles, dans le meilleur appartement du harem. ¹⁰ Esther n'avait révélé ni son peuple ni sa parenté, car Mardochée lui avait interdit de le faire. ¹¹ Chaque jour, Mardochée se promenait devant la cour du harem pour savoir comment allait Esther et comment on la traitait.

¹² Lorsqu'une des jeunes filles avait fini d'observer le règlement de douze mois imposé aux femmes, arrivait son tour d'aller près du roi Xerxès *m*. La période du massage se déroulait ainsi : pendant six mois avec de l'huile de myrrhe, puis pendant six mois avec des baumes et des crèmes de beauté féminines. ¹³ Voici alors comment la jeune fille allait près du roi :

---

g et parle la langue de son peuple: le décret royal stipule sans doute que chaque homme doit imposer chez lui l'usage de sa propre langue maternelle. L'ancienne version latine porte ici *et ceci sera divulgué dans la langue de chaque* peuple • *h* Voir 1.2 et la note • *i* Qish était le père de Saül. Mardochée est donc de la lignée de Saül (voir 3.2 et la note) • *j* La déportation organisée par Nabuchodonosor a eu lieu en 597 av. J.C. Il n'est guère possible qu'un homme vivant sous le règne de Xerxès (voir 1.1 et la note) ait fait partie du premier lot de déportés. On peut supposer que Mardochée est le descendant d'une famille déportée à cette époque • *k Myrte;* le texte hébreu porte *Hadassa,* nom juif de la jeune fille, dont la traduction est *Myrte. Esther* est le nom — d'origine babylonienne — qu'elle portait habituellement • *l* Sur le rôle de ces *sept filles* voir Est grec 2.9 et la note • *m une des jeunes filles* sous-entendu *amenées au harem* (voir v. 3) — *le règlement de douze mois:* un délai de douze mois était imposé aux femmes pour qu'elles se préparent à plaire au roi en utilisant les moyens décrits dans la deuxième partie du verset

1.19 une ordonnance irrévocable Est 8.8; Dn 6.8-10, 16. **2.5** Qish 1 S 9.1; 1 Ch 8.33. **2.6** la déportation de Nabuchodonosor 2 R 24.10-17; cf. 2 R 15.29+.

on lui donnait tout ce qu'elle demandait à emporter avec elle du harem au palais. ¹⁴ Le soir, elle allait ; le matin, elle revenait dans un second harem, sous l'autorité de Shaashgaz, l'eunuque royal gardien des maîtresses. Elle n'ira plus près du roi à moins que le roi ne la désire et qu'elle ne soit appelée nommément.

¹⁵ Quand, pour Esther, la fille d'Avihaïl l'oncle de Mardochée qui l'avait adoptée, arriva le tour d'aller près du roi, elle ne demanda rien d'autre que ce qu'avait indiqué Hégué, l'eunuque royal gardien des femmes. Esther gagnait la bienveillance de tous ceux qui la voyaient. ¹⁶ Esther fut donc emmenée près du roi Xerxès, à son palais royal, le dixième mois, c'est-à-dire au mois de « Téveth » ⁿ, la septième année du règne. ¹⁷ Et le roi tomba amoureux d'Esther plus que de toutes les femmes, et elle gagna sa bienveillance et sa faveur plus que toutes les jeunes filles. Il mit alors le diadème royal sur sa tête et il la fit reine à la place de Vasti. ¹⁸ Puis, pour tous ses ministres et serviteurs, le roi organisa un grand banquet, le banquet d'Esther. Il accorda un dégrèvement aux provinces et il octroya un don, royalement ᵒ. ¹⁹ Lors d'un second ramassage de jeunes filles, Mardochée se tenait assis à la porte royale ᵖ. ²⁰ Esther n'avait révélé ni sa parenté ni son peuple, comme Mardochée le lui avait commandé : Esther exécutait la parole de Mardochée, comme lorsqu'elle était sous sa tutelle.

Mardochée découvre un complot

²¹ A cette époque-là, alors que Mardochée était assis à la porte royale, deux *eunuques royaux, Bigtan et Tèresh, de la garde du seuil �q, furent exaspérés et cherchèrent à porter la main sur le roi Xerxès.

²² Mais l'affaire fut connue de Mardochée, qui informa Esther, la reine ; Esther la dit au roi au nom de Mardochée. ²³ L'affaire fut instruite et se trouva avérée. Les deux furent pendus à un gibet. Et cela fut enregistré dans le livre des Annales ʳ en présence du roi.

Conflit entre Haman et Mardochée

3 ¹ Après ces événements, le roi Xerxès donna une haute situation à Haman, le fils de Hammedata, un Agaguite ˢ ; il l'éleva et le fit siéger au-dessus de tous les ministres qui étaient avec lui. ² Tous les serviteurs du roi présents à la porte royale s'agenouillaient et se prosternaient devant Haman, comme le roi l'avait commandé à son sujet. Mais Mardochée ne s'agenouillait pas et ne se prosternait pas ᵗ. ³ Les serviteurs du roi présents à la porte royale dirent alors à Mardochée : « Pourquoi transgresses-tu le commandement du roi ? » ⁴ Ils lui en parlaient chaque jour ; mais lui ne les écoutait pas. Alors ils informèrent Haman, pour voir si les affirmations de Mardochée tiendraient ᵘ : en effet il leur avait révélé qu'il était Juif. ⁵ Voyant que Mardochée ne s'agenouillait pas et ne se prosternait pas devant lui, Haman fut rempli de fureur. ⁶ Mais il dédaigna de porter la main sur Mardochée seulement, car on lui avait révélé quel était le peuple de Mardochée. Haman chercha à exterminer le peuple de Mardochée, à savoir tous les Juifs présents dans tout le royaume de Xerxès. ⁷ Le premier mois, c'est-à-dire au mois de « Nisan », la douzième année du roi Xerxès, on tira au Destin, c'est-à-dire au sort, devant Haman, en passant d'un jour à l'autre et d'un mois à l'autre : Douzième mois ! c'est-à-dire le mois d'« Adar » ᵛ.

ⁿ Voir au glossaire CALENDRIER ● ᵒ *un dégrèvement:* autre traduction *une dispense de l'impôt.* Le sens du terme hébreu est peu clair et l'ancienne version latine le traduit par *jour férié — il accorda un don, royalement* ou *il distribua des présents avec une largesse royale* ● ᵖ *la porte royale* désigne la porte du bâtiment où est installée l'administration royale. Le fait que Mardochée se tienne à cet endroit semble indiquer qu'il exerce une fonction au palais, comparer *Est A.2* ● ᵠ *de la garde du seuil* était composée de ceux qui veillaient à la sécurité du roi ou qui étaient toujours à sa disposition à l'entrée de ses appartements ● ʳ Il s'agit des *Annales* royales où étaient consignés les faits importants d'un règne, suivant la coutume du monde antique (voir 6.1, 2; 10.2) ● ˢ *un Agaguite* ou *un descendant d'Agag.* Agag, roi des Amalécites, avait été un ennemi de Saül (voir 1 S 15) ● ᵗ Le texte hébreu ne donne pas la raison de l'attitude de Mardochée. On peut supposer que Mardochée, descendant de Saül (voir 2.5 et la note), refuse de se prosterner devant Haman, descendant d'Agag (voir 3.1 et la note); comparer l'interprétation proposée en *Est grec C.5-7* ● ᵘ Autre traduction *Alors ils le dénoncèrent à Haman pour voir si Mardochée persisterait dans sa résolution* ● ᵛ *Nisan... Adar:* voir au glossaire CALENDRIER — *on tira au Destin... et d'un mois à l'autre:* ce tirage au sort consiste à passer en revue chaque jour de chaque mois pour fixer la date de l'extermination décidée par Haman (v. 6). — *Douzième mois!* sous-entendu *le sort tomba sur le douzième mois*

3.4 il était Juif *Est 3.8.*   **3.6** exterminer tous les Juifs *Est grec C. 8-9+.*

Haman prépare l'extermination des Juifs

[8] Alors Haman dit au roi Xerxès : « Il y a un peuple particulier, dispersé et séparé au milieu des peuples dans toutes les provinces de ton royaume. Leurs lois sont différentes de celles de tout peuple et ils n'exécutent pas les lois royales. Le roi n'a pas intérêt à les laisser tranquilles. [9] S'il plaît au roi, on écrira pour les anéantir. Et je compterai dix mille pièces d'argent entre les mains des fonctionnaires pour les faire rentrer au Trésor *w*. » [10] Alors le roi enleva son anneau de son doigt et le donna à Haman, le fils de Hammedata, l'Agaguite, oppresseur des Juifs *x*. [11] Puis le roi dit à Haman : « L'argent, on te l'abandonne, et aussi le peuple pour lui faire ce qu'il te plaira. » [12] Les secrétaires royaux furent alors convoqués au premier mois, le 13, et l'on écrivit, en conformité totale avec les ordres de Haman, aux préfets royaux, aux gouverneurs de chaque province et aux chefs de chaque peuple, à chaque province selon son écriture et à chaque peuple selon sa langue. On écrivit au nom du roi Xerxès et on cacheta avec l'anneau royal. [13] Puis par des courriers on expédia les lettres à toutes les provinces royales pour exterminer, tuer et anéantir tous les Juifs, jeunes et vieux, enfants et femmes, en un seul jour, le 13 du douzième mois, c'est-à-dire le mois d'« Adar », et pour piller leurs biens *y*. [14] Copie de l'écrit serait promulguée comme décret dans chaque province et communiquée à tous les peuples, pour qu'ils soient prêts au jour dit. [15] Sur l'ordre du roi, les courriers sortirent à toute vitesse et le décret fut promulgué à Suse-la-citadelle. Le roi et Haman s'assirent pour boire ; et la ville de Suse fut désemparée *z*.

Mardochée demande à Esther d'intervenir

4 [1] Apprenant tout ce qui s'était passé, Mardochée *déchira ses habits ; il se revêtit d'un *sac et de cendre, il sortit au milieu de la ville, il poussa un grand cri amer. [2] Puis il alla jusque devant la porte royale, car revêtu d'un sac personne ne pouvait franchir la porte royale.

[3] Or, en chaque province où l'ordonnance du roi et son décret étaient parvenus, c'était un grand deuil pour les Juifs : *jeûne, larmes, lamentations ; sac et cendre étaient le lit de beaucoup.

[4] Les filles *a* d'Esther et ses *eunuques vinrent la mettre au courant. La reine eut une crise de désespoir. Puis elle envoya des vêtements pour que Mardochée s'habille et enlève son sac. Mais il n'accepta pas. [5] Alors Esther appela Hatak, l'un des eunuques du roi qu'il avait mis à sa disposition, et elle le manda vers Mardochée pour savoir ce qui se passait et pourquoi. [6] Hatak sortit pour rencontrer Mardochée, sur la place de la ville qui était en face de la porte royale. [7] Alors Mardochée lui révéla tout ce qui lui était arrivé, et combien d'argent Haman avait proposé de compter pour le trésor royal, en échange de l'anéantissement des Juifs. [8] Il lui remit aussi une copie du texte du décret promulgué à Suse pour leur extermination, afin qu'il le montre à Esther, la mette au courant et lui commande d'aller près du roi, de lui demander grâce et de le supplier en face pour son peuple. [9] Hatak vint mettre Esther au courant des paroles de Mardochée. [10] Alors Esther manda Hatak vers Mardochée en lui disant : [11] « Tous les serviteurs du roi et le peuple des provinces royales savent bien que quiconque, homme ou femme, près du roi dans la cour intérieure sans être appelé, il n'y a pour lui qu'une loi : la mise à mort — sauf si le roi lui tend le sceptre d'or, auquel cas il peut vivre. Quant à moi, cela fait trente jours que je n'ai pas été appelée à aller près du roi... » [12] On mit Mardochée au courant des paroles d'Esther.

[13] Alors, pour rétorquer à Esther, Mardochée dit : « Ne t'imagine pas qu'étant dans le palais, à la différence de tous les Juifs tu en réchapperas. [14] Car si en cette occasion tu persistes à te taire, soulagement et délivrance surgiront pour les Juifs

---

w Cet argent est sans doute destiné à dédommager le *Trésor* royal (= le fisc) de la perte dans les rentrées d'impôts due à l'extermination des Juifs ● *x* L'*anneau* royal est le symbole de l'autorité et du pouvoir; il portait le cachet du roi et permettait à celui qui en disposait d'agir au nom du roi (voir v. 12) — *l'Agaguite:* voir 3.1 et la note ● *y* Voir 3.7 et la note ● *z* A propos de *Suse-la-citadelle* et de la ville de *Suse* voir 1.2 et la note ● *a* Voir 2.9

3.8 un peuple dispersé Lv 26.33+ ; leurs lois sont différentes *Est grec* B. 4-5+. **3.10** le roi enleva l'anneau Est 8.2 ; Gn 41.42.

d'un autre endroit *b*, tandis que toi et ta famille vous serez anéantis. Or, qui sait ? Si c'était pour une occasion comme celle-ci que tu es arrivée à la royauté... ? » ¹⁵ Pour rétorquer à Mardochée, Esther dit : ¹⁶ « Va réunir tous les Juifs qui se trouvent à Suse et jeûnez pour moi : ne mangez pas, ne buvez pas pendant trois jours, ni jour ni nuit. Moi de même, avec mes filles, je jeûnerai ainsi. Sur ce, en dépit de la loi, j'irai près du roi ; et si je dois périr, je périrai. » ¹⁷ Mardochée s'écarta et il fit tout comme Esther le lui avait commandé.

Démarche d'Esther auprès du roi

5 ¹ Au bout de trois jours, voici ce qui arriva. Esther mit ses vêtements royaux et se tint dans la cour intérieure du palais, face au palais. Le roi était assis sur son trône royal, au palais royal, face à la porte d'entrée. ² Alors, quand le roi vit Esther, la reine, se tenir dans la cour, elle suscita sa bienveillance : le roi tendit à Esther le sceptre d'or qu'il tenait à la main *c* ; Esther s'approcha et toucha l'extrémité du sceptre. ³ Alors le roi lui dit : « Qu'est-ce que tu as, Esther, ô reine ? Quelle est ta requête ? Jusqu'à la moitié de mon royaume, cela te sera accordé ! » ⁴ Mais Esther répondit : « S'il plaît au roi, que le roi vienne avec Haman, aujourd'hui, au banquet que j'ai organisé pour lui. » ⁵ Alors le roi dit : « Faites presser Haman pour obéir à l'invitation d'Esther ! » Le roi vint avec Haman au banquet organisé par Esther. ⁶ Or, à la fin du banquet, le roi s'adressa à Esther : « Quelle est ta demande ? Cela te sera accordé ! Quelle est ta requête ? Jusqu'à la moitié du royaume, ce sera fait ! » ⁷ Esther répondit : « Ma demande... ? Ma requête... ? ⁸ Si j'ai rencontré la bienveillance du roi, et s'il plaît au roi d'accorder ma demande et d'exécuter ma requête, qu'il vienne avec Haman au banquet que je vais organiser pour eux, et demain j'agirai selon l'ordre du roi. »

Haman prépare un gibet pour Mardochée

⁹ Haman était sorti ce jour-là réjoui et gai. Mais lorsque Haman vit à la porte royale *d* Mardochée qui ne se levait pas et ne tremblait pas devant lui, alors Haman fut rempli de fureur contre Mardochée. ¹⁰ Cependant Haman se domina et il rentra chez lui. Puis il envoya chercher ses amis et Zèresh sa femme. ¹¹ Haman leur conta ses glorieuses richesses, la multitude de ses fils, tout ce que le roi avait fait pour sa haute situation et comment il l'avait élevé au-dessus des ministres et des serviteurs du roi. ¹² Puis Haman ajouta : « De plus, au banquet qu'elle a organisé, Esther, la reine, n'a fait venir que moi avec le roi. Et demain encore, c'est moi qui suis convié auprès d'elle avec le roi. ¹³ Mais tout cela n'a pas de valeur pour moi, chaque fois que je vois Mardochée le Juif assis à la porte royale. » ¹⁴ Alors Zèresh sa femme et tous ses amis lui dirent : « Qu'on fasse un gibet haut de vingt-cinq mètres *e*, et demain matin dis au roi qu'on y pende Mardochée ; puis, joyeux, va au banquet avec le roi. » La chose plut à Haman, et il fit faire le gibet.

Haman est obligé d'honorer Mardochée

6 ¹ Cette nuit-là, le sommeil fuyait le roi. Il dit alors d'apporter le livre des mémoires, les Annales *f*, et on en fit lecture devant le roi. ² On trouva le texte où Mardochée faisait des révélations concernant les deux *eunuques royaux Bigtân et Tèresh, de la garde du seuil, qui avaient cherché à porter la main sur le roi Xerxès *g*. ³ « Quel honneur, dit le roi, et quelle distinction a-t-on décernés à Mardochée pour cela ? » Les courtisans à son service répondirent : « On ne lui a rien décerné. » ⁴ Le roi dit alors : « Qui est dans la cour ? » — Or Haman était venu dans la cour extérieure du palais pour dire au roi de pendre Mardochée au gibet qu'il avait fait préparer pour lui. ⁵ Les courtisans dirent au roi : « C'est Haman qui se tient dans la cour. » Le roi déclara : « Qu'il entre ! » ⁶ Haman entra. Le roi lui dit : « Que faut-il faire à quelqu'un que le roi désire honorer ? » Haman se dit alors : « A qui plus qu'à moi le roi peut-il désirer faire honneur ? » ⁷ Haman

---

b d'un autre endroit: allusion à une intervention de Dieu en faveur des Juifs d'une autre façon que par l'intermédiaire d'Esther ● *c* Sur le sens de ce geste voir 4.11 ● *d* Voir 2.19 et la note ● *e* La pendaison était le châtiment des traîtres et des conspirateurs voir 2.23. Ici la hauteur du gibet le rend suprêmement déshonorant ● *f* Voir 2.23 et la note ● *g* Voir 2.21-23

4.16 jeûnez cf. Jon 3.5-9 ; Esd 8.21 ; *Jdt* 4.9-15, pendant trois jours *2 M* 13.10-12. **6.3** on ne lui a rien décerné cf. Gn 40.23 ; Qo 9.15.

répondit donc au roi : « Quelqu'un que le roi désire honorer ? [8] On apportera un vêtement royal dont le roi s'est vêtu, et un cheval que le roi a monté et sur la tête duquel est mis un diadème royal ; [9] on remettra alors le vêtement et le cheval à l'un des ministres nobles du roi ; on revêtira l'homme que le roi désire honorer ; on le fera monter sur le cheval tout au long de la grand-rue de la ville ; et on proclamera devant lui : Ainsi est-il fait à l'homme que le roi désire honorer [h] ! »

[10] Alors le roi dit à Haman : « Vite ! Prends le vêtement et le cheval comme tu l'as dit et fais ainsi pour Mardochée, le Juif qui est assis à la porte royale [i] ; ne néglige rien de tout ce que tu as proposé ! » [11] Haman prit le vêtement et le cheval ; il revêtit Mardochée, le fit chevaucher tout au long de la grand-rue de la ville et proclama devant lui : « Ainsi est-il fait à l'homme que le roi désire honorer ! »

[12] Puis Mardochée retourna à la porte royale, tandis que Haman se précipitait chez lui, abattu, la tête basse. [13] Haman raconta à Zèresh sa femme et à tous ses amis tout ce qui lui était arrivé. Ses sages [j] et sa femme lui dirent : « Si Mardochée, devant qui tu as commencé à déchoir, est de la race des Juifs, tu ne pourras rien contre lui, mais tu vas sûrement continuer de déchoir devant lui ! » [14] Ils parlaient encore avec lui quand les *eunuques royaux se présentèrent et se dépêchèrent de faire venir Haman au banquet organisé par Esther.

Disgrâce et mort de Haman

7 [1] Le roi et Haman vinrent banqueter avec Esther, la reine. [2] En ce second jour, à la fin du banquet, le roi redit à Esther : « Quelle est ta demande, Esther, ô reine ? Cela te sera accordé ! Quelle est ta requête ? Jusqu'à la moitié du royaume, ce sera fait ! » [3] En réponse

Esther, la reine, déclara : « Si j'ai rencontré ta bienveillance, ô roi, et s'il plaît au roi, que me soient accordées ma propre vie, telle est ma demande — et celle de mon peuple, telle est ma requête. [4] En effet nous avons été vendus, moi et mon peuple : A exterminer ! à tuer ! à anéantir ! Bien sûr, si nous avions été vendus comme esclaves et comme servantes, je me tairais, car cette oppression-là ne mériterait pas qu'on importune le roi [k]. »

[5] Alors le roi s'adressa à Esther la reine en disant : « Qui est-ce et où est-il, celui qui a conçu d'agir ainsi ? » [6] Esther répondit : « L'oppresseur et l'ennemi, c'est Haman, ce pervers ! » Haman fut alors bouleversé en face du roi et de la reine. [7] Dans sa fureur, le roi quitta le banquet pour aller dans le jardin du pavillon [l]. Haman resta pour demander la vie sauve à Esther, la reine, car il voyait que par le roi son malheur était décidé. [8] Quand le roi revint du jardin du pavillon à la salle du banquet, Haman était effondré sur le divan où se tenait Esther ! Du coup, le roi dit : « Veut-il, en plus, violer la reine, moi étant dans la maison ? » Un ordre sortit de la bouche du roi, et on passa une cagoule sur le visage de Haman [m]. [9] Or, Harbona, l'un des *eunuques, dit en présence du roi : « Il y a justement ce gibet que Haman a fait faire pour Mardochée, dont la parole a été si utile au roi ; il se dresse haut de vingt-cinq mètres chez Haman [n]. » Le roi dit : « Qu'on l'y pende ! » [10] Et l'on pendit Haman au gibet qu'il avait préparé pour Mardochée. Alors la fureur du roi se calma.

8 [1] Le jour même, le roi Xerxès donna à Esther, la reine, toutes les possessions de Haman, l'oppresseur des Juifs. De plus, Mardochée vint en présence du roi, car Esther avait révélé ce qu'il était pour elle. [2] Enlevant son anneau qu'il avait retiré à Haman, le roi le donna à Mardochée [o]. Et Esther établit Mardochée sur toutes les possessions de Haman.

---

h Porter *un vêtement* du roi et *monter sur un cheval* du roi font participer à sa dignité ● i Voir 2.19 et la note ● j *Ses sages:* il s'agit sans doute de ses conseillers personnels ● k *A exterminer! à tuer! à anéantir!* ou (*nous avons été vendus...*) *pour être exterminés, tués, anéantis — car cette oppression ne mériterait pas qu'on importune le roi:* autre traduction *mais dans le cas présent l'oppresseur ne peut pas compenser le dommage fait au roi* ● l *le jardin du pavillon* ou *le jardin du palais* ● m *on passa une cagoule sur le visage de Haman* indique que le roi a prononcé un arrêt de mort. En effet on voilait le visage des condamnés à mort ● n Voir 5.14 ● o Pour la signification de cet acte voir 3.10 et la note

7.4 à anéantir *Est grec* C. 8-9+. **7.10** l'on pendit Haman Est 9.13+ au gibet préparé pour Mardochée Pr 5.22+. **8.1** les possessions de Haman à Esther Jb 27.17; Pr 13.22. **8.2** Mardochée reçoit l'anneau royal Est 3.10+ et les possessions de Haman cf. Dn 2.48.

Décret royal en faveur des Juifs

3 A nouveau, Esther parla en présence du roi : elle tomba à ses pieds, elle pleura, elle le supplia d'écarter le malheur voulu par Haman l'Agaguite et la machination qu'il avait combinée contre les Juifs *p*. 4 Le roi tendit à Esther le sceptre d'or *q*. Alors Esther se releva et se tint debout devant le roi. 5 Elle dit : « S'il plaît au roi et si j'ai rencontré sa bienveillance — si la chose convient au roi et si je lui plais —, qu'on écrive pour révoquer les lettres de la machination que Haman, le fils de Hammedata, l'Agaguite, a écrites pour anéantir les Juifs de toutes les provinces royales. 6 Comment pourrai-je en effet supporter la vue du malheur qui va atteindre mon peuple ? Comment pourrai-je supporter la vue de l'anéantissement de ma parenté ? »

7 Le roi Xerxès répondit à Esther, la reine, et à Mardochée, le Juif : « Voilà, j'ai donné tous les biens de Haman à Esther ; lui, on l'a pendu au gibet parce qu'il avait porté la main sur les Juifs. 8 A votre tour, écrivez aux Juifs comme bon vous semble, au nom du roi, et cachetez avec l'anneau royal. Car un texte qui a été écrit au nom du roi et cacheté avec l'anneau royal, il est impossible de le révoquer. » 9 Les secrétaires royaux furent donc convoqués au moment même ; c'est le troisième mois, c'est-à-dire le mois de « Siwân » *r*, le 23, qu'on écrivit, en conformité totale avec les ordres de Mardochée, aux Juifs, aux préfets, aux gouverneurs et aux ministres des provinces, des cent vingt-sept provinces, depuis l'Inde jusqu'à l'Ethiopie, à chaque province selon son écriture, à chaque peuple selon sa langue et aux Juifs selon leur écriture et leur langue. 10 On écrivit au nom du roi Xerxès et on cacheta avec l'anneau royal ; puis on expédia les lettres par des courriers montant des équipages de l'administration, aux chevaux issus de juments sélectionnées. 11 En voici le contenu : « Le roi octroie aux Juifs qui sont dans chaque ville de s'unir, de se tenir sur le qui-vive *s*, d'exterminer, de tuer et d'anéantir toute bande armée, d'un peuple ou d'une province, qui les opprimerait, enfants et femmes, et de piller leurs biens, 12 en un seul jour, dans toutes les provinces du roi Xerxès, le 13 du douzième mois, c'est-à-dire de « Adar » *t*. 13 Copie de l'écrit sera promulguée comme décret dans toute province et communiquée à tous les peuples, pour qu'au jour dit les Juifs soient prêts à se venger de leurs ennemis. » 14 Sur l'ordre du roi, les courriers montant les équipages de l'administration sortirent en toute hâte, à toute vitesse ; et le décret fut promulgué à Suse-la-citadelle *u*.

15 Mardochée sortit alors de chez le roi, portant un vêtement royal de pourpre et de dentelle, une grande couronne d'or et un manteau de lin et d'écarlate *v*. La ville de Suse criait et se réjouissait. 16 Pour les Juifs c'était lumière et joie, jubilation et honneur. 17 En chaque province et en chaque ville où étaient parvenus l'ordonnance du roi et son décret, c'était joie et jubilation pour les Juifs, c'était le banquet et la fête. Beaucoup de gens du pays se faisaient Juifs, car la terreur des Juifs tombait sur eux *w*.

La vengeance des Juifs

9 1 Le douzième mois, c'est-à-dire « Adar », le 13, jour où l'on devait exécuter l'ordonnance du roi et son décret, où les ennemis des Juifs espéraient dominer sur eux, il y eut un renversement de situation *x* : ce sont les Juifs qui dominèrent sur ceux qui les détestaient. 2 Les Juifs s'unissaient en leurs villes, dans toutes les provinces du roi Xerxès, pour porter la main sur ceux qui cherchaient à leur faire du mal. Personne ne tenait devant eux, car leur terreur tombait sur tout le monde. 3 Et tous les ministres des provinces, les satrapes *y*, les gouverneurs et les fonctionnaires du roi soutenaient les Juifs, car la terreur de

---

p *l'Agaguite*: voir 3.1 et la note — *la machination*: voir 3.8-15 ● q Pour la signification de ce geste voir 4.11 ● r Voir au glossaire CALENDRIER ● s *de se tenir sur le qui-vive*: autre traduction *de défendre leur vie* ● t Voir au glossaire CALENDRIER. Il s'agit de la date initialement prévue pour le massacre des Juifs; voir 3.13 ● u Voir 1.2 et la note ● v Les vêtements de Mardochée ont les couleurs de la cour royale — *pourpre* et *écarlate*: voir 1.6 et la note ● w *se faisaient Juifs*, c'est-à-dire soit *faisaient semblant d'être Juifs*, soit *se convertissaient*; comparer *Est* grec 8.17 — *la terreur des Juifs tombait sur eux* ou *les Juifs leur inspiraient une grande terreur* ● x *Adar*: voir au glossaire CALENDRIER — *un renversement de situation*: comparer 3.13 ● y Voir Esd 8.36 et la note

8.8 impossible à révoquer Est 1.19+. **8.11** réponse violente à l'oppression Ps 109.16-19; 137. 8-9; Jb 27.13-23; Jr 50.29; Ez 39.10; Ap 18.6. **8.15** Mardochée vêtu royalement Est 6.11 cf. Dn 5.29; *1 M* 10.62-63. **9.1** les Juifs dominèrent... cf. 2 S 22.41; Ps 18.41.

Mardochée était tombée sur eux. ⁴ Oui, Mardochée était grand au palais, et sa réputation se répandait dans toutes les provinces. Oui, cet homme, Mardochée, allait grandissant.

⁵ Les Juifs frappèrent alors tous leurs ennemis à coups d'épée, tuant et anéantissant. A ceux qui les détestaient, ils firent selon leur bon plaisir. ⁶ A Suse-la-citadelle ᶻ, les Juifs tuèrent, anéantissant cinq cents hommes ; ⁷ et Parshândata, et Dalfôn, et Aspata, ⁸ et Porata, et Adalya, et Aridata ⁹ et Parmashta, et Arisaï et Aridaï et Waïzata, ¹⁰ les dix fils de Haman, le fils de Hammedata, l'oppresseur des Juifs, ils les tuèrent. Mais ils ne cherchèrent pas à mettre la main sur le butin. ¹¹ Le jour même le nombre des tués dans Suse-la-citadelle parvint jusqu'au roi.

¹² Le roi dit alors à Esther, la reine : « A Suse-la-citadelle, les Juifs ont tué, anéantissant cinq cents hommes plus les dix fils de Haman. Dans le reste des provinces royales, qu'est-ce qu'ils ont dû faire ! Mais quelle est ta demande ? Elle te sera accordée ! Quelle est encore ta requête ? Ce sera fait ! » ¹³ Esther répondit : « S'il plaît au roi, que demain aussi il soit accordé aux Juifs de Suse d'agir selon le décret en vigueur aujourd'hui, et qu'on pende les dix fils de Haman au gibet ᵇ. » ¹⁴ « Ainsi soit fait », dit le roi. Le décret fut promulgué à Suse. On pendit les dix fils de Haman. ¹⁵ Les Juifs de Suse se rassemblèrent donc aussi le 14 du mois d'« Adar ». A Suse, ils tuèrent trois cents hommes ; mais ils ne cherchèrent pas à mettre la main sur le butin ᶜ. ¹⁶ Quant aux autres Juifs des provinces royales, ils se rassemblèrent, se tenant sur le qui-vive, obtenant de leurs ennemis le repos et tuant 75.000 de ceux qui les détestaient ; mais ils ne cherchèrent pas à mettre la main sur le butin ᶜ. ¹⁷ C'était le 13 du mois d'« Adar » ; le 14 ils se reposèrent et on en fit un jour de banquet et de joie, ¹⁸ tandis que les

Juifs de Suse, qui s'étaient rassemblés le 13 et le 14, se reposèrent le 15 dont on fit un jour de banquet et de joie. ¹⁹ C'est pourquoi les Juifs ruraux, habitant les bourgades rurales, font du 14 du mois d'« Adar » un jour de joie, de banquet, de fête, en s'envoyant mutuellement des portions ᵈ.

Institution d'une fête commémorative

²⁰ Mardochée mit ces choses par écrit et il envoya des lettres à tous les Juifs de toutes les provinces du roi Xerxès, aux plus éloignés comme aux plus proches, ²¹ afin d'instituer pour eux la célébration annuelle du 14 du mois d'« Adar » ᵉ, ainsi que du 15 — ²² comme jours où les Juifs avaient obtenu de leurs ennemis le repos et mois où il y avait eu pour eux le renversement de situation, le passage du tourment à la joie et du deuil à la fête — : il en faisait des jours de banquet et de joie, avec envoi de portions les uns aux autres et de cadeaux aux pauvres ᶠ. ²³ Les Juifs acceptèrent la tradition de ce qu'ils avaient commencé à faire et de ce que Mardochée leur avait écrit : ²⁴ que Haman le fils de Hammedata, l'Agaguite, oppresseur de tous les Juifs, avait combiné contre les Juifs de les anéantir ; qu'il avait tiré au Destin, c'est-à-dire au sort, pour leur amener le trouble et les anéantir ᵍ ; ²⁵ mais que, lorsque c'était venu devant le roi, celui-ci avait déclaré par écrit que la machination méchante que Haman avait combinée contre les Juifs retomberait sur sa tête et qu'on le pendrait au gibet, lui et ses fils. ²⁶ C'est pourquoi on a appelé ces jours-là « Destinées », du mot Destin ʰ. C'est pourquoi à cause de tous les termes de cette missive, de ce qu'ils avaient vu à ce sujet et de ce qui leur était arrivé, ²⁷ les Juifs en ont fait une institution et l'ont acceptée pour eux-mêmes, pour leur descendance et pour tous leurs adeptes : on ne manquera pas d'obser-

---

ᶻ Voir 1.2 et la note ● ᵇ Les fils de Haman ont déjà été tués (voir v. 6 à 10). Leur pendaison doit ajouter un caractère infamant à leur mort ● ᶜ *se tenant sur le qui-vive:* voir 8.11 et la note — *obtenant... le repos,* c'est-à-dire sans doute la certitude de ne plus être attaqués par leurs ennemis ● ᵈ *des portions* ou *des cadeaux (de fête)* ● ᵉ Voir au glossaire CALENDRIER ● ᶠ *les Juifs avaient obtenu... le repos:* voir 9.16 et la note — *avec envoi de portions... et de cadeaux aux pauvres* ou *en s'envoyant des cadeaux... et en faisant des dons aux pauvres* ● ᵍ *l'Agaguite:* voir 3.1 et la note — *il avait tiré au Destin...:* voir 3.7 ● ʰ Dans la tradition juive la fête est appelée fête des Pourim, d'après le mot assyrien « pour » qui signifie *destin.*

9.6-11 les Juifs tuèrent... Est 8.11+ ; cf. Jdt 14.18—15.7.   **9.13** et qu'on pende Est 7.10 ; 9.24-25 ; Dt 21.23 ; Ga 3.13.   **9.19** un jour de fête Est 9.22+.   **9.22** des jours de fête Ps 30.12 ; Ne 8.12 ; Ap 11.10.   **9.25** retomberait sur sa tête Est 7.10+.   **9.28** commémoration sans fin Ps 145.4-7.

ver chaque année ces deux jours selon leurs prescriptions et selon leurs dates. 28 Ces jours sont commémorés et observés de génération en génération, dans chaque famille, chaque province, chaque ville. Ces jours des Destinées ne s'effaceront pas du milieu des Juifs, et la commémoration en sera sans fin dans la race des Juifs.

29 Esther, la reine, la fille d'Avihaïl, et Mardochée, le Juif, écrivirent très instamment, pour confirmer cette missive des Destinées. 30 Et l'on envoya des lettres à tous les Juifs, aux cent vingt-sept provinces royales de Xerxès : paroles de paix et de fidélité, 31 instituant ces jours des Destinées à leurs dates ainsi que les avaient institués pour eux Mardochée le Juif et Esther la reine ; ils les avaient institués pour eux-mêmes et pour leur descendance, ordonnant des *jeûnes et des clameurs. 32 La parole d'Esther institua les ordonnances des Destinées : cela a été inscrit dans le Livre i.

Triomphe final de Mardochée

10 1 Le roi Xerxès fixa un impôt sur le continent et sur les îles de la mer. 2 Tous ses actes de puissance et de vaillance, ainsi que les détails de la grandeur de Mardochée à qui le roi avait donné une haute situation, ces choses ne sont-elles pas inscrites dans le livre des Annales des rois de Médie et de Perse j ? 3 Oui, Mardochée le Juif était le second du royaume, après Xerxès. Pour les Juifs il était un grand homme, aimé de la multitude de ses frères, cherchant le bien de son peuple et déclarant la paix à toute sa race.

---

i Il ne s'agit pas du livre d'Esther mais sans doute d'un autre livre conservé par les Juifs et relatant les origines de la fête des Destinées ou fête des Pourim ● j le livre des Annales: voir 2.23 et la note — des rois de Médie et de Perse: voir 1.3 et la note

DANIEL

Daniel et ses compagnons à Babylone

1 ¹ En l'an trois ᵃ du règne de Yoyaqîm, roi de Juda, Nabuchodonosor, roi de Babylone, vint vers Jérusalem et l'assiégea. ² Le Seigneur livra entre ses mains Yoyaqîm, roi de Juda, et une partie des ustensiles de la maison de Dieu ; il les emmena au pays de Shinéar ᵇ dans la maison de ses dieux. ³ Puis le roi ordonna à Ashpénaz, le chef de son personnel, d'amener quelques fils d'Israël, tant de la descendance royale que des familles nobles : ⁴ des garçons en qui il n'y eût aucun défaut, beaux à voir, instruits en toute sagesse, experts en savoir, comprenant la science et ayant en eux de la vigueur, pour qu'ils se tiennent dans le palais du roi et qu'on leur enseigne la littérature et la langue des Chaldéens ᶜ. ⁵ Le roi fixa pour eux une ration quotidienne du menu du roi et de sa boisson, prescrivant de les éduquer pendant trois années, au terme desquelles ils se tiendraient en présence du roi ᵈ. ⁶ Il y avait parmi eux quelques fils de Juda ᵉ : Daniel, Hananya, Mishaël, et Azarya. ⁷ Le prévôt du personnel leur imposa des noms : à Daniel ᶠ il imposa celui de Beltshassar, à Hananya, celui de Shadrak, à Mishaël, celui de Méshak, et à Azarya, celui d'Abed-Négo.

⁸ Or Daniel prit à cœur de ne pas se souiller avec le menu du roi et le vin de sa boisson. Il fit une requête au prévôt du personnel pour n'avoir pas à se souiller ᵍ ⁹ et Dieu accorda à Daniel grâce et faveur devant le prévôt du personnel. ¹⁰ Le prévôt du personnel dit à Daniel : « Je crains que Monseigneur le Roi, qui a fixé votre nourriture et votre boisson, ne vous voie des visages plus abattus que ceux des garçons de votre âge, et que vous ne me rendiez coupable au prix de ma tête envers le roi. » ¹¹ Daniel dit au garde que le chef du personnel avait chargé de Daniel, Hananya, Mishaël et Azarya : ¹² « Mets donc tes serviteurs à l'épreuve pendant dix jours. Qu'on nous donne des légumes à manger et de l'eau à boire.

¹³ Puis tu regarderas notre mine et la mine de ces garçons qui mangent au menu du roi ; et selon ce que tu verras, agis envers tes serviteurs ! » ¹⁴ Il les écouta sur ce point et les mit à l'épreuve pendant dix jours. ¹⁵ Au terme des dix jours, on vit qu'ils avaient meilleure mine et plus d'embonpoint que tous les garçons qui mangeaient au menu du roi. ¹⁶ Le garde enlevait donc leur menu et le vin qu'ils avaient à boire, et il leur donnait des légumes. ¹⁷ Or à ces quatre garçons, Dieu donna la science, et il les instruisit en toute littérature et sagesse. Quant à Daniel, il comprenait toute vision et tous songes. ¹⁸ Au terme des jours fixés par le roi pour les lui amener, le prévôt du personnel les amena en présence de Nabuchodonosor. ¹⁹ Le roi parla avec eux, et parmi tous il ne s'en trouva pas comme Daniel, Hananya, Mishaël et Azarya. Ils se tinrent donc en présence du roi ; ²⁰ et en toute affaire de sagesse et de discernement dont le roi s'enquit auprès d'eux, il les trouva dix fois supérieurs à tous

---

ᵃ Selon cette indication, en 606 av. J.C. (voir 2 R 24.1-2 et 2 Ch 36.5-7) ● ᵇ *la maison de Dieu* ou *le temple de Dieu* — *au pays de Shinéar* : c'est-à-dire en Babylonie ● ᶜ *des garçons* ou *adolescents, jeunes gens* — *Chaldéens* ou *Babyloniens* ● ᵈ C'est-à-dire *entreraient au service du roi* ● ᵉ *fils de Juda* ou *Judéens* ● ᶠ *Daniel* signifie en hébreu *Dieu est mon juge.* Le nom nouveau reçu par les jeunes gens marque l'autorité que le roi a désormais sur eux (voir Gn 17.5; 32.29; Mt 16.18) ● ᵍ Voir au glossaire PUR

1.12 dix jours d'épreuve Ap 2.10.

les magiciens et conjureurs [h] qu'il y avait dans tout son royaume. [21] Et Daniel vécut jusqu'à la première année du roi Cyrus [i].

Le premier songe de Nabuchodonosor

2 [1] En l'an deux du règne de Nabuchodonosor [j], Nabuchodonosor eut des songes. Son esprit fut anxieux et son sommeil le quitta. [2] Le roi ordonna d'appeler les magiciens, les conjureurs, les incantateurs et les chaldéens [k], afin qu'ils exposent au roi ses songes. Ils vinrent et se tinrent en présence du roi. [3] Le roi leur dit : « J'ai eu un songe, et mon esprit est anxieux de connaître ce songe. » [4] Les chaldéens dirent au roi, en araméen : « O roi ! Vis à jamais [l] ! Dis le songe à tes serviteurs, et nous en exposerons l'interprétation. » [5] Le roi répondit et dit aux chaldéens : « J'en donne ma parole ! Si vous ne me faites pas connaître le songe et son interprétation, vous serez mis en pièces, et vos maisons seront transformées en cloaques [m]. [6] Et si vous exposez le songe et son interprétation, vous recevrez de ma part des cadeaux, des gratifications et beaucoup d'honneurs. Exposez-moi donc le songe et son interprétation ! » [7] Ils répondirent pour la deuxième fois et dirent : « Que le roi dise le songe à ses serviteurs, et nous en exposerons l'interprétation. » [8] Le roi répondit et dit : « Pour sûr, je sais que vous êtes en train de gagner du temps, parce que vous avez vu que j'avais donné ma parole : [9] si vous ne me faites pas connaître le songe, une même sentence vous attend ; et vous voulez êtes concertés pour dire en ma présence une parole mensongère et perverse jusqu'à ce que les temps changent. Dites-moi donc le songe, et je saurai que vous m'en exposerez l'interprétation. » [10] Les chaldéens répondirent et dirent en présence du roi : « Il n'y a pas un homme au monde qui puisse exposer l'affaire du roi ! Car aucun roi, si grand et si puissant soit-il, n'a jamais demandé une pareille chose à aucun magicien, conjureur ni chaldéen. [11] La chose que le roi demande est excessive, et il n'y a personne d'autre qui puisse l'exposer en présence du roi, si ce n'est des dieux qui n'ont pas leur demeure avec les êtres de chair. » [12] Là-dessus, le roi s'emporta et s'irrita beaucoup, et il ordonna de faire périr tous les sages [n] de Babylone. [13] La sentence parut ; les sages allaient être massacrés, et on chercha Daniel et ses compagnons pour qu'ils fussent tués.

Dieu révèle à Daniel le songe du roi

[14] Alors Daniel fit une repartie avisée et prudente à Aryok, chef des bourreaux [o] du roi, qui était sorti pour massacrer les sages de Babylone. [15] Il prit la parole et dit à Aryok, l'officier du roi : « Pourquoi la sentence rendue de par le roi est-elle si rigoureuse ? » Alors Aryok fit connaître l'affaire à Daniel. [16] Daniel entra donc, et il pria le roi de lui accorder du temps ; quant à l'interprétation, il l'exposerait au roi. [17] Alors Daniel alla dans sa maison, et il fit connaître l'affaire à Hananya, Mishaël et Azarya, ses compagnons, [18] leur disant de demander grâce en présence du Dieu du ciel au sujet de ce mystère, pour qu'on ne fasse pas périr Daniel et ses compagnons avec le reste des sages de Babylone. [19] Alors le mystère fut révélé à Daniel dans une vision de nuit. Alors Daniel bénit le Dieu du ciel. [20] Daniel prit la parole et dit :

« Que le *nom de Dieu soit béni, depuis toujours et à jamais !
Car la sagesse et la puissance lui appartiennent.
[21] C'est lui qui fait alterner les temps et les moments ;
il renverse les rois et élève les rois ;

---

h conjureurs: personnes prétendant posséder le pouvoir de détourner les sorts ● *i* Probablement en 539 av. J.C. ● *j* Selon cette indication en 603 av. J.C. ● *k magiciens, conjureurs, incantateurs,* diverses catégories de spécialistes se prétendant capables de deviner l'avenir — Les Chaldéens (voir 1.4 et la note) avaient dans l'antiquité une solide réputation en matière d'astrologie; leur nom est employé souvent comme synonyme d'*astrologues:* c'est le cas ici ● *l en araméen:* à cet endroit, le texte passe de l'hébreu à l'araméen, langue internationale au Moyen Orient dès le 8e siècle av. J.C. (voir 2 R 18.26) — *O roi! Vis à jamais!:* formule de salutation courante à l'époque perse (voir 3.9; 5.10; 6.7, 22; Ne 2.3) ● *m en cloaques* ou *en tas de décombres* ● *n sages:* ce terme désigne ici l'ensemble des spécialistes de la divination énumérés au v. 2 ● *o* Autre traduction *capitaine des gardes* (voir 2 R 25.8; Jr 39.9)

2.1 anxiété Gn 41.8 — insomnie Dn 6.19.　**2.18** Dieu du ciel Dn 2.37, 44; Gn 24.7; Jdt 5.8.
2.19 vision de nuit Dn 7.7; Gn 46.2.　**2.21** temps et moments Dn 7.12; Ac 1.7; 1 Th 5.1.

il donne la sagesse aux sages,
et la connaissance *p* à ceux qui savent
discerner ;
²² C'est lui qui révèle les choses profondes
et occultes *q* ;
il connaît ce qu'il y a dans les ténèbres,
et avec lui demeure la lumière.
²³ A toi, Dieu de mes pères *r*, mon action
de grâces et ma louange,
car tu m'as donné la sagesse et la
force !
Et maintenant, tu m'as fait connaître
ce que nous t'avions demandé ; puisque
tu nous as fait connaître l'affaire du
roi. » ²⁴ Là-dessus, Daniel entra chez
Aryok, que le roi avait chargé de faire
périr les sages de Babylone ; il alla et
lui parla ainsi : « Ne fais pas périr les
sages de Babylone ! Introduis-moi en
présence du roi, et j'exposerai l'interprétation au roi. » ²⁵ Alors Aryok, en hâte,
introduisit Daniel en présence du roi
et lui parla ainsi : « J'ai trouvé un
homme, parmi les déportés de Juda, qui
fera connaître l'interprétation au roi. »

La statue aux pieds fragiles

²⁶ Le roi prit la parole et dit à Daniel,
surnommé Beltshassar : « Est-ce que tu
peux me faire connaître le songe que j'ai
vu et son interprétation ? » ²⁷ Daniel
répondit en présence du roi et dit : « Le
mystère dont le roi s'enquiert, ni sages,
ni conjureurs, ni magiciens, ni devins *s*
ne peuvent l'exposer au roi. ²⁸ Mais il
y a un Dieu dans le ciel qui révèle les
*mystères, et il a fait connaître au roi
Nabuchodonosor ce qui adviendra dans
l'avenir. Ton songe et les visions de ton
esprit sur ta couche, les voici. ²⁹ Pour
toi, ô roi, tes pensées avaient surgi sur
ta couche au sujet de ce qui adviendrait
par la suite, et le révélateur des mystères
t'a fait connaître ce qui adviendra.
³⁰ Quant à moi, ce n'est point par une
sagesse qui serait en moi supérieure à
celle de tous les vivants que ce mystère
m'a été révélé ; mais c'est afin qu'on
fasse connaître l'interprétation au roi et
que tu connaisses les pensées de ton
*cœur. ³¹ Toi donc, ô roi, tu regardais ;
et voici une grande statue. Cette statue

était très grande, et sa splendeur, extraordinaire. Elle se dressait devant toi, et
son aspect était terrifiant. ³² Cette statue
avait la tête d'or fin, la poitrine et les
bras d'argent, le ventre et les cuisses de
bronze, ³³ les jambes de fer, les pieds
en partie de fer et en partie de céramique. ³⁴ Tu regardais, lorsqu'une pierre
se détacha sans l'intermédiaire d'aucune
main ; elle frappa la statue sur ses pieds
de fer et de céramique, et elle les pul-
vérisa. ³⁵ Alors furent pulvérisés ensemble
le fer, la céramique, le bronze, l'argent
et l'or ; ils devinrent comme la bale *t*
sortant des aires en été : le vent les
emporta et on n'en trouva plus aucune
trace. Quant à la pierre qui avait frappé
la statue, elle devint une grande montagne
et remplit toute la terre. ³⁶ Tel est le
songe, et nous allons en dire l'interprétation en présence du roi. ³⁷ Toi, ô roi,
roi des rois ; toi à qui le Dieu du ciel
a donné la royauté, la puissance, la force
et la gloire ; ³⁸ toi dans la main de qui
il a remis les hommes, les bêtes sauvages
et les oiseaux du ciel, en quelque lieu
qu'ils habitent, et qu'il a établi maître
sur eux tous : c'est toi qui es la tête
d'or. ³⁹ Après toi s'élèvera un autre
royaume, inférieur à toi ; puis un autre
royaume, un troisième, celui de bronze,
qui dominera sur toute la terre. ⁴⁰ Puis
adviendra un quatrième royaume, dur
comme le fer : de même que le fer pulvérise et brise tout, comme le fer qui
broie, il pulvérisera et broiera tous ceux-
ci. ⁴¹ Tu as vu les pieds et les doigts en
partie de céramique de potier et en partie
de fer : ce sera un royaume partagé, et
il y aura en lui de la solidité du fer, de
même que tu as vu le fer mêlé à la
céramique d'argile. ⁴² Quant aux doigts
de pieds en partie de fer et en partie
de céramique : pour une part le royaume
sera fort, et pour une part il sera fra-
gile *u*. ⁴³ Tu as vu le fer mêlé à la
céramique : c'est au moyen de la semence
humaine qu'ils seront mêlés *v*, et ils
n'adhéreront pas l'un à l'autre, de même
que le fer ne se mêle pas à la céramique. ⁴⁴ Or aux jours de ces rois-là, le
Dieu du ciel suscitera un royaume qui
ne sera jamais détruit et dont la royauté
ne sera pas laissée à un autre peuple.

---

p Il s'agit de la compréhension du plan de Dieu pour le monde (voir 2.28) ● *q* occultes ou *cachées*
● *r mes pères* ou *mes ancêtres* ● *s devins*: voir la note sur 2.2 ● *t la bale:* voir la note sur Ps
1.4 ● *u* Les différents métaux de valeur décroissante, qui composent la statue, symbolisent la
succession des empires babylonien, mède, perse et grec ● *v* Peut-être le texte fait-il allusion
ici aux événements évoqués en 11.6 (mariage d'Antiochus II, roi de Syrie, et de Bérénice, fille
du roi d'Egypte en 255 av. J.C.) ou plutôt en 11.17 (mariage d'Antiochus III et de Cléopâtre
en 194 av. J.C.)

Il pulvérisera et anéantira tous ces royaumes-là, et il subsistera à jamais, 45 de même que tu as vu une pierre [w] se détacher de la montagne sans l'intermédiaire d'aucune main et pulvériser le fer, le bronze, la céramique, l'argent et l'or. Un grand Dieu a fait connaître au roi ce qui adviendra par la suite. Le songe est sûr, et son interprétation, digne de foi. »

46 Alors le roi Nabuchodonosor se prosterna sur la face, rendit hommage à Daniel et ordonna de lui présenter une oblation et des parfums. 47 Le roi s'adressa à Daniel et dit : « En vérité, votre Dieu est le Dieu des dieux, le Seigneur des rois et le révélateur des mystères, puisque tu as pu me révéler ce mystère-là. » 48 Alors le roi éleva Daniel, lui remit beaucoup de grands cadeaux, lui donna autorité sur toute la province de Babylone et en fit le surintendant de tous les sages de Babylone. 49 Daniel fit une requête au roi [x], et celui-ci préposa Shadrak, Méshak et Abed-Négo à l'administration de la province de Babylone. Quant à Daniel, il était à la porte du roi.

L'ordre d'adorer la statue d'or

3 1 Le roi Nabuchodonosor fit une statue d'or : sa hauteur était de soixante coudées [y] et sa largeur, de six coudées. Il la dressa dans la plaine de Doura, dans la province de Babylone. 2 Et le roi Nabuchodonosor envoya des messagers pour rassembler les satrapes [z], les intendants, les gouverneurs, les conseillers, les trésoriers, les légistes, les magistrats et tous les fonctionnaires des provinces, afin qu'ils viennent pour la dédicace de la statue que le roi Nabuchodonosor avait dressée. 3 Alors les satrapes, les intendants, les gouverneurs, les conseillers, les trésoriers, les légistes, les magistrats et tous les fonctionnaires des provinces se rassemblèrent pour la dédicace de la statue que le roi Nabuchodonosor avait dressée, et ils se tinrent devant la statue que le roi Nabuchodonosor avait dressée. 4 Le héraut cria avec

force : « On vous le commande, gens de tous peuples, nations et langues ! 5 Au moment où vous entendrez le son du cor, de la flûte, de la cithare, de la harpe [a], du luth, de la cornemuse et de tous les genres d'instruments, vous vous prosternerez et vous adorerez la statue d'or que le roi Nabuchodonosor a dressée. 6 Quiconque ne se prosternera pas et n'adorera pas, sera jeté au moment même au milieu de la fournaise de feu ardent. » 7 Là-dessus, à l'instant même où tous les gens entendirent le son du cor, de la flûte, de la cithare, de la harpe, du luth et de tous les genres d'instruments, les gens de tous peuples, nations et langues se prosternèrent et adorèrent la statue d'or que le roi Nabuchodonosor avait dressée.

Les amis de Daniel restent fidèles à Dieu

8 Là-dessus, à l'instant même, des Chaldéens s'approchèrent et déposèrent contre les Juifs [b]. 9 Ils prirent la parole et dirent au roi Nabuchodonosor : « O roi ! Vis à jamais [c] ! 10 Toi-même, ô roi, tu as donné l'ordre que tout homme qui entendrait le son du cor, de la flûte, de la cithare, de la harpe, du luth, de la cornemuse et de tous les genres d'instruments se prosterne et adore la statue d'or, 11 et que quiconque ne se prosternerait pas et n'adorerait pas soit jeté au milieu de la fournaise de feu ardent. 12 Il y a des Juifs que tu as préposés à l'administration de la province de Babylone : Shadrak, Méshak et Abed-Négo. Ces hommes-là, ô roi, n'ont pas eu égard à toi : ils ne servent pas tes dieux et n'adorent pas la statue d'or que tu as dressée. » 13 Alors Nabuchodonosor, avec colère et fureur, ordonna d'amener Shadrak, Méshak et Abed-Négo. Alors ces hommes furent amenés en présence du roi. 14 Nabuchodonosor prit la parole et leur dit : « Est-il exact, Shadrak, Méshak et Abed-Négo, que vous ne servez pas mes dieux et que vous n'adorez pas la statue d'or que j'ai dressée ? 15 Est-ce que maintenant vous êtes prêts, au moment où vous

---

w La pierre qui se détache et écrase la statue symbolise l'avènement du royaume fondé par Dieu (voir v. 44) ● x C'est-à-dire *à la disposition immédiate du roi* ● y Voir au glossaire POIDS ET MESURES ● z *satrapes*: terme d'origine perse désignant le gouverneur d'une grande province de l'empire ● a *harpe*: voir la note sur le Ps 92.4 ● b *déposèrent contre les Juifs* ou *accusèrent les Juifs* ● c Voir 2.4 et la note

3.4 peuples, nations Dn 5.19; 6.26; 7.14; Es 66.18; Ap 5.9.   3.6 ne pas adorer Ex 20.3-5; Jdt 3.8 — fournaise de feu Jr 29.21-22.

entendrez le son du cor, de la flûte, de la cithare, de la harpe, du luth, de la cornemuse et de tous les genres d'instruments, à vous prosterner et à adorer la statue que j'ai faite ? Si vous ne l'adorez pas, au moment même vous serez jetés au milieu de la fournaise de feu ardent, et quel est le dieu qui vous délivrera de ma main ? » [16] Shadrak, Méshak et Abed-Négo prirent la parole et dirent au roi : « O Nabuchodonosor ! Nous n'avons pas besoin de te répondre quoi que ce soit à ce sujet. [17] Si notre Dieu que nous servons peut nous délivrer, qu'il nous délivre de la fournaise de feu ardent et de ta main, ô roi ! [18] Même s'il ne le fait pas, sache bien, ô roi, que nous ne servirons pas tes dieux et que nous n'adorerons pas la statue d'or que tu as dressée. »

[19] Alors Nabuchodonosor fut rempli de fureur, et l'expression de son visage changea à l'égard de Shadrak, Méshak et Abed-Négo. Il prit la parole et ordonna de chauffer la fournaise sept fois plus qu'on avait coutume de la chauffer. [20] Puis il ordonna à des hommes vigoureux de son armée de ligoter Shadrak, Méshak et Abed-Négo, pour les jeter dans la fournaise de feu ardent. [21] Alors ces hommes furent ligotés avec leurs pantalons, leurs tuniques, leurs bonnets et leurs manteaux, et ils furent jetés au milieu de la fournaise de feu ardent. [22] Là-dessus, comme la parole du roi était rigoureuse et que la fournaise avait été extraordinairement chauffée, ces hommes même qui avaient hissé Shadrak, Méshak et Abed-Négo, la flamme du feu les tua. [23] Quant à ces trois hommes-là, Shadrak, Méshak et Abed-Négo, ils tombèrent ligotés au milieu de la fournaise de feu ardent [d].

Les amis de Daniel sauvés de la fournaise

[24] Le roi Nabuchodonosor *les entendit chanter* [e], il fut stupéfait et se leva précipitamment. Il prit la parole et dit à ses conseillers : « N'avons-nous pas jeté au

milieu du feu trois hommes ligotés ? » Ils répondirent et dirent au roi : « Bien sûr, ô roi ! » [25] Le roi répondit et dit : « Voici que je vois quatre hommes déliés qui marchent au milieu du feu sans qu'il y ait sur eux aucune blessure, et l'aspect du quatrième ressemble à celui d'un fils des dieux [f]. »

[26] Alors Nabuchodonosor s'approcha de l'ouverture de la fournaise de feu ardent. Il prit la parole et dit : « Shadrak, Méshak et Abed-Négo, serviteurs du Dieu très-haut, sortez et venez ! » Alors Shadrak, Méshak et Abed-Négo sortirent du milieu du feu.

[27] Les satrapes [g], les intendants, les gouverneurs et les conseillers du roi se rassemblèrent. Ils virent ces hommes : le feu n'avait eu aucun pouvoir sur leur corps ; la chevelure de leur tête n'avait pas été roussie ; leurs manteaux étaient intacts et l'odeur de feu n'avait pas passé sur eux. [28] Nabuchodonosor prit la parole et dit : « Béni soit le Dieu de Shadrak, Méshak et Abed-Négo, qui a envoyé son Ange et sauvé ses serviteurs, qui, parce qu'ils s'étaient confiés en lui et que, transgressant la parole du roi, ils avaient livré leur corps pour ne servir ni adorer aucun dieu, si ce n'est leur Dieu. [29] Quant à moi, j'ai donné ordre que quiconque, de tout peuple, nation et langue, parlerait avec insolence contre le Dieu de Shadrak, Méshak et Abed-Négo, soit mis en pièces, et sa maison transformée en cloaque [h] ; car il n'y a pas d'autre Dieu qui puisse délivrer ainsi. [30] Alors le roi fit prospérer Shadrak, Méshak et Abed-Négo dans la province de Babylone.

Deuxième songe du roi : le grand arbre

[31] Le roi Nabuchodonosor, aux gens de tous peuples, nations et langues qui demeurent sur toute la terre. Que votre paix soit grande ! [32] Les signes et les prodiges que le Dieu très-haut a faits à mon égard, j'ai jugé bon de les exposer :

[33] Ses signes, comme ils sont grands,
    et ses prodiges, comme ils sont puissants !

---

d La bible grecque ajoute ici: a) la prière d'Azarya (v. 24-25); b) le cantique des amis de Daniel (v. 46-90). La traduction en est donnée dans la partie réservée aux livres deutéro-canoniques ● *e* Les versets 24 à 33 du texte araméen sont numérotés 91 à 100 dans la bible grecque — *Le roi Nabuchodonosor les entendit chanter* : mots ajoutés d'après le grec ● *f* un fils des dieux: expression sémitique pour désigner *un être céleste* ou *un ange* (v. 28) ● *g* satrapes: voir la note sur 3.2 ● *h* Voir 2.5 et la note

3.26 Dieu très-haut Dn 5.18, 21; Gn 14.18; Ps 47.3.   **3.31** peuples, nations Dn 3.4+.

Son règne est un règne éternel,
et sa souveraineté va de génération en génération.

4 ¹ Moi, Nabuchodonosor, j'étais tranquille dans ma maison, florissant dans mon palais. ² Je vis un songe, et il m'effrayait ; des rêveries sur ma couche, et les visions de mon esprit me tourmentaient. ³ Je donnai ordre d'introduire en ma présence tous les sages *i* de Babylone, afin qu'ils me fissent connaître l'interprétation du songe. ⁴ Alors entrèrent les magiciens, les conjureurs, les chaldéens et les devins *j* ; je dis le songe en leur présence, et ils ne m'en firent pas connaître l'interprétation. ⁵ A la fin entra Daniel, surnommé Beltshassar selon le nom de mon Dieu, qui avait en lui un esprit des dieux saints *k*. Je dis le songe en sa présence : ⁶ « Beltshassar, chef des magiciens, toi qui as en toi, je le sais, un esprit des dieux saints et qu'aucun mystère ne dépasse, dis-moi les visions du songe que j'ai vu et son interprétation !

⁷ Dans les visions de mon esprit sur ma couche, je regardais,
et voici un arbre, au milieu de la terre,
dont la hauteur était immense.

⁸ L'arbre devint grand et fort :
sa hauteur parvenait jusqu'au ciel,
et sa vue, jusqu'aux extrémités de la terre.

⁹ Son feuillage était beau et ses fruits abondants :
il y avait en lui de la nourriture pour tous.
Sous lui s'abritaient les bêtes des champs,
dans ses ramures demeuraient les oiseaux du ciel,
et de lui se nourrissait toute chair.

¹⁰ Je regardais, dans les visions de mon esprit sur ma couche, et voici que descendait du ciel un Vigilant *l*, un Saint.

¹¹ Il cria avec force et dit :
"Abattez l'arbre et coupez ses ramures !
Dépouillez son feuillage et éparpillez ses fruits !
Que les bêtes fuient de sous lui,
et les oiseaux, de ses ramures !

¹² Mais la souche de ses racines, laissez-la dans la terre,
et avec un lien de fer et de bronze

dans la végétation de la campagne !
Il sera baigné par la rosée du ciel,
et il aura en partage l'herbe de la terre avec les bêtes.

¹³ On changera son *cœur pour qu'il ne soit plus un cœur d'homme,
et un cœur de bête lui sera donné.
Puis sept périodes passeront sur lui.

¹⁴ La chose se fait par décret des Vigilants,
et l'affaire par ordre des Saints,
afin que les vivants reconnaissent
que le Très-Haut est maître de la royauté des hommes,
qu'il la donne à qui il veut
et y élève le plus humble des hommes."

¹⁵ Tel est le songe que j'ai vu, moi, le roi Nabuchodonosor. Quant à toi, Beltshassar, dis-en l'interprétation. Car tous les sages *m* de mon royaume ne peuvent pas me faire connaître l'interprétation ; mais toi, tu le peux, puisque tu as en toi un esprit des dieux saints. »

Daniel interprète le songe du roi

¹⁶ Alors Daniel, surnommé Beltshassar, fut terrifié pendant un moment et ses réflexions le tourmentèrent. Le roi prit la parole et dit : « Beltshassar, que le songe et son interprétation ne te tourmentent pas ! » Beltshassar répondit et dit : « Monseigneur ! Que le songe soit pour tes ennemis, et son interprétation, pour tes adversaires ! ¹⁷ L'arbre que tu as vu, qui devint grand et fort, dont la hauteur parvenait jusqu'au ciel, et la vue, jusqu'à la terre entière ; ¹⁸ dont le feuillage était beau et les fruits abondants, et en qui il y avait de la nourriture pour tous ; sous lequel demeuraient les bêtes des champs, et dans le feuillage duquel nichaient les oiseaux du ciel : ¹⁹ c'est toi, ô roi ! Car tu es devenu grand et fort ; ta grandeur a crû et est parvenue jusqu'au ciel, et ta souveraineté, jusqu'aux extrémités de la terre. ²⁰ Puis le roi a vu un Vigilant, un Saint, qui descendait du ciel et disait : "Abattez l'arbre et détruisez-le ! Mais la souche de ses racines, laissez-la dans la terre, et avec un lien de fer et de bronze dans la végétation

---

i sages: voir 2.12 et la note ● *j conjureurs, chaldéens, devins,* voir les notes sur 1.20 et 2.2 ● *k selon le nom de mon dieu:* Bel était la principale divinité des Babyloniens — *un esprit des dieux saints:* Nabuchodonosor parle en païen de l'inspiration divine qu'il discerne en Daniel ● *l un Vigilant:* c'est l'*ange toujours en éveil qui vient annoncer le jugement de Dieu ● *m sages:* voir la note sur 2.12

4.7 un arbre Es 10.33-11.1; Ez 17.3-10, 22-24.   **4.14** Très-Haut Dn 3.26+.

de la campagne ; il sera baigné par la rosée du ciel, et il aura son partage avec les bêtes sauvages, jusqu'à ce que sept périodes passent sur lui." [21] Telle est l'interprétation, ô roi ! C'est la décision du Très-Haut qui est parvenue jusqu'à Monseigneur le roi : [22] On va te chasser d'entre les hommes ; tu auras ton habitation avec les bêtes des champs ; on te nourrira d'herbe comme les bœufs et on te baignera de la rosée du ciel ; et sept périodes passeront sur toi, jusqu'à ce que tu reconnaisses que le Très-Haut est maître de la royauté des hommes et qu'il la donne à qui il veut. [23] Puis on a dit de laisser dans la terre la souche des racines de l'arbre : Ta royauté se prolongera pour toi, dès que tu reconnaîtras que le *Ciel est le maître. [24] C'est pourquoi, ô roi ! que mon conseil t'agrée ! Rachète tes péchés par la justice [n] et tes fautes en ayant pitié des pauvres ! Peut-être y aura-t-il une prolongation pour ta tranquillité ! »

Le songe se réalise

[25] Tout cela advint au roi Nabuchodonosor. [26] Au terme de douze mois, il déambulait sur la terrasse du palais royal de Babylone. [27] Le roi prit la parole et dit : « N'est-ce point là Babylone la grande, que j'ai construite comme maison royale par la force de ma puissance, à la gloire de ma majesté ? » [28] La parole était encore dans la bouche du roi, qu'une voix tomba du ciel : « On te le dit, ô roi Nabuchodonosor ! La royauté t'est retirée. [29] On va te chasser d'entre les hommes ; tu auras ton habitation avec les bêtes sauvages ; on te nourrira d'herbe comme les bœufs ; et sept périodes [o] passeront sur toi, jusqu'à ce que tu reconnaisses que le Très-Haut est maître de la royauté des hommes et la donne à qui il veut. » [30] A l'heure même, la chose se réalisa sur Nabuchodonosor : il fut chassé d'entre les hommes ; il mangeait de l'herbe comme les bœufs et son corps était baigné par la rosée du ciel, au point que sa chevelure poussa comme les plumes des aigles, et ses ongles, comme ceux des oiseaux. [31] « Au terme des jours [p], moi, Nabuchodonosor, je levai les yeux vers le ciel, et la conscience me revint. Je bénis le Très-Haut, je célébrai et glorifiai l'éternel Vivant :

Car sa souveraineté est une souveraineté éternelle,
et sa royauté va de génération en génération.

[32] Tous les habitants de la terre ne comptent pour rien :
il agit selon sa volonté,
envers l'Armée du ciel [q] et les habitants de la terre ;
il n'y a personne qui le frappe de la main
et qui lui dise : "Que fais-tu ?"

[33] A l'instant même, ma conscience me revenait et, pour la gloire de ma royauté, ma majesté et ma splendeur me revenaient ; mes conseillers et mes dignitaires me réclamaient. Je fus rétabli dans ma royauté, et une grandeur extraordinaire me fut donnée de surcroît. [34] Maintenant moi, Nabuchodonosor, je célèbre, exalte et glorifie le Roi du ciel,

car toutes ses œuvres sont vérité et ses voies sont justice,

et il peut abaisser ceux qui se conduisent avec orgueil.

Le festin du roi Belshassar

5 [1] Le roi Belshassar [r] fit un grand festin pour ses dignitaires, au nombre de mille, et en présence des mille il but du vin. [2] Durant la dégustation du vin, Belshassar ordonna d'apporter les ustensiles d'or et d'argent que Nabuchodonosor son père avait enlevés du Temple de Jérusalem [s], c'est dedans que boiraient le roi et ses dignitaires, ses concubines et ses femmes de service. [3] Alors on apporta les ustensiles d'or qu'on avait enlevés du temple — c'est-à-dire, de la Maison-Dieu — de Jérusalem, et le roi et ses dignitaires, ses concubines et ses femmes de service, burent dedans. [4] Ils burent du vin, et ils louèrent les dieux d'or et d'argent, de bronze, de fer, de bois et de pierre. [5] A l'instant même, surgirent les doigts de main d'homme : ils écrivaient devant le candé-

---

[n] Autre traduction *par l'aumône* (voir *Tb* 12.9; *Si* 3.30) ● [o] Voir 4.13 et la note ● [p] *Au terme des jours*: c'est-à-dire des sept périodes (v. 13, 20, 22, 29) ● [q] Il semble que cette expression désigne ici l'ensemble des êtres célestes ● [r] Les textes babyloniens mentionnent un *Belshassar* qui exerça le pouvoir à la place de son père Nabonide, dernier roi en titre de Babylone ● [s] *les ustensiles* ou *les vases — enlevés du temple de Jérusalem*: voir 2 R 25.14-15

4.23 ciel *1 M* 3.18; *2 M* 9.4; *Lc* 15.21.   **4.27** Babylone *Ap* 14.8; 16.19; 17.5; 18.2.   **4.28** une voix *Mc* 1.11; 9.7; *Jn* 12.28; *Ap* 11.12.   **5.4** les dieux d'or *Es* 40.19; *Ap* 9.20.

labre sur le plâtre du mur du palais royal, et le roi voyait le tronçon de main qui écrivait. ⁶ Alors le roi changea de couleur ; ses réflexions le tourmentaient, les jointures de ses reins étaient disloquées et ses genoux s'entrechoquaient. ⁷ Le roi cria avec force d'introduire les conjureurs, les chaldéens et les devins. Le roi prit la parole et dit aux sages de Babylone : « Tout homme qui lira cette inscription et m'en exposera l'interprétation, revêtira la pourpre, aura le collier d'or au cou et commandera en triumvir *t* dans le royaume. ⁸ Alors tous les sages du roi entrèrent, et ils ne purent ni lire l'inscription, ni en faire connaître au roi l'interprétation. ⁹ Alors le roi Belshassar fut extrêmement tourmenté et changea de couleur, et ses dignitaires furent consternés.

Daniel interprète l'inscription mystérieuse

¹⁰ La reine, devant les paroles du roi et de ses dignitaires, entra dans la salle du festin. La reine prit la parole et dit : « O roi ! Vis à jamais *u*. Que tes réflexions ne te tourmentent pas et que tes couleurs ne changent pas ! ¹¹ Il y a un homme dans ton royaume qui a en lui un esprit des dieux saints *v*. Aux jours de ton père, on trouva en lui une clairvoyance, une perspicacité et une sagesse pareilles à une sagesse des dieux ; et le roi Nabuchodonosor, ton père, l'institua chef des magiciens, conjureurs, chaldéens et devins. Ainsi fit ton père le roi, ¹² parce qu'on avait trouvé en ce Daniel, à qui le roi donna le nom de Beltshassar, un esprit extraordinaire, la science et la perspicacité, pour interpréter les songes, exposer les énigmes et résoudre les problèmes. Maintenant donc, que ce Daniel soit appelé, et il exposera l'interprétation ! » ¹³ Alors Daniel fut introduit devant le roi. Le roi prit la parole et dit : « Est-ce bien toi Daniel, d'entre les déportés de Juda que le roi mon père a amené de Juda ? ¹⁴ J'ai entendu dire de toi qu'un esprit des dieux est en toi, et qu'on a trouvé en toi une clairvoyance,

une perspicacité et une sagesse extraordinaires. ¹⁵ Et maintenant, on a introduit en ma présence les sages et les conjureurs, afin qu'ils lisent cette inscription et m'en fassent connaître l'interprétation, et ils ne peuvent pas m'exposer l'interprétation de la chose. ¹⁶ Or, moi, j'ai entendu dire que tu pouvais fournir des interprétations et résoudre des problèmes. Maintenant donc, si tu peux lire cette inscription et m'en faire connaître l'interprétation, tu revêtiras la pourpre, tu auras le collier d'or au cou et tu commanderas en triumvir *w* dans mon royaume. »

¹⁷ Alors Daniel prit la parole et dit en présence du roi : « Tes cadeaux, qu'ils soient pour toi-même, et tes gratifications, donne-les à d'autres ! Mais l'inscription, je la lirai au roi et je lui en ferai connaître l'interprétation. ¹⁸ O roi ! Le Dieu très-haut avait accordé la royauté, la grandeur, la gloire et la majesté à Nabuchodonosor ton père ; ¹⁹ et à cause de la grandeur qu'il lui avait accordée, les gens de tous peuples, nations et langues tremblaient de crainte en sa présence : il tuait qui il voulait et laissait vivre qui il voulait ; il élevait qui il voulait ; et abaissait qui il voulait. ²⁰ Et lorsque son cœur s'éleva et que son esprit s'endurcit jusqu'à l'arrogance, il fut déposé de son trône royal et on lui retira sa gloire : ²¹ il fut chassé d'entre les hommes, son cœur devint semblable à celui des bêtes, il eut sa demeure avec les onagres ; on le nourrissait d'herbe comme les bœufs et son corps était baigné par la rosée du ciel, jusqu'à ce qu'il reconnût que le Dieu très-haut est maître de la royauté des hommes et qu'il y élève qui il veut. ²² Or toi, son fils Belshassar, tu n'as pas humilié ton cœur, bien que tu aies su tout cela : ²³ tu t'es dressé contre le Seigneur du ciel ; les ustensiles *x* de sa Maison ont été apportés en ta présence, et toi-même et tes dignitaires, tes concubines et tes femmes de service, vous buvez du vin dedans. Tu as loué les dieux d'argent et d'or, de bronze, de fer, de bois et de pierre, qui ne voient ni n'entendent ni ne connaissent : et le Dieu qui a dans sa main ton souffle et à qui sont toutes tes

---

t conjureurs, chaldéens, devins: voir les notes sur 1.20 et 2.2 — *sages:* voir 2.12 et la note — *la pourpre:* voir la note sur Mc 15.17 — *en triumvir:* c'est-à-dire qu'il partagera le pouvoir avec deux autres fonctionnaires ● *u La reine:* c'est-à-dire la reine-mère. Elle occupait dans les cours du Moyen Orient une place importante (voir 2 R 10.13; Jr 13.18) — *O roi! Vis à jamais!* voir 2.4 et la note ● *v* Voir 4.5 et la note ● *w la pourpre, en triumvir:* voir 5.7 et la note ● *x* Voir 5.2 et la note

5.20 son cœur s'éleva Dn 11.12; Dt 8.14; Ez 31.10 — son esprit s'endurcit Ex 7.13, 22.

voies, tu ne l'as pas honoré ! ²⁴ Alors, de sa part, le tronçon de main fut envoyé et cette inscription fut tracée, ²⁵ et voici l'inscription qui a été tracée : MENÉ MENÉ TÉQEL OU-PARSÍN. ²⁶ Quant à l'interprétation, la voici. MENÉ, "Compté" : Dieu a fait le compte de ton règne et il y a mis fin. ²⁷ TÉQEL, "Pesé" : Tu as été pesé dans la balance et trouvé insuffisant. ²⁸ PERÈS, "Divisé" : Ton royaume a été divisé, et il a été donné aux Mèdes et aux Perses ᵞ.» ²⁹ Alors Belshassar ordonna de revêtir Daniel de la pourpre, de lui mettre le collier d'or au cou, et de proclamer à son sujet qu'il commanderait en triumvir dans le royaume. ³⁰ Cette nuit-là même, Belshassar, le roi chaldéen, fut tué.

6 ¹ Et Darius le Mède ᶻ reçut la royauté, à l'âge de soixante-deux ans.

Les ennemis de Daniel lui tendent un piège

² Darius jugea bon d'instituer sur le royaume les cent vingt satrapes ᵃ pour qu'il y en ait dans tout le royaume ; ³ et au-dessus d'eux, trois ministres, dont l'un était Daniel, pour que les satrapes leur rendent des comptes et que le roi ne soit pas frustré. ⁴ Or ce Daniel l'emportait sur les ministres et les satrapes, car il avait en lui un esprit extraordinaire, et le roi projeta de l'établir sur tout le royaume. ⁵ Alors les ministres et les satrapes désiraient trouver un grief contre Daniel à propos du royaume ; mais ils ne pouvaient trouver ni grief ni faute, car il était fidèle, et aucune négligence ni aucune faute ne furent trouvées contre lui. ⁶ Alors ces hommes dirent : « Nous ne trouverons contre ce Daniel aucun grief, à moins que nous n'en trouvions contre lui grâce à la Loi de son Dieu. » ⁷ Alors ces ministres et ces satrapes se précipitèrent chez le roi et lui parlèrent ainsi : « O roi Darius ! Vis à jamais ᵇ ! ⁸ Tous les ministres du royaume, les intendants et les satrapes, les conseillers et les gouverneurs, ont tenu conseil pour établir une constitution royale et mettre en vigueur un interdit : Quiconque, durant trente jours, adresserait une prière à quelque dieu ou homme excepté toi-même, ô roi, serait jeté dans la fosse aux lions. ⁹ Maintenant donc, ô roi ! il faut que tu établisses l'interdit et signes le rescrit ᶜ qu'on ne devra pas modifier, selon la loi des Mèdes et des Perses qui est irrévocable. » ¹⁰ Là-dessus, le roi Darius signa le rescrit et l'interdit.

Daniel est jeté dans la fosse aux lions

¹¹ Lorsque Daniel sut que le rescrit avait été signé, il entra dans sa maison. Celle-ci avait des fenêtres qui s'ouvraient, à l'étage supérieur, en direction de Jérusalem ᵈ. Trois fois par jour, il se mettait donc à genoux, et il priait et louait en présence de son Dieu, comme il le faisait auparavant. ¹² Alors ces hommes se précipitèrent et trouvèrent Daniel qui priait et suppliait en présence de son Dieu. ¹³ Alors ils s'approchèrent et dirent en présence du roi, à propos de l'interdit du roi : « N'as-tu pas signé un interdit selon lequel tout homme qui, durant trente jours, prierait un autre dieu ou homme que toi-même, ô roi, serait jeté dans la fosse aux lions ? » Le roi prit la parole et dit : « La chose est sûre, selon la loi des Mèdes et des Perses qui est irrévocable. » ¹⁴ Alors ils prirent la parole et dirent en présence du roi : « Daniel qui est d'entre les déportés de Juda, n'a eu égard ni à toi, ô roi ! ni à l'interdit que tu avais signé, et trois fois par jour il fait sa prière. » ¹⁵ Alors le roi, lorsqu'il apprit la chose, en fut très chagriné et il fixa son attention sur Daniel afin de le délivrer et, jusqu'au soir, il s'efforça de le sauver. ¹⁶ Alors ces hommes se précipitèrent chez le roi et ils dirent au roi : « Sache-le, ô roi ! C'est une loi pour les Mèdes et les Perses que tout interdit et ordonnance que le roi a établis, on ne doit plus les modifier. » ¹⁷ Alors le roi ordonna d'emmener Daniel, et on le jeta dans la fosse aux lions. Le roi prit la parole et dit à Daniel : « Ton Dieu, que tu sers avec constance, lui te délivrera. » ¹⁸ Une pierre fut apportée et placée sur la bouche de la fosse ᵉ, le roi la scella de son anneau et des anneaux de ses dignitaires, pour que rien ne changeât à l'égard de Daniel. ¹⁹ Alors le roi alla

ᵞ Le texte fait un jeu de mots entre le terme PÈRES (divisé) et Perses ● ᶻ Ce *Darius le Mède* n'est pas connu des historiens ● ᵃ Voir 3.2 et la note ● ᵇ Voir 2.4 et la note ● ᶜ le rescrit ou le décret ● ᵈ Pour prier, Daniel se tourne *en direction de Jérusalem*, selon une coutume pratiquée depuis la période de l'Exil ● ᵉ ou *sur l'ouverture de la fosse*

6.17 fosse aux lions *Dn grec* 14.31.

dans son palais. Il passa la nuit à jeun, ne fit pas introduire de concubines auprès de lui, et son sommeil le fuit.

Daniel sort indemne de la fosse aux lions

20 Alors le roi se leva au petit matin, dès l'aube, et il alla en hâte à la fosse aux lions. 21 Comme il approchait de la fosse, il cria vers Daniel d'une voix affligée. Le roi prit la parole et dit à Daniel : « O Daniel, Serviteur du Dieu vivant ! Ton Dieu, que tu sers avec constance, a-t-il pu te délivrer des lions ? » 22 Alors Daniel parla au roi : « O roi ! Vis à jamais *f*. 23 Mon Dieu a envoyé son *Ange ; il a fermé la gueule des lions et ceux-ci ne m'ont fait aucun mal, car j'avais été trouvé juste devant lui ; et vis-à-vis de toi non plus, ô roi, je n'avais fait aucun mal. » 24 Alors le roi fut tout heureux et il ordonna de hisser Daniel hors de la fosse. Daniel fut hissé hors de la fosse, et on ne trouva sur lui aucune blessure, parce qu'il avait cru en son Dieu. 25 Le roi ordonna d'amener ces hommes qui avaient déposé contre Daniel : on les jeta dans la fosse aux lions, eux, leurs enfants et leurs femmes. Or ils n'avaient pas atteint le fond de la fosse, que les lions s'étaient emparé d'eux et avaient mis leurs corps en pièces. 26 Alors le roi Darius écrivit aux gens de tous peuples, nations et langues qui demeurent sur toute la terre : « Que votre paix soit grande ! 27 J'ai donné ordre que, dans tout le domaine de mon royaume, on tremble de crainte en présence du Dieu de Daniel :
Car c'est lui le Dieu vivant, et il
　　subsiste à jamais.
Son règne est indestructible, et sa
　　souveraineté durera jusqu'à la fin.
28 Il délivre et il sauve ;
　　il opère des signes et des prodiges
　　　dans le ciel et sur la terre,
puisqu'il a délivré Daniel de la main
　　des lions. »
29 Quant à ce Daniel, il prospéra sous le règne de Darius et sous le règne de Cyrus le Perse *g*.

Première vision de Daniel : les quatre bêtes

7 1 En l'an premier de Belshassar *h*, roi de Babylone, Daniel vit un songe et les visions de son esprit sur sa couche. Alors il écrivit le songe. Début de récit. 2 Daniel prit la parole et dit : Je regardais, dans mes visions durant la nuit. Et voici que les quatre vents du ciel *i* faisaient rejaillir la Grande Mer. 3 Et quatre bêtes monstrueuses s'élevaient de la Mer, différentes les unes des autres. 4 La première était comme un lion et elle avait des ailes d'aigle. Je regardais, lorsqu'on lui arracha les ailes ; elle fut soulevée de terre et dressée sur deux pattes comme un homme, et un *cœur d'homme lui fut donné. 5 Puis voici une autre Bête, une seconde, semblable à un ours : elle fut dressée sur un côté, ayant trois côtes dans la gueule entre les dents ; et on lui parlait ainsi : « Lève-toi ! Mange beaucoup de chair ! » 6 Après cela, je regardais, et en voici une autre, comme un léopard ayant quatre ailes d'oiseau sur le dos ; la Bête avait quatre têtes, et il lui fut donné une souveraineté. 7 Après cela, je regardais dans les visions de la nuit, et voici une quatrième Bête, redoutable, terrifiante, extrêmement vigoureuse ; elle avait de monstrueuses dents de fer ; elle mangeait, déchiquetait et foulait le reste aux pieds ; elle différait de toutes les bêtes qui l'avaient précédée, et elle avait dix cornes *j*. 8 J'examinais les cornes, et voilà qu'entre elles s'éleva une autre petite corne ; trois des cornes précédentes furent arrachées devant elle. Et voilà que sur cette corne il y avait des yeux, comme des yeux d'homme, et une bouche qui disait des choses monstrueuses.

Le Vieillard et le Fils d'Homme

9 Je regardais, lorsque des trônes furent installés et un Vieillard s'assit : son vêtement était blanc comme de la neige, la chevelure de sa tête, comme de la laine nettoyée ; son trône était en flammes de feu, avec des roues en feu ardent *k*. 10 Un

---

f Voir 2.4 et la note ● *g* Darius: voir 6.1 et la note — Cyrus le Perse: voir 1.21 et la note ● *h* Voir 5.1 et la note ● *i* les quatre vents du ciel: les vents du Nord, du Sud, de l'Est et de l'Ouest ● *j* dix cornes: dans l'A.T., la corne est souvent symbole de force et de pouvoir ● *k* Le Vieillard siégeant sur un trône de feu est probablement ici une figure de Dieu (Ex 19.18; Ap 1.13-16)

6.26 peuples, nations Dn 3.4+. 7.9 des trônes Ap 20.4, 11-12 — un vieillard Ap 1.13-16; 5.11 — vêtements blancs Mt 17.2; 28.3. 7.10 fleuve de feu Ps 50.3 — des livres ouverts Jr 17.1; Ap 13.8; 20.12.

fleuve de feu coulait et sortait de devant lui. Mille milliers le servaient ; dix mille myriades [l] se tenaient devant lui. Le tribunal siégea, et des livres furent ouverts. [11] Je regardais ; alors, à cause du bruit des paroles monstrueuses que proférait la corne [m]... — je regardais, lorsque la Bête fut tuée et son corps, abattu, et elle fut livrée à l'embrasement du feu. [12] Quant au reste des Bêtes, on fit cesser leur souveraineté, et une prolongation de vie leur fut donnée jusqu'à une date et un moment déterminés. [13] Je regardais dans les visions de la nuit, et voici qu'avec les nuées du ciel venait comme un Fils d'Homme [n] ; il arriva jusqu'au Vieillard, et on le fit approcher en sa présence. [14] Et il lui fut donné souveraineté, gloire et royauté : les gens de tous peuples, nations et langues le servaient.

Sa souveraineté est une souveraineté éternelle qui ne passera pas, et sa royauté, une royauté qui ne sera jamais détruite.

L'interprétation de la première vision

[15] Mon esprit à moi, Daniel, fut angoissé au-dedans de son enveloppe [o], et les visions de mon esprit me tourmentaient. [16] Je m'approchai d'un de ceux qui se tenaient là, et je demandai ce qu'il y avait de certain au sujet de tout cela. Il me le dit et me fit connaître l'interprétation des choses : [17] « Quant à ces Bêtes monstrueuses qui sont au nombre de quatre [p] : Quatre rois se lèveront de la terre ; [18] puis les *Saints du Très-Haut [q] recevront la royauté et ils posséderont la royauté pour toujours et à tout jamais. » [19] Alors je voulus avoir le cœur net au sujet de la quatrième Bête, qui était différente de toutes et très redoutable, avait des dents de fer et des

griffes de bronze, mangeait, déchiquetait et foulait le reste aux pieds ; [20] et au sujet des dix cornes qu'elle avait sur la tête, puis de l'autre qui s'était élevée et devant laquelle trois étaient tombées : cette corne avait des yeux et une bouche qui disait des choses monstrueuses, et son aspect était plus grand que celui de ses congénères [r] ; [21] je regardais, et cette corne faisait la guerre aux Saints et l'emportait sur eux, [22] jusqu'à ce que vienne le Vieillard [s] et que le jugement soit donné en faveur des Saints du Très-Haut, que le temps arrive et que les Saints possèdent la royauté. [23] Il me parla ainsi : « Quant à la quatrième Bête : Un quatrième royaume adviendra sur la terre, qui différera de tous les royaumes, dévorera toute la terre, la piétinera et la déchiquettera. [24] Et quant aux dix cornes : De ce royaume-là se lèveront dix rois [t], puis un autre se lèvera après eux. Celui-là différera des précédents ; il abattra trois rois ; [25] il proférera des paroles contre le Très-Haut et molestera les Saints du Très-Haut ; il se proposera de changer le calendrier et la Loi, et les Saints seront livrés en sa main durant une période, deux périodes et une demi-période [u]. [26] Puis le tribunal siégera, et on fera cesser sa souveraineté, pour l'anéantir et le perdre définitivement. [27] Quant à la royauté, la souveraineté et la grandeur de tous les royaumes qu'il y a sous tous les cieux, elles ont été données au peuple des Saints du Très-Haut :

Sa royauté est une royauté éternelle ; toutes les souverainetés le serviront et lui obéiront. »

[28] Ici prend fin le récit. Pour moi, Daniel, mes réflexions me tourmentèrent beaucoup ; mes couleurs en furent altérées, et je gardai la chose dans mon cœur.

---

l Le texte semble désigner ainsi les nombreux groupes d'*anges au service de Dieu ● *m la corne*: la fin de la phrase semble avoir été perdue ● *n Fils d'Homme*: tournure hébraïque pour désigner un être humain. L'emploi de cette expression dans Daniel est assez mystérieuse (voir au glossaire FILS DE L'HOMME) ● *o* ou *moi Daniel, j'en eus le souffle coupé* ● *p* Selon certains les *quatre bêtes* mentionnées aux v. 4-7 symbolisent successivement: le *lion* (v. 4), l'empire babylonien (voir Jr 50.17); l'*ours* (v. 5), l'empire mède (voir Dn 5.30; 6.1); le *léopard* (v. 6), l'empire perse (voir Dn 2.40; 11.3) ● *q Saints du Très-Haut:* l'expression semble désigner l'ensemble du peuple des fidèles ● *r* Pour la compréhension des v. 19 et 20 voir les v. 7 et 8 ● *s* Voir 7.9 et la note ● *t* dix cornes: voir la note sur 7.7; les *dix rois* du quatrième royaume sont probablement les dix premiers souverains du royaume séleucide (voir la note sur 1 M 1.8). Le dernier roi est alors *Antiochus Epiphane* (175-164 av. J.-C.), qui fut célèbre par les persécutions qu'il dirigea contre les Juifs (v. 25) après s'être débarrassé de ses trois rivaux (les *trois rois*) ● *u* le calendrier et la Loi: Antiochus Epiphane interdit *sabbats et fêtes (voir 1 M 1.41-52) — sur les *périodes* voir la note sur 4.13; la persécution déclenchée par Antiochus Epiphane dura de 167 à 164 av. J.-C.

7.11 bête tuée Ap 19.19-21. **7.18** les Saints Dn 8.24; Ps 34.10; Ac 9.13. **7.22** jugement Ap 20.4.

Deuxième vision : le Bélier et le Bouc

8 ¹ En l'an trois du règne de Belshassar, une vision m'apparut, à moi Daniel, après celle qui m'était apparue précédemment *v*. ² Je regardai dans la vision, et voici que, dans la vision, j'étais à Suse la citadelle, qui est dans la province d'Elam. Je regardai dans la vision, et j'étais moi-même près de la rivière Oulai *w*. ³ Je levai les yeux et regardai : il y avait un Bélier debout devant la rivière. Il avait deux cornes *x*. Les deux cornes étaient hautes, l'une plus haute que l'autre, et la plus haute s'élevait en dernier lieu. ⁴ Je vis le Bélier frapper vers l'ouest, vers le nord et vers le midi ; aucune bête ne pouvait tenir devant lui, ni personne, délivrer de son pouvoir. Il agissait à sa guise et grandissait. ⁵ J'étais en train d'y réfléchir, et voici qu'un Bouc vint de l'occident, parcourant toute la terre sans même toucher terre ; ce Bouc avait une corne remarquable entre les yeux. ⁶ Il vint jusqu'au Bélier aux deux cornes que j'avais vu debout devant la rivière, et il courut sur lui dans l'ardeur de sa force. ⁷ Je le vis arriver à proximité du Bélier, et il se mit en rage contre lui. Il frappa le Bélier et brisa ses deux cornes, et le Bélier n'eut pas la force de tenir devant lui. Il le jeta par terre et le piétina, et il n'y eut personne pour délivrer le Bélier de son pouvoir. ⁸ Le Bouc grandit énormément ; mais tandis qu'il était en pleine vigueur, la grande corne fut brisée, et à sa place s'élevèrent quatre cornes remarquables aux quatre vents du ciel. ⁹ De l'une d'elles sortit une corne toute petite qui grandit tant et plus vers le midi, vers l'orient et vers le pays magnifique *y*. ¹⁰ Elle grandit jusqu'à l'Armée du ciel *z* ; elle fit tomber par terre une partie de cette Armée et des étoiles, qu'elle piétina. ¹¹ Elle grandit jusqu'au

Prince de cette Armée, lui enleva le sacrifice perpétuel *a* et bouleversa les fondations de son sanctuaire. ¹² L'Armée fut livrée, en plus du sacrifice perpétuel, avec perversité *b*. La Corne jeta la Vérité par terre, et dans ce qu'elle entreprit, elle réussit. ¹³ J'entendis alors un *Saint *c* parler. Et un Saint dit à Celui qui parlait : « Jusques à quand cette vision du sacrifice perpétuel, de la perversité dévastatrice, du sanctuaire livré et de l'Armée foulée aux pieds ? » Il me dit : « Jusqu'à deux mille trois cents soirs et matins *d* ; puis le sanctuaire sera rétabli dans ses droits. »

L'interprétation de la deuxième vision

¹⁵ Or, tandis que moi, Daniel, je regardais cette vision et cherchais à la comprendre, voici que se tint devant moi comme une apparence d'homme *e*. ¹⁶ Et j'entendis la voix d'un homme au milieu de l'Oulaï *f* qui criait et disait : « Gabriel, fais comprendre la vision à celui-ci ! » ¹⁷ Il vint près de l'endroit où je me tenais ; et tandis qu'il venait, je fus terrifié et tombai sur la face. Il me dit : « Comprends, fils d'homme, car la vision est pour le temps de la fin. » ¹⁸ Tandis qu'il me parlait, je tombai en léthargie, la face contre terre. Il me toucha et me remit debout à l'endroit où j'étais. ¹⁹ Puis il dit : « Je vais te faire connaître ce qui arrivera au terme de la colère, car la fin est pour une date déterminée. ²⁰ Le Bélier à deux cornes que tu as vu : ce sont les rois de Médie et de Perse *g*. ²¹ Le Bouc velu : c'est le roi de Grèce. La grande corne qu'il avait entre les yeux : c'est le premier roi *h*. ²² Une fois brisée, les quatre qui s'élevèrent à sa place *i* sont les quatre royaumes qui s'élèveront de cette nation, sans avoir sa force. ²³ Au terme de leur règne, quand

v En l'an trois du règne de Belshassar: voir 5.1 et la note — A partir de 8.1, le texte original est de nouveau en hébreu (voir la note sur 2.4) ● *w L'Elam,* province montagneuse située en Mésopotamie au Nord de Sumer, avait pour capitale *Suse,* traversée par la rivière *Oulaï* ● *x* Voir la note sur 7.7 ● *y le pays magnifique:* c'est-à-dire la Palestine ● *z* Il semble que cette expression symbolise ici *les êtres célestes,* et *les étoiles* le peuple de Dieu (voir aussi 4.32 et la note) ● *a* Voir Ex 29.38-42; Nb 28.3-6 ● *b* Le texte hébreu du début du v. 12 est obscur et la traduction incertaine ● *c Saint:* voir 4.10 ● *d* C'est-à-dire 1150 jours, soit un peu plus de trois ans, ce qui correspond à la durée de la persécution dirigée par Antiochus Epiphane contre les Juifs (voir la note sur 7.24) ● *e apparence d'homme:* il s'agit de l'*ange Gabriel (v. 16) ● *f* Voir 8.2 et la note ● *g* Les v. 20-25 donnent l'interprétation de la vision rapportée aux v. 3-12 ● *h le premier roi:* Alexandre le Grand, qui mourut en 323 av. J.C., après avoir conquis tout le Moyen Orient ● *i les quatre qui s'élevèrent à sa place:* c'est-à-dire les quatre généraux d'Alexandre le Grand; ils se partagèrent son empire en 323 av. J.C.

8.3 un Bélier Ez 34.17. **8.10** étoiles Dn 12.3; Es 14.13-14; Ap 12.4. **8.16** Gabriel Dn 9.21; Lc 1.19-26. **8.17** tomber sur la face Ez 1.28; Ap 1.17 — la fin Dn 11.35; Ez 21.30; Am 8.2; 1 Co 15.24. **8.18** léthargie Gn 2.21; 15.12; Jon 1.5-6.

les pervers auront mis le comble à leur perversité, il s'élèvera un roi impudent et expert en astuces [j]. 24 Sa puissance ira croissant, mais non par sa propre force ; il opérera des destructions prodigieuses et réussira dans ce qu'il entreprendra ; il détruira des puissants, c'est-à-dire le peuple des *Saints [k]. 25 Et à cause de son habileté, il assurera le succès de ses tromperies ; il se grandira dans son cœur et, en pleine paix, détruira une multitude : il s'élèvera contre le Prince des princes [l] mais il sera brisé sans l'intervention d'aucune main. 26 Quant à la vision des soirs et des matins [m], telle qu'elle a été dite, c'est la vérité. Pour toi, garde secrète la vision, car elle se rapporte à des jours lointains. » 27 Alors moi, Daniel, je défaillis, et je fus malade pendant des jours. Puis je me levai et m'occupai des affaires du roi. J'étais terrifié à cause de la vision, et personne ne le comprenait.

Prière de Daniel : Seigneur pardonne !

9 1 En l'an un de Darius, fils d'Assuérus, de la race des Mèdes, qui avait été fait roi du royaume des Chaldéens [n] 2 en l'an un de son règne, moi Daniel je considérai dans les Livres le nombre des années qui, selon la parole du SEIGNEUR au *prophète Jérémie, doivent s'accomplir sur les ruines de Jérusalem : soixante-dix ans [o]. 3 Je tournai ma face vers le Seigneur Dieu en quête de prière et de supplications, avec *jeûne, *sac et cendre [p]. 4 Je priai le SEIGNEUR mon Dieu et je fis cette confession :

« Ah ! Seigneur, toi, le Dieu grand et redoutable qui garde l'alliance et la fidélité envers ceux qui l'aiment et gardent ses commandements ! 5 Nous avons péché, nous avons commis des fautes, nous avons été impies et rebelles, nous nous sommes détournés de tes commandements et de tes décisions. 6 Nous n'avons pas écouté tes serviteurs les prophètes qui ont parlé en ton nom à nos rois, nos princes, nos pères [q] et tout le peuple du pays. 7 A toi, Seigneur, la justice, et à nous la honte sur la face en ce jour, aux

hommes de Juda et aux habitants de Jérusalem, à tout Israël, ceux qui sont proches et ceux qui sont au loin, dans tous les pays où tu les as chassés à cause de la forfaiture qu'ils ont commise envers toi ! 8 SEIGNEUR, à nous la honte sur la face, à nos rois, nos princes et nos pères parce que nous avons péché contre toi. 9 Au Seigneur notre Dieu appartiennent la miséricorde et le pardon, car nous avons été rebelles envers lui, 10 et nous n'avons pas écouté la voix du SEIGNEUR notre Dieu pour marcher selon ses instructions, qu'il nous avait présentées par l'intermédiaire de ses serviteurs les prophètes. 11 Tout Israël a transgressé ta Loi et s'est détourné sans écouter ta voix. Alors ont fondu sur nous la malédiction et l'imprécation inscrites dans la Loi de Moïse serviteur de Dieu, car nous avions péché contre lui : 12 Dieu a exécuté les paroles qu'il avait prononcées contre nous et contre les gouvernants qui nous ont gouvernés, en amenant contre nous un malheur si grand qu'il ne s'en était pas produit sous tous les cieux comme il s'en est produit à Jérusalem. 13 Selon qu'il est écrit dans la Loi de Moïse, tout ce malheur est venu sur nous ; mais nous n'avons pas apaisé la face du SEIGNEUR notre Dieu en nous détournant de nos fautes et en étant attentifs à ta vérité. 14 Le SEIGNEUR a veillé sur ce malheur [r] et l'a fait venir sur nous ; car le SEIGNEUR notre Dieu est juste dans toutes les œuvres qu'il a faites, mais nous n'avons pas écouté sa voix. 15 Et maintenant, Seigneur notre Dieu, toi qui as fait sortir ton peuple du pays d'Egypte par une main puissante et qui t'es fait une renommée comme celle que tu as aujourd'hui, nous avons été pécheurs et impies. 16 Seigneur, selon tes actes de justice, que ta colère et ta fureur se détournent de Jérusalem, ta ville, ta *sainte montagne ! Car, à cause de nos péchés et des fautes de nos pères, Jérusalem et ton peuple sont objet d'insulte pour tous ceux qui nous entourent. 17 Maintenant donc, écoute, ô notre Dieu, la prière de ton serviteur et ses supplications ! Fais bril-

---

[j] Antiochus IV Epiphane (voir la note sur 7.24) ● [k] le peuple des Saints: le peuple de Dieu ● [l] détruira une multitude: allusion aux persécutions antijuives — le Prince des Princes: désignation de Dieu (voir v. 11) ● [m] Voir v. 14 ● [n] Darius: voir 6.1 et la note — Chaldéens: voir 1.4 et la note ● [o] les Livres: c'est-à-dire les livres saints (première ébauche de notre A.T.) — soixante-dix ans: voir Jr 25.11-12; 29.10 ● [p] cendre: voir la note sur Es 58.5 et au glossaire DÉCHIRER SES VÊTEMENTS ● [q] nos pères ou nos ancêtres ● [r] Expression raccourcie pour signifier que le Seigneur a veillé à ce que le malheur annoncé se réalise (voir Jr 1.12; 31.28; 44.27)

9.6 n'avoir pas écouté Dn 9.10, 14; Jr 7.26. **9.11** transgresser la Loi Jr 18.10; 42.13, 18.

ler ta face sur ton *sanctuaire dévasté, à cause du Seigneur ! [18] O mon Dieu, tends l'oreille et écoute ! Ouvre tes yeux et vois nos dévastations et la ville sur laquelle ton nom est invoqué ! Car ce n'est pas à cause de nos actes de justice que nous déposons devant toi nos supplications ; c'est à cause de ta grande miséricorde. [19] Seigneur, écoute ! Seigneur, pardonne ! Seigneur, sois attentif et agis, ne tarde pas ! A cause de toi-même, ô mon Dieu, car ton *nom est invoqué sur ta ville et sur ton peuple.»

Gabriel et les soixante-dix septénaires

[20] Je parlais encore, priant et confessant mon péché et le péché de mon peuple Israël, déposant ma supplication devant le SEIGNEUR mon Dieu, au sujet de la montagne sainte [s] de mon Dieu ; [21] je parlais encore en prière, quand Gabriel, cet homme que j'avais vu précédemment dans la vision, s'approcha de moi d'un vol rapide au moment de l'oblation du soir [t]. [22] Il m'instruisait et me dit : « Daniel, maintenant je suis sorti pour te conférer l'intelligence. [23] Au début des supplications a surgi une parole et je suis venu te l'annoncer, car tu es l'homme des prédilections ! Comprends la parole et aie l'intelligence de la vision !

[24] Il a été fixé soixante-dix septénaires sur ton peuple et sur ta ville *sainte, pour faire cesser la perversité et mettre un terme au péché, pour absoudre la faute et amener la justice éternelle, pour sceller vision et *prophète et pour oindre un Saint des Saints [u].

[25] Sache donc et comprends : Depuis le surgissement d'une parole en vue de la reconstruction de Jérusalem, jusqu'à un *messie-chef [v], il y aura sept septénaires. Pendant soixante-deux septénaires, places et fossés seront rebâtis, mais dans la détresse des temps. [26] Et après soixante-deux septénaires, un *oint sera retranché, mais non pas pour lui-même. Quant à la ville et au *sanctuaire [w], le peuple d'un chef à venir les détruira ; mais sa fin viendra dans un déferlement, et jusqu'à la fin de la guerre seront décrétées des dévastations. [27] Il imposera une alliance à une multitude pendant un septénaire, et pendant la moitié du septénaire, il fera cesser *sacrifice et oblation ; sur l'aile des abominations, il y aura un dévastateur [x] et cela, jusqu'à ce que l'anéantissement décrété fonde sur le dévastateur.»

Nouvelle vision : l'homme vêtu de lin

10 [1] En l'an trois de Cyrus roi de Perse, une parole fut révélée à Daniel, surnommé Beltshassar. Cette parole était vérité et grande peine [y]. Il comprit la parole ; il en eut la compréhension par la vision.

[2] En ces jours-là, moi Daniel, je portai le deuil pendant trois semaines ; [3] Je ne mangeai aucun mets délicat, ni viande ni vin n'entrèrent dans ma bouche, et je ne me parfumai pas [z] jusqu'à l'achèvement des trois semaines. [4] Le vingt-quatrième jour du premier mois [a], je me trouvais sur le bord du grand fleuve, c'est-à-dire du Tigre. [5] Je levai les yeux et regardai, et voici qu'il y avait un homme vêtu de lin ; il avait une ceinture

---

s *au sujet de la montagne sainte* ou *sur la montagne sainte* c'est-à-dire dans le temple ● t *Gabriel:* voir 8.16 — *offrande du soir:* sacrifice quotidien qui avait lieu vers 15 heures (voir aussi 1 R 18.29; Esd 9.4-5) ● u *soixante-dix septénaires:* la suite indique qu'il s'agit sans doute de périodes de 7 ans. Voir aussi v. 2 et la note — *sceller vision et prophète:* expression imagée et raccourcie équivalant à *garantir que la vision s'accomplira* — le *Saint des Saints* fait peut-être allusion à la dédicace du temple (1 M 4.36-59) ● v le *messie-chef:* cette expression désigne peut-être le grand-prêtre Josué qui aurait consacré le temple d'après l'exil, en 515 av. J.C. (voir Es 44.28; 45.1, 5, 13) ● w *Un oint sera retranché:* il s'agit sans doute du grand-prêtre Onias III (voir 2 M 4.30-38) assassiné sur l'ordre d'Antiochus Epiphane en 171 — *non pas pour lui-même:* le texte hébreu correspondant n'est pas clair — *Quant à la ville et au sanctuaire:* l'auteur évoque la prise de Jérusalem et la fin du culte du temple en 167 av. J.C. ● x *une alliance à une multitude:* c'est-à-dire des Juifs acceptant de collaborer avec Antiochus Epiphane (voir 1 M 1.11-15) — *sur l'aile des abominations:* expression raccourcie et imagée désignant sans doute l'*autel dédié au « Baal des cieux », qu'Antiochus Epiphane fit installer dans le temple en décembre 167 av. J.C. (aile: allusion aux cornes ou à l'aile de l'autel; abominations désigne souvent d'autre part les idoles; voir Es 5.9 et la note) — *le dévastateur:* le texte hébreu ne permet pas de préciser qui est désigné par le terme *dévastateur:* le *Baal des cieux* (le v. 27 ferait alors allusion à la purification du temple en 164 av. J.C.)? *Antiochus Epiphane* lui-même (le v. 22 annoncerait alors sa mort prochaine, voir 11.36)? ● y *an trois de Cyrus:* voir 1.21 — *grande peine:* expression obscure qui fait peut-être allusion aux épreuves subies par le peuple de Dieu (voir chapitre 11) ● z *je ne me parfumai pas:* signe de tristesse et de repentance ● a Voir au glossaire CALENDRIER

d'or d'Oufaz [b] autour des reins. [6] Son corps était comme de la chrysolithe [c], son visage, comme l'aspect de l'éclair, ses yeux, comme des torches de feu, ses bras et ses jambes, comme l'éclat du bronze poli, et le bruit de ses paroles comme le bruit d'une foule. [7] Moi, Daniel, je vis seul l'apparition ; les gens qui étaient avec moi ne virent pas l'apparition, mais une grand terreur tomba sur eux et ils s'enfuirent en se cachant. [8] Je restai donc seul et regardai cette grande apparition. Il ne me resta aucune force ; mes traits bouleversés se décomposèrent et je ne conservai aucune force. [9] J'entendis le son de ses paroles ; et lorsque j'entendis le son de ses paroles, je tombai en léthargie sur ma face, la face contre terre. [10] Et voici qu'une main me toucha ; elle me mit, tout tremblant, sur les genoux et les paumes de mes mains. [11] Et l'homme me dit : « Daniel, homme des prédilections [d], comprends les paroles que je te dis et tiens-toi debout à la place, car maintenant j'ai été envoyé vers toi. » Tandis qu'il me disait cette parole, je me mis debout tout tremblant. [12] Il me dit : « Ne crains pas, Daniel, car depuis le premier jour où tu as eu à cœur de comprendre et de t'humilier devant ton Dieu, tes paroles ont été entendues, et c'est à cause de tes paroles que je suis venu. [13] Le Prince du royaume de Perse s'est opposé à moi pendant vingt et un jours, mais voici que Michel, l'un des Princes de premier rang [e] est venu à mon aide, et je suis resté là auprès des rois de Perse. [14] Je suis venu te faire comprendre ce qui arrivera à ton peuple dans l'avenir, car il y a encore une vision pour ces jours-là. »

[15] Tandis qu'il me parlait en ces termes, je tournai ma face vers la terre et me tus. [16] Mais voici que quelqu'un, ayant la ressemblance des fils d'homme [f] me toucha les lèvres ; j'ouvris la bouche et me mis à parler. Je dis à celui qui se tenait devant moi : « Monseigneur, à cause de l'apparition, des angoisses m'ont

saisi et je n'ai conservé aucune force. [17] Comment ce serviteur de monseigneur pourrait-il parler à monseigneur que voici, alors qu'il ne subsiste en moi aucune force et qu'il ne me reste pas de souffle ? » [18] Alors, celui qui avait l'apparence d'un homme me toucha de nouveau et me réconforta. [19] Puis il me dit : « Ne crains pas, homme des prédilections ! Que la paix soit avec toi ! Sois fort ! Sois fort ! » Tandis qu'il me parlait, je repris des forces et je dis : « Que monseigneur parle, car tu m'as réconforté. » [20] Il dit : « Sais-tu pourquoi je suis venu vers toi ? Je reprendrai maintenant le combat contre le Prince de Perse, et je vais sortir, et voici que va venir le Prince de Grèce [g]. [21] Mais je t'annoncerai ce qui est inscrit dans le Livre de vérité [h]. Il n'y a personne qui me prête main forte contre ceux-là, sinon Michel, votre Prince.

11 [1] Quant à moi, en l'an un de Darius de Mède [i], j'avais été en poste pour lui donner force et appui.

Guerre entre rois du Midi et du Nord

[2] Maintenant donc, je vais t'annoncer la vérité. Voici que trois rois vont encore se lever pour la Perse, puis le quatrième amassera une richesse plus grande que celle de tous, et lorsqu'il sera fort de sa richesse, il mettra tout en branle contre le royaume de Grèce. [3] Mais un roi vaillant [j] se lèvera ; il exercera une grande domination en agissant à sa guise. [4] Quand il sera bien établi, son royaume sera brisé et partagé aux quatre vents du ciel [k], sans revenir à ses descendants ni avoir la domination qu'il avait exercée, car sa royauté sera déracinée et reviendra à d'autres qu'à eux. [5] Le roi du Midi deviendra fort, mais l'un de ses princes [l] sera plus fort que lui et exercera une domination plus grande que la sienne. [6] Au bout de quelques années ils s'allieront, et la fille du roi du Midi viendra chez le roi du Nord pour exécuter

---

[b] *Oufaz:* pays inconnu ; autre traduction *d'or pur* ● [c] Pierre précieuse ● [d] ou *homme bien aimé* ● [e] *Le Prince du royaume de Perse* est une sorte d'*ange qui représente le royaume perse ennemi d'Israël — *Michel* est l'ange protecteur d'Israël (v. 21; Jude 9; Ap 12.7-11) — *Princes de premier rang* ou *archanges* (voir au glossaire ANGE) ● [f] Voir la note sur 7.13 ● [g] Voir la note sur 10.13 ● [h] *le livre de vérité:* peut-être les sont notés par avance les événements qui se déroulent sur la terre ● [i] Voir 6.1 et la note ● [j] Voir 8.21 et la note ● [k] *partagé:* voir 8.22 et la note — *aux quatre vents du ciel*, c'est-à-dire dans toutes les directions ● [l] *le roi du Midi* est ici Ptolémée I (323-285 av. J.C.), qui reçut l'Egypte après la mort d'Alexandre le Grand — *l'un de ses princes:* Seleucus I, qui fut d'abord sous les ordres de Ptolémée I

10.9 léthargie Dn 8.18+. ● **10.10** une main Ez 2.1-2. ● **10.16** toucher les lèvres Ez 6.7; Jr 1.9. ● **10.19** sois fort Dt 31.7, 23; *2 M* 11.21; Ac 15.29.

des accords *m*. Mais elle ne conservera l'appui d'aucun bras et sa descendance ne subsistera pas : elle sera livrée, elle et ceux qui l'auront amenée, son enfant et son soutien, en ces temps-là. [7] Un rejeton de ses racines se lèvera à sa place, il viendra vers l'armée et entrera dans la forteresse du roi du Nord ; il opérera contre eux et l'emportera *n*. [8] Même leurs dieux, avec leurs images de métal fondu et leurs objets précieux d'argent et d'or, il les emmènera en captivité en Egypte. Puis il restera quelques années loin du roi du Nord. [9] Celui-ci viendra dans le royaume du roi du Midi, puis il retournera dans son territoire. [10] Ses fils *o* soutiendront le combat ; ils assembleront une grande foule de troupes. L'un d'eux s'avancera, déferlera et traversera ; puis il s'en retournera et soutiendra le combat jusqu'à la citadelle. [11] Le roi du Midi se mettra en rage. Il sortira pour combattre contre lui, contre le roi du Nord ; il mettra sur pied une grande foule et la foule d'en face sera livrée à son pouvoir *p*. [12] Quand cette foule aura été emportée, son cœur s'élèvera ; il fera tomber des myriades, mais ne triomphera pas. [13] Le roi du Nord s'en retournera et mettra sur pied une foule plus grande que la première. Au bout de quelque temps, de quelques années, il s'avancera avec une grande armée et un matériel considérable. [14] En ces temps-là, une multitude se dressera contre le roi du Midi et des hommes violents de ton peuple se soulèveront pour accomplir une vision, mais ils chancelleront. [15] Le roi du Nord viendra, il élèvera une chaussée de siège et s'emparera d'une ville fortifiée *q*. Les forces du Midi ne tiendront pas, ni ses troupes d'élite : elles n'auront pas la force de tenir. [16] Celui qui s'avancera contre lui agira à sa guise ; personne ne tiendra devant lui, et il s'arrêtera dans le Pays magnifique *r*, ayant en main la destruc-

tion. [17] Se proposant de venir avec la puissance de tout son royaume, il conclura des accords avec lui ; il lui donnera une fille des femmes afin de le détruire ; mais cela ne tiendra pas, cela ne lui adviendra pas *s*. [18] Il tournera alors ses vues du côté des îles et s'emparera de beaucoup d'entre elles ; mais un magistrat *t* mettra fin à son outrage sans qu'il lui retourne l'outrage. [19] Puis il tournera ses vues du côté des citadelles de son pays ; mais il chancellera, il tombera et on ne le retrouvera plus. [20] Quelqu'un se lèvera à sa place, qui fera passer un exacteur dans la Splendeur du royaume *u* ; mais en quelques jours il sera brisé, non par suite de la colère ou de la guerre. [21] A sa place se lèvera un être méprisable *v* à qui on n'aura pas donné l'honneur de la royauté ; il viendra en pleine paix et s'emparera de la royauté par des intrigues. [22] Les forces d'invasion seront submergées devant lui et brisées, ainsi que le chef d'une alliance *w*. [23] Grâce aux accords faits avec lui, il usera de tromperie, il attaquera et aura le dessus avec peu de gens. [24] En pleine paix, il viendra dans les régions fertiles de la province, et il fera ce que n'avaient pas fait ses pères ni les pères de ses pères : il distribuera aux siens du butin, des dépouilles et du matériel, et il ourdira ses machinations contre des forteresses, et cela jusqu'à un certain moment. [25] Il excitera sa force et son courage contre le roi du Midi avec une grande armée. Le roi du Midi s'engagera dans la guerre avec une armée extrêmement grande et très puissante ; mais il ne tiendra pas, car on ourdira contre lui des machinations *x* : [26] ceux qui mangeaient à sa table le briseront, son armée sera submergée et un grand nombre de victimes tomberont. [27] Les deux rois, le cœur plein de méchanceté, parleront mensongèrement à la même table : mais cela ne réussira pas, car la fin doit arriver

m Voir la note sur 2.43 ● *n* Allusion à la campagne menée par Ptolémée II, frère de Bérénice, contre Antiochus II ● *o* Seleucus III (226-223 av. J.C.) et Antiochus III (223-187 av. J.C.). Le second conquit la Palestine qui dépendait jusque-là de l'Egypte ● *p* Allusion à la victoire remportée par Ptolémée IV (Egypte) sur Antiochus III (Syrie) à Raphia en 217 av. J.C. ● *q* Allusion à la prise de la ville de Sidon par les armées d'Antiochus III en 198 av. J.C. ● *r* le Pays magnifique: voir la note sur 8.9 ● *s* Le texte hébreu est peu clair; la traduction suit les versions anciennes — deuxième partie du v.: voir la note sur 2.43 → *t les îles:* appellation traditionnelle des régions côtières — *un magistrat:* le romain Lucius Scipion, qui vainquit Antiochus II en 190 av. J.C. à Magnésie ● *u Quelqu'un:* Séleucus IV — *la Splendeur du royaume:* le temple de Jérusalem. Voir *2 M 3* ● *v un être méprisable:* Antiochus Epiphane voir la note sur 7.24; *1 M* 1.10; *2 M* 4.7) ● *w le chef d'une alliance:* peut-être le grand-prêtre Onias III, assassiné en 171 (170). Sur les événements évoqués ici voir *2 M 4.7-17* ● *x* Allusion à la première guerre déclenchée par Antiochus IV contre Ptolémée VI

à sa date. ²⁸ Il s'en retournera dans son pays avec un matériel important. Ayant des intentions hostiles contre l'*Alliance Sainte *ʸ*, il les accomplira, puis s'en retournera dans son pays. ²⁹ L'heure venue, il reviendra contre le Midi, mais il n'en sera pas de la fin comme du début *ᶻ*. ³⁰ Des navires de Kittim *ᵃ* viendront contre lui et il sera découragé. De nouveau, il s'emportera et agira contre l'Alliance Sainte ; de nouveau il sera d'intelligence avec ceux qui abandonnent l'Alliance Sainte. ³¹ Des forces venues de sa part prendront position ; elles profaneront le *Sanctuaire-citadelle, feront cesser le sacrifice perpétuel et placeront l'abomination dévastatrice *ᵇ*. ³² Il fera apostasier par des intrigues les profanateurs de l'Alliance, mais le peuple de ceux qui connaissent leur Dieu agira avec fermeté ; ³³ les gens réfléchis du peuple en instruiront une multitude, mais ils tomberont sous l'épée, la flamme, la captivité et la spoliation, pendant des jours. ³⁴ Lorsqu'ils tomberont, ils recevront un peu d'aide, mais une multitude se joindra à eux par des intrigues. ³⁵ Parmi les gens réfléchis, il en est qui tomberont, afin d'être affinés, purifiés et blanchis *ᶜ* jusqu'au temps de la fin, car il doit venir à sa date. ³⁶ Le roi agira à sa guise ; il s'exaltera et se grandira au-dessus de tout dieu, et contre le Dieu des dieux il dira des choses étonnantes. Il réussira, jusqu'à ce que soit consommée la colère *ᵈ*, car ce qui est décrété sera exécuté. ³⁷ Il n'aura pas égard aux dieux de ses pères ; il n'aura égard ni au Favori des femmes, ni à aucune divinité, car il se grandira au-dessus de tout. ³⁸ Il honorera en son lieu la divinité des citadelles ; il honorera une divinité que

n'avaient pas connue ses pères, avec de l'or et de l'argent, des pierres précieuses et des joyaux. ³⁹ Il agira contre les fortifications des citadelles avec une divinité étrangère ; ceux qui la reconnaîtront, il les comblera de gloire. Il les fera dominer sur la multitude et leur allouera des terres en récompense. ⁴⁰ Au temps de la fin *ᵉ*, le roi du Midi s'affrontera avec lui, mais le roi du Nord se ruera sur lui avec ses chars, des cavaliers et de nombreux navires ; il pénétrera dans les pays, y déferlera et les traversera. ⁴¹ Il viendra dans le Pays magnifique, et beaucoup chancelleront, ceux-ci échapperont à sa main : Edom, Moab et les prémices des fils de Ammon *ᶠ*. ⁴² Il étendra la main sur les pays, et le pays d'Egypte ne pourra en réchapper. ⁴³ Il se rendra maître des trésors d'or et d'argent et de tous les joyaux d'Egypte, et les Libyens et les Nubiens lui emboîteront le pas. ⁴⁴ Mais des nouvelles de l'Orient et du Nord le tourmenteront ; il sortira en grande fureur pour détruire et exterminer la multitude. ⁴⁵ Il plantera les tentes de son palais entre les mers et la *sainte montagne de la Magnificence *ᵍ* et il arrivera à sa fin sans que personne lui vienne en aide.

Le temps d'angoisse et la résurrection

12 ¹ En ce temps-là se dressera Michel, le grand Prince, lui qui se tient auprès des fils de ton peuple *ʰ*.
Ce sera un temps d'angoisse
tel qu'il n'en est pas advenu depuis
qu'il existe une nation
jusqu'à ce temps-là.
En ce temps-là, ton peuple en réchappera,

---

y l'Alliance sainte désigne probablement le peuple d'Israël. Sur les événements évoqués ici voir *2 M* 5.15-21 ● *z* Les v. 29-30 font allusion à la seconde campagne d'Antiochus IV contre l'Egypte en 168 (v. 29-30) puis à la persécution religieuse qu'il dirigea contre les Juifs (v. 32-35) dont nous parlent *1* et *2 M* ● *a* Kittim désigne habituellement l'île de Chypre ; mais cette appellation semble ici désigner *les Romains* ● *b le Sanctuaire-citadelle:* le temple de Jérusalem — *le sacrifice perpétuel:* voir 8.11 et la note — *abomination dévastatrice:* voir la note sur 9.27 ● *c et blanchis:* allusion à l'épreuve de la persécution ● *d* Les v. 36 à 40 dénoncent l'orgueil et l'impiété d'Antiochus Epiphane ; il abandonna le culte des dieux traditionnels en Syrie, notamment celui d'Adonis-Tammouz (voir la note sur Ez 8.14), appelé ici le *Favori des femmes* (v. 37), pour adorer Zeus Olympien, *divinité* de la religion grecque (v. 38). Surtout il se présenta lui-même comme un dieu (v. 37), Epiphane égale dieu manifesté — *colère* c'est-à-dire la colère de Dieu ● *e* A partir du v. 40, l'auteur ne fait plus allusion de manière voilée à des événements survenus, mais il décrit par avance les derniers soubresauts de la puissance ennemie avant que n'arrive le jugement de Dieu ● *f le Pays magnifique:* voir 8.9 et la note — *Edom, Moab, Ammon:* trois peuples voisins d'Israël considérés comme ses ennemis traditionnels et les alliés d'Antiochus Epiphane ● *g la sainte montagne de la Magnificence:* la colline de Sion, où était bâti le temple de Jérusalem ● *h Michel le grand Prince:* voir 10.13 et la note — *fils de ton peuple:* expression hébraïque pour désigner les Israélites

11.31 profaner Dn 8.11 ; 9.27 ; 12.11 ; *1 M* 1.45. **12.1** le Livre Ps 69.29 ; Ap 3.5.

quiconque se trouvera inscrit dans le Livre.

2 Beaucoup de ceux qui dorment dans le sol poussiéreux se réveilleront [i], ceux-ci pour la vie éternelle, ceux-là pour l'opprobre, pour l'honneur éternelle.

3 Et les gens réfléchis resplendiront, comme la splendeur du firmament, eux qui ont rendu la multitude juste [j], comme les étoiles à tout jamais.

4 Quant à toi, Daniel, garde secrètes ces paroles et scelle le Livre jusqu'au temps de la fin. La multitude sera perplexe mais la connaissance augmentera [k]. »

Le moment de la fin reste un secret

5 Et moi, Daniel, je regardai, et voici que deux autres hommes se tenaient là, l'un sur une rive du fleuve et l'autre sur l'autre rive. 6 On dit à l'homme vêtu de lin qui se trouvait au-dessus des eaux du fleuve : « Quand viendra la fin de ces choses étonnantes ? » 7 J'entendis l'homme vêtu de lin qui était au-dessus des eaux du fleuve ; il leva vers le ciel la main droite et la main gauche, et il fit ce serment par Celui-qui-vit-à-jamais : « Ce sera pour une période, deux périodes et une demi-période ; lorsque la force du peuple *saint sera entièrement brisée, toutes ces choses s'achèveront. » 8 J'entendis mais ne compris pas et je dis : « Monseigneur, quel sera le terme de ces choses ? » 9 Il dit : « Va, Daniel, car ces paroles sont tenues secrètes et scellées jusqu'au temps de la fin. 10 Une multitude sera purifiée, blanchie et affinée [l]. Les impies agiront avec impiété. Aucun impie ne comprendra, mais les gens réfléchis comprendront. 11 A partir du temps où cessera le sacrifice perpétuel et où sera placée l'abomination dévastatrice [m], il y aura mille deux cent quatre-vingt-dix jours. 12 Heureux celui qui attendra et qui parviendra à mille trois cent trente-cinq jours ! 13 Toi, va jusqu'à la fin. Tu auras du repos et tu te lèveras pour recevoir ton lot [n] à la fin des jours. »

---

i L'auteur dépassant la perspective d'une résurrection symbolique et collective (Es 37.10), annonce la promesse d'une résurrection individuelle (*2 M* 7.9) ● *j* C'est-à-dire *ceux qui auront aidé le peuple d'Israël à rester fidèle* (voir 11.33) ● *k la connaissance augmentera:* le sens de cette expression reste incertain ● *l blanchie et affinée:* voir 11.35 et la note ● *m le sacrifice perpétuel:* voir 8.11 et la note — *l'abomination dévastatrice:* voir la note sur 9.27 ● *n ton lot:* c'est-à-dire la participation à la vie éternelle (voir v. 2)

12.2 résurrection Jn 5.28-29. **12.3** les gens réfléchis resplendiront Sg 3.7; Mt 13.43. **12.4** garder le secret Dn 8.26. **12.7** Celui-qui-vit-à-jamais Ap 10.5-6.

ESDRAS

Cyrus autorise la reconstruction du Temple *a*

1 ¹ Or la première année de Cyrus, roi de Perse — afin que s'accomplisse la parole du SEIGNEUR, sortie de la bouche de Jérémie —, le SEIGNEUR éveilla l'esprit de Cyrus, roi de Perse, afin que dans tout son royaume il fît publier une proclamation, et même un écrit *b*, pour dire : ² « Ainsi parle Cyrus, roi de Perse : Tous les royaumes de la terre, le SEIGNEUR, le Dieu des *cieux, me les a donnés, et il m'a chargé lui-même de lui bâtir une Maison *c* à Jérusalem qui est en Juda. ³ Parmi vous, qui appartient à tout son peuple ? Que son Dieu soit avec lui, et qu'il monte *d* à Jérusalem, en Juda, bâtir la Maison du SEIGNEUR, le Dieu d'Israël — c'est le Dieu qui est à Jérusalem ! ⁴ En tous lieux où réside le reste du peuple, que les gens de ce lieu apportent à chacun de l'argent, de l'or, des biens et du bétail, ainsi que l'offrande volontaire pour la Maison du Dieu qui est à Jérusalem *e* ! » ⁵ Alors se levèrent les chefs de famille de Juda et de Benjamin, les prêtres et les *lévites, bref tous ceux dont Dieu avait éveillé l'esprit pour aller bâtir la Maison du SEIGNEUR qui est à Jérusalem. ⁶ Et tous leurs voisins leur prêtaient main forte, à l'aide d'objets en argent et en or, de biens et de bétail, de cadeaux précieux, sans compter, en plus, tout ce qui était offert volontairement. ⁷ Le roi Cyrus fit retirer les objets de la Maison du SEIGNEUR que Nabuchodonosor avait enlevés de Jérusalem *f* pour les mettre dans la maison de ses dieux. ⁸ Cyrus, roi de Perse, les fit retirer par l'entremise du trésorier Mithredath qui les fit prendre en compte par Sheshbaçar, le prince de Juda *g*. ⁹ Voici le compte : plats d'or : 30 ; plats d'argent : 1 000 ; couteaux : 29 ; ¹⁰ coupes d'or : 30 ; coupes d'argent de second ordre : 410 ; autres objets : 1 000. ¹¹ Total des objets en or et en argent : 5 400 *h*. Sheshbaçar emporta le tout, lorsque les déportés montèrent de Babylone à Jérusalem.

Liste des Juifs qui revinrent en Palestine

2 ¹ Voici les fils de la province qui sont remontés de la captivité, de la déportation — ceux que Nabuchodonosor, roi de Babylone, avait déportés à Babylone — et qui retournèrent à Jérusalem

a Malgré l'ordre dans lequel les livres de l'Ancien Testament hébreu sont présentés, les livres d'*Esdras* et de *Néhémie* constituent la suite de l'œuvre commencée dans les deux livres des *Chroniques* ● *b* Cyrus fut *roi de Perse* de 558 à 528 av. J.C. En automne 539, après s'être emparé de Babylone, il inaugura un nouveau règne comme roi de Babylone; c'est *la première année* de ce règne-là (c'est-à-dire en 538) que fait allusion le v. 1 — *de la bouche de Jérémie:* voir Jr 25.11-12 et la note; 29.10 — *un écrit:* il pourrait s'agir d'affiches à placarder dans l'empire ● *c une Maison* ou *un Temple* ● *d* Les versets 1-3 (jusqu'à *qu'il monte*) répètent mot à mot le texte final de 2 Ch 36.22-23 ● *e* Cette libéralité de Cyrus (et des rois de Perse en général) est confirmée par des documents anciens, en particulier par le texte babylonien appelé « Cylindre de Cyrus » ● *f objets enlevés de Jérusalem:* voir 2 R 25.13-17 ● *g* Le titre *prince de Juda* a conduit certains commentateurs à identifier *Sheshbaçar* avec *Shènaçar,* fils de Yoyakîn (ou Yekonia), lequel avait été l'avant-dernier roi de Juda (voir 1 Ch 3.18) ● *h* Comme la somme des pièces énumérées aux v. 9-10 (2499) ne correspond pas au total indiqué ici (5400), il est possible que l'auteur n'ait cité qu'une partie d'un document d'archive, ou qu'il n'ait eu à sa disposition qu'un document incomplet

1.1 Cyrus Es 44.28—45.6. **1.4** les dons pour le temple 7.15-16; 8.25-30; Ex 25.2-3+. **1.6** volontairement Ex 11.2-3; 12.35-36.

et en Juda, chacun dans sa ville [i]. [2] Ce sont eux qui vinrent avec Zorobabel, Josué, Nehémya, Seraya, Réélaya, Mordokaï [j], Bilshân, Mispar, Bigwaï, Rehoum, Baana.

Nombre des hommes du peuple d'Israël : [3] les fils de Paréosh [k] : 2 172 ; [4] les fils de Shefatya : 372 ; [5] les fils de Arah : 775 ; [6] les fils de Pahath-Moab, c'est-à-dire les fils de Yéshoua et Yoav : 2 812 ; [7] les fils de Elam : 1 254 ; [8] les fils de Zattou : 945 ; [9] les fils de Zakkaï : 760 ; [10] les fils de Bani : 642 ; [11] les fils de Bévaï : 623 ; [12] les fils de Azgad : 1 222 ; [13] les fils d'Adoniqâm : 666 ; [14] les fils de Bigwaï : 2 056 ; [15] les fils de Adîn : 454 ; [16] les fils d'Atér, c'est-à-dire de Yehizqiya : 98 ; [17] les fils de Béçaï : 323 ; [18] les fils de Yora : 112 ; [19] les fils de Hashoum : 223 ; [20] les fils de Guibbar : 95 ; [21] les fils de Bethléem [l] : 123 ; [22] les hommes de Netofa : 56 ; [23] les hommes de Anatoth : 128 ; [24] les fils de Azmaweth : 42 ; [25] les fils de Qiryath-Arim, Kefira et Bééroth : 743 ; [26] les fils de Rama et Guèva : 621 ; [27] les hommes de Mikmas : 122 ; [28] les hommes de Béthel et Aï : 223 ; [29] les fils de Nébo : 52 ; [30] les fils de Magbish : 156 ; [31] les fils d'un autre Elam : 1 254 ; [32] les fils de Harim : 320 ; [33] les fils de Lod, Hadid et Ono : 725 ; [34] les fils de Jéricho : 345 ; [35] les fils de Senaa : 3 630.

[36] Les prêtres : les fils de Yedaya, c'est-à-dire la maison de Josué : 973 ; [37] les fils d'Immer : 1 052 ; [38] les fils de Pashehour : 1 247 ; [39] les fils de Harim : 1 017.

[40] Les *lévites : les fils de Yéshoua et de Qadmiel, c'est-à-dire les fils de Hodawya : 74.

[41] Les chantres : les fils d'Asaf : 128.

[42] Les portiers : les fils de Shalloum, les fils d'Atér, les fils de Talmôn, les fils de Aqqouv, les fils de Hatita, les fils de Shovaï, le tout : 139.

[43] Les servants [m] : les fils de Ciha, les fils de Hassoufa, les fils de Tabbaoth, [44] les fils de Qéros, les fils de Siaha, les fils de Padôn, [45] les fils de Levana, les fils de Hagava, les fils de Aqqouv, [46] les fils de Hagav, les fils de Shalmaï, les fils de Hanân, [47] les fils de Guiddel, les fils de Gahar, les fils de Réaya, [48] les fils de Recîn, les fils de Neqoda, les fils de Gazzam, [49] les fils de Ouzza, les fils de Paséah, les fils de Bésaï, [50] les fils d'Asna, les fils de Méounîm, les fils de Nefousîm, [51] les fils de Baqbouq, les fils de Haqoufa, les fils de Harhour, [52] les fils de Baçlouth, les fils de Mehida, les fils de Harsha, [53] les fils de Barqos, les fils de Sisera, les fils de Tamah, [54] les fils de Neciah, les fils de Hatifa.

[55] Les fils des serviteurs de Salomon [n] : les fils de Sotaï, les fils de Ha-Soféreth, les fils de Perouda, [56] les fils de Yaala, les fils de Darqôn, les fils de Guiddel, [57] les fils de Shefatya, les fils de Hattil, les fils de Pokéreth-Ha-Cevaïm, les fils d'Ami. [58] Tous les servants et les fils des serviteurs de Salomon : 392.

[59] Et voici ceux qui sont montés de Tel-Mèlah, Tel-Harsha, Keroub Addân [o], Immer et qui n'ont pas pu faire connaître si leur maison paternelle et leur race étaient bien d'Israël : [60] les fils de Delaya, les fils de Toviya, les fils de Neqoda : 652 ; [61] et certains parmi les prêtres : les fils de Hovaya, les fils d'Haqqoç, les fils de Barzillaï — celui qui avait pris femme parmi les filles de Barzillaï le Galaadite et avait été appelé de leur nom. [62] Ces gens-là cherchèrent leur registre de généalogies, mais ne le trouvèrent pas ; alors on les déclara souillés, exclus du sacerdoce. [63] Et le gouverneur leur dit de ne pas manger des aliments très *saints, jusqu'à ce qu'un prêtre se présente pour Ourim et pour Toummim [p].

[64] L'assemblée tout entière était de 42 360 personnes [q], [65] sans compter leurs

---

[i] *fils de la province:* probablement les habitants de la *province* de Judée — *sa ville:* la liste qui suit se retrouve en Ne 7.6-72, avec quelques différences dont les plus importantes seront signalées ● [j] Entre *Raamya* (= *Réélaya*) et *Mordokaï,* le texte de Ne 7.7 ajoute *Nahamani,* ce qui porte à douze le nombre des guides du peuple ● [k] Dans les v. 3-20 et 31-32, les noms propres désignent des personnes; *fils de Paréosh* signifie donc *membres du clan de Paréosh,* etc. ● [l] Dans les v. 21-35 (sauf 31-32), les noms propres désignent des localités; *fils* (ou *hommes*) *de Bethléem* signifie donc *gens dont la famille venait de Bethléem,* etc. ● [m] Sur les *servants,* voir 8.20 et la note ● [n] On ne sait pas ce que désigne exactement le titre de *fils des serviteurs de Salomon.* D'après le v. 58, ce groupe ne devait pas être très différent de celui des *servants* ● [o] *Keroub Addân:* on ne sait pas s'il s'agit d'une seule ou de deux localités (de toute manière inconnues, comme *Immer*) ● [p] *aliments très saints:* voir Lv 22.1-16 — *Ourim et Toummim:* voir Ex 28.30 et la note ● [q] Le total de *42 360* ne correspond pas à la somme des nombres donnés dans ce chapitre (29 818), sans que l'on en sache la raison. D'ailleurs les nombres donnés en Ne 7 diffèrent parfois de ceux d'Esd 2

2.2 Zorobabel 3.2; 5.2; Ag 1.1; 2.2, 21-23; Za 4.6-10; Ne 7.7; 12.1; 1 Ch 3.19 — Josué 3.2; 5.2; Ag 1.1; 2.2; Za 3.1-9; 6.11; Ne 7.7; 12.1, 10. **2.61** Barzillaï le Galaadite 2 S 17.27-29; 19.32-33; 1 R 2.7.

serviteurs et servantes qui étaient 7 337 ;
ils avaient 200 chanteurs et chanteuses ;
[66] leurs chevaux : 736 ; leurs mulets :
245 ; [67] leurs chameaux : 435 ; les ânes :
6 720.

[68] A leur arrivée à la Maison du SEI-
GNEUR qui est à Jérusalem, certains chefs
de famille firent des offrandes volontaires
pour la Maison de Dieu, afin de la rétablir sur son emplacement. [69] Selon leur
pouvoir, ils donnèrent au trésor de l'œuvre 61 000 drachmes d'or et 5 000 mines [r]
d'argent, et 100 tuniques de prêtres.
[70] Alors les prêtres, les lévites, une partie
du peuple, les chantres, les portiers et les
servants s'établirent dans leurs villes. Tous
les Israélites étaient dans leurs villes.

Josué et Zorobabel rétablissent le culte

3 [1] Quand arriva le septième mois [s],
alors que les fils d'Israël étaient
dans leurs villes, le peuple se rassembla
comme un seul homme à Jérusalem.
[2] Josué, fils de Yosadaq, se leva avec ses
frères les prêtres, ainsi que Zorobabel, fils
de Shaltiel, avec ses frères, et ils bâtirent
l'*autel du Dieu d'Israël pour présenter
des holocaustes [t], comme il est écrit dans
la Loi de Moïse, l'homme de Dieu. [3] Ils
rétablirent l'autel sur ses fondations, car
ils avaient peur des gens du pays [u], et ils
y présentèrent des holocaustes au SEI-
GNEUR, les holocaustes du matin et du
soir. [4] Puis ils célébrèrent la fête des
Tentes [v], comme il est écrit, présentant
l'holocauste jour après jour selon le nombre quotidien fixé par la coutume. [5] Après
cela ils présentèrent l'holocauste perpétuel,
les holocaustes pour les nouvelles lunes [w]
et pour tous les temps sacrés du SEIGNEUR,

ainsi que pour tous ceux qui faisaient
des offrandes volontaires au SEIGNEUR.
[6] Dès le premier jour du septième mois,
ils commencèrent à offrir des holocaustes
au SEIGNEUR. Pourtant les fondations du
Temple du SEIGNEUR n'étaient pas posées,
[7] aussi donnèrent-ils de l'argent aux tailleurs de pierre et aux charpentiers, ainsi
que des vivres, de la boisson et de l'huile
aux Sidoniens et aux Tyriens pour qu'ils
fassent venir par mer du bois de cèdre
depuis le Liban jusqu'à Jaffa [x], suivant
l'autorisation que le roi de Perse, Cyrus,
leur accorda. [8] Puis, la deuxième année
de leur arrivée à la Maison de Dieu à
Jérusalem, au deuxième mois [y], Zorobabel, fils de Shaltiel, et Josué, fils de Yosadaq, avec le reste de leurs frères, les
prêtres, les *lévites et tous ceux qui étaient
revenus de la captivité à Jérusalem, commencèrent à mettre en place les lévites
de vingt ans et plus pour diriger les travaux de la Maison du SEIGNEUR. [9] Quant
à Josué, ses fils et ses frères, Qadmiel et
ses fils, les fils de Juda, tous ensemble, ils
se placèrent de manière à diriger chaque
ouvrier qui travaillait à la Maison de
Dieu, sans parler des fils de Hénadad,
leurs fils et leurs frères les lévites. [10] Alors
les bâtisseurs posèrent les fondations du
Temple du SEIGNEUR, tandis qu'on plaçait
les prêtres, en costume, avec les trompettes, ainsi que les lévites fils d'Asaf avec
les cymbales, pour qu'ils louent le SEI-
GNEUR d'après les ordonnances de David,
roi d'Israël. [11] Dans la louange et l'action
de grâce envers le SEIGNEUR, ils se répondaient : *Car il est bon, car sa fidélité dure
toujours pour Israël.* Tout le peuple poussait de grandes ovations [z] en louant le
SEIGNEUR, à cause de la fondation de la

---

r drachmes, mines : voir au glossaire MONNAIES ● *s* Le *septième mois* (septembre-octobre) comportait plusieurs fêtes juives importantes, énumérées en Lv 23.23-43. Voir en particulier Lv 23.24 et la
note ● *t* D'après 1 Ch 3.17-19, *Shaltiel* était le fils aîné du roi Yoyakîn - Yekonia (mais seulement
l'oncle de *Zorobabel*). De toute façon Zorobabel était un petit-fils de Yoyakîn, donc susceptible
de monter sur le trône de Jérusalem, en cas de restauration de la royauté — *holocaustes :* voir au
glossaire SACRIFICES ● *u* Les *gens du pays* étaient ceux, juifs ou étrangers, qui avaient habité
la Palestine pendant l'exil. Comme le montrera le chap. 4, les Juifs revenus d'exil avaient des raisons
d'*avoir peur* d'eux ● *v fête des Tentes :* voir au glossaire CALENDRIER ● *w nouvelles lunes :*
voir au glossaire NÉOMÉNIE ● *x* Les *Sidoniens* et les *Tyriens* (habitants des régions de Sidon
et Tyr, soumises à l'autorité perse) étaient spécialisés dans le travail du bois, en provenance du
mont *Liban* (voir 1 R 5.20 et la note) — *Jaffa :* ville de la côte méditerranéenne, actuellement faubourg de Tel-Aviv ● *y deuxième année, deuxième mois :* en avril-mai 537 av. J.C. ● *z Car il est
bon, car sa fidélité dure toujours :* ce répons liturgique se retrouve en Jr 33.11 ; 1 Ch 16.34 ; 2 Ch 5.13 ;
7.3 ; et surtout au Ps 136 — Ces *ovations* (ou *acclamations,* voir Lv 23.24) sont aussi des éléments
liturgiques et non des cris désordonnés

3.1 rassemblement du septième mois Ne 7.72—8.1. **3.2** Josué et Zorobabel 2.2+ — loi de Moïse
2 Ch 23.18 ; Lc 24.44. **3.3** matin et soir Ex 29.38-46+. **3.4** fête des Tentes Ex 23.16 ; Lv 23.34+ ;
Dt 16.13 — nombre fixé par la coutume Nb 29.12-38. **3.7** préparatifs pour la reconstruction
1 R 5.16-25 ; 1 Ch 22.2-6. **3.10** prêtres avec trompettes Jos 6.4 ; Ne 12.35 ; 1 Ch 15.24 ; 16.6 ;
2 Ch 5.12 ; 29.26 — lévites avec cymbales Ne 12.27 ; 1 Ch 15.16 ; 16.5 ; 25.1 ; 2 Ch 5.12 ; 29.25.

Maison du SEIGNEUR. ¹²Alors beaucoup de prêtres, de lévites et de chefs de famille parmi les plus âgés — ceux qui avaient vu la Maison d'autrefois — pleuraient à haute voix, tandis qu'on posait sous leurs yeux les fondations de cette Maison-ci. Mais beaucoup aussi élevaient la voix en joyeuses ovations. ¹³Aussi le peuple ne pouvait-il distinguer le bruit des ovations joyeuses du bruit des pleurs populaires, car le peuple poussait de grandes ovations dont le bruit s'entendait très loin.

Intervention des ennemis des Juifs

4 ¹Quand les ennemis de Juda et de Benjamin apprirent que les déportés *a* bâtissaient un Temple au SEIGNEUR, le Dieu d'Israël, ²ils s'approchèrent de Zorobabel et des chefs de famille et leur dirent : « Nous voulons bâtir avec vous ! Comme vous, en effet, nous cherchons Dieu, le vôtre, et nous lui offrons des *sacrifices, depuis le temps d'Asarhaddon, roi d'Assyrie, qui nous a fait monter ici *b*. » ³Mais Zorobabel, Josué et le reste des chefs de famille d'Israël leur dirent : « Nous n'avons pas à bâtir, vous et nous, une Maison à notre Dieu : c'est à nous seuls *c* de bâtir pour le SEIGNEUR, le Dieu d'Israël, comme nous l'a ordonné le roi Cyrus, roi de Perse. » ⁴Les gens du pays *d* en arrivèrent pourtant à rendre défaillantes les mains du peuple de Juda et à effrayer les bâtisseurs. ⁵Ils payèrent

contre eux des conseillers pour faire échouer leur plan, durant tout le temps de Cyrus, roi de Perse, jusqu'au règne de Darius, roi de Perse *e*.

Les Juifs dénoncés au roi Artaxerxès

⁶Sous le règne de Xerxès *f*, au début de son règne, ils écrivirent une accusation contre les habitants de Juda et de Jérusalem. ⁷Au temps d'Artaxerxès, Bishlam, Mithredath, Tavéel et leurs autres collègues écrivirent à Artaxerxès, roi de Perse ; le texte de la lettre était écrit en caractères araméens et en langue araméenne *g*. ⁸Le chancelier Rehoum et le secrétaire Shimshaï *h* écrivirent au roi Artaxerxès au sujet de Jérusalem la lettre suivante : ⁹« Le chancelier Rehoum, le secrétaire Shimshaï, leurs autres collègues, les gens de Dîn, d'Afarsathak, de Tarpel, d'Afaras, d'Ourouk, de Babylone, de Suse, de Déha, d'Elam *i* ¹⁰et les autres peuples que le grand et illustre Asnappar a déportés et fait résider dans la ville de Samarie et dans le reste du pays, en Transeuphratène *j*, etc. » ¹¹Voici la copie de la lettre qu'ils lui envoyèrent : « Au roi Artaxerxès, tes serviteurs, gens de Transeuphratène, etc. ¹²On doit faire connaître au roi que les Juifs, montés de chez toi pour venir vers nous à Jérusalem, reconstruisent la ville rebelle et méchante ; ils vont relever les murs et font examiner les fondations. ¹³On doit maintenant faire connaître au roi que si cette ville est

---

a Juda et Benjamin: les deux tribus qui avaient formé, jusqu'à l'exil, le « royaume de Juda »; voir 1 R 11.32 et la note — *les déportés:* l'auteur des livres d'Esdras et de Néhémie désigne par ce mot ceux qui sont revenus de l'exil, c'est-à-dire les descendants des anciens *déportés* ● *b nous cherchons* ou *nous invoquons Dieu* — *nous lui offrons des sacrifices:* d'après les anciennes versions grecque, latine et syriaque, et une ancienne tradition juive; texte hébreu traditionnel: *nous n'offrons pas de sacrifices* — *qui nous a fait monter ici:* Asarhaddon, roi d'Assyrie (680-669) doit avoir fait déporter les populations vaincues, comme ses prédécesseurs (comparer 2 R 17.24-41) ● *c* Les chefs juifs refusent de collaborer avec les gens du pays, car ceux-ci offraient certainement aussi un culte à d'autres dieux que *le Seigneur* ● *d Les gens du pays:* voir 3.3 et la note ● *e* Il s'agit probablement de *Darius* 1er, qui fut *roi de Perse* de 522 à 486 av. J.C. — Le problème de la chronologie des événements, dans les livres d'Esdras et de Néhémie, est extrêmement compliqué, en particulier parce qu'il y a eu plusieurs rois de Perse qui ont porté les mêmes noms, par exemple trois Darius et trois Artaxerxès — *f Xerxès* fut roi de Perse de 486 à 464 av. J.C. ● *g Artaxerxès 1er* fut *roi de Perse* de 464 à 424 av. J.C. — *écrit en caractères araméens et en langue araméenne:* texte peu clair et traduction incertaine; autre traduction possible *écrit en araméen et traduit (araméen),* c'est-à-dire que le texte original aurait été l'araméen, et la traduction faite en langue perse; le dernier mot entre parenthèses indiquerait alors qu'à partir du verset suivant, l'auteur reproduit le texte *araméen* original (le passage 4.8—6.18 est en effet en araméen) ● *h Le chancelier* (ou *le gouverneur*), *le secrétaire* et *leurs collègues,* v. 9) sont des fonctionnaires perses chargés de l'administration de la province ● *i Dîn, ...Elam:* plusieurs de ces localités sont inconnues; d'ailleurs le texte est parfois peu clair ● *j Asnappar:* il pourrait s'agir d'Assourbanipal, successeur d'*Asarhaddon* comme roi d'Assyrie (668-630) — *Transeuphratène:* c'est le nom donné à la province perse située *au-delà* (= à l'ouest) *de l'Euphrate* (comparer 1 R 5.4), et dont *Samarie* était le chef-lieu.

3.12 ceux qui avaient vu le premier temple Ag 2.3.   **4.3** Zorobabel et Josué 2.2+ — ordre de Cyrus 1.2-4; 6.3-12.   **4.4** causes de l'arrêt des travaux Ag 1.2-9.   **4.6** Xerxès (= Assuérus) Est 1.1.

reconstruite et ses murs relevés, ils ne donneront plus de tribut, d'impôt et de droit de passage, ce qui finalement causera du tort aux rois. 14 Maintenant, étant donné que nous mangeons le sel du palais *k* et qu'il ne nous paraît pas convenable de voir le roi tourné en dérision, nous envoyons au roi ces informations 15 pour qu'on fasse des recherches dans le livre des mémoires de tes pères. Dans le livre des mémoires, tu trouveras et tu sauras que cette ville est une ville rebelle, causant du tort aux rois et aux provinces, et dans laquelle ils ont fomenté des révoltes depuis les temps anciens. C'est pour cela que cette ville a été détruite *l*. 16 Nous faisons savoir au roi que si cette ville est rebâtie et si ses murs sont relevés, par là même tu n'auras plus de possession en Transeuphratène. »

Réponse du roi Artaxerxès

17 Le roi envoya cette réponse : « Au chancelier Rehoum, au secrétaire Shimshaï et à leurs autres collègues qui habitent à Samarie et dans le reste de la Transeuphratène, paix, etc. 18 L'acte officiel que vous nous avez envoyé a été lu, de façon claire, en ma présence. 19 Sur mon ordre, on a fait des recherches et on a découvert que, depuis les temps anciens, cette ville se soulève contre les rois et qu'elle est travaillée par la révolte et la sédition. 20 Il y eut à Jérusalem de puissants rois qui dominèrent toute la Transeuphratène *m* ; on leur payait tribut, impôt et droit de passage. 21 Maintenant, donnez l'ordre de faire cesser le travail de ces gens ; que cette ville ne soit pas rebâtie jusqu'à ce que l'ordre en soit donné par moi. 22 Gardez-vous d'agir avec négligence en cette affaire de peur que le mal ne grandisse et ne cause tort aux rois. » 23 Dès que la copie de cet acte officiel

du roi Artaxerxès fut lue en présence de Rehoum, du secrétaire Shimshaï et de leurs collègues, ils allèrent en hâte à Jérusalem auprès des Juifs et leur firent cesser le travail par la force et la violence. 24 Alors, à Jérusalem, le travail de la Maison de Dieu cessa et cet arrêt dura jusqu'à la deuxième année du règne de Darius *n*, roi de Perse.

Zorobabel et Josué rebâtissent le Temple

5 1 Lorsque les *prophètes — Aggée le prophète et Zacharie fils de Iddo *o* — prophétisèrent sur les Juifs qui étaient en Juda et à Jérusalem au nom du Dieu d'Israël qui était sur eux, 2 Zorobabel fils de Shaltiel et Josué fils de Yosadaq se levèrent et se mirent alors à bâtir *p* la Maison de Dieu à Jérusalem ; avec eux, il y avait les prophètes de Dieu qui les aidaient. 3 A ce moment-là, le gouverneur de Transeuphratène, Tatnaï, Shetar-Boznaï et leurs collègues vinrent vers eux et leur dirent : « Qui vous a donné l'ordre de bâtir cette Maison et de relever ces madriers *q* ? 4 Alors, nous vous disons : Quels sont les noms des hommes qui bâtissent cette construction ? » 5 Mais l'œil de leur Dieu était sur les *anciens *r* des Juifs : on ne leur fit pas cesser le travail jusqu'à ce que le rapport aille chez Darius et qu'en revienne ensuite l'acte officiel sur la question.

Les Juifs dénoncés au roi Darius

6 Copie de la lettre envoyée au roi Darius par le gouverneur de Transeuphratène Tatnaï, Shetar-Boznaï et ses collègues, les gens d'Afarsak *s* en Transeuphratène. 7 Ils lui envoyèrent un message où il était écrit : « Au roi Darius, paix entière ! 8 Que le roi sache que nous

k Manger le sel du palais est une expression dont le sens n'est pas évident. Comme le *sel* symbolise parfois l'alliance (voir Lv 2.13 et la note), on pense que la formule signifie ici *être au service du roi* ● *l de tes pères* ou *de tes ancêtres*, c'est-à-dire *de tes prédécesseurs* sur le trône de Perse et sur celui de Babylone — *détruite*: allusion aux événements de 587 av. J.C. (prise et destruction partielle de Jérusalem) ● *m* Allusion au royaume de David et de Salomon ● *n Darius*: voir v. 5 et la note ● *o Aggée* et *Zacharie* sont les deux prophètes dont le message est conservé dans l'A.T. En Za 1.1, Zacharie est présenté comme *petit-fils de Iddo* ● *p se mirent à bâtir*: les travaux entrepris par Sheshbaçar, chef du premier convoi de retour (1.8, 11), semblent n'avoir été que des préparatifs à la construction du Temple (voir v. 16) ● *q madriers*: autres traductions *charpente, murs, sanctuaire*; le sens du mot araméen est très incertain ● *r l'œil de Dieu était sur les anciens*: cette expression signifie que Dieu considère avec bienveillance le travail des anciens et les protège ● *s Afarsak*: localité inconnue; texte incertain (comparer 4.9 et la note)

4.19 cette ville se soulève 2 R 18.7; 24.1, 20. **5.1** message des prophètes Ag 1.14—2.9; Za 4.9. **5.2** Zorobabel et Josué 2.2+.

sommes allés dans la province de Juda à la Maison du grand Dieu. Elle se construit en pierres de taille et du bois, est placé dans les murs. Ce travail est fait soigneusement et il prospère entre leurs mains *t*. ⁹ Alors nous avons interrogé ces *anciens et leur avons dit : "Qui vous a donné l'ordre de bâtir cette Maison et de relever ces madriers *u* ?" ¹⁰ En outre, nous leur avons demandé leurs noms pour te les faire connaître, afin d'écrire le nom des hommes qui sont à leur tête. ¹¹ Voici la réponse qui nous revint : "Nous sommes les serviteurs du Dieu des cieux et de la terre, et nous rebâtissons la Maison construite il y a de longues années, qu'un grand roi en Israël avait construite et achevée *v*. ¹² Mais parce que nos pères irritèrent le Dieu des cieux, il les livra aux mains du Chaldéen *w* Nabuchodonosor, roi de Babylone, et il détruisit cette Maison et déporta le peuple à Babylone. ¹³ Pourtant, la première année de Cyrus, roi de Babylone, le roi Cyrus donna l'ordre de bâtir cette Maison de Dieu *x*. ¹⁴ En outre, les objets de la Maison de Dieu, en or et en argent, que Nabuchodonosor avait fait enlever du Temple de Jérusalem pour les apporter dans le temple de Babylone, le roi Cyrus les fit enlever du temple de Babylone pour les remettre au nommé Sheshbaçar *y* qu'il avait établi gouverneur. ¹⁵ Il lui dit : 'Prends ces objets et va les déposer dans le Temple de Jérusalem, et que la Maison de Dieu soit rebâtie sur son emplacement.' ¹⁶ Alors ce Sheshbaçar est venu jeter les fondements *z* de la Maison de Dieu à Jérusalem. Depuis ce moment jusqu'à maintenant, elle se construit, mais n'est pas achevée." ¹⁷ Maintenant donc, s'il plaît au roi, que l'on recherche à la trésorerie royale *a*, là-bas à Babylone, s'il y a bien eu un ordre donné par le roi Cyrus en vue de bâtir

cette Maison de Dieu à Jérusalem ; et qu'on nous envoie la décision du roi sur cette question. »

Réponse du roi Darius

6 ¹ Alors le roi Darius donna l'ordre de faire des recherches aux archives de la trésorerie, déposées là-bas à Babylone ; ² et, dans la forteresse d'Ecbatane *b* de la province de Médie, on trouva un rouleau où il était écrit :
« Archive. ³ La première année du roi Cyrus, le roi Cyrus a donné un ordre : Maison de Dieu à Jérusalem.
La Maison sera rebâtie là où l'on offre des *sacrifices et où se trouvent ses fondements ; sa hauteur sera de 60 coudées *c* et sa largeur de 60 coudées. ⁴ Il y aura trois rangées de pierres de taille et une rangée de bois neuf et la dépense sera couverte par la maison du roi *d*. ⁵ En outre, on rapportera les objets de la Maison de Dieu, en or et en argent, que Nabuchodonosor avait enlevés du Temple de Jérusalem et emportés à Babylone ; chacun d'eux ira à sa place dans le Temple de Jérusalem. Tu les déposeras *e* dans la Maison de Dieu. »
⁶ « Maintenant, Tatnaï gouverneur de Transeuphratène, Shetar-Boznaï et leurs collègues, gens d'Afarsak de Transeuphratène, ne vous en occupez pas *f*. ⁷ Laissez faire le travail de cette Maison de Dieu ; le gouverneur des Juifs, avec les *anciens des Juifs, bâtira cette Maison sur son emplacement. ⁸ Voici mes ordres sur ce que vous ferez avec ces anciens des Juifs dans la construction de cette Maison de Dieu : c'est sur les biens du roi, venant de l'impôt de Transeuphratène, que la dépense sera assurée exactement pour ces hommes, sans interruption. ⁹ Ce qui sera nécessaire — jeunes taureaux, béliers,

---

t du bois placé dans les murs : sur cette technique de construction, voir 1 R 6.36 et la note — *soigneusement* ou *énergiquement — entre leurs mains* ou *rapidement* ● *u madriers :* voir v. 3 et la note ● *v* Le *grand roi* mentionné ici est Salomon; voir 1 R 6 ● *w nos pères* ou *nos ancêtres* — *Chaldéen* est un équivalent de *Babylonien* ● *x* Allusion à la proclamation de Cyrus, voir 1.1-4 ● *y* Le *temple de Babylone* est certainement celui de Mardouk, le grand dieu de Babylone — Sur *Sheshbaçar*, voir 1.8 et la note ● *z* Le sens du mot araméen traduit par *fondements* n'est pas absolument clair; il pourrait s'agir simplement du nivellement du terrain destiné à recevoir le bâtiment ● *a* Les locaux de la *trésorerie* étaient bien adaptés à recevoir aussi les archives royales ● *b* Ecbatane: capitale de la Médie; aujourd'hui Hamadan (Iran) ● *c coudées:* voir au glossaire POIDS ET MESURES ● *d trois rangées de pierres et une rangée de bois:* sur cette technique de construction, voir 1 R 6.36 et la note — *dépense couverte par la maison du roi:* grâce aux impôts prélevés dans la province, voir v. 8 ● *e Tu les déposeras* ou *On les déposera* ● *f Afarsak:* voir 5.6 et la note — *ne vous en occupez pas:* autre traduction *éloignez-vous de là*

5.12 la déportation 2 R 25.8-21. **5.14** les objets enlevés par Nabuchodonosor Dn 5.2, 23 — Sheshbaçar 1.8. **6.3** dimensions de l'édifice 1 R 6.2.

agneaux pour les holocaustes *g* du Dieu des *cieux ; blé, sel, vin et huile, selon les indications des prêtres de Jérusalem — leur sera donné jour après jour, sans faute, [10] pour qu'ils puissent apporter des offrandes *h* d'apaisement au Dieu des cieux et qu'ils prient pour la vie du roi et de ses fils. [11] Voici mes ordres concernant quiconque transgressera cet édit : qu'on arrache un pieu de bois de sa maison et qu'on l'empale tout droit dessus ; en outre, qu'on transforme sa maison en tas d'ordures. [12] Puisse le Dieu qui fait résider là son *nom renverser tout roi et tout peuple qui, en transgression, étendra sa main pour détruire cette Maison de Dieu à Jérusalem. Moi, Darius, j'ai donné un ordre ; qu'il soit fait exactement ainsi ! »

[13] Alors le gouverneur de Transeuphratène, Tatnaï, Shetar-Boznaï et leurs collègues agirent exactement selon l'ordre envoyé par le roi Darius.

Dédicace du Temple rebâti

[14] Les *anciens des Juifs continuèrent à bâtir avec succès, selon la *prophétie d'Aggée le prophète et de Zacharie fils de Iddo *i* ; ils achevèrent la construction, d'après l'ordre du Dieu d'Israël et d'après l'ordre de Cyrus, de Darius et d'Artaxerxès, roi de Perse. [15] On termina cette Maison le troisième jour du mois d'Adar, la sixième année du règne du roi Darius *j*. [16] Les fils d'Israël, les prêtres, les *lévites et le reste des déportés *k* firent dans la joie la dédicace de cette Maison de Dieu. [17] Ils offrirent, pour la dédicace de cette Maison de Dieu, cent taureaux, deux cents béliers, quatre cents agneaux et, pour le péché de tout Israël, douze boucs suivant le nombre des tribus d'Israël. [18] Ils établirent les prêtres d'après leurs classes et

les lévites d'après leurs divisions, pour le service de Dieu à Jérusalem, selon les prescriptions du livre de Moïse.

Les Juifs célèbrent la fête de la Pâque

[19] Les déportés *l* célébrèrent la *Pâque le quatorzième jour du premier mois ; [20] comme les prêtres ensemble avec les *lévites s'étaient *purifiés, tous étaient purs : ils immolèrent alors la Pâque *m* pour tous les déportés, pour leurs frères les prêtres et pour eux-mêmes. [21] Ainsi les fils d'Israël, revenus de la déportation, mangèrent avec tous ceux qui, auprès d'eux, avaient rompu avec l'impureté des païens du pays en vue de chercher *n* le SEIGNEUR, le Dieu d'Israël. [22] Ils célébrèrent avec joie la fête des *pains sans levain, pendant sept jours, car le SEIGNEUR les avait remplis de joie en changeant le *cœur du roi d'Assyrie *o* à leur égard, afin d'affermir leurs mains dans la tâche de la Maison de Dieu, du Dieu d'Israël.

Le scribe Esdras

7 [1] Après ces événements, sous le règne du roi de Perse Artaxerxès *p*, Esdras, fils de Seraya, fils de Azarya, fils de Hilqiya, [2] fils de Shalloum, fils de Sadoq, fils d'Ahitouv, [3] fils d'Amarya, fils de Azarya, fils de Merayoth, [4] fils de Zerahya, fils de Ouzzi, fils de Bouqqi, [5] fils d'Avishoua, fils de Pinhas, fils d'Eléazar, fils d'Aaron le grand prêtre — [6] cet Esdras monta de Babylone. C'était un scribe expert dans la Loi de Moïse donnée par le SEIGNEUR, Dieu d'Israël. Le roi lui donna tout ce qu'il avait demandé, car la main du SEIGNEUR son Dieu était sur lui *q*. [7] Parmi les fils d'Israël et parmi les prêtres, les *lévites, les chantres, les portiers et les servants, quelques-uns mon-

---

g holocaustes : voir au glossaire SACRIFICES ● *h offrandes :* voir au glossaire SACRIFICES ● *i* Sur *Aggée* et *Zacharie :* voir 5.1 et la note ● *j Adar :* voir au glossaire CALENDRIER — *sixième année de Darius :* en 515 av J.C. ● *k déportés :* voir 4.1 et la note ● *l* Dès le v. 19, le texte original est de nouveau rédigé en hébreu — *déportés :* voir 4.1 et la note ● *m* Immoler la Pâque est une tournure abrégée signifiant *immoler* (= *tuer rituellement*) *l'agneau de la Pâque* ● *n de chercher* ou *d'invoquer* ● *o* La mention du *roi d'Assyrie* est surprenante, car c'est encore du Darius, roi de Perse, qu'il est question ici, tandis que le royaume assyrien n'existait plus depuis près d'un siècle. Il faut admettre que le terme *Assyrie* a conservé ici une valeur purement géographique, correspondant à l'étendue de l'empire perse ● *p* Il est difficile de savoir s'il s'agit ici d'*Artaxerxès Ier*, qui régna de 464 à 424 av J.C., ou d'*Artaxerxès II* (404-359) ● *q* Le prêtre *Esdras* semble avoir été un fonctionnaire important à la cour du roi de Perse, en même temps qu'un théologien de valeur et un ardent défenseur de la foi juive

6.10 prier pour le roi *1 M* 7.33; *Ba* 1.11; 1 Tm 2.2; cf. Jr 29.7. **6.11** en tas d'ordures 2 R 10.27+. **6.12** Dieu fait résider son *nom* à Jérusalem Dt 12.11; 14.23; 16.2; 26.2; 1 R 8.16; 9.3; 11.36; 14.21. **6.16** dédicace Nb 7; 1 R 8.62-66; 2 Ch 7.1-10. **6.18** institution des prêtres et lévites Ex 29; Lv 8; Nb 3; 8; 1 Ch 23—24. **6.19** la Pâque Ex 12.1-20; 2 R 23.21-23; Mt 26.17-19 par. **7.6** la main du Seigneur sur lui 7.9, 28; 8.18, 22, 31; Ne 2.8, 18.

tèrent à Jérusalem, la septième année du roi Artaxerxès *r* ; 8 il arriva donc à Jérusalem le cinquième mois 8 ; c'était la septième année du roi. 9 En effet, le premier jour du premier mois, lui-même fixa le voyage depuis Babylone, et le premier jour du cinquième mois, il arriva à Jérusalem, car la bonne main de son Dieu était sur lui. 10 Esdras, en effet, avait appliqué son cœur à chercher la Loi du SEIGNEUR, à la mettre en pratique et à enseigner les lois et les coutumes en Israël.

Les tâches confiées à Esdras par Artaxerxès

11 Voici la copie de l'acte officiel que le roi Artaxerxès donna au prêtre-scribe Esdras, scribe des paroles ordonnées par le SEIGNEUR et de ses lois au sujet d'Israël : 12 « Artaxerxès *t*, le roi des rois, au prêtre Esdras, scribe de la Loi du Dieu des *cieux, salut, etc. 13 Voici mes ordres : dans mon royaume, quiconque parmi le peuple d'Israël, ses prêtres et ses *lévites, est volontaire pour aller à Jérusalem, qu'il y aille avec toi ! 14 En effet tu es envoyé de la part du roi et de ses sept conseillers : pour faire une enquête au sujet de Juda et de Jérusalem, suivant la Loi de ton Dieu qui est dans ta main ; 15 ensuite pour porter l'argent et l'or des offrandes volontaires du roi et de ses conseillers au Dieu d'Israël dont la demeure est à Jérusalem, 16 ainsi que tout l'argent et l'or que tu trouveras dans toute la province de Babylone avec les offrandes volontaires que le peuple et les prêtres apporteront pour la Maison de leur Dieu à Jérusalem. 17 En conséquence, tu auras soin d'acheter avec cet argent des taureaux, des béliers, des agneaux et ce qu'il faut pour leurs offrandes et leurs libations *u* ; tu les présenteras sur l'autel de la Maison de votre Dieu à Jérusalem. 18 Ce qui sera bon de faire, selon toi et

tes frères, avec le reste de l'argent et de l'or, vous le ferez suivant la volonté de votre Dieu. 19 Les objets qui te seront donnés pour le service de la Maison de ton Dieu, dépose-les devant le Dieu de Jérusalem. 20 Le reste de ce qu'il faut pour la Maison de ton Dieu et qu'il t'incombe d'assurer, tu le mettras sur le compte de la trésorerie du roi. 21 "Moi *v*, le roi Artaxerxès, je donne l'ordre à tous les trésoriers de Transeuphratène de faire exactement tout ce que vous demandera le prêtre Esdras, scribe de la Loi du Dieu des cieux, 22 jusqu'à concurrence de cent talents d'argent, cent kors de bé, cent baths *w* de vin, cent baths d'huile et du sel, sans compter. 23 Tout ce qu'ordonne le Dieu des cieux, qu'on l'exécute avec diligence pour la Maison du Dieu des cieux, de peur que sa colère ne se lève, sur le royaume du roi et de ses fils. 24 De plus, nous vous faisons savoir que sur aucun des prêtres, des lévites, des chantres, des portiers, des servants et des serviteurs *x* de cette Maison de Dieu, il n'est permis de lever tribut, impôt ou droit de passage." 25 Quant à toi, Esdras, avec la sagesse de ton Dieu qui est dans ta main *y*, établis des juges et des magistrats qui rendent la justice à tout le peuple de Transeuphratène, à tous ceux qui connaissent les lois de ton Dieu — et vous les ferez connaître à qui ne les connaît pas. 26 Quiconque n'accomplira pas la Loi de ton Dieu et la loi du roi exactement que la sentence lui soit appliquée : soit la mort, le bannissement *z*, une amende ou la prison. »

27 Béni soit le SEIGNEUR, le Dieu de nos pères *a* qui a mis au *cœur du roi d'honorer ainsi la Maison du SEIGNEUR, à Jérusalem. 28 Face au roi, aux conseillers et à tous les plus hauts ministres du roi, dans sa fidélité il s'est penché sur moi ; alors, affermi — car la main du SEIGNEUR mon Dieu était sur moi —, j'ai rassemblé quelques chefs d'Israël pour partir avec moi.

---

r servants: voir 8.20 et la note — *la septième année du roi Artaxerxès:* en 458 ou en 398 av. J.C. (voir v. 1 et la note) ● *s cinquième mois:* juillet-août ● *t* Les v. 12-26 sont en araméen ● *u offrandes, libations:* voir au glossaire SACRIFICES ● *v* Les v. 21-24 semblent être la copie d'un document adressé aux trésoriers royaux de Transeuphratène ● *w talents, kors, baths:* voir au glossaire POIDS ET MESURES ● *x servants:* voir 8.20 et la note; *serviteurs:* voir 2.55 et la note ● *y la sagesse de ton Dieu qui est dans ta main* est une expression imagée pour désigner *la Loi de Moïse* ● *z bannissement* ou *expulsion*, ou encore *excommunication* ● *a nos pères* ou *nos ancêtres* — A partir du v. 27, le texte original est de nouveau en hébreu, et c'est Esdras qui s'exprime à la première personne

7.14 sept conseillers Est 1.14. **7.15-16** les dons pour le temple 1.4+. **7.19** les objets 8.25-27. **7.25** établis des magistrats Ex 18.13-26.

Les compagnons d'Esdras

8 [1] Voici, avec leurs généalogies, les chefs de famille qui montèrent avec moi de Babylone, sous le règne du roi Artaxerxès [b] : [2] Des fils de Pinhas : Guershôm ; des fils d'Itamar : Daniel ; des fils de David : Hattoush, [3] des fils de Shekanya ; des fils de Paréosh : Zekarya avec qui furent enregistrés cent cinquante hommes ; [4] des fils de Pahath-Moab : Elyehoénaï, fils de Zerahya et, avec lui, deux cents hommes ; [5] des fils de Shekanya, fils de Yahaziël et, avec lui, trois cents hommes ; [6] et des fils de Adîn : Eved fils de Yonatân et, avec lui, cinquante hommes ; [7] et des fils de Elam : Yeshaya fils de Atalya et, avec lui, soixante-dix hommes ; [8] et des fils de Shefatya : Zevadya fils de Mikaël et, avec lui, quatre-vingts hommes ; [9] des fils de Yoav : Ovadya fils de Yehiël et, avec lui, deux cents dix-huit hommes ; [10] et des fils de Shelomith, fils de Yosifya et, avec lui, cent soixante hommes ; [11] et des fils de Bévaï : Zekarya fils de Bévaï et, avec lui, vingt-huit hommes ; [12] et des fils de Azgad : Yohanân fils d'Ha-Qatân et, avec lui, cent dix hommes ; [13] et des fils d'Adoniqâm : les derniers dont voici les noms : Elifèleth, Yéiël et Shemaya et, avec eux, soixante hommes ; [14] et des fils de Bigwaï : Outaï et Zabboud et, avec lui, soixante-dix hommes.

Préparation du voyage vers Jérusalem

[15] Je les rassemblai près de la rivière qui va vers Ahawa et nous campâmes là trois jours. Je considérai attentivement le peuple et les prêtres, mais je ne trouvai là aucun des fils de Lévi [c]. [16] Alors j'envoyai les chefs Eliézer, Ariel, Shemaya, Elnatân et Yariv, Elnatân, Nâtan, Zekarya, Meshoullam, ainsi que les instructeurs [d] Yoyariv et Elnatân, [17] avec ordre de se rendre auprès d'Iddo, chef de la localité de Kasifya ; et je mis dans leur bouche les paroles à dire à Iddo et à ses frères les servants [e] dans la localité de Kasifya afin de nous amener des serviteurs pour la Maison de notre Dieu. [18] Comme la bonne main de notre Dieu était sur nous, ils nous amenèrent un homme avisé, l'un des fils de Mahli, fils de Lévi, fils d'Israël, à savoir Shéréya, ses fils et ses frères, au nombre de dix-huit, [19] ainsi que Hashavya et avec lui Yeshaya, l'un des fils de Merari, ses frères et leurs fils, au nombre de vingt ; [20] et parmi les servants que David et les chefs avaient donnés pour le service des *lévites [f], deux cent vingt servants, tous pointés par leurs noms. [21] Je proclamai là, près de la rivière Ahawa, un *jeûne pour nous humilier devant notre Dieu afin de rechercher la faveur de cheminer sans encombre, nous et nos enfants, avec nos bagages. [22] Car j'avais honte de demander au roi une force de cavalerie pour nous protéger de l'ennemi en cours de route ; en effet, nous avions dit au roi : « Bonne est la main de notre Dieu sur tous ceux qui le recherchent ; mais forte est sa colère sur tout ceux qui l'abandonnent. » [23] Nous jeûnâmes donc, demandant cette faveur à notre Dieu, et il nous exauça. [24] Puis je pris à part douze chefs des prêtres avec Shérévya, Hashavya et dix de leurs frères ave ceux. [25] Je leur pesai l'argent, l'or et les objets constituant le prélèvement [g] pour la Maison de notre Dieu que le roi, ses conseillers, ses chefs et tous les Israélites présents avaient apporté. [26] Je pesai dans leurs mains six cent cinquante talents [h] d'argent, des objets d'argent pour cent talents, cent talents d'or, [27] vingt coupes d'or pour mille dariques, deux objets de bronze brillant [i], de toute beauté, précieux comme l'or. [28] Puis je leur dis : « Vous êtes consacrés au SEIGNEUR, ces objets sont consacrés et l'argent et l'or sont une offrande volontaire au SEIGNEUR, le Dieu de vos pères [j] ; [29] veillez à les garder jusqu'à ce que vous les pesiez devant les chefs des prêtres, des lévites et des chefs de famille d'Israël, à Jérusalem, dans les

---

[b] *Artaxerxès:* voir 7.1 et la note ● [c] *Ahawa* est le nom d'un canal d'irrigation en Babylonie (appelé *rivière* aux v. 21 et 31) et probablement aussi d'une localité par ailleurs inconnue — Les *fils de Lévi* sont ici spécialement les *lévites (ailleurs l'expression désigne les *prêtres*) ● [d] Les *instructeurs* sont des gens chargés d'enseigner la Loi de Dieu ● [e] *Kasifya:* localité inconnue — *à Iddo et à ses frères:* d'après l'ancienne version grecque; hébreu: *à Iddo, son frère* — *servants:* voir v. 20 et la note ● [f] Les *servants* (autre traduction *les donnés*, voir Nb 3.9 et la note) étaient des serviteurs des *lévites*, chargés des travaux subalternes dans le *sanctuaire ● [g] *le prélèvement* ou *la contribution* ● [h] *talents:* voir au glossaire POIDS ET MESURES ● [i] *dariques:* voir au glossaire MONNAIES — *brillant:* le sens du mot traduit ainsi est incertain ● [j] *vos pères* ou *vos ancêtres*

8.18 la main du Seigneur 7.6+. **8.22** une escorte Ne 2.9; Ac 23.23-32. **8.25-27** les dons pour le temple 1.4+.

chambres de la Maison du Seigneur.»
30 Alors les prêtres et les lévites prirent
en charge l'argent, l'or et les objets pesés
afin de les apporter à Jérusalem, à la
Maison de notre Dieu.

Le voyage et l'arrivée à Jérusalem

31 Nous partîmes de la rivière d'Ahawa
le douze du premier mois pour aller à
Jérusalem. La main de notre Dieu était
sur nous et, pendant la route, il nous
arracha des mains de l'ennemi et du pillard en embuscade. 32 Nous arrivâmes à
Jérusalem et nous nous y reposâmes trois
jours. 33 Le quatrième jour, nous pesâmes
l'argent, l'or et les objets dans la Maison
de notre Dieu, entre les mains du prêtre
Merémoth fils d'Ouriya, avec qui était
Eléazar fils de Pinhas et, auprès d'eux,
les *lévites Yozavad fils de Yéshoua et
Noadya fils de Binnouï. 34 Nombre, poids,
tout y était ; et le poids total fut consigné
par écrit. En ce temps-là, 35 ceux qui
revinrent de captivité, les déportés, offrirent en holocauste k pour le Dieu d'Israël
douze taureaux pour tout Israël, quatre-vingt-seize béliers, soixante-dix-sept
agneaux, douze boucs pour le péché : le
tout en holocauste pour le Seigneur.
36 Puis ils transmirent les ordonnances du
roi aux satrapes du roi et aux gouverneurs l de Transeuphratène qui soutinrent
le peuple et la Maison de Dieu.

De nombreux Juifs ont épousé des étrangères

9 1 Quand cela fut terminé, les chefs
s'approchèrent de moi pour me
dire : « Le peuple d'Israël, les prêtres et
les *lévites ne se sont pas séparés des gens
du pays. En conformité avec les abominations m de ces derniers — celles des
Cananéens, des Hittites, des Perizzites, des
Jébusites, des Ammonites, des Moabites,
des Egyptiens et des *Amorites —, 2 eux
et leurs fils, ils ont épousé les filles, et la
race *sainte s'est mêlée aux gens du pays.

Les chefs et les notables ont été les premiers à tremper la main dans cette affaire
d'infidélité». 3 Lorsque j'entendis cela, je
*déchirai mon vêtement et mon manteau,
je m'arrachai les cheveux de la tête et les
poils de la barbe n et je m'assis accablé.
4 Tous ceux qui tremblaient aux paroles
du Dieu d'Israël se réunirent auprès de
moi à cause de cette infidélité des déportés et moi, je restai assis, accablé, jusqu'à
l'offrande du soir o.

La prière d'Esdras en faveur des fautifs

5 A l'offrande du soir, je sortis de ma
prostration et, le vêtement et le manteau déchirés, je tombai à genoux, j'étendis mes mains vers le Seigneur mon
Dieu p 6 et lui dis : « Mon Dieu, j'ai trop
de honte et de confusion pour lever ma
face vers toi, mon Dieu, car nos fautes
se sont multipliées par-dessus nos têtes et
notre offense a grandi jusqu'aux cieux.
7 Depuis les jours de nos pères q jusqu'à
ce jour, grande est l'offense de notre
part ; à cause de nos péchés, nous, nos
rois et nos prêtres, nous sommes livrés
aux rois de la terre, à l'épée, à la captivité, au pillage et à la honte, comme
aujourd'hui. 8 Et maintenant, depuis peu
de temps la grâce du Seigneur notre Dieu
nous a laissé un reste de réchappés et
nous a donné une place dans son lieu
saint ; ainsi notre Dieu a-t-il illuminé nos
yeux et nous a-t-il rendu un peu de vie
dans notre servitude. 9 Car nous sommes
esclaves, mais dans notre servitude notre
Dieu ne nous a pas abandonnés ; face aux
rois de Perse, il s'est penché sur nous
dans sa fidélité pour nous donner la vie
afin de relever la Maison de notre Dieu,
rétablir ses ruines et nous donner un mur
en Juda et à Jérusalem. 10 Et maintenant,
notre Dieu, que dire après cela ? Car
nous avons abandonné tes commandements 11 que, par tes serviteurs les *prophètes, tu as prescrits en ces termes :
"La terre où vous entrez pour en prendre
possession est une terre souillée, souillée

---

k holocauste: voir au glossaire SACRIFICES ● l Les satrapes du roi étaient à la tête des provinces de l'empire perse; les gouverneurs, dirigeant des régions plus petites, étaient des fonctionnaires subordonnés aux satrapes ● m gens du pays: voir 3.3 et la note — abominations: allusion
aux pratiques idolâtriques ● n S'arracher les cheveux et la barbe est habituellement un geste de
deuil; comparer Jb 1.20 ● o l'offrande du soir: voir 1 R 18.29 et la note ● p Etendre les mains
vers Dieu (ou vers le ciel) est le geste de la prière; voir 1 R 8.22; Ps 28.2 ● q nos pères ou nos
ancêtres

9.2 mariages avec des étrangères Ex 34.15-16; Dt 7.1-4; Ml 2.10-12.   9.4 trembler aux paroles
de Dieu Es 66.2-5.   9.6-15 confession des péchés Lv 26.40+.   9.6 offense jusqu'aux cieux Jon 1.2.
9.8 un reste de réchappés Es 4.3 — illuminer les yeux 1 S 14.27-29; Ps 13.4; Pr 29.13.   9.11 terre
souillée par les gens du pays Lv 18.24-25; Dt 18.9; Ez 36.17.

par les gens du pays ^r et par les abominations dont ils l'ont remplie d'un bout à l'autre dans leur impureté. ¹² Et maintenant, ne donnez pas vos filles à leurs fils, ne prenez pas leurs filles pour vos fils, ne cherchez jamais à avoir la paix et le bien-être qui sont leurs, afin que vous deveniez forts, mangiez des biens du pays et les laissiez en possession à vos fils, à jamais." ¹³ Or, après tout ce qui nous est advenu de par nos mauvaises actions et notre grande culpabilité — bien que toi, notre Dieu, tu aies laissé de côté quelques-unes de nos fautes et nous aies gardé le reste de réchappés que voici — ¹⁴ pourrions-nous recommencer à violer tes commandements et à nous lier par le mariage à ces abominables gens ? Ne t'irriterais-tu pas contre nous jusqu'à nous détruire sans laisser un reste de réchappés ? ¹⁵ Seigneur, Dieu d'Israël, tu es juste : en ce jour même, nous subsistons en effet comme un reste de réchappés. Nous voici devant toi avec nos offenses alors que, dans ces conditions, nul ne peut se tenir devant ta face. »

Les Juifs renvoient les femmes étrangères

10 ¹ Comme Esdras priait et confessait ses péchés, en pleurs et prosterné devant la Maison de Dieu, une très nombreuse assemblée d'Israélites, hommes, femmes et enfants, se réunit auprès de lui, car le peuple versait d'abondantes larmes. ² Alors Shekanya fils de Yehiël, l'un des fils d'Elam, déclara à Esdras : « Nous avons été infidèles à notre Dieu en épousant des femmes étrangères, parmi les gens du pays ^s. Mais, à ce sujet, il y a maintenant un espoir pour Israël : ³ concluons, maintenant, une *alliance avec notre Dieu en vue de renvoyer toutes les femmes ^t et leurs enfants, suivant le conseil de mon seigneur et de ceux qui craignent le commandement de notre Dieu. Qu'il soit fait selon la Loi ! ⁴ Lève-toi, car l'affaire te regarde ; nous sommes avec toi ; sois fort et au travail ^u ! » ⁵ Alors Esdras se leva et fit jurer aux chefs des prêtres, des

*lévites et de tout Israël, de faire comme il avait été dit ; et ils jurèrent. ⁶ Esdras se leva d'où il était, face à la Maison de Dieu ; il alla vers la chambre de Yehohanân fils d'Elyashiv ; et arrivé là il ne mangea pas de pain et ne but pas d'eau, car il était dans le deuil à cause de l'infidélité des déportés. ⁷ On fit publier une proclamation en Juda et à Jérusalem, à l'adresse de tous les déportés ^v pour qu'ils se rassemblent à Jérusalem. ⁸ Quiconque ne viendrait pas dans les trois jours, suivant l'avis des chefs et des *anciens, aurait ses biens frappés d'interdit ^w et lui-même serait exclu de l'assemblée des déportés. ⁹ Alors tous les hommes de Juda et de Benjamin s'assemblèrent à Jérusalem, dans les trois jours ; c'était le vingtième jour du neuvième mois. Tout le peuple demeura sur la place de la Maison de Dieu, tremblant à cause de cette affaire et à cause de la pluie ^x. ¹⁰ Le prêtre Esdras se leva et leur dit : « Vous avez été infidèles, et prendre des femmes étrangères n'a fait qu'accroître la culpabilité d'Israël. ¹¹ Maintenant, confessez-vous au Seigneur, le Dieu de vos pères, et faites sa volonté : séparez-vous des gens du pays et des femmes étrangères. » ¹² Toute l'assemblée répondit d'une voix forte : « C'est vrai ! A nous d'agir suivant ta parole ! ¹³ Mais le peuple est nombreux, et c'est la saison des pluies ; on ne peut pas se tenir dehors. En outre, ce n'est pas l'affaire d'un jour ou deux, car nous sommes nombreux à avoir péché en cette matière. ¹⁴ Que nos chefs se tiennent là au nom de toute l'assemblée et que tous ceux qui, dans nos villes, ont pris des femmes étrangères viennent aux temps fixés avec les anciens de chaque ville et ses juges ^y jusqu'à ce que la colère de notre Dieu se détourne de nous, au sujet de cette affaire. » ¹⁵ Cependant Yonatân fils d'Asahel et Yahzeya fils de Tiqwa prirent position contre cela et Meshoullam avec le lévite Shavtaï les appuyèrent. ¹⁶ Mais les déportés firent comme on avait dit. Avec le prêtre Esdras, on choisit des hommes, chefs de famille, pour chaque maison paternelle, tous nommément dési-

---

r *gens du pays:* voir 3.3 et la note ● s *gens du pays:* voir 3.3 et la note ● t *toutes les femmes:* le contexte invite à comprendre ici, comme l'a fait une ancienne version grecque *toutes les femmes d'origine étrangère* ● u *sois fort et au travail:* autre traduction *agis avec détermination* ● v *déportés:* voir 4.1 et la note ● w Sur *l'interdit,* voir Dt 2.34 et la note; toutefois, à l'époque d'Esdras, les *biens frappés d'interdit* n'étaient pas détruits, mais confisqués au profit du Temple ● x *neuvième mois:* novembre-décembre, en pleine saison des *pluies* ● y *ses juges* ou *ses dirigeants*

9.15 Dieu est juste Jr 12.1; So 3.5; Ps 145.17; Lm 1.18; Dn 4.34; 9.14; Ne 9.33. **10.2** mariages avec des étrangères 9.2+. **10.6** Elyashiv Cf. Ne 3.1; 13.28. **10.11** confessez-vous au Seigneur Jos 7.19; Jr 13.16; Ml 2.2.

gnés ; ils siégèrent le premier jour du dixième mois pous examiner l'affaire ᶻ.
¹⁷ Et le premier jour du premier mois ᵃ, on en eut fini avec tous les hommes qui avaient pris des femmes étrangères.

Liste des Juifs fautifs

¹⁸ Parmi les fils des prêtres qui avaient pris des femmes étrangères, on trouva ᵇ : parmi les fils de Josué fils de Yosadaq et ses frères : Maaséya, Eliézer, Yariv et Guedalya ; ¹⁹ ils s'engagèrent de la main ᶜ à renvoyer leurs femmes et à offrir un bélier pour la réparation de leur offense ;
²⁰ parmi les fils d'Immer : Hanani et Zevadya ;
²¹ parmi les fils de Harim : Maaséya, Eliya, Shemaya, Yehiël et Ouzziya ;
²² parmi les fils de Pashehour : Elyoénaï, Maaséya, Yishmaël, Netanel, Yozavad et Eléasa.
²³ Parmi les *lévites : Yozavad, Shiméï, Qélaya — ou Qelita —, Petahya, Yehouda et Eliézer.
²⁴ Parmi les chantres : Elyashiv. Parmi les portiers : Shalloum, Tèlem et Ouri.
²⁵ Quant aux Israélites : parmi les fils de Paréosh : Ramya, Yizziya, Malkiya, Miyamîn, Eléazar, Malkiya et Benaya ;
²⁶ parmi les fils de Elam : Mattanya,

Zekarya, Yehiël, Avdi, Yerémoth et Eliya ;
²⁷ parmi les fils de Zattou : Elyoénaï, Elyashiv, Mattanya, Yerémoth, Zavad et Aziza ;
²⁸ parmi les fils de Bévaï : Yehohanân, Hananya, Zabbaï, Atlaï ;
²⁹ parmi les fils de Bani : Meshoullam, Mallouk, Adaya, Yashouv, Shéal, Yeramoth ;
³⁰ parmi les fils de Pahath-Moab : Adna, Kelal, Benaya, Maaséya, Mattanya, Beçalel, Binnouï, Manassé ;
³¹ les fils de Harim : Eliézer, Yishiya, Malkiya, Shemaya, Siméon, ³² Benjamin, Mallouk, Shemarya ;
³³ parmi les fils de Hashoum : Mattenaï, Mattatta, Zavad, Elifèleth, Yerémaï, Manassé, Shiméï ;
³⁴ parmi les fils de Bani : Maadaï, Amrâm, Ouël, ³⁵ Benaya, Bédya, Kelouhi, ³⁶ Wanya, Merémoth, Elyashiv, ³⁷ Mattanya, Mattenaï et Yaasaï ;
³⁸ Bani et Binnouï, Shiméï, ³⁹ Shèlèmya, Natân, Adaya, ⁴⁰ Maknadevaï, Shashaï, Sharaï, ⁴¹ Azarel, Shèlèmyahou, Shemarya, ⁴² Shalloum, Amarya, Yoseph ;
⁴³ parmi les fils de Nébo : Yéiël, Mattitya, Zavad, Zevina, Yaddaï, Yoël, Benaya.
⁴⁴ Tous ceux-là avaient pris des femmes étrangères ; et même, chez eux, il y avait des femmes dont ils eurent des fils ᵈ.

---

z pour examiner l'affaire : d'après les versions anciennes; hébreu obscur ● *a premier mois:* mars-avril ● *b* La liste qui suit n'est probablement pas exhaustive, car on n'y trouve que 111 noms, ce qui est peu si l'on estime à 30.000 environ le nombre des hommes mariés ● *c ils s'engagèrent de la main* ou *ils s'engagèrent par serment;* comparer Ex 6.8 et la note ● *d et même... des fils:* texte obscur, traduction incertaine

NÉHÉMIE

1 ¹ Paroles de Néhémie, fils de Hakalya *a*.

Néhémie reçoit des nouvelles de Jérusalem

Il arriva qu'au mois de Kislew de la vingtième année, alors que j'étais à Suse *b*, la ville forte, ² Hanani, l'un de mes frères, vint de Juda, lui et quelques hommes, et je les interrogeai au sujet des Juifs réchappés, le reste survivant de la captivité *c*, et au sujet de Jérusalem. ³ Ils me dirent : « Ceux qui sont restés de la captivité, là-bas dans la province *d*, sont dans un grand malheur et dans la honte ; la muraille de Jérusalem a des brèches et ses portes ont été incendiées. »

La prière de Néhémie en faveur des Juifs

⁴ Lorsque j'entendis ces paroles, je m'assis, je pleurai et je fus dans le deuil pendant plusieurs jours. Puis je *jeûnai et priai en face du Dieu des *cieux. ⁵ Je dis : « Ah ! SEIGNEUR, Dieu des cieux, Dieu grand et redoutable, qui gardes l'*alliance et la fidélité envers ceux qui l'aiment et qui gardent ses commandements, ⁶ que ton oreille soit donc attentive, et tes yeux ouverts, pour écouter la prière de ton serviteur. En ce moment, jour et nuit, je la formule devant toi pour les fils d'Israël, tes serviteurs : je confesse les péchés des fils d'Israël que nous avons commis contre toi. Moi et la maison de mon père *e*, nous avons péché. ⁷ Nous t'avons vraiment offensé et nous n'avons pas gardé les commandements, les lois et les coutumes que tu as donnés à ton serviteur Moïse. ⁸ Souviens-toi de la parole que, sur ton ordre, ton serviteur Moïse a prononcée : "Si vous, vous êtes infidèles, moi, je vous disperserai parmi les peuples ; ⁹ mais si vous revenez à moi, si vous gardez mes commandements et les mettez en pratique, quand bien même vos exilés seraient aux extrémités du ciel, je les en rassemblerai et je les ferai venir à l'endroit que j'ai choisi pour y faire demeurer mon *nom *f*." ¹⁰ Ils sont tes serviteurs et ton peuple que tu as rachetés par ta grande puissance et par la force de ta main. ¹¹ Ah ! Seigneur, que ton oreille soit attentive à la prière de ton serviteur et à la prière de tes serviteurs qui prennent plaisir à craindre ton nom. Accorde à ton serviteur de réussir aujourd'hui et fais-lui trouver miséricorde en face de cet homme ! »

J'étais alors échanson du roi *g*.

---

a Ces mots constituent un titre général pour l'ensemble du livre — Le mot traduit par *Paroles* désigne en réalité aussi bien ce que Néhémie a fait que ce qu'il a dit; on pourrait également le traduire par *Histoire* ● *b* Kislew; voir au glossaire CALENDRIER — *vingtième année*: probablement du règne d'Artaxerxès 1er (voir 2.1), soit en 445 av. J.C. (voir la note en Esd 4.5) — *Suse*: voir Est 1.2 et la note ● *c* le reste survivant de la captivité, c'est-à-dire ceux qui étaient revenus à Jérusalem après l'exil babylonien (voir Esd 1.3-4; 4.1 et la note) ● *d* La Palestine n'était alors qu'une *province* de l'empire perse ● *e* la prière de ton serviteur, c'est-à-dire *ma prière* — la maison de mon père, c'est-à-dire *tous mes ancêtres* ● *f* Les v. 8b-9 ne sont pas une citation littérale d'un texte du Pentateuque; cependant Dt 30.1-5 exprime les mêmes idées ● *g* cet homme : Néhémie fait allusion au roi de Perse, voir la fin du verset — L'*échanson* (= *celui qui verse à boire*) était alors un fonctionnaire important dans les cours royales

1.5 Dieu qui garde l'alliance Dt 7.9+. **1.6** oreille attentive et yeux ouverts 2 Ch 6.40. **1.8** je vous disperserai Lv 26.33; Dt 4.27; 28.63. **1.10** grande puissance et force de la main Ex 32.11; Dt 9.29.

Néhémie autorisé à retourner à Jérusalem

2 [1] Il arriva qu'au mois de Nisan de la vingtième année [h] du roi Artaxerxès, alors que le vin était en face de lui, je pris le vin et en donnai au roi. Comme je n'avais jamais été triste devant lui, [2] le roi me dit : « Pourquoi ton visage est-il triste ? N'es-tu pas malade ? Est-ce autre chose qu'une tristesse de cœur ? » J'éprouvai alors une très grande crainte. [3] Je dis au roi : « Que le roi vive à toujours ! Comment mon visage ne serait-il pas triste lorsque la ville où sont les tombeaux de mes pères [i] est dévastée, et que ses portes sont dévorées par le feu ? » [4] Le roi me dit : « Que cherches-tu donc à obtenir ? » Je priai le Dieu des *cieux, [5] puis je dis au roi : « Si cela paraît bon au roi et si ton serviteur est agréable à tes yeux, alors tu m'enverras vers Juda, vers la ville des tombeaux de mes pères, pour que je la reconstruise. » [6] Le roi, à côté de qui la reine était assise, me dit : « Jusqu'à quand durera ton voyage et quand reviendras-tu ? » Il parut bon au roi de m'envoyer ainsi, et je lui indiquai un délai [j].

[7] Je dis encore au roi : « Si cela semble bon au roi, qu'on me donne des lettres pour les gouverneurs de Transeuphratène [k], afin qu'ils me laissent passer jusqu'à ce que je sois arrivé en Juda [8] et aussi une lettre pour Asaf, garde de la forêt du roi, afin qu'il me donne le bois pour construire les portes de la citadelle proche de la Maison [l] et pour les murailles de la ville, ainsi que pour la maison où je me rendrai. » Le roi me donna ces lettres, car la bonne main de mon Dieu était sur moi.

[9] Je me rendis auprès des gouverneurs de Transeuphratène et je leur donnai les lettres du roi. Le roi avait envoyé avec moi des officiers de l'armée et des cavaliers. [10] Sânballat, le Horonite, et Toviya, le serviteur ammonite, l'apprirent et furent très mécontents de savoir qu'un homme venait se soucier de ce qui était bon pour les fils d'Israël.

Néhémie inspecte l'état des murailles

[11] J'arrivai à Jérusalem et j'y restai pendant trois jours. [12] Puis je me levai la nuit, moi et quelques hommes avec moi, mais je n'avais révélé à personne ce que mon Dieu m'avait mis au *cœur de faire pour Jérusalem. Il n'y avait avec moi d'autre bête de somme que celle sur laquelle j'étais monté. [13] Je sortis par la porte de la Vallée pendant la nuit et j'allai vers la source du Dragon et la porte du Fumier [m]. J'inspectai attentivement les murailles de Jérusalem qui n'étaient que brèches et dont les portes avaient été dévorées par le feu. [14] Je passai vers la porte de la Source et vers l'étang du Roi [n], puis la bête sur laquelle j'étais n'eut plus d'endroit pour passer. [15] Alors je montai par le ravin pendant la nuit et j'inspectai attentivement la muraille, puis je revins par la porte de la Vallée et je fus ainsi de retour [o].

[16] Les magistrats ne savaient pas où j'étais allé ni ce que j'avais fait ; jusqu'alors je n'avais rien révélé aux Juifs, aux prêtres, aux notables [p], aux magistrats, ni aux autres qui s'occupaient des travaux. [17] Je leur dis alors : « Vous voyez le malheur dans lequel nous sommes, parce que Jérusalem est dévastée et que ses portes sont incendiées. Allons rebâtir la muraille de Jérusalem et ne soyons plus une honte ! » [18] Je leur révélai comment la main de mon Dieu, sa bonne main, avait été sur moi et comment le roi m'avait parlé. Ils dirent alors : « Levons-nous et bâtissons ! », et ils me prêtèrent main forte pour cette bonne cause.

[19] Sânballat le Horonite, Toviya le serviteur ammonite et Guèshem l'Arabe,

---

[h] *Nisan :* voir au glossaire CALENDRIER — *vingtième année :* voir 1.1 et la note ● *i mes pères* ou *mes ancêtres* ● *j* D'après 5.14, Néhémie est resté douze ans à Jérusalem ● *k Transeuphratène :* voir Esd 4.10 et la note ● *l la forêt* ou *le parc* — *la Maison,* c'est-à-dire *le Temple* ● *m* La *porte de la Vallée* était située dans la muraille ouest de la ville ; la *porte du Fumier,* dans l'angle sud-ouest — La *source du Dragon* est inconnue ● *n* La *porte de la Source* était située près de l'angle sud-est de la ville ; elle conduisait probablement à la source de Roguel (voir 1 R 1.9 et la note) — *l'étang du Roi* est peut-être identique à *l'étang* mentionné en 3.15 ● *o ravin :* il s'agit du ravin du Cédron, à l'est de Jérusalem — *de retour :* Néhémie a fait à peu près la moitié du tour de la muraille, d'ouest en est, par le sud, avant de rentrer en ville par le même chemin ● *p magistrats, notables :* traduction incertaine

2.3 la ville dévastée 2 R 25.8-10; Jr 52.12-14; 2 Ch 36.19. **2.8** la main de Dieu sur moi Esd 7.6+. **2.9** une escorte Esd 8.22+. **2.10** Sânballat 2.19; 3.33; 4.1; 6.1; 13.28. **2.18** la main de Dieu sur moi Esd 7.6+. **2.19** Sânballat 2.10+.

l'ayant appris, se rirent de nous et nous méprisèrent. Ils dirent : « Qu'allez-vous donc faire ? Vous révolter contre le roi ? » [20] Je leur fis cette réponse et leur dis : « C'est le Dieu des *cieux lui-même qui nous accordera le succès ; nous, ses serviteurs, nous nous lèverons et nous bâtirons. Mais pour vous, il n'y aura ni part, ni droit, ni souvenir dans Jérusalem. »

Les Juifs rebâtissent les murs de Jérusalem

3 [1] Elyashiv, le grand prêtre, se leva, ainsi que ses frères les prêtres, et ils bâtirent la porte des Brebis [q]. Ils la consacrèrent et en posèrent les battants ; puis, jusqu'à la tour des Cent, ils consacrèrent la muraille, jusqu'à la tour de Hananéel. [2] A son côté bâtirent les hommes de Jéricho et à côté bâtit Zakkour, fils d'Imri. [3] C'est la porte des Poissons que bâtirent les fils de Ha-Senaa et ce sont eux qui la charpentèrent et en posèrent les battants, avec ses barres et ses verrous. [4] A leur côté travailla Merémoth, fils de Ouriya, fils de Haqqoç, et à côté travailla Meshoullam, fils de Bèrèkya, fils de Meshézavéel ; à côté, travailla Sadoq, fils de Baana ; [5] à côté, travaillèrent les Teqoïtes, mais leurs notables ne se soumirent pas au service de leurs seigneurs [r]. [6] C'est à la porte de la Yeshana [s] que travaillèrent Yoyada, fils de Paséah, et Meshoullam, fils de Besodya ; ce sont eux qui la charpentèrent et en posèrent les battants, avec ses barres et ses verrous. [7] A leur côté travailla Melatya le Gabaonite, ainsi que Yadôn le Méronotite, les hommes de Gabaon et de Miçpa, à côté du siège [t] du gouverneur de Transeuphratène. [8] A son côté travailla Ouzziël, fils de Harhaya l'orfèvre, et à son côté travailla Hananya, le parfumeur ; ils quittèrent Jérusalem [u] lorsqu'ils furent à la Muraille large. [9] A leur côté travailla Refaya, fils de Hour, chef d'une moitié

du secteur de Jérusalem. [10] A leur côté travailla Yedaya, fils de Haroumaf, en face de sa maison, et à son côté travailla Hattoush, fils de Hashavneya. [11] C'est à une seconde portion que travailla Malkiya, fils de Harim, ainsi que Hashouv, fils de Pahath-Moab ; de même à la tour des Fours. [12] A son côté travailla Shalloum, fils de Ha-Lohesh, chef d'une moitié du secteur de Jérusalem, lui ainsi que ses filles. [13] C'est à la porte de la Vallée que travailla Hanoun, avec les habitants de Zanoah ; ce sont eux qui la bâtirent et en posèrent les battants, avec ses barres et ses verrous ; de même pour mille coudées de la muraille jusqu'à la porte du Fumier [v]. [14] C'est à la porte du Fumier que travailla Malkiya, fils de Rékav, chef du secteur de Beth-Kèrem ; c'est lui qui la bâtit et en posa les battants avec ses barres et ses verrous. [15] C'est à la porte de la Source que travailla Shalloum, fils de Kol-Hozé, chef du secteur de Miçpa ; c'est lui qui la bâtit, la couvrit et en posa les battants, avec ses barres et ses verrous ; de même à la muraille de l'étang du canal qui va au jardin du roi, jusqu'aux marches qui descendent de la ville de David [w]. [16] Après lui travailla Nehémya, fils de Azbouq, chef de la moitié du secteur de Beth-Çour, jusqu'en face des tombeaux de David, jusqu'à l'étang artificiel et jusqu'à la maison des Vaillants. [17] Après lui travaillèrent les *lévites, dont Rehoum fils de Bani et, à son côté, travailla à son propre secteur Hashavya, chef de la moitié du secteur de Qéïla. [18] Après lui travaillèrent leurs frères Binnouï, fils de Hénadad, chef de la moitié du secteur de Qéïla. [19] A son côté travailla Ezèr, fils de Yéshoua, chef de Miçpa, à une seconde portion, à partir de l'endroit qui fait face à la montée de l'arsenal, à l'encoignure [x]. [20] Après lui travailla avec ardeur Barouk, fils de Zabbaï, à une seconde portion, depuis l'encoignure jus-

---

[q] La *porte des Brebis* était située près de l'angle nord-est de la muraille de la ville — La description des travaux va se poursuivre jusqu'au v. 32, en suivant la muraille dans le sens ouest — sud — est — nord. Plusieurs noms de portes ou de tours n'apparaissent qu'ici, leur localisation précise n'est guère possible. Les notes suivantes ne donnent que quelques points de repère ● [r] Les *Teqoïtes* sont les habitants de Teqoa, localité située à 15 km environ au sud de Jérusalem — *leurs seigneurs* est ici un titre désignant Néhémie et ses collègues ● [s] La *porte de la Yeshana*, vieille porte, était située près de l'angle nord-ouest de la ville ● [t] *à côté du siège* ou *à côté de la résidence* ; on pourrait aussi comprendre *qui dépendaient*, ou *pour le compte* ● [u] *ils quittèrent Jérusalem* : autre traduction *ils achevèrent leur travail à Jérusalem* ● [v] *porte de la Vallée, porte du Fumier* : voir 2.13 et la note — *coudées* : voir au glossaire POIDS ET MESURES ● [w] *porte de la Source* : voir 2.14 et la note — *ville de David* : voir au glossaire CITÉ DE DAVID ● [x] *l'arsenal, l'encoignure* : mots hébreux obscurs, traduction incertaine

3.1 Elyashiv Esd 10.6 + — la tour de Hananéel 12.39 ; Jr 31.38 ; Za 14.10. **3.3** porte des Poissons cf. 13.16.

qu'à l'entrée de la maison d'Elyashiv, le grand prêtre. [21] Après lui travailla Merémoth, fils de Ouriya, fils de Haqqoç, à une seconde portion, depuis l'entrée de la maison d'Elyashiv jusqu'à l'extrémité de la maison d'Elyashiv. [22] Et après lui travaillèrent les prêtres, venus des environs. [23] Après, travailla Benjamin ainsi que Hashouv, vis-à-vis de leur maison ; après, travailla Azarya, fils de Maaséya, fils de Ananya, à côté de sa maison. [24] Après lui travailla Binnouï, fils de Hénadad, à une seconde portion, depuis la maison de Azarya jusqu'à l'encoignure et jusqu'à l'angle, [25] puis ce fut Palal, fils de Ouzaï, d'en face l'encoignure et la tour supérieure qui fait saillie de la maison du roi, près de la cour de la Prison. Après lui Pedaya, fils de Paréosh [26] — les servants habitaient l'Ofel [y] —, jusque vis-à-vis de la porte des Eaux à l'est, et de la tour en saillie. [27] Après lui travaillèrent les Teqoïtes une seconde portion, depuis le lieu qui fait face à la grande tour en saillie, jusqu'à la muraille de l'Ofel. [28] Depuis le dessus de la porte des Chevaux, travaillèrent les prêtres, chacun vis-à-vis de sa maison. [29] Après, travailla Sadoq, fils d'Immer, en face de sa maison, et après lui travailla Shemaya, fils de Shekanya, gardien de la porte de l'Est. [30] Après lui [z] travailla Hananya, fils de Shèlèmya, ainsi que Hanoun, fils de Çalaf le sixième, à une seconde portion. Après lui travailla Meshoullam, fils de Bèrèkya, en face de sa chambre. [31] Après lui travailla Malkiya l'orfèvre jusqu'à la maison des servants et des marchands, en face de la porte de Mifqad jusqu'à la chambre haute de l'angle. [32] Entre la chambre haute de l'angle et la porte des Brebis [a], travaillèrent les orfèvres et les marchands.

Les adversaires veulent arrêter les travaux

[33] Lorsque Sânballat [b] apprit que nous bâtissions la muraille, la colère le prit, et il fut très irrité. Il se moqua des Juifs [34] et parla en présence de ses frères et des troupes de Samarie en disant : « Que font ces Juifs incapables ? Les laissera-t-on faire ? Vont-ils offrir des *sacrifices ? Vont-ils terminer aujourd'hui ? Feront-ils revivre les pierres tirées de tas de poussière, alors qu'elles sont calcinées ? » [35] Toviya l'Ammonite était à côté de lui et disait aussi : « Ils bâtissent ! Qu'un renard y monte, et il ébréchera leur muraille de pierres ! »

[36] Ecoute, ô notre Dieu, car nous sommes méprisés. Fais retomber leur insulte sur leur tête et livre-les au mépris dans un pays de captivité. [37] Ne pardonne pas leur faute, et que leur péché ne soit pas effacé de devant toi, car ils ont commis une offense à l'égard de ceux qui bâtissent.

[38] Nous avons donc bâti la muraille, et toute la muraille fut réparée jusqu'à mi-hauteur. Le peuple eut à cœur de le faire.

4 [1] Lorsque Sânballat, Toviya, les Arabes, les Ammonites et les Ashdodites [c] apprirent que la réparation des murailles de Jérusalem progressait et que les brèches commençaient à se fermer, leur colère fut très grande. [2] Ils se liguèrent tous ensemble pour venir attaquer Jérusalem et lui causer du dégât. [3] Alors nous avons prié notre Dieu, et nous avons établi un poste de garde jour et nuit, à cause d'eux et contre eux. [4] Mais Juda disait :

« La force du manœuvre défaille,
il y a trop de poussière !
Et nous ne pourrons pas arriver
à bâtir la muraille ! »

[5] Nos adversaires disaient : « Ils ne sauront et ne verront rien jusqu'au moment où nous arriverons au milieu d'eux. Alors nous les tuerons et nous ferons cesser l'ouvrage. »

Néhémie arme ceux qui travaillent

[6] Les Juifs qui habitaient à côté d'eux, quand ils venaient, nous disaient dix fois : « De tous les endroits d'où vous revenez, ils sont sur nous [d] ! » [7] Alors j'ai disposé en dessous un emplacement derrière la

---

[y] Sur les *servants,* voir Esd 8.20 et la note — Sur l'*Ofel,* voir Es 32.14 et la note ● z *Après lui:* d'après les anciennes versions grecque, latine et syriaque, et une ancienne tradition juive; texte hébreu traditionnel; *Après moi* (de même au v. 31) ● a *porte des Brebis:* voir v. 1; le tour de la ville était achevé ● b Dans certaines traductions, les versets 3.33-38 sont numérotés 4.1-6 ● c Dans certaines traductions, les versets 1-17 sont numérotés 7-23 (voir note précédente) ● Les *Ammonites* venaient d'un pays voisin de Juda, à l'est du Jourdain; les *Ashdodites* habitaient Ashdod, ville philistine sur la côte de la Méditerranée ● d ils *sont sur nous* ou ils *viennent contre nous:* le texte de ce verset est peu clair et la traduction incertaine

3.26 habitaient l'Ofel 11.21.   3.33 Sânballat 2.10+.   3.36 leur insulte sur leur tête Os 12.15; Ps 79.12.   3.37 ne pardonne pas Jr 18.23.   4.1 Sânballat 2.10+.

muraille dans les renfoncements *e*, j'ai disposé les gens du peuple selon les clans, avec leurs épées, leurs lances et leurs arcs. ⁸ Ayant tout regardé, je me suis levé pour dire aux notables, aux magistrats et au reste du peuple : « Ne les craignez pas ! Souvenez-vous du Seigneur grand et redoutable, et combattez pour vos frères, vos fils, vos filles, vos femmes et vos maisons. »

⁹ Lorsque nos ennemis apprirent que nous étions avertis et que Dieu avait anéanti leur projet, nous sommes tous retournés à la muraille, chacun à sa tâche. ¹⁰ Mais à partir de ce jour-là, la moitié de mes serviteurs faisait l'ouvrage, et l'autre moitié tenait en main les lances, les boucliers, les arcs et les cuirasses. Les chefs se tenaient derrière toute la maison de Juda. ¹¹ Ceux qui bâtissaient la muraille et ceux qui portaient et chargeaient les fardeaux travaillaient d'une main et de l'autre tenaient une arme. ¹² Quant à ceux qui bâtissaient, chacun bâtissait, une épée attachée à ses reins. Le sonneur de cor était à côté de moi. ¹³ Je dis aux notables, aux magistrats et au reste du peuple : « L'ouvrage est considérable et étendu, et nous, nous sommes dispersés sur la muraille, loin les uns des autres. ¹⁴ A l'endroit où vous entendrez le son du cor, rassemblez-vous là vers nous. Notre Dieu combattra pour nous. » ¹⁵ Nous faisions l'ouvrage — la moitié d'entre nous tenant à la main les lances — depuis le lever de l'aurore jusqu'à l'apparition des étoiles. ¹⁶ C'est aussi dans ce temps-là que je dis au peuple : « Chacun avec son serviteur passera la nuit dans Jérusalem ; la nuit, ayons une garde, et le jour, tous à l'ouvrage ! » ¹⁷ Personne, ni moi, ni mes frères, ni mes serviteurs, ni les hommes de la garde qui me suivaient, personne de nous ne quittait ses vêtements. Chacun avait son arme dans la main droite *f*.

Néhémie met fin aux injustices sociales

5 ¹ Alors il s'éleva une grande plainte des gens du peuple et de leurs femmes contre leurs frères juifs. ² Certains disaient : « Nos fils, nos filles et nous-mêmes, nous sommes nombreux. Nous voudrions avoir du blé pour manger et vivre ! » ³ D'autres disaient : « Nos champs, nos vignes et nos maisons, nous les donnons en gage pour avoir du blé pendant la famine. » ⁴ D'autres encore disaient : « Pour le tribut du roi, nous empruntons de l'argent sur nos champs et nos vignes. ⁵ Pourtant, notre chair est semblable à la chair de nos frères, et nos fils sont semblables à leurs fils. Et cependant nous devons livrer nos fils et nos filles à la servitude, et certaines de nos filles sont déjà asservies ; nous n'y pouvons rien ; nos champs et nos vignes sont à d'autres ! »

⁶ La colère me saisit violemment lorsque j'entendis leur plainte et de telles paroles. ⁷ En moi s'imposa la décision de faire des reproches aux notables et aux magistrats, et je leur dis : « C'est une charge que vous faites peser *g* les uns sur les autres ! » Puis, je les convoquai à une grande assemblée.

⁸ Je leur dis : « Nous avons, nous-mêmes, racheté nos frères juifs vendus aux nations, autant que nous l'avons pu ; mais vous, vous vendez vos frères, et c'est à nous-mêmes qu'ils sont vendus ! » Ils gardèrent le silence et ne trouvèrent pas un mot à dire. ⁹ Et je dis *h* : « Ce que vous faites n'est pas bien. N'est-ce pas dans la crainte de notre Dieu que vous devez marcher, pour éviter la honte des nations, nos ennemis ? ¹⁰ Moi aussi, mes frères et mes serviteurs, nous leur avons prêté de l'argent et du blé. Nous allons donc abandonner cette dette. ¹¹ Rendez-leur, aujourd'hui même, leurs champs, leurs vignes, leurs oliviers et leurs maisons, ainsi que la part *i* d'argent, de blé, de vin nouveau et d'huile que vous leur avez prêtée. » ¹² Ils dirent : « Nous le rendrons et nous ne leur demanderons rien. Nous allons faire comme tu dis. » J'appelai les prêtres et je fis jurer aux gens d'agir comme on l'avait dit. ¹³ Et je secouai aussi le pli de mon manteau *j*, et je

---

e Le sens des mots traduits par en dessous et renfoncements est incertain ● f Chacun avait son arme dans la main droite : texte obscur, traduction incertaine ● g C'est une charge que vous faites peser ou Vous prélevez des intérêts exagérés ● h Et je dis : d'après les versions anciennes et une ancienne tradition juive ; texte hébreu traditionnel : Et il dit ● i la part : traduction incertaine ; autre traduction le centième (c'est-à-dire le pour-cent, donc l'intérêt (?) de l'argent que vous leur avez prêté) ● j le pli de mon manteau : un repli du manteau, en dessous de la ceinture, servait de poche — Néhémie montre qu'il n'a rien pris aux autres ; en même temps il accomplit un geste symbolique, dans la tradition des prophètes (voir 1 R 11.31 et les références parallèles)

5.1-5 les problèmes sociaux cf. Jr 34.8-22. **5.5** les enfants livrés à l'esclavage 2 R 4.1+. **5.11** rendez-leur leurs biens Lv 25.13, 23. **5.13** l'assemblée qui répond Amen 8.6 ; Dt 27.15-26 ; Ps 106.48 ; 1 Ch 16.36.

dis : « C'est ainsi que Dieu secouera hors de sa maison et loin de ses biens tout homme qui ne tiendra pas sa parole ! C'est ainsi qu'il sera secoué et laissé sans rien ! » Toute l'assemblée dit : « *Amen ! » et loua le SEIGNEUR. Et le peuple fit ce qui avait été dit.

¹⁴ Depuis le jour même où l'on me donna l'ordre d'être leur gouverneur dans le pays de Juda, depuis la vingtième année jusqu'à la trente-deuxième année du roi Artaxerxès, pendant douze ans, moi et mes frères nous n'avons pas mangé le pain du gouverneur ᵏ. ¹⁵ Avant moi, les premiers gouverneurs écrasaient le peuple et leur prenaient du pain et du vin et, en plus, quarante sicles ˡ d'argent. Leurs serviteurs aussi exerçaient leur domination sur le peuple. Mais moi-même, je n'ai pas agi ainsi, par crainte de Dieu. ¹⁶ Je me suis attaché aussi à l'ouvrage de cette muraille, et nous n'avons pas acheté de champ ᵐ, et tous mes serviteurs étaient réunis ici, à l'ouvrage. ¹⁷ Les Juifs et les magistrats qui étaient à ma table ⁿ étaient au nombre de cent cinquante hommes, avec ceux qui venaient vers nous des nations environnantes.

¹⁸ Ce qui était préparé chaque jour — un bœuf, six moutons de choix et des volailles — était préparé pour moi ; et tous les dix jours, tout le vin en abondance. Malgré cela, je n'ai pas réclamé le pain du gouverneur, car le service pesait lourdement sur ce peuple.

¹⁹ Mon Dieu, souviens-toi pour mon bien de tout ce que j'ai fait pour ce peuple !

Nouvelle intervention des adversaires

6 ¹ Lorsqu'on apprit à Sânballat, à Toviya, à Guèshem l'Arabe et au reste de nos ennemis que j'avais recons-truit la muraille et qu'il n'y restait plus de brèche, je n'avais pas encore, à ce moment-là, posé les battants des portes. ² Sânballat, ainsi que Guèshem, m'envoya dire : « Viens. Ayons une entrevue à Kefirim, dans la vallée d'Ono ᵒ ». Ils avaient la pensée de me faire du mal. ³ Je leur envoyai des messagers pour leur dire : « Ce que je fais est une œuvre considérable, et je ne peux pas descendre. Pourquoi l'ouvrage cesserait-il lorsque je le quitterai pour descendre vers vous ? » ⁴ Ils m'envoyèrent quatre fois le même messager, et je leur fis la même réponse.

⁵ Une cinquième fois, encore pour le même message, Sânballat m'envoya son serviteur portant en main une lettre ouverte. ⁶ Il y était écrit : « Parmi les nations, on entend dire — et Gashmou ᵖ le dit — que toi et les Juifs, vous avez la pensée de vous révolter et que, pour cette raison, tu bâtis la muraille pour devenir leur roi, selon ces dires. ⁷ Tu as même mis en place des *prophètes à Jérusalem pour proclamer à ton sujet : Il y a un roi en Juda ! — Et maintenant on va l'apprendre au roi ᵍ, d'après ces dires. Viens donc à présent, et tenons conseil ensemble. » ⁸ Je lui envoyai dire alors : « Il n'y a rien qui corresponde aux paroles que tu dis ; c'est toi qui les inventes ! » ⁹ Eux tous, en effet, voulaient nous effrayer en disant : « Leurs mains vont lâcher l'ouvrage, qui ne se fera jamais ! » — Et maintenant, fortifie mes mains ! ʳ — ¹⁰ Je me rendis à la maison de Shemaya, fils de Delaya, fils de Mehétavéel, car il avait un empêchement ˢ. Il dit : « Rencontrons-nous à la Maison de Dieu, au milieu du Temple, et fermons les portes du Temple, car ils vont venir te tuer ; c'est la nuit qu'ils vont venir te tuer. » ¹¹ Je répondis : « Un homme comme moi prendrait-il la fuite ? Et quel

---

ᵏ *où l'on me donna l'ordre* : autre traduction *où le roi de Perse me donna l'ordre — le pain du gouverneur* : le gouverneur d'une province avait le droit de prélever un impôt spécial qui constituait en quelque sorte son salaire. Cet impôt était souvent très lourd (voir v. 15). Néhémie a renoncé à ce droit ● *l sicles* : voir au glossaire POIDS ET MESURES ● *m et nous n'avons pas acheté de champ* (ou, d'après les versions anciennes, *je n'ai pas...*) : Néhémie (et ses serviteurs?) n'a pas profité de la situation de certains compatriotes pour acheter à bon compte des propriétés. Autre traduction *bien que nous ne fussions propriétaires d'aucun champ* ; les propriétaires avaient plus d'intérêt que les autres gens à la sécurité du pays ● *n à ma table*, c'est-à-dire *à ma charge*. Néhémie souligne ainsi son désintéressement et insiste sur le fait que son renoncement au « pain du gouverneur » représente une lourde charge (v. 18) ● *o Kefirim* : localité inconnue ; *Ono* : localité proche de la côte méditerranéenne, à mi-chemin environ entre Lod et Jaffa ● *p Gashmou* est le même personnage que *Guèshem l'Arabe* (v. 1) ● *q au roi*, c'est-à-dire à Artaxerxès, roi de Perse ● *r Et maintenant, fortifie mes mains !* : brève prière adressée à Dieu ● *s il avait un empêchement* ou *il s'était enfermé chez lui*

5.17 nombreux convives 1 R 10.4-6. **5.18** les vivres de chaque jour 1 R 5.2-3. **6.1** Sânballat 2.10+. **6.7** Il y a un roi en Juda 1 S 10.24 ; 2 S 15.10 ; i R 1.25, 34, 39 ; 2 R 9.13. **6.10** il avait un empêchement 1 S 20.25-26 ; Jr 36.5.

homme tel que moi pourrait entrer dans le Temple et vivre? Je n'y entrerai pas! *t* » ¹² Je reconnus en effet que ce n'était pas Dieu qui l'avait envoyé, car s'il avait prononcé une prophétie sur moi, c'est que Toviya, ainsi que Sânballat, l'avaient payé. ¹³ Pourquoi avait-il été payé? Afin que je sois effrayé, que je fasse comme il avait dit et que je commette un péché. Ils auraient eu l'occasion de me faire une mauvaise réputation et de me déclarer *blasphémateur.

¹⁴ Souviens-toi, mon Dieu, de Toviya et de Sânballat, à cause de leurs actions, et aussi de Noadya la prophétesse et des autres prophètes qui voulaient m'effrayer! ¹⁵ La muraille fut achevée le vingt-cinq du mois d'Eloul *u*, en cinquante-deux jours. ¹⁶ Lorsque tous nos ennemis l'apprirent, toutes les nations qui nous entourent furent dans la crainte *v*, et furent humiliées à leurs propres yeux. Ils reconnurent que cet ouvrage avait été exécuté par la volonté de notre Dieu. ¹⁷ C'est aussi en ce temps-là que des notables de Juda avaient adressé de nombreuses lettres destinées à Toviya, et que celles de Toviya leur parvenaient. ¹⁸ Car beaucoup de gens en Juda lui étaient liés par serment, puisqu'il était le gendre de Shekanya, fils d'Arah, et que son fils Yehohanân avait épousé la fille de Meshoullam, fils de Bèrèkya. ¹⁹ Ils faisaient même son éloge en ma présence, et lui rapportaient mes paroles. Toviya avait envoyé des lettres pour m'effrayer.

Les mesures de protection de la ville

7 ¹ Lorsque la muraille fut bâtie, je posai les battants des portes; les portiers, les chantres et les *lévites furent établis dans leurs fonctions. ² Je donnai l'ordre de placer sur Jérusalem mon frère Hanani, et Hananya chef de la citadelle, car il était un homme fidèle qui craignait Dieu, plus que beaucoup d'autres. ³ Je leur dis: « Les portes de Jérusalem ne seront pas ouvertes avant la chaleur du soleil, et, tant que les portiers ne se tiendront pas à leur poste, les battants seront fermés solidement *w*. On instituera un tour de garde pour les habitants de Jérusalem, chacun ayant son poste et chacun en face de sa maison. » ⁴ La ville était grande et étendue des deux côtés, mais la population était peu nombreuse à l'intérieur. Les maisons n'étaient pas rebâties *x*.

Liste des Juifs revenus en Palestine

⁵ Mon Dieu me mit au cœur de réunir les notables, les magistrats et le peuple pour en faire le recensement. Je trouvai le livre du recensement de ceux qui étaient montés au début et j'y trouvai écrit ceci *y*: ⁶ Voici ceux de la province qui, parmi les captifs déportés — ceux que Nabuchodonosor, roi de Babylone, avait déportés — remontèrent et retournèrent à Jérusalem en Juda, chacun dans sa ville. ⁷ Ils vinrent avec Zorobabel, Josué, Nehémya, Azarya, Raamya, Nahamani, Mordokaï, Bilshân, Mispèreth, Bigwaï, Nehoum, Baana.

Nombre des hommes du peuple d'Israël: ⁸ les fils de Paréosh: 2 172; ⁹ les fils de Shefatya: 372; ¹⁰ les fils de Arah: 652; ¹¹ les fils de Pahath-Moab, c'est-à-dire les fils de Yéshoua et Yoav: 2 818; ¹² les fils de Elam: 1 254; ¹³ les fils de Zattou: 845; ¹⁴ les fils de Zakkaï: 760; ¹⁵ les fils de Binnouï: 648; ¹⁶ les fils de Bévaï: 628; ¹⁷ les fils de Azgad: 2 322; ¹⁸ les fils d'Adoniqâm: 667; ¹⁹ les fils de Bigwaï: 2 067; ²⁰ les fils de Adîn: 655; ²¹ les fils d'Atér, c'est-à-dire de Hizqiya: 98; ²² les fils de Hashoum: 328; ²³ les fils de Béçaï: 324; ²⁴ les fils de Harif: 112; ²⁵ les fils de Gabaon: 95; ²⁶ les hommes de Bethléem et Netofa: 188; ²⁷ les hommes de Anatoth: 128; ²⁸ les hommes de Beth-Azmaweth: 42; ²⁹ les hommes de Qiryath-Yéarim, Kefira et Bééroth: 743; ³⁰ les hommes de Rama et Guéva: 621; ³¹ les hommes de Mikmas: 122; ³² les hommes de Béthel et Aï: 123; ³³ les hommes d'un autre Nébo: 52; ³⁴ les fils d'un autre Elam: 1 254; ³⁵ les fils de Harim: 320; ³⁶ les fils de Jéricho:

---

t Néhémie n'était pas prêtre; il n'avait donc pas le droit de pénétrer dans le bâtiment du Temple (voir Nb 18.7) ● *u Eloul:* voir au glossaire CALENDRIER ● *v furent dans la crainte:* d'après les versions anciennes; hébreu: *virent.* (En hébreu, les deux expressions ont des orthographes presque semblables) ● *w tant que... solidement:* texte obscur et traduction incertaine ● *x Les maisons n'étaient pas rebâties;* autre traduction *Les familles n'étaient pas reconstituées* ● *y* La liste de Ne 7.6-72 se trouve déjà (avec quelques différences) en Esd 2.1-70; pour les notes, voir Esd 2

6.14 les faux prophètes 1 R 22.5-23; Jr 23.9-40; Za 13.2-3. 7.7 Zorobabel et Josué Esd 2.2+.

345 ; [37] les fils de Lod, Hadid et Ono : 721 ; [38] les fils de Senaa : 3 930.

[39] Les prêtres : les fils de Yedaya, c'est-à-dire la maison de Josué : 973 ; [40] les fils d'Immer : 1 052 ; [41] les fils de Pashehour : 1 247 ; [42] les fils de Harim : 1 017.

[43] Les *lévites : les fils de Yéshoua, c'est-à-dire Qadmiel, les fils de Hodwa : 74.

[44] Les chantres : les fils d'Asaf : 148.

[45] Les portiers : les fils de Shalloum, les fils d'Atér, les fils de Talmôn, les fils de Aqqouv, les fils de Hatita, les fils de Shovaï : 138.

[46] Les servants : les fils de Ciha, les fils de Hasoufa, les fils de Tabbaoth, [47] les fils de Qéros, les fils de Sia, les fils de Padôn, [48] les fils de Levana, les fils de Hagava, les fils de Shalmaï, [49] les fils de Hanân, les fils de Guiddel, les fils de Gahar, [50] les fils de Réaya, les fils de Recîn, les fils de Neqoda, [51] les fils de Gazzam, les fils de Ouzza, les fils de Paséah, [52] les fils de Bésaï, les fils de Méounîm, les fils de Nefishsîm, [53] les fils de Baqbouq, les fils de Haqoufa, les fils de Harhour, [54] les fils de Baçlith, les fils de Mehida, les fils de Harsha, [55] les fils de Barqos, les fils de Sisera, les fils de Tamah, [56] les fils de Neciah, les fils de Hatifa.

[57] Les fils des serviteurs de Salomon : les fils de Sotaï, les fils de Soféreth, les fils de Perida, [58] les fils de Yaala, les fils de Darqôn, les fils de Guiddel, [59] les fils de Shefatya, les fils de Hattil, les fils de Pokéreth-Ha-Cevaïm, les fils d'Amôn.

[60] Tous les servants et les fils des serviteurs de Salomon : 392.

[61] Et voici ceux qui sont montés de Tel-Mèlah, Tel-Harsha, Keroub-Addôn et Immer et qui n'ont pas pu faire connaître si leur maison paternelle et leur race étaient bien d'Israël : [62] les fils de Delaya, les fils de Toviya, les fils de Neqoda : 642 ; [63] et certains parmi les prêtres : les fils de Hovaya, les fils d'Haqqoç, les fils de Barzillaï — celui qui avait pris femme parmi les filles de Barzillaï le Galaadite et avait été appelé de leur nom. [64] Ces gens-là cherchèrent leur registre de généalogies, mais ne le trouvèrent pas ; alors on les déclara souillés, exclus du sacerdoce. [65] Et le gouverneur leur dit de ne pas manger des aliments très *saints, jusqu'à ce que le prêtre se présente pour consulter par Ourim et Toummim.

[66] L'assemblée tout entière était de 42 360 personnes, [67] sans compter leurs serviteurs et leurs servantes qui étaient 7 337, ils avaient 245 chanteurs et chanteuses, [68] 435 chameaux, 6 720 ânes. [69] Une partie des chefs de famille firent des dons pour l'œuvre. Le gouverneur donna au trésor 1 000 drachmes d'or, 50 coupes, 530 tuniques de prêtres. [70] Certains des chefs de famille donnèrent au trésor de l'œuvre 20 000 drachmes d'or et 2 200 mines d'argent, [71] et ce que le reste du peuple donna fut de 20 000 drachmes d'or, 2 000 mines d'argent et 67 tuniques de prêtres.

[72] Alors les prêtres, les lévites, les portiers, les chantres, une partie du peuple, les servants et tous les Israélites s'établirent dans leurs villes. Le septième mois [z] arriva, et les fils d'Israël habitaient dans leurs villes.

Esdras fait une lecture publique de la Loi

8 [1] Tout le peuple, comme un seul homme, se rassembla sur la place qui est devant la porte des Eaux, et ils dirent à Esdras [a], le scribe, d'apporter le livre de la Loi de Moïse que le SEIGNEUR avait prescrite à Israël. [2] Le prêtre Esdras apporta la Loi devant l'assemblée, où se trouvaient les hommes, les femmes et tous ceux qui étaient à même de comprendre ce qu'on entendait. C'était le premier jour du septième mois [b].

[3] Il lut dans le livre, sur la place qui est devant la porte des Eaux, depuis l'aube jusqu'au milieu de la journée, en face des hommes, des femmes et de ceux qui pouvaient comprendre. Les oreilles de tout le peuple étaient attentives au livre de la Loi.

[4] Le scribe Esdras était debout sur une tribune de bois qu'on avait faite pour la circonstance, et à côté de lui se tenaient Mattitya, Shèma, Anaya, Ouriya, Hilqiya et Maaséya à sa droite, et à sa gauche : Pedaya, Mishaël, Malkiya, Hashoum, Hashbaddana, Zekarya, Meshoullam. [5] Esdras [c] ouvrit le livre aux yeux de tout le

---

z *septième mois*: voir Esd 3.1 et la note ● a *la place devant la porte des Eaux* devait se trouver au sud-est du Temple — *Esdras*: voir Esd 7.6 et la note ● b *ceux qui étaient à même de comprendre*, c'est-à-dire les enfants en âge de comprendre — *septième mois*: voir Esd 3.1 et la note ● c Les v. 5-8 décrivent le culte qui sera celui de la synagogue ; l'élément central n'y sera plus le sacrifice comme au Temple, mais la lecture de l'Ecriture sainte, suivie de l'explication du texte

7.72 le septième mois Esd 3.1.

peuple, car il était au-dessus de tout le peuple, et lorsqu'il l'ouvrit tout le peuple se tint debout. ⁶ Et Esdras bénit le SEIGNEUR, le grand Dieu, et tout le peuple répondit : « *Amen ! Amen ! » en levant les mains. Puis ils s'inclinèrent et se prosternèrent devant le SEIGNEUR, le visage contre terre. ⁷ Yéshoua, Bani, Shérévya, Yamîn, Aqqouv, Shabtaï, Hodiya, Maaséya, Qelita, Azarya, Yozavad, Hanân, Pelaya — les *lévites ᵈ — expliquaient la Loi au peuple, et le peuple restait debout sur place. ⁸ Ils lisaient dans le livre de la Loi de Dieu, de manière distincte ᵉ, en en donnant le sens, et ils faisaient comprendre ce qui était lu.

⁹ Alors Néhémie le gouverneur, Esdras le prêtre-scribe et les lévites qui donnaient les explications au peuple, dirent à tout le peuple : « Ce jour-ci est consacré au SEIGNEUR votre Dieu. Ne soyez pas dans le deuil et ne pleurez pas ! » — car tout le peuple pleurait en entendant les paroles de la Loi. ¹⁰ Il leur dit ᶠ : « Allez, mangez de bons plats, buvez d'excellentes boissons, et faites porter des portions à celui qui n'a rien pu préparer, car ce jour-ci est consacré à notre Seigneur. Ne soyez pas dans la peine, car la joie du SEIGNEUR, voilà votre force ! » ¹¹ Et les lévites calmaient tout le peuple en disant : « Faites silence, car ce jour est consacré. Ne soyez pas dans la peine ! »

¹² Alors tout le peuple s'en alla pour manger et boire, pour faire porter des portions et pour manifester une grande joie, car ils avaient compris les paroles qu'on leur avait fait connaître.

Célébration de la fête des Tentes

¹³ Le deuxième jour, les chefs de famille de tout le peuple, les prêtres et les *lévites se rassemblèrent auprès du scribe Esdras pour bien discerner le sens des paroles de la Loi. ¹⁴ Ils trouvèrent écrit dans la Loi, que le SEIGNEUR avait pres-

crite par l'intermédiaire de Moïse, que les fils d'Israël devaient habiter dans des huttes pendant la fête du septième mois ᵍ ¹⁵ et qu'ils devaient le faire savoir et en publier l'annonce dans toutes leurs villes et à Jérusalem, en ces termes : « Sortez dans la montagne et rapportez du feuillage d'olivier, du feuillage d'olivier sauvage, du feuillage de myrte, du feuillage de palmiers et du feuillage d'arbres touffus, pour faire des huttes, comme cela est écrit ʰ. » ¹⁶ Alors le peuple sortit et rapporta de quoi se faire des huttes, chacun sur son toit, dans leurs propres cours et dans les cours de la Maison de Dieu, ainsi que sur la place de la porte des Eaux et sur la place de la porte d'Ephraïm ⁱ.

¹⁷ Toute l'assemblée — ceux qui étaient revenus de la captivité — fit des huttes et habita dans ces huttes. Or depuis le temps de Josué fils de Noun ʲ jusqu'à ce jour, les fils d'Israël n'avaient pas fait cela. Ce fut une très grande joie. ¹⁸ On lut dans le livre de la Loi de Dieu chaque jour, depuis le premier jour jusqu'au dernier. La fête dura sept jours et le huitième jour, selon la coutume, il y eut une assemblée de clôture.

Prière publique de confession des péchés

9 ¹ Le vingt-quatrième jour de ce mois, les fils d'Israël, vêtus de sacs et couverts de terre ᵏ, se rassemblèrent pour un *jeûne. ² Ceux qui étaient de la race d'Israël se séparèrent de tous les étrangers et se mirent en place pour confesser leurs péchés et les fautes de leurs pères. ³ Ils se levèrent à leur place, et on lut pendant un quart de la journée dans le livre de la Loi du SEIGNEUR, leur Dieu ; pendant un autre quart, ils firent leur confession et se prosternèrent devant le SEIGNEUR, leur Dieu. ⁴ Sur l'estrade des *lévites, se leva

---

ᵈ — les lévites — : d'après les anciennes versions (il est probable en effet que les personnages mentionnés sont des lévites) ; hébreu : (... Pelaya) et les lévites ● e de manière distincte : le sens du mot hébreu ainsi traduit est incertain ; il pourrait s'agir soit de la prononciation claire, soit de la traduction (en araméen ?) pour ceux qui ne savaient plus assez l'hébreu ● f Il leur dit : il s'agit probablement d'Esdras, voir v. 13 ● g la fête du septième mois, c'est-à-dire la fête des Tentes (voir au glossaire CALENDRIER) ● h comme cela est écrit : voir Lv 23.33-43 ● i La porte d'Ephraïm n'est pas mentionnée au chap. 3 ; elle se trouvait entre la porte des Poissons (3.3) et la porte de la Vallée (3.13) ● j depuis le temps de Josué fils de Noun : ce Josué ayant été le successeur de Moïse et la tête du peuple d'Israël (voir Dt 31.7-8, et le livre de Josué), cela nous reporte à 7 ou 8 siècles auparavant ● k vêtus de sacs et couverts de terre (ou couverts de poussière) : ce sont habituellement des gestes de deuil ; mais ils peuvent aussi exprimer, comme ici, l'humiliation volontaire (comparer Esd 9.3 et la note)

8.6 le peuple qui répond Amen 5.13+. **8.17** pas fait cela Cf. Esd 3.4. **8.18** assemblée de clôture Lv 23.36. **9.2** confession des péchés Lv 26.40+.

Yéshoua, ainsi que Bani, Qadmiel, Shevanya, Bounni, Shérévya, Bani, Kenani ; ils
crièrent à haute voix vers le SEIGNEUR,
leur Dieu. [5] Et les lévites Yéshoua, Qadmiel, Bani, Hashavneya, Shérévya, Hodiya, Shevanya, Petahya dirent : « Levez-
vous ! Bénissez le SEIGNEUR, votre Dieu,
depuis toujours et à jamais !
Que l'on bénisse ton *nom glorieux,
qui surpasse toute bénédiction et louange !
[6] C'est toi qui es le SEIGNEUR, toi seul !
C'est toi qui as fait les cieux, les cieux des
cieux et toute leur armée, la terre et
tout ce qui s'y trouve, les mers et tout ce
qu'elles contiennent. C'est toi qui leur
donnes la vie à tous, et l'armée *l* des cieux
se prosterne devant toi. [7] C'est toi, le
SEIGNEUR Dieu, qui as choisi Abram, l'as
fait sortir d'Our des Chaldéens et lui as
donné pour nom Abraham. [8] Tu as trouvé
son *cœur fidèle envers toi, et tu as conclu
avec lui l'*alliance pour lui donner le
pays des Cananéens, des Hittites, des
*Amorites, des Perizzites, des Jébusites et
des Guirgashites, et pour le donner à sa
descendance. Tu as tenu parole, car tu
es juste.

[9] Tu as vu l'humiliation de nos pères *m*
en Egypte et tu as entendu leur cri au
bord de la *mer des Joncs. [10] Tu as
accompli des signes et des prodiges contre *Pharaon, contre tous ses serviteurs
et contre tout le peuple de son pays, car
tu savais que dans leur orgueil ils les
avaient maltraités, et tu t'es fait un nom
comme on le voit aujourd'hui. [11] Tu as
fendu la mer en face d'eux et ils ont
passé à sec au milieu de la mer ; ceux
qui les poursuivaient, tu les as précipités
dans les profondeurs, comme une pierre
dans les eaux puissantes. [12] Par une colonne de nuée tu les as conduits le jour,
et par une colonne de feu sur la nuit, pour
leur éclairer le chemin sur lequel ils
marchaient. [13] Sur la montagne du Sinaï,
tu es descendu et, du haut des cieux, tu
leur as parlé ; tu leur as donné des com-

mandements justes, des lois de vérité, des
prescriptions et des ordonnances bonnes.
[14] Tu leur as fait connaître ton saint
*sabbat et tu leur as donné des ordon-
nances, des prescriptions et une loi, par
l'intermédiaire de Moïse, ton serviteur.
[15] Tu leur as donné pour leur faim le
pain du ciel et tu as fait jaillir pour eux
l'eau du rocher pour leur soif. Tu leur
as dit de venir prendre possession du
pays que tu avais juré de leur donner,
en levant la main *n*.

[16] Mais eux et nos pères, ils ont été
orgueilleux, ils ont raidi leur cou et n'ont
pas écouté tes ordonnances. [17] Ils ont
refusé d'écouter et ne se sont pas souvenu
des miracles que tu avais faits pour eux ;
ils ont raidi leur cou et, dans leur révolte,
ils se sont mis en tête de retourner *o* à
leur servitude. Mais toi, tu es le Dieu des
pardons, bienveillant et miséricordieux,
lent à la colère et plein de fidélité ; tu
ne les as pas abandonnés, [18] même quand
ils se sont fait un veau de métal fondu
et qu'ils ont dit : "Voici ton Dieu qui t'a
fait monter d'Egypte". Ils ont été coupables de grandes offenses. [19] Et toi, dans
ta grande miséricorde, tu ne les as pas
abandonnés dans le désert : la colonne
de nuée ne s'est pas écartée d'eux pendant le jour pour les conduire sur ce chemin, ni la colonne de feu pendant la nuit
pour éclairer le chemin sur lequel ils
marchaient. [20] Tu leur as donné ton bon
esprit pour qu'ils aient du discernement ;
tu n'as pas refusé la manne à leur bouche
et tu leur as donné de l'eau pour leur soif.
[21] Pendant quarante ans, tu leur as assuré
la subsistance dans le désert ; ils n'ont
manqué de rien, leurs vêtements ne se
sont pas usés et leurs pieds n'ont pas
enflé. [22] Tu leur as livré des royaumes
et des peuples et tu les leur as répartis
comme territoires frontaliers, et ils ont
pris possession du pays de Sihôn — c'est
le pays du roi de Heshbôn — et du pays
de Og, roi de Bashân. [23] Tu as multiplié

---

l L'expression *armée des cieux* désigne généralement les astres ● *m de nos pères* ou *de nos
ancêtres* ● *n en levant la main*: geste qui accompagne et authentifie le serment ● *o ils se sont
mis en tête de retourner* ou *ils se sont donné un chef pour retourner*

9.5 ton nom glorieux Dn grec 3.52.   **9.6** toi seul Dt 6.4 — la création Gn 1.   **9.7** Abram Gn 12.1
— Abraham Gn 17.5.   **9.8** alliance Gn 15.18-21.   **9.9** en Egypte Ex 2.23-24; 3.7.   **9.10** signes
et prodiges Ex 7—12.   **9.11** fendu la mer Ex 14.15-30 — anéanti les poursuivants Ex 15.4-5, 10.
9.12 colonne de nuée, colonne de feu Ex 13.21-22.   **9.13** descendu sur le Sinaï Ex 19 — commandements justes Dt 4.5-8.   **9.14** le sabbat Ex 20.8-11 par.   **9.15** le pain du ciel Ex 16 — l'eau du
rocher Ex 17.1-7 — la promesse du pays Dt 1.21.   **9.16-17** refus d'obéir Nb 14.1-4; Dt 1.26-33.
9.17 Dieu bienveillant et miséricordieux Ex 34.6-7+.   **9.18** le veau d'or Ex 32.1-6.   **9.19** pas
abandonnés dans le désert Ex 32.11-14.   **9.21** quarante ans Dt 8.2-4.   **9.22** Sihôn et Og
Nb 21.21-35; Dt 1.4; 2.26—3.11.   **9.23** multiplié leurs fils Nb 1.20-46; 26.1-51; Dt 1.10 — entrer
dans le pays promis Jos 3.14-17.

leurs fils comme les étoiles des cieux et tu les as fait entrer dans le pays dont tu avais dit à leurs pères d'aller prendre possession. 24 Les fils y sont entrés et ont pris possession du pays ; tu as soumis devant eux les habitants du pays, les Cananéens, et tu les as livrés entre leurs mains, ainsi que leurs rois et les peuples du pays, pour en faire ce qu'ils voulaient. 25 Ils ont pris des villes fortifiées et un sol fertile ; ils ont pris possession de maisons remplies de biens de toutes sortes, des puits creusés, des vignes, des oliviers et des arbres fruitiers en grand nombre ; ils ont mangé, se sont rassasiés, ont engraissé et ont vécu dans les délices, grâce à ta grande bonté.

26 Mais ils se sont rebellés et se sont révoltés contre toi ; ils ont rejeté ta Loi loin derrière eux, ils ont tué tes *prophètes qui les adjuraient de revenir à toi et ils ont été coupables de grandes offenses. 27 Alors tu les as livrés aux mains de leurs adversaires qui les ont combattus. Au temps de leur détresse, ils criaient vers toi, et toi, du haut des cieux, tu entendais et selon tes grandes compassions tu leur donnais des libérateurs qui les sauvaient de la main de leurs adversaires. 28 Mais quand ils avaient du repos, ils recommençaient à faire le mal devant toi et tu les abandonnais aux mains de leurs ennemis, et ceux-ci les opprimaient. Ils criaient de nouveau vers toi, et toi, du haut des cieux, tu entendais et tu les délivrais en maintes circonstances, selon tes grandes compassions. 29 Tu les adjurais de revenir à ta Loi, mais eux, ils agissaient avec dureté et n'écoutaient pas tes ordonnances ; ils ont péché contre tes commandements que l'homme doit accomplir pour avoir la vie. Ils ont rendu rebelle leur épaule et ont raidi leur cou ; ils n'ont pas écouté.

30 Tu les as supportés pendant de nombreuses années ; tu les as adjurés par ton esprit, par l'intermédiaire de tes prophètes, mais ils n'ont pas prêté l'oreille. Alors tu les as livrés aux mains des peuples d'autres pays. 31 Dans tes grandes compassions, tu ne les as pas livrés à la destruction et tu ne les as pas abandonnés, car tu es un Dieu bienveillant et miséricordieux.

32 Et maintenant, notre Dieu, Dieu grand, puissant et redoutable, qui gardes l'alliance et la fidélité, ne considère pas comme peu de chose toute l'affliction qui nous est arrivée à nous, à nos rois, à nos chefs, à nos prêtres, à nos prophètes, à nos pères et à tout ton peuple, depuis le temps des rois d'Assyrie [p] jusqu'à ce jour. 33 Toi, tu es juste au sujet de tout ce qui nous est arrivé, car tu as agi avec vérité, mais nous, nous avons agi avec méchanceté. 34 Quant à nos rois, nos chefs, nos prêtres et nos pères, ils n'ont pas mis en pratique ta Loi et n'ont pas été attentifs à tes ordonnances ni à tes avertissements que tu leur avais répétés. 35 Eux, dans leur règne et dans la grande prospérité que tu leur avais donnée, dans le pays étendu et fertile que tu avais mis devant eux, ils ne t'ont pas servi et ne se sont pas détournés de leurs mauvaises actions. 36 Aujourd'hui, voici que nous sommes des esclaves, et dans le pays que tu as donné à nos pères afin d'en manger les fruits et les biens, voici que nous sommes des esclaves ! 37 Ses produits abondants sont pour les rois que tu as établis sur nous, à cause de nos péchés ; ils dominent sur nos corps et sur notre bétail, selon leur bon plaisir ; et nous, nous sommes dans une grande détresse. »

Le peuple s'engage à observer la Loi

10 1 En conséquence [q], nous concluons un accord ferme et nous le mettons par écrit. Sur ce texte scellé figurent nos chefs, nos *lévites et nos prêtres.

2 Sur ces textes scellés figurent donc : Néhémie le gouverneur, fils de Hakalya, et Cidqiya ; 3 Seraya, Azarya, Yirmeya, 4 Pashehour, Amarya, Malkiya, 5 Hattoush, Shevanya, Mallouk, 6 Harim, Merémoth, Ovadya, 7 Daniel, Guinnetôn, Barouk, 8 Meshoullam, Aviya, Miyamîn,

p Les *rois d'Assyrie* s'étaient emparés de Samarie (en 722 ou 721 av. J.C.) et avaient occupé le royaume d'Israël • *q* Dans certaines traductions, le v. 10.1 est numéroté 9.38 ; il s'ensuit un décalage d'une unité pour tout le chap. 10

9.24 pris possession du pays Jos 11.23—12.24. **9.25** pris des villes fortifiées Dt 6.10-11. **9.26** tué tes prophètes 1 R 18.4, 13; 19.10, 14; Jr 2.30; 26.20-23; 2 Ch 24.20-22. **9.27** des libérateurs Jg 2.16; 3.7—16.31. **9.28** ils recommençaient à faire le mal Jg 3.12; 4.1; 10.6; 13.1. **9.29** les commandements qui donnent la vie Lv 18.5+. **9.30** livrés aux étrangers 2 R 17.5-6; 23.31—25.21. **9.31** pas abandonnés Ez 37.11-14; Dn 1.17; 2.17-23; 3.28 — Dieu bienveillant et miséricordieux Ex 34.6-7+. **9.32** Dieu qui garde l'alliance Dt 7.9+ — les rois d'Assyrie 2 R 15.19, 29; 17.3-6; Esd 4.2, 10. **9.33** Dieu est juste Esd 9.15+. **10.2-9** liste 12.1-7.

9 Maazya, Bilgaï, Shemaya : tels sont les prêtres.

10 Et les lévites : Yéshoua, fils d'Azanya, Binnouï d'entre les fils de Hénadad, Qadmiel, 11 et leurs frères : Shevanya, Hodiya, Qelita, Pelaya, Hanân, 12 Mika, Rehov, Hashavya, 13 Zakkour, Shérévya, Shevanya, 14 Hodiya, Bani, Beninou.

15 Les chefs du peuple : Paréosh, Pahath-Moab, Elam, Zattou, Bani, 16 Bounni, Azgad, Bévaï, 17 Adoniya, Bigwaï, Adîn, 18 Atér, Hizqiya, Azzour, 19 Hodiya, Hashoum, Béçaï, 20 Harif, Anatoth, Névaï, 21 Magpiash, Meshoullam, Hézir, 22 Meshézavéel, Sadoq, Yaddoua, 23 Pelatya, Hanân, Ananya, 24 Hoshéa, Hananya, Hashouv, 25 Ha-Lohesh, Pileha, Shovéq, 26 Rehoum, Hashavna, Maaséya ; 27 et Ahiyya, Hanân, Anân, 28 Mallouk, Harim, Baana.

29 Le reste du peuple, les prêtres, les lévites, les portiers, les chantres, les servants r et tous ceux qui s'étaient séparés des peuples des autres pays pour suivre la Loi de Dieu, leurs femmes, leurs fils et leurs filles, tous ceux qui pouvaient comprendre, 30 donnent leur soutien à leurs frères les plus considérés et s'engagent par promesse et serment à marcher selon la Loi de Dieu donnée par l'intermédiaire de Moïse, serviteur de Dieu, afin de garder et de mettre en pratique toutes les ordonnances du SEIGNEUR — notre Seigneur — ses commandements et ses prescriptions.

31 En conséquence, nous ne donnerons pas nos filles aux gens du pays s et nous ne prendrons pas leurs filles pour nos fils ; 32 si les gens du pays apportent des marchandises et des denrées quelconques à vendre le jour du *sabbat, nous ne leur achèterons rien pendant le sabbat et pendant les jours de fête, et, la septième année, nous ferons relâche et remise des dettes de toutes sortes.

33 En ce qui nous concerne, nous nous sommes fixé la règle de donner un tiers de sicle t par an pour le service de la Maison de notre Dieu, 34 pour le pain de présentation, pour l'offrande perpétuelle, pour l'holocauste u perpétuel, les sabbats,

les *néoménies, pour les fêtes, pour les choses consacrées, pour les sacrifices d'expiation des péchés d'Israël et pour toute œuvre de la Maison de notre Dieu.

35 Nous — les prêtres, les lévites et le peuple — nous avons aussi tiré au sort, à propos de l'offrande de bois qu'on doit apporter à la Maison de notre Dieu selon nos familles aux temps fixés chaque année, afin d'allumer le feu sur l'*autel du SEIGNEUR notre Dieu, comme c'est écrit dans la Loi v. 36 De même, on doit apporter les *prémices de notre sol, les prémices de tous les fruits de tout arbre, chaque année, pour la Maison du SEIGNEUR, 37 et les premiers-nés de nos fils et de notre bétail, comme c'est écrit dans la Loi w, ainsi que les premiers-nés de notre gros et de notre petit bétail, qu'on doit apporter à la Maison de notre Dieu et aux prêtres en fonction dans la Maison de notre Dieu. 38 La meilleure partie de nos pâtes, de nos prélèvements, des fruits de tout arbre, du vin nouveau et de l'huile, nous l'apporterons aux prêtres dans les chambres de la Maison de notre Dieu, ainsi que la dîme de notre sol aux lévites x. Ceux-ci, les lévites, prendront la dîme dans toutes les villes où nous travaillons. 39 Un prêtre, fils d'Aaron, sera avec les lévites quand ils prendront la dîme, et les lévites prélèveront la dîme de la dîme pour la Maison de notre Dieu et l'apporteront dans les chambres de la maison du trésor. 40 Car dans ces chambres, les fils d'Israël et les fils de Lévi apporteront le prélèvement de blé, de vin nouveau et d'huile ; c'est là que se trouvent les objets du *sanctuaire, les prêtres en fonction, les portiers et les chantres.

Ainsi, nous n'abandonnerons pas la Maison de notre Dieu.

Liste des Juifs venus repeupler Jérusalem

11 1 Les chefs du peuple habitaient à Jérusalem. Le reste du peuple tira au sort pour faire venir un homme sur dix habiter à Jérusalem, la ville *sainte, les neuf autres restant dans les villes. 2 Le

r Sur les *servants*, voir Esd 8.20 et la note ● s Sur les *gens du pays*, voir Esd 3.3 et la note ● t *sicle*: voir au glossaire MONNAIES ● u *pain de présentation* ou *pain d'offrande*: voir Lv 24.5-9 — *offrande, holocauste*: voir au glossaire SACRIFICES ● v *comme c'est écrit dans la Loi*: on ne trouve nulle part dans le Pentateuque de loi qui prescrive explicitement cette *offrande de bois* ● w *comme c'est écrit dans la Loi*: voir Ex 13.1-2 ● x Sur la part des *prêtres* et la *dîme* pour les *lévites*, voir Nb 15.18-21 ; 18.21-24

10.31 pas de mariages mixtes Esd 9.2+. **10.32** pas de commerce le sabbat 13.15-22; Ex 20.8-11+. — relâche la septième année Lv 25.1+. **10.33** impôt pour le temple Ex 30.13+. **10.39** la dîme de la dîme Nb 18.26.

peuple donna sa bénédiction à tous les hommes qui furent volontaires pour habiter à Jérusalem.

3 Voici quels furent les chefs de la province qui habitèrent à Jérusalem. Dans les villes de Juda, en effet, Israël, les prêtres, les *lévites, les servants et les fils des serviteurs de Salomon [y] habitaient chacun dans sa propriété, dans leurs propres villes. 4 A Jérusalem, habitaient quelques-uns des fils de Juda et des fils de Benjamin.

Parmi les fils de Juda : Ataya, fils de Ouziya, fils de Zekarya, fils d'Amarya, fils de Shefatya, fils de Mahalaléel, d'entre les fils de Pèrèç. 5 Et Maaséya, fils de Barouk, fils de Kol-Hozé, fils de Hazaya, fils de Adaya, fils de Yoyariv, fils de Zekarya, fils de Ha-Shiloni. 6 Tous les fils de Pèrèç, habitant à Jérusalem, étaient au nombre de 468 hommes d'armes.

7 Voici les fils de Benjamin : Sallou, fils de Meshoullam, fils de Yoëd, fils de Pedaya, fils de Qolaya, fils de Maaséya, fils d'Itiël, fils de Yeshaya. 8 Et après : Gabbaï, Sallaï : 928. 9 Et Yoël, fils de Zikri, était leur inspecteur, alors que Yehouda, fils de Ha-Senoua était le second sur la ville.

10 Parmi les prêtres : Yedaya, fils de Yoyariv, Yakin, 11 Seraya fils de Hilqiya, fils de Meshoullam, fils de Sadoq, fils de Merayoth, fils d'Ahitouv, prince de la Maison de Dieu, 12 ainsi que leurs frères travaillant à la Maison de Dieu : 822 ; Adaya, fils de Yeroham, fils de Pelalya, fils d'Amçi, fils de Zekarya, fils de Pashehour, fils de Malkiya, 13 et ses frères, chefs de familles : 242 ; Amashsaï, fils de Azaréel, fils d'Ahzaï, fils de Meshillémoth, fils d'Immer, 14 et leurs frères, hommes vaillants : 128. Leur inspecteur était Zavdiël, fils de Ha-Guedolim.

15 Parmi les lévites : Shemaya, fils de Hashouv, fils de Azriqam, fils de Hashavya, fils de Bounni, 16 et Shabtaï et Yozavad, parmi les chefs des lévites, chargés des ouvrages extérieurs de la Maison de Dieu ; 17 Mattanya, fils de Mika, fils de Zavdi, fils d'Asaf, celui qui le premier commençait à prononcer la prière [z] ; Baq-

bouqya le second de ses frères, et Avda, fils de Shammoua, fils de Galal, fils de Yedoutoun. 18 Tous les lévites qui étaient dans la ville sainte : 284.

19 Les portiers : Aqqouv, Talmôn, et leurs frères, gardiens des portes : 172.

20 Le reste d'Israël, des prêtres, des lévites, étaient dans toutes les villes de Juda, chacun dans son héritage. 21 Les servants habitaient l'Ofel [a] ; Ciha et Guishpa étaient chefs des servants. 22 L'inspecteur des lévites à Jérusalem était Ouzzi, fils de Bani, fils de Hashavya, fils de Mattanya, fils de Mika, parmi les fils d'Asaf ; ils étaient les chantres en activité dans la Maison de Dieu. 23 Il y avait en effet un ordre du roi [b] à leur sujet et un accord concernant les chantres, jour par jour. 24 Petahya, fils de Meshézavéel, parmi les fils de Zérah, fils de Juda, était au côté du roi [c] pour tout ce qui concernait le peuple.

La population juive hors de Jérusalem

25 Du côté des villages dans la campagne, des fils de Juda habitèrent à Qiryath-Arba et ses environs, à Divôn et ses environs, à Yeqqavcéel et ses villages, 26 à Yéshoua, à Molada, à Beth-Pèleth, 27 à Haçar-Shoual, à Béer-Shéva et ses environs, 28 à Ciqlag, à Mekona et ses environs, 29 à Ein-Rimmôn, à Çoréa, à Yarmouth, 30 à Zanoah, Adoullam et leurs villages, à Lakish et dans sa campagne, à Azéqa et ses environs. Ils s'établirent depuis Béer-Shéva jusqu'à la vallée de Hinnôm.

31 Les fils de Benjamin s'établirent depuis Guèva, à Mikmas, Ayya, Béthel et ses environs, 32 à Anatoth, Nov, Ananya, 33 Haçor, Rama, Guittaïm, 34 Hadid, Cevoïm, Neballat, 35 Lod et Ono, la vallée des Ouvriers. 36 Parmi les *lévites, certains des régions de Juda allèrent en Benjamin [d].

Liste de prêtres et de lévites

12 1 Voici les prêtres et les *lévites qui arrivèrent avec Zorobabel, fils de Shaltiel, et Josué : Seraya, Yirmeya,

---

[y] Sur les *servants*, voir Esd 8.20 et la note ; sur les *fils des serviteurs de Salomon*, voir Esd 2.55 et la note ● [z] *celui qui... la prière :* traduction incertaine d'un texte peu clair ● [a] Sur les *servants*, voir Esd 8.20 et la note ; sur l'*Ofel*, voir Es 32.14 et la note ● [b] Il pourrait s'agir du roi David (voir 1 Ch 25), mais il s'agit plus probablement du *roi* de Perse Artaxerxès (voir Esd 7.21-24) ● [c] *au côté du roi:* autres traductions *à la disposition du roi* ou *le délégué du roi* (de Perse) ● [d] Le texte hébreu du v. 36 est peu clair

11.3-19 liste 1 Ch 9.4-17. **11.21** habitaient l'Ofel 3.26 **12.1-7** liste 10.2-9. **12.1** Zorobabel et Josué Esd 2.2+.

Ezra, [2] Amarya, Mallouk, Hattoush, [3] Shekanya, Rehoum, Merémoth, [4] Iddo, Guinnetoï, Aviya, [5] Miyamîn, Maadya, Bilga, [6] Shemaya, et Yoyariv, Yedaya, [7] Sallou, Amoq, Hilqiya, Yedaya. C'étaient les chefs des prêtres et de leurs frères, au temps de Josué.

[8] Les lévites : Yéshoua, Binnouï, Qadmiel, Shérévya, Yehouda, Mattanya, lui et ses frères, chargés des chants de louange. [9] Baqbouqya et Ounni, leurs frères, à leur service pour les gardes. [10] Josué engendra Yoyaqîm, Yoyaqîm engendra Elyashiv, et Elyashiv Yoyada. [11] Yoyada engendra Yonatân, Yonatân engendra Yaddoua.

[12] Au temps de Yoyaqîm, les prêtres chefs des familles, étaient : pour Seraya, Meraya ; pour Yirmeya, Hananya ; [13] pour Ezra, Meshoullam ; pour Amarya, Yehohanân ; [14] pour Melikou, Yonatân ; pour Shevanya, Yoseph ; [15] pour Harîm, Adna ; pour Merayoth, Helqaï ; [16] pour Iddo, Zekarya ; pour Guinnetôn, Meshoullam ; [17] pour Aviya, Zikri ; pour Minyamîn, ... *e* ; pour Moadya, Piltaï ; [18] pour Bilga, Shammoua ; pour Shemaya, Yehonatân ; [19] pour Yoyariv, Mattenaï ; pour Yedaya, Ouzzi ; [20] pour Sallaï, Qallaï ; pour Amoq, Eber ; [21] pour Hilqiya, Hashavya ; pour Yedaya, Netanel.

[22] Au temps d'Elyashiv, de Yoyada, de Yohanân et de Yaddoua, les lévites, chefs de famille, ainsi que les prêtres, furent inscrits jusqu'au règne de Darius le Perse *f*.

[23] Les fils de Lévi, chefs de familles, furent inscrits dans le livre des *Annales, jusqu'au temps de Yohanân, fils d'Elyashiv. [24] Les chefs des lévites étaient : Hashavya, Shérévya et Yéshoua, fils de Qadmiel, et leurs frères en face d'eux, pour chanter, selon l'ordre de David, homme de Dieu, chacun d'après le tour de service, les louanges et les actions de grâces : [25] Mattanya, Baqbouqya, Ovadya, Meshoullam, Talmôn et Aqqouv, gardiens-portiers, pour la garde qui se faisait au seuil des portes. [26] Ceux-là étaient en service au temps de Yoyaqîm, fils de Josué, fils de Yosadaq, et au temps de Néhémie le gouverneur, et d'Esdras, le prêtre-scribe.

Dédicace de la muraille rebâtie

[27] Pour la dédicace de la muraille de Jérusalem, on alla chercher les *lévites dans tous leurs lieux de résidence, pour les faire venir à Jérusalem, afin de célébrer joyeusement la dédicace, avec des louanges et des chants, des cymbales, des lyres et des harpes. [28] Les fils des chantres *g* se rassemblèrent depuis la région des alentours de Jérusalem et depuis les villages des Netofatites, [29] depuis Beth-Guilgal et la campagne de Guèva et de Azmaweth, car les chantres s'étaient bâti des villages aux environs de Jérusalem. [30] Les prêtres et les lévites se *purifièrent et purifièrent le peuple, les portes et la muraille.

[31] Je fis monter les chefs de Juda sur la muraille et j'établis deux grandes chorales. L'une marcha vers la droite *h* sur la muraille par la porte du Fumier. [32] Derrière eux marchaient Hoshaya et la moitié des chefs de Juda ; [33] Azarya, Ezra, Meshoullam, [34] Yehouda, Benjamin, Shemaya et Yirmeya, [35] d'entre les fils des prêtres, avec des trompettes ; Zekarya, fils de Yonatân, fils de Shemaya, fils de Mattanya, fils de Mikaya, fils de Zakkour, fils d'Asaf, [36] et ses frères, Shemaya, Azarel, Milalaï, Guilalaï, Maaï, Netanel, Yehouda, Hanani, avec les instruments de musique de David, homme de Dieu. Esdras le scribe était devant eux. [37] A la porte de la Source, en face d'eux, ils montèrent les degrés de la ville de David *i*, par la montée de la muraille, au-dessus de la maison de David et jusqu'à la porte des Eaux, à l'est.

[38] La seconde chorale marcha vers la gauche, et moi-même j'étais derrière elle, ainsi que la moitié des chefs du peuple *j* sur la muraille, au-dessus de la tour des Fours et jusqu'à la Muraille Large, [39] et au-dessus de la porte d'Ephraïm, de la porte de la Yeshana, de la porte des

---

e pour Minyamîn, ...: le nom du prêtre, chef de la famille de Minyamîn, a disparu ● *f Darius le Perse:* il s'agit vraisemblablement de Darius III (336-331 av. J.C. voir la note en Esd 4.5) ● *g Les fils des chantres,* c'est-à-dire *Les membres des chœurs* ● *h vers la droite,* c'est-à-dire *vers le sud.* Les deux *chorales* partent des environs de la porte de la Vallée (3.13) et font chacune à peu près la moitié du tour de la ville. Sur les noms des portes et des tours, voir le chap. 3 ● *i ville de David:* voir au glossaire CITÉ DE DAVID ● *j vers la gauche,* c'est-à-dire *vers le nord;* voir v. 31 et la note — *la moitié des chefs du peuple:* comparer le v. 32; il s'agit bien ici *des chefs,* malgré l'absence du mot correspondant dans le texte hébreu (*la moitié du peuple*)

12.11 Yonatân *2 M* 1.23. **12.27** les instruments des lévites Esd 3.10+. **12.35** prêtres avec trompettes Esd 3.10+.

Poissons, de la tour de Hananéel et de la tour des Cent, jusqu'à la porte des Brebis. On s'arrêta à la porte de la Garde. **40** Les deux chorales s'arrêtèrent ensuite dans la Maison de Dieu, ainsi que moi-même, la moitié des magistrats qui étaient avec moi, **41** et les prêtres : Elyaqim, Maaséya, Minyamîn, Mikaya, Elyoénaï, Zekarya, Hananya avec des trompettes, **42** et Maaséya, Shemaya, Eléazar, Ouzzi, Yehohanân, Malkiya, Elam et Ezèr. Les chantres se firent entendre, avec Yizraya l'inspecteur. **43** On offrit, ce jour-là, de grands *sacrifices et on fut dans la joie, car Dieu leur avait donné une grande joie. Les femmes et les enfants se réjouissaient aussi, et la joie de Jérusalem fut entendue de loin.

Les parts réservées aux prêtres et aux lévites

44 En ce jour-là, des hommes furent chargés de la surveillance des chambres destinées aux réserves venant des prélèvements des *prémices et des dîmes, afin d'y recueillir, en provenance de la campagne environnant les villes, les parts fixées par la Loi pour les prêtres et les *lévites. En effet Juda se réjouissait des prêtres et des lévites en fonction, **45** qui observaient ce qui concernait le service de leur Dieu et le service de la *purification, tandis que les chantres et les portiers suivaient l'ordre de David et de Salomon, son fils. **46** Car autrefois, au temps de David et d'Asaf, il y avait des chefs des chantres et des chants de louange et de reconnaissance envers Dieu. **47** Tout Israël, au temps de Zorobabel et au temps de Néhémie, donnait les parts revenant aux chantres et aux portiers, jour par jour, puis les choses consacrées revenant aux lévites ; et les lévites donnaient les choses consacrées revenant aux fils d'Aaron.

Dernières réformes réalisées par Néhémie

13 **1** En ce temps-là, on lut dans le livre de Moïse en présence du peuple et on y trouva écrit que l'Ammonite et le Moabite n'entreraient jamais dans l'assemblée de Dieu *k*, **2** car ils n'étaient pas venus au-devant des fils d'Israël avec le pain et l'eau, et Moab avait payé Balaam contre eux, pour les maudire ; mais notre Dieu changea la malédiction en bénédiction. **3** Lorsqu'ils eurent entendu cette loi, ils séparèrent d'Israël tout homme de sang mélangé.

4 Auparavant, le prêtre Elyashiv avait été chargé des chambres de la Maison de notre Dieu ; il était proche parent de Toviya, **5** et avait préparé pour lui une grande chambre où l'on mettait, auparavant, les offrandes, l'*encens, les ustensiles, la dîme du blé, du vin nouveau et de l'huile, ce qui était ordonné pour les *lévites, les chantres et les portiers, de même que le prélèvement pour les prêtres. **6** Pendant tout ce temps, je n'étais pas à Jérusalem, car dans la trente-deuxième année d'Artaxerxès, roi de Babylone *l*, j'étais revenu auprès du roi. Mais après quelque temps, je demandai congé au roi, **7** et je retournai à Jérusalem ; je me rendis compte du mal qu'avait fait Elyashiv, à cause de Toviya, en lui préparant une chambre dans les *parvis de la Maison de Dieu. **8** J'en fus très irrité et je fis donc jeter hors de la chambre tous les objets de la maison de Toviya. **9** Puis je fis de *purifier les chambres, et j'y fis rapporter les ustensiles de la Maison de Dieu, les offrandes et l'encens.

10 Je fus informé aussi que les parts des lévites n'avaient pas été données et que les lévites et les chantres qui faisaient le service s'étaient enfuis, chacun dans sa campagne. **11** Je fis des reproches aux magistrats, et je dis : « Pourquoi la Maison de Dieu est-elle abandonnée ? » — Puis je les rassemblai *m* et je les rétablis à leur poste. **12** Alors tout Juda apporta la dîme du blé, du vin nouveau et de l'huile pour mettre dans les réserves. **13** Je donnai l'ordre *n* de placer ces réserves sous la garde du prêtre Shèlèmya, du scribe Sadoq et de Pedaya, l'un des lévites, avec à côté d'eux Hanân, fils de Zakkour, fils de Mattanya, car ils étaient considérés comme des hommes fidèles. C'est à eux qu'il revenait de faire la répartition à leurs frères.

---

k *l'Ammonite... de Dieu :* voir Dt 23.4-6 ● *l* *la trente-deuxième année* du règne d'*Artaxerxès 1er* : en 432 av. J.C. — *roi de Babylone :* les rois de Perse avaient une de leurs résidences à *Babylone* ● *m* *je les rassemblai :* il s'agit des *lévites* et des *chantres* (voir v. 10) ● *n* *Je donnai l'ordre :* d'après les anciennes versions grecque et syriaque ; hébreu : mot inconnu

12.43 grands sacrifices 1 R 8.64. **12.45** l'ordre de David 1 Ch 23 ; 25—26 ; 2 Ch 8.14. **12.47** les parts 13.10. **13.2** Balaam Nb 22—24. **13.10** les parts des lévites 12.47 ; cf. Dt 12.19. **13.12** apporta la dîme 10.38 ; Ml 3.10.

14 Souviens-toi de moi, mon Dieu, à cause de cela, et n'efface pas la fidélité avec laquelle j'ai agi pour la Maison de mon Dieu et pour son service.

15 En ces jours-là, je vis, en Juda, des gens qui foulaient aux pieds dans les pressoirs durant le *sabbat, qui rentraient des gerbes et chargeaient aussi sur les ânes du vin, des raisins, des figues et toute sorte d'autres fardeaux pour les apporter à Jérusalem pendant le jour du sabbat. Je leur fis des remontrances, le jour où ils vendaient leurs denrées. 16 Les Tyriens *o* qui habitaient en ville faisaient venir du poisson et toute sorte de marchandises qu'ils vendaient pendant le sabbat aux fils de Juda et dans Jérusalem. 17 Je fis des reproches aux notables de Juda et je leur dis : « Quelle est cette mauvaise action que vous commettez en profanant le jour du sabbat ? 18 N'est-ce pas ainsi qu'ont agi vos pères ? Alors, notre Dieu a fait venir sur nous, ainsi que sur cette ville, tout ce malheur *p*. Mais vous, en profanant le sabbat, vous aggravez la colère de Dieu contre Israël ! »

19 Lorsque les portes de Jérusalem commençaient à être dans l'ombre avant le sabbat *q*, je dis de fermer les battants et je dis aussi de ne pas les ouvrir jusqu'après le sabbat. Je postai quelques-uns de mes serviteurs aux portes pour que n'entre aucun fardeau pendant le jour du sabbat. 20 Les marchands et les vendeurs de toutes sortes de marchandises passèrent la nuit, une ou deux fois, en dehors de Jérusalem. 21 Je leur donnai des avertissements et leur dis : « Pourquoi passez-vous la nuit devant la muraille ? Si vous recommencez, je mettrai la main sur vous ! » A partir de ce moment-là, ils ne vinrent plus pendant le sabbat. 22 Puis, je dis aux lévites qu'ils se purifient pour venir garder les portes afin de sanctifier le jour du sabbat. A cause de cela aussi, souviens-toi de moi, mon Dieu ; aie pitié de moi selon ta grande fidélité !

23 C'est aussi dans ces jours-là que je vis des Juifs qui avaient épousé des femmes ashdodites, ammonites et moabites *r* ; 24 la moitié de leurs fils parlaient l'ashdodien et aucun d'eux ne se montrait capable de parler le juif *s*, mais la langue d'un peuple ou d'un autre. 25 Je leur fis des reproches et les maudis ; je frappai quelques hommes parmi eux et leur arrachai les cheveux ; puis je leur fis jurer au nom de Dieu : « Ne donnez pas vos filles à leurs fils, et ne prenez pas de leurs filles pour vos fils et pour vous ! 26 N'est-ce pas à cause de cela qu'a péché Salomon, roi d'Israël ? Parmi les nombreuses nations il n'y eut pas de roi comme lui ; il était aimé de son Dieu et Dieu l'avait établi roi sur tout Israël. Pourtant c'est lui que les femmes étrangères ont entraîné dans le péché ! 27 Et pour vous aussi, doit-on apprendre que vous commettez cette faute si grave d'être infidèles à notre Dieu, en épousant des femmes étrangères ? »

28 L'un des fils de Yoyada, fils d'Elyashiv, le grand prêtre, était le gendre de Sânballat, le Horonite. Je le mis en fuite, loin de moi !

29 Souviens-toi d'eux, mon Dieu, parce qu'ils ont souillé le sacerdoce et l'alliance avec le sacerdoce *t* et les lévites !

30 Je les purifiai de tout étranger, et je rétablis les fonctions concernant les prêtres et les lévites, chacun dans sa tâche ; 31 je rétablis aussi les offrandes de bois, aux époques fixées, ainsi que les *prémices. Souviens-toi de moi, mon Dieu, pour le bien *u* !

---

o Les Tyriens, peuple de marins, s'adonnaient tout naturellement au commerce de poissons ● *p* vos pères ou vos ancêtres — ce malheur : la destruction de la ville et la déportation ● *q* dans l'ombre avant le sabbat : le sabbat commence au coucher du soleil, c'est-à-dire le vendredi vers 18 heures, et se termine le samedi à la même heure ● *r* ashdodites, ammonites : voir 4.1 et la note ; les Moabites venaient d'un pays voisin de Juda, à l'est de la mer Morte ● *s* le juif, c'est-à-dire l'hébreu ● *t* Par l'expression alliance avec le sacerdoce, Néhémie désigne les règles concernant la pureté et la fidélité des prêtres, en particulier celles de Lv 21.13-15 concernant le mariage du grand prêtre (voir v. 28) ● *u* offrandes de bois : voir 10.35 et la note — pour le bien peut signifier à cause du bien que j'ai fait ou pour me faire du bien

13.15 travail pendant le sabbat 10.32; Lv 19.3+; Jr 17.21-22.   **13.23** mariages mixtes Esd 9.2+. **13.26** Salomon, roi d'Israël 1 R 11 — aimé de Dieu 2 S 12.24-25. **13.28** Elyashiv Esd 10.6 + — Sânballat 2.10+.   **13.31** offrandes de bois 10.35.

PREMIER LIVRE
DES CHRONIQUES

LISTES GÉNÉALOGIQUES [a]

D'Adam aux descendants d'Esaü

1 ¹ Adam, Seth, Enosh, ² Qénân, Mahalalel, Yèred, ³ Hénok, Metoushèlah, Lamek, ⁴ Noé, Sem, Cham et Japhet.
⁵ Fils de Japhet : Gomer, Magog, Madaï, Yavân, Toubal, Mèshek et Tirâs.
⁶ Fils de Gomer : Ashkénaz, Difath, Togarma.
⁷ Fils de Yavân : Elisha, Tarsis, Kittim et Rodanim.
⁸ Fils de Cham : Koush, Miçraïm, Pouth et Canaan.

⁹ Fils de Koush : Séva, Hawila, Savta, Raéma et Savteka ; fils de Raéma : Saba et Dedân. ¹⁰ Koush engendra Nemrod. Il fut le premier héros sur la terre.

¹¹ Miçraïm engendra les gens de Loud, de Einâm, de Lehav et de Naftouah, ¹² les gens de Patros, ceux de Kaslouah, d'où sortirent les Philistins, et ceux de Kaftor.
¹³ Canaan engendra Sidon son premier-né et Heth, ¹⁴ le Jébusite, l'*Amorite, le Guirgashite, ¹⁵ le Hivvite, le Arqite, le Sinite, ¹⁶ l'Arvadite, le Cemarite, le Hamatite.
¹⁷ Fils de Sem : Elam, Assour, Arpakshad, Loud, Aram, Ouç, Houl, Guè-

tèr et Mèshek. ¹⁸ Arpakshad engendra Shèlah et Shèlah engendra Eber. ¹⁹ A Eber naquirent deux fils. Le premier s'appelait Pèleg, car en son temps la terre fut divisée [b], et son frère s'appelait Yoqtân. ²⁰ Yoqtân engendra Almodad, Shèlef, Haçarmaweth, Yèrah, ²¹ Hadorâm, Ouzal, Diqla, ²² Eval, Avimaël, Saba, ²³ Ofir, Hawila, Yovav. Ce sont là tous les fils de Yoqtân.

²⁴ Sem, Arpakshad, Shèlah, ²⁵ Eber, Pèleg, Réou, ²⁶ Seroug, Nahor, Tèrah, ²⁷ Abram, qui est Abraham.
²⁸ Fils d'Abraham : Isaac et Ismaël.

²⁹ Voici leurs familles : Nebayoth l'aîné d'Ismaël, Qédar, Adbéel et Mivsâm, ³⁰ Mishma et Douma, Massa, Hadad et Téma, ³¹ Yetour, Nafish et Qédma. Ce sont eux les fils d'Ismaël.

³² Fils de Qetoura, concubine [c] d'Abraham : elle enfanta Zimrân, Yoqshân, Medân, Madiân, Yishbaq et Shouah. Fils de Yoqshân : Saba et Dedân. ³³ Fils de Madiân : Eifa, Efèr, Hanok, Avida et Eldaa. Ce sont là tous les fils de Qetoura.

³⁴ Abraham engendra Isaac. Fils d'Isaac : Esaü et Israël. ³⁵ Fils d'Esaü : Elifaz, Réouël, Yéoush, Yaélâm et Qo-

a L'auteur des *Chroniques* s'intéresse surtout aux règnes de David (1 Ch 10—29), de Salomon (2 Ch 1—9) et des rois de Juda (2 Ch 10—36). Dans les neuf premiers chapitres de 1 Ch, il résume toute l'histoire antérieure à David au moyen de *listes généalogiques*. Celles-ci ont été établies à partir des livres antérieurs, ou directement reprises de ces mêmes livres (Genèse à 1 Samuel), avec fréquemment de petites divergences ● b Voir Gn 10.25 et la note ● c Voir 2 S 3.7 et la note

Dans les livres des Chroniques, des textes parallèles ne sont proposés que pour les passages propres à l'auteur. Pour les autres passages, consulter les récits parallèles dont les références sont données à la suite des sous-titres.
1.1-4 Gn 5. **1.5-7** Gn 10.2-4. **1.8-16** Gn 10.6-18. **1.17-23** Gn 10.22-29. **1.24-27** Gn 11.10-26. **1.28-31** Gn 25.13-16. **1.32-33** Gn 25.1-4. **1.34** Gn 25.19-26. **1.35-37** Gn 36.10-13, 15-17.

rah. ³⁶ Fils d'Elifaz : Témân, Omar, Cefi, Gaétâm, Qenaz, Timna, et Amaleq. ³⁷ Fils de Réouël : Nahath, Zérah, Shamma et Mizza. ³⁸ Fils de Séïr : Lotân, Shoval, Civéôn, Ana, Dishôn, Ecèr et Dishân. ³⁹ Fils de Lotân : Hori et Homâm. Sœur de Lotân : Timna. ⁴⁰ Fils de Shoval : Alyân, Manahath, Eval, Shefi et Onâm. Fils de Civéôn : Ayya et Ana. ⁴¹ Fils de Ana : Dishôn. Fils de Dishôn : Hamrân, Eshbân, Yitrân et Kerân. ⁴² Fils d'Ecèr : Bilhân, Zaawân, Yaaqân. Fils de Dishôn : Ouç et Arân.

Les rois et chefs d'Edom
(Gn 36.31-43)

⁴³ Voici les rois qui ont régné au pays d'Edom avant que ne règne un roi israélite : Bèla, fils de Béor, et le nom de sa ville était Dinhava. ⁴⁴ Bèla mourut et Yovav, fils de Zérah de Boçra, régna à sa place. ⁴⁵ Yovav mourut et Houshâm, du pays des Témanites, régna à sa place. ⁴⁶ Houshâm mourut et Hadad, fils de Bedad, régna à sa place. Il battit Madiân dans la campagne de Moab ; le nom de sa ville était Awith. ⁴⁷ Hadad mourut et Samla de Masréqa régna à sa place. ⁴⁸ Samla mourut et Shaoul de Rehovoth sur l'Euphrate régna à sa place. ⁴⁹ Shaoul mourut et Baal-Hanân fils de Akbor régna à sa place. ⁵⁰ Baal-Hanân mourut et Hadad régna à sa place ; le nom de sa ville était Paï. Le nom de sa femme était Mehétavéel, fille de Matred, fille de Mê-Zahav. ⁵¹ Hadad mourut. Les chefs d'Edom furent : le chef Timna, le chef Alya, le chef Yeteth, ⁵² le chef Oholivama, le chef Ela, le chef Pinôn, ⁵³ le chef Qenaz, le chef Témân, le chef Mivçar, ⁵⁴ le chef Magdiël, le chef Irâm. Ce sont les chefs d'Edom.

Les descendants de Juda, fils de Jacob

2 ¹ Voici les fils d'Israël ᵈ : Ruben, Siméon, Lévi et Juda, Issakar et Zabulon, ² Dan, Joseph et Benjamin, Nephtali, Gad et Asher.

³ Fils de Juda : Er, Onân et Shéla. Tous trois lui naquirent de la fille de Shoua, la Cananéenne. Mais Er, le premier-né de Juda, fut coupable aux yeux du SEIGNEUR qui le fit mourir. ⁴ Tamar, sa belle-fille, lui enfanta Pèrèç et Zérah. Les fils de Juda furent cinq en tout.

⁵ Fils de Pèrèç : Hèçrôn et Hamoul.

⁶ Fils de Zérah : Zimri, Etân, Hémân, Kalkol et Dara, cinq en tout.

⁷ Fils de Karmi : Akar qui porta malheur à Israël en se rendant coupable d'une infidélité au sujet de l'interdit ᵉ. ⁸ Fils d'Etân : Azarya. ⁹ Fils qui naquirent à Hèçrôn : Yerahméel, Râm et Keloubaï.

¹⁰ Râm engendra Amminadav, Amminadav engendra Nahshôn, chef des fils de Juda. ¹¹ Nahshôn engendra Salma. Salma engendra Booz. ¹² Booz engendra Oved. Oved engendra Jessé.

¹³ Jessé engendra Eliav son premier-né, Avinadav le second, Shiméa, le troisième, ¹⁴ Netanel le quatrième, Raddaï le cinquième, ¹⁵ Ocem le sixième, David le septième. ¹⁶ Leurs sœurs étaient Cerouya et Avigaïl. Les fils de Cerouya étaient au nombre de trois : Avshai, Joab et Asahel. ¹⁷ Avigaïl enfanta Amasa, et le père de Amasa était Yètèr l'Ismaélite.

¹⁸ Caleb fils de Hèçrôn engendra des fils avec Azouva, sa femme, et Yerioth ; voici ses fils : Yéshèr, Shovav et Ardôn. ¹⁹ Azouva mourut, et Caleb prit Ephrath pour femme, et elle lui enfanta Hour. ²⁰ Hour engendra Ouri. Ouri engendra Beçalel.

²¹ Ensuite, Hèçrôn s'unit à la fille de Makir, père de Galaad, et il l'épousa alors qu'il avait soixante ans ; elle lui enfanta Segouv, ²² Segouv engendra Yaïr, et celui-ci eut vingt-trois villes, dans le pays de Galaad. ²³ Mais Gueshour et Aram leur prirent les campements de Yaïr, Qenath et ses dépendances : soixante villes. Tous ceux-là étaient fils de Makir, père de Galaad. ²⁴ Après la mort de Hèçrôn, Caleb s'unit à Ephrath, femme de Hèçrôn son père, et elle lui enfanta Ashehour, père de Teqoa.

²⁵ Les fils de Yerahméel, premier-né de Hèçrôn, furent Râm, le premier-né,

---

ᵈ d'Israël ou de Jacob ● ᵉ Akar : en hébreu, il y a jeu de mots entre le nom d'Akar et le verbe traduit par porta malheur — l'interdit : voir Dt 2.34 et la note — Le verset fait allusion au récit de Jos 7, où cependant le coupable porte le nom d'Akân

1.38-42 Gn 36.20-28. **2.1-2** Gn 35.23-26. **2.3-4** Gn 38.1-30. **2.5** Gn 46.12. **2.6** 1 R 5.11.
2.9-12 Rt 4.18-22. **2.13-15** 1 S 16.6-13. **2.16-17** 2 S 17.25. **2.18** Caleb 2.42 ; Jos 14.6.

Bouna, Orèn, Ocem, Ahiyya. ²⁶ Yerahméel eut une autre femme, du nom de Atara. Elle fut la mère d'Onâm. ²⁷ Les fils de Râm, premier-né de Yerahméel, furent Maaç, Yamîn et Eqèr. ²⁸ Les fils d'Onâm furent Shammaï et Yada, et les fils de Shammaï : Nadav et Avishour. ²⁹ Le nom de la femme d'Avishour était Avihaïl, et elle lui enfanta Ahbân et Molid. ³⁰ Fils de Nadav : Sèled et Appaïm. Sèled mourut et n'eut pas de fils. ³¹ Fils d'Appaïm : Yishéï. Fils de Yishéï : Shéshân. Fils de Shéshân : Ahlaï. ³² Fils de Yada, frère de Shammaï : Yètèr et Yonatân. Yètèr mourut et n'eut pas de fils. ³³ Fils de Yonatân : Pèleth et Zaza. Ce furent les fils de Yerahméel. ³⁴ Shéshân n'eut pas de fils mais des filles. Shéshân avait un esclave égyptien, du nom de Yarha. ³⁵ Shéshân donna sa fille pour femme à Yarha son esclave et elle lui enfanta Attaï. ³⁶ Attaï engendra Natân, Natân engendra Zavad. ³⁷ Zavad engendra Eflal. Eflal engendra Oved. ³⁸ Oved engendra Yéhou. Yéhou engendra Azarya. ³⁹ Azarya engendra Hèleç. Hèleç engendra Eléasa. ⁴⁰ Eléasa engendra Sismaï. Sismaï engendra Shalloum. ⁴¹ Shalloum engendra Yeqamya. Yeqamya engendra Elishama.

⁴² Fils de Caleb frère de Yerahméel : Mésha son premier-né, qui fut le père de Zif, et les fils de Marésha, père de Hébron. ⁴³ Fils de Hébron : Qorah, Tappouah, Rèqem et Shèma. ⁴⁴ Shèma engendra Rahâm, père de Yorqéâm, Rèqem engendra Shammaï. ⁴⁵ Fils de Shammaï : Maôn, et Maôn fut le père de Beth-Çour. ⁴⁶ Eifa, concubine ᶠ de Caleb, enfanta Harân, Moça et Gazèz. Harân engendra Gazèz. ⁴⁷ Fils de Yahdaï : Règuem, Yotam, Guéshân, Pèleth, Eifa et Shaaf. ⁴⁸ La concubine de Caleb, Maaka, enfanta Shèvèr et Tirhana. ⁴⁹ Et elle enfanta Shaaf, père de Madmanna, et Shewa, père de Makbéna et père de Guivéa. La fille de Caleb était Aksa. ⁵⁰ Ce furent les fils de Caleb.

Fils de Hour premier-né d'Ephrata : Shoval, père de Qiryath-Yéarim ; ⁵¹ Salma, père de Bethléem ; Haref, père de Beth-Gadèr. ⁵² Shoval, père de Qiryath-Yéarim, eut des fils : Haroè, la moitié des Manahtites ⁵³ et les clans de Qiryath-

Yéarim : les Yitrites, les Poutites, les Shoumatites et les Mishraïtes. D'eux sont issus les Çoréatites et les Eshtaoulites. ⁵⁴ Fils de Salma : Bethléem, les Netofatites, Atroth-Beth-Yoav, la moitié des Manahtites, les Çoréïtes, ⁵⁵ et les clans des Sofrites habitant Yaébeç, les Tiréatites, les Shiméatites, les Soukatites. Ce sont les Qénites, qui vinrent de Hammath, père de la maison de Rékav.

Les descendants de David

3 ¹ Voici les fils de David qui lui naquirent à Hébron : le premier-né Amnon, d'Ahinoam d'Izréel ; le second Daniel, d'Avigaïl de Karmel ; ² le troisième, Absalom fils de Maaka, fille de Talmaï roi de Gueshour ; le quatrième, Adonias, fils de Hagguith ; ³ le cinquième, Shefatya, d'Avital ; le sixième, Yitréam de Egla sa femme. ⁴ Tous les six lui naquirent à Hébron. Il régna là sept ans et six mois, et pendant trente-trois ans, il régna à Jérusalem.

⁵ Voici ceux qui lui naquirent à Jérusalem : Shiméa, Shovav, Natân et Salomon, tous les quatre de Bath-Shoua, fille de Ammiël. ⁶ Puis Yivhar, Elishoua, Elifèleth, ⁷ Nogah, Nèfèg, Yafia, ⁸ Elishama, Elyada et Elifèleth : neuf en tout.

⁹ Ce sont là tous les fils de David, outre les fils des concubines ᵍ. Tamar était leur sœur.

¹⁰ Fils de Salomon ʰ : Roboam, Abiya son fils, Asa son fils, Josaphat son fils, ¹¹ Yoram son fils, Akhazias son fils, Joas son fils, ¹² Amasias son fils, Azarias son fils, Yotam son fils, ¹³ Akhaz son fils, Ezékias son fils, Manassé son fils, ¹⁴ Amôn son fils, Josias son fils. ¹⁵ Fils de Josias : le premier-né Yohanân, le second Yoyaqîm, le troisième Sédécias, le quatrième Shalloum. ¹⁶ Fils de Yoyaqîm : Yekonya son fils, Sédécias son fils.

¹⁷ Fils de Yekonya ⁱ prisonnier : Shaltiel son fils, ¹⁸ Malkiram, Pedaya, Shènaçar, Yeqamya, Hoshama et Nedavya. ¹⁹ Fils de Pedaya : Zorobabel et Shiméï ; fils de Zorobabel : Meshoullam, Hananya et Shelomith leur sœur. ²⁰ — Fils de Meshoullam — : Hashouva, Ohel, Bèrèkia, Hasadya, Youshav-Hèsèd : cinq en tout. ²¹ Fils de Hananya : Pelatya et

ᶠ Voir 2 S 3.7 et la note ● ᵍ Voir 2 S 3.7 et la note ● ʰ Les v. 10-16 donnent la liste des rois de Juda, selon 1 R 12—2 R 25 ● ⁱ On ignore l'origine de la liste donnée dans les v. 17-24

2.42 Caleb 2.18+. **3.1-4a** 2 S 3.2-5. **3.4b** 2 S 2.11 ; 5.5. **3.5-8** 2 S 5.14-16. **3.9** 2 S 5.13 ; 13.1.

Yeshaya, les fils de Refaya, les fils d'Ar-nân, les fils de Ovadya, les fils de She-kanya. ²² Fils de Shekanya : Shemaya. Fils de Shemaya : Hattoush, Yiguéal, Bariah, Néarya et Shafath : six en tout. ²³ Fils de Néarya : Elyoénaï, Hizqiya et Azriqam : trois en tout. ²⁴ Fils de Elyoé-naï : Hodawyahou, Elyashiv, Pelaya, Aqqouv, Yohanân, Delaya et Anani : sept en tout.

Autre liste des descendants de Juda

4 ¹ Fils de Juda : Pèrèç, Hèçrôn, Karmi, Hour et Shoval. ² Réaya, fils de Shoval, engendra Yahath. Yahath engendra Ahoumaï et Lahad : ce sont les clans des Çoréatites.

³ Voici les fils de Hour : le père de Etâm, Izréel, Yishma et Yidbash ; leur sœur s'appelait Hacelèlponi. ⁴ Puis Pe-nouël père de Guedor, et Ezèr père de Housha. Tels étaient les fils de Hour, premier-né d'Ephrata, père de Bethléem. ⁵ Ashehour, père de Teqoa, eut deux femmes : Hèléa et Naara. ⁶ Naara lui enfanta Ahouzzâm, Héfèr, les Témanites et les Ahashtarites. C'était les fils de Naara. ⁷ Les fils de Hèléa : Cèreth, Çohar et Etnân. ⁸ Qoç engendra Anouv et Haço-véva et les clans de Aharhel, fils de Haroum. ⁹ Yaébeç était plus considéré que ses frères, et sa mère l'avait appelé du nom de Yaébeç en disant : « J'ai en-fanté dans la douleur ʲ.» ¹⁰ Yaébeç in-voqua le Dieu d'Israël en disant : « Si vraiment tu me bénis, alors tu agrandiras mon territoire, ta main sera avec moi et tu éloigneras le malheur pour que je ne sois pas dans la douleur. Et Dieu accomplit ce qu'il avait demandé. ¹¹ Kelouv, frère de Shouha, engendra Mehir qui fut le père d'Eshtôn. ¹² Esh-tôn engendra Beth-Rafa, Paséah et Tehin-na, père de Ir-Nahash. Ce sont les hom-mes de Réka. ¹³ Fils de Qenaz : Otniel et Seraya. Fils de Otniel : Hatath. ¹⁴ Méonotaï en-gendra Ofra et Seraya engendra Yoav, père de Guê-Harashîm, car ils étaient arti-sans ᵏ. ¹⁵ Fils de Caleb, fils de Yefounné : Irou, Ela et Naam. Fils d'Ela : Qenaz.

¹⁶ Fils de Yehallélel : Zif, Zifa, Tiria et Asaréel. ¹⁷ Fils de Ezra : Yètèr, Mèred, Efèr et Yalôn. Elle conçut ˡ Miryam, Shammaï et Yishbah, père d'Eshtemoa. ¹⁸ Sa fem-me, la judéenne, enfanta Yèred père de Guedor, Héber père de Soko, et Yeqou-tiel père de Zanoah ; ce sont les fils de Bitya, fille de *Pharaon, qu'avait prise Mèred. ¹⁹ Fils de la femme de Hodiya, sœur de Nahâm : le père de Qéïla le Garmite, et d'Eshtemoa le Maakatite. ²⁰ Fils de Shimôn : Amnôn, Rinna, Ben-Hanân et Tilôn. Fils de Yishéï : Zo-heth et le fils de Zoheth. ²¹ Fils de Shéla, fils de Juda : Er père de Léka, Laéda père de Marésha, les clans de la maison où l'on travaille le byssus ᵐ, à Beth-Ashbéa, ²² Yoqîm, les gens de Kozéva, Yoash et Saraf, qui fu-rent maîtres de Moab ⁿ et revinrent à Bethléem — ce sont des choses ancien-nes — ; ²³ c'était les potiers et les habi-tants des plantations et des enclos ᵒ. Ils habitaient là, avec le roi, à son service.

Les descendants de Siméon

²⁴ Fils de Siméon : Nemouël, Yamîn, Yariv, Zérah, Shaoul ; ²⁵ Shalloum son fils, Mivsâm son fils, Mishma son fils. ²⁶ Fils de Mishma : Hammouël son fils, Zakkour son fils, Shiméï son fils. ²⁷ Shiméï eut seize fils et six filles ; mais ses frères n'eurent pas beaucoup de fils, tous leurs clans ne furent pas aussi nombreux que les fils de Juda.

²⁸ Ils habitèrent Béer-Shéva, Molada, Haçar-Shoual. ²⁹ Bilha, Ecem, Tolad, ³⁰ Betouël, Horma, Ciqlag, ³¹ Beth-Mar-kavoth, Haçar-Sousîm, Beth-Biréï, Shaa-raïm. Ce furent leurs villes jusqu'au rè-gne de David ᵖ ³² et leurs villages : Etâm, Aïn, Rimmôn, Tokèn, Ashân : cinq villes, ³³ et tous leurs villages qui étaient autour de ces villes jusqu'à Baal. Ce furent leurs habitations et leurs pro-pres listes généalogiques.

³⁴ Meshovav, Yamlek, Yosha fils de Amacya, ³⁵ Yoël, Yéhou fils de Yoshi-vya, fils de Seraya, fils de Asiël, ³⁶ Elyoé-

---

ʲ En hébreu, il y a assonance entre le nom de *Yaébeç* et le mot traduit par *dans la douleur* ● ᵏ Le nom de *Guê-Harashîm* signifie *vallée des artisans* ● ˡ *Elle conçut:* il s'agit de *Bitya*, qui n'est men-tionnée par son nom qu'au v. 18 ● ᵐ *byssus:* sorte d'étoffe précieuse; autre traduction *lin* ● ⁿ *qui furent maîtres en Moab* ou *qui se marièrent en Moab* ● ᵒ *des plantations et des enclos* ou *de Netaïm et de Guedéra* (localités non identifiées) ● ᵖ A l'époque de *David*, la petite tribu de Siméon semble avoir cessé d'exister en tant que telle. Elle avait probablement été assimilée par sa grande voisine la tribu de Juda

4.1-23 2.3-55. **4.24** Gn 46.10; Ex 6.15; Nb 26.12-14. **4.28-33** Jos 19.1-8.

naï, Yaaqova, Yeshohaya, Asaya, Adiël, Yesimiël, Benaya, ³⁷ Ziza, fils de Shiféï, fils d'Allôn, fils de Yedaya, fils de Shimri, fils de Shemaya : ³⁸ ceux-là, qui viennent d'être nommés, furent des chefs dans leurs clans, et leurs familles s'accrurent beaucoup. ³⁹ Ils allèrent à l'entrée de Guedor jusqu'à l'orient de la vallée, à la recherche de pâturages pour leurs troupeaux ; ⁴⁰ ils trouvèrent de gras et bons pâturages et le pays était vaste, tranquille et paisible, car ceux qui habitaient là autrefois descendaient de Cham *q*. ⁴¹ Ces gens, qui viennent d'être mentionnés, vinrent donc au temps d'Ezékias roi de Juda, détruisirent leurs tentes et les refuges qui se trouvaient là et les vouèrent à l'interdit *r* jusqu'à ce jour. Ils habitèrent à leur place, car il y avait là des pâturages pour leur petit bétail.

⁴² Certains des fils de Siméon allèrent à la montagne de Séïr : cinq cents hommes avec, à leur tête Pelatya, Néarya, Refaya et Ouzziël, les fils de Yishéï. ⁴³ Ils battirent le reste des rescapés d'Amaleq *s* et habitèrent là jusqu'à ce jour.

Les descendants de Ruben

5 ¹ Fils de Ruben, premier-né d'Israël — il était le premier-né mais quand il eut profané la couche de son père *t*, son droit d'aînesse fut donné aux fils de Joseph, fils d'Israël, et il fut considéré comme ayant perdu son droit d'aînesse. ² En effet, Juda fut le plus grand parmi ses frères et, de lui, est issu celui qui devint prince *u*, mais le droit d'aînesse était à Joseph.

³ Fils de Ruben, premier-né d'Israël : Hanok, Pallou, Hèçrôn et Karmi.

⁴ Fils de Yoël : Shemaya son fils ; Gog son fils, Shiméï son fils, ⁵ Mika son fils, Réaya son fils, Baal son fils, ⁶ Bééra son fils, que déporta Tilgath-Pilnéser *v*, roi d'Assyrie, il était prince des Rubénites. ⁷ Ses frères, selon leurs clans enregistrés d'après leurs généalogies : en tête Yéiël, Zekaryahou, ⁸ Bèla fils de Azaz, fils de Shèma, fils de Yoël ; il habitait à Aroër et allait jusqu'à Nebo et Baal-Méôn. ⁹ A l'est, ils habitaient jusqu'à l'entrée du désert, depuis le fleuve de l'Euphrate, car leurs troupeaux étaient nombreux dans le pays de Galaad. ¹⁰ Au temps de Saül, ils firent la guerre aux Hagrites qui tombèrent entre leurs mains ; ils habitèrent dans leurs tentes sur toute la surface orientale de Galaad.

Les descendants de Gad

¹¹ Les fils de Gad, vis-à-vis d'eux, habitèrent dans le pays de Bashân, jusqu'à Salka : ¹² en tête Yoël, Shafâm le second, Yaénaï et Shafath, dans le Bashân. ¹³ Leurs frères selon leurs familles furent : Mikaël, Meshoullam, Shèva, Yoraï, Yaékân, Zia et Eber : sept. ¹⁴ Voici les fils d'Avihaïl, fils de Houri, fils de Yaroah, fils de Galaad, fils de Mikaël, fils de Yeshishaï, fils de Yahdo, fils de Bouz. ¹⁵ Ahi, fils d'Avdiël, fils de Gouni, était chef de leurs familles. ¹⁶ Ils habitaient en Galaad, dans le Bashân et dans ses dépendances, dans tous les pâturages de Sharôn jusqu'à leurs confins.

¹⁷ Tous, ils furent enregistrés au temps de Yotam, roi de Juda et au temps de Jéroboam *w*, roi d'Israël.

¹⁸ Les fils de Ruben, les Gadites, et la demi-tribu de Manassé faisaient partie des hommes vaillants, portant le bouclier et l'épée, tirant l'arc et exercés à la guerre — quarante-quatre mille sept cent soixante hommes capables de partir en campagne. ¹⁹ Ils firent la guerre aux Hagrites, à Yatour, à Nafish et à Nodav. ²⁰ Ils reçurent de l'aide contre eux ; les Hagrites furent livrés entre leurs mains, ainsi que tous ceux qui étaient avec eux, car pendant le combat ils avaient crié vers Dieu, qui les exauça puisqu'ils avaient eu confiance en lui. ²¹ Ils capturèrent leurs troupeaux : cinquante mille chameaux, deux cent cinquante mille têtes de petit bétail, deux mille ânes, ainsi que cent mille personnes. ²² Beaucoup d'hommes tombèrent, frappés à mort, car la guerre venait de Dieu. Ils habitèrent à leur place jusqu'à l'exil.

Les descendants de Manassé en Transjordanie

²³ Les fils de la demi-tribu de Manassé habitaient dans le pays depuis Bashân jusqu'à Baal-Hermon, Senir et la mon-

---

q Les descendants de Cham devaient être voués à l'interdit (v. 41) comme peuplade cananéenne ● *r* Ces gens, c'est-à-dire les descendants de Siméon. — *l'interdit:* voir Dt 2.34 et la note ● *s* Amaleq : voir Ex 17.8 et la note ● *t* Allusion à Gn 35.22 ● *u* celui qui devint prince, c'est-à-dire David ● *v* Ce roi d'Assyrie est appelé Tiglath-Piléser en 2 R 15.29 ● *w* Il s'agit de Jéroboam II, roi d'Israël de 787 à 747 av. J.C. (voir 2 R 14.16-29)

5.3 Gn 46.9 ; Ex 6.14 ; Nb 26.5-6. **5.8** Nb 32.37-38 ; Jos 13.15-23. **5.23** Nb 32.39.

tagne de l'Hermon. Ils étaient nombreux. ²⁴ Voici les chefs de la famille : Efer, Yishéï, Eliël, Azriël, Yirmeya, Hodawya et Yahdiël. C'étaient des hommes vaillants, des hommes de renom, chefs de leur famille. ²⁵ Ils furent infidèles au Dieu de leurs pères et se prostituèrent *ᵡ* aux dieux des peuples du pays que Dieu avait détruits devant eux. ²⁶ Alors le Dieu d'Israël excita l'esprit de Poul, roi d'Assyrie, et l'esprit de Tilgath-Pilnéser, roi d'Assyrie, qui les déporta — les Rubénites, les Gadites et la demi-tribu de Manassé — et les emmena à Halah, à Habor, à Hara et au fleuve de Gozân *ʸ*, jusqu'à ce jour.

Les descendants de Lévi : les grands prêtres

²⁷ Fils de Lévi *ᶻ* : Guershôn, Qehath et Merari. ²⁸ Fils de Qehath : Amrâm, Yicehar, Hébron et Ouzziël. ²⁹ Fils de Amrâm : Aaron, Moïse et Miryam. Fils d'Aaron : Nadav, Avihou, Eléazar et Itamar. ³⁰ Eléazar engendra Pinhas ; Pinhas engendra Avishoua ; ³¹ Avishoua engendra Bouqqi ; Bouqqi engendra Ouzzi ; ³² Ouzzi engendra Zerahya ; Zerahya engendra Merayoth ; ³³ Merayoth engendra Amarya ; Amarya engendra Ahitouv ; ³⁴ Ahitouv engendra Sadoq ; Sadoq engendra Ahimaaç ; ³⁵ Ahimaaç engendra Azarya ; Azarya engendra Yohanân ; ³⁶ Yohanân engendra Azarya. C'est lui qui fut prêtre dans la Maison que Salomon construisit à Jérusalem. ³⁷ Azarya engendra Amarya ; Amarya engendra Ahitouv ; ³⁸ Ahitouv engendra Sadoq ; Sadoq engendra Shalloum ; ³⁹ Shalloum engendra Hilqiya ; Hilqiya engendra Azarya ; ⁴⁰ Azarya engendra Seraya ; Seraya engendra Yehosadaq ; ⁴¹ Yehosadaq partit quand le Seigneur déporta Juda et Jérusalem, par la main de Nabuchodonosor.

Autres descendants de Lévi

6 ¹ Fils de Lévi *ᵃ* : Guershôm, Qehath et Merari. ² Voici les noms de fils de Guershôm : Livni et Shiméï. ³ Fils de Qehath : Amrâm, Yicehar, Hé-

bron et Ouzziël. ⁴ Fils de Merari : Mahli et Moushi. Ce sont les clans de Lévi, d'après leurs pères.

⁵ A Guershôm : Livni son fils, Yahath son fils, Zimma son fils, ⁶ Yoah son fils, Iddo son fils, Zérah son fils, Yeotraï son fils.

⁷ Fils de Qehath : Amminadav son fils, Coré son fils, Assir son fils, ⁸ Elqana son fils, Eviasaf son fils, Assir son fils, ⁹ Tahath son fils, Ouriël son fils, Ouzziya son fils, Shaoul son fils. ¹⁰ Fils d'Elqana : Amasaï et Ahimoth, ¹¹ Elqana son fils, Çofaï son fils, Nahath son fils, ¹² Eliav son fils, Yeroham son fils, Elqana son fils, Samuel son fils. ¹³ Fils de Samuel : le premier-né Yoël, et le second Aviya. ¹⁴ Fils de Merari : Mahli, Livni son fils, Shiméï son fils, Ouzza son fils, ¹⁵ Shiméa son fils, Hagguiya son fils, Asaya son fils.

¹⁶ Voici ceux à qui David confia la charge du chant dans la Maison du Seigneur, dès que l'*arche eut un lieu de repos. ¹⁷ Ils furent des serviteurs pour le chant, devant la *demeure — la tente de la rencontre — jusqu'à ce que Salomon eût bâti la Maison du Seigneur à Jérusalem ; ils accomplissaient leur service selon leur règle.

¹⁸ Voici ceux qui accomplissaient ce service, ainsi que leurs fils. Parmi les fils des Qehatites : Hémân le chantre, fils de Yoël, fils de Samuel, ¹⁹ fils d'Elqana, fils de Yeroham, fils de Eliël, fils de Toah, ²⁰ fils de Çouf, fils d'Elqana, fils de Mahath, fils de Amasaï, ²¹ fils d'Elqana, fils de Yoël, fils de Azarya, fils de Cefanya, ²² fils de Tahath, fils d'Assir, fils d'Eviasaf, fils de Coré, ²³ fils de Yicehar, fils de Qehath, fils de Lévi, fils d'Israël.

²⁴ Puis, son frère *ᵇ* Asaf qui se tenait à sa droite : Asaf, fils de Bèrèkyahou, fils de Shiméa, ²⁵ fils de Mikaël, fils de Baaséya, fils de Malkiya, ²⁶ fils d'Etni, fils de Zérah, fils de Adaya, ²⁷ fils d'Etân, fils de Zimma, fils de Shiméï, ²⁸ fils de Yahath, fils de Guershôm, fils de Lévi. ²⁹ Fils de Merari, leurs frères, sur la gauche : Etân, fils de Qishi, fils de Avdi, fils de Mallouk, ³⁰ fils de Hashavya, fils d'Amacya, fils de Hilqiya, ³¹ fils d'Amçi,

---

x se prostituèrent: voir Os 2.4 et la note ● *y Poul:* voir 2 R 15.19 et la note ; *Tilgath-Pilnéser:* voir v. 6 et la note — *Halah, Habor, Gozân:* voir 2 R 17.6 et la note ; *Hara:* endroit inconnu ● *z Dans certaines traductions, les* v. 5.27-41 sont numérotés 6.1-15 ● *a Dans certaines traductions, les* v. 6.1-66 sont numérotés 6.16-81 (voir 5.27 et la note) ● *b Le mot frère* est employé ici dans le sens de « membre de la même confrérie » (comparer v. 33)

5.27 Gn 46.11 ; Ex 6.16. **5.28** Ex 6.18. **5.29** Ex 6.20, 23. **5.30** Ex 6.25. **5.41** Nabuchodonosor 2 R 25+. **6.1-4** Nb 3.17-20.

fils de Bani, fils de Shèmèr, ³² fils de Mahli, fils de Moushi, fils de Merari, fils de Lévi.

³³ Leurs frères, les *lévites, étaient affectés à tout le service de la demeure de la Maison de Dieu. ³⁴ Aaron et ses fils faisaient fumer les *sacrifices sur l'*autel des holocaustes et sur l'autel des parfums, s'occupaient de tout ce qui concernait le lieu très *saint, et faisaient le rite d'absolution en faveur d'Israël, selon tout ce qu'avait ordonné Moïse, le serviteur de Dieu.

³⁵ Voici les fils d'Aaron : Eléazar son fils, Pinhas son fils, Avishoua son fils, ³⁶ Bouqqi son fils, Ouzzi son fils, Zerahya son fils, ³⁷ Merayoth son fils, Amarya son fils, Ahitouv son fils, ³⁸ Sadoq son fils, Ahimaaç son fils.

Les villes attribuées aux descendants de Lévi

³⁹ Et voici leurs habitations, selon leurs campements dans leur territoire : aux fils d'Aaron du clan des Qehatites — car le sort leur échut en premier lieu — ⁴⁰ on donna Hébron dans le pays de Juda avec les communaux qui l'entourent. ⁴¹ Mais les champs de la ville et ses villages, on les donna à Caleb, fils de Yefounnè. ⁴² On donna aux fils d'Aaron comme villes de refuge : Hébron, Livna et ses communaux, Yattir, Eshtemoa et ses communaux, ⁴³ Hilez et ses communaux, Devir et ses communaux, ⁴⁴ Ashân et ses communaux, Beth-Shèmesh et ses communaux ⁴⁵ et, sur la tribu de Benjamin : Guèva et ses communaux, Alèmeth et ses communaux, Anatoth et ses communaux. Total de leurs villes : treize villes ^c pour leurs clans.

⁴⁶ Les autres fils de Qehath, selon leurs clans, reçurent par le sort dix villes de la tribu d'Ephraïm, de la tribu de Dan et de la demi-tribu de Manassé ; ⁴⁷ les fils de Guershôm, selon leurs clans, reçurent treize villes de la tribu d'Issakar, de la tribu d'Asher, de la tribu de Nephtali et de la tribu de Manassé au Bashân ; ⁴⁸ les fils de Merari, selon leurs clans, reçurent par le sort douze villes de la tribu de Ruben, de la tribu de Gad et de la tribu de Zabulon. ⁴⁹ Les fils d'Israël donnèrent aux *lé-

vites ces villes et leurs communaux. ⁵⁰ De la tribu des fils de Juda, de la tribu des fils de Siméon et de la tribu des fils de Benjamin, ils donnèrent par le sort ces villes désignées par leurs noms.

⁵¹ Les autres clans des fils de Qehath eurent le territoire de leurs villes dans la tribu d'Ephraïm. ⁵² On leur donna comme villes de refuge : Sichem et ses communaux dans la montagne d'Ephraïm, Guèzèr et ses communaux, ⁵³ Yoqméâm et ses communaux, Beth-Horôn et ses communaux, ⁵⁴ Ayyalôn et ses communaux, Gath-Rimmôn et ses communaux ; ⁵⁵ et dans la demi-tribu de Manassé : Aner et ses communaux, Biléâm et ses communaux. Tout cela était pour le clan des autres fils de Qehath.

⁵⁶ Aux fils de Guershôm, selon leurs clans, on donna dans la demi-tribu de Manassé : Golân en Bashân avec ses communaux, Ashtaroth et ses communaux ; ⁵⁷ dans la tribu d'Issakar : Qèdesh et ses communaux, Daverath et ses communaux, ⁵⁸ Ramoth et ses communaux, Anem et ses communaux ; ⁵⁹ dans la tribu d'Asher : Mashal et ses communaux, Avdôn et ses communaux, ⁶⁰ Houqoq et ses communaux, Rehov et ses communaux ; ⁶¹ et dans la tribu de Nephtali : Qèdesh en Galilée et ses communaux, Hammôn et ses communaux, Qiryataïm et ses communaux.

⁶² Aux autres, les fils de Merari, on donna dans la tribu de Zabulon : Rimmono et ses communaux, Tabor et ses communaux. ⁶³ Au-delà du Jourdain, près de Jéricho, à l'est du Jourdain, dans la tribu de Ruben : Bècèr, dans le désert, et ses communaux, Yahaç et ses communaux, ⁶⁴ Qedémoth et ses communaux, Méfaath et ses communaux ; ⁶⁵ et dans la tribu de Gad : Ramoth-de-Galaad et ses communaux, Mahanaïm et ses communaux, ⁶⁶ Heshbôn et ses communaux, Yazèr et ses communaux.

Les descendants d'Issakar

7 ¹ Pour les fils d'Issakar : Tola, Poua, Yashouv et Shimrôn : soit quatre. ² Fils de Tola : Ouzzi, Refaya, Yeriël, Yahmaï, Yivsâm et Shemouël qui étaient chefs des familles pour Tola — des vaillants hommes dont la

---

^c La liste des v. 42-45 ne cite que onze *villes;* la liste parallèle de Jos 21 mentionne en plus *Youtta* et *Gabaon,* aux v. 16 et 17

6.35-38 5.30-34. **6.39-45** Jos 21.10-19. **6.46-48** Jos 21.5-8. **6.51-66** Jos 21.20-39. **7.1** Gn 46.13; Nb 26.23-24.

descendance était, au temps de David, au nombre de vingt-deux mille six cents. ³ Fils de Ouzzi : Yizrahya ; fils de Yizrahya : Mikaël, Ovadya, Yoël, Yishiya : soit cinq, tous des chefs. ⁴ Selon leur descendance par famille, ils avaient à leur charge des troupes armées pour la guerre au nombre de trente-six mille hommes, et il y avait beaucoup de femmes et d'enfants. ⁵ Leurs frères, pour tous les clans d'Issakar, étaient quatre-vingt-sept mille hommes vaillants, selon le recensement total.

Les descendants de Benjamin et de Nephtali

⁶ Benjamin : Bèla, Bèker, Yediaël : trois. ⁷ Fils de Bèla : Eçbôn, Ouzzi, Ouzziël, Yerimoth et Iri, cinq chefs de famille, hommes vaillants, à qui le recensement attribuait vingt-deux mille trente-quatre descendants. ⁸ Fils de Bèker : Zemira, Yoash, Eliézer, Elyoénaï, Omri, Yerémoth, Aviya, Anatoth et Alèmeth. Ce sont là tous les fils de Bèker. ⁹ Le recensement de la descendance de ces chefs de famille donnait : vingt mille deux cents hommes vaillants. ¹⁰ Fils de Yediaël : Bilhân ; fils de Bilhân : Yéoush, Benjamin, Ehoud, Kenaana, Zétân, Tarsis et Ahishahar. ¹¹ Ce sont là tous les fils de Yediaël, chefs de famille : dix-sept mille deux cents hommes vaillants, dans l'armée, prêts à combattre. ¹² Shouppîm et Houppîm étaient fils de Ir ; Houshîm, fils d'Ahér. ¹³ Fils de Nephtali : Yahaciël, Gouni, Yécèr et Shalloum. Ils étaient les fils de Bilha.

Les descendants de Manassé en Cisjordanie

¹⁴ Fils de Manassé : Asriël qu'avait enfanté sa concubine ᵈ araméenne ; elle enfanta Makir, père de Galaad. ¹⁵ Makir prit une femme pour Houppîm et Shouppîm. Le nom de sa sœur était Maaka. Le nom du second était Celofehad, et Celofehad n'eut que des filles. ¹⁶ Maaka, femme de Makir, enfanta un fils qu'elle appela du nom de Pèresh ; le nom de son frère fut Shèresh, et ses fils furent Oulâm et Rèqem. ¹⁷ Fils de Oulâm : Bedân. Tels sont les fils de Galaad, fils de

Makir, fils de Manassé. ¹⁸ Sa sœur Molèketh enfanta Ishehod, Avièzer et Mahla. ¹⁹ Les fils de Shemida furent Ahyân, Shèkem, Liqhi et Aniâm.

Les descendants d'Ephraïm

²⁰ Fils d'Ephraïm : Shoutèlah, Bèred son fils, Tahath son fils, Eléada son fils, Tahath son fils, ²¹ Zavad son fils, Shoutèlah son fils, Ezèr et Eléad. Les gens de Gath, nés dans le pays, les tuèrent parce qu'ils étaient descendus pour prendre leurs troupeaux. ²² Ephraïm, leur père, fut dans le deuil pendant de nombreux jours, et ses frères ᵉ vinrent le consoler. ²³ Il alla vers sa femme ; elle conçut et enfanta un fils qu'il appela du nom de Beria, car elle était restée chez lui dans son malheur ᶠ. ²⁴ Sa fille fut Shééra, qui bâtit Beth-Horôn, la ville basse et la ville haute, et Ouzên-Shééra. ²⁵ Puis, Rèfah son fils, Rèshef, Tèlah son fils, Tahân son fils, ²⁶ Laédân son fils, Ammihoud son fils, Elishama son fils, ²⁷ Noun son fils et Josué son fils. ²⁸ Leur possession et leurs habitations étaient : Béthel et ses dépendances, à l'est Naarân, à l'ouest Guèzèr et ses dépendances, Sichem et ses dépendances jusqu'à Ayya et ses dépendances. ²⁹ Aux mains des fils de Manassé étaient Beth-Shéân et ses dépendances, Taanak et ses dépendances, Meguiddo et ses dépendances, Dor et ses dépendances. Dans ces villes habitaient les fils de Joseph, fils d'Israël.

Les descendants d'Asher

³⁰ Fils d'Asher : Yimna, Yihswa, Yishwi, Beria et Sèrah leur sœur. ³¹ Fils de Beria : Héber et Malkiël qui fut le père de Birzaïth. ³² Héber engendra Yafleth, Shomèr, Hotâm et Shoua leur sœur. ³³ Fils de Yafleth ; Pasak, Bimhal et Ashwath. Tels sont les fils de Yafleth. ³⁴ Fils de son frère Shemèr : Rohga, Yehoubba et Aram. ³⁵ Fils de son frère Hélèm : Çofah, Yimna, Shélèsh et Amal. ³⁶ Fils de Çofah : Souah, Harnèfèr, Shoual, Béri, Yimra, ³⁷ Bèçèr, Hod, Shamma, Shilsha, Yitrân et Bééra. ³⁸ Fils de Yétér : Yefounnè, Pispa et Ara. ³⁹ Fils de Oulla : Arah, Hanniël et Ricia.

ᵈ *concubine:* voir 2 S 3.7 et la note ● *e ses frères* ou *les gens de sa parenté* ● *f* En hébreu, il y a jeu de mots entre le nom de *Beria* et le mot traduit par *dans son malheur*

7.6 Gn 46.21; cf. 8.1-32; Nb 26.38-41.   7.13 Gn 46.24; Nb 26.48-50.   7.14 Nb 26.29-34.   7.20 Nb 26.35-37.   7.30-31 Gn 46.17; Nb 26.44-47.

40 Tous ceux-là étaient les fils d'Asher, chefs de famille, hommes d'élite, hommes vaillants, chefs des princes, et le recensement de leurs descendants dans l'armée, pour la guerre, atteignait le nombre de vingt-six mille hommes.

Autre liste des descendants de Benjamin

8 1 Benjamin engendra Bèla son premier-né, Ashbel le second, Ahra le troisième, 2 Noha le quatrième et Rafa le cinquième. 3 Bèla eut des fils : Addar, Guéra, père d'Ehoud, 4 Avishoua, Naamân, Ahoah, 5 Guéra, Shefoufân et Hourâm.

6 Voici les fils d'Ehoud — ce sont eux qui furent les chefs de famille des habitants de Guèva et les firent émigrer à Manahath : 7 Naamân, Ahiyya et Guéra — c'est lui qui les fit émigrer et qui engendra Ouzza et Ahihoud.

8 Shaharaïm eut des fils, dans la campagne de Moab, après avoir renvoyé ses femmes Houshîm et Baara. 9 Il engendra de Hodesh sa femme : Yovav, Civia, Mésha, Malkâm, 10 Yéouç, Sakya et Mirma. Tels sont ses fils, chefs de famille. 11 De Houshîm, il avait engendré Avitouv et Elpaal. 12 Fils d'Elpaal : Eber, Mishéâm et Shèmed. C'est lui qui construisit Ono et Lod avec ses dépendances. 13 Beria et Shèma étaient les chefs de famille des habitants d'Ayyalôn. Ce sont eux qui mirent en fuite les habitants de Gath.

14 Leurs frères étaient Shashaq et Yerémoth. 15 Zevadya, Arad, Eder, 16 Mikaël, Yishpa et Yoha : fils de Beria. 17 Zevadya, Meshoullam, Hizqi, Héber, 18 Yishmeraï, Yizlia et Yovav : fils d'Elpaal. 19 Yaqîm, Zikri, Zavdi, 20 Eliénaï, Cilletaï, Eliël, 21 Adaya, Beraya et Shimrath : fils de Shiméï. 22 Yishpân, Eber, Eliël, 23 Avdôn, Zikri, Hanân, 24 Hananya, Elam, Antotiya, 25 Yifdeya et Penouël : fils de Shashaq. 26 Shamsheraï, Sheharya, Atalya, 27 Yaarèshya, Eliya, et Zikri : fils de Yeroham. 28 Tels étaient les chefs de famille, chefs selon leurs généalogies. Ils habitaient à Jérusalem.

29 A Gabaon, habitaient le père de Gabaon, dont la femme s'appelait Maaka, 30 son fils premier-né Avdôn et Çour, Qish, Baal, Nadav, 31 Guedor, Ahyo, et Zèkèr. 32 Miqloth engendra Shiméa. Eux aussi, à l'exemple de leurs frères, habitaient à Jérusalem avec eux.

Les descendants de Saül
(9.39-44)

33 Ner engendra Qish ; Qish engendra Saül ; Saül engendra Jonathan, Malki-Shoua, Avinadav et Eshbaal *g*. 34 Le fils de Jonathan fut Meribbaal *h*. Meribbaal engendra Mika. 35 Les fils de Mika furent Pitôn, Mèlek, Taréa et Ahaz. 36 Ahaz engendra Yehoadda ; Yehoadda engendra Alèmeth, Azmaweth et Zimri ; Zimri engendra Moça. 37 Moça engendra Binéa, Rafa son fils, Eléasa son fils, Acel son fils. 38 Acel eut six fils dont voici les noms : Azriqam, Bokrou, Yishmaël, Shéarya, Ovadya et Hanân. Ce sont là tous les fils d'Acel.

39 Fils de Esheq son frère : Oulâm son premier-né, Yéoush le second, Elifèleth le troisième. 40 Les fils d'Oulâm furent de vaillants guerriers sachant tirer de l'arc. Ils eurent beaucoup de fils et de petits-fils : cent cinquante.

Tous ceux-là faisaient partie des fils de Benjamin.

Les habitants de Jérusalem

9 1 Tous les Israélites ont été recensés et sont inscrits sur le livre des rois d'Israël. Ceux de Juda ont été déportés à Babylone à cause de leur infidélité. 2 Les premiers habitants qui en firent leur propriété et leurs villes sont les Israélites, les prêtres, les *lévites et les servants *i*.

3 A Jérusalem, habitaient quelques-uns des fils de Juda, des fils de Benjamin, des fils d'Ephraïm et de Manassé. 4 Outaï fils de Ammihoud, fils de Omri, fils d'Imri, fils de Bani parmi les fils de Pèreç, fils de Juda. 5 Parmi les Silonites : Asaya le premier-né, et ses fils ; 6 parmi les fils de Zérah : Yéouël. Avec leurs frères : six cent quatre-vingt-dix.

7 Parmi les fils de Benjamin : Sallou,

---

g Dans 2 S (2.8-10 ; 4.1-12), ce personnage est appelé *Ishbosheth* ● *h* Dans 2 S (4.4 ; 9.6-13 ; 19.25-31), ce personnage est appelé *Mefibosheth* ● *i* *les servants:* voir Esd 8.20 et la note

8.1 cf. 7.6+. **8.29-32** 9.35-38. **9.2-17** Ne 11.3-19.

fils de Meshoullam, fils de Hodawya, fils de Ha-Senoua ; 8 Yivneya, fils de Yeroham ; Ela, fils de Ouzzi, fils de Mikri, et Meshoullam, fils de Shefatya, fils de Réouël, fils de Yivniya. 9 Avec leurs frères, selon leurs généalogies : neuf cent cinquante-six. Tous ces hommes étaient chefs de famille dans leurs familles.

10 Parmi les prêtres : Yedaya, Yehoyariv, Yakîn, 11 Azarya, fils de Hilqiya, fils de Meshoullam, fils de Sadoq, fils de Merayoth, fils de Ahitouv, chef de la Maison de Dieu ; 12 Adaya fils de Yeroham, fils de Pashehour, fils de Malkiya ; et Massaï fils de Adiël, fils de Yahzéra, fils de Meshoullam, fils de Meshillémith, fils d'Immer. 13 Avec leurs frères, chefs de leur famille : mille sept cent soixante, hommes vaillants pour accomplir le service de la Maison de Dieu.

14 Parmi les lévites : Shemaya fils de Hashouv, fils de Azriqam, fils de Hashavya, d'entre les fils de Merari ; 15 Baqbaqar, Hèresh, Galal, et Mattanya fils de Mika, fils de Zikri, fils d'Asaf ; 16 Ovadya fils de Shemaya, fils de Galal, fils de Yedoutoun et Bèrèkya fils d'Asa, fils d'Elqana habitant dans les villages des Netofatites.

17 Les portiers : Shalloum, Aqqouv, Talmôn, Ahimân, et leurs frères. Shalloum était leur chef. 18 Jusqu'à ce jour, se tenant à la porte du roi, à l'est, ce sont eux qui sont les portiers pour les camps des fils de Lévi. 19 Shalloum, fils de Qoré, fils d'Eviasaf, fils de Coré, et ses frères de la même famille, les Coréites, avaient la charge du service, comme gardiens du seuil de la *tente ; leurs pères avaient été chargés de garder l'entrée du camp du SEIGNEUR. 20 Pinhas, fils d'Eléazar, était autrefois leur chef ; le SEIGNEUR était avec lui. 21 Zekarya fils de Meshèlèmya était portier à l'entrée de la tente de la rencontre. 22 Tous ceux qui avaient été choisis comme portiers des seuils étaient au nombre de deux cent douze. Ils avaient été recensés dans leurs villages. C'est David et Samuel le voyant j qui les avaient établis dans leur fonction permanente. 23 Eux et leurs fils étaient affectés à la garde des portes de la Maison du SEIGNEUR, c'est-à-dire de la Maison de la tente. 24 Les portiers étaient aux quatre points cardinaux : à l'est, à l'ouest, au nord et au sud. 25 Leurs frères, qui

étaient dans leurs villages, devaient venir de temps en temps avec eux pour sept jours ; 26 mais les quatre portiers en chef, eux, y restaient en permanence. C'étaient les lévites qui étaient affectés aux chambres et aux trésors de la Maison de Dieu. 27 Ils passaient la nuit autour de la Maison de Dieu, car ils étaient affectés à sa garde et avaient à l'ouvrir chaque matin. 28 Certains d'entre eux étaient affectés aux objets du culte qu'ils comptaient chaque fois qu'ils les rentraient ou les sortaient. 29 Certains d'entre eux étaient préposés aux vases, surtout aux vases sacrés, à la fleur de farine, au vin, à l'huile, à l'*encens et aux parfums. 30 Mais c'était des fils de prêtres qui préparaient les mélanges pour les parfums.

31 Mattitya, d'entre les lévites, celui qui était le premier-né de Shalloum le Coréite, était chargé en permanence de la confection des galettes cuites. 32 Parmi les fils de Qehatites, certains de leurs frères étaient chargés de la préparation du pain de proposition k pour chaque *sabbat.

33 Des chantres, chefs des familles lévitiques, étaient logés dans les chambres et dégagés de tout autre service, car, jour et nuit, ils étaient affectés à leur tâche. 34 Tels étaient les chefs de famille pour les lévites, chefs selon leurs généalogies. Ils habitaient à Jérusalem.

Les origines de Saül
(8.29-38)

35 A Gabaon, habitaient le père de Gabaon, Yéiël, dont la femme avait pour nom Maaka, 36 son fils premier-né Avdôn, et Çour, Qish, Baal, Ner, Nadav, 37 Guedor, Ahyo, Zekarya et Miqloth. 38 Miqloth engendra Shiméam. Eux aussi, à l'exemple de leurs frères, habitaient à Jérusalem avec eux.

39 Ner engendra Qish ; Qish engendra Saül ; Saül engendra Jonathan, Malki-Shoua, Avinadav et Eshbaal. 40 Le fils de Jonathan fut Meribbaal. Meribbaal engendra Mika. 41 Les fils de Mika furent Pitôn, Mèlek, Tahréa. 42 Ahaz engendra Yaéra ; Yaéra engendra Alèmeth, Azmaweth et Zimri ; Zimri engendra Moça ; 43 Moça engendra Binéa, Refaya son fils, Eléasa son fils, Acel son fils. 44 Acel eut six fils dont voici les noms : Azriqam, Bokrou, Yishmaël, Shéarya, Ovadya et Hanân. Ce sont les fils d'Acel.

---

j Voir 1 S 9.9 ● k pain de proposition (ou pain d'offrande): voir Lv 24.5-9

HISTOIRE DE DAVID, ROI D'ISRAËL

Bataille de Guilboa. Mort de Saül
(1 S 31.1-13)

10 ¹ Les Philistins combattirent contre Israël ; les hommes d'Israël s'enfuirent devant les Philistins et tombèrent, frappés à mort sur le mont Guilboa *l*. ² Les Philistins serrèrent de près Saül et ses fils. Les Philistins abattirent Jonathan, Avinadav et Malki-Shoua, les fils de Saül. ³ Le poids du combat se porta sur Saül ; les archers le découvrirent et il eut un frisson à la vue des tireurs. ⁴ Saül dit à son écuyer : « Dégaine ton épée et transperce-moi de peur que ces *incirconcis ne viennent se jouer de moi » ; mais son écuyer refusa, car il avait très peur. Alors Saül prit l'épée et se jeta sur elle. ⁵ Voyant que Saül était mort, son écuyer se jeta lui aussi sur l'épée, et mourut. ⁶ Saül mourut, ainsi que ses trois fils ; toute sa maison *m* mourut en même temps. ⁷ Voyant la déroute d'Israël et la mort de Saül et de ses fils, les Israélites abandonnèrent leurs villages et prirent la fuite. Les Philistins arrivèrent et s'y installèrent.

⁸ Le lendemain, les Philistins vinrent dépouiller les victimes. Ils trouvèrent Saül et ses fils gisant sur le mont Guilboa. ⁹ Ils le dépouillèrent, emportèrent sa tête et ses armes et firent circuler la nouvelle dans le pays des Philistins, l'annonçant à leurs idoles et au peuple. ¹⁰ Ils mirent ses armes dans la maison de leur dieu, et clouèrent son crâne dans la maison de Dagôn *n*.

¹¹ Tous ceux de Yavesh de Galaad *o* apprirent tout ce que les Philistins avaient fait à Saül. ¹² Tous les vaillants guerriers se levèrent, prirent le corps de Saül et les corps de ses fils, et les apportèrent à Yavesh. Ils enterrèrent leurs ossements sous le térébinthe de Yavesh ; puis ils *jeûnèrent sept jours. ¹³ Saül mourut à cause de l'infidélité qu'il avait commise envers le SEIGNEUR parce qu'il n'avait pas observé la parole du SEIGNEUR, et aussi pour avoir interrogé l'esprit d'un mort *p* afin de le consulter, ¹⁴ au lieu de consulter le SEIGNEUR. Aussi le fit-il mourir et transmit-il la royauté à David, fils de Jessé.

David est consacré roi d'Israël
(2 S 5.1-3)

11 ¹ Tout Israël se rassembla auprès de David à Hébron, en disant : « Voici que nous sommes tes os et ta chair *q*. ² Il y a longtemps déjà, même quand Saül était roi, c'était toi qui faisais sortir et rentrer Israël. Or le SEIGNEUR ton Dieu t'a dit : C'est toi qui feras paître Israël mon peuple et c'est toi qui seras chef sur Israël *r* mon peuple. » ³ Tous les *anciens d'Israël vinrent trouver le roi à Hébron, et David conclut en leur faveur une alliance à Hébron, devant le SEIGNEUR. Ils *oignirent David comme roi sur Israël, selon la parole du SEIGNEUR transmise par Samuel.

David s'empare de Jérusalem
(2 S 5.6-10)

⁴ Et David, ainsi que tout Israël, alla à Jérusalem, c'est-à-dire Jébus où étaient les Jébusites *s* qui habitaient le pays. ⁵ Les habitants de Jébus dirent à David : « Tu n'entreras pas ici. » Mais David s'empara de la forteresse de *Sion : c'est la *Cité de David. ⁶ Il avait dit en effet : « Le premier qui battra les Jébusites deviendra chef et prince » : Joab fils de Cerouya monta le premier et devint chef. ⁷ David s'installa dans la forteresse ; c'est pourquoi on l'appela Cité de David. ⁸ Puis il construisit la ville tout autour, depuis le Millo *t* jusqu'aux environs, et Joab restaura le reste de la ville. ⁹ David devint de plus en plus grand et le SEIGNEUR, le tout-puissant, était avec lui.

Les vaillants guerriers de David
(2 S 23.8-39)

¹⁰ Voici les chefs des guerriers de David qui le soutinrent fermement pendant tout son règne, ainsi que tout Israël, pour le faire régner selon la parole du SEIGNEUR sur Israël.

---

l le mont Guilboa: voir 1 S 28.4 et la note ● *m sa maison* ou *sa famille* ● *n Dagôn* est précisément le *dieu* des Philistins, voir Jg 16.23 ● *o Yavesh de Galaad:* voir 1 S 31.11 et la note ● *p interrogé l'esprit d'un mort:* voir 1 S 28 ● *q tes os et ta chair:* voir 2 S 5.1 et la note ● *r faisais sortir et rentrer Israël:* voir 2 S 5.2 et la note — *chef sur Israël:* voir 1 S 28.17 ● *s Jébusites:* voir au glossaire AMORITES ● *t le Millo:* voir 1 R 9.15 et la note

[11] Voici la liste des guerriers de David : Yashovéâm, fils de Hakmoni, chef des Trois [u]. C'est lui qui brandit sa lance sur trois cents hommes à la fois : ils furent tués. [12] Et après lui, Eléazar, fils de Dodo l'Ahohite, qui était parmi les Trois guerriers. [13] C'est lui qui était avec David à Pâs-Dammîm, quand les Philistins s'y étaient rassemblés pour le combat ; il y avait là un champ couvert d'orge, et le peuple fuyait devant les Philistins ; [14] ils se postèrent au milieu du champ, le dégagèrent et frappèrent les Philistins ; le SEIGNEUR accomplit une grande victoire.

[15] Trois des Trente chefs descendirent au rocher auprès de David, à la grotte de Adoullam, pendant que le camp des Philistins était établi dans la vallée des Refaïtes [v]. [16] David était alors dans son refuge, et un poste de Philistins se trouvait alors à Bethléem. [17] David exprima ce désir : « Qui me fera boire de l'eau de la citerne qui est à la porte de Bethléem ? » [18] Les Trois firent irruption dans le camp des Philistins, puisèrent de l'eau à la citerne près de la porte de Bethléem, l'emportèrent et la présentèrent à David. Mais David ne voulut pas la boire et en fit une libation [w] au SEIGNEUR. [19] Il dit : « Que mon Dieu me punisse si je fais cela ! Est-ce que je boirais le *sang de ces hommes au péril de leur vie ? Car c'est au péril de leur vie qu'ils l'ont apportée ! » Et il refusa de la boire. Voilà ce que firent les Trois guerriers.

[20] Avshaï, frère de Joab, était, lui, chef des Trente [x]. C'est lui qui brandit sa lance sur trois cents hommes qui furent transpercés, mais il ne se fit pas un *nom parmi les Trois. [21] Il fut doublement honoré, plus que les Trente, et il devint leur chef, mais il n'atteignit pas les Trois. [22] Benaya, fils de Yehoyada, fils d'un vaillant homme, aux nombreux exploits, originaire de Qavçéel. C'est lui qui frappa les deux héros [y] de Moab ; c'est lui qui descendit frapper le lion dans la citerne, un jour de neige ; [23] c'est lui aussi qui frappa l'Egyptien, d'une taille de cinq coudées [z] ; l'Egyptien avait à la main une lance comme le rouleau des tisserands. Il descendit vers lui, armé d'un bâton, arracha la lance de la main de l'Egyptien et le tua avec sa propre lance. [24] Voilà

ce que fit Benayahou fils de Yehoyada ; il se fit un nom parmi les Trente [a] guerriers ; [25] il eut plus d'honneur que les Trente, mais il n'atteignit pas les Trois. David l'affecta à sa garde personnelle.

[26] Guerriers valeureux : Asahel, frère de Joab ; Elhanân, fils de Dodo, de Bethléem ; [27] Shammoth le Harorite ; Hèleç le Pelonite ; [28] Ira, fils de Iqqesh, le Teqoïte ; Avièzer le Anatotite ; [29] Sibbekaï le Houshatite ; Ilaï l'Ahohite ; [30] Mahraï le Netofatite ; Héled, fils de Baana, le Netofatite ; [31] Itaï, fils de Rivaï, de Guivéa des fils de Benjamin ; Benaya le Piréatonite ; [32] Houraï des Torrents de Gaash ; Avièl le Arvatite ; [33] Azmaweth le Baharoumite ; Elyahba le Shaalvonite ; [34] Bené-Hashem le Guizonite ; Yonatân, fils de Shagué, le Hararite ; [35] Ahiâm, fils de Sakar, le Hararite ; Elifal, fils d'Our ; [36] Héfer le Mékératite ; Ahiyya le Pelonite ; [37] Hèçro le Karmélite ; Naaraï, fils d'Ezbaï ; [38] Yoël, frère de Natân ; Mivhar, fils de Hagri ; [39] Cèleq l'Ammonite ; Nahraï le Bérotite, écuyer de Joab, fils de Cerouya ; [40] Ira le Yitrite ; Garev le Yitrite ; [41] Urie l'Hittite.

Zavad [b], fils d'Ahlaï ; [42] Adina, fils de Shiza le Rubénite, chef des Rubénites et, avec lui, trente ; [43] Hanân, fils de Maaka et Yoshafath le Mitnite ; [44] Ouziya le Ashteratite ; Shama et Yéièl, fils de Hotâm le Aroérite ; [45] Yediaël, fils de Shimri, et Yoha, son frère, le Ticite ; [46] Eliël des Mahawîm, Yerivaï et Yoshawya, fils d'Elnaâm, et Yitma le Moabite ; [47] Eliël, Oved et Yaasiël de Çova.

Les premiers compagnons de David à Ciqlag

12 [1] Voici ceux qui vinrent près de David à Ciqlag [c], lorsqu'il était encore retenu loin de Saül, fils de Qish. Comptés parmi les guerriers, ils participaient au combat. [2] Ils étaient armés d'arcs, se servaient de la main droite et de la main gauche pour lancer des pierres et pour tirer des flèches avec l'arc.

Parmi les frères [d] de Saül de Benjamin : [3] le chef Ahiézer et Yoash, fils de Shemaa le Guivéatite ; Yeziël et Pèleth, fils de Azmaweth ; Beraka et Yéhou l'Anato-

---

u des Trois ou *des cuirassiers* (voir 2 S 23.8) ● *v Trente:* voir 2 S 23.13 et la note — *Adoullam:* voir 1 S 22.1 et la note — *vallée des Refaïtes:* voir 2 S 5.18 et la note ● *w libation:* voir au glossaire SACRIFICES ● *x Trente:* d'après l'ancienne version syriaque; hébreu: *Trois* (de même au v. 21) ● *y les deux héros* ou *les deux Ariël* (voir 2 S 23.20) ● *z coudées:* voir au glossaire POIDS ET MESURES ● *a Trente:* traduction conjecturale, d'après le contexte; hébreu: *Trois* ● *b* Les v. 41b-47 donnent une liste de seize noms qu'on ne retrouve pas dans le texte parallèle de 2 S 23 ● *c Ciqlag:* voir 1 S 27.6 et la note ● *d les frères,* c'est-à-dire *les membres du clan*

tite ; ⁴ Yishmaya le Gabaonite, guerrier parmi les Trente, et chef des Trente ᵉ ; ⁵ Yirmeya, Yahaziël, Yohanân et Yozavad le Guedératite ; ⁶ Eléouzaï, Yerimoth, Béalya, Shemaryahou, et Shefatyahou le Harifite ⁷ Elqana, Yishiyahou, Azarel, Yoèzèr, Yashovéâm, les Qoréhites ; ⁸ Yoéla et Zevadya, fils de Yeroham, de Guedor.

⁹ Des Gadites se séparèrent pour aller près de David au refuge dans le désert. C'étaient des hommes vaillants, des hommes de guerre formés pour le combat, équipés de bouclier et de lance, braves comme des lions et rapides comme des gazelles sur les montagnes. ¹⁰ Ezèr était le chef, Ovadya le second, Eliav le troisième, ¹¹ Mishmanna le quatrième, Yirmeya le cinquième, ¹² Attaï le sixième, Eliël le septième, ¹³ Yohanân le huitième, Elzavad le neuvième, ¹⁴ Yirmeyahou le dixième, Makbannaï le onzième. ¹⁵ Tels étaient, parmi les fils de Gad, les chefs de l'armée ; le plus petit d'entre eux en valait cent ; le plus grand en valait mille ᶠ. ¹⁶ C'étaient eux qui avaient traversé le Jourdain au premier mois, lorsqu'il déborde sur ses rives, et qui mirent en fuite tous ceux des vallées, à l'orient et à l'occident.

¹⁷ Des fils de Benjamin et de Juda vinrent jusqu'au refuge de David. ¹⁸ Il sortit au-devant d'eux, leur adressa la parole et leur dit : « Si c'est pour la paix que vous êtes venus vers moi pour m'aider, je serai prêt de tout cœur à me joindre à vous ; mais si c'est pour me tromper en faveur de mes ennemis, alors qu'il n'y a pas de violence dans mes mains, que le Dieu de nos pères le voie et qu'il arbitre ! » ¹⁹ L'esprit investit alors Amasaï, chef des Trente :

« Nous sommes à toi, David,
Et avec toi, fils de Jessé !
Paix, paix à toi
et paix à celui qui t'aide !
Car c'est ton Dieu qui t'aide ! » David les accueillit et les établit parmi les chefs de la troupe.

²⁰ Des gens de Manassé se rallièrent à David lorsqu'il vint avec les Philistins combattre contre Saül mais ces gens ne purent pas les aider, car, tenant conseil, les princes des Philistins renvoyèrent David en disant : « C'est au prix de nos têtes qu'il se ralliera à son seigneur Saül ᵍ ! » ²¹ Lorsque David partit pour Ciqlag, des gens de Manassé se rallièrent à lui : Adnah, Yozavad, Yediaël, Mikaël, Yozavad, Elihou et Cilletaï, chefs de milliers en Manassé. ²² Ce sont eux qui aidèrent David et la troupe, car ils étaient tous des hommes vaillants et ils devinrent des chefs dans l'armée. ²³ En effet, chaque jour des gens venaient vers David pour l'aider, de telle sorte que le camp devint grand comme un camp de Dieu ʰ.

Nombre des partisans de David venus à Hébron

²⁴ Voici les chiffres par tête des hommes équipés pour l'armée, qui vinrent auprès de David à Hébron, pour lui transmettre la royauté de Saül, selon l'ordre du SEIGNEUR : ²⁵ Fils de Juda, portant bouclier et lance : 6 800 hommes équipés pour l'armée ; ²⁶ des fils de Siméon, hommes vaillants pour l'armée : 7 100 ; ²⁷ des fils de Lévi : 4 600, ²⁸ plus, Yehoyada, commandant aux gens d'Aaron, et avec lui 3 700 ; ²⁹ plus, Sadoq, jeune homme vaillant, et vingt-deux chefs de sa famille. ³⁰ Des fils de Benjamin, frères de Saül : 3 000, qui jusqu'alors étaient pour la plupart restés au service de la maison de Saül. ³¹ Des fils d'Ephraïm : 20 800 hommes vaillants, hommes de renom dans leurs familles. ³² De la demi-tribu de Manassé : 18 000 qui furent désignés par leurs noms pour venir établir David comme roi. ³³ Des fils d'Issakar, qui savaient discerner les temps afin de connaître ce que devait faire Israël : 200 chefs et tous leurs frères à leurs ordres. ³⁴ De Zabulon : 50 000 hommes prêts à partir en campagne avec toutes leurs armes de guerre et à combattre d'un cœur sans partage. ³⁵ De Nephtali : 1 000 chefs, avec 37 000 hommes armés de boucliers et de lances. ³⁶ Des Danites : 28 600, prêts au combat. ³⁷ D'Asher : 40 000 prêts à partir en campagne. ³⁸ D'au-delà du Jourdain, des Rubénites, des Gadites et de la demi-tribu de Manassé : 120 000, avec toutes les armes de combat.

³⁹ Tous ces gens de guerre, prêts à se ranger en bataille, vinrent d'un cœur intègre à Hébron pour établir David roi sur tout Israël. Tout le reste d'Israël vint aussi d'un seul cœur pour établir David

---

ᵉ *Trente*: voir 2 S 23.13 et la note — Dans certaines traductions, les v. 4 et 5 sont groupés sous le chiffre 4, de sorte que les v. 6-41 sont numérotés 5-40 ● ᶠ Autre traduction *le plus petit était à la tête de cent, le plus grand à la tête de mille* ● ᵍ Allusion au récit de 1 S 29.1-5 ● ʰ *un camp de Dieu*, c'est-à-dire *un camp immense*.

comme roi. ⁴⁰ Ils passèrent là trois jours avec David à manger et à boire, car leurs frères avaient fait pour eux des préparatifs. ⁴¹ Les gens de la région, jusqu'à Issakar, Zabulon et Nephtali, apportaient aussi des vivres sur des ânes, des chameaux, des mulets et des bœufs : farine, gâteaux de figues, raisins secs, vin, huile, gros et petit bétail en abondance, car il y avait de la joie en Israël.

David décide d'amener l'arche à Jérusalem
(2 S 6.1-11)

13 ¹ David tint conseil avec les chefs des milliers *ⁱ* et des centaines, et avec tous les notables. ² Il dit à toute l'assemblée d'Israël : « Si vous le trouvez bon et si cela provient du SEIGNEUR notre Dieu, adressons un message à nos frères restés dans tous les territoires d'Israël, ainsi qu'aux prêtres et aux *lévites dans leurs villes de résidence, pour qu'ils se joignent à nous. ³ Puis nous ferons revenir vers nous l'*arche de notre Dieu, car nous ne nous sommes pas occupés d'elle au temps de Saül. » ⁴ Toute l'assemblée fut d'accord pour agir ainsi, car la chose semblait juste aux yeux de tout le peuple.

⁵ David assembla tout Israël, depuis le torrent d'Egypte jusqu'à l'entrée de Hamath, pour faire venir l'arche de Dieu de Qiryath-Yéarim *ʲ*. ⁶ Avec tout Israël, il monta à Baala *ᵏ*, à Qiryath-Yéarim qui est en Juda, pour en faire monter l'arche de Dieu, du SEIGNEUR siégeant sur les *chérubins, là où est invoqué son *nom. ⁷ On chargea l'arche de Dieu sur un chariot neuf, depuis la maison d'Avinadav. Ouzza et Ahyo conduisaient le chariot. ⁸ David et tout Israël dansaient de toute leur force devant Dieu accompagnés de chants, de cithares, de harpes, de tambourins, de cymbales et de trompettes. ⁹ Ils arrivèrent à l'aire de Kidôn *ˡ*. Ouzza étendit la main pour retenir l'arche, car les bœufs faillirent la renverser. ¹⁰ La colère du SEIGNEUR s'enflamma contre Ouzza et le frappa parce qu'il avait étendu la main sur l'arche. Il mourut là devant Dieu. ¹¹ David fut bouleversé

de ce que le SEIGNEUR eût ouvert une brèche en frappant Ouzza, et l'on appela ce lieu « Brèche de Ouzza » jusqu'à ce jour.

¹² David eut peur de Dieu, en ce jour-là, et dit : « Comment ferai-je venir chez moi l'arche de Dieu ? » ¹³ Alors David ne transféra pas l'arche chez lui, dans la *Cité de David, mais il la fit conduire à la maison de Oved-Edom, le Guittite *ᵐ*. ¹⁴ L'arche de Dieu demeura trois mois chez Oved-Edom, dans sa maison, et le SEIGNEUR bénit la maison de Oved-Edom, et tout ce qui était à lui.

David à Jérusalem
(3.5-9; 2 S 5.11-16)

14 ¹ Hiram, roi de Tyr, envoya des messagers à David, avec du bois de cèdre, des tailleurs de pierre et des charpentiers pour lui bâtir une maison. ² Alors David sut que le SEIGNEUR l'avait établi roi sur Israël et que sa royauté était hautement exaltée à cause d'Israël son peuple.

³ David prit encore des femmes à Jérusalem et il engendra encore des fils et des filles. ⁴ Voici les noms de ceux qui lui naquirent à Jérusalem : Shammoua, Shovav, Natân et Salomon, ⁵ Yivhar, Elishoua et Elpaleth, ⁶ Nogah, Nèfèg et Yafia, ⁷ Elishama, Béelyada et Elifèleth.

Victoires de David sur les Philistins
(2 S 5.17-25)

⁸ Les Philistins apprirent que David avait été *oint comme roi sur tout Israël. Tous les Philistins montèrent donc à la recherche de David. David l'apprit et sortit au-devant d'eux. ⁹ Les Philistins arrivèrent et envahirent la vallée des Refaïtes *ⁿ*. ¹⁰ David demanda à Dieu : « Dois-je monter contre les Philistins et les livreras-tu entre mes mains ? » Le SEIGNEUR lui dit : « Monte et je te livrerai entre tes mains. » ¹¹ Alors ils montèrent à Baal-Peracîm *ᵒ*, et là David les battit. David dit : « Dieu a fait par ma main une brèche chez mes adversaires, comme une brèche ouverte par les eaux. » C'est pourquoi l'on a donné à ce lieu le nom de Baal-Peracîm. ¹² Ils abandonnè-

---

ⁱ milliers: voir Nb 1.16 et la note ● *ʲ le torrent d'Egypte:* voir Nb 34.5 et la note; *l'entrée de Hamath* (ou *Lebo-Hamath*): voir 1 R 8.65 et la note; *Qiryath-Yéarim:* voir 1 S 6.21 et la note ● *ᵏ Baala:* voir 2 S 6.2 et la note ● *ˡ aire de Kidôn:* endroit non identifié (comparer 2 S 6.6) ● *ᵐ Guittite:* voir 2 S 6.10 et la note ● *ⁿ vallée des Refaïtes:* voir 2 S 5.18 et la note ● *ᵒ Baal-Peracîm:* endroit non identifié. Le nom signifie *Maître des brèches*

rent là leurs dieux, et David dit : « Qu'ils soient brûlés par le feu ! »

[13] A nouveau les Philistins envahirent la vallée. [14] David interrogea encore Dieu, et Dieu lui dit : « Ne monte pas à leur poursuite : fais un détour loin d'eux et tu arriveras vers eux, en face des micocouliers. [15] Et lorsque tu entendras un bruit de pas à la cime des micocouliers, alors tu sortiras pour le combat, car Dieu sera sorti devant toi, pour frapper le camp des Philistins. » [16] David agit comme Dieu le lui avait ordonné, et ils battirent le camp des Philistins, depuis Gabaon jusqu'à Guèzèr [p].

[17] La renommée de David se répandit dans tous les pays, et le SEIGNEUR le rendit redoutable à toutes les nations.

David prépare le transport de l'arche

15 [1] David se fit des maisons dans la *Cité de David ; il fixa un lieu pour l'*arche de Dieu et dressa pour elle une tente. [2] Alors il dit : « Pour porter l'arche de Dieu, il n'y aura que les *lévites, car le SEIGNEUR les a choisis pour porter l'arche du SEIGNEUR et pour le servir à jamais [q]. » [3] David fit assembler tout Israël à Jérusalem pour faire monter l'arche du SEIGNEUR le lieu qu'il avait fixé pour elle. [4] Il réunit aussi les fils d'Aaron et les lévites : [5] Pour les fils de Qehath : le chef Ouriël et ses frères, cent vingt ; [6] pour les fils de Merari : le chef Asaya et ses frères, deux cent vingt ; [7] pour les fils de Guershôm : le chef Yoël et ses frères, cent trente ; [8] pour les fils d'Eliçafân : le chef Shemaya et ses frères, deux cents ; [9] pour les fils de Hébron : le chef Eliël et ses frères, quatre-vingts ; [10] pour les fils de Ouzziël : le chef Amminadav et ses frères, cent douze.

[11] David appela les prêtres Sadoq et Abiatar, et les lévites : Ouriël, Asaya, Yoël, Shemaya, Eliël et Amminadav. [12] Et il leur dit : « Vous êtes les chefs des familles lévitiques. *Sanctifiez-vous, vous et vos frères, et faites monter l'ar-

che du SEIGNEUR, le Dieu d'Israël, vers le lieu que j'ai fixé pour elle. [13] En effet, puisque la première fois vous n'étiez pas là, le SEIGNEUR notre Dieu nous a frappés, car nous ne l'avons pas cherché selon les règles [r]. » [14] Les prêtres et les lévites se sanctifièrent alors pour faire monter l'arche du SEIGNEUR, le Dieu d'Israël. [15] Les fils des lévites, comme l'avait ordonné Moïse [s] selon la parole du SEIGNEUR, portèrent l'arche de Dieu sur leurs épaules avec des barres.

[16] Et David dit aux chefs des lévites d'établir dans leur fonction leurs frères, les chantres, avec des instruments de musique, luths, lyres et cymbales, pour les faire retentir avec force en signe de réjouissance. [17] Les lévites établirent dans leur fonction Hémân, fils de Yoël, et parmi ses frères Asaf, fils de Bèrèkyahou ; parmi les fils de Merari, leurs frères, Etân, fils de Qoushayahou ; [18] et avec eux, en second, leurs frères : Zekaryahou, Ben, Yaaziël, Shemiramoth, Yehiël, Ounni, Eliav, Benayahou, Maaséyahou, Mattityahou, Elifléhou et Miqnéyahou, Oved-Edom et Yéiël, les portiers. [19] Parmi les chantres : Hémân, Asaf et Etân avaient des cymbales d'airain à faire retentir ; [20] Zekarya, Aziël, Shemiramoth, Yehiël, Ounni, Eliav, Maaséyahou et Benayahou avaient des luths pour voix de soprano [t] ; [21] Mattityahou, Elifléhou, Miqnéyahou, Oved-Edom, Yéiël et Azazyahou avaient des lyres à l'octave [u], pour diriger le chant. [22] Et Kenanyahou, chef des lévites pour le transport, organisait le transport, parce qu'il en était capable.

[23] Bèrèkya et Elqana étaient portiers de l'arche. [24] Les prêtres Shevanyahou, Yoshafath, Netanel, Amasaï, Zekaryahou, Benayahou et Eliézer jouaient de la trompette devant l'arche de Dieu. Oved-Edom et Yehiya étaient portiers de l'arche.

Arrivée de l'arche à Jérusalem
(2 S 6.12-19)

[25] Alors, dans la joie, David, les *an-

---

p *Gabaon:* voir 1 R 3.4 et la note; *Guèzèr:* voir 2 S 5.25 et la note ● q *pour le servir à jamais:* autre traduction *pour en* (= de l'arche) *faire le service à jamais* ● r *la première fois:* allusion aux événements racontés en 13.9-11 — *car nous... règles:* autre traduction *car nous ne l'avons pas cherchée* (l'arche) *comme il aurait fallu* ● s Voir Nb 4.1-15 ● t *pour voix de soprano:* autre traduction *pour les jeunes filles* (comparer Ps 46.1 et la note) ● u *lyres à l'octave:* autre traduction *instruments à huit cordes*

15.2 que les lévites Nb 1.50; Dt 10.8; 31.25. **15.15** sur leurs épaules Nb 7.9. **15.16** les instruments des lévites Esd 3.10+. **15.17** Hémân Ps 88.1 — Asaf Ps 50.1+ — Etân 1 R 5.11; Ps 89.1. **15.24** les prêtres avec des trompettes Esd 3.10+.

ciens d'Israël et les chefs de milliers *v* partirent pour faire monter l'*arche de l'alliance du SEIGNEUR depuis la maison de Oved-Edom.

²⁶ Et pour que Dieu donne son aide aux *lévites qui portaient l'arche de l'alliance du SEIGNEUR, on offrit en sacrifice sept taureaux et sept béliers. ²⁷ David était revêtu d'un manteau de byssus, ainsi que tous les lévites portant l'arche, les chantres et Kenanya, le chef du transport. David avait aussi, sur lui, un éphod de lin *w*. ²⁸ Tout Israël faisait monter l'arche de l'alliance du SEIGNEUR parmi les acclamations et au son du cor, des trompettes et des cymbales, et en faisant retentir les luths et les lyres. ²⁹ Quand l'arche de l'alliance du SEIGNEUR arriva dans la *Cité de David, Mikal, fille de Saül, se pencha à la fenêtre. Elle vit le roi David qui sautait et dansait et elle le méprisa en son cœur.

16 ¹ Ils firent entrer l'arche de Dieu et la déposèrent au milieu de la tente que David avait dressée pour elle, puis ils offrirent des holocaustes *x* et des sacrifices de paix, devant Dieu. ² Quand David eut fini d'offrir les holocaustes et les sacrifices de paix, il bénit le peuple au nom du SEIGNEUR. ³ Puis il distribua à tout Israélite — homme ou femme — à chacun une miche de pain, un gâteau de dattes et un gâteau de raisins *y*.

Les lévites chantent les louanges du Seigneur

(Ps 105.1-15 ; 96 ; 106.1, 47-48)

⁴ David établit devant l'*arche du SEIGNEUR un certain nombre de *lévites qui faisaient le service, afin de commémorer, de célébrer et de louer le SEIGNEUR, le Dieu d'Israël : ⁵ Asaf, le chef et son second, Zekarya ; puis Aziël *z*, Shemiramoth, Yehiël, Mattitya, Eliav, Benayahou, et Oved-Edom ; Yehiël avait des luths et des lyres ; et Asaf faisait retentir des cymbales. ⁶ Les prêtres Benayahou et Yahaziël sonnaient continuellement des trompettes devant l'arche de l'alliance de Dieu.

⁷ Ce fut en ce jour-là que David chargea, pour la première fois, Asaf et ses frères de célébrer le SEIGNEUR.

⁸ Célébrez le SEIGNEUR, proclamez son *nom,
faites connaître ses exploits parmi les peuples.
⁹ Chantez pour lui, jouez pour lui ;
redites tous ses miracles.
¹⁰ Soyez fiers de son saint nom
et joyeux, vous qui recherchez le SEIGNEUR !
¹¹ Cherchez le SEIGNEUR et sa force,
recherchez toujours sa face.
¹² Rappelez-vous les miracles qu'il a faits,
ses prodiges et les jugements sortis de sa bouche,
¹³ vous, race d'Israël son serviteur, vous, fils de Jacob *a* ses élus !
¹⁴ C'est lui le SEIGNEUR notre Dieu
qui gouverne toute la terre.
¹⁵ Souvenez-vous pour toujours de son *alliance,
— mot d'ordre pour mille générations — ;
¹⁶ celle qu'il a conclue avec Abraham,
confirmée par serment à Isaac,
¹⁷ qu'il a érigée en décret pour Jacob,
alliance éternelle pour Israël,
¹⁸ quand il a dit : « Je te donne la terre de Canaan ;
c'est le lot dont vous héritez ! »
¹⁹ Alors on pouvait vous compter,
vous étiez une poignée d'immigrants.
²⁰ Ils allaient et venaient de nation en nation,
d'un royaume vers un autre peuple.
²¹ Mais il ne laissa personne les opprimer,
il châtia des rois à cause d'eux :
²² « Ne touchez pas à mes *messies *b* ;
ne faites pas de mal à mes *prophètes ! »
²³ Chantez au SEIGNEUR, terre entière ;
proclamez son salut de jour en jour ;
²⁴ annoncez sa gloire parmi les nations,
ses merveilles parmi tous les peuples.
²⁵ Car le SEIGNEUR est grand et comblé de louanges,
il est terrible et supérieur à tous les dieux :

---

v milliers: voir Nb 1.16 et la note ● *w byssus:* voir 4.21 et la note; *éphod de lin:* voir 1 S 2.18 et la note ● *x holocaustes:* voir au glossaire SACRIFICES ● *y* Le sens des mots traduits par *gâteau de dattes et gâteau de raisins* est incertain ● *z Aziël:* d'après la liste de 15.20; hébreu: *Yéiël* (mais le même nom reparaît un peu plus loin dans le même verset) ● *a fils de Jacob* ou *descendants de Jacob* ● *b mes messies:* voir Ps 105.15 et la note

16.5 Asaf Ps 50.1+ — les instruments des lévites Esd 3.10+. **16.6** les prêtres avec des trompettes Esd 3.10+. **16.8-22** Ps 105.1-15. **16.23-33** Ps 96.

²⁶ toutes les divinités des peuples sont
des vanités ^c !
Le SEIGNEUR a fait les cieux.
²⁷ Splendeur et éclat sont devant sa face ;
force et majesté ^d dans son lieu.
²⁸ Donnez au SEIGNEUR, familles des
peuples !
donnez au SEIGNEUR gloire et force ;
²⁹ donnez au SEIGNEUR la gloire de son
nom.
Apportez votre offrande, entrez devant sa face ;
prosternez-vous devant le SEIGNEUR,
quand éclate sa *sainteté ^e.
³⁰ Tremblez devant lui, terre entière.
Oui, le monde reste ferme et inébranlable.
³¹ Que les cieux se réjouissent, que la
terre exulte ;
dites parmi les nations : « Le SEIGNEUR
est roi ! »
³² Que gronde la mer et ses richesses ;
que la campagne tout entière soit en
fête,
³³ que les arbres des forêts crient alors
de joie
devant le SEIGNEUR, car il vient
pour gouverner la terre.
³⁴ Célébrez le SEIGNEUR, car il est bon,
car sa fidélité est pour toujours.
³⁵ Et dites : « Sauve-nous, Dieu de notre
salut,
rassemble-nous et délivre-nous du
milieu des nations
pour célébrer ton saint nom,
en nous glorifiant de te louer.
³⁶ Béni soit le SEIGNEUR, le Dieu d'Israël,
depuis toujours et pour toujours ! »
Et tout le peuple dit : « *Amen ! »
et : « Louez le SEIGNEUR ! »

³⁷ David laissa là, devant l'arche de
l'alliance du SEIGNEUR, Asaf et ses frères,
qui devaient assurer le service continuel
devant l'arche selon l'ordre prévu pour
chaque jour ; ³⁸ et, comme portiers,
Oved-Edom avec ses frères au nombre de
soixante-huit, Oved-Edom fils de Yeditoun et Hosa.

Sacrifices et louanges à Gabaon

³⁹ David laissa le prêtre Sadoq et les
prêtres, ses frères, devant la demeure du
SEIGNEUR sur le *haut lieu de Gabaon ^f,
⁴⁰ pour offrir sans cesse au SEIGNEUR les
holocaustes ^g, sur l'*autel des holocaustes,
matin et soir, et pour faire tout ce qui est
écrit dans la Loi que le SEIGNEUR a
prescrite à Israël. ⁴¹ Avec eux, il y avait
Hémân et Yedoutoun, et le reste de ceux
qui avaient été choisis et désignés par
leurs noms pour célébrer le SEIGNEUR :
« Car sa fidélité est pour toujours ».
⁴² Et avec eux — Hémân et Yedoutoun
—, ils avaient des trompettes, des cymbales retentissantes et des instruments pour
accompagner les cantiques de Dieu. Les
fils de Yedoutoun étaient préposés à la
porte.

⁴³ Tout le peuple s'en alla chacun
chez soi, et David s'en retourna pour
bénir sa maison ^h.

La prophétie de Natan
(2 S 7.1-17)

17 ¹ Alors que David résidait dans
sa maison, il dit au *prophète
Natan : « Voici que j'habite dans une
maison de cèdre, et l'*arche de l'alliance
du SEIGNEUR est sous des toiles de ten-
tes ⁱ. » ² Natan répondit à David : « Tout
ce que tu as l'intention de faire, fais-le,
car Dieu est avec toi. » ³ Or cette nuit-là,
la parole de Dieu fut adressée à Natan
en ces termes : ⁴ « Va dire à mon serviteur David : Ainsi parle le SEIGNEUR :
Ce n'est pas toi qui me bâtiras la Maison
pour que j'y habite. ⁵ Car je n'ai pas
habité dans une maison depuis le jour
où j'ai fait monter Israël jusqu'à ce jour-
ci, mais j'ai été de tente en tente et de
demeure en demeure. ⁶ En tout lieu où
je me suis rendu parmi tout Israël, ai-je
dit une parole à l'un des juges d'Israël,
à qui j'ai ordonné de faire paître mon
peuple, pour lui dire : "Pourquoi ne
m'avez-vous pas bâti une maison de
cèdre ?" ⁷ Maintenant donc tu parleras
ainsi à mon serviteur David : Ainsi parle
le SEIGNEUR, le tout-puissant : C'est moi
qui t'ai pris du pâturage, derrière le troupeau, pour être chef sur Israël ^j mon
peuple. ⁸ J'ai été avec toi partout où tu
es allé, j'ai retranché tous tes ennemis
devant ta face et je rendrai ton nom

---

c Voir Ps 96.5 et la note ● d force et majesté: voir Ps 96.6 et la note ● e quand éclate sa sainteté:
traduction incertaine ● f Gabaon: voir 1 R 3.4 et la note ● g holocaustes: voir au glossaire
SACRIFICES ● h sa maison ou sa famille ● i maison de cèdre: voir 2 S 5.11; toiles de tentes:
voir 2 S 6.17 ● j pris du pâturage: voir 1 S 16.11 — chef sur Israël: voir 1 S 28.17

16.34 Ps 106.1. **16.35-36** Ps 106.47-48. **16.41** Hémân 15.17+ — Yedoutoun Ps 39.1+. **16.43**
2 S 6.19-20.

comme le nom des grands de la terre.
⁹ Je fixerai un lieu pour Israël mon peuple, je l'implanterai et il demeurera à sa place ; il ne tremblera plus et des criminels ne recommenceront plus à le dévorer comme jadis. ¹⁰ Et depuis les jours où j'ai établi des juges sur Israël mon peuple, j'ai soumis tous tes ennemis et je t'ai annoncé que le SEIGNEUR te bâtirait une maison *k*. ¹¹ Lorsque tes jours seront accomplis pour aller avec tes pères, j'élèverai ta descendance après toi, ce sera l'un de tes fils et j'établirai fermement sa royauté *l*. ¹² C'est lui qui me bâtira une Maison *m*, et j'établirai son trône pour toujours. ¹³ Je serai pour lui un père et il sera pour moi un fils ; je ne retirerai pas de lui ma fidélité comme je l'ai retirée de celui qui était avant toi *n*. ¹⁴ Je le ferai subsister à jamais dans ma Maison et dans mon royaume, et son trône sera affermi à jamais.» ¹⁵ C'est d'après toutes ces paroles et d'après toute cette vision que Natan parla à David.

Prière de David
(2 S 7.18-29)

¹⁶ Le roi David vint s'asseoir en présence du SEIGNEUR, et déclara : « Qui suis-je, SEIGNEUR Dieu, et quelle est ma maison *o* pour que tu m'aies fait parvenir jusqu'ici ? ¹⁷ Or c'était trop peu à tes yeux, mon Dieu, et tu as parlé au sujet de la maison de ton serviteur, longtemps à l'avance. Tu m'as regardé comme un homme de rang élevé *p*, SEIGNEUR Dieu. ¹⁸ Qu'est-ce que David pourrait encore te dire de plus, en vue de la gloire de ton serviteur ? Toi, tu connais ton serviteur. ¹⁹ SEIGNEUR, c'est à cause de ton serviteur et c'est selon ton cœur que tu as accompli toute cette grande œuvre pour faire connaître toutes tes grandeurs. ²⁰ SEIGNEUR, tu es sans pareil, et selon tout ce que nous avons entendu de nos oreilles, il n'y a pas d'autre Dieu que toi. ²¹ Est-il sur la terre une seule nation pareille à Israël, ton peuple, ce peuple que Dieu est allé racheter pour en faire son peuple, pour te donner un *nom

grand et redoutable en chassant des nations devant ton peuple que tu as racheté d'Egypte ? ²² Tu t'es donné Israël ton peuple pour en faire ton peuple à jamais et toi, SEIGNEUR, tu es devenu leur Dieu. ²³ Maintenant donc, SEIGNEUR, que la parole que tu as prononcée sur ton serviteur et sur sa maison soit vraie à jamais. Agis comme tu l'as dit ! ²⁴ Qu'elle soit vraie, que ton nom soit magnifié à jamais et qu'on dise : le SEIGNEUR, le tout-puissant, est le Dieu d'Israël, il est un Dieu pour Israël ; et que la maison de ton serviteur David reste ferme en ta présence ! ²⁵ En effet c'est toi-même, mon Dieu, qui as averti ton serviteur pour dire que tu lui bâtirais une maison. Voilà pourquoi ton serviteur a trouvé le courage de t'adresser cette prière. ²⁶ Et maintenant, SEIGNEUR, c'est toi qui es Dieu, et tu as parlé de ce bonheur à ton serviteur. ²⁷ Veuille maintenant bénir la maison de ton serviteur pour qu'elle soit à jamais en ta présence, car toi, SEIGNEUR, tu bénis et tu es béni *q* à jamais ! »

Victoires de David sur des nations voisines
(2 S 8.1-14)

18 ¹ Après cela, David battit les Philistins et les fit fléchir. Il enleva Gath *r* et ses dépendances de la main des Philistins.
² Il battit Moab, et les Moabites devinrent pour David des serviteurs soumis au tribut.
³ David battit Hadadèzèr, roi de Çova, vers Hamath, quand il alla *s* établir son pouvoir sur le fleuve de l'Euphrate. ⁴ Et David lui prit mille chars, sept mille cavaliers et vingt mille hommes de pied. David coupa les jarrets de tous les attelages, et n'en laissa qu'une centaine. ⁵ Les *Araméens de Damas vinrent au secours de Hadadèzèr, roi de Çova, mais David abattit vingt-deux mille hommes parmi les Araméens. ⁶ David établit alors des préfets *t* dans l'Aram de Damas. Les Araméens devinrent pour David des ser-

---

k une maison ou *une dynastie:* voir 2 S 7.11 et la note ● *l aller avec tes pères:* comparer 1 R 1.21 et la note — *j'établirai fermement sa royauté:* allusion à Salomon (voir 1 R 2.12, 46) ● *m une Maison* ou *un Temple:* voir 1 R 6 ● *n celui qui était avant toi,* c'est-à-dire Saül ● *o s'asseoir* ou *s'installer* — *ma maison* ou *ma famille* ● *p la maison de ton serviteur,* c'est-à-dire *ma dynastie* — *un homme de rang élevé:* traduction incertaine ● *q tu es béni:* autres traductions *il* (le roi) *est béni* ou *elle* (la maison) *est bénie* ● *r* Sur les *Philistins* (v. 1), *Moab* (v. 2), le royaume de *Çova* (v. 3), *Edom* et *les fils d'Ammon* (v. 11), voir 1 S 14.47 et la note — *Gath:* voir 1 S 5.8 et la note ● *s Hamath:* voir 2 S 8.9 et la note — *alla:* le sujet de ce verbe est probablement *Hadadèzèr* ● *t des préfets:* terme rétabli d'après les anciennes versions, le texte parallèle de 2 S 8.6 (voir la note) et le v. 13 ci-dessous

viteurs soumis au tribut. Le Seigneur donna donc la victoire à David partout où il alla. 7 David s'empara des boucliers d'or que portaient les serviteurs de Hadadèzèr et les apporta à Jérusalem. 8 A Tivhath et à Koun, villes de Hadadèzèr, David s'empara d'une très grande quantité de bronze : Salomon en fit la mer de bronze, les colonnes et les ustensiles de bronze *u*.

9 Toou, roi de Hamath, apprit que David avait battu toute l'armée de Hadadèzèr, roi de Çova. 10 Il envoya donc son fils Hadorâm au roi David pour le saluer et pour le féliciter d'avoir fait la guerre à Hadadèzèr et de l'avoir battu — car Hadadèzèr était l'adversaire de Toou — et pour lui apporter toutes sortes d'objets d'or, d'argent et de bronze. 11 Ces objets aussi, le roi David les consacra au Seigneur, en plus de l'argent et de l'or qu'il avait pris à toutes les nations, d'Edom, de Moab, des fils d'Ammon, des Philistins et d'Amaleq *v*.

12 Avshaï, fils de Cerouya, battit les Edomites au nombre de dix-huit mille, dans la vallée du Sel *w*. 13 Il établit des préfets en Edom, et tous les Edomites devinrent pour David des serviteurs. Le Seigneur donnait la victoire à David partout où il allait.

Liste des fonctionnaires de David
(2 S 8.15-18)

14 David régna sur tout Israël, et faisait droit et justice à tout son peuple. 15 Joab, fils de Cerouya, commandait l'armée ; Yehoshafath, fils de Ahiloud, était chancelier ; 16 Sadoq, fils d'Ahitouv, et Abimélek, fils d'Abiatar, étaient prêtres ; Shawsha était scribe ; 17 Benayahou, fils de Yehoyada, commandait les Kerétiens et les Pelétiens *x*, et les fils de David étaient les premiers aux côtés du roi.

Les envoyés de David déshonorés
(2 S 10.1-5)

19 1 Après cela, Nahash, le roi des fils d'Ammon *y*, mourut et son fils devint roi à sa place. 2 David dit alors : « J'agirai avec fidélité envers Hanoun, fils de Nahash, car son père a agi avec fidélité

envers moi. » David lui envoya donc des messagers pour le consoler au sujet de son père, et les serviteurs de David arrivèrent au pays des fils d'Ammon, auprès de Hanoun pour le consoler. 3 Mais les princes des fils d'Ammon dirent à Hanoun : « T'imagines-tu que c'est pour honorer ton père que David t'a envoyé des gens pour te consoler ? N'est-ce pas pour explorer le pays, et y faire de l'agitation et de l'espionnage que ses serviteurs sont venus chez toi ? » 4 Hanoun appréhenda les serviteurs de David, les rasa, coupa leurs vêtements à mi-hauteur jusqu'en haut des cuisses et les congédia. 5 On informa David du sort de ces hommes et il envoya quelqu'un à leur rencontre, car ils étaient couverts de honte. Le roi leur fit dire : « Restez à Jéricho jusqu'à ce que votre barbe ait repoussé. Alors seulement, vous reviendrez. »

Guerre contre les Ammonites et les Araméens
(2 S 10.6-19)

6 Les fils d'Ammon virent qu'ils s'étaient rendus odieux à David, et Hanoun et les fils d'Ammon envoyèrent mille talents d'argent pour prendre à leur service, chez les gens d'Aram-des-deux-Fleuves et chez les Araméens de Maaka et de Çova *z*, des chars et des cavaliers. 7 Ils prirent à leur service trente-deux mille chars, ainsi que le roi de Maaka et son peuple, qui vinrent camper en face de Madaba *a*, puis les fils d'Ammon se rassemblèrent en sortant de leurs villes et arrivèrent au combat. 8 David l'apprit et envoya Joab et toute l'armée des guerriers. 9 Les fils d'Ammon firent une sortie et se rangèrent en bataille à la porte de la ville, mais les rois qui étaient venus se tenaient à part, dans la campagne. 10 Joab vit qu'il devait faire front en avant et en arrière ; il choisit des hommes dans toute l'élite d'Israël et établit une ligne face aux Araméens. 11 Il confia le reste de la troupe à son frère Avshaï, et ils établirent une ligne face aux fils d'Ammon. 12 Puis il dit : « Si les Araméens sont plus forts que moi, tu viendras à mon secours, et si les fils d'Ammon sont plus forts que toi, c'est moi qui

---

u Tivhath, Koun: localités situées dans les environs de l'actuelle Baalbek — *mer de bronze, colonnes, ustensiles de bronze:* voir respectivement 1 R 7.23-26, 15-22, 45 ● *v Amaleq:* voir Ex 17.8 et la note ● *w vallée du Sel:* voir 2 R 14.7 et la note ● *x Kerétiens* et *Pelétiens:* voir 2 S 8.18 et la note ● *y fils d'Ammon* ou *Ammonites:* voir 2 S 10.1 et la note ● *z Aram-des-deux-Fleuves:* voir Gn 24.10 et la note; *Maaka:* région non identifiée; *Çova:* voir 1 S 14.47 et la note ● *a Madaba:* voir Es 15.2 et la note

te secourrai. ¹³ Sois fort et montrons-nous forts pour notre peuple et pour les villes de notre Dieu. Que le Seigneur fasse ce qui lui plaît. » ¹⁴ Alors Joab et sa troupe s'avancèrent pour combattre les Araméens. Ceux-ci prirent la fuite devant lui. ¹⁵ Quand les fils d'Ammon virent que les Araméens fuyaient, ils prirent la fuite eux aussi devant Avshaï, le frère de Joab, et ils rentrèrent dans la ville. Joab rentra à Jérusalem. ¹⁶ Les Araméens virent qu'ils avaient été battus devant Israël. Ils envoyèrent des messagers et firent venir les Araméens d'au-delà du Fleuve. Shofak, chef de l'armée de Hadadèzèr ᵇ, était à leur tête. ¹⁷ On l'annonça à David. Il rassembla tout Israël, passa le Jourdain, arriva vers eux et se mit en ligne contre eux. David se mit en ligne de combat face aux Araméens, et ceux-ci lui livrèrent bataille. ¹⁸ Les Araméens prirent la fuite devant Israël et David tua aux Araméens sept mille hommes de chars et quarante mille hommes de pied. Il fit aussi périr Shofak, chef de l'armée.

¹⁹ Les serviteurs de Hadadèzèr virent qu'ils avaient été battus devant Israël ; ils firent donc la paix avec David et le servirent. Les Araméens ne voulurent plus venir au secours des fils d'Ammon.

David s'empare de la ville de Rabba
(2 S 11.1 ; 12.26-31)

20 ¹ Au moment du retour de l'année, au temps où les rois se mettent en campagne, Joab emmena l'armée et dévasta le pays des fils d'Ammon. Puis il vint mettre le siège devant Rabba ᶜ, tandis que David demeurait à Jérusalem.

Joab battit Rabba et la détruisit. ² Et David enleva la couronne qui était sur la tête de Milkôm et la trouva du poids d'un talent ᵈ d'or ; elle portait une pierre précieuse. Elle fut placée sur la tête de David, et il emporta de la ville une très grande quantité de butin. ³ Il fit partir également la population qui était dans la ville et la condamna à la scie, aux herses de fer et aux haches ᵉ. Ainsi David faisait-il pour toutes les villes des fils

d'Ammon ; puis David et tout le peuple revinrent à Jérusalem.

Combats contre les Philistins
(2 S 21.18-22)

⁴ Après cela, eut lieu un combat à Guèzèr contre les Philistins. C'est alors que Sibbekaï de Housha battit Sippaï, un des enfants des Refaïtes ᶠ, et ils furent asservis.

⁵ Il y eut encore un combat contre les Philistins, et Elhanân, fils de Yaïr, frappa Lahmi, frère de Goliath de Gath ᵍ, dont la lance avait un bois pareil à une ensouple de tisserands. ⁶ Il y eut encore un combat à Gath. Il y avait un géant dont les doigts étaient au nombre de six, soit vingt-quatre au total. Lui aussi était un descendant de Harafa. ⁷ Il lança un défi à Israël, et Yehonatân, fils de Shiméa, frère de David, le tua. ⁸ Ces hommes étaient les descendants de Harafa à Gath ; ils tombèrent sous les coups de David et de ses serviteurs.

David fait recenser le peuple d'Israël
(2 S 24.1-9)

21 ¹ *Satan se dressa contre Israël et il incita David à dénombrer Israël. ² David dit à Joab et aux chefs du peuple : « Allez, comptez Israël depuis Béer-Shéva jusqu'à Dan ʰ, puis faites-moi un rapport pour que j'en connaisse le nombre. » ³ Joab dit alors : « Que le Seigneur accroisse son peuple au centuple ! Ne sont-ils pas eux tous, mon seigneur le roi, des serviteurs pour mon seigneur ? Pourquoi mon seigneur fait-il cette recherche ? Pourquoi Israël serait-il coupable ⁱ ? » ⁴ Mais l'ordre du roi s'imposa à Joab, Joab partit et parcourut tout Israël, puis il revint à Jérusalem. ⁵ Et Joab donna à David les chiffres du recensement du peuple : tout Israël comptait un million cent mille hommes pouvant tirer l'épée, et Juda quatre cent soixante-dix mille hommes pouvant tirer l'épée.

⁶ Il n'avait pas recensé parmi eux Lévi et Benjamin, car la parole du roi déplaisait profondément à Joab.

ᵇ *Hadadèzèr*: voir 18.3 ● ᶜ *retour de l'année, Rabba*: voir 2 S 11.1 et la note ● ᵈ *Milkôm*: conjecture (*Milkôm* était le dieu des Ammonites, voir 1 R 11.5); hébreu: *leur roi — talent*: voir au glossaire POIDS ET MESURES ● ᵉ *scie, herses, haches*: voir 2 S 12.31 et la note ● ᶠ *Guèzèr*: voir 2 S 5.25 et la note — *Refaïtes*: tribu installée, avant l'arrivée des Israélites, à l'est du Jourdain (voir Dt 3.11) ● ᵍ *Gath*: voir 1 S 5.8 et la note ● ʰ *depuis Béer-Shéva jusqu'à Dan*: voir la note sur Jos 19.47 ● ⁱ Voir 2 S 24.3 et la note

Dieu punit la faute de David
(2 S 24.10-17)

⁷ Cela fut une chose mauvaise aux yeux de Dieu, et il frappa Israël. ⁸ Alors David dit à Dieu : « C'est un grave péché que j'ai commis. Maintenant donc, daigne pardonner la faute de ton serviteur ʲ, car j'ai agi vraiment comme un fou ! » ⁹ Le SEIGNEUR parla à Gad, le voyant ᵏ de David, en ces termes : ¹⁰ « Va dire à David : Ainsi parle le SEIGNEUR : Je te propose trois choses : choisis l'une d'elles et je l'exécuterai. » ¹¹ Gad alla donc trouver David et lui dit : « Ainsi parle le SEIGNEUR : A toi d'accepter : ¹² ou bien trois années de famine, ou bien trois mois de défaite devant tes ennemis, sous les coups d'épée de tes adversaires ; ou bien, pendant trois jours, l'épée du SEIGNEUR et la peste dans le pays, l'*ange exterminateur du SEIGNEUR dans tout le territoire d'Israël. Maintenant vois ce que je dois répondre à celui qui m'a envoyé. » ¹³ Et David dit à Gad : « Je suis dans une grande angoisse ! Que je tombe plutôt entre les mains du SEIGNEUR, car sa miséricorde est très grande, mais que je ne tombe pas entre les mains des hommes ! » ¹⁴ Le SEIGNEUR envoya donc la peste en Israël, et il tomba soixante-dix mille hommes en Israël. ¹⁵ Dieu envoya un ange à Jérusalem pour la ravager, et comme il faisait ce ravage, le SEIGNEUR regarda et fut affligé de ce malheur. Il dit à l'ange exterminateur : « Assez ! maintenant relâche ton bras ! » Or l'ange du SEIGNEUR se tenait auprès de l'aire d'Ornân le Jébusite ˡ.

¹⁶ David leva les yeux et vit l'ange du SEIGNEUR se tenant entre la terre et le ciel, ayant à la main son épée nue, tournée contre Jérusalem. David et les *anciens, recouverts de *sacs tombèrent sur leur face.

¹⁷ David dit à Dieu : « N'est-ce pas moi qui ai dit de dénombrer le peuple ? C'est moi qui ai péché et qui ai fait le mal. Mais ces brebis ᵐ qu'ont-elles fait ? SEIGNEUR mon Dieu, que ta main soit donc sur moi et sur ma famille, mais que, sur ton peuple, elle ne soit pas un fléau ! »

David construit un autel pour le Seigneur
(2 S 24.18-25)

¹⁸ L'*ange du SEIGNEUR dit à Gad de parler à David : « Que David monte pour ériger un *autel au SEIGNEUR sur l'aire d'Ornân le Jébusite ! » ¹⁹ David monta, selon la parole que Gad avait dite au nom du SEIGNEUR. ²⁰ Ornân s'était retourné et avait vu l'ange, et ses quatre fils qui étaient avec lui s'étaient cachés. Ornân battait du blé. ²¹ David vint vers Ornân, et Ornân regarda et vit David ; puis il sortit de l'aire et se prosterna devant David, la face contre terre. ²² Et David dit à Ornân : « Donne-moi l'emplacement de l'aire et j'y bâtirai un autel au SEIGNEUR. Donne-le moi contre sa pleine valeur en argent ; ainsi le fléau sera retenu loin du peuple ! » ²³ Ornân dit à David : « Prends-le pour toi, et que mon seigneur le roi fasse ce qui lui plaît. Tu vois : je donne les bœufs pour les holocaustes, les traîneaux pour le bois, le blé pour l'offrande ⁿ ; je donne tout ! » ²⁴ Mais le roi David dit à Ornân : « Non ! je tiens à l'acheter contre sa pleine valeur en argent. Je ne prendrai pas pour le SEIGNEUR, ce qui est à toi, en offrant un holocauste qui ne me coûte rien ! » ²⁵ Alors David donna à Ornân, pour cet emplacement, un poids d'or de six cents sicles ᵒ. ²⁶ David y bâtit un autel au SEIGNEUR et offrit des holocaustes et des sacrifices de paix.

Il invoqua le SEIGNEUR qui lui répondit par le feu venu des cieux sur l'autel des holocaustes. ²⁷ Puis le SEIGNEUR dit à l'ange de remettre son épée au fourreau. ²⁸ En ce temps-là quand David vit que le SEIGNEUR lui avait répondu sur l'aire d'Ornân le Jébusite, il y offrit des sacrifices. ²⁹ Or la demeure du SEIGNEUR que Moïse avait faite dans le désert et l'autel de l'holocauste étaient à cette époque sur le *haut lieu de Gabaon ᵖ, ³⁰ mais David ne pouvait pas y aller, pour consulter Dieu, car il avait été effrayé par l'épée de l'ange du SEIGNEUR.

22 ¹ Et David dit : « C'est ici la maison du SEIGNEUR Dieu, et voici l'autel de l'holocauste pour Israël ! »

ʲ *la faute de ton serviteur,* c'est-à-dire *ma faute* ● ᵏ *voyant* : voir 1 S 9.9 ● ˡ *Jébusite* : voir 2 S 24.16 et la note ● ᵐ *ces brebis* : voir 2 S 24.17 et la note ● ⁿ *holocaustes, offrande* : voir au glossaire SACRIFICES ● ᵒ *sicles* : voir au glossaire POIDS ET MESURES ● ᵖ *Gabaon* : voir 1 R 3.4 et la note

21.26 feu venu des cieux Lv 9.24+.

David prépare la construction du Temple

2 David ordonna de rassembler les étrangers *q* qui étaient dans le pays d'Israël et il désigna des carriers pour préparer des pierres de taille, afin de construire la Maison de Dieu. **3** David prépara aussi du fer en quantité, pour les clous des battants de porte et pour les crampons, du bronze en telle quantité qu'on ne pouvait le peser, **4** et du bois de cèdre sans nombre, car les Sidoniens et les Tyriens *r* avaient apporté à David du bois de cèdre en quantité. **5** David disait : « Mon fils Salomon est encore jeune et faible, et la Maison à construire pour le SEIGNEUR doit être renommée dans tous les pays pour sa grandeur et sa splendeur. Je ferai donc pour lui des préparatifs. » Ainsi, avant sa mort, David fit de grands préparatifs.

David charge Salomon de construire le Temple

6 Il appela Salomon, son fils, et lui commanda de construire une Maison pour le SEIGNEUR, le Dieu d'Israël. **7** David dit à Salomon : « Mon fils, j'avais à cœur, moi-même, de construire une Maison pour le *nom du SEIGNEUR, mon Dieu. **8** Mais la parole du SEIGNEUR me fut adressée en ces termes : "Tu as répandu beaucoup de sang et tu as fait de grandes guerres. Tu ne construiras pas de Maison pour mon nom, car tu as répandu beaucoup de sang sur la terre devant moi. **9** Voici, il t'est né un fils qui sera, lui, un homme de repos et auquel je donnerai le repos vis-à-vis de tous ses ennemis d'alentour, car Salomon sera son nom, et je donnerai paix *s* et tranquillité à Israël pendant ses jours. **10** C'est lui qui construira une Maison pour mon nom. Il sera pour moi un fils et je serai pour lui un père et j'affermirai son trône royal sur Israël pour toujours..." **11** Maintenant donc que le SEIGNEUR soit avec toi, mon fils, pour que tu bâtisses avec succès la Maison du SEIGNEUR

ton Dieu, comme il l'a dit à ton sujet ! **12** Seulement, que le Seigneur te donne du discernement et de l'intelligence lorsqu'il t'établira sur Israël, pour garder la Loi du SEIGNEUR ton Dieu ! » **13** Alors, tu prospéreras si tu gardes, pour les mettre en pratique, les préceptes et les ordonnances que le SEIGNEUR a ordonnés à Moïse au sujet d'Israël. Sois fort et courageux ! Sois sans crainte et sans peur. **14** Voici, malgré ma pauvreté, j'ai préparé, pour la Maison du SEIGNEUR, cent mille talents *t* d'or et un million de talents d'argent. Pour le bronze et le fer, on ne peut pas les peser, tant ils abondent. J'ai préparé aussi du bois et des pierres, et tu en ajouteras encore. **15** Tu as en abondance des ouvriers, des carriers, des tailleurs de pierres et de bois, toutes sortes d'hommes habiles en tout métier. **16** Pour l'or, l'argent, le bronze et le fer, on ne peut les évaluer. Lève-toi, agis et que le SEIGNEUR soit avec toi ! » **17** David ordonna à tous les chefs d'Israël d'aider son fils Salomon : **18** « Le SEIGNEUR votre Dieu n'est-il pas avec vous ? Ne vous a-t-il pas donné du repos de tous côtés ? En effet, il a livré entre mes mains les habitants du pays qui a été soumis au SEIGNEUR et à son peuple. **19** Maintenant, appliquez votre *cœur et votre vie à chercher le SEIGNEUR votre Dieu. Levez-vous et construisez le *sanctuaire du SEIGNEUR Dieu pour amener l'*arche de l'alliance du SEIGNEUR et les objets sacrés de Dieu dans la Maison construite pour le nom du SEIGNEUR. »

David organise les classes de lévites

23 **1** David était vieux et rassasié de jours, quand il établit son fils Salomon comme roi sur Israël. **2** Puis il assembla tous les chefs d'Israël, les prêtres et les *lévites. **3** Les lévites de trente ans et plus furent alors comptés. Leur nombre, en les comptant par tête, fut de trente-huit mille hommes, **4** soit parmi eux : vingt-quatre mille pour diriger les travaux de la Mai-

q Par le terme *étrangers*, l'auteur désigne les descendants des anciennes peuplades qui avaient habité la Palestine avant l'installation des Israélites (voir au glossaire AMORITES) ● *r* *Sidoniens* et *Tyriens*: voir Esd 3.7 et la note ● *s* En hébreu, le nom propre *Salomon* est dérivé du mot traduit ici par *paix* ● *t* *malgré ma pauvreté* ou *dans mon humilité* — *talents:* voir au glossaire POIDS ET MESURES

22.2-5 préparatifs 1 R 5.15-32. 22.7-10 l'intention de David 2 S 7.1-17+. 22.10 un fils 2 S 7.14+ — j'affermirai son trône royal 2 S 7.12+. 22.12 discernement et intelligence 1 R 3. 22.13 sois fort et courageux Dt 31.23; Jos 1.6-9. 22.15 abondance d'ouvriers 1 R 5.27-29. 23.1 David était vieux 1 R 1.1 — il établit Salomon comme roi 1 R 1.30. 23.3 trente ans Nb 4.3+.

son du SEIGNEUR, six mille comme greffiers et juges, 5 quatre mille comme portiers et quatre mille pour louer le SEIGNEUR avec les instruments « que j'ai faits pour le louer » (dit David).

6 David les répartit en classes, selon les fils de Lévi : Guershôn, Qehath et Merari.

7 Pour les Guershonites : Laédân et Shiméï. 8 Fils de Laédân : Yehiël, le chef, Zétâm et Yoël : trois. 9 Fils de Shiméï : Shelomith, Haziël et Harân : trois. Ce sont les chefs des familles de Laédân. 10 Fils de Shiméï : Yahath, Ziza, Yéoush et Beria : ce sont les quatre fils de Shiméï. 11 Et Yahath était le premier, Ziza le second, mais Yéoush et Beria n'eurent pas beaucoup de fils et ne formèrent qu'une seule famille pour une charge unique. 12 Fils de Qehath : Amrân, Yicehar, Hébron et Ouzziël : quatre.

13 Fils de Amrân : Aaron et Moïse. Aaron fut mis à part pour se consacrer au service du lieu très *saint, lui et ses fils à jamais, pour offrir le parfum devant le SEIGNEUR, pour servir et pour donner la bénédiction en son nom à jamais. 14 Moïse fut l'homme de Dieu ; ses fils furent comptés dans la tribu de Lévi. 15 Fils de Moïse : Guershôm et Eliézer. 16 Fils de Guershôm : Shevouël, le chef. 17 Fils d'Eliézer : Rehavya, le chef ; Eliézer n'eut pas d'autres fils — mais les fils de Rehavya furent très nombreux.

18 Fils de Yicehar : Shelomith, le chef.

19 Fils de Hébron : Yeriyahou le premier, Amarya le second, Yahaziël le troisième, et Yeqaméâm le quatrième.

20 Fils de Ouzziël : Mika le premier et Yishiya le second.

21 Fils de Merari : Mahli et Moushi. Fils de Mahli : Eléazar et Qish. 22 Eléazar mourut et n'eut pas de fils, mais des filles, et ce sont les fils de Qish leurs frères u qui les prirent pour femmes. 23 Fils de Moushi : Mahli, Eder et Yérémoth : trois.

24 Tels furent les fils de Lévi selon leurs familles, les chefs des familles selon leurs charges, d'après le dénombrement nominatif, par têtes ; ils accomplissaient leur travail au service de la Maison du SEI-

GNEUR, à partir de l'âge de vingt ans et au-dessus.

25 David avait dit en effet : « Le SEIGNEUR, le Dieu d'Israël, a donné du repos à son peuple et il demeure à Jérusalem pour toujours. 26 Aussi, les lévites n'auront-ils plus à porter la *Demeure et tous les objets destinés à son service. » — 27 Mais, d'après les dernières paroles de David, tel fut le dénombrement des fils de Lévi, à partir de vingt ans et au-dessus. 28 Ils doivent se tenir aux ordres des fils d'Aaron pour le service de la Maison du SEIGNEUR, en ce qui concerne les *parvis, les chambres, la *purification de toute chose consacrée, et le travail au service de la Maison de Dieu ; 29 ils doivent s'occuper du pain de proposition, de la fleur de farine pour l'offrande v, des galettes sans *levain, des gâteaux frits, des gâteaux mélangés et de tout ce qui concerne les instruments de capacité et de mesure ; 30 ils ont à se tenir prêts, chaque matin, pour célébrer et louer le SEIGNEUR, et de même le soir 31 pour tous les holocaustes offerts au SEIGNEUR, pour les *sabbats, les nouvelles lunes w et les fêtes, selon le nombre qui leur a été prescrit pour toujours, devant le SEIGNEUR. 32 Ils auront ainsi la charge de s'occuper de la *tente de la rencontre, de ce qui est consacré et des fils d'Aaron, leurs frères, pour le service de la Maison du SEIGNEUR.

Les classes de prêtres

24 1 Pour les fils d'Aaron, voici leurs classes : Fils d'Aaron : Nadav et Avihou, Eléazar et Itamar. 2 Nadav et Avihou moururent avant leur père sans avoir de fils ; les fonctions sacerdotales furent donc confiées à Eléazar et Itamar. 3 David, ainsi que Sadoq, des fils d'Eléazar, et Ahimélek, des fils d'Itamar, les répartit en classes selon leur fonction dans leur service. 4 Or les fils d'Eléazar se trouvèrent plus nombreux en hommes que les fils d'Itamar ; on les répartit, pour les fils d'Eléazar, en seize chefs de familles, et pour les fils d'Itamar en huit chefs de famille. 5 On les répartit les uns comme les autres, par le sort, car il y

u frères ou cousins ● v pain de proposition (ou pain d'offrande): voir Lv 24.5-9; offrande: voir au glossaire SACRIFICES ● w nouvelles lunes: voir au glossaire NÉOMÉNIE

23.24 vingt ans 23.3; Nb 4.3+. 23.28-32 fonctions des lévites Nb 1.50-53; 3.6-9; 4. 24.2 Nadav et Avihou Lv 10.1-2.

avait des princes du *sanctuaire et des princes de Dieu ˣ parmi les fils d'Eléazar comme parmi les fils d'Itamar. ⁶ Shemaya fils de Netanel, scribe d'entre les *lévites, les inscrivit en présence du roi, des princes, du prêtre Sadoq, d'Ahimélek, fils d'Abiatar et des chefs de familles sacerdotales et lévitiques : une famille était tirée au sort pour Eléazar, puis une autre, tandis qu'une seule était tirée pour Itamar ʸ.

⁷ Le premier sort fut pour Yehoyariv et le deuxième pour Yedaya ; ⁸ le troisième pour Harim, le quatrième pour Séorim, ⁹ le cinquième pour Malkiya, le sixième pour Miyamîn, ¹⁰ le septième pour Haqqoç, le huitième pour Aviya, ¹¹ le neuvième pour Yéshoua, le dixième pour Shekanyahou, ¹² le onzième pour Elyashiv, le douzième pour Yaqîm, ¹³ le treizième pour Houppa, le quatorzième pour Yèshévéav, ¹⁴ le quinzième pour Bilga, le seizième pour Immer, ¹⁵ le dix-septième pour Hézir, le dix-huitième pour Happicéç, ¹⁶ le dix-neuvième pour Petahya, le vingtième pour Yehezqel, ¹⁷ le vingt et unième pour Yakîn, le vingt-deuxième pour Gamoul, ¹⁸ le vingt-troisième pour Delayahou, le vingt-quatrième pour Maazyahou.

¹⁹ Telle fut leur répartition dans leur service, pour entrer dans la Maison du Seigneur, selon la règle donnée par leur père Aaron, comme le lui avait ordonné le Seigneur, Dieu d'Israël.

Les classes du reste des lévites

²⁰ Quant aux fils de Lévi qui restaient : pour les fils d'Amrân, c'était Shouvaël ; pour les fils de Shouvaël : c'était Yèhdeyahou ; ²¹ pour Rehavyahou et pour les fils de Rehavyahou, c'était Yishiya, le chef ; ²² pour les Yiceharites, c'était Shelomoth ; pour les fils de Shelomoth, c'était Yahath ; ²³ pour les fils de Hébron, c'étaient Yeriyahou le premier, Amaryahou le second, Yahaziël le troisième, Yeqaméâm le quatrième ; ²⁴ fils d'Ouzziël : Mika ; pour les fils de Mika, c'était Shamir ; ²⁵ frère de Mika : Yishiya ; pour les fils de

Yishiya, c'était Zekaryahou ; ²⁶ fils de Merari : Mahli et Moushi, fils de Yaaziyahou, son fils ; ²⁷ fils de Merari pour Yaaziyahou son fils : Shoham, Zakkour et Ivri ; ²⁸ pour Mahli, c'était Eléazar qui n'eut pas de fils ; ²⁹ pour Qish et les fils de Qish, c'était Yerahméel ; ³⁰ fils de Moushi : Mahli, Eder et Yerimoth. Tels furent les fils des *lévites selon leurs familles. ³¹ Eux aussi tirèrent au sort comme leurs frères, les fils d'Aaron, en présence du roi David, de Sadoq, d'Ahimélek et des chefs de familles sacerdotales et lévitiques, les familles du chef aussi bien que les familles de son frère le plus jeune.

Les classes de chantres

25 ¹ David et les chefs de l'armée mirent à part pour le service les fils d'Asaf, d'Hémân et de Yedoutoun qui *prophétisaient avec des cithares, des harpes et des cymbales. Voici le nombre des hommes effectuant ce service :

² Pour les fils d'Asaf : Zakkour, Yoseph, Netanya et Asaréla. Les fils d'Asaf étaient sous la direction d'Asaf qui prophétisait sous la direction du roi.

³ Pour Yedoutoun, les fils de Yedoutoun : Guedalyahou, Ceri, Yeshayahou, Hashavyahou, Mattityahou et Shiméï, six, sous la direction de leur père Yedoutoun qui prophétisait avec la cithare pour célébrer et louer le Seigneur.

⁴ Pour Hémân, les fils d'Hémân : Bouqqiyahou, Mattanyahou, Ouzziël, Shevouël, Yerimoth, Hananya, Hanani, Eliata, Guiddalti, Romamti-Ezer, Yoshbeqasha, Malloti, Hotir, Mahazioth ᶻ ; ⁵ tous ceux-là étaient fils d'Hémân, le voyant ᵃ du roi, qui lui transmettait les paroles de Dieu pour élever sa puissance ; Dieu donna à Hémân quatorze fils et trois filles ; ⁶ ils étaient tous sous la direction de leur père pour le chant de la Maison du Seigneur, avec des cymbales, des harpes et des cithares, pour le service de la Maison de Dieu, sous la direction du roi, d'Asaf, de Yedoutoun et d'Hémân. ⁷ Leur nombre, avec leurs frères formés

---

ˣ On ignore ce que représentent les titres *princes du sanctuaire* et *princes de Dieu* ● ʸ *une famille... pour Itamar*: texte hébreu obscur ; la traduction proposée est en partie suggérée par le fait que les descendants d'Eléazar étaient deux fois plus nombreux que ceux d'Itamar (v. 4) ● ᶻ Les neuf derniers noms de cette liste (d'*Hanany* à *Mahazioth*) forment en hébreu une phrase composée d'expressions de louange, qui pourrait se traduire *Fais-moi grâce, Seigneur, / fais-moi grâce. / Tu es mon Dieu. / J'ai élevé / et j'ai magnifié (ton) aide. / Assis dans la détresse, / j'ai parlé. / Donne abondamment / des visions* ● ᵃ *voyant*: voir 1 S 9.9

24.19 entrer dans la Maison du Seigneur Lc 1.8-9. **25.1** Asaf Ps 50.1 + — Hémân Ps 88.1 — Yedoutoun Ps 39.1 +.

pour chanter au Seigneur tous avec maîtrise, était de deux cent quatre-vingt-huit.

8 Ils tirèrent au sort l'ordre de service, pour les petits comme pour les grands, pour le maître comme pour le disciple. 9 Et le premier sort fut pour Asaf, sur Yoseph.

Le deuxième, Guedalyahou ; lui, ses fils et ses frères : douze.

10 Le troisième, Zakkour ; ses fils et ses frères : douze.

11 Le quatrième Yiceri ; ses fils et ses frères : douze.

12 Le cinquième, Netanyahou ; ses fils et ses frères : douze.

13 Le sixième, Bouqqiyahou ; ses fils et ses frères : douze.

14 Le septième, Yesaréla ; ses fils et ses frères : douze.

15 Le huitième, Yeshayahou ; ses fils et ses frères : douze.

16 Le neuvième, Mattanyahou ; ses fils et ses frères : douze.

17 Le dixième, Shiméï ; ses fils et ses frères : douze.

18 Le onzième, Azarel ; ses fils et ses frères : douze.

19 Le douzième, Hashavya ; ses fils et ses frères : douze.

20 Le treizième, Shouvaël ; ses fils et ses frères : douze.

21 Le quatorzième, Mattityahou ; ses fils et ses frères : douze.

22 Le quinzième, Yerémoth ; ses fils et ses frères : douze.

23 Le seizième, Hananyahou ; ses fils et ses frères : douze.

24 Le dix-septième, Yoshbeqasha ; ses fils et ses frères : douze.

25 Le dix-huitième, Hanani ; ses fils et ses frères : douze.

26 Le dix-neuvième, Malloti ; ses fils et ses frères : douze.

27 Le vingtième, Eliyata ; ses fils et ses frères : douze.

28 Le vingt et unième, Hotir ; ses fils et ses frères : douze.

29 Le vingt-deuxième, Guiddalti ; ses fils et ses frères : douze.

30 Le vingt-troisième, Mahazioth ; ses fils et ses frères : douze.

31 Le vingt-quatrième, Romamti-Ezer ; ses fils et ses frères : douze.

Les classes de portiers

26 1 Pour les classes des portiers : Pour les Coréites : Meshèlèmyahou, fils de Qoré, d'entre les fils d'Asaf. 2 Meshèlèmyahou eut pour fils : Zekaryahou le premier-né, Yediaël le second, Zevadyahou, le troisième, Yatniël le quatrième, 3 Elam le cinquième, Yehohanân le sixième, Elyehoénaï le septième.

4 Oved-Edom eut pour fils : Shemaya le premier-né, Yehozavad le second, Yoah le troisième, Sakar le quatrième, Netanel le cinquième, 5 Ammiël le sixième, Issakar le septième, Péoulletaï le huitième, car Dieu l'avait béni. 6 A son fils Shemaya naquirent des fils qui eurent autorité dans leur famille, car ils étaient des hommes de valeur. 7 Fils de Shemaya : Otni, Refaël, Oved, Elzavad et ses frères, hommes de valeur, Elihou et Semakyahou. 8 Tous ceux-là étaient des fils de Oved-Edom ; eux, leurs fils et leurs frères étaient des hommes de valeur à cause de l'énergie qu'ils montraient dans leur service. Ils étaient soixante-deux pour Oved-Edom.

9 Meshèlèmyahou eut des fils et des frères, dix-huit hommes de valeur.

10 Hosa, des fils de Merari, eut des fils : Shimri était le chef ; il n'était pas l'aîné, mais son père l'avait établi comme chef ; 11 Hilqiyahou le second ; Tevalyahou le troisième ; Zekaryahou le quatrième ; tous les fils et les frères de Hosa étaient au nombre de treize.

12 A ces classes de portiers, aux chefs des hommes, revint comme à leurs frères la fonction de servir dans la Maison du Seigneur. 13 Du plus petit au plus grand, on tira au sort selon leurs familles, pour chacune des portes.

14 Pour l'est, le sort tomba sur Shèlèmyahou. Pour Zekaryahou son fils qui était un conseiller avisé, le tirage au sort lui attribua le nord. 15 A Oved-Edom, ce fut le sud, et à ses fils, les magasins. 16 A Shouppîm et à Hosa, l'ouest avec la porte de Shallèketh *b* sur la chaussée montante. Les diverses fonctions étaient : 17 à l'est, six *lévites par jour ; au nord, quatre par jour ; au sud, quatre par jour ; et pour les magasins deux par deux ; 18 pour le Parbar *c* à l'ouest, quatre pour la chaussée, deux pour le Parbar. 19 Telles étaient les classes des portiers

---

b Ce nom de *porte* n'est pas mentionné ailleurs ● *c* Parbar : ce mot, dont le sens exact est inconnu, pourrait désigner quelque chose comme une « place »

26.4-5 car Dieu l'avait béni 13.14 ; 2 S 6.11.

pour les fils des Coréites et les fils de Merari.

Tâches spéciales confiées à certains lévites

20 Certains *lévites, leurs frères, étaient affectés aux trésors de la Maison de Dieu et aux trésors des choses sacrées. 21 Les fils de Laédân — fils de Guershonites par Laédân, chefs des familles de Laédân le Guershonite — étaient les Yehiélites. 22 Les fils des Yehiélites, Zétâm et Yoël son frère, étaient affectés aux trésors de la Maison du SEIGNEUR.

23 Pour les Amramites, les Yiceharites, les Hébronites, les Ouzziélites, 24 c'était Shevouël fils de Guershôm, fils de Moïse, qui avait la responsabilité des trésors. 25 Ses frères, par Eliézer, étaient Rehavyahou son fils, qui eut pour fils Yeshayahou, qui eut pour fils Yoram, qui eut pour fils Zikri, qui eut pour fils Shelomith. 26 Ce Shelomith, ainsi que ses frères, était affecté à tous les trésors des choses *saintes qu'avaient consacrées le roi David, les chefs de familles, les chefs de milliers d et de centaines, et les chefs de l'armée. 27 Ils les avaient consacrés, sur le butin des guerres, à l'entretien de la Maison du SEIGNEUR. 28 Et tout ce qu'avaient consacré Samuel le voyant e, Saül fils de Qish, Avner fils de Ner et Joab fils de Cerouya, tout ce qui était consacré fut confié à Shelomith et à ses frères.

29 Pour les Yiceharites, Kenanyahou et ses fils étaient affectés aux affaires extérieures d'Israël, comme greffiers et comme juges. 30 Pour les Hébronites, Hashavyahou et ses frères, hommes de valeur au nombre de mille sept cents, étaient chargés d'inspecter Israël du côté ouest du Jourdain, pour toutes les affaires du SEIGNEUR et le service du roi. 31 Pour les Hébronites, Yeriya était le chef — pour les Hébronites on avait fait des recherches dans les généalogies de leurs familles, pendant la quarantième année du règne de David et l'on avait trouvé parmi eux des hommes de valeur, à Yazér de Galaad f —. 32 Lui et ses frères étaient deux mille sept cents hommes de valeur, chefs de famille, que le roi

David avait établis sur les Rubénites, les Gadites et la moitié de la tribu de Manassé, pour toutes les affaires de Dieu et celles du roi.

Organisation militaire du royaume

27 1 Fils d'Israël selon leur nombre, chefs de familles, chefs de milliers g et de centaines, officiers au service du roi pour tout ce qui concernait les divisions, celle qui venait et celle qui partait, mois par mois, tous les mois de l'année. Une division comportait vingt-quatre mille hommes.

2 Sur la première division, pour le premier mois, était Yashovéâm fils de Zavdiël, et sa division comptait vingt-quatre mille hommes. 3 Il appartenait aux fils de Pèrèç et commandait tous les chefs d'armée pour le premier mois. 4 Sur la division du deuxième mois était Dodaï l'Ahohite ; sa division qui était commandée par Miqloth comptait vingt-quatre mille hommes. 5 Le chef de la troisième armée, pour le troisième mois, était Benayahou, fils du grand prêtre Yehoyada ; sa division comptait vingt-quatre mille hommes ; 6 ce Benayahou était un vaillant parmi les Trente, et chef des Trente. A sa division appartenait aussi Ammizavad, son fils. 7 Le quatrième, pour le quatrième mois, était Asahel frère de Joab et Zevadya son fils après lui ; sa division comptait vingt-quatre mille hommes. 8 Le cinquième, pour le cinquième mois, était le chef Shamhouth le Yizrahite ; sa division comptait vingt-quatre mille hommes. 9 Le sixième, pour le sixième mois, était Ira fils de Iqqesh le Teqoïte ; sa division comptait vingt-quatre mille hommes. 10 Le septième, pour le septième mois, était Hèleç le Pelonite, d'entre les fils d'Ephraïm ; sa division comptait vingt-quatre mille hommes. 11 Le huitième, pour le huitième mois, était Sibbekaï le Houshatite, des Zarhites ; sa division comptait vingt-quatre mille hommes. 12 Le neuvième, pour le neuvième mois, était Avièzer l'Anatotite, des Benjamini-

---

d milliers : voir Nb 1.16 et la note ● e voyant : voir 1 S 9.9 ● f Yazér de Galaad : localité non identifiée, mais située dans la région de Ramoth-de-Galaad (voir 6.65-66 ; 1 R 22.3 et la note) ● g Fils d'Israël ou Israélites — milliers : voir Nb 1.16 et la note

27.5-6 Benayahou 11.22-25.   27.7 Asahel 11.26 ; 2 S 2.18-23.

tes ; sa division comptait vingt-quatre mille hommes.

¹³ Le dixième, pour le dixième mois, était Mahraï le Netofatite, des Zarhites ; sa division comptait vingt-quatre mille hommes.

¹⁴ Le onzième, pour le onzième mois, était Benaya le Piréatonite, d'entre les fils d'Ephraïm ; sa division comptait vingt-quatre mille hommes.

¹⁵ Le douzième, pour le douzième mois, était Hèldaï le Netofatite, du clan d'Otniel ; sa division comptait vingt-quatre mille hommes.

¹⁶ Sur les tribus d'Israël, le commandant pour les Rubénites était Eliézer fils de Zikri ; pour les Siméonites, Shefatyahou fils de Maaka ; ¹⁷ pour les Lévites, Hashavya fils de Qemouël ; pour Aaron, Sadoq ; ¹⁸ pour Juda, Elihou des frères de David ; pour Issakar, Omri fils de Mikaël ; ¹⁹ pour Zabulon, Yishmayahou fils de Ovadyahou ; pour Nephtali, Yerimoth fils de Azriël ; ²⁰ pour les fils d'Ephraïm, Hoshéa fils de Azazyahou ; pour la demi-tribu de Manassé, Yoël fils de Pedayahou ; ²¹ pour la demi-tribu de Manassé en Galaad ʰ, Iddo fils de Zekaryahou ; pour Benjamin, Yaasiël fils d'Avner ; ²² pour Dan, Azarel fils de Yeroham. Tels étaient les chefs des tribus d'Israël.

²³ David n'avait pas relevé le nombre de ceux qui étaient âgés de vingt ans et au-dessous, car le SEIGNEUR avait dit qu'il rendrait Israël nombreux comme les étoiles du ciel. ²⁴ Joab fils de Cerouya avait commencé à les compter, mais il n'acheva pas, car à cause de cela la colère s'abattit sur Israël, aussi leur nombre ne figure pas dans les *Annales du roi David.

Organisation civile du royaume

²⁵ Sur les trésors du roi était Azmaweth fils de Adiël. Sur les réserves dans la campagne, dans les villes, dans les villages et dans les tours, était Yehonatân, fils de Ouzziyahou.

²⁶ Sur les travailleurs de la campagne pour cultiver le sol, était Ezri fils de Kelouv ; ²⁷ sur les vignes, Shiméï le Ramatite ; sur ceux qui étaient dans les vignes pour les réserves de vin, Zavdi le Shifmite ; ²⁸ sur les oliviers et les sycomores dans le *Bas-Pays, Baal-Hanân le Guedérite ; sur les réserves d'huile, Yoash ; ²⁹ sur le gros bétail qui paissait en Sharôn ⁱ, Shitraï le Sharonite ; sur le gros bétail dans les vallées, Shafath fils de Adlaï ; ³⁰ sur les chameaux, Ovil l'Ismaélite ; sur les ânesses, Yèhdeyahou le Méronotite ; ³¹ sur le petit bétail, Yaziz le Hagrite. Tous ceux-là étaient les intendants des biens qui appartenaient au roi David.

³² Yehonatân, oncle de David, était conseiller ; c'était un homme intelligent et il était scribe. Yehiël, fils de Hakmoni, était auprès des fils du roi. ³³ Ahitofel était conseiller du roi, et Houshaï l'Arkite était l'ami du roi ʲ ³⁴ A Ahitofel, succédèrent Yehoyada, fils de Benayahou, et Abiatar. Le chef de l'armée du roi était Joab.

David présente Salomon comme son successeur

28 ¹ David rassembla à Jérusalem tous les chefs d'Israël, ceux des tribus et ceux des divisions qui servaient le roi, ceux des milliers ᵏ et des centaines et ceux de tous les biens et troupeaux qui appartenaient au roi et à ses fils, avec les *eunuques, les guerriers et tous les hommes de valeur. ² Le roi David, se mettant debout, leur dit : « Ecoutez-moi, mes frères et mon peuple. J'ai eu à cœur de bâtir une Maison ˡ où reposerait l'*arche de l'alliance du SEIGNEUR et le marchepied de notre Dieu, et j'ai fait des préparatifs pour la bâtir. ³ Mais Dieu m'a dit : "Tu ne bâtiras pas une Maison pour mon *nom, car tu es un homme de guerre et tu as répandu le sang." ⁴ Le SEIGNEUR, Dieu d'Israël, m'a choisi, dans toute ma famille, pour être roi sur Israël à toujours, car il a choisi comme guide Juda et, dans la maison de Juda ᵐ, la maison de mon père et, parmi les fils de mon père, il lui a plu de me faire régner sur tout Israël. ⁵ Parmi tous mes fils — car le SEIGNEUR m'a donné de nombreux fils — il a choisi mon fils Salomon pour siéger sur le trône de la royauté du SEI-

---

ʰ *en Galaad:* voir Nb 32.1 et la note; 32.39-40 ● ⁱ *Sharôn:* voir Es 33.9 et la note ● ʲ *ami du roi:* voir 2 S 15.37 et la note ● ᵏ *milliers:* voir Nb 1.16 et la note ● ˡ *une Maison* ou *un Temple* ● ᵐ *maison de Juda* ou *tribu de Juda*

27.23 nombreux comme les étoiles Gn 15.5.   **27.24** recensement ordonné par David 21.   **27.33** Ahitofel 2 S 15.12+.   **28.2** l'intention de David 2 S 7.1-17+.

GNEUR sur Israël. ⁶ Puis il m'a dit : "C'est ton fils Salomon qui bâtira ma Maison et mes *parvis, car je l'ai choisi comme fils et moi, je serai pour lui un père. ⁷ J'ai préparé sa royauté pour toujours si, comme aujourd'hui, il reste ferme dans la pratique de mes commandements et de mes ordonnances." ⁸ Et maintenant, aux yeux de tout Israël, de l'assemblée du SEIGNEUR et en présence de notre Dieu : observez et scrutez tous les commandements du SEIGNEUR votre Dieu, afin que vous preniez possession de ce bon pays et que vous en fassiez hériter vos fils après vous, pour toujours. ⁹ Et toi, mon fils Salomon, connais le Dieu de ton père, et sers-le d'un cœur intègre et d'une âme empressée, car le SEIGNEUR sonde tous les *cœurs et discerne toute forme de pensée. Si tu le cherches, il se laissera trouver par toi, mais si tu l'abandonnes, il te rejettera pour toujours. ¹⁰ Regarde maintenant : le SEIGNEUR t'a choisi pour bâtir une Maison comme *sanctuaire ; sois ferme et agis ! »

David remet à Salomon les plans du Temple

¹¹ David donna à son fils Salomon le plan du vestibule, de ses maisons, de ses magasins, de ses chambres hautes, de ses salles intérieures et de la pièce du propitiatoire ⁿ, ¹² et le plan de tout ce qu'il avait dans l'intention de faire pour le *parvis de la Maison du SEIGNEUR et pour toutes les chambres alentour, pour les trésors de la Maison de Dieu et les trésors des objets sacrés ; ¹³ pour les classes des prêtres et des *lévites et pour toutes les questions du service de la Maison du SEIGNEUR, et tout objet du service de la Maison du SEIGNEUR ; ¹⁴ pour l'or, avec le poids en or de tous les objets de chaque service, et pour tous les objets d'argent avec le poids des objets de chaque service ; ¹⁵ pour les chandeliers d'or et leurs lampes en or, avec le poids de chaque chandelier et de ses lampes ; pour les chandeliers d'argent, avec le poids du chandelier et de ses lampes, selon le service de chaque chandelier ;

¹⁶ le poids en or pour chacune des tables de proposition ᵒ, et l'argent pour les tables d'argent, ¹⁷ les crochets, les bassines et les timbales d'or pur, les coupes d'or avec le poids de chaque coupe, et les coupes d'argent avec le poids de chaque coupe ; ¹⁸ pour l'*autel des parfums, en or pur avec son poids, et pour le plan du char ᵖ, des *chérubins d'or aux ailes déployées recouvrant l'*arche de l'alliance du SEIGNEUR. ¹⁹ Tout cela se trouve dans un écrit de la main du SEIGNEUR, qui m'a fait comprendre tous les ouvrages du plan.

²⁰ Alors David dit à son fils Salomon : « Agis avec fermeté et courage ! Sois sans crainte et ne t'effraie pas, car le SEIGNEUR Dieu, mon Dieu, est avec toi. Il ne te laissera pas et ne t'abandonnera pas, jusqu'à l'achèvement de tout travail pour le service de la Maison du SEIGNEUR. ²¹ Voici les classes des prêtres et des lévites pour tout le service de la Maison de Dieu ; et avec toi, en toute cette œuvre, il y aura des hommes de bonne volonté et remplis de sagesse en tout travail ; et les chefs et tout le peuple seront à tes ordres. »

Dons pour la construction du Temple

29 ¹ Le roi David dit à toute l'assemblée : « Mon fils Salomon, le seul que Dieu ait choisi, est jeune et faible, et l'œuvre est grande, car ce palais n'est pas destiné à un homme, mais au SEIGNEUR Dieu. ² De toute ma force j'ai préparé pour la Maison de mon Dieu l'or pour ce qui sera en or, l'argent pour ce qui sera en argent, le bronze pour ce qui sera en bronze, le fer pour ce qui sera en fer, le bois pour ce qui sera en bois, des pierres d'onyx et des pierres à enchâsser, des pierres noires et de couleur, toutes sortes de pierres précieuses et de l'albâtre en quantité. ³ De plus, parce que je prends plaisir à la Maison de mon Dieu, l'or et l'argent que je possède en propre, je le donne pour la Maison de mon Dieu, en plus de tout ce que j'ai préparé pour cette sainte Maison : ⁴ trois mille talents d'or, en or

---

n *propitiatoire*: voir Ex 25.17 et la note ● o *tables de proposition*, c'est-à-dire *tables* pour les pains *de proposition* (ou pains d'offrande, voir Lv 24.5-9) ● p *char*: ce terme ne se trouve pas dans le récit de la construction du temple de Salomon (1 R 6—7). Il fait penser au véhicule mystérieux décrit en Ez 1 et 10, où le Seigneur apparaît entouré de *chérubins*

28.6 comme fils 2 S 7.14+. **28.11-12** le plan des immeubles 1 R 6. **28.13** les classes de prêtres et lévites 23—26. **28.14-17** les ustensiles du temple 1 R 7.40-50. **28.18** les chérubins 1 R 6.23-28.

d'Ofir *q* ; sept mille talents d'argent purifié, pour recouvrir les murs des bâtiments ; 5 pour tout ce qui est en or, pour tout ce qui est en argent et pour tout ouvrage de la main des ouvriers. Qui encore est prêt à donner volontairement aujourd'hui pour le SEIGNEUR ? »

6 Alors les chefs des familles, ceux des tribus d'Israël, ceux des milliers *r* et des centaines et ceux qui s'occupaient des affaires du roi offrirent des dons volontaires 7 et les donnèrent pour le service de la Maison de Dieu : en or cinq mille talents et dix mille dariques 8, en argent dix mille talents, en bronze dix-huit mille talents et en fer cent mille talents. 8 Ceux chez qui se trouvaient des pierres précieuses les remirent pour le trésor de la Maison de Dieu entre les mains de Yehiël le Guershonite. 9 Et le peuple se réjouit de leurs dons volontaires, car c'était d'un cœur intègre qu'ils les avaient offerts pour le SEIGNEUR. Le roi David en eut aussi une grande joie.

Prière de David

10 David bénit le SEIGNEUR aux yeux de toute l'assemblée, en disant : « Béni sois-tu SEIGNEUR, Dieu d'Israël, notre père depuis toujours et pour toujours. 11 A toi, SEIGNEUR, la grandeur, la force, la splendeur, la majesté et la gloire, car tout ce qui est dans les cieux et sur la terre est à toi. A toi, SEIGNEUR, la royauté et la souveraineté sur tous les êtres. 12 La richesse et la gloire viennent de toi, c'est toi qui domines tout. Dans ta main sont la puissance et la force ; dans ta main, le pouvoir de tout élever et de tout affermir. 13 Et maintenant, notre Dieu, nous te rendons grâce et nous louons le *nom de ta splendeur t* ; 14 car qui suis-je et qui est mon peuple pour que nous ayons le pouvoir d'offrir des dons volontaires comme ceux-ci ? Tout vient de toi, et ce que nous t'avons donné vient de ta main. 15 Car nous sommes des étrangers devant toi, des hôtes comme tous nos pères *u* ; nos jours sur la terre sont comme l'ombre, et sans espoir. 16 SEIGNEUR notre Dieu, toute cette masse de choses que nous avons préparée pour

te bâtir une Maison pour ton saint nom, tout cela vient de ta main et t'appartient. 17 Je sais, mon Dieu, que tu sondes le *cœur et que tu agrées la droiture ; pour moi, c'est dans la droiture de mon cœur que j'ai offert volontairement tout cela, et maintenant ton peuple qui se trouve ici, je le vois avec joie t'offrir aussi des dons volontaires. 18 SEIGNEUR, Dieu d'Abraham, d'Isaac et d'Israël, nos pères, garde pour toujours les dispositions de cœur de ton peuple et dirige fermement son cœur vers toi. 19 A mon fils Salomon, donne un cœur intègre pour garder tes commandements, tes prescriptions et tes lois afin de tout exécuter et de bâtir le palais que j'ai préparé. »

Salomon proclamé roi. Mort de David

20 Puis David dit à toute l'assemblée : « Bénissez le SEIGNEUR votre Dieu. » Et toute l'assemblée bénit le SEIGNEUR, le Dieu de leurs pères. Ils s'inclinèrent et se prosternèrent devant le SEIGNEUR et devant le roi.

21 Le lendemain de ce jour, ils immolèrent des *sacrifices au SEIGNEUR et lui offrirent des holocaustes : mille taureaux, mille béliers, mille agneaux avec leurs libations, et des sacrifices en abondance pour tout Israël. 22 Ils mangèrent et burent en présence du SEIGNEUR, ce jour-là, avec une grande joie et, pour la seconde fois *v*, ils proclamèrent roi Salomon, fils de David, et ils l'*oignirent comme chef pour le SEIGNEUR, et Sadoq comme prêtre. 23 Salomon s'assit sur le trône du SEIGNEUR, comme roi à la place de David son père, et il y prospéra. Tout Israël lui obéit. 24 Tous les chefs, et aussi tous les fils du roi David furent soumis au roi Salomon. 25 Le SEIGNEUR exalta très haut Salomon aux yeux de tout Israël, et lui donna la gloire d'une royauté comme il n'y en avait pas eu avant lui pour aucun roi en Israël.

26 David, fils de Jessé, régna *w* sur tout Israël.

27 La durée de son règne sur Israël fut de quarante ans : il régna sept ans à

---

q *talents:* voir au glossaire POIDS ET MESURES — *Ofir:* voir 1 R 9.28 et la note. L'or d'*Ofir* était réputé pour sa qualité ● r *milliers:* voir Nb 1.16 et la note ● s *dariques:* voir au glossaire MONNAIES ● t *le nom de ta splendeur* ou *ton nom glorieux* ● u *nos pères* ou *nos ancêtres* ● v *pour la seconde fois:* cette expression évoque 23.1, où il est question de la désignation de Salomon comme successeur de David ● w *régna* ou *avait régné*

29.5 les dons volontaires Ex 25.2+. **29.22** une grande joie 1 R 1.40 — onction de Salomon 1 R 1.39. **29.25** pas eu avant lui 1 R 3.12-14. **29.27** 1 R 2.11.

Hébron et trente-trois ans à Jérusalem. ²⁸ Il mourut dans une heureuse vieillesse, rassasié de jours, de richesses et de gloire et Salomon, son fils, régna à sa place. ²⁹ Les actes du roi David, les premiers comme les derniers, se trouvent écrits dans les Actes de Samuel le voyant, dans ceux du prophète Natan et dans ceux de Gad *ˣ* le voyant, ³⁰ ainsi que tout son règne et sa puissance, et les épreuves qui se sont abattues sur lui, sur Israël et sur tous les royaumes des pays.

DEUXIÈME LIVRE
DES CHRONIQUES

HISTOIRE DE SALOMON, ROI D'ISRAËL

1 ¹ Salomon, fils de David, s'affermit dans sa royauté ; le SEIGNEUR, son Dieu, fut avec lui et il l'éleva très haut.

Salomon demande à Dieu la sagesse pour régner
(1 R 3.4-15)

² Salomon s'adressa à tout Israël, aux officiers des milliers *ᵃ* et des centaines, aux juges et à tous les responsables de tout Israël, c'est-à-dire aux chefs des familles. ³ Salomon et toute l'assemblée avec lui se rendirent au *haut lieu qui était à Gabaon, car là se trouvait la *tente de la rencontre *ᵇ* de Dieu, cette tente que Moïse, le serviteur du SEIGNEUR, avait faite dans le désert. ⁴ Quant à l'*arche de Dieu, David l'avait fait monter de Qiryath-Yéarim *ᶜ* à l'endroit qu'il lui avait fixé, car il lui avait dressé une tente à Jérusalem. ⁵ Mais l'*autel de bronze, qu'avait fait Beçalel, fils d'Ouri, fils de Hour, se trouvait là, devant la *demeure du SEIGNEUR, et c'est lui que Salomon et l'assemblée recherchaient *ᵈ*. ⁶ Là, Salomon monta à l'autel de bronze, devant le SEIGNEUR, près de la tente de la rencontre et il offrit un millier d'holocaustes *ᵉ*.

⁷ Cette nuit-là, Dieu apparut à Salomon et lui dit : « Demande ! Que puis-je te donner ? » ⁸ Salomon répondit à Dieu : « C'est toi qui as traité David mon père avec une grande fidélité et qui me fais régner à sa place. ⁹ Maintenant, SEIGNEUR Dieu, que se vérifie ta parole envers David mon père, car c'est toi

---

x voyant: voir 1 S 9.9 — *Actes de Samuel, Natan, Gad*: les trois ouvrages mentionnés dans ce verset sont perdus
a milliers: voir Nb 1.16 et la note ● *b Gabaon*: voir 1 R 3.4 et la note — Sur la construction de la *tente de la rencontre*, voir Ex 36.8-38 ● *c* Sur le transport de l'*arche*, voir 1 Ch 13 et 15 et par. — Sur *Qiryath-Yéarim*, voir Jos 9.17 et la note ● *d* Sur *Beçalel* et la construction de l'*autel*, voir Ex 35.30—36.1 ; 38.1-2 — *Rechercher le Seigneur* est une tournure fréquente dans l'A.T. pour exprimer que l'on consulte le Seigneur ou, en un sens plus général, que l'on fait partie de ses fidèles ● *e holocaustes*: voir au glossaire SACRIFICES

Dans les livres des Chroniques, des textes parallèles ne sont proposés que pour les passages propres à l'auteur. Pour les autres passages, consulter les récits parallèles dont les références sont données à la suite des sous-titres.
29.28 son fils régna à sa place 1 R 2.12.
1.1 s'affermit 1 R 2.12,46.

qui m'as fait régner sur un peuple nombreux comme la poussière de la terre. [10] Maintenant, donne-moi sagesse et bon sens, pour que je sache me conduire devant ce peuple. Qui en effet pourrait gouverner ton peuple, ce peuple si grand ? » [11] Et Dieu dit à Salomon : « Puisque ton *cœur a voulu cela, puisque tu n'as pas demandé richesse, possessions ou gloire, que tu n'as pas demandé la mort de tes adversaires ou même des jours nombreux, mais que tu as demandé pour toi sagesse et bon sens, afin de gouverner mon peuple sur lequel je t'ai fait régner, [12] la sagesse et le bon sens te sont donnés, et je te donne aussi richesse, possessions et gloire, comme n'en ont pas eu les rois qui furent avant toi et comme après toi il n'y en aura plus. » [13] Salomon revint du haut lieu f de Gabaon, de devant la tente de la rencontre, à Jérusalem. Et il régna sur Israël.

Puissance et richesse de Salomon
(1 R 10.26-29; 2 Ch 9.25-28)

[14] Salomon rassembla des chars et des cavaliers. Il avait mille quatre cents chars et douze mille cavaliers, qu'il fit cantonner dans les villes de garnison et près de lui à Jérusalem. [15] Le roi fit qu'à Jérusalem l'argent et l'or étaient aussi abondants que les pierres, et les cèdres aussi nombreux que les sycomores du *Bas-Pays. [16] Les chevaux de Salomon provenaient d'Egypte et de Qowa g ; les marchands du roi les achetaient à Qowa ; [17] en remontant, ils faisaient sortir d'Egypte un char pour six cents pièces d'argent et un cheval pour cent cinquante. De même pour tous les rois des Hittites et pour les rois d'*Aram, ils en faisaient sortir par leur intermédiaire.

Salomon prépare la construction du Temple
(1 R 5.15-32)

[18] Salomon ordonna de bâtir une Mai-

son pour le nom du Seigneur h et une maison royale pour lui.

2 [1] Salomon enrôla soixante-dix mille porteurs, quatre-vingt mille carriers dans la montagne et trois mille six cents surveillants. [2] Salomon envoya dire à Hiram, roi de Tyr : « Tu as collaboré avec David i, mon père, en lui envoyant des cèdres pour se bâtir une maison d'habitation. [3] Or, voici que, moi, je veux bâtir une Maison pour le nom du Seigneur mon Dieu, afin de la lui consacrer, pour faire fumer devant lui le parfum à brûler, les offrandes disposées continuellement et les holocaustes j du matin, du soir, des *sabbats, des *néoménies et des fêtes du Seigneur notre Dieu ; cela pour toujours en Israël. [4] Et la Maison que je veux bâtir sera grande, car notre Dieu est plus grand que tous les dieux. [5] Qui donc posséderait la force de lui bâtir une Maison, alors que les *cieux et les cieux des cieux ne peuvent le contenir ? Et qui serais-je, moi, pour lui bâtir une Maison, si ce n'était pour faire fumer devant lui des offrandes k ? [6] Et maintenant, envoie-moi un spécialiste qui travaille l'or, l'argent, le bronze, le fer, la pourpre, le carmin et le violet l, et qui connaisse la sculpture ; il collaborera avec les spécialistes qui sont près de moi en Juda et à Jérusalem et que David, mon père, a préparés. [7] Envoie-moi aussi du Liban des bois de cèdre, de cyprès et de santal m, car je sais que tes serviteurs savent couper les arbres du Liban, et mes serviteurs iront avec tes serviteurs, [8] pour me préparer des bois en quantité, car la Maison que je veux bâtir sera grande et admirable. [9] Et voici que pour les bûcherons qui couperont les arbres j'ai donné en nourriture pour tes serviteurs vingt mille kors de blé, vingt mille kors d'orge, vingt mille baths n de vin et vingt mille baths d'huile. »

[10] Hiram, roi de Tyr, répondit par écrit à Salomon : « C'est parce que le Seigneur aime son peuple qu'il t'a placé

---

f du haut lieu: d'après les anciennes versions grecque et latine; hébreu: au haut lieu ● g Qowa (ou Qéwé): voir 1 R 10.28 et la note ● h Dans certaines traductions, le verset 1.18 est numéroté 2.1, et les versets 2.1-17 deviennent 2.2-18 — une Maison pour le nom du Seigneur, c'est-à-dire un Temple ● i Hiram: certaines traductions, à la suite de la plupart des manuscrits hébreux, orthographient ce nom Houram — collaboré avec David: voir 1 Ch 14.1 ● j les offrandes disposées continuellement: allusion aux prescriptions de Lv 24.5-9 — holocaustes: voir au glossaire SACRIFICES ● k offrandes: voir au glossaire SACRIFICES ● l Travailler la pourpre, le carmin et le violet, c'est ou bien savoir fabriquer les couleurs servant à teindre les étoffes (comparer Ex 25.4 et la note), ou bien plus probablement savoir tisser et travailler les étoffes ainsi teintes, voir 2.13; 3.14 ● m cyprès: autres traductions pin ou genévrier — santal: voir 1 R 10.11 et la note ● n nourriture: d'après les anciennes versions et le texte parallèle de 1 R 5.25; hébreu: coups — kors, baths: voir au glossaire POIDS ET MESURES

sur lui comme roi. » 11 Hiram dit aussi :
« Béni soit le SEIGNEUR, le Dieu d'Israël,
qui a fait les cieux et la terre, qui a
donné au roi David un fils sage, doué
de prudence et d'intelligence, qui bâtira
une Maison pour le SEIGNEUR et une
maison royale pour lui. 12 Je t'envoie
donc maintenant un spécialiste doué d'intelligence, Hiram-Abi [o], 13 fils d'une
femme Danite [p] et d'un père Tyrien, qui
sait travailler l'or, l'argent, le bronze, le
fer, la pierre, le bois, la pourpre, le violet, le lin et le carmin, exécuter toute
sculpture et réaliser tout projet qui lui
sera confié, avec tes spécialistes et avec
les spécialistes de mon seigneur David,
ton père. 14 Le blé et l'orge, l'huile et
le vin, dont a parlé mon seigneur, qu'il
les envoie maintenant à ses serviteurs.
15 Nous, nous couperons des arbres du
Liban selon tous tes besoins et nous te
les amènerons en radeaux par mer à
Jaffa [q] ; toi, tu les feras monter à Jérusalem. »
16 Salomon dénombra [r] tous les étrangers qui se trouvaient dans le pays d'Israël, à la suite du dénombrement qu'avait
exécuté David son père, et il s'en trouva
cent cinquante-trois mille six cents. 17 Il
en fit soixante-dix mille porteurs, quatre-
vingt mille carriers dans la montagne et
trois mille six cents surveillants pour faire
travailler le peuple.

La construction du Temple

(*1 R 6.1-38*)

3 1 Salomon commença à bâtir la
Maison du SEIGNEUR à Jérusalem
sur la montagne du Moriyya, où le
Seigneur était apparu à David, son père,
dans le lieu que David avait préparé
sur l'aire d'Ornân [s], le Jébusite. 2 Il commença à bâtir au deuxième mois [t], en la
quatrième année de son règne. 3 Voici
les bases fixées par Salomon pour bâtir
la Maison de Dieu : longueur, en coudées [u] d'ancienne mesure, soixante coudées ; largeur, vingt coudées. 4 Le vestibule, dont la longueur correspondait à
la largeur de la Maison, avait vingt coudées et la hauteur en était de cent vingt
coudées [v]. Il le plaqua d'or pur à l'intérieur. 5 La grande salle, il la recouvrit
de bois de cyprès [w], qu'il recouvrit d'or
fin, et il y fit représenter des palmes et
des guirlandes. 6 Il revêtit cette salle d'une
décoration en pierres précieuses. L'or
était de l'or de Parwaïm [x]. 7 Il couvrit
d'or la salle : les poutres, les seuils, les
parois, les vantaux, et il sculpta des
*chérubins sur les parois. 8 Puis, il fit la
salle du lieu très saint : sa longueur, dans
le sens de la largeur de la Maison, était
de vingt coudées et sa largeur de vingt
coudées ; il la recouvrit d'or fin pour
six cents talents [y]. 9 Le poids des clous
était de cinquante sicles en or. Il recouvrit
d'or les plafonds.
10 Il fit dans l'intérieur du lieu très
saint deux chérubins, en métal fondu [z],
et il les plaqua d'or. 11 Les ailes des chérubins avaient une longueur de vingt
coudées : une aile du premier, longue de
cinq coudées, touchait la paroi de la
Maison, et l'autre aile, longue de cinq
coudées, touchait une aile de l'autre chérubin ; 12 une aile de l'autre chérubin,
longue de cinq coudées, touchait la paroi
de la Maison, et l'autre aile, longue de
cinq coudées, rejoignait l'aile de l'autre
chérubin. 13 Les ailes de ces chérubins
se déployaient sur vingt coudées et ils
se dressaient sur leurs pieds, la face vers
l'intérieur. 14 Il fit le voile en tissu violet, pourpre, carmin et en lin. Il fit représenter des chérubins.

Les objets en métal destinés au Temple

(*1 R 7.13-51*)

15 Il fit deux colonnes devant la Mai-

o Hiram-Abi (ou *Houram-Abi*) est appelé simplement *Hiram* (de Tyr) en 1 R 7.13 ● *p Danite,* c'est-à-dire de la tribu de Dan; selon 1 R 7.14, la mère de Hiram venait de la tribu de Nephtali ● *q Liban:* voir 1 R 5.23 et la note — *Jaffa:* voir Esd 3.7 et la note ● *r dénombra:* allusion à 1 Ch 22.2 ● *s Moriyya:* seul passage de l'A.T. où ce nom est donné à la colline généralement appelée *Sion. Mais comparer Gn 22, où il est question du « pays de Moriyya » (v. 2), dans lequel se trouve la « montagne du Seigneur » (v. 14); cela a pu conduire l'auteur des Chroniques à identifier la colline du Temple et la « montagne du Seigneur » — *l'aire d'Ornân:* voir 1 Ch 21.18—22.1 ● *t au deuxième mois:* d'après les anciennes versions; hébreu: *au deuxième mois, au deuxième;* les mots supplémentaires pourraient être le reste d'une expression plus développée *au deuxième* (*jour du mois*) ● *u les bases fixées:* texte hébreu obscur, traduction incertaine — *coudées:* voir au glossaire POIDS ET MESURES ● *v cent vingt coudées:* 1 R 6.2 parle de *trente coudées* comme hauteur de tout le bâtiment ● *w cyprès:* voir 2.7 et la note ● *x Parwaïm:* lieu inconnu ● *y talents* (et *sicles*, v. 9): voir au glossaire POIDS ET MESURES ● *z en métal fondu:* traduction incertaine d'un terme hébreu inconnu; l'ancienne version grecque a traduit *en bois*, ce qui correspond au récit de 1 R 6.23

son : leur longueur était de trente-cinq coudées *a*, et les chapiteaux qui étaient sur leur sommet avaient cinq coudées.
[16] Il fit des guirlandes dans le Sanctuaire et les mit au sommet des colonnes. Il fit cent grenades et les mit dans les guirlandes. [17] Il dressa les colonnes devant le Temple, l'une à droite et l'autre à gauche : il appela celle de droite : Yakîn, et celle de gauche : Boaz *b*.

4 [1] Il fit l'*autel de bronze, long de vingt coudées, large de vingt coudées et haut de dix coudées.

[2] Il fit en métal fondu la Mer *c* : elle avait dix coudées de diamètre et elle était de forme circulaire ; elle avait cinq coudées de haut et un cordeau de trente coudées en aurait fait le tour. [3] Des images de bœufs *d*, en dessous, en faisaient tout le tour, dix par coudée ; elles encerclaient complètement la Mer. Ces bœufs, en deux rangées, avaient été fondus dans la même coulée que la Mer. [4] Elle reposait sur douze bœufs : trois tournés vers le nord, trois vers l'ouest, trois vers le sud et trois vers l'est ; la Mer était sur eux, et leurs croupes étaient tournées vers l'intérieur. [5] Son épaisseur avait la largeur d'une main et son rebord était ouvragé comme le rebord d'une coupe en fleur de lis. Sa capacité était de trois mille baths *e*.

[6] Il fit dix cuves et en mit cinq à droite et cinq à gauche, pour les lavages : on y nettoyait ce qui servait aux holocaustes *f*, tandis que les prêtres se lavaient dans la Mer de bronze. [7] Il fit les dix chandeliers d'or, selon les règles, et les mit dans le Temple, cinq à droite et cinq à gauche. [8] Il fit dix tables et les plaça dans le Temple, cinq à droite et cinq à gauche. Il fit cent coupes en or. [9] Il fit le *parvis des prêtres, la grande esplanade et les portes de l'esplanade ; il couvrit ces portes de bronze.

[10] Quant à la Mer, il la plaça du côté droit, vers le sud-est. [11] Hiram *g* fit les bassins, les pelles et les coupes à aspersion. Il acheva l'ouvrage qu'il devait faire pour le roi Salomon dans la Maison de Dieu : [12] deux colonnes, les volutes, les deux chapiteaux, au sommet des colonnes, les deux entrelacs pour couvrir les deux volutes des chapiteaux qui sont au sommet des colonnes, [13] les quatre cents grenades pour les deux entrelacs, deux rangées de grenades par entrelacs, pour couvrir les deux volutes des chapiteaux qui sont au sommet des colonnes ; [14] il fit les bases, il fit les cuves sur les bases, [15] la Mer — il n'y en avait qu'une — avec sous elle les douze bœufs, [16] les bassins, les pelles, les crochets *h* et tous leurs accessoires. Hiram-Abi fit cela en bronze poli, pour le roi Salomon à l'usage de la Maison du Seigneur.

[17] C'est dans la région du Jourdain, entre Soukkoth et Cerédata *i*, que le roi fit couler toutes ces pièces dans des couches d'argile.

[18] Salomon fit tous ces objets en grande quantité, au point qu'on ne pouvait évaluer le poids du bronze.

[19] Salomon fit aussi tous les objets qui sont dans la Maison de Dieu : l'autel d'or, les tables sur lesquelles on plaçait le pain d'offrande *j*, [20] les chandeliers et leurs lampes pour brûler, selon la règle, devant la chambre sacrée : en or ou fin ; [21] les fleurons, les lampes, les pincettes : en or, en or de parfaite qualité ; [22] les couteaux, les bassins à aspersion : en or ou fin ; l'entrée de la Maison, ses portes intérieures donnant sur le lieu très saint et les portes de la Maison donnant sur la grande salle : en or.

5 [1] Quand fut mené à bonne fin tout l'ouvrage que Salomon avait fait pour la Maison du Seigneur, il fit apporter les objets consacrés par David, son

---

a la Maison ou *le Temple* — *trente-cinq coudées:* 1 R 7.15 parle de *dix-huit coudées;* sur les coudées, voir au glossaire POIDS ET MESURES ● *b Yakin, Boaz:* voir 1 R 7.21 et la note ● *c Sur la Mer,* voir 1 R 7.23 et la note ● *d Des images de bœufs:* en 1 R 7.24, on lit *des coloquintes* (les deux mots hébreux traduits par *bœufs* et *coloquintes* se ressemblent) ● *e main, baths:* voir au glossaire POIDS ET MESURES ● *f holocaustes:* voir au glossaire SACRIFICES ● *g Hiram* (ou *Houram*) est le spécialiste nommé *Hiram-Abi* en 2.12 et 4.16 ● *h* Au lieu de *crochets,* 1 R 7.40 mentionne des *bassines à aspersion* (les deux mots hébreux correspondants se ressemblent). Sur les divers ustensiles énumérés ici et aux v. 21-22, voir 1 R 7.40 et la note ● *i Cerédata:* localité inconnue. Le mot hébreu est probablement une déformation du nom de *Çartân,* voir 1 R 7.46 et la note. Du point de vue géographique, il ne peut correspondre à la localité de *La Ceréda,* qui se trouve dans une tout autre région (voir 1 R 11.26 et la note) ● *j* Sur le *pain d'offrande,* voir Lv 24.5-9

4.7 chandeliers Ex 25.31-40.   **4.8** tables Ex 25.23-30.

père, l'argent, l'or et tous les ustensiles,
pour les déposer dans les trésors de la
Maison de Dieu.

L'arche de l'alliance déposée dans le Temple

(*1 R 8.1-13*)

2 Alors Salomon rassembla à Jérusalem
les *anciens d'Israël et tous les chefs de
tribus, princes des familles des fils d'Israël [k], pour faire monter de la *Cité de
David, c'est-à-dire *Sion, l'*arche de l'alliance du SEIGNEUR. 3 Tous les hommes
d'Israël se rassemblèrent près du roi, pendant la fête, celle du septième mois [l].
4 Quand tous les anciens d'Israël furent
arrivés, les *lévites portèrent l'arche. 5 Ils
firent monter l'arche, la *tente de la rencontre et tous les objets sacrés qui étaient
dans la tente. Ce sont les prêtres et les
lévites qui les firent monter. 6 Le roi
Salomon et toute la communauté d'Israël
réunie près de lui devant l'arche *sacrifiaient tant de petit et gros bétail qu'on
ne pouvait ni le compter ni le dénombrer. 7 Les prêtres amenèrent l'arche de
l'alliance du SEIGNEUR à sa place dans
la chambre sacrée de la Maison [m], dans
le lieu très saint, sous les ailes des *chérubins. 8 Les chérubins, déployant leurs
ailes au-dessus de l'emplacement de l'arche, recouvraient l'arche et ses barres.
9 A cause de la longueur de ces barres,
on voyait leurs extrémités venant de l'arche sur le devant de la chambre sacrée,
mais on ne les voyait pas de l'extérieur.
Elle est encore là aujourd'hui. 10 Il n'y
a rien dans l'arche, sinon les deux tables
données par Moïse à l'Horeb [n] quand
le SEIGNEUR conclut l'*alliance avec les
fils d'Israël à leur sortie d'Egypte.
11 Lorsque les prêtres furent sortis du
lieu saint, — car tous les prêtres qui se
trouvaient là s'étaient *sanctifiés, sans
observer l'ordre des classes [o]. 12 Les lévites qui étaient chantres, au complet, Asaf,
Hémân, Yedoutoun, leurs fils et leurs
frères, revêtus de lin [p], se tenaient avec
des cymbales, des lyres et des harpes, à
l'orient de l'*autel. Avec eux, des prêtres,
au nombre de cent vingt, jouaient de
la trompette. 13 Les joueurs de trompette et les chantres, bien ensemble,
se faisaient entendre à l'unisson pour
louer et célébrer le SEIGNEUR. Lorsque
s'élevait le son des trompettes, des cymbales et des instruments de musique, ils
louaient le SEIGNEUR : « Car il est bon,
car sa fidélité est pour toujours » —
alors la Maison fut remplie par la nuée [q]
de la Maison du SEIGNEUR. 14 Et les prêtres ne pouvaient pas s'y tenir pour leur
service, à cause de cette nuée, car la
gloire du SEIGNEUR remplissait la Maison de Dieu.

6
1 Alors Salomon dit :
« Le SEIGNEUR a décidé d'habi-
ter dans l'obscurité. 2 Moi, je t'ai donc
bâti une Maison princière et une demeure
où tu habiteras toujours. »

Discours de consécration du Temple

(*1 R 8.14-21*)

3 Le roi se retourna et bénit toute
l'assemblée d'Israël. Toute l'assemblée
d'Israël se tenait debout. 4 Il dit : « Béni
soit le SEIGNEUR, le Dieu d'Israël, qui a,
de sa bouche, parlé à David, mon père, et
qui a, de ses mains, accompli ce qu'il a
dit : 5 "Depuis le jour où j'ai fait sortir
mon peuple du pays d'Egypte, je n'ai
choisi aucune ville parmi toutes les tribus d'Israël pour y bâtir une Maison
où serait mon *nom, et je n'ai pas choisi
d'autre homme pour être prince sur Israël
mon peuple [r] : 6 mais j'ai choisi Jérusalem pour que mon nom y demeure, et
j'ai choisi David pour qu'il soit le chef
d'Israël mon peuple." 7 David, mon père.
avait eu à cœur de bâtir une Maison pour
le nom du SEIGNEUR, le Dieu d'Israël.
8 Mais le SEIGNEUR dit à David, mon
père : "Tu as eu à cœur de bâtir une
Maison pour mon nom et tu as bien fait.
9 Cependant, ce n'est pas toi qui bâtiras
cette Maison, mais ton fils, issu de tes
reins : c'est lui qui bâtira cette Maison
pour mon nom". 10 Et le SEIGNEUR a
réalisé la parole qu'il avait dite : J'ai
succédé à David, mon père, je me
suis assis sur le trône d'Israël, comme
l'avait dit le SEIGNEUR, j'ai bâti cette

k des fils d'Israël ou *israélites* • *l* La *fête du septième mois* est probablement la « fête des Tentes » (voir au glossaire CALENDRIER) • *m de la Maison* ou *du Temple* • *n Horeb:* voir 1 R 8.9 et la note • *o* Sur les *classes* de prêtres, voir 1 Ch 24.1-19 • *p revêtus de lin*, c'est-à-dire *revêtus de leurs habits liturgiques* (voir Lv 16.23) • *q Car il est bon,... toujours:* voir Esd 3.11 et la note — *la nuée:* voir Ex 13.21 et la note • *r* Sur le v. 5, voir 1 R 8.16 et la note

5.11 ordre des classes 1 Ch 24.1-19; Lc 1.8. **5.12** instruments des lévites et des prêtres Esd 3.10+.

Maison pour le nom du SEIGNEUR, le Dieu d'Israël, [11] et j'y ai placé l'*arche où se trouve l'alliance du SEIGNEUR, qu'il a conclue avec les fils d'Israël [s]. »

La prière solennelle de Salomon
(1 R 8.22-53)

[12] Salomon, debout en face de l'*autel du SEIGNEUR, devant toute l'assemblée d'Israël, étendit les mains [t] — [13] car Salomon avait fait un socle de bronze placé au milieu de l'esplanade, qui avait cinq coudées [u] de longueur, cinq coudées de largeur et trois coudées de hauteur. Il y monta, puis il fléchit les genoux — devant toute l'assemblée d'Israël, il étendit les mains vers le *ciel [14] et dit : « SEIGNEUR, Dieu d'Israël, il n'y a pas de Dieu comme toi dans le ciel ni sur la terre pour garder l'*alliance et la bienveillance envers tes serviteurs qui marchent devant toi de tout leur cœur. [15] Tu as tenu tes promesses envers ton serviteur David, mon père : ce que de ta bouche tu avais dit, de ta main tu l'as accompli comme on le voit aujourd'hui. [16] A présent, SEIGNEUR, Dieu d'Israël, garde en faveur de mon père la parole que tu lui as dite : "Quelqu'un des tiens ne manquera jamais de siéger devant moi sur le trône d'Israël, pourvu que tes fils veillent sur leur conduite en marchant selon ma Loi, comme tu as marché devant moi." [17] A présent, SEIGNEUR, Dieu d'Israël, que se vérifie la parole que tu as dite à ton serviteur David ! [18] Est-ce que vraiment Dieu pourrait habiter avec les hommes sur la terre ? Les cieux eux-mêmes et les cieux des cieux ne peuvent te contenir ! Combien moins cette Maison que je t'ai bâtie ? [19] Sois attentif à la prière et à la supplication de ton serviteur, SEIGNEUR mon Dieu ! Ecoute le cri et la prière que ton serviteur t'adresse ! [20] Que tes yeux soient ouverts sur cette Maison jour et nuit, sur le lieu dont tu as dit que tu y placerais ton *nom ! Ecoute la prière que ton serviteur adresse vers ce lieu ! [21] Daigne écouter les supplications que ton serviteur et Israël ton peuple adressent vers ce lieu. Toi, écoute depuis le lieu où tu habites, depuis le ciel. Ecoute et pardonne. [22] Si un homme pèche contre son prochain et qu'on lui impose un serment avec malédiction et qu'il vienne prononcer ce serment devant ton autel, devant cette Maison, [23] toi, écoute depuis le ciel ; agis, juge entre tes serviteurs, punis le coupable en faisant retomber sa conduite sur sa tête, et déclare juste le juste en le traitant selon sa justice.

[24] Si ton peuple est vaincu par un ennemi, parce qu'il aura péché contre toi, s'il se repent, célèbre ton nom, prie et supplie devant toi qui es dans cette Maison, [25] toi, écoute depuis le ciel, pardonne le péché d'Israël ton peuple et fais-le revenir vers la terre que tu as donnée à lui et à ses pères [v].

[26] Lorsque le ciel sera fermé et qu'il n'y aura pas de pluie, parce que le peuple aura péché contre toi, s'il prie en se tournant vers ce lieu, s'il célèbre ton nom et revient de son péché, parce que tu l'auras affligé, [27] toi, écoute dans le ciel, pardonne le péché de tes serviteurs et d'Israël ton peuple — tu lui enseigneras en effet la bonne voie où il doit marcher — et donne la pluie à ton pays, le pays que tu as donné en héritage à ton peuple.

[28] Quand il y aura la famine dans le pays, qu'il y aura la peste, qu'il y aura la rouille, la nielle [w], les sauterelles ou les criquets, que ses ennemis assiégeront les villes de son pays, quel que soit le fléau, quelle que soit la maladie, [29] quel que soit le motif de la supplication provenant de tout homme ou de tout Israël ton peuple, quand chacun prendra conscience de son fléau et de sa souffrance et qu'il étendra les mains vers cette Maison, [30] toi, écoute depuis le ciel, la demeure où tu habites, pardonne et traite chacun selon toute sa conduite, puisque tu connais son *cœur — toi seul en effet, tu connais le cœur des humains —, [31] afin qu'ils te craignent en marchant dans tes voies tous les jours qu'ils vivront sur la face de la terre que tu as donnée à nos pères.

[32] Et même vis-à-vis de l'étranger, lui qui n'appartient pas à Israël ton peuple, s'il vient d'un pays lointain à cause de ton grand nom, de ta main puissante et de ton bras étendu, s'il vient prier vers cette maison, [33] toi, écoute depuis le ciel, la demeure où tu habites, et agis selon tout ce que t'aura demandé l'étranger,

afin que tous les peuples de la terre connaissent ton nom, que, comme Israël ton peuple, ils te craignent et qu'ils sachent que ton nom est invoqué sur cette Maison que j'ai bâtie.

³⁴ Quand ton peuple partira en guerre contre ses ennemis dans la direction où tu l'auras envoyé, s'il prie en se tournant vers toi dans la direction de cette ville que tu as choisie et de la Maison que j'ai bâtie pour ton nom, ³⁵ écoute depuis le ciel sa prière et sa supplication et fais triompher son droit.

³⁶ Quand ils auront péché contre toi, car il n'y a pas d'homme qui ne pèche, que tu te seras irrité contre eux, que tu les auras livrés à l'ennemi et que leurs vainqueurs les auront emmenés captifs dans un pays, lointain ou proche, ³⁷ si dans le pays où ils sont captifs ils réfléchissent, se repentent et t'adressent leur supplication dans le pays de leur captivité, en disant : "Nous sommes pécheurs, nous sommes fautifs, nous sommes coupables", ³⁸ s'ils reviennent à toi de tout leur cœur et de toute leur âme dans le pays de leur captivité où ils ont été emmenés, s'ils prient en direction de leur pays, le pays que tu as donné à leurs pères, en direction de la ville que tu as choisie et de la Maison que j'ai bâtie pour ton nom, ³⁹ écoute, depuis le ciel, depuis la demeure où tu habites, écoute leur prière et leur supplication, fais triompher leur droit et pardonne à ton peuple qui a péché envers toi.

⁴⁰ Maintenant, mon Dieu, que tes yeux soient donc ouverts et tes oreilles attentives à la prière faite en ce lieu !

⁴¹ Et maintenant lève-toi, Seigneur Dieu, viens à ton lieu de repos, toi et l'*arche où réside ta force ! Que tes prêtres, Seigneur Dieu soient revêtus de salut et que tes fidèles se réjouissent dans le bonheur !

⁴² Seigneur Dieu, ne repousse pas la face de ton consacré, souviens-toi des actes de piété de David ton serviteur ! ˣ »

Les sacrifices offerts au Seigneur
(*1 R 8.62-66*)

7 ¹ Lorsque Salomon eut fini de prier, le feu descendit des *cieux, il dévora l'holocauste ʸ et les sacrifices, et la gloire du Seigneur remplit la Maison. ² Les prêtres ne purent pas entrer dans la Maison du Seigneur, car la gloire du Seigneur avait rempli la Maison du Seigneur. ³ Tous les fils d'Israël virent descendre le feu et la gloire du Seigneur sur la Maison, ils s'inclinèrent le visage contre terre sur le pavement et ils se prosternèrent en célébrant le Seigneur : « Car il est bon, car sa fidélité est pour toujours ᶻ. »

⁴ Le roi et tout le peuple offrirent des sacrifices devant le Seigneur : ⁵ Le roi Salomon offrit un sacrifice de vingt-deux mille têtes de gros bétail, cent vingt mille têtes de petit bétail. C'est ainsi que le roi et tout le peuple firent la dédicace de la Maison de Dieu.

⁶ Les prêtres se tenaient à leurs postes ; les *lévites avaient les instruments de musique du Seigneur, qu'avait faits le roi David pour célébrer le Seigneur : « Car sa fidélité est pour toujours. » Quand David louait Dieu par leur intermédiaire, les prêtres sonnaient de la trompette à leur côté et tout Israël se tenait debout.

⁷ Salomon consacra le milieu du * parvis, qui est devant la Maison du Seigneur ; c'est en effet qu'il offrit les holocaustes et la graisse des sacrifices de paix, car l'*autel de bronze qu'avait fait Salomon ne pouvait pas contenir les holocaustes, les oblations et les graisses. ⁸ Salomon célébra la fête en ce temps-là pendant sept jours, et tout Israël avec lui : c'était une très grande assemblée venue depuis Lebo-Hamath jusqu'au torrent d'Egypte ᵃ.

⁹ Ils firent le huitième jour une fête chômée ᵇ, car ils avaient fait la dédicace de l'autel pendant sept jours et la solennité pendant sept jours. ¹⁰ Et le vingt-troisième jour du septième mois, il renvoya le peuple à ses tentes, joyeux et le

---

x *ton consacré* ou *ton messie* (voir 1 S 2.10 et la note) — Les versets 40-42 sont propres à l'auteur des Chroniques ; il y cite des fragments de 1 R 8.52 ; Es 55.3 ; Ps 130.2 ; 132.8-16 ● y *holocauste :* voir au glossaire SACRIFICES ● z *fils d'Israël* ou *Israélites* — *Car il est bon,... toujours :* voir Esd 3.11 et la note ● a Sur le v. 8, voir 1 R 8.65 et la note ● b *fête chômée* ou *fête de clôture*

7.6 instruments des lévites et des prêtres Esd 3.10+.

cœur content à cause du bien que le SEIGNEUR avait fait à David, à Salomon et à Israël son peuple.

Le Seigneur apparaît de nouveau à Salomon
(*1 R 9.1-9*)

¹¹ Lorsque Salomon eut achevé la Maison du SEIGNEUR et la maison du roi, et qu'il eut mené à bien tout ce qu'il avait eu à cœur de faire dans la Maison du SEIGNEUR et dans sa propre maison, ¹² le SEIGNEUR lui apparut pendant la nuit et lui dit : « J'ai entendu ta prière et je me suis choisi ce lieu pour Maison de *sacrifice. ¹³ Si je ferme les cieux et qu'il n'y ait pas de pluie, si je commande à la sauterelle de dévorer le pays, si j'envoie la peste dans mon peuple, ¹⁴ et si alors mon peuple, sur lequel est invoqué mon *nom, s'humilie, s'il prie, cherche ma face et revient de ses voies mauvaises, moi, j'écouterai des *cieux, je pardonnerai son péché et je guérirai son pays. ¹⁵ Maintenant mes yeux sont ouverts et mes oreilles attentives à la prière faite en ce lieu. ¹⁶ Et maintenant j'ai choisi et j'ai consacré cette Maison afin que mon nom y soit à jamais ; mes yeux et mon cœur y seront toujours. ¹⁷ Et toi, si tu marches devant moi comme a marché David ton père, en agissant selon tout ce que je t'ai ordonné, et que tu gardes mes lois et mes coutumes, ¹⁸ je maintiendrai le trône de ta royauté, comme je l'ai promis à David ton père, en disant : "Il y aura toujours quelqu'un des tiens pour commander sur Israël". ¹⁹ Mais si, vous, vous vous détournez et si vous abandonnez mes commandements et mes lois que j'ai placés devant vous, si vous allez servir d'autres dieux et vous prosterner devant eux, ²⁰ alors je vous arracherai de la surface de la terre que je vous ai donnée et cette Maison que j'ai consacrée à mon nom je la rejetterai loin de ma face et j'en ferai la fable et la risée de tous les peuples. ²¹ Cette Maison qui était si élevée [c], quiconque passera près d'elle sera stupéfait et dira : "Pourquoi le SEIGNEUR a-t-il agi ainsi envers ce pays

et envers cette Maison ?" ²² On répondra : "Parce qu'ils ont abandonné le SEIGNEUR, le Dieu de leurs pères, qui les a fait sortir du pays d'Egypte, parce qu'ils se sont liés à d'autres dieux, se sont prosternés devant eux et les ont servis : c'est pour cela qu'il a fait venir sur eux tout ce malheur ". »

Activités diverses de Salomon
(*1 R 9.10-28*)

8 ¹ Au bout de vingt années pendant lesquelles Salomon bâtit la Maison du SEIGNEUR et sa propre maison, ² il rebâtit les villes que Hiram lui avait données et y fit habiter les fils d'Israël [d]. ³ Salomon marcha sur Hamath-Çova [e] et s'en empara. ⁴ Il bâtit Tadmor dans le désert et toutes les villes d'entrepôts qu'il bâtit à Hamath. ⁵ Il bâtit Beth-Horôn-le-Haut, Beth-Horôn-le-Bas, villes fortifiées de remparts, de portes et de verrous, ⁶ et Baalath et toutes les villes d'entrepôts qui lui appartenaient, toutes les villes de garnison pour les chars et celles pour les cavaliers. Salomon bâtit aussi tout ce qu'il désira dans Jérusalem, dans le Liban et dans tout le pays soumis à son autorité. ⁷ Il restait toute une population de Hittites, d'*Amorites, de Perizzites, de Hivvites et de Jébusites qui n'appartenaient pas à Israël. ⁸ Parmi leurs fils qui étaient restés après eux dans le pays et que les fils d'Israël n'avaient pas anéantis, Salomon en recruta pour la corvée, jusqu'à aujourd'hui. ⁹ Mais parmi les fils d'Israël, Salomon n'en réduisit point aux besognes serviles [f], car ils étaient des hommes de guerre, les chefs de ses écuyers et les chefs de ses chars et de ses cavaliers. ¹⁰ Voici le nombre des chefs des préfets du roi Salomon : deux cent cinquante [g] qui commandaient au peuple.

¹¹ Salomon fit monter la fille de *Pharaon de la *Cité de David à la maison qu'il lui avait bâtie, car il dit : « Ma femme ne doit pas habiter dans la maison de David, le roi d'Israël, car ils sont *saints les lieux où est entrée l'*arche du SEIGNEUR. »

---

[c] *si élevée* ou *si grandiose* ● [d] *que Hiram lui avait données:* d'après 1 R 9.11-14, c'est Salomon qui a donné (ou vendu?) vingt villes à Hiram — *fils d'Israël* ou *Israélites* ● [e] *Hamath-Çova:* d'après 2 S 8.3, 9, Çova et Hamath sont deux localités syriennes distinctes ● [f] *besognes serviles:* voir 1 R 9.22 et la note ● [g] *deux cent cinquante:* d'après 1 R 9.23, les *chefs* sont au nombre de *cinq cent cinquante*

7.13-15 si je ferme les cieux 6.14-42. **8.4-5** Tadmor, Beth-Horôn,... 1 R 9.15-18.

¹² Alors Salomon offrit des holocaustes *h* au SEIGNEUR sur l'*autel du SEIGNEUR qu'il avait bâti devant le vestibule, ¹³ au fur et à mesure des jours où il fallait les offrir selon la prescription de Moïse : aux *sabbats, aux *néoménies et aux solennités, trois fois par an : la fête des *pains sans levain, la fête des Semaines et la fête des Tentes *i*. ¹⁴ Il établit, selon la décision de David son père, les classes des prêtres dans leurs fonctions, les *lévites dans leurs gardes pour louer et pour officier en présence des prêtres au fur et à mesure des jours, et les portiers *j*, selon leurs classes, à chaque porte : car telle était la prescription de David, l'homme de Dieu. ¹⁵ On ne s'écarta pas des prescriptions du roi sur les prêtres et les lévites, à propos de toute chose et des trésors. ¹⁶ Ainsi fut réalisée toute l'œuvre de Salomon jusqu'au jour où fut fondée la Maison du SEIGNEUR puis, jusqu'à son achèvement quand fut terminée la Maison du SEIGNEUR.

¹⁷ Alors Salomon se rendit à Eciôn-Guèvèr et vers Eilath *k*, sur le bord de la mer au pays d'Edom. ¹⁸ Hiram lui envoya par l'intermédiaire de ses serviteurs des bateaux et des serviteurs connaissant bien la mer. Ils parvinrent avec les serviteurs de Salomon à Ofir, en rapportèrent quatre cent cinquante talents *l* d'or et les amenèrent au roi Salomon.

La reine de Saba rend visite à Salomon
(1 R 10.1-13)

9 ¹ La reine de Saba entendit parler de la réputation de Salomon. Pour le mettre à l'épreuve par des énigmes, elle vint à Jérusalem avec une suite très imposante, avec des chameaux chargés d'aromates *m*, d'or en grande quantité et de pierres précieuses. Arrivée chez Salomon, elle lui parla de tout ce qui lui tenait à cœur. ² Salomon lui donna la réponse à toutes ses questions : aucune question ne fut si obscure que le roi pût donner de réponse. ³ La reine de Saba

vit la sagesse de Salomon, la maison qu'il avait bâtie, ⁴ la nourriture de sa table, le logement de ses serviteurs, la qualité de ses domestiques et leurs livrées, ses échansons et leurs livrées, les holocaustes *n* qu'il offrait dans la Maison du SEIGNEUR, et elle en perdit le souffle. ⁵ Elle dit au roi : « C'était bien la vérité, ce que j'avais entendu dire dans mon pays sur tes paroles et sur ta sagesse. ⁶ Je n'avais pas cru à ces propos tant que je n'étais pas venue et que je n'avais pas vu de mes yeux. Or voilà qu'on ne m'avait pas révélé la moitié de l'ampleur de ta sagesse ! Tu surpasses la réputation dont j'avais entendu parler. ⁷ Heureux tes gens, heureux tes serviteurs, eux qui peuvent en permanence rester devant toi et écouter ta sagesse ! ⁸ Béni soit le SEIGNEUR ton Dieu, qui a bien voulu te placer sur son trône comme roi au service du SEIGNEUR ton Dieu ! C'est parce que ton Dieu aime Israël, pour le faire subsister à jamais, qu'il t'a placé sur lui comme roi, pour exercer le droit et la justice. » ⁹ Elle donna au roi cent vingt talents *o* d'or, des aromates en très grande quantité et des pierres précieuses. Il n'y eut jamais d'aromates comme ceux que la reine de Saba donna au roi Salomon. ¹⁰ De plus, les serviteurs de Hiram et ceux de Salomon qui avaient apporté l'or d'Ofir, avaient aussi rapporté du bois de santal *p* et des pierres précieuses. ¹¹ Le roi fit des parquets avec ce bois de santal, pour la Maison du SEIGNEUR et la maison du roi, ainsi que des cithares et des harpes *q* pour les chanteurs. On n'en avait pas vu auparavant de semblable dans le pays de Juda. ¹² Le roi Salomon accorda à la reine de Saba tout ce qu'il lui plut de demander, sans rapport avec ce qu'elle avait apporté au roi. Puis, elle s'en retourna et s'en alla dans son pays, elle et ses serviteurs.

Les richesses de Salomon
(1 R 10.14-29)

¹³ Le poids de l'or qui parvenait à

---

h holocaustes: voir au glossaire SACRIFICES ● *i fête des Semaines, fête des Tentes:* voir au glossaire CALENDRIER ● *j* Sur l'organisation des *classes des prêtres, des lévites* et *des portiers,* voir 1 Ch 23—26 ● *k Eciôn-Guèvèr, Eilath:* voir 1 R 9.26 et la note ● *l Ofir:* voir 1 R 9.28 et la note — *talents:* voir au glossaire POIDS ET MESURES ● *m Saba, aromates:* voir 1 R 10. 1-2 et les notes ● *n holocaustes:* voir au glossaire SACRIFICES ● *o talents:* voir au glossaire POIDS ET MESURES ● *p Hiram:* voir 2.12 et la note — *bois de santal:* voir 1 R 10.11 et la note ● *q* Au lieu de *parquets,* 1 R 10.12 mentionne des *appuis* — *cithares, harpes:* voir Ps 92.4 et la note

8.13 aux sabbats Nb 28.9-10 — aux néoménies Nb 28.11-15 — trois fois par an Ex 23.17+.
8.14 les classes des prêtres, lévites, etc. 1 Ch 23—26.

Salomon en une seule année était de six cent soixante-six talents *r* d'or, ¹⁴ sans compter ce qu'apportaient les voyageurs et les marchands. Tous les rois d'Arabie *ˢ* et les gouverneurs du pays apportaient de l'or et de l'argent à Salomon.

¹⁵ Le roi Salomon fit deux cents grands boucliers en or battu, pour lesquels il fallait six cents sicles *t* d'or battu par bouclier, ¹⁶ et trois cents petits boucliers en or battu, pour lesquels il fallait trois cents sicles d'or par bouclier. Le roi les déposa dans la maison de la Forêt du Liban *ᵘ*. ¹⁷ Le roi fit un grand trône d'ivoire *ᵛ* qu'il revêtit d'or pur. ¹⁸ Ce trône avait six degrés et un marchepied *ʷ* en or, des poignées et des accoudoirs de chaque côté du siège ; deux lions se tenaient à côté des accoudoirs ¹⁹ et douze lions se tenaient de chaque côté sur les six degrés : on n'a rien fait de semblable dans aucun royaume. ²⁰ Toutes les coupes du roi Salomon étaient en or et tous les objets de la maison de la Forêt du Liban en or fin : on ne tenait aucun compte de l'argent au temps de Salomon.

²¹ Car le roi avait des navires allant à Tarsis, avec les serviteurs de Hiram, et tous les trois ans les navires de Tarsis revenaient, chargés d'or, d'argent, d'ivoire, de singes et de paons *ˣ*.

²² Le roi Salomon devint le plus grand de tous les rois de la terre par la richesse et la sagesse. ²³ Tous les rois de la terre cherchaient à voir Salomon afin d'écouter la sagesse que Dieu avait mise dans son *cœur. ²⁴ Chacun apportait son offrande : objets d'argent, objets d'or, vêtements, armes, aromates, chevaux et mulets ; et cela chaque année. ²⁵ Salomon avait quatre mille stalles pour chevaux, des chars et douze mille cavaliers qu'il cantonna dans les villes de garnison et, près du roi, à Jérusalem. ²⁶ Il domina sur tous les rois depuis le fleuve, jusqu'au pays des Philistins et jusqu'à la frontière d'Egypte *ʸ*. ²⁷ Le roi fit qu'à Jérusalem l'argent était aussi abondant que les pierres, et les cèdres aussi nombreux que les sycomores du *Bas-Pays. ²⁸ Les chevaux de Salomon provenaient d'Egypte et de tous les pays.

La mort de Salomon
(1 R 11.41-43)

²⁹ Le reste des actes de Salomon, des premiers aux derniers, n'est-il pas écrit dans les Actes du *prophète Natan, dans la prophétie d'Ahiyya de Silo et dans la vision du voyant Yédo *ᶻ* à propos de Jéroboam, fils de Nevath ? ³⁰ Salomon régna quarante ans à Jérusalem sur tout Israël. ³¹ Salomon se coucha avec ses pères *ᵃ*, on l'ensevelit dans la *Cité de David son père et son fils Roboam régna à sa place.

HISTOIRE DES ROIS DE JUDA

L'assemblée de Sichem
(1 R 12.1-15)

10 ¹ Roboam se rendit à Sichem *ᵇ*, car c'est à Sichem que tout Israël était venu pour le proclamer roi, ² Mais lorsque Jéroboam fils de Nevath l'apprit — il était en Egypte *ᶜ*, parce qu'il avait fui loin de la présence du roi Salomon — il revint d'Egypte. ³ On l'envoya appeler et il vint avec tout Israël. Ils parlèrent à Roboam en ces termes : ⁴ « Ton père a rendu lourd notre *joug ; maintenant, allège la lourde servitude de ton père et le joug pesant qu'il nous a imposé et nous te servirons. » ⁵ Il leur dit : « Revenez vers moi dans trois jours. » Et le peuple s'en alla.

⁶ Le roi Roboam prit conseil auprès des *anciens qui avaient été au service de son père Salomon, quand il était en vie : « Comment, vous, me conseillez-vous de

---

r talents: voir au glossaire POIDS ET MESURES ● *s ce qu'apportaient:* d'après l'ancienne version syriaque; hébreu: *les hommes* — *Arabie:* voir 1 R 10.15 et la note ● *t sicles:* voir au glossaire POIDS ET MESURES ● *u la maison de la Forêt du Liban:* voir 1 R 7.2 et la note ● *v trône d'ivoire:* voir 1 R 10.18 et la note ● *w* Le texte de 1 R 10.19 ne mentionne pas *un marchepied,* mais un dossier arrondi ● *x navires de Tarsis, paons:* voir 1 R 10.22 et la note ● *y* Comparer ce verset avec 1 R 5.1 et voir la note ● *z voyant:* voir 1 S 9.9 — Les divers ouvrages mentionnés dans ce verset sont perdus ● *a se coucha avec ses pères:* voir 1 R 1.21 et la note ● *b Sichem:* voir 1 R 12.1 et la note ● *c* Sur la fuite de *Jéroboam* en *Egypte* (et sa cause), voir 1 R 11.26-40

répondre à ce peuple ? » ⁷ Ils lui dirent : « Si tu te montres bon pour ce peuple, si tu leur fais plaisir et si tu leur dis de bonnes paroles, ils seront toujours pour toi des serviteurs. » ⁸ Mais Roboam négligea le conseil que lui avaient donné les anciens et il prit conseil auprès des jeunes gens qui avaient grandi avec lui et qui étaient à son service. ⁹ Il leur dit : « Et vous, que conseillez-vous ? Que devons-nous répondre à ce peuple qui m'a dit : Allège le joug que nous a imposé ton père ? » ¹⁰ Les jeunes gens qui avaient grandi avec lui répondirent : « Voici ce que tu diras au peuple qui t'a parlé ainsi : "Ton père a rendu pesant notre joug ; mais toi allège-le sur nous !" Voici donc ce que tu leur diras : "Mon petit doigt est plus gros que les reins de mon père ! ᵈ ¹¹ Désormais, puisque mon père vous a chargés d'un joug pesant, moi j'augmenterai le poids de votre joug. Puisque mon père vous a corrigés avec des fouets, moi je le ferai avec des lanières cloutées". »

¹² Jéroboam et tout le peuple vinrent trouver Roboam le troisième jour, comme le leur avait dit le roi : « Revenez vers moi le troisième jour. » ¹³ Le roi Roboam leur répondit durement, négligeant le conseil des anciens, ¹⁴ il parla selon le conseil des jeunes gens ; « Mon père a rendu ᵉ pesant votre joug, moi j'en augmenterai le poids. Mon père vous a corrigés avec des fouets, moi je le ferai avec des lanières cloutées. »

¹⁵ Si le roi n'écouta pas le peuple, ce fut là le moyen employé indirectement par Dieu pour accomplir la parole que le SEIGNEUR avait dite à Jéroboam fils de Nevath, par l'intermédiaire d'Ahiyya de Silo ᶠ.

Le royaume divisé. Roboam, roi de Juda
(1 R 12.16-25)

¹⁶ Comme le roi ne l'avait pas écouté, tout le peuple d'Israël répliqua au roi : « Quelle part avons-nous avec David ? Pas d'héritage pour le fils de Jessé ! Chacun à ses tentes ᵍ, Israël !

Maintenant, occupe-toi de ta maison, David ! »

Et tout Israël s'en alla à ses tentes. ¹⁷ Mais Roboam continua de régner sur les fils d'Israël ʰ qui habitaient les villes de Juda. ¹⁸ Le roi Roboam délégua le chef des corvées Adorâm, mais les fils d'Israël le lapidèrent et il mourut. Le roi Roboam réussit de justesse à monter sur son char pour s'enfuir à Jérusalem. ¹⁹ Israël a été en révolte contre la maison de David jusqu'à ce jour.

11 ¹ Roboam arriva à Jérusalem et rassembla la maison de Juda et de Benjamin ⁱ, soit cent quatre-vingt mille guerriers d'élite, pour combattre contre Israël, afin de rendre le royaume à Roboam. ² Mais la parole du SEIGNEUR fut adressée à l'homme de Dieu, Shemaya : ³ « Dis à Roboam, fils de Salomon, roi de Juda, et à tout Israël qui est en Juda et en Benjamin : ⁴ "Ainsi parle le SEIGNEUR : Vous ne devez pas monter au combat contre vos frères. Que chacun retourne chez lui ! Car c'est moi qui ai provoqué cet événement". » Ils écoutèrent les paroles du SEIGNEUR et ils renoncèrent à marcher contre Jéroboam.

Roboam fortifie différentes villes

⁵ Roboam séjourna à Jérusalem et il bâtit des villes fortifiées ʲ en Juda. ⁶ Il bâtit Bethléem, Etâm, Teqoa, ⁷ Beth-Çour, Soko, Adoullam, ⁸ Gath, Marésha, Zif, ⁹ Adoraïm, Lakish, Azéqa, ¹⁰ Çoréa, Ayyalôn et Hébron, villes fortifiées qui sont en Juda et en Benjamin. ¹¹ Il renforça leurs fortifications et y plaça des administrateurs et des réserves de vivres, d'huile et de vin. ¹² Dans chaque ville se trouvaient des boucliers et des lances. Il les renforça très puissamment. Aussi Juda et Benjamin furent pour lui.

Prêtres et lévites se rallient à Roboam

¹³ Les prêtres et les *lévites qui étaient dans tout Israël se rallièrent à lui de tous leurs territoires. ¹⁴ Car les lévites avaient quitté leurs pâturages et leurs possessions et s'en étaient allés en Juda et à Jérusalem, parce que Jéroboam et ses

---

ᵈ *Mon petit doigt...:* voir 1 R 12.10 et la note ● ᵉ *Mon père a rendu:* d'après les versions anciennes et le récit parallèle de 1 R 12.14; hébreu : *je rendrai* ● ᶠ *Ahiyya de Silo:* voir 1 R 11. 29-39 ● ᵍ *à ses tentes:* voir Jos 22.4; 1 R 12.16 et les notes ● ʰ *fils d'Israël* ou *Israélites* ● ⁱ *la maison de Juda et de Benjamin* ou *la tribu de Juda et celle de Benjamin* ● ʲ *bâtit des villes fortifiées* ou *fortifia des villes.*

11.13 de leurs territoires Nb 35.2.

fils les avaient empêchés d'exercer le sacerdoce du Seigneur. ¹⁵ Mais Jéroboam institua des prêtres à lui pour les *hauts lieux, les boucs et les veaux *k* qu'il avait fabriqués. ¹⁶ A leur suite, ceux qui, de toutes les tribus d'Israël, avaient à cœur de chercher le Seigneur Dieu d'Israël vinrent à Jérusalem pour offrir des *sacrifices au Seigneur le Dieu de leurs pères *l*. ¹⁷ Ils renforcèrent le royaume de Juda et ils soutinrent Roboam, fils de Salomon, pendant trois années, car il marcha dans la voie de David et de Salomon pendant trois années.

La famille de Roboam

¹⁸ Roboam prit pour femme Mahalath, fille de Yerimoth, fils de David et d'Avihaïl, fille d'Eliav, fils de Jessé *m*. ¹⁹ Elle lui enfanta des fils : Yéoush, Shemarya et Zaham. ²⁰ Après elle, il prit Maaka, fille d'Absalom et lui enfanta Abiya, Attaï, Ziza et Shelomith. ²¹ Roboam aima Maaka, fille d'Absalom, plus que toutes ses femmes et ses concubines ; car il eut dix-huit femmes et soixante concubines *n* et il engendra vingt-huit fils et soixante filles. ²² Roboam plaça en tête Abiya, fils de Maaka, comme chef de ses frères, car il voulait le faire régner. ²³ Il avait eu la pensée de disperser tous ses fils dans tous les territoires de Juda et de Benjamin, dans toutes les villes fortifiées ; il leur donna des subsides en abondance et il demanda pour eux une quantité de femmes.

Shishaq, roi d'Egypte, envahit Juda
(*1 R 14.25-28*)

12 ¹ Quand la royauté de Roboam se fut stabilisée et qu'il se fut affermi, il abandonna la Loi du Seigneur et tout Israël *o* avec lui. ² La cinquième année du règne de Roboam, Shishaq, roi d'Egypte, monta contre Jérusalem — car ils avaient offensé le Seigneur — ³ avec douze cents chars, soixante mille cavaliers et un peuple innombrable venu avec lui d'Egypte : Libyens, Soukkiyens *p* et Nubiens.

⁴ Il s'empara des villes fortifiées de Juda et il arriva jusqu'à Jérusalem. ⁵ Le prophète Shemaya vint vers Roboam et vers les chefs de Juda, rassemblés à Jérusalem à l'approche de Shishaq, et il leur dit : « Ainsi parle le Seigneur : Vous, vous m'avez abandonné ; donc, moi aussi, je vous ai abandonnés aux mains de Shishaq. » ⁶ Les chefs d'Israël *q* et le roi s'humilièrent et dirent : « Le Seigneur est juste. » ⁷ Quand le Seigneur vit qu'ils s'étaient humiliés, la parole du Seigneur fut adressée à Shemaya en ces termes : « Ils se sont humiliés. Je ne les ferai pas détruire. Mais je leur donnerai sous peu la délivrance et ma fureur ne se déversera pas sur Jérusalem par les mains de Shishaq. ⁸ Toutefois ils seront ses serviteurs et ils apprendront la différence entre me servir et servir les royaumes des autres pays. »

⁹ Shishaq, roi d'Egypte, monta donc contre Jérusalem. Il prit les trésors de la Maison du Seigneur et les trésors de la maison du roi. Il prit absolument tout. Il prit même les boucliers d'or que Salomon avait faits. ¹⁰ Le roi Roboam fit à leur place des boucliers de bronze et les confia aux chefs des coureurs qui gardaient l'entrée de la maison du roi. ¹¹ Chaque fois que le roi se rendait à la Maison du Seigneur, les coureurs venaient les prendre, puis ils les rapportaient à la salle des coureurs.

¹² Parce que le roi s'était humilié, la colère du Seigneur se détourna de lui, sans aller jusqu'à la destruction complète, car il se trouvait tout de même en Juda des choses bonnes.

Fin du règne de Roboam
(*1 R 14.21-24, 29-31*)

¹³ Le roi Roboam s'affermit à Jérusalem et régna. Car Roboam avait quarante et un ans lorsqu'il devint roi et il régna dix-sept ans à Jérusalem, la ville que le Seigneur avait choisie parmi toutes les tribus d'Israël pour y mettre son *nom. Le nom de la mère de Roboam était Naama, l'Ammonite. ¹⁴ Il fit ce qui

---

k les boucs: voir Lv 17.7 et la note — *les veaux:* voir 1 R 12.26-33 ● *l leurs pères* ou *leurs ancêtres* ● *m* Le texte hébreu de ce verset est peu clair et la traduction incertaine ● *n concubines:* voir 2 S 3.7 et la note ● *o Israël* désigne ici le peuple resté fidèle au roi descendant de David, donc le royaume de Juda ● *p Soukkiyens:* peuple inconnu ● *q Israël:* voir v. 1 et la note; *les chefs d'Israël* sont donc les mêmes que *les chefs de Juda* du v. 5 ● *r coureurs:* voir 1 R 14.27 et la note

11.15 des prêtres à lui 1 R 12.31. **11.20** Maaka 1 R 15.2. **12.1** tout Israël avec lui 1 R 14.22-24. **12.5** abandon réciproque 15.2; 24.20, 24. **12.8** la différence 1 S 8.

est mal, car il n'appliqua pas son *cœur à chercher le Seigneur. ¹⁵ Les actes de Roboam, des premiers aux derniers, ne sont-ils pas écrits dans les Actes du *prophète Shemaya et dans les Actes du voyant Iddo ˢ... ?

Les combats entre Roboam et Jéroboam durèrent continuellement. ¹⁶ Roboam se coucha avec ses pères ᵗ et fut enseveli dans la *Cité de David. Abiya, son fils, régna à sa place.

Règne d'Abiya
(1 R 15.1-8)

13 ¹ La dix-huitième année du règne de Jéroboam, Abiya devint roi de Juda. ² Il régna trois ans à Jérusalem. Le nom de sa mère était Mikayahou, fille d'Ouriel ᵘ de Guivéa. Il y eut la guerre entre Abiya et Jéroboam.

³ Abiya engagea la guerre avec une armée de guerriers valeureux ; quatre cent mille hommes d'élite. Et Jéroboam rangea en bataille contre lui huit cent mille hommes de choix, vaillants guerriers. ⁴ Abiya se dressa du haut du mont Cemaraïm ᵛ, qui est dans la montagne d'Ephraïm, et dit : « Ecoutez-moi, Jéroboam et tout Israël. ⁵ Ne devriez-vous pas savoir que le Seigneur, le Dieu d'Israël, a donné la royauté à David sur Israël pour toujours, à lui et à ses fils : c'est une alliance indestructible ᵂ ? ⁶ Mais Jéroboam fils de Nevath, serviteur de Salomon fils de David, s'est dressé et révolté contre son maître. ⁷ Des hommes de rien, des fils de Bélial ˣ, se sont rassemblés autour de lui et ils se sont imposés à Roboam, fils de Salomon. Roboam, qui était jeune et faible de caractère, n'a pas résisté devant eux. ⁸ Et maintenant vous parlez de résister à la royauté du Seigneur qui est dans les mains des fils de David ! Vous êtes une foule nom-breuse et vous avez avec vous les veaux d'or ʸ que Jéroboam vous a faits comme dieux. ⁹ Est-ce que vous n'avez pas chassé les prêtres du Seigneur, fils d'Aaron, et les *lévites, pour vous faire des prêtres comme les peuples des autres pays ? Quiconque venait se faire investir ᶻ avec un taurillon de son troupeau et sept béliers devenait prêtre de ces dieux qui ne sont pas des dieux. ¹⁰ Quant à nous, le Seigneur est notre Dieu et nous ne l'avons pas abandonné : les prêtres qui servent le Seigneur sont fils d'Aaron et les lévites sont en fonction ! ¹¹ Ils font fumer pour le Seigneur des holocaustes chaque matin et chaque soir ainsi que l'*encens parfumé, ils disposent le pain ᵃ sur la table *pure et ils allument chaque soir le chandelier d'or et ses lampes. Car nous observons, nous, les observances du Seigneur, notre Dieu, tandis que, vous, vous l'avez abandonné. ¹² Voici que nous avons avec nous Dieu comme chef, nous avons ses prêtres et les trompettes de la sonnerie, pour sonner contre vous. Fils d'Israël, ne combattez pas contre le Seigneur, le Dieu de vos pères ᵇ, car vous ne réussirez pas. »

¹³ Jéroboam leur fit contourner par une embuscade venant derrière eux : les Israélites se trouvaient devant Juda et l'embuscade derrière lui. ¹⁴ Juda se retourna et voilà que pour lui le combat était devant et derrière. Ils clamèrent vers le Seigneur, alors que les prêtres sonnaient des trompettes. ¹⁵ Les hommes de Juda poussèrent le cri de guerre et, pendant qu'ils le poussaient, Dieu battit Jéroboam et tout Israël devant Abiya et Juda. ¹⁶ Les fils d'Israël s'enfuirent devant Juda et Dieu les livra dans ses mains. ¹⁷ Abiya et son peuple leur infligèrent une grande défaite : parmi les gens d'Israël cinq cent mille hommes de choix tombèrent trans-percés. ¹⁸ Les fils d'Israël furent humi-liés en ce temps-là et les fils de Juda.

ˢ *voyant:* voir 1 S 9.9 — Les deux ouvrages mentionnés ici sont perdus. — A la fin de la phrase, la traduction laisse de côté un mot hébreu difficilement compréhensible dans ce contexte, qui pourrait signifier *pour être mis en généalogie* ou *pour se faire recenser* ● ᵗ *se coucha avec ses pères:* voir 1 R 1.21 et la note ● ᵘ *Le nom de sa mère était Mikayahou, fille d'Ouriel:* d'après 11.20 cependant, *Abiya était fils de Maaka, fille d'Absalom* ● ᵛ *mont Cemaraïm:* sommet situé à une tren-taine de km au nord de Jérusalem, comparer Jos 18.22 ● ᵂ *alliance indestructible:* l'hébreu exprime cette idée par les mots *alliance de sel;* voir à ce sujet Lv 2.13 et la note ● ˣ *des fils de Bélial,* c'est-à-dire des vauriens, des brigands ● ʸ *des fils ou des descendants* — *les veaux d'or:* voir 1 R 12.26-33 ● ᶻ Sur l'investiture, voir Lv 7.37 et la note ● ᵃ *holocaustes:* voir au glossaire SACRIFICES — *ils disposent le pain:* voir Lv 24.5-9 ● ᵇ *les trompettes de la sonnerie:* voir Nb 10.9 — *Fils d'Israël* ou *Israélites* — *vos pères* ou *vos ancêtres*

13.7 des hommes de rien Dt 13.14.   **13.8** les veaux d'or 1 R 12.28-30.   **13.9** Jéroboam s'est fait des prêtres 1 R 12.31.   **13.12** ne combattez pas contre le Seigneur *2 M* 7.19; *Sg* 12.13-14; Ac 5.39. **13.18** s'appuyer sur le Seigneur 14.10; 16.7-8; Es 10.20; 50.10; Mi 3.11.

triomphèrent, car ils s'étaient appuyés sur le SEIGNEUR, le Dieu de leurs pères. [19] Abiya poursuivit Jéroboam et conquit sur lui des villes : Béthel et ses filiales [c], Yeshana et ses filiales, Efrôn et ses filiales. [20] Jéroboam ne retrouva plus de force aux jours d'Abiya. Le SEIGNEUR le frappa et il mourut. [21] Abiya au contraire se fortifia. Il prit quatorze femmes et engendra vingt-deux fils et seize filles. [22] Le reste des actes d'Abiya, ses faits et gestes, est écrit dans le commentaire du *prophète Iddo [d].

[23] Abiya se coucha avec ses pères [e] et on l'ensevelit dans la *Cité de David. Son fils Asa régna à sa place.

Début du règne d'Asa
(1 R 15.9-11)

En ses jours le pays fut au calme pendant dix ans. **14** [1] Asa fit ce qui est bien et droit aux yeux du SEIGNEUR, son Dieu. [2] Il supprima les *autels d'origine étrangère et les *hauts lieux, il brisa les stèles et coupa les poteaux sacrés [f]. [3] Il dit à Juda de chercher le SEIGNEUR, le Dieu de leurs pères [g], et de mettre en pratique la Loi et les commandements. [4] Il fit disparaître de toutes les villes de Juda les hauts lieux et les brûle-parfums [h], et le royaume jouit du calme durant son règne. [5] Il construisit des villes fortifiées en Juda, car le pays jouissait du calme. Il n'y eut pas de guerre contre lui en ces années-là, car le SEIGNEUR lui avait donné le repos. [6] Il dit à Juda : « Construisons ces villes, entourons-les d'un rempart, avec des tours, des portes et des verrous : le pays est en repos [i] devant nous. Car nous avons cherché le SEIGNEUR notre Dieu, nous l'avons cherché et il nous a donné du repos de tous côtés. » Et ils réalisèrent leurs constructions. [7] Asa avait comme armée trois cent mille hommes de Juda, portant le grand bouclier et la pique, et deux cent quatre-vingt mille hommes de Benjamin, portant le petit bouclier et tirant de l'arc. Tous étaient de vaillants guerriers. [8] Zérah le Nubien sortit contre eux avec une armée de mille milliers d'hommes et de trois cents chars, et il parvint jusqu'à Marésha [j]. [9] Asa sortit au-devant de lui et ils se rangèrent en bataille dans la vallée de Cefata, près de Marésha. [10] Asa cria vers le SEIGNEUR, son Dieu, et dit : « SEIGNEUR, personne d'autre que toi ne peut s'interposer entre le puissant et le faible. Aide-nous, SEIGNEUR, notre Dieu ! Car sur toi que nous nous sommes appuyés et c'est en ton *nom que nous sommes venus contre cette multitude. SEIGNEUR, tu es notre Dieu. Que l'homme ne rivalise pas avec toi ! » [11] Le SEIGNEUR battit les Nubiens devant Asa et devant Juda, et les Nubiens s'enfuirent. [12] Asa et le peuple qui était avec lui les poursuivirent jusqu'à Guérar [k], et il tomba tant de Nubiens qu'ils n'eurent aucun survivant, car ils s'étaient brisés devant le SEIGNEUR et devant le camp. Les gens d'Asa emportèrent un butin abondant. [13] Ils frappèrent toutes les villes autour de Guérar, car le SEIGNEUR avait jeté sur elles la terreur, et ils pillèrent toutes les villes, car il y avait en elles beaucoup à piller. [14] Ils frappèrent aussi les parcs des troupeaux et capturèrent du petit bétail en quantité et des chameaux. Puis, ils retournèrent à Jérusalem.

Asa entreprend des réformes religieuses
(1 R 15.12-15)

15 [1] Azaryahou, fils d'Oded, sur qui fut l'esprit de Dieu [l], [2] sortit au-devant d'Asa et lui dit : « Écoutez-moi, Asa ainsi que tout Juda et Benjamin ! Le SEIGNEUR est avec vous, quand vous êtes avec lui. Si vous le cherchez, il se laisse trouver par vous ; mais si vous l'abandonnez, il vous abandonne. [3] Pendant longtemps Israël a été sans vrai Dieu, sans prêtre pour enseigner, sans Loi [m]. [4] Mais dans leur détresse ils sont revenus

---

c ses filiales ou les villages des alentours ● d le commentaire du prophète Iddo: ouvrage perdu ● e se coucha avec ses pères: voir 1 R 1.21 et la note ● f stèles: 1 R 14.23 et la note; poteaux sacrés: voir 1 R 14.15 et la note ● g leurs pères ou leurs ancêtres ● h brûle-parfums ou autels à parfum: voir Lv 26.30 et la note ● i en repos: d'après l'ancienne version syriaque; hébreu: encore ● j Marésha: localité située à environ 40 km au sud-ouest de Jérusalem ; voir 11.8 ● k Guérar est située à environ 40 km au sud-ouest de Marésha (v. 8) ● l sur qui fut l'esprit de Dieu, c'est-à-dire qui était *prophète ● m sans Dieu, sans prêtre, sans Loi: l'auteur évoque probablement l'époque des Juges; comparer Jg 2.10-23

14.2 il supprima, brisa, etc. Ex 23.24+. 14.10 s'appuyer sur le Seigneur 13.18+. 15.2 abandon réciproque 12.5+. 15.4 Dieu se laisse trouver Dt 4.29-30; Jg 3.9, 15; 6.7-8; 10.10-16; Os 3.4-5.

vers le SEIGNEUR, le Dieu d'Israël ; ils l'ont recherché et il s'est laissé trouver par eux. ⁵ En ces temps-là, il n'y avait point de sécurité pour ceux qui allaient et venaient, mais au contraire de grandes frayeurs sur tous les habitants des pays. ⁶ Ils se battaient nation contre nation et ville contre ville, car Dieu les avait secoués par toutes sortes de détresses. ⁷ Mais vous, soyez fermes, que vos mains ne défaillent point, car il y aura un salaire ⁿ pour votre travail !»

⁸ Lorsqu'Asa entendit ces paroles et la *prophétie du prophète Oded, il s'enhardit et fit disparaître les abominations de tout le pays de Juda et de Benjamin, ainsi que des villes qu'il avait conquises dans la montagne d'Ephraïm. Il rénova l'*autel du SEIGNEUR, qui est devant le vestibule ᵒ du SEIGNEUR. ⁹ Il rassembla tout Juda et Benjamin et avec eux les réfugiés venus d'Ephraïm, de Manassé et de Siméon, car les gens d'Israël s'étaient rabattus sur lui en quantité, quand ils avaient vu que le SEIGNEUR, son Dieu, était avec lui. ¹⁰ Ils se rassemblèrent à Jérusalem le troisième mois de la quinzième année du règne d'Asa. ¹¹ Ils *sacrifièrent au SEIGNEUR en ce jour-là, sur le butin qu'ils avaient ramené, sept cents bœufs et sept mille têtes de petit bétail. ¹² Ils entrèrent dans l'*Alliance, pour chercher le SEIGNEUR, le Dieu de leurs pères ᵖ, de tout leur cœur et de toute leur âme. ¹³ Et quiconque ne chercherait pas le SEIGNEUR, le Dieu d'Israël, serait mis à mort, depuis le plus petit jusqu'au plus grand, depuis l'homme jusqu'à la femme. ¹⁴ Ils firent serment au SEIGNEUR avec une grande clameur, une sonnerie, des trompettes et des cors, ¹⁵ et tout Juda se réjouit du serment. Comme c'était de tout leur cœur qu'ils faisaient le serment et de toute leur bonne volonté qu'ils le cherchaient, le SEIGNEUR se laissa trouver par eux et il leur donna du repos de tous côtés.

¹⁶ Le roi Asa priva même sa mère Maaka de sa fonction de reine-mère, parce qu'elle avait fait une idole infâme en l'honneur d'Ashéra �q : Asa abattit cette idole infâme, la mit en pièces et la brûla dans le ravin du Cédron. ¹⁷ Mais les *hauts lieux ne disparurent pas d'Israël. Pourtant le cœur d'Asa resta intègre pendant toute sa vie. ¹⁸ Il apporta dans la Maison de Dieu de l'argent, de l'or et des objets que son père et lui-même avaient mis à part. ¹⁹ Il n'y eut plus de guerre ʳ jusqu'à la trente-cinquième année du règne d'Asa.

Asa en guerre contre le roi Baésha d'Israël

(1 R 15.16-22)

16 ¹ La trente-sixième année du règne d'Asa, Baésha, roi d'Israël, monta contre Juda et fortifia Rama ˢ pour barrer la route au roi de Juda, Asa. ² Celui-ci puisa dans les trésors de la Maison du SEIGNEUR et de la maison du roi de l'argent et de l'or qu'il envoya à Ben-Hadad, roi d'*Aram, résidant à Damas. Il lui dit : ³ « Il y a une alliance entre moi et toi, entre mon père et ton père. Voici que je t'envoie de l'argent et de l'or. Va rompre ton alliance avec Baésha, roi d'Israël, pour qu'il ne monte plus contre moi.»

⁴ Ben-Hadad écouta le roi Asa, et il envoya contre les villes d'Israël les chefs de ses armées, qui frappèrent Iyyôn, Dan, Avel-Maïm et tous les entrepôts des villes de Nephtali. ⁵ Dès que Baésha apprit cette nouvelle, il cessa de fortifier Rama et il arrêta ses travaux. ⁶ Alors le roi Asa prit avec lui tout Juda : ils enlevèrent les pierres et le bois de Rama que Baésha fortifiait. Asa s'en servit pour fortifier Guéva et Miçpa ᵗ.

Asa emprisonne le voyant Hanani

⁷ En ce temps-là Hanani, le voyant, vint trouver le roi de Juda, Asa, et lui dit : « Puisque tu t'es appuyé sur le roi d'Aram et que tu ne t'es pas appuyé sur le SEIGNEUR ton Dieu, l'armée du roi d'Aram s'est échappée de ta main. ⁸ Est-ce que les Nubiens et les Libyens ne formaient pas une armée nombreuse avec des chars et des cavaliers en quantité énorme ? Et, parce que tu t'es appuyé sur le SEIGNEUR, il les a livrés en tes mains ᵘ. ⁹ Car le SEIGNEUR promène ses

---

n un salaire ou une récompense ● o L'expression les abominations désigne habituellement les idoles des faux dieux — le vestibule: voir 1 R 6.3 ● p leurs pères ou leurs ancêtres ● q Maaka: voir 1 R 15.10, 13 et les notes — Ashéra: voir Jg 3.7 et la note ● r plus de guerre: voir pourtant 1 R 15.16 ● s Rama: voir 1 R 15.17 et la note ● t Guéva, Miçpa: voir 1 R 15.22 et la note ● u Le v. 8 fait allusion au récit de 14.8-14

16.7-8 s'appuyer sur le Seigneur 13.18⁺. **16.9** le Seigneur regarde Gn 11.5; Ps 14.2; 33.13.

yeux sur toute la terre, pour soutenir ceux dont le *cœur est entièrement à lui. En cela, tu t'es comporté comme un insensé. C'est pourquoi désormais il y aura contre toi des guerres.» [10] Asa s'irrita envers le voyant et il le fit mettre en prison, car il était en colère contre lui pour cela. Asa opprima une partie du peuple en ce temps-là.

Fin du règne d'Asa
(*1 R 15.23-24*)

[11] Voici que les actes d'Asa, des premiers aux derniers, sont écrits dans le livre des rois de Juda et d'Israël.

[12] Asa fut malade en l'année trente-neuf de son règne ; il avait une maladie très grave dans les jambes. Et même dans sa maladie il ne recourut pas au SEIGNEUR, mais aux guérisseurs. [13] Asa se coucha avec ses pères [v] et il mourut dans la quarante et unième année de son règne. [14] On l'ensevelit dans la sépulture qu'il s'était creusée, dans la *Cité de David. On le déposa sur un lit rempli d'aromates [w] et de divers produits spéciaux pour l'embaumement, et on alluma pour lui un très grand feu.

Règne de Josaphat. Sa fidélité envers Dieu
(*1 R 15.24; 22.41-45*)

17 [1] Son fils Josaphat régna à sa place. Josaphat se fortifia contre Israël [x]. [2] Il plaça des troupes dans toutes les villes fortes de Juda et il plaça des garnisons [y] dans le pays de Juda et dans les villes d'Ephraïm qu'avait conquises Asa, son père.

[3] Le SEIGNEUR fut avec Josaphat, car il suivit les premières voies de David, son père [z], et il ne rechercha pas les *Baals. [4] Mais il rechercha le SEIGNEUR, le Dieu de son père, il marcha dans ses commandements et il n'agit pas selon les œuvres d'Israël [a]. [5] Le SEIGNEUR affermit le royaume dans ses mains et tout Juda apporta des offrandes à Josaphat, en sorte qu'il eut beaucoup de richesse et de gloire. [6] Son *cœur progressa dans les voies du SEIGNEUR à tel point qu'il supprima de Juda les *hauts lieux et les poteaux sacrés [b]. [7] La troisième année de son règne, il envoya ses dignitaires : Ben-Haïl, Ovadya, Zekarya, Netanel et Mikayahou pour donner un enseignement dans les villes de Juda. [8] Avec eux se trouvaient les *lévites Shemayahou, Netanyahou, Zevadyahou, Asahel, Shemiramoth, Yehonatân, Adoniyahou, Toviyahou, et Tov-Adoniya, qui étaient des lévites. Avec eux se trouvaient aussi les prêtres Elishama et Yehoram. [9] Ils donnèrent un enseignement en Juda, en ayant avec eux le livre de la Loi du SEIGNEUR. Ils firent le tour de toutes les villes de Juda et ils instruisirent le peuple.

[10] La terreur inspirée par le SEIGNEUR fut sur tous les royaumes des pays qui étaient aux alentours de Juda et aucun ne fit la guerre à Josaphat. [11] De chez les Philistins, on apportait à Josaphat des offrandes, de l'argent et des taxes. Même les Arabes lui apportaient du bétail : sept mille sept cents béliers et sept mille sept cents boucs.

La puissance militaire de Josaphat

[12] Josaphat prospérait de plus en plus et il construisit en Juda des forteresses et des villes d'entrepôts. [13] Il avait d'abondantes provisions dans les villes de Juda et de valeureux hommes de guerre à Jérusalem. [14] En voici la répartition par familles : de Juda, chefs de milliers : le chef Adna, à la tête de trois cent mille [c] guerriers valeureux, [15] à son côté le chef Yehohanân, à la tête de deux cent quatre-vingt mille, [16] et à son côté Amasya, fils de Zikri, engagé volontaire pour le SEIGNEUR, à la tête de deux cent mille guerriers valeureux ; [17] de Benjamin, un guerrier valeureux, Elyada, à la tête de deux cent mille hommes armés de l'arc et du bouclier, [18] et à côté Yehozavad, à la tête de cent quatre-vingt mille hommes équipés pour le combat. [19] Tels étaient ceux qui servaient le roi, sans compter ceux que le roi avait mis dans les villes fortifiées de tout Juda.

---

v se coucha avec ses pères: voir 1 R 1.21 et la note ● *w aromates:* voir 1 R 10.2 et la note ● *x se fortifia contre Israël,* c'est-à-dire contre le royaume du Nord; autre traduction *affermit son pouvoir sur Israël,* c'est-à-dire sur Juda (voir 12.1 et la note) ● *y des garnisons :* autre traduction *des gouverneurs* ● *z son père* ou *son ancêtre* ● *a* Ici, *Israël* ne peut désigner que le royaume du Nord (voir v. 1 et la note) ● *b poteaux sacrés:* voir 1 R 14.15 et la note ● *c trois cent mille* ou *trois cents milliers de* (de même dans les versets suivants); sur les *milliers,* voir Nb 1.16 et la note

16.10 le voyant en prison 1 R 22.26-27; Jr 20.2. **17.6** il supprima hauts lieux et poteaux sacrés Ex 23.24+. **17.9** enseigner la Loi Esd 7.25. **17.14-18** recensement Nb 1.1+.

Josaphat s'allie au roi Akhab d'Israël
(*1 R 22.1-4*)

18 ¹ Josaphat eut beaucoup de richesse et de gloire. Il fut apparenté par mariage avec Akhab *d*. ² Il descendit au bout de quelques années vers Akhab à Samarie. Akhab immola pour lui du petit et du gros bétail en quantité, ainsi que pour le peuple qui était avec lui, et il le persuada de monter vers Ramoth-de-Galaad *e*.

³ Akhab, roi d'Israël, dit à Josaphat, roi de Juda : « Veux-tu aller avec moi à Ramoth-de-Galaad ? » Il lui répondit : « Il en sera de moi comme de toi, de mon peuple comme de ton peuple, nous serons avec toi dans la guerre. »

Les prophètes d'Akhab prédisent le succès
(*1 R 22.5-12*)

⁴ Josaphat dit encore au roi d'Israël : « Consulte d'abord la parole du SEIGNEUR *f* ! » ⁵ Le roi d'Israël réunit les *prophètes, quatre cents hommes *g*, et leur dit : « Pouvons-nous aller faire la guerre à Ramoth-de-Galaad ou dois-je y renoncer ? » Ils répondirent : « Monte. Dieu la livre aux mains du roi. » ⁶ Josaphat dit : « N'y a-t-il plus ici de prophète du SEIGNEUR, par qui nous puissions le consulter ? » ⁷ Le roi d'Israël dit à Josaphat : « Il y a encore un homme par qui on peut consulter le SEIGNEUR, mais moi je le déteste, car il ne prophétise pas sur moi du bien, mais toujours du mal : c'est Michée, fils de Yimla. » Josaphat dit : « Que le roi ne parle pas ainsi ! » ⁸ Le roi d'Israël appela un fonctionnaire et dit : « Vite ! Fais venir Michée, fils de Yimla ! »

⁹ Le roi d'Israël et le roi de Juda, en tenue d'apparat, siégèrent chacun sur son trône, sur l'esplanade à l'entrée de la porte de Samarie. Tous les prophètes s'excitaient à prophétiser devant eux. ¹⁰ Cidqiyahou, fils de Kenaana, qui s'était fait des cornes de fer, dit : « Ainsi parle le SEIGNEUR : Avec ça tu enfonceras *Aram jusqu'à l'achever. » ¹¹ Et tous les prophètes prophétisaient de même, en disant : « Monte à Ramoth-de-Galaad, tu réussiras ! Le SEIGNEUR la livrera aux mains du roi. »

Le prophète Michée prédit la défaite
(*1 R 22.13-28*)

¹² Le messager qui était allé appeler Michée lui dit : « Voici les paroles des *prophètes, d'une seule voix elles annoncent du bien pour le roi. Que ta parole soit donc conforme aux leurs ! Annonce du bien ! » ¹³ Michée dit : « Par la vie du SEIGNEUR, ce que mon Dieu dira, c'est cela que je dirai ! » ¹⁴ Il arriva auprès du roi, qui lui dit : « Michée, pouvons-nous aller faire la guerre à Ramoth-de-Galaad ou dois-je y renoncer ? » Il répondit : « Montez. Vous réussirez. Ils seront livrés à vos mains. » ¹⁵ Le roi lui dit : « Combien de fois devrais-je te faire jurer de ne me dire que la vérité au nom du SEIGNEUR ? » ¹⁶ Michée répondit :
« J'ai vu tout Israël dispersé sur les montagnes,
comme des moutons qui n'ont point de *berger.
Le SEIGNEUR a dit :
Ces gens n'ont point de maîtres !
Que chacun retourne chez lui en paix ! »
¹⁷ Le roi d'Israël dit à Josaphat : « Ne t'avais-je pas dit : "Il ne prophétise pas sur moi du bien, mais du mal" ? » ¹⁸ Michée dit : « Eh bien ! Ecoutez la parole du SEIGNEUR : j'ai vu le SEIGNEUR assis sur son trône et toute l'armée des cieux *h* debout à sa droite et à sa gauche. ¹⁹ Le SEIGNEUR a dit : "Qui séduira Akhab, roi d'Israël, pour qu'il monte et tombe à Ramoth-de-Galaad ?" L'un parlait d'une façon et l'autre d'une autre. ²⁰ Alors un esprit *i* s'est avancé, s'est présenté devant le SEIGNEUR et a dit : "C'est moi qui le séduirai." Le SEIGNEUR lui a dit : "De quelle manière ?" ²¹ Il a répondu : "J'irai et je serai un esprit de mensonge dans la bouche de tous ses prophètes." Le SEIGNEUR a dit : "Tu le séduiras ; d'ailleurs tu en as le pouvoir. Va, et fais ainsi !" ²² Si donc le SEIGNEUR a mis un esprit de mensonge dans la bouche de tes prophètes, c'est que lui-même a parlé de malheur contre toi. » ²³ Cidqiyahou, fils de Kenaana, s'approcha, frappa Michée sur la joue et dit : « Par quelle voie l'esprit du SEIGNEUR est-il sorti de moi pour te parler ? » ²⁴ Michée dit : « Eh bien ! Tu le verras, le jour où tu iras de chambre en cham-

---

d avec Akhab: Josaphat a marié son fils Yoram à Athalie (voir 2 R 8.26 et la note), fille d'Akhab, voir 21.6 ● *e Ramoth-de-Galaad:* voir 1 R 22.3 et la note ● *f consulte la parole du Seigneur:* voir 1 R 22.5 et la note ● *g quatre cents hommes:* voir 1 R 22.6 et la note ● *h armée des cieux:* voir 1 R 22.19 et la note ● *i un esprit:* voir 1 R 22.21 et la note

bre *j* pour te cacher.*»* ²⁵ Le roi d'Israël dit : « Saisissez Michée, ramenez-le à Amôn, chef de la ville, et à Yoash, fils du roi, ²⁶ et dites-leur : "Ainsi parle le roi : Mettez cet individu en prison et nourrissez-le de rations réduites de pain et d'eau, jusqu'à ce que je revienne sain et sauf". » ²⁷ Michée dit : « Si vraiment tu reviens sain et sauf, c'est que le SEIGNEUR n'a pas parlé par moi. » Puis il dit : « Ecoutez, vous tous, peuples *k*... ! »

Le roi Akhab est tué au combat
(1 R 22.29-40)

²⁸ Le roi d'Israël et le roi de Juda Josaphat montèrent à Ramoth-de-Galaad. ²⁹ Le roi d'Israël dit à Josaphat : « Je vais me déguiser et entrer dans la bataille ! Toi, mets ta tenue personnelle. » Le roi d'Israël se déguisa et entra *l* dans la bataille.

³⁰ Or le roi d'*Aram avait commandé aux chefs de ses chars : « N'attaquez ni petit ni grand, mais seulement le roi d'Israël. » ³¹ Aussi, quand les chefs des chars virent Josaphat, ils dirent : « C'est lui le roi d'Israël », et ils firent cercle autour de lui pour l'attaquer. Mais Josaphat se mit à crier. Le SEIGNEUR le secourut, et Dieu les détourna de lui.

³² Alors les chefs des chars, s'apercevant que ce n'était pas le roi d'Israël *m*, se détournèrent de lui. ³³ Mais un homme tira de l'arc au hasard et frappa le roi d'Israël entre les articulations de la cuirasse. Celui-ci dit au conducteur de son char : « Tourne bride et fais-moi sortir du champ de bataille, car je suis blessé. » ³⁴ Le combat fut si violent ce jour-là que le roi d'Israël dut rester dans son char en face d'Aram, jusqu'au soir. Puis il mourut, au moment du coucher du soleil.

Josaphat institue des juges en Juda

19 ¹ Le roi de Juda, Josaphat, retourna en paix chez lui à Jérusalem. ² Un voyant, Jéhu, fils de Hanani, sortit à sa rencontre et dit au roi Josaphat : « Est-ce le méchant que tu aides et les ennemis du SEIGNEUR que tu aimes ? A cause de cela, le courroux du SEIGNEUR viendra sur toi. ³ Cependant de bonnes choses ont été trouvées chez toi, car tu as brûlé les poteaux sacrés *n*, qui ont disparu du pays, et tu as affermi ton cœur pour chercher Dieu. »

⁴ Josaphat résida à Jérusalem. Puis, à nouveau, il sortit parmi le peuple, depuis Béer-Shéva jusqu'à la montagne d'Ephraïm, et il ramena le peuple vers le SEIGNEUR, le Dieu de ses pères *o*. ⁵ Il institua des juges dans le pays, dans toutes les villes fortifiées de Juda, ville par ville. ⁶ Il dit aux juges : « Considérez ce que vous allez faire, car ce n'est pas selon l'homme que vous devez juger, mais selon le SEIGNEUR, qui sera avec vous dans cette fonction du jugement. ⁷ Et maintenant, que la crainte du SEIGNEUR soit sur vous ! Observez et pratiquez cela ! Car il n'y a chez le SEIGNEUR notre Dieu ni injustice, ni partialité, ni corruption par des cadeaux. » ⁸ Même à Jérusalem, Josaphat établit certains des *lévites et des prêtres et certains des chefs de familles d'Israël pour juger selon le SEIGNEUR et pour plaider en faveur des habitants de Jérusalem. ⁹ Et il leur donna ses ordres en disant : « C'est ainsi que vous ferez, dans la crainte du SEIGNEUR, avec fidélité et d'un cœur sincère. ¹⁰ Chaque fois que vos frères, habitant dans leurs villes, porteront un procès devant vous, affaire criminelle ou question de loi, d'ordonnance, de décret ou de coutume, instruisez-les pour éviter qu'ils ne soient coupables envers le SEIGNEUR et que le courroux ne soit sur vous et sur vos frères. Faites ainsi et vous ne serez point coupables. ¹¹ Voici ! Le grand prêtre Amaryahou sera au-dessus de vous pour toutes les affaires du SEIGNEUR et le chef de la maison de Juda, Zevadyahou, fils de Yishmaël, pour toutes les affaires relevant du roi ; les lévites seront devant vous comme greffiers. Ayez du courage et agissez ! Et que le SEIGNEUR soit avec celui qui fera le bien ! »

Juda attaqué. Prière de Josaphat

20 ¹ Après cela, les fils de Moab et les fils d'Ammon, accompagnés par

---

j de chambre en chambre: voir 1 R 20.30 et la note ● *k Ecoutez, vous tous, peuples:* voir 1 R 22.28 et la note ● *l Je vais me déguiser...:* voir 1 R 22.30 et la note — *et entra:* d'après les versions anciennes; hébreu: *et ils entrèrent* ● *m s'apercevant que...:* voir 1 R 22.33 et la note ● *n poteaux sacrés:* voir 1 R 14.15 et la note ● *o depuis Béer-Shéva jusqu'à la montagne d'Ephraïm,* c'est-à-dire à travers tout le pays de Juda, du sud au nord — *ses pères* ou *ses ancêtres*

19.5-11 institution des juges Ex 18.13-26; Esd 7.25.

des Maonites *p*, vinrent faire la guerre à Josaphat. ² On vint l'annoncer à Josaphat en disant : « Une grande multitude est venue contre toi d'au-delà de la mer, c'est-à-dire d'Edom, et les voilà à Haça-çôn-Tamar, c'est-à-dire Ein-Guèdi *q*. » ³ Josaphat eut peur : il décida de consulter le SEIGNEUR et il proclama un *jeûne sur tout Juda. ⁴ Juda se rassembla pour implorer le SEIGNEUR ; on vint même de toutes les villes de Juda pour implorer le SEIGNEUR. ⁵ Josaphat se tint dans l'assemblée de Juda et de Jérusalem dans la Maison *r* du SEIGNEUR, en face du *Parvis Neuf, ⁶ et il dit : « SEIGNEUR, Dieu de nos pères *s*, n'est-ce pas toi qui es Dieu dans les cieux et toi qui domines sur tous les royaumes des nations ? Dans ta main il y a force et puissance et nul ne peut s'affronter avec toi. ⁷ N'est-ce pas toi, notre Dieu, qui as dépossédé les habitants de ce pays devant ton peuple Israël et qui l'as donné pour toujours à la descendance d'Abraham, ton ami ? ⁸ Ils y ont habité et ils y ont construit pour toi un *sanctuaire pour ton *nom, en disant : ⁹ "S'il vient sur nous un malheur : épée, châtiment, peste ou famine, si nous nous tenons devant cette Maison et devant toi, car ton nom est dans cette Maison, et si nous crions vers toi dans notre détresse, tu exauceras et tu sauveras." ¹⁰ Et maintenant voici les fils d'Ammon, de Moab et de la montagne de Séïr, chez lesquels tu n'as pas donné à Israël la permission d'entrer *t* après sa sortie de la terre d'Egypte, puisqu'il s'est détourné d'eux et ne les a pas anéantis ! ¹¹ Et voici ces gens-là qui nous récompensent en venant nous déposséder de la propriété que tu nous as attribuée ! ¹² Notre Dieu, n'exerceras-tu pas ton jugement sur eux ? Car noùs sommes sans force devant cette grande multitude qui vient contre nous et, nous, nous ne savons que faire. Mais nos yeux regardent vers toi. » ¹³ Tout le peuple de Juda se tenait debout devant le SEIGNEUR ainsi que leurs familles, femmes et enfants.

Le Seigneur donne la victoire aux Judéens

¹⁴ Au milieu de l'assemblée, l'esprit du SEIGNEUR fut sur Yahaziël, fils de Zekaryahou, fils de Benaya, fils de Yéiël, fils de Mattanya, le *lévite, des fils d'Asaf. ¹⁵ Il dit : « Faites tous attention, peuple de Juda, habitants de Jérusalem et roi Josaphat ! Ainsi vous parle le SEIGNEUR : Ne craignez pas et ne vous effrayez pas devant cette multitude nombreuse, car cette guerre n'est pas la vôtre, mais celle de Dieu. ¹⁶ Demain, descendez contre eux. Les voici qui montent par la montée de la Fleur et vous les trouverez à l'extrémité du ravin en face du désert de Yerouel *u*. ¹⁷ Vous n'aurez pas à y combattre ; présentez-vous, arrêtez-vous et regardez la victoire du SEIGNEUR en votre faveur. Juda et Jérusalem, ne craignez pas et ne vous effrayez pas ! Demain, sortez au-devant d'eux et le SEIGNEUR sera avec vous. » ¹⁸ Josaphat se prosterna, le visage contre terre ; tout Juda et les habitants de Jérusalem tombèrent devant le SEIGNEUR pour l'adorer ; ¹⁹ les lévites, du groupe des fils de Qehatites et du groupe des fils des Coréites, se levèrent pour louer le SEIGNEUR, le Dieu d'Israël, d'une voix extrêmement forte. ²⁰ Le peuple se leva de bon matin et sortit pour le désert de Teqoa. A son passage, Josaphat se leva pour dire : « Ecoutez-moi, Juda et habitants de Jérusalem ! Ayez confiance dans le SEIGNEUR votre Dieu et vous serez invincibles ! Ayez confiance dans ses *prophètes et vous réussirez ! » ²¹ Il se concerta avec le peuple pour établir des gens qui précéderaient les hommes d'armes en célébrant le SEIGNEUR, en louant sa sainte majesté et en disant : « Célébrez le SEIGNEUR, car sa fidélité est pour toujours *v*. » ²² Au moment où ils commençaient leurs acclamations de louange, le SEIGNEUR mit des agents de discorde parmi les fils d'Ammon, de Moab et de la montagne de Séïr venus en Juda et ils se battirent entre eux. ²³ Les fils d'Ammon et de Moab

---

p Maonites : d'après l'ancienne version grecque ; hébreu : *Ammonites.* Les *Maonites* étaient un peuple installé probablement au sud d'Edom ● *q d'Edom :* d'après un manuscrit hébreu, une ancienne version latine, et les données géographiques du verset ; les autres manuscrits hébreux portent *d'Aram* ● *Ein-Guèdi :* la « source du Chevreau », située sur la rive ouest de la mer Morte ● *r la Maison* ou *le Temple* ● *s nos pères* ou *nos ancêtres* ● *t La montagne de Séïr* est un autre nom du *pays d'Edom* — *la permission d'entrer :* voir Nb 20.14-21 ; Dt 2.4-9 ● *u montée de la Fleur, désert de Yerouel :* endroits non identifiés, mais situés probablement dans la région de Teqoa (voir v. 20), à 25 km environ au sud de Jérusalem ● *v Célébrez... pour toujours :* voir Esd 3.11 et la note

20.7 Abraham, ami de Dieu Es 41.8 ; *Dn grec* 3.35 ; Jc 2.23.   **20.9** tu exauceras et sauveras 6.22-39. **20.15-17** Ne craignez pas, Dieu est avec nous Dt 20.1-4 ; Es 8.10.   **20.22** ils se battirent entre eux 2 R 3.23.

se levèrent contre les habitants de la montagne de Séïr pour les détruire et les exterminer. Quand ils eurent fini avec les habitants de Séïr, ils contribuèrent les uns les autres à s'anéantir. ²⁴ Quand Juda parvint au promontoire d'où l'on observe le désert, il se tourna vers la multitude : voilà que c'étaient des cadavres gisant à terre sans aucun rescapé. ²⁵ Josaphat et son peuple vinrent piller leurs dépouilles et ils trouvèrent du bétail en quantité, des richesses, des vêtements *w* et des objets précieux. Ils en prirent pour eux au point de ne pouvoir les porter et ils furent trois jours à piller le butin, car il était abondant. ²⁶ Au quatrième jour, ils se rassemblèrent à la vallée de Bénédiction *x*, car là ils bénirent le SEIGNEUR — aussi a-t-on donné à ce lieu le nom de « vallée de Bénédiction », jusqu'à ce jour. ²⁷ Tous les hommes de Juda et de Jérusalem, avec Josaphat à leur tête, s'en retournèrent à Jérusalem dans la joie, car le SEIGNEUR les avait réjouis aux dépens de leurs ennemis. ²⁸ Ils entrèrent à Jérusalem au son des harpes, des cithares *y* et des trompettes jusqu'à la Maison du SEIGNEUR. ²⁹ Et la crainte de Dieu fut sur tous les royaumes des pays, quand ils apprirent que le SEIGNEUR avait combattu contre les ennemis d'Israël. ³⁰ Le règne de Josaphat fut calme et son Dieu lui donna du repos de tous côtés.

Fin du règne de Josaphat
(1 R 22.41-51)

³¹ Josaphat, fils d'Asa, régna sur Juda ; il était âgé de trente-cinq ans lorsqu'il devint roi et il régna vingt-cinq ans à Jérusalem. Le nom de sa mère était Azouva, fille de Shilhi. ³² Il suivit le chemin de son père Asa et ne s'en écarta pas, faisant ce qui est droit aux yeux du SEIGNEUR. ³³ Cependant les *hauts lieux ne disparurent pas et le peuple n'avait pas encore attaché son *cœur au Dieu de ses pères *z*.

³⁴ Le reste des actes de Josaphat, des premiers aux derniers, les voilà écrits dans les Actes de Jéhu *a*, fils de Hanani, qui ont été insérés dans le livre des rois d'Israël.

³⁵ Après cela, le roi de Juda Josaphat s'associa au roi d'Israël Akhazias, dont la conduite était coupable. ³⁶ Il s'associa lui pour faire des navires allant vers Tarsis. Ils firent les navires à Eciôn-Guèvèr *b*. ³⁷ Eliézer, fils de Dodawahou, de Marésha, *prophétisa contre Josaphat en disant : « Puisque tu t'es associé à Akhazias, le SEIGNEUR a détruit tes œuvres. » Et les navires se brisèrent, sans pouvoir aller vers Tarsis.

21 ¹ Josaphat se coucha avec ses pères *c* et fut enseveli avec ses pères dans la *Cité de David. Son fils Yoram régna à sa place.

Règne de Yoram
(2 R 8.16-24)

² Il avait des frères, fils de Josaphat : Azarya, Yehiël, Zekaryahou, Azaryahou, Mikaël et Shefatyahou : tous ceux-ci étaient fils de Josaphat, roi d'Israël *d*. ³ Leur père leur avait donné de nombreux cadeaux en argent, en or et en objets précieux, ainsi que des villes fortifiées en Juda ; mais il avait donné la royauté à Yoram, parce qu'il était l'aîné. ⁴ Yoram s'établit sur le royaume de son père et s'y affermit ; puis il tua par l'épée tous ses frères et même certains chefs d'Israël.

⁵ Yoram avait trente-deux ans lorsqu'il devint roi et il régna huit ans à Jérusalem. ⁶ Il suivit le chemin des rois d'Israël comme l'avaient fait les gens de la maison d'Akhab, car il avait pour femme une fille d'Akhab, et il fit ce qui est mal aux yeux du SEIGNEUR. ⁷ Mais le SEIGNEUR ne voulut pas détruire la maison de David à cause de l'alliance qu'il avait conclue avec David et parce qu'il avait dit qu'il lui donnerait, ainsi qu'à ses fils, une lampe *e* pour toujours. ⁸ De son temps, Edom se révolta contre le pouvoir de Juda et se donna un roi. ⁹ Yoram partit avec ses officiers et tous ses chars. S'étant levé de nuit, il battit les Edomites, qui le cernaient, ainsi que les chefs des chars. ¹⁰ Pourtant Edom resta en révolte contre le pouvoir de Juda, jusqu'à ce jour. Alors, en ce temps-là, Livna se révolta aussi contre son pouvoir, parce

---

w du bétail: d'après l'ancienne version grecque; hébreu: *en eux — des vêtements:* d'après quelques manuscrits hébreux et l'ancienne version latine; autres manuscrits hébreux: *des cadavres* ● *x vallée de Bénédiction:* endroit situé à l'ouest de Teqoa ● *y harpes, cithares:* voir Ps 92.4 et la note ● *z ses pères* ou *ses ancêtres* ● *a Actes de Jéhu:* ouvrage perdu ● *b des navires allant vers Tarsis:* comparer 1 R 10.22 et la note ● *Eciôn-Guèvèr:* voir 1 R 9.26 et la note ● *c se coucha avec ses pères:* voir 1 R 1.21 et la note ● *d Israël:* voir 12.1 et la note ● *e la maison* ou *la famille* ou encore *la dynastie — une lampe:* voir 1 R 11.36 et la note

qu'il avait abandonné le SEIGNEUR, le Dieu de ses pères *f*. ¹¹ Lui-même, il fit des *hauts lieux sur les montagnes de Juda, il incita les habitants de Jérusalem à la prostitution *g* et Juda à la débauche. ¹² Un écrit lui parvint de la part du *prophète Elie disant : « Ainsi parle le SEIGNEUR, le Dieu de David ton père : Etant donné que tu n'as pas marché dans les voies de ton père Josaphat et dans les voies d'Asa, roi de Juda, ¹³ mais que tu as marché dans la voie des rois d'Israël, que tu as incité à la prostitution Juda et les habitants de Jérusalem, à l'exemple de la prostitution de la maison d'Akhab, et que tu as massacré même tes frères, la maison de ton père, qui valaient mieux que toi, ¹⁴ voici que le SEIGNEUR va frapper un grand coup sur ton peuple, sur tes fils, sur tes femmes et sur tous tes biens. ¹⁵ Et toi, tu vas être atteint par de graves maladies, par une maladie d'entrailles, au point que tes entrailles sortiront sous l'effet de ta maladie, qui empirera de jour en jour. » ¹⁶ Alors le SEIGNEUR excita contre Yoram l'hostilité des Philistins et des Arabes, qui sont dans les parages des Koushites *h*. ¹⁷ Ils montèrent contre Juda, y pénétrèrent et capturèrent tous les biens qui se trouvaient dans la maison du roi, même ses fils et ses femmes, et il ne lui resta plus de fils, sauf le plus jeune Yoakhaz. ¹⁸ Après tout cela, le SEIGNEUR le frappa aux entrailles, d'une maladie incurable. ¹⁹ Les jours passèrent et, vers l'époque où se terminait la deuxième année, ses entrailles sortirent sous l'effet de la maladie, en sorte qu'il mourut dans de terribles souffrances. Son peuple n'alluma pas de feu pour lui comme on en avait allumé pour ses pères. ²⁰ Il avait trente-deux ans lorsqu'il devint roi et il régna huit ans à Jérusalem. Il partit sans être regretté et on l'ensevelit dans la *Cité de David, mais pas dans les tombes royales.

Règne d'Akhazias

(*2 R 8.25-29; 9.27-29*)

22 ¹ Les habitants de Jérusalem firent régner à sa place son plus jeune fils, Akhazias *i*, puisque la horde venue avec les Arabes contre le camp avait massacré tous les aînés. Ainsi devint roi Akhazias, fils de Yoram, roi de Juda. ² Akhazias avait quarante-deux ans *j* lorsqu'il devint roi et il régna un an à Jérusalem. Athalie était le nom de sa mère, elle était fille d'Omri. ³ Lui aussi, il suivit les chemins de la maison *k* d'Akhab, car sa mère était sa conseillère en impiété. ⁴ Il fit ce qui est mal aux yeux du SEIGNEUR comme la maison d'Akhab, car ces gens-là furent ses conseillers, après la mort de son père, pour provoquer sa perte. ⁵ C'est même en suivant leur conseil qu'il partit avec le roi d'Israël Yoram, fils d'Akhab, pour se battre contre Hazaël, roi d'*Aram, à Ramoth-de-Galaad. Mais des gens d'Aram blessèrent Yoram, ⁶ et il revint se faire soigner à Izréel des blessures qu'on lui avait faites à Rama, tandis qu'il se battait contre Hazaël, roi d'Aram. Alors Akhazias *l*, fils de Yoram, roi de Juda, descendit à Izréel pour voir Yoram, fils d'Akhab, qui était blessé.

⁷ C'est de Dieu que vint la perte d'Akhazias par sa visite à Yoram. A son arrivée, il sortit avec Yoram au-devant de Jéhu, fils de Nimshi, à qui le SEIGNEUR avait donné l'*onction royale pour supprimer la maison d'Akhab. ⁸ Alors, en se faisant le justicier de la maison d'Akhab, Jéhu trouva les chefs de Juda et les fils des frères *m* d'Akhazias, qui étaient au service du roi, et il les massacra. ⁹ Il fit rechercher Akhazias : on le captura, alors qu'il se cachait à Samarie, on l'amena à Jéhu et on le mit à mort. On l'ensevelit, car on disait : « C'est le fils *n* de Josaphat qui a recherché le SEIGNEUR de tout son cœur. » Personne dans la maison d'Akhazias n'était en état de régner.

---

f ses pères ou *ses ancêtres* ● *g prostitution:* voir Os 2.4 et la note ● *h* L'appellation *Koushites* semble désigner des tribus de bédouins installées dans les parages de la Palestine ● *i Akhazias:* en 21.17, ce personnage est appelé *Yoakhaz;* en hébreu les deux noms ne se ressemblent et ont exactement la même signification ● *j quarante-deux ans:* certains manuscrits de l'ancienne version grecque et le texte parallèle de 2 R 8.26 parlent de *vingt-deux ans.* Ce chiffre correspond mieux à la situation, puisque le père d'Akhazias est mort à l'âge de quarante ans, d'après 21.20 ● *k la maison:* voir 21.7 et la note ● *l Rama:* autre nom de *Ramoth-de-Galaad* (v. 5) — *Akhazias:* d'après les anciennes versions (voir aussi v. 7); hébreu: *Azarias* (voir 2 R 15.1-7) ● *m* Le mot *frères* désigne ici, au sens large, les membres de la famille royale ● *n fils* ou *descendant*

21.15 maladie d'entrailles *2 M 9.5; Ac 1.18.*   **22.7** l'onction de Jéhu *2 R 9.1-10.*

Athalie s'empare du pouvoir
(2 R 11.1-3)

¹⁰ Lorsqu'Athalie, mère d'Akhazias, vit que son fils était mort, elle entreprit de faire périr ⁿ toute la descendance royale de la maison de Juda. ¹¹ Mais Yehoshavath, fille du roi, prit Joas, fils d'Akhazias, l'enleva du milieu des fils du roi qu'on allait mettre à mort et le plaça, lui et sa nourrice, dans la salle réservée aux lits ᵖ. Ainsi Yehoshavath, fille du roi Yoram et femme du prêtre Yehoyada, puisqu'elle était la sœur d'Akhazias, le fit disparaître aux regards d'Athalie, qui ne le mit pas à mort. ¹² Il demeura caché avec elles dans la Maison de Dieu pendant six années, tandis qu'Athalie régnait sur le pays.

Joas est consacré comme roi
(2 R 11.4-20)

23 ¹ La septième année, Yehoyada se résolut à prendre les chefs de centaines : Azaryahou fils de Yeroham, Yishmaël fils de Yehohanân, Azaryahou fils de Oved, Maaséyahou fils de Adayahou, Elishafath fils de Zikri, pour former alliance avec lui. ² Ils parcoururent Juda et rassemblèrent les *lévites de toutes les villes de Juda et les chefs des clans d'Israël, puis ils revinrent à Jérusalem. ³ Toute l'assemblée conclut une alliance avec le roi dans la Maison de Dieu. Et Yehoyada leur dit : « Voici le fils du roi. Il doit régner d'après ce que le SEIGNEUR a dit au sujet des fils de David. ⁴ Voici ce que vous allez faire : un tiers d'entre vous, les prêtres et les lévites qui entrez en service pour le *sabbat, vous serez portiers aux entrées, ⁵ un tiers sera à la maison du roi, et un tiers à la porte de la Fondation ; tout le peuple sera dans le *parvis de la Maison du SEIGNEUR. ⁶ Que personne n'entre dans la Maison du SEIGNEUR, sauf les prêtres et les lévites de service : eux, ils pourront entrer car ils sont consacrés. Et tout le peuple constituera la garde du SEIGNEUR. ⁷ Les lévites feront cercle autour du roi, chacun les armes à la main ; quiconque voudra pénétrer dans la Maison sera mis à mort ; soyez avec le roi où qu'il aille. » ⁸ Les lévites et tout Juda agirent selon tout ce

qu'avait ordonné le prêtre Yehoyada. Ils prirent chacun ses hommes, ceux qui entraient en service le sabbat et ceux qui en sortaient, car le prêtre Yehoyada n'avait pas licencié les classes en fonction. ⁹ Il donna aux chefs des centaines les lances et les différentes sortes de boucliers ᑫ du roi David qui étaient dans la Maison de Dieu. ¹⁰ Il plaça tout le peuple, chacun son javelot à la main, depuis le côté droit de la Maison jusqu'au côté gauche, près de l'*autel et de la Maison, pour entourer le roi. ¹¹ On fit sortir le fils du roi, on mit sur lui le diadème et les insignes de la royauté ʳ et on l'établit roi. Yehoyada et ses fils lui donnèrent l'*onction et crièrent : « Vive le roi ! »

¹² Athalie entendit le bruit du peuple qui accourait et qui acclamait le roi ; elle se dirigea vers le peuple, à la Maison du SEIGNEUR. ¹³ Elle regarda : voici que le roi se tenait debout sur son estrade ˢ à l'entrée ; les chefs et les joueurs de trompettes étaient près du roi ; toute la population était à la joie et l'on sonnait de la trompette ; les musiciens jouaient de leurs instruments et dirigeaient les acclamations. Athalie *déchira ses vêtements et s'écria : « Conspiration, conspiration ! » ¹⁴ Le prêtre Yehoyada fit sortir les chefs des centaines, chargés de l'armée, et leur dit : « Emmenez-la dehors, à l'extérieur de l'enceinte ! Quiconque la suivra mourra par l'épée ! » En effet, le prêtre avait dit : « Vous ne la mettrez pas à mort dans la Maison du SEIGNEUR. » ¹⁵ Ils s'emparèrent d'Athalie et, alors qu'elle arrivait à la maison du roi par l'entrée de la porte des Chevaux ᵗ, ils la mirent à mort à cet endroit. ¹⁶ Yehoyada conclut une alliance entre lui, tout le peuple et le roi, pour qu'ils soient un peuple pour le SEIGNEUR. ¹⁷ Tout le peuple se rendit à la Maison du *Baal ᵘ, la démolit, brisa ses autels et ses statues et, devant les autels, tua Mattân, le prêtre du Baal. ¹⁸ Yehoyada remit la surveillance de la Maison du SEIGNEUR aux mains des prêtres, des lévites. — David les avait répartis en classes sur la Maison du SEIGNEUR pour offrir, selon ce qui est écrit dans la Loi de Moïse, des holocaustes ᵛ au SEIGNEUR dans la joie et dans les chants, selon les directives de David ; ¹⁹ il avait établi les portiers aux

---

o faire périr: d'après les versions anciennes; hébreu: *parler* ● *p la salle réservée aux lits:* probablement dans les annexes du Temple (voir v. 12) ● *q lances, boucliers:* voir 2 R 11.10 et la note ● *r les insignes de la royauté:* voir 2 R 11.12 et la note ● *s estrade:* voir 2 R 11.14 et la note ● *t porte des Chevaux:* voir 2 R 11.16 et la note ● *u la Maison du Baal* ou *le Temple du Baal* ● *v holocaustes:* voir au glossaire SACRIFICES

portes de la Maison du SEIGNEUR pour que rien d'*impur ne puisse entrer sous aucun prétexte. — ²⁰ Yehoyada prit les chefs des centaines, les notables, ceux qui avaient autorité sur le peuple et toute la population ; il fit descendre le roi de la Maison du SEIGNEUR, ils entrèrent par la porte supérieure dans la maison du roi et ils installèrent le roi sur le trône royal. ²¹ Toute la population fut dans la joie et la ville resta dans le calme. Athalie, elle, on l'avait mise à mort par l'épée.

Joas fait réparer le Temple
(2 R 12.1-17)

24 ¹ Joas avait sept ans lorsqu'il devint roi et il régna quarante ans à Jérusalem. Le nom de sa mère était Civya, de Béer-Shéva. ² Joas fit ce qui est droit aux yeux du SEIGNEUR pendant toute la vie du prêtre Yehoyada.

³ Yehoyada prit deux femmes pour Joas, qui engendra des fils et des filles.

⁴ Après cela, Joas eut à cœur de restaurer la Maison ʷ du SEIGNEUR. ⁵ Il rassembla les prêtres et les *lévites et leur dit : « Partez pour les villes de Juda et recueillez de l'argent parmi tout Israël pour réparer, année par année, la Maison de votre Dieu. Et dépêchez-vous de le faire ! » Mais les lévites ne se dépêchèrent point. ⁶ Aussi le roi convoqua le chef Yehoyada et lui dit : « Pourquoi n'as-tu pas insisté auprès des lévites pour qu'ils apportent de Juda et de Jérusalem l'impôt que Moïse ˣ, le serviteur de Dieu, et l'assemblée d'Israël ont établi pour la *tente de la charte ? ⁷ Car la perverse Athalie et ses fils ont laissé détériorer la Maison de Dieu, et même ils ont employé pour les *Baals tous les objets sacrés de la Maison du SEIGNEUR. » ⁸ Le roi ordonna de faire un tronc, de le placer à l'extérieur, à la porte de la Maison du SEIGNEUR ⁹ et de publier dans Juda et dans Jérusalem qu'on devait apporter au SEIGNEUR l'impôt établi sur Israël dans le désert par Moïse, le serviteur de Dieu. ¹⁰ Tous les chefs et tout le peuple se réjouirent, ils apportèrent de l'argent et le versèrent dans le tronc jus-

qu'à le remplir. ¹¹ Quand arriva le moment de présenter le tronc à l'inspection du roi par les soins des lévites, et qu'ils virent qu'il y avait beaucoup d'argent, le secrétaire du roi et l'intendant du grand prêtre vinrent, vidèrent le tronc et le rapportèrent pour le remettre à sa place. Ils firent ainsi chaque jour et ils ramassèrent de l'argent en quantité. ¹² Le roi et Yehoyada le remirent à l'entrepreneur des travaux pour le service de la Maison du SEIGNEUR et ils payèrent des tailleurs de pierre et des ouvriers pour restaurer la Maison du SEIGNEUR, et aussi des ouvriers travaillant le fer et le bronze pour réparer la Maison du SEIGNEUR. ¹³ Ceux qui faisaient les travaux se mirent à l'ouvrage et le travail progressa entre leurs mains. Ils remirent en état la Maison de Dieu et ils la consolidèrent. ¹⁴ Quand ils eurent fini, ils apportèrent devant le roi et devant Yehoyada le reste de l'argent et ils en firent des objets pour la Maison du SEIGNEUR : objets pour le service et les holocaustes ʸ, vases et objets d'or et d'argent. On offrit des holocaustes dans la Maison du SEIGNEUR continuellement, pendant toute la vie de Yehoyada.

Joas devient infidèle à Dieu

¹⁵ Yehoyada vieillit et fut rassasié de jours, puis il mourut ; il était âgé de cent trente ans lors de sa mort. ¹⁶ On l'ensevelit dans la *Cité de David, avec les rois, car il avait fait du bien en Israël et envers Dieu et sa Maison.

¹⁷ Après la mort de Yehoyada, les chefs de Juda vinrent se prosterner devant le roi, qui alors les écouta. ¹⁸ Ils abandonnèrent la Maison du SEIGNEUR, le Dieu de leurs pères, et ils rendirent un culte aux poteaux sacrés ᶻ et aux idoles. Aussi le courroux de Dieu frappa Juda et Jérusalem à cause d'une telle faute. ¹⁹ Il envoya des *prophètes parmi eux pour les ramener au SEIGNEUR par leurs exhortations, mais ils n'y prêtèrent pas l'oreille. ²⁰ Alors l'esprit de Dieu s'empara du prêtre Zekarya, fils de Yehoyada, qui se dressa contre le peuple et lui dit : « Ainsi parle Dieu : Pourquoi, vous, transgressez-vous les préceptes du SEIGNEUR ? Vous

---

wˡ la Maison ou le Temple ● x l'impôt établi par Moïse: voir Ex 30.12-16 ● y holocaustes: voir au glossaire SACRIFICES ● z leurs pères ou leurs ancêtres — poteaux sacrés: voir 1 R 14.15 et la note

24.3 deux femmes Dt 17.17. 24.6 l'impôt de Moïse Ex 30.11-16; Ne 10.33-34; Mt 17.24. 24.20 abandon réciproque 12.5+.

ne prospérerez pas. Puisque vous avez abandonné le SEIGNEUR, il vous a abandonnés. » ²¹ Ils conspirèrent contre lui et le lapidèrent, sur l'ordre du roi, dans le *parvis de la Maison du SEIGNEUR. ²² Le roi Joas ne se souvint pas de la bienveillance que son père Yehoyada lui avait témoignée, et il tua son fils. Au moment de mourir, celui-ci dit : « Que le SEIGNEUR voie et qu'il exige des comptes ! »

Fin du règne de Joas
(2 R 12.18-22)

²³ Au tournant de l'année *ᵃ*, l'armée d'*Aram monta contre Joas, elle vint vers Juda et Jérusalem, fit disparaître du peuple tous ses chefs et envoya tout le butin au roi de Damas. ²⁴ Pourtant c'est avec peu d'hommes qu'était venue l'armée d'Aram, mais le SEIGNEUR livra entre ses mains une armée très nombreuse, car ils avaient abandonné le SEIGNEUR, le Dieu de leurs pères *ᵇ*. Quant à Joas, l'armée d'Aram lui infligea un châtiment ²⁵ et, à son départ, elle le laissa gravement malade. Ses serviteurs conspirèrent contre lui, à cause du sang des fils du prêtre Yehoyada *ᶜ*, et ils le tuèrent sur son lit. Après sa mort on l'ensevelit dans la *Cité de David, mais non dans les tombes royales. ²⁶ Voici ceux qui conspirèrent contre lui : Zavad, fils de Shiméath, l'Ammonite, et Yehozavad, fils de Shimrith, la Moabite. ²⁷ Ses fils, l'importance de ses charges, la restauration de la Maison de Dieu, cela n'est-il pas écrit dans le commentaire du livre des Rois *ᵈ* ?

Son fils Amasias régna à sa place.

Règne d'Amasias
(2 R 14.1-7)

25 ¹ Amasias devint roi alors qu'il avait vingt ans et il régna vingt-neuf ans à Jérusalem. Le nom de sa mère était Yehoaddân, de Jérusalem. ² Il

fit ce qui est droit aux yeux du SEIGNEUR, non pas toutefois d'un cœur intègre. ³ Après que la royauté fut affermie en son pouvoir, il fit périr ses serviteurs qui avaient tué le roi son père. ⁴ Mais il ne mit pas à mort leurs fils, selon ce qui est écrit dans la Loi, au livre de Moïse, où le SEIGNEUR a donné cet ordre : « Les pères ne mourront pas pour leurs fils, ni les fils ne mourront pour leurs pères, mais c'est pour son propre péché que chacun mourra *ᵉ*. »

⁵ Amasias rassembla Juda et institua, selon les clans familiaux, des chefs de milliers et des chefs de centaines pour tout Juda et Benjamin. Il recensa ceux qui avaient vingt ans et plus, et il trouva trois cent mille hommes d'élite capables de partir en campagne *ᶠ*, maniant la pique et le bouclier. ⁶ Puis il recruta en Israël cent mille vaillants guerriers, pour cent talents *ᵍ* d'argent. ⁷ Mais un homme de Dieu *ʰ* vint lui dire : « O roi ! qu'une armée d'Israël ne vienne pas avec toi, car le SEIGNEUR n'est pas avec Israël, tous ces fils d'Ephraïm ! ⁸ En effet, si elle vient, tu auras beau, toi, être fort dans le combat, Dieu te fera trébucher devant tes ennemis, car c'est Dieu qui a la force de secourir ou de faire trébucher. » ⁹ Amasias dit à l'homme de Dieu : « Et que faire des cents talents que j'ai donnés aux troupes d'Israël ? » L'homme de Dieu répondit : « Le SEIGNEUR a de quoi te donner bien plus que cela. » ¹⁰ Amasias renvoya les troupes qui étaient venues d'Ephraïm, pour qu'elles s'en aillent chez elles. Mais la colère de ces gens s'enflamma très fort contre Juda et ils retournèrent chez eux enflammés de colère.

¹¹ Quand Amasias fut assez puissant, il emmena son peuple dans la vallée du Sel et il frappa dix mille hommes des fils de Séïr *ⁱ*. ¹² Les fils de Juda capturèrent dix mille hommes *vivants, ils les menèrent au sommet d'un rocher et les précipitèrent depuis le sommet du rocher : ils furent tous fracassés.

---

a Le tournant de l'année désigne la période de mars-avril, début de la saison sèche au Proche-Orient, favorable aux expéditions militaires ● *b leurs pères* ou *leurs ancêtres* ● *c* On ignore en quelles circonstances Joas a fait mourir, outre Zekarya (voir v. 22), d'autres *fils de Yehoyada* ● *d l'importance de ses charges :* traduction incertaine d'un texte peu clair — *commentaire du livre des Rois :* ouvrage perdu ● *e* Citation de Dt 24.16 ● *f milliers :* voir Nb 1.16 et la note — *partir en campagne* ou *servir dans l'armée* ● *g talents :* voir au glossaire POIDS ET MESURES ● *h un homme de Dieu,* c'est-à-dire un *prophète* ● *i vallée du Sel :* voir 2 R 14.7 et la note — Les *fils de Séïr* sont les Edomites; comparer 20.10 et la note

24.21 meurtre de Zekarya Mt 23.35; Lc 11.51.   **24.24** abandon réciproque 12.5+.   **25.12** du sommet du rocher Lc 4.29.

13 Les hommes de troupe qu'Amasias avait empêchés de venir avec lui pour faire la guerre se jetèrent sur les villes de Juda, depuis Samarie jusqu'à Beth-Horôn, y frappèrent trois mille hommes et emportèrent un butin considérable *j*.

Amasias battu par Joas, roi d'Israël
(2 R 14.8-14)

14 A son retour, après sa victoire sur les Edomites, Amasias ramena les dieux des fils de Séïr *k*, il les prit pour ses dieux, se prosterna devant eux et leur offrit de l'*encens. 15 Aussi la colère du Seigneur s'enflamma contre Amasias et il lui envoya un *prophète pour lui dire : « Pourquoi as-tu honoré les dieux de ce peuple qui n'ont pas pu délivrer leur peuple de ta main ? » 16 Comme il lui disait cela, Amasias lui répondit : « Est-ce qu'on t'a institué *l* donneur d'avis pour le roi ? N'insiste pas ! Faudrait-il qu'on te frappe ? » Le prophète n'insista pas, mais il dit : « Je sais que Dieu est d'avis de te supprimer, puisque tu as fait cela et que tu n'as pas écouté mon avis. » 17 Le roi de Juda Amasias prit avis et il envoya dire au roi d'Israël Joas, fils de Yoakhaz, fils de Jéhu : « Viens t'affronter avec moi ! » 18 Joas, roi d'Israël, envoya dire à Amasias, roi de Juda : « Le chardon du Liban a envoyé dire au cèdre du Liban : "Donne ta fille en mariage à mon fils", mais la bête sauvage du Liban est passée et a piétiné le chardon *m*. 19 Certes, dis-tu, tu as vaincu Edom. Ton cœur en est fier et s'en glorifie. Mais reste chez toi ! Pourquoi t'engager dans une guerre malheureuse et succomber, toi et Juda avec toi ? » 20 Mais Amasias ne l'écouta pas — car cela venait de Dieu qui voulait les livrer entre leurs mains, parce qu'ils avaient vénéré les dieux d'Edom —. 21 Joas, roi d'Israël, monta et ils s'affrontèrent, lui et Amasias, roi de Juda, à Beth-Shèmesh *n* de Juda. 22 Juda fut battu devant Israël et chacun s'enfuit à sa

tente *o*. 23 A Beth-Shèmesh, Joas, roi d'Israël, fit prisonnier Amasias, roi de Juda, fils de Joas, fils de Yoakhaz, et le ramena à Jérusalem. Il démantela la muraille de Jérusalem sur quatre cents coudées *p*, depuis la porte d'Ephraïm jusqu'à la porte de l'Angle. 24 Il prit *q* tout l'or et l'argent, tous les objets qui se trouvaient dans la Maison de Dieu sous la garde de Oved-Edom, les trésors de la maison du roi, ainsi que des otages, puis il retourna à Samarie.

Fin du règne d'Amasias
(2 R 14.15-20)

25 Amasias, fils de Joas, roi de Juda, vécut quinze ans après la mort de Joas, fils de Yoakhaz, roi d'Israël. 26 Le reste des actes d'Amasias, des premiers aux derniers, n'est-il pas écrit dans le livre des rois de Juda et d'Israël, 27 depuis le temps où Amasias cessa de suivre le Seigneur ?

On fit une conspiration contre lui à Jérusalem, et il s'enfuit à Lakish *r*. On envoya des gens qui le poursuivirent à Lakish, où il fut mis à mort. 28 On le transporta sur des chevaux et on l'ensevelit avec ses pères dans une ville de Juda *s*.

Règne de Ozias
(2 R 14.21-22 ; 15.1-3)

26 1 Tout le peuple de Juda prit Ozias *t*, qui avait seize ans, et le fit roi à la place de son père Amasias. 2 C'est lui qui bâtit Eilath et la rendit à Juda, après que le roi se fut couché avec ses pères *u*. 3 Ozias avait seize ans lorsqu'il devint roi et il régna cinquante-deux ans à Jérusalem. Le nom de sa mère était Yekolya, de Jérusalem. 4 Il fit ce qui est droit aux yeux du Seigneur, exactement comme avait fait Amasias son père.

---

j Samarie, capitale du royaume du Nord, est citée ici comme point de départ des incursions contre *les villes de Juda — y frappèrent... considérable :* autre traduction *mais on frappa trois mille hommes d'entre eux et on emporta un butin considérable ● k fils de Séïr :* voir v. 11 et la note ● *l qu'on t'a institué* ou *que nous t'avons institué ● m* Sur cette fable, voir 2 R 14.9 et la note ● *n Beth-Shèmesh :* voir 2 R 14.11 et la note ● *o à sa tente :* voir Jos 22.4 et la note ● *p coudées :* voir au glossaire POIDS ET MESURES — Sur le démantèlement de la *muraille*, voir 2 R 14.13 et la note ● *q Il prit :* d'après l'ancienne version syriaque ; dans le texte hébreu, la phrase n'a ni sujet ni verbe ● *r Lakish :* voir 2 R 14.19 et la note ● *s ses pères* ou *ses ancêtres — dans une ville de Juda :* les versions anciennes et le texte parallèle de 2 R 14.20 précisent qu'il s'agit de la *Cité de David ● t Ozias :* voir 2 R 15.13 et la note ● *u Eilath :* voir 1 R 9.26 et la note — *couché avec ses pères :* voir 1 R 21.21 et la note

25.24 Oved-Edom 2 S 6.10-11 ; 1 Ch 26.4-15.

Ozias fidèle, puis infidèle à Dieu

5 Il rechercha Dieu pendant la vie de Zekaryahou, qui l'instruisait dans la crainte de Dieu, et pendant qu'il resta fidèle au SEIGNEUR, Dieu le fit prospérer. 6 Il partit en guerre contre les Philistins et il démantela les remparts de Gath, de Yavné et d'Ashdod *v*, puis il bâtit des villes dans la région d'Ashdod et chez les Philistins. 7 Dieu lui vint en aide contre les Philistins, contre les Arabes habitant à Gour-Baal et les Méounites *w*. 8 Les Méounites *x* versèrent un tribut à Ozias, dont la renommée parvint jusqu'à l'entrée de l'Egypte, car il était devenu extrêmement puissant. 9 Ozias bâtit des tours à Jérusalem sur la porte de l'Angle, sur la porte de la Vallée et sur le Redan *y*, et il les fortifia. 10 Puis il bâtit des tours dans le désert et il creusa de nombreuses citernes, car il avait beaucoup de troupeaux ; il avait aussi des cultivateurs dans le *Bas-Pays et dans la plaine, des vignerons dans les montagnes et dans le Carmel *z*. En effet, il aimait la terre. 11 Ozias avait une armée capable de faire la guerre et de partir en campagne, répartie par troupes selon le nombre des enrôlements effectués par le secrétaire Yéiël et le fonctionnaire Maaséyahou ; elle était sous l'autorité de Hananyahou, l'un des chefs du roi. 12 Le nombre total des chefs de clans pour ces vaillants guerriers était de deux mille six cents. 13 Sous leur autorité, une force armée de trois cent sept mille cinq cents hommes capables de faire la guerre avec force et courage était destinée à défendre le roi contre l'ennemi. 14 Ozias leur préparait pour chaque campagne des boucliers, des piques, des casques, des cuirasses, des arcs et des pierres de fronde. 15 Il fit à Jérusalem des machines spécialement inventées pour être placées sur les tours et les angles et pour lancer des flèches et des grosses pierres. Sa renommée se répandit au loin, car il fut merveilleusement aidé, jusqu'à devenir puissant. 16 En raison de sa puissance, son cœur s'enorgueillit jusqu'à sa perte et il fut infidèle envers le SEIGNEUR son Dieu : il entra dans le Temple du SEIGNEUR pour offrir de l'*encens sur l'*autel des parfums. 17 Le prêtre Azaryahou entra derrière lui, accompagné par quatre-vingts courageux prêtres du SEIGNEUR. 18 Ils se dressèrent contre le roi Ozias et lui dirent : « Ce n'est pas à toi, Ozias, d'offrir l'encens au SEIGNEUR, mais aux prêtres, fils d'Aaron, consacrés pour cette offrande ! Sors du *sanctuaire, car tu as été infidèle ! Par l'action du SEIGNEUR Dieu, ce ne sera pas pour toi un titre de gloire ! » 19 Ozias se mit en colère, alors qu'il avait en mains l'encensoir. Pendant sa colère contre les prêtres, la *lèpre apparut sur son front, devant les prêtres, dans la Maison du SEIGNEUR, près de l'autel des parfums. 20 Le grand prêtre Azaryahou et tous les prêtres regardèrent vers lui, et voilà qu'il était lépreux sur le front ! Vite ils l'expulsèrent de là et lui-même se dépêcha de sortir, car le SEIGNEUR l'avait frappé.

Fin du règne de Ozias
(2 R 15.5-7)

21 Le roi Ozias resta *lépreux jusqu'au jour de sa mort. Comme lépreux, il dut résider à part dans une maison, car il était tenu à l'écart de la Maison du SEIGNEUR. Yotam, son fils, chef de la maison du roi, gouvernait le pays.

22 Le reste des actes d'Ozias, des premiers aux derniers, a été écrit par le *prophète Esaïe *a*, fils d'Amoç.

23 Ozias se coucha avec ses pères *b* et on l'ensevelit avec ses pères dans le terrain de la sépulture des rois, car on disait : « C'est un lépreux ! » Son fils Yotam régna à sa place.

Règne de Yotam
(2 R 15.32-38)

27 1 Yotam avait vingt-cinq ans lorsqu'il devint roi et il régna seize ans à Jérusalem. Le nom de sa mère était Yerousha, fille de Sadoq.

---

v Gath, Yavné, Ashdod: trois villes situées dans la région côtière de la Méditerranée, à l'ouest de Jérusalem ● *w Gour-Baal:* localité non identifiée — *Méounites:* tribus nomades, vivant dans une région située au sud-est de la mer Morte ● *x Les Méounites:* d'après l'ancienne version grecque; hébreu: *Les Ammonites* ● *y* Sur la *porte de l'Angle,* voir 25.23; 2 R 14.13 et la note — Sur la *porte de la Vallée,* voir Ne 2.13 et la note — Sur le *Redan* (ou l'*encoignure*), voir Ne 3.19, 24 ● *z* Il s'agit ici du *Carmel* de Juda, qui désignait la région d'Hébron; on pourrait aussi traduire comme un nom commun *dans les vergers* ou *dans les vignobles* ● *a* Cet écrit d'*Esaïe* n'a pas été conservé ● *b se coucha avec ses pères:* voir 1 R 1.21 et la note

26.18 pas à toi d'offrir l'encens Nb 3.10.

² Il fit ce qui est droit aux yeux du SEIGNEUR, exactement comme avait fait Ozias son père, sans toutefois entrer dans le Temple du SEIGNEUR. Mais le peuple restait corrompu. ³ C'est lui qui bâtit la porte supérieure de la Maison du SEIGNEUR. Il fit beaucoup de constructions dans le rempart de l'Ofel *c*. ⁴ Il bâtit des villes dans la montagne de Juda, ainsi que des fortins et des tours dans les régions boisées. ⁵ C'est lui qui fit la guerre au roi des fils d'Ammon, dont il triompha ; ils lui donnèrent cette année-là cent talents d'argent, dix mille kors *d* de blé et dix mille d'orge ; voilà ce que les fils d'Ammon lui fournirent, et de même la deuxième et la troisième année. ⁶ Yotam acquit cette puissance, parce qu'il avait affermi ses voies devant le SEIGNEUR, son Dieu.

⁷ Le reste des actes de Yotam, toutes ses guerres et ses agissements sont écrits dans le livre des rois d'Israël et de Juda. ⁸ Il était âgé de vingt-cinq ans lorsqu'il devint roi et il régna seize ans à Jérusalem.

⁹ Yotam se coucha avec ses pères *e* et on l'ensevelit dans la *Cité de David. Son fils Akhaz régna à sa place.

Début du règne d'Akhaz
(2 R 16.1-6)

28 ¹ Akhaz avait vingt ans lorsqu'il devint roi, et il régna seize ans à Jérusalem. Il ne fit pas, comme son père *f* David, ce qui est droit aux yeux du SEIGNEUR. ² Mais il suivit les chemins des rois d'Israël et il fit même des idoles pour les *Baals. ³ Lui-même il offrit de l'*encens dans la vallée de Ben-Hinnôm et il brûla ses fils par le feu, suivant les abominations des nations que le SEIGNEUR avait dépossédées devant les fils d'Israël *g*. ⁴ Il offrit des sacrifices et brûla de l'encens sur les *hauts lieux, sur les collines et sous tout arbre verdoyant.

⁵ Le SEIGNEUR son Dieu le livra aux mains du roi d'*Aram, qui le battit, lui captura un grand nombre de prisonniers et les emmena à Damas. Il fut aussi livré aux mains du roi d'Israël, qui lui infligea une grande défaite. ⁶ Péqah *h*, fils de Remalyahou, tua en un seul jour cent vingt mille hommes de Juda, tous vaillants guerriers, parce qu'ils avaient abandonné le SEIGNEUR, Dieu de leurs pères. ⁷ Zikri, le champion d'Ephraïm, tua Maaséyahou, le fils du roi, Azriqâm, le majordome du palais, et Elqana, le second du roi. ⁸ Les fils d'Israël capturèrent chez leurs frères deux cent mille personnes, femmes, garçons et filles, ils leur prirent aussi un butin abondant et l'amenèrent à Samarie.

⁹ Là, il y avait un *prophète du SEIGNEUR nommé Oded, qui sortit au-devant de l'armée arrivant à Samarie et qui leur dit : « Voici que, par suite de sa fureur contre Juda, le SEIGNEUR, le Dieu de vos pères, les a livrés entre vos mains et vous en avez tué avec une rage qui a atteint jusqu'au ciel. ¹⁰ Et maintenant, ces fils de Juda et de Jérusalem, vous parlez de vous les assujettir comme esclaves et comme servantes ! N'êtes-vous pas, vous surtout, responsables de fautes envers le SEIGNEUR votre Dieu ? ¹¹ Maintenant, écoutez-moi et renvoyez les prisonniers que vous avez capturés chez vos frères, car l'ardeur de la colère du SEIGNEUR serait sur vous ». ¹² Parmi les chefs des fils d'Ephraïm, des hommes se levèrent, Azaryahou fils de Yehohanân, Bèrèkyahou fils de Meshillémoth, Yehizqiyahou, fils de Shalloum et Amasa fils de Hadlaï, contre ceux qui arrivaient de l'expédition ¹³ et ils leur dirent : « N'amenez pas ici les prisonniers, car nous serions coupables d'une faute envers le SEIGNEUR. Vous parlez d'ajouter à nos péchés et à nos fautes, alors que lourde est notre faute et que l'ardeur de sa colère est sur Israël ! » ¹⁴ Les combattants renoncèrent aux prisonniers et au butin, en présence des chefs et de toute l'assemblée. ¹⁵ Puis des hommes désignés nominalement se levèrent et réconfortèrent les prisonniers : avec le butin ils habillèrent tous ceux qui étaient nus et leur donnèrent des habits, des chaussures, de la nourriture, de la boisson et des onguents, puis ils conduisirent sur des ânes tous les éclopés et les menèrent jusqu'à Jéricho, la ville des palmiers, auprès de leurs frères. Ensuite ils revinrent à Samarie.

---

c porte supérieure: voir 2 R 15.35 et la note — Ofel: voir Es 32.14 et la note ● d talents, kors: voir au glossaire POIDS ET MESURES ● e se coucha avec ses pères: voir 1 R 1.21 et la note ● f son père ou son ancêtre ● g vallée de Ben-Hinnôm: voir Jos 15.8; Jr 2.23 et les notes — ses fils: comparer 2 R 16.3 et la note ● fils d'Israël ou Israélites ● h Sur Péqah, roi d'Israël, voir 2 R 15.27-31

Akhaz demande l'aide de l'Assyrie
(2 R 16.7-20)

16 En ce temps-là, le roi Akhaz envoya demander une aide aux rois [i] d'Assyrie. 17 A nouveau les Edomites étaient venus battre Juda et capturer des prisonniers. 18 Les Philistins avaient fait des incursions contre les villes du *Bas-Pays et du Néguev qui appartenaient à Juda : ils avaient pris Beth-Shèmesh, Ayyalôn, Guedéroth, Soko et ses filiales [j], Timna et ses filiales, Guimzo et ses filiales et ils les avaient occupées. 19 En effet le Seigneur humiliait Juda à cause du roi d'Israël [k] Akhaz, qui incitait Juda au relâchement et qui propageait l'impiété contre le Seigneur. 20 Le roi d'Assyrie Tilgath-Pilnéser [l] vint contre lui et l'assiégea, au lieu d'être pour lui un renfort. 21 En effet Akhaz avait pris une partie des biens de la Maison du Seigneur et de celles du roi et des dignitaires, et il l'avait donnée au roi d'Assyrie, mais ce ne lui fut d'aucun secours. 22 Pendant qu'il était assiégé, lui, le roi Akhaz, il augmenta encore son impiété envers le Seigneur : 23 il offrit des sacrifices aux dieux de Damas qui l'avaient vaincu et il dit : « Puisque les dieux des rois d'*Aram leur viennent en aide, c'est à eux que j'offre des sacrifices, pour qu'ils me viennent en aide.» 24 Akhaz rassembla et brisa les objets de la Maison de Dieu, il ferma les portes de la Maison du Seigneur et il se fit des *autels dans tous les carrefours de Jérusalem. 25 Dans chaque ville de Juda il fit des *hauts lieux pour offrir de l'*encens à des dieux étrangers ; ainsi il offensa le Seigneur, le Dieu de ses pères [m].

26 Le reste de ses actes et de tous ses agissements, des premiers aux derniers, sont écrits dans le livre des rois de Juda et d'Israël.

27 Akhaz se coucha avec ses pères et on l'ensevelit dans la Cité de Jérusalem, mais on ne l'introduisit pas dans les tombes des rois d'Israël [n]. Son fils, Ezékias, régna à sa place.

Règne d'Ezékias. Purification du Temple
(2 R 18.1-4)

29 1 Quand Ezékias devint roi, il avait vingt-cinq ans et il régna vingt-neuf ans à Jérusalem. Le nom de sa mère était Aviya, fille de Zekaryahou. 2 Il fit ce qui est droit aux yeux du Seigneur exactement comme David son père [o].

3 Lui, dès la première année de son règne, au premier mois, il ouvrit et répara les portes de la Maison du Seigneur. 4 Il fit venir les prêtres et les *lévites et les réunit sur la place de l'Orient [p], 5 pour leur dire : « Ecoutez-moi, lévites ! Maintenant, *sanctifiez-vous et sanctifiez la Maison du Seigneur, le Dieu de vos pères [q]. Otez du *sanctuaire toute souillure. 6 Car nos pères ont été infidèles et ont fait le mal aux yeux du Seigneur notre Dieu : ils l'ont abandonné, ils ont détourné leur face de la demeure du Seigneur et ils lui ont tourné le dos ; 7 même, ils ont fermé les portes du Vestibule, ils ont éteint les lampes, ils ont cessé d'offrir l'*encens et l'holocauste [r] dans le sanctuaire pour le Dieu d'Israël. 8 Cela a provoqué le courroux du Seigneur contre Juda et Jérusalem et il en a fait un exemple terrifiant, une étendue désolée et un sujet de moquerie, comme vous le constatez de vos yeux. 9 Voilà que nos pères sont tombés par l'épée et que nos fils, nos filles et nos femmes sont en captivité à cause de cela. 10 Maintenant, j'ai l'intention de conclure une alliance avec le Seigneur, le Dieu d'Israël, pour que l'ardeur de sa colère se détourne de nous. 11 Mes fils, maintenant, ne vous récusez pas, car c'est vous qu'a choisi le Seigneur pour se tenir devant lui, pour le servir, pour être ses

---

i *aux rois:* on ignore pourquoi l'auteur du récit met ce mot au pluriel. La suite du récit (v. 20-21) ne parle que d'un seul *roi d'Assyrie* ● j *Néguev:* voir Gn 12.9 et la note — *ses filiales:* voir 13.19 et la note ● k *Israël:* voir 12.1 et la note ● l *Tilgath-Pilnéser:* voir 1 Ch 5.6 et la note ● m *ses pères* ou *ses ancêtres* ● n *se coucha avec ses pères:* voir 1 R 1.21 et la note — *Cité de Jérusalem* ou (selon l'ancienne version grecque) *Cité de David* — *Israël:* voir 12.1 et la note ● o *son père* ou *son ancêtre* ● p *place de l'Orient:* soit la place située devant l'entrée principale du Temple (comparer Esd 10.9), soit plutôt une place de la ville, en dehors de l'enceinte sacrée du Temple (comparer Ne 8.1, 3, 16) ● q *vos pères* ou *vos ancêtres* ● r *holocauste:* voir au glossaire SACRIFICES

28.23 sacrifices aux dieux étrangers Es 10.20.   **28.24** des autels à tous les carrefours Ac 17.23. **29.3** il ouvrit les portes 28.24.   **29.8** un sujet de moquerie 1 R 9.7+.   **29.11** pour lui offrir l'encens Nb 3.10.

ministres et pour lui offrir l'encens. » ¹² Se présentèrent comme lévites : parmi les fils de Qehath : Mahath fils de Amasaï, Yoël fils de Azaryahou ; parmi les fils de Merari : Qish fils de Avdi, Azaryahou fils de Yehallélel ; parmi les Guershonites : Yoah fils de Zimma, Eden fils de Yoah ; ¹³ parmi les fils d'Eliçafân : Shimri et Yéiël ; parmi les fils d'Asaf : Zekaryahou et Mattanyahou ; ¹⁴ parmi les fils de Hémân : Yehiël et Shiméï ; parmi les fils de Yedoutoun : Shemaya et Ouzziël. ¹⁵ Ils réunirent leurs frères, se sanctifièrent et vinrent, selon l'ordre du roi et selon les paroles du SEIGNEUR, *purifier la Maison du SEIGNEUR. ¹⁶ Les prêtres pénétrèrent à l'intérieur de la Maison du SEIGNEUR pour la purifier et ils firent sortir dans les *parvis de la Maison du SEIGNEUR tous les objets impurs qu'ils trouvèrent dans le Temple du SEIGNEUR, puis les lévites les ramassèrent et les firent sortir dehors, dans le ravin du Cédron. ¹⁷ Ils commencèrent cette sanctification au premier du premier mois ; au huitième du mois, ils arrivèrent au Vestibule du SEIGNEUR ; ils sanctifièrent la Maison du SEIGNEUR pendant huit jours ; ils terminèrent ainsi au seizième jour du premier mois.

¹⁸ Ils se rendirent alors chez le roi Ezékias pour dire : « Nous avons purifié toute la Maison du SEIGNEUR, l'*autel des holocaustes et tous ses accessoires, la table d'exposition ˢ et tous ses accessoires, ¹⁹ ainsi que tous les objets mis au rebut par le roi Akhaz pendant les prévarications de son règne. Nous les avons replacés et sanctifiés. Les voilà devant l'autel du SEIGNEUR. »

Ezékias rétablit le culte et les sacrifices

²⁰ Le lendemain matin le roi Ezékias réunit les chefs de la ville et il monta à la Maison du SEIGNEUR. ²¹ On amena sept taureaux, sept béliers, sept agneaux et sept boucs pour un *sacrifice pour le péché à l'intention de la maison royale, du *sanctuaire et de Juda, puis il dit aux prêtres, fils d'Aaron, de les offrir sur l'*autel du SEIGNEUR. ²² On immola les

bœufs ; les prêtres en recueillirent le sang et le versèrent sur l'autel ; ils immolèrent les béliers et en versèrent le sang sur l'autel ; ils immolèrent aussi les agneaux et en versèrent le sang sur l'autel. ²³ Puis on amena les boucs pour le sacrifice pour le péché en face du roi et de l'assemblée, qui étendirent les mains sur eux ᵗ. ²⁴ Les prêtres les immolèrent et offrirent en expiation leur sang sur l'autel, pour intercéder sur tout Israël, car c'est pour tout Israël que le roi avait ordonné l'holocauste ᵘ et le sacrifice pour le péché.

²⁵ Il plaça les *lévites dans la Maison du SEIGNEUR, avec des cymbales, des harpes et des cithares, selon l'ordre de David, de Gad, le voyant ᵛ du roi, et de Natan, le *prophète, car cet ordre venait du SEIGNEUR par l'intermédiaire de ses prophètes. ²⁶ Quand les lévites eurent pris place avec les instruments faits par David, puis les prêtres avec les trompettes, ²⁷ Ezékias ordonna d'offrir l'holocauste sur l'autel et, au moment où commençait l'holocauste, commencèrent aussi le chant pour le SEIGNEUR et le jeu des trompettes, avec l'accompagnement des instruments de David, le roi d'Israël. ²⁸ Toute l'assemblée resta prosternée, le chant se prolongea et les trompettes jouèrent, tout cela jusqu'à la fin de l'holocauste. ²⁹ Comme on finissait de l'offrir, le roi et tous les assistants avec lui s'inclinèrent et se prosternèrent. ³⁰ Ensuite le roi Ezékias et les chefs dirent aux lévites de louer le Seigneur avec les paroles de David et d'Asaf, le voyant, et ils le louèrent à cœur joie, puis ils s'agenouillèrent et se prosternèrent. ³¹ Ezékias prit la parole et dit : « Maintenant, puisque vous avez les mains remplies pour le SEIGNEUR, approchez et apportez sacrifices et offrandes ʷ de louange à la Maison du SEIGNEUR. » Alors l'assemblée apporta des sacrifices et des offrandes de louange, et tous ceux qui avaient le cœur généreux apportèrent des holocaustes. ³² Le nombre des holocaustes apportés par l'assemblée fut de soixante-dix bœufs, cent béliers, deux cents agneaux, tous offerts en holocauste au SEIGNEUR. ³³ Les autres sacrifices furent de six cents têtes de gros bétail et trois mille de petit. ³⁴ Toute-

---

ˢ la table d'exposition: voir Ex 25.23-30 et les notes ● ᵗ étendirent les mains sur eux: voir au glossaire IMPOSER LES MAINS ● ᵘ holocauste: voir au glossaire SACRIFICES ● ᵛ harpes, cithares: voir Ps 92.4 et la note — voyant: voir 1 S 9.9 ● ʷ offrandes: voir au glossaire SACRIFICES

29.15 purification du Temple 1 M 4.36-61; 2 M 10.1-8; Mt 21.12-13 par. **29.24** holocauste, sacrifice pour le péché Lv 1; 4. **29.26** instruments des lévites et des prêtres Esd 3.10+.

fois, comme les prêtres n'étaient pas assez nombreux pour pouvoir dépouiller tous les holocaustes, leurs frères, les lévites, les aidèrent jusqu'à la fin du travail et jusqu'à ce que les prêtres se soient *sanctifiés. En effet les lévites avaient mis plus d'empressement que les prêtres à se sanctifier. 35 Et de plus, il y avait des holocaustes en abondance, avec les graisses des sacrifices de paix et les libations x pour les holocaustes. Ainsi fut rétabli le service de la Maison du SEIGNEUR. 36 Ezékias et tout le peuple se réjouirent de ce que Dieu avait réalisé pour le peuple, car la chose s'était faite à l'improviste y.

Ezékias convoque Israël et Juda pour la Pâque

30 1 Ezékias invita tout Israël et Juda — il écrivit même des lettres pour Ephraïm et Manassé z — à venir à la Maison du SEIGNEUR à Jérusalem pour célébrer la *Pâque du SEIGNEUR, le Dieu d'Israël. 2 Le roi, ses dignitaires et toute l'assemblée de Jérusalem furent d'avis de célébrer cette Pâque au second mois a. 3 En effet ils n'avaient pas pu la célébrer en son temps, puisque les prêtres ne s'étaient pas *sanctifiés en nombre suffisant et que le peuple ne s'était pas réuni à Jérusalem. 4 Cette solution plut au roi et à toute l'assemblée, 5 et ils l'exécutèrent en faisant circuler en tout Israël, de Béer-Shéva jusqu'à Dan b, l'invitation à venir à Jérusalem célébrer la Pâque du SEIGNEUR, le Dieu d'Israël, car peu de gens l'avaient célébrée comme il est écrit. 6 Les coureurs s'en allèrent donc, avec des lettres écrites par le roi et ses dignitaires, dans tout Israël et Juda, pour dire selon l'ordre du roi : « Fils d'Israël c, revenez vers le SEIGNEUR, le Dieu d'Abraham, d'Isaac et d'Israël, et il reviendra vers vous, qui êtes les survivants échappés à la main des rois d'Assyrie. 7 Ne soyez pas comme vos pères et vos frères d, qui ont été infidèles au SEIGNEUR, le Dieu de leurs pères, en sorte qu'il les a livrés à

la dévastation, comme vous le constatez. 8 Maintenant, ne raidissez pas votre cou comme vos pères. Tendez la main e au SEIGNEUR, venez à son *sanctuaire, qu'il a sanctifié pour toujours, et servez le SEIGNEUR votre Dieu, pour qu'il détourne de vous l'ardeur de sa colère. 9 En effet, c'est par votre retour au SEIGNEUR que vos frères et vos fils pourront trouver compassion près de ceux qui les ont déportés et qu'ils pourront revenir en ce pays, car le SEIGNEUR, votre Dieu, est miséricordieux et compatissant et il ne détournera plus sa face, si vous revenez à lui. »

10 Les coureurs passèrent de ville en ville dans le pays d'Ephraïm et de Manassé, jusqu'en Zabulon, mais on riait d'eux et on se moquait d'eux. 11 Pourtant des gens d'Asher, de Manassé et de Zabulon se laissèrent toucher et vinrent à Jérusalem. 12 En Juda également la main de Dieu agit pour faire exécuter unanimement l'ordre du roi et des dignitaires, selon la parole du SEIGNEUR. 13 Un peuple nombreux se réunit à Jérusalem pour célébrer la fête des *pains sans levain au second mois : c'était une assemblée extrêmement nombreuse. 14 Ils se mirent à détruire les *autels à sacrifices qui étaient à Jérusalem, ainsi que tous les autels à *encens, et ils les jetèrent dans le ravin du Cédron.

Ezékias célèbre la Pâque

15 Ils immolèrent la *Pâque au quatorzième jour du second mois. Les prêtres et les *lévites, pris de honte, s'étaient *sanctifiés et avaient amené les holocaustes f pour la Maison du SEIGNEUR. 16 Ils se tenaient à leur poste, selon leur règlement, en conformité avec la Loi de Moïse, l'homme de Dieu : les prêtres versaient le sang reçu de la main des lévites. 17 En effet, comme beaucoup de gens dans l'assemblée ne s'étaient pas sanctifiés, les lévites se chargeaient de l'immolation des victimes pascales à la place de tous ceux

---

x libations: voir au glossaire SACRIFICES ● y à l'improviste ou rapidement ● z Ephraïm et Manassé avaient été les principales tribus du royaume du Nord qui prit fin en 722 ou 721 av. J.C., elles représentent ici les habitants de l'ancien royaume, parmi lesquels se trouvent encore des adorateurs fidèles du Seigneur ● a au second mois: voir Nb 9.1-13 ● b de Béer-Shéva jusqu'à Dan: voir la note sur Jos 19.47 ● c Fils d'Israël ou Israélites ● d vos pères et vos frères ou vos ancêtres et vos compatriotes ● e ne raidissez pas votre cou (ou votre nuque): voir Ex 32.9 et la note — Tendez la main: geste de l'homme qui s'engage par une promesse ● f Ils immolèrent la Pâque: voir Esd 6.20 et la note — holocaustes: voir au glossaire SACRIFICES

30.6 Dieu d'Abraham, d'Isaac et d'Israël Ex 3.6+. 30.9 Dieu miséricordieux et compatissant Ex 34.6-7+. 30.14 tous les autels 28.24. 30.15 pris de honte Esd 9.6.

qui n'étaient pas *purs pour accomplir un acte sacré envers le SEIGNEUR. [18] Car beaucoup de gens, surtout d'Ephraïm, de Manassé, d'Issakar et de Zabulon, ne s'étaient pas purifiés, en sorte qu'ils mangèrent la Pâque en contradiction avec ce qui est écrit ; mais Ezékias intercéda pour eux en disant : « Que le SEIGNEUR, qui est bon, pardonne à [19] tous ceux qui ont appliqué leur *cœur à rechercher Dieu, le SEIGNEUR, le Dieu de leurs pères *g*, même si ce n'est pas avec la pureté requise pour les choses *saintes ! » [20] Le SEIGNEUR exauça Ezékias et n'affligea pas le peuple.

[21] Les fils d'Israël *h* qui se trouvaient à Jérusalem célébrèrent la fête des *pains sans levain pendant sept jours avec une grande joie, alors que les lévites et les prêtres louaient le SEIGNEUR chaque jour avec de puissants instruments en l'honneur du SEIGNEUR. [22] Les paroles d'Ezékias touchèrent le cœur de tous les lévites animés d'heureuses dispositions envers le SEIGNEUR et ils poursuivirent *i* la solennité pendant sept jours, offrant des *sacrifices de paix et rendant grâce au SEIGNEUR, le Dieu de leurs pères. [23] Puis toute l'assemblée fut d'avis de la prolonger pendant sept autres jours, et ils célébrèrent encore sept jours dans la joie. [24] En effet le roi de Juda Ezékias avait prélevé pour l'assemblée mille taureaux et sept mille têtes de petit bétail, et les dignitaires avaient prélevé pour elle mille taureaux et dix mille têtes de petit bétail. Des prêtres en grand nombre s'étaient sanctifiés. [25] Toute l'assemblée de Juda fut dans la joie, ainsi que les prêtres, les lévites, toute l'assemblée venue d'Israël, les habitants venus du pays d'Israël et séjournant en Juda. [26] La joie fut grande à Jérusalem, car depuis les jours de Salomon, fils de David, roi d'Israël, il n'y avait rien eu de tel à Jérusalem. [27] Puis les prêtres lévites se levèrent et bénirent le peuple : leur voix fut entendue et leur prière parvint aux *cieux, le séjour de sa *sainteté.

Ezékias organise le service du Temple

31 [1] Quand tout cela fut terminé, tous les Israélites qui se trouvaient là partirent dans les villes de Juda pour briser les stèles, couper les poteaux sacrés, démolir les *hauts lieux et les *autels, jusqu'à totale disparition, dans tout Juda et Benjamin, ainsi qu'en Ephraïm et Manassé. Puis tous les fils d'Israël *j* s'en retournèrent dans leurs villes, chacun chez soi.

[2] Ezékias établit les classes des prêtres et des *lévites ; en plus de leurs classes, il assigna à chacun sa fonction ; aux prêtres et aux lévites les holocaustes, les sacrifices de paix, le service, l'action de grâces et la louange, aux portes des camps *k* du SEIGNEUR. [3] Le roi prenait une part sur ses revenus pour les holocaustes, ceux du matin et du soir, ceux des *sabbats, des *néoménies et des fêtes, comme il est écrit dans la Loi du SEIGNEUR *l*. [4] Et il dit au peuple habitant à Jérusalem de donner la part des prêtres et des lévites, afin qu'ils s'affermissent dans la Loi du SEIGNEUR. [5] Après la promulgation de ces paroles, les fils d'Israël fournirent abondamment les *prémices du froment, du vin, de l'huile, du miel et de tous les produits des champs et ils apportèrent en abondance la dîme de tout. [6] Et les fils d'Israël et de Juda habitant dans les villes de Juda apportèrent, eux aussi, la dîme du gros et du petit bétail et celle des offrandes consacrées au SEIGNEUR, leur Dieu ; ils en firent des tas et des tas. [7] Au troisième mois, on commença à former les tas et on termina au septième mois *m*. [8] Ezékias et les dignitaires vinrent voir ces tas et ils bénirent le SEIGNEUR et son peuple Israël. [9] Ezékias interrogea les prêtres et les lévites au sujet de ces tas [10] et le grand prêtre Azaryahou, de la maison de Sadoq *n*, lui répondit : « Depuis qu'on a commencé d'apporter le prélèvement à la Maison du SEIGNEUR, nous avons eu beau

---

g leurs pères ou *leurs ancêtres* ● *h fils d'Israël* ou *Israélites* ● *i ils poursuivirent:* d'après l'ancienne version grecque; hébreu: *ils mangèrent* ● *j stèles:* voir 1 R 14.23 et la note; *poteaux sacrés:* voir 1 R 14.15 et la note — *fils d'Israël* ou *Israélites* ● *k holocaustes:* voir au glossaire SACRIFICES — *des camps:* le mot évoque le séjour d'Israël au désert, lorsque le peuple campait en plusieurs groupes autour de la *tente de la rencontre; voir Nb 2 ● *l comme il est écrit...:* voir Nb 28—29, où pourtant cette participation du roi n'est pas mentionnée. Seul Ez 45.22-24 mentionne une telle participation ● *m troisième mois:* mai-juin; *septième mois:* septembre-octobre. Il s'agit donc de la période des récoltes ● *n maison de Sadoq* ou *famille de Sadoq;* Sadoq était prêtre au temps du roi David (2 S 8.17; 20.25)

30.25 séjournant en Juda 11.16-17; 15.9. **30.26** depuis les jours de Salomon 1 R 8.66. **30.27** ils bénirent le peuple Lv 9.22-23+. **31.1** briser, couper, démolir, etc. Ex 23.24+. **31.4** la part des prêtres et des lévites Nb 18.8-24+.

manger à satiété, nous avons laissé des surplus en quantité, car le SEIGNEUR a béni son peuple, et le surplus forme ces monceaux. » [11] Ezékias ordonna de préparer des celliers dans la Maison du SEIGNEUR, et on les prépara. [12] On y apporta fidèlement les prélèvements, les dîmes et les offrandes. Le lévite Konanyahou en fut l'intendant, avec son frère Shiméï pour adjoint. [13] Yehiël, Azazyahou, Nahath, Asahel, Yerimoth, Yozavad, Eliël, Yismakyahou, Mahath et Benayahou étaient surveillants, sous les ordres de Konanyahou et de son frère Shiméï, par disposition du roi Ezékias et de l'intendant de la Maison de Dieu, Azaryahou. [14] Le lévite Qoré, fils de Yimna, gardien de la porte de l'orient, s'occupait des offrandes faites à Dieu et distribuait ce qui était prélevé pour le SEIGNEUR, ainsi que les choses très *saintes. [15] Sous ses ordres, Eden, Minyamîn, Yéshoua, Shemayahou, Amaryahou et Shekanyahou, dans les villes sacerdotales *o*, devaient fidèlement faire les distributions à leurs frères, selon leurs classes, sans différence entre le grand et le petit : [16] en plus des hommes déjà inscrits, depuis l'âge de trois ans et au-dessus, tous ceux qui venaient à la Maison du SEIGNEUR recevaient chaque jour quelque chose pour leur fonction dans leurs groupes selon leurs classes. [17] L'inscription des prêtres se faisait selon leur maison paternelle, et celle des lévites, depuis l'âge de vingt ans et au-dessus, par groupes et par classes. [18] L'inscription valait pour toute la famille : femmes, garçons et filles ; elle valait pour toute assemblée, à condition qu'ils se soient fidèlement mis en état de sainteté, [19] et pour les prêtres, fils d'Aaron, vivant à la campagne sur le territoire de chacune de leur ville. Des gens désignés nommément distribuaient des parts à tous les hommes parmi les prêtres et à tous les inscrits parmi les lévites. [20] Ezékias agit ainsi en tout Juda et il fit ce qui est bon, droit et fidèle devant le SEIGNEUR, son Dieu. [21] Dans toutes les œuvres qu'il entreprit pour le service de la Maison de Dieu, pour la Loi et pour les commandements,

il agit en cherchant son Dieu de tout son cœur, et il réussit.

Sennakérib envahit le royaume de Juda
(*2 R 18.13; Es 36.1*)

32 [1] Après ces événements et ces actes de fidélité, le roi d'Assyrie Sennakérib vint en Juda et il campa contre les villes fortifiées de Juda, qu'il se proposait de démanteler. [2] Quand Ezékias vit arriver Sennakérib avec l'intention d'attaquer Jérusalem, [3] il se concerta avec ses dignitaires et ses officiers pour obturer l'accès à l'eau des sources situées en dehors de la ville. Ceux-ci l'aidèrent [4] et un peuple nombreux se rassembla pour obturer toutes les sources et le ruisseau coulant à l'intérieur de la terre, en disant : « Pourquoi les rois *p* d'Assyrie, à leur arrivée, trouveraient-ils de l'eau en abondance ? » [5] Ezékias se mit courageusement à reconstruire tout le rempart démoli, en y édifiant des tours et une autre à l'extérieur du rempart, en réparant le Millo *q* dans la *Cité de David et en fabriquant quantité de javelots et de boucliers. [6] Il mit des chefs militaires à la tête du peuple, les rassembla près de lui sur la place de la porte de la ville *r* et leur parla en s'adressant à leur cœur : [7] « Soyez forts et courageux ! N'ayez ni crainte ni peur devant le roi d'Assyrie et devant toute la multitude qui est avec lui, car avec nous il y a un plus grand qu'avec lui : [8] Avec lui, il n'y a qu'une force humaine ; mais avec nous, il y a le SEIGNEUR, notre Dieu, pour nous secourir et pour combattre dans nos combats ! » Le peuple fut réconforté par les paroles du roi de Juda, Ezékias.

Messages de Sennakérib aux gens de Jérusalem
(*2 R 18.17-37; 19.9-19; Es 36.2-22; 37.9-20*)

[9] Après cela, le roi d'Assyrie Sennakérib, alors qu'il restait à Lakish *s* avec toutes ses forces, envoya ses serviteurs à Jérusalem vers le roi de Juda, Ezékias, et vers tous les hommes de Juda qui étaient à Jérusalem. pour leur dire :

---

o villes sacerdotales (appelées aussi *villes lévitiques*): voir Nb 35.1-8; Jos 21.1-42 ● *p le ruisseau coulant à l'intérieur de la terre*: il s'agit de la source de Guihôn dont l'eau s'écoulait dans le Cédron (voir 1 R 1.33 et la note). Ezékias fit obturer cet écoulement naturel et amener l'eau dans la ville par un canal souterrain (voir v. 30, ainsi que 2 R 20.20 et la note) — *les rois*: voir 28.16 et la note ● *q Millo*: voir 1 R 9.15 et la note ● *r la porte de la ville*: l'ancienne version grecque précise qu'il s'agit de la *porte de la Vallée* (voir Ne 2.13 et la note) ● *s Lakish*: voir 2 R 14.19 et la note

32.8 avec lui... avec nous... 2 R 6.16.

¹⁰ « Ainsi parle Sennakérib, roi d'Assyrie : En quoi placez-vous votre confiance pour séjourner dans la forteresse de Jérusalem ? ¹¹ Ezékias n'est-il pas en train de vous duper, pour vous faire mourir de faim et de soif, en vous disant : "Le SEIGNEUR notre Dieu nous délivrera de la main du roi d'Assyrie" ? ¹² N'est-ce pas lui, Ezékias, qui a supprimé ses *hauts lieux et ses *autels et qui a dit à Juda et à Jérusalem de ne se prosterner que devant un seul autel et de ne brûler de l'*encens que sur lui ? ¹³ Ne savez-vous pas ce que j'ai fait, moi et mes pères ᵗ, à tous les peuples du monde ? Les dieux des nations du monde ont-ils vraiment pu délivrer leurs pays de ma main ? ¹⁴ Lequel, parmi tous les dieux de ces nations exterminées par mes pères, a-t-il pu délivrer son peuple de ma main, pour que votre Dieu puisse vous délivrer de ma main ? ¹⁵ Maintenant, qu'Ezékias ne vous abuse pas et ne vous dupe pas comme cela ! Ne le croyez pas, car aucun dieu d'aucune nation ou d'aucun royaume n'est capable de délivrer son peuple de ma main et de la main de mes pères. A plus forte raison, vos dieux ᵘ ne vous délivreront-ils pas de ma main ! » ¹⁶ Les serviteurs de Sennakérib continuèrent à déblatérer contre le SEIGNEUR Dieu et contre Ezékias son serviteur, ¹⁷ puis Sennakérib écrivit des lettres pour défier le SEIGNEUR, le Dieu d'Israël, et pour dauber sur lui en ces termes : « Tout comme les dieux des nations du monde, qui n'ont pas délivré leur peuple de ma main, le Dieu d'Ezékias ne délivrera pas son peuple de ma main. » ¹⁸ Les serviteurs de Sennakérib criaient d'une voix forte, en langue judéenne ᵛ, au peuple de Jérusalem qui était sur le rempart, pour l'effrayer et l'épouvanter, de façon à s'emparer de la ville. ¹⁹ Ils parlaient du Dieu de Jérusalem comme des dieux des peuples du monde, ouvrages des mains de l'homme.

Dieu délivre Jérusalem
(2 R 19.1, 35-37; Es 37.1, 36-38)

²⁰ Le roi Ezékias et le *prophète Esaïe,

fils d'Amoç, prièrent à ce sujet et crièrent vers les *cieux. ²¹ Et le SEIGNEUR envoya un *ange, qui fit disparaître tous les vaillants guerriers, les officiers et les dignitaires dans le camp du roi d'Assyrie. Il dut retourner dans son pays la face couverte de honte et, quand il pénétra dans la Maison de son dieu, ses propres fils l'abattirent par l'épée. ²² Ainsi le SEIGNEUR sauva Ezékias et les habitants de Jérusalem de la main du roi d'Assyrie Sennakérib et de la main de tous ses ennemis, puis il leur assura la paix ʷ tout autour. ²³ Beaucoup de gens apportaient à Jérusalem des offrandes pour le SEIGNEUR et des présents pour le roi de Juda Ezékias, qui depuis cela était en haute estime aux yeux de toutes les nations.

Fin du règne d'Ezékias
(2 R 20.1-21; Es 38.1-8; 39)

²⁴ En ces jours-là, Ezékias tomba malade à en mourir ; il pria le SEIGNEUR et il lui dit... ˣ

Le SEIGNEUR réalisa pour lui un prodige. ²⁵ Mais Ezékias ne répondit pas au bienfait reçu, à cause de l'orgueil de son cœur, il attira le courroux sur lui, sur Juda et Jérusalem. ²⁶ Mais Ezékias, malgré cet orgueil de son cœur, s'humilia, lui et les habitants de Jérusalem, aussi le courroux du SEIGNEUR ne vint pas sur eux pendant sa vie. ²⁷ Ezékias eut en très grande abondance la richesse et la gloire ; il se constitua des réserves d'argent, d'or, de pierres précieuses, d'aromates ʸ, de boucliers et de toutes sortes d'objets de valeur, ²⁸ ainsi que des entrepôts pour ses provisions de blé, de vin et d'huile, des étables pour toutes sortes de bétail et des parcs pour les troupeaux ᶻ. ²⁹ Il se fit bâtir des villes et il posséda en quantité du petit et du gros bétail, car Dieu lui donna de très grands biens. ³⁰ C'est lui, Ezékias, qui obtura la sortie supérieure des eaux de Guihon et les fit se diriger plus bas vers l'ouest de la *Cité de David ᵃ. Ezékias réussit dans toutes ses entreprises.

---

t mes pères ou mes ancêtres ● u vos dieux: d'après les v. 11, 14 et 17, Sennakérib sait que les Israélites ont un seul Dieu; le pluriel peut s'expliquer ici par le fait que presque tous les peuples de l'époque adoraient plusieurs divinités. (Les versions anciennes ont le singulier.) ● v en langue judéenne: voir 2 R 18.26 et la note ● w il leur assura la paix: d'après les anciennes versions grecque et latine; hébreu: il les conduisit ● x En ces jours-là: voir 2 R 20.1 et la note — et il lui dit...: le message du Seigneur ne figure plus dans le texte hébreu; mais on pourrait aussi traduire il pria le Seigneur, qui lui parla et qui réalisa pour lui un prodige ● y aromates: voir 1 R 10.2 et la note ● z des parcs pour les troupeaux: d'après les anciennes versions grecque et latine; hébreu: des troupeaux pour les parcs ● a A propos de cette œuvre d'Ezékias, voir v. 4 et la note

31 Ainsi, lors de la visite des dignitaires babyloniens envoyés vers lui pour s'informer sur le prodige réalisé dans le pays *b*, Dieu l'abandonna et le mit à l'épreuve pour savoir tout ce qu'il avait dans le *cœur.

32 Le reste des actes d'Ezékias et ses œuvres de piété sont écrits dans la vision du *prophète Esaïe *c*, fils d'Amoç, et dans le livre des rois de Juda et d'Israël.

33 Ezékias se coucha avec ses pères et on l'ensevelit près de la voie qui monte aux tombeaux des fils *d* de David ; à sa mort, tout Juda et les habitants de Jérusalem lui rendirent les honneurs.

Son fils Manassé régna à sa place.

Règne de Manassé
(2 R 21.1-18)

33 1 Manassé avait douze ans lorsqu'il devint roi et il régna cinquante-cinq ans à Jérusalem. 2 Il fit ce qui est mal aux yeux du SEIGNEUR, imitant les abominations des nations que le SEIGNEUR avait dépossédées devant les fils d'Israël *e*. 3 Il rebâtit les *hauts lieux qu'avait démolis son père Ezékias, il érigea des *autels aux *Baals, il fit des poteaux sacrés, il se prosterna devant toute l'armée des cieux *f* et il lui rendit un culte. 4 Il bâtit des autels dans la Maison du SEIGNEUR, au sujet de laquelle le SEIGNEUR avait dit : « A Jérusalem sera mon *nom pour toujours. » 5 Il bâtit des autels à toute l'armée des cieux dans les deux *parvis de la Maison du SEIGNEUR. 6 Lui-même, il fit passer par le feu ses fils dans la vallée de Ben-Hinnôm ; il pratiqua incantations, magie et sorcellerie ; il établit des nécromanciens *g* et des devins ; il offensa le SEIGNEUR à force de faire ce qui est mal à ses yeux. 7 Il installa dans la Maison de Dieu l'idole sculptée qu'il avait faite ; pourtant Dieu avait dit à David et à son

fils Salomon : « Dans cette Maison, ainsi que dans Jérusalem, que j'ai choisie parmi toutes les tribus d'Israël, je mettrai mon nom pour toujours. 8 Aussi je n'éloignerai plus les pas d'Israël de la terre que j'ai accordée à leurs pères, pourvu qu'ils veillent à pratiquer tout ce que je leur ai prescrit par l'intermédiaire de Moïse : toute la Loi, les décrets et les décisions *h*. » 9 Manassé égara Juda et les habitants de Jérusalem, au point qu'ils firent le mal plus que les nations exterminées par le SEIGNEUR devant les fils d'Israël. 10 Le SEIGNEUR parla à Manassé et à son peuple, mais ils ne firent pas attention. 11 Le SEIGNEUR fit venir contre eux les chefs de l'armée du roi d'Assyrie : ils capturèrent Manassé avec des harpons *i*, l'attachèrent avec une double chaîne de bronze et l'emmenèrent à Babylone. 12 Quand il fut dans la détresse, il apaisa la face du SEIGNEUR *j* son Dieu, il s'humilia profondément devant le Dieu de ses pères 13 et il l'implora. Celui-ci se laissa fléchir, entendit sa supplication et le fit revenir à Jérusalem pour y continuer son règne. Alors Manassé reconnut que le SEIGNEUR est Dieu.

14 Après cela, il construisit à l'extérieur de la *Cité de David un rempart qui passait à l'ouest de Guihôn, dans la vallée, qui allait jusqu'à la porte des Poissons et qui entourait l'Ofel *k* ; il lui donna une très grande hauteur. Il mit aussi des chefs militaires dans toutes les villes fortifiées de Juda. 15 Il retira de la Maison du SEIGNEUR les dieux étrangers et l'idole, et il jeta hors de la ville tous les autels qu'il avait construits sur la montagne de la Maison du SEIGNEUR et dans Jérusalem. 16 Il rétablit l'autel du SEIGNEUR, il y offrit des *sacrifices de paix et de louange et il prescrivit à Juda de servir le SEIGNEUR, le Dieu d'Israël. 17 Pourtant le peuple sacrifiait encore dans les hauts lieux, mais seulement en l'honneur du SEIGNEUR son Dieu.

b le prodige réalisé dans le pays: allusion probable à la délivrance racontée aux v. 20-21 ● *c* Le livre d'Esaïe commence en effet par les mots *vision d'Esaïe* (Es 1.1) ● *d se coucha avec ses pères:* voir 1 R 1.21 et la note — *des fils ou des descendants* ● *e fils d'Israël* ou *Israélites* ● *f poteaux sacrés:* voir 1 R 14.15 et la note — *armée des cieux:* voir 2 R 17.16 et la note ● *g fit passer par le feu:* voir 2 R 16.3 et la note — *vallée de Ben-Hinnôm:* voir Jos 15.8; Jr 2.23 et les notes — *nécromanciens:* voir 2 R 21.6 et la note ● *h leurs pères* (ou *leurs ancêtres*): d'après les versions anciennes; hébreu: *vos pères* — Les v. 7-8 ne citent pas un texte précis de l'A.T., mais reprennent l'essentiel de passages comme 2 S 7.8-16; 1 R 2.2-4 ● *i harpons:* autres traductions *crocs* ou *crochets* ● *j il apaisa la face du Seigneur:* voir 2 R 13.4 et la note ● *k* Sur *Guihôn,* voir 1 R 1.33 et la note; sur la *porte des Poissons,* voir Ne 3.3; sur l'*Ofel,* voir Es 32.14 et la note

33.11 avec des harpons (crochets) Ez 19.4, 9. **33.15** jeter les idoles et les autels Ex 23.24+.

[18] Le reste des actes de Manassé, sa prière *l* à son Dieu et les paroles des voyants qui lui parlaient au nom du SEIGNEUR, le Dieu d'Israël, se trouvent dans les actes des rois d'Israël. [19] Sa prière et son retour en grâce, tout son péché et son infidélité, avec les endroits où, avant son humiliation, il avait construit des hauts lieux et placé des poteaux sacrés et des statues, sont écrits dans les Actes de Hozaï *m*.

[20] Manassé se coucha avec ses pères et on l'ensevelit dans sa maison *n*.

Son fils Amôn régna à sa place.

Règne d'Amôn
(2 R 21.19-26)

[21] Amôn avait vingt-deux ans lorsqu'il devint roi et il régna deux ans à Jérusalem. [22] Il fit ce qui est mal aux yeux du SEIGNEUR, comme Manassé son père. Amôn offrit des sacrifices et rendit un culte à toutes les statues qu'avait faites Manassé son père. [23] Mais il ne s'humilia pas devant le SEIGNEUR comme s'était humilié son père Manassé ; au contraire, lui, Amôn, il commit encore plus de fautes. [24] Ses serviteurs conspirèrent contre lui et le mirent à mort dans sa maison. [25] La population du pays frappa tous ceux qui avaient conspiré contre le roi Amôn et elle établit roi à sa place son fils Josias.

Règne de Josias. Réforme religieuse
(2 R 22.1-2; 23.4-20)

34 [1] Josias avait huit ans lorsqu'il devint roi et il régna trente et un ans à Jérusalem. [2] Il fit ce qui est droit aux yeux du SEIGNEUR et il suivit les voies de David, son père *o*, sans dévier ni à droite ni à gauche.

[3] Dans la huitième année de son règne, alors qu'il était encore un jeune homme, il commença de rechercher le Dieu de son père David et, dans la douzième année, il commença de *purifier Juda et Jérusalem des *hauts lieux, des poteaux sacrés *p*, des idoles sculptées ou fondues. [4] On démolit en sa présence les *autels des *Baals ; il abattit les brûle-parfums *q* qui étaient au-dessus, il brisa les poteaux sacrés et les idoles sculptées ou fondues ; il les réduisit en miettes, qu'il dispersa sur les tombes de ceux qui leur avaient offert des sacrifices ; [5] il brûla les ossements des prêtres sur leurs autels. Il purifia ainsi Juda et Jérusalem. [6] Dans les villes de Manassé, d'Ephraïm, de Siméon et même de Nephtali, et dans les territoires avoisinants *r*, [7] il démolit les autels, il coupa les poteaux sacrés et les idoles pour les réduire en miettes, il abattit tous les brûle-parfums dans tout le pays d'Israël. Puis il revint à Jérusalem.

Le grand prêtre découvre le livre de la Loi
(2 R 22.3-10)

[8] Dans la dix-huitième année de son règne, après la *purification du pays et de la Maison *s*, Josias envoya Shafân fils d'Açalyahou, le chef de la ville Maaséyahou et le chancelier Yoah fils de Yoahaz, pour réparer la Maison du SEIGNEUR son Dieu. [9] Ceux-ci vinrent trouver le grand prêtre Hilqiyahou et lui donnèrent l'argent apporté à la Maison de Dieu, que les *lévites gardiens du seuil *t* avaient recueilli de la main de Manassé, d'Ephraïm, de tout le reste d'Israël, de tout Juda et Benjamin et des habitants de Jérusalem. [10] Et ils le remirent entre les mains de ceux qui faisaient le travail, qui étaient responsables de la Maison du SEIGNEUR ; ceux-ci, qui travaillaient dans la Maison du SEIGNEUR, l'employèrent à réparer et restaurer cette Maison. [11] Ainsi ils le remirent aux charpentiers et aux maçons pour acheter des pierres de taille et du bois de charpente et pour étayer les bâtiments que les rois de Juda avaient laissés se détériorer. [12] Les hommes travaillaient consciencieusement à leur tâ-

---

l sa prière: on connaît un écrit ancien, intitulé « Prière de Manassé », mais qu ne fait pas partie des livres sacrés, ni pour les Juifs, ni pour les Chrétiens — *voyants*: voir 1 S 9.9 ● *m Actes de Hozaï*: le personnage est inconnu et l'ouvrage perdu ● *n se coucha avec ses pères*: voir 1 R 1.21 et la note — *dans sa maison*: ou bien le mot *maison* est employé ici dans un sens très inhabituel (= *tombeau*, comparer Qo 12.5), ou bien il faut compléter le texte d'après l'ancienne version grecque et le récit parallèle de 2 R 21.18: *dans le jardin de sa maison* ● *o son père* ou *son ancêtre* ● *p poteaux sacrés*: voir 1 R 14.15 et la note ● *q brûle-parfums* ou *autels à parfum*: voir Lv 26.30 et la note ● *r dans les territoires avoisinants*: d'après les anciennes versions grecque et syriaque; l'hébreu, peu clair, pourrait signifier: *il choisit leurs maisons avoisinantes* ou *par leurs épées tout autour* ● *s de la Maison* ou *du Temple* ● *t gardiens du seuil*: dans le second livre des Rois, ces personnages sont présentés comme des prêtres et non comme des lévites; voir 2 R 12.10 et la note

che ; au-dessus d'eux les lévites Yahath et Ovadyahou, des fils de Merari, et Zekarya et Meshoullam, des fils de Qehath, étaient chargés de la direction. Les lévites, tous habiles à jouer des instruments de musique *u*, ¹³ commandaient les porteurs et dirigeaient tous les ouvriers, chacun selon sa profession. Parmi les lévites, d'autres étaient scribes, fonctionnaires ou portiers.

¹⁴ Pendant qu'on employait l'argent apporté à la Maison du SEIGNEUR, le prêtre Hilqiyahou trouva le livre de la Loi *v* du SEIGNEUR donnée par Moïse. ¹⁵ Hilqiyahou s'adressa au secrétaire Shafân pour lui dire : « J'ai trouvé le livre de la Loi dans la Maison du SEIGNEUR. » Hilqiyahou remit le livre à Shafân. ¹⁶ Celui-ci apporta le livre au roi et en outre il lui rendit compte en ces termes : « Tout ce qui a été confié à tes serviteurs, ils sont en train de le faire : ¹⁷ Ils ont versé l'argent trouvé dans la Maison du SEIGNEUR et ils l'ont remis entre les mains des responsables et de ceux qui faisaient le travail. » ¹⁸ Puis, le secrétaire Shafân annonça au roi : « Le prêtre Hilqiyahou m'a remis un livre. » Shafân en fit lecture devant le roi.

Josias fait consulter la prophétesse Houlda
(2 R 22.11-20)

¹⁹ Lorsque le roi eut entendu les paroles de la Loi, il *déchira ses vêtements, ²⁰ puis il donna cet ordre à Hilqiyahou, à Ahiqâm, fils de Shafân, à Avdôn, fils de Mika, au secrétaire Shafân ainsi qu'à Asaya, serviteur du roi : ²¹ « Allez consulter le SEIGNEUR *w* pour moi et pour le reste d'Israël et de Juda au sujet des paroles du livre qui a été trouvé ; car elle est grande la fureur du SEIGNEUR qui s'est déversée sur nous, parce que nos pères n'ont pas observé la parole du SEIGNEUR en n'agissant pas selon tout ce qui est écrit dans ce livre. » ²² Hilqiyahou et ceux qu'avait désignés le roi allèrent chez la *prophétesse Houlda, femme du gardien des vêtements *x* Shalloum, fils de Toqhath, fils de Hasra. Celle-ci habitait à Jérusalem dans le nouveau quartier. Ils lui parlèrent comme convenu ²³ et elle leur répondit : « Ainsi parle le SEIGNEUR,

le Dieu d'Israël ! Dites à celui qui vous a envoyés vers moi : ²⁴ Ainsi parle le SEIGNEUR : Je vais faire venir un malheur sur ce lieu et sur ses habitants, en accomplissant toutes les malédictions inscrites dans le livre qu'on a lu devant le roi de Juda. ²⁵ Puisqu'ils m'ont abandonné et qu'ils ont brûlé de l'*encens à d'autres dieux, au point de m'offenser par toutes les œuvres de leurs mains *y*, ma fureur se déversera sur ce lieu et elle ne s'éteindra pas. ²⁶ Mais au roi de Juda qui vous envoie consulter le SEIGNEUR, vous direz ceci : Ainsi parle le SEIGNEUR le Dieu d'Israël : Tu as bien entendu, ²⁷ puisque en effet ton cœur s'est laissé toucher, que tu t'es humilié devant Dieu quand tu as entendu ses paroles contre ce lieu et contre ses habitants, que tu t'es humilié devant moi, que tu as déchiré tes vêtements et que tu as pleuré devant moi ; eh bien, moi aussi j'ai entendu — oracle du SEIGNEUR. ²⁸ Voici que je vais te réunir à tes pères *z* ; tu leur seras réuni en paix dans la tombe. Tes yeux ne verront rien du malheur que je vais faire venir sur ce lieu et sur ses habitants. » Les envoyés rapportèrent au roi la réponse.

Josias renouvelle l'alliance avec Dieu
(2 R 23.1-3)

²⁹ Le roi envoya dire à tous les *anciens de Juda et de Jérusalem de se réunir. ³⁰ Puis il monta à la Maison du SEIGNEUR, avec tous les hommes de Juda, les habitants de Jérusalem, les prêtres, les *lévites et tout le peuple, du plus grand au plus petit. Il leur fit à haute voix la lecture de toutes les paroles du livre de l'*alliance trouvé dans la Maison du SEIGNEUR. ³¹ Le roi, debout à sa place, conclut devant le SEIGNEUR l'alliance qui oblige à suivre le SEIGNEUR, à garder de tout son cœur et de toute son âme ses commandements, ses stipulations et ses décrets, en pratiquant les paroles de l'alliance qui sont écrites dans ce livre.

³² Il fit s'engager tous ceux qui se trouvaient à Jérusalem et en Benjamin, aussi les habitants de Jérusalem agirent-ils selon l'alliance de Dieu, le Dieu de leurs pères *a*. ³³ Puis Josias supprima toutes les abominations dans tous les pays ap-

---

u instruments de musique: certains travaux pouvaient être rythmés par un accompagnement musical ● *v le livre de la Loi:* voir 2 R 22.8 et la note ● *w consulter le Seigneur:* voir 1 R 22.5 et la note ● *x gardien des vêtements:* voir 2 R 22.14 et la note ● *y les œuvres de leurs mains:* voir 2 R 22.17 et la note ● *z à tes pères:* comparer Nb 20.24 ; 1 R 1.21 et les notes ● *a leurs pères* ou *leurs ancêtres*

partenant aux fils d'Israël *b* et il obliga tous ceux qui se trouvaient en Israël à servir le SEIGNEUR leur Dieu. Pendant toute sa vie, ils ne se détournèrent pas du SEIGNEUR, le Dieu de leurs pères.

Josias célèbre la fête de la Pâque
(2 R 23.21-23)

35 ¹ Josias célébra la *Pâque du SEIGNEUR à Jérusalem et on immola la Pâque au quatorzième jour du premier mois. ² Il stimula les prêtres dans leurs fonctions et il les encouragea au service de la Maison du SEIGNEUR. ³ Il dit aux *lévites chargés d'instruire tout Israël, à ceux qui étaient *saints pour le SEIGNEUR : « Si vous aviez à mettre l'*arche sainte dans la Maison qu'a construite le roi d'Israël Salomon, fils de David, ce ne serait pas un fardeau pour vos épaules. Maintenant, servez le SEIGNEUR votre Dieu et son peuple Israël. ⁴ Organisez-vous par clans familiaux selon vos fonctions, d'après les documents du roi d'Israël David *c* et de son fils Salomon. ⁵ Tenez-vous dans le *sanctuaire selon les divisions des clans familiaux de vos frères, les gens du peuple, et selon la répartition des clans familiaux des lévites. ⁶ Immolez la Pâque *d*, sanctifiez-vous et prêtez main-forte à vos frères pour mettre en pratique la parole du SEIGNEUR donnée par Moïse. » ⁷ Josias procura aux gens du peuple du petit bétail, agneaux ou chevreaux ; le total des sacrifices de la Pâque pour tous ceux qui se trouvaient là atteignit le nombre de trente mille, plus trois mille bœufs, en provenance des propriétés royales. ⁸ Ses dignitaires en procurèrent généreusement au peuple, aux prêtres et aux lévites : Hilqiya, Zekaryahou et Yehiël, préfets de la Maison de Dieu, donnèrent aux prêtres pour les sacrifices de la Pâque deux mille six cents agneaux et trois cents bœufs. ⁹ Konanyahou et ses frères Shemayahou et Netanel, Hashavyahou, Yéiël et Yozavad, chefs des lévites, procurèrent aux lévites pour les sacrifices de la Pâque cinq mille agneaux et cinq cents bœufs. ¹⁰ Le service fut ainsi organisé : les prêtres se tenaient à leur poste et les lévites à leurs fonctions, selon l'ordre du roi. ¹¹ On immola

la Pâque, les prêtres reçurent et versèrent le sang et les lévites firent le dépeçage. ¹² Lorsqu'ils donnaient leur part aux gens du peuple, selon les divisions des clans familiaux, ils mettaient de côté la part à offrir au SEIGNEUR en holocauste *e*, comme il est écrit dans le livre de Moïse. De même pour les bœufs. ¹³ Ils firent cuire sur le feu l'agneau pascal, selon la règle, tandis qu'ils firent cuire les autres mets sacrés dans des pots, des casseroles ou des marmites, et ils coururent en porter à tous les gens du peuple. ¹⁴ Ensuite ils firent les préparatifs pour eux et pour les prêtres, car les prêtres, fils d'Aaron, furent occupés par l'offrande des holocaustes et des graisses jusqu'à la nuit ; aussi les lévites firent-ils les préparatifs pour eux et pour les prêtres, fils d'Aaron. ¹⁵ Les chanteurs, fils d'Asaf, restèrent à leur poste, selon la prescription de David, d'Asaf, de Hémân et de Yedoutoun, le voyant du roi ; de même les portiers restèrent à chaque porte. Ils n'eurent pas à interrompre leur service, puisque les lévites leurs frères faisaient pour eux les préparatifs. ¹⁶ Tout le service du SEIGNEUR fut organisé en ce jour-là de façon à célébrer la Pâque et à offrir les holocaustes sur l'*autel du SEIGNEUR, selon la prescription du roi Josias. ¹⁷ Ainsi les fils d'Israël *f* qui étaient présents célébrèrent la Pâque à cette date-là et la fête des *pains sans levain pendant sept jours. ¹⁸ Une Pâque semblable n'avait pas été célébrée en Israël depuis le temps du *prophète Samuel, et aucun roi d'Israël ne fit une Pâque comme celle que firent Josias, les prêtres, les lévites, tous les Judéens et Israélites présents et les habitants de Jérusalem. ¹⁹ C'est dans la dix-huitième année du règne de Josias que fut célébrée cette Pâque.

Fin du règne de Josias
(2 R 23.28-30)

²⁰ Après tout cela, quand Josias eut remis en état la Maison *g*, le roi d'Egypte Néko monta livrer bataille à Karkémish, sur l'Euphrate, et Josias partit à sa rencontre. ²¹ Néko envoya des messagers pour lui dire : « Qu'y a-t-il entre nous, roi de Juda ? Ce n'est pas contre toi que je viens aujourd'hui, mais contre mon

---

b abominations: voir Dt 18.9-14 — *fils d'Israël* ou *Israélites* ● *c les documents du roi David:* allusion à 1 Ch 23—26 ● *d Immolez la Pâque:* voir Esd 6.20 et la note ● *e holocauste:* voir au glossaire SACRIFICES ● *f fils d'Israël* ou *Israélites* ● *g la Maison* ou *le Temple*

35.7 Josias procura du bétail 31.3.

ennemi habituel [h]. Dieu m'a dit de me dépêcher. Ne t'oppose pas au Dieu qui est avec moi, sinon il te détruira. » [22] Pourtant Josias ne changea pas d'avis, car il cherchait une occasion de se battre contre lui. Il n'écouta donc pas les paroles de Néko, inspirées par Dieu, et il vint livrer bataille dans la passe de Meguiddo [i]. [23] Les archers tirèrent sur le roi Josias et il dit à ses serviteurs : « Emportez-moi, car je suis grièvement blessé. » [24] Ses serviteurs l'emportèrent hors de son char de combat, le mirent dans son second char et le conduisirent à Jérusalem. Il mourut et fut enseveli dans les tombes de ses pères [j], et tout Juda et Jérusalem se mirent en deuil pour Josias. [25] Jérémie composa une complainte sur Josias [k] ; tous les chanteurs et les chanteuses ont parlé de Josias dans leurs complaintes jusqu'à ce jour ; on établit cette pratique en Israël et on inséra ces chants parmi les complaintes.

[26] Le reste des actes de Josias et ses actes de piété conformes à la Loi du SEIGNEUR, [27] donc ses actes, des premiers aux derniers, sont écrits dans le livre des rois d'Israël et de Juda.

Règnes de Yoakhaz, Yoyaqîm et Yoyakîn
(2 R 23.30—24.17)

36 [1] La population du pays prit Yoakhaz, le fils de Josias, et le fit régner à Jérusalem à la place de son père. [2] Yoakhaz avait vingt-trois ans lorsqu'il devint roi et il régna trois mois à Jérusalem. [3] Le roi d'Egypte le destitua à Jérusalem et il imposa au pays un tribut de cent talents d'argent et talents d'or [l]. [4] Le roi d'Egypte établit comme roi son frère Elyaqîm sur Juda et Jérusalem et il changea son nom en Yoyaqîm. Néko prit son frère Yoakhaz et l'emmena en Egypte. [5] Yoyaqîm avait vingt-cinq ans lors-

qu'il devint roi et il régna onze ans à Jérusalem. Il fit ce qui est mal aux yeux du SEIGNEUR, son Dieu. [6] Le roi de Babylone Nabuchodonosor monta contre lui. Il l'attacha avec une double chaîne de bronze pour l'emmener à Babylone. [7] Nabuchodonosor emporta à Babylone divers objets de la Maison du SEIGNEUR et les mit dans son palais [m] à Babylone.

[8] Le reste des actes de Yoyaqîm, les abominations qu'il commit et ce qui lui est arrivé, sont écrits dans le livre des rois d'Israël et de Juda.

Son fils Yoyakîn régna à sa place. [9] Yoyakîn avait huit ans [n] lorsqu'il devint roi et il régna trois mois et dix jours à Jérusalem. Il fit ce qui est mal aux yeux du SEIGNEUR.

[10] Au tournant de l'année, le roi Nabuchodonosor envoya une expédition pour l'emmener à Babylone avec les objets précieux de la Maison du SEIGNEUR et il établit roi sur Juda et Jérusalem son frère [o] Sédécias.

Règne de Sédécias. Prise de Jérusalem
(2 R 24.18—25.21 ; Jr 39.1-10 ; 52.1-27)

[11] Sédécias avait vingt et un ans lorsqu'il devint roi et il régna onze ans à Jérusalem. [12] Il fit ce qui est mal aux yeux du SEIGNEUR, son Dieu.

Il ne s'humilia pas devant le *prophète Jérémie, qui parlait de la part du SEIGNEUR. [13] Il se révolta même contre le roi Nabuchodonosor, qui lui avait fait prêter serment par Dieu. Il raidit son cou [p] et il endurcit son *cœur plutôt que de revenir vers le SEIGNEUR, le Dieu d'Israël. [14] De même tous les chefs des prêtres et du peuple multiplièrent leurs prévarications [q] selon toutes les abominations pratiques des nations et ils souillèrent la Maison que le SEIGNEUR s'était consacrée à Jérusalem. [15] Le SEI-

---

h je viens : d'après les anciennes versions ; hébreu : *toi — contre mon ennemi habituel :* texte hébreu obscur et traduction incertaine ● *i il cherchait une occasion de :* autre traduction *il se déguisa pour — Meguiddo :* voir 2 R 9.27 et la note ● *j dans la tombe de ses pères* ou *dans le tombeau où étaient ses ancêtres* ● *k La complainte de Jérémie sur Josias* est perdue ; Jr 22.10 ne fait qu'une allusion très discrète à la mort de Josias ● *l talents :* voir au glossaire POIDS ET MESURES — *et talents d'or* ou *et un talent d'or.* D'anciennes versions grecque et latine portent *et dix talents d'or* ● *m son palais* ou *son temple* (= *le temple de son dieu*) ● *n huit ans :* d'après 2 R 24.8, Yoyakîn avait *dix-huit ans* ● *o Au tournant de l'année :* voir 24.23 et la note — *son frère :* en fait Sédécias était un *frère* de Yoyaqîm, donc un *oncle* de Yoyakîn, voir 2 R 24.17 ● *p Il raidit son cou* (ou *sa nuque*) : voir Ex 32.9 et la note ● *q prévarications* ou *infidélités*

35.23 emportez-moi, je suis blessé 1 R 22.34 ; cf. 1 S 31.3-4. **36.12** il ne s'humilia pas devant Jérémie Jr 37—39.

GNEUR, Dieu de leurs pères *r*, leur envoya des avertissements opportuns et fréquents par l'intermédiaire de ses messagers, car il avait pitié de son peuple et de sa propre *demeure, ¹⁶ mais ils bafouaient les messagers de Dieu, ils méprisaient ses paroles et ils narguaient ses prophètes, jusqu'à ce que la fureur du SEIGNEUR contre son peuple atteigne un point irrémédiable. ¹⁷ Aussi fit-il monter contre eux le roi des Chaldéens *s*, qui tua par l'épée leurs jeunes gens dans leur *sanctuaire, sans avoir pitié du jeune homme ou de la jeune fille, du vieillard ou de l'homme d'âge : il livra tout entre ses mains. ¹⁸ Tous les objets, grands ou petits, de la Maison de Dieu, les trésors de la Maison du SEIGNEUR et les trésors du roi et de ses dignitaires, il emporta tout à Babylone. ¹⁹ Ils incendièrent la Maison de Dieu, ils démolirent le rempart de Jérusalem, ils mirent le feu à tous ses palais et tous les objets précieux furent voués à la destruction. ²⁰ Puis il déporta à Babylone ceux que l'épée avait épargnés, pour qu'ils deviennent pour lui et ses fils des esclaves, jusqu'à l'avènement de la royauté des Perses. ²¹ Ainsi fut accompli la parole du SEIGNEUR transmise par la bouche de Jérémie *t* :

« Jusqu'à ce que le pays ait accompli ses *sabbats,
qu'il ait pratiqué le sabbat pendant tous ses jours de désolation,
pour un total de soixante-dix ans. »

Cyrus autorise la reconstruction du Temple

(Esd 1.1-3)

²² Or la première année *u* du roi de Perse Cyrus, pour accomplir la parole du SEIGNEUR, sortie de la bouche de Jérémie, le SEIGNEUR éveilla l'esprit de Cyrus, roi de Perse, afin que dans tout son royaume il fit publier une proclamation, et même un écrit, pour dire : ²³ « Ainsi parle Cyrus, roi de Perse : Tous les royaumes de la terre, le SEIGNEUR, le Dieu des cieux, me les a donnés et il m'a chargé lui-même de lui bâtir une Maison à Jérusalem, qui est en Juda. Lequel d'entre vous provient de tout son peuple ? Que le SEIGNEUR son Dieu soit avec lui et qu'il monte... »

---

r leurs pères ou *leurs ancêtres* ● *s Chaldéens:* autre nom des *Babyloniens* ● *t* La citation combine des éléments tirés de Lv 26.34-35 et de Jr 25.11 ● *u* Les deux derniers versets de 2 Chroniques se retrouvent au début du livre d'Esdras (1.1-3); voir les notes à cet endroit — Malgré l'ordre dans lequel les livres de l'A.T. sont présentés (en hébreu comme ici), les livres d'Esdras et de Néhémie constituent la suite de l'œuvre commencée dans les deux livres des Chroniques.

Les Livres Deutérocanoniques[1]

ESTHER (grec)

Le songe de Mardochée *a*

A ¹ La deuxième année du règne d'Artaxerxès le Grand, le premier jour de Nisan, Mardochée eut un songe. Descendant de Jaïros, de Séméias, de Kisaïas, issu de la tribu de Benjamin *b*, ² Mardochée était un Juif résidant à Suse *c* ; c'était un personnage important qui servait à la Cour du Roi. ³ Or il faisait partie de ceux que Nabuchodonosor, roi de Babylone, avait déportés de Jérusalem avec Jékhonias, le roi de Judée *d*.

⁴ Mardochée eut ce songe *e* :
Voici clameurs et tumulte,
Grondements et séisme,
Bouleversement sur la terre.
⁵ Voici deux grands dragons *f*, ils s'avancent, prêts tous deux à lutter. Ils poussent un grand cri ; ⁶ à leur cri, chaque nation s'apprête au combat, de façon à faire la guerre à une nation de justes.

⁷ Voici jour de ténèbres et d'obscurité,
Détresse et anxiété,
Oppression et grand bouleversement sur la terre.

⁸ Elle est bouleversée, la nation juste tout entière, épouvantée de ses malheurs ; on s'apprête à être anéanti, ⁹ on crie vers Dieu. Or, de ce cri, sort, comme d'une petite source, un fleuve large, une eau abondante. ¹⁰ Une lumière *g* se lève en plus du soleil. Alors les humbles sont élevés et dévorent les nobles.

¹¹ Une fois éveillé, Mardochée, qui avait vu ce songe et ce que Dieu avait décidé de faire, garda cela dans son *cœur et, jusqu'à la nuit, il eut le désir de le comprendre par tous les moyens.

Mardochée dénonce un complot au roi
(comparer Est 2.21-23 et *Est grec* 2.21-23)

¹² Puis Mardochée se tint au repos à la Cour en compagnie de Gabatha et de Tharra, les deux *eunuques royaux qui gardaient la cour. ¹³ Il les entendit alors parler de leurs machinations et chercha à savoir de quoi ils s'occupaient ; il apprit qu'ils s'apprêtaient à porter la main sur le roi Artaxerxès. Il les dénonça au roi. ¹⁴ Le roi interrogea les deux eunuques qui, après avoir avoué, furent arrêtés. ¹⁵ Le roi fit mettre ces faits par écrit pour qu'on en garde mémoire ; Mardochée aussi les mit par écrit. ¹⁶ Puis le roi donna ordre à Mardochée de rester au service de la Cour et il le gratifia de cadeaux pour ce qu'il venait d'accomplir.

¹⁷ Il y avait aussi Haman le Bougaïos *h*, fils de Hamadathos, noble du roi. Pour

---

a Les chapitres qui ne se trouvent pas dans le texte hébreu d'Esther - comme c'est le cas de ce chapitre initial - sont désignés par une lettre majuscule — Les renvois à la traduction du texte hébreu d'Esther sont indiqués simplement par Est... ● *b* Artaxerxès le Grand: sans doute *Artaxerxès Ier* qui succéda à Xerxès 1er (voir Esd 4.6-7 et les notes). Les textes hébreu et grec divergent sur l'identification du roi; comparer Est 1.1 — *Nisan:* voir au glossaire CALENDRIER — *Jaïros, Séméias, Kisaïas:* les noms juifs sont ici hellénisés (comparer Est 2.5) ● *c* Une des capitales de l'empire perse, qui servait de résidence d'hiver au roi ● *d* Voir Est 2.6 et la note ● *e* L'interprétation du songe de Mardochée est donnée en F.1-10 ● *f* Les *deux dragons* symbolisent le bien et le mal, représentés en *Est grec* par Mardochée et Haman; voir F.4 ● *g* La *lumière* est ici symbole de salut ● *h* le *Bougaïos:* il s'agit d'un surnom qui pourrait signifier « le Vantard »

A.1 un songe Gn 28.12-15; 37.5-10; 1 R 3.5; Dn 7; Mt 1.20-24; Ac 16.9-10. **A.3** la déportation de Nabuchodonosor Est 2.6+. **A.4** bouleversement sur la terre Jl 4.16. **A.5** des dragons cf. *Dn grec* 14.23-30 prêts à lutter Dn 7 et 8. **A.7** jour de ténèbres... cf. Jl 2.2; So 1.14-15. **A.10** une lumière se lève Es 9.1; Ps 97.11; 112.4; *Sg* 5.6; Lc 1.78 — les humbles sont élevés Ps 75.8+.

l'affaire des deux eunuques royaux, celui-ci chercha à nuire à Mardochée et à son peuple.

Le banquet du roi Artaxerxès

1 ¹ *C'était au temps* d'Artaxerxès ⁱ. *Cet* Artaxerxès *régna sur cent vingt-sept provinces depuis l'Inde.* ² *A cette époque-là, lorsque le roi* Artaxerxès *vint prendre place sur son trône de la ville de Suse,* ³ *la troisième année de son règne, il organisa un banquet* pour ses amis, pour toutes les autres nations, *pour les nobles* parmi les Perses et les Mèdes ʲ, et pour les super-préfets. ⁴ Puis, *cent quatre-vingts jours durant, il leur montra la richesse de son royaume et la splendeur de ses riches plaisirs.*

⁵ *Après la période* de noce, *le roi organisa pendant* six *jours,* pour des nations *qui se trouvaient* dans la ville, un festin *dans la cour du palais royal.* ⁶ La cour avait été décorée de lin et de *mousseline* tendus sur des *cordelières de lin* et d'écarlate, sur des chevilles d'or et *d'argent,* sur des *colonnes* de marbre et d'*albâtre* ; *il y avait des divans d'or et d'argent* ᵏ *sur un pavement* d'émeraude, *de nacre et* de marbre ; puis des couvertures aux broderies chatoyantes, *des* roses parsemées à la ronde. ⁷ *des coupes d'or* et d'argent, une timbale garnie d'escarboucles évaluée à trente mille talents ˡ. Il y avait du bon *vin* à profusion, que le *roi* lui-même buvait. ⁸ Ce festin fut sans restriction : ainsi l'avait voulu *le roi* et il *avait ordonné aux maîtres d'hôtel d'agir selon son désir* et celui *de chacun.*

⁹ Astîn, la reine, *avait également organisé* un festin *pour les femmes dans le palais royal,* là où était le *roi* Artaxerxès.

Disgrâce de la reine Astîn

¹⁰ *Le septième jour, le roi était gai ;* il dit alors à Hamân, Bazân, Tharra, Bô-razè, Zatholtha, Abataza et Tharaba — les sept *eunuques au service du roi* Ar-taxerxès — ¹¹ *de faire venir la reine devant* lui *pour la faire trôner, la ceindre du diadème et montrer aux ministres et aux nations* sa beauté ; c'est qu'elle était

belle ! ¹² *Mais la reine* Astîn *refusa de venir avec les eunuques. Alors,* vexé, *le roi se mit en colère.* ¹³ *Il dit à ses amis* ᵐ : « C'est ainsi qu'a répondu Astîn ? Eh bien ! statuez et jugez sur ce cas. »

¹⁴ Puis s'approchèrent *de lui* Arkésaïos, Sarsathaïos et Malèséar, ministres *des Perses et des Mèdes,* qui se tenaient près du *roi,* siégeant en premier aux côtés du roi. ¹⁵ Ils lui indiquèrent, *d'après les lois, ce qu'il fallait faire à la reine* Astîn, at-tendu *qu'elle n'avait pas exécuté les décisions du roi transmises par les eunuques.* ¹⁶ Moukhaïos *prit alors la parole en présence du roi et des ministres : « Ce n'est pas seulement le roi que la reine* Astîn *a bafoué, mais aussi tous les ministres et tous les gouverneurs royaux.* ¹⁷ — Le roi leur avait en effet rapporté les paroles de la reine et la manière dont elle lui avait répliqué —. *De la même façon* qu'elle a répliqué au roi Artaxerxès, ¹⁸ c'est ainsi que toutes les autres dames *des ministres perses et mèdes,* dès qu'elles auront appris sa réponse au roi, oseront infliger un semblable déshonneur à leurs maris. ¹⁹ *S'il plaît au roi,* qu'il produise une *ordonnance royale qui sera inscrite dans les lois des Mèdes et des Perses.* Qu'il n'y ait pas d'autre procédure ! Et que la reine ne s'approche plus du roi, *qui donnera son titre de reine à* une femme *meilleure qu'elle !* ²⁰ Et que *retentisse la loi établie par le roi,* qu'il fera appliquer *dans son royaume.* Ainsi, *toutes les femmes entoureront d'égards leurs maris, du plus pauvre au plus riche.* » ²¹ La chose plut au roi et aux ministres. Aussi le roi agit-il suivant les propos de Mou-khaïos. ²² Il envoya des lettres dans tout le royaume suivant *chaque province selon sa langue,* de sorte que les gens avaient peur dans leurs maisons.

Esther devient reine

2 ¹ *Après ces événements, une fois* sa fureur calmée, le roi ne fit plus mention d'Astîn ⁿ, gardant en mémoire ses déclarations et la manière dont il l'avait condamnée. ² *Les officiels à son service dirent* alors : « Qu'on cherche pour le roi des jeunes filles, vierges et bel-

---

ⁱ Voir A.1 et la note — Les caractères italiques sont utilisés pour les passages communs à Esther hébreu et à Esther grec ● ʲ *toutes les autres nations* ou *des gens de toutes les autres nationalités* (en dehors de la nationalité perse) — Sur l'expression *les Perses et les Mèdes* voir Est 1.3 et la note ● ᵏ *des divans d'or et d'argent:* les convives mangeaient étendus sur des divans (voir Am 6.4) ● ˡ Voir au glossaire MONNAIES ● ᵐ Titre honorifique (voir 3.1 et *1* M 2.18 et la note) ● ⁿ C'est-à-dire, le roi ne fit plus appeler Astîn auprès de lui; voir 2.14

1.10 les sept eunuques cf. 2 R 20.18.

les à regarder. ³ *Que le roi institue des commissaires dans toutes les provinces de son royaume* et qu'ils choisissent des *jeunes filles vierges et belles à regarder,* pour les amener *dans* la ville de *Suse au harem.* Qu'elles soient alors confiées à l'**eunuque royal, gardien des femmes. Qu'on donne des crèmes de beauté* et qu'on pourvoie à leurs autres soins. ⁴ *La femme qui plaira au roi régnera à la place d'Astîn.» La chose plut au roi qui agit de la sorte.*

⁵ *Il y avait dans* la ville de *Suse un Juif nommé Mardochée, descendant de* Jaïros, *de* Séméias, *de* Kisaïas, issu de la tribu *de Benjamin* ᵒ *;* ⁶ *c'était un déporté,* il venait de *Jérusalem* que *Nabuchodonosor, roi de Babylone,* avait emmenée *en déportation* ᵖ. ⁷ *Or il était tuteur* d'une enfant, *une fille de son oncle* Aminadab ; elle se nommait *Esther.* Elle avait perdu ses parents et Mardochée l'avait élevée pour en faire sa femme. *La jeune fille était belle à regarder.*

⁸ *Après la proclamation de l'ordonnance du roi,* on rassembla *de nombreuses jeunes filles dans* la ville de *Suse sous l'autorité de* Gaï. *Esther fut* donc *amenée à* Gaï, *le gardien des femmes.* ⁹ *La jeune fille lui plut et gagna sa faveur. Il se dépêcha de lui donner les crèmes de beauté et son régime, ainsi que les sept filles les plus remarquables venant* pour elle *du palais.* Il la traita bien, *elle et ses* demoiselles d'honneur, *dans le harem* ᑫ. ¹⁰ *Esther n'avait révélé ni sa* race *ni sa* patrie ; *car Mardochée lui avait interdit de le faire.* ¹¹ D'ailleurs, *chaque jour, Mardochée se promenait près de la cour* des femmes, *guettant ce qui arriverait à Esther.*

¹² *Au terme de douze mois,* le moment était venu pour *une jeune fille de* s'approcher *du roi. La période des préparatifs se déroulait ainsi : pendant six mois, elle se frottait avec de l'huile de myrrhe, puis pendant six mois avec des baumes et des crèmes de beauté féminines.* ¹³ Elle *allait alors près du roi.* Celui qu'il avait mandaté permettait à la jeune fille de l'accompagner depuis le harem jusqu'aux appartements royaux. ¹⁴ *Le soir, elle allait ; le matin, elle* se retirait *dans le se-*

cond *harem dont* Gaï, *l'eunuque royal,* était le *gardien. Elle* n'allait *plus* alors *près du roi, à moins qu'elle ne soit appelée* nommément.

¹⁵ *Quand Esther, la fille d'*Aminadab *l'oncle de Mardochée,* eut rempli les délais pour s'approcher *du roi, elle* n'avait refusé *aucun* des ordres *de l'eunuque gardien des femmes.* De fait, *Esther* gagnait la faveur *de tous ceux qui la voyaient.* ¹⁶ Esther s'approcha *donc du* roi *le* douzième *mois, c'est-à-*dire en Adar ʳ, *la septième année du* règne. ¹⁷ *Et le roi tomba amoureux d'Esther qui gagna sa faveur plus que toutes les jeunes filles. Il lui* mit *alors le diadème* de son épouse. ¹⁸ *Puis pour tous ses* amis et tous les puissants, *le roi* organisa un festin pendant sept jours et il célébra ses noces avec *Esther. Il accorda un dégrèvement* ˢ à *tous les sujets de son royaume.*

¹⁹ *Mardochée* servait à la Cour. ²⁰ *Esther n'avait pas révélé sa* patrie ; *c'est que Mardochée lui avait fait cette recommandation :* craindre Dieu et accomplir ses commandements — *comme lorsqu'elle était* avec lui. *Esther* Ne changea pas de conduite.

Mardochée découvre un complot

²¹ *Les deux *eunuques royaux* qui étaient chefs des gardes du corps avaient pris ombrage de l'avancement de Mardochée *et ils cherchaient à tuer le roi Artaxerxès.* ²² *Mais l'affaire fut connue de Mardochée ;* il en informa *Esther qui découvrit au roi les éléments de la conspiration.* ²³ Le roi interrogea les deux eunuques, *qui furent pendus.* En éloge, le roi ordonna *d'enregistrer ces faits dans la* Bibliothèque *Royale* ᵗ pour garder le souvenir des bons offices de Mardochée.

Conflit entre Haman et Mardochée

3 ¹ *Après ces événements, le roi* Artaxerxès *donna une haute situation à Haman le* Bougaïos, *fils de Hamadathos ; il l'éleva et le fit siéger* au premier rang de ses amis ᵘ. ² *Tous les* courtisans ᵛ se prosternaient *devant* lui, *comme le roi*

---

o Voir A.1 et la note • *p* Voir la note sur Est 2.6 • *q* Ces *sept filles* appelées les *demoiselles d'honneur* d'Esther sont à son service un peu comme des dames de compagnie • *r* Voir au glossaire CALENDRIER • *s* Voir la note sur Est 2.18 • *t* Voir la note sur Est 2.23 • *u le Bougaïos :* voir A.17 et la note — *ses amis :* voir 1.13 et la note • *v les courtisans* sont des hommes au service du roi (comparer Est 3.2)

2.5 Kisaïas ou Qish Est 2.5+. **2.6** la déportation de Nabuchodonosor Est 2.6+. **2.20** craindre Dieu Pr 1.29+ ; 8.13+. **3.2** Mardochée ne se prosternait pas *Est* grec C.5-7+.

l'avait en effet *commandé. Mais Mardochée ne se prosternait pas devant Haman.* [3] *Les* courtisans *du roi dirent alors à Mardochée :* « *Pourquoi ne tiens-tu pas compte de ce qui a été dit par le roi ?* » [4] *Chaque jour, ils lui en parlaient, mais lui ne les écoutait pas. Alors ils informèrent Haman que Mardochée s'opposait à ce qu'avait dit le roi. Mardochée leur avait révélé qu'il était juif.* [5] *Lorsqu'il apprit que Mardochée ne se prosternait pas devant lui, Haman fut rempli de fureur* [6] *et il résolut de faire disparaître tous les Juifs du royaume d'*Artaxerxès. [7] *Il prit un décret la douzième année du règne d'*Artaxerxès *et il tira au sort le jour, puis le mois, de façon à anéantir en une seule journée la race de Mardochée. Le sort tomba sur le quatorzième jour du mois d'Adar* ᵂ.

Haman prépare l'extermination des Juifs

[8] *Alors Haman dit au roi* Artaxerxès : « *Il y a une* nation *dispersée au milieu des* nations *dans tout ton royaume. Leurs lois sont fort différentes de celles de toutes les nations et ils ne tiennent pas compte des lois royales. Le roi n'a pas intérêt à les laisser tranquilles.* [9] *S'il plaît au roi, qu'il décide de les anéantir. Quant à moi, j'inscrirai sur le compte du Trésor royal une somme de dix mille talents d'argent* ˣ. » [10] *Alors le roi ôta sa bague* ʸ *et la mit dans la main de Haman pour qu'il appose le sceau sur les lettres contre les Juifs.* [11] *Puis le roi dit à Haman :* « Garde *l'argent !* et traite cette nation à ton gré. » [12] *Les secrétaires royaux furent alors convoqués le treize du premier mois et ils écrivirent suivant les ordres de Haman aux* généraux *et aux* ministres de chaque province depuis l'Inde jusqu'à l'Ethiopie, *aux cent vingt-sept provinces et aux chefs des nations, selon leur langue, au nom du roi* Artaxerxès. [13] *Puis on envoya des porteurs de dépêches dans le royaume d'*Artaxerxès *pour faire disparaître la race juive en un seul jour du douzième mois,*

c'est-à-dire Adar ᶻ, *et pour piller leurs biens.*

Le décret d'extermination des Juifs

B [1] De cette lettre, voici la copie : « Le Grand Roi Artaxerxès, aux ministres et préfets subalternes des cent vingt-sept provinces depuis l'Inde jusqu'à l'Ethiopie, écrit ce qui suit : [2] Moi qui étends mon empire sur nombre de nations et ma puissance sur la terre entière, j'ai voulu — sans me laisser griser par l'orgueil du pouvoir, mais au contraire en gouvernant toujours avec bienveillance et assez de modération — maintenir en tout temps sans remous la vie de mes sujets, rendre le royaume civilisé et praticable ᵃ jusqu'aux frontières, restaurer la paix à laquelle tous les hommes aspirent. [3] Lorsque j'ai consulté mes conseillers pour savoir comment atteindre ces objectifs, celui qui, parmi nous, s'est distingué par la sagesse, qui a constamment donné la preuve de ses bons offices et d'une fidélité sûre, qui a obtenu le titre de second personnage du royaume, Haman, [4] nous a montré que, parmi toutes les tribus répandues sur la terre, se trouve mêlée une espèce de peuple malveillant, opposé par ses lois à toute nation, des gens qui rejettent continuellement les ordonnances royales pour que ne s'établisse pas le gouvernement commun que nous dirigeons avec droiture et de façon irréprochable. [5] Ayant donc saisi que cette nation est la seule à se placer en une continuelle opposition à tout homme ; qu'elle se met à part en se conduisant selon des lois étrangères ; et que, hostile à nos affaires, elle commet les pires méfaits — et cela, afin que le royaume ne trouve pas de stabilité — : [6] en conséquence, nous ordonnons que ceux que vous signale par écrit Haman, préposé aux affaires et pour nous un second père, que tous ceux-là soient anéantis radicalement, y compris femmes et enfants, par l'épée de leurs ennemis sans aucune pitié ni ménage-

---

ᵂ Le *décret* concerne sans doute le tirage au sort qui suit — Le *tirage au sort* était utilisé pour fixer une date; comparer Est 3.7 — *Adar:* voir au glossaire CALENDRIER ● x Voir la note sur Est 3.9 — *talents:* voir au glossaire MONNAIES ● y *sa bague* ou *son anneau:* voir la note sur Est 3.10 ● z Voir 3.7 ● a *praticable,* c'est-à-dire où l'on puisse circuler librement et en toute sécurité

3.4 il était juif *Est grec* 3.8. **3.6** faire disparaître tous les Juifs *Est grec* C.8+. **3.8** une nation dispersée Lv 26.33+ — leurs lois sont différentes *Est grec* B.4-5+. **3.10** le roi ôta sa bague *Est grec* 8.2; Gn 41.42. **B.4-5** opposé par ses lois... *Est grec* 3.8; Dn 3.8-18; Esd 4.12-15, 19; Ac 16.20-21.

ment, le quatorzième jour du douzième mois (Adar) de la présente année *b*, 7 de façon que les opposants d'hier et d'aujourd'hui, précipités violemment aux Enfers *c*, en un seul jour, nous assurent pour le temps à venir des affaires définitivement stables et sans bouleversement. »

3 14 Les *copies des lettres furent promulguées dans chaque province, et* ordre fut donné *à toutes les* nations *de se tenir prêtes au jour dit.* 15 L'affaire fut menée *bon train*, même *à Suse. Et tandis que le roi et Haman* s'enivraient, *la ville* était bouleversée.

Mardochée demande à Esther d'intervenir

4 1 *Apprenant* les faits, *Mardochée *déchira ses habits, se revêtit d'un *sac*, répandit sur lui de la cendre et, se précipitant à travers la grand-rue de la ville, il criait d'une voix forte :* « On supprime une nation innocente ! » 2 *Puis il alla jusqu'à la porte royale et il se tint là ; car il ne* lui était *pas permis d'entrer* dans la cour, couvert *d'un sac et de cendre.* 3 *Or en chaque province où* les lettres *avaient été* promulguées, *c'était des lamentations, des coups sur la poitrine, un grand deuil pour les Juifs, qui s'étendirent sur le sac et la cendre.* 4 Les demoiselles d'honneur *d et les *eunuques de la reine vinrent la mettre au courant. En entendant ce qui se passait, elle fut bouleversée. Puis elle envoya des vêtements pour que Mardochée s'habille et enlève son sac. Mais il n'y consentit pas. 5 Alors Esther appela Hakhrathaïos, son eunuque qui se tenait à sa disposition, et elle l'envoya prendre pour elle des informations exactes auprès de Mardochée e.* 7 *Alors Mardochée lui révéla ce qui était arrivé et la promesse que Haman avait faite au roi, concernant les dix mille talents pour le Trésor, afin d'anéantir les Juifs f. 8 Il lui remit aussi une copie de ce qu'on avait promulgué à Suse pour leur anéantissement, afin qu'il la montre à Esther. De plus, il lui déclara qu'il commandait à Esther d'aller chez le roi,*

de lui demander grâce et de le supplier pour son peuple. — « .Rappelle-toi les jours de ton humble condition, comment tu as été nourrie de ma main ; car Haman, qui est le second personnage *g*, a parlé au roi contre nous pour nous faire mourir. Invoque le Seigneur ! Parle au roi à notre sujet ! Arrache-nous à la mort ! » 9 *Hakhrathaïos vint rapporter à Esther* toutes ces *paroles.* 10 *Alors Esther dit à* Hakhrathaïos : « Va *dire à Mardochée :* 11 *Toutes les nations du royaume savent bien que quiconque, homme ou femme, va près du roi dans la cour intérieure sans être appelé, n'a aucune chance de salut — sauf celui à qui le roi tend le sceptre d'or : celui-là sera sauvé. Quant à moi, cela fait trente jours que je n'ai pas été appelée à m'approcher du roi... »* 12 *Hakhrathaïos mit Mardochée au courant de toutes les paroles d'Esther.* 13 *Mardochée répondit alors à Hakhrathaïos : « Va lui dire, à Esther : Ne te dis pas que, seule dans le royaume, à la différence de tous les Juifs, tu en réchapperas.* 14 *Car si en cette occasion tu fais la sourde oreille, c'est d'un autre endroit qu'il y aura secours et protection pour les Juifs, tandis que toi et ta famille vous serez anéantis. Or qui sait ? si c'était pour une occasion comme celle-ci que tu es arrivée à la royauté h... ? »* 15 *Esther renvoya celui qui était venu auprès d'elle et elle fit dire à Mardochée :* 16 « *Va réunir les Juifs qui se trouvent à Suse et *jeûnez pour moi : ne mangez pas, ne buvez pas, pendant trois jours, ni jour ni nuit. Moi de même, avec mes demoiselles d'honneur, je me priverai de nourriture. Sur ce, en dépit de la loi, j'irai près du roi, même si je dois être anéantie. »* 17 *Mardochée s'en alla faire tout ce qu'Esther lui avait commandé.*

Prière de Mardochée

C 1 Il pria le Seigneur, en rappelant toutes les œuvres du Seigneur, 2 et il dit :

« Seigneur, Seigneur, Roi Tout-Puissant :

Puisque l'univers est en ton pouvoir,

---

b un second père, c'est-à-dire le second personnage du royaume; voir B.3 et comparer Gn 45.8 et la note — *(Adar)*: voir au glossaire CALENDRIER ● *c aux Enfers* ou *dans le *séjour des morts* ● *d* Voir 2.9 et la note ● *e* Le verset 6 manque dans le texte grec; comparer Est 4.6 ● *f talents*: voir au glossaire MONNAIES — Sur les faits rapportés dans ce verset voir 3.9 ● *g le second personnage* sous-entendu *du royaume*; voir B.3 ● *h* Voir la note sur Est 4.14

4.16 Jeûnez Est 4.16+ —pendant trois jours 2 M 13.10-12. **C.2** Roi tout-puissant Es 37.15-20; Ps 47.3+ ; 95.3+.

alors tu n'as pas d'opposant
quand tu désires sauver Israël ;
³ puisque c'est toi qui as fait le ciel et
la terre
et toutes les merveilles qu'elle contient
sous le ciel,
⁴ alors tu es le Seigneur de tout
et il n'y a personne qui te résistera
à toi, le Seigneur.

⁵ Toi, tu connais tout.
Toi, tu sais bien, Seigneur,
que ce n'est ni par démesure
ni par orgueil ni par ambition
que j'ai fait cela :
ne pas me prosterner devant Haman
l'orgueilleux.
⁶ Car je consentirais à lui lécher les pieds
pour le salut d'Israël.
⁷ Mais j'ai fait cela
pour ne pas mettre la gloire d'un
homme
au-dessus de la gloire de Dieu ;
je ne me prosternerai devant personne
sauf devant toi, mon Seigneur ;
et ce ne sera pas par orgueil.
⁸ Et maintenant, Seigneur Dieu, Roi,
Dieu d'Abraham,
épargne ton peuple,
car on jette les yeux sur nous pour nous
détruire,
ils ont mis leur ardeur à anéantir
ce qui est ton héritage depuis les
origines ⁱ.
⁹ Ne méprise pas ton lot, que tu as
racheté
pour toi du pays d'Egypte.
¹⁰ Prête l'oreille à ma prière.
Sois favorable à ce qui est de ton
ressort
et change notre deuil en réjouissance
afin que, vivants, nous chantions des
hymnes
à ton nom, Seigneur,
et ne fais pas disparaître
ceux dont la bouche te loue. »

¹¹ Tout Israël criait de toutes ses forces,
parce qu'ils voyaient qu'ils allaient mourir.

Prière d'Esther

¹² Esther la reine, en proie à un combat
mortel ʲ, chercha refuge auprès du Seigneur. ¹³ Après avoir enlevé ses habits
d'apparat, elle revêtit des habits de détresse et de deuil ; à la place des parfums de luxe, elle se couvrit la tête de
cendre et de saletés ; elle humilia durement son corps et, tout ce qu'elle parait
joyeusement, elle le recouvrit de ses cheveux emmêlés ᵏ. ¹⁴ Elle priait le Seigneur
Dieu d'Israël en disant :

« Mon Seigneur, notre Roi,
Toi, tu es le Seul ! Porte-moi secours,
à moi qui suis seule et n'ai d'autre
secours que toi ;
¹⁵ car je vais jouer avec le danger.
¹⁶ Moi, dès ma naissance, j'ai entendu
dire dans la tribu de mes pères
que toi, Seigneur, tu as pris Israël
d'entre toutes les nations
et nos pères d'entre tous leurs ancêtres
pour qu'ils deviennent un héritage perpétuel ˡ,
que tu as réalisé aussi pour eux tout
ce que tu avais dit.
¹⁷ Et maintenant, nous avons péché devant
toi
et tu nous as livrés aux mains de nos
ennemis
¹⁸ parce que nous avons glorifié leurs
dieux ᵐ.
Tu es juste, Seigneur !
¹⁹ Mais maintenant, l'âpreté de notre
esclavage ne leur a pas suffi ;
au contraire, ils ont fait un pacte avec
leurs idoles ⁿ
²⁰ pour abolir ce que ta bouche a décrété,
faire disparaître ton héritage,

---

i on et ils renvoient aux populations païennes du royaume perse qui ont des sentiments antijuifs
— *ce qui est ton héritage:* c'est-à-dire le peuple qui t'appartient ● *j* Esther livre un combat intérieur
pour se décider à risquer la mort en allant parler au roi ● *k tout ce qu'elle parait joyeusement,*
c'est-à-dire les endroits de son corps qu'elle était heureuse auparavant de recouvrir de parures
— Tous les gestes décrits dans ce verset sont des signes de douleur morale et de deuil; comparer 4.1
● *l héritage perpétuel:* comparer C.8 et la note ● *m* Allusion à la participation des Juifs à des
cultes païens ● *n leur, ils...* renvoient aux ennemis nommés en C.17

C.3 Dieu a fait le ciel et la terre 2 R 19.15+. **C.5-7** Mardochée ne se prosterne devant
personne cf. Ex 20.5; Dn 3.12; Ac 5.29. **C.8-9** pour détruire *Est grec* 3.6; 7.4; Ps 83.5 ton
héritage Dt 9.26; 1 S 10.1; 1 R 8.51; Ps 28.9; 94.5; Jdt 13.5. **C.10** notre deuil en joie Jr 31.13;
Ps 30.12. vivre pour louer Dieu Es 38.19; Ps 119.175. **C.13** elle humilia son corps Dn 9.3; Jdt 9.1.
C.14 notre Roi *Est grec* C.2+ — tu es le Seul Dt 6.4. **C.16** j'ai entendu dire... Ps 78.3+ — un
héritage perpétuel *Est grec* C.8-9+. **C.17-18** tu nous as livrés *Dn grec* 3.32; Ne 9.27 parce que
nous avons péché *1 M* 1.41-53; *Ba* 2.1-5. Dieu est juste Ps 50.6; 119.137+. **C.20** faire disparaître ton héritage *Est grec* C.8-9+.

fermer la bouche de ceux qui te louent,
éteindre la gloire de ta Maison ainsi
que ton *Autel,
21 ouvrir la bouche des nations pour vanter du vide o
et admirer à perpétuité un roi mortel.
22 Ne livre pas ton sceptre, Seigneur, à
ceux qui n'existent pas ;
qu'ils ne se moquent pas de notre
chute.
Mais retourne contre eux leur projet
et, celui qui a pris la tête des opérations contre nous,
inflige-lui un châtiment exemplaire p.

23 Rappelle-toi, Seigneur ;
fais-toi connaître au moment de notre
détresse.
Quant à moi, donne-moi du courage,
Roi des dieux et Maître de toute
autorité.

24 Mets dans ma bouche un langage mélodieux en présence du lion q
et change son cœur
pour qu'il déteste celui qui nous fait
la guerre,
pour qu'il achève celui-ci ainsi que ses
partisans.
25 Arrache-nous à eux par ta main et
porte-moi secours,
moi qui suis seule et qui n'ai que toi,
Seigneur.

Tu as connaissance de tout :
26 tu sais que j'ai détesté la gloire des
sans-Loi r,
que le lit des païens et de tout étranger
me dégoûte.
27 Toi, tu sais la contrainte que je subis :
il me dégoûte, l'insigne orgueilleux s
que j'ai sur la tête les jours où je suis
en représentation ;
il me dégoûte comme une serviette
périodique
et je ne le porte pas les jours où je
suis au repos.
28 Ta servante n'a pas mangé à la table
de Haman
et je n'ai pas honoré le banquet du roi,

ni bu le vin des libations.
29 Ta servante n'a pas trouvé le bonheur
depuis que j'ai changé de condition
jusqu'à maintenant,
sauf auprès de toi, Seigneur, Dieu
d'Abraham.

30 Dieu, qui as puissance sur tous,
écoute la voix des désespérés,
arrache-nous à la main des pervers
et arrache-moi à ma peur. »

Démarche d'Esther auprès du roi

D ¹ *Au bout de trois jours, voici ce
qui arriva :*
Lorsqu'elle eut cessé de prier, elle
enleva ses habits de pénitente pour se
draper dans sa gloire t. ² Puis, dans tout
son éclat solennel, après avoir invoqué
Dieu qui voit tout et qui sauve, elle prit
avec elle les deux demoiselles d'honneur u.
³ Sur l'une, elle s'appuyait comme alan-
guie, ⁴ tandis que l'autre suivait en portant sa traîne. ⁵ Elle était toute rougis-
sante, au comble de sa beauté, elle avait
la mine souriante comme une amoureuse,
mais le cœur serré par la peur.
⁶ Après avoir franchi toutes les portes,
elle se tint devant le roi. Lui, *il était assis
sur son trône royal,* revêtu de tous les
atours de ses solennelles apparitions, tout
couvert d'or et de pierres précieuses ; il
inspirait une grande terreur. ⁷ Il leva alors
son visage que la gloire enflammait, et,
au comble de la fureur, il jeta un regard.
La reine s'effondra ; dans son état de
faiblesse, elle changea de couleur et inclina
sa tête sur celle de la demoiselle d'honneur qui la précédait.
⁸ Or Dieu changea l'esprit du roi pour
l'amener à la douceur. Inquiet, celui-ci
bondit de son trône et la prit dans ses
bras jusqu'à ce qu'elle se remît. Il la
réconfortait par des paroles apaisantes :
⁹ « Qu'y a-t-il, Esther ? Je suis ton
frère v : aie confiance ! lui dit-il. ¹⁰ Tu ne
mourras pas ; notre ordonnance w concerne le commun. ¹¹ Approche ! » ¹² Il

---

o *des nations* ou *des peuples païens* — *du vide:* cette expression désigne les faux dieux ● p *Ne
livre pas ton sceptre* ou *N'abandonne pas ton pouvoir* — *celui qui...,* c'est-à-dire Haman; voir
3.5-11 ● q Le *lion* désigne ici de façon symbolique le roi Artaxerxès ● r Les *sans-Loi* sont
les païens qui n'observent pas la loi de Moïse ● s *l'insigne orgueilleux,* c'est-à-dire le diadème de reine; voir 1.11 et 2.17 ● t Le chapitre D développe longuement les versets 1 et 2 du
chapitre 5 du texte hébreu — *elle:* Esther — *ses habits de pénitente:* voir C.13 ● u Voir 2.9 et
la note ● v *ton frère,* c'est-à-dire celui qui t'aime et te protège ● w Il s'agit du règlement royal
qui oblige à faire mourir quiconque s'approche du roi sans être appelé; voir 4.11

C.23 Roi des dieux *Est grec* C.2+ ; Ps 95.3+. **C.25** Dieu sait tout *Est grec* C.5; 1 S 2.3.
C.26 le lit des païens Esd 9.2+. **C.28** à la table du roi Dn 1.8; Jdt 12.1-2. **D.1** Au bout de
trois jours *Est grec* 4.16+. **D.2** dans son éclat solennel Jdt 10.1-4; 12.15. Dieu qui voit tout
2 M 7.35; 9.5 et qui sauve Jdt 9.11; Sg 16.7.

leva alors *le sceptre d'or* *ˣ*, le lui posa sur le cou, puis il l'embrassa et dit : « Parle-moi. » ¹³ Elle lui répondit : « Je t'ai vu, Seigneur, tel un ange de Dieu, et mon cœur a été bouleversé de peur par ta gloire ; ¹⁴ car tu es admirable, Seigneur, et ton visage est plein de grâces. » ¹⁵ Mais, tandis qu'elle parlait, elle s'effondra de faiblesse. ¹⁶ Le roi était bouleversé et toute sa suite la réconfortait.

5 ³ Alors le roi lui dit : « Que dé-sires-*tu*, *Esther* ? *Quelle est ta demande* ? *Jusqu'à la moitié de* mon *royaume*, tu l'auras. » ⁴ *Mais Esther ré-pondit* : « *Pour moi*, aujourd'hui, c'est un grand jour. *S'il plaît au roi*, *qu'il vienne*, lui *avec Haman*, *au banquet que j'orga-niserai aujourd'hui*. » ⁵ *Alors le roi dit* : « *Faites presser Haman*, *pour* que nous *obéissions à l'invitation d'Esther* ! » Tous deux furent présents *au banquet* auquel *Esther* les avait invités. ⁶ *Or à la fin du* festin, *le roi s'adressa à Esther* : « *Qu'y* a-t-il, reine Esther ? Tout ce que tu de-manderas, tu l'auras. » ⁷ Elle *répondit* : « *Ma requête... ? Ma demande... ?* ⁸ *Si j'ai* gagné la faveur *du roi*, *qu'il vienne* encore demain avec Haman *au banquet que je vais* organiser *pour eux*, *et demain j'agirai* de même. »

Haman prépare un gibet pour Mardochée

⁹ *Haman était sorti* de chez le roi, très heureux, bien content. *Mais lorsque Ha-man vit Mardochée* le Juif dans la cour, il *fut rempli d'une* grande *fureur*. ¹⁰ *Ren-tré chez lui*, il appela ses amis et Zôsara *sa femme* ; ¹¹ il leur montra *sa richesse* et *la gloire dont le roi l'avait* entouré, *et comment il l'avait* fait Premier Ministre et comment il lui avait confié la direction du royaume. ¹² *Puis Haman ajouta* : « *Au* banquet, la reine n'a convié *que moi avec le roi*. *Je suis convié aussi pour demain*. ¹³ *Mais cela ne me* plaît *pas*, *chaque fois que je vois Mardochée le Juif* dans la cour. » ¹⁴ Alors *Zôsara sa femme et ses amis lui dirent* : « *Qu'on* abatte *pour* toi un tronc haut de vingt-cinq mètres *ʸ* ; *et demain matin, dis* au roi *qu'on pende Mardochée à* ce gibet. Quant à toi, va *au banquet avec le roi* et amuse-toi

bien ! » *La chose plut à Haman, et le gibet* fut préparé.

Haman est obligé d'honorer Mardochée

6 ¹ *Cette nuit-là*, le Seigneur éloigna *du roi le sommeil ; celui-ci dit* alors à son précepteur *de lui apporter le livre des « Mémoires des Jours »* *ᶻ* pour lui en donner *lecture*. ² Il *trouva le texte* écrit à propos de *Mardochée* *ᵃ* : com-ment celui-ci *avait fait* au roi *des révéla-tions*, concernant les deux **eunuques royaux*, lorsque, pendant leur service de garde, ils avaient cherché à porter la main sur Artaxerxès. ³ « *Quel honneur*, dit le roi, ou *quelle faveur* avons-nous *décerné à Mardochée* ? » Les officiels à son ser-vice répondirent : « *Tu ne lui as rien décerné.* »

⁴ *Or*, tandis que le roi s'informait des bons offices de Mardochée, voici *Haman dans la cour*. *Le roi dit alors* : « *Qui est dans la cour* ? » Haman était venu pour dire au roi de pendre Mardochée *au gibet qu'il avait fait préparer*. ⁵ Les officiels au service *du roi dirent* : « *C'est Haman qui se tient dans la cour.* » *Le roi déclara* : « *Appelez-le* ! » ⁶ Puis le roi dit à Ha-man : « *Que vais-je faire à quelqu'un que je désire honorer* ? » Haman se dit alors : « *Qui le roi désire-t-il honorer*, sinon *moi* ? » ⁷ Il répondit donc au roi : « *Quelqu'un que le roi désire honorer* ? ⁸ Que les valets royaux *apportent un vête-ment* de lin dont s'enveloppe *le roi*, et un *cheval que monte le roi*. ⁹ *Qu'il le remette à l'un des amis* nobles *du roi* et que celui-ci *revête l'homme que le roi* préfère. *Qu'il le fasse monter sur le che-val* et proclame à travers la *grand-rue de la ville* : *Ainsi en sera-t-il pour* tout *homme que le roi honore* *ᵇ* ! »

¹⁰ *Alors le roi dit à Haman* : « *Tu as bien parlé*. *Fais ainsi pour Mardochée*, *le Juif qui sert à la Cour*. *Que rien ne* soit *négligé de ce que tu as proposé* ! » ¹¹ *Haman prit le vêtement et le cheval* ; il *revêtit Mardochée et le fit* monter *sur le cheval*. Puis il circula à travers la *grand-rue de la ville en proclamant* : « *Ainsi en sera-t-il pour tout homme que le roi désire honorer* ! »

¹² *Mardochée retourna à la* Cour, *tan-dis que Haman revenait chez lui*, *abattu*,

---

x Sur le sens de ce geste voir 4.11 ● *y* Voir la note sur Est 5.14 ● *z le livre des « Mémoires des Jours »* désigne les Annales royales, voir la note sur Est 2.23 ● *a* Voir A.15 et 2.23 ● *b* un des amis : voir 1.13 et la note — Porter *un vêtement* du roi et *monter son cheval* font participer à sa dignité

6.3 rien décerné Est 6.3+.

la tête basse. ¹³ *Haman raconta à Zôsara
sa femme et à ses amis ce qui lui était
arrivé. Ses amis et sa femme lui dirent :
« Si Mardochée est de la race des Juifs,*
c'est le *commencement* de ton humiliation
*devant lui ; tu vas sûrement continuer de
déchoir. Tu ne pourras* absolument *pas
le repousser, car il y a un Dieu vivant
avec lui. »*
¹⁴ *Ils parlaient encore quand se présentèrent les eunuques, pressant Haman*
pour le festin préparé *par Esther.*

Disgrâce et mort de Haman

7 ¹ *Le roi et Haman vinrent festoyer
avec la reine.* ² *En ce second jour,
à la fin du festin, le roi dit à Esther :
« Qu'y a-t-il, reine Esther ? Quelle est ta
requête ? Quelle est ta demande ?* Que
soit à toi *jusqu'à la moitié de* mon
royaume. » ³ *En réponse,* elle *déclara :
« Si j'ai gagné la faveur du roi, que me
soient accordées ma propre vie — telle
est ma requête — et celle de mon peuple
— telle est ma demande —.* ⁴ *En effet
nous avons été vendus, moi et mon peuple
pour l'anéantissement,* le pillage, l'esclavage, nous et nos enfants *pour devenir*
valets *et servantes ;* mais j'avais fait *la
sourde oreille, car* un tel calomniateur ᶜ
n'est pas digne de la Cour Royale. »
⁵ *Le roi dit alors : « Qui est-ce qui a*
osé *faire* cette chose-là ? ⁶ *Esther répondit : « Un ennemi ! Haman, ce pervers ! »
Haman fut alors bouleversé en face du
roi et de la reine.*
⁷ *Le roi quitta le festin pour aller dans
le jardin. Haman* se mit à implorer *la
reine, car il se voyait* dans une *mauvaise*
situation.
⁸ *Quand le roi revint du jardin Haman
était effondré sur le divan,* en train de
supplier la reine. *Du coup le roi dit : « Tu
veux* donc *en plus violer ma femme dans
ma maison ! »* Haman comprit *et détourna la tête par* confusion. ⁹ *Or Bouga-
thân, l'un des *eunuques, dit au roi : « Il
y a* justement ce gibet que Haman a fait
préparer *pour Mardochée, qui a parlé* en
ce qui concerne *le roi ;* c'est un gibet
haut de vingt-cinq mètres qui se dresse

chez Haman ᵈ *! »* Le roi dit : « Qu'il y
soit crucifié *! »* ¹⁰ *Et Haman fut pendu
au gibet préparé pour Mardochée.* A ce
moment-là, *la fureur du roi se calma.*

8 ¹ *Le jour même,* le roi Artaxerxès
*fit don à Esther de toutes les posses-
sions de Haman* le calomniateur. *De plus
Mardochée fut appelé par le roi, car
Esther avait révélé* qu'il avait des liens
de parenté avec *elle.* ² *Prenant la bague
qu'il avait enlevée à Haman, le roi la
donna à Mardochée* ᵉ*. Et Esther établit
Mardochée sur toutes les possessions de
Haman.*

Décret royal en faveur des Juifs

³ *A nouveau, Esther parla au roi ;* elle
tomba à ses pieds, lui demandant *d'écarter le malheur voulu par Haman* et tout
ce qu'il avait fait contre les Juifs. ⁴ *Le
roi tendit à* Esther *le sceptre d'or* ᶠ *;*
alors Esther *se releva et se tint debout*
près du roi. ⁵ *« S'il te plaît et si j'ai*
gagné ta faveur, *dit-elle, qu'on* envoie
révoquer les *lettres* expédiées *par Haman,*
celles *qui ont* été écrites *pour anéantir
les Juifs de* ton royaume ᵍ*.* ⁶ *Comment
pourrai-je* en effet *supporter la vue du
malheur de mon peuple ? Comment pourrai-je être* sauvée *quand* sera anéantie
ma parenté ? » ⁷ *Le roi répondit à Esther : « Si je t'ai donné tous les biens
de Haman, si j'ai cherché à te faire plaisir et si je l'ai fait pendre au gibet parce
qu'il avait porté la main sur les Juifs, que
désires-tu obtenir encore ?* ⁸ *A votre tour,
écrivez* en mon nom, *comme bon vous
semble, et cachetez avec ma bague* ʰ*. Car
tout ce qui a été écrit sur ordre du roi et
cacheté avec ma bague, il est impossible
de* le contester. »
⁹ *Les secrétaires furent donc convoqués le 23 du premier mois* — c'est-à-dire
Nisan ⁱ — *de la même année.* Aux *Juifs,*
on écrivit *les ordres donnés aux intendants et aux super-préfets, depuis l'Inde
jusqu'à l'Ethiopie, pour les cent vingt-sept*
régions, à chaque province *selon sa langue.* ¹⁰ *On écrivit au nom du roi et on
cacheta avec sa bague ; puis ils expé-
dièrent les lettres par des porteurs de dé-*

---

c Allusion à Haman et à ses arguments pour l'extermination des Juifs ; voir 3.8, 9 ; B.3-5 et
comparer E.13-16 ● *d* Voir 5.14 ● *e* Par ce geste le roi transmet à Mardochée les pouvoirs
qu'il avait précédemment donnés à Haman, voir 3.10 et la note sur Est 3.10 ● *f* Voir 4.11 et
comparer D.12 ● *g* Voir 3.12-13 ; B.1-7 et 3.14-15 ● *h* avec ma bague ou *avec mon anneau;* voir
3.10 et la note sur Est 3.10 ● *i* Voir au glossaire CALENDRIER

7.4 pour l'anéantissement *Est grec* C.8-9+. **7.10** Haman pendu à la place de Mardochée
Est 7.10+. **8.1-2** le pouvoir et les possessions de Haman à Mardochée Est 8.1+ ; 8.2+.
8.8 impossible de le contester Est 1.19+.

pêches : [11] il prescrivait aux Juifs de suivre leurs propres lois *en chaque ville,* aussi bien pour se porter secours que pour traiter leurs adversaires et leurs opposants à leur gré, [12] *en un seul jour dans tout* le royaume d'Artaxerxès, *le 13 du douzième mois, c'est-à-dire Adar* [j].

Lettre de réhabilitation des Juifs

E [1] Le texte ci-dessous est une copie de la lettre :

« Le Grand Roi Artaxerxès aux ministres de provinces des cent vingt-sept régions depuis l'Inde jusqu'à l'Ethiopie, à tous nos [k] partisans, salut !

[2] Bien des gens, trop souvent honorés par l'extrême générosité de leurs bienfaiteurs, ont nourri trop d'ambition [l] ; [3] non seulement ils cherchent à nuire à nos sujets, mais, incapables de supporter ce qui devrait les contenter, ils entreprennent de comploter contre leurs propres bienfaiteurs. [4] Non seulement ils suppriment la reconnaissance du milieu des hommes, mais de plus, exaltés par les fanfaronnades de ceux qui n'ont aucune expérience du bien, ils se figurent qu'ils échapperont à une justice ennemie du mal, celle de Dieu qui, sans cesse, discerne tout.

[5] En de nombreux cas aussi, nombre de gens placés au pouvoir, sous la pression d'amis en qui ils avaient mis leur confiance pour la prise en main des affaires, ont été rendus complices du sang innocent et entraînés dans des catastrophes irrémédiables [m] : [6] c'est que ces amis, par les fourberies mensongères de la malice, avaient trompé l'entière bonne foi des souverains.

[7] Or il est possible de constater, sans remonter aux récits assez anciens que nous avons transmis, en examinant ce qui se passe sous vos yeux, toutes les profanations commises par des individus véreux qui exercent indignement leur pouvoir.

[8] A l'avenir, nous nous efforcerons d'amener le royaume à la tranquillité dans l'intérêt de tous pacifiquement, [9] en effectuant les changements et en jugeant toujours les affaires qui seront soumises à notre examen, avec un abord suffisamment équitable.

[10] En effet c'est ainsi que Haman, fils de Hamadathos, un Macédonien [n], en réalité étranger au sang perse, bien éloigné de notre générosité, avait bénéficié de notre hospitalité ; [11] il avait rencontré l'amitié que nous portons à toute nation, au point d'être proclamé notre "père" et de devenir la seconde personnalité du trône royal, devant laquelle tous se prosternaient [o]. [12] Mais il n'a pas contenu son orgueil, il s'est employé à nous priver du pouvoir et de la vie ; [13] par un tissu de mensonges frauduleux, il a réclamé, pour les anéantir, notre propre sauveur et constant bienfaiteur [p], Mardochée, et Esther, l'irréprochable compagne de notre royauté, ainsi que leur nation tout entière. [14] Par ces moyens, en effet, il s'est imaginé, en nous tenant isolé, faire passer aux Macédoniens l'empire des Perses [q]. [15] Mais nous, nous trouvons que les Juifs, livrés à la disparition par cette triple crapule, ne sont pas des malfaiteurs ; au contraire, ils s'administrent par des lois très justes ; [16] en outre, ils sont fils du Dieu vivant, le très-haut, le très-grand, qui gouverne le royaume avec droiture pour nous comme pour nos ancêtres dans les meilleures conditions.

[17] Vous ferez donc bien de ne pas utiliser les lettres envoyées par Haman, le fils de Hamadathos, [18] attendu que leur auteur a été crucifié à l'entrée de Suse avec toute sa famille. Dieu, souverain de toutes choses, lui a rendu ainsi sans délai le verdict qu'il méritait.

---

j C'est-à-dire un jour avant la date prévue pour l'extermination des Juifs; voir 3.7 et B.6 — *Adar:* voir au glossaire CALENDRIER ● *k* Dans tout ce chapitre les pronoms à la première personne du pluriel désignent Artaxerxès (v. 3, 7, 8, 10, 13, 15). Il s'agit d'un pluriel de majesté ● *l* Les versets 2 à 7 font allusion aux actions d'Haman contre les Juifs, qui sont maintenant interprétées de manière nouvelle par le roi; voir les v. 10 à 14 ● *m amis:* voir 1.13 et la note — *complices du sang innocent,* c'est-à-dire complices de l'effusion du sang innocent ● *n* Voir E.14 et la note ● *o à toute nation,* c'est-à-dire à tous les membres d'un peuple autre que celui des Perses — *notre «père»:* voir B.6 et la note ● *p notre propre sauveur et constant bienfaiteur:* allusion aux événements rapportés en A.12-17 en 2.21-23 ● *q* Alexandre le Grand, roi de Macédoine, mit fin à l'empire perse un siècle après le règne du roi Artaxerxès 1er mais peu après celui d'Artaxerxès III. La référence à des intrigues de la part des *Macédoniens* est sans doute ici un anachronisme dû à l'auteur du livre d'*Est grec.*

E.2-3 trop d'ambition *Est grec* 5.11-12; 6.6; Ps 52.9; Pr 18.12. **E.15** des lois très justes cf. *Est grec* B.4-5+. **E.16** fils Ex 4.22+ du Dieu vivant Dt 5.26 le très haut Gn 14.19-20 le très grand *2 M* 3.36.

¹⁹ Après publication de la copie de cette lettre en tout lieu, laissez la liberté aux Juifs de suivre leurs propres coutumes ; ²⁰ prêtez-leur main-forte afin que, ceux qui se seront attaqués à eux en un moment de détresse, ils les repoussent le 13 du douzième mois (Adar) ʳ, le même jour. ²¹ Car Dieu qui exerce son pouvoir sur l'univers entier a transformé ce jour-là pour eux en jubilation au lieu de l'extermination de la race élue. ²² Vous donc aussi, parmi vos fêtes commémoratives, célébrez ce grand jour par des réjouissances de toute sorte, ²³ afin que, maintenant et pour l'avenir, ce soit le salut pour nous et pour les partisans des Perses, mais pour ceux qui conspirent contre nous un rappel de l'anéantissement. ²⁴ Toute ville ou province en général, qui n'agira pas conformément à ces prescriptions, sera furieusement ravagée par la lance et le feu ; elle deviendra non seulement tabou pour les hommes, mais exécrable aussi pour les animaux sauvages et les oiseaux définitivement.

8 ¹³ *Que les copies soient* affichées bien en vue *dans tout* le royaume, *pour qu'au jour dit* tous *les Juifs soient prêts à* faire la guerre à leurs adversaires. »

¹⁴ *Les cavaliers* sortirent donc *en toute* hâte exécuter *les ordres du roi ; et le décret fut promulgué,* même à Suse.

¹⁵ *Mardochée sortit alors* ˢ, *vêtu du vêtement royal,* portant *une couronne d'or* et un *diadème de lin écarlate.* Lorsqu'ils le virent, *les habitants de Suse furent en joie.* ¹⁶ *Pour les Juifs, ce fut lumière et jubilation.* ¹⁷ *En chaque ville et en chaque province,* là *où* était promulguée *l'ordonnance,* où était affiché *l'édit, ce fut joie et jubilation pour les Juifs,* ivresse *et jubilation. Beaucoup de* païens *se* soumettaient à la *circoncision et *se faisaient Juifs par peur des Juifs.*

La vengeance des Juifs

9 ¹ En effet *le douzième mois, c'est-à-dire Adar* ᵗ, *le* 13 du mois, les lettres écrites par le roi étaient arrivées à destination. ² Le jour même, furent anéantis les adversaires des Juifs. *Personne ne tenait :* on avait peur d'eux. ³ Les super-préfets, les princes et les secrétaires royaux avaient des égards pour *les Juifs ; car* leur peur *de Mardochée* les y poussait. ⁴ L'ordonnance royale avait eu pour effet de répandre son nom dans tout le royaume.

⁶ *Dans la ville de Suse, les Juifs tuèrent cinq cents hommes* ⁷ ainsi que Pharsannestaïn, Delphôn, Phasga, ⁸ Phardatha, Baréa, Sarbakha, ⁹ Marmasim, Arouphaïos, Arsaïos et Zabouthaïos, ¹⁰ *les dix fils de* Haman *le* Bougaïos ᵘ, *fils de* Hamadathos, *l'ennemi des Juifs.* Puis ils se livrèrent au pillage. *Le jour même* ¹¹, on donna *au roi le nombre des tués dans Suse.*

¹² *Le roi dit alors à Esther : « A Suse, les Juifs ont tué cinq cents hommes.* Comment, à ton avis, ont-ils procédé aux alentours ?... *Que demandes-tu* donc *encore ? Tu* l'*auras aussi. »* ¹³ *Esther répondit* au roi *: « Qu'on accorde aux Juifs de procéder pareillement* demain, *de façon à* pendre *les dix fils de Haman* ᵛ. » ¹⁴ Il permit qu'*il en soit ainsi,* et, pour les Juifs de la ville, il *promulgua un édit afin qu'ils pendent* les corps *des fils de* Haman. ¹⁵ *Les Juifs de Suse se rassemblèrent donc le 14 Adar* ʷ *; ils tuèrent trois cents hommes, sans se livrer à aucun pillage.*

¹⁶ *Quant à tous les autres Juifs* du royaume, *ils se rassemblèrent,* se portant secours. *Ils obtinrent de leurs attaquants le repos* ˣ *;* en effet ils avaient anéanti quinze mille personnes *le 13 Adar,* sans se livrer à aucun pillage. ¹⁷ *Ils se reposèrent* donc *le 14* du même mois et passèrent *le jour de repos* en joie *et jubilation,* ¹⁸ *tandis que les Juifs de la ville de Suse qui s'étaient rassemblés* aussi *le 14, sans prendre de repos,* passèrent alors *le 15 en joie et jubilation.* — ¹⁹ *C'est pourquoi les Juifs,* dispersés dans toutes les provinces à l'étranger, *célèbrent* donc *le 14 Adar comme un jour faste dans la jubilation, en s'envoyant mutuellement des portions* ʸ. Mais les habitants des métropoles célèbrent aussi le 15 Adar comme

---

ʳ Voir au glossaire CALENDRIER ● ˢ Sous-entendu *de chez le roi ;* comparer Est 8.15 ● ᵗ Voir au glossaire CALENDRIER ● ᵘ Voir la note sur Est 9.13 ● ᵛ Voir la note sur Est 9.13 ● ʷ C'est la date qui avait été fixée pour l'extermination des Juifs ; voir 3.7 et B.6 ● ˣ Voir la note sur Est 9.16 ● ʸ des portions ou *des cadeaux* (de fête)

E.19 suivre leurs propres coutumes *1* M 6.59; *2* M 11.25. E.21 pouvoir de Dieu reconnu par des païens Dn 2.47; Esd 1.2; 7.23. E.24 tabou pour les hommes et les animaux Jr 9.9; 51.62. 8.13 la guerre à leurs adversaires Est 8.11+. 8.15 Mardochée vêtu royalement Est 8.15+. 9.6-11 les Juifs tuèrent Est 9.6-11+. 9.13 de façon à pendre Est 9.13+.

un jour faste et de jubilation, en s'envoyant des portions.

Institution d'une fête commémorative

²⁰ *Mardochée mit ces choses par écrit* dans un livre qu'*il envoya à tous les Juifs* qui se trouvaient dans le royaume d'Artaxerxès, *aux plus éloignés comme aux plus proches,* ²¹ afin d'instituer la célébration de ces jours fastes, le 14 et le 15 Adar — ²² car en ces jours-là les Juifs avaient obtenu de leurs ennemis le repos — ainsi que de ce mois d'Adar où la situation avait été renversée en leur faveur, passant du deuil à la joie et du tourment à un jour faste ; ce mois serait célébré tout entier comme jours fastes de noces et de jubilation, avec envoi de portions aux amis et *aux pauvres* ᶻ.

²³ *Les Juifs acceptèrent* en conformité avec *ce que Mardochée leur avait écrit* : ²⁴ comment le Macédonien ᵃ Haman, fils de Hamadathos, *leur* avait fait la guerre, comment il avait posé un décret et *tiré au sort pour les* faire disparaître, ²⁵ comment il *était venu chez le roi* pour lui dire de faire pendre Mardochée ; *mais tous les malheurs* qu'il avait entrepris d'amener sur les Juifs, c'est *sur lui* qu'ils s'étaient produits et il avait été *pendu lui et ses enfants.*

²⁶ *C'est pourquoi ces jours-là ont été appelés* « Destinées » ᵇ : à cause des sorts (car dans leur dialecte, on les appelle des « destinées »), vu *les termes de cette lettre,* du fait de tout *ce qu'ils avaient* souffert pour cette raison et tout *ce qui leur était arrivé.* ²⁷ Mardochée en a fait une institution et *les Juifs ont accepté pour eux-mêmes, pour leur descendance* et pour leurs adeptes. Sans aucun doute, ils ne procéderont pas autrement. *Ces jours seront* un *rappel* accompli *de génération en génération, en chaque ville,* chaque famille, *chaque province.* ²⁸ Ces Jours des Destinées seront célébrés tout au long des temps. Surtout, que *le rappel ne s'en efface pas* de la postérité !

²⁹ *Esther, la reine, la fille* d'Aminadab,

et *Mardochée, le Juif,* mirent par écrit tous leurs actes ainsi que la *confirmation de la lettre des Destinées.* ³¹ *Mardochée et Esther, la reine, avaient fait une institution pour eux* en ce qui les concerne, faisant aussi alors de leur résolution une institution en vue de leur propre santé ᶜ. ³² *Par sa parole,* Esther en a fait une institution perpétuelle ; puis on l'a *mise par écrit* pour qu'on en garde mémoire.

Interprétation du songe de Mardochée
(*voir A.1-11*)

10 ¹ *Le roi légiférait pour le royaume, sur terre et sur mer.* ² *Sa puissance et sa vaillance, la richesse et la gloire de son royaume,* voilà qu'*on les mettait par écrit dans le livre des rois de Perse et de Médie* ᵈ, pour qu'on en garde mémoire. ³ *Or Mardochée succéda au roi* Artaxerxès. C'était *un grand homme* dans le royaume et *il était glorifié par les Juifs.* Bien-aimé de toute sa nation, il leur racontait quelle avait été sa conduite.

F ¹ Et Mardochée disait : « *C'est de Dieu que ces événements sont venus.* ² Je me rappelle en effet le songe que j'ai vu à ce sujet ; et, de fait, rien n'en a été omis :

³ *La petite source, qui est devenue fleuve ;* puis il y a eu une lumière en plus du soleil, et une eau abondante. Le fleuve, c'est Esther, que le roi a épousée et faite reine. ⁴ *Les deux dragons,* c'est Haman et moi. ⁵ *Les nations* sont celles qui se sont rassemblées pour anéantir le nom des Juifs. ⁶ *La nation qui est la mienne,* c'est Israël, ceux qui ont crié vers Dieu et qui ont été sauvés. Le Seigneur a sauvé son peuple ! *Le Seigneur nous a arrachés à* tous les malheurs-là ! Dieu a accompli *des signes et des prodiges magnifiques,* qui ne se sont pas produits chez les païens ! ⁷ *C'est pourquoi il a fait deux sorts,* un pour le peuple de Dieu, un autre pour tous les païens. ⁸ *Or ces deux sorts sont advenus* à l'heu-

---

ᶻ *les Juifs avaient obtenu... le repos:* voir 9.16 — Dans la Bible le thème des *noces* exprime souvent l'alliance entre Dieu et son peuple; voir les références parallèles ● *a* Voir E.10 et la note sur E.14 ● *b* Voir la note sur Est 9.26 ● *c* Le sens du texte grec est incertain. On peut aussi comprendre *contre leur propre santé* en référence au jeûne observé par Esther et les Juifs de Suse pour obtenir de Dieu la délivrance de leur peuple (voir 4.16) ● *d* Voir les notes sur Est 2.23 et Est 1.3

9.22-23 la célébration Est 9.22+ comme jours fastes de noces Os 2.16-25; Ap 19.7-9; cf. Jr 7.34. **9.28** célébrés tout au long des temps Ps 145.4-7. **10.3** Mardochée succéda au roi cf. 2 S 22.44; Ps 18.44.

re, au temps et au jour du jugement devant Dieu et pour tous les païens. [9] Dieu s'est rappelé son peuple et a rendu justice à son propre héritage [e]. [10] Donc ces jours, au mois d'Adar [f], le 14 et le 15 du même mois, comporteront pour eux une assemblée, des manifestations de joie et jubilation devant Dieu, à chaque génération, pour toujours, chez son peuple, Israël. »

Remarque finale

[11] La quatrième année du règne de Ptolémée et de Cléopâtre, Dosithos, se déclarant prêtre et *lévite, ainsi que son fils Ptolémée apportèrent la lettre ci-dessus. Ils affirmaient que celle-ci était la lettre des Destinées et qu'elle avait été traduite par Lysimaque, fils de Ptolémée, de ceux de Jérusalem [g].

---

[e] Voir C.8 et la note ● [f] Voir au glossaire CALENDRIER ● [g] *Ptolémée et Cléopâtre :* il peut s'agir soit de Ptolémée VIII, soit de Ptolémée XII, souverains macédoniens qui régnèrent en Egypte respectivement en 114-113 et 48-47 conjointement avec une *Cléopâtre.* En outre le nom de *Ptolémée* désigne trois personnages différents dans ce verset

F.9 son propre héritage *Est grec* C.9+.

JUDITH

Victoire de Nabuchodonosor sur Arphaxad

1 ¹ C'était la douzième année du règne de Nabuchodonosor, qui régna sur les Assyriens à Ninive, la grande ville, aux jours d'Arphaxad, qui régna sur les Mèdes à Ecbatane *ᵃ*. ² Ce dernier avait bâti à l'entour d'Ecbatane des remparts en pierres de taille, d'une largeur de trois coudées *ᵇ* et d'une longueur de six ; il avait porté la hauteur du rempart à soixante-dix coudées et sa largeur à cinquante coudées. ³ Aux portes il avait placé des tours de cent coudées et posé des fondations d'une largeur de soixante coudées. ⁴ Il lui avait fait des portes, portes s'élevant à une hauteur de soixante-dix coudées et d'une longueur de quarante coudées, en vue des sorties de l'armée de ses guerriers et des formations de ses fantassins. ⁵ En ces jours, le roi Nabuchodonosor fit la guerre au roi Arphaxad dans la grande plaine, c'est la plaine dans le territoire de Ragau *ᶜ*. ⁶ Vers lui convergèrent tous ceux qui habitaient la région montagneuse, tous ceux qui habitaient sur l'Euphrate et le Tigre et l'Hydaspe et dans les plaines d'Ariokh, roi des Elyméens ; et de nombreuses nations se rassemblèrent pour la bataille des fils de Khéléoud *ᵈ*.

⁷ Nabuchodonosor, roi des Assyriens, envoya des messagers à tous ceux qui habitaient la Perse et à tous ceux qui habitaient à l'Occident, ceux qui habitaient la Cilicie et Damas, le Liban et l'Antiliban, tous ceux qui habitaient sur la côte *ᵉ*, ⁸ ceux qui faisaient partie des peuples du Carmel, de Galaad, de la Galilée supérieure et de la grande plaine d'Esdrelon, ⁹ tous ceux de la Samarie et de ses villes et au-delà du Jourdain jusqu'à Jérusalem, Batanée, Khélous, Cadès, le fleuve d'Egypte, Taphnès, Ramsès et toute la terre de Guésem, ¹⁰ jusqu'au-delà de Tanis et de Memphis, et tous ceux qui habitaient l'Egypte jusqu'aux confins de l'Ethiopie. ¹¹ Tous les habitants de toute la terre méprisèrent la parole de Nabuchodonosor, roi des Assyriens, et ne se rassemblèrent pas avec lui pour la guerre, parce qu'ils ne le craignaient pas, mais ils lui résistèrent comme un seul homme *ᶠ* et ils renvoyèrent ses messagers les mains vides, la honte au visage. ¹² Nabuchodonosor fut très irrité contre toute cette terre et jura par son trône et son royaume de se venger de toute aux confins de la Cilicie, de la Damascène et de la Syrie, de faire périr aussi par son épée tous les habitants de Moab, les fils d'Ammon, toute la Judée et tous ceux d'Egypte jusqu'aux confins des deux mers *ᵍ*. ¹³ Il se rangea en bataille

---

a qui régna sur les Assyriens à Ninive : historiquement, *Nabuchodonosor* fut roi de Babylone (voir 2 R 24.1 ; Dn 1.1). C'est sur les débris de l'empire assyrien qu'il édifia son propre empire, *Ninive* ayant été détruite en 612 av. J.-C., huit ans avant le début de son règne (604) — *Arphaxad* est inconnu de l'histoire — *Ecbatane* : ancienne capitale des *Mèdes*, aujourd'hui Hamadan en Iran ● *b* Voir au glossaire POIDS ET MESURES ● *c* Probablement *Raguès*, localité située à environ 160 km au nord-est d'Ecbatane ● *d* Les *Elyméens* sont sans doute les habitants de l'Elymaïde ou Elymaïs (voir *1 M* 6.1 et la note) — Les *fils de Khéléoud* sont peut-être les Chaldéens ou Babyloniens ● *e à l'Occident*, c'est-à-dire à l'ouest de l'Euphrate — *la côte* : il s'agit de la côte est de la Méditerranée ● *f de toute la terre* ou *de toutes ces contrées* — *mais ils lui résistèrent comme un seul homme* : d'après les anciennes versions latines ; autre traduction, d'après le grec, *car il était à leurs yeux comme un homme seul* ● *g Moab, les fils d'Ammon* : voir Gn 19.37-38 et les notes — *jusqu'aux confins des deux mers* : le sens de cette expression est incertain ; les *deux mers* peuvent être la mer Rouge et la Méditerranée

1.1 Ninive Jon 1.2+ — Ecbatane Esd 6.2 ; *2 M* 9.3. **1.8** Esdrelon 3.9 ; 4.6 ; 7.3.

avec son armée contre le roi Arphaxad en la dix-septième année, il l'emporta dans la guerre et mit en déroute toute l'armée d'Arphaxad, toute sa cavalerie et tous ses chars ; 14 il se rendit maître de ses villes, arriva jusqu'à Ecbatane, s'empara de ses tours, pilla ses places et changea sa splendeur en opprobre. 15 Il prit Arphaxad dans les montagnes de Ragau, le perça de ses javelots et l'extermina pour toujours. 16 Il revint avec eux *h* jusqu'à Ninive, lui et sa smala, une multitude d'hommes de guerre en très grand nombre ; il resta là, se reposant et banquetant lui et son armée, pendant cent vingt jours.

Holopherne chargé d'une expédition punitive

2 1 En la dix-huitième année, le vingt-deuxième jour du premier mois, il fut question dans la maison de Nabuchodonosor, roi des Assyriens, de se venger de toute la terre, comme il l'avait dit *i*. 2 Il convoqua tous ses officiers et tous ses grands, tint avec eux son conseil secret et décida de sa propre bouche tout le châtiment de la terre. 3 Ils jugèrent bon de perdre toute chair, tous ceux qui n'avaient pas suivi la parole de sa bouche *j*. 4 Alors, quand il eut terminé son conseil, Nabuchodonosor, roi des Assyriens, appela Holopherne, général en chef de son armée et le second après lui, et lui dit : 5 « Ainsi parle le grand roi, le seigneur de toute la terre : Voici : tu sortiras de ma présence et tu prendras avec toi des hommes sûrs de leur force, jusqu'à cent vingt mille fantassins et une multitude de chevaux avec douze mille cavaliers. 6 Tu sortiras à l'attaque de toute la terre à l'Occident *k*, parce qu'ils ont désobéi à la parole de ma bouche. 7 Tu leur demanderas de préparer terre et eau *l*, parce que je sortirai contre eux dans ma fureur, je couvrirai toute la face de la terre avec les pieds de mon armée et je les lui livrerai pour le pillage. 8 Leurs blessés rempliront les ravins ; tous

les torrents et les fleuves seront remplis à déborder de leurs morts. 9 J'emmènerai leurs captifs jusqu'au bout de la terre entière. 10 Quant à toi, pars occuper pour moi tous leurs territoires ; ils se rendront à toi et tu me les réserveras pour le jour de leur accusation. 11 Quant aux insoumis, ton œil ne les épargnera pas, les livrant au massacre et au pillage dans toute la terre *m*. 12 Car, par ma vie et par la force de ma royauté, j'ai parlé et j'exécuterai cela de ma main. 13 Quant à toi, tu ne transgresseras pas une seule des paroles de ton seigneur ; mais tu les accompliras sans faute comme je te l'ai prescrit et tu ne différeras pas de les exécuter. »

14 Holopherne sortit de la présence de son seigneur et il appela tous les princes, les généraux et les officiers de l'armée d'Assour *n*. 15 Il dénombra les hommes d'élite pour la bataille, comme le lui avait ordonné son seigneur, jusqu'à douze myriades et douze mille archers montés. 16 Il les disposa comme en range une troupe de guerre. 17 Il prit des chameaux, des ânes et des mulets pour leurs bagages en très grande quantité, des moutons, des bœufs et des chèvres innombrables pour leur ravitaillement, 18 de l'approvisionnement pour chaque homme en quantité, de l'or et de l'argent de la maison du roi en grande abondance. 19 Il partit en expédition, lui et toute son armée, pour précéder le roi Nabuchodonosor et couvrir toute la face de la terre vers l'Occident *o* avec leurs chars, leurs cavaliers et leurs fantassins d'élite. 20 Avec eux partit une masse nombreuse comme des sauterelles et comme le sable de la terre, car on ne pouvait les compter à cause de leur multitude. 21 Ils s'éloignèrent de Ninive et marchèrent trois jours en direction de la plaine de Bektileth ; et de Bektileth ils allèrent bivouaquer près de la montagne qui est à gauche de la Haute-Cilicie *p*. 22 Il partit toute son armée, ses fantassins, ses cavaliers et ses chars et il s'éloigna de là vers la région montagneuse. 23 Il battit Phoud et Loud et il razzia tous les

---

h avec eux, c'est-à-dire *avec ses troupes* ● *i comme il l'avait dit:* voir 1.12 ● *j de perdre toute chair... la parole de sa bouche* ou *de faire périr quiconque n'avait pas répondu à l'appel du roi* ● *k à l'Occident:* voir 1.7 et la note ● *l préparer terre et eau:* formule d'origine perse équivalant à *se soumettre* ● *m dans toute ta terre* ou *dans tout territoire où tu passeras* ● *n d'Assour* ou *d'Assyrie* ● *o vers l'Occident:* voir 1.7 et la note ● *p* L'itinéraire présenté dans les versets 21-28 comporte un certain nombre de noms de lieux qui nous sont inconnus, comme *Bektileth* ici — *à gauche* ou *au nord*

1.16 cent vingt jours Est 1.3-4. **2.5** le grand roi 2 R 18.19, 28; Es 36.4, 13; *Est grec* E.1 — le seigneur de toute la terre Jos 3.11; Mi 4.13; Za 4.14; Ps 97.5. **2.19** pour précéder le roi 2.7. **2.20** nombreuse comme des sauterelles Jg 6.5; 6.12. **2.23** Ismaélites Gn 37.25; 39.1; Jg 8.24; Ps 83.7.

fils de Rassis et les fils d'Ismaël *q*, qui sont en face du désert au sud de Khéléôn. ²⁴ Il passa l'Euphrate, traversa la Mésopotamie et rasa les villes fortifiées qui sont sur le torrent de l'Abrona, jusqu'auprès de la mer. ²⁵ Il occupa les territoires de Cilicie, mit en pièces ceux qui lui résistaient et vint jusqu'aux territoires de Japhet, qui sont au sud en face de l'Arabie. ²⁶ Il encercla tous les fils de Madiân *r*, brûla leurs campements et razzia leurs bercails. ²⁷ Il descendit dans la plaine de Damas aux jours de la moisson des blés et brûla tous leurs champs ; il livra leurs troupeaux de moutons et de bœufs à la destruction, pilla leurs villes, ravagea leurs plaines et frappa tous les jeunes gens du tranchant de l'épée. ²⁸ Crainte et tremblement tombèrent sur les habitants de la côte *s*, qui étaient à Sidon et à Tyr, les habitants de Sour et d'Okina et tous ceux de Jamnia ; les habitants d'Azot et d'Ascalon furent très effrayés.

Holopherne aux portes de la Judée

3 ¹ Ils *t* lui envoyèrent des messagers avec des paroles de paix : ² « Nous voici en ta présence, nous les serviteurs de Nabuchodonosor, le grand roi. Traite-nous selon ton bon plaisir. ³ Voici que nos parcs à bestiaux, tout notre sol et tous nos champs de blé, nos troupeaux de petit et gros bétail, et tous les bercails de nos campements sont devant toi *u*. Traite-les comme il te plaira. ⁴ Voici que nos villes et leurs habitants sont tes esclaves ; viens, fais-y ton entrée, comme bon te semble. » ⁵ Ces hommes arrivèrent auprès d'Holopherne et lui parlèrent de la sorte. ⁶ Il descendit sur la côte *v*, lui et son armée, mit une garde dans les villes for-

tes et y leva des hommes d'élite comme auxiliaires. ⁷ On l'accueillit là et dans toute la contrée d'alentour avec des couronnes *w* et des danses, au son des tambourins. ⁸ Il dévasta tout leur territoire, coupa leurs bois sacrés, car c'était pour lui chose résolue que d'exterminer tous les dieux de la terre afin que toutes les nations adorent Nabuchodonosor et lui seul et que toutes les langues et les races *x* l'invoquent comme dieu. ⁹ Il arriva en face d'Esdrelon, près de Dotaïm, qui est en avant de la grande sierra de Judée *y*. ¹⁰ Ils bivouaquèrent entre Guébaï et Scythopolis *z* et il resta là pendant un mois pour rassembler tous les bagages de son armée.

Les Juifs se préparent à résister

4 ¹ Les fils d'Israël habitant en Judée apprirent tout ce qu'Holopherne, général en chef de Nabuchodonosor, roi des Assyriens, avait fait aux nations et la manière dont il avait pillé leurs *sanctuaires et les avait livrés à la destruction. ² Ils furent extrêmement effrayés à cause de lui et angoissés pour Jérusalem et pour le temple de leur Dieu. ³ Car récemment ils étaient remontés de leur captivité, depuis peu tout le peuple de Judée avait été rassemblé et les ustensiles, l'*autel et la maison de Dieu avaient été consacrés après leur profanation *a*. ⁴ Ils envoyèrent des messagers dans tout le territoire de Samarie, de Kona, de Béthoron, d'Abelmaïm, de Jéricho et jusqu'à Khoba, Aïsor et la plaine de Salem. ⁵ Ils occupèrent tous les sommets des hautes montagnes, fortifièrent tous les bourgs qui s'y trouvaient et firent des réserves pour l'approvisionnement et les préparatifs de guerre, car leurs champs avaient été récemment moissonnés. ⁶ Joakim, qui était en ces jours-là le grand prêtre de Jérusalem, écrivit aux

---

q Phoud (ou *Pouth*) *et Loud* : voir Es 66.19 et la note — *fils d'Ismaël* ou *Ismaélites* : tribus nomades du nord de l'Arabie ● *r les fils de Madiân* ou *les Madianites* (voir Ex 2.15 et la note) ● *s la côte* : voir 1.7 et la note ● *t* C'est-à-dire *les habitants de la côte* (2.28) ● *u devant toi* ou *à ta disposition* ● *v la côte* : voir 1.7 et la note ● *w Les couronnes* sont ici des ornements de fête portés par le peuple et non des présents offerts à Holopherne ● *x c'était pour lui chose résolue que d'exterminer* : d'après quelques manuscrits ; autre traduction, d'après les principaux manuscrits, *il lui avait été donné comme mission d'exterminer* — *toutes les langues et les races* ou *les hommes de toute langue et de toute race* ● *y Esdrelon* est le nom grec d'*Izréel* (voir Jos 19.18 et la note) — *Dotaïm*, nom grec de *Dotân* (voir Gn 37.17 et la note) — *la grande sierra* ou *la grande chaîne de montagnes* ● *z Scythopolis* est le nom grec de *Beth-Shéân* (voir 1 S 31.10 et la note) ● *a* Le récit, rédigé tardivement, fait allusion ici au retour d'exil, qui eut lieu à partir de 538 av. J.C. (voir Esd 1.1-4), et peut-être aussi à la dédicace du Temple après la persécution d'Antiochus IV, en 164 av. J.C. (voir *1 M* 4.36-61)

2.28 Crainte et tremblement Ex 15.16; Dt 2.25; Ps 55.6. **3.2** le grand roi 2.5+. **3.7** danser au son des tambourins Ex 15.20; Jg 11.34; 1 S 18.6. **3.8** se faire adorer comme un dieu Dn 6.8; 11.36; 2 Th 2.4. **3.9** Esdrelon 1.8. **4.5** fortifications et réserves de guerre *1 M* 14.33-34.

habitants de Béthulie et de Béthomestaïm, en face d'Esdrelon, vis-à-vis de la plaine proche de Dotaïm *b*. ⁷ Il leur disait de tenir les pentes de la région montagneuse, parce qu'elles donnaient accès à la Judée et qu'il était facile d'arrêter ceux qui passaient deux par deux, tant le passage était étroit. ⁸ Les fils d'Israël firent comme le leur avaient ordonné le grand prêtre Joakim et le conseil des *anciens de tout le peuple d'Israël, qui siégeaient à Jérusalem.

Les Juifs supplient Dieu de les secourir

⁹ Tous les hommes d'Israël crièrent vers Dieu avec une grande ardeur et ils *jeûnèrent avec une grande ardeur, ¹⁰ eux, leurs femmes, leurs petits enfants et leurs troupeaux ; et tous les étrangers en séjour, leurs salariés et leurs esclaves mirent des *sacs sur leurs reins. ¹¹ Tous les hommes d'Israël, les femmes et les enfants, habitant à Jérusalem, se prosternèrent devant le temple, couvrirent leurs têtes de cendre *c* et déployèrent leurs sacs devant le Seigneur. ¹² Ils entourèrent l'*autel d'un sac et crièrent vers le Seigneur avec une ardeur unanime, pour qu'il ne livrât pas leurs petits enfants au pillage, leurs femmes au rapt, les villes de leur héritage à la destruction et le lieu saint *d* à la profanation et à l'outrage triomphant des nations. ¹³ Le Seigneur entendit leur voix et regarda leur détresse *e*. Le peuple continuait à jeûner bien des jours dans toute la Judée et à Jérusalem devant le lieu saint du Seigneur tout-puissant. ¹⁴ Le grand prêtre Joakim, tous les prêtres se tenant devant le Seigneur et les ministres du Seigneur, les reins ceints de sacs, offraient l'holocauste perpétuel, les offrandes *f* votives et les dons volontaires du peuple. ¹⁵ Leurs turbans étaient couverts de cendre et ils criaient vers le Seigneur de toute leur force pour qu'il visitât pour son bien toute la maison d'Israël *g*.

Holopherne tient conseil

5 ¹ On annonça à Holopherne, général en chef de l'armée d'Assour *h*, que les fils d'Israël se préparaient à la guerre, qu'ils avaient fermé les passages de la région montagneuse, qu'ils avaient fortifié tous les sommets des hautes montagnes et qu'ils avaient placé des embûches dans leurs plaines. ² Il s'irrita avec une violente fureur et appela tous les chefs de Moab, les généraux d'Ammon et tous les satrapes de la côte *i*. ³ Et il leur dit : « Informez-moi donc, fils de Canaan *j*, qui est ce peuple qui réside dans la région montagneuse ? Quelles sont les villes qu'ils habitent ? Quel est le nombre de leur armée ? En quoi consistent leur force et leur vigueur ? Qui est le roi à leur tête pour commander leurs troupes ? ⁴ Et pourquoi ont-ils dédaigné de venir à ma rencontre à la différence de tous les habitants de l'Occident *k* ? »

Le discours d'Akhior

⁵ Akhior, commandant de tous les fils d'Ammon, lui dit : « Que mon seigneur écoute donc une parole de la bouche de ton serviteur *l* et je t'informerai de la vérité sur le peuple qui habite cette région montagneuse et demeure auprès de toi. Il ne sortira pas de mensonge de la bouche de ton serviteur. ⁶ Ce peuple est un descendant des Chaldéens *m*. ⁷ Ils séjournèrent d'abord en Mésopotamie, parce qu'ils ne voulaient pas suivre les dieux de leurs

---

b Béthulie et *Béthomestaïm:* localités inconnues — *Esdrelon, Dotaïm:* voir 3.9 et la note ● *c couvrirent leurs têtes de cendre:* voir la note sur Es 61.3 ● *d Ils entourèrent l'autel d'un sac:* cette pratique n'est pas attestée nulle part ailleurs dans la Bible — *de leur héritage,* c'est-à-dire du pays qu'ils avaient reçu de Dieu — *le lieu saint* ou *le Temple* ● *e regarda leur détresse* ou *les prit en pitié* ● *f holocauste, offrandes:* voir au glossaire SACRIFICES ● *g pour qu'il visitât pour son bien* ou *pour qu'il intervienne en faveur de* — *toute la maison d'Israël* ou *tout le peuple d'Israël* ● *h d'Assour* ou *d'Assyrie* ● *i Moab, Ammon:* voir Gn 19.37-38 et les notes — *les satrapes* ou *les gouverneurs* — *la côte:* voir 1.7 et la note ● *j fils de Canaan* ou *Cananéens:* par cette expression qui désignait primitivement les anciens habitants de la Palestine, Holopherne interpelle les chefs des pays voisins d'Israël ● *k* Voir 1.7 et la note ● *l les fils d'Ammon:* voir Gn 19.38 et la note — *une parole de la bouche de ton serviteur,* c'est-à-dire *les paroles que je vais prononcer* ● *m* Les versets 6 à 19 sont un résumé de l'histoire d'Israël, à partir d'Abraham jusqu'au retour de l'exil (voir aussi les références parallèles) — *Chaldéens:* allusion à l'origine d'Abraham (voir Gn 11.27-28 et la note)

4.8 le conseil des anciens à Jérusalem 11.14; 15.8; *2 M* 1.10; 4.44.   **4.9** crièrent vers Dieu 7.19+ — le jeûne au moment du danger 2 Ch 20.3.   **4.10** tous les êtres humains et des animaux Jon 3.5-8.   **4.11** tous se prosternèrent 2 Ch 20.18.   **4.12** l'outrage des nations Jl 2.17.   **4.13** Le Seigneur entendit et regarda Ex 2.24-25; 3.7; Ps 102.20.   **4.14** holocauste perpétuel Ex 29.38; Nb 28.3.   **5.1** se préparaient à la guerre 4.5.   **5.2** Moab, Ammon, la côte Ps 83.6-9.

pères *n*, qui étaient dans la terre des Chaldéens. ⁸ Ils s'écartèrent de la voie de leurs ancêtres et adorèrent le Dieu du ciel, le Dieu qu'ils avaient connu. On les chassa loin de la face de leurs dieux, ils se réfugièrent en Mésopotamie et y séjournèrent de longs jours. ⁹ Leur Dieu leur dit de sortir du lieu de leur séjour et d'aller dans la terre de Canaan. Ils y habitèrent et ils y accrurent beaucoup leur or, leur argent et leurs nombreux troupeaux. ¹⁰ Ils descendirent en Egypte, car une famine avait recouvert la face de la terre de Canaan, et ils séjournèrent là-bas si bien qu'ils furent maintenus en vie, qu'ils devinrent là une grande multitude et que leur race fut innombrable. ¹¹ Le roi d'Egypte se dressa contre eux et usa envers eux d'une habile politique avec le travail de la brique *o* ; il les humilia et les transforma en esclaves. ¹² Ils crièrent vers leur Dieu, qui frappa toute la terre d'Egypte de coups sans remède *p* et les Egyptiens les chassèrent hors de leur présence. ¹³ Dieu dessécha la mer Rouge devant eux ¹⁴ et les conduisit sur la route du Sinaï et de Cadès-Barné. Ils chassèrent tous ceux qui habitaient dans le désert. ¹⁵ Ils s'établirent dans la terre des *Amorites et exterminèrent tous les Heshbonites *q* dans leur vigueur. Après avoir traversé le Jourdain, ils prirent possession de toute la région montagneuse. ¹⁶ Ils chassèrent de leur présence le Cananéen, le Perizzite et le Jébusite, Sichem et tous les Guirgashites *r* et ils habitèrent là de longs jours. ¹⁷ Tant qu'ils ne péchèrent pas devant leur Dieu, le bonheur était avec eux, car ils ont avec eux un Dieu qui hait l'injustice. ¹⁸ Mais quand ils s'éloignèrent de la voie qu'il leur avait établie, ils furent très gravement exterminés dans de nombreuses guerres et furent emmenés en captivité dans une terre étrangère. Le temple de leur Dieu fut rasé et leurs villes furent conquises par leurs adversaires. ¹⁹ Et maintenant, après être revenus vers leur Dieu, ils sont remontés de la dispersion où ils avaient été dispersés *s*, ils ont occupé Jérusalem où est leur *sanctuaire et ils se sont établis dans la région montagneuse, car elle était déserte. ²⁰ Maintenant donc, maître et seigneur, s'il y a un manquement dans ce peuple, s'ils pèchent contre leur Dieu et que nous observions chez eux cette cause de chute, nous monterons leur faire la guerre. ²¹ Mais s'il n'y a pas d'injustice dans leur nation, que mon seigneur passe outre, de peur que leur Seigneur et leur Dieu ne les protège. Et nous serions livrés à l'outrage devant toute la terre *t*. »

Akhior est condamné et livré aux Israélites

²² Alors, quand Akhior eut fini de parler ainsi, tout le peuple qui entourait la tente et se trouvait en cercle murmura ; les grands officiers d'Holopherne et tous les habitants de la côte et de Moab *u* parlèrent de le rouer de coups. ²³ « Car nous ne serons pas effrayés par les fils d'Israël. Car voici un peuple qui n'a ni puissance, ni force pour une bataille violente. ²⁴ Nous monterons donc et ils seront une pâture pour toutes tes troupes, maître Holopherne. »

6 ¹ Quand cessa le tumulte des hommes qui entouraient le conseil, Holopherne, général en chef de l'armée d'Assour dit à Akhior en présence de tout le peuple des étrangers *v* et à tous les fils de Moab : ² « Qui êtes-vous donc, toi Akhior

---

n en Mésopotamie, c'est-à-dire à Harrân en Haute-Mésopotamie (voir Gn 11.31 et la note) — *ils ne voulaient pas suivre les dieux de leurs pères* (ou *de leurs ancêtres*, voir v. 8): cette affirmation est empruntée à des traditions juives que ne connaît pas le récit de la Genèse ● *o le travail de la brique:* voir Ex 1.10-14 ● *p coups sans remède:* il s'agit des plaies ou fléaux d'Egypte (voir Ex 7.14—12.42) ● *q Habitants de la ville de Heshbôn*, voir Nb 21.25-30 et la] note sur Es 15.4 ● *r Cananéen... Guirgashites:* voir au glossaire AMORITES ● *s ils sont remontés de la dispersion où ils avaient été dispersés* ou *ils sont revenus des pays où ils avaient été dispersés:* allusion à l'exil (voir la note sur 4.3) ● *t nous serions livrés à l'outrage...* ou *tous les peuples de la terre se moqueraient de nous* ● *u la côte:* voir 1.7 et la note — *Moab:* voir Gn 19.37 et la note ● *v d'Assour* ou *d'Assyrie* — *le peuple des étrangers:* l'expression s'applique ici aux habitants de la côte (5.22)

5.9 l'ordre d'aller en Canaan Gn 12.1-5 — ils accrurent leur or... Gn 13.2. **5.10** en Egypte Gn 42.2; 46.6 — une grande multitude Ex 1.7. **5.12** ils crièrent Ex 2.23. **5.13** dessécha la mer Rouge Ex 14.21-22. **5.14** la route du Sinaï et de Cadès-Barné Ex 19.1; Nb 13.26; Dt 1.46. **5.15** la traversée du Jourdain Jos 3. **5.16** Ils chassèrent... Jos 3.10; Dt 7.1. **5.17** le bonheur était avec eux Ex 23.20-33; Lv 26.3-12; Dt 28.1-14 — un Dieu qui hait l'injustice Es 61.8; Ha 1.13; Ps 5.6. **5.18** quand ils s'éloignèrent Jg 2.11-14, 19; 3.7-8, 12; 4.1 — en captivité 2 R 17.6-7; 24—25; Jr 52 — le temple fut rasé 2 R 25.9; Jr 52.13; Esd 5.12. **5.21** la protection de Dieu 2 M 8.36. **6.2** sinon Nabuchodonosor 3.8 — ne les délivrera pas 2 R 18.35; Dn 3.15.

et vous, vendus à Ephraïm [w], pour nous avoir fait une prophétie comme aujourd'hui et nous avoir dit de ne pas combattre la race d'Israël, parce que leur Dieu les protégera ? Qui est dieu sinon Nabuchodonosor ? C'est lui qui enverra sa force et les exterminera de la face de la terre et leur Dieu ne les délivrera pas. [3] Mais nous, ses serviteurs, nous les frapperons comme un seul homme et ils ne soutiendront pas la force de nos chevaux. [4] Car nous les brûlerons pêle-mêle ; leurs montagnes s'enivreront de leur sang et leurs plaines seront remplies de leurs morts. La plante de leurs pieds ne résistera pas devant nous [x], mais ils mourront de male mort, dit le roi Nabuchodonosor, le seigneur de toute la terre ; car il a dit et ses discours ne seront pas de vains mots. [5] Et toi, Akhior, mercenaire d'Ammon, qui as proféré ces discours au jour de ta révolte, tu ne verras plus mon visage à partir de ce jour, jusqu'à ce que je me sois vengé de cette race évadée d'Egypte [y]. [6] Alors le fer de mes troupes et la lance [z] de mes officiers te transperceront les côtes et tu tomberas parmi les blessés, quand je reviendrai. [7] Mes serviteurs t'emmèneront à la région montagneuse et te déposeront dans une ville de ses pentes. [8] Tu ne mourras pas avant d'être exterminé avec eux. [9] Puisque tu espères en ton cœur qu'ils ne seront pas capturés, que ton visage ne soit pas abattu. J'ai parlé et aucune de mes paroles ne sera sans effet. »

[10] Holopherne ordonna à ses serviteurs qui se tenaient dans sa tente de saisir Akhior, de l'emmener à Béthulie [a] et de le livrer aux mains des fils d'Israël. [11] Ses serviteurs le saisirent et le conduisirent hors du camp vers la plaine ; ils s'éloignèrent des parties basses vers la région montagneuse et arrivèrent près des sources qui étaient en dessous de Béthulie. [12] Quand ils les virent, les hommes de la ville située sur le sommet de la montagne prirent leurs armes et sortirent de la ville située sur le sommet de la montagne ; tous les hommes armés de frondes les empêchèrent de monter et lançaient des pierres sur eux. [13] Se glissant au bas de la montagne, ceux-ci [b] lièrent Akhior, le laissèrent gisant à la base de la montagne et partirent vers leur seigneur. [14] Mais les fils d'Israël descendant de leur ville arrivèrent à lui ; l'ayant délié, ils l'emmenèrent à Béthulie et le présentèrent aux chefs de leur ville. [15] C'étaient en ces jours-là Ozias, fils de Mikha, de la tribu de Siméon [c], Khabris, fils d'Othoniel, et Kharmis, fils de Melkhiel. [16] Ils convoquèrent tous les *anciens de la ville ; tous les jeunes gens et les femmes accoururent à l'assemblée. Ils placèrent Akhior au milieu de tout le peuple et Ozias lui demanda ce qui était arrivé. [17] Dans sa réponse il leur rapporta les paroles du conseil d'Holopherne, toutes les paroles qu'il avait prononcées au milieu des chefs des fils d'Assour [d] et toutes les grandes déclarations d'Holopherne contre la maison d'Israël. [18] Prosterné, le peuple adora Dieu et cria : [19] « Seigneur, Dieu du ciel, regarde leurs insolences ; aie pitié de l'abaissement de notre race et regarde en ce jour le visage de ceux qui te sont consacrés [e]. » [20] Ils consolèrent Akhior et le félicitèrent vivement. [21] Ozias l'emmena de l'assemblée dans sa maison et fit un banquet pour les anciens. Ils appelèrent le Dieu d'Israël au secours pendant toute la nuit.

L'armée d'Holopherne assiège Béthulie

7 [1] Le lendemain Holopherne prescrivit à toutes ses troupes et à tout le peuple qui était venu lui prêter mainforte de se mettre en marche vers Béthulie, d'occuper les pentes de la région montagneuse et de faire la guerre aux fils d'Israël [f]. [2] En ce jour-là tout homme valide se mit en marche. L'armée des hommes de guerre était de cent soixante-dix

---

[w] Ce nom d'une des principales tribus d'Israël désigne ici le peuple d'Israël dans son ensemble (voir aussi la note sur Es 7.17) ● [x] *La plante de leurs pieds... devant nous* ou *Ils ne pourront pas tenir devant nous* ● [y] *Ammon:* voir 5.5, ainsi que Gn 19.38 et la note — *cette race évadée d'Egypte:* Holopherne se sert d'une expression méprisante pour désigner Israël ● [z] *la lance:* d'après les versions anciennes; grec: *le peuple* ● [a] Voir 4.6 et la note ● [b] C'est-à-dire les serviteurs d'Holopherne. ● [c] Ozias appartient à *la tribu de Siméon* comme Judith (voir 9.2). L'auteur du livre semble avoir porté un intérêt particulier à cette tribu qui n'a joué qu'un rôle effacé dans l'histoire d'Israël (voir la note sur Gn 49.7) ● [d] *des fils d'Assour* ou *des Assyriens* ● [e] *ceux qui te sont consacrés,* c'est-à-dire le peuple d'Israël, mis à part pour servir Dieu (voir aussi au glossaire SAINT) ● [f] *fils d'Israël* ou *Israélites*

6.4 le seigneur de toute la terre 2.5+. **6.11** les sources proches de Béthulie 7.3, 17. **6.19** Dieu du ciel 5.8; 11.17 — leurs insolences 2 R 19.4, 16; Ac 4.29. **7.1** les pentes 4.7. **7.2** fantassins, cavaliers 2.5, 15 — multitude 2.20.

mille fantassins et de douze mille cavaliers, sans compter l'intendance et les hommes à pied qui s'y trouvaient, une multitude très nombreuse. ³ Ils campèrent dans la plaine proche de Béthulie, près de la source et ils se déployèrent en profondeur depuis Dotaïm jusqu'à Belbaïm et en longueur de Béthulie à Kyamôn, qui est en face d'Esdrelon *g*.

⁴ Les fils d'Israël, en voyant leur multitude, furent très angoissés et se dirent l'un à l'autre : « Maintenant ils brouteront *h* la surface de la terre entière. Ni les hautes montagnes, ni les ravins, ni les collines ne supporteront leur poids. » ⁵ Après avoir pris chacun leur équipement de combat et allumé des feux sur leurs tours, ils restèrent à monter la garde toute cette nuit-là. ⁶ Le second jour, Holopherne fit sortir toute sa cavalerie en face des fils d'Israël qui étaient à Béthulie. ⁷ Il inspecta les pentes montant à leur ville et fit le tour de leurs points d'eau ; il les occupa, y plaça des postes d'hommes de guerre et lui-même retourna vers son peuple. ⁸ Tous les chefs des fils d'Esaü et les commandants du peuple de Moab et les généraux de la côte *i* s'approchèrent pour lui dire : ⁹ « Que notre maître écoute une parole, afin qu'il n'y ait pas de victime dans ton armée. ¹⁰ Car ce peuple des fils d'Israël ne compte pas sur ses lances, mais sur les hauteurs des montagnes où ils résident ; car il n'est pas facile d'accéder aux sommets de leurs montagnes. ¹¹ Maintenant donc, maître, ne te bats pas contre eux comme on fait dans une bataille rangée, et il ne tombera pas un homme de ton peuple. ¹² Reste dans ton camp en gardant tous les hommes de ton armée et que tes serviteurs contrôlent le point d'eau qui sort de la base de la montagne. ¹³ Car c'est de là que tirent l'eau les habitants de Béthulie. La soif les détruira et ils rendront leur ville. Nous et notre peuple nous monterons sur les proches sommets des montagnes et nous y camperons en avant-postes pour que personne ne sorte de la ville. ¹⁴ Ils se consumeront de faim, eux, leurs

femmes et leurs enfants et, avant que l'épée ne les atteigne, ils seront terrassés dans les places de leur résidence. ¹⁵ Tu leur paieras un salaire terrible, parce qu'ils se sont révoltés *j* et qu'ils ne sont pas venus à ta rencontre pacifiquement. »

¹⁶ Leurs paroles plurent aux yeux d'Holopherne et de tous ses officiers et il ordonna de faire comme ils avaient dit. ¹⁷ Le camp des fils d'Ammon se déplaça et avec eux cinq mille des fils d'Assour *k* ; ils campèrent dans la vallée et occupèrent les points d'eau et les sources des fils d'Israël. ¹⁸ Les fils d'Esaü et les fils d'Ammon montèrent, campèrent dans la région montagneuse en face de Dotaïm et envoyèrent certains d'entre eux vers le midi et le levant en face d'Egrebel, qui est près de Khous, sur le torrent de Mokhmour. Le reste des troupes assyriennes campa dans la plaine et couvrit toute la face de la terre *l*. Leurs tentes et leurs bagages bivouaquèrent en une masse compacte ; ils étaient une très nombreuse multitude. ¹⁹ Les fils d'Israël crièrent vers le Seigneur, leur Dieu, car leur esprit était découragé parce que tous leurs ennemis les avaient encerclés et qu'ils ne pouvaient s'échapper du milieu d'eux. ²⁰ Tout le camp d'Assour, leurs fantassins, leurs chars, leurs cavaliers, restèrent autour d'eux pendant trente-quatre jours.

Ozias veut rendre courage aux assiégés

Tous les habitants de Béthulie virent s'épuiser tous leurs récipients d'eau. ²¹ Les citernes se vidèrent et ils n'avaient plus d'eau pour boire leur content un seul jour, car on rationnait la boisson. ²² Leurs tout-petits étaient abattus, les femmes et les jeunes gens étaient épuisés de soif et tombaient sur les places de la ville et dans les passages des portes ; ils n'avaient plus aucun réconfort. ²³ Tout le peuple, jeunes gens, femmes et enfants, se rassembla près d'Ozias et des chefs de la ville *m* ; ils crièrent d'une voix forte et dirent devant tous les *anciens : ²⁴ « Que Dieu juge entre vous et nous. Car en ces jours-ci vous

g Dotaïm, Esdrelon : voir 3.9 et la note ● *h ils brouteront :* la même image est développée dans Nb 22.4 ● *i fils d'Esaü :* les Edomites ou habitants du pays d'*Edom* (voir Gn 25.29-30 et la note sur Gn 32.4) — *Moab :* voir Gn 19.37 et la note — *la côte :* voir 1.7 et la note ● *j Tu leur paieras un salaire terrible...* révoltés ou *Tu leur feras payer cher de s'être révoltés* ● *k fils d'Ammon :* voir Gn 19.38 et la note — *fils d'Assour* ou *Assyriens* ● *l toute la face de la terre* ou *toute la surface du pays* ● *m Ozias... chefs de la ville :* voir 6.14-15

7.3 la source 6.11. **7.8** Moab et les généraux de la côte 5.2. **7.9** pas de victime 10.13. **7.10** compter sur les montagnes 1 R 20.23. **7.14** la famine des assiégés 2 R 6.25 ; 25.3 ; Lm 4.4-9. **7.15** ils ne sont pas venus 5.4. **7.19** crièrent vers le Seigneur 4.9, 15 ; 6.21 ; 7.29 ; Ex 14.10 ; Jg 3.9, 15 ; 4.3 ; 6.6-7 ; 10.10. **7.21** l'eau rationnée Ez 4.16-17.

nous avez fait un grand tort en ne tenant pas des paroles de paix avec les fils d'Assour *n*. [25] Et maintenant il n'y a personne pour nous secourir, mais Dieu nous a vendus *o* entre leurs mains pour que nous soyons terrassés devant eux par la soif et une grande misère. [26] Maintenant donc appelez-les et livrez la ville entière pour le pillage au peuple d'Holopherne et à toute son armée. [27] Car mieux vaut pour nous devenir leur proie que de mourir de soif *p*. Nous deviendrons esclaves, mais nous vivrons et nous ne verrons pas mourir nos tout-petits, ni nos femmes et nos enfants rendre l'âme. [28] Nous vous adjurons au nom du ciel et de la terre, ainsi que de notre Dieu, Seigneur de nos pères, qui se venge de nous selon nos fautes et selon les péchés de nos pères, d'agir aujourd'hui selon ces paroles *q*. [29] Il y eut un grand gémissement de tous à la fois, au milieu de l'assemblée ; ils crièrent vers le Seigneur d'une voix forte. [30] Ozias leur dit : « Courage, frères. Tenons encore cinq jours au cours desquels le Seigneur, notre Dieu, tournera sa miséricorde vers nous ; car il ne nous abandonnera pas jusqu'au bout. [31] Mais si ces jours passent et que le secours ne vienne pas, je ferai comme vous dites. » [32] Il dispersa le peuple à ses postes de guerre ; ils partirent pour les remparts et les tours de leur ville ; et ils renvoyèrent les femmes et les enfants dans leurs maisons. On était en ville dans une grande dépression.

Présentation de Judith

8 [1] En ces jours, le bruit en parvint à Judith. C'était la fille de Merari, fils d'Ox, fils de Joseph, fils d'Oziel, fils d'Helkia, fils d'Ananie, fils de Gédéon, fils de Raphaïn, fils d'Akhitob, fils d'Elie, fils de Khelkias, fils d'Eliab, fils de Natha-

naël, fils de Salamiel, fils de Sarasadaï, fils d'Israël *r*. [2] Son mari était Manassé, de sa tribu et de sa famille, qui était mort aux jours de la moisson des orges. [3] Il surveillait en effet les lieurs de gerbes dans la plaine ; la chaleur brûlante du soleil vint sur sa tête ; il se mit au lit et mourut à Béthulie, sa ville. On l'enterra avec ses pères dans le champ situé entre Dotaïm *s* et Balamon. [4] Judith vivait chez elle dans le veuvage depuis trois ans et quatre mois. [5] Elle s'était fait un pavillon sur le toit de sa maison *t* ; elle mettait un *sac sur ses reins et elle portait des vêtements de veuve. [6] Elle *jeûnait tous les jours de son veuvage, excepté les *sabbats et leurs veilles, les nouvelles lunes et leurs veilles, les fêtes et les jours de réjouissances de la maison d'Israël *u*. [7] Elle était de fort belle apparence et de très gracieux aspect. Manassé, son mari, lui avait laissé or et argent, serviteurs et servantes, bestiaux et champs et elle demeurait dans ses propriétés. [8] Il n'y avait personne à colporter sur elle de mauvais propos, car elle avait une grande crainte *v* de Dieu. [9] Le bruit des mauvais propos du peuple contre le chef lui parvint, car ils étaient découragés à cause du manque d'eau. Le bruit parvint aussi à Judith de toutes les paroles que leur avait adressées Ozias, quand il leur avait juré de livrer la ville aux Assyriens au bout de cinq jours. [10] Envoyant sa suivante qui était préposée à tous ses biens, elle fit inviter Ozias, Khabris et Kharmis *w*, les *anciens de sa ville.

L'intervention de Judith

[11] Ils vinrent chez elle et elle leur dit : « Ecoutez-moi, chefs des habitants de Béthulie, car elle n'est pas droite la parole que vous avez prononcée *x* devant le peu-

---

n les fils d'Assour ou les Assyriens ● *o* nous a vendus ou nous a livrés ● *p* que de mourir de soif : ces mots ne figurent pas dans quelques manuscrits ● *q* d'agir... selon ces paroles, c'est-à-dire selon la proposition de reddition formulée au v. 26. Mais quelques-uns des principaux manuscrits grecs ont de ne pas agir, et alors les paroles seraient celles appelant à la résistance évoquée au v. 24 ● *r* Après Sarasadaï, quelques manuscrits grecs et latins ajoutent fils de Siméon (comparer avec 9.2) — fils d'Israël ou fils de Jacob ● *s* ses pères ou ses ancêtres — Dotaïm : voir 3.9 et la note ● *t* un pavillon sur le toit de sa maison : voir la note sur 1 R 17.19. Judith s'est fait construire ce pavillon probablement pour avoir un endroit propice au recueillement ● *u* nouvelles lunes : voir au glossaire NÉOMÉNIE — de la maison d'Israël ou du peuple d'Israël ● *v* une grande crainte ou un grand respect ● *w* Ozias, Khabris et Kharmis : voir 6.15. Ozias est omis par quelques manuscrits grecs et latins ● *x* elle n'est pas droite la parole que vous avez prononcée ou vous avez eu tort de parler comme vous l'avez fait

---

7.25 Dieu nous a vendus Jg 2.14; 3.8; 4.2; 10.7.   **7.27** mieux vaut devenir leur proie Ex 14.12 — nos tout-petits Lm 2.11.   **7.28** au nom du ciel et de la terre Dt 4.26; 30.19 — selon les péchés de nos pères Ex 20.5; Lm 5.7.   **8.3** l'insolation 2 R 4.18-20.   **8.7** de fort belle apparence Est 2.7.   **8.9** découragés 7.19.   **8.10** sa suivante 8.33; 10.2, 5, 17; 13.9; 16.23.   **8.11** ce serment 7.28-31.

ple en ce jour, quand vous avez prêté ce serment prononcé entre Dieu et vous et que vous avez parlé de rendre la ville à nos ennemis, si en ces cinq jours le Seigneur ne vous envoie du secours. [12] Et maintenant qui êtes-vous, vous qui avez tenté Dieu aujourd'hui et qui vous tenez à la place de Dieu au milieu des fils des hommes [y] ? [13] Maintenant, vous mettez le Seigneur tout-puissant à l'épreuve, mais vous ne connaîtrez rien à tout jamais. [14] Car vous ne découvrirez pas les profondeurs du *cœur de l'homme et vous ne saisirez pas les raisonnements de son intelligence. Comment donc sonderez-vous le Dieu qui a fait tout cela, connaîtrez-vous sa pensée et comprendrez-vous son dessein ? Non, mes frères, n'irritez pas le Seigneur notre Dieu. [15] Car s'il n'a pas l'intention de nous secourir dans les cinq jours, il a le pouvoir de nous défendre dans les jours qu'il veut ou bien de nous exterminer devant nos ennemis. [16] Mais vous, ne prenez pas de gages contre les desseins du Seigneur notre Dieu, car Dieu n'est pas comme un homme pour être menacé, ni comme un fils d'homme pour être soumis à un arbitre [z]. [17] C'est pourquoi en attendant le salut de sa part, appelons-le à notre secours et il entendra notre voix, si c'est son bon plaisir. [18] Car il n'a pas surgi pendant nos générations [a] et il n'y a pas aujourd'hui de tribu, de famille, de clan ou de ville parmi nous qui adore des dieux faits de main d'homme, comme cela arriva aux jours d'autrefois. [19] A cause de cela, nos pères [b] furent livrés à l'épée et au pillage et ils subirent une grande défaite devant nos ennemis. [20] Mais nous, nous n'avons pas connu d'autre dieu en dehors de lui. Aussi espérons-nous qu'il ne nous dédaignera pas et ne détournera pas sa miséricorde et son

salut [c] de notre race. [21] Car, si nous sommes pris, toute la Judée sera prise aussi, notre lieu saint sera pillé et Dieu dans le *sang demandera compte de sa profanation [d]. [22] Il fera retomber sur notre tête parmi les nations où nous serons esclaves le meurtre de nos frères, la captivité du pays et la désolation de notre héritage [e]. Nous serons un objet de scandale et d'opprobre devant nos conquérants. [23] Car notre asservissement ne gagnera pas la faveur de nos maîtres, mais le Seigneur Dieu en fera un déshonneur.

[24] Maintenant donc, frères, montrons à nos frères que leur vie dépend de nous, que le lieu saint, la maison de Dieu et l'*autel reposent sur nous. [25] Outre cela, rendons grâces au Seigneur notre Dieu, qui nous éprouve comme nos pères. [26] Rappelez-vous tout ce qu'il a fait avec Abraham et combien il a éprouvé Isaac et tout ce qui arriva à Jacob en Mésopotamie de Syrie [f], quand il gardait les brebis de Laban, le frère de sa mère. [27] Car de même qu'il les a passés au feu [g] pour scruter leur cœur, de même il ne tire pas vengeance de nous. Mais c'est pour les avertir que le Seigneur flagelle ceux qui s'approchent de lui. »

[28] Ozias lui dit : « Dans tout ce que tu as dit tu as parlé avec un cœur excellent et il n'y a personne qui s'opposera à tes paroles. [29] Car ce n'est pas d'aujourd'hui que ta sagesse est manifeste ; mais dès le début de la vie, tout le peuple a reconnu ton intelligence et la bonté des penchants de ton cœur.

[30] Mais le peuple a eu grand-soif et ils nous ont contraints à agir comme nous leur avons dit et à nous lier par un serment que nous ne transgresserons pas. [31] Maintenant donc, prie pour nous, car tu es une femme pieuse ; le Seigneur en-

---

[y] tenté ou défié — qui vous tenez à la place de Dieu: en décidant à sa place ou en préjugeant de ses intentions — fils des hommes ou humains ● [z] gages: fixer à Dieu un délai de cinq jours revient à exiger de lui un gage l'obligeant à intervenir — pour être soumis à un arbitre ou pour être amené à conciliation ● [a] pendant nos générations: les générations qui nous ont immédiatement précédés et celle dont nous faisons partie ● [b] nos pères ou nos ancêtres ● [c] détournera sa miséricorde et son salut: ces mots ne figurent que dans quelques manuscrits grecs et latins ● [d] notre lieu saint: le Temple — Dieu dans le sang... profanation ou meurtre devant Dieu de sa profanation ● [e] Il fera retomber sur notre tête... le meurtre, c'est-à-dire qu'il nous fera subir les conséquences du meurtre, etc. — de notre héritage ou du pays que nous avons reçu de lui ● [f] en Mésopotamie de Syrie, c'est-à-dire en Haute-Mésopotamie ● [g] de même qu'il les a passés au feu: autre traduction, d'après certains manuscrits, il ne nous a pas fait passer au feu comme ceux-là — Le feu est ici le symbole des épreuves qui ont atteint les patriarches

8.13 mettre le Seigneur à l'épreuve Ps 78.18+. **8.14** comment connaître la pensée de Dieu? Es 40.13; Mi 4.12; Ps 139.17; Jb 42.2-3; Rm 11.33-34; 1 Co 2.11, 16. **8.15** le pouvoir de nous défendre Dn 3.17. **8.18** aux jours d'autrefois 2 R 17.7-12. **8.19** livrés à l'épée Ps 78.58-62. **8.20** pas d'autre dieu Ex 20.3-6. **8.24** reposent sur nous 1 M 2.50; 5.32; 13.4-5. **8.26** Abraham Gn 22.1-19 — Isaac Gn 25.21; 27.1-40 — Jacob Gn 29—31. **8.27** scruter leur cœur Ps 17.3; 26.2 — flagelle Pr 3.11-12; Sg 3.5-6.

verra la pluie pour remplir nos citernes et nous ne serons plus épuisés. » [32] Judith leur dit : « Ecoutez-moi : je ferai une action qui parviendra aux fils de notre race jusqu'à des générations de générations [h]. [33] Vous vous tiendrez à la porte cette nuit ; je sortirai avec ma suivante et avant les jours où vous avez parlé de livrer la ville à nos ennemis, le Seigneur visitera Israël [i] par mon entremise. [34] Mais vous, vous ne vous enquerrez pas de mes agissements, car je ne vous dirai rien jusqu'à ce que soit achevé ce que je fais. » [35] Ozias et les chefs lui dirent : «Va en paix et que le Seigneur Dieu soit devant toi pour tirer vengeance de nos ennemis. » [36] Et quittant le pavillon [j], ils allèrent à leurs postes.

Prière de Judith

9 [1] Judith tomba sur sa face, se couvrit la tête de cendre [k] et découvrit le *sac dont elle était revêtue, au moment même où à Jérusalem on offrait l'*encens de ce soir-là dans la maison de Dieu. Elle cria vers le Seigneur d'une voix forte en disant : [2] « Seigneur, Dieu de mon père Siméon, dans la main de qui tu as mis une épée pour se venger d'étrangers [l] qui avaient attenté au sein d'une vierge pour sa souillure, découvert sa cuisse pour sa honte et profané son sein pour son déshonneur ! Tu avais dit, en effet : "Il n'en sera pas ainsi", mais ils le firent. [3] C'est pourquoi tu as livré leurs chefs à la tuerie et leur lit, honteux de leur tromperie, à une tromperie sanglante [m]. Tu as frappé les esclaves à côté des puissants et les puissants sur leurs trônes. [4] Tu as

livré leurs femmes au pillage, leurs filles à la captivité et toutes leurs dépouilles au partage entre tes fils bien-aimés, jalousement zélés pour toi, qui avaient eu horreur de la souillure de leur sang [n] et t'avaient appelé à l'aide. O Dieu, mon Dieu, exauce-moi, moi qui suis veuve. [5] Car tu as fait les événements d'autrefois, de maintenant et du futur ; tu as médité le présent et l'avenir et ce que tu avais dans l'esprit est venu à l'existence. [6] Les événements que tu avais décidés se présentèrent et dirent : "Nous voici". Car toutes tes voies sont prêtes et ton jugement porté avec prévoyance [o]. [7] Voici que les Assyriens sont venus en force, ils se sont exaltés au sujet de leurs chevaux et de leurs cavaliers, ils se sont enorgueillis du bras [p] de leurs fantassins, ils ont mis leur espoir dans le bouclier, le javelot, l'arc et la fronde ; ils ont méconnu que tu es le Seigneur qui brise les guerres. [8] Ton nom est Seigneur. Romps leur vigueur par ta puissance et abats leur force par ton courroux ; car ils ont projeté de profaner tes lieux saints, de souiller la tente où repose ton *nom glorieux et de renverser par le fer la corne de ton *autel [q]. [9] Regarde leur orgueil, envoie ta colère sur leurs têtes, donne à ma main de veuve la force que j'ai méditée. [10] Frappe par mes lèvres trompeuses [r] l'esclave à côté du chef et le chef à côté de son serviteur ; broie leur haute taille par une main de femme. [11] Car ta force n'est pas dans le nombre, ni ta puissance dans les forts, mais tu es le Dieu des humbles, le secours des petits, le défenseur des faibles, le protecteur des abandonnés, le sauveur des désespérés. [12] Oui, oui, Dieu de mon père, Dieu de l'héritage d'Israël [s],

---

[h] *jusqu'à des générations de générations* ou *jusqu'aux plus lointaines générations* ● [i] *la porte:* de la ville — *visitera Israël* ou *interviendra en faveur d'Israël* ● [j] *le pavillon:* voir v. 5 et la note ● [k] *se couvrit la tête de cendre:* voir la note sur Es 61.3 ● [l] *mon Dieu* ou *mon ancêtre* — *Siméon:* voir la note sur 6.15 — *pour se venger d'étrangers...*: les versets 2 à 4 évoquent l'histoire de Dina, fille de Jacob, et du massacre des habitants de Sichem (Gn 34) ● [m] *leur lit... à une tromperie sanglante:* c'est sur un *lit* que Sichem a commis sa faute et c'est sur *leur lit* que les Sichémites ont été massacrés grâce à la ruse des frères de Dina (Gn 34.13-15, 24-25) ● [n] *de leur sang,* c'est-à-dire de leur propre sœur ou de leur propre famille ● [o] *ton jugement porté avec prévoyance* ou *tu prévois le jugement que tu porteras* ● [p] *du bras* ou *de la force* ● [q] *la tente:* il s'agit ici du Temple. Voir aussi au glossaire TENTE DE LA RENCONTRE — *la corne de ton autel:* voir Ex 27.2 et la note ● [r] *par mes lèvres trompeuses* ou *par la ruse de mes paroles* (voir v. 13) ● [s] *Dieu de l'héritage d'Israël* ou *Dieu qui a donné à Israël le pays qu'il possède*

8.32 jusqu'à des générations de générations Ps 78.4; Mt 26.13. **8.35** pour tirer vengeance Dt 32.43. **9.1** l'encens du soir Ex 30.8. **9.3** esclaves et puissants Es 24.2; Sg 18.11 — sur leurs trônes Ex 12.29. **9.4** tes fils bien-aimés Jr 31.20 — veuve 8.2-4. **9.5** tu as fait les événements... Es 42.9; 44.7; 46.10; 48.3; Ps 33.11. **9.7** la confiance mise dans les armes 1 S 17.45; 2 R 19.23-24; Ps 20.8; 2 M 8.18 — qui brise les guerres Ps 46.10; 76.4. **9.8** Ton nom est Seigneur Ex 15.3 — profaner les lieux saints Ps 74.3-7; 79.1; 1 M 7.35; 2 M 14.33. **9.9** Regarde leur orgueil Ps 10.12; 37.29. **9.10** par une main de femme 13.15; 14.18; 16.5; Jg 4.9, 17-22; 9.53-54. **9.11** pas dans le nombre 1 S 14.6; 1 M 3.18-19 — le défenseur des faibles Es 25.4. **9.12** maître des cieux et de la terre Ps 103.19; Ne 9.6.

maître des cieux et de la terre, créateur des eaux, roi de toute ta création, exauce ma prière ¹³ et fais que ma parole trompeuse blesse et meurtrisse ceux qui ont fait de durs projets contre ton *alliance, ta maison *sanctifiée, le sommet de *Sion et la maison possédée par tes fils. ¹⁴ Fais connaître à toute nation et à toute tribu que tu es le Dieu de toute puissance et de toute force et que nul autre que toi ne veille sur la race d'Israël. »

Judith se rend dans le camp ennemi

10 ¹ Alors, après avoir cessé de crier vers le Dieu d'Israël et achevé toutes ces paroles, ² elle se releva de sa prosternation, appela sa suivante et descendit dans la maison où elle passait les jours de *sabbat et de fêtes ; ³ elle enleva le *sac dont elle était revêtue, elle quitta ses habits de veuve, elle lava son corps avec de l'eau et l'oignit d'une épaisse huile parfumée ; elle peigna les cheveux de sa tête, elle y mit un bandeau et revêtit ses habits de fête dont elle se couvrait aux jours où vivait son mari, Manassé ; ⁴ elle prit des sandales aux pieds, elle mit ses colliers, ses bracelets, ses bagues, ses boucles d'oreilles et toutes ses parures et se fit très élégante pour séduire les yeux des hommes qui la verraient. ⁵ Elle donna à sa suivante une outre de vin et une cruche d'huile ; elle remplit une besace avec de la farine d'orge, un gâteau de fruits secs, des pains et du fromage ᵗ ; elle empaqueta soigneusement tous ses récipients et en chargea sa suivante. ⁶ Elles sortirent vers la porte de Béthulie et y trouvèrent Ozias et les *anciens de la ville, Khabris et Kharmis qui s'y tenaient. ⁷ Quand ils virent son visage transformé et sa robe changée, ils eurent la plus grande admiration pour sa beauté et lui dirent : ⁸ « Que le Dieu de nos pères ᵘ te donne de trouver grâce et d'accomplir tes entreprises par l'orgueil des fils d'Israël et pour l'exaltation de Jérusalem ! » ⁹ Elle adora Dieu et leur dit : « Ordonnez que l'on m'ouvre la porte de la ville et je sortirai pour accomplir ce dont vous avez parlé avec moi » ; ils donnèrent l'ordre aux jeunes

gens de lui ouvrir comme elle l'avait dit. ¹⁰ Ils firent ainsi et Judith sortit avec sa servante. Les hommes de la ville la regardèrent jusqu'à ce qu'elle eût descendu la montagne et traversé le vallon, puis ils ne la virent plus.

¹¹ Elles marchèrent tout droit dans le vallon et un avant-poste des Assyriens vint à sa rencontre. ¹² Ils la saisirent et l'interrogèrent : « De quel côté es-tu ? D'où viens-tu ? Où vas-tu ? » Elle répondit : « Je suis une fille des Hébreux et je m'enfuis de chez eux parce qu'ils sont sur le point de vous être livrés en pâture. ¹³ Pour moi, je viens voir Holopherne, le général en chef de votre armée, pour lui apporter des paroles de vérité ᵛ et je lui montrerai devant lui le chemin qu'il doit suivre pour devenir le maître de toute la région montagneuse, sans que manque à l'appel ni homme, ni âme qui vive. » ¹⁴ Ayant écouté ses paroles et observé son visage — et il leur paraissait admirable de beauté —, les hommes lui dirent : ¹⁵ « Tu as sauvé ta vie en te hâtant de descendre te présenter à notre seigneur. Maintenant, viens à sa tente ; certains parmi nous te mèneront jusqu'à ce qu'ils t'aient remise entre ses mains. ¹⁶ Quand tu te tiendras devant lui, n'aie pas peur en ton cœur, mais répète tes paroles et il te fera du bien. » ¹⁷ Ils choisirent parmi eux cent hommes qui se joignirent à elle et à sa suivante et ils la conduisirent jusqu'à la tente d'Holopherne ; ¹⁸ il se produisit un attroupement à travers tout le camp, car on avait proclamé son arrivée parmi les tentes ; on venait former un cercle autour d'elle, tandis qu'elle se tenait à l'extérieur de la tente d'Holopherne en attendant qu'on l'eût informé à son sujet. ¹⁹ On admirait sa beauté et on admirait les fils d'Israël à cause d'elle, et chacun disait à l'autre : « Qui mépriserait ce peuple qui a en lui des femmes pareilles ? Il ne serait pas bien d'en laisser subsister un seul homme ; les survivants seraient capables de duper toute la terre ! » ²⁰ Ceux qui dormaient auprès d'Holopherne ʷ sortirent ainsi que tous ses officiers et ils introduisirent Judith sous la tente. ²¹ Holopherne se reposait sur son lit sous sa moustiquaire faite de pour-

---

ᵗ des pains et du fromage: d'après plusieurs manuscrits grecs et latins; les autres manuscrits grecs ont des pains purs ● ᵘ nos pères ou nos ancêtres ● ᵛ des paroles de vérité ou des renseignements exacts ● ʷ Ceux qui dormaient auprès d'Holopherne: autre traduction Les gardes du corps d'Holopherne

9.13 parole trompeuse 11.5-19 — contre ton alliance Dn 11.28. **9.14** Fais connaître à toute nation 1 R 18.37; 2 R 19.19; Dn grec 3.45; 1 M 4.11. **10.4** toutes ses parures Es 3.18-23. **10.6** vers la porte 8.33. **10.7** sa beauté 8.7; 10.14, 19, 23; 11.21; 16.6, 9. **10.12** en pâture 5.24. **10.18** tout le camp 7.12.

pre ˣ, d'or, d'émeraude et de pierres précieuses serties. ²² On l'informa à son sujet et il alla à l'entrée de sa tente précédé de flambeaux d'argent. ²³ Quand Judith arriva devant lui et ses officiers, tous admirèrent la beauté de son visage. Elle tomba sur sa face et se prosterna devant lui, et ses serviteurs la relevèrent.

Judith devant Holopherne

11 ¹ Holopherne lui dit : « Aie confiance, femme ; ne crains rien en ton cœur, car je n'ai fait de mal à aucun homme qui a choisi de servir Nabuchodonosor, le roi de toute la terre. ² Et maintenant, si ton peuple qui habite la région montagneuse ne m'avait pas méprisé, je n'aurais pas levé ma lance contre eux. Mais ils se sont fait cela à eux-mêmes. ³ Maintenant dis-moi pourquoi tu t'es enfuie de chez eux et tu es venue à nous. En effet, tu es venue pour ton salut. Aie confiance, cette nuit tu vivras ainsi qu'à l'avenir. ⁴ Personne ne te fera de tort ; au contraire, on te traitera bien, comme il advient aux serviteurs de mon seigneur, le roi Nabuchodonosor. »

⁵ Judith lui dit : « Accepte les paroles de ton esclave, que ta servante parle devant toi et je n'annoncerai aucun mensonge à mon seigneur cette nuit. ⁶ Si tu suis les paroles de ta servante, Dieu accomplira sa tâche avec toi et mon seigneur ne connaîtra pas d'échec dans ses entreprises. ⁷ Par la vie de Nabuchodonosor, le roi de toute la terre, et par sa puissance à lui qui t'a envoyé pour le redressement de toute âme vivante ʸ, grâce à toi non seulement les hommes le servent, mais les bêtes sauvages, le bétail et les oiseaux du ciel vivront par ta vigueur pour Nabuchodonosor et toute sa maison. ⁸ Car nous avons entendu parler de ta sagesse et de l'habileté de ton âme et l'on rapporte par toute la terre que toi seul es bon dans tout le royaume, puissant par le savoir et admirable dans les expéditions de guerre. ⁹ Quant au discours qu'a prononcé Akhior ᶻ dans ton conseil, nous en avons

entendu les paroles, parce que les hommes de Béthulie l'ont sauvé et qu'il leur a rapporté tout ce qu'il avait dit devant toi. ¹⁰ C'est pourquoi, maître et seigneur, ne néglige pas son discours, mais garde-le dans ton *cœur, car il est vrai. Car notre race n'est pas punie, l'épée ne prévaut pas contre eux, à moins qu'ils n'aient péché contre leur Dieu. ¹¹ Et maintenant, afin que mon seigneur ne soit pas repoussé et impuissant, la mort va fondre sur eux, le péché s'est emparé d'eux, par lequel ils mettent en colère leur Dieu, chaque fois qu'ils font un écart. ¹² Puisque la nourriture leur manque et que toute l'eau est devenue rare, ils ont projeté de mettre la main sur leurs troupeaux, et tout ce que Dieu par ses lois leur a enjoint de ne pas manger ᵃ, ils ont résolu de s'en servir. ¹³ Les *prémices du blé, les dîmes du vin et de l'huile qu'ils avaient gardées avec soin, les consacrant aux prêtres qui se tiennent à Jérusalem devant la face de notre Dieu, ils ont décidé de les consommer ᵇ, alors que personne parmi le peuple n'a le droit de les toucher de ses mains. ¹⁴ Ils ont envoyé à Jérusalem — car même ceux qui habitent là-bas ont fait cela — des gens devant leur transmettre l'autorisation de la part du conseil des *anciens. ¹⁵ Il arrivera que, lorsque celle-ci leur aura été notifiée et qu'ils auront fait cela, ce jour-là ils te seront livrés pour leur perte. ¹⁶ C'est pourquoi moi, ton esclave, sachant tout cela, je me suis enfuie de chez eux et Dieu m'a envoyée réaliser avec toi des affaires dont toute la terre sera stupéfiée, tous ceux qui en entendront parler. ¹⁷ Car ton esclave est pieuse, elle sert nuit et jour le Dieu du *ciel. Désormais je resterai auprès de toi, mon seigneur, ton esclave sortira la nuit dans le ravin et je prierai Dieu qui me dira quand ils auront commis leurs péchés. ¹⁸ Je viendrai te le rapporter et tu sortiras avec toute ton armée et personne parmi eux ne te résistera. ¹⁹ Et je te conduirai à travers la Judée jusqu'à ce que tu arrives devant Jérusalem ; je placerai ton trône en son milieu et tu les conduiras

---

x pourpre: voir la note sur Ex 25.4 ● y pour le redressement de toute âme vivante ou pour remettre tout être vivant dans le droit chemin ● z Akhior et son discours: voir 5.5-21 ● a tout ce que Dieu par ses lois leur a enjoint de ne pas manger: voir Lv 11; Dt 14.3-21 ● b les dîmes: voir Gn 14.20 et la note — ils ont décidé de les consommer: seuls les prêtres avaient le droit de manger les produits consacrés (comparer Lv 22.10)

11.1 choisir de servir le roi 2 R 18.31 — de toute la terre 2.5; 6.4; 11.7. **11.3** pour ton salut 10.15. **11.5** aucun mensonge 9.10,13; 10.13. **11.7** les bêtes sauvages Jr 27.6; 28.14; Dn 2.38; Ba 3.16. **11.10** n'est pas punie 5.17+. **11.11** ils mettent en colère leur Dieu Ps 78.56-62. **11.13** les produits réservés aux prêtres Nb 18.8-19. **11.17** nuit et jour Lc 2.37 — leurs péchés 11.11-15. **11.19** brebis sans berger Mt 9.36+.

comme des brebis sans *berger, sans qu'un chien gronde contre toi ^c. Car cela m'a été dit et annoncé selon ma prescience et j'ai été envoyée pour te le rapporter. » ²⁰ Ses paroles plurent à Holopherne et à tous ses officiers ; ils admirèrent sa sagesse et dirent : ²¹ « Il n'y a pas de femme pareille d'une extrémité de la terre à l'autre pour la beauté du visage et l'intelligence des paroles. » ²² Holopherne lui dit : « Dieu a bien fait de t'envoyer au-devant du peuple ^d, afin de mettre la force en mes mains et la perdition en ceux qui ont méprisé mon seigneur. ²³ Quant à toi, tu es jolie d'aspect et habile dans tes paroles. Si tu fais comme tu l'as dit, ton Dieu sera mon Dieu ; toi-même tu demeureras dans la maison du roi Nabuchodonosor et tu seras renommée par toute la terre. »

Judith séjourne dans le camp ennemi

12 ¹ Il ordonna de l'introduire là où était placée sa vaisselle d'argent et il commanda qu'on lui serve de ses mets et de son vin. ² Mais Judith dit : « Je n'en mangerai pas de peur que ce ne soit une occasion de chute ^e, mais ce que j'ai apporté m'approvisionnera. » ³ Holopherne lui dit : « Quand les aliments que tu as avec toi seront épuisés, où nous en procurerons-nous de semblables pour te les donner ? Car il n'y a personne de ta race avec nous. » ⁴ Judith lui dit : « Par ta vie, mon seigneur, ton esclave ne consommera pas ce que j'ai avec moi avant que le Seigneur fasse par ma main ce qu'il a projeté. » ⁵ Les officiers d'Holopherne la conduisirent à la tente et elle dormit jusqu'au milieu de la nuit. Elle se leva vers la veille de l'aurore ^f. ⁶ Elle envoya dire à Holopherne : « Que mon seigneur commande de laisser ton esclave sortir pour la prière. » ⁷ Et Holopherne prescrivit à ses gardes du corps de ne pas l'empêcher. Elle resta dans le camp trois jours. Elle se rendait la nuit au ravin de Béthulie et elle se baignait dans le camp à la source d'eau. ⁸ Quand elle remontait, elle priait le Seigneur Dieu d'Israël de di-

riger sa voie ^g pour le relèvement des fils de son peuple. ⁹ Une fois rentrée pure ^h, elle restait dans la tente, jusqu'à ce qu'on lui présentât sa nourriture vers le soir.

Le banquet d'Holopherne

¹⁰ Or, le quatrième jour ⁱ, Holopherne fit un banquet pour ses serviteurs seuls et il n'envoya d'invitation à aucun de ses fonctionnaires. ¹¹ Il dit à Bagoas, l'*eunuque préposé à toutes ses affaires : « Va persuader cette femme hébraïque qui est chez toi de venir auprès de nous et de manger et boire avec nous. ¹² Car pour nous, ce serait perdre la face de laisser de côté une femme pareille sans avoir eu de relations avec elle. Car, si nous ne l'attirons pas, elle se moquera de nous ^j. » ¹³ Bagoas sortit de devant Holopherne, il entra chez elle et dit : « Que cette belle servante n'hésite pas à venir vers mon seigneur pour être honorée devant lui, boire avec nous du vin dans la joie et devenir aujourd'hui comme l'une des filles des fils d'Assour ^k qui se tiennent dans la maison de Nabuchodonosor. » ¹⁴ Judith lui dit : « Qui suis-je pour contredire mon seigneur ? Tout ce qui est agréable à ses yeux je me hâterai de le faire et ce me sera une joie jusqu'au jour de ma mort. » ¹⁵ Elle se leva, se para de ses vêtements et de toutes ses parures féminines ; son esclave entra et étendit pour elle, par terre et vis-à-vis d'Holopherne, les toisons qu'elle avait reçues de Bagoas pour son usage quotidien, afin de manger allongée dessus. ¹⁶ Judith entra et s'étendit à terre ; le cœur d'Holopherne fut transporté par elle et son âme fut agitée. Il fut saisi du désir très fort de s'unir à elle. Il épiait le moment favorable pour la séduire depuis le jour où il l'avait vue. ¹⁷ Holopherne lui dit : « Bois et sois dans la joie avec nous. » ¹⁸ Judith lui dit : « Je boirai donc, seigneur, parce que ma vie est honorée aujourd'hui plus qu'en aucun autre jour depuis ma naissance. » ¹⁹ Ayant pris ce que son esclave avait préparé ^l, elle mangea et but vis-à-vis de lui. ²⁰ Holopherne était en joie à cause d'elle et il but énor-

---

c *sans qu'un chien gronde contre toi*: l'expression suggère une absence totale d'opposition (comparer Ex 11.7 et la note; Jos 10.21) ● d *au-devant du peuple* ou *en avant du peuple* ● e *une occasion de chute*: par la transgression de prescriptions alimentaires (comparer Dn 1.8; *Est grec* C. 28) ● f *la veille de l'aurore* ou *la veille du matin*: voir Ex 14.24 et la note ● g *sa voie* ou *son entreprise* ● h *une fois rentrée pure*: c'est ici le contact avec des païens qui oblige Judith à se purifier rituellement (v. 7) ● i *le quatrième jour*: voir v. 7 ● j *elle se moquera de nous* ou *il se moquera de nous* ● k *fils d'Assour* ou *Assyriens* ● l *ce que son esclave avait préparé*: voir 10.5 et 12.2

11.23 ton Dieu sera mon Dieu Rt 1.16 — par toute la terre 8.32; 10.8; 11.16; Mt 26.13. **12.2** ce que j'ai apporté 10.5. **12.5** Elle se leva Ps 119.62, 147-148. **12.6** pour la prière Ps 63.7; *Sg* 16.28. **12.8** diriger sa voie Pr 3.6. **12.9** sa nourriture vers le soir 8.6. **12.13** la maison de Nabuchodonosor 11.23. **12.15** toutes ses parures 10.4.

mément de vin, plus qu'il n'en avait jamais bu en un seul jour depuis qu'il était né.

Judith décapite Holopherne

13 [1] Quand il se fit tard, ses serviteurs se pressèrent de partir. Bagoas ferma la tente du dehors ; il écarta les assistants de la présence de son seigneur et ils allèrent se coucher. Tous en effet étaient fatigués, parce qu'ils avaient trop bu. [2] Judith seule fut laissée dans la tente avec Holopherne effondré sur son lit, car il était noyé dans le vin. [3] Judith dit à son esclave de se tenir à l'extérieur de la chambre à coucher et de surveiller sa sortie comme chaque jour ; elle dit qu'en effet elle sortirait pour sa prière [m]. Elle parla de la même manière à Bagoas.

[4] Tous se retirèrent de sa présence et personne, du plus petit au plus grand, ne resta dans la chambre à coucher. Judith, debout près du lit d'Holopherne, dit en son cœur : « Seigneur, Dieu de toute puissance, jette un regard en cette heure sur les œuvres de mes mains [n] pour l'exaltation de Jérusalem. [5] Car c'est maintenant le moment de prendre soin de ton héritage [o] et de réaliser mon entreprise pour broyer les ennemis qui se sont levés contre nous. » [6] Alors, s'avançant vers la barre du lit qui était près de la tête d'Holopherne, elle en retira son cimeterre [p] [7] et, s'approchant du lit, elle saisit la chevelure de sa tête et dit : « Fortifie-moi en ce jour, Seigneur Dieu d'Israël. » [8] Elle frappa deux fois sur son cou de toute sa vigueur et elle lui ôta la tête. [9] Puis elle fit rouler son corps hors de la couche et enleva la moustiquaire des colonnes ; peu après, elle sortit et remit la tête d'Holopherne à sa suivante, [10] qui la mit dans sa besace à provisions. Elles sortirent toutes les deux ensemble, comme à l'accoutumée, pour aller à la prière. Elles traversèrent le camp, contournèrent le ravin, montèrent à la montagne de Béthulie et arrivèrent à ses portes.

L'entrée de Judith à Béthulie

[11] Judith dit de loin à ceux qui faisaient la garde aux portes : « Ouvrez, ouvrez la porte. Dieu, notre Dieu est avec nous pour manifester sa vigueur en Israël et sa force contre les ennemis, comme il l'a fait aujourd'hui. » [12] Alors, quand les hommes de sa ville eurent entendu sa voix, ils se hâtèrent de descendre vers la porte de leur ville ; ils convoquèrent les *anciens de la ville. [13] Et tous accoururent, du plus petit jusqu'au plus grand, parce que son arrivée leur paraissait incroyable ; ils ouvrirent la porte, les reçurent [q], allumèrent un feu pour éclairer et les entourèrent. [14] Elle leur dit d'une voix forte : « Louez Dieu. Louez-le. Louez Dieu qui n'a pas retiré sa miséricorde de la maison d'Israël, mais qui a broyé nos ennemis par ma main cette nuit. » [15] Puis, ayant tiré la tête de la besace, elle la leur montra et leur dit : « Voici la tête d'Holopherne, le général en chef des armées d'Assour [r], et voici la moustiquaire sous laquelle il était étendu pendant son ivresse. Le Seigneur l'a frappé par la main d'une femme. [16] Par la vie du Seigneur, qui m'a protégée sur la voie que je suivais, mon visage l'a séduit pour sa perte sans qu'il commette le péché avec moi pour ma souillure et ma honte. » [17] Tout le peuple fut absolument stupéfait ; s'étant inclinés, ils adorèrent Dieu et dirent unanimement : « Tu es béni, ô notre Dieu, toi qui as anéanti aujourd'hui les ennemis de ton peuple. » [18] Ozias lui dit : « Bénie sois-tu, ma fille, par le Dieu très haut, plus que toutes les femmes qui sont sur la terre, et béni soit le Seigneur Dieu, lui qui a créé les cieux et la terre, lui qui t'a conduite pour blesser à la tête le chef de nos ennemis. [19] En effet, ton espérance ne quittera pas le cœur des hommes qui se souviendront de la vigueur de Dieu pour toujours. [20] Que Dieu fasse que tu sois exaltée perpétuellement et visitée par ses bienfaits, parce que tu n'as pas épargné ta vie à cause de l'humiliation de notre race, mais tu t'es opposée à notre chute en

---

m elle sortirait pour sa prière: voir 12.5-7 ● *n jette un regard... sur les œuvres de mes mains,* c'est-à-dire *fait réussir ce que je vais entreprendre* ● *o de ton héritage* ou *de ton peuple* ● *p son cimeterre:* celui d'Holopherne ● *q les reçurent:* Judith et sa suivante ● *r d'Assour* ou *d'Assyrie*

13.4 l'exaltation de Jérusalem 10.8 ; 15.9. **13.5** ton héritage Dt 4.20 ; 9.29 ; Ps 94.14 — broyer les ennemis Ex 15.6. Si 36.6-12. **13.7** Fortifie-moi Ps 138.3. **13.8** Elle frappa Jg 4.21 — elle lui ôta la tête *1 M* 7.47 ; *2 M* 15.30. **13.9** la moustiquaire 10.21. **13.10** sa besace 10.5. **13.11** Dieu est avec nous Es 8.10 ; Rm 8.31. **13.14** sa miséricorde Ps 66.20. **13.15** elle la leur montra *2 M* 15.32 — par la main d'une femme 9.10+. **13.18** Bénie sois-tu Jg 5.24 ; Lc 1.42 — les cieux et la terre Ps 121.2+. **13.19** pour toujours 8.32+. **13.20** tu n'as pas épargné ta vie *1 M* 13.5 — tout le peuple dit Ps 106.48.

marchant droit au but devant notre Dieu. » Et tout le peuple dit : « Ainsi soit-il. Ainsi soit-il. »

Akhior adopte la foi d'Israël

14 [1] Judith leur dit : « Ecoutez-moi, frères. Prenez cette tête et suspendez-la au créneau de notre rempart. [2] Alors, quand l'aurore brillera et que le soleil sortira sur la terre, vous prendrez chacun vos armes ; tous les hommes valides, vous sortirez de la ville. Vous vous donnerez un chef comme si vous alliez descendre vers la plaine en direction des avant-postes des fils d'Assour [s], mais vous ne descendrez pas. [3] Ceux-ci, prenant leurs équipements, iront vers leur camp ; ils réveilleront les généraux de l'armée d'Assour ; ces derniers courront à la tente d'Holopherne et ne le trouveront pas. La crainte tombera sur eux et ils fuiront loin de votre face. [4] En les poursuivant, vous et tous ceux qui habitent tout le territoire d'Israël, vous les abattrez sur leurs chemins. [5] Mais avant de faire cela, appelez-moi Akhior l'Ammonite, pour qu'il voie et reconnaisse celui qui a méprisé la maison d'Israël et qui l'a envoyé vers nous comme à la mort [t]. » [6] Ils appelèrent Akhior de la maison d'Ozias. Quand il arriva et qu'il vit la tête d'Holopherne dans la main d'un homme de l'assemblée du peuple, il tomba sur sa face et son esprit défaillit [u]. [7] Quand on l'eut relevé, il se jeta aux pieds de Judith, se prosterna devant elle et dit : « Bénie sois-tu dans toutes les tentes de Juda et dans toutes les nations qui seront troublées [v] en entendant ton nom. [8] Maintenant, raconte-moi tout ce que tu as fait ces jours-ci. » Judith lui rapporta au milieu du peuple tout ce qu'elle avait fait depuis le jour où elle était sortie [w] jusqu'à celui-ci où elle leur parlait. [9] Quand elle eut fini de parler, le peuple acclama à grands cris et fit résonner la ville de cris joyeux. [10] Voyant tout ce qu'avait fait le Dieu d'Israël, Akhior crut fermement en Dieu, se fit *circoncire en sa chair et s'agrégea à la maison d'Israël jusqu'à ce jour [x].

Bagoas découvre la mort d'Holopherne

[11] Quand l'aurore se leva, on suspendit la tête d'Holopherne au rempart. Chaque homme prit ses armes et tous sortirent par sections sur les pentes de la montagne. [12] Les fils d'Assour [y], quand ils les virent, envoyèrent prévenir leurs officiers ; ceux-ci allèrent prévenir leurs généraux, leurs chefs de mille et tous leurs commandants. [13] Ils allèrent à la tente d'Holopherne et dirent à celui qui était préposé à toutes ses affaires : « Eveille donc notre seigneur, car les esclaves [z] ont osé descendre au combat contre nous pour se faire exterminer jusqu'au dernier. » [14] Bagoas entra et frappa au rideau de la tente, car il supposait qu'Holopherne dormait avec Judith. [15] Mais comme personne n'avait entendu, il écarta le rideau et entra dans la chambre à coucher et le trouva jeté mort sur l'escabeau [a], la tête enlevée du corps. [16] Bagoas cria d'une voix forte avec des lamentations, des gémissements et des cris violents et il *déchira ses vêtements. [17] Il entra dans la tente où Judith logeait et ne la trouva pas. Il se précipita vers le peuple [b] en criant : [18] « Les esclaves se sont révoltés ; une seule femme des Hébreux a mis la honte dans la maison du roi Nabuchodonosor. Car voici qu'Holopherne est à terre et il n'a plus de tête. » [19] Quand ils entendirent ces mots, les chefs de l'armée d'Assour déchirèrent leurs tuniques ; leur âme fut extrêmement troublée, leur clameur et leur grand cri s'élevèrent au milieu du camp.

La déroute des assiégeants

15 [1] En entendant, ceux qui étaient dans les tentes furent stupéfaits de ce qui était arrivé. [2] Tremblement et

---

s des fils d'Assour ou *des Assyriens* ● *t Akhior :* voir 5.5 — *l'Ammonite :* voir la note sur Gn 19.38 — *la maison d'Israël* ou *le peuple d'Israël* — *qui l'a envoyé vers nous comme à la mort :* voir 6.10-13 ● *u son esprit défaillit* ou *il s'évanouit* ● *v toutes les tentes* ou *toutes les demeures* — *dans toutes les nations qui seront troublées* ou *dans toutes les nations, lesquelles seront remplies d'effroi* ● *w elle était sortie :* sous-entendu *de Béthulie* ● *x L'agrégation d'un Ammonite à Israël* est un fait exceptionnel (comparer Dt 23.4-5) — *jusqu'à ce jour :* l'expression indique le caractère définitif de cette agrégation ● *y Les fils d'Assour* ou *Les Assyriens* ● *z celui qui était préposé à toutes ses affaires :* Bagoas (voir v. 14 et 12.11) — *les esclaves :* terme de mépris pour désigner les Israélites ● *a comme personne n'avait entendu* ou *comme personne ne semblait avoir entendu* — *l'escabeau* ou *le seuil.* Le sens du terme grec correspondant est incertain ● *b le peuple* ou *les troupes*

14.1 suspendez-la 1 S 31.10 ; *2 M* 15.35. **14.2** avant-postes 7.13 ; 10.11. **14.3** tombera sur eux Ex 15.16. **14.5** qui a méprisé 6.2-4. **14.6** de la maison d'Ozias 6.21. **14.7** Bénie sois-tu 13.18+. **14.11** l'aurore 14.2 — on suspendit la tête 14.1+. **14.15** le trouva mort Jg 3.25. **14.18** une seule femme 9.10+. **15.2** Tremblement et crainte 2.28+ — à côté d'un autre 1 S 11.11.

crainte tombèrent sur eux ; aucun homme ne resta plus à côté d'un autre ; mais se répandant tous en même temps, ils s'enfuirent par tous les chemins de la plaine et de la région montagneuse. ³ Ceux qui campaient dans la région montagneuse autour de Béthulie prirent aussi la fuite. Alors les fils d'Israël ᶜ, tous les hommes capables de combattre parmi eux, se répandirent sur eux. ⁴ Ozias envoya à Béthomestaïm, à Bébaï, à Khoba, à Kola ᵈ et dans tout le territoire d'Israël des gens pour annoncer ce qui était arrivé et demander que tous se répandent sur les ennemis pour les anéantir. ⁵ En entendant cela, les fils d'Israël tombèrent sur eux, tous en même temps, et les battirent jusqu'à Khoba. Les habitants de Jérusalem survinrent également, ainsi que ceux de toute la région montagneuse, car on leur avait annoncé ce qui s'était passé au camp de leurs ennemis. Ceux de Galaad ᵉ et de Galilée attaquèrent de flanc à grands coups jusqu'à Damas et son territoire. ⁶ Le reste des habitants de Béthulie tomba sur le camp d'Assour ᶠ, le pilla et s'enrichit beaucoup. ⁷ Les fils d'Israël, revenus du carnage, s'emparèrent de ce qui restait ; les villages et les fermes de la région montagneuse et de la plaine se saisirent de beaucoup de butin, car il y en avait une énorme quantité.

Cortège de victoire des Israélites

⁸ Joakim, le grand prêtre, et le conseil des *anciens des fils d'Israël qui habitaient à Jérusalem, vinrent pour regarder le bien que le Seigneur avait fait à Israël, pour voir Judith et pour la saluer. ⁹ Quand ils entrèrent chez elle, ils la bénirent tous ensemble et lui dirent : « Tu es l'exaltation de Jérusalem, le grand orgueil d'Israël, la grande fierté de notre race. ¹⁰ Tu as fait tout cela de ta main, tu as fait du bien à Israël et Dieu s'y est plu. Bénie sois-tu par le Seigneur tout-

puissant à perpétuité. » Et tout le peuple dit : « Ainsi soit-il. » ¹¹ Tout le peuple pilla le camp pendant trente jours. Ils donnèrent à Judith la tente d'Holopherne, toute son argenterie, ses lits, ses récipients et toutes ses affaires. Elle le prit ᵍ, le chargea sur sa mule, attela ses chariots et l'y entassa. ¹² Toutes les femmes d'Israël accoururent pour la voir et elles la bénirent. Certaines d'entre elles firent un chœur pour elle. Elle prit des thyrses ʰ dans ses mains et en donna aux femmes qui étaient avec elle. ¹³ Elles se couronnèrent d'oliviers, elle-même et celles qui étaient avec elle, et elle s'avança en tête de tout le peuple, conduisant le chœur de toutes les femmes. Tous les hommes d'Israël suivaient en armes et couronnés ⁱ, des hymnes à la bouche. ¹⁴ Alors Judith entonna cette action de grâces parmi tout Israël et tout le peuple fit retentir très haut cette louange :

Cantique de Judith

16 ¹ Judith dit : « Entonnez un cantique pour mon Dieu avec des tambourins,
chantez le Seigneur sur les cymbales, composez pour lui un psaume de louange,
exaltez et invoquez son *nom.
² Car c'est un Dieu qui brise les guerres que le Seigneur,
lui qui place ses camps ʲ au milieu du peuple,
il m'a arraché à la main de ceux qui me poursuivaient.
³ Assour ᵏ vint des montagnes du Septentrion,
il vint avec les myriades de son armée ;
leur multitude obstrua les torrents et leur cavalerie recouvrit les collines.
⁴ Il parla d'incendier mon territoire, d'anéantir mes jeunes gens par l'épée,
de jeter à terre mes nourrissons,
de faire de mes petits enfants une proie

---

c les fils d'Israël ou *les Israélites* ● *d* Les diverses localités mentionnées dans ce verset sont inconnues ● *e* Région située à l'est du Jourdain ● *f d'Assour* ou *des Assyriens* ● *g Elle le prit* ou *Elle prit le tout* ● *h* Voir 2 M 10.7 et la note ● *i* Il s'agit de couronnes de verdure, comme au début du verset ● *j Car c'est un Dieu... que le Seigneur* ou *Car le Seigneur est un Dieu qui brise les guerres — lui qui place ses camps :* d'après les versions anciennes ; le grec a *car dans ses camps* ● *k Assour* ou *L'envahisseur assyrien*

15.4 Ozias envoya des gens Jg 7.24. **15.5** tombèrent sur eux / M 7.46. **15.7** revenus du carnage 1 S 17.53 — beaucoup de butin 2 Ch 20.25. **15.8** Joakim 4.6. **15.9** l'exaltation de Jérusalem 10.8 ; 13.4. **15.10** Bénie sois-tu 13.18+ — tout le peuple dit 13.20. **15.12** les femmes accoururent Ex 15.20 ; 1 S 18.6. **15.13** Elles se couronnèrent 3.7. **16.1** Entonnez un cantique Ps 33.3 ; 147.7 — tambourins, cymbales Ps 150.4-5 — exaltez son nom Ps 105.1. **16.2** qui brise les guerres 9.7+ — il m'a arraché à la main... Ps 31.16. **16.3** du Septentrion Ez 38.15 ; 39.2 — les myriades 7.2. **16.4** Il parla... Ex 15.9 — par l'épée, mes nourrissons Os 14.1.

et d'enlever mes vierges.
5 Le Seigneur tout-puissant les a contrés
par la main d'une femme.
6 Leur champion n'a pas succombé sous
de jeunes gens,
les fils des Titans *l* ne l'ont pas frappé,
des géants à la haute taille ne l'ont
pas attaqué,
mais Judith, la fille de Merari,
l'a défait par la beauté de son visage.
7 Elle enleva sa robe de veuve *m*
pour relever les affligés d'Israël.
Elle oignit son visage de parfums,
8 elle ceignit ses cheveux d'un bandeau
et mit une robe de lin pour le séduire.
9 Sa sandale ravit ses yeux
et sa beauté captiva son âme.
Le cimeterre trancha son cou *n*,
10 Les Perses frissonnèrent de son audace
et les Mèdes *o* furent troublés de sa
hardiesse.
11 Alors mes humbles poussèrent le cri
de guerre et eux furent effrayés,
mes débiles crièrent *p* et eux furent
terrifiés ;
ils élevèrent leur voix et eux furent
bouleversés.
12 Comme des fils de femmelettes, ils les
transpercèrent
et comme des enfants de transfuges *q*,
ils les blessèrent.
Ils périrent dans une bataille de mon
Seigneur.
13 Je chanterai pour mon Dieu un hymne
nouveau,
Seigneur, tu es grand et glorieux,
admirable de vigueur, insurpassable.
14 Que toutes tes créatures te servent,
car tu as dit et elles ont existé.
tu as envoyé ton esprit et il les a
construites ;
il n'y a personne qui résiste à ta voix.

15 Les montagnes seront ébranlées hors de
leurs fondements
et mélangées avec les eaux,
les rochers fondront comme de la cire
devant ta face.
Mais à ceux qui te craignent *r*, tu
restes propice.
16 Car tout sacrifice est trop petit pour
être d'odeur agréable,
et toute leur graisse est trop infime
pour t'être offerte en holocauste *s*.
Mais qui craint le Seigneur est toujours
grand.
17 Malheur aux nations qui se dressent
contre ma race.
Le Seigneur tout-puissant s'en vengera
au *jour du jugement,
en mettant le feu et les vers dans leurs
chairs,
et ils pleureront de douleur éternellement. »

18 Quand ils arrivèrent à Jérusalem, ils
adorèrent Dieu et, quand le peuple fut
*purifié, ils offrirent leurs holocaustes,
leurs oblations volontaires *t* et leurs dons.
19 Judith dédia toutes les affaires d'Holopherne que le peuple lui avait données.
Quant à la moustiquaire qu'elle avait
prise pour elle dans sa chambre à coucher, elle l'offrit à Dieu en anathème *u*.
20 Tout le peuple se réjouit à Jérusalem
devant le lieu saint *v* pendant trois mois
et Judith resta avec eux.

Fin de la vie de Judith

21 Après ces jours-là, chacun retourna
dans son héritage *w*. Judith partit pour
Béthulie et y resta dans sa propriété. Elle
devint célèbre en son temps dans tout le
pays. 22 Beaucoup la désirèrent, mais au-

---

l Leur champion: Holopherne — *Titans:* dieux de la mythologie grecque qui luttèrent contre Zeus
● *m Elle enleva sa robe de veuve:* voir 10.3 ● *n* Voir 13.6-8 ● *o* Habitants de la *Médie* (voir la
note sur Est 1.3) ● *p mes débiles* ou *mes faibles* — *crièrent:* adjonction par rapport au texte grec
peu clair à cet endroit. Cette adjonction permet d'ailleurs de rétablir un parallélisme satisfaisant
entre les trois stiques du verset ● *q* Les expressions *fils de femmelettes* et *enfants de transfuges*
désignent les ennemis d'Israël — *enfants de transfuges* ou *de déserteurs*, c'est-à-dire des lâches
● *r qui te craignent* ou *qui te respectent* ● *s holocauste:* voir au glossaire SACRIFICES ● *t oblations volontaires* ou *offrandes volontaires:* voir au glossaire SACRIFICES ● *u dédia:* sous-entendu
à Dieu — *elle l'offrit... en anathème* ou *elle le voua à Dieu par l'interdit:* voir Dt 2.34 et la note
● *v le lieu saint* ou *le Temple* ● *w dans son héritage* ou *chez soi*

16.5 les a contrés Ps 33.10 — par la main d'une femme 9.10+. **16.6** fille de Merari 8.1 —
la beauté de son visage 10.7+. **16.9** captiva son âme 12.16. **16.11** le cri de guerre Jg 7.20-21.
16.12 une bataille de mon Seigneur 2 Ch 20.15. **16.13** un hymne nouveau Ps 33.3+ — tu es
grand... Ex 15.6, 11; Ps 86.10; 147.5. **16.14** tu as dit Ps 33.9+ — tu as envoyé ton esprit Ps
104.30. **16.15** ébranlées Jg 5.5; Ps 18.8; *Si* 16.19 — comme de la cire Mi 1.4; Ps 97.5 —
à ceux qui te craignent Ps 103.13, 17; *Si* 2.7-9. **16.16** tout sacrifice Ps 40.7+ — est toujours
grand *Si* 10.24; 25.10-11. **16.17** Malheur aux nations Jr 10.25; Ps 79.6-7 — le feu et les vers Es
66.24; *Si* 7.17; Mc 9.48 — éternellement Dn 12.2. **16.19** lui avait données 15.11 — la moustiquaire 13.9, 15. **16.22** son mari Manassé 8.2-3.

cun homme ne la connut tous les jours de sa vie depuis le jour où était mort son mari Manassé et où il avait été réuni à son peuple *x*. ²³ Elle s'avança en âge avec une grande gloire et elle vieillit dans la maison de son mari jusqu'à cent cinq ans. Elle renvoya libre sa suivante et mourut à Béthulie. On l'enterra dans le sépulcre de son mari Manassé. ²⁴ La maison d'Is-

raël *y* mena son deuil pendant sept jours. Avant de mourir elle avait partagé ses biens entre tous les proches de son mari Manassé et les proches de sa famille. ²⁵ Il n'y eut plus personne pour effrayer les fils d'Israël *z* pendant les jours de Judith et pendant de nombreux jours après sa mort.

---

x ne la connut: tournure hébraïque signifiant *n'eut de relations sexuelles avec elle — réuni à son peuple* ou *réuni aux siens:* voir Gn 25.8 et la note ● *y la maison d'Israël* ou *le peuple d'Israël* ● *z les fils d'Israël* ou *les Israélites*

16.23 dans le sépulcre de son mari Gn 25.10; 49.30-31; *Tb* 14.12.   **16.**24 pendant sept jours Gn 50.10; 1 S 31.13; *Si* 22.12 — elle avait partagé ses biens *Si* 33.24.   **16.**25 plus personne pour effrayer Jg 3.11, 30; 5.31; 8.28.

TOBIT

1 ¹ Livre des actes de Tobit, fils de Tobiel, fils d'Ananiel, fils d'Adouël, fils de Gabaël, fils de Raphaël, fils de Ragouël, de la descendance d'Ariel, de la tribu de Nephtali *a*, ² qui, au temps de Salmanasar, roi d'Assyrie, fut déporté de Thisbé, laquelle se trouve au sud de Kydios de Nephtali, en Haute-Galilée, au-dessus d'Aser *b*, en retrait vers l'ouest, au nord de Phogor.

Fidélité de Tobit à la loi de Dieu

³ Moi *c*, Tobit, j'ai suivi les chemins de la vérité et pratiqué les bonnes œuvres tous les jours de ma vie ; j'ai fait beaucoup d'aumônes à mes frères et aux gens de ma nation venus avec moi en déportation au pays d'Assyrie, à Ninive. ⁴ Quand j'étais dans mon pays, la terre d'Israël, au temps de ma jeunesse, toute la tribu de Nephtali, mon ancêtre, s'était détachée de la maison de David et de Jérusalem *d*, la ville choisie parmi toutes les tribus d'Israël pour leur servir de lieu de *sacrifice, là où le Temple, la demeure de Dieu, avait été consacré et construit pour toutes les générations à venir. ⁵ Tous mes frères et la maison de Nephtali, mon ancêtre, sacrifiaient, eux, sur toutes les montagnes de Galilée, au veau que Jéroboam, roi d'Israël, avait fait à Dan. ⁶ Et moi, bien souvent, je me trouvais tout seul pour aller à Jérusalem au moment des fêtes, selon ce qui est prescrit dans tout Israël par un décret perpétuel. J'accourais à Jérusalem avec les *prémices, les premiers-nés, la dîme du bétail et la première tonte des brebis ⁷ et je les donnais aux prêtres, fils d'Aaron, pour l'*autel. Je donnais aussi la dîme du blé, du vin, des olives, des grenades, des figues et des autres fruits aux fils de Lévi *e* en service à Jérusalem ; la deuxième dîme, je la prélevais en argent et j'allais la dépenser chaque année à Jérusalem. ⁸ Je donnais la troisième aux orphelins, aux veuves et aux étrangers résidant avec les fils d'Israël ; je l'apportais et je la leur donnais tous les trois ans, et nous la mangions selon la prescription faite à ce sujet dans la Loi de Moïse *f* et les instructions données par Débora, la mère d'Ananiel, notre père — car mon père m'avait laissé orphelin, il était mort —. ⁹ Parvenu à l'âge d'homme, je pris une femme de la descendance de nos pères et d'elle j'engendrai un fils à qui je donnai le nom de Tobias.

¹⁰ Après la déportation en Assyrie, alors que j'étais moi-même déporté, je vins à Ninive. Tous mes frères et les gens de ma race mangeaient de la nourriture des païens, ¹¹ mais moi, je me gardai de manger de la nourriture des païens *g*. ¹² Et puisque je me souvenais de mon Dieu de tout mon être, ¹³ le Très-Haut me donna de plaire à Salmanasar *h* et j'achetais pour lui tout ce dont il avait

a Livre des actes ou *Histoire* — *Nephtali :* voir Jos 19.32 et la note ● *b Salmanasar V* fut *roi d'Assyrie* en 726-722 av. J.C. D'après 2 R 15.29, ce fut son prédécesseur, Tiglath-Piléser III, qui déporta les habitants de Nephtali en Assyrie — *Kydios de Nephtali*, c'est-à-dire Qédesh-Nephtali — *Aser*, c'est-à-dire Haçor ● *c* Le récit est mis dans la bouche de Tobit lui-même jusqu'en 3.6 ● *d* s'était détachée...: les versets 4 et 5 évoquent le récit rapporté en 1 R 12 et particulièrement la fin de ce chapitre, v. 26 à 33 ● *e* fils d'Aaron ou *descendants d'Aaron* — fils de Lévi ou *lévites ● f* La pratique de trois dîmes, mentionnée aux versets 6 à 8, s'inspire de la réglementation de Dt 14.22-29. Voir aussi la note sur Gn 14.20 ● *g je me gardai de manger...*: voir Jdt 12.1-2 et la note ● *h* Voir v. 2 et la note

1.3 j'ai suivi les chemins Dt 10.12 ; 19.9 ; 28.9 ; Ps 86.11 ; 119.30 — aumônes 4.7-11 ; 12.8-9 — Ninive Jon 1.2+. **1.4** la ville choisie Dt 12.5-11 ; 1 R 11.13, 32, 36. **1.6** selon ce qui est prescrit Dt 16.16. **1.9** de la descendance de nos pères 4.12+. **1.13** me donna de plaire Gn 39.4 ; 41.39-40 ; Dn 2.48.

besoin ; 14 je voyageais en Médie où je fis pour lui des achats jusqu'à sa mort. C'est ainsi que je déposai chez Gabaël, le frère de Gabri, au pays de Médie, dix talents [i] d'argent en sacs. 15 A la mort de Salmanasar, son fils Sennakérib régna à sa place [j] ; les routes de Médie se trouvèrent en état d'insurrection et il ne me fut plus possible d'aller en Médie.

16 Au temps de Salmanasar, j'avais fait beaucoup d'aumônes à mes frères de race ; 17 je donnais mon pain à ceux qui avaient faim et des vêtements à ceux qui étaient nus. Si je voyais le cadavre d'un de mes compatriotes jeté derrière le rempart de Ninive, je l'enterrais [k]. 18 Et tous ceux que tua Sennakérib, lorsqu'il revint de Judée en déroute [l], au temps du châtiment que lui infligea le Roi du *ciel pour tous les *blasphèmes qu'il avait proférés, c'est moi qui les enterrai — car dans sa fureur il tua beaucoup de fils d'Israël, mais je dérobai leurs corps pour les enterrer — ; Sennakérib les fit chercher, mais en vain. 19 Un des habitants de Ninive alla dire au roi que c'était moi qui les enterrais, alors je me cachai ; puis quand je sus que le roi était au courant de mon affaire et que j'étais recherché pour être mis à mort, je pris peur et je m'enfuis. 20 On saisit tous mes biens, il ne me resta rien qui ne fût confisqué pour le trésor royal ; on ne me laissa que ma femme Anna et mon fils Tobias. 21 Quarante jours ne s'étaient pas écoulés que le roi fut tué par ses deux fils, qui s'enfuirent dans les monts Ararat [m]. Son fils Asarhaddon lui succéda ; il chargea Ahikar, le fils de mon frère Anaël, de toutes les finances de son royaume, et celui-ci eut donc la haute main sur toute l'administration. 22 Alors Ahikar intercéda pour moi et je pus redescendre à Ninive — Ahikar, en effet, avait été grand échanson [n], garde du sceau, chef de l'administration et des finances sous Sennakérib, roi d'Assyrie, et Asarhaddon l'avait reconduit dans ses fonctions ; de plus c'était mon neveu, il était de ma parenté.

Tobit devient aveugle

2 1 Sous le règne d'Asarhaddon, je rentrai donc chez moi et ma femme Anna et mon fils Tobias me furent rendus. A notre fête de la Pentecôte, c'est-à-dire la sainte fête des Semaines [o], on me fit un bon dîner. Je m'installai pour dîner, 2 on m'apporta la table, on m'apporta quantité de plats fins, et je dis alors à mon fils Tobias : « Va, mon enfant, tâche de trouver parmi nos frères déportés à Ninive quelque pauvre qui se souvienne du Seigneur de tout son cœur, amène-le pour partager mon repas ; je vais donc attendre, mon enfant, jusqu'à ce que tu reviennes. » 3 Tobias partit à la recherche d'un pauvre parmi nos frères, mais il revint en disant : « Père ! » Je lui dis : « Eh bien, mon enfant ? » Il me répondit : « Père, il y a quelqu'un de notre nation qui a été assassiné, on l'a jeté sur la grand-place, et il y est encore, étranglé. » 4 Je me précipitai, en laissant mon dîner avant d'y avoir touché, pour enlever l'homme de la place, et je le déposai dans une des dépendances en attendant le coucher du soleil pour l'enterrer [p]. 5 Rentré chez moi, je pris un bain [q] et je mangeai mon pain dans le deuil, 6 en me souvenant de la parole du *prophète Amos proférée contre Béthel :

Vos fêtes tourneront en deuil
et tous vos chemins *en lamentation* [r].

Et je me mis à pleurer. 7 Puis, quand le soleil fut couché, je partis, je creusai une fosse et je l'enterrai. 8 Mes voisins se moquaient en disant : « Il n'a plus peur ! On l'a déjà recherché pour le mettre à mort à cause de ce genre d'affaire, et il s'est enfui ; et de nouveau, le voici qui enterre les morts. »

9 Cette nuit-là, je pris un bain, je sortis dans ma cour et je me couchai le long du mur de la cour, le visage découvert à cause de la chaleur. 10 Je ne savais pas qu'il y avait des moineaux dans le mur, au-dessus de moi ; leur fiente me tomba dans les yeux, toute chaude, et elle pro-

i Médie: pays situé à l'est de l'Assyrie et au sud de la mer Caspienne — *talents:* voir au glossaire POIDS ET MESURES • *j* Historiquement, le successeur de *Salmanasar V* fut Sargon II (722-705 av. J.C.), qui fut le prédécesseur de *Sennakérib* (704-681) • *k Si je voyais le cadavre... je l'enterrais:* voir la note sur Jr 8.2 • *l* Voir 2 R 19.35-36 • *m* Voir 2 R 19.37 et la note • *n échanson:* voir Ne 1.11 et la note • *o fête des Semaines:* voir au glossaire CALENDRIER B 2) • *p* Le *coucher du soleil* marque le début d'une nouvelle journée pour les Juifs. Tobit attend ce moment-là pour *enterrer* le mort afin de ne pas profaner la fête des Semaines (voir Lv 23.21) • *q* Il s'agit d'une *purification rituelle, car le contact avec un cadavre était une cause d'impureté pour les Juifs (voir Nb 19.11-13) • *r* Citation d'Am 8.10, qui a *chants* au lieu de *chemins*

1.14 Gabaël 4.1, 20; 5.6; 9.2; 10.2. **1.17** mon pain et des vêtements 4.16; Es 58.7; Ez 18.7; Jb 31.16-20; Mt 25.35-36. **1.21** Ahikar 2.10; 11.19; 14.10. **2.2** qui se souvienne du Seigneur 1.12. **2.8** il s'est enfui 1.19. **2.10** chez les médecins Mc 5.26 — Ahikar 1.21+.

voqua des leucomes. J'allais bien me faire soigner chez les médecins, mais plus ils m'appliquaient d'onguents, plus j'avais les yeux aveuglés par les leucomes, et je finis par être tout à fait aveugle. Je restai privé de la vue pendant quatre ans. Tous mes frères étaient consternés pour moi, et Ahikar pourvut à mes besoins durant deux ans, avant son départ pour l'Elymaïde *s*.

11 En ce moment-là, ma femme Anna avait pris du travail d'ouvrière ; 12 elle livrait à ses maîtres, et ceux-ci lui payaient son dû. Or le sept du mois de Dystros *t*, elle termina une pièce et la livra à ses maîtres, qui lui donnèrent tout son dû et la gratifièrent d'un chevreau pour la table. 13 En approchant de moi, le chevreau se mit à bêler ; j'appelai ma femme et lui dis : « D'où sort ce petit chevreau ? Et s'il avait été volé ? Rends-le à ses maîtres ! Nous n'avons pas le droit, nous, de manger quoi que ce soit de volé. » 14 Elle me dit : « Mais c'est un cadeau qu'on m'a fait en plus de ce qu'on me devait ! » Pourtant je continuais à ne pas la croire et à lui dire de le rendre à ses maîtres. Et à cause de lui je m'indignais contre elle. Alors elle me répliqua : « Où sont-elles tes aumônes ? Où sont-elles tes bonnes œuvres ? Tout ce qui t'arrive est bien clair *u*. »

La prière de Tobit

3 1 Plein d'une grande tristesse, je me mis à gémir et à pleurer, puis je commençai à prier avec des gémissements :

2 « Tu es juste, Seigneur,
et toutes tes œuvres sont justes.
Tous tes chemins sont fidélité et vérité,
c'est toi qui juges le monde.
3 Alors, Seigneur, souviens-toi de moi,
regarde et ne me punis pas pour mes péchés
ni pour mes manquements,
ni pour ceux que mes pères *v* ont com-

mis devant toi.
4 Ils ont désobéi à tes commandements,
c'est pourquoi tu nous as livrés au pillage,
à la déportation et à la mort,
voués à être la fable, la risée,
l'objet d'insulte de toutes les nations
parmi lesquelles tu nous as dispersés.
5 Oui, tous tes jugements sont véridiques,
quand tu me traites selon mes péchés et ceux de mes pères,
car nous n'avons pas observé tes commandements
ni marché dans la vérité devant toi.
6 Et maintenant, traite-moi comme il te plaira,
ordonne que me soit repris mon souffle,
que je sois délivré de la face de la terre
pour redevenir terre.
Mieux vaut pour moi mourir que vivre,
car je me suis entendu insulter à tort
et j'ai en moi une immense tristesse.
Ordonne, Seigneur, que je sois délivré de cette détresse,
laisse-moi partir au séjour éternel
et ne me détourne pas ta face de moi, Seigneur.
Oui, mieux vaut pour moi mourir
que de connaître une telle détresse toute ma vie
et que de m'entendre insulter. »

Sara insultée par sa servante

7 Le même jour, il advint que Sara, la fille de Ragouël d'Ecbatane *w* en Médie, s'entendit elle aussi insulter par l'une des servantes de son père. 8 La raison en était qu'elle avait été donnée sept fois en mariage, et qu'Asmodée *x*, le démon mauvais, avait tué chaque fois ses maris avant qu'ils ne se soient unis à elle, selon le devoir qu'on a envers une épouse. La servante lui dit donc : « C'est toi qui tues tes maris ! En voilà déjà sept à qui tu as été donnée, et tu n'as pas porté le nom d'un seul ! 9 Pourquoi nous maltraites-tu

---

s leucomes: tâches blanches sur la cornée transparente de l'œil, qui peuvent entraîner la cécité — *Elymaïde* ou *Elymaïs:* voir *1 M* 6.1 et la note ● *t mois de Dystros:* voir au glossaire CALENDRIER ● *u* Pour Anna, le malheur arrivé à Tobit prouve qu'il est rejeté par Dieu et que ses *bonnes œuvres* ont été inutiles ● *v mes pères* ou *mes ancêtres* ● *w* C'est maintenant un narrateur anonyme qui poursuit le récit et non plus Tobit (voir 1.3 et la note) — *Ecbatane:* voir *Jdt* 1.1 et la note ● *x* Le nom d'*Asmodée* évoque un mot hébreu signifiant *celui qui fait périr*

2.13 Rends-le à ses maîtres! Dt 22.1-3. **2.14** Où sont-elles... Jb 2.9 — aumônes, œuvres 1.3. **3.2** Tu es juste Dt 32.4; Ps 119.137; Esd 9.15; Ne 9.33; *Dn grec* 3.27, 31 — fidélité et vérité Ps 25.10. **3.3** Souviens-toi de moi... Ps 25.7 — que mes pères ont commis Ps 79.8. **3.4** livrés au pillage Esd 9.7 — la fable, la risée Dt 28.37; 1 R 9.7; Jr 24.9; Ps 44.14; 79.4; *Ba* 2.4; 3.8. **3.6** que me soit repris mon souffle Nb 11.15; 1 R 19.4 — redevenir terre Gn 3.19; Qo 12.7 — mieux vaut mourir que vivre Jon 4.3, 8; Jb 7.15. — je me suis entendu insulter 2.14. **3.7** Ecbatane *Jdt* 1.1+. **3.8** sept fois 6.14; 7.11.

sous prétexte que tes maris sont morts ? Va les rejoindre, et qu'on ne voie jamais de toi ni fils ni fille ! » 10 Ce jour-là, pleine de tristesse, elle se mit à pleurer et monta dans la chambre haute *y* de son père avec l'intention de se pendre ; mais, à la réflexion, elle se dit : « Ne va-t-on pas insulter mon père et lui dire : "Tu n'avais qu'une fille chérie, et elle s'est pendue à cause de ses malheurs !" Je ferais descendre la vieillesse de mon père dans la tristesse au *séjour des morts. Je ferais mieux de ne pas me pendre, mais de supplier le Seigneur de me faire mourir pour que je ne m'entende plus insulter toute ma vie. »

La prière de Sara

11 A l'instant même, elle étendit les mains du côté de la fenêtre *z* et fit cette prière : Béni sois-tu, ô Dieu compatissant ! Béni soit ton *Nom pour les siècles ! Que toutes tes œuvres te bénissent à jamais ! 12 A présent, c'est vers toi que je lève le visage et que je tourne les yeux. 13 Fais que je sois délivrée de cette terre et que je ne m'entende jamais plus insulter. 14 Tu le sais, Maître, je suis restée pure de tout acte impur avec un homme. 15 Je n'ai sali ni mon nom ni le nom de mon père sur la terre où je suis déportée.
Je suis la fille unique de mon père, il n'a pas d'autre enfant pour hériter de lui ;
il n'a non plus ni frère auprès de lui, ni parent
pour lequel je devrais me garder comme épouse *a*.
J'ai déjà perdu sept maris :
pourquoi devrais-je vivre encore ?
Mais s'il ne te plaît pas de me faire mourir,

alors, Seigneur, prête l'oreille à l'insulte qui m'est faite. »

Raphaël chargé de secourir Tobit et Sara

16 Dans l'instant même, leur prière à tous les deux fut entendue en présence de la gloire de Dieu *b* 17 et Raphaël fut envoyé pour les guérir tous deux : Tobit, en faisant partir les leucomes de ses yeux, afin qu'il voie de ses yeux la lumière de Dieu ; Sara, la fille de Ragouël, en la donnant pour femme à Tobias, le fils de Tobit, et en expulsant d'elle Asmodée, le démon mauvais — c'est à Tobias, en effet, qu'il revenait de l'obtenir avant tous les autres prétendants.

A cet instant, Tobit rentra de sa cour dans sa maison et Sara, la fille de Ragouël, descendit quant à elle de la chambre haute *c*.

Instructions données par Tobit à son fils

4 1 Ce jour-là, Tobit se souvint de l'argent qu'il avait déposé chez Gabaël, à Raguès *d* de Médie 2 et il se dit en lui-même : « Voici que j'ai demandé la mort ; je ferais bien d'appeler mon fils Tobias pour lui révéler l'existence de cet argent avant de mourir. » 3 Il appela son fils Tobias, qui vint auprès de lui, et il lui dit :
« Enterre-moi comme il convient. Honore ta mère. Ne l'abandonne à aucun jour de sa vie. Fais tout ce qui lui est agréable. Ne contriste en rien son esprit. 4 Souviens-toi, mon enfant, de tous les risques qu'elle a courus pour toi quand tu étais dans son sein. Et quand elle mourra, enterre-la auprès de moi dans un même tombeau.
5 Tout au long de tes jours, mon enfant, fais mémoire du Seigneur *e*, ne consens pas à pécher ni à transgresser ses

---

y chambre haute: pièce supplémentaire construite sur le toit plat d'une maison ● *z du côté de la fenêtre:* le texte suggère probablement que cette fenêtre était orientée vers Jérusalem (voir Dn 6.11 et la note) ● *a pour lequel... comme épouse:* cette déclaration de Sara peut-être comprise à la lumière de Nb 36.6-9, qui faisait une obligation aux filles héritières de se marier dans le clan de leur père, afin que l'héritage ne passe pas à une autre tribu ● *b fut entendue en présence de la gloire de Dieu,* c'est-à-dire que Dieu lui-même a entendu leur prière ● *c Raphaël:* le nom de cet *ange (voir 5.4) signifie *Dieu guérit — leucomes:* voir 2.10 et la note — *Asmodée:* voir 3.8 et la note — *chambre haute:* voir 3.10 et la note ● *d l'argent qu'il avait déposé...:* voir 1.14 — *Raguès:* voir la note sur Jdt 1.5. ● *e fais mémoire du Seigneur* ou *souviens-toi du Seigneur*

3.10 faire descendre au séjour des morts Gn 37.35; 42.38; 44.29, 31 — de me faire mourir 3.6, 13. **3.11** Béni sois-tu 8.5, 15; 11.14; 13.2. **3.13** délivrée 3.6 — insulter 3.6; 8-9. **3.15** pour hériter de lui Nb 27.8 — sept maris 3.8. **3.17** qu'il revenait de l'obtenir 6.12-13; cf. 3.15. **4.2** j'ai demandé la mort 3.6. **4.3** Honore ta mère Ex 20.12; Pr 23.22; Si 3.4; Mt 15.4 — Ne contriste en rien... Si 3.16. **4.4** tous les risques Si 7.27 — dans un même tombeau Jdt 16.23+.

commandements. Accomplis des œuvres de justice tous les jours de ta vie et ne suis pas les chemins de l'injustice, 6 car ceux qui font la vérité *f* réussiront dans leurs entreprises. 7 Tous ceux qui pratiquent la justice, fais-leur l'aumône sur tes biens. Que ton regard soit sans regrets quand tu fais l'aumône. Ne détourne jamais ta face d'un pauvre, et la face de Dieu ne se détournera pas de toi. 8 Fais l'aumône suivant ce que tu as, selon l'importance de tes biens. Si tu as peu, ne crains pas de faire l'aumône selon le peu que tu as : 9 c'est un beau trésor que tu te constitues pour le jour de la détresse, 10 parce que l'aumône délivre de la mort et empêche d'aller dans les ténèbres ; 11 en effet, pour tous ceux qui la font, l'aumône est une belle offrande aux yeux du Très-Haut.

12 Garde-toi, mon enfant, de toute union illégale, et en premier lieu prends une femme de la race de tes pères. Ne prends pas une femme étrangère, qui ne serait pas de la tribu de ton père, parce que nous sommes fils des *prophètes. Souviens-toi, mon enfant, de Noé, d'Abraham, d'Isaac, de Jacob, nos pères : dès les temps anciens ont tous pris femme chez leurs frères *g*, aussi ont-ils été bénis dans leurs enfants et leur race aura la terre en héritage. 13 Ainsi donc, mon enfant, préfère tes frères ; ne fais pas l'orgueilleux face à tes frères, aux fils et aux filles de ton peuple, ne dédaigne pas de prendre une femme parmi eux, parce que, dans l'orgueil, il y a bien des ruines et des bouleversements et, dans l'incurie, décadence et misère extrêmes, car l'incurie est mère de la famine. 14 Ne garde pas jusqu'au lendemain le salaire d'un travailleur, mais paie-le tout de suite, et si tu sers Dieu, tu seras payé

de retour. Prends garde à toi, mon enfant, dans toutes tes actions et fais preuve de maturité dans toute ta conduite. 15 Ce que tu n'aimes pas, ne le fais à personne. Ne bois pas de vin jusqu'à t'enivrer et que l'ivresse ne t'accompagne pas sur ton chemin. 16 Donne de ton pain à celui qui a faim et de tes vêtements à ceux qui sont nus. Avec tout ton superflu, fais l'aumône. Que ton regard soit sans regrets quand tu fais l'aumône. 17 Prodigue ton pain sur le tombeau des justes *h*, mais ne donne pas pour les pécheurs.

18 Prends conseil de toute personne avisée et ne méprise pas un bon conseil. 19 En toute occasion, bénis le Seigneur ton Dieu et demande-lui de rendre droits tes chemins et de faire aboutir toutes tes démarches et tous tes projets, car aucun peuple ne détient la perspicacité, mais c'est le Seigneur lui-même qui donne tout bien, il abaisse qui il veut jusqu'au fond du *séjour des morts.

Et maintenant, mon enfant, garde en mémoire ces instructions et qu'elles ne s'effacent pas de ton cœur. 20 A présent, mon enfant, je dois t'apprendre que j'ai déposé dix talents *i* d'argent chez Gabaël, le fils de Gabri, à Raguès de Médie. 21 N'aie pas de crainte, mon enfant, si nous sommes devenus pauvres ; tu possèdes une grande richesse, si tu crains Dieu *j*, si tu fuis toute espèce de péché et si tu fais ce qui est bien aux yeux du Seigneur ton Dieu. »

Tobias part en Médie avec Raphaël

5 1 Alors Tobias répondit à son père Tobit : « Je ferai, père, tout ce que tu m'as ordonné. 2 Mais comment pourrai-je lui reprendre cet argent, alors que ni lui ni moi ne nous connaissons ? Quel

---

f font la vérité ou *agissent selon la vérité* ● *g* de toute union illégale : au sens des prescriptions de Lv 18.6-18. Autre traduction *de toute immoralité* — *tes pères* ou *tes ancêtres* — *fils des prophètes* ou *descendants des prophètes*: le terme *prophètes* est pris ici au sens large et désigne des hommes qui, tel *Abraham*, ont eu une relation privilégiée avec Dieu — *chez leurs frères* ou *dans leur parenté* ● *h* Tobit ne recommande sûrement pas à son fils d'apporter des offrandes alimentaires sur la tombe des morts, ce qui était une coutume païenne. Il faut voir ici une allusion soit à la nourriture de consolation apportée aux parents des défunts (comparer Jr 16.7; Ez 24.17), soit à des aumônes faites en l'honneur des défunts ● *i* talents: voir au glossaire POIDS ET MESURES ● *j* si tu crains Dieu ou *si tu respectes Dieu*

4.6 qui font la vérité 13.6; Jn 3.21. **4.7** sans regrets Dt 15.10; 2 Co 9.7 — Ne détourne jamais... *Si* 4.4. **4.8** suivant ce que tu as *Si* 35.12; 2 Co 8.11-13. **4.9** un beau trésor Mt 6.20; 1 Tm 6.19. **4.10** délivre de la mort 12.9; cf. *Si* 3.30; 29.12; 40.17, 24. **4.11** une belle offrande *Si* 35.4. **4.12** union illégale Mt 5.32; 19.9; Ac 15.20, 29 — de la race de tes pères 1.9; 6.16; Gn 24.4, 38; 28.2. — la terre en héritage Ps 37.9+. **4.13** l'orgueil Pr 16.18. **4.14** jusqu'au lendemain Lv 19.13; Dt 24.15. **4.15** ne le fais à personne Mt 7.12; Lc 6.31 — ! ivresse Pr 20.1; 23.20-21, 29-35; Si 31.25-26, 29-30. **4.16** pain, vêtements 1.17+ — sans regrets 4.7. **4.17** pas pour les pécheurs *Si* 12.4-5, 7. **4.18** Prends conseil Pr 12.15; 13.10. **4.19** En toute occasion... 14.8-9; Ps 34.2 — démarches et projets Pr 3.6; 16.3 — il abaisse 13.2; 1 S 2.6-7; Ps 75.8; Sg 16.13; Lc 1.52-53. **4.20** j'ai déposé 1.14. **4.21** si tu crains Dieu *Si* 1.16-17; 2.8-9.

signe lui donner pour qu'il me reconnaisse, qu'il me fasse confiance et me donne l'argent ? Et puis je ne connais pas les chemins à prendre pour aller en Médie [k] ! » [3] Tobit répondit alors à son fils Tobias : « Il m'a signé un acte, je l'ai contresigné, je l'ai partagé en deux pour que nous en ayons chacun une moitié et j'ai mis la sienne avec l'argent. Et voilà maintenant vingt ans que j'ai mis cet argent en dépôt ! A présent, mon enfant, cherche-toi quelqu'un de sûr pour t'accompagner ; nous lui paierons un salaire jusqu'à ton retour. Va donc reprendre cet argent chez Gabaël. »

[4] Tobias sortit à la recherche de quelqu'un qui pourrait l'accompagner en Médie et qui connaîtrait bien le chemin. Dehors, il trouva l'*ange Raphaël debout devant lui mais il ne se douta pas que c'était un ange de Dieu. [5] Il lui dit : « D'où es-tu, ami ? » L'ange lui dit : « Je suis un fils d'Israël [l], l'un de tes frères, et je suis venu par ici pour travailler. » Tobias lui dit : « Connais-tu le chemin pour aller en Médie ? » [6] L'ange lui dit : « Oui, j'ai été très souvent là-bas, je connais tous les chemins par cœur. Je suis allé bien des fois en Médie et je logeais chez Gabaël, notre frère, qui habite à Raguès de Médie. Il y a deux jours de marche normale d'Ecbatane [m] à Raguès, car ce sont deux villes situées dans la montagne. » [7] Tobias lui dit : « Attends-moi, ami, le temps que j'aille prévenir mon père, car j'ai besoin que tu viennes avec moi, je te paierai ton salaire. » [8] L'autre dit : « Bon, je reste là, seulement ne t'attarde pas. »

[9] Tobias rentra prévenir son père Tobit et lui dit : « Voilà, j'ai trouvé quelqu'un ; il est de nos frères, les fils d'Israël. » Tobit lui dit : « Appelle-le moi, que je sache de quel clan et de quelle tribu il est et si on peut compter sur lui pour t'accompagner, mon enfant. » [10] Tobias sortit l'appeler et lui dit : « Ami, mon père t'appelle. »

L'ange entra dans la maison et Tobit le salua le premier. L'autre répondit : « Je te souhaite du bonheur en abondance. »

Tobit reprit : « Quel bonheur puis-je encore avoir ? Je suis un homme privé de la vue, je ne vois plus la lumière du ciel, mais je gis dans les ténèbres comme les morts qui ne contemplent plus la lumière. Vivant, j'habite parmi les morts ; j'entends la voix des gens, mais je ne les vois pas. » L'ange lui dit : « Courage, Dieu ne tardera pas à te guérir, courage. » Tobit lui dit : « Mon fils Tobias a l'intention d'aller en Médie. Pourras-tu l'accompagner et lui servir de guide ? Je te paierai ton salaire, frère [n]. » Il lui dit : « Je suis en mesure de l'accompagner, je connais tous les chemins, je suis souvent allé en Médie, j'en ai parcouru toutes les plaines et les montagnes et j'en sais tous les chemins. » [11] Tobit lui dit : « Frère, de quelle famille es-tu et de quelle tribu ? Apprends-le moi, frère. » [12] L'autre dit : « Que t'importe ma tribu ? » Tobit lui dit : « Je veux savoir vraiment, frère, de quelle famille tu es le fils et quel est ton nom. » [13] Il lui répondit : « Je suis Azarias, fils d'Ananias le Grand, l'un de tes frères. » [14] Tobit lui dit : « Sois le bienvenu, frère. Ne m'en veuille pas, frère, de ce que j'ai voulu savoir la vérité sur ta famille. Il se trouve que tu es un frère et que tu es d'excellente origine. Je connaissais bien Ananias et Nathan, les deux fils de Sémélias le Grand. Ils venaient avec moi à Jérusalem et y adoraient avec moi. Ils ne se sont pas fourvoyés [o]. Tes frères sont des gens de bien, tu es de bonne souche. Je te souhaite le bonjour. »

[15] Et il poursuivit : « Je te donne un salaire d'une drachme [p] par jour et, en ce qui concerne ton entretien, la même chose qu'à mon fils. [16] Accompagne donc mon fils, et j'ajouterai encore quelque chose à ton salaire. » [17] L'ange dit : « Oui, je vais l'accompagner, ne crains rien. Tout se passera bien pour nous à notre départ comme à notre retour vers toi, car la route est sûre. » Tobit lui dit : « Sois béni, frère ! [q] » Puis il appela son fils et lui dit : « Mon enfant, prépare ce qu'il te faut pour le voyage et pars avec ton frère. Que le Dieu qui est au ciel vous ait là-bas en sa sauvegarde et qu'il vous ramène

k Voir 1.14 et la note ● *l* fils d'Israël ou Israélites ● *m* Raguès: voir la note sur *Jdt* 1.5 — Ecbatane: voir *Jdt* 1.1 et la note ● *n* Le livre de Tobit fait un usage fréquent des termes traduits par *frère* ou *sœur*, pour désigner les coreligionnaires ou membres du peuple d'Israël (1.3; 5.10), les proches (4.12; 6.19) ou les époux (5.22) ● *o* Ils ne se sont pas fourvoyés, sous-entendu *en abandonnant la fidélité à Dieu* ● *p* Voir au glossaire MONNAIES ● *q* Sois béni, frère !: cette formule sert ici à donner congé

5.3 un acte 9.2, 5.   **5.4** Raphaël 3.17 — il ne se douta pas Jg 13.16.   **5.7** salaire 5.15-16.   **5.10** privé de la vue 2.10 — Courage 7.17; 8.21; 11.11.   **5.14** à Jérusalem 1.6-7.   **5.17** que son ange fasse route avec vous Gn 24.7, 40; Ex 23.20; Ps 91.11.

sains et saufs auprès de moi ! Et que son ange fasse route avec vous pour vous garder, mon enfant ! »

Tobias sortit pour se mettre en route, il embrassa son père et sa mère et Tobit lui dit : « Bon voyage ! » [18] Sa mère se mit à pleurer et elle dit à Tobit : « Pourquoi donc as-tu fait partir mon enfant ? N'est-ce pas lui le bâton de notre main [r], lui qui va et vient devant nous ? [19] Que l'argent ne s'ajoute pas à l'argent, mais qu'il compte pour rien en regard de notre enfant [s]. [20] Le genre de vie que le Seigneur nous a donné nous suffisait bien. » [21] Mais il lui dit : « Ne te tracasse pas : tout se passera bien pour notre enfant à son départ comme à son retour vers nous, et tes yeux verront le jour où il reviendra vers toi sain et sauf. [22] Ne te tracasse pas, cesse de craindre pour eux, ma sœur [t] : un bon ange l'accompagnera, son voyage réussira et il reviendra sain et sauf. » [23] Et elle s'arrêta de pleurer.

Le gros poisson

6 [1] Le garçon partit, et l'*ange avec lui ; le chien [u] aussi partit avec lui et les accompagna. Ils firent donc route tous les deux. Quand arriva la première nuit, ils campèrent au bord du Tigre. [2] Le garçon descendit se laver les pieds dans le Tigre. Alors un gros poisson sauta hors de l'eau et voulut lui avaler le pied. Le garçon cria. [3] L'ange lui dit : « Attrape-le et maîtrise-le ! » Le garçon se rendit maître du poisson et le tira à terre. [4] L'ange lui dit : « Ouvre-le, enlève-lui le fiel, le cœur et le foie, mets-les de côté, puis jette les entrailles ; en effet, ce fiel, ce cœur et ce foie sont très utiles comme remèdes. » [5] Le garçon ouvrit le poisson, recueillit le fiel, le cœur et le foie, puis il fit griller un peu du reste, qu'il mangea, et il en mit à saler. [6] Ils poursuivirent tous les deux leur route ensemble jusqu'aux approches de la Médie [v]. [7] Alors le garçon posa à l'ange

cette question : « Azarias, mon frère, quel remède y a-t-il donc dans le cœur et le foie du poisson, et dans son fiel ? » [8] Il lui répondit : « Le cœur et le foie du poisson, tu en fais monter la fumée devant l'homme ou la femme qu'attaque un démon ou un esprit mauvais : toute attaque sera écartée, on sera débarrassé pour toujours. [9] Quant au fiel, tu en enduis les yeux de celui qui a des leucomes [w], tu souffles sur les leucomes et ils guérissent. »

Raphaël conseille à Tobias d'épouser Sara

[10] Ils avaient pénétré en Médie et ils approchaient déjà d'Ecbatane [x], [11] quand Raphaël dit au garçon : « Tobias, mon frère ! » Il lui répondit : « Qu'y a-t-il ? » L'ange lui dit : « C'est chez Ragouël qu'il nous faut passer la nuit qui vient. C'est un parent à toi. Il a une fille du nom de Sara. [12] A part cette seule Sara, il n'a ni garçon ni fille ; tu es pour elle le plus proche parent et c'est à toi de l'obtenir en priorité, de même que tu as droit à hériter de la fortune de son père [y]. C'est une jeune fille réfléchie, courageuse, qui a beaucoup de charme et son père est un homme de bien. » [13] Et il ajouta : « Tu es en droit de l'épouser. Ecoute-moi, frère, je vais dès ce soir parler de la jeune fille à son père pour que nous l'obtenions comme fiancée ; et quand nous reviendrons de Raguès, nous ferons ses noces. Je sais que Ragouël ne peut absolument pas te la refuser ni la fiancer à un autre, car il encourrait la peine de mort selon le verdict du livre de Moïse [z], du moment qu'il saurait qu'il te revient en priorité d'obtenir sa fille en mariage. Ainsi donc, écoute-moi, frère, nous allons dès ce soir parler de la jeune fille et la demander pour toi en mariage ; et quand nous reviendrons de Raguès, nous la prendrons et l'emmènerons avec nous dans ta maison. » [14] Tobias répondit alors à Raphaël :

---

r le bâton de notre main, c'est-à-dire notre soutien ● s L'interprétation du texte grec de ce verset est difficile. Le sens général est probablement le suivant: il vaut mieux renoncer à récupérer de l'argent que d'exposer la vie d'un fils ● t Voir la note sur 5.10 ● u La mention de ce chien est inattendue, car ailleurs dans la Bible le chien est considéré comme un animal méprisable (voir Qo 9.4 et la note). Ce détail situe donc bien le récit hors de Palestine, pays où l'on ne connaissait guère le chien domestique aux temps bibliques ● v Médie: voir 1.14 et la note ● w Voir 2.10 et la note ● x Ecbatane: voir Jdt 1.1 et la note ● y Comparer le début de ce verset avec 3.15 et la note ● z Raguès: voir la note sur Jdt 1.5 — selon le verdict du livre de Moïse: on ne connaît pas de texte biblique prévoyant la peine de mort dans un tel cas

5.20 nous suffisait 4.21. **5.21** Ne te tracasse pas 6.16, 18; 10.6. **5.22** un bon ange 5.17+. **6.8** Le cœur et le foie... 6.17; 8.2-3. **6.9** le fiel 11.8, 11-12. **6.12** la fortune de son père 8.21; 10.10; 14.13. **6.14** sept fois en mariage 3.8.

« Azarias, mon frère, j'ai entendu dire qu'elle a déjà été donnée sept fois en mariage et que tous ses maris sont morts dans la chambre des noces ; la nuit même où ils entraient auprès d'elle, ils mouraient. J'ai entendu dire par certains que c'était un démon qui les tuait, ¹⁵ si bien qu'à présent j'ai peur. Elle, il ne lui fait pas de mal, mais dès que quelqu'un veut s'approcher d'elle, il le tue. Je suis le fils unique de mon père. Que je vienne à mourir, je ferais descendre dans la tombe la vie de mon père et de ma mère, pleins de douleur à cause de moi. Et ils n'ont pas d'autre fils pour les enterrer. » ¹⁶ Raphaël lui dit : « As-tu oublié les instructions de ton père, comment il t'a ordonné de prendre une femme de la maison de ton père ᵃ ? Allons, écoute-moi, frère, ne te tracasse pas pour ce démon et épouse-la. Je sais d'ailleurs que ce soir même on te la donnera pour femme. ¹⁷ Mais quand tu seras entré dans la chambre des noces, prends un morceau du foie du poisson ainsi que le cœur et mets-les sur la braise du brûle-parfums. L'odeur se répandra, le démon la sentira, il s'enfuira et jamais plus on ne le reverra autour d'elle. ¹⁸ Quand tu seras sur le point de t'unir à elle, levez-vous d'abord tous les deux, priez et suppliez le Seigneur du ciel de vous accorder miséricorde et salut. Ne crains pas, car c'est à toi qu'elle a été destinée depuis toujours et c'est toi qui dois la sauver. Elle te suivra, et je gage que tu auras d'elle des enfants qui te seront comme des frères. Ne te tracasse pas. »

¹⁹ Lorsque Tobias eut entendu les paroles de Raphaël et qu'il eut appris qu'elle était pour lui une sœur, de la race et de la maison de son père, il l'aima passionnément et son cœur s'attacha à elle.

Ragouël accorde sa fille Sara à Tobias

7 ¹ En entrant à Ecbatane, Tobias dit : « Azarias, mon frère, conduis-moi tout droit chez notre frère Ragouël. » L'*ange le conduisit à la maison de Ragouël. Ils le trouvèrent assis devant la porte de la cour et ils le saluèrent les premiers. Il leur dit : « Je vous salue bien, frères ᵇ, vous êtes les bienvenus », et il les fit entrer dans sa maison. ² Il dit à sa femme Edna : « Comme ce jeune homme ressemble à mon frère Tobit ! » ³ Edna les interrogea et leur dit : « D'où êtes-vous, frères ? » Ils lui dirent : « De chez les fils de Nephtali ᶜ déportés à Ninive. » ⁴ Elle leur dit : « Connaissez-vous notre frère Tobit ? » Ils lui dirent : « Oui, nous le connaissons. » ⁵ Elle leur dit : « Comment va-t-il ? » Ils lui dirent : « Il va bien, il est toujours en vie. » Et Tobias ajouta : « C'est mon père. » ⁶ Ragouël se leva d'un bond, l'embrassa tendrement et se mit à pleurer. Puis il parla et lui dit : « Sois béni, mon enfant ! Tu as un père excellent. Quel grand malheur qu'un homme si juste, qui faisait tant d'aumônes, soit devenu aveugle ! » Et se jetant au cou de son frère Tobias, il se remit à pleurer. ⁷ Sa femme Edna pleura de même sur Tobit, et leur fille Sara se mit à pleurer, elle aussi. ⁸ Puis il tua un bélier du troupeau et il les reçut chaleureusement.

⁹ Une fois lavés et baignés, quand ils se furent mis à table, Tobias dit à Raphaël : « Azarias, mon frère, demande à Ragouël de me donner ma sœur Sara. » ¹⁰ Ragouël entendit cette parole et dit au jeune homme : « Mange, bois et profite de la soirée, car il ne revient à personne, sinon à toi, mon frère, d'épouser ma fille Sara, et moi de même, je n'ai pas pouvoir de la donner à un autre que toi, puisque tu es mon plus proche parent ᵈ. Cependant, mon enfant, je vais te dire toute la vérité. ¹¹ Je l'ai déjà donnée à sept hommes d'entre nos frères, et tous sont morts la nuit où ils allaient vers elle. Mais à présent, mon enfant, mange et bois et le Seigneur interviendra en votre faveur. » ¹² Mais Tobias dit : « Je ne mangerai ni ne boirai rien ici tant que tu n'auras pas tranché la chose. » Ragouël lui dit : « Eh bien ! je vais le faire. Puisqu'elle t'est donnée selon la décision du livre de Moï-

---

a de la maison de ton père, c'est-à-dire *de la famille* ou *de la tribu de ton père* (voir 4.12) ● *b Ecbatane:* voir *Jdt* 1.1 et la note — *frères:* voir la note sur 5.10 ● *c les fils de Nephtali*, c'est-à-dire les membres de la tribu de Nephtali ● *d puisque tu es mon plus proche parent:* voir 6.12 et la note sur 3.15

6.15 je ferais descendre... 3.10+.   **6.16** ne te tracasse pas 5.21+.   **6.17** le foie et le cœur du poisson 6.4, 8.   **6.18** priez et suppliez 8.4-5 — miséricorde et salut 7.12; 8.4, 17 — qu'elle a été destinée Gn 24.14, 44.   **6.19** il l'aima Gn 24.67.   **7.3-5** Le dialogue Gn 24.9-6; 43.27-28 — déportés à Ninive 1.1-3.   **7.6** l'embrassa Gn 29.13 — un père excellent 9.6 — tant d'aumônes 1.3.   **7.11** sept hommes 3.8.   **7.12** Je ne mangerai rien Gn 24.33 — c'est le Ciel qui décide Gn 24.50 — ta sœur 10.13 — sa miséricorde 6.18+.

se, c'est le *Ciel qui décide qu'on te la donne. Reçois donc ta sœur. A partir de maintenant, tu es son frère et elle est ta sœur. Elle t'est donnée à partir d'aujourd'hui et pour toujours. Le Seigneur du ciel fera que cette nuit se passe bien pour vous, mon enfant. Qu'il vous manifeste sa miséricorde et sa paix ! » ¹³ Ragouël appela alors sa fille Sara, et elle vint vers lui. La prenant par la main, il la remit à Tobias en disant : « Reçois-la selon la Loi et selon la décision consignée dans le livre de Moïse, qui te la donnent pour femme. Prends-la et emmène-la sans encombre chez ton père. Que le Dieu du ciel vous conduise dans la paix ! » ¹⁴ Puis il appela la mère de Sara et lui dit d'apporter de quoi écrire. Il rédigea le libellé du contrat de mariage, comme quoi il la lui donnait pour femme selon la décision de la Loi de Moïse. Alors seulement, ils commencèrent à manger et à boire.

La nuit de noces

¹⁵ Ragouël appela sa femme Edna et lui dit : « Ma sœur *ᵉ*, prépare l'autre chambre et conduis-y Sara. » ¹⁶ Elle s'en alla préparer un lit dans la chambre, comme il le lui avait dit. Elle y mena sa fille et se mit à pleurer sur elle, puis elle essuya ses larmes et lui dit : ¹⁷ « Courage, ma fille, que le Seigneur du ciel change ton affliction en joie, courage, ma fille. » Et elle sortit.

8 ¹ Quand ils eurent fini de manger et de boire, ils voulurent se coucher. On emmena le jeune homme et on le fit entrer dans la chambre. ² Tobias se souvint des paroles de Raphaël *ᶠ* : il tira de son sac le foie et le cœur du poisson et les mit sur la braise du brûle-parfums. ³ L'odeur du poisson arrêta le démon, qui s'enfuit par les airs dans les contrées d'Egypte. Raphaël s'y rendit, l'entrava et l'enchaîna sur-le-champ. ⁴ Puis on laissa Tobias et on ferma la porte de la chambre. Il se leva du lit et dit à Sara : « Lève-toi, ma sœur, prions et supplions notre Seigneur de nous manifester sa miséricorde et son salut. » ⁵ Elle se leva et ils se mirent à prier et à supplier, pour que

leur soit accordé le salut. Et il se mit à dire :

« Béni sois-tu, Dieu de nos pères *ᵍ* !
Béni soit ton *Nom dans toutes les générations à venir !
Que te bénissent les cieux et toute ta création dans tous les siècles !
⁶ C'est toi qui as fait Adam,
c'est toi qui as fait pour lui une aide et un soutien, sa femme Eve,
et de tous deux est née la race des hommes.

C'est toi qui as dit :
Il n'est pas bon que l'homme soit seul, faisons-lui une aide semblable à lui ᵸ.

⁷ A présent donc, ce n'est pas un désir illégitime
qui me fait épouser ma sœur que voici, mais le souci de la vérité *ⁱ*.
Ordonne qu'il nous soit fait miséricorde, à elle et à moi,
et que nous parvenions ensemble à la vieillesse. »

⁸ Puis ils dirent d'une seule voix :
« *Amen, amen ! », ⁹ et ils se couchèrent pour la nuit.

¹⁰ Or Ragouël se leva et rassembla les serviteurs. Ils s'en allèrent creuser une tombe. Ragouël s'était dit en effet : « Il se pourrait qu'il meure ; ne serions-nous pas objet de risée et d'insulte ? » ¹¹ Quand ils eurent fini de creuser la tombe, Ragouël revint à la maison et appela sa femme. ¹² Il lui dit : « Envoie une des servantes dans la chambre voir s'il est vivant : de cette façon, s'il est mort, nous pourrions l'enterrer sans que personne n'en sache rien. » ¹³ Ils avertirent la servante, allumèrent la lampe et ouvrirent la porte ; elle entra et les trouva qui dormaient ensemble d'un profond sommeil. ¹⁴ Elle ressortit les prévenir : « Il est vivant, tout va bien. » ¹⁵ Alors ils bénirent le Dieu du ciel, en disant :
« Béni sois-tu, ô Dieu, de toute bénédiction pure !
Qu'on se bénisse dans tous les siècles !
¹⁶ Béni sois-tu de m'avoir comblé de joie !
Car il n'en a pas été comme je me l'imaginais,
mais tu nous as traités selon ta grande miséricorde.

---

e Ma sœur: voir la note sur 5.10 ● *f* Voir 6.17 ● *g de nos pères* ou *de nos ancêtres* ● *h* Citation de Gn 2.18 ● *i mais le souci de la vérité:* il s'agit du souci de répondre à la volonté de Dieu rappelée dans le verset précédent, ou bien de prendre ses responsabilités de plus proche parent de Sara (7.10)

7.14 à manger et à boire Gn 24.54. **7.17** Courage 5.10+. **8.3** s'enfuit... Mt 12.43 — l'entrava et l'enchaîna Mt 12.29; Ap 20.2. **8.4** prions et supplions 6.18 — miséricorde et salut 6.18+. **8.5** Béni sois-tu... Dn grec 3.26. **8.6** Adam Gn 2.7 — Eve Gn 2.21-22. **8.15** Béni sois-tu 3.11+.

[17] Béni sois-tu d'avoir pris en pitié deux
enfants uniques !
Manifeste-leur, Maître, ta miséricorde
et ton salut
et fais que leur vie s'écoule dans la joie
et la grâce. »
[18] Et il ordonna à ses serviteurs de combler la tombe avant le lever du jour.

Le festin de noces

[19] Ragouël dit à sa femme de faire du
pain en quantité, puis, allant au troupeau,
il en ramena deux bœufs et quatre béliers
et les fit apprêter. Et on commença les
préparatifs. [20] Il appela Tobias et lui déclara : « Pendant quatorze jours [j], tu ne
bougeras pas d'ici, mais tu resteras là à
manger et à boire chez moi et tu remettras la joie au cœur de ma fille, qui est
encore sous le coup de ses malheurs.
[21] Prends dès maintenant la moitié de
tous mes biens, et tu retourneras sans
encombre auprès de ton père. L'autre
moitié sera à vous quand nous serons
morts, ma femme et moi. Courage, mon
enfant, je suis ton père et Edna est ta
mère. Nous sommes auprès de toi et de
ta sœur [k], à partir de maintenant et pour
toujours, courage, mon enfant. »

Raphaël à Raguès

9 [1] Alors Tobias appela Raphaël et
lui dit : [2] « Azarias, mon frère,
emmène avec toi quatre serviteurs et deux
chameaux ; va à Raguès, rends-toi chez
Gabaël, donne-lui l'acte de dépôt [l] et recouvre l'argent, puis ramène Gabaël avec
toi pour les noces. [3-4] Tu sais bien que
mon père ne cesse de compter les jours.
Si je tarde un seul jour, je lui causerai
beaucoup de peine. D'autre part, tu vois
ce que Ragouël a juré : je ne peux pas
passer outre à son serment [m]. » [5] Raphaël
partit avec les quatre serviteurs et les deux
chameaux à Raguès de Médie et ils passèrent la nuit chez Gabaël. Il lui remit
l'acte et lui apprit que Tobias, le fils de
Tobit, avait pris femme et l'invitait aux

noces. Gabaël lui compta aussitôt les sacs,
munis de leur sceau, et ils les chargèrent [n]. [6] Puis ils partirent ensemble de
bon matin et allèrent aux noces. Ils entrèrent chez Ragouël et trouvèrent Tobias
à table. Celui-ci se leva d'un bond et salua Gabaël, qui se mit à pleurer et qui le
bénit en ces termes : « Fils excellent d'un
homme excellent, juste et charitable ! Que
le Seigneur te donne la bénédiction du
*Ciel, à toi, à ta femme, au père et à la
mère de ta femme ! Béni soit Dieu, car
c'est mon cousin Tobit en personne que
j'ai vu. »

L'angoisse de Tobit et Anna

10 [1] Cependant, jour après jour, Tobit
faisait le compte des jours nécessaires pour l'aller et pour le retour. Quand
tous les jours se furent écoulés, son fils
n'était toujours pas là. [2] Il se dit : « Aurait-il été retenu là-bas ? Gabaël est peut-
être mort et il n'y a personne pour lui
donner l'argent. » [3] Et il commença à se
tourmenter. [4] Sa femme Anna disait :
« Mon enfant a péri, il n'est plus parmi
les vivants. » Elle commença à pleurer et
à se lamenter sur son fils, en disant :
[5] « Malheur à moi, mon fils : je t'ai laissé
partir, toi, la lumière de mes yeux ! » [6] Et
Tobit lui disait : « Tais-toi, ne te tracasse
pas, ma sœur [o], il va bien ; c'est sûrement
un contretemps qu'ils ont eu là-bas, car
celui qui l'accompagne est un homme sûr,
c'est l'un de nos frères. Ne te tourmente
pas pour lui, ma sœur, il sera bientôt
ici. » [7] Mais elle lui répondit : « Ne me
dis plus rien, cesse de me mentir : mon
enfant a péri ! » Et chaque jour, elle sortait au plus vite pour surveiller le chemin
par où son fils était parti, car elle ne
se fiait à personne. Après le coucher du
soleil, elle rentrait pour se lamenter et
pleurer toute la nuit sans trouver le
sommeil.

Tobias désire retourner chez son père

[8] Quand se furent écoulés les quatorze

j lui déclara: d'autres manuscrits grecs ajoutent _avec serment_ (voir 9.3-4) — _Pendant quatorze jours:_ les noces duraient normalement sept jours (voir Gn 29.27; Jg 14.10-12) ● _k ta sœur:_ voir la note sur 5.10 ● _l à Raguès:_ voir 4.20 et la note sur Jdt 1.5 — _l'acte de dépôt:_ voir 5.3 ● _m compter les jours:_ voir 10.1 — _son serment:_ voir 8.20 et la note ● _n et ils les chargèrent:_ sous-entendu _sur les chameaux_ ● _o ma sœur:_ voir la note sur 5.10

8.17 deux enfants uniques 3.15; 6.15. **8.19** pain, troupeau Gn 18.6-7. **8.20** tu resteras là Gn 24.54-55 — la joie Dt 24.5. **8.21** mes biens 6.12 — Courage 5.10+ — ta mère 10.13. **9.6** à table 8.20 — d'un homme excellent 7.6 — Tobit en personne 7.2. **10.1** le compte des jours 9.3-4. **10.5** la lumière de mes yeux 11.13. **10.6** ne te tracasse pas 5.21+. **10.7** surveiller le chemin 11.5. **10.8** Laisse-moi partir Gn 24.54, 56; 30.25.

jours de noces que Ragouël avait juré *p* de faire pour sa fille, Tobias vint lui dire : « Laisse-moi partir, car je sais bien que mon père et ma mère n'ont plus l'espoir de me revoir. C'est pourquoi je t'en prie, père, laisse-moi partir et retourner chez mon père ; je t'ai déjà expliqué dans quelle situation je l'ai laissé. » [9] Mais Ragouël dit à Tobias : « Reste, mon enfant, reste avec moi. Je vais envoyer des messagers à ton père Tobit et ils lui donneront de tes nouvelles. » Tobias lui dit : « Non vraiment, je t'en prie, laisse-moi m'en retourner chez mon père. » [10] Aussitôt Ragouël lui remit Sara, sa femme, ainsi que la moitié de tous ses biens : serviteurs et servantes, bœufs et brebis, ânes et chameaux, vêtements, argent et objets divers. [11] Il les laissa partir tout heureux. Il salua Tobias en ces termes : « Porte-toi bien, mon enfant, et bon voyage ! Que le Seigneur du ciel vous guide, toi et ta femme Sara, et que je puisse voir vos enfants avant de mourir ! » [12] Il dit à sa fille Sara : « Va chez ton beaupère, puisque désormais ce sont tes parents comme ceux qui t'ont donné la vie. Va en paix, ma fille, et que je puisse entendre dire du bien de toi tant que je vivrai ! » Puis il les salua et les laissa partir. [13] A son tour, Edna dit à Tobias : « Fils et frère très cher, que le Seigneur te ramène, et que je puisse vivre assez pour voir tes enfants et ceux de ma fille Sara avant de mourir ! En présence du Seigneur, je confie ma fille à ta garde. Ne la contriste à aucun jour de ta vie. Mon enfant, va en paix ! Désormais je suis ta mère et Sara est ta sœur. Puissions-nous tous connaître un égal bonheur tous les jours de notre vie ! » Puis elle les embrassa tous les deux et les laissa partir tout heureux. [14] Ainsi Tobias partit de chez Ragouël heureux et joyeux, en bénissant le Seigneur du ciel et de la terre, le Roi de l'univers, d'avoir fait réussir son voyage. Ragouël lui dit : « Puisses-tu avoir le bonheur d'honorer tes parents tous les jours de leur vie ! »

La guérison de Tobit

11 [1] Comme ils approchaient de Kaserîn *q*, en face de Ninive, Raphaël dit : [2] « Tu sais dans quelle situation nous avons laissé ton père. [3] Prenons de l'avance sur ta femme pour préparer la maison pendant que les autres *r* arrivent. » [4] Ils partirent tous les deux ensemble — Raphaël avait dit à Tobias : « Garde le fiel à portée de la main. » — Le chien *s* suivit derrière eux. [5] Or Anna était assise, en train de surveiller le chemin d'où viendrait son fils. [6] Elle l'aperçut qui venait et elle dit à son père : « Voici ton fils qui arrive avec l'homme qui l'a accompagné. » [7] Raphaël dit à Tobias, avant qu'il ne soit auprès de son père : « Je sais que ses yeux s'ouvriront. [8] Applique-lui le fiel du poisson sur les yeux : le remède fera se craqueler et s'écailler les leucomes *t* de ses yeux ; alors ton père recouvrera la vue et verra la lumière. »

[9] Anna courut se jeter au cou de son fils et lui dit : « Je te revois, mon enfant ; désormais je peux mourir ! » Et elle se mit à pleurer. [10] Tobit se leva et, tout en trébuchant, il sortit par la porte de la cour. [11] Tobias marcha à sa rencontre, le fiel du poisson à la main, il lui souffla dans les yeux et lui dit, en le tenant bien : « Courage, père ! » Il lui appliqua le remède et le maintint *u*. [12] Puis de ses deux mains il fit s'écailler les leucomes aux coins de ses yeux. [13] Alors Tobit se jeta à son cou et se mit à pleurer, en lui disant : « Je te revois, mon fils, lumière de mes yeux ! » [14] Et il dit :

« Béni soit Dieu !
Béni soit son grand *Nom !
Bénis soient tous ses saints *anges !
Que son grand Nom soit sur nous !
Bénis soient tous les anges dans tous les siècles !
Car le Seigneur m'avait frappé,
et voici que je vois mon fils Tobias. »

[15] Tobias entra, joyeux et bénissant Dieu à pleine voix. Il expliqua à son père que son voyage avait bien réussi, qu'il

---

p Voir 8.20 et la note ● *q* Localité inconnue ● *r* les autres: voir 10.10 ● *s* le fiel: voir 6.4, 9 — le chien: voir 6.1 et la note ● *t* Voir 2.10 et la note ● *u* maintint: le verbe grec correspondant est peu clair et la traduction est incertaine

10.10 la moitié de ses biens 8.21 — serviteurs et servantes... Gn 24.35; 30.43. **10.11** avant de mourir v. 13; Gn 45.28. **10.12** tes parents cf. 8.21. **10.13** ta mère, ta sœur 8.21; 7.12. **11.5** en train de surveiller 10.7. **11.6** qui l'a accompagné 5.10, 16-17. **11.8** le fiel 6.9. **11.9** désormais je peux mourir Gn 46.30. **11.11** Courage 5.10+. **11.12** s'écailler Ac 9.18. **11.13** se jeta à son cou v. 9; Gn 46.29; Lc 15.20. **11.14** m'avait frappé 13.2, 5, 10; Dt 32.39. **11.15** joyeux et bénissant Dieu v. 16; 10.14 — rapportait l'argent 4.20; 5.3.

rapportait l'argent et aussi comment il avait pris pour femme Sara, la fille de Ragouël ; et il ajouta : « Voici qu'elle arrive, elle est tout près de la porte de Ninive. »

¹⁶ Tobit, joyeux et bénissant Dieu, partit à la rencontre de sa belle-fille vers la porte de Ninive. Quand les gens de Ninive le virent marcher et circuler en pleine santé, sans que personne le guide, ils furent émerveillés. Tobit proclamait devant eux que Dieu avait eu pitié de lui et lui avait ouvert les yeux. ¹⁷ Il arriva près de Sara, la femme de son fils Tobias, et il la bénit en ces termes : « Sois la bienvenue, ma fille ! Béni soit ton Dieu, qui t'a fait venir chez nous, ma fille ! Béni soit ton père ! Béni soit mon fils Tobias et bénie sois-tu, ma fille ! Entre dans ta maison, sois la bienvenue, à toi bénédiction et joie, entre, ma fille ! » ¹⁸ En ce jour-là, il y eut de la joie parmi tous les Juifs de Ninive. ¹⁹ Ahikar et Nadan, les neveux de Tobit, vinrent aussi chez lui, pleins de joie.

Raphaël révèle qui il est

12 ¹ Quand les noces furent terminées, Tobit appela son fils Tobias et lui dit : « Mon enfant, veille à payer le salaire de ton compagnon de route, en y ajoutant quelque chose *v*. » ² Il lui dit : « Père, combien vais-je lui donner ? Même en lui donnant la moitié des biens qu'il a rapportés avec moi, je ne suis pas lésé. ³ Il me ramène sain et sauf, il a guéri ma femme, il a rapporté l'argent avec moi, il t'a guéri : combien lui donner après tout cela ? » ⁴ Tobit lui dit : « Mon enfant, il est juste qu'il prenne la moitié de tout ce qu'il a rapporté. » ⁵ Tobias l'appela et lui dit : « Prends pour salaire la moitié de tout ce que tu as rapporté et va en paix ! »

⁶ Alors Raphaël les prit tous les deux à part et leur dit : « Bénissez Dieu et célébrez-le devant tous les vivants pour ce qu'il a fait pour vous ! Il est bon de bénir

et de chanter son *Nom. Faites connaître à tous les hommes les actions de Dieu comme elles le méritent. Ne soyez pas lents à le célébrer. ⁷ Il est bon de tenir caché le secret du roi, mais les œuvres de Dieu, il faut les célébrer et les révéler. Célébrez-les comme elles le méritent.

Faites le bien, et le mal ne vous atteindra pas. ⁸ Mieux vaut la prière avec la vérité et l'aumône avec la justice que la richesse avec l'injustice. Mieux vaut faire l'aumône que d'amasser de l'or. ⁹ L'aumône délivre de la mort et elle purifie de tout péché. Ceux qui font l'aumône seront rassasiés de vie ; ¹⁰ ceux qui font le péché et l'injustice sont ennemis d'eux-mêmes.

¹¹ A présent, je vais vous apprendre toute la vérité, sans rien vous cacher. Je viens de vous apprendre ceci : "Il est bon de cacher le secret du roi et de révéler avec éclat les œuvres de Dieu." ¹² Eh bien ! lorsque tu as prié, ainsi que Sara, c'est moi qui ai présenté le mémorial *w* de votre prière en présence de la gloire du Seigneur, et de même lorsque tu enterrais les morts. ¹³ Quand tu n'as pas hésité à te lever et à laisser ton dîner pour ensevelir le mort, c'est alors que j'ai été envoyé vers toi pour te mettre à l'épreuve *x*. ¹⁴ Mais dans le même temps Dieu m'a envoyé pour te guérir, ainsi que la belle-fille Sara. ¹⁵ Je suis Raphaël, l'un des sept *anges qui se tiennent devant la gloire du Seigneur et pénètrent en sa présence. »

¹⁶ Tous deux furent bouleversés, ils tombèrent face contre terre et furent saisis de crainte. ¹⁷ Mais il leur dit : « Ne craignez rien ! La paix soit avec vous ! Bénissez Dieu à tout jamais ! ¹⁸ Quand j'étais avec vous, ce n'était pas par un effet de ma bienveillance que j'étais avec vous, mais par la volonté de Dieu. C'est lui que vous devez bénir tout au long des jours, c'est lui que vous devez chanter. ¹⁹ Vous voyez maintenant que je ne mangeais rien, mais que vous aviez une vision *y*. ²⁰ Bénissez donc le Seigneur sur

---

v Voir 5.15-16 ● *w* Le terme *mémorial* évoque la part de l'offrande qui était brûlée sur l'*autel pour rappeler l'offrant au *souvenir* de Dieu (voir Lv 2.2 et la note) ● *x* Cette *épreuve* était la cécité de Tobit (voir 2.9-10) ● *y* L'ange donnait l'impression de *manger*, mais ce n'était qu'une apparence

11.19 Ahikar 1.21 ; 2.10 — Ahikar et Nadan 14.10. **12.3** il a guéri ma femme 8.2-3 — il a rapporté l'argent 9.2, 5 — il t'a guéri 11.11-12. **12.6** célébrez-le... Ps 105.1 +. **12.7** ne vous atteindra pas 1 P 3.13. **12.8** que la richesse Pr 11.4, 16.8 — que d'amasser de l'or *Si* 29.10-11. **12.9** délivre de la mort *Si* 29.12 — purifie de tout péché *Si* 3.30 — rassasiés de vie cf. Dn 4.24. **12.11** Il est bon... 12.7. **12.12** tu as prié 3.2-6 — ainsi que Sara 3.11-15 — en présence de la gloire 3.16 — tu enterrais les morts 1.17-18. **12.13** tu n'as pas hésité... 2.4. **12.14** m'a envoyé 3.17. **12.15** Je suis Raphaël... cf. Lc 1.19 — les sept *anges Ap 8.2. **12.16** face contre terre Jg 13.20. **12.19** je ne mangeais rien cf. Jg 13.16. **12.20** je remonte... Jn 16.5 ; 20.17 — il s'éleva Jg 13.20 ; Ac 1.9.

cette terre et célébrez Dieu. Voici que je remonte vers celui qui m'a envoyé. Mettez par écrit tout ce qui vous est arrivé. » Et il s'éleva. ²¹ Ils se redressèrent, mais ils ne pouvaient plus le voir. ²² Ils bénissaient et chantaient Dieu, et le célébraient pour toutes les grandes œuvres qu'il avait faites là : un ange de Dieu leur était apparu !

Cantique de Tobit

13 ¹ Et Tobit dit :
² « Béni soit à jamais le Dieu vivant !
Béni soit son règne !
C'est lui qui châtie et qui prend en pitié.
Il fait descendre jusqu'au *séjour des morts,
dans les profondeurs de la terre,
puis il fait remonter de la grande perdition.
Il n'y a rien qui échappe à sa main.
³ Célébrez-le, fils d'Israël ^z, face aux nations,
parmi lesquelles il vous a dispersés ;
⁴ là, il vous a fait voir sa grandeur.
Exaltez-le face à tous les vivants,
car il est notre Seigneur, notre Dieu, notre Père,
il est Dieu dans tous les siècles.
⁵ Il vous châtie à cause de vos iniquités,
mais il vous prendra tous en pitié
en vous tirant des nations
où vous avez été dispersés.
⁶ Le jour où vous reviendrez à lui,
de tout votre cœur et de tout votre être,
pour faire la vérité ^a devant lui,
alors il reviendra à vous et ne vous cachera plus sa face.
⁷ Et maintenant considérez ce qu'il a fait pour vous
et célébrez-le à pleine voix.
Bénissez le Seigneur de justice
et exaltez le Roi des *siècles.
⁸ Pour moi, je le célèbre sur la terre où je suis déporté.
Je montre sa force et sa grandeur à

une nation pécheresse ^b.
Revenez, pécheurs, pratiquez la justice devant lui :
qui sait ? peut-être vous sera-t-il favorable
et vous fera-t-il miséricorde ?
⁹ J'exalte mon Dieu
et j'exulte de joie dans le Roi du ciel.
¹⁰ Que tous proclament sa grandeur
et le célèbrent dans Jérusalem !
Jérusalem, ville *sainte,
Dieu te châtie à cause des œuvres de tes fils,
mais de nouveau il prendra pitié des fils des justes ^c.
¹¹ Célèbre le Seigneur avec éclat
et bénis le Roi des siècles
pour que sa *Tente soit reconstruite en toi dans la joie.
¹² Qu'il réjouisse en toi tous les déportés,
qu'il aime en toi tous les malheureux
pour toutes les générations à venir.
¹³ Une vive lumière brillera jusqu'aux confins de la terre.
Des nations lointaines en grand nombre
et des habitants de toutes les extrémités de la terre
viendront vers ton saint *Nom,
les mains pleines d'offrandes pour le Roi du ciel.
Des générations de générations te donneront de l'allégresse,
et le nom de l'Elue ^d restera pour les générations à venir.
¹⁴ Maudits soient tous ceux qui te parleront durement !
Maudits soient tous ceux qui te détruiront et renverseront tes murs,
tous ceux qui abattront tes tours et brûleront tes maisons !
Mais bénis soient à jamais tous ceux qui te craindront ^e !
¹⁵ Va, exulte à cause des fils des justes,
car ils seront tous rassemblés et ils béniront le Seigneur des siècles.
Heureux ceux qui t'aiment !
Heureux ceux qui se réjouiront de ta paix !

---

z *fils d'Israël* ou *Israélites* ● a *faire la vérité* ou *agir selon la vérité* ● b *sur la terre où je suis déporté*, c'est-à-dire à Ninive — *une nation pécheresse*: il s'agit ici du peuple d'Israël ● c *de tes fils* ou *de tes habitants* — *des fils des justes*, c'est-à-dire des Israélites ● d *d'offrandes* ou *de présents* — *Des générations de générations* ou *De très nombreuses générations* — *l'Elue*, c'est-à-dire Jérusalem ● e *qui te craindront* ou *qui te respecteront*

13.2 Il fait descendre 4.19+ — rien qui échappe à sa main Dt 32.39 ; Sg 16.15. **13.4** face à tous les vivants 12.6 — notre Père Es 63.16 ; 64.7 ; Jr 3.4 ; 1 Ch 29.10. **13.5** de toutes les nations... Dt 30.3 ; Es 66.20 ; Jr 29.14 ; 32.37. **13.6** vous reviendrez à lui... Dt 30.2 ; Za 1.3 ; Ml 3.7 — faire la vérité 4.6+. **13.7** à pleine voix 11.15. **13.8** qui sait ? Jl 2.14 ; Jon 3.9. **13.10** ville sainte Mt 4.5+. **13.13** Une vive lumière Es 9.1 ; 49.6. — Des nations en grand nombre Es 2.2-3 ; Mi 4.1-2 ; Za 8.20-22 — les mains pleines d'offrandes Es 60.5-7 ; Ag 2.7 ; Ap 21.24-26 — l'allégresse Es 65.18. **13.14** Maudits soient... Ba 4.31.

16 Heureux tous ceux qui s'affligeront sur
   toi,
   à cause de tous tes châtiments !
   car en toi ils se réjouiront et ils verront
   toute ta joie à jamais.
   Oui, je bénis le Seigneur, le grand Roi,
17 parce qu'on reconstruira Jérusalem
   et, dans la ville, sa Maison pour tous
   les siècles.
   Heureux serai-je, si le reste de ma race
   voit ta gloire et célèbre le Roi du ciel.
   Les portes de Jérusalem seront bâties
   en saphir et en émeraude ;
   en pierres précieuses seront tous tes
   murs.
   Les tours de Jérusalem seront bâties
   en or
   et leurs défenses en or pur.
   Les rues de Jérusalem seront pavées
   d'escarboucles et de pierres d'Ofir *f*.
18 Les portes de Jérusalem chanteront des
   hymnes d'allégresse
   et toutes ses maisons chanteront :
   "Alléluia *g* ! béni soit le Dieu d'Israël !"
   Et les élus béniront le Saint Nom à
   tout jamais. »

14 ¹ Ainsi s'achevèrent les paroles
      d'action de grâces de Tobit.

La mort de Tobit

² Tobit mourut en paix à l'âge de
cent douze ans et il fut enterré avec magnificence à Ninive. Il avait soixante-
deux ans quand il perdit la vue ; après
l'avoir recouvrée, il vécut dans l'abondance et fit l'aumône, en continuant toujours de bénir Dieu et de célébrer sa
grandeur.

³ Sur le point de mourir, il appela son
fils Tobias et lui donna les instructions
que voici : « Mon enfant, emmène tes
enfants, ⁴ pars vite en Médie ; car je crois
à la parole de Dieu proférée par Nahoum
contre Ninive : tout se réalisera et s'abat-

tra sur Assour et Ninive ; tout ce qu'ont
dit les *prophètes d'Israël, que Dieu a
envoyés, tout cela arrivera. Rien ne sera
retranché de toutes leurs paroles, toutes
se produiront en leur temps. En Médie,
on sera plus en sécurité qu'en Assyrie
et à Babylone. Car je sais et je crois que
tout ce que Dieu a dit s'accomplira et se
réalisera : il ne tombera pas une parole
des prophéties *h*. Nos frères qui habitent
en terre d'Israël seront tous recensés et
déportés loin de cette terre heureuse.
Toute la terre d'Israël sera déserte, Samarie et Jérusalem seront désertes et la
Maison de Dieu sera désolée et brûlée
pour un temps. ⁵ Mais de nouveau Dieu
les prendra en pitié et les fera revenir
sur la terre d'Israël. De nouveau ils construiront sa Maison, mais pas comme la
première, jusqu'au moment où s'accompliront les temps fixés. Après cela, ils
reviendront tous de leur déportation et ils
reconstruiront magnifiquement Jérusalem.
La Maison de Dieu y sera reconstruite
selon ce qu'ont dit d'elle les prophètes
d'Israël. ⁶ Tous, dans toutes les nations
de la terre entière, reviendront et craindront Dieu *i* en toute vérité. Tous aban-
donneront leurs idoles trompeuses qui les
faisaient s'égarer dans leur erreur et ils
béniront le Dieu des *siècles dans la justice. ⁷ Tous les fils d'Israël *j* qui seront
sauvés en ces jours-là, pour s'être souvenu de Dieu en vérité, se rassembleront
et viendront à Jérusalem. Ils habiteront
pour toujours en sûreté sur la terre
d'Abraham, qui leur sera donnée. Ceux
qui aiment Dieu en vérité seront dans la
joie, mais ceux qui commettent le péché
et l'iniquité disparaîtront de la terre.

⁸⁻⁹ Et maintenant, mes enfants, voici
mes instructions : servez Dieu en vérité
et faites ce qui lui est agréable. Qu'il soit
ordonné à vos enfants de pratiquer la justice et l'aumône, de se souvenir de Dieu
et de bénir son *Nom en toute occasion,

---

f sa Maison ou *son Temple* — *Ofir :* voir 1 R 9.28; Jb 22.24 et les notes ● *g* Voir Ps 104.35 et
la note ● *h Médie :* voir 1.4 et la note — *la parole... proférée par Nahoum contre Ninive :* allusion
au livre du prophète Nahoum — *Assour* ou *l'Assyrie* — *il ne tombera pas une parole des prophéties,*
c'est-à-dire que ces prophéties s'accompliront intégralement ● *i reviendront et craindront Dieu* ou
se convertiront et respecteront Dieu ● *j les fils d'Israël* ou *les Israélites*

13.16 ils se réjouiront Es 66.10. **13.17** pierres précieuses Es 54.11-12; Ap 21.18-21. **13.18** béni
soit... Ps 72.18-19. **14.2** enterré avec magnificence 4.3; 14.11 — il fit l'aumône 12.8-9 — bénir
Dieu 12.6, 17-18, 20. **14.3** il appela son fils 4.3; Gn 47.29; 49.1; R 2.1. **14.4** tout se réalisera
14.15 — Samarie 2 R 17.5-6 — Jérusalem 2 R 25.1-21 — la Maison de Dieu brûlée 2 R 25.9;
Es 64.10. **14.5** les fera revenir Esd 1.1-5; 2 Ch 36.22-23 — ils construiront sa Maison... Ag
1.14; 2.3; Esd 3.8-12 — ce qu'ont dit les prophètes Jr 40—42; Ag 2.9. **14.6** Tous reviendront
14.15 — Samarie 2 R 17.5-6 — Jérusalem 2 R 25.1-21 — la Maison de Dieu brûlée 2 R 25.9;
Jr 16.19-21; Ps 22.28; 86.9; 102.22-23. **14.7** en sûreté Lv 26.5; Jr 32.37; Ez 34.28 — la terre
d'Abraham Ez 33.24 — disparaîtront de la terre Ps 37.38; 104.35. **14.8-9** bénir Dieu en toute
occasion 4.19 — auprès de moi 4.4.

en vérité et de toute leur force. Quant à toi, mon enfant, quitte Ninive, ne reste pas ici. Lorsque tu auras enterré ta mère auprès de moi, ne passe pas une nuit de plus sur le territoire de cette ville. Car je le vois, il y a en elle beaucoup d'iniquité et il s'y commet mainte perfidie, sans que personne n'ait honte. ¹⁰ Vois, mon enfant, tout ce que Nadan a fait à son père adoptif Ahikar : ne l'a-t-il pas fait descendre vivant, au cœur de la terre ? Mais Dieu a rendu l'infamie sous les yeux de la victime : Ahikar est ressorti à la lumière tandis que Nadan est entré dans les ténèbres éternelles, car il avait cherché à tuer Ahikar. Parce qu'il avait fait l'aumône, Ahikar est sorti du piège mortel que lui avait tendu Nadan, mais Nadan est tombé dans le filet mortel qui a causé sa perte ᵏ. ¹¹ Ainsi donc, mes enfants, voyez ce que produit l'aumône et ce que produit l'iniquité — celle-ci produit la mort —. Mais voici que la vie m'abandonne. » Ils le mirent sur son lit, et il mourut. Et il fut enterré avec magnificence.

Fin de la vie de Tobias

¹² Quand sa mère mourut, Tobias l'enterra avec son père. Puis il partit avec sa femme en Médie et il habita à Ecbatane auprès de son beau-père Ragouël ˡ. ¹³ Il entoura d'égards ses beaux-parents dans leur vieillesse. Il les enterra à Ecbatane de Médie, puis il hérita du patrimoine de Ragouël, comme de celui de son père Tobit. ¹⁴ Il mourut considéré à l'âge de cent dix-sept ans. ¹⁵ Il apprit avant de mourir la ruine de Ninive et il vit arriver en Médie les Ninivites déportés par Cyaxare, roi de Médie. Il bénit Dieu pour tout ce qu'il avait fait aux gens de Ninive et d'Assour ᵐ. Il se réjouit avant de mourir du sort de Ninive, et il bénit le Seigneur Dieu pour les *siècles des siècles. *Amen.

---

k Ce verset fait allusion à une œuvre littéraire très connue dans le monde antique. Par ses calomnies, *Nadan* réussit à faire jeter dans un cachot (*au cœur de la terre*) son oncle et père adoptif, *Ahikar*. Ahikar est finalement réhabilité et Nadan jeté à son tour en prison (*entré dans les ténèbres éternelles*). Voir aussi 1.21-22, où *Ahikar* est présenté comme ministre des rois d'Assyrie Sennakérib et Asarhaddon ● *l Ecbatane*: voir *Jdt* 1.1 et la note — *auprès de son beau-père Ragouël*: voir 3.7 ● *m Cyaxare*: le texte grec a *Akhiakar*, qui doit désigner *Cyaxare*. En effet, ce furent le Mède Cyaxare et le Babylonien Nabopolassar qui détruisirent Ninive en 612 av. J.C. — *d'Assour* ou *d'Assyrie*

14.10 Parce qu'il avait fait l'aumône 2.10 ; 4.10 ; 12.9. **14.11** avec magnificence 4.3 ; 14.2. **14.12** l'enterra avec son père 4.4 ; 14.8-9 — en Médie 14.4. **14.13** il hérita 6.12 ; 8.21. **14.15** la ruine de Ninive 14.4 — Il se réjouit du sort de Ninive Na 3.19.

PREMIER LIVRE
DES MACCABÉES

Le règne d'Alexandre le Grand

1 ¹ Après qu'Alexandre, fils de Philippe, Macédonien sorti du pays des Kettiim, eut battu Darius, roi des Perses et des Mèdes, et fut devenu roi à sa place, tout d'abord sur l'Hellade *a*, ² il entreprit de nombreuses guerres, enleva mainte place forte et mit à mort les rois de la région. ³ Il poussa jusqu'au bout du monde et prit les dépouilles d'une multitude de nations. La terre se tut devant lui. Son cœur s'exalta et s'enfla d'orgueil ; ⁴ il rassembla une armée très puissante et soumit provinces, nations et dynastes, qui durent lui payer tribut. ⁵ Après cela, il s'alita et comprit qu'il allait mourir. ⁶ Il convoqua ses officiers nobles, ceux qui avaient été élevés avec lui depuis sa jeunesse et partagea entre eux son royaume avant de mourir. ⁷ Alexandre avait régné douze ans quand il mourut. ⁸ Ses officiers nobles prirent le pouvoir chacun dans son fief *b*. ⁹ Tous ceignirent le diadème *c* après sa mort et leurs fils après eux durant de longues années. Ils multiplièrent les maux sur la terre.

Des Juifs adoptent les coutumes grecques
(2 M 4.7-17)

¹⁰ Il sortit d'eux un rejeton impie : Antiochus Epiphane, fils du roi Antiochus, qui, après avoir été otage à Rome, devint roi en l'an cent trente-sept de la royauté des Grecs *d*. ¹¹ En ces jours-là, des vauriens surgirent d'Israël, et ils séduisirent beaucoup de gens en disant : « Allons, faisons alliance avec les nations qui nous entourent car, depuis que nous sommes séparés d'elles, bien des maux nous ont atteints. » ¹² Ce discours leur plut, ¹³ et plusieurs parmi le peuple s'empressèrent de se rendre auprès du roi qui leur donna l'autorisation *e* d'observer les pratiques des nations, ¹⁴ selon les usages de celles-ci. Ils bâtirent donc un gymnase *f* à Jérusalem, ¹⁵ ils se refirent le prépuce *g*, firent défection à l'*alliance

---

a Kettiim (ou *Kitiens*, voir 8.5, en hébreu *Kittim*): ce terme désignait d'abord les habitants de Chypre (voir Gn 10.4), puis des îles et rivages de la mer Egée (voir aussi Jr 2.10 et la note); ici, il désigne les Macédoniens (voir 8.5) — *Hellade:* la Grèce proprement dite, mais aussi les côtes d'Asie Mineure colonisées par les Grecs ● *b* Après la mort d'Alexandre le Grand, ses officiers se partagèrent les restes de son empire. En Asie (Syrie, Mésopotamie, Iran), le pouvoir fut pris par la famille des Séleucides (Séleucus et ses successeurs); en Egypte, il fut pris par les Lagides (Ptolémée, fils de Lagos, et ses successeurs). La Palestine, attribuée d'abord aux Lagides, resta disputée par les deux dynasties. En 198 av. J.C., elle passa sous la domination des Séleucides ● *c diadème:* emblème de la fonction royale ● *d otage à Rome:* il faisait partie des otages que son père, Antiochus III, dut livrer selon le traité d'Apamée (188 av. J.C.), voir *2 M* 8.10 et la note. Son neveu Démétrius le remplaça en 176 av. J.C. — *L'an cent trente-sept de la royauté des Grecs:* en 175 av. J.C. Le livre des Maccabées compte les années à partir du début du règne de Séleucus I, c'est-à-dire à partir d'octobre 312 av. J.C. — *e* Il fallait l'autorisation du roi pour cesser d'être soumis aux lois particulières de la nation à laquelle on appartient (voir *2 M* 4.9 et, en sens contraire 11.24) ● *f gymnase:* emplacement réservé aux exercices sportifs, que l'on pratiquait nu ● *g se refirent le prépuce:* il s'agit d'une opération qui cherchait à faire disparaître les marques de la *circoncision (voir 1 Co 7.18)

1.3 la terre se tut cf. 7.50; 9.57; 11.38, 52; 14.4; Jg 3.11; 5.31; 8.28 — son cœur s'exalta... 16.13; Ez 28.2, 5, 17; 2 Ch 25.19; 26.16; cf. Dt 17.20. **1.15** se refirent le prépuce 1 Co 7.18.

sainte, pour s'associer aux païens et se vendirent pour faire le mal.

Le roi Antiochus IV pille le Temple
(2 M 5.11-21)

16 Quand il vit son règne affermi, Antiochus projeta de devenir roi d'Egypte afin de régner sur les deux royaumes *h*. 17 Entré en Egypte *i* avec une armée imposante, avec des chars, des éléphants et une grande flotte, 18 il engagea le combat contre Ptolémée, roi d'Egypte, qui battit en retraite devant lui et s'enfuit en laissant de nombreux blessés. 19 Les villes fortes égyptiennes furent prises et Antiochus s'empara des dépouilles de l'Egypte. 20 Ayant vaincu l'Egypte, il revint en l'an cent quarante-trois *j* et il monta contre Israël et Jérusalem avec une armée imposante.

21 Entré dans le sanctuaire avec arrogance, il prit l'autel d'or, le candélabre de lumière et tous ses accessoires, 22 la table d'oblation, les vases à libations, les coupes, les cassolettes d'or *k*, le voile et les couronnes ; quant à la décoration d'or sur la façade du temple, il l'enleva en entier. 23 Il prit aussi l'argent, l'or, les objets précieux, et fit main basse sur les trésors cachés qu'il trouva. 24 Ayant tout pris, il s'en alla dans son pays. Il avait fait un carnage et avait proféré des paroles d'une extrême arrogance.

25 Il y eut grand deuil sur Israël partout dans le pays.

26 Chefs et anciens gémirent,
jeunes gens et jeunes filles dépérirent,
et la beauté des femmes s'altéra.

27 Le nouveau marié entonna une lamentation
et l'épouse assise dans sa chambre fut en deuil.

28 La terre trembla à cause de ses habitants,
et toute la maison de Jacob fut revêtue de honte.

Construction de la citadelle de Jérusalem
(2 M 5.24-26)

29 Deux ans après, le roi envoya un percepteur *l* dans les villes de Juda ; il vint à Jérusalem avec une armée imposante. 30 Il adressa aux habitants de fausses paroles de paix et on le crut. Puis il se jeta sur la ville à l'improviste, lui porta un grand coup, et fit périr beaucoup de gens en Israël. 31 Il pilla la ville, l'incendia, détruisit les maisons et l'enceinte. 32 Ils réduisirent en captivité les femmes et les enfants et s'approprièrent le bétail, 33 puis ils rebâtirent la ville de David avec un rempart élevé et fort, de puissantes tours, et ce fut leur citadelle *m*. 34 Ils y installèrent une engeance perverse, des gens sans foi ni loi, et ils s'y fortifièrent. 35 Ils emmagasinèrent des armes et des vivres, y déposèrent les dépouilles de Jérusalem qu'ils avaient rassemblées et ils en firent un grand piège.

36 Cela devint une embuscade pour le
*sanctuaire
et un adversaire maléfique pour Israël
en tout temps.

37 Ils répandirent du *sang innocent autour du sanctuaire
et ils souillèrent le lieu saint.

38 Les habitants de Jérusalem s'enfuirent à cause d'eux
et la ville devint une colonie d'étrangers,
elle devint étrangère à sa progéniture
et ses propres enfants l'abandonnèrent.

39 Son sanctuaire fut dévasté comme un désert,
ses fêtes se changèrent en deuil,
ses *sabbats en dérision,
son honneur en mépris.

40 A la mesure de sa gloire fut son déshonneur
et sa grandeur fit place au deuil.

---

h les deux royaumes : Antiochus voudrait rétablir à son profit l'unité de l'empire d'Alexandre (voir 1.6; 1.8 et la note) ● *i* Il s'agit de la première campagne d'Egypte, en 169 av. J.C. La deuxième, en 168, est mentionnée par *2 M* 5.1 ● *j cent quarante-trois :* en automne 169 av. J.C. ; voir la note sur 1.10 ● *k vases, coupes,* etc. : voir 1 R 7.48-49 ● *l deux ans après :* voir 1.20 et la note ; mais le calcul est approximatif : c'est au printemps 167 av. J.C. que l'armée fut envoyée d'Antioche — *percepteur :* c'est la traduction du grec, mais le texte hébreu original devait porter « chef des Mysiens » voir *2 M* 5.24. Les deux expressions sont très semblables en hébreu. Il s'agirait donc d'Appollonius (voir *1 M* 3.10-12) ● *m* A l'époque hellénistique, l'expression *Ville* ou *Cité de David* désigne la ville haute, bâtie par les rois de Juda sur la colline occidentale ; elle est distincte de la ville ancienne bâtie sur la colline orientale (voir 2 S 5.7, 9). Cette *citadelle* abrita la garnison syrienne pendant 26 ans, v. 34

1.17 entré en Egypte Dn 11.25-28. **1.25** chefs et anciens gémirent Lm 1.4 ; 2.10. **1.26** jeunes gens et jeunes filles dépérirent Am 8.13 ; Lm 1.6, 18 ; 4.7-8. **1.30** fausses paroies de paix 5.48 ; 7.10, 15. 27 ; 11.2. **1.39** sanctuaire dévasté 2.12 ; 4.38 ; Ps 74.3-7 ; cf. Lm 5.18 — fêtes changées en deuil 9.41 ; Am 8.10 ; Lm 5.15 ; cf. Lm 1.4.

Antiochus interdit la religion juive

(*2 M 6.1-11*)

41 Le roi ordonna que, dans tout son royaume, tous ses peuples n'en forment qu'un et renoncent chacun à ses coutumes ; 42 toutes les nations se conformèrent aux prescriptions du roi. 43 Beaucoup d'Israélites acquiescèrent volontiers à son culte [n], sacrifiant aux idoles et profanant le sabbat. 44 Le roi envoya aussi à Jérusalem et aux villes de Juda des lettres par messagers, leur prescrivant de suivre des coutumes étrangères au pays, 45 de bannir du *sanctuaire holocaustes, *sacrifices et libations, de profaner *sabbats et fêtes, 46 de souiller le sanctuaire et les choses saintes, 47 d'élever *autels, sanctuaires et temples d'idoles, de sacrifier des porcs [o] et des animaux *impurs, 48 de laisser leurs fils *incirconcis et de se rendre abominables par toutes sortes d'impuretés et de profanations, 49 oubliant ainsi la Loi et altérant toutes les pratiques. 50 Quiconque n'agira pas selon l'ordre du roi sera mis à mort. 51 C'est en ces termes que le roi écrivit à tous ses sujets. Il créa des inspecteurs pour tout le peuple et ordonna aux villes de Juda d'offrir des sacrifices dans chaque ville. 52 Beaucoup de gens du peuple — entendons tous ceux qui abandonnaient la Loi —, se rallièrent à eux. Ils firent du mal dans le pays 53 et contraignirent Israël à se cacher dans tous ses lieux de refuge.

54 Le quinzième jour de Kisleu en l'an cent quarante-cinq, le roi construisit l'abomination de la désolation sur l'autel des holocaustes, et dans les villes de Juda alentour on éleva des autels [p]. 55 Aux portes des maisons et sur les places, on brûlait de l'*encens. 56 Les livres de la Loi qu'ils trouvaient étaient déchirés, puis jetés au feu. 57 S'ils parvenaient à découvrir chez quelqu'un un livre de l'alliance [q], et si quelqu'un se conformait à la Loi, le décret du roi causait sa perte. 58 Ils sévissaient chaque mois contre ceux d'Israël qui avaient été pris en infraction. 59 Le vingt-cinq du mois [r], on sacrifiait sur l'autel des holocaustes. 60 Les femmes qui avaient circoncis leur enfant, étaient — conformément au décret — mises à mort, 61 leurs nourrissons pendus au cou, ainsi que leurs proches et ceux qui avaient opéré la circoncision. 62 Toutefois, plusieurs en Israël restèrent fermes et eurent la force de ne pas manger de choses impures. 63 Ils acceptèrent de mourir plutôt que de consommer des mets impurs et de profaner l'alliance sainte et ils moururent. 64 Ce furent des jours de grande colère sur Israël.

Lamentation du prêtre Mattathias

2 1 En ces jours-là, se leva Mattathias, fils de Jean, fils de Siméon, prêtre d'entre les fils de Ioarib ; il quitta Jérusalem pour s'établir à Modîn [s]. 2 Il avait cinq fils : Jean surnommé Gaddi, 3 Siméon appelé Thassi, 4 Judas appelé Maccabée [t], 5 Eléazar appelé Awarân, Jonathan appelé Apphous. 6 Il vit les sacrilèges qui étaient commis en Juda et à Jérusalem 7 et il dit :

« Malheur à moi ! Suis-je né pour voir la ruine de mon peuple et la destruction de la ville sainte
et rester assis là alors que la ville est livrée aux mains des ennemis
et que le *sanctuaire est livré aux mains des étrangers ?
8 Son Temple est devenu comme un homme sans gloire,
9 les objets qui reflètent sa gloire ont été emmenés captifs,
sur ses places on massacrait ses petits enfants

n Il s'agit surtout du *culte* de Zeus Olympien, voir *2 M* 6.2, dieu personnel du roi. Celui-ci espérait hâter l'unification politique de son empire en imposant l'unité religieuse ● *o porcs:* voir la note sur *2 M* 6.18 ● *p Kisleu en l'an cent quarante-cinq:* fin décembre 167 av. J.C. — *L'abomination de la désolation*, dont parle aussi Daniel (voir Dn 9.27), est l'autel de Zeus Olympien (voir v. 43 et la note) — *autels:* voir la note sur *2 M* 10.2 ● *q* Le *Livre de l'alliance* ou les *livres de la Loi* (v. 56): c'est-à-dire le Pentateuque ● *r le vingt-cinq du mois* était le jour où l'on fêtait la naissance du roi (voir *2 M* 6.7). Judas Maccabée choisira cette date pour la dédicace du nouvel autel (voir 4.52-53; *2 M* 10.5) ● *s Ioarib:* chef de la première classe des prêtres descendants de Lévi (voir 1 Ch 24.7) — *Modîn:* ville située à 10 km environ à l'est de Lydda (Lod) ● *t Maccabée:* on a longtemps cru que le sens de ce surnom était « marteau » et qu'il faisait allusion à la façon dont Judas avait frappé ses ennemis; mais les surnoms étaient donnés dès la naissance. Le sens de celui-ci, comme de ceux des frères de Judas, reste donc obscur

1.54 abomination de la désolation Dn 9.27; 11.31; 12.11; Mt 24.15 par. **1.60** persécution des femmes qui ont circoncis leur fils *2 M* 6.10 — mourir... mets impurs *2 M* 6.18-19. **2.9** prise des objets du sanctuaire 2 R 24.13; Lm 1.10 — massacre des enfants Lm 2.21-22.

et ses jeunes gens tombaient sous l'épée
de l'ennemi.

¹⁰ Quelle nation n'a pas hérité d'une
part de sa royauté
et ne s'est emparée de ses dépouilles ?

¹¹ Toute sa parure lui a été ôtée, de libre,
la voilà esclave.

¹² Et voici que le lieu saint, notre beauté
et notre gloire, est réduit en désert
et les nations l'ont profané.

¹³ A quoi bon vivre encore ? »

¹⁴ Mattathias et ses fils *déchirèrent
leurs vêtements, s'enveloppèrent de
*sacs et menèrent un grand deuil.

Mattathias déclenche l'insurrection à Modîn

¹⁵ Les envoyés du roi, chargés d'imposer l'apostasie, vinrent à Modîn pour
les sacrifices ᵘ. ¹⁶ Beaucoup d'Israélites
vinrent à eux, mais Mattathias et ses
fils restèrent tous ensemble à part. ¹⁷ Les
envoyés du roi prirent la parole et
dirent à Mattathias : « Tu es chef illustre et grand dans cette ville, appuyé par
des fils et des frères. ¹⁸ Avance donc le
premier pour accomplir ce qui a été décrété par le roi, comme l'ont fait toutes les nations, les hommes de Juda et
ceux qui ont été laissés à Jérusalem. Tu
seras, toi et tes fils, parmi les amis du
roi ᵛ, vous serez honorés de dons en argent et en or et de nombreux cadeaux. »
¹⁹ Mattathias répondit d'une voix forte :
« Si toutes les nations de l'empire du roi
l'écoutent, s'éloignant chacune du culte
de ses pères et se conformant à ses ordonnances, ²⁰ moi, mes fils et mes frères,
nous marcherons dans l'*alliance de nos
pères ʷ. ²¹ Qu'il ˣ nous accorde la grâce
de ne pas abandonner la Loi et les
observances. ²² Nous n'écouterons pas les
ordres du roi pour dévier de notre culte
à droite ou à gauche. »

²³ Comme il terminait ce discours, un
Juif s'avança aux yeux de tous pour sacrifier sur l'*autel de Modîn, selon l'ordre
du roi. ²⁴ A sa vue, le zèle de Mattathias
s'enflamma et ses reins frémirent ; une
juste colère monta en lui, il courut et
l'égorgea sur l'autel. ²⁵ Quant à l'homme
du roi, qui obligeait à sacrifier, il le
tua sur-le-champ, et renversa l'autel.
²⁶ Il fut embrasé de zèle pour la Loi
comme l'avait été Pinhas envers Zimri
fils de Salou. ²⁷ Puis Mattathias se mit
à crier d'une voix forte à travers la ville :
« Que tous ceux qui ont le zèle de la
Loi et qui soutiennent l'alliance me suivent. » ²⁸ Lui-même et ses fils s'enfuirent
dans les montagnes ʸ, abandonnant tout
ce qu'ils possédaient dans la ville.

Les Juifs fidèles organisent la résistance

²⁹ Alors beaucoup de gens qui recherchaient la justice et l'équité descendirent
au désert pour s'y établir, ³⁰ eux, leurs
fils, leurs femmes et leur bétail, parce
que le malheur s'était appesanti sur eux.
³¹ On annonça aux hommes du roi et aux
forces qui étaient stationnées à Jérusalem,
dans la cité de David, que des gens ayant
rejeté l'ordonnance du roi étaient descendus vers les retraites cachées du désert ᶻ.
³² Une forte troupe courut à leur poursuite et, les ayant attrapés, dressa le
camp en face d'eux, et se disposa à les
attaquer le jour du *sabbat. ³³ On leur
dit : « En voilà assez ! sortez, obéissez à
l'ordre du roi et vous aurez la vie
sauve. » — ³⁴ « Nous ne sortirons pas,
dirent-ils, et nous n'observons pas l'ordre, donné par le roi, d'enfreindre le jour
du sabbat ᵃ. » ³⁵ Aussitôt assaillis, ³⁶ ils
s'abstinrent de riposter, de lancer des
pierres, de barricader leurs retraites.
³⁷ « Mourons tous dans notre droiture,
disaient-ils ; le *ciel et la terre nous sont
témoins que vous nous faites périr injus-

---

u *envoyés du roi:* il s'agit sans doute de Philippe, préposé à Jérusalem (voir *2 M* 5.22), et de ses aco-
lytes (voir 1.51) — *chargés d'imposer l'apostasie* ou *chargés de contraindre les Juifs à renier leur foi* —
Modîn: voir la note sur 2.1 — *les sacrifices:* le texte sous-entend : *aux divinités païennes* ● v *ami
du roi:* tout comme *parent, père* ou *frère du roi* (voir 11.31-32 ; *2 M* 3.32 ; 10.89 ; 11.1 et 22) ; c'est
là un titre honorifique d'origine perse que recevaient les familiers du roi, associés au pouvoir
(voir 6.14 ; 7.8). On distinguait les *amis* (10.65) et les *premiers amis* (*2 M* 8.9) ● w *nos pères* ou *nos
ancêtres* ● x *Qu'il:* Dieu, voir 3.18 et la note ● y *montagnes:* probablement les collines de Judée,
à l'est de Modîn ● z *Cité de David:* voir 1.33 et la note — *Les retraites cachées* sont les grottes
du désert de Juda, à l'ouest de la mer Morte ● a D'après *Ex* 16.29, il est interdit de sortir de chez
soi le jour du sabbat. Les Juifs cachés dans le désert ne pouvaient donc obéir au roi sans *enfreindre
le jour du sabbat*

2.11 la voilà esclave Lm 1.1,3. **2.12** le lieu saint réduit en désert 1.39+. **2.26** zèle pour la loi
v. 27, 50, 58 ; cf. Ps 69.10 ; 119.139 — zèle de Pinhas Nb 25.6-13 ; *Si* 45.23. **2.28** s'enfuirent dans
les montagnes cf. *2 M* 5.27. **2.32** attaquer le jour du sabbat 9.43 ; *2 M* 6.11 ; 15.1.

tement. » ³⁸ On leur donna l'assaut en plein sabbat, et ils périrent ᵇ, eux, leurs femmes, leurs enfants et leur bétail, en tout un millier de personnes.

³⁹ Lorsqu'ils l'apprirent, Mattathias et ses amis les pleurèrent amèrement ⁴⁰ et se dirent les uns aux autres : « Si nous faisons tous comme ont fait nos frères, si nous ne luttons pas contre les nations pour notre vie et nos observances, ils auront tôt fait de nous exterminer de la terre. » ⁴¹ Ce même jour, ils prirent cette décision : « Tout homme qui viendrait nous attaquer le jour du sabbat, combattons-le et nous ne mourrons donc pas tous comme sont morts nos frères dans leurs retraites. »

⁴² Alors se joignit à eux le groupe des Assidéens ᶜ, hommes vaillants en Israël et tout ce qu'il y avait de dévoué à la Loi. ⁴³ Tous ceux qui voulaient échapper à ces maux vinrent augmenter leur nombre et leur force. ⁴⁴ Ils rassemblèrent une armée, frappèrent les pécheurs ᵈ dans leur colère et les impies dans leur fureur. Le reste se sauva chez les nations. ⁴⁵ Mattathias et ses amis firent une tournée pour renverser les *autels ⁴⁶ et ils *circoncirent de force les enfants incirconcis qu'ils trouvèrent sur le territoire d'Israël. ⁴⁷ Ils chassèrent les fils d'arrogance ᵉ et l'entreprise réussit entre leurs mains. ⁴⁸ Ils arrachèrent la Loi de la main des nations et des rois et ne laissèrent pas l'avantage au pécheur ᶠ.

Testament et mort de Mattathias

⁴⁹ Les jours de Mattathias approchaient de leur fin, et il dit à ses fils :
Voici maintenant le règne de l'arrogance et de l'outrage,
le temps du bouleversement et l'explosion de la colère ᵍ.
⁵⁰ A vous maintenant, mes enfants, d'avoir le zèle de la Loi,

et de donner vos vies pour l'*alliance de nos pères ʰ.
⁵¹ Souvenez-vous des actions accomplies par nos pères en leur temps,
et vous gagnerez une grande gloire et une renommée éternelle.
⁵² Abraham n'a-t-il pas été fidèle dans l'épreuve,
et cela ne lui a-t-il pas été compté comme justice ?
⁵³ Joseph, au moment de sa détresse, observa la Loi
et devint seigneur de l'Egypte.
⁵⁴ Pinhas, notre Père ⁱ, par son zèle ardent
a reçu l'alliance d'un sacerdoce éternel.
⁵⁵ Josué pour avoir accompli sa mission devint juge en Israël.
⁵⁶ Caleb pour son témoignage véridique reçut de l'assemblée une terre en héritage.
⁵⁷ David pour sa piété hérita d'un trône royal pour les siècles.
⁵⁸ Elie pour avoir brûlé du zèle de la Loi fut enlevé au ciel.
⁵⁹ Ananias, Azarias, Misaël pour leur confiance en Dieu
échappèrent aux flammes.
⁶⁰ Daniel pour sa droiture fut sauvé de la gueule des lions.
⁶¹ Comprenez que, de génération en génération,
tous ceux qui espèrent en Lui ne faibliront pas.
⁶² Ne craignez pas les menaces de l'homme pécheur,
car sa gloire s'en va vers la pourriture et les vers ʲ.
⁶³ Aujourd'hui il s'élève et demain on ne le trouvera plus,
car il sera retourné à sa poussière et ses projets seront anéantis.
⁶⁴ Mes enfants, soyez des hommes et tenez fermement la Loi,

ᵇ L'historien juif Josèphe précise qu'ils furent brûlés, cf. *2 M* 6.11 qui attribue cet acte à Philippe (voir la note sur 2.15) ● ᶜ *Assidéens :* forme grecque d'un mot hébreu qui signifie « les (hommes) pieux ». Ce groupe de Juifs très attachés à la Loi et aux traditions forma le gros des troupes de Judas Maccabée (voir *2 M* 14.6), mais en restant indépendants de sa politique (voir *1 M* 7.13 et la note) ● ᵈ *les pécheurs :* désignation méprisante des Juifs qui n'observent pas la Loi de Dieu ● ᵉ *fils d'arrogance :* tournure hébraïque pour désigner les arrogants ● ᶠ Le pécheur est sans doute le roi Antiochus, cf. v. 62 ● ᵍ *la colère :* le texte sous-entend de Dieu contre son peuple ● ʰ *nos pères* ou *nos ancêtres* ● ⁱ *Pinhas :* petit-fils d'Aaron (voir Nb 25.7) est l'ancêtre des prêtres d'Israël ● ʲ *l'homme pécheur :* voir v. 48 et la note — *la pourriture et les vers :* allusion à la mort d'Antiochus (voir *2 M* 9.9)

2.52 fidélité d'Abraham Gn 15.6; *Si* 44.20.   **2.53** Joseph seigneur de l'Egypte Gn 41.37-43.
2.54 Pinhas grand prêtre Nb 25.13; *Si* 45.24.   **2.56** Caleb héritier d'une terre Nb 14.24; *Si* 46.9
— piété de David 2 S 6.12-22; *Si* 47.8.   **2.58** Elie brûlé de zèle 1 R 19.10. Cf. *1 M* 2.26+;
enlevé au ciel 2 R 2.11; *Si* 48.9.   **2.59** Ananias, Azarias et Misaël Dn 3.   **2.60** Daniel sauvé des
lions Dn 6.   **2.63** le pécheur est vite anéanti Ps 1.4-5, 37.35-36; Jb 20.6-7.

parce que c'est elle qui vous comblera de gloire.

65 Voici Siméon votre frère, je sais qu'il est de bon conseil, écoutez-le toujours, et il sera pour vous un père. 66 Judas Maccabée, vaillant dès sa jeunesse, sera le chef de votre armée et mènera la guerre contre les peuples. 67 Quant à vous, groupez autour de vous tous ceux qui observent la Loi et assurez la vengeance de votre peuple. 68 Rendez aux païens le mal qu'ils vous ont fait et attachez-vous aux préceptes de la Loi. » 69 Puis il les bénit et fut réuni à ses pères *k*. 70 Il mourut en l'an cent quarante-six et fut enseveli dans le tombeau de famille à Modîn *l* et tout Israël mena sur lui un grand deuil.

Judas Maccabée chef des partisans juifs

3 ¹ Son fils Judas, appelé Maccabée *m*, se leva à sa place ; ² tous ses frères et tous les partisans de son père lui prêtèrent secours et combattirent pour Israël avec joie.

³ Il étendit le renom glorieux de son peuple,
revêtit la cuirasse comme un géant,
ceignit ses armes de guerre
et engagea des combats,
protégeant le camp de son glaive.

⁴ Tel un lion en action,
un lionceau rugissant vers sa proie,

⁵ il pourchassait les impies qu'il dépistait,
il livrait au feu les perturbateurs de son peuple.

⁶ Les impies furent réduits par la crainte qu'il inspirait,
tous les agents de l'impiété furent pris de panique
et la libération dans sa main fut menée à bonne fin.

⁷ Il rendit la vie amère à bien des rois,
ses exploits réjouirent Jacob *n*

et son souvenir sera une louange éternelle.

⁸ Il sillonna les villes de Juda
et en extermina les impies.
Il détourna d'Israël la colère *o*,

⁹ il fut renommé jusqu'aux extrémités de la terre
et il rassembla ceux qui étaient perdus *p*.

Judas remporte deux victoires

¹⁰ Appollonius *q* mobilisa des païens et un fort contingent de Samarie pour combattre Israël. ¹¹ Judas en fut informé, sortit à sa rencontre, le battit et le tua. Beaucoup tombèrent blessés à mort et les survivants s'enfuirent. ¹² On ramassa leurs dépouilles, Judas s'empara de l'épée d'Apollonius et s'en servit tous les jours au combat. ¹³ Séron, commandant de l'armée de Syrie, apprit que Judas avait regroupé autour de lui une troupe de gens de guerre et une assemblée de fidèles ¹⁴ et il se dit : « Je me ferai un nom et je me couvrirai de gloire dans le royaume. Je combattrai Judas et ses hommes qui méprisent l'ordre du roi. » ¹⁵ Il partit donc à son tour et, avec lui, monta un fort contingent d'impies pour tirer vengeance des fils d'Israël. ¹⁶ Il s'approcha de la montée de Béthoron *r* et Judas sortit à sa rencontre avec une poignée d'hommes. ¹⁷ A la vue de l'armée qui montait à leur rencontre, ils dirent à Judas : « Comment pourrons-nous, étant si peu nombreux, lutter contre une multitude si forte ? Nous sommes exténués et à jeun. » ¹⁸ Judas répondit : « Il arrive facilement qu'une multitude tombe aux mains d'un petit nombre, et il importe peu au *Ciel *s* d'opérer le salut au moyen de beaucoup ou de peu d'hommes. ¹⁹ Car la victoire au combat ne tient pas à l'importance de l'armée, mais à la force qui vient du Ciel. ²⁰ Ceux-ci viennent contre nous, débordant d'orgueil et d'impiété,

---

k fut réuni à ses pères: expression traditionnelle qui désigne à la fois la mort et l'ensevelissement dans le tombeau de famille ● *l l'an cent quarante-six:* au printemps 166 av. J.C. (voir la note sur 1.10) — *Modîn:* voir la note sur 2.1 ● *m appelé Maccabée:* voir 2.4 et la note ● *n bien des rois:* Antiochus IV (v. 27), Antiochus V (6.28) et Démétrius I (7.26) — *Jacob:* voir Os 12.3 et la note ● *o colère:* voir 2.49 et la note ● *p il rassembla... perdus:* c'est peut-être une allusion au rapatriement des Juifs de Galilée et de Galaad (voir 5.9-36, 45-54) ● *q* D'après l'historien juif Josèphe, Apollonius était stratège de Samarie (voir la note sur *2 M* 3.5) ● *r la montée* (ou *la descente,* v. 24) *de Béthoron* se trouve sur le chemin menant de la plaine maritime au plateau judéen, à une vingtaine de km au nord-ouest de Jérusalem. Cf. Jos 10.10-11 ● *s* Par respect, l'auteur de *1 M* évite de nommer Dieu et parle le plus souvent du *Ciel* (voir v. 50; 4.40, etc. Voir aussi *2 M* 3.15, 34; 7.11), ou bien il utilise un pronom indéfini, voir 2.21; 4.11

3.1 Judas Maccabée 2.4. **3.5** livrait au feu les perturbateurs 5.5, 44; *2 M* 8.33. **3.18** beaucoup ou peu d'hommes *2 M* 8.19-20; 1 S 14.6; cf. Jg 7.2-8;

pour nous faire périr, nous, nos femmes, nos enfants, et nous dépouiller. ²¹ Mais nous, nous combattons pour nos vies et pour nos lois ²² et Lui les brisera devant nous. Quant à vous, ne les craignez donc pas. » ²³ Dès qu'il eut fini de parler, il se rua sur eux à l'improviste. Séron et son armée furent écrasés devant lui. ²⁴ Ils les poursuivirent dans la descente de Béthoron jusqu'à la plaine. Huit cents hommes environ tombèrent, et le reste s'enfuit au pays des Philistins ᵗ. ²⁵ Judas et ses frères commencèrent à inspirer de la crainte et à faire trembler les nations alentour. ²⁶ Son renom parvint jusqu'au roi et chaque nation commentait les batailles de Judas.

Le roi charge Lysias de détruire Israël

²⁷ Lorsqu'il entendit ces récits, Antiochus fut pris d'une grande colère et il fit rassembler toutes les forces de son royaume, une armée très puissante. ²⁸ Il ouvrit son trésor, distribua un an de solde aux troupes et leur enjoignit de se tenir prêtes à toute éventualité. ²⁹ Il s'aperçut alors que l'argent manquait ᵘ dans ses coffres et que le produit des impôts de la province était maigre, à cause des dissensions et du malheur qu'il avait provoqués dans le pays en abrogeant les lois qui existaient depuis toujours. ³⁰ Il craignit de ne pas être à même de pourvoir aux dépenses et aux largesses qu'il faisait auparavant d'une main généreuse, surpassant en cela ses prédécesseurs. ³¹ L'anxiété s'empara de son âme, et il décida d'aller en Perse pour lever les impôts des provinces, et ramasser beaucoup d'argent. ³² Il laissa Lysias, homme illustre et de parenté royale, à la tête de ses affaires ᵛ, depuis l'Euphrate jusqu'aux confins de l'Egypte, ³³ et il le chargea de l'éducation de son fils Antiochus ʷ, jusqu'à son retour. ³⁴ Il lui confia la moitié des troupes et les éléphants ˣ et lui donna des instructions au sujet de toutes ses décisions ; pour ce qui est des habitants de la Judée et de Jérusalem, ³⁵ il devait envoyer contre eux une armée pour détruire la force d'Israël et le petit reste de Jérusalem et pour effacer leur souvenir de ce lieu. ³⁶ Il devait installer des fils d'étrangers sur tout leur territoire et lotir leur pays ʸ. ³⁷ Le roi prit avec lui la moitié des troupes restantes et partit d'Antioche, capitale de son royaume, en l'an cent quarante-sept ; il franchit l'Euphrate et passa par les provinces d'en-haut ᶻ.

L'armée de Lysias envahit la Judée
(2 M 8.8-15)

³⁸ Lysias choisit Ptolémée, fils de Dorymène, Nikanor et Gorgias, personnages puissants parmi les amis du roi ᵃ. ³⁹ Il envoya avec eux quarante mille hommes et sept mille cavaliers pour aller au pays de Juda et le dévaster selon l'ordre du roi. ⁴⁰ Partis avec toute leur armée, ils arrivèrent près d'Emmaüs ᵇ et ils établirent leur cantonnement dans la plaine. ⁴¹ Les marchands de la région l'apprirent par la renommée, ils se munirent d'or et d'argent en grande quantité, ainsi que d'entraves et ils vinrent au camp pour emmener les fils d'Israël comme esclaves. Un contingent de Syrie et du pays des Philistins ᶜ se joignit à eux. ⁴² Judas et ses frères

---

t La Philistie n'existait plus comme nation indépendante depuis le VIIIᵉ siècle av. J.C., mais l'auteur appelle la plaine côtière *pays des Philistins* pour rapprocher de Judas de ceux de Jonathan et David (voir 1 S 14 ; 17 ; 2 S 5) ● u *l'argent manquait :* à cause des largesses du roi (voir v. 30 ; cf. *2 M* 3.3 et la note) et du lourd tribut dû aux Romains (voir *2 M* 3.7 et la note) ● v *Lysias :* personnage influent du royaume (voir *2 M* 10.11 ; 11.1 ; 13.2) — *de parenté royale :* titre honorifique le plus élevé à la cour séleucide (voir 2.18 et la note ; 10.89) — *à la tête des affaires :* voir *2 M* 3.7 et la note ● w *Antiochus :* le futur Antiochus V Eupator (voir 6.17) ● x Il s'agit des *éléphants de combat* (voir 1.17 ; 6.34-37 ; *2 M* 11.4) ● y *fils d'étranger* ou *étranger* — Selon l'usage séleucide (voir 1.8), les Juifs rebelles devaient être tués ou vendus comme esclaves (v. 41) et leurs terres concédées par lots à des colons étrangers (cf. Dn 11.39) ● z *l'an cent quarante-sept :* en 165 av. J.C. (voir la note sur 1.10) — *les provinces d'en-haut :* voir *2 M* 9.23 et la note ● a *amis du roi :* voir la note sur 2.18 ● b *Emmaüs,* à une vingtaine de km au nord-ouest de Jérusalem, occupait une position stratégique qui commandait l'accès à la ville sainte ● c *entraves :* d'après l'ancienne version syriaque et l'historien Josèphe ; grec : *enfants.* Ces entraves étaient destinées aux prisonniers juifs qu'on espérait vendre comme esclaves — *Syrie* vient sans doute d'une mauvaise lecture de l'original hébreu *Edom,* lu *Aram (selon une erreur très fréquente) ; il s'agirait donc de troupes d'Idumée — *pays des Philistins* voir la note sur le v. 24

3.22 ne les craignez pas 4.8 ; *2 M* 8.16 ; Dt 1.29 ; 3.22 ; 7.21 ; 31.6 ; Jos 1.9. **3.24** poursuite sur la descente de Béthoron Jos 10.10. **3.37** provinces d'en-haut 6.1 ; cf. *2 M* 9.23, 25. **3.38** Ptolémée fils de Dorymène *2 M* 4.45 — Gorgias *2 M* 10.14. **3.39** quarante mille hommes 1 Ch 19.18 ; cf. *2 M* 8.9.

virent que le malheur s'aggravait, et que des armées campaient sur leur territoire. Ils apprirent aussi la décision du roi ordonnant de livrer le peuple à une destruction radicale. ⁴³ Ils se dirent les uns aux autres : « Relevons notre peuple de sa ruine et combattons pour lui et pour notre *saint lieu. » ⁴⁴ On convoqua la communauté ᵈ pour se préparer à la guerre, pour prier et pour implorer pitié et miséricorde.

⁴⁵ Jérusalem était déserte,
de ses fils, nul n'entrait ni ne sortait,
le *sanctuaire était piétiné,
l'étranger occupait la Citadelle,
le païen s'y est installé.
En Jacob ᵉ les cris de joie se sont tus,
le son des flûtes et des lyres s'est éteint.

Les Juifs se préparent pour la guerre
(2 M 8.16-23)

⁴⁶ Ils se rassemblèrent et vinrent à Maspha ᶠ, en face de Jérusalem, car il y avait eu jadis à Maspha un lieu de prière pour Israël. ⁴⁷ Ils jeûnèrent ce jour-là, s'enveloppèrent de *sacs et, la tête couverte de cendre, ils *déchirèrent leurs vêtements. ⁴⁸ Ils déroulèrent le livre de la Loi, pour y lire ᵍ ce que les païens demandaient aux simulacres de leurs faux dieux. ⁴⁹ Ils apportèrent les habits sacerdotaux, les *prémices et les dîmes, ils firent paraître les naziréens ʰ qui avaient accompli les jours de leur vœu. ⁵⁰ Ils élevèrent la voix vers le *Ciel en disant : « Que faire de ces gens-là et où les emmener ⁱ ? ⁵¹ Ton lieu *saint a été piétiné et profané, tes prêtres sont dans le deuil et l'humiliation ⁵² et voici que les nations se sont liguées contre nous afin de nous faire disparaître. Toi tu connais leurs desseins à notre égard. ⁵³ Comment pourrons-nous résister en face d'elles, si tu ne viens pas à notre secours ? » ⁵⁴ Ils sonnèrent ensuite de la trompette et poussèrent de grands cris.

⁵⁵ Après cela, Judas établit des chefs du peuple, chefs de milliers, de centaines, de cinquantaines et de dizaines. ⁵⁶ A ceux qui bâtissaient leur maison ou qui venaient de se fiancer, de planter une vigne, ou qui avaient peur, il dit de s'en retourner chez eux, conformément à la Loi ʲ. ⁵⁷ L'armée se mit alors en marche et vint camper au sud d'Emmaüs ᵏ. ⁵⁸ « Equipez-vous, dit Judas, comportez-vous en braves et tenez-vous prêts à combattre demain ces nations rassemblées pour notre ruine et celle de notre *sanctuaire, ⁵⁹ car il vaut mieux pour nous mourir au combat que de voir les malheurs de notre nation et de notre lieu saint. ⁶⁰ La volonté céleste sera accomplie. »

Judas remporte une victoire à Emmaüs
(2 M 8.23-29.34-36)

4 ¹ Gorgias ˡ prit avec lui cinq mille fantassins et mille cavaliers d'élite, et ce détachement partit de nuit, ² afin de faire irruption dans le camp des Juifs et de fondre sur eux à l'improviste. Les gens de la Citadelle ᵐ lui servaient de guide. ³ Judas l'apprit et partit avec ses braves pour battre l'armée royale qui se trouvait à Emmaüs ⁿ, ⁴ pendant que ses effectifs étaient encore dispersés à l'extérieur du camp. ⁵ Gorgias arriva de nuit au camp de Judas, n'y trouva personne et se mit à chercher les Juifs dans les montagnes, car, disait-il : « Ils fuient devant nous. »

⁶ Au lever du jour, Judas parut dans la plaine avec trois mille hommes, mais ceux-ci n'avaient ni les armures ni les épées qu'ils auraient voulues. ⁷ Ils apercevaient le camp des païens, puissant et fortifié, les cavaliers qui l'entouraient, tous gens experts, exercés au combat. ⁸ Judas dit à ses hommes : « Ne craignez pas cette multitude et ne redoutez pas leur assaut. ⁹ Souvenez-vous comment nos

---

ᵈ *communauté:* c'est l'assemblée du peuple (voir par exemple 4.59; 5.16), ancienne institution remise en vigueur par les Maccabées ● ᵉ *Citadelle:* voir la note sur 1.33 — *Jacob:* voir la note sur Os 12.3 ● ᶠ *Maspha:* l'ancienne Miçpa, lieu traditionnel de rassemblement pour Israël (voir Jg 20.1; 1 S 7.5; 1 R 15.22; Jr 40-41) ● ᵍ *déroulèrent:* voir la note sur Jr 30.2 — On prenait une phrase au hasard dans la Loi pour y trouver un mot d'ordre (voir 2 M 8.23) ● ʰ *naziréens* (ou *nazirs*): voir Nb 6.2; Jr 7.29 et les notes ● ⁱ *que faire... ou les emmener?:* les Israélites ne savent plus où porter les *prémices* ni où accomplir les cérémonies marquant la fin du vœu de naziréat, puisque le Temple est encore aux mains des païens ● ʲ *conformément à la Loi:* voir Dt 50.59 — Ces exemptions témoignent de l'influence des Assidéens, voir la note sur 2.42 ● ᵏ *Emmaüs:* voir la note sur le v. 40 ● ˡ *Gorgias:* voir 3.38; 2 M 8.9 ● ᵐ *Citadelle:* voir la note sur 1.33 ● ⁿ *Emmaüs:* voir la note sur 3.40

3.49 naziréens Nb 6.1-21. **3.55** chefs du peuple Ex 18.21. **3.56** renvoi de certains combattants Dt 20.5-9; Jg 7.3. **4.8** ne les craignez pas 3.22+.

pères *o* furent sauvés à la mer Rouge quand *Pharaon les poursuivait avec son armée [10] et maintenant, crions vers le *Ciel ; s'il veut de nous, il se souviendra de l'*alliance des pères et il écrasera aujourd'hui devant nous cette armée-là, [11] et toutes les nations sauront qu'il y a quelqu'un *p* qui rachète et sauve Israël. » [12] Les étrangers levèrent les yeux ; voyant les Juifs marcher contre eux, [13] ils sortirent du camp pour livrer bataille. Les gens de Judas sonnèrent de la trompette [14] et engagèrent le combat. Les nations furent écrasées et elles s'enfuirent vers la plaine, [15] mais ceux qui étaient à l'arrière tombèrent tous sous l'épée. La poursuite atteignit Gazara et les plaines de l'Idumée, d'Azôtos et de Jamnia *q* : trois mille hommes environ y tombèrent.

[16] Revenu de la poursuite avec sa troupe, Judas dit au peuple : [17] « Ne soyez pas avides de butin, car un autre combat nous attend, [18] Gorgias et son détachement sont dans la montagne non loin de nous. Maintenant, tenez tête à nos ennemis et combattez-les ; après cela, vous ramasserez le butin en toute sécurité. » [19] Judas achevait à peine sa phrase qu'on aperçut au sommet de la montagne un détachement en train de guetter. [20] Ils virent que les leurs avaient été mis en déroute et que le camp était en flammes. La fumée encore visible révélait ce qui était arrivé. [21] Voyant cela, ils furent remplis d'effroi. Voyant aussi l'armée de Judas dans la plaine, prête au combat, [22] ils s'enfuient tous au pays des Philistins *r*. [23] Judas revint alors pour le pillage du camp ; on emporta beaucoup d'or et d'argent liquide, des étoffes de pourpre violette et de pourpre marine *s*, ainsi que de grandes richesses. [24] Au retour, on louait et on bénissait le Ciel, car il est bon et son amour est éternel. [25] Ce jour-là il y eut une grande délivrance en Israël.

[26] Ceux des étrangers qui s'étaient sauvés vinrent annoncer à Lysias *t* tout ce qui était arrivé. [27] Ces nouvelles le bouleversèrent et lui firent perdre courage, car les choses ne s'étaient pas passées pour Israël comme il le voulait et le résultat était le contraire de ce que lui avait ordonné le roi.

Judas remporte une victoire à Bethsour
(*2 M 11.1-12*)

[28] L'année suivante *u*, il rassembla soixante mille hommes d'élite et cinq mille cavaliers pour combattre les Juifs. [29] Ils vinrent en Idumée et campèrent à Bethsour *v* ; Judas se porta à leur rencontre avec dix mille hommes. [30] Quand il vit cette armée puissante, il pria ainsi : « Tu es béni, sauveur d'Israël, toi qui as brisé l'élan du puissant guerrier par la main de ton serviteur David et qui as livré le camp des Philistins aux mains de Jonathan fils de Saül et de son écuyer. [31] Enferme de même cette armée entre les mains de ton peuple Israël et qu'ils aient honte de leur infanterie et de leur cavalerie. [32] Mets en eux la peur, fais fondre leur force impudente, et qu'ils soient ébranlés par leur défaite. [33] Fais-les tomber sous l'épée de ceux qui t'aiment, et que tous ceux qui connaissent ton nom te célèbrent par des hymnes. » [34] Le combat s'engagea et, dans le corps à corps, l'armée de Lysias perdit près de cinq mille hommes. [35] Voyant la déroute de son armée et l'intrépidité qu'avait acquise l'armée de Judas, voyant aussi comment ces derniers étaient prêts à vivre ou à mourir courageusement, Lysias partit pour Antioche *w* où il recruta des étrangers, en vue d'un retour en force en Judée.

Purification du Temple et dédicace

[36] Judas et ses frères dirent alors :

---

o nos pères ou *nos ancêtres* ● *p quelqu'un:* voir la note sur 3.18 ● *q Gazara:* l'ancienne Guèzèr (voir Jos 10.33), à 30 km environ au nord-ouest de Jérusalem — *Idumée:* voir la note sur *2 M* 10.15 — *Azôtos* (ou *Ashdod,* voir Jos 11.22) et *Jamnia* (ou *Yavné,* 2 Ch 26.6, ou encore *Yavnéel,* Jos 15.11) font partie de la Zone Maritime ● *r pays des Philistins:* voir la note sur 3.24 ● *s pourpre:* teinture produite par un coquillage ; elle était violette ou rouge foncé. C'est cette dernière, fabriquée à Tyr, qu'on appelait *pourpre marine* (cf. Ex 25.4; 2 Ch 2.6 et les notes; voir aussi la note sur *2 M* 4.38) ● *t Lysias:* voir la note sur 3.32 ● *u l'année suivante:* début 164 av. J.C. (voir 3.37 et la note) ● *v Idumée:* voir la note sur *2 M* 10.15 — *Bethsour* occupait une position stratégique à la limite sud de la Judée (voir v. 61). Lysias a contourné la Judée par l'ouest et le sud ● *w Antioche:* voir 3.37

4.9 sauvés de la mer Rouge Ex 14. **4.11** toutes les nations sauront Ez 36.36; 37.28; 38.23; 39.21. **4.24** car il est bon... 2 Ch 20.21; Ps 118.1, 29. **4.30** le puissant guerrier vaincu par David 1 S 17.23-54 — Jonathan vainqueur des Philistins 1 S 14.1-23. **4.36** purification et dédicace *2 M* 1.9, 18; 2.16.

« Voici, nos ennemis sont écrasés, montons *purifier le *sanctuaire et faire la dédicace *ˣ*. » ³⁷ Toute l'armée se rassembla et ils montèrent au mont *Sion. ³⁸ Ils virent le sanctuaire déserté, l'*autel profané, les portes consumées ; dans les *parvis, la végétation avait poussé comme dans un bois ou sur une montagne, et les salles étaient détruites. ³⁹ Ils *déchirèrent leurs vêtements, menèrent grand deuil et répandirent de la cendre sur leur tête. ⁴⁰ Ils tombèrent la face contre terre et, au signal donné par la trompette, ils poussèrent des cris vers le *ciel .

⁴¹ Judas donna l'ordre à certains de ses hommes de combattre ceux qui étaient dans la Citadelle *ᵛ*, jusqu'à ce qu'il eût purifié le sanctuaire, ⁴² puis il choisit des prêtres sans souillure et zélés pour la Loi, ⁴³ qui purifièrent le sanctuaire et reléguèrent en un lieu impur les pierres de souillure *ᶻ*. ⁴⁴ On se demanda ce qu'on devait faire de l'autel des holocaustes *ᵃ* qui avait été profané ⁴⁵ et on eut la bonne idée de le démolir, de peur qu'il ne devienne pour eux un objet de honte, puisque les païens l'avaient souillé. Ils le démolirent ⁴⁶ et déposèrent les pierres sur la montagne de la *Demeure, en un lieu convenable, en attendant la venue d'un *prophète qui se prononcerait à leur sujet. ⁴⁷ Selon la Loi, ils prirent des pierres non taillées et bâtirent un autel nouveau sur le modèle du précédent. ⁴⁸ Ils restaurèrent le sanctuaire et l'intérieur de la Demeure, ils sanctifièrent aussi les cours. ⁴⁹ Ayant fabriqué de nouveaux ustensiles *ᵇ* sacrés, ils introduisirent dans le Temple le chandelier, l'autel des parfums et la table. ⁵⁰ Ils firent fumer l'*encens sur l'autel, allumèrent les lampes du chandelier qui brillèrent dans le Temple. ⁵¹ Ils déposèrent les pains sur la table, tendirent les rideaux et achevèrent tous les travaux entrepris.

⁵² Le vingt-cinq du neuvième mois, nommé Kisleu, en l'an cent quarante-huit *ᶜ*, ils se levèrent de bon matin ⁵³ et ils offrirent, conformément à la Loi, un *sacrifice sur le nouvel autel des holocaustes qu'ils avaient édifié. ⁵⁴ L'autel fut inauguré avec des cantiques, au son des cithares, des lyres et des cymbales, à la même époque de l'année et le même jour que les païens l'avaient profané. ⁵⁵ Tout le peuple tomba la face contre terre pour adorer, puis il fit monter la louange vers le Ciel qui l'avait conduit au succès. ⁵⁶ Ils célébrèrent la dédicace de l'autel pendant huit jours et le offrirent des holocaustes avec une grande joie, ainsi que des sacrifices de communion et d'action de grâce. ⁵⁷ Ils ornèrent la façade du Temple de couronnes d'or et d'écussons *ᵈ* et ils remirent à neuf les entrées ainsi que les salles, qu'ils munirent de portes. ⁵⁸ Une grande joie régna parmi le peuple, et la honte infligée par les païens fut effacée. ⁵⁹ Judas, ses frères et toute l'assemblée d'Israël décidèrent que les jours de la dédicace de l'autel seraient célébrés en leur temps, chaque année pendant huit jours, à partir du vingt-cinq Kisleu, avec joie et gaîté.

⁶⁰ En ce temps-là, on bâtit tout autour du mont Sion des murailles élevées et de puissantes tours, de peur que les païens ne vinssent piétiner ces lieux comme auparavant. ⁶¹ Judas établit une garnison pour le garder. Il fortifia Bethsour, pour que le peuple eût une forteresse face à l'Idumée *ᵉ*.

Judas combat les nations voisines
(2 M 10.14-33)

5 ¹ Lorsque les nations d'alentour apprirent que l'*autel avait été rebâti et le *sanctuaire restauré dans son état antérieur, ² elles en furent très irritées et décidèrent de supprimer les descendants de Jacob *ᶠ* qui étaient au milieu d'elles ; elles se mirent à tuer et à extermi-

---

x faire la dédicace: c'est-à-dire consacrer de nouveau à Dieu le Temple qui avait été souillé (1.21-23, 46; cf. 2 M 1.8-9, 18) ● *y Citadelle:* voir la note sur 1.33 ● *z pierres de souillure:* sans doute les pierres qui proviennent de l'autel bâti par Antiochus IV sur l'autel des holocaustes (voir 1.54) ● *a holocaustes:* voir au glossaire SACRIFICES ● *b nouveaux ustensiles:* les anciens avaient été volés par Antiochus Epiphane (voir 1.21-24) ● *c Kisleu (ou Kislew):* voir au glossaire CALENDRIER — On est en décembre 164 av. J.-C., exactement 3 ans après la profanation du sanctuaire (v. 54; voir 1.54, 59; 2 M 6.7) ● *d Ce sont les motifs ornementaux qui avaient été arrachés de la façade du Temple (voir 1.22) ● *e Bethsour:* voir la note sur le v. 29 — *Idumée:* voir la note sur 2 M 10.15 ● *f les descendants de Jacob:* c'est-à-dire les Israélites (voir Gn 32.39). La formule est archaïque, comme celle de *fils d'Esaü* (v. 3). Voir la note sur le v. 5

4.38 le lieu saint désolé 1.39+ — les portes consumées 2 M 1.8. **4.46** attente d'un prophète 14.41; Lm 2.9; Ps 74.9; cf. 1 M 9.27; Ps 77.9; Ez 7.26. **4.47** pierres non taillées Ex 20.25; Dt 27.6. **4.49** candélabre Ex 25.31-39 — autel des parfums Ex 30.1-10 — table Ex 25.23-30.

ner parmi le peuple. ³ Judas combattit les fils d'Esaü en Idumée et en Akrabattène *g*, parce qu'ils cernaient Israël. Il leur porta un grand coup, les refoula et s'empara de leurs dépouilles.

⁴ Il se souvint ensuite de la méchanceté des fils de Baïan *h* ; ils étaient pour le peuple un piège et un obstacle, en leur dressant des embuscades sur les chemins. ⁵ Il les enferma dans leurs tours, les assiégea et les voua à l'anathème *i* ; il incendia leurs tours avec tous ceux qui étaient dedans. ⁶ Puis il passa chez les fils d'Ammon, où il trouva une forte troupe et un peuple nombreux que commandait Timothée *j*. ⁷ Il leur livra de nombreux combats, ils furent écrasés devant lui et il les battit. ⁸ Il enleva Iazér *k* ainsi que les villages de son ressort, et revint en Judée.

Des Israélites appellent Judas au secours

⁹ Les nations de Galaad se coalisèrent contre les Israélites établis sur leur territoire, afin de les faire disparaître, et ceux-ci se réfugièrent dans la forteresse de Dathéma *l*. ¹⁰ Ils envoyèrent à Judas et à ses frères des messages ainsi libellés : « Les nations sont rassemblées contre nous pour nous faire disparaître. ¹¹ Elles se préparent à investir la forteresse où nous sommes réfugiés, et c'est Timothée *m* qui commande leur armée. ¹² Viens donc maintenant nous arracher de leurs mains, car beaucoup d'entre nous sont tombés. ¹³ Tous nos frères du pays de Tobie *n* ont été mis à mort, leurs femmes ont été emmenées en captivité ainsi que leurs enfants, leurs biens ont été confisqués et près d'un millier d'hommes ont péri en ces lieux. » ¹⁴ On lisait

encore ces lettres, que d'autres messagers arrivaient de Galilée, les vêtements *déchirés, apportant les mêmes nouvelles. ¹⁵ « De Ptolémaïs, de Tyr et de Sidon, on s'est coalisé contre nous avec toute la Galilée des Etrangers *o*, pour nous exterminer. » ¹⁶ Lorsque Judas et le peuple eurent pris connaissance de ces faits, ils réunirent une grande assemblée pour délibérer sur ce qu'il convenait de faire en faveur de leurs frères en butte à l'oppression et aux attaques. ¹⁷ Judas dit à son frère Simon : « Choisis-toi des hommes et va délivrer tes frères qui sont en Galilée ; moi et Jonathan mon frère, nous irons en Galaaditide. » ¹⁸ Il laissa en Judée Joseph fils de Zacharie et Azarias chef du peuple, avec le reste de l'armée. ¹⁹ Il leur donna cet ordre : « Gouvernez le peuple et n'engagez pas de combat avec les païens jusqu'à notre retour. » ²⁰ Trois mille hommes furent assignés à Simon pour aller en Galilée et huit mille hommes furent assignés à Judas pour aller en Galaaditide.

Judas prend plusieurs villes de Galaad
(*2 M 12.10-31*)

²¹ Etant allé en Galilée, Simon livra plusieurs combats aux païens qui furent balayés devant lui. ²² Il les poursuivit jusqu'à la porte de Ptolémaïs *p*. Environ trois mille païens tombèrent et il prit leurs dépouilles. ²³ Il prit avec lui les Juifs de Galilée et d'Arbatta *q*, avec leurs femmes, leurs enfants et tout leur avoir, et les emmena en Judée avec allégresse. ²⁴ Judas le Maccabée *r* et Jonathan son frère franchirent le Jourdain et marchèrent trois jours dans le désert. ²⁵ Ils rencontrèrent les Nabatéens qui les abordèrent pacifiquement et leur racontèrent

---

g les fils d'Esaü: les Edomites (voir Gn 36.8) — *Idumée:* voir la note sur *2 M 10.15* — *Akrabattène:* sans doute la région d'Aqrabeh, à 12 km au sud-est de Sichem ● *h fils de Baïan:* probablement une tribu arabe semi-nomade ● *i à l'anathème* ou *à la destruction complète:* pratique de la guerre sainte qui remonte au temps de la conquête de Canaan (voir Dt 2.34 et la note) — En imitant le style des récits anciens (voir aussi v. 2-4; 5.42; 9.37, 73), l'auteur cherche à rapprocher Judas Maccabée des héros d'autrefois comme Josué ● *j fils d'Ammon* ou *Ammonites* — *Timothée* était stratège (*2 M 12.2*; voir la note sur *2 M 3.5*) et contrôlait l'ensemble de la Transjordanie — Ce raid est probablement une réplique au massacre dont parle le v. 13 ● *k Iazér:* ville de Moab, voir Es 16.8 ● *l Galaad* était à l'origine la région située au sud du Yabboq, affluent oriental du Jourdain; mais à l'époque hellénistique, la province ou « stratégie » de *Galaaditide* (voir v. 17) s'étendait vers le nord jusqu'au plateau syrien; cette région comportait de nombreuses colonies juives — *Dathéma:* site non identifié qui devait se trouver à proximité de Bosora (voir v. 25-29) ● *m Timothée:* voir la note sur le v. 6 ● *n le pays de Tobie* est la région comprise entre Amman et le Jourdain; il était gouverné par l'ancienne famille juive des Tobiades (voir Ne 2.19; *2 M 3.11; 12.17* et la note) ● *o Ptolémaïs:* nom donné par le roi Ptolémée II à Akko (ou plus tard Saint-Jean d'Acre) — *Tyr et Sidon:* villes de la côte syrienne — *Galilée des étrangers* ou *Galilée des Nations* (cf. Es 8.23): terme méprisant pour désigner cette région très ouverte aux influences païennes ● *p Ptolémaïs:* voir la note sur le v. 15 ● *q Arbatta:* probablement la région comprise entre la Galilée et la Samarie; l'historien juif Josèphe la nomme Narbatène ● *r Maccabée:* voir la note sur 2.4

tout ce qui était arrivé à leurs frères en Galaaditide [8] et aussi [26] que beaucoup d'entre eux étaient assiégés à Bosora, Aléma, Khaspho, Maked et Karnaïn [f] qui sont toutes de fortes et grandes villes, [27] qu'il y en avait d'enfermés dans les autres villes de Galaaditide et que leurs ennemis avaient décidé de donner l'assaut le lendemain à ces forteresses, de s'en emparer et de faire disparaître en un jour tous ceux qui s'y trouvaient. [28] Aussitôt, Judas et son armée prirent à travers le désert la direction de Bosora. Il s'empara de la ville et passa tous les mâles au fil de l'épée [u], ramassa tout le butin et incendia la ville.

[29] On repartit de nuit et on marcha jusqu'aux abords de la forteresse [v]. [30] Le jour parut et, levant les yeux, ils virent une troupe nombreuse, innombrable, dressant des échelles et des machines [w] pour s'emparer de la ville ; le combat était déjà engagé. [31] Voyant que le combat était commencé, et que la clameur de la ville s'élevait jusqu'au ciel, au son de trompettes et de hurlements, [32] Judas dit aux hommes de son armée : « Combattez aujourd'hui pour nos frères. » [33] Il fit progresser son armée, divisée en trois corps, vers les arrières de l'ennemi. Ils sonnèrent de la trompette et entonnèrent l'invocation. [34] L'armée de Timothée [x], reconnaissant que c'était Maccabée, prit la fuite à son approche. Il leur infligea une cuisante défaite et en ce jour environ huit mille hommes tombèrent au combat. [35] Il se tourna ensuite vers Aléma, l'attaqua, s'en empara, tua toute la population mâle, ramassa le butin et incendia la ville. [36] De là, il alla s'emparer de Khaspho, Maked, Bosor et des autres villes de Galaaditide.

Autres victoires de Judas en Galaad

[37] Après ces événements, Timothée rassembla une autre armée et prit position en face de Raphôn [y], sur l'autre rive du torrent. [38] Judas envoya reconnaître le camp, et on lui fit ce rapport : « Toutes les nations qui nous entourent sont rassemblées autour de Timothée, formant une armée très nombreuse, [39] des Arabes ont été recrutés comme supplétifs et ils campent sur l'autre rive du torrent, prêts à déferler sur toi pour le combat. » Judas se porta à leur rencontre [40] et, avec son armée, il s'approcha de l'eau. Timothée dit alors aux chefs de son armée : « S'il traverse le premier, nous ne pourrons lui résister, car il aura un grand avantage sur nous. [41] Mais s'il a peur et stationne de l'autre côté du torrent, nous traverserons et nous l'emporterons sur lui. » [42] Lorsqu'il arriva au bord du cours d'eau, Judas posta les scribes du peuple [z] au bord du torrent et leur donna cette consigne : « Ne laissez personne camper, mais que tous aillent au combat. » [43] Il traversa le premier vers l'ennemi, et tout le peuple le suivit. Il écrasa devant lui les païens, ils jetèrent leurs armes et s'enfuirent vers le sanctuaire de Karnaïn [a]. [44] Les hommes de Judas s'emparèrent d'abord de la ville, puis incendièrent le sanctuaire et ceux qui s'y trouvaient. Karnaïn fut renversée, et dès lors il devint impossible de résister face à Judas.

[45] Ce dernier rassembla tous les Israélites de Galaaditide, du plus petit jusqu'au plus grand, avec leurs femmes, leurs enfants et leurs biens ; c'était une troupe fort grande, qui se dirigeait vers le pays de Juda. [46] Ils arrivèrent à Ephrôn [b], ville importante et puissante, qui se trouvait sur leur chemin ; on ne pouvait la contourner à droite ou à gauche, il fallait la traverser. [47] Les gens de la ville leur refusèrent le passage et barricadèrent les portes avec des blocs de pierre. [48] Judas leur fit faire cette proposition pacifique : « Nous allons traverser votre pays pour aller dans le nôtre, personne ne vous fera de mal, nous ne

---

s Les *Nabatéens* (ou *Arabes*, cf. *2 M* 5.8 et la note; 12.10) sont des caravaniers qui sillonnaient tout le plateau transjordanien, du Haurân à la mer Rouge, en faisant du commerce — *Galaaditide:* voir la note sur le v. 9 ● *t Bosora... Karnaïn:* villes du plateau du Haurân; on a pu les identifier car leurs noms se retrouvent aujourd'hui, à peine modifiés ● *u passèrent... épée:* expression qui évoque l'anathème (voir la note sur le v. 5. Cf. Jos 6.21) ● *v la forteresse:* il s'agit de Dathéma, voir v. 9 et la note ● *w machines:* il s'agit probablement ici de tours en bois qu'on roulait au pied des remparts (voir 13.43. Cf. 9.64, 67; Ez 4.2) ● *x Timothée:* voir la note sur le v. 6 ● *y Raphôn:* aujourd'hui Er-Rafeh, à une soixantaine de km au sud de Damas, près du nahr el-Ehreir (le *torrent,* voir la fin du v.), affluent du Yarmouk ● *z les scribes du peuple:* c'est-à-dire ici les officiers d'administration de l'armée (cf. Ex 5.6; Dt 20.5, 8-9). La formule est archaïque (voir les notes sur les v. 2 et 5) ● *a Karnaïn* (ou *Karnion* selon *2 M* 12.21) signifie « les deux cornes »; ce *sanctuaire* est celui d'Astarté, qu'on représentait avec ses deux petites cornes. Cette déesse était identifiée avec la grande déesse grecque Aphrodite ● *b Ephrôn:* aujourd'hui Et-Taybé, à 30 km au sud-est du lac de Kinnéreth

5.40 s'il traverse le premier... Cf. 16.6; 1 S 14.9-10.   **5.48** traverser le pays Nb 20.17; 21.21.

ferons que passer en piétons. » Ils refusèrent de lui ouvrir. ⁴⁹ Judas fit alors passer dans l'armée l'ordre que chacun se mette en position là où il était. ⁵⁰ Les soldats prirent position et Judas assaillit la ville, tout ce jour-là et toute la nuit, et la ville tomba entre leurs mains. ⁵¹ Il fit passer tous les mâles au fil de l'épée, détruisit la ville de fond en comble, prit ses dépouilles et traversa la ville sur les corps des tués. ⁵² Ils franchirent le Jourdain vers la Grande Plaine, en face de Bethsân ᶜ. ⁵³ Judas allait et venait, regroupant les traînards et encourageant le peuple tout le long du chemin, jusqu'à son arrivée au pays de Juda. ⁵⁴ Ils gravirent le mont *Sion tout remplis de joie et ils offrirent des holocaustes ᵈ, parce qu'ils étaient retournés en paix sans perdre aucun des leurs.

Défaite de Joseph et Azarias
(2 M 12.32-45)

⁵⁵ Pendant les jours où Judas et Jonathan étaient au pays de Galaad et Simon son frère en Galilée devant Ptolémaïs ᵉ, ⁵⁶ Joseph, fils de Zacharie, et Azarias, chefs de l'armée, apprirent leurs prouesses et les combats qu'ils avaient livrés, ⁵⁷ et ils se dirent : « Faisons-nous aussi un nom et allons combattre les nations qui sont autour de nous. » ⁵⁸ Ils donnèrent des ordres aux forces qu'ils commandaient et marchèrent sur Jamnia ᶠ. ⁵⁹ Gorgias ᵍ sortit de la ville avec ses hommes pour engager le combat, ⁶⁰ Joseph et Azarias furent mis en déroute et on les poursuivit jusqu'aux confins de la Judée. Environ deux mille hommes du peuple d'Israël tombèrent en ce jour-là. ⁶¹ Ce fut une grande déroute pour le peuple parce qu'ils n'avaient pas écouté Judas et ses frères, imaginant qu'ils feraient eux aussi des prouesses. ⁶² Mais ils n'étaient pas de la race de ces hommes auxquels il était donné de sauver Israël.

Judas en Idumée et en Philistie

⁶³ Le preux Judas et ses frères connurent une grande gloire devant tout Israël et toutes les nations où l'on entendait prononcer leur nom. ⁶⁴ On se pressait autour d'eux pour les féliciter. ⁶⁵ Judas avec ses frères partit en guerre contre les fils d'Esaü dans la région du Sud. Il s'empara d'Hébron ʰ et des villages de son ressort, démolit ses fortifications et incendia les tours de son enceinte. ⁶⁶ Puis il se mit en marche vers le pays des Philistins et il traversa Marisa ᶦ. ⁶⁷ Ce jour-là, tombèrent au combat des prêtres qui voulaient faire acte de bravoure en allant au combat de façon téméraire. ⁶⁸ Judas se tourna ensuite vers Azôtos, district des Philistins, il renversa leurs *autels, fit brûler les images taillées ʲ de leurs dieux, prit les dépouilles des villes et revint au pays de Juda.

Maladie et mort du roi Antiochus
(2 M 1.11-17; 9; 10.9-11)

6 ¹ Le roi Antiochus parcourait les provinces d'en-haut, et il apprit qu'il y avait en Perse Elymaïs ᵏ, ville fameuse par ses richesses, son argent et son or, ² avec un *sanctuaire ˡ très riche, renfermant des pièces d'armure en or, des cuirasses et des armes, laissées par Alexandre, fils de Philippe, roi de Macédoine, qui régna le premier sur les Grecs. ³ Il s'y rendit et chercha à s'emparer de la ville pour la piller, mais il ne put y parvenir, parce que les gens de la ville eurent vent de la chose ⁴ et se dressèrent contre lui pour le combattre. Battant en retraite, il quitta les lieux, fort vexé, pour regagner Babylone. ⁵ On vint lui annoncer en Perse la défaite des troupes qui s'étaient rendues dans le pays de Juda. ⁶ Lysias s'y étant rendu avec une armée puissante avait été battu à plate couture

---

c Bethsân ou Scythopolis: voir la note sur 2 M 12.29 ● d holocaustes: voir au glossaire SACRIFICES ● e Galaad: voir la note sur le v. 9 — Ptolémaïs: voir la note sur le v. 15 ● f Jamnia: ville du littoral, au sud de Joppé (Jaffa) ● g Gorgias était donc à la fois stratège de la Zone Maritime et stratège d'Idumée (voir 2 M 10.14; 12.32 et la note sur 2 M 3.5) ● h fils d'Esaü: voir la note sur le v. 3 — Après l'exil, les Juifs ne s'étaient pas réinstallés dans la région d'Hébron qui était devenue iduméenne (voir la note sur 2 M 10.15) ● i le pays des Philistins: voir la note sur 3.24 ● Marisa: principale ville d'Idumée, au nord-ouest d'Hébron, donc sur le chemin du pays des Philistins ● j Azôtos: ce nom d'une ville macédonienne fut donné à Ashdod, ancienne ville philistine située sur la côte, au sud de Jamnia — images taillées: les idoles des temples païens (voir 2 M 12.40 et la note), mais il ne s'agit plus de divinités philistines (voir 3.24 et la note) ● k Le roi Antiochus: voir 1.10 — provinces d'en-haut: voir la note sur 2 M 9.23 — Elymaïs: on ne connaît aucune ville de ce nom, mais seulement une région, proche de Suse, capitale de la Perse ● l Ce sanctuaire est le Nanéon, dédié à Nanéa-Artémis (voir 2 M 1.13, 15 et les notes)

5.51 passer les mâles au fil de l'épée 5.28; Jos 6.21.   **5.61** ils n'avaient pas écouté Judas cf. 5.18-19.   **6.1** provinces d'en-haut 3.37+.

devant les Juifs. Ceux-ci s'étaient renforcés en armes, en ressources et par l'abondant butin pris aux armées qu'ils avaient taillées en pièces. 7 Ils avaient aussi renversé l'abomination qu'Antiochus avait édifiée sur l'*autel à Jérusalem et ils avaient entouré leur lieu saint de murailles élevées, comme auparavant, ainsi que Bethsour, ville appartenant au roi [m]. 8 A ces nouvelles, le roi, frappé de stupeur et bouleversé, s'effondra sur son lit. Il tomba malade de langueur, parce que les choses ne s'étaient pas passées comme il le désirait. 9 Il demeura là plusieurs jours, retombant sans cesse dans une profonde prostration. Lorsqu'il pensa qu'il allait mourir, 10 il convoqua tous ses amis et leur dit : « Le sommeil s'est éloigné de mes yeux et le souci m'accable. 11 Je me suis dit à moi-même : A quel degré d'affliction suis-je parvenu, et en quelle tempête me voilà pris ! Pourtant j'étais heureux et aimé au temps de ma puissance ! 12 Mais maintenant, je me souviens des mauvaises actions que j'ai commises à Jérusalem ; j'ai pris tous les objets d'or et d'argent qui s'y trouvaient, et j'ai envoyé exterminer sans motif les habitants de Juda. 13 Je reconnais que c'est à cause de cela que ces maux m'ont atteint et voici que je me meurs de langueur sur une terre étrangère. » 14 Il fit appeler Philippe, l'un de ses amis [n], et l'établit sur tout le royaume. 15 Il lui donna son diadème, sa robe et son sceau [o], le chargeant d'éduquer son fils Antiochus et de l'élever en vue de la royauté. 16 Le roi Antiochus mourut en ce lieu en l'an cent quarante-neuf [p]. 17 Apprenant sa mort, Lysias établit comme roi son fils Antiochus qu'il avait élevé depuis l'enfance et qu'il surnomma Eupator [q].

Judas assiège la citadelle de Jérusalem

18 Les gens de la Citadelle [r] bloquaient Israël autour du *sanctuaire et s'ingéniaient à lui faire du mal en toute occasion et à renforcer les païens. 19 Décidé à les exterminer, Judas convoqua tout le peuple pour les assiéger. 20 On se rassembla et on mit le siège devant la Citadelle en l'an cent cinquante. On construisit des balistes et d'autres machines [s]. 21 Mais certains des assiégés parvinrent à rompre le blocus et, accompagnés par quelques Israélites impies, 22 se rendirent chez le roi et lui dirent : « Jusques à quand attendras-tu pour faire justice et venger nos frères ? 23 Nous, nous avons consenti à servir ton père, à nous conduire selon ses ordres et à observer ses édits. 24 A cause de cela, nos concitoyens ont assiégé la Citadelle et nous ont traités en étrangers. Bien plus, ils ont tué ceux d'entre nous qu'ils pouvaient trouver et ils ont pillé nos biens. 25 Et ce n'est pas sur nous seulement qu'ils ont porté la main, mais aussi sur tous tes territoires. 26 Voici qu'ils investissent aujourd'hui la Citadelle de Jérusalem pour s'en rendre maîtres et qu'ils ont fortifié le sanctuaire et Bethsour [t]. 27 Si tu ne les prends pas de court immédiatement, ils en feront encore davantage et tu ne pourras plus les contenir. »

Le roi Antiochus V envahit la Judée

(*2 M 13.1-17*)

28 En entendant cela, le roi se mit en colère, et il réunit tous ses amis [u], le chef de son infanterie et ceux du train. 29 Des royaumes étrangers et des îles de la mer, vinrent des troupes mercenaires. 30 Ses forces s'élevaient à cent mille fantassins, vingt mille cavaliers et trente-deux éléphants de combat. 31 Ils vinrent par l'Idumée et assiégèrent Bethsour qu'ils combattirent longtemps à l'aide de machines [v], mais les assiégés opérant des sorties y mettaient le feu et luttaient vaillamment. 32 Alors, Judas partit de la Cita-

m abomination: voir la note sur 1.54 — *lieu saint:* voir au glossaire SANCTUAIRE — *Bethsour... au roi:* toutes les forteresses de l'empire relevaient directement de l'autorité du roi qui y plaçait ses propres garnisons • *n* Ce *Philippe*, rival de Lysias (voir 5.5), familier du roi (voir *2 M* 9.29) ne doit pas être confondu avec Philippe le Phrygien (voir *2 M* 5.22) — *amis:* voir la note sur 2.18 • *o sceau* ou *anneau à cacheter:* voir Ag 2.23 • *p l'an cent quarante-neuf:* en septembre-octobre 164 av. J.C. (voir la note sur 1.10) • *q Lysias:* voir 3.22 et la note — *Eupator:* ce nom signifie « (fils d'un) noble père » • *r Citadelle:* voir la note sur 1.33 • *s l'an cent-cinquante:* en 163-162 av. J.C. — *machines:* ce sont peut-être ici des arbalètes, voir v. 51 • *t Bethsour:* voir 4.29 et la note • *u tous ses amis:* voir la note sur 2.18 • *v ils vinrent par l'Idumée...:* l'armée suit probablement le même itinéraire que lors de la première campagne de Lysias (voir 4.29 et la note). En outre, il y aura un léger accrochage à Modîn (voir *2 M* 13.14) — *machines:* voir la note sur 5.30

6.7 l'abomination sur l'autel 1.54+. **6.20** siège de la Citadelle 11.20; 12.36; 13.49.

delle et prit position à Bethzakharia [w] en face du camp royal. [33] Le roi se leva de grand matin, et lança son armée d'un seul élan sur le chemin de Bethzakharia ; les troupes se rangeaient en ordre de bataille et on sonna des trompettes. [34] On présenta aux éléphants du jus de raisin et de mûres pour les exciter au combat. [35] Les bêtes furent réparties entre les phalanges [x]. Près de chacune, on rangea mille hommes cuirassés de cottes de mailles et coiffés d'un casque de bronze et cinq cents cavaliers d'élite étaient affectés à chaque bête. [36] Ceux-ci prévenaient tous les mouvements de la bête et l'accompagnaient partout sans jamais s'en éloigner. [37] Sur chaque bête, une solide tour de bois, fixée par des sangles, formait abri, et dans chaque tour, se trouvaient les trois guerriers combattant sur les bêtes ainsi que leur cornac [y]. [38] Le roi disposa le reste de la cavalerie sur les deux flancs de l'armée pour faire du harcèlement et couvrir les phalanges. [39] Quand le soleil illumina les boucliers d'or et de bronze [z], les montagnes en furent illuminées et brillèrent comme des flambeaux allumés. [40] Une partie de l'armée royale se déploya sur les hauts de la montagne et une autre en contre-bas ; ils avançaient avec assurance et en bon ordre. [41] Tous étaient inquiets en entendant la rumeur de cette multitude, le bruit de sa marche et le cliquetis des armes entrechoquées ; cette armée était vraiment immense et puissante. [42] Judas et son armée s'avancèrent pour engager le combat : de l'armée du roi, six cents hommes tombèrent. [43] Eléazar, surnommé Awarân [a], vit l'une des bêtes caparaçonnée d'un harnais royal et surpassant toutes les autres par la taille. Il pensa que le roi était dessus [44] et il se sacrifia pour sauver son peuple et acquérir un nom immortel. [45] Il se précipita avec audace

vers la bête au milieu de la phalange, tuant à droite et à gauche, si bien que les ennemis s'en écartèrent de part et d'autre. [46] Il se glissa sous l'éléphant et par en dessous lui porta un coup mortel : il s'écroula sur Eléazar qui mourut sur place. [47] Les Juifs, constatant la force impétueuse des troupes royales, rompirent le contact.

Le roi assiège le mont Sion
(2 M 13.18-23)

[48] L'armée royale monta vers Jérusalem pour les rencontrer. Le roi assiégea la Judée et le mont *Sion. [49] Il fit la paix avec ceux de Bethsour, qui évacuèrent la ville, car ils n'avaient pas de vivres pour être à même de soutenir un siège, c'était en effet l'année sabbatique [b]. [50] Le roi prit Bethsour et y établit une garnison. [51] Il assiégea le sanctuaire pendant de nombreux jours et insta'la batteries et machines, lance-flammes et balistes, scorpions, lance-flèches et frondes [c]. [52] A ces machines, les assiégés en opposèrent d'autres et ils combattirent pendant de nombreux jours. [53] Mais il n'y avait pas de provisions dans les dépôts, car c'était la septième année et les Israélites ramenés en Judée du milieu des païens avaient consommé les dernières réserves. [54] On ne laissa donc que peu d'hommes dans le lieu saint [d], parce qu'on était en proie à la famine. Les autres se dispersèrent chacun de son côté.

Le roi accorde aux Juifs la liberté religieuse
(2 M 13.23-26 ; 11.22-26)

[55] Lysias apprit que Philippe [e], choisi de son vivant par le roi Antiochus pour élever son fils Antiochus en vue du trône, [56] était revenu de Perse et de Mé-

---

[w] *la Citadelle :* celle de Jérusalem (voir la note sur 1.33) que les Juifs assiégeaient (voir les v. 18-20) — *Bethzakharia :* à 9 km au nord de Bethsour, et donc à une vingtaine de km au sud-est de Jérusalem ● *x* Les *phalanges* étaient les unités d'infanterie des armées grecques; les hommes, armés d'une longue lance et protégés par leur bouclier, formaient un groupe compact. Placés *entre les phalanges,* les éléphants se trouvaient protégés sur leurs flancs ● *y cornac :* littéralement *hindou ;* cette façon habituelle de désigner le cornac est une indication sur l'origine des éléphants ● *z* Les boucliers étaient renforcés par des pièces de bronze et pouvaient être incrustés d'or. L'auteur veut sans doute aussi faire allusion à l'histoire ancienne (voir 1 R 10.16; cf. la note sur *1 M 5.5)* ● *a Eléazar* est le frère cadet de Judas (voir 2.5) ● *b Bethsour :* voir la note sur 4.29 — *année sabbatique :* tous les sept ans, les Juifs devaient laisser reposer la terre sans la cultiver, en même temps qu'ils devaient libérer leurs esclaves et remettre les dettes (voir Lv 25.1-7). Cette année-là (164-163 av. J.C.), la situation était donc particulièrement difficile (voir v. 53) ● *c* Le terme *sanctuaire* est employé ici dans son sens le plus large: tout l'ensemble de la colline du Temple (voir v. 62) — *batteries* ou *plates-formes de tir ;* les *machines* doivent être ici des arbalètes: comme les *balistes, scorpions, lance-flèches* et *frondes,* ces armes servaient à lancer diverses sortes de projectiles contre les soldats postés sur les remparts ● *d lieu saint :* l'ensemble du Temple ● *e Lysias :* voir 3.32 et la note — *Philippe :* voir 6.14 et la note

die avec les troupes qui avaient accompagné le roi, et qu'il cherchait à se mettre à la tête des affaires. ⁵⁷ A cette nouvelle, Lysias se prépara en hâte à partir. Il dit au roi, aux généraux de l'armée et aux hommes : « Nous nous affaiblissons chaque jour davantage, notre ration se fait maigre, la place que nous assiégeons est bien fortifiée, et les affaires du royaume reposent sur nous. ⁵⁸ Tendons maintenant la main droite ᶠ à ces hommes, faisons la paix avec eux et avec toute leur nation. ⁵⁹ Permettons-leur de se conduire selon leurs coutumes comme auparavant, car s'ils se sont irrités et ont fait tout cela, c'est à cause de leurs coutumes que nous avons abolies. » ⁶⁰ Ce discours plut au roi et aux chefs ; il envoya aux Juifs des propositions de paix, qu'ils acceptèrent. ⁶¹ Le roi et les chefs les ratifièrent par serment ; sur quoi ils sortirent de la forteresse. ⁶² Le roi entra au mont *Sion et, voyant les fortifications de la place, viola son serment et ordonna de démanteler toute l'enceinte. ⁶³ Puis il partit en hâte et retourna à Antioche, où il trouva Philippe maître de la ville. Il lui livra bataille et s'empara de la ville par la force.

Démétrius I s'empare de la royauté
(2 M 14.1-10)

7 ¹ En l'an cent cinquante et un, Démétrius, fils de Séleucus, s'échappa de Rome et se dirigea avec une poignée d'hommes vers une ville du littoral où il inaugura son règne ᵍ. ² Comme il pénétrait dans la maison royale de ses pères, l'armée se saisit d'Antiochus et de Lysias ʰ pour les lui amener. ³ Il en fut informé : « Ne me faites pas voir leur visage », dit-il. ⁴ Et l'armée les tua et Démétrius s'assit sur son trône royal. ⁵ Alors vinrent à lui tout ce qu'Israël comptait d'hommes sans foi ni loi, conduits par Alkime qui convoitait la charge

de grand prêtre ⁱ. ⁶ Ils accusèrent le peuple devant le roi en disant : « Judas et ses frères ont fait périr tous tes amis et nous ont dispersés hors de notre pays. ⁷ Envoie donc maintenant un homme de confiance pour qu'il aille voir tous les ravages dont Judas s'est rendu coupable parmi nous et dans le domaine du roi, qu'on les punisse, eux et tous leurs auxiliaires. »

Bakkhidès et Alkime sévissent en Judée

⁸ Le roi choisit Bakkhidès, un des amis du roi, qui gouvernait la Transeuphratène ʲ, grand du royaume et fidèle au roi. ⁹ Il l'envoya avec l'impie Alkime. A ce dernier, il conféra le sacerdoce, et le chargea de tirer vengeance des fils d'Israël ᵏ. ¹⁰ Ils partirent avec une nombreuse armée et arrivèrent au pays de Juda. Ils envoyèrent à Judas et à ses frères des messagers porteurs de propositions perfidement pacifiques. ¹¹ Les Juifs, voyant qu'ils étaient venus avec une forte armée, n'accordèrent aucun crédit à leurs discours. ¹² Une commission formée de scribes se réunit toutefois chez Alkime et Bakkhidès, pour rechercher une solution équitable. ¹³ Parmi les Israélites, les premiers à solliciter la paix étaient les Assidéens ˡ. ¹⁴ Ils disaient en effet : « C'est un prêtre de la race d'Aaron qui est venu avec les troupes, il ne commettra pas d'injustice envers nous. » ¹⁵ Il ᵐ leur tint des discours pacifiques et leur assura avec serment : « Nous ne chercherons à vous faire aucun mal, pas plus qu'à vos amis. » ¹⁶ Ils le crurent, et pourtant il fit appréhender soixante d'entre eux et les fit périr en un seul jour, selon qu'il est écrit : ¹⁷ *La chair de tes saints et leur sang, ils ont répandu autour de Jérusalem, et il n'y avait personne pour les ensevelir.* ¹⁸ Alors, la crainte et la terreur s'emparèrent de tout le peuple : « Il n'y a chez ces gens, disait-on, ni vérité ni justice, car ils ont violé le pacte et le

---

f tendre la main droite: geste de réconciliation (cf. 11.50, 62 ; 13.45) ● *g l'an cent cinquante et un:* en 161 av. J.C. — *s'échappa de Rome:* voir 1.10 et la note — *ville du littoral:* Tripoli (voir 2 M 14.1) — *Démétrius* sera reconnu roi par les dirigeants romains l'année suivante, sous le nom de Démétrius I Sôter (« Sauveur ») ● *h Antiochus et Lysias:* voir 3.32-33 et la note ● *i Alkime:* forme grecque correspondant au nom hébreu d'Elyaqîm. Alkime descendait peut-être de Yaqîm, chef de la 12ᵉ classe sacerdotale (voir 1 Ch 24.12) — *la charge de grand prêtre:* voir 2 M 14.3 et la note. A l'époque hellénistique, les grands prêtres étaient nommés par le roi (cf. 10.20 ; 2 M 4.7, 10, 24), mais ils devaient nécessairement être choisis parmi les membres des familles sacerdotales ● *j ami du roi:* voir la note sur 2.18 — *Transeuphratène:* terme emprunté au perse, désignant la moitié ouest de l'empire séleucide (voir la note sur 1.8) ● *k fils d'Israël* ou *Israélites* ● *l* Les Assidéens (voir la note sur 2.42), ralliés à Judas dès le début de la révolte, l'abandonnèrent dès que la liberté religieuse leur sembla suffisamment assurée ● *m* Alkime

7.10 proposition pacifique 1.30+. **7.17** la chair et le sang répandus Ps 79.2-3.

serment qu'ils avaient faits.» ¹⁹ Bakkhidès partit de Jérusalem et dressa le camp à Bethzeth ⁿ. Il envoya arrêter de nombreux hommes qui s'étaient ralliés à lui, ainsi que quelques-uns du peuple ; il les égorgea et les jeta dans le grand puits. ²⁰ Il remit la province à Alkime, et laissa avec lui une armée pour le soutenir, puis Bakkhidès revint auprès du roi. ²¹ Alkime lutta pour se faire admettre comme grand prêtre, ²² et tous ceux qui semaient la confusion parmi le peuple se groupèrent autour de lui ; ils se rendirent maîtres du pays de Juda et portèrent un grand coup à Israël. ²³ Voyant que la malfaisance d'Alkime et de ses partisans contre les fils d'Israël surpassait celle des païens, ²⁴ Judas parcourut à la ronde tous les territoires judéens. Il tira vengeance des renégats et les empêcha de circuler dans le pàys.

Le roi envoie Nikanor contre Judas
(2 M 14.5-36)

²⁵ Voyant que Judas et ses compagnons étaient devenus plus forts et reconnaissant qu'il ne pouvait leur résister, Alkime retourna chez le roi et les accusa de grands maux. ²⁶ Le roi envoya Nikanor ᵒ, un de ses généraux faisant partie des illustres, qui manifestait de la haine et de l'hostilité à Israël, avec ordre d'exterminer le peuple. ²⁷ Nikanor vint à Jérusalem avec une armée nombreuse et adressa à Judas ainsi qu'à ses frères des paroles perfidement pacifiques : ²⁸ « Qu'il n'y ait pas de combat entre moi et vous ; je viendrai avec une petite escorte, pour une entrevue pacifique.» ²⁹ Il arriva chez Judas, et ils se saluèrent amicalement, mais les ennemis étaient prêts à enlever Judas. ³⁰ S'apercevant que Nikanor était venu chez lui avec des intentions perfides, Judas redouta sa présence et refusa l'entrevue. ³¹ Nikanor, comprenant que sa ruse était éventée, se porta à la rencontre

de Judas pour le combattre près de Khapharsalama ᵖ. ³² Du côté de Nikanor, tombèrent environ cinq cents hommes et les autres s'enfuirent dans la Cité de David ᑫ.

³³ Après ces événements, Nikanor monta au mont *Sion et des prêtres sortirent du lieu saint avec des *anciens du peuple pour le saluer pacifiquement et lui montrer l'holocauste ʳ qu'on offrait pour le roi. ³⁴ Mais il les tourna en dérision, il les outragea et proféra des paroles arrogantes. ³⁵ Il jura avec colère, disant : « Si Judas n'est pas cette fois livré entre mes mains, avec son armée, et que je revienne une fois la paix rétablie, je mettrai le feu à cette maison ˢ.» Et il sortit furieux. ³⁶ Les prêtres rentrèrent et, s'arrêtant en face de l'*autel et du Temple, ils dirent en larmes : ³⁷ « C'est toi, ô Dieu, qui as choisi cette Maison pour que ton *nom soit invoqué sur elle, afin qu'elle soit une maison de prière et de supplication. ³⁸ Exerce ta vengeance contre cet homme et contre son armée et qu'ils tombent sous l'épée. Souviens-toi de leurs *blasphèmes et ne leur accorde pas de sursis. »

Défaite et mort de Nikanor
(2 M 15.1-36)

³⁹ Nikanor sortit de Jérusalem et dressa le camp à Béthoron ᵗ où une armée de Syrie vint le rejoindre. ⁴⁰ Judas dressa le camp à Adasa ᵘ avec trois mille hommes. Judas fit alors cette prière : ⁴¹ « Lorsque les messagers du roi ᵛ eurent *blasphémé, ton *ange sortit et frappa cent quatre-vingt-cinq mille d'entre eux ; ⁴² écrase de même aujourd'hui devant nous cette armée et que les autres sachent qu'il a mal parlé contre ton lieu saint, juge-le selon sa méchanceté. » ⁴³ Les armées engagèrent le combat le treize Adar ʷ, celle de Nikanor fut écrasée, et lui-même fut tué le tout premier au combat. ⁴⁴ Lorsqu'ils virent qu'il était tombé, les soldats

---

ⁿ Bethzeth : aujourd'hui Beit Zeita, à 6 km au nord de Bethsour (voir la note sur 4.29). On y a retrouvé un grand puits ● ᵒ Nikanor avait déjà été battu par Judas (voir 3.38; 4.12-15) ● ᵖ Khapharsalama : aujourd'hui Khirbet Selma, à 4 km de Adasa (voir la note sur le v. 40) ● ᑫ La Cité de David ou Citadelle (voir 1.33 et la note) était alors aux mains des païens ● ʳ lieu saint : ici l'ensemble du Temple — holocauste : voir au glossaire SACRIFICES ● ˢ cette maison : le Temple ● ᵗ Nikanor : voir v. 26 et la note — Bethoron : voir la note sur 3.16 ● ᵘ Adasa (ou Hadasha, Jos 15.37, ou Dessau, 2 M 14.16) se trouve à 8 km au nord de Jérusalem, sur la route de Bethoron ● ᵛ Le roi dont on parle ici est Sennachérib, voir 2 R 19.35 ● ʷ le treize Adar : aux environs du 28 mars 160 av. J.-C. Voir au glossaire CALENDRIER

7.19 jeta dans un puits Jr 41.7.   7.27 paroles pacifiques 1.30 +.   7.33 sacrifices offerts par le roi Esd 6.10.   7.37 Maison choisie par Dieu Dt 12.5, 11; sur laquelle le nom de Dieu est invoqué 1 R 8.43; cf. 1 R 8.29; maison de prière Es 56.7; Mt 21.13 par.   7.41 l'ange de Dieu frappe les ennemis 2 R 19.35.

de Nikanor jetèrent leurs armes et s'enfuirent. ⁴⁵ Les Juifs les poursuivirent sur un parcours d'une journée, depuis Adasa jusqu'aux bords de Gazara ˣ, et ils firent résonner la sonnerie de la poursuite. ⁴⁶ De tous les villages judéens alentour, on sortait pour les cerner et les rabattre. Tous tombèrent par l'épée et pas un seul n'en réchappa. ⁴⁷ On ramassa les dépouilles et le butin, on coupa la tête de Nikanor et sa main droite, qu'il avait étendue de façon arrogante ʸ, on les emporta et on les exposa en vue de Jérusalem. ⁴⁸ Le peuple fut en liesse et fêta ce jour-là comme un grand jour d'allégresse. ⁴⁹ On décréta la célébration annuelle de ce jour-là, le treize Adar. ⁵⁰ Le pays de Juda fut en repos pendant un peu de temps ᶻ.

Eloge des Romains

8 ¹ Le renom des Romains parvint aux oreilles de Judas : c'étaient de vaillants guerriers, bienveillants envers tous ceux qui se rangeaient à leurs côtés, accordant leur amitié à tous ceux qui venaient à eux ᵃ — et c'étaient de vaillants guerriers. ² On lui raconta leurs guerres, et les exploits qu'ils avaient accomplis chez les Galates ᵇ, qu'ils les avaient vaincus et les avaient soumis au tribut ³ et tout ce qu'ils avaient fait dans la province d'Espagne ᶜ pour s'emparer des mines d'argent et d'or qui s'y trouvaient, ⁴ comment ils s'étaient emparés de ce pays grâce à leur habileté à leur persévérance — en effet, l'endroit était fort éloigné de chez eux — ; il en avait été de même des rois venus des extrémités de la terre pour les attaquer, ils les avaient écrasés, leur infligeant un grand désastre, tandis que les autres leur payaient un tribut annuel ; ⁵ enfin, ils

avaient battu Philippe, Persée, roi des Kitiens ᵈ, ainsi que ceux qui s'étaient dressés contre eux, et ils les avaient soumis. ⁶ Antiochus le Grand, roi de l'Asie, qui s'était avancé contre eux pour les combattre avec cent vingt éléphants, de la cavalerie, des chars et une armée très nombreuse, avait été défait par eux ᵉ ⁷ et, capturé vivant, il lui avait été imposé, à lui et à ses successeurs, le paiement à termes fixes d'un lourd tribut et la livraison d'otages ᶠ. ⁸ On lui enleva le pays indien, la Médie, la Lydie et quelques-unes de ses plus belles provinces au profit du roi Eumène ᵍ. ⁹ Ceux de la Grèce décidèrent d'aller les exterminer. ¹⁰ Les Romains ayant su la chose envoyèrent contre eux un seul général, leur firent la guerre, et il tomba parmi les Grecs un grand nombre de victimes, leurs femmes et leurs enfants furent emmenés en captivité ; les Romains pillèrent leurs biens, soumirent leur pays, démantelèrent leurs forteresses et les réduisirent à une servitude qui dure jusqu'à ce jour ʰ. ¹¹ Ils avaient aussi détruit et asservi les autres royaumes et les îles qui leur avaient résisté, ¹² mais à leurs amis et à ceux qui se reposent sur eux, ils ont gardé leur amitié. Ils ont soumis les rois proches ou lointains et tous ceux qui entendent leur nom les redoutent. ¹³ Ceux-là règnent, qu'ils estiment dignes de régner et de recevoir leur concours, mais les autres, ils les déposent. Ils sont à l'apogée de leur puissance. ¹⁴ Malgré tout cela, aucun d'entre eux n'a ceint le diadème, ni revêtu la pourpre ⁱ pour s'élever par elle. ¹⁵ Ils se sont donné un sénat où tiennent conseil chaque jour trois cent vingt membres qui délibèrent en permanence des affaires du peuple,

---

ˣ *Gazara :* voir la note sur 4.15 ● ʸ *sa main droite qu'il avait étendue...* : c'est une application de la loi du talion (voir Ex 21.25 et la note). Comparer 2 M 4.38 ; 5.10 ; 10.28 ● ᶻ C'est avec le récit de ces événements que se termine le deuxième livre des Maccabées ● ᵃ *à ceux qui venaient à eux* : cette expression désigne les groupes rebelles que Rome soutenait volontiers pour affaiblir les monarchies hellénistiques ● ᵇ Le nom de *Galates* désigne probablement ici les tribus gauloises d'Italie du nord, que Rome avait soumises au début du IIᵉ siècle avant J.C. ● ᶜ *tout ce qu'ils avaient fait... Espagne :* allusion aux campagnes de Scipion, 218-206 av. J.C. ● ᵈ *Philippe, Persée :* c'est Philippe V roi de Macédoine son son fils, qui furent battus par les Romains, l'un en 197 et l'autre en 168 av. J.C. — *Kitiens :* voir la note sur 1.1 ● ᵉ *Antiochus le grand :* Antiochus III — *défait par eux :* à Magnésie du Sipyle, en 189 av. J.C. ● ᶠ *paiement d'un lourd tribut :* selon les clauses du traité d'Apamée, voir la note sur 2 M 8.10 — *otages :* voir la note sur 1.10 ● ᵍ *pays indien et Médie :* l'auteur désigne ainsi l'Ionie et la Mysie ; ces régions d'Asie Mineure voisines de la *Lydie* furent données au roi *Eumène II* de Pergame (ville de la côte d'Asie Mineure, capitale d'un petit royaume) ● ʰ *La réduction de la Grèce en province romaine date de 146 av. J.C. L'auteur dépasse donc le cadre de l'histoire de Judas (mort en 160 av. J.C., voir 9.3 et la note) ● ⁱ *diadème* et *pourpre* sont les signes de la puissance impériale ou royale.

7.47 tête de l'ennemi exposée 2 M 15.35 ; Jdt 14.1 ; comparer 1 S 31.10.

afin d'en assurer le bon ordre. [16] Ils confient chaque année à un seul homme [j] la charge de les gouverner et la domination sur tout leur empire, et tous lui obéissent, à lui seul, sans aucune envie ni jalousie.

Alliance des Juifs avec les Romains

[17] Judas choisit Eupolème, fils de Jean, fils d'Akkôs, et Jason, fils d'Eléazar [k], et les envoya à Rome, pour conclure amitié et alliance [18] et faire ôter leur *joug, car ils voyaient que le royaume des Grecs réduisait Israël en servitude. [19] Ils partirent pour Rome — le chemin était très long — et, entrés au Sénat, ils prirent la parole et dirent : [20] « Judas Maccabée, ses frères et le peuple juif nous ont envoyés vers vous pour conclure avec vous alliance et paix et pour être inscrits au nombre de vos alliés et de vos amis. » [21] La chose leur plut. [22] Voici la copie de la lettre qu'ils gravèrent sur des tables de bronze et qu'ils envoyèrent à Jérusalem pour y être un mémorial de paix et d'alliance.

[23] « Prospérité aux Romains et à la nation des Juifs, sur mer, sur terre à perpétuité ! Loin d'eux l'épée et l'ennemi. [24] Mais si une guerre menace Rome la première ou l'un de ses alliés dans n'importe quel lieu où s'exerce sa domination, [25] la nation juive combattra avec elle de tout cœur, selon ce que lui dicteront les exigences du moment. [26] Comme Rome en a décidé, ni blé, ni armes, ni argent, ni vaisseaux ne seront donnés ou prêtés aux belligérants et ils tiendront leurs engagements sans rien recevoir en retour. [27] De même, si une guerre touche d'abord la nation des Juifs, les Romains combattront avec elle de toute leur âme, selon ce que leur dicteront les exigences du moment. [28] Il ne sera donné à leurs adversaires ni blé, ni armes, ni argent, ni vaisseaux, comme Rome en a décidé, mais ils tiendront leurs engagements

loyalement. [29] C'est en ces termes que les Romains ont fait un pacte avec le peuple juif. [30] Si, dans l'avenir, les uns ou les autres décident d'ajouter ou de retrancher quelque chose, ils le feront à leur gré et toute addition ou suppression sera valable de plein droit. [31] Au sujet des maux dont le roi Démétrius les a accablés, nous lui avons écrit en ces termes : "Pourquoi as-tu fait peser ton joug sur les Juifs, nos amis et alliés ? [32] Si donc ils t'accusent encore, nous soutiendrons leur cause et nous te combattrons sur mer et sur terre". »

Judas est vaincu et tué à Béerzeth

9 [1] Démétrius ayant appris que Nikanor avait succombé avec son armée dans la bataille envoya de nouveau au pays de Juda Bakkhidès et Alkime [l] avec l'aide droite de l'armée. [2] Ceux-ci prirent le chemin de la Galilée, ils assiégèrent Mésaloth dans le territoire d'Arbèles [m], ils s'en emparèrent et y tuèrent un grand nombre d'hommes. [3] Le premier mois de l'an cent cinquante-deux [n], ils dressèrent le camp devant Jérusalem. [4] Puis ils partirent et se dirigèrent vers Béerzeth [o] avec vingt mille fantassins et deux mille cavaliers. [5] Quant à Judas, il avait établi son camp à Elasa [p], ayant avec lui trois mille guerriers d'élite. [6] A la vue du grand nombre de forces ennemies, ils furent pris de frayeur, beaucoup désertèrent, et il ne resta plus que huit cents hommes. [7] Judas vit que son armée s'était évanouie alors que le combat le pressait ; il eut le cœur brisé parce qu'il n'avait plus le temps de rassembler les siens. [8] Désemparé, il dit à ceux qui étaient restés : « Debout ! Montons contre nos adversaires, au cas où nous pourrions les combattre. » [9] Eux l'en dissuadaient en disant : « Pour l'instant nous ne pouvons rien, sinon sauver nos vies. Nous reviendrons avec nos frères pour reprendre la lutte ; pour nous, nous sommes trop peu nombreux. » [10] Judas

---

[j] *un seul homme :* Le pouvoir était aux mains de deux consuls, mais l'auteur de *1 M* ne connaissait sans doute l'existence que du consul chargé des affaires d'Orient ● [k] *Eupolème* est peut-être l'auteur d'une *Histoire des rois de Judée,* citée par l'historien juif Josèphe — La famille sacerdotale d'*Akkôs* est connue par 1 Ch 24.10 — *Eléazar* est un nom trop courant pour qu'on puisse dire s'il s'agit du même personnage qu'en *2 M* 6.18 ● [l] *Nikanor :* voir 3.38 ; 7.26 — *Bakkhidès :* voir 7.8-9 — *Alkime :* voir 7.5 et la note. Le chap. 9 reprend la suite du récit interrompu en 7.50 ● [m] *Arbèles :* située à 5 km environ à l'ouest du lac de Kinnéreth ● [n] *le premier mois de l'an cent cinquante-deux :* avril-mai 160 av. J.C. (voir la note sur 1.10) ● [o] *Béerzeth :* à 20 km au nord de Jérusalem ● [p] *Elasa :* peut-être le Khirbet Il'asa, près de Bethoron (voir la note sur 3.16), mais le camp de Judas paraît trop éloigné du camp de Bakkhidès (une quinzaine de km). Le texte veut peut-être parler de la base arrière de Judas.

8.17 Eupolème *2 M* 4.11.   **8.22** tables de bronze 14.18, 26, 48.

répliqua : « Il ne sera pas dit que j'ai choisi la fuite. Si notre heure est arrivée, mourons bravement pour nos frères et ne laissons pas ternir notre gloire. » [11] L'armée ennemie sortit du camp et leur fit face. Leur cavalerie était partagée en deux corps, les frondeurs et les archers marchaient en avant de l'armée, ainsi que la troupe de choc — tous les braves —, [12] Bakkhidès étant à l'aile droite. La phalange *q* s'avança des deux côtés au son des trompettes. Les hommes de Judas sonnèrent eux aussi des trompettes [13] et la terre fut ébranlée par le vacarme des armées ; le combat s'engagea au matin et se prolongea jusqu'au soir. [14] Judas vit que Bakkhidès et le fort de l'armée se tenaient sur la droite. Autour de Judas se groupèrent tous ceux qui étaient enflammés de courage. [15] Ils culbutèrent l'aile droite et la poursuivirent jusqu'aux monts Azara *r*. [16] Voyant la déroute de l'aile droite, ceux de l'aile gauche se rabattirent sur les pas de Judas et des siens et ils le talonnèrent. [17] Le combat devint acharné et il y eut beaucoup de victimes de part et d'autre. [18] Judas succomba lui aussi et les autres s'enfuirent. [19] Jonathan et Simon enlevèrent leur frère Judas et l'ensevelirent dans le tombeau de ses pères à Modîn *s*. [20] Tout Israël le pleura et mena sur lui un grand deuil ; ils se lamentèrent pendant plusieurs jours : [21] « Comment est-il tombé, le héros qui sauvait Israël ? » [22] Le reste des actions de Judas, de ses combats, des exploits qu'il accomplit, de ses titres de gloire, n'a pas été écrit, il y en avait trop.

Jonathan succède à son frère Judas

[23] Après la mort de Judas, les impies reparurent sur tout le territoire d'Israël et les artisans d'iniquité *t* relevèrent la tête. [24] Comme il y avait alors une famine particulièrement grave, le pays se rallia à eux. [25] Bakkhidès fit son choix parmi les hommes impies, pour régenter le pays. [26] Ils débusquaient les amis de Judas et les interrogeaient, puis ils les amenaient à Bakkhidès *u* qui les punissait et les tournait en dérision. [27] Ce fut en Israël une oppression comme il n'y en avait pas eu depuis la fin des temps des prophètes. [28] Alors tous les amis de Judas se rassemblèrent et dirent à Jonathan : [29] « Depuis la mort de ton frère Judas, il n'y a plus d'homme comme lui pour marcher contre l'ennemi, contre Bakkhidès et contre tous ceux qui sont hostiles à notre nation. [30] Nous te choisissons donc aujourd'hui à sa place comme chef et comme guide, pour mener notre combat. » [31] Jonathan reçut à cet instant le commandement et succéda à son frère Judas.

Jonathan venge la mort de son frère Jean

[32] Bakkhidès, l'ayant appris, cherchait à le faire périr. [33] Jonathan et Simon son frère en furent informés, ainsi que tous ceux qui accompagnaient Jonathan. Ils s'enfuirent au désert de Thékoé et ils campèrent près de l'eau de la citerne Asfar *v*. [34] Bakkhidès l'apprit le jour du *sabbat et il vint, lui et toute son armée, au-delà du Jourdain. [35] Jonathan envoya son frère qui commandait à la troupe demander à ses amis les Nabatéens *w* l'autorisation de mettre en dépôt chez eux ses bagages qui étaient considérables. [36] Mais les fils de Jambri, ceux de Madaba *x*, firent une incursion, s'emparèrent de Jean et de tout ce qu'il avait et partirent avec leur butin. [37] Après ces événements, on annonça à Jonathan et à Simon son frère que les fils de Jambri célébraient un grand mariage et qu'ils amenaient en grande pompe de Nabatha la fiancée. C'était la fille d'un grand personnage de Canaan *y*. [38] Ils se souvinrent de

q la phalange: voir la note sur 6.35 ● *r monts Azara*: d'après l'historien juif Josèphe ; c'est la transcription grecque du nom araméen de Baal Haçor (voir 2 S 13.23 ; Ne 11.33), à 8 km environ à l'est de Béerzeth. Le texte porte *monts d'Azôtos*, mais il n'y a pas de montagne dans la région d'Azôtos ● *s Modin*: voir la note sur 2.1 ● *t Les impies* et les *artisans d'iniquité* sont les Juifs partisans des Séleucides ● *u Bakkhidès*: voir 7.8-9 ● *v Thékoé* (ou *Téqoa*): patrie du prophète Amos (voir Am 1.1), à 18 km au sud-est de Jérusalem — La *citerne Asfar* est peut-être l'actuel Sheikh Ahmad Abou Safar, à 6 km au sud de Thékoé ● *w Nabatéens*: voir 5.25 et la note ● *x fils de Jambri* (ou de *Amraï*): c'est probablement une tribu arabe dont une des branches devait habiter *Madaba*; cette ville du plateau transjordanien se trouvait à une douzaine de km à l'est de la mer Morte ● *y Nabatha*: place forte proche du mont Nébo (d'où elle tire son nom). *Canaan*: ce terme archaïque (voir les notes sur 5.2 et 5.5) désigne ici le plateau de Moab

9.19 enseveli à Modîn 2.70 ; 13.25. **9.21** comment est-il tombé ? 2 S 1.27. **9.22** le reste des actions de Judas... 16.23 ; cf. 1 R 11.41 ; 14.29 ; 15.31, etc. — il y en aurait trop cf. Jn 21.25. **9.27** depuis la fin du temps des prophètes cf. 4.46+.

la mort sanglante de Jean leur frère et ils montèrent se cacher à l'abri d'un repli de la montagne. ³⁹ Levant les yeux, ils virent le fiancé, ses amis et ses frères qui s'avançaient vers eux avec des tambourins, des musiciens et un riche équipement guerrier au milieu d'un cortège bruyant et de tous les bagages. ⁴⁰ De leur embuscade, ils s'élancèrent sur eux et les massacrèrent ; beaucoup tombèrent, blessés à mort et les survivants s'enfuirent vers la montagne. Ils emportèrent toutes leurs dépouilles. ⁴¹ Ainsi *les noces se changèrent en deuil et les accents musicaux en lamentations.* ⁴² Ils tirèrent ainsi vengeance du sang de leur frère et regagnèrent les marais du Jourdain *z*.

Combat indécis au bord du Jourdain

⁴³ Bakkhidès *a* en fut informé et il vint le jour du *sabbat jusqu'aux berges du Jourdain, avec une nombreuse armée. ⁴⁴ Jonathan dit alors à ses gens : « Debout ! Combattons pour sauver nos vies, car aujourd'hui ce n'est pas comme hier et avant-hier. ⁴⁵ Voici que le combat est devant nous ; d'un côté l'eau du Jourdain, de l'autre côté le marais et le fourré : nulle part où battre en retraite. ⁴⁶ Maintenant donc, criez vers le *Ciel, afin que vous échappiez aux mains de vos ennemis. » ⁴⁷ Le combat s'engagea, et Jonathan étendit la main pour frapper Bakkhidès, mais celui-ci esquiva le coup en se rejetant en arrière. ⁴⁸ Jonathan et les siens sautèrent dans le Jourdain et atteignirent l'autre rive à la nage, mais les ennemis ne franchirent pas le Jourdain à leurs trousses *b*. ⁴⁹ En ce jour, il tomba environ mille hommes parmi ceux qui entouraient Bakkhidès.

Bakkhidès en Judée. Mort d'Alkime

⁵⁰ Celui-ci retourna à Jérusalem. Il bâtit des villes fortes en Judée, la forteresse qui est à Jéricho, Emmaüs, Béthoron, Béthel, Tamnatha, Pharathôn et Téphôn avec des remparts élevés, des portes et des verrous *c*. ⁵¹ Puis il établit en chacune d'elles une garnison pour harceler Israël. ⁵² Il fortifia la ville de Bethsour, Gazara et la Citadelle *d*. Il y plaça des troupes et des réserves de vivres. ⁵³ Il prit comme otages les fils des chefs du pays et les emprisonna dans la citadelle de Jérusalem.

⁵⁴ En l'année cent cinquante-trois, le second mois, Alkime ordonna d'abattre le mur de la cour intérieure du lieu saint, détruisant ainsi l'œuvre des *prophètes *e*, et il fit commencer la démolition. ⁵⁵ Sur quoi, Alkime eut une attaque et les travaux furent arrêtés. Sa bouche se ferma et resta paralysée, l'empêchant de prononcer dès lors une seule parole et de donner des ordres au sujet de sa maison *f*. ⁵⁶ Alkime mourut à cette époque en proie à de vives souffrances. ⁵⁷ Voyant qu'Alkime était mort, Bakkhidès s'en retourna auprès du roi, et le pays de Juda fut en repos pendant deux ans.

Echec et départ de Bakkhidès

⁵⁸ Tous les impies tinrent conseil : « Voici, dirent-ils, que Jonathan et ses partisans vivent tranquilles et sans méfiance. Nous allons donc faire venir Bakkhidès *g* maintenant, et il les arrêtera tous dans la même nuit. » ⁵⁹ Ils allèrent en délibérer avec lui. ⁶⁰ Bakkhidès se mit en route avec une troupe nombreuse, écrivant secrètement à tous ses alliés de Judée pour leur demander de

---

z les marais du Jourdain : il s'agit du lit même du fleuve ; souvent fangeux, rempli d'arbustes épineux, il était d'un accès difficile (voir v. 45) mais pouvait servir de refuge ● *a Bakkhidès :* voir 7.8 ● *b* Le combat a dû avoir lieu sur la rive ouest du Jourdain. Bakkhidès refoule donc Jonathan et ses troupes sur la rive orientale ● *c Jéricho :* dans la vallée du Jourdain, à 25 km au nord-est de Jérusalem. *Emmaüs :* voir 3.40 et la note. *Béthoron :* à 18 km au nord de Jérusalem. *Tamnatha* (ou *Timna,* voir Jos 19.50) : à une quinzaine de km au nord-ouest de Béthel. *Pharathôn* (ou *Piréatôn,* voir Jg 12.15) : à 25 km au nord de Tamnatha, non loin de *Tephôn* (ou *Tappouah,* voir Jos 16.8), en Samarie — Les *verrous* sont les barres transversales qui servaient à bloquer les portes ● *d Bethsour :* voir la note sur 4.29. *Gazara :* voir la note sur 4.15. *la Citadelle :* il s'agit de celle de Jérusalem, voir la note sur 1.33 ● *e En l'année cent cinquante-trois, le second mois :* en avril-mai 159 av. J.C. — *Alkime :* voir 7.5 et la note — *le mur :* sans doute celui qui séparait, dans l'enceinte du Temple, la cour (ou « parvis » réservée aux Juifs de la cour où pouvaient entrer les païens — *l'œuvre des prophètes :* allusion au rôle joué par Aggée et Zacharie dans la reconstruction du Temple après l'Exil ● *f donner des ordres au sujet de sa maison :* expression traditionnelle (cf. 2 R 20.1 et voir la note sur *1 M* 5.5) pour désigner la rédaction d'un testament ou l'expression des dernières volontés ● *g impies :* voir 9.23 et la note — *Bakkhidès :* voir 7.8

9.41 les noces se changeront en deuil Am 8.10. **9.43** le jour du sabbat 2.32+. **9.57** le pays fut en repos 1.3+.

s'emparer de Jonathan et de ses compagnons. Mais leur dessein fut éventé, et ils ne purent réussir. ⁶¹ En revanche, une cinquantaine des instigateurs locaux de ce méfait furent pris et mis à mort. ⁶² Puis Jonathan, Simon et leurs partisans se retirèrent dans le désert à Bethbasi ^h ; ils en relevèrent les ruines et la fortifièrent. ⁶³ Bakkhidès l'apprit, rassembla toute sa troupe et manda aussi ses partisans de Judée. ⁶⁴ Il vint prendre position en face de Bethbasi, l'attaqua durant de nombreux jours et fit construire des machines ⁱ. ⁶⁵ Laissant son frère Simon dans la ville, Jonathan, avec un petit détachement, opéra une sortie dans le pays. ⁶⁶ Il battit Odomera et ses frères, ainsi que les fils de Phasirôn ^j dans leur campement. Ils commencèrent à attaquer et ils montèrent parmi les troupes. ⁶⁷ Simon et ses hommes firent alors une sortie et incendièrent les machines. ⁶⁸ Ils combattirent Bakkhidès : complètement défait, il fut profondément accablé par l'échec de son plan d'attaque. ⁶⁹ Rempli d'un violent ressentiment contre les hommes impies qui l'avaient fait venir dans la région, il en tua beaucoup et décida de rentrer chez lui. ⁷⁰ Quand Jonathan apprit la nouvelle, il lui envoya des messagers pour conclure la paix et régler la restitution des prisonniers. ⁷¹ Il accepta et agit selon la requête de Jonathan, jurant pour la vie de ne plus chercher à lui nuire. ⁷² Il lui rendit ceux qu'il avait fait prisonniers au pays de Juda, puis s'en retourna dans son pays. ⁷³ En Israël, l'épée fut mise au repos et Jonathan s'installa à Makhmas. Là, il se mit à juger le peuple ^k et fit disparaître les impies du milieu d'Israël.

Rivalité d'Alexandre Balas et de Démétrius

10 ¹ En l'an cent soixante, Alexandre Epiphane, fils d'Antiochus, débar-

qua et s'empara de Ptolémaïs ^l. Il fut accueilli et c'est là qu'il commença son règne. ² Apprenant cela, le roi Démétrius ^m rassembla une très forte armée et marcha contre lui pour le combattre. ³ Il écrivit à Jonathan ⁿ une lettre très pacifique, pleine de promesses pour lui. ⁴ Il se disait en effet : « Hâtons-nous de conclure la paix avec eux avant qu'ils ne la fassent avec Alexandre contre nous, ⁵ car alors il se souviendra encore à ce moment-là des maux que nous lui avons fait endurer, ainsi qu'à ses frères et à sa nation. » ⁶ Il l'autorisa même à lever des troupes, à fabriquer des armes et à se dire son allié. Il ordonna de lui remettre les otages de la Citadelle ^o. ⁷ Jonathan vint à Jérusalem et lut le message devant tout le peuple et devant ceux qui étaient dans la Citadelle : ⁸ ils furent pris d'une grande crainte en entendant que le roi donnait à Jonathan l'autorisation de lever des troupes. ⁹ Les gens de la Citadelle remirent les otages à Jonathan et celui-ci les rendit à leurs familles. ¹⁰ Jonathan habita Jérusalem et se mit à bâtir et à restaurer la ville. ¹¹ Il ordonna aux entrepreneurs des travaux de bâtir les remparts et d'entourer le mont Sion ^p d'une muraille de pierres de taille, ce qui fut exécuté. ¹² Les étrangers qui demeuraient dans les forteresses construites par Bakkhidès prirent la fuite. ¹³ Chacun abandonna son poste pour retourner dans son pays. ¹⁴ A Bethsour seulement, on laissa quelques-uns de ceux qui avaient abandonné la Loi et les préceptes : car c'était un lieu de refuge ^q.

¹⁵ Le roi Alexandre apprit les promesses envoyées par Démétrius à Jonathan. On lui raconta aussi les combats et les actes d'héroïsme que ses frères et lui-même avaient accomplis et les peines qu'ils avaient endurées. ¹⁶ « Trouverons-nous jamais un homme pareil ! » s'excla-

---

h Bethbasi: aujourd'hui Beit Baçça, entre Bethléem et Thékoé (voir la note sur le v. 33) ● *i machines* (de siège): voir 5.30 et la note ● *j Odomera* et les *fils de Phasirôn* sont sans doute deux tribus arabes qui s'étaient alliées à Bakkhidès — Cette attaque de diversion rendait possible la sortie de Simon avec le gros des troupes (v. 67) ● *k Makhmas* (ou *Mikmas,* voir 1 S 13.2): à une douzaine de km au nord de Jérusalem. Cette ville était restée célèbre pour l'exploit de Jonathan, le fils de Saül (voir 1 S 14) — *Juger le peuple:* Jonathan est assimilé à un des anciens juges d'Israël (voir Jg 3.10 et la note sur 2.16. Cf. *1 M* 5.5 et la note) ● *l l'an cent soixante:* en septembre-octobre 152 av. J.C. ● *Alexandre Epiphane,* plus souvent appelé Alexandre Balas, se prétendant le fils d'Antiochus Epiphane (voir 1.10) en exploitant sa ressemblance avec lui — *Ptolémaïs:* voir la note sur 5.15 ● *m Le roi Démétrius:* Démétrius I, voir 7,1-4 et la note sur 7.1 ● *n Jonathan:* voir 9.28-31 ● *o la Citadelle:* voir la note sur 1.33 ● *p le mont Sion:* la colline du Temple ● *q Bethsour:* voir la note sur 4.29 — *lieu de refuge:* l'auteur pense peut-être aux villes de refuge pour les meurtriers, prévues par la Loi (voir Ex 21.13; Jos 20.1-6)

9.73 l'épée au repos Jr 47.6; cf. *1 M* 9.57 — juger le peuple Jg 3.10; 4.4 — faire disparaître les impies cf. Dt 13.6; 19.19; 21.22; 1 Co 5.13. **10.6** otages de la Citadelle v. 9; 9.53. **10.12** forteresses construites par Bakkhidès 9.50-52.

ma-t-il. « Il nous faut en faire dès maintenant un ami et un allié. » ¹⁷ Il lui écrivit donc une lettre rédigée en ces termes :
¹⁸ « Le roi Alexandre à son frère Jonathan, salut. ¹⁹ Nous avons appris à ton sujet que tu es un homme vaillant et que tu mérites d'être notre ami.
²⁰ C'est pourquoi, à dater de ce jour, nous t'établissons grand prêtre de ta nation et te donnons le titre d'ami du roi — il l'honora donc de la pourpre et d'une couronne d'or ^r — afin que tu embrasses notre parti et que tu nous gardes ton amitié. »
²¹ Jonathan revêtit les ornements sacrés le septième mois de l'an cent soixante, à l'occasion de la fête des Tentes ^s ; il rassembla des troupes et fabriqua beaucoup d'armes.

Démétrius offre des privilèges aux Juifs

²² Apprenant cela, Démétrius fut contrarié et il dit : ²³ « Qu'avons-nous fait pour qu'Alexandre capte avant nous l'amitié des Juifs pour s'en faire un appui ? ²⁴ Je vais leur écrire moi aussi en termes engageants, avec des offres de situation élevée et de subventions, afin qu'ils me réservent leur appui. » ²⁵ Il leur écrivit en ces termes :
« Le roi Démétrius à la nation des Juifs, salut. ²⁶ Vous avez toujours reconnu la validité des conventions passées entre nous, vous êtes demeurés nos amis, vous n'êtes point passés du côté de nos ennemis. Nous avons appris tout cela et nous nous en sommes réjouis. ²⁷ Continuez à nous garder votre fidélité et nous récompenserons votre attitude par des bienfaits ; ²⁸ nous vous accorderons de nombreux allègements fiscaux et nous

vous ferons des faveurs. ²⁹ D'ores et déjà, je vous libère, je décharge tous les Juifs des contributions, de la gabelle et des couronnes ^t. ³⁰ D'autre part, à compter de ce jour, je fais remise à perpétuité du tiers des produits du sol et de la moitié des fruits des arbres qui me reviennent, au bénéfice du pays de Juda et des trois nomes de la Samaritide et Galilée qui lui sont annexés ^u. ³¹ Jérusalem sera *sainte et exempte, ainsi que son territoire, de dîmes et de droits ^v. ³² Je renonce aussi à la Citadelle ^w de Jérusalem et je la cède au grand prêtre, qui pourra y établir une garde choisie par ses soins. ³³ A tout Juif qui, du pays de Juda, aurait été amené captif n'importe où dans mon royaume, je rends la liberté, sans exiger de rançon. Que tous soient exempts d'impôts, même pour leur cheptel. ³⁴ Toutes les fêtes, les *sabbats et les *néoménies, les fêtes prescrites, avec les trois jours qui précèdent et les trois jours qui suivent, seront tous des jours d'immunité et de rémission ^x pour tous les Juifs de mon royaume. ³⁵ Personne n'aura autorité pour exiger d'eux un paiement ou pour inquiéter quelqu'un d'entre eux au sujet de n'importe quelle affaire. ³⁶ Des Juifs seront enrôlés dans l'armée royale jusqu'à concurrence de trente mille soldats et ils toucheront la même solde que toutes les troupes du royaume. ³⁷ Certains seront affectés aux forteresses royales importantes. Des Juifs seront nommés aux postes de confiance du royaume. Leurs préposés et leurs chefs seront choisis dans leurs rangs et se comporteront selon leurs lois, comme le roi l'a ordonné pour le pays de Juda. ³⁸ Quant aux trois nomes ajoutés à la Judée aux dépens de la province de Samarie, qu'ils soient annexés à la Judée et qu'ils soient considérés comme relevant d'un seul et

---

^r *nous t'établissons grand prêtre:* c'était un des droits du roi que de nommer les grands prêtres (cf. *2 M* 4.10) et Jonathan était de famille sacerdotale (voir *1 M* 2.1, 54 et les notes) — *ami du roi:* voir la note sur 2.18 — *pourpre:* voir la note sur *2 M* 4.38 — *une couronne d'or:* comme celles que portaient les prêtres des cultes hellénistiques ● *s le septième mois...:* au mois d'octobre 152 av. J.C. — *fête des Tentes:* voir au glossaire CALENDRIER ● *t la gabelle* ou *taxe sur le sel:* le sel de la mer Morte ou des marais salants (voir 11.35), considéré comme la propriété du roi — les *couronnes,* comme les *palmes* ou les *rameaux d'olivier* en or (voir 13.37; *2 M* 14.4), étaient, à l'origine, des dons occasionnels faits au roi sous la forme d'une couronne de feuillage en or. Ils devinrent vite une redevance régulière payée en pièces d'or ● *u produits du sol... qui me reviennent:* il s'agit de l'impôt foncier qui était calculé d'après les récoltes. Il est probable que Démétrius rétablit ici l'ancien tribut, moins lourd que l'impôt foncier (voir 11.28 et la note), mais le texte ne le précise pas — *nomes:* terme qui désignait un district ou une province de l'Egypte (voir 11.34) — *annexés:* le roi reconnaît donc les droits de la Judée sur les territoires conquis par Judas Maccabée (cf. 11.34) ● *v sera sainte:* ce privilège comprend le droit d'asile, limité à la ville même (voir v. 43); en revanche, l'exemption d'impôts (*exempte... droits,* voir aussi la note précédente) s'étend à toute la Judée ● *w la Citadelle:* voir la note sur 1.33 ● *x immunité et rémission:* le roi généralise la coutume de suspendre pendant les pèlerinages les dettes et le paiement de droits d'octroi à l'entrée des villes.

n'obéissant à nulle autre autorité qu'à celle du grand prêtre.

39 Je fais don de Ptolémaïs *y*, et du territoire qui s'y rattache, au *sanctuaire de Jérusalem, pour couvrir les dépenses du culte. **40** Quant à moi, je donne chaque année quinze mille sicles *z* d'argent sur les revenus royaux, à prélever dans les endroits qui s'y prêtent. **41** A titre d'arriéré, les fonctionnaires affecteront désormais aux travaux du Temple tout le surplus qu'ils n'ont pas versé, comme ils le faisaient les années précédentes. **42** En outre, les cinq mille sicles d'argent que l'on prélevait sur l'avoir du sanctuaire, au chapitre de ses revenus annuels, seront attribués aux prêtres en exercice. **43** Quiconque se sera réfugié dans le Temple de Jérusalem et dans ses limites, à cause d'un dû au fisc royal ou pour toute autre affaire, sera libre avec tous les biens qu'il possède dans mon royaume.

44 Les frais de travaux de construction et de restauration du sanctuaire se feront au compte du roi. **45** Les frais occasionnés par la reconstruction des murs et la fortification de l'enceinte de Jérusalem et par la construction des remparts ailleurs en Judée seront également au compte du roi. »

Mort du roi Démétrius I

46 Quand Jonathan et le peuple entendirent ces paroles, ils refusèrent d'y croire et de les prendre en considération, parce qu'ils avaient encore en mémoire tout le mal que Démétrius avait fait en Israël et l'oppression qu'il avait fait peser sur eux. **47** Ils se décidèrent en faveur d'Alexandre parce qu'à leurs yeux il tenait des propos pacifiques, et ils furent constamment ses alliés. **48** Le roi Alexandre rassembla de grandes forces et s'avança contre Démétrius. **49** Les deux rois ayant engagé le combat, l'armée d'Alexandre prit la fuite. Démétrius se mit à sa poursuite et l'emporta sur ses soldats. **50** Il mena fortement le combat jusqu'au coucher du soleil. Mais Démétrius succomba ce jour-là.

Alexandre Balas s'allie à Jonathan

51 Alexandre envoya à Ptolémée *a*, roi d'Egypte, des ambassadeurs avec ce message : **52** « Nous voici revenus dans notre royaume et assis sur le trône de nos pères ; nous avons pris le pouvoir, nous avons écrasé Démétrius et nous nous sommes emparés de notre pays. **53** En effet, nous lui avons livré bataille, nous l'avons complètement défait, lui et son armée, et nous avons occupé son trône royal. **54** Maintenant, devenons donc amis, et dès aujourd'hui, donne-moi ta fille en mariage : je serai ton gendre et je te ferai, ainsi qu'à elle, des présents dignes de toi. »

55 Le roi Ptolémée répondit en ces termes : « Heureux le jour où tu es rentré dans le pays de tes pères et où tu t'es assis sur leur trône royal. **56** Et maintenant, je ferai pour toi ce que tu as écrit, mais viens à ma rencontre à Ptolémaïs *b* afin que nous ayons une entrevue, et je serai ton beau-père comme tu l'as dit. »

57 Ptolémée partit d'Egypte avec Cléopâtre sa fille, et vint à Ptolémaïs en l'an cent soixante-deux *c*. **58** Le roi Alexandre vint au-devant de Ptolémée ; celui-ci lui donna sa fille Cléopâtre et célébra le mariage à Ptolémaïs en grande pompe, comme il convient à des rois. **59** Le roi Alexandre écrivit à Jonathan de venir le rencontrer. **60** Celui-ci se rendit à Ptolémaïs en grand apparat et rencontra les deux rois ; il leur donna, ainsi qu'à leurs amis, de l'argent et de l'or et de nombreux présents et trouva grâce à leurs yeux. **61** Alors des gens sans foi ni loi, la peste d'Israël, se liguèrent contre lui. Ils l'accusèrent devant le roi, qui ne leur prêta aucune attention. **62** Il ordonna même d'ôter à Jonathan ses habits et de le revêtir de pourpre *d*, ce qui fut fait. **63** Le roi le fit asseoir auprès de lui et dit à ses dignitaires : « Sortez avec lui au centre de la ville et faites proclamer que personne ne doit déposer de plainte contre lui, pour aucun motif, et que personne ne l'inquiète sous aucun prétexte. » **64** Quand les calomniateurs virent

---

y Ptolémaïs: voir les notes sur 5.15 et *2 M* 6.8. Démétrius encourage ainsi les Juifs à aller attaquer cette ville, territoire de son rival, Alexandre Balas (voir 10.1) ● *z sicles:* il s'agit ici de pièces d'argent correspondant au tétradrachme grec (4 drachmes, voir au glossaire MONNAIES) — Sur cette générosité, voir *2 M* 3.3 et la note ● *a Ptolémée* VI Philométor (180-145 av. J.C.) ● *b Ptolémaïs:* voir la note sur 5.15 ● *c l'an cent soixante-deux:* en automne 150 av. J.C. (voir la note sur 1.10) ● *d revêtir de pourpre:* voir la note sur *2 M* 4.38

10.44 frais au compte du roi v. 45; Esd 6.4.

les honneurs qu'on lui rendait, selon la proclamation royale, et la pourpre sur ses épaules, ils prirent tous la fuite. ⁶⁵ Le roi lui fit l'honneur de l'inscrire parmi ses premiers amis, et l'institua stratège et gouverneur ᵉ. ⁶⁶ Jonathan revint à Jérusalem en paix et dans la joie.

Victoire de Jonathan sur Appollonius

⁶⁷ En l'an cent soixante-cinq, Démétrius fils de Démétrius vint de Crète dans le pays de ses pères ᶠ. ⁶⁸ En l'apprenant, le roi Alexandre, très contrarié, s'en retourna à Antioche ᵍ. ⁶⁹ Démétrius confirma Apollonius comme gouverneur de Coelé-Syrie ; celui-ci rassembla une grande armée, vint camper près de Jamnia ʰ et envoya dire au grand prêtre Jonathan :

⁷⁰ « Tu es vraiment le seul à te dresser contre nous et, à cause de toi, me voici devenu un objet de dérision et de honte. Pourquoi exercer ton autorité contre nous dans les montagnes ? ⁷¹ Si tu as confiance dans tes troupes, descends donc maintenant vers nous dans la plaine et là, mesurons-nous l'un à l'autre, car la force des villes est avec moi. ⁷² Informe-toi et apprends qui je suis et qui sont ceux qui nous prêtent leur concours. Ceux-là disent que vous ne pouvez tenir pied face à nos lignes, puisque par deux fois déjà tes pères ont été mis en déroute dans leur propre pays. ⁷³ Tu ne pourras pas résister à la cavalerie et à une aussi grande armée, dans la plaine où il n'y a ni terrain accidenté, ni caillasse, ni d'endroit où fuir. »

⁷⁴ Lorsque Jonathan entendit les paroles d'Apollonius, il en fut tout ébranlé. Il fit choix de dix mille hommes et partit de Jérusalem ; son frère Simon le rejoignit pour lui prêter main forte. ⁷⁵ Il dressa le camp devant Joppé ⁱ. Les habitants fermèrent les portes, car il y avait une garnison d'Apollonius. Ils commencèrent l'attaque. ⁷⁶ Pris de peur, les habitants de la ville ouvrirent les portes, et Jonathan se rendit maître de Joppé. ⁷⁷ En apprenant la chose, Apollonius mit en ligne trois mille cavaliers et une grande armée, et il se dirigea vers Azôtos ʲ comme pour traverser le pays, tandis qu'en même temps il s'enfonçait dans la plaine, confiant dans sa nombreuse cavalerie. ⁷⁸ Jonathan le poursuivit du côté d'Azôtos et les armées engagèrent le combat. ⁷⁹ Apollonius avait laissé mille cavaliers dissimulés derrière eux. ⁸⁰ Jonathan eut vent de ce projet d'embuscade sur ses arrières. Les cavaliers cernèrent son armée et lancèrent leurs traits sur la troupe depuis le matin jusqu'au soir. ⁸¹ Ceux-ci tinrent bon selon la consigne de Jonathan et les chevaux se fatiguèrent. ⁸² C'est alors que Simon, entraînant ses troupes, attaqua la phalange ᵏ : la cavalerie s'épuisa, les ennemis furent écrasés par Simon et s'enfuirent. ⁸³ La cavalerie se dispersa dans la plaine. Les fuyards arrivèrent à Azot et entrèrent dans le « Temple de Dagôn ˡ », le sanctuaire de leur idole, pour y trouver le salut. ⁸⁴ Jonathan incendia Azot et les villes alentour. Il les dépouilla et livra aux flammes le sanctuaire de Dagôn et ceux qui s'y étaient réfugiés. ⁸⁵ Au total huit mille hommes périrent par l'épée ou par le feu. ⁸⁶ Jonathan partit de là, et prit position près d'Ascalon ᵐ. Les habitants sortirent à sa rencontre en grande pompe. ⁸⁷ Jonathan et les siens revinrent alors à Jérusalem, chargés d'un grand butin. ⁸⁸ Le roi Alexandre, apprenant tout cela, accorda de nouveaux honneurs à Jonathan. ⁸⁹ Il lui envoya une agrafe d'or comme c'est l'usage de l'accorder aux parents du roi. Il lui donna en propriété Akkarôn ⁿ et tout son territoire.

Campagne du roi Ptolémée contre Alexandre

11 ¹ le roi d'Egypte rassembla une armée nombreuse comme le sable

---

e premiers amis: voir la note sur 2.18 — *stratège:* voir la note sur *2 M* 3.5 — *gouverneur:* littéralement *chef d'une méride,* c'est-à-dire d'un district plus grand qu'une stratégie, ici la Judée plus les trois nomes (voir v. 30 et la note) ● *f l'an cent soixante-cinq:* en 147 av. J.C. — *Démétrius:* Démétrius II Nikator (voir 11.19 et la note), fils de Démétrius I (tué en combattant Alexandre, v. 50) — *ses pères* ou *ses ancêtres* ● *g Antioche:* voir 3.37 — *h* C'est sans doute le même *Apollonius* dont l'historien grec Polybe raconte qu'il aida Démétrius I à s'évader de Rome (voir 7.1 et la note sur 1.10) — *gouverneur de Coelé-Syrie:* voir *2 M* 3.5 et la note — *Jamnia:* voir la note sur 5.58 ● *i Joppé:* voir la note sur *2 M* 12.3 ● *j Azôtos* (ou *Azot,* v. 83-84): voir la note sur 5.68 ● *k la phalange:* voir la note sur 6.35 ● *l Dagôn:* dieu des Philistins (voir Jg 16.23) ● *m Ascalon:* ville du littoral, au sud d'Azot ● *n l'agrafe d'or,* qui servait à attacher la cape de pourpre (voir la note sur *2 M* 4.38), était l'insigne du titre de *parent du roi* (voir la note sur 2.18) — *Akkarôn* (ou *Eqrôn,* Jos 13.3): ancienne cité philistine située à 7 km environ à l'est de Jamnia (voir la note sur 5.58)

10.72 deux fois mis en déroute 5.55-62 ; 9.1-22 ; cf. 1 S 4.2-10 ; 31.1-13.

au bord de la mer, ainsi qu'une grande flotte, et il chercha à s'emparer par ruse du royaume d'Alexandre *o*, pour l'ajouter à son royaume. ² Il se rendit en Syrie avec des paroles de paix. Les gens des villes lui ouvraient leurs portes, allaient à sa rencontre et le recevaient, car l'ordre du roi Alexandre était de recevoir son beau-père. ³ Or, à peine entré dans une ville, Ptolémée y laissait des troupes en garnison. ⁴ Comme il approchait d'Azôtos, on lui montra le sanctuaire de Dagôn *p* incendié, Azôtos et ses environs détruits, les cadavres jetés çà et là et les restes de ceux qui avaient été brûlés pendant le combat, car on les avait entassés là où le roi devait passer. ⁵ On rapporta au roi les actions de Jonathan, pour susciter sa réprobation, mais il garda le silence. ⁶ Jonathan vint à la rencontre du roi à Joppé *q* en grande pompe ; ils se saluèrent mutuellement et passèrent la nuit en ce lieu. ⁷ Jonathan accompagna le roi jusqu'au fleuve appelé Eleuthère *r*, puis il revint à Jérusalem.

⁸ Le roi Ptolémée se rendit maître des villes côtières jusqu'à Séleucie maritime *s*, et il projetait de mauvais desseins contre Alexandre. ⁹ Il envoya des ambassadeurs auprès du roi Démétrius *t* pour lui dire : « Viens, concluons ensemble un traité, je te donnerai ma fille qui est la femme d'Alexandre, et tu régneras sur le royaume de ton père. ¹⁰ Je me repens en effet de lui avoir donné ma fille, car il a cherché à me tuer. » ¹¹ Il le blâmait de la sorte, parce qu'il convoitait son royaume. ¹² Lui ayant enlevé sa fille, il la donna à Démétrius, changea d'attitude envers Alexandre et leur inimitié devint manifeste. ¹³ Ptolémée fit son entrée à Antioche et ceignit le diadème d'Asie *u*, unissant ainsi sur son front deux diadèmes, celui d'Egypte et celui d'Asie. ¹⁴ Le roi Alexandre se trouvait en ce temps-là en Cilicie, parce que les

habitants de cette région s'étaient révoltés. ¹⁵ Apprenant ce qui s'était passé, Alexandre marcha contre Ptolémée pour le combattre. Ce dernier se mit en mouvement avec une puissante armée et le mit en déroute. ¹⁶ Alexandre s'enfuit en Arabie et le roi Ptolémée triompha. ¹⁷ Zabdiel *v* l'Arabe décapita Alexandre et envoya sa tête à Ptolémée. ¹⁸ Quant au roi Ptolémée, il mourut le surlendemain, et les garnisons de ses places fortes furent massacrées par les habitants. ¹⁹ Démétrius devint roi en l'an cent soixante-sept *w*.

Démétrius II fait un accord avec les Juifs

²⁰ En ces jours-là Jonathan rassembla ceux de la Judée pour attaquer la Citadelle qui est à Jérusalem, et ils dressèrent contre elle de nombreuses machines de guerre *x*. ²¹ Alors des gens sans foi ni loi, qui haïssaient leur nation, allèrent trouver le roi pour lui annoncer que Jonathan assiégeait la Citadelle. ²² A ces paroles, Démétrius se mit en colère et se rendit aussitôt à Ptolémaïs. Il écrivit à Jonathan de lever le siège et de venir au plus vite s'entretenir avec lui à Ptolémaïs *y*. ²³ Apprenant cela, Jonathan ordonna de continuer le siège, il choisit quelques *anciens d'Israël et quelques prêtres et s'exposa lui-même au danger. ²⁴ Prenant en effet avec lui de l'argent, de l'or, des vêtements et d'autres présents en abondance, il se rendit auprès du roi à Ptolémaïs, et trouva grâce à ses yeux. ²⁵ Quelques impies de sa nation essayèrent bien de l'accuser, ²⁶ mais le roi agit envers lui à l'instar de ses prédécesseurs et il l'éleva devant tous ses amis. ²⁷ Il lui confirma le pontificat et toutes ses dignités antérieures et le fit mettre au nombre de ses premiers amis *z*. ²⁸ Jonathan demanda au roi d'exempter d'impôts la Judée et les trois toparchies de la Samaritide, en

---

o Alexandre Balas, voir 10.1 et la note ● *p Azôtos* voir la note sur 5.68 — *Dagôn:* voir la note sur 10.83 ● *q Joppé:* voir la note sur *2 M* 12.3 ● *r Eleuthère:* aujourd'hui le nahr el Kebir, qui marque la frontière entre le nord du Liban et la Syrie ● *s Séleucie maritime:* ville située à l'embouchure de l'Oronte et qui servait de port à la capitale, Antioche, distante d'environ 30 km ● *t Démétrius* II, voir 10.67 et la note ● *u diadème:* voir la note sur 8.14 — *Asie:* en fait, Ptolémée garde seulement la Coelé-Syrie (voir la note sur *2 M* 3.5) ● *v* D'après l'historien grec Diodore, c'est à ce *Zabdiel* qu'Alexandre avait confié son fils, le futur Antiochus VI (voir v. 39 et la note) ● *w l'an cent soixante-sept:* en août-septembre 145 av. J.C. (voir la note sur 1.10) — Démétrius II régna de 145 à 125 av. J.C., avec une interruption de 138 à 129, pendant sa captivité chez les Parthes ● *x Citadelle:* voir la note sur 1.33. Démétrius I y avait renoncé (voir 10.32); Jonathan veut rendre cette cession effective — *machines de guerre:* voir la note sur 5.30 ● *y* voir la note sur 5.15 ● *z le pontificat* (ou la charge de grand prêtre): cette fonction avait été accordée à Jonathan par Alexandre Balas (voir 10.20 et la note) — *premiers amis:* voir la note sur 1.28

11.2 paroles de paix 1.30+. **11.11** gens sans foi ni loi 1.11. **11.20** attaque de la Citadelle 6. 20+. **11.27** confirma le pontificat cf. 10.20.

lui promettant en retour trois cents talents [a]. ²⁹ Le roi y consentit et il écrivit comme suit à Jonathan : ³⁰ « Le roi Démétrius à Jonathan son frère [b] et à la nation des Juifs, salut. ³¹ Une copie de la lettre que nous avons écrite à notre parent Lasthène [c] vous est adressée pour information. ³² Le roi Démétrius à Lasthène son père, salut. ³³ A cause de leurs bons sentiments à notre égard, nous avons décidé de faire du bien à la nation des Juifs qui sont nos amis et se conduisent envers nous avec droiture. ³⁴ Nous leur confirmons la possession de la Judée et des trois nomes d'Aphéréma, de Lydda et de Ramathaïm. Ils ont été détachés de la Samaritide au profit de la Judée, avec toutes leurs dépendances, en faveur de tous ceux qui sacrifient à Jérusalem, en échange des droits régaliens annuels que le roi percevait auparavant sur les produits de leur terre et de leurs arbres [d]. ³⁵ Quant à ce qui nous revient encore sur les dîmes, quant aux droits divers qui nous sont dus, y compris ceux des marais salants et des couronnes [e], il y a dorénavant remise totale. ³⁶ Dès maintenant et à perpétuité, ces dispositions ne souffriront aucune dérogation. ³⁷ Ayez donc soin de faire exécuter une copie de cette lettre et qu'elle soit donnée à Jonathan pour être placée sur la montagne sainte [f] bien en vue. »

Jonathan secourt Démétrius II à Antioche

³⁸ Le roi Démétrius qui voyait le pays en repos sous sa direction, et qui ne sentait plus aucune résistance à son autorité, démobilisa toute son armée et renvoya chacun dans ses foyers, à l'exception des troupes étrangères qu'il avait recrutées dans les îles des nations [g]. Pour cette raison il s'attira la haine de toutes les troupes qu'il tenait de ses pères. ³⁹ Or Tryphon, qui avait fait partie des gens d'Alexandre, constatant les récriminations unanimes de l'armée contre Démétrius, se rendit chez Iamlikos l'Arabe [h] qui élevait Antiochus, le jeune fils d'Alexandre. ⁴⁰ Il le pressait de lui livrer l'enfant pour qu'il règne à la place de son père et il l'informa de tout ce qu'avait ordonné Démétrius et combien les troupes le haïssaient. Il resta là de longs jours.

⁴¹ Jonathan fit demander au roi Démétrius de faire sortir ses garnisons de la Citadelle de Jérusalem et des autres forteresses, car elles étaient toujours en état de guerre avec Israël. ⁴² Démétrius fit répondre à Jonathan : « Non seulement je ferai cela pour toi et pour ta nation, mais je te couvrirai d'honneur, toi et ta nation, à la première occasion. ⁴³ Pour l'instant, tu ferais bien de m'envoyer des hommes pour combattre à mes côtés, car toutes mes troupes ont fait défection. » ⁴⁴ Jonathan lui envoya à Antioche trois mille vaillants guerriers dont l'arrivée réjouit le roi. ⁴⁵ Les gens de la ville se rassemblèrent dans le centre, au nombre d'environ cent vingt mille, avec le dessein de faire périr le roi. ⁴⁶ Celui-ci se réfugia dans le palais, tandis que les gens de la ville envahissaient les rues, et les combats commencèrent. ⁴⁷ Le roi appela les Juifs à la rescousse ; ils se rassemblèrent tous auprès de lui, puis, se répandant dans la ville, ils tuèrent en ce jour-là environ cent mille personnes. ⁴⁸ Ils incendièrent ce jour-là la ville tout en amassant

a exempter d'impôts.. il s'agit d'accorder à la Judée et aux trois *toparchies* (ou *nomes*, voir 10.30 et la note) le régime du tribut, qui était traditionnellement de trois cents talents, et de supprimer l'impôt foncier, comme l'avait fait Démétrius I (voir 10.30 et la note) — *talents:* voir au glossaire MONNAIES ● b *frère* (du roi): voir la note sur 2.18. Démétrius reconnaît à Jonathan tous les titres que lui avaient conférés Alexandre Balas ● c *Lasthène:* haut dignitaire de la cour séleucide (voir la note sur 1.8); il était originaire de Crète, où il avait recruté des mercenaires qui permirent à Démétrius II de s'emparer du trône (voir 10.67) ● d *nomes:* voir la note sur 10.30 — *Aphéréma* (ou *Ofra*, Jos 18.23, ou *Ephraïm*, 2 S 13.23; Jn 11.54): aujourd'hui Tayibeh, à une vingtaine de km au nord-est de Jérusalem. *Lydda* (ou *Lod*, 1 Ch 8.11): ville située à une vingtaine de km à l'est de Joppé (voir la note sur *2 M* 12.3). *Ramathaïm* ou *Rama* (voir 1 S 1.1 et la note) ou encore *Arimathée* (Mt 27.57) — *droits régaliens* (ou *droits du roi*): les impôts sur les récoltes des trois nomes dont donc maintenus, contrairement à ce que demandait Jonathan (voir v. 28 et la note) et à ce qu'avait accordé Démétrius I (voir 10.30-31 et les notes) ● e *marais salants* et *couronnes:* voir la note sur 10.29 — Démétrius II ne confirme pas tous les avantages promis par son père: il n'est pas question ici de rendre la Citadelle (voir v. 20 et la note) ● f *montagne sainte:* Jérusalem ● g *îles des nations:* expression hébraïque (cf. Gn 10.5) qui désigne ici la Crète (voir 10.67; 11.31 et les notes) ● h *Tryphon:* surnom de Diodote, général de Démétrius I qui était passé au service d'Alexandre Balas; il nous est connu grâce à l'historien grec Diodore — *Iamlikos l'Arabe:* peut-être le fils de Zabdiel (voir v. 17 et la note). Il résidait sans doute à Chalcis, au sud-ouest d'Alep

11.38 pays en repos 1.3+. **11.41** faire sortir les garnisons de la Citadelle cf. 6.20+.

un abondant butin, et le roi fut sauvé. ⁴⁹ Voyant que les Juifs s'étaient rendus maîtres de la ville comme ils voulaient, la détermination des habitants fut ébranlée et ils crièrent vers le roi, le suppliant ainsi : ⁵⁰ « Donne-nous la main droite *i*, et que les Juifs cessent de combattre contre nous et contre la ville. » ⁵¹ Ils jetèrent les armes et firent la paix. Les Juifs furent couverts de gloire en présence du roi et aux yeux de tous ceux de son royaume. S'y étant ainsi fait un nom, les Juifs regagnèrent Jérusalem, chargés d'un butin considérable. ⁵² Le roi Démétrius s'affermit sur le trône royal, et le pays fut en repos sous sa direction. ⁵³ C'est alors qu'il manqua à toutes ses promesses et qu'il devint tout autre à l'égard de Jonathan. Il ne reconnut plus les services rendus et lui infligea mille vexations.

Jonathan prend parti pour Antiochus VI

⁵⁴ Après cela, Tryphon revint avec Antiochus, tout jeune enfant qui devint roi et saisit le diadème *j*. ⁵⁵ Toutes les troupes congédiées par Démétrius se rassemblèrent autour de Tryphon et combattirent Démétrius qui prit la fuite et fut mis en déroute. ⁵⁶ Tryphon prit les éléphants et s'empara d'Antioche. ⁵⁷ Le jeune Antiochus écrivit à Jonathan en ces termes : « Je te confirme dans la charge de grand prêtre, je t'établis à la tête des quatre nomes et je te compte parmi les amis du roi *k*. » ⁵⁸ Il lui envoya aussi les vases d'or et un service de table, en lui donnant l'autorisation de boire dans les coupes d'or, de porter la pourpre et l'agrafe d'or *l*. ⁵⁹ Il nomma Simon son frère stratège depuis les Echelles de Tyr jusqu'à la

frontière d'Egypte *m*. ⁶⁰ Jonathan partit et parcourut la Transeuphratène, y compris les villes. Toutes les troupes de Syrie se rangèrent auprès de lui pour combattre à ses côtés. Il vint à Ascalon *n* et les habitants le reçurent en grande pompe. ⁶¹ De là, il partit pour Gaza *o*, mais les portes de la ville se fermèrent. Il l'assiégea, incendia les environs et se livra au pillage. ⁶² Les gens de Gaza supplièrent Jonathan : il leur tendit la main droite *p*, mais prit comme otages les fils de leurs chefs qu'il envoya à Jérusalem. Il parcourut ensuite la région jusqu'à Damas.

⁶³ Jonathan apprit que les généraux de Démétrius se trouvaient près de Kédès *q* de Galilée avec une nombreuse armée, afin de le démettre de ses fonctions. ⁶⁴ Il se porta à leur rencontre ; il avait laissé son frère Simon dans le pays. ⁶⁵ Ce dernier prit position devant Bethsour *r* et la combattit pendant de longs jours, lui imposant le blocus. ⁶⁶ Les habitants lui demandèrent d'accepter leur main droite, ce qu'il fit. Toutefois, leur ayant fait évacuer la ville, il occupa les lieux et y plaça une garnison. ⁶⁷ Quant à Jonathan et à son armée, ils avaient pris position au-dessus des eaux de Gennésar et, de bon matin, ils arrivèrent dans la plaine d'Asôr *s*. ⁶⁸ Et voici que l'armée des étrangers s'avançait à sa rencontre dans la plaine, mais ils avaient embusqué un détachement dans les collines. ⁶⁹ D'en face, Jonathan fit mouvement. L'embuscade surgit alors de sa position et le combat s'engagea. ⁷⁰ Tous les soldats de Jonathan prirent la fuite, pas un ne resta, à l'exception de deux chefs de ses troupes, Mattathias fils d'Absalom et Judas fils de Khalphi. ⁷¹ Jonathan *déchira ses vêtements, répandit de la terre sur sa

---

i la main droite: voir la note sur 6.58 ● *j Tryphon:* voir la note sur le v. 39 — *Antiochus VI* Dionysos, fils d'Alexandre Balas, régna depuis l'été 144 jusqu'à son assassinat par Tryphon en 142 av. J.C. (voir 13.31) — *diadème:* voir la note sur 8.14 ● *k quatre nomes:* voir la note sur 10.30; on parle généralement des *trois nomes* (voir 11.34), le quatrième est celui d'Akrabatta (voir la note sur 5.3) — *amis du roi:* voir la note sur 2.18 ● *l pourpre* et *agrafe d'or:* voir la note sur 10.89. Antiochus VI renouvelle à Jonathan les faveurs déjà concédées par son père Alexandre Balas et par Démétrius II (cf. 11.30 et la note) ● *m stratège:* voir la note sur 2 M 3.5 — *Echelles de Tyr:* nom traditionnel de deux escarpements qui forment comme un escalier à une dizaine de km au sud de Tyr — *depuis... frontière d'Egypte:* ce sont les limites de la Zone Maritime ou province du *Littoral* (voir 15.38), dont la capitale était Jamnia ● *n Transeuphratène:* voir la note sur 7.8. Ici ce terme désigne plus précisément la Coelé-Syrie (voir la note sur 2 M 3.5) — *Ascalon:* voir la note sur 10.86 ● *o Gaza:* ancienne cité Philistine (voir 1 S 6.17), qui était devenue un centre hellénistique particulièrement hostile aux Juifs ● *p il tendit la main droite:* voir la note sur 6.58 ● *q Kédès:* l'ancienne Qadesh de Nephtali (voir Jos 12.22), à 36 km au sud-est de Tyr ● *r Bethsour:* voir la note sur 4.29 ● *s les eaux de Gennésar* (ou *Gennésareth,* voir Lc 5.1): le lac de Kinnéreth, appelé aussi mer de Galilée ou de Tibériade (voir Jn 6.1) — *Asôr* (ou *Haçor,* voir Jos 11.10): importante forteresse située à une dizaine de km au nord du lac

11.70 Absalom 13.11; *2 M* 11.17.

tête et pria. ⁷² Puis il engagea le combat contre eux, il les mit en déroute et ils s'enfuirent. ⁷³ Voyant cela, les fuyards de son camp le rallièrent et ils firent la poursuite avec lui jusqu'à Kédès, jusqu'au camp ennemi et ils campèrent là. ⁷⁴ En ce jour-là, parmi les étrangers, trois mille hommes environ tombèrent et Jonathan retourna à Jérusalem.

Jonathan renouvelle l'alliance avec Rome

12 ¹ Jonathan, voyant que la conjoncture lui était favorable, choisit des hommes qu'il envoya à Rome pour confirmer et renouveler l'amitié avec les Romains. ² Il adressa encore des lettres analogues à Sparte et ailleurs ᵗ. ³ Ils allèrent donc à Rome, furent introduits au Sénat où ils s'exprimèrent en ces termes : « Jonathan, le grand prêtre, et la nation des Juifs nous ont envoyés renouveler l'amitié et l'alliance avec eux comme elle existait antérieurement. » ⁴ Le Sénat leur donna des lettres pour les autorités de chaque pays, afin qu'ils soient acheminés en paix vers le pays de Juda.

⁵ Voici la copie de la lettre de Jonathan aux Spartiates :

⁶ « Jonathan, grand prêtre, le Sénat de la nation ᵘ, les prêtres et le reste du peuple juif, aux Spartiates leurs frères, salut. ⁷ Autrefois déjà, une lettre fut envoyée au grand prêtre Onias de la part d'Aréios ᵛ qui régnait sur vous, attestant que vous êtes nos frères, comme en témoigne la copie ci-dessous. ⁸ Onias reçut l'émissaire avec honneur et prit la lettre où il était clairement question d'alliance et d'amitié. ⁹ Ainsi nous, quoique n'ayant pas besoin de ces choses — les livres saints qui sont entre nos mains sont en effet notre consolation —, ¹⁰ nous avons tenté d'envoyer quelqu'un renouveler l'alliance et l'amitié, avant que nous ne devenions des étrangers pour vous, car beaucoup d'années ont passé depuis que vous

nous avez envoyé une délégation. ¹¹ Nous ne cessons, en tout temps, de nous souvenir de vous aux fêtes et aux autres jours fériés, dans les *sacrifices et les prières, ainsi qu'il est juste et convenable à l'égard de frères. ¹² Nous nous réjouissons de votre gloire. ¹³ Quant à nous, nous avons été assaillis d'épreuves et de guerres, et les rois d'alentour nous ont combattus. ¹⁴ Nous n'avons pas voulu vous importuner, vous et nos autres alliés et amis, à propos de ces guerres. ¹⁵ Pour nous aider, nous avons en effet un secours qui nous vient du *Ciel et nous avons été délivrés de nos ennemis et ceux-ci ont été humiliés. ¹⁶ Nous avons donc choisi Numénius, fils d'Antiochus, et Antipater, fils de Jason, et nous les avons envoyés auprès des Romains pour renouveler avec eux notre amitié et notre alliance antérieures. ¹⁷ Nous leur avons aussi enjoint d'aller chez vous, de vous saluer et de vous remettre notre lettre au sujet du renouvellement de l'alliance et de nos liens de fraternité. ¹⁸ Veuillez donc nous répondre à ce sujet. »

¹⁹ Voici la copie de la lettre envoyée à Onias : ²⁰ « Aréios, roi des Spartiates, à Onias, grand prêtre, salut. ²¹ On a découvert dans un texte sur les Spartiates et les Juifs qu'ils sont frères et qu'ils sont de la race d'Abraham ʷ. ²² Maintenant que nous savons cela, il serait bon de nous écrire au sujet de votre prospérité. ²³ Nous vous répondons quant à nous : vos troupeaux et vos biens sont à nous et les nôtres sont les vôtres. En conséquence, nous ordonnons que cela vous soit annoncé. »

L'armée de Démétrius fuit devant Jonathan

²⁴ Jonathan apprit que les généraux de Démétrius étaient réapparus avec des troupes plus nombreuses qu'auparavant pour le combattre. ²⁵ Il partit pour Jérusalem et se porta à leur rencontre vers le

---

ᵗ La ville de *Sparte*, dans le Péloponèse, était en train de reprendre une certaine importance politique — *ailleurs*: les autres missions auront lieu après la mission à Rome (cf. 15.15), sur le chemin du retour ● ᵘ le *Sénat de la nation*: il s'agit de la traditionnelle assemblée des *anciens (voir v. 35; 13.36; 14.20, 28), mais Jonathan parle à des Grecs et emploient les termes qui correspondent à leurs institutions ● ᵛ La lettre aurait été envoyée par *Aréios* I, le plus connu des rois de Sparte (309-265), au premier *Onias*, ancêtre de la famille sacerdotale des Oniades; mais on n'en connaît pas d'autre témoignage (voir la note sur le v. 21) ● ʷ Le *texte sur les Spartiates et les Juifs* peut venir de la colonie juive de Sparte — *qu'ils sont frères... d'Abraham*: voir la note sur *2 M* 5.9

12.1 ambassade à Rome cf. 8.17-32. **12.6** leurs frères v. 21; *2 M* 5.9; cf. *1 M* 14.40. **12.16** Numénius et Antipater 14.22; 15.15 — Jason 8.17. **12.21** frères v. 6+.

pays de Hamath *x*, car il ne leur donna pas le loisir de pénétrer dans son pays. ²⁶ Il envoya des espions dans leur camp ; ceux-ci revinrent et l'informèrent que les ennemis s'apprêtaient à fondre sur eux de nuit. ²⁷ Au coucher du soleil, Jonathan ordonna aux siens de veiller et de garder les armes à portée de la main, prêts au combat pendant toute la nuit. Il disposa aussi des avant-postes tout autour du camp. ²⁸ Apprenant que Jonathan et les siens étaient prêts au combat, les adversaires eurent peur et, le cœur plein d'effroi, allumèrent des feux dans leur camp. ²⁹ Mais Jonathan et les siens ne s'aperçurent de leur départ qu'au matin, car ils voyaient les feux. ³⁰ Jonathan lança à leur poursuite sans les atteindre, car ils avaient franchi le fleuve Eleuthère *y*.

³¹ Jonathan se tourna alors contre les Arabes appelés Zabadéens *z*. Il les battit et s'empara de leurs dépouilles. ³² Ayant levé le camp, il vint à Damas et parcourut toute la région. ³³ Simon, lui aussi, se mit en marche et s'avança jusqu'à Ascalon et aux places fortes voisines. Il se rabattit ensuite vers Joppé *a* et l'occupa à titre préventif. ³⁴ Il avait appris en effet que les habitants voulaient livrer la forteresse aux gens de Démétrius. Il y installa une garnison pour la garder.

Jonathan fortifie Jérusalem

³⁵ A son retour, Jonathan réunit les *anciens du peuple et décida avec eux de bâtir des forteresses en Judée, ³⁶ de surélever les remparts de Jérusalem, d'élever une séparation entre la Citadelle *b* et la ville, afin de l'isoler et pour que les gens de Démétrius ne puissent ni acheter ni vendre. ³⁷ Ils se rassemblèrent pour rebâtir la ville, car une partie du rempart du torrent à l'est de la ville était tombée ; on remit aussi en état le quartier appelé Khaphenatha *c*. ³⁸ Simon rebâtit Adida *d*

dans le *Bas-Pays, il la fortifia et la dota de portes munies de verrous.

Tryphon prend Jonathan en otage

³⁹ Tryphon cherchait à régner sur l'Asie, à ceindre le diadème et à porter la main contre le roi Antiochus *e*. ⁴⁰ Craignant que Jonathan ne le laisse pas faire et ne l'attaque, il cherchait le moyen de se saisir de lui et de le faire périr. Il partit et vint à Bethsân *f*. ⁴¹ Accompagné de quarante mille hommes d'élite, Jonathan se porta à sa rencontre et vint à Bethsân. ⁴² Voyant qu'il était venu avec une armée nombreuse, Tryphon se garda de mettre la main sur lui. ⁴³ Il le reçut avec honneur, le présenta à tous ses amis, lui offrit des présents et ordonna à tous ses amis et à ses troupes d'obéir à Jonathan comme à lui-même. ⁴⁴ Il dit à Jonathan : « Pourquoi avoir imposé des fatigues à tous ces gens, alors qu'aucune guerre ne nous menace ? ⁴⁵ Renvoie-les donc dans leurs foyers, choisis quelques hommes pour t'escorter et viens avec moi à Ptolémaïs *g*. Je te livrerai cette ville et les autres forteresses, le reste des troupes et tous les fonctionnaires, puis je m'en retournerai, car c'est pour cela que je suis ici. » ⁴⁶ Se fiant à lui, Jonathan agit comme il l'avait dit : il renvoya son armée qui repartit pour le pays de Juda. ⁴⁷ Il garda avec lui trois mille hommes dont il détacha mille en Galilée ; les mille autres l'accompagnèrent. ⁴⁸ Mais quand Jonathan fut entré dans Ptolémaïs, les habitants fermèrent les portes, se saisirent de lui et tuèrent par l'épée tous ceux qui étaient entrés avec lui. ⁴⁹ Tryphon envoya des troupes et de la cavalerie en Galilée et dans la Grande Plaine *h*, pour faire périr tous les partisans de Jonathan. ⁵⁰ Ceux-ci comprirent qu'il avait été appréhendé et qu'il était perdu ainsi que ses compagnons. Ils s'encouragèrent mutuellement et s'avancèrent en rangs ser-

---

x le pays de Hamath, ou district d'Apamène, se trouvait à la limite nord-est de la Coelé-Syrie (voir la note sur 2 M 3.5) ● *y Eleuthère*: voir la note sur 11.7 ● *z Arabes Zabadéens*: tribu habitant la région comprise entre l'Anti-Liban et Damas, où se trouve encore aujourd'hui la ville de Zebdani ● *a Ascalon*: voir la note sur 11.86 — *Joppé*: voir la note sur 2 M 12.3 ● *b La Citadelle* (voir la note sur 1.33) était toujours aux mains des partisans de Démétrius II (voir 11.20 et la note) ● *c le mur du torrent*: celui qui surplombe le Cédron — *Khaphénatha*: terme araméen qui désigne probablement le *nouveau quartier* (voir 2 R 22.14) ou *ville neuve* (voir So 1.10), au nord-ouest du Temple ● *d Adida* (ou *Hadîd*, voir Esd 2.33): à 6 km au nord-est de Lydda (voir la note sur 11.34), à la limite est de la plaine côtière (voir 13.13) ou **Bas-Pays* ● *e Tryphon*: voir la note sur 11.39 — *Asie*: ici, le royaume séleucide (voir la note sur 1.8) — *diadème*: voir la note sur 8.14 — *Antiochus* VI, fils d'Alexandre Balas ● *f Besthân*: voir la note sur 2 M 12.29 ● *g Ptolémaïs*: voir la note sur 5.15 ● *h la Grande Plaine*: située entre Bethsân et le Jourdain (voir 5.52).

12.36 surélever les remparts 10.11 ; cf. 6.62 — isoler la Citadelle 6.20 + .

rés, prêts au combat. 51 Leurs poursuivants, voyant qu'ils luttaient pour leur
vie, s'en retournèrent. 52 Ils arrivèrent
tous en paix [i] en Judée, ils pleurèrent
Jonathan et ses compagnons et ils éprouvèrent une grande crainte. Tout Israël
mena un grand deuil. 53 Toutes les nations
d'alentour cherchèrent à les anéantir.
« Ils n'ont ni chef ni soutien, disaient-ils,
attaquons-les donc maintenant, et nous
effacerons d'entre les hommes leur souvenir. »

Simon succède à Jonathan

13 1 Simon apprit que Tryphon [j]
avait réuni une grande armée pour
se rendre au pays de Juda et le ravager.
2 Voyant le peuple tremblant de peur, il
monta à Jérusalem, rassembla le peuple
3 et le rassura en leur disant : « Vous
savez bien tout ce que moi, mes frères
et la maison de mon père, avons accompli pour les lois et le *sanctuaire ainsi
que les combats et les détresses que nous
avons connus. 4 C'est pour cela que tous
mes frères sont morts pour Israël, et moi
je suis resté seul. 5 Loin de moi la pensée
de sauver ma vie, quel que soit ce temps
de détresse. Je ne suis pas meilleur que
mes frères. 6 Mais plutôt, je vengerai
ma nation, le sanctuaire, vos femmes et
vos enfants, parce que toutes les nations,
poussées par la haine, se sont coalisées
pour nous anéantir. » 7 En entendant ces
paroles, l'esprit du peuple se ranima, 8 et
ils répondirent d'une voix forte : « Tu
es notre chef à la place de Judas et de
Jonathan ton frère. 9 Dirige notre combat, et nous ferons tout ce que tu nous
diras. » 10 Il rassembla tous les hommes
de guerre, il se hâta d'achever les murailles de Jérusalem et la fortifia tout autour.
11 Il envoya à Joppé Jonathan, fils d'absalom [k], accompagné d'une troupe importante. Celui-ci en chassa les habitants et
s'y établit.

Tryphon trompe Simon et tue Jonathan

12 Tryphon quitta Ptolémaïs [l] avec
une armée nombreuse pour pénétrer dans
le pays de Juda, emmenant avec lui
Jonathan captif. 13 Simon vint établir son
camp à Adida [m], en face de la plaine.
14 Apprenant que Simon avait pris la
relève de son frère et qu'il s'apprêtait à
lui livrer bataille, Tryphon lui envoya
des messagers pour lui dire : 15 « C'est à
cause de l'argent dû au trésor royal par
ton frère Jonathan, en raison des fonctions qu'il exerçait, que nous le détenons. 16 Envoie maintenant cent talents [n]
d'argent et deux de ses fils comme otages,
de peur que, une fois relâché, il ne fasse
défection. Ensuite de quoi, nous le relâ-
cherons. » 17 Tout en connaissant la perfidie de ces paroles, Simon envoya chercher l'argent et les enfants, de peur de
s'attirer une grande hostilité de la part
du peuple. 18 « C'est parce que je ne lui
ai pas envoyé l'argent et les enfants —
auraient-ils dit — que Jonathan a péri. »
19 Il envoya donc les enfants et les cent
talents mais Tryphon le trompa et ne
relâcha pas Jonathan. 20 Après cela, Tryphon se mit en marche pour envahir la
région et la ravager. Il fit un détour par
le chemin d'Adôra [o], mais Simon et son
armée ne cessaient de le talonner. 21 Cependant, ceux de la Citadelle [p] envoyèrent
à Tryphon des messagers, le pressant de
les rejoindre par le désert et de leur
envoyer des vivres. 22 Tryphon prépara
alors toute sa cavalerie pour s'y rendre,
mais il tomba cette nuit-là une neige
abondante, et il ne put y aller. Il partit
et se dirigea vers le pays de Galaad [q].
23 Il tua Jonathan aux approches de Baskama [r], et on l'y enterra. 24 Puis Tryphon
s'en retourna dans son pays.
25 Simon envoya recueillir les ossements
de Jonathan son frère et les déposa dans
le tombeau de Modîn, ville de ses pères [s].

i en paix: hébraïsme signifiant sain et sauf • *j Simon:* frère aîné de Jonathan (voir 2.1-5) — *Tryphon:* voir la note sur 11.39 • *k Joppé* (voir la note sur *2 M* 12.3) avait été prise par Simon (voir 12.33-34) — *Jonathan fils d'Absalom:* sans doute le frère du Mattathias mentionné au ch. 11 (voir 11.70) • *l Tryphon:* voir la note sur 11.39 — *Ptolémaïs:* voir la note sur 5.15 • *m Adida:* voir la note sur 12.38 • *n talents:* voir au glossaire MONNAIES • *o Adôra* (ou *Adoraïm*, voir 2 Ch 11.9): aujourd'hui Dûra, à 8 km à l'est d'Hébron. Tryphon suit le même itinéraire que Lysias (voir 4.29; 6.31 et les notes) • *p ceux de la Citadelle:* voir les notes sur 1.33 et 12.36 • *q neige:* cet épisode doit se situer au début de l'hiver 143-142 av. J.C. — *Galaad* est très probablement une erreur de transcription: il faudrait lire *Galilée* à cause de la mention de *Baskama* (voir v. 23 et la note) • *r Baskama* est la contraction de Beth-Seqma (« la maison du sycomore »), aujourd'hui tell es-Semak, à la pointe du Carmel. Tryphon a sans doute exécuté Jonathan juste avant de se rembarquer • *s Modîn:* voir 2.1 et la note — *de ses pères* ou *de ses ancêtres*

13.4 je suis resté seul 1 R 19.10, 14; Rm 11.3. **13.8** tu es notre chef cf. 9.30. **13.25** tombeau de Modîn 2.70; 9.19; ville de ses pères 2.1.

²⁶ Tout Israël mena sur lui un grand deuil et se lamenta pendant de longs jours. ²⁷ Simon suréleva le tombeau de son père et de ses frères pour qu'il soit visible de loin — l'appareil, tant par derrière qu'en façade, était en pierre polie — ²⁸ et il dressa sept pyramides l'une à côté de l'autre *t*, pour son père, pour sa mère et pour ses quatre frères. ²⁹ Il les entoura d'un ouvrage fait de hautes colonnes et, par dessus, en souvenir éternel, des panoplies flanquées de navires sculptés en relief, pour être vus de tous ceux qui naviguent sur la mer. ³⁰ Tel est, jusqu'à ce jour, ce mausolée qu'il fit à Modîn.

Démétrius II confirme l'accord avec les Juifs

³¹ Or Tryphon, agissant perfidement à l'égard du jeune roi Antiochus *u*, le tua. ³² Il régna à sa place, ceignit le diadème de l'Asie *v* et infligea de grands maux au pays. ³³ Simon rebâtit les forteresses de Judée, les entoura de hautes tours, de remparts imposants, munis de portes et de verrous. Dans ces forteresses, il entreposa des vivres. ³⁴ Ensuite Simon envoya demander au roi Démétrius une remise d'impôts pour le pays, parce que Tryphon n'avait fait que piller. ³⁵ Le roi Démétrius lui fit tenir une réponse conforme à ces paroles et lui écrivit la lettre suivante : ³⁶ « Le roi Démétrius à Simon, grand prêtre et ami des rois *w*, aux *anciens et à la nation des Juifs, salut. ³⁷ Nous avons reçu la couronne d'or et la palme *x* que vous nous avez envoyées, nous sommes disposés à conclure avec vous une paix complète, et à prescrire aux fonctionnaires de vous consentir des abattements. ³⁸ Tout ce que nous avons décidé à votre égard est confirmé, et les forteresses que vous avez bâties vous appartiennent. ³⁹ Nous vous faisons grâce des erreurs et des délits commis jusqu'à ce jour, ainsi que de la couronne que vous devez et, si quelque autre droit était perçu à Jérusa-lem, qu'il ne soit plus exigé. ⁴⁰ Si quelques-uns d'entre vous sont aptes à s'enrôler dans notre garde du corps, qu'ils se fassent inscrire et qu'il y ait la paix entre nous. »

⁴¹ L'an cent soixante-dix *y*, le *joug des nations fut ôté d'Israël ⁴² et le peuple commença à dater les actes et les contrats de « l'an un de Simon, grand prêtre, stratège *z* et chef des Juifs ».

Simon prend Gazara et la Citadelle

⁴³ En ces jours-là Simon mit le siège devant Gazara *a* et, l'investissant de tous côtés, il construisit une tour roulante, l'amena contre la ville, pilonna une des tours et s'en empara. ⁴⁴ Les gens sautèrent dans la tour dans la place, ce qui répandit la panique. ⁴⁵ Les habitants de la ville, leurs femmes et leurs enfants montèrent sur le rempart, *déchirant leurs vêtements et demandant à Simon de leur tendre la main droite *b*. ⁴⁶ « Ne nous traite pas, disaient-ils, selon notre méchanceté, mais selon ta miséricorde. » ⁴⁷ Simon fit un arrangement avec eux et ne les combattit pas. Mais il les chassa de la ville, *purifia les maisons qui contenaient des idoles et alors il fit son entrée au chant des hymnes et des bénédictions. ⁴⁸ Il en bannit toute impureté, il y établit des hommes qui pratiquaient la Loi. Il la fortifia et s'y fit construire une résidence.

⁴⁹ Ceux de la Citadelle *c* de Jérusalem, empêchés d'aller et venir dans la région pour acheter et vendre, souffrirent beaucoup de la faim, et la famine fit des victimes. ⁵⁰ Ils crièrent à Simon d'accepter leur main droite, ce qu'il fit. Il les chassa de ce lieu et purifia la Citadelle de ses souillures. ⁵¹ Ils y entrèrent le vingt-trois du deuxième mois de l'an cent soixante et onze *d* avec des acclamations et des palmes, au son des lyres et des cymbales, des cithares, des hymnes et des chants, car un grand ennemi avait été extirpé d'Israël. ⁵² Simon ordonna de célébrer

---

t Ces *pyramides* bâties sur un socle couronnaient le mausolée; elles sont caractéristiques de l'art funéraire de l'époque, de même que les *colonnes* et les frises *sculptées* (v. 29) ● *u Tryphon:* voir la note sur 11.39 — *Antiochus* VI, fils d'Alexandre Balas (voir 11.39) ● *v diadème:* voir la note sur 8.14 — *l'Asie:* voir la note sur 12.39 ● *w ami des rois:* voir la note sur 2.18 ● *x couronne d'or et palme:* voir la note sur 10.29 ● *y l'an cent soixante-dix:* en 142 av. J.C. (voir la note sur 1.10) ● *z stratège:* voir la note sur *2 M* 3.5 ● *a Gazara:* voir la note sur 4.15 ● *b tendre la main droite:* voir la note sur 6.58 ● *c Citadelle:* voir les notes sur 1.33 et 12.36 ● *d* C'est-à-dire le 4 juin 141 av. J.C. L'occupation de la Citadelle de Jérusalem par une garnison séleucide avait duré 26 ans

13.38 tout ce que nous avons décidé 11.29-37; cf. 15.5. **13.39** pas de droit perçu à Jérusalem 10.31. **13.49** empêchés d'aller et de venir 12.36; cf. 6.20+. **13.51** chants et musiques d'acclamation 1 Ch 15.16, 28; 2 Ch 5.13.

chaque année ce jour-là avec allégresse. Il fortifia la montagne du sanctuaire face à la Citadelle *e* et il habita là avec les siens. ⁵³ Simon vit que Jean son fils était vraiment un homme. Il l'établit chef de toutes les troupes ; il résidait à Gazara.

Éloge de Simon

14 ¹ En l'an cent soixante-douze, le roi Démétrius rassembla son armée et partit pour la Médie chercher de l'aide pour pouvoir combattre Tryphon *f*. ² Ayant appris que Démétrius avait pénétré sur son territoire, Arsace *g*, roi de Perse et de Médie, envoya l'un de ses généraux pour le prendre vivant. ³ Celui-ci partit, battit l'armée de Démétrius, le captura et l'amena à Arsace qui le mit en prison.

⁴ Le pays fut en repos durant tout le
    règne de Simon
et il cherchait le bien de la nation.
Son autorité fut agréée des siens
et sa magnificence durant tous ses jours.

⁵ Il ajouta à sa gloire la prise de Joppé ;
il en fit son port et s'ouvrit une voie
    vers les îles *h*.

⁶ Il élargit les frontières de sa nation,
    tint fermement le pays

⁷ et regroupa de nombreux captifs.
Il se rendit maître de Gazara, de
    Bethsour et de la Citadelle
et en extirpa toute impureté *i*.
Et personne ne put lui résister.

⁸ On cultivait sa terre en paix,
le sol donnait ses produits
et les arbres des plaines leurs fruits.

⁹ Les *anciens, assis sur les places,
ne parlaient que prospérité.
Les jeunes gens revêtaient habits de
    parade et splendides armures.

¹⁰ Il approvisionna les villes
et les munit d'ouvrages fortifiés :
ainsi son nom glorieux fut nommé
jusqu'aux extrémités de la terre.

¹¹ Il fit la paix dans le pays
et grande fut la joie d'Israël.

¹² Chacun s'assit sous sa vigne et son
    figuier
et il n'y avait personne pour les
    effrayer.

¹³ Tout agresseur disparut de leur terre
et les rois furent écrasés en ces jours.

¹⁴ Il affermit tous les humbles de son
    peuple.
Il observa la Loi et supprima tout
    impie et tout méchant.

¹⁵ Il couvrit de gloire le *sanctuaire
et l'enrichit de vases nombreux.

Les Spartiates envoient une lettre à Simon

¹⁶ On apprit à Rome et jusqu'à Sparte *j* que Jonathan était mort et on en fut très affligé. ¹⁷ Mais lorsqu'ils surent que son frère Simon était devenu grand prêtre à sa place, qu'il était maître de la campagne et des villes, ¹⁸ ils firent graver sur des tablettes de bronze le renouvellement de l'amitié et de l'alliance conclues jadis avec Judas et Jonathan ses frères *k*. ¹⁹ Lecture en fut donnée devant l'assemblée à Jérusalem. ²⁰ Voici la copie de la lettre qu'envoyèrent les Spartiates :

« Les magistrats et la ville de Sparte à Simon, grand prêtre, et aux *anciens, aux prêtres, et au reste du peuple des Juifs, leurs frères, salut. ²¹ Les ambassadeurs envoyés auprès de notre peuple nous ont appris votre gloire et votre prestige et nous nous sommes réjouis de leur venue. ²² Nous avons enregistré leurs déclarations parmi les décisions du peu-

---

e la montagne du sanctuaire, face à la Citadelle : c'est-à-dire la partie occidentale de la colline qui porte le Temple ● *f l'an cent soixante-douze :* d'octobre 141 à septembre 140 av. J.C. (voir la note sur 1.10) — La *Médie*, ainsi que la *Perse* (v. 2), avaient fait partie de l'Empire d'Alexandre le Grand, mais Démétrius I les avait perdues — *Tryphon :* voir la note sur 11.39 ● *g Arsace* VI, connu aussi sous le nom de Mithridate I, est le fondateur de l'Empire Parthe. C'est en 139 av. J.C. qu'il captura Démétrius II ● *h Joppé :* voir la note sur *2 M* 12.3 — Les *îles :* c'est-à-dire ici, de façon générale, les pays lointains (cf. Es 40.15 et la note) ● *i captifs :* il s'agit des Juifs isolés à l'étranger (cf. 3.9 et la note) — *Gazara :* voir la note sur 4.15; Bethsour : voir la note sur 4.29; *la Citadelle :* voir la note sur 1.33. Ce sont les trois principales forteresses séleucides du pays — *impureté :* ce terme désigne ici les idoles ou les traces des cultes païens ● *j Sparte :* voir 12.2 et la note ● *k* Ce renouvellement d'alliance a dû être sollicité par Simon, par l'intermédiaire de Numénius (voir v. 22, 24). Il date de 142 av. J.C. (voir 15.16 et la note)

14.4 le pays fut en repos 1.3+.   **14.5** prise de Joppé 12.33; 14.34.   **14.7** regroupa des captifs cf. 3.9 — prise de Gazara et de la Citadelle 13.43-48, 49-53; 14.34, 36-37 — prise de Bethsour 11.65-66; 14.33.   **14.8** le sol donne ses produits Lv 26.4-5.   **14.9** les anciens assis sur les places Za 8.4.   **14.12** sous la vigne et le figuier 1 R 5.5; Mi 4.4; Za 3.10.   **14.13** les rois sont écrasés, les humbles affermis 2 S 22.28; Ps 18.28; *Si* 10.14; Lc 1.52.   **14.18** tables de bronze 8.22+.

ple : Numénius, fils d'Antiochus, et Antipater, fils de Jason, ambassadeur des Juifs, sont venus chez nous pour renouveler l'amitié avec nous. [23] Il a plu au peuple de recevoir ces hommes avec honneur et de déposer la copie de leur discours aux archives publiques, afin que le peuple de Sparte en garde le souvenir. D'autre part, une copie a été exécutée à l'intention de Simon le grand prêtre. »

[24] Après cela, Simon envoya Numénius à Rome avec un grand bouclier d'or pesant mille mines [l], pour confirmer l'alliance avec eux.

Simon grand prêtre et chef national juif

[25] Apprenant ces événements, le peuple dit : « Quel témoignage de reconnaissance donnerons-nous à Simon et à ses fils, [26] car lui et ses frères et toute la maison de son père se sont montrés fermes. Il repoussa par les armes les ennemis d'Israël et fit accéder le peuple à la liberté. » Ils gravèrent une inscription sur des tables de bronze qu'ils scellèrent sur des stèles au mont Sion [m]. [27] Voici la copie du texte :

« Le dix-huit Eloul de l'an cent soixante-douze, qui est la troisième année de Simon, grand prêtre éminent en Asaramel [n], [28] en la grande assemblée des prêtres, du peuple, des chefs de la nation et des *anciens du pays, on nous a notifié ceci : [29] Pendant les guerres fréquentes survenues dans la région, Simon, fils de Mattathias, descendant des fils de Ioarib [o], et ses frères se sont exposés au danger et se sont dressés contre les ennemis de leur nation, afin que soient maintenus leur *sanctuaire et la Loi, et ils ont ainsi couvert leur nation d'une grande gloire. [30] Jonathan rassembla sa nation et devint leur grand prêtre, puis il alla rejoindre son peuple [p]. [31] Les ennemis des Juifs voulurent envahir leur pays pour le ravager et porter la main sur leur sanctuaire. [32] Alors Simon se leva et combattit pour sa nation. Il dépensa une grande partie de ses biens, il équipa les hommes de l'armée nationale et pourvut à leur solde. [33] Il fortifia les villes de Judée et Bethsour [q], ville frontière qui était auparavant l'arsenal ennemi ; il y mit une garnison de guerriers juifs. [34] Il fortifia Joppé sur la mer, Gazara aux confins d'Azot [r], habitée autrefois par les ennemis ; il y installa des Juifs et y entreposa tout ce qui était nécessaire à leur entretien. [35] Le peuple vit la fidélité de Simon et la gloire qu'il avait décidé de donner à sa nation ; ils l'établirent leur chef et grand prêtre à cause de tout ce qu'il avait fait, de la justice et de la foi qu'il garda envers sa nation, et parce que l'élévation de son peuple fut sa préoccupation constante. [36] Pendant les jours de Simon, celui-ci réussit à extirper les païens du territoire ainsi que ceux qui étaient dans la Cité de David [s] à Jérusalem, où ils s'étaient fait une citadelle ; de là, ils opéraient des sorties pour souiller les abords du sanctuaire et attenter gravement à sa sainteté. [37] Il installa en ce lieu des soldats juifs et le fortifia pour la sécurité du pays et de la ville, et il suréleva les murailles de Jérusalem.

[38] A la suite de cela, le roi Démétrius lui confirma le pontificat [t], [39] il le mit au nombre de ses amis [u] et le couvrit d'honneurs. [40] Il avait appris en effet que les Romains traitaient les Juifs d'amis, d'alliés et de frères, qu'ils avaient reçu avec honneur les ambassadeurs de Simon [41] et que les Juifs et les prêtres avaient jugé bon de nommer Simon chef et grand prêtre à perpétuité jusqu'à ce que se lève

---

l Après cela...: en fait, l'ambassade de Numénius à Rome est probablement antérieure aux lettres des Romains et des Spartiates (voir v. 18; 15.16 et les notes) — *mille mines* (voir au glossaire MONNAIES): il s'agit ici non du poids du bouclier (ce qui ferait environ 500 kg) mais de sa valeur calculée en mines d'argent (voir 15.18 et la note) ● *m au mont Sion:* la colline du Temple. Les stèles étaient dressées dans le *parvis du Temple (voir v. 48) ● *n Le dix-huit Eloul de l'an cent soixante-douze (Eloul:* voir au glossaire CALENDRIER): le 13 septembre 140 av. J.C. — *Asaramel:* transcription d'une expression hébraïque qui signifie «le parvis du peuple de Dieu»; ce terme désigne la cour extérieure du sanctuaire (voir v. 48; 9.54) ● *o Ioarib:* voir la note sur 2.1 ● *p rejoindre son peuple:* expression archaïque signifiant *mourir* (cf. Gn 25.8 et la note; 49.29) ● *q Bethsour:* voir la note sur 4.29 ● *r Joppé:* voir la note sur *2 M* 12.3 — *Gazara:* voir la note sur 4.15 — *Azot* (ou *Azôtos,* voir 5.68 et la note) désigne ici le district de la Zone Maritime ● *s Cité de David:* voir la note sur 1.33 ● *t pontificat:* dignité de grand prêtre ● *u amis (du roi):* voir la note sur 2.18

14.22 Numénius et Antipater 12.16+. **14.26** tables de bronze 8.22+. **14.40** frères cf. 12.6+. **14.41** jusqu'à ce que se lève un prophète 4.46+.

un *prophète fidèle, ⁴² de le nommer stratège *v* et responsable du sanctuaire, chargé de nommer les chefs de travaux, les préposés à l'administration du pays et les responsables de l'armement et des forts, ⁴³ — responsable du sanctuaire —, devant être obéi de tous, promulguant que tous les actes du pays fussent rédigés en son nom, qu'il fût revêtu de la pourpre et d'insignes d'or *w*. ⁴⁴ Personne parmi le peuple et parmi les prêtres ne doit contrevenir à aucune de ces dispositions, ni contredire ses ordres, ni tenir une réunion dans le pays sans son autorisation, ni revêtir la pourpre ou porter une agrafe d'or. ⁴⁵ Tout contrevenant à ces dispositions sera passible de sanction. ⁴⁶ Tout le peuple fut d'avis d'accorder à Simon ces prérogatives. ⁴⁷ Simon accepta et consentit à exercer le pontificat, à être stratège et ethnarque *x* des Juifs et des prêtres, et à être à la tête de tous. ⁴⁸ Ils décidèrent que ce texte serait gravé sur des tables de bronze, qu'il serait placé en évidence dans l'enceinte du sanctuaire, ⁴⁹ et que des copies seraient déposées dans le trésor *y*, à la disposition de Simon et de ses fils. »

Le roi Antiochus VII écrit à Simon

15 ¹ Antiochus, fils du roi Démétrius, envoya une lettre depuis les îles à Simon, prêtre et ethnarque *z* des Juifs, et à toute la nation. ² Elle était rédigée en ces termes :

« Le roi Antiochus à Simon, grand prêtre, ethnarque, et à la nation des Juifs, salut. ³ Puisque des gens pernicieux se sont emparés du royaume de mes pères, j'ai revendiqué le royaume pour le rétablir tel qu'il était auparavant. A cet effet, j'ai recruté des troupes nombreuses et j'ai armé des bateaux de guerre ⁴ dans le but d'opérer un débarquement dans le pays et de poursuivre ceux qui ont ruiné notre pays et dévasté beaucoup

de villes de mon royaume. ⁵ Maintenant, je te confirme toutes les remises consenties par les rois mes prédécesseurs et la dispense de tous les autres dons qu'ils t'ont accordée. ⁶ Je te concède le privilège de frapper ta monnaie, ayant cours dans ton pays ; ⁷ Jérusalem et le *sanctuaire sont libres. Toutes les armes dont tu t'es muni, les forteresses que tu as bâties et que tu occupes, demeurent ta propriété. ⁸ Toutes tes dettes présentes et futures envers le trésor royal te sont remises dès maintenant et pour toujours. ⁹ Quand nous aurons rétabli notre royauté, nous te décernerons, ainsi qu'à ton peuple et au sanctuaire, de tels honneurs que votre gloire deviendra manifeste au monde entier. »

Antiochus VII assiège Tryphon à Dôra

¹⁰ L'an cent soixante-quatorze Antiochus partit pour le pays de ses pères, et toutes les troupes se rallièrent à lui, si bien qu'il resta peu de monde avec Tryphon *a*. ¹¹ Antiochus se mit à sa poursuite et Tryphon s'enfuit à Dôra *b* qui est sur la mer, ¹² car il se rendait bien compte que les malheurs s'accumulaient et que ses troupes l'avaient abandonné. ¹³ Antiochus vint camper devant Dôra avec cent vingt mille combattants et huit mille cavaliers. ¹⁴ Il cerna la ville et les bateaux se concentrèrent devant elle, ce blocus terrestre et maritime ne laissant personne entrer ou sortir.

Renouvellement de l'alliance avec Rome

¹⁵ Numénius et ses compagnons s'en vinrent de Rome *c*, porteurs des lettres adressées aux rois et aux pays et libellées en ces termes : ¹⁶ « Lucius, consul des Romains, au roi Ptolémée *d*, salut. ¹⁷ Les ambassadeurs des Juifs envoyés par le grand prêtre Simon et le peuple des Juifs

---

v stratège: voir la note sur *2 M* 3.5 ● *w pourpre*: voir la note sur *2 M* 4.38 — *insignes d'or*: en particulier l'agrafe d'or (v. 44), voir 10.89 et la note ● *x ethnarque*: titre courant à cette époque pour désigner un chef national (cf. 13. 42) ● *y trésor*: c'est-à-dire la salle du trésor du Temple ● *z Antiochus* VIII Sidétès (138-129 av. J.C.), fils de Démétrius I et frère de Démétrius II (voir 14.1-3) — *les îles* (cf. 11.38; 14.5 et les notes): ici *Rhodes* — *ethnarque*: voir la note sur 14.47 ● *a l'an cent soixante-quatorze*: en 139 av. J.C., à l'automne — *le pays de ses pères*: c'est-à-dire la région d'Antioche, capitale de l'Empire séleucide (voir la note sur 11.39) ● *b Dôra* (ou *Dor*, voir Jos 11.2): au sud du Carmel ● *c* Ce v. reprend la suite du récit interrompu en 14.24. ● *d Lucius* Metellus fut consul en 142 av. J.C., de sorte que cette lettre se situe avant les événements rapportés au début du ch. (voir v. 10; 14.18, 24 et les notes) — *Ptolémée* VII Physcon, roi d'Egypte

14.48 tables de bronze 8.22+. **15.5** toutes les remises consenties cf. 13.38. **15.8** liberté de Jérusalem et remise des dettes 10.28-32; 11.35. **15.15** Numénius 12.16+.

sont venus chez nous comme amis et alliés pour renouveler l'amitié et l'alliance de jadis. [18] Ils ont apporté un bouclier d'or de mille mines [e]. [19] C'est pourquoi il nous a plu d'écrire aux rois et aux pays de ne pas leur chercher noise, de ne pas les combattre, eux, leurs villes ou leur pays, et de ne pas s'allier à ceux qui les combattaient. [20] Nous avons aussi décidé d'accepter de leur part le bouclier. [21] Si donc des éléments pernicieux ont fui leur pays pour se rendre auprès de vous, livrez-les au grand prêtre Simon, pour qu'il les châtie selon leur loi. »

[22] La même lettre fut adressée au roi Démétrius, à Attale, à Ariarathe, à Arsace [f] [23] et à tous les pays, à Sampsamé, aux Spartiates, à Délos, à Myndos, à Sicyone, à la Carie, à Samos, à la Pamphylie, à la Lycie, à Halicarnasse, à Rhodes, à Phasélis, à Cos, à Sidé, à Arados, à Gortyne, à Cnide, à Chypre et à Cyrène [g]. [24] Une copie fut rédigée à l'intention de Simon le grand prêtre.

Antiochus VII annule son accord avec Simon

[25] Or, le roi Antiochus campait à Dôra dans le faubourg, faisant avancer sans cesse contre elle des détachements et construisant des machines. Son blocus contre Tryphon [h] empêchait quiconque d'entrer ou de sortir. [26] Simon lui envoya deux mille hommes d'élite pour combattre à ses côtés, ainsi que de l'argent, de l'or et un important matériel. [27] Non seulement il refusa de les recevoir, mais il révoqua tout ce qu'il avait convenu auparavant avec Simon et il devint tout autre avec lui. [28] Il lui envoya Athénobius, l'un de ses amis pour conférer avec lui en ces termes : « Vous occupez Joppé, Gazara et la Citadelle [i] de Jérusalem, villes de mon royaume. [29] Vous avez transformé leur territoire en désert, vous avez fait beaucoup de mal au pays et vous vous êtes rendus maîtres de plusieurs localités de mon royaume [j]. [30] Rendez donc maintenant les villes que vous avez prises et payez les redevances des lieux dont vous vous êtes emparés hors des frontières de Judée. [31] Sinon donnez cinq cents talents [k] d'argent en leur lieu et place, plus cinq cents autres talents pour vos destructions et pour les redevances de ces villes ; ou alors, nous allons venir et ce sera la guerre. »

[32] Athénobius, ami du roi, une fois arrivé à Jérusalem, vit la magnificence de Simon, le buffet garni d'or et d'argent, un grand apparat. Il en fut stupéfait et transmit à Simon les paroles du roi. [33] Simon lui fit cette réponse : « C'est l'héritage de nos pères [l], injustement accaparé par nos ennemis pendant un certain temps, que nous avons conquis, et non pas une terre étrangère ou le bien d'autrui. [34] Nous avons simplement profité d'une occasion favorable pour recouvrer l'héritage de nos pères. [35] Quant à Joppé et à Gazara, que tu revendiques, ces villes faisaient beaucoup de mal au peuple et à notre pays. Pour elles, nous donnerons cent talents. »

L'autre ne souffla mot, [36] il s'en retourna furieux chez le roi et lui rapporta ces paroles et tout ce qu'il avait vu de la gloire de Simon, et le roi se mit dans une grande colère.

Le gouverneur Kendébée attaque la Judée

[37] Tryphon s'embarqua et s'enfuit à Orthosia [m]. [38] Le roi nomma Kendébée

---

e *un bouclier d'or de mille mines*: c'est-à-dire valant mille mines (d'argent), ce qui équivaut à un poids d'or de 44 kg (voir 14.24 et la note) ● f *Démétrius II* était prisonnier des Parthes (voir 14.2) mais le consul l'ignorait — *Attale II*: roi de Pergame (petit royaume de la côte occidentale d'Asie Mineure), 159-138 av. J.C. — *Ariarathe V*: roi de Cappadoce — *Arsace*: voir la note sur 14.2 ● g Cette liste, quoique sans ordre apparent, reflète bien l'état politique du Proche-Orient au 2e siècle av. J.C.: quelques grands royaumes (*Carie*, *Lycie*) et de nombreuses îles ou villes, les unes indépendantes, les autres qui dépendent de royaumes comme l'Egypte (l'île de *Chypre* et *Cyrène*), le Pont (*Sampsamé*, sur la mer Noire) ou Pergame (*Myndos*), mais les liens n'étaient pas toujours très clairs. Plusieurs de ces villes ou régions abritaient des colonies juives (voir v. 19) ● h *Dôra*: voir la note sur le v. 11 — *machines*: voir les notes sur 5.30 et 6.20 — *Tryphon*: voir la note sur 11.39 — *i ami (du roi, v. 32)*: voir la note sur 2.18 — *Joppé*: voir la note sur 2 M 12.3 — *Gazara*: voir la note sur 4.15 — *la Citadelle*: voir la note sur 1.33 et cf. 14.5, 37 et la note ● j *plusieurs localités de mon royaume*: allusion probable aux quatre nomes (voir 11.57 et la note) ● k *cinq cents talents* (voir au glossaire MONNAIES): somme supérieure au montant habituel du tribut qui est de 300 talents (voir 11.28). Antiochus reprend ici ce qu'il avait promis peu de temps avant (voir v. 8), mais cette exigence correspond à la charte de son père, Démétrius II, qui n'avait exempté que Jérusalem (voir 13.39) ● l *nos pères* ou *nos ancêtres* ● m *Tryphon*: voir la note sur 11.39 — *Orthosia*: ville située entre Tripoli et l'embouchure du fleuve Eleuthère (voir la note sur 11.7)

épistratège du Littoral *n*, lui confiant une troupe de fantassins et de cavaliers, [39] avec pour consigne de camper en face de la Judée, de rebâtir Kédrôn, de renforcer ses portes et de guerroyer contre le peuple. Le roi se lança à la poursuite de Tryphon *o*. [40] Kendébée se rendit à Jamnia et multiplia les provocations contre le peuple, faisant des incursions en Judée, ramenant des prisonniers et se livrant à des massacres. [41] Il rebâtit Kédrôn et y cantonna des cavaliers et des fantassins pour opérer des sorties et patrouiller sur les routes de Judée, comme le roi le lui avait commandé.

Les fils de Simon chassent Kendébée

16 [1] Jean monta de Gazara *p* et informa son père Simon des actes de Kendébée. [2] Simon convoqua ses deux fils les plus âgés, Judas et Jean, et leur dit : « Mes frères et moi, ainsi que la maison de mon père, nous avons combattu les ennemis d'Israël depuis notre jeunesse jusqu'à aujourd'hui et, à maintes reprises, il nous a été donné de sauver Israël. [3] Maintenant, je suis vieux et, par la miséricorde du *Ciel, vous voilà dans la force de l'âge. Prenez donc ma place et celle de mon frère, partez combattre pour notre nation, et que le secours du Ciel soit avec vous. » [4] Il choisit dans le pays vingt mille hommes de guerre et des cavaliers, et ils marchèrent contre Kendébée ; ils passèrent la nuit à Modîn *q*. [5] Puis, s'étant levés de bon matin, ils avancèrent dans la plaine et voici, une armée nombreuse de fantassins et de cavaliers venait à leur rencontre ; un torrent *r* les séparait encore. [6] Jean et les siens prirent position en face d'eux. Se rendant compte que ses gens craignaient de traverser le torrent, Jean traversa le premier. Voyant cela, ses hommes le traversèrent à sa suite. [7] Il divisa sa troupe en mettant la cavalerie au milieu de l'in-

fanterie, car la cavalerie adverse était très nombreuse. [8] Il fit sonner les trompettes et Kendébée fut défait avec son armée ; beaucoup tombèrent mortellement blessés et ceux qui restaient s'enfuirent vers la forteresse *s*. [9] Alors fut blessé Judas, le frère de Jean qui, lui, les poursuivit jusqu'à Kédrôn que Kendébée avait rebâtie. [10] Les fuyards allèrent jusqu'aux tours qui sont dans la campagne d'Azôtos *t* ; Jean les incendia et ils perdirent deux mille hommes. Jean retourna en paix en Judée.

Simon assassiné. Son fils Jean lui succède

[11] Ptolémée, fils d'Aboubas, avait été nommé stratège de la plaine de Jéricho *u*. Il possédait beaucoup d'argent et d'or, [12] car il était le gendre du grand prêtre. [13] Son cœur s'exalta, il voulut devenir le maître du pays et il conçut le dessein perfide de supprimer Simon et ses fils. [14] Or Simon, préoccupé de leur administration, parcourait les villes du pays. Il descendit à Jéricho, avec Mattathias et Judas, ses fils, en l'an cent soixante-dix-sept, au onzième mois, qui est le mois de Shebat *v*. [15] Le fils d'Aboubas les reçut perfidement dans une petite forteresse, appelée Dôk *w*, qu'il avait fait construire ; il leur prépara un grand repas, mais il cacha des hommes dans le fort. [16] Quand Simon et ses fils furent ivres, Ptolémée et ses hommes se levèrent, prirent leurs armes, se précipitèrent sur Simon dans la salle du festin et le tuèrent ainsi que ses deux fils et quelques-uns de ses serviteurs. [17] Il commit ainsi une grande trahison et rendit le mal pour le bien.

[18] Ptolémée rendit compte au roi par écrit de ce qu'il avait fait, demandant que des troupes de secours lui soient envoyées, afin de lui livrer villes et campagnes. [19] Il dépêcha d'autres émissaires

n Epistratège: c'est-à-dire « celui qui est au-dessus du stratège »; sorte de super-préfet — *Littoral:* voir 11.59 et la note ● *o Kédrôn:* aujourd'hui Qatra, à 6 km au sud-est de Jamnia — *à la poursuite de Tryphon:* assiégé dans sa ville natale, Apamée, sur l'Oronte, il fut mis à mort (ou se donna la mort) ● *p Gazara:* voir la note sur 4.15. C'est là que résidait Jean (voir 15.53) ● *q Modîn:* à 25 km de Kédrôn, où s'est installé Kendébée (voir 15.41) ● *r un torrent:* le wadi Qatra ● *s la forteresse:* Kédrôn (voir 15.39 et 41) ● *t Azôtos:* voir la note sur 5.68 ● *u nommé:* peut-être par Simon (voir v. 17) — *stratège de la plaine de Jéricho* (voir la note sur *2 M 3.5*): en fait, cette « stratégie » dépendait de la Judée dont elle n'était qu'une partie ● *v cent soixante-dix-sept:* en février 134 av. J.C. — *Shebat* (ou *Shevat*): voir au glossaire CALENDRIER ● *w Dôk:* cette petite *forteresse* se dressait au sommet du mont appelé aujourd'hui mont de la Quarantaine, qui domine Jéricho

16.5 se lever de bon matin (avant une bataille) Jos 3.1; 6.12; 8.10; cf. 1 S 15.12; 29.10. **16.6** traversa le premier cf. 5.40.

à Gazara pour supprimer Jean *x* et il envoya une lettre aux commandants, les invitant à se rendre auprès de lui afin qu'il leur distribuât de l'argent, de l'or et des présents. 20 Il en envoya d'autres pour prendre possession de Jérusalem et de la montagne du *sanctuaire. 21 Mais quelqu'un prit les devants et se rendit à Gazara pour annoncer à Jean la mort de son père et de ses frères ; il ajouta : « Il a envoyé quelqu'un pour te tuer toi aussi. » 22 A cette nouvelle, Jean fut

complètement bouleversé ; il se saisit des hommes venus le tuer et les exécuta, car il avait appris qu'ils cherchaient à le faire mourir.

23 Le reste des actions de Jean, ses combats, les exploits qu'il accomplit, les remparts qu'il fit construire *y* et ses autres entreprises, 24 voici que tout cela est écrit dans le livre des Annales de son pontificat *z*, à partir du moment où il devint grand prêtre à la place de son père.

DEUXIÈME LIVRE

DES MACCABÉES

Première lettre aux Juifs d'Egypte

1 1 A leurs frères les Juifs d'Egypte *a*, salut ! Leurs frères les Juifs de Jérusalem et ceux du pays de Judée (leur souhaitent) paix et prospérité ! 2 Que Dieu vous comble de bienfaits et se souvienne de son *alliance avec Abraham, Isaac et Jacob, ses fidèles serviteurs. 3 Qu'il vous donne à tous un cœur pour l'adorer et faire ses volontés généreusement et de plein gré. 4 Qu'il ouvre votre *cœur à sa Loi et à ses préceptes et qu'il fasse régner la paix. 5 Qu'il exauce vos prières, se réconcilie avec vous et ne vous abandonne pas au temps du malheur.

6 C'est la prière qu'ici même nous lui adressons en ce moment pour vous. 7 Sous le règne de Démétrius, l'an cent soixante-neuf, nous, les Juifs, nous vous avons écrit : « Dans la détresse et la crise qui fondirent sur nous en ces années, depuis que Jason *b* et ses partisans firent défection de la terre sainte et du royaume, 8 ils allèrent jusqu'à mettre le feu à la grande porte du Temple et à verser le sang innocent ; alors nous avons prié le Seigneur, nous avons été exaucés, nous avons offert un *sacrifice et de la fleur de farine, nous avons allumé les lampes et exposé les pains. » 9 Et maintenant, nous vous écrivons pour vous inviter à

---

x à Gazara : voir la note sur 4.15 — *Jean :* un des fils de Simon (voir 13.53) ● *y les remparts qu'il fit reconstruire :* ceux de Jérusalem, détruits par Antiochus VII après la reddition de la ville ● *z Livre des Annales :* des extraits de ce livre ont été reproduits par l'historien juif Josèphe — La formule rappelle volontairement une formule fréquente dans le livre des Rois (cf. 1 R 11.41; 14.29; 15.31. Voir aussi la note sur *1 M* 5.5) — *pontificat :* voir la note sur 14.38.
a Les Juifs d'Egypte : des communautés juives s'étaient installées en Egypte au moins depuis l'époque de Jérémie (voir Jr 43.3-7) ● *b Démétrius :* il s'agit de Démétrius II, roi séleucide (voir la note sur *1 M* 1.8) qui régna de 145 à 138 puis de 129 à 125 av. J.-C. — *L'an cent-soixante neuf* de l'ère séleucide correspond à l'année 143-142 av. J.-C. (voir la note sur *1 M* 1.10) — *Jason :* voir *2 M* 4.7-20

16.23 le reste des actions de Jean… 9.22+. **1.4** un cœur ouvert à la loi Dt 29.3; cf. Ez 18.31; 36.26-27. **1.8** incendie des portes 8.33; *1 M* 4.38 — sacrifice pour la purification du Temple v. 18; 10.1-7; *1 M* 4.36-61.

célébrer la fête des Tentes du mois de Kisleu *c*, ¹⁰ l'an cent quatre-vingt-huit *d*.

Deuxième lettre : les Juifs louent le Seigneur pour la mort d'Antiochus

Ceux de Jérusalem et ceux de Judée, le conseil des *anciens et Judas, à Aristobule, conseiller du roi Ptomélée et issu de la race des prêtres consacrés par l'*onction, ainsi qu'aux Juifs d'Egypte *e*, joie et santé ! ¹¹ Sauvés par Dieu de grands périls, nous le remercions grandement de nous assister contre le roi *f* ; ¹² car il a lui-même expulsé ceux qui ont marché en armes contre la ville sainte. ¹³ S'étant en effet rendu en Perse, leur chef, ainsi que son armée qui paraissait invincible, furent massacrés dans le temple de Nanéa *g* grâce à un stratagème dont usèrent les prêtres de Nanéa. ¹⁴ En effet, sous prétexte d'épouser la déesse, Antiochus *h*, accompagné de ses amis, se rendit en ce lieu dans l'intention d'en recevoir les richesses considérables à titre de dot. ¹⁵ Les prêtres du Nanéon les exposèrent, et le roi avança avec quelques personnes de sa suite dans l'enceinte du temple. Mais ils fermèrent le sanctuaire *i* dès qu'Antiochus y fut entré, ¹⁶ ouvrirent la porte dissimulée dans les lambris du plafond et foudroyèrent le chef en lançant des pierres. Ils coupèrent aux intrus les membres et la tête qu'ils jetèrent à ceux qui étaient dehors. ¹⁷ Loué soit en toutes choses notre Dieu qui a livré à la mort ceux qui ont commis un sacrilège !

Le miracle du feu de l'autel

¹⁸ Comme nous allons célébrer le vingt-cinq Kisleu la purification du Temple, nous avons jugé de notre devoir de vous en informer, pour que vous aussi la célébriez à la manière de la fête des Tentes *j* et du feu qui apparut quand Néhémie, qui avait construit le Temple et l'*autel, offrit des *sacrifices. ¹⁹ Car lorsque nos pères furent emmenés en Perse *k*, les pieux prêtres d'alors, ayant pris du feu de l'autel, le cachèrent secrètement dans une cavité ressemblant à un puits desséché et l'y abritèrent de manière que l'endroit fût ignoré de tous. ²⁰ Un assez grand nombre d'années s'étant écoulées, quand Dieu le jugea à propos, Néhémie, envoyé par le roi de Perse, manda à la recherche du feu les descendants des prêtres qui l'avaient caché. Mais comme ils expliquèrent qu'ils avaient trouvé non pas du feu, mais un liquide épais, il leur ordonna d'en puiser pour en rapporter. ²¹ Quand on eût tout préparé pour les sacrifices, Néhémie ordonna aux prêtres de répandre ce liquide sur le bois et sur les offrandes placées dessus. ²² Ceci fait, lorsque après quelque temps le soleil, d'abord voilé par des nuages, se mit à briller, un grand brasier s'alluma au grand étonnement de tous. ²³ Pendant que le sacrifice se consumait, les prêtres prononçaient une prière, et avec les prêtres tous les présents, Jonathan *l* conduisant le chœur et les autres répondant avec Néhémie. ²⁴ Or cette prière était ainsi conçue :

« Seigneur, Seigneur Dieu, créateur de toutes choses, redoutable, fort, juste, miséricordieux, seul roi, seul bon, ²⁵ seul libéral, seul juste, tout-puissant et éternel, qui sauves Israël de tout mal, qui as fait de nos pères tes élus et les as *sanctifiés, ²⁶ agrée ce sacrifice pour tout ton peuple d'Israël, conserve ton héritage *m* et sanctifie-le. ²⁷ Rassemble ceux d'entre nous qui sont dispersés ; délivre ceux qui sont en esclavage parmi les nations,

---

c La fête des Tentes était célébrée au mois de Tishri (septembre-octobre) ; la mention du *mois de Kisleu* (novembre-décembre) montre qu'il s'agit ici en réalité de la fête de la Dédicace (cf. 10.5-6). Voir au glossaire CALENDRIER ● *d* C'est-à-dire en 124 av. J.C. ● *e Judas* : Judas Maccabée, fils du prêtre Mattathias (voir *1 M* 2.4 et la note), chef des révoltés juifs (voir 5.27 ; 8, etc.). — *Aristobule* : Juif d'Alexandrie — *Ptolémée* : Ptolémée VI Philométor, roi lagide d'Egypte (voir la note sur *1 M* 1.8) — *Juifs d'Egypte* : voir la note sur le v. 1 ● *f* Antiochus, voir v. 13 (*leur chef*) ; v. 14 et la note ● *g Nanéa* : déesse mésopotamienne, identifiée avec Artémis ● *h Antiochus* : Antiochus IV Epiphane (voir *1 M* 1.10). Sa mort est racontée de façon différente en 9.28 et *1 M* 6.1-13 ● *i Nanéon* : le temple de la déesse Nanéa, désigné aussi comme *le sanctuaire* ● *j Kisleu*, (fête de la) *purification* : voir au glossaire CALENDRIER — *fête des Tentes* : voir la note sur le v. 9 ● *k emmenés en Perse* : il s'agit de l'exil à Babylone ; la *Perse* désigne ici tout le pays situé à l'est de l'Euphrate ● *l Ce Jonathan* est peut-être le même personnage que le grand prêtre Yonatan (ou Yohanân) de Ne 12.11 ● *m* L'*héritage de Dieu* : c'est-à-dire le peuple (Dt 4.20 ; 9.29) ou le pays d'Israël (2.4 ; Jr 2.7 ; 16.18)

1.13 mort d'Antiochus 9.1-29 ; *1 M* 6.1-13. **1.18** purification au mois de Kisleu v. 9 ; *1 M* 4.36. **1.22** un grand brasier s'alluma cf. 1 R 18.34-38. **1.23** chœur alterné *Jdt* 15.13. **1.27** rassembler les dispersés Dt 30.3-5.

regarde favorablement ceux qui sont méprisés et objets d'abomination, afin que
les nations reconnaissent que tu es notre
Dieu. 28 Châtie ceux qui nous tyrannisent
et nous outragent insolemment. 29 Implante ton peuple dans ton saint lieu *n*,
comme l'a dit Moïse. »
30 Les prêtres exécutaient des hymnes.
31 Quand les matières du sacrifice furent
consumées, Néhémie ordonna aussi de
verser le reste du liquide sur de grandes
pierres. 32 Cela fait, une flamme s'alluma,
qui fut absorbée par la lumière rayonnée
par l'autel en face. 33 Lorsque l'événement
eut été divulgué et qu'on eut raconté
au roi des Perses qu'à l'endroit où les
prêtres déportés avaient caché le feu, un
liquide avait paru avec lequel Néhémie
et ses compagnons avaient sanctifié les
matières du sacrifice, 34 le roi fit enclore
cet endroit et le rendit sacré après avoir
vérifié l'événement. 35 A ceux auxquels
le roi le concédait, il donnait une part
des grands revenus qu'il en retirait.
36 Néhémie et son entourage appelèrent ce
liquide nephtar, ce qu'on traduit par purification, mais le commun le nomme naphte *o*.

Jérémie a caché le matériel du culte

2 1 On trouve, dans les écrits *p*, que
le *prophète Jérémie ordonna à
ceux qui partaient pour la déportation
de prendre du feu, comme on l'a indiqué,
2 et que le prophète recommanda à ceux
qu'on emmenait, après leur avoir donné
la Loi *q*, de ne pas oublier les préceptes
du Seigneur et de ne pas s'égarer dans
leurs pensées en voyant des statues d'or
et d'argent et les ornements dont elles
étaient revêtues. 3 Parmi d'autres conseils
du même genre, il les exhorta à ne pas
laisser la Loi s'éloigner de leur cœur.
4 Dans cet écrit, il était raconté que le
prophète, averti par un oracle, se fit
accompagner par la *tente et l'*arche,

qu'il se rendit à la montagne où Moïse
était monté et d'où il avait contemplé
l'héritage de Dieu *r* 5 et que, arrivé là,
Jérémie trouva une habitation en forme
de grotte, y introduisit la tente, l'arche
et l'*autel des parfums, après quoi il en
obstrua l'entrée. 6 Quelques-uns de ses
compagnons voulurent s'y rendre pour
marquer le chemin par des signes, mais
ils ne purent le retrouver. 7 Ayant appris
cela, Jérémie les blâma en leur disant :
« Ce lieu restera inconnu jusqu'à ce que
Dieu ait accompli le rassemblement de
son peuple et lui ait manifesté sa miséricorde. 8 Alors le Seigneur montrera de
nouveau ces objets, et la gloire du Seigneur apparaîtra avec la Nuée, comme
elle se montra au temps de Moïse et
lorsque Salomon pria pour que le saint
lieu *s* fût glorieusement consacré. » 9 On
racontait en outre comment, doué de
sagesse, il offrit le *sacrifice de la dédicace *t* et de l'achèvement du *sanctuaire.
10 De même que Moïse avait prié le
Seigneur et qu'alors le feu était descendu
du ciel et avait consumé les matières du
sacrifice, ainsi Salomon pria, et le feu
descendu consuma les holocaustes *u*.
11 Moïse avait dit que c'est parce qu'il
n'avait pas été mangé que le sacrifice
pour le péché a été consumé. 12 Pareillement aussi Salomon célébra les huit
jours de fête.

Judas a rassemblé les livres anciens

13 Dans ces écrits et dans les mémoires
de Néhémie *v*, il était raconté, en plus de
ces mêmes faits, que Néhémie, fondant
une bibliothèque, y réunit les livres concernant les rois et les *prophètes, ceux
de David et des lettres de rois au sujet
des offrandes. 14 De la même manière,
Judas a rassemblé tous les livres dispersés
à cause de la guerre qu'on nous a faite,
et ils sont entre nos mains. 15 Si donc

---

n saint lieu: désignation du temple de Jérusalem et, par extension, de Jérusalem et même de toute
la Judée ● *o* Les propriétés du *naphte,* ou pétrole brut, étaient connues depuis longtemps; l'auteur
de ce récit sait également qu'il y avait un culte du feu chez les Perses (voir v. 34) ● *p* Les écrits:
sans doute un texte apocryphe aujourd'hui perdu. Les v. 4 à 9 n'ont pas de parallèle dans la Bible;
pour les v. 1 à 3 voir *Lt-Jr 3* ● *q donné la Loi:* c'est-à-dire le livre contenant la loi de Dieu ● *r la
montagne:* il s'agit du mont Nébo (voir Dt 34.1) — Sur l'*héritage de Dieu,* voir la note sur 1.26 ●
s La Nuée: voir Ez 13.21 et la note — *saint lieu:* le Temple de Jérusalem ● *t sacrifice de la dédicace:*
pour consacrer au Seigneur le Temple de Jérusalem; voir 1 R 8.62-63 ● *u holocaustes:* voir au
glossaire SACRIFICES ● *v* Ces *mémoires de Néhémie* sont un livre apocryphe aujourd'hui perdu;
cf. 2.1 et la note

1.29 implante ton peuple Ex 15.17. **2.4** Moïse contemple l'héritage de Dieu Dt 34.1-4. **2.8** la
nuée au temps de Moïse Ex 24.16; au temps de Salomon 1 R 8.10-11. **2.10** le feu descendu du ciel
au temps de Moïse Lv 9.24; au temps de Salomon 2 Ch 7.1. **2.11** le sacrifice consumé Lv 10.16-17.
2.12 les huits jours de fête célébrés par Salomon 1 R 8.65-66. **2.13** les écrits concernant... les
prophètes Si prol 9-10. **2.14** rassemblement des livres cf. *1 M* 1.56-57.

vous en avez besoin, envoyez-nous des gens qui vous les rapporteront.

Invitation à célébrer la purification du Temple

¹⁶ Nous vous avons écrit cette lettre étant sur le point de célébrer la purification ʷ du Temple ; vous ferez donc bien d'en célébrer les jours. ¹⁷ Le Dieu qui a sauvé tout son peuple et qui a conféré à tous l'héritage, la royauté, le sacerdoce et la *sanctification, ¹⁸ comme il l'avait promis par la Loi, ce Dieu, nous l'espérons, aura bientôt pitié de nous et nous rassemblera des régions qui sont sous le ciel dans le saint lieu ˣ, car il nous a arraché à de grands maux et a purifié le saint lieu.

L'auteur explique ce qu'il a voulu faire

¹⁹ Quant à l'histoire de Judas Maccabée et de ses frères, la purification du très grand *sanctuaire, la dédicace ʸ de l'*autel, ²⁰ ainsi que les guerres contre Antiochus Epiphane et son fils Eupator ᶻ, ²¹ et les apparitions célestes produites en faveur des braves qui luttèrent généreusement pour le judaïsme, au point que malgré leur petit nombre ils pillèrent toute la région et poursuivirent la foule des barbares, ²² qu'ils reconquirent le sanctuaire célèbre dans tout l'univers, délivrèrent la ville et rétablirent les lois menacées d'abolition ᵃ, le Seigneur leur ayant été propice de toute sa mansuétude, ²³ tous ces faits ayant été développés en cinq livres par Jason de Cyrène ᵇ, nous essaierons de les résumer en un seul ouvrage. ²⁴ Considérant, en effet, le flot des chiffres et la difficulté qu'éprouvent ceux qui désirent se plonger dans les récits de l'histoire, à cause de l'abondance de la matière, ²⁵ nous avons eu le souci d'offrir un agrément à ceux qui se contentent d'une simple lecture, une commodité à ceux qui se plaisent à confier les

faits à leur mémoire, de l'utilité à tous ceux qui rencontreront ces pages. ²⁶ Pour nous, qui avons pris sur nous le pénible labeur de ce résumé, c'était là non une tâche facile, mais une affaire de sueurs et de veilles, ²⁷ comparable au travail difficile de l'ordonnateur d'un festin qui recherche la satisfaction des autres. De même, pour rendre service à beaucoup de gens, nous supporterons volontiers ce dur travail, ²⁸ laissant à l'écrivain ᶜ le soin d'entrer dans les détails de chaque événement, pour nous efforcer de tracer les contours d'un résumé. ²⁹ Car de même qu'il incombe à l'architecte d'une maison neuve de s'occuper de l'ensemble de la construction, alors que celui qui se charge de la décorer de peintures à l'encaustique doit rechercher ce qui est nécessaire à l'ornementation, ainsi en est-il, me semble-t-il, pour nous. ³⁰ Pénétrer dans le sujet, en faire le tour, en examiner avec curiosité le détail appartient à celui qui compose l'histoire, ³¹ mais s'appliquer à la recherche de la concision et renoncer à l'exposé complet des faits est une concession qu'il convient de faire à l'auteur d'une adaptation.

³² Commençons donc ici notre relation sans rien ajouter de plus à ce qui vient d'être dit ; car il serait sot d'être abondant dans ce qui précède l'histoire et de raccourcir l'histoire elle-même.

Héliodore vient confisquer le trésor du Temple

3 ¹ Alors que les habitants de la ville sainte jouissaient d'une paix entière, et qu'on y observait au mieux les lois grâce à la piété du grand prêtre Onias ᵈ et à son horreur du mal, ² il arrivait que les rois eux-mêmes honoraient le saint lieu et faisaient au *sanctuaire les dons les plus magnifiques, ³ si bien que Séleucus le roi d'Asie couvrait de ses revenus personnels toutes les dépenses exigées par le service des *sacrifices ᵉ.

ʷ *purification:* voir au glossaire CALENDRIER ● ˣ *saint lieu:* le Temple de Jérusalem ● ʸ *purification, dédicace:* voir au glossaire CALENDRIER ● ᶻ *Antiochus Epiphane:* voir *1 M* 1.10 — *Eupator:* surnom d'Antiochus V, dont il est question à partir de 10.10 ● ᵃ Sur les *lois menacées d'abolition,* voir 6.6-11 ; *1 M* 1.41-53 ● ᵇ *Jason de Cyrène:* écrivain appartenant à la communauté juive de Cyrénaïque (au nord de la Libye). Son ouvrage nous est inconnu par ailleurs ● ᶜ *l'écrivain:* Jason de Cyrène, voir la note sur le v. 23 ● ᵈ *Onias* III, fils de Simon II (voir *Si* 50), descendant de Sadoq (voir la note sur *Ez* 40.46). Il est « l'oint » ou le « *chef d'alliance* » dont parle *Dn* 9.26 ; 11.22 ● ᵉ *Séleucus* IV, surnommé Philopator, souverain séleucide (voir la note sur *1 M* 1.8) de 187 à 175 av. J.C. — Ces rois ont eu souvent pour politique d'encourager les cultes locaux pour se concilier les populations vaincues ; pour cela, ils faisaient des donations aux temples, ce qui ne les empêchait pas de les piller en cas de besoin (voir 1.14 ; 3.7 ; *1 M* 10.40)

2.16 célébrer la purification 1.8-9.   **2.17** le sacerdoce conféré à tous Ex 19.5 ; 1 Pi 2.9.   **2.21** apparitions célestes 3.24 ; 5.2 ; 10.29 ; 11.8 ; cf. 15.27 — petit nombre cf. *1 M* 3.18+.

⁴ Mais un certain Simon, de la tribu de Bilga, institué prévôt du Temple, se trouva en désaccord avec le grand prêtre au sujet de l'agoranomie *f* de la ville. ⁵ Comme il ne pouvait l'emporter sur Onias, il alla trouver Apollonius, fils de Thraséas, stratège à cette époque de Coélé-Syrie et de Phénicie *g*. ⁶ Il dénonça le trésor de Jérusalem, disant qu'il regorgeait de richesses inouïes au point que la quantité des sommes était incalculable, et sans aucun rapport avec le compte exigé par les sacrifices, et ajoutant qu'il était possible de les faire tomber en la possession du roi. ⁷ Au cours d'une audience chez le roi, Apollonius mit celui-ci au courant de la dénonciation qui lui avait été faite au sujet de ces richesses. Ayant choisi Héliodore qui était à la tête des affaires *h*, le roi l'envoya avec l'ordre de procéder à la confiscation des richesses indiquées. ⁸ Aussitôt Héliodore se mettait en route, en apparence pour inspecter les villes de Coelé-Syrie et de Phénicie, en réalité pour exécuter les intentions du roi. ⁹ Arrivé à Jérusalem et reçu amicalement par le grand prêtre et par la ville, il fit part de la révélation qu'on avait faite et expliqua la raison de sa présence ; mais il demandait si cette accusation répondait à la vérité. ¹⁰ Le grand prêtre lui représenta que le trésor se composait des dépôts des veuves et des orphelins *i*, ¹¹ en partie aussi de ceux d'Hyrcan, fils de Tobie, personnage occupant une très haute situation, et que, contrairement aux indications calomnieuses de l'impie Simon, il y avait en tout quatre cents talents d'argent et deux cents talents d'or *j* ; ¹² qu'au reste il était absolument impossible de léser ceux qui avaient fait confiance à la sainteté du lieu, à la majesté et à l'inviolabilité d'un Temple vénéré dans le monde entier.

La ville est bouleversée

¹³ Mais Héliodore, en vertu des ordres du roi, soutenait absolument que ces richesses devaient être confisquées pour le trésor royal. ¹⁴ Au jour fixé par lui, il entrait pour dresser l'inventaire de ces richesses ; une très vive inquiétude se répandit alors dans toute la ville. ¹⁵ Les prêtres, revêtus de leurs habits sacerdotaux, se prosternaient devant l'*autel et invoquaient le *Ciel, auteur de la Loi sur les dépôts, le priant de conserver intacts ces biens à ceux qui les avaient posés. ¹⁶ A voir l'aspect du grand prêtre, on ne pouvait manquer de sentir une blessure dans le cœur, tant son air et l'altération de son teint faisaient apparaître l'angoisse de son âme. ¹⁷ La frayeur et le tremblement dont cet homme était saisi dans tout son corps rendaient visible à ceux qui le regardaient la souffrance qui lui étreignait le cœur. ¹⁸ Des gens sortaient par groupes des maisons pour prier en commun afin de détourner du saint lieu *k* l'opprobre dont il était menacé. ¹⁹ Des femmes ceintes de *sacs au-dessous des seins remplissaient les rues ; les jeunes filles, encore tenues à la maison, couraient les unes vers les portes, les autres sur les murs, certaines se penchaient aux fenêtres : ²⁰ toutes, les mains tendues vers le ciel, clamaient leur supplication. ²¹ C'était pitié de voir la prostration confuse de la foule et l'attente du grand prêtre agité d'une grande angoisse. ²² Tandis qu'on suppliait le Seigneur tout-puissant de garder intacts, en toute sûreté, les dépôts à ceux qui les avaient confiés, ²³ Héliodore, lui, exécutait ce qui avait été décidé.

Dieu punit Héliodore

²⁴ Il était déjà, avec sa garde, près du Trésor, quand le Souverain des Esprits *l* et de toute puissance fit une grande apparition, de sorte que tous ceux qui avaient osé venir là furent frappés par la force de Dieu et en perdirent vigueur et courage. ²⁵ Il leur apparut, en effet, un cheval, monté par un cavalier

---

f La *tribu de Bilga* était une des vingt-quatre classes de prêtres (voir 1 Ch 24.14) — Le *prévôt du Temple* était chargé de son administration financière — *agoranomie* : ou *police des marchés* ● *g* Le *stratège* est soit un chef militaire de haut rang, soit le chef d'une province comme c'est le cas ici — La province de *Coelé-Syrie* (ou « Syrie creuse ») *et Phénicie* comprenait toute la Palestine, le Liban et le sud de la Syrie ● *h à la tête des affaires* : expression désignant le premier ministre ; voir par exemple 10.11 ● *i Les veuves et les orphelins* étaient particulièrement protégés par la loi (voir Dt 27.19) ● *j Hyrcan* appartenait à la famille des Tobiades qui gouvernaient l'Ammanitide (région d'Amman, en Transjordanie, voir *1 M* 5.13 et la note) — *quatre cents talents... d'or* : voir au glossaire MONNAIES. Ce chiffre est surprenant : il représente environ 10.000 kilos d'argent et 5.000 kilos d'or. Comparer le montant du tribut annuel versé par la Judée (*1 M* 11.28) ● *k le saint lieu* : le Temple ● *l Souverain des Esprits* : titre rare donné à Dieu

3.24 une grande apparition, 2.21 +.

terrifiant, et richement caparaçonné ; s'élançant avec impétuosité, il agita contre Héliodore ses sabots de devant. L'homme qui le montait paraissait porter une armure d'or. ²⁶ En même temps, deux autres jeunes hommes apparurent à Héliodore, d'une force remarquable et d'une très grande beauté, habillés de vêtements magnifiques ; s'étant placés de part et d'autre, ils le fustigeaient sans relâche, lui assénant une grêle de coups. ²⁷ Héliodore tomba d'un coup à terre et fut enveloppé d'épaisses ténèbres. On le ramassa pour le mettre dans une litière, ²⁸ et cet homme, qui venait d'entrer dans le trésor susdit avec une nombreuse suite et toute sa garde, fut emporté, désormais incapable de s'aider lui-même, par des gens qui reconnaissaient ouvertement la souveraineté de Dieu. ²⁹ Par l'effet de la puissance divine, cet homme gisait donc sans voix, privé de tout espoir et de tout secours. ³⁰ Quant aux autres, ils bénissaient le Seigneur qui avait miraculeusement glorifié son saint lieu, et le *sanctuaire qui, peu de temps avant, était rempli de frayeur et de trouble, débordait de joie et d'allégresse grâce à la manifestation du Seigneur tout-puissant. ³¹ Certains des compagnons d'Héliodore s'empressèrent de demander à Onias qu'il priât le Très-Haut et accordât la vie à l'homme qui gisait là et en était à son dernier souffle. ³² Dans la crainte que le roi ne conçût le soupçon qu'un mauvais tour avait été joué à Héliodore par les Juifs, le grand prêtre offrit un *sacrifice pour le retour de cet homme à la vie. ³³ Pendant que le grand prêtre offrait le sacrifice d'expiation, les mêmes jeunes hommes apparurent de nouveau à Héliodore, revêtus des mêmes habits ; debout près de lui, ils lui dirent : « Rends de grandes actions de grâce à Onias, le grand prêtre, car c'est grâce à lui que le Seigneur t'accorde la vie sauve ; ³⁴ quant à toi, fustigé du *Ciel, va annoncer à tous la grande force de Dieu. » Ayant prononcé ces paroles, ils disparurent.

Conversion d'Héliodore

³⁵ Héliodore, ayant offert un *sacrifice au Seigneur et adressé de ferventes prières à celui qui lui avait conservé la vie, prit amicalement congé d'Onias et revint avec son armée auprès du roi. ³⁶ Il rendait témoignage à tous des œuvres du Dieu très grand, qu'il avait contemplées de ses yeux. ³⁷ Le roi lui demandant quel homme était indiqué pour être envoyé une nouvelle fois à Jérusalem, Héliodore répondit : ³⁸ « Si tu as quelque ennemi ou conspirateur contre ton gouvernement, envoie-le là-bas, et tu le recevras roué de coups, si toutefois il en réchappe, car une puissance divine entoure vraiment ce lieu. ³⁹ Car celui qui a sa demeure dans le Ciel veille sur ce lieu et le protège, et ceux qui y viennent avec de mauvais desseins, il les frappe et les fait périr. » ⁴⁰ C'est ainsi que se passèrent les événements concernant Héliodore et la conservation du trésor.

Simon calomnie le grand prêtre Onias

4 ¹ Le susdit Simon ᵐ, devenu ainsi dénonciateur du trésor et de la patrie, continuait à calomnier Onias, disant que c'était lui qui avait assailli Héliodore et ourdi ces maux. ² Le bienfaiteur de la cité, le protecteur de ses frères de race, le zélé observateur des lois, il osait le présenter comme un conspirateur contre le gouvernement. ³ Cette haine grandissait au point que des meurtres furent commis par des hommes recrutés par Simon. ⁴ Onias, considérant combien cette rivalité était fâcheuse et voyant qu'Apollonius, fils de Ménesthée, stratège de Coelé-Syrie et de Phénicie ⁿ, accroissait encore la méchanceté de Simon, ⁵ se rendit chez le roi, non comme accusateur de ses concitoyens, mais ayant en vue l'intérêt général et particulier de tout le peuple. ⁶ Il voyait en effet que, sans une décision royale, il était impossible désormais de faire régner la paix dans l'administration et que Simon ne mettrait pas un terme à sa folie.

Le grand prêtre Jason introduit des usages païens
(*1 M 1.10-15*)

⁷ Séleucus ayant quitté cette vie et Antiochus surnommé Epiphane lui ayant succédé sur le trône, Jason, frère d'Onias, usurpa le pontificat ᵒ, ⁸ ayant promis au

---

m *le susdit Simon :* le prévôt du Temple, voir 3.4 et la note ● n *stratège… de Phénicie :* voir la note sur 3.5 ● o *Antiochus surnommé Epiphane* succéda à son frère, Séleucus, assassiné par Héliodore (voir chap. 3) en 175 av. J.C. Il fut le principal persécuteur des Juifs (voir 5.12-16, 23-26 ; 6.1-11) — En prenant le nom de *Jason* (transposition grecque du nom juif Josué ou Jésus) le nouveau grand prêtre montrait ses sympathies pour la civilisation hellénistique

3.35 sacrifice offert par un païen 13.23. Cf. 8.36+.

roi, au cours d'une entrevue, trois cent soixante talents [p] d'argent et quatre-vingts talents à prélever sur quelque autre revenu. [9] Il s'engageait en outre à faire transcrire à son compte cent cinquante autres talents s'il lui donnait pouvoir d'établir un gymnase et une éphébie et de faire le recensement des Antiochiens de Jérusalem [q]. [10] Le roi ayant consenti, Jason, dès qu'il eut saisi le pouvoir, amena ses frères de race à échanger leur façon de vivre contre celle des Grecs. [11] Il supprima les franchises [r] que les rois, par humanité, avaient garanties aux Juifs grâce à l'entremise de Jean, père de cet Eupolème qui sera envoyé en ambassade pour conclure un traité d'amitié et d'alliance avec les Romains ; il détruisit les institutions légitimes et inaugura des usages contraires à la Loi. [12] Il se fit en effet un plaisir de faire construire un gymnase au pied même de l'Acropole et il conduisit les meilleurs des éphèbes sous le pétase [s]. [13] L'hellénisme et la pénétration étrangère atteignirent un tel degré par suite de l'excessive perversité de Jason, un impie et non un grand prêtre, [14] que les prêtres ne montraient plus aucun empressement pour le service de l'*autel, mais que, méprisant le Temple et négligeant les *sacrifices, ils se hâtaient de participer dans la palestre aux distributions d'huile [t], prohibées par la Loi, dès que l'appel du gong avait sonné. [15] Ils ne faisaient aucun cas des honneurs de leur patrie, et ils estimaient au plus haut point les gloires helléniques. [16] Aussi est-ce pour ces raisons qu'ils se trouvèrent ensuite dans une situation pénible et qu'en ceux-là mêmes dont ils cherchaient à copier les façons de vivre et auxquels ils voulaient ressembler en tout, ils rencontrèrent des ennemis et des bourreaux.

[17] On ne viole pas sans inconvénient les lois divines, c'est ce que la période qui suit va montrer.

[18] Comme on célébrait à Tyr les jeux quadriennaux [u] en présence du roi, [19] l'*impur Jason envoya des représentants des Antiochiens de Jérusalem, portant avec eux trois cents drachmes [v] d'argent pour le sacrifice à Héraclès. Mais ceux-là mêmes qui les portaient jurèrent qu'il ne convenait pas de les affecter à ce sacrifice et qu'elles seraient réservées à une autre dépense. [20] L'argent destiné au sacrifice d'Héraclès par celui qui l'avait envoyé fut donc employé, par l'initiative de ceux qui l'apportaient, à la construction des trirèmes [w].

Antiochus Epiphane acclamé à Jérusalem

[21] Apollonius, fils de Ménesthée, ayant été envoyé en Egypte pour assister aux noces du roi Philométor, Antiochus apprit que ce dernier était devenu hostile à sa politique et songea à sa propre sécurité [x]. Cette préoccupation l'amena à Joppé, d'où il se rendit à Jérusalem. [22] Grandement reçu par Jason et par la ville, il fut introduit à la lumière des flambeaux et au milieu des acclamations. A la suite de quoi, il emmena son armée camper en Phénicie.

Ménélas devient grand prêtre

[23] Au bout de trois ans, Jason envoya Ménélas, frère du Simon signalé plus haut, porter l'argent au roi et mener à bien la négociation [y] des affaires urgentes. [24] Ménélas ayant été présenté au roi et l'ayant abordé avec les manières d'un personnage important, se fit attribuer le

---

[p] *talents :* voir au glossaire POIDS ET MESURES, MONNAIES ● [q] *éphébie :* institution grecque qui assurait aux jeunes gens de 18 à 20 ans, une formation physique et intellectuelle — L'expression *Antiochiens de Jérusalem* témoigne de la transformation de la ville sainte en cité grecque, sous le nom d'Antioche (en l'honneur du roi Antiochus IV) ● [r] Les *franchises* sont les exemptions de tributs et redevances dues parfois à une province, une ville ou un temple (voir *1 M* 10.29-30) — Sur *Eupolème* et l'*ambassade* à Rome, voir *1 M* 8.17-30 ● [s] *L'acropole,* siège de la garnison syrienne, dominait le Temple au nord-ouest. Le *gymnase* se trouvait donc à côté du sanctuaire — Le *pétase* était le chapeau porté par les *éphèbes,* membres d'une *éphébie* (voir la note sur le v. 9) ; c'était le symbole d'Hermès, la divinité grecque des compétitions sportives. L'expression *conduire sous le pétase* signifie donc « amener aux exercices du gymnase » ● [t] La *palestre* est le lieu où se déroulaient jeux et concours — L'*huile* est celle dont se frottaient les athlètes ● [u] *jeux quadriennaux :* jeux qui se déroulaient tous les quatre ans en l'honneur du dieu phénicien Melqart, Héraclès pour les Grecs (voir v. 19) ● [v] *drachmes :* voir au glossaire MONNAIES ● [w] *trirèmes :* navires de guerre, à trois rangées de rameurs superposées ● [x] Le roi d'Egypte, Ptolémée VI *Philométor,* neveu d'Antiochus Epiphane, épousa vers 174 sa propre sœur Cléopâtre II. A ce moment-là, l'Egypte se préparait à reconquérir la Coelé-Syrie (voir la note sur 3.5) ● [y] *au bout de trois ans :* fin 172 ou début 171 av. J.C. (voir la note sur *1 M* 1.10) — *Jason :* voir la note sur 4.7 — *Simon :* voir 3.4-6 — *négociations :* traduction incertaine d'un texte peu clair

4.11 Eupolème / M 8.17.

pontificat à lui-même, évinçant Jason en offrant trois cents talents [z] de plus que lui. [25] Il revint, muni des lettres royales d'investiture, sans rien à son actif qui fût digne du pontificat et n'ayant à faire valoir que les fureurs d'un tyran cruel et la rage d'une bête sauvage. [26] Ainsi Jason, qui avait supplanté son propre frère, fut supplanté à son tour par un autre et dut s'exiler en Ammanitide [a]. [27] Quant à Ménélas, il possédait bien le pouvoir, mais il ne payait rien au roi de l'argent qu'il lui avait promis. [28] Cependant Sostrate, commandant de l'Acropole [b], lui présentait des réclamations, puisque c'est à lui que revenait la perception des impôts. Aussi bien tous les deux furent-ils convoqués par le roi. [29] Ménélas laissa pour le remplacer comme grand prêtre son frère Lysimaque, et Sostrate laissa Cratès, le chef des Chypriotes [c].

Onias est assassiné et son meurtrier puni

[30] Sur ces entrefaites, il arriva que les habitants de Tarse et de Mallos [d] se révoltèrent, parce que leurs villes avaient été données comme cadeau à Antiokhis, la concubine du roi. [31] Le roi partit donc en hâte pour régler cette affaire, laissant pour le remplacer Andronique, un des grands dignitaires. [32] Convaincu de saisir un moment favorable, Ménélas déroba quelques objets d'or du *sanctuaire, en fit présent à Andronique et réussit à en vendre d'autres à Tyr et aux villes voisines. [33] Ayant eu des renseignements précis sur ce méfait, Onias lui adressa des reproches après s'être retiré dans le lieu inviolable de Daphné près d'Antioche [e]. [34] En conséquence, Ménélas, prenant à part Andronique, le pressait de supprimer Onias. Andronique alla donc trouver Onias ; se fiant à la ruse, il lui tendit la main droite avec serment et le décida, bien qu'il gardât quelque doute, à sortir de son asile, sur quoi il le mit à

mort sur le champ, sans égard pour la justice. [35] Pour cette raison, non seulement les Juifs, mais aussi beaucoup de gens parmi les autres nations furent indignés et choqués du meurtre injuste de cet homme.

[36] Lorsque le roi fut rentré des cités de Cilicie, les Juifs de la ville et les Grecs qui partageaient leur haine de ce mal vinrent le trouver au sujet du meurtre injustifié d'Onias. [37] Affligé jusqu'au fond de l'âme et touché de compassion, Antiochus versa des larmes au souvenir de la sagesse et de la grande modération du défunt. [38] Enflammé d'indignation, il dépouilla immédiatement Andronique de la pourpre [f] et *déchira ses vêtements, puis l'ayant fait mener par toute la ville jusqu'à l'endroit même où il avait exercé son impiété sur Onias, il y envoya le meurtrier hors de ce monde, le Seigneur frappant ainsi Andronique d'un juste châtiment.

Mort de Lysimaque, frère de Ménélas

[39] Or un grand nombre de vols sacrilèges ayant été commis dans la ville par Lysimaque [g] avec la complicité de Ménélas, et le bruit s'en étant répandu au dehors, le peuple s'ameuta contre Lysimaque, alors que beaucoup d'objets d'or avaient déjà été dispersés. [40] Comme la multitude se souleva, débordante de colère, Lysimaque arma près de trois mille hommes et lança d'injustes attaques sous le commandement d'un certain Auranos, homme avancé en âge, mais non moins en folie. [41] S'apercevant que cette agression venait, elle aussi, de Lysimaque, les uns se saisissaient de pierres, d'autres de gourdins ; certains puisaient à pleines mains dans la cendre [h] qui se trouvait là, et assaillirent en une mêlée confuse les gens de Lysimaque. [42] Aussi leur firent-ils beaucoup de blessés et quelques morts ; ils mirent le reste en fuite et massacrèrent le sacrilège lui-même près du trésor.

---

z *talents :* voir au glossaire MONNAIES ● a *Ammanitide :* voir la note sur 3.11 ● b *commandant :* c'est-à-dire préfet militaire — l'*Acropole :* voir la note sur 4.12 ● c Des *Chypriotes* étaient engagés comme mercenaires dans les armées séleucides (voir 12.2 et la note ; *1 M* 1.29) ● d *Tarse* (qui sera la patrie de l'apôtre Paul) et *Mallos* étaient deux cités grecques de Cilicie ● e *Onias :* voir la note sur 3.1 — *Daphné*, à 8 km d'*Antioche*, était célèbre pour son sanctuaire d'Apollon ; il avait été fondé par Séleucus I (successeur immédiat d'Alexandre le Grand, voir la note sur *1 M* 1.8) et jouissait du droit d'asile ● f La *pourpre* (étoffe teinte de couleur rouge, voir *1 M* 4.25 et la no.e) n'était portée que par les grands personnages ; elle était donc devenue le symbole de la dignité du fonctionnaire de haut rang ● g *Lysimaque :* frère du grand prêtre Ménélas, voir 4.29 ● h La *cendre* des sacrifices, entassée près de l'autel. La révolte a donc lieu dans l'enceinte du Temple (voir la mention du trésor, v. 42)

4.25 désignation du grand prêtre par le roi 14.13 ; *1 M* 10.20 ; cf. *1 M* 7.5 ; *2 M* 4.7-10.

Ménélas gagne injustement un procès

⁴³ Sur ces faits un procès fut intenté à Ménélas. ⁴⁴ Lorsque le roi vint à Tyr, les trois hommes envoyés par le Conseil des *Anciens plaidèrent leur cause en sa présence. ⁴⁵ Voyant déjà la partie perdue, Ménélas promit des sommes importantes à Ptolémée, fils de Dorymène *i*, pour qu'il gagnât le roi à sa cause. ⁴⁶ Aussi Ptolémée, ayant emmené le roi sous le péristyle *j*, sous prétexte de lui faire prendre le frais, le fit changer d'avis. ⁴⁷ Ainsi cet homme qui fut l'auteur de tout le mal, Ménélas, le roi le renvoya absous de toutes les accusations, tandis qu'il condamna à mort des malheureux qui, s'ils avaient plaidé leur cause même devant des Scythes *k*, eussent été renvoyés acquittés. ⁴⁸ Ils subirent donc sans délai cette peine injuste, ceux qui avaient pris la défense de la ville, des bourgs et des vases sacrés. ⁴⁹ Aussi vit-on même des Tyriens, outrés de cette méchanceté, pourvoir magnifiquement à leur sépulture. ⁵⁰ Quant à Ménélas, grâce à la cupidité des puissants, se maintint au pouvoir, croissant en malice et se posant en grand ennemi de ses concitoyens.

Jason attaque Jérusalem mais doit s'enfuir

5 ¹ Vers ce temps-là, Antiochus se mit à préparer sa seconde attaque contre l'Egypte *l*. ² Or il arriva que dans toute la ville *m*, pendant près de quarante jours, apparurent, courant dans les airs, des cavaliers vêtus de manteaux brodés d'or, des troupes armées disposées en cohortes, ³ des escadrons de cavalerie rangés en ordre de bataille, des attaques et des charges lancées de part et d'autre, des boucliers agités, des forêts de piques, des épées tirées, des lancements de traits,

des scintillements d'armures d'or et des cuirasses de tout genre. ⁴ Aussi tous priaient pour que cette apparition fût de bon augure. ⁵ Or, la fausse rumeur de la mort d'Antiochus s'étant répandue, Jason, ne prenant pas moins d'un millier d'hommes avec lui, dirigea à l'improviste une attaque contre la ville. La muraille forcée et la ville finalement prise, Ménélas se réfugia dans l'Acropole *n*. ⁶ Jason se livrait sans ménagement au massacre de ses propres concitoyens, sans songer que le succès remporté sur ses frères de race était le plus grand des revers, s'imaginant remporter des trophées *o* sur des ennemis et non sur des compatriotes. ⁷ D'un côté il ne réussit pas à s'emparer du pouvoir, et, de l'autre, il finit par se couvrir de honte à cause de sa trahison, et se retira de nouveau dans son exil en Ammanitide *p*. ⁸ Sa conduite criminelle trouva donc un terme : enfermé chez Arétas, tyran des Arabes, fuyant la ville *q*, poursuivi par tous, détesté comme renégat des lois, exécré comme le bourreau de sa patrie et de ses concitoyens, il échoua en Egypte. ⁹ Cet homme, qui avait banni de leur patrie un grand nombre de personnes, périt sur une terre étrangère, s'étant rendu à Lacédémone dans l'espoir d'y trouver un refuge en considération d'une commune origine *r*. ¹⁰ Lui, qui avait jeté tant d'hommes sur le sol sans sépulture, nul ne le pleura ni ne lui rendit les derniers devoirs, et il n'eut aucune place dans le tombeau de ses pères *s*.

Antiochus pille le temple de Jérusalem
(1 M 1.21-24)

¹¹ Lorsque ces événements furent arrivés à la connaissance du roi, il en conclut que la Judée faisait défection. Il quitta donc l'Egypte, furieux comme une bête

---

i Ce *Ptolémée* (voir 8.8; *1 M* 3.38) est le chef de la province de Coelé-Syrie et de Phénicie (voir la note sur 3.5); c'est donc un très haut fonctionnaire, proche du roi ● *j péristyle* : galerie à colonnade que comportaient souvent les bâtiments publics grecs ● *k Scythes* : peuplade du nord de la mer Noire, dont la cruauté était proverbiale ● *l* Cette *seconde attaque contre l'Egypte* eut lieu en 168 av. J.C., un an après la première (voir *1 M* 1.16) ● *m dans toute la ville* : Jérusalem ● *n Jason* : voir la note sur 4.7 — *Acropole* : voir la note sur 4.12 ● *o* Les *trophées* sont les dépouilles de l'ennemi vaincu (cf. 8.27), dont on faisait une sorte de monument (voir 15.5). L'expression *remporter des trophées* a souvent simplement le sens de remporter la victoire ● *p Ammanitide* : voir la note sur 3.11 ● *q la ville*, d'après les meilleurs manuscrits latins (*de ville en ville* d'après le grec) : il s'agit de Pétra, capitale des Nabatéens (voir *1 M* 5.25); on connaît plusieurs rois (ou *tyrans*) nabatéens du nóm d'*Arétas* ● *r* L'idée d'une *commune origine* entre le peuple de Sparte (*Lacédémone*) et les Juifs (voir *1 M* 12.21), vient peut-être d'un parallèle établi entre Moïse et Lycurgue, législateur de Sparte ● *s* Etre exclu du tombeau de sa famille était considéré comme une terrible punition (voir *1 R* 13.22)

4.45 Ptolémée fils de Dorymène 8.8; *1 M* 3.38. **5.2** apparitions 2.21+. **5.9** une commune origine *1 M* 12.6-7.

sauvage, et prit la ville *t* à main armée. ¹² Il ordonna ensuite aux soldats d'abattre sans pitié tous ceux qui leur tomberaient entre les mains et d'égorger ceux qui monteraient dans les maisons. ¹³ On extermina jeunes et vieux, on supprima femmes et enfants, on égorgea vierges et nourrissons. ¹⁴ Il y eut quatre-vingt mille victimes en ces trois jours ; quarante mille tombèrent sous les coups, et le nombre de ceux qui furent vendus comme esclaves ne fut pas moindre.

¹⁵ Non content de cela, il osa pénétrer dans le *sanctuaire le plus saint de toute la terre, ayant pour guide Ménélas, devenu traître envers les lois et envers sa patrie. ¹⁶ Il prit de ses mains *impures les vases sacrés, et les offrandes que les autres rois avaient déposées pour le développement, la gloire et la dignité du saint lieu, il les rafla de ses mains profanes. ¹⁷ Antiochus s'exaltait en pensée, ne voyant pas que c'était à cause des péchés des habitants de la ville que le souverain Maître était irrité pour peu de temps, et que c'était là la raison de son indifférence apparente envers le lieu saint. ¹⁸ S'ils n'avaient pas été plongés dans une multitude de péchés, lui aussi, à l'instar d'Héliodore envoyé par Séleucus pour inspecter le trésor, il aurait été, dès son arrivée, flagellé et détourné ainsi de son audacieuse entreprise. ¹⁹ Mais le Seigneur a choisi non pas le peuple à cause du saint lieu, mais le saint lieu à cause du peuple. ²⁰ C'est pourquoi le lieu lui-même, après avoir participé aux malheurs arrivés au peuple, a eu part, dans la suite, aux bienfaits ; abandonné au moment de la colère du Tout-Puissant, il a été de nouveau, en vertu de la réconciliation avec le souverain Maître, restauré dans toute sa gloire. ²¹ Antiochus donc, après avoir enlevé au Temple dix-huit cents talents, se hâta de se rendre à Antioche, croyant dans sa superbe *u* et l'exaltation de son cœur, avoir rendu navigable la terre ferme et

la mer praticable à la marche. ²² Mais il laissa des préposés pour faire du mal à la nation ; à Jérusalem, Philippe, phrygien *v* de race, de caractère plus barbare encore que celui qui l'avait institué ; ²³ sur le mont Garizim *w*, Andronique, et en plus de ceux-ci Ménélas, qui s'élevait avec plus de méchanceté que les autres au-dessus de ses concitoyens.

L'envoyé du roi massacre les Juifs

Nourrissant à l'égard des Juifs une hostilité foncière, ²⁴ le roi envoya le Mysarque *x* Apollonius à la tête d'une armée de vingt-deux mille hommes avec ordre d'égorger tous ceux qui étaient dans la force de l'âge et de vendre les femmes et les enfants. ²⁵ Arrivé en conséquence à Jérusalem et jouant le personnage pacifique, Apollonius attendit jusqu'au saint jour du *sabbat où, profitant du chômage des Juifs, il commanda à ses subordonnés une prise d'armes. ²⁶ Tous ceux qui étaient sortis pour assister au spectacle, il les fit massacrer et, envahissant la ville avec ses soldats en armes, il abattit un grand nombre de personnes. ²⁷ Or Judas le Maccabée *y*, avec une dizaine d'autres, se retira dans le désert ; lui et ses compagnons vivaient à la manière des bêtes sur les montagnes, ne mangeant jamais que des herbes pour éviter souillure.

Le Temple profané et les Juifs persécutés
(1 M 1.41-64)

6 ¹ Peu de temps après, le roi envoya Géronte l'Athénien pour forcer les Juifs à s'éloigner des lois de leurs pères et à cesser de régler leur vie sur les lois de Dieu, ² pour profaner le Temple de Jérusalem et le dédier à Zeus Olympien, et pour dédier à Zeus Hospitalier celui du mont Garizim, comme le demandaient les habitants du lieu. ³ L'invasion de ces

---

t la ville: Jérusalem ● *u talents*: voir au glossaire MONNAIES. Même s'il s'agit d'argent et non pas d'or, cela représente une somme énorme (cf. 3.10 et la note) — *sa superbe* ou *son orgueil* ● *v* Ces *préposés* sont des délégués du roi, munis de pouvoirs civils étendus et peut-être aussi de pouvoirs militaires — *Philippe* (voir 6.11 et 8.8) est un personnage différent de l'« ami du roi » dont il est question en 9.29 ; *1 M* 6.14, 55 — *Phrygien*: originaire de Phrygie, en Asie Mineure, pays qui n'appartenait plus à l'empire séleucide mais où l'on recrutait probablement des soldats ● *w sur le mont Garizim*: c'est-à-dire probablement à Sichem, ville construite au pied du Garizim ● *x mysarque*: chef des mercenaires de Mysie, région du nord-ouest de l'Asie Mineure ● *y Judas le Maccabée*: voir la note sur *1 M* 2.4

5.17 les malheurs d'Israël sont la punition de ses péchés 6.12-16 ; 7.16-19, 32-38 ; *Sg* 12.9 ; cf. Dt 8.5. **5.18** Héliodore 3.1-40. **5.19** non pas le peuple à cause du saint lieu... cf. Mc 2.27. **5.21** rendre la mer praticable 9.8. **5.27** Judas au désert *1 M* 2.28 — éviter toute souillure Lv 11.

maux, même pour la masse, était pénible et intolérable. ⁴ Le Temple était en effet rempli de débauches et d'orgies : des païens se divertissaient avec des courtisanes, avaient commerce avec des femmes dans les *parvis sacrés et y apportaient des choses défendues. ⁵ L'*autel était couvert des victimes *impures, interdites par les lois. ⁶ Il n'était pas permis de célébrer le *sabbat ni d'observer les fêtes de nos pères, ni simplement de confesser qu'on était juif. ⁷ On était conduit par une amère contrainte à participer tous les mois à un repas rituel, le jour de la naissance du roi, et quand arrivaient les fêtes dionysiaques, on était forcé d'accompagner, couronné de lierre, le cortège de Dionysos ᶻ. ⁸ Un décret fut rendu, à l'instigation des habitants de Ptolémaïs ᵃ, pour que dans les villes grecques du voisinage on tînt la même conduite à l'égard des Juifs et que ceux-ci prissent part au repas rituel, ⁹ avec ordre d'égorger ceux qui ne se décideraient pas à adopter les coutumes grecques. On pouvait prévoir dès lors la calamité imminente. ¹⁰ Ainsi deux femmes furent déférées en justice pour avoir fait *circoncire leurs enfants. On leur fit faire en public le tour de la ville, leurs enfants suspendus aux mamelles, avant de les précipiter du haut des remparts. ¹¹ D'autres s'étaient rendus ensemble dans les cavernes voisines pour y célébrer en cachette le jour du sabbat. Dénoncés à Philippe ᵇ, ils furent brûlés ensemble, parce qu'ils renonçaient à se défendre eux-mêmes par respect pour la sainteté du jour.

La persécution, signe de la miséricorde de Dieu

¹² Je recommande donc à ceux qui auront ce livre entre les mains de ne pas se laisser décourager à cause de ces calamités, mais de penser que ces persécutions ont eu lieu, non pas pour la ruine, mais pour l'éducation de notre race. ¹³ Quand les impies ne sont pas

laissés longtemps à eux-mêmes, mais que les châtiments les atteignent promptement, c'est un signe de grande bonté. ¹⁴ Pour châtier les autres nations, le souverain Maître attend en effet avec longanimité qu'elles arrivent à combler la mesure de leurs iniquités ; mais ce n'est pas ainsi qu'il a jugé juste d'agir avec nous, ¹⁵ afin qu'il n'ait pas à nous punir à la dernière extrémité, à un moment où nos péchés auraient atteint leur terme. ¹⁶ Aussi ne retire-t-il jamais de nous sa miséricorde : en le formant par l'adversité, il n'abandonne pas son peuple. ¹⁷ Qu'il nous suffise d'avoir rappelé cette vérité ; après ces quelques mots, il nous faut revenir à notre récit.

Le martyre d'Eléazar

¹⁸ Eléazar, un des premiers docteurs de la Loi, homme déjà avancé en âge et du plus noble extérieur, était contraint tandis qu'on lui ouvrait la bouche de force, de manger de la chair de porc ᶜ. ¹⁹ Mais préférant une mort glorieuse à une vie infâme, il avançait volontairement vers le supplice de la roue ᵈ. ²⁰ Il cracha ce qu'il avait dans la bouche, comme doivent le faire ceux qui ont le courage de repousser ce qu'il n'est pas permis de manger par amour de la vie. ²¹ Ceux qui présidaient à ce repas rituel interdit par la Loi prirent Eléazar à part, parce que cet homme était pour eux une connaissance de vieille date, et l'engagèrent à se faire apporter des viandes dont il lui était permis de faire usage et préparées par lui, mais à feindre de manger la portion des chairs de la victime prescrite par le roi : ²² en agissant ainsi, il serait préservé de la mort et profiterait de l'humanité due à sa vieille amitié pour eux. ²³ Mais lui, voulant agir dans l'honneur, de façon digne de son âge, de l'autorité de sa vieillesse et de ses vénérables cheveux blanchis dans le labeur, digne d'une conduite parfaite depuis l'enfance, mais surtout de la sainte

---

z *le jour de la naissance du roi:* le 25 de chaque mois (voir *1 M* 1.59) — *Les fêtes dyonisiaques,* en l'honneur de Dionysos, dieu de la vigne et du vin, donnaient traditionnellement lieu à des festins et à des beuveries ● a *des habitants de Ptolémaïs:* traduit d'après le syriaque; le texte grec est obscur. Sur cette ville, voir les notes sur 13.24 et 25 ● b *Philippe:* voir 5.22 et la note ● c *Le porc* était considéré comme un animal impur et la loi interdisait d'en consommer la chair (voir *Lv* 11.7-8) ● d Le *supplice de la roue* consistait à attacher le condamné sur une roue horizontale fixée sur un poteau central; on le fouettait jusqu'au sang ou on lui brisait les membres

6.10 persécution des femmes qui ont circoncis leur fils *1 M* 1.60-61.   **6.11** ne pas se défendre le jour du sabbat cf. *1 M* 2.32+.   **6.12** les persécutions ont lieu pour l'éducation 5.17+.   **6.14** Dieu patient avec les nations *Sg* 12.2, 20-22.   **6.19** mourir plutôt que de manger du porc *1 M* 62-63; cf. *He* 11.35.

législation établie par Dieu, répondit en conséquence qu'on l'envoyât sans tarder au *séjour des morts. 24 Et il ajouta : « A notre âge, il est indigne de feindre ; autrement beaucoup de jeunes gens, croyant qu'Eléazar a embrassé à quatre-vingt-dix ans le genre de vie des étrangers, 25 s'égareraient eux aussi à cause d'une dissimulation qui ne me ferait gagner, bien mal à propos, qu'un petit reste de vie. Je ne ferais qu'attirer sur ma vieillesse souillure et déshonneur, 26 et quand même je me soustrairais pour le présent au châtiment des hommes, je n'échapperais, ni vivant ni mort, aux mains du Tout-Puissant. 27 En quittant donc maintenant la vie avec courage, je me montrerai digne de ma vieillesse, 28 ayant laissé aux jeunes le noble exemple d'une belle mort, volontaire et généreuse, pour les vénérables et saintes lois. »

Ayant prononcé ces paroles, il alla tout droit au supplice de la roue. 29 Ceux qui l'y conduisaient changèrent en malveillance la bienveillance qu'ils avaient eue pour lui peu avant, parce que le discours qu'il venait de tenir était à leur point de vue de la folie. 30 Mais lui, sur le point de mourir sous les coups, dit en soupirant : « Au Seigneur qui possède la science sainte, il est manifeste que, pouvant échapper à la mort, j'endure dans mon corps des douleurs cruelles sous les fouets, mais qu'en mon âme je les souffre avec joie à cause de la crainte qu'il m'inspire. »

31 C'est ainsi que cet homme quitta la vie, laissant par sa mort, non seulement aux jeunes, mais à la grande majorité de la nation, un exemple de noble courage et un mémorial de vertu.

Le martyre des sept frères et de leur mère

7 1 Il arriva aussi que sept frères furent arrêtés avec leur mère et que le roi voulut les contraindre, en leur infligeant les fouets et les nerfs de bœufs, à toucher à la viande de porc e interdite par la Loi. 2 L'un d'eux, se faisant leur porte-parole, dit : « Que vas-tu demander et apprendre de nous ? Nous sommes prêts à mourir plutôt que de transgresser les lois de nos pères. » 3 Le roi, devenu furieux, fit mettre sur le feu des poêles et des chaudrons. 4 Dès qu'ils furent brûlants, il ordonna de couper la langue de celui qui avait été leur porte-parole, de lui enlever la peau de la tête et de lui trancher les extrémités, aux yeux de ses frères et de sa mère. 5 Lorsqu'il fut complètement mutilé, il commanda de l'approcher du brasier, respirant encore, et de le faire passer à la poêle. Tandis que la vapeur se répandait autour de la poêle, les autres avec leur mère s'exhortaient mutuellement à mourir courageusement ; ils disaient : 6 « Le Seigneur Dieu voit, et en vérité il a compassion de nous, comme Moïse l'a annoncé par le cantique qui proteste ouvertement en ces termes : *Et il aura pitié de ses serviteurs* f. »

7 Quand le premier eut ainsi quitté la vie, on amena le second au supplice. Après lui avoir arraché la peau de la tête avec les cheveux, on lui demandait : « Mangeras-tu du porc plutôt que de subir la torture de ton corps, membre par membre ? » 8 Mais il répondit dans la langue de ses pères g : « Non ! » C'est pourquoi lui aussi subit les tortures l'une après l'autre. 9 Au moment de rendre le dernier soupir, il dit : « Scélérat que tu es, tu nous exclus de la vie présente, mais le roi du monde, parce que nous serons morts pour ses lois, nous ressuscitera pour une vie éternelle. »

10 Après lui, on supplicia le troisième. Il présenta aussitôt sa langue comme on le lui ordonnait et tendit ses mains avec intrépidité. 11 Il fit cette déclaration courageuse : « C'est du *ciel que je tiens ces membres, à cause de ses lois je les méprise, et c'est de lui que j'espère les recouvrer. » 12 Le roi lui-même et son entourage furent frappés de la grandeur d'âme du jeune homme qui comptait les souffrances pour rien. 13 Ce dernier une fois mort, on soumit le quatrième aux mêmes tortures cruelles. 14 Sur le point d'expirer, il dit : « Mieux vaut mourir de la main des hommes en attendant, selon les promesses faites par Dieu, d'être ressuscité par lui, car pour toi il

---

e *viande de porc:* voir la note sur 6.18 ● f Citation de Dt 32.36 où il est également question de participation aux repas rituels des païens ● g L'expression *la langue de ses pères* désigne sans doute l'hébreu (voir 12.37 et la note), bien que la langue parlée couramment à cette époque fût l'araméen. En tout cas le roi ne comprend pas (voir v. 24 et 27)

7.6 il aura pitié de ses serviteurs cf. Ps 135.14. **7.9** résurrection pour une vie éternelle Dn 12.2; cf. *1 M* 12.44; He 11.35.

n'y aura pas de résurrection à la vie. »
¹⁵ On amena ensuite le cinquième et on
le tortura. ¹⁶ Fixant les yeux sur le roi,
il lui dit : « Tu es puissant parmi les
hommes bien qu'étant corruptible. Tu
fais ce que tu veux, mais ne crois pas
que notre race soit abandonnée de Dieu.
¹⁷ Pour toi, prends patience et tu verras
sa grande puissance, comme il te tourmentera, toi et ta descendance ʰ »
¹⁸ Après celui-ci, ils amenèrent le sixième : sur le point de mourir, il dit : « Ne
te fais pas de vaines illusions, car c'est à
cause de nous-mêmes que nous endurons
ces souffrances, ayant péché envers notre Dieu ; aussi nous est-il arrivé d'étranges calamités. ¹⁹ Mais toi, ne t'imagine
pas que tu resteras impuni, toi qui as
entrepris de faire la guerre à Dieu. »

²⁰ Emminemment admirable et digne
d'une excellente renommée fut la mère,
qui voyait mourir ses sept fils en l'espace
d'un seul jour et le supportait avec sérénité, parce qu'elle mettait son espérance
dans le Seigneur. ²¹ Elle exhortait chacun d'eux dans la langue de ses pères.
Remplie de nobles sentiments et animée
d'un mâle courage, cette femme leur disait : ²² « Je ne sais comment vous avez
apparu dans mes entrailles ; ce n'est pas
moi qui vous ai gratifiés de l'esprit et de
la vie, et ce n'est pas moi qui ai organisé les éléments dont chacun de vous
est composé. ²³ Aussi bien le Créateur
du monde, qui a formé l'homme à sa
naissance et qui est à l'origine de toute
chose, vous rendra-t-il dans sa miséricorde et l'esprit et la vie, parce que vous
vous sacrifiez maintenant vous-mêmes
pour l'amour de ses lois. »

²⁴ Antiochus se crut méprisé et soup-
çonna un outrage dans ces paroles. Le
plus jeune était encore en vie, et non seulement il lui parlait pour l'exhorter, mais
il lui donnait avec serment l'assurance
de le rendre riche et très heureux s'il
abandonnait la tradition de ses pères,
d'en faire son ami ⁱ et de lui confier de
hauts emplois. ²⁵ Mais le jeune homme
ne prêtant aucune attention à ses paroles, le roi fit approcher la mère et
l'exhorta à donner à l'adolescent des con-

seils pour sauver sa vie. ²⁶ Lorsqu'il l'eut
longuement exhortée, elle consentit à
persuader son fils. ²⁷ Elle se pencha donc
vers lui et, mystifiant le tyran cruel, elle
dit dans la langue de ses pères : « Mon
fils, aie pitié de moi qui t'ai porté dans
mon sein neuf mois, qui t'ai allaité trois
ans, qui t'ai nourri et élevé jusqu'à l'âge
où tu es — et qui ai pourvu à ton entretien. ²⁸ Je te conjure, mon enfant, regarde le ciel et la terre, contemple tout
ce qui est en eux et reconnais que Dieu
les a créé de rien et que la race des hommes est faite de la même manière. ²⁹ Ne
crains pas ce bourreau, mais te montrant
digne de tes frères, accepte la mort, afin
que je te retrouve avec tes frères au
temps de la miséricorde. »

³⁰ A peine achevait-elle de parler que
le jeune homme dit : « Qu'attendez-vous ?
Je n'obéis pas aux ordres du roi, j'obéis
aux ordres de la Loi qui a été donnée à
nos pères par Moïse. ³¹ Et toi, l'inventeur de toute la calamité qui s'abat sur
les Hébreux, tu n'échapperas pas aux
mains de Dieu, ³² car si nous souffrons,
nous autres, c'est à cause de nos propres
péchés. ³³ Si, pour notre châtiment et
notre éducation, notre Seigneur, qui est
vivant, s'est courroucé un moment contre
nous, il se réconciliera de nouveau avec
ses serviteurs. ³⁴ Mais toi, ô impie et le
plus infect de tous les hommes, ne t'élève
pas vainement, te berçant d'espoirs in-
certains et levant la main contre ses serviteurs, ³⁵ car tu n'as pas encore échappé
au jugement du Dieu tout-puissant
qui voit tout. ³⁶ Car nos frères, après
avoir enduré maintenant une douleur passagère en vue d'une vie intarissable, sont
tombés pour l'*alliance de Dieu ʲ, tandis
que toi, par le jugement de Dieu, tu porteras le juste châtiment de ton orgueil.
³⁷ Pour moi, je livre comme mes frères
mon corps et ma vie pour les lois de
mes pères, en conjurant Dieu d'être bientôt clément pour notre nation et de
t'amener par des épreuves et des fléaux
à confesser qu'il est le seul Dieu. ³⁸ Je
prie enfin que sur moi et sur mes frères
s'arrête la colère du Tout-Puissant justement déchaînée sur notre race ! »

ʰ Allusion à la fin douloureuse d'Antiochus (voir chap. 9) et à la mort violente de ses fils et petits-fils
(voir 14.2; *1 M* 11.17; 13.31) ● ⁱ *ami* (du roi): titre officiel (voir 8.9; *1 M* 2.18 et la note) ● ʲ *en
vue d'une vie intarissable, tombés pour l'alliance de Dieu*: traduction incertaine; le texte grec est
très obscur

7.18 souffrir à cause de ses péchés 5.17+. **7.19** faire la guerre à Dieu 2 Ch 13.12; Ac 5.39.
7.22 apparition de l'enfant dans les entrailles Ps 139.13-15; Jb 10.8-12; Qo 11.5. **7.23** Dieu a
formé l'homme et toutes choses Es 44.24; il rend l'esprit et la vie Ez 37.5. **7.32** souffrir à cause
de ses péchés 5.17+.

³⁹ Hors de lui, le roi sévit contre le dernier frère encore plus cruellement que contre les autres, le sarcasme lui étant amer. ⁴⁰ Ce jeune homme mourut donc sans s'être souillé et avec une parfaite confiance dans le Seigneur. ⁴¹ Enfin la mère mourut la dernière, après ses fils. ⁴² Nous en resterons là sur la question des repas rituels et des tortures monstrueuses.

Judas Maccabée déclenche l'insurrection

8 ¹ Or Judas Maccabée *k* et ses compagnons, s'introduisant secrètement dans les villages, appelaient à eux leurs frères de race et, s'adjoignant ceux qui étaient restés fidèles au judaïsme, ils en rassemblèrent près de six mille. ² Ils suppliaient le Seigneur d'avoir les yeux sur le peuple que tout le monde accablait, d'avoir pitié du Temple profané par les impies, ³ d'avoir compassion de la ville qu'on détruisait et réduisait au niveau du sol, d'écouter le sang qui criait jusqu'à lui *l*, ⁴ de se souvenir aussi du massacre inique des enfants innocents et enfin de déchaîner son indignation contre ceux qui avaient *blasphémé son *nom. ⁵ Dès qu'il fut à la tête d'un corps de troupe, Maccabée devint invincible aux nations, la colère du Seigneur s'étant changée en miséricorde. ⁶ Tombant à l'improviste sur des villes et des villages, il les brûlait et, occupant les positions favorables, il infligeait à l'ennemi des revers sans nombre. ⁷ Pour de telles attaques, il choisissait surtout la complicité de la nuit, et la renommée de sa vaillance se répandait partout.

Judas remporte une victoire sur Nikanor

(*1 M* 3.38—4.27)

⁸ Voyant cet homme prendre petit à petit de l'importance et remporter des succès de plus en plus fréquents, Philippe écrivit à Ptolémée, stratège de Coelé-Syrie et de Phénicie *m*, de venir au secours des affaires du roi. ⁹ Celui-ci, ayant à sa disposition Nikanor, fils de Patrocle, du rang des premiers amis, l'envoya aussitôt, à la tête d'une armée d'au moins vingt mille hommes de toutes nations, pour qu'il exterminât toute la race des Juifs *n*. Il lui adjoignit Gorgias, général de métier ayant l'expérience des choses de la guerre. ¹⁰ Or Nikanor envisageait d'acquitter le tribut de deux mille talents dû par le roi aux Romains *o* au moyen de la vente des Juifs qu'on ferait prisonniers. ¹¹ Il envoya aussitôt aux villes maritimes une invitation à venir acheter des esclaves juifs, promettant de leur en céder quatre-vingt-dix pour un talent ; il ne s'attendait pas à la sanction qui devait s'ensuivre pour lui de la part du Tout-Puissant.

¹² La nouvelle de l'avance de Nikanor parvint à Judas. Quand il eut fait part aux siens de l'apparition imminente de l'armée ennemie, ¹³ les lâches et ceux qui manquaient de foi en la justice de Dieu prirent la fuite et gagnèrent d'autres lieux. ¹⁴ Les autres vendaient tout ce qui leur restait et priaient en même temps le Seigneur de sauver ceux qui avaient été vendus par l'impie Nikanor avant même que la rencontre eût lieu, ¹⁵ sinon à cause d'eux, du moins à cause des *alliances conclues avec leurs pères et parce que leur eux a été invoqué son *nom auguste et plein de majesté. ¹⁶ Maccabée ayant donc rassemblé ses hommes au nombre de six mille les exhortait à ne pas s'effrayer devant les ennemis et à ne pas se préoccuper du grand nombre de païens qui les attaquaient injustement, mais de combattre avec vaillance, ¹⁷ en ayant devant les yeux l'outrage criminel commis par eux contre le saint lieu, le traitement indigne infligé à la ville bafouée, enfin la ruine de leurs traditions. ¹⁸ « Eux, ajouta-t-il. se fient aux armes et aux actes audacieux, tandis que nous, nous plaçons notre confiance en Dieu le

---

k Judas Maccabée: voir 5.27 et la note sur *1 M* 2.4 ● *l* Sur le *sang* répandu qui *crie:* voir la note sur Ez 24.7 ● *m Philippe:* le Phrygien (voir 5.22 et la note), gouverneur de Jérusalem — *Stratège... de Phénicie:* voir la note sur 3.5 ● *n premiers amis:* voir la note sur *1 M* 2.18 — La volonté d'Antiochus d'*exterminer la race des Juifs* (voir *1 M* 3.34-36) vient de l'échec de la politique d'assimilation qu'il avait d'abord tentée, en supprimant les lois et les coutumes religieuses propres aux Juifs ● *o talents:* voir au glossaire MONNAIES. Cette grosse somme due aux Romains doit être le solde de la dette contractée par le père d'Antiochus Epiphane: en 188 av. J.C., il avait été condamné par le traité d'Apamée à leur verser 12.000 talents en 12 ans

8.5 Judas Maccabée invincible *1 M* 3.3-9. **8.9** vingt mille hommes cf. *1 M* 3.39. **8.18** se fier à Dieu plutôt qu'aux armes Ps 20.8.

tout-puissant, capable de renverser d'un seul signe de tête ceux qui marchent contre nous et avec eux le monde entier. » [19] Et il leur énuméra aussi les cas de protection dont leurs aïeux furent favorisés : sous Sennakérib, quand périrent cent quatre-vingt-cinq mille hommes, [20] en Babylonie dans une bataille contre les Galates [p], où le nombre total de ceux qui prenaient part à l'action s'élevait à huit mille hommes avec quatre mille Macédoniens et où, les Macédoniens mis en difficulté, les huit mille anéantirent cent vingt mille ennemis, grâce au secours qui leur était venu du Ciel, et firent un grand butin.

[21] Après les avoir remplis de courage par ces paroles et disposés à mourir pour les lois et pour la patrie — et ayant divisé son armée en quatre. corps —, [22] il mit à la tête de chaque corps ses frères Simon, Joseph et Jonathan, plaçant sous les ordres de chacun d'eux quinze cents hommes. [23] De plus, il ordonna à Esdrias de lire le livre saint ; après avoir donné pour mot d'ordre « Secours de Dieu [q] », il prit la tête de la première cohorte et attaqua Nikanor. [24] Le Tout-Puissant étant devenu leur allié, ils massacrèrent plus de neuf mille ennemis, blessèrent et mutilèrent la plus grande partie des soldats de Nikanor et les mirent tous en fuite. [25] Ils mirent la main sur l'argent de ceux qui étaient venus pour les acheter. Après les avoir poursuivis assez loin, ils revinrent sur leurs pas, pressés par l'heure, [26] car. on était la veille du *sabbat et pour ce motif ils ne s'attardèrent pas à les poursuivre. [27] Quand ils eurent ramassé les armes des ennemis et enlevé leurs dépouilles, ils se mirent à célébrer le sabbat, multipliant leurs bénédictions et louant le Seigneur de leur avoir réservé pour ce jour les premières gouttes de la rosée [r] de sa miséricorde. [28] Après le sabbat, ils distribuèrent une part du butin aux victimes de la persécution, aux veuves et aux orphelins, et partagèrent le reste entre eux et leurs enfants. [29] Ayant disposé ainsi du butin, ils firent une supplication commune, priant le Seigneur miséricordieux de se réconcilier entièrement avec ses serviteurs.

Judas remporte une victoire sur Timothée

[30] Au cours des campagnes contre les soldats de Timothée et de Bakkhidès [s], ils en tuèrent plus de vingt mille et s'emparèrent avec entrain de hautes forteresses. Ils divisèrent un butin encore plus important en deux parts égales, l'une pour eux-mêmes, l'autre pour les persécutés, les orphelins et les veuves, sans oublier les vieillards. [31] Ayant recueilli avec soin les armes ennemies, ils les entreposèrent en des lieux appropriés ; quant au reste des dépouilles, ils les transportèrent à Jérusalem. [32] Ils supprimèrent le phylarque [t] de l'entourage de Timothée, homme très impie qui avait causé beaucoup de mal aux Juifs. [33] Pendant qu'ils célébraient les fêtes de la victoire dans leur patrie, ils brûlèrent ceux qui avaient incendié les portes saintes et s'étaient réfugiés avec Kallisthène [u] dans une même maisonnette, recevant ainsi le digne salaire de leur profanation.

Nikanor s'enfuit à Antioche

[34] Le triple scélérat Nikanor [v], qui avait amené les mille marchands pour la vente des Juifs, [35] humilié grâce à l'aide du Seigneur par les gens qu'il jugeait être ce qu'il y avait de plus bas, dépouillant son habit d'apparat, fuyait à travers champs à la manière d'un esclave échappé. Délaissé de tous, il parvint à Antioche, favorisé par une chance extraordinaire, alors que son armée était détruite. [36] Et celui qui avait promis aux Romains de constituer un tribut avec le

---

[p] Cette bataille contre les Galates n'est pas mentionnée ailleurs dans la Bible ● [q] *Esdrias*: d'après le latin ; c'est sans doute le même personnage que les *Esdrias* de 12.36 et le *Azarias* de *1 M* 5.18, 56 — Les *mots d'ordre* pour les batailles étaient une tradition en vigueur chez les Grecs et les Romains. Ici le mot d'ordre est pris dans le *livre saint* (la Loi, cf. *1 M* 3.48) ● [r] *gouttes de rosée*: traduit d'après le latin et quelques manuscrits grecs ● [s] Sur *Timothée*, voir *1 M* 5.6 — Sur Bakkhidès, voir *1 M* 7.8 ● [t] *phylarque* ou *chef de tribu*: c'est sans doute le chef des Arabes vaincus au cours de la campagne contre Timothée (voir 12.10-12) ● [u] L'incendie des *portes saintes* (celles du Temple, voir 1 R 6.33) a sans doute eu lieu lors de l'intervention violente racontée en *1 M* 1.29-35 — *Kallisthène*: personnage inconnu ● [v] *Nikanor*: voir 8.9

8.19 protection sous Sennakérib 2 R 19.35 ; Es 37.36. **8.20** victoire sur un ennemi plus nombreux *1 M* 3.18+. **8.33** brûler ceux qui avaient mis le feu *1 M* 3.5+ ; cf. *2 M* 9.6 + — incendie des portes saintes 1.8.

prix des captifs de Jérusalem proclamait que les Juifs avaient un défenseur, que les Juifs étaient invulnérables pour la bonne raison qu'ils suivaient les lois que leur avait prescrites ce défenseur.

Antiochus Epiphane tombe gravement malade

(*1 M 6.1-17; 2 M 1.11-17*)

9 ¹ Or vers ce temps-là, il se trouvait qu'Antiochus était revenu sans gloire des régions de la Perse. ² Il était en effet entré dans la ville du nom de Persépolis *w* et y avait entrepris de piller le temple et d'opprimer la ville. Aussi bien, la foule se soulevant recourut aux armes, et il arriva qu'Antiochus, mis en fuite par les habitants du pays, dut opérer une retraite humiliante. ³ Comme il se trouvait du côté d'Ecbatane *x*, il apprit ce qui était arrivé à Nikanor et aux gens de Timothée. ⁴ Transporté de fureur, il pensait faire payer aux Juifs l'injure de ceux qui l'avaient mis en fuite. Il ordonna donc au conducteur de pousser son char sans s'arrêter pour hâter la fin du voyage, alors qu'il était déjà sous le coup de la sentence du Ciel. Il avait dit en effet dans son orgueil : « Je ferai de Jérusalem la fosse commune des Juifs quand j'y serai arrivé. » ⁵ Mais le Seigneur qui voit tout, le Dieu d'Israël, le frappa d'une plaie incurable et invisible. A peine avait-il achevé cette phrase qu'une douleur d'entrailles sans remède et une colique aiguë le saisirent, ⁶ ce qui n'était que justice puisqu'il avait torturé les entrailles d'autres hommes par des tourments nombreux et inédits. ⁷ Mais il ne rabattait rien de son arrogance ; toujours rempli d'orgueil, il exhalait contre les Juifs le feu de sa colère et commandait d'accélérer le voyage. Soudain il tomba du char qui roulait avec fracas : entraînés dans une chute malheureuse, tous les membres de son corps furent tordus. ⁸ Et cet homme qui tantôt croyait, dans sa jactance surhumaine, pouvoir commander aux vagues de la mer et qui s'imaginait peser dans

la balance la hauteur des montagnes *y*, gisait à terre et dut être transporté dans une litière, rendant évidente aux yeux de tous la puissance de Dieu. ⁹ C'était au point que les yeux de l'impie fourmillaient de vers, qu'avec d'atroces douleurs sa chair encore vive partait en lambeaux et que, à cause de la puanteur, toute l'armée avait le cœur soulevé par cette pourriture. ¹⁰ Celui qui peu avant pensait toucher aux astres du ciel, personne maintenant ne pouvait le transporter à cause de l'incommodité insupportable de cette odeur.

¹¹ C'est enfin à ce moment qu'il commença, brisé, à dépouiller cet excès d'orgueil et à prendre conscience de sa situation sous le fouet divin, torturé par des crises douloureuses. ¹² Comme il ne pouvait lui-même supporter l'odeur qu'il répandait, il avoua : « Il est juste de se soumettre à Dieu et, simple mortel, de renoncer à s'égaler à la divinité. » ¹³ Mais la prière de cet être abject allait vers un maître qui ne devait plus avoir pitié de lui : ¹⁴ il promettait de déclarer libre la ville sainte vers laquelle il s'était hâté pour la niveler et en faire une fosse commune, ¹⁵ de rendre égaux aux Athéniens ces Juifs qu'il avait jugé indignes même d'une sépulture et bons à servir de pâture aux oiseaux de proie ou à être jetés aux fauves avec leurs enfants, ¹⁶ d'orner des plus belles offrandes le saint Temple qu'il avait jadis pillé, de lui restituer au multiple tous les vases sacrés et de subvenir de ses propres revenus aux frais des *sacrifices *z*. ¹⁷ Il promettait de plus de devenir un Juif et de parcourir toutes les régions habitées en proclamant la puissance de Dieu. ¹⁸ Mais comme ses souffrances ne se calmaient d'aucune façon, car le jugement équitable de Dieu pesait sur lui, désespérant de son état, il écrivit aux Juifs la lettre transcrite ci-dessous, sous forme de supplique, et libellée ainsi :

La lettre d'Antiochus Epiphane aux Juifs

¹⁹ « Aux excellents Juifs, aux citoyens,

---

w Persépolis: ancienne capitale de l'empire Perse, à 400 km au sud de Téhéran ● *x Ecbatane*: l'actuelle ville de Hamadan, à 700 km au nord-ouest de Persépolis ● *y* Façon imagée de dire qu'Antiochus s'égalait à Dieu (v. 12; voir Es 40.12; 51.15) ● *z* A propos de ces promesses d'Antiochus, voir la note sur 3.3

8.36 proclamation du Dieu d'Israël par un païen 3.36; 9.12; Dn 3.95-96; 4.31-35; 6.27-28; Jdt 5.6-21. **9.6** subir ce qu'on a infligé à d'autres v. 28; 8.33; 13.8; cf. Ex 21.23-25. **9.8** commander aux vagues de la mer 5.21. **9.9** vers Es 14.11; 66.24; Jdt 16.17; Si 7.17; 19.3; Ac 12.23. **9.12** il est juste... de renoncer à s'égaler à la divinité cf. 8.36+.

Antiochus roi et préteur [a] : joie, santé et bonheur ! [20] Si vous vous portez bien ainsi que vos enfants, si vos affaires vont suivant vos désirs, nous en rendons de très grandes actions de grâce. [21] Quant à moi, je suis alité sans force depuis quelque temps, mais je garde de vous un affectueux souvenir. A mon retour des régions de la Perse, étant tombé dans une faiblesse inquiétante, j'estimai nécessaire de penser à la sécurité de tous. [22] Je ne désespère pas de mon état, j'ai au contraire le ferme espoir d'échapper à cette faiblesse, [23] mais considérant que mon père, à l'époque où il fit campagne contre les pays d'en-haut [b], désigna lui aussi son successeur, [24] afin qu'en cas d'un événement inattendu ou d'une nouvelle fâcheuse les habitants du pays n'en soient troublés, mais sachent à qui la succession des affaires avait été laissée, [25] songeant en outre que les dynastes proches de nous et les voisins de notre royaume guettent le moment favorable et attendent les éventualités, j'ai désigné pour roi mon fils Antiochus, que souvent j'ai confié et recommandé à la plupart d'entre vous quand j'avais à monter en hâte vers les satrapies d'en-haut. Je lui ai adressé la lettre transcrite ci-dessous [c]. [26] Je vous prie donc et vous demande de vous souvenir des bienfaits que vous avez reçus de moi en public et en particulier et de conserver chacun la bienveillance que vous avez pour moi et pour mon fils. [27] Je suis en effet persuadé que, plein d'humanité, il suivra scrupuleusement mes intentions et s'entendra bien avec vous. »

[28] Ainsi ce meurtrier et ce *blasphémateur, après avoir souffert d'horribles douleurs, comme il en avait infligé à d'autres, eut le sort, lamentable entre tous, de perdre la vie sur une terre étrangère, en pleine montagne. [29] Son corps fut ramené par Philippe, son ami intime, mais comme il se méfiait du fils d'Antiochus, il se retira en Egypte auprès de Ptolémée Philométor [d].

Judas purifie le Temple et restaure le culte

(1 M 4.36-61)

10 [1] Maccabée, avec ses compagnons, recouvra sous la conduite du Seigneur le *sanctuaire et la ville [e]. [2] Il détruisit les autels [f] élevés sur la place publique par les étrangers ainsi que les lieux de culte. [3] Après avoir purifié le Temple, ils bâtirent un autre *autel ; ils tirèrent des étincelles de pierres à feu [g], prirent du feu à cette source et offrirent un *sacrifice après deux ans d'interruption ; ils firent fumer l'*encens, allumèrent les lampes et exposèrent les pains. [4] Ayant accompli ces rites, ils prièrent le Seigneur, prosternés sur le ventre, de ne plus les laisser tomber dans de tels maux, mais, s'il leur arrivait jamais de pécher, de les corriger avec mesure et de ne pas les livrer à des nations *blasphématrices et barbares. [5] Ce fut le jour même où le Temple avait été profané par les étrangers que tomba aussi le jour de la purification du Temple, le vingt-cinq du même mois, qui est Kisleu [h]. [6] Ils célébrèrent avec allégresse les huit jours à la manière des Tentes [i], se souvenant comment, il y a peu de temps, ils avaient passé les jours de la fête des Tentes en gîtant dans les montagnes et dans les grottes à la façon des bêtes sauvages. [7] C'est pourquoi, portant les thyrses [j], des rameaux verts et des palmes, ils firent monter des hymnes vers celui qui avait

---

a A l'origine, cette lettre a probablement été adressée aux *citoyens* d'Antioche ; ce pourrait être Jason de Cyrène (voir 2.23 et la note) qui a ajouté la mention des Juifs — *préteur:* magistrat des tribunaux romains. Ce titre s'explique par l'intérêt d'Antiochus pour tout ce qui était romain ● *b pays d'en-haut,* satrapies *d'en-haut* (v. 25) ou *provinces d'en-haut* (1 M 3.37, 6.1): provinces de l'empire séleucide situées dans les hauts plateaux iraniens. Antiochus III y *fit campagne* vers 210 av. J.-C. ● *c dynastes* ou *souverains:* il s'agit de rois voisins qui convoitaient des parties de l'empire d'Antiochus — La deuxième *lettre* dont parle le roi n'a pas été reproduite par l'auteur ● *d ami intime:* voir la note sur 1 M 2.18 — Le séjour de Philippe en Egypte ne dura sans doute que peu de temps (voir 13.23; 1 M 6.55) — Sur les relations d'*Antiochus* et de *Ptolémée Philométor,* voir 4.21 et la note ● *e la ville:* Jérusalem ● *f* Il s'agit probablement ici d'autels votifs, dédiés à des divinités grecques, et non à proprement parler de lieux de sacrifices ● *g* Par ce procédé, on évitait d'utiliser un feu profane (voir 1.19—2.12) ● *h* (fête de la) *purification, Kisleu:* voir au glossaire CALENDRIER ● *i* (fête des) *Tentes:* voir au glossaire CALENDRIER ● *j thyrses:* ce mot désigne normalement des bâtons garnis de lierre ou de feuilles de vigne qu'on portait dans les cortèges en l'honneur de Bacchus (ou Dionysos, voir 6.7 et la note). Ici il s'agit d'un bouquet de feuillage avec un cédrat (sorte de gros citron), qu'on portait à la fête des Tentes

9.28 souffrir ce qu'on a infligé à d'autres 9.6+.   **10.3** purification du Temple 1.18+ — faire fumer l'encens Ex 30.7-8 — allumer les lampes Lv 24.2-4 — exposer les pains Lv 24.5-9.

mené à bien la purification de son lieu saint. ⁸ Ils décrétèrent par un édit public, confirmé par un vote, à l'adresse de toute la nation des Juifs, que chaque année ces jours seraient célébrés.

Antiochus Eupator succède à son père

⁹ Telles furent donc les circonstances de la mort d'Antiochus surnommé Epiphane. ¹⁰ Nous allons maintenant exposer les événements qui concernent Antiochus Eupator, fils de l'impie, en résumant les calamités liées aux guerres. ¹¹ Ayant hérité du royaume, ce prince nomma en effet à la tête des affaires un certain Lysias, le stratège en chef de Coelé-Syrie et de Phénicie *k*. ¹² Quant à Ptolémée, surnommé Makrôn *l*, le premier à observer la justice à l'égard des Juifs à cause des torts qu'on leur avait infligés, il avait essayé de les administrer pacifiquement. ¹³ Accusé en conséquence par les amis du roi auprès d'Eupator, il s'entendait appeler traître à toute occasion pour avoir abandonné Chypre que lui avait confiée Philométor et avoir passé du côté d'Antiochus Epiphane. N'ayant pas fait honneur à la noblesse de sa dignité, il quitta la vie en s'empoisonnant.

Judas attaque les forteresses d'Idumée

(*1 M 5.1-8*)

¹⁴ Gorgias, devenu stratège *m* de la région, entretenait des troupes mercenaires et saisissait toutes les occasions pour faire la guerre aux Juifs. ¹⁵ En même temps, les Iduméens *n*, maîtres de forteresses bien placées, harcelaient les Juifs et, ayant accueilli les proscrits de Jérusalem, se mettaient à fomenter la guerre. ¹⁶ Mais Maccabée et ses soldats, après avoir fait des prières publiques et demandé à Dieu

d'être leur allié, se mirent en marche contre les forteresses des Iduméens. ¹⁷ Après une attaque vigoureuse, ils s'emparèrent de ces positions et repoussèrent tous ceux qui combattaient sur les remparts ; ils égorgeaient ceux qui tombaient entre leurs mains et n'en tuèrent pas moins de vingt mille. ¹⁸ Neuf mille hommes au moins s'étant réfugiés dans deux tours particulièrement fortes, munies de tout ce qu'il faut pour soutenir un siège, ¹⁹ Maccabée laissa pour les assiéger Simon et Joseph avec Zachée *o* et les siens en nombre suffisant et partit lui-même pour des endroits où il y avait urgence. ²⁰ Mais les gens de Simon, avides de richesses, se laissèrent gagner à prix d'argent par quelques-uns de ceux qui gardaient les tours et, pour une somme de soixante-dix mille drachmes *p*, ils en laissèrent s'échapper un certain nombre. ²¹ Quand on eut annoncé à Maccabée ce qui était arrivé, il réunit les chefs de la troupe et accusa les coupables d'avoir vendu leurs frères à prix d'argent en relâchant contre eux leurs ennemis. ²² Il les fit donc exécuter comme traîtres et s'empara aussitôt des deux tours. ²³ Menant à bien toute l'expédition dirigée par lui, il anéantit dans ces deux forteresses plus de vingt mille hommes.

Judas remporte une grande victoire à Gazara

²⁴ Or Timothée, qui avait été vaincu précédemment par les Juifs, ayant levé des forces étrangères en grand nombre et rassemblé quantité de chevaux venus d'Asie *q*, parut en Judée avec l'intention de conquérir ce pays par les armes. ²⁵ A son approche, Maccabée et ses hommes suppliaient Dieu, la tête saupoudrée de terre et les reins ceints d'un cilice *r*.

---

k à la tête des affaires : voir la note sur 3.7 — *Lysias :* voir *1 M 3.32* et la note — *stratège... de Phénicie :* voir la note sur 3.5 ● *l Ptolémée Makrôn* (ou « Longue-Tête ») était stratège de Chypre pour le compte du roi d'Egypte, Ptolémée Philométor. Il passa dans le camp des Séleucides (voir la note sur *1 M* 1.8) quand Antiochus Epiphane s'empara de Chypre, en 186 av. J.C. ; voir v. 13 ● *m Gorgias :* voir 8.9 ; *1 M* 5.59 — *stratège :* voir la note sur 3.5 ● *n Iduméens :* habitants de l'Idumée, partie de l'ancien territoire d'Edom située au sud de la Judée ● *o Simon, Joseph, Zachée :* voir *1 M* 5.18-19 et la note. Le nom de Zachée est probablement un diminutif de Zacharie ● *p drachmes :* voir au glossaire MONNAIES ● *q Sur Timothée,* voir *1 M* 5.6. La précédente défaite pourrait être celle qui est rapportée en 8.30 ; 9.3 ; mais ce peut être aussi une allusion à la bataille du Karnion (voir 12.17-25). Le présent épisode, qui comporte le récit de la mort de Timothée (voir v. 37), ne semble pas tenir compte de l'ordre chronologique des événements — *chevaux d'Asie :* les chevaux élevés par les Parthes sur les plateaux d'Iran étaient réputés ● *r Gestes de deuil ou de tristesse*

10.10 Antiochus Eupator *1 M* 6.17. **10.14** Gorgias *1 M* 3.38. **10.16** guerre contre les Iduméens *1 M* 5.1-8. **10.25** la tête saupoudrée de terre 14.15 ; Jos 7.6 ; 1 S 4.12 ; Ez 27.30 ; Jb 2.12 ; Ne 9.1 — reins ceints d'un cilice (ou d'un sac) Gn 37.34 ; 2 S 3.31 ; 2 R 6.30.

²⁶ Prosternés contre le soubassement antérieur de l'*autel, ils demandaient à Dieu de leur être favorable, d'être l'ennemi de leurs ennemis et l'adversaire de leurs adversaires, d'après les claires expressions de la Loi ⁸. ²⁷ Au sortir de la prière, ils prirent les armes et avancèrent jusqu'à une assez grande distance de la ville ; quand ils furent près de l'ennemi, ils s'arrêtèrent. ²⁸ Au moment où se diffusait la clarté du soleil levant, ils attaquèrent de part et d'autre, les uns ayant pour gage du succès et de la victoire, avec leur vaillance, le recours au Seigneur, les autres prenant pour guide des batailles leur colère. ²⁹ Pendant le violent combat qui s'engageait, apparurent du ciel aux ennemis, sur des chevaux aux freins d'or, cinq hommes magnifiques qui se mirent à la tête des Juifs. ³⁰ Prenant Maccabée au milieu d'eux et le protégeant de leurs armures, ils le gardaient invulnérable, mais sur les adversaires ils lançaient des traits et la foudre, de façon que ceux-ci, bouleversés par l'éblouissement, se dispersèrent dans le plus grand désordre. ³¹ Vingt mille cinq cents fantassins et six cents cavaliers furent égorgés. ³² Timothée lui-même s'enfuit dans une place forte très bien gardée, appelée Gazara, où commandait Khéréas. ³³ Mais Maccabée et les siens l'assiégèrent pendant quatre jours avec une ardeur joyeuse. ³⁴ Confiants dans la sécurité de la place, ceux qui se trouvaient à l'intérieur multipliaient les *blasphèmes et ne cessaient de proférer des paroles impies. ³⁵ Le cinquième jour commençant à poindre, vingt jeunes gens des soldats de Maccabée, enflammés de colère par les blasphèmes, s'élancèrent sur la muraille, animés d'un mâle courage et d'une colère farouche, et ils massacrèrent quiconque tombait entre leurs mains. ³⁶ D'autres montèrent de la même manière contre les assiégés en les prenant à revers, incendièrent les tours et, allumant des bûchers, brûlèrent vifs les blasphémateurs. Quant aux premiers, ils brisèrent les portes, firent entrer le reste de l'armée et furent les premiers à occuper la ville. ³⁷ Ils égorgèrent Timothée, qui s'était caché dans une citerne, et avec lui son frère Khéréas et Apollophane.

³⁸ Après avoir accompli ces exploits, ils bénissaient avec des hymnes et des louanges le Seigneur qui accordait de grands bienfaits à Israël et qui leur donnait la victoire.

Judas est victorieux de Lysias

(*1 M 4.26-35*)

11 ¹ Très peu de temps après, Lysias, tuteur et parent du roi, à la tête des affaires du royaume ᵗ, très affecté par les derniers événements, ² rassembla environ quatre-vingt mille fantassins avec toute sa cavalerie et se mit en marche contre les Juifs, comptant faire de la ville une résidence pour les Grecs, ³ soumettre le *sanctuaire à un impôt à l'instar des autres temples des nations et mettre en vente tous les ans la dignité de grand prêtre, ⁴ sans tenir aucun compte de la puissance de Dieu, mettant une confiance arrogante dans ses myriades de fantassins, dans ses milliers de cavaliers et ses quatre-vingts éléphants.

⁵ Arrivé en Judée, il s'approcha de Bethsour, place forte distante de Jérusalem d'à peu près cinq skhènes ᵘ, et la pressa vivement. ⁶ Lorsque Maccabée et les siens apprirent que Lysias assiégeait les forteresses, ils supplièrent le Seigneur avec gémissements et larmes, de concert avec la foule, d'envoyer un bon ange à Israël pour le sauver. ⁷ Maccabée lui-même, prenant les armes le premier, exhorta les autres à s'exposer avec lui au danger pour secourir leurs frères. Ceux-là s'élancèrent, poussés par une ardeur commune ; ⁸ alors qu'ils se trouvaient encore près de Jérusalem, un cavalier vêtu de blanc apparut à leur tête, agitant des armes d'or. ⁹ Tous à la fois bénirent alors le Dieu miséricordieux et se sentirent animés d'une grande force, prêts à transpercer non seulement des hommes, mais aussi les bêtes les plus sauvages et des murailles de fer. ¹⁰ Ils avancèrent en ordre de bataille, ayant un allié venu du Ciel, le Seigneur ayant eu pitié d'eux. ¹¹ Fonçant sur les ennemis à la façon des lions, ils firent tomber onze mille fantassins et seize cents cavaliers et contraignirent toute l'armée des

---

s Allusion à Ex 23.22 ● t *Lysias:* voir *1 M* 3.32 et la note — *parent du roi,* tout comme *frère* (v. 22) est un titre officiel; voir *1 M* 2.18 et la note — *à la tête des affaires:* voir la note sur 3.7 ● u *skhène:* mesure de distance qui équivaut à 5,5 km environ

10.26 ennemi de leurs ennemis Ex 23.22.   **10.29** apparitions 2.21+.   **10.33** siège de Gazara *1 M* 13.43-48.   **11.6** ange protecteur Ex 14.19; 23.20; 33.2; cf. *Tb* 5.4.   **11.8** apparition 2.21+.

ennemis à fuir. [12] La plupart d'entre eux s'échappèrent blessés et sans armes, et Lysias lui-même se sauva par une fuite honteuse.

Lysias reconcilie les Juifs avec Antiochus

(*1 M* 6.57-61)

[13] Mais Lysias, ne manquant pas de sens, réfléchit sur la défaite qu'il venait d'essuyer et, comprenant que les Hébreux étaient invincibles puisque le Dieu puissant était leur allié, il envoya des messagers [14] leur proposer la réconciliation sous toutes conditions équitables et promit d'obliger aussi le roi à devenir leur ami. [15] Maccabée consentit à tout ce que proposait Lysias par souci du bien public, et tout ce que Maccabée transmit par écrit à Lysias au sujet des Juifs, le roi l'accorda.

[16] La lettre écrite aux Juifs par Lysias était ainsi libellée : « Lysias à l'ensemble des Juifs, salut ! [17] Jean et Absalom [v], vos émissaires, m'ayant remis l'acte transcrit ci-dessous, m'ont prié de ratifier les articles qu'il contient. [18] J'ai donc exposé au roi ce qui devait lui être soumis, après avoir moi-même accordé ce qui était possible. [19] Si donc vous conservez vos dispositions favorables envers l'Etat, je m'efforcerai aussi à l'avenir de travailler à votre bien. [20] Quant aux matières de détail, j'ai donné des ordres à vos émissaires et à mes gens pour en conférer avec vous. [21] Portez-vous bien. L'an cent quarante-huit, le vingt-quatre du mois de Dioscore [w]. »

[22] La lettre du roi contenait ce qui suit : « Le roi Antiochus à son frère [x] Lysias, salut ! [23] Notre père ayant émigré vers les dieux [y], et nous-même voulant que les habitants de notre royaume soient exempts de trouble pour s'appliquer au soin de leurs propres affaires, [24] ayant appris que les Juifs, ne consentant pas à l'adoption des mœurs grecques voulue par notre père, mais préférant leur manière de vivre particulière, demandent qu'on leur permette l'observation de leurs lois, [25] désirant donc que ce peuple soit lui aussi exempt de trouble, nous décidons que le Temple leur soit restitué et qu'ils puissent vivre en citoyens selon les coutumes de leurs ancêtres. [26] Tu feras donc bien d'envoyer quelqu'un vers eux et de leur tendre la main afin que, connaissant le parti adopté par nous, ils aient confiance et passent leur temps à gérer en toute sérénité leurs propres affaires. »

[27] A l'adresse de la nation des Juifs, la lettre du roi était ainsi conçue : « Le roi Antiochus au sénat [z] des Juifs et aux autres Juifs, salut ! [28] Si vous allez bien, cela est conforme à nos vœux, et nous-même nous sommes en bonne santé. [29] Ménélas nous a fait connaître votre désir de retourner chez vous pour vaquer à vos affaires. [30] Tous ceux qui retourneront chez eux avant le trente du mois de Xanthique obtiendront l'assurance de l'impunité. [31] Les Juifs pourront faire usage de leurs aliments particuliers et de leurs lois comme par le passé, et personne d'entre eux ne sera molesté d'aucune façon pour des fautes commises par ignorance. [32] J'ai envoyé aussi Ménélas pour vous tranquilliser. [33] Portez-vous bien. L'an cent quarante-huit, le quinze du mois de Xanthique [a]. »

[34] Les Romains de leur côté adressèrent aux Juifs une lettre de cette teneur : « Quintus Memmius, Titus Manilius et Manius Sergius, légats romains [b], au peuple des Juifs, salut ! [35] Les choses que Lysias, parent du roi [c], vous a accordées, nous vous les concédons aussi. [36] Quant à celles qu'il a jugé devoir soumettre au roi, envoyez-nous quelqu'un sans délai après les avoir examinées, afin que nous les exposions au roi d'une façon qui vous soit avantageuse, car nous nous rendons à Antioche. [37] Hâtez-vous donc de nous

---

v Jean : c'est le nom d'un des frères de Judas Maccabée (*1 M* 2.2), mais on ignore si c'est de lui qu'il s'agit ici — *Absalom* est un personnage important ; deux de ses fils exerceront des commandements militaires (voir *1 M* 11.70 ; 13.11). ● *w L'an cent quarante-huit* : en 164 av. J.C. (voir la note sur *1 M* 1.10) — *Dioscore* : mois du calendrier crétois équivalent à Xanthique du calendrier séleucide, et à Adar du calendrier juif ; voir au glossaire CALENDRIER ● *x frère* : voir la note sur 11.1 ● *y notre père* : Antiochus Epiphane — *émigré vers les dieux* : cette façon de parler de la mort est traditionnelle chez les Séleucides qui avaient coutume de rendre un culte aux souverains défunts ● *z sénat* ou *Assemblée des *Anciens* : voir *1 M* 12.35 ● *a Xanthique* : voir la note sur 11.21 ● *b Titus... Sergius* : traduction incertaine ; le texte grec omet les noms de Manilius et de Sergius, mais ces deux personnages sont connus. Quintus Memmius, lui, n'est pas connu, mais un membre de sa famille avait été légat, c'est-à-dire envoyé officiel, en 170 av. J.C. ● *c parent du roi* : voir la note sur 11.1

11.27 Absalom *1 M* 11.70 ; 13.11.   **11.29** Ménélas 4.23-25.

expédier des gens, afin que nous sachions, nous aussi, quelles sont vos
intentions. ³⁸ Portez-vous bien. L'an cent
quarante-huit, le quinze du mois de
Xanthique. »

Judas venge les gens de Joppé et de Jamnia

12 ¹ Ces traités conclus, Lysias revint
chez le roi, et les Juifs s'appliquaient aux travaux des champs. ² Mais
parmi les stratèges en place, Timothée
et Apollonius, fils de Gennéus, en plus
Hiéronyme et Démophon, à qui s'ajoutait
Nikanor le Cypriarque ᵈ, ne laissaient
goûter aux Juifs ni repos ni tranquillité.
³ Les habitants de Joppé ᵉ commirent un
acte particulièrement impie. Ils invitèrent
les Juifs domiciliés chez eux à monter
avec leurs femmes et leurs enfants sur
des embarcations préparées par eux puisque, disaient-ils, il n'existait aucune inimitié à leur égard. ⁴ Sur l'assurance d'un
décret ᶠ rendu par le peuple de la ville,
les Juifs de leur côté acceptèrent leur
proposition, pour marquer qu'ils désiraient
la paix et qu'ils étaient sans défiance.
Mais quand ils furent arrivés au large,
on les envoya par le fond au nombre
d'au moins deux cents.
⁵ Dès que Judas eut appris la cruauté
commise contre les gens de sa nation, il
fit savoir ses ordres à ses hommes ⁶ et,
après avoir invoqué Dieu, le juge équitable, il marcha contre les meurtriers de
ses frères. Il incendia le port pendant la
nuit, brûla les vaisseaux et fit transpercer
ceux qui y avaient cherché un refuge.
⁷ Mais la place ayant été fermée, il partit
avec l'intention d'y revenir pour extirper
aussi toute la cité des Joppites. ⁸ Averti
que les habitants de Jamnia ᵍ voulaient
jouer le même tour aux Juifs qui habitaient parmi eux, ⁹ il attaqua de nuit aussi
les Jamnites, incendia le port avec la
flotte, à tel point que les lueurs des
flammes furent aperçues jusqu'à Jérusalem

à une distance de deux cent quarante
stades ʰ.

Judas conquiert la ville de Kaspin
(*1 M* 5.9-54)

¹⁰ Il s'était éloigné avec son armée à
neuf stades de là, lors d'une marche
contre Timothée, quand tombèrent sur
lui des Arabes ⁱ au nombre d'au moins
cinq mille hommes de pied et cinq cents
cavaliers. ¹¹ Un violent combat s'étant
engagé et les soldats de Judas ayant été
victorieux avec l'aide de Dieu, les nomades vaincus demandèrent à Judas de
leur donner la main droite ʲ, promettant
de lui fournir du bétail et de lui être utiles
en toute autre circonstance. ¹² Comprenant qu'ils pourraient réellement lui rendre
beaucoup de services, Judas consentit à
faire la paix avec eux, et après qu'on
se fut donné la main, ils se retirèrent
sous les tentes.
¹³ Judas attaqua aussi une certaine ville
forte, entourée de remparts et habitée
par un mélange de nations. Son nom était
Kaspîn ᵏ. ¹⁴ Les assiégés, confiants dans
la solidité de leurs murs et leurs dépôts
de vivres, étaient grossiers à l'excès envers
les soldats de Judas, joignant aux insultes
les *blasphèmes et des propos qu'il n'est
pas permis de tenir. ¹⁵ Mais Judas et ses
soldats, ayant invoqué le grand Souverain
du monde, celui qui sans béliers ˡ et
machines de guerre renversa Jéricho au
temps de Josué, assaillirent le mur avec
fureur. ¹⁶ S'étant emparés de la ville par
la volonté de Dieu, ils firent un carnage
indescriptible, à tel point que l'étang
voisin, d'une largeur de deux stades,
paraissait rempli par le sang qui y avait
coulé.

Judas remporte une victoire au Karnion
(*1 M* 5.37-44)

¹⁷ Après s'être éloignés de là de sept
cent cinquante stades, ils atteignirent le
Kharax, du côté des Juifs appelés Tou-

ᵈ *stratège:* voir la note sur 3.5 — *Timothée* contrôlait la Transjordanie (voir *1 M* 5.6, *2 M*
10.24 et les notes) — *Nikanor le Cypriarque* (différent du Nikanor de 8.9) commandait un corps de
mercenaires chypriotes; cf. le titre de *mysarque*, 5.24 — Les trois autres stratèges sont inconnus
● ᵉ *Joppé:* l'actuelle Jaffa, qui était autrefois un port important; sur la prise de cette ville,
voir *1 M* 10.76; 13.11; 14.34 ● ᶠ *l'assurance d'un décret:* l'Assemblée de la ville avait sans doute
voté des crédits pour une fête publique comportant une promenade en mer ● ᵍ *Jamnia:* voir la
note sur *1 M* 5.58 ● ʰ *stades:* voir au glossaire POIDS ET MESURES ● ⁱ *stades:* voir au
glossaire POIDS ET MESURES — *Timothée:* voir la note sur *1 M* 5.6 — Les *Arabes* (appelés
nomades v. 11), sont des Nabatéens (voir *1 M* 5.25 et la note) ● ʲ *donner la main droite:* en signe
d'armistice ou de paix ● ᵏ *Kaspin* ou *Khaspho*, voir *1 M* 5.26, 36 ● ˡ *béliers:* voir la note sur
Ez 4.2

12.15 chute de Jéricho Jos 6.

biens *m*. ¹⁸ Quant à Timothée *n*, ils ne le trouvèrent point en ces lieux car il s'en était éloigné sans avoir rien fait, mais non sans avoir laissé en un certain point une garnison vraiment très forte. ¹⁹ Dosithée et Sosipater, généraux de Maccabée, s'y rendirent et firent périr les hommes laissés par Timothée dans la forteresse, au nombre de plus de dix mille. ²⁰ Maccabée de son côté, ayant groupé son armée en cohortes, nomma ceux qui seraient à leur tête et se mit en marche contre Timothée, qui avait autour de lui cent vingt mille fantassins et deux mille cinq cents cavaliers. ²¹ Informé de l'approche de Judas, Timothée évacua les femmes et les enfants, avec le reste des bagages, au lieu dit le Karnion, car la place était inexpugnable et difficilement accessible à cause de l'étroitesse des passes *o* dans toute la région. ²² La cohorte de Judas parut la première : l'épouvante ayant saisi l'ennemi ainsi que la crainte que leur inspirait la manifestation de Celui qui voit tout, ils prirent la fuite dans toutes les directions, de sorte que souvent ils se blessaient entre eux et se transperçaient avec la pointe de leur épée. ²³ Judas les poursuivit avec une énergie particulière, passant au fil de l'épée ces criminels dont il fit périr jusqu'à trente mille hommes. ²⁴ Timothée étant tombé lui-même aux mains des soldats de Dosithée et de Sosipater, leur demandait avec beaucoup d'astuce de le laisser partir sain et sauf, parce qu'il tenait en son pouvoir, disait-il, des parents et même des frères de beaucoup d'entre eux, à qui il arriverait d'être exécutés. ²⁵ Quand il leur eut assuré par de longs discours qu'il leur restituerait ces hommes sains et saufs en vertu de l'engagement qu'il prenait, ils le relâchèrent pour sauver leurs frères. ²⁶ S'étant rendu au Karnion et à l'Atargateion *p*, Judas fit égorger vingt-cinq mille hommes.

Judas rentre victorieux à Jérusalem
(*1 M 5.45-54*)

²⁷ Après la défaite et la destruction de ces ennemis, il conduisit aussi son armée contre Ephrôn, ville forte où habitait Lysanias. De robustes jeunes gens avaient pris position devant les murailles et combattaient avec vigueur ; il y avait là de grandes quantités de machines et de projectiles en réserve. ²⁸ Mais, ayant invoqué le Souverain qui brise par sa force la défense des ennemis, les Juifs se rendirent maîtres de la ville et couchèrent sur le sol *q* environ vingt-cinq mille hommes parmi ceux qui se trouvaient à l'intérieur des murs. ²⁹ Ayant quitté ce lieu, ils marchèrent contre Scythopolis, à six cents stades *r* de Jérusalem. ³⁰ Mais les Juifs qui y étaient établis ayant attesté la bienveillance que les Scythopolitains avaient eue pour eux et l'accueil courtois qu'ils leur avaient réservé au temps du malheur, ³¹ Judas et ses soldats remercièrent ces derniers et les exhortèrent à être bien disposés pour leur race encore à l'avenir. Ils arrivèrent à Jérusalem peu de temps avant la fête des Semaines *s*.

Victoire de Judas sur les troupes de Gorgias

³² Après la fête dite de la Pentecôte, ils marchèrent contre Gorgias, stratège de l'Idumée *t*. ³³ Gorgias sortit à la tête de trois mille fantassins et quatre cents cavaliers. ³⁴ Dans la bataille rangée qui s'engageait, il arriva qu'un petit nombre de Juifs tombèrent. ³⁵ Un certain Dosithée, du corps des Toubiens, vaillant cavalier, s'était déjà rendu maître de la personne de Gorgias et, l'ayant saisi par la chlamyde, il l'entraînait de force avec l'intention de capturer vivant ce maudit, mais un cavalier thrace *u*, fonçant sur

---

m stades: voir au glossaire POIDS ET MESURES — *Kharax:* nom d'une place forte de Timothée, en Ammanitide (région d'Amman à l'est du Jourdain), où résidait le gouverneur de cette région — *Toubiens:* habitants du « pays de Tobie » (voir *1 M* 5.13), c'est-à-dire l'Ammanitide, ils étaient des cavaliers réputés, voir v. 35 ● *n Timothée:* voir les notes sur *1 M* 5.6, *2 M* 10.24 ● *o Karnion:* sanctuaire de l'Astarté-aux-cornes (voir *1 M* 5.43) — *l'étroitesse des passes:* il s'agit sans doute des gorges creusées par le torrent qui coule non loin de là ● *p Atargateîon:* sanctuaire de la déesse syrienne Atargatis. Il s'agit sans doute du même sanctuaire que le Karnion (voir v. 21), Atargatis et Astarté étant souvent confondues ● *q couchèrent sur le sol,* c'est-à-dire *tuèrent* ● *r Scythopolis:* c'est l'ancienne ville de Beth-Shéan (voir Jg 1.27 ; 1 S 31.10) dans la vallée du Jourdain (voir *1 M* 5.52) — *stades:* voir au glossaire POIDS ET MESURES ● *s fête des Semaines:* voir au glossaire CALENDRIER. On est entre le 14 et le 20 juin de l'année 163 av. J.C. ● *t fête de la Pentecôte:* voir au glossaire CALENDRIER — *Gorgias, stratège d'Idumée:* voir 8.9 ; 10.14 ; *1 M* 3.5 ; 10.15 ● *u Dosithée:* c'est le général juif qui captura Timothée, voir v. 25. *Toubiens:* voir la note au 12.17 — *chlamyde:* pèlerine courte que portaient les cavaliers — *Thrace:* région située entre la Macédoine et la mer Noire ; les Séleucides y recrutaient des mercenaires

Dosithée, lui trancha l'épaule, et Gorgias s'échappa et s'enfuit à Marisa. ³⁶ Quant aux soldats d'Esdrias ᵛ, ils combattaient depuis longtemps et tombaient d'épuisement : Judas supplia le Seigneur de se montrer leur allié et leur guide dans la guerre, ³⁷ il entonna dans la langue paternelle ʷ le cri de guerre avec des hymnes et mit en déroute les gens de Gorgias.

Un sacrifice est offert pour les morts

³⁸ Ayant rallié son armée, Judas la conduisit à la ville d'Odollam ; mais le septième jour de la semaine survenant, ils se purifièrent ˣ selon la coutume et célébrèrent le *sabbat en ce lieu. ³⁹ Le lendemain, on vint trouver Judas — au temps où la nécessité s'en imposait — pour relever les corps de ceux qui étaient tombés et les inhumer avec leurs proches dans le tombeau de leurs pères. ⁴⁰ Or ils trouvèrent sous la tunique de chacun des morts des objets consacrés aux idoles de Jamnia ʸ, que la Loi interdit aux Juifs. Il fut ainsi évident pour tous que c'était là la raison pour laquelle ces soldats étaient tombés. ⁴¹ Tous donc, bénissant la conduite du Seigneur, juge équitable qui rend manifestes les choses cachées, ⁴² se mirent en prière en demandant que la faute commise fût entièrement effacée, et le valeureux Judas exhorta la troupe à se garder pure de tout péché, ayant sous les yeux ce qui était arrivé à cause de la faute de ceux qui étaient tombés peu avant. ⁴³ Ayant fait une collecte par tête, il envoya jusqu'à deux mille drachmes ᶻ à Jérusalem, afin qu'on offrît un *sacrifice pour le péché, agissant fort bien et noblement dans la pensée de la résurrection. ⁴⁴ Si, en effet, il n'avait pas espéré que les soldats tombés ressusciteraient, il eût été superflu et sot de prier pour des

morts ; ⁴⁵ s'il envisageait qu'une très belle récompense est réservée à ceux qui s'endorment dans la piété, c'était là une pensée sainte et pieuse ; voilà pourquoi il fit faire pour les morts ce sacrifice expiatoire, afin qu'ils fussent absous de leur péché.

Antiochus fait mettre à mort Ménélas

13 ¹ L'an cent quarante-neuf, la nouvelle parvint à Judas et à son armée qu'Antiochus Eupator marchait sur la Judée avec une troupe nombreuse ᵃ, ² et qu'il avait avec lui son tuteur Lysias, qui était à la tête des affaires ᵇ ; il avait une armée grecque de cent dix mille fantassins, cinq mille trois cents cavaliers, vingt-deux éléphants et trois cents chars armés de faux. ³ Ménélas se joignit à eux et se mit à circonvenir Antiochus avec beaucoup d'astuce, non pour le salut de la patrie, mais dans l'espoir de pouvoir rentrer dans sa dignité ᶜ. ⁴ Mais le Roi des rois éveilla contre ce scélérat la colère d'Antiochus et, quand Lysias eut démontré au roi que ce Ménélas était la cause de tous les maux, il ordonna de le conduire à Bérée ᵈ et de l'y mettre à mort, lui aussi, suivant la coutume du lieu. ⁵ Or il y a en ce lieu une tour de cinquante coudées ᵉ, pleine de cendres ; cette tour était munie d'une machine tournante, inclinée de tous côtés vers la cendre. ⁶ C'est là qu'on fait monter l'homme coupable de pillage sacrilège ou de quelque autre crime énorme et qu'on le précipite pour le faire périr. ⁷ Tel fut le supplice dont mourut le prévaricateur et qui priva Ménélas même de l'inhumation ᶠ ; ⁸ et cela en toute justice car, comme il avait commis beaucoup de péchés contre l'*autel, dont le feu et la cendre étaient *purs, c'est dans la cendre qu'il trouva la mort ᵍ.

ᵛ *Esdrias :* voir 8.23 et la note ● ʷ *La langue paternelle* est l'hébreu car les hymnes guerriers avaient un caractère liturgique et ne pouvaient donc être chantés que dans cette langue (voir 7.8 ; 15.29) ● ˣ *Odollam :* c'est l'ancienne ville forte d'Adullam, dans le *Bas-Pays (voir 1 S 22.1 ; 2 Ch 11.7) — *ils se *purifièrent :* les soldats avaient tué et touché des morts, ce qui les rendaient *impurs pour sept jours ● ʸ *Ces objets consacrés* sont des amulettes offertes aux idoles dans les temples de l'ancienne Philistie (voir *1 M* 5.58, 68 et les notes). Ils auraient dû être brûlés (voir Dt 7.25 ; Jos 7) ● ᶻ *drachmes :* voir au glossaire MONNAIES. ● ᵃ *à l'an cent quarante neuf :* compté selon le calendrier séleucide (voir la note sur *1 M* 1.10) soit en 163 av. J.C. — Cette campagne a pour cause le siège de la citadelle de Jérusalem par les troupes de Judas (voir *1 M* 6.18-19) ● ᵇ *Lysias :* voir *1 M* 3.32 et la note — *à la tête des affaires :* voir la note sur 3.7 ● ᶜ *rentrer dans sa dignité :* celle de grand prêtre (voir 4.24-25) ● ᵈ *Bérée :* ce nom d'une ville de Macédoine avait été donné à Alep, en Syrie, par Séleucus 1ᵉʳ Nikator, le fondateur de la dynastie séleucide (voir la note sur *1 M* 1 8) ● ᵉ *coudées :* voir au glossaire POIDS ET MESURES ● ᶠ *privé... d'inhumation :* voir la note sur Ez 29.5 ● ᵍ Application de la loi du talion (voir Ex 21.23-25 ; cf. *2 M* 8.33 ; 9.28)

12.40 objets consacrés aux idoles cf. Dt 7.25. **13.2** armée d'Antiochus V *1 M* 6.28-30. **13.3** Ménélas 4.23-25. **13.8** punition en rapport avec le péché commis 9.6+.

Victoire de Judas sur Antiochus à Modîn

⁹ L'esprit hanté de desseins barbares, le roi avançait donc pour faire voir aux Juifs les plus horribles des traitements que leur avait fait subir son père. ¹⁰ Judas, l'ayant appris, prescrivit à la foule d'invoquer le Seigneur nuit et jour pour que, cette fois surtout, il vînt au secours de ceux qui étaient menacés d'être privés de la Loi, de la patrie et du Temple saint ¹¹ et qu'il ne laissât pas ce peuple, qui commençait à peine à reprendre haleine, tomber au pouvoir des nations insolentes. ¹² Quand tous eurent fait de même et imploré le Seigneur miséricordieux avec des larmes et des *jeûnes, prosternés pendant trois jours sans interruption, Judas les exhorta et leur ordonna de se tenir auprès de lui. ¹³ Mais après un entretien particulier avec les *Anciens, il décida de se mettre en marche avant que l'armée du roi n'envahît la Judée et ne s'emparât de la ville, et de décider de toute l'affaire avec l'assistance du Seigneur. ¹⁴ Ayant donc confié au Créateur du monde le soin de décider du différend, il exhorta les siens à combattre généreusement pour les lois, pour le *sanctuaire, la ville, la patrie et les institutions, et fit camper son armée aux environs de Modîn ʰ. ¹⁵ Il donna à ses soldats comme mot d'ordre ⁱ « Victoire de Dieu », puis attaqua de nuit, avec une élite de jeunes braves, les quartiers du roi et anéantit environ deux mille parmi les hommes du camp. Ses gens transpercèrent le plus grand des éléphants avec le cornac ; ¹⁶ ils remplirent finalement le camp d'épouvante et de confusion, puis se retirèrent avec un plein succès. ¹⁷ Déjà le jour commençait à poindre, quand s'achevait cet exploit accompli grâce à la protection dont le Seigneur entourait Judas.

Antiochus se réconcilie avec les Juifs
(*1 M 6.48-63*)

¹⁸ Le roi ayant ainsi expérimenté la hardiesse des Juifs essaya d'attaquer les places au moyen d'artifices. ¹⁹ Il s'approchait de Bethsour ʲ, forteresse puissante des Juifs, mais il était repoussé, mis en échec, vaincu. ²⁰ Aux assiégés, Judas fit passer ce qui leur était nécessaire. ²¹ Mais Rhodocus, de l'armée juive, dévoila les secrets aux ennemis ; il fut filé, pris et exécuté. ²² Une seconde fois, le roi eut des pourparlers avec ceux de Bethsour ; il leur tendit la main, prit la leur, se retira, ²³ attaqua Judas et ses soldats et eut le dessous. A la nouvelle que Philippe, qu'il avait laissé à la tête des affaires, avait fait un coup de tête à Antioche, il fut bouleversé. Il se mit à traiter avec les Juifs et à composer avec eux, jura de garder toutes les conditions justes et se réconcilia avec eux. Il offrit un *sacrifice, honora le Temple et fut généreux à l'égard du saint lieu ᵏ. ²⁴ Il fit bon accueil à Maccabée et laissa Hégémonide stratège depuis Ptolémaïs jusqu'au pays des Gerréniens ˡ. ²⁵ Il se rendit à Ptolémaïs ; mais les habitants de cette ville, mécontents du traité, s'en indignaient ᵐ et voulurent en rejeter les conventions. ²⁶ Alors Lysias monta à la tribune, défendit de son mieux ces conventions, persuada les esprits, les calma, les amena à la bienveillance et partit pour Antioche.

Tels sont les événements concernant l'expédition et la retraite du roi.

Le grand prêtre Alkime calomnie Judas
(*1 M 7.1-38*)

14 ¹ Après un intervalle de trois ans, Judas et les siens apprirent que Démétrius, fils de Séleucus, après avoir abordé au port de Tripoli ⁿ avec une

---

h *Modîn:* ville natale des Maccabées dans le *Bas-Pays, à une trentaine de km au nord-ouest de Jérusalem (voir *1 M* 2.1-5) ● i *mot d'ordre:* voir 8.23 et la note ● j *Bethsour:* à un peu plus de 25 km au sud de Jérusalem (voir 11.5) ● k *Philippe:* voir 9.29 et la note; *1 M* 6.14 — *à la tête des affaires:* voir la note sur 3.7 — *fut généreux... saint lieu:* voir la note sur 3.3 ● l *Il fit bon accueil à Maccabée:* à partir de ce moment (fin 163 av. J.C.), Judas est donc reconnu par le roi qui ne donne pas d'autre gouverneur à la Judée. Par contre, il nomme un *stratège* (voir la note sur 3.5) pour la région côtière: *de Ptolémaïs* (l'actuelle S. Jean d'Acre, au nord du pays) *jusqu'au pays des Gerréniens* (la région de Gerra, près de Péluse, au sud de l'ancienne Phénicie) ● m *les siens... s'en indignaient:* Ptolémaïs, cité grecque, était franchement hostile aux Juifs (voir 6.8-9) ● n *après un intervalle de trois ans:* c'est-à-dire en 161-160 av. J.C. (cf. 13.1 et la note) — *Démétrius fils de Séleucus:* voir *1 M* 7.2 et la note — *Tripoli:* port de Phénicie, à une centaine de km au nord de Beyrouth

---

13.10 privés de la Loi... du Temple saint 6.1-11 ; *1 M* 1.44-51. **13.15** le plus grand des éléphants transpercé *1 M* 6.43-46. **13.23** sacrifice offert par un païen 3.35. Cf. 8.36+. **13.26** Lysias cf. 11.13-21.

forte armée et une flotte, ² s'était emparé du pays et avait fait périr Antiochus et son tuteur Lysias. ³ Un certain Alkime, précédemment devenu grand prêtre mais qui s'était volontairement souillé *o* au temps de la révolte, comprenant qu'il n'y avait pour lui de salut en aucune façon, ni désormais d'accès possible au saint *autel, ⁴ se rendit chez le roi Démétrius vers l'an cent cinquante et un et lui apporta une couronne d'or avec une palme et, de plus, des rameaux *p* dus selon l'usage par le *sanctuaire. Cependant il resta réservé ce jour-là.

⁵ Mais il saisit une occasion complice de sa démence quand Démétrius le convoqua à son Conseil et l'interrogea sur les dispositions et les desseins des Juifs. ⁶ Il répondit : « Ceux des Juifs qu'on appelle Assidéens *q*, que dirige Judas Maccabée, fomentent la guerre et les séditions et ne laissent pas le royaume jouir du calme. ⁷ C'est pourquoi, ayant été dépouillé de ma dignité ancestrale, je veux dire du pontificat *r*, je suis venu ici, ⁸ d'abord poussé par le souci sincère des intérêts du roi, ensuite en considération de nos concitoyens, car la témérité de ceux que je viens de nommer plonge toute notre race dans une grande infortune. ⁹ Toi donc, ô roi, quand tu auras pris connaissance de chacun de ces griefs, daigne pourvoir au salut de notre pays et de notre nation si exposée, avec cette bienveillance affable que tu prodigues à tous. ¹⁰ Car tant que Judas est en vie, il est impossible à l'Etat de jouir de la paix. » ¹¹ Dès qu'il eut parlé ainsi, les autres amis du roi, hostiles à l'action de Judas, s'empressèrent d'enflammer Démétrius. ¹² Ayant aussitôt choisi Nikanor, qui était devenu éléphantarque, il le nomma stratège de Judée *s* et le fit partir ¹³ avec l'ordre de supprimer Judas, de disperser ceux qui étaient avec lui et d'introniser Alkime grand prêtre du plus grand des sanctuaires. ¹⁴ Les païens de Judée qui avaient fui devant Judas se mêlèrent par troupes aux soldats de Nikanor, pensant que l'infortune et les malheurs des Juifs tourneraient à leur propre avantage.

Sympathie de Nikanor pour Judas

¹⁵ Informés de l'approche de Nikanor et de l'agression des païens, les Juifs répandirent sur eux de la poussière *t* et ils imploraient Celui qui avait installé son peuple pour toujours et qui ne cessait de secourir son héritage avec des signes manifestes. ¹⁶ Sur l'ordre de leur chef, ils partirent aussitôt du lieu où ils se trouvaient et en vinrent aux mains avec les ennemis près du bourg de Dessau *u*. ¹⁷ Simon, frère de Judas, avait engagé le combat avec Nikanor, mais à cause de l'arrivée subite des adversaires il avait essuyé un léger échec *v*. ¹⁸ Toutefois Nikanor, apprenant quelle était la valeur des soldats de Judas et leur assurance dans les combats livrés pour la patrie, se gardait bien de s'en remettre au jugement par le sang. ¹⁹ Aussi envoya-t-il Posidonius, Théodote et Mattathias pour tendre la main aux Juifs et recevoir la leur. ²⁰ Après un examen approfondi des propositions, le chef les communiqua aux troupes et, les avis ayant paru unanimes, elles manifestèrent leur assentiment aux conventions. ²¹ On fixa un jour où les chefs se rencontreraient en particulier. De part et d'autre s'avança un véhicule, et on disposa des sièges d'honneur. ²² Judas avait disposé aux endroits favorables des hommes armés et prêts à intervenir en cas d'une perfidie soudaine de la part des ennemis. L'entretien aboutit à un accord. ²³ Nikanor séjourna à Jérusalem sans y rien faire de déplacé ; il congédia les foules qui, par bandes, s'étaient rassemblées autour de lui. ²⁴ Il avait sans cesse Judas devant les yeux, éprouvant pour cet homme une inclination de cœur. ²⁵ Il l'engagea à se marier et à procréer des enfants. Judas se maria,

---

o Alkime... grand prêtre: D'après l'historien juif Josèphe, c'est Antiochus V qui l'aurait nommé. Cette charge lui fut reconnue par le nouveau roi (v. 13 ; *1 M* 7.9) — *s'était souillé* signifie ici qu'il avait accepté les coutumes grecques ● *p l'an cent cinquante et un:* c'est-à-dire en 160 av. J.C. (voir la note sur *1 M* 1.10) — *couronne d'or, palme, rameaux:* voir la note sur *1 M* 10.29 ● *q Assidéens:* voir la note sur *1 M* 2.42 ● *r le souverain pontificat:* la charge de grand prêtre (voir 4.7 et la note) ● *s Nikanor:* il s'agit du même personnage que le *fils de Patrocle* (voir 8.9 ; *1 M* 7.26; cf. *1 M* 8.34) — *éléphantarque:* responsable des éléphants de combat (voir 11.4; 15.20; *1 M* 6.34-37) — *stratège de Judée:* c'était normalement le grand prêtre qui en exerçait le pouvoir (voir la note sur 3.5) sans en avoir le titre, mais le roi veut priver les Juifs, y compris Alkime, de tout pouvoir politique ● *t répandirent... poussière:* voir 10.25 et la note ● *u Dessau* ou *Adassa* (*1 M* 7.40): ville située non loin de Jérusalem, vers le nord ● *v* Le texte de ce v. est obscur et la traduction incertaine

14.15 poussière 10.25+.

jouit de la tranquillité et prit part à la vie.

Intrigues d'Alkime contre Nikanor et Judas

²⁶ Mais Alkime, voyant leur bonne entente et s'étant procuré une copie du traité conclu, vint chez Démétrius et lui dit que Nikanor avait des projets opposés au gouvernement, car l'adversaire même de son royaume, Judas, il l'avait promu diadoque ᵂ. ²⁷ Le roi se mit en colère et, excité par les calomnies de ce misérable, il écrivit à Nikanor, lui déclarant qu'il était indigné desdites conventions et lui donnant l'ordre d'envoyer sans retard à Antioche Maccabée chargé de chaînes. ²⁸ Au reçu de cette missive, Nikanor fut bouleversé et ne pouvait se faire à l'idée de violer les conventions avec un homme qui n'avait aucun tort. ²⁹ Mais puisqu'il n'était pas possible d'agir à l'encontre du roi, il épiait l'occasion d'exécuter cet ordre par un stratagème. ³⁰ De son côté Maccabée, remarquant que Nikanor se montrait plus froid à son égard et que son abord ordinaire se faisait moins affable, pensa que cette froideur ne signifiait rien de bon. Il rassembla donc un grand nombre de ses partisans et se dérobait à Nikanor. ³¹ Quand l'autre eut reconnu qu'il avait été proprement joué par cet homme, il se rendit au *sanctuaire très grand et saint au moment où les prêtres offraient les *sacrifices accoutumés et il commanda de lui livrer l'homme. ³² Comme ils affirmaient avec serment qu'ils ignoraient où était l'homme qu'il cherchait, ³³ Nikanor étendit la main droite vers le Temple et proclama avec serment : « Si vous ne me livrez pas Judas enchaîné, je raserai au niveau du sol ce temple de Dieu, je détruirai l'*autel et j'élèverai à cette place à Dionysos ˣ un sanctuaire splendide. » ³⁴ Sur de telles paroles, il s'en alla ; mais les prêtres tendirent les mains vers le *Ciel et imploraient celui qui a toujours combattu pour notre nation, en disant : ³⁵ « Seigneur, ô toi qui n'as besoin de rien, il t'a plu d'avoir parmi nous le Temple où tu habites. ³⁶ Maintenant donc, Seigneur saint de toute *sainteté, préserve pour jamais de la profanation cette maison qui vient d'être purifiée ʸ. »

Mort de Razis

³⁷ Or un homme du nom de Razis, un des *anciens de Jérusalem, fut dénoncé à Nikanor. C'était un homme zélé pour ses concitoyens, jouissant d'un excellent renom, appelé père des Juifs à cause de son affection pour eux. ³⁸ Car il avait été inculpé de judaïsme ᶻ dans les temps antérieurs de la révolte, et il avait alors exposé son corps et sa vie pour le judaïsme avec grande constance. ³⁹ Voulant manifester la malveillance qu'il nourrissait à l'égard des Juifs, Nikanor envoya plus de cinq cents soldats pour l'arrêter, ⁴⁰ car il s'imaginait que, s'il faisait disparaître cet homme, il porterait un grand coup aux Juifs. ⁴¹ Comme ses troupes étaient sur le point de s'emparer de la tour et forçaient le porche, avec l'ordre de mettre le feu et de brûler les portes, Razis, cerné de toutes parts, dirigea son épée contre lui-même, ⁴² aimant mieux mourir noblement que tomber entre les mains des criminels et subir des outrages indignes de sa noblesse. ⁴³ Mais dans la précipitation du combat, il avait mal dirigé le coup et les troupes se ruaient à l'intérieur des portes. Il courut donc allègrement au haut de la muraille et se précipita avec intrépidité sur la foule. ⁴⁴ Tous reculèrent au plus vite et il s'en vint choir au milieu de l'espace vide. ⁴⁵ Respirant encore et enflammé d'ardeur, il se releva, ruisselant de sang et souffrant atrocement de ses blessures, et traversa la foule en courant. Se dressant sur une roche escarpée ⁴⁶ et déjà tout à fait exsangue, il s'arracha les entrailles et, les prenant de ses deux mains, les lança sur la foule. Il pria le maître de la vie et de l'esprit de les lui rendre un jour, et c'est ainsi qu'il mourut.

Nikanor refuse de respecter le Sabbat

15 ¹ Or Nikanor, ayant appris que Judas et les siens se trouvaient dans la région de Samarie, décida de les attaquer sans le moindre risque, le jour du

---

w *diadoque*: c'est-à-dire « successeur », titre réservé aux « amis du roi » (voir la note sur *1 M* 2.18) ● x *Dionysos*: voir la note sur 6.7 ● y *qui vient d'être purifiée*: voir 10.1-8 ● z *inculpé de judaïsme*: c'est-à-dire accusé de continuer à se conformer à la loi et aux traditions religieuses juives, alors que cela reste interdit; voir 6.1-11

13.42 mourir noblement plutôt que de subir des outrages 1 S 31.4. **15.1** attaquer le jour du sabbat *1 M* 2.35+.

repos[a]. [2] Les Juifs qui le suivaient par contrainte lui dirent : « Ne les fais pas périr d'une façon aussi sauvage et barbare, mais rends gloire au jour qui a été honoré et sanctifié de préférence par Celui qui veille sur toutes choses. » [3] Mais ce triple scélérat demanda s'il y avait au ciel un souverain qui eût prescrit de célébrer le jour du sabbat. [4] Comme ils lui expliquaient que « c'est le Seigneur vivant lui-même, souverain dans le ciel, qui a ordonné d'observer le septième jour », [5] l'autre reprit : « Et moi aussi, souverain sur la terre, je commande qu'on prenne les armes et qu'on fasse le service du roi. » Toutefois, il fut dans l'impuissance d'accomplir son cruel dessein.

Judas encourage ses compagnons

[6] Nikanor, se redressant avec une extrême jactance, décidait d'ériger un trophée[b] commun avec les dépouilles de Judas et des siens. [7] Maccabée, de son côté, gardait une confiance inaltérable et avait tout espoir d'obtenir du secours de la part du Seigneur. [8] Il exhortait ceux qui étaient avec lui à ne pas redouter l'attaque des païens, mais à avoir présents à l'esprit les secours qui leur étaient venus du *Ciel dans le passé et à attendre avec confiance, maintenant encore, la victoire qui leur viendrait du Tout-Puissant. [9] En les encourageant par la Loi et les Prophètes[c] et en leur rappelant aussi les combats qu'ils avaient déjà soutenus, il les remplit d'une nouvelle ardeur. [10] Ayant ainsi réveillé leur ardeur, il acheva de les exhorter en leur montrant la déloyauté des païens et la violation de leurs serments. [11] Quand il eut armé chacun d'eux, moins de la sécurité que donnent boucliers et lances que de l'assurance fondée sur de nobles paroles, il leur interpréta un songe digne de foi, une sorte de vision, par lequel il les réjouit tous. [12] Voici le spectacle qui lui avait été offert : Onias, jadis grand prêtre, cet homme de bien, d'un abord modeste et de mœurs douces, distingué dans son

langage et adonné dès l'enfance à toutes les pratiques de la vertu, étendait les mains et priait pour toute la communauté des Juifs. [13] Ensuite était apparu à Judas, de la même manière, un homme aux cheveux blancs et très digne, admirable de prestance et environné de majesté. [14] Prenant la parole, Onias disait : « Cet homme est l'ami de ses frères, qui prie beaucoup pour le peuple et pour toute la ville sainte, Jérémie, le Prophète de Dieu. » [15] Jérémie tendit alors de la main droite une épée d'or à Judas et la lui remit avec ces paroles : [16] « Prends ce glaive saint, il est un don de Dieu, et avec lui tu briseras les ennemis. »

Défaite et mort de Nikanor
(1 M 7.39-50)

[17] Rassurés par les excellentes paroles de Judas, capables d'inspirer la vaillance et de donner aux jeunes une âme virile, les Juifs décidèrent de ne pas se retrancher dans un camp, mais de passer courageusement à l'attaque et, dans un corps à corps, de remettre la décision à la bonne fortune, puisque la ville, la religion[d] et le *sanctuaire étaient en péril ; [18] car l'inquiétude au sujet des femmes et des enfants, des frères et des proches, comptait peu pour eux, alors que la plus grande et la première des craintes était pour le Temple consacré. [19] L'angoisse de ceux qui étaient enfermés dans la ville n'était pas moindre, inquiets qu'ils étaient de l'action en rase campagne. [20] Pendant que tous attendaient le dénouement prochain, les ennemis s'étaient déjà rassemblés et rangeaient leur armée en ordre de bataille. Les éléphants étaient amenés sur une position favorable et la cavalerie disposée sur les ailes. [21] Maccabée considéra les troupes présentes, l'appareil varié de leurs armes et l'aspect sauvage des éléphants. Il leva les mains vers le ciel[e] et invoqua le Seigneur qui opère les prodiges, parce qu'il savait que ce n'est pas par les armes, mais selon sa décision, qu'il accorde la victoire à ceux qui en

---

a *le jour du repos:* voir au glossaire SABBAT — Nikanor ignore que les Juifs ont pris la décision de se défendre même le jour du sabbat, voir *1 M* 2.41 ● b *trophée:* voir la note sur 5.6 ● c *la Loi et les Prophètes:* voir au glossaire LOI ● d *religion:* traduction incertaine. L'expression grecque (littéralement « les choses saintes ») désigne ailleurs le sanctuaire, mais elle ne peut avoir ce sens ici ● e *leva les mains...:* c'est le geste de la prière (cf. v. 12. Voir Ps 28.2, note et références parallèles)

15.3 triple scélérat 8.34.   15.10 déloyauté des païens 5.25; 12.3; *1 M* 6.62; cf. *1 M* 1.30+.
15.11 vision cf. 2.21+.   15.12 Onias prie pour les Juifs 3.10, 31-34; 4.5.   15.14 Jérémie 2.1-8.
15.20 les éléphants disposés avec la cavalerie *1 M* 6.35, 38.

sont dignes. ²² Dans son invocation, il disait : « O toi, Maître, tu as envoyé ton ange au temps d'Ezékias, roi de Judée, et il a exterminé cent quatre-vingt-cinq mille hommes de l'armée de Sennakérib. ²³ Envoie aussi maintenant, ô souverain des cieux, un bon ange devant nous pour semer la crainte et l'effroi. ²⁴ Que par la grandeur de ton bras soient frappés ceux qui sont venus, le *blasphème à la bouche, attaquer ton peuple saint ! » Et il termina sur ces mots.

²⁵ Tandis que les soldats de Nikanor avançaient au son des trompettes et des chants de guerre, ²⁶ les hommes de Judas en vinrent aux mains avec les ennemis en faisant des invocations et des prières. ²⁷ Combattant de leurs mains et priant Dieu de leur cœur, ils firent tomber au moins trente-cinq mille hommes et se réjouirent grandement de cette manifestation de Dieu. ²⁸ Le travail terminé, ils rompaient les rangs avec joie, quand ils reconnurent le corps étendu de Nikanor, revêtu de son armure. ²⁹ Au milieu des clameurs et de la confusion, ils bénissaient le souverain Maître dans la langue de leurs pères ^f. ³⁰ Celui qui, au premier rang, s'était consacré corps et âme à ses concitoyens, qui avait conservé une tendre affection à ses compatriotes, ordonna de couper la tête de Nikanor et son bras jusqu'à l'épaule et de les porter à Jérusalem. ³¹ Il s'y rendit lui-même, convoqua ses compatriotes, disposa les prêtres devant l'*autel et envoya chercher les gens de la Citadelle ^g. ³² Montrant la tête de l'abominable Nikanor et la main que cet infâme avait étendue avec insolence contre la sainte Maison du Tout-Puissant, ³³ il coupa la langue de l'impie Nikanor et dit qu'on la donnât par morceaux aux oiseaux et qu'on suspendît en face du Temple le salaire de sa folie. ³⁴ Tous alors firent monter vers le ciel des bénédictions au Seigneur glorieux en disant : « Béni Celui qui a gardé son saint lieu exempt de souillure ! »

³⁵ Judas fit attacher la tête de Nikanor à la Citadelle comme un signe manifeste et visible à tous du secours du Seigneur. ³⁶ Ils décrétèrent tous par un vote public de ne pas laisser passer ce jour sans le signaler, mais de célébrer le treizième jour du douzième mois, appelé Adar ^h en araméen, la veille du jour dit de Mardochée.

Remarques finales de l'auteur

³⁷ C'est ainsi que se passèrent les événements concernant Nikanor ; et, comme depuis ces temps la ville ⁱ demeura en possession des Hébreux, je finirai, moi aussi, mon ouvrage en cet endroit. ³⁸ Si la composition est bonne et réussie, c'est aussi ce que j'ai voulu ; si elle a peu de valeur et ne dépasse guère la médiocrité, c'est tout ce que j'ai pu faire. ³⁹ Car de même qu'il est nuisible de boire du vin pur ou de l'eau pure, alors que le vin mêlé à l'eau est une boisson agréable qui produit une délicieuse jouissance, de même c'est l'art de disposer le récit qui charme l'entendement de ceux qui lisent l'ouvrage. C'est donc ici que je m'arrête.

---

f langue de leurs pères: voir les notes sur 7.8; 12.37 ● *g ceux de la citadelle:* voir *1 M* 1.33 et la note ● *h Adar:* voir au glossaire CALENDRIER ● *i la ville:* il s'agit ici de la partie de la ville où se trouve le Temple, ce que *1 M* appelle le mont Sion (voir *1 M* 4.37, 60; 10.11)

15.22 l'ange au temps d'Ezékias 8.19+. **15.27** manifestation de Dieu 2.21+. **15.32** l'abominable Nikanor cf. 8.34; 13.3. **15.35** fit attacher la tête de Nikanor *1 M* 7.47+.

LA SAGESSE

Exhortation à pratiquer la justice

1 ¹ Aimez la justice, vous qui gouvernez la terre,
entretenez de droites pensées sur le
Seigneur,
avec simplicité de cœur, cherchez-le.
² Car il se laisse trouver par qui ne le
tente pas,
il se manifeste à qui ne manque pas
de foi en lui.
³ Les pensées tortueuses séparent de
Dieu
et la Puissance *a* mise à l'épreuve
confond les insensés.
⁴ Dans une âme malfaisante, la Sagesse
n'entre pas,
elle n'habite pas dans un corps grevé
par le péché.
⁵ Car le saint Esprit qui éduque fuit la
duplicité,
il s'écarte des pensées folles,
il est mis en échec quand survient
l'injustice.
⁶ La Sagesse est un esprit bienveillant,
et elle ne laissera pas impuni celui
dont les lèvres médisent,
puisque Dieu est le témoin de ses
reins,
scrute son cœur selon la vérité
et se tient à l'écoute de sa langue *b*.
⁷ Oui, l'Esprit du Seigneur remplit la
terre
et comme il contient l'univers *c*, il a
connaissance de chaque son.
⁸ Aussi quiconque parle méchamment ne
passe pas inaperçu

et la justice accusatrice ne le manquera pas.
⁹ Sur les intentions de l'impie, enquête
sera faite,
le bruit de ses paroles ira jusqu'au
Seigneur
comme preuve de ses forfaits.
¹⁰ Une oreille zélée écoute tout,
même le chuchotement des murmures
ne lui échappe pas.
¹¹ Gardez-vous donc du murmure inutile ;
pour ne pas médire, retenez votre
langue,
car un mot dit en secret ne reste pas
sans conséquence
et la bouche qui calomnie tue l'âme.
¹² Ne recherchez pas la mort en four-
voyant votre vie,
n'attirez pas à vous la ruine par les
œuvres de vos mains.
¹³ Dieu, lui, n'a pas fait la mort
et il ne prend pas plaisir à la perte
des vivants.
¹⁴ Car il a créé tous les êtres pour qu'ils
subsistent
et, dans le monde, les générations sont
salutaires *d* ;
en elles il n'y a pas de poison funeste
et la domination de l'*Hadès ne
s'exerce pas sur la terre,
¹⁵ car la justice est immortelle.

Attitude des impies vis-à-vis des justes

¹⁶ Mais les impies ont invité l'*Hadès
du geste et de la voix,

---

a la Puissance : il s'agit de la puissance de Dieu qui est ici personnifiée — Dans les versets 3 à 7
l'alternance des sujets (*Dieu, la Puissance, la Sagesse, l'Esprit*) renvoie à divers aspects de l'activité
de Dieu ● *b* Sur la personnification de *la sagesse* voir Pr 1.20 et la note — *reins... cœur :* voir la note
sur Ps 7.10 ● *c* il contient l'univers ou *il maintient la cohésion de l'univers* ● *d* les générations sont
salutaires ou *la suite des générations permet à la vie de continuer*

1.1 justice et gouvernement Ps 45.8; cf. Pr 16.10+. **1.2** le Seigneur se laisse trouver Dt 4.29;
Jr 29.13-14; 2 Ch 15.4+. **1.6** la Sagesse aime les hommes Pr 8.31; *Ba* 3.38 — Dieu scrute... les
reins et le cœur Ps 7.10+. **1.13** Dieu ne prend pas plaisir Ez 18.23; 33.11. **1.15** immortelle
Sg 5.15+. **1.16** un pacte avec l'Hadès Es 28.15; *Si* 14.12.

s'éprenant d'amitié pour lui, ils se
  sont pâmés,
puis ils ont conclu un pacte avec lui.
Aussi bien méritent-ils d'être de son
  parti.

2 ¹ Car ils se disent entre eux,
  avec de faux raisonnements :
« Elle est courte et triste notre vie;
il n'y a pas de remède quand l'homme
  touche à sa fin
et personne, à notre connaissance, n'est
  revenu *e* de l'*Hadès.
² Nous sommes nés à l'improviste
et après, ce sera comme si nous n'a-
  vions pas existé.
Le souffle dans nos narines n'est qu'une
  fumée,
la pensée, une étincelle qui jaillit au
  battement de notre cœur.
³ Qu'elle s'éteigne, le corps se résoudra
  en cendre
et le souffle se dissipera comme l'air
  fluide.
⁴ Notre nom sera oublié avec le temps
et personne ne se rappellera nos
  actions.
Notre vie aura passé comme un nuage,
  sans plus de traces,
elle se dissipera telle la brume
chassée par les rayons du soleil
et abattue par sa chaleur.
⁵ Notre temps de vie ressemble au trajet
  de l'ombre
et notre fin ne peut être ajournée,
car elle est scellée *f* et nul ne revient
  sur ses pas.
⁶ Eh bien, allons ! Jouissons des biens
  présents
et profitons de la création comme du
  temps de la jeunesse, avec ardeur.
⁷ Du meilleur vin et de parfum environs-
  nous,
ne laissons pas échapper les premières
  fleurs du printemps.
⁸ Couronnons-nous de boutons de roses
  avant qu'elles ne se fanent.
⁹ Qu'aucun de nous ne manque à notre
  fête provocante,
laissons partout des signes de notre
  liesse,
car c'est là notre part, c'est là notre
  lot.
¹⁰ Opprimons le pauvre, qui pourtant est
  juste,

n'épargnons pas la veuve
et n'ayons pas égard aux cheveux
  blancs du vieillard.
¹¹ Mais que pour nous la force soit la
  norme du droit,
car la faiblesse s'avère inutile.
¹² Traquons le juste : il nous gêne,
s'oppose à nos actions,
nous reproche nos manquements à la
  Loi
et nous accuse d'être infidèles à notre
  éducation.
¹³ Il déclare posséder la connaissance
  de Dieu
et il se nomme enfant du Seigneur.
¹⁴ Il est devenu un reproche vivant pour
  nos pensées
et sa seule vue nous est à charge.
¹⁵ Car sa vie ne ressemble pas à celle
  des autres
et sa conduite est étrange.
¹⁶ Il nous considère comme une chose
  frelatée
et il s'écarte de nos voies comme de
  souillures.
Il proclame heureux le sort final des
  justes
et se vante d'avoir Dieu pour père.
¹⁷ Voyons si ses paroles sont vraies
et vérifions comment il finira.
¹⁸ Si le juste est fils de Dieu, alors
celui-ci viendra à son secours
et l'arrachera aux mains de ses adversaires.
¹⁹ Mettons-le à l'épreuve par l'outrage
  et la torture
pour juger de sa sérénité
et apprécier son endurance.
²⁰ Condamnons-le à une mort honteuse,
puisque, selon ses dires, une intervention .divine aura lieu en sa faveur. »

L'erreur des impies

²¹ Ainsi raisonnent-ils, mais ils se trompent ;
leur perversité les aveugle
²² et ils ne connaissent pas les secrets
  desseins de Dieu,
ils n'espèrent pas de récompense pour
  la piété,
ils n'apprécient pas l'honneur réservé
  aux âmes pures.

---

e n'est revenu: autre traduction *ne délivre* ● *f elle est scellée,* c'est-à-dire *elle est irrévocable*

2.4 notre nom sera oublié Qo 2.16+. **2.6** jouissons des biens présents 1 Co 15.32+. **2.10** opprimons le pauvre..., la veuve, le vieillard Am 2.6; cf. Ex 22.21; Lv 19.32. **2.18** Dieu viendra à son secours cf. Ps 22.9+. **2.20** intervention divine Sg 3.7+. **2.21** leur perversité les aveugle Rm 1.21.

23 Or Dieu a créé l'homme pour qu'il
　　soit incorruptible
　　et il l'a fait image de ce qu'il possède
　　en propre.
24 Mais par la jalousie du diable la
　　mort est entrée dans le monde :
　　ils la subissent ceux qui se rangent
　　dans son parti *g*.

Sort final des justes et des impies

3 ¹ Les âmes des justes, elles, sont
　　dans la main de Dieu
　　et nul tourment ne les atteindra plus.
2 Aux yeux des insensés, ils passèrent
　　pour morts,
　　et leur départ sembla un désastre,
3 leur éloignement *h*, une catastrophe.
　　Pourtant ils sont dans la paix.
4 Même si, selon les hommes, ils ont
　　été châtiés,
　　leur espérance était pleine d'immor-
　　talité.
5 Après de légères corrections, ils rece-
　　vront de grands bienfaits.
　　Dieu les a éprouvés
　　et les a trouvés dignes de lui ;
6 comme l'or au creuset, il les a épurés,
　　comme l'offrande d'un holocauste *i*, il
　　les a accueillis.
7 Au temps de l'intervention de Dieu,
　　ils resplendiront,
　　ils courront comme des étincelles à
　　travers le chaume *j*.
8 Ils jugeront les nations et domineront
　　sur les peuples,
　　et le Seigneur sera leur roi pour tou-
　　jours.
9 Ceux qui se confient en lui compren-
　　dront la vérité,
　　ceux qui restent fermes dans l'amour
　　demeureront auprès de lui.
　　Car il y a grâce et miséricorde pour
　　ses élus *k*.
10 Les impies, au contraire, recevront
　　le châtiment que méritent leurs pen-
　　sées,

pour avoir méprisé le juste et aban-
　　donné le Seigneur.
11 Car ceux qui dédaignent la Sagesse
　　et sa discipline de vie sont des misé-
　　rables :
　　vide est leur espérance, inutiles leurs
　　efforts,
　　et leurs travaux ne servent à rien ;
12 leurs femmes sont insensées,
　　leurs enfants méchants,
　　leur descendance maudite.

Malheur aux enfants des impies

13 Heureuse plutôt la femme stérile, celle
　　qui est sans tache
　　et n'a pas connu une union interdite ;
　　elle aura du fruit lors de l'inspection
　　des âmes *l*.
14 Heureux aussi l'*eunuque *m*, dont la
　　main n'a pas fait de mal
　　et qui n'a pas nourri des pensées
　　mauvaises contre le Seigneur :
　　il recevra pour sa fidélité une grâce
　　de choix
　　et une part plus délicieuse dans le
　　Temple du Seigneur.
15 Car le fruit des efforts vertueux est
　　plein de gloire,
　　indéfectible, la racine de la sagesse.
16 Mais les enfants des adultères ne
　　s'épanouiront pas
　　et la descendance d'une union illégi-
　　time disparaîtra.
17 Même s'ils vivent longtemps, ils seront
　　comptés pour rien
　　et, jusqu'à la fin, leur vieillesse sera
　　méprisée.
18 Et s'ils meurent tôt, ils n'auront ni
　　espoir,
　　ni consolation au jour du verdict.
19 Pénible est la destinée d'une race
　　injuste !

4 ¹ Mieux vaut ne pas avoir d'en-
　　fant et posséder la vertu

---

g son parti, c'est-à-dire *le parti du diable* ● *h* Les termes *départ* (v. 2) et *éloignement* sont des euphémismes qui désignent la mort ● *i* Voir au glossaire SACRIFICES ● *j* L'image du *chaume* brûlé par le feu évoque le jugement des impies avant l'établissement du règne de Dieu ● *k Car il y a grâce et miséricorde pour ses élus:* le texte grec est incertain; certains manuscrits portent *Car (il accorde) la grâce et la miséricorde à ceux qui lui appartiennent et il interviendra pour ses élus* ● *l Heureuse... la femme stérile:* dans l'ancien Israël la stérilité était considérée comme une malédiction — *interdite:* sous-entendu *par la loi de Dieu.* Il s'agit soit d'une union adultère soit du mariage avec un païen (voir Dt 7.3) — *elle aura du fruit...* ou *Dieu la récompensera au moment du jugement* ● *m* Dans l'ancien Israël *l'eunuque* était exclu de l'assemblée cultuelle (voir Dt 23.2)

2.23 il l'a fait image... Gn 1.26, 27. 2.24 la mort est entrée dans le monde Rm 5.12. 3.1 dans la main de Dieu Qo 9.1+. 3.4 immortalité *Sg* 5.15+. 3.5 après de légères corrections *Sg* 11.10+. 3.7 l'intervention de Dieu *Sg* 2.20; 4.15; Ex 3.16+ — à travers le chaume cf. Ex 15.7+. 3.8 ils jugeront... et domineront cf. Dn 7.18, 22, 27. 3.14 heureux l'ennuque Es 56.3-5; cf. Dt 23.2. 4.1 un souvenir riche d'immortalité Ps 112.6.

qui laisse un souvenir riche d'immortalité,
car elle est approuvée par Dieu et par les hommes.
2 Présente, on l'imite,
absente, on la regrette ;
dans le monde éternel, elle triomphe, ceinte d'une couronne,
après avoir vaincu dans un concours aux luttes sans souillures [n].

3 Mais la nombreuse progéniture des impies sera inutile ;
issue de rejetons bâtards, elle ne jettera pas de racines profondes
et elle n'établira pas une base solide.
4 Même si, pour un temps, elle pousse des branches,
mal assurée, elle sera ébranlée par le vent
et déracinée par la bourrasque.
5 Ses rameaux seront brisés avant terme, leur fruit sera perdu, trop vert pour être mangé
et bon à rien.
6 Car les enfants nés de sommeils coupables
témoignent, lors de l'enquête, de la perversité des parents [o].

Sens de la mort prématurée du juste

7 Un juste, au contraire, même s'il meurt avant l'âge, connaîtra le repos.
8 Car la vieillesse estimée n'est pas celle du grand âge,
elle ne se mesure pas au nombre des années.
9 La sagesse tient lieu de cheveux blancs pour l'homme,
l'âge de la vieillesse, c'est une vie sans tache.
10 Devenu agréable à Dieu, il a été aimé,
et, comme il vivait parmi les pécheurs, il a été emporté ailleurs [p].
11 Il a été enlevé de peur que le mal n'altère son jugement
ou que la ruse ne séduise son âme.
12 Car la fascination de la frivolité obscurcit les vraies valeurs
et le tournoiement du désir ébranle un esprit sans malice.

13 Parvenu à la perfection en peu de temps, il a atteint la plénitude d'une longue vie.
14 Son âme a plu au Seigneur
et c'est pourquoi elle s'est hâtée de sortir [q] d'un milieu pervers.
Les gens ont vu et n'ont pas compris, ils ne se sont pas mis dans l'esprit ce mystère :
15 qu'il y a grâce et miséricorde pour ses élus,
et qu'il interviendra en faveur de ses *saints.
16 La mort du juste condamne la survie des impies,
et la jeunesse tôt parachevée, la longue vieillesse de l'injuste.
17 Ils verront [r] donc la mort du sage, sans comprendre ce qu'a voulu pour lui le Seigneur
et pourquoi il l'a mis en sûreté.
18 Ils verront et n'auront que mépris, mais le Seigneur se rira d'eux.
19 Ensuite ils deviendront un cadavre infâme,
un perpétuel objet de honte parmi les morts ;
il les précipitera, sans qu'ils puissent dire mot, la tête la première,
il les ébranlera jusqu'en leurs fondements
et ils resteront en friche jusqu'à la fin ;
ils seront dans la douleur
et leur souvenir périra.

Salut des justes et regrets des impies

20 Quand on fera le compte de leurs péchés, ils viendront, apeurés,
et leurs crimes se dresseront contre eux pour les accuser.

5 1 Alors le juste se tiendra debout, avec une belle assurance,
face à ceux qui l'opprimèrent
et qui méprisaient ses efforts.
2 A sa vue, ils seront secoués d'une peur terrible,
stupéfaits de le voir sauvé contre toute attente.
3 Ils se diront entre eux, pleins de remords

---

[n] La deuxième partie du verset compare *la vertu* au vainqueur dans les Jeux grecs. Celui-ci faisait une entrée triomphale dans le stade, la tête ceinte d'une couronne ● o de sommeils coupables ou *d'unions coupables* — lors de l'enquête, c'est-à-dire au jour du jugement de Dieu ● p il a été emporté ailleurs et il a été enlevé (v. 11) se réfèrent à la mort du juste dans laquelle l'auteur voit une intervention de Dieu ● q elle s'est hâtée de sortir: autre traduction il (=Dieu) s'est hâté de la faire sortir ● r Ils: les impies (v. 16)

4.7 sort du juste Pr 3.33+. **4.11** il a été enlevé cf. Gn 5.24; He 11.5. **4.15** Dieu interviendra *Sg* 3.7+. **4.18** le Seigneur se rira Ps 2.4+. **4.19** un cadavre infâme Es 14.18-19.

et gémissant, le souffle court :

4 « C'est lui que jadis nous tournions
   en ridicule
   et dont nous faisions un objet de
   sarcasme.
   Insensés, nous avons jugé sa vie une
   pure folie
   et sa mort déshonorante.

5 Comment donc a-t-il été admis au
   nombre des fils de Dieu
   et partage-t-il le sort des saints *s* ?

6 Ainsi nous nous sommes égarés loin
   du chemin de la vérité,
   la lumière de la justice ne nous a pas
   éclairés
   et le soleil ne s'est pas levé pour nous.

7 Nous avons marché jusqu'au dégoût
   dans les sentiers de l'injustice et de
   la perdition,
   traversé des déserts sans pistes,
   mais nous n'avons pas connu la voie
   du Seigneur.

8 A quoi nous a servi notre arrogance ?
   Que nous a rapporté la richesse dont
   nous nous vantions ?

9 Tout cela s'est évanoui comme l'ombre,
   comme un message porté en courant.

10 Tel le navire qui fend l'onde agitée
   sans qu'on puisse retrouver la trace
   de son passage
   ou le sillage de sa carène dans les
   flots ;

11 tel encore l'oiseau qui vole à travers
   les airs
   et ne laisse de son trajet aucune marque
   perceptible,
   car l'air léger, frappé à coups de
   rémiges,
   fendu par le puissant élan
   des ailes qui battent, est traversé
   sans qu'on y trouve ensuite l'indice
   de son passage ;

12 telle la flèche lancée vers le but,
   quand l'air déchiré revient aussitôt sur
   lui-même,
   si bien qu'on ignore la trajectoire
   suivie ;

13 ainsi nous-mêmes, à peine nés, nous
   avons disparu
   et n'avons pu montrer aucune trace
   de vertu ;
   nous nous sommes consumés dans le
   vice. »

14 Oui, l'espoir de l'impie est pareil à
   la balle emportée par le vent,
   ou à l'écume légère que chasse l'ouragan ;
   il se dissipe comme fumée au vent,
   il s'évanouit comme le souvenir de
   l'hôte d'un jour.

Gloire des justes, écrasement des impies

15 Mais les justes vivent pour toujours ;
   leur salaire dépend du Seigneur
   et le Très-Haut prend soin d'eux.

16 Aussi recevront-ils la royauté splendide
   et le diadème magnifique de la main
   du Seigneur.
   Car, de sa droite *t*, il va les protéger,
   et, de son bras, les couvrir.

17 Il prendra comme armure son zèle
   vengeur
   et il armera la création pour châtier
   ses ennemis.

18 Comme cuirasse, il revêtira la justice,
   comme casque, il mettra le jugement
   sans appel.

19 Il prendra sa *sainteté invincible pour
   bouclier,

20 en guise d'épée, il affûtera sa colère
   inflexible
   et l'univers viendra combattre avec lui
   contre les insensés.

21 Tels des traits bien ajustés, les éclairs
   partiront
   et depuis les nuages, comme d'un arc
   fortement tendu, jailliront vers le but.

22 Une baliste lancera des grêlons pleins
   de fureur,
   les eaux de la mer se déchaîneront
   contre eux
   et les fleuves les submergeront sans
   pitié.

23 Un souffle de puissance se lèvera
   contre eux
   et comme un ouragan les dispersera.
   L'iniquité aura fait de la terre entière
   un désert,
   la malfaisance aura renversé le trône
   des puissants.

Les rois doivent rechercher la Sagesse

6 1 Or donc, rois, écoutez et comprenez,
   laissez-vous instruire, vous dont la
   juridiction s'étend à toute la terre.

---

s Les *fils de Dieu* et les *saints* désignent ici vraisemblablement les anges (voir Ps 89.6-8)
● *t* C'est-à-dire *de sa main droite*

5.5 le sort des saints Es 4.3; Dn 7.18, 21, 22. **5.6** la lumière de la justice Es 58.8-10; 59.9-10.
5.14 l'espoir de l'impie Pr 10.28+. **5.15** pour toujours *Sg* 2.22-23; 3.4-9; cf. Pr 3.33+. **5.16** le
diadème magnifique cf. Dn 7.18; 1 Co 9.25+. **5.17-20** les armes de Dieu Es 59.17; Ep 6.13-17.
5.23 la terre... un désert Es 24.1-6.

2 Prêtez l'oreille, vous qui dominez sur
   les foules
   et qui êtes si fiers de la multitude de
   vos nations :
3 vous avez reçu du Seigneur votre
   pouvoir,
   du Très-Haut, votre souveraineté,
   et c'est lui qui examinera vos actes et
   scrutera vos desseins,
4 si vous, les ministres de sa royauté,
   n'avez pas jugé selon le droit,
   ni respecté la loi,
   ni agi selon la volonté de Dieu.
5 De façon terrible et soudaine il surgira
   devant vous,
   car un jugement rigoureux s'exerce
   contre les grands.
6 Le petit, lui, est excusable et digne
   de pitié,
   mais les puissants seront examinés avec
   vigueur.
7 Le souverain de tous ne reculera
   devant personne
   et ne tiendra pas compte de la grandeur :
   il a créé le petit comme le grand
   et sa providence est la même pour
   tous.
8 Mais aux forts une dure enquête est
   réservée.
9 C'est donc à vous, ô princes, que vont
   mes paroles,
   afin que vous appreniez la Sagesse
   et ne trébuchiez pas.
10 Ceux qui auront observé saintement
   les saintes lois seront reconnus
   *saints,
   et ceux qui en auront été instruits
   trouveront une défense.
11 Alors soyez avides de mes paroles,
   désirez-les ardemment et vous serez
   éduqués.

La Sagesse se laisse trouver
par l'homme

12 La Sagesse brille et ne se flétrit pas,
   elle se laisse voir aisément par ceux
   qui l'aiment
   et trouver par ceux qui la cherchent.
13 Elle devance ceux qui la désirent, en

se faisant connaître la première.
14 Quiconque part tôt vers elle ne se
   fatiguera pas :
   il la trouvera assise à sa porte.
15 Se passionner pour elle, c'est la perfection du discernement.
   Et quiconque aura veillé à cause d'elle
   sera bientôt sans inquiétude,
16 car, de son côté, elle circule en quête
   de ceux qui sont dignes d'elle,
   elle leur apparaît avec bienveillance
   sur leurs sentiers *u*
   et, dans chacune de leurs pensées, elle
   vient à leur rencontre.
17 Le commencement de la Sagesse, c'est
   le désir vrai d'être instruit par elle,
18 vouloir être instruit, c'est l'aimer,
   l'aimer, c'est garder ses lois,
   observer ses lois, c'est être assuré de
   l'incorruptibilité,
19 et l'incorruptibilité rend proche de
   Dieu.
20 Ainsi le désir de la Sagesse élève
   jusqu'à la royauté *v*.
21 Si donc vous, princes des peuples,
   prenez plaisir aux trônes et aux
   sceptres,
   rendez hommage à la Sagesse et vous
   régnerez pour toujours.

Annonce d'une révélation sur la Sagesse

22 Mais qu'est-ce que la Sagesse et quelle
   est son origine ? Je vais l'annoncer,
   sans vous cacher les mystères *w*.
   Je remonterai jusqu'au principe de son
   existence,
   j'exposerai au grand jour la connaissance de sa réalité ;
   je ne passerai certes pas à côté de
   la vérité
23 ni ne cheminerai jamais avec l'envie
   qui consume
   car elle exclut toute participation à
   la Sagesse.
24 La multitude des sages, au contraire,
   assure le salut du monde,
   et un roi avisé, le bien-être d'un
   peuple.
25 Aussi laissez-vous instruire par mes
   paroles et vous y trouverez profit.

---

u sur leurs sentiers, c'est-à-dire *dans toutes leurs occupations* ● *v jusqu'à la royauté:* il s'agit ici
de la royauté de Dieu à laquelle peuvent être associés les élus (voir 3.8) ● *w* Il y a ici peut-être
une allusion aux religions à mystères très répandues à l'époque de l'auteur (1er siècle av. J.C.).
Leurs doctrines étaient révélées seulement à un petit nombre d'initiés contrairement à ce qui est
annoncé ici

6.3 origine divine du pouvoir Pr 8.15-16; Dn 4.14; cf. Rm 13.1+. **6.7** impartialité de Dieu
Jb 34.19+ qui a créé le petit et le grand Pr 22.2+. **6.12-16** la Sagesse se laisse trouver Pr
8.17; Si 6.27; cf. Sg 1.2; Mt 7.7-11. **6.24** la multitude des sages Pr 11.14+ — un roi avisé cf.
Si 10.1-3.

Salomon n'était qu'un homme

7 ¹ Je suis moi aussi ˣ un homme
mortel, égal à tous,
descendant du premier qui fut modelé
de terre.
Dans le ventre d'une mère, j'ai été
sculpté en chair,
² durant dix mois ʸ, ayant pris consistance dans le sang
à partir d'une semence d'homme et
du plaisir qui accompagne le sommeil.
³ Moi aussi, dès ma naissance, j'ai aspiré
l'air qui nous est commun
et je suis tombé sur la terre où l'on
souffre pareillement :
comme pour tous, mon premier cri fut
des pleurs.
⁴ J'ai été élevé dans les langes, au milieu
des soucis.
⁵ Aucun roi n'a débuté autrement dans
l'existence.
⁶ Pour tous, il n'y a qu'une façon
d'entrer dans la vie comme d'en
sortir.

Amour de Salomon pour la Sagesse

⁷ Aussi ai-je prié et le discernement m'a
été donné,
j'ai imploré et l'esprit de la Sagesse
est venu en moi.
⁸ Je l'ai préférée aux sceptres et aux
trônes,
auprès d'elle, j'ai estimé néant la
richesse ;
⁹ je ne l'ai pas comparée à la pierre
inestimable
car tout l'or du monde, face à elle,
ne serait qu'un peu de sable
et l'argent, devant elle, paraîtrait de
la boue.
¹⁰ Plus que la santé et la beauté je l'ai
aimée,
et je décidai de l'avoir pour lumière.
car sa clarté ne connaît pas de déclin.
¹¹ Mais avec elle, elle m'a apporté tous
les biens à la fois,
elle tenait dans ses mains une richesse
incalculable.
¹² J'ai profité de tous ces biens, les sachant
dirigés par la Sagesse ;

¹³ Ce que j'ai appris avec simplicité,
j'en fais part sans réserve,
je ne tairai pas sa richesse.
¹⁴ Car elle est pour les hommes un
trésor inépuisable.
Ceux qui l'ont exploité se sont concilié
l'amitié de Dieu,
recommandés à lui par les dons provenant de l'éducation.

Dieu est la source
de toute connaissance

¹⁵ Que Dieu m'accorde de parler avec
intelligence
et de concevoir des pensées dignes des
dons reçus,
car c'est lui qui guide la Sagesse
et dirige les sages.
¹⁶ Il tient en son pouvoir et nous-mêmes
et nos paroles.
tout savoir et toute science des techniques.
¹⁷ Ainsi m'a-t-il donné une connaissance
exacte du réel.
Il m'a appris la structure de l'univers
et l'activité des éléments ᶻ,
¹⁸ le commencement, la fin et le milieu
des temps,
les alternances des solstices et les
changements de saisons,
¹⁹ les cycles de l'année et les positions
des astres,
²⁰ les natures des animaux et les humeurs
des bêtes sauvages,
les impulsions violentes des esprits ᵃ
et les pensées des hommes,
les variétés de plantes et les vertus
des racines.
²¹ Toute la réalité cachée et apparente,
je l'ai connue,
car l'artisane de l'univers, la Sagesse,
m'a instruit.

Nature de la Sagesse

²² Car il y a en elle un esprit intelligent,
*saint,
unique, multiple ᵇ,
subtil, mobile.

ˣ *Je suis moi aussi:* dans la suite du texte l'auteur s'identifie au roi Salomon (voir 9.1-12).
Celui-ci était considéré comme le plus grand sage d'Israël (voir 1 R 5.9-14) ● ʸ *dix mois:* on considérait que la grossesse durait dix mois parce que le début du dixième mois était compté comme mois
entier ● ᶻ *l'activité des éléments:* l'auteur évoque ainsi l'air, l'eau, le feu et la terre qui étaient, pour
les savants grecs, les éléments constitutifs du monde ● ᵃ *Les esprits* nommés ici sont sans doute les
puissances mystérieuses qui étaient censées agir dans l'univers ou dans l'homme ● ᵇ *unique, multiple:* cet esprit est seul de son espèce mais il a des activités multiples

7.8-12 valeur de la Sagesse Pr 8.11+. **7.22** la Sagesse, artisane de l'univers *Sg* 8.6; Pr 3.19; 8.30.

distinct, sans tache,
clair, inaltérable,
aimant le bien, diligent,
23 indépendant, bienfaisant, ami de
l'homme,
ferme, assuré, tranquille,
qui peut tout, surveille tout,
et pénètre tous les esprits,
les intelligents, les purs, les plus sub-
tils.
24 Aussi la Sagesse est-elle plus mobile
qu'aucun mouvement,
à cause de sa pureté, elle passe et
pénètre à travers tout.
25 Elle est un effluve de la puissance de
Dieu,
une pure irradiation de la gloire du
Tout-Puissant ;
c'est pourquoi nulle souillure ne se
glisse en elle.
26 Elle est un reflet de la lumière éternelle
un miroir sans tache de l'activité de
Dieu
et une image de sa bonté.
27 Comme elle est unique, elle peut tout ;
demeurant en elle-même, elle renouvelle l'univers
et, au long des âges, elle passe dans
les âmes saintes
pour former des amis de Dieu et des
*prophètes.
28 Car seuls sont aimés de Dieu ceux
qui partagent l'intimité de la Sagesse.
29 Elle est plus radieuse que le soleil
et surpasse toute constellation.
Comparée à la lumière, sa supériorité
éclate :
30 la nuit succède à la lumière,
mais le mal ne prévaut pas sur la
Sagesse.

8 ¹ Elle s'étend avec force d'une
extrémité du monde à l'autre,
elle gouverne l'univers avec bonté.

La Sagesse, épouse idéale pour Salomon

2 C'est elle que j'ai aimée et recherchée
dès ma jeunesse,
j'ai cherché à en faire mon épouse
et je suis devenu l'amant de sa beauté.
3 Sa gloire éclipse la noblesse, car elle
partage la vie de Dieu
et le souverain de l'univers l'a aimée.

4 Initiée à la science même de Dieu,
elle décide de ses œuvres.
5 Et si la richesse est un bien désirable
dans la vie,
quoi de plus riche que la Sagesse,
l'auteur de toutes choses ?
6 Si notre intelligence est efficace,
l'artisane des êtres ne l'est-elle pas
davantage ?
7 Aime-t-on la rectitude ?
Les vertus sont le fruit de ses travaux,
car elle enseigne modération et prudence,
justice et courage,
et il n'est rien de plus utile aux hommes dans la vie.
8 Désire-t-on encore profiter d'une longue expérience ?
Elle connaît le passé et conjecture
l'avenir,
elle sait interpréter les sentences et
résoudre les énigmes,
elle prévoit signes et prodiges,
les moments et les temps favorables ᶜ.
9 Je résolus donc d'en faire la compagne de ma vie
sachant qu'elle serait ma conseillère
pour le bien,
mon réconfort dans les soucis et le
chagrin.
10 Grâce à elle, me disais-je, j'aurai de
la gloire auprès des foules
et, bien que jeune, je jouirai de la
considération des vieillards.
11 On me trouvera pénétrant dans l'exercice de la justice
et les princes, devant moi, seront
émerveillés.
12 Si je me tais, ils attendront ; si je
parle, ils se feront attentifs,
et si mon discours se prolonge,
ils mettront la main sur leur bouche ᵈ.
13 J'obtiendrai, grâce à elle, l'immortalité
et je laisserai à la postérité un souvenir éternel.
14 Je gouvernerai les peuples, les nations
me seront soumises.
15 A mon seul nom des souverains redoutables prendront peur ;
je me montrerai bon parmi la foule
et courageux à la guerre.
16 Rentré chez moi, je me reposerai près
d'elle,
car sa société ne cause point d'amertume,

ᶜ *signes et prodiges*: cette expression se rapporte à des phénomènes naturels insolites (éclipses, tremblements de terre...) — *les moments et les temps favorables*: sous-entendu *aux entreprises des hommes* ● ᵈ *ils mettront la main sur leur bouche*: ce geste signifie que l'on se tait pour écouter d'autant plus attentivement

7.25-26 Dieu et la Sagesse *Sg* 8.3-4; *Si* 24.3; cf. **He** 1.3.

ni son intimité de chagrin ;
mais seulement de l'agrément et de la
joie.

Salomon décide de demander la Sagesse

¹⁷ Ayant ainsi raisonné en moi-même et
considéré en mon cœur
que la parenté avec la Sagesse assure
l'immortalité,
¹⁸ que sa tendresse procure une noble
jouissance,
les labeurs de ses mains, une richesse
inépuisable,
sa fréquentation assidue, un jugement
avisé,
et la communication de ses paroles, la
célébrité,
j'allais de tous côtés cherchant comment la prendre pour épouse.
¹⁹ J'étais, certes, un enfant bien né
et j'avais reçu une âme bonne ;
²⁰ ou plutôt, étant bon, j'étais venu dans
un corps sans souillure.
²¹ Pourtant je savais que je n'obtiendrais
pas la sagesse autrement que par un
don de Dieu
— et reconnaître de qui dépend un
bienfait, c'était encore une preuve de
discernement —,
je me tournai donc vers le Seigneur
et le priai
en disant de tout mon cœur :

Prière pour obtenir la Sagesse
(Cf. 1 R 3.6-9)

9 ¹ Dieu des pères ^e et Seigneur
miséricordieux
qui as fait l'univers par ta parole,
² formé l'homme par ta Sagesse
afin qu'il domine sur les créatures
appelées par toi à l'existence,
³ qu'il gouverne le monde avec piété
et justice,
et rende ses jugements avec droiture
d'âme,
⁴ donne-moi la Sagesse qui partage ton
trône
et ne m'exclus pas du nombre de tes
enfants.
⁵ Vois, je suis ton serviteur et le fils
de ta servante,

un homme faible et dont la vie est
brève,
bien démuni dans l'intelligence du
droit et des lois.
⁶ Du reste, quelqu'un fût-il parfait par-
mi les fils des hommes ^f,
sans la Sagesse qui vient de toi, il
sera compté pour rien.
⁷ C'est toi qui m'as préféré pour être
roi de ton peuple,
juge de tes fils et de tes filles ^g.
⁸ Tu m'as ordonné de bâtir un Temple
sur ta sainte montagne
et un *autel dans la ville où tu as
établi ta demeure,
à l'imitation de la tente sainte que tu
avais préparée dès l'origine ^h.
⁹ Près de toi se tient la Sagesse qui
connaît tes œuvres,
et qui était présente lorsque tu créais
le monde.
Elle sait ce qui est agréable à tes yeux,
ce qui est droit selon tes commandements.
¹⁰ Fais-la descendre des cieux saints,
du trône de ta gloire, daigne l'envoyer,
pour qu'elle peine à mes côtés
et que je connaisse ce qui te plaît.
¹¹ Elle qui sait et comprend tout,
elle me guidera dans ma conduite avec
mesure
et elle me protégera par sa gloire.
¹² Ainsi mes actes pourront être agréés,
je jugerai ton peuple avec équité
et serai digne du trône de mon père.

La Sagesse est indispensable à l'homme

¹³ Quel homme pourrait connaître la
volonté de Dieu ?
Qui donc pourrait se faire une idée
des intentions du Seigneur ?
¹⁴ Les pensées des mortels sont hési-
tantes,
précaires, nos réflexions.
¹⁵ Le corps, soumis à la corruption,
alourdit l'âme,
l'enveloppe de terre est un fardeau
pour l'esprit sollicité en tous sens.
¹⁶ Déjà nous avons peine à nous repré-
senter les réalités terrestres,
même ce qui est à notre portée,
nous le découvrons avec effort.

---

e Dieu des pères ou *Dieu de nos ancêtres* ● *f les fils des hommes* ou *les humains* ● *g préféré :* il
y a là sans doute une allusion à l'élimination, en faveur de Salomon, des autres fils de David (voir
1 R 1 et 1 Ch 28.5-6) — *tes fils et tes filles,* c'est-à-dire tous les membres du peuple de Dieu ● *h la
sainte montagne :* il s'agit de la colline de Jérusalem — *la tente sainte* désigne la *tente de la rencontre

8.21 la Sagesse est un don de Dieu Pr 2.6+. **9.1** l'univers par ta parole Ps 33.6+. **9.2** l'homme domine les créatures Sg 10.2; Gn 1.26-28. **9.7** tes fils et tes filles Dt 32.19; Es 43.6-7.
9.9 la Sagesse présente à la création Pr 8.27-31.

Mais les réalités célestes, qui les a
exploitées ?
17 Et ta volonté, qui donc l'aurait connue, si tu n'avais donné toi-même la
Sagesse
et envoyé d'en haut ton saint esprit ?
18 Ainsi furent rectifiés les sentiers *i* de
la terre,
les hommes furent instruits de ce qui
te plaît
et sauvés par la Sagesse.

Le rôle de la sagesse dans l'histoire

10 1 Par elle, le premier formé *j*,
père du monde,
fut gardé avec soin après avoir été
créé solitaire.
Puis elle l'arracha à sa propre transgression
2 et lui donna la force de maîtriser
tout *k*.
3 Mais l'homme injuste *l* qui se détourna d'elle par sa colère
périt dans sa rage fratricide.
4 La terre recouverte à cause de lui
par le déluge fut encore sauvée par
la Sagesse,
qui pilota le juste *m* sur un bois vulgaire.
5 Et lorsque les nations, unanimes dans
le mal, furent confondues,
c'est elle qui reconnut le juste *n*, le
garda irréprochable devant Dieu
et lui permit d'être plus fort que sa
tendresse pour son enfant.
6 De même, alors que les impies périssaient, elle délivra le juste *o*
fuyant devant le feu qui s'abattit sur
les cinq villes.
7 En témoignage de leur perversité
subsistent toujours
une terre aride et fumante,
des plantes aux fruits que les saisons
ne mûrissent pas,
et une colonne de sel dressée en mémorial d'une âme incrédule *p*.

8 Ceux qui ont dédaigné la Sagesse
non seulement sont devenus incapables de connaître le bien,
mais encore ont laissé à la postérité
un souvenir de leur folie,
pour que, dans leurs fautes mêmes,
ils ne puissent rester cachés.

9 Mais la Sagesse a délivré ses serviteurs de leurs épreuves.
10 Le juste qui fuyait la colère de son
frère,
elle le guida par de droits sentiers ;
elle lui montra la royauté de Dieu
et lui donna la connaissance des réalités saintes ;
elle le fit prospérer au milieu de ses
fatigues
et multiplia le fruit de ses labeurs *q* ;
11 elle l'assista contre la cupidité des
exploiteurs
et finit par l'enrichir ;
12 elle le garda de ses ennemis
et le protégea contre les tendeurs de
pièges ;
elle arbitra même un dur combat en
sa faveur
pour qu'il sache que la piété est plus
puissante que tout.
13 Elle n'abandonna pas non plus le
juste qui fut vendu *r*,
mais elle l'arracha au péché ;
14 elle descendit avec lui dans la fosse
et ne l'abandonna pas dans ses liens
avant de lui avoir procuré le sceptre
de la royauté
et l'autorité sur ceux qui étaient ses
maîtres ;
par là elle convainquit de mensonges
ses calomniateurs
et elle lui conféra une gloire éternelle.

15 Par elle le peuple *saint, de race irréprochable,
fut délivré d'une nation d'oppresseurs.
16 Elle entra dans l'âme d'un serviteur
du Seigneur
et s'opposa à des rois redoutables par

---

i les sentiers ou *les manières d'agir* ● *j le premier formé* désigne Adam ● *k tout*, c'est-à-dire toute
la création ● *l l'homme injuste* désigne Caïn (voir Gn 4.8) ● *m le juste* désigne Noé (voir Gn 6—8)
● *n le juste* désigne Abraham (voir Gn 12 et 22.1-19) ● *o le juste* désigne Loth (voir Gn 19.1-25)
● *p une âme incrédule :* il s'agit de la femme de Loth (voir Gn 19.26) ● *q le juste qui fuyait* désigne
Jacob (voir Gn 27.41-43) — *elle lui montra la royauté de Dieu :* allusion au songe de Jacob (voir
Gn 28.10-22) — *la connaissance des réalités saintes:* l'expression peut se référer aux révélations
faites à Jacob pendant le songe (voir Gn 28.13-15) ou à la fondation de Béthel (voir Gn 28.16-22).
Autre traduction *la connaissance des saints*, c'est-à-dire des anges (voir Gn 28.12) — *le fruit de ses
labeurs:* allusion au travail de Jacob chez Laban (voir Gn 31.38-42) ● *r le juste* désigne Joseph (voir
Gn 37.12-36 et Gn 39—41)

10.1 sa transgression Gn 3.1-13.   **10.2** maîtriser tout *Sg* 9.2+.   **10.5** les nations confondues
Gn 11.1-9.   **10.12** elle arbitra un dur combat Gn 32.23-32.   **10.14** une gloire éternelle *1 M*
2.53; cf. Gn 41.37-45.

des prodiges et des signes [s].

17 Elle remit aux saints le salaire de
leurs durs travaux,
elle les conduisit par une route éton-
nante
et elle devint pour eux un abri durant
le jour,
un flamboiement d'étoiles pendant la
nuit [t].

18 Elle leur fit traverser à pied la mer
Rouge,
elle les fit passer à travers des eaux
abondantes.

19 Mais leurs ennemis, elle les engloutit,
puis dans un bouillonnement les rejeta
du fond de l'abîme ;

20 c'est pourquoi les justes dépouillèrent
les impies.
Ils chantèrent, Seigneur, ton nom très
saint
et célébrèrent ensemble ta main qui
les avait défendus [u].

21 Car la Sagesse ouvrit la bouche des
muets
et délia la langue des tout-petits.

11 1 Elle fit réussir leurs entreprises
grâce à un saint prophète [v].

2 Ils traversèrent un désert inhabité
et plantèrent leurs tentes en des lieux
jamais foulés ;

3 ils tinrent tête à des ennemis et repoussèrent des adversaires.

Israël et l'Egypte : l'épreuve de la soif

4 Ils souffrirent de la soif et ils t'invoquèrent ;
alors un rocher abrupt leur donna
de l'eau,
une pierre dure étancha leur soif [w].

5 Ainsi les réalités mêmes qui avaient
servi à châtier leurs ennemis
devinrent pour eux un bienfait dans
leur détresse.

6 Au lieu du jaillissement continu d'un
fleuve
troublé par un sang boueux [x]

7 en châtiment du décret infanticide [y],
tu leur as donné à eux, contre tout
espoir, une eau abondante,

8 après leur avoir montré par la soif
subie alors
comment tu avais puni leurs adversaires.

9 En effet, par cette épreuve, bien que
corrigés avec miséricorde,
ils surent quels tourments subissaient
les impies jugés avec colère.

10 Les tiens, tu les as mis à l'épreuve
en père qui avertit,
mais à ceux-là [z], tu as demandé des
comptes en roi sévère qui condamne.

11 Loin comme près des tiens, ils souffraient pareillement :

12 une double tristesse les saisit [a]
avec un gémissement au souvenir du
passé,

13 car en apprenant que par l'instrument
même de leur châtiment
les autres avaient été favorisés, ils
sentirent l'intervention du Seigneur.

14 Celui qu'ils avaient rejeté jadis en
l'exposant, puis congédié avec moquerie,
les remplit de stupeur au terme des
événements [b]
car ils avaient souffert de la soif autrement que les justes.

Punition mesurée des Egyptiens

15 Et à cause des pensées stupides inspirées par leur injustice,
qui les égarèrent jusqu'à leur faire
rendre un culte à des reptiles sans
raison et à des bêtes viles,
tu leur envoyas en châtiment une
multitude d'animaux sans raison [c],

---

s *un serviteur du Seigneur* désigne Moïse — *des rois redoutables*: généralisation qui fait allusion au
Pharaon d'Egypte — *des prodiges et des signes*: allusion aux fléaux d'Egypte (voir Ex 7.8—11.10)
● *t aux saints*, c'est-à-dire aux Israélites qui constituent le peuple de Dieu (voir v. 15) — *elle les
conduisit…*: la Sagesse est ici identifiée à la colonne de nuée (voir Ex 13.21-22 et 14.19-20) ● *u Ils
chantèrent… et célébrèrent*: allusion au cantique de Moïse rapporté en Ex 15 ● *v un saint
prophète*: Moïse ● *w* Voir Ex 17.1-7 ● *x* Allusion au premier fléau d'Egypte: le Nil changé
en sang (voir Ex 7.14-25) ● *y* Il s'agit du décret du Pharaon ordonnant de tuer tout garçon
nouveau-né (voir Ex 1.22) ● *z ceux-là*: les impies nommés au verset 9. Il s'agit des Egyptiens
● *a* Leur tristesse est *double* parce qu'ils se souviennent de leurs épreuves passées (v. 12 b sur
v. 6) et parce qu'ils ont la preuve de l'intervention de Dieu contre eux et en faveur des Israélites
(v. 13) ● *b Celui qu'ils avaient rejeté*: Moïse — *au terme des événements*, c'est-à-dire sans doute
lors du miracle de l'eau au désert (voir v. 4) ● *c une multitude d'animaux sans raison*: référence
aux animaux qui sont intervenus dans les fléaux d'Egypte (voir Ex 8.1—10.15)

10.18 le passage de la mer Rouge Ex 14.21-29.   10.20 ils dépouillèrent les impies Ex 12.36.
10.21 la langue des tout-petits Ps 8.3+.   11.1 un saint prophète Nb 12.7-8; Dt 18.15; cf.
He 3.2.   11.3 ils repoussèrent des ennemis Ex 17.8-13.   11.4 une pierre étancha leur soif
Ps 114.8+.   11.10 en père qui avertit Pr 3.12+; He 12.7+; cf. Rm 8.18; 2 Co 4.17; 1 P 1.6-7.
11.14 en l'exposant Ex 1.22; Ac 7.19-21 — congédié avec moquerie Ex 5.2-5; 7.13, 22.

¹⁶ pour qu'ils sachent qu'on est puni par où l'on a péché.

¹⁷ Elle n'était pas embarrassée, ta main toute-puissante,
elle qui a créé le monde à partir d'une matière informe,
pour envoyer contre eux une multitude d'ours ou de lions féroces,

¹⁸ ou des monstres inconnus créés tout exprès, pleins de fureur
et pouvant exhaler un souffle embrasé,
ou répandre une fumée infecte,
ou lancer de leurs yeux de terribles éclairs ;

¹⁹ non seulement leur malfaisance aurait pu les anéantir d'un seul coup,
mais leur vue aurait déjà suffi à les faire périr d'effroi.

²⁰ D'ailleurs, même sans ces bêtes, ils pouvaient être renversés d'un seul souffle,
poursuivis par la justice
et dispersés par le souffle de ta puissance ;
mais tu as tout disposé avec mesure, nombre et poids.

Dieu épargne les hommes par amour

²¹ Ta grande force est toujours à ta disposition,
et qui résistera à la vigueur de ton bras ?

²² Oui, le monde entier est devant toi comme le poids infime qui déséquilibre une balance,
comme la goutte de rosée matinale qui descend vers le sol.

²³ Mais tu as pitié de tous parce que tu peux tout,
et tu détournes les yeux des péchés des hommes pour les amener au repentir.

²⁴ Tu aimes tous les êtres
et ne détestes aucune de tes œuvres :
aurais-tu haï l'une d'elles, tu ne l'aurais pas créée.

²⁵ Et comment un être quelconque aurait-il subsisté si toi, tu ne l'avais voulu,
ou aurait-il été conservé sans avoir été appelé par toi.

²⁶ Tu les épargnes tous, car ils sont à toi, Maître qui aimes la vie,

12 ¹ et ton esprit incorruptible est dans tous les êtres.

Punition progressive des Cananéens

² Aussi tu reprends progressivement les coupables
et tu les avertis, leur rappelant en quoi ils pèchent,
afin qu'ils renoncent au mal et qu'ils croient en toi, Seigneur.

³ Il en fut ainsi pour les anciens habitants ^d de la terre sainte

⁴ que tu avais pris en haine à cause de leurs pratiques détestables :
œuvres de magie, rites impies,

⁵ meurtres cruels d'enfants,
festin de chair et de sang humains où l'on mange jusqu'aux entrailles ;
ces véritables initiés surpris en pleine orgie,

⁶ ces parents meurtriers d'êtres sans défense,
tu avais voulu les faire périr par la main de nos pères,

⁷ afin qu'elle reçût une digne colonie d'enfants de Dieu,
cette terre qui t'est chère entre toutes.

⁸ Pourtant, même ceux-là, tu les as épargnés parce qu'ils restaient des hommes
et tu as envoyé comme avant-coureurs de ton armée des guêpes
qui ne les extermineraient que peu à peu.

⁹ Certes, tu aurais pu dans une bataille livrer les impies aux mains des justes,
ou encore les détruire en un instant par des bêtes redoutables ou par une parole tranchante.

¹⁰ Mais en exerçant progressivement ta justice tu offrais une occasion de repentir,
sans ignorer pourtant que leur nature était viciée,
leur perversité innée,
et que leur mentalité ne changerait jamais :

¹¹ car c'était une race maudite dès l'origine.
Ce n'est pas davantage par peur de quelqu'un que tu leur avais offert l'impunité de leurs péchés.

---

d les anciens habitants: voir la liste de Dt 7.1. Ici il s'agit des Cananéens

11.20 mesure, nombre et poids Es 40.12; Jb 28.25-26. **11.25** Dieu appelle à l'existence Es 41.4; 48.13; Rm 4.17. **12.1** l'esprit de Dieu est dans les êtres Ps 104.29-30; Jb 34.14-15. **12.2** tu reprends... tu avertis *Sg* 11.10+. **12.4-7** pratiques détestables des Cananéens Dt 18.9-12; Ps 106.36-39. **12.8** envoi de guêpes Ex 23.28+. **12.11** maudite dès l'origine Gn 9.25+.

12 Qui donc en effet osera te dire :
  Qu'as-tu fait ?
  Qui s'opposera à ta décision ?
  Qui encore te citera en justice pour la
    ruine de peuples que tu as toi-même
    créés ?
  Qui viendra déposer contre toi com-
    me défenseur d'hommes injustes ?
13 Il n'y a pas de Dieu en dehors de toi,
    qui prenne soin de tout,
  auquel tu devrais prouver que tu n'as
    pas jugé injustement.
14 Il n'y a non plus ni roi ni souverain
    qui puisse te braver pour défendre
    ceux que tu as châtiés.

Dieu gouverne l'univers avec justice

15 Parce que tu es juste, tu gouvernes
    l'univers avec justice,
  et condamner un homme ne méritant
    pas d'être châtié
  te paraît incompatible avec ta puis-
    sance.
16 Car ta force est la source de ta jus-
    tice
  et ta maîtrise sur tous te fait user de
    clémence envers tous.
17 Il fait montre de sa force, celui dont
    le pouvoir absolu est mis en doute,
  et il confond l'arrogance de ceux-là
    mêmes qui reconnaissent ce pou-
    voir *e*.
18 Mais toi qui maîtrises ta force, tu
    juges avec sérénité,
  et tu gouvernes avec tant de ménage-
    ments.
  Le pouvoir d'agir est à ta disposition
    quand tu le veux.

Dieu éduque son peuple

19 En agissant ainsi tu as appris à ton
    peuple
  que le juste doit être ami des hommes
  et tu as rempli tes fils *f* d'espérance
  puisque tu offres le repentir pour les
    péchés.
20 Si tu as puni les ennemis de tes en-
    fants et des hommes voués à la mort
    avec un tel souci d'indulgence,
  en leur donnant le temps et l'occasion
    de renoncer au mal,

21 avec combien plus de précautions as-
    tu jugé tes fils,
  après avoir offert à leurs pères *g* des
    serments et des *alliances aux pro-
    messes magnifiques.
22 Ainsi, pour nous éduquer, tu flagelles
    nos ennemis avec modération,
  afin que nous songions à ta bonté
    quand nous avons à juger,
  et que nous comptions sur ta misé-
    ricorde quand tu nous juges.

Punition de ceux qui adorent les animaux

23 Voilà pourquoi ceux qui dans leur
    folie avaient mené une vie injuste,
  tu les as tourmentés par leurs propres
    abominations.
24 En effet ils avaient erré au-delà des
    chemins de l'égarement :
  ils considéraient comme des dieux les
    plus vils et les plus méprisables des
    animaux,
  se laissant abuser comme de petits en-
    fants privés de raison.
25 Alors comme à des enfants déraison-
    nables
  tu leur as envoyé un châtiment pour
    te moquer.
26 Mais ceux qui n'ont pas compris ces
    punitions pour enfants
  subiront un digne jugement de Dieu.
27 Exaspérés par ces bêtes qui les fai-
    saient souffrir
  et se voyant châtiés par celles qu'ils
    prenaient pour des dieux,
  ils reconnurent à l'expérience le Dieu
    véritable qu'ils refusaient jadis de
    connaître.
  Pour cette raison la condamnation
    suprême s'abattit sur eux *h*.

La divinisation de la nature

13 ¹ Vains sont tous ceux-là, des
      hommes par nature, chez qui
  l'ignorance de Dieu s'est installée :
  à partir des biens visibles, ils n'ont
    pas été capables de connaître Celui
    qui est,
  pas plus qu'ils n'ont reconnu l'Arti-
    san *i* en considérant ses œuvres.

---

e Le texte grec est peu clair. L'auteur oppose peut-être le comportement d'un souverain dont le pouvoir est contesté (v. 17) à celui de Dieu qui est maître de sa force (v. 18) ● *f tes fils:* les membres du peuple de Dieu ● *g leurs pères* ou *leurs ancêtres* ● *h ces bêtes:* voir 11.15 et la note — *la condamnation suprême:* manifestée par la mort des premiers-nés (voir Ex 12.29-36) et par l'engloutissement des Egyptiens dans la mer Rouge (voir Ex 14.24-29), comparer 18.5 ● *i l'Artisan:* titre donné au créateur de l'univers

12.12 qu'as-tu fait? Es 45.9. **12.13** pas de Dieu en dehors de toi Dt 32.39; Jb 34.13. **12.21** des serments et des alliances Gn 15; 17; 22.16-18; 26.3-4; 50.24, etc. **13.1** Celui qui est cf. Ex 3.14+.

2 Mais c'est le feu, le souffle ou l'air
   léger,
   le cycle des astres ou l'eau impétueuse,
   ou les luminaires du ciel réglant le
   cours du monde, qu'ils ont pris pour
   des dieux.

3 Sont-ils séduits par leur beauté quand
   ils les considèrent comme des dieux,
   qu'ils sachent combien le Maître de
   ces choses leur est supérieur,
   car Celui qui est à l'origine de la
   beauté les a créées.

4 Sont-ils frappés par leur puissance et
   leur efficacité,
   qu'ils comprennent à partir de ces
   réalités combien est plus puissant Celui
   qui les a faites.

5 Car la grandeur et la beauté des
   créatures
   conduisent par analogie à contempler
   leur Créateur.

6 Cependant ces hommes méritent un
   moindre blâme :
   peut-être ne s'égarent-ils
   que dans leur façon de chercher Dieu
   et de vouloir le trouver.

7 Plongés dans ses œuvres, ils scrutent
   et ils cèdent alors à l'apparence, car
   il est beau le spectacle du monde !

8 Toutefois même eux ne sont pas
   excusables pour autant.

9 S'ils sont devenus assez savants
   pour pouvoir conjecturer le cours
   éternel des choses,
   comment n'ont-ils pas découvert auparavant le Maître de celles-ci ?

Les idoles : l'exemple du bûcheron

10 Mais misérables, avec leur espérance
    placée en des objets sans vie,
    ceux-là qui ont appelé dieux les
    œuvres de mains humaines
    de l'or et de l'argent ouvragés avec art
    et représentant des êtres vivants,
    ou une pierre inutilisable travaillée par
    une main antique.

11 Tel encore ce bûcheron qui a scié
    un arbre facile à transporter.
    Il en râcle toute l'écorce avec savoir-
    faire,
    le traite comme il se doit
    et fabrique un ustensile destiné aux
    besoins de la vie.

12 Quant aux rebuts de son travail,

il les fait brûler pour préparer sa
nourriture, et il se rassasie ;

13 reste un déchet qui ne peut servir
    à rien,
    car c'est un bois tordu et noueux :
    il le prend, le sculpte pour occuper
    son loisir,
    le taille avec la compétence des mo-
    ments de détente
    et le fait représenter une image
    d'homme

14 ou le rend semblable à un vil animal,
    après l'avoir enduit de vermillon, fardé
    son teint de rouge
    et recouvert toutes ses taches.

15 Il lui aménage une demeure appro-
    priée,
    l'installe dans le mur et le fixe avec
    du fer :

16 il a donc pris ses précautions pour
    qu'il ne tombe pas,
    le sachant incapable de s'aider par
    lui-même
    car c'est une image qui a besoin
    d'aide.

17 Mais quand il prie pour avoir biens,
    mariages et enfants,
    il ne rougit pas de s'adresser à cet
    objet sans vie ;
    pour la santé il invoque ce qui est
    sans force,

18 pour la vie il implore ce qui est
    mort,
    pour sa protection il supplie ce qui
    n'est d'aucun secours,
    pour ses voyages, ce qui est incapable
    de faire un pas,

19 et pour ses moyens d'existence, son
    travail et la réussite de ses mains,
    il demande une aide vigoureuse à des
    mains sans vigueur.

Autre exemple du culte des idoles

14 1 Cet autre va appareiller, se dis-
          posant à parcourir les flots cruels,
    et il invoque un bois *j* plus vermoulu
    que le bateau qui l'emmène.

2 Car celui-ci a été conçu dans le désir
   d'acquérir des ressources
   et il a été construit par la sagesse
   artisane.

3 Mais c'est ta providence, ô Père, qui
   tient la barre :
   tu as tracé un chemin sur la mer,
   un sentier assuré parmi les flots,

---

j un bois, c'est-à-dire une idole de bois probablement placée à la proue du bateau

13.6 leur façon de chercher Dieu Ac 17.16-34.   **13.10** les œuvres de main humaine Es 40.18-20;
44.9-20; Jr 10.1-15, etc.; cf. Ex 20.4+.   **14.3-5** providence de Dieu *Sg* 17.2; Ps 107.23-30.

4 montrant par là que tu peux sauver de tout danger,
même si l'on prend la mer sans aucune compétence.

5 Tu ne veux pas que les œuvres de ta Sagesse demeurent improductives,
c'est pourquoi les hommes confient leurs vies à un bois infime [k]
et ont pu traverser la mer houleuse
sur un radeau en échappant à tout danger.

6 Ainsi, aux origines, lorsque périssaient les géants orgueilleux,
l'espoir du monde se réfugia sur un radeau
et, dirigé par ta main, conserva pour l'avenir une semence de génération [l].

7 Béni est le bois devenu instrument de justice !

8 Mais maudite l'idole fabriquée, elle et son auteur,
celui-ci pour l'avoir façonnée, et elle, une chose corruptible, pour avoir été nommée dieu.

9 Car Dieu déteste également l'impie et son impiété,

10 et l'œuvre sera châtiée avec l'ouvrier.

11 Oui, l'intervention divine s'étendra aux idoles des nations,
car elles sont devenues une abomination dans la création de Dieu,
un scandale pour les âmes des hommes,
un piège sous les pas des insensés.

Origine des idoles à forme humaine

12 A l'origine de cette prostitution [m], il y a l'idée de fabriquer des images,
et leur découverte a entraîné la corruption de la vie.

13 Elles n'existaient pas au commencement pas plus qu'elles ne subsisteront indéfiniment.

14 A cause du jugement superficiel des hommes elles ont fait leur entrée dans le monde,
aussi une prompte fin leur a-t-elle été assignée.

15 Affligé par un deuil prématuré, un père

a fait exécuter une image de son enfant enlevé à l'improviste,
et à ce qui n'était plus qu'un cadavre d'homme il rend maintenant des honneurs comme à un dieu
et transmet aux siens des mystères et des rites [n] ;

16 puis, fortifiée par le temps, cette coutume impie fut observée comme une loi.

De même encore, sur l'ordre des souverains, les images taillées devinrent l'objet d'un culte :

17 comme on ne pouvait honorer ceux-ci [o] en leur présence, à cause de la distance,
on reproduisit leur apparence vue de loin
et on fit faire une image visible du roi vénéré
afin de témoigner une adulation empressée à l'absent comme s'il était présent.

18 Même chez ceux qui ne le connaissaient pas, l'extension du culte fut stimulée par l'ambition de l'artiste.

19 Celui-ci, voulant sans doute plaire au souverain,
força son art pour faire plus beau que ressemblant ;

20 alors la foule fut séduite par le charme de l'œuvre,
et cet homme auquel naguère on rendait des honneurs devint un objet d'adoration.

21 Ainsi la vie humaine se laissa prendre au piège
lorsque des hommes, victimes du malheur ou du pouvoir,
attribuèrent à la pierre et au bois le nom incommunicable [p].

Conséquences de l'idolâtrie

22 Ils ne se sont même pas contentés d'errer dans la connaissance de Dieu,
mais, vivant dans le vaste conflit qu'engendre l'ignorance,

---

k *un bois infime* décrit un *radeau* ou toute autre embarcation légère ● l *les géants orgueilleux:* allusion aux géants mentionnés en Gn 6.1-4 — *l'espoir du monde* désigne Noé et *un radeau* l'arche qu'il construisit (voir Gn 6.14—9.17) ● m *cette prostitution,* c'est-à-dire l'idolâtrie décrite en 13.10 à 14.11 (voir Os 2.4 et la note) ● n *des mystères et des rites,* c'est-à-dire des cérémonies et des rites réservés à un cercle d'initiés ● o *ceux-ci,* c'est-à-dire *les souverains* (v. 16) ● p En leur attribuant valeur de divinités les hommes ont donné à la pierre et au bois *le nom* qui n'appartient qu'à Dieu

14.6 les géants orgueilleux Gn 6.1-4; *Si* 16.7; *Ba* 3.26-28. **14.11** intervention défavorable de Dieu cf. *Sg* 3.7+. **14.12** prostitution Os 1.2+.

ils osent donner à de tels fléaux *q* le nom de paix.

²³ Avec leurs rites infanticides, leurs mystères occultes *r* ou leurs processions frénétiques aux coutumes extravagantes,

²⁴ ils ne respectent plus ni les vies, ni la pureté des mariages, mais l'un supprime l'autre traîtreusement ou l'afflige par l'adultère.

²⁵ Tout est mêlé : sang et meurtre, vol et fourberie, corruption, déloyauté, troubles, parjure,

²⁶ confusion des valeurs, oubli des bienfaits, souillure des âmes, inversion sexuelle, anarchie des mariages, adultère et débauche.

²⁷ Car le culte des idoles impersonnelles est le commencement, la cause et le comble de tout mal,

²⁸ soit qu'on s'abandonne à une joie délirante ou qu'on profère de faux oracles, soit qu'on vive dans l'injustice ou qu'on se parjure immédiatement.

²⁹ Pour s'être fiés à des idoles inertes, ils sont sûrs, après leurs serments malhonnêtes, de ne subir aucun dommage.

³⁰ Mais un double châtiment les frappera, parce qu'ils se sont mépris sur Dieu en recourant aux idoles et qu'ils ont fait avec ruse de faux serments par mépris de la *sainteté.

³¹ Ce n'est pas la puissance des objets pris à témoin, mais la justice réagissant contre les pécheurs qui sanctionne toujours la transgression des coupables.

La foi préserve Israël de l'idolâtrie

15 ¹ Mais toi, notre Dieu, tu es bon et fidèle, tu es patient et gouvernes tous les êtres avec miséricorde.

² Même si nous péchons, nous restons à toi car nous reconnaissons ta souveraineté,

mais nous ne pécherons pas, sachant que nous sommes comptés comme tiens.

³ Savoir qui tu es conduit à la justice parfaite et reconnaître ta souveraineté est la racine de l'immortalité.

⁴ Elle ne nous a pas égarés, cette invention humaine d'un art mauvais *s*, ni le labeur stérile des peintres d'illusion, qui produisent une forme barbouillée de couleurs variées

⁵ dont la vue finit par éveiller la passion des insensés et leur fait désirer la forme inerte d'une image morte.

⁶ Amants du mal et dignes de pareils espoirs, tels sont ceux qui les fabriquent, les désirent ou les adorent !

Folie du potier qui fabrique des idoles

⁷ Ainsi ce potier qui pétrit laborieusement de la terre molle et qui façonne chacun de nos objets domestiques. Avec la même glaise il modèle et les ustensiles destinés aux emplois propres et ceux qui servent à des usages opposés, le tout pareillement ; mais quelle sera alors la fonction de chacun de ces objets, c'est le potier qui en décide.

⁸ Puis, se livrant à un méchant travail, il utilise la même glaise pour façonner un dieu illusoire, alors que, tout juste né de la terre, il retournera bientôt à cette terre d'où il a été tiré, quand on lui demandera de restituer son âme.

⁹ Au lieu de songer à sa mort inéluctable et à la brièveté de sa vie, il rivalise avec les orfèvres et les fondeurs d'argent, imite ceux qui coulent le bronze, et se fait gloire de fabriquer du faux.

¹⁰ Son cœur n'est que cendre, son espé-

---

q de tels fléaux : la méconnaissance de Dieu et les désordres causés par cette ignorance (début du verset) dont les conséquences sont décrites par la suite (v. 23-28) ● *r leurs rites infanticides* ou *leurs sacrifices rituels d'enfants* — *leurs mystères* : voir 6.22; 14.15 et les notes ● *s un art mauvais* : il s'agit de la fabrication des idoles (voir 14.12)

14.23 rites infanticides Lv 18.21+. **15.1** Dieu bon et fidèle Ex 34.6+. **15.7** le potier cf. Rm 9.21+. **15.8** il retournera à la terre Gn 3.19+.

rance est plus misérable que la terre,
et sa vie plus méprisable que la
glaise.

11 Car il ignore Celui qui l'a façonné,
qui a soufflé en lui une âme active
et insufflé un esprit qui fait vivre *t*.

12 A ses yeux, notre vie est un jeu,
l'existence, une foire d'empoigne :
il faut, dit-il, tirer profit de tout,
même du mal.

13 Cet homme-là sait mieux que personne
qu'il pèche
en fabriquant avec une matière terreuse
des vases fragiles et des idoles.

L'idolâtrie insensée des Egyptiens

14 Mais ils se révèlent tous *u* complètement insensés et plus infortunés
qu'une âme infantile,
les ennemis et oppresseurs de ton
peuple !

15 Ils ont même pris pour dieux toutes
les idoles des nations,
qui n'ont ni l'usage de leurs yeux
pour voir,
ni des narines pour aspirer l'air,
ni des oreilles pour écouter,
ni des doigts aux mains pour palper,
et des pieds ne savent pas marcher.

16 Car c'est un homme qui les a faites,
un être au souffle d'emprunt *v* qui les
a façonnées,
or aucun homme ne peut façonner
un dieu qui lui soit semblable.

17 Mortel, il ne peut produire de ses
mains impies qu'une œuvre morte ;
encore vaut-il mieux que les objets de
son adoration :
lui, il a reçu la vie, mais eux ne
l'auront jamais.

18 Et ils adorent aussi les bêtes les plus
odieuses ;
en fait de stupidité, elles sont les
pires de toutes

19 et, à leur vue, on ne trouve rien de
cette beauté qui peut séduire chez
d'autres animaux.
Elles ont échappé à l'approbation de
Dieu et à sa bénédiction *w*.

Israël nourri, ses ennemis affamés

16 1 Voilà pourquoi ils furent châtiés
à juste titre par des animaux
semblables
et tourmentés par une multitude de
bêtes *x*.

2 Au lieu de ce châtiment, tu as accordé
un bienfait à ton peuple :
pour satisfaire l'ardeur de son appétit,
c'est une nourriture à la saveur merveilleuse,
des cailles, que tu lui as préparée.

3 Ainsi les premiers, malgré leur besoin
de nourriture,
écœurés par les bêtes envoyées contre
eux,
perdraient toute envie de manger,
tandis que les seconds, après une
courte disette,
auraient en partage une saveur merveilleuse *y*.

4 Il fallait que les oppresseurs voient
s'abattre sur eux une disette implacable,
il suffisait aux autres de constater
comment leurs ennemis avaient été
tourmentés.

Les bêtes meurtrières et le Dieu qui sauve

5 Et même quand la fureur terrible
des bêtes venimeuses se déchaîna
contre les tiens
et qu'ils périssaient sous la morsure
des serpents sinueux,
ta colère ne dura pas jusqu'au bout *z*.

6 En guise d'avertissement ils furent
effrayés quelque temps,
tout en ayant un gage de salut qui
leur rappelait le commandement de ta
Loi.

7 En effet, quiconque se retournait était
sauvé, non par l'objet regardé,
mais par toi le Sauveur de tous.

8 Et ainsi tu as prouvé à nos ennemis
que c'est toi qui délivres de tout mal.

9 Eux périrent mordus par les sauterelles et les mouches,

---

t Les expressions *une âme active* et *un esprit qui fait vivre* sont pratiquement synonymes; elles
rappellent l'haleine de vie dont parle Gn 2.7 ● *u* L'auteur revient maintenant au cas des
Egyptiens ● *v* un être au souffle d'emprunt, c'est-à-dire à qui Dieu a prêté le souffle de vie
● *w* Au moment de la création *l'approbation de Dieu* et *sa bénédiction* s'étendaient à tous les êtres
vivants (voir Gn 1.20-30). Les animaux divinisés y sont soustraits parce qu'ils sortent du rôle qui
leur a été attribué ● *x* Le pronom *ils* désigne les Egyptiens — *une multitude de bêtes*: voir 11.15
et la note ● *y* les premiers, c'est-à-dire les Egyptiens — les seconds, c'est-à-dire les Israélites —
les bêtes envoyées contre eux: probablement les grenouilles mentionnées en Ex 7.26—8.10 ● *z* Les
versets 5 à 7 se réfèrent à l'épisode des serpents brûlants (Nb 21.4-9)

15.15 impuissance des idoles Ps 115.4-7+. **16.2** des cailles Ex 16.13+. **16.9** les sauterelles
et les mouches Ex 8.16-28; 10.1-20.

sans qu'on trouvât de remède pour
préserver leur vie,
car ils méritaient d'être châtiés par
de telles bêtes.

¹⁰ Tes fils, en revanche, la dent même
des serpents venimeux ne put les
réduire,
car ta miséricorde vint à leur rencontre
et les guérit.

¹¹ Pour qu'ils se rappellent tes paroles,
ils recevaient des coups d'aiguillon,
mais ils étaient vite délivrés,
de peur que, tombés dans un oubli
profond,
ils ne soient soustraits à ton action
bienfaisante.

¹² Et ni herbe ni pommade ne vint les
soulager,
mais ta Parole, Seigneur, elle qui
guérit tout.

¹³ Tu as pouvoir sur la vie et la mort,
tu fais descendre aux portes de l'*Hadès
et en fais remonter ;

¹⁴ l'homme, lui, peut tuer par méchanceté,
mais il ne fait pas revenir le souffle
qui est sorti
et ne délivre pas l'âme qui a été
recueillie ᵃ.

La grêle et la manne

¹⁵ Il est impossible d'échapper à ta
main.

¹⁶ Les impies qui refusaient de te
connaître
furent fouettés par ton bras vigoureux :
des pluies et des grêlons inhabituels,
des averses impitoyables s'acharnaient
contre eux,
le feu les dévorait.

¹⁷ Fait extraordinaire, dans l'eau qui
éteint tout,
le feu gagnait en énergie,
car l'univers combat pour les justes.

¹⁸ Tantôt la flamme se calmait
pour ne pas consumer les animaux ᵇ
envoyés contre les impies,
mais pour qu'à ce spectacle ils se
sachent poursuivis par un jugement
de Dieu ;

¹⁹ tantôt, au sein même de l'eau, elle
brûle au-delà de la puissance du feu,
afin de détruire les récoltes d'une terre
injuste.

²⁰ A l'opposé, tu as distribué à ton
peuple une nourriture d'anges,
tu lui as procuré du ciel, sans effort
de sa part, un pain tout préparé,
ayant la capacité de toute saveur et
adapté à tous les goûts ᶜ.

²¹ La substance que tu donnais manifestait ta douceur pour tes enfants,
mais elle se pliait au désir de celui
qui la consommait
en se modifiant au gré de chacun.

²² Neige et glace ᵈ résistaient au feu et
ne fondaient pas,
pour faire savoir que les récoltes des
ennemis
avaient été détruites par le feu qui
flambait dans la grêle
et lançait des éclairs au milieu de
la pluie.

²³ Ce même feu, en revanche, pour permettre aux justes de se nourrir,
oubliait même son pouvoir propre.

²⁴ La création, docile à te servir, toi,
son Auteur,
se tend pour châtiment des injustes,
mais se détend pour le bien de ceux
qui se sont confiés à toi.

²⁵ Et c'est ainsi qu'en se prêtant à tout
changement,
elle était au service de ce don venu
de toi et qui devenait toute nourriture
au gré de ceux qui le demandaient.

²⁶ Par là, tes fils que tu as aimés, Seigneur, devaient apprendre
que ce n'est pas la production de
fruits qui nourrit l'homme,
mais bien ta parole qui fait subsister
ceux qui croient en toi.

²⁷ Ce que le feu ne détruisait pas
fondait simplement à la chaleur d'un
bref rayon de soleil ᵉ,

²⁸ pour qu'on sache qu'il faut devancer
le soleil pour te rendre grâces
et te rencontrer au lever du jour.

²⁹ Mais l'espoir de l'ingrat fondra comme le givre hivernal,

---

a qui a été recueillie : le texte ne précise pas si c'est *par Dieu* ou *dans l'Hadès* ● *b* Vraisemblablement les sauterelles (voir v. 9) qui succèdent à la grêle (voir Ex 9.13-35 et 10.1-20) ● *c une
nourriture d'anges* et *un pain tout préparé* : la manne dont Dieu a nourri les Israélites au désert
(voir Ex 16.13-21) ● *d Neige et glace...* : d'après Ex 16.14 la manne ressemblait à du givre ● *e* Il
s'agit de la manne (voir v. 22 et Ex 16.21)

16.12 la Parole qui guérit Ps 107.20. **16.13** pouvoir sur la vie et sur la mort 1 S 2.6+. **16.16**
des pluies et des grêlons Ps 78.47-48+. **16.20** une nourriture d'anges Ps 78.25+. **16.26** ce
qui nourrit l'homme Dt 8.3.

il s'écoulera comme une eau inutilisable.

Les ténèbres et la colonne de feu

17 ¹ Tes jugements sont grands et
difficiles à comprendre.
Aussi des âmes incultes se sont-elles
égarées.

² Ces impies qui avaient voulu asservir
la nation sainte,
ils gisaient, prisonniers des ténèbres
et enchaînés à une longue nuit,
enfermés sous un toit, bannis de la
providence éternelle *f*.

³ Alors qu'ils pensaient rester cachés,
avec leurs péchés secrets,
grâce au voile opaque de l'oubli,
ils furent dispersés, en proie à une
frayeur terrible
et bouleversés par des hallucinations.

⁴ L'antre qui les contenait *g* ne les gardait nullement de la peur,
des bruits fracassants résonnaient autour d'eux
et ils voyaient apparaître des spectres
mornes à la face lugubre.

⁵ Le feu le plus puissant ne parvenait
pas à faire jaillir de la lumière
et la lueur étincelante des étoiles
ne consentait pas à éclairer cette nuit
horrible.

⁶ Seul leur apparaissait
un brasier qui s'allumait de lui-même
et répandait l'épouvante :
lorsque cette vision disparaissait à
leurs yeux, ils restaient terrifiés
et ils estimaient pire encore ce qu'ils
voyaient.

⁷ Les artifices de la magie avaient été
frappés d'impuissance
et sa prétention au savoir recevait un
démenti humiliant.

⁸ Ceux qui se faisaient fort de chasser
d'une âme malade les frayeurs et les
troubles
étaient eux-mêmes malades d'une
crainte risible.

⁹ Et même s'il n'y avait rien de troublant
pour leur faire peur,
le passage des bêtes et le sifflement
des serpents suffisaient à les effrayer :

¹⁰ ils mouraient de peur,

refusant même de regarder cet air *h*
auquel il n'y avait pas moyen d'échapper.

¹¹ La méchanceté témoigne de sa lâcheté
quand elle est condamnée par son
propre témoin *i* ;
toujours elle ajoute aux difficultés
lorsque la conscience l'oppresse.

¹² Car la peur n'est rien d'autre que
l'abandon des secours de la raison.

¹³ Moins on espère intérieurement de
cette aide *j*,
plus on ressent l'ignorance de ce qui
provoque le tourment.

¹⁴ Mais eux, durant cette nuit vraiment
insupportable
et sortie des profondeurs de l'insupportable *Hadès,
dormant du même sommeil,

¹⁵ ils étaient à la fois poursuivis par des
fantômes monstrueux
et paralysés par la démission de leur
âme ;
une peur soudaine et inattendue s'était
déversée en eux.

¹⁶ De même aussi, quiconque se trouvait là-bas *k*, tombait
et était retenu enfermé dans une prison sans grilles.

¹⁷ Fût-il laboureur, berger
ou employé à de durs travaux au désert,
saisi à l'improviste, il subissait la
nécessité inéluctable,

¹⁸ car tous étaient liés par une même
chaîne de ténèbres.
Le sifflement du vent,
le chant mélodieux des oiseaux dans
les rameaux touffus,
la cadence de l'eau coulant avec violence,

¹⁹ le bruit sec des pierres qui dégrin-
golent,
la course invisible d'animaux bondissants,
le rugissement des bêtes les plus sauvages
ou l'écho renvoyé par le creux des
montagnes,
tout cela les paralysait de peur.

²⁰ Car le monde entier était éclairé d'une
lumière éclatante

---

f la nation sainte ou *le peuple de Dieu* — Le chapitre 17 fait allusion au neuvième fléau, celui des
ténèbres (voir Ex 10.21-29) ● *g* C'est-à-dire sans doute les ténèbres dans lesquelles ils se trouvaient ● *h cet air*, c'est-à-dire l'obscurité environnante ● *i son propre témoin* ou *son propre témoignage* : les méchants sont lâches dans la mesure où ils sont coupables (voir v. 11b) ● *j cette aide*
ou *l'aide de la raison* ● *k là-bas* : en Egypte

17.2 bannis de la providence cf. *Sg* 14.3-5+. ● **17.7** impuissance de la magie Ex 7.12 ; 8.14.

et poursuivait sans entraves ses activités.

²¹ Sur eux seuls une nuit pesante s'était étendue,
image des ténèbres destinées à les recevoir,
mais ils étaient pour eux-mêmes un poids plus lourd que les ténèbres.

18 ¹ Pour tes saints, au contraire, il y avait une très grande lumière,
et les autres entendaient leur voix sans distinguer leur silhouette *l* :
ils les proclamaient heureux de n'avoir pas eu aussi à souffrir,

² ils les remerciaient de ne pas chercher à nuire après tous les torts subis
et ils demandaient pardon pour leur hostilité.

³ Mais au lieu des ténèbres, tu as donné aux tiens une colonne flamboyante,
guide pour un itinéraire inconnu
et soleil inoffensif pour une glorieuse migration.

⁴ Quant à ceux-là, ils méritaient d'être privés de lumière et emprisonnés par les ténèbres,
pour avoir retenu captifs tes fils
par qui devait être donnée au monde la lumière incorruptible de la *Loi.

Nuit tragique et nuit de délivrance

⁵ Ils avaient décidé de faire périr les nouveau-nés des saints,
et seul un enfant fut sauvé après avoir été exposé ;
pour les châtier, tu leur as enlevé une multitude d'enfants
et tu les as détruits ensemble dans une eau tumultueuse *m*.

⁶ Cette nuit-là fut connue à l'avance par nos pères
afin que, sachant à quels serments ils s'étaient fiés, ils puissent se réjouir en toute sûreté *n*.

⁷ Elle fut attendue par ton peuple,
comme salut pour les justes et ruine pour les ennemis.

⁸ En effet, ce qui te servit à punir les adversaires

devint pour nous un titre de gloire,
car tu nous appelais vers toi.

⁹ Dans le secret, les pieux descendants des justes *o* offraient des *sacrifices,
et ils convinrent ensemble de cette loi divine
que les saints partageraient également avantages et dangers ;
et déjà ils entonnaient les cantiques des pères.

¹⁰ La clameur discordante des ennemis leur répondait
et la voix plaintive de ceux qui pleuraient leurs enfants se répandait au loin.

¹¹ Esclave et maître étaient frappés d'une même peine,
l'homme du peuple souffrait comme le roi.

¹² Tous à la fois, par le même genre de mort,
ils avaient des cadavres innombrables ;
et les vivants ne suffisaient pas à les ensevelir
car leur descendance la plus précieuse avait été anéantie en un instant.

¹³ Eux qui étaient restés complètement incrédules en pensant à des maléfices,
ils reconnurent, devant la perte de leurs premiers-nés, que ce peuple était fils de Dieu.

¹⁴ Un silence paisible enveloppait tous les êtres
et la nuit était au milieu de sa course ;

¹⁵ alors ta Parole toute-puissante, quittant les cieux et le trône royal,
bondit comme un guerrier impitoyable au milieu du pays maudit ;

¹⁶ avec, pour épée tranchante, ton décret irrévocable.
Se redressant *p*, elle sema partout la mort ;
elle touchait au ciel et foulait la terre.

¹⁷ Aussitôt les visions de songes terribles les bouleversèrent
et des frayeurs inattendues les assaillirent.

¹⁸ Chacun était projeté ici ou là, à demi-mort

---

l tes saints : les Israélites — *les autres :* les Egyptiens ● *m faire périr les nouveau-nés... :* voir la note sur 11.7 — *un enfant... exposé :* Moïse — *détruits... dans une eau tumultueuse :* allusion à l'engloutissement dans la mer Rouge (voir Ex 14.24-31) ● *n nos pères* ou *nos ancêtres.* Il s'agit sans doute des Israélites auxquels Moïse avait fait connaître à l'avance ce qui allait se passer (voir Ex 12.21-28) — *se réjouir en toute sûreté :* autre traduction *reprendre courage* ● *o des justes*, c'est-à-dire des patriarches ● *p* Autre traduction *S'arrêtant*

18.1 une grande lumière Ex 10.23. **18.3** une colonne flamboyante Ex 13.21-22+. **18.4** la lumière de la Loi cf. Es 42.6 ; 49.6. **18.9** partage des avantages Nb 31.27 ; 32.18 ; Jos 22.8. **18.13** le peuple, fils de Dieu Os 11.1+. **18.16** une épée tranchante He 4.12+.

en révélant la raison de sa mort,

¹⁹ car les rêves qui les avaient affolés
l'indiquaient d'avance,
afin qu'ils ne périssent pas en ignorant pourquoi ils subissaient cette
peine.

L'intervention d'Aaron au désert

²⁰ Certes l'expérience de la mort atteignit aussi les justes
et une multitude fut massacrée au désert,
mais la colère ne dura pas longtemps *q*.

²¹ En effet un homme irréprochable *r* se
hâta pour les protéger :
muni des armes propres à son ministère,
la prière et l'*encens qui apaise.
Il affronta la fureur et mit fin à la
calamité,
montrant qu'il était bien ton serviteur.

²² Il triompha du courroux, non par la
force physique
ou l'efficacité des armes,
mais c'est par la parole qu'il maîtrisa
l'exécuteur du châtiment
en rappelant les serments et les alliances patriarcales.

²³ Alors que déjà les cadavres s'entas-
saient,
il s'interposa, brisa l'assaut
et lui barra le chemin qui menait aux
vivants.

²⁴ Sur la longue robe de l'éphod était
figuré l'univers entier,
les noms glorieux des pères étaient
gravés sur les quatre rangées de pierres
et ta majesté sur le diadème de sa
tête *s*.

²⁵ A cette vue, l'Exterminateur recula et
fut même saisi de peur.
Ainsi la simple expérience de la colère avait suffi.

Le passage de la mer Rouge

19 ¹ Mais contre les impies *t* sévit
jusqu'à son terme un courroux
sans pitié,

car Dieu savait d'avance ce qu'ils feraient encore :

² après avoir donné congé au peuple
et l'avoir renvoyé en hâte,
ils changeraient d'avis et le poursui-
vraient *u*.

³ En effet, alors qu'ils célébraient encore
leurs deuils
et se lamentaient sur les tombes des
morts,
ils conçurent une autre idée, absurde :
ceux qu'ils avaient fait partir en les
suppliant,
ils se mirent à les poursuivre comme
des fugitifs.

⁴ La nécessité à juste titre *v*, les poussait vers cet extrême
et provoquait l'oubli du passé,
afin qu'ils achèvent de recevoir le
châtiment qui manquait à leurs tourments :

⁵ ton peuple ferait alors l'expérience
d'une traversée extraordinaire,
eux, au contraire, trouveraient une
mort étrange.

⁶ Car la création tout entière, selon
chaque espèce, était modelée à nouveau,
obéissant à tes ordres,
afin que tes enfants soient gardés de
tout mal.

⁷ On vit la nuée recouvrir le camp,
et la terre sèche surgir là où il y avait
de l'eau *w* ;
la mer Rouge devint une route sans
obstacle,
les flots impétueux une plaine verdoyante,

⁸ par où tout un peuple passa, protégé
par ta main
et témoin de prodiges merveilleux.

⁹ Ils se répandirent comme des chevaux
au pâturage,
ils bondirent comme des agneaux,
en te célébrant *x*, Seigneur, toi qui les
délivras.

¹⁰ Car ils se rappelaient encore les événements de leur exil,
comment la terre, remplaçant la génération animale, produisit des moustiques,

---

q les justes: les Israélites — *la colère:* sous-entendu *de Dieu* ● *r un homme irréprochable* désigne Aaron (voir Nb 17.6-15) ● *s* Sur la *robe de l'éphod* voir Ex 28.31-35 — *les quatre rangées de pierres:* voir Ex 28.17-21 — *ta majesté:* le diadème portait l'inscription « Consacré au Seigneur » (voir Ex 28.36) ● *t* Il s'agit de nouveau des Égyptiens ● *u* Voir Ex 12.31-33 et 14.5-6 ● *v* C'est-à-dire le destin qu'ils devaient nécessairement subir ● *w* Voir Ex 14.20-22 ● *x* Voir 10.20 et la note

18.20 une multitude fut massacrée Nb 17.9-15. **18.25** l'Exterminateur 1 Ch 21.15; 1 Co 10.10. **19.4** qui manquait à leurs tourments *2 M* 6.14. **19.9** comme des chevaux Es 63.13 — ils bondirent Ml 3.20; Ps 114.4-6.

comment le Fleuve, se substituant aux
animaux aquatiques, vomit une multitude de grenouilles *y*.

11 Plus tard aussi ils virent une toute
nouvelle génération d'oiseaux
lorsque, poussés par le désir, ils réclamèrent des mets délicats

12 et que, pour leur réconfort, des cailles
montèrent de la mer *z*.

Les Egyptiens et la haine de l'étranger

13 Et les châtiments s'abattirent sur les
pêcheurs
non sans avoir eu pour signes précur-
seurs des éclairs foudroyants.
C'est en toute justice qu'ils étaient
punis à cause de leur méchanceté,
car ils avaient manifesté pour l'étranger *a* une haine particulièrement
cruelle.

14 D'autres n'avaient pas accueilli les
inconnus qui venaient d'arriver.
Mais eux, ils réduisirent en esclavage
des hôtes qui étaient leurs bienfaiteurs *b*.

15 Ce n'est pas tout : une inspection
attend les premiers *c*
parce qu'ils recevaient avec hostilité
les étrangers.

16 Mais eux, après avoir fêté dans la
joie
la venue de ceux qui avaient déjà
part aux mêmes droits,
les accablèrent de travaux terribles *d*.

17 Ils furent aussi frappés de cécité,
tout comme ceux-là à la porte du
juste *e*

lorsque, enveloppés de ténèbres sans
fond,
ils cherchaient tous le chemin de leur
porte.

Dieu crée une harmonie nouvelle

18 Les éléments *f* permutaient entre eux,
comme sur la harpe la variation des
notes change la nature du rythme,
en gardant toujours leur sonorité.
Ceci apparaît clairement quand on
examine ce qui s'était produit :

19 en effet des êtres terrestres devenaient
aquatiques,
ceux qui nagent marchaient sur la
terre *g*,

20 le feu dans l'eau redoublait de puissance
et l'eau oubliait son pouvoir d'éteindre *h* ;

21 en revanche les flammes ne consu-
maient pas
les chairs des frêles animaux qui
allaient et venaient au milieu d'elles,
et elles ne faisaient pas fondre cette
sorte d'aliment divin, pareil à la glace
qui fond facilement *i*.

Louange finale

22 En tout, Seigneur, tu as exalté et glorifié ton peuple,
tu n'as pas manqué de l'assister à tout
moment et en tout lieu.

---

y Ce verset fait allusion respectivement au troisième et au deuxième fléaux (voir Ex 8.12-15 et
Ex 7.26—8.11) ● *z* Voir Nb 11.31 ● *a l'étranger:* terme collectif qui désigne ici les Israélites
(voir Ex 1.8-14) ● *b D'autres:* les habitants de Sodome (voir Gn 19.1-29) — *leurs bienfaiteurs:*
allusion aux services rendus par Joseph aux Egyptiens ● *c inspection:* allusion au jugement de
Dieu — *les premiers:* les habitants de Sodome (v. 14) ● *d* Il s'agit des corvées que les Egyptiens
imposèrent aux Israélites (voir Ex 1.8-14) ● *e frappé de cécité:* allusion probable au fléau des
ténèbres (voir Ex 10.21-23) — *ceux-là:* les habitants de Sodome — *le juste:* Loth (voir Gn 19.11)
● *f* Voir 7.17 et la note ● *g des êtres terrestres:* sans doute les Israélites qui traversèrent la mer
Rouge — *ceux qui nagent:* les grenouilles (voir v. 10) ● *h* Rappel de 16.17, 19, 23 ● *i des frêles
animaux:* voir 16.18 et la note — *l'aliment divin:* la manne (voir 16.22-23)

LE SIRACIDE

PRÉFACE DU TRADUCTEUR GREC

(1) Beaucoup de grandes choses nous ont été transmises par la Loi, les Prophètes et ceux qui les ont suivis *a*, et il faut, à leur sujet, louer Israël pour son instruction et sa sagesse. Mais il ne faut pas seulement acquérir la science par la lecture, (5) il faut aussi que les amis du savoir puissent être utiles à ceux du dehors, et par la parole et par l'écrit.

C'est pourquoi mon grand-père Jésus *b*, qui s'était adonné par-dessus tout à la lecture de la Loi, des Prophètes (10) et des autres livres de nos pères *c*, et qui y avait acquis une grande maîtrise, fut amené à écrire lui aussi sur l'instruction et la sagesse, afin que ceux qui aiment le savoir, s'étant familiarisés avec ces sujets, progressent encore davantage dans la vie selon la Loi. (15) Vous êtes donc invités à en faire la lecture avec bienveillance et attention, et à montrer de l'indulgence s'il vous semble que nous (20) avons échoué, malgré tous nos efforts, à rendre certaines expressions. Car les choses dites en hébreu dans ce livre n'ont pas la même valeur lorsqu'elles sont traduites *d* en une autre langue. D'ailleurs non seulement cet ouvrage, mais aussi la Loi, les Prophètes (25) et les autres livres présentent des divergences considérables quant à leur contenu.

C'est donc dans la trente-huitième année du règne d'Evergète *e* qu'étant arrivé en Egypte et y ayant séjourné, j'ai trouvé un exemplaire de cette importante instruction : (30) j'ai jugé alors très nécessaire d'apporter moi-même quelque soin et quelque peine à traduire ce livre, et, après avoir consacré beaucoup de veilles et de science durant ce laps de temps à mener à bien ce travail, de le publier à l'intention de ceux qui, à l'étranger, veulent être amis du savoir (35) et conformer leurs mœurs à la vie selon la Loi.

SECTION A

Le mystère de la sagesse

1 ¹ Toute sagesse vient du Seigneur, avec lui elle demeure à jamais.
² Le sable des mers, les gouttes de la pluie.
les jours de l'éternité, qui les dénombrera ?
³ La hauteur du ciel, la largeur de la terre,
la profondeur de l'*abîme, qui les explorera ?

---

a la Loi, les Prophètes et ceux qui les ont suivis désignent les trois catégories de livres qui composent la Bible hébraïque (voir l'introduction). C'est la plus ancienne utilisation connue de cette classification ● *b ceux du dehors* : l'auteur désigne probablement *ceux qui n'ont pas étudié à l'école des *scribes* (voir Jn 7.15). Selon certains il viserait plutôt *ceux qui sont à l'étranger* (préface, ligne 34), c'est-à-dire les Juifs dispersés en dehors de la Palestine ; ou bien *les païens*, c'est-à-dire ceux qui n'appartiennent pas à la communauté israélite — *mon grand père Jésus* : l'auteur du livre ; il est appelé Ben Sira (voir la note sur 51.30 ; voir aussi 50.27). Son petit-fils a écrit la préface du livre ● *c nos pères* ou *nos ancêtres* ● *d* Le livre du Siracide, écrit en hébreu, a été traduit en grec par le petit-fils de l'auteur ● *e Evergète*: surnom du roi d'Egypte Ptolémée VII qui régna de 170 à 116 av. J.C. — *un exemplaire de cette importante instruction*: autre traduction *que l'instruction* (en Egypte) *était fort différente* (de la nôtre)

1.1 la sagesse vient du Seigneur Pr 2.6+. **1.2** qui ? Pr 30.4+.

4 Avant toutes choses fut créée la sagesse,
de toute éternité l'intelligence prudente *f*.
6 La racine de la sagesse, à qui fut-elle
révélée ?
Ses accomplissements, qui les connaît *g* ?
8 Un seul est sage, très redoutable,
celui qui siège sur son trône.
9 Le Seigneur lui-même l'a créée,
il l'a vue et mesurée,
il l'a répandue sur toutes ses œuvres,
10 en toute chair selon sa largesse,
il l'a accordée à ceux qui l'aiment,
lui *h*.

La crainte du Seigneur

11 La crainte *i* du Seigneur est gloire et
fierté,
joie et couronne d'allégresse.
12 La crainte du Seigneur réjouit le cœur,
donne joie, gaîté et longue vie *j*.
13 Pour qui craint le Seigneur, tout ira
bien à la fin,
au jour de sa mort, il sera béni *k*.
14 Le commencement de la sagesse, c'est
la crainte du Seigneur,
pour les fidèles, elle a été créée avec
eux dans le sein maternel.
15 Parmi les hommes elle a fait son nid,
fondation d'éternité,
avec leur descendance elle restera fidèlement *l*.
16 La plénitude de la sagesse, c'est la
crainte du Seigneur,
elle enivre les hommes de ses fruits.
17 Leur maison tout entière, elle la remplit de ce qu'ils désirent
et leurs greniers de ses produits.

18 La couronne de la sagesse, c'est la
crainte du Seigneur
qui fait fleurir la paix et la bonne
santé *m*.
19 *n* Elle fait pleuvoir la science et la connaissance intelligente,
elle exalte la gloire de ceux qui la possèdent.
20 La racine de la sagesse, c'est la crainte
du Seigneur,
et ses rameaux sont une longue vie *o*.

Patience et maîtrise de soi

22 Une irritation injuste ne pourra se justifier,
car le mouvement de celui qui s'irrite
l'entraîne à sa perte.
23 Jusqu'au bon moment l'homme patient
tiendra bon
et ensuite la joie lui sera rendue.
24 Jusqu'au bon moment il gardera pour
lui ses pensées,
les lèvres de la foule diront son intelligence.

Sagesse et droiture

25 Parmi les trésors de la sagesse sont les
proverbes du savoir,
mais la piété est un objet d'horreur
pour le pécheur.
26 Toi qui désires la sagesse, observe les
commandements,
et le Seigneur te l'accordera.
27 Car la sagesse et l'instruction, c'est la
crainte du Seigneur :
son bon plaisir, c'est la fidélité et la
douceur.
28 Ne sois pas indocile à la crainte du
Seigneur.

---

f Quelques manuscrits grecs ajoutent: v. 5 *la source de la sagesse, c'est la parole de Dieu dans les cieux, ses chemins, ce sont les commandements éternels* ● *g* Quelques manuscrits grecs ajoutent: v. 7 *la science de la sagesse, à qui a-t-elle été manifestée? Sa grande expérience, qui l'a comprise?* ● *h en toute chair* ou *en tout homme* — A la fin du verset quelques manuscrits grecs ajoutent *l'amour du Seigneur est une sagesse glorieuse, il en accorde une part à ceux qui le voient* ● *i La crainte* ou *le respect* ● *j* Quelques manuscrits grecs ajoutent *la crainte du Seigneur est un don du Seigneur, c'est lui* (ou *elle*) *qui établit sur les sentiers de l'amour* ● *k* Il y a deux sens possibles: a) une fin de vie heureuse sur la terre, b) une récompense au-delà de la mort ● *l avec leur descendance... fidèlement:* autre traduction *on lui confiera leur descendance* ● *m* Quelques manuscrits grecs ajoutent *L'une et l'autre sont des dons de Dieu en vue de la paix, la fierté met à l'aise* (autre texte: *il augmente la fierté de*) *ceux qui l'aiment* ● *n* Quelques manuscrits font commencer le v. 19 par *Il l'a vue et mesurée* (voir v. 9) ● *o* Quelques manuscrits ajoutent v. 21 *la crainte du Seigneur ôte les péchés, là où elle demeure, elle* (ou *celui qui y persévère*) *détourne toute colère de Dieu*

1.4 la sagesse Jb 28.12+ — création de la sagesse 1.9; 24.8; cf. Pr 8.22. **1.9** la sagesse répandue Jl 3.1-2; Ac 2.17-18, 33. **1.11** craindre le Seigneur 1.11-20; 2.7-17; 10.19-24; 15.1, 13, 19; 19.20; 21.6, 11; 25.6, 10-11; 32.14, 16; 33.1; 34.14-20; 40.26-27; Dt 4.10+; Ps 15.4+; Pr 8.13+. **1.14-20** crainte du Seigneur et sagesse 15.1; 19.20; 21.11; 25.10-11; Ps 111.10+. **1.14** commencement de la sagesse Pr 1.7. **1.15** la sagesse parmi les hommes Pr 8.31; *Ba* 3.38. **1.20** longue vie Dt 4.26+. **1.22-24** colère et patience Jc 1.19-20; cf. Qo 1.9. **1.26** la sagesse et les commandements 19.20; cf. Qo 12.13. **1.27** douceur 3.17; Mt 5.4+. **1.28** cœur double Ps 12.3; cf. *Si* 5.9, 14; 6.1; Jc 1.6-8.

ne viens pas à lui avec un cœur double.

²⁹ Ne sois pas hypocrite devant les hommes,
mais veille sur tes lèvres *p*.

³⁰ Ne t'élève pas toi-même, de peur de tomber
et d'attirer sur toi le déshonneur,
car le Seigneur dévoilera tes secrets
et t'humiliera au milieu de l'assemblée *q*,
parce que tu n'es pas venu à la crainte du Seigneur
et que ton cœur est plein de ruse.

Servir le Seigneur avec confiance

2 ¹ Mon fils, si tu aspires à servir le Seigneur,
prépare ton âme à l'épreuve.

² Fais-toi un *cœur droit et sois résolu,
ne te trouble pas au moment de la détresse.

³ Attache-toi à lui, ne t'en écarte pas,
tu finiras tes jours dans la prospérité.

⁴ Tout ce qui t'advient, accepte-le,
dans les revers de ton humiliation sois patient ;

⁵ car c'est au feu qu'on éprouve l'or,
et au four de l'humiliation, ceux qui sont agréés de Dieu *r*.

⁶ Aie confiance en Dieu et il te viendra en aide,
suis une voie droite et espère en lui.

⁷ Vous qui craignez le Seigneur, comptez sur sa miséricorde,
ne vous détournez pas, de peur de tomber *s*.

⁸ Vous qui craignez le Seigneur, ayez confiance en lui,
votre récompense ne vous fera pas défaut.

⁹ Vous qui craignez le Seigneur, comptez sur la prospérité,
la joie perpétuelle et la miséricorde *t*.

¹⁰ Regardez les générations passées et voyez :
Qui a mis sa confiance dans le Seigneur et a été déçu ?

Qui a persévéré dans la crainte du Seigneur et a été abandonné ?
Qui l'a invoqué et en a été méprisé ?

¹¹ Car le Seigneur est compatissant et miséricordieux,
il remet les péchés et sauve au moment de la détresse.

¹² Malheur aux cœurs lâches et aux mains sans courage,
au pécheur qui chemine sur deux routes *u*.

¹³ Malheur au cœur sans courage, qui n'a pas confiance,
pour cela il ne sera pas protégé.

¹⁴ Malheur à vous qui avez perdu la persévérance ;
que ferez-vous quand le Seigneur vous examinera ?

¹⁵ Ceux qui craignent le Seigneur ne désobéissent jamais à ses paroles,
ceux qui l'aiment observent ses voies.

¹⁶ Ceux qui craignent le Seigneur recherchent son bon plaisir,
ceux qui l'aiment se nourrissent de sa loi.

¹⁷ Ceux qui craignent le Seigneur ont toujours le cœur prêt,
devant lui ils s'humilient et disent :

¹⁸ « Nous tomberons *v* entre les mains du Seigneur
et non entre les mains des hommes ;
car telle est sa grandeur,
telle aussi sa miséricorde. »

Devoirs envers les parents

3 ¹ Ecoutez, enfants, les conseils de *w* votre père,
et agissez ainsi, afin d'être sauvés ;

² car le Seigneur glorifie le père dans ses enfants,
il affermit le droit de la mère sur ses fils.

³ Celui qui honore son père expie ses péchés,

⁴ il amasse un trésor, celui qui glorifie sa mère.

---

p sur tes lèvres ou *sur tes paroles* ● *q au milieu de l'assemblée*: sous-entendu *du peuple* ● *r* Quelques manuscrits grecs ajoutent *dans les maladies et la pauvreté, sois confiant en lui* ● *s tomber*: sous-entendu *dans le mal* ● *t* Quelques manuscrits grecs ajoutent *car son salaire est un don perpétuel et joyeux* ● *u sur deux routes*, c'est-à-dire tantôt celle du bien, tantôt celle du mal ● *v* Autre traduction *nous nous jetterons* ● *w les conseils de*: d'après l'ancienne version latine; grec *moi*

1.29 hypocrite 27.22-23+. **1.30** humiliation au milieu de l'assemblée 42.11; cf. Pr 5.14. **2.1** l'épreuve Jc 1.2-4+. **2.4** humiliation 10.13-17; 11.5-6. **2.6** confiance en Dieu 11.21; 32.24; 34.15-18; Pr 3.5-6+. **2.7** craindre le Seigneur 1.11+. **2.10** confiance non déçue Ps 22.4-6; 31.2+ — invoqué Dieu Jg 3.9, 15. **2.11** Seigneur miséricordieux Ex 34.6-7; Dt 4.31+. **2.12** pécheur au cœur partagé Ps 119.113. **2.15** observent ses voies Dt 4.1-2+; Jn 14.15, 21; 1 Jn 5.3. **2.16** se nourrissent de sa loi 32.15; Ps 119; cf. Ps 19.8-15. **2.18** entre les mains du Seigneur 2 S 24.14. **3.1-16** honore tes parents Ex 20.12+.

⁵ Celui qui honore son père trouvera de la joie dans ses propres enfants, au jour de sa prière il sera exaucé.

⁶ Celui qui glorifie son père aura longue vie,
celui qui obéit au Seigneur donnera satisfaction à sa mère *ˣ*,

⁷ comme des maîtres, il sert ses parents.

⁸ *ʸ* En actes et en paroles, honore ton père,
afin que sa bénédiction vienne sur toi ;

⁹ car la bénédiction d'un père affermit la maison de ses enfants,
mais la malédiction d'une mère en arrache les fondations *ᶻ*.

¹⁰ Ne te glorifie pas du déshonneur de ton père ;
ce n'est pas une gloire pour toi que le déshonneur de ton père ;

¹¹ car la gloire d'un homme vient de l'honneur de son père
et c'est un opprobre pour ses enfants qu'une mère dans le déshonneur.

¹² Mon fils, prends soin de ton père dans sa vieillesse
et ne l'afflige pas durant sa vie.

¹³ Même s'il perd la raison, sois indulgent
et ne l'insulte pas parce que tu es en pleine force.

¹⁴ Car ton aumône envers ton père ne sera pas oubliée,
à la place de tes péchés, elle sera pour toi une maison nouvelle *ᵃ*.

¹⁵ Au jour de ta détresse, on se souviendra de toi ;
comme givre au soleil, ainsi fondront tes péchés.

¹⁶ C'est un *blasphémateur, celui qui abandonne son père,
il est maudit du Seigneur, celui qui irrite sa mère.

L'humilité

¹⁷ Mon fils, agis avec douceur en tout ce que tu fais
et tu seras aimé de l'homme agréable à Dieu *ᵇ*.

¹⁸ Plus tu es grand, plus il faut t'humilier,
et devant le Seigneur tu trouveras grâce *ᶜ*.

²⁰ Car grande est la puissance du Seigneur,
et il est glorifié par les humbles *ᵈ*.

²¹ Ce qui est trop difficile pour toi, ne le recherche pas,
ce qui est au-dessus de tes forces, ne l'examine pas.

²² Réfléchis sur les commandements qui t'ont été donnés,
tu n'as pas besoin des choses cachées.

²³ Ne t'acharne pas à des œuvres qui te dépassent ;
ce qui t'a déjà été montré est plus que ne peut concevoir l'esprit humain.

²⁴ Car beaucoup ont été égarés par leurs spéculations *ᵉ*,
leur imagination perverse a faussé leurs pensées *ᶠ*.

L'orgueil

²⁶ Le *cœur endurci finira dans le malheur,
celui qui aime le danger y périra *ᵍ*.

²⁷ Le cœur endurci sera accablé de peines,
le pécheur accumulera péché sur péché.

²⁸ A la détresse de l'orgueilleux il n'est pas de remède ;
car la plante de la perversité est enracinée en lui *ʰ*.

²⁹ L'homme intelligent médite les prover-

---

x Quelques manuscrits grecs ajoutent *Celui qui craint le Seigneur honorera son père* ● *y* Ici commence l'un des manuscrits qui nous donnent des parties du texte hébreu. Nous en citerons les principales variantes par rapport à la version grecque que nous suivons ● *z* Hébreu *la bénédiction d'un père enracine, la malédiction d'une mère arrache la plantation* ● *a* La fin du verset est difficile et on sens incertain ; hébreu *elle compensera ton péché* ● *b* Hébreu *Mon fils, dans ta prospérité chemine avec humilité et tu seras plus aimé que celui qui fait des cadeaux* ● *c* Quelques manuscrits grecs ajoutent : v. 19 *Beaucoup sont hautains et glorieux, mais c'est aux humbles que le Seigneur dévoile ses secrets* ● *d* Hébreu *Car grande est la miséricorde de Dieu, aux humbles il dévoile son secret* ● *e* Hébreu *Car nombreuses sont les opinions des hommes* ● *f* Quelques manuscrits grecs ajoutent : v. 25 *Si tu n'as pas de prunelles, tu manques de lumière, si tu es dépourvu de science, n'en fais pas profession* ● *g* Hébreu *Celui qui aime les plaisirs sera entraîné par eux* ● *h* Hébreu *Ne cours pas guérir le mal de l'impie, il n'y a pas de guérison pour lui, car son plant provient d'un mauvais plant*

3.6 longue vie Ex 20.12 ; Dt 4.26+. **3.8** en actes Mt 21. 28-31 ; cf. Mc 7.9-13 par. **3.9** bénédiction d'un père Gn 27.27-29 ; 48.15-20 ; 49.3-27 ; Dt 33.1-25. **3.11** honneur de son père Pr 17.6. **3.12** dans sa vieillesse Pr 23.22. **3.13** insulter son père Ex 21.17+ ; Pr 20.20 ; cf. Ex 20.12 ; Dt 5.16. **3.17-24** humilité Pr 11.2+. **3.17** douceur 1.27+. **3.18** humble, tu trouveras grâce Pr 3.34 ; Mt 20.26-28 ; Ph 2.5-11 ; Jc 4.6+. **3.19** Dieu dévoile ses secrets aux humbles Mt 11.25. **3.21** ce qui est trop difficile Ps 131.1. **3.26** cœur endurci Ex 7.14 ; 8.28 ; Pr 28.14. **3.29** méditer dans son cœur 14.20-21.

bes dans son cœur,
une oreille attentive, voilà ce que désire le sage [i].

L'aumône

30 Comme l'eau éteint le feu qui flambe,
ainsi l'aumône efface les péchés.
31 Celui qui répond par des bienfaits pense
à l'avenir,
s'il vient à chanceler, il trouvera un
soutien.

4 1 Mon fils, ne prive pas le pauvre
de sa subsistance,
ne fais pas languir les yeux de l'indigent.
2 Ne fais pas souffrir une âme affamée,
n'irrite pas un homme dans le dénuement.
3 N'ajoute pas au tourment d'un cœur
irrité [j],
ne fais pas attendre tes dons à qui en
a besoin.
4 Ne repousse pas le suppliant dans la
détresse,
ne détourne pas ton visage du pauvre.
5 De l'indigent ne détourne pas ton regard,
ne lui donne pas sujet de te maudire.
6 Car s'il te maudit dans l'amertume de
son âme,
son créateur entendra sa prière.
7 Fais-toi bien voir de l'assemblée [k],
devant un grand, baisse la tête.
8 Incline ton oreille vers le pauvre,
réponds-lui avec douceur des paroles
de paix.
9 Délivre l'opprimé des mains de l'oppresseur,
ne sois pas pusillanime quand tu rends
la justice.
10 Sois pour les orphelins comme un
père.
et un mari pour leur mère :
tu seras comme un fils du Très-Haut.
il t'aimera plus que ta mère [l].

Pédagogie de la sagesse

11 La sagesse exalte [m] ses fils,
et prend soin de ceux qui la recherchent.
12 L'aimer, c'est aimer la vie,
ceux qui se lèvent de bon matin pour
elle seront remplis de joie.
13 Celui qui la possède obtiendra la gloire
en héritage,
le lieu où il va, le Seigneur le bénit.
14 Ceux qui la servent rendent un culte au
*Saint,
ceux qui l'aiment, le Seigneur les aime.
15 Celui qui l'écoute jugera avec équité [n],
celui qui s'attache à elle pourra demeurer en sécurité.
16 S'il lui fait confiance, il l'obtiendra en
héritage,
sa postérité en conservera la jouissance.
17 Elle l'accompagnera d'abord par des
voies tortueuses,
elle amènera sur lui la crainte et l'effroi,
elle le tourmentera par sa discipline
jusqu'à ce qu'elle ait confiance en lui,
elle l'éprouvera par ses préceptes [o].
18 Puis elle reviendra tout droit vers lui
et le réjouira
et lui dévoilera ses secrets.
19 Mais s'il s'égare, elle l'abandonnera
et le livrera à sa perte.

Vraie et fausse honte

20 Observe les circonstances et garde-toi
du mal.
n'aie pas honte de toi-même [p].
21 Car il y a une honte qui conduit au
péché,
une autre qui est gloire et grâce.
22 Ne te fais pas mauvais visage à toi-même.
n'aie pas honte au point de tomber [q].
23 Ne t'interdis pas de parler quand il le
faut [r].

---

i Hébreu *L'oreille attentive à la sagesse sera dans la joie* ● j Hébreu *N'irrite pas le cœur du malheureux* ● k *assemblée:* sous-entendu *du peuple* ● l Hébreu *il te fera grâce et te sauvera de la destruction* ● m Hébreu *instruit* ● n *avec équité:* d'après l'hébreu; grec *les nations* — En hébreu, du v. 15 au v. 19 les pronoms sont à la première personne; c'est la sagesse qui parle: *celui qui m'écoute* ● o Hébreu *Car je marche avec lui comme une étrangère, et d'abord je l'éprouve par des tentations jusqu'à ce que son *cœur soit plein de moi* ● p *honte de toi-même:* allusion possible aux Juifs tentés de cacher leur foi en Dieu ● q *tomber:* sous-entendu *dans le péché* ● r Le texte hébreu et quelques manuscrits grecs ajoutent *ne cache pas ta sagesse;* le grec ajoute *encore par vaine gloire*

3.30 aumône 7.10, 32; 29.8-13; 40.17, 24; Dt 15.7-11; Pr 28.27+; Tb 4.7-11, 16; 12.8; Mt 19.21. 4.3 ne fais pas attendre Pr 3. 27-28. 4.4 ne détourne pas ton visage Tb 4.7. 4.6 prière du malheureux 21.5; 35.16-19; Dt 15.9; 24.15+. 4.9 pusillanime en rendant la justice cf. 42.2. 4.10 père pour les orphelins Jb 29.12 — fils du Très-Haut Lc 6.35 — Dieu t'aimera plus que ta mère Es 49.15. 4.11-15 avantages de la sagesse 6.19; 20.27; Pr 8.14-21; Sg 7.11-14. 4.11 la sagesse personnifiée Pr 1.20-33; 8.1-36; 9.1-6 prend soin de ceux qui la cherchent 6.27. 4.12 la vie Pr 3.16-18; cf. Sg 8.17. 4.13 obtiendra la gloire Pr 3.35. 4.14 Dieu les aime Jn 14.21. 4.18 dévoilera ses secrets Jb 11.6; Dn 2.19-23. 4.21 honte 41.14—42.8 — honte qui conduit au péché 20.22.

24 Au discours on reconnaîtra la sagesse,
l'instruction aux paroles de la langue.
25 N'arguë pas contre la vérité,
sois confus de ton ignorance.
26 N'aie pas honte d'avouer tes péchés,
ne prétends pas t'opposer au cours d'un
fleuve *s*.
27 Ne t'aplatis pas devant un insensé,
ne te laisse pas influencer par le puissant *t*.
28 Jusqu'à la mort lutte pour la vérité
et le Seigneur Dieu combattra pour
toi *u*.
29 Ne sois pas hardi dans tes propos
mais paresseux et indolent dans tes
actes.
30 Ne sois pas un lion dans ta maison
et un poltron parmi tes serviteurs.
31 Que ta main ne soit pas ouverte pour
prendre,
et fermée quand il s'agit de rendre.

Eviter d'être présomptueux

5 ¹ Ne t'appuie pas sur tes richesses
et ne dis pas : « Elles me suffisent *v* ! »
2 Ne te laisse pas entraîner par ton ins-
tinct et ta force
à suivre les passions de ton cœur *w*.
3 Ne dis pas : « Qui aura pouvoir sur
moi ? »
car le Seigneur à coup sûr te punira *x*.
4 Ne dis pas : « J'ai péché et rien ne
m'est arrivé ! »
en effet longue est la patience du Seigneur *y*.

5 Ne sois pas si assuré de ton pardon
que tu entasses fautes sur fautes.
6 Ne dis pas : « Sa miséricorde est
grande,
il me pardonnera la multitude de mes
péchés »,
car là pitié comme la colère lui appartiennent
et sur les pécheurs s'abattra son courroux.
7 Reviens au Seigneur sans délai
et ne remets pas de jour en jour,
car elle surviendra soudain, la colère
du Seigneur
et tu seras anéanti au jour du châtiment.
8 Ne t'appuie pas sur des richesses injustement acquises *z*,
elles ne te serviront à rien au jour de
la détresse.

Parler avec sagesse

9 Ne vanne pas à tout vent
et ne t'engage pas dans n'importe quel
sentier
ainsi que fait le pécheur à la langue
double *a*.
10 Reste ferme dans ton sentiment
et n'aie qu'une parole.
11 Sois prompt à écouter,
mais lent à donner ta réponse.
12 Si tu as une opinion, réponds à ton
prochain :
sinon, mets la main sur ta bouche *b*.
13 Gloire et déshonneur sont dans la conversation *c*

---

s s'opposer au cours d'un fleuve, c'est-à-dire *entreprendre une chose impossible.* Ici la chose impossible consisterait à nier l'existence de ses propres péchés ● *t* L'hébreu a *Ne résiste pas en face
des puissants* et ajoute *Ne siège pas avec un juge inique, car tu jugerais avec lui selon son bon
plaisir* ● *u* L'hébreu ajoute *Ne te fais pas traiter d'hypocrite; avec ta langue ne calomnie pas*
(voir 5.14) ● *v* L'expression ne signifie pas ici qu'on se contente de ce qu'on a, mais qu'on s'intéresse exclusivement à la possession des richesses ● *w* L'hébreu ajoute *Ne suis pas ton cœur et
tes yeux pour te laisser entraîner par les mauvais désirs* ● *x* Hébreu *car le Seigneur demande
compte des choses passées;* autre traduction *car le Seigneur recherche* (= aime) *les persécutés*
● *y* rien: sous-entendu *de fâcheux* — L'hébreu ajoute *Ne dis pas: le Seigneur est miséricordieux, il
effacera donc tous mes péchés* ● *z injustement acquises:* autre traduction *trompeuses* ● *a* vanne:
pour nettoyer le grain, on le jette en l'air quand il y a du vent. Le vent emporte la bale, tandis
que le grain retombe sur place — *langue double,* c'est-à-dire *menteuse* ● *b* C'est-à-dire *garde le
silence* ● *c dans la conversation:* hébreu *au pouvoir du bavard*

4.26 avouer tes péchés Lv 5.5; Nb 5.7; Pr 28.13+. **4.28** pour la vérité Jn 18.37. **4.29** dans
tes propos... dans tes actes 1 Jn 3.18+. **4.31** main ouverte pour donner Ac 20.35. **5.1** ne
t'appuie pas... Ps 62.11+; Lc 12.15-21; 1 Jn 2.16 — elles me suffisent 11.24; cf. Pr 30.15-16.
5.3-7 Dieu punira 11.26+. **5.3** qui aura pouvoir? Pr 12.5. **5.4** rien ne m'est arrivé Qo 8.11-14
— patience de Dieu 18.11-12; Rm 2.4; 3.25-26; cf. Si 35.22. **5.6** son courroux s'abattra 16.11;
Ex 34.6-7. **5.7** reviens au Seigneur Es 55.6-7 — jour du châtiment Es 61.2; 63.4. **5.8** richesses injustes ne serviront pas Jr 17.11; Pr 10.2; cf. Lc 9.25. **5.9** langue double 5.14; 6.1; cf. Ps
12.3. **5.10** n'aie qu'une parole Mt 5.37; 1 Tm 3.8; Jc 5.12. **5.11** sois prompt à... Jc 1.19 —
réponse 11.8; Pr 18.13. **5.12** la main sur ta bouche Jb 21.5; 29.9; 40.4; Pr 30.32. **5.13** bienfaits de la parole Pr 10.20-21; 12.18; 15.2; 18.21 — dangers de la parole 28.13-26; Ps 5.10+;
Pr 13.3+; 17.4; 26.28; Jc 3.6.

et la langue de l'homme peut devenir
sa ruine.

¹⁴ Ne te fais pas une réputation de médisant
et avec ta langue ne tends pas de pièges,
car si la honte est sur le voleur,
une sévère condamnation frappe la duplicité *d*.

¹⁵ Evite les petites fautes aussi bien que
les grandes

6 ¹ et d'ami ne deviens pas ennemi,
car un mauvais renom entraîne
honte et infamie ;
tel est le sort du pécheur à la langue
double.

² Ne t'exalte pas toi-même dans le dessein
de ton âme,
de peur que ta force ne soit mise en
pièces comme un taureau *e*.

³ Tu dévoreras tes feuilles, tu détruiras
tes fruits,
tu ne laisseras de toi qu'un bois sec.

⁴ Une passion mauvaise ruine celui qui
la possède,
elle fait de lui la risée de ses ennemis.

L'amitié

⁵ Des paroles aimables multiplient les
amis,
une langue affable multiplie les paroles courtoises.

⁶ Ceux qui te saluent *f*, qu'ils soient nombreux
mais tes conseillers, un entre mille !

⁷ Si tu acquiers un ami, acquiers-le en
l'éprouvant,
ne te fie pas trop vite à lui.

⁸ Il y a l'homme qui est un ami à son
heure à lui
et qui ne le restera pas au jour de la
détresse.

⁹ Il y a l'ami qui se change en ennemi,
qui va dévoiler votre querelle pour ta
confusion.

¹⁰ Il y a l'ami, compagnon de table,
qui ne restera pas au jour de ta détresse.

¹¹ Dans ta prospérité il sera comme toi-
même,
il commandera avec assurance à tes
serviteurs.

¹² Mais si tu es humilié, il sera contre toi,
il se cachera de toi.

¹³ Eloigne-toi de tes ennemis,
garde-toi de tes amis.

¹⁴ Un ami fidèle est un abri sûr,
qui l'a trouvé a trouvé un trésor.

¹⁵ Un ami fidèle n'a pas de prix,
c'est un bien inestimable.

¹⁶ Un ami fidèle est un élixir de vie,
ceux qui craignent le Seigneur le trouveront.

¹⁷ Qui craint le Seigneur dirige bien son
amitié,
car tel il est, tel sera son compagnon *g*.

L'apprentissage de la sagesse

¹⁸ Mon fils, dès ta jeunesse accueille l'instruction,
jusqu'à tes cheveux blancs tu trouveras
la sagesse.

¹⁹ Comme le laboureur et le semeur, approche-toi d'elle
et attends ses fruits excellents.
Car, à la cultiver, tu peineras quelque
peu,
mais tu mangeras bientôt de ses produits.

²⁰ Que la sagesse est donc rude aux ignorants,
il ne persévérera pas, l'homme sans
intelligence.

²¹ Comme une pierre, elle est un poids
qui teste sa force *h*,
il ne tardera pas à la rejeter.

²² Car la sagesse mérite bien son nom *i*,
elle n'est visible qu'au petit nombre.

---

d ne tends pas de pièges: hébreu *ne calomnie pas* — *une sévère...*: hébreu *le mépris de son prochain est pour l'homme à la langue double* (voir 5.9 et ᶦla note) ● *e Ne t'exalte... âme,* c'est-à-
dire *Ne t'enorgueillis pas quand tu fais des projets*; hébreu *Ne tombe pas au pouvoir de ta passion* — *de peur que... un taureau*: texte difficile au sens peu clair ● *f* Autre traduction *ceux
qui te souhaitent la paix* ● *g* Hébreu *Car tel on est, tel est l'ami qu'on a et telle sa réputation, telles
ses œuvres* ● *h* Il existait des concours où on soulevait une grosse *pierre* ● *i sagesse*: hébreu
discipline. Il existe deux homonymes hébreux qui signifient l'un *discipline*, l'autre *éloigné*. En
jouant sur les mots, la discipline *mérite son nom* hébraïque parce qu'elle est difficile à atteindre

6.1 ami devient ennemi 37.2. **6.3** bois sec Jn 15.5-6; cf. Lc 23.31. **6.5** paroles aimables Pr 15.1;
16.24. **6.6** tes conseillers 37.7-15. **6.7** un ami 12.8-9+. **6.8** pas d'ami dans la détresse 6.10;
37.4; cf. 40.24. **6.9** dévoiler votre querelle Pr 25.9-10. **6.10-12** l'ami du riche 13.21; Pr
14.20+. **6.14** un ami est un trésor Qo 4.9-12. **6.16** bienfaits de la crainte du Seigneur Pr
10.27+. **6.18** dès ta jeunesse 51.13; Pr 22.6; Sg 8.2 — accueille l'instruction Pr 1.8. **6.19**
avantages de la sagesse 4.11-15+. **6.20** rude aux ignorants Pr 24.7. **6.21** une pierre Za 12.3.

23 Ecoute, mon fils, et reçois mon avis,
ne rejette pas mon conseil.
24 Mets tes pieds dans ses entraves,
et ton cou dans son carcan [j].
25 Incline ton épaule pour la porter,
ne sois pas impatient de ses liens.
26 Va à elle de toute ton âme,
et de toute ta force garde ses voies.
27 Suis-la à la piste et recherche-la, elle se fera connaître de toi ;
quand tu l'auras saisie, ne la lâche pas.
28 Car à la fin tu trouveras en elle le repos,
elle se changera pour toi en joie.
29 Alors ses entraves seront pour toi une protection puissante,
et son carcan un vêtement glorieux.
30 Son *joug [k] est une parure d'or,
ses liens sont un ruban de pourpre violette.
31 Comme d'un vêtement de gloire tu t'en revêtiras,
comme d'une couronne d'allégresse [l] tu t'en ceindras.
32 Si tu le veux, mon fils, tu seras instruit,
et si tu appliques ton âme, tu deviendras habile.
33 Si tu aimes écouter, tu apprendras,
si tu prêtes l'oreille, tu deviendras sage.
34 Tiens-toi dans l'assemblée des vieillards,
attache-toi à leur sagesse.
35 Tout discours divin, écoute-le volontiers [m],
veille à ne laisser échapper aucun sage proverbe.
36 Si tu vois un homme intelligent, cours à lui dès le matin,
que ton pied use les marches de sa porte [n].
37 Réfléchis aux ordres du Seigneur [o],
applique-toi sans cesse à ses commandements ;
lui-même affermira ton *cœur
et la sagesse que tu désires te sera donnée.

Mises en garde

7 1 Ne fais pas le mal et aucun mal ne t'arrivera.
2 Eloigne-toi de l'injustice, elle s'écartera de toi.
3 Ne sème pas dans les sillons de l'injustice,
de peur d'en récolter sept fois plus.
4 Ne demande pas au Seigneur le pouvoir,
ni au roi un siège glorieux.
5 Ne pose pas au juste devant le Seigneur,
ni au sage devant le roi.
6 Ne cherche pas à devenir juge,
si tu n'es pas capable d'extirper l'injustice,
car tu pourrais être influencé par la personne d'un prince
et compromettre ainsi ta propre intégrité.
7 Ne pèche pas contre l'assemblée de la cité,
ne t'abaisse pas toi-même devant la foule [p].
8 Ne renouvelle pas deux fois ton péché,
car le premier suffit à te rendre coupable.
9 Ne dis pas : « Il regardera l'abondance de mes offrandes ;
quand je les présenterai au Très-Haut, il les acceptera. »
10 Ne sois pas pusillanime dans ta prière [q],
ne néglige pas de faire l'aumône.
11 Ne ris jamais de l'homme qui est dans l'amertume,
car il est Quelqu'un qui humilie et qui élève.
12 Ne forge pas de mensonge contre ton frère,
ne fais rien de semblable contre ton ami [r].
13 Garde-toi du mensonge en toute circonstance :
y persister ne conduit à rien de bon [s].
14 Ne bavarde pas dans l'assemblée des *anciens,

j Les v. 23-24 et 26 sont absents de l'hébreu • *k Son joug:* d'après l'hébreu; grec *Sur elle* • *l* hébreu *d'honneur* • *m divin,* c'est-à-dire *inspiré par Dieu — Tout discours ... volontiers:* hébreu *Aie plaisir à entendre parler de tout* • *n* Sous-entendu *à force d'aller chez lui* • *o* Hébreu *Apprends à connaître la crainte du Très-Haut* • *p* Le sens de cette ligne est incertain, tant dans le texte hébreu que dans la version grecque • *q* Autre traduction de l'hébreu *Ne sois pas bref dans ta prière* (voir au contraire 7.14 b) • *r* Autre traduction *ne rends pas à un ami ce qu'il t'a fait* (sous-entendu *de mal*) • *s y persister:* hébreu *son résultat*

6.24 son carcan Mt 11.29-30. **6.26** recherche de la sagesse 51.13-30; Pr 8.17 — de toute ton âme Dt 4.29+. **6.27** la sagesse se fait connaître cf. Sg 6.12-16+. **6.28** trouveras le repos 51.27; Jr 6.16; Mt 11.28-29 — joie 4.12. **6.31** couronne Pr 1.9; 4.9. **6.34** attache-toi à leur sagesse 8.8; cf. Pr 13.20. **6.37** applique-toi aux commandements 38.34; Ps 1.2. **7.3** semer et récolter l'injustice Jb 4.8; Pr 22.8; Ga 6.8. **7.4** ne demande pas cf. 13.9-10; Pr 25.6 — siège glorieux Mt 19.28; 20.20-28. **7.10** prière pusillanime Jc 1.6 — aumône 3.30+. **7.11** Dieu humilie et élève 1 S 2.7; Lc 1.52. **7.13** mentir ne mène à rien de bon 20.25.

ne répète pas tes paroles dans ta prière.
15 Ne déteste pas le travail pénible,
ni le travail des champs créé par le
Très-Haut.
16 Ne te joins pas à l'assemblée des pécheurs,
souviens-toi que la colère *t* ne tarde
pas.
17 Humilie fortement ton âme,
car la punition de l'impie, c'est le feu
et les vers *u*.

Les amis, la famille

18 N'échange pas un ami pour de l'argent,
ni un vrai frère pour l'or d'Ofir *v*.
19 Ne t'écarte pas d'une épouse sage et
bonne,
car sa grâce vaut mieux que l'or.
20 Ne maltraite pas le serviteur qui travaille fidèlement,
ni le salarié qui a le cœur à l'ouvrage.
21 Que ton âme aime le serviteur intelligent,
ne lui refuse pas sa liberté *w*.
22 As-tu des troupeaux ? Surveille-les.
Si tu en tires profit, conserve-les.
23 As-tu des enfants ? Eduque-les,
plie leur nuque *x* dès la jeunesse.
24 As-tu des filles ? Veille sur leur corps,
ne leur montre pas un visage joyeux.
25 Marie ta fille, et tu en auras terminé
avec une grosse affaire *y*,
mais donne-la à un homme intelligent.
26 As-tu une femme selon ton âme ? Ne
la chasse pas.
Mais ne te fie pas à celle que tu ne
peux aimer.
27 De tout ton cœur glorifie ton père,

et n'oublie pas les souffrances de ta
mère.
28 Souviens-toi que tu leur dois la naissance,
comment leur rendras-tu ce qu'ils ont
fait pour toi *z* ?

Les prêtres

29 De toute ton âme révère le Seigneur
et vénère ses prêtres.
30 De toute ta force aime celui qui t'a
créé,
ne délaisse pas ses ministres.
31 Crains le Seigneur et honore le prêtre,
donne-lui sa part comme il t'a été
prescrit,
*prémices, *sacrifices de réparation,
offrande des épaules,
sacrifice de consécration et prémices
des choses *saintes *a*.

Les pauvres et les affligés

32 Tends la main au mendiant,
pour que tu sois pleinement béni.
33 Que la faveur de tes dons aille à tous
les vivants,
au mort même ne refuse pas ta grâce *b*.
34 Ne te détourne pas de ceux qui pleurent,
avec les affligés, afflige-toi.
35 N'hésite pas à visiter les malades ;
c'est pour de telles actions que tu seras
aimé.
36 Quoi que tu fasses, souviens-toi de ta
fin *c*
et jamais tu ne pécheras.

---

t *Ne te joins pas... pécheurs:* hébreu *Ne te compte pas parmi les hommes du peuple,* c'est-à-dire
Ne te donne pas de l'importance — *colère:* sous-entendu *de Dieu* ● *u* Hébreu *car l'espérance de
l'homme ce sont les vers. Ne te hâte pas de dire: « Quel malheur!»* Tourne-toi vers Dieu et prends
plaisir à ses voies ● *v* *l'or d'Ofir:* voir 1 R 9.28; Job 22.24 et les notes ● *w* *Que ton âme aime:*
hébreu *Aime comme toi-même* (Lv 19.18) — *liberté:* la Loi de Moïse prévoyait la libération des
esclaves après six ans de service (Ex 21.2; Dt 15.1, 2-15) ● *x* *plie leur nuque* ou *fais-les obéir;*
hébreu *marie-les* ● *y* *et tu en auras... affaire:* hébreu *et tes soucis disparaîtront* ● *z* Les v. 27-28
sont absents de l'hébreu ● *a* *prémices... choses saintes:* hébreu *viande des holocaustes, offrandes de
la main, sacrifices de justice, offrandes de sainteté* — *offrande des épaules:* voir Nb 6.19; Dt 18.3 —
Le *sacrifice de consécration* désigne probablement l'offrande (Lv 2.1-16) ● *b* La *grâce qu'il faut
accorder au mort* est une sépulture convenable ● *c* *tu fasses:* autre traduction *tu dises* — *ta
fin:* hébreu *la fin* ou *la suite*

7.14 dans l'assemblée des anciens 32.9 — ne pas multiplier les paroles Qo 5.1-2+. **7.15** travail
des champs Pr 24.27. **7.16** assemblée des pécheurs 16.6; 21.9; Ps 1.1; 26.4-5. **7.17** feu et vers
Es 66.24; Jdt 16.17; Mc 9.48. **7.19** épouse sage et bonne 26.1-4+. **7.20-21** le serviteur 33.25-33;
42.5; Pr 29.19, 21 — ne maltraite pas Dt 24.14-15+. **7.21** sa liberté Ex 21.2; Dt 15.12; cf.
Jn 8.35. **7.22** surveille les troupeaux Pr 27.23+. **7.23** éduque-les 30.1-13; Pr 13.24+ — plie leur
nuque 30.12 (note); 33.27. **7.24** des filles 22.3-5; 42.9-11. **7.25** marie ta fille 1 Co 7.36-38.
7.27 glorifie ton père Ex 20.12+ — souffrances de la mère Tb 4.4. **7.30** de toute ta force aime
Dt 6.5+. **7.31** craindre le Seigneur 1.11+ — donne-lui sa part Lv 2.3, 10; 6.9-11; 7.6-10, 14-16,
31-36. **7.32** aumône 3.30+; Ps 41.2 — pour être béni Dt 14.29. **7.33** prendre soin des défunts
1 S 31.10-13; 2 S 21.10-14; Tb 1.17-18; 12.12. **7.34** avec les affligés 37.12; Rm 12.15. **7.35** visiter
les malades Mt 25.34-45. **7.36** souviens-toi de ta fin 28.6; 38.20.

La prudence dans les rapports avec autrui

8 1 Ne te dispute pas avec un homme puissant,
de peur de tomber dans ses mains.

2 Ne te querelle pas avec un homme riche,
de peur qu'il n'ait plus de poids que toi.
Car l'or en a perdu beaucoup,
il a fait dévier même le cœur des rois *d*.

3 Ne te dispute pas avec un homme bavard,
ne mets pas du bois sur son feu.

4 Ne plaisante pas avec un homme mal élevé,
de peur de voir tes ancêtres insultés *e*.

5 Ne fais pas de reproches à l'homme qui se repent de son péché ;
souviens-toi que nous sommes tous coupables *f*.

6 Ne méprise pas un homme parce qu'il est vieux,
car certains d'entre nous aussi vieillissent.

7 Ne te réjouis pas de ce qu'un autre soit mort ;
souviens-toi que tous nous devons mourir.

8 Ne méprise pas les récits *g* des sages,
mais consacre-toi à l'étude de leurs maximes.
Car c'est d'eux que tu apprendras l'instruction,
et à remplir ton office auprès des grands.

9 Ne t'écarte pas des récits des vieillards,
car eux-mêmes les ont appris de leurs pères.
C'est auprès d'eux que tu apprendras à comprendre,
et à avoir une réponse prête lorsqu'il faut.

10 N'allume pas les charbons du pécheur *h*,
de peur de brûler aux flammes de son feu.

11 Ne tiens pas tête *i* à l'homme insolent,
de peur qu'il ne cherche à te prendre au piège de tes propres paroles.

12 Ne prête pas d'argent à un homme plus puissant que toi,
et si tu prêtes, considère ton argent comme perdu.

13 Ne te porte pas caution *j* au-dessus de tes moyens,
et si tu le fais, attends-toi à devoir payer.

14 N'aie pas de procès avec un juge,
car on jugera en sa faveur à cause de sa position *k*.

15 Ne fais pas route avec l'audacieux *l*,
de peur qu'il ne t'accable de maux.
Car il se dirigera selon sa volonté,
et par sa folie tu périras avec lui.

16 N'entre pas en conflit avec le violent,
ne traverse pas avec lui le désert.
Car à ses yeux le sang versé compte pour rien,
là où tu ne pourras appeler à l'aide,
il se jettera sur toi.

17 Ne tiens pas conseil avec l'insensé,
car il ne pourra dissimuler vos propos.

18 En présence d'un étranger ne fais rien de secret,
car tu ne sais pas ce qu'il pourrait en tirer.

19 Ne découvre pas ton *cœur à n'importe qui,
on ne t'en saurait aucun gré *m*.

Attitude à l'égard des femmes

9 1 Ne sois pas jaloux de la femme que tu chéris,
de peur qu'elle n'apprenne à mal agir envers toi.

2 Ne te livre pas à une femme au point qu'elle domine sur toi.

3 Ne va pas au-devant d'une courtisane,
prends garde de tomber dans ses filets.

4 Ne t'attarde pas avec la joueuse de lyre,
de peur de te laisser prendre à ses

---

d que toi: l'hébreu ajoute *et que tu ne périsses* — Il s'agit dans ce verset des juges qui se laissent acheter par les riches ● *e* Hébreu *de peur qu'il ne méprise les nobles* ● *f coupables:* d'après l'hébreu; grec *soumis aux châtiments;* autre traduction *parmi les privilégiés* ● *g* Par leurs *récits* les sages transmettent leur expérience de la vie ● *h les charbons du pécheur* désignent probablement ses passions qu'il ne faut pas exciter ● *i Ne tiens pas tête:* autre traduction *Ne cède pas;* hébreu *Ne te retire pas devant* ● *j caution:* voir la note sur Pr. 6.1 ● *k* Autre traduction *car on le jugera d'après sa propre opinion;* hébreu *car il jugera d'après son bon plaisir* ● *l* Hébreu *un homme fort* ou *un soldat* ● *m* Hébreu *et ne détourne pas de toi le bonheur*

8.2 plus de poids Pr 10.15. **8.5** tous coupables Qo 7.20+. **8.6** ne méprise pas un vieillard Lv 19.32+. **8.7** tous, nous devons mourir 14.17-19; 41.3-4. **8.8** office auprès des grands Pr 14.35; 16.13-14. **8.9** récits des vieillards Ex 10.2+; Ps 44.2; Jb 15.18; Pr 6.20+. **8.12** si tu prêtes 29.4. **8.13** caution 29.14-20; Pr 6.1-5+; 17.18. **8.16** avec le violent Pr 22.24-25. **9.1** jaloux de sa femme cf. Nb 5.14. **9.2** se livrer à une femme Jg 16.4-21; Pr 31.3+.

artifices [n].

5 N'attache pas tes regards sur une jeune fille,
de peur d'être pris au piège dans sa condamnation [o].

6 Ne te livre pas aux prostituées,
de peur de perdre ton héritage.

7 Ne regarde pas autour de toi par les rues de la ville,
ne t'égare pas dans ses coins déserts [p].

8 Détourne ton regard d'une jolie femme,
n'attache pas tes regards sur la beauté qui ne t'appartient pas.
Beaucoup ont été égarés par la beauté d'une femme,
l'amour s'y allume comme un feu.

9 Auprès d'une femme mariée ne t'assieds jamais,
ne festoie pas avec elle en buvant du vin,
de crainte que ton âme n'incline vers elle
et que dans ta passion [q] tu ne glisses à ta perte.

Comment choisir ses relations

10 Ne délaisse pas un vieil ami,
car un ami de fraîche date ne le vaut pas.
Vin nouveau, ami nouveau
quand il aura vieilli, tu le boiras avec joie.

11 N'envie pas le succès du pécheur :
tu ne sais pas quelle triste fin l'attend.

12 N'approuve pas la réussite [r] des impies,
souviens-toi qu'ils ne resteront pas impunis jusqu'à la mort.

13 Tiens-toi éloigné de l'homme qui a le pouvoir de tuer,
et tu n'éprouveras pas la crainte de la mort.
Mais si tu viens à lui, évite tout faux pas,

de peur qu'il ne t'enlève la vie.
Sache que tu marches au milieu des pièges
et que tu te promènes sur les remparts [s] de la cité.

14 Autant que tu le peux recherche ton prochain,
tiens conseil avec les sages.

15 Converse avec les gens intelligents,
que tous tes discours portent sur la Loi du Très-Haut.

16 Que les justes soient tes compagnons de table ;
mets ta fierté dans la crainte [t] du Seigneur.

17 Dans la main des artisans, c'est l'ouvrage qu'on loue [u],
et pour le chef du peuple, la sagesse de son discours.

18 Il est redouté dans sa cité, l'homme bavard,
l'homme emporté se fait haïr pour ses discours [v].

Le gouvernement

10 1 Le juge [w] sage instruit son peuple,
l'autorité de l'homme intelligent est bien établie.

2 Tel le juge du peuple et tels ses ministres,
tel celui qui dirige la cité et tels ses habitants.

3 Un roi ignorant est la ruine de son peuple,
une cité est fondée sur l'intelligence de ses princes.

4 Dans la main du Seigneur est le gouvernement de la terre,
il y suscitera l'homme approprié en temps voulu.

5 Dans la main du Seigneur est le succès de l'homme,
sur la personne du *scribe [x] il fera reposer sa gloire.

---

n *la joueuse de lyre:* voir Es 23.16 où la joueuse de harpe est une prostituée — *de peur... artifices:* hébreu *de peur qu'elle ne te brûle avec sa bouche* ● o *d'être pris... condamnation* ou *d'être puni avec elle* ● p *Ne regarde pas... coins déserts:* hébreu *en passant pour fou à tes propres yeux et en convenant d'un prix derrière sa maison* ● q *dans ta passion:* d'après la plupart des manuscrits grecs; autre texte (hébreu et quelques manuscrits grecs) *dans ton sang* ● r *la réussite:* d'après l'hébreu; grec *le bon plaisir* ● s *sur les remparts* on est exposé aux flèches tirées par l'ennemi ● t *la crainte* ou *le respect* ● u Le sens du texte grec est incertain; hébreu *chez les gens habiles de leurs mains, la droiture est obscurcie* ● v Hébreu *les reproches qui sortent de sa bouche, on le déteste* ● w Ce juge a pour fonction d'administrer la cité (v. 2) plutôt que de présider un tribunal ● x *sur la personne du scribe:* autre traduction *devant le scribe;* hébreu *devant le législateur*

9.5 regards sur une jeune fille Jb 31.1; cf. Mt 5.28.   9.6 prostituées 9.3-4; 19.2; 41.20; Pr 2.16+; 23.27; 29.3.   9.9 auprès d'une femme mariée Pr 2.16+; 6.24 (grec) — tu glisses à ta perte Pr 5.4-6+. 9.12 ne resteront pas impunis Ps 37.1-2; 73; Pr 24.19-20.   9.14 tiens conseil avec les sages 37.12. 9.16 fierté dans la crainte du Seigneur 1.11; 10.22; 25.6.   9.18 se fait haïr 20.5, 8; 37.20.   10.1 un chef sage Pr 8.15-16; Sg 6.24.   10.4 le Seigneur gouverne Jr 27.5 — suscitera l'homme approprié Es 11.2-5; Pr 8.15-16.   10.5 gloire du législateur (hébreu) Rm 13.1.

L'orgueil

6 D'aucune injustice ne garde rancune *y*
    à ton prochain,
    ne fais rien dans un mouvement de
    violence.

7 L'orgueil est détestable aux yeux du
    Seigneur et des hommes,
    pour tous deux l'injustice est une faute.

8 La royauté passe d'un peuple à l'autre
    à cause des injustices, des violences et
    de la cupidité *z*.

9 Pourquoi s'enorgueillit-il, celui qui est
    terre et cendre,
    alors que de son vivant ses intestins
    sont pourriture *a* ?

10 Une longue maladie défie le médecin *b* ;
    celui qui est roi aujourd'hui mourra
    demain.

11 Lorsque l'homme est mort,
    son héritage, ce sont les reptiles, les
    bêtes et les vers.

12 Le commencement de l'orgueil de
    l'homme, c'est de s'écarter du Sei-
    gneur *c*,
    de révolter son *cœur contre celui qui
    l'a créé.

13 Le commencement de l'orgueil, c'est le
    péché,
    et celui qui y persiste provoque un
    déluge d'abomination.
    C'est pourquoi le Seigneur a rendu
    éclatantes leurs misères *d*
    et les a renversés de fond en comble.

14 Le Seigneur a culbuté les trônes des
    princes,
    il a établi les doux *e* à leur place.

15 Le Seigneur a arraché les racines des
    nations,
    il a planté les humbles à leur place *f*.

16 Le Seigneur a dévasté le territoire *g*
    des nations,

il les a détruites jusqu'aux fondements
de la terre.

17 Il les a ôtées du milieu des hommes et
    les a fait périr,
    il a rayé leur souvenir de la terre.

18 L'orgueil n'a pas été créé pour les
    hommes,
    ni l'emportement de la colère pour
    ceux qui naissent des femmes.

Ceux qui méritent d'être honorés

19 Quelle race est digne d'honneur ? La
    race des hommes.
    Quelle race est digne d'honneur ?
    Ceux qui craignent *h* le Seigneur.
    Quelle race est indigne d'honneur ? La
    race des hommes.
    Quelle race est indigne d'honneur ?
    Ceux qui transgressent les comman-
    dements.

20 Au milieu de ses frères le chef est
    honoré,
    et ceux qui craignent le Seigneur le
    sont à ses yeux *i*.

22 Le prosélyte, l'étranger, le pauvre *j*,
    leur fierté, c'est la crainte du Seigneur.

23 Il est injuste d'insulter le pauvre intel-
    ligent *k*,
    et déplacé de glorifier le pécheur.

24 Le grand, le juge, le prince sont glo-
    rifiés,
    mais aucun d'eux n'est plus grand que
    celui qui craint le Seigneur.

25 Un serviteur sage aura des hommes
    libres à son service,
    l'homme avisé n'y trouvera pas à redire.

L'honneur qu'on mérite

26 Ne pose pas au sage en accomplissant
    ton ouvrage,
    ne te glorifie pas au moment de la gêne.

---

y Hébreu *Pour aucune injustice ne rends le mal* (voir Rm 12.17 et les références parallèles) ● *z à cause ... la cupidité*: hébreu *à cause de [la violence de l'orgueil.* Certains manuscrits grecs ajou- tent *Rien n'est plus injuste que l'homme qui aime l'argent, car même son âme est à vendre ● a ses intestins sont pourriture*: traduction conjecturale d'après l'hébreu; grec obscur ● *b* Le sens du texte grec est incertain; l'hébreu est différent mais également obscur ● *c c'est de s'écarter du Seigneur*; hébreu *c'est un homme effronté ● d celui qui y persiste*: hébreu *sa source* — a rendu éclatantes leurs misères: hébreu *a rempli son cœur de plaies ● e princes*: hébreu *orgueilleux — les doux*: hébreu *les humbles* (voir Mt 5.4) ● *f* Ce verset est absent de l'hébreu ● *g a dévasté le terri- toire*: hébreu *a recouvert les traces ● h qui craignent* ou *qui respectent ● i* Quelques manus- crits grecs ajoutent: v. 21 *La crainte du Seigneur est le commencement de l'agrément par Dieu, mais le commencement du rejet, c'est l'endurcissement et l'orgueil ● j prosélyte*: voir la note sur Mt 23.15 — *Le prosélyte... pauvre*: hébreu *Hôte ou étranger, immigrant ou pauvre ● k le pauvre intelligent* est un pauvre qui craint le Seigneur

10.6 rancune 27.30+. **10.9** terre et cendre 17.32; Gn 18.27. **10.11** les vers Es 14.11; Jb 17.14. **10.12** commencement de l'orgueil Dt 8.14. **10.14** culbuté, établi 33.12; 1 S 2.4-8; Lc 1.51-52 — les doux Mt 5.4. **10.17** rayer le souvenir 41.11; 44.9; Dt 9.14+; Ps 109.13+; Qo 2.16+; cf. Si 37.26. **10.19** craindre le Seigneur 1.11+ — transgressent les commandements 19.24; cf. 31.10. **10.22** fierté 9.16+. **10.24** le plus grand Jr 9.22-23; 1 Co 1.26-31; 2 Co 10.17; Jc 1.9. **10.25** serviteur sage Pr 17.2; cf. Pr 11.29. **10.26** ne pose pas... Lc 17.10.

²⁷ Mieux vaut celui qui travaille et qui
    en tout a plus qu'il ne faut,
que celui qui va se glorifiant et manque
    de pain.
²⁸ Mon fils, glorifie ton âme avec dou-
    ceur *l*,
accorde-lui l'honneur qu'elle mérite.
²⁹ Celui qui pèche contre son âme, qui le
    justifiera ?
Qui glorifiera celui qui déshonore sa
    propre vie ?
³⁰ Un pauvre peut être honoré pour sa
    science,
et un riche pour sa richesse.
³¹ Si quelqu'un est honoré dans la pau-
    vreté, combien plus le sera-t-il dans la
    richesse ?
Mais s'il est méprisé dans la richesse,
combien plus dans la pauvreté ?

Ne pas se fier aux apparences

11 ¹ La sagesse de l'humble lui fait
         relever la tête,
elle le fait siéger au milieu des grands.
² Ne loue pas un homme pour sa beauté,
ne prends personne en horreur à son
    seul aspect.
³ L'abeille est petite parmi les êtres ailés,
mais ce qu'elle produit est ce qu'il y a
    de plus doux.
⁴ Ne te vante pas du manteau que tu
    portes,
au jour de ta gloire ne t'élève pas *m* ;
car les œuvres du Seigneur sont admi-
    rables,
mais cachées aux humains.
⁵ Bien des tyrans se sont assis par terre,
et celui que l'on n'attendait pas a porté
    le diadème *n*.
⁶ Bien des princes ont été complètement
    déshonorés
et des hommes célèbres livrés à la merci
    d'autrui.

⁷ Ne blâme pas avant de t'être informé ;
réfléchis d'abord et fais des reproches
    ensuite.
⁸ Ne réponds pas avant d'avoir écouté,
n'interviens pas au milieu d'un discours.
⁹ Ne te querelle pas pour une affaire qui
    ne te concerne pas *o*,
ne te mêle pas d'une dispute de coquins.

Seule l'aide divine est efficace

¹⁰ Mon fils, que tes occupations ne soient
    pas trop nombreuses,
si tu les multiplies, tu ne resteras pas
    indemne,
même si tu cours, tu n'arriveras pas,
et tu ne t'échapperas pas par la fuite *p*.
¹¹ Tel peine, se fatigue et se hâte,
et n'en est que plus dépourvu *q*.
¹² Tel est faible et dépourvu de soutien,
manquant de force et riche de dénue-
    ment ;
mais les yeux du Seigneur l'ont regardé
    avec bienveillance,
il l'a redressé de son humiliation *r*.
¹³ Il lui a relevé la tête *s*
et beaucoup s'en sont étonnés.
¹⁴ Les biens et les maux, la vie et la mort,
la pauvreté et la richesse viennent du
    Seigneur *t*.
¹⁷ Les dons du Seigneur sont assurés aux
    hommes pieux,
sa bienveillance les guidera à jamais.
¹⁸ Tel est riche à force d'attention et
    d'économie,
mais voici quel sera son salaire :
¹⁹ Quand il se dit : « J'ai trouvé le repos,
maintenant je vais manger de mes pro-
    pres biens »,
il ne sait pas combien de temps s'écou-
    lera,
puis il laissera ses biens à d'autres et il
    mourra.

---

l Ou *glorifie-toi avec modestie* ● *m ne t'élève pas:* hébreu *ne te moque pas de celui qui est mal vêtu, ne raille pas celui qui est en un jour d'amertume* ● *n Bien des tyrans... par terre:* hébreu *Beaucoup d'humiliés se sont assis sur un trône — diadème:* sous-entendu *royal* ● *o* Hébreu *Ne te querelle pas si tu n'es pas lésé* ● *p même si tu cours... par la fuite:* hébreu *mon fils, si tu ne cours pas, tu n'atteindras pas le but et si tu ne cherches pas, tu ne trouveras pas* ● *q* dépourvu ou distancé ● *r* de son humiliation: hébreu de la poussière de la putréfaction ● *s* Hébreu ajoute *et l'a redressé* ● *t* Quelques manuscrits grecs ajoutent: v. 15 *La sagesse, la science et la connaissance de la Loi* (hébreu *de la parole*) *viennent du Seigneur, l'amour* (hébreu *le péché*) *et la voie des bonnes œuvres viennent de lui;* v. 16 *La folie et l'obscurité ont été créées pour les pécheurs; ceux qui se plaisent au mal vieillissent dans le mal*

10.27 se glorifie et manque de pain Pr 12.9. **10.28** l'honneur mérité 10.24+. **10.30** honoré pour sa science 10.20; 11.1. **11.4** les œuvres cachées de Dieu Qo 3.11+. **11.5** situations inversées 10.14+; Qo 4.14; 10.6-7. **11.8** écoute avant de répondre Pr 18.13. **11.10** occupations nombreuses 38.24-34; Lc 10.41-42. **11.11** peine et hâte inutiles Ps 127.1-2; Pr 21.5; cf. Pr 11.24. **11.14** tout vient du Seigneur Es 45.7; Jb 1.21; 2.10. **11.18-19** efforts inutiles Qo 2.22+; Lc 12.16-21. **11.19** laissera ses biens 14.4; Ps 49.17-18; Jb 27.16-23; Pr 13.22; Qo 6.2+; 1 Tm 6.7.

La mort

20 Tiens-toi à ton alliance *u* et consacre-toi à elle,
vieillis à ton ouvrage.

21 Ne t'étonne pas des œuvres du pécheur,
fais confiance au Seigneur et persévère dans ta besogne,
car il est facile aux yeux du Seigneur d'enrichir soudain le pauvre d'un seul coup.

22 La bénédiction *v* du Seigneur est la récompense de l'homme pieux,
en un instant, il fait fleurir sa bénédiction.

23 Ne dis pas : « De quoi ai-je besoin ?
Quels biens me manquent encore *w* ? »

24 Ne dis pas : « J'ai tout ce qu'il me faut,
quel malheur pourrait désormais m'atteindre ? »

25 Au jour du bonheur on oublie les maux,
au jour du malheur on oublie le bonheur ;

26 car il est aisé au Seigneur, au jour de la mort,
de rendre à l'homme selon ses voies *x*.

27 Une mauvaise heure apporte l'oubli du bien-être,
et la fin d'un homme dévoile ses œuvres.

28 Avant la mort ne proclame personne heureux,
c'est à sa mort *y* qu'on reconnaît un homme.

Se méfier des pièges du méchant

29 N'introduis pas n'importe qui dans ta maison,
car nombreux sont les pièges de l'homme rusé.

30 Une perdrix captive dans sa cage, tel est le **cœur de l'orgueilleux ;
comme un espion il guette ta chute *z*.

31 Changeant le bien en mal, il tend ses pièges *a*,
aux actes les plus purs il trouve à redire.

32 Une étincelle allume un brasier,
les pièges du pécheur font couler le sang.

33 Prends garde au méchant, car il complote le mal,
et peut à jamais ternir ta réputation *b*.

34 Héberge l'étranger, et il te jettera dans les tracas,
il t'aliénera les tiens.

Accorder ses bienfaits avec discernement

12 **1** Si tu fais le bien, sache à qui tu le fais *c*,
et on te saura gré de tes bienfaits.

2 Fais le bien à l'homme pieux, et tu trouveras ta récompense,
sinon auprès de lui, du moins auprès du Très-Haut.

3 Il n'y a pas de bonheur pour celui qui persévère dans le mal,
et qui se refuse à faire l'aumône *d*.

4 Donne à l'homme pieux, mais ne viens jamais en aide au pécheur *e*.

5 Fais du bien à l'humble et ne donne rien à l'impie ;
refuse-lui son pain et ne lui en donne pas,
de peur que par là il n'ait pouvoir sur toi ;
car tu serais payé en mal doublement *f*

---

u ton alliance: hébreu *ta tâche* ● *v il fait fleurir sa bénédiction:* autre traduction d'après l'ancienne version latine *sa réussite fleurit* ● *w De quoi ai-je besoin ?* hébreu *J'ai satisfait mon désir* — Le verset peut avoir deux sens opposés: a) interrogation véritable: celui qui parle n'est pas satisfait de ce qu'il a. Il cherche à se procurer ce qui lui manque; b) interrogation factice: celui qui parle est satisfait dans son orgueil. Il considère que rien ne lui manque. Ce deuxième sens est parallèle à celui du v. 24 ● *x* Les v. 25 b-26 sont remplacés en hébreu par un texte qui fait double emploi avec le v. 27 ● *y à sa mort:* d'après l'hébreu; grec *c'est dans ses enfants qu'on reconnaît un homme* ● *z* La *perdrix captive* attire les autres oiseaux qui se font prendre. *Le cœur de l'orgueilleux* fait tomber les autres dans les pièges du péché ● *a* Hébreu *le calomniateur change le bien en mal* ● *b* L'hébreu ajoute *Ne te lie pas avec le méchant, il ferait dévier ta route et il te détournerait de ton *alliance* ● *c Si tu fais … tu le fais:* hébreu *Si tu fais du mal à l'homme bon, à qui feras-tu du bien?* — Le Siracide écrit dans une période où la foi est menacée et où le judaïsme, pour survivre, doit refuser tout compromis ● *d* Hébreu *il n'y a pas de profit à faire du bien au méchant, ce n'est même pas faire une bonne œuvre* ● *e* Le v. 4 qui est semblable au v. 7 est absent de l'hébreu ● *f refuse-lui … pouvoir sur toi:* hébreu *ne lui donne pas des armes de guerre, de peur qu'il ne les utilise contre toi* — *doublement:* l'hébreu ajoute *au temps de ta disette*.

11.21 n'admire pas le pécheur 9.11; Ps 37.1-2; Pr 3.31+ — confiance en Dieu 2.6+. **11.23-24** de quoi ai-je besoin ? Mt 6.25-26. **11.24** j'ai tout ce qu'il me faut 5.1+. **11.25** on oublie 18.25. **11.26** rendre à l'homme selon sa conduite 5.3-7; 12.2; 16.1-23; 17.23; 41.9-10; Pr 24.12+. **11.32** font couler le sang Pr 1.11. **11.33** prends garde au méchant Pr 1.10-16. **12.1** sache à qui tu fais du bien cf. Mt 5.43-48 par.; Lc 14.12-14. **12.2** récompense auprès du Très-Haut 7.32; Dt 14.29.

pour chacun des bienfaits que tu lui accorderais.

⁶ C'est que le Très-Haut déteste les pécheurs,
et inflige aux impies le châtiment qu'ils méritent *g*.

⁷ Donne à l'homme bon, mais ne viens pas en aide au pécheur *h*.

Vrais et faux amis

⁸ Ce n'est pas dans le bonheur qu'on reconnaît l'ami *i*,
mais dans le malheur l'ennemi ne reste pas caché.

⁹ Quand un homme est heureux, ses ennemis sont dans l'affliction *j*,
mais dans ses malheurs, même son ami s'écarte de lui.

¹⁰ Ne te fie jamais à ton ennemi ;
car sa méchanceté est pareille au bronze qui s'altère *k*.

¹¹ Même s'il fait l'humble et chemine courbé,
fais attention et prends garde à lui ;
sois pour lui comme un polisseur de miroir,
sache qu'il ne restera pas toujours taché de rouille *l*.

¹² Ne l'installe pas auprès de toi,
de peur qu'il ne te renverse pour prendre ta place ;
ne l'assieds pas à ta droite,
de peur qu'il ne convoite ton propre siège ;
tu comprendrais à la fin la justesse de mes discours,
et tu te souviendrais avec regret de mes paroles *m*.

¹³ Qui aura pitié du charmeur mordu par un serpent
et de ceux qui s'approchent des bêtes fauves ?

¹⁴ Tel est celui qui fréquente le pécheur et qui se laisse impliquer dans ses péchés *n*.

¹⁵ Il reste une heure avec toi *o*,
mais si tu chancelles, il ne s'attarde pas.

¹⁶ L'ennemi a la douceur sur les lèvres,
mais dans son *cœur il voudrait te précipiter dans une fosse.
L'ennemi peut avoir les larmes aux yeux,
mais s'il en trouve l'occasion, il sera insatiable de sang.

¹⁷ Si quelque malheur t'arrive, tu le trouveras là avant toi,
et, sous prétexte de te secourir, il te saisira par le talon.

¹⁸ Il secouera la tête, il battra des mains,
il déblatérera sans cesse et changera de visage *p*.

Se méfier du riche orgueilleux

13 ¹ Qui touche à la poix se salit,
qui fréquente l'orgueilleux *q* devient semblable à lui.

² Ne soulève pas un poids trop lourd pour toi,
ne fréquente pas non plus un homme plus fort ou plus riche que toi.
Comment le pot de terre et le pot de fer peuvent-ils aller ensemble ?
S'ils se heurtent, le premier se brise *r*.

³ Le riche commet une injustice et c'est lui qui se fâche *s*,
le pauvre subit l'injustice et doit en plus s'excuser.

⁴ Si tu es utile, il t'exploitera,
si tu es dans le besoin, il te laissera tomber.

---

g Quelques manuscrits grecs ajoutent *il veille sur eux jusqu'au jour de leur châtiment* ● *h* L'hébreu ajoute *Rafraîchis l'humble, mais ne donne rien à l'orgueilleux* ● *i* Traduction d'après l'hébreu ; grec obscur ● *j ses ennemis sont dans l'affliction* ; hébreu *même celui qui le hait est son ami* ● *k* De même que la rouille finit toujours par attaquer un métal, la *méchanceté* se manifestera. Autre sens possible : comme le métal est dissimulé par la rouille, la méchanceté est cachée (voir v. 11) ● *l sois pour lui... taché de rouille* : hébreu *agis avec lui comme avec celui qui révèle un secret, et il ne trouvera pas à te nuire* ; *sache les conséquences de la jalousie* — *sache... taché de rouille* : autre traduction *pour t'assurer qu'il ne continue pas de se ronger* ● *m et tu te souviendrais... mes paroles* : hébreu *tu te gémirais aussi fort que moi* ● *n fréquente le pécheur* : hébreu *s'associe à une femme insolente* — *péchés* : l'hébreu ajoute *il ne passera pas sans que le feu le consume. Tant qu'il chemine avec toi, il ne se découvre pas à toi et, si tu tombes, il ne se baisse pas pour t'aider* ● *o* Hébreu *Tant que tu restes debout, il ne montre pas ce qu'il est* ● *p Secouer la tête, battre des mains* : gestes de moquerie ; *changera de visage* : il passera à la manifestation d'une joie mauvaise ● *q* Hébreu *moqueur* ● *r* L'hébreu ajoute *et pourquoi le riche se lierait-il au pauvre ?* ● *s c'est lui qui se fâche* : hébreu *il s'en vante* — *doit en plus s'excuser* : hébreu *gémit*

12.8 le véritable ami 6.5-17 ; 37.1-6 ; Pr 17.17 — ami dans le bonheur Pr 19.4. **12.10** ne pas se fier à un ennemi Pr 26.24-26. **12.16** douceur sur les lèvres 27.23 ; Jr 9.7 ; Pr 26.25. **12.18** secouer la tête 13.7 ; Jr 18.16 ; Ps 22.8 + — battre des mains Ez 25.6 ; Na 3.19. **13.3** riche et pauvre 13.18-24 ; Pr 18.23.

⁵ Si tu as du bien, il vivra avec toi,
il te grugera sans remords.
⁶ A-t-il besoin de toi ? Il te dupera,
il te sourira et te donnera de l'espoir ;
il te fera des compliments et dira :
« Que puis-je faire pour toi ? »
⁷ Il t'humiliera dans ses festins,
jusqu'à te dépouiller deux et trois fois,
et à la fin il se moquera de toi ;
après quoi, s'il te voit, il te négligera
et secouera la tête ᵗ à ton sujet.
⁸ Prends garde de te laisser duper,
et d'être humilié par suite de ta folie ᵘ.

Etre prudent avec les puissants

⁹ Quand un puissant t'invite, reste à
l'écart
et son invitation n'en sera que plus
pressante.
¹⁰ Ne te précipite pas, de peur d'être
repoussé,
ne te tiens pas trop loin, de peur d'être
oublié.
¹¹ Ne t'avise pas de parler d'égal à égal
avec lui,
ne te fie pas à ses longs discours ;
car il te met à l'épreuve par son bavardage,
et il te scrute même quand il te sourit.
¹² Il est impitoyable, celui qui ne sait pas
garder pour lui tes paroles,
il ne t'épargne ni les coups ni les
chaînes ᵛ.
¹³ Sois réservé et prends bien garde,
car tu chemines au bord de ta ruine ʷ.

Riche et pauvre

¹⁵ Tout être vivant aime son semblable,
et tout homme son prochain.
¹⁶ Toute chair ˣ s'unit selon son espèce,
et l'homme s'attache à son semblable.

¹⁷ Quoi de commun entre le loup et
l'agneau ?
Tel est le pécheur en face de l'homme
pieux.
¹⁸ Quelle paix peut régner entre l'hyène
et le chien,
et quelle paix entre le riche et le
pauvre ?
¹⁹ Les onagres ʸ dans le désert sont le
gibier des lions ;
ainsi les pauvres sont la pâture des
riches.
²⁰ Une humble condition est en horreur
à l'orgueilleux ;
ainsi le pauvre est en horreur au riche.
²¹ Le riche qui chancelle est soutenu par
ses amis,
mais l'humble qui tombe est repoussé
par les siens ᶻ.
²² Que le riche se trompe, beaucoup viennent à son secours,
s'il profère des sottises, on lui donne
raison.
Mais si l'humble se trompe, on lui
en fait reproche ᵃ ;
s'il dit des choses sensées, on n'en fait
aucun cas.
²³ Qu'un riche parle, tous se taisent
et portent aux nues son discours ᵇ.
Qu'un pauvre parle, et on dit : « Qui
est-ce ? »
et s'il trébuche, on le pousse pour le
faire culbuter.
²⁴ La richesse est bonne quand elle est
sans péché,
mais la pauvreté est mauvaise aux dires
de l'impie ᶜ.
²⁵ C'est le cœur de l'homme qui modèle
son visage,
que ce soit en bien ou en mal.
²⁶ C'est l'indice d'un cœur bon qu'un
visage joyeux,
mais l'invention des proverbes exige
une réflexion pénible ᵈ.

ᵗ Il t'humiliera, c'est-à-dire t'obligera à lui rendre ses invitations et ainsi à te ruiner — Il t'humiliera... jusqu'à te dépouiller: hébreu Tant qu'il en tire profit, il se joue de toi; il te montre de l'estime — secouer la tête: geste de moquerie ● u Hébreu Prends garde de ne pas trop te troubler et de
ne pas ressembler aux insensés ● v L'hébreu ajoute Si un violent est nommé gouverneur, il n'aura
pas de pitié et attentera à la vie de beaucoup. Le sens du verset est incertain en grec comme en
hébreu ● w Hébreu ne chemine pas avec les violents. Quelques manuscrits grecs ajoutent: v. 14
En entendant cela dans ton sommeil, réveille-toi, aime le Seigneur toute ta vie et invoque-le pour
ton salut ● x Toute chair ou Tout être vivant ● y onagres: ânes sauvages ● z est repoussé par
les siens: hébreu est renvoyé d'un ami à l'autre ● a Que le riche... on lui donne raison: hébreu
Quand le riche parle, on porte aux nues sa sagesse, ses discours répréhensibles sont trouvés beaux
— on lui fait reproche: hébreu on crie hou! hou! ● b son discours: hébreu sa sagesse ● c aux
dires de l'impie: hébreu dans la mesure où l'on est orgueilleux ● d mais l'invention... réflexion pénible: hébreu un homme renfermé exprime des pensées tristes. Texte obscur en grec et en hébreu

---

13.7 secouer la tête 12.18+.   13.10 être repoussé cf. Pr 25.7; Lc 14.7-9.   13.17 loup et
agneau cf. Mt 10.16.   13.18-24 riche et pauvre 13.3+.   13.21 les amis du riche 6.10-12+.
13.26 visage joyeux Pr 15.13; Qo 8.1.

Bonheur pour le juste

14 ¹ Heureux l'homme dont la bouche n'a pas failli ᵉ
et qui n'est pas tourmenté par le regret de ses fautes.

² Heureux celui que sa conscience n'accuse pas ᶠ
et qui n'a jamais été déçu dans ses espoirs.

Envie et avarice

³ A l'homme chiche ne sied pas la richesse,
pour l'homme envieux à quoi bon de grands biens ?

⁴ Celui qui amasse en se privant lui-même amasse pour autrui ;
avec ses biens d'autres vivront dans le luxe.

⁵ Celui qui est dur pour lui-même, pour qui serait-il bon ?
Il ne jouira pas de ses trésors.

⁶ Il n'y a pas pire que celui qui se maltraite soi-même,
c'est là la rançon de sa méchanceté.

⁷ Même s'il fait le bien, il le fait par mégarde,
et finit par révéler sa méchanceté.

⁸ Il est mauvais, l'homme à l'œil envieux,
qui détourne le visage et méprise les gens ᵍ.

⁹ L'œil du cupide n'est pas satisfait de sa part,
une avidité mauvaise dessèche son âme ʰ.

¹⁰ L'avare est chiche de pain
et il manque à sa propre table ⁱ.

Le bon usage des richesses

¹¹ Mon fils, dans la mesure où tu le peux, traite-toi bien

et présente au Seigneur les offrandes qui lui sont dues ʲ.

¹² Souviens-toi que la mort ne tardera pas
et que le pacte des enfers ᵏ ne t'a pas été révélé.

¹³ Avant de mourir, fais du bien à ton ami,
selon tes possibilités sois généreux et donne-lui.

¹⁴ Ne te prive pas du bonheur d'un jour,
ne laisse pas échapper ta part d'une légitime satisfaction ˡ.

¹⁵ Ne laisseras-tu pas à un autre le fruit de tes peines,
celui de tes fatigues au partage du sort ?

¹⁶ Donne, prends, et réjouis ton âme,
car il n'y a pas, aux enfers ᵐ, à rechercher le plaisir.

¹⁷ Toute chair ⁿ vieillit comme un vêtement ;
c'est la loi éternelle : « Tu dois mourir ».

¹⁸ Comme le feuillage verdoyant sur un arbre touffu
tantôt tombe et tantôt repousse,
ainsi les générations de chair et de sang :
l'une meurt et une autre apparaît.

¹⁹ Toute œuvre corruptible disparaît,
et celui qui l'a produite s'en va avec elle ᵒ.

A la recherche de la sagesse

²⁰ Heureux l'homme qui s'applique à la sagesse
et qui exerce son intelligence à raisonner,

²¹ qui en médite les voies dans son *cœur
et réfléchit sur ses secrets.

²² Il se lance à sa poursuite comme un chasseur,
il se tient aux aguets sur son passage.

e dont la bouche n'a pas failli ou *qui n'a pas péché en paroles* ● *f que sa conscience n'accuse pas:* hébreu *qui ne se prive pas* ● *g* Les v. 7-8 manquent en hébreu ● *h une avidité... son âme:* hébreu *qui prend la part de son prochain perd la sienne* ● *i* Après *table* l'hébreu ajoute *Un homme généreux multiplie le pain et d'une source à sec fait jaillir l'eau sur la table* ● *j présente...* lui sont dues: hébreu *engraisse-toi selon tes moyens* ● *k le pacte des enfers* ou *la date de la mort* ● *l* Hébreu *Lorsqu'on partage la marmite, ne t'en va pas, et ne nourris pas de désirs mauvais* ● *m aux enfers* ou *au *séjour des morts.* Selon la conception juive traditionnelle à l'époque du Siracide, l'âme descendue au séjour des morts ne connaît ni joie ni souffrance ● *n Toute chair* ou *Tout homme* ● *o* Hébreu *Toutes les actions de l'homme sont vouées à la corruption et l'œuvre de ses mains le suivra*

14.1-2 heureux le juste Ps 1 ; 32.2. **14.1** dont la bouche n'a pas failli 25.8 ; cf. 19.16. **14.3** qui aime l'argent Qo 5.9+. **14.4** amasser pour autrui 11.19+. **14.6** qui se maltraite Pr 11.17. **14.9** l'avidité dessèche Sg 6.23. **14.11** traite-toi bien Qo 11.9-10. **14.12** la mort ne tardera pas Ps 49 — le pacte des enfers Es 28.15-19. **14.14** jouir du bonheur Qo 2.24+. **14.17** vieillit comme un vêtement Es 50.9 ; 51.6 ; Ps 102.27 ; Jb 13.28 — tu dois mourir 8.7 ; 41.3-4 ; Qo 3.20+. **14.18** une génération meurt... Qo 1.4. **14.19** toute œuvre corruptible disparaît cf. Qo 9.6. **14.20-21** heureux qui s'applique à la sagesse Pr 8.32-35. **14.21** méditer cf. Ps 1.2.

23 Il regarde par sa fenêtre,
   il écoute à sa porte.
24 Il campe près de sa maison,
   il fixe le piquet de sa tente dans ses murs.
25 Il dresse sa tente auprès d'elle,
   il campe au séjour du bonheur.
26 Il place ses enfants sous son abri *p*,
   sous ses rameaux il demeure.
27 Il est abrité par elle de la chaleur,
   il campe dans sa gloire *q*.

15 ¹ Celui qui craint le Seigneur agit en conséquence,
   celui qui est maître de la Loi *r* atteindra la sagesse.

2 Elle viendra à sa rencontre comme une mère,
   comme une épouse vierge *s*, elle l'accueillera ;
3 elle le nourrira du pain de l'intelligence,
   elle l'abreuvera de l'eau de la sagesse.
4 Il s'appuiera sur elle et ne fléchira pas,
   il s'attachera à elle et ne sera pas confondu ;
5 elle l'élèvera au-dessus de ses proches,
   au milieu de l'assemblée elle lui ouvrira la bouche.
6 Il trouvera joie et couronne d'allégresse,
   il obtiendra un renom éternel.
7 Mais les insensés ne l'atteindront pas,
   les pécheurs ne la verront pas.
8 Elle se tient loin de l'orgueilleux *t*,
   les menteurs ne se souviendront pas d'elle.
9 La louange est mal venue dans la bouche du pécheur
   parce qu'elle n'est pas envoyée par le Seigneur.
10 C'est la sagesse qui fait prononcer la louange,
   c'est le Seigneur qui l'inspire *u*.

Liberté et responsabilité de l'homme

11 Ne dis pas : « C'est à cause du Seigneur que je me suis écarté »,
   car ce qu'il déteste, il ne le fait pas.
12 Ne dis pas : « Lui-même m'a égaré »,
   car il n'a que faire du pécheur.
13 Le Seigneur déteste toute abomination,
   on ne peut à la fois s'y abandonner et le craindre *v*.
14 Lui-même a créé l'homme au commencement *w*
   et l'a laissé à son propre conseil.
15 Si tu le veux, tu peux observer les commandements,
   rester fidèle dépend de ton bon vouloir *x*.
16 Il a placé auprès de toi le feu et l'eau ;
   selon ton choix tu peux étendre la main.
17 Aux hommes sont proposées la vie et la mort :
   à chacun sera donné selon son choix.
18 Car grande est la sagesse du Seigneur ;
   il est fort et puissant et voit toutes choses,
19 ses regards sont tournés vers ceux qui le craignent *y*,
   lui-même connaît toutes les œuvres des hommes.
20 Il n'a prescrit à personne d'être impie,
   il n'a accordé à personne licence de pécher *z*.

Les impies vont à leur perte

16 ¹ Ne désire pas une foule d'enfants bons à rien,
   ne te réjouis pas de fils impies.
2 Si nombreux qu'ils soient, ne te réjouis pas à leur sujet
   s'ils ne possèdent pas la crainte *a* du Seigneur.
3 Ne mets pas ta confiance dans leur vie,

---

p Hébreu *Il fait son nid entre ses branches* ● *q* Hébreu *sous sa protection*. La *gloire* désigne peut-être ici la nuée qui manifestait la présence du Seigneur (voir Ex 13.21 et la note) ● *r maître de la Loi* : voir au glossaire LÉGISTES ● *s une épouse vierge*, c'est-à-dire une épouse qui se présente vierge au mariage ● *t* Hébreu *des railleurs* ● *u* Hébreu *Dans la bouche du sage est prononcée la louange et celui qui possède la sagesse l'enseignera* ● *v on ne peut... le craindre*: hébreu *et il ne les fait pas rencontrer à ceux qui le craignent* — *le craindre* ou *le respecter* ● *w* L'hébreu ajoute *et l'a livré à son ennemi* ● *x rester fidèle*, hébreu *et l'intelligence pour accomplir son bon vouloir*: *si tu as foi en lui, toi aussi tu vivras* ● *y ceux qui le craignent*: hébreu *ses créatures* ● *z il n'a accordé... de pécher*: hébreu *et il n'a pas fortifié les menteurs. Il n'a pas de pitié pour qui fait des choses vaines, ni pour qui révèle un secret* ● *a la crainte* ou *le respect*

15.1 craindre le Seigneur 1.11+. **15.2** comme une épouse Sg 8.2. **15.3** elle le nourrira, l'abreuvera 24.19-21; Dt 32.2; Es 55.1-3; Pr 9.5. **15.5-6** élévation, joie, renom Sg 8.10-16. **15.8** loin de l'orgueilleux cf. Pr 8.13. **15.11** à cause du Seigneur Jc 1.13-15. **15.13** craindre le Seigneur 1.11+. **15.16-17** selon ton choix Dt 11.26-28; 30.15-20; Jr 21.8. **15.18-19** Dieu voit tout 17. 15-20; Ps 33.13-15; Pr 15.3, 11. **15.19** regarde vers ceux qui le craignent Ps 34.16+. **16.1-23** Dieu punira 11.26+. **16.1** fils impies Pr 17.21; 19.13. **16.2** crainte du Seigneur 1.11+. **16.3** sans enfants Sg 4.1.

ne t'appuie pas sur leur nombre ;
un seul [b] vaut mieux que mille,
et mourir sans enfants vaut mieux que
d'avoir des enfants impies.

4 Par un seul homme intelligent la ville
sera peuplée,
mais la race des impies sera anéantie [c].

5 J'ai vu de mes yeux bien des choses
semblables
et entendu de mes oreilles des exemples encore plus frappants.

6 Dans l'assemblée des pécheurs s'allume
le feu,
contre un peuple rebelle s'est allumée
la colère [d].

7 Il n'a pas pardonné aux antiques
géants [e],
qui s'étaient révoltés à cause de leur
force.

8 Il n'a pas épargné la ville de Loth,
dont il avait l'orgueil en abomination [f].

9 Il n'a pas eu pitié du peuple de perdition,
qui fut exterminé pour ses péchés [g],

10 ni de six cent mille fantassins
qui s'étaient rassemblés dans la dureté
de leur *cœur [h].

11 Même si un seul avait la nuque raide,
ce serait merveille qu'il restât impuni ;
car la pitié et la colère sont en lui,
il est puissant en pardon, mais il répand
la colère [i].

12 Aussi grande que sa miséricorde est
sa réprobation ;
il juge les hommes selon leurs œuvres.

13 Le pécheur n'échappera pas avec son
butin,
la patience de l'homme pieux ne sera
pas déçue [j].

14 A toute aumône il fera une place [k],
et chacun sera traité selon ses œuvres [l].

Rien n'échappe à Dieu

17 Ne dis pas : « Je me cacherai du Seigneur,
de là-haut qui se souviendra de moi ?
Dans la foule nombreuse je ne suis pas
reconnu,
qui suis-je dans l'immense création ? »

18 Or le ciel et les cieux des cieux,
l'*abîme et la terre sont ébranlés lors
de sa visite [m].

19 Les montagnes et les fondements de la
terre
sont saisis de tremblement lorsqu'il les
regarde.

20 Mais à tout cela on ne réfléchit pas ;
qui donc fait attention à ses voies [n] ?

21 Comme la tempête qui survient à l'insu
de l'homme,
la plupart de ses œuvres restent cachées [o].

22 « Les œuvres de sa justice, qui les annonce ?
Qui les attend ? Elle est bien loin, l'*alliance [p] ! »

23 Ainsi pense l'homme qui a perdu l'esprit :
l'insensé, l'égaré, ne pense que folies.

---

b leur vie, c'est-à-dire la longueur de leur vie — Après nombre quelques manuscrits grecs ajoutent
Car tu gémiras d'un chagrin prématuré et soudain tu apprendras leur fin — un seul: l'hébreu ajoute
faisant le bon plaisir (de Dieu) ● c intelligent: l'hébreu sans enfants et craignant le Seigneur —
mais... sera anéantie: hébreu par la race des pervers (la ville) sera anéantie ● d la colère: sous-
entendu de Dieu ● e géants: hébreu princes ● f dont il avait... abomination: hébreu qui s'atti-
raient la colère par leur orgueil ● g peuple de perdition, c'est-à-dire voué à la destruction. Il s'agit
des anciens habitants de Canaan — péchés: trois manuscrits grecs ajoutent: tout cela il l'a fait aux
peuples au cœur dur; il n'a pas été consolé par le nombre de ses *saints ● h Quelques manuscrits
grecs ajoutent flagellant, ayant pitié, frappant, guérissant, le Seigneur les a gardés dans la miséricorde et la discipline ● i nuque raide: voir Ex 32.9 et la note — il répand la 'colère: l'hébreu
ajoute contre les méchants ● j déçue: l'hébreu ajoute éternellement ● k Hébreu Pour quiconque
pratique la justice il y a un salaire ● l Quelques manuscrits grecs ajoutent, en accord avec
l'hébreu: v. 15 le Seigneur a endurci *Pharaon pour qu'il ne le reconnaisse pas, afin que ses actions
soient connues sous les cieux; v. 16 Sa miséricorde est manifeste à toute la création, il a donné
en partage sa lumière et l'obscurité à Adam (hébreu et sa louange aux fils d'Adam) ● m les
cieux des cieux ou le plus haut des cieux — visite: quelques manuscrits grecs ajoutent L'univers
entier a été créé et existe par sa volonté ● n ses voies ou sa manière d'agir ● o Hébreu Même
à moi il ne fait pas attention. Qui observera mes voies ? Si je pèche, nul œil ne me voit, si je mens
en grand secret, qui le saura? ● p l'alliance peut désigner ici celle du Sinaï (Ex 19.5; Si 17.12),
mais plus probablement le pacte où Dieu intervient comme celui qui punit le péché. Quelques
manuscrits grecs ajoutent et l'examen de toutes choses aura lieu à la fin

---

16.4 les impies anéantis Lv 26.30-31; Dt 27.15-26; 28.15-68; 29.19-21.   16.6 assemblée des
pécheurs 7.16+ — peuple rebelle Nb 11.1; 16.1-35. 16.7 les géants révoltés Sg 14.6+. 16.8 la
ville de Loth Gn 19.1-29. 16.10 six cent mille Nb 1.46; 11.21; 14.20-35. 16.11 rester impuni
5.4 — pitié et colère 5.6; Ex 20.5-6; 34.6-7; Nb 14.18. 16.12 Dieu juge Qo 3.17+. 16.14 aumône récompensée 3.30; 4.10; 7.32. 16.15 endurcissement de Pharaon Ex 7.3+. 16.17-23 rien
n'échappe à Dieu 17.15-24; 23.18; Jr 23.24; Ps 139.1-16; cf. Ps 73.11. 16.19 la terre tremble
Ps 104.32+. 16.21 ses œuvres restent cachées Rm 11.33.

SECTION B

La sagesse divine dans la création

24 Ecoute-moi, mon fils, et acquiers le savoir,
applique ton *cœur à mes discours.
25 Avec mesure je dévoilerai l'instruction,
avec exactitude je proclamerai la connaissance.
26 Lorsque au commencement le Seigneur créa ses œuvres,
en les faisant il en sépara les parties [q].
27 Il ordonna ses œuvres [r] pour l'éternité,
depuis leur origine jusqu'à leur avenir lointain.
Elles n'ont pas faim et ne se fatiguent pas,
elles n'abandonnent pas leur tâche.
28 Aucune ne heurte sa voisine,
elles ne désobéissent jamais à sa parole.
29 Puis le Seigneur a regardé vers la terre,
et il l'a comblée de ses bienfaits.
30 De toute espèce d'animaux il en a couvert la surface,
et c'est à elle qu'ils doivent retourner.

La création de l'homme

17 1 Le Seigneur a créé l'homme de la terre
et l'y fait à nouveau retourner.
2 Il a assigné aux hommes un nombre précis de jours et un temps déterminé,
il leur a donné pouvoir sur les choses de la terre.
3 Comme lui-même il les a revêtus de force,
il les a faits à son image.
4 Il les a fait redouter de tout être vivant,
pour qu'ils soient les maîtres des bêtes sauvages et des oiseaux [s].
6 Il leur a donné le jugement, la langue et les yeux,
les oreilles et le *cœur pour réfléchir.
7 Il les a remplis de savoir et d'intelligence,
il leur a montré le bien et le mal.
8 Il a établi sa crainte dans leurs cœurs
pour leur montrer la magnificence de ses œuvres [t],
10 et ils loueront son *saint *nom,
afin de raconter la magnificence de ses œuvres.

L'Alliance et la Loi

11 Il leur a accordé en plus le savoir,
il les a gratifiés de la loi de vie [u].
12 Il a conclu avec eux une *alliance éternelle,
il leur a montré ses jugements.
13 Leurs yeux ont vu la magnificence de sa gloire,
leurs oreilles ont entendu la gloire de sa voix.
14 Il leur a dit : « Gardez-vous de toute injustice »,
il leur a donné des commandements à chacun au sujet de son prochain.

Dieu voit toutes les actions des hommes

15 Leurs voies sont devant lui en tout temps,
elles n'échapperont pas à ses yeux [v].

q le Seigneur créa: d'après l'hébreu; grec *par décret du Seigneur* — Après ce verset on ne possède plus le texte hébreu jusqu'à 25.8, exception faite de quelques petits fragments ● *r* Les *œuvres*, aux v. 27-28, désignent les astres ● *s* Quelques manuscrits grecs ajoutent: v. 5 *Ils reçurent l'usage des cinq opérations du Seigneur; comme sixième il leur donna l'intelligence en partage, comme septième la parole, interprète de ses opérations* ● *t sa crainte* ou *son respect:* d'après quelques manuscrits; la plupart des manuscrits portent *son œil*, manière imagée de désigner l'intelligence — quelques manuscrits grecs ajoutent : v. 9 *et il leur a donné de se glorifier, à travers les âges, de ses merveilles* ● *u* Quelques manuscrits grecs ajoutent *afin qu'ils comprennent que maintenant ils sont mortels* ● *v Leurs voies sont* ou *Leur conduite est — yeux:* quelques manuscrits grecs ajoutent: v. 16 *Leurs voies, dès la jeunesse, s'en vont vers le mal, et ils ne sont pas capables de changer leur cœur de pierre en cœur de chair, car dans le partage des peuples de la terre...*

16.24-25 écoute l'instruction Pr 1.23. **16.26** au commencement Gn 1.1 — il sépara Gn 1.4, 6, 7, 14, 18. **16.27-28** ses œuvres (= les astres) Gn 1.14-19; Ps 104.19; 136.5-9. **16.30** toute espèce d'animaux 43.25; Gn 1.20-25 — à la terre ils retournent Ps 104.29; Qo 3. 20. **17.1** l'homme créé de la terre Gn 2.7 — l'homme retournera à la terre Gn 3.19; Ps 90.3; Jb 34.15; Qo 12.7. **17.2** le nombre de jours est limité 37.25; 41.13; Gn 6.3; Ps 90.10 — pouvoir sur les choses de la terre *Sg* 9.2+. **17.3** faits à son image Gn 1.26-27; 1 Co 11.7; Jc 3.9. **17.4** redouté des bêtes Gn 9.2. **17.6** Dieu donne les sens Ex 4.11; Pr 20.12+. **17.8** la magnificence de ses œuvres Rm 1.19-20. **17.11** la loi de vie 45.5; Dt 30.15-20. **17.12** Dieu a conclu une alliance Ex 24.8; 34.10. **17.13** entendu sa voix Ex 19.16-19. **17.14** les commandements Ex 21—23.12. **17.15-24** rien n'échappe à Dieu 16.17-23+.

17 A chaque peuple il a préposé un chef,
mais Israël est la part du Seigneur *w*.

19 Toutes leurs actions sont devant lui
comme le soleil,
ses regards observent continuellement
leurs voies.

20 Leurs injustices ne lui échappent pas,
tous leurs péchés sont devant le Seigneur *x*.

22 L'aumône d'un homme est pour lui
comme un sceau,
il conserve un bienfait comme la prunelle de l'œil *y*.

23 A la fin il se lèvera et les rétribuera,
il placera sur leur tête leur rétribution.

24 Mais à ceux qui se repentent il accorde
la possibilité du retour,
il console ceux qui manquent de persévérance.

Invitation à revenir au Seigneur

25 Retourne au Seigneur et quitte le péché,
prie devant sa face et ainsi diminue
ton offense.

26 Reviens au Très-Haut et détourne-toi
de l'injustice *z*,
déteste vigoureusement l'abomination.

27 Qui louera le Très-Haut dans le *séjour
des morts,
à la place des vivants qui lui rendent
grâce ?

28 Quand un homme meurt et cesse d'être,
disparaît l'action de grâce ;
c'est quand il vit, en bonne santé, qu'il
peut louer le Seigneur.

29 Qu'elle est grande, la miséricorde du
Seigneur,
son pardon pour ceux qui se tournent
vers lui !

30 Car la capacité de tout faire n'appartient pas aux hommes,
puisque le fils de l'homme n'est pas

immortel.

31 Quoi de plus lumineux que le soleil ?
Pourtant il subit des éclipses.
Mais l'être de chair et de sang médite
le mal.

32 Dieu *a* surveille l'armée des corps célestes,
mais les hommes ne sont tous que terre
et cendre.

Grandeur de Dieu

18 1 Celui qui vit éternellement a créé
toutes choses ensemble,
2 le Seigneur seul sera proclamé juste *b*.
4 A personne il n'a donné d'annoncer ses
œuvres ;
qui donc découvrira ses grandeurs ?
5 La force de sa majesté, qui la calculera ?
Qui entreprendra de raconter ses gestes
de miséricorde ?
6 On n'y peut rien retrancher ni ajouter,
il n'est pas possible de découvrir les
merveilles du Seigneur.
7 Quand un homme en a fini, c'est alors
qu'il commence,
et lorsqu'il s'arrête, sa perplexité demeure.

Petitesse de l'homme

8 Qu'est-ce que l'homme ? A quoi sert-il ?
Que signifie le bien ou le mal qu'il
fait ?
9 Le nombre de ses jours est grand s'il
atteint cent ans *c*.
10 Une goutte d'eau de la mer, un grain
de sable,
telles sont ces quelques années face à
l'éternité.
11 C'est pourquoi le Seigneur est patient
à l'égard des hommes

---

w Quelques manuscrits grecs ajoutent: v. 18 *son premier-né qu'il nourrit de l'instruction, auquel il dispense la lumière de l'amour sans l'abandonner* ● *x* Quelques manuscrits grecs ajoutent: v. 21 *Mais le Seigneur est bon et connaît sa créature, il ne les délaisse ni ne les abandonne, mais les épargne* ● *y* comme un sceau, c'est-à-dire comme une chose précieuse — *l'œil*: quelques manuscrits grecs ajoutent *dispensant à ses fils et à ses filles le repentir* ● *z* Quelques manuscrits grecs ajoutent *car il le conduira des ténèbres à la lumière du salut* ● *a* Dieu: autre interprétation *le soleil*. En grec le sujet de *surveille* n'est pas précisé ● *b* Quelques manuscrits grecs ajoutent: *et il n'y en a pas d'autre que lui*; v. 3 *Il gouverne le monde avec la paume de sa main, tout obéit à sa volonté, car il est le roi de toutes choses par sa puissance, il sépare parmi elles les sacrées des profanes* ● *c* Quelques manuscrits grecs ajoutent *Le temps du repos éternel est imprévisible pour chacun*

17.17 Israël est la part du Seigneur 24.12; Dt 7.6+; 32.9. **17.22** l'aumône comme un sceau cf. 16.14. **17.23** Dieu rétribue 11.26+. **17.24** possibilité de retour Sg 12.19. **17.27** qui louera Ps 6.6; 115.17. **17.29** grande miséricorde 5.6; Ex 20.6; Ps 103.8; 111.4; 145.7-9. **17.31** l'homme médite le mal Gn 6.5; 8.21. **17.32** terre et cendre 10.9+. **18.1** Dieu a tout créé 24.8; 43.33; Es 44.24. **18.4** personne ne peut annoncer Ps 106.2+. **18.6** on ne peut ôter, ajouter 42.21 — impossible de découvrir Qo 3.11+. **18.8** qu'est-ce que l'homme? Ps 8.5+. **18.9** durée de la vie Ps 90.10+. **18.10** années face à l'éternité Ps 90.4. **18.11** patience de Dieu 5.4+.

et déverse sur eux sa pitié.

¹² Il voit et il sait combien leur fin est misérable,
c'est pourquoi il multiplie son pardon.

¹³ L'homme a pitié de son prochain,
mais le Seigneur a pitié de toute créature ;
il reprend, il instruit, il enseigne,
il ramène, tel le *berger, son troupeau.

¹⁴ Il a pitié de ceux qui acceptent l'instruction,
et de ceux qui recherchent avec empressement ses jugements.

La manière de donner

¹⁵ Mon fils, fais le bien sans y joindre le blâme,
ni mêler à tes dons des paroles chagrines.

¹⁶ La rosée ne repose-t-elle pas de la chaleur ?
Ainsi une parole peut faire mieux qu'un cadeau.

¹⁷ Une parole ne vaut-elle pas mieux qu'un riche présent ?
L'homme charitable joint l'une à l'autre.

¹⁸ L'insensé fait un reproche dépourvu de tact,
le don de l'envieux brûle les yeux.

Le sage est prévoyant

¹⁹ Instruis-toi avant de parler,
et soigne-toi avant d'être malade.

²⁰ Examine-toi avant le jugement
et à l'heure où on te demandera des comptes tu trouveras le pardon.

²¹ Humilie-toi avant d'être malade,
à l'occasion de tes péchés montre ton repentir.

²² Que rien ne t'empêche d'accomplir ton vœu en temps voulu,
n'attends pas jusqu'à la mort pour t'en acquitter.

²³ Avant de faire un vœu, prépare-toi,
ne sois pas comme un homme qui tente ᵈ le Seigneur.

²⁴ Souviens-toi de la colère qui sévira aux jours de la fin ᵉ,
du châtiment quand Dieu détournera sa face.

²⁵ Souviens-toi des temps de famine dans les temps d'abondance,
de la misère et des privations aux jours de richesse.

²⁶ De l'aube jusqu'au soir le temps change,
tout passe rapidement devant le Seigneur.

²⁷ L'homme sage est sur ses gardes en toute chose,
quand le péché sévit ᶠ il évite toute négligence.

²⁸ Tout homme intelligent connaît la sagesse,
il rend hommage à qui l'a trouvée.

²⁹ Les hommes habiles en paroles montrent eux aussi leur sagesse,
ils répandent comme une pluie les sentences bien trouvées ᵍ.

Être maître de soi

³⁰ Ne te laisse pas entraîner par tes désirs,
et réfrène tes convoitises.

³¹ Si tu t'accordes la satisfaction de tes désirs,
cela fera de toi la risée de tes ennemis.

³² Ne mets pas ta joie dans une vie de plaisir,
et ne t'oblige pas à en faire les frais ʰ.

³³ Ne t'appauvris pas en festoyant avec de l'argent emprunté,
alors que tu n'as rien dans ta bourse ⁱ.

19 ¹ L'ouvrier buveur ʲ ne s'enrichira pas,
celui qui méprise les petites choses peu à peu tombera.

² Le vin et les femmes égarent les hommes intelligents,
celui qui fréquente les prostituées devient de plus en plus téméraire ᵏ.

³ La putréfaction et les vers, tel sera son lot,
et sa témérité causera sa perte.

---

d Voir au glossaire TENTER ● *e* La *colère* (de Dieu) et le *châtiment* envisagés ici concernent la vie terrestre du pécheur ● *f* Le grec est imprécis. Autre traduction *quand il est attiré par le péché* ● *g* Quelques manuscrits grecs ajoutent: *Mieux vaut faire confiance au Maître unique qu'attacher un cœur mort à un mort* ● *h* Hébreu *Ne te réjouis pas d'un plaisir sans valeur, qui te rendra deux fois plus pauvre* ● *i Ne t'appauvris... emprunté*: hébreu *Ne sois ni gourmand, ni ivrogne — bourse:* quelques manuscrits grecs ajoutent: *ce serait te tendre un piège à toi-même* ● *j L'ouvrier buveur*: hébreu *celui qui fait cela* ● *k* Hébreu *Le vin et les femmes rendent le cœur insolent, un appétit démesuré ruine celui qui le possède*

18.18 reproche de l'insensé cf. 20.1. **18.19** soigne-toi 38.4, 12. **18.22** les vœux Nb 30.2-17+. **18.23** avant un vœu Pr 20.25. **18.25** souviens-toi... 11.25. **18.33** fêtes qui appauvrissent Pr 23.20-21; cf. Dt 21.20. **19.2** le vin égare Os 4.11; Pr 31.4-5 — les prostituées 9.6+. **19.3** la putréfaction Pr 5.5; 7.26-27; 9.18.

Les dangers du bavardage

4 Celui qui donne trop vite sa confiance
est une tête légère,
celui qui pèche se fait tort à lui-même.
5 Celui qui prend plaisir au mal sera
condamné *l*,
6 celui qui hait le bavardage échappe au
mal *m*.
7 Ne répète jamais ce que l'on dit,
et tu n'y perdras jamais rien.
8 Ne raconte rien, ni d'un ami, ni d'un
ennemi ;
à moins que le silence ne te rende
complice, ne révèle rien ;
9 car il pourrait t'entendre et se méfier
de toi,
et le moment venu il te montrerait sa
haine.
10 Tu as entendu une affaire ? Sois un
tombeau !
Sois tranquille, tu ne risques pas d'éclater.
11 Pour une parole l'insensé est dans les
douleurs,
comme la femme en mal d'enfant.
12 Une flèche plantée dans la chair de la
cuisse,
telle est une parole dans le ventre du
sot.

Vérifier ce qu'on entend dire

13 Interroge *n* ton ami : peut-être n'a-t-il
rien fait,
et s'il l'a fait, qu'il ne recommence plus.
14 Interroge ton prochain : peut-être n'a-t-
il pas dit cela,
et s'il l'a dit, qu'il ne le répète pas.
15 Interroge ton ami, car la calomnie est
fréquente,
ne te fie pas à tout ce qu'on dit.
16 Tel glisse sans mauvaise intention :
qui donc n'a jamais péché en paroles ?
17 Interroge ton prochain avant de le menacer,

et laisse la Loi du Très-Haut suivre
son cours *o*.

Vraie et fausse sagesse

20 Toute sagesse est crainte du Seigneur,
en toute sagesse il y a la pratique de
la *Loi *p*.
22 Mais la science du mal n'est pas la sagesse,
le conseil des pécheurs n'est pas la prudence.
23 Il y a une habileté qui est abomination,
celui à qui manque la sagesse est insensé.
24 Mieux vaut un homme dénué d'intelligence, qui craint le Seigneur,
qu'un homme très habile, qui trans-
gresse la Loi.
25 Il y a une habileté minutieuse qui peut
conduire à l'injustice,
et tel agit frauduleusement pour établir
son droit *q*.
26 Tel malveillant se courbe sous l'effet du
chagrin,
mais ses entrailles sont pleines de ruse.
27 Il cache son visage et fait le sourd,
et quand nul n'y prend garde, il l'emporte sur toi.
28 Tel ne s'abstient de pécher que par
manque de force,
et fera le mal dès qu'il en trouvera
l'occasion.
29 A son aspect on reconnaît un homme,
à l'air du visage, un homme sensé.
30 L'habillement d'un homme, son rire,
sa démarche révèlent ce qu'il est.

Savoir faire accepter des reproches

20 1 Il y a une réprimande intempestive,
et il y a un silence qui dénote l'homme
sensé.

l Quelques manuscrits grecs ajoutent: *Celui qui résiste aux plaisirs couronne sa propre vie, celui qui tient sa langue vivra en paix* ● *m* Autre traduction d'après l'ancienne version syriaque et un des principaux manuscrits grecs *Celui qui répète les paroles a perdu l'esprit* ● *n* Interroge: autre traduction *Fais des reproches à ton ami* ● *o* Quelques manuscrits grecs ajoutent: v. 18 *La crainte du Seigneur est le principe pour être bien accueilli, mais la sagesse procure son amour.* v. 19 *La connaissance des commandements du Seigneur, c'est une instruction de vie; ceux qui font ce qui lui plaît cueilleront les fruits de l'arbre d'immortalité* ● *p crainte* ou *respect — Loi*: quelques manuscrits grecs ajoutent: *et la connaissance de sa toute puissance.* v. 21 *Le serviteur qui dit à son maître: « Je ne ferai pas ce qui te plaît », même si ensuite il le fait, irrite celui qui le nourrit* ● *q* Quelques manuscrits grecs ajoutent: *et tel se montre sage en justifiant le jugement*

19.5-12 parole et silence 20.5-8, 18-23; cf. 20.1-3; Pr 13.3+. **19.7** ne répète jamais Pr 25.9-10. **19.13** interroge Dt 13.15; 17.4. **19.15** ne te fie pas à tout ce qu'on dit Qo 7.21. **19.17** mena-cer Lv 19.17. **19.20** craindre le Seigneur 1.11+. **19.21** ensuite il le fait cf. Mt 21.28-31. **19.26-28** hypocrisie 27.22-23+. **19.30** l'extérieur révèle l'homme 2 M 15.12. **20.1** réprimande intempestive cf. 22.6.

² Mieux vaut reprendre que couver sa
colère,
³ et celui qui reconnaît ses torts s'en tirera sans préjudice ʳ.
⁴ Tel un *eunuque qui brûle de déflorer
une jeune fille,
tel celui qui veut par force établir la
justice ˢ.

Savoir parler et savoir se taire

⁵ Tel se tait que l'on tient pour sage,
tel autre se rend odieux à force de
bavarder.
⁶ Tel se tait parce qu'il n'a pas de réponse,
tel autre se tait parce qu'il sait le bon
moment.
⁷ L'homme sage se tait jusqu'au bon moment,
mais le vantard et l'insensé le laissent
passer.
⁸ Qui multiplie les paroles sera détesté
et qui abuse de sa position s'attire la
haine ᵗ.

Situations paradoxales

⁹ Un homme parfois tire profit de ses
malheurs,
tandis qu'une aubaine peut tourner à
son préjudice.
¹⁰ Il y a tel don qui ne te vaudra aucun
avantage
et il y a tel don qui te revaudra le
double.
¹¹ De la gloire parfois provient l'abaissement
et tel, après l'humiliation, a relevé la
tête.
¹² Tel achète beaucoup de choses pour
peu d'argent,
mais il les paie ᵘ sept fois leur prix.
¹³ Le sage en peu de paroles sait se faire
aimer ᵛ,

mais les amabilités des sots sont pro-
diguées en vain.
¹⁴ Le don d'un insensé ne te vaudra aucun avantage ʷ,
car ses yeux attendent bien plus en retour.
¹⁵ Il donne peu et fait beaucoup d'affronts,
il ouvre grande la bouche comme un
crieur public.
Il prête aujourd'hui quelque chose et
demain le réclame :
un tel homme est odieux !
¹⁶ Le sot déclare : « Je n'ai point d'ami
et de mes bienfaits nul ne me sait gré. »
Ceux qui mangent son ˣ pain ont la
langue mauvaise.
¹⁷ Que de gens bien des fois se gaussent
de lui ʸ !

Eviter les paroles maladroites

¹⁸ Mieux vaut un faux pas sur le pavé
qu'une incartade de langage :
la chute des méchants arrive tout aussi
soudainement ᶻ.
¹⁹ L'homme sans manières est comme une
histoire hors de propos
qui se trouve continuellement dans la
bouche des imbéciles ᵃ.
²⁰ De la bouche du sot on n'accepte pas
le proverbe,
car il ne le dit jamais au bon moment.
²¹ Il y en a que l'indigence préserve du
péché,
et qui, le repos venu, n'ont aucun remords.
²² Il y en a qui perdent leur âme par respect humain,
et qui la perdent en présence d'un insensé !
²³ Il y en a qui par respect humain promettent à un ami,
et qui s'en font un ennemi pour rien.

r Ancienne version syriaque: *Il n'y a aucun profit pour celui qui reprend le méchant* (voir v. 1)
● s Autre traduction *tel celui qui, sous la contrainte, pratique la justice* ● t abuse de sa position
ou *cherche à s'imposer — haine:* quelques manuscrits grecs ajoutent: *Qu'il est beau de voir se
repentir celui que l'on reprend, car, de cette façon, tu échapperas à une faute volontaire* ● u mais il
les paie: autre traduction *un autre, au contraire les paie* ● v Traduction d'après l'hébreu ● w Quelques manuscrits grecs ajoutent: *il en va de même avec l'envieux qui donne malgré lui* ● x son:
d'après l'ancienne version latine; grec et autres versions *mon* (Dans ce cas la dernière ligne du
verset cite encore les paroles *du sot*) ● y Quelques manuscrits grecs ajoutent: *Car ce qu'il a, il ne
l'a pas reçu avec un esprit droit et le fait de ne pas avoir lui est également indifférent* ● z Ancienne
version syriaque: *Comme de l'eau versée sur un pavement, ainsi la conversation de l'impie au
milieu des justes* ● a Ancienne version syriaque: *Comme une queue de mouton qu'on ne peut
manger sans sel, ainsi une parole qui n'est pas dite au bon moment*

20.4 tel un eunuque 30.20. **20.5-8** parole et silence 19.5-12 +. **20.5** tel se tait Pr 17.28 —
odieux à force de bavarder 9.18 +. **20.6** il sait le bon moment Pr 15.23; Qo 3.7. **20.11** relevé
après l'humiliation cf. Lc 1.52. **20.15** fait des affronts 18.18; cf. Jc 1.5. **20.18-23** parole et silence
19.5-12 +. **20.20** du sot on n'accepte pas Pr 26.7, 9. **20.22** se perdre par respect humain 4.21.

Le mensonge

²⁴ C'est une tache honteuse sur un homme que le mensonge ;
il se trouve continuellement dans la bouche des imbéciles.

²⁵ Mieux vaut le voleur que celui qui ment continuellement ;
mais tous deux vont au-devant de la ruine.

²⁶ Le penchant du menteur *b* mène au déshonneur,
et sa honte est constamment sur lui.

Avantages et obligations du sage

²⁷ Il suffit de peu au sage *c* pour se pousser en avant,
et un homme sensé gagne la faveur des grands.

²⁸ Celui qui travaille la terre fait monter son tas de blé,
et celui qui a la faveur des grands obtiendra le pardon de l'injustice *d*.

²⁹ Présents et cadeaux aveuglent les yeux des sages,
et, comme une muselière sur la bouche, empêchent les reproches.

³⁰ Sagesse cachée et trésor enfoui,
à quoi servent l'un et l'autre ?

³¹ Mieux vaut l'homme qui tient cachée sa sottise,
que l'homme qui cache sa sagesse *e*.

Fuir le péché

21 ¹ Mon fils, as-tu péché ? Ne recommence plus
et demande pardon pour tes fautes passées.

² Comme devant un serpent, fuis devant le péché,

car, si tu t'en approches, il te mordra ;
ses dents sont des dents de lion
qui emportent la vie des hommes.

³ Toute transgression *f* est comme l'épée à deux tranchants,
la blessure qu'elle fait est sans remède.

⁴ Intimidation et violence dissipent une fortune ;
ainsi sera extirpée *g* la maison de l'orgueilleux.

⁵ La prière qui sort de la bouche du pauvre arrive aux oreilles de Dieu,
et, sans tarder, justice lui sera faite *h*.

⁶ Qui déteste la remontrance suit les traces du pécheur :
mais qui craint le Seigneur se repentira *i* dans son *cœur.

⁷ Le beau parleur est universellement connu,
mais l'homme réfléchi est au courant de ses bévues.

⁸ Celui qui bâtit sa maison avec l'argent d'autrui,
c'est comme s'il ramassait les pierres pour son propre tombeau *j*.

⁹ Une assemblée d'impies est comme de l'étoupe entassée,
ils finiront dans la flamme et le feu.

¹⁰ La route des pécheurs est unie et sans pierres *k*,
mais au bout se trouve le gouffre du *séjour des morts.

Portraits du sage et du sot

¹¹ Celui qui observe la *Loi reste maître de sa pensée,
et la crainte *l* du Seigneur a pour terme la sagesse.

¹² Il n'arrivera pas à être éduqué, celui qui manque d'habileté ;
mais il y a une habileté qui engendre

---

b Autre traduction *L'habitude du mensonge* ● *c Il suffit de peu au sage:* d'après l'ancienne version syriaque; grec *Celui qui est sage en paroles se pousse en avant* ou *Celui qui est sage se pousse en avant par ses paroles* ● *d* C'est-à-dire il pourra intervenir efficacement au profit de celui qui subit une injustice; autre traduction *se fait pardonner ses torts* ● *e* Un manuscrit grec ajoute: v. 32 *Mieux vaut une persévérance inébranlable dans la recherche du Seigneur, que mener sa propre vie sans maître* ● *f* Le texte sous-entend peut-être *de la Loi de Moïse* ● *g Intimidation:* le sens du mot grec correspondant est incertain — *sera extirpée:* d'après l'ancienne version latine; la plupart des manuscrits grecs *sera dévastée* ● *h et, sans tarder, justice lui sera faite:* ancienne version syriaque *et monte jusqu'au juge de l'univers* ● *i qui craint* ou *qui respecte* — *se repentira:* autre traduction *la prend à cœur* ● *j pour son propre tombeau:* autre texte *pour l'hiver* ● *k est unie et sans pierres:* autre traduction *bien pavée* ● *l la crainte* ou *le respect*

20.24 il est honteux de mentir 20.26; 41.17; Pr 12.22; 13.5. **20.25** le mensonge mène à la ruine 7.13. **20.27** avantages de la sagesse 4.11-15+ — gagne la faveur des grands 8.8. **20.29** cadeaux qui aveuglent 40.12; Pr 15.27+; 17.8; 18.16; 21.14. **20.30** sagesse cachée 41.14-15; Lc 11.33; Mt 13.52; 25.25. **21.1** demande pardon 17.25. **21.2-3** le péché, comme un serpent Gn 3.1; cf. Pr 23.32; comme un lion 1 P 5.8; cf. Jl 1.6; comme une épée cf. Ps 149.6; Pr 5.4. **21.5** Dieu écoute la prière du pauvre 4.6+. **21.6** détester la remontrance Pr 12.1 — craindre le Seigneur 1.11+ — se repentira Pr 16.6. **21.7** conscient de ses bévues cf. Pr 28.11. **21.9** assemblée d'impies 7.16+. **21.10** route des pécheurs Ps 1.1, 6; Mt 7.13-14. **21.11** craindre le Seigneur 1.11+.

beaucoup d'amertume.

13 La science du sage grossit comme un déluge *m* et son conseil est comme une source d'eau vive.

14 Le *cœur du sot est comme un vase brisé ; il ne peut rien retenir de ce qu'il apprend.

15 Si un homme instruit entend une parole sage, il l'approuve et renchérit. Le débauché l'a-t-il entendue ? Elle lui déplaît et il la rejette derrière son dos.

16 Le discours du sot est comme un fardeau sur la route ; mais sur les lèvres de l'intelligent on trouve de l'agrément.

17 Dans l'assemblée on cherche à entendre l'homme sensé, et dans le cœur on médite ses paroles.

18 Une maison délabrée, telle est la sagesse aux yeux du sot et la science de l'homme inintelligent n'est que discours incohérents *n*.

19 Comme des entraves aux pieds, telle est l'instruction pour l'imbécile, et comme des menottes à la main droite.

20 Le sot, quand il rit, le fait en élevant la voix ; l'homme avisé sourit à peine et discrètement.

21 Comme un ornement d'or, telle est l'instruction pour l'homme sensé, et comme un bracelet à son bras droit.

22 Un sot se précipite pour mettre les pieds dans la maison, mais l'homme d'expérience se présente avec modestie.

23 Dès l'entrée, l'insensé lorgne dans la maison, mais un homme bien élevé se tient audehors.

24 Ecouter aux portes est le fait d'un homme sans éducation et l'homme sensé s'estimerait chargé de honte.

25 Les lèvres des bavards répètent ce que d'autres ont dit *o*, les paroles des gens sensés sont pesées à la balance.

26 Dans la bouche des sots se trouve leur cœur, dans le cœur des sages se trouve leur bouche *p*.

27 Quand un impie maudit son adversaire *q*, c'est lui-même qu'il maudit.

28 Le médisant souille sa propre personne et, dans son entourage, il se fait détester.

Le paresseux

22 **1** Le paresseux est comparable à une pierre crottée, tout le monde le conspue pour son infamie.

2 Le paresseux est comparable à une boule d'excréments : quiconque l'a ramassée secoue sa main.

Les enfants dont on a honte

3 C'est une honte d'être le père d'un fils mal élevé, et la naissance d'une fille signifie préjudice.

4 La fille sensée héritera d'un mari, mais celle dont on a honte fait le chagrin de celui qui l'a engendrée.

5 L'insolente fait la honte du père et du mari et par l'un et l'autre elle sera méprisée.

6 Un discours intempestif est une musique en plein deuil, mais c'est sagesse d'user en tout temps de verges et de discipline *r*.

Le sot est incorrigible

9 Enseigner un sot, c'est comme recoller des tessons,

---

m Le *déluge*, habituellement image de châtiment (voir Gn 7.17-18), symbolise ici l'abondance (voir 39.22) ● *n* Ancienne version syriaque: *Pour le sot, la sagesse est comme une prison et la science comme des charbons ardents pour l'insensé* ● *o* Traduction d'après un seul manuscrit grec; le texte des autres manuscrits est obscur ● *p* Le *sot* parle avant d'avoir réfléchi; le *sage* réfléchit d'abord et ne parle qu'ensuite ● *q* *son adversaire*, c'est-à-dire l'homme pieux; autre traduction *Satan, c'est-à-dire le principal adversaire de l'homme ● *r* Quelques manuscrits grecs ajoutent: v. 7 *Des enfants qui ont de quoi se nourrir et mènent une vie honnête cachent la modeste origine de leurs parents. v. 8 Des enfants méprisants, mal élevés et pleins d'orgueil déshonorent la noblesse de leur famille*

21.13 conseil du sage comme une source Pr 13.14; 18.4; cf. Pr 20.5 — sagesse et vie Pr 4.13+. **21.14** vase qui ne retient rien Jr 2.13; cf. 17.13. **21.21** ornement d'or 6.30. **21.25** peser les paroles 28.25. **21.28** le médisant 28.14-16. **22.1** le paresseux Pr 6.6+; 6.11+; Qo 4.5. **22.3** père d'un fils mal élevé Pr 17.21; 19.26. **22.5** femme insolente Pr 12.4. **22.6** châtiments corporels 30.1+.

ou comme réveiller un dormeur d'un profond sommeil [s].

¹⁰ C'est entretenir un homme assoupi que de s'adresser à un sot :
à la fin il dira : « Qu'y a-t-il ? »

¹¹ Pleure sur un mort, car il a quitté la lumière,
pleure aussi sur un sot, il a perdu l'intelligence.
Pleure moins amèrement sur un mort, car il a trouvé le repos
tandis que la vie du sot est pire que la mort.

¹² Le deuil pour un mort dure sept jours, celui du sot et de l'impie tous les jours de leur vie.

¹³ Avec un insensé ne multiplie pas les paroles
et ne chemine pas avec l'homme inintelligent [t] ;
garde-toi de lui pour n'avoir pas d'ennuis
et n'être pas souillé quand il se secoue.
Evite-le si tu veux trouver le repos
et n'être pas dégoûté par ses insanités.

¹⁴ Quelle chose est plus pesante que le plomb ?
Quel est son nom si ce n'est : le sot ?

¹⁵ Sable, sel et bloc de fer
sont plus aisés à supporter qu'un homme inintelligent.

¹⁶ Comme une armature de bois assemblée dans une construction
ne sera point disloquée par un tremblement de terre,
ainsi un *cœur établi dans un dessein mûrement réfléchi
ne perdra pas son assurance au moment voulu.

¹⁷ Un cœur confirmé par une décision de l'intelligence
est comme un stuc [u] qui orne un mur poli.

¹⁸ Des galets déposés [v] dans un endroit surélevé
ne pourront jamais tenir face au vent ;

ainsi un cœur apeuré par de sottes pensées
ne saurait tenir devant une crainte quelconque.

Fidélité aux amis

¹⁹ Qui frappe un œil en fait jaillir les larmes,
et qui frappe le cœur en révèle les sentiments [w].

²⁰ Celui qui lance une pierre contre des oiseaux les fait fuir,
celui qui fait des reproches à son ami détruira l'amitié.

²¹ Si tu as sorti l'épée contre un ami, ne désespère pas : il y a possibilité de retour.

²² Si tu as ouvert la bouche contre un ami,
ne crains rien : une réconciliation est possible.
Mais outrage et arrogance, un secret trahi, un coup déloyal,
voilà qui fera fuir n'importe quel ami.

²³ Gagne la confiance de ton prochain tandis qu'il est pauvre,
pour que tu sois comblé avec lui dans sa prospérité.
Au temps de l'épreuve, reste-lui fidèle.
pour avoir ta part quand il héritera [x].

²⁴ Comme la vapeur de la fournaise et la fumée précèdent le feu,
ainsi, avant le sang, arrivent les insultes.

²⁵ Je n'aurai pas honte de protéger un ami
et je ne me déroberai pas devant lui ;

²⁶ et s'il m'arrive du mal à cause de lui,
tous ceux qui l'entendront se garderont de lui [y].

Prière pour éviter de pécher

²⁷ Qui placera une garde sur ma bouche
et, sur mes lèvres, le sceau de la discrétion,

s C'est-à-dire faire une chose inutile ● t et ne chemine pas avec l'homme inintelligent: ancienne version syriaque et ne chemine pas avec un porc, qui s'accorde parfaitement avec la suite du verset — Après inintelligent quelques manuscrits grecs ajoutent : car *sans s'en rendre compte il te couvrira de mépris ● u un stuc qui orne : d'après l'ancienne version syriaque; grec un ornement de sable. La solidité du stuc dépend de celle du mur qui le supporte ● v Des galets déposés: autre texte Une palissade ● w révèle les sentiments: ancienne version syriaque fait partir l'amitié (voir v. 20) ● x Quelques manuscrits grecs ajoutent: Car on ne doit pas toujours mépriser l'apparence minable, pas plus qu'admirer un riche dépourvu de sens ● y Ancienne version syriaque: Si ton ami t'a dévoilé un secret, ne le publie pas, de peur que celui qui t'entende ne se méfie de toi et ne te considère comme malfaisant

22.11 pleure sur un mort 38.16-23. 22.12 deuil de sept jours Gn 50.10; Jdt 16.24; cf. Si 38.17. 22.14 le sot est pesant 21.16; Pr 27.3. 22.22 secret trahi 8.17; 27.16-21; 42.1; Pr 11.13; 20.19; 25.9 — coup déloyal 27.25; Dt 27.24. 22.23 fidèle dans l'épreuve cf. 6.8-12; 12.9. 22.24 avant le sang, les insultes 27.15; 28.11. 22.25 se dérober à son ami 6.12. 22.27 une garde sur la bouche 28.25; Ps 141.3.

pour les empêcher de causer ma chute
et ma langue de me perdre [z] ?

23 [1] Seigneur, Père et Maître de ma
vie,
ne m'abandonne pas à leur penchant
et ne permets pas qu'elles me fassent
tomber.

[2] Qui imposera les verges à mes pensées
et, à mon *cœur, la discipline de la
sagesse,
sans les épargner dans mes égarements
ni laisser passer leurs fautes ?

[3] De peur que ne se multiplient mes erreurs
et que mes péchés ne s'accumulent ;
pour que je ne tombe pas devant mes
adversaires
et que mon ennemi ne s'en félicite.

[4] O Seigneur, Père et Dieu de ma vie,
ne me donne point l'arrogance des yeux

[5] et détourne de moi la convoitise.

[6] Que l'appétit sexuel et la luxure n'aient
pas de prise sur moi,
ne me livre pas au désir impudique !

Les serments

[7] Ecoutez, mes enfants, comment discipliner la bouche !
Celui qui observe cet enseignement ne
sera jamais pris [a].

[8] Le pécheur se laisse prendre par ses
propres lèvres [b],
le railleur et l'orgueilleux y trouvent
une occasion de chute.

[9] Que ta bouche ne s'accoutume pas au
serment
et ne te fais pas une habitude de nommer le *Saint !

[10] De même, en effet, qu'un domestique
sans cesse surveillé de près [c]
ne manquera pas de traces de coups,
ainsi celui qui jure et prononce le
*Nom en toute circonstance
ne sera jamais exempt de péché.

[11] Un homme qui jure beaucoup accumule les manquements
et le fouet ne s'éloignera pas de sa
maison.

S'il jure par mégarde, son péché retombera sur lui
et s'il le fait par légèreté, il pèche doublement.
S'il a juré en vain, il ne sera point justifié,
mais sa maison sera accablée de revers [d].

Les paroles déplacées

[12] Il y a une manière de parler comparable à la mort :
puisse-t-elle ne jamais se rencontrer
dans l'héritage de Jacob [e] !
Car les hommes pieux se tiennent à
l'écart de pareilles choses
et ils ne se vautrent point dans les
péchés.

[13] N'habitue pas ta bouche aux grossièretés malséantes,
car elles font pécher en paroles.

[14] Souviens-toi de ton père et de ta mère
quand tu sièges au milieu des grands,
de peur que tu ne t'oublies en leur
présence
et que ton habitude ne te pousse à des
insanités.
Tu voudrais alors n'être jamais né
et maudirais le jour de ta naissance.

[15] Un homme accoutumé aux discours
inconvenants
est incorrigible pour le restant de ses
jours.

Les passions

[16] Deux sortes de gens accumulent les péchés [f]
et la troisième s'attire la colère :
une passion ardente qui flambe comme
du feu
— elle ne s'éteindra pas qu'elle ne soit
consumée —,
l'homme qui livre à l'impureté la chair
de son corps,
qui n'a de cesse que le feu ne le brûle
[17] — à l'homme impudique toute pâture
est bonne.

---

[z] L'interrogation de ce verset équivaut à un souhait ● *a* ne sera jamais pris ou *ne sera jamais
trouvé coupable* ● *b* lèvres ou *paroles* ● *c surveillé de près:* autre traduction *mis à la question*
● *d* Les trois cas de serment envisagés sont: le serment fait par erreur, de bonne foi; le serment
prononcé sans s'assurer qu'il est légitime; le faux serment volontaire ● *e l'héritage de Jacob:*
le peuple d'Israël ou bien *la Palestine* ● *f Deux sortes de gens accumulent les péchés:* ancienne
version syriaque: *Je déteste deux sortes de gens*

23.4 arrogance des yeux 26.9, 11; cf. Gn 39.7; Mt 5.28. **23.7** discipliner la bouche Jc 3.1-12.
23.9 ne pas jurer souvent Mt 5.34-37; 23.16-22; Jc 5.12. **23.10** coups à un domestique 42.5;
Lc 12.47-48. **23.11** juré par mégarde cf. Lv 5.17-18; Nb 15.28 — juré par légèreté Pr 24.28 + —
juré en vain Pr 6.19+. **23.12** parole comparable à la mort Lv 24.15-16. **23.13** grossièretés
malséantes Ep 5.4. **23.14** maudire le jour de sa naissance Jr 20.14; Jb 3.3.

il ne s'en lassera pas avant qu'il ne soit mort —,

18 l'homme infidèle à sa propre couche et qui se dit en lui-même : « Qui pourrait me voir ?

Il fait sombre autour de moi, les murs me cachent,

personne ne peut me voir. Pourquoi me préoccuper ?

Le Très-Haut ne prendra point note de mes péchés. »

19 Les yeux des hommes, voilà ce qu'il redoute

et il ignore que les yeux du Seigneur sont infiniment plus lumineux que le soleil,

qu'ils observent toutes les démarches des hommes

et pénètrent les plus secrets recoins.

20 Avant d'être créées, toutes choses lui étaient connues,

et il en va de même après leur achèvement.

21 Cet homme recevra son châtiment sur les places de la ville,

et il se fera prendre où il s'y attendait le moins.

La femme adultère

22 Il en va de même pour la femme qui, délaissant son mari,

lui suscite un héritier de quelqu'un d'autre :

23 d'abord elle a désobéi à la Loi du Très-Haut ;

ensuite elle a commis une faute contre son mari ;

en troisième lieu, elle s'est prostituée dans l'adultère

et a suscité des enfants d'un autre homme.

24 Elle-même sera traînée devant l'assemblée

et l'on fera une enquête au sujet de *g* ses enfants.

25 Ses enfants ne pourront prendre racine et ses rameaux ne porteront pas de fruits.

26 Une malédiction s'attachera à sa mémoire

et son infamie jamais ne sera effacée.

27 Ceux qui restent sauront ainsi que rien ne vaut la crainte du Seigneur

et que rien n'est plus doux que d'observer ses commandements *h*.

SECTION C

Eloge de la Sagesse *i*

24 **1** La Sagesse proclame son propre éloge,

au milieu de son peuple elle se glorifie.

2 Dans l'assemblée du Très-Haut *j* elle ouvre la bouche

et devant sa Puissance elle se glorifie.

3 « Je suis sortie de la bouche du Très-Haut

et comme une vapeur j'ai recouvert la terre.

4 J'habitais dans les hauteurs du ciel

et mon trône reposait sur la colonne de nuée *k*.

5 Le cercle du ciel, je l'ai parcouru, moi seule,

et j'ai marché dans la profondeur des *abîmes.

6 Sur les vagues de la mer et sur la terre entière,

sur tous les peuples et toutes les nations s'étendait mon pouvoir.

7 Parmi eux tous j'ai cherché où reposer : en quel territoire pouvais-je m'installer ?

---

g l'on fera une enquête au sujet de: autre traduction *les conséquences retomberont sur* ● *h Ceux qui restent sauront ainsi:* ancienne version syriaque *et tous les habitants du pays reconnaîtront — commandements:* quelques manuscrits grecs ajoutent *C'est une grande gloire de suivre le Seigneur, c'est une longue vie pour toi d'être accueilli par lui* ● *i Ce chapitre est le chapitre capital du livre. Son titre est donné par les manuscrits* ● *j l'assemblée du Très-Haut:* Israël ● *k colonne de nuée:* voir Ex 13.21 et la note

23.18 l'adultère dit: qui peut me voir ? Jb 24.15; cf. *Si* 16.17+. **23.19** Dieu voit tout 15.18+; observe toutes les démarches Pr 5.21. **23.22-27** adultère Pr 6.26+. **23.25** enfants sans racines *Sg* 3.16; 4.3. **23.27** rien ne vaut la crainte de Dieu 25.11; 40.26-27 — il est doux d'observer les commandements 46.10. **24.1** éloge de la sagesse Jb 28; Pr 1.20-33; 8; 9.1-6; *Ba* 3.9—4.4. **24.2** assemblée du Très-Haut Dt 23.2-4; 1 Ch 28.8; cf. *Si* 15.5. **24.3** Dieu et la sagesse *Sg* 7.25-26+ — sortie de la bouche Pr 2.6. **24.4** où la sagesse habite 1.1 — la nuée Ex 13.21+. **24.5** le cercle du ciel Pr 8.27.

8 Alors le créateur de toutes choses m'a
     donné un ordre,
   celui qui m'a créée a fixé ma demeure.
   Il m'a dit : "En Jacob établis ta de-
     meure,
   en Israël reçois ton héritage."
9 Avant que le temps ne commence, il
     m'a créée,
   et pour les *siècles je ne cesserai pas
     d'exister.
10 Dans la *Demeure sainte j'ai officié
     en sa présence,
   et c'est ainsi qu'en *Sion je me suis
     fixée.
11 Dans la ville bien-aimée il m'a aussi
     fait reposer
   et, dans Jérusalem, j'exerce mon em-
     pire.
12 Je me suis enracinée dans un peuple
     illustre,
   dans la portion du Seigneur se trouve
     mon héritage *l*.
13 J'ai grandi comme un cèdre du Liban
   et comme un cyprès sur les hauteurs
     de l'Hermon *m*.
14 J'ai grandi comme un palmier d'Ein-
     Guèdi,
   comme des plants de laurier-rose à Jé-
     richo *n*,
   comme un bel olivier dans la plaine,
   et comme un platane j'ai grandi.
15 Comme la cannelle et le baume aroma-
     tique,
   comme la myrrhe de choix j'ai exhalé
     mon parfum,
   comme du galbanum, de l'onyx et du
     stacte *nn*,
   comme une nuée d'*encens dans la
     Demeure.
16 Comme un térébinthe j'ai déployé mes
     rameaux,
   et mes rameaux sont pleins de grâce
     et de majesté.
17 Comme une vigne j'ai produit des pous-
     ses gracieuses,
   et mes fleurs ont donné des fruits de

gloire et de richesse *o*.
19 Venez à moi, vous qui me désirez,
   et rassasiez-vous de mes fruits.
20 Car mon souvenir l'emporte en douceur
     sur le miel
   et ma possession sur le rayon de miel.
21 Ceux qui me mangent auront encore
     faim
   et ceux qui me boivent auront encore
     soif.
22 Celui qui m'écoute ne connaîtra pas la
     honte
   et ceux qui travaillent avec moi ne
     pécheront point. »

La Sagesse et la Loi

23 Tout cela, c'est le livre de l'*alliance
     du Dieu Très-Haut,
   la Loi que Moïse nous a prescrite
   pour être l'héritage des assemblées de
     Jacob *p*.
25 C'est elle qui fait déborder la sagesse
     comme le Pishôn
   et comme le Tigre *q* à la saison des
     nouveaux fruits,
26 qui inonde d'intelligence comme l'Eu-
     phrate
   et comme le Jourdain aux jours de la
     moisson,
27 qui répand à flots l'instruction comme
     le Nil *r*
   et comme le Guihôn aux jours de la
     vendange.
28 Le premier n'a jamais fini de la con-
     naître,
   tout comme le dernier *s* n'en touchera
     jamais le fond.
29 Car sa pensée est plus vaste que
     l'océan,
   et ses desseins plus profonds que le
     grand *abîme.
30 Et moi, j'étais comme un canal qui dé-
     rive d'un fleuve,
   comme un aqueduc entrant dans un
     jardin.

l mon héritage : traduction conjecturale; grec *son héritage* ● *m* Liban, Hermon: montagnes de
Phénicie, au nord de la Palestine ● *n* Ein-Guèdi: oasis sur la rive ouest de la mer Morte — Jéricho:
voir la note sur Jos 2.1 ● *nn* plantes aromatiques Cf. Ex 30.23,34 (grec) ● *o* Quelques manuscrits
grecs ajoutent: v. 18 *Moi, je suis la mère du bel amour, de la crainte, de la science et de la sainte
espérance. Moi, qui demeure toujours, je suis donnée à tous mes enfants, ceux qui sont choisis par
Lui* ● *p* Quelques manuscrits grecs ajoutent: v. 24 *Ne cessez pas de vous fortifier, attachez-vous à
lui afin qu'il vous affermisse. Le Seigneur tout-puissant est le Dieu unique et, en dehors de lui, il n'y
a pas de sauveur* ● *q* Pishôn, Tigre (v. 25), Euphrate (v. 26), Guihôn (v. 27): voir Gn 2.11-14 et les
notes ● *r comme le Nil:* d'après l'ancienne version syriaque; grec *comme la lumière* ● *s Le premier... le dernier:* c'est-à-dire tout le monde

24.8 le créateur de toutes choses 18.1+. 24.9 avant le temps Pr 8.22-23; Jn 17.5 — le commen-
cement du temps Gn 1.1. 24.12-22 qualités de la sagesse Pr 8.11+. 24.12 Israël, portion du
Seigneur 17.17; Dt 7.6+. 24.14 Ein-Guèdi Jos 15.62; 2 Ch 20.2. 24.19-22 appel de la sagesse
Pr 1.20+. 24.20 la sagesse comme du miel Ps 119.103. 24.23 le livre de l'alliance Ex 24.7;
Ba 4.1 — Moïse prescrit la Loi Dt 33.4. 24.24 le Dieu unique Dt 6.4+. 24.29 ampleur très
vaste de la Loi Ps 119.96.

³¹ Je me suis dit : « Je vais arroser mon jardin,
je vais inonder mon parterre. »
Et voici que mon canal est devenu un fleuve
et que mon fleuve est devenu une mer.
³² Je vais encore faire briller l'instruction comme l'aurore,
et au loin diffuser sa lumière.
³³ Je vais encore répandre l'enseignement comme une prophétie
et le léguer aux générations futures.
³⁴ Voyez, ce n'est pas pour moi seul que j'ai peiné,
mais pour tous ceux qui cherchent la sagesse.

Le bon et le mauvais mari

25 ¹ Il est trois choses que mon âme désire passionnément
et qui sont belles *t* aux yeux du Seigneur et des hommes ;
la concorde entre frères, l'amitié entre voisins,
une femme et un homme en parfait accord.
² Il y a trois sortes de gens que mon âme déteste,
dont le comportement m'irrite infiniment :
le pauvre arrogant, le riche menteur,
le vieillard adultère dénué d'intelligence.
³ Si tu n'as rien amassé pendant ta jeunesse,
comment dans ta vieillesse pourrais-tu trouver quelque chose ?
⁴ Comme le jugement convient aux cheveux blancs,
et aux anciens de savoir donner un conseil !
⁵ Comme la sagesse convient aux vieillards
et aux gens honorés la réflexion et le conseil !
⁶ La couronne des vieillards est une

grande expérience
et leur fierté la crainte du Seigneur.
⁷ Il y a neuf choses qu'en moi-même j'estime heureuses,
et ma langue peut en nommer une dixième :
un homme qui peut trouver sa joie dans ses enfants,
celui qui peut voir de son vivant la chute de ses ennemis.
⁸ Heureux celui qui vit avec une femme intelligente *u*,
celui que sa langue n'a jamais fait tomber
et celui qui n'a pas servi un maître indigne de lui.
⁹ Heureux celui qui a trouvé la prudence *v*
et celui qui peut tenir un discours à des oreilles attentives.
¹⁰ Qu'il est grand celui qui a trouvé la sagesse !
Mais nul ne surpasse celui qui craint *w* le Seigneur.
¹¹ La crainte du Seigneur surpasse toute chose :
celui qui la possède, à qui peut-on le comparer ? *x*

La femme mauvaise

¹³ N'importe quelle blessure, sauf une blessure du cœur,
n'importe quelle méchanceté, sauf la méchanceté d'une femme !
¹⁴ N'importe quelle affliction, sauf l'affliction causée par la haine,
n'importe quelle vengeance, sauf la vengeance des ennemis !
¹⁵ Il n'est pire venin que venin de serpent,
ni colère pire qu'une colère de femme *y*.
¹⁶ J'aimerais mieux habiter avec un lion ou un dragon
que d'habiter avec une femme mauvaise.
¹⁷ La méchanceté d'une femme transforme

t que mon âme désire passionnément et qui sont belles: d'après les anciennes versions syriaque et latine; grec *dont je me pare, et je me présente belle* ● *u* L'hébreu et le syriaque ajoutent ici *celui qui ne laboure pas avec un bœuf et un âne* (voir Lv 19.19), image d'un couple mal assorti, qui complète le nombre des dix béatitudes annoncées (v. 7) ● *v la prudence*: autres textes: ancienne version syriaque *un ami*, ancienne version latine *un ami véritable* ● *w craint* ou *respecte* ● *x* Quelques manuscrits grecs ajoutent: v. 12 *La crainte du Seigneur est le commencement de son amour, mais c'est par la foi qu'on commence à s'attacher à lui* ● *y venin*: d'après l'ancienne version syriaque; grec *tête*; les deux mots [s'écrivent de la même manière en hébreu — *une colère de femme*: autre texte *la colère d'un ennemi*

24.31 canal devenu fleuve Ez 47.1-5; cf. Jn 7.38. **24.34** j'ai peiné pour ceux qui cherchent 33.18. **25.5** la sagesse convient aux vieillards *Sg* 4.8-9. **25.6** fierté 9.16+ — craindre le Seigneur 1.11+. **25.7-11** heureux Ps 1.1+ ; 112.1+. **25.8** femme intelligente Pr 19.14 — sa langue ne pèche pas 14.1. **25.11** la crainte de Dieu surpasse tout 23.27. **25.13-26** la femme mauvaise 26.5-12, 22-27; Pr 19.13+. **25.16** habiter avec une femme mauvaise Pr 21.9, 19; 25.24.

son aspect.
et son visage assombri lui donne l'air d'un ours *z*.

¹⁸ Son mari prend place *a* au milieu de ses voisins
et, malgré lui, gémit amèrement.

¹⁹ Toute malice est peu de chose près de la malice d'une femme ;
que le sort du pécheur lui échoie *b* !

²⁰ Une montée de sable sous les pieds d'un vieil homme,
telle est la femme bavarde pour un homme tranquille.

²¹ Ne te laisse pas entraîner par la beauté d'une femme
et garde-toi de convoiter une femme *c*,

²² Qu'il s'attende à des éclats, des insolences et une grande honte,
le mari que sa femme entretient.

²³ Cœur abattu, visage renfrogné
et plaie du cœur, voilà l'œuvre d'une femme méchante.
Mains inertes et genoux paralysés,
voilà l'œuvre de celle qui ne rend pas heureux son mari.

²⁴ La femme est à l'origine du péché
et c'est à cause d'elle que tous nous mourons.

²⁵ Ne laisse pas l'eau s'échapper,
ne laisse pas non plus à une femme méchante la liberté de parole.

²⁶ Si elle ne marche pas au doigt et à l'œil *d*,
sépare-toi d'elle et renvoie-la.

Bonheur de l'homme bien marié

26 ¹ Femme bonne fait un mari heureux
et double le nombre de ses jours.

² Femme vaillante fait la joie de son mari
qui passera dans la paix toutes ses années.

³ Femme bonne signifie un bon lot ;
c'est la part accordée à ceux qui craignent *e* le Seigneur.

⁴ Pauvres ou riches, ils ont le cœur content
et, en toute occasion, le visage joyeux.

La femme mauvaise

⁵ Il y a trois choses que mon cœur appréhende
et, la quatrième, je crains de l'affronter :
racontars de la ville, attroupement de foule
et calomnie, toutes choses plus affreuses que la mort ;

⁶ mais c'est un crève-cœur et une affliction qu'une femme jalouse d'une rivale,
et le fléau de la langue participe de tout cela *f*.

⁷ Une femme méchante, c'est un *joug *g* de bœufs qui balotte ;
vouloir la prendre en main, c'est comme se saisir d'un scorpion.

⁸ Une femme qui s'enivre est un sujet de grande indignation,
elle ne pourra tenir cachée son ignominie *h*.

⁹ L'inconduite d'une femme se lit dans ses regards effrontés
et on la reconnaît à ses paupières *i*.

¹⁰ Autour d'une fille *j* sans retenue, monte une garde renforcée ;
qu'elle découvre une occasion, elle en tire profit.

¹¹ Sur son regard impudent, exerce une surveillance *k*,
et ne t'étonne point si elle faute à tes dépens.

¹² Comme le voyageur assoiffé ouvre la bouche
et boit la première eau qu'il trouve,
elle s'offre à toutes les étreintes
et à toutes les flèches ouvre son carquois.

---

z Hébreu *La méchanceté d'une femme assombrit l'aspect de son mari et lui rend la figure aussi noire qu'un ours* ● *a prend place*: on peut sous-entendre *à table*; le texte signifie alors que le mari va manger ailleurs ● *b que le sort du pécheur lui échoie*: autre traduction *que le sort fasse qu'elle appartienne à un pécheur* (qui la maltraitera, ou bien en punition des péchés qu'il a commis) ● *c Ne te laisse pas entraîner*: autre traduction *Ne t'expose pas à tomber — convoiter une femme*: hébreu *ne tombe pas* (à cause de la beauté d'une femme) *et ne convoite pas ce qui lui appartient* ● *d marche au doigt et à l'œil* ou *se soumet à ton autorité* ● *e craignent* ou *respectent* ● *f le fléau de la langue participe de tout cela*: traduction incertaine d'un texte peu clair ● *g Le joug qui balotte* blesse le cou de l'animal ● *h son ignominie*, c'est-à-dire soit son *déshonneur*, soit plutôt *sa nudité* (voir Ez 16.8) ● *i Soit ses paupières fardées* (voir Jr 4.30; Ez 23.40), soit ses clins d'œil (voir Pr 6.25) ● *j fille* ou *femme* ● *k* Autre traduction *Garde-toi de suivre un regard impudent*

25.23 ne rend pas heureux cf. Pr 31. 11-12.   **25.24** à l'origine du péché Gn 3.1-6; 1 Tm 2.14 — à cause d'elle nous mourons Gn 3.19, 22.   **26.1-4** femme et bonheur 26.13-18; 36.26-31; Pr 18.22+.   **26.5** trois... quatre Pr 30.15+.   **26.9** regards effrontés 23.4+.   **26.10** fille sans retenue 42.11.

Louange de l'épouse parfaite

¹³ Le charme d'une femme fait la joie du mari
et de son savoir-faire assure son bien-être.

¹⁴ Une femme qui parle peu est un don du Seigneur,
et rien ne vaut une personne bien éduquée.

¹⁵ C'est la grâce des grâces qu'une femme pudique
et rien qu'on ne puisse estimer davantage qu'une personne chaste.

¹⁶ Semblable au soleil qui s'élève dans les hauteurs du ciel
est la beauté d'une femme parfaite dans sa maison bien tenue.

¹⁷ Comme une lampe qui brille sur le chandelier sacré *l*,
tel apparaît un beau visage sur un corps bien planté.

¹⁸ Des colonnes d'or sur une base d'argent,
ainsi de belles jambes sur des talons solides *m*.

Maximes diverses

²⁸ Il y a deux choses qui affligent mon cœur
et une troisième qui me met en colère :
un soldat *n* dans le besoin à cause de sa pauvreté,
des hommes intelligents qu'on rejette avec mépris,
celui qui délaisse la justice pour le péché :
le Seigneur le destine à périr par l'épée.

²⁹ Difficilement le marchand évitera les fautes,
et le commerçant ne restera pas exempt de péché.

27 ¹ Beaucoup ont péché par amour du gain,
et celui qui cherche à s'enrichir détourne son regard *o*.

² Comme un piquet s'enfonce dans la jointure des pierres,
entre vente et achat s'intercale *p* le péché.

³ Si quelqu'un ne s'attache pas fermement à la crainte *q* du Seigneur,
bien vite sa maison tombera en ruine.

⁴ Quand on secoue le crible, les déchets demeurent,
de même les tares d'un homme quand il discute.

⁵ Comme le four éprouve les vases du potier,
ainsi l'épreuve de l'homme est dans son raisonnement.

⁶ Le fruit de l'arbre révèle comment on l'a cultivé,
de même la discussion les pensées du *cœur de l'homme.

⁷ Ne loue personne avant de l'avoir entendu parler,
c'est là en effet que s'éprouvent les hommes.

La justice

⁸ Si tu poursuis la justice, tu l'atteindras
et tu t'en revêtiras comme d'un manteau glorieux.

⁹ Les oiseaux de même espèce vont nicher ensemble,
ainsi la vérité revient vers ceux qui la pratiquent.

¹⁰ Le lion est à l'affût de sa proie,
ainsi le péché guette ceux qui pratiquent l'injustice.

¹¹ Le discours de l'homme pieux est toujours sage,

---

l chandelier sacré : allusion au chandelier d'or du Temple de Jérusalem ● *m* Quelques manuscrits grecs et l'ancienne version syriaque ajoutent les v. 19-27 — 19 *Mon fils, garde ta santé dans la fleur de ton âge et ne livre pas ta force à des étrangers. 20 Après avoir cherché dans toute la plaine un lot de bonne terre, sème ta propre semence et fais confiance à ta noble origine. 21 Ainsi les rejetons que tu laisseras après toi pourront être fiers d'afficher leur noblesse. 22 Une femme qu'on paie sera estimée comme un crachat, une femme mariée comme une tour qui tue celui qui la fréquente. 23 Une femme impie sera donnée en partage au pécheur, une femme pieuse à celui qui craint le Seigneur. 24 Une femme éhontée passe sa vie dans le déshonneur, mais une femme pudique est réservée, même avec son mari. 25 Une femme effrontée sera estimée comme un chien, mais celle qui a de la pudeur craindra le Seigneur. 26 Femme qui honore son mari paraîtra sage aux yeux de tous, mais celle qui le déshonore sera reconnue de tous comme orgueilleuse et impie. Heureux le mari d'une femme bonne : le nombre de ses jours sera doublé. 27 Une femme criarde et bavarde est comme une trompette qui fait fuir l'ennemi. L'âme de son mari passera sa vie dans les fracas de la guerre* ● *n soldat* ou, d'après l'ancienne version syriaque, *homme riche* qui convient mieux. Les deux traductions correspondent à l'expression hébraïque « homme fort » ● *o détourne son regard :* sous-entendu *de ce qui est honnête et juste* ● *p* Traduction conjecturale d'après l'ancienne version latine ● *q à la crainte* ou *au respect*

26.13-18 femme et bonheur 26.1-4+. **26.17** chandelier sacré *l* M 1.21 ; 4.49-50. **26.20-27** choisir sa femme 36.26-31. **27.6** le fruit de l'arbre Mt 7.16-20 par. ; 12.33-37 par. **27.10** le péché comme un lion 21.2+.

tandis que l'insensé change comme la lune.

12 Au milieu de gens inintelligents, mesure ton temps,
par contre attarde-toi dans la compagnie des gens réfléchis.

13 Les discours des sots provoquent l'agacement
et leur rire est une débauche coupable.

14 Le langage de celui qui jure sans cesse fait dresser les cheveux,
ses querelles obligent à se boucher les oreilles.

15 Querelle d'orgueilleux amène l'effusion du sang
et leurs invectives sont pénibles à entendre.

Les secrets

16 Qui dévoile des secrets ruine la confiance
et ne pourra plus trouver d'ami selon son cœur.

17 Aime ton ami et reste-lui fidèle ;
mais si tu as dévoilé ses secrets ne cours plus après lui.

18 Aussi bien, comme l'homme qui a perdu l'un des siens qui est mort *r*,
ainsi as-tu perdu l'amitié de ton prochain.

19 Comme un oiseau que tu laisserais échapper de ta main,
ainsi as-tu laissé partir ton prochain, tu ne le rattraperas plus.

20 Ne le poursuis pas, car il est déjà trop loin ;
comme une gazelle, il s'est échappé du piège.

21 On peut bander une blessure, après des injures se réconcilier ;
mais aucun espoir pour qui a dévoilé des secrets.

L'hypocrisie

22 Celui qui cligne de l'œil combine de mauvais coups ;
mais qui le connaît s'en tient à l'écart *s*.

23 Sous tes yeux sa bouche est tout miel et il s'extasiera devant tes paroles ;
mais par derrière il change de langage et fait de tes paroles un objet de scandale *t*.

24 Il y a beaucoup de choses que je déteste et lui par-dessus tout.
Le Seigneur aussi l'aura en aversion *u*.

25 Qui lance une pierre en l'air la lance sur sa tête ;
et un coup perfide entraîne des blessures en retour.

26 Qui creuse une fosse y tombera, qui tend un piège y sera attrapé.

27 Le mal qu'un homme fait se retourne contre lui,
sans même qu'il sache d'où cela lui arrive.

28 Le sarcasme et l'insulte sont le fait de l'orgueilleux,
mais la vengeance l'attend comme un lion aux aguets.

29 Ils seront pris au piège ceux qui se réjouissent de la chute des hommes pieux,
la souffrance les consumera avant qu'ils ne meurent.

Rancune et pardon

30 Rancune et colère sont aussi des choses détestables,
où l'homme pécheur est passé maître.

28 1 Celui qui se venge éprouvera la vengeance du Seigneur
qui de ses péchés tiendra un compte rigoureux.

2 Pardonne à ton prochain l'injustice commise ;
alors, quand tu prieras, tes péchés seront remis.

3 Si un homme nourrit de la colère contre un autre homme,
comment peut-il demander au Seigneur la guérison *v* ?

4 Il n'a nulle pitié pour un homme, son semblable ;
comment peut-il prier pour ses propres péchés ?

---

r a perdu l'un des siens qui est mort: autre traduction *a perdu celui qu'il a tué*. Autre texte grec *a provoqué la perte de son ennemi* ● *s qui le connaît s'en tient à l'écart*; autre texte *personne ne pourra l'en détourner* ● *t fait de tes paroles un objet de scandale*: autres traductions *il se sert de tes paroles pour te tendre un piège*, ou *sur tes paroles il jette le discrédit* ● *u* L'ancienne version syriaque ajoute *et le maudira* ● *v* Il s'agit de la *guérison* spirituelle par le pardon des péchés (voir v. 5)

27.13 le rire des sots Qo 7.3-6. **27.15** une querelle fait couler le sang 22.24+. **27.16** les secrets 22.22+. **27.22-23** hypocrisie 1.29; 19.26-28; Pr 26.24-25+. **27.22** clin d'œil Ps 35.19+. **27.23** sa bouche est tout miel 12.16+. **27.25-27** coup en retour Ps 57.7+; Pr 26.27+; Qo 10.8. **27.25** coup perfide 22.22+. **27.30—28.7** rancune 10.6; Lv 19.18+; Mt 5.23-24;+ 6.12-15; 18.21-35; Lc 6.37; Col 3.13.

⁵ Si lui qui n'est que chair *w* entretient
  sa rancune,
  qui lui obtiendra le pardon de ses
  propres péchés ?
⁶ Songe à la fin qui t'attend, et cesse de
  haïr,
  à la corruption et à la mort, et observe
  les commandements.
⁷ Souviens-toi des commandements, et ne
  garde pas rancune à ton prochain,
  de l'*alliance du Très-Haut, et passe
  par-dessus l'offense.

Les querelles

⁸ Reste à l'écart des querelles, tu commettras moins de péchés ;
  car un homme emporté échauffe la
  querelle.
⁹ Le pécheur sème le trouble entre amis,
  et jette la discorde où l'entente régnait.
¹⁰ Un feu continue à brûler selon qu'on
  l'alimente,
  et une querelle s'envenime quand on
  s'y entête.
  Un homme s'emporte en proportion de
  sa force,
  et sa colère montera en raison de sa
  fortune.
¹¹ Un litige inopiné allume le feu
  et une querelle soudaine fait couler le
  sang.
¹² Souffle sur une étincelle, elle s'enflamme,
  mais crache dessus, elle s'éteint ;
  l'un et l'autre résultat provient de ta
  bouche.

Les mauvaises langues

¹³ Maudit soit le chuchoteur et le fourbe !
  Il a perdu bien des gens vivant en
  bonne entente.
¹⁴ Les racontars d'un tiers en ont ébranlé
  beaucoup,
  les ont chassés de nation en nation ;
  ils ont démoli des villes fortes
  et abattu les maisons des grands.
¹⁵ Les racontars d'un tiers ont fait répudier des femmes courageuses,
  les privant du fruit de leur labeur.

¹⁶ Celui qui y prête attention ne trouvera
  plus de repos,
  il ne pourra plus demeurer dans la
  tranquillité.
¹⁷ Un coup de fouet laisse une meurtrissure,
  mais un coup de langue brise les os.
¹⁸ Beaucoup sont tombés sous le tranchant de l'épée,
  mais moins que ceux qui sont tombés
  à cause de la langue.
¹⁹ Heureux celui qui est à l'abri de ses
  atteintes,
  celui qui n'a pas été exposé à sa fureur,
  celui qui n'a pas traîné son *joug
  et qui n'a pas été attaché par ses liens.
²⁰ Car son joug est un joug de fer
  et ses chaînes des chaînes d'airain.
²¹ La mort qu'elle inflige est une mort
  affreuse
  et le royaume des ombres *x* lui est
  préférable.
²² Elle n'aura pas d'emprise sur les
  hommes pieux
  et ils ne seront pas brûlés dans ses
  flammes.
²³ Ceux qui abandonnent le Seigneur
  tomberont sous ses coups ;
  parmi eux *y* elle s'allumera sans plus
  jamais s'éteindre.
  Contre eux elle sera lancée comme un
  lion
  et, comme une panthère, elle les
  déchirera.
²⁴ᵃ Vois, tu entoures ton domaine d'une
  haie d'épines :
²⁵ᵇ fais aussi à ta bouche une porte et un
  verrou *z*.
²⁴ᵇ Tu serres soigneusement ton argent
  et ton or :
²⁵ᵃ fais aussi une balance et des poids
  pour tes paroles.
²⁶ Prends garde que ta langue ne te fasse
  trébucher,
  si tu ne veux pas tomber aux mains de
  celui qui te guette.

Le prêt

29 ¹ Qui prête *a* à son prochain fait
œuvre de miséricorde,

---

w il n'est que chair: voir Gn 6.3 et la note ● *x le royaume des ombres* ou *le *séjour des morts*
nous ● *y parmi eux:* autre traduction *en eux* ● *z* Beaucoup de traducteurs déplacent comme nous
cette ligne ● *a* Il s'agit ici de l'obligation de *prêter* imposée par la Loi (Ex 22.24; Lv 25.35-36;
Dt 15.7-11)

28.6 songe à ta fin 7.36+. **28.8** un homme emporté Pr 15.18. **28.10** la querelle est un feu
Pr 26.20-21. **28.11** la querelle fait couler le sang 22.24+. **28.13-26** méfaits de la langue
51.2; Jc 3.1-12. **28.13** la bonne entente perdue Pr 16.28. **28.14-15** racontars cf. 21.28.
28.17 brise les os Pr 25.15. **28.19** à l'abri des coups de langue Ps 31.21. **28.25** une fermeture
à la bouche 22.27+; Pr 13.3; 21.23 — peser les paroles 21.25. **29.1** le prêt, œuvre de miséricorde
Ps 37.21, 26.

et qui lui vient en aide observe les commandements.

2 Prête à ton prochain quand il se trouve dans le besoin,
et restitue aussi à ton prochain en temps voulu.

3 Maintiens ta parole et sois loyal avec lui,
et, à tout moment, tu trouveras ce dont tu as besoin.

4 Beaucoup considèrent un prêt comme une bonne fortune *b*
et mettent en difficulté ceux qui les ont secourus.

5 Avant d'avoir reçu, on baise la main des gens,
on parle d'un ton modeste des richesses du prochain.
Mais, au moment de rendre, on traîne en longueur,
on s'acquitte en formules de regret et on accuse les circonstances *c*.

6 Si l'on arrive à payer, à peine le prêteur touchera-t-il la moitié,
et il l'estimera comme une chance *d*.
Sinon, on l'a dépouillé de son avoir et il s'est acquis un ennemi pour rien,
lequel le remboursera en malédictions et en injures
et le paiera de mépris au lieu de considération.

7 Beaucoup, sans méchanceté, se refusent *e* à prêter,
par crainte de se voir dépouiller pour rien.

L'aumône

8 Cependant, avec le pauvre, use de patience
et ne le laisse pas languir après ton aumône.

9 A cause du commandement, viens en aide à l'indigent
et, dans le besoin où il est, ne le renvoie pas les mains vides.

10 Sois prêt à perdre de l'argent pour un frère ou un ami,
plutôt que de le perdre en le laissant rouiller sous une pierre.

11 Dispose de ton trésor selon les préceptes du Très-Haut *f* :
ainsi te sera-t-il plus profitable que l'or.

12 Enferme tes aumônes dans tes greniers ;
ce sont elles qui te délivreront de tout malheur.

13 Mieux qu'un bouclier solide, mieux qu'une lance pesante,
en face de l'ennemi, elles combattront pour toi.

Le cautionnement

14 L'homme de bien se porte caution *g* pour son prochain,
mais celui qui a perdu toute vergogne l'abandonne.

15 N'oublie pas les bienfaits de ton garant :
aussi bien il s'est exposé en personne pour toi.

16 Le pécheur dilapide les biens de son garant

17 et l'ingrat de nature *h* abandonne celui qui l'a sauvé.

18 Une caution a perdu bien des gens prospères *i*
et les a désemparés comme les vagues de la mer.
Elle a contraint des gens puissants à s'expatrier
et les a fait errer parmi des nations étrangères.

19 Quand un pécheur se précipite pour cautionner,
s'il escompte un profit, il va au-devant de poursuites *j*.

20 Viens en aide *k* au prochain dans la mesure de tes moyens,
mais prends garde à ne pas te laisser prendre.

Ne pas dépendre des autres

21 Les premiers besoins de la vie sont l'eau, le pain, le vêtement,
et une maison pour protéger son intimité.

---

b comme une bonne fortune ou *comme un objet trouvé*, qu'on n'est pas obligé de rendre ● *c on parle d'un ton modeste :* ancienne version syriaque *on élève la voix*, soit pour réclamer le prêt, soit pour promettre de rendre — *on accuse les circonstances :* autre traduction *on se plaint d'un délai trop court ;* ancienne version syriaque *on restitue après un long délai* ● *d comme une chance* ou *comme un objet trouvé* ● *e Beaucoup, sans méchanceté, se refusent :* autre texte *A cause d'une telle malice, beaucoup se refusent* ● *f Dispose... Très-Haut :* ancienne version syriaque *Mets de côté pour toi un trésor de bienveillance et d'amour* (voir Lc 12.33 ; 16.9) ● *g caution :* voir la note sur Pr 6.1 ● *h l'ingrat de nature* ou *le cœur ingrat* ● *i des gens prospères :* autre traduction *des gens honnêtes* ● *j poursuites :* sous-entendu *judiciaires* ● *k viens en aide :* ancienne version syriaque *donne en gage*

29.8 l'aumône 3.30+. 29.10 argent qui rouille Jc 5.3 ; cf. Mt 6.19-20. 29.12 aumônes qui délivrent cf. Lc 16.9. 29.14 caution 8.13+. 29.21 premiers besoins 39.26.

²² Mieux vaut une existence de pauvre à
l'abri de son propre toit,
qu'une brillante chère dans la maison
d'autrui.

²³ Que tu aies peu ou beaucoup, sois
satisfait,
et tu n'entendras pas le reproche d'être
un étranger *l*.

²⁴ C'est une vie misérable que d'aller de
maison en maison,
et de ne pouvoir ouvrir la bouche
parce que tu es étranger.

²⁵ Tu donnes à manger et à boire sans
qu'on t'en sache gré *m*,
et là-dessus il te faut encore entendre
des paroles amères :

²⁶ « Viens ici, étranger, prépare la table,
si tu as quelque chose, donne-moi à
manger. »

²⁷ — « Va-t'en, étranger, fais place à plus
digne !
Mon frère vient séjourner chez moi,
j'ai besoin de la maison. »

²⁸ Ce sont choses pénibles pour un
homme lucide
que le grief d'être étranger et les
outrages d'un créancier.

L'éducation

30 ¹ Celui qui aime son fils lui donne
souvent le fouet,
afin de pouvoir finalement *n* trouver sa
joie en lui.

² Celui qui élève bien son fils en tirera
satisfaction,
parmi ses connaissances, il sera fier de
lui.

³ Celui qui instruit son fils rendra jaloux
son ennemi,
et, devant ses amis, il sera radieux à
son sujet.

⁴ Si le père succombe, c'est comme s'il
n'était pas mort,
car il laisse après lui quelqu'un qui lui
ressemble.

⁵ Durant sa vie il s'est réjoui à le voir
et, au moment de mourir, il n'a pas
eu de regrets.

⁶ Il laisse quelqu'un qui le vengera de ses
ennemis,
et rendra aux amis la reconnaissance
qu'il leur doit.

⁷ Celui qui gâte son fils devra panser ses
blessures *o*,
et, au moindre cri, ses entrailles seront
bouleversées.

⁸ Un cheval indompté devient intraitable,
et un fils laissé à lui-même devient
impossible.

⁹ Cajole un enfant, et il te causera des
surprises *p*,
joue avec lui, et il te contristera.

¹⁰ Ne ris pas avec lui pour n'avoir pas à
souffrir avec lui ;
tu finiras par t'en mordre les doigts.

¹¹ Ne lui laisse pas de liberté pendant
sa jeunesse *q*.

¹² Meurtris ses reins tant qu'il est enfant ;
sinon, devenu rétif, il ne t'obéira plus *r*.

¹³ Eduque ton fils et travaille à le former
pour n'avoir pas à subir l'affront d'une
conduite honteuse *s*.

La santé

¹⁴ Mieux vaut un pauvre en bonne santé
et de robuste constitution
qu'un riche dont le cœur est atteint.

¹⁵ Une robuste santé vaut mieux que tout
l'or du monde,
un esprit vigoureux mieux qu'une
immense fortune *t*.

¹⁶ Nulle richesse n'est comparable à la
santé du corps
et nul bonheur qui vaille la joie du
cœur.

¹⁷ Mieux vaut la mort qu'une vie de
misère
et le repos éternel qu'une maladie
tenace.

¹⁸ De bonnes choses déversées devant une
bouche close

---

l Invitation à rester chez soi, dans sa condition plus ou moins prospère ● *m sans qu'on t'en sache gré:* autre traduction *et tu en as des désagréments;* ancienne version syriaque *tu es étranger et tu dois boire l'outrage* (voir Pr 26.6) ● *n finalement* ou *dans les derniers temps de sa vie* ● *o* Le texte ne précise pas si les *blessures* sont celles du père ou de son fils ● *p surprises:* sous-entendu *mauvaises* ● *q* Quelques manuscrits grecs ajoutent: *et ne ferme pas les yeux sur ses fautes* v. 12. *Fais-lui ployer la nuque durant sa jeunesse* ● *r* Quelques manuscrits grecs ajoutent: *et il te causera bien des tourments* ● *s d'une conduite honteuse:* autre traduction *de son déshonneur* — Hébreu *Corrige ton fils et appesantis son *joug, de peur que, dans sa sottise, il ne se dresse contre toi* ● *t esprit:* d'après le texte hébreu; grec *corps* — Hébreu *Je préfère à l'or une bonne santé et aux perles un esprit heureux*

29.24 être étranger Pr 27.8.   **29.27** fais place à plus digne Lc 14.8-9.   **30.1** châtiments corporels 22.6; 30.12; 42.5; Pr 13.24+; 22.15.   **30.2** satisfaction Pr 23.15-16, 24-25.   **30.4** quelqu'un qui lui ressemble Tb 9.6.   **30.12** fais ployer la nuque 7.23+.   **30.13** éduque 7.23.   **30.18** offrandes sur une tombe Lt-Jr 26.

sont comme des offrandes de nourriture
    posées sur une tombe *u*.

¹⁹ Que sert à l'idole l'oblation qu'on lui
    fait,
    puisqu'elle ne peut ni manger ni sentir ?
    Ainsi en va-t-il de celui que le Seigneur
    tourmente *v* :

²⁰ il regarde de ses yeux et soupire,
    comme soupire l'*eunuque qui enlace
    une vierge *w*.

La joie

²¹ N'abandonne pas ton âme au chagrin
    et ne te tourmente pas toi-même déli-
    bérément *x*.

²² Un cœur joyeux maintient un homme
    en vie
    et la gaîté prolonge la durée de ses
    jours.

²³ Divertis *y* ton âme, réconforte ton cœur
    et chasse loin de toi la tristesse ;
    car la tristesse a causé la perte de
    beaucoup
    et l'on ne gagne rien à s'y abandonner.

²⁴ Jalousie et colère font les jours moins
    nombreux,
    et le souci entraîne une vieillesse pré-
    maturée *z*.

²⁵ Un cœur réjoui favorise le bon appétit,
    à ses aliments il fait grande attention *a*.

Les pièges de la richesse

31(=34) ¹ L'insomnie que cause la
    richesse finit par décharner
    quelqu'un,
    le souci qu'elle apporte éloigne le
    sommeil *b*.

² Les soucis du temps de veille empê-
    chent même de s'assoupir,
    comme une grave maladie écarte le
    sommeil.

³ Le riche s'échine à amasser une for-
    tune,
    et, s'il se repose, c'est pour se rassasier
    de plaisirs.

⁴ Le pauvre s'échine pour vivre chiche-
    ment,
    et, s'il se repose, il tombe dans le
    besoin.

⁵ Celui qui aime l'or ne saurait rester
    juste
    et celui qui poursuit le gain se laissera
    fourvoyer par lui.

⁶ Beaucoup ont été livrés à la ruine à
    cause de l'or
    et leur perte est arrivée sur eux *c*.

⁷ C'est un piège pour ceux qui en sont
    entichés *d*
    et tous les insensés s'y laissent attraper.

⁸ Heureux l'homme riche qu'on trouve
    irréprochable
    et qui n'a pas couru après l'or.

⁹ Qui est-il, que nous le félicitions ?
    Car il s'est comporté de remarquable
    façon parmi son peuple *e*.

¹⁰ Qui a subi cette épreuve et s'en est bien
    tiré ?
    Il a bien lieu d'en être fier.
    Qui a pu commettre une transgression
    et ne l'a pas commise,
    faire le mal et ne l'a pas fait ?

¹¹ Alors il sera confirmé dans sa pros-
    périté,
    et l'assemblée énumérera ses bienfaits.

Les banquets

¹² Si tu te trouves assis à une grande table,
    ne va pas t'exclamer, la bouche ouverte
    devant elle :
    « Qu'elle est bien garnie ! »

¹³ Souviens-toi, c'est un vice que d'avoir
    l'œil avide,

---

u une bouche close: celle du malade sans appétit — *sont comme des offrandes...*: hébreu *est comme une offrande placée devant une idole* (voir *Dn* 14.1-22) ● *v Ainsi... tourmente* (allusion à la maladie): hébreu *Ainsi celui qui a de la fortune et ne peut en profiter* ● *w* L'hébreu et beaucoup de manuscrits grecs ajoutent: *ainsi celui qui veut par force établir la justice;* autre traduction *ainsi celui qui, sous la contrainte, pratique la justice* ● *x délibérément*: autre traduction *par tes projets* ● *y Divertis*: autre texte *Aime ton âme* ● *z* Tous les manuscrits grecs placent ici 33.16—36.10 avant 30.25—33.16. Les manuscrits hébreux, syriaques et latins suivent l'ordre primitif que nous adoptons. Nous ajouterons entre parenthèses les numéros de chapitres correspondant à l'ordre suivi par les manuscrits grecs ● *a* Interprétation incertaine d'un texte grec obscur. Hébreu *Le sommeil d'un cœur content lui tient lieu d'aliments succulents* ● *b* Interprétation incertaine. Hébreu *Le souci de la subsistance fait perdre le sommeil et, plus qu'une maladie grave, dissipe le sommeil* ● *c et leur perte... sur eux*: hébreu *et ceux qui ont mis leur confiance dans les perles.* L'hébreu ajoute *Ils n'ont pu échapper au malheur, ni se sauver au jour de la colère (de Dieu)* ● *d ceux qui en sont entichés*: autre texte *ceux qui lui sacrifient;* hébreu *le sot* ● *e Car il s'est... parmi son peuple*: autre traduction d'après l'hébreu *Car il a su de façon remarquable réprimer ses appétits*

30.19 ne peut manger ni sentir Dt 4.28; *Dn* grec 14; cf. Ps 115.4-7. **30.20** comme un eunuque 20.4. **30.21** écarte le chagrin Qo 11.9-10 — ne te tourmente pas Mt 6.34. **30.23** divertis ton âme 14.16. **31.5** ne saurait rester juste Pr 28.20. **31.6** l'or mène à la ruine 1 Tm 6.9. **31.8** courir après l'or cf. Mt 6.24 par. **31.12** à table Pr 23.1-3, 6-8.

qu'y a-t-il dans la création de pire que
l'œil ?

C'est pourquoi il pleure à tout propos ^{f}.

14 N'étends pas la main vers tout ce que
tu vois ^{g},
pour ne pas te bousculer avec ton voisin sur le plat.

15 Juge d'après toi-même de ce que ton
prochain ressent,
et comporte-toi toujours avec réflexion ^{h}.

16 Mange ce qu'on te présente, comme un
homme bien élevé,
et ne joue pas des mâchoires au point
d'en être odieux.

17 Sois le premier à t'arrêter par bonne
éducation,
ne te montre pas insatiable, de crainte
de choquer.

18 Si tu es assis en nombreuse compagnie,
n'étends pas la main avant les autres.

19 Qu'il suffit de peu à l'homme bien
élevé !
Aussi n'étouffe-t-il point, une fois sur
son lit :

20 Qui mange modérément jouit d'un
sommeil salutaire ;
il se lève de bonne heure et se sent bien
dispos.
Les tourments de l'insomnie, la nausée
et les coliques sont le lot de l'homme
intempérant.

21 Si tu as été contraint de manger trop,
lève-toi, va vomir et tu seras soulagé.

22 Ecoute-moi, mon fils, ne me méprise
pas
et à la fin tu comprendras mes paroles.
En tout ce que tu fais, sois raisonnable
et il ne t'arrivera aucune maladie.

23 Celui qui reçoit somptueusement, sa
louange est sur toutes les lèvres,
témoignage sûr de sa magnificence.

24 Celui qui lésine pour recevoir, la ville
en jasera,
témoignage exact de sa ladrerie.

Le vin

25 Avec le vin ne joue pas à l'homme fort,
car le vin en a perdu beaucoup.

26 Comme la fournaise éprouve la trempe

de l'acier ^{i},
ainsi le vin éprouve les cœurs quand
des orgueilleux se battent.

27 Pour les hommes, le vin est comme la
vie,
si on le boit avec modération.
Quelle vie pour celui qui manque de
vin !
Aussi bien fut-il créé aux origines ^{j}
pour apporter la joie.

28 Le vin apporte allégresse du cœur et
joie de l'âme,
quand on le boit à propos et juste ce
qu'il faut.

29 Le vin bu avec excès est l'amertume de
l'âme,
il entraîne provocations et affrontements ^{k}.

30 L'ivresse accroît la fureur de l'insensé,
à ses dépens ^{l} ;
elle diminue ses forces et lui vaut de
mauvais coups.

31 Dans un banquet arrosé de vin, évite
de t'en prendre à ton voisin
et de le rabaisser au milieu de sa joie.
Ne lui adresse pas de propos blessants
et ne le harcèle pas de tes revendica-
tions.

Comment se comporter
dans un banquet

32(=35) ^{1} Si l'on t'a choisi pour présider, ne va pas prendre de
grands airs,
avec les autres comporte-toi comme
l'un d'eux.
Occupe-toi d'eux, et après seulement va
t'asseoir.

2 Ayant rempli tous tes devoirs, prends
ta place,
pour pouvoir jouir de leur satisfaction
et te voir couronné pour ton parfait
comportement ^{m}.

3 Parle, vieillard, car cela te revient,
dis exactement ce que tu sais : mais
n'empêche pas la musique.

4 Pendant l'audition, ne te répands pas
en discours,
et ne fais pas, à contretemps, étalage
de sagesse.

---

f il pleure à tout propos: hébreu *devant tout il s'agite* ● g tu vois: l'hébreu et un autre texte
grec *il* (= *ton hôte*) *regarde* ● h Hébreu *Regarde ton voisin comme toi-même et réfléchis à tout
ce que tu détestes* ● i Hébreu *comme le creuset éprouve le travail du forgeron* ● j aux origines:
d'après l'hébreu et l'ancienne version latine; grec *pour les hommes* ● k *il entraîne... affrontements*:
autre traduction *avec excitation et en titubant* ● l Hébreu *Le vin trop abondant est un piège pour
le sot* ● m couronné: on portait des couronnes de feuillage dans les banquets (voir Es 28.1;
Sg 2.8) — *pour ton parfait comportement*: autres traductions *pour la belle ordonnance* ou *selon le
bon usage*

31.19-22 intempérance et maladie 37.27-31. 31.25-31 dangers du vin Pr 20.1+. 31.28 le vin
réjouit 40.20; Ps 104.15+.

5 Un sceau d'escarboucle sur une garniture d'or,
tel est un concert dans un banquet arrosé de vin.
6 Un sceau d'émeraude sur une monture d'or,
tel est un air de musique sur un vin délicieux.
7 Parle, jeune homme, si tu dois le faire,
mais deux fois au plus, et si l'on t'interroge [n].
8 Parle succinctement, dis beaucoup en peu de mots ;
sois comme l'homme au courant, qui pourtant ne dit rien.
9 En compagnie des grands, ne cherche pas à t'imposer,
et, là où il y a des vieillards, ne pérore pas trop [o].
10 Comme l'éclair devance le tonnerre,
ainsi la grâce [p] précède l'homme réservé.
11 Le moment venu, lève-toi et ne reste pas en arrière ;
cours à la maison, sans lanterner en chemin.
12 Là, tu peux te divertir et faire tes fantaisies,
mais ne pèche pas en parlant sans retenue [q].
13 Puis, pour tout cela, bénis celui qui t'a créé
et qui te comble de ses biens.

SECTION D

La crainte de Dieu

14 Celui qui craint le Seigneur accueille l'instruction
et ceux qui le cherchent dès l'aurore obtiennent sa faveur [r].
15 Celui qui scrute la *Loi en sera rassasié,
mais elle sera pour l'hypocrite une occasion de chute.
16 Ceux qui craignent le Seigneur reconnaîtront ce qui est juste,
et, telle une lumière, feront briller leurs bonnes actions.
17 L'homme pécheur refuse d'être repris
et trouve des excuses pour agir comme il l'entend [s].
18 Un homme de bon conseil n'omet jamais de réfléchir ;
l'impie [t] et l'orgueilleux, nulle crainte ne les fait hésiter.
19 N'entreprends rien sans avoir réfléchi,
et de ton action tu n'auras pas à te repentir [u].
20 Ne marche pas dans un chemin semé d'obstacles,
pour ne pas buter aux endroits rocailleux [v].
21 Ne te fie pas à un chemin bien uni [w],
22 même avec tes enfants [x] reste sur tes gardes.
23 En tout ce que tu fais, sois fidèle [y] à toi-même ;
c'est là aussi observer les commandements.
24 Qui s'appuie sur la Loi s'applique à observer les commandements,
et qui met sa confiance dans le Seigneur ne souffrira aucun dommage.

33 (=36) 1 Celui qui craint le Seigneur ne connaîtra pas le malheur
mais de l'épreuve il sera chaque fois délivré.
2 Un homme sage ne prend jamais la Loi en aversion ;
mais l'hypocrite à son égard est comme

n deux fois... l'on t'interroge: autre traduction *seulement si deux fois on t'en a prié* ● *o ne cherche pas à t'imposer:* autre texte *ne traite pas d'égal à égal — là où il y a des vieillards:* autre texte *si un autre parle* — Hébreu *Au milieu des vieillards ne te lève pas* (pour parler) *et avec les princes ne multiplie pas les effusions* ● *p tonnerre:* Hébreu *Avant la grêle brille l'éclair — la grâce* ou *la bienveillance* ● *q en parlant sans retenue:* hébreu *par une parole orgueilleuse* ● *r qui craint* ou *qui respecte — sa faveur:* hébreu *une réponse* ● *s et trouve... comme il l'entend: hébreu il traîne la loi aux caprices de ses besoins* ● *t l'impie:* d'après l'hébreu; grec *l'étranger* ● *u et de ton action...:* autre traduction *et ne change plus d'avis pendant ton action* ● *v aux endroits rocailleux:* hébreu *deux fois contre la pierre* ● *w à un chemin bien uni:* hébreu *en chemin au brigand* ● *x même avec tes enfants:* grec et un manuscrit hébreu; autre texte hébreu *et dans ta conduite* ● *y sois fidèle:* autre traduction *fais-toi confiance;* hébreu *garde-toi toi-même*

32.9 devant les vieillards 7.14. **32.14** craindre le Seigneur 1.11+. **32.15** rassasié par la Loi 2.16+. **32.16** reconnaître ce qui est juste Pr 28.5 — faire briller ses bonnes actions Mt 5.16. **32.20** buter sur les pierres Mt 4.6+. **32.23** garde-toi toi-même (hébreu) Pr 19.16. **33.1** chaque fois délivré Ps 91; Jb 5.19. **33.3** consultation de l'oracle Nb 27.21; 1 S 14.41 (grec).

un vaisseau dans la tourmente.

3 A la Parole l'homme intelligent s'abandonne,
il accorde à la Loi autant de crédit qu'à l'oracle *z*.

4 Prépare ce que tu dois dire, si tu veux qu'on t'écoute ;
rassemble ton savoir et ensuite réponds *a*.

5 Les sentiments du sot sont comme une roue de char,
et son raisonnement comme un essieu qui tourne.

6 L'ami moqueur est comme un étalon qui hennit sous tous ceux qui le montent.

Les inégalités

7 D'où vient qu'un jour est plus important qu'un autre,
puisque tous les jours de l'année tiennent leur lumière du soleil ?

8 C'est qu'ils ont été distingués dans la pensée du Seigneur
qui a établi diverses saisons et fêtes.

9 Il a élevé et consacré certains d'entre eux
et placé certains autres au nombre des jours ordinaires.

10 Les hommes aussi sont tous tirés du sol
et c'est de la terre qu'Adam fut créé.

11 Le Seigneur pourtant, dans sa grande sagesse, les a distingués
et les a fait marcher dans des voies différentes.

12 Il a béni et exalté certains d'entre eux,
il a consacré certains autres et se les est attachés.
Il en a maudit et abaissé d'autres,
il les a renversés de leur position.

13 Comme l'argile qui se trouve dans la main du potier
peut être façonnée *b* selon son bon plaisir,
ainsi sont les hommes entre les mains de leur auteur
qui les rétribuera selon son jugement.

14 En face du mal, il y a le bien,
et en face de la mort, la vie :
ainsi, face à l'homme pieux se trouve le pécheur *c*.

15 Contemple donc toutes les œuvres du Très-Haut,
allant deux par deux, opposées l'une à l'autre.

16 Pour moi, je suis le dernier à prendre la relève *d*,
et comme celui qui grapille après les vendangeurs.

17 Grâce à la bénédiction du Seigneur, je me suis rattrapé,
et, comme tout autre vendangeur, j'ai rempli mon pressoir.

18 Voyez, ce n'est pas pour moi seulement que j'ai peiné,
mais pour tous ceux qui recherchent l'instruction.

Comment gouverner ses biens et sa maison

19 Ecoutez-moi, grands du peuple,
et vous, chefs de l'assemblée *e*, prêtez l'oreille !

20 A ton fils, ta femme, ton frère ou ton ami,
ne donne pas pouvoir sur toi pendant ta vie.
Ne fais pas à un autre donation de tes biens,
de peur que, pris de regret, tu n'aies à les redemander.

21 Tant que tu es en vie et que tu respires encore,
ne te laisse dominer par personne.

22 Mieux vaut en effet que tes enfants te demandent,
que de dépendre toi-même du vouloir de tes fils.

23 Dans toutes tes affaires, garde la haute main
et ne laisse pas toucher *f* à ta réputation.

24 Quand arrivera le dernier des jours de ta vie
et l'heure de mourir, alors distribue ton héritage.

---

z Parole : d'après l'hébreu ; grec *Loi* — *l'oracle* ou *la consultation de l'oracle* : il s'agit du Ourim et du Toummim (voir Ex 28.30 et la note) ● *a réponds* : hébreu *tu agiras* ● *b peut être façonnée* : autre texte *et toute sa conduite est* ● *c pécheur* : l'hébreu et le syriaque ajoutent *en face de la lumière les ténèbres* ● *d à prendre la relève* ou *à rester éveillé* ● *e l'assemblée* : soit la communauté en général, soit une réunion comme il s'en tenait à la *synagogue ● *f ne laisse pas toucher* ou *ne fais pas de tache*

33.10 Adam créé de la terre Gn 2.7. **33.12** exalté, abaissé 10.14+ — les a attachés à lui Nb 16.5 ; Ez 40.46. **33.13** bon plaisir du potier Es 29.16 ; 45.9 ; Jr 18.1-6 ; Rm 9.21. **33.15** deux par deux 42.24-25. **33.18** j'ai peiné pour ceux qui cherchent 24.34.

Les esclaves

²⁵ Le fourrage, la trique et les charges pour l'âne,
au serviteur, le pain, la correction et le travail.

²⁶ Fais-le travailler avec discipline et tu trouveras le repos ^{g} ;
laisse-lui les mains libres, il recherchera la liberté.

²⁷ Avec le *joug et les lanières, on fait plier la nuque,
le mauvais serviteur avec la torture et la question.

²⁸ Envoie-le au travail pour qu'il ne reste pas oisif ^{h} ;

²⁹ car l'oisiveté enseigne bien des choses mauvaises.

³⁰ Applique-le aux travaux qui lui conviennent
et, s'il n'obéit pas, charge-le d'entraves.
Mais ne commets d'excès envers personne,
et ne fais rien de contraire à la justice ^{i}.

³¹ Si tu n'as qu'un domestique, qu'il soit comme un autre toi-même,
puisque tu l'as acquis dans le sang ^{j}.
Si tu n'as qu'un domestique, traite-le comme un frère,
puisqu'il t'est nécessaire comme ton âme.

³² Si tu le maltraites, qu'il prenne le large et s'enfuie,

³³ par quelle voie partiras-tu à sa recherche ?

Ne pas trop se fier aux songes

34(=31) ¹ Les espérances vaines trompent l'homme sans intelligence
et les songes donnent des ailes aux insensés.

² C'est saisir une ombre et poursuivre le vent

que tenir compte des songes.

³ Un simple reflet, c'est ce qu'on voit en songe :
en face d'un visage la reproduction de ce visage.

⁴ De l'impur que peut-il venir de *pur
et donc du mensonge quelle part de vérité ?

⁵ Divinations, augures, songes, autant de balivernes,
et pures fantaisies comme celles d'une femme en travail.

⁶ A moins qu'ils ne proviennent d'une intervention du Très-Haut,
ne leur prête aucune attention ;

⁷ car les songes ont égaré bien des gens
et ils sont tombés, ceux qui mettaient en eux leur espérance.

⁸ La perfection de la Loi se passe de telles impostures ^{k}
et la sagesse dans la bouche de l'homme fidèle, c'est la perfection.

Utilité des voyages

⁹ Un homme qui a voyagé ^{l} a beaucoup appris
et l'homme d'expérience s'exprime en connaissance de cause.

¹⁰ Qui n'a pas été mis à l'épreuve sait peu de choses,

¹¹ mais celui qui a voyagé est plein de ressources.

¹² J'ai beaucoup vu au cours de mes voyages
et ce que j'ai compris surpasse ce que j'en pourrais dire.

¹³ Maintes fois j'ai couru des dangers mortels,
mais j'ai été sauvé grâce à mon expérience ^{m}.

La crainte de Dieu

¹⁴ Ceux qui craignent ^{n} le Seigneur auront longue vie,

---

g *Fais-le travailler avec discipline:* autre texte *Fais travailler ton serviteur;* hébreu *Fais travailler ton serviteur pour qu'il ne cherche pas le repos* ● h *qu'il ne reste pas oisif:* hébreu *qu'il ne se révolte pas* ● i *qui lui conviennent:* soit en raison de sa situation d'esclave, soit en raison de ses aptitudes — *la justice,* c'est-à-dire le droit des esclaves précisé par la Loi (Ex 21.1-6; Lv 25.46; Dt 15.12-18) ● j *dans le sang:* c'est-à-dire soit au prix de tes fatigues, soit au risque de ta vie, s'il s'agit d'un prisonnier de guerre (voir Nb 31.26; Dt 21.10), soit peut-être allusion à la manière dont un esclave était attaché pour toujours à son maître (Ex 21.6) ● k Traduction incertaine d'un texte peu clair ● l *qui a voyagé:* autre texte *qui a été instruit* ● m *grâce à mon expérience:* littéralement *grâce à cela;* autre traduction *grâce à ce dont je vais parler,* si on rattache le v. 13 à ce qui suit ● n *qui craignent* ou *qui respectent*

33.25-33 serviteur 7.20-21+. 33.25 pour l'âne Pr 26.3. 33.27 fait plier la nuque 7.23+. — châtiment du mauvais serviteur Ex 21.20-21; Mt 18.34; Lc 12.46 par. 33.30 la justice pour les serviteurs Ex 21.1-6; Lv 25.46; Dt 15.12-18. 34.2 poursuivre le vent Qo 1.14+. 34.4 tirer le pur de l'impur Jb 14.4. 34.5 divinations, augures, songes Gn 20.3-7; 28.10-17; 31.10-13, 24; 37.5-11; 41.1-36; 46.2; Nb 12.6; Jg 7.13; Dn 2; 4; Mt 1.20-23; 2.13-22. 34.6 ne prête pas attention Jr 27.9; 29.8-9; Za 10.2. 34.9 les voyages 39.4; 43.24-25 — expérience Pr 24.4-5. 34.14 la crainte du Seigneur 1.11+ — longue vie Dt 4.26+.

15 car leur espérance repose sur celui qui peut les sauver.
16 Celui qui craint le Seigneur n'a rien à redouter,
jamais il ne s'effraie, car c'est lui son espoir.
17 Heureuse l'âme de celui qui craint le Seigneur !
18 Sur qui s'appuie-t-il ? Qui est son soutien ?
19 Les regards de Dieu sont sur ceux qui l'aiment,
bouclier puissant, soutien vigoureux,
abri contre le vent brûlant, ombrage contre les feux de midi,
sauvegarde contre les obstacles, protection contre la chute.
20 Il élève l'âme et fait briller le regard,
en procurant guérison, vie et bénédiction.

La religion qui plaît à Dieu

21 Offrir en *sacrifice le produit de l'injustice, c'est une offrande défectueuse [o],
22 et les dons de ceux qui violent la loi ne sauraient être agréés.
23 Le Très-Haut ne prend pas plaisir aux offrandes des impies,
et ce n'est pas d'après le nombre des victimes qu'il pardonne les péchés.
24 C'est immoler un fils en présence de son père
qu'offrir un sacrifice prélevé sur les biens des pauvres.
25 Le pain des indigents, c'est la vie des pauvres,
celui qui les en prive est un meurtrier.
26 C'est tuer son prochain que lui ôter ses moyens de vivre
27 et c'est verser le sang que de priver le salarié de son salaire.
28 L'un bâtit, l'autre détruit,
qu'ont-ils gagné sinon des tracas ?
29 L'un bénit [p], l'autre maudit,
de qui le Maître va-t-il écouter la voix ?
30 Celui qui se *purifie du contact d'un mort et de nouveau le touche,
à quoi lui a-t-il servi de prendre un bain ?
31 Ainsi l'homme qui *jeûne pour ses péchés
et s'en va refaire de nouveau les mêmes choses.
Qui pourrait prêter l'oreille à sa prière ?
A quoi lui a-t-il servi de se priver [q] ?

35(=32) 1 Observer la *Loi équivaut à multiplier les offrandes,
2 s'attacher aux commandements, c'est offrir un sacrifice de salut [r],
3 avoir de la reconnaissance [s], c'est faire une offrande de fleur de farine
4 et faire l'aumône, c'est offrir un sacrifice de louange.
5 Ce qui plaît au Seigneur, c'est qu'on se tienne loin du mal
et se tenir loin de l'injustice, c'est un sacrifice d'expiation.
6 N'apparais pourtant pas devant le Seigneur les mains vides,
7 accomplis tous ces sacrifices car ils sont commandés.
8 L'offrande du juste est une offrande de graisse sur l'autel
et son parfum apaisant monte en présence du Très-Haut.
9 Le sacrifice de l'homme juste est agréé
et son mémorial [t] ne sera pas oublié.
10 Avec générosité glorifie le Seigneur
et ne lésine pas en offrant les *prémices de ton labeur.
11 A chacune de tes offrandes montre un visage joyeux
et avec joie consacre la dîme [u].
12 Donne au Très-Haut à la mesure de ses dons,
avec la générosité que te permettent tes moyens.

o Autre texte *offrir en sacrifice une offrande qui provient de l'injustice, c'est une moquerie* • *p l'un bénit:* d'après l'ancienne version syriaque; grec *l'un prie* • *q de se priver* ou *d'humilier* (*son corps*) • *r sacrifice de salut: sacrifice de paix* (voir Lv 3) • *s avoir de la reconnaissance*, soit pour un bienfaiteur humain, soit pour Dieu. Le contexte ne permet pas de préciser • *t* Voir Lv 2.2 et la note • *u dîme:* voir Gn 14.20 et la note

34.15 espérance 2.6+. **34.19** les regards de Dieu 15.19; cf. Ps 33.18. **34.20** Dieu guérit 38.2; cf. 1.18. **34.21-24** le sacrifice des méchants Pr 15.8+. **34.21** offrande défectueuse Lv 22.20-21. **34.23** à quoi Dieu prend plaisir 1 S 15.22; Es 1.11-17; Jr 6.20; Ps 51.18-19; Pr 15.8; 21.3, 27. **34.27** priver de son salaire Lv 19.13; Dt 24.14-15; Jc 5.4. **34.30** contact d'un mort Nb 19.11-13; 31.19. **35.3** offrande de fleur de farine Lv 2.1+. **35.4** aumône 3.30+ — sacrifice de louange Lv 7.11-15. **35.5** sacrifice d'expiation Lv 4; 5; 6.17—7.7 — la justice, sacrifice d'expiation Pr 16.6+. **35.8** offrande de graisse Lv 3.14-17 — parfum apaisant Lv 1.9+. **35.9** mémorial Lv 2.2+. **35.10** prémices Dt 26.2+. **35.11** dîme Dt 14.22+. **35.12** donne à Dieu Dt 12.6-7. **35.13** Dieu paie de retour Dt 26.14-15.

¹³ Car le Seigneur paie de retour
et il te le rendra au septuple *v*.

¹⁴ N'essaie pas de le corrompre par des
dons, il ne les accepterait pas.

¹⁵ Ne t'appuie pas sur un sacrifice injuste,
car le Seigneur est un juge
et il n'y a pas en lui considération de
personne.

¹⁶ Il n'a pas de partialité contre le pauvre,
il exauce la prière de celui qu'on traite
injustement.

¹⁷ Jamais il ne dédaigne la supplication
de l'orphelin,
ni la veuve quand elle épanche sa
plainte.

¹⁸ Est-ce que les larmes de la veuve ne
descendent pas sur sa joue

¹⁹ et son cri n'accuse-t-il pas celui qui
les provoque ?

²⁰ Celui qui sert le Seigneur selon son
bon plaisir *w* est agréé
et sa demande atteint jusqu'aux nues.

²¹ La prière de l'humble traverse les nues
et il ne se console pas *x* tant qu'elle
n'a pas atteint son but,
il n'a de cesse que le Très-Haut ne soit
intervenu,

²² qu'il n'ait fait droit aux justes et rendu
justice.
Le Seigneur ne tardera pas,
il n'aura pas de patience avec eux
jusqu'à ce qu'il ait brisé les reins des
hommes sans pitié.

²³ Sur les nations il fera retomber sa vengeance
jusqu'à ce qu'il ait supprimé la foule
des insolents *y*
et brisé le sceptre des injustes,

²⁴ jusqu'à ce qu'il ait rendu à l'homme
selon ses actions
et rétribué les œuvres des hommes
selon leurs intentions,

²⁵ jusqu'à ce qu'il ait pris en main la
cause de son peuple

et qu'il l'ait réjoui par sa miséricorde.

²⁶ Bienvenue est sa miséricorde au temps
de la détresse,
comme les nuages de pluie au temps
de la sécheresse.

Prière pour la délivrance d'Israël

36(=33) ¹ Aie pitié de nous, Maître,
Dieu de l'univers,

² répands ta crainte sur toutes les nations.

³ Lève ta main contre les nations étrangères *z*
pour qu'elles voient ta puissance.

⁴ De même que tu leur as montré ta
sainteté à l'œuvre chez nous,
ainsi montre-nous ta grandeur à l'œuvre
chez elles.

⁵ Qu'elles te reconnaissent comme nous
avons nous-mêmes reconnu
qu'il n'y a pas de Dieu en dehors de
toi, Seigneur.

⁶ Renouvelle les signes et répète les merveilles.

⁷ Glorifie ta main et ton bras droit.

⁸ Excite ta fureur et déverse ta colère.

⁹ Supprime l'adversaire et anéantis l'ennemi.

¹⁰ Hâte le temps, souviens-toi du moment
fixé *a*
et qu'on raconte tes hauts faits.

¹¹ Par un feu vengeur, que soit dévoré le
survivant
et que ceux qui maltraitent ton peuple
trouvent leur perte *b*.

¹² Brise les têtes des chefs ennemis *c*
qui disent : « Il n'y a personne comme
nous ! »

¹³ Rassemble toutes les tribus de Jacob *d*.

¹⁶ᵇMets-les en possession de l'héritage *e*
comme au début.

¹⁷ Aie pitié, Seigneur, du peuple qui porte
ton nom

---

v Sept est le nombre indiquant la plénitude (voir 7.3; 20.12; 40.8) ● *w* Le texte grec est imprécis. Le destinataire du service peut être *le Seigneur* ou *le prochain*, et le *bon plaisir* peut être celui du destinataire ou celui de l'homme qui sert ● *x il ne se console pas:* hébreu *elle ne se repose pas* ● *y la foule des insolents:* hébreu *le sceptre de l'orgueil* (le pouvoir des orgueilleux) ou *la tribu orgueilleuse* ● *z les nations étrangères:* hébreu *le peuple étranger* sans autre précision ● *a souviens-toi du moment fixé:* autre texte *souviens-toi du serment;* hébreu *hâte la fin* ● *b et qu'on raconte ... trouvent leur perte:* hébreu plus court *car qui te dira: « Que fais-tu ? »* ● *c des chefs ennemis:* hébreu *des chefs de Moab* ● *d* Avec ce verset s'achève le déplacement indiqué en 30.24. L'absence des numéros de versets 36.14, 15, 16a s'explique par une incohérence de la numé- rotation. Elle ne correspond pas à une lacune dans le texte que nous suivons ● *e L'héritage* désigne la terre promise

35.14 dons corrupteurs 20.29+; cf. Dt 10.17.   **35.16** Dieu impartial Dt 10.17+; Jb 34.19. **35.16-19** Dieu exauce la prière du pauvre 4.6; 21.5 — orphelin, veuve Dt 10.18+; Pr 22.22-23; 23.10-11.   **35.22** patience de Dieu 5.4+.   **35.24** rétribuer les œuvres 11.26+.   **36.1-22** prière pour Israël Ps 79.   **36.4** Dieu montre sa sainteté Ez 28.22; 38.23.   **36.5** pas de Dieu en dehors de toi Dt 32.39+; 1 Ch 17.20.   **36.6** signes et merveilles Pt 4.34+.   **36.8** excite ta fureur Jr 10.25; Ps 79.6.   **36.12** brise les têtes des chefs Nb 24.17 — personne comme nous Es 47.10. **36.17** le peuple qui porte ton nom Dt 28.10; Es 63.19; Jr 14.9 — traité en premier-né Ex 4.22+.

et d'Israël que tu as traité en premier-
né.

¹⁸ Aie compassion de la cité de ton
*sanctuaire,
Jérusalem, le lieu de ton repos.

¹⁹ Remplis *Sion du récit de tes exploits
et ton Temple ᶠ de ta gloire.

²⁰ Rends témoignage à ce que tu as créé
au commencement,
accomplis les prophéties prononcées en
ton nom.

²¹ Donne leur récompense à ceux qui
t'attendent
et que tes prophètes soient trouvés
véridiques.

²² Exauce, Seigneur, la prière de tes serviteurs
selon ta bienveillance ᵍ à l'égard de ton
peuple,
et que tous ceux qui sont sur la terre
reconnaissent
que tu es le Seigneur, le Dieu des
*siècles.

Le discernement

²³ Les entrailles absorbent toute sorte
d'aliments,
mais il y a des aliments meilleurs que
d'autres.

²⁴ Comme le palais reconnaît au goût les
plats de gibier,
ainsi un *cœur intelligent les paroles
mensongères.

²⁵ Un cœur tortueux provoque des contrariétés,
un homme d'expérience le lui revaudra.

Bien choisir sa femme

²⁶ Une femme acceptera n'importe quel
homme pour mari,
mais il y a des filles préférables à
d'autres ʰ.

²⁷ La beauté d'une femme rend le visage
joyeux

et dépasse tous les désirs de l'homme ⁱ.

²⁸ Si elle a sur sa langue bonté et douceur,
son mari échappe à la condition ordinaire des hommes.

²⁹ Celui qui acquiert une femme a le
commencement ʲ de la fortune,
une aide semblable à lui et une colonne
d'appui.

³⁰ Là où il n'y a pas de clôture, le
domaine est au pillage,
là où il n'y a pas de femme, l'homme
erre en se lamentant.

³¹ Qui donc fera confiance à un brigand
dégourdi
qui bondit de ville en ville ?
De même à l'homme qui n'a pas de nid,
qui fait halte là où le soir le surprend.

Vrai et faux ami

37 ¹ Tout ami dit : « Je suis un ami,
moi aussi »,
mais tel ami ne l'est que de nom.

² Quel chagrin voisin de la mort ᵏ,
quand un compagnon et ami se change
en ennemi !

³ O mauvais penchant ˡ, d'où as-tu été
modelé
pour couvrir la terre de tromperie ?

⁴ Un compagnon prend plaisir à la joie
de son ami,
mais au temps de la détresse se dresse
contre lui ᵐ.

⁵ Pour un repas le compagnon souffre
avec son ami,
mais au moment du combat il saisit
son bouclier ⁿ.

⁶ N'oublie pas un ami dans ton cœur
et ne perds pas son souvenir au milieu
de tes richesses ᵒ.

Bon et mauvais conseiller

⁷ Tout conseiller prône son avis,
mais tel conseille dans son intérêt.

⁸ Prends garde au donneur de conseils ;

---

f *Temple*: d'après l'hébreu; grec *peuple* ● g *selon ta bienveillance*: autre texte *selon la bénédiction d'Aaron* ● h *préférables à d'autres*: hébreu *plus belles que d'autres* ● i *désirs de
l'homme*: hébreu *désirs des yeux* ● j *le commencement*: autre traduction *le sommet* ● k *voisin
de la mort*: autre traduction *qui fait approcher de la mort* ● l *mauvais penchant*: autre traduction *mauvais dessein*; hébreu *malheur au méchant qui dit: Pourquoi ai-je été créé?* ● m Hébreu
Combien est mauvais l'ami qui lorgne vers la table et, au temps de la détresse, se tient à l'écart!
● n *Pour un repas ... son ami*: hébreu *Le bon ami combattra contre l'ennemi* — En grec la seconde
ligne du verset décrit le faux ami qui pense seulement à se protéger ● o *dans ton cœur*: hébreu
dans ton cœur ou *au combat* — *et ne perds... tes richesses*: hébreu *et ne l'abandonne pas au moment
du butin*

36.18 lieu de ton repos Ps 132.14; cf. Ex 15.17.   **36.19** Temple rempli de la gloire Ex
40.34-35+.   **36.21** prophètes véridiques 46.15; 48.22.   **36.26-31** choisir sa femme 26.20-27
— femme et bonheur 26.1-4+.   **36.28** paroles de bonté Pr 15.4.   **36.29** une aide semblable
Gn 2.18.   **37.1** un ami 12.8-9+.   **37.2** un ami devient ennemi 6.1.   **37.4** pas d'ami dans la
détresse 6.8+.   **37.6** n'oublie pas un ami Pr 27.10.

sache d'abord de quoi il a besoin
— car c'est pour lui qu'il forme des
projets —,
de peur qu'il ne tire au sort à ton
sujet *p*

9 et qu'il te dise : « Ta conduite est la
bonne »,
puis il se tiendra à distance pour voir
ce qui t'arrive.

10 Ne consulte pas celui qui te regarde en-
dessous
et à ceux qui te jalousent cache ton
projet.

11 Ne consulte pas une femme sur sa
rivale,
un lâche sur la guerre,
un marchand sur une affaire,
un acheteur sur une vente,
un envieux sur la reconnaissance,
un homme dur sur la bonté,
un paresseux sur un travail quelconque,
un salarié à l'année sur l'achèvement
d'une tâche,
un domestique fainéant sur un gros
ouvrage.
Ne t'appuie sur ces gens pour aucun
conseil *q*.

12 Mais fréquente assidûment un homme
pieux
que tu connais pour observer les commandements,
dont l'âme ressemble à la tienne *r*
et qui, si tu échoues, est prêt à pâtir
avec toi.

13 Sache aussi t'en tenir au projet de ton
*cœur,
car il n'y a personne qui te soit plus
fidèle que lui :

14 l'âme d'un homme l'avertit habituellement *s*
mieux que sept guetteurs postés pour
faire le guet sur une hauteur.

15 Mais par-dessus tout, demande au Très-
Haut
qu'il dirige ta route dans la vérité.

Vraie et fausse sagesse

16 Le début de toute entreprise, c'est la
discussion,
avant toute action il y a la réflexion.

17 La racine des pensées, c'est le *cœur *t*

18 Il fait pousser quatre rameaux :
le bien et le mal, la vie et la mort,
et celle qui constamment décide, c'est la
langue.

19 Tel homme habile sert d'éducateur à
beaucoup,
mais pour lui-même il n'est bon à rien.

20 Tel qui est habile en discours se fait
détester,
il sera privé de toute nourriture *u*.

21 En effet, la faveur du Seigneur ne lui
a pas été accordée,
parce qu'il était dépourvu de toute
sagesse *v*.

22 Tel est sage à son propre profit
et les fruits de son intelligence sont
pour son corps *w*.

23 Un homme sage instruit son peuple
et les fruits de son intelligence sont
assurés *x*.

24 Un homme sage est comblé de bénédictions
et tous ceux qui le voient le proclament
heureux.

25 Une vie d'homme, on en dénombre les
jours,
mais les jours d'Israël sont innombrables.

26 Le sage héritera la confiance *y* au milieu
de son peuple
et son nom vivra à jamais.

La tempérance

27 Mon fils, pendant ta vie éprouve-toi
toi-même,
vois ce qui est mauvais pour toi et ne
te l'accorde pas,

28 car tout ne convient pas à tous
et tous ne trouvent pas en tout leur

---

p de peur qu'... à ton sujet: Traduction incertaine d'un texte peu clair ● *q un domestique ... aucun conseil:* ces deux lignes sont absentes de l'hébreu ● *r Mais fréquente ... un homme pieux:* hébreu *Mais consulte un homme qui craint toujours (Dieu)* — *dont l'âme ... la tienne:* autres traductions *dont les désirs sont comme les tiens* ou *dont le cœur répond à tes désirs* ● *s L'âme... habituellement:* traduction incertaine ● *t* D'après l'hébreu; grec obscur ● *u nourriture:* l'hébreu ajoute *agréable* ● *v la faveur ... accordée:* autre interprétation *la faveur* (sous-entendu *auprès des autres*) *ne lui a pas été accordée par le Seigneur* — Le verset manque dans le texte hébreu et l'ancienne version syriaque ● *w à son propre profit:* autre interprétation *à ses propres yeux* — *sont pour son corps:* d'après l'hébreu; grec *en sa bouche sont dignes de foi;* autre traduction *d'après ce qu'il dit sont assurés* ● *x assurés* ou *dignes de foi* ● *y confiance:* hébreu et quelques manuscrits grecs *gloire*

37.15 Dieu dirige ta route Pr 16.9. **37.18** la langue décide Pr 18.21. **37.20** se fait détester 9.18+. **37.23** le sage instruit son peuple 10.1. **37.25** la vie est limitée 17.2+. **37.26** son nom vivra 39.9; 41.12-13; 44.8-15; cf. Si 10.17; Ps 109.15+. **37.28** tout ne convient pas 1 Co 6.12; 10.23.

agrément.

²⁹ Ne sois pas insatiable de toute jouissance
et ne te jette pas sur les aliments,

³⁰ car l'abondance de nourriture est une cause de maladie
et la goinfrerie est proche de la colique ᶻ.

³¹ Beaucoup sont morts des suites de leur goinfrerie,
mais celui qui fait attention allonge sa vie.

Médecine et maladie

38 ¹ Honore le médecin pour ses services,
car lui aussi le Seigneur l'a créé.

² C'est du Très-Haut en effet que vient la guérison,
et du roi le médecin reçoit des dons ᵃ.

³ La science du médecin lui fait relever la tête,
devant les grands il est admiré.

⁴ Le Seigneur a créé des remèdes issus de la terre ᵇ,
l'homme avisé ne les méprise pas.

⁵ N'est-ce pas un bout de bois qui a adouci l'eau
pour faire connaître sa vertu ᶜ ?

⁶ Il a donné aux hommes la science
pour que ceux-ci le glorifient de ses merveilles.

⁷ Par elles il soigne et apaise la douleur ᵈ ;

⁸ Le pharmacien en fait de la mixture,
de sorte que ses œuvres n'ont pas de fin,
et la santé vient de lui sur la face de la terre ᵉ.

⁹ Mon fils, dans la maladie ne sois pas négligent ᶠ,
mais prie le Seigneur et il te guérira.

¹⁰ Renonce à tes fautes, que tes mains agissent avec droiture,
de tout péché purifie ton cœur.

¹¹ Offre le parfum apaisant et le mémorial de fleur de farine,
fais une libation d'huile sur ton offrande selon tes moyens ᵍ,

¹² puis fais place au médecin, car lui aussi le Seigneur l'a créé,
et qu'il ne s'écarte pas de toi, car tu as besoin de lui.

¹³ Il y a un moment où ton rétablissement est entre leurs mains,

¹⁴ car eux aussi ils prieront le Seigneur
qu'il leur donne de réussir à soulager ʰ
et à trouver un remède pour sauver une vie.

¹⁵ Celui qui pèche à la face de celui qui l'a créé,
qu'il tombe aux mains du médecin ⁱ !

Le deuil

¹⁶ Mon fils, verse des larmes sur celui qui est mort ;
comme un homme cruellement touché, entonne une complainte.
Donne à son corps la sépulture qui lui est due
et ne néglige pas sa tombe.

¹⁷ Lamente-toi amèrement, pleure à chaudes larmes,
fais le deuil qu'il mérite,
un jour ou deux pour éviter les médisances,
puis console-toi de ta peine ʲ.

¹⁸ Du chagrin en effet peut sortir la mort
et l'affliction du cœur mine les forces.

¹⁹ Dans la détresse, chagrin permanent,

---

z colique: hébreu *nausée* ● *a la guérison:* hébreu *la sagesse du médecin* — *le médecin:* autre interprétation *le malade* — En hébreu il s'agit d'un *roi* terrestre. Le texte grec peut avoir le même sens, mais peut aussi se référer à Dieu qui accorde au médecin le don de guérir, ou au malade la faveur d'être guéri ● *b* Les *remèdes issus de la terre:* les plantes médicinales ● *c sa vertu* (celle du bois): hébreu *sa puissance* (celle de Dieu). Allusion aux eaux amères adoucies par Moïse à Mara (Ex 15.23-25) ● *d il soigne:* c'est Dieu qui soigne; hébreu *par ces merveilles le médecin apaise la douleur* ● *e ses œuvres:* soit probablement les œuvres de Dieu qui développent leurs effets, soit le travail du pharmacien qui est très efficace — *de sorte que ... la face de la terre:* hébreu *afin que ne cesse pas son œuvre et que le savoir-faire ne disparaisse pas d'entre les hommes* ● *f ne sois pas négligent:* hébreu *ne t'emporte pas* ● *g mémorial:* voir Lv 2.2 et la note — *libation, offrande:* voir au glossaire SACRIFICES — *fais une libation d'huile sur ton offrande:* autre traduction *fais une grosse offrande* — *selon tes moyens:* d'après l'hébreu; grec obscur ● *h de réussir à soulager:* hébreu *le diagnostic* ● *i qu'il tombe aux mains du médecin,* c'est-à-dire *qu'il tombe malade;* hébreu *il fait le brave devant le médecin* ou *il devra se montrer brave devant le médecin* ● *j puis console-toi de ta peine:* autre traduction *pour éviter les conséquences fâcheuses.* Grec et hébreu peu clairs

---

37.29 ne sois pas insatiable 31.17. **37.30** maladie et colique 31.19-22. **38.1** honore le médecin cf. 2 Ch 16.12; Mc 5.26. **38.2** la guérison 1.18; 28.3; 34.20. **38.5** l'eau devint douce Ex 15.25+. **38.9** prie le Seigneur, il te guérira Jc 5.15. **38.11** offre 35.6-9+ — parfum apaisant, Lv 1.9+ — mémorial Lv 2.2+ — libation d'huile Lv 2.1. **38.13** ils prieront le Seigneur Jc 5.14. **38.15** le péché cause de maladie Dt 28.21-22, 27, 35, 59-61. **38.16** verse des larmes 22.11-12. **38.17** fais le deuil Jr 9.16-20; Ez 24.15-23; Am 5.16; Mc 5.38 par.

et le cœur maudit une vie de pauvre ^{k}.

20 N'abandonne pas ton cœur au chagrin, écarte-le et souviens-toi de la fin ^{l}.

21 N'oublie pas, il n'y a pas de retour ^{m}, tu ne seras d'aucune utilité au mort et tu te ferais du mal.

22 Souviens-toi que son sort sera aussi le tien :
moi hier ^{n}, toi aujourd'hui.

23 Dès qu'un mort repose, cesse de songer à lui,
console-toi de lui dès qu'il a rendu l'âme.

Supériorité du scribe sur l'artisan

24 La sagesse du *scribe s'acquiert à la faveur du loisir.
Celui qui a peu d'affaires à mener deviendra sage.

25 Comment deviendrait-il sage celui qui tient la charrue,
dont l'orgueil se borne à brandir l'aiguillon,
qui mène des bœufs, passe sa vie dans leurs travaux
et parle seulement de jeunes taureaux ^{o} ?

26 Il applique son cœur à tracer des sillons
et ses veilles se passent à donner le fourrage des génisses.

27 Ainsi en va-t-il de tout compagnon ou maître charpentier
qui de nuit comme de jour est occupé,
de celui qui grave des sceaux en intaille
et sans relâche varie les motifs ;
il applique son cœur à reproduire le dessin
et ses veilles se passent à parfaire son œuvre.

28 Ainsi en est-il du forgeron assis près de l'enclume,
l'attention fixée sur les travaux du fer.
La vapeur du feu fait fondre ses chairs
et dans la chaleur du four il se débat longuement.
Le bruit du marteau résonne sans cesse ^{p} à son oreille
et ses yeux sont fixés sur le modèle de l'objet ;
il applique son cœur à parfaire ses travaux
et ses veilles se passent à les retoucher jusqu'à la perfection.

29 Ainsi en est-il du potier assis à son travail
et faisant tourner le tour avec ses pieds ;
il est en perpétuel souci pour son ouvrage
et toute son activité est comptée ^{q}.

30 Avec son bras il façonne l'argile
et avec ses pieds il fait fléchir sa résistance.
Il applique son cœur à parfaire le vernissage
et ses veilles se passent à nettoyer le · four.

31 Tous ceux-là ont fait confiance à leurs mains
et chacun est habile dans son propre métier.

32 Sans eux il ne se bâtit pas de ville,
on n'y habiterait pas, on n'y circulerait pas,
mais au conseil du peuple on ne demandera pas leur avis

33 et dans l'assemblée ils n'accéderont pas aux places d'honneur.
Sur le siège du juge ils ne s'assiéront pas :
ils ne comprennent pas les dispositions du droit
et ils ne font briller ni l'instruction ni le droit.
On ne les trouvera pas occupés par des proverbes ^{r}.

34 mais ils affermiront la création éternelle
et leur prière concerne leur métier.

Eloge du scribe

Il en va autrement de celui qui s'applique
à réfléchir sur la *loi du Très-Haut,

39 ^{1} qui étudie la sagesse de tous les anciens
et consacre ses loisirs aux *prophéties.

2 Il conserve les récits des hommes renommés
et pénètre dans les détours des paraboles.

---

k Ce verset manque dans le texte hébreu. Il s'adapte mal au contexte ● l *souviens-toi de la fin:* hébreu *pense à l'avenir* ● m *N'oublie pas ... retour:* hébreu *Ne pense plus à lui, car pour lui il n'y a plus d'espoir* ● n *moi hier:* hébreu *lui hier* ● o *parle seulement de jeunes taureaux:* autre traduction *et passe son temps avec des jeunes taureaux* ● p *les travaux du fer:* autre texte *le fer non travaillé* — *résonne sans cesse:* traduction incertaine d'un texte peu sûr ● q C'est-à-dire probablement il tient un compte précis de toutes les pièces qu'il fabrique ● r *les dispositions du droit:* soit le droit en général, soit la loi de Moïse — *occupés par des proverbes:* autre traduction d'après l'ancienne version syriaque *parmi les chefs*

38.20 souviens-toi de la fin 7.36+. **38.34** réfléchir sur la loi Ps 1.2.

³ Il étudie le sens caché des proverbes,
il passe sa vie parmi les énigmes des
*paraboles.
⁴ Chez les grands il assure un service
et il se fait voir parmi les chefs.
Il voyage dans le pays des nations
étrangères,
car il sait d'expérience ˢ ce qui est bien
et mal chez les hommes.
⁵ Il applique son cœur à aller de bon
matin
auprès du Seigneur qui l'a créé
et, en présence du Très-Haut ᵗ, il prie.
Il ouvre sa bouche pour prier
et, pour ses péchés, il supplie.
⁶ Si le Seigneur Grand le veut,
il sera rempli de l'esprit d'intelligence.
Il fera pleuvoir les paroles de sa sagesse
et dans sa prière il louera le Seigneur.
⁷ Il possédera la rectitude du jugement
et de la science
et il réfléchira sur les secrets de Dieu.
⁸ Il fera briller l'instruction qu'on lui a
donnée
et dans la loi de l'*alliance du Seigneur
il mettra son orgueil.
⁹ Beaucoup loueront son intelligence
et jamais elle ne sera effacée de leur
mémoire.
Son souvenir ne disparaîtra pas
et son nom vivra de génération en
génération.
¹⁰ Des nations parleront de sa sagesse,
et l'assemblée proclamera sa louange.
¹¹ S'il vit longtemps, il laisse un nom
plus glorieux que mille autres
et s'il meurt, cela lui suffit ᵘ.

Louange de Dieu et de son œuvre

¹² Après avoir réfléchi, je veux parler
encore,
car je suis rempli comme la lune en
son plein.
¹³ Ecoutez-moi, fils *saints, et croissez
comme la rose qui pousse au bord
d'un cours d'eau.

¹⁴ Comme l'*encens répandez une bonne
odeur
et fleurissez comme le lis.
Elevez la voix, chantez ensemble ᵛ
et bénissez le Seigneur dans toutes ses
œuvres.
¹⁵ Proclamez la grandeur de son *nom
et publiez sa louange
par les chants de vos lèvres et sur vos
cithares
et vous parlerez ainsi dans l'action de
grâces :
¹⁶ Qu'elles sont belles, toutes les œuvres
du Seigneur,
et chacun de ses ordres se réalise en
son temps.
¹⁷ Il n'y a pas lieu de dire : « Qu'est
ceci, pourquoi cela ? »
car toute chose aura sa solution en son
temps.
A sa parole l'eau s'arrêta comme un
monceau,
par un mot de sa bouche il y eut des
réservoirs d'eau ʷ.
¹⁸ Sur son ordre tout s'accomplit selon
son bon plaisir
et il n'est personne pour contrecarrer ˣ
son œuvre de salut.
¹⁹ Les œuvres de tout être de chair sont
devant lui
et il n'est pas possible de se dérober
à ses yeux.
²⁰ Depuis l'origine jusqu'à la fin des temps
il observe
et rien n'est extraordinaire pour lui.
²¹ Il n'y a pas lieu de dire : « Qu'est
ceci ? Pourquoi cela ? »
car toute chose a été créée pour son
utilité.
²² Sa bénédiction est comme un fleuve qui
déborde
et comme un déluge ʸ qui abreuve la
terre.
²³ De même sa colère sera le partage des
nations
comme lorsqu'il changea l'eau en saumure ᶻ.

ˢ *car il sait d'expérience:* ancienne version syriaque *car il veut faire l'expérience* ● *t en présence du Très-Haut,* c'est-à-dire *dans le Temple* ● *u cela lui suffit:* traduction conjecturale; grec
obscur ● *v Elevez la voix, chantez ensemble:* d'après l'ancienne version syriaque; grec *Donnez
du parfum et chantez un cantique* ● *w comme un monceau:* allusion soit au passage de la mer
Rouge (Ex 14.21-22) et à celui du Jourdain (Jos 3.16), soit à la séparation des eaux lors de la
création (Gn 1.6-10) — *Les réservoirs d'eau:* probablement les masses d'eau ainsi constituées
● *x contrecarrer:* d'après l'hébreu; [grec *amoindrir* ● *y un fleuve:* hébreu *le Nil.* En débordant
chaque année, le Nil rend fertile sa vallée — *un déluge:* hébreu *un fleuve,* peut-être l'Euphrate
(voir Gn 2.14) ● *z sera le partage des nations:* grec et hébreu; autre traduction de l'hébreu
déposséda les nations — *changea l'eau en saumure:* allusion à la destruction de Sodome et
Gomorrhe (voir Gn 19.24-26)

39.3 étudier les proverbes 8.8.   **39.4** les voyages 34.9+ — expérience 34.9+.   **39.6** rempli de
l'esprit d'intelligence Es 11.2.   **39.9** son nom vivra 37.26+.   **39.10** des nations parleront de
sa sagesse 44.15.   **39.13** au bord d'un cours d'eau Ps 1.3.   **39.16** ses ordres se réalisent Ps 33.9.
39.19 Dieu voit tout 15.18+ ; Ps 139.1-12.   **39.23** l'eau changée en saumure cf. Gn 19.24-28.

²⁴ Pour les saints ses voies sont droites,
mais pour les impies elles sont pleines
d'obstacles.
²⁵ Les biens ont été créés pour les bons
dès le commencement,
ainsi que les maux pour les pécheurs.
²⁶ Ce qui est de première nécessité pour
la vie de l'homme,
c'est l'eau, le feu, le fer, le sel,
la fleur de farine de froment, le lait,
le miel,
le sang de la grappe ᵃ, l'huile, le vêtement.
²⁷ Tout cela est un bien pour les hommes
pieux,
mais tourne à mal pour les pécheurs.
²⁸ Il y a des vents qui ont été créés pour
le châtiment
et dans leur déchaînement ils ont
aggravé ᵇ leurs fléaux.
Au temps de l'anéantissement ils déversent leur violence
et ils apaisent le déchaînement de leur
créateur.
²⁹ Feu, grêle, famine, mort,
tout cela a été créé pour le châtiment.
³⁰ Les crocs des bêtes féroces, les scorpions, les vipères,
l'épée châtiant les impies pour leur
perte,
³¹ se réjouissent d'accomplir son ordre.
Sur la terre ils sont prêts pour les cas
de besoin,
leur moment venu, ils ne transgresse-
ront pas sa parole.
³² C'est pourquoi j'étais fixé dès le commencement ;
après avoir réfléchi, je l'ai mis par
écrit :
³³ « Les œuvres du Seigneur sont toutes
bonnes ;
il pourvoit à tout besoin quand il se
fait sentir.
³⁴ Il n'y a pas lieu de dire : ceci est pire
que cela,
car toute chose, en son temps, sera
reconnue bonne.
³⁵ Et maintenant, de tout cœur et à pleine
bouche, chantez
et bénissez le nom du Seigneur ! »

Misère de l'homme

40 ¹ De grands tracas ont été créés
pour tout homme
et un *joug pesant est sur les fils
d'Adam
depuis le jour où ils sortent du sein
de leur mère
jusqu'au jour où ils retournent à la
mère universelle ᶜ.
² L'objet de leurs réflexions et la crainte
de leur cœur,
c'est de ressasser ce qu'ils attendent :
le jour de la mort.
³ Depuis celui qui est assis sur un trône
illustre
jusqu'à celui qui est humilié sur la terre
et la cendre,
⁴ depuis celui qui porte la pourpre et la
couronne ᵈ
jusqu'à celui qui est vêtu de toile gros-
sière,
⁵ ce n'est que fureur, jalousie, trouble et
agitation,
crainte de la mort, ressentiment et discorde.
Et au moment où l'on repose sur son
lit,
le sommeil de la nuit ne fait que varier
les soucis ᵉ.
⁶ Un peu, un rien de repos,
et aussitôt, dans ses rêves, il est à la
peine, tout comme en plein jour,
troublé par les visions de son *cœur,
il est comme un fuyard échappé du
combat.
⁷ Au moment de la délivrance il s'éveille,
tout étonné de sa vaine peur.
⁸ Pour tout être de chair, de l'homme à
la bête,
mais pour les pécheurs sept fois plus :
⁹ mort, sang, discorde, épée ᶠ,
calamités, famine, destruction, fléau.
¹⁰ Tout cela a été créé contre les impies
et c'est à cause d'eux qu'est venu le
déluge.
¹¹ Tout ce qui vient de la terre retourne
à la terre
et ce qui vient des eaux retourne à
la mer ᵍ.

ᵃ le sang de la grappe, c'est-à-dire le vin ● ᵇ Autre texte en se déchainant il (Dieu) a aggravé
● ᶜ les fils d'Adam ou les hommes — la mère universelle: la terre ● ᵈ pourpre: voir Ex 25.4 et la
note — la pourpre et la couronne: hébreu le turban et le diadème qui sont les ornements du
grand prêtre (voir Si 45.12; Ex 28.36-38) ● ᵉ e le sommeil … les soucis: traduction incertaine
d'un texte peu clair ● ᶠ mort … épée: hébreu peste, sang, brûlures, sécheresse (ou épée) ● ᵍ ce
qui vient des eaux retourne à la mer: hébreu tout ce qui vient d'en haut retourne en haut (voir
Qo 3.21; 12.7)

39.26 de première nécessité 29.21. **39.33** les œuvres du Seigneur sont bonnes Gn 1.31.
39.35 bénir le Seigneur Ps 145.21. **40.1** tracas pour tout homme Jb 7.1-5; 14.1-2. **40.5** trouble
et crainte Dt 28.65-67 — soucis même la nuit Qo 2.23+. **40.10** créé contre les impies 39.25-29
— les impies, cause du déluge Gn 6.5-7. **40.11** tout ce qui vient de la terre … 41.10; Gn 3.19;
Ps 146.4 — ce qui vient des eaux Qo 1.7.

Faux biens et biens véritables

12 Tout don corrupteur et toute injustice seront supprimés,
mais la fidélité subsistera à jamais.
13 Les richesses des injustes tariront comme un torrent
et passeront comme un grand coup de tonnerre qui éclate pendant l'averse [h].
14 Quand l'injuste ouvre les mains, il se réjouit [i],
de même les transgresseurs disparaîtront complètement.
15 Les rejetons des impies ne multiplieront pas leur rameaux
et les racines impures sont sur un rocher abrupt [j].
16 Le roseau qui pousse sur la bordure des eaux de n'importe quel fleuve
se trouve arraché avant toute herbe [k].
17 Mais un bienfait est un jardin luxuriant
et l'aumône demeure à jamais.

La crainte de Dieu est le bien suprême

18 La vie de l'homme indépendant et de l'ouvrier est douce [l],
mais plus heureux que l'un et l'autre celui qui trouve un trésor,
19 Avoir des enfants et fonder une ville affermit un nom,
mais plus que ces deux choses on estime une femme irréprochable [m].
20 Le vin et la musique réjouissent le cœur,
mais plus que ces deux choses l'amour de la sagesse [n].
21 La flûte et la harpe font une agréable mélodie,
mais plus que ces deux choses une langue agréable [o].
22 La grâce et la beauté, tel est le désir de l'œil,
mais plus que ces deux choses la verdure des champs.
23 Ami et compagnon se rencontrent en temps voulu,
mais plus encore une femme et son mari [p].
24 Les frères et les appuis interviennent au temps de l'adversité,
mais bien davantage l'aumône est libératrice.
25 L'or et l'argent donnent de l'assurance,
mais plus qu'eux on appréciera un conseil.
26 La richesse et la force donnent confiance,
mais plus encore la crainte [q] du Seigneur.
Avec la crainte du Seigneur rien ne manque,
avec elle il n'y a plus à chercher de secours.
27 La crainte du Seigneur est comme un jardin luxuriant
et mieux que toute gloire elle protège.

La mendicité

28 Mon fils, ne mène pas une vie de mendiant.
Mieux vaut mourir que mendier.
29 L'homme qui regarde vers la table d'autrui,
sa vie ne saurait compter pour une vie [r].
Il se souille la gorge de mets étrangers,
alors qu'un homme instruit et bien élevé s'en abstient.
30 A la bouche de l'impudent la mendicité est douce,
mais dans ses entrailles un feu brûlera.

La mort

41 1 O mort, que ton évocation est amère
à l'homme qui vit tranquille au milieu de ses biens,

h et passeront ... pendant l'averse: hébreu *et comme un torrent puissant dans un nuage de tonnerre* • *i* Grec obscur; hébreu très incertain • *j racines impures:* hébreu *racines de violence* — Le rocher ne permet pas aux *racines* de se fixer solidement • *k herbe:* grec et ancienne version syriaque; hébreu *pluie* • *l* Hébreu *La vie avec du vin et des liqueurs est douce;* autre texte hébreu *La vie d'abondance et de gain* (ou *de boisson*) *est douce* • *m affermit un nom:* beaucoup de villes portent le nom de leur fondateur — *on estime une femme irréprochable:* hébreu et ancienne version syriaque *vaut la découverte de la sagesse. Descendance* (ou *bétail*) *et plantations font fleurir le nom* • *n musique:* hébreu *boisson* — *l'amour de la sagesse:* hébreu *l'amour des époux* ou *l'amitié des amis* • *o agréable:* hébreu *sincère* • *p une femme et son mari:* hébreu *une femme avisée* • *q la crainte* ou *le respect* • *r sa vie ... une vie:* autre traduction fondée sur l'autre sens du mot *vie* en hébreu *sa nourriture ne saurait compter pour une nourriture*

40.12 don corrupteur 20.29+; Pr 15.27+. **40.15** enfants des impies 23.25; *Sg* 4.3. **40.16** le roseau arraché cf. Jb 8.11-12. **40.17** aumône 3.30+. **40.18** trouve un trésor Mt 13.44. **40.20** joie du vin 31.28; Ps 104.15+. **40.24** aumône 3.30+ — appuis dans l'adversité Pr 17.17; cf. *Si* 6.8+. **40.26** crainte du Seigneur 1.11+ — bienfaits de la crainte du Seigneur Pr 10.27+. **40.30** doux à la bouche, brûlant les entrailles Jb 20.14.

à l'homme qui n'a pas de soucis, à
qui tout réussit
et encore assez vigoureux pour s'adonner au plaisir *s*.

2 O mort, ta sentence est bienvenue
pour l'homme dans le besoin, dont les
forces diminuent,
dont l'extrême vieillesse est accablée de
toutes sortes de soucis,
qui se révolte *t* et qui a perdu la
patience.

3 Ne crains pas la sentence de mort,
souviens-toi de ceux qui t'ont précédé
et de ceux qui te suivront.

4 Telle est la sentence du Seigneur à
l'égard de tout être de chair.
Pourquoi discuter sur le bon plaisir du
Très-Haut ?
Que tu vives dix, cent ou mille ans,
au *séjour des morts on ne te chicanera
pas sur ta vie.

Le châtiment des impies

5 Les enfants des pécheurs deviennent des
enfants abominables
qui fréquentent les maisons des impies.

6 L'héritage des enfants des pécheurs va
à la ruine *u*.
A leur descendance s'attachera sans
cesse l'infamie.

7 Un père impie subira les reproches de
ses enfants,
car c'est à lui qu'ils doivent leur
infamie.

8 Malheur à vous, hommes impies
qui avez abandonné la loi du Très-
Haut.

9 Si vous naissez, vous naissez pour la
malédiction,
et si vous mourez, vous avez en partage la malédiction *v*.

10 Tout ce qui vient de la terre retournera

à la terre,
ainsi les impies vont de la malédiction
à la ruine *w*.

La bonne renommée

11 Les hommes sont en deuil pour leur
corps,
mais le nom des pécheurs n'est pas
bon, il sera effacé *x*.

12 Préoccupe-toi de ton nom car il te
survivra
plus que mille monceaux d'or *y*.

13 Une vie heureuse ne dure qu'un nombre limité de jours,
mais la bonne renommée demeure à
jamais.

Vraie et fausse honte

14 Conservez l'instruction dans la paix *z*,
mes enfants.
Sagesse cachée et trésor invisible,
quel profit peut-on tirer de l'un et de
l'autre ?

15 Mieux vaut l'homme qui dissimule sa
folie
que l'homme qui dissimule sa sagesse.

16 Je vais donc vous dire ce dont vraiment il faut rougir,
car il n'est pas bon d'entretenir toute
sorte de honte
et tous ne portent pas sur tout une
appréciation fidèle *a*.

17 Ayez honte de l'inconduite devant père
et mère,
du mensonge devant chef et puissant,

18 du délit devant juge et magistrat,
de la transgression devant l'assemblée
et le peuple,
de la perfidie devant compagnon et ami,

19 du vol devant les gens du lieu où tu
habites.

---

s ses biens: autre traduction *sa maison* — *s'adonner au plaisir:* d'après l'hébreu et l'ancienne
version syriaque; grec *accepter la nourriture* ● *t qui se révolte:* grec et hébreu; autre texte hébreu
qui est privé de la vue ● *u L'héritage ... à la ruine:* un texte hébreu *A cause du fils de l'impie le
royaume va à la ruine* ● *v* Au début du verset quelques manuscrits grecs ajoutent avec l'hébreu:
Car si vous vous multipliez, c'est pour la ruine. L'hébreu continue *si vous engendrez, c'est pour l'affliction, si vous chancelez, c'est pour la joie sans fin* (ancienne version syriaque *joie du peuple), et si
vous mourez, c'est pour être maudits* ● *w* Hébreu *Tout ce qui vient du néant retourne au néant,
ainsi l'impie vient de rien et retourne à rien* ● *x* Hébreu *Le corps de l'homme est vanité, mais un
renom de piété* (ou *bonté) ne disparaîtra pas* ● *y te survivra:* hébreu *s'en ira* — *d'or:* hébreu *précieux,* autre texte hébreu *de sagesse* ● *z Conservez ... dans la paix:* hébreu *Ecoutez l'enseignement
sur la honte* ● *a Je vais donc vous dire:* hébreu *Je porte donc un jugement sur ... — et tous ... appréciation fidèle:* autre traduction *ni d'approuver de confiance n'importe quoi;* hébreu *et toute honte
n'est pas excellente*

41.2 mort bienvenue Jb 3.20-23 — l'homme accablé Tb 3.6. 41.4 sentence de mort 8.7; 14.17;
Gn 3.19 — on ne te chicanera pas Qo 9.10. 41.5-10 le châtiment des impies 11.26+. 41.5 les
enfants des pécheurs sont abominables Ez 16.44. 41.10 tout ce qui vient de la terre 40.11+.
41.11 le nom effacé 10.17+. 41.12 la renommée Pr 22.1; Qo 7.1. 41.12-13 ton nom survivra
37.26+. 41.13 la vie est limitée 17.2+. 41.14 sagesse cachée 20.30+ — trésor invisible Mt 5.14-
16; 25.25. 41.16 honte 4.20-22, 25-26; 20.22-23. 41.17 mensonge 4.25; 7.12-13; 20.24+.

Aie honte devant la vérité de Dieu et
devant l'*alliance,

d'appuyer le coude sur les pains,
de donner ou recevoir avec dédain *b*,

20 de garder le silence devant ceux qui te
saluent,

d'arrêter tes regards sur une prostituée,

21 de repousser un compatriote *c*,

de soustraire à quelqu'un sa part ou
ce qu'on lui a donné,

de regarder la femme d'un autre
homme.

22 Ne sois pas trop entreprenant avec sa
servante,

et ne t'approche pas de son lit.

Aie honte de faire affront à des amis
par des paroles

— après avoir donné, ne fais pas
affront —,

42 1 de répéter une parole que tu as
entendue,

et de dévoiler les secrets.

Ainsi tu éprouveras la véritable honte
et tu seras bien vu de tout homme.

Des choses que voici n'aie pas honte
et n'en prends pas prétexte pour
pécher *d* :

2 n'aie pas honte de la *loi du Très-Haut
et de l'alliance,

ni d'une sentence qui justifie l'impie *e*,

3 ni de tenir des comptes avec un compagnon et des voyageurs,

ni de partager l'héritage avec d'autres *f*,

4 ni de la justesse de la balance et des
poids *g*,

ni d'acquérir beaucoup ou peu,

5 ni du bénéfice que les marchands tirent
de la vente,

ni de corriger fréquemment tes enfants,

ni de faire saigner les flancs d'un mauvais domestique *h*.

6 Avec une femme curieuse le sceau est
utile

et là où il y a beaucoup de mains,
mets les choses sous clef.

7 Ce que tu mets en dépôt, fais-le compter et peser ;

ce que tu donnes, ce que tu reçois,
mets tout par écrit.

8 N'aie pas honte de corriger l'imbécile
et le sot

et le vieillard très âgé accusé de
débauche *i*.

Tu montreras alors que tu es véritablement instruit

et tu recevras l'approbation de tout le
monde.

Soucis d'un père pour sa fille

9 Une fille est pour son père une cause
secrète d'insomnie *j*,

le souci qu'elle donne éloigne le
sommeil :

quand elle est jeune, parce qu'elle
risque de laisser passer la fleur de
l'âge,

une fois mariée, parce qu'elle pourrait
être détestée,

10 vierge, elle risque d'être déflorée
et de devenir enceinte dans la maison
de son père ;

alors qu'elle est unie à un mari, elle
risque d'être infidèle,

et dans la maison de son mari, elle
risque d'être stérile.

11 Autour d'une fille sans retenue monte
une garde renforcée,

de peur qu'elle ne fasse de toi la risée
de tes ennemis,

la fable de la ville et la cause de
l'attroupement du peuple

---

b devant la vérité ... l'alliance: hébreu *de rompre un serment ou un pacte — de donner ...
avec dédain:* hébreu *de refuser d'accorder ce qui est demandé* ● *c* un compatriote ou *un parent*
● *d n'en prends pas prétexte pour pécher:* autres traductions *ne te laisse influencer par personne
au point de pécher* ou *ne pèche pas en étant partial* ● *e* C'est-à-dire *(n'aie pas honte)* de la
sentence, même si tu dois acquitter un impie (innocent; voir Dt 1.17); autre interprétation *(n'aie
pas honte)* de rendre la justice, même si tu risques d'acquitter (par erreur) *l'impie* (coupable).
Peut-être *l'impie* désigne-t-il les non-Juifs ● *f* avec d'autres: autre texte *avec des amis* — de partager
... d'autres: hébreu *des discussions concernant un héritage ou des biens* ● *g la justesse ... des poids:*
hébreu *la poussière de la balance et du peson.* On devait nettoyer balance et poids pour qu'ils soient
justes — L'hébreu ajoute : *et du nettoyage de l'épha et du poids* (épha: voir au glossaire POIDS
ET MESURES) ● *h ni de faire saigner ... domestique:* hébreu *et un serviteur mauvais qui boite
pour marcher;* autre traduction *et de donner au serviteur mauvais et boiteux des coups de bâton,*
● *i très âgé ... débauche:* autre texte *très âgé qui discute avec des jeunes;* texte hébreu *chancelant
préoccupé de débauche;* autre texte hébreu *et l'homme âgé qui prend conseil pour la débauche*
● *j une cause secrète d'insomnie:* hébreu *un trésor décevant*

41.20 prostituée 9.6+. **41.21** regarder une femme mariée 9.8-9; Mt 5.28. **42.1** répéter une
parole 19.7 — dévoiler les secrets 22.22+. **42.2** justifier l'impie Pr 17.15; 24.24; Es 5.23.
42.3 partager l'héritage Lc 12.13. **42.4** poids juste Pr 11.1+; 16.11. **42.5** châtiments corporels
30.1+ — domestique 7.20-21+. **42.8** corriger le sot Pr 10.13; 19.29; 26.3. **42.9** épouse détestée
Dt 24.1. **42.11** fille sans retenue 26.10.

et qu'elle ne te couvre de honte à l'assemblée plénière [k].

Se garder des femmes

[12] Ne fixe tes regards sur la beauté d'aucun être humain
et ne t'assieds pas au milieu des femmes [l],

[13] car des vêtements sort la teigne
et d'une femme une méchanceté de femme.

[14] Mieux vaut la méchanceté d'un homme
que la bonté d'une femme ;
une femme couvre de honte et expose à l'insulte.

SECTION E : GRANDEUR ET SAGESSE DE DIEU

Dieu, créateur de l'univers

[15] Je vais maintenant rappeler les œuvres du Seigneur,
ce que j'ai vu, je vais le raconter.
Par les paroles du Seigneur, ses œuvres existent [m] :

[16] Le soleil qui brille regarde toutes choses
et l'œuvre du Seigneur est pleine de sa gloire.

[17] Il n'a pas été possible aux saints du Seigneur
de raconter toutes ses merveilles,
celles que le Seigneur Tout-Puissant a solidement établies
pour que l'univers soit affermi dans sa gloire [n].

[18] Il sonde l'*abîme et le *cœur,
il perce à jour leurs manœuvres [o],
car le Très-Haut possède toute science,
il a le regard fixé sur les signes des temps.

[19] Il annonce le passé et l'avenir
et révèle les indices des choses cachées.

[20] Aucune pensée ne lui échappe,
pas une parole ne lui demeure cachée.

[21] Il a disposé avec ordre les œuvres grandioses de sa sagesse,
car il est [p] avant l'éternité et jusqu'à l'éternité.
Rien n'a été ajouté, rien n'a été ôté,
et il n'a eu besoin d'aucun conseiller.

[22] Que toutes ses œuvres sont désirables,
jusqu'à la plus petite étincelle qui se peut contempler [q].

[23] Tout cela vit et demeure à jamais
pour tous les besoins, et tout obéit [r].

[24] Toutes choses vont par deux, l'une correspond à l'autre
et il n'a rien créé d'imparfait.

[25] L'une renforce le bien de l'autre.
Qui pourrait se rassasier de voir sa gloire [s] ?

Les astres

43 [1] Quelle splendeur que les hauteurs du pur firmament,
quel spectacle que le ciel quand on voit sa gloire [t] !

[2] Le soleil qui paraît proclame à son lever
quelle chose admirable est l'œuvre du Très-Haut.

---

[k] *et la cause de l'attroupement du peuple ;* hébreu *et de l'assemblée du peuple ;* autre texte hébreu *et l'objet de la malédiction du peuple* — *l'assemblée plénière :* hébreu *l'assemblée de la porte* (de la ville), c'est-à-dire *le tribunal* — L'hébreu et l'ancienne version syriaque ajoutent: *dans le lieu où elle habite, qu'il n'y ait pas de fenêtre, ni de pièce ayant vue sur les accès tout autour* ● *l* Hébreu *A aucun homme qu'elle ne montre sa beauté, et dans la maison des femmes qu'elle ne converse pas.* En hébreu, jusqu'au v. 14, il s'agit encore de la fille à surveiller et des dangers qu'elle court en compagnie des femmes mariées ● *m Par les paroles ... existent:* grec, hébreu; autre texte hébreu *Dans* (ou *Par*) *la parole de Dieu sa volonté s'exprime* (ou *s'accomplit*) — A la fin du verset quelques manuscrits grecs ajoutent: *et son décret s'est réalisé avec sa bénédiction;* hébreu *sa doctrine est une œuvre de sa bienveillance* (ou *volonté*) ● *n saints:* ce mot désigne ici les anges — *dans sa gloire* (celle de l'univers) ; hébreu *devant sa gloire* (celle de Dieu) ● *o manœuvres:* hébreu *secrets* — *les signes des temps:* peut-être les astres qui divisent et marquent le temps (voir 43.6; Gn 1.14); hébreu *ce qui doit arriver jusqu'à l'éternité* ● *p car il est:* hébreu *car il est le même* ● *q jusqu'à:* autre texte *comme* — hébreu *jusqu'à une étincelle et à une vision fugitive* ● *r et tout obéit:* grec et un manuscrit hébreu ; autre manuscrit hébreu *tout est gardé* ● *s sa gloire:* hébreu *leur gloire* ● *t* Le sens général des v. 1-5 est clair, mais l'interprétation des détails est incertaine, malgré l'accord global du texte hébreu et de sa traduction grecque

42.12 ne regarde pas la beauté, ne t'assieds pas 9.8-9.   **42.14** la femme Qo 7.26-28+.
42.15 par ses paroles ses œuvres existent Ps 33.6+ ; Sg 9.1.   **42.16** son œuvre est pleine de sa gloire Ps 19.2.   **42.18** il sonde l'abîme Jb 26.6; Pr 15.11.   **42.20** aucune pensée n'échappe à Dieu Ps 139.1-4.   **42.21** rien n'est ajouté ni ôté 18.6; Qo 3.14.   **42.23** tout [obéit 16.27-28.
42.24 par deux 33.14-15.   **43.1** le ciel Ps 8.4; 19.2; 136.4-9.   **43.2** le soleil Ps 19.5-7.

3 A son midi il dessèche la terre,
  devant son ardeur qui peut tenir ?
4 On attise la fournaise pour les travaux
    qui se font à chaud,
  mais trois fois plus chaud est le soleil
    qui brûle les monts.
  Il exhale des vapeurs brûlantes *u*
  et, dardant ses rayons, il éblouit les
    yeux.
5 Il est grand, le Seigneur qui l'a créé ;
  par ses paroles il dirige sa course ra-
    pide *v*.
6 La lune aussi, à sa date, fixe
  l'indication des époques et le signal du
    temps *w*.
7 De la lune vient le signal de la fête *x*,
  cet astre qui diminue sur la fin.
8 C'est d'elle que le mois reçoit son nom ;
  elle a une croissance merveilleuse au
    cours de son changement *y*,
  fanal des armées qui campent là-haut,
  brillant au firmament du ciel.
9 La beauté du ciel, c'est la gloire des
    astres *z*,
  ornement lumineux dans les hauteurs
    du Seigneur *a*.
10 A la parole du *Saint, ils se tiennent
    selon son ordre,
   ils ne se relâchent pas dans leurs
    veilles *b*.

Les merveilles de la nature

11 Vois l'arc-en-ciel et bénis celui qui l'a
    fait,

il est si beau dans sa splendeur.
12 Il trace dans le ciel un cercle de gloire,
   les mains du Très-Haut l'ont tendu.
13 Par son ordre il précipite la neige,
   il dépêche les éclairs exécuteurs de son
    jugement *c*.
14 C'est pourquoi s'ouvrent les réserves *d*,
   et les nuages s'envolent comme des
    oiseaux.
15 Dans sa grandeur il durcit les nuages
   qui se pulvérisent en grêlons.
17a La voix de son tonnerre met la terre
    en travail,
16 à sa vue les montagnes sont ébranlées.
   A sa volonté souffle le vent du sud
17b ainsi que l'ouragan du nord et le tour-
    billon du vent.
   Comme des oiseaux qui descendent, il
    répand la neige,
   comme la sauterelle qui s'abat, elle
    tombe.
18 La beauté de sa blancheur émerveille *e*
    l'œil,
   et quand elle tombe le cœur est ravi.
19 Comme du sel sur la terre il déverse le
    givre
   qui gèle et devient des pointes d'épi-
    nes *f*.
20 Le vent froid du nord souffle
   et gèle la glace à la surface de l'eau.
   Sur toute nappe d'eau il s'abat
   et comme d'une cuirasse la revêt.
21 Il dévore les montagnes et brûle le dé-
    sert,
   il consume la verdure comme un feu.

u On attise ... à chaud: un manuscrit hébreu *Le four est embrasé pour les ouvrage de fonte — il exhale des vapeurs brûlantes:* hébreu *une langue de l'astre consume la terre habitée* ● *v* Hébreu *Car le Seigneur en a fait un signe et ses paroles dirigent* (ou *font briller*) *ses ministres* (ou *régulateurs*). Les astres sont qualifiés de *ministres* de Dieu ou de *régulateurs* du monde et du calendrier. Vers l'époque de Ben Sira, le soleil joue un grand rôle dans l'établissement d'un calendrier parallèle au calendrier officiel ● *w* Hébreu *La lune aussi luira en des temps qui reviennent* (autre texte *La lune aussi guidera les temps*) *pour présider aux époques et être un signe éternel* ● *x De la lune ... la fête:* grec et ancienne version syriaque; hébreu *Par elle sont fixées les fêtes et les dates légales.* Du temps de Ben Sira le calendrier officiel était fondé sur la lune. Les deux grandes fêtes de Pâque et des Tentes (voir au glossaire CALENDRIER) commençaient le jour de la pleine lune (Lv 23.5, 34) ● *y le mois reçoit son nom:* le nom hébreu de la lune sert aussi à désigner le mois — *elle a une croissance ... son changement:* hébreu *comme elle est admirable dans son retour — les armées qui campent là-haut:* les astres ● *z* Hébreu *La beauté du ciel et sa gloire, c'est une étoile;* autre traduction *La beauté du ciel et la gloire d'une étoile ...* — En hébreu les v. 9-10 parlent d'une étoile. On peut y voir une comparaison qui s'applique à la lune ou bien la désignation de Vénus, l'étoile du matin ● *a* Hébreu *et sa lumière brille dans les hauteurs de Dieu;* autre texte *elle orne* (ou *elle se lève le matin*) *et fait resplendir les hauteurs de Dieu* ● *b* Hébreu *Par la Parole de Dieu elle se tient à la place prescrite et ne se relâche pas de leurs veilles* (probablement les veilles prescrites aux astres) ● *c* Hébreu *Sa puissance dessine l'éclair* (autre texte *la grêle*) *et fait briller les traits enflammés lors du jugement* ● *d des réserves,* c'est-à-dire les magasins où Dieu est censé tenir en réserve la foudre et les autres fléaux ● *e émerveille:* hébreu *détourne* ● *f qui gèle ... épines:* hébreu *qui forme des fleurs* (ou *des cristaux*) *semblables à du saphir* (autre texte *des épines*).

43.6 la lune Gn 1.14-18; Ps 89.38; 104.19. **43.9** les étoiles *Ba* 3.34-35. **43.11** l'arc-en-ciel 50.7; Ez 1.28. **43.13** la neige Ps 147.16-17; Jb 37.6. **43.14** les réserves Jb 38.22. **43.17a** voix du tonnerre Ps 29.8. **43.16** montagnes ébranlées Ps 18.8-9; 29.6. **43.20** la glace Jb 37.10; 38.29-30.

22 A tout cela la brume humide apporte
un prompt remède,
la rosée qui survient après la canicule
ramène la joie.

23 Selon son dessein il a dompté l'*abîme
et il y a planté des îles.

24 Ceux qui naviguent sur la mer racontent ses dangers g,
et nous n'en croyons pas nos oreilles.

25 Il y a là des œuvres étranges et merveilleuses,
animaux de toute espèce et la race des
monstres marins.

26 Par lui son messager réussit
et par sa parole toutes choses s'arrangent h.

27 Nous pourrions dire bien des choses
sans arriver au bout,
le point final de nos discours, c'est : il
est le tout.

28 Où trouver la force de le glorifier ?
car il est le Grand, il dépasse toutes ses
œuvres.

29 Le Seigneur est redoutable et souverainement grand
et merveilleuse est sa puissance.

30 Pour glorifier le Seigneur, exaltez-le
autant que vous le pourrez, il sera encore au-dessus.
A l'exalter mettez beaucoup de force,
ne vous lassez pas, car vous n'arriverez
pas au bout.

31 Qui l'a vu pour être capable de le décrire ?
Qui le magnifiera à la mesure de ce
qu'il est ?

32 Il y a bien des choses cachées plus
grandes que celles-là,
car nous n'avons vu que peu de ses
œuvres.

33 En effet c'est le Seigneur qui a tout
fait
et aux hommes pieux il a donné la sagesse.

Eloge des ancêtres i

44 1 Faisons donc l'éloge des hommes
illustres,
de nos pères, dans leurs générations j.

2 Le Seigneur a créé une gloire abondante,
sa grandeur depuis toujours k :

3 des hommes ont dominé dans leurs
royaumes,
ont été renommés pour leur puissance,
conseillers grâce à leur intelligence,
annonciateurs de *prophéties l,

4 chefs du peuple par leurs conseils,
leur intelligence dans l'instruction du
peuple,
et les sages paroles de leur enseignement m.

5 Ils inventaient des chants mélodieux,
écrivaient des récits poétiques.

6 Hommes riches, dotés de puissance,
vivant en paix dans leurs demeures.

7 Tous ces gens-là ont été glorifiés par
ceux de leur génération
et de leur vivant on les a vantés.

8 Certains parmi eux ont laissé un nom
qui fera raconter leurs louanges.

9 Il y en a aussi dont il ne reste pas de
souvenir ;
ils ont péri comme s'ils n'avaient pas
existé,
ils sont comme s'ils n'avaient pas été,
ainsi que leurs enfants après eux.

10 Mais voici des hommes de bien
dont les bonnes actions n'ont pas été
oubliées n.

---

g *ses dangers*: hébreu *ses limites* ● h *réussit*: hébreu *fait bon voyage — toutes choses s'arrangent*:
hébreu *il exécute sa volonté* ● i Le titre est donné par les manuscrits grecs et hébreu ● j *hommes
illustres*: hébreu *hommes de bien* (voir 44.10) ou *hommes pieux*, c'est-à-dire dévoués à la *Loi —
de nos pères dans leurs générations*: d'après l'hébreu; grec *et de nos pères qui nous ont engendrés*
● k Grec peu clair; texte hébreu *La portion du Très-Haut* (désignation imagée d'Israël) *abonde en
gloire, elle est sa grandeur depuis toujours*. Autre texte hébreu *Le Très-Haut leur a donné en partage
une gloire abondante et ils ont été grands depuis toujours* — Les v. 2-9 peuvent s'appliquer soit aux
non-juifs célèbres, soit aux ancêtres d'Israël. A partir du v. 10 il s'agit sûrement d'Israël ● l *dans
leurs royaumes*: autres traductions *par leur façon de régner* ou *pendant leur règne — annonciateurs
de prophéties*: hébreu *visionnaires universels dans leurs prophéties* ● m *leur intelligence dans l'instruction du peuple*: hébreu *princes grâce à leurs profondes pensées*; autre texte hébreu *princes grâce
à leurs décrets — les sages paroles de leur enseignement*: hébreu *habiles à parler grâce à leur formation de scribe* — Après *enseignement* l'hébreu ajoute *et gouverneurs dans leurs fonctions*; autre
traduction *et auteurs de proverbes grâce à leurs traditions* ● n *hommes de bien*: voir la note sur
44.1 — *dont les bonnes actions n'ont pas été oubliées*: hébreu *et ce qu'ils espèrent ne finira pas*

43.23 Dieu a dompté l'abîme Ps 89.10+. 43.24 les dangers de la mer Ps 107.23-27.
43.25 animaux marins Ps 104.25-26. 43.26 son messager réussit Es 44.26. 43.28 il est le Grand
Ps 96.4+. 43.28-32 il dépasse tout 18.4-7; Ps 106.2. 43.29 Dieu redoutable 1.8. 43.31 qui a
vu Dieu ? Ex 33.20; Jn 1.18; 1 Tm 6.16; 1 Jn 4.12. 43.33 Dieu a tout fait 18.1+ — Dieu donne
la sagesse 1.9-10. 44.1 éloge des pères *I M* 2.51-64; He 11. 44.8-15 laissé un nom 37.26+.
44.9 pas de souvenir 10.17+; Qo 2.16+.

11 A leur descendance passent leurs biens,
leur héritage à leurs rejetons [o].
12 Leur descendance remplit ses obligations
et leurs enfants à cause d'eux.
13 A jamais demeurera leur descendance
et leur gloire ne disparaîtra pas.
14 Leurs corps ont été ensevelis dans la paix
et leur nom vit pour les générations.
15 Des nations raconteront [p] leur sagesse
et l'assemblée annoncera leur louange.

Hénok, Noé

16 Hénok plut au Seigneur et fut transféré ;
c'est un exemple de conversion [q] pour les générations.

17 Noé fut trouvé parfait et juste ;
au temps de la colère il assura la relève.
A cause de lui il y eut un reste pour la terre
quand arriva le déluge [r].
18 Des alliances éternelles furent établies avec lui
pour que tout être de chair ne fût plus détruit par un déluge.

Abraham, Isaac, Jacob

19 Le grand Abraham, ancêtre d'une multitude de nations,
il ne s'est trouvé personne pour l'égaler en gloire [s].
20 Il observa la loi du Très-Haut
et entra dans une *alliance avec lui.
Dans sa chair il établit l'alliance
et dans l'épreuve il fut trouvé fidèle.
21 C'est pourquoi Dieu lui assura par serment
que les nations seraient bénies en sa descendance,
qu'il le multiplierait comme la poussière de la terre,
qu'il exalterait sa descendance comme les étoiles
et qu'ils recevraient le pays en héritage
de la mer jusqu'à la mer
et depuis le Fleuve jusqu'aux extrémités de la terre [t].

22 A Isaac il donna la même assurance
à cause d'Abraham son père.
La bénédiction de tous les hommes et l'alliance [u],
23 il les fit reposer sur la tête de Jacob.
Il le confirma dans ses bénédictions [v]
et lui donna en héritage le pays
qu'il divisa en lots
et partagea entre les douze tribus.

Moïse

Il fit sortir de lui un homme de bien
qui trouva grâce aux yeux de tous [w],

45 1 aimé de Dieu et des hommes,
Moïse dont la mémoire est en bénédiction.
2 Il lui donna une gloire égale à celle des *anges
et il le rendit grand par la crainte qu'il inspirait aux ennemis [x].

o Traduction d'après l'hébreu; grec *Avec leur descendance demeure un bon héritage, leurs rejetons* ● *p Des nations raconteront:* hébreu *La communauté répétera* ● *q* La mention d'*Hénok* fait double emploi avec celle de 49.14. Elle manque dans le plus ancien manuscrit hébreu et dans l'ancienne version syriaque — *exemple de conversion:* hébreu *signe de science.* Dans la littérature apocalyptique Hénok est l'inventeur de l'écriture et de l'astronomie; il possède la connaissance des secrets naturels et surnaturels ● *r la colère,* sous-entendu *de Dieu* — *pour la terre quand arriva le déluge;* hébreu *et par son alliance cessa le déluge* (*l'alliance:* allusion à l'arc-en-ciel selon Gn 9.9-17) ● *s il ne s'est trouvé ... en gloire:* hébreu *il ne mit aucune tache sur sa gloire* ● *t qu'il le multiplierait ... comme les étoiles:* absent de l'hébreu — *qu'il exalterait ... comme les étoiles:* grec; ancienne version syriaque *et qu'il ferait dominer sa descendance au-dessus des nations* — *de la mer jusqu'à la mer:* de la mer Morte jusqu'à la Méditerranée — *le Fleuve: l'Euphrate* ● *u il donna la même assurance:* hébreu *il suscita un fils* — *La bénédiction ... et l'alliance:* hébreu *alliance pour tout ancêtre il l'établit* ● *v dans ses bénédictions:* hébreu *dans ses droits de premier-né* (voir Gn 25. 29-34; 27.19-33) ● *w homme de bien* ou *homme pieux* (voir la note sur 44.1) — *Il fit sortir ... aux yeux de tous:* certains interprètes appliquent ces deux lignes à Joseph, fils de Jacob ● *x et il le rendit... aux ennemis:* hébreu *il le fortifia dans les hauteurs,* c'est-à-dire sur le mont Sinaï (voir Ex 19)

44.15 des nations raconteront leur sagesse 39.10. **44.16** Hénok Gn 5.24; He 11.5. **44.17** Noé fut juste Gn 6.9 — il assura la relève Es 4.2; 6.13 — un reste lors du déluge 1 P 3.20; 2 P 2.5. **44.18** des alliances Gn 9.9. **44.19** ancêtre d'une multitude Gn 17.4-6; Rm 4. **44.20** alliance dans sa chair Gn 17.10-14, 23-27 — fidèle dans l'épreuve Gn 22.1-18; *1 M* 2.52; He 11.17-19. **44.21** nations bénies Gn 12.3; 18.18; 22.18; Ac 3.25; Ga 3.8 — nombreux comme la poussière Gn 13.16 — comme les étoiles Gn 15.5 — pays en héritage Gn 15.18; Ex 23.31; Dt 11.23-24; Ps 72.8 — d'une mer à l'autre Ps 72.8+. **44.22** assurance à Isaac Gn 17.19; 26.3-5, 24 — alliance Gn 28.13-15. **44.23** il le confirma Gn 27.27-29 — douze tribus Gn 49.1-27.

3 Par ses paroles il précipita les prodiges,
il le glorifia devant les rois [v],
il lui donna des commandements pour
son peuple
et il lui montra quelque chose de sa
gloire.
4 A cause de sa fidélité et de sa douceur
il le consacra,
il le choisit parmi tous les êtres de
chair.
5 Il lui fit entendre sa voix
et l'introduisit dans la nuée.
Il lui donna face à face les commandements,
la *loi de vie et d'intelligence
pour enseigner à Jacob l'*alliance [z]
et ses décrets à Israël.

Aaron

6 Il éleva Aaron, un *saint semblable à
Moïse,
son frère, de la tribu de Lévi.
7 Il l'établit par une règle perpétuelle
et lui donna le sacerdoce du peuple.
Il le rendit heureux par de beaux ornements [a]
et le ceignit d'une robe de gloire.
8 Il le revêtit de toute une superbe parure
et le couronna des insignes de sa puissance,
caleçons, longue tunique et éphod [b].
9 Il l'entoura de grenades,
de clochettes d'or, en grand nombre,
tout autour,
qui retentissaient à chacun de ses pas
et faisaient entendre leur tintement dans
le Temple,
en mémorial [c] pour les fils de son peuple,
10 et d'un vêtement sacré d'or, de pourpre
violette

et de pourpre rouge, travail d'artiste ;
du pectoral du jugement, de l'oracle de
vérité [d],
11 de cramoisi retors, travail d'artisan,
de pierres précieuses gravées à la manière d'un sceau,
serties dans une monture d'or, travail
de lapidaire,
avec une inscription gravée pour servir
de mémorial,
selon le nombre des tribus d'Israël ;
12 un diadème d'or par-dessus le turban,
portant gravée l'inscription de consécration,
insigne d'honneur, travail de haute qualité,
délices des yeux, parfaitement ornées.
13 Avant lui il n'y avait rien eu d'aussi
beau,
jamais un étranger ne les revêtit,
mais seulement ses fils
et ses descendants pour toujours.
14 Ses *sacrifices se consument entièrement,
deux fois par jour, à perpétuité.
15 C'est Moïse qui lui conféra l'investiture
et lui fit l'*onction d'huile sainte.
Ce fut pour lui une *alliance éternelle
ainsi que pour sa descendance, tous les
jours que durera le ciel,
pour officier et en même temps exercer
le sacerdoce
et bénir son peuple par le *Nom.
16 Il le choisit parmi tous les vivants
pour offrir l'holocauste [e] au Seigneur,
l'*encens et le parfum en mémorial,
pour faire le rite d'absolution sur le
peuple.
17 Il lui donna dans ses commandements
pouvoir sur les prescriptions de la loi,
pour enseigner à Jacob ses exigences

---

[y] *il précipita* ou *il hâta :* d'après l'hébreu; grec *il fit cesser* — *il le glorifia devant les rois :* hébreu *il le fortifia devant le roi,* c'est-à-dire devant le *Pharaon ● [z] *la nuée :* voir Ex 13.21 et la note — *face à face :* hébreu *entre] les mains* — *l'alliance :* hébreu *les prescriptions* ● [a] *Il le rendit heureux par de beaux ornements :* hébreu *et il* (= Aaron) *le* (= Dieu) *servit dans sa gloire* ● [b] *couronna :* d'après l'hébreu et l'ancienne version latine; grec *fortifia* — *éphod :* hébreu *manteau* ● [c] *en mémorial :* soit pour rappeler à Dieu le souvenir de son peuple (voir Ex 28.12; Nb 31.54), soit pour aider Israël à ne pas oublier Dieu (voir Nb 17.5) ● [d] *l'oracle de vérité :* Ourim et Toummim (voir Ex 28.30) ● [e] *holocauste :* voir au glossaire SACRIFICES

45.3 les prodiges Ex 7—10 — il donna des commandements Ex 24.12; 31.18; 32.15-16; Dt 5.22 — quelque chose de sa gloire Ex 33.20-23. **45.4** fidélité et douceur de Moïse Nb 12.3, 7; He 3.2, 5; cf. Si 1.27. **45.5** fit entendre sa voix Ex 19.19 — dans la nuée Ex 20.21; 24.18 — face à face Ex 33.11; Dt 34.10 — la loi de vie 17.11; Dt 30.16. **45.7** une règle perpétuelle Ex 29.9; Nb 25.13. **45.8** caleçons Ex 28.42 — tunique Ex 28.31-35 — éphod Ex 28.6-12. **45.9** clochettes Ex 28.33-35. **45.10** vêtement sacré Ex 28.2-5 — pectoral Ex 28.15-30. **45.12** dia-dème Ex 28.36-38. **45.13** ses fils Ex 29.29. **45.14** les deux holocaustes quotidiens Ex 29.38-42; Nb 28.3-8. **45.15** investiture des prêtres Ex 28.41; 29.4-9; Lv 8.1-13 — huile d'onction Ex 30.25+ — bénir son peuple Nb 6.24-26. **45.16** encens en mémorial Lv 2.2, 9, 16 — parfum Ex 30.34-38 — le rite d'absolution Lv 16.1-34. **45.17** enseigner Lv 10.11; Dt 33.10; Ml 2.7.

et illuminer Israël par sa *loi.

¹⁸ Des étrangers *f* se dressèrent contre lui
et le jalousèrent au désert,
les hommes de Datân et d'Abirâm
et la bande de Coré, dans une furieuse
colère.

¹⁹ Le Seigneur le vit et cela lui déplut,
ils furent exterminés par la fureur de sa
colère ;
il fit contre eux des prodiges,
les dévorant par les flammes de son feu.

²⁰ Il ajouta encore à la gloire d'Aaron
et lui donna un héritage :
il lui donna en partage les *prémices
des premiers fruits,
et lui assura d'abord le pain à satiété,

²¹ car ils ont pour nourriture les sacrifices
du Seigneur ;
il les lui a donnés ainsi qu'à sa descendance.

²² Par contre, dans la terre du peuple il
n'a pas d'héritage
et il n'y a pas de part pour lui au milieu du peuple,
car *moi-même je suis ta part et ton
héritage.*

Pinhas

²³ Pinhas fils d'Eléazar est le troisième en
gloire
pour son zèle dans la crainte *g* du Seigneur
et pour sa fermeté lors de la défection
du peuple
dans le généreux courage de son âme ;
il obtint ainsi le pardon pour Israël.

²⁴ C'est pourquoi fut établie en sa faveur
une *alliance de paix :
il serait le chef du *sanctuaire et de son
peuple,
pour qu'à lui et à sa descendance appartienne
à jamais le souverain sacerdoce.

²⁵ Il y eut aussi une alliance avec David
fils de Jessé, de la tribu de Juda ;
l'héritage du roi passe d'un fils à un

seul fils,
l'héritage d'Aaron passe à toute sa descendance.

²⁶ Que le Seigneur mette la sagesse en
votre *cœur
pour juger son peuple avec justice,
afin que leur prospérité ne disparaisse
pas,
ni leur gloire dans les générations *h*.

Josué et Caleb

46 ¹ Josué fils de Noun fut un vaillant
guerrier.
Il succéda à Moïse dans la fonction
*prophétique
et, conformément à son nom *i*, devint
grand pour sauver les élus du Seigneur,
pour châtier les ennemis dressés contre
lui
et faire prendre possession à Israël de
son héritage.

² Quelle gloire il s'acquit quand il levait
les mains
et brandissait l'épée contre les villes !

³ Qui donc avant lui avait été aussi
ferme *j* ?
C'est lui en effet qui menait les combats du Seigneur.

⁴ N'est-ce pas par lui que le soleil fut
arrêté
et qu'un seul jour en devint deux ?

⁵ Il invoqua le Très-Haut, le Puissant,
quand les ennemis le pressaient de
toute part,
et le Seigneur Grand l'exauça
en envoyant des grêlons d'une force
énorme.

⁶ Il fondit sur la nation ennemie,
il fit périr les adversaires qui dévalaient
la pente,
afin que les nations connaissent toutes
ses armes,
puisque c'est contre le Seigneur qu'elles
faisaient la guerre *k*.
En effet il marcha à la suite du Puissant

---

*f Datân, Abirâm, Coré et leurs partisans étaient étrangers à la famille d'Aaron (voir Nb
16.1—17.15) ● g le troisième en gloire, soit après Moïse et Aaron, soit peut-être après Abraham
(voir 44.19) et Moïse (voir 45.2) — la crainte ou le respect ● h Que le Seigneur … dans les générations : prière en faveur des descendants d'Aaron — juger ou gouverner ● i Josué signifie le
Seigneur sauve (voir Mt 1.21 et la note) ● j Hébreu Qui pouvait tenir devant lui ? ● k ses armes :
les armes de Josué sont celles de Dieu — afin que … faisaient la guerre : hébreu afin que tous les
peuples voués à l'interdit sachent que Dieu surveille leurs combats (interdit : voir Dt 2.34 et la note)*

45.18 Coré, Datân, Abirâm Nb 16.1+. **45.20** les prémices données au prêtre Nb 18.12-13 —
lui assura le pain Lv 24.5-9. **45.21** nourriture des prêtres Lv 6.9-11; Nb 18.8-19. **45.22** pas
d'héritage territorial Nb 18.20; Dt 18.1-2. **45.23** le zèle de Pinhas Nb 25.11+; 1 M 2.26. **45.24**
alliance en faveur de Pinhas Nb 25.12-13; 1 M 2.54. **45.25** alliance avec David 2 S 7.11-16;
23.5; Ps 89.4-5, 29-38. **46.1** Josué Ex 33.11+. **46.2** il levait les mains Ex 8.18, 26. **46.3** il
menait les combats Ex 17.13. **46.4** il arrêta le soleil Jos 10.12-14. **46.5** il invoqua Dieu 46.16—
des grêlons Jos 10.11. **46.6** dévalaient la pente Jos 10.10-11.

7 et aux jours de Moïse il agit avec fidélité,
ainsi que Caleb fils de Yefounné :
en résistant face à l'assemblée,
ils empêchèrent le peuple de pécher
et firent cesser les murmures mauvais.
8 Aussi eux deux furent sauvés,
seuls parmi six cent milliers de fantassins,
pour être introduits dans l'héritage,
dans une terre ruisselant de lait et de
miel *l*.
9 Et le Seigneur donna à Caleb la vigueur
qui lui resta jusque dans la vieillesse,
il lui fit gravir les hauteurs du pays *m*
que sa descendance devait garder en
héritage,
10 afin que tous les fils d'Israël sachent
qu'il est bon de suivre le Seigneur.

Les Juges

11 Les juges aussi, chacun d'après sa renommée,
tous ceux dont le *cœur ne s'est pas
prostitué *n*
et qui ne se sont pas détournés du Seigneur,
que leur souvenir soit en bénédiction !
12 Que leurs os refleurissent de leur
tombe *o*
et que leur nom se renouvelle
dans les fils de ces hommes illustres !

Samuel

13 Aimé par son Seigneur, Samuel,
*prophète du Seigneur, établit la
royauté,
il oignit *p* des chefs sur son peuple.

14 D'après la loi du Seigneur il jugea *q*
l'assemblée
et le Seigneur intervint en faveur de
Jacob.
15 Par sa fidélité il se montra authentique
prophète,
dans ses paroles il fut reconnu voyant
véridique.
16 Il invoqua le Seigneur, le Puissant,
quand ses ennemis le pressaient de
toute part,
en offrant un agneau de lait.
17 Le Seigneur tonna du ciel
et, avec un grand fracas, fit entendre sa
voix.
18 Il extermina les chefs des Tyriens
et tous les princes des Philistins *r*.
19 Avant le temps du sommeil éternel il
témoigna
devant le Seigneur et son oint :
« Je n'ai jamais pris le bien de qui
que ce soit,
pas même des sandales »,
et personne ne l'accusa *s*.
20 Même après s'être endormi, il prophétisa encore
et annonça au roi sa fin ;
du sein de la terre il éleva la voix
en prophétisant pour effacer l'iniquité
du peuple *t*.

Natan et David

47 1 Après lui se leva Natan
pour *prophétiser aux jours de David.

2 Comme la graisse qu'on prélève sur les
*sacrifices de salut *u*,
ainsi David fut mis à part parmi les
fils d'Israël.

---

l Voir Ex 3.8 et la note ● *m les hauteurs du pays:* la région montagneuse d'Hébron, attribuée à Caleb (Jos 14.13-15) ● *n juges:* voir Jg 2.16 et la note — *d'après sa renommée:* autre traduction *nommément* — *prostitué:* voir Os 2.4 et la note ● *o Que leurs os refleurissent de leur tombe:* ce souhait concerne probablement une postérité qui renouvellerait, du temps de Ben Sira, la fidé-lité des juges, plutôt qu'il n'exprime l'idée d'une résurrection — La ligne manque en hébreu ● *p* Hébreu *Aimé de son peuple et agréable à son créateur, celui qui fut demandé dès le sein de sa mère, consacré au Seigneur dans la fonction prophétique,* Samuel, *juge et prêtre. Sur l'ordre de Dieu il établit la royauté* — *oignit:* voir au glossaire OINDRE ● *q il jugea* ou *il gouverna* ● *r il extermina:* hébreu *il soumit* (voir 1 S 7.13) — *Tyriens:* hébreu *ennemi* — *Philistins:* voir Gn 26.1 et la note ● *s* L'*oint du Seigneur:* Saül — *accusa:* l'hébreu ajoute *jusqu'au temps de sa fin il fut trouvé avisé aux yeux du Seigneur et aux yeux de tout vivant* ● *t il prophétisa encore:* allusion probable à l'annonce de la défaite d'Israël et de la mort de Saül (voir 1 S 28.19). On ne voit guère à quoi fait allusion la dernière ligne du verset; elle manque dans le texte hébreu ● *u* Les parties grasses des victimes des sacrifices étaient considérées comme les meilleurs morceaux — *sacrifices de salut:* hébreu *sacrifices de paix*

46.7 il agit avec fidélité Nb 14.6-10. **46.8** eux deux furent sauvés Nb 14.30 — six cent mille fantassins 16.10+. **46.9** vigueur dans la vieillesse Jos 14.9-11 — héritage de sa descendance Nb 14.24; Jos 14.12-15. **46.13** il établit la royauté 1 S 8—10 — il oignit des rois 1 S 10.1; 16.13. **46.14** il jugea 1 S 7.3-6, 15-17. **46.16** il invoqua 46.5 — ses ennemis le pressaient 1 S 7.9-10. **46.19** avant sa mort il témoigna 1 S 12.1-5. **46.20** mort, il prophétisa 1 S 28.6-25. **47.1** Natan 2 S 7.1-17; 12.1-15. **47.2** la graisse des sacrifices Lv 4.8-10.

³ Il se joua des lions comme de chevreaux
et des ours comme de jeunes agneaux.
⁴ Dans sa jeunesse n'a-t-il pas tué le géant
et supprimé la honte du peuple,
quand il brandit la fronde avec une
pierre
et abattit l'arrogance de Goliath ?
⁵ En effet il invoqua le Seigneur, le Très-
Haut,
qui mit en sa droite la force
pour supprimer un homme expert au
combat
et relever la puissance de son peuple.
⁶ Aussi lui a-t-on fait gloire de dix mille,
on l'a loué dans les bénédictions du
Seigneur
en lui offrant le diadème de gloire ᵛ.
⁷ Car il extermine les ennemis alentour,
il anéantit les Philistins ses adversaires ʷ,
jusqu'à ce jour il brisa leur puissance.
⁸ En toutes ses œuvres il rendit hommage
au *Saint Très-Haut par des paroles de
louange,
de tout son cœur il chanta des hymnes ˣ
et il aima celui qui l'avait créé.
⁹ Il établit des chantres devant l'*autel
où ils faisaient retentir de douces mélodies ʸ.
¹⁰ Il donna aux fêtes de la splendeur,
un éclat parfait aux solennités ᶻ
en leur faisant louer le saint nom du
Seigneur,
en faisant dès l'aurore résonner le
*sanctuaire.
¹¹ Le Seigneur lui enleva ses fautes
et exalta pour toujours sa puissance,
il lui donna une *alliance royale
et un trône glorieux en Israël.

Salomon

¹² Après lui se leva un fils plein de savoir
qui, à cause de lui ᵃ, vécut en sécurité.
¹³ Salomon régna en un temps de paix,
Dieu lui accorda le repos alentour
afin qu'il élève une Maison ᵇ pour son
*nom
et prépare un *sanctuaire pour l'éternité.
¹⁴ Comme tu as été sage en ta jeunesse,
rempli d'intelligence comme un fleuve !
¹⁵ Ton esprit a recouvert la terre,
tu l'as remplie de *paraboles et d'énigmes,
¹⁶ ton nom a atteint jusqu'aux îles lointaines
et tu fus aimé pour ta paix ᶜ.
¹⁷ Tes chants, tes proverbes, tes paraboles
et tes interprétations ont fait l'admiration du monde.
¹⁸ Au nom du Seigneur Dieu,
de celui qu'on appelle le Dieu d'Israël ᵈ,
tu as amassé l'or comme de l'étain
et comme du plomb tu as accumulé
l'argent.
¹⁹ Tu as livré tes flancs aux femmes,
tu as été asservi dans ton corps.
²⁰ Tu as infligé une tache à ta gloire,
tu as profané ta race
au point d'amener la colère sur tes
enfants
et de leur faire déplorer ta folie ᵉ.
²¹ La souveraineté fut scindée en deux
et d'Ephraïm il surgit un royaume rebelle.
²² Mais le Seigneur ne renonça pas à sa
miséricorde

ᵛ *dans les bénédictions:* autre traduction *pour les bénédictions* — Hébreu *Aussi les filles ont chanté pour lui et l'ont surnommé « Dix-mille ». Quand il eut ceint le diadème, il combattit* ● ʷ *Car il extermine ... ses adversaires:* hébreu *Alentour il soumit l'ennemi, il établit des villes chez les Philistins* ● ˣ *Les hymnes:* les psaumes (voir 2 S 23.1) ● ʸ Quelques manuscrits grecs ajoutent: *et chaque jour ils loueront par leurs chants* ● ᶻ *un éclat parfait aux solennités:* autre traduction *il ordonna à la perfection les temps sacrés* ● ᵃ *à cause de lui:* David ● ᵇ *une Maison:* le Temple de Jérusalem ● ᶜ *pour ta paix:* jeu de mots sur le nom de Salomon qui a en hébreu la même racine que paix ● ᵈ *Au nom ... le Dieu d'Israël:* hébreu *Tu fus appelé du nom vénéré qu'on invoque sur Israël;* allusion probable au premier nom porté par Salomon, « Yedidya », aimé du Seigneur (voir 2 S 12.25) ● ᵉ *la colère:* sous-entendu *de Dieu — et de leur faire déplorer ta folie:* autre traduction *et de te faire déplorer ta folie;* hébreu *et l'affliction sur tes descendants*

47.3 il se joua des lions 1 S 17.34-37. **47.4** il tua le géant 1 S 17.32-54. **47.6** dix-mille 1 S 18.7 — il reçut le diadème 2 S 5.1-3. **47.7** il anéantit les ennemis 2 S 8.2-8, 13-14 — il anéantit les Philistins 2 S 5.17-25; 8.1; 21.15-22. **47.8** ses œuvres (littéraires et poétiques) 2 S 23.1. **47.9** il établit des chantres 1 Ch 16.4-7. **47.11** Dieu lui pardonna 2 S 12.13; lui donna une alliance 45.25+. **47.13** repos alentour 1 R 5.4, 17-19 — élever une Maison 1 R 6. **47.14** sagesse de Salomon 1 R 3.4-28; 5.9-14; Qo 1.16. **47.17** l'admiration du monde 1 R 10.1-9. **47.18** amassé l'or et l'argent 1 R 10.10, 14-27. **47.19** tu t'es livré aux femmes 1 R 11.1-8. **47.21** le royaume divisé 1 R 12. **47.22** Dieu continue sa miséricorde 2 S 7.16; Ps 89.34-38.

et ne laissa se perdre aucune de ses paroles,

il ne fit pas disparaître les descendants de son élu *f*

et ne supprima point la postérité de celui qui l'avait aimé,

à Jacob il donna un reste

et à David une racine issue de lui.

Roboam et Jéroboam

²³ Puis Salomon se reposa avec ses pères

et laissa après lui quelqu'un de sa postérité,

le plus fou du peuple, dépourvu d'intelligence,

Roboam qui causa la révolte du peuple par sa décision.

Jéroboam *g* fils de Nevath fit pécher Israël

et indiqua à Ephraïm le chemin du péché.

²⁴ Alors leurs péchés se multiplièrent tant qu'ils furent déplacés de leur pays.

²⁵ Ils se livrèrent à toutes sortes de méfaits

jusqu'à la venue du châtiment.

Elie

48 ¹ Le *prophète Elie se leva comme un feu

et sa parole brûlait comme une torche.

² Il fit venir sur eux la famine

et par son zèle les réduisit à un petit nombre.

³ Par la parole du Seigneur il ferma le ciel *h*

et en fit aussi, par trois fois, descendre le feu.

⁴ Quelle gloire tu t'es acquise, Elie, par tes prodiges *i* !

Qui pourra s'enorgueillir de te ressembler ?

⁵ Toi qui as fait lever un défunt de la mort

et du *séjour des morts par la parole du Très-Haut *j*,

⁶ toi qui as précipité des rois dans la ruine

et des personnages à bas de leur couche *k*,

⁷ toi qui entendis au Sinaï des reproches

et à l'Horeb des sentences de châtiment,

⁸ toi qui oignis des rois *l* pour exercer la rétribution

et des prophètes pour être tes successeurs,

⁹ toi qui fus emporté dans un tourbillon de feu

sur un char aux chevaux de feu *m*,

¹⁰ toi qui fus désigné, dans les reproches pour les temps à venir,

pour apaiser la colère *n* avant qu'elle ne se déchaîne,

ramener le cœur du père vers le fils

et rétablir les tribus de Jacob.

¹¹ Heureux ceux qui t'ont vu

et ceux qui se sont endormis dans l'amour,

car nous aussi nous vivrons sûrement *o*.

Elisée

¹² Lorsque Elie eut été caché dans le tourbillon,

---

f ses paroles: d'après l'hébreu; grec *ses oeuvres* — *son élu:* hébreu *ses élus* ● *g se reposa avec ses pères:* voir 1 R 1.21 et la note — *le plus fou du peuple:* hébreu *à la grande folie*. Dans le texte hébreu il y a un jeu de mots entre le nom de *Roboam* et l'expression traduite ici par *le plus fou du peuple* — En hébreu le nom de *Jéroboam*, détesté entre tous, est précédé d'une sorte de malédiction: *jusqu'au jour où se leva (Qu'il n'y ait aucun souvenir de lui !) Jéroboam, fils de Nevath* ● *h il ferma le ciel* ou *il empêcha la pluie de tomber* ● *i Quelle gloire ... tes prodiges:* hébreu *Que tu étais redoutable, Elie !* ● *j par la parole du Très-Haut:* hébreu *selon la volonté du Seigneur* ● *k leur couche:* hébreu *leur royauté* ● *l oignis:* voir au glossaire OINDRE — *des rois:* des exécuteurs ● *m fus emporté:* l'hébreu et l'ancienne version syriaque ajoutent *en haut* — *chevaux de feu:* l'hébreu et l'ancienne version syriaque ajoutent: *au ciel* ● *n toi qui fus ... les temps à venir:* hébreu *toi de qui il est écrit que tu es établi pour les temps à venir.* Ces temps sont probablement les temps messianiques, et les reproches concernant cet avenir sont des menaces — *la colère:* sous-entendu *de Dieu* ● *o se sont endormis* ou *sont morts* — *Heureux ... sûrement:* il est difficile de préciser s'il s'agit de ceux qui ont vu Elie ou de ceux qui verront son retour. Ancienne version syriaque *Heureux celui qui t'a vu avant de mourir; en vérité il n'est pas mort, il vivra* (ou *nous vivrons*) *sûrement;* allusion probable à Elisée qui a vu Elie s'en aller (voir 2 R 2.10-12)

47.22 Dieu donne un reste Es 4.3. **47.23** Roboam cause la révolte 1 R 12.1-25 — Jéroboam fait pécher Israël 1 R 12.26-33. **47.24** les péchés se multiplient 1 R 13.33-34 — déplacés de leurs pays 2 R 17.21-23. **48.2** il fit venir la famine 1 R 17.1; 18.2 — son zèle 1 R 19.10, 14. **48.3** il fit descendre le feu 1 R 18.38; 2 R 1.10, 12. **48.5** ressusciter un mort 1 R 17.17-24. **48.6** rois menés à la ruine 1 R 21.17-24 — roi renversé de son lit 2 R 1.16-17. **48.7** tu entendis des reproches 1 R 19.9-18. **48.9** dans un tourbillon de feu 2 R 2.1-11. **48.11** heureux ceux qui t'ont vu 2 R 2.10, 12. **48.12** rempli de l'esprit d'Elie 2 R 2.9-15 — inébranlable 2 R 3.13-14; 6.12-23.

Elisée fut rempli de son esprit.
Ses jours durant, il ne fut ébranlé par
aucun chef
et personne ne put lui en imposer.
13 Rien n'était trop difficile pour lui,
même dans le sommeil de la mort son
corps *prophétisa.
14 Pendant sa vie il fit des prodiges,
même après sa mort ses œuvres furent
merveilleuses.
15 Malgré tout cela le peuple ne se convertit pas,
ils ne s'éloignèrent pas de leurs péchés,
jusqu'à ce qu'ils soient déportés de leur
pays
et dispersés par toute la terre.
Il ne resta qu'un peuple très peu nombreux
et un chef de la maison de David *p*.
16 Quelques-uns d'entre eux firent ce qui
plaît à Dieu
mais d'autres multiplièrent les péchés.

Ezékias et Esaïe

17 Ezékias fortifia sa ville *q*
et amena l'eau à l'intérieur.
Avec le fer il creusa le rocher
et construisit des réservoirs pour les
eaux.
18 De son temps monta Sennakérib,
il envoya Rabsakès ; celui-ci partit *r*
et leva la main contre *Sion,
il fut arrogant dans son orgueil.
19 Alors leurs cœurs *s* et leurs mains trem-
blèrent
et ils éprouvèrent les douleurs comme
les femmes en travail.
20 Ils invoquèrent le Seigneur, le Miséricordieux,
tendant les mains vers lui,
et du ciel le *Saint les exauça promptement,
il les délivra par la main d'Esaïe.

21 Il frappa le camp des Assyriens
et son ange les extermina *t*,
22 car Ezékias fit ce qui plaît au Seigneur ;
il demeura ferme *u* dans les chemins de
David son père
que lui avait prescrits le *prophète
Esaïe,
grand et véridique en ses visions.
23 De son temps le soleil rétrograda
pour prolonger la vie du roi.
24 Sous une puissante inspiration il vit la
fin des temps
et consola les affligés de Sion *v*.
25 Jusqu'à l'éternité il annonça l'avenir
et les choses cachées avant qu'elles
n'arrivent.

Josias, les derniers rois de Juda, Jérémie

49 1 Le souvenir de Josias est un mélange aromatique,
préparation due au travail du parfumeur.
Dans toutes les bouches il est comme
du miel,
comme une musique dans un banquet
arrosé de vin.
2 Il suivit la voie droite en convertissant
le peuple
et il supprima les horreurs impies *w*.
3 Il dirigea son *cœur vers le Seigneur,
en des jours impies il fortifia la piété.
4 Hormis David, Ezékias et Josias,
tous ont accumulé les fautes,
car ils ont abandonné la Loi du Très-
Haut.
Les rois de Juda disparurent *x*,
5 car ils livrèrent leur vigueur à d'autres
et leur gloire à une nation étrangère *y*.
6 Les ennemis mirent le feu à la ville

---

p de la maison de David ou *de la famille de David* ● *q sa ville : Jérusalem* ● *r Rabsakès :* le grec
traite comme un nom propre le titre de l'aide de camp (voir 2 R 8.17) — *celui-ci partit :* manque en
hébreu et dans l'ancienne version syriaque ; quelques manuscrits grecs ajoutent : *de Lakish* (voir la
note sur 2 R 14.19) ● *s leurs cœurs :* ceux d'Ezékias et de Jérusalem ● *t et son ange les extermina :*
hébreu *et les bouleversa par un fléau* ● *u il demeura ferme :* jeu de mots sur le nom d'*Ezékias (le
Seigneur affermit)* ● *v consola les affligés de Sion :* allusion à Es 40—66 ● *w Il suivit ... le peuple :*
autre traduction *Il réussit à convertir le peuple ;* hébreu *Car il s'affligea de nos apostasies — il
supprima les horreurs impies* ou *il supprima l'horrible culte des faux dieux* (voir 2 R 22—23)
● *x Les rois ... disparurent :* hébreu *jusqu'à ce qu'ils disparaissent* ● *y car ils livrèrent leur vigueur :*
c'est-à-dire qu'ils firent alliance avec des nations étrangères, manifestant ainsi leur manque de
foi en Dieu. Hébreu *et Dieu livra leur vigueur à d'autres et leur gloire à une nation folle et étrangère*

48.15 peuple déporté 2 R 17.23 ; Dt 28.63-64.   **48.17** fortifia sa ville 2 Ch 32.5 — amena l'eau
2 R 20.20 ; 2 Ch 32.30.   **48.18** Sennakérib 2 R 18.13—19.36 ; Es 36—37.   **48.21** son ange les
extermina Es 37.36.   **48.22** il plut à Dieu 2 R 18.1-7.   **48.23** le soleil rétrograda 2 R 20.4-11 ;
Es 38.4-8.   **48.24** Esaïe vit la fin des temps Es 24—27.   **49.2** Josias suivit la voie droite 2 R
22—23 ; 2 Ch 34—35.   **49.6** les ennemis brûlent Jérusalem 2 R 25.9 ; Jr 52.13 — Jérusalem,
ville choisie 1 R 11.36 ; Ne 1.9.

choisie, la ville du *sanctuaire,
et rendirent désertes ses rues
7 à cause de Jérémie *z*, car ils l'avaient
maltraité,
lui, consacré *prophète dès le sein de
sa mère
pour déraciner, détruire et faire périr,
mais aussi *pour bâtir et planter.*

Ezéchiel et les Douze Prophètes

8 Ezéchiel eut une vision de la Gloire
que Dieu lui montra sur le char des
*chérubins *a*,
9 car il se souvint des ennemis dans
l'averse
et fit du bien à ceux qui suivent la voie
droite *b*.

10 Quant aux os des douze prophètes,
qu'ils refleurissent de leur tombe,
car ils ont encouragé *c* Jacob
et ils l'ont délivré par la fidélité de
l'espérance.

Zorobabel, Josué, Néhémie

11 Comment magnifier Zorobabel,
lui qui fut comme un sceau à la main
droite,
12 et de même Josué fils de Josédek,
eux qui, de leur temps, construisirent
la Maison *d*
et élevèrent un *sanctuaire consacré au
Seigneur,
destiné à une gloire éternelle ?

13 De Néhémie aussi le souvenir est grand,
lui qui releva nos remparts écroulés,

rétablit portes et verrous
et releva nos habitations.

Autres figures de patriarches

14 Nul sur la terre n'a été créé pareil à
Hénok,
car il fut, lui, emporté de la terre.

15 Il n'y a pas eu non plus d'homme comme Joseph,
chef de ses frères, soutien de son peuple.
Ses ossements furent traités avec respect.

16 Sem et Seth furent glorieux parmi les
hommes,
mais au-dessus de tout être vivant dans
la création est Adam *e*.

Le grand prêtre Simon

50 ¹ C'est Simon fils d'Onias, le grand
prêtre,
qui pendant sa vie répara la Maison *f*
et durant ses jours consolida le *sanctuaire.
2 C'est par lui que furent posées les fondations de la hauteur double *g*,
soubassement élevé de l'enceinte du
*Temple.
3 Durant ses jours fut creusé le réservoir
des eaux,
un bassin dont le périmètre était comme
celui de la Mer *h*.
4 Soucieux de préserver son peuple de la
ruine,
il fortifia la ville contre un siège.

z *à cause de Jérémie:* autre traduction *selon la prophétie de Jérémie* ● a *que Dieu ... des chérubins:*
hébreu *et il révéla les aspects du char* ● b *l'averse:* allusion très incertaine à Ez 38.22 — Le texte
hébreu et l'ancienne version syriaque *et il évoqua aussi Job qui pratiqua toutes les voies de la justice*
(voir Ez 14.14, 20) ● c *douze prophètes:* l'auteur manifeste qu'à son époque la collection des prophètes de la Bible hébraïque existe déjà — *ils ont encouragé:* hébreu *ils ont guéri* ● d *la Maison*
ou *le Temple* ● e Hébreu *Sem, Seth et Enosh furent glorifiés, mais au-dessus de tout être vivant
il y a la gloire d'Adam;* d'après l'ancienne version syriaque *Sem, Seth et Enosh furent créés par
l'homme (ou parmi les hommes) et au-dessus de tout cela sont les gloires d'Adam* ● f *Simon:* probablement Simon II, fils d'Onias II et père d'Onias III qui fut le dernier grand prêtre de la famille
de Sadoq (Sadoq 2 S 20.25). Simon mourut vers 195 av. J.C. — En hébreu la deuxième ligne de
49.15 est placée après le v. 16 et s'applique à Simon *le plus grand parmi ses frères et la gloire de
son peuple* — *Onias:* hébreu *Yohanân* — *la Maison:* le bâtiment central du Temple, qui avait souffert
de la campagne égyptienne en 198 et qui fut réparé sur l'ordre d'Antiochus III ● g *la hauteur
double:* grec incertain et peu clair — *C'est par lui ... du Temple:* hébreu *Durant ses jours fut construit le mur, les angles d'habitation dans le palais du roi.* L'hébreu place le v. 3 avant le v. 2 ● h *le
périmètre:* hébreu *la contenance; la Mer* désigne ici le grand bassin de bronze placé dans le Temple
(1 R 7.23-26)

49.7 Jérémie maltraité Jr 11.19; 20.1-2; 37.11-16; 38.4-13 — consacré prophète Jr 1.5. **49.8** la
vision du char Ez 1; 10. **49.11** Zorobabel semblable à un sceau Ag 2.23. **49.12** reconstruction
du Temple Esd 3.2—5.2; Ag 1—2. **49.13** relèvement des remparts Ne 3—4; 6. **49.14** Hénok
emporté de la terre Gn 5.24; He 11.5. **49.15** chef de ses frères Gn 42—47; 50.18-21 — les
ossements de Joseph Gn 50.25-26; Ex 13.19; Jos 24.32. **49.16** Sem Gn 6.10; 9.18-27; 10.21-22
— Seth Gn 4.25-26; 5.6-8 — Adam Jb 15.7; Lc 3.38.

5 De quelle gloire il brillait quand il faisait le tour du sanctuaire,
quand il sortait de derrière le voile ⁱ !
6 Comme l'étoile du matin au milieu d'un nuage,
comme la lune aux jours où elle est pleine ʲ,
7 comme le soleil respendissant sur le sanctuaire du Très-Haut ᵏ,
comme l'arc-en-ciel brillant dans les nuages de gloire,
8 comme la fleur des rosiers aux jours du printemps ˡ,
comme les lis près des sources d'eau,
comme la végétation du Liban aux jours de l'été,
9 comme l'*encens qui brûle sur l'encensoir ᵐ,
comme un vase d'or massif
orné de toutes sortes de pierres précieuses,
10 comme l'olivier qui fait pousser des fruits,
comme le cyprès qui s'élève jusqu'aux nues ⁿ,
11 quand il prenait la robe de gloire
et revêtait toute sa superbe parure,
quand il montait au saint ᵒ *autel,
il remplissait de gloire l'enceinte du sanctuaire ;
12 quand il recevait les parts de la main des prêtres,
debout lui-même près du foyer de l'autel,
ses frères autour de lui formaient une couronne
comme des plants de cèdre sur le Liban,
et l'entouraient comme des troncs de palmiers ᵖ,
13 tous les fils d'Aaron dans leur gloire,
avec l'offrande �q du Seigneur en leurs mains,
devant toute l'assemblée d'Israël ;
14 il remplissait les fonctions liturgiques à l'autel
et disposait l'offrande du Très-Haut, Tout-Puissant ;
15 il étendait la main sur la coupe
et versait la libation du sang de la grappe,
il la répandait à la base de l'autel,
parfum apaisant pour le Très-Haut, Roi de l'univers ʳ.
16 Alors les fils d'Aaron poussaient des cris,
sonnaient de leur trompette de métal battu
et faisaient entendre un grand bruit,
en mémorial ˢ devant le Très-Haut.
17 Alors tout le peuple, avec ensemble, tout de suite,
tombait la face contre terre
pour adorer son Seigneur,
le Tout-Puissant, le Dieu Très-Haut.
18 Et les chantres le louaient de leurs voix ;
dans une clameur immense la mélodie se faisait douce.
19 Et le peuple suppliait le Seigneur Très-Haut,
en prière devant le Miséricordieux
jusqu'à ce que fût achevée la cérémonie du Seigneur
et terminée sa liturgie ᵗ.
20 Alors il redescendait et élevait les mains
sur toute l'assemblée des fils d'Israël,

___

i *quand il faisait le tour du sanctuaire:* autre texte *entouré par le peuple;* hébreu *quand il regardait depuis la* *Tente — *de derrière le voile:* désignation du lieu très saint du Temple (voir Ex 26.31-37). Le grand prêtre n'y pénétrait qu'à la fête du Grand Pardon (voir Lv 16) ● j *d'un nuage:* hébreu et nombreux manuscrits grecs *des nuages* — *comme la lune ... est pleine:* hébreu *comme la pleine lune aux jours de la fête;* la Pâque est célébrée à la pleine lune du mois de nisan (voir Ex 12.6; Lv 23.5; Ez 45.21) et la fête des Tentes est rattachée à la pleine lune d'automne (voir Lv 23.34) ● k *sur le sanctuaire du Très-Haut:* autre traduction d'après l'hébreu *sur le palais du roi* ● l *aux jours du printemps:* hébreu *aux jours de la fête,* c'est-à-dire de la Pâque, au printemps ● m *l'encensoir:* hébreu *l'offrande* ● n *comme le cyprès ... jusqu'aux nues:* hébreu *comme l'olivier qui gorge ses branches de sève* ● o *saint:* hébreu *majestueux* ● p *les parts:* les morceaux de la victime destinés à être brûlés sur l'autel (voir Ex 29.17; Lv 1.8-9) — *des troncs de palmiers:* hébreu *des saules de torrent* ● q *les fils d'Aaron:* les prêtres — *offrande:* voir au glossaire SACRIFICES ● r Ce verset qui existe dans les anciennes versions grecque et syriaque est absent de l'hébreu — *la libation:* voir au glossaire SACRIFICES — *sang de la grappe* ou *vin* — Les libations à la base de l'autel décrites dans Lv étaient des libations de sang. Une libation de vin accompagnait l'holocauste perpétuel (voir Ex 29.40), l'holocauste et l'offrande de la première gerbe (voir Lv 23.13) ainsi que diverses offrandes (voir Nb 15.1-12), mais cette libation se faisait au sommet de l'autel ● s Voir Lv 2.2 et la note ● t *et terminée sa liturgie:* hébreu *et qu'il eût apporté à Dieu ce qu'il lui devait*

50.11 la robe de gloire 45,7 — sa superbe parure 45.8. **50.12** il recevait les parts Lv 9.13. **50.16** sonnaient de la trompette Nb 10.2-10 — en mémorial Nb 10.10. **50.20** la bénédiction Lv 9.22+.

pour donner de ses lèvres la bénédiction
du Seigneur
et avoir l'honneur de prononcer son
nom [u].

21 Et pour la seconde fois tous se prosternaient
pour recevoir la bénédiction de la part
du Très-Haut.

Exhortation

22 Et maintenant bénissez le Dieu de l'univers,
lui qui fait partout de grandes choses,
qui a exalté nos jours dès le sein maternel
et agit avec nous selon sa miséricorde [v].
23 Qu'il nous donne la joie du cœur
et fasse de nos jours arriver la paix
en Israël pour les jours [w] de l'éternité.
24 Que sa miséricorde demeure fidèlement
avec nous
et que, nos jours durant, elle nous délivre [x].

Nations détestées

25 Il y a deux nations que mon âme déteste
et la troisième n'est pas une nation :
26 ceux qui sont établis dans la montagne
de Séïr [y], les Philistins
et le peuple fou qui habite à Sichem.

Conclusion du livre

27 Une instruction d'intelligence et de savoir
a été gravée en ce livre
par Jésus fils de Sirakh, fils d'Eléazar,
de Jérusalem [z],
qui a déversé comme une pluie la sagesse de son *cœur.
28 Heureux celui qui reviendra sans cesse
sur ces propos !
Celui qui les mettra en son cœur deviendra sage.
29 Car s'il les met en pratique, il sera fort
en toutes choses,
parce que la crainte du Seigneur est
son sentier [a].

SUPPLÉMENTS

Prière de Jésus fils de Sirakh [b]

51 ¹ Je veux te rendre grâces, Seigneur
roi,
et te louer, Dieu mon sauveur [c].
Je rends grâces à ton *nom,
² car *tu as été pour moi un protecteur et
un secours*

et tu as délivré mon corps de la perdition,
du piège de la langue calomnieuse,
des lèvres qui fabriquent le mensonge [d].
En face de mes adversaires,
³ tu as été un secours et tu m'as délivré,
selon la grandeur de ta miséricorde et
de ton nom,

---

[u] La formule de *bénédiction:* voir Nb 6.23-27 — A cette époque la fête du Grand Pardon (voir au glossaire CALENDRIER) était la seule circonstance où le grand prêtre était autorisé à prononcer le nom de YHWH ● [v] *nos jours:* hébreu *l'homme* — *selon sa miséricorde:* hébreu *selon sa volonté* ● [w] *la joie:* hébreu *la sagesse* — *de nos jours:* hébreu *entre vous* — *pour les jours de l'éternité* ou *dans l'avenir;* autre traduction *dans le passé* ● [x] *avec nous et ... nous délivre:* hébreu *avec Simon et qu'il maintienne pour lui l'*alliance de Pinhas qui ne sera rompue ni pour lui ni pour sa descendance tant que durera le ciel* (voir Si 45.24) ● [y] *la montagne de Séïr: Edom* (voir Gn 36), d'après l'hébreu et l'ancienne version latine; grec *Samarie,* mais Samarie fait double emploi avec Sichem qui est ici le symbole des Samaritains ● [z] *Jésus ... de Jérusalem:* d'après le grec et l'ancienne version syriaque; hébreu *Siméon, fils de Jésus, fils d'Eléazar, fils de Sira* ● [a] Hébreu *Car la crainte du Seigneur, c'est la vie* — Quelques manuscrits grecs ajoutent: *et aux hommes pieux il donne la sagesse. Béni soit le Seigneur pour toujours. Amen. Amen* ● [b] Ce titre figure dans les manuscrits grecs ● [c] *Seigneur roi:* hébreu *Dieu de mon salut* — *Dieu mon sauveur:* hébreu *Dieu de mon père* ● [d] *car tu as été ... le mensonge:* hébreu *refuge de ma vie, car tu as délivré mon âme de la mort, tu as préservé ma chair de la *fosse, et de l'emprise du *séjour des morts tu as dégagé mon pied; tu m'as arraché à la calomnie du peuple, au fléau de la calomnie de la langue et à la lèvre de ceux qui s'égarent dans le mensonge* ● [e] *et de ton nom:* absent de l'hébreu — *des morsures ... prêts à me dévorer:* hébreu *du lacet de ceux qui guettent dans les rochers*

50.27 Jésus, fils de Sirakh 51.30 (note).   50.29 crainte du Seigneur 1.11+.   51.2 Dieu protecteur Ex 15.2 — mensonge et calomnie Ps 12.3-5; 52.3-6; 120.2; cf. Si 28.13-26.   51.3 grandeur de ta miséricorde Ex 34.6+ — prêts à me dévorer Ps 22.14; Jb 19.22.

des morsures de ceux qui étaient prêts
à me dévorer [e],
de la main de ceux qui en voulaient
à ma vie,
des multiples épreuves que j'ai endurées,
4 d'un brasier suffocant qui m'encerclait
et du milieu d'un feu que je n'avais
pas allumé,
5 des entrailles profondes du *séjour des
morts,
de la langue *impure et de la parole
mensongère [f],
6 et des flèches d'une langue inique [g].
Mon âme approchait du trépas
et ma vie touchait en bas au séjour
des morts.
7 Ils m'entouraient [h] de toutes parts et
personne pour me secourir !
J'escomptais le soutien des hommes
mais il n'y en avait pas.
8 Alors je me suis souvenu de la miséricorde, Seigneur,
et de ta bienfaisance depuis toujours,
que tu délivres ceux qui patiemment
t'attendent [i]
et que tu les sauves de la main des
méchants.
9 Et je fis monter de la terre ma supplication,
et j'implorai pour être préservé de la
mort [j].
10 J'invoquai le Seigneur, père de mon
seigneur,
pour qu'il ne m'abandonne pas dans
les jours de détresse,
au temps des orgueilleux, où je suis sans
secours [k].
11 Je louerai sans cesse ton nom,
je chanterai des hymnes d'action de grâces.
Et ma prière fut exaucée [l],
12 car tu m'as sauvé de la perdition
et arraché à ce temps de malheur [m].
C'est pourquoi je veux te rendre grâces

et te louer,
et je bénirai le nom du Seigneur.

Recherche passionnée de la Sagesse

13 Quand j'étais encore jeune, avant de
vagabonder [n],
j'ai cherché la sagesse ouvertement dans
ma prière.
14 Devant le *Temple, j'ai prié à son sujet
et jusqu'au bout je la rechercherai.
15 En sa fleur, comme la grappe qui mûrit,
elle a été la joie de mon cœur.
Mon pied a marché dans le droit chemin,
depuis ma jeunesse, j'ai suivi sa trace.
16 Pour peu que j'aie incliné l'oreille, je
l'ai reçue
et j'ai trouvé pour moi une abondante
instruction.
17 C'est grâce à elle que j'ai progressé ;
à qui me donne la sagesse, je donnerai
la gloire,
18 car j'ai résolu de la mettre en pratique,
j'ai été zélé pour le bien et jamais ne
le regretterai.
19 Mon âme a lutté vaillamment avec elle
et dans la pratique de la *Loi j'ai été
minutieux.
J'ai étendu les mains vers le ciel [o]
et déploré mes manquements à son
égard.
20 J'ai dirigé mon âme vers elle
et dans la *pureté [p] je l'ai trouvée.
Avec elle j'ai reçu l'intelligence dès le
commencement ;
c'est pourquoi jamais je ne connaîtrai
l'abandon.
21 Mes entrailles se sont émues à sa recherche ;
aussi ai-je fait une bonne acquisition.
22 Le Seigneur m'a donné la langue [q] pour
ma récompense

---

f de la langue ... mensongère: hébreu des lèvres des gens rusés et des inventeurs de mensonge
● g et des flèches ... inique: d'après l'hébreu; grec auprès du roi, de la calomnie d'une langue inique
● h Ils m'entouraient: hébreu Je me tournais ● i ceux qui patiemment t'attendent: hébreu ceux
qui cherchent refuge en lui ● j et j'implorai ... de la mort: hébreu et mon cri depuis les portes
du séjour des morts ● k J'invoquai ... sans secours: hébreu Je proclamai: Seigneur, c'est toi mon
Père, car tu es le héros qui me sauva. Ne m'abandonne pas au jour de l'angoisse, au jour de la
ruine et de la désolation ● l je chanterai ... fut exaucée: hébreu je me souviendrai de toi dans la
prière. Alors le Seigneur entendit ma voix et prêta l'oreille à ma supplication ● m car tu m'as
sauvé ... temps de malheur: hébreu il m'a sauvé de tout mal, il m'a délivré au jour de l'angoisse
● n vagabonder: soit au sens de voyager (voir 34.9-12), soit au sens d'errer ● o J'ai étendu les
mains vers le ciel: geste de la prière (voir Ps 28.2 et la note) ● p dans la pureté: soit en me gardant
pur, soit quand elle était pure, c'est-à-dire dans une période où les relations sexuelles sont autorisées
(voir Lv 15.19-33; 18.19; 20.18) ● q la langue: la facilité à m'exprimer

51.7 personne pour porter secours Es 59.16; 63.5; Ps 22.12. **51.8** miséricorde depuis toujours
Ps 25.6. **51.13** encore jeune 6.18+. **51.19** étendre les mains vers le ciel Ps 28.2+.

et avec elle je veux le glorifier.

²³ Venez à moi, gens sans instruction,
installez-vous à mon école.

²⁴ Pourquoi plus longtemps en rester dé-
pourvus,
tandis que vos âmes sont ardemment
assoiffées ?

²⁵ J'ouvre la bouche et je proclame :
faites-en pour vous l'acquisition sans
argent,

²⁶ soumettez votre nuque à son *joug
et que votre âme reçoive l'instruction !
C'est tout près qu'on la peut trouver ʳ.

²⁷ Voyez de vos yeux combien peu j'ai
peiné
avant de trouver un profond repos.

²⁸ Participez à l'instruction au prix de
beaucoup d'argent,
aussi bien, grâce à elle vous acquerrez
beaucoup d'or ˢ.

²⁹ Que votre âme se réjouisse dans la
miséricorde du Seigneur
et n'ayez pas honte de le louer.

³⁰ Accomplissez votre œuvre avant le
temps fixé
et il vous donnera votre récompense
en son temps ᵗ.

---

r C'est tout près qu'on peut la trouver: hébreu *Elle est proche de ceux qui la cherchent et celui qui y applique son âme la trouve* ● *s* Acquérir la sagesse réclame des sacrifices, mais le profit qu'on en tire dépasse tout ce qu'on pouvait espérer ● *t* Un assez grand nombre de manuscrits grecs ajoutent la notice *Sagesse de Jésus, fils de Sirakh;* l'hébreu ajoute: *Béni soit le Seigneur pour toujours et que son nom soit loué de génération en génération. Jusqu'ici paroles de Siméon, fils de Jésus, appelé Ben Sira; Sagesse de Jésus, fils d'Eléazar, fils de Sira. Que le nom du Seigneur soit béni dès maintenant et pour toujours*

51.23 venez à moi 24.19; Mt 11.28.   **51.24** âmes assoiffées Es 55.1-2; Jn 7.37.   **51.25** acquérir la sagesse Pr 4.5+.   **51.26** nuque sous le joug Mt 11.29-30; cf. Si 6.24-25 — l'instruction est tout près Dt 30.11-14+.   **51.27** trouver le repos 6.28+; 22.13.   **51.28** le prix de la sagesse Pr 16.16; Mt 13.44-46.

BARUCH

Occasion et but du livre de Baruch

1 ¹ Voici le contenu du livre que Baruch *a*, fils de Nérias, fils de Maaséas, fils de Sédécias, fils de Hasadias, fils de Helkias, écrivit à Babylone, ² la cinquième année, le septième jour du mois, à l'époque où les Chaldéens avaient pris Jérusalem et l'avaient ravagée par le feu *b*.

³ Baruch donna lecture du contenu de ce livre en présence de Jékhonias *c*, fils de Joakim, roi de Juda, et de tout le peuple qui était venu pour entendre le livre, ⁴ en présence des autorités, des fils des rois, des *anciens, bref en présence de tout le peuple — du plus petit jusqu'au plus grand — de tous ceux qui habitaient à Babylone aux bords du fleuve Soud *d*. ⁵ Les gens pleuraient, *jeûnaient, priaient devant le Seigneur. ⁶ Puis ils rassemblèrent de l'argent, chacun donnant selon ses moyens. ⁷ et ils l'envoyèrent à Jérusalem au prêtre Joakim *e*, fils de Helkias, fils de Salom, ainsi qu'aux autres prêtres et à tout le peuple qui se trouvait avec lui à Jérusalem. ⁸ Auparavant Baruch avait pris les objets de la Maison du Seigneur — ceux qui avaient été emportés hors du *sanctuaire — pour les faire revenir au pays de Juda, le dixième jour du mois de Siwân ; il s'agissait des objets en argent qu'avait fait faire Sédécias *f*, fils de Josias, roi de Juda, ⁹ après que Nabuchodonosor, roi de Babylone, eut déporté de Jérusalem Jékhonias et l'eut conduit à Babylone ainsi que les chefs, les prisonniers, les autorités et le peuple du pays.

¹⁰ Et ils dirent : Voici, nous vous avons envoyé de l'argent ; avec cette somme, achetez des victimes en vue des holocaustes et des *sacrifices pour les péchés, achetez de l'*encens ; faites des offrandes, présentez des sacrifices sur l'*autel du Seigneur notre Dieu, ¹¹ et priez pour la vie de Nabuchodonosor, roi de Babylone et celle de son fils Baltasar, afin que leurs jours soient comme les jours du ciel sur la terre *g*. ¹² Alors le Seigneur nous donnera la force et illu-

a Le livre est attribué à Baruch, ami et secrétaire du prophète Jérémie (voir Jr 36.4; 45.1) ● *b la cinquième année* (après la prise de Jérusalem): en 582 av. J.C. — *le septième jour du mois:* probablement du *cinquième* mois (voir 2 R 25.8; c'est la date anniversaire du pillage de Jérusalem — *les Chaldéens:* voir Jr 21.4 et la note ● *c Jékhonias:* forme grecque de *Yekonya,* autre nom de *Yoyakin* (voir Jr 22.24; 27.20 et les notes) ● *d fils des rois:* peut-être les princes de la famille royale de Juda, ou les familiers du roi — *le fleuve Soud,* inconnu par ailleurs, est probablement un des canaux passant à Babylone ● *e Le prêtre Joakim* ● *f* Sur le pillage du Temple par les Babyloniens, voir 2 R 25.13-15 (et comparer 24.13) ● *Siwân:* voir au glossaire CALENDRIER — Sur *Sédécias,* dernier roi de Juda, voir 2 R 24.18—25.7 ● *g Baltasar:* forme grecque de *Belshassar,* nom du souverain mentionné en Dn 5.1 — *que leurs jours soient...:* tournure empruntée à l'hébreu et signifiant *que leur vie dure autant que le ciel au-dessus de la terre* (voir Dt 11.21).

1.1 Baruch père de Nérias Jr 32.12+. **1.2** Prise et incendie de Jérusalem 2 R 25.3-12. **1.3** lecture publique Ex 24.7; Dt 31.30; 32.44; 2 R 23.2-3; Jr 36.6; Ne 8.1-8 — Jékhonias/Yoyakin Jr 22.24+. **1.5** pleurs, jeûne, prière devant le Seigneur Jl 1.14; 2.12; Esd 10.1. **1.8** les objets sacrés du Temple 1 R 7.40-51; Dn 1.2; 5.2-3; Esd 7.19; 2 Ch 29.18-19; *1 M* 1.21-24; 4.49-51; *2 M* 2.4-12 — restitution des objets emportés par Nabuchodonosor Esd 1.7-11. **1.9** la déportation de Jékhonias/Yoyakin Jr 22.24+. **1.11** priez pour la vie du roi Esd 6.10; 1 Tm 2.2; cf. Jr 29.7. **1.12** le Seigneur illuminera vos yeux Esd 9.8 — à l'ombre des puissants (image de la tranquillité) Jg 9.15; Es 30.3; Ez 31.6; Dn 4.9.18; Mc 4.32; cf. Ps 91.1; Lm 4.20.

minera nos yeux ; nous vivrons à l'ombre de Nabuchodonosor, roi de Babylone, et à l'ombre de son fils Baltasar, nous les servirons pendant de nombreux jours et nous trouverons grâce devant eux. [13] Priez également le Seigneur notre Dieu pour nous, car nous avons péché contre le Seigneur notre Dieu, et jusqu'à ce jour la fureur et la colère du Seigneur ne se sont pas détournées de nous. [14] Enfin, vous donnerez lecture de ce livre que nous vous avons envoyé pour que l'on fasse confession des péchés dans la Maison du Seigneur, le jour de la Fête [h] et les jours où cela convient. [15] Vous direz :

Confession des péchés

Au Seigneur notre Dieu appartient la justice, mais à nous la honte au visage, comme on le voit aujourd'hui ! La honte pour l'homme de Juda et les habitants de Jérusalem, [16] pour nos rois, nos chefs, nos prêtres, nos *prophètes et nos pères. [17] Car nous avons péché contre le Seigneur, [18] nous ne lui avons pas été fidèles et nous n'avons pas écouté la voix du Seigneur notre Dieu qui nous disait de marcher selon les commandements qu'il a placés devant nous. [19] Depuis le jour où le Seigneur fit sortir nos pères [i] du pays d'Egypte jusqu'à ce jour, nous n'avons pas cessé d'être infidèles au Seigneur notre Dieu et nous avons agi à la légère en n'écoutant pas sa voix. [20] Aussi, comme on le voit aujourd'hui, les malheurs se sont collés à nous, ainsi que la malédiction proférée sur l'ordre du Seigneur par son serviteur Moïse, le jour où il fit sortir nos pères du pays d'Egypte pour nous donner un pays ruisselant de lait et de miel. [21] Nous n'avons pas écouté la voix du Seigneur notre Dieu, selon toutes les paroles des prophètes qu'il nous a envoyés, [22] mais nous allions, chacun suivant le dessein de son cœur mauvais, servir d'autres dieux, faire ce qui est mal aux yeux du Seigneur notre Dieu.

2 [1] Le Seigneur a donc mis à exécution la parole qu'il avait prononcée contre nous, contre nos juges qui gouvernèrent Israël, contre nos rois, contre nos chefs et contre les habitants d'Israël et de Juda [j] : [2] il n'a pas été fait sous tout le ciel de choses semblables à celles qu'il fit à Jérusalem, conformément à ce qui est écrit dans la Loi de Moïse ; [3] c'est au point que nous en sommes arrivés à manger l'un la chair de son fils, l'autre la chair de sa fille. [4] Et le Seigneur les a livrés au pouvoir de tous les royaumes qui nous encerclent, pour subir outrage et désolation parmi tous les peuples d'alentour, là où il les a dispersés. [5] Ils ont été assujettis au lieu d'avoir le dessus, parce que nous avons péché contre le Seigneur notre Dieu en n'écoutant pas sa voix.

[6] Au Seigneur notre Dieu appartient la justice, mais à nous et à nos pères la honte au visage, comme on le voit aujourd'hui ! [7] Tout ce que le Seigneur avait annoncé contre nous, tous ces malheurs se sont abattus sur nous. [8] Et nous n'avons pas prié la face du Seigneur de détourner chacun de nous des pensées de son cœur mauvais. [9] Aussi le Seigneur a-t-il veillé sur ces malheurs [k] et il les a envoyés contre nous ; car le Seigneur est juste en tout ce qu'il nous a ordonné de faire, [10] mais nous n'avons pas écouté sa voix qui nous disait de marcher selon les commandements que le Seigneur a placés devant nous.

---

h pour que l'on fasse confession des péchés: autre traduction *pour la faire connaître publiquement* — *la Fête* (sans autre précision) désigne habituellement la fête des tentes (1 R 8.2, 65); voir au glossaire CALENDRIER ● *i nos pères* ou *nos ancêtres* ● *j Israël* et *Juda:* voir la note sur Jr 3.6 ● *k le Seigneur a veillé sur ces malheurs:* expression condensée pour *le Seigneur a veillé à ce que ces malheurs arrivent comme il l'avait annoncé* (voir v. 20 et 24)

1.15 à Dieu la justice, à nous la honte *Ba* 2.6; Dn 9.7; cf. Jr 7.19; Ps 44.16; Esd 9.7. **1.16** Pour nos rois, nos chefs... Dn 9.8; cf. Jr 32.32; Ne 9.32. **1.18** ne pas écouter *Ba* 1.19, 21; 2.5, 10, etc.; Ex 15.26; Dt 4.30; Jr 3.13, 25; Dn 9.10 — marcher selon ses commandements cf. Lv 26.3; Jr 26.4; 32.23; 44.10, 23 — qu'il a placés devant nous Dt 4.8; 11.32. **1.19** sortie d'Egypte Jr 7.22+ — Israël infidèle dès la sortie d'Egypte Es 48.8; Ez 20.8; 23.5; Ps 106.7; Esd 9.7; cf. Jr 22.21. **1.20** malédiction sur nous Dn 9.11; cf. Lv 26.14-39; Dt 11.26-28; 27.15-26; 28.15-68; 29.20 — pays ruisselant de lait et de miel Jr 11.5+. **1.22** suivant le dessein de son cœur mauvais Jr 3.17+. **2.1** le Seigneur a mis à exécution... v. 24; Dn 9.12. **2.2** conformément à la loi de Moïse Dn 9.13. **2.3** réduits à manger leurs enfants Lm 2.20+. **2.4** outrage et désolation Jr 24.9; 42.18; 44.8, 12; 49.13. **2.5** assujettis au lieu d'avoir le dessus cf. Dt 28.13, 43. **2.8** nous n'avons pas cherché à nous repentir Dn 9.13. **2.9** le Seigneur a veillé... Dn 9.14; cf. Jr 1.12+.

Supplication

11 Et maintenant, Seigneur Dieu d'Israël, toi qui fis sortir ton peuple du pays d'Egypte par ta main forte, avec des signes et des prodiges, avec une grande puissance et par ton bras étendu, toi qui t'es fait un Nom comme on le voit aujourd'hui, **12** nous avons péché et nous avons agi en impies, nous avons commis l'injustice, Seigneur notre Dieu, à l'encontre de toutes tes prescriptions. **13** Que ta fureur se détourne de nous, car nous voici abandonnés, petit nombre parmi les nations où tu nous as dispersés.

14 Ecoute, Seigneur, notre prière et notre requête, épargne-nous à cause de toi et fais-nous grâce devant ceux qui nous ont déportés, **15** afin que toute la terre sache que c'est toi le Seigneur notre Dieu, car ton *Nom a été invoqué sur Israël et sur sa race. **16** Seigneur, regarde du haut de ta sainte demeure et tiens compte de nous ; tends l'oreille, Seigneur, et écoute ; **17** ouvre les yeux et vois : ce ne sont pas les morts dans l'*Hadès, eux dont le souffle fut retiré des entrailles, qui rendront gloire et justice au Seigneur, **18** mais c'est l'âme affligée à l'extrême, ce qui marche courbé et affaibli, c'est le regard qui vacille, et l'âme affamée qui te rendront gloire et justice, Seigneur !

19 Ainsi, ce n'est pas en nous appuyant sur les œuvres de justice de nos pères *l* et de nos rois que nous déposons notre supplication devant ta face, Seigneur notre Dieu ; **20** car tu as envoyé ta fureur et ta colère contre nous, comme tu l'avais annoncé par l'intermédiaire de tes serviteurs les *prophètes, en disant : **21** « Ainsi parle le Seigneur : *Courbez les épaules, servez le roi de Babylone*, et vous resterez dans le pays que j'ai donné à vos pères. **22** Mais si vous n'écoutez pas la voix du Seigneur qui vous dit de servir le roi de Babylone, **23** *je ferai en sorte que la voix de la joie et celle du plaisir, la voix du jeune marié et celle de la jeune épouse délaissent les villes de Juda et sortent de Jérusalem ; tout le pays sera désolé*, vidé de ses habitants. » **24** Mais nous n'avons pas écouté ta voix qui nous disait de servir le roi de Babylone ; aussi tu as mis à exécution les paroles que tu avais prononcées par la bouche de tes serviteurs les prophètes : on arracherait de leurs tombes les ossements de nos rois et les ossements de nos pères *m*. **25** Et les voici *jetés à la brûlure du jour et au gel de la nuit* ; ils sont morts dans de cruelles souffrances, par la famine, l'épée et l'exil ; **26** et la Maison sur laquelle ton Nom a été invoqué, tu l'as mise dans l'état où on la voit aujourd'hui, à cause de la méchanceté de la maison d'Israël et de la maison de Juda *n*. **27** Pourtant tu as agi envers nous, Seigneur, selon toute ton équité et toute ta grande compassion, **28** conformément à ce que tu avais annoncé par l'intermédiaire de ton serviteur Moïse, le jour où tu lui ordonnas d'écrire ta Loi devant les fils d'Israël *o* en disant : **29** « Si vous n'écoutez pas ma voix, eh bien, cette immense foule bruyante sera réduite à peu de chose parmi les nations où je les disperserai ; **30** car je sais qu'ils ne m'écouteront pas, parce que c'est un peuple à la nuque raide. Mais ils rentreront en eux-mêmes dans le pays où ils auront été déportés, **31** et ils sauront que c'est moi, le Seigneur leur Dieu. Je leur donnerai un *cœur et

---

l les œuvres de justice ou les mérites — nos pères ou nos ancêtres ● *m* Voir la note sur Jr 8.2
● *n* maison de Juda, maison d'Israël: tournures empruntées à l'hébreu pour désigner les peuples de Juda et d'Israël en tant qu'ils forment chacun une communauté solidaire. Sur Israël par opposition à Juda, voir la note sur Jr 3.6 ● *o* les fils d'Israël: les Israélites

2.11 toi qui as fait sortir ton peuple... Dn 9.15 — main forte, signes, prodiges Dt 4.34 — un Nom Es 63.12; Jr 32.20; Ne 9.10. **2.12** nous avons péché Dn 9.5; 1 R 8.47. **2.13** Que ta fureur se détourne Dn 9.16 — petit nombre (reste) Dt 4.27; Es 1.9; 4.3+; Jr 42.2. **2.14** écoute notre prière Dn 9.17. **2.15** ton nom invoqué sur... 2.26; Es 63.19; Jr 7.10, 14; 14.9; Am 9.12; Dn 9.18. **2.16** tends l'oreille Dn 9.18. **2.17** plus de louange possible dans le séjour des morts Ps 6.6+ ; cf. Qo 9.5-6, 10; Si 17.28. **2.18** regard qui vacille Dt 28.65 — rendre gloire à Dieu Rm 4.20+. **2.19** ce n'est pas en nous appuyant sur les œuvres... Dn 9.18; Ga 2.16; Tt 3.5 que nous déposons notre supplication Ex 32.11-14; cf. *Ba* 3.1. **2.21** servez le roi de Babylone Jr 27.11-12. **2.23** la voix de la joie... Jr 7.34; 16.9; 25.10; 33.10-11. **2.24** tu as mis à exécution les paroles v. 1+ — absence ou violation de sépulture Jr 8.1-2; 16.4; 22.18-19. **2.25** à la brûlure du jour et au gel de la nuit Jr 36.30 — famine, épée, exil 2 S 24.13; Jr 14.12; Ez 5.12. **2.29-35** menaces et perspectives de conversion Lv 26.14-45; Dt 4.25-31; 28.58-68; 30.1-10. **2.29** dispersés parmi les nations 2.13; Lv 26.39; Dt 4.27. **2.30** un peuple à la nuque raide Ex 32.9; Dt 9.6 — ils rentreront en eux-mêmes Lc 15.17; cf. Dt 4.29-30; 1 R 8.47-48. **2.31** ils sauront que c'est moi... Ez 6.7 — Je leur donnerai un cœur... Jr 24.7; 32.39; Ez 11.19; cf. 1 R 3.9.

des oreilles qui entendent, [32] ils me loueront dans le pays où ils ont été déportés et ils se souviendront de mon *Nom. [33] Ils renonceront à leur obstination et à leurs actions mauvaises, car ils se souviendront du chemin de leurs pères [p] qui péchèrent contre le Seigneur. [34] Et je les ferai revenir dans le pays que j'ai promis à leurs pères Abraham, Isaac et Jacob ; ils s'en rendront maîtres ; je les rendrai nombreux et, oui vraiment ! ils ne seront plus diminués. [35] J'établirai pour eux une *alliance éternelle, afin que je sois leur Dieu et qu'ils soient mon peuple ; et je ne ferai plus sortir mon peuple Israël du pays que je leur ai donné. »

3 [1] Seigneur tout-puissant, Dieu d'Israël, c'est une âme dans l'angoisse, c'est un esprit accablé qui crie vers toi. [2] Ecoute, Seigneur, et prends pitié, car nous avons péché contre toi ; [3] toi, en effet, tu demeures pour toujours, mais nous, nous sommes perdus à jamais ! [4] Aussi, Seigneur tout-puissant, Dieu d'Israël, écoute la prière des morts d'Israël [q], des fils de ceux qui ont péché contre toi : ils n'ont pas écouté la voix du Seigneur leur Dieu, alors les malheurs se sont collés à nous. [5] N'aie pas souvenir des injustices de nos pères mais, en cette occasion, souviens-toi de ta main et de ton Nom, [6] car c'est toi le Seigneur notre Dieu, et nous te louerons, Seigneur ! [7] C'est pour cela que tu as inspiré ta crainte en nos cœurs [r] : pour que nous invoquions ton Nom. Nous te louerons dans notre exil, car nous avons détourné de nos cœurs toute l'injustice de nos pères qui péchèrent contre toi. [8] Nous voici aujourd'hui dans cet exil où tu nous as dispersés, en objets d'outrage et de malédiction et pour notre amendement, à cause de toutes les injustices de nos pères qui se sont détachés du Seigneur notre Dieu.

Israël a délaissé la source de la Sagesse

[9] Ecoute, Israël, les préceptes de vie, prêtez l'oreille pour apprendre à discerner.
[10] Que se passe-t-il, Israël ? Pourquoi es-tu en pays ennemi ?
Pourquoi as-tu vieilli en terre étrangère ?
[11] Pourquoi t'es-tu souillé avec les morts [s]
et pourquoi as-tu été mis au nombre de ceux qui vont dans l'*Hadès ?
[12] C'est que tu as délaissé la source de la Sagesse.
[13] Si tu avais suivi le chemin de Dieu, tu habiterais dans la paix pour toujours.
[14] Apprends où est le discernement, où est la force, où est le savoir
pour connaître en même temps où sont la longévité et la vie,
où sont la lumière des yeux et la paix.

Personne ne peut découvrir la Sagesse

[15] Qui a trouvé la résidence de la Sagesse
et qui est entré dans ses trésors ?
[16] Où sont les chefs des nations,
et ceux qui maîtrisent les bêtes sauvages de la terre [t] ?
[17] Où sont ceux qui se jouent des oiseaux du ciel,
ceux qui mettent en réserve l'argent et l'or,
dans lesquels des hommes ont placé leur confiance,
eux dont la fortune est sans limite ?
[18] Où sont ceux qui travaillent l'argent et en font l'objet de leur souci,
eux dont les œuvres passent l'imagination ?

---

[p] *du chemin de leurs pères* ou *de la conduite de leurs pères* ou encore *de ce qui est arrivé à leurs pères* ● [q] *les morts d'Israël:* l'expression est à prendre ici au sens figuré pour désigner les Israélites exilés; voir Es 59.10; Ez 37.11; Lm 3.6 ● [r] *tu as inspiré ta crainte en nos cœurs* ou *tu nous as amenés à te respecter* ● [s] *souillé avec les morts:* voir au glossaire PUR. L'expression *les morts* désigne peut-être ici, au sens figuré, les païens parmi lesquels les Israélites ont été déportés ● [t] *ceux qui maîtrisent les bêtes sauvages:* allusion imagée aux chefs des nations (voir Jr 27.6; Dn 2.38). Au v. 17 l'expression *ceux qui se jouent des oiseaux du ciel* est à prendre dans le même sens

2.32 ils se souviendront de moi Ez 6.9; Za 10.9. **2.33** ils renonceront... cf. Ne 9.35. **2.34** je les ferai revenir Dt 30.4. **2.35** une alliance éternelle Es 24.5+; cf. Jr 31.31-34. **3.3** tu demeures pour toujours Ps 90.2; 102.13; Lm 5.19-20. **3.5** ta main Ps 80.18. — ton Nom Ez 20.14; Ps 79.9. **3.7** ta crainte en nos cœurs Jr 32.39-40. **3.8** outrage et malédiction 2.4+. **3.9** écoute Israël Dt 4.1; 5.1; 6.4 — les préceptes de vie Dt 6.24; 8.1; Lv 18.5; Ez 20.11; Pr 4.20-23; Ne 9.29. **3.11** souillé par contact avec un cadavre Lv 5.2; Os 9.4. **3.12** tu as délaissé Jr 2.13; 17.13 la source Ps 36.10; Pr 13.14; 14.27; 16.22; 18.4; *Si* 21.13; 24.23-29. **3.14** apprendre où est le discernement Pr 2.1-4; cf. Dt 4.6-8 — longévité Pr 3.2, 16; *Si* 1.12. **3.15** Qui a trouvé...? Jb 28.12-28; *Si* 1.6.

¹⁹ Ils ont été anéantis, ils sont descendus dans l'*Hadès,
et d'autres se sont levés à leur place.

²⁰ De plus jeunes virent la lumière et ont habité sur la terre ;
mais ils n'ont pas connu le chemin de la science ᵘ,

²¹ ils n'ont pas fait attention à ses sentiers
et ils ne se sont pas préoccupés d'elle ;
les fils se sont tenus à l'écart du chemin de leurs pères.

²² On ne l'a pas non plus entendue en Canaan
ni vue à Témân ᵛ ;

²³ même les fils d'Agar qui recherchaient le savoir sur la terre,
les marchands de Merrân ʷ et de Témân,
les conteurs de fables et les chercheurs de savoir,
ils n'ont pas connu le chemin de la Sagesse
et ne se sont pas souvenus de ses sentiers.

²⁴ O Israël, comme elle est grande la maison de Dieu,
comme il est vaste le domaine qui lui appartient !

²⁵ Il est grand et n'a pas de fin,
il est élevé et sans mesure !

²⁶ C'est là que furent engendrés les fameux géants, ceux du commencement,
de haute stature et versés dans l'art de la guerre.

²⁷ Ce n'est pas eux que Dieu a choisis,
ni à eux qu'il a indiqué le chemin de la science ;

²⁸ et ils périrent, car ils n'avaient pas de discernement ;
ils périrent à cause de leur irréflexion.

²⁹ Qui est monté au ciel, qui s'est emparé d'elle
pour la faire descendre des nuées ?

³⁰ Qui est allé au-delà de la mer, qui l'a trouvée
pour l'emporter au prix d'un or précieux ?

³¹ Il n'est personne qui en connaisse le chemin,
personne même qui désire en suivre le sentier.

Dieu seul donne la Sagesse à Israël

³² Mais Celui qui sait toutes choses la connaît,
il l'a découverte par son intelligence ;
il a appareillé ˣ la terre pour l'éternité,
puis l'a peuplée de quadrupèdes ;

³³ il envoie la lumière et elle chemine ;
il l'a appelée : elle lui obéit en frémissant ;

³⁴ les étoiles ont brillé en leurs veilles ʸ
et se sont réjouies ;

³⁵ il les a appelées, et elles ont répondu :
Nous voici !
Elles ont brillé avec allégresse pour leur Créateur.

³⁶ C'est lui notre Dieu,
et l'on n'en comptera pas d'autre que lui.

³⁷ Il a découvert tout le chemin qui mène à la science ᶻ
et l'a indiqué à Jacob, son serviteur,
et à Israël, son bien-aimé.

³⁸ Après cela on la vit sur la terre
et elle a vécu parmi les hommes.

4 ¹ La Sagesse, c'est le livre des commandements de Dieu,
c'est la Loi qui existe pour toujours ;
tous ceux qui s'attachent à elle iront à la vie,
mais ceux qui l'abandonnent mourront.

Il faut saisir la Sagesse

² Retourne-toi, Jacob ᵃ, et saisis-la ;
fais route vers la clarté, à la rencontre de sa lumière.

³ Ne donne pas ta gloire ᵇ à un autre,

---

u *la science :* ce terme est ici synonyme de *sagesse* ● v *Canaan :* ce nom désigne les populations qui occupaient la Palestine à l'arrivée des Israélites — *Témân :* voir Ab 8-9 et les notes ● w *fils d'Agar, marchands de Merrân :* populations d'Arabie ; voir Gn 25.12-15 ● x *il a appareillé* ou *il a mis en place* ou encore *il a organisé* ● y Les anciens divisaient la nuit en plusieurs *veilles* (Jg 7.19 ; Lc 12.38) ● z Voir 3.20 et la note ● a Voir Jr 30.10 et la note ● b *ta gloire :* expression condensée pour *ce qui constitue ta gloire,* c'est-à-dire la faveur que Dieu t'a faite de connaître la Sagesse

3.22 sagesse à Témân Jr 49.7.   **3.26** les géants du commencement Gn 6.1-4 ; Sg 14.6 ; Si 16.7.
3.29 Qui est monté au ciel? Dt 30.11-14 ; Rm 10.6.   **3.30** la sagesse ne s'achète pas Jb 28.15 ;
Pr 2.4.   **3.32** Dieu connaît la sagesse Jb 28.23-27 — Sagesse et création Pr 8.22-31.   **3.34** les étoiles ont brillé Si 43.9-10.   **3.35** dociles à leur créateur Es 40.26 ; Ps 147.4   **3.36**. pas d'autre que lui Es 43.10 ; 44.6 ; 45.18.   **3.37** Dieu a connu le chemin de la sagesse Jb 28.23.   **3.38** on la vit sur la terre Dt 4.33-36 ; Si 17.11-14 — parmi les hommes Pr 8.31 ; Jn 1.14.   **4.1** La Sagesse, c'est la loi Si 24.23 — Sagesse et vie Ba 3.9 ; Si 45.5.   **4.2** Retourne-toi Jr 3.12 ; Ez 14.6 ; Os 14.2-3.

ni tes privilèges à une nation étrangère.
4 Heureux sommes-nous, Israël,
car il nous est possible de connaître
ce qui plaît à Dieu !

Encouragement pour les exilés

5 Courage, mon peuple, toi le mémorial *c*
d'Israël !
6 Vous avez été vendus aux nations,
mais ce n'est pas pour votre destruction ;
c'est parce que vous avez irrité Dieu,
que vous avez été livrés aux ennemis ;
7 car vous avez exaspéré votre Créateur
en sacrifiant à des *démons et non à
Dieu ;
8 vous avez oublié le Dieu éternel qui
vous a nourris,
vous avez affligé aussi celle qui vous
a élevés, Jérusalem.
9 Elle a vu s'abattre sur vous la colère
de Dieu
et elle a dit :

Jérusalem console ses enfants exilés

« Ecoutez, voisines de *Sion,
Dieu m'a infligé une grande douleur ;
10 car j'ai vu la captivité
que l'Eternel a infligée à mes fils et
à mes filles ;
11 je les avais élevés avec joie,
mais je les ai laissés partir dans la
tristesse et la souffrance.
12 Que personne ne se réjouisse
si je suis veuve et abandonnée de
beaucoup.
J'ai été rendue déserte à cause du
péché de mes enfants,
parce qu'ils se sont écartés de la Loi
de Dieu ;
13 ils n'ont pas connu ses prescriptions,
ils n'ont pas marché sur les chemins
des préceptes de Dieu
ni suivi les sentiers de l'éducation
conforme à sa justice.
14 Qu'elles viennent, les voisines de
Sion !

Souvenez-vous de la captivité
que l'Eternel a infligée à mes fils et
mes filles !
15 Car il a lancé contre eux une nation
venue de loin,
une nation impudente et de langue
étrangère,
des gens qui n'eurent ni respect du
vieillard ni pitié de l'enfant,
16 qui emmenèrent les enfants chéris de
la veuve
et la réduisirent à la solitude en la
privant de ses filles.
17 Mais moi, comment puis-je venir à
votre secours ?
18 C'est celui qui vous a infligé ces
calamités
qui vous arrachera aux mains de vos
ennemis.
19 Marchez, enfants, marchez !
Moi, me voici donc abandonnée et
déserte ;
20 j'ai quitté la robe de la paix,
j'ai mis mon vêtement de suppliante *d* ;
je crierai vers l'Eternel tout au long
de mes jours.
21 Prenez courage, enfants ! Criez vers
Dieu
et il vous arrachera à la domination,
aux mains de vos ennemis ;
22 car moi, j'ai placé dans l'Eternel
l'espérance de votre salut
et le *Saint m'a envoyé une joie :
la miséricorde vous viendra bientôt
de la part de l'Eternel votre sauveur.
23 Car je vous ai laissés partir dans la
souffrance et la tristesse,
mais Dieu vous rendra à moi dans la
joie et l'allégresse pour toujours.
24 Comme les voisines de Sion voient
maintenant votre captivité,
ainsi elles verront bientôt le salut qui
viendra de votre Dieu :
il vous arrivera avec la gloire éclatante
et la splendeur de l'Eternel.
25 Enfants, supportez patiemment la
colère qui vous est venue de Dieu ;
l'ennemi t'a poursuivi, mais tu verras
bientôt sa destruction

c toi le mémorial d'Israël ou toi qui perpétues le nom d'Israël ● *d* la robe de la paix ou la robe
que je portais quand tout allait bien — mon vêtement de suppliante: voir au glossaire SAC,
DÉCHIRER SES VÊTEMENTS

4.5 courage! v. 21, 27, 30. **4.6** vendus aux nations Es 50.1; 52.3 — vous avez irrité Dieu Dt 32.16.
4.7 en sacrifiant à des démons Lv 17.7; Dt 32.17; Ps 106.37; 1 Co 10.20. **4.8** vous avez oublié
Dieu Dt 32.18 qui vous a nourris Dt 32.13, 14; cf. Es 1.2. **4.10** l'Eternel (appellation de Dieu)
Ba 4.14, 20, etc.; cf. 2.35; 3.13; 4.1, 23, 29; 5.1, 4. **4.11** partis dans la tristesse et la souffrance
Lm 1.2, 16. **4.12** veuve et abandonnée Lm 1.1-2; cf. Es 49.21. **4.15** il a lancé contre eux...
Dt 28.49-50; Jr 5.15. **4.22** le Saint Es 40.25+. **4.23** retour prochain et joie v. 29, 36; 5.9;
Es 51.3, 11; 52.9; 55.12; 61.3, 7. **4.25** tu lui piétineras la nuque Jos 10.24; Ps 110.1.

et tu lui piétineras la nuque *e*.

²⁶ Mes tendres enfants ont parcouru des
chemins rocailleux,
ils ont été enlevés comme du bétail
ravi de force par les ennemis.

²⁷ Gardez courage, enfants, et criez vers
Dieu,
car celui qui vous a conduits là se
souviendra de vous.

²⁸ Comme vous avez eu le dessein de
vous écarter de Dieu,
eh bien, une fois convertis, décuplez
vos efforts à le chercher !

²⁹ Car celui qui vous a infligé ces calamités
vous amènera la joie éternelle en
même temps que votre salut. »

Espoir pour Jérusalem

³⁰ Courage, Jérusalem ! Il te consolera,
celui qui t'a donné ton nom.

³¹ Malheureux ceux qui t'ont maltraitée
et qui se sont réjouis de ta chute !

³² Malheureuses les villes dont les enfants
ont été les esclaves !
Malheureuse celle qui a reçu tes
fils *f* !

³³ Car, comme elle s'est réjouie de ta
chute et s'est félicitée de ta ruine,
ainsi sera-t-elle affligée de sa propre
dévastation ;

³⁴ je la priverai de la nombreuse population qui fait sa joie,
et son insolence se changera en souffrance,

³⁵ car l'Eternel fera s'abattre un feu sur
elle pour de longs jours,
et elle sera habitée par des démons
pendant plus longtemps encore.

³⁶ Regarde vers l'Orient, Jérusalem, et
vois la joie qui te vient de Dieu.

³⁷ Voici, ils viennent les fils que tu avais
vus partir,

ils viennent, rassemblés de l'Orient
jusqu'à l'Occident par la parole du
*Saint,
en se réjouissant de la gloire de Dieu.

5 ¹ Jérusalem, quitte ta robe de
souffrance et d'infortune
et revêts pour toujours la belle parure
de la gloire de Dieu.

² Couvre-toi du manteau de la justice,
celle qui vient de Dieu,
et mets sur ta tête le diadème de la
gloire de l'Eternel ;

³ car Dieu va montrer ta splendeur à
toute la terre qui est sous le ciel,

⁴ et il te donnera ce nom pour toujours :
« Paix-de-Justice et Gloire-de-piété ».

⁵ Debout, Jérusalem, place-toi sur la
hauteur et tourne ton regard vers
l'Orient :
Vois tes enfants, rassemblés du soleil
couchant jusqu'au Levant par la parole
du Saint ;
ils se réjouissent que Dieu se souvienne ;

⁶ ils sortirent de tes portes à pied,
poussés par des ennemis,
mais Dieu les fait revenir vers toi,
portés glorieusement comme un trône
royal.

⁷ Car Dieu a ordonné que toute haute
montagne soit abaissée, ainsi que les
dunes sans fin ;
il a fait combler les ravins pour que
la terre soit aplanie
et qu'Israël puisse avancer d'un pas
assuré, dans la gloire de Dieu.

⁸ Sur son ordre, les forêts aussi, et
chaque arbre odoriférant, ont préparé
leur ombrage pour Israël ;

⁹ Car Dieu guidera Israël, dans la joie,
à la lumière de sa gloire,
accompagné de la miséricorde et de
la justice qui sont les siennes.

---

e Voir Jos 10.24 et la note ● *f* celle qui a reçu tes fils : allusion à Babylone, personnifiée comme
celle qui a retenu chez elle la population déportée de Jérusalem

4.30 consolation Es 40.1 — celui qui t'a donné son nom *Ba* 5.4; Es 1.26; 60.14; Jr 33.16; Ez 48.35;
Za 8.3; Ps 87.5.   **4.31-32** avertissement à Babylone Jr 50—51.   **4.35** feu dans la ville ennemie
Es 47.14 — ville désertée hantée par les démons Es 13.21+.   **4.36** l'Orient (d'où viendra le salut)
Es 41.2, 25; 46.11; cf. Mt 2.2.   **4.37** rassemblés de l'Orient à l'Occident Es 43.5-7.   **5.1** revêts la
belle parure Es 49.18; 52.1; 61.10.   **5.3** Dieu va montrer ta splendeur Es 62.1-4.   **5.4** il te donnera ce nom *Ba* 4.30+.   **5.5** debout Jérusalem Es 51.17; 60.1 — regarde tes enfants revenir
Es 60.4 — le Saint *Ba* 4.22; Es 40.25+.   **5.6** portés glorieusement Es 49.22; 60.4; 66.20.
5.7 montagnes abaissées, ravins comblés Es 40.4; 49.11; cf. 42.16.   **5.8** les arbres sur leur
passage Es 41.19.   **5.9** Dieu guidera Israël Ex 13.21-22.

LA LETTRE DE JÉRÉMIE

Mise en garde contre les idoles

Copie de la lettre que Jérémie *a* envoya à ceux qui allaient être emmenés prisonniers à Babylone par le roi des Babyloniens, pour leur annoncer ce que Dieu lui avait prescrit.

¹ A cause des péchés que vous avez commis contre Dieu, vous serez emmenés prisonniers à Babylone par Nabuchodonosor, roi des Babyloniens. ² Une fois arrivés à Babylone, vous y serez pour de très nombreuses années, pour une longue période, jusqu'à sept générations ; mais ensuite, je vous ferai partir de là en paix. ³ Désormais vous verrez à Babylone des dieux d'argent, d'or et de bois, que l'on hisse sur les épaules et qui inspirent la crainte aux nations. ⁴ Aussi, prenez garde à ne pas devenir à votre tour en tous points semblables aux étrangers ; que la crainte de ces dieux n'aille pas s'emparer de vous ⁵ à la vue de la foule qui se prosterne devant et derrière eux ! Mais dites en votre cœur : « C'est devant toi qu'il faut se prosterner, Maître ! » ⁶ Car mon *ange est avec vous ; c'est lui qui prend soin de vos âmes *b*.

Les idoles ne doivent pas faire illusion

⁷ En effet la langue de ces dieux a été taillée par un ouvrier ; sans doute les idoles sont-elles plaquées d'or et d'argent, mais elles sont mensongères et ne peu-vent parler. ⁸ Comme pour une jeune fille qui a le goût de la toilette, ces gens prennent de l'or ⁹ et en couronnent la tête de leurs dieux. Il arrive même que les prêtres leur dérobent de l'or et de l'argent pour leurs propres dépenses ; ¹⁰ ils vont jusqu'à en donner aux prostituées de la terrasse *c*. Et ces dieux d'argent, d'or et de bois, on les habille avec des vêtements comme des hommes ¹¹ mais ils ne sont pas à l'abri de la rouille et de l'altération. Une fois revêtus d'un vêtement de pourpre *d*, ¹² on nettoie leur visage de la poussière du temple qui s'accumule sur eux. ¹³ Alors qu'il ne peut faire mourir celui qui l'offense, ce dieu porte un sceptre, comme le juge d'une région. ¹⁴ Il tient un poignard dans la main droite et une hache, pourtant il ne se protège ni de la guerre ni des bandits. C'est à cela qu'on reconnaît que ce ne sont pas des dieux ; ne les craignez donc pas ! ¹⁵ Comme la vaisselle cassée devient inutilisable, ¹⁶ tels sont leurs dieux une fois installés dans les temples ; leurs yeux se couvrent de la poussière soulevée par les pas des gens qui entrent. ¹⁷ Comme on referme les portes sur quiconque a fait injure au roi, en vue de le conduire à la mort, ainsi les prêtres barricadent les temples avec des portes renforcées, des serrures, des verrous pour que ces dieux ne soient pas cambriolés par les bandits. ¹⁸ Ils allument des lampes, plus qu'ils n'en ont besoin pour eux-mêmes,

a Cette lettre se présente comme rédigée par le prophète Jérémie à l'intention des déportés de 587 av. J.C. (voir 2 R 25.11). Elle veut compléter la lettre adressée par le même prophète aux déportés de 597 av. J.C. d'après Jr 29 ● *b* de vos âmes ou de vous ● *c* prostituées de la terrasse : sans doute des prostituées sacrées de la religion babylonienne (comparer Os 1.2 et la note). Certains temples babyloniens avaient la forme d'une tour à étages et possédaient ainsi une ou plusieurs terrasses ● *d* Voir Ct 3.10 et la note

1 emmenés prisonniers à cause de vos péchés *Ba* 1.15—2.10 — Nabuchodonosor Jr 21.2+. 2 pour une longue période Jr 25.11-12; 29.10. 3 des dieux qu'il faut porter v. 26; Es 45.20. 4 ne les craignez pas v. 14, 22, 28, 64, 68. 5 le Dieu vivant seul digne d'être adoré Jr 10.7. 6 mon ange avec vous Ex 23.20-23; 32.34. 7 l'œuvre d'un ouvrier Es 40.19-20 — plaquées d'or et d'argent Jr 10.4 — idoles mensongères Jr 10.14 et muettes Es 46.7; Ps 115.7. 14 Ils ne protègent pas de la guerre v. 49 ni des bandits v. 17, 56. 15 vaisselle cassée, inutilisable Jr 22.28. 18-19 incapable de voir ou de sentir Dt 4.28; Ps 115.5-7; 135.16.

alors que les dieux ne peuvent en voir
aucune. ¹⁹ Ils sont comparables à l'une
des poutres du temple, dont le cœur,
dit-on, est atteint ; la vermine qui sort
de terre les dévore, eux et leur manteau :
ils ne le sentent pas ! ²⁰ Ils ont le visage
noirci par la fumée du temple. ²¹ Au-
dessus de leurs corps et de leur tête volent
chauves-souris, hirondelles, oiseaux ; il y
a même des chats. ²² C'est à cela que
vous saurez que ce ne sont pas des
dieux ; ne les craignez donc pas !

²³ Quant à l'or dont on les a plaqués
pour les embellir, si l'on n'en nettoie pas
la ternissure, ils ne lui rendront pas son
éclat ; car lorsqu'on les a fondus, ils ne
l'ont même pas senti. ²⁴ On achète à
n'importe quel prix ces objets qui n'ont
pas le moindre souffle. ²⁵ Comme ils n'ont
pas de pieds, on les porte sur les épaules ;
ils manifestent ainsi leur propre indignité
aux hommes ; même ceux qui les servent
éprouvent de la honte, ²⁶ car si jamais
une idole tombe à terre, ils ont à la
ramasser ; si on la met debout, elle ne
se déplacera pas d'elle-même ; si elle
est couchée, elle ne se redressera pas
davantage. Mais c'est comme à des morts
qu'on leur offre des présents. ²⁷ Les
victimes offertes aux divinités, les prêtres
les vendent pour en tirer profit, tout
comme les femmes en mettent une partie
au saloir au lieu de les distribuer au
pauvre et à l'infirme ; ²⁸ la femme indisposée et l'accouchée ᵉ touchent aux victimes des sacrifices. Vous qui savez par
ces exemples que ce ne sont pas des
dieux, ne les craignez pas !

C'est à tort qu'on les appelle des dieux

²⁹ D'où vient qu'on les appelle des
dieux, alors que ce sont des femmes ᶠ
qui servent ces dieux d'argent, d'or et
de bois ? ³⁰ Les prêtres conduisent des
chars dans leurs temples ; les vêtements

déchirés, les cheveux et la barbe rasés,
la tête nue, ³¹ ils poussent des hurlements
et crient devant leurs dieux comme des
gens qui prennent part à un repas funéraire. ³² Avec les vêtements qu'ils ont
enlevés aux dieux, les prêtres habillent
leurs femmes et leurs enfants. ³³ Qu'on
leur fasse du bien ou du mal, ces dieux
ne pourront le rendre ; ils ne peuvent ni
introniser ni destituer un roi. ³⁴ De même
ils ne pourront donner ni richesse ni
pièce de monnaie ; si quelqu'un ne s'acquitte pas d'un vœu qu'il leur a fait, ils
ne lui en demanderont pas compte. ³⁵ Ils
ne sauveront pas un homme de la mort,
et n'arracheront pas davantage le faible
à l'emprise du puissant. ³⁶ Ils ne feront
pas retrouver la vue à un aveugle ;
l'homme qui est dans la détresse, ils ne
l'en feront pas sortir. ³⁷ Ils ne prendront
pas pitié de la veuve, et ils ne seront
pas les bienfaiteurs de l'orphelin. ³⁸ C'est
aux pierres arrachées à la montagne que
ressemblent ces objets de bois, plaqués
d'or et d'argent ; ceux qui les servent
seront couverts de honte. ³⁹ Comment
donc peut-on considérer ou proclamer que
ce sont des dieux ?

⁴⁰ D'autant plus que les Chaldéens eux-
mêmes les déshonorent : lorsqu'ils voient
un homme qui ne peut parler, ils le
conduisent auprès de Bel ᵍ et demandent
que le muet parle, comme si le dieu était
capable de comprendre ; ⁴¹ et ces gens
sont incapables de réfléchir assez pour
abandonner ces dieux qui n'ont pas de
compréhension. ⁴² Les femmes se ceignent
de cordes et s'installent ensuite sur les
chemins pour brûler du son ʰ ; ⁴³ et quand
l'une d'elles a couché avec le passant qui
l'a invitée, elle se moque de sa voisine
qui n'a pas été choisie comme elle, et
dont la corde n'a pas été rompue. ⁴⁴ Tout
ce qui concerne ces dieux n'est que mensonge ; alors, comment peut-on les considérer ou les proclamer comme des dieux ?

ᵉ Voir au glossaire PUR ; voir aussi Lv 12.4 ; 15.19 ● ᶠ En Israël la fonction sacerdotale était
réservée aux hommes ● ᵍ Chaldéens : voir Jr 21.4 et la note — Bel : voir Jr 50.2 et la note ●
ʰ se ceignent de cordes : peut-être allusion à des rites de prostitution sacrée pratiqués à Babylone
(v. 43) — brûler du son : sans doute un rite magique destiné à faciliter la rencontre avec un passant
(v. 43)

24 pas le moindre souffle Jr 10.14 ; Ha 2.19 ; Ps 135.17 ; cf. Gn 2.7 ; Ps 104.29-30. 25 ils n'ont
pas de pieds, il faut les porter v. 3 ; Es 46.7 ; Jr 10.5 ; Ps 115.7 ; cf. Es 46.3-4 — indignité des
idoles Es 41.24, 29 ; Jr 10.15 — honte pour les idoles Jr 10.14. 26 comme à des morts Si
30.18-19. 27 pour le pauvre et l'infirme Dt 14.28-29 ; 26.12-14. 30 cheveux et barbe rasés
(deuil) Lv 21.5 ; Dt 14.1. 34 vœu à acquitter Dt 23.22. 35 pouvoir sur la mort Dt 32.39 ;
1 S 2.4-8 ; Ps 30.4 ; Sg 16.13 — pouvoir de délivrer Ps 9.10 ; 37.39-40. 36 rendre la vue à un
aveugle Es 35.5 ; 42.7 — tirer de la détresse Ps 146.7-9 — incapable de sauver Es 46.7 ; cf. Jr 14.8.
37 pitié de la veuve et de l'orphelin Dt 10.18 ; Ps 68.6. 38 honte aux adorateurs d'idoles
Es 44.9. 40 que le muet parle Es 35.6. 41 incapables de réfléchir Es 44.9, 18-20 ; Jr 10.14.

⁴⁵ Ils ont été fabriqués par des ouvriers et des orfèvres ; ils ne deviendront rien d'autre que ce que ces artisans veulent qu'ils deviennent. ⁴⁶ Ceux-là mêmes qui les ont fabriqués ne vivront pas longtemps ; ⁴⁷ comment donc les objets de leur fabrication pourraient-ils être des dieux ? Ainsi ces hommes laissent à leur postérité mensonge et honte. ⁴⁸ Quand une guerre et des calamités s'abattent sur ces idoles, les prêtres délibèrent entre eux pour savoir où se cacher avec elles. ⁴⁹ Comment alors ne pas se rendre compte que ce ne sont pas des dieux, eux qui ne sont pas en mesure de se sauver eux-mêmes de la guerre et des calamités ? ⁵⁰ Ce sont des objets de bois plaqués d'or et d'argent : on reconnaîtra, après cela, qu'ils ne sont que mensonge ; pour toutes les nations et pour les rois, il sera évident que ce ne sont pas des dieux, mais des œuvres faites de mains d'hommes, et qu'il n'y a en eux aucune œuvre de Dieu. ⁵¹ Qui donc n'est pas obligé d'admettre que ce ne sont pas des dieux ?

⁵² Ils ne susciteront pas de roi à un pays ni ne donneront la pluie aux hommes. ⁵³ Ils ne prendront pas de décisions sur les affaires les concernant, et ne porteront pas non plus secours à la victime d'une injustice : ils ne sont bons à rien ; ⁵⁴ ils sont comme des corneilles entre ciel et terre. Que le feu s'abatte sur le temple des dieux de bois plaqués d'or et d'argent, leurs prêtres s'enfuiront et s'en tireront sains et saufs, mais eux seront entièrement consumés comme des poutres au milieu du brasier. ⁵⁵ Ils ne s'opposeront ni à un roi ni à des ennemis. ⁵⁶ Comment donc admettre que ce sont des dieux ou les tenir pour tels ?

Impuissance des faux dieux

Les dieux de bois plaqués d'argent et d'or ne se garderont ni des voleurs ni des bandits ; ⁵⁷ que des gens leur arrachent brutalement l'or et l'argent et s'en aillent avec le vêtement dont ils étaient couverts, eh bien, ils seront incapables de se secourir eux-mêmes ! ⁵⁸ Aussi, mieux vaut être un roi faisant preuve de bravoure ou un objet utile dans une maison, dont pourra se servir son propriétaire, que d'être ces dieux mensongers ; ou bien, mieux vaut une porte de maison qui protège ce qui se trouve à l'intérieur plutôt que ces dieux mensongers ; une colonne de bois dans un palais, que ces dieux mensongers. ⁵⁹ Car le soleil, la lune et les étoiles qui brillent et ont mission de servir, se montrent dociles ; ⁶⁰ l'éclair aussi, quand il paraît, est facile à voir ; il en va de même du vent qui souffle en toute région ; ⁶¹ lorsque Dieu leur commande de parcourir toute la terre, les nuages accomplissent ce qui leur est assigné ; ⁶² et le feu, envoyé d'en haut pour dévaster monts et forêts, fait ce qui lui est ordonné. Les idoles, elles, ne sont même pas faites à l'imitation des formes et des puissances de ces éléments. ⁶³ De là il ressort qu'on ne doit ni considérer ni proclamer que ce sont des dieux, puisqu'ils ne sont pas en mesure de rendre un jugement ni de faire du bien aux hommes. ⁶⁴ Vous savez donc que ce ne sont pas des dieux, ne les craignez pas !

⁶⁵ En effet ils ne peuvent ni maudire ni bénir les rois ; ⁶⁶ ils sont incapables de montrer aux nations des signes dans le ciel, de briller comme le soleil ou d'éclairer comme la lune. ⁶⁷ Les bêtes sauvages leur sont supérieures, elles qui peuvent, en fuyant vers un abri, secourir elles-mêmes. ⁶⁸ Donc, en aucune façon, il ne nous apparaît que ce sont des dieux ; aussi, ne les craignez pas !

⁶⁹ Comme un épouvantail dans un plant de concombres qui ne protège rien, ainsi en est-il de leurs dieux de bois plaqués d'or et d'argent. ⁷⁰ Ou bien, c'est au buisson d'épines dans un jardin, sur lequel se posent tous les oiseaux, ou encore à un cadavre jeté dans l'obscurité, qu'ils sont comparables, leurs dieux de bois plaqués d'or et d'argent. ⁷¹ A voir leur pourpre ⁱ et leur éclat se gâter, vous comprendrez que ce ne sont pas des dieux. Finalement ces objets seront dévorés et seront la honte du pays. ⁷² Mieux vaut donc un homme juste qui n'a pas d'idoles : il sera à l'abri de la honte.

---

i Voir Ct 3.10 et la note

45 des fabrications artisanales Es 40.19-20 ; 44.11 ; *Sg* 15.7-9, 16-17. **47** comment peuvent-ils être des dieux? Jr 16.20 — les dieux faits par l'homme Dt 4.28 ; 2 R 19.18 ; Ps 115.4 ; 135.15 ; *Sg* 13.10. **52** susciter un roi: v. 33 ; Es 44.28 — donner de la pluie Dt 11.14 ; 28.12 ; Jr 14.22 ; Ps 104.13 ; 147.8. **59** la mission du soleil, de la lune Gn 1.14-18 et des étoiles *Ba* 3.34-35 — Dieu maître de sa création Es 45.12 ; Jr 10.10-13 ; Jb 38.39 ; *Si* 42.15—43.33. **61** Dieu commande aux nuages Jr 10.13 ; Ps 135.7 ; Jb 37.11-13. **70** buisson d'épines (inutile et nocif) Jg 9.14-15. **71** honte Es 42.17 ; 44.9-11 ; Jr 2.26-28.

SUPPLÉMENTS GRECS AU
LIVRE DE DANIEL

La prière d'Azarya

3 ²⁴ Et ils marchaient au milieu de la flamme en célébrant Dieu et en bénissant le Seigneur *a*. ²⁵ Azarya, debout, pria ainsi, et, ouvrant la bouche au milieu du feu, il dit :

²⁶ « Béni et loué sois-tu, Seigneur, Dieu de nos pères et que ton *nom soit glorifié à jamais ! ²⁷ Car tu es juste en tout ce que tu as fait ; toutes tes œuvres sont vraies et tes voies, droites, et tous tes jugements sont vérité. ²⁸ Tu as exécuté de justes sentences en tout ce que tu nous as infligé, à nous et à la ville *sainte de nos pères *b*, Jérusalem. Car tu nous as infligé tout cela selon la vérité et le droit, à cause de nos péchés. ²⁹ Car nous avons péché et agi en impies jusqu'à nous séparer de toi, et nous avons failli en toutes choses ; ³⁰ nous n'avons pas obéi à tes commandements, nous ne les avons ni observés ni accomplis, selon que tu nous l'avais commandé pour notre bien. ³¹ Et tout ce que tu nous as infligé et tout ce que tu nous as fait, tu l'as fait selon un juste jugement : ³² tu nous as livrés aux mains d'ennemis impies et d'odieux rebelles, et à un roi injuste *c*, le pire de toute la terre. ³³ Et maintenant, nous n'avons plus à ouvrir la bouche ; la honte et l'opprobre sont advenus à tes serviteurs et à tes adorateurs. ³⁴ Ne nous livre pas jusqu'au bout, à cause de ton Nom ! Ne répudie pas ton *alliance ³⁵ et ne nous retire pas ta miséricorde, à cause d'Abraham ton ami, d'Isaac ton serviteur et d'Israël ton saint, ³⁶ eux à qui tu parlas en disant que tu multiplierais leur descendance comme les étoiles du ciel et comme le sable qui est au bord de la mer. ³⁷ Car, ô Maître ! nous sommes devenus le plus petit de tous les peuples, et nous sommes humiliés aujourd'hui sur toute la terre à cause de nos péchés. ³⁸ Il n'y a plus en ce temps-ci ni prince, ni *prophète, ni chef, ni holocauste ,ni *sacrifice, ni oblation, ni encensement, ni lieu pour présenter les *prémices devant toi et trouver grâce. ³⁹ Puissions-nous néanmoins, avec âme brisée et un esprit humilié, être agréés comme avec un holocauste de béliers et de taureaux ; ⁴⁰ et comme avec des myriades d'agneaux gras, qu'ainsi notre sacrifice soit aujourd'hui en ta présence ; et puissions-nous continuer à te suivre, car il n'est point de honte pour ceux qui se confient en toi ! ⁴¹ Et maintenant, nous te suivons de tout notre cœur, nous te craignons ⁴² et nous cherchons ta face. Ne nous déshonore pas, mais agis envers nous selon ton indulgence et selon l'abondance de ta miséricorde ! ⁴³ Délivre-nous selon tes œuvres merveilleuses, et donne gloire à ton Nom, Seigneur ! ⁴⁴ Qu'ils soient confondus, tous ceux qui projettent du mal contre tes serviteurs ! Qu'ils soient déshonorés et privés de toute domination, et que

---

a Daniel grec 3.24-90 ne nous est connu que par deux anciennes versions grecques, qui insèrent ce texte entre les versets 23 et 24 du texte araméen. La présente traduction suit l'ancienne version grecque de Théodotion ● *b* nos pères ou nos ancêtres ● *c* un roi injuste: allusion immédiate à Nabuchodonosor, roi de Babylone (Dn 1.1; 2.1; 3.1); mais les contemporains de l'auteur pouvaient penser aussi à Antiochus IV Epiphane (voir la note sur Dn 7.24)

3.29 avoir péché Dn 9.5-8; Es 59.12. **3.34** à cause de ton nom Es 48.9; Jr 14.7; Ez 20.9; Ps 23.3.

leur force soit brisée ! [45] Qu'ils sachent que tu es l'unique Seigneur Dieu, glorieux sur toute la terre ! »

Le cantique des trois amis de Daniel

[46] Or les serviteurs du roi qui les avaient jetés dans la fournaise ne cessaient de l'attiser avec du bitume, de la poix, de l'étoupe et des fagots. [47] La flamme s'élevait à quarante-neuf coudées *d* au-dessus de la fournaise. [48] Elle se déploya et brûla ceux des Chaldéens *e* qu'elle trouva autour de la fournaise. [49] Mais l'*Ange du Seigneur descendit dans la fournaise avec Azarya et ses compagnons, et il rejeta la flamme du feu hors de la fournaise ; [50] il rendit le milieu de la fournaise comme un vent de rosée rafraîchissant : le feu ne les toucha pas du tout et il ne leur causa ni tort ni dommage. [51] Alors tous trois, d'une seule voix, se mirent à célébrer, à glorifier et à bénir Dieu dans la fournaise en disant :

[52] « Béni sois-tu, Seigneur, Dieu de nos pères,
et loué et exalté à jamais !
Et béni soit le saint nom de ta gloire *f* :
loué soit-il et exalté à jamais !
[53] Béni sois-tu dans le Temple de ta sainte gloire,
et célébré et glorifié à jamais !
[54] Béni sois-tu, toi qui scrutes les *abîmes en siégeant sur les *chérubins,
et loué et exalté à jamais !
[55] Béni sois-tu sur le trône de ta royauté,
et célébré et exalté à jamais !
[56] Béni sois-tu dans le firmament du ciel,
et célébré et exalté à jamais !
[57] Toutes les œuvres du Seigneur, bénissez le Seigneur ;
célébrez-le et exaltez-le à jamais !
[58] Cieux, bénissez le Seigneur ;
célébrez-le et exaltez-le à jamais !
[59] Anges du Seigneur, bénissez le Seigneur ;
célébrez-le et exaltez-le à jamais !
[60] Toutes les eaux qui êtes au-dessus du ciel, bénissez le Seigneur ;
célébrez-le et exaltez-le à jamais !
[61] Toutes les armées du Seigneur, bénissez le Seigneur *g* ;

célébrez-le et exaltez-le à jamais !
[62] Soleil et lune, bénissez le Seigneur ;
célébrez-le et exaltez-le à jamais !
[63] Etoiles du ciel, bénissez le Seigneur,
célébrez-le et exaltez-le à jamais !
[64] Toute pluie et rosée, bénissez le Seigneur ;
célébrez-le et exaltez-le à jamais !
[65] Tous les vents, bénissez le Seigneur ;
célébrez-le et exaltez-le à jamais !
[66] Feu et brûlure, bénissez le Seigneur ;
célébrez-le et exaltez-le à jamais !
[67] Froidure et chaleur, bénissez le Seigneur ;
célébrez-le et exaltez-le à jamais !
[68] Rosées et giboulées, bénissez le Seigneur ;
célébrez-le et exaltez-le à jamais !
[69] Nuits et jours, bénissez le Seigneur ;
célébrez-le et exaltez-le à jamais !
[70] Lumière et ténèbres, bénissez le Seigneur ;
célébrez-le et exaltez-le à jamais !
[71] Gel et frimas, bénissez le Seigneur ;
célébrez-le et exaltez-le à jamais !
[72] Glaces et neiges, bénissez le Seigneur ;
célébrez-le et exaltez-le à jamais !
[73] Eclairs et nuées, bénissez le Seigneur ;
célébrez-le et exaltez-le à jamais !
[74] Que la terre bénisse le Seigneur ;
qu'elle le célèbre et l'exalte à jamais !
[75] Montagnes et collines, bénissez le Seigneur ;
célébrez-le et exaltez-le à jamais !
[76] Toutes les plantes de la terre, bénissez le Seigneur ;
célébrez-le et exaltez-le à jamais !
[77] Mers et fleuves, bénissez le Seigneur ;
célébrez-le et exaltez-le à jamais !
[78] Sources, bénissez le Seigneur ;
célébrez-le et exaltez-le à jamais !
[79] Gros poissons et faune aquatique *h*,
bénissez le Seigneur ;
célébrez-le et exaltez-le à jamais !
[80] Tous les oiseaux du ciel, bénissez le Seigneur :
célébrez-le et exaltez-le à jamais !
[81] Bêtes sauvages et bestiaux, bénissez le Seigneur ;
célébrez-le et exaltez-le à jamais !
[82] Fils des hommes, bénissez le Seigneur ;
célébrez-le et exaltez-le à jamais !

---

d Voir au glossaire POIDS ET MESURES ● *e* Voir la note sur Dn 1.4 ● *f le saint nom de ta gloire* ou *ton saint — ton nom saint et glorieux.* De même au v. 53 *le Temple de ta sainte gloire* ou *ton Temple saint et glorieux* ● *g les armées du Seigneur,* c'est-à-dire les nombreux êtres célestes au service du Seigneur ● *h faune aquatique* ou *tout ce qui grouille dans les eaux*

3.45 l'unique Seigneur Dt 6.4 ; Ps 83.18-19 ; 86.10. **3.60** les eaux Gn 1.7 ; Ps 148.4.

83 Israël, bénissez le Seigneur ;
célébrez-le et exaltez-le à jamais !
84 Prêtres, bénissez le Seigneur ;
célébrez-le et exaltez-le à jamais !
85 Serviteurs du Seigneur, bénissez le
Seigneur ;
célébrez-le et exaltez-le à jamais !
86 Esprits et âmes des justes, bénissez le
Seigneur ;
célébrez-le et exaltez-le à jamais !
87 Saints et humbles de cœur, bénissez le
Seigneur ;
célébrez-le et exaltez-le à jamais !
88 Hananya, Azarya et Mishaël, bénissez le Seigneur ;
célébrez-le et exaltez-le à jamais !
Car il nous a délivrés des Enfers
et sauvés de la main de la Mort ;
il nous a tirés du milieu de la fournaise de flamme ardente
et tirés du milieu du feu.
89 Rendez grâces au Seigneur, car il est
bon,
car éternelle est sa miséricorde.
90 Tous les adorateurs du Seigneur, bénissez le Dieu des dieux ;
célébrez-le et rendez-lui grâces,
car éternelle est sa miséricorde *h* ! »

Histoire de Susanne : les deux vieillards

13 1 Il y avait un homme qui habitait à Babylone ; son nom était
Joakim *i*. 2 Il prit une femme nommée
Susanne fille de Helkias, très belle et
craignant le Seigneur. 3 Ses parents
étaient justes, et ils avaient instruit leur
fille selon la Loi de Moïse. 4 Joakim
était très riche, et il avait un parc attenant à sa maison. Les juifs affluaient
chez lui, parce qu'il était le plus illustre
de tous. 5 On avait désigné comme juges,
cette année-là, deux *anciens pris parmi
le peuple, de ceux dont le Maître a
dit *j* : « L'iniquité est venue de Babylone, d'anciens, de juges, qui passaient
pour gouverner le peuple. » 6 Ils fré-
quentaient eux-mêmes la maison de Joakim, et tous les gens à juger venaient à
eux. 7 Or, lorsque le peuple s'était retiré,
au milieu du jour, Susanne entrait et se
promenait dans le parc de son mari.
8 Les deux anciens la voyaient chaque

jour entrer et se promener, et ils furent
pris de désir pour elle : 9 ils pervertirent
leur pensée et détournèrent leurs yeux,
pour ne pas regarder vers le *Ciel ni se
souvenir des justes jugements *k*. 10 Tous
deux brûlaient de convoitise à cause
d'elle ; mais ils ne s'étaient pas exposé
mutuellement leur tourment, 11 parce
qu'ils avaient honte d'exposer leur désir,
car ils voulaient avoir des rapports avec
elle ; 12 et chaque jour ils guettaient avidement pour la voir. 13 Ils se dirent l'un
à l'autre : « Allons à la maison, car c'est
l'heure du déjeuner » ; puis, en sortant,
ils se séparèrent. 14 Puis, ayant fait demi-
tour, ils se retrouvèrent au même endroit.
S'étant interrogés l'un l'autre sur la raison, ils s'avouèrent leur désir. Alors ils
fixèrent d'un commun accord un moment
où ils pourraient la trouver seule.
15 Or, tandis qu'ils guettaient un jour
favorable, elle entra une fois comme la
veille et l'avant-veille, avec seulement
deux jeunes filles, et elle eut le désir de
se baigner dans le parc, car il faisait
chaud. 16 Il n'y avait là personne, excepté les deux anciens qui étaient cachés
et la guettaient. 17 Elle dit aux jeunes
filles : « Apportez-moi de l'huile et des
parfums, puis fermez les portes du parc,
pour que je me baigne. » 18 Elles firent
comme elle avait dit : elles fermèrent les
portes du parc et sortirent par une porte
latérale pour apporter ce qui leur était
commandé ; elles ne virent pas les anciens, car ils s'étaient cachés. 19 Or, dès
que les jeunes filles furent sorties, les
deux anciens se dressèrent, coururent
vers elle 20 et dirent : « Voici que les
portes du parc sont fermées, et personne
ne nous voit. Nous sommes pris de désir pour toi ; consens donc à avoir des
rapports avec nous. 21 Sinon, nous témoi-
gnerons contre toi qu'un jeune homme
était avec toi et que c'est pour cela que
tu as congédié les jeunes filles. » 22 Susanne alors gémit et dit : « Je suis cernée
de tous côtés. Si en effet je fais cela,
c'est pour moi la mort *l* ; et si je ne
le fais pas, je n'échapperai pas à vos
mains. 23 Mieux vaut pour moi tomber
entre vos mains sans l'avoir fait, que de
pécher en présence du Seigneur. » 24 Et

---

h Après le v. 90, le texte grec de Daniel continue comme Daniel 3.24 araméen ● *i* Joakim:
dans les chapitres 13 et 14 la traduction suit l'ancienne version grecque de Théodotion ● *j* On
ignore de quel livre cette citation est extraite et qui est *le Maître* qui a prononcé ces paroles
● *k* les justes jugements: le texte sous-entend *de Dieu* ● *l* c'est pour moi la mort: dans l'ancien Israël, la femme adultère était considérée comme digne de mort. Voir Lv 20.10; Dt 22.22;
et aussi Jn 8.4-5

3.87 saints et humbles So 2.3.   **3.90** Dieu des dieux Dn 2.47.

Susanne cria d'une voix forte, tandis que les deux anciens criaient aussi contre elle. ²⁵ L'un d'eux courut ouvrir les portes du parc. ²⁶ Dès que les gens de la maison eurent entendu ces clameurs dans le parc, ils se précipitèrent par la porte latérale, pour voir ce qui lui était arrivé. ²⁷ Lorsque les anciens eurent dit leur histoire, les serviteurs furent tout honteux, car jamais pareille chose n'avait été dite de Susanne.

²⁸ Or le lendemain, dès que le peuple se fut rassemblé chez son mari Joakim, les deux anciens arrivèrent, pleins d'une pensée criminelle contre Susanne, afin de la faire mourir. Et ils dirent en présence du peuple : ²⁹ « Envoyez chercher Susanne fille de Helkias, femme de Joakim ! » On l'envoya chercher. ³⁰ Elle vint, ainsi que ses parents, ses enfants et tous ses proches. ³¹ Susanne était très délicate et belle à voir. ³² Ces criminels ordonnèrent qu'on la dévoile — car elle était voilée —, afin de se rassasier de sa beauté. ³³ Tous les siens pleuraient, ainsi que tous ceux qui la voyaient. ³⁴ Les deux anciens, se levant au milieu du peuple, mirent leurs mains sur sa tête. ³⁵ Quant à elle, en pleurant, elle leva les yeux au ciel, car son cœur avait confiance dans le Seigneur. ³⁶ Les anciens dirent : « Nous nous promenions seuls dans le parc, lorsqu'elle est entrée avec deux servantes ; elle a fermé les portes du parc et congédié les servantes. ³⁷ Alors est venu vers elle un jeune homme qui s'était caché, et il a couché avec elle. ³⁸ En voyant cette iniquité, du coin du parc où nous étions, nous sommes accourus vers eux, ³⁹ et nous les avons vus avoir des rapports. Pour lui, nous n'avons pas pu nous en rendre maîtres, parce qu'il était plus fort que nous et qu'ayant ouvert les portes il s'était élancé dehors. ⁴⁰ Mais elle, nous l'avons saisie et nous lui avons demandé quel était ce jeune homme ; ⁴¹ et elle n'a pas voulu nous le déclarer. De cela, nous sommes témoins. » L'assemblée les crut, en tant qu'anciens du peuple et juges, et ils la condamnèrent à mort. ⁴² Susanne alors cria d'une voix forte et dit : « O Dieu éternel ! Toi qui connais les secrets et sais toutes choses avant leur origine ! ⁴³ Tu sais bien qu'ils ont porté un faux témoignage contre moi ; et voici que je meurs sans avoir rien fait de ce qu'ils

ont méchamment inventé contre moi. » ⁴⁴ Le Seigneur entendit sa voix.

Daniel innocente Susanne

⁴⁵ Tandis qu'on l'emmenait pour la faire périr, Dieu suscita l'esprit saint ᵐ d'un tout jeune garçon nommé Daniel. ⁴⁶ Il cria d'une voix forte : « Je suis innocent du *sang de celle-ci ! » ⁴⁷ Tout le peuple se tourna vers lui, et ils dirent : « Qu'est-ce que cette parole que tu as dite ? » ⁴⁸ Mais lui, debout au milieu d'eux, dit : « Etes-vous insensés à ce point, fils d'Israël ? Sans avoir fait d'enquête ni savoir ce qui est sûr, vous avez condamné une fille d'Israël. Retournez au tribunal, car ceux-ci ont porté un faux témoignage contre elle. » ⁴⁹ Tout le peuple s'en retourna en hâte, et les *anciens ⁿ dirent à Daniel : « Viens siéger au milieu de nous et expose-nous ta pensée, car Dieu t'a donné le privilège des anciens. » ⁵⁰ Daniel leur dit : « Séparez-les bien loin l'un de l'autre, et je vais les juger. » ⁵¹ Dès qu'ils eurent été séparés l'un de l'autre, il appela l'un d'eux et lui dit : « O toi qui as vieilli dans le mal ! Ils sont là maintenant, les péchés que tu as commis précédemment : ⁵² tu rendais des jugements injustes, condamnant les innocents et absolvant les coupables, alors que le Seigneur a dit : "Tu ne feras pas mourir l'innocent et le juste." ⁵³ Maintenant donc, si réellement tu as vu cette femme, dis sous quel arbre tu les as vus avoir commerce ensemble. » Il dit : « Sous un lentisque. » ⁵⁴ Daniel dit : « Vraiment tu as menti contre ta propre tête ! Car l'*Ange de Dieu, qui en a déjà reçu l'ordre de Dieu, te fendra par le milieu. » ⁵⁵ L'ayant renvoyé, il ordonna d'amener l'autre, et il lui dit : « Race de Canaan et non de Juda ! La beauté t'a dupé et le désir a perverti ton cœur. ⁵⁶ Ainsi agissiez-vous avec les filles d'Israël ᵒ, et celles-ci, effrayées, avaient commerce avec vous ; mais une fille de Juda n'a pas enduré votre iniquité. ⁵⁷ Maintenant donc, dis-moi : sous quel arbre les as-tu surpris ayant commerce ensemble ? » Il lui dit : « Sous un chêne vert. » ⁵⁸ Daniel lui dit : « Vraiment tu as menti contre ta propre tête ! Car l'Ange de Dieu attend, sabre en main, pour te couper par le milieu, afin de vous exterminer. » ⁵⁹ Toute l'assemblée d'Israël cria d'une

---

ᵐ Tournure condensée pour exprimer l'idée que Dieu met en action l'esprit de discernement qu'il donne à Daniel (voir Dn 5.12) ● ⁿ Il s'agit d'autres du tribunal que les deux anciens mentionnés aux v. 5 et 28 ● ᵒ les filles d'Israël, c'est-à-dire les femmes de l'ancien royaume d'Israël. Voir aussi la note sur Za 11.14

voix forte, et ils bénirent Dieu qui sauve
ceux qui espèrent en lui. 60 Puis ils se
tournèrent contre les deux anciens, car
Daniel, de leur propre bouche, les avait
convaincus d'être de faux témoins. Ils
agirent envers eux de la façon qu'ils
avaient méchamment imaginée contre leur
prochain, 61 afin d'agir selon la Loi de
Moïse : ils les tuèrent, et le sang innocent fut sauvé ce jour-là. 62 Quant à
Helkias et sa femme, ils louèrent Dieu
au sujet de leur fille Susanne, avec Joakim
son mari et tous leurs proches, de ce
qu'il ne s'était rien trouvé en elle d'inconvenant. 63 Et Daniel devint grand devant
le peuple, à partir de ce jour-là et dans
la suite.

Daniel et les prêtres de Bel

14 1 Le roi Astyage fut réuni à ses
pères, et Cyrus le Perse reçut sa
royauté. 2 Daniel était compagnon du roi
et plus illustre que tous ses amis. 3 Or
les Babyloniens avaient une idole, du
nom de Bel, et ils dépensaient pour elle
chaque jour douze artabes de farine,
quarante brebis et six métrètes [p] de vin.
4 Le roi la vénérait, et il venait chaque
jour l'adorer. Daniel, lui, adorait son
Dieu. Le roi lui dit : « Pourquoi n'adores-
tu pas Bel ? » 5 Il dit : « Parce que je
ne vénère pas les idoles faites de main
d'homme, mais le Dieu vivant, qui a créé
le ciel et la terre et qui a la maîtrise
de toute chair [q]. » 6 Le roi lui dit :
« Estimes-tu que Bel ne soit pas un dieu
vivant ? Ne vois-tu pas tout ce qu'il
mange et boit chaque jour ? » 7 Daniel
dit en riant : « Ne t'y trompe pas, ô
roi ! Il est d'argile au-dedans, de bronze
au-dehors, et il n'a jamais rien mangé
ni bu. » 8 Le roi, irrité, appela ses prêtres et leur dit : « Si vous ne me dites
pas qui mange ces provisions, vous mourrez. 9 Mais si vous montrez que c'est Bel
qui les mange, Daniel mourra, car il a
*blasphémé contre Bel. » Daniel dit au
roi : « Qu'il soit fait selon ta parole ! »
Les prêtres de Bel étaient au nombre de
soixante-dix, outre les femmes et les
enfants. 10 Le roi vint donc avec Daniel
à la maison de Bel. 11 Les prêtres de
Bel dirent : « Voici que nous allons
sortir. Quant à toi, ô roi, présente les
aliments et mets le vin coupé, puis ferme
la porte et scelle-la de ton anneau. 12 Si,
en venant au matin, tu ne trouves pas
le tout mangé par Bel, nous mourrons,
ou bien c'est Daniel qui mourra, lui qui
a menti contre nous. » 13 Ils affichaient
leur mépris, car ils avaient fait sous la
table une entrée dérobée, par laquelle ils
s'introduisaient toujours et enlevaient les
provisions.

14 Or, dès qu'ils furent sortis et que
le roi eut présenté les aliments à Bel,
Daniel donna des ordres à ses serviteurs
qui apportèrent de la cendre et en sau-
poudrèrent tout le sanctuaire, en présence
du roi seul. En sortant, ils fermèrent
la porte et la scellèrent de l'anneau du
roi, puis ils s'en allèrent. 15 Les prêtres
vinrent durant la nuit, selon leur habitude,
ainsi que leurs femmes et leurs enfants ;
ils mangèrent et burent tout. 16 Le roi se
leva de bon matin, et Daniel avec lui.
17 Il dit : « Les sceaux sont-ils intacts,
Daniel ? » Celui-ci dit : « Intacts, ô roi ! »
18 Or, quand on eut ouvert les portes,
le roi regarda la table, et il cria d'une
voix forte : « Tu es grand, ô Bel ! et il
n'y a en toi aucune fourberie ! » 19 Daniel
rit ; il empêcha le roi d'entrer à l'intérieur
et il dit : « Vois donc le sol, et reconnais
de qui sont ces traces. » 20 Le roi dit :
« Je vois des traces d'hommes, de femmes
et d'enfants. » 21 Le roi, en colère, fit
alors appréhender les prêtres, leurs femmes et leurs enfants. Ils lui montrèrent
les portes dérobées par lesquelles ils
entraient pour consommer ce qu'il y avait
sur la table. 22 Le roi les fit tuer, et il
livra Bel à la discrétion de Daniel, qui
le renversa ainsi que son temple.

Daniel et le Dragon

23 Il y avait aussi un grand Dragon [r],
et les Babyloniens le vénéraient. 24 Le roi
dit à Daniel : « Tu ne peux pas me dire
qu'il n'est pas un dieu vivant. Adore-le
donc ! » 25 Daniel dit : « C'est le Seigneur mon Dieu que j'adorerai, car lui
seul est vivant. 26 Mais toi, ô roi !
accorde-moi la permission, et je tuerai
le Dragon sans épée ni bâton. » Le roi
dit : « Je te l'accorde. » 27 Daniel prit

p artabes, l'artabe est une mesure perse d'environ 56 litres — le *métrète* valait environ 39 litres • *q toute chair* ou *toute créature* • *r* ou *un grand Serpent*

14.3 Bel Es 46.1 ; Jr 50.2 ; 51.44. **14.5** le ciel et la terre Gn 1.1 ; 14.19, 22. **14.25** c'est le Seigneur Dt 6.4, 13 ; Mt 4.10.

de la poix, de la graisse et des poils ; il fit tout bouillir ensemble, confectionna des boulettes et les mit dans la gueule du Dragon. Le Dragon mangea et creva. Et Daniel dit : « Voyez donc l'objet de votre vénération ! » ²⁸ Or, quand les Babyloniens l'eurent appris, ils furent violemment indignés. Ils s'attroupèrent contre le roi et dirent : « Le roi est devenu Juif : il a abattu Bel, tué le Dragon et massacré les prêtres. » ²⁹ Puis ils allèrent auprès du roi et dirent : « Livre-nous Daniel, sinon nous te tuerons, toi et ta maison. » ³⁰ Le roi vit qu'ils le pressaient vivement ; cédant à la nécessité, il leur livra Daniel. ³¹ Eux jetèrent Daniel dans la fosse aux lions, et il y fut six jours. ³² Il y avait dans la fosse sept lions. On leur donnait chaque jour deux corps et deux brebis ; mais alors on ne leur donna rien, afin qu'ils mangent Daniel. ³³ Le prophète Habaquq se trouvait en Judée. Il avait fait cuire une bouillie et émietté des pains dans un vase, et il partait dans la campagne pour porter cela aux moissonneurs. ³⁴ L'*Ange du Seigneur dit à Habaquq : « Porte le repas que tu tiens à Babylone, à Daniel dans la fosse aux lions. » ³⁵ Habaquq dit : « Seigneur ! Je n'ai jamais vu Babylone, et je ne connais pas la fosse. » ³⁶ L'Ange du Seigneur le saisit par le sommet du crâne et, le portant par les cheveux de sa tête, il le déposa à Babylone au-dessus de la fosse, dans l'impétuosité de son souffle ˢ. ³⁷ Habaquq cria en disant : « Daniel ! Daniel ! Prends le repas que Dieu t'a envoyé ! » ³⁸ Daniel dit : « Tu t'es souvenu de moi, ô Dieu ! et tu n'as pas abandonné ceux qui t'aiment. » ³⁹ Daniel se leva et mangea. L'Ange du Seigneur réinstalla aussitôt Habaquq chez lui. ⁴⁰ Le septième jour, le roi vint pleurer Daniel. Il vint à la fosse et regarda, et voici que Daniel était assis. ⁴¹ Criant d'une voix forte, il dit : « Tu es grand, Seigneur, Dieu de Daniel ! et il n'y en a pas d'autre que toi. » ⁴² Il le retira de là. Quant aux responsables de sa perte il les fit jeter dans la fosse, et ils furent aussitôt dévorés en sa présence.

ˢ Le mot traduit par souffle peut désigner soit le vent, soit l'Esprit de Dieu

14.38 tu n'as pas abandonné ceux qui t'aiment Ps 9.11 ; 27.9 ; 145.8.

NOUVEAU TESTAMENT

ÉVANGILE SELON MATTHIEU

D'Abraham à Jésus Christ

1 ¹ Livre des origines de Jésus Christ, fils de David, fils d'Abraham.
² Abraham engendra Isaac,
Isaac engendra Jacob,
Jacob engendra Juda et ses frères,
³ Juda engendra Pharès et Zara, de Thamar,
Pharès engendra Esrôm,
Esrôm engendra Aram,
⁴ Aram engendra Aminadab,
Aminadab engendra Naassôn,
Naassôn engendra Salmon,
⁵ Salmon engendra Booz, de Rahab,
Booz engendra Jobed, de Ruth,
Jobed engendra Jessé,
⁶ Jessé engendra le roi David,
David engendra Salomon, de la femme d'Urie,
⁷ Salomon engendra Roboam,
Roboam engendra Abia,
Abia engendra Asa,
⁸ Asa engendra Josaphat,
Josaphat engendra Joram,
Joram engendra Ozias,
⁹ Ozias engendra Joathan,
Joathan engendra Achaz,
Achaz engendra Ezéchias,
¹⁰ Ezéchias engendra Manassé,
Manassé engendra Amon,
Amon engendra Josias,
¹¹ Josias engendra Jéchonias et ses frères ;
ce fut alors la déportation à Babylone.
¹² Après la déportation à Babylone,
Jéchonias engendra Salathiel,
Salathiel engendra Zorobabel,
¹³ Zorobabel engendra Abioud,
Abioud engendra Eliakim,
Eliakim engendra Azor,
¹⁴ Azor engendra Sadok,
Sadok engendra Akhim,
Akhim engendra Elioud,
¹⁵ Elioud engendra Eléazar,
Eléazar engendra Mathan,
Mathan engendra Jacob,
¹⁶ Jacob engendra Joseph, l'époux de Marie,
de laquelle est né Jésus, que l'on appelle *Christ.
¹⁷ Le nombre total des générations est donc : quatorze d'Abraham à David, quatorze de David à la déportation de Babylone, quatorze de la déportation de Babylone au Christ.

La naissance de Jésus

¹⁸ Voici quelle fut l'origine de Jésus Christ. Marie, sa mère, était accordée en mariage à Joseph ; or, avant qu'ils aient habité ensemble, elle se trouva enceinte par le fait de l'Esprit Saint. ¹⁹ Joseph, son époux, qui était un homme juste et ne voulait pas la diffamer publiquement, résolut de la répudier secrètement. ²⁰ Il avait formé ce projet, et voici que l'Ange du Seigneur [a] lui apparut en songe et lui dit : « Joseph, fils de David, ne crains pas de prendre chez toi Marie, ton épouse : ce qui a été engendré en elle vient de l'Esprit Saint ²¹ et elle enfantera un fils

---

[a] Expression familière à l'A.T. (Gn 16.7, 13 ; Ex 3.2, 4, etc.) pour rapporter une intervention de Dieu lui-même. Voir Mt 2.13, 19

1.1 Livre des origines Gn 5.1 — Fils de David 2 S 7.1 ; Mt 9.27 ; 12.23 ; 15.22 ; 20.30-31 par. ; 21.9, 15 par. ; 22.41-45 par. ; Jn 7.42 ; Rm 1.3 ; 2 Tm 2.8 ; Ap 5.5 ; 22.16 — Abraham et sa descendance Gn 15.2-5 ; 22.15-18 ; Jn 8.33-39. **1.2** Isaac Gn 21.3, 12 — Jacob Gn 25.26 — Juda Gn 29.35. **1.3** Thamar Gn 38. **1.5** Booz et Ruth Rt 4.13 — Jobed, Jessé Rt 4.17, 22. **1.6** le roi David 1 S 16.13 ; Ac 13.22 — David, la femme d'Urie, Salomon 2 S 12.24. **1.7-11** de Roboam à Jéchonias 1 Ch 3.10-16. **1.11** la déportation 2 R 24.12-16. **1.12** Jéchonias et sa descendance 1 Ch 3.17, 19. **1.20** l'Ange du Seigneur Gn 16.7, 13 ; 22.11-15 ; Ex 3.2-6 ; Mt 1.24 ; 2.13, 19 ; 28.2 ; Lc 1.11 ; 2.9 ; Ac 5.19 ; 8.26 ; 12.7. 23 — songe Mt 2.12, 13, 19, 22 ; 27.19 ; Ac 2.17. **1.21** Jésus Mt 1.16, 25 ; Lc 1.31 ; 2.21.

auquel tu donneras le nom de Jésus [b], car c'est lui qui sauvera son peuple de ses péchés. » [22] Tout cela arriva pour que s'accomplisse ce que le Seigneur avait dit par le *prophète : [23] *Voici que la vierge concevra et enfantera un fils auquel on donnera le nom d'Emmanuel,* ce qui se traduit : « *Dieu avec nous* ». [24] A son réveil, Joseph fit ce que l'Ange du Seigneur lui avait prescrit : il prit chez lui son épouse [25] mais il ne la connut pas [c] jusqu'à ce qu'elle eût enfanté un fils auquel il donna le nom de Jésus.

La visite des Mages

2 [1] Jésus étant né à Bethléem [d] de Judée, au temps du roi Hérode [e], voici que des mages [f] venus d'Orient arrivèrent à Jérusalem [2] et demandèrent : « Où est le roi des Juifs qui vient de naître ? Nous avons vu son astre à l'Orient [g] et nous sommes venus lui rendre hommage. » [3] A cette nouvelle, le roi Hérode fut troublé, et tout Jérusalem avec lui. [4] Il assembla tous les *grands prêtres et les scribes du peuple, et s'enquit auprès d'eux du lieu où le *Messie devait naître. [5] « A Bethléem de Judée, lui dirent-ils, car c'est ce qui est écrit par le prophète : [6] *Et toi, Bethléem, terre de Juda, tu n'es certes pas le plus petit des chefs-lieux de Juda : car c'est de toi que sortira le chef qui fera paître Israël, mon peuple.* » [7] Alors Hérode fit appeler secrètement les mages, se fit préciser par eux l'époque à laquelle l'astre apparaissait, [8] et les envoya à Bethléem en disant : « Allez vous renseigner avec précision sur l'enfant ; et, quand vous l'aurez trouvé, avertissez-moi pour que, moi aussi, j'aille lui rendre hommage. » [9] Sur ces paroles du roi, ils se mirent en route ; et voici que l'astre, qu'ils avaient vu à l'Orient, avançait devant eux jusqu'à ce qu'il vint s'arrêter au-dessus de l'endroit où était l'enfant. [10] A la vue de l'astre, ils éprou-

vèrent une très grande joie. [11] Entrant dans la maison, ils virent l'enfant avec Marie, sa mère, et, se prosternant, ils lui rendirent hommage ; ouvrant leurs coffrets, ils lui offrirent en présent de l'or, de l'encens et de la myrrhe [h]. [12] Puis, divinement avertis en songe de ne pas retourner auprès d'Hérode, ils se retirèrent dans leur pays par un autre chemin.

La fuite en Egypte

[13] Après leur départ, voici que l'Ange du Seigneur [i] apparaît en songe à Joseph et lui dit : « Lève-toi, prends avec toi l'enfant et sa mère, et fuis en Egypte ; restes-y jusqu'à nouvel ordre, car Hérode va rechercher l'enfant pour le faire périr. » [14] Joseph se leva, prit avec lui l'enfant et sa mère, de nuit, et se retira en Egypte. [15] Il y resta jusqu'à la mort d'Hérode, pour que s'accomplisse ce qu'avait dit le Seigneur par le prophète : *D'Egypte, j'ai appelé mon fils.*

Le massacre des enfants à Bethléem

[16] Alors Hérode, se voyant joué par les mages, entra dans une grande fureur et envoya tuer, dans Bethléem et tout son territoire, tous les enfants jusqu'à deux ans, d'après l'époque qu'il s'était fait préciser par les mages. [17] Alors s'accomplit ce qui avait été dit par le prophète Jérémie :
[18] *Une voix dans Rama s'est fait entendre,*
des pleurs et une longue plainte :
c'est Rachel qui pleure ses enfants
et ne veut pas être consolée, parce qu'ils ne sont plus.

Le retour d'Egypte

[19] Après la mort d'Hérode, l'Ange du Seigneur apparaît en songe à Joseph, en Egypte, [20] et lui dit : « Lève-toi, prends avec toi l'enfant et sa mère, et mets-toi

---

b Jésus, forme grecque de *Josué,* signifie: le Seigneur est (ou donne) le salut ● *c* Voir Gn 4.1, 17; 1 S 1.19, etc.; C'est le terme biblique traditionnel pour désigner la relation conjugale ● *d* Selon 1 S 16.1, Bethléem est la patrie de David ● *e* Il s'agit d'*Hérode le Grand* qui régna à Jérusalem de 37 à 4 av. J.C. ● *f* Voir Dn 2.2, 11. Sans doute des astrologues babyloniens ● *g* ou *à son lever* ● *h* Parfums traditionnels de l'Arabie ● *i* Voir Mt 1.20 et note

1.22 accomplissement des Ecritures Mt 2.15, 17, 23; 4.14; 8.17; 12.17; 13.14, 35; 21.4; 26.56; 27.9; Lc 4.21; 21.22; 22.44; Jn 12.38; Ac 1.16; Jc 2.23. **1.23** Emmanuel Es 7.14; 8.8, 10. **2.1** Bethléem Mt 2.5; Lc 2.4, 15; Jn 7.42 — Hérode Lc 1.5 — mages Dn 2.2, 10. **2.2** roi des Juifs Mt 21.5; 27.11, 29, 37; Mc 15.2, 9, 12, 18, 26; Lc 23.3, 37, 38; Jn 18.33, 39; 19.3, 14, 15, 19, 21. **2.6** Mi 5.1; cf. 2 S 5.2; 1 Ch 11.2. **2.11** or et encens Es 60.6. **2.12** songe Mt 1.20+; Gn 20.3-7; 31.24; 46.2-4; cf. Ac 16.9; 18.9; 23.11. **2.13** l'Ange du Seigneur Mt 1.20+. **2.15** Os 11.1; cf. Mt 1.22+. **2.18** Jr 31.15 — Rama Jr 40.1 — Rachel (mère de Joseph et Benjamin) Gn 30.22-24; 35. 16-18.

en route pour la terre d'Israël ; en effet, ils sont morts, ceux qui en voulaient à la vie de l'enfant. » ²¹ Joseph se leva, prit avec lui l'enfant et sa mère, et il entra dans la terre d'Israël. ²² Mais apprenant qu'Archélaüs *j* régnait sur la Judée à la place de son père Hérode, il eut peur de s'y rendre ; et divinement averti en songe, il se retira dans la région de Galilée ²³ et vint habiter une ville appelée Nazareth, pour que s'accomplisse ce qui avait été dit par les *prophètes : *Il sera appelé Nazôréen.*

Jean le Baptiste

(Mc 1.2-6 ; Lc 3.1-6 ; Jn 1.19-23)

3 ¹ En ces jours-là paraît Jean le Baptiste, proclamant dans le désert de Judée *k* : ² « Convertissez-vous : le *règne des cieux *l* s'est approché ! » ³ C'est lui dont avait parlé le prophète Esaïe quand il disait : « *Une voix crie dans le désert : "Préparez le chemin du Seigneur, rendez droits ses sentiers".* » ⁴ Jean avait un vêtement de poil de chameau et une ceinture de cuir autour des reins ; il se nourrissait de sauterelles et de miel sauvage. ⁵ Alors Jérusalem, toute la Judée et toute la région du Jourdain se rendaient auprès de lui ; ⁶ ils se faisaient baptiser par lui dans le Jourdain en confessant leurs péchés.

Le message de Jean le Baptiste

(Lc 3.7-9)

⁷ Comme il voyait beaucoup de *phari-

siens et de sadducéens venir à son baptême, il leur dit : « Engeance de vipères, qui vous a montré le moyen d'échapper à la colère qui vient *m* ? ⁸ Produisez donc du fruit qui témoigne de votre conversion ; ⁹ et ne vous avisez pas de dire en vous-mêmes : "Nous avons pour père *n* Abraham". Car je vous le dis, des pierres que voici, Dieu peut susciter des enfants à Abraham. ¹⁰ Déjà la hache est prête à attaquer la racine des arbres ; tout arbre donc qui ne produit pas de bon fruit va être coupé et jeté au feu.

Celui qui vient

(Mc 1.7-8 ; Lc 3.15-18 ; cf. Jn 1.24-28)

¹¹ Moi, je vous baptise dans l'eau en vue de la conversion mais celui qui vient après moi est plus fort que moi : je ne suis pas digne de lui ôter ses sandales ; lui, il vous baptisera dans l'Esprit Saint et le feu. ¹² Il a sa pelle à vanner à la main, il va nettoyer son aire et recueillir son blé dans le grenier ; mais la balle, il la brûlera au feu qui ne s'éteint pas. »

Jésus vient se faire baptiser

(Mc 1.9-11 ; Lc 3.21-22 ; cf. Jn 1.29-34)

¹³ Alors paraît Jésus, venu de Galilée jusqu'au Jourdain auprès de Jean pour se faire baptiser par lui. ¹⁴ Jean voulut s'y opposer : « C'est moi, disait-il, qui ai besoin d'être baptisé par toi, et c'est toi qui viens à moi ! » ¹⁵ Mais Jésus lui répliqua : « Laisse faire maintenant : c'est

---

j Fils et successeur d'Hérode le Grand ; il régna de 4 av. J.C. à 6 ap. J.C. ● *k* Région à peine peuplée située entre la ligne de crête Jérusalem-Hébron et la Mer Morte ou le Jourdain inférieur ● *l* Règne des cieux = règne de Dieu (voir au glossaire). Mt se conforme ici à l'usage juif qui évite d'avoir à prononcer le nom de Dieu. Autres exemples de tournures analogues : Mt 21.25, et les formules impersonnelles de Mt 7.2, 7, etc. ● *m* Il s'agit de la colère de Dieu (voir la note précédente) ● *n* C'est-à-dire comme ancêtre

---

2.22 Galilée 2 R 15,29 ; Es 8.23 ; Mt 3.13 ; 4.23 ; 26.32 ; 28.7 et par. ; Jn 4.3 ; 7.41, 52 ; Ac 1.11 ; 9.31 ; 10.37, etc.   **2.23** Nazôréen Mt 21.11 ; 26.71 ; Jn 1.45 ; Ac 10.38.   **3.1** Jean le Baptiste Mt 4.12 ; 9.14 ; 11.2-19 ; 14.2-12 ; 16.14 ; 17.13 ; 21.25-32 et par. ; Lc 1 ; 3.1 ; 11.1 ; Jn 1.6-36 ; 3.23-30 ; 5.33-36 ; Ac 1.22 ; 10.37 ; voir aussi Mt 3.6+. (activité baptismale de Jean) — proclamation Es 40.9 ; Mt 4.17, 23 ; 9.35 ; 10.7, 27 ; 11.1 ; 24.14 ; 26.13 ; Ac 8.5 — désert Mt 4.1 ; 11.7 ; 14.13 ; 24.26.   **3.2** appel à la conversion Mt 3.2, 8, 11 ; 4.17 ; 11.20, 21 ; 12.41 ; Mc 1.15 ; Lc 5.32 ; 15.7 — le règne des cieux Mt 4.17 ; 5.3 ; 7.21 ; 8.11 ; 10.7 ; 11.11-12 ; 13 ; 16.19 ; 18.1, 23 ; 19.12, 23 ; 20.1 ; 22.2 ; 23.13 ; 25.1 — Règne ou royaume de Dieu Mt 6.10+.   **3.3** Es 40.3.   **3.4** le costume de Jean 2 R 1.8 ; Za 13.4.   **3.6** activité baptismale de Jean Mt 3.11-16 ; 21.25 par. ; Mc 1.4-5 ; Lc 3.3, 7, 16 ; Jn 1.25, 31-33 ; 3.23 ; 4.1 ; 10.40 ; Ac 1.5 ; 11.16 ; 13.24 ; 18.25 ; 19.3-4 ; cf. Mt 21.25-27 par.   **3.7** engeance de vipères Mt 12.34 ; 23.33 ; Lc 3.7 — la colère Es 30.27-33 ; Mt 23.33 ; Lc 21.23 ; Rm 1.18 ; 2.5 ; 5.9 ; Ep 5.6 ; Col 3.6 ; Ap 6.16-17.   **3.8** fruit Mt 7.16-20 par. ; 12.33 ; Mc 4.20 ; Jn 15.2-8, 16 ; Rm 7.4 ; Ga 5.22 ; Ep 5.9 ; Col 1.6, 10.   **3.9** Abraham comme père Jn 8.33, 37, 39 ; Rm 4.12.   **3.10** coupé Mt 7.19 ; Lc 13.7-9 ; Jn 15.6   **3.11** Jean baptise Mt 3.6+ — conversion Mt 3.2+ — Celui qui vient Ml 3.1 ; Mt 11.3 ; 21.9 ; Jn 1.15 ; 6.14 ; Ac 19.4 ; He 10.37 ; Ap 1.4, 8 ; cf. Ha 2.3 (grec) — indigne Ac 13.25 — baptême de l'esprit Jn 1.33 ; Ac 1.5 ; 11.16 — le feu Ml 3.2 ; Za 13.9 ; 1 Co 3.13, 15 ; 1 P 1.7.   **3.12** la moisson, image du jugement Es 17.5 ; Jr 13.24 ; Jl 4.12-13 ; Mt 13.30-39 ; Ap 14.14-16.

ainsi qu'il nous convient d'accomplir toute justice *o*. » Alors, il le laisse faire. ¹⁶ Dès qu'il fut baptisé, Jésus sortit de l'eau. Voici que les *cieux s'ouvrirent et il vit l'Esprit de Dieu descendre comme une colombe et venir sur lui. ¹⁷ Et voici qu'une voix venant des cieux disait : « Celui-ci est mon Fils bien-aimé, celui qu'il m'a plu de choisir. »

Jésus est tenté par le diable
(*Mc 1.12-13; Lc 4.1-13*)

4 ¹ Alors Jésus fut conduit par l'Esprit au désert, pour être tenté par le *diable. ² Après avoir *jeûné quarante jours et quarante nuits, il finit par avoir faim. ³ Le tentateur s'approcha et lui dit : « Si tu es le Fils de Dieu, ordonne que ces pierres deviennent des pains. » ⁴ Mais il répliqua : « Il est écrit : *Ce n'est pas seulement de pain que l'homme vivra, mais de toute parole sortant de la bouche de Dieu.* » ⁵ Alors le diable l'emmène à la Ville Sainte *p*, le place sur le faîte du *Temple ⁶ et lui dit : « Si tu es le Fils de Dieu, jette-toi en bas, car il est écrit : *Il donnera pour toi des ordres à ses *anges et ils te porteront sur leurs mains pour t'éviter de heurter du pied quelque pierre.* » ⁷ Jésus lui dit : « Il est aussi écrit : *Tu ne mettras pas à l'épreuve le Seigneur ton Dieu.* » ⁸ Le diable l'emmène encore sur une très haute montagne ; il lui montre tous les royaumes du monde avec leur gloire ⁹ et lui dit : « Tout cela je te le donnerai, si tu te prosternes et m'adores. » ¹⁰ Alors Jésus lui dit : « Retire-toi, *Satan ! Car il est écrit : *Le Sei-*

gneur ton Dieu tu adoreras et c'est à lui seul que tu rendras un culte. » ¹¹ Alors le diable le laisse, et voici que des anges s'approchèrent, et ils le servaient.

Jésus commence à prêcher en Galilée
(*Mc 1.14-15; Lc 4.14-15*)

¹² Ayant appris que Jean *q* avait été livré, Jésus se retira en Galilée. ¹³ Puis, abandonnant Nazara *r*, il vint habiter à Capharnaüm, au bord de la mer *s*, dans les territoires de Zabulon et de Nephtali, ¹⁴ pour que s'accomplisse ce qu'avait dit le prophète Esaïe :
¹⁵ *Terre de Zabulon, terre de Nephtali, route de la mer, pays au-delà du Jourdain, Galilée des Nations !*
¹⁶ *Le peuple qui se trouvait dans les ténèbres a vu une grande lumière ; pour ceux qui se trouvaient dans le sombre pays de la mort une lumière s'est levée.*
¹⁷ A partir de ce moment, Jésus commença à proclamer : « Convertissez-vous : le *règne des cieux *t* s'est approché ».

Les quatre premiers disciples
(*Mc 1.16-20; Lc 5.1-11*)

¹⁸ Comme il marchait le long de la mer de Galilée, il vit deux frères, Simon appelé Pierre et André, son frère, en train de jeter le filet dans la mer : c'étaient des pêcheurs. ¹⁹ Il leur dit : « Venez à ma suite et je vous ferai pêcheurs d'hommes. » ²⁰ Laissant aussitôt leurs filets, ils le sui-

---

o L'idée fondamentale du terme rendu ici par justice est celle de conformité (ou de fidélité) à la volonté de Dieu. Voir 5.6, 10, 20 ; 6.33 ; 21.32, etc. ● *p* C'est-à-dire Jérusalem ● *q* Voir 3.1. Il s'agit de Jean le Baptiste. Voir Mc 1.14 et note ● *r* Forme rare de Nazareth (2.23) ● *s* Voir Mc 1.16 et note. *Zabulon* et *Nephtali* sont deux anciennes tribus septentrionales d'Israël ● *t* Voir Mt 3.2 et note

3.16 les cieux ouverts Es 63.19 ; Ez 1.1 ; Jn 1.51 ; Ac 7.56 ; 10.11-16 ; Ap 4.1 ; 19.11. **3.17** mon Fils bien-aimé Ps 2.7 ; 2 S 7.14 ; Es 42.1-4 ; Mt 12.18 ; 17.5 par. ; 2 P 1.17. **4.1** au désert Mt 3.1+ — tenté He 2.18 ; 4.15. **4.2** quarante Gn 7.4 ; Ex 24.18 ; 34.28 ; Dt 9.9, 18 ; Nb 14.34 ; 1 R 19.8 ; Ac 1.3 ; 4.22 ; 7.23 ; 13.18 ; He 3.9, 17. **4.3** tentateur Mt 16.1 ; 19.3 ; 22.18, 35 — si tu es... Mt 4.6 ; 27.40. **4.4** Dt 8.3 (grec). **4.5** la Ville Sainte Ne 11.1 ; Es 52.1 ; Mt 27.53 ; Ap 11.2 ; 21.2, 10 ; 22.19. **4.6** Ps 91.11-12 (grec). **4.7** Dt 6.16 — tenter Dieu Ex 17.2-7 ; Nb 14.22 ; Ps 78.18, etc. ; 1 Co 10.9. **4.8** le monde Mt 18.7+. **4.9** adoration Mt 2.2 ; 28.17. **4.10** retire-toi Mt 16.23 — Jésus cite Dt 6.13. **4.12** Jean le Baptiste livré Mt 14.3 ; Mc 6.17 ; Lc 3.20 ; Jn 3.24. **4.13** Capharnaüm Mt 8.5 ; 11.23 ; 17.24 ; Mc 1.21 ; 2.1 ; Lc 4.23 ; Jn 2.12 ; 4.46 ; 6.17. **4.15-16** Es 8.23—9.1 — Galilée Mt 2.22+. **4.16** ténèbres, lumière Mt 10.27 ; Lc 1.79 ; 11.34-36 ; 12.3 ; Jn 1.5 ; 3.19 ; 8.12 ; 12.35, 46 ; Ac 26.18 ; Rm 2.19 ; 13.12 ; 1 Co 4.5 ; 2 Co 4.6 ; 6.14 ; Ep 5.8 ; Col 1.13 ; 1 Th 5.4 ; 1 P 2.9 ; 1 Jn 1.5-6 ; 2.8, 9, 11 ; Ap 8.12. **4.17** proclamation Mt 3.1+ — convertissez-vous Mt 3.2+ — le règne des cieux Mt 3.2+. **4.18** Pierre Mt 10.2 ; 14.28 ; 16.16-18, 22-23 ; 17.1 ; 18.21 ; 19.27 ; 26. 33-37 ; et par. ; Lc 5.4-10 ; 22.31 ; 24.34 ; Jn 1.40-41 ; 3.6-10 ; 21.15-19 ; Ac 2.14, etc. ; 3.1—4.23 ; 5.1-10 ; 8.14-25 ; 9.32-43 ; 10.9—11.17 ; 15.7-11 ; Ga 2.7-14. 1 P 1.1 ; cf. Jn 1.42 ; 1 Co 1.12 ; 3.22 ; 9.5 ; 15.5 ; Ga 1.18 — André Mt 10.2 ; Mc 1.16 ; 1.40-44 ; 6.8 ; 12.22. **4.19** à la suite de Jésus Mt 4.25, 8.1 ; 12.15 ; 14.13 ; 19.27, etc. ; Jn 8.12 ; 10.27 — appelé à suivre Jésus Mt 8.22 ; 9.9 ; 10.38 ; 16.23-24 ; Lc 14.27 ; Jn 1.43 ; 12.26 ; 13.36 ; 21.19 ; 1 P 2.21 ; Ap 14.4.

virent. ²¹ Avançant encore, il vit deux autres frères : Jacques, fils de Zébédée, et Jean son frère, dans leur barque, avec Zébédée leur père, en train d'arranger leurs filets. Il les appela. ²² Laissant aussitôt leur barque et leur père, ils le suivirent.

Jésus enseigne, prêche et guérit
(Mc 1.39; Lc 4.44; 6.17-18)

²³ Puis, parcourant toute la Galilée, il enseignait dans leurs *synagogues, proclamait la Bonne Nouvelle du Règne et guérissait toute maladie et toute infirmité parmi le peuple. ²⁴ Sa renommée gagna toute la Syrie ᵘ, et on lui amena tous ceux qui souffraient, en proie à toutes sortes de maladies et de tourments : *démoniaques, lunatiques, paralysés ; il les guérit. ²⁵ Et de grandes foules le suivirent, venues de la Galilée et de la Décapole ᵛ, de Jérusalem et de la Judée, et d'au-delà du Jourdain.

Le Sermon sur la montagne
(Mc 3.13; Lc 6.12-13, 20)

5 ¹ A la vue des foules, Jésus monta dans la montagne. Il s'assit, et ses disciples s'approchèrent de lui. ² Et, prenant la parole, il les enseignait :

Un bonheur inespéré
(Lc 6.20-26)

³ « Heureux les pauvres de cœur : le *royaume des cieux est à eux.
⁴ Heureux les doux : ils auront la terre en partage.
⁵ Heureux ceux qui pleurent : ils seront consolés.
⁶ Heureux ceux qui ont faim et soif de la justice : ils seront rassasiés.

⁷ Heureux les miséricordieux : il leur sera fait miséricorde.
⁸ Heureux les *cœurs purs : ils verront Dieu.
⁹ Heureux ceux qui font œuvre de paix : ils seront appelés fils de Dieu.
¹⁰ Heureux ceux qui sont persécutés pour la justice : le royaume des cieux est à eux.
¹¹ Heureux êtes-vous lorsque l'on vous insulte, que l'on vous persécute et que l'on dit faussement contre vous toute sorte de mal à cause de moi. ¹² Soyez dans la joie et l'allégresse, car votre récompense est grande dans les *cieux ; c'est ainsi en effet qu'on a persécuté les *prophètes qui vous ont précédés.

Sel de la terre et lumière du monde
(Mc 9.50; 4.21; Lc 14.34-35; 8.16; 18.33)

¹³ Vous êtes le sel de la terre. Si le sel perd sa saveur, comment redeviendra-t-il du sel ? Il ne vaut plus rien ; on le jette dehors et il est foulé aux pieds par les hommes. ¹⁴ Vous êtes la lumière du monde. Une ville située sur une hauteur ne peut être cachée. ¹⁵ Quand on allume une lampe, ce n'est pas pour la mettre sous le boisseau, mais sur son support et elle brille pour tous ceux qui sont dans la maison ʷ. ¹⁶ De même, que votre lumière brille aux yeux des hommes, pour qu'en voyant vos bonnes actions ils rendent gloire à votre Père qui est aux cieux.

Jésus et la Loi

¹⁷ N'allez pas croire que je sois venu abroger la Loi ou les Prophètes ˣ : je ne suis pas venu abroger, mais accomplir. ¹⁸ Car, en vérité je vous le déclare, avant que ne passent le ciel et la terre, pas un i,

---

ᵘ Région païenne située au Nord de la Palestine juive ● ᵛ Voir Mc 5.20 et note ● ʷ En Orient la maison des gens simples comprend une seule pièce ● ˣ Voir ˊ Rm 3.19 et note

4.21 Jacques et Jean (fils de Zébédée) Mt 10.2; 17.1; 20.20; 26.37 par.; Lc 5.10; 9.54; Ac 1.13 — Jacques Ac 12,2 — Jean Lc 22.8; Ac 4.13-21; 8.14-17. **4.23** Jésus enseigne, prêche et guérit Mt 9.35; 11.5; Mc 1.39 — la Bonne Nouvelle du Règne Mt 9.35; 24.14. **4.24** afflux de gens qui souffrent Mc 6.55-56. **4.25** afflux des foules Mc 3.7-8. **5.3** Heureux Mt 11.6; 13.16; 16.17; 24.46; Lc 1.45; 10.23; 11.28; 14.15; Jn 13.17; 20.19; Rm 14.22; 1 P 3.14; 4.14; Ap 1.3; 14.13; 16.15; 19.9; 20.6; 22.7 — pauvres Ps 34.19; 40.18; Mt 11.5. **5.4** doux Ps 37.11; Mt 11.29; 21.5; 2 Co 10.1; Ga 5.23; Tt 3.2; 1 P 3.16. **5.5** consolation attendue Es 61.2; Lc 2.25. **5.6** justice Mt 3.15; 5.10; 6.1, 33; 21.32. **5.7** miséricordieux Mt 18.33; Jc 2.13. **5.8** purs Ps 24.4; So 3.9; 2 Co 11.2-3; 1 Tm 1.5; Tt 1.15. **5.9** paix He 12.14; Jc 3.18. **5.10** persécutés 2 Ch 24.20-22; 36.16; Mt 23.30-37; Ac 7.52; He 11.32-38; Jc 5.10; 1 P 3.14. **5.11** insulte Mt 10.22; 1 P 4.14. **5.13** sel Jb 6.6; Mc 9.50; Lc 14. 34-35 **5.14** lumière du monde Jn 8.12; 9.5; Ph 2.15. **5.15** lampe Mc 4.21; Lc 8.16; 11.33. **5.16** votre lumière Ep 5.8-9 — pour la gloire de votre Père 1 Co 10.31; 1 P 2.12. **5.17** la Loi ou les Prophètes Mt 7.12+ — non pour abroger Rm 3.31 — accomplir Mt 3.15. **5.18** disparition du ciel et de la terre Lc 16.17; 21.33.

pas un point sur l'*i* ne passera de la Loi que tout ne soit arrivé. ¹⁹ Dès lors celui qui transgressera un seul de ces plus petits commandements et enseignera aux hommes à faire de même sera déclaré le plus petit dans le royaume des cieux ; au contraire, celui qui les mettra en pratique et les enseignera, celui-là sera déclaré grand dans le royaume des cieux. ²⁰ Car je vous le dis : si votre justice *y* ne surpasse pas celle des scribes et des *pharisiens, non, vous n'entrerez pas dans le royaume des cieux.

Sur l'offense et la réconciliation
(*Mc 11.25 ; Lc 12.57-59*)

²¹ Vous avez appris qu'il a été dit aux anciens *z* : *Tu ne commettras pas de meurtre ;* celui qui commettra un meurtre en répondra au tribunal. ²² Et moi je vous dis : quiconque se met en colère contre son frère en répondra au tribunal ; celui qui dira à son frère : "imbécile" sera justiciable du *sanhédrin ; celui qui dira "fou" sera passible de la *géhenne de feu. ²³ Quand donc tu vas présenter ton offrande à *l'autel, si là tu te souviens que ton frère a quelque chose contre toi, ²⁴ laisse là ton offrande, devant l'autel, et va d'abord te réconcilier avec ton frère ; viens alors présenter ton offrande. ²⁵ Mets-toi vite d'accord avec ton adversaire, tant que tu es encore en chemin avec lui, de peur que cet adversaire ne te livre au juge, le juge au gendarme, et que tu ne sois jeté en prison. ²⁶ En vérité, je te le déclare : tu n'en sortiras pas tant què tu n'auras pas payé jusqu'au dernier centime.

Sur l'adultère et les pièges pour la foi
(*Mt 18.8-9 ; Mc 9.43 ; 47-48*)

²⁷ Vous avez appris qu'il a été dit : *Tu ne commettras pas d'adultère.* ²⁸ Et moi, je vous dis : quiconque regarde une femme avec convoitise a déjà, dans son *cœur, commis l'adultère avec elle.

²⁹ Si ton œil droit entraîne ta chute *a*, arrache-le et jette-le loin de toi : car il est préférable pour toi que périsse un seul de tes membres et que ton corps tout entier ne soit pas jeté dans la *géhenne. ³⁰ Et si ta main droite entraîne ta chute, coupe-la et jette-la loin de toi : car il est préférable pour toi que périsse un seul de tes membres et que ton corps tout entier ne s'en aille pas dans la géhenne.

Sur le divorce
(*Mt 19.7-9 ; Mc 10.4-5, 10-12 ; Lc 16.18*)

³¹ D'autre part il a été dit : *Si quelqu'un répudie sa femme, qu'il lui remette un certificat de répudiation.* ³² Et moi, je vous dis : quiconque répudie sa femme — sauf en cas d'union illégale — l'expose à l'adultère ; et si quelqu'un épouse une répudiée, il est adultère.

Sur les serments

³³ Vous avez encore appris qu'il a été dit aux anciens : *Tu ne te parjureras pas,* mais *tu t'acquitteras envers le Seigneur de tes serments.* ³⁴ Et moi je vous dis de ne pas jurer du tout : *ni par le ciel* car *c'est le trône de Dieu,* ³⁵ ni *par la terre* car *c'est l'escabeau de ses pieds,* ni par Jérusalem car c'est *la Ville du grand Roi.* ³⁶ Ne jure pas non plus par ta tête, car tu ne peux en rendre un seul cheveu blanc ou noir. ³⁷ Quand vous parlez, dites "Oui" ou "Non" : tout le reste vient du Malin.

Sur la vengeance
(*Lc 6.29-30*)

³⁸ Vous avez appris qu'il a été dit : *Œil*

---

y Voir 3.15 et note ● *z* Comme en Lc 9.8, 19 *les anciens* sont ici les Israélites d'autrefois ● *a* Certains traduisent : *te scandalise.* Voir Mc 9.42 et note

5.19 contre un seul commandement Jc 2.10. **5.20** justice Mt 5.6+ — entrer dans le Royaume des cieux Mt 7.21 ; 18.3 par. ; 19.23-24 par. ; 23.13 ; Lc 16.16 ; Jn 3.5 ; Ac 14.22. **5.21** pas de meurtre Ex 20.13 ; Dt 5.17 (Mt 19.18 par. ; Rm 13.9 ; Jc 2.11). Cf. Ex 21.12 ; Lv 24.17 ; Nb 35.16-18 ; Dt 17.8-13. **5.22** colère 1 Jn 3.15 — fou Dt 32.6 ; 1 Co 4.10 — la géhenne 2 R 23.10 ; Jr 7.31 ; Mt 5.29-30 ; 10.28 ; 18.9 ; 23.15, 33 ; Mc 9.43-47 ; Lc 12.5 ; Jc 3.6. **5.24** te réconcilier Mc 11.25. **5.25** avec ton adversaire Lc 12.57-59. **5.27** Ex 20.14 ; Dt 5.18 (Mt 19.18 par. ; Rm 13.9 ; Jc 2.11). **5.29** piège, achoppement Ps 124.7 ; Es 8.14, 15 ; Rm 9.33 ; 1 P 2.8 — occasion de chute 1) Jésus Mt 11.6 ; 13.57 ; 15.12 ; 17.27 ; 26.31-33 ; 2) les hommes Mt 5.29 ; 16.23 ; 18.6-9 ; 3) le monde Mt 13.41 ; 18.7 ; 4) la persécution Mt 13.21 ; 24.10 — géhenne Mt 5.22+. **5.31** Dt 24.1 — répudiation Mt 19.3-9 ; Mc 10.4. **5.32** union illégale Lv 18.6-18 ; cf. Ac 15.20, 29. **5.33** parjure Lv 19.12 — serment tenu Nb 30.3 ; Dt 23.22-24. **5.34-35** trône et escabeau Es 66.1 ; Mt 23.22 ; Ac 7.49 — Jérusalem, ville de Dieu Ps 48.2. **5.37** Oui, non Jc 5.12 ; 2 Co 1.17-20. **5.38** loi du talion Ex 21.24-25 ; Lv 20.19-20 ; Dt 19.21.

pour œil et dent pour dent. ³⁹ Et moi, je vous dis de ne pas résister au méchant. Au contraire, si quelqu'un te gifle sur la joue droite, tends-lui aussi l'autre. ⁴⁰ A qui veut te mener devant le juge pour prendre ta tunique, laisse aussi ton manteau. ⁴¹ Si quelqu'un te force à faire mille pas *b*, fais-en deux mille avec lui. ⁴² A qui te demande, donne ; à qui veut t'emprunter, ne tourne pas le dos.

Sur l'amour pour les ennemis
(Lc 6.27-28, 32-36)

⁴³ Vous avez appris qu'il a été dit : *Tu aimeras ton prochain* et tu haïras ton ennemi. ⁴⁴ Et moi, je vous dis : "Aimez vos ennemis et priez pour ceux qui vous persécutent, ⁴⁵ afin d'être vraiment les fils de votre Père qui est aux *cieux, car il fait lever son soleil sur les méchants et sur les bons, et tomber la pluie sur les justes et les injustes. ⁴⁶ Car si vous aimez ceux qui vous aiment, quelle récompense *c* allez-vous en avoir ? Les collecteurs d'impôts *d* eux-mêmes n'en font-ils pas autant ? ⁴⁷ Et si vous saluez seulement vos frères, que faites-vous d'extraordinaire ? Les *païens n'en font-ils pas autant ? ⁴⁸ Vous donc, *vous serez parfaits* comme votre Père céleste est parfait.

Sur la manière de donner

6 ¹ Gardez-vous de pratiquer votre religion devant les hommes pour attirer leurs regards ; sinon, pas de récompense pour vous auprès de votre Père qui est aux cieux. ² Quand donc tu fais l'aumône, ne le fais pas claironner devant toi, comme font les hypocrites dans les

*synagogues et dans les rues, en vue de la gloire qui vient des hommes. En vérité, je vous le déclare : ils ont reçu leur récompense. ³ Pour toi, quand tu fais l'aumône, que ta main gauche ignore ce que fait ta main droite, ⁴ afin que ton aumône reste dans le secret ; et ton Père, qui voit dans le secret, te le rendra.

Sur deux fausses manières de prier

⁵ Et quand vous priez, ne soyez pas comme les hypocrites qui aiment faire leurs prières debout dans les synagogues et les carrefours *e*, afin d'être vus des hommes. En vérité, je vous le déclare : ils ont reçu leur récompense. ⁶ Pour toi, quand tu veux prier, entre dans ta chambre la plus retirée, verrouille ta porte et adresse ta prière à ton Père qui est là dans le secret. Et ton Père, qui voit dans le secret, te le rendra. ⁷ Quand vous priez, ne rabâchez pas comme les *païens ; ils s'imaginent que c'est à force de paroles qu'ils se feront exaucer. ⁸ Ne leur ressemblez donc pas, car votre Père sait ce dont vous avez besoin, avant que vous le lui demandiez.

Le « Notre Père »
(Lc 11.2-4)

⁹ Vous donc, priez ainsi :
Notre Père céleste,
fais-toi reconnaître comme Dieu,
¹⁰ fais venir ton règne,
fais se réaliser ta volonté
sur la terre à l'image du *ciel.
¹¹ Donne-nous aujourd'hui le pain dont nous avons besoin,
¹² pardonne-nous nos torts envers toi,

---

b C'est-à-dire 1000 double-pas, soit environ 1500 mètres — Allusion probable aux réquisitions pratiquées par les militaires ou les fonctionnaires romain ● *c* ou *quel salaire* ● *d* Voir Mc 2.15 et note ● *e* La prière des juifs pieux devant se faire à heures fixes, c'est en ces lieux publics que certains trouvaient une bonne occasion de faire remarquer leur piété

5.43 Lv 19.18 (Mt 19.19 ; 22.39 ; Mc 12.31 ; Lc 10.27 ; Rm 13.9 ; Ga 5.14 ; Jc 2.8) — ton ennemi Ps 31.7 ; 139.21 ; Rm 5.10 ; 2 Th 3.15 ; Mt 10.22 ; 24.9-10. **5.44** amour pour les ennemis Ex 23.4-5 ; Pr 25.21 ; Rm 12.20-21 — prière pour les persécuteurs Lc 23.34 ; Ac 7.60 ; Rm 12.14 ; 1 Co 4.12. **5.45** les fils Ep 5.1. **5.46** récompense Mt 5.12, 46 ; 6.1, 2, 5, 16 ; 10.41-42 — collecteurs d'impôts Mt 10.3 ; 18.17 ; 21.31-32 ; Mc 2.15-16 ; Lc 3.12 ; 5.27, 29 ; 7.29, 34 ; 15.1 ; 18.10, 11, 13 ; 19.2 assimilés aux « pécheurs » Mt 9.10-11 ; 11.19. **5.48** parfaits Lv 19.2 ; Dt 18.13. **6.1** devant les hommes Mt 6.5, 16 ; 23.5 — récompense Mt 5.46+. **6.2** hypocrites Mt 6.5, 16 ; 7.5 ; 15.7 ; 22.18 ; 23.13 ; 24.51 ; Lc 6.42 ; 12.56 ; 13.15. **6.6** ta chambre Es 26.20 ; Dn 6.11 — porte fermée 2 R 4.33. **6.7** prière à la manière païenne 1 R 18.27 ; Es 1.15 ; *Si* 7.14. **6.8** votre Père sait Mt 6.32 ; Lc 12.30. **6.9** Père céleste Mt 5.16, 45 ; 6.1, 9 ; 7.11 ; 12.50 ; 14.26 ; 16.17 ; 18.14 ; 23.9, etc. ; Mc 11.25 ; Lc 11.13 — reconnu comme Dieu Lv 22.32 ; Dt 32.51 ; Ez 28.22, 25 ; 36.23 ; cf. Jn 12.28. **6.10** ton règne Mt 3.2+ ; Règne/Royaume de Dieu Mt 6.33 ; 12.28 ; 19.24 ; 21.31, 43 ; Mc 1.15 ; 4.11, 26, 30 ; 9.1, 47 ; 10.14 ; 15.23-25 ; 12.34 ; 14.25 ; 15.43 et par. ; Jn 3.3, 5 ; Ac 1.3 ; 8.12 ; 14.22 ; 19.8 ; 28.23, 31 ; Rm 14.17 ; 1 Co 4.20 ; 6.9 ; 15.24, 50 ; Ga 5.21 ; Col 4.11 ; 1 Th 2.12 ; 2 Th 1.5 ; Jc 2.5 ; Ap 12.10 — ta volonté Es 44.28 ; Ez 36.27 ; Mt 7.21, 24-27 ; 12.50 ; 18.14 ; 21.31 ; 26.42 ; par., Jn 7.17 ; 9.31 ; Ep 1.5, 9. **6.11** aujourd'hui le pain Mt 6.34. **6.12** dette remise Mt 18.24-27 — comme nous-mêmes... Mt 5.7 ; 6.14-15 ; 18.28-35 ; Mc 11.25.

comme nous-mêmes nous avons pardonné à ceux qui avaient des torts envers nous,

¹³ et ne nous expose pas à la tentation, mais délivre-nous du Tentateur ᶠ.

¹⁴ En effet si vous pardonnez aux hommes leurs fautes, votre Père céleste vous pardonnera à vous aussi ; ¹⁵ mais si vous ne pardonnez pas aux hommes, votre Père non plus ne vous pardonnera pas vos fautes.

Sur la manière de jeûner

¹⁶ Quand vous *jeûnez, ne prenez pas un air sombre, comme font les hypocrites : ils prennent une mine défaite pour bien montrer aux hommes qu'ils jeûnent. En vérité, je vous le déclare : ils ont reçu leur récompense. ¹⁷ Pour toi, quand tu jeûnes, parfume-toi la tête et lave-toi le visage, ¹⁸ pour ne pas montrer aux hommes que tu jeûnes, mais seulement à ton Père qui est là dans le secret ; et ton Père, qui voit dans le secret, te le rendra.

Des trésors dans le ciel
(Lc 12.33-34)

¹⁹ Ne vous amassez pas de trésors sur la terre, où les mites et les vers font tout disparaître, où les voleurs percent les murs ᵍ et dérobent. ²⁰ Mais amassez-vous des trésors dans le *ciel, où ni les mites ni les vers ne font de ravages, où les voleurs ne percent ni ne dérobent. ²¹ Car où est ton trésor, là aussi sera ton *cœur.

L'œil sain et l'œil malade
(Lc 11.34-36)

²² La lampe du corps, c'est l'œil. Si donc ton œil est sain, ton corps tout entier sera dans la lumière. ²³ Mais si ton œil est malade, ton corps tout entier sera dans les ténèbres. Si donc la lumière qui est en toi est ténèbres, quelles ténèbres !

Dieu ou l'Argent
(Lc 16.13)

²⁴ Nul ne peut servir deux maîtres : ou bien il haïra l'un et aimera l'autre, ou bien il s'attachera à l'un et méprisera l'autre. Vous ne pouvez servir Dieu et l'Argent.

Sur l'inquiétude
(Lc 12.22-31)

²⁵ Voilà pourquoi je vous dis : Ne vous inquiétez pas pour votre vie de ce que vous mangerez, ni pour votre corps de quoi vous le vêtirez. La vie n'est-elle pas plus que la nourriture, et le corps plus que le vêtement ? ²⁶ Regardez les oiseaux du ciel : ᐟ ils ne sèment ni ne moissonnent, ils n'amassent point dans des greniers ; et votre Père céleste les nourrit ! Ne valez-vous pas beaucoup plus qu'eux ? ²⁷ Et qui d'entre vous peut, par son inquiétude, prolonger tant soit peu son existence ? ²⁸ Et du vêtement, pourquoi vous inquiéter ? Observez les lis des champs, comme ils croissent : ils ne peinent ni ne filent, ²⁹ et, je vous le dis, Salomon lui-même, dans toute sa gloire, n'a jamais été vêtu comme l'un d'eux. ³⁰ Si Dieu habille ainsi l'herbe des champs, qui est là aujourd'hui et qui demain sera jetée au feu, ne fera-t-il pas bien plus pour vous, gens de peu de foi ! ³¹ Ne vous inquiétez donc pas, en disant : "Qu'allons-nous manger ? qu'allons-nous boire ? de quoi allons-nous nous vêtir ?" ³² — Tout cela, les *païens le recherchent sans répit —, il sait bien, votre Père céleste, que vous avez besoin de toutes ces choses. ³³ Cherchez d'abord le *royaume et la justice de Dieu, et tout cela vous sera donné par surcroît. ³⁴ Ne vous inquiétez donc pas pour le lendemain : le lendemain s'inquiétera de lui-même. A chaque jour suffit sa peine.

ᶠ Ou du mal (5.11 ; 6.23) ; ou encore du Malin, ou du Méchant (13.19...). Certains manuscrits ajoutent ici : Car le règne, la puissance et la gloire sont à toi pour toujours ● ᵍ Les maisons palestiniennes étaient bâties en torchis, amalgame d'argile et de paille

6.13 tentation Mt 4.1-10 par. ; 26.41 par. ; 1 Co 7.5 ; 10.13 ; 1 Th 3.5 ; 1 Tm 6.9 ; Jc 1.13 ; 1 P 5.5-9 ; Ap 2.10 — le Malin/le Tentateur Mt 5.37 ; 13.19, 38 ; Jn 17.15 ; 2 Th 3.3. **6.14** pardonner Ep 4.32 ; Col 3.13. **6.15** si... Mt 18.35. **6.16** jeûne Ex 34.28 ; Dn 9.3 ; Jl 2.12 ; Mt 4.2 ; 9.14-17 ; 17.21 ; Ac 13.2-3 ; 14.21. — bien montrer aux hommes Mt 6.5 ; 23.5. **6.19** mites Jc 5.2-3 — trous dans les murs Mt 24.43. **6.20** des trésors dans le ciel Mt 19.21 par. ; Col 3.1-2. **6.23** œil malade Mt 20.15 ; Mc 7.22. **6.24** l'Argent-Mamon Lc 16.9. **6.25** confiance sans inquiétude Mt 6.11 ; 7.7-11 ; 16.5-12 ; Mc 13.15 ; Ph 4.6 ; 1 P 5.7. **6.26** plus qu'eux Mt 10.31 ; Lc 12.7, 24. **6.29** Salomon 1 R 10. **6.30** gens de peu de foi Mt 8.26 ; 14.31 ; 16.8 ; 17.20 ; Lc 12.28. **6.32** il sait bien Mt 6.8 ; Lc 12.30. **6.34** le lendemain Ex 16.4-5 ; 19-20.

La paille et la poutre
(Lc 6.37-38, 41-42)

7 ¹ Ne vous posez pas en juge, afin de n'être pas jugés ; ² car c'est de la façon dont vous jugez qu'on vous jugera *h*, et c'est la mesure dont vous vous servez qui servira de mesure pour vous. ³ Qu'as-tu à regarder la paille qui est dans l'œil de ton frère ? Et la poutre qui est dans ton œil, tu ne la remarques pas ? ⁴ Ou bien, comment vas-tu dire à ton frère : "Attends ! que j'ôte la paille de ton œil" ? Seulement voilà : la poutre est dans ton œil ! ⁵ Homme au jugement perverti *i*, ôte d'abord la poutre de ton œil, et alors tu verras clair pour ôter la paille de l'œil de ton frère.

Demandez, cherchez, frappez à la porte
(Lc 11.9-13)

⁶ Ne donnez pas aux chiens ce qui est sacré, ne jetez pas vos perles aux porcs, de peur qu'ils ne les piétinent et que, se retournant, ils ne vous déchirent. ⁷ Demandez, on vous donnera ; cherchez, vous trouverez ; frappez, on vous ouvrira. ⁸ En effet quiconque demande reçoit, qui cherche trouve, à qui frappe on ouvrira. ⁹ Ou encore qui d'entre vous, si son fils lui demande du pain, lui donnera une pierre ? ¹⁰ Ou s'il demande un poisson, lui donnera-t-il un serpent ? ¹¹ Si donc vous, qui êtes mauvais, savez donner de bonnes choses à vos enfants, combien plus votre Père qui est aux *cieux, donnera-t-il de bonnes choses à ceux qui le lui demandent.

Comment traiter les autres
(Lc 6.31)

¹² Ainsi, tout ce que vous voulez que les hommes fassent pour vous, faites-le vous-mêmes pour eux : c'est la Loi et les Prophètes *j*.

Les deux portes
(Lc 13.23-24)

¹³ Entrez par la porte étroite. Large est la porte et spacieux le chemin qui mène à la perdition, et nombreux ceux qui s'y engagent ; ¹⁴ combien étroite est la porte et resserré le chemin qui mène à la *vie, et peu nombreux ceux qui le trouvent.

On reconnaît l'arbre à ses fruits
(Mt 12.33 ; Lc 6.43-44)

¹⁵ Gardez-vous des faux prophètes, qui viennent à vous vêtus en brebis mais qui au-dedans sont des loups rapaces. ¹⁶ C'est à leurs fruits que vous les reconnaîtrez. Cueille-t-on des raisins sur un buisson d'épines, ou des figues sur des chardons ? ¹⁷ Ainsi tout bon arbre produit de bons fruits, mais l'arbre malade produit de mauvais fruits. ¹⁸ Un bon arbre ne peut pas porter de mauvais fruits, ni un arbre malade porter de bons fruits. ¹⁹ Tout arbre qui ne produit pas un bon fruit, on le coupe et on le jette au feu. ²⁰ Ainsi donc, c'est à leurs fruits que vous les reconnaîtrez.

Dire et faire
(Lc 6.46 ; 13.27)

²¹ Il ne suffit pas de me dire : "Seigneur, Seigneur" ! pour entrer dans le *royaume des cieux ; il faut faire la volonté de mon Père qui est aux *cieux. ²² Beaucoup me diront en ce jour-là : "Seigneur, Seigneur ! n'est-ce pas en ton *nom que nous avons *prophétisé ? en ton nom que nous avons chassé les *démons ? en ton nom que nous avons fait de nombreux

---

h Cette tournure impersonnelle est une manière de parler de Dieu sans avoir à le nommer. Voir note sur Mt 3.2 ● *i* ou *hypocrite*. Le terme désigne des gens qui masquent leur vraie personnalité derrière des apparences flatteuses ● *j* Voir Rm 3.19 et note

7.1 juges Ps 50.6 ; Rm 2.1 ; 14.10 ; 1 Co 5.12 ; Jc 4.11. **7.2** la même mesure Mc 4.24. **7.5** au jugement perverti Mt 6.2+. **7.6** sacré Ex 29.33-34 ; Lv 2.3. **7.7** demandez Mc 11.24 ; Jn 14.13-14 ; 15.7 ; 16.23-24 ; Jc 1.5 ; 1 Jn 3.22 ; 5.14-15. **7.11** votre Père Mt 6.9+ ; Jc 1.17. **7.12** la règle d'or Rm 13.8-10 — la Loi et les Prophètes Mt 5.17 ; 11.13 ; 22.40 ; Lc 16.16 ; 24.44 ; Jn 1.45 ; Ac 13.15 ; 24.14 ; 28.23 ; Rm 3.21. **7.14** porte étroite Ac 14.22. **7.15** faux-prophètes Mt 24.11, 14 ; Lc 6.26 ; cf. Ac 13.6 ; 2 P 2.1 ; 1 Jn 4.1 ; Ap 16.13 ; 19.20 ; 20.10 — loups Ez 22.25 ; Mt 10.16 ; Jn 10.12 ; Ac 20.29. **7.16** fruits Mt 3.8+ — reconnaître Mt 11.27 ; 12.33 ; 14.35 ; 17.12 — tel arbre, tels fruits Jc 3.11-12. **7.19** on le coupe Mt 3.10 ; Lc 3.9 ; 13.6-9 ; Jn 15.6. **7.21** entrer dans le Royame des cieux Mt 5.20+ — faire Rm 2.13 ; Jc 1.22, 25 ; 1 Jn 2.17 — la volonté du Père Mt 6.10+. **7.22** ce jour-là Es 2.11 ; 10.3 ; 49.8 ; Mt 24.36 — en ton nom Jr 14.14 ; 27.15 ; Mc 9.38 ; Lc 9.49.

miracles ?" ²³ Alors je leur déclarerai : "Je ne vous ai jamais connus ; écartez-vous de moi, vous qui commettez l'iniquité."

La parabole des deux maisons
(Lc 6.47-49)

²⁴ Ainsi tout homme qui entend les paroles que je viens de dire et les met en pratique, peut être comparé à un homme avisé qui a bâti sa maison sur le roc. ²⁵ La pluie est tombée, les torrents sont venus, les vents ont soufflé ; ils se sont précipités contre cette maison et elle ne s'est pas écroulée, car ses fondations étaient sur le roc. ²⁶ Et tout homme qui entend les paroles que je viens de dire et ne les met pas en pratique, peut être comparé à un homme insensé qui a bâti sa maison sur le sable. ²⁷ La pluie est tombée, les torrents sont venus, les vents ont soufflé ; ils sont venus battre cette maison, elle s'est écroulée, et grande fut sa ruine. »

L'autorité de Jésus
(Mc 1.22; Lc 4.32)

²⁸ Or, quand Jésus eut achevé ces instructions, les foules restèrent frappées de son enseignement ; ²⁹ car il les enseignait en homme qui a autorité et non pas comme leurs *scribes.

Jésus guérit un lépreux
(Mc 1.40-44; Lc 5.12-14)

8 ¹ Comme il descendait de la montagne, de grandes foules le suivirent. ² Voici qu'un *lépreux s'approcha et, prosterné devant lui, disait : « Seigneur, si tu le veux, tu peux me *purifier ». ³ Il étendit la main, le toucha et dit : « Je le veux, sois purifié ! » A l'instant, il fut purifié de sa lèpre. ⁴ Et Jésus lui dit : « Garde-toi d'en dire mot à personne, mais va te montrer au *prêtre et présente l'offrande que Moïse a prescrite : ils auront là un témoignage.

Jésus et le centurion de Capharnaüm
(Lc 7.1-10; cf. Jn 4.46-54)

⁵ Jésus entrait dans Capharnaüm quand un centurion ᵏ s'approcha de lui et le supplia ⁶ en ces termes : « Seigneur, mon serviteur est couché à la maison, atteint de paralysie et souffrant terriblement. » ⁷ Jésus lui dit : « Moi, j'irai le guérir ˡ ? » ⁸ Mais le centurion reprit : « Seigneur, je ne suis pas digne que tu entres sous mon toit : dis seulement un mot et mon serviteur sera guéri. ⁹ Ainsi moi, je suis soumis à une autorité avec des soldats sous mes ordres, et je dis à l'un : "Va" et il va, à un autre : "Viens" et il vient, et à mon esclave : "Fais ceci" et il le fait. » ¹⁰ En l'entendant, Jésus fut plein d'admiration et dit à ceux qui le suivaient : « En vérité, je vous le déclare, chez personne en Israël je n'ai trouvé une telle foi. ¹¹ Aussi, je vous le dis, beaucoup viendront du levant et du couchant prendre place au festin avec Abraham, Isaac et Jacob dans le *royaume des cieux, ¹² tandis que les héritiers du Royaume seront jetés dans les ténèbres du dehors : là seront les pleurs et les grincements de dents. » ¹³ Et Jésus dit au centurion : « Rentre chez toi ! Qu'il te soit fait comme tu as cru. » Et le serviteur fut guéri à cette heure-là.

Guérisons de malades
(Mc 1.29-34; Lc 4.38-41)

¹⁴ Comme Jésus entrait dans la maison de Pierre, il vit sa belle-mère couchée, et avec de la fièvre. ¹⁵ Il lui toucha la main, et la fièvre la quitta ; elle se leva et se mit à le servir.

¹⁶ Le soir venu, on lui amena de nombreux *démoniaques. Il chassa les esprits d'un mot et il guérit tous les malades, ¹⁷pour que s'accomplisse ce qui avait été

---

k Voir Mc 15.39 et note ● l ou je vais aller le guérir

7.23 jamais connus Mt 10.33; 2 Tm 2.12 — écartez-vous Mt 13.41-42; 25.41.   **7.24** en pratique Mt 5.19; 7.12, 24; Jc 1.22-23.   **7.27** pluie torrentielle et ruine Ez 13. 11-12.   **7.28** après ces instructions Mt 11.1; 13.53; 19.1; 26.1; Lc 7.1.   **8.2** lépreux Dt 28.27,35; Lv 13—14; Mt 10.8; 11.5; Mc 1.40.   **8.3** purifié 2 R 5.13-14.   **8.4** garder le secret Dn 12.4, 9; Mt 9.30; 12.16; 16.20; 17.9; Mc 1.34, 44; 3.12; 7.36; 8.30; 9.9 — faire constater par le prêtre Lc 17.14 — l'offrande prescrite Lv 14.2-32 — témoignage Lc 5.14.   **8.12** fils du Royaume Mt 13.38 — les ténèbres du dehors Mt 22.13; 25.30 — pleurs et grincements de dents Jb 16.9; Ps 35.16; 37.12; Mt 13.42-43, 50; 22.13; 24.51; 25.30; Lc 13.28.   **8.13** comme tu as cru Mt 9.29; 15.28 — à cette heure-là Jn 4.52-53.   **8.15** se lever Mt 9.25; 16.21; 17.23; 20.19; 26.32; 28.6; Mc 9.27; Ac 3.15; 13.37; 1 Co 15.4.   **8.16** d'un mot Mt 8.8; Mc 2.10; Lc 4.36; 1 Th 2.13; He 4.12.   **8.17** Es 53.4; cf. Mt 1.22+.

dit par le prophète Esaïe : *C'est lui qui a pris nos infirmités et s'est chargé de nos maladies.*

Deux hommes voudraient suivre Jésus
(Lc 9.57-60)

[18] Voyant de grandes foules autour de lui, Jésus donna l'ordre de s'en aller sur l'autre rive. [19] Un *scribe s'approcha et lui dit : « Maître, je te suivrai partout où tu iras ». [20] Jésus lui dit : « Les renards ont des terriers et les oiseaux du ciel des nids ; le *Fils de l'homme, lui, n'a pas où poser la tête. » [21] Un autre des disciples lui dit : « Seigneur, permets-moi d'aller d'abord enterrer mon père. » [22] Mais Jésus lui dit : « Suis-moi, et laisse les morts enterrer leurs morts. »

Jésus apaise une tempête
(Mc 4.31-41; Lc 8.23-25)

[23] Il monta dans la barque et ses disciples le suivirent. [24] Et voici qu'il y eut sur la mer une grande tempête, au point que la barque allait être recouverte par les vagues. Lui cependant dormait. [25] Ils s'approchèrent et le réveillèrent en disant : « Seigneur, au secours ! Nous périssons. » [26] Il leur dit : « Pourquoi avez-vous peur, hommes de peu de foi ? » Alors, debout, il menaça les vents et la mer, et il se fit un grand calme. [27] Les hommes s'émerveillèrent, et ils disaient : « Quel est-il, celui-ci, pour que même les vents et la mer lui obéissent ! »

Jésus guérit deux possédés
(Mc 5.1-20; Lc 8.26-39)

[28] Comme il était arrivé de l'autre côté, au pays des Gadaréniens [m], vinrent à sa rencontre deux démoniaques sortant des tombeaux, si dangereux que personne ne pouvait passer par ce chemin-là. [29] Et les voilà qui se mirent à crier : « De quoi te mêles-tu, Fils de Dieu ? Es-tu venu ici pour nous tourmenter avant le temps ? » [30] Or, à quelque distance, il y avait un grand troupeau de porcs en train de paître. [31] Les démons suppliaient Jésus, disant : « Si tu nous chasses, envoie-nous dans le troupeau de porcs ». [32] Il leur dit : « Allez ! » Ils sortirent et s'en allèrent dans les porcs ; et tout le troupeau se précipita du haut de l'escarpement dans la mer, et ils périrent dans les eaux. [33] Les gardiens prirent la fuite, s'en allèrent à la ville et rapportèrent tout, ainsi que l'affaire des démoniaques. [34] Alors toute la ville sortit à la rencontre de Jésus ; dès qu'ils le virent, ils le supplièrent de quitter leur territoire.

Le paralysé de Capharnaüm
(Mc 2.1-12; Lc 5.17-25)

9 [1] Jésus monta donc dans la barque, retraversa la mer et vint dans sa ville [n]. [2] Voici qu'on lui amenait un paralysé étendu sur une civière. Voyant leur foi, Jésus dit au paralysé : « Confiance, mon fils, tes péchés sont pardonnés ». [3] Or, quelques *scribes se dirent en eux-mêmes : « Cet homme *blasphème ! » [4] Sachant ce qu'ils pensaient, Jésus dit : « Pourquoi ces pensées mauvaises dans vos *cœurs ? [5] Qu'y a-t-il donc de plus facile, de dire : "Tes péchés sont pardonnés", ou bien de dire "Lève-toi et marche" ? [6] Eh bien ; afin que vous sachiez que le *Fils de l'homme a sur la terre autorité pour pardonner les péchés — il dit alors au paralysé : « Lève-toi, prends ta civière et va dans ta maison. » [7] L'homme se leva et s'en alla dans sa maison. [8] Voyant cela, les foules furent saisies de crainte et rendirent gloire à Dieu qui a donné une telle autorité aux hommes.

---

m *Gadara*: ville païenne située à 10 km environ, au S. E. du lac de Gennésareth. Son territoire s'étendait peut-être jusqu'au lac. Sur les *démoniaques* voir Mc 1.32 et note ● n D'après Mc 2.1, c'est Capharnaüm qui est ici considéré comme la ville de Jésus

8.20 Fils de l'homme Dn 7.13 ; Mt 8.20 ; 9.6 ; 11.19 ; 12.8 ; 16.13, 27 ; 17.9, 22 ; 20.18 ; 24.30 ; 26.2, 24, 45, etc. ; Ac 7.56 ; Ap 1.13 ; 14.14 ; cf. Mt 10.23+. **8.21** permets-moi d'aller d'abord 1 R 19.20. **8.22** suis-moi Mt 4.19+. **8.24** tempête-secousse Mt 24.7 ; 27.51, 54 ; 28.2, 4. **8.26** de peu de foi Mt 6.30+ — il menaça Mc 1.25 ; 9.25 ; Lc 4.39 — la mer Ps 65.8 ; 89.10 ; 93.3-4. **8.27** les hommes Mt 4.19 ; 5.13 ; 16.1, 2 ; 10.17, 32-33 ; 16.13. **8.29** de quoi te mêles-tu Jg 11.12 ; 2 S 16.10 ; 19.23 ; 1 R 17.18, etc. ; Mc 1.24 ; Lc 4.34 ; Jn 2.4. **9.2** paralysé Mt 8.6 ; Ac 9.33 — pardonnés Lc 7.48. **9.3** blasphémer Lv 24.11, 16 ; Mt 12.31 ; 26.65 ; Mc 3.29 ; 14.64 ; Lc 12.10 ; Jn 10.33 ; Ac 6.11 ; 26.11 ; Rm 2.24 ; 1 Tm 1.13 ; Jc 2.7 ; Ap 13.1, 5-6. **9.4** pensées secrètes percées à jour Mt 12.25. **9.6** lève-toi Jn 5.8 ; Ac 9.33-35. **9.8** rendre gloire à Dieu Mt 15.31 ; Mc 2.12+ ; Lc 5.26 ; 13.13 ; 17.15 ; 18.43 ; 23.47 ; Ac 4.21 ; 11.18 ; 21.20 ; Rm 1.21 — une telle autorité Mt 16.19 ; 18.18 ; Jn 20.23.

Le repas chez Matthieu
(Mc 2.13-17; Lc 5.27-32)

⁹ Jésus vit, en passant, assis au bureau des taxes, un homme qui s'appelait Matthieu. Il lui dit : « Suis-moi ». Il se leva et le suivit. ¹⁰ Or, comme il était à table dans sa maison ᵒ, il arriva que beaucoup de collecteurs d'impôts et de *pécheurs étaient venus prendre place avec Jésus et ses disciples. ¹¹ Voyant cela, les *pharisiens disaient à ses disciples : « Pourquoi votre maître mange-t-il avec ᵖ les collecteurs d'impôts et les *pécheurs ? » ¹² Mais Jésus, qui avait entendu, déclara : « Ce ne sont pas les bien-portants qui ont besoin de médecin, mais les malades. ¹³ Allez donc apprendre ce que signifie : "C'est la miséricorde que je veux, non le *sacrifice". Car je suis venu appeler non pas les justes, mais les pécheurs. »

Le jeûne ; vieilles outres et vin nouveau
(Mc 2.18-22; Lc 5.33-39)

¹⁴ Alors les *disciples de Jean �q l'abordent et lui disent : « Pourquoi, alors que nous et les *pharisiens nous jeûnons, tes disciples ne *jeûnent-ils pas ? » ¹⁵ Jésus leur dit : « Les invités à la noce peuvent-ils être en deuil tant que l'époux est avec eux ? Mais des jours viendront où l'époux leur aura été enlevé : c'est alors qu'ils jeûneront. ¹⁶ Personne ne met une pièce d'étoffe neuve à un vieux vêtement ; car le morceau rajouté tire sur le vêtement, et la déchirure est pire. ¹⁷ On ne met pas du vin nouveau dans de vieilles outres ; sinon, les outres éclatent, le vin se répand et les outres sont perdues. On met au contraire le vin nouveau dans des outres neuves, et l'un et l'autre se conservent. »

La femme souffrant d'hémorragie ; la fillette rappelée à la vie
(Mc 5.21-43; Lc 8.40-56)

¹⁸ Comme il leur parlait ainsi, voici qu'un notable s'approcha et, prosterné, il lui disait : « Ma fille est morte à l'instant ; mais viens lui *imposer la main, et elle vivra. » ¹⁹ S'étant levé, Jésus le suivait avec ses disciples. ²⁰ Or une femme, souffrant d'hémorragie depuis douze ans, s'approcha par derrière et toucha la frange ʳ de son vêtement. ²¹ Elle se disait : « Si j'arrive seulement à toucher son vêtement, je serai sauvée. » ²² Mais Jésus, se retournant et la voyant, dit : « Confiance, ma fille ! Ta foi t'a sauvée ˢ ». Et la femme fut sauvée dès cette heure-là. ²³ A son arrivée à la maison du notable, voyant les joueurs de flûte ᵗ et l'agitation de la foule, Jésus dit : ²⁴ « Retirez-vous : elle n'est pas morte, la fillette, elle dort ». Et ils se moquaient de lui. ²⁵ Quand on eut mis la foule dehors, il entra, prit la main de l'enfant et la fillette se réveilla. ²⁶ La nouvelle s'en répandit dans toute cette région.

Jésus guérit deux aveugles

²⁷ Comme Jésus s'en allait, deux aveugles le suivirent en criant : « Aie pitié de nous, *Fils de David ! » ²⁸ Quand il fut entré dans la maison, les aveugles s'avancèrent vers lui, et Jésus leur dit : « Croyez-vous que je puis faire cela ? » « Oui, Seigneur », lui disent-ils. ²⁹ Alors il leur toucha les yeux en disant : « Qu'il vous advienne selon votre foi. » ³⁰ Et leurs yeux s'ouvrirent. Puis Jésus leur dit avec sévérité : « Attention ! Que personne ne le sache ! » ³¹ Mais eux, à peine sortis, parlèrent de lui dans toute cette région.

ᵒ C'est-à-dire la maison de Matthieu (Lc 5.29) ● ᵖ Selon les prescriptions rabbiniques on se mettait en état d'impureté en partageant le repas d'une personne réputée impure ● �q Il s'agit de Jean le Baptiste ● ʳ Voir Mc 6.56 et note ● ˢ ou *t'a guérie* ● ᵗ Les *joueurs de flûte* accompagnaient les pleureuses professionnelles pour les bruyantes cérémonies qui commençaient à la maison mortuaire

9.9 Matthieu Mt 10.3; Mc 3.18; Lc 6.15; Ac 1.13; cf. Mc 2.14; Lc 5.27-29 — suis-moi Mt 4.19+. **9.10** collecteurs d'impôts Mt 5.46+. **9.13** Os 6.6 (Mt 12.7). **9.14** disciples de Jean (le Baptiste) Mt 11.2; 14.12; Lc 11.1; Jn 3.25; 4.1; Ac 18.25; 19.1 — pratique du jeûne Mt 11.18; Lc 18.12. **9.15** (symbole de) l'époux Es 62.4-5; Jr 2.2; Ez 16; Os 1—3; Mt 25.1, 5, 10; Jn 3.29; Ap 18.23; cf. 2 Co 11.2; Ap 21.2. **9.18** imposition des mains Lv 9.22; 16.21; Mt 8.3; 19.15; Mc 5.23; 6.5; 7.32; 8.23, 25; Lc 13.13. **9.20** frange Nb 15. 38-41; Dt 22.12; Mt 14.36; 23.5; Mc 6.56; Lc 8.44. **9.22** ta foi Ac 3.16 — sauver-guérir Mt 10.22; 24.13; Mc 10.52; Lc 7.50; 17.19; 18.42; Ac 2.47; 4.12; 16.30. **9.24** elle dort Lc 8.52; Jn 11.11; Ac 7.60; 13.36; 1 Co 15.18-20; 1 Th 4.13-15. **9.25** réveiller-faire lever Mc 1.31; 9.27; Lc 7.14. **9.27** Fils de David Mt 1.1+. **9.29** leur toucha les yeux Mt 20.34 — selon votre foi Mt 8.13; 15.28. **9.30** garder le secret Mt 8.4+.

Jésus guérit un possédé muet
(*Lc 11.14-15*)

[32] Comme ils sortaient, voici qu'on lui amena un possédé muet [u]. [33] Le *démon chassé, le muet se mit à parler. Et les foules s'émerveillèrent et dirent : « Jamais rien de tel ne s'est vu en Israël ! » [34] Mais les *pharisiens disaient . « C'est par le chef des démons qu'il chasse les démons. »

Jésus et les foules sans berger
(*Mc 6.6b; Lc 10.2*)

[35] Jésus parcourait toutes les villes et les villages, il y enseignait dans leurs *synagogues, proclamant la Bonne Nouvelle du *Royaume et guérissant toute maladie et toute infirmité. [36] Voyant les foules, il fut pris de pitié pour elles, parce qu'elles étaient harassées et prostrées comme des brebis qui n'ont pas de berger. [37] Alors il dit à ses disciples : « La moisson est abondante, mais les ouvriers peu nombreux ; [38] priez donc le maître de la moisson d'envoyer des ouvriers dans sa moisson. »

Les douze apôtres
(*Mc 3.16-19; Lc 6.14-16*)

10 [1] Ayant fait venir ses douze disciples, Jésus leur donna autorité sur les esprits impurs [v], pour qu'ils les chassent et qu'ils guérissent toute maladie et toute infirmité.
[2] Voici les noms des douze *apôtres. Le premier, Simon, que l'on appelle

Pierre, et André, son frère ; Jacques, fils de Zébédée, et Jean son frère ; [3] Philippe et Barthélemy ; Thomas et Matthieu le collecteur d'impôts ; Jacques, fils d'Alphée et Thaddée ; [4] Simon le zélote et Judas Iscarioth, celui-là même qui le livra.

Jésus envoie les Douze en mission
(*Mc 6.7-11; Lc 9.2-5; cf. Lc 10.3-12*)

[5] Ces douze, Jésus les envoya en mission avec les instructions suivantes : « Ne prenez pas le chemin des *païens et n'entrez pas dans une ville de Samaritains [w] ; [6] allez plutôt vers les brebis perdues de la maison d'Israël. [7] En chemin, proclamez que le *règne des cieux [x] s'est approché. [8] Guérissez les malades, ressuscitez les morts, purifiez les *lépreux, chassez les *démons. Vous avez reçu gratuitement, donnez gratuitement.

[9] Ne vous procurez ni or, ni argent, ni monnaie à mettre dans vos ceintures, [10] ni sac pour la route, ni deux tuniques, ni sandales ni bâton, car l'ouvrier a droit à sa nourriture. [11] Dans quelque ville ou village que vous entriez, informez-vous pour savoir qui est digne de vous recevoir, et demeurez-là jusqu'à votre départ. [12] En entrant dans la maison, saluez-la ; [13] si cette maison en est digne, que votre paix [y] vienne sur elle ; mais si elle n'en est pas digne, que votre paix revienne à vous. [14] Si l'on ne vous accueille pas et si l'on n'écoute pas vos paroles, en quittant cette maison ou cette ville, secouez la poussière de vos pieds [z]. [15] En vérité, je vous le déclare : au jour du jugement, le pays de Sodome et de Go-

---

[u] C'est-à-dire un homme possédé par un démon qui le rendait muet. Voir Mc 9.17 et note ● [v] Voir Mc 1.23 et note ● [w] Les *Samaritains* constituaient une population d'origine mélangée occupant la région située entre la Judée et la Galilée. Depuis le retour de l'exil les juifs tenaient les Samaritains à l'écart ● [x] Voir Mt 3.2 et note ● [y] La salutation juive (v. 12) consistait à souhaiter la paix ● [z] Voir Mc 6.11 et note

9.32 possédé muet Mc 7.32, 35 ; 9.17, 25 ; Lc 11.14.   **9.33** émerveillement des témoins Mc 2.12.   **9.34** par le chef des démons Mt 12.24 ; Mc 3.22 ; Lc 11.15.   **9.35** activité de Jésus Mt 4.23-25 ; Mc 1.39. — Bonne Nouvelle du Royaume Mt 4.23+ — guérison Mt 10.1 ; Mc 1.34 ; Lc 7.21.   **9.36** des foules pitoyables Ez 34.23 ; Za 13.7 ; Mt 14.14 par. ; 15.32 ; Mc 6.34. — brebis sans berger Nb 27.17 ; 1 R 22.17 ; Ez 34.5 ; Mc 6.34.   **9.37** la moisson Mt 3.12+ ; Mc 4.29 ; Jn 4.35-37.   **10.1** guérisons Mt 9.35 ; Mc 1.34 ; Lc 7.21.   **10.2** les douze Mt 26.14 ; Mc 6.7 ; Lc 9.1 ; apôtres Ac 1.26 ; Ap 21.14 — liste des douze Mc 3.16-19 ; Lc 6.14-16 ; Ac 1.13-14 — Simon Pierre, André Mt 4.18+ — Jacques, Jean Mt 4.21+.   **10.3** Philippe Jn 1.43-48 ; 6.5, 7 ; 12.21-22 ; 14.8-9 — Thomas Lc 6.15 ; Jn 11,16 ; 14.5 ; 20.24-28 ; 21.2 — Matthieu Mt 9.9+ — collecteurs d'impôts Mt 5.46+.   **10.4** Judas Iscarioth Mt 26.14, 25, 47 par. ; 27.3 ; Jn 6.71 ; 12.4 ; 13.2, 26 ; 18.2 ; Ac 1.16, 25.   **10.5** envoyer Mt 10.16, 40 ; 15.24 ; Jn 3.17, 34 ; 5.36-37 ; 17.3, 18, etc. — Samaritains Lc 10.30-37 ; Jn 4.4-48 ; Ac 1.8.   **10.6** brebis perdues Jr 50.6 ; Mt 15.24.   **10.7** l'avènement du règne des cieux Mt 3.2 ; 4.17 ; Lc 10.9, 11.   **10.10** le droit de l'ouvrier Nb 18.31 ; Lc 10.7 ; 1 Co 9.14 ; 1 Tm 5.18.   **10.14** secouez la poussière Lc 10.11 ; Ac 13.51.   **10.15** Sodome et Gomorrhe Gn 18—19 ; Mt 10.15 ; 11.23 ; Lc 10.12 ; 17.29 ; Rm 9.29 ; 2 P 2.6 ; Jude 7 ; Ap 11.8.

morrhe sera traité avec moins de rigueur que cette ville.

Avertissement au sujet des persécutions
(Mc 13.9-13; Lc 12.11-12; 21.12-19)

[16] Voici que moi, je vous envoie comme des brebis au milieu des loups ; soyez donc rusés comme les serpents et candides comme les colombes.

[17] Prenez garde aux hommes : ils vous livreront aux tribunaux [a] et vous flagelleront dans leurs *synagogues. [18] Vous serez traduits devant des gouverneurs et des rois, à cause de moi : ils auront là un témoignage, eux et les *païens. [19] Lorsqu'ils vous livreront, ne vous inquiétez pas de savoir comment parler ou que dire : ce que vous aurez à dire vous sera donné à cette heure-là, [20] car ce n'est pas vous qui parlerez, c'est l'Esprit de votre Père qui parlera en vous. [21] Le frère livrera son frère à la mort, et le père son enfant ; les enfants se dresseront contre leurs parents et les feront condamner à mort. [22] Vous serez haïs de tous à cause de mon *Nom. Mais celui qui tiendra jusqu'à la fin, celui-là sera sauvé. [23] Quand on vous pourchassera dans telle ville, fuyez dans telle autre ; en vérité, je vous le déclare, vous n'achèverez pas le tour des villes d'Israël avant que ne vienne le *Fils de l'homme. [24] Le *disciple n'est pas au-dessus de son maître, ni le serviteur au-dessus de son seigneur. [25] Au disciple il suffit d'être comme son maître, et au serviteur d'être comme son seigneur. Puisqu'ils ont traité de Béelzéboul [b] le maître de maison, à combien plus forte raison le diront-ils de ceux de sa maison !

Ceux qui se déclareront pour Jésus
(Mc 8.38; Lc 12.2-9)

[26] Ne les craignez donc pas ! Rien n'est voilé qui ne sera dévoilé, rien n'est secret qui ne sera connu. [27] Ce que je vous dis dans l'ombre, dites-le au grand jour ; ce que vous entendez dans le creux de l'oreille, proclamez-le sur les terrasses [c]. [28] Ne craignez pas ceux qui tuent le corps, mais ne peuvent tuer l'âme ; craignez bien plutôt celui qui peut faire périr âme et corps dans la *géhenne. [29] Est-ce que l'on ne vend pas deux moineaux pour un sou ? Pourtant, pas un d'entre eux ne tombe à terre indépendamment de votre Père. [30] Quant à vous, même vos cheveux sont tous comptés. [31] Soyez donc sans crainte : vous valez mieux, vous, que tous les moineaux. [32] Quiconque se déclarera pour moi devant les hommes, je me déclarerai moi aussi pour lui devant mon Père qui est aux *cieux ; [33] mais quiconque me reniera devant les hommes, je le renierai moi aussi devant mon Père qui est aux cieux.

Non la paix, mais le glaive
(Lc 12.51-53)

[34] « N'allez pas croire que je sois venu apporter la paix sur la terre ; je ne suis pas venu apporter la paix, mais bien le glaive. [35] Oui, je suis venu séparer l'homme *de son père, la fille de sa mère, la belle-fille de sa belle-mère :* [36] *on aura pour ennemis les gens de sa maison.*

Priorité de l'attachement à Jésus
(Mc 8.34-35; Lc 14.26-27; 9.23-24)

[37] Qui aime son père ou sa mère plus que moi n'est pas digne de moi ; qui aime son fils ou sa fille plus que moi n'est pas digne de moi. [38] Qui ne se charge pas de sa croix et ne me suit pas n'est pas digne de moi. [39] Qui aura assuré sa vie la perdra et qui perdra sa vie à cause de moi l'assurera.

Qui vous accueille, m'accueille
(Mc 9.37, 41; Lc 9.48; 10.16; Jn 13.20)

[40] Qui vous accueille m'accueille moi-

---

a Il s'agit des « petits sanhédrins », tribunaux de 23 notables attachés à certaines synagogues ● b Voir Mc 3.22 et note ● c Voir Lc 12.3 et note

10.16 brebis et loups Jn 10.12; Ac 20.29 **10.17** livrer aux tribunaux Mc 13.9; Lc 21.12-13. **10.18** un témoignage Mt 24.14. **10.19** ne vous inquiétez pas Lc 12.11-12. **10.21** famille déchirée Mi 7.6. **10.22** haïs à cause de Jésus Mt 24.9 — celui qui tiendra Mt 24.13. **10.23** Fils de l'homme Mt 8.20+ ; sa venue Mt 16.27; 25.31; cf. Mt 24.3+. **10.24** le disciple et son Maître Lc 6.40; Jn 13.16; 15.20. **10.25** Béelzéboul 2 R 1.2; Mc 3.22; Lc 11.15, 18, 19. **10.26** secret dévoilé Mc 4.22; Lc 8.17; cf. Mt 10.7. **10.32** se déclarer pour (Jésus) Lc 12.8-9; Ap 3.5. **10.33** renier Mt 26.34, 74 par.; Lc 9.26; 2 Tm 2.12; cf. Mt 7.23; 25.12. **10.35-36** Mi 7.6. **10.37** aimer (grec: philein) Mt 6.5; 10.37; 23.6; 26.48; (grec: agapân) Mt 5.43; 19.19; 22.37-39 — son père ou sa mère Dt 33.9; Lc 14.26. **10.38** se charger de sa croix Mt 16.24. **10.39** vie perdue, vie assurée Mt 16.25; Lc 17.33; Jn 12.25. **10.40** accueil à Jésus Mt 18.5; Ga 4.14 — Celui qui m'a envoyé Jn 12.44.

même, et qui m'accueille accueille Celui qui m'a envoyé. ⁴¹ Qui accueille un *prophète en sa qualité de prophète recevra une récompense de prophète, et qui accueille un juste en sa qualité de juste recevra une récompense de juste. ⁴² Quiconque donnera à boire, ne serait-ce qu'un verre d'eau fraîche, à l'un de ces petits en sa qualité de disciple, en vérité, je vous le déclare, il ne perdra pas sa récompense. »

11 ¹ Or, quand Jésus eut achevé de donner ces instructions à ses douze disciples, il partit de là enseigner et prêcher dans leurs villes.

La question de Jean le Baptiste
(Lc 7.18-35)

² Or Jean ᵈ, dans sa prison, avait entendu parler des œuvres du Christ. Il lui envoya demander par ses *disciples : ³ « Es-tu "Celui qui doit venir ᵉ" ou devons-nous en attendre un autre ? » ⁴ Jésus leur répondit : « Allez rapporter à Jean ce que vous entendez et voyez : ⁵ *les aveugles retrouvent la vue* et *les boiteux marchent droit,* les *lépreux sont purifiés et *les sourds entendent,* les morts ressuscitent et *la Bonne Nouvelle est annoncée aux pauvres ;* ⁶ et heureux celui qui ne tombera pas ᶠ à cause de moi ! »

⁷ Comme ils s'en allaient, Jésus se mit à parler de Jean aux foules : « Qu'êtes-vous allés regarder au désert ? Un roseau agité par le vent ? ⁸ Alors, qu'êtes-vous allés voir ? Un homme vêtu d'habits élégants ? Mais ceux qui portent des habits élégants sont dans les demeures des rois. ⁹ Alors qu'êtes-vous allés voir ? Un *prophète ? Oui, je vous le déclare, et plus qu'un prophète. ¹⁰ C'est celui dont il est écrit : *Voici, j'envoie mon messager en avant de* toi ; *il préparera* ton *chemin devant* toi. ¹¹ En vérité, je vous le déclare, parmi ceux qui sont nés d'une femme, il ne s'en est pas levé de plus grand que Jean le Baptiste ; et cependant le plus petit dans le *royaume des cieux est plus grand que lui. ¹² Depuis les jours de Jean le Baptiste jusqu'à présent, le royaume des cieux est assailli avec violence ; ce sont des violents qui l'arrachent. ¹³ Tous les prophètes en effet, ainsi que la Loi ᵍ, ont prophétisé jusqu'à Jean. ¹⁴ C'est lui, si vous voulez bien le comprendre, l'Elie qui doit revenir. ¹⁵ Celui qui a des oreilles, qu'il entende ! ¹⁶ A qui vais-je comparer cette génération ? Elle est comparable à des enfants assis sur les places, qui en interpellent d'autres :

¹⁷ "Nous vous avons joué de la flûte, et vous n'avez pas dansé !

Nous avons entonné un chant funèbre, et vous ne vous êtes pas frappé la poitrine !"

¹⁸ En effet, Jean est venu, il ne mange ni ne boit, et l'on dit : "Il a perdu la tête". ¹⁹ Le *Fils de l'homme est venu, il mange, il boit, et l'on dit : "Voilà un glouton et un ivrogne, un ami des collecteurs d'impôts et des *pécheurs !" Mais la Sagesse a été reconnue juste d'après ses œuvres. »

Malheureuses villes de Galilée !
(Mt 10.15; Lc 10.12-15)

²⁰ Alors il se mit à invectiver contre les villes où avaient eu lieu la plupart de ses miracles, parce qu'elles ne s'étaient pas converties. ²¹ « Malheureuse es-tu, Chorazin ! Malheureuse es-tu, Bethsaïda ʰ ! Car si les miracles qui ont eu lieu chez vous avaient eu lieu à Tyr et à Sidon,

---

ᵈ Il s'agit de Jean le Baptiste (voir 14.3-12) ● ᵉ *Celui qui doit venir:* l'un des titres du Messie attendu (voir Mt 3.11) ● ᶠ ou *qui ne viendra pas à être scandalisé par moi.* Voir Mc 9.42 et note ● ᵍ *la Loi:* voir Rm 3.19 et note ● ʰ *Chorazin* et *Bethsaïda:* villes voisines de Capharnaüm. *Tyr et Sidon:* voir Mc 3.8 et note

10.41 accueil à un prophète 1 R 17.9-24; 2 R 4.8-37 — prophète et juste Mt 13.17; 23.29. **10.42** un de ces petits Mt 18.5, 10; 25.40, 45. **11.1** après ces instructions Mt 7.28+. **11.2** Jean le Baptiste Mt 3.1+ — ses disciples Mt 9.14+. **11.3** Celui qui doit venir Mt 3.11+. **11.5** Es 26.19; 29.18; 35.5-6; 61.1. **11.6** heureux! Mt 5.3+ — Jésus, occasion de chute Mt 5.29+. **11.7** au désert Mt 3.1+. **11.9** Jean le Baptiste, prophète Mt 14.5; 21.26; Lc 1.76. **11.10** mon messager devant toi Ex 23.20; Ml 3.1 (Mc 1.2; Lc 1.76; 7.27); Jn 3.28. **11.13** les prophètes et la loi Mt 7.12+. **11.14** Elie Ml 3.23; Mt 16.14; 17.2, 10-13; Mc 9.11-13; Lc 1.17; Jn 1.21. **11.15** avoir des oreilles pour entendre Dt 29.3; Ps 49.5; Mt 13.9, 43; Lc 8.8; 14.35; Ap 2.7; 13.9; cf. Mt 19.12. **11.16** cette génération Mt 12.39-45; 17.17. **11.18** ascétisme de Jean Mt 3.4; 9.14 — il a perdu la tête Jn 7.20. **11.19** Jésus ne jeûne pas Mt 9.14 — ami des gens tenus à l'écart Mt 9.11; Lc 15.1-2; 19.7. **11.21** malheureux! Mt 18.7; 23; 24.19; 26.24; Lc 6.24; 11.46; 1 Co 9.16; Jude 11; Ap 8.13; 12.12; 18.10 — Bethsaïda Mc 6.45; 8.22; Lc 9.10; 10.13; Jn 1.44; 12.21 — Tyr (et Sidon) Es 23.1-8; Ez 26; Am 1.9-10; Mt 15.21; Mc 3.8; 7.24; Lc 6.17; 10.13; Ac 12.20; 21.3.

il y a longtemps que, sous le sac et la cendre [i], elles se seraient converties. [22] Oui, je vous le déclare, au jour du Jugement, Tyr et Sidon seront traitées avec moins de rigueur que vous. [23] Et toi, Capharnaüm,

seras-tu élevée jusqu'au ciel ?
Tu descendras jusqu'au séjour des morts !

Car si les miracles qui ont eu lieu chez toi avaient eu lieu à Sodome, elle subsisterait encore aujourd'hui. [24] Aussi bien, je vous le déclare, au jour du Jugement, le pays de Sodome sera traité avec moins de rigueur que toi. »

Les petits ; le Père et le Fils
(Lc 10.21-22)

[25] En ce temps-là, Jésus prit la parole et dit : « Je te loue, Père, Seigneur du ciel et de la terre, d'avoir caché cela aux sages et aux intelligents et de l'avoir révélé aux tout-petits. [26] Oui, Père, c'est ainsi que tu en as disposé dans ta bienveillance. [27] Tout m'a été remis par mon Père. Nul ne connaît le Fils si ce n'est le Père, et nul ne connaît le Père si ce n'est le Fils, et celui à qui le Fils veut bien le révéler.

Jésus lance l'appel : Venez à moi !

[28] Venez à moi, vous tous qui peinez sous le poids du fardeau, et moi je vous donnerai le repos. [29] Prenez sur vous mon joug [j] et mettez-vous à mon école, car je suis doux et humble de cœur, et vous trouverez le repos de vos âmes. [30] Oui, mon joug est facile à porter et mon fardeau léger. »

Les épis arrachés
(Mc 2.23-28 ; Lc 6.1-5)

12 [1] En ce temps-là, un jour de *sabbat, Jésus vint à passer à travers des champs de blé. Ses disciples, eurent

faim et se mirent à arracher des épis et à les manger. [2] Voyant cela, les *pharisiens lui dirent : « Vois tes disciples qui font ce qu'il n'est pas permis de faire pendant le sabbat. » [3] Il leur répondit : « N'avez-vous pas lu ce que fit David, lorsqu'il eut faim, lui et ses compagnons, [4] comment il est entré dans la maison de Dieu et comment ils ont mangé les pains de l'offrande que ni lui, ni ses compagnons n'avaient le droit de manger, mais seulement les *prêtres ? [5] Ou n'avez-vous pas lu dans la *Loi que, le jour du sabbat, dans le Temple, les prêtres violent le sabbat sans être en faute ? [6] Or, je vous le déclare, il y a ici plus grand que le *Temple. [7] Si vous aviez compris ce que signifie : *C'est la miséricorde que je veux, non le sacrifice*, vous n'auriez pas condamné ces hommes qui ne sont pas en faute. [8] Car il est maître du sabbat, le *Fils de l'homme. »

L'homme à la main paralysée
(Mc 3.1-6 ; Lc 6.6-11)

[9] De là, il se dirigea vers leur synagogue et y entra. [10] Or se trouvait là un homme qui avait une main paralysée ; ils lui posèrent cette question : « Est-il permis de faire une guérison le jour du *sabbat ? » C'était pour l'accuser. [11] Mais il leur dit : « Qui d'entre vous, s'il n'a qu'une brebis et qu'elle tombe dans un trou le jour du sabbat, n'ira la prendre et l'en retirer ? [12] Or, combien l'homme l'emporte sur la brebis ! Il est donc permis de faire le bien le jour du sabbat. » [13] Alors il dit à cet homme : « Etends la main ». Il l'étendit et elle fut remise en état, aussi saine que l'autre. [14] Une fois sortis, les *pharisiens tinrent conseil contre lui, sur les moyens de le faire périr.

Jésus, le serviteur de Dieu

[15] L'ayant appris, Jésus se retira de là. Beaucoup le suivirent ; il les guérit tous.

---

i Voir Jr 6.26 ; Jon 3.5-8 : c'est le geste traditionnel en Israël pour exprimer qu'on se reconnaît pécheur ● j Le joug : lourde pièce taillée dans le bois pour atteler les bœufs. Jésus emploie ici le terme d'une manière symbolique

11.23 Es 14.13, 15 — Sodome Mt 10.15+ **11.25** caché aux sages Dn 2.3-13 ; 1 Co 1.17-29 — révélé Dn 2.18-29 ; Mt 13.11 — les petits Mt 10.42. **11.27** tout Mt 28.18 ; Jn 3.35 ; 13.3 ; 17.2 ; Ph 2.9 — le Père et le Fils Mt 21.37 ; 24.36 ; Mc 14.36 ; Jn 1.18 ; 10.15. **12.1** débat sur le sabbat Mt 12.9-14 ; Lc 13.10-17 ; 14.1-6 ; Jn 5.1-18 ; 7.19-24 ; cf. Mt 9.13. **12.2** ce qui n'est pas permis Ex 34.21. **12.4** David et les pains de l'offrande 1 S 21.2-7 ; cf. Lv 24.5-9. **12.6** il y a ici plus que... Mt 12.41-42 ; Lc 11.31-32. **12.7** Os 6.6 (Mt 9.13). **12.10** paralysé 1 R 13.4 — est-il permis de guérir ... Lc 14.3. **12.11** brebis accidentée Lc 14.5. **12.12** plus qu'une brebis Mt 6.26 ; 10.31 ; Lc 12.7 — faire du bien un jour de sabbat Lc 13.16 ; Jn 5.9 ; 7.23 ; 9.14. **12.14** conciliabule des adversaires de Jésus Mt 22. 15 ; 27.1 ; 28.12 ; Mc 11.18 ; Lc 19.47 ; Jn 5.16, 18. **12.15** Jésus s'esquive Mt 14.13 — Jésus suivi par une foule de gens Mt 4.19+ ; Mc 3.7-10 ; Lc 6.17-19.

¹⁶ Il leur commanda sévèrement de ne pas le faire connaître, ¹⁷ afin que soit accompli ce qu'a dit le prophète Esaïe :
¹⁸ *Voici mon serviteur que j'ai élu,*
mon Bien-aimé qu'il m'a plu de choisir,
Je mettrai mon Esprit sur lui,
et il annoncera le droit ᵏ aux nations.
¹⁹ *Il ne cherchera pas de querelles, il ne poussera pas de cris,*
on n'entendra pas sa voix sur les places.
²⁰ *Il ne brisera pas le roseau froissé ˡ,*
il n'éteindra pas la mèche qui fume encore,
jusqu'à ce qu'il ait conduit le droit à la victoire.
²¹ *En son *nom les nations mettront leur espérance.*

Jésus a-t-il partie liée avec Satan ?

(Mc 3.22-30; Lc 11.14-23; 12.10)

²² Alors on lui amena un possédé ᵐ aveugle et muet ; il le guérit, en sorte que le muet parlait et voyait. ²³ Bouleversées, toutes les foules disaient : « Celui-ci n'est-il pas le *Fils de David ? » ²⁴ Mais les pharisiens, entendant cela, dirent : « Celui-là ne chasse les démons que par Béelzéboul, le chef des *démons. » ²⁵ Connaissant leurs pensées, il leur dit : « Tout royaume divisé contre lui-même court à la ruine ; aucune ville, aucune famille, divisée contre elle-même, ne se maintiendra. ²⁶ Si donc *Satan expulse Satan, il est divisé contre lui-même : comment alors son royaume se maintiendra-t-il ? ²⁷ Et si c'est par Béelzéboul que moi, je chasse les démons, vos disciples, par qui les chassent-ils ? Ils seront donc eux-mêmes vos juges. ²⁸ Mais si c'est par l'Esprit de Dieu que je chasse les démons, alors le *règne de Dieu vient de vous atteindre. ²⁹ Ou encore, comment quelqu'un pourrait-il entrer dans la maison de l'homme fort et s'emparer de ses biens, s'il n'a d'abord ligoté l'homme

fort ? Alors il pillera sa maison. ³⁰ Qui n'est pas avec moi est contre moi, et qui ne rassemble pas avec moi disperse.

³¹ Voilà pourquoi, je vous le déclare, tout péché, tout *blasphème sera pardonné aux hommes, mais le blasphème contre l'Esprit ne sera pas pardonné. ³² Et si quelqu'un dit une parole contre le *Fils de l'homme, cela lui sera pardonné ; mais s'il parle contre l'Esprit-Saint, cela ne lui sera pardonné ni en ce monde ni dans le monde à venir. »

L'homme sera jugé sur ses paroles

(Mt 7.16-17; Lc 6.44-45)

³³ Supposez qu'un arbre soit bon, son fruit sera bon ; supposez-le malade, son fruit sera malade : c'est au fruit qu'on reconnaît l'arbre. ³⁴ Engeance de vipères, comment pourriez-vous dire de bonnes choses, alors que vous êtes mauvais ? Car ce que dit la bouche, c'est ce qui déborde du *cœur. ³⁵ L'homme bon, de son bon trésor, retire de bonnes choses ; l'homme mauvais, de son mauvais trésor, retire de mauvaises choses. ³⁶ Or je vous le dis : les hommes rendront compte au jour du jugement de toute parole sans portée ⁿ qu'ils auront proférée. ³⁷ Car c'est d'après tes paroles que tu seras justifié, et c'est d'après tes paroles que tu seras condamné.

Le signe de Jonas ; la reine de Saba

(Mt 16.1-4; Mc 8.11-12; Lc 11.16, 29-32)

³⁸ Alors quelques scribes et *pharisiens prirent la parole : « Maître, nous voudrions que tu nous fasses voir un *signe ». ³⁹ Il leur répondit : « Génération mauvaise et adultère qui réclame un signe ! En fait de signe, il ne lui en sera pas donné d'autre que le signe du prophète Jonas. ⁴⁰ Car tout comme *Jonas fut dans le ventre du monstre marin trois jours et trois nuits*, ainsi le *Fils de l'homme sera dans le sein de la terre trois

---

k Le texte sous-entend ici (le droit) *de Dieu* ● *l* Certains pensent que *briser le roseau froissé* était le geste par lequel le juge annonçait un verdict de condamnation ● *m* Voir Mt 9.32 et note ● *n* ou *sans fondement*

12.16 garder secret Mt 8.4+. **12.17-21** Es 42.-1-4; cf. Mt 1.22+. **12.22** muet Mt 9.27-33. **12.23** Fils de David Mt 1.1+. **12.24** division des auditeurs de Jésus Jn 7.11-13; 10.19-21 — Béelzéboul Mt 10.25+ — chef des démons Mt 9.34. **12.28** par l'Esprit de Dieu Ac 10.38 — le règne de Dieu Mt 3.2+; 6.10+ — vient de vous atteindre Mt 10.7; Mc 1.15; Lc 17.21. **12.30** avec moi Mc 9.40; Lc 9.50 — rassembler-disperser Mt 3.12; 13.30; 25.24. **12.31** tout péché pardonné 1 Tm 1.13. **12.33** l'arbre reconnu à ses fruits Mt 7.16+. **12.34** engeance de vipères Mt 3.7+ — ce qui déborde du cœur Mt 15.18; Mc 7.21. **12.38** un signe Mt 16.1; 24.3, 30; Jn 6.30; 1 Co 1.22. **12.39** génération (mauvaise) Dt 32.5, 20; Mt 11.16; 16.4; Lc 11.29; Ac 2.40; Ph 2.15. **12.40** Jon 1.17 — le Fils de l'homme Mt 8.20+.

jours et trois nuits. 41 Lors du jugement,
les hommes de Ninive se lèveront avec
cette génération et ils la condamneront,
car ils se sont convertis à la prédication de Jonas ; eh bien ! ici il y a plus
que Jonas. 42 Lors du jugement la reine
du Midi se lèvera avec cette génération
et elle la condamnera, car elle est venue
du bout du monde pour écouter la sagesse
de Salomon. Eh bien ! ici il y a plus que
Salomon.

Le retour en force de l’esprit impur

(*Lc 11.24-26*)

43 Lorsque l’esprit impur est sorti d’un
homme, il parcourt les régions arides en
quête de repos, mais il n’en trouve pas.
44 Alors il se dit : “Je vais retourner dans
mon logis, d’où je suis sorti.” A son arrivée, il le trouve inoccupé, balayé, mis en
ordre. 45 Alors il va prendre avec lui sept
autres esprits plus mauvais que lui, ils y
entrent et s’y installent. Et le dernier état
de cet homme devient pire que le premier. Ainsi en sera-t-il également de cette
génération mauvaise. »

La vraie famille de Jésus

(*Mc 3.31-35; Lc 8.19-21*)

46 Comme il parlait encore aux foules,
voici que sa mère et ses frères se tenaient dehors, cherchant à lui parler.
[47 Quelqu’un lui dit : « Voici que ta
mère et tes frères se tiennent dehors ;
ils cherchent à te parler. » [o]] 48 A celui
qui venait lui parler, Jésus répondit :
« Qui est ma mère et qui sont mes frères ? » 49 Montrant de la main ses disciples, il dit : « Voici ma mère et mes frères ; 50 quiconque fait la volonté de mon
Père qui est aux *cieux, c’est lui mon
frère, ma sœur, ma mère. »

La parabole du semeur

(*Mc 4.1-9; Lc 8.4-8*)

13 1 En ce jour-là, Jésus sortit de la
maison [p] et s’assit au bord de la
mer [q]. 2 De grandes foules se rassemblèrent près de lui, si bien qu’il monta dans
une barque où il s’assit ; toute la foule se
tenait sur le rivage.
3 Il leur dit beaucoup de choses en
*paraboles. « Voici que le semeur est sorti
pour semer. 4 Comme il semait, des grains
sont tombés au bord du chemin ; et les
oiseaux du ciel sont venus et ont tout
mangé. 5 D’autres sont tombés dans les
endroits pierreux, où ils n’avaient pas
beaucoup de terre ; ils ont aussitôt levé
parce qu’ils n’avaient pas de terre en profondeur ; 6 le soleil étant monté, ils ont
été brûlés et, faute de racine, ils ont séché. 7 D’autres sont tombés dans les épines ; les épines ont monté et les ont
étouffés. 8 D’autres sont tombés dans la
bonne terre et ont donné du fruit, l’un
cent, l’autre soixante, l’autre trente. 9 Entende qui a des oreilles ! »

Pourquoi Jésus parle en paraboles

(*Mc 4.10-12; Lc 10.9-10*)

10 Les disciples s’approchèrent et lui
dirent : « Pourquoi leur parles-tu en *paraboles ? » 11 Il répondit : « Parce qu’à
vous il est donné de connaître les *mystères du *royaume des cieux, tandis qu’à
ceux-là ce n’est pas donné. 12 Car à celui
qui a il sera donné, et il sera dans la
surabondance ; mais à celui qui n’a pas,
même ce qu’il a lui sera retiré. 13 Voici
pourquoi je leur parle en paraboles : parce
qu’ils regardent sans regarder et qu’ils
entendent sans entendre ni comprendre ;
14 et pour eux s’accomplit la prophétie
d’Esaïe, qui dit :
*Vous aurez beau entendre, vous ne
comprendrez pas ;
vous aurez beau regarder, vous ne
verrez pas.*
15 *Car le cœur de ce peuple s’est épaissi,
ils sont devenus durs d’oreille,
ils se sont bouché les yeux,
pour ne pas voir de leurs yeux,
ne pas entendre de leurs oreilles,
ne pas comprendre avec leur *cœur,
et pour ne pas se convertir.
Et je les aurais guéris !*
16 Mais vous, heureux vos yeux parce
qu’ils voient, et vos oreilles parce qu’elles

o Ce verset manque dans plusieurs manuscrits importants • *p* Voir Mc 2.1 et note • *q* Voir Mc 1.16 et note

12.41 conversion des hommes de Ninive Jon 3.5, 8. **12.42** la reine du Midi 1 R 10.1-10 — il y a ici plus que... Mt 12.6+. **12.45** le dernier état 2 P 2.20. **12.46** la mère et les frères de Jésus Mt 13.55; Mc 6.3; Jn 2.12; Ac 1.14. **12.50** faire la volonté de Dieu Mt 6.10+. **13.2** Jésus enseigne depuis une barque Lc 5.1-3. **13.9** des oreilles pour entendre Mt 11.15+; cf. 19.12. **13.11** mystères 1 Co 4.1; Ep 3.3-4; 6.19; Col 2.2; 4.3. **13.12** à celui qui a... Mt 25.29; Mc 4 25; Lc 8.18; 19.26. **13.14-15** Es 6.9-10 (Jn 12.40; Ac 28.26-27); cf. Mt 1.22+. **13.16** heureux Mt 5.3+ — vos yeux Lc 10.23-24.

entendent. [17] En vérité, je vous le déclare, beaucoup de *prophètes, beaucoup de justes ont désiré voir ce que vous voyez et ne l'ont pas vu, entendre ce que vous entendez et ne l'ont pas entendu.

Une application de la parabole du semeur
(Mc 4.13-20; Lc 8.11-15)

[18] Vous donc, écoutez la parabole du semeur. [19] Quand l'homme entend la parole du *Royaume et ne comprend pas, c'est que le Malin vient et s'empare de ce qui a été semé dans son cœur ; tel est celui qui a été ensemencé au bord du chemin. [20] Celui qui a été ensemencé en des endroits pierreux, c'est celui qui, entendant la Parole, la reçoit aussitôt avec joie ; [21] mais il n'a pas en lui de racine, il est l'homme d'un moment : dès que vient la détresse ou la persécution à cause de la Parole, il tombe. [22] Celui qui a été ensemencé dans les épines, c'est celui qui entend la Parole, mais le souci du monde et la séduction des richesses étouffent la Parole, et il reste sans fruit [r]. [23] Celui qui a été ensemencé dans la bonne terre, c'est celui qui entend la Parole et comprend : alors, il porte du fruit et produit l'un cent, l'autre soixante, l'autre trente. »

La parabole de l'ivraie

[24] Il leur proposa une autre *parabole : « Il en va du *Royaume des cieux comme d'un homme qui a semé du bon grain dans son champ. [25] Pendant que les gens dormaient, son ennemi est venu ; par-dessus, il a semé de l'ivraie [s] en plein milieu du blé, et il s'en est allé. [26] Quand l'herbe eut poussé et produit l'épi, alors apparut aussi l'ivraie. [27] Les serviteurs du maître de maison vinrent lui dire : "Seigneur, n'est-ce pas du bon grain que tu as semé dans ton champ ? D'où vient donc qu'il s'y trouve de l'ivraie ?" [28] Il leur dit : "C'est un ennemi qui a fait cela." — Les serviteurs lui disent : "Alors, veux-tu que nous allions la ramasser ?" [29] "Non, dit-il, de peur qu'en ramassant l'ivraie vous ne déraciniez le blé avec elle. [30] Laissez l'un

et l'autre croître ensemble jusqu'à la moisson, et au temps de la moisson je dirai aux moissonneurs : "Ramassez d'abord l'ivraie et liez-la en bottes pour la brûler ; quant au blé, recueillez-le dans mon grenier." »

La parabole du grain de moutarde
(Mc 4.30-32; Lc 13.18-19)

[31] Il leur proposa une autre *parabole : « Le *royaume des cieux est comparable à un grain de moutarde qu'un homme sème dans son champ. [32] C'est bien la plus petite de toutes les semences ; mais, quand elle a poussé, elle est la plus grande des plantes potagères : elle devient un arbre, si bien que les oiseaux du ciel viennent faire leurs nids dans ses branches. »

La parabole du levain
(Lc 13.20-21)

[33] Il leur dit une autre *parabole : « Le royaume des cieux est comparable à du *levain qu'une femme prend et enfouit dans trois *mesures de farine, si bien que toute la masse lève. »

L'enseignement par les paraboles
(Mc 4.33-34)

[34] Tout cela, Jésus le dit aux foules en *paraboles, et il ne leur disait rien sans paraboles, [35] afin que s'accomplisse ce qui avait été dit par le prophète : *J'ouvrirai la bouche pour dire des paraboles, je proclamerai des choses cachées depuis la fondation du monde.*

Développement de la parabole de l'ivraie

[36] Alors, laissant les foules, il vint à la maison [t], et ses disciples s'approchèrent de lui et lui dirent : « Explique-nous la parabole de l'ivraie dans le champ. » [37] Il leur répondit : « Celui qui sème le bon grain, c'est le *Fils de l'homme ; [38] le champ, c'est le monde ; le bon grain, ce sont les sujets du Royaume : l'ivraie, ce sont les

---

r ou elle (la Parole) *devient inféconde* ● s *Ivraie*: plante de la même famille que le blé; ses grains provoquent un empoisonnement en forme d'ivresse

13.22 souci du monde et séduction des richesses Mt 6.24; Mc 4.19; Lc 12.16-21; 1 Tm 6.9, 10,17. **13.30** la moisson, image du jugement Mt 3.12+. **13.31** grain de moutarde Mt 17.20; Lc 17.6. **13.33** levain dans la pâte 1 Co 5.6; Ga 5.9. **13.35** Ps 78.2; cf. Mt 1.22+. **13.36** explication Mt 15.15; Mc 4.10; 7.17; Lc 8.9. **13.38** le Malin Mt 6.13+.

sujets du Malin ; ³⁹ l'ennemi qui l'a semée, c'est le *diable ; la moisson, c'est la
fin du monde ; les moissonneurs, ce sont
les *anges. ⁴⁰ De même que l'on ramasse
l'ivraie pour la brûler au feu, ainsi en
sera-t-il à la fin du monde : ⁴¹ le Fils de
l'homme enverra ses anges ; ils ramasseront, pour les mettre hors de son royaume, toutes les causes de chute ᵘ et tous
ceux qui commettent l'iniquité, ⁴² et ils les
jetteront dans la fournaise de feu ; là
seront les pleurs et les grincements de
dents. ⁴³ Alors les justes resplendiront
comme le soleil dans le *royaume de leur
Père. Entende qui a des oreilles ! »

Les paraboles du trésor et de la perle

⁴⁴ Le royaume des cieux est comparable à un trésor qui était caché dans un
champ et qu'un homme a découvert : il
le cache à nouveau et, dans sa joie, il s'en
va, met en vente tout ce qu'il a, et il
achète ce champ. ⁴⁵ Le royaume des cieux
est encore comparable à un marchand
qui cherchait de belles perles fines. ⁴⁶ Ayant
trouvé une perle de grand prix, il s'en est
allé vendre tout ce qu'il avait, et il l'a
achetée.

la parabole du filet

⁴⁷ Le royaume des cieux est encore comparable à un filet qu'on jette en mer et
qui ramène toutes sortes de poissons.
⁴⁸ Quand il est plein, on le tire sur le
rivage puis, on s'assied, on ramasse dans
des paniers ce qui est bon et l'on rejette
ce qui ne vaut rien. ⁴⁹ Ainsi en sera-t-il
à la fin du monde : les *anges surrvien-
dront et sépareront les mauvais d'avec les
justes, ⁵⁰ et ils les jetteront dans la fournaise de feu ; là seront les pleurs et les
grincements de dents.

Anciennes et nouvelles vérités

⁵¹ « Avez-vous compris tout cela ? » —

« Oui », lui répondent-ils. ⁵² Et il leur dit :
« Ainsi donc tout *scribe instruit du
*royaume des cieux est comparable à un
maître de maison qui tire de son trésor
du neuf et du vieux. »

Jésus et les gens de Nazareth
(Mc 6.1-6 ; Lc 4.16-24)

⁵³ Or, quand Jésus eut achevé ces *paraboles, il partit de là. ⁵⁴ Etant venu dans
sa patrie ᵛ, il enseignait les habitants dans
leur *synagogue de telle façon que, frappés d'étonnement, ils disaient : « D'où lui
viennent cette sagesse et ces miracles ?
⁵⁵ N'est-ce pas le fils du charpentier ? Sa
mère ne s'appelle-t-elle pas Marie, et ses
frères Jacques, Joseph, Simon et Jude ?
⁵⁶ Et ses sœurs ne sont-elles pas toutes
chez nous ? D'où lui vient donc tout
cela ? » ⁵⁷ Et il était pour eux une occasion de chute. Jésus leur dit : « Un *prophète n'est méprisé que dans sa patrie et
dans sa maison. » ⁵⁸ Et là, il ne fit pas
beaucoup de miracles, parce qu'ils ne
croyaient pas.

La mort de Jean le Baptiste
(Mc 6.14-29 ; Lc 9.7-9 ; 3.19-20)

14 ¹ En ce temps-là, Hérode le tétrarque ʷ apprit la renommée de Jésus
² et il dit à ses familiers : « Cet homme
est Jean le Baptiste ! C'est lui, ressuscité
des morts ; voilà pourquoi le pouvoir de
faire des miracles agit en lui. »

³ En effet Hérode avait fait arrêter et
enchaîner Jean et l'avait emprisonné, à
cause d'Hérodiade, la femme de son frère
Philippe ; ⁴ car Jean lui disait : « Il ne
t'est pas permis de la garder pour femme ». ⁵ Bien qu'il voulût le faire mourir,
Hérode eut peur de la foule qui tenait
Jean pour un *prophète. ⁶ Or, à l'anniversaire d'Hérode, la fille d'Hérodiade exécuta une danse devant les invités et plut
à Hérode. ⁷ Aussi s'engagea-t-il par ser-

t Voir Mc 2.1 et note • u ou les scandales: voir Mc 9.42 et note • v D'après Lc 4.16-24 il
s'agit de Nazareth ; voir aussi Mt 2.23 • w Voir Mc 1.14 ; 6.14, 17 et notes

13.39 la moisson, image du jugement Mt 3.12+.   13.40 brûler Mt 3.10 ; 7.19 ; Jn 15.6 ; 1 Jn 3.10.
13.41 les anges envoyés pour le jugement Mt 16.27 ; 24.31 ; Mc 13.27.   13.42 dans la fournaise
Mt 13.50 — pleurs et grincements de dents Mt 8.12+.   13.43 resplendissement des justes
Dn 12.3 — des oreilles pour entendre Mt 11.15+.   13.51 comprendre Mt 15.10.   13.53 après
ces instructions Mt 7.28+.   13.54 étonnement devant l'enseignement de Jésus Jn 7.15.   13.55 fils
du charpentier Lc 3.23 ; Jn 6.42 — les frères de Jésus Mt 12.46+.   13.57 occasion de chute Mt
5.29+ — le prophète dans sa patrie Lc 4.24 ; Jn 4.44.   14.1 Hérode le tétrarque Mc 6.14-27 ;
8.15 ; Lc 3.1, 19 ; 8.3 ; 9.7, 9 ; 13.31 ; 23.6-12, 15 ; Ac 4.27 ; 13.1.   14.2 Jean le Baptiste Mt 3.1+.
14.5 peur de la réaction populaire Mt 21.26, 46 ; Lc 20.19 ; 22.2 — Jean considéré comme un
prophète Mt 11.9 ; 21.26 ; Lc 1.76 ; 7.26.

ment à lui donner tout ce qu'elle demanderait. [8] Poussée par sa mère, elle lui dit : « Donne-moi ici, sur un plat, la tête de Jean le Baptiste ». [9] Le roi [x] en fut attristé ; mais, à cause de son serment et des convives, il commanda de la lui donner [10] et envoya décapiter Jean dans sa prison. [11] Sa tête fut apportée sur un plat et donnée à la jeune fille qui l'apporta à sa mère. [12] Les *disciples de Jean vinrent prendre le cadavre et l'ensevelirent ; puis ils allèrent informer Jésus.

Jésus nourrit cinq mille hommes
(Mc 6.30-44 ; Lc 9.10-17 ; Jn 6.1-15)

[13] A cette nouvelle, Jésus se retira de là en barque vers un lieu désert, à l'écart. L'ayant appris, les foules le suivirent à pied [y] de leurs diverses villes. [14] En débarquant, il vit une grande foule ; il fut pris de pitié pour eux et guérit leurs infirmes. [15] Le soir venu, les disciples s'approchèrent de lui et lui dirent : « L'endroit est désert et déjà l'heure est tardive ; renvoie donc les foules, qu'elles aillent dans les villages s'acheter des vivres. » [16] Mais Jésus leur dit : « Elles n'ont pas besoin d'y aller : donnez-leur vous-mêmes à manger. » [17] Alors ils lui disent : « Nous n'avons ici que cinq pains et deux poissons. » [18] « Apportez-les moi ici », dit-il. [19] Et, ayant donné l'ordre aux foules de s'installer sur l'herbe, il prit les cinq pains et les deux poissons et, levant son regard vers le ciel, il prononça la bénédiction ; puis, rompant les pains, il les donna aux disciples, et les disciples aux foules. [20] Ils mangèrent tous et furent rassasiés ; et l'on emporta ce qui restait des morceaux : douze paniers pleins ! [21] Or ceux qui avaient mangé étaient environ cinq mille hommes, sans compter les femmes et les enfants.

Jésus marche sur le lac
(Mc 6.45-52 ; Jn 6.16-21)

[22] Aussitôt Jésus obligea les disciples à remonter dans la barque et à le précéder sur l'autre rive, pendant qu'il renverrait les foules. [23] Et après avoir renvoyé les foules, il monta dans la montagne pour prier à l'écart. Le soir venu, il était là, seul. [24] La barque se trouvait déjà à plusieurs centaines de mètres de la terre ; elle était battue par les vagues, le vent étant contraire. [25] Vers la fin de la nuit, il vint vers eux en marchant sur la mer. [26] En le voyant marcher sur la mer, les disciples furent affolés : « C'est un fantôme », disaient-ils, et, de peur, ils poussèrent des cris. [27] Mais aussitôt Jésus leur parla : « Confiance, c'est moi, n'ayez pas peur ! » [28] S'adressant à lui, Pierre lui dit : « Seigneur, si c'est bien toi, ordonne-moi de venir vers toi sur les eaux. » [29] « Viens », dit-il. Et Pierre, descendu de la barque, marcha sur les eaux et alla vers Jésus. [30] Mais, remarquant le vent, il eut peur et, commençant à couler, il s'écria : « Seigneur, sauve-moi ! » [31] Aussitôt, Jésus, tendant la main, le saisit en lui disant : « Homme de peu de foi, pourquoi as-tu douté ? » [32] Et quand ils furent montés dans la barque, le vent tomba. [33] Ceux qui étaient dans la barque se prosternèrent devant lui et lui dirent : « Vraiment, tu es Fils de Dieu ! »

Guérisons à Gennésareth
(Mc 6.53-56)

[34] Après la traversée, ils touchèrent terre à Gennésareth. [35] Les gens de cet endroit le reconnurent, firent prévenir toute la région, et on lui amena tous les malades. [36] On le suppliait de les laisser seulement toucher la frange de son vêtement ; et ceux qui la touchèrent furent tous guéris [z].

Jésus met en question la tradition
(Mc 7.1-13)

15 [1] Alors des *pharisiens et des scribes de Jérusalem s'avancent vers Jésus et lui disent : [2] « Pourquoi tes *disciples transgressent-ils la tradition des *anciens ? En effet ils ne se lavent pas les

---

[x] C'est-à-dire Hérode le tétrarque • [y] En longeant le rivage • [z] ou *furent sauvés*

14.12 disciples de Jean Mt 9.14+. **14.14** la pitié de Jésus pour la foule Mt 9.36+. **14.15** renvoie les foules Mt 15.32 ; Mc 6.36 ; 8.3 ; Lc 9.12. **14.17** pains et poissons Mt 15.34 ; Mc 8.5 ; Jn 6.9. **14.19** les gestes de Jésus Mt 15.35-39 par. ; 26.26. **14.20** rassasiés Ex 16.4, 12 ; Ps 78.29 ; Jn 6.12 — les morceaux qui restaient 2 R 4.42-44 — douze paniers pleins Mt 16.9 ; Mc 6.43 ; 8.19 ; Lc 9.17 ; 19.28 ; 20.17 ; 26.20. **14.23** Jésus en prière Mt 26.36 par. ; Lc 6.12 ; 9.28. **14.26** un fantôme Lc 24.37. **14.28** Pierre Mt 4.18+. **14.31** homme de peu de foi Mt 6.30+. **14.32** le vent tomba Mc 4.39. **14.33** Fils de Dieu Mt 4.3 ; 8.29 ; 16.16 ; 26.63 ; 27.54 ; Mc 1.1 ; 14.61 ; 15.39 ; Lc 1.32 ; 22.70 ; Jn 1.49 ; 11.4, 27 ; 19.7 ; 20.31 ; Ac 8.37 ; 9.20 ; Rm 1.4 ; 2 Co 1.19 ; Ga 2.20 ; Ep 4.13 ; He 4.14 ; 6.6 ; 7.3. **14.36** guérir-sauver Mt 9.22+. **15.2** mains lavées Lc 11.38 ; cf. Ex 30.18-21 ; Dt 21.6.

mains, quand ils prennent leurs repas. » ³ Il leur répliqua : « Et vous, pourquoi transgressez-vous le commandement de Dieu au nom de votre tradition ? ⁴ Dieu a dit en effet : *Honore ton père et ta mère* et encore : *Celui qui maudit père ou mère, qu'il soit puni de mort.* ⁵ Mais vous, vous dites : "Quiconque dit à son père ou à sa mère : Le secours que tu devais recevoir de moi est offrande sacrée", ⁶ celui-là n'aura pas à honorer son père. Et ainsi vous avez annulé la parole de Dieu au nom de votre tradition. ⁷ Hypocrites ! Esaïe a bien prophétisé à votre sujet, quand il a dit :

⁸ *Ce peuple m'honore des lèvres,*
mais son *cœur est loin de moi.
⁹ *C'est en vain qu'ils me rendent un*
culte,
car les doctrines qu'ils enseignent ne
sont que préceptes d'hommes. »

Ce qui rend l'homme impur

(Mc 7.14-23)

¹⁰ Puis, appelant la foule, il leur dit : « Ecoutez et comprenez ! ¹¹ Ce n'est pas ce qui entre dans la bouche qui rend l'homme *impur ; mais ce qui sort de la bouche, voilà ce qui rend l'homme impur. » ¹² Alors les disciples s'approchèrent et lui dirent : « Sais-tu qu'en entendant cette parole, les *pharisiens ont été scandalisés ? » ¹³ Il répondit : « Tout plant que n'a pas planté mon Père céleste sera arraché. ¹⁴ Laissez-les : ce sont des aveugles qui guident des aveugles. Or si un aveugle guide un aveugle, tous les deux tomberont dans un trou ! » ¹⁵ Pierre intervint et lui dit : « Explique-nous cette parole énigmatique. » ¹⁶ Jésus dit : « Etes-vous encore, vous aussi, sans intelligence ? ¹⁷ Ne savez-vous pas que tout ce qui pénètre dans la bouche passe dans le ventre, puis est rejeté dans la fosse ? ¹⁸ Mais ce qui sort de la bouche provient du *cœur, et c'est cela qui rend l'homme

impur. ¹⁹ Du cœur en effet proviennent intentions mauvaises, meurtres, adultères, inconduite, vols, faux témoignages, injures. ²⁰ C'est là ce qui rend l'homme impur ; mais manger sans s'être lavé les mains ne rend pas l'homme impur. »

La foi d'une femme Cananéenne

(Mc 7.24-30)

²¹ Partant de là, Jésus se retira dans la région de Tyr et de Sidon. ²² Et voici qu'une Cananéenne ᵃ vint de là et elle se mit à crier : « Aie pitié de moi, Seigneur, *fils de David ! Ma fille est cruellement tourmentée par un démon ᵇ. » ²³ Mais il ne lui répondit pas un mot. Ses disciples s'approchant, lui firent cette demande : « Renvoie-la ᶜ, car elle nous poursuit de ses cris ». ²⁴ Jésus répondit : « Je n'ai été envoyé qu'aux brebis perdues de la maison d'Israël. » ²⁵ Mais la femme vint se prosterner devant lui : « Seigneur, dit-elle, viens à mon secours ! » ²⁶ Il lui répondit : « Il n'est pas bien de prendre le pain des enfants pour le jeter aux petits chiens. » ²⁷ « C'est vrai ᵈ, Seigneur ! reprit-elle ; et justement les petits chiens mangent les miettes qui tombent de la table de leurs maîtres. » ²⁸ Alors Jésus lui répondit : « Femme, ta foi est grande ! Qu'il t'arrive comme tu le veux ! » Et sa fille fut guérie dès cette heure-là.

Guérisons au bord du lac

(Mc 7.31)

²⁹ De là Jésus gagna les bords de la mer ᵉ de Galilée. Il monta dans la montagne, et là il s'assit. ³⁰ Des gens en grande foule vinrent à lui, ayant avec eux des boiteux, des aveugles, des estropiés, des muets et bien d'autres encore. Ils les déposèrent à ses pieds, et il les guérit. ³¹ Aussi les foules s'émerveillaient-elles à la vue des muets qui parlaient, des estropiés qui redevenaient valides, des

---

a L'appellation *Cananéenne* désigne cette femme comme appartenant à la population autochtone de cette partie de la Phénicie. Qu'elle soit païenne n'exclut pas qu'elle ait entendu parler de Jésus ● *b* Voir note sur Mc 1.23 ● *c* ou *fais-lui grâce* ● *d* ou *de grâce !* ● *e* Voir Mc 1.16 et note

15.4 Ex 20.12; Dt 5.16 (Mt 19.19; Mc 10.19; Lc 18.20; Ep 6.2); Ex 21.17; cf. Lv 20.9. **15.7** Hypocrites Mt 6.2+. **15.8-9** Es 29.13; cf. Ps 78.36-37. **15.10** comprendre Mt 13.13, 14, 51; 16.12. **15.11** ce qui sort de la bouche Mt 12.34. **15.12** scandalisés Mt 5.29+. **15.13** Dieu qui plante Es 5.1-7 — plant arraché cf. Lc 13.6-9; Jn 15.2. **15.14** aveugles conducteurs d'aveugles 23.16, 24; Lc 6.39; Rm 2.19. **15.15** demande d'explication Mt 13.36; Mc 4.10; 7.17; Lc 8.9. **15.19** catalogue de dérèglements Rm 1.29-30; 1 Co 5.10-11; 6.9-10; Ga 5.19-21; Ep 5.2-5; Col 3.5-8; 1 Tm 1.9-10; 1 P 4.3; Ap 21.8; 22.15. **15.22** aie pitié Mt 9.27; 20.30-31; Mc 10.48. **15.24** brebis perdues de la maison d'Israël Mt 10.5-6; 18.12-14. **15.28** ta foi est grande Mt 8.10 — comme tu le veux Mt 8.13; 9.29. **15.30** boiteux, aveugles, ... Mt 11.5; 21.14. **15.31** émerveillement des foules Mc 7.37 — rendre gloire à Dieu Mt 9.8+.

boiteux qui marchaient droit et des aveugles qui recouvraient la vue. Et elles rendirent gloire au Dieu d'Israël.

Jésus nourrit quatre mille hommes
(Mc 8.1-10; cf. Mt 14.13-21 par.)

³² Jésus appela ses disciples et leur dit : « J'ai pitié de cette foule, car voilà déjà trois jours qu'ils restent auprès de moi, et ils n'ont pas de quoi manger. Je ne veux pas les renvoyer à jeun : ils pourraient défaillir en chemin. » ³³ Les disciples lui dirent : « D'où nous viendra-t-il dans un désert assez de pains pour rassasier une telle foule ? » ³⁴ Jésus leur dit : « Combien de pains avez-vous ? » « Sept, dirent-ils, et quelques petits poissons. » ³⁵ Il ordonna à la foule de s'étendre par terre, ³⁶ prit les sept pains et les poissons, et, après avoir rendu grâce, il les rompit et les donna aux disciples, et les disciples aux foules. ³⁷ Et ils mangèrent tous et furent rassasiés ; on emporta ce qui restait des morceaux : sept corbeilles pleines. ³⁸ Or, ceux qui avaient mangé étaient au nombre de quatre mille hommes, sans compter les femmes et les enfants. ³⁹ Après avoir renvoyé les foules, Jésus monta dans la barque et se rendit dans le territoire de Magadan ᶠ.

Il n'y aura pas de signe venant du ciel
(Mt 12.38-39; Mc 8.11-13; Lc 11.16, 29; 12.54-56)

16 ¹ Les *pharisiens et les sadducéens s'avancèrent et, pour lui tendre un piège, lui demandèrent de leur montrer un *signe qui vienne du *ciel. ² Il leur répondit ᵍ : « Le soir venu, vous dites : "Il va faire beau temps, car le ciel est rouge feu" ; ³ et le matin : "Aujourd'hui, mauvais temps, car le ciel est rouge sombre". Ainsi vous savez interpréter l'aspect du ciel, et les signes des temps, vous n'en êtes pas capables ! ⁴ Génération mauvaise et adultère qui réclame un signe ! En fait

de signe, il ne lui en sera pas donné d'autre que le signe de Jonas. » Il les planta là et partit.

Manque d'intelligence des disciples
(Mc 8.14-21; Lc 12.1-6)

⁵ En passant sur l'autre rive, les disciples oublièrent de prendre des pains. ⁶ Jésus leur dit . « Attention ! Gardez-vous du *levain des pharisiens et des sadducéens ! » ⁷ Eux se faisaient cette réflexion : « C'est que nous n'avons pas pris de pains ». ⁸ Mais Jésus s'en aperçut et leur dit : « Gens de peu de foi, pourquoi cette réflexion sur le fait que vous n'avez pas de pains ? ⁹ Vous ne saisissez pas encore ? Vous ne vous rappelez pas les cinq pains pour les cinq mille, et combien de paniers vous avez remportés ? ¹⁰ Ni les sept pains pour les quatre mille et combien de corbeilles vous avez remportées ? ¹¹ Comment ne saisissez-vous pas que je ne vous parlais pas de pains, quand je vous disais : « Gardez-vous du levain des pharisiens et des sadducéens ! » ¹² Alors ils comprirent qu'il n'avait pas dit de se garder du levain des pains, mais de l'enseignement des pharisiens et des sadducéens.

Pierre reconnaît en Jésus le Fils de Dieu
(Mc 8.27-30; Lc 9.18-21)

¹³ Arrivé dans la région de Césarée de Philippe, Jésus interrogeait ses disciples : « Au dire des hommes, qui est le *Fils de l'homme ? » ¹⁴ Ils dirent : « Pour les uns, Jean le Baptiste ; pour d'autres, Elie ; pour d'autres encore, Jérémie ou l'un des *prophètes. » ¹⁵ Il leur dit : « Et vous, qui dites-vous que je suis ? » ¹⁶ Prenant la parole, Simon-Pierre répondit : « Tu es le *Christ, le Fils du Dieu vivant. » ¹⁷ Reprenant alors la parole, Jésus lui déclara : « Heureux es-tu, Simon fils de Jonas, car ce n'est pas la chair et le sang ʰ qui t'ont

---

ᶠ Localité inconnue; variante: *Magdala* ● ᵍ La suite du v. 2 et le v. 3 manquent dans plusieurs manuscrits importants ● ʰ Même expression sémitique en 1 Co 15.50 et Ga 1.16, pour désigner l'homme tout entier comme être faible et incapable. Voir note sur Rm 7.5

15.32 foules pitoyables Mt 9.36+ — renvoyer la foule Mt 14.15+. **15.33** incapacité des disciples Mc 6.37; Jn 6.5. **15.36** Jésus rend grâce 1 Co 11.24. **16.1** piège tendu à Jésus Mt 19.3; 22.15, 35 — signe Mt 12.38+. **16.4** le signe de Jonas Mt 12.39; Lc 11.29. **16.6** levain Mt 13.33; 1 Co 5.6-8; Ga 5.9. **16.9** les cinq pains Mt 14.13-21 par.; Jn 6.1-13. **16.10** les sept pains Mt 15.32-38; Mc 8.1-9. **16.13** Fils de l'homme Mt 8.20+. **16.14** Jean le Baptiste Mt 3.1+; Mc 6.14-15; Lc 9.7-8 — Elie Mt 11.14+ — Jésus regardé comme un prophète Mt 21.11, 46; Mc 6.15; Lc 7.16, 39; 24.19; Jn 4.19; 9.17; cf. Mt 13.57; Jn 7.52. **16.16** Fils de Dieu Mt 14.33+. **16.17** heureux! Mt 5.3+ — la chair et le sang 1 Co 15.50; Ga 1.16.

révélé cela, mais mon Père qui est aux
*cieux. ¹⁸ Et moi, je te le déclare : "Tu es
Pierre, et sur cette pierre je bâtirai mon
Eglise, et la Puissance de la Mort n'aura
pas de force contre elle. ¹⁹ Je te donnerai
les clefs du *Royaume des cieux ; tout
ce que tu lieras sur la terre sera lié aux
*cieux, et tout ce que tu délieras sur la
terre sera délié aux cieux. » ²⁰ Alors il
commanda sévèrement aux disciples de ne
dire à personne qu'il était le Christ.

Jésus annonce sa mort et sa résurrection
(Mc 8.31-33; Lc 9.22)

²¹ A partir de ce moment, Jésus Christ
commença à montrer à ses disciples qu'il
lui fallait s'en aller à Jérusalem, souffrir
beaucoup de la part des anciens, des
*grands prêtres et des scribes, être mis à
mort et, le troisième jour, ressusciter.
²² Pierre, le tirant à part, se mit à le
réprimander, en disant : « Dieu t'en préserve, Seigneur ! Non, cela ne t'arrivera
pas ! » ²³ Mais lui, se retournant, dit à
Pierre : « Retire-toi ! Derrière moi, *Satan ! Tu es pour moi occasion de chute ⁱ,
car tes vues ne sont pas celles de Dieu,
mais celles des hommes. »

Comment suivre Jésus
(Mc 8.34—9.1; Lc 9.23-27)

²⁴ Alors Jésus dit à ses disciples : « Si
quelqu'un veut venir à ma suite, qu'il renonce à lui-même et prenne sa croix, et
qu'il me suive. ²⁵ En effet quiconque veut
sauver sa vie, la perdra ; mais quiconque
perd sa vie à cause de moi, l'assurera.
²⁶ Et quel avantage l'homme aura-t-il à
gagner le monde entier, s'il le paie de sa
vie ? Ou bien que donnera l'homme qui
ait la valeur de sa vie ? ²⁷ Car le *Fils
de l'homme va venir avec ses *anges
dans la gloire de son Père ; et alors il

rendra à chacun selon sa conduite. ²⁸ En
vérité, je vous le déclare, parmi ceux
qui sont ici, certains ne mourront pas
avant de voir le Fils de l'homme venir
comme roi.

Jésus transfiguré
(Mc 9.2-9; Lc 9.28-36)

17 ¹ Six jours après, Jésus prend avec
lui Pierre, Jacques et Jean son
frère, et les emmène à l'écart sur une
haute montagne. ² Il fut transfiguré devant eux : son visage resplendit comme
le soleil, ses vêtements devinrent blancs
comme la lumière. ³ Et voici que leur
apparurent Moïse et Elie qui s'entretenaient avec lui. ⁴ Intervenant, Pierre dit
à Jésus : « Seigneur, il est bon que nous
soyons ici ; si tu le veux, je vais dresser
ici trois tentes, une pour toi, une pour
Moïse, une pour Elie. » ⁵ Comme il parlait encore, voici qu'une nuée lumineuse
les recouvrit. Et voici que, de la nuée,
une voix disait : « Celui-ci est mon Fils
bien-aimé, celui qu'il m'a plu de choisir.
Ecoutez-le ! » ⁶ En entendant cela, les disciples tombèrent la face contre terre,
saisis d'une grande crainte. ⁷ Jésus s'approcha, il les toucha et dit : « Relevez-
vous ! soyez sans crainte ! » ⁸ Levant les
yeux, ils ne virent plus que Jésus, lui seul.
⁹ Comme ils descendaient de la montagne,
Jésus leur donna cet ordre : « Ne dites
mot à personne de ce qui s'est fait voir
de vous, jusqu'à ce que le *Fils de l'homme soit ressuscité des morts. »

Les disciples questionnent Jésus sur Elie
(Mc 9.11-13)

¹⁰ Et les disciples l'interrogèrent :
« Pourquoi donc les *scribes disent-ils
qu'Elie doit venir d'abord ? » ¹¹ Il répon-

ⁱ Certains traduisent: *tu es un scandale pour moi*. Voir note sur Mc 9.42

16.18 Pierre Mt 4.18+ — édification Ep 2.20. **16.19** lier-délier Mt 18.18; Jn 20.23. **16.20** garder
le secret Mt 8.4+. **16.21** Jésus Christ (dans les Evangiles) Mt 1.1, 18; Jn 17.3 — annonces de
la Passion Mt 17.22-23; 20.17-19 par.; cf. 17.12 — le troisième jour 1 Co 15.4; cf. Mt 27.63;
Mc 8.31. **16.23** derrière-moi Mt 4.10 — occasion de chute Mt 5.29+. **16.24** s'engager à la suite
de Jésus Mt 4.19+. **16.25** sauver sa vie Mt 10.39; Lc 17.33; Jn 12.25. **16.26** gagner le monde
entier Mt 4.8-9. **16.27** le Fils de l'homme Mt 8.20+ — la venue du Fils de l'homme Mt
10.23+ — à chacun selon sa conduite Ps 62.13 (Rm 2.6; 2 Tm 4.14); cf. Mt 6.4, 6, 18; Ap
22.12 — comme roi Mt 10.21. **17.1** Pierre, Jacques et Jean Mt 26.37 par.; Mc 5.37; 13.3;
Lc 5.10; 8.51; Jn 21.2; cf. Ac 1.13 — une montagne Mt 4.8; 28.16; cf. Es 2.2-3; 11.9; Dn 9.16.
17.2 transfiguré 2 P 1.16-18 — aspect resplendissant Mt 28.3; Ap 1.14. **17.3** Elie 2 R 2.11; Mt
11.14+ — Moïse Dt 18.15, 18; 34.5-7. **17.4** tentes Dt 16.13. **17.5** nuée Ex 19.16; 24.15-16;
40.34-35; 1 R 8.10-12; 2 M 2.7-8; Ac 1.9 — mon Fils bien-aimé Mt 3.17+ — écoutez-le Dt 18.15;
Ac 3.22. **17.9** garder le secret Mt 8.4+. **17.10** attente du retour d'Elie Ml 3.23; cf. Mt
11.14+.

dit : « Certes Elie va venir et il rétablira tout ; ¹² mais, je vous le déclare, Elie est déjà venu, et, au lieu de le reconnaître, ils ont fait de lui tout ce qu'ils ont voulu. Le *Fils de l'homme lui aussi va souffrir par eux. » ¹³ Alors les disciples comprirent qu'il leur parlait de Jean le Baptiste.

Jésus guérit un enfant lunatique
(Mc 9.14-29; Lc 9.37-43)

¹⁴ Comme ils arrivaient près de la foule, un homme s'approcha de lui et lui dit en tombant à genoux : ¹⁵ « Seigneur, aie pitié de mon fils : il est lunatique ʲ et souffre beaucoup ; il tombe souvent dans le feu ou dans l'eau. ¹⁶ Je l'ai bien amené à tes disciples, mais ils n'ont pas pu le guérir. » ¹⁷ Prenant la parole, Jésus dit : « Génération incrédule et pervertie, jusqu'à quand serai-je avec vous ? Jusqu'à quand aurai-je à vous supporter ? Amenez-le moi ici. » ¹⁸ Jésus menaça le démon ᵏ, qui sortit de l'enfant, et celui-ci fut guéri dès cette heure-là. ¹⁹ Alors les disciples, s'approchant de Jésus, lui dirent en particulier : « Et nous, pourquoi n'avons-nous pu le chasser ? » ²⁰ Il leur dit : « A cause de la pauvreté de votre foi. Car, en vérité je vous le déclare, si un jour vous avez de la foi gros comme une graine de moutarde, vous direz à cette montagne : "Passe d'ici là-bas", et elle y passera. Rien ne vous sera impossible. ²¹ Et puis ce genre de démon ne peut s'en aller, sinon par la prière et le *jeûne. »

Jésus annonce à nouveau sa mort et sa résurrection
(Mc 9.30-32; Lc 9.43-45)

²² Comme ils s'étaient rassemblés en Galilée, Jésus leur dit : « Le *Fils de l'homme va être livré aux mains des hommes ; ²³ ils le tueront et, le troisième jour, il ressuscitera. » Et ils furent profondément attristés.

Jésus et Pierre paient l'impôt du Temple

²⁴ Comme ils étaient arrivés à Capharnaüm, ceux qui perçoivent les didrachmes ˡ s'avancèrent vers Pierre et lui dirent : « Est-ce que votre maître ne paie pas les didrachmes ? » ²⁵ « Si », dit-il. Quand Pierre fut arrivé à la maison, Jésus, prenant les devants, lui dit : « Quel est ton avis, Simon ? Les rois de la terre, de qui perçoivent-ils taxes ou impôt ? De leurs fils, ou des étrangers ? » ²⁶ Et comme il répondait : « Des étrangers », Jésus lui dit . « Par conséquent, les fils sont libres. ²⁷ Toutefois, pour ne pas causer la chute ᵐ de ces gens-là, va à la mer, jette l'hameçon, saisis le premier poisson qui mordra, et ouvre-lui la bouche : tu y trouveras un statère ⁿ. Prends-le et donne-le leur, pour moi et pour toi. »

Le plus grand dans le royaume des cieux
Mc 9.33-37; Lc 9.46-48)

18 ¹ A cette heure-là, les disciples s'approchèrent de Jésus et lui dirent : « Qui donc est le plus grand dans le *royaume des cieux ? » ² Appelant un enfant, il le plaça au milieu d'eux ³ et dit : « En vérité, je vous le déclare, si vous ne changez et ne devenez comme les enfants, non, vous n'entrerez pas dans le royaume des cieux. ⁴ Celui-là donc qui se fera petit comme cet enfant, voilà le plus grand dans le royaume des cieux. ⁵ Qui accueille en mon *nom un enfant comme celui-là, m'accueille moi-même.

A propos des pièges pour la foi
(Mc 9.42-48; Lc 17.1-2)

⁶ Mais quiconque entraînera la chute d'un seul de ces petits qui croient en moi, il est préférable pour lui qu'on lui attache au cou une grosse meule et qu'on le précipite dans l'abîme de la mer.

---

j La description des symptômes de la maladie fait penser à l'épilepsie, affection que l'on a cru longtemps liée aux phases de la lune ● k Voir Mc 1.23 et note ● l Didrachme: pièce de deux drachmes représentant le montant annuel de l'impôt pour le Temple de Jérusalem, exigé de tout Israélite mâle. Voir note sur Mc 11.15, ou au glossaire MONNAIES ● m ou pour que nous ne les scandalisions pas ● n statère: pièce de monnaie valant quatre drachmes (= deux didrachmes). Voir au glossaire MONNAIES

17.12 Jean le Baptiste assimilé à Elie Mt 3.4; 11.14; 16.14; Mc 6.14; 8.28; Lc 1.17; 9.7, 19; Jn 1.26 — le Fils de l'homme Mt 8.20+ — annonce de la Passion Mt 16.21+. **17.17** génération (incrédule) Mt 12.39-45+. **17.18** guéri dès ce moment Mt 8.13; 9.22; 15.28; Jn 4.52-53. **17.20** grain de moutarde Mt 13.31; Lc 17.6 — la foi qui déplace les montagnes Mt 21.21 par.; 1 Co 13.2; cf. Es 40.4; Lc 17.6. **17.21** le jeûne Mt 6.16. **17.22-23** annonce de la Passion Mt 16.21+. **17.24** impôt pour le Temple Ex 20.13; 38.26. **17.27** cause de chute Mt 5.29+. **18.1** le plus grand Lc 22.24; cf. Mt 20.26. **18.2** un enfant Mt 2.8-11; 11.16; 19.13-14 par.; cf. Mt 11.25. **18.3** entrer dans le Royaume des cieux Mt 5.20+. **18.5** accueillir Mt 10.40; Jn 13.20. **18.6** la chute Mt 5.29+.

7 Malheureux le monde, qui cause tant de chutes ! Certes il est nécessaire qu'il y en ait, mais malheureux l'homme par qui la chute arrive ! 8 Si ta main ou ton pied entraînent ta chute, coupe-les et jette-les loin de toi ; mieux vaut pour toi entrer dans la *vie manchot ou estropié que d'être jeté avec tes deux mains ou tes deux pieds dans le feu éternel ! 9 Et si ton œil entraîne ta chute, arrache-le et jette-le loin de toi ; mieux vaut pour toi entrer borgne dans la vie que d'être jeté avec tes deux yeux dans la *géhenne de feu !

La parabole de la brebis égarée
(Lc 15.1-7)

10 Gardez-vous de mépriser aucun de ces petits, car, je vous le dis, aux *cieux leurs *anges se tiennent sans cesse en présence de mon Père qui est aux cieux. [11 o] 12 Quel est votre avis ? Si un homme a cent brebis et que l'une d'entre elles vienne à s'égarer, ne va-t-il pas laisser les quatre-vingt-dix-neuf autres dans la montagne pour aller à la recherche de celle qui s'est égarée ? 13 Et s'il parvient à la retrouver, en vérité je vous le déclare, il en a plus de joie que des quatre-vingt-dix-neuf qui ne se sont pas égarées. 14 Ainsi votre Père qui est aux cieux veut qu'aucun de ces petits ne se perde.

Pour gagner le frère qui a péché

15 Si ton frère vient à pécher, va le trouver et fais-lui tes reproches seul à seul. S'il t'écoute, tu auras gagné ton frère. 16 S'il ne t'écoute pas, prends encore avec toi une ou deux personnes pour que *toute affaire soit décidée sur la parole de deux ou trois témoins.* 17 S'il refuse de les écouter, dis-le à l'Eglise, et s'il refuse d'écouter même l'Eglise, qu'il soit pour toi comme le *païen et le collecteur d'impôts. 18 En vérité, je vous le déclare : tout ce que vous lierez sur la terre sera lié au *ciel, et tout ce que vous délierez sur la terre sera délié au ciel.

La prière en commun

19 Je vous le déclare encore, si deux d'entre vous, sur la terre, se mettent d'accord pour demander quoi que ce soit, cela leur sera accordé par mon Père qui est aux cieux. 20 Car, là où deux ou trois se trouvent réunis en mon *nom, je suis au milieu d'eux. »

Le pardon entre frères
(Lc 17.4)

21 Alors Pierre s'approcha et lui dit : « Seigneur, quand mon frère commettra une faute à mon égard, combien de fois lui pardonnerai-je ? Jusqu'à sept fois ? » 22 Jésus lui dit : « Je ne te dis pas jusqu'à sept fois, mais jusqu'à soixante-dix fois sept fois. »

La parabole du débiteur sans pitié

23 Ainsi en va-t-il du *royaume des cieux comme d'un roi qui voulut régler ses comptes avec ses serviteurs. 24 Pour commencer, on lui en amena un qui devait dix mille talents p. 25 Comme il n'avait pas de quoi rembourser, le maître donna l'ordre de le vendre ainsi que sa femme, ses enfants et tout ce qu'il avait, en remboursement de sa dette. 26 Se jetant alors à ses pieds, le serviteur, prosterné, lui disait : "Prends patience envers moi, et je te rembourserai tout". 27 Pris de pitié, le maître de ce serviteur le laissa aller et lui remit sa dette. 28 En sortant, ce serviteur rencontra un de ses compagnons, qui lui devait cent pièces d'argent ; il le prit à la gorge et le serrait à l'étrangler, en lui disant . "Rembourse ce que tu dois". 29 Son compagnon se jeta donc à ses pieds et il le suppliait en disant : "Prends patience envers moi, et je te rembourserai". 30 Mais l'autre refusa ; bien plus, il s'en alla le faire jeter en prison, en attendant qu'il eût remboursé ce qu'il devait. 31 Voyant ce qui venait de se passer, ses compagnons furent profondément attristés et ils allèrent informer

---

o Quelques manuscrits ajoutent ici un v. 11 reproduisant Lc 19.10: *Car le Fils de l'homme est venu sauver ce qui était perdu* ● p Une somme de 10 000 talents correspond au salaire de 60 millions de journées de travail

18.7 le monde (ensemble de l'humanité) Mt 4.8; 5.14; 26.13.   18.8-9 ta main, ton œil Mt 5.29, 30 — la vie (éternelle) Mt 7.14; 19.16, 29; 25.46.   18.10 leurs anges Ac 12.15; He 1.14.   18.12 égarement Mt 24.4, 11, 24; 2 Tm 3.13; 1 Jn 1.8; 2.26; 3.7; Ap 12.9; 19-20.   18.15 ton frère Lc 17.3 — reprends le Lv 19.17 — gagner Mt 16.26; 25.16; 1 Co 9.19-22.   18.16 Dt 19.15 (Jn 8.17; 2 Co 13.1; 1 Tm 5.19)   18.17 collecteurs d'impôts Mt 5.46+.   18.18 lier-délier Mt 16.19+.   18.19 demander Mt 7.7; 21-22; Mc 11.14; Jn 15.7; 16.23; Jc 1.5; 1 Jn 3.22; 5.14, 15.   18.20 présence de Jésus Mt 28.20; Jn 14.23.   18.21 Pierre Mt 4.18+.   18.27 dette remise Lc 7.42; cf. Mt 6.12.

leur maître de tout ce qui était arrivé.
³² Alors, le faisant venir, son maître lui
dit : "Mauvais serviteur, je t'avais remis
toute cette dette, parce que tu m'en avais
supplié. ³³ Ne devais-tu pas, toi aussi,
avoir pitié de ton compagnon, comme
moi-même j'avais eu pitié de toi ?" ³⁴ Et,
dans sa colère, son maître le livra aux
tortionnaires, en attendant qu'il eût remboursé tout ce qu'il lui devait. ³⁵ C'est
ainsi que mon Père céleste vous traitera,
si chacun de vous ne pardonne pas à son
frère du fond du cœur.

Jésus parle du mariage et du divorce
(*Mc 10.1-12; Lc 16.18*)

19 ¹ Or, quand Jésus eut achevé ces
instructions, il partit de la Galilée
et vint dans le territoire de la Judée
au-delà du Jourdain *q*. ² De grandes foules
le suivirent, et là il les guérit. ³ Des
*pharisiens s'avancèrent vers lui et lui
dirent pour lui tendre un piège : « Est-il
permis de répudier sa femme pour n'importe quel motif ? » ⁴ Il répondit :
« N'avez-vous pas lu que le Créateur, au
commencement, *les fit mâle et femelle* ⁵ et
qu'il a dit : *C'est pourquoi l'homme quittera son père et sa mère et s'attachera à
sa femme, et les deux ne feront qu'une
seule chair.* ⁶ Ainsi ils ne sont plus deux,
mais une seule chair. Que l'homme donc
ne sépare pas ce que Dieu a uni ! » ⁷ Ils
lui disent : « Pourquoi donc Moïse a-t-il
prescrit de *délivrer un certificat de répudiation* quand on répudie ? » ⁸ Il leur dit :
« C'est à cause de la dureté de votre
cœur que Moïse vous a permis de répudier vos femmes ; mais au commencement
il n'en était pas ainsi. ⁹ Je vous le dis :
si quelqu'un répudie sa femme — sauf en
cas d'union illégale — et en épouse une
autre, il est adultère. »

Jésus parle du mariage et du célibat

¹⁰ Les disciples lui dirent : « Si telle est
la condition de l'homme envers sa femme, il n'y a pas intérêt à se marier. »
¹¹ Il leur répondit : « Tous ne comprennent pas ce langage, mais seulement ceux
à qui c'est donné. ¹² En effet il y a des
eunuques qui sont nés ainsi du sein maternel ; il y a des eunuques qui ont été
rendus tels par les hommes ; et il y en
a qui se sont eux-mêmes rendus eunuques
à cause du *royaume des cieux. Comprenne qui peut comprendre ! »

Jésus accueille des enfants
(*Mc 10.13-16; Lc 18.15-17*)

¹³ Alors des gens lui amenèrent des
enfants, pour qu'il leur imposât les mains
en disant une prière. Mais les disciples les
rabrouèrent. ¹⁴ Jésus dit : « Laissez faire
ces enfants, ne les empêchez pas de venir
à moi, car le *royaume des cieux est à
ceux qui sont comme eux. » ¹⁵ Et, après
leur avoir imposé les mains, il partit de
là.

Jésus et le jeune homme riche
(*Mc 10.17-31; Lc 18.18-30; 13.30*)

¹⁶ Et voici qu'un homme s'approcha de
lui et lui dit : « Maître, que dois-je faire
de bon pour avoir la *vie . éternelle ? »
¹⁷ Jésus lui dit : « Pourquoi m'interroges-
tu sur le bon ? Unique est celui qui est
bon. Si tu veux entrer dans la vie, garde
les commandements. » ¹⁸ « Lesquels ? »,
lui dit-il ? Jésus répondit : *Tu ne commettras pas de meurtre. Tu ne commettras
pas d'adultère. Tu ne voleras pas. Tu ne
porteras pas de faux témoignage.* ¹⁹ *Honore ton père et ta mère.* Enfin : *Tu aimeras ton prochain comme toi-même.* » ²⁰ Le
jeune homme lui dit : « Tout cela, je l'ai
observé. Que me manque-t-il encore ? »
²¹ Jésus lui dit : « Si tu veux être parfait,
va, vends ce que tu possèdes, donne-le
aux pauvres, et tu auras un trésor dans
les *cieux. Puis viens, suis-moi ! » ²² A
cette parole, le jeune homme s'en alla

---

q au-delà du Jourdain: c'est-à-dire à l'Est du fleuve

18.34 livré Mt 5.25-26; Lc 12.58-59. **18.35** pardonner à son frère Mt 6.14-15; Mc 11.25; Ep
4.32; Col 3.13. **19.1** après ces instructions Mt 7.28+. **19.3** piège tendu à Jésus Mt 16.1+.
19.4 mâle et femelle Gn 1.27; 5.2. **19.5** Gn 2.24 (1 Co 6.16; Ep 5.31). **19.7** certificat de
répudiation Dt 24.1; Mt 5.31. **19.9** répudier 1 Co 7.10-11 — union illégale cf. Mt 5.32+.
19.10 s'abstenir du mariage? 1 Co 7.1-2, 7-9. **19.11** une option qui correspond au don de Dieu
1 Co 7.17. **19.12** comprenne qui peut Mt 11.15; 13.9. **19.13** enfants Mt 18.2+. **19.15** imposition des mains Mt 9.18+. **19.16** vie éternelle Mt 18.8+; Lc 10.25. **19.17** garder les commandements Lv 18.5; Lc 10.28. **19.18-19** énumération des commandements de Dieu Ex 20.12-16;
Dt 5.16-20; cf. Rm 13.9 — ton prochain Lv 19.18; Mt 5.43; 22.39; Lc 10.27; Rm 13.9. **19.21**
parfait Mt 5.48 — vends et donne Mc 14.5; Lc 12.33; Jn 12.5; Ac 2.45; 4.34-37 — un trésor
dans le ciel Mt 6.20; Col 3.1-2.

tout triste, car il avait de grands biens.
²³ Et Jésus dit à ses disciples : « En vérité, je vous le déclare, un riche entrera difficilement dans le royaume des cieux. ²⁴ Je vous le répète, il est plus facile à un chameau de passer par un trou d'aiguille qu'à un riche d'entrer dans le royaume de Dieu. » ²⁵ A ces mots, les disciples étaient très impressionnés et ils disaient : « Qui donc peut être sauvé ? » ²⁶ Fixant sur eux son regard, Jésus leur dit : « Aux hommes c'est impossible, mais à Dieu tout est possible. »
²⁶ Alors, prenant la parole, Pierre lui dit : « Eh bien ! nous, nous avons tout laissé et nous t'avons suivi. Qu'en sera-t-il donc pour nous ? » ²⁸ Jésus leur dit : « En vérité, je vous le déclare : Lors du renouvellement de toutes choses, quand le *Fils de l'homme siégera sur son trône de gloire, vous qui m'avez suivi, vous siégerez vous aussi sur douze trônes pour juger les douze tribus d'Israël. ²⁹ Et quiconque aura laissé maisons, frères, sœurs, père, mère, enfants ou champs, à cause de mon *Nom, recevra beaucoup plus et, en partage, la *vie éternelle. ³⁰ Beaucoup de premiers seront derniers et beaucoup de derniers premiers.

Parabole des ouvriers de la onzième heure

20 ¹ Le *royaume des cieux est comparable, en effet, à un maître de maison qui sortit de grand matin, afin d'embaucher des ouvriers pour sa vigne. ² Il convint avec les ouvriers d'une pièce d'argent pour la journée et les envoya à sa vigne. ³ Sorti vers la troisième heure ʳ, il en vit d'autres qui se tenaient sur la place, sans travail, ⁴ et il leur dit : "Allez, vous aussi, à ma vigne, et je vous donnerai ce qui est juste." ⁵ Ils y allèrent. Sorti de nouveau vers la sixième heure, puis vers la neuvième, il fit de même. ⁶ Vers la onzième heure, il sortit encore, en trouva d'autres qui se tenaient là et leur dit : "Pourquoi êtes-vous restés là tout le jour, sans travail ?" ⁷ "C'est que, lui disent-ils, personne ne nous a embauchés". Il leur dit : "Allez, vous aussi, à ma vigne". ⁸ Le soir venu, le maître de la vigne dit à son intendant : "Appelle les ouvriers, et remets à chacun son salaire, en commençant par les derniers pour finir par les premiers." ⁹ Ceux de la onzième heure vinrent donc et reçurent chacun une pièce d'argent. ¹⁰ Les premiers, venant à leur tour, pensèrent qu'ils allaient recevoir davantage ; mais ils reçurent, eux aussi, chacun une pièce d'argent. ¹¹ En la recevant, ils murmuraient contre le maître de maison : ¹² "Ces derniers venus, disaient-ils, n'ont travaillé qu'une heure, et tu les traites comme nous, qui avons supporté le poids du jour et la grosse chaleur." ¹³ Mais, il répliqua à l'un d'eux : "Mon ami, je ne te fais pas de tort ; n'es-tu pas convenu avec moi d'une pièce d'argent ?" ¹⁴ Emporte ce qui est à toi et va-t-en. Je veux donner à ce dernier autant qu'à toi. ¹⁵ Ne m'est-il pas permis de faire ce que je veux de mon bien ? Ou alors ton œil est-il mauvais parce que je suis bon ! ¹⁶ Ainsi les derniers seront premiers, et les premiers seront derniers. »

Jésus annonce encore sa passion et sa résurrection
(Mc 10.32-34 ; Lc 18.31-34)

¹⁷ Sur le point de monter à Jérusalem, Jésus prit les Douze à part et leur dit en chemin : ¹⁸ « Voici que nous montons à Jérusalem, et le *Fils de l'homme sera livré aux *grands prêtres et aux scribes ; ils le condamneront à mort ¹⁹ et le livreront aux *païens pour qu'ils se moquent de lui, le flagellent, le crucifient ; et, le troisième jour, il ressuscitera. »

Démarche de la mère des fils de Zébédée
(Mc 10.35-45 ; Lc 22.25-27)

²⁰ Alors la mère des fils de Zébédée

---

r La *troisième heure:* 9 h du matin ; la *sixième heure* (v. 5): midi ; la *neuvième heure* (v. 5): 3 h de l'après-midi ; la *onzième heure:* 5 h de l'après-midi.

19.23 un riche Lc 16.6, 24 ; 12.16 ; 16.19-31 ; Jc 1.10-11 ; 5.1-6 ; Ap 3.17 — entrer dans le royaume des cieux Mt 5.20+. **19.26** à Dieu tout est possible Gn 18.14 ; Jr 32.17 Jb ; 42.2. **19.27** Pierre Mt 4.18+. **19.28** Fils de l'homme Mt 8.20+ — son trône cf. Dn 7.9-10, 14 — participation des disciples au jugement final Mt 20.21 par. ; Lc 22. 30 ; 1 Co 6.2 ; cf. Ap 3.21 ; 20.4. **19.29** la vie éternelle Mt 18.8+ ; Lc 10.25. **19.30** premiers-derniers Mt 20.16 ; Lc 13.30. **20.1** des ouvriers pour sa vigne Mt 21.28, 33. **20.15** œil mauvais Mt 6.23 ; Mc 7.22. **20.16** premiers-derniers Mt 19.30 ; Mc 10.31 ; Lc 13.30. **20.18** annonce de la Passion Mt 16.21-23+. **20.19** le troisième jour Lc 24.7, 46 ; 1 Co 15.4. **20.20** les fils de Zébédée Mt 4.21+ — leur mère Mt 27.56.

s'approcha de lui, avec ses fils, et elle se prosterna pour lui faire une demande. ²¹ Il lui dit : « Que veux-tu ? » « Ordonne, lui dit-elle, que dans ton royaume mes deux fils que voici siègent l'un à ta droite et l'autre à ta gauche. » ²² Jésus répondit : « Vous ne savez pas ce que vous demandez. Pouvez-vous boire la coupe que je vais boire ? » Ils lui disent : « Nous le pouvons ». ²³ Il leur dit : « Ma coupe, vous la boirez ; quant à siéger à ma droite et à ma gauche, il ne m'appartient pas de l'accorder : ce sera donné à ceux pour qui mon père l'a préparé. » ²⁴ Les dix, qui avaient entendu, s'indignèrent contre les deux frères. ²⁵ Mais Jésus les appela et leur dit : « Vous le savez, les chefs des nations les tiennent sous leur pouvoir et les grands sous leur domination. ²⁶ Il ne doit pas en être ainsi parmi vous. Au contraire, si quelqu'un veut être grand parmi vous, qu'il soit votre serviteur, ²⁷ et si quelqu'un veut être le premier parmi vous, qu'il soit votre esclave. ²⁸ C'est ainsi que le *Fils de l'homme est venu non pour être servi, mais pour servir et donner sa vie en rançon pour la multitude. »

Jésus guérit deux aveugles à Jéricho
(Mc 10.46-52 ; Lc 18.35-43)

²⁹ Comme ils sortaient de Jéricho, une grande foule le suivit. ³⁰ Et voici que deux aveugles, assis au bord du chemin, apprenant que c'était Jésus qui passait, se mirent à crier : « Seigneur, *Fils de David, aie pitié de nous ! » ³¹ La foule les rabrouait pour qu'ils se taisent. Mais ils crièrent encore plus fort : « Seigneur ! Fils de David, aie pitié de nous ! » ³² Jésus s'arrêta, les appela et leur dit : « Que voulez-vous que je fasse pour vous ? » ³³ Ils lui disent : « Seigneur, que nos yeux s'ouvrent ! » ³⁴ Pris de pitié, Jésus leur toucha les yeux. Aussitôt ils retrouvèrent la vue. Et ils le suivirent.

L'entrée de Jésus à Jérusalem
(Mc 11.1-11 ; Lc 19.28-40 ; Jn 12.12-16)

21 ¹ Lorsqu'ils approchèrent de Jérusalem et arrivèrent près de Bethphagé, au mont des Oliviers, alors Jésus envoya deux disciples ² en leur disant : « Allez au village qui est devant vous ; vous trouverez aussitôt une ânesse attachée et un ânon avec elle ; détachez-la et amenez-les moi. ³ Et si quelqu'un vous dit quelque chose, vous répondrez : "Le Seigneur en a besoin", et il les laissera aller tout de suite. » ⁴ Cela est arrivé pour que s'accomplisse ce qu'a dit le prophète : ⁵ *Dites à la fille de *Sion : Voici que ton roi vient à toi, humble et monté sur une ânesse et sur un ânon, le petit d'une bête de somme.* ⁶ Les disciples s'en allèrent et, comme Jésus le leur avait prescrit, ⁷ ils amenèrent l'ânesse et l'ânon ; puis ils disposèrent sur eux leurs vêtements, et Jésus s'assit dessus. ⁸ Le peuple, en foule, étendit ses vêtements sur la route ; certains coupaient des branches aux arbres et en jonchaient la route. ⁹ Les foules qui marchaient devant lui et celles qui le suivaient, criaient : « *Hosanna au *Fils de David ! Béni soit au *nom du Seigneur celui qui vient ! Hosanna au plus haut des cieux !* » ¹⁰ Quand Jésus entra dans Jérusalem, toute la ville fut en émoi : « Qui est-ce ? », disait-on ; ¹¹ et les foules répondaient : « C'est le *prophète Jésus, de Nazareth en Galilée ».

Jésus chasse les vendeurs du Temple
(Mc 11.15-19 ; Lc 19.45-48 ; Jn 2.13-16)

¹² Puis Jésus entra dans le *Temple et chassa tous ceux qui vendaient et achetaient dans le Temple ; il renversa les tables des changeurs et les sièges des marchands de colombes. ¹³ Et il leur dit : « Il est écrit : *Ma maison sera appelée maison de prière* ; mais vous, vous en faites une *caverne de bandits !* » ¹⁴ Des aveu-

20.21 qu'ils siègent à tes côtés Mt 19.28 ; Lc 22.30. **20.22** la coupe Jr 25.15-29 ; Mt 26.39 par. ; Jn 18.11. **20.23** le Fils au service du Père Mt 24.36. **20.26** grandeur du service Mt 23.11 ; Mc 9 35 ; 10.43-44 ; Lc 9.48 ; 22.26. **20.28** pour servir Ph 2.7 — en rançon pour la multitude Mt 26.28 ; Mc 10.45 ; 1 Tm 2.6. **20.30** deux aveugles Mt 9.27 — Fils de David Mt 1.1+. **20.33** aveugles recouvrant la vue Es 61.1-3 ; Mt 11.5 ; Jn 9. **20.34** Jésus pris de pitié Mt 9.36 par. ; Mc 9.22 ; cf. Mt 18.27 ; Lc 10.33 ; 15.20 — il leur toucha les yeux Mt 9. 29-30. **21.1** Bethphagé Mc 11.1 ; Lc 19.29 — le mont des Oliviers Za 14.4. **21.2** ânesse Gn 49. 11 ; Jg 5.10. **21.5** Za 9.9 (cf. Es 62.11). **21.8** vêtements étendus en tapis d'honneur 2 R 9.13. **21.9** Hosanna Mt 21.15 ; cf. Ps 118.25 ; 2 S 14.4 — Béni soit… Ps 118.26 ; Mt 23.39 ; Lc 13.35 — Celui qui vient Mt 3.11+. **21.10** en émoi Mt 2.3. **21.11** les foules Mt 9.33 ; 12.23 — Jésus considéré comme prophète Mt 16.14+ — le prophète Dt 18.15 ; Mt 13.57 ; 17.5 par. ; Jn 1.21 ; 6.14 ; 7.40 ; Ac 3.22-23. **21.13** Es 56.7 ; Jr 7.11. **21.14** aveugles et boiteux Mt 11.4 ; cf. Lv 21.18 ; 2 S 5.8. **21.16** Ps 8.3 — Le Ps 8 considéré comme Ecriture messianique : 1 Co 15.27 ; Ep 1.22 ; Ph 3.21 ; 1 P 3.22 ; He 2.6-8.

gles et des boiteux s'avancèrent vers lui dans le Temple, et il les guérit. [15] Voyant les choses étonnantes qu'il venait de faire et ces enfants qui criaient dans le Temple : « Hosanna au *Fils de David ! », les *grands prêtres et les scribes furent indignés [16] et ils lui dirent : « Tu entends ce qu'ils disent ? » Mais Jésus leur dit : « Oui. N'avez-vous jamais lu ce texte : *Par la bouche des tout-petits et des nourrissons, tu t'es préparé une louange ?* [17] Puis il les planta là et sortit de la ville pour se rendre à Béthanie, où il passa la nuit.

Le figuier sans figues
(*Mc 11.12-14, 20-25*)

[18] Comme il revenait à la ville de bon matin, il eut faim. [19] Voyant un figuier près du chemin, il s'en approcha, mais il n'y trouva rien, que des feuilles. Il lui dit : « Jamais plus tu ne porteras de fruit ! » A l'instant même, le figuier sécha. [20] Voyant cela, les disciples furent saisis d'étonnement et dirent : « Comment, à l'instant même, le figuier a-t-il séché ? » [21] Jésus leur répondit : « En vérité, je vous le déclare, si un jour vous avez la foi et ne doutez pas, non seulement vous ferez ce que je viens de faire au figuier, mais même si vous dites à cette montagne : "Ote-toi de là et jette-toi dans la mer", cela se fera. [22] Tout ce que vous demanderez dans la prière avec foi, vous le recevrez. »

L'autorité de Jésus est mise en question
(*Mc 11.27-33; Lc 20.1-8*)

[23] Quand il fut entré dans le *Temple, les *grands prêtres et les anciens du peuple s'avancèrent vers lui pendant qu'il enseignait, et ils lui dirent : « En vertu de quelle autorité fais-tu cela ? Et qui t'a donné cette autorité ? » [24] Jésus leur répondit : « Moi aussi, je vais vous poser une question, une seule ; si vous me répondez, je vous dirai à mon tour en vertu de quelle autorité je fais cela. [25] Le baptême de Jean, d'où venait-il ? Du *ciel [s]

ou des hommes ? » Ils raisonnèrent en eux-mêmes : « Si nous disons : "Du ciel", il nous dira : "Pourquoi donc n'avez-vous pas cru en lui ?" [26] Et si nous disons : "Des hommes", nous devons redouter la foule, car tous tiennent Jean pour un *prophète. » [27] Alors ils répondirent à Jésus : « Nous ne savons pas ». Et lui aussi leur dit : « Moi non plus, je ne vous dis pas en vertu de quelle autorité je fais cela ».

La parabole des deux fils

[28] « Quel est votre avis ? Un homme avait deux fils. S'avançant vers le premier, il lui dit : "Mon enfant, va donc aujourd'hui travailler à la vigne". [29] Celui-ci lui répondit : "Je ne veux pas ; un peu plus tard, s'étant repenti, il y alla. [30] S'avançant vers le second, il lui dit la même chose. Celui-ci lui répondit : "J'y vais, Seigneur" ; mais il n'y alla pas. [31] Lequel des deux a fait la volonté du père ? » « Le premier », répondent-ils. Jésus leur dit : « En vérité, je vous le déclare, collecteurs d'impôts et prostituées vous précèdent dans le *royaume de Dieu. [32] En effet, Jean [t] est venu à vous dans le chemin de la justice, et vous ne l'avez pas cru ; collecteurs d'impôts et prostituées, au contraire, l'ont cru. Et vous, voyant cela, vous ne vous êtes pas davantage repentis dans la suite pour le croire. »

La parabole des vignerons meurtriers
(*Mc 12.1-12; Lc 20.9-19*)

[33] « Ecoutez une autre *parabole. Il y avait un propriétaire qui *planta une vigne, l'entoura d'une clôture, y creusa un pressoir et bâtit une tour ;* puis il la donna en fermage à des vignerons et partit en voyage. [34] Quand le temps des fruits approcha, il envoya ses serviteurs aux vignerons pour recevoir les fruits qui lui revenaient. [35] Mais les vignerons saisirent ces serviteurs ; l'un, ils le rouèrent de coups ; un autre, ils le tuèrent ; un autre ils le lapidèrent. [36] Il envoya encore d'autres

---

[s] Voir Mt 3.2 et note • [t] Jean le Baptiste

21.17 Béthanie Mt 26.6 par.; Mc 11.1, 11-12; Lc 19.29; 24.50; Jn 11.1, 18; 12.1. **21.19** un figuier Mt 24.32; Lc 13.6. **21.21** la foi qui déplace les montagnes Mt 17.20+. **21.22** l'exaucement de la prière Mt 7.7-11; 18.19; Jn 14.13-14. **21.23** l'autorité de Jésus Mt 7.29; 8.10; 9.6; 28.18. **21.25** activité baptismale de Jean Mt 3.6+ — confiance refusée à Jean le Baptiste Mt 21.32; Lc 7.30. **21.26** peur de la réaction populaire Mt 14.5; 21.46 — Jean considéré comme prophète Mt 14.5+. **21.28** deux fils Lc 15.11 — travailler à la vigne Mt 20.1, 4. **21.31** faire la volonté du Père Mt 6.10+ — collecteurs d'impôts Mt 5.46+. **21.33** Es 5.2. **21.34** les fruits Mt 3.8+. **21.35** mauvais traitements infligés aux envoyés Mt 22.6; 23.37.

serviteurs, plus nombreux que les premiers ; ils les traitèrent de même. [37] Finalement, il leur envoya son fils, en se disant : "Ils respecteront mon fils". [38] Mais les vignerons, voyant le fils, se dirent entre eux. "C'est l'héritier. Venez ! Tuons-le et emparons-nous de l'héritage." [39] Ils se saisirent de lui, le jetèrent hors de la vigne et le tuèrent. [40] Eh bien ! lorsque viendra le maître de la vigne, que fera-t-il à ces vignerons-là ? » [41] Ils lui répondirent : « Il fera périr misérablement ces misérables, et il donnera la vigne en fermage à d'autres vignerons, qui lui remettront les fruits en temps voulu. » [42] Jésus leur dit : « N'avez-vous jamais lu dans les Ecritures :

La pierre qu'ont rejetée les bâtisseurs,
c'est elle qui est devenue la pierre angulaire ;
c'est là l'œuvre du Seigneur :
Quelle merveille à nos yeux.

[43] Aussi je vous le déclare : le *royaume de Dieu vous sera enlevé, et il sera donné à un peuple qui en produira les fruits. [44] Celui qui tombera sur cette pierre sera brisé, et celui sur qui elle tombera, elle l'écrasera. » [45] En entendant ses paraboles, les *grands prêtres et les pharisiens comprirent que c'était d'eux qu'il parlait. [46] Ils cherchaient à l'arrêter, mais ils eurent peur des foules, car elles le tenaient pour un *prophète.

La parabole des invités
(Lc 14.15-24)

22 [1] Et Jésus se remit à leur parler en *paraboles : [2] « Il en va du *royaume des cieux comme d'un roi qui fit un festin de noces pour son fils. [3] Il envoya ses serviteurs appeler à la noce les invités. Mais eux ne voulaient pas venir. [4] Il envoya encore d'autres serviteurs chargés de dire aux invités : "Voici, j'ai apprêté mon banquet, mes taureaux et mes bêtes grasses sont égorgés, tout est prêt, venez aux noces." [5] Mais eux, sans en tenir compte, s'en allèrent, l'un à son champ, l'autre à son commerce ; [6] les autres, saisissant les serviteurs, les maltraitèrent et les tuèrent. [7] Le roi se mit en colère ; il envoya ses troupes, fit périr ces assassins et incendia leur ville. [8] Alors il dit à ses serviteurs : "La noce est prête, mais les invités n'en étaient pas dignes. [9] Allez donc aux places d'où partent les chemins et convoquez à la noce tous ceux que vous trouverez." [10] Ces serviteurs s'en allèrent par les chemins et rassemblèrent tous ceux qu'ils trouvèrent, mauvais et bons. Et la salle de noce fut remplie de convives. [11] Entré pour regarder les convives, le roi aperçut là un homme qui ne portait pas de vêtement de noce. [12] "Mon ami, lui dit-il, comment es-tu entré ici sans avoir de vêtement de noce ?" Celui-ci resta muet. [13] Alors le roi dit aux servants : "Jetez-le, pieds et poings liés, dans les ténèbres du dehors : là seront les pleurs et les grincements de dents." [14] Certes, la multitude est appelée, mais peu sont élus. »

L'impôt dû à César
(Mc 12.13-17 ; Lc 20.20-26)

[15] Alors les *pharisiens allèrent tenir conseil afin de le prendre au piège en le faisant parler. [16] Ils lui envoient leurs *disciples, avec les Hérodiens [u], pour lui dire : « Maître, nous savons que tu es franc et que tu enseignes les chemins de Dieu en toute vérité, sans te laisser influencer par qui que ce soit, car tu ne tiens pas compte de la condition des gens. [17] Dis-nous donc ton avis : Est-il permis, oui ou non, de payer le tribut à César ? » [18] Mais Jésus, s'apercevant de leur malice, dit : « Hypocrites ! Pourquoi me tendez-vous un piège ? [19] Montrez-moi la monnaie qui sert à payer le tribut. » Ils lui présentèrent une pièce d'argent. [20] Il leur dit : « Cette effigie et cette inscription, de qui sont-elles ? » [21] Ils répondent : « De César ». Alors il leur dit : « Rendez donc à César ce qui est à César, et à Dieu ce qui est à Dieu. » [22] A ces mots, ils furent tout étonnés et, le laissant, ils s'en allèrent.

---

u Voir note sur Mc 3.6

21.39 jeté dehors, tué Lv 24.14-16 ; Ac 7.58 ; cf. Jn 19.17 ; He 13.12. **21.41** à d'autres Mt 21.43. **21.42** Ps 118.22-23 (grec) ; cf. Ac 4.11 ; 1 P 2.7. **21.44** cette pierre Dn 2.34-35, 44-45. **21.46** peur de la réaction populaire Mt 14.5 ; 21.26 — Jésus considéré comme prophète Mt 16.14+. **22.2** de noces Mt 9.15 par. ; 25.1-12. **22.6** mauvais traitements infligés aux envoyés Mt 21.35+. **22.10** mauvais et bons cf. Mt 9.9-13 ; 13.37-43. **22.13** les ténèbres du dehors Mt 8.12+ — pleurs et grincements de dents Mt 8.12+. **22.15** conciliabule des adversaires de Jésus Mt 12.14+ — piège tendu à Jésus Mt 16.1+. **22.18** hypocrites Mt 6.2+. **22.21** rendez à César Rm 13.7.

Une question sur la résurrection
(Mc 12.18-27; Lc 20.27-38)

23 Ce jour-là, des *sadducéens s'approchèrent de lui. Les sadducéens disent qu'il n'y a pas de résurrection. Ils lui posèrent cette question : 24 « Maître, Moïse a dit : *Si quelqu'un meurt sans avoir d'enfants, son frère épousera la veuve, pour donner une descendance à son frère.* 25 Or il y avait chez nous sept frères. Le premier, qui était marié, mourut ; et comme il n'avait pas de descendance, il laissa sa femme à son frère ; 26 de même le deuxième, le troisième, et ainsi jusqu'au septième. 27 Finalement, après eux tous, la femme mourut. 28 Eh bien ! A la résurrection, duquel des sept sera-t-elle la femme, puisque tous l'ont eue pour femme ? » 29 Jésus leur répondit : « Vous êtes dans l'erreur, parce que vous ne connaissez ni les Ecritures ni la puissance de Dieu. 30 A la résurrection, en effet, on ne prend ni femme ni mari ; mais on est comme des *anges dans le ciel. 31 Et pour ce qui est de la résurrection des morts, n'avez-vous pas lu la parole que Dieu vous a dite : 32 *Je suis le Dieu d'Abraham, le Dieu d'Isaac et le Dieu de Jacob ?* Il n'est pas le Dieu des morts, mais des vivants. » 33 En entendant cela, les foules étaient frappées de son enseignement.

Le plus grand commandement de la Loi
(Mc 12.28-34; cf. Lc 10.25-28)

34 Apprenant qu'il avait fermé la bouche aux *sadducéens, les pharisiens se réunirent. 35 Et l'un d'eux, un *légiste, lui demanda pour lui tendre un piège : 36 « Maître, quel est le grand commandement dans la *Loi ? » 37 Jésus lui déclara : « *Tu aimeras le Seigneur ton Dieu de tout ton cœur, de toute ton âme et de toute ta pensée.* 38 C'est là le grand, le premier commandement. 39 Un second est aussi important *v* : *Tu aimeras ton prochain comme toi-même.* 40 De ces deux

commandements dépendent toute la Loi et les Prophètes *w*. »

Le Messie et David
(Mc 12.35-37; Lc 20.41-44)

41 Comme les *pharisiens se trouvaient réunis, Jésus leur posa cette question : 42 Quelle est votre opinion au sujet du Messie ? De qui est-il fils ? » Ils lui répondent : « De David *x* ». 43 Jésus leur dit : « Comment donc David, inspiré par l'Esprit, l'appelle-t-il Seigneur, en disant :
44 *Le Seigneur a dit à mon Seigneur :*
   siège à ma droite
   jusqu'à ce que j'aie mis tes ennemis
   sous tes pieds ?
45 Si donc David l'appelle Seigneur, comment est-il son fils ? » 46 Personne ne fut capable de lui répondre un mot. Et, depuis ce jour-là, nul n'osa plus l'interroger.

Jésus démasque scribes et pharisiens
(Mc 12.38-40; Lc 20.45-47; 11.39-52)

23 1 Alors Jésus s'adressa aux foules et à ses *disciples : 2 « Les scribes et les *pharisiens siègent dans la chaire de Moïse *y* : 3 faites donc et observez tout ce qu'ils peuvent vous dire, mais ne vous réglez pas sur leurs actes ; car ils disent et ne font pas. 4 Ils lient de pesants fardeaux et les mettent sur les épaules des hommes, alors qu'eux-mêmes se refusent à les remuer du doigt. 5 Toutes leurs actions, ils les font pour se faire remarquer des hommes. Ils élargissent leurs phylactères et allongent leurs franges *z*. 6 Ils aiment à occuper les premières places dans les dîners et les premiers sièges dans les *synagogues, 7 à être salués sur les places publiques et à s'entendre appeler "Maître" par les hommes. 8 Pour vous, ne vous faites pas appeler "Maître" : car vous n'avez qu'un seul maître et vous êtes tous frères. 9 N'appelez personne sur la terre votre "Père" : car vous n'en avez qu'un seul, le Père céleste. 10 Ne vous

---

v ou semblable ● *w* Voir note sur Rm 3.19 ● *x* Voir au glossaire FILS DE DAVID ● *y* La chaire de Moïse est le symbole de l'autorité officielle conférée à ceux qui sont chargés d'enseigner et d'appliquer la Loi ● *z* Phylactères: petits étuis contenant la copie des passages essentiels de la Loi (Ex 13.1-16; Dt 6.4-9; 11.13-21). Sur les *franges aux vêtements, voir note sur Mc 6.56

22.24 le lévirat Gn 38.8; Dt 25.5-10. **22.32** Ex 3.6, 15, 16. **22.33** les foules frappées par l'enseignement de Jésus Mt 7.28; 13.54; Mc 11.18; Jn 7.15. **22.35** piège tendu à Jésus Mt 16.1+. **22.37** Dt 6.5 (Jos 22.5). **22.39** Lv 19.18 (Mt 5.43; 19.19; Rm 13.9; Ga 5.14; Jc 2.8). **22.40** la Loi et les Prophètes Mt 7.12+; cf. Rm 13.10. **22.42** Fils de David Mt 1.1+. **22.44** Ps 110.1 (Mt 26.64 par.; Mc 16.19; Ac 2.34-35; Rm 8.34; 1 Co 15.25; Ep 1.20; Col 3.1; He 1.3, 13; 8.1; 10.12-13; 12.2). **22.46** personne n'ose plus questionner Jésus Mc 12.34; Lc 20.40. **23.3** ce qu'ils peuvent dire Ml 2.7-8. **23.4** fardeaux cf. Mt 11.30. **23.5** pour se faire remarquer Mt 6.1, 5 — franges Mt 9.20+. **23.6** premières places Lc 14.7. **23.9** Père céleste Mt 6.9+.

faites pas non plus appeler "Docteurs" :
car vous n'avez qu'un seul Docteur, le
Christ. ¹¹ Le plus grand parmi vous sera
votre serviteur ; ¹² Quiconque s'élèvera
sera abaissé, et quiconque s'abaissera sera
élevé. ¹³ Malheureux êtes-vous, scribes et
pharisiens hypocrites, vous qui barrez aux
hommes l'entrée du *royaume des cieux !
Vous-mêmes en effet n'y entrez pas, et
vous ne laissez pas entrer ceux qui le
voudraient ! [¹⁴ ᵃ] ¹⁵ Malheureux êtes-
vous, scribes et pharisiens hypocrites,
vous qui parcourez mers et continents
pour gagner un seul prosélyte ᵇ, et, quand
il l'est devenu, vous le rendez digne de
la *géhenne, deux fois plus que vous !
¹⁶ Malheureux êtes-vous, guides aveugles,
vous qui dites : "Si l'on jure par le
*sanctuaire, cela ne compte pas ; mais si
l'on jure par l'or du sanctuaire, on est
tenu." ¹⁷ Insensés et aveugles ! Qu'est-ce
donc qui l'emporte, l'or ou le sanctuaire
qui a rendu sacré cet or ? ¹⁸ Vous dites
encore : "Si l'on jure par *l'autel, cela ne
compte pas, mais si l'on jure par l'offrande placée dessus, on est tenu." ¹⁹ Aveugles ! Qu'est-ce donc qui l'emporte, l'offrande ou l'autel qui rend sacrée cette
offrande ? ²⁰ Aussi bien, celui qui jure
par l'autel jure-t-il par lui et par tout ce
qui est dessus ; ²¹ celui qui jure par le
sanctuaire jure par lui et par Celui qui
l'habite ; ²² celui qui jure par le *ciel
jure par le trône de Dieu et par Celui qui
y siège. ²³ Malheureux êtes-vous, scribes
et pharisiens hypocrites, vous qui versez
la dîme de la menthe, du fenouil et du
cumin ᶜ, alors que vous négligez ce qu'il
y a de plus grave dans la *Loi : la justice, la miséricorde et la fidélité ; c'est
ceci qu'il fallait faire, sans négliger cela.
²⁴ Guides aveugles, qui arrêtez au filtre
le moucheron et avalez le chameau !
²⁵ Malheureux êtes-vous, scribes et pharisiens hypocrites, vous qui purifiez l'exté-

rieur de la coupe et du plat, alors que
l'intérieur est rempli des produits de la
rapine et de l'intempérance. ²⁶ Pharisien
aveugle ! purifie d'abord le dedans de
la coupe, pour que le dehors aussi devienne pur. ²⁷ Malheureux êtes-vous, scribes et pharisiens hypocrites, vous qui
ressemblez à des sépulcres blanchis ᵈ : au-
dehors ils ont belle apparence, mais au-
dedans ils sont pleins d'ossements de
morts et *d'impuretés de toutes sortes.
²⁸ Ainsi de vous : au-dehors vous offrez
aux hommes l'apparence de justes, alors
qu'au-dedans vous êtes remplis d'hypocrisie et d'iniquité. ²⁹ Malheureux, scribes et
pharisiens hypocrites, vous qui bâtissez les
sépulcres des *prophètes et décorez les
tombeaux des justes, ³⁰ et vous dites :
"Si nous avions vécu du temps de nos
pères, nous n'aurions pas été leurs complices pour verser le sang des prophètes." ³¹ Ainsi vous témoignez contre vous-
mêmes : vous êtes les fils de ceux qui ont
assassiné les prophètes ! ³² Eh bien ! vous,
comblez la mesure de vos pères ! ³³ Serpents, engeance de vipères, comment pourriez-vous échapper au châtiment de la
géhenne ? ³⁴ C'est pourquoi, voici que
moi, j'envoie vers vous des *prophètes, des
sages et des *scribes. Vous en tuerez et
mettrez en croix, vous en flagellerez dans
vos *synagogues et vous les pourchasse-
rez de ville en ville, ³⁵ pour que retombe
sur vous le sang des justes ᵉ répandu
sur la terre, depuis le sang d'Abel le juste
jusqu'au sang de Zacharie, fils de Bara-
chie, que vous avez assassiné entre le
sanctuaire et l'autel. ³⁶ En vérité, je vous
le déclare, tout cela va retomber sur cette
génération.

Complainte de Jésus sur Jérusalem
(Lc 13.34-35)

³⁷ Jérusalem, Jérusalem, toi qui tues les

ᵃ Certains manuscrits introduisent ici : *Malheureux êtes-vous, scribes et pharisiens hypocrites, vous
qui dévorez les biens des veuves et faites pour l'apparence de longues prières: pour cela vous recevrez une condamnation particulièrement sévère* ● ᵇ prosélyte: terme spécifique pour désigner
un païen converti à la foi juive et rattaché au peuple élu par la circoncision ● ᶜ Menthe, fenouil,
cumin: plantes potagères ● ᵈ Les tombeaux palestiniens étaient peints en blanc pour éviter
qu'on ne les touche la nuit et qu'on ne soit tenu ainsi à des rites de purification ● ᵉ Voir notes
sur Mt 27.24-25

23.11 grandeur du service Mt 20.26+. 23.12 abaissement Es 2.9-17 — inversion des situations
Jb 22.29; Pr 29.23; Ez 21.31; Lc 14.11; 18.14. 23.13 Malheureux ! Mt 11.21+ — hypocrites
Mt 6.2+ — entrée du Royaume des cieux Mt 5.20+. 23.16 guides aveugles Mt 15.14; 23.24;
Rm 2.19. 23.21 Celui qui habite le sanctuaire 1 R 8.13. 23.22 le trône de Dieu Es 66.1; Mt
5.34; Ac 7.49. 23.23 la dîme Dt 14.22; Lv 27.30 — justice, miséricorde et fidélité cf. Jr 5.1;
Mi 6.8; Rm 3.3; Ga 5.22. 23.25 coupes lavées Mc 7.4. 23.26 pharisien aveugle Jn 9.40.
23.27 sépulcres blanchis Ac 23.3. 23.28 l'apparence Lc 16.15. 23.31 prophètes assassinés
Ac 7.52. 23.33 engeance de vipères Mt 3.7+ — la géhenne Mt 5.22+. 23.34 persécution
des envoyés Mt 10.23; Ac 7.52; 1 Th 2.15; cf. Mt 21.35+. 23.35 le sang d'Abel Gn 4.10;
He 11.4 — le sang de Zacharie 2 Ch 24.20-22. 23.36 imminence du jugement Mt 10.23.
23.37 Jérusalem qui tues les prophètes Ac 7.59; 1 Th 2.15.

*prophètes et lapides ceux qui te sont envoyés, que de fois j'ai voulu rassembler tes enfants comme une poule rassemble ses poussins sous ses ailes, et vous n'avez pas voulu ! ³⁸ Eh bien ! *elle va vous être laissée déserte, votre maison.* ³⁹ Car, je vous le dis, désormais vous ne me verrez plus, jusqu'à ce que vous disiez : *Béni soit au *nom du Seigneur Celui qui vient !* »

Jésus annonce la ruine du Temple
(Mc 13.1-4; Lc 21.5-7)

24 ¹ Jésus était sorti du *Temple et s'en allait. Ses disciples s'avancèrent pour lui faire remarquer les constructions du Temple. ² Prenant la parole, il leur dit : « Vous voyez tout cela, n'est-ce pas ? En vérité, je vous le déclare, il ne restera pas ici pierre sur pierre : tout sera détruit. » ³ Comme il était assis, au mont des Oliviers ᶠ, les disciples s'avancèrent vers lui, à l'écart, et lui dirent : « Dis-nous quand cela arrivera, et quel sera le signe de ton *avènement et de la fin du monde ? »

Les signes annonciateurs de la crise
(Mc 13.5-13; Lc 21.8-19)

⁴ Jésus leur répondit : « Prenez garde que personne ne vous égare ᵍ. ⁵ Car beaucoup viendront en prenant mon nom ; ils diront : "C'est moi, le *Messie", et ils égareront bien des gens. ⁶ Vous allez entendre parler de guerres et de rumeurs de guerres. Attention ! Ne vous alarmez pas : *il faut que cela arrive,* mais ce n'est pas encore la fin. ⁷ Car on se dressera nation contre nation et royaume contre royaume ; il y aura en divers endroits des famines et des tremblements de terre. ⁸ Et tout cela sera le commencement des douleurs de l'enfantement. ⁹ Alors on vous livrera à la détresse, on vous tuera, vous

serez haïs de tous les *païens à cause de mon *nom ; ¹⁰ et alors un grand nombre succomberont ʰ. Ils se livreront les uns les autres, ils se haïront entre eux. ¹¹ Des faux *prophètes surgiront en foule et égareront beaucoup d'hommes. ¹² Par suite de l'iniquité croissante, l'amour du plus grand nombre se refroidira ; ¹³ mais celui qui tiendra jusqu'à la fin, celui-là sera sauvé. ¹⁴ Cette Bonne Nouvelle du *Royaume sera proclamée dans le monde entier ; tous les païens auront là un témoignage. Et alors viendra la fin.

La grande détresse
(Mc 13.14-23; Lc 21.20-24)

¹⁵ Quand donc vous verrez *installé dans le lieu *saint l'Odieux Dévastateur,* dont a parlé le prophète Daniel — que le lecteur comprenne ! — ¹⁶ alors, ceux qui seront en Judée, qu'ils fuient dans les montagnes ; ¹⁷ celui qui sera sur la terrasse, qu'il ne descende pas pour emporter ce qu'il y a dans sa maison ; ¹⁸ celui qui sera au champ, qu'il ne retourne pas en arrière pour prendre son manteau. ¹⁹ Malheureuses celles qui seront enceintes et celles qui allaiteront en ces jours-là ! ²⁰ Priez pour que vous n'ayez pas à fuir en hiver ni un jour de *sabbat. ²¹ Il y aura alors en effet une grande *détresse, telle qu'il n'y en a pas eu depuis le commencement du monde jusqu'à maintenant* et qu'il n'y en aura jamais plus. ²² Et si ces jours-là n'étaient abrégés, personne n'aurait la vie sauve ; mais à cause des élus, ces jours-là seront abrégés. ²³ Alors, si quelqu'un vous dit : "Le *Messie est ici" ou bien "Il est là", n'allez pas le croire. ²⁴ En effet, de faux messies, et de faux *prophètes se lèveront et produiront des signes formidables et des prodiges, au point d'égarer, s'il était possible, même les élus. ²⁵ Voilà, je vous ai prévenus.

ᶠ Voir note sur Mc 11.1 ● ᵍ ou *ne vous séduise* ● ʰ Certains traduisent: *seront scandalisés* (voir note sur Mc 9.42)

23.38 1 R 9.7-8; cf. Jr 12.7; 22.5. **23.39** Ps 118.26 (Mt 21.9; Mc 11.10; Lc 19.38). **24.1** le temple de Jérusalem en voie d'achèvement Jn 2.20. **24.2** pas pierre sur pierre Lc 19.44. **24.3** l'avènement de Jésus Mt 24.27, 37, 39; 1 Co 15.23; 1 Th 2.19; 3.13; 4.15; 5.23; 2 Th 2.1, 8; Jc 5.7, 8; 2 P 3.4; 12, 1 Jn 2.28; cf. Mt 10.23+. **24.4** séductions Mt 24.5, 11, 24; 1 Jn 1.8; 2.5; 3.7; Ap 2.20; 12.9; 13.14. **24.6** il faut Dn 2.28. **24.7** nation contre nation Es 19.2-6, 17. **24.8** les douleurs (de l'enfantement) Es 13.8; Os 13.13; Jn 16.21. **24.9** on vous livrera Mt 10.17, 23 — détresses Mt 13.21; cf. 2 Co 1.4; 2.4; 6.4; Ap 7.14 — on vous tuera Jn 16.2 — vous serez haïs Mt 10.22; Jn 15.18. **24.11** faux-prophètes Mt 7.15+. **24.13** tenir bon Mt 10.22. **24.14** proclamation de la Bonne Nouvelle Mt 26.13; 28.19; Mc 1.14; 14.9; 16.15; Ga 2.2; Col 1.23; 1 Th 2.9; cf. Mt 3.1+ — dans le monde entier Rm 10.18 — témoignage pour les païens Mt 10.18 — la fin Mt 10.22; 24.6, 13. **24.15** l'Odieux Dévastateur Dn 9.27; 11.31; 12.11; *1 M* 1.54; 6.7. **24.17** celui qui sera sur la terrasse Lc 17.31. **24.19** Malheureuses! Mt 11.21+. **24.21** détresse sans précédent Dn 12.1; cf. Jl 2.2; Ap 7.14. **24.24** faux-messies Mt 24.5; Ac 5.36; 1 Jn 2.18 — des signes formidables Dt 13.2-4; 2 Th 2.9-10; Ap 13.13-14.

L'avènement du Fils de l'homme
(Mc 13.24-31; Lc 17.23-24; 21.25-31)

²⁶ Si donc on vous dit : "Le voici dans le désert", ne vous y rendez pas. "Le voici dans les lieux retirés", n'allez pas le croire. ²⁷ En effet, comme l'éclair part du levant et brille jusqu'au couchant, ainsi en sera-t-il de *l'avènement du *Fils de l'homme. ²⁸ Où que soit le cadavre, là se rassembleront les vautours. ²⁹ Aussitôt après la détresse de ces jours-là, *le soleil s'obscurcira, la lune ne brillera plus, les étoiles tomberont* du ciel, *et les puissances des cieux* seront ébranlées. ³⁰ Alors apparaîtra dans le ciel le signe du Fils de l'homme ; alors *toutes les tribus de la terre se frapperont la poitrine* ; et elles verront *le Fils de l'homme venir sur les nuées du ciel* dans la plénitude de la puissance et de la gloire. ³¹ Et il enverra ses *anges *avec la grande trompette*, et, *des quatre vents, d'une extrémité des cieux à l'autre*, ils *rassembleront* ses élus. ³² Comprenez cette comparaison empruntée au figuier : dès que ses rameaux deviennent tendres et que poussent ses feuilles, vous reconnaissez que l'été est proche. ³³ De même, vous aussi, quand vous verrez tout cela, sachez que le Fils de l'homme est proche, qu'il est à vos portes. ³⁴ En vérité, je vous le déclare, cette génération ne passera pas que tout cela n'arrive. ³⁵ Le ciel et la terre passeront, mes paroles ne passeront pas.

Personne n'en connaît ni le jour ni l'heure
(Mc 13.32, 35; Lc 17.26-27, 34-35; 12.39-40)

³⁶ Mais ce jour et cette heure, nul ne les connaît, ni les *anges des cieux, ni le Fils, personne sinon le Père, et lui seul. ³⁷ Tels furent les jours de Noé, tel sera *l'avènement du *Fils de l'homme ; ³⁸ car de même qu'en ces jours d'avant le déluge, on mangeait et on buvait, l'on se mariait ou l'on donnait en mariage, jusqu'au jour où *Noé entra dans l'arche*, ³⁹ et on ne se doutait de rien jusqu'à ce que vint le déluge, qui les emporta tous : tel sera aussi *l'avènement du Fils de l'homme. ⁴⁰ Alors deux hommes seront aux champs : l'un est pris, l'autre laissé ; ⁴¹ deux femmes en train de moudre à la meule : l'une est prise, l'autre laissée. ⁴² Veillez donc car vous ne savez pas quel jour votre Seigneur va venir. ⁴³ Vous le savez : si le maître de maison connaissait l'heure de la nuit à laquelle le voleur va venir, il veillerait et ne laisserait pas percer le mur de sa maison [i]. ⁴⁴ Voilà pourquoi ,vous aussi, tenez-vous prêts, car c'est à l'heure que vous ignorez que le Fils de l'homme va venir.

La parabole du serviteur fidèle
(Lc 12.42-46)

⁴⁵ Quel est donc le serviteur fidèle et avisé que le maître a établi sur les gens de sa maison pour leur donner la nourriture en temps voulu ? ⁴⁶ Heureux ce serviteur que son maître en arrivant trouvera en train de faire ce travail. ⁴⁷ En vérité, je vous le déclare, il l'établira sur tous ses biens. ⁴⁸ Mais si ce mauvais serviteur se dit en son *cœur : "Mon maître tarde", ⁴⁹ et qu'il se mette à battre ses compagnons de service, qu'il mange et boive avec les ivrognes, ⁵⁰ le maître de ce serviteur arrivera au jour qu'il n'attend pas et à l'heure qu'il ne sait pas ; ⁵¹ il le chassera [j] et lui fera partager le sort des hypocrites : là seront les pleurs et les grincements de dents.

La parabole des dix vierges

25 ¹ Alors il en sera du *royaume des cieux comme de dix jeunes filles qui prirent leurs lampes et sortirent à la rencontre de l'époux. ² Cinq d'entre elles

---

[i] Voir note sur Mt 6.19 ● [j] A la lumière des textes de Qumrân on pense qu'il est question ici d'une sorte d'excommunication ou de mise en quarantaine

---

24.27 l'avènement (du Fils de l'homme) Mt 24.3+ ; cf. Mt 10.23+. **24.28** le cadavre et les vautours Lc 17.37. **24.29** obscurcissement des astres Es 13.10 ; 34.4 — obscurcissement des astres Ez 32.7 ; Jl 2.10 ; 3.4 ; Ap 6.12 — puissances ébranlées Ag 2.6, 21 ; Ap 6.13. **24.30** lamentation générale Za 12.10, 14 ; Ap 1.7 — le Fils de l'Homme venant sur les nuées Dn 7.13-14 (Mt 26.64) ; Mt 16.27 ; cf. Ex 19. 16 ; 34.5 ; Ez 10.3-4 ; Mt 17.5. **24.31** Dt 30.4 ; Za 2.10 ; Ez 37.9 — il enverra ses anges Mt 13.41 — trompette Es 27.13 ; 1 Co 15.52 ; 1 Th 4.16. **24.33** le Fils de l'homme Mt 8.20+. **24.34** imminence de ces événements Mt 10.23 ; 16.28 ; 23.36. **24.35** ce qui passe et ce qui ne passera pas Mt 5.18 ; Lc 16.17. **24.36** ce jour et cette heure Ac 1.7 ; 1 Th 5.1, 2. **24.37** les jours de Noé Gn 6.9, 12 — avènement du Fils de l'homme Mt 24.3+ ; cf. Mt 10.23+. **24.38** le déluge Gn 6.13-7.24 ; 2 P 3.6. **24.42** veillez Mt 26.38-41 ; Mc 13.35-37 ; Lc 12.37, 40 ; 21.36 ; Ac 20.31 ; 1 Co 16.13 ; 1 Th 5.6 ; 1 P 5.8 ; Ap 3.3 ; 16.15. **24.43** image du voleur 1 Th 5.2 ; 1 P 3.10 ; Ap 3.3 ; 16.15 ; cf. Mt 6.19. **24.47** établi sur tous ses biens Mt 25.21, 23. **24.51** hypocrites Mt 6.2+ — pleurs et grincements de dents Mt 8.12+. **25.1** lampes Lc 12.35-36. **25.2** insensées, avisées Mt 7.24, 26.

étaient insensées et cinq étaient avisées. ³ En prenant leurs lampes, les filles insensées n'avaient pas emporté d'huile ; ⁴ les filles avisées, elles, avaient pris, avec leurs lampes, de l'huile dans des fioles. ⁵ Comme l'époux tardait, elles s'assoupirent toutes et s'endormirent. ⁶ Au milieu de la nuit, un cri retentit : "Voici l'époux ! Sortez à sa rencontre." ⁷ Alors toutes ces jeunes filles se réveillèrent et apprêtèrent leurs lampes. ⁸ Les insensées dirent aux avisées : "Donnez-nous de votre huile, car nos lampes s'éteignent." ⁹ Les avisées répondirent : "Certes pas, il n'y en aurait pas assez pour nous et pour vous ! Allez plutôt chez les marchands et achetez-en pour vous." ¹⁰ Pendant qu'elles allaient en acheter, l'époux arriva ; celles qui étaient prêtes entrèrent avec lui dans la salle des noces, et l'on ferma la porte. ¹¹ Finalement, arrivent à leur tour les autres jeunes filles, qui disent : "Seigneur, seigneur, ouvre-nous !" ¹² Mais il répondit : "En vérité, je vous le déclare, je ne vous connais pas." ¹³ Veillez donc, car vous ne savez ni le jour ni l'heure. »

La parabole des talents

(Lc 19.12-27)

¹⁴ « En effet il en va comme d'un homme qui, partant en voyage, appela ses serviteurs et leur confia ses biens. ¹⁵ A l'un il remit cinq talents ᵏ, à un autre deux, à un autre un seul, à chacun selon ses capacités, puis il partit. Aussitôt ¹⁶ celui qui avait reçu les cinq talents s'en alla les faire valoir et en gagna cinq autres. ¹⁷ De même celui des deux talents en gagna deux autres. ¹⁸ Mais celui qui n'en avait reçu qu'un s'en alla creuser un trou dans la terre et cacha l'argent de son maître. ¹⁹ Longtemps après, arrive le maître de ces serviteurs, et il règle ses comptes avec eux. ²⁰ Celui qui avait reçu les cinq talents s'avança et en présenta cinq autres, en disant : "Maître, tu m'avais confié cinq talents ; voici cinq autres talents que j'ai gagnés." ²¹ Son maître lui

dit : "C'est bien, bon et fidèle serviteur, tu as été fidèle en peu de choses, sur beaucoup je t'établirai ; viens te réjouir avec ton maître." ²² Celui des deux talents s'avança à son tour et dit : "Maître, tu m'avais confié deux talents ; voici deux autres talents que j'ai gagnés." ²³ Son maître lui dit : "C'est bien, bon et fidèle serviteur, tu as été fidèle en peu de choses, sur beaucoup je t'établirai ; viens te réjouir avec ton maître." ²⁴ S'avançant à son tour, celui qui avait reçu un seul talent dit : "Maître, je savais que tu es un homme dur ; tu moissonnes où tu n'as pas semé, tu ramasses où tu n'as pas répandu ; ²⁵ par peur, je suis allé cacher ton talent dans la terre : le voici, tu as ton bien." ²⁶ Mais son maître lui répondit : "Mauvais serviteur, timoré ! Tu savais que je moissonne où je n'ai pas semé et que je ramasse où je n'ai rien répandu. ²⁷ Il te fallait donc placer mon argent chez les banquiers : à mon retour, j'aurais recouvré mon bien avec un intérêt. ²⁸ Retirez-lui donc son talent et donnez-le à celui qui a les dix talents." ²⁹ Car à tout homme qui a, l'on donnera et il sera dans la surabondance ; mais à celui qui n'a pas, même ce qu'il a lui sera retiré. ³⁰ Quant à ce serviteur bon à rien, jetez-le dans les ténèbres du dehors : là seront les pleurs et les grincements de dents. »

Le jugement dernier

³¹ « Quand le *Fils de l'homme viendra dans sa gloire, accompagné de tous les *anges, alors il siégera sur son trône de gloire. ³² Devant lui seront rassemblées toutes les nations, et il séparera les hommes les uns des autres, comme le *berger sépare les brebis des chèvres. ³³ Il placera les brebis à sa droite et les chèvres à sa gauche. ³⁴ Alors le roi dira à ceux qui seront à sa droite : "Venez, les bénis de mon Père, recevez en partage le Royaume qui a été préparé pour vous depuis la fondation du monde. ³⁵ Car j'ai eu faim et vous m'avez donné à manger ; j'ai eu

---

ᵏ Voir au glossaire MONNAIES

25.5 l'époux Mt 9.15+ — le retard du Seigneur Mt 24.48; 2 P 3.9. **25.10** prêtes Mt 24.44 — les noces Ap 19.7, 9. **25.11** ouvre-nous Lc 13.25. **25.12** je ne vous connais pas Mt 7.23; Lc 13.27. **25.13** veillez Mt 24.42+. **25.19** des comptes à régler Mt 18.23. **25.21** peu-beaucoup Lc 16.10 — je t'établirai Mt 24.47. **25.29** on donnera... Mt 13.12; Mc 4.25; Lc 8.18; 19.26. **25.30** les ténèbres du dehors Mt 8.12+. **25.31** la venue glorieuse du Fils de l'homme Mt 10.23+; 24.3+; 24.30+ — ses anges Za 14.5; Mt 13.41+; Jude 14 — son trône Mt 19.28; Ap 3.21; 20.11. **25.33** à sa droite Mt 22.44+. par.; cf. Lc 12.32. **25.34** recevez le Royaume Lc 22.30. **25.35** nourrir les affamés Es 58.7; Mt 10.42; Lc 3.11; 14.12-14; Ac 6.1-3; Rm 12.20; 1 Co 11.33 — exercer l'hospitalité Mt 10.40-42; Rm 12.13; Col 4.10; 1 P 4.9; He 13.2.

soif et vous m'avez donné à boire ; j'étais un étranger et vous m'avez recueilli ; [36] nu, et vous m'avez vêtu ; malade, et vous m'avez visité ; en prison, et vous êtes venus à moi." [37] Alors les justes lui répondront : "Seigneur, quand nous est-il arrivé de te voir affamé et de te nourrir, assoiffé et de te donner à boire ? [38] Quand nous est-il arrivé de te voir étranger et de te recueillir, nu et de te vêtir ? [39] Quand nous est-il arrivé de te voir malade ou en prison, et de venir à toi ?" [40] Et le roi leur répondra : "En vérité, je vous le déclare, chaque fois que vous l'avez fait à l'un de ces plus petits, qui sont mes frères, c'est à moi que vous l'avez fait !" [41] Alors il dira à ceux qui sont à sa gauche : "Allez-vous en loin de moi, maudits, au feu éternel qui a été préparé pour le *diable et pour ses anges. [42] Car j'ai eu faim et vous ne m'avez pas donné à manger ; j'ai eu soif et vous ne m'avez pas donné à boire ; [43] j'étais un étranger et vous ne m'avez pas recueilli ; nu, et vous ne m'avez pas vêtu ; malade et en prison, et vous ne m'avez pas visité." [44] Alors eux aussi répondront : "Seigneur, quand nous est-il arrivé de te voir affamé ou assoiffé, étranger ou nu, malade ou en prison, sans venir t'assister ?" [45] Alors il leur répondra : "En vérité, je vous le déclare, chaque fois que vous ne l'avez pas fait à l'un de ces plus petits, à moi non plus vous ne l'avez pas fait." [46] Et ils s'en iront, ceux-ci au châtiment éternel, et les justes à la *vie éternelle. »

Le complot contre Jésus
(Mc 14.1-2; Lc 22.1-2; Jn 11.47, 49, 53)

26 [1] Or, quand Jésus eut achevé toutes ces instructions, il dit à ses disciples : [2] « Vous le savez, dans deux jours, c'est la *Pâque : le *Fils de l'homme va être livré pour être crucifié. » [3] Alors les *grands prêtres et les anciens du peuple se réunirent dans le palais du Grand Prê-

tre, qui s'appelait Caïphe. [4] Ils tombèrent d'accord pour arrêter Jésus par ruse et le tuer. [5] Toutefois ils disaient : « Pas en pleine fête, pour éviter des troubles dans le peuple. »

L'onction à Béthanie
(Mc 14.3-9; Jn 12.1-8)

[6] Comme Jésus se trouvait à Béthanie [l], dans la maison de Simon le lépreux, [7] une femme s'approcha de lui, avec un flacon d'albâtre contenant un parfum de grand prix ; elle le versa sur la tête de Jésus pendant qu'il était à table. [8] Voyant cela, les disciples s'indignèrent : « A quoi bon, disaient-ils, cette perte ? [9] On aurait pu le vendre très cher et donner la somme à des pauvres. » [10] S'en apercevant, Jésus leur dit : « Pourquoi tracasser cette femme ? C'est une bonne œuvre qu'elle vient d'accomplir envers moi. [11] Des pauvres, en effet, vous en avez toujours avec vous ; mais moi, vous ne m'avez pas pour toujours. [12] En répandant ce parfum sur mon corps, elle a préparé mon ensevelissement. [13] En vérité, je vous le déclare : partout où sera proclamé cet *Evangile dans le monde entier, on racontera aussi, en souvenir d'elle, ce qu'elle a fait. »

Judas s'apprête à trahir Jésus
(Mc 14.10-11; Lc 22.3-6)

[14] Alors l'un des Douze, qui s'appelait Judas Iscarioth [m], se rendit chez les *grands prêtres [15] et leur dit : « Que voulez-vous me donner, et je vous le livrerai ? » Ceux-ci lui *fixèrent trente pièces d'argent. [16] Dès lors il cherchait une occasion favorable pour le livrer.

Jésus fait préparer la Pâque
(Mc 14.12-16; Lc 22.7-13)

[17] Le premier jour des pains sans levain, les disciples vinrent dire à Jésus :

---

l Voir Mc 11.1 et note ● *m* Voir note sur Mc 3.19

25.36 vêtir les démunis Lc 3.11; Ac 9.36, 39; Jc 2.15-16 — visiter les malades Lc 10.33-35; 2 Tm 1.16-18; He 13.3; Jc 5.14. **25.40** ces plus petits Mt 10.42 — à moi Pr 19.17; Mt 10.40; 18.5; cf. Mc 9.41. **25.41** allez-vous en Mt 7.23. — feu éternel Mc 9.48; Jude 7; Ap 20.10. **25.43** hospitalité refusée Mt 10.14; Lc 9.53-54. **25.46** châtiment éternel — vie éternelle Dn 12.2; Jn 5.29. **26.1** après ces instructions Mt 7.28+ — la Pâque Ex 12.1-27. **26.2** annonce de la Passion Mt 16.21 — livré Mt 4.12; 5.25; 10.17, 19; 17.22 par.; 27.26 par.; Mc 10.33; Lc 24.7, 20; Jn 19.16; Rm 4.25; 1 Co 11.23; Ga 2.20; Ep 5.2. **26.3** réunion du Conseil Jn 11.47-53. **26.6** Béthanie Mt 21.17+. **26.7** une femme cf. Lc 7.36-38. **26.9** vendre et donner Mt 19.21+. **26.10** une bonne œuvre *Tb* 1.17-19; Ac 8.2. **26.11** des pauvres Dt 15.11. **26.13** Evangile Mc 1.1+ — dans le monde entier Mt 24.14; Rm 10.18. **26.14** les Douze Mt 10.2+ — Judas Iscarioth Mt 10.4+. **26.15** trente pièces d'argent Ex 21.32; Za 11.12. **26.16** livrer Mt 26.2+. **26.17** pains sans levain Mc 14.1. par.; 14.12; Lc 22.1; Ac 12.3; 20.6; 1 Co 5.7-8 — le premier jour Ex 12.14-20 — la Pâque Mt 26.2.

« Où veux-tu que nous te préparions le repas de la *Pâque ? » ¹⁸ Il dit : « Allez à la ville chez un tel et dites-lui : "Le Maître dit : Mon temps est proche ; c'est chez toi que je célèbre la Pâque avec mes disciples. » ¹⁹ Les disciples firent comme Jésus le leur avait prescrit et préparèrent la Pâque.

Jésus annonce qu'il va être trahi
(Mc 14.17-21; Lc 22.14; Jn 13.21-30)

²⁰ Le soir venu, il était à table avec les Douze. ²¹ Pendant qu'ils mangeaient, il dit : « En vérité, je vous le déclare, l'un de vous va me livrer. » ²² Profondément attristés, ils se mirent chacun à lui dire : « Serait-ce moi, Seigneur ? » ²³ En réponse, il dit : « Il a plongé la main avec moi dans le plat, celui qui va me livrer. ²⁴ Le *Fils de l'homme s'en va selon ce qui est écrit de lui ; mais malheureux l'homme par qui le Fils de l'homme est livré ! Il aurait mieux valu pour lui qu'il ne fût pas né, cet homme-là ! » ²⁵ Judas, qui le livrait, prit la parole et dit : « Serait-ce moi, rabbi ? » Il lui répond : « Tu l'as dit ! »

Le pain et la coupe de la cène
(Mc 14.22-25; Lc 22.15-20; 1 Co 11.23-26)

²⁶ Pendant le repas, Jésus prit du pain et, après avoir prononcé la bénédiction, il le rompit ; puis, le donnant aux disciples, il dit : « Prenez, mangez, ceci est mon corps. » ²⁷ Puis il prit une coupe et, après avoir rendu grâce, il la leur donna en disant : « Buvez-en tous, ²⁸ car ceci est mon sang, le sang de *l'Alliance, versé pour la multitude, pour le pardon des péchés. ²⁹ Je vous le déclare : je ne boirai plus désormais de ce fruit de la vigne jusqu'au jour où je le boirai, nouveau, avec vous dans le *royaume de mon Père. »

Jésus annonce que Pierre le reniera
(Mc 14.26-31; Lc 22.33-34, 39; Jn 13.37-38)

³⁰ Après avoir chanté les psaumes, ils sortirent pour aller au mont des Oliviers. ³¹ Alors Jésus leur dit : « Cette nuit même, vous allez tous tomber à cause de moi. Il est écrit, en effet : *Je frapperai le *berger et les brebis du troupeau seront dispersées. ³² Mais, une fois ressuscité, je vous précéderai en Galilée. » ³³ Prenant la parole, Pierre lui dit : « Même si tous tombent à cause de toi, moi je ne tomberai jamais. » ³⁴ Jésus lui dit : « En vérité, je te le déclare, cette nuit même, avant que le coq chante, tu m'auras renié trois fois. » ³⁵ Pierre lui dit : « Même s'il faut que je meure avec toi, non, je ne te renierai pas ». Et tous les disciples en dirent autant.

La prière de Jésus à Gethsémani
(Mc 14.32-42; Lc 22.40-46)

³⁶ Alors Jésus arrive avec eux à un domaine appelé Gethsémani et il dit aux disciples : « Restez ici pendant que j'irai prier là-bas. » ³⁷ Emmenant Pierre et les deux fils de Zébédée, il commença à ressentir tristesse et angoisse. ³⁸ Il leur dit alors : « Mon âme est triste à en mourir. Demeurez ici et veillez avec moi. » ³⁹ Et allant un peu plus loin et tombant la face contre terre il le priait, disant : « Mon Père, s'il est possible, que cette coupe passe loin de moi ! Pourtant, non pas comme je veux, mais comme tu veux ! » ⁴⁰ Il vient vers les disciples et les trouve en train de dormir ; il dit à Pierre : « Ainsi vous n'avez pas eu la force de veiller une heure avec moi ! ⁴¹ Veillez et priez afin de ne pas tomber au pouvoir de la *tentation. L'esprit est plein d'ardeur, mais la chair est faible. » ⁴² De nouveau pour la deuxième fois, il s'éloigna et pria, disant : « Mon Père, si cette coupe ne peut passer sans que je la boive, que

26.18 mon temps est proche Jn 13.1; cf. Jn 7.30. **26.20** les Douze Mt 10.2+. **26.21** va me livrer Mt 26.2+. **26.23** il se sert au même plat Ps 41.10. **26.24** le Fils de l'homme Mt 8.20+ — ce qui est écrit de lui Ps 22.7, 8, 16, 18; Es 53.9 — malheureux l'homme Mt 11.21+ — il aurait mieux valu Mt 18.6 par. **26.25** Judas Mt 26.14 — tu l'as dit Mt 26.64. **26.27** une coupe 1 Co 10.16. **26.28** le sang de l'alliance Ex 24.8; Za 9.11; He 9.20 — pour la multitude Es 53.12 — le pardon des péchés Mc 1.4; Lc 1.77; 3.3; 24.47; Ac 2.38; 5.31; 10.43; 13.38; 26.18; Ep 1.7; Col 1.14; He 9.22; 10.18. **26.29** dans le royaume de mon Père Mt 8.11. **26.30** les psaumes Ps 113–118. **26.31** tous vont tomber Mt 5.29+ — il est écrit Za 13.7; Mt 26.56; Jn 16.32. **26.32** en Galilée Mt 28.7. **26.33** Pierre Mt 4.18+. **26.34** cette nuit même Mt 26.69-75 par. — renier Mt 10.33+. **26.35** mourir avec Jésus Jn 11.16. **26.36** Gethsémani cf. Jn 18.1 — Jésus en prière Mt 14.23+; He 5.7-8. **26.37** Pierre, Jacques et Jean Mt 17.1+; cf. Mt 4.18+. **26.38** tristesse mortelle 1 R 19.4; Jn 12.27 — veillez Mt 24.42+. **26.39** cette coupe Mt 20.22+ — comme tu veux Mt 6.10+. **26.41** au pouvoir de la tentation Mt 6.13; Lc 11.4.

ta volonté se réalise ! » ⁴³ Puis, de nouveau, il vint et les trouva en train de dormir, car leurs yeux étaient appesantis. ⁴⁴ Il les laissa, il s'éloigna de nouveau et pria pour la troisième fois, en répétant les mêmes paroles. ⁴⁵ Alors il vient vers les disciples et leur dit : « Continuez à dormir et reposez-vous ! Voici que l'heure s'est approchée où le *Fils de l'homme est livré aux mains des *pécheurs. ⁴⁶ Levez-vous ! Allons ! Voici qu'est arrivé celui qui me livre. »

L'arrestation de Jésus

(*Mc 14.43-52; Lc 22.47-53; Jn 18.2-11*)

⁴⁷ Il parlait encore quand arriva Judas, l'un des Douze, avec toute une troupe armée d'épées et de bâtons, envoyée par les *grands prêtres et les anciens du peuple. ⁴⁸ Celui qui le livrait leur avait donné un signe : « Celui à qui je donnerai un baiser, avait-il dit, c'est lui, arrêtez-le ! » ⁴⁹ Aussitôt il s'avança vers Jésus et dit : « Salut, rabbi ! » Et il lui donna un baiser. ⁵⁰ Jésus lui dit : « Mon ami, fais ta besogne ! » S'avançant alors ils mirent la main sur Jésus et l'arrêtèrent. ⁵¹ Et voici, un de ceux qui étaient avec Jésus, portant la main à son épée, la tira, frappa le serviteur du grand prêtre et lui emporta l'oreille. ⁵² Alors Jésus lui dit : « Remets ton épée à sa place, car tous ceux qui prennent l'épée périront par l'épée. ⁵³ Penses-tu que je ne puisse faire appel à mon Père, qui mettrait aussitôt à ma disposition plus de douze légions ⁿ *d'anges ? ⁵⁴ Comment s'accompliraient alors les Ecritures selon lesquelles il faut qu'il en soit ainsi ? » ⁵⁵ En cette heure-là, Jésus dit aux foules : « Comme pour un bandit vous êtes parties avec des épées et des bâtons, pour vous saisir de moi ! Chaque jour j'étais dans le *Temple assis à enseigner, et vous ne m'avez pas arrêté. ⁵⁶ Mais tout cela est arrivé pour que s'accomplissent les écrits des *prophè-

tes. » Alors les disciples l'abandonnèrent tous et prirent la fuite.

Jésus comparaît devant le sanhédrin

(*Mc 14.53-65; Lc 22.54-55, 63-71; Jn 18.12-18*)

⁵⁷ Ceux qui avaient arrêté Jésus l'emmenèrent chez Caïphe, le *Grand Prêtre, chez qui s'étaient réunis les scribes et les anciens. ⁵⁸ Quant à Pierre, il le suivait de loin jusqu'au palais du Grand Prêtre ; il y entra et s'assit avec les serviteurs pour voir comment cela finirait. ⁵⁹ Or les grands prêtres et tout le *sanhédrin cherchaient un faux témoignage contre Jésus pour le faire condamner à mort ; ⁶⁰ ils n'en trouvèrent pas, bien que beaucoup de faux témoins se fussent présentés. Finalement il s'en présenta deux qui ⁶¹ déclarèrent : « Cet homme a dit : "Je peux détruire le *Sanctuaire de Dieu et le rebâtir en trois jours" ». ⁶² Le Grand Prêtre se leva et lui dit : « Tu n'as rien à répondre ? De quoi ces gens témoignent-ils contre toi ? » ⁶³ Mais Jésus gardait le silence. Le Grand Prêtre lui dit : « Je t'adjure par le Dieu vivant de nous dire si tu es, toi, le *Messie, le Fils de Dieu. » ⁶⁴ Jésus lui répondit « Tu le dis. Seulement, je vous le déclare, désormais vous verrez *le Fils de l'homme siégeant à la droite du Tout-Puissant et venant sur les nuées du ciel.* » ⁶⁵ Alors le Grand Prêtre déchira ses vêtements et dit : « Il a *blasphémé. Qu'avons-nous encore besoin de témoins ! Vous venez d'entendre le blasphème. ⁶⁶ Quel est votre avis ? » Ils répondirent : « Il mérite la mort. » ⁶⁷ Alors ils lui crachèrent au visage et lui donnèrent des coups ; d'autres le giflèrent ⁶⁸ « Pour nous, dirent-ils, fais le *prophète, Messie : qui est-ce qui t'a frappé ? »

Pierre renie Jésus

(*Mc 14.66-72; Lc 22.56-62; Jn 18.17, 25-27*)

⁶⁹ Or Pierre était assis dehors dans la

---

n Voir note sur Mc 5.9

26.44 pour la troisième fois 2 Co 12.8. 26.45 l'heure s'est approchée Jn 12.23; 13.1; 17.1 — livré Mt 26.2+. 26.46 levez-vous Jn 14.31. 26.47 Judas Mt 10.4+. 26.51 le serviteur blessé à l'oreille Jn 18.26. 26.52 prendre l'épée, périr par l'épée Gn 9.6; Ap 13.10. 26.54 accomplissement des Ecritures Mt 1.22+. 26.55 chaque jour Lc 19.47; 21.37; Jn 18.20. 26.56 fuite des disciples Za 13.7; Mt 26.31; Jn 16.32. 26.57 Caïphe Mt 26.3; Lc 3.2; Jn 11.49; 18.13-14, 24, 28; Ac 4.6. 26.60 faux témoignage Ps 27.12; 35.11; Ac 6.13. 26.61 destruction du Temple Mt 24.2-3; 27.40; Jn 2.19; Ac 6.14. 26.63 le silence de Jésus Mt 27.12, 14; cf. Es 53.7; Ac 8.32 — Fils de Dieu Mt 14.33+. 26.64 tu le dis Mt 26.25 — Fils de l'homme Mt 8.20+ — à la droite Ps 110.1 (Mt 22.44+) — venant sur les nuées Mt 24.30+. 26.65 vêtements déchirés Nb 14.6; 2 S 13.19; Esd 9.3; Jb 1.20; 2.12; Jr 36.24; Ac 14.14 — blasphème Mt 9.2+. 26.66 mérite la mort Lv 24.16; Jn 19.7. 26.67 mauvais traitements Es 50.5-7; 53.7; cf. Mt 21.35+.

cour. Une servante s'approcha de lui en disant : « Toi aussi, tu étais avec Jésus le Galiléen ! » [70] Mais il nia devant tout le monde, en disant : « Je ne sais pas ce que tu veux dire. » [71] Comme il s'en allait vers le portail, une autre le vit et dit à ceux qui étaient là : « Celui-ci était avec Jésus le Nazôréen [o]. » [72] De nouveau, il nia avec serment : « Je ne connais pas cet homme ! » [73] Peu après, ceux qui étaient là s'approchèrent et dirent à Pierre : « A coup sûr, toi aussi tu es des leurs ! Et puis, ton accent te trahit. » [74] Alors il se mit à jurer avec des imprécations : « Je ne connais pas cet homme ! » Et aussitôt un coq chanta. [75] Et Pierre se rappela la parole que Jésus avait dite : « Avant que le coq chante, tu m'auras renié trois fois. » Il sortit et pleura amèrement.

Jésus est conduit devant Pilate

(*Mc 15.1-2; Lc 22.66; 23.1; Jn 18.28*)

27 [1] Le matin venu, tous les *grands prêtres et les anciens du peuple tinrent conseil contre Jésus pour le faire condamner à mort. [2] Puis ils le lièrent, ils l'emmenèrent et le livrèrent au gouverneur Pilate.

Judas se donne la mort

[3] Alors Judas, qui l'avait livré, voyant que Jésus avait été condamné, fut pris de remords et rapporta les trente pièces d'argent aux *grands prêtres et aux anciens, [4] en disant : « J'ai péché en livrant un sang innocent [p] ». Mais ils dirent : « Que nous importe ! C'est ton affaire ! » [5] Alors il se retira en jetant l'argent du côté du *Sanctuaire, et alla se pendre. [6] Les grands prêtres prirent l'argent et dirent : « Il n'est pas permis de le verser au trésor, puisque c'est le prix du sang [q] ». [7] Après avoir tenu conseil, ils achetèrent avec cette somme le champ du potier pour la sépulture des étrangers. [8] Voilà pourquoi jusqu'à maintenant ce champ est appelé :

"Champ du sang". [9] Alors s'accomplit ce qui avait été dit par le prophète Jérémie [r] : *Et ils prirent les trente pièces d'argent : c'est le prix de celui qui fut évalué, de celui qu'ont évalué les fils d'Israël. [10] Et ils les donnèrent pour le champ du potier, ainsi que le Seigneur me l'avait ordonné.*

La décision de Pilate

(*Mc 15.2-15; Lc 23.2-5, 13-25; Jn 18.28—19.16*)

[11] Jésus comparut devant le gouverneur. Le gouverneur l'interrogea : « Es-tu le roi des juifs ? » Jésus déclara : « C'est toi qui le dis » ; [12] mais aux accusations que les *grands prêtres et les anciens portaient contre lui, il ne répondit rien. [13] Alors Pilate lui dit : « Tu n'entends pas tous ces témoignages contre toi ? » [14] Il ne lui répondit sur aucun point, de sorte que le gouverneur était fort étonné. [15] A chaque fête, le gouverneur avait coutume de relâcher à la foule un prisonnier, celui qu'elle voulait. [16] On avait alors un prisonnier fameux, qui s'appelait Jésus Barabbas [s]. [17] Pilate demanda donc à la foule rassemblée : « Qui voulez-vous que je vous relâche, Jésus Barabbas ou Jésus qu'on appelle Messie ? » [18] Car il savait qu'ils l'avaient livré par jalousie. [19] Pendant qu'il siégeait sur l'estrade, sa femme lui fit dire : « Ne te mêle pas de l'affaire de ce juste ! Car aujourd'hui j'ai été tourmentée en rêve à cause de lui. » [20] Les grands prêtres et les anciens persuadèrent les foules de demander Barabbas et de faire périr Jésus. [21] Reprenant la parole, le gouverneur leur demanda : « Lequel des deux voulez-vous que je vous relâche ? » Ils répondirent : « Barabbas ! » [22] Pilate leur demande « Que ferai-je donc de Jésus, qu'on appelle Messie ? » Ils répondirent tous : « Qu'il soit crucifié ! » [23] Il reprit : « Quel mal a-t-il donc fait ? » Mais eux criaient de plus en plus fort : « Qu'il soit crucifié ! » [24] Voyant que cela ne servait à rien mais que la situation tournait à la révolte, Pilate prit de l'eau et se lava les mains en présence de la foule, en disant : « Je

---

o On hésite sur le sens de cette appellation donnée à Jésus : équivalent de « Galiléen » (v. 69) ? Evocation de « nazîréen » — le Saint de Dieu par excellence — (Jg 13.5) ? ● *p* ou *un homme* (vivant) *innocent* ● *q* Trésor : Il s'agit du trésor du Temple — *Le prix du sang* : le prix d'une vie humaine ● *r* La citation combine Za 11.12-13 avec des éléments empruntés à Jr 18.2-3; 19.1-2; 32.6-15 ● *s* De nombreux manuscrits omettent le mot *Jésus* devant *Barabbas*

26.71 le Nazôréen Mt 2.23+. 26.74 un coq chanta Mt 26.34; Jn 13.38. 27.1 conseil Mt 12.14; Mc 3.6. 27.2 livrer Mt 26.2+. 27.3 les trente pièces d'argent Mt 26.15+. 27.4 c'est ton affaire Mt 27.24. 27.8 champ du sang Ac 1.19. 27.9 accomplissement de l'écriture Mt 1.22+. 27.9-10 Za 11.12-13; Jr 18.2-3; 19.1-2; 32.6-15. 27.11 roi des Juifs Mt 2.2+. 27.12 silence de Jésus Mt 26.63+. 27.22 qu'il soit crucifié Ac 3.13; 13.28. 27.24 Pilate se lave les mains cf. Dt 21.6-8 — innocent Ac 18.6; 20.26 — c'est votre affaire Mt 27.4.

suis innocent de ce sang ^{t}. C'est votre affaire ! » ^{25} Tout le peuple répondit : « Nous prenons son sang sur nous ^{u} et sur nos enfants ! » ^{26} Alors il leur relâcha Barabbas. Quant à Jésus, après l'avoir fait flageller ^{v}, il le livra pour qu'il soit crucifié.

La royauté de Jésus tournée en dérision
(*Mc 15.16-20; Lc 23.11; Jn 19.2-3*)

^{27} Alors les soldats du gouverneur, emmenant Jésus dans le *prétoire, rassemblèrent autour de lui toute la cohorte. ^{28} Ils le dévêtirent et lui mirent un manteau écarlate ^{w} ; ^{29} avec des épines ils tressèrent une couronne qu'ils lui mirent sur la tête, ainsi qu'un roseau dans la main droite ; s'agenouillant devant lui, ils se moquèrent de lui en disant : « Salut, roi des Juifs ! » ^{30} Ils crachèrent sur lui, et, prenant le roseau, ils le frappaient à la tête. ^{31} Après s'être moqués de lui ils lui enlevèrent le manteau et lui remirent ses vêtements. Puis ils l'emmenèrent pour le crucifier.

Jésus est mis en croix
(*Mc 15.21-32; Lc 23.26-43; Jn 19.16-24*)

^{32} Comme ils sortaient, ils trouvèrent un homme de Cyrène, nommé Simon ; ils le requirent pour porter la croix de Jésus. ^{33} Arrivés au lieu-dit Golgotha, ce qui veut dire lieu du Crâne, ^{34} ils lui *donnèrent à boire* du vin mêlé *de fiel*. L'ayant goûté, il ne voulut pas boire. ^{35} Quand ils l'eurent crucifié, *ils partagèrent ses vêtements en tirant au sort*. ^{36} Et ils étaient là, assis, à le garder. ^{37} Au-dessus de lui, ils avaient placé le motif de sa condamnation, ainsi libellé : « Celui-ci est Jésus, le roi des Juifs. » ^{38} Deux bandits sont alors crucifiés avec lui, l'un à droite, l'autre à gauche. ^{39} Les passants l'insultaient, *hochant la tête* ^{40} et disant : « Toi qui détruis le *Sanctuaire et le rebâtis en trois jours, sauve-toi toi-même, si tu es le Fils de Dieu, et descends de la croix ! » ^{41} De même, avec les scribes et les anciens, les grands prêtres se moquaient : ^{42} Il en a sauvé d'autres et il ne peut pas se sauver lui-même ! Il est Roi d'Israël, qu'il descende maintenant de la croix, et nous croirons en lui ! » ^{43} « *Il a mis en Dieu sa confiance, que Dieu le délivre maintenant, s'il l'aime* », car il a dit : « Je suis Fils de Dieu ! » ^{44} Même les bandits crucifiés avec lui l'injuriaient de la même manière.

La mort de Jésus
(*Mc 15.33-39; Lc 23.44-48; Jn 19.28-30*)

^{45} A partir de midi, il y eut des ténèbres sur tout la terre jusqu'à trois heures. ^{46} Vers trois heures, Jésus s'écria d'une voix forte : « *Eli, Eli, lema sabaqthani* », c'est-à-dire : « Mon *Dieu, mon Dieu, pourquoi m'as-tu abandonné ?* » ^{47} Certains de ceux qui étaient là disaient, en l'entendant : « Le voilà qui appelle Elie ! » ^{48} Aussitôt l'un d'eux court prendre une éponge qu'il imbiba de *vinaigre ;* et, la fixant au bout d'un roseau, il lui *présenta à boire.* ^{49} Les autres dirent : « Attends ! Voyons si Elie va venir le sauver. » ^{50} Mais Jésus, criant de nouveau d'une voix forte, rendit l'esprit. ^{51} Et voici que le voile du Sanctuaire se déchira en deux du haut en bas ; la terre trembla, les rochers se fendirent ; ^{52} les tombeaux s'ouvrirent, les corps de nombreux *saints défunts ressuscitèrent : ^{53} sortis des tombeaux, après sa résurrection, ils entrèrent dans la Ville Sainte ^{x} et apparurent à un grand nombre de gens. ^{54} A la vue du tremblement de terre et de ce qui arrivait, le centurion et ceux qui avec lui gardaient Jésus furent saisis d'une grande crainte et dirent : « Vraiment, celui-ci était Fils de Dieu. »

---

t ou *de la mort de cet homme* ● u Tournure sémitique (Cf. 2 S 1.16; 3.29; Jr 51.35) pour signifier que quelqu'un est responsable de la mort d'un autre et doit en supporter les conséquences ● v Voir Mc 10.34 et note ● w C'est le manteau des soldats romains ● x C'est-à-dire Jérusalem

27.25 son sang sur nous 2 S 1.13-16; Ac 5.28 — sur nos enfants Lc 23.28. **27.26** flagellation Mt 10.17; 23.34; Ac 5.40; 22.19; **27.29** moqueries Mt 20.19; 27.41; cf. Ps 22.8; 44.14; 52.8 — roi des Juifs Mt 2.2+. **27.30** crachats Mt 26.67; cf. Es 50.6. **27.32** Cyrène Ac 2.10; 11.20. **27.34** Ps 69.22. **27.35** Ps 22.19. **27.38** bandits Mt 26.55; cf. Es 53.12 — à sa droite et à sa gauche Mt 20.21. **27.39** hochant la tête Ps 22.8; 109.25; Lm 2.15. **27.40** destructeur du sanctuaire Mt 26.61+ — Fils de Dieu Mt 14.33+. **27.41** moqueries Mt 27.29. **27.42** le roi d'Israël Jn 1.49; 12.13. **27.43** Ps 22.9; Sg 2.13, 18-20 — il a dit Jn 5.18; 10.36; 19.7. **27.45** ténèbres Ex 10.22; Am 8.9-10. **27.46** Ps 22.2 **27.47** Elie Mt 11.14+. **27.48** Ps 69.22. **27.51** le voile du Sanctuaire Ex 26.31-35; He 6.19; 10.20. **27.51-53** bouleversements de la nature Am 8.3; Es 26.19; Ez 37.12; Dn 12.2. **27.53** la Ville Sainte Mt 4.5+. **27.54** Fils de Dieu Mt 14.33+.

Le corps de Jésus est mis au tombeau
(*Mc 15.40-47; Lc 23.49-56; Jn 19.25, 38-42*)

[55] Il y avait là plusieurs femmes qui regardaient à distance ; elles avaient suivi Jésus depuis les jours de Galilée [y] en le servant ; [56] parmi elles se trouvaient Marie de Magdala, Marie la mère de Jacques et de Joseph, et la mère des fils de Zébédée. [57] Le soir venu, arriva un homme riche d'Arimathée [z], nommé Joseph, qui lui aussi était devenu *disciple de Jésus. [58] Cet homme alla trouver Pilate et demanda le corps de Jésus. Alors Pilate ordonna de le lui remettre. [59] Prenant le corps, Joseph l'enveloppa dans un linceul propre [60] et le déposa dans le tombeau tout neuf qu'il s'était fait creuser dans le rocher ; puis il roula une grosse pierre à l'entrée du tombeau et s'en alla. [61] Cependant Marie de Magdala et l'autre Marie étaient là, assises en face du sépulcre.

La garde est placée devant le tombeau

[62] Le lendemain, jour qui suit la Préparation [a], les *grands prêtres et les *pharisiens se rendirent ensemble chez Pilate. [63] « Seigneur, lui dirent-ils, nous nous sommes souvenus que cet imposteur a dit de son vivant : "Après trois jours, je ressusciterai". [64] Donne donc l'ordre que l'on s'assure du sépulcre jusqu'au troisième jour, de peur que ses disciples ne viennent le dérober et ne disent au peuple : "Il est ressuscité des morts". Et cette dernière imposture serait pire que la première. » [65] Pilate leur déclara : « Vous avez une garde. Allez ! Assurez-vous du sépulcre, comme vous l'entendez. » [66] Ils allèrent donc s'assurer du sépulcre en scellant la pierre et en y postant une garde.

Au début du premier jour de la semaine
(*Mc 16.1-8; Lc 24.1-11; Jn 20.1, 11-18*)

28 [1] Après le *sabbat, au commencement du premier jour de la semaine, Marie de Magdala et l'autre Marie [b] vinrent voir le sépulcre. [2] Et voilà qu'il se fit un grand tremblement de terre : *l'Ange du Seigneur descendit du ciel, vint rouler la pierre et s'assit dessus. [3] Il avait l'aspect de l'éclair et son vêtement était blanc comme neige. [4] Dans la crainte qu'ils en eurent, les gardes furent bouleversés et devinrent comme morts. [5] Mais l'ange prit la parole et dit aux femmes : « Soyez sans crainte, vous. Je sais que vous cherchez Jésus, le crucifié. [6] Il n'est pas ici, car il est ressuscité comme il l'avait dit ; venez voir l'endroit où il gisait. [7] Puis, vite, allez dire à ses disciples : "Il est ressuscité des morts", et voici qu'il vous précède en Galilée ; c'est là que vous le verrez. Voilà, je vous l'ai dit. » [8] Quittant vite le tombeau, avec crainte et grande joie, elles coururent porter la nouvelle à ses disciples. [9] Et voici que Jésus vint à leur rencontre et leur dit « Je vous salue ». Elles s'approchèrent de lui et lui saisirent les pieds en se prosternant devant lui. [10] Alors Jésus leur dit : « Soyez sans crainte. Allez annoncer à mes frères qu'ils doivent se rendre en Galilée : c'est là qu'ils me verront. » [11] Comme elles étaient en chemin, voici que quelques hommes de la garde vinrent à la ville informer les *grands prêtres de tout ce qui était arrivé. [12] Ceux-ci, après s'être assemblés avec les anciens et avoir tenu conseil, donnèrent aux soldats une bonne somme d'argent, [13] avec cette consigne : « Vous direz ceci : "Ses disciples sont venus de nuit et l'ont dérobé pendant que nous dormions". [14] Et si l'affaire vient aux oreilles du gouver-

---

y C'est-à-dire depuis le début du ministère de Jésus ● z *Arimathée:* ville située à environ 35 km au N. O. de Jérusalem ● a Ce terme désignait le vendredi, jour où les Juifs préparaient la célébration du sabbat ● b Voir Mt 27.56

27.55 plusieurs femmes Lc 8.2-3. **27.56** Marie de Magdala Mt 27.61; 28.1; Mc 15.40, 47; 16.1, 9; Lc 8.2; 24.10; Jn 19.25; 20.1-18 — femme de Zébédée Mt 20.20. **27.58** le corps du supplicié Dt 21.22-23 ; **27.60** tombeau Mc 6.29; Ac 13.29 — grosse pierre Mt 28.2; Mc 16.3-4. **27.61** l'autre Marie Mt 27.56; 28.1; Mc 15.40, 47; 16.1; Lc 24.10; Jn 19.25. **27.62** la Préparation Mc 15.42; Lc 23.54; Jn 19.31, 42. **27.63** trois jours Mt 12.40; 16.21 par.; 17.23 par.; 20.19; Lc 24.7. **28.1** Marie de Magdala Mt 27.56+ — l'autre Marie Mt 27.61+. **28.2** tremblement de terre Ex 19.18; Ps 114.7; He 12.26 — l'Ange du Seigneur Mt 1.20+. **28.3** blanc Mt 17.2 par.; Ac 1.10. **28.5** soyez sans crainte Gn 15.1; 26.24; Es 41.10; Jr 30.10; Mt 14.27 par.; 28.20; Mc 5.36; Jn 6.20; Ap 1.17. **28.6** ressuscité Mt 16.21 par.; 17.23 par.; 20.19 par.; Lc 24.7; Ac 2.24; 4.10; 1 Co 15.4, 12, etc. **28.7** en Galilée Mt 28.10, 17; Jn 21.1-23. **28.8** annoncer la nouvelle cf. Mc 16.8. **28.9** saisir les pieds 2 R 24.27 — se prosterner Mt 2.2, 8, 11; 8.2; 14.33; 15.25; 28.17. **28.10** mes frères Jn 20.17. **28.12** conciliabule des adversaires de Jésus Mt 12.14+. **28.13** prétendu vol de cadavre Mt 27.64.

neur, c'est nous qui l'apaiserons, et nous ferons en sorte que vous ne soyez pas inquiétés. » ¹⁵ Ils prirent l'argent et se conformèrent à la leçon qu'on leur avait apprise. Ce récit s'est propagé chez les Juifs jusqu'à ce jour.

Le ressuscité envoie ses disciples en mission

¹⁶ Quant aux onze disciples, ils se rendirent en Galilée, à la montagne où Jésus leur avait ordonné de se rendre. ¹⁷ Quand ils le virent, ils se prosternèrent, mais quelques-uns eurent des doutes. ¹⁸ Jésus s'approcha d'eux et leur adressa ces paroles : « Tout pouvoir m'a été donné au *ciel et sur la terre. ¹⁹ Allez donc : de toutes les nations faites des *disciples, les baptisant au *nom du Père et du Fils et du Saint Esprit, ²⁰ leur apprenant à garder tout ce que je vous ai prescrit. Et moi, je suis avec vous tous les jours jusqu'à la fin des temps. »

28.16 Galilée Mt 26.32; 28.7, 10. **28.17** des doutes Mc 16.11, 13-14; Lc 24.11, 37-44; Jn 20.25-27. **28.18** tout pouvoir Dn 7.14; Mt 11.27; Jn 3.35; 13.3; 17.2; Rm 1.4; Ep 1.20-22; Ph 2.5-11; 1 Tm 3.16; cf. Mt 4.9-10. **28.19** allez Mt 2.8; 9.13; 10.6; 11.4; 27.66; 28.7 — toutes les nations Es 42.6; 49.6; Mt 24.9, 14; 25.32; Ac 1.8; cf. 10.5-6; 23; 15.24 — baptiser Mc 16.16; Ac 2.38; 8.12, 38; 9.18; 10.48; 11.16; 16.15, 33; 18.8; 19.5; 22.16; Rm 6.3; 1 Co 1.13-17; 12.13; Ga 3.27; Ep 4.5; Col 2.12; 1 P 3.21; cf. Mc 10.38-39; Lc 12.50; Mt 3.6+ — au nom de 1 Co 1.13; 10.2 — le Père, le Fils, l'Esprit 1 Co 12.3-5; 2 Co 13.13. **28.20** avec vous Ex 3.12; Es 41.10; 43.5; Jr 1.8; Ag 1.13; Mt 1.23; Jn 14.16, 23; 16.7-11 — la fin des temps Mt 13.39+.

ÉVANGILE SELON MARC

Jean le Baptiste

(Mt 3.1-6, 11-12; Lc 3.1-6, 15-18)

1 ¹ Commencement de *l'Evangile de Jésus Christ Fils de Dieu : ² Ainsi qu'il est écrit dans le livre du prophète Esaïe,

Voici, j'envoie mon messager en avant de toi,
Pour préparer ton chemin.
³ *Une voix crie dans le désert :*
Préparez le chemin du Seigneur,
Rendez droits ses sentiers.

⁴ Jean le Baptiste parut dans le désert ᵃ, proclamant un baptême de conversion en vue du pardon des péchés. ⁵ Tout le pays de Judée et tous les habitants de Jérusalem se rendaient auprès de lui ; ils se faisaient baptiser par lui dans le Jourdain en confessant leurs péchés. ⁶ Jean était vêtu de poil de chameau avec une ceinture de cuir autour des reins ; il se nourrissait de sauterelles et de miel sauvage. ⁷ Il proclamait : « Celui qui est plus fort que moi vient après moi et je ne suis pas digne, en me courbant, de délier la lanière de ses sandales. ⁸ Moi, je vous ai baptisés d'eau, mais lui vous baptisera d'Esprit Saint. »

Baptême et tentation de Jésus

(Mt 3.13-4.11; Lc 3.21-22; 4.1-13)

⁹ Or, en ces jours-là Jésus vint de Nazareth en Galilée et se fit baptiser par Jean dans le Jourdain. ¹⁰ A l'instant où il remontait de l'eau, il vit les *cieux se déchirer et l'Esprit, comme une colombe, descendre sur lui. ¹¹ Et des cieux vint une voix : « Tu es mon Fils bien-aimé, il m'a plu de te choisir. »

¹² Aussitôt l'Esprit poussa Jésus au désert. ¹³ Durant quarante jours, au désert, il fut tenté par *Satan. Il était avec les bêtes sauvages et les *anges le servaient.

Les quatre premiers disciples

(Mt 4.12-22; Lc 4.14-15; 5.1-3, 10-11)

¹⁴ Après que Jean eut été livré ᵇ, Jésus vint en Galilée. Il proclamait *l'Evangile de Dieu et disait : ¹⁵ « Le temps est accompli, et le *règne de Dieu s'est approché : convertissez-vous et croyez à l'Evangile. »

¹⁶ Comme il passait le long de la mer de Galilée ᶜ, il vit Simon et André, le frère de Simon, en train de jeter le filet dans

---

a Autre texte: *Jean parut, baptisant dans le désert et proclamant ... Sur le désert* voir Mt 3.1 et note ● *b* Selon Lc 3.20 il faut sous-entendre ici: (livré) au pouvoir de l'autorité politique — c'est-à-dire emprisonné. A l'époque, c'est *Hérode Antipas* qui règne en Galilée avec le titre de *tétrarque* ● *c* ou lac de Gennésareth

1.1 Evangile Mc 1.14; 8.35; 10.29; 13.10; 14.9; 16.15; Rm 1.1; 15.19; 16.25 — Christ Mc 8.29-30; 14.61-62 — Fils de Dieu Mc 1.11; 3.11; 5.7; 9.7; 14.61-62; 15.39; cf. Mt 14.33+. **1.2** Ex 23.20 (grec); Ml 3.1 (Mt 11.10; Lc 1.76; 7.27). **1.3** Es 40.3 (Jn 1.23). **1.4** Jean (le Baptiste) Mc 6.14, 24-25; 8.18; cf. Mt 3.1+ — le désert Mt 3.1+ — baptême de conversion Ac 13.24; 19.4; cf. Mt 3.6+ — proclamer Mt 3.1+; Mc 1.14, 38-39, 45; 3.14; 5.20; 6.12; 7.36; 13.10; 14.9; 16.15; Ga 2.2; Col 1.23; 1 Th 2.9 — conversion Mt 3.2.+ — pardon des péchés Ps 32.5; Pr 28.13; Lc 3.13-14; Ac 19.18; Jc 4.10; 1 Jn 1.9; cf. Mt 26.28+. **1.5** activité baptismale de Jean Mt 3.6+ — confession des péchés Lv 5.5-6; 26.40; Ne 1.6; Dn 9.20. **1.6** vêtement de Jean Mt 3.4+. **1.7** pas digne Ac 13.25. **1.8** baptême d'Esprit Saint Mt 3.11+. **1.10** les cieux déchirés Es 63.19; cf. Mt 3.16+ — l'Esprit descend sur Jésus Es 11.2; 42.1; 63.11. **1.11** mon Fils bien-aimé Gn 22.2; Mt 3.17+. **1.12** au désert Mt 3.1+. **1.13** quarante Mt 4.2+ — tenté He 2.18; 4.15 — Satan Jb 1.6; Mt 4.10; Mc 3.23, 26 par.; 4.15; 8.33 par.; Lc 10.18; 13.16; 22.3, 31; Jn 13.27; Ac 5.3; 26.18; Rm 16.20; 1 Co 5.5; 7.5; 2 Co 2.11; 11.14; 12.7; 1 Th 2.18; 2 Th 2.9; 1 Tm 1.20; 5.15; Ap 2.9, 13, 24; 12.9; 20.7. **1.14** Jean le Baptiste livré Mt 4.12+ — l'Evangile de Dieu Rm 1.1; 15.16; 2 Co 11.7. **1.15** accomplissement des temps Dn 12.4-9; Mc 13.20; Ga 4.4; Ep 1.10 — le règne de Dieu Mt 3.2+; 6.10+ — appel à la conversion Mt 3.2+ — accueillir l'Evangile 1 Th 1.5-6, 9; 2.13; Col 1.5-6. **1.16** Simon et André Mt 4.18+.

la mer : c'étaient des pêcheurs. ¹⁷ Jésus leur dit : « Venez à ma suite, et je ferai de vous des pêcheurs d'hommes. » ¹⁸ Laissant aussitôt leurs filets, ils le suivirent. ¹⁹ Avançant un peu, il vit Jacques, fils de Zébédée, et Jean son frère, qui étaient dans leur barque en train d'arranger leurs filets. ²⁰ Aussitôt, il les appela. Et laissant dans la barque leur père Zébédée avec les ouvriers, ils partirent à sa suite.

Jésus manifeste son autorité
(Lc 4.31-37)

²¹ Ils pénètrent dans Capharnaüm. Et dès le jour du *sabbat, entré dans la *synagogue, Jésus enseignait. ²² Ils étaient frappés de son enseignement ; car il les enseignait en homme qui a autorité et non pas comme les *scribes. ²³ Justement il y avait dans leur synagogue un homme possédé d'un esprit impur ᵈ ; il s'écria : ²⁴ « De quoi te mêles-tu, Jésus de Nazareth ? tu es venu pour nous perdre. Je sais qui tu es : le *Saint de Dieu. » ²⁵ Jésus le menaça : « Tais-toi et sors de cet homme ». ²⁶ L'esprit impur le secoua avec violence et il sortit de lui en poussant un grand cri. ²⁷ Ils furent tous tellement saisis qu'ils se demandaient les uns aux autres : « Qu'est-ce que cela ? voilà un enseignement nouveau, plein d'autorité ! Il commande même aux esprits impurs et ils lui obéissent ! » ²⁸ Et sa renommée se répandit aussitôt partout, dans toute la région de Galilée.

Guérisons de malades
(Mt 8.14-17 ; Lc 4.38-41)

²⁹ Juste en sortant de la *synagogue, ils allèrent, avec Jacques et Jean, dans la maison de Simon et d'André. ³⁰ Or la belle-mère de Simon était couchée, elle avait de la fièvre ; aussitôt on parle d'elle à Jésus. ³¹ Il s'approcha et la fit lever en lui prenant la main : la fièvre la quitta et elle se mit à les servir.

³² Le soir venu, après le coucher du soleil ᵉ, on se mit à lui amener tous les malades et les démoniaques ᶠ. ³³ La ville entière était rassemblée à la porte. ³⁴ Il guérit de nombreux malades souffrant de maux de toutes sortes et il chassa de nombreux démons ; et il ne laissait pas parler les démons, parce que ceux-ci le connaissaient.

Jésus va prêcher en Galilée
(Mt 4.23 ; Lc 4.42-44)

³⁵ Au matin, à la nuit noire, Jésus se leva, sortit et s'en alla dans un lieu désert ; là, il priait. ³⁶ Simon se mit à sa recherche, ainsi que ses compagnons, ³⁷ et ils le trouvèrent. Ils lui disent : « Tout le monde te cherche ». ³⁸ Et il leur dit : « Allons ailleurs dans les bourgs voisins, pour que j'y proclame aussi *l'Evangile ; car c'est pour cela que je suis sorti. » ³⁹ Et il alla par toute la Galilée ; il prêchait dans leurs *synagogues et chassait les *démons.

Jésus guérit un lépreux
(Mt 8.1-4 ; Lc 5.12-16)

⁴⁰ Un *lépreux s'approche de lui ; il le supplie et tombe à genoux en lui disant : « Si tu le veux, tu peux me purifier. » ⁴¹ Pris de pitié ᵍ, Jésus étendit la main et le toucha. Il lui dit : « Je le veux, sois purifié. » ⁴² A l'instant, la lèpre le quitta et il fut purifié. ⁴³ S'irritant contre lui, Jésus le renvoya aussitôt. ⁴⁴ Il lui dit :

---

d Expression fréquente dans les Evangiles (3.11, 30 ; 5.2, etc.) pour désigner un démon auquel on attribuait certaines maladies (9.20) ● e Le sabbat se terminait à l'apparition des premières étoiles ● f Personnes se trouvant sous l'influence d'un démon (voir 1.23 et note) ● g autre texte : irrité

1.17 appel à suivre Jésus Mt 4.19+ — pêcheurs d'hommes Mt 13.47-50. **1.19** Jacques et Jean Mc 3.17 ; 10.35 ; Mt 4.21+. **1.21** synagogue et jour du sabbat Mc 6.2 ; Lc 4.16 ; 6.6 ; 13.10 — Capharnaüm Mt 4.13+. **1.22** l'enseignement de Jésus et l'impression produite Mt 7.28-29 ; Mc 6.2 ; 10.26 ; 11.18 — autorité de Jésus Mc 1.27 ; 2.10 ; 11.28-33 ; cf. Jn 7.46. **1.23** un homme possédé Mc 5.2. **1.24** de quoi te mêles-tu ? Mt 8.29+ — nous perdre Lc 10.18 ; Ap 20.10 — le Saint de Dieu Lc 4.34 ; Jn 6.69 ; Ac 3.14 ; 4.27, 30. **1.25** Jésus impose le secret Mc 1.34, 44 ; 3.12 ; 5.43 ; 7.36 ; 8.26, 30 ; 9.9 ; Lc 4.41 ; 5.14 ; 8.56 ; cf. Mt 8.4+ — menace Mc 9.25 ; Lc 4.39. **1.27** stupéfaction Mc 10.24, 32 ; cf. 1.22+. **1.28** la renommée de Jésus Mt 4.24. **1.31** par la main Mc 5.41 par. ; 9.27. **1.32** malades amenés à Jésus Mt 4.14 — esprit mauvais et maladie Mc 3.10-11 ; 6.13 ; cf. Mt 8.16 ; Lc 6.18 ; Ac 5.16 ; 8.7. **1.34** Jésus impose le silence Mc 1.25+ ; 3.12. **1.35** Jésus en prière Mt 14.23+ ; Mc 6.46 ; Lc 3.21+. **1.38** proclamer Mc 1.4+ — l'Evangile Mc 1.1+. **1.39** ministère itinérant de Jésus Mt 9.35 ; Mc 6.6. **1.40** lépreux Mt 8.2+. **1.41** Jésus pris de pitié Mc 9.36+ ; 20.34 ; Mc 8.2 ; 9.22 ; Lc 7.13 ; Mt 18.27 ; Lc 10.33 ; 15.20. **1.43** Jésus irrité Mt 9.30 ; cf. Mc 1.41 note. **1.44** secret recommandé Mc 1.25+ — se montrer au prêtre Lc 17.14 — offrande prescrite Lv 14.2-32.

« Garde-toi de rien dire à personne, mais va te montrer au *prêtre et offre pour ta purification ce que Moïse a prescrit : ils auront là un témoignage. » ⁴⁵ Mais une fois parti, il se mit à proclamer bien haut et à répandre la nouvelle, si bien que Jésus ne pouvait plus entrer ouvertement dans une ville, mais qu'il restait dehors en des endroits déserts. Et l'on venait à lui de toute part.

Le paralysé de Capharnaüm
(*Mt 9.1-8 ; Lc 5.17-26*)

2 ¹ Quelques jours après Jésus rentra à Capharnaüm et l'on apprit qu'il était à la maison ʰ. ² Et tant de monde s'y rassembla qu'il n'y avait plus de place, pas même devant la porte. Et il leur annonçait la Parole. ³ Arrivent des gens qui lui amènent un paralysé porté par quatre hommes. ⁴ Et comme ils ne pouvaient l'amener jusqu'à lui à cause de la foule, ils ont découvert le toit ⁱ au-dessus de l'endroit où il était, et faisant une ouverture, ils descendent le brancard sur lequel le paralysé était couché. ⁵ Voyant leur foi, Jésus dit au paralysé : « Mon fils, tes péchés sont pardonnés. » ⁶ Quelques *scribes étaient assis là et raisonnaient en leurs *cœurs : ⁷ « Pourquoi cet homme parle-t-il ainsi ? Il *blasphème. Qui peut pardonner les péchés sinon Dieu seul ? » ⁸ Connaissant aussitôt en son esprit qu'ils raisonnaient ainsi en eux-mêmes, Jésus leur dit : « Pourquoi tenez-vous ces raisonnements en vos cœurs ? ⁹ Qu'y a-t-il de plus facile, de dire au paralysé : "Tes péchés sont pardonnés", ou bien de dire : "Lève-toi, prends ton brancard et marche ?" ¹⁰ Eh bien, afin que vous sachiez que le *Fils de l'homme a autorité pour pardonner les péchés sur la terre, — il dit au paralysé : ¹¹ "Je te dis : lève-toi, prends ton brancard et va dans ta maison." » ¹² L'homme se leva, il prit aussitôt son brancard et il sortit devant tout le monde, si bien que tous étaient bouleversés et rendaient gloire à Dieu en disant : « Nous n'avons jamais rien vu de pareil ! »

Le repas chez Lévi
(*Mt 9.9-13 ; Lc 5.27-32*)

¹³ Jésus s'en alla de nouveau au bord de la mer. Toute la foule venait à lui, et il les enseignait. ¹⁴ En passant, il vit Lévi, le fils d'Alphée, assis au bureau des taxes ʲ. Il lui dit : « Suis-moi ». Il se leva et le suivit. ¹⁵ Le voici à table dans sa maison, et beaucoup de collecteurs d'impôts ᵏ et de *pécheurs avaient pris place avec Jésus et ses disciples, car il y avait beaucoup de monde ¹⁶ et même des scribes *pharisiens ˡ le suivaient. Ceux-ci, voyant qu'il mangeait avec les pécheurs et les collecteurs d'impôts, disaient à ses disciples : « Quoi ? Il mange avec les collecteurs d'impôts et les pécheurs ? » ¹⁷ Jésus, qui avait entendu, leur dit : « Ce ne sont pas les bien-portants qui ont besoin de médecin, mais les malades ; je suis venu appeler non pas les justes, mais les pécheurs. »

Le jeûne ; vieilles outres et vin nouveau
(*Mt 9.14-17 ; Lc 5.33-39*)

¹⁸ Les *disciples de Jean ᵐ et les *pharisiens étaient en train de jeûner. Ils vien-

---

h D'après 1.29 c'est la maison de Simon ● i *le toit* des maisons palestiniennes, en forme de terrasse, était fait de bois et de terre battue ● j On y percevait des taxes sur les marchandises entrant ou sortant de la ville. La perception de ces taxes était affermée à des personnes privées qui utilisaient du personnel subalterne. Voir note suivante et Lc 19.2 ● k Voir Lc 3.12-13. Ces percepteurs étaient souvent accusés d'abuser de leur charge pour s'enrichir. Compromis en outre avec les occupants romains, ils étaient assimilés aux *pécheurs*, qui n'observaient pas la loi de Moïse ● l Autre texte : *car ils étaient nombreux* (16) *et le suivaient. Et les scribes des pharisiens, voyant qu'il mangeait ...* ● m Il s'agit des disciples de Jean le Baptiste

---

1.45 proclamer Mc 1.4+. **2.1** Capharnaüm Mt 4.13+ — à la maison Mc 1.29. **2.2** annoncer la parole Ac 4.29, 31 ; 8.25, etc. ; cf. Mc 1.4+. **2.5** foi Mc 4.40 ; 11.23 et guérison Mc 5.34, 36 ; 9.23 ; 10.52 — péchés pardonnés Lc 7.48. **2.7** blasphème Mt 9.2+ — Dieu (seul) peut pardonner les péchés Ps 103.3 ; Es 43.25 ; 1 Jn 1.9. **2.8** pensées secrètes percées à jour Mt 12.25 — pourquoi ? Mt 16.8. **2.10** le Fils de l'homme Mt 8.20+. **2.12** rendre gloire à Dieu Mt 5.16 ; 9.8+ ; Lc 2.20+ ; Jn 12.28 ; 13.31-32 ; 14.13 ; 17.1 ; 21.19 ; Ac 12.23 ; 13.48 ; Rm 15.6, 9 ; 1 Co 6.20 ; 2 Co 9.13 ; Ga 1.24 ; 2 Th 3.1 ; 1 P 2.12 ; 4.11, 16 ; Ap 15.4 — jamais rien vu de pareil Mt 9.33. **2.13** afflux des foules à Jésus Mc 3.7-8+ — Jésus enseigne Mc 1.22 ; 6.2. **2.14** Lévi Lc 5.27, 29 ; cf. Mt 9.9+ (Matthieu) — suis-moi Mt 4.19+ ; 19.21 par. ; Mc 1.17 ; Lc 9.59. **2.15** collecteurs d'impôts Mt 5.46+ — pécheurs Mt 11.19 ; Lc 6.32-34 ; 7.34 ; 15.1-2, 10 ; 19.7 ; Jn 9.16, 24. **2.16** ami des gens tenus à l'écart Mt 9.11 ; 11.19+ ; Lc 7.34. **2.17** Jésus venu pour... Mc 10.45 ; 11.9. **2.18** disciples de Jean Mt 9.14+ — jeûne Mt 6.16+.

nent dire à Jésus : « Pourquoi, alors que les disciples de Jean et les disciples des pharisiens jeûnent, tes disciples ne jeûnent-ils pas ? » ¹⁹ Jésus leur dit : « Les invités à la noce peuvent-ils jeûner pendant que l'époux est avec eux ? Tant qu'ils ont l'époux avec eux, ils ne peuvent pas jeûner. ²⁰ Mais des jours viendront où l'époux leur aura été enlevé ; alors ils jeûneront, ce jour-là. ²¹ Personne ne coud une pièce d'étoffe neuve à un vieux vêtement ; sinon le morceau neuf qu'on ajoute tire sur le vieux vêtement, et la déchirure est pire. ²² Personne ne met du vin nouveau dans de vieilles outres ⁿ ; sinon, le vin fera éclater les outres, et l'on perd à la fois le vin et les outres ; mais à vin nouveau, outres neuves. »

Les épis arrachés
(Mt 12.1-8; Lc 6.1-5)

²³ Or Jésus, un jour de *sabbat, passait à travers des champs de blé et ses disciples se mirent, chemin faisant, à arracher des épis. ²⁴ Les *pharisiens lui disaient : « Regarde ce qu'ils font le jour du sabbat ! Ce n'est pas permis. » ²⁵ Et il leur dit : « Vous n'avez donc jamais lu ce qu'a fait David lorsqu'il s'est trouvé dans le besoin et qu'il a eu faim, lui et ses compagnons, ²⁶ comment, au temps du *grand prêtre Abiathar, il est entré dans la maison de Dieu, a mangé les pains de l'offrande que personne n'a le droit de manger, sauf les prêtres, et en a donné aussi à ceux qui étaient avec lui ? » ²⁷ Et il leur disait : « Le sabbat a été fait pour l'homme et non l'homme pour le sabbat, ²⁸ de sorte que le *Fils de l'homme est maître même du sabbat. »

L'homme à la main paralysée
(Mt 12.9-14; Lc 6.6-11)

3 ¹ Il entra de nouveau dans une *synagogue ; il y avait là un homme qui avait la main paralysée. ² Ils observaient Jésus pour voir s'il le guérirait le jour du *sabbat ; c'était pour l'accuser. ³ Jésus dit à l'homme qui avait la main paralysée : « Lève-toi ! viens au milieu ». ⁴ Et il leur dit : « Ce qui est permis le jour du sabbat, est-ce de faire le bien ou de faire le mal ? de sauver un être vivant ou de le tuer ? » Mais eux se taisaient. ⁵ Promenant sur eux un regard de colère, navré de l'endurcissement de leur *cœur, il dit à cet homme : « Etends la main ». Il l'étendit et sa main fut guérie. ⁶ Une fois sortis, les pharisiens tinrent aussitôt conseil avec les Hérodiens ᵒ contre Jésus sur les moyens de le faire périr ᵖ.

Les gens viennent en foule à Jésus
(Mt 4.25; 12.15-16; Lc 6.17-19)

⁷ Jésus se retira avec ses disciples au bord de la mer ᵠ. Une grande multitude venue de la Galilée le suivit. Et de la Judée, ⁸ de Jérusalem, de l'Idumée, d'au-delà du Jourdain, du pays de Tyr et Sidon ʳ, une grande multitude vint à lui, à la nouvelle de tout ce qu'il faisait. ⁹ Il dit à ses disciples de tenir une barque prê... pour lui à cause de la foule qui risquait de l'écraser. ¹⁰ Car il en avait tant guéris que tous ceux qui étaient frappés de quelque mal se jetaient sur lui pour le toucher. ¹¹ Les esprits impurs ˢ, quand ils le voyaient, se jetaient à ses pieds et criaient : « Tu es le Fils de Dieu ». ¹² Et il leur commandait très sévèrement de ne pas le faire connaître.

---

n Les *outres* (peaux de chèvre retournées, dont on liait les orifices) servaient à transporter et à conserver l'eau, le lait ou le vin ● o Amis ou partisans d'*Hérode Antipas* (4 av. J.C. — 39 ap. J.C.). Voir note sur 1.14 ● p Ou: *afin de le faire périr* ● q Voir 1.16 et note ● r L'*Idumée*, au sud de la Judée, comprenait la ville d'Hébron; *Tyr et Sidon*: villes phéniciennes du nord, sur la côte méditerranéenne ● s Voir 1.23 et note

2.19 (symbole de) l'époux Mt 9.15+. **2.22** le vieux et le neuf 2 Co 5.17; Ga 1.6; 4.9; Jn 1.17. **2.23** sabbat Mt 12.1+ — épis arrachés Dt 23.26. **2.24** ce n'est pas permis Ex 34.21. **2.25-26** David et les pains de l'offrande 1 S 21.2-7. **2.26** Abiathar 2 S 15.35. **2.27** le sabbat pour l'homme Ex 20.8-10; Dt 5.12-14; cf. *1 M* 2.39-41; Mc 3.4; Mt 12.11-12; Lc 14.5. **2.28** le Fils de l'homme Mt 8.20+. **3.2** pour l'accuser Jn 8.6. **3.4** permis le jour du sabbat Lc 14.3; Jn 5.10 — faire du bien le jour du sabbat Jn 5.17. **3.5** regard circulaire de Jésus Mc 3.34; 5.32; 10.23; 11.11 — endurcissement du cœur Ex 7.13; Es 6.9-10; Mt 13.15; 19.8; Mc 6.52; 8.17; 10.5; 16.14; Lc 21.34; Jn 12.40; Ac 7.51; 28.27; Rm 2.5; 11.25; Ep 4.18; He 3.8, 10, 12, 15; 4.7. **3.6** conciliabule contre Jésus Mt 12.14+ — Hérodiens Mt 22.16; Mc 3.6; 12.13 — Hérode Mt 14.1+. **3.7** bord de la mer Mc 2.13; 3.7-8; 4.1-2; 5.21; Lc 5.1-3. **3.8** afflux des foules à Jésus Mt 4.25; 8.1; 12.15; 14.13; Mc 1.32, 45; 2.1, 13; 3.7-8, 20; 4.1; 5.21; 6.31, 34; Lc 6.17-19. **3.9** Jésus enseigne depuis une barque Mc 4.1 par.; Lc 5.3. **3.10** toucher Jésus Mc 5.28+. **3.11** Fils de Dieu Mt 14.33+; Mc 1.1+ — les démons identifient Jésus Mc 5.7. **3.12** Jésus impose le secret Mc 1.25+.

Jésus constitue le groupe des Douze
(Mt 10.1-4; Lc 6.12-16)

¹³ Il monte dans la montagne et il appelle ceux qu'il voulait. Ils vinrent à lui ¹⁴ et il en établit douze pour être avec lui et pour les envoyer prêcher ¹⁵ avec pouvoir de chasser les *démons. ¹⁶ Il établit les Douze : Pierre, — c'est le surnom qu'il a donné à Simon —, ¹⁷ Jacques, le fils de Zébédée, et Jean, le frère de Jacques, — et il leur donna le surnom de Boanerguès, c'est-à-dire fils du tonnerre *t* —, ¹⁸ André, Philippe, Barthélemy, Matthieu, Thomas, Jacques, le fils d'Alphée, Thaddée et Simon le zélote *u*, ¹⁹ et Judas Iscarioth *v*, celui-là même qui le livra.

Jésus a-t-il partie liée avec Satan ?
(Mt 12.24-32; Lc 11.15-23; 12.10)

²⁰ Jésus vient à la maison *w*, et de nouveau la foule se rassemble, à tel point qu'ils ne pouvaient même pas prendre leur repas. ²¹ A cette nouvelle les gens de sa parenté vinrent pour s'emparer de lui. Car ils disaient : « Il a perdu la tête ». ²² Et les *scribes qui étaient descendus de Jérusalem disaient : « Il a Béelzéboul *x* en lui » et : « c'est par le chef des démons qu'il chasse les démons ». ²³ Il les fit venir et il leur disait en *paraboles : « Comment *Satan peut-il expulser Satan ? ²⁴ Si un royaume est divisé contre lui-même, ce royaume ne peut se maintenir. ²⁵ Si une famille est divisée contre elle-même, cette famille ne pourra pas tenir. ²⁶ Et si Satan s'est dressé contre lui-même et s'il est divisé, il ne peut pas tenir, c'en est fini de lui. ²⁷ Mais personne ne peut entrer dans la maison de l'homme fort et piller ses biens, s'il n'a d'abord ligoté l'homme fort ; alors il pillera sa maison. ²⁸ En vérité je vous déclare que tout sera pardonné aux fils des hommes, les péchés et les *blasphèmes aussi nombreux qu'ils en auront proféré. ²⁹ Mais si quelqu'un blasphème contre l'Esprit Saint, il reste sans pardon à jamais : il est coupable de péché pour toujours. » ³⁰ Cela parce qu'ils disaient : « Il a un esprit impur ».

La vraie parenté de Jésus
(Mt 12.46-50; Lc 8.19-21)

³¹ Arrivent sa mère et ses frères. Restant dehors, ils le firent appeler. ³² La foule était assise autour de lui. On lui dit : « Voici que ta mère et tes frères sont dehors ; ils te cherchent. » ³³ Il leur répond : « Qui sont ma mère et mes frères ? » ³⁴ Et parcourant du regard ceux qui étaient assis en cercle autour de lui, il dit : « Voici ma mère et mes frères. ³⁵ Quiconque fait la volonté de Dieu, voilà mon frère, ma sœur, ma mère ».

La parabole du semeur
(Mt 13.1-9; Lc 8.4-8)

4 ¹ De nouveau, Jésus se mit à enseigner au bord de la mer *y*. Une foule se rassemble près de lui, si nombreuse qu'il monte s'asseoir dans une barque, sur la mer. Toute la foule était à terre face à la mer. ² Et il leur enseignait beaucoup de choses en *paraboles. Il leur disait dans son enseignement : ³ « Ecoutez. Voici que le semeur est sorti pour semer. ⁴ Or, comme il semait, du grain est tombé au bord du chemin ; les oiseaux sont venus et ont tout mangé. ⁵ Il en est aussi tombé dans un endroit pierreux où il n'avait pas beaucoup de terre ; il a aussitôt levé parce qu'il n'avait pas de terre en profondeur ; ⁶ quand le soleil fut

---

t Sur l'emploi particulier de l'expression *fils de*, voir 1 Th 5.5 et note ● *u* Les *Zélotes* formaient un parti religieux qui préconisait la violence contre les ennemis intérieurs et extérieurs du peuple d'Israël ● *v* L'interprétation de ce surnom est discutée. En Jn 6.71; 13.26, c'est le surnom du père de Judas ● *w* Voir 2.1 et note ● *x* *Béelzéboul:* un nom du prince des démons. Voir 2 R 1.2-16 ● *y* Voir 1.16 et note

3.13 Jésus sur la montagne Mc 6.46; 9.2 — l'appel à devenir disciple Mc 1.17; 2.14; Mt 4.19+ — être avec Jésus Mc 5.18 — envoyer Mt 10.5+ — prêcher Mt 3.1+; Mc 1.4+. **3.15** chasser les démons Mt 7.22; 8.16 par., 31; 9.32-34 par.; 10.8; 12.24; 17.18; Mc 5.13; 6.13; 7.26; 9.38; 16.9, 17; Lc 4.35; 9.1; 13.32. **3.16** les Douze Mt 10.2+ — Simon surnommé Pierre Mt 16.16-18; Jn 1.42. **3.17** fils du tonnerre Lc 9.54. **3.18** le zélote Lc 6.15. **3.19** Judas Iscarioth Mt 10.4+. **3.20** afflux de la foule Mc 3.8+. **3.21** il a perdu la tête Jn 10.20. **3.22** Jésus accusé d'être possédé Mt 9.34 par.; 10.25; 12.24; Jn 7.20; 8.48-52; 10.20-21 — Béelzéboul Mt 10.25+. **3.23** parabole Mc 4.11; 7.17 — Satan Mc 1.13+. **3.27** l'homme fort Es 49.24-25; 53.12; Mc 1.7. **3.28** tout sera pardonné 1 Tm 1.13+ — blasphème Mt 9.3+; Mc 2.7 par. **3.30** Jésus accusé d'être possédé Mc 3.22+. **3.31** la mère et les frères de Jésus Mt 13.55-56; Mc 6.3; Jn 2.12; Ac 1.14. **3.35** faire la volonté de Dieu Mt 6.10+. **4.1** avec la foule au bord de la mer Mc 2.13, 3.7-9; 4.1-2; 5.21; Lc 5.1-3. **4.2** en paraboles Mt 13.34; Mc 4.33-34.

monté, il a été brûlé et, faute de racines, il a séché. ⁷ Il en est aussi tombé dans les épines ; les épines ont monté, elles l'ont étouffé, et il n'a pas donné de fruit. ⁸ D'autres grains sont tombés dans la bonne terre et, montant et se développant, ils donnaient du fruit, et ils ont rapporté trente pour un, soixante pour un, cent pour un. » ⁹ Et Jésus disait : « Qui a des oreilles pour entendre, qu'il entende ! »

Pourquoi Jésus parle en paraboles
(*Mt 13.10-15 ; Lc 8.9-10*)

¹⁰ Quand Jésus fut à l'écart, ceux qui l'entouraient avec les Douze se mirent à l'interroger sur les *paraboles. ¹¹ Et il leur disait : « A vous, le *mystère du règne de Dieu est donné, mais pour ceux du dehors tout devient énigme
¹² pour que *tout en regardant, ils ne voient pas*
et que tout en entendant, ils ne comprennent pas
de peur qu'ils ne se convertissent et qu'il leur soit pardonné. »
¹³ Et il leur dit : « Vous ne comprenez pas cette parabole ! Alors comment comprendrez-vous toutes les paraboles ? »

Une application de la parabole du semeur
(*Mt 13.18-23 ; Lc 8.11-15*)

¹⁴ « Le semeur » sème la Parole. ¹⁵ Voilà ceux qui sont « au bord du chemin » où la Parole est semée : quand ils ont entendu, Satan vient aussitôt et il enlève la Parole qui a été semée en eux. ¹⁶ De même, voilà ceux qui sont ensemencés « dans des endroits pierreux » : ceux-là, quand ils entendent la Parole, la reçoivent aussitôt avec joie ; ¹⁷ mais ils n'ont pas en eux de racines, ils sont les hommes d'un moment ; et dès que vient la détresse ou la persécution à cause de la Parole, ils tombent. ¹⁸ D'autres sont ensemencés « dans les épines » : ce sont ceux qui ont entendu la Parole, ¹⁹ mais les soucis du monde, la séduction des richesses et les autres convoitises s'introduisent et étouffent la Parole qui reste sans fruit. ²⁰ Et voici ceux qui ont été ensemencés « dans la bonne terre » : ceux-là entendent la Parole, ils l'accueillent et portent du fruit, « trente pour un, soixante pour un, cent pour un. »

Paraboles de la lampe et de la mesure
(*Mt 5.15 ; 10.26 ; 7.2 ; 13.12 ; Lc 8.16-18 ; 11.33 ; 6.38*)

²¹ Il leur disait : « Est-ce que la lampe arrive pour être mise sous le boisseau ᶻ ou sous le lit ? n'est-ce pas pour être mise sur son support ? ²² Car il n'y a rien de secret qui ne doive être mis au jour, et rien n'a été caché qui ne doive venir au grand jour. ²³ Si quelqu'un a des oreilles pour entendre, qu'il entende ! » ²⁴ Il leur disait : « Faites attention à ce que vous entendez. La mesure dont vous vous servez servira de mesure pour vous et il vous sera donné plus encore. ²⁵ Car à celui qui a, il sera donné ; et à celui qui n'a pas, même ce qu'il a à lui sera retiré. »

La semence qui pousse d'elle-même

²⁶ Il disait : « Il en est du *Royaume de Dieu comme d'un homme qui jette la semence en terre : ²⁷ qu'il dorme ou qu'il soit debout, la nuit et le jour, la semence germe et grandit, il ne sait comment. ²⁸ D'elle-même la terre produit d'abord l'herbe, puis l'épi, enfin du blé plein l'épi. ²⁹ Et dès que le blé est mûr, on y met la faucille, car c'est le temps de la moisson. »

La parabole de la graine de moutarde
(*Mt 13.31-32 ; Lc 13.18-19*)

³⁰ Il disait : « A quoi allons-nous comparer le *Royaume de Dieu, ou par quelle *parabole allons-nous le représenter ? ³¹ C'est comme une graine de moutarde : quand on la sème en terre, elle est la plus

---

z boisseau: une mesure pour les grains, d'environ 9 litres

4.9 des oreilles pour entendre Mt 11.15+ ; Mc 4.23 ; 7.16. **4.10** ceux qui l'entouraient Mc 3.34 — Les Douze Mt 10.2+ ; Mc 3.16 — explication demandée Mt 13.36 ; par. 15.15 ; Mc 7.17 ; 9.28 ; 10.10 ; 13.3. **4.11** le mystère (du règne de Dieu) Dn 2.19, 22, 27-30 ; Ep 1.9 ; 3.3+ ; 6.19 ; Col 4.3 — ceux du dehors 1 Co 5.12-13 ; Col 4.5 ; 1 Th 4.12. **4.12** Es 6.9-10 (Jn 12.40 ; Ac 28.26-27). **4.13** inintelligence des disciples Mc 6.52 ; 7.18 ; 8.17, 18, 21, 33 ; 9.10, 32 ; 10.38. **4.15** Satan Mc 1.33+. **4.17** ils tombent Mt 5.29+ ; Mc 14.27. **4.19** séduction des richesses Mt 13.22 par.+ ; 19.23 ; Lc 12.15-21. **4.21** lampe sous le boisseau Mt 5.15 ; Lc 11.33. **4.22** secret dévoilé. Lc 12.2. **4.23** des oreilles pour entendre Mt 11.15+ ; Mc 4.9. **4.24** la mesure qui servira pour vous Mt 7.2 ; Lc 6.38. **4.25** à celui qui a... Mt 13.12+. **4.27** la semence qui germe Jc 5.7. **4.29** la faucille dans la moisson Jl 4.13 ; Ap 14.15. **4.31** graine de moutarde Mt 13.31 ; 17.20 ; Lc 17.6.

petite de toutes les semences du monde ; [32] mais quand on l'a semée, elle monte et devient plus grande que toutes les plantes potagères, et elle pousse de grandes branches, si bien que les oiseaux du ciel peuvent faire leurs nids à son ombre. »

Des paraboles pour annoncer la Parole
(Mt 13.34-35)

[33] Par de nombreuses *paraboles de ce genre, il leur annonçait la Parole, dans la mesure où ils étaient capables de l'entendre. [34] Il ne leur parlait pas sans parabole, mais, en particulier, il expliquait tout à ses disciples.

Jésus apaise une tempête
(Mt 8.18, 23-27; Lc 8.22-25)

[35] Ce jour-là, le soir venu, Jésus leur dit : « Passons sur l'autre rive ». [36] Quittant la foule, ils emmènent Jésus, dans la barque où il se trouvait, et il y avait d'autres barques avec lui. [37] Survient un grand tourbillon de vent. Les vagues se jetaient sur la barque, au point que déjà la barque se remplissait. [38] Et lui, à l'arrière, sur le coussin, dormait. Ils le réveillent et lui disent : « Maître, cela ne te fait rien que nous périssions ? » [39] Réveillé, il menaça le vent et dit à la mer : « Silence ! Tais-toi ! » Le vent tomba, et il se fit un grand calme. [40] Jésus leur dit : « Pourquoi avez-vous si peur ? Vous n'avez pas encore de foi [a] ? » [41] Ils furent saisis d'une grande crainte, et ils se disaient entre eux : « Qui donc est-il, pour que même le vent et la mer lui obéissent ? »

Jésus guérit un possédé
(Mt 8.28-34; Lc 8.26-39)

5 [1] Ils arrivèrent de l'autre côté de la mer, au pays des Géraséniens [b]. [2] Comme il descendait de la barque, un homme possédé d'un esprit impur [c] vint aussitôt à sa rencontre, sortant des tombeaux [d]. [3] Il habitait dans les tombeaux et personne ne pouvait plus le lier, même avec une chaîne. [4] Car il avait été souvent lié avec des entraves et des chaînes, mais il avait rompu les chaînes et brisé les entraves, et personne n'avait la force de le maîtriser. [5] Nuit et jour, il était sans cesse dans les tombeaux et les montagnes, poussant des cris et se déchirant avec des pierres. [6] Voyant Jésus de loin, il courut et se prosterna devant lui. [7] D'une voix forte il crie : « De quoi te mêles-tu, Jésus, Fils du Dieu très-haut ? Je t'adjure par Dieu, ne me tourmente pas. » [8] Car Jésus lui disait : « Sors de cet homme, esprit impur ! » [9] Il l'interrogeait : « Quel est ton nom ? » Il lui répond : « Mon nom est Légion [e], car nous sommes nombreux. » [10] Et il le suppliait avec insistance de ne pas les envoyer hors du pays. [11] Or il y avait là, du côté de la montagne, un grand troupeau de porcs [f] en train de paître. [12] Les esprits impurs supplièrent Jésus en disant : « Envoie-nous dans les porcs pour que nous entrions en eux. » [13] Il le leur permit. Et ils sortirent, entrèrent dans les porcs et le troupeau se précipita du haut de l'escarpement dans la mer [g] ; il y en avait environ deux mille et ils se noyaient dans la mer. [14] Ceux qui les gardaient prirent la fuite et rapportèrent la chose dans la ville et dans les hameaux. Et les gens vinrent voir ce qui était arrivé. [15] Ils viennent auprès de Jésus et voient le démoniaque [h], assis, vêtu et dans son bon sens, lui qui avait eu le démon Légion. Ils furent saisis de crainte. [16] Ceux qui avaient vu leur racontèrent ce qui était arrivé au démoniaque et à propos des porcs. [17] Et ils se mirent à supplier Jésus de s'éloigner de leur territoire. [18] Comme il montait dans la barque, celui qui avait été démoniaque le suppliait, demandant à être avec lui. [19] Jésus ne le lui permit pas, mais il lui dit : « Va dans ta maison auprès des tiens et rapporte leur tout ce que le Seigneur a fait

---

a Autre texte: *comment se fait-il que vous n'ayez pas de foi?* ● *b* Marc semble désigner ici la région située à l'est du lac de Gennésareth ● *c* Voir 1.23 et note *d* ● *d tombeaux:* aménagés le plus souvent dans des grottes naturelles ou creusés dans le roc ● *e légion:* nom des grandes unités de l'armée romaine (6000 hommes) ● *f* Selon Lv 11.7; Dt 14.8, le *porc* était tenu par les Juifs pour *impur* et interdit à la consommation. Le détail indique qu'on est en pays païen ● *g* Voir 1.16 et note ● *h* Voir 1.32 et note *f*

4.32 sous son ombre Ez 17.23; 31.6; Dn 4.9, 11. 18.   **4.39** menace Mc 1.25; 9.25; Lc 4.39.   **4.41** la mer dominée Ps 65.8; 77.17; 89.10; 107.23-32 — étonnement devant l'autorité de Jésus Mc 1.27.   **5.2** un homme possédé Mc 1.23 — tombeaux et impureté Es 65.4.   **5.7** de quoi te mêles-tu Mt 8.29+ — Fils de Dieu Mt 14.33+; Mc 1.1+; cf. 1.24; 3.11; Fils du Très Haut Lc 1.32+; 6.35 — je t'adjure Mt 26.63.   **5.9** plusieurs démons Mt 12.45; Lc 8.2, 27; 11.26.   **5.18** être avec Jésus Mc 3.14.   **5.19** va dans ta maison Mt 9.6; Mc 8.26; Lc 5.24; 8.39.

pour toi dans sa miséricorde ». ²⁰ L'homme s'en alla et se mit à proclamer dans la Décapole ⁱ tout ce que Jésus avait fait pour lui. Et tous étaient dans l'étonnement.

La femme souffrant d'hémorragie ; la fille de Jaïros
(Mt 9.18-26 ; Lc 8.40-56)

²¹ Quand Jésus eut regagné en barque l'autre rive, une grande foule s'assembla près de lui. Il était au bord de la mer. ²² Arrive l'un des chefs de la *synagogue, nommé Jaïros ; voyant Jésus, il tombe à ses pieds ²³ et le supplie avec insistance en disant : « Ma petite fille est près de mourir ; viens lui *imposer les mains pour qu'elle soit sauvée et qu'elle vive. » ²⁴ Jésus s'en alla avec lui ; une foule nombreuse le suivait et l'écrasait. ²⁵ Une femme, qui souffrait d'hémorragies depuis douze ans, ²⁶ — elle avait beaucoup souffert du fait de nombreux médecins et avait dépensé tout ce qu'elle possédait sans aucune amélioration ; au contraire, son état avait plutôt empiré —, ²⁷ cette femme, donc, avait appris ce qu'on disait de Jésus. Elle vint par derrière dans la foule et toucha son vêtement. ²⁸ Elle se disait : « Si j'arrive à toucher au moins ses vêtements, je serai sauvée ». ²⁹ A l'instant, sa perte de sang s'arrêta et elle ressentit en son corps qu'elle était guérie de son mal. ³⁰ Aussitôt Jésus s'aperçut qu'une force était sortie de lui. Il se retourna au milieu de la foule et il disait : « Qui a touché mes vêtements ? » ³¹ Ses disciples lui disaient : « Tu vois la foule qui te presse et tu demandes : "Qui m'a touché ?" » ³² Mais il regardait autour de lui pour voir celle qui avait fait cela. ³³ Alors la femme, craintive et tremblante, sachant ce qui lui était arrivé, vint se jeter à ses pieds et lui dit toute la vérité. ³⁴ Mais il lui dit : « Ma fille, ta foi t'a sauvée ; va en paix et sois guérie de ton

mal. » ³⁵ Il parlait encore quand arrivent de chez le chef de la synagogue des gens qui disent : « Ta fille est morte ; pourquoi ennuyer encore le Maître ? » ³⁶ Mais, sans tenir compte de ces paroles, Jésus dit au chef de la synagogue : « Sois sans crainte, crois seulement. » ³⁷ Et il ne laissa personne l'accompagner, sauf Pierre, Jacques et Jean le frère de Jacques. ³⁸ Ils arrivent à la maison du chef de la synagogue. Jésus voit de l'agitation, des gens qui pleurent et poussent de grands cris. ³⁹ Il entre et leur dit : « Pourquoi cette agitation et ces pleurs ? L'enfant n'est pas morte, elle dort. » ⁴⁰ Et ils se moquaient de lui. Mais il met tout le monde dehors et prend avec lui le père et la mère de l'enfant et ceux qui l'avaient accompagné. Il entre là où se trouvait l'enfant, ⁴¹ il prend la main de l'enfant et lui dit : « Talitha qoum ʲ », ce qui veut dire : « Fillette, je te le dis, réveille-toi ! » ⁴² Aussitôt la fillette se leva et se mit à marcher, — car elle avait douze ans. Sur le coup, ils furent tout bouleversés. ⁴³ Et Jésus leur fit de vives recommandations pour que personne ne le sache, et il leur dit de donner à manger à la fillette.

Jésus et les gens de Nazareth
(Mt 13.54-58 ; Lc 4.16, 22, 24)

6 ¹ Jésus partit de là. Il vient dans sa patrie et ses disciples le suivent. ² Le jour du *sabbat, il se mit à enseigner dans la *synagogue. Frappés d'étonnement, de nombreux auditeurs disaient : « D'où cela lui vient-il ? Et quelle est cette sagesse qui lui a été donnée, si bien que même des miracles se font par ses mains ? ³ N'est-ce pas le charpentier, le fils de Marie et le frère de Jacques, de Josès, de Jude et de Simon ? et ses sœurs ne sont-elles pas ici chez nous ? » Et il était pour eux une occasion de chute. ⁴ Jésus leur disait : « Un *prophète n'est méprisé que dans sa patrie, parmi ses parents et

---

ⁱ Groupe autonome de dix villes situées au S.E. du lac de Gennésareth ● ʲ En araméen, langue parlée par les Juifs au temps de Jésus

5.20 proclamer Mt 3.1+ ; Mc 1.4+. **5.23** imposition des mains Mt 9.18+ ; Lc 4.40 ; Ac 9.12, 17 ; 28.8. **5.27** elle toucha son vêtement Mt 14.36 ; Mc 6.56. **5.28** un contact qui guérit Mt 14.36 ; Mc 3.10 ; 6.56 ; Lc 6.19 ; Ac 5.15 ; 19.11-12. **5.30** une force Lc 6.19. **5.34** ta foi t'a sauvée Mc 10.52 par. ; Lc 7.50 ; 17.19 ; cf. Mt 9.22+ — va en paix 1 S 1.17 ; 20.42 ; 2 S 15.9 ; 2 R 5.19 ; Lc 7.50 ; Ac 16.36 ; Jc 2.16. **5.35** les limites au pouvoir de Jésus ? Jn 11.21, 32. **5.36** sans crainte Mc 16.6+. **5.37** Pierre, Jacques et Jean Mt 17.1 par.+ ; Mc 1.29 ; 9.2 ; 14.33. **5.39** la mort décrite comme un sommeil Mt 9.24+ ; 27.52 ; 1 Co 11.30 ; 15.6. **5.41** réveiller, faire lever Mt 9.25+. **5.43** garder le secret Mc 8.4+. **6.2** étonnement Mc 1.22+ — quelle sagesse ? Jn 7.15. **6.3** le fils de Marie Jn 6.42 — la mère et les frères de Jésus Mc 3.31+ — occasion de chute Mt 5.29+. **6.4** le prophète dans sa patrie Lc 4.24 ; Jn 4.44. **6.5** guérison et foi Mc 2.5+ — Jésus guérit Mt 14.14 ; Mc 6.13 — imposition des mains Mt 9.18+ ; Mc 5.23+.

dans sa maison. » [5] Et il ne pouvait faire là aucun miracle, pourtant il guérit quelques malades en leur *imposant les mains. [6] Et il s'étonnait de ce qu'ils ne croyaient pas.

Jésus envoie les Douze en mission
(*Mt 9.35; 10.1, 5-14; Lc 9.1-6*)

Il parcourait les villages des environs en enseignant. [7] Il fait venir les Douze. Et il commença à les envoyer deux par deux, leur donnant autorité sur les esprits impurs [k]. [8] Il leur ordonna de ne rien prendre pour la route, sauf un bâton : pas de pain, pas de sac, pas de monnaie dans la ceinture, [9] mais pour chaussures des sandales, « et ne mettez pas deux tuniques ». [10] Il leur disait : « Si, quelque part, vous entrez dans une maison, demeurez-y jusqu'à ce que vous quittiez l'endroit. [11] Si une localité ne vous accueille pas et si l'on ne vous écoute pas, en partant de là, secouez la poussière [l] de vos pieds : ils auront là un témoignage. » [12] Ils partirent et ils proclamèrent qu'il fallait se convertir. [13] Ils chassaient beaucoup de *démons, ils faisaient des onctions d'huile à beaucoup de malades et ils les guérissaient.

La mort de Jean le Baptiste
(*Mt 14.1-12; Lc 9.7-9; 3.19-20*)

[14] Le roi Hérode [m] entendit parler de Jésus, car son nom était devenu célèbre. On disait : « Jean le Baptiste est ressuscité des morts ; voilà pourquoi le pouvoir de faire des miracles agit en lui. » [15] D'autres disaient : « C'est Elie [n]. » D'autres disaient : « C'est un *prophète semblable à l'un de nos prophètes. » [16] Entendant ces propos, Hérode disait : « Ce Jean que j'ai fait décapiter, c'est lui qui est ressuscité. »

[17] En effet, Hérode avait fait arrêter Jean et l'avait enchaîné en prison, à cause *d'Hérodiade, la femme de son frère Philippe [o], qu'il avait épousée. [18] Car Jean disait à Hérode : « Il ne t'est pas permis de garder la femme de ton frère. » [19] Aussi Hérodiade le haïssait et voulait le faire mourir, mais elle ne le pouvait pas, [20] car Hérode craignait Jean, sachant que c'était un homme juste et *saint, et il le protégeait. Quand il l'avait entendu, il restait fort perplexe ; cependant il l'écoutait volontiers. [21] Mais un jour propice arriva lorsque Hérode, pour son anniversaire, donna un banquet à ses dignitaires, à ses officiers et aux notables de Galilée. [22] La fille de cette Hérodiade vint exécuter une danse et elle plut à Hérode et à ses convives. Le roi dit à la jeune fille : « Demande-moi ce que tu veux et je te le donnerai. » [23] Et il lui fit ce serment : « Tout ce que tu me demanderas, je te le donnerai, serait-ce la moitié de mon royaume. » [24] Elle sortit et dit à sa mère : « Que vais-je demander ? » Celle-ci répondit : « La tête de Jean le Baptiste ». [25] En toute hâte, elle rentra auprès du roi et lui demanda : « Je veux que tu me donnes tout de suite sur un plat la tête de Jean le Baptiste. » [26] Le roi devint triste, mais à cause de son serment et des convives il ne voulut pas lui refuser. [27] Aussitôt le roi envoya un garde avec l'ordre d'apporter la tête de Jean. Le garde alla le décapiter dans sa prison, [28] il apporta la tête sur un plat, il la donna à la jeune fille, et la jeune fille la donna à sa mère. [29] Quand ils l'eurent appris, les *disciples de Jean vinrent prendre son cadavre et le déposèrent dans un tombeau.

Jésus nourrit cinq mille hommes
(*Mt 14.13-21; Lc 9.10-17; Jn 6.1-15*)

[30] Les *Apôtres se réunissent auprès de Jésus et ils lui rapportèrent tout ce qu'ils avaient fait et tout ce qu'ils avaient enseigné. [31] Il leur dit : « Vous autres, venez à l'écart dans un lieu désert et reposez-

---

k Voir 1.23 et note ● *l* Voir Ac 13.51 et 18.6: c'est un geste de rupture. Il signifie que l'envoyé ne doit plus rien aux personnes visées, pas même la poussière de leur ville qui aurait pu rester attachée à ses chaussures ● *m* Il s'agit d'*Hérode Antipas*. Voir note sur Mc 1.14 ● *n* Voir Ml 3.23. Les juifs contemporains de Jésus se référaient à ce texte pour attendre le retour du prophète *Elie* comme précurseur du Messie ● *o* C'est-à-dire *Hérode Philippe* (qui vivait à Rome); à ne pas confondre avec Philippe le tétrarque qui régnait à Césarée de Philippe (8.27)

6.7 deux par deux Lc 10.1. **6.8** recommandations aux envoyés Lc 10.4. **6.10** demeurez-y Lc 10.7. **6.11** secouez la poussière... Lc 10.11; Ac 13.51 — un témoignage Mt 8.4; 10.18; Mc 1.44; 13.9; Lc 5.14. **6.12** appel à la conversion Mt 3.2+. **6.13** onctions d'huile Jc 5.14 — guérisons Mt 14.14; Mc 6.5. **6.14** Hérode Mt 14.1+. **6.14-15** ceux à qui l'on comparait Jésus Mt 16.14 par. **6.15** Elie Ml 11.14+; Mc 9.4 — Jésus comparé à un prophète Mt 16.14+; cf. Mt 21.11+. **6.18** union interdite Lv 18.16. **6.23** je te donnerai... Est 5.3, 6; 7.2. **6.29** dans un tombeau Mt 27.59-60; Lc 23.52-53; Jn 19.38, 41. **6.30** les apôtres Mt 10.2+; Lc 6.13; cf. Mc 6.13-14 — retour de mission Lc 10.17. **6.31** pas même le temps de manger Mc 3.20.

vous un peu. » Car il y avait beaucoup
de monde qui venait et repartait et eux
n'avaient pas même le temps de manger.
32 Ils partirent en barque vers un lieu
désert, à l'écart. 33 Les gens les virent
s'éloigner et beaucoup les reconnurent.
Alors, à pied, de toutes les villes, ils
coururent à cet endroit et arrivèrent avant
eux. 34 En débarquant, Jésus vit une
grande foule. Il fut pris de pitié pour
eux parce qu'ils étaient comme des brebis
qui n'ont pas de *berger, et il se mit à
leur enseigner beaucoup de choses. 35 Puis,
comme il était déjà tard, ses disciples
s'approchèrent de lui pour lui dire :
« L'endroit est désert et il est déjà tard.
36 Renvoie-les ; qu'ils aillent dans les hameaux et les villages des environs s'acheter de quoi manger. » 37 Mais il leur
répondit : « Donnez-leur vous-mêmes à
manger. » Ils lui disent : « Faut-il aller
acheter pour deux cents pièces d'argent
de pains et leur donner à manger ? » 38 Il
leur dit : « Combien avez-vous de pains ?
Allez voir ! » Ayant vérifié, ils disent :
« Cinq, et deux poissons. » 39 Et il leur
commanda d'installer tout le monde par
groupes sur l'herbe verte. 40 Ils s'étendirent par rangées de cent et de cinquante.
41 Jésus prit les cinq pains et les deux
poissons, et levant son regard vers le ciel,
il prononça la bénédiction, rompit les
pains et il les donnait aux disciples pour
qu'ils les offrent aux gens. Il partagea
aussi les deux poissons entre tous. 42 Ils
mangèrent tous et furent rassasiés. 43 Et
l'on emporta les morceaux, qui remplissaient douze paniers[q], et aussi ce qui restait des poissons. 44 Ceux qui avaient mangé les pains étaient cinq mille hommes.

Jésus marche sur le lac

(*Mt 14.22-33; Jn 6.16-21*)

45 Aussitôt Jésus obligea ses disciples à
remonter dans la barque et à le précéder
sur l'autre rive, vers Bethsaïda, pendant
que lui-même renvoyait la foule. 46 Après
l'avoir congédiée, il partit dans la montagne pour prier. 47 Le soir venu, la barque était au milieu de la mer [r], et lui, seul,
à terre. 48 Voyant qu'ils se battaient à
ramer contre le vent qui leur était contraire, vers la fin de la nuit, il vient vers
eux en marchant sur la mer, et il allait
les dépasser. 49 En le voyant marcher sur
la mer, ils crurent que c'était un fantôme et ils poussèrent des cris. 50 Car
ils le virent tous et ils furent affolés.
Mais lui aussitôt leur parla ; il leur dit :
« Confiance, c'est moi, n'ayez pas peur. »
51 Il monta auprès d'eux dans la barque,
et le vent tomba. Ils étaient extrêmement
bouleversés. 52 En effet, ils n'avaient rien
compris à l'affaire des pains, leur *cœur
était endurci.

Guérisons à Gennésareth

(*Mt 14.34-36*)

53 Après la traversée, ils touchèrent
terre à Gennésareth [s] et ils abordèrent.
54 Dès qu'ils eurent débarqué, les gens
reconnurent Jésus ; 55 ils parcoururent tout
le pays et se mirent à apporter les malades sur des brancards là où l'on apprenait qu'il était. 56 Partout où il entrait,
villages, villes ou hameaux, on mettait
les malades sur les places ; on le suppliait
de les laisser toucher seulement la frange
de son vêtement [t] ; et ceux qui le touchaient étaient tous guéris.

Jésus met en question la tradition

(*Mt 15.1-9*)

7 1 Les *pharisiens et quelques scribes
venus de Jérusalem se rassemblent
auprès de Jésus. 2 Ils voient que certains

q Il s'agit de paniers d'osier rigides dans lesquels les Juifs transportaient leurs provisions • *r* Voir Mc 1.16 et note • *s* Plaine fertile au S.O. de Capharnaüm • *t* Les juifs pieux portaient une *frange* à leur vêtement (Nb 15.38-41), munie d'un fil pourpre rappelant les commandements de Dieu. Ce détail explique la vénération dont cette frange était l'objet. (Mt 9.20; Lc 8.44)

6.32 nourriture au désert Ex 16; Dt 8.3, 16; Ps 78.24-25, 29; 105.40; *Sg* 16.20-26; 1 Co 10.3. **6.34** pitié de Jésus pour la foule Mt 9.36+ ; Mc 8.2 — comme des brebis sans berger Mt 9.36+ ; Za 10.2; *Jdt* 11.19 — bergers d'Israël Nb 27.15-17; Ez 34.15, 23; 37.24; Ps 23.1; 77.21; 78.52-53, 70-72; 80.1. **6.35-44** Jésus rassasie une foule Mt 15. 32-38; Mc 8.1-9. **6.37** les disciples poussés à l'action Mc 3.14-15; 6.7, 12-13, 30. **6.40** par cent et cinquante Ex 18.21, 25; Nb 31.14; Dt 1.15. **6.42** rassasiés (le banquet messianique) Es 25.6-8; 55.1-2; cf. Mt 8.11; 22.1-4. **6.46** Jésus s'isole pour prier Mc 1.35; Lc 3.21+ ; cf. Mt 14.23+ ; Jn 6.15 — dans la montagne Mc 3.13; 6.46; 9.2. **6.48** marchant sur la mer Jb 9.8; Ps 77.20; cf. Mc 4.41. **6.49** Jésus pris pour un fantôme Lc 24.37. **6.50** c'est moi Ex 3.14; Dt 32.39; Es 41.4; 43.10, 13; cf. Jn 8.24, 28, 58 — n'ayez pas peur Mc 16.6+. **6.51** le vent tomba Mc 4.39. **6.52** cœur endurci Mc 3.5+ ; cf. 4.13; 8.17. **6.55** les malades amenés à Jésus Mc 1.32+ ; cf. 3.8+. **6.56** frange du vêtement Mt 9.20 par+. **7.2** ablutions rituelles non observées Lc 11.38.

de ses disciples prennent leurs repas avec des mains *impures, c'est-à-dire sans les avoir lavées *u*. ³ En effet, les pharisiens, comme tous les Juifs, ne mangent pas sans s'être lavé soigneusement les mains, par attachement à la tradition des anciens *v* ; ⁴ en revenant du marché, ils ne mangent pas sans avoir fait des ablutions ; et il y a beaucoup d'autres pratiques traditionnelles auxquelles ils sont attachés : lavages rituels des coupes, des cruches et des plats. ⁵ Les pharisiens et les scribes demandent donc à Jésus : « Pourquoi tes disciples ne se conduisent-ils pas conformément à la tradition des anciens, mais prennent-ils leur repas avec des mains impures ? » ⁶ Il leur dit : « Esaïe a bien prophétisé à votre sujet, hypocrites, car il est écrit :

*Ce peuple m'honore des lèvres
mais son *cœur est loin de moi ;*
⁷ *c'est en vain qu'ils me rendent un
culte
car les doctrines qu'ils enseignent ne
sont que préceptes d'hommes.*

⁸ Vous laissez de côté le commandement de Dieu et vous vous attachez à la tradition des hommes. » ⁹ Il leur disait : « Vous repoussez bel et bien le commandement de Dieu pour garder votre tradition. ¹⁰ Car Moïse a dit : "Honore ton père et ta mère" et encore : "Celui qui maudit père ou mère, qu'il soit puni de mort." ¹¹ Mais vous, vous dites : "Si quelqu'un dit à son père ou à sa mère : le secours que tu devais recevoir de moi est « qorban » *w*", c'est-à-dire offrande sacrée... ¹² vous lui permettez de ne plus rien faire pour son père ou pour sa mère : ¹³ vous annulez ainsi la parole de Dieu par la tradition que vous transmettez. Et vous faites beaucoup de choses du même genre. »

Ce qui rend l'homme impur
(*Mt* 15.10-20)

¹⁴ Puis appelant de nouveau la foule, il leur disait : « Ecoutez-moi tous et comprenez. ¹⁵ Il n'y a rien d'extérieur à l'homme qui puisse le rendre impur en pénétrant en lui, mais ce qui sort de l'homme, voilà ce qui rend l'homme impur. » [¹⁶ *x*] ¹⁷ Lorsqu'il fut entré dans la maison, loin de la foule, ses disciples l'interrogeaient sur cette parole énigmatique. ¹⁸ Il leur dit : « Vous aussi, êtes-vous donc sans intelligence ? Ne savez-vous pas que rien de ce qui pénètre de l'extérieur dans l'homme ne peut le rendre impur, ¹⁹ puisque cela ne pénètre pas dans son cœur, mais dans son ventre, puis s'en va dans la fosse ? » Il déclarait ainsi que tous les aliments sont *purs. ²⁰ Il disait : « Ce qui sort de l'homme, c'est cela qui rend l'homme impur. ²¹ En effet c'est de l'intérieur, c'est du cœur des hommes que sortent les intentions mauvaises, inconduites, vols, meurtres, ²² adultères, cupidités, perversités, ruse, débauche, envie, injures, vanité, déraison. ²³ Tout ce mal sort de l'intérieur et rend l'homme impur. »

La foi d'une femme syro-phénicienne
(*Mt* 15.21-28)

²⁴ Parti de là, Jésus se rendit dans le territoire de Tyr *y*. Il entra dans une maison et il ne voulait pas qu'on le sache, mais il ne put rester ignoré. ²⁵ Tout de suite, une femme, dont la fille avait un esprit impur *z* entendit parler de lui et vint se jeter à ses pieds. ²⁶ Cette femme était païenne, syro-phénicienne *a* de naissance. Elle demandait à Jésus de chasser le *démon hors de sa fille. ²⁷ Jésus lui disait : « Laisse d'abord les enfants se rassasier, car ce n'est pas bien de prendre le pain des enfants pour le jeter aux petits chiens. » ²⁸ Elle lui répondit : « C'est vrai, Seigneur, mais les petits chiens, sous la table, mangent des miettes des enfants. » ²⁹ Il lui dit : « A cause de cette parole, va, le démon est sorti de ta fille. » ³⁰ Elle retourna chez elle et trouva l'enfant étendue sur le lit : le démon l'avait quittée.

---

u Il ne s'agit pas d'hygiène mais d'une observance rituelle ● *v* Ensemble des commentaires de la Loi de Moïse, transmis oralement dans les écoles rabbiniques ; ils ont été fixés plus tard dans la Mishna, puis dans le Talmud ● *w* mot araméen ● *x* Quelques manuscrits ajoutent ici : *Si quelqu'un a des oreilles pour entendre, qu'il entende* (mots empruntés à 4.9; voir aussi 4.23) ● *y* Voir 3.8 et note ● *z* Voir 1.23 et note ● *a* Syrophénicienne : cette femme appartient à l'ancienne population de Phénicie, dans la province romaine de Syrie. Voir aussi Mt 15.22 et note

7.4 lavage rituel des coupes et des plats Mt 23.25; Lc 11.39. **7.6-7** Es 29.13 (grec). **7.10** Ex 20. 12; Dt 5.16 (Mt 15.4+) — qui maudit père ou mère Ex 21.17; Lv 20.9. **7.17** les disciples questionnent Jésus Mt 13.26; Mc 4.10; Lc 8.9. **7.19** tous les aliments déclarés purs Ac 10.9-16; Tt 1.15. **7.21-22** catalogue des dérèglements Mt 15.19+.

Jésus guérit un sourd-muet

³¹ Jésus quitta le territoire de Tyr et revint par Sidon vers la mer de Galilée en traversant le territoire de la Décapole ᵇ. ³² On lui amène un sourd qui, de plus, parlait difficilement et on le supplie de lui *imposer la main. ³³ Le prenant loin de la foule, à l'écart, Jésus lui mit les doigts dans les oreilles, cracha et lui toucha la langue. ³⁴ Puis, levant son regard vers le ciel, il soupira. Et il lui dit : « Ephphata ᶜ », c'est-à-dire : « Ouvre-toi. » ³⁵ Aussitôt ses oreilles s'ouvrirent, sa langue se délia, et il parlait correctement. ³⁶ Jésus leur recommanda de n'en parler à personne : mais plus il le leur recommandait, plus ceux-ci le proclamaient. ³⁷ Ils étaient très impressionnés et ils disaient : « Il a bien fait toutes choses ; il fait entendre les sourds et parler les muets. »

Jésus nourrit quatre mille personnes
(*Mt 15.32-39; cf. Mc 6.30-44 par.*)

8 ¹ En ces jours-là, comme il y avait de nouveau une grande foule et qu'elle n'avait pas de quoi manger, Jésus appelle ses disciples et leur dit : ² « J'ai pitié de cette foule, car voilà déjà trois jours qu'ils restent auprès de moi et ils n'ont pas de quoi manger. ³ Si je les renvoie chez eux à jeun, ils vont défaillir en chemin, et il y en a qui sont venus de loin. » ⁴ Ses disciples lui répondirent : « Où trouver de quoi les rassasier de pains ici dans un désert ? » ⁵ Il leur demandait : « Combien avez-vous de pains ? » — « Sept », dirent-ils. ⁶ Et il ordonne à la foule de s'étendre par terre. Puis il prit les sept pains et, après avoir rendu grâce, il les rompit et il les donnait à ses disciples pour qu'ils les offrent. Et ils les offrirent à la foule. ⁷ Ils avaient aussi quelques petits poissons. Jésus prononça sur eux la bénédiction et dit de les offrir également. ⁸ Ils mangèrent et furent rassasiés. Et l'on emporta les morceaux qui restaient : sept corbeilles ; ⁹ or ils étaient environ quatre mille. Puis Jésus les renvoya ; ¹⁰ et aussitôt il monta dans la barque avec ses disciples et se rendit dans la région de Dalmanoutha ᵈ.

Il n'y aura pas de signe venant du ciel
(*Mt 12.38-39; 16.1-4; Lc 11.16, 29; 12.54-56*)

¹¹ Les *pharisiens vinrent et se mirent à discuter avec Jésus ; pour lui tendre un piège, ils lui demandent un *signe qui vienne du *ciel. ¹² Poussant un profond soupir, Jésus dit : « Pourquoi cette génération demande-t-elle un signe ? En vérité, je vous le déclare, il ne sera pas donné de signe à cette génération. » ¹³ Et les quittant, il remonta dans la barque et il partit pour l'autre rive.

Manque d'intelligence des disciples
(*Mt 16.5-12; Lc 12.1*)

¹⁴ Les disciples avaient oublié de prendre des pains et n'en avaient qu'un seul avec eux dans la barque. ¹⁵ Jésus leur faisait cette recommandation : « Attention ! prenez garde au *levain des *Pharisiens et à celui *d'Hérode. » ¹⁶ Ils se mirent à discuter entre eux parce qu'ils n'avaient pas de pains. ¹⁷ Jésus s'en aperçoit et leur dit : « Pourquoi discutez-vous parce que vous n'avez pas de pains ? Vous ne saisissez pas encore et vous ne comprenez pas ? Avez-vous le *cœur endurci ? ¹⁸ *Vous avez des yeux : ne voyez-vous pas ? Vous avez des oreilles : n'entendez-vous pas ?* Ne vous rappelez-vous pas, ¹⁹ quand j'ai rompu les cinq pains pour les cinq mille hommes, combien de paniers pleins de morceaux vous avez emportés ? » Ils lui disent : « Douze ». ²⁰ « Et quand j'ai rompu les sept pains pour les quatre mille hommes, combien de corbeilles pleines de morceaux avez-vous emportées ? » Ils disent : « Sept ». ²¹ Et il leur disait : « Ne comprenez-vous pas encore ? »

---

b Voir 5.20 et note ● *c* En araméen ● *d* Localité inconnue

7.32 imposition des mains Mt 9.18+ ; Mc 5.23+. **7.33** gestes opérés par Jésus Mc 8.23. **7.34** le regard vers le ciel Mt 14.19; Mc 6.41. **7.36** Jésus impose le secret Mc 1.25+ — recommandation sans effet Mc 1.45. **7.37** sourds et muets Es 35.5-6 (Mt 11.5 par.). **8.1-10** Jésus rassasie une foule Mt 14.14-21; Mc 6.35-44; Lc 9.12-17; Jn 6.5-13. **8.11** piège tendu à Jésus Mt 16.1+ — un signe venant du ciel Es 7.10-14; Mt 12.38; 16.1; Lc 11.16; Jn 6.30; 1 Co 1.22; cf. Dt 18.20-22. **8.12** cette génération Mt 11.16; 12.41-42; Mc 13.30 par.; Lc 7.31; 11.29-32, 50-51; 17.25; He 3.10; cf. Mt 12.39+ — signe refusé Mt 12.39+. **8.15** le levain des pharisiens Lc 12.1; cf. 1 Co 5.6-8; Ga 5.9. **8.17** inintelligence des disciples Mc 4.13; 6.52; 7.18 — cœur endurci Mc 3.5+. **8.18** Jr 5.21; Ez 12.2; Mc 4.12; Ac 28.26. **8.19** les cinq pains Mc 6.35-44 par. **8.20** les sept pains Mt 15.32-38; Mc 8.1-9.

Jésus guérit un aveugle

²² Ils arrivent à Bethsaïda ; on lui amène un aveugle et on le supplie de le tou-. cher. ²³ Prenant l'aveugle par la main, il le conduisit hors du village. Il mit de la salive sur ses yeux, lui *imposa les mains et il lui demandait : « Vois-tu quelque chose ? » ²⁴ Ayant ouvert les yeux, il disait : « J'aperçois les gens, je les vois comme des arbres mais ils marchent. » ²⁵ Puis, Jésus lui posa de nouveau les mains sur les yeux et l'homme vit clair ; il était guéri et voyait tout distinctement. ²⁶ Jésus le renvoya chez lui en disant : « N'entre même pas dans le village. »

Pierre déclare que Jésus est le Messie
(Mt 16.13-20; Lc 9.18-21)

²⁷ Jésus s'en alla avec ses disciples vers les villages voisins de Césarée de Philippe[e]. En chemin, il interrogeait ses disciples : « Qui suis-je, au dire des hommes ? » ²⁸ Ils lui dirent : « Jean le Baptiste ; pour d'autres, Elie ; pour d'autres, l'un des *prophètes. » ²⁹ Et lui leur demandait : « Et vous, qui dites-vous que je suis ? » Prenant la parole, Pierre lui répond : « Tu es le *Christ. » ³⁰ Et il leur commanda sévèrement de ne parler de lui à personne.

Jésus annonce sa mort et sa résurrection
(Mt 16.21-23; Lc 9.22)

³¹ Puis il commença à leur enseigner qu'il fallait que le *Fils de l'homme souffre beaucoup, qu'il soit rejeté par les anciens, les *grands prêtres et les scribes, qu'il soit mis à mort et que, trois jours après, il ressuscite. ³² Il tenait ouvertement ce langage. Pierre, le tirant à part, se mit à le réprimander. ³³ Mais lui, se retournant et voyant ses disciples, réprimanda Pierre ; il lui dit : « Retire-toi ! Derrière moi, Satan, car tes vues ne sont pas celles de Dieu, mais celles des hommes. »

Comment suivre Jésus
(Mt 16.24-28; Lc 9.23-27)

³⁴ Puis il fit venir la foule avec ses disciples et il leur dit : « Si quelqu'un veut venir à ma suite, qu'il renonce à lui-même et prenne sa croix, et qu'il me suive. ³⁵ En effet, qui veut sauver sa vie, la perdra ; mais qui perdra sa vie à cause de moi et de *l'Evangile, la sauvera. ³⁶ Et quel avantage l'homme a-t-il à gagner le monde entier, s'il le paie de sa vie ? ³⁷ Que pourrait donner l'homme qui ait la valeur de sa vie ? ³⁸ Car si quelqu'un a honte de moi et de mes paroles au milieu de cette génération adultère et pécheresse, le *Fils de l'homme aussi aura honte de lui, quand il viendra dans la gloire de son Père avec les saints *anges. »

9 ¹ Et il leur disait : « En vérité je vous le déclare, parmi ceux qui sont ici, certains ne mourront pas avant de voir le *règne de Dieu venu avec puissance. »

Jésus transfiguré
(Mt 17.1-9; Lc 9.28-36)

² Six jours après, Jésus prend avec lui Pierre, Jacques et Jean et les emmène seuls à l'écart sur une haute montagne. Il fut transfiguré devant eux, ³ et ses vêtements devinrent éblouissants, si blancs qu'aucun foulon[f] sur terre ne saurait blanchir ainsi. ⁴ Elie leur apparut avec Moïse ; ils s'entretenaient avec Jésus. ⁵ Intervenant, Pierre dit à Jésus : « Rabbi, il est bon que nous soyons ici ; dressons trois tentes : une pour toi, une pour Moïse, une pour Elie. » ⁶ Il ne savait que dire car ils étaient saisis de crainte. ⁷ Une nuée vint les recouvrir et il y eut une voix venant de la nuée : « Celui-ci est mon Fils bien-aimé. Ecoutez-le ! » ⁸ Aussitôt, regardant autour d'eux, ils ne virent plus personne d'autre que Jésus, seul avec

---

e Ville située près des sources du Jourdain, fondée par Philippe Hérode. Aujourd'hui Banijas
● *f* Chargés de tous les travaux de blanchisserie, les *foulons* travaillaient le linge avec les pieds

8.22 un aveugle Mc 10.46-52. **8.23** gestes opérés par Jésus Mc 7.32-33 — salive sur les yeux Jn 9.6. **8.28** opinions sur Jésus Mc 6.14-15; Lc 9.7-8 — Elie Mt 11.14+. **8.29** le Christ Mc 1.1; 14. 61-62; Lc 4.41+. **8.30** secret recommandé Mc 1.25+; cf. Mc 8.4+; **8.31** nécessité de la Passion Mt 17.12, 22; Mc 9.12; Lc 17.25; Ac 17.3; cf. Mc 9.30-32; 10.32-34 — le Fils de l'homme Mt 8.20+ — trois jours après Mc 10.34. **8.33** derrière moi Mc 1.17, 20; 8.34 — Satan Mc 1.13+. **8.34** suivre Jésus Mt 4.19+ — prendre sa croix Mt 18.38; Lc 14.27. **8.35** vie perdue, vie sauvée Mt 10.39+ — l'Evangile Mc 1.1+. **8.38** avoir honte de Jésus Mt 10.33; Lc 12.9; 2 Tm 2.12; cf. Mt 7.23; 25.12; Rm 1.16. **9.1** imminence du règne de Dieu Mc 13.30 — avec puissance Rm 1.4. **9.2-8** transfiguration 2 P 1.17-18. **9.2** Pierre, Jacques et Jean Mt 17.1+; Mc 1.29. **9.3** vêtements blancs Mt 28.3; Ap 3.4; 4.4. **9.4** Elie Mt 11.14; 2 R 2.11-12. **9.5** Rabbi Mc 11. 21; 14.44-45; Jn 1.38; cf. Mc 10.51. **9.7** nuée Mt 17.5+ — mon Fils bien-aimé Mc 1.11 par.; 2 P 1.17 — écoutez-le Dt 18.15 (Ac 3.22).

eux. ⁹ Comme ils descendaient de la montagne, il leur recommanda de ne raconter à personne ce qu'ils avaient vu, jusqu'à ce que le *Fils de l'homme ressuscite d'entre les morts. ¹⁰ Ils observèrent cet ordre, tout en se demandant entre eux ce qu'il entendait par « ressusciter d'entre les morts ».

Les disciples questionnent Jésus sur Elie
(*Mt 17.10-13*)

¹¹ Et ils l'interrogeaient : « Pourquoi les *scribes disent-ils qu'Elie doit venir d'abord ? » ¹² Il leur dit : « Certes, Elie vient d'abord et rétablit tout, mais alors comment est-il écrit du *Fils de l'homme qu'il doit beaucoup souffrir et être méprisé ? ¹³ Eh bien, je vous le déclare, Elie est venu et ils lui ont fait tout ce qu'ils voulaient, selon ce qui est écrit de lui. »

Jésus et le père de l'enfant possédé
(*Mt 17.14-21; Lc 9.37-43*)

¹⁴ En venant vers les disciples, ils virent autour d'eux une grande foule et des scribes qui discutaient avec eux. ¹⁵ Dès qu'elle vit Jésus, toute la foule fut remuée et l'on accourut pour le saluer. ¹⁶ Il leur demanda : « De quoi discutez-vous avec eux ? » ¹⁷ Quelqu'un dans la foule lui répondit : « Maître, je t'ai amené mon fils : il a un esprit muet *g*. ¹⁸ L'esprit s'empare de lui où il importe où, il le jette à terre et l'enfant écume, grince des dents et devient raide. J'ai dit à tes disciples de le chasser et ils n'en ont pas eu la force. » ¹⁹ Prenant la parole, Jésus leur dit : « Génération incrédule, jusqu'à quand serai-je auprès de vous ? Jusqu'à quand aurai-je à vous supporter ? Amenez-le moi. » ²⁰ Ils le lui amenèrent. Dès qu'il vit Jésus, l'esprit se mit à agiter l'enfant de convulsions; celui-ci, tombant par terre, se roulait en écumant. ²¹ Jésus demanda au père : « Depuis combien de temps cela lui arrive-t-il ? » Il dit : « Depuis son enfance. ²² Souvent l'esprit l'a jeté dans le feu ou dans l'eau pour le faire périr. Mais si tu peux quelque chose,

viens à notre secours, par pitié pour nous. » ²³ Jésus lui dit : « Si tu peux !... Tout est possible pour celui qui croit. » ²⁴ Aussitôt le père de l'enfant s'écria : « Je crois ! Viens au secours de mon manque de foi ! » ²⁵ Jésus, voyant la foule s'attrouper, menaça l'esprit impur : « Esprit sourd et muet, je te l'ordonne, sors de cet enfant et n'y rentre plus ! » ²⁶ Avec des cris et de violentes convulsions, l'esprit sortit. L'enfant devint comme mort, si bien que tous disaient : « Il est mort. » ²⁷ Mais Jésus, en lui prenant la main, le fit lever et il se mit debout. ²⁸ Quand Jésus fut rentré à la maison, ses disciples lui demandèrent en particulier : « Et nous, pourquoi n'avons-nous pu chasser cet esprit ? » ²⁹ Il leur dit : « Ce genre d'esprit, rien ne peut le faire sortir, que la prière. »

Jésus annonce à nouveau sa mort et sa résurrection
(*Mt 17.22-23; Lc 9.43-45*)

³⁰ Partis de là, ils traversaient la Galilée et Jésus ne voulait pas qu'on le sache. ³¹ Car il enseignait ses disciples et leur disait : « Le *Fils de l'homme va être livré aux mains des hommes; ils le tueront et lorsqu'il aura été tué, trois jours après, il ressuscitera. » ³² Mais ils ne comprenaient pas cette parole et craignaient de l'interroger.

Qui est le plus grand ?
(*Mt 18.1-5; Lc 9.46-48*)

³³ Ils allèrent à Capharnaüm. Une fois à la maison, Jésus leur demandait : « De quoi discutiez-vous en chemin ? » ³⁴ Mais ils se taisaient, car, en chemin, ils s'étaient querellés pour savoir qui était le plus grand. ³⁵ Jésus s'assit et appela les Douze; il leur dit : « Si quelqu'un veut être le premier, qu'il soit le dernier de tous et le serviteur de tous. » ³⁶ Et prenant un enfant, il le plaça au milieu d'eux et, après l'avoir embrassé, il leur dit : ³⁷ « Qui accueille en mon *nom un enfant comme celui-là, m'accueille moi-même;

---

g La maladie a eu pour effet d'empêcher l'enfant d'apprendre à parler; voir 1.23 et note

9.9 secret recommandé Mt 8.4+; Mc 1.25+. **9.11-12** la venue d'Elie Mt 11.14+; cf. Jn 1.21. **9.12** il est écrit ... Es 53.3; Ps 22.1-18; cf. Mc 8.31. **9.13** Elie est venu Mt 11.14. **9.19** génération incrédule Mt 12.39+. **9.23** tout est possible Mt 21.21; Mc 11.23-24; Lc 17.6; cf. Mt 5.36. **9.24** au secours de mon manque de foi Lc 17.5. **9.25** menace Mc 1.25; Lc 4.39. **9.26** le démon sortit en criant Mc 1.26. **9.27** par la main Mc 1.31; 5.41 par. — faire lever Mt 9.25; Mc 1.31; 5.41; Lc 7.14; 8.54; Ac 3.7. **9.31** nécessité de la Passion Mc 16.21; 20.18-19; Mc 8.31; 10.33-34; Lc 18.32-33; 24.7 **9.34** qui est le plus grand Lc 22.24. **9.35** grandeur du service Mt 10.26+. **9.37** accueil à Jésus Mt 10.40; Lc 10.16; Jn 13.20.

et qui m'accueille, ce n'est pas moi qu'il accueille, mais celui qui m'a envoyé.»

Ceux qui se servent du nom de Jésus
(Lc 9.49-50)

38 Jean lui dit : « Maître, nous avons vu quelqu'un qui chassait les *démons en ton nom et nous avons cherché à l'en empêcher parce qu'il ne nous suivait pas h. » 39 Mais Jésus dit : « Ne l'empêchez pas, car il n'y a personne qui fasse un miracle en mon nom et puisse, aussitôt après, mal parler de moi. 40 Celui qui n'est pas contre nous est pour nous. 41 Quiconque vous donnera à boire un verre d'eau parce que vous appartenez au Christ, en vérité je vous le déclare, il ne perdra pas sa récompense.

A propos des pièges pour la foi
(Mt 18.6-11; Lc 17.1-2)

42 Quiconque entraîne la chute i d'un seul de ces petits qui croient, il vaut mieux pour lui qu'on lui attache au cou une grosse meule, et qu'on le jette à la mer. 43 Si ta main entraîne ta chute, coupe-la ; il vaut mieux que tu entres manchot dans la *vie j, que d'aller avec tes deux mains dans la *géhenne, dans le feu qui ne s'éteint pas. [44 k] 45 Si ton pied entraîne ta chute, coupe-le ; il vaut mieux que tu entres estropié dans la vie que d'être jeté avec tes deux pieds dans la géhenne. [46 k] 47 Et si ton œil entraîne ta chute, arrache-le ; il vaut mieux que tu entres borgne dans le *royaume de Dieu que d'être jeté avec tes deux yeux dans la géhenne, 48 où le ver ne meurt pas et où le feu ne s'éteint pas. 49 Car chacun sera salé au feu l. 50 C'est une bonne chose que le sel. Mais si le sel perd son goût, avec quoi le lui rendrez-vous ? Ayez du sel en vous-mêmes et soyez en paix les uns avec les autres. »

Jésus parle du mariage et du divorce
(Mt 19.1-9; Lc 16.18)

10 1 Partant de là, Jésus va dans le territoire de la Judée, au-delà du Jourdain. De nouveau, les foules se rassemblent autour de lui et il les enseignait une fois de plus, selon son habitude. 2 Des *pharisiens s'avancèrent et, pour lui tendre un piège, ils lui demandaient s'il est permis à un homme de répudier sa femme. 3 Il leur répondit : « Qu'est-ce que Moïse vous a prescrit ? » 4 Ils dirent : « Moïse a permis d'écrire un certificat de répudiation et de renvoyer sa femme. » 5 Jésus leur dit : « C'est à cause de la dureté de votre *cœur qu'il a écrit pour vous ce commandement. 6 Mais au commencement du monde Dieu les fit mâle et femelle ; 7 c'est pourquoi l'homme quittera son père et sa mère et s'attachera à sa femme, 8 et les deux ne feront qu'une seule chair m. Ainsi, ils ne sont plus deux, mais une seule chair. 9 Que l'homme donc ne sépare pas ce que Dieu a uni. » 10 A la maison, les disciples l'interrogeaient de nouveau sur ce sujet. 11 Il leur dit : « Si quelqu'un répudie sa femme et en épouse une autre, il est adultère à l'égard de la première ; 12 et si la femme répudie son mari et en épouse un autre, elle est adultère. »

Jésus accueille des enfants
(Mt 19.13-15; Lc 18.15-17)

13 Des gens lui amenaient des enfants pour qu'il les touche, mais les disciples les rabrouèrent. 14 En voyant cela, Jésus s'indigna et leur dit : « Laissez les enfants venir à moi, ne les empêchez pas, car le *royaume de Dieu est à ceux qui sont comme eux. 15 En vérité je vous le déclare, qui n'accueille pas le royaume de Dieu comme un enfant n'y entrera pas. » 16 Et il les embrassait et les bénissait en leur *imposant les mains.

---

h D'après 1.18; 6.1; 8.34, etc. suivre Jésus est le propre du disciple. L'homme en question ne faisait pas partie du groupe des disciples ● i D'autres traduisent qui scandalise, c'est-à-dire qui dresse un obstacle ou un piège pour la foi ● j C'est-à-dire la vie éternelle ● k Certains manuscrits ajoutent ici: où le ver ne meurt pas et où le feu ne s'éteint pas. Voir V. 48. C'est une citation assez libre d'Es 66.24 ● l Ou pour le feu, ou encore par le feu ● m ou un seul être

9.40 avec ou contre Jésus Mt 12.30; Lc 11.23. 9.41 un verre d'eau Mt 10.42. 9.42 chute Mt 5.29+. 9.43 ta main Mt 5.30. 9.47 ton œil Mt 5.29. 9.48 Es 66.24. 9.50 le sel Mt 5.13; Lc 14.34 — ayez du sel Col 4.6 — en paix Rm 12.18; 1 Th 5.13 10.2 piège tendu à Jésus Mt 16.1+; Mc 8.11; 12.13-15. 10.4 certificat de répudiation Dt 24.1, 3 (Mt 5.31; 19.7). 10.5 dureté de cœur Mc 3.5+. 10.6 mâle et femelle Gn 1.27; 5.2. 10.7 Gn 2.24 (Ep 5.31). 10.11-12 répudiation et adultère Mt 5.32; Lc 16.18; cf. 1 Co 7.10-11. 10.15 comme un enfant Mt 18.3 — entrer dans le royaume Mt 5.20+.

Jésus et le riche

(Mt 19.16-30; Lc 18.18-30)

¹⁷ Comme il se mettait en route, quelqu'un vint en courant et se jeta à genoux devant lui : il lui demandait : « Bon Maître, que dois-je faire pour recevoir la *vie éternelle en partage ? » ¹⁸ Jésus lui dit : « Pourquoi m'appelles-tu bon ? Nul n'est bon que Dieu seul. ¹⁹ Tu connais les commandements : *Tu ne commettras pas de meurtre, tu ne commettras pas d'adultère, tu ne voleras pas, tu ne porteras pas de faux témoignage.* tu ne feras de tort à personne ⁿ, *honore ton père et ta mère.* » ²⁰ L'homme lui dit : « Maître, tout cela, je l'ai observé dès ma jeunesse. » ²⁶ Jésus le regarda et se prit à l'aimer ; il lui dit : « Une seule chose te manque ; va, ce que tu as, vends-le, donne-le aux pauvres et tu auras un trésor dans le *ciel ; puis viens, suis-moi. » ²² Mais à cette parole, il s'assombrit et il s'en alla tout triste, car il avait de grands biens. ²³ Regardant autour de lui, Jésus dit à ses disciples : « Qu'il sera difficile à ceux qui ont les richesses d'entrer dans le *royaume de Dieu ! » ²⁴ Les disciples étaient déconcertés par ces paroles. Mais Jésus leur répète : « Mes enfants, qu'il est difficile ᵒ d'entrer dans le royaume de Dieu ! ²⁵ Il est plus facile à un chameau de passer par le trou d'une aiguille qu'à un riche d'entrer dans le royaume de Dieu. » ²⁶ Ils étaient de plus en plus impressionnés ; ils se disaient entre eux : « Alors qui peut être sauvé ? » ²⁷ Fixant sur eux son regard, Jésus dit : « Aux hommes c'est impossible, mais pas à Dieu, car tout est possible à Dieu. » ²⁸ Pierre se mit à lui dire : « Eh bien ! nous, nous avons tout laissé pour te suivre. » ²⁹ Jésus lui dit : « En vérité, je vous le déclare, personne n'aura laissé maison, frères, sœurs, mère, père, enfants ou champs à cause de moi et à cause de *l'Evangile, ³⁰ sans recevoir au centuple maintenant, en ce temps-ci, maisons, frères, sœurs, mères, enfants, et champs, avec des persécutions, et dans le monde à venir la vie éternelle. ³¹ Beaucoup de premiers seront derniers et les derniers seront premiers. »

Jésus annonce encore sa mort et sa résurrection

(Mt 20.17-19; Lc 18.31-34)

³² Ils étaient en chemin et montaient à Jérusalem. Jésus marchait devant eux. Ils étaient effrayés, et ceux qui suivaient avaient peur. Prenant de nouveau les Douze avec lui, il se mit à leur dire ce qui allait lui arriver : ³³ « Voici que nous montons à Jérusalem et le *Fils de l'homme sera livré aux *grands prêtres et aux scribes ; ils le condamneront à mort et le livreront aux *païens, ³⁴ ils se moqueront de lui, ils cracheront sur lui, ils le flagelleront ᵖ, ils le tueront et. trois jours après. il ressuscitera. »

La demande de Jacques et Jean

(Mt 20.20-28; cf. Lc 22.25-26)

³⁵ Jacques et Jean, les fils de Zébédée, s'approchent de Jésus et lui disent : « Maître, nous voudrions que tu fasses pour nous ce que nous allons te demander. » ³⁶ Il leur dit : « Que voulez-vous que je fasse pour vous ? » ³⁷ Ils lui dirent : « Accorde-nous de siéger dans ta gloire l'un à ta droite et l'autre à ta gauche. » ³⁸ Jésus leur dit : « Vous ne savez pas ce que vous demandez. Pouvez-vous boire la coupe que je vais boire, ou être baptisés du baptême dont je vais être baptisé ? » ³⁹ Ils lui dirent : « Nous le pouvons. » Jésus leur dit : « La coupe que je vais boire, vous la boirez, et du baptême dont je vais être baptisé, vous serez baptisés. ⁴⁰ Quant à siéger à ma droite ou à ma gauche, il ne m'appartient pas de l'accorder : ce sera donné à ceux pour qui cela est préparé. » ⁴¹ Les dix autres, qui avaient entendu, se mirent à s'indigner contre Jacques et Jean. ⁴² Jésus les

---

ⁿ Ces mots ne figurent pas au décalogue et sont absents dans les passages parallèles de Mt et de Lc ● ᵒ Certains manuscrits précisent: difficile *à ceux qui se confient dans les richesses* ● ᵖ Pratiquée à l'aide d'un fouet à plusieurs lanières munies de pointes, la *flagellation* était administrée par les Romains comme supplice préliminaire à la crucifixion

10.19 énumération des commandements Ex 20.12-16; Dt 5.16-20 — pas de tort Dt 24.14; Jc 5.4. **10.21** trésor dans le ciel Mt 6.20; Lc 12.33. **10.23** difficile à un riche Mc 4.19. **10.27** tout est possible à Dieu Gn 18.14; Jb 42.2; Za 8.6 (grec); Mc 14.36. **10.29** à cause de l'Evangile Mc 8.35; cf. 1.1+. **10.31** premiers-derniers Mt 19.30; 20.16; Lc 13.30. **10.32** vers Jérusalem Lc 9.51+; Jn 11.7-16. **10.33-34** annonce de la Passion Mt 16.21; 17.22-23 ; Mc 8.31; 9.31; Lc 24.7. **10.35** Jacques et Jean Mt 4.21+. **10.36** Que voulez-vous ... Mc 10.51 par. **10.37** les places associées à la gloire du Christ Mt 19.28 ; Lc 22.30. **10.38** la coupe Mt 20.22+; cf. Ps 75.9; Es 51.17-22; Ez 23.31-34; Mc 14.36 — baptême Lc 12.50. **10.39** le martyre de Jacques Ac 12.2. **10.42** l'exercice habituel du pouvoir Lc 22.25.

appela et leur dit : « Vous le savez, ceux
qu'on regarde comme les chefs des nations les tiennent sous leur pouvoir et
les grands sous leur domination. 43 Il n'en
est pas ainsi parmi vous. Au contraire,
si quelqu'un veut être grand parmi vous,
qu'il soit votre serviteur. 44 Et si quelqu'un
veut être le premier parmi vous, qu'il soit
l'esclave de tous. 45 Car le *Fils de l'homme est venu non pour être servi, mais
pour servir et donner sa vie en rançon
pour la multitude. »

Jésus guérit l'aveugle Bartimée

(*Mt 20.29-34; Lc 18.35-43*)

46 Ils arrivent à Jéricho. Comme Jésus
sortait de Jéricho avec ses disciples et
une assez grande foule, l'aveugle Barti-
mée, fils de Timée, était assis au bord
du chemin en train de mendier. 47 Apprenant que c'était Jésus de Nazareth, il
se mit à crier : « *Fils de David, Jésus,
aie pitié de moi ! » 48 Beaucoup le rabrouaient pour qu'il se taise, mais lui
criait de plus belle : « Fils de David, aie
pitié de moi ! » 49 Jésus s'arrêta et dit :
« Appelez-le. » On appelle l'aveugle, on
lui dit : « Confiance, lève-toi, il t'appelle. »
50 Rejetant son manteau, il se leva d'un
bond et il vint vers Jésus. 51 S'adressant
à lui, Jésus dit : « Que veux-tu que je
fasse pour toi ? » L'aveugle lui répondit :
« Rabbouni [q], que je retrouve la vue ! »
52 Jésus lui dit : « Va, ta foi t'a sauvé. »
Aussitôt il retrouva la vue et il suivait Jésus sur le chemin.

L'entrée de Jésus à Jérusalem

(*Mt 21.1-11; Lc 19.28-40; Jn 12.12-16*)

11 1 Lorsqu'ils approchent de Jérusalem, près de Bethphagé et de Béthanie, vers le mont des Oliviers [r], Jésus
envoie deux de ses disciples 2 et leur dit :
« Allez au village qui est devant vous :
dès que vous y entrerez, vous trouverez
un ânon attaché que personne n'a encore
monté. Détachez-le et amenez-le. 3 Et si
quelqu'un vous dit : “Pourquoi faites-vous
cela ?” répondez : “Le Seigneur en a besoin et il le renvoie ici tout de suite [s]”. »
4 Ils sont partis et ont trouvé un ânon
attaché dehors près d'une porte, dans la
rue. Ils le détachent. 5 Quelques-uns de
ceux qui se trouvaient là leur dirent :
« Qu'avez-vous à détacher cet ânon ? »
6 Eux leur répondirent comme Jésus l'avait
dit et on les laissa faire. 7 Ils amènent
l'ânon à Jésus ; ils mettent sur lui leurs
vêtements et Jésus s'assit dessus. 8 Beaucoup de gens étendirent leurs vêtements
sur la route [t] et d'autres des feuillages
qu'ils coupaient dans la campagne. 9 Ceux
qui marchaient devant et ceux qui suivaient criaient : « Hosanna [u] ! Béni soit au
*nom du Seigneur Celui qui vient ! 10 Béni
soit le règne qui vient, le règne de David
notre père ! Hosanna au plus haut des
cieux ! » 11 Et il entra à Jérusalem dans
le *Temple. Après avoir tout regardé
autour de lui, comme c'était déjà le soir,
il sortit pour se rendre à Béthanie avec
les Douze.

Le figuier sans figues

(*Mt 21.18-19*)

12 Le lendemain, à leur sortie de Béthanie, il eut faim. 13 Voyant de loin un
figuier qui avait des feuilles, il alla voir
s'il n'y trouverait pas quelque chose. Et
s'étant approché, il ne trouva que des
feuilles, car ce n'était pas le temps des
figues. 14 S'adressant à lui, il dit : « Que
jamais plus personne ne mange de tes
fruits ! » Et ses disciples écoutaient.

Jésus chasse les vendeurs du Temple

(*Mt 21.10-17; Lc 19.45-48; Jn 2.13-16*)

15 Ils arrivent à Jérusalem. Entrant dans

q En araméen : *Mon Maître* • *r Bethphagé :* village situé sur le flanc oriental du mont des Oliviers, à quelques km de Jérusalem. *Béthanie :* autre village voisin du précédent. Le *mont des Oliviers :* colline à l'Est de Jérusalem, séparée de la ville par la vallée du Cédron • *s* Autre texte : *et il* (le propriétaire) *l'enverra ici tout de suite* • *t* Comme en 2 R 9.13 il s'agit d'une sorte de tapis d'honneur • *u* En araméen : exclamation tirée de Ps 118.25, équivalant à peu près à « Gloire à Dieu ! »

10.43-44 grandeur du service Mt 20.26+. **10.45** le Fils de l'homme Mt 8.20+ — en rançon pour la multitude Es 53.11-12; Mc 14.24 par.; 1 Tm 2.5-6. **10.47** Fils de David Mt 1.1+ — aie pitié Mt 9.27; 15.22. **10.51** Que veux-tu... Mc 10.36 — Rabbouni cf. Mc 9.5. **10.52** ta foi t'a sauvé Mt 9.22+; Mc 5.34 par.; Lc 7.50; 17.19; cf. Ac 3.16. **11.1** Béthanie Mt 21.17+ — le mont des Oliviers Za 14.4; Mc 13.3 par.; 14.26 par.; Lc 21.37; Jn 8.1; Ac 1.12. **11.2** ânon Za 9.9. **11.9** Ps 118.25-26 (Mt 21.15; 23.39). **11.10** David Lc 1.32-33; Ac 2.29; cf. Mt 1.5+. **11.13** figuier Lc 13.6 sans fruit Jr 8.13; Os 9.16-17; Jl 1.7; Mi 7.1. **11.14** malédiction du figuier Mc 11.20.

le *Temple ʳ, Jésus se mit à chasser ceux qui vendaient et achetaient dans le Temple ; il renversa les tables des changeurs et les sièges des marchands de colombes, ¹⁶ et il ne laissait personne traverser le temple en portant quoi que ce soit ʷ. ¹⁷ Et il les enseignait et leur disait : « N'est-il pas écrit : *Ma maison sera appelée maison de prière pour toutes les nations* ? Mais vous, vous en avez fait une *caverne de bandits.* » ¹⁸ Les *grands prêtres et les scribes l'apprirent et ils cherchaient comment ils le feraient périr. Car ils le redoutaient, parce que la foule était frappée de son enseignement. ¹⁹ Le soir venu, Jésus et ses disciples sortirent de la ville ˣ.

A propos du figuier : La foi et la prière
(Mt 21.20-22)

²⁰ En passant le matin, ils virent le figuier desséché jusqu'aux racines. ²¹ Pierre, se rappelant, lui dit : « Rabbi ʸ, regarde, le figuier que tu as maudit est tout sec. » ²² Jésus leur répond et dit : « Ayez foi en Dieu. ²³ En vérité je vous le déclare, si quelqu'un dit à cette montagne : "ôte-toi de là et jette-toi dans la mer", et s'il ne doute pas en son *cœur mais croit que ce qu'il dit arrivera, cela lui sera accordé. ²⁴ C'est pourquoi je vous déclare : Tout ce que vous demandez en priant, croyez que vous l'avez reçu et cela vous sera accordé. ²⁵ Et quand vous êtes debout en prière, si vous avez quelque chose contre quelqu'un, pardonnez, pour que votre Père qui est aux cieux vous pardonne aussi vos fautes » [²⁶ ᶻ].

L'autorité de Jésus est mise en question
(Mt 21.23-27 ; Lc 20.1-8)

²⁷ Ils reviennent à Jérusalem. Alors que Jésus allait et venait dans le *Temple, les *grands prêtres, les scribes et les anciens

s'approchent de lui. ²⁸ Ils lui disaient : « En vertu de quelle autorité fais-tu cela ? Ou qui t'a donné autorité pour le faire ? » ²⁹ Jésus leur dit : « Je vais vous poser une seule question ; répondez-moi et je vous dirai en vertu de quelle autorité je fais cela. ³⁰ Le baptême de Jean venait-il du *ciel ou des hommes ? Répondez-moi ! » ³¹ Ils raisonnaient ainsi entre eux : « Si nous disons : "du ciel", il dira : "Pourquoi donc n'avez-vous pas cru en lui ?" ³² Allons-nous dire au contraire : "des hommes" ?... » Ils redoutaient la foule, car tous pensaient que Jean était réellement un *prophète. ³³ Alors ils répondent à Jésus : « Nous ne savons pas. » Et Jésus leur dit : « Moi non plus, je ne vous dis pas en vertu de quelle autorité je fais cela. »

La parabole des vignerons meurtriers
(Mt 21.33-46 ; Lc 20.9-19)

12 ¹ Et il se mit à leur parler en *paraboles. « Un homme a planté une vigne, l'a entourée d'une clôture, il a creusé une cuve et bâti une tour ; puis il l'a donnée en fermage à des vignerons et il est parti.

² Le moment venu, il a envoyé un serviteur aux vignerons pour recevoir d'eux sa part des fruits de la vigne. ³ Les vignerons l'ont saisi, roué de coups et renvoyé les mains vides. ⁴ Il leur a envoyé encore un autre serviteur ; celui-là aussi ils l'ont frappé à la tête et insulté. ⁵ Il en a envoyé un autre — celui-là ils l'ont tué —, puis beaucoup d'autres : ils ont roué de coups les uns et tué les autres. ⁶ Il ne lui restait plus que son fils bien-aimé. Il l'a envoyé en dernier vers eux en disant : « Ils respecteront mon fils. » ⁷ Mais ces vignerons se sont dit entre eux : « C'est l'héritier. Venez ! Tuons-le et nous aurons l'héritage. » ⁸ Ils l'ont

---

v C'est-à-dire dans l'une des cours du Temple, ouverte aux païens. Les *changeurs* permettaient aux juifs venus de l'étranger de changer leur argent pour acheter leur offrande ou pour payer l'impôt du Temple ● *w* Beaucoup de gens empruntaient sans doute la « cour des païens » comme raccourci entre la ville et le mont des Oliviers ● *x* Ou *quand venait le soir, Jésus et ses disciples sortaient de la ville* ● *y* En araméen : Maître ● *z* Quelques manuscrits ajoutent ici, d'après Mt 6.15 : *mais si vous ne pardonnez pas, votre Père céleste ne vous pardonnera pas non plus vos fautes*

11.17 maison de prière Es 56.7 — caverne de bandits Jr 7.11. **11.18** conciliabule contre Jésus Mt 12.14+ ; Mc 14.1 ; Lc 20.19 ; 22.2 — peur de la réaction populaire Mt 14.5+. **11.20** le figuier maudit Mc 11.14. **11.23** la foi qui déplace les montagnes Mt 17.20+ ; cf. Mc 9.23. **11.24** prière et foi Mt 18.19. **11.25** Père céleste Mt 6.9+ — pardon de Dieu, pardon mutuel Mt 6.14 ; Ep 4.32 ; Col 3.13 — un grief contre quelqu'un Mt 5.23 ; Ap 2.4, 14, 20. **11.27** grands prêtres, scribes et anciens Mt 16.21 ; 27.41 ; Mc 8.31 ; 14.43, 53 ; 15.1 ; Lc 9.22 ; 20.1 ; 22.66. **11.30** Le baptême proposé par Jean Mt 3.6+. **11.31** du ciel Lc 11.16+ — confiance refusée Mt 21.32 ; Lc 7.30. **11.32** peur de la réaction populaire Mt 14.5+ ; Mc 14.2. **12.1** une vigne Es 5.1-2. **12.6** son fils bien-aimé Gn 22.2 ; Mc 1.11 par. ; 9.7 par. ; 2 P 1.17. **12.8** tué et jeté dehors Mt 21.39+.

saisi, tué et jeté hors de la vigne. ⁹ Que fera le maître de la vigne ? Il viendra, il fera périr les vignerons et confiera la vigne à d'autres. ¹⁰ N'avez-vous pas lu ce passage de l'Ecriture :

La pierre qu'ont rejetée les bâtisseurs, c'est elle qui est devenue la pierre angulaire.
¹¹ *C'est là l'œuvre du Seigneur : quelle merveille à nos yeux ! »*

¹² Ils cherchaient à l'arrêter, mais ils eurent peur de la foule. Ils avaient bien compris que c'était pour eux qu'il avait dit cette parabole. Et le laissant, ils s'en allèrent.

L'impôt dû à César
(Mt 22.15-22 ; Lc 20.20-26)

¹³ Ils envoient auprès de Jésus quelques pharisiens et quelques Hérodiens *ᵃ* pour le prendre au piège en le faisant parler. ¹⁴ Ils viennent lui dire : « Maître, nous savons que tu es franc et que tu ne te laisses influencer par qui que ce soit : tu ne tiens pas compte de la condition des gens, mais tu enseignes les chemins de Dieu *ᵇ* selon la vérité. Est-il permis, oui ou non, de payer le tribut *ᶜ* à César ? Devons-nous payer ou ne pas payer ? » ¹⁵ Mais lui, connaissant leur hypocrisie, leur dit : « Pourquoi me tendez-vous un piège ? Apportez-moi une pièce d'argent, que je voie ! » ¹⁶ Ils en apportèrent une. Jésus leur dit : « Cette effigie et cette inscription, de qui sont-elles ? » Ils lui répondirent : « De César. » ¹⁷ Jésus leur dit : « Rendez à César ce qui est à César, et à Dieu ce qui est à Dieu. » Et ils restaient à son propos dans un grand étonnement.

Une question sur la résurrection
(Mt 22.23-33 ; Lc 20.27-38)

¹⁸ Des *Sadducéens viennent auprès de lui. Ces gens disent qu'il n'y a pas de résurrection. Ils lui posaient cette question : ¹⁹ « Maître, Moïse a écrit pour

nous : *Si un homme a un frère qui meurt en laissant une femme, mais sans laisser d'enfant, qu'il épouse la veuve et donne une descendance à son frère.* ²⁰ Il y avait sept frères. Le premier a pris femme et est mort sans laisser de descendance. ²¹ Le second a épousé cette femme et est mort sans laisser de descendance. Le troisième également, ²² et les sept n'ont laissé aucune descendance. Après eux tous, la femme est morte aussi. ²³ A la résurrection, quand ils ressusciteront, duquel d'entre eux sera-t-elle la femme, puisque les sept l'ont eue pour femme ? » ²⁴ Jésus leur dit : « N'est-ce point parce que vous ne connaissez ni les Ecritures ni la puissance de Dieu, que vous êtes dans l'erreur ? ²⁵ En effet, quand on ressuscite d'entre les morts, on ne prend ni femme ni mari, mais on est comme des *anges dans les cieux. ²⁶ Quant au fait que les morts doivent ressusciter, n'avez-vous pas lu dans le livre de Moïse, au récit du buisson ardent, comment Dieu lui a dit : *Je suis le Dieu d'Abraham, le Dieu d'Isaac et le Dieu de Jacob ?* ²⁷ Il n'est pas le Dieu des morts, mais des vivants. Vous êtes complètement dans l'erreur. »

Le premier de tous les commandements
(Mt 22.34-40 ; Lc 10.25-28 ; 20.39-40)

²⁸ Un *scribe s'avança. Il les avait entendus discuter et voyait que Jésus leur avait bien répondu. Il lui demanda : « Quel est le premier de tous les commandements ? » ²⁹ Jésus répondit : « Le premier, c'est : *Ecoute, Israël, le Seigneur notre Dieu est l'unique Seigneur ;* ³⁰ tu aimeras le Seigneur ton Dieu de tout ton cœur, de toute ton âme, de toute ta pensée et de toute ta force. ³¹ Voici le second : *Tu aimeras ton prochain comme toi-même.* Il n'y a pas d'autre commandement plus grand que ceux-là. » ³² Le scribe lui dit : « Très bien, Maître, tu as dit vrai : *Il est unique et il n'y en a pas d'autre que lui,* ³³ et l'aimer de tout son cœur, de toute son intelligence, de toute sa force, et aimer

a Voir Mc 3.6 et note ● b Expression imagée de la conduite que Dieu réclame de ses fidèles ● c C'était l'impôt direct, le même pour tous les juifs ; il s'ajoutait aux charges indirectes (péages, douanes, taxes). *César* est ici le titre de l'empereur romain

12.10-11 Ps 118.22-23. **12.10** pierre angulaire Ac 4.11 ; 1 P 2.7. **12.12** peur des réactions populaires Mt 14.5+. **12.13** Hérodiens Mc 3.6+ — piège tendu à Jésus Mt 16.1+ ; cf. Mc 8.11 ; 10.2. **12.14** les chemins de Dieu Mt 7.14 ; 11.10 ; 21.32 ; Mc 1.2-3 par. ; Lc 1.76 ; 7.27 ; Jn 1.23. Ac 13.10 ; 16.17 ; Rm 3.17 ; 11.33 ; He 3.10 ; Ap 15.3. **12.17** rendez à César Rm 13.7. **12.18** Sadducéens Ac 23.8. **12.19** lévirat Gn 38.8 ; Dt 25.5-10. **12.26** le buisson ardent Ex 3.2 — Dieu d'Abraham... Ac 3.6, 15-16. **12.29-30** Dt 6.4-5 (Jos 22.5 ; Lc 10.27). **12.31** Lv 19.18 (Rm 13.9 ; Ga 5.14 ; Jc 2.8). **12.32** très bien, Maître Lc 20.39 — Dieu unique Dt 6.4 — pas d'autre Dieu Dt 4.35 ; Es 45.21. **12.33** de tout son cœur... v. 30 ; 2 R 23.25 — mieux que les sacrifices 1 S 15.22 ; Os 6.6.

son prochain comme soi-même, cela vaut mieux que tous les holocaustes et *sacrifices. » ³⁴ Jésus, voyant qu'il avait répondu avec sagesse, lui dit : « Tu n'es pas loin du *royaume de Dieu. » Et personne n'osait plus l'interroger.

Le Messie et David
(*Mt 22.41-46; Lc 20.41-44*)

³⁵ Prenant la parole, Jésus enseignait dans le *Temple. Il disait : « Comment les *scribes peuvent-ils dire que le *Messie est fils de David ? ³⁶ David lui-même, inspiré par l'Esprit Saint, a dit :
Le Seigneur a dit à mon Seigneur :
Siège à ma droite
jusqu'à ce que j'aie mis tes ennemis
sous tes pieds.
³⁷ David lui-même l'appelle Seigneur ; alors, de quelle façon est-il son fils ? » La foule nombreuse l'écoutait avec plaisir.

Jésus met en garde contre les scribes
(*Mt 23.1-12; Lc 20.45-47*)

³⁸ Dans son enseignement, il disait : « Prenez garde aux *scribes qui tiennent à déambuler en grandes robes, à être salués sur les places publiques, ³⁹ à occuper les premiers sièges dans les *synagogues et les premières places dans les dîners. ⁴⁰ Eux qui dévorent les biens des veuves et font pour l'apparence ᵈ de longues prières, ils subiront la plus rigoureuse condamnation.

L'offrande de la veuve
(*Lc 21.1-4*)

⁴¹ Assis en face du tronc, Jésus regardait comment la foule mettait de l'argent dans le tronc. De nombreux riches mettaient beaucoup. ⁴² Vint une veuve qui mit deux petites pièces, quelques centimes ᵉ. ⁴³ Appelant ses disciples, Jésus leur dit : « En

vérité je vous le déclare, cette veuve pauvre a mis plus que tous ceux qui mettent dans le tronc. ⁴⁴ Car tous ont mis en prenant sur leur superflu ; mais elle, elle a pris sur sa misère pour mettre tout ce qu'elle possédait, tout ce qu'elle avait pour vivre. »

Jésus annonce la ruine du Temple
(*Mt 24.1-3; Lc 21.5-7*)

13 ¹ Comme Jésus s'en allait du *Temple, un de ses disciples lui dit : « Maître, regarde : quelles pierres, quelles constructions ! » ² Jésus lui dit : « Tu vois ces grandes constructions ! Il ne restera pas pierre sur pierre : tout sera détruit. » ³ Comme il était assis au mont des Oliviers ᶠ en face du Temple, Pierre, Jacques, Jean et André, à l'écart, lui demandaient : ⁴ « Dis-nous quand cela arrivera et quel sera le *signe que tout cela va finir. »

Les signes annonciateurs de la crise
(*Mt 24.10.17-22; 24.4-14; Lc 12.11-12; 21.8-19*)

⁵ Jésus se mit à leur dire : « Prenez garde que personne ne vous égare. ⁶ Beaucoup viendront en prenant mon nom ; ils diront : "C'est moi" et ils égareront bien des gens. ⁷ Quand vous entendrez parler de guerres et de rumeurs de guerres, ne vous alarmez pas : il faut que cela arrive, mais ce ne sera pas encore la fin. ⁸ On se dressera en effet nation contre nation, et royaume contre royaume ; il y aura en divers endroits des tremblements de terre, il y aura des famines ; ce sera le commencement des douleurs de l'enfantement. ⁹ Soyez sur vos gardes. On vous livrera aux tribunaux et aux *synagogues, vous serez roués de coups, vous comparaîtrez devant des gouverneurs et des rois à cause de moi : ils auront là un témoignage. ¹⁰ Car il faut d'abord que *l'Evangile soit proclamé à toutes les nations. ¹¹ Quand on vous conduira pour

---

d ou *pour le dissimuler* ● *e* Le texte mentionne ici *deux leptes*, les plus petites pièces de monnaie alors en circulation ● *f* Voir note sur Mc 11.1

12.34 le royaume de Dieu Mt 3.2+; 6.10+ — personne n'osait plus... Mt 22. 46; Lc 20.40. **12.35** fils de David Mt 1.1+. **12.36** Ps 110.1 (Mt 22.44+). **12.37** la foule l'écoutait avec plaisir Lc 19.48; 21.38. **12.41** le tronc du Temple Jn 8.20; cf. 2 R 12.9. **12.44** ce qu'elle possédait 2 Co 8.12. **13.2** pas pierre sur pierre Lc 19.44. **13.3** le mont des Oliviers Mc 11.1 par.+ — Pierre, Jacques et Jean Mt 17.1+ — André Mt 4.18+. **13.5** danger d'être égaré Mt 24.4+. **13.6** au nom de Jn 5.43. **13.7** il faut Dn 2.28. **13.8** nation contre nation Es 19.2-6, 17; 2 Ch 15.6 — douleurs de l'enfantement Mt 24.8. **13.9** livrés aux tribunaux Mt 10.17, 23 — témoignage Mt 10.18; 24.14; Mc 1.44; 6.11. **13.10** l'Evangile Mc 1.1+ — proclamé Mt 3.1+; 24.14+ — toutes les nations Mt 10.18; 28.19; Lc 21.24; Rm 11.25. **13.11** ne soyez pas inquiets Mt 10.19; Lc 12.11-12.

vous livrer, ne soyez pas inquiets à l'avance de ce que vous direz ; mais ce qui vous sera donné à cette heure-là, dites-le ; car ce n'est pas vous qui parlerez, mais l'Esprit Saint. [12] Le frère livrera son frère à la mort, et le père son enfant ; les enfants se dresseront contre leurs parents et les feront condamner à mort. [13] Vous serez haïs de tous à cause de mon *nom. Mais celui qui tiendra jusqu'à la fin. celui-là sera sauvé.

La grande détresse
(*Mt 24.15-25 ; Lc 21.20-24 ; 17.23 ; 21.8*)

[14] Quand vous verrez l'*Odieux Dévastateur* installé là où il ne faut pas — que le lecteur comprenne ! —, alors ceux qui seront en Judée, qu'ils fuient dans les montagnes ; [15] celui qui sera sur la terrasse, qu'il ne descende pas, qu'il n'entre pas dans sa maison pour en emporter quelque chose ; [16] celui qui sera au champ. qu'il ne retourne pas en arrière pour prendre son manteau ! [17] Malheureuses celles qui seront enceintes et celles qui allaiteront en ces jours-là ! [18] Priez pour que cela n'arrive pas en hiver. [19] Car ces jours-là seront des jours de *détresse comme il n'y en a pas eu de pareille depuis le commencement du monde* que Dieu a créé *jusqu'à maintenant*, et comme il n'y en aura plus. [20] Et si le Seigneur n'avait pas abrégé ces jours, personne n'aurait la vie sauve ; mais à cause des élus qu'il a choisis, il a abrégé ces jours. [21] Alors. si quelqu'un vous dit : "Vois, le *Messie est ici ! Vois, il est là !", ne le croyez pas. [22] De faux messies *g* et de faux prophètes se lèveront et feront des signes et des prodiges pour égarer, si possible, même les élus. [23] Vous donc, prenez garde, je vous ai prévenus de tout.»

La venue du Fils de l'homme
(*Mt 24.29-31 ; Lc 21.25-28*)

[24] Mais en ces jours-là, après cette détresse, *le soleil s'obscurcira, la lune ne brillera plus*, [25] *les étoiles se mettront à tomber du ciel et les puissances qui sont dans les cieux* seront ébranlées. [26] Alors on verra le *Fils de l'homme venir, entouré de nuées*, dans la plénitude de la puissance et dans la gloire. [27] Alors il enverra les *anges et*, des quatre vents *h*, *de l'extrémité* de la terre *à l'extrémité du ciel*, il *rassemblera* ses élus.

La leçon à tirer du figuier
(*Mt 24.32-36 ; Lc 21.29-33*)

[28] Comprenez cette comparaison empruntée au figuier : dès que ses rameaux deviennent tendres et que poussent ses feuilles, vous reconnaissez que l'été est proche. [29] De même, vous aussi, quand vous verrez cela arriver, sachez que le Fils de l'homme est proche, qu'il est à vos portes. [30] En vérité je vous le déclare, cette génération ne passera pas que tout cela n'arrive. [31] Le ciel et la terre passeront, mes paroles ne passeront pas. [32] Mais ce jour ou cette heure, nul ne les connaît, ni les anges du *ciel, ni le Fils, personne sinon le Père.

Recommandation finale : Restez en éveil
(*Mt 24.42 ; 25.13-15 ; Lc 12.36-38 ; 19.12-13*)

[33] Prenez garde, restez éveillés, car vous ne savez pas quand ce sera le moment. [34] C'est comme un homme qui part en voyage : il a laissé sa maison, confié à ses serviteurs l'autorité, à chacun sa tâche, et il a donné au portier l'ordre de veiller. [35] Veillez donc, car vous ne savez pas quand le maître de la maison va venir, le soir ou au milieu de la nuit, au chant du coq ou le matin. [36] Craignez qu'il n'arrive à l'improviste et ne vous trouve en train de dormir. [37] Ce que je vous dis, je le dis à tous : veillez.»

---

g Voir Ac 5.36-37 ● *h* Les quatres points cardinaux. Le v. 27 combine plusieurs passages de l'A.T.: Dt 30.4; Za 2.10. Cf. Ne 1.9; Ez 37.9

13.12 famille déchirée Mi 7.6. **13.13** haïs à cause de Jésus Mt 10.22; 24.9; Jn 15.18-21; 16.2; 1 P 4.14 — celui qui tiendra Mt 10.22. **13.14** l'Odieux Dévastateur Dn 9.27; 11.31; 12.11; *l M* 1.54; 6.7. **13.16** pas de retour en arrière Lc 17.31. **13.17** malheureuses ! Lc 23.29; cf. Mt 11.21+. **13.19** détresse sans précédent Mt 24.21+. **13.22** des signes et des prodiges Dt 13.2-4; 2 Th 2.9-10; Ap 13.13-14. **13.24-25** obscurcissement des astres Es 13.10; 34.4; Ez 32.7-8; Jl 2.10, 31; 3.4; 4.15; Ap 6.12-14; 8.12. **13.26** le Fils de l'homme Mt 8.20+ — sa venue Mt 10.23+; Mc 8.38; Ap 1.7 sur les nuées Lv 16.2; Nb 11.25; Mt 24.30+. **13.27** extrémité du ciel Dt 30.4; Ne 1.9; Ez 37.9; Za 2.10. **13.28** figuier Mt 21.19; Mc 11.13. **13.31** ce qui passe et ce qui ne passera pas Mt 5.18; Lc 16.17. **13.32** ce jour et cette heure Ac 1.7; 1 Th 5.1, 2 — le Fils, le Père Mt 11.27; Lc 10.22. **13.33** rester en éveil Mt 24.42+; 25.13. **13.34** l'homme qui part en voyage Mt 25.14. **13.35-36** retour imprévu du maître Lc 12.36-38. **13.37** veillez ! Mt 24.42+.

Le complot contre Jésus

(Mt 26.1-5; Lc 22.1-2; Jn 11.47, 49, 53)

14 [1] La *Pâque et la fête des Pains sans levain devaient avoir lieu deux jours après. Les *grands prêtres et les scribes cherchaient comment arrêter Jésus par ruse pour le tuer. [2] Ils disaient en effet : « Pas en pleine fête de peur qu'il n'y ait des troubles dans le peuple. »

L'onction à Béthanie

(Mt 26.6-13; Jn 12.1-8; cf. Lc 7.36-38)

[3] Jésus était à Béthanie *i* dans la maison de Simon le lépreux et, pendant qu'il était à table *j*, une femme vint, avec un flacon d'albâtre contenant un parfum de nard *k*, pur et très coûteux. Elle brisa le flacon d'albâtre et lui versa le parfum sur la tête. [4] Quelques-uns se disaient entre eux avec indignation : « A quoi bon perdre ainsi ce parfum ? [5] On aurait pu vendre ce parfum-là plus de trois cents pièces d'argent et les donner aux pauvres ! » Et ils s'irritaient contre elle. [6] Mais Jésus dit : « Laissez-la, pourquoi la tracasser ? C'est une bonne œuvre qu'elle vient d'accomplir à mon égard. [7] Des pauvres, en effet, vous en avez toujours avec vous, et quand vous voulez, vous pouvez leur faire du bien. Mais moi, vous ne m'avez pas toujours. [8] Ce qu'elle pouvait faire, elle l'a fait : d'avance elle a parfumé mon corps pour l'ensevelissement *l*. [9] En vérité je vous le déclare, partout où sera proclamé l'Evangile dans le monde entier, on racontera aussi, en souvenir d'elle, ce qu'elle a fait. »

Judas s'apprête à trahir Jésus

(Mt 26.14-16; Lc 22.3-6)

[10] Judas Iscarioth *m*, l'un des Douze, s'en alla chez les *grands prêtres pour leur livrer Jésus. [11] A cette nouvelle, ils se réjouirent et promirent de lui donner de l'argent. Et Judas cherchait comment il le livrerait au bon moment.

Jésus fait préparer la Pâque

(Mt 26.17-19; Lc 22.7-13)

[12] Le premier jour des Pains sans levain, où l'on immolait la *Pâque, ses disciples lui disent : « Où veux-tu que nous allions faire les préparatifs pour que tu manges la Pâque ? » [13] Et il envoie deux de ses disciples et leur dit : « Allez à la ville ; un homme viendra à votre rencontre, portant une cruche d'eau. Suivez-le, [14] et, là où il entrera, dites au propriétaire : "Le maître dit : où est ma salle, où je vais manger la Pâque avec mes disciples ?" [15] Et lui vous montrera la pièce du haut, vaste, garnie, toute prête ; c'est là que vous ferez les préparatifs pour nous. » [16] Les disciples partirent et allèrent à la ville. Ils trouvèrent tout comme il leur avait dit et ils préparèrent la Pâque.

Jésus annonce qu'il va être trahi

(Mt 26.20-25; Lc 22.14; Jn 13.21-30)

[17] Le soir venu, il arriva avec les Douze. [18] Pendant qu'ils étaient à table et mangeaient, Jésus dit : « En vérité je vous le déclare, l'un de vous va me livrer, un *qui mange avec moi*. » [19] Pris de tristesse, ils se mirent à lui dire l'un après l'autre : « Serait-ce moi ? » [20] Il leur dit : « C'est l'un des Douze, qui plonge la main avec moi dans le plat *n*. [21] Car le *Fils de l'homme s'en va selon ce qui est écrit de lui, mais malheureux l'homme par qui le Fils de l'homme est livré ! Il vaudrait mieux pour lui qu'il ne soit pas né, cet homme-là ! »

Le pain et la coupe de la cène

(Mt 26.26-29; Lc 22.15-20; 1 Co 11.23-26)

[22] Pendant le repas, il prit du pain, et après avoir prononcé la bénédiction, il le rompit, le leur donna et dit : « Prenez, ceci est mon corps. » [23] Puis il prit une coupe, et après avoir rendu grâce, il la leur donna et ils en burent tous. [24] Et il leur a dit : « Ceci est mon sang, le sang

---

i Voir Mc 11.1 et note ● *j* Les convives étaient allongés sur le côté, à la manière antique ● *k* Le *nard*: extrait d'une plante originaire du Nord de l'Inde ● *l* Les coutumes funéraires juives de l'époque comprenaient un embaumement sommaire pratiqué à l'aide d'onguents et de parfums ● *m* Voir 3.19 et note ● *n* Les convives se servaient eux-mêmes directement dans le plat commun

14.1 Pâque et fête des Pains sans levain Ex 12.1-20; Dt 16.1-8 — conciliabule contre Jésus Mt 12.14 +. 14.3 Béthanie Mt 21.17 + — une femme cf. Lc 7.36-38. 14.7 des pauvres Dt 15.11. 14.8 onction funéraire Mc 16.1; Jn 19.40. 14.9 l'Evangile Mc 1.1 + — dans le monde entier Mt 24.14; Rm 10.8. 14.10 Judas Iscarioth Mt 10.4 + — les Douze Mt 10.2 + — livrer Mt 26.2 +. 14.12 la Pâque Ex 12.6, 14-20. 14.18 qui mange au milieu Ps 41.10 (Jn 13.18). 14.21 Fils de l'homme Mt 8.20 + par. ; 15.36; Mc 8.6. 14.23 une coupe 1 Co 10.16. 14.24 le sang de l'alliance Ex 24.8; Za 9.11; He 9.20 — pour la multitude Mc 10.45 +.

de *l'alliance, versé pour la multitude.
[25] En vérité je vous le déclare, jamais plus je ne boirai du fruit de la vigne jusqu'au jour où je le boirai, nouveau, dans le *royaume de Dieu. »

Jésus annonce que Pierre le reniera
(Mt 26.30-35; Lc 22.33-34; Jn 13.37-38)

[26] Après avoir chanté les psaumes [o], ils sortirent pour aller au mont des Oliviers [p]. [27] Et Jésus leur dit : « Tous vous allez tomber [q], car il est écrit : Je frapperai le *berger et les brebis seront dispersées. [28] Mais une fois ressuscité, je vous précéderai en Galilée. » [29] Pierre lui dit : « Même si tous tombent, eh bien, pas moi ! » [30] Jésus lui dit : « En vérité je te le déclare, toi, aujourd'hui, cette nuit même, avant que le coq chante deux fois, tu m'auras renié trois fois. » [31] Mais lui affirmait de plus belle : « Même s'il faut que je meure avec toi, non, je ne te renierai pas. » Et tous en disaient autant.

La prière de Jésus à Gethsémani
(Mt 26.36-46; Lc 22.40-46)

[32] Ils arrivent à un domaine du nom de Gethsémani [r] et il dit à ses disciples : « Restez ici pendant que je prierai. » [33] Il emmène avec lui Pierre, Jacques et Jean. Et il commença à ressentir frayeur et angoisse. [34] Il leur dit : « Mon âme [s] est triste à en mourir. Demeurez ici et veillez. » [35] Et allant un peu plus loin, il tombait à terre et priait pour que, si possible, cette heure passât loin de lui. [36] Il disait : « Abba [t], Père, à toi tout est possible, écarte de moi cette coupe ! Pourtant, non pas ce que je veux, mais ce que tu veux ! » [37] Il vient et les trouve en train de dormir ; il dit à Pierre : « Simon, tu dors ! Tu n'as pas eu la force de veiller une heure ! [38] Veillez et priez afin de ne pas tomber au pouvoir de la *tentation. L'esprit est plein d'ardeur, mais la chair est faible. » [39] De nouveau, il s'éloigna et

pria en répétant les mêmes paroles. [40] Puis, de nouveau, il vint et les trouva en train de dormir, car leurs yeux étaient appesantis. Et ils ne savaient que lui dire. [41] Pour la troisième fois, il vient ; il leur dit : « Continuez à dormir et reposez-vous [u] ! C'en est fait. L'heure est venue : voici que le *Fils de l'homme est livré aux mains des *pécheurs. [42] Levez-vous ! Allons ! Voici qu'est arrivé celui qui me livre. »

L'arrestation de Jésus
(Mt 26.47-56; Lc 22.47-53; Jn 18.2-11)

[43] Au même instant, comme il parlait encore, survient Judas, l'un des Douze, avec une troupe armée d'épées et de bâtons, qui venait de la part des *grands prêtres, des scribes et des anciens. [44] Celui qui le livrait avait convenu avec eux d'un signal : « Celui à qui je donnerai un baiser, avait-il dit, c'est lui ! Arrêtez-le et emmenez-le sous bonne garde. » [45] Sitôt arrivé, il s'avance vers lui et lui dit : « Rabbi [v] ». Et il lui donna un baiser. [46] Les autres mirent la main sur lui et l'arrêtèrent. [47] L'un de ceux qui étaient là tira l'épée, frappa le serviteur du grand prêtre et lui emporta l'oreille. [48] Prenant la parole, Jésus leur dit : « Comme pour un bandit [w], vous êtes partis avec des épées et des bâtons pour vous saisir de moi ! [49] Chaque jour, j'étais parmi vous dans le *Temple à enseigner et vous ne m'avez pas arrêté. Mais c'est pour que les Ecritures soient accomplies. » [50] Et tous l'abandonnèrent et prirent la fuite. [51] Un jeune homme le suivait, n'ayant qu'un drap sur le corps. On l'arrête, [52] mais lui, lâchant le drap, s'enfuit tout nu.

Jésus comparaît devant le Sanhédrin
(Mt 26.57-68; Lc 22.54-55, 63-71; Jn 18.12-18)

[53] Ils emmenèrent Jésus chez le *grand prêtre. Ils s'assemblent tous, les grands

---

o Les Ps 115—118 étaient chantés après la fin du repas pascal ● p Voir Mc 11.1 et note ● q Certains traduisent vous serez scandalisés; voir Mc 9.42 et note ● r En araméen pressoir à huile ● s ou moi-même, ma personne tout entière ● t Voir Rm 8.15 et note ● u Ou Vous dormez maintenant et vous vous reposez! ● v Voir Mc 11.21 et note ● w Voir Mc 15.27 et note

14.25 royaume de Dieu et festin messianique Es 25.6; Lc 13.29. 14.26 les psaumes Ps 115—118. 14.27 tomber Mt 5.29+ — il est écrit Za 13.7; cf. Mt 26.56; Mc 14.50. 14.28 en Galilée Mt 26.32; 28.7, 10, 16; Mc 16.1; Jn 21; cf. Mc 1.14. 14.31 mourir avec Jésus Jn 11.16. 14.32 Gethsémani cf. Jn 18.1. 14.33 Pierre, Jacques et Jean Mt 17.1+ par.; Mc 1.29. 14.34 tristesse Ps 42.6, 12; 43.5; Jn 12.27 à en mourir Jon 4.9 (grec). 14.35 cette heure Jn 12.27; 13.1; 17.1. 14.36 Abba, Père Rm 8.15; Ga 4.6; cf. Lc 11.2 — cette coupe Mt 20.22+; Mc 10.38+ — ce que tu veux Mt 6.10+; Jn 5.30; 6.38. 14.38 au pouvoir de la tentation Mt 6.13; Lc 11.4. 14.43 Judas Mt 10.4+; Mc 14.10 — grands prêtres, scribes et anciens Mt 27.1+. 14.45 Rabbi Mc 9.5+. 14.47 le serviteur blessé à l'oreille Jn 18.26. 14.49 Jésus enseignait tous les jours Lc 19.47; 21.37; Jn 18.20. 14.50 fuite des disciples Za 13.7; Mc 14.27 par.; Jn 16.32. 14.53 grands prêtres, anciens et scribes Mc 11. 27+.

prêtres, les anciens et les scribes. ⁵⁴ Pierre, de loin, l'avait suivi jusqu'à l'intérieur du palais du grand prêtre. Il était assis avec les serviteurs et se chauffait près du feu. ⁵⁵ Or les grands prêtres et tout le *Sanhédrin cherchaient contre Jésus un témoignage pour le faire condamner à mort et ils n'en trouvaient pas. ⁵⁶ Car beaucoup portaient de faux témoignages contre lui, mais les témoignages ne concordaient pas. ⁵⁷ Quelques-uns se levaient pour donner un faux témoignage contre lui en disant : ⁵⁸ « Nous l'avons entendu dire : "Moi, je détruirai ce *sanctuaire fait de main d'homme et, en trois jours, j'en bâtirai un autre, qui ne sera pas fait de main d'homme". » ⁵⁹ Mais, même de cette façon, ils n'étaient pas d'accord dans leur témoignage. ⁶⁰ Le grand prêtre se levant au milieu de l'assemblée, interrogea Jésus : « Tu ne réponds rien aux témoignages que ceux-ci portent contre toi ? » ⁶¹ Mais lui gardait le silence ; il ne répondit rien. De nouveau le grand prêtre l'interrogeait ; il lui dit : « Es-tu le *Messie, le Fils du Dieu béni ? » ⁶² Jésus dit : « Je le suis, et vous verrez *le Fils de l'homme siégeant à la droite ˣ du Tout-Puissant et venant avec les nuées du ciel.* » ⁶³ Le grand prêtre déchira ses habits ʸ et dit : « Qu'avons-nous encore besoin de témoins ! ⁶⁴ Vous avez entendu le *blasphème. Qu'en pensez-vous ? » Et tous le condamnèrent comme méritant la mort. ⁶⁵ Quelques-uns se mirent à cracher sur lui, à lui couvrir le visage, à lui donner des coups et à lui dire : « Fais le *prophète ! » Et les serviteurs le reçurent avec des gifles.

Pierre renie Jésus
(Mt 26.69-75 ; Lc 22.56-62 ; Jn 18.17, 25-27)

⁶⁶ Tandis que Pierre était en bas, dans la cour, l'une des servantes du *grand prêtre arrive. ⁶⁷ Voyant Pierre qui se chauffait, elle le regarde et lui dit : « Toi aussi, tu étais avec le Nazaréen, avec Jésus ! » ⁶⁸ Mais il nia en disant : « Je ne sais pas et je ne comprends pas ce que tu veux dire. » Et il s'en alla dehors dans le vestibule ᶻ. ⁶⁹ La servante le vit et se mit à redire à ceux qui étaient là : « Celui-là, il est des leurs ! » ⁷⁰ Mais de nouveau il niait. Peu après, ceux qui étaient là disaient une fois de plus à Pierre : « A coup sûr, tu es des leurs ! et puis, tu es galiléen. » ⁷¹ Mais lui se mit à jurer avec des imprécations : « Je ne connais pas l'homme dont vous me parlez ! » ⁷² Aussitôt, pour la deuxième fois, un coq chanta. Et Pierre se rappela la parole que Jésus lui avait dite : « Avant que le coq chante deux fois, tu m'auras renié trois fois. » Il sortit précipitamment ᵃ ; il pleurait.

Jésus comparaît devant Pilate
(Mt 27.1-2, 11-26 ; Lc 23.1-5, 13-25 ; Jn 18.28—19.16)

15 ¹ Dès le matin, les *grands prêtres tinrent conseil avec les anciens, les scribes et le *Sanhédrin tout entier. Ils lièrent Jésus, l'emmenèrent et le livrèrent à Pilate ᵇ. ² Pilate l'interrogea : « Es-tu le roi des Juifs ? » Jésus lui répond : « C'est toi qui le dis. » ³ Les grands prêtres portaient contre lui beaucoup d'accusations. ⁴ Pilate l'interrogeait de nouveau : « Tu ne réponds rien ? Vois toutes les accusations qu'ils portent contre toi. » ⁵ Mais Jésus ne répondit plus rien, de sorte que Pilate était étonné. ⁶ A chaque fête, il leur relâchait un prisonnier, celui qu'ils réclamaient. ⁷ Or celui qu'on appelait Barabbas était en prison avec les émeutiers qui avaient commis un meurtre pendant l'émeute. ⁸ La foule monta et se mit à demander ce qu'il leur accordait d'habitude. ⁹ Pilate leur répondit : « Vou-

---

x Voir note sur He 1.3 • y D'après Gn 37.29, 34 ; Nb 14.6 ; 2 S 13.31, etc., c'est un geste symbolique exprimant la tristesse ou l'horreur • z Quelques manuscrits ajoutent : *et un coq chanta* • a On hésite sur le sens exact du terme grec. Autres traductions : *il commença à pleurer ;* ou *se couvrant* (la tête ?) *il pleura ;* ou *en songeant à ceci il pleura* • b Ponce Pilate fut gouverneur romain de la Judée entre les années 26 et 36

14.58 destructeur du Temple Mt 24.2-3 ; Mc 15.29 par. ; Jn 2.19 ; Ac 6.14 — non fait de main d'homme Ac 7.48-50 ; 17.24. **14.61** silence de Jésus Mc 15.4-5 par. ; cf. Es 50.6-8 ; 53.7 ; Ac 8.32 — Fils de Dieu Mt 14.33+ ; Mc 5.7 ; Lc 8.28. **14.62** Fils de l'homme Mt 8.20+ — à la droite Ps 110.1 (Mt 22.44+) — avec les nuées Mt 24.30+ ; Mc 13.26 ; Lc 21.27 ; 1 Th 4.17 ; Ap 1.7 ; 14.14. **14.63** vêtements déchirés Mt 26.65+. **14.64** blasphème Mt 9.3+ — méritant la mort Lv 24.16 ; Jn 19.7. **14.65** crachats Es 50.6. **14.72** avertissement de Jésus à Pierre Mc 14.30 par. ; 14.38. **15.1** réunion matinale du Sanhédrin Lc 22.66 — grands prêtres, anciens et scribes Mc 11.27+. **15.2** roi des Juifs Mt 2.2+ — c'est toi qui le dis Mt 26.25. **15.5** silence de Jésus Mc 14.60-61 ; Lc 23.9 ; cf. Es 53.7 ; Ac 8.32. **15.8** la foule Mc 12.37.

lez-vous que je vous relâche le roi des Juifs ? » ¹⁰ Car il voyait bien que les grands prêtres l'avaient livré par jalousie. ¹¹ Les grands prêtres excitèrent la foule pour qu'il leur relâche plutôt Barabbas. ¹² Prenant encore la parole, Pilate leur disait : « Que ferai-je donc de celui que vous appelez le roi des Juifs ? » ¹³ De nouveau, ils crièrent : « Crucifie-le ! » ¹⁴ Pilate leur disait : « Qu'a-t-il donc fait de mal ? » Ils crièrent de plus en plus fort : « Crucifie-le ! » ¹⁵ Pilate, voulant contenter la foule, leur relâcha Barabbas et il livra Jésus, après l'avoir fait flageller ᶜ, pour qu'il soit crucifié.

La royauté de Jésus tournée en dérision
(*Mt 27.27-31 ; Jn 19.2-3*)

¹⁶ Les soldats le conduisirent à l'intérieur du palais, c'est-à-dire du *prétoire. Ils appellent toute la cohorte ᵈ. ¹⁷ Ils le revêtent de pourpre ᵉ et ils lui mettent sur la tête une couronne d'épines qu'ils ont tressée. ¹⁸ Et ils se mirent à l'acclamer : « Salut, roi des Juifs ! » ¹⁹ Ils lui frappaient la tête avec un roseau, ils crachaient sur lui et se mettant à genoux, ils se prosternaient devant lui. ²⁰ Après s'être moqués de lui, ils lui enlevèrent la pourpre et lui remirent ses vêtements. Puis ils le font sortir pour le crucifier.

Jésus est mis en croix
(*Mt 27.33-44 ; Lc 23.26-43 ; Jn 19.16-24*)

²¹ Ils réquisitionnent pour porter sa croix ᶠ un passant, qui venait de la campagne, Simon de Cyrène ᵍ, le père d'Alexandre et de Rufus. ²² Et ils le mènent au. lieu-dit Golgotha, ce qui signifie lieu

du Crâne. ²³ Ils voulurent lui donner du vin mêlé de myrrhe ʰ, mais il n'en prit pas. ²⁴ Ils le crucifient, et *ils partagent ses vêtements, en les tirant au sort* pour savoir ce que chacun prendrait. ²⁵ Il était neuf heures quand ils le crucifièrent. ²⁶ L'inscription portant le motif de sa condamnation était ainsi libellée : « Le roi des Juifs ». ²⁷ Avec lui, ils crucifient deux bandits ⁱ, l'un à sa droite, l'autre à sa gauche. [²⁸ ʲ...] ²⁹ Les passants l'insultaient *hochant la tête* et disant : « Hé ! Toi qui détruis le *Sanctuaire et le rebâtis en trois jours, ³⁰ sauve-toi toi-même en descendant de la croix. » ³¹ De même, les *grands prêtres, avec les scribes, se moquaient entre eux : « Il en a sauvé d'autres, il ne peut pas se sauver lui-même ! ³² Le *Messie, le roi d'Israël, qu'il descende maintenant de la croix, pour que nous voyions et que nous croyions ! » Ceux qui étaient crucifiés avec lui l'injuriaient.

La mort de Jésus
(*Mt 27.45-56 ; Lc 23.44-49 ; Jn 19.28-30*)

³³ A midi, il y eut des ténèbres sur toute la terre jusqu'à trois heures. ³⁴ Et à trois heures, Jésus cria d'une voix forte : « *Eloï, Eloï, lama sabaqthani* ᵏ ? » ce qui signifie : « *Mon Dieu, mon Dieu, pourquoi m'as-tu abandonné ?* » ³⁵ Certains de ceux qui étaient là disaient, en l'entendant : « Voilà qu'il appelle Elie ! » ³⁶ Quelqu'un courut, emplit une éponge de *vinaigre* ˡ, et la fixant au bout d'un roseau, il lui *présenta à boire* en disant : « Attendez, voyons si Elie va venir le descendre de là. » ³⁷ Mais, poussant un grand cri, Jésus expira. ³⁸ Et le voile du

---

c Voir Mc 10.34 et note ● *d* Unité de l'armée romaine (600 hommes) ● *e pourpre*: Teinture précieuse réservée aux rois et aux personnages importants; par extension le terme désigne les vêtements teints à la pourpre ● *f* Le condamné devait porter lui-même la poutre transversale de la croix jusqu'au lieu de l'exécution ● *g Cyrène*: sur la côte nord-africaine. Voir Ac 2.10; 11.20 ● *h* Boisson assoupissante offerte aux condamnés selon une coutume juive ● *i* Il s'agit probablement de révolutionnaires (zélotes); voir 15.7 et note sur 3.18 ● *j* Certains manuscrits ajoutent ici, d'après Lc 22.37: *Et fut accomplie l'Ecriture, qui dit: il fut compté au nombre des malfaiteurs* (Citation d'Es 53.12) ● *k* Citation en araméen de Ps 22.1 ● *l vinaigre*: vin aigri constituant la boisson habituelle des troupes romaines

---

15.11 Barabbas préféré à Jésus Ac 3.14. **15.13** la condamnation de Jésus exigée de Pilate Ac 3.13; 13.28. **15.15** flagellation Lc 23.16-22; Jn 19.1; Ac 5.40, etc. **15.17-19** moqueries Mc 10.34; 15.31; Lc 23.11; cf. Ps 22.8; 44.14; 52.8. **15.18** roi des Juifs Mt 2.2+. **15.19** coups sur la tête Mi 4.14. **15.21** Rufus cf. Rm 16.13. **15.23** du vin mêlé de myrrhe cf. Ps 69.22. **15.24** Ps 22.19; cf. Jn 19.24. **15.27** l'un à droite, l'autre à gauche Mc 10.37 — bandits Mc 14.48; cf. Es 53.12. **15.29** hochant la tête Ps 22.8; Jr 18.16; cf. Ps 109.25; Jb 16.4; Lm 2.15 — destructeur du sanctuaire Mc 14.58; cf. Mt 26.61+. **15.33** ténèbres Ex 10.22; Am 8.9-10. **15.34** Ps 22.2 (cité en araméen). **15.35** Elie Mt 11.14+; Mc 9.11-13. **15.36** Ps 69.22; cf. Mt 27.34; Mc 15.23; Lc 23.36. **15.38** le voile du Sanctuaire Ex 26.31-35; He 6.19; 9.3, 6-12; 10.19-20.

*Sanctuaire *m* se déchira en deux du haut en bas. [39] Le centurion *n* qui se tenait devant lui, voyant qu'il avait ainsi expiré *o*, dit : « Vraiment cet homme était Fils de Dieu. » [40] Il y avait aussi des femmes qui regardaient à distance, et parmi elles Marie de Magdala, Marie la mère de Jacques le Petit et de José, et Salomé, [41] qui le suivaient et le servaient quand il était en Galilée, et plusieurs autres qui étaient montées avec lui à Jérusalem.

Le corps de Jésus est mis au tombeau

(Mt 27.57-61 ; Lc 23.50-56 ; Jn 19.38-42)

[42] Déjà le soir était venu, et comme c'était un jour de préparation, c'est-à-dire une veille de *sabbat, [43] un membre éminent du conseil *p*, Joseph d'Arimathée, arriva. Il attendait lui aussi le *règne de Dieu. Il eut le courage d'entrer chez Pilate pour demander le corps de Jésus. [44] Pilate s'étonna qu'il soit déjà mort. Il fit venir le centurion et lui demanda s'il était mort depuis longtemps. [45] Et, renseigné par le centurion, il permit à Joseph de prendre le cadavre. [46] Après avoir acheté un linceul, Joseph descendit Jésus de la croix et l'enroula dans le linceul. Il le déposa dans une tombe qui était creusée dans le rocher et il roula une pierre à l'entrée du tombeau. [47] Marie de Magdala et Marie mère de José regardaient où on l'avait déposé.

Au matin du premier jour de la semaine

(Mt 28.1-8 ; Lc 24.1-11 ; Jn 20.1)

16 [1] Quand le *sabbat fut passé *q*, Marie de Magdala, Marie, mère de Jacques et Salomé achetèrent des aromates pour aller l'embaumer. [2] Et de grand matin, le premier jour de la semaine,

elles vont à la tombe, le soleil étant levé. [3] Elles se disaient entre elles : « Qui nous roulera la pierre de l'entrée du tombeau ? » [4] Et levant les yeux, elles voient que la pierre est roulée ; or, elle était très grande. [5] Entrées dans le tombeau, elles virent, assis à droite, un jeune homme, vêtu d'une robe blanche, et elles furent saisies de frayeur. [6] Mais il leur dit : « Ne vous effrayez pas. Vous cherchez Jésus de Nazareth, le crucifié : il est ressuscité, il n'est pas ici ; voyez l'endroit où on l'avait déposé. [7] Mais allez dire à ses disciples et à Pierre : "Il vous précède en Galilée ; c'est là que vous le verrez, comme il vous l'a dit." » [8] Elles sortirent et s'enfuirent loin du tombeau, car elles étaient toutes tremblantes et bouleversées ; et elles ne dirent rien à personne, car elles avaient peur *r*.

Diverses apparitions de Jésus ressuscité

[9] Ressuscité le matin du premier jour de la semaine, Jésus apparut d'abord à Marie de Magdala, dont il avait chassé sept *démons. [10] Celle-ci partit l'annoncer à ceux qui avaient été avec lui et qui étaient dans le deuil et les pleurs. [11] Mais entendant dire qu'il vivait et qu'elle l'avait vu, ceux-ci ne la crurent pas. [12] Après cela, il se manifesta sous un autre aspect à deux d'entre eux qui faisaient route pour se rendre à la campagne. [13] Et ceux-ci revinrent l'annoncer aux autres ; eux non plus, on ne les crut pas. [14] Ensuite, il se manifesta aux onze, alors qu'ils étaient à table, et il leur reprocha leur incrédulité et la dureté de leur *cœur, parce qu'ils n'avaient pas cru ceux qui l'avaient vu ressuscité. [15] Et il leur dit : « Allez par le monde entier, proclamez *l'Evangile à toutes les créatures. [16] Celui qui croira et sera baptisé sera sauvé, celui qui ne croira pas sera condamné. [17] Et

---

m Voir Ex 36.35: ce rideau fermait l'entrée du Sanctuaire, partie la plus reculée du Temple proprement dit et lieu par excellence de la présence de Dieu ● *n* Officier de l'armée romaine commandant à 100 hommes ● *o* Autre texte: qu'il avait expiré *en criant* ainsi. Habituellement les crucifiés mouraient par étouffement ● *p Le conseil:* appelé le Sanhédrin. Les Romains ne s'occupaient pas de l'ensevelissement des condamnés, mais la Loi juive (Dt 21.22-23) exigeait que les suppliciés soient ensevelis avant le coucher du soleil ● *q* Après le coucher du soleil (voir note sur 1.32). *Pour aller l'embaumer:* voir Mc 14.8 et note ● *r* Selon les meilleurs manuscrits l'Evangile de Marc se termine ici

15.40 des femmes... Lc 8.2-3. **15.43** le corps de Jésus Ac 13.29. **15.46** mise au tombeau Mc 6.29; Ac 13.29. **16.1** Marie de Magdala Mt 27.56+ — onction funéraire Mc 14.8; Jn 19.40. **16.3** la pierre fermant le tombeau Jn 11. 38-39. **16.5** vêtu de blanc Mc 9.3; Ac 1.10; Ap 7.9, 13. **16.6** ne vous effrayez pas Jos 1.9; Es 41.10; Jr 1.8; Mt 17.7; Mc 5.36; 6.50; Lc 1.30; 2.9-10; 12.32; Jn 6.20; Ap 1.17 — ressuscité Ac 2.23-24; 3.15; 4.10; 5.30; 10.40; 13.28, 30. **16.7** apparition du Ressuscité à Pierre Lc 24.34; 1 Co 15.5 — en Galilée Mt 26.32; Mc 14.28. **16.9** Marie de Magdala Mt 27.56+. **16.16** foi, baptême, salut Ac 2.38; 16.31, 33. **16.17** démons chassés au nom de Jésus Ac 8.7; 16.18 — langues nouvelles Ac 2.4, 11; 10.46; 19.6; 1 Co 14.2-40.

voici les *signes qui accompagneront ceux qui auront cru : en mon *nom, ils chasseront les démons, ils parleront des langues nouvelles, 18 ils prendront dans leurs mains des serpents, et s'ils boivent quelque poison mortel, cela ne leur fera aucun mal : ils *imposeront les mains à des malades, et ceux-ci seront guéris. » 19 Donc le Seigneur Jésus, après leur avoir parlé, fut enlevé au *ciel et s'assit à la droite de Dieu. 20 Quant à eux, ils partirent prêcher partout : le Seigneur agissait avec eux et confirmait la Parole par les signes qui l'accompagnaient.

16.18 serpents Lc 10.19; Ac 28.3-6 — imposition des mains Mt 9.18+; Mc 5.23+; Ac 4.30; 5.16; Jc 5.14-15. **16.19** enlèvement au ciel 2 R 2.11; Ac 1.9-11; 1 Tm 3.16 — à la droite de Dieu Ps 110.1 (Mt 22.44+). **16.20** prédication confirmée par des signes Ac 14.3; He 2.3-4.

ÉVANGILE SELON LUC

L'intention de l'Evangéliste

1 ¹ Puisque beaucoup ont entrepris de composer un récit des événements accomplis parmi nous, ² d'après ce que nous ont transmis ceux qui furent dès le début témoins oculaires et qui sont devenus serviteurs de la parole, ³ il m'a paru bon, à moi aussi, après m'être soigneusement informé de tout à partir des origines, d'en écrire pour toi un récit ordonné, très honorable Théophile, ⁴ afin que tu puisses constater la solidité des enseignements que tu as reçus.

Annonce de la naissance de Jean le Baptiste

⁵ Il y avait au temps d'Hérode, roi de Judée *a*, un *prêtre nommé Zacharie, de la classe d'Abia ; sa femme appartenait à la descendance d'Aaron *b* et s'appelait Elisabeth. ⁶ Tous deux étaient justes devant Dieu et ils suivaient tous les commandements et observances du Seigneur d'une manière irréprochable. ⁷ Mais ils n'avaient pas d'enfant parce qu'Elisabeth était stérile et ils étaient tous deux avancés en âge. ⁸ Vint pour Zacharie le temps d'officier devant Dieu selon le tour de sa classe ; ⁹ suivant la coutume du *sacer-doce, il fut désigné par le sort pour offrir l'encens à l'intérieur du *sanctuaire du Seigneur. ¹⁰ Toute la multitude du peuple était en prière au-dehors à l'heure de l'offrande de l'encens. ¹¹ Alors lui apparut un *ange du Seigneur, debout à droite *c* de *l'autel de l'encens. ¹² A sa vue, Zacharie fut troublé et la crainte s'abattit sur lui. ¹³ Mais l'ange lui dit : « Sois sans crainte, Zacharie, car ta prière a été exaucée. Ta femme Elisabeth t'enfantera un fils et tu lui donneras le nom de Jean. ¹⁴ Tu en auras joie et allégresse et beaucoup se réjouiront de sa naissance. ¹⁵ Car il sera grand devant le Seigneur ; il ne boira ni vin ni boisson fermentée et il sera rempli de l'Esprit Saint dès le sein de sa mère. ¹⁶ Il ramènera beaucoup de fils d'Israël au Seigneur leur Dieu ; ¹⁷ et il marchera par devant sous le regard de Dieu, avec l'esprit et la puissance d'Elie, pour *ramener le *cœur des pères vers leurs enfants* et conduire les rebelles à penser comme les justes, afin de former *d* pour le Seigneur un peuple *préparé*. » ¹⁸ Zacharie dit à l'ange : « A quoi le saurai-je ? Car je suis un vieillard et ma femme est avancée en âge. » ¹⁹ L'ange lui répondit : « Je suis Gabriel qui me tiens devant Dieu. J'ai été envoyé pour te parler et pour t'annoncer cette bonne nouvelle.

---

a Selon l'usage grec Luc désigne ici par *Judée* l'ensemble du pays des Juifs. Sur *Hérode* voir Mt 2.1 et note ● *b Aaron*, frère de Moïse, était considéré comme l'ancêtre des familles sacerdotales de Jérusalem ● *c* Voir note sur He 1.3 ● *d* ou *afin de préparer*

1.2 témoins oculaires Jn 15.27 — la parole Ac 4.31; 6.2, 7; 11.1. **1.3** Théophile Ac 1.1. **1.5** Hérode Mt 2.1 — la classe d'Abia 1 Ch 24.10. **1.7** stérile Gn 11.30; 25.21; 29.31; Jg 13.2-3; 1 S 1.5 — avancés en âge Gn 18.11. **1.9** offrir l'encens Ex 30.7. **1.10** le peuple Lc 1.21, 68, 77; 2.10, 32; 3.15, 18, 21, etc. **1.11** l'autel de l'encens 1 R 6.20-21; 7.48. **1.12** troublé Jg 6.22; 13.20, 22; Dn 8.17-18; 10.7-8, 11, 16; *Tb* 12.16 — crainte devant 1) les révélations Lc 2.9; 9.34 2) les miracles Lc 1.65; 5.26; 7.16; 8.25, 35, 37; 24.5, 37; Ac 2.43 3) les autres interventions de Dieu Ac 5.5, 11; 19.17. **1.13** sans crainte Mt 28.5+; Mc 16.6+ — elle t'enfantera un fils Gn 17.19; Jg 13.3, 5; Es 7.14. **1.15** devant le Seigneur 1 R 17.1; 18.15 — ni vin ni boisson fermentée Nb 6.3-4; Jg 13.4, 7, 14; 1 S 1.11 (grec); Lc 7.33 — dès le sein de sa mère Jg 13.5; 16.17; Jr 1.5; Ga 1.15; Ga 1.15. **1.16** il ramènera Ml 2.6. **1.17** Elie Mt 11.14+ — ramener le cœur des pères... Ml 3.23-24; *Si* 48.10 — former pour le Seigneur un peuple préparé Ml 3.1; cf. Es 40.3; Mc 1.3; Lc 1.76; 3.4. **1.18** objection de Zacharie Gn 18.11. **1.19** Gabriel Dn 8.16; 9.21 — envoyé He 1.14 — annoncer la bonne nouvelle Lc 2.10; 3.18; 4.18, 43.

²⁰ Eh bien, tu vas être réduit au silence et tu ne pourras plus parler jusqu'au jour où cela se réalisera, parce que tu n'as pas cru à mes paroles qui s'accompliront en leur temps. » ²¹ Le peuple attendait Zacharie et s'étonnait qu'il s'attardât dans le sanctuaire. ²² Quand il sortit, il ne pouvait leur parler et ils comprirent qu'il avait eu une vision dans le sanctuaire ; il leur faisait des signes et demeurait muet. ²³ Quand prit fin son temps de service, il repartit chez lui. ²⁴ Après quoi Elisabeth, sa femme, devint enceinte ; cinq mois durant elle s'en cacha ; elle se disait : ²⁵ « Voilà ce qu'a fait pour moi le Seigneur au temps où il a jeté les yeux sur moi pour mettre fin à ce qui faisait ma honte devant les hommes. »

Annonce de la naissance de Jésus

²⁶ Le sixième mois, *l'ange Gabriel fut envoyé par Dieu dans une ville de Galilée du nom de Nazareth, ²⁷ à une jeune fille accordée en mariage à un homme nommé Joseph, de la famille de David ; cette jeune fille s'appelait Marie. ²⁸ L'ange entra auprès d'elle et lui dit : « Sois joyeuse, toi qui as la faveur de Dieu, le Seigneur est avec toi. » ²⁹ A ces mots, elle fut très troublée, et elle se demandait ce que pouvait signifier cette salutation. ³⁰ L'ange lui dit : « Sois sans crainte, Marie, car tu as trouvé grâce auprès de Dieu. ³¹ *Voici que tu vas être enceinte, tu enfanteras un fils et tu lui donneras le nom de Jésus. ³² Il sera grand et sera appelé fils du Très Haut. Le Seigneur Dieu lui donnera le trône de David son père* ; ³³ il régnera pour toujours sur la famille de Jacob*, et son règne n'aura pas de fin. » ³⁴ Marie dit à l'ange : « Comment cela se fera-t-il puisque je suis vierge ? » ³⁵ L'ange lui répondit : « L'Esprit Saint viendra sur toi et la puissance du Très Haut te couvrira de son ombre : c'est pourquoi celui qui va naître sera

*saint *ᵍ et sera appelé Fils de Dieu. ³⁶ Et voici qu'Elisabeth, ta parente, est elle aussi enceinte d'un fils dans sa vieillesse et elle en est à son sixième mois, elle qu'on appelait la stérile, ³⁷ car *rien n'est impossible à Dieu.* » ³⁸ Marie dit alors : « Je suis la servante du Seigneur. Que tout se passe pour moi comme tu l'as dit ! » Et l'ange la quitta.

Marie rend visite à Elisabeth

³⁹ En ce temps-là, Marie partit en hâte pour se rendre dans le haut pays*, dans une ville de Juda. ⁴⁰ Elle entra dans la maison de Zacharie et salua Elisabeth. ⁴¹ Or, lorsqu'Elisabeth entendit la salutation de Marie, l'enfant bondit dans son sein et elle fut remplie de l'Esprit Saint. ⁴² Elle poussa un grand cri et dit : « Tu es bénie plus que toutes les femmes, béni aussi est le fruit de ton sein ! ⁴³ Comment m'est-il donné que vienne à moi la mère de mon Seigneur ? ⁴⁴ car lorsque ta salutation a retenti à mes oreilles, voici que l'enfant a bondi d'allégresse en mon sein. ⁴⁵ Bienheureuse celle qui a cru : ce qui lui a été dit de la part du Seigneur s'accomplira *ⁱ* ! » ⁴⁶ Alors Marie dit :

« Mon âme exalte le Seigneur
⁴⁷ et mon esprit s'est rempli d'allégresse
     à cause de Dieu, mon Sauveur,
⁴⁸ parce qu'il a porté son regard sur
     son humble servante.
Oui, désormais, toutes les générations
     me proclameront bienheureuse,
⁴⁹ parce que le Tout Puissant a fait
     pour moi de grandes choses :
     *saint est son *Nom.
⁵⁰ Sa bonté s'étend de générations en
     générations
     sur ceux qui le craignent.
⁵¹ Il est intervenu de toute la force de
     son bras :
     il a dispersé les hommes à la pensée
     orgueilleuse :

---

e Voir au glossaire FILS DE DAVID ● *f* C'est-à-dire le peuple d'Israël ● *g* ou *l'enfant sera appelé Saint, Fils de Dieu* ● *h* Le *haut pays* est la zone montagneuse centrale de la Judée ● *i* ou *Bienheureuse celle qui a cru, parce qu'il y aura un accomplissement à ce qui a été dit...*

1.20 tu n'as pas cru Lc 1.45. **1.25** mettre fin à ma honte Gn 30.23. **1.26** Nazareth Jn 1.46. **1.27** Joseph et Marie Mt 1.16, 18; Lc 2.5. **1.28** le Seigneur est avec toi Ex 3.12; Jg 6.12; Jr 1.8, 19; 15.20; cf. Gn 26.24; 28.15. **1.31** naissance annoncée Gn 16.11; Jg 13.5; Es 7.14; Mt 1.21-23. **1.32** fils (de Dieu) 2 S 7.14; Ps 2.7; 89.27 — le Très Haut Mc 5.7; Lc 1.35, 76; 6.35; 8.28; Ac 7.48; 16.17; He 7.1 — le trône de David Es 9.6; 2 S 7.12, 13, 16. **1.33** règne sans fin Mi 4.7; Dn 7.14. **1.35** l'Esprit Saint viendra sur toi Mt 1.20. **1.36** Fils de Dieu Lc 3.22; 4.3, 9, 34, 41; 8.28; 9.35; 10.22; 22.70; Ac 9.20, 22; cf. Mt 14.33+; Mc 1.1+. **1.37** rien n'est impossible à Dieu Gn 18.14. **1.38** je suis la servante Rt 3.9; 1 S 25.41. **1.41** rempli de l'Esprit Saint Lc 1.15. **1.45** Bienheureuse ! Mt 5.3+ — celle qui a cru Lc 1.20. **1.46-55** le cantique de Marie 1 S 2.1-10. **1.48** son regard sur son humble servante 1 S 1.11. **1.49** Saint est son Nom Ps 111.9. **1.50** sa bonté... Ps 103.13, 17. **1.51** les orgueilleux dispersés 2 S 22.28.

52 il a jeté les puissants à bas de leurs
trônes
et il a élevé les humbles ;
53 les affamés, il les a comblés de biens
et les riches, il les a renvoyés les
mains vides.
54 Il est venu en aide à Israël son serviteur
en souvenir de sa bonté,
55 comme il l'avait dit à nos pères,
en faveur d'Abraham et de sa descendance pour toujours. »
56 Marie demeura avec Elisabeth environ trois mois, puis elle retourna chez
elle.

Naissance de Jean le Baptiste

57 Pour Elisabeth, arriva le temps où
elle devait accoucher et elle mit au monde
un fils. 58 Ses voisins et ses parents apprirent que le Seigneur l'avait comblée de
sa bonté et ils se réjouissaient avec elle.
59 Or, le huitième jour, ils vinrent pour
la *circoncision de l'enfant et ils voulaient l'appeler comme son père, Zacharie. 60 Alors sa mère prit la parole : « Non,
dit-elle, il s'appellera Jean. » 61 Ils lui dirent : « Il n'y a personne dans ta parenté
qui porte ce nom. » 62 Et ils faisaient des
signes au père pour savoir comment il
voulait qu'on l'appelle. 63 Il demanda une
tablette et écrivit ces mots : « Son nom
est Jean » ; et tous furent étonnés. 64 A
l'instant sa bouche et sa langue furent
libérées et il parlait, bénissant Dieu.
65 Alors la crainte s'empara de tous ceux
qui habitaient alentour ; et dans le haut
pays de Judée tout entier on parlait de
tous ces événements. 66 Tous ceux qui les
apprirent les retinrent dans leur *cœur ;
ils se disaient : « Que sera donc cet enfant ? » Et vraiment la main du Seigneur
était avec lui.

Psaume prophétique de Zacharie

67 Zacharie, son père, fut rempli de
l'Esprit Saint et il prophétisa [j] en ces
termes :
68 « Béni soit le Seigneur, le Dieu
d'Israël,
parce qu'il a visité son peuple, accompli sa libération,
69 et nous a suscité une force de salut
dans la famille de David [k], son serviteur.
70 C'est ce qu'il avait annoncé par la
bouche de ses saints *prophètes d'autrefois :
71 un salut qui nous libère de nos
ennemis
et des mains de tous ceux qui nous
haïssent.
72 Il a montré sa bonté envers nos pères
et s'est rappelé son *alliance sainte,
73 le serment qu'il a fait à Abraham
notre père : il nous accorderait
74 après nous avoir arrachés aux mains
des ennemis,
de lui rendre sans crainte notre
culte
75 dans la piété et la justice sous son
regard, tout au long de nos jours.
76 Et toi, petit enfant, tu seras appelé
*prophète du Très Haut,
car tu marcheras par devant sous le
regard du Seigneur, pour préparer ses
routes,
77 pour donner à son peuple la connaissance du salut par le pardon des
péchés.
78 C'est l'effet de la bonté profonde de
notre Dieu :
grâce à elle nous a visités l'astre levant venu d'en haut,
79 Il est apparu à ceux qui se trouvent
dans les ténèbres et l'ombre de la
mort.

---

j *prophétiser* est à comprendre ici au sens large de *parler sous l'inspiration de Dieu* ● k Voir au
glossaire FILS DE DAVID

1.52 les puissants jetés à bas Jb 12.19 — les humbles élevés Jb 5.11. **1.53** renversement de situation
1 S 2.5 — affamés rassasiés Ps 107.9. **1.54** aide à Israël Ps 98.3 — Israël son serviteur Es 41.8 —
Dieu se souvient Gn 8.1 ; 9.15 ; Ex 2.24, etc ; Lc 1.72. **1.55** Abraham et sa descendance Mi 7.20 ; Gn
17.7 ; 22.17. **1.59** circoncision le huitième jour Lc 2.21 ; cf. Gn 17.12 ; Lv 12.3 ; Ph 3.5 — il s'appellera Jean Lc 1.13. **1.63** étonnement devant les miracles Lc 8.25, 56 ; 9.43 ; 11.14 ; Ac 3.10 ou
d'autres interventions divines Lc 24.12, 41 ; Ac 2.7. **1.66** la main du Seigneur 1 R 18.46 ; 2 R 3.15 ;
Ez 1.3 ; 3.14, 22 ; 8.1, etc. ; Ps 80.18 ; 139.5. **1.68** Béni soit le Seigneur ! Ps 41.14 ; 72.18 ; 106.48 ;
2 Co 1.3 ; Ep 1.3 ; 1 P 1.3 — Dieu visite Gn 21.1 ; 50.24-25 ; Ex 3.16 ; Jr 29.10 ; Ps 65.10 ; 80.15 ; 106.4 ;
cf. Ex 32.34 ; Es 10.12, etc. ; Lc 1.78 ; 7.16 ; 19.44 ; Ac 15.14 — libération Ps 111.9 ; 130.7-8 ; Es
63.4 ; Lc 2.38 ; 21.28 ; 24.21. **1.69** une force (corne) de salut Ps 18.3 — dans la famille de David
Mt 1.1+. **1.71** sauvés de l'ennemi Ps 106.10. **1.72** bonté et alliance Ps 106.45-46 — souvenir de
l'alliance Ps 105.8-9 ; Gn 17.7 ; Lv 26.42. **1.73** le serment fait à Abraham Gn 22.16-17. **1.75** la piété
et la justice Tt 2.12. **1.76** pour préparer ses routes Es 40.3 ; Ml 3.1 ; Mt 3.3. **1.77** le pardon
des péchés Mt 26.28+. **1.78** l'astre levant nous a visités Mt 3.20 ; Lc 1.79 illumination de ceux
qui sont dans les ténèbres Es 9.1 ; 58.8 ; 60.1-2 ; Mt 4.16 — la paix Es 9.5-6 ; Mi 5.4 ; Lc 2.14, 29 ;
7.50 ; 8.48 ; 10.5-6 ; 11.21 ; 19.38, 42 ; 24.36.

afin de guider nos pas sur la route de la paix. »

La jeunesse de Jean le Baptiste

[80] Quant à l'enfant, il grandissait et son esprit se fortifiait ; et il fut dans les déserts jusqu'au jour de sa manifestation à Israël.

Naissance de Jésus

2 [1] Or, en ce temps-là, parut un décret de César Auguste *l* pour faire recenser le monde entier. [2] Ce premier recensement eut lieu à l'époque où Quirinius était gouverneur de Syrie *m*.

[3] Tous allaient se faire recenser, chacun dans sa propre ville ; [4] Joseph aussi monta de la ville de Nazareth en Galilée à la ville de David qui s'appelle Bethléem en Judée, parce qu'il était de la famille et de la descendance de David, [5] pour se faire recenser avec Marie son épouse, qui était enceinte. [6] Or, pendant qu'ils étaient là, le jour où elle devait accoucher arriva : [7] elle accoucha de son fils premier-né. l'emmaillota et le déposa dans une mangeoire. parce qu'il n'y avait pas de place pour eux dans la salle d'hôtes.

Les anges et les bergers

[8] Il y avait dans le même pays des *bergers qui vivaient aux champs et montaient la garde pendant la nuit auprès de leur troupeau. [9] Un *ange du Seigneur se présenta devant eux, la gloire du Seigneur les enveloppa de lumière et ils furent saisis d'une grande crainte. [10] L'ange leur dit : « Soyez sans crainte, car voici, je viens vous annoncer une bonne nouvelle. qui sera une grande joie pour tout le peuple : [11] Il vous est né aujourd'hui, dans la ville de David. un Sauveur qui est le *Christ Seigneur ; [12] et voici le signe qui vous est donné : vous trouverez un nouveau-né emmailloté et couché dans une mangeoire. » [13] Tout à coup il y eut avec l'ange l'armée céleste en masse qui chantait les louanges de Dieu et disait :

[14] « Gloire à Dieu au plus haut des *cieux
et sur la terre paix pour les hommes. ses bien-aimés *n*. »

[15] Or, quand les anges les eurent quittés pour le ciel. les bergers se dirent entre eux : « Allons donc jusqu'à Bethléem et voyons ce qui est arrivé, ce que le Seigneur nous a fait connaître. » [16] Ils y allèrent en hâte et trouvèrent Marie, Joseph et le nouveau-né couché dans la mangeoire. [17] Après avoir vu, ils firent connaître ce qui leur avait été dit au sujet de cet enfant. [18] Et tous ceux qui les entendirent furent étonnés *o* de ce que leur disaient les bergers. [19] Quant à Marie, elle retenait tous ces événements en en cherchant le sens. [20] Puis les bergers s'en retournèrent, chantant la gloire et les louanges de Dieu pour tout ce qu'ils avaient entendu et vu. en accord avec ce qui leur avait été annoncé. [21] Huit jours plus tard, quand vint le moment de *circoncire l'enfant, on l'appela du nom de Jésus, comme l'ange l'avait appelé avant sa conception.

La présentation de Jésus au Temple

[22] Puis quand vint le jour où. suivant la loi de Moïse, ils devaient être *purifiés. ils l'amenèrent à Jérusalem pour le présenter au Seigneur, [23] ainsi qu'il est écrit dans la loi du Seigneur : *Tout garçon premier-né sera consacré au Seigneur* — [24] et pour offrir en *sacrifice, suivant ce qui est dit dans la loi du Seigneur. *un couple de tourterelles ou deux petits pigeons.*

---

l Empereur à Rome de 29 av. J.C. à 14 ap. J.C. ● *m* Province de l'empire romain dont dépendit la Palestine à diverses époques ● *n* Autre texte : *sur terre, paix; pour les hommes, bienveillance* ● *o* ou *émerveillés*

1.80 l'enfant grandissait Lc 2.40; cf. Gn 21.8, 20; Jg 13.24-25; 1 S 2.21, 26; 3.19 — dans les déserts Mt 3.1⁻⁴; Lc 3.2, 4; 7.24. **2.4** Bethléem Mi 5.1; Mt 2.1⁺. **2.5** Marie Mt 1.16, 20; 2.11, 19; 13.55; Mc 6.3; Lc 1.27-56; 2.16, 19, 34; Ac 1.14. **2.7** naissance de Jésus Mt 1.25 — premier-né Ex 13.2, 12, 15 (Lc 2.23); Rm 8.29; Col 1.15, 18; He 1.6; Ap 1.5. **2.9** la gloire du Seigneur Lc 9.26, 32; 21.27; 24.26; Rm 3.23. **2.11** aujourd'hui Lc 3.22; 4.21; 5.26; 13.32; 19.9; 23.43 — Sauveur 1) Dieu Dt 32.15; 1 S 10.19; Ps 24.5; 27.1, 9; 62.2, 7, etc.; Lc 1.47; 1 Tm 1.1; 2) Jésus Jn 4.42; Ac 5.31; 13.23; Ep 5.23; Ph 3.20; 2 Tm 1.10; Tt 1.4; 2.13; 3.6; 2 P 1.1, 11; 2.20; 3.18; 1 Jn 4.14; cf. Mc 3.4; 5.23, 28, 34; 6.56; 10.52; 15.31 par. **2.14** au plus haut des cieux... paix Lc 19.38; cf. Lc 1.79 ⁺. **2.19** souvenir et méditation Lc 2.51. **2.20** gloire Lc 5.25-26; 7.16; 13.13; 17.15, 18; 18.43; Ac 4.21 — et louange Lc 18.43; 19.37; Ac 3.8-9 à Dieu. **2.21** circoncision le huitième jour Gn 17.12; Lc 12.3; Lc 1.59 — dès avant sa conception Lc 1.31. **2.22** le jour de la purification Lv 12.3, 6. **2.23** tout garçon premier-né Ex 13.2, 12, 15; 34.20; Nb 18.15-16. **2.24** couple de tourterelles Lv 12.8.

Syméon et l'enfant Jésus

²⁵ Or, il y avait à Jérusalem un homme du nom de Syméon. Cet homme était juste et pieux, il attendait la consolation d'Israël et l'Esprit Saint était sur lui. ²⁶ Il lui avait été révélé par l'Esprit Saint qu'il ne verrait pas la mort avant d'avoir vu le *Christ du Seigneur. ²⁷ Il vint alors au *Temple poussé par l'Esprit : et quand les parents de l'enfant Jésus l'amenèrent pour faire ce que la *Loi prescrivait à son sujet, ²⁸ il le prit dans ses bras et il bénit Dieu en ces termes :

²⁹ « Maintenant, Maître, c'est en paix, comme tu l'as dit, que tu renvoies ton serviteur.

³⁰ Car mes yeux ont vu ton salut,

³¹ que tu as préparé face à tous les peuples :

³² lumière pour la révélation aux *païens

et gloire d'Israël ton peuple. »

³³ Le père et la mère de l'enfant étaient étonnés ᵒ de ce qu'on disait de lui. ³⁴ Syméon les bénit et dit à Marie sa mère : « Il est là pour la chute ou le relèvement de beaucoup en Israël et pour être un *signe contesté. ³⁵ Toi-même un glaive te transpercera l'âme. Ainsi seront dévoilés les débats de bien des *cœurs. »

Anne et l'enfant Jésus

³⁶ Il y avait aussi une prophétesse, Anne, fille de Phanuel, de la tribu d'Aser. Elle était fort avancée en âge : après avoir vécu sept ans avec son mari, ³⁷ elle était restée veuve et avait atteint l'âge de quatre-vingt-quatre ans. Elle ne s'écartait pas du Temple, participant au culte nuit et jour par des *jeûnes et des prières. ³⁸ Survenant au même moment, elle se mit à célébrer Dieu et à parler de l'enfant à tous ceux qui attendaient la libération de Jérusalem.

Retour à Nazareth ; la jeunesse de Jésus

³⁹ Lorsqu'ils eurent accompli tout ce que prescrivait la loi du Seigneur, ils retournèrent en Galilée, dans leur ville de Nazareth.

⁴⁰ Quant à l'enfant, il grandissait et se fortifiait, tout rempli de sagesse, et la faveur de Dieu était sur lui.

Jésus adolescent dans le Temple

⁴¹ Ses parents allaient chaque année à Jérusalem pour la fête de la *Pâque. ⁴² Quand il eut douze ans ᵖ, comme ils y étaient montés suivant la coutume de la fête, ⁴³ et qu'à la fin des jours de fête ils s'en retournaient, le jeune Jésus resta à Jérusalem sans que ses parents s'en aperçoivent. ⁴⁴ Pensant qu'il était avec leurs compagnons de route, ils firent une journée de chemin avant de le chercher parmi leurs parents et connaissances. ⁴⁵ Ne l'ayant pas trouvé, ils retournèrent à Jérusalem en le cherchant. ⁴⁶ C'est au bout de trois jours qu'ils le retrouvèrent dans le *Temple, assis au milieu des maîtres, à les écouter et les interroger. ⁴⁷ Tous ceux qui l'entendaient s'extasiaient sur l'intelligence de ses réponses. ⁴⁸ En le voyant, ils furent frappés d'étonnement et sa mère lui dit : « Mon enfant, pourquoi as-tu agi de la sorte avec nous ? Vois, ton père et moi, nous te cherchons tout angoissés. » ⁴⁹ Il leur dit : « Pourquoi me cherchez-vous ? Ne saviez-vous pas qu'il me faut être chez mon Père ? » ⁵⁰ Mais eux ne comprirent pas ce qu'il leur disait. ⁵¹ Puis il descendit avec eux pour aller à Nazareth ; il leur était soumis ; et sa mère gardait tous ces événements dans son *cœur. ⁵² Jésus progressait en sagesse et en taille et en faveur auprès de Dieu et auprès des hommes.

Jean le Baptiste prophète de Dieu
(Mt 3.1-6 ; Mc 1.1-6)

3 ¹ L'an quinze du gouvernement de Tibère César, Ponce Pilate étant

---

p C'était à peu près l'âge de la maturité religieuse dans le Judaïsme

2.25 il attendait Lc 2.38 ; 23.51 — consolation d'Israël Es 40.1 ; 49.13 ; 51.12 ; 61.2 — l'Esprit Saint était sur lui Nb 11.17 ; 2 R 2.15 ; Es 11.2 ; 42.1 ; 61.1 ; Ez 11.5. **2.26** le Christ du Seigneur 1 S 24.7, 11 ; 26.9, 11, 16, 23 ; 2 S 1.14, 16. **2.30** j'ai vu ton salut Es 40.5 (grec) ; Lc 1.69, 71, 77 ; 3.6 ; Tt 2.11. **2.31** face à tous les peuples Es 52.10 ; Lc 3.6. **2.32** lumière pour les païens Es 42.6 ; 49.6 ; Lc 24.47 — gloire de ton peuple Es 46.13. **2.34** chute ou relèvement de beaucoup Es 8.14 ; 1 Co 1.23 ; 1 P 2.8. **2.35** débats intérieurs dévoilés Mc 7.6-8 ; Lc 16.15 ; Ac 1.24 ; 15.8. **2.37** prières nuit et jour 1 Tm 5.5. **2.38** ceux qui attendaient Lc 2.25 ; 23.51 — la libération de Jérusalem Es 52.9. **2.39** Nazareth Mt 2.23. **2.40** l'enfant grandissait Lc 2.52 ; cf. 1.80 — sagesse Lc 2.52 ; 11.31 ; 21.15. **2.41** la Pâque Ex 12.24-27 ; Dt 16.1-8 ; Lc 22.1, 7-15 par. ; Jn 2.13, 23. **2.49** chez mon Père Jn 2.16. **2.51** souvenir et méditation Lc 2.19. **2.52** progressait en sagesse 1 S 2.26 ; Pr 3.4 ; Lc 1.80 ; 2.40. **3.1** Hérode le tétrarque Mt 14.1 †.

gouverneur de la Judée, *Hérode tétrarque de Galilée, Philippe *q* son frère tétrarque du pays d'Iturée et Trachonitide, et Lysanias tétrarque d'Abilène, ² sous le *sacerdoce de Hanne et Caïphe *r*, la parole de Dieu fut adressée à Jean fils de Zacharie dans le désert *s*. ³ Il vint dans toute la région du Jourdain proclamant un baptême de conversion en vue du pardon des péchés ⁴ comme il est écrit au livre des oracles du prophète Esaïe :

Une voix crie dans le désert :
Préparez le chemin du Seigneur,
rendez droits ses sentiers,
⁵ *tout ravin sera comblé,*
toute montagne et toute colline seront
abaissées ;
les passages tortueux seront redressés,
les chemins rocailleux aplanis ;
⁶ *et tous verront le salut de Dieu.*

Le message de Jean le Baptiste
(Mt 3.7-10)

⁷ Jean disait alors aux foules qui venaient se faire baptiser par lui : « Engeance de vipères, qui vous a montré le moyen d'échapper à la colère qui vient ? ⁸ Produisez donc des fruits qui témoignent de votre conversion ; et n'allez pas dire en vous-mêmes : "nous avons pour père *t* Abraham". Car je vous le dis, des pierres que voici, Dieu peut susciter des enfants à Abraham. ⁹ Déjà même, la hache est prête à attaquer la racine des arbres ; tout arbre donc qui ne produit pas de bon fruit va être coupé et jeté au feu. »

Les fruits de la conversion

¹⁰ Les foules demandaient à Jean :

« Que nous faut-il donc faire ? » ¹¹ Il leur répondait : « Si quelqu'un a deux tuniques, qu'il partage avec celui qui n'en a pas ; si quelqu'un a de quoi manger, qu'il fasse de même. » ¹² Des collecteurs d'impôts *u* aussi vinrent se faire baptiser et lui dirent : « Maître, que nous faut-il faire ? » ¹³ Il leur dit : « N'exigez rien de plus que ce qui vous a été fixé. » ¹⁴ Des militaires lui demandaient : « Et nous, que nous faut-il faire ? » Il leur dit : « Ne faites ni violence ni tort à personne, et contentez-vous de votre solde. »

Jean le Baptiste annonce Celui qui vient
(Mt 3.11-12; Mc 1.7-8)

¹⁵ Le peuple était dans l'attente et tous se posaient dans leur *cœur les questions au sujet de Jean : ne serait-il pas le *Messie ? ¹⁶ Jean répondit à tous : « Moi, je vous baptise d'eau ; mais il vient, celui qui est plus fort que moi, et je ne suis pas digne de délier la lanière de ses sandales. Lui, il vous baptisera dans l'Esprit Saint et le feu ; ¹⁷ il a sa pelle à vanner à la main pour nettoyer son aire et pour recueillir le blé dans son grenier ; mais la bale, il la brûlera au feu qui ne s'éteint pas. » ¹⁸ Ainsi, avec bien d'autres exhortations encore, il annonçait au peuple la bonne nouvelle.

Hérode et Jean le Baptiste
(Mt 14.3-4; Mc 6.17-18)

¹⁹ Mais *Hérode le tétrarque, qu'il blâmait au sujet d'Hérodiade la femme de son frère et de tous les forfaits qu'il avait commis, ²⁰ ajouta encore ceci à tout le reste : il enferma Jean en prison.

---

q Tibère: successeur d'Auguste sur le trône impérial de Rome (voir 2.1 et note). L'indication chronologique de Luc renvoie aux environs de l'année 28 de notre ère. *Ponce Pilate:* voir note sur Mc 15.1. *Hérode le tétrarque* est Hérode Antipas (voir notes sur Mc 1.14 et 3.6). *Philippe:* voir notes sur Mc 8.27 • *r Hanne:* grand-prêtre déposé en l'an 15; il exerçait encore une influence certaine sous le ministère de son successeur et gendre *Caïphe* (Jn 18.13-24; Ac 4.6) • *s* Voir note sur Mt 3.1 • *t* C'est-à-dire pour ancêtre • *u* Voir notes sur Mc 2.14, 15

3.2 Hanne Jn 18.13, 24; Ac 4.6 — et Caïphe Mt 26.5; Jn 11.49; 18.13, 28; Ac 4.6 — Jean, fils de Zacharie Mt 3.1+ — dans le désert Lc 1.80. **3.3** proclamer Mt 3.1+; Mc 1.4+; Lc 4.18, 19, 44; 8.1, 39; 9.2; 12.3; 24.47; Ac 8.5; 9.20; 10.42; 19.13; 20.25; 28.31 — activité baptismale de Jean Mt 3.6+ — baptême de conversion Ac 13.24; 19.4. **3.4-6** Es 40.3-5. **3.5** abaissés Es 2.2-18; Ps 68.16-17; Lc 1.52; 14.11; 18.14. **3.6** le salut de Dieu Lc 2.30-31; Ac 28.28; Tt 2.11. **3.7** engeance de vipères Mt 3.7+ — échapper Mt 23.33. **3.8** descendants d'Abraham Jn 8.39. **3.9** coupé et jeté au feu Mt 7.19; Jn 15.6. **3.10** que nous faut-il faire ? Lc 10.25+. **3.12** baptême demandé par les collecteurs d'impôts Lc 7.29 — collecteurs d'impôts Mt 5.46+. **3.15** le Messie (le Christ) Lc 2.11, 26; 4.41+; 9.20; 20.41; 22.67; 23.2, 35, 39; 24.26, 46 — Jean est-il le Messie ? Jn 1.19-20; 3.28; Ac 13.25. **3.16** Pas digne... Ac 13.25. **3.17** images du jugement 1) vannage Jr 15.7; 51.2; 2) le feu mis à la paille Es 5.24; 47.14; Jl 2.5; Na 1.10; 3) cf. Mt 3.12+. **3.20** arrestation de Jean Mt 14.3-4; Mc 6.17-18.

Le baptême de Jésus
(Mt 3.13-17; Mc 1.9-11)

²¹ Or comme tout le peuple était baptisé, Jésus, baptisé lui aussi, priait ; alors le *ciel s'ouvrit ; ²² l'Esprit Saint descendit sur Jésus sous une apparence corporelle, comme une colombe, et une voix vint du ciel « *C'est toi mon fils. Moi, aujourd'hui, je t'ai engendré.* »

En remontant de Jésus à Adam et à Dieu
(Mt 1.1-16)

²³ Jésus, à ses débuts, avait environ trente ans. Il était fils, croyait-on, de Joseph, fils de Héli, ²⁴ fils de Matthat, fils de Lévi, fils de Melchi, fils de Iannaï,

fils de Joseph, ²⁵ fils de Mattathias, fils d'Amôs, fils de Naoum, fils de Hesli, fils de Naggaï, ²⁶ fils de Maath,

fils de Mattathias, fils de Semein, fils de Iôsech, fils de Iôda, ²⁷ fils de Iôanan, fils de Résa, fils de Zorobabel,

fils de Salathiel, fils de Néri, ²⁸ fils de Melchi, fils d'Addi, fils de Kôsam, fils d'Elmadam, fils d'Er,

²⁹ fils de Jésus, fils d'Elièser, fils de Iôrim, fils de Matthat, fils de Lévi, ³⁰ fils de Syméôn, fils de Juda,

fils de Joseph, fils de Iônam, fils d'Eliakim, ³¹ fils de Méléa, fils de Menna, fils de Mattatha, fils de Natham,

fils de David, ³² fils de Jessé, fils de Iôbed, fils de Boos, fils de Sala, fils de Naassôn, ³³ fils d'Aminadab,

fils d'Admin, fils d'Arni, fils d'Esrôm, fils de Pharès, fils de Juda, ³⁴ fils de Jacob, fils d'Isaac,

fils d'Abraham, fils de Thara, fils de Nachôr, ³⁵ fils de Sérouch, fils de Ragau, fils de Phalek, fils d'Eber,

fils de Sala, ³⁶ fils de Kaïnam, fils d'Arphaxad, fils de Sem, fils de Noé, fils de Lamech, ³⁷ fils de Mathousala,

fils de Hénoch, fils de Iaret, fils de Maléléel, fils de Kaïnam, ³⁸ fils d'Enôs, fils de Seth, fils d'Adam,

fils de Dieu.

Jésus est tenté par le diable
(Mt 4.1-11; Mc 1.12-13)

4 ¹ Jésus, rempli d'Esprit Saint, revint du Jourdain et il était dans le désert, conduit par l'Esprit ² pendant quarante jours, et il était tenté par le *diable. Il ne mangea rien durant ces jours-là, et lorsque ce temps fut écoulé, il eut faim. ³ Alors le diable lui dit : « Si tu es le Fils de Dieu, ordonne à cette pierre de devenir du pain. » ⁴ Jésus lui répondit : « Il est écrit : *Ce n'est pas seulement de pain que l'homme vivra.* »

⁵ Le diable le conduisit plus haut, lui fit voir en un instant tous les royaumes de la terre, ⁶ et lui dit : « Je te donnerai tout ce pouvoir avec la gloire de ces royaumes, parce que c'est à moi qu'il a été remis et que je le donne à qui je veux. ⁷ Toi donc, si tu m'adores, tu l'auras tout entier. » ⁸ Jésus lui répondit : « Il est écrit : *Tu adoreras le Seigneur ton Dieu, et c'est à lui seul que tu rendras un culte.* »

⁹ Le diable le conduisit alors à Jérusalem ; il le plaça sur le faîte du *Temple et lui dit : « Si tu es Fils de Dieu, jette-toi d'ici en bas ; ¹⁰ car il est écrit : *Il donnera pour toi ordre à ses *anges de te garder,* ¹¹ et encore : *ils te porteront sur leurs mains pour t'éviter de heurter du pied quelque pierre.* » ¹² Jésus lui répondit : « Il est dit : *Tu ne mettras pas à l'épreuve le Seigneur ton Dieu.* »

¹³ Ayant alors épuisé toute tentation possible, le diable s'écarta de lui jusqu'au moment fixé ʳ.

Jésus commence à enseigner en Galilée
(Mt 4.12-17; Mc 1.14-15)

¹⁴ Alors Jésus, avec la puissance de l'Esprit, revint en Galilée, et sa renommée se répandit dans toute la région. ¹⁵ Il enseignait dans leurs *synagogues et tous disaient sa gloire.

Insuccès de Jésus à Nazareth
(Mt 13.54-58; Mc 6.1-6)

¹⁶ Il vint à Nazara ʷ où il avait été

---

v ou *jusqu'à une occasion* • *w* Forme rare de Nazareth

3.21 la prière de Jésus Lc 5.16 ; 6.12 ; 9.18, 28-29 ; 10.21 ; 11.1 ; 22.32, 40-46 ; 23.34, 46 ; cf. Mt 14.23 + ; Mc 6.46 + . **3.22** l'Esprit comme une colombe Jn 1.32 — c'est toi mon fils Ps 2.7 ; Mt 3.17 + — aujourd'hui Lc 2.11 + . **3.23** fils de Joseph Lc 4.22 ; Jn 6.42. **3.27** Zorobabel 1 Ch 3.17 ; Esd 3.2. **3.31** Natham 2 S 5.14. **3.31-32** David, Jessé 1 S 16.1, 13 ; fils de David Mt 1.1 + . **3.31-33** David... Juda Rt 4.17-22 ; 1 Ch 2.3-15. **3.33** Juda Gn 29.35. **3.34** Jacob Gn 25.26 ; 1 Ch 1.34. **3.34-36** Abraham... Sem Gn 11.10-26 ; 1 Ch 1.24-27. **3.36-38** Sem... Adam Gn 4.25-5.32 ; 1 Ch 1.1-4 — Fils de Dieu Mt 14.33 + ; Mc 1.1 + . **4.2** tenté He 4.15. **4.3** le Fils de Dieu Lc 3.22 + ; cf. Mt 3.17 + . **4.4** Dt 8.3. **4.6** c'est à moi cf. Mt 28.18. **4.8** Dt 6.13-14. **4.10-11** Ps 91. 11-12. **4.12** Dt 6.16 ; 1 Co 10.9. **4.13** ayant épuisé toute tentation possible He 4.15.

élevé. Il entra suivant sa coutume le jour du *sabbat dans la *synagogue, et il se leva pour faire la lecture. ¹⁷ On lui donna le livre du prophète Esaïe, et en le déroulant, il trouva le passage où il était écrit :

> ¹⁸ *L'Esprit du Seigneur est sur moi parce qu'il m'a conféré *l'onction pour annoncer la bonne nouvelle aux pauvres.*
> *Il m'a envoyé proclamer aux captifs la libération*
> *et aux aveugles le retour à la vue, renvoyer les opprimés en liberté,*
> ¹⁹ *proclamer une année d'accueil par le Seigneur.*

²⁰ Il roula le livre, le rendit au servant et s'assit ; tous dans la synagogue avaient les yeux fixés sur lui. ²¹ Alors il commença à leur dire : « Aujourd'hui, cette écriture est accomplie pour vous qui l'entendez. » ²² Tous lui rendaient témoignage ; ils s'étonnaient du message de la grâce qui sortait de sa bouche, et ils disaient : « N'est-ce pas là le fils de Joseph ? » ²³ Alors il leur dit : « Sûrement vous allez me citer ce dicton : "Médecin, guéris-toi toi-même". Nous avons appris tout ce qui s'est passé à Capharnaüm, fais-en donc autant ici dans ta patrie. » ²⁴ Et il ajouta : « Oui, je vous le déclare, aucun *prophète ne trouve accueil dans sa patrie.

²⁵ En toute vérité, je vous le déclare, il y avait beaucoup de veuves en Israël aux jours d'Elie, quand le ciel fut fermé trois ans et six mois et que survint une grande famine sur tout le pays ;
²⁶ pourtant ce ne fut à aucune d'entre elles qu'Elie fut envoyé, mais bien dans le pays de Sidon, à une veuve de Sarepta.
²⁷ Il y avait beaucoup de *lépreux en Israël au temps du Prophète Elisée ; pourtant aucun d'entre eux ne fut purifié, mais bien Naaman le Syrien. »

²⁸ Tous furent remplis de colère, dans la synagogue, en entendant ces paroles. ²⁹ Ils se levèrent, le jetèrent hors de la ville et le menèrent jusqu'à un escarpement de la colline sur laquelle était bâtie leur ville, pour le précipiter en bas. ³⁰ Mais lui, passant au milieu d'eux, alla son chemin.

Jésus manifeste son autorité
(*Mt 7.28-29 ; Mc 1.21-28*)

³¹ Il descendit alors à Capharnaüm, ville de Galilée. Il les enseignait le jour du *sabbat ³² et ils étaient frappés de son enseignement parce que sa parole était pleine d'autorité. ³³ Il y avait dans la *synagogue un homme qui avait un esprit de démon impur. Il s'écria d'une voix forte : ³⁴ « Ah ! de quoi te mêles-tu, Jésus de Nazareth ? Tu es venu pour nous perdre. Je sais qui tu es : le *Saint de Dieu. » ³⁵ Jésus le menaça : « Tais-toi et sors de cet homme » ; et jetant l'homme à terre au milieu d'eux, le démon sortit de lui sans lui faire aucun mal. ³⁶ Tous furent saisis d'effroi, et ils se disaient les uns aux autres : « qu'est-ce que cette parole ! Il commande avec autorité et puissance aux esprits impurs, et ils sortent. » ³⁷ Et son renom se propageait en tout lieu de la région.

Guérisons de malades
(*Mt 8.14-17 ; Mc 1.29-34*)

³⁸ Quittant la *synagogue, il entra dans la maison de Simon. La belle-mère de Simon était en proie à une forte fièvre, et ils le prièrent de faire quelque chose pour elle. ³⁹ Il se pencha sur elle, il menaça la fièvre et celle-ci la quitta ; et se levant aussitôt, elle se mit à les servir. ⁴⁰ Au coucher du soleil, tous ceux qui avaient des malades de toutes sortes les lui amenèrent ; et lui, *imposant les mains à chacun d'eux, les guérissait. ⁴¹ Des démons aussi sortaient d'un grand nombre en criant : « Tu es le Fils de Dieu ! » Alors, les menaçant, il ne leur permettait pas de parler, parce qu'ils savaient qu'il était le *Christ.

4.18-19 Es 61.1-2 ; cf. 58.6. **4.21** aujourd'hui Lc 2.11 + . **4.22** le fils de Joseph Lc 3.23 ; 6.42 ; cf. Mt 13.55 ; Mc 6.3. **4.23** Capharnaüm Mt 4.13 + — ce qui s'y est passé Lc 4.31-41. **4.24** le prophète dans sa patrie Jn 4.44 ; cf. Mt 13.57 ; Mc 6.4. **4.25** le ciel fermé au temps d'Elie 1 R 17.1, 7 ; 18.1 ; Jc 5.17 ; cf. Mt 11.14 + . **4.26** la veuve de Sarepta 1 R 17.9. **4.27** Naaman le lépreux 2 R 5.1-14. **4.31** Capharnaüm Mt 4.13 + . **4.32** enseignement frappant et autorité de Jésus Mc 1.22 + . **4.33** de quoi te mêles-tu ? Mt 8.29 + ; Mc 5.7 ; Lc 8.28. **4.34** le Saint de Dieu Mc 1.24 + ; cf. Lc 4.41. **4.38** Simon Mc 4.18 + . **4.41** Fils de Dieu Mt 14.33 + ; Mc 1.1 + ; 3.11 ; Lc 4.34 — secret recommandé Mt 8.4 + ; Mc 1.25 + — le Christ Mt 1.16 ; 2.1 ; 11.2 ; 16.13 par. ; 22.41 par. ; 23.63 + ; 27.17 par. ; Lc 3.15 + ; Jn 1.20, 41 ; 3.28 ; 4.25 ; 7.26-27, 41-42 ; 9.22 ; 10.24 ; 11.27 ; 12.34 ; 20.31 ; Ac 2.31 ; 3.18 ; 4.26 ; 8.5 ; 9.22 ; 17.3 ; 18.5, 28 ; 26.23 ; Rm 9.5 ; 1 Jn 2.22 ; 5.1.

Jésus quitte Capharnaüm
(*Mc 1.35-39; Mt 4.23*)

⁴² Quand il fit jour, il sortit et se rendit dans un lieu désert. Les foules le recherchaient ; puis, l'ayant rejoint, elles voulaient le retenir de peur qu'il ne s'éloignât d'eux. ⁴³ Mais il leur dit : « Aux autres villes aussi il me faut annoncer la bonne nouvelle du *règne de Dieu, car c'est pour cela que j'ai été envoyé. » ⁴⁴ Et il prêchait dans les *synagogues de la Judée ˣ.

Les quatre premiers disciples
(*Mt 4.18-22; Mc 1.16-20; Jn 21.1-11*)

5 ¹ Or, un jour, la foule se serrait contre lui à l'écoute de la parole de Dieu ; il se tenait au bord du lac de Gennésareth. ² Il vit deux barques qui se trouvaient au bord du lac ; les pêcheurs qui en étaient descendus lavaient leurs filets. ³ Il monta dans l'une des barques, qui appartenait à Simon, et demanda à celui-ci de quitter le rivage et d'avancer un peu ; puis il s'assit et, de la barque, il enseignait les foules. ⁴ Quand il eut fini de parler, il dit à Simon : « Avance en eau profonde et jetez vos filets pour attraper du poisson. » ⁵ Simon répondit : « Maître, nous avons peiné toute la nuit sans rien prendre ; mais, sur ta parole, je vais jeter les filets. » ⁶ Ils le firent et capturèrent une grande quantité de poissons : leurs filets se déchiraient. ⁷ Ils firent signe à leurs camarades de l'autre barque de venir les aider ; ceux-ci vinrent et ils remplirent les deux barques au point qu'elles enfonçaient. ⁸ A cette vue, Simon Pierre tomba aux genoux de Jésus en disant : « Seigneur, éloigne-toi de moi, car je suis un pécheur. » ⁹ C'est que l'effroi l'avait saisi, lui et tous ceux qui étaient avec lui, devant la quantité de poissons qu'ils avaient pris ; ¹⁰ de même Jacques et Jean, fils de Zébédée, qui étaient les compagnons de Simon. Jésus dit à Simon : « Sois sans crainte, désormais ce sont des hommes que tu auras à capturer. » ¹¹ Ra-menant alors les barques à terre, laissant tout, ils le suivirent.

Jésus guérit un lépreux
(*Mt 8.1-4; Mc 1.40-45*)

¹² Or, comme il était dans une de ces villes ʸ, un homme couvert de *lèpre se trouvait là. A la vue de Jésus, il tomba la face contre terre et lui adressa cette prière : « Seigneur, si tu le veux, tu peux me purifier. » ¹³ Jésus étendit la main, le toucha et dit : « Je le veux, sois purifié », et à l'instant la lèpre le quitta. ¹⁴ Alors Jésus lui ordonna de n'en parler à personne : « Va-t'en plutôt te montrer au *prêtre et fais l'offrande pour ta purification comme Moïse l'a prescrit : ils auront là un témoignage. » ¹⁵ On parlait de lui de plus en plus et de grandes foules s'assemblaient pour l'entendre et se faire guérir de leurs maladies. ¹⁶ Et lui se retirait dans les lieux déserts, et il priait.

Le paralysé de Capharnaüm
(*Mt 9.1-8; Mc 2.1-12*)

¹⁷ Or, un jour qu'il était en train d'enseigner, il y avait dans l'assistance des *pharisiens et des *docteurs de la loi qui étaient venus de tous les villages de Galilée et de Judée ainsi que de Jérusalem ; et la puissance du Seigneur ᶻ était à l'œuvre pour lui faire opérer des guérisons. ¹⁸ Survinrent des gens portant sur une civière un homme qui était paralysé ; ils cherchaient à le faire entrer et à le placer devant lui ; ¹⁹ et comme, à cause de la foule, ils ne voyaient pas par où le faire entrer, ils montèrent sur le toit et, au travers des tuiles, ils le firent descendre avec sa civière en plein milieu, devant Jésus. ²⁰ Voyant leur foi, il dit : « Tes péchés te sont pardonnés. » ²¹ Les scribes et les pharisiens se mirent à raisonner. « Quel est cet homme qui dit des *blasphèmes ? Qui peut pardonner les péchés, sinon Dieu seul ? » ²² Mais Jésus, connaissant leurs raisonnements, leur rétor-

---

ˣ Voir note sur Lc 1.5. Certains manuscrits lisent ici *de la Galilée* ● ʸ Voir Lc 4.43 ● ᶻ Comme dans l'A.T. et de nombreux passages des chap. 1 à 4 ce titre est appliqué ici à Dieu

4.43 bonne nouvelle du règne de Dieu Mt 4.23; 9.35; 24.14; Mc 1.14-15; Lc 8.1 — annonce de la bonne nouvelle Mt 24. 14+. **4.44** Jésus prêche Mt 4.23. **5.1-3** Jésus enseigne depuis une barque Mt 13.1-2; Mc 3.9-10; 4.1-2. **5.3** Simon Mt 4.18+. **5.5** Maître Lc 8.24, 45; 9.33, 49; 17.13. **5.11** laissant tout Mt 19.27; Lc 5.28; 14.33; 18.22; cf. Mt 4.19-20+. **5.14** secret recommandé Mt 8.4+; Mc 1.25+ — l'offrande prescrite Lv 14.2-32. **5.16** Jésus en prière Lc 3.21+; cf. Lc 14.23+; Mc 6.46+. **5.17** la puissance du Seigneur Lc 1.35; 4.36; 6.19; 8.46; 9.1; Ac 3.12; 4.7, 33; 10.38. **5.20** péchés pardonnés Lc 7.48; cf. Mt 26.28+. **5.21** blasphème Mt 9.3+ — Dieu seul pardonne Ps 103.3; Es 43.25; 1 Jn 1.9; cf. Lc 7.49. **5.22** pensées secrètes percées à jour Mt 12.25; Lc 6.8; 9.47 — Pourquoi ? Mt 16.8.

qua : « Pourquoi raisonnez-vous *a* dans vos *cœurs ? [23] Qu'y a-t-il de plus facile, de dire : "Tes péchés te sont pardonnés" ou bien de dire : "Lève-toi et marche" ? [24] Eh bien, afin que vous sachiez que le *Fils de l'homme a sur la terre autorité pour pardonner les péchés, il dit au paralysé : je te dis, lève-toi, prends ta civière et va dans ta maison. » [25] A l'instant, celui-ci se leva devant eux, il prit ce qui lui servait de lit et il partit pour sa maison en rendant gloire à Dieu. [26] La stupeur les saisit tous et ils rendaient gloire à Dieu ; remplis de crainte, ils disaient : « Nous avons vu aujourd'hui des choses extraordinaires. »

Le festin chez Lévi
(*Mt 9.9-13 ; Mc 2.13-17*)

[27] Après cela, il sortit et vit un collecteur d'impôts du nom de Lévi assis au bureau des taxes. Il lui dit : « Suis-moi. » [28] Quittant tout, il se leva et se mit à le suivre.

[29] Lévi fit à Jésus un grand festin dans sa maison ; et il y avait toute une foule de collecteurs d'impôts et d'autres gens qui étaient à table avec eux. [30] Les *pharisiens et leurs scribes murmuraient, disant à ses disciples : « Pourquoi mangez-vous et buvez-vous avec les collecteurs d'impôts et les *pécheurs ? » [31] Jésus prenant la parole leur dit : « Ce ne sont pas les bien-portants qui ont besoin de médecin, mais les malades. [32] Je suis venu appeler non pas les justes, mais les pécheurs pour qu'ils se convertissent. »

Une question sur le jeûne
(*Mt 9.14-15 ; Mc 2.18-20*)

[33] Ils lui dirent : « Les *disciples de Jean *jeûnent souvent et font des prières, de même ceux des *pharisiens, tandis que les tiens mangent et boivent. » [34] Jésus leur dit : « Est-ce que vous pouvez faire jeûner les invités à la noce pendant que l'époux est avec eux ? [35] Mais des jours viendront où l'époux leur aura été enlevé, alors ils jeûneront en ces jours-là. »

Les vieilles outres et le vin nouveau
(*Mt 9.16-17 ; Mc 2.21-22*)

[36] Il leur dit encore une *parabole : « Personne ne déchire un morceau dans un vêtement neuf pour mettre une pièce à un vieux vêtement ; sinon, et on aura déchiré le neuf et la pièce tirée du neuf n'ira pas avec le vieux. [37] Personne ne met du vin nouveau dans de vieilles outres ; sinon le vin nouveau fera éclater les outres, et le vin se répandra et les outres seront perdues. [38] Mais il faut mettre le vin nouveau dans des outres neuves. [39] Quiconque boit du vin vieux n'en désire pas du nouveau, car il dit : "Le vieux est meilleur". »

Les épis arrachés
(*Mt 12.1-8 ; Mc 2.23-28*)

6 [1] Or, un second *sabbat du premier mois *b*, comme il traversait des champs de blé, ses disciples arrachaient des épis, les frottaient dans leurs mains et les mangeaient. [2] Quelques *pharisiens dirent : « Pourquoi faites-vous ce qui n'est pas permis le jour du sabbat ? » [3] Jésus leur répondit : « Vous n'avez même pas lu ce que fit David lorsqu'il eut faim, lui et ses compagnons ? [4] Comment il entra dans la maison de Dieu, prit les pains de l'offrande, en mangea et en donna à ses compagnons : ces pains que personne n'a le droit de manger, sauf les *prêtres et eux seuls ? » [5] Et il leur disait : « Il est maître du sabbat, le *Fils de l'homme. »

L'homme à la main paralysée
(*Mt 12.9-14 ; Mc 3.1-6*)

[6] Un autre jour de *sabbat, il entra dans la *synagogue et il enseigna ; il y avait là un homme dont la main droite était paralysée. [7] Les scribes et les *pharisiens observaient Jésus pour voir s'il

---

a ou *Quel raisonnement faites-vous ?* ● *b* Le *second sabbat du premier mois* de l'année juive est proche de la moisson (Lv 23.5-14). A cette date la Loi de Moïse interdit de manger le grain de la moisson nouvelle

5.24 le Fils de l'homme Mt 8.20+ — lève-toi et va... Jn 5.8; Ac 9.33-35. **5.25** gloire à Dieu Lc 2.20+. **5.26** aujourd'hui Lc 2.11+. **5.27** collecteur d'impôts Mt 5.46+. **5.28** quittant tout Lc 5.11+. **5.29-30** Jésus ami des gens tenus à l'écart Mt 9.11; 11.19+; Mc 2.16; Lc 7.34; 15.1-2; 19.7. **5.32** appel à la conversion Lc 13.1-5; 15; 16.30; 24.47; cf. Mt 3.2+. **5.33** disciples de Jean Mt 9.14+ — pratique du jeûne Mt 11.18; Lc 18.12; cf. Mt 6.16+. **5.34** (symbole de) l'époux Mt 9.15+. **5.36** le vieux et le neuf 2 Co 5.17; Ga 1.6; 4.9. **6.1** épis arrachés Dt 23.26. **6.2** ce qui n'est pas permis Ex 34.21; Jn 5.10. **6.3-4** David et les pains de l'offrande 1 S 21.2-7; cf. Lv 24.5-9. **6.7** les pharisiens épient Jésus Lc 14.1 — guérison le jour du sabbat Lc 13.14; 14.1-2.

ferait une guérison le jour du sabbat, afin de trouver de quoi l'accuser. [8] Mais lui savait leurs raisonnements ; il dit à l'homme qui avait la main paralysée : « Lève-toi et tiens-toi là au milieu. » Il se leva et se tint debout. [9] Jésus leur dit : « Je vous demande s'il est permis le jour du sabbat de faire le bien ou de faire le mal, de sauver une vie ou de la perdre ». [10] Et les regardant tous à la ronde, il dit à l'homme : « Etends la main. » Il le fit et sa main fut guérie. [11] Eux furent remplis de fureur et ils parlaient entre eux de ce qu'ils pourraient faire à Jésus.

Jésus désigne douze apôtres
(Mt 10.1-4 ; Mc 3.13-19)

[12] En ces jours-là, Jésus s'en alla dans la montagne pour prier et il passa la nuit à prier Dieu ; [13] puis, le jour venu, il appela ses *disciples et en choisit douze, auxquels il donna le nom *d'apôtres ; [14] Simon, auquel il donna le nom de Pierre, André son frère, Jacques, Jean, Philippe, Barthélemy, [15] Matthieu, Thomas, Jacques fils [c] d'Alphée, Simon qu'on appelait le zélote, [16] Jude fils [d] de Jacques et Judas Iscarioth qui devint traître.

Succès de Jésus auprès des foules
(Mt 4.24-25 ; Mc 3.7-11)

[17] Descendant avec eux, il s'arrêta sur un endroit plat avec une grande foule de ses disciples et une grande multitude du peuple de toute la Judée [e], de Jérusalem et du littoral de Tyr et de Sidon ; [18] ils étaient venus pour l'entendre et se faire guérir de leurs maladies ; ceux qui étaient affligés d'esprits impurs étaient guéris ;

[19] et toute la foule cherchait à le toucher, parce qu'une force sortait de lui et les guérissait tous.

Les heureux et les malheureux
(Mt 5.1-12)

[20] Alors, levant les yeux sur ses disciples, Jésus dit :
« Heureux, vous les pauvres : le *royaume de Dieu est à vous.
[21] Heureux, vous qui avez faim maintenant : vous serez rassasiés.
Heureux, vous qui pleurez maintenant : vous rirez.
[22] Heureux êtes-vous lorsque les hommes vous haïssent, lorsqu'ils vous rejettent, et qu'ils insultent et proscrivent votre nom comme infâme [f], à cause du *Fils de l'homme. [23] Réjouissez-vous ce jour-là et bondissez de joie, car voici, votre récompense est grande dans le *ciel ; c'est en effet de la même manière que leurs pères [g] traitaient les *prophètes.
[24] Mais malheureux, vous les riches : vous tenez votre consolation.
[25] Malheureux, vous qui êtes repus maintenant : vous aurez faim.
Malheureux, vous qui riez maintenant : vous serez dans le deuil et vous pleurerez.
[26] Malheureux êtes-vous lorsque tous les hommes disent du bien de vous : c'est en effet de la même manière que leurs pères [g] traitaient les faux prophètes.

Sur l'amour pour les ennemis
(Mt 5.39-47)

[27] Mais je vous dis, à vous qui m'écou-

---

c ou *frère d'Alphée* • d ou *frère de Jacques* • e Comme en Lc 1.5 l'appellation *Judée* désigne ici sans doute toute la Palestine • f Expression sémitique désignant la diffamation • g C'est-à-dire les ancêtres des Juifs

6.8 pensées secrètes percées à jour Mt 12.25; Lc 5.22; 9.47; 11.17; 20.23. **6.12** la prière de Jésus Lc 3.21+. **6.13** il en choisit douze Jn 6.70 — les Douze Mt 10.2+ — apôtres Lc 9.10; 11.49; 17.5; 22.14; 24.10. **6.14-16** liste des Douze Mt 10.2+. **6.14** Simon-Pierre, André Mt 4.18+ — donner un nom (nouveau) Gn 17.5, 15; 32.29; 2 R 23.34; 24.17 — Jacques, Jean Mt 4.21+ — Philippe Mt 10.3+. **6.15** Matthieu Mt 9.9+ — Thomas Mt 10.3+. **6.16** Judas fils de Jacques Ac 1.13; Jn 14.22 — Judas Iscarioth Mt 10.4+. **6.17** afflux des foules à Jésus Mc 3.8+. **6.19** toucher Jésus Mt 14.36; Mc 6.56; Lc 8.44, 46 par. — une force qui guérit Mc 5.30. **6.20** heureux ! Mt 5.3+; cf. Es 30.18; 32.20. Dn 12.12...; Ps 32.1-2; 33.12; 84.5...; Pr 3.13; 8.32, 24, etc. — pauvres Ps 34.19; 40.18; Mt 11.5; Lc 4.18; 7.22; cf. 10.21; 14.11; 18.14 — Royaume de Dieu Mt 3.2+; 6.10+. **6.21** affamés, rassasiés Es 49.10; Jr 31.25 — renversement de situation Lc 1.51-53; 16.19-26 — pleurs et réjouissances Ps 126.5-6; Es 25.6-9; 61.3; Ap 7.16-17. **6.22** haïs à cause de Jésus Mc 13.13+ — Fils de l'homme Mt 8.20+ **6.23** prophètes maltraités 2 Ch 36.16; Mt 23.30-31; Lc 11.47; 13.33-34; cf. Mt 21.35+. **6.24** malheureux! Mt 11.21+; Lc 10.13; 11.42-52; 17.1; 21.23; 22.22; cf. Es 3.10-11; Jr 17.5-8; Pr 28.14; Qo 10. 16-17 — riches Jc 5.1 — vous tenez votre consolation Lc 16.25. **6.26** quand on dit du bien de vous Jc 4.4. **6.27** amour pour les ennemis Mt 5.44+.

tez : Aimez vos ennemis, faites du bien
à ceux qui vous haïssent, ²⁸ bénissez ceux
qui vous maudissent, priez pour ceux qui
vous calomnient.
²⁹ A qui te frappe sur une joue, présente encore l'autre. A qui te prends ton
manteau, ne refuse pas non plus ta tunique. ³⁰ A quiconque te demande, donne,
et à qui te prend ton bien ne le réclame
pas. ³¹ Et comme vous voulez que les
hommes agissent envers vous, agissez de
même envers eux.
³² Si vous aimez ceux qui vous aiment, quelle reconnaissance vous en
a-t-on ? Car les *pécheurs aussi aiment
ceux qui les aiment. ³³ Et si vous faites
du bien à ceux qui vous en font, quelle
reconnaissance vous en a-t-on ? Les pécheurs eux-mêmes en font autant. ³⁴ Et si
vous prêtez à ceux dont vous espérez
qu'ils vous rendent, quelle reconnaissance
vous en a-t-on ? Même des pécheurs prêtent aux pécheurs pour qu'on leur rende
l'équivalent. ³⁵ Mais aimez vos ennemis,
faites du bien et prêtez sans rien espérer
en retour. Alors votre récompense sera
grande, et vous serez les fils du Très-
Haut, car il est bon, lui, pour les ingrats
et les méchants.

La paille et la poutre

(Mt 5.48 ; 7.1-2 ; 15.14 ; 10.24-25 ; 7.3-5)

³⁶ Soyez généreux comme votre Père
est généreux. ³⁷ Ne vous posez pas en
juges et vous ne serez pas jugés ʰ, ne con-
damnez pas et vous ne serez pas condamnés, acquittez et vous serez acquittés.
³⁸ Donnez et on vous donnera : c'est une
bonne mesure, tassée, secouée, débordante
qu'on vous versera dans le pan de votre
vêtement, car c'est la mesure dont vous
vous servez qui servira aussi de mesure
pour vous. »
³⁹ Il leur dit aussi une *parabole : « Un
aveugle peut-il guider un aveugle ? Ne
tomberont-ils pas tous les deux dans un
trou ? ⁴⁰ Le *disciple n'est pas au-dessus
de son maître, mais tout disciple bien
formé sera comme son maître.

⁴¹ Qu'as-tu à regarder la paille qui est
dans l'œil de ton frère ? Et la poutre qui
est dans ton œil à toi, tu ne la remarques
pas ? ⁴² Comment peux-tu dire à ton
frère : "Frère, attends. Que j'ôte la paille
qui est dans ton œil", toi qui ne vois pas
la poutre qui est dans le tien ? Homme
au jugement perverti, ôte d'abord la poutre de ton œil ! et alors tu verras clair
pour ôter la paille qui est dans l'œil de ton
frère.

L'arbre et ses fruits ; les deux maisons

(Mt 12.33-35 ; 7.16-21)

⁴³ Il n'y a pas de bon arbre qui produise un fruit malade, et pas davantage
d'arbre malade qui produise un bon fruit.
⁴⁴ Chaque arbre en effet se reconnaît au
fruit qui lui est propre : ce n'est pas sur
un buisson d'épines que l'on cueille des
figues, ni sur des ronces que l'on récolte
du raisin. ⁴⁵ L'homme bon, du bon trésor
de son *cœur, tire le bien, et le mauvais,
de son mauvais trésor, tire le mal ; car
ce que dit la bouche, c'est ce qui déborde
du cœur.
⁴⁶ Et pourquoi m'appelez-vous "Seigneur, Seigneur" et ne faites-vous pas ce
que je dis ?

(Mt 7.24-27)

⁴⁷ Tout homme qui vient à moi, qui
entend mes paroles et qui les met en pratique, je vais vous montrer à qui il est
comparable. ⁴⁸ Il est comparable à un homme qui
bâtit une maison : il a creusé, il est allé
profond et a posé les fondations sur le
roc. Une crue survenant, le torrent s'est
jeté contre cette maison mais n'a pu
l'ébranler, parce qu'elle était bien bâtie.
⁴⁹ Mais celui qui entend et ne met
pas en pratique est comparable à un
homme qui a bâti une maison sur le sol,
sans fondations : le torrent s'est jeté contre elle et aussitôt elle s'est effondrée, et
la destruction de cette maison a été totale. »

ʰ les tournures au passif (v. 36) et au mode impersonnel (v. 38) font allusion à l'action de Dieu.
Voir notes sur Mt 3.2 et 7.1

6.28 bénissez... Rm 12.14. **6.29** tendre l'autre joue cf. Jn 18.22-23 ; Ac 23.3. **6.31** La règle
d'or Mt 7.12 ; Rm 13.8-10. **6.35** amour pour les ennemis v. 27 — prêter sans arrière-pensée
Lv 25.35-36. **6.36** miséricordieux Ex 34.6 ; Dt 4.31 ; Ps 78.38 ; 86.15. **6.37** acquittez... Mt
6.14. **6.38** le pan du vêtement Rt 3.15 — la même mesure Mt 7.2 ; Mc 4.24. **6.39** aveugle
conducteur d'aveugle Mt 15.14 ; 23.16 ; Rm 2.19. **6.40** le disciple et son Maître Mt 10.24-25 ;
Jn 13.16 ; 15.20. **6.44** l'arbre reconnu à ses fruits Mt 7.16 ; 12.33 ; cf. Jc 3.11-12. **6.46** paroles
pieuses et actes Ml 1.6 ; Mt 7.21 ; cf. Es 29.13 (Mt 15.8 ; Mc 7.6) — faire Mt 7.21 ; Rm 2.13 ;
Jc 1.22, 25 ; 1 Jn 2.17.

Jésus et le centurion de Capharnaüm
(*Mt 8.5-13; cf. Jn 4.46-54*)

7 ¹ Quand Jésus eut achevé tout son discours devant le peuple il entra dans Capharnaüm. ² Un centurion ⁱ avait un esclave malade sur le point de mourir qu'il appréciait beaucoup. ³ Ayant entendu parler de Jésus, il envoya vers lui quelques notables des Juifs pour le prier de venir sauver son esclave. ⁴ Arrivés auprès de Jésus, ceux-ci le suppliaient instamment et disaient : « Il mérite que tu lui accordes cela, ⁵ car il aime notre nation et c'est lui qui nous a bâti la *synagogue. » ⁶ Jésus faisait route avec eux et déjà il n'était plus très loin de la maison quand le centurion envoya des amis pour lui dire : « Seigneur, ne te donne pas cette peine, car je ne suis pas digne que tu entres sous mon toit. ⁷ C'est pour cela aussi que je ne me suis pas jugé moi-même autorisé à venir jusqu'à toi ; mais dis un mot et que mon serviteur soit guéri. ⁸ Ainsi moi, je suis placé sous une autorité, avec des soldats sous mes ordres, et je dis à l'un : "Va" et il va, à un autre : "Viens" et il vient, et à mon esclave : "Fais ceci" et il le fait. » ⁹ En entendant ces mots, Jésus fut plein d'admiration pour lui ; il se tourna vers la foule qui le suivait et dit : « Je vous le déclare, même en Israël, je n'ai pas trouvé une telle foi. » ¹⁰ Et de retour à la maison, les envoyés trouvèrent l'esclave en bonne santé.

Le jeune homme de Naïn

¹¹ Or, Jésus se rendit ensuite dans une ville appelée Naïn ʲ. Ses disciples faisaient route avec lui, ainsi qu'une grande foule. ¹² Quand il arriva près de la porte de la ville, on portait tout juste en terre un mort, un fils unique dont la mère était veuve, et une foule considérable de la ville accompagnait celle-ci. ¹³ En la voyant, le Seigneur fut pris de pitié pour elle et il lui dit : « Ne pleure plus. » ¹⁴ Il s'avança et toucha la civière ; ceux qui la portaient

s'arrêtèrent ; et il dit : « Jeune homme, je te l'ordonne, réveille-toi ᵏ. » ¹⁵ Alors le mort s'assit et se mit à parler. Et Jésus le rendit à sa mère. ¹⁶ Tous furent saisis de crainte, et ils rendaient gloire à Dieu en disant : « Un grand *prophète s'est levé parmi nous et Dieu a visité son peuple. » ¹⁷ Et ce propos sur Jésus se répandit dans toute la Judée ˡ et dans toute la région.

La question de Jean le Baptiste
(*Mt 11.2-6*)

¹⁸ Les *disciples de Jean ᵐ rapportèrent tous ces faits à leur maître ; et lui, s'adressant à deux de ses disciples, ¹⁹ les envoya vers le Seigneur ⁿ pour lui demander : Es-tu "Celui qui vient" ou devons-nous en attendre un autre ? » ²⁰ Arrivés auprès de Jésus, ces hommes lui dirent : « Jean le Baptiste nous a envoyés vers toi pour demander : "Es-tu Celui qui vient", ou devons-nous en attendre un autre ? » ²¹ A ce moment-là Jésus guérit beaucoup de gens de maladies, d'infirmités et d'esprits mauvais ᵒ et il donna la vue à beaucoup d'aveugles. ²² Puis il répondit aux envoyés : « Allez rapporter à Jean ce que vous avez vu et entendu : *les aveugles retrouvent la vue, les boiteux marchent droit,* les *lépreux sont purifiés et *les sourds entendent,* les morts ressuscitent, *la bonne nouvelle* est annoncée aux pauvres, ²³ et heureux celui qui ne tombera pas à cause de moi. »

Ce que Jésus pense de Jean le Baptiste
(*Mt 11.7-11*)

²⁴ Quand les envoyés de Jean furent partis, Jésus se mit à parler de lui aux foules : « Qu'êtes-vous allés regarder au désert ? Un roseau agité par le vent ? ²⁵ Alors, qu'êtes-vous allés voir ? Un homme vêtu d'habits élégants ? Mais ceux qui sont vêtus d'habits somptueux et qui vivent dans le luxe se trouvent dans les palais des rois. ²⁶ Alors, qu'êtes-vous allés voir ? Un *prophète ? Oui, je vous le dé-

---

ⁱ Voir Mc 15.39 et note ● ʲ Bourgade au S.E. de la Galilée ● ᵏ ou *lève-toi* ● ˡ Voir note sur 6.17 ● ᵐ Il s'agit de Jean le Baptiste ● ⁿ Ici comme au v. 13 ce titre désigne Jésus. Voir aussi la note sur 5.17 ● ᵒ Voir Mc 1.23 et note

7.2 sur le point de mourir Jn 4.47. **7.5** il aime notre nation Ac 10.2. **7.12** mort d'un enfant unique 1 R 17.10-12, 17-24; Lc 8.42. **7.13** ne pleure plus Lc 8.52. **7.14** réveille-toi Lc 8.54; cf. Mt 9.25+; Mc 1.31; 9.27. **7.15** rendu à sa mère 1 R 17.23; 2 R 4.36. **7.16** Jésus comparé à un prophète Mt 16.14+ — Dieu a visité son peuple Ps 111.9; Lc 1.68; 19.44. **7.19** Celui qui vient Mt 3.11+; 23.39; Lc 13.56; Jn 11.27; Ap 4.8; cf. Ps 118.26. **7.22** les aveugles Es 29.18; 35.5-6; 61.1; Lc 4.18. **7.23** heureux ! Mt 5.3+; Lc 6.20+ — tomber Mt 5.29+. **7.26** Jean le Baptiste, prophète Mt 14.5; 21.26; Lc 1.76 — le prophète de la fin des temps Jn 1.21; 6.14; 7.40.

clare, et plus qu'un prophète. ²⁷ C'est celui dont il est écrit : *Voici, j'envoie mon messager en avant* de toi ; *il préparera ton chemin devant* toi. ²⁸ Je vous le déclare, parmi ceux qui sont nés d'une femme, aucun n'est plus grand que Jean ; et cependant le plus petit dans le *Royaume de Dieu est plus grand que lui.

Jésus ne reçoit pas meilleur accueil que Jean le Baptiste

(*Mt 11.16-19*)

²⁹ Tout le peuple en l'écoutant et même les collecteurs d'impôts ont reconnu la justice de Dieu en se faisant baptiser du baptême de Jean. ³⁰ Mais les *pharisiens et les *légistes ont repoussé le dessein que Dieu avait pour eux *p*, en ne se faisant pas baptiser par lui. ³¹ A qui donc vais-je comparer les hommes de cette génération ? A qui sont-ils comparables ? ³² Ils sont comparables à des enfants assis sur la place et qui s'interpellent les uns les autres en disant :

"Nous vous avons joué de la flûte, et vous n'avez pas dansé ;
nous avons entonné *q* un chant funèbre, et vous n'avez pas pleuré".

³³ En effet, Jean le Baptiste est venu, il ne mange pas de pain, il ne boit pas de vin, et vous dites : "il a perdu la tête". ³⁴ Le *Fils de l'homme est venu, il mange, il boit, et vous dites : "Voilà un glouton et un ivrogne, un ami des collecteurs d'impôts *r* et des *pécheurs." ³⁵ Mais la Sagesse a été reconnue juste par tous ses enfants *s*. »

Jésus et la pécheresse

³⁶ Un *pharisien l'invita à manger avec lui ; il entra dans la maison du pharisien et se mit à table. ³⁷ Survint une femme de la ville qui était *pécheresse ; elle avait

appris qu'il était à table dans la maison du pharisien. Apportant un flacon de parfum en albâtre ³⁸ et se plaçant par derrière, tout en pleurs, aux pieds de Jésus *t*, elle se mit à baigner ses pieds de larmes ; elle les essuyait avec ses cheveux, les couvrait de baisers et répandait sur eux du parfum.

³⁹ Voyant cela, le pharisien qui l'avait invité se dit en lui-même : « Si cet homme était un *prophète, il saurait qui est cette femme qui le touche, et ce qu'elle est : une pécheresse. » ⁴⁰ Jésus prit la parole et lui dit : « Simon, j'ai quelque chose à te dire. » — « Parle, Maître », dit-il. ⁴¹ « Un créancier avait deux débiteurs ; l'un lui devait cinq cents pièces d'argent, l'autre cinquante. ⁴² Comme ils n'avaient pas de quoi rembourser, il fit grâce de leur dette à tous les deux. Lequel des deux l'aimera le plus ? » ⁴³ Simon répondit : « Je pense que c'est celui auquel il a fait grâce de la plus grande dette. » Jésus lui dit : « Tu as bien jugé. »

⁴⁴ Et se tournant vers la femme, il dit à Simon : « Tu vois cette femme. Je suis entré dans ta maison : tu ne m'as pas versé d'eau sur les pieds *u*, mais elle, elle a baigné mes pieds de ses larmes et les a essuyés avec ses cheveux. ⁴⁵ Tu ne m'as pas donné de baiser, mais elle, depuis qu'elle est entrée *v*, elle n'a pas cessé de me couvrir les pieds de baisers. ⁴⁶ Tu n'as pas répandu d'huile odorante sur ma tête, mais elle, elle a répandu du parfum sur mes pieds. ⁴⁷ Si je te déclare que ses péchés si nombreux ont été pardonnés, c'est parce qu'elle a montré beaucoup d'amour. Mais celui à qui on pardonne peu montre peu d'amour. » ⁴⁸ Il dit à la femme : « Tes péchés ont été pardonnés. »

⁴⁹ Les convives se mirent à dire en eux-mêmes : « Qui est cet homme qui va jusqu'à pardonner les péchés ? » ⁵⁰ Jésus dit à la femme : « Ta foi t'a sauvée. Va en paix. »

---

p ou *ont rejeté, pour leur part, le dessein de Dieu* ● *q* Quelques manuscrits ajoutent: *pour vous* ● *r* Voir notes sur Mc 2.14-15 ● *s* Voir note sur 1 Th 5.5 ● *t* A la manière antique les convives étaient allongés, face à la table ● *u* Voir Gn 18.4 ; 19.2... C'est un usage de l'hospitalité orientale ● *v* Autre texte: *depuis que je suis entré*

7.27 Ex 23.20; Ml 3.1 (Mc 1.2; Lc 1.76); cf. Jn 3.23. **7.28** plus grand que Jean Lc 1.15. **7.29-30** collecteurs d'impôts, pharisiens, Jean Lc 3.7, 12; Mt 21.32. **7.30** légistes Mt 22.35; Lc 10.25; 11.45-46, 52; 14.3 — le dessein de Dieu Ac 2.23. **7.33** il a perdu la tête cf. Jn 7.20; 10.20. **7.34** ami des gens tenus à l'écart Lc 5.29-30+. **7.35** sagesse Lc 2.40, 52; 11.31; 21.15. **7.36** Jésus invité chez un pharisien Lc 11.37; 14.1. **7.37** vase de parfum Mt 26.7; Mc 14.3. **7.38** le geste de la femme Jn 12.3. **7.44** de l'eau sur les pieds Mt 26.7; Jn 13.1-17. **7.45** baiser Rm 16.16; 1 Co 16.20; 2 Co 13.12; 1 Th 5.26; 1 P 5.14. **7.46** de l'huile parfumée sur la tête Ps 23.5. **7.48** péchés pardonnés Lc 5.20; cf. Mt 26.28+. **7.49** Qui est cet homme... ? Lc 5.21. **7.50** Ta foi t'a sauvée Lc 8.48 par.; 17.19; 18.42 par.; cf. Ap 3.16 — en paix Lc 8.48; Rm 12.18; 1 Co 7.15; 1 Th 5.13.

Ceux et celles qui accompagnent Jésus

8 [1] Or, par la suite, Jésus faisait route à travers villes et villages ; il proclamait et annonçait la bonne nouvelle du *règne de Dieu. Les Douze étaient avec lui, [2] et aussi des femmes qui avaient été guéries d'esprit mauvais [w] et de maladies : Marie, dite de Magdala, dont étaient sortis sept *démons, [3] Jeanne femme de Chouza intendant *d'Hérode, Suzanne et beaucoup d'autres qui les aidaient[x] de leurs biens.

Parabole du semeur
(Mt 13.1-9; Mc 4.1-9)

[4] Comme une grande foule se réunissait et que de toutes les villes on venait à lui, il dit en *parabole : [5] « Le semeur est sorti pour semer sa semence. Comme il semait, du grain est tombé au bord du chemin ; on l'a piétiné et les oiseaux du ciel ont tout mangé. [6] D'autre grain est tombé sur la pierre ; il a poussé et séché, faute d'humidité. [7] D'autre grain est tombé au milieu des épines ; en poussant avec lui, les épines l'ont étouffé. [8] D'autre grain est tombé dans la bonne terre ; il a poussé et produit du fruit au centuple. » Sur quoi Jésus s'écria : « Celui qui a des oreilles pour entendre, qu'il entende ! »

Pourquoi cette parabole ?
(Mt 13.10-13; Mc 4.10-12)

[9] Ses disciples lui demandèrent ce que signifiait cette parabole. [10] Il dit : « A vous il est donné de connaître les *mystères du royaume de Dieu ; mais pour les autres, c'est en paraboles, pour qu'*ils voient sans voir et qu'ils entendent sans comprendre.* »

Une application de la parabole du semeur
(Mt 13.18-23; Mc 4.13-20)

[11] Et voici ce que signifie la parabole : la semence, c'est la parole de Dieu. [12] Ceux qui sont au bord du chemin, ce sont ceux qui entendent, puis vient le *diable et il enlève la parole de leur *cœur, de peur qu'ils ne croient et ne soient sauvés. [13] Ceux qui sont sur la pierre, ce sont ceux qui accueillent la parole avec joie lorsqu'ils l'entendent ; mais ils n'ont pas de racines : pendant un moment ils croient, mais au moment de la *tentation ils abandonnent. [14] Ce qui est tombé dans les épines, ce sont ceux qui entendent et qui, du fait des soucis, des richesses et des plaisirs de la vie sont étouffés en cours de route et n'arrivent pas à maturité. [15] Ce qui est dans la bonne terre, ce sont ceux qui entendent la parole dans un cœur loyal et bon, qui la retiennent et portent du fruit à force de persévérance.

La parabole de la lampe
(Mc 4.21-25)

[16] Personne n'allume une lampe pour la recouvrir d'un pot ou pour la mettre sous un lit ; mais on la met sur un support pour que ceux qui entrent voient la lumière. [17] Car il n'y a rien de secret qui ne paraîtra au jour, rien de caché qui ne doive être connu et venir au grand jour. [18] Faites donc attention à la manière dont vous écoutez. Car à celui qui a, il sera donné ; et à celui qui n'a pas, même ce qu'il croit avoir lui sera retiré.

La vraie famille de Jésus
(Mt 12.46-50; Mc 3.31-35)

[19] Sa mère et ses frères arrivèrent près de lui, mais ils ne pouvaient le rejoindre à cause de la foule. [20] On lui annonça : « Ta mère et tes frères se tiennent dehors ; ils veulent te voir. » [21] Il leur répondit : « Ma mère et mes frères, ce sont ceux qui écoutent la parole de Dieu et qui la mettent en pratique. »

Jésus apaise une tempête
(Mt 8.18, 23-27; Mc 4.35-41)

[22] Or, un jour il monta en barque avec ses disciples ; il leur dit : « Passons sur l'autre rive du lac [y] », et ils gagnèrent le

---

w Voir note sur Mc 1.23 ● *x* Autre texte: *qui l'aidaient* ● *y* Il s'agit du lac de Gennésareth. *L'autre rive* était habitée par des populations païennes

8.1 à travers villes et villages Mc 9.35; Mc 6.6; Lc 4.43 — la bonne nouvelle du règne de Dieu Mt 4.23; Mc 9.35; 24.14; Mc 1.14-15; Lc 4.43 — les Douze Mt 10.2+. **8.2** des femmes Lc 23.49 par. — Marie de Magdala Mt 27.56+. **8.8** Des oreilles pour entendre Mt 11.15+. **8.10** mystères Mt 13.11+ — royaume de Dieu Mt 3.2+; 6.10+ — voir sans voir Es 6.9-10. **8.11** la parole de Dieu; une semence 1 P 1.23. **8.12** croire et être sauvé 1 Co 1.21. **8.15** persévérance Lc 21.18; Rm 2.7; 5.3-4; 8.25; 15.4-5; 2 Co 1.6; 6.4; 12.12; Col 1.11; 1 Th 1.3. **8.16** une lampe Mt 5.15; Lc 11.30. **8.17** secret dévoilé Mt 10.26; Lc 12.2. **8.18** à celui qui a ... Mt 13.12+. **8.21** écouter la parole de Dieu Lc 11.28.

large. ²³ Pendant qu'ils naviguaient, Jésus s'endormit. Un tourbillon de vent s'abattit sur le lac ; la barque se remplissait et ils se trouvaient en danger. ²⁴ Ils s'approchèrent et le réveillèrent en disant : « Maître, maître, nous périssons ! » Il se réveilla, menaça le vent et les vagues : ils s'apaisèrent et le calme se fit. ²⁵ Puis il leur dit : « Où est votre foi ? » Saisis de crainte, ils s'émerveillèrent et ils se disaient entre eux : « Qui donc est-il, pour qu'il commande même aux vents et aux flots et qu'ils lui obéissent ? »

Jésus guérit un possédé
(Mt 8.28-34 ; Mc 5.1-20)

²⁶ Ils abordèrent au pays des Gergéséniens ᶻ qui est en face de la Galilée. ²⁷ Comme il descendait à terre, vint à sa rencontre un homme de la ville qui avait des *démons. Depuis longtemps il ne portait plus de vêtement et ne demeurait pas dans une maison mais dans les tombeaux. ²⁸ A la vue de Jésus, il se jeta à ses pieds en poussant des cris et dit d'une voix forte : « De quoi te mêles-tu, Jésus, Fils du Dieu Très Haut ? Je t'en prie, ne me tourmente pas. » ²⁹ Jésus ordonnait en effet à l'esprit impur ᵃ de sortir de cet homme. Car bien des fois il s'était emparé de lui ; on le liait, pour le garder, avec des chaînes et des entraves ; mais il brisait ses liens et il était poussé par le démon vers les lieux déserts. ³⁰ Jésus l'interrogea : « Quel est ton nom ? » — « Légion », répondit-il, car de nombreux démons étaient entrés en lui. ³¹ Et ils le suppliaient de ne pas leur ordonner de s'en aller dans l'abîme ᵇ. ³² Or il y avait là un troupeau considérable de porcs en train de paître dans la montagne. Les démons supplièrent Jésus de leur permettre d'entrer dans ces porcs. Il le leur permit. ³³ Les démons sortirent de l'homme, ils entrèrent dans les porcs et le troupeau se précipita du haut de l'escarpement dans le lac et s'y noya. ³⁴ A la vue de ce qui était arrivé, les

gardiens prirent la fuite et rapportèrent la chose dans la ville et dans les hameaux. ³⁵ Les gens s'en vinrent pour voir ce qui s'était passé. Ils arrivèrent auprès de Jésus et trouvèrent, assis à ses pieds, l'homme dont les démons étaient sortis qui était vêtu et dans son bon sens, et ils furent saisis de crainte. ³⁶ Ceux qui avaient vu leur rapportèrent comment celui qui était démoniaque avait été sauvé ᶜ. ³⁷ Alors, toute la population de la région des Gergéséniens demanda à Jésus de s'éloigner d'eux, car ils étaient en proie à une grande crainte ; et lui monta en barque et s'en retourna.

³⁸ L'homme dont les démons étaient sortis le sollicitait ; il demandait à être avec lui. Mais Jésus le renvoya en disant : ³⁹ « Retourne dans ta maison et raconte tout ce que Dieu a fait pour toi. » Et l'homme s'en alla, proclamant par toute la ville tout ce que Jésus avait fait pour lui.

La femme souffrant d'hémorragie ; la fille de Jaïros
(Mt 9.18-26 ; Mc 5.21-43)

⁴⁰ A son retour, Jésus fut accueilli par la foule, car ils étaient tous à l'attendre. ⁴¹ Et voici qu'arriva un homme du nom de Jaïros ; il était chef de la *synagogue. Tombant aux pieds de Jésus, il le suppliait de venir dans sa maison, ⁴² parce qu'il avait une fille unique, d'environ douze ans, qui était mourante. Pendant que Jésus s'y rendait, les gens le serraient à l'étouffer.

⁴³ Il y avait là ᵈ une femme qui souffrait d'hémorragie depuis douze ans ; elle avait dépensé tout son avoir en médecins et aucun n'avait pu la guérir. ⁴⁴ Elle s'approcha par derrière, toucha la frange ᵉ de son vêtement et, à l'instant même, son hémorragie s'arrêta. ⁴⁵ Jésus demanda : « Qui est celui qui m'a touché ? » Comme tous s'en défendaient, Pierre ᶠ dit : Maître, les gens qui te serrent et te pressent. » ⁴⁶ Mais Jésus dit : « Quelqu'un m'a touché ; j'ai bien senti qu'une force

---

ᶻ Autre texte : des Gadaréniens ; ou des Géraséniens ● ᵃ Voir note sur Mc 1.23 ● ᵇ C'est-à-dire, selon Ap 9.1 ; 11.7, etc, le lieu où les puissances démoniaques sont momentanément emprisonnées ● ᶜ ou guéri. En 8.48 ; 17.19... Luc unit les deux sens du mot grec ● ᵈ Ces mots sont ajoutés pour la commodité de la traduction. Certains manuscrits omettent la seconde partie du verset : elle avait... en médecins ● ᵉ Voir note sur Mc 6.56 ● ᶠ De nombreux manuscrits anciens ajoutent ici : et ses compagnons

8.24 Maître Lc 5.5+. **8.25** crainte et émerveillement Lc 1.12+, 63+. **8.28** De quoi te mêles-tu? Mt 8.29+. **8.29** le désert, séjour des démons Lv 16.10 ; Es 13.21 ; 34.12, 14 ; Ba 4.35 ; Tb 8.3 ; cf. Lc 4.1 ; 11.24. **8.35** aux pieds de Jésus Lc 10.39, cf. Ac 22.3. **8.36** sauvé-guéri Mt 9.22+ ; Lc 6.9 ; 8.12, 48, 50 ; 19.10 ; 23.35, 37, 39. **8.42** mort d'un enfant unique 1 R 17.17 ; Lc 7.12. **8.46** une force Lc 5.17 ; 6.19.

était sortie de moi. » ⁴⁷ Voyant qu'elle n'avait pu passer inaperçue, la femme vint en tremblant se jeter à ses pieds ; elle raconta devant tout le peuple pour quel motif elle l'avait touché, et comment elle avait été guérie à l'instant même. ⁴⁸ Alors il lui dit : « Ma fille, ta foi t'a sauvée. Va en paix. »

⁴⁹ Il parlait encore quand arriva de chez le chef de synagogue quelqu'un qui dit : « Ta fille est morte. N'ennuie plus le maître. » ⁵⁰ Mais Jésus, qui avait entendu, dit à Jaïros : « Sois sans crainte ; crois seulement et elle sera sauvée. » ⁵¹ A son arrivée à la maison, il ne laissa entrer avec lui que Pierre, Jean et Jacques, avec le père et la mère de l'enfant. ⁵² Tous pleuraient et se lamentaient sur elle. Jésus dit : « Ne pleurez pas ; elle n'est pas morte, elle dort. » ⁵³ Et ils se moquaient de lui, car ils savaient qu'elle était morte. ⁵⁴ Mais lui, prenant sa main, l'appela : « Mon enfant, réveille-toi. » ⁵⁵ Son esprit revint et elle se leva à l'instant même. Et il enjoignit de lui donner à manger. ⁵⁶ Ses parents furent bouleversés ; et il leur ordonna de ne dire à personne ce qui était arrivé.

Jésus envoie les Douze en mission
(Mt 10.1-9, 11-14 ; Mc 6.6-13)

9 ¹ Ayant réuni les Douze, il leur donna puissance et autorité sur tous les démons et il leur donna de guérir les maladies ^g. ² Il les envoya proclamer le *règne de Dieu et faire des guérisons, ³ et il leur dit : « Ne prenez rien pour la route, ni bâton, ni sac, ni pain, ni argent ; n'ayez pas chacun deux tuniques. ⁴ Dans quelque maison que vous entriez, demeurez-y. C'est de là que vous repartirez. ⁵ Si l'on ne vous accueille pas, en quittant cette ville secouez la poussière de vos pieds : ce sera un témoignage contre eux. » ⁶ Ils partirent et allèrent de village en village, annonçant la bonne nouvelle et faisant partout des guérisons.

La réputation de Jésus intrigue Hérode
(Mt 14.1-2 ; Mc 6.14-16)

⁷ *Hérode le tétrarque apprit tout ce qui se passait et il était perplexe car certains disaient que Jean était ressuscité des morts, ⁸ d'autres qu'Elie était apparu, d'autres qu'un *prophète d'autrefois était ressuscité. ⁹ Hérode dit : « Jean, je l'ai fait moi-même décapiter. Mais quel est celui-ci, dont j'entends dire de telles choses ? » Et il cherchait à le voir.

Jésus rassasie cinq mille hommes
(Mt 14.13-21 ; Mc 6.30-44)

¹⁰ A leur retour, les *apôtres racontèrent à Jésus tout ce qu'ils avaient fait. Il les emmena et se retira à l'écart du côté d'une ville appelée Bethsaïda. ¹¹ L'ayant su, les foules le suivirent. Jésus les accueillit ; il leur parlait du *règne de Dieu et il guérissait ceux qui en avaient besoin.

¹² Mais le jour commença de baisser. Les Douze s'approchèrent et lui dirent : « Renvoie la foule ; qu'ils aillent loger dans les villages et les hameaux des environs et qu'ils y trouvent à manger, car nous sommes ici dans un endroit désert. » ¹³ Mais il leur dit : « Donnez-leur à manger vous-mêmes. » Alors ils dirent : « Nous n'avons pas plus de cinq pains et deux poissons... à moins d'aller nous-mêmes acheter des vivres pour tout ce peuple. » ¹⁴ Il y avait en effet environ cinq mille hommes.

Il dit à ses disciples : « Faites-les s'installer par groupes d'une cinquantaine. » ¹⁵ Ils firent ainsi et les installèrent tous. ¹⁶ Jésus prit les cinq pains et les deux poissons et, levant son regard vers le ciel, il prononça la bénédiction, les rompit, et il les donnait aux disciples pour les offrir à la foule. ¹⁷ Ils mangèrent et furent tous rassasiés ; et l'on emporta ce qui leur restait des morceaux : douze paniers.

---

g Voir note sur Mc 1.23

8.48 ta foi t'a sauvée Lc 7.50 ; 17.19 ; 18.42 par. ; cf. Ac 3.16. **8.51** Pierre, Jacques et Jean Mt 17.1+. **8.52** Ne pleurez pas Lc 7.13 — la mort décrite comme un sommeil Mt 9.24+ ; Mc 5.39+. **8.54** réveille-toi Lc 7.14 ; cf. Mt 9.25+. **8.55** son esprit revint 1 R 17.21-22. **8.56** Jésus impose le secret Lc 1.25+. **9.1** les Douze Mt 10.2+. **9.2** proclamer Mt 3.1+ ; Mc 1.4+ — le règne de Dieu Mt 3.2+ ; 6.10+. **9.4** demeurez-y Lc 10.5-7. **9.5** secouez la poussière Lc 10.11 ; Ac 13.51 ; 18.6. **9.7** Hérode le tétrarque Mt 14.1+. **9.7-8** ceux à qui l'on comparait Jésus Lc 9.19 par. — Jean le Baptiste Mt 3.1+ — Elie Mt 11.14+ — Jésus comparé à un prophète Mt 16.14+. **9.9** il cherchait à le voir Lc 23.8. **9.10** les apôtres Lc 6.13+ — Bethsaïda Mt 11.21+. **9.13** pains et poissons Mt 15.34 ; Mc 8.5 ; Jn 6.9. **9.17** rassasiés Ex 16.4, 12 ; Ps 78.29 ; Jn 6.12 — les morceaux qui restaient 2 R 4.44. **9.18** Jésus en prière Lc 3.21+.

Pierre déclare que Jésus est le Messie
(Mt 16.13-21; Mc 8.27-31)

¹⁸ Or, comme il était en prière à l'écart, les disciples étaient avec lui, et il les interrogea : « Qui suis-je au dire des foules ? » ¹⁹ Ils répondirent [h] : « Jean le Baptiste ; pour d'autres, Elie ; pour d'autres, tu es un *prophète d'autrefois qui est ressuscité. »

²⁰ Il leur dit : « Et vous, qui dites-vous que je suis ? » Pierre, prenant la parole, répondit : « Le *Christ de Dieu. » ²¹ Et lui, avec sévérité, leur ordonna de ne le dire à personne, ²² en expliquant : « Il faut que le *Fils de l'homme souffre beaucoup, qu'il soit rejeté par les anciens, les *grands prêtres et les scribes, qu'il soit mis à mort et que, le troisième jour, il ressuscite. »

Comment suivre Jésus
(Mt 16.24-28; Mc 8.34—9.1)

²³ Puis il dit à tous : « Si quelqu'un veut venir à ma suite, qu'il renonce à lui-même et prenne sa croix chaque jour, et qu'il me suive. ²⁴ En effet, qui veut sauver sa vie, la perdra ; mais qui perd sa vie à cause de moi, la sauvera. ²⁵ Et quel avantage l'homme a-t-il à gagner le monde entier, s'il se perd ou se ruine lui-même ? ²⁶ Car si quelqu'un a honte de moi et de mes paroles, le *Fils de l'homme aura honte de lui quand il viendra dans sa gloire, et dans celle du Père et des saints *anges. ²⁷ Vraiment, je vous le déclare, parmi ceux qui sont ici, certains ne mourront pas avant de voir le *règne de Dieu. »

La gloire de Jésus sur la montagne
(Mt 17.1-8; Mc 9.2-8)

²⁸ Or, environ huit jours après ces paroles, Jésus prit avec lui Pierre, Jean et Jacques et monta sur la montagne pour prier. ²⁹ Pendant qu'il priait, l'aspect de son visage changea et son vêtement devint d'une blancheur éclatante. ³⁰ Et voici que deux hommes s'entretenaient avec lui ; c'étaient Moïse et Elie ; ³¹ apparus en gloire, ils parlaient de son départ qui allait s'accomplir à Jérusalem. ³² Pierre et ses compagnons étaient écrasés de sommeil ; mais, s'étant réveillés, ils virent la gloire de Jésus et les deux hommes qui se tenaient avec lui. ³³ Or, comme ceux-ci se séparaient de Jésus, Pierre lui dit : « Maître, il est bon que nous soyons ici ; dressons trois tentes : une pour toi, une pour Moïse, une pour Elie. » Il ne savait pas ce qu'il disait.

³⁴ Comme il parlait ainsi, survint une nuée qui les recouvrait. La crainte les saisit au moment où ils y pénétraient. ³⁵ Et il y eut une voix venant de la nuée ; elle disait : « Celui-ci est mon Fils, celui que j'ai élu, écoutez-le ! » ³⁶ Au moment où la voix retentit, il n'y eut plus que Jésus seul. Les disciples gardèrent le silence, et ils ne racontèrent à personne, en ce temps là. rien de ce qu'ils avaient vu.

Jésus guérit un enfant possédé
(Mt 17.14-18; Mc 9.14-27)

³⁷ Or, le jour suivant, quand ils furent descendus de la montagne, une grande foule vint à la rencontre de Jésus. ³⁸ Et voilà que du milieu de la foule un homme s'écria : « Maître, je t'en prie, regarde mon fils car c'est mon unique enfant. ³⁹ Il arrive qu'un esprit s'empare de lui : tout à coup il crie, il le fait se convulser et écumer, et il ne le quitte qu'à grand peine, en le laissant tout brisé. ⁴⁰ J'ai prié tes disciples de le chasser, ils n'ont pas pu. » ⁴¹ Prenant la parole, Jésus dit : « Génération incrédule et pervertie, jusqu'à quand serai-je auprès de vous et aurai-je à vous supporter ? Amène ici ton fils. » ⁴² A peine l'enfant arrivait-il que le démon le jeta à terre et l'agita de convulsions. Mais Jésus menaça l'esprit impur, il guérit

---

[h] ou *Les uns répondirent: « Jean le Baptiste », d'autres: « Elie », d'autres: « on dit que tu es un prophète... »*

9.19 opinions sur Jésus Lc 9.7-8. **9.20** Et vous ? Jn 6.67 — Pierre Mt 4.18+ — le Christ Lc 3.15+ ; 4,41+ ; cf. Jn 6.69. **9.22** annonces de la Passion Lc 9.44 par. ; 18.31-34 par. — le Fils de l'homme Mt 8.20+ — anciens, grands prêtres et scribes Mc 11.27+. **9.23** venir à la suite de Jésus Mt 4.19+ — prendre sa croix Mt 10.38; Lc 14.27. **9.24** sauver sa vie Mt 10.39; Lc 17.33; cf. Jn 12.25-26. **9.26** avoir honte de Jésus Mt 10.33; Lc 12.9; 2 Tm 2.12 — le Fils de l'homme Mt 8.20+ — sa venue Mt 10.23+ — dans sa gloire Lc 9.32; 24.26. **9.27** voir le règne de Dieu cf. v. 32. **9.28** Pierre, Jacques et Jean Mt 17.1+ — la prière de Jésus Lc 3.21+. **9.30** Elie Mt 11.14+ ; 2 R 2.11-12 — Moïse Dt 18.15, 18; 34.5-6. **9.31** apparus en gloire Ex 34.29-35; 2 Co 3.7-11 — la gloire Rm 5.2; 8.18, 21; 1 Co 2.7; 15.43; 2 Co 3.18; 4.17; Ph 3.21; Col 1.27; 3.4; 1 Th 2.12; 2 Th 2.14 — son départ... à Jérusalem Lc 9.22, 51; 13.33. **9.32** ils virent sa gloire Jn 1.14; 2 P 1.16. **9.34** une nuée Mt 17.5+; cf. Lc 1.35. **9.35** mon Fils... élu Es 49.7; Mt 3.17+ et par.; 2 P 1.17-18; cf. Jn 1.34. **9.38** unique enfant Lc 7.12. **9.42** remis à son père Lc 7.15+.

l'enfant et le remit à son père. ⁴³ Et tous étaient frappés de la grandeur de Dieu.

Jésus annonce à nouveau ses souffrances
(Mt 17.22-23; Mc 9.30-32)

Comme tous s'émerveillaient de tout ce qu'il faisait, il dit à ses disciples : ⁴⁴ « Ecoutez bien ce que je vais vous dire : le *Fils de l'homme va être livré aux mains des hommes. » ⁴⁵ Mais ils ne comprenaient pas cette parole ; elle leur restait voilée pour qu'ils n'en saisissent pas le sens ; et ils craignaient de l'interroger sur ce point.

Qui est le plus grand ?
(Mt 18.1-5; Mc 9.33-37)

⁴⁶ Une question leur vint à l'esprit *i* : lequel d'entre eux pouvait bien être le plus grand ? ⁴⁷ Jésus sachant la question qu'ils se posaient, prit un enfant, le plaça près de lui, ⁴⁸ et leur dit : « Qui accueille en mon *nom cet enfant, m'accueille moi-même ; et qui m'accueille, accueille celui qui m'a envoyé ; car celui qui est le plus petit d'entre vous tous, voilà le plus grand. »

Ceux qui se servent du nom de Jésus
(Mc 9.38-41)

⁴⁹ Prenant la parole, Jean *j* lui dit : « Maître, nous avons vu quelqu'un qui chassait les *démons en ton nom et nous avons cherché à l'empêcher *k*, parce qu'il ne te suit pas avec nous. » ⁵⁰ Mais Jésus dit : « Ne l'empêchez pas, car celui qui n'est pas contre vous est pour vous. »

On refuse d'accueillir Jésus en Samarie

⁵¹ Or, comme arrivait le temps où il allait être enlevé du monde, Jésus prit résolument la route de Jérusalem. ⁵² Il envoya des messagers devant lui. Ceux-ci s'étant mis en route entrèrent dans un village de Samaritains *l* pour préparer sa venue. ⁵³ Mais on ne l'accueillit pas, parce qu'il faisait route vers Jérusalem. ⁵⁴ Voyant cela, les disciples Jacques et Jean dirent : « Seigneur, veux-tu que nous disions que le feu tombe du ciel et les consume ? » ⁵⁵ Mais lui se retournant les réprimanda. ⁵⁶ Et ils firent route vers un autre village.

Pour être prêt à suivre Jésus
(Mt 8.19-22)

⁵⁷ Comme ils étaient en route, quelqu'un dit à Jésus en chemin : « Je te suivrai partout où tu iras. » ⁵⁸ Jésus lui dit : « Les renards ont des terriers et les oiseaux du ciel des nids ; le *Fils de l'homme, lui, n'a pas où poser la tête. » ⁵⁹ Il dit à un autre : « Suis-moi ». Celui-ci répondit : « Permets-moi d'aller d'abord enterrer mon père. » ⁶⁰ Mais Jésus lui dit : « Laisse les morts enterrer leurs morts, mais toi, va annoncer le *règne de Dieu. » ⁶¹ Un autre encore lui dit : « Je vais te suivre, Seigneur ; mais d'abord permets-moi de faire mes adieux à ceux de ma maison. » ⁶² Jésus lui dit : « Quiconque met la main à la charrue, puis regarde en arrière, n'est pas fait pour le royaume de Dieu. »

Jésus envoie soixante-douze disciples
(Mt 9.37-38; 10.7-16; Mc 6.8-11; Lc 9.3-5)

10 ¹ Après cela, le Seigneur désigna soixante-douze *m* autres *disciples et les envoya deux par deux, devant lui dans toute ville et localité où il devait aller lui-même. ² Il leur dit : « La moisson est abondante, mais les ouvriers peu nombreux. Priez donc le maître de la moisson

---

i ou *Une discussion s'éleva entre eux* ● *j* il s'agit ici du disciple ● *k* Autre texte: *Nous l'en avons empêché* ● *l* Voir note sur Mt 10.5 ● *m* Autre texte: *soixante-dix*. Dans le chap. 10 de la Genèse le Judaïsme comptait 70 nations (texte hébreu) ou 72 (texte grec)

9.43 frappés de la grandeur de Dieu Lc 1.63+. **9.44** le Fils de l'homme Mt 8.20+ — livré Lc 18.32 par. **9.45** inintelligence des disciples Lc 18.34. **9.46** le plus grand Lc 22.24. **9.47** sachant la question Lc 6.8+. **9.48** accueil à Jésus Mt 10.40; Lc 10.16; Jn 13.20; cf. Ga 4.14. **9.49** démons chassés au nom de Jésus Ac 16.18; 19.13. **9.50** qui n'est pas contre vous... Mt 12.30; Mc 9.40; Lc 11.23. **9.51** le temps où il allait être enlevé Lc 9.31 — en route vers Jérusalem Lc 13.22; 17.11. **9.52** Samaritains 2 R 17.24-41; Si 50.25-26; Jn 4.9; cf. Lc 10.33-37; 17.16-19; Ac 8.2-25. **9.53** Juifs et Samaritains Jn 4.9. **9.54** Jacques et Jean Mt 4.21+ — le feu du ciel 2 R 1.10-12. **9.59** Suis-moi Mt 4.19+. **9.61** permets-moi d'abord... 1 R 19.20. **9.62** le royaume de Dieu Mt 3.2+; 6.10+. **10.1** envoyés deux par deux Lc 9.1 par. **10.2** moisson abondante Mt 9.37-38; cf. Jn 4.35 — la moisson, image du jugement Es 33.11; 41.15-16; Am 9.9; Mt 3.12; Lc 3.17+.

d'envoyer des ouvriers dans sa moisson. ³ Allez ! Voici que je vous envoie comme des agneaux au milieu des loups. ⁴ N'emportez pas de bourse, pas de sac, pas de sandales, et n'échangez de salutations avec personne en chemin. ⁵ Dans quelque maison que vous entriez, dites d'abord : "Paix à cette maison". ⁶ Et s'il s'y trouve un homme de paix, votre paix ira reposer sur lui ; sinon, elle reviendra sur vous. ⁷ Demeurez dans cette maison, mangeant et buvant ce qu'on vous donnera, car le travailleur mérite son salaire. Ne passez pas de maison en maison. ⁸ Dans quelque ville que vous entriez et où l'on vous accueillera, mangez ce qu'on vous offrira. ⁹ Guérissez les malades qui s'y trouveront, et dites-leur : "Le *règne de Dieu est arrivé jusqu'à vous". ¹⁰ Mais dans quelque ville que vous entriez et où l'on ne vous accueillera pas sortez sur les places et dites : ¹¹ "Même la poussière de votre ville qui s'est collée à nos pieds, nous l'essuyons pour vous la rendre ⁿ. Pourtant, sachez-le : le règne de Dieu est arrivé".

(Mt 11.24, 21-23)

¹² Je vous le déclare : Ce jour-là, Sodome sera traitée avec moins de rigueur que cette ville-là. ¹³ Malheureuse es-tu, Chorazin ! malheureuse es-tu, Bethsaïda ! car si les miracles qui ont eu lieu chez vous avaient eu lieu à Tyr et à Sidon, il y a longtemps qu'elles se seraient converties, vêtues de sacs et assises dans la cendre. ¹⁴ Oui, lors du jugement, Tyr et Sidon seront traités avec moins de rigueur que vous. ¹⁵ Et toi, Capharnaüm, seras-tu élevée jusqu'au ciel ? Tu descendras jusqu'au séjour des morts.

¹⁶ Qui vous écoute m'écoute, et qui vous repousse me repousse ; mais qui me repousse repousse celui qui m'a envoyé.

¹⁷ Les soixante-douze disciples revinrent dans la joie, disant : « Seigneur, même les *démons nous sont soumis en ton *nom. » ¹⁸ Jésus leur dit : « Je voyais *Satan tomber du ciel comme l'éclair. ¹⁹ Voici, je vous ai donné le pouvoir de fouler aux pieds serpents et scorpions, et toute la puissance de l'ennemi, et rien ne pourra vous nuire. ²⁰ Pourtant ne vous réjouissez pas de ce que les esprits vous sont soumis, mais réjouissez-vous de ce que vos noms sont inscrits dans les *cieux. »

Les petits ; le Père et le Fils
(Mt 11.25-27)

²¹ A l'instant même, il exulta sous l'action de l'Esprit Saint et dit : « Je te loue, Père, Seigneur du ciel et de la terre, d'avoir caché cela aux sages et aux intelligents et de l'avoir révélé aux tout petits. Oui, Père, c'est ainsi que tu en as disposé dans ta bienveillance. ²² Tout m'a été remis par mon Père, et nul ne connaît qui est le Fils, si ce n'est le Père, ni qui est le Père si ce n'est le Fils et celui à qui le Fils veut bien le révéler. »

Le bonheur des disciples
(Mt 13.16-17)

²³ Puis il se tourna vers les *disciples et leur dit en particulier : « Heureux les yeux qui voient ce que vous voyez ! ²⁴ Car je vous le déclare, beaucoup de *prophètes, beaucoup de rois ont voulu voir ce que vous voyez et ne l'ont pas vu, entendre ce que vous entendez et ne l'ont pas entendu. »

n Voir Mc 6.11 et note

10.4-11 recommandations aux envoyés Lc 9.3-5 par. **10.4** pas de salutations (interminables) 2 R 4.29. **10.5** paix Lc 1.79+ — à cette maison 1 S 25.6. **10.7** demeurez dans cette maison Lc 9.4 — le travailleur mérite son salaire Mt 10.10; 1 Co 9.6-18; 2 Co 11.7-11; 1 Tm 5.18. **10.8** mangez ce qu'on vous offrira 1 Co 10.27. **10.9** le règne de Dieu est arrivé Mt 3.2; 4.17; 12.28; Mc 1.15; Lc 10.11; 11.20; 17.21; 19.11; 21.31. **10.11** la poussière de votre ville Lc 9.5 par.; Ac 13.51; 18.6. **10.12** Sodome Mt 10.15+ — traitement moins rigoureux Mt 11.24. **10.13** Malheureuse ! Mt 11.21+; Lc 6.24+ — Bethsaïda Mt 11.21+ — Tyr et Sidon Es 23; Ez 26—28; Jl 3.4-8; Am 1.9-10; Za 9.2-4; Mt 11.21+. **10.15** jusqu'au séjour des morts Es 14.13, 15 — Capharnaüm Mt 4.13+. **10.16** qui vous écoute... Mt 10.40; 18.5 par.; Jn 5.23; 13.20; 15.23 — celui qui m'a envoyé Jn 12.44. **10.18** Satan tombant du ciel Jn 12.31; Ap 12.8-9; cf. Es 14.12; Mc 1.13+. **10.19** fouler aux pieds les serpents Gn 3.15; Ps 91.13; cf. Mc 16.18 — l'ennemi Mt 13.39 — rien ne pourra vous nuire Mc 16.18. **10.20** les esprits vous sont soumis Mt 7.22 — livres du ciel Ap 3.5+. **10.21** révélé aux tout petits 1 Co 1.26-28. **10.22** tout... Mt 28.28; Jn 3.35; 13.3; 17.2; Ph 2.9 — le Père et le Fils Jn 10.15. **10.23** Heureux ! Mt 5.3+. **10.24** les prophètes ont voulu voir... 1 P 1.10. **10.25** légiste Lc 7.30+ — Jésus mis à l'épreuve Mt 16.1; 19.3; 22.35; Mc 10.2; Lc 11.16 — Que dois-je faire ? Lc 3.10; 18.18 par.; Ac 2.37; 16.30; 22.10.

L'amour pour Dieu et pour le prochain

(*Mt 22.34-40; Mc 12.28-31*)

25 Et voici qu'un *légiste se leva et lui
dit, pour le mettre à l'épreuve : « Maître,
que dois-je faire pour recevoir en partage
la *vie éternelle ? » 26 Jésus lui dit :
« Dans la Loi [o] qu'est-il écrit ? Comment
lis-tu ? » 27 Il lui répondit : « *Tu aimeras
le Seigneur ton Dieu de tout ton cœur, de
toute ton âme, de toute ta force, et de toute ta pensée* et *ton prochain comme toi-
même.* » 28 Jésus lui dit : « Tu as bien
répondu. Fais cela et tu auras la vie. »

La parabole du bon Samaritain

29 Mais lui, voulant montrer sa justice,
dit à Jésus : « Et qui est mon prochain ? »
30 Jésus reprit : « Un homme descendait de
Jérusalem à Jéricho, il tomba sur des
bandits qui, l'ayant dépouillé et roué de
coups, s'en allèrent, le laissant à moitié
mort. 31 Il se trouva qu'un *prêtre descendait par ce chemin ; il vit l'homme et
passa à bonne distance. 32 Un lévite [p] de
même arriva en ce lieu ; il vit l'homme
et passa à bonne distance. 33 Mais un
Samaritain [q] qui était en voyage arriva
près de l'homme : il le vit et fut pris de
pitié. 34 Il s'approcha, banda ses plaies
en y versant de l'huile et du vin [r], le
chargea sur sa propre monture, le conduisit à une auberge et prit soin de lui.
35 Le lendemain, tirant deux pièces d'argent, il les donna à l'aubergiste et lui dit :
"Prends soin de lui, et si tu dépenses
quelque chose de plus, c'est moi qui te le
rembourserai quand je repasserai". 36 Lequel des trois, à ton avis, s'est montré
le prochain de l'homme qui était tombé
sur les bandits ? » 37 Le légiste répondit :
« C'est celui qui a fait preuve de bonté
envers lui. » Jésus lui dit : « Va et, toi
aussi, fais de même. »

Jésus est reçu chez Marthe et Marie

38 Comme ils étaient en route, il entra
dans un village et une femme du nom
de Marthe le reçut dans sa maison. 39 Elle
avait une sœur nommée Marie qui, s'étant
assise aux pieds du Seigneur, écoutait
sa parole. 40 Marthe s'affairait à un service compliqué. Elle survint et dit : « Seigneur, cela ne te fait rien que ma sœur
m'ait laissée seule à faire le service ?
Dis-lui donc de m'aider. » 41 Le Seigneur
lui répondit : « Marthe, Marthe, tu t'in-
quiètes et t'agites pour bien des choses.
42 Une seule est nécessaire. C'est bien
Marie qui a choisi la meilleure part ; elle
ne lui sera pas enlevée. »

La prière des disciples : Le Notre Père

(*Mt 6.9-13*)

11 1 Il était un jour quelque part en
prière. Quand il eut fini, un de ses
disciples lui dit : « Seigneur, apprends-
nous à prier, comme Jean [s] l'a appris à
ses disciples. » 2 Il leur dit : « Quand vous
priez, dites :

Père,
Fais-toi reconnaître comme Dieu,
Fais venir ton règne,
3 Donne-nous le pain dont nous avons
besoin pour chaque jour,
4 Pardonne-nous nos péchés, car nous-
mêmes nous pardonnons à tous ceux
qui ont des torts envers nous,
Et ne nous expose pas à la *tentation. »

La parabole de l'ami qui se laisse fléchir

5 Jésus leur dit encore : « Si l'un de vous
a un ami et qu'il aille le trouver au milieu
de la nuit pour lui dire : "Mon ami, prête-moi trois pains, 6 parce qu'un de mes
amis m'est arrivé de voyage et je n'ai rien
à lui offrir", 7 et si l'autre, de l'intérieur,
lui répond : "Ne m'ennuie pas ! Maintenant la porte est fermée ; mes enfants et
moi nous sommes couchés ; je ne puis me
lever pour te donner du pain", 8 je vous
le déclare : même s'il ne se lève pas pour

o Voir note sur Rm 3.19 • *p* Au Temple de Jérusalem les *lévites* étaient chargés du chant, de la préparation des sacrifices et de la police intérieure • *q* Voir note sur Mt 10.5 • *r* Remèdes utilisés à cette époque pour calmer la douleur (huile) et désinfecter les plaies (vin), cf. Es 1.6 • *s* Il s'agit de Jean le Baptiste

10.27 tu aimeras le Seigneur Dt 6.5 (10.12; Jos 22.5; Mt 22.37; Mc 12.30) — ton prochain Lv 19.18 (Mt 5.43; 19.19 par.; 22.39 par.; Rm 13.9; Ga 5.14; Jc 2.8). **10.28** fais cela et tu auras la vie Lv 18.5; Rm 10.5; Ga 3.12. **10.33** Samaritain Lc 9.52+. **10.37** faire Mt 7.21+. **10.38-39** Marthe et Marie Jn 11.1; 12.2-3. **10.42** une seule chose nécessaire Lc 12.31; cf. Ac 6.2. **11.1** Jésus en prière Mt 14.23+; Mc 6.46+; Lc 3.21+ — comme Jean l'a enseigné Jn 5.33 — les disciples de Jean Mt 9.14+. **11.2** Père Lc 10.21; 22.42; 23.34, 46 — reconnu comme Dieu Mt 6.9+ — ton règne Mt 6.10+. **11.4** pardon des péchés Mt 26.28+ — dette remise Mt 18.24-27 — pardon fraternel Mt 18.35+ — tentation Mt 6.13+. **11.7** Ne m'ennuie pas Mt 26.10; Lc 18.5; Ga 6.17. **11.8** parce que l'autre est sans vergogne Lc 18.5.

lui en donner parce qu'il est son ami, eh bien, parce que l'autre est sans vergogne il se lèvera pour lui donner tout ce qu'il lui faut.

Demandez, frappez à la porte, cherchez
(Mt 7.7-11)

⁹ Eh bien, moi je vous dis : Demandez, on vous donnera *t* ; cherchez, vous trouverez ; frappez, on vous ouvrira. ¹⁰ En effet quiconque demande reçoit, qui cherche trouve, et à qui frappe on ouvrira. ¹¹ Quel père parmi vous, si son fils lui demande *u* un poisson, lui donnera un serpent au lieu de poisson ? ¹² Ou encore s'il demande un œuf, lui donnera-t-il un scorpion ? ¹³ Si donc vous, qui êtes mauvais, savez donner de bonnes choses à vos enfants, combien plus le Père céleste donnera-t-il l'Esprit Saint à ceux qui le lui demandent. »

Jésus a-t-il partie liée avec Satan ?
(Mt 9.32-34 ; 12.22-30 ; Mc 3.22-27)

¹⁴ Il chassait un *démon muet. Or, une fois le démon sorti, le muet se mit à parler et les foules s'émerveillèrent. ¹⁵ Mais quelques-uns d'entre eux dirent : « C'est par Béelzéboul, le chef des démons, qu'il chasse les démons. » ¹⁶ D'autres, pour le mettre à l'épreuve, réclamaient de lui un *signe qui vienne du *ciel. ¹⁷ Mais lui, connaissant leurs réflexions, leur dit : « Tout royaume divisé contre lui-même court à la ruine et les maisons s'y écroulent l'une sur l'autre. ¹⁸ Si *Satan aussi est divisé contre lui-même, comment son royaume se maintiendra-t-il ?... puisque vous dites que c'est par Béelzéboul que je chasse les démons. ¹⁹ Et si c'est par Béelzéboul que moi, je chasse les démons, vos disciples, par qui les chassent-ils ? Ils seront donc eux-mêmes vos juges. ²⁰ Mais si c'est par le doigt de Dieu que je chasse les démons, alors le *règne de Dieu vient de vous atteindre. ²¹ Quand

l'homme fort avec ses armes garde son palais, ce qui lui appartient est en sécurité. ²² Mais que survienne un plus fort qui triomphe de lui, il lui prend tout l'armement en quoi il mettait sa confiance, et il distribue ses dépouilles. ²³ Qui n'est pas avec moi est contre moi et qui ne rassemble pas avec moi disperse.

Le retour en force de l'esprit impur
(Mt 12.43-45)

²⁴ Lorsque l'esprit impur *v* est sorti d'un homme, il parcourt les régions arides en quête de repos ; comme il n'en trouve pas, il se dit : "Je vais retourner dans mon logis, d'où je suis sorti". ²⁵ A son arrivée, il le trouve balayé et mis, en ordre. ²⁶ Alors il va prendre sept autres esprits plus mauvais que lui ; ils y entrent et s'y installent ; et le dernier état de cet homme devient pire que le premier. »

Heureux ceux qui écoutent

²⁷ Or, comme il disait cela, une femme éleva la voix du milieu de la foule et lui dit : « Heureuse celle qui t'a porté et allaité ! » ²⁸ Mais lui, il dit : « Heureux plutôt ceux qui écoutent la parole de Dieu et qui l'observent ! »

Le signe de Jonas et le Fils de l'homme
(Mt 12.38-42)

²⁹ Comme les foules s'amassaient, il se mit à dire : « Cette génération est une génération mauvaise ; elle demande un *signe ! En fait de signe, il ne lui en sera pas donné d'autre que le signe de Jonas. ³⁰ Car, de même que Jonas fut un signe pour les gens de Ninive, de même aussi le *Fils de l'homme en sera un pour cette génération. ³¹ Lors du jugement, la reine du Midi se lèvera, avec les hommes de cette génération et elle les condamnera, car elle est venue du bout du monde pour écouter la sagesse de Salomon ; eh bien,

---

t Voir notes sur Mt 3.2 ; 7.1 ● *u* Après *lui demande*, certains manuscrits insèrent les mots suivants: *du pain, est-ce qu'il lui présentera une pierre ? ou un poisson...* (cf. Mt 7.9) ● *v* Voir note sur Mc 1.23

11.14 démon muet Mc 9.17-25. **11.15** Béelzéboul Mt 10.25+ — chef des démons Mt 9.34 — Jésus accusé de collusion avec Béelzéboul Mt 9.34 ; 12.24 ; Mc 3.22. **11.16** Jésus mis à l'épreuve Lc 10.25+ — un signe venant du ciel Mt 12.38+ ; Mc 8.11 — le ciel, désignation de Dieu Lc 15.7, 18, 21 20.4 ; cf. Mt 3.2+. **11.18** Satan Mc 1.3+. **11.20** le doigt de Dieu Ex 8.15. **11.22** un plus fort Lc 3.16. **11.23** avec ou contre Jésus Mt 12.30 ; Mc 9.40 ; cf. Lc 9.50. **11.24** régions arides Lc 8.29+. **11.26** pire Jn 5.14 **11.27** Heureuse ! Mt 5.3+ — celle qui t'a porté Lc 1.31, 42, 48. **11.28** écouter la parole de Dieu Lc 8.21. **11.29** cette génération Mt 12.39+ — elle demande un signe 1 Co 1.22 ; cf. Lc 7.22 ; 11.20 — le signe de Jonas Jon 3.2-5 ; Mt 16.4 ; cf. Mt 12.40. **11.30** le Fils de l'homme Mt 8.20+. **11.31** la reine du Midi 1 R 10.1-10 — la sagesse Lc 2.40, 52 ; 21.15 — de Salomon 1 R 3 ; 5.9-14.

ici il y a plus que Salomon. ³² Lors du jugement, les hommes de Ninive se lèveront avec cette génération et ils la condamneront, car ils se sont convertis à la prédication de Jonas ; eh bien, ici il y a plus que Jonas.

La lumière de la lampe
(Mt 5.15 ; Mc 4.21 ; Lc 8.16)

³³ Personne n'allume une lampe pour la mettre dans une cachette *w*, mais on la met sur son support, pour que ceux qui entrent voient la clarté.

(Mt 6.22-23)

³⁴ La lampe de ton corps, c'est l'œil. Quand ton œil est sain, ton corps tout entier est aussi dans la lumière ; mais si ton œil est malade, ton corps aussi est dans les ténèbres. ³⁵ Examine donc si la lumière qui est en toi n'est pas ténèbres. ³⁶ Si donc ton corps est tout entier dans la lumière, sans aucune part de ténèbres, il sera dans la lumière tout entier comme lorsque la lampe t'illumine de son éclat. »

Malheureux pharisiens et légistes !
(Mt 23.4, 6-7, 13, 25-27, 29-31, 34-36)

³⁷ Comme il parlait, un *pharisien l'invita à déjeuner chez lui. Il entra et se mit à table. ³⁸ Le pharisien fut étonné en voyant qu'il n'avait pas d'abord fait une ablution avant le déjeuner. ³⁹ Le Seigneur lui dit : « Maintenant vous, les pharisiens, c'est l'extérieur de la coupe et du plat que vous purifiez, mais votre intérieur est rempli de rapacité et de méchanceté. ⁴⁰ Insensés ! Est-ce que celui qui a fait l'extérieur n'a pas fait aussi l'intérieur ? ⁴¹ Donnez plutôt en aumône ce qui est dedans, et alors tout sera *pur pour vous.

⁴² Mais malheureux êtes-vous, pharisiens, vous qui versez la dîme de la menthe, de la rue et de tout ce qui pousse dans le jardin, et qui laissez de côté la justice et l'amour de Dieu. C'est ceci qu'il fallait faire, sans négliger cela. ⁴³ Malheureux êtes-vous, pharisiens, vous qui aimez le premier siège dans les *synagogues et les salutations sur les places publiques. ⁴⁴ Malheureux, vous qui êtes comme ces tombes que rien ne signale et sur lequelles on marche sans le savoir. »

⁴⁵ Alors un des *légistes dit à Jésus : « Maître, en parlant de la sorte, c'est nous aussi que tu insultes. » ⁴⁶ Il répondit : « Vous aussi, légistes, vous êtes malheureux, vous qui chargez les hommes de fardeaux accablants, et qui ne touchez pas vous-mêmes d'un seul de vos doigts à ces fardeaux. ⁴⁷ Malheureux, vous qui bâtissez les tombeaux des *prophètes, alors que ce sont vos pères qui les ont tués. ⁴⁸ Ainsi vous témoignez que vous êtes d'accord avec les actes de vos pères, puisque, eux, ils ont tué les prophètes et vous, vous bâtissez leurs tombeaux. ⁴⁹ C'est pourquoi la Sagesse de Dieu elle-même a dit : je leur enverrai des prophètes et des *apôtres ; ils en tueront et persécuteront ⁵⁰ afin qu'il soit demandé compte à cette génération du sang *x* de tous les prophètes qui a été versé depuis la fondation du monde, ⁵¹ depuis le sang d'Abel jusqu'au sang de Zacharie qui a péri entre *l'autel et le *sanctuaire. Oui, je vous le déclare, il en sera demandé compte à cette génération. ⁵² Malheureux vous, légistes, vous qui avez pris la clé de la connaissance : vous n'êtes pas entrés vous-mêmes, et ceux qui voulaient entrer, vous les en avez empêchés. »

⁵³ Quand il fut sorti de là, les *scribes et les pharisiens se mirent à s'acharner contre lui et à lui arracher des réponses sur quantité de sujets, ⁵⁴ lui tendant des pièges pour s'emparer d'un de ses propos.

Ceux qui se déclareront pour Jésus
(Mt 10.26-33, 19-20)

12 ¹ Là-dessus, comme la foule était assemblée par milliers, au point qu'on s'écrasait, il commença par dire à

---

w De nombreux manuscrits ajoutent (d'après Mt 5.15 ou Mc 4.21) *ou sous le boisseau.* Autre texte pour la fin du verset: que ceux qui entrent voient *la lumière* ● *x* C'est-à-dire de la *mort violente* (des prophètes). Voir Mt 27.24-25 et notes

11.32 conversion Lc 3.3 — des hommes de Ninive Jon 3.5, 8, 10. **11.37** Jésus invité par un pharisien Lc 7.36 ; 14.1. **11.38** Jésus ne pratique pas les ablutions rituelles Mt 15.2, 20. **11.41** donner Lc 6.30 par. ; 12.33 ; 16.9 ; 18.22 par. ; 19.8 ; 21.1-4 par. ; Ac 9.36 ; 10.2, 4, 31 ; 11.29 ; 24.17. **11.42** malheureux... Mt 11.21+ ; Lc 6.24+ — la dîme Lv 27.30 ; Dt 14.22-23. **11.45** un légiste Lc 7.30+. **11.49** la Sagesse de Dieu Lc 7.35+ — prophètes et apôtres maltraités Lc 6.23+. **11.50** demander compte du sang (versé) Gn 9.5 ; 42.22 ; 2 S 4.11 ; Ps 9.13 ; Ez 33.6, 8. **11.51** le sang d'Abel Gn 4.8 — le sang de Zacharie 2 Ch 24.20-21. **11.54** piège tendu à Jésus Mt 16.1 ; 19.3 ; 22.15, 35 ; Lc 20.20. **12.1** levain des pharisiens Mt 16.6 ; Mc 8.15 ; cf. 1 Co 5.6-8 ; Ga 5.9 — la fausseté Lc 6.42.

ses disciples : « Avant tout, gardez-vous du *levain des *pharisiens, la fausseté. ² Rien n'est voilé qui ne sera dévoilé, rien n'est secret qui ne sera connu. ³ Parce que tout ce que vous avez dit dans l'ombre sera entendu au grand jour ; et ce que vous avez dit à l'oreille dans la cave sera proclamé sur les terrasses *ᵛ*. ⁴ Je vous le dis à vous, mes amis : Ne craignez pas ceux qui tuent le corps et qui, après cela, ne peuvent rien faire de plus. ⁵ Je vais vous montrer qui vous devez craindre : craignez celui qui, après avoir tué, a le pouvoir de jeter dans la *géhenne. Oui, je vous le déclare, c'est Celui-là que vous devez craindre. ⁶ Est-ce que l'on ne vend pas cinq moineaux pour deux sous ? Pourtant pas un d'entre eux n'est oublié de Dieu. ⁷ Bien plus, même vos cheveux sont tous comptés. Soyez sans crainte, vous valez mieux que tous les moineaux. ⁸ Je vous le dis : quiconque se déclarera pour moi devant les hommes, le *Fils de l'homme aussi se déclarera pour lui devant les *anges de Dieu. ⁹ Mais celui qui m'aura renié par devant les hommes sera renié par devant les anges de Dieu. ¹⁰ Quiconque dira une parole contre le Fils de l'homme, cela lui sera pardonné ; mais qui aura *blasphémé contre le Saint-Esprit, cela ne lui sera pas pardonné. ¹¹ Lorsqu'on vous amènera devant les *synagogues, les chefs et les autorités, ne vous inquiétez pas de savoir comment vous défendre et que dire. ¹² Car le Saint-Esprit vous enseignera à l'heure même ce qu'il faut dire. »

Jésus refuse d'arbitrer un partage

¹³ Du milieu de la foule, quelqu'un dit à Jésus : « Maître, dis à mon frère de partager avec moi notre héritage. » ¹⁴ Jésus lui dit : « Qui m'a établi pour être votre juge ou pour faire vos partages ? » ¹⁵ Et il leur dit : « Attention ! Gardez-vous de toute avidité ; ce n'est pas du fait qu'un homme est riche qu'il a sa vie garantie par ses biens. »

La parabole du riche insensé

¹⁶ Et il leur dit une *parabole : « Il y avait un homme riche dont la terre avait bien rapporté. ¹⁷ Et il se demandait : "Que vais-je faire ? car je n'ai pas où rassembler ma récolte". ¹⁸ Puis il se dit : "Voici ce que je vais faire : je vais démolir mes greniers, j'en bâtirai de plus grands et j'y rassemblerai tout mon blé et mes biens". ¹⁹ Et je me dirai à moi-même : "Te voilà avec quantité de biens en réserve pour de longues années ; repose-toi, mange, bois, fais bombance". ²⁰ Mais Dieu lui dit : "Insensé, cette nuit même on te redemande *ᶻ ta vie, et ce que tu as préparé, qui donc l'aura ?" ²¹ Voilà ce qui arrive à celui qui amasse un trésor pour lui-même au lieu de s'enrichir auprès de Dieu *ᵃ. »

Ce qui doit préoccuper les disciples
(*Mt 6.25-33*)

²² Jésus dit à ses disciples : « Voilà pourquoi je vous dis : Ne vous inquiétez pas pour votre vie de ce que vous mangerez, ni pour votre corps de quoi vous le vêtirez. ²³ Car la vie est plus que la nourriture, et le corps plus que le vêtement. ²⁴ Observez les corbeaux : ils ne sèment ni ne moissonnent, ils n'ont ni cellier ni grenier ; et Dieu les nourrit. Combien plus valez-vous que les oiseaux ! ²⁵ Et qui d'entre vous peut par son inquiétude prolonger tant soit peu son existence ? Si donc vous êtes sans pouvoir même pour si peu, pourquoi vous inquiéter pour tout le reste ? ²⁷ Observez les lis : ils ne filent ni ne tissent et, je vous le dis : Salomon lui-même, dans toute sa gloire, n'a jamais été vêtu comme l'un d'eux. ²⁸ Si Dieu habille ainsi en pleins champs l'herbe qui

---

y Les terrasses: c'est en Orient un lieu habituel pour les conversations et la divulgation des nouvelles, étant donné le rapprochement des maisons. Voir note sur Mc 2.4 ● *z* Sur cette tournure impersonnelle pour parler de Dieu sans le nommer, voir notes sur Mt 3.2; 7.1 ● *a* Le v. 21 manque dans quelques manuscrits anciens

12.2 secret dévoilé Mc 4.22; Lc 8.17. **12.5** craindre (Dieu) Lc 1.50; 18.2, 4; 23.40; Ac 10.2, 22, 35. **12.7** vos cheveux Lc 21.18; Ac 27.34 — soyez sans crainte Mt 28.5+; Mc 16.6+ — mieux que les moineaux Lc 12.24. **12.8** se déclarer pour Jésus Ap 3.5 — le Fils de l'homme Mt 8.20+. **12.9** renier Jésus Mc 8.38; Lc 9.26. **12.10** contre le Fils de l'homme Lc 23.34; Ac 3.17; 13.27 — blasphémer Mt 9.3+; Mc 2.7 — contre le Saint-Esprit Ac 13.46; 18.6; 28.24-28; cf. Mt 12.32; Mc 3.22-29. **12.11-12** comment vous défendre Mt 10.20; Mc 13.11; Lc 21.12-15; Ac 4.8; 5.32; 7.55. **12.14** être votre juge Ex 2.14 (Ac 7.27, 35). **12.15** attention à l'avidité ! 1 Tm 6.9-10. **12.19-20** assurance insensée *Si* 11.19. **12.21** s'enrichir auprès de Dieu Mt 6.20; Lc 12.33; 18.22. **12.24** les corbeaux Ps 147.9 — plus que les oiseaux Mt 10.31; Lc 12.7. **12.26** si peu Lc 16.10; 19.17. **12.27** la gloire de Salomon 1 R 10.4-7.

est là aujourd'hui et qui demain sera jetée au feu, combien plus le fera-t-il pour vous, gens de peu de foi. ²⁹ Et vous, ne cherchez pas ce que vous mangerez ni ce que vous boirez, et ne vous tourmentez pas. ³⁰ Tout cela, les *païens de ce monde le recherchent sans répit, mais vous, votre Père sait que vous en avez besoin. ³¹ Cherchez plutôt son *royaume, et cela vous sera donné par surcroît. ³² Sois sans crainte, petit troupeau, car votre Père a trouvé bon de vous donner le Royaume.

Un trésor dans les cieux
(Mt 6.19-21)

³³ Vendez ce que vous possédez et donnez-le en aumône. Faites-vous des bourses inusables, un trésor inaltérable dans les *cieux ; là ni voleur n'approche, ni mite ne détruit. ³⁴ Car, où est votre trésor, là aussi sera votre *cœur.

Trois paraboles sur la vigilance
(Mt 24.43-51)

³⁵ Restez en tenue de travail et gardez vos lampes allumées. ³⁶ Et soyez comme des gens qui attendent leur maître à son retour des noces, afin de lui ouvrir dès qu'il arrivera et frappera. ³⁷ Heureux ces serviteurs que le maître à son arrivée trouvera en train de veiller. En vérité, je vous le déclare, il prendra la tenue de travail, les fera mettre à table et passera pour les servir. ³⁸ Et si c'est à la deuxième veille qu'il arrive, ou à la troisième, et qu'il trouve cet accueil, heureux sont-ils ! ³⁹ Vous le savez : si le maître de maison connaissait l'heure à laquelle le voleur va venir, il ne laisserait pas percer le mur de sa maison *b*. ⁴⁰ Vous aussi tenez-vous prêts, car c'est à l'heure que vous ignorez que le *Fils de l'homme va venir. »
⁴¹ Pierre dit alors : « Seigneur, est-ce pour nous que tu dis cette *parabole ou bien pour tout le monde ? » ⁴² Le Seigneur lui dit : « Quel est donc l'intendant fidèle, avisé, que le maître établira sur sa domesticité pour distribuer en temps voulu les rations de blé ? ⁴³ Heureux ce serviteur, que son maître en arrivant trouvera en train de faire ce travail ! ⁴⁴ Vraiment, je vous le déclare, il l'établira sur tous ses biens. ⁴⁵ Mais si ce serviteur se dit en son *cœur : "Mon maître tarde à venir" et qu'il se mette à battre les garçons et les filles de service, à manger, à boire et à s'enivrer, ⁴⁶ le maître de ce serviteur arrivera au jour qu'il n'attend pas et à l'heure qu'il ne sait pas : il le chassera et lui fera partager le sort des infidèles.
⁴⁷ Ce serviteur qui connaissait la volonté de son maître et qui pourtant n'a rien préparé ni fait selon cette volonté recevra bien des coups ; ⁴⁸ celui qui ne la connaissait pas et qui a fait de quoi mériter des coups en recevra peu. A qui l'on a beaucoup donné, on redemandera beaucoup ; à qui l'on a beaucoup confié, on réclamera davantage.

Pourquoi Jésus est venu

⁴⁹ C'est un feu que je suis venu apporter sur la terre, et comme je voudrais qu'il soit déjà allumé ! ⁵⁰ C'est un baptême que j'ai à recevoir, et comme cela me pèse jusqu'à ce qu'il soit accompli !

(Mt 10.34-36)

⁵¹ Pensez-vous que ce soit la paix que je suis venu mettre sur la terre ? Non, je vous le dis, mais plutôt la division. ⁵² Car désormais, s'il y a cinq personnes dans une maison, elles seront divisées : trois contre deux et deux contre trois. ⁵³ On se divisera père contre fils et fils contre père, mère contre fille et fille contre mère, belle-mère contre belle-fille et belle-fille contre belle-mère. »

b Voir note sur Mt 6.19

12.32 ne crains pas... Mt 28.5 ; Mc 16.6+ — image du troupeau Es 40.11 ; 49.9-10 ; Ez 34 appliquée à Israël Mt 9.36 ; Mc 6.34 aux pécheurs Mt 10.6 ; 15.24 ; Lc 15.4-6 ; 19.10 au groupe des disciples Mt 26.31 ; Mc 14.27 ; cf. Jn 10.1-16, 27 ; 21.15-17. **12.33** vendre pour donner Mt 19.21+ et par. — un trésor dans le ciel Lc 21.21. **12.35** en tenue de travail (ou de voyage) Ex 12.11 ; 1 R 18.46 ; 2 R 4.29 ; 9.1 ; Jb 38.3 ; 40.7 ; Pr 31.17 ; Jr 1.17 ; Lc 17.8 ; Ep 6.14 ; 1 P 1.13 — lampes allumées Mt 25.1, 7. **12.36** le retour du maître Mc 13.35-37 — noces Mt 25.6. **12.37** Heureux ! Mt 5.3+ — se mettre en tenue pour servir Lc 17.7-8 ; Jn 13.4. **12.39** le voleur Mt 24.43+. **12.40** la venue du Fils de l'homme Mt 10.23+. **12.42** intendant Mt 16.1, 3, 8 ; 1 Co 4.1-2. **12.43** Heureux ! Mt 5.3+ ; Lc 6.20. **12.44** il l'établira sur tous ses biens Mt 25.21, 23. **12.47** connaître la volonté du maître sans la faire Jc 4.17 — faire la volonté du maître Mt 6.10+. **12.49** un feu sur la terre Es 66.15-16 ; Ez 38.22 ; 39.6 ; Ml 3.19 ; Lc 3.16 ; Ac 2.3, 19. **12.50** un baptême à recevoir Mc 10.38-39 — l'eau et le feu, instruments du jugement de Dieu Lc 17.26-29 ; 2 P 2.5-6 ; 3.6-7. **12.51** paix sur la terre Jr 6.14 ; 8.11 ; Ez 13.10, 16 ; cf. Lc 1.79 ; 2.14. **12.53** famille divisée Mi 7.6 ; Ag 2.22 ; Ml 3.24 ; Lc 21.16 par.

Reconnaître les signes du temps présent
(Mt 16.2-3)

⁵⁴ Il dit encore aux foules : « Quand vous voyez un nuage se lever au couchant vous dites aussitôt : "La pluie vient" et c'est ce qui arrive. ⁵⁵ En quand vous voyez souffler le vent du midi vous dites : "Il va faire une chaleur accablante", et c'est ce qui arrive. ⁵⁵ Et vous savez reconnaître l'aspect de la terre et du ciel, et le temps présent, comment ne savez-vous pas le reconnaître ?

Avant d'être devant le juge
(Mt 5.25-26)

⁵⁷ Pourquoi aussi ne jugez-vous pas par vous-mêmes de ce qui est juste ? ⁵⁸ Ainsi, quand tu vas avec ton adversaire devant le magistrat, tâche de te dégager de lui en chemin, de peur qu'il ne te traîne devant le juge, que le juge ne te livre au garde et que le garde ne te jette en prison. ⁵⁹ Je te le déclare : "Tu n'en sortiras pas tant que tu n'auras pas payé jusqu'au dernier centime". »

Les Galiléens massacrés par Pilate

13 ¹ A ce moment survinrent des gens qui lui rapportèrent l'affaire des Galiléens dont Pilate *c* avait mêlé le sang à celui de leurs *sacrifices. ² Il leur répondit : « Pensez-vous que ces Galiléens étaient de plus grands pécheurs que tous les autres Galiléens pour avoir subi un tel sort ? ³ Non, je vous le dis, mais si vous ne vous convertissez pas, vous périrez tous de même.

⁴ Et ces dix-huit personnes sur lesquelles est tombée la tour à Siloé, et qu'elle a tuées, pensez-vous qu'elles étaient plus coupables que tous les autres habitants de Jérusalem ? ⁵ Non, je vous le dis, mais si vous ne vous convertissez pas, vous périrez tous de la même manière. »

La parabole du figuier stérile

⁶ Et il dit cette *parabole : « Un homme avait un figuier planté dans sa vigne. Il vint y chercher du fruit et n'en trouva pas. ⁷ Il dit alors au vigneron : "Voilà trois ans que je viens chercher du fruit sur ce figuier et je n'en trouve pas. Coupe-le. Pourquoi faut-il encore qu'il épuise la terre ?" ⁸ Mais l'autre lui répond : "Maître, laisse-le encore cette année, le temps que je bêche tout autour et que je mette du fumier. ⁹ Peut-être donnera-t-il du fruit à l'avenir. Sinon, tu le couperas". »

Une guérison, un jour de sabbat

¹⁰ Jésus était en train d'enseigner dans une *synagogue un jour de *sabbat. ¹¹ Il y avait là une femme possédée d'un esprit *d* qui la rendait infirme depuis dix-huit ans ; elle était toute courbée et ne pouvait se redresser complètement. ¹² En la voyant, Jésus lui adressa la parole et lui dit : « Femme, te voilà libérée de ton infirmité. » ¹³ Il lui *imposa les mains ; aussitôt elle redevint droite et se mit à rendre gloire à Dieu.

¹⁴ Le chef de la synagogue, indigné de ce que Jésus ait fait une guérison le jour du sabbat, prit la parole et dit à la foule : « Il y a six jours pour travailler. C'est donc ces jours-là qu'il faut venir pour vous faire guérir, et pas le jour du sabbat. » ¹⁵ Le Seigneur lui répondit : « Esprits pervertis, est-ce que le jour du sabbat chacun de vous ne détache pas de la mangeoire son bœuf ou son âne pour le mener boire ? ¹⁶ Et cette femme, fille d'Abraham, que *Satan a liée voici dix-huit ans, n'est-ce pas le jour du sabbat qu'il fallait la détacher de ce lien ? » ¹⁷ A ces paroles, tous ses adversaires étaient couverts de honte, et toute la foule se réjouissait de toutes les merveilles qu'il faisait.

Parabole de la graine de moutarde
(Mt 13.31-32; Mc 4.30-32)

¹⁸ Il dit alors : « A quoi est comparable le *royaume de Dieu ? A quoi le compa-

---

c Voir note sur Mc 15.1 ● *d* Voir note sur Mc 1.23. — Au lieu de *se redresser complètement* certains traduisent: *elle ne pouvait absolument pas se redresser*

13.1 Galiléens massacrés Ac 5.37. **13.2** souffrance et péché Jn 9.2-3. **13.3** menace du jugement Ps 7.12. **13.6** figuier sans figues Ha 3.17; Mt 21.19; Mc 11.13; Lc 3.8-9; 6.43-44. **13.8** encore cette année 2 P 3,9, 15. **13.10** dans une synagogue, un jour de sabbat Lc 6.6-11; cf. 14.1-6. **13.13** imposition des mains Mt 9.18+; Mc 5.23+; — gloire à Dieu Lc 2.20+. **13.14** guérison le jour de sabbat Lc 6.7, 9 par.; 14.4; Jn 5.16; 7.23; 9.14, 16; cf. Mt 12.1+ — six jours pour travailler Ex 20.9-10; Dt 5.13-14. **13.15** exception courante à la règle du sabbat Mt 12.11; Lc 14.5. **13.16** fille d'Abraham Lc 19.9 — Satan Mc 1.13+ — le sabbat, jour du salut Mc 3.4. **13.18** royaume de Dieu Mt 3.2+; 6.10+.

rerai-je ? ¹⁹ Il est comparable à une graine de moutarde qu'un homme plante dans son jardin. Elle pousse, elle devient un arbre, et les oiseaux du ciel font leurs nids dans ses branches. »

Parabole du levain
(Mt 13.33)

²⁰ Il dit encore : « A quoi comparerai-je le royaume de Dieu ? ²¹ Il est comparable à du *levain qu'une femme prend et enfouit dans trois *mesures de farine, si bien que toute la masse lève. »

L'entrée dans le Royaume de Dieu

²² Il passait par villes et villages, enseignant et faisant route vers Jérusalem.

(Mt 7.13-14)

²³ Quelqu'un lui dit : « Seigneur, n'y aura-t-il que peu de gens qui seront sauvés ? » Il leur dit alors : ²⁴ « Efforcez-vous d'entrer par la porte étroite, car beaucoup, je vous le dis, chercheront à entrer et ne le pourront pas.

(Mt 25.10-12)

²⁵ Après que le maître de maison se sera levé et aura fermé la porte, quand, restés dehors, vous commencerez à frapper à la porte en disant : "Seigneur, ouvre-nous" et qu'il vous répondra : "Vous, je ne sais d'où vous êtes",

(Mt 7.22-23)

²⁶ alors vous vous mettrez à dire : "Nous avons mangé et bu devant toi, et c'est sur nos places que tu as enseigné" ; ²⁷ et il vous dira ^e : "Je ne sais d'où vous êtes. Eloignez-vous de moi, vous tous qui faites le mal".

(Mt 8.12, 11)

²⁸ Il y aura les pleurs et les grince-

ments de dents, quand vous verrez Abraham, Isaac et Jacob, ainsi que tous les *prophètes dans le *royaume de Dieu, et vous jetés dehors. ²⁹ Alors il en viendra du levant et du couchant, du nord et du midi, pour prendre place au festin dans le royaume de Dieu.

(Mt 19.30; 20.16; Mc 10.31)

³⁰ Et ainsi, il y a des derniers qui seront premiers et il y a des premiers qui seront derniers. »

Jésus fait face à la mort

³¹ A cet instant, quelques *pharisiens s'approchèrent et lui dirent : « Va-t-en, pars d'ici, car *Hérode veut te faire mourir. » ³² Il leur dit : « Allez dire à ce renard : Voici, je chasse les *démons et j'accomplis des guérisons aujourd'hui et demain, et le troisième jour c'est fini. ³³ Mais il me faut poursuivre ma route aujourd'hui et demain et le jour suivant, car il n'est pas possible qu'un *prophète périsse hors de Jérusalem.

Complainte sur Jérusalem
(Mt 23.37-39)

³⁴ Jérusalem, Jérusalem, toi qui tues les *prophètes et lapides ceux qui te sont envoyés, que de fois j'ai voulu rassembler tes enfants comme une poule rassemble sa couvée sous ses ailes, et vous n'avez pas voulu. ³⁵ Eh bien, *elle va vous être abandonnée, votre maison.* Et je vous le dis, vous ne me verrez plus jusqu'à ce que vienne le temps où vous direz ^f : *Béni soit, au *nom du Seigneur, Celui qui vient.* »

Encore une guérison le jour de sabbat

14 ¹ Or Jésus était entré chez un des chefs des *pharisiens un jour de *sabbat pour y prendre un repas ; ils l'observaient, ² et justement un hydropique se trouvait devant lui. ³ Jésus prit la parole et dit aux *légistes et aux pha-

e Autre texte: *il dira: je vous le dis...* ● f Certains manuscrits lisent ici (comme en Mt 23.39) *jusqu'à ce que vous disiez...*

13.19 les oiseaux nichent dans ses branches Dn 4.9, 18; Ez 17.23; 31.6. **13.22** vers Jérusalem Lc 9.51; 17.11; 19.28. **13.24** efforcez-vous Lc 16.16; 1 Tm 6.12 — la porte étroite cf. Mc 10.25. **13.27** éloignez-vous Ps 6.9. **13.28** pleurs et grincements de dents Mt 8.12+. **13.29** du levant et du couchant Ps 107.3; cf. Es 2.2-5; 25.6-8; 60; 66.18-21 — le festin dans le royaume Es 25.6; Lc 14.15-24; 22.26, 18, 30; cf. Lc 16.22. **13.31** pharisiens favorables à Jésus Lc 7.36; 11.37; 14.1. **13.32** aujourd'hui Lc 2.11+. **13.33** Jésus comparé à un prophète Mt 16.14+ — martyre des prophètes Lc 6.23+. **13.35** Dieu va abandonner le Temple Mi 3.12; Jr 7.1-15; 26; Ez 8—11; cf. Lc 21.6 — Béni soit Celui... Ps 118.26 (Lc 19.38 par.). **14.1** Jésus invité par un pharisien Lc 7.36; 11.37. **14.3** légistes Lc 7.30+ — est-il permis... le jour du sabbat Lc 6.9 par.; cf. 13.10-17.

risiens : « Est-il permis ou non de guérir un malade le jour du sabbat ? » 4 Mais ils gardèrent le silence. Alors Jésus, prenant le malade, le guérit et le renvoya. 5 Puis il leur dit : « Lequel d'entre vous, si son fils ou son bœuf tombe dans un puits, ne le hissera pas aussitôt en plein jour de sabbat ? » 6 Et ils ne purent rien répondre à cela.

Choisir la dernière place

7 Jésus dit aux invités une *parabole, parce qu'il remarquait qu'ils choisissaient les premières places : il leur dit : 8 « Quand tu es invité à des noces, ne va pas te mettre à la première place, de peur qu'on ait invité quelqu'un de plus important que toi, 9 et que celui qui vous a invités, toi et lui, ne vienne te dire : "Cède-lui la place" ; alors tu irais tout confus prendre la dernière place. 10 Au contraire, quand tu es invité, va te mettre à la dernière place, afin qu'à son arrivée celui qui t'a invité te dise : "Mon ami, avance plus haut". Alors ce sera pour toi un honneur devant tous ceux qui seront à table avec toi. 11 Car tout homme qui s'élève sera abaissé et celui qui s'abaisse sera élevé. »

Inviter ceux qui n'ont rien à rendre

12 Il dit aussi à celui qui l'avait invité : « Quand tu donnes un déjeuner ou un dîner, n'invite pas tes amis, ni tes frères, ni tes parents, ni de riches voisins, sinon eux aussi t'inviteront en retour, et cela te sera rendu. 13 Au contraire, quand tu donnes un festin, invite des pauvres, des estropiés, des boiteux, des aveugles, 14 et tu seras heureux parce qu'ils n'ont pas de quoi te rendre : en effet, cela te sera rendu à la résurrection des justes. »

La parabole des invités
(Mt 22.1-10)

15 En entendant ces mots, un des convives dit à Jésus : « Heureux qui prendra part au repas dans le *royaume de Dieu ! »

16 Il lui dit : « Un homme allait donner un grand dîner, et il invita beaucoup de monde. 17 A l'heure du dîner, il envoya son serviteur dire aux invités : "Venez, maintenant c'est prêt g". 18 « Alors ils se mirent à s'excuser tous de la même façon. Le premier lui dit : "Je viens d'acheter un champ et il faut que j'aille le voir ; je t'en prie, excuse-moi". 19 Un autre dit : "Je viens d'acheter cinq paires de bœufs et je pars pour les essayer ; je t'en prie, excuse-moi". 20 Un autre dit : "Je viens de me marier, et c'est pour cela que je ne puis venir". 21 A son retour, le serviteur rapporta ces réponses à son maître. Alors, pris de colère, le maître de maison dit à son serviteur : "Va-t-en vite par les places et les rues de la ville, et amène ici les pauvres, les estropiés, les aveugles et les boiteux". 22 Puis le serviteur vint dire : "Maître, on a fait ce que tu as ordonné, et il y a encore de la place". 23 Le maître dit alors au serviteur : "Va-t'en par les routes et les jardins, et force les gens à entrer, afin que ma maison soit remplie. 24 Car, je vous le dis, aucun de ceux qui avaient été invités ne goûtera de mon dîner". »

Evaluer la dépense avant de suivre Jésus

25 De grandes foules faisaient route avec Jésus ; il se retourna et leur dit : 26 « Si quelqu'un vient à moi sans me préférer à son père, sa mère, sa femme, ses enfants, ses frères, ses sœurs, et même à sa propre vie, il ne peut être mon *disciple. 27 Celui qui ne porte pas sa croix et ne marche pas à ma suite ne peut être mon disciple.

28 En effet, lequel d'entre vous, quand il veut bâtir une tour, ne commence par s'asseoir pour calculer la dépense et juger s'il a de quoi aller jusqu'au bout ? 29 Autrement, s'il pose les fondations sans pouvoir terminer, tous ceux qui le verront se mettront à se moquer de lui 30 et diront : "Voilà un homme qui a commencé à bâtir et qui n'a pas pu terminer !" 31 Ou quel roi, quand il part faire la guerre à un autre roi, ne commence par

---

g Certains manuscrits lisent ici (comme en Mt 2.24): tout est prêt

14.5 exception à la règle du sabbat Mt 12.11; Lc 13.15.   14.6 incapables de répondre Mt 22.46. 14.7 les premières places Mt 23.6; Lc 20.46.   14.8-10 avance plus haut Pr 25.6-7.   14.11 élevé... abaissé Mt 18.4; 23.12+; cf. Lc 16.15.   14.13 des pauvres Lc 6.20+; cf. Lc 14.21.   14.14 désintéressement Lc 6.32-34 — résurrection des justes Jn 5.29.   14.15 heureux ! Mt 5.3+ — le repas dans le royaume de Dieu Lc 13.29+; Ap 19.19.   14.20 marié... empêché 1 Co 7.33; cf. Lc 14.26. 14.21 liste des malheureux Lc 14.13; cf. 6.20+.   14.23 invitation pressante Lc 24.29; Ac 16.15.   14.26 attachement à Jésus et attachement familial Mt 10.37; Lc 18.29 par.; cf. Jn 12.25. 14.27 porter sa croix Mt 10.38; Lc 9.23 par.

s'asseoir pour considérer s'il est capable, avec dix mille hommes, d'affronter celui qui marche contre lui avec vingt mille ? ³² Sinon, pendant que l'autre est encore loin, il envoie une ambassade et demande à faire la paix.

³³ De la même façon, quiconque parmi vous ne renonce pas à tout ce qui lui appartient ne peut être mon disciple.

Si le sel devient sans goût
(Mt 5.13 ; Mc 9.50)

³⁴ Oui, c'est une bonne chose que le sel. Mais si le sel lui-même perd sa saveur, avec quoi la lui rendra-t-on ? ³⁵ Il n'est bon ni pour la terre, ni pour le fumier : on le jette dehors. Celui qui a des oreilles pour entendre, qu'il entende. »

Jésus accueille les rejetés

15 ¹ Les collecteurs d'impôts ʰ et les *pécheurs s'approchaient tous de lui pour l'écouter. ² Et les *pharisiens et les scribes murmuraient ; ils disaient : « Cet homme-là fait bon accueil aux pécheurs et mange avec eux ⁱ ! »

La parabole de la brebis retrouvée
(Mt 18.12-14)

³ Alors il leur dit cette *parabole : ⁴ « Lequel d'entre vous, s'il a cent brebis et qu'il en perde une, ne laisse pas les quatre-vingt-dix-neuf autres dans le désert ʲ pour aller à la recherche de celle qui est perdue jusqu'à ce qu'il l'ait retrouvée ? ⁵ Et quand il l'a retrouvée, il la charge tout joyeux sur ses épaules, ⁶ et, de retour à la maison, il réunit ses amis et ses voisins, et leur dit : "Réjouissez-vous avec moi, car je l'ai retrouvée, ma brebis qui était perdue !" ⁷ Je vous le déclare, c'est ainsi qu'il y aura de la joie dans le *ciel, pour un seul pécheur qui se convertit, plus que pour quatre-vingt-dix-neuf justes qui n'ont pas besoin de conversion.

La parabole de la pièce retrouvée

⁸ « Ou encore, quelle femme, si elle a dix pièces d'argent et qu'elle en perde une, n'allume pas une lampe, ne balaie la maison et ne cherche avec soin jusqu'à ce qu'elle l'ait retrouvée ? ⁹ Et quand elle l'a retrouvée, elle réunit ses amies et ses voisines, et leur dit : "Réjouissez-vous avec moi, car je l'ai retrouvée, la pièce que j'avais perdue !" ¹⁰ C'est ainsi, je vous le déclare, qu'il y a de la joie chez les *anges de Dieu pour un seul pécheur qui se convertit. »

La parabole du fils retrouvé

¹¹ Il dit encore : « Un homme avait deux fils. ¹² Le plus jeune dit à son père : "Père, donne-moi la part de bien qui doit me revenir". Et le père leur partagea son avoir. ¹³ Peu de jours après, le plus jeune fils, ayant tout réalisé, partit pour un pays lointain et là, il dissipa son bien dans une vie de désordre. ¹⁴ Quand il eut tout dépensé, une grande famine survint dans ce pays, et il commença à se trouver dans l'indigence. ¹⁵ Il alla se mettre au service d'un des citoyens de ce pays qui l'envoya dans ses champs garder les porcs ᵏ. ¹⁶ Il aurait bien voulu se remplir le ventre des gousses que mangeaient les porcs, mais personne ne lui en donnait. ¹⁷ Rentrant alors en lui-même, il se dit : "Combien d'ouvriers de mon père ont du pain de reste, tandis que moi, ici, je meurs de faim !" ¹⁸ Je vais aller vers mon père et je lui dirai : "Père, j'ai péché envers le ciel ˡ et contre toi. ¹⁹ Je ne mérite plus d'être appelé ton fils. Traite-moi comme un de tes ouvriers". ²⁰ Il alla vers son père. Comme il était encore loin, son père l'aperçut et fut pris de pitié : il courut se jeter à son cou et le couvrit de baisers. ²¹ Le fils lui dit : "Père, j'ai péché envers le ciel et contre toi. Je ne mérite plus d'être appelé ton fils...". ²² Mais le père dit à ses serviteurs : "Vite, apportez la plus belle robe, et habillez-le ; mettez-lui un anneau au doigt, des sandales aux

---

ʰ Voir notes sur Mc 2.14-15. *Tous* est omis par certains manuscrits anciens ● ⁱ Voir Mt 9.11 et note ● ʲ Etendue inhabitée où l'on faisait paître les troupeaux ● ᵏ Voir note sur Mc 5.11 ● ˡ Voir note sur Mt 3.2

14.33 renoncer à ses biens Lc 18.24-30 ; cf. 5.11+. **14.35** des oreilles pour entendre Mt 11.15+ ; Mc 4.9, 23. **15.1** collecteurs d'impôts Mt 5.46+ — et pécheurs Lc 5.30 ; 7.34. **15.2** Jésus, ami des gens tenus à l'écart Lc 5.30+. **15.4** image du troupeau Lc 12.32+ — à la recherche de la brebis perdue Jr 23.1-4 ; Ez 34.11, 16 ; Mi 4.6-7 ; Lc 19.10. **15.7** le ciel (Dieu) Lc 11.16+. **15.10** devant (les anges de) Dieu Lc 12.8. **15.13** dissipa son bien Pr 29.3. **15.15** les porcs Dt 14.8. **15.18** j'ai péché Ps 51.6 — le ciel (Dieu) Lc 11.16+. **15.20** il courut *Tb* 11.9 — baiser de pardon 2 S 14.33.

pieds *m*. ²³ Amenez le veau gras, tuez-le, mangeons et festoyons, ²⁴ car mon fils que voici était mort et il est revenu à la vie, il était perdu et il est retrouvé".

Et ils se mirent à festoyer. ²⁵ Son fils aîné était aux champs. Quand, à son retour, il approcha de la maison, il entendit de la musique et des danses. ²⁶ Appelant un des serviteurs, il lui demanda ce que c'était. ²⁷ Celui-ci lui dit : "C'est ton frère qui est arrivé, et ton père a tué le veau gras parce qu'il l'a vu revenir en bonne santé". ²⁸ Alors il se mit en colère, et il ne voulait pas entrer. Son père sortit pour l'en prier ; ²⁹ mais il répliqua à son père : "Voilà tant d'années que je te sers sans avoir jamais désobéi à tes ordres ; et, à moi, tu n'as jamais donné un chevreau pour festoyer avec mes amis. ³⁰ Mais quand ton fils que voici est arrivé, lui qui a mangé ton avoir avec des filles, tu as tué le veau gras pour lui !" ³¹ Alors le père lui dit : "Mon enfant, toi, tu es toujours avec moi, et tout ce qui est à moi est à toi. ³² Mais il fallait festoyer et se réjouir, parce que ton frère que voici était mort et il est vivant, il était perdu et il est retrouvé". »

La parabole du gérant habile

16 ¹ Puis Jésus dit à ses *disciples : « Un homme riche avait un gérant qui fut accusé devant lui de dilapider ses biens. ² Il le fit appeler et lui dit : "Qu'est-ce que j'entends dire de toi ? Rends les comptes de ta gestion, car désormais tu ne pourras plus gérer mes affaires". ³ Le gérant dit alors en lui-même : "Que vais-je faire, puisque mon maître me retire la gérance ? Bêcher ? Je n'en ai pas la force. Mendier ? J'en ai honte. ⁴ Je sais ce que je vais faire pour qu'une fois écarté de la gérance, il y ait des gens qui m'accueillent chez eux". ⁵ Il fit venir alors un par un les débiteurs de son maître et il dit au premier : "Combien dois-tu à mon maître ?" ⁶ Celui-ci répondit : "Cent jarres d'huile". Le gérant lui dit : "Voici ton reçu, vite, assieds-toi et écris cinquante". ⁷ Il dit ensuite à un

autre : "Et toi, combien dois-tu ?" Celui-ci répondit : "Cent sacs de blé". Le gérant lui dit : "Voici ton reçu et écris quatre-vingts". ⁸ Et le maître fit l'éloge du gérant trompeur, parce qu'il avait agi avec habileté. En effet, ceux qui appartiennent à ce monde sont plus habiles vis-à-vis de leurs semblables que ceux qui appartiennent à la lumière.

L'Argent trompeur et le bien véritable

⁹ Eh bien moi, je vous dis : faites-vous des amis avec l'Argent trompeur pour qu'une fois celui-ci disparu, ces amis vous accueillent dans les demeures éternelles.

¹⁰ Celui qui est digne de confiance *n* pour une toute petite affaire est digne de confiance aussi pour une grande ; et celui qui est trompeur pour une toute petite affaire est trompeur aussi pour une grande. ¹¹ Si donc vous n'avez pas été dignes de confiance pour l'Argent trompeur, qui vous confiera le bien véritable ? ¹² Et si vous n'avez pas été dignes de confiance pour ce qui vous est étranger, qui vous donnera ce qui est à vous ?

(Mt 6.24)

¹³ Aucun domestique ne peut servir deux maîtres :

ou bien il haïra l'un et aimera l'autre,

ou bien il s'attachera à l'un et méprisera l'autre.

Vous ne pouvez servir Dieu et l'Argent. »

La Loi et le Royaume de Dieu

¹⁴ Les *pharisiens qui aimaient l'argent écoutaient tout cela, et ils ricanaient à son sujet. ¹⁵ Jésus leur dit : « Vous, vous montrez votre justice aux yeux des hommes, mais Dieu connaît vos *cœurs : ce qui pour les hommes *o* est supérieur est une horreur aux yeux de Dieu.

(Mt 11.13, 12)

¹⁶ La Loi et les Prophètes *p* vont jus-

---

m D'après Gn 41.42; Est 3.10; 8.2 *l'anneau* est signe d'autorité; les *sandales* signalent l'homme libre par opposition à l'esclave, qui reste nu-pieds ● *n* ou *fidèle* ● *o* ou *parmi les hommes* ● *p* Voir note sur Rm 3.19

15.24 mort et revenu à la vie Ep 2.1, 5; 5.14. **15.31** tout ce qui est à moi est à toi Jn 17.10. **16.1** gérant Lc 12.42+. **16.8** ceux qui appartiennent à la lumière Ep 5.8; 1 Th 5.5. **16.10** digne de confiance pour une petite affaire Mt 25.21, 23; Lc 19.17. **16.14** qui aimaient l'argent Lc 20.47. **16.15** se montrer juste aux yeux des hommes Mt 23.28; cf. Lc 8.9-14; 10.29; 18.9; 20.20 — Dieu connaît vos cœurs Pr 24.12 (grec); Ac 1.24; 15.8 — Dieu en a horreur Pr 16.5. **16.16** la Loi et les Prophètes Mt 7.12+ — Jean le Baptiste Mt 3.1+ — bonne nouvelle du royaume Lc 4.43+ — force Lc 13.24 — entrer dans le royaume Mt 5.20+.

qu'à Jean [q] ; depuis lors, la bonne nouvelle du *royaume de Dieu est annoncée et tout homme déploie sa force pour y entrer.

(*Mt 5.18*)

17 Le ciel et la terre passeront plus facilement que ne tombera de la *Loi une seule virgule.

(*Mt 5.32; 19.9; Mc 10.11-12*)

18 Tout homme qui répudie sa femme et en épouse une autre est adultère ; et celui qui épouse une femme répudiée par son mari est adultère.

La parabole du riche et de Lazare

19 Il y avait un homme riche qui s'habillait de pourpre et de linge fin et qui faisait chaque jour de brillants festins. 20 Un pauvre du nom de Lazare [r] gisait couvert d'ulcères au porche de sa demeure. 21 Il aurait bien voulu se rassasier de ce qui tombait de la table du riche ; mais c'étaient plutôt les chiens qui venaient lécher ses ulcères.

22 Or le pauvre mourut et fut emporté par les *anges au côté d'Abraham ; le riche mourut aussi et fut enterré. 23 Au séjour des morts, comme il était à la torture, il leva les yeux et vit de loin Abraham avec Lazare à ses côtés. 24 Alors il s'écria : "Abraham, mon père, aie pitié de moi et envoie Lazare tremper le bout de son doigt dans l'eau pour me rafraîchir la langue, car je souffre le supplice dans ces flammes". 25 Abraham lui dit : "Mon enfant, souviens-toi que tu as reçu ton bonheur durant ta vie, comme Lazare le malheur ; et maintenant il trouve ici la consolation, et toi la souffrance. 26 De plus, entre vous et nous, il a été disposé un grand abîme pour que ceux qui voudraient passer d'ici vers vous ne le puissent pas et que, de là non plus, on ne traverse pas vers nous".

27 Le riche dit : "Je te prie alors, père, d'envoyer Lazare dans la maison de mon père, 28 car j'ai cinq frères. Qu'il les avertisse pour qu'ils ne viennent pas, eux aussi, dans ce lieu de torture". 29 Abraham lui dit : "Ils ont Moïse et les prophètes [s], qu'ils les écoutent". 30 L'autre reprit : "Non, Abraham, mon père, mais si quelqu'un vient à eux de chez les morts, ils se convertiront". 31 Abraham lui dit : "S'ils n'écoutent pas Moïse, ni les prophètes, même si quelqu'un ressuscite des morts, ils ne seront pas convaincus". »

Les pièges pour la foi ; le pardon ; la foi

(*Mt 18.7, 6; Mc 9.42*)

17 1 Jésus dit à ses disciples : « Il est inévitable qu'il y ait des causes de chute [t]. Mais malheureux celui par qui la chute arrive. 2 Mieux vaut pour lui qu'on lui attache au cou une meule de moulin et qu'on le jette à la mer et qu'il ne fasse pas tomber un seul de ces petits. 3 Tenez-vous sur vos gardes.

(*Mt 18.15, 21-22*)

Si ton frère vient à t'offenser [u], reprends-le ; et s'il se repent, pardonne-lui. 4 Et si sept fois le jour il t'offense et que sept fois il revienne à toi en disant : "Je me repens", tu lui pardonneras. »

(*Mt 17.20*)

5 Les *apôtres dirent au Seigneur : « Augmente en nous [v] la foi. » 6 Le Seigneur dit : « Si vraiment vous avez de la foi, gros comme une graine de moutarde, vous diriez à ce sycomore : "Déracine-toi et va te planter dans la mer", et il vous obéirait.

Le serviteur qui n'a fait que son devoir

7 Lequel d'entre vous, s'il a un serviteur qui laboure ou qui garde les bêtes, lui dira à son retour des champs : "Va vite te mettre à table" ? 8 Est-ce qu'il ne lui dira pas plutôt : "Prépare-moi de quoi

q Il s'agit de Jean le Baptiste • *r* Forme abrégée *d'Eléazar* (Dieu aide) • *s* Comme en Ac 26.22; 28.23 l'expression désigne l'A.T. Voir aussi Rm 3.19 et note • *t* ou *des pièges pour la foi*. Voir Mc 9.42 • *u* Autre texte: *vient à pécher* • *v* ou *accorde-nous la foi*

16.18 répudiation et adultère 1 Co 7.10-11. **16.21** il aurait bien voulu Lc 15.16 — ce qui tombait de la table Mt 15.27; Mc 7.28 — les chiens Ps 22.17, 21; Pr 26.11; Mt 7.6. **16.22** Abraham au festin du Royaume Lc 13.28. **16.25** renversement des situations Lc 6.21+. **16.31** Moïse et les prophètes Lc 24.27, 44 — même si quelqu'un ressuscite Jn 11.44, 48; 20.29; cf. Lc 10.13. **17.1** cause de chute Mt 5.29+. **17.5** apôtres Lc 6.13+ — augmente en nous la foi Mc 9.24. **17.6** si vous avez de la foi... Mt 21.21; Mc 11.23 — une graine de moutarde Mt 13.32; Mc 4.31 — une foi qui déplace le sycomore cf. 1 Co 13.2; Es 40.4. **17.8** en tenue (de travail) Lc 12.35+.

dîner, mets-toi en tenue pour me servir, le temps que je mange et boive ; et après tu mangeras et tu boiras à ton tour" ? [9] A-t-il de la reconnaissance envers ce serviteur parce qu'il a fait ce qui lui était ordonné ? [10] De même, vous aussi, quand vous avez fait tout ce qui vous était ordonné, dites : "Nous sommes des serviteurs quelconques. Nous avons fait seulement ce que nous devions faire". »

Jésus guérit dix lépreux

[11] Or, comme Jésus faisait route vers Jérusalem, il passa à travers la *Samarie [w] et la Galilée. [12] A son entrée dans un village, dix *lépreux vinrent à sa rencontre. Ils s'arrêtèrent à distance [13] et élevèrent la voix pour lui dire : « Jésus, maître, aie pitié de nous. » [14] Les voyant, Jésus leur dit : « Allez vous montrer aux *prêtres. » Or, pendant qu'ils y allaient, ils furent purifiés. [15] L'un d'entre eux, voyant qu'il était guéri, revint en rendant gloire à Dieu à pleine voix. [16] Il se jeta le visage contre terre aux pieds de Jésus en lui rendant grâces ; or c'était un Samaritain. [17] Alors Jésus dit : « Est-ce que tous les dix n'ont pas été purifiés ? Et les neuf autres, où sont-ils ? [18] Il ne s'est trouvé parmi eux personne pour revenir rendre gloire à Dieu : il n'y a que cet étranger ! » [19] Et il lui dit : « Relève-toi, va. Ta foi t'a sauvé. »

La venue du règne de Dieu

[20] Les *pharisiens lui demandèrent : « Quand donc vient le *règne de Dieu ? » Il leur répondit : « Le règne de Dieu ne vient pas comme un fait observable. [21] On ne dira pas : "Le voici" ou "Le voilà". En effet, le règne de Dieu est parmi vous. »

Le Jour du Fils de l'homme

[22] Alors il dit aux disciples : « Des jours vont venir où vous désirerez voir ne fût-ce qu'un seul des jours du *Fils de l'homme, et vous ne le verrez pas.

(*Mt* 24.26-27)

[23] On vous dira : "Le voilà, le voici". Ne partez pas, ne vous précipitez pas. [24] En effet, comme l'éclair en jaillissant brille d'un bout à l'autre de l'horizon, ainsi sera le Fils de l'homme lors de son *Jour. [25] Mais auparavant il faut qu'il souffre beaucoup et qu'il soit rejeté de cette génération.

(*Mt* 24.37-39)

[26] Et comme il en fut aux jours de Noé, ainsi en sera-t-il aux jours du *Fils de l'homme : [27] on mangeait, on buvait, on prenait femme, on prenait mari, jusqu'au jour où Noé entra dans l'arche, alors le déluge vint et les fit tous périr. [28] Ou aussi, comme il en fut aux jours de Lot : on mangeait, on buvait, on achetait, on vendait, on plantait, on bâtissait ; [29] mais, le jour où Lot sortit de Sodome, "Dieu fit tomber du ciel une pluie de feu et de soufre" et les fit tous périr. [30] Il en ira de la même manière le Jour où le Fils de l'homme se révélera. [31] Ce Jour-là, celui qui sera sur la terrasse et qui aura ses affaires dans la maison, qu'il ne descende pas les prendre ; et de même celui qui sera au champ, qu'il ne revienne pas en arrière. [32] Rappelez-vous la femme de Lot. [33] Qui cherchera à conserver sa vie la perdra et qui la perdra la sauvegardera. [34] Je vous le dis, cette nuit-là, deux hommes seront sur le même lit : l'un sera pris, et l'autre laissé. [35] Deux femmes seront en train de moudre ensemble : l'une sera prise et l'autre laissée [x]. »

---

w Voir note sur Mt 10.5 ● *x* Certains manuscrits introduisent ici un v. 36 reproduisant Mt 24.40

17.10 serviteurs quelconques Mt 25.30. **17.11** vers Jérusalem Lc 9.51 ; 13.22 ; 19.28 — à travers la Samarie Lc 9.52 ; Jn 4.4. **17.12** lépreux Mt 8.2+ — à distance Lv 13.46. **17.13** maître Lc 5.5+ — aie pitié de nous Mt 9.27 ; 15.22 ; Lc 18.38 par. **17.14** montrez-vous aux prêtres Lv 14.2-3 ; Lc 5.14 par. **17.15** gloire à Dieu Lc 2.20+. **17.16** Samaritain Lc 9.52+. **17.19** ta foi t'a sauvé Lc 7.50+. **17.20** le règne de Dieu Mt 6.10+ ; cf. Mt 3.2+ — pas comme un fait observable cf. Jn 3.3 ; 18.36. **17.21** le voici... le voilà Mt 24.23 ; Mc 13.21 ; Lc 17.23 — parmi vous cf. Lc 11.20. **17.22** le Fils de l'homme Mt 8.20+. **17.23** ne vous précipitez pas cf. Lc 19.11 ; 21.8, 9. **17.24** le Jour du Fils de l'homme Mt 10.23+. **17.25** il faut qu'il souffre Mt 16.21 ; Mc 8.31+ — annonces de la Passion Lc 9.22 par. ; 18.32-33 par. **17.26** aux jours de Noé Gn 6.5-12. **17.27** entrée dans l'arche Gn 7.6-23. **17.28** aux jours de Lot Gn 18.20-21 ; 19.1-14. **17.29** pluie de feu et de soufre Gn 19.24. **17.31** celui qui sera sur la terrasse Mt 24.17-18 ; Mc 13.15-16 — pas de retour en arrière Gn 19.17 ; cf. Jr 4.6 ; 6.1 ; 48.6 ; 49.8, 30 ; 51.6. **17.32** la femme de Lot Gn 19.26. **17.33** vie gagnée, vie perdue Mt 10.39 ; 16.25 ; Mc 8.35 ; Lc 9.24 ; Jn 12.25. **17.34-35** l'un pris, l'autre laissé Mt 24.40-41.

³⁷ Prenant la parole, les disciples lui demandèrent : « Où donc, Seigneur ? » Il leur dit : « Où sera le corps, c'est là que se rassembleront les vautours. »

Parabole du juge qui se fit prier longtemps

18 ¹ Jésus leur dit une *parabole sur la nécessité pour eux de prier constamment et de ne pas se décourager. ² Il leur dit : « Il y avait dans une ville un juge qui n'avait ni crainte de Dieu ni respect des hommes. ³ Et il y avait dans cette ville une veuve qui venait lui dire : "Rends-moi justice contre mon adversaire". ⁴ Il s'y refusa longtemps. Et puis il se dit : "même si je ne crains pas Dieu ni ne respecte les hommes, ⁵ eh bien, parce que cette veuve m'ennuie, je vais lui rendre justice, pour qu'elle ne vienne pas sans fin me casser la tête". »
⁶ Le Seigneur ajouta : « Ecoutez bien ce que dit ce juge sans justice. ⁷ Et Dieu ne ferait pas justice à ses élus qui crient vers lui jour et nuit ? Et il les fait attendre ! ⁸ Je vous le déclare : il leur fera justice bien vite. Mais le *Fils de l'homme, quand il viendra, trouvera-t-il la foi sur la terre ? »

Le pharisien et le collecteur d'impôts

⁹ Il dit encore la *parabole que voici à certains qui étaient convaincus d'être justes et qui méprisaient tous les autres : ¹⁰ « Deux hommes montèrent au *Temple pour prier ; l'un était *pharisien et l'autre collecteur d'impôts ^y. ¹¹ Le pharisien, debout, priait ainsi en lui-même : "O Dieu, je te rends grâces de ce que je ne suis pas comme les autres hommes, qui sont voleurs, malfaisants, adultères, ou encore comme ce collecteur d'impôts. ¹² Je *jeûne deux fois par semaine, je paie la dîme de tout ce que je me procure". ¹³ Le collecteur d'impôts, se tenant à distance, ne

voulait même pas lever les yeux au ciel, mais il se frappait la poitrine en disant : "Mon Dieu, prends pitié du pécheur que je suis." ¹⁴ Je vous le déclare : celui-ci redescendit chez lui justifié, et non l'autre, car tout homme qui s'élève sera abaissé, mais celui qui s'abaisse sera élevé. »

Jésus et les enfants

(Mt 19.13-15 ; Mc 10.13-16)

¹⁵ Des gens lui amenaient même les bébés pour qu'il les touche. Voyant cela, les disciples les rabrouaient. ¹⁶ Mais Jésus fit venir à lui les bébés en disant : « Laissez les enfants venir à moi ; ne les empêchez pas, car le *royaume de Dieu est à ceux qui sont comme eux. ¹⁷ En vérité, je vous le déclare, qui n'accueille pas le royaume de Dieu comme un enfant n'y entrera pas. »

Jésus et le riche

(Mt 19.16-30 ; Mc 10.17-31)

¹⁸ Un notable ^z interrogea Jésus : « Bon maître, que dois-je faire pour recevoir la *vie éternelle en partage ? » ¹⁹ Jésus lui dit : « Pourquoi m'appelles-tu bon ? Nul n'est bon que Dieu seul. ²⁰ Tu connais les commandements : *tu ne commettras pas d'adultère, tu ne commettras pas de meurtre, tu ne voleras pas, tu ne porteras pas de faux témoignage, honore ton père et ta mère.* » ²¹ Le notable répondit : « Tout cela, je l'ai observé dès ma jeunesse. » ²² L'ayant entendu, Jésus lui dit : « Une seule chose encore te manque : tout ce que tu as, vends-le, distribue-le aux pauvres et tu auras un trésor dans les *cieux ; puis viens, suis-moi. » ²³ Quand il entendit cela, l'homme devint tout triste, car il était très riche.
²⁴ Le voyant, Jésus dit : « Qu'il est difficile à ceux qui ont les richesses de parvenir dans le *royaume de Dieu ! ²⁵ Oui, il est plus facile à un chameau d'entrer

y Voir notes sur Mc 2.14-15 ● *z* ou *un chef*

17.37 le corps et les vautours Jb 39.30 ; Mt 24.28.   **18.1** prier constamment Rm 1.10 ; 12.12 ; Ph 1.4 ; Col 1.3 ; 4.2 ; 1 Th 5.17 ; 2 Th 1.11 ; Phm 4 — ne pas se décourager 2 Co 4.1, 16 ; Ga 6.9 ; Ep 3.13 ; 2 Th 3.13.   **18.4** même si... Lc 11.8 — craindre Dieu Lc 12.5+.   **18.5** parce que celle m'ennuie Lc 5.7-8 ; 11.8.   **18.7** il les fait attendre Ps 44-23-25 ; Za 1.12 ; 2 P 3.9 ; Ap 6.9-11.   **18.8** bien vite Lc 17.22-30 — le Fils de l'homme Mt 8.20+ — sa venue Mt 10.23+ — trouvera-t-il la foi ? cf. Mt 24.10-12 ; 2 Th 2.3.   **18.9** convaincus d'être justes cf. Lc 5.32 ; 10.29 ; 15.7 ; 16.15.   **18.12** pratique du jeûne Mt 6.16+ ; 11.18 ; 5.33 — la dîme de tout Gn 14.20 ; cf. Mt 23.23+ ; Lc 11.42   **18.13** se frapper la poitrine Lc 23.48 — prends pitié Ps 51.3.   **18.14** justifié Ph 3.9 — élevé, abaissé Mt 18.4 ; 23.12+.   **18.17** comme un enfant Mt 18.3 ; Lc 10.21 — entrer dans le royaume Mt 5.20+.   **18.18** que dois-je faire ? Lc 10.25+.   **18.20** énumération des commandements Ex 20.12-16 ; Dt 5.16-20 ; cf. Rm 13.9.   **18.22** tout ce que tu as Lc 5.11+ — vendre pour donner Mt 19.21+ — un trésor dans le ciel Mt 6.20 ; Col 3.1-2 ; cf. *Si* 29.11.

par un trou d'aiguille qu'à un riche d'entrer dans le royaume de Dieu.» ²⁶ Les auditeurs dirent : « Alors, qui peut être sauvé ?» ²⁷ Et lui répondit : « Ce qui est impossible aux hommes est possible à Dieu.» ²⁸ Pierre dit : « Pour nous, laissant nos propres biens, nous t'avons suivi.» ²⁹ Il leur répondit : « En vérité, je vous le déclare, personne n'aura laissé maison, femme, frères, parents ou enfants, à cause du royaume de Dieu, ³⁰ qui ne reçoive beaucoup plus en ce temps-ci et, dans le monde à venir, la *vie éternelle.»

Jésus annonce encore sa mort et sa résurrection
(*Mt 20.17-19; Mc 10.32-34*)

³¹ Prenant les Douze avec lui, Jésus leur dit : « Voici que nous montons à Jérusalem et que va s'accomplir tout ce que les *prophètes ont écrit au sujet du *Fils de l'homme. ³² Car il sera livré aux *païens, soumis aux moqueries, aux outrages, aux crachats ; ³³ après l'avoir flagellé, ils le tueront et, le troisième jour, il ressuscitera.» ³⁴ Mais eux n'y comprirent rien. Cette parole leur demeurait cachée et ils ne savaient pas ce que Jésus voulait dire.

Jésus guérit un aveugle à Jéricho
(*Mt 20.29-34; Mc 10.46-52*)

³⁵ Or, comme il approchait de Jéricho, un aveugle était assis au bord du chemin, en train de mendier. ³⁶ Ayant entendu passer une foule, il demanda ce que c'était. ³⁷ On lui annonça : « C'est Jésus de Nazareth qui passe.» ³⁸ Il s'écria : « Jésus, *fils de David, aie pitié de moi !» ³⁹ Ceux qui marchaient en tête le rabrouaient pour qu'il se taise ; mais lui criait de plus belle : « Fils de David, aie pitié de moi !» ⁴⁰ Jésus s'arrêta et commanda qu'on le lui amène : quand il se fut

approché, il l'interrogea : ⁴¹ « Que veux-tu que je fasse pour toi ?» Il répondit : « Seigneur, que je retrouve la vue !» ⁴² Jésus lui dit : « Retrouve la vue. Ta foi t'a sauvé !» ⁴³ A l'instant même il retrouva la vue et il suivait Jésus en rendant gloire à Dieu. Tout le peuple voyant cela fit monter à Dieu sa louange.

Jésus s'invite chez Zachée

19 ¹ Entré dans Jéricho, Jésus traversait la ville. ² Survint un homme appelé Zachée ; c'était un chef des collecteurs d'impôts ᵃ et il était riche. ³ Il cherchait à voir qui était Jésus, et il ne pouvait y parvenir à cause de la foule, parce qu'il était de petite taille. ⁴ Il courut en avant et monta sur un sycomore afin de voir Jésus qui allait passer par là. ⁵ Quand Jésus arriva à cet endroit, levant les yeux il lui dit : « Zachée, descends vite : il me faut aujourd'hui demeurer dans ta maison.» ⁶ Vite, Zachée descendit et l'accueillit tout joyeux. ⁷ Voyant cela, tous murmuraient ; ils disaient : « C'est chez un *pécheur qu'il est allé loger.» ⁸ Mais Zachée, s'avançant, dit au Seigneur : « Eh bien, Seigneur, je fais don aux pauvres de la moitié de mes biens et, si j'ai fait tort à quelqu'un je lui rends le quadruple.» ⁹ Alors Jésus dit à son propos : « Aujourd'hui, le salut est venu pour cette maison car lui aussi est un fils d'Abraham. ¹⁰ En effet le *Fils de l'homme est venu chercher et sauver ce qui était perdu.»

La parabole des mines
(*Mt 25.14-30*)

¹¹ Comme les gens écoutaient ces mots, Jésus ajouta une *parabole parce qu'il était près de Jérusalem, et qu'eux se figuraient que le *règne de Dieu allait se manifester sur le champ. ¹² Il dit donc : « Un homme de haute naissance se rendit dans un pays lointain pour se faire

---

a Voir notes sur Mc 2.14-15

18.27 impossible, possible Mc 14.36; cf. Za 8.6; Gn 18.14; Jb 42.2. **18.30** ce temps-ci... le monde à venir Mt 12.32; Lc 16.8; 20.34-35. **18.31** les Douze Mt 10.2+ — ce que les prophètes ont écrit Lc 24.25-27, 44-46; Ac 3.18; 13.27-29 — le Fils de l'homme Mt 8.20+. **18.32** annonces de la Passion Lc 9.22 par.; 9.44-45 par.; 12.50; 13.32-33; 17.25. **18.34** inintelligence des disciples Mc 9.32; Lc 9.45. **18.37** Jésus de Nazareth (le Nazôréen) Mt 2.23+; Ac 2.22; 3.6; 4.10; 6.14; 22.8; 24.5; 26.9. **18.38** fils de David Mt 1.1+ — aie pitié de moi Mt 9.27; 15.22; Lc 17.13. **18.41** que veux-tu ? Mc 10.36. **18.42** ta foi t'a sauvé Lc 7.50+. **18.43** gloire à Dieu Lc 2.20+. **19.2** collecteurs d'impôts Mt 5.46+. **19.7** murmures Ex 15.24; 16.2, etc.; Mt 20.11; Lc 5.11; 15.2; Jn 6.41, 61; Ac 6.1; 1 Co 10.10; Jude 16 — Jésus ami des gens tenus à l'écart Lc 5.29-30+. **19.8** quatre fois plus Ex 21.37; 2 S 12.6; Pr 6.31; mais Lv 5.21-24; Nb 5.6-7. **19.9** aujourd'hui Lc 2.11+ — le salut pour cette maison Ac 16.31-34 — un fils d'Abraham Lc 13.16. **19.10** chercher et sauver Ez 34.16 (Mt 18.11); Lc 15.4, 6, 9. **19.12** dans un pays lointain Mc 13.34.

investir de la royauté, et revenir ensuite. [13] Il appela dix de ses serviteurs, leur distribua dix mines [b] et leur dit : "Faites des affaires jusqu'à mon retour". [14] Mais ses concitoyens le haïssaient et ils envoyèrent derrière lui une délégation pour dire : "Nous ne voulons pas qu'il règne sur nous". [15] Or, quand il revint après s'être fait investir de la royauté, il fit appeler devant lui ces serviteurs à qui il avait distribué l'argent, pour savoir quelles affaires chacun avait faites. [16] Le premier se présenta et dit : "Seigneur, ta mine a rapporté dix mines". [17] Il lui dit : "C'est bien, bon serviteur, puisque tu as été fidèle dans une toute petite affaire, reçois autorité sur dix villes". [18] Le second vint et dit : "Ta mine, Seigneur, a produit cinq mines". [19] Il dit de même à celui-là : "Toi, sois à la tête de cinq villes". [20] Un autre vint et dit : "Seigneur, voici ta mine, je l'avais mise de côté dans un linge. [21] Car j'avais peur de toi parce que tu es un homme sévère : tu retires ce que tu n'as pas déposé et tu moissonnes ce que tu n'as pas semé". [22] Il lui dit : "C'est d'après tes propres paroles que je vais te juger, mauvais serviteur. Tu savais que je suis un homme sévère, que je retire ce que je n'ai pas déposé et que je moissonne ce que je n'ai pas semé. [23] Alors pourquoi n'as-tu pas mis mon argent à la banque ? A mon retour, je l'aurais repris avec un intérêt". [24] Puis il dit à ceux qui étaient là : "Retirez-lui sa mine, et donnez-la à celui qui en a dix". [25] Ils lui dirent : "Seigneur, il a déjà dix mines !" [26] — "Je vous le dis : à tout homme qui a, l'on donnera, mais à celui qui n'a pas, même ce qu'il a lui sera retiré. [27] Quant à mes ennemis, ces gens qui ne voulaient pas que je règne sur eux, amenez-les ici, et égorgez-les devant moi". » [28] Sur ces mots, Jésus partit en avant pour monter à Jérusalem.

L'entrée de Jésus à Jérusalem
(Mt 21.1-11, 15-17; Mc 11.1-10; Jn 12.12-16)

[29] Or, quand il approcha de Bethphagé et de Béthanie, vers le mont dit des Oliviers, il envoya deux disciples [30] en leur disant : « Allez au village qui est en face ; en y entrant, vous trouverez un ânon attaché que personne n'a jamais monté. Détachez-le et amenez-le. [31] Et si quelqu'un vous demande : "Pourquoi le détachez-vous ?" vous répondrez : "Parce que le Seigneur en a besoin". » [32] Les envoyés partirent et trouvèrent les choses comme Jésus leur avait dit. [33] Comme ils détachaient l'ânon, ses maîtres leur dirent : « Pourquoi détachez-vous cet ânon ? » [34] Ils répondirent : « Parce que le Seigneur en a besoin. » [35] Ils amenèrent alors la bête à Jésus, puis jetant sur elle leurs vêtements, ils firent monter Jésus ; [36] et à mesure qu'il avançait, ils étendaient leurs vêtements sur la route. [37] Déjà il approchait de la descente du mont des Oliviers, quand tous les disciples en masse, remplis de joie, se mirent à louer Dieu à pleine voix pour tous les miracles qu'ils avaient vus. [38] Ils disaient :
« Béni soit Celui qui vient, le roi, au *nom du Seigneur !
Paix dans le *ciel et gloire au plus haut des cieux ! »
[39] Quelques *pharisiens, du milieu de la foule, dirent à Jésus : « Maître, reprends tes disciples ! » [40] Il répondit : « Je vous le dis : si eux se taisent, ce sont les pierres qui crieront. »

Jésus pleure sur Jérusalem

[41] Quand il approcha de la ville et qu'il l'aperçut, il pleura sur elle. [42] Il disait : « Si toi aussi tu avais su [c], en ce jour, comment trouver la paix... ! Mais hélas ! cela a été caché à tes yeux ! [43] Oui, pour toi des jours vont venir où tes ennemis établiront contre toi des ouvrages de siège ; ils t'encercleront et te serreront de toutes parts ; [44] ils t'écraseront, toi et tes enfants au milieu de toi ; et ils ne laisseront pas en toi pierre sur pierre, parce que tu n'as pas reconnu le temps où tu as été visitée. »

---

b Voir au glossaire MONNAIES ● c De nombreux manuscrits ajoutent ici *au moins*

19.17 fidèle dans une petite affaire !Lc 16.10.   **19.26** à tout homme qui a... Mt 13.12+. **19.28** monter à Jérusalem Lc 9.51; 13.22; 17.11.   **19.29** Béthanie Mt 21.17+ — mont des Oliviers Mc 11.1+.   **19.31** le Seigneur Lc 7.13.   **19.32** comme Jésus l'avait dit Lc 22.13. **19.35** un ânon comme monture Za 9.9-10; cf. 1 R 1.33.   **19.36** vêtements étendus en tapis d'honneur 2 R 9.13.   **19.37** près de la descente 1 R 1.38 — joie et acclamations 1 R 1.40 — louanges à Dieu Lc 2.20+.   **19.38** Ps 118.26 — le roi Jn 12.13 — paix Lc 1.79+ — au plus haut des cieux Lc 2.14.   **19.40** les pierres crient Ha 2.11.   **19.41** pleurs de Jésus Jn 11.35.   **19.42** si tu avais su... Dt 32.29 — cachés Es 6.9-10; Mt 13.14; Mc 4.12; Lc 8.10; Ac 28.26-27; Rm 11.8-10. **19.43** la ruine de Jérusalem annoncée Lc 21.20-24; 23.28-31.   **19.44** pas pierre sur pierre Lc 21.6 par. — tu as été visitée Lc 1.68+.

Jésus chasse les vendeurs du Temple
(*Mt 21.12-13; Mc 11.15-19; Jn 2.13-16*)

⁴⁵ Puis Jésus entra dans le *Temple et se mit à chasser ceux qui vendaient. ⁴⁶ Il leur disait : « Il est écrit : *Ma maison sera une maison de prière* ; mais vous, vous en avez fait *une caverne de bandits*.» ⁴⁷ Il était chaque jour à enseigner dans le Temple. Les *grands prêtres et les scribes cherchaient à le faire périr, et aussi les chefs du peuple ; ⁴⁸ mais ils ne trouvaient pas ce qu'ils pourraient lui faire, car tout le peuple, suspendu à ses lèvres, l'écoutait.

L'autorité de Jésus est mise en question
(*Mt 21.23-27; Mc 11.27-33*)

20 ¹ Or, un de ces jours-là, comme Jésus enseignait au peuple dans le *Temple et annonçait la Bonne Nouvelle, survinrent les *grands prêtres et les scribes avec les anciens. ² Ils lui dirent : « Dis-nous en vertu de quelle autorité tu fais cela, ou quel est celui qui t'a donné cette autorité ? » ³ Il leur répondit : « Moi aussi, je vais vous poser une question. Dites-moi : ⁴ Le baptême de Jean, venait-il du *ciel ou des hommes ? » ⁵ Ils réfléchirent entre eux : « Si nous disons : "du ciel", il dira : "Pourquoi n'avez-vous pas cru en lui ?" ⁶ Et si nous disons : "des hommes", tout le peuple nous lapidera, car il est convaincu que Jean était un *prophète.» ⁷ Alors ils répondirent qu'ils ne savaient pas d'où il venait. ⁸ Et Jésus leur dit : « Moi non plus, je ne vous dis pas en vertu de quelle autorité je fais cela.»

Parabole des vignerons meurtriers
(*Mt 21.33-46; Mc 12.1-12*)

⁹ Et il se mit à dire au peuple cette *parabole : « Un homme *planta une vigne*, il la donna en fermage à des vignerons et partit pour longtemps. ¹⁰ Le moment venu, il envoya un serviteur aux vignerons

pour qu'ils lui donnent sa part du fruit de la vigne ; mais les vignerons le renvoyèrent roué de coups et les mains vides. ¹¹ Il recommença en envoyant un autre serviteur ; lui aussi, ils le rouèrent de coups, l'insultèrent et le renvoyèrent les mains vides. ¹² Il recommença en envoyant un troisième ; lui aussi, ils le blessèrent et le chassèrent. ¹³ Le maître de la vigne se dit alors : "Que faire ? Je vais envoyer mon fils bien-aimé. Lui, ils vont bien le respecter". ¹⁴ Mais à la vue du fils, les vignerons firent entre eux ce raisonnement : "C'est l'héritier. Tuons-le pour que l'héritage soit à nous !". ¹⁵ Et le jetant hors de la vigne, ils le tuèrent. Que leur fera donc le maître de la vigne ? ¹⁶ Il viendra, il fera périr ces vignerons et confiera la vigne à d'autres.»

A ces mots, ils dirent : « Non, jamais ! » ¹⁷ Mais Jésus, les regardant en face, leur dit : « Que signifie donc ce texte de l'Ecriture : *La pierre qu'ont rejetée les bâtisseurs, c'est elle qui est devenue la pierre angulaire* ? ¹⁸ Tout homme qui tombe sur cette pierre sera brisé, et celui sur qui elle tombera, elle l'écrasera.»
¹⁹ Les scribes et les *grands prêtres cherchèrent à mettre la main sur lui à l'instant même, mais ils eurent peur du peuple. Ils avaient bien compris que c'était pour eux qu'il avait dit cette parabole.

L'impôt dû à César
(*Mt 22.15-22; Mc 12.13-17*)

²⁰ S'étant postés en observation, ils envoyèrent à Jésus des indicateurs jouant les justes ; ils voulaient le prendre en défaut dans ce qu'il dirait, pour le livrer à l'autorité et au pouvoir du gouverneur. ²¹ Ils lui posèrent cette question : « Maître, nous savons que tu parles et enseignes de façon correcte, que tu es impartial et que tu enseignes les chemins de Dieu selon la vérité. ²² Nous est-il permis oui ou non de payer l'impôt à César ? » ²³ Pénétrant leur fourberie, Jésus leur dit :

19.46 une maison de prière Es 56.7; cf. 1 R 8.30-40 — une caverne de bandits Jr 7.11. **19.47** chaque jour dans le Temple Lc 20.1; 21.37; 22.53; Jn 18.20 — cherchaient à le faire périr Lc 20.19 par.; 21.38; 22.2 par.; 23.27, 35; Jn 5.18; 7.30; cf. Mt 12.14+; Lc 6.11 par. **19.48** bonnes dispositions du peuple Lc 20.19; 21.38; 23.27, 35 — peur des réactions populaires Mt 14.5+. **20.1** grands prêtres, scribes et anciens Mc 11.27+. **20.4** activité baptismale de Jean Mt 3.6+; Ac 1.22; 10.37 — le ciel (Dieu) Lc 11.16+. **20.5** vous n'avez pas cru Mt 21.32. **20.6** peur de la réaction populaire Mt 14.5+; Mc 14.2. **20.9** une vigne Es 5.1. **20.10-12** missions successives des envoyés 2 Ch 36.15-16. **20.17** la pierre... Ps 118.22 (Ac 4.11; 1 P 2.4, 7); cf. Es 28.16. **20.18** brisé... écrasé Es 8.14-15; Dn 2.44 — salut ou perdition Lc 2.34; Rm 9.33; 1 P 2.6-8. **20.19** tentative d'arrestation Lc 19.47 — peur des réactions populaires Mt 14.5+; Ac 5.26. **20.20** piège tendu à Jésus Mt 16.1+; Lc 11.54 — jouant les justes Lc 16.15; 18.9. **20.21** Maître, nous savons que... Jn 3.2 — impartial Lv 19.15; Ac 10.34; Rm 2.11; Ga 2.6; Ep 6.9; Col 3.25; Jc 2.1 — les chemins (la voie) Ps 25.4, 9; 27.11; 51.15; Ac 9.2, etc. **20.22** payer l'impôt Rm 13.6-7.

²⁴ « Faites-moi voir une pièce d'argent. De qui porte-t-elle l'effigie et l'inscription ? » Ils répondirent : « De César. » ²⁵ Il leur dit : « Eh bien, rendez à César ce qui est à César, et à Dieu ce qui est à Dieu. » ²⁶ Et ils ne purent le prendre en défaut devant le peuple dans ses propos et, étonnés de sa réponse, ils gardèrent le silence.

Une question sur la résurrection
(Mt 22.23-33; Mc 12.18-27)

²⁷ Alors s'approchèrent quelques *Sadducéens. Les Sadducéens contestent qu'il y ait une résurrection. Ils lui posèrent cette question : ²⁸ « Maître, Moïse a écrit pour nous : *Si un homme a un frère marié qui meurt sans enfants, qu'il épouse la veuve et donne une descendance à son frère.* ²⁹ Or il y avait sept frères. Le premier prit femme et mourut sans enfant. ³⁰ Le second, ³¹ puis le troisième épousèrent la femme, et ainsi tous les sept : ils moururent sans laisser d'enfant. ³² Finalement la femme mourut aussi. ³³ Eh bien, cette femme, à la résurrection, duquel d'entre eux sera-t-elle la femme, puisque les sept l'ont eue pour femme ? »
³⁴ Jésus leur dit : « Ceux qui appartiennent à ce monde-ci prennent femme ou mari. ³⁵ Mais ceux qui ont été jugés dignes d'avoir part au monde à venir et à la résurrection des morts ne prennent ni femme ni mari. ³⁶ C'est qu'ils ne peuvent plus mourir, car ils sont pareils aux *anges : Ils sont fils de Dieu puisqu'ils sont fils de la résurrection ᵈ. ³⁷ Et que les morts doivent ressusciter, Moïse lui-même l'a indiqué dans le récit du buisson ardent, quand il appelle le Seigneur *le Dieu d'Abraham, le Dieu d'Isaac et le Dieu de Jacob.* ³⁸ Dieu n'est pas le Dieu des morts, mais des vivants, car tous sont vivants pour lui. » ³⁹ Quelques *scribes, prenant la parole, dirent : « Maître, tu as bien parlé. » ⁴⁰ Car ils n'osaient plus l'interroger sur rien.

Le Messie et David
(Mt 22.41-45; Mc 12.35-37)

⁴¹ Il leur dit alors : « Comment peut-on dire que le *Messie est fils de David,
⁴² puisque David lui-même dit au livre des Psaumes : *Le Seigneur a dit à mon Seigneur : siège à ma droite,* ⁴³ *jusqu'à ce que j'aie fait de tes ennemis un escabeau sous tes pieds ?* ⁴⁴ Ainsi David l'appelle Seigneur. Alors, comment est-il son fils ? »

Jésus met en garde contre les scribes
(Mc 12,37-40)

⁴⁵ Il dit aux disciples devant tout le peuple qui l'écoutait : ⁴⁶ « Gardez-vous des *scribes qui tiennent à déambuler en grandes robes, et qui aiment les salutations sur les places publiques, les premiers sièges dans les *synagogues, les premières places dans les dîners. ⁴⁷ Eux qui dévorent les biens des veuves et font pour l'apparence de longues prières, ils subiront la plus rigoureuse condamnation. »

L'offrande de la veuve
(Mc 12.41-44)

21 ¹ Levant les yeux, Jésus vit ceux qui mettaient leurs offrandes dans le tronc. C'étaient des riches. ² Il vit aussi une veuve misérable qui y mettait deux petites pièces, ³ et il dit : « Vraiment, je vous le déclare, cette veuve pauvre a mis plus que tous les autres. ⁴ Car tous ceux-là ont pris sur leur superflu pour mettre dans les offrandes ; mais elle, elle a pris sur sa misère pour mettre tout ce qu'elle avait pour vivre. »

Jésus annonce la ruine du Temple
(Mt 24.1-2; Mc 13.1-2)

⁵ Comme quelques-uns parlaient du *Temple, de son ornementation de belles pierres et d'ex-voto ᵉ, Jésus dit : ⁶ « Ce que vous contemplez, des jours vont venir où il n'en restera pas pierre sur pierre : tout sera détruit. »

Les signes annonciateurs de la crise
(Mt 24.3-8; Mc 13.3-8)

⁷ Ils lui demandèrent : « Maître, quand donc cela arrivera-t-il, et quel sera le *signe que cela va avoir lieu ? » ⁸ Il dit :

ᵈ Voir note sur 1 Th 5.5 ● ᵉ Ces offrandes peuvent être des éléments entrant dans la construction ou la décoration de l'édifice

20.27 Sadducéens Ac 23.8. **20.28** la loi du lévirat Dt 25.5-6; Gn 38.8. **20.37** le buisson ardent Ex 3.2 — Dieu d'Abraham... Ex 3.6. **20.38** tous vivants pour lui Rm 14.8-9. **20.42-43** Ps 110.1 (Mt 22.44+). **21.3-4** offrande 2 Co 8.12. **21.6** pas pierre sur pierre Lc 19.44 — la ruine du Temple annoncée Mi 3.12; Jr 7.1-15; 26.1-19; cf. Mt 26.61; 27.40 par.; Ac 6.14. **21.8** le moment est arrivé Dn 7.22; Ph 4.5.

« Prenez garde à ne pas vous laisser égarer, car beaucoup viendront en prenant mon nom ; ils diront : "C'est moi" et "Le moment est arrivé" ; ne les suivez pas. ⁹ Quand vous entendrez parler de guerres et de soulèvements, ne soyez pas effrayés. *Car il faut que cela arrive* d'abord, mais ce ne sera pas aussitôt la fin. » ¹⁰ Alors il leur dit : « *On se dressera nation contre nation et royaume contre royaume.* ¹¹ Il y aura de grands tremblements de terre et en divers endroits des pestes et des famines, des faits terrifiants venant du ciel et de grands signes.

La persécution, signe par excellence
(*Mt 10.17-22 ; Mc 13.9-13*)

¹² « Mais avant tout cela, on portera la main sur vous et on vous persécutera ; on vous livrera aux *synagogues, on vous mettra en prison ; on vous traînera devant des rois et des gouverneurs à cause de mon nom. ¹³ Cela vous donnera une occasion de témoignage. ¹⁴ Mettez-vous dans l'esprit que vous n'avez pas à préparer votre défense. ¹⁵ Car, moi, je vous donnerai un langage et une sagesse que ne pourront contrarier ni contredire aucun de ceux qui seront contre vous. ¹⁶ Vous serez livrés même par vos pères et mères, par vos frères, vos parents et vos amis, et ils feront condamner à mort plusieurs d'entre vous. ¹⁷ Vous serez haïs de tous à cause de mon nom ; ¹⁸ mais pas un cheveu de votre tête ne sera perdu. ¹⁹ C'est par votre persévérance que vous gagnerez la vie.

La destruction de Jérusalem
(*Mt 24.15-21 ; Mc 13.14-19*)

²⁰ « Quand vous verrez Jérusalem encerclée par les armées, sachez alors que l'heure de sa dévastation est arrivée.

²¹ Alors, ceux qui seront en Judée, qu'ils fuient dans les montagnes ; ceux qui seront à l'intérieur de la ville, qu'ils en sortent ; ceux qui seront dans les campagnes, qu'ils n'entrent pas dans la ville ! ²² Car ce seront des jours de vengeance où doit s'accomplir tout ce qui est écrit. ²³ Malheureuses celles qui seront enceintes et celles qui allaiteront en ces jours-là, car il y aura grande misère dans le pays et colère contre ce peuple. ²⁴ Ils tomberont dévorés par l'épée ; ils seront emmenés captifs dans toutes les nations, et Jérusalem sera foulée aux pieds par les nations jusqu'à ce que soit accompli le temps des nations.

La venue du Fils de l'homme
(*Mt 24.29-31 ; Mc 13.24-27*)

²⁵ « Il y aura des *signes dans le soleil, la lune et les étoiles, et sur la terre les nations seront dans l'angoisse, épouvantées par le fracas de la mer et son agitation, ²⁶ tandis que les hommes défailleront de frayeur dans la crainte des malheurs arrivant sur le monde ; car les *puissances des cieux* seront ébranlées. ²⁷ Alors, ils verront *le *Fils de l'homme venir entouré d'une nuée* dans la plénitude de la puissance et de la gloire. ²⁸ Quand ces événements commenceront à se produire, redressez-vous et relevez la tête, car votre délivrance *f* est proche. »

L'approche du règne de Dieu
(*Mt 24.32-35 ; Mc 13.28-31*)

²⁹ Et il leur dit une comparaison : « Voyez le figuier et tous les arbres : ³⁰ dès qu'ils bourgeonnent vous savez de vous-mêmes, à les voir, que déjà l'été est proche. ³¹ De même, vous aussi, quand vous verrez cela arriver, sachez que le *règne

f ou *votre rédemption*

21.9 il faut que cela arrive Dn 2.28.   **21.10** nation contre nation Es 19.2 ; 2 Ch 15.6.   **21.12** on vous livrera Mt 24.9 ; Lc 12.11 — devant rois et gouverneurs Ac 25.13—26.32.   **21.13** occasion de témoignage Lc 24.48 ; Ac 1.8+.   **21.14-15** votre défense Mc 13.11 ; Lc 12.11-12.   **21.15** une sagesse irrésistible Ac 6.10 — l'assistance de Jésus Jn 14.18-21 ; cf. Lc 12.11-12 ; Jn 15.26-27 ; 16. 8-11.   **21.16** livrés par vos proches Mc 13.12 — la mort pour plusieurs Lc 11.49.   **21.17** haïs à cause de Jésus Mt 24.9 ; Mc 13.13 ; Jn 15.18-21.   **21.18** pas un cheveu 1 S 14.45 ; Mt 10.30 ; Lc 12.7 ; Ac 27.34.   **21.19** persévérance Lc 8.15+.   **21.20** la ruine de Jérusalem annoncée Lc 19. 43 ; 23.28-31.   **21.21** fuir Lc 17.31.   **21.22** jours de vengeance Dt 32.35 ; Os 9.7 ; Jr 46.10.   **21.23** une grande misère Co 7.26.   **21.24** dévorés par l'épée Jr 21.7 ; Si 28.18 et emmenés captifs Esd 9.7 — Jérusalem foulée aux pieds Za 12.3 (grec) ; Ps 79.1 ; Es 63.18 ; Dn 9.26 ; *I M* 3.45, 51 — jusqu'à ce que soit accompli le temps Dn 12.7 ; *Tb* 14.5 des païens Rm 11.25 ; Ap 11.2.   **21.25** des signes dans les astres Es 13.10 ; Ez 32.7 ; Jl 3.3-4 ; Ap 6.12-13 — le fracas de la mer Ps 46.3-4 ; 65.8 ; *Sg* 5.22.   **21.26** ébranlement Ag 2.6, 21.   **21.27** le Fils de l'homme venant sur les nuées Mt 24. 30+.   **21.28** votre délivrance Rm 3.24 ; 8.23 1 Co 1.30 ; Col 1.14 ; cf. Lc 1.68 ; 2.38 ; 24.21 est proche Rm 13.11.

de Dieu est proche. ³² En vérité, je vous le déclare, cette génération ne passera pas que tout n'arrive. ³³ Le ciel et la terre passeront, mes paroles ne passeront pas.

Exhortation à rester en éveil

³⁴ « Tenez-vous sur vos gardes, de crainte que vos *cœurs ne s'alourdissent dans l'ivresse, les beuveries et les soucis de la vie, et que ce jour-là ne tombe sur vous à l'improviste, ³⁵ comme un filet *g* ; car il s'abattra sur tous ceux qui se trouvent sur la face de la terre entière. ³⁶ Mais restez éveillés et priez en tout temps pour être jugés dignes d'échapper à tous ces événements à venir et de vous tenir debout devant le *Fils de l'homme. »

Les derniers jours de liberté pour Jésus

³⁷ Jésus passait le jour dans le *Temple à enseigner et il sortait passer la nuit sur le mont dit des Oliviers *h*. ³⁸ Et tout le peuple venait à lui dès l'aurore dans le Temple pour l'écouter.

Le complot contre Jésus
(Mt 26.1-5, 14-16; Mc 14.1-2, 10-11)

22 ¹ La fête des Pains sans levain, qu'on appelle *Pâque, approchait. ² Les *grands prêtres et les scribes cherchaient la manière de le supprimer car ils craignaient le peuple. ³ Et *Satan entra en Judas appelé Iscarioth *i*, qui était du nombre des Douze, ⁴ et il alla s'entretenir avec les grands prêtres et les chefs des gardes *j* sur la manière de le leur livrer. ⁵ Eux se réjouirent et convinrent de lui donner de l'argent. ⁶ Il accepta et se mit à chercher une occasion favorable pour le leur livrer à l'écart de la foule.

Jésus fait préparer la Pâque
(Mt 26.17-19; Mc 14.12-16)

⁷ Vint le jour des Pains sans levain où il fallait immoler la *Pâque, ⁸ Jésus envoya Pierre et Jean en disant : « Allez nous préparer la Pâque, que nous la mangions. » ⁹ Ils lui demandèrent : « Où veux-tu que nous la préparions ? » ¹⁰ Il leur répondit : « A votre entrée dans la ville, voici que viendra à votre rencontre un homme portant une cruche d'eau. Suivez-le dans la maison où il entrera, ¹¹ et vous direz au propriétaire de cette maison : "le Maître te fait dire : Où est la salle où je vais manger la Pâque avec mes disciples ?" ¹² Et cet homme vous montrera la pièce du haut, vaste et garnie ; c'est là que vous ferez les préparatifs. » ¹³ Ils partirent, trouvèrent tout comme il leur avait dit, et ils préparèrent la Pâque.

Le pain et le vin de la Cène
(Mt 26.26-29; Mt 14.22-25; 1 Co 11.23-26)

¹⁴ Et quand ce fut l'heure, il se mit à table, et les *apôtres avec lui. ¹⁵ Et il leur dit : « J'ai tellement désiré manger cette *Pâque avec vous avant de souffrir. ¹⁶ Car, je vous le déclare, jamais plus je ne la mangerai jusqu'à ce qu'elle soit accomplie dans le *royaume de Dieu. » ¹⁷ Il reçut alors une coupe et après avoir rendu grâce il dit : « Prenez-la et partagez entre vous. ¹⁸ Car, je vous le déclare : Je ne boirai plus désormais du fruit de la vigne jusqu'à ce que vienne le règne de Dieu. »
¹⁹ Puis il prit du pain et après avoir rendu grâce, il le rompit et le leur donna en disant : « Ceci est mon corps donné pour vous. Faites ceci en mémoire de moi. » ²⁰ Et pour la coupe, il fit de même après le repas, en disant : « Cette coupe

---

g De nombreux manuscrits lient les mots *comme un filet* à la phrase suivante: *car il s'abattra comme un filet...* ● *h* Voir note sur Mc 11.1 ● *i* Voir Mc 3.19 et note ● *j* Il s'agit des officiers responsables de la police du Temple. Voir v. 52 et note sur Lc 10.32

21.33 le ciel et la terre passeront Mt 5.18; Lc 16.17.   **21.34** surpris en pleine beuverie Mt 24.48-50; Lc 17.27 — à l'improviste 1 Th 5.3.   **21.35** comme un filet Es 24.17.   **21.36** en éveil Mc 13.33 — priez en tout temps Lc 18.1 — tenir debout Ap 6.17.   **21.37** Jésus enseigne dans le Temple Lc 19.47; 22.53; Jn 18.20 — la nuit au mont des Oliviers Lc 22.39; cf. Mc 11.1+.   **22.1** pains sans levain et Pâque juive Ex 12.1-27; Jn 11.57.   **22.2** conciliabule des adversaires de Jésus Mt 12.14+; Lc 19.47+ et par. — peur de la réaction populaire Mt 14.5+.   **22.3** Satan Mc 1.13+ — Judas Iscarioth Mt 10.4+ — l'un des Douze Ac 1.17; cf. Mt 10.2+ — Satan et Judas Jn 13.2, 27.   **22.4** chefs des gardes du Temple Lc 22.52; Ac 4.1; 5.24, 26.   **22.7** Pâque et Pains sans levain Lc 22.1+.   **22.8** préparation de la Pâque Ex 12.8-11.   **22.13** comme Jésus l'avait dit Lc 19.32.   **22.15** la souffrance (mort) de Jésus Lc 24.26, 46; Ac 1.3; 3.18; 17.3; He 2.18; 1 P 1.21.   **22.16** repas dans le royaume de Dieu Lc 13.29.   **22.18** le règne de Dieu Mt 6.10+; cf. 3.2+.   **22.19** il prit du pain Lc 24.30; Ac 27.35 — en mémoire de moi 1 Co 11.24-25; cf. Ex 12.14; 13.9; Dt 16.3.   **22.20** le sang de l'alliance Ex 24.8; Za 9.11; He 9.20 — nouvelle alliance Jr 31.31; 32.40; 1 Co 11.25.

est la nouvelle *alliance en mon sang versé pour vous.

Jésus annonce qu'il va être trahi
(Mt 26.20-25; Mc 14.17-21)

²¹ « Mais voici : la main de celui qui me livre se sert à cette table avec moi. ²² Car le *Fils de l'homme s'en va selon ce qui a été fixé. Mais malheureux cet homme par qui il est livré ! » ²³ Et ils se mirent à se demander les uns aux autres lequel d'entre eux allait faire cela.

La grandeur de celui qui sert
(Mt 18.1; 20.25-28; Mc 9.34; 10.42-45)

²⁴ Ils en arrivèrent à se quereller sur celui d'entre eux qui leur semblait le plus grand. ²⁵ Il leur dit : « Les rois des nations agissent avec elles en seigneurs, et ceux qui dominent sur elles se font appeler bienfaiteurs. ²⁶ Pour vous, rien de tel. Mais que le plus grand parmi vous prenne la place du plus jeune, et celui qui commande la place de celui qui sert. ²⁷ Lequel est en effet le plus grand, celui qui est à table ou celui qui sert ? N'est-ce pas celui qui est à table ? Or, moi, je suis au milieu de vous à la place de celui qui sert.

(Mt 19.28)

²⁸ « Vous êtes, vous, ceux qui ont tenu bon avec moi dans mes épreuves. ²⁹ Et moi, je dispose pour vous du *royaume comme mon Père en a disposé pour moi : ³⁰ ainsi vous mangerez et boirez à ma table dans mon royaume, et vous siégerez sur des trônes pour juger les douze tribus d'Israël. »

Jésus avertit Pierre

³¹ Le Seigneur dit : « Simon, Simon, *Satan vous a réclamés pour vous secouer dans un crible comme on fait pour le

blé. ³² Mais moi j'ai prié pour toi, afin que ta foi ne disparaisse pas. Et toi, quand tu seras revenu affermis tes frères. »

(Mt 26.33-34; Mc 14.29-30)

³³ Pierre lui dit : « Seigneur, avec toi, je suis prêt à aller même en prison, même à la mort. » ³⁴ Jésus dit : « Je te le déclare, Pierre, le coq ne chantera pas aujourd'hui, que tu n'aies par trois fois nié me connaître. »

Le moment d'être équipé et armé

³⁵ Et il leur dit : « Lorsque je vous ai envoyés sans bourse, ni sac, ni sandales, avez-vous manqué de quelque chose ? » Ils répondirent : « De rien. » ³⁶ Il leur dit : « Maintenant, par contre, celui qui a une bourse, qu'il la prenne ; de même celui qui a un sac ; et celui qui n'a pas d'épée, qu'il vende son manteau pour en acheter une. ³⁷ Car, je vous le déclare, il faut que s'accomplisse en moi ce texte de l'Ecriture : On l'a compté parmi les criminels. Et, de fait, ce qui me concerne va être accompli. » ³⁸ — « Seigneur, dirent-ils, voici deux épées. » Il leur répondit : « C'est assez. »

La prière de Jésus au mont des Oliviers
(Mt 26.36-41; Mc 14.32-38)

³⁹ Il sortit et se rendit comme d'habitude au mont des Oliviers ᵏ et les disciples le suivirent. ⁴⁰ Arrivé sur place, il leur dit : « Priez pour ne pas tomber au pouvoir de la *tentation. » ⁴¹ Et lui s'éloigna d'eux à peu près à la distance d'un jet de pierre ; s'étant mis à genoux, il priait disant : ⁴² « Père, si tu veux écarter de moi cette coupe... Pourtant, que ce ne soit pas ma volonté mais la tienne qui se réalise ! » ⁴³ Alors lui apparut du ciel un ange qui le fortifiait. ⁴⁴ Pris d'angoisse, il priait plus instamment, et sa sueur devint comme des caillots de sang qui tombaient à terre.

ᵏ Voir note sur Mc 11.1

22.21 un traître parmi les convives Ps 41.10; Jn 13.21. 22.22 le Fils de l'homme Mt 8.20+ — selon ce qui a été fixé Ac 2.23; 10.42; 17.31. 22.23 lequel d'entre eux ? Jn 13.22. 22.24 le plus grand Lc 9.46 par. 22.26 grandeur du service Mt 20.26+; Mc 9.35. 22.27 Jésus, celui qui sert Jn 13.4-16. 22.29 celui qui dispose du royaume Lc 12.32. 22.30 le festin dans le royaume Lc 13.28+. 22.31 Simon cf. Mt 4.18+ — Satan vous a réclamés 2 Co 2.11; cf. Mc 1.13+ — dans un crible comme pour le blé Am 9.9. 22.33 avec toi... même à la mort Lc 22.54; Jn 13.37. 22.34 trois fois Lc 22.61. 22.35 lorsque je vous ai envoyés Lc 9.3 par.; 10.4. 22.36 le moment d'acheter une épée Lc 22.49. 22.37 parmi les criminels Es 53.12 (Lc 12.50; Ac 8.32-33). 22.39 au mont des Oliviers Jn 18.1; cf. Mc 11.1+ — comme d'habitude Lc 21.37. 22.40 tentation et prière Mt 6.13; Lc 22.46 par. 22.42 cette coupe Mc 10.38 — non pas ma volonté mais la tienne Mt 6.10+.

⁴⁵ Quand, après cette prière, il se releva et vint vers les disciples, il les trouva endormis de tristesse ; ⁴⁶ Il leur dit : « Quoi ! Vous dormez ! Levez-vous et priez afin de ne pas tomber au pouvoir de la tentation ! »

L'arrestation de Jésus
(Mt 26.47-55 ; Mc 14.43-49 ; Jn 18.2-11)

⁴⁷ Il parlait encore quand survint une troupe. Celui qu'on appelait Judas, un des Douze, marchait à sa tête ; il s'approcha de Jésus pour lui donner un baiser. ⁴⁸ Jésus lui dit : « Judas, c'est par un baiser que tu livres le *Fils de l'homme ! » ⁴⁹ Voyant ce qui allait se passer, ceux qui entouraient Jésus lui dirent : « Seigneur, frapperons-nous de l'épée ? » ⁵⁰ Et l'un d'eux frappa le serviteur du *grand prêtre et lui emporta l'oreille droite. ⁵¹ Mais Jésus prit la parole : « Laissez faire, même ceci » dit-il, et lui touchant l'oreille, il le guérit. ⁵² Jésus dit alors à ceux qui s'étaient portés contre lui, grands prêtres, chefs des gardes du *Temple et anciens : « Comme pour un bandit, vous êtes partis avec des épées et des bâtons ! ⁵³ Quand j'étais avec vous chaque jour dans le Temple, vous n'avez pas mis la main sur moi ; mais c'est maintenant votre heure, c'est le pouvoir des ténèbres. »

Pierre renie Jésus
(Mt 26.57-58 ; Mc 14.53-54 ; Jn 18.12-18)

⁵⁴ Ils se saisirent de lui, l'emmenèrent et le firent entrer dans la maison du grand prêtre. Pierre suivait à distance. ⁵⁵ Comme ils avaient allumé un grand feu au milieu de la cour et s'étaient assis ensemble, Pierre s'assit au milieu d'eux.

(Mt 26.69-75 ; Mc 14.66-72 ; Jn 18.19-27)

⁵⁶ Une servante, le voyant assis à la lumière du feu, le fixa du regard et dit : « Celui-là aussi était avec lui. » ⁵⁷ Mais il nia : « Femme, dit-il, je ne le connais pas. » ⁵⁸ Peu après, un autre dit en le

voyant : « Toi aussi, tu es des leurs. » Pierre répondit : « Je n'en suis pas. » ⁵⁹ Environ une heure plus tard, un autre insistait : « C'est sûr, disait-il, celui-là était avec lui ; et puis, il est Galiléen. » ⁶⁰ Pierre répondit : « Je ne sais pas ce que tu veux dire. » Et aussitôt, comme il parlait encore, un coq chanta. ⁶¹ Le Seigneur, se retournant, posa son regard sur Pierre ; et Pierre se rappela la parole du Seigneur qui lui avait dit : « Avant que le coq chante aujourd'hui, tu m'auras renié trois fois. » ⁶² Il sortit et pleura amèrement.

(Mt 26.67-68 ; Mc 14.65)

⁶³ Les hommes qui gardaient Jésus se moquaient de lui et le battaient. ⁶⁴ Ils lui avaient voilé le visage et lui demandaient : « Fais le *prophète ! qui est-ce qui t'a frappé ? » ⁶⁵ Et ils proféraient contre lui beaucoup d'autres insultes.

Jésus comparaît devant le sanhédrin
(Mt 26.59, 63-65 ; Mc 14.55, 61-64)

⁶⁶ Lorsqu'il fit jour, le conseil des anciens du peuple, *grands prêtres et scribes, se réunit, et ils l'emmenèrent dans leur *sanhédrin, ⁶⁷ et lui dirent : « Si tu es le *Messie, dis-le nous. » Il leur répondit : « Si je vous le dis, vous ne me croirez pas ; ⁶⁸ et si j'interroge, vous ne répondrez pas. ⁶⁹ Mais désormais le *Fils de l'homme siègera à la droite du Dieu puissant. » ⁷⁰ Ils dirent tous : « Tu es donc le Fils de Dieu ! » Il leur répondit : « Vous-mêmes, vous dites que je le suis. » ⁷¹ Ils dirent alors : « Qu'avons-nous encore besoin de témoignage, puisque nous l'avons entendu nous-mêmes de sa bouche ? »

Jésus comparaît devant Pilate
(Mt 27.2, 11-14 ; Mc 15.1-5 ; Jn 18.28-38)

23 ¹ Et ils se levèrent tous ensemble pour le conduire devant Pilate. ² Ils se mirent alors à l'accuser en ces termes : « Nous avons trouvé cet homme mettant le trouble dans notre nation : il empêche de payer le tribut à César ¹ et se dit

---

l Voir note sur Mc 12.14

22.46 tentation et prière Lc 22.40+.   **22.49** utiliser l'épée ? Lc 22.36.   **22.50** le serviteur blessé à l'oreille Jn 18.10, 26.   **22.51** laissez faire Jn 18.11.   **22.52** comme pour un bandit Lc 22.37.   **22.53** chaque jour dans le Temple Lc 19.47; 21.37; Jn 18.20 — projets manqués d'arrestation Jn 7.30; 8.20 — le pouvoir des ténèbres Ac 26.18; Col 1.13.   **22.54** Pierre, à distance Lc 22.33.   **22.61** trois fois Lc 22.34.   **22.66** anciens, grands prêtres et scribes Mc 11.27+.   **22.69** le Fils de l'homme Mt 8.20+ — à la droite de Dieu Ps 110.1 (Mt 22.44+ ; cf. Ac 7.56).   **22.70** Fils de Dieu Mt 14.33+ ; Mc 1.1+ ; Lc 1.36+ ; 4.3, 9; Jn 10.24, 36.   **23.2** payer le tribut à César Lc 20.20-26 par. — il se dit roi Ac 17.7; cf. Lc 23.30.   **23.3** roi des Juifs Mt 2.2+ — la réponse de Jésus Lc 22.70.

*Messie, roi.» ³ Pilate l'interrogea : « Es-tu le roi des Juifs ?» Jésus lui répondit : « C'est toi qui le dis.» ⁴ Pilate dit aux *grands prêtres et aux foules : « Je ne trouve rien qui mérite condamnation en cet homme.» ⁵ Mais ils insistaient en disant : « Il soulève le peuple en enseignant par toute la Judée à partir de la Galilée jusqu'ici.»

Jésus est envoyé devant Hérode

⁶ A ces mots, Pilate demanda si l'homme était Galiléen ⁷ et, apprenant qu'il relevait de l'autorité d'Hérode ᵐ, il le renvoya à ce dernier qui se trouvait lui aussi à Jérusalem en ces jours-là. ⁸ A la vue de Jésus, Hérode se réjouit fort, car depuis longtemps il désirait le voir, à cause de ce qu'il entendait dire de lui, et il espérait lui voir faire quelque miracle. ⁹ Il l'interrogeait avec force paroles, mais Jésus ne lui répondit rien. ¹⁰ Les *grands prêtres et les scribes étaient là qui l'accusaient avec violence. ¹¹ Hérode en compagnie de ses gardes le traita avec mépris et se moqua de lui ; il le revêtit d'un vêtement éclatant et le renvoya à Pilate. ¹² Ce jour-là, Hérode et Pilate devinrent amis, eux qui auparavant étaient ennemis.

La décision de Pilate
(Jn 19.4)

¹³ Pilate alors convoqua les grands prêtres, les chefs et le peuple ¹⁴ et il leur dit : « Vous m'avez amené cet homme-ci comme détournant le peuple du droit chemin ; or, moi qui ai procédé devant vous à l'interrogatoire, je n'ai rien trouvé en cet homme qui mérite condamnation parmi les faits dont vous l'accusez ; ¹⁵ Hérode non plus, puisqu'il nous l'a renvoyé. Ainsi il n'y a rien qui mérite la mort dans ce qu'il a fait. ¹⁶ Je vais donc lui infliger un châtiment et le relâcher ⁿ. »

(Mt 27.15-26 ; Mc 15.6-15 ; Jn 18.39—19.16)

¹⁸ Ils s'écrièrent tous ensemble : « Sup-prime-le et relâche-nous Barabbas.» ¹⁹ Ce dernier avait été jeté en prison pour une émeute survenue dans la ville et pour meurtre. ²⁰ De nouveau Pilate s'adressa à eux dans l'intention de relâcher Jésus. ²¹ Mais eux vociféraient : « Crucifie, crucifie-le.» ²² Pour la troisième fois, il leur dit : « Quel mal a donc fait cet homme ? Je n'ai rien trouvé en lui qui mérite la mort. Je vais donc lui infliger un châtiment et le relâcher.» ²³ Mais eux insistaient à grands cris, demandant qu'il fût crucifié, et leurs clameurs allaient croissant. ²⁴ Alors Pilate décida que la demande serait satisfaite. ²⁵ Il relâcha celui qui avait été jeté en prison pour émeute et meurtre, celui qu'ils demandaient ; quant à Jésus, il le livra à leur volonté.

En route vers la mort
(Mt 27.32 ; Mc 15.21)

²⁶ Comme ils l'emmenaient, ils prirent un certain Simon de Cyrène qui venait de la campagne, et ils le chargèrent de la croix pour la porter derrière Jésus. ²⁷ Il était suivi d'une grande multitude du peuple, entre autres, de femmes qui se frappaient la poitrine et se lamentaient sur lui. ²⁸ Jésus se tourna vers elles et leur dit : « Filles de Jérusalem, ne pleurez pas sur moi, mais pleurez sur vous-mêmes et sur vos enfants. ²⁹ Car voici venir des jours où l'on dira : "Heureuses les femmes stériles et celles qui n'ont pas enfanté ni allaité." ³⁰ Alors on se mettra à *dire aux montagnes : "Tombez sur nous", et aux collines : "Cachez-nous." ³¹ Car si l'on traite ainsi l'arbre vert, qu'en sera-t-il de l'arbre sec ? » ³² On en conduisait aussi d'autres, deux malfaiteurs, pour les exécuter avec lui.

Jésus est mis en croix
(Mt 27.33-44 ; Mc 15.22-32 ; Jn 19.17-24)

³³ Arrivé au lieu dit « le Crâne », ils l'y crucifièrent ainsi que les deux malfaiteurs, l'un à droite, et l'autre à gauche. ³⁴ Jésus

m Il s'agit d'Hérode Antipas ; voir note sur Mc 3.6 ● n Plusieurs manuscrits intercalent ici, sans doute à partir de Mc 15.6 ou Mt 27.15 : *Or il devait leur relâcher quelqu'un à chaque fête* (v. 17)

23.4 l'innocence de Jésus Lc 23.14, 22 ; Ac 3.13 ; 13.28 ; Jn 18.38 ; 19.4, 6. 23.7 Hérode Mt 14.1+. 23.8 il désirait voir Jésus Lc 9.9. 23.11 la royauté de Jésus tournée en dérision Mt 27.31 ; Mc 15.20. 23.26 Cyrène Ac 2.10 ; 11.20 — derrière Jésus Lc 9.23 ; 14.27. 23.27 se frapper la poitrine Lc 18.13 ; 23.48 ; cf. Za 12.10-14 — bonnes dispositions du peuple Lc 19.48+. 23.29 Heureuses ! Mt 5.3+ celles qui n'ont pas enfanté cf. Lc 21.23. 23.30 Os 10.8. 23.31 l'arbre sec Lc 3.9 ; 13.6-9 ; cf. 19.41-44 ; 21.20-23. 23.32 malfaiteurs Es 53.12 ; Lc 22.37. 23.33 l'un à droite, l'autre à gauche Mt 20.21 ; Mc 10.37. 23.34 prière de Jésus pour ses bourreaux Es 53.12 ; Mt 5.44 ; cf. Ac 7.60 — ils ne savent pas ce qu'ils font Ac 3.17 ; cf. Lc 12.10 — vêtements tirés au sort Ps 22.19.

disait : « Père, pardonne-leur car ils ne savent pas ce qu'ils font. » Et, pour *partager ses vêtements, ils tirèrent au sort.* ³⁵ Le peuple restait là à regarder ; les chefs, eux, *ricanaient ; ils disaient : « Il en a sauvé d'autres. Qu'il se sauve lui-même s'il est le *Messie de Dieu, l'Elu !* » ³⁶ Les soldats aussi se moquèrent de lui : s'approchant pour lui présenter du *vinaigre,* ils dirent : ³⁷ « Si tu es le roi des Juifs, sauve-toi toi-même. » ³⁸ Il y avait aussi une inscription au-dessus de lui : « C'est le roi des Juifs. »
³⁹ L'un des malfaiteurs crucifiés l'insultait : « N'es-tu pas le Messie ? Sauve-toi toi-même et nous aussi ! » ⁴⁰ Mais l'autre le reprit en disant : « Tu n'as même pas la crainte de Dieu, toi qui subis la même peine ! ⁴¹ Pour nous, c'est juste : nous recevons ce que nos actes ont mérité ; mais lui n'a rien fait de mal. » ⁴² Et il disait : « Jésus, souviens-toi de moi quand tu viendras comme roi. » ⁴³ Jésus lui répondit : « En vérité, je te le dis, aujourd'hui, tu seras avec moi dans le paradis ᵒ. »

La mort de Jésus
(Mt 27.45-56 ; Mc 15.33-41 ; Jn 19.28-30)

⁴⁴ C'était déjà presque midi et il y eut des ténèbres sur toute la terre jusqu'à trois heures, ⁴⁵ le soleil ayant disparu. Alors le voile du *sanctuaire se déchira par le milieu ; ⁴⁶ Jésus poussa un grand cri ; il dit : « Père, *entre tes mains, je remets mon esprit.* » Et, sur ces mots, il expira. ⁴⁷ Voyant ce qui s'était passé, le centurion rendait gloire à Dieu en disant : « Sûrement, cet homme était juste. » ⁴⁸ Et tous les gens qui s'étaient rassemblés pour ce spectacle, à la vue de ce qui s'était passé, s'en retournaient en se frappant la poitrine. ⁴⁹ Tous ses familiers se tenaient à distance, ainsi que les femmes qui le suivaient depuis la Galilée et qui regardaient.

Le corps de Jésus est mis au tombeau
(Mt 27.57-61 ; Mc 15.42-47 ; Jn 19.38-42)

⁵⁰ Alors survint un homme du nom de Joseph, membre du conseil, homme bon et juste : ⁵¹ il n'avait donné son accord ni à leur dessein, ni à leurs actes. Originaire d'Arimathée, ville juive, il attendait le *règne de Dieu. ⁵² Cet homme alla trouver Pilate et demanda le corps de Jésus. ⁵³ Il le descendit de la croix, l'enveloppa d'un linceul et le déposa dans une tombe taillée dans le roc où personne encore n'avait été mis. ⁵⁴ C'était un jour de préparation et le *sabbat approchait. ⁵⁵ Les femmes qui l'avaient accompagné depuis la Galilée suivirent Joseph ; elles regardèrent le tombeau et comment son corps avait été placé. ⁵⁶ Puis elles s'en retournèrent et préparèrent aromates et parfums ᵖ.

Au matin du premier jour de la semaine
(Mt 28.1-9 ; Mc 16.1-8 ; Jn 20.1-10)

Durant le *sabbat, elles observèrent le repos selon le commandement.

24 ¹ Le premier jour de la semaine, de grand matin, elles vinrent à la tombe en portant les aromates qu'elles avaient préparés. ² Elles trouvèrent la pierre roulée de devant le tombeau. ³ Etant entrées, elles ne trouvèrent pas le corps du Seigneur Jésus. ⁴ Or, comme elles en étaient déconcertées, voici que deux hommes se présentèrent à elles en vêtements éblouissants. ⁵ Saisies de crainte, elles baissaient le visage vers la terre quand ils leur dirent : « Pourquoi cherchez-vous le vivant parmi les morts ? ⁶ Il n'est pas ici, mais il est ressuscité. Rappelez-vous comment il vous a parlé quand il était encore en Galilée ; ⁷ il disait : "Il faut que le *Fils de l'homme soit livré aux mains des hommes *pécheurs, qu'il soit crucifié et que le troisième jour il

---

o Pour certains Juifs de cette époque le *paradis* était le lieu où les justes attendent la résurrection après leur mort ● p Pour l'embaumement du corps selon la coutume juive de l'époque voir aussi Mc 14.8 et note

23.35 ricanements et railleries Ps 22.8-9 — le Messie (Christ) de Dieu Lc 9.20 — l'Elu Es 49.7 ; Lc 9.35. 23.36 du vinaigre Ps 69.22. 23.37 roi des Juifs Mt 2.2+. 23.42 quand tu viendras comme roi Mt 16.28 ; Lc 19.12 ; 24.26. 23.43 aujourd'hui Lc 2.11+. 23.44 ténèbres Ex 10.22 ; Am 8.9-10. 23.45 le voile du sanctuaire Ex 26.31-33 ; 36.35. 23.46 Père Lc 10.21 ; 22.42 ; 23.34 ; cf. 2.49 — entre tes mains Ps 31.6 (Ac 7.59). 23.47 juste Lc 23.4, 14, 22. 23.48 en se frappant la poitrine Lc 18.13 ; 23.27. 23.49 à distance Ps 38.12 ; 88.9 — les femmes... depuis la Galilée Lc 8.2 ; 23.55. 23.51 il attendait le règne de Dieu Lc 2.25, 38. 23.53 où personne encore n'avait été mis Lc 19.30. 23.56 le commandement du sabbat Ex 12.16 ; 20.10 ; Dt 5.14. 24.1 premier jour de la semaine Jn 20.1, 19 ; Ac 20.7 ; 1 Co 16.2 — aromates préparés Lc 23.56. 24.3 le Seigneur Jésus Ac 1.21 ; 8.16 ; 11.20 ; 15.11. 24.4 deux hommes cf. Jn 20.2 — en vêtements éblouissants 2 M 3.26 ; Ac 1.10. 24.5 saisies de crainte Lc 1.12+. 24.7 rappel des prédictions de la Passion Lc 9.22 par. ; 17.25 par. ; 18.32-33 par. ; Ac 17.3 — le Fils de l'homme Mt 8.20+.

ressuscite".» ⁸ Alors, elles se rappelèrent ses paroles ; ⁹ elles revinrent du tombeau et rapportèrent tout cela aux Onze et à tous les autres. ¹⁰ C'étaient Marie de Magdala et Jeanne et Marie de Jacques ; leurs autres compagnes le disaient aussi aux *apôtres. ¹¹ Aux yeux de ceux-ci ces paroles semblèrent un délire et ils ne croyaient pas ces femmes. ¹² Pierre cependant partit et courut au tombeau ; en se penchant, il ne voit que les bandelettes, et il s'en alla de son côté en s'étonnant de ce qui était arrivé.

Les disciples d'Emmaüs

¹³ Et voici que, ce même jour, deux d'entre eux se rendaient à un village du nom d'Emmaüs *q*, à deux heures de marche de Jérusalem. ¹⁴ Ils parlaient entre eux de tous ces événements. ¹⁵ Or, comme ils parlaient et discutaient ensemble, Jésus lui-même les rejoignit et fit route avec eux ; ¹⁶ mais leurs yeux étaient empêchés de le reconnaître.

¹⁷ Il leur dit : « Quels sont ces propos que vous échangez en marchant ? » Alors ils s'arrêtèrent, l'air sombre *r*. ¹⁸ L'un d'eux nommé Cléopas, lui répondit : « Tu es bien le seul à séjourner à Jérusalem qui n'ait pas appris ce qui s'y est passé ces jours-ci ! » ¹⁹ — « Quoi donc ? » leur dit-il. Ils lui répondirent : « Ce qui concerne Jésus de Nazareth, qui fut un *prophète puissant en action et en parole devant Dieu et devant tout le peuple : ²⁰ Comment nos *grands prêtres et nos chefs l'ont livré pour être condamné à mort et l'ont crucifié ; ²¹ et nous, nous espérions qu'il était celui qui allait délivrer Israël. Mais, en plus de tout cela, voici le troisième jour que ces faits se sont passés. ²² Toutefois, quelques femmes qui sont des nôtres nous ont bouleversés : s'étant rendues de grand matin au tombeau, ²³ et n'ayant pas trouvé son corps, elles sont venues dire qu'elles ont même eu la vision *d'anges qui le déclarent

vivant. ²⁴ Quelques-uns de nos compagnons sont allés au tombeau et ce qu'ils ont trouvé était conforme à ce que les femmes avaient dit ; mais lui, ils ne l'ont pas vu. »

²⁵ Et lui leur dit : « Esprits sans intelligence, *cœurs lents à croire tout ce qu'ont déclaré les prophètes ! ²⁶ Ne fallait-il pas que le *Christ souffrît cela et qu'il entrât dans sa gloire ? » ²⁷ Et, commençant par Moïse et par tous les prophètes *s*, il leur expliqua dans toutes les Ecritures ce qui le concernait.

²⁸ Ils approchèrent du village où ils se rendaient, et lui, fit mine d'aller plus loin. ²⁹ Ils le pressèrent en disant : « Reste avec nous car le soir vient et la journée déjà est avancée. » Et il entra pour rester avec eux. ³⁰ Or, quand il se fut mis à table avec eux, il prit le pain, prononça la bénédiction, le rompit et le leur donna. ³¹ Alors leurs yeux furent ouverts et ils le reconnurent, puis il leur devint invisible. ³² Et ils se dirent l'un à l'autre : « Notre cœur ne brûlait-il pas en nous tandis qu'il nous parlait en chemin et nous ouvrait les Ecritures ? »

³³ A l'instant même, ils partirent et retournèrent à Jérusalem ; ils trouvèrent réunis les Onze et leurs compagnons, ³⁴ qui leur dirent : « C'est bien vrai ! Le Seigneur est ressuscité, et il est apparu à Simon. » ³⁵ Et eux, racontèrent ce qui s'était passé sur la route et comment ils l'avaient reconnu à la fraction du pain.

Le Ressuscité apparaît aux Onze

³⁶ Comme ils parlaient ainsi, Jésus fut présent au milieu d'eux et il leur dit : « La paix soit avec vous. » ³⁷ Effrayés et remplis de crainte, ils pensaient voir un esprit. ³⁸ Et il leur dit : « Quel est ce trouble et pourquoi ces objections s'élèvent-elles dans vos *cœurs ? ³⁹ Regardez mes mains et mes pieds : C'est bien moi. Touchez-moi, regardez ; un esprit n'a ni chair, ni os, comme vous voyez

q Emmaüs: localisation discutée ; peut-être à une trentaine de km à l'Ouest de Jérusalem, ce qui correspondrait aux indications de certains manuscrits (5 heures de marche, au lieu de 2) *r* Autre texte : *et pourquoi avez-vous l'air sombre ?* ● *s* Voir Lc 16.29 et note

24.8 elles se rappelèrent Jn 2.22. **24.10** Marie de Magdala Mt 27.56+ — et ses compagnes Lc 8.2-3. **24.12** Pierre au tombeau Jn 20.3, 5, 10. **24.15** il fit route avec eux Mc 16.12; cf. Mt 18.20. **24.19** Jésus considéré comme prophète Mt 16.14+. **24.21** celui qui allait délivrer Israël Lc 1.68; 2.38. **24.22-23** le récit des femmes Mt 28.1-8; Mc 16.1-8; Lc 24.1-11. **24.24** visite des disciples au tombeau Jn 20.3-8. **24.25** tout ce qu'ont déclaré les prophètes Lc 24.44. **24.26** nécessité de la Passion Lc 9.22 par.; 17.25; Ac 17.3 — pour entrer dans sa gloire Jn 7.39; 12.16, 23; 13.31-32; 17.1, 5; Ac 3.13. **24.27** Moïse et les prophètes Lc 16.16, 29-31; 24.44; 28.23 — le Christ dans les Ecritures Dt 18.15, 18; Ps 22.2-19; Es 53. **24.30** il prit le pain Lc 22.19 par.; 1 Co 11.24; cf. Ac 2.42, 46; 20.7, 11. **24.34** ressuscité... apparu à Simon 1 Co 15.4-5. **24.36** présent au milieu d'eux 1 Co 15.5. **24.37** un esprit Mt 14.26; Mc 6.49.

que j'en ai. » ⁴⁰ A ces mots, il leur montra ses mains et ses pieds. ⁴¹ Comme, sous l'effet de la joie, ils restaient encore incrédules et comme ils s'étonnaient, il leur dit : « Avez-vous ici de quoi manger ? » ⁴² Ils lui offrirent un morceau de poisson grillé ᵗ. ⁴³ Il le prit et mangea sous leurs yeux.

⁴⁴ Puis il leur dit : « Voici les paroles que je vous ai adressées quand j'étais encore avec vous : il faut que s'accomplisse tout ce qui a été écrit de moi dans la Loi de Moïse, les Prophètes et les Psaumes. » ⁴⁵ Alors il leur ouvrit l'intelligence pour comprendre les Écritures, ⁴⁶ et il leur dit : « C'est comme il a été écrit : le *Christ souffrira et ressuscitera des morts le troisième jour, ⁴⁷ et on prêchera en son *nom la conversion et le pardon des péchés à toutes les nations à commencer par Jérusalem. ⁴⁸ C'est vous qui en êtes les témoins. ⁴⁹ Et moi, je vais envoyer sur vous ce que mon Père a promis. Pour vous, demeurez dans la ville jusqu'à ce que vous soyez, d'enhaut, revêtus de puissance. »

⁵⁰ Puis il les emmena jusque vers Béthanie ᵘ et, levant les mains, il les bénit. ⁵¹ Or, comme il les bénissait, il se sépara d'eux et fut emporté au *ciel. ⁵² Eux, après s'être prosternés devant lui, retournèrent à Jérusalem pleins de joie, ⁵³ et ils étaient sans cesse dans le *Temple à bénir Dieu.

ᵗ Certains manuscrits récents ajoutent: *et un rayon de miel* ● ᵘ Voir note sur Mc 11.1

24.41 de quoi manger Jn 21.5. **24.42** poisson grillé Jn 21.9-10. **24.43** repas avec le Ressuscité Ac 10.41. **24.44** il faut que s'accomplisse Lc 18.31; 24.27. **24.45** référence à l'Écriture Ac 2.23-32; 4.10-11; 13.28-29, 33-37; 26.22-23. **24.46** le Christ souffrira Es 53 — le troisième jour Os 6.2. **24.47** prêcher la conversion et le pardon Ac 2.38; 3.19; 5.31; 10.43; 13.38-39; 26.18 — à toutes les nations 1 Tm 3.16. **24.48** témoins Jn 15.27; Ac 1.8+. **24.49** ce que mon Père a promis Jn 14.16; 15.26; 16.7; Ac 1.4; 2.33 — la ville (Jérusalem) Lc 9.51; Ac 1.8 — l'Esprit et la puissance Lc 1.35; 4.14. **24.50** Béthanie Mt 21.17+ — il les bénit Ac 3.26. **24.51** emporté au ciel Ac 1.9. **24.52** retour à Jérusalem Ac 1.12 — pleins de joie Jn 14.28; 16.22.

ÉVANGILE SELON JEAN

La vie, la lumière, le fils unique

1 ¹ Au commencement était le Verbe,
et le Verbe était tourné vers Dieu,
et le Verbe était Dieu.

² Il était au commencement tourné vers Dieu.

³ Tout fut par lui,
et rien de ce qui fut, ne fut sans lui.

⁴ En lui était la *vie
et la vie était la lumière des hommes,

⁵ et la lumière brille dans les ténèbres,
et les ténèbres ne l'ont point comprise ᵃ.

⁶ Il y eut un homme, envoyé de Dieu :
son nom était Jean ᵇ.

⁷ Il vint en témoin, pour rendre témoignage à la lumière,
afin que tous croient par lui.

⁸ Il n'était pas la lumière mais il devait rendre témoignage à la lumière.

⁹ Le Verbe était la vraie lumière qui, en venant dans le monde, illumine tout homme.

¹⁰ Il était dans le monde,
et le monde fut par lui,
et le monde ne l'a pas reconnu.

¹¹ Il est venu dans son propre bien
et les siens ne l'ont pas accueilli.

¹² Mais à ceux qui l'ont reçu, à ceux qui croient en son *nom, il a donné le pouvoir de devenir enfants de Dieu.

¹³ Ceux-là ne sont pas nés du *sang, ni d'un vouloir de chair ni d'un vouloir d'homme, mais de Dieu.

¹⁴ Et le Verbe s'est fait chair
et il a habité ᶜ parmi nous
et nous avons vu sa gloire,
cette gloire que, Fils unique plein de grâce et de vérité, il tient du Père.

¹⁵ Jean lui rend témoignage et proclame : « Voici celui dont j'ai dit : après moi vient un homme qui m'a devancé, parce que, avant moi, il était. »

¹⁶ De sa plénitude en effet, tous, nous avons reçu, et grâce sur grâce.

¹⁷ Si la *Loi fut donnée par Moïse, la grâce et la vérité sont venues par Jésus Christ.

¹⁸ Personne n'a jamais vu Dieu ; Dieu Fils unique, qui est dans le sein du Père, nous l'a dévoilé.

Ce que Jean le Baptiste dit de lui-même
(Mt 3.1-12; Mc 1.2-8; Lc 3.15-17)

¹⁹ Et voici quel fut le témoignage de

---

a Autre traduction possible: *les ténèbres n'ont pas pu s'en rendre maîtresses* (voir 12.35) • *b* Il s'agit de Jean le Baptiste; cf. 1.19-36; 3.22-30 • *c* ou *il a planté sa tente parmi nous*

1.1-2 Au commencement Pr 8.22-26; Si 24.9; Jn 17.5; 1 Jn 1.1-2. **1.1** le Verbe Ap 19.13; cf. Si 24.3 — tourné vers Dieu Jn 5.17-30 — le Verbe était Dieu Ph 2.6; Col 1.15; He 1.3. **1.3** Parole et création Gn 1.3; Ps 33.6, 9; 147.15-18; Es 40.26; 48.3; Sg 9.1; Jn 1.10; 1 Co 8.6; Col 1.16-17; He 1.2 — Sagesse et création Pr 8.27-30; Sg 9.9. **1.4** en lui était la vie Jn 5.26 — lumière Jn 8.12+. **1.5** la lumière incomprise Jn 1.10-13; 3.19; cf. Sg 13.1-9; Rm 1.19-23; 1 Co 2.14. **1.6** Jean (le Baptiste) Lc 1.13, 17, 76; Mt 3.1+. **1.7** Jean (le Baptiste) témoin Jn 1.15, 19-35; 3.27-30; 5.33; 10.41. **1.8** il n'était pas Jn 1.20. **1.9** la vraie lumière 1 Jn 2.8 — en venant dans le monde Jn 6.14. **1.10** le monde Jn 3.16; 12.31; 1 Jn 2.16 — le monde fut par lui Jn 1.3+ — le monde ne l'a pas reconnu Jn 17.25. **1.12** le nom Jn 2.23; 3.18; 1 Jn 3.23; 5.13 — ceux qui croient... enfants de Dieu Ga 3.26 — enfants de Dieu Jn 11.52; 1 Jn 3.1-2, 10; 5.2, 4, 18. **1.13** nés ... de Dieu Jn 3.3, 5-6; Jc 1.18; 1 P 1.23; 1 Jn 3.9; 5.18. **1.14** incarnation Rm 1.3; Ga 4.4; Ph 2.7; 1 Tm 3.16; He 2.14; 1 Jn 4.2 — chair Jn 3.6+ — nous avons vu sa gloire Es 60.1-2; Lc 9.32; Jn 2.11; cf. Jn 12.23, 28; 13.31; 17.2-5, 22-23 — grâce et vérité Ex 34.6. **1.15** le témoignage de Jean Jn 1.30 — après moi vient... Mt 3.11; Mc 1.7; Jn 1.27. **1.16** de sa plénitude Col 2.9-10. **1.17** la Loi donnée par Moïse Ex 31.18; 34.28; Jn 7.19. **1.18** voir Dieu Ex 33.20; Jn 6.46; 1 Tm 6.16; 1 Jn 4.12 — le Fils unique Mt 11.27; Lc 10.22.

Jean lorsque, de Jérusalem, les Juifs [d] envoyèrent vers lui des *prêtres et des lévites pour lui poser la question : « Qui es-tu ? » [20] Il fit une déclaration sans restriction, il déclara : « Je ne suis pas le *Christ ». [21] Et ils lui demandèrent : « Qui es-tu ? Es-tu Elie ? » ; il répondit : « Je ne le suis pas ». « Es-tu le Prophète [e] ? » Il répondit « Non ». [22] Ils lui dirent alors : « Qui es-tu ?... que nous apportions une réponse à ceux qui nous ont envoyés ! Que dis-tu de toi-même ? » [23] Il affirma : « Je suis *la voix de celui qui crie dans le désert : "Aplanissez le chemin du Seigneur"*, comme l'a dit le *prophète Esaïe. » [24] Or ceux qui avaient été envoyés étaient des *pharisiens. [25] Ils continuèrent à l'interroger en disant : « Si tu n'es ni le Christ, ni Elie, ni le Prophète, pourquoi baptises-tu ? » [26] Jean leur répondit : « Moi, je baptise dans l'eau. Au milieu de vous se tient celui que vous ne connaissez pas ; [27] il vient après moi et je ne suis même pas digne de dénouer la lanière de sa sandale. » [28] Cela se passait à Béthanie [f], au-delà du Jourdain, où Jean baptisait.

Ce que Jean le Baptiste dit de Jésus

[29] Le lendemain, il voit Jésus qui vient vers lui et il dit : « Voici l'agneau de Dieu qui enlève le péché du *monde. [30] C'est de lui que j'ai dit : "Après moi vient un homme qui m'a devancé, parce que, avant moi, il était." [31] Moi-même, je ne le connaissais pas, mais c'est en vue de sa manifestation à Israël que je suis venu baptiser dans l'eau. » [32] Et Jean porta son témoignage en disant : « J'ai vu l'Esprit, tel une colombe, descendre du ciel et demeurer sur lui. [33] Et je ne le connaissais pas, mais celui qui m'a envoyé baptiser dans l'eau, c'est lui qui m'a dit : "Celui sur lequel tu verras l'Esprit descendre et demeurer sur lui, c'est lui qui baptise dans l'Esprit Saint." [34] Et moi j'ai vu et j'atteste qu'il est, lui, le Fils de Dieu. »

Les premières rencontres de Jésus

[35] Le lendemain, Jean se trouvait de nouveau au même endroit avec deux de ses *disciples. [6] Fixant son regard sur Jésus qui marchait, il dit : « Voici l'agneau de Dieu ». [37] Les deux disciples, l'entendant parler ainsi, suivirent Jésus. [38] Jésus se retourna et voyant qu'ils s'étaient mis à le suivre, il leur dit : « Que cherchez-vous ? » Ils répondirent : « Rabbi [g] — ce qui signifie Maître —, où demeures-tu ? » [39] Il leur dit : « Venez et vous verrez. » Ils allèrent donc, ils virent où il demeurait et ils demeurèrent auprès de lui, ce jour-là ; c'était environ la dixième heure [h].

[40] André, le frère de Simon-Pierre, était l'un de ces deux qui avaient écouté Jean et suivi Jésus. [41] Il va trouver, avant tout autre, son propre frère Simon et lui dit : « Nous avons trouvé le *Messie ! » — ce qui signifie le *Christ —. [42] Il l'amena à Jésus. Fixant son regard sur lui, Jésus dit : « Tu es Simon, le fils de Jean ; tu seras appelé Céphas » — ce qui veut dire Pierre.

[43] Le lendemain, Jésus résolut de gagner la Galilée. Il trouve Philippe et lui dit : « Suis-moi. » [44] Or, Philippe était de Bethsaïda, la ville d'André et de Pierre. [45] Il va trouver Nathanaël et lui dit : « Celui de qui il est écrit dans la *Loi de Moïse et dans les *prophètes, nous l'avons trouvé : c'est Jésus, le fils de Joseph, de Nazareth. » [46] « De Nazareth, lui dit Nathanaël, peut-il sortir quelque chose de bon ? » Philippe lui dit : « Viens et vois. » [47] Jésus regarde Nathanaël qui venait à lui et il dit à son propos : « Voici un véritable Israélite en qui il n'est point d'artifice. » [48] « D'où me connais-tu ? » lui

---

[d] Voir 2.18 ; 5.10-18 ; 7.1, 13 ; 9.22, etc. Ici comme souvent chez Jn l'appellation *les Juifs* désigne les chefs spirituels de l'Israël contemporain de Jésus ● *e Elie* : Voir Mc 6.15 et note. *Le Prophète* : en s'appuyant sur Dt 18.15 beaucoup de Juifs contemporains de Jésus attendaient l'apparition du Prophète des derniers temps ● *f* Village de site inconnu localisé à l'Est du Jourdain ; à ne pas confondre avec le village du même nom situé à proximité de Jérusalem (voir 11.1, 18) ● *g* Ce terme qui, comme l'indique le texte, signifie *Maître*, est emprunté à l'araméen. Voir Mc 11.21 ● *h* Quatre heures de l'après-midi. Voir Mt 20.3 et note

1.20 Jean nie être le Christ Jn 3.28. **1.21** Elie Mt 11.14+ — le Prophète Mt 21.11+. **1.23** la voix... dans le désert Es 40.3 (Mt 3.3 par.). **1.25-26** activité baptismale de Jean Mt 3.6+. **1.27** il vient après moi Jn 1.15 — indigne de dénouer... Mt 3.11 par. ; Ac 13.25. **1.28** le Jourdain, où Jean baptisait Mt 3.13 ; Jn 10.40. **1.29** l'agneau de Dieu Jn 1.36 — qui ôte le péché du monde Es 53.6-7 ; Ac 8.32 ; 1 P 1.18-19 ; cf. 1 Co 5.7-12. **1.30** voir après moi... Jn 1.15, 27. **1.32** l'Esprit descend Mt 3.16 par. — et demeure sur lui Es 11.2 ; 61.1 ; cf. Jn 3.34. **1.34** Fils de Dieu Mt 3.17 ; 17.5 par. ; cf. Mt 14.33+ ; Mc 1.1+. **1.36** l'agneau de Dieu Jn 1.29. **1.40** André, Simon Pierre |Mt 4.18+ et par. **1.41** Messie, Christ Jn 4.25 ; cf. Lc 4.41+. **1.42** Céphas 1 Co 1.12+ — c'est-à-dire Pierre Mt 10.2 ; 16.18 ; Mc 3.16 ; Lc 6.14 ; cf. Mt 4.18+. **1.44** Philippe Mt 10.3+ — de Bethsaïda Jn 12.21 ; cf. Mt 11.21+. **1.45** celui de qui il est écrit Dt 18.18 ; Es 9.6 ; Ez 34.23.

dit Nathanaël, et Jésus de répondre : « Avant même que Philippe ne t'appelât, alors que tu étais sous le figuier *i*, je t'ai vu. » [49] Nathanaël reprit : « Rabbi, tu es le fils de Dieu, tu es le roi d'Israël. » [50] Jésus lui répondit : « Parce que je t'ai dit que je t'avais vu sous le figuier, tu crois. Tu verras des choses bien plus grandes. » [51] Et il ajouta : « En vérité, en vérité, je vous le dis, vous verrez le *ciel ouvert et les *anges de Dieu monter et descendre au-dessus du *Fils de l'homme. »

Le mariage à Cana

2 [1] Or le troisième jour il y eut une noce à Cana de Galilée et la mère de Jésus était là. [2] Jésus lui aussi fut invité à la noce ainsi que ses disciples. [3] Comme le vin manquait, la mère de Jésus lui dit : « Ils n'ont pas de vin. » [4] Mais Jésus lui répondit : « Que me veux-tu *j*, femme ? Mon heure n'est pas encore venue. » [5] Sa mère dit aux servants : « Quoi qu'il vous dise, faites-le. » [6] Il y avait six jarres de pierre destinées aux *purifications des *Juifs ; elles contenaient chacune de deux à trois mesures *k*. [7] Jésus dit aux servants : « Remplissez d'eau ces jarres » ; et ils les emplirent jusqu'au bord. [8] Jésus leur dit : « Maintenant puisez et portez-en au maître du repas. » Ils lui en portèrent [9] et il goûta l'eau devenue vin — il ne savait pas d'où il venait, à la différence des servants qui avaient puisé l'eau —, aussi il s'adresse au marié [10] et lui dit : « Tout le monde offre d'abord le bon vin et, lorsque les convives sont gris, il fait servir le moins bon ; mais toi, tu as gardé le bon vin jusqu'à maintenant ! » [11] Tel fut, à Cana de Galilée, le commencement des *signes

de Jésus. Il manifesta sa gloire et ses disciples crurent en lui. [12] Après quoi, il descendit à Capharnaüm avec sa mère, ses frères et ses disciples ; mais ils n'y restèrent que peu de jours.

Jésus chasse les marchands du temple

(Mt 21.12-13 ; Mc 11.15-19 ; Lc 19.45-48)

[13] La *Pâque des *Juifs était proche et Jésus monta à Jérusalem. [14] Il trouva dans le *temple les marchands *l* de bœufs, de brebis et de colombes ainsi que les changeurs qui s'y étaient installés. [15] Alors, s'étant fait un fouet avec des cordes, il les chassa tous du temple, et les brebis et les bœufs ; il dispersa la monnaie des changeurs, renversa leurs tables ; [16] et il dit aux marchands de colombes : « Otez tout cela d'ici et ne faites pas de la maison de mon Père une maison de trafic. » [17] Ses *disciples se souvinrent qu'il est écrit : *Le zèle de ta maison me dévorera*. [18] Mais les Juifs *m* prirent la parole : « Quel signe nous montreras-tu, pour agir de la sorte ? » [19] Jésus leur répondit : « Détruisez ce temple et, en trois jours, je le relèverai. » [20] Alors les Juifs lui dirent : Il a fallu quarante-six ans *n* pour construire ce temple et toi, tu le relèverais en trois jours ? » [21] Mais lui parlait du temple de son corps. [22] Aussi, lorsque Jésus se releva d'entre les morts, ses disciples se souvinrent qu'il avait parlé ainsi, et ils crurent à l'Ecriture ainsi qu'à la parole qu'il avait dite.

Jésus se défie de certains croyants

[23] Tandis que Jésus séjournait à Jérusalem, durant la fête de la *Pâque, beaucoup crurent en son *nom à la vue des *signes qu'il opérait. [24] Mais Jésus, lui, ne

---

i D'après les récits des rabbins on s'abritait volontiers sous un figuier pour lire et méditer l'Ecriture ● *j* Le grec a conservé la forme originale de la tournure hébraïque : *Qu'y a-t-il pour moi et pour toi ?* qu'on retrouve en Jg 11.12 ; 2 Ch 35.21 ; Mt 8.29 ; Mc 1.24 ; 5.7 ; Lc 4.34 ; 8.28, etc. On l'employait pour écarter une intervention qu'on jugeait déplacée ● *k* Une *mesure* correspondait à une quarantaine de litres ● *l* Voir Mc 11.15 et note ● *m* Voir 1.19 et note ● *n* La construction du Temple avait commencé vers l'année 20 av. J.C. sous l'impulsion d'Hérode le Grand

1.49 fils de Dieu Ps 2.7 ; Mt 14.33+ ; Mc 1.1, 11 par. ; 4.41 ; Jn 11.27 ; Ac 13.33 — roi d'Israël. So 3.15 ; Mt 27.42 ; Mc 15.32 ; Jn 12.13+. **1.51** le ciel ouvert Mt 3.16+ — les anges montant et descendant Gn 28.12 — le Fils de l'homme Mt 8.20+. **2.1** Cana Jn 4.46. **2.4** Que me veux-tu ? Mt 8.29+ — heure non encore venue Jn 7.30 ; 8.20 ; cf. 7.6 — l'heure de Jésus Jn 12.23, 27 ; 13.1 ; 17.1 ; cf. 5.25, 28 ; Mc 14.35-41. **2.5** faites-le Gn 41.55. **2.6** purifications juives Mc 7.3-4 ; Jn 3.25. **2.11** signes opérés par Jésus Jn 4.54 ; 20.30 ; cf. Es 66.19 ; Mt 12.38+ — il manifesta sa gloire Lc 9.32 ; Jn 1.14 ; 12.41. **2.12** Capharnaüm Mt 4.13+ — mère et frères de Jésus Mc 3.31+. **2.13** Pâque Ex 12.1-27 proche Jn 6.4 ; 11.55 ; cf. 13.1. **2.16** la maison de mon Père Lc 2.49. **2.17** le zèle... Ps 69.10. **2.18** quel signe... ? Mt 12.38 ; 16.1 ; Mc 8.11 ; Lc 11.16, 29 ; Jn 6.30 ; 1 Co 1.22. **2.19** temple détruit et relevé Mt 26.61 ; 27.40 ; Mc 14.58 ; 15.29 ; Ac 6.14. **2.21** le temple de son corps 1 Co 6.19 ; cf. Jn 1.14, 51 ; 4.20-24. **2.22** le souvenir des disciples Lc 24.6-8 ; Jn 12.16 ; 14.26 ; 16.4. **2.23** les signes et la foi Jn 7.31 ; 11.47-48. **2.24** il les connaissait tous Jn 4.16-19 ; 10.14.

croyait pas en eux, car il les connaissait tous, 25 et il n'avait nul besoin qu'on lui rendît témoignage au sujet de l'homme : il savait, quant à lui, ce qu'il y a dans l'homme.

L'entretien de Jésus avec Nicodème

3 1 Or il y avait, parmi les *pharisiens, un homme du nom de Nicodème, un des notables juifs. 2 Il vint, de nuit, trouver Jésus et lui dit : « Rabbi o, nous savons que tu es un maître qui vient de la part de Dieu, car personne ne peut opérer les *signes que tu fais si Dieu n'est pas avec lui. » 3 Jésus lui répondit : « En vérité, en vérité, je te le dis : à moins de naître de nouveau p, nul ne peut voir le *royaume de Dieu. » 4 Nicodème lui dit : « Comment un homme pourrait-il naître s'il est vieux ? Pourrait-il entrer une seconde fois dans le sein de sa mère et naître ? » 5 Jésus lui répondit : « En vérité, en vérité, je te le dis : nul, s'il ne naît d'eau et d'Esprit, ne peut entrer dans le Royaume de Dieu. 6 Ce qui est né de la chair est chair, et ce qui est né de l'Esprit est esprit. 7 Ne t'étonne pas si je t'ai dit : "Il vous faut naître d'en haut". 8 Le vent q souffle où il veut, et tu entends sa voix, mais tu ne sais ni d'où il vient ni où il va. Ainsi en est-il de quiconque est né de l'Esprit. » 9 Nicodème lui dit : « Comment cela peut-il se faire ? » 10 Jésus lui répondit : « Tu es maître en Israël et tu n'as pas la connaissance de ces choses ! 11 En vérité, en vérité, je te le dis : nous parlons de ce que nous savons, nous témoignons de ce que nous avons vu et pourtant vous ne recevez pas notre témoignage. 12 Si vous ne croyez pas lorsque je vous dis les choses de la terre, com-

ment croiriez-vous si je vous disais les choses du *ciel ? 13 Car nul n'est monté au ciel sinon celui qui est descendu du ciel, le *Fils de l'homme r. 14 Et comme Moïse a élevé le serpent dans le désert, il faut que le Fils de l'homme soit élevé 15 afin que quiconque croit ait, en lui, la *vie éternelle. 16 Dieu, en effet, a tant aimé le *monde qu'il a donné son Fils, son unique, pour que tout homme qui croit en lui ne périsse pas mais ait la vie éternelle. 17 Car Dieu n'a pas envoyé son Fils dans le monde pour juger le monde, mais pour que le monde soit sauvé par lui. 18 Qui croit en lui n'est pas jugé ; qui ne croit pas est déjà jugé, parce qu'il n'a pas cru au *nom du Fils unique de Dieu. 19 Et le jugement le voici : la lumière est venue dans le monde et les hommes ont préféré l'obscurité à la lumière parce que leurs œuvres étaient mauvaises. 20 En effet quiconque fait le mal hait la lumière et ne vient pas à la lumière de crainte que ses œuvres ne soient démasquées. 21 Celui qui fait la vérité s vient à la lumière pour que ses œuvres soient manifestées, elles qui ont été accomplies en Dieu. »

Jean le Baptiste parle encore de Jésus

22 Après cela, Jésus se rendit avec ses disciples dans le pays de Judée ; il y séjourna avec eux et il baptisait. 23 Jean, de son côté, baptisait à Aïnôn t, non loin de Salim, où les eaux sont abondantes. Les gens venaient et se faisaient baptiser. 24 Jean, en effet, n'avait pas encore été jeté en prison. 25 Or il arriva qu'une discussion concernant la *purification opposa un Juif à des disciples de Jean. 26 Ils vinrent trouver Jean et lui dirent : « Rabbi u,

---

o Voir 1.38 et note ● p Le terme grec traduit par *de nouveau* signifie aussi *d'en haut*. Les deux sens sont à considérer conjointement (voir v. 4) ● q En grec c'est le même terme qui désigne le *vent* et l'*Esprit* ● r D'assez nombreux manuscrits ajoutent ici *qui est dans le ciel* ● s *Celui qui fait la vérité*: par cette tournure typique les anciens juifs désignaient celui qui conforme sa conduite à la vérité ● t *Aïnôn* et *Salim*: deux localités de site incertain, dans la vallée du Jourdain ● u Voir 1.38 et note

3.1 Nicodème Jn 7.50; 19.39. **3.2** compliment adressé à Jésus Mt 22.16 — des signes probants Jn 9.16, 33; Ac 10.38. **3.3** naître d'en haut cf. Tt 3.5; 1 P 1.23; 1 Jn 2.29; 3.9; 4.7; 5.1. — Royaume de Dieu Mt 3.2+; 6.10+. **3.5** naître d'eau et d'Esprit Tt 3.5 — entrer dans le Royaume de Dieu Mt 5.20+. **3.6** chair Jn 1.14; 6.51, 63; 8.15; 1 Jn 4.2. **3.8** le vent souffle où il veut Ps 30.4; Qo 11.5. **3.11** le témoignage de Jésus Jn 3.32; 8.26. **3.12** choses de la terre, choses du ciel Sg 9.16; Lc 22.67. **3.13** monté au ciel; descendu du ciel Pr 30.4; Rm 10.6. **3.14** Moïse et le serpent Nb 21.9; cf. Sg 16.5-10 — élévation du Fils de l'homme Jn 8.28; 12.34; cf. Mt 8.20+. **3.15** foi et vie éternelle Jn 3.36; 10.28; 1 Jn 5.13. **3.16** Dieu a donné son Fils... Rm 8.32; 1 Jn 4.9-10 — foi en Jésus et vie éternelle Jn 3.36; 10.28; 1 Jn 5.13. **3.17** non pour juger mais pour sauver Jn 12.47 — le Fils et le jugement Jn 5.22, 27, 30; 8.15-16; Ac 17.31. **3.18** pas jugé Jn 5.24 — le nom (du Fils unique) Jn 1.12. **3.19** le jugement Jn 9.39-41; 12.37-50 — la lumière dans le monde Jn 1.5, 9; 8.12; 9.5. **3.20** la lumière démasque le mal Ep 5.11-13. **3.21** faire la vérité Tb 4.6; cf. Jn 7.17; 1 Jn 1.6 — la vérité Jn 18.37. **3.22** Jésus baptise Jn 3.26; 4.1-2. **3.24** emprisonnement de Jean Mt 4.12; 14.3; Mc 1.14; 6.17; Lc 3.20.

celui qui était avec toi au-delà du Jourdain, celui auquel tu as rendu témoignage, voici qu'il se met lui aussi à baptiser et tous vont vers lui. » ²⁷ Jean leur fit cette réponse : « Un homme ne peut rien s'attribuer au-delà de ce qui lui est donné du *ciel. ²⁸ Vous-mêmes, vous m'êtes témoins que j'ai dit : "Moi, je ne suis pas le *Christ, mais je suis celui qui a été envoyé devant lui." ²⁹ Celui qui a l'épouse est l'époux ; quant à l'ami de l'époux, il se tient là, il l'écoute et la voix de l'époux le comble de joie. Telle est ma joie, elle est parfaite. ³⁰ Il faut qu'il grandisse et que moi, je diminue.

Celui qui vient d'en haut

³¹ Celui qui vient d'en haut est au-dessus de tout. Celui qui est de la terre est terrestre et parle de façon terrestre. Celui qui vient du *ciel ³² témoigne de ce qu'il a vu et de ce qu'il a entendu, et personne ne reçoit son témoignage. ³³ Celui qui reçoit son témoignage ratifie que Dieu est véridique. ³⁴ En effet celui que Dieu a envoyé dit les paroles de Dieu, qui lui donne l'Esprit sans mesure. ³⁵ Le Père aime le Fils et il a tout remis en sa main. ³⁶ Celui qui croit le Fils a la *vie éternelle ; celui qui n'obéit pas au Fils ne verra pas la vie, mais la colère de Dieu demeure sur lui. »

Jésus rencontre une femme samaritaine

4 ¹ Quand Jésus apprit que les *pharisiens avaient entendu dire qu'il faisait plus de *disciples et en baptisait plus que Jean, ² — à vrai dire, Jésus luimême ne baptisait pas, mais ses disciples — ³ il quitta la Judée et regagna la Galilée. ⁴ Or il lui fallait traverser la *Samarie. ⁵ C'est ainsi qu'il parvint dans une ville de Samarie appelée Sychar, non loin de la terre donnée par Jacob à son fils Joseph, ⁶ là même où se trouve le puits de Jacob. Fatigué du chemin, Jésus était assis tout simplement au bord du puits. C'était environ la sixième heure ᵛ. ⁷ Arrive une femme de Samarie pour puiser de l'eau. Jésus lui dit : « Donne-moi à boire. » ⁸ Ses disciples, en effet, étaient allés à la ville pour acheter de quoi manger. ⁹ Mais cette femme, cette Samaritaine lui dit : « Comment ? Toi, un *Juif, tu me demandes à boire à moi, une femme samaritaine ! » Les Juifs, en effet, ne veulent rien avoir de commun avec les Samaritains ʷ. ¹⁰ Jésus lui répondit : « Si tu connaissais le don de Dieu et qui est celui qui te dit : "Donne-moi à boire", c'est toi qui aurais demandé et il t'aurait donné de l'eau vive ˣ. » ¹¹ La femme lui dit : « Seigneur, tu n'as même pas un seau et le puits est profond ; d'où la tiens-tu donc cette eau vive ? ¹² Serais-tu plus grand, toi, que notre père Jacob qui nous a donné le puits et qui, lui-même, y a bu ainsi que ses fils et ses bêtes ? » ¹³ Jésus lui répondit : « Quiconque boit de cette eau-ci aura encore soif ; ¹⁴ mais celui qui boira de l'eau que je lui donnerai n'aura plus jamais soif ; au contraire, l'eau que je lui donnerai deviendra en lui une source jaillissant en *vie éternelle. » ¹⁵ La femme lui dit : « Seigneur, donne-moi cette eau pour que je n'aie plus soif et que je n'aie plus à venir puiser ici. » ¹⁶ Jésus lui dit : « Va, appelle ton mari et reviens ici. » ¹⁷ La femme lui répondit : « Je n'ai pas de mari. » ¹⁸ Jésus lui dit : « Tu dis bien : "Je n'ai pas de mari" : ¹⁹ tu as eu cinq et l'homme que tu as n'est pas ton mari. En cela tu as dit vrai. » ¹⁹ « Seigneur, lui dit la femme, je vois que tu es un *prophète. ²⁰ Nos pères ont adoré sur cette montagne ʸ et vous, vous affirmez qu'à

ᵛ Midi. Voir Mt 20.3 et note • ʷ Sur les *Samaritains* voir Mt 10.5 et note • ˣ Expression d'origine hébraïque pour désigner *l'eau courante*. Mais il y a ici une sorte de jeu de mots: *l'eau vive* dont parle Jésus est aussi ce qui donne la vie (v. 14) • ʸ Exclus de la communauté juive, les Samaritains avaient édifié un temple sur le *mont Garizim*, montagne proche de l'ancienne Sichem

3.27 donné du ciel Jn 19.11; 1 Co 4.7; He 5.4. **3.28** Jean nie être le Christ Jn 1.20 — envoyé devant lui Ml 3.1 (Mt 11.10; Mc 1.2). **3.29** image de l'épouse Os 2.21; Ez 16.8; Es 62.4-5; 2 Co 11 2; Ep 5.25-31; Ap 21.2; 22.17 — l'ami de l'époux Mt 9.15; Mc 2.19. **3.31** d'en haut... de la terre Jn 8.23 — parler de façon terrestre 1 Jn 4.5. **3.32** le témoignage apporté par Jésus Jn 3.11; 8.26. **3.35** le Père aime le Fils Jn 5.20; 10.17; 15.9 — tout en sa main Mt 11.27; Lc 10.22; Jn 13.3. **3.36** foi et vie éternelle Jn 3.16; 1 Jn 5.13 — la colère de Dieu Ep 5.6. **4.1** succès et activité baptismale de Jésus Jn 3.22, 26. **4.4** la Samarie Mt 10.5; Lc 9.52+; 17.11. **4.5** le terrain donné par Jacob à Joseph Gn 33.19; 48.22; Jos 24.32. **4.6** le puits de Jacob v. 12. **4.9** Juifs et Samaritains Esd 4.3; 9.1—10.44; Si 50.25-26; Mt 10.5; Lc 9.52-53; 10.33. **4.10** celui qui te parle v. 26 — eau vive Jr 2.13; Jn 7.37-38; Ap 21.6; 22.17. **4.12** serais-tu plus grand... ? Jn 8.53. **4.14** jamais faim Jn 6.35 — une source Jn 7.38 — l'eau comme symbole 1) vie Es 12.3; Jr 2.13; 17.13; 2) sagesse *Ba* 3.12; *Si* 15.3; 24.30-31; 3) l'Esprit Es 44.3; Jl 3.1; Jn 7.38-39. **4.19** Jésus regardé comme prophète Mt 16.14+; cf. Jn 7.40. **4.20** le mont Garizim, lieu de culte Dt 11.29; Jos 8.33 — le lieu où il faut adorer Dt 12.5-14; Ps 122.1-5.

Jérusalem se trouve le lieu où il faut adorer. » 21 Jésus lui dit : « Crois-moi, femme, l'heure vient où ce n'est ni sur cette montagne ni à Jérusalem que vous adorerez le Père. 22 Vous adorez ce que vous ne connaissez pas ; nous adorons ce que nous connaissons, car le salut vient des *Juifs. 23 Mais l'heure vient, elle est là, où les vrais adorateurs adoreront le Père en esprit et en vérité ; tels sont, en effet, les adorateurs que cherche le Père. 24 Dieu est esprit et c'est pourquoi ceux qui l'adorent doivent adorer en esprit et en vérité. » 25 La femme lui dit : « Je sais qu'un *Messie doit venir — celui qu'on appelle *Christ —. Lorsqu'il viendra, il nous annoncera toutes choses. » 26 Jésus lui dit : « Je le suis, moi qui te parle. » 27 Sur quoi les disciples arrivèrent. Ils s'étonnaient que Jésus parlât avec une femme ; cependant personne ne lui dit « Que cherches-tu ? » ou « Pourquoi lui parles-tu ? » 28 La femme alors, abandonnant sa cruche, s'en fut à la ville et dit aux gens : 29 « Venez donc voir un homme qui m'a dit tout ce que j'ai fait. Ne serait-il pas le Christ ? » 30 Ils sortirent de la ville et allèrent vers lui. 31 Entre temps, les disciples le pressaient : « Rabbi z, mange donc. » 32 Mais il leur dit : « J'ai à manger une nourriture que vous ne connaissez pas. » 33 Sur quoi les disciples se dirent entre eux : « Quelqu'un lui aurait-il donné à manger ? » 34 Jésus leur dit : « Ma nourriture, c'est de faire la volonté de celui qui m'a envoyé et d'accomplir son œuvre. 35 Ne dites-vous pas vous-mêmes : "Encore quatre mois et viendra la moisson" ? Mais moi je vous dis : levez les yeux et regardez ; déjà les champs sont blancs a pour la moisson ! 36 Déjà le moissonneur reçoit son salaire et amasse du fruit pour la *vie éternelle, si bien que celui qui sème et celui qui moissonne se réjouissent ensemble. 37 Car en ceci le proverbe est vrai, qui dit : "l'un sème, l'autre moissonne." 38 Je vous ai envoyés mois-

sonner ce qui ne vous a coûté aucune peine ; d'autres ont peiné et vous avez pénétré dans ce qui leur a coûté tant de peine. » 39 Beaucoup de Samaritains de cette ville avaient cru en lui à cause de la parole de la femme qui attestait : « Il m'a dit tout ce que j'ai fait. » 40 Aussi lorsqu'ils furent arrivés près de lui, les Samaritains le prièrent de demeurer parmi eux. Et il y demeura deux jours. 41 Bien plus nombreux encore furent ceux qui crurent à cause de sa parole à lui ; 42 et ils disaient à la femme : « Ce n'est plus seulement à cause de tes dires que nous croyons ; nous l'avons entendu nous-mêmes et nous savons qu'il est vraiment le Sauveur du *monde. »

L'officier royal de Capharnaüm
(Mt 8.5-13 ; Lc 7.1-10)

43 Deux jours plus tard, Jésus quitta ces lieux et regagna la Galilée. 44 Il avait en effet attesté lui-même qu'un *prophète n'est pas honoré dans sa propre patrie. 45 Cependant lorsqu'il arriva en Galilée, les Galiléens lui firent bon accueil : ils étaient allés à Jérusalem pour la fête, eux aussi, et ils avaient pu voir tout ce que Jésus avait fait. 46 Jésus revint donc à Cana de Galilée où il avait fait du vin avec de l'eau. Il y avait un officier royal b dont le fils était malade à Capharnaüm. 47 Ayant entendu dire que Jésus arrivait de Judée en Galilée, il vint le trouver et le pria de descendre guérir son fils qui se mourait. 48 Jésus lui dit : « Si vous ne voyez *signes et prodiges vous ne croirez donc jamais ! » 49 L'officier lui dit : « Seigneur, descends avant que mon enfant ne meure ! » 50 Jésus lui dit : « Va, ton fils vit. » Cet homme crut à la parole que Jésus lui avait dite et il se mit en route. 51 Tandis qu'il descendait, ses serviteurs vinrent à sa rencontre et dirent : « Ton enfant vit ! » 52 Il leur demanda à quelle heure il s'était trouvé

---

z Voir 1.38 et note ● a les hébreux n'avaient probablement pas de mot particulier pour désigner la couleur jaune des blés mûrs ; ils employaient le même terme pour qualifier les teintes plus pâles que le vert ● b Le terme grec désigne un personnage attaché au service du « roi » Hérode Antipas (voir Mc 1.14 et note)

4.22 le salut vient des Juifs Es 2.3 ; Rm 9.3-4. **4.23** adoration en esprit et en vérité Ph 3.3. **4.24** Dieu est esprit 2 Co 3.17. **4.25** le Messie, Christ Jn 1.41 — il nous annoncera toutes choses Jn 14.26. **4.26** Je le suis Mc 14.61-62 ; Jn 6.20 moi qui te parle Jn 9.37. **4.29** Ne serait-il pas le Christ ? Mt 12.23 ; Jn 7.26. **4.34** la volonté de celui qui m'a envoyé Jn 5.30 ; 6.38 — accomplir son œuvre Jn 5.36 ; 17.4. **4.35** la moisson Mt 9.37 ; Lc 10.2. **4.37** l'un sème, l'autre moissonne cf. Mi 6.15. **4.42** le Sauveur Es 19.20 ; 43.3 ; Mt 1.21 ; Lc 2.11 + du monde 1 Jn 4.14. **4.44** le prophète dans sa patrie Mt 13.57 ; Mc 6.4 ; Lc 4.24. **4.45** voir tout ce que Jésus avait fait Jn 2.23. **4.46** à Cana Jn 2.1-11. **4.47** la requête de l'officier Mt 8.5-6 ; Lc 7.1-3. **4.48** une foi qui s'appuie sur des miracles Mc 13.22 ; 1 Co 1.22. **4.50** Va... Mt 8.13 ; Mc 7.29.

mieux et ils répondirent : « C'est hier, à la septième heure [c], que la fièvre l'a quitté. » [53] Le père constata que c'était à cette heure même que Jésus lui avait dit : « Ton fils vit ». Dès lors il crut, lui et toute sa maisonnée. [54] Tel fut le second *signe que Jésus accomplit lorsqu'il revint de Judée en Galilée.

Jésus et le paralysé de Bethzatha

5 [1] Après cela et à l'occasion d'une fête juive [d], Jésus monta à Jérusalem. [2] Or il existe à Jérusalem, près de la porte des brebis, une piscine qui s'appelle en hébreu Bethzatha [e]. Elle possède cinq portiques [3] sous lesquels gisaient une foule de malades, aveugles, boiteux, impotents [f]. [5] Il y avait là un homme infirme depuis trente-huit ans. [6] Jésus le vit couché et, apprenant qu'il était dans cet état depuis longtemps déjà, lui dit : « Veux-tu guérir ? » [7] L'infirme lui répondit : « Seigneur, je n'ai personne pour me plonger dans la piscine au moment où l'eau commence à s'agiter ; et, le temps d'y aller, un autre descend avant moi. » [8] Jésus lui dit : « Lève-toi, prends ton grabat et marche. » [9] Et aussitôt l'homme fut guéri ; il prit son grabat, il marchait.

Or ce jour-là était un jour de *sabbat. [10] Aussi les Juifs [g] dirent à celui qui venait d'être guéri : « C'est le sabbat, il ne t'est pas permis de porter ton grabat. » [11] Mais il leur répliqua : « Celui qui m'a rendu la santé, c'est lui qui m'a dit : "Prends ton grabat et marche". » [12] Ils l'interrogèrent : « Qui est cet homme qui t'a dit : "Prends ton grabat et marche" ? » [13] Mais celui qui avait été guéri ne savait pas qui c'était, car Jésus s'était éloigné de la foule qui se trouvait en ce lieu. [14] Plus tard, Jésus le

trouve dans le *temple et lui dit : « Te voilà bien portant : ne pèche plus de peur qu'il ne t'arrive pire encore ! » [15] L'homme alla raconter aux Juifs que c'était Jésus qui l'avait guéri. [16] Dès lors les Juifs s'en prirent à Jésus qui avait fait cela un jour de sabbat. [17] Mais Jésus leur répondit : « Mon Père, jusqu'à présent, est à l'œuvre et moi aussi je suis à l'œuvre. » [18] Dès lors, les Juifs n'en cherchaient que davantage à le faire périr, car non seulement il violait le sabbat, mais encore il appelait Dieu son propre Père, se faisant ainsi l'égal de Dieu.

Le pouvoir que le Père a remis au Fils

[19] Jésus reprit la parole et leur dit : « En vérité, en vérité, je vous le dis, le Fils ne peut rien faire de lui-même, mais seulement ce qu'il voit faire au Père ; ce que fait le Père, le Fils le fait pareillement. [20] C'est que le Père aime le Fils et lui montre tout ce qu'il fait ; il lui montrera des œuvres plus grandes encore, de sorte que vous serez dans l'étonnement. [21] Comme le Père, en effet, relève les morts et les fait vivre, le Fils lui aussi fait vivre qui il veut. [22] Le Père ne juge personne, il a remis tout jugement au Fils, [23] afin que tous honorent le Fils comme ils honorent le Père. Celui qui n'honore pas le Fils, n'honore pas non plus le Père qui l'a envoyé. [24] En vérité, en vérité, je vous le dis, celui qui écoute ma parole et croit en celui qui m'a envoyé, a la *vie éternelle ; il ne vient pas en jugement, mais il est passé de la mort à la vie. [25] En vérité, en vérité, je vous le dis, l'heure vient — et maintenant elle est là — où les morts entendront la voix du Fils de Dieu et ceux qui l'auront entendue vi-

---

[c] Une heure de l'après-midi (voir Mt 20.3 et note) ● [d] Certains manuscrits lisent *la fête;* il s'agirait alors de la Pâque (voir 6.4) ● [e] Certains manuscrits lisent *Bezatha;* d'autres *Bethesda.* Bethzatha se trouve près d'un quartier situé au Nord-Est de Jérusalem. Des fouilles récentes ont permis de dégager les ruines de cette piscine ● [f] Certains manuscrits ajoutent ici une notice qui prépare le récit qui va suivre: *qui attendaient l'agitation de l'eau, 4 car à certains moments l'ange du Seigneur descendait dans la piscine; l'eau s'agitait et le premier qui y entrait après que l'eau avait bouillonné était guéri quelle que fût sa maladie* ● [g] Voir 1.19 et note

4.53 et toute sa maisonnée Ac 11.14; 16.14-15, 31. **4.54** le second signe cf. Jn 2.11. **5.8** Lève-toi, prends ton grabat... Mc 2.11 par. **5.9** aussitôt... il prit... il marchait Mc 2.12; Lc 5.25 — un jour de sabbat Lc 13.14; Jn 9.14; cf. Mt 12.1+. **5.10** travaux interdits le jour du sabbat cf. Jr 17.21. **5.13** Jésus s'éloigne de la foule Mt 8.13; 13.36; Mc 4.36; 7.17; Jn 6.2-3, 15. **5.14** ne pèche plus Jn 8.11. **5.15** raconter que c'était Jésus Jn 9.11. **5.18** faire périr Jésus Mt 14.5; 26.4; Mc 14.1; Jn 7.1, 19, 25; 8.37, 40; 11.53 — l'égal de Dieu Jn 10.30, 33. **5.19** ne rien faire de lui-même Jn 5.30; 7.16-18, 28; 8.28, 42; 12.49; 14.10. **5.20** le Père aime le Fils Jn 3.35; 10.17; 15.9; 17.23-24 — œuvres du Père, œuvres du Fils Jn 5.19-20; 7.3, 21; 9.3-5; 10.25-38; 14.10-12; 15.24. **5.21** le Père relève les morts Rm 4.17; Ep 2.5 — le Fils fait vivre Jn 11.25. **5.22** le jugement confié au Fils Jn 3.17; 5.27; 9.39; 12.47; Ac 10.42; 17.31. **5.23** honorer le Fils, honorer le Père Ph 2.10-11 — ne pas honorer le Fils Lc 10.16. **5.24** foi et vie éternelle Jn 3.15-16; 8.51; 12.44-46 — il ne vient pas en jugement Jn 3.18 — passer de la mort à la vie 1 Jn 3.14. **5.25** les morts entendront Mc 5.41; Lc 7.14; 8.54; Jn 5.28; 11.43.

vront. **26** En effet, comme le Père possède la vie en lui-même, ainsi a-t-il donné au Fils de posséder la vie en lui-même ; **27** il lui a donné le pouvoir d'exercer le jugement parce qu'il est le *Fils de l'homme. **28** Que tout ceci ne vous étonne plus ! L'heure vient où tous ceux qui gisent dans les tombeaux entendront sa voix, **29** et ceux qui auront fait le bien en sortiront pour la résurrection qui mène à la vie ; ceux qui auront pratiqué le mal, pour la résurrection qui mène au jugement. **30** Moi, je ne puis rien faire de moi-même : je juge selon ce que j'entends et mon jugement est juste parce que je ne cherche pas ma propre volonté, mais la volonté de celui qui m'a envoyé.

Les quatre témoignages rendus à Jésus

31 Si je me rendais témoignage à moi-même, mon témoignage ne serait pas recevable ; **32** c'est un autre qui me rend témoignage, et je sais que le témoignage qu'il me rend est conforme à la vérité. **33** Vous avez envoyé une délégation auprès de Jean [h] et il a rendu témoignage à la vérité. **34** Pour moi, ce n'est pas que j'aie à recevoir le témoignage d'un homme, mais je parle ainsi afin que vous soyez sauvés. **35** Jean fut la lampe qu'on allume et qui brille : vous avez bien voulu vous réjouir pour un moment à sa lumière. **36** Or je possède un témoignage qui est plus grand que celui de Jean : ce sont les œuvres que le Père m'a donné à accomplir ; je les fais et ce sont elles qui portent à mon sujet témoignage que le Père m'a envoyé. **37** Le Père qui m'a en-

voyé a lui-même porté témoignage à mon sujet. Mais jamais vous n'avez ni écouté sa voix ni vu ce qui le manifestait, **38** et sa parole ne demeure pas en vous, puisque vous ne croyez pas à celui qu'il a envoyé. **39** Vous scrutez les Ecritures parce que vous pensez acquérir par elles la *vie éternelle : ce sont elles qui rendent témoignage à mon sujet. **40** Et vous ne voulez pas venir à moi pour avoir la vie éternelle. **41** La gloire, je ne la tiens pas des hommes. **42** Mais je vous connais, vous n'avez pas en vous l'amour de Dieu. **43** Je suis venu au nom de mon Père, et vous refusez de me recevoir. Qu'un autre vienne en son propre nom, celui-là vous le recevrez ! **44** Comment pourriez-vous croire, vous qui tenez votre gloire les uns des autres et qui ne cherchez pas la gloire qui vient de Dieu seul ? **45** Ne pensez pas que ce soit moi qui vous accuserai devant le Père : votre accusateur, c'est Moïse en qui vous avez mis vos espoirs. **46** En effet, si vous croyiez en Moïse, vous croiriez en moi, car c'est à mon sujet qu'il a écrit [i]. **47** Si vous ne croyez pas ce qu'il a écrit, comment croiriez-vous ce que je dis ? »

Jésus nourrit cinq mille hommes
(*Mt 14.13-21 ; Mc 6.30-44 ; Lc 9.10-17*)

6 **1** Après cela Jésus passa sur l'autre rive de la mer de Galilée, dite encore de Tibériade [j]. **2** Une grande foule le suivait parce que les gens avaient vu les *signes qu'il opérait sur les malades. **3** C'est pourquoi Jésus gravit la montagne et s'y assit avec ses disciples. **4** C'était peu avant la *Pâque qui est la fête des *Juifs.

---

h Voir 1.19-27 : il s'agit de *Jean le Baptiste* ● *i* Les Juifs du temps de Jésus considéraient *Moïse* comme l'auteur des cinq premiers livres de la Bible ● *j* La *mer de Galilée*, ou *de Tibériade* est encore nommée *lac de Gennésareth* en Lc 5.1. Les hébreux désignaient par le même mot toute grande quantité d'eau : mer, lac, et même la cuve géante de 1 R 7.23-26

5.26 le Fils possède en lui-même la vie Jn 1.4. **5.27** le pouvoir d'exercer le jugement Jn 5.22+ — le Fils de l'homme Mt 8.20+. **5.29** résurrection pour la vie ou pour le jugement Dn 12.2 ; Ac 24.15. **5.30** ne rien faire de moi-même Jn 5.19+ — la volonté de celui qui m'a envoyé Lc 22.42 ; Jn 4.34+. **5.31** témoignage rendu à soi-même Jn 8.13-14. **5.32** un autre est témoin pour Jésus Jn 1.15, 34 ; 3.26 ; 5.36 ; 37, 39 ; 8.18 ; 10.25 ; 15.26 ; 1 Jn 5.6-9 — témoignage conforme à la vérité Jn 19.35 ; 21.24. **5.33** le témoignage de Jean (le Baptiste) Jn 1.19-27 ; 3.22-30. **5.34** le témoignage d'un homme Jn 15.9. **5.36** un témoignage plus grand 1 Jn 5.9. — les œuvres que le Père m'a confiées Jn 10.25, 38 ; 14.11. **5.37** le Père a témoigné pour Jésus Mc 1.11 par. ; Jn 5.32 ; 8.18 ; 1 Jn 5.9. **5.38** sa parole en vous 1 Jn 2.14 — croire en celui que Dieu a envoyé Jn 6.29. **5.39** le témoignage des Ecritures au sujet de Jésus Jn 1.45 ; 2.22 ; 5.47 ; 12.41 ; 19.28 ; cf. Lc 14.27, 44 ; Ac 13.27 ; 1 P 1.10-11 — les Ecritures, source de vie Dt 4.1 ; 8.1, 3 ; 30.15-20 ; Ps 119. **5.41** la gloire qui vient des hommes Jn 12.43. **5.42** Jésus connaît les cœurs Jn 2.25 — l'amour de Dieu en vous 1 Jn 3.17. **5.43** venir en son propre nom cf. Jn 7.17-18. **5.44** quelle gloire chercher ? Jn 7.18 ; 8.50-54 ; 12.23, 28, 43 ; 13.31-32 ; 17.1 ; 1 Co 1.29, 31 ; 3.21 ; 4.7. **5.45** Moïse (la Loi), votre accusateur Dt 31.26-27. **5.46** le Christ annoncé par Moïse Dt 18.15 ; Lc 24.27 ; Ac 3.22 ; 7.37. **5.47** croire Moïse, croire Jésus Lc 16.29-31. **6.2** Jésus suivi par la foule Mt 4.25 ; 8.1 ; 12.15 ; 19.2 ; 20.29 ; Mc 5.24 ; Lc 9.11 — parce qu'ils avaient vu les signes... Jn 2.23+ ; 6.14. **6.3** Jésus gravit la montagne Mt 5.1 ; 24.3 ; Mc 3.13 ; Lc 22.39. **6.4** proximité de la Pâque Lc 22.1 ; Jn 2.13+.

⁵ Or, ayant levé les yeux, Jésus vit une grande foule qui venait à lui. Il dit à Philippe : « Où achèterons-nous des pains pour qu'ils aient de quoi manger ? » ⁶ En parlant ainsi il le mettait à l'épreuve ; il savait, quant à lui, ce qu'il allait faire. ⁷ Philippe lui répondit : « Deux cents deniers ᵏ de pain ne suffiraient pas pour que chacun reçoive un petit morceau. » ⁸ Un de ses disciples, André, le frère de Simon-Pierre lui dit : ⁹ « Il y a là un garçon qui possède cinq pains d'orge et deux petits poissons ; mais qu'est-ce que cela pour tant de gens ? » ¹⁰ Jésus dit : « Faites-les asseoir. » Il y avait beaucoup d'herbe à cet endroit. Ils s'assirent donc ; ils étaient environ cinq mille hommes. ¹¹ Alors Jésus prit les pains, il rendit grâce et les distribua aux convives. Il fit de même avec les poissons : il leur en donna autant qu'ils en désiraient. ¹² Lorsqu'ils furent rassasiés, Jésus dit à ses disciples : « Rassemblez les morceaux qui restent de sorte que rien ne soit perdu. » ¹³ Ils les rassemblèrent et ils remplirent douze paniers avec les morceaux des cinq pains d'orge qui étaient restés à ceux qui avaient mangé. ¹⁴ A la vue du signe qu'il venait d'opérer, les gens dirent : « Celui-ci est vraiment le Prophète ˡ, celui qui doit venir dans le monde. » ¹⁵ Mais Jésus, sachant qu'on allait venir l'enlever pour le faire roi, se retira à nouveau, seul, dans la montagne.

Jésus rejoint ses disciples sur le lac
(Mt 14.22-27; Mc 6.45-52)

¹⁶ Le soir venu, ses disciples descendirent jusqu'à la mer. ¹⁷ Ils montèrent dans une barque et se dirigèrent vers Capharnaüm, sur l'autre rive. Déjà l'obscurité s'était faite et Jésus ne les avait pas encore rejoints. ¹⁸ Un grand vent soufflait et la mer était houleuse. ¹⁹ Ils avaient ramé environ vingt-cinq à trente stades ᵐ, lorsqu'ils voient Jésus marcher sur la mer et s'approcher de la barque. Alors ils furent pris de peur ²⁰ mais Jésus leur dit : « C'est

moi, n'ayez pas peur ! » ²¹ Ils voulurent le prendre dans la barque, mais aussitôt la barque toucha terre au lieu où ils allaient.

A Capharnaüm
Jésus parle du pain du ciel

²² Le lendemain, la foule restée sur l'autre rive, se rendit compte qu'il y avait eu là une seule barque et que Jésus n'avait pas accompagné ses disciples dans leur barque ; ceux-ci étaient partis seuls. ²³ Toutefois, venant de Tibériade, d'autres barques arrivèrent près de l'endroit où ils avaient mangé le pain après que le Seigneur eut rendu grâce. ²⁴ Lorsque la foule eut constaté que ni Jésus ni ses disciples ne se trouvaient là, les gens montèrent dans les barques et ils s'en allèrent à Capharnaüm, à la recherche de Jésus. ²⁵ Et quand ils l'eurent trouvé sur l'autre rive, ils lui dirent : « Rabbi ⁿ, quand es-tu arrivé ici ? » ²⁶ Jésus leur répondit : « En vérité, en vérité, je vous le dis, ce n'est pas parce que vous avez vu des *signes que vous me cherchez, mais parce que vous avez mangé des pains à satiété. ²⁷ Il faut vous mettre à l'œuvre pour obtenir non pas cette nourriture périssable, mais la nourriture qui demeure en *vie éternelle, celle que le *Fils de l'homme vous donnera, car c'est lui que le Père, qui est Dieu, a marqué de son sceau ᵒ. » ²⁸ Ils lui dirent alors : « Que nous faut-il faire pour travailler aux œuvres de Dieu ? » ²⁹ Jésus leur répondit : « L'œuvre de Dieu c'est de croire en celui qu'il a envoyé. » ³⁰ Ils lui répliquèrent : « Mais toi, quel signe fais-tu donc, pour que nous voyions et que nous te croyions ? Quelle est ton œuvre ? ³¹ Au désert, nos pères ont mangé la manne, ainsi qu'il est écrit : *Il a donné à manger un pain qui vient du *ciel.* ³² Mais Jésus leur dit : « En vérité, en vérité, je vous le dis, ce n'est pas Moïse qui vous a donné le pain du ciel, mais c'est mon Père qui vous donne le véritable pain du ciel. ³³ Car le pain de Dieu, c'est celui qui

---

k Voir au glossaire MONNAIES ● *l* Voir 1.21 et note ● *m* Environ 5 km. Voir au glossaire POIDS ET MESURES ● *n* Voir 18.3 et note ● *o* Voir note sur Ap 7.2

6.6 Jésus sait Jn 1.48; 2.25; 4.17-19, 29; 6.61; 64, 71; 13.11, 27-28; 16.19, 30; 18.4; 21.17. **6.8** André Mt 4.18+. **6.9** pains et poissons Jn 21.9, 13 — Qu'est-ce que cela ? 2 R 4.42-44. **6.14** le Prophète Mt 21.11+; Ac 7.37. **6.15** la royauté de Jésus Jn 18.36 — Jésus se retire Mt 14.23; 15.29; Mc 6.46; Lc 6.12. **6.20** C'est moi, n'ayez pas peur Mt 14.27; cf. Mc 16.6+. **6.26** voir des signes et croire Jn 2.11 — manger à satiété Jn 6.11-12. **6.27** qui demeure en vie éternelle Jn 4.14; 6.50, 51, 54, 58 — le Fils de l'homme Mt 8.20+ — marqué de son sceau Ep 1.13; 4.30; Ap 7.3-4. **6.28** les œuvres de Dieu Jn 9.4; 1 Co 15.58. **6.29** croire Rm 3.28. **6.30** quel signe ? Jn 2.18+. **6.31** la manne Ex 16.15; Nb 11.7-9; Dt 8.3; Ne 9.15; *Sg* 16.20; Jn 6.49, 58 — il leur a donné... Ps 78.24; 105.40. **6.33** le pain de Dieu Jn 6.41, 51.

descend du ciel et qui donne la *vie au *monde. »

³⁴ Ils lui dirent alors : « Seigneur, donne-nous toujours ce pain-là ! » ³⁵ Jésus leur dit : « C'est moi qui suis le pain de vie ; celui qui vient à moi n'aura pas faim ; celui qui croit en moi jamais n'aura soif. ³⁶ Mais je vous l'ai dit : vous avez vu et pourtant vous ne croyez pas. ³⁷ Tous ceux que le Père me donne viendront à moi, et celui qui vient à moi, je ne le rejetterai pas, ³⁸ car je suis descendu du ciel pour faire, non pas ma propre volonté, mais la volonté de celui qui m'a envoyé. ³⁹ Or la volonté de celui qui m'a envoyé, c'est que je ne perde aucun de ceux qu'il m'a donnés, mais que je les ressuscite au dernier *jour. ⁴⁰ Telle est en effet la volonté de mon Père : que quiconque voit le Fils et croit en lui, ait la vie éternelle ; et moi, je le ressusciterai au dernier jour. »

⁴¹ Dès lors, les *Juifs se mirent à murmurer à son sujet parce qu'il avait dit : « Je suis le pain qui descend du ciel. » ⁴² Et ils ajoutaient : « N'est-ce pas Jésus, le fils de Joseph ? Ne connaissons-nous pas son père et sa mère ? Comment peut-il déclarer maintenant : "je suis descendu du ciel" ? » ⁴³ Jésus reprit la parole et leur dit : « Cessez de murmurer entre vous ! ⁴⁴ Nul ne peut venir à moi si le Père qui m'a envoyé ne l'attire, et moi je le ressusciterai au dernier jour. ⁴⁵ Dans les *prophètes il est écrit : *Tous seront instruits par Dieu.* Quiconque a entendu ce qui vient du Père et reçoit son enseignement vient à moi. ⁴⁶ C'est que nul n'a vu le Père, si ce n'est celui qui vient de Dieu. Lui, il a vu le Père. ⁴⁷ En vérité, en vérité, je vous le dis, celui qui croit ᵖ a la vie éternelle. ⁴⁸ Je suis le pain de vie. ⁴⁹ Au désert vos pères ont mangé la manne, et ils sont morts. ⁵⁰ Tel est le pain qui descend du ciel, que celui qui en mangera ne mourra pas. ⁵¹ Je suis le pain vivant qui descend du ciel. Celui qui mangera de ce pain vivra pour l'éternité. Et le pain que je donnerai, c'est ma chair, donnée pour que le *monde ait la vie. » ⁵² Sur quoi, les Juifs se mirent à discuter violemment entre eux : « Comment celui-là peut-il nous donner sa chair à manger ? » ⁵³ Jésus leur dit alors : « En vérité, en vérité, je vous le dis, si vous ne mangez pas la chair du Fils de l'homme et si vous ne buvez pas son sang, vous n'aurez pas en vous la vie. ⁵⁴ Celui qui mange ma chair et boit mon sang a la vie éternelle, et moi, je le ressusciterai au dernier jour. ⁵⁵ Car ma chair est vraie nourriture et mon sang vraie boisson. ⁵⁶ Celui qui mange ma chair et boit mon sang demeure en moi et moi en lui. ⁵⁷ Et comme le Père qui est vivant m'a envoyé et que je vis par le Père, ainsi celui qui me mangera vivra par moi. ⁵⁸ Tel est le pain qui est descendu du ciel : il est bien différent de celui que vos pères ont mangé ; ils sont morts, eux, mais celui qui mangera du pain que voici vivra pour l'éternité. » ⁵⁹ Tels furent les enseignements de Jésus, dans la *synagogue, à Capharnaüm.

Les paroles de la vie éternelle

⁶⁰ Après l'avoir entendu, beaucoup de ses disciples commencèrent à dire : « Cette parole est rude ! Qui peut l'écouter ? » ⁶¹ Mais, sachant en lui-même que ses disciples murmuraient à ce sujet, Jésus leur dit : « C'est donc pour vous une cause de scandale ? ⁶² Et si vous voyiez le *Fils de l'homme monter là où il était auparavant... ? ⁶³ C'est l'Esprit qui vivifie, la chair ne sert de rien. Les paroles que je vous ai dites sont esprit et *vie. ⁶⁴ Mais il en est parmi vous qui ne croient pas. » En fait, Jésus savait dès le début quels étaient ceux qui ne croyaient pas et qui était celui qui allait le livrer. ⁶⁵ Il ajouta : « C'est bien pourquoi je vous ai dit :

ᵖ Plusieurs manuscrits lisent ici : *celui qui croit en moi*

6.34 donne-nous toujours... Jn 4.15 — donne-nous Mt 6.11 ; Lc 11.3. 6.35 Je suis... Jn 8.12 ; 10.7, 9 ; 11.25 ; 14.6 ; 15.1 — le pain de vie Jn 6.48, 51, 58 — plus jamais soif Jn 4.14. 6.36 voir et croire Jn 20.29 ; cf. 9.41. 6.37 ceux que le Père me donne Jn 17.2, 6-7, 24 — accueillir celui qui vient Mt 11.28. 6.38 non ma propre volonté, mais Mc 14.36 par. ; Jn 4.34 ; 5.30. 6.39 aucun de ceux que tu m'as donnés Mt 18.14 ; Jn 10.28-29 ; 17.12 ; 18.9 — je le ressusciterai au dernier jour Jn 6.44, 54 ; 11.24 ; cf. 5.28-29 ; 14.3, 19. 6.41 murmures Ex 16.2-8 — le pain qui descend du ciel Jn 6.33, 35, 51, 58. 6.42 le fils de Joseph Mc 6.3 par. 6.44 si le Père... ne l'attire Jn 6.65 — je le ressusciterai au dernier jour Jn 6.39+. 6.45 instruits par Dieu Es 54.13 ; cf. Jr 31.33-34 ; 1 Th 4.9. 6.46 nul n'a vu le Père Jn 1.18. 6.47 foi et vie éternelle Jn 3.15, 16, 36. 6.48 le pain de vie Jn 6.35+. 6.49 la manne Jn 6.31+. 6.50-51 pain du ciel et vie éternelle Jn 6.33, 58. 6.51 le pain Jn 3.6+ — donnée Jn 10.11 ; 11.50-52 ; 15.13 ; 17.19 ; 18.14 ; Jn 3.16. 6.54 je le ressusciterai au dernier jour Jn 6.39+. 6.56 demeurer en Jésus Jn 15.5 ; cf. 1 Jn 3.24. 6.62 le Fils de l'homme Mt 8.20+ — monter... Ac 1.9-11. 6.63 l'Esprit vivifie 2 Co 3.6 — la chair ne sert de rien Jn 3.6. 6.64 Jésus savait dès le début Jn 13.11. 6.65 si le Père ne l'attire Jn 6.44.

"Personne ne peut venir à moi si cela ne lui est donné par le Père". » [66] Dès lors, beaucoup de ses disciples s'en retournèrent et cessèrent de faire route avec lui. [67] Alors Jésus dit aux Douze : « Et vous, ne voulez-vous pas partir ? » [68] Simon-Pierre lui répondit : « Seigneur, à qui irions-nous ? Tu as des paroles de vie éternelle. [69] Et nous, nous avons cru et nous avons connu que tu es le *Saint de Dieu. » [70] Jésus leur répondit : « N'est-ce pas moi qui vous ai choisis, vous les Douze ? et cependant l'un de vous est un *diable ! » [71] Il désignait ainsi Judas, fils de Simon l'Iscarioth ; car c'était lui qui allait le livrer, lui, l'un des Douze.

Jésus monte à la fête, mais en cachette

7 [1] Dans la suite, Jésus continua à parcourir la Galilée ; il préférait en effet ne pas parcourir la Judée où les Juifs [q] cherchaient à le faire périr. [2] Cependant la fête juive des Tentes [r] était proche. [3] Ses frères lui dirent : « Tu ne peux pas rester ici, passe en Judée afin que tes *disciples, eux aussi, puissent voir les œuvres que tu fais. [4] On n'agit pas en cachette quand on veut s'affirmer. Puisque tu accomplis de telles œuvres, manifeste-toi au *monde ! » [5] En effet ses frères eux-mêmes ne croyaient pas en lui. [6] Jésus leur dit alors : « Mon temps n'est pas encore venu ; votre temps à vous est toujours favorable. [7] Le *monde ne peut pas vous haïr, tandis que moi, il me hait parce que je témoigne de ses œuvres sont mauvaises. [8] Montez donc à cette fête. Pour ma part, je n'y monterai pas, car mon temps n'est pas encore accompli. » [9] Après avoir ainsi parlé il demeura en Galilée. [10] Mais lorsque ses frères furent partis pour la fête, il se mit en route, lui aussi, sans se faire voir et presque secrètement.

La foule est perplexe au sujet de Jésus

[11] Au cours de la fête [s], les *Juifs le cherchaient et on disait : « Où est-il donc ? » [12] Dans la foule, on discutait beaucoup à son propos ; les uns disaient : « C'est un homme de bien », d'autres : « Au contraire, il séduit la foule. » [13] Toutefois, personne n'osait parler ouvertement de lui, par crainte des Juifs [t].

[14] Alors qu'on était déjà au milieu de la fête, Jésus monta au *temple et il se mit à enseigner. [15] Les Juifs en étaient surpris et ils disaient : « Comment est-il si savant [u], lui qui n'a pas étudié ? » [16] Jésus leur répondit : « Mon enseignement ne vient pas de moi, mais de celui qui m'a envoyé. [17] Si quelqu'un veut faire la volonté de Dieu, il saura si cet enseignement vient de Dieu ou si je parle de moi-même. [18] Celui qui parle de lui-même cherche sa propre gloire ; seul celui qui cherche la gloire de celui qui l'a envoyé est véridique et il n'y a pas en lui d'imposture. [19] N'est-ce pas Moïse qui vous a donné la *Loi ? Or aucun de vous n'agit selon la Loi : pourquoi cherchez-vous à me faire mourir ? » [20] La foule lui répondit : « Tu es possédé d'un *démon ! Qui cherche à te faire mourir ? » [21] Jésus reprit la parole et leur dit : « Je n'ai fait qu'une seule œuvre et tous vous êtes étonnés. [22] Moïse vous a donné la *circoncision — encore qu'elle vienne des patriarches et non pas de Moïse — et vous la pratiquez le jour du *sabbat. [23] Si donc un homme reçoit la circoncision un jour de sabbat sans que la loi de Moïse soit violée,

---

q Voir 1.19 et note ● r La fête des Tentes était célébrée par les Juifs à l'automne et coïncidait avec la fête des récoltes. Elle rappelait le séjour d'Israël au désert. Pendant toute la durée de la fête les familles habitaient sous des huttes dressées pour cette occasion. Jérusalem devenait alors un centre de pèlerinage ● s Voir 7.2 et note ● t Voir 1.19 et note ● u ou Comment connaît-il les lettres ? Il s'agit des éléments de la lecture et de l'écriture, que l'on enseignait à partir des livres de la Loi. L'expression désigne donc la formation propre aux scribes et aux experts des Ecritures saintes

6.68 paroles de la vie éternelle Jn 6.63. **6.69** le Saint de Dieu Mc 1.24+ ; cf. Jn 10.36 ; 17.18 ; Mt 16.16-23 ; Mc 8.27-33 ; Lc 9.18-22. **6.70** choisis Jn 15.16. **6.71** Judas, qui allait le livrer Jn 12.4 ; cf. Mt 10.4+. **7.1** le faire périr Jn 5.18+. **7.2** la fête des Tentes Lv 23.34 ; Nb 29.12-39 ; Dt 16.13-16. **7.3** ses frères Mc 3.31+. **7.4** une démonstration de puissance messianique Jn 2.18 ; 4.48 ; 6.30 ; cf. Mt 12.38-40. **7.6** mon temps n'est pas encore venu Jn 2.4+. **7.7** haï par le monde Jn 15.18 — ses œuvres sont mauvaises Jn 3.19-21. **7.11** on cherche Jésus Jn 11.56. **7.13** par crainte des Juifs Jn 9.22 ; 19.38 ; 20.19. **7.15** on s'étonne des connaissances de Jésus Mt 15.34 ; Lc 2.47. **7.16** la source de l'enseignement de Jésus Jn 3.11-13, 31-35 ; 5.19-23 ; 12.49 ; 14.10. **7.18** chercher sa propre gloire Jn 8.50. **7.19** Moïse, donateur de la Loi Jn 1.17 — aucun n'agit selon la Loi Ac 7.53 ; Rm 2.21-24 — chercher à faire mourir Jésus Jn 5.18+. **7.20** Jésus accusé d'être possédé Mc 3.22+. **7.21** une seule œuvre Jn 5.16. **7.22** circoncision Gn 17.10-13 ; Lv 12.3 ; Rm 4.11. **7.23** une guérisson un jour de sabbat Jn 5.8-9, 16 ; cf. Mt 12.1+.

pourquoi vous irriter contre moi parce que j'ai guéri complètement un homme un jour de sabbat ? ²⁴ Cessez de juger selon l'apparence, mais jugez selon ce qui est juste ! »

²⁵ Des gens de Jérusalem disaient : « N'est-ce pas là celui qu'ils cherchent à faire mourir ? ²⁶ Le voici qui parle ouvertement et ils ne lui disent rien ! Nos autorités auraient-elles vraiment reconnu qu'il est bien le Christ ? ²⁷ Cependant, celui-ci nous savons d'où il est, tandis que, lorsque viendra le *Christ, nul ne saura d'où il est. » ²⁸ Alors Jésus, qui enseignait dans le temple, proclama : « Vous me connaissez ! Vous savez d'où je suis ! Et pourtant, je ne suis pas venu de moi-même : celui qui m'a envoyé est véridique, lui que vous ne connaissez pas. ²⁹ Mais moi, je le connais parce que je viens d'auprès de lui et qu'il m'a envoyé. » ³⁰ Ils cherchèrent alors à l'arrêter, mais personne ne mit la main sur lui parce que son heure n'était pas encore venue. ³¹ Dans la foule bien des gens crurent en lui, et ils disaient : « Lorsque le Christ viendra, opérera-t-il plus de *signes que celui-ci n'en a fait ? »

³² Ce qui se chuchotait dans la foule à son sujet parvint aux oreilles des *pharisiens : les *grands prêtres et les pharisiens envoyèrent alors des gardes pour l'arrêter. ³³ Jésus dit : « Je suis encore avec vous pour un peu de temps et je vais vers celui qui m'a envoyé. ³⁴ Vous me chercherez et vous ne me trouverez pas ; car là où je suis, vous ne pouvez venir. » ³⁵ Les *Juifs dès lors se disaient entre eux : « Où faut-il donc qu'il aille pour que nous ne le trouvions plus ? Va-t-il rejoindre ceux qui sont dispersés parmi les Grecs ? Va-t-il enseigner aux

Grecs ^v ? ³⁶ Que signifie cette parole qu'il a dite : "Vous me chercherez et vous ne me trouverez pas", et "là où je suis, vous, vous ne pouvez venir" ? »

Le dernier jour de la fête

³⁷ Le dernier jour de la fête, qui est aussi le plus solennel, Jésus, debout, se mit à proclamer à haute voix : « Si quelqu'un a soif, qu'il vienne à moi, et que boive ³⁸ celui qui croit en moi ^w. » Comme l'a dit l'Ecriture : "De son sein couleront des fleuves d'eau vive." ³⁹ Il désignait ainsi l'Esprit que devaient recevoir ceux qui croiraient en lui : en effet, il n'y avait pas encore d'Esprit parce que Jésus n'avait pas encore été glorifié.

⁴⁰ Parmi les gens de la foule qui avaient écouté ses paroles, les uns disaient : « Vraiment, voici le Prophète ^x ! » ⁴¹ D'autres disaient : « Le *Christ, c'est lui. » Mais d'autres encore disaient : « Le Christ pourrait-il venir de la Galilée ? ⁴² L'Ecriture ne dit-elle pas qu'il sera de la lignée de David et qu'il viendra de Bethléem, la petite cité dont David était originaire ? » ⁴³ C'est ainsi que la foule se divisa à son sujet. ⁴⁴ Quelques-uns d'entre eux voulurent l'arrêter, mais personne ne mit la main sur lui.

⁴⁵ Les gardes revinrent donc trouver les *grands prêtres et les *pharisiens qui leur dirent : « Pourquoi ne l'avez-vous pas amené ? » ⁴⁶ Les gardes répondirent : « Jamais homme n'a parlé comme cet homme. » ⁴⁷ Les pharisiens leur dirent : « Auriez-vous donc été abusés, vous aussi ? ⁴⁸ Parmi les notables ou parmi les pharisiens, en est-il un seul qui ait cru en lui ? ⁴⁹ Il y a tout juste cette masse qui ne

---

v L'appellation *les Grecs* désigne ici les païens plutôt que les Juifs vivant en pays païen. Voir Rm 1.14 et la note ● *w* La ponctuation adoptée ici suit la tradition la plus ancienne. Le v. 38 b est alors, avec le v. 39, une remarque de l'Evangéliste concernant Jésus. Autre ponctuation : ... *qu'il vienne à moi et qu'il boive*; v. 38 *Celui qui croit en moi, comme l'a dit l'Ecriture*... La citation serait alors appliquée au croyant ● *x* Voir 1.21 et note

7.24 juger selon l'apparence Es 11.3 ; Jn 8.15 — porter un jugement juste Lv 19.15 ; Es 11.4. **7.25** celui qu'on cherche à faire mourir Jn 5.18+. **7.27** d'où il est Jn 9.29. **7.29** Jésus connaît seul celui qui l'envoie Mt 8.55 ; 17.25. **7.30** heure non encore venue Jn 2.4+ — tentative d'appréhender Jésus Jn 7.44. **7.31** beaucoup crurent en lui Jn 2.23 ; 8.30 ; 10.42 ; 11.45 ; 12.11, 42 ; cf. 12.18-19. **7.33** avec vous pour un peu de temps Jn 13.33 ; 16.16-19 ; cf. 9.10 — vers celui qui m'a envoyé Jn 16.5 ; 17.18 — le départ de Jésus Jn 8.14, 21-22 ; 13.3, 36 ; 14.4-5, 28 ; 16.5, 10 ; 17.11, 13. **7.34** vous me chercherez... Jn 8.21 ; 13.33 — là où je suis Jn 13.36 ; cf. 17.24. **7.35** enseigner aux Grecs Jn 4.35-38 ; 12.20-24. **7.37** le dernier jour de la fête Lv 23.36 — venir à Jésus et boire Jn 4.10, 14. **7.38** des fleuves d'eau vive Pr 18.4 ; Es 58.11 ; Za 14.8. **7.39** l'Esprit, après la glorification de Jésus Jn 16.7 ; 20.22 ; Ac 2.4 — glorification de Jésus 1) au cours de son ministère terrestre : Jn 1.14 ; 2.11 ; 11.4 ; 2) à l'heure de la croix : Jn 12.16, 23, 28 ; 13.31-32 ; 17.5. **7.40** le Prophète Jn 6.14 ; Mt 21.11+. **7.41** le Christ, c'est lui Jn 4.29 ; Ac 9.22 — venir de la Galilée Jn 7.52 ; cf. 1.46. **7.42** de la lignée de David 2 S 7.12 ; Ps 89.4-5 ; Jr 23.5 — de Bethléem Mi 5.1 ; Mt 2.5-6. **7.43** division au sujet de Jésus Jn 9.16 ; 10.19 ; cf. 3.19-21. **7.44** tentative d'appréhender Jésus Jn 7.30. **7.48** parmi les notables Jn 12.42.

connaît pas la *Loi, des gens maudits ! »
[50] Mais l'un d'entre les pharisiens, ce Nicodème qui naguère était allé trouver Jésus, dit : [51] « Notre Loi condamnerait-elle
un homme sans l'avoir entendu et sans
savoir ce qu'il fait ? » [52] Ils répliquèrent :
« Serais-tu de Galilée, toi aussi ? Cherche bien et tu verras que de Galilée il
ne sort pas de *prophète. »

La femme adultère

[53] Ils s'en allèrent chacun chez soi [y].

8 [1] et Jésus gagna le mont des Oliviers [z]. [2] Dès le point du jour, il revint au *temple et, comme tout le peuple
venait à lui, il s'assit et se mit à enseigner.
[3] Les *scribes et les *pharisiens amenèrent
alors une femme qu'on avait surprise en
adultère et ils la placèrent au milieu du
groupe. [4] « Maître, lui dirent-ils, cette
femme a été prise en flagrant délit d'adultère. [5] Dans la *Loi Moïse nous a prescrit de lapider ces femmes-là. Et toi,
qu'en dis-tu ? » [6] Ils parlaient ainsi dans
l'intention de lui tendre un piège, pour
avoir de quoi l'accuser. Mais Jésus, se
baissant, se mit à tracer du doigt des
traits sur le sol. [7] Comme ils continuaient
à lui poser des questions, Jésus se redressa
et leur dit : « Que celui d'entre vous qui
n'a jamais péché lui jette la première
pierre. » [8] Et s'inclinant à nouveau, il se
remit à tracer des traits sur le sol. [9] Après
avoir entendu ces paroles, ils se retirèrent l'un après l'autre, à commencer par
les plus âgés, et Jésus resta seul. Comme
la femme était toujours là, au milieu du
cercle, [10] Jésus se redressa et lui dit :
« Femme, où sont-ils donc ? Personne ne
t'a condamnée ? » [11] Elle répondit : « Personne, Seigneur » et Jésus lui dit : « Moi

non plus, je ne te condamne pas : va, et
désormais ne pèche plus. »

Jésus est la lumière du monde

[12] Jésus, à nouveau, leur adressa la parole : « Je suis la lumière du *monde.
Celui qui vient à ma suite ne marchera
pas dans les ténèbres ; il aura la lumière
qui conduit à la *vie. » [13] Les *pharisiens
lui dirent alors : « Tu te rends témoignage
à toi-même ! Ton témoignage n'est pas
recevable ! » [14] Jésus leur répondit : « Il
est vrai que je me rends témoignage à moi-
même, et pourtant mon témoignage est
recevable, parce que je sais d'où je viens
et où je vais ; tandis que vous, vous ne
savez ni d'où je viens ni où je vais. [15] Vous
jugez de façon purement humaine. Moi,
je ne juge personne ; [16] et s'il m'arrive de
juger, mon jugement est conforme à la
vérité parce que je ne suis pas seul : il y
a aussi celui qui m'a envoyé. [17] Dans votre
propre *Loi il est d'ailleurs écrit que le
témoignage de deux hommes est recevable. [18] Je me rends témoignage à moi-
même, et le Père qui m'a envoyé me rend
témoignage lui aussi. » [19] Ils lui dirent
alors : « Ton Père, où est-il ? » Jésus
répondit : « Vous ne me connaissez pas
et vous ne connaissez pas mon Père ; si
vous m'aviez connu, vous auriez aussi
connu mon Père. » [20] Il prononça ces
paroles au lieu dit du Trésor [a], alors qu'il
enseignait dans le *temple. Personne ne
mit la main sur lui, parce que son heure
n'était pas encore venue.

Jésus se présente comme l'envoyé du Père

[21] Jésus leur dit encore : « Je m'en vais :
vous me chercherez mais vous mourrez

---

[y] Le passage 7.53—8.11 ne figure pas dans les manuscrits les plus anciens et les versions latine,
syriaque, etc. Quelques manuscrits le situent ailleurs, en particulier à la fin de l'évangile
● [z] Voir Mc 11.1 et note ● [a] Le Trésor pouvait désigner, par abréviation, l'esplanade attenante
au bâtiment où l'on conservait le trésor du Temple ; ou encore l'endroit de la cour des femmes
où se trouvaient les troncs destinés à recevoir les offrandes (Mc 12.41-43 par.)

7.50 Nicodème Jn 3.1-2 ; 19.39. **7.51** condamner un homme sans l'avoir entendu Dt 1.16. **7.52**
pas de prophète issu de Galilée Jn 1.46 ; 7.41. **8.1** Jésus regagne le mont des Oliviers Lc 21.37.
8.2 assis pour enseigner Mt 26.55. **8.5** la Loi prescrit de lapider... Lv 20.10 ; Dt 22.22-24.
8.6 piège tendu à Jésus Mt 16.1+. **8.7** celui qui jette la première pierre Dt 17.7. **8.9** l'un après
l'autre Mt 12.22. **8.11** désormais ne pèche plus Jn 5.14. **8.12** lumière du monde Es 49.6 ; Jn
1.4, 5, 9 ; 3.19-21 ; 9.5 ; 11.9-10 ; 12.35-36, 46 ; 1 Jn 1.5-7 ; 2.8-10 — suivre Jésus Jn 1.37-38, 43 ;
10.4, 27 ; 12.26 ; 13.36-37 ; 21.19, 22 ; cf. Mt 4.19+. **8.13** témoignage rendu à soi-même Jn 5.31.
8.14 origine et destination de Jésus Jn 13.3 ; 16.28 — l'origine de Jésus ignorée Jn 7.28 ; 9.29.
8.15 jugement purement humain 1 S 16.7 ; Jn 7.24 ; 1 Co 2.15 ; 2.8-16 — Jésus ne juge personne
Jn 12.47. **8.16** le jugement porté par Jésus Jn 5.22-30 ; 9.39 ; cf. 3.17-21 ; 12.47 — Jésus n'est pas
seul Jn 5.37 ; 8.29. **8.17** deux témoins Dt 17.6 ; 19.15 ; cf. Nb 35.30. **8.18** le Père témoigne pour
Jésus 1 Jn 5.9. **8.19** ni moi ni mon Père Jn 16.3 — connaître Jésus, connaître le Père Jn 14.7,
9-11. **8.20** le lieu dit du Trésor Mc 12.41-43 ; Lc 21.1-4 — heure non encore venue Jn 2.4+.
8.21 impossible de rejoindre Jésus Jn 7.34, 36 ; 13.33.

dans votre péché. Là où je vais, vous ne pouvez aller. » ²² Les *Juifs dirent alors : « Aurait-il l'intention de se tuer puisqu'il dit : "Là où je vais, vous ne pouvez aller" ? » ²³ Jésus leur répondit : « Vous êtes d'en bas : moi, je suis d'en haut ; vous êtes de ce *monde, moi je ne suis pas de ce monde. ²⁴ C'est pourquoi je vous ai dit que vous mourrez dans vos péchés. Si, en effet, vous ne croyez pas que Je Suis, vous mourrez dans vos péchés. » ²⁵ Ils dirent alors : « Toi, qui es-tu ? » Jésus leur répondit : « Ce que je ne cesse de vous dire depuis le commencement *b*. ²⁶ En ce qui vous concerne, j'ai beaucoup à dire et à juger ; mais celui qui m'a envoyé est véridique et ce que j'ai entendu auprès de lui, c'est cela que je déclare au monde. » ²⁷ Ils ne comprirent pas qu'il leur avait parlé du Père. ²⁸ Jésus leur dit alors : « Lorsque vous aurez élevé le *Fils de l'homme, vous connaîtrez que "Je Suis" et que je ne fais rien de moi-même : je dis ce que le Père m'a enseigné. ²⁹ Celui qui m'a envoyé est avec moi : il ne m'a pas laissé seul, parce que je fais toujours ce qui lui plaît. » ³⁰ Alors qu'il parlait ainsi, beaucoup crurent en lui.

Descendants d'Abraham ou fils du diable ?

³¹ Jésus donc dit aux *Juifs qui avaient cru en lui : « Si vous demeurez dans ma parole, vous êtes vraiment mes *disciples, ³² vous connaîtrez la vérité et la vérité fera de vous des hommes libres. » ³³ Ils lui répliquèrent : « Nous sommes la descendance d'Abraham et jamais personne ne nous a réduits en esclavage : comment

peux-tu prétendre que nous allons devenir des hommes libres ? » ³⁴ Jésus leur répondit : « En vérité, en vérité, je vous le dis, celui qui commet le péché est esclave du péché. ³⁵ L'esclave ne demeure pas toujours dans la maison, le Fils, lui, y demeure pour toujours. ³⁶ Dès lors, si c'est le Fils qui vous affranchit, vous serez réellement des hommes libres. ³⁷ Vous êtes la descendance d'Abraham, je le sais ; mais parce que ma parole ne pénètre pas en vous, vous cherchez à me faire mourir. ³⁸ Moi, je dis ce que j'ai vu auprès de mon Père, tandis que vous, vous faites ce que vous avez entendu auprès de votre père ! » ³⁹ Ils ripostèrent : « Notre père, c'est Abraham. » Jésus leur dit : « Si vous êtes enfants d'Abraham, faites donc les œuvres d'Abraham. ⁴⁰ Or, vous cherchez maintenant à me faire mourir, moi qui vous ai dit la vérité que j'ai entendue auprès de Dieu : cela Abraham ne l'a pas fait. ⁴¹ Mais vous, vous faites les œuvres de votre père. » Ils lui répliquèrent : « Nous ne sommes pas nés de la prostitution ! Nous n'avons qu'un seul père, Dieu ! » ⁴² Jésus leur dit : « Si Dieu était votre père, vous m'auriez aimé, car c'est de Dieu que je suis sorti et que je viens ; je ne suis pas venu de mon propre chef, c'est Lui qui m'a envoyé. ⁴³ Pourquoi ne comprenez-vous pas mon langage ? Parce que vous n'êtes pas capables d'écouter ma parole. ⁴⁴ Votre père, c'est le *diable, et vous avez la volonté de réaliser les désirs de votre père. Dès le commencement il s'est attaché à faire mourir l'homme ; il ne s'est pas tenu dans la vérité parce qu'il -n'y a pas en lui de vérité. Lorsqu'il profère le mensonge, il puise dans son propre bien parce qu'il est menteur et père du mensonge. ⁴⁵ Quant à

---

b Ou *Faut-il seulement que je vous parle ?* ou encore: *D'abord ce que je vous dis;* ou même: *absolument ce que je vous dis*

8.22 perplexité des Juifs Jn 7.35. **8.23** d'en bas... d'en haut Jn 3.31 — de ce monde... pas de ce monde Jn 17.14. **8.24** croire que « Je Suis » Jn 8.28, 58; 13.19; cf. Ex 3.14-15; Dt 32.39; Es 41.4; 43.10-11; 48.12. **8.26** celui qui m'a envoyé est véridique Jn 7.28 — Jésus, porte-parole du Père Jn 7.17; 12.49; 14.10. **8.28** élévation du Fils de l'homme Jn 3.14+; cf. 12.32 — rien de moi-même Jn 5.19+. **8.29** avec moi Ex 3.12; Jos 1.5; 1 S 10.7; Jr 1.8; Am 5.14 — Jésus ne reste pas seul Jn 8.16; 16.32 — toujours ce qui plaît à Dieu Jn 4.34; 5.30; 6.38. **8.30** beaucoup crurent en lui Jn 7.31+. **8.31** demeurer dans la parole de Jésus Jn 15.7; cf. 5.38; 6.56; 8.37; 2 Jn 9. **8.32** la vérité Jn 1.14, 17; 14.6, 17; 15.26; 16.7, 13; 17.17-19; 18.37-38. **8.33** descendance d'Abraham Mt 3.9; Lc 3.8; Jn 8.39, 56; cf. Rm 4.12; Ga 3.6-16 — réduits à la servitude Ne 9.36. **8.34** esclave du péché Rm 6.16, 20; 2 P 2.19. **8.35** l'esclave ne demeure pas... Gn 21., 9-14; cf. Ex 21.2; Dt 15.12; Jr 2.14. **8.37** chercher à faire mourir Jésus Jn 5.18+. **8.39** Abraham notre père Mt 3.9; Jn 8.33 — les œuvres d'Abraham Gn 15.6; Si 44.20-21; Rm 4.3, 18, 20; He 11.8-19; Jc 2.21-24. **8.41** prostitution (idolâtrie) Os 1—3; Jr 3.1-4; Ez 16.33; Es 57.1-13 — un seul père, Dieu Dt 32.6; Es 63.16; 64.7. **8.42** avoir Dieu pour père et aimer Jésus 1 Jn 5.1 — Jésus vient de Dieu Jn 13.3; 16.28; 17.8 — Jésus, envoyé de Dieu Jn 7.28; 17.8. **8.43** incapables d'écouter Jésus Jn 18.37. **8.44** réaliser les désirs du diable 1 Jn 3.8 — le diable, menteur dès l'origine Gn 3.4; cf. Ap 12.9; et meurtrier cf. Sg 1.13-16; 2.24; Rm 5.12; 1 Jn 3.8-15.

moi, c'est parce que je dis la vérité que vous ne me croyez pas. ⁴⁶ Qui de vous me convaincra de péché ? Si je dis la vérité, pourquoi ne me croyez-vous pas ? ⁴⁷ Celui qui est de Dieu écoute les paroles de Dieu ; et c'est parce que vous n'êtes pas de Dieu que vous ne m'écoutez pas. » ⁴⁸ Les *Juifs lui répondirent : « N'avons-nous pas raison de dire que tu es un Samaritain *c* et un possédé ? » ⁴⁹ Jésus leur répliqua : « Non, je ne suis pas un possédé ; mais j'honore mon Père tandis que vous, vous me déshonorez ! ⁵⁰ Je n'ai d'ailleurs pas à chercher ma propre gloire : il y a Quelqu'un qui y pourvoit et qui juge. ⁵¹ En vérité, en vérité, je vous le dis, si quelqu'un garde ma parole, il ne verra jamais la mort. » ⁵² Les Juifs lui dirent alors : « Nous savons maintenant que tu es un possédé ! Abraham est mort, et les *prophètes aussi, et toi, tu viens dire : "si quelqu'un garde ma parole, il ne fera jamais l'expérience de la mort." ⁵³ Serais-tu plus grand que notre père Abraham qui est mort ? Et les prophètes aussi sont morts ! Pour qui te prends-tu donc ? » ⁵⁴ Jésus leur répondit : « Si je me glorifiais moi-même, ma gloire ne signifierait rien. C'est mon Père qui me glorifie, lui dont vous affirmez qu'il est votre Dieu. ⁵⁵ Vous ne l'avez pas connu tandis que moi, je le connais. Si je disais que je ne le connais pas, je serais, tout comme vous, un menteur ; mais je le connais et je garde sa parole. ⁵⁶ Abraham, votre père, a exulté à la pensée de voir mon *Jour : il l'a vu et il a été transporté de joie. » ⁵⁷ Sur quoi, les Juifs lui dirent : « Tu n'as même pas cinquante ans et tu as vu Abraham ! » ⁵⁸ Jésus leur répondit : « En vérité, en vérité, je vous le dis, avant qu'Abraham fût, Je Suis. » ⁵⁹ Alors, ils ramassèrent des pierres pour les lancer contre lui, mais Jésus se déroba et sortit du *temple.

Jésus guérit un aveugle de naissance

9 ¹ En passant, Jésus vit un homme aveugle de naissance. ² Ses disciples lui posèrent cette question : « Rabbi *d*, qui a péché pour qu'il soit né aveugle, lui ou ses parents ? » ³ Jésus répondit : « Ni lui ni ses parents. Mais c'est pour que les œuvres de Dieu se manifestent en lui ! ⁴ Tant qu'il fait jour, il nous faut travailler aux œuvres de celui qui m'a envoyé : la nuit vient où personne ne peut travailler ; ⁵ aussi longtemps que je suis dans le monde, je suis la lumière du *monde. » ⁶ Ayant ainsi parlé, Jésus cracha à terre, fit de la boue avec la salive et l'appliqua sur les yeux de l'aveugle ⁷ et il lui dit : « Va te laver à la piscine de Siloé *e* » — ce qui signifie "Envoyé". L'aveugle y alla, il se lava et, à son retour, il voyait.

⁸ Les gens du voisinage et ceux qui auparavant avaient l'habitude de le voir — car c'était un mendiant — disaient : « N'est-ce pas celui qui était assis à mendier ? » ⁹ Les uns disaient : « C'est bien lui ! » D'autres disaient : « Mais non, c'est quelqu'un qui lui ressemble. » Mais l'aveugle affirmait : « C'est bien moi. » ¹⁰ Ils lui dirent donc : « Et alors, tes yeux, comment se sont-ils ouverts ? » ¹¹ Il répondit : « L'homme qu'on appelle Jésus a fait de la boue, m'en a frotté les yeux et m'a dit : "Va à Siloé et lave-toi". Alors moi, j'y suis allé, je me suis lavé et j'ai retrouvé la vue. » ¹² Ils lui dirent : « Où est-il, celui-là ? » Il répondit : « Je n'en sais rien. »

L'enquête menée par les pharisiens

¹³ On conduisit chez les *pharisiens celui qui avait été aveugle. ¹⁴ Or c'était un jour de *sabbat que Jésus avait fait de la boue et lui avait ouvert les yeux. ¹⁵ A leur tour, les pharisiens lui demandèrent comment il avait recouvré la vue.

---

c Voir 4.9 et note sur Mt 10.5 ● *d* Voir 1.38 et note ● *e La piscine de Siloé* était située à l'intérieur des murs de Jérusalem

---

8.46 Jésus sans péché 2 Co 5.21 ; 1 P 2.22 ; 1 Jn 3.5 ; cf. He 4.15. **8.47** être de Dieu et écouter ce qui vient de lui Jn 18.37 ; 1 Jn 4.6. **8.48** un Samaritain Jn 4.9 — Jésus accusé d'être possédé Mc 3.22+ ; Lc 11.15-26 ; Jn 7.20 ; 10.20 ; cf. Mt 11.18-19. **8.50** chercher sa propre gloire Jn 5.41. **8.51** fidélité à la parole de Jésus et vie éternelle Jn 5.24 ; 8.24, 31 ; cf. 11.25-26. **8.52** l'expérience de la mort Mc 9.1 ; He 2.9. **8.53** serais-tu plus grand... ? Jn 4.12. **8.55** Jésus connaît seul le Père Mt 11.27 ; Lc 10.22 ; Jn 7.28-29 ; 17.25. **8.56** le Jour du Seigneur Am 5.18 ; Es 13.6 ; Ez 30.3 ; Jl 1.15, etc. ; Lc 17.24 ; 1 Co 1.8 ; 5.5 ; 2 Co 1.14 — voir le Jour du Christ cf. Jn 12.41. **8.58** avant Abraham Jn 1.1-3 — Je Suis Jn 8.24+. **8.59** des pierres pour lapider Jésus Jn 10.31 ; 11.8. **9.2** punition du péché Ex 20.5 ; Ez 18.20 ; Ps 38.2-6 ; Lc 13.2, 4. **9.3** que les œuvres de Dieu soient manifestées Jn 11.4. **9.4** travailler aux œuvres de Dieu Jn 5.17 — la nuit... Jn 11.10. **9.5** lumière du monde Jn 8.12+. **9.6** salive pour guérir un aveugle Mc 8.23 ; cf. 7.3.3 **9.7** va te laver 2 R 5.10 — piscine de Siloé 2 R 20.20 ; Es 8.6 ; Ne 3.15. **9.8** mendiant reconnu par les passants Ac 3.8. **9.14** un jour de sabbat Jn 5.9+.

Il leur répondit : « Il m'a appliqué de la boue sur les yeux, je me suis lavé, je vois. » ¹⁶ Parmi les pharisiens, les uns disaient : « Cet individu n'observe pas le sabbat, il n'est donc pas de Dieu. » Mais d'autres disaient : « Comment un homme *pécheur aurait-il le pouvoir d'opérer de tels *signes ? » Et c'était la division entre eux. ¹⁷ Alors, ils s'adressèrent à nouveau à l'aveugle : « Et toi, que dis-tu de celui qui t'a ouvert les yeux ? » Il répondit : « C'est un *prophète. » ¹⁸ Mais tant qu'ils n'eurent pas convoqué ses parents, les *Juifs refusèrent de croire qu'il avait été aveugle et qu'il avait recouvré la vue. ¹⁹ Ils posèrent cette question aux parents : « Cet homme est-il bien votre fils dont vous prétendez qu'il est né aveugle ? Alors comment voit-il maintenant ? » ²⁰ Les parents leur répondirent : « Nous sommes certains que c'est bien notre fils et qu'il est né aveugle. ²¹ Comment maintenant il voit, nous l'ignorons. Qui lui a ouvert les yeux ? Nous l'ignorons. Interrogez-le, il est assez grand, qu'il s'explique lui-même à son sujet ! » ²² Ses parents parlèrent ainsi parce qu'ils avaient peur des Juifs ᶠ. Ceux-ci étaient déjà convenus d'exclure de la *synagogue quiconque confesserait que Jésus est le *Christ. ²³ Voilà pourquoi les parents dirent : « Il est assez grand, interrogez-le. »

²⁴ Une seconde fois, les pharisiens appelèrent l'homme qui avait été aveugle et ils lui dirent : « Rends gloire à Dieu ! Nous savons, nous, que cet homme est un pécheur. » ²⁵ Il leur répondit : « Je ne sais si c'est un pécheur ; je ne sais qu'une chose : j'étais aveugle et maintenant je vois. » ²⁶ Ils lui dirent : « Que t'a-t-il fait ? Comment t'a-t-il ouvert les yeux ? » ²⁷ Il répondit : « Je vous l'ai déjà raconté, mais vous n'avez pas écouté ! Pourquoi voulez-vous l'entendre encore une fois ? N'auriez-vous pas le désir de devenir ses *disciples vous aussi ? » ²⁸ Les pharisiens se mirent alors à l'injurier et ils disaient : « C'est toi qui es son disciple ! Nous, nous sommes disciples de Moïse. ²⁹ Nous

savons que Dieu a parlé à Moïse tandis que celui-là, nous ne savons pas d'où il est ! » ³⁰ L'homme leur répondit : « C'est bien là, en effet, l'étonnant, que vous ne sachiez pas d'où il est, alors qu'il m'a ouvert les yeux ! ³¹ Dieu, nous le savons, n'exauce pas les pécheurs ; mais si un homme est pieux et fait sa volonté, Dieu l'exauce. ³² Jamais on n'a entendu dire que quelqu'un ait ouvert les yeux d'un aveugle de naissance. ³³ Si cet homme n'était pas de Dieu, il ne pourrait rien faire. » ³⁴ Ils ripostèrent : « Tu n'es que péché depuis ta naissance et tu viens nous faire la leçon ! » ; et ils le jetèrent dehors.

³⁵ Jésus apprit qu'ils l'avaient chassé. Il vint alors le trouver et lui dit : « Crois-tu, toi, au *Fils de l'homme ? » ³⁶ Et lui de répondre : « Qui est-il, Seigneur, pour que je croie en lui ? » ³⁷ Jésus lui dit : « Eh bien ! Tu l'as vu, c'est celui qui te parle. » ³⁸ L'homme dit : « Je crois, Seigneur » et il se prosterna devant lui.

Qui sont les vrais aveugles ?

³⁹ Et Jésus dit alors : « C'est pour un jugement que je suis venu dans le monde, pour que ceux qui ne voyaient pas voient, et que ceux qui voyaient deviennent aveugles. » ⁴⁰ Les *pharisiens qui étaient avec lui entendirent ces paroles et lui dirent : « Est-ce que, par hasard, nous serions des aveugles, nous aussi ? » ⁴¹ Jésus leur répondit : « Si vous étiez des aveugles, vous n'auriez pas de péché. Mais à présent vous dites "nous voyons" : votre péché demeure.

Parabole du berger et de son troupeau

10 ¹ En vérité, en vérité, je vous le dis, celui qui n'entre pas par la porte dans l'enclos des brebis ᵍ mais qui escalade par un autre côté, c'est un voleur et un brigand. ² Mais celui qui entre par la porte est le *berger des brebis. ³ Celui qui garde la porte lui ouvre, et les brebis écoutent sa voix ; les brebis qui lui appar-

ᶠ Voir 1.19 et note ● ᵍ Pendant la nuit les troupeaux étaient parqués à l'intérieur d'un enclos de pierres sèches sous la surveillance d'un gardien.

9.16 être de Dieu Jn 3.2; 9.33 — il n'observe pas le sabbat Jn 5.16, 18 — un pécheur n'aurait pas ce pouvoir Jn 9.31; cf. 3.2+; Dt 13.1-6 — divisés au sujet de Jésus Jn 7.43+. **9.17** Jésus comparé à un prophète Mt 16.14+; cf. Jn 7.40. **9.22** par crainte des Juifs Jn 7.13+ — décision d'exclusion Jn 12.42; 16.2. **9.24** rends gloire à Dieu Jos 7.19; Ap 11.13. **9.29** d'où il est Jn 7.27, 28; 8.14. **9.31** Dieu n'exauce pas les pécheurs Es 1.15; Ps 66.18; 109.7; Jb 27.9; 35.13; mais celui qui fait sa volonté Ps 34.16; Pr 15.29; Jn 16.23-27; 1 Jn 3.21-22. **9.33** un signe probant Jn 3.2+. **9.34** pécheur depuis la naissance Ps 51.7; Jn 9.2. **9.35** le Fils de l'homme Mt 8.20+; Jn 1.51; 3.14-15; 6.62-63. **9.37** celui qui te parle Jn 4.26. **9.39** une remise en question Jn 3.17; 5.22, 27, 30; 8.15-16; 12.47; cf. Mc 4.11-12. **9.40** pharisiens aveugles Mt 15.14; 23.26. **9.41** sans péché Jn 15.22.

tiennent, il les appelle chacune par son nom, et ils les emmène dehors. ⁴ Lorsqu'il les a toutes fait sortir il marche à leur tête et elles le suivent parce qu'elles connaissent sa voix. ⁵ Jamais elles ne suivront un étranger ; bien plus, elles le fuiront parce qu'elles ne connaissent pas la voix des étrangers. » ⁶ Jésus leur dit cette *parabole, mais ils ne comprirent pas la portée de ce qu'il disait.

Le bon berger

⁷ Jésus reprit : « En vérité, en vérité, je vous le dis, je suis la porte des brebis. ⁸ Tous ceux qui sont venus avant moi sont des voleurs et des brigands, mais les brebis ne les ont pas écoutés. ⁹ Je suis la porte : si quelqu'un entre par moi, il sera sauvé, il ira et viendra et trouvera de quoi se nourrir ʰ. ¹⁰ Le voleur ne se présente que pour voler, pour tuer et pour perdre ; moi, je suis venu pour que les hommes aient la *vie et qu'ils l'aient en abondance. ¹¹ Je suis le bon berger : le bon berger se dessaisit de sa vie pour ses brebis. ¹² Le mercenaire, qui n'est pas vraiment un berger et à qui les brebis n'appartiennent pas, voit-il venir le loup, il abandonne les brebis et prend la fuite ; et le loup s'en empare et les disperse. ¹³ C'est qu'il est mercenaire et que peu lui importent les brebis. ¹⁴ Je suis le bon berger, je connais mes brebis et mes brebis me connaissent, ¹⁵ comme mon Père me connaît et que je connais mon Père ; et je me dessaisis de ma vie pour les brebis. ¹⁶ J'ai d'autres brebis qui ne sont pas de cet enclos et celles-là aussi, il faut que je les mène ; elles écouteront ma voix et il y aura un seul troupeau et un seul ber-

ger. ¹⁷ Le Père m'aime parce que je me dessaisis de ma vie pour la reprendre ensuite. ¹⁸ Personne ne me l'enlève mais je m'en dessaisis de moi-même ; j'ai le pouvoir de m'en dessaisir et j'ai le pouvoir de la reprendre : tel est le commandement que j'ai reçu de mon Père. »

¹⁹ Ces paroles provoquèrent à nouveau la division parmi les *Juifs. ²⁰ Beaucoup d'entre eux disaient : « Il est possédé, il déraisonne, pourquoi l'écouter ? » ²¹ Mais d'autres disaient : « Ce ne sont pas là propos de possédé ; un *démon pourrait-il ouvrir les yeux d'un aveugle ? »

Jésus affirme son unité avec le Père

²² On célébrait alors à Jérusalem la fête de la Dédicace ⁱ. C'était l'hiver. ²³ Au *temple, Jésus allait et venait sous le portique de Salomon. ²⁴ Les *Juifs firent cercle autour de lui et lui dirent : « Jusqu'à quand vas-tu nous tenir en suspens ? Si tu es le *Christ, dis-le-nous ouvertement ! » ²⁵ Jésus leur répondit : « Je vous l'ai dit et vous ne croyez pas. Les œuvres que je fais au nom de mon Père me rendent témoignage, ²⁶ mais vous ne me croyez pas parce que vous n'êtes pas de mes brebis. ²⁷ Mes brebis écoutent ma voix et je les connais et elles viennent à ma suite. ²⁸ Et moi, je leur donne la *vie éternelle ; elles ne périront jamais et personne ne pourra les arracher de ma main. ²⁹ Mon Père qui me les a données est plus grand que tout ʲ, et nul n'a le pouvoir d'arracher quelque chose de la main du Père. ³⁰ Moi et le Père nous sommes un. »

³¹ Les Juifs, à nouveau, ramassèrent des pierres pour le lapider. ³² Mais Jésus reprit : « Je vous ai fait voir tant d'œuvres

---

ʰ Ou *il trouvera un pâturage* ● ⁱ Fête célébrée à Jérusalem vers la fin de décembre pour commémorer la purification du Temple. Cette purification suivit la victoire remportée par Judas Maccabée sur le roi de Syrie Antiochus IV Voir *1 M* 4.36-59; *2 M* 1.9, 18; 10.1-8 ● ʲ Variante: *ce que mon Père m'a donné est plus grand que tout*

10.4 les brebis et la voix du berger v. 27. **10.6** parabole Jn 16.25. **10.8** ceux qui sont venus avant... Jr 23.1-2; Ez 34.2-3. **10.9** la porte Gn 28.17; Ps 118.20; Mt 7.13-14; 25.10; Lc 11.52; cf. Jn 14,6 — sauvé Jn 3.17. **10.11** berger 1) Dieu Ps 23.1; Es 40.11; Jr 31.9; Ez 34.15; 2) le Messie Ps 78. 70-72; Ez 37.24; 3) les chefs Jr 23.1; 10.21; 23.1-3; Ez 34; 4) Mc 6.34; 14.27; Mt 9.36; 18.12-14; 25.32; 26.31; Lc 15.3-7; 5) He 13.20; Ap 7.17 — se dessaisir de sa vie pour... Mc 10.45; Jn 6.51; 10.15; 11.51-52; 15.13; 18.14; 1 Jn 3.16; cf. Rm 5.8. **10.12** loup Ac 20.29. **10.14** Jésus connaît les siens Jn 10.27; 2 Tm 2.19. **10.15** connaissance mutuelle du Père et du Fils Mt 11.27. **10.16** d'autres brebis à conduire Es 56.8; Jn 11.52; 1 P 2.25; cf. Jn 4.35-38; 17.20; Ga 3.28; Col 3.11 — un seul berger Ez 34.23; 37.24. **10.17** vie offerte et retrouvée Ph 2.8-9. **10.18** le commandement reçu du Père Jn 14.31; 15.10. **10.19** divisés au sujet de Jésus Jn 7.43+. **10.20** Jésus soupçonné d'être possédé Mc 3.22+. **10.23** le portique de Salomon Ac 3.11; 5.12. **10.24** dis-le Lc 22.67; Jn 2.18; 8.25. **10.25** les œuvres... Jn 5.36+. **10.26** vous ne croyez pas Jn 6.64; 8.45. **10.27** écouter Jn 8.47; 10.3. **10.28** donner la vie éternelle Jn 17.2 — elles ne périront jamais Jn 3.16 — personne ne les arrachera... Jn 6.39; 17.12; 18.9. **10.29** nul n'a le pouvoir... Es 43.13. **10.30** unité du Père et du Fils Jn 5.17-19; 17.11, 21. **10.31** des pierres pour lapider Jésus Jn 8.59+.

belles qui venaient du Père. Pour laquelle de ces œuvres voulez-vous me lapider ? » [33] Les Juifs lui répondirent : « Ce n'est pas pour une belle œuvre que nous voulons te lapider, mais pour un *blasphème, parce que toi qui es un homme tu te fais Dieu. » [34] Jésus leur répondit : « N'a-t-il pas été écrit dans votre *Loi : *J'ai dit : vous êtes des dieux ?* [35] Il arrive donc à la Loi d'appeler dieux ceux auxquels la parole de Dieu fut adressée. Or nul ne peut abolir l'Ecriture. [36] A celui que le Père a consacré et envoyé dans le *monde vous dites : "Tu blasphèmes", parce que j'ai affirmé que je suis le Fils de Dieu. [37] Si je ne fais pas les œuvres de mon Père, ne me croyez pas ! [38] Mais si je les fais, quand bien même vous ne me croiriez pas, croyez en ces œuvres, afin que vous connaissiez et que vous sachiez bien que le Père est en moi comme je suis dans le Père. » [39] Alors, une fois de plus, ils cherchèrent à l'arrêter, mais il échappa de leurs mains. [40] Jésus s'en retourna au-delà du Jourdain, à l'endroit où Jean [k] avait commencé à baptiser, et il y demeura. [41] Beaucoup vinrent à lui et ils disaient : « Jean certes n'a opéré aucun *signe, mais tout ce qu'il a dit de cet homme était vrai. » [42] Et là, ils furent nombreux à croire en lui.

Mort de Lazare, l'ami de Jésus

11 [1] Il y avait un homme malade ; c'était Lazare de Béthanie [l], le village de Marie et de sa sœur Marthe. [2] Il s'agit de cette même Marie qui avait oint le Seigneur d'une huile parfumée et lui avait essuyé les pieds avec ses cheveux ; c'était son frère Lazare qui était malade. [3] Les sœurs envoyèrent dire à Jésus : « Seigneur, celui que tu aimes est malade. »

[4] Dès qu'il apparut, Jésus dit : « Cette maladie n'aboutira pas à la mort, elle servira à la gloire de Dieu : c'est par elle que le Fils de Dieu doit être glorifié. » [5] Or Jésus aimait Marthe et sa sœur et Lazare. [6] Cependant, alors qu'il savait Lazare malade, il demeura deux jours encore à l'endroit où il se trouvait. [7] Après quoi seulement, il dit aux disciples : « Retournons en Judée. » [8] Les disciples lui dirent : « Rabbi [m], tout récemment encore les *Juifs cherchaient à te lapider ; et tu veux retourner là-bas ? » [9] Jésus répondit : « N'y a-t-il pas douze heures de jour ? Si quelqu'un marche de jour, il ne trébuche pas parce qu'il voit la lumière de ce *monde ; [10] mais si quelqu'un marche de nuit, il trébuche parce que la lumière n'est pas en lui. »

[11] Après avoir prononcé ces paroles, il ajouta : « Notre ami Lazare s'est endormi, mais je vais aller le réveiller. » [12] Les disciples lui dirent donc : « Seigneur, s'il s'est endormi, il sera sauvé. » [13] En fait, Jésus avait voulu parler de la mort de Lazare, alors qu'ils se figuraient, eux, qu'il parlait de l'assoupissement du sommeil. [14] Jésus leur dit alors ouvertement : « Lazare est mort, [15] et je suis heureux pour vous de n'avoir pas été là, afin que vous croyiez. Mais allons à lui ! » [16] Alors Thomas, celui que l'on appelle Didyme [n], dit aux autres disciples : « Allons, nous aussi, et nous mourrons avec lui. »

Jésus s'entretient avec Marthe et Marie

[17] A son arrivée, Jésus trouva Lazare au tombeau ; il y était depuis quatre jours déjà. [18] Comme Béthanie est distante de Jérusalem d'environ quinze stades [o], [19] beaucoup de *Juifs étaient venus chez Marthe et Marie pour les consoler au sujet de leur frère. [20] Lorsque Marthe ap-

---

[k] Voir 3.23 ● [l] Lazare: nom probablement assez courant à l'époque de Jésus; forme abrégée d'Eléazar (Dieu t'aide). Béthanie: voir Mc 11.1 et note ● [m] Voir 1.38 et note ● [n] Didymes surnom qui signifie le jumeau ● [o] Un peu moins de 3 km. Voir au glossaire POIDS ET MESURES

10.33 pour un blasphème Mt 9.3+ — tu te fais Dieu Jn 5.18.   **10.34** la Loi (= l'Ecriture) Jn 7.49; 12.34; 15.25 — j'ai dit... Ps 82.6.   **10.35** On ne peut abolir l'Ecriture Mt 5.18; Lc 16.17.   **10.36** envoyé et consacré Jr 1.5; Si 49.7; Jn 6.69; 17.17-19 — Fils de Dieu Jn 5.17-20; 10.30, 38.   **10.38** les œuvres de Jésus, la communion du Père et du Fils Jn 14.10-11; 17.21.   **10.39** tentative (manquée) d'arrestation Jn 7.30, 44; 8.20 — Jésus s'esquive Lc 4.30.   **10.40** l'endroit où Jean baptisait Jn 1.28.   **10.41** ce que Jean a dit de Jésus Jn 1.29, 34; 3.28; 5.33-36.   **10.42** nombreux à croire en Jésus Jn 7.31+.   **11.1** Béthanie Mt 21.17+ — Marthe et Marie Lc 10.38-39+.   **11.2** onction de Jésus à Béthanie Jn 12.3; Mt 26.6-13; Mc 14.3-9; cf. Lc 7.36-50.   **11.3** celui que tu aimes Jn 11.36.   **11.4** servir à la gloire de Dieu Jn 9.3; cf. 1.14; 7.39; 12.16, 23, 28; 13.31, 32; 17.1-5.   **11.8** récente tentative de lapider Jésus Jn 8.59+; cf. 5.18; 7.1, 19-20, 25; 8.37, 40.   **11.9-10** dans la lumière ou dans la nuit Jn 12.35; 13.30; cf. Lc 22.53 — lumière du monde Jn 8.12+.   **11.10** parce qu'il marche en soi-même Mt 6.23; Lc 11.35.   **11.11** la mort décrite comme un sommeil Mt 9.24+; 1 Co 11.30; cf. Rm 13.11; Ep 5.14.   **11.16** Thomas Mt 10.3+; Mc 3.18; Ac 1.13 — mourir avec Jésus Mc 14.31; Rm 6.8; cf. Jn 12.25.   **11.18** Béthanie Mt 21.17+.

prit que Jésus arrivait, elle alla au-devant de lui, tandis que Marie était assise dans la maison. 21 Marthe dit à Jésus : « Seigneur, si tu avais été ici, mon frère ne serait pas mort. 22 Mais maintenant encore, je sais que tout ce que tu demanderas à Dieu, Dieu te le donnera. » 23 Jésus lui dit : « Ton frère ressuscitera. » 24 « Je sais, répondit-elle, qu'il ressuscitera lors de la résurrection, au dernier *jour. » 25 Jésus lui dit : « Je suis la Résurrection et la *Vie : celui qui croit en moi, même s'il meurt, vivra ; 26 et quiconque vit et croit en moi ne mourra jamais. Crois-tu cela ? » 27 « Oui, Seigneur, répondit-elle, je crois que tu es le *Christ, je crois que tu es le Fils de Dieu, Celui qui vient dans le monde. » 28 Là-dessus elle partit appeler sa sœur Marie et lui dit tout bas : « Le Maître est là et il t'appelle. » 29 A ces mots, Marie se leva immédiatement et alla vers lui. 30 Jésus, en effet, n'était pas encore entré dans le village ; il se trouvait toujours à l'endroit où Marthe l'avait rencontré. 31 Les Juifs étaient avec Marie dans la maison, et ils cherchaient à la consoler. Ils la virent se lever soudain pour sortir, ils la suivirent : ils se figuraient qu'elle se rendait au tombeau pour s'y lamenter. 32 Lorsque Marie parvint à l'endroit où se trouvait Jésus, dès qu'elle le vit, elle tomba à ses pieds et lui dit : « Seigneur, si tu avais été ici, mon frère ne serait pas mort. » 33 Lorsqu'il les vit se lamenter, elle et les Juifs qui l'accompagnaient, Jésus frémit intérieurement et il se troubla. 34 Il dit : « Où l'avez-vous déposé ? » Ils répondirent : « Seigneur, viens voir. » 35 Alors Jésus pleura ; 36 et les Juifs disaient : « Voyez comme il l'aimait ! » 37 Mais quelques-uns d'entre eux dirent : « Celui qui a ouvert les yeux de l'aveugle, n'a pas été capable d'empêcher Lazare de mourir. »

Jésus rappelle Lazare à la vie

38 Alors, à nouveau, Jésus frémit intérieurement et il s'en fut au sépulcre ; c'était une grotte dont une pierre recouvrait l'entrée [p]. 39 Jésus dit alors : « Enlevez cette pierre. » Marthe, la sœur du défunt, lui dit : « Seigneur, il doit déjà sentir... Il y a en effet quatre jours... » 40 Mais Jésus lui répondit : « Ne t'ai-je pas dit que, si tu crois, tu verras la gloire de Dieu ? » 41 On ôta donc la pierre. Alors, Jésus leva les yeux et dit : « Père, je te rends grâce de ce que tu m'as exaucé. 42 Certes, je savais bien que tu m'exauces toujours, mais j'ai parlé à cause de cette foule qui m'entoure, afin qu'ils croient que tu m'as envoyé. » 43 Ayant ainsi parlé, il cria d'une voix forte : « Lazare, sors ! » 44 Et celui qui avait été mort sortit, les pieds et les mains attachés par des bandes, et le visage enveloppé d'un linge. Jésus dit aux gens : « Déliez-le et laissez-le aller ! »

Le complot contre Jésus

(*Mt 26.1-5; Mc 14.1-2; Lc 22.1-2*)

45 Beaucoup de ces Juifs qui étaient venus auprès de Marie et qui avaient vu ce que Jésus avait fait, crurent en lui. 46 Mais d'autres s'en allèrent trouver les *pharisiens et leur racontèrent ce que Jésus avait fait. 47 Les *grands prêtres et les pharisiens réunirent alors un conseil et dirent : « Que faisons-nous ? Cet homme opère beaucoup de *signes. 48 Si nous le laissons continuer ainsi, tous croiront en lui, les Romains interviendront et ils détruiront et notre saint Lieu [q] et notre nation. » 49 L'un d'entre eux, Caïphe, qui était grand prêtre en cette année-là, dit : « Vous n'y comprenez rien 50 et vous ne percevez même pas que c'est votre avantage qu'un seul homme meure pour le peuple et que la nation ne périsse pas tout entière. » 51 Ce n'est pas de lui-même qu'il prononça ces paroles, mais, comme il était grand prêtre en cette année-là, il fit cette *prophétie qu'il fallait que Jésus

p Dans la Palestine du temps de Jésus les tombes étaient souvent creusées à flanc de coteau dans le rocher et fermées par une grosse pierre ronde et plate. Voir Mc 15.46 par. • *q* Cette expression peut désigner soit la ville de Jérusalem dans son ensemble soit le Temple en particulier

11.21 si tu avais été ici v. 32. **11.24** la résurrection, au dernier jour Dn 12.2; *2 M* 12.44; Jn 5.28-29; 6.39-40; Ac 24.15. **11.25** Jésus fait vivre même les morts Jn 5.26-29; 6.39-40, 44, 54. **11.26** foi et vie éternelle Jn 8.51. **11.27** je crois que tu es... Jn 6.69 le Christ, Fils de Dieu Mt 16.16 celui qui vient dans le monde Jn 1.9; 6.14; cf. Mt 3.11+; Lc 7.19. **11.32** si tu avais été ici v. 21. **11.35** Jésus pleura Lc 19.41. **11.36** comme il l'aimait ! v. 3. **11.37** la vue rendue à l'aveugle Jn 9.6. **11.38** le sépulcre, une grotte, une pierre Mc 15.46 par.; Lc 24.2; Jn 20.1. **11.41** les yeux levés Mc 6.41; Lc 18.13; Jn 17.1; Ac 7.55. **11.42** exaucement Jn 15.7, 16; 16.23-24; 1 Jn 3.21-22; 5.14-15 — à cause de cette foule Jn 12.30 — qu'ils croient que tu m'as envoyé Jn 6.29; 17.8, 21. **11.44** bandes et suaire Jn 20.6-7. **11.45** beaucoup crurent en lui Jn 7.31+; cf. Lc 16.31. **11.48** saint Lieu (= Temple) *2 M* 3.18, 30; Ac 6.13-14; 7.7. **11.49** Caïphe Lc 3.2+. **11.50** l'avis de Caïphe Jn 18.14.

meure pour la nation ⁵² et non seulement pour elle mais pour réunir dans l'unité les enfants de Dieu qui sont dispersés. ⁵³ C'est ce jour-là donc qu'ils décidèrent qu'ils le feraient périr. ⁵⁴ De son côté, Jésus s'abstint désormais d'aller et de venir ouvertement parmi les Juifs : il se retira dans la région proche du désert, dans une ville nommée Ephraïm ʳ, où il séjourna avec ses disciples.

Le parfum répandu sur les pieds de Jésus
(*Mt 26.6-13; Mc 14.3-9; cf. Lc 7.36-38*)

⁵⁵ Cependant la *Pâque des Juifs était proche. A la veille de cette Pâque, beaucoup de gens montèrent de la campagne à Jérusalem pour se *purifier. ⁵⁶ Ils cherchaient Jésus et, dans le *temple où ils se tenaient, ils se disaient entre eux : « Qu'en pensez-vous ? Jamais il ne viendra à la fête ! » ⁵⁷ Les *grands prêtres et les *pharisiens avaient donné des ordres : quiconque saurait où il était devait le dénoncer afin qu'on se saisisse de lui.

12 ¹ Six jours avant la *Pâque, Jésus arriva à Béthanie ˢ où se trouvait Lazare qu'il avait relevé d'entre les morts. ² On y offrit un dîner en son honneur : Marthe servait tandis que Lazare se trouvait parmi les convives. ³ Marie prit alors une livre d'un parfum de nard pur ᵗ de grand prix ; elle oignit les pieds de Jésus, les essuya avec ses cheveux et la maison fut remplie de parfum. ⁴ Alors Judas Iscarioth, l'un de ses disciples, celui-là même qui allait le livrer, dit : ⁵ « Pourquoi n'a-t-on pas vendu ce parfum trois cents deniers ᵘ, pour les donner aux pauvres ? » ⁶ Il parla ainsi, non qu'il eût

souci des pauvres, mais parce qu'il était voleur et que, chargé de la bourse, il dérobait ce qu'on y déposait. ⁷ Jésus dit alors : « Laisse-la ! Elle observe cet usage en vue de mon ensevelissement. ⁸ Des pauvres, vous en avez toujours avec vous, mais moi vous ne m'avez pas pour toujours. » ⁹ Cependant une grande foule de *Juifs avaient appris que Jésus était là, et ils arrivèrent non seulement à cause de Jésus lui-même, mais aussi pour voir ce Lazare qu'il avait relevé d'entre les morts. ¹⁰ Les *grands prêtres dès lors décidèrent de faire mourir aussi Lazare, ¹¹ puisque c'était à cause de lui qu'un grand nombre de Juifs les quittaient et croyaient en Jésus.

Entrée royale de Jésus à Jérusalem
(*Mt 21.1-11; Mc 11.1-11; Lc 19.28-40*)

¹² Le lendemain, la grande foule venue à la fête ᵛ apprit que Jésus arrivait à Jérusalem ; ¹³ ils prirent des branches de palmiers et sortirent à sa rencontre. Ils criaient « *Hosanna* ʷ ! *Béni soit au nom du Seigneur Celui qui vient, le roi d'Israël.* » ¹⁴ Trouvant un ânon, Jésus s'assit dessus selon qu'il est écrit : ¹⁵ *Ne crains pas, fille de *Sion : voici ton roi qui vient, il est monté sur le petit d'une ânesse.* ¹⁶ Au premier moment, ses disciples ne comprirent pas ce qui arrivait, mais lorsque Jésus eut été glorifié, ils se rappelèrent que cela avait été écrit à son sujet et que c'était cela même qu'on avait fait pour lui. ¹⁷ Cependant la foule de ceux qui étaient avec lui lorsqu'il avait appelé Lazare hors du tombeau et qu'il l'avait relevé d'entre les morts, lui rendait témoignage. ¹⁸ C'était bien, en effet, parce qu'elle avait appris

---

ʳ On situe souvent cette localité à une vingtaine de km au Nord-Est de Jérusalem ● ˢ Voir Mc 11.1 et note ● ᵗ La *livre* romaine pesait un peu plus de 325 g. Voir au glossaire POIDS ET MESURES. *Nard:* voir Mc 14.4 et note. *Pur:* le terme grec ainsi traduit est rare et son sens discuté ● ᵘ Voir au glossaire MONNAIES ● ᵛ Voir 11.55 ● ʷ *Hosanna* est la transcription en grec d'un verbe araméen signifiant: *daigne accorder le salut;* on l'employait comme une acclamation. Voir Mc 11.9 et note.

11.52 réunir dans l'unité Jn 10.16; 17.21-23. **11.53** décision de faire mourir Jésus Mt 14.5; Jn 5.18; 7.1, 25; 8.37, 40. **11.54** Jésus évite de se montrer Jn 7.1 — séjour avec les disciples Jn 2.12; 3.22. **11.55** proximité de la Pâque Jn 2.13; 6.4; cf. 13.1 — pour se purifier Ex 19.10-15; Nb 9.9-14; 2 Ch 30.1-3, 17-20; Ac 21.24-26; 24.18; cf. Jn 18.28. **11.56** on cherche Jésus Jn 7.11. **12.1** à Béthanie Jn 11.1, 43-44. **12.2** Marthe servait Lc 10.40. **12.3** parfum répandu sur les pieds de Jésus Lc 7.37-38. **12.4** Judas..., qui allait le livrer Jn 6.71; cf. Mt 10.4+. **12.5** vendre... pour donner aux pauvres Mt 19.21+ et par. — trois cents deniers Mc 14.5; cf. Jn 6.7. **12.7** en vue de l'ensevelissement de Jésus Jn 19.40. **12.8** des pauvres... toujours avec vous Dt 15.11; Mt 26.11; Mc 14.7. **12.9** ce Lazare que Jésus avait relevé... Jn 11.43-44. **12.11** beaucoup croyaient en Jésus Jn 7.30+. **12.13** des branches de palmiers *1 M* 13.51; *2 M* 10.7; Ap 7.9 — Hosanna Ps 118.25-26 — Celui qui vient Mt 3.11+; cf. Jn 1.9; 6.14; 11.27 — le roi d'Israël Jn 1.49+; cf. 6.15; 18.33, 37, 39; 19.3-21. **12.15** Ne crains pas... Za 9.9. **12.16** incompréhension des disciples Mt 16.9; Mc 6.52; 8.17, 21; Lc 18.34; Jn 16.12 — glorification de Jésus Jn 7.39+ — les disciples se rappelèrent Jn 2.22+; 15.26; 16.4, 13-15; cf. Lc 24.8. **12.17** Lazare hors du tombeau Jn 11.43-44.

qu'il avait opéré ce *signe qu'elle se portait à sa rencontre. ¹⁹ Les *pharisiens se dirent alors les uns aux autres : « Vous le voyez, vous n'arriverez à rien : voilà que le monde se met à sa suite ! »

Des Grecs demandent à voir Jésus

²⁰ Il y avait quelques Grecs ˣ qui étaient montés pour adorer à l'occasion de la fête. ²¹ Ils s'adressèrent à Philippe qui était de Bethsaïda de Galilée et ils lui firent cette demande : « Seigneur, nous voudrions voir Jésus. » ²² Philippe alla le dire à André et ensemble ils le dirent à Jésus. ²³ Jésus leur répondit en ces termes : « Elle est venue, l'heure où le *Fils de l'homme doit être glorifié. ²⁴ En vérité, en vérité, je vous le dis, si le grain de blé qui tombe en terre ne meurt pas, il reste seul ; si au contraire il meurt, il porte du fruit en abondance. ²⁵ Celui qui aime sa vie la perd, et celui qui cesse de s'y attacher en ce *monde la gardera pour la *vie éternelle. ²⁶ Si quelqu'un veut me servir, qu'il se mette à ma suite, et là où je suis, là aussi sera mon serviteur. Si quelqu'un me sert, le Père l'honorera.

²⁷ Maintenant mon âme est troublée, et que dirai-je ? Père, sauve-moi de cette heure ? Mais c'est précisément pour cette heure que je suis venu. ²⁸ Père, glorifie ton *nom. » Alors, une voix vint du ciel : « Je l'ai glorifié et je le glorifierai encore. » ²⁹ La foule qui se trouvait là et qui avait entendu disait que c'était le tonnerre ; d'autres disaient qu'un *ange lui avait parlé. ³⁰ Jésus reprit la parole : « Ce n'est pas pour moi que cette voix a reten-ti, mais bien pour vous. ³¹ C'est mainte-nant le jugement de ce monde, maintenant le prince de ce monde va être jeté dehors. ³² Pour moi, quand j'aurai été élevé de terre ʸ, j'attirerai à moi tous les hommes. » ³³ — Par ces paroles il indiquait de quelle mort il allait mourir. ³⁴ La foule lui ré-pondit : « Nous avons appris par la *Loi que le *Christ doit rester à jamais. Com-ment peux-tu dire qu'il faut que le Fils de l'homme soit élevé ? Qui est-il, ce Fils de l'homme ? » ³⁵ Jésus leur répondit : « La lumière est encore parmi vous pour un peu de temps. Marchez pendant que vous avez la lumière, pour que les ténè-bres ne s'emparent pas de vous : car celui qui marche dans les ténèbres ne sait où il va. ³⁶ Pendant que vous avez la lumière croyez en la lumière, pour devenir des fils de lumière. » Après leur avoir ainsi parlé, Jésus se retira et se cacha d'eux.

Premier bilan et résumé de l'Evangile

³⁷ Quoiqu'il eût opéré devant eux tant de *signes, ils ne croyaient pas en lui, ³⁸ de sorte que s'accomplît la parole que le *prophète Esaïe avait dite : *Seigneur, qui a cru ce qu'on nous avait entendu dire ? et à qui le bras du Seigneur a-t-il été *révélé ?* ³⁹ Le même Esaïe a indiqué la raison pour laquelle ils ne pouvaient croire : ⁴⁰ *Il a aveuglé leurs yeux et il a endurci leur cœur, pour qu'ils ne voient pas de leurs yeux, que leur cœur ne com-prenne pas, qu'ils ne se convertissent pas, et moi je les aurais guéris !* ⁴¹ Cela, Esaïe le dit parce qu'il a vu sa gloire et qu'il a parlé de lui. ⁴² Cependant, parmi les

---

ˣ Ces gens, qui participent au pèlerinage pascal sans être pour autant de race juive, peuvent être considérés comme des sympathisants du judaïsme ou encore comme des *prosélytes* (païens gagnés à la foi juive) • ʸ *Elevé de la terre* est une expression à double sens, comme il arrive souvent chez Jn (voir 3.3 et note). Elle vise ici à la fois l'élévation de Jésus sur la croix et son élévation à la gloire ; voir v. 33 et 3.14-15 ; 8.28

12.19 le monde... à la suite de Jésus Jn 11.48 ; cf. Mc 1.37 ; Jn 12.32. **12.21** Philippe Mt 10.3+ ; de Bethsaïda Jn 1.44 ; cf. Mt 11.21+ — voir Jésus Lc 19.3 ; 23.8. **12.23** l'heure Mc 14. 35, 41 ; Jn 2.4 ; 7.6, 8, 30 ; 8.20 ; 13.1 ; 17.1 — glorification Jn 7.39+ du Fils de l'homme cf. 8.28 ; Mt 8.20+. **12.24** mort du grain de blé 1 Co 15.36. **12.25** vie perdue, vie gardée Mt 10.39+ ; Mc 8.35 ; Lc 9.24. **12.26** suivre Jésus Mt 4.19+ ; Mc 8.34 ; Lc 14.27 — là où je suis... Jn 14.3 ; 17.24. **12.27** mon âme est troublée Ps 6.4 ; 42.6, 12 ; Mt 26.38 ; Mc 14.34 — sauve-moi de cette heure Mc 14.32-42 par. **12.28** glorifie ton nom Mt 6.9 ; Jn 13.31-32 ; 17.1-11 — une voix venant du ciel Mc 1.11 ; 9.7 par. — glorification du Père Jn 13.31-32 ; 17.1. **12.29** une voix lui a parlé Ac 23.9. **12.30** cette voix... pour vous Jn 11.42. **12.31** le jugement de ce monde Jn 3.19 ; 9.39 — le prince de ce monde Jn 14.30 ; 16.11. **12.32** élévation de Jésus Jn 3.14 ; 8.28 — attirés à Jésus Jn 6.44. **12.33** de quelle mort il allait mourir Jn 18.32 ; 21.19. **12.34** le Fils doit rester à jamais Ps 89.5, 37 ; 110.4 ; Es 9.6 ; Dn 7.14. **12.35** encore un peu avec vous Jn 7.33+ — tant que vous avez la lumière Jn 9.4 — lumière et ténèbres Jn 1.5 ; 8.12 ; 12.46 — dans les ténèbres on ne sait où on va Jn 11.10 ; 1 Jn 2.11. **12.36** fils de lumière Ep 5.8 ; 1 Th 5.5. **12.38** Seigneur, qui a cru... ? Es 53.1 (Rm 10.16). **12.40** Il a aveuglé leurs yeux... Es 6.9-10 (Mt 13.15 ; Mc 4.12 ; 8.18 ; Lc 8.10 ; Ac 28.26-27) ; cf. Jn 1.9-11 ; 9.39-41. **12.41** il vit sa gloire Es 6.1 ; cf. Jn 1.14+ ; 8.56. **12.42** parmi les dirigeants Jn 7.42 beaucoup crurent en lui Jn 7.31+ — exclusion de la synagogue Jn 9.22 ; 16.1-4.

dirigeants eux-mêmes, beaucoup avaient cru en lui ; mais, à cause des *pharisiens, ils n'osaient le confesser, de crainte d'être exclus de la *synagogue : ⁴³ c'est qu'ils préféraient la gloire qui vient des hommes à la gloire qui vient de Dieu.

⁴⁴ Cependant, Jésus proclama : « Qui croit en moi, ce n'est pas en moi qu'il croit, mais en celui qui m'a envoyé ⁴⁵ et celui qui me voit, voit aussi celui qui m'a envoyé. ⁴⁶ Moi, la lumière, je suis venu dans le *monde, afin que quiconque croit en moi ne demeure pas dans les ténèbres. ⁴⁷ Si quelqu'un entend mes paroles et ne les garde pas, ce n'est pas moi qui le juge : car je ne suis pas venu juger le monde, je suis venu sauver le monde. ⁴⁸ Qui me rejette et ne reçoit pas mes paroles a son juge : la parole que j'ai dite le jugera au dernier *jour. ⁴⁹ Je n'ai pas parlé de moi-même, mais le Père qui m'a envoyé m'a prescrit ce que j'ai à dire et à déclarer. ⁵⁰ Et je sais que son commandement est *vie éternelle : ce que je dis, je le dis comme le Père me l'a dit. »

Jésus lave les pieds de ses disciples

13 ¹ Avant la fête de la *Pâque, Jésus sachant que son heure était venue, l'heure de passer de ce *monde au Père, lui, qui avait aimé les siens qui sont dans le monde, les aima jusqu'à l'extrême. ² Au cours d'un repas, alors que déjà le *diable avait jeté au *cœur de Judas Iscarioth, fils de Simon, la pensée de le livrer, ³ sachant que le Père a remis toutes choses entre ses mains, qu'il est sorti de Dieu et qu'il va vers Dieu, ⁴ Jésus se lève de table, dépose son vêtement et prend un linge dont il se ceint. ⁵ Il verse ensuite de l'eau dans un bassin et commence à laver les pieds des disciples et à les essuyer avec le linge dont il était ceint.

⁶ Il arrive ainsi à Simon-Pierre qui lui dit : « Toi, Seigneur, me laver les pieds ! » ⁷ Jésus lui répond : « Ce que je fais, tu ne peux le savoir à présent, mais par la suite tu comprendras. » ⁸ Pierre lui dit : « Me laver les pieds à moi ! Jamais ! » Jésus lui répondit : « Si je ne te lave pas, tu ne peux pas avoir part avec moi. » ⁹ Simon-Pierre lui dit : « Alors, Seigneur, non pas seulement les pieds mais aussi les mains et la tête ! » ¹⁰ Jésus lui dit : « Celui qui s'est baigné n'a nul besoin d'être lavé ᶻ, car il est entièrement *pur ᵃ : et vous, vous êtes purs, mais non pas tous. » ¹¹ Il savait en effet qui allait le livrer ; et c'est pourquoi il dit : « Vous n'êtes pas tous purs. »

¹² Lorsqu'il eut achevé de leur laver les pieds, Jésus prit son vêtement, se remit à table et leur dit : « Comprenez-vous ce que j'ai fait pour vous ? ¹³ Vous m'appelez « le Maître et le Seigneur » et vous dites bien, car je le suis. ¹⁴ Dès lors, si je vous ai lavé les pieds, moi le Seigneur et le Maître, vous devez vous aussi vous laver les pieds les uns aux autres ; ¹⁵ car c'est un exemple que je vous ai donné : ce que j'ai fait pour vous, faites-le vous aussi. ¹⁶ En vérité, en vérité, je vous le dis, un serviteur n'est pas plus grand que son maître, ni un envoyé plus grand que celui qui l'envoie. ¹⁷ Sachant cela, vous serez heureux si du moins vous le mettez en pratique. ¹⁸ Je ne parle pas pour vous tous ; je connais ceux que j'ai choisis. Mais qu'ainsi s'accomplisse l'Ecriture : *Celui qui mangeait le pain avec moi, contre moi a levé le talon.* ¹⁹ Je vous le dis à présent, avant que l'événement n'arrive, afin que, lorsqu'il arrivera, vous croyiez que Je

---

z De nombreux manuscrits offrent un texte plus long : *n'a aucun besoin de se laver, sinon les pieds* ● a Le même mot grec signifie à la fois *propre* et *pur*.

12.43 la gloire qui vient des hommes Jn 5.44. **12.44** Jésus et Celui qui l'a envoyé Mt 10.40 ; Jn 13.20+. **12.45** voir Jésus, voir le Père Jn 10.38 ; 13.20 ; 14.9+ ; cf. 1.18 ; 5.19-30. **12.46** lumière venue dans le monde Jn 3.19+ — croire en Jésus et être délivré des ténèbres Jn 12.35 **12.47** entendre mais ne pas garder... Mt 7.26 ; Lc 6.49 — non pour juger, mais pour sauver Jn 3.17 ; 8.15 ; cf. 5.22, 27 ; 8.16.26. **12.49-50** porte-parole du Père Jn 7.17 ; 8.26, 28 ; 14.10, 24. **13.1** la Pâque Jn 2.13+ — son heure est venue Mt 26.45 ; Mc 14.41 ; Jn 12.23, 27 ; 17.1 ; cf. 2.4+ — passer de ce monde au Père Jn 16.28 — l'amour, sens de la mort de Jésus Jn 13.34 ; 15.9 ; 17.23 ; 1 Jn 3.16 ; cf. Rm 5.8 ; 8.35 ; 2 Co 5.14 ; Ga 2.20 ; Ep 3.19 ; 5.1-2. **13.2** Judas Mt 10.4+ — inspiré par le diable Lc 22.3 ; Jn 13.27. **13.3** toutes choses entre ses mains Mt 11.27 ; Lc 10.22 ; Jn 3.35 ; 5.19-20, 36 ; 6.37, 39 — sorti de Dieu Jn 8.42 ; 16.27-28 ; 17.8 — allant à Dieu 7.33-34 ; 16.28 ; cf. 3.13 ; 6.62. **13.5** laver les pieds Lc 7.44 ; cf. Jn 12.3. **13.10** purs Jn 15.3. **13.11** il savait qui le livrerait Jn 6.64, 70-71. **13.13** vous m'appelez Maître Mt 23.8, 10. **13.14** le Seigneur serviteur Mt 20.28 ; Lc 22.27 — laver les pieds 1 Tm 5.10. **13.15** un exemple Ph 2.5 ; 1 P 2.21 ; cf. Jn 13.34 ; 15.12. **13.16** le serviteur et son maître Mt 10.24+ ; cf. Lc 22.24-30. **13.17** heureux si vous le mettez en pratique Lc 1.22, 25 ; cf. Mt 7.24-27 ; Rm 2.13. **13.18** choisis Jn 6.70 ; 15.16 — celui qui mangeait Ps 41.10 ; cf. Mc 14.18. **13.19** avant que l'événement n'arrive Jn 14.29 ; 16.4 — croire que « Je suis » Jn 8.24, 28, 58.

Suis. 20 En vérité, en vérité, je vous le dis, recevoir celui que j'enverrai, c'est me recevoir moi-même, et me recevoir c'est aussi recevoir celui qui m'a envoyé. »

Jésus annonce qu'il va être trahi

(*Mt 26.20-25 ; Mc 14.17-21 ; Lc 22.21-23*)

21 Ayant ainsi parlé, Jésus fut troublé intérieurement et il déclara solennellement : « En vérité, en vérité, je vous le dis, l'un d'entre vous va me livrer. » 22 Les disciples se regardaient les uns les autres, se demandant de qui il parlait. 23 Un des disciples, celui-là même que Jésus aimait, se trouvait à côté de lui *b*. 24 Simon-Pierre lui fit signe : « Demande de qui il parle » ; 25 se penchant alors vers la poitrine de Jésus, le disciple lui dit : « Seigneur, qui est-ce ? » 26 Jésus répondit : « C'est celui à qui je donnerai la bouchée que je vais tremper. » Sur ce, Jésus prit la bouchée qu'il avait trempée et il la donna à Judas Iscarioth, fils de Simon. 27 C'est à ce moment, alors qu'il lui avait offert cette bouchée, que *Satan entra en Judas. Jésus lui dit alors : « Ce que tu as à faire, fais-le vite. » 28 Aucun de ceux qui se trouvaient là ne comprit pourquoi il avait dit cela. 29 Comme Judas tenait la bourse, quelques-uns pensèrent que Jésus lui avait dit d'acheter ce qui était nécessaire pour la fête, ou encore de donner quelque chose aux pauvres. 30 Quant à Judas, ayant pris la bouchée, il sortit immédiatement : il faisait nuit.

Le nouveau commandement

(*v. 36-37 ; Mt 26.31-35 ; Mc 14.27-31 ; Lc 22.31-34*)

31 Dès que Judas fut sorti, Jésus dit : « Maintenant, le *Fils de l'homme a été glorifié et Dieu a été glorifié par lui ; 32 Dieu le glorifiera en lui-même, et c'est

bientôt qu'il le glorifiera. 33 Mes petits-enfants, je ne suis plus avec vous que pour peu de temps. Vous me chercherez et comme j'ai dit aux *Juifs : "Là où je vais, vous ne pouvez venir", à vous aussi je le dis.

34 Je vous donne un commandement nouveau : aimez-vous les uns les autres. Comme je vous ai aimés, aimez-vous les uns les autres. 35 A ceci tous vous reconnaîtront pour mes *disciples : à l'amour que vous aurez les uns pour les autres. »

36 Simon-Pierre lui dit : « Seigneur, où vas-tu ? » Jésus lui répondit : « Là où je vais, tu ne peux me suivre maintenant, mais tu me suivras plus tard. » 37 « Seigneur, lui répondit Pierre, pourquoi ne puis-je te suivre tout de suite ? Je me dessaisirai de ma vie pour toi ! » 38 Jésus répondit : « Te dessaisir de ta vie pour moi ! En vérité, en vérité, je te le dis, trois fois tu m'auras renié avant qu'un coq ne se mette à chanter. »

Le chemin qui mène au Père, c'est Jésus

14 1 « Que votre cœur ne se trouble pas : vous croyez en Dieu, croyez aussi en moi. 2 Dans la maison de mon Père, il y a beaucoup de demeures ; sinon vous aurais-je dit que j'allais vous préparer le lieu où vous serez ? 3 Lorsque je serai allé vous le préparer, je reviendrai et je vous prendrai avec moi, si bien que là où je suis, vous serez vous aussi. 4 Quant au lieu où je vais, vous en savez le chemin. » 5 Thomas lui dit : « Seigneur, nous ne savons même pas où tu vas, comment en connaîtrions-nous le chemin ? » 6 Jésus lui dit : « Je suis le chemin et la vérité et la *vie. Personne ne va au Père si ce n'est par moi. 7 Si vous me connaissiez, vous connaîtriez aussi mon Père. Dès à présent vous le connais-

b Le texte grec laisse entendre que les convives étaient allongés autour de la table, appuyés sur le bras gauche, à la manière antique

13.20 recevoir Jésus Mt 10.40 ; 18.5 ; Mc 9.37 ; Lc 9.48 ; 10.16 ; Jn 12.44. **13.21** le trouble de Jésus Jn 11.33 ; 12.27. **13.23** le disciple que Jésus aimait Jn 19.26 ; 20.2 ; 21.7, 20. **13.27** Satan entra en Judas Lc 22.3 ; Jn 13.2. **13.29** Judas tenait la bourse Jn 12.6. **13.30** il faisait nuit Lc 22.53 ; Jn 9.4 ; 11.10 ; 12.35. **13.31** le Fils de l'homme Mt 8.20+ — glorification Jn 16.16, 7.39+. **13.33** avec vous pour peu de temps Jn 7.33 ; 19 — impossibilité de rejoindre Jésus Jn 7.34, 36 ; 8.21. **13.34** le commandement d'amour Jn 15.12, 17 ; 1 Jn 3.11, 23 — commandement nouveau 1 Jn 2.8 ; 2 Jn 5. **13.35** l'amour fraternel, marque des disciples 1 Jn 3.14. **13.36** Seigneur, où vas-tu Jn 7.35 ; 14.5 ; cf. 16.5 — Pierre... plus tard Jn 21.18-19. **14.1** ne vous troublez pas Jn 14.27 ; cf. 16.6, 20 — foi en Jésus Jn 12.44. **14.3** je reviendrai 1) Mt 16.27 ; 25.31 ; 1 Co 11.26 ; 16.22 ; 1 Th 4.16-17 ; 1 Jn 2.28 ; Ap 22. 17, 20 ; 2) Jn 14.18, 23, 28 ; 15.26 ; 16.7, 13, 16-23 — là où je suis vous serez aussi Jn 12.26 ; 17.24. **14.6** le chemin, c'est Jésus He 10.20 ; cf. Mc 8.34 par. ; Jn 10.9 ; cf. Ac 9.2+ — la vérité Jn 1.14, 18 ; 14.9 ; 17.8, 14 — la vie Jn 1.4 ; 3.16 ; 6.40, 47, 63 ; 11.25. **14.7** connaître Jésus, connaître le Père Jn 8.19.

sez et vous l'avez vu. » ⁸ Philippe lui dit : « Seigneur, montre-nous le Père et cela nous suffit. » ⁹ Jésus lui dit : « Je suis avec vous depuis si longtemps, et cependant, Philippe, tu ne m'as pas reconnu ! Celui qui m'a vu a vu le Père. Pourquoi dis-tu : "Montre-nous le Père" ? ¹⁰ Ne crois-tu pas que je suis dans le Père et que le Père est en moi ? Les paroles que je vous dis, je ne les dis pas de moi-même ! Au contraire, c'est le Père qui, demeurant en moi, accomplit ses propres œuvres. ¹¹ Croyez-moi, je suis dans le Père et le Père est en moi ; et si vous ne croyez pas ma parole, croyez au moins à cause de ces œuvres. ¹² En vérité, en vérité, je vous le dis, celui qui croit en moi fera lui aussi les œuvres que je fais : il en fera même de plus grandes, parce que je vais au Père. ¹³ Tout ce que vous demanderez en mon *nom, je le ferai, de sorte que le Père soit glorifié dans le Fils. ¹⁴ Si vous me demandez quelque chose en mon nom, je le ferai.

L'Esprit Saint que le Père enverra

¹⁵ Si vous m'aimez, vous vous appliquerez à observer mes commandements ; ¹⁶ moi, je prierai le Père : il vous donnera un autre Paraclet ᶜ qui restera avec vous pour toujours. ¹⁷ C'est lui l'Esprit de vérité, celui que le *monde est incapable d'accueillir parce qu'il ne le voit pas et qu'il ne le connaît pas. Vous, vous le connaissez, car il demeure auprès de vous et il est en vous. ¹⁸ Je ne vous laisserai pas orphelins, je viendrai à vous. ¹⁹ Encore un peu et le monde ne me verra plus ; vous, vous me verrez vivant et vous vi-

vrez vous aussi. ²⁰ En ce *jour-là, vous connaîtrez que je suis en mon Père et que vous êtes en moi et moi en vous. ²¹ Celui qui a mes commandements et qui les observe, celui-là m'aime : or celui qui m'aime sera aimé de mon Père et à mon tour, moi je l'aimerai et je me manifesterai à lui. » ²² Jude, non pas Judas l'Iscarioth, lui dit : « Seigneur, comment se fait-il que tu aies à te manifester à nous et non pas au monde ? » ²³ Jésus lui répondit : « Si quelqu'un m'aime, il observera ma parole, et mon Père l'aimera ; nous viendrons à lui et nous établirons chez lui notre demeure. ²⁴ Celui qui ne m'aime pas n'observe pas mes paroles ; or, cette parole que vous entendez, elle n'est pas de moi mais du Père qui m'a envoyé. ²⁵ Je vous ai dit ces choses tandis que je demeurais auprès de vous ; ²⁶ le Paraclet, l'Esprit Saint que le Père enverra en mon nom, vous enseignera toutes choses et vous fera ressouvenir de tout ce que je vous ai dit. ²⁷ Je vous laisse la paix, je vous donne ma paix. Ce n'est pas à la manière du monde que je vous la donne. Que votre cœur cesse de se troubler et de craindre. ²⁸ Vous l'avez entendu, je vous ai dit : « Je m'en vais et je viens à vous." Si vous m'aimiez, vous vous réjouiriez de ce que je vais au Père, car le Père est plus grand que moi. ²⁹ Je vous ai parlé dès maintenant, avant l'événement, afin que, lorsqu'il arrivera, vous croyiez. ³⁰ Désormais, je ne m'entretiendrai plus guère avec vous, car le prince de ce monde vient. Certes, il n'a en moi aucune prise ; ³¹ mais il vient afin que le monde sache que j'aime mon Père et que j'agis conformément à ce que le Père m'a prescrit. Levez-vous, partons d'ici !

---

c *Paraclet* est la transcription d'un terme grec du vocabulaire juridique, désignant celui qui est appelé auprès d'un accusé pour le défendre: *avocat, assistant, défenseur, consolateur, intercesseur* sont autant de traductions possibles, mais insuffisantes

14.8 Philippe Mt 10.3+. **14.9** voir Jésus, voir le Père Jn 1.18; 6.46; 12.45; Col 1.15; He 1.3. **14.10** communion du Père et du Fils Jn 10.38; 14.20; 17.21 — Jésus porte-parole du Père Jn 12.49-50+. **14.11** les œuvres de Jésus et la foi Jn 10.37-38. **14.12** Jésus va au Père Jn 7.33; 13.1; 14.28; 16.10, 17, 28; 20.17. **14.13** promesse d'exaucement Jn 15.16; 16.23, 24, 26; cf. 1 Jn 5.14-15 — le Père glorifié dans le Fils Jn 13.31-32; 17.1, 5. **14.15** amour et obéissance Sg 6.18; Jn 15.10; 1 Jn 5.3; 2 Jn 6. **14.16** Paraclet Jn 14.26; 15.26; 16.7; cf. 1 Jn 2.1 — avec vous pour toujours Mt 28.20. **14.17** l'Esprit de vérité Jn 15.26; 16.13; cf. 1 Jn 4.6; 5.6. **14.18** je viens à vous Jn 14.3, 28. **14.19** encore un peu Jn 7.33-34, 36 — vous me verrez Jn 16.16; 1 Jn 3.1-2 — Jésus vivant, ses disciples aussi Jn 6.57. **14.20** en ce jour-là Es 2.17; 4.1-2; Jr 4.9; Za 2.15; Jn 16.23 — communion du Père et du Fils Jn 10.38; 14.10-11 et des disciples avec Jésus 17.21-23. **14.21** amour et obéissance Jn 14.15+; cf. 5.24; 12.47 — amour pour Jésus, amour du Père Jn 16, 27. **14.22** Jude Lc 6.16; Ac 1.3; cf. Jude 1 — à nous et non pas au monde Ac 10.40-41. **14.23** notre demeure 1 R 8.27; Ez 37.26-27; Za 2.14. **14.24** Jésus, porte-parole du Père Jn 12.49-50+. **14.26** Paraclet Jn 14.16+ — en mon nom Jn 14.13-14; 15.16; 16.23-26 — les disciples se souviendront Jn 2.22+. **14.27** la paix Es 9.5; Za 9.9-10; Jn 16.33; 20.19, 21 — vous troublez pas Jn 14.1. **14.28** je m'en vais... je viens Jn 14.3; 16.16-17 — Jésus va au Père Jn 14.12+. **14.29** avant l'événement Jn 13.19; 16.4. **14.30** le prince de ce monde Jn 12.31+. **14.31** j'agis conformément Jn 12.49; 15.10 — levez-vous Mt 26.46; Mc 14.42.

Jésus, la vraie vigne

15 [1] Je suis la vraie vigne et mon Père est le vigneron. [2] Tout <u>sarment</u> qui, en moi, ne porte pas de fruit, il l'enlève, et tout sarment qui porte du fruit, il l'<u>émonde</u> *d*, afin qu'il en porte davantage encore. [3] Déjà vous êtes émondés par la parole que je vous ai dite. [4] Demeurez en moi comme je demeure en vous ! De même que le sarment, s'il ne demeure sur la vigne, ne peut de lui-même produire du fruit, ainsi vous non plus si vous ne demeurez en moi. [5] Je suis la vigne, vous êtes les sarments : celui qui demeure en moi et en qui je demeure, celui-là portera du fruit en abondance car, en dehors de moi vous ne pouvez rien faire. [6] Si quelqu'un ne demeure pas en moi, il est jeté dehors comme le sarment, il se <u>dessèche</u>, puis on les <u>ramasse</u>, on les jette au feu et ils brûlent. [7] Si vous demeurez en moi et que mes paroles demeurent en vous, vous demanderez ce que vous voudrez et cela vous arrivera. [8] Ce qui glorifie mon Père, c'est que vous produisiez du fruit en abondance et que vous soyez pour moi des *disciples. [9] Comme le Père m'a aimé, moi aussi je vous ai aimés : demeurez dans mon amour. [10] Si vous observez mes commandements, vous demeurerez dans mon amour, comme, en observant les commandements de mon Père, je demeure dans son amour.

[11] Je vous ai dit cela pour que ma joie soit en vous et que votre joie soit parfaite.

[12] Voici mon commandement : aimez-vous les uns les autres comme je vous ai aimés. [13] Nul n'a d'amour plus grand que celui qui se dessaisit de sa vie pour ceux qu'il aime. [14] Vous êtes mes amis si vous faites ce que je vous commande. [15] Je ne vous appelle plus serviteurs, car le serviteur reste dans l'ignorance de ce que fait son maître ; je vous appelle amis, parce que tout ce que j'ai entendu auprès de mon Père, je vous l'ai fait connaître. [16] Ce n'est pas vous qui m'avez choisi, c'est moi qui vous ai choisis et institués pour que vous alliez, que vous portiez du fruit et que votre fruit demeure : <u>si bien que</u> tout ce que vous demanderez au Père en mon nom, il vous l'accordera. [17] Ce que je vous commande c'est de vous aimer les uns les autres.

Les disciples seront haïs comme Jésus

[18] Si le *monde vous hait, sachez qu'il m'a haï le premier. [19] Si vous étiez du monde, le monde aimerait ce qui lui appartiendrait ; mais vous n'êtes pas du monde : c'est moi qui vous ai mis à part du monde et voilà pourquoi le monde vous hait. [20] Souvenez-vous de la parole que je vous ai dite : "Le serviteur n'est pas plus grand que son maître" ; s'ils m'ont persécuté, ils vous persécuteront vous aussi ; s'ils ont observé ma parole, ils observeront aussi la vôtre. [21] Tout cela, ils vous le feront à cause de mon *nom, parce qu'ils ne connaissent pas celui qui m'a envoyé. [22] Si je n'étais pas venu, si je ne leur avais pas adressé la parole, ils n'auraient pas de péché ; mais à présent, leur péché est sans excuse. [23] Celui qui me hait, hait aussi mon Père. [24] Si je n'avais pas fait au milieu d'eux ces œuvres que nul autre n'a faites, ils n'auraient pas de péché : mais à présent qu'ils les

---

d le même verbe grec signifie à la fois *purifier* et *émonder* (c'est-à-dire enlever les feuilles qui empêchent le mûrissement des grappes)

15.1 la vigne Es 5.1-7 ; Jr 2.21 ; Ez 15.1-8 ; 19.10-14 ; Mt 21.33-41 par. **15.2** tout sarment improductif Mt 3.10 ; 15.13. **15.3** déjà émondés Jn 13.10. **15.4** le sarment doit être branché sur la vigne Rm 11.17-18 — incapable par lui-même 2 Co 3.5 — demeurer en Jésus Jn 6.56 ; cf. 8.31 ; 15.9-10 ; 1 Jn 2.10 ; 4.13-16. **15.5** la vigne et ses sarments cf. 1 Co 12.12, 27 — Jésus demeure en vous 1 Jn 2.27 ; 3.9, 15 ; 4.12-15 — produire du fruit en abondance Jn 15.16 — hors de moi vous ne pouvez rien... 2 Co 3.5 ; cf. Jn 1.3. **15.6** on les jette au feu Mt 3.10 ; 7.19 ; 13.42. **15.7** promesse d'exaucement Mc 11.24 ; Jn 14.13 ; 16.23. **15.8** ce qui glorifie le Père Mt 5.13. **15.10** aimer Jésus et garder ses commandements Jn 14.15, 21 ; 1 Jn 2.3-8 ; 3.22-23 ; 5.3. **15.11** joie Es 9.2 ; 35.10 ; 55.12 ; 65.18 ; So 3.14 ; Ps 126.3-5 ; Mt 25.21, 23 ; Lc 1.14 ; 2.10 parfaite Jn 16.20-24 ; 17.13 ; 1 Jn 1.4 ; 2 Jn 12. **15.12** le commandement d'amour Jn 13.34+ ; 2 Jn 5. **15.13** le plus grand amour Jn 13.1, 34 — se dessaisir de sa vie pour Jn 10.11+. **15.16** c'est moi qui vous ai choisis Jn 6.70 ; 13.18 ; cf. Dt 7.6-8 ; Es 41.8 ; 43.20 ; 44.2 ; 45.4 ; 65.9, 15, 22 ; Am 3.2 ; 7.15 ; Mc 3.13 ; Lc 6.13 — institués Mt 10.1 ; Mc 3.14 ; 6.7 ; Lc 9.1 ; Ac 13.47 ; 20.28 ; 1 Co 12.28 ; 2 Tm 1.11 — produire du fruit Jn 15.5 — promesse d'exaucement Jn 14.13+. **15.17** commandement d'amour Jn 13.34+ ; 2 Jn 5. **15.18** haïs par le monde Mt 10.22 ; 24.9 ; Mc 13.13 ; Lc 6.22 ; Jn 17.14 ; 1 Th 2.15-16 ; 1 Jn 3.13. **15.19** le monde aime ceux qui lui appartiennent Jn 7.7 ; 1 Jn 4.5 ; cf. Jn 17.14. **15.20** le serviteur et son maître Mt 10.24+ — persécutés comme le maître 1 Th 1.6 ; 1 P 4.12-19. **15.21** à cause de Jésus Mt 5.11 ; 10.22 ; Mc 13.13 ; Ac 5.41 ; Ap 2.3. **15.22** sans péché Jn 9.41. **15.23** ne pas aimer Jésus, ne pas aimer le Père Lc 10.16 ; Jn 5.23 ; 1 Jn 2.23. **15.24** les œuvres que Jésus a faites Jn 14.11.

ont vues, ils continuent à nous haïr et moi et mon Père ; ²⁵ c'est pour que s'accomplisse la parole qui est écrite dans leur *Loi : *Ils m'ont haï sans raison.*

²⁶ Lorsque viendra le Paraclet *e* que je vous enverrai d'auprès du Père, l'Esprit de vérité qui procède du Père, il rendra lui-même témoignage de moi ; ²⁷ et à votre tour, vous me rendrez témoignage, parce que vous êtes avec moi depuis le commencement.

16 ¹ Je vous ai dit tout cela afin que vous ne succombiez pas à l'épreuve. ² On vous exclura des *synagogues. Bien plus, l'heure vient où celui qui vous fera périr croira présenter un sacrifice à Dieu. ³ Ils agiront ainsi pour n'avoir connu ni le Père ni moi. ⁴ Mais je vous ai dit cela afin que, leur heure venue, vous vous rappeliez que je vous l'avais dit.

Lorsque viendra l'Esprit de vérité

Je ne vous l'ai pas dit dès le début car j'étais avec vous. ⁵ Mais maintenant je vais à celui qui m'a envoyé et aucun d'entre vous ne me pose la question : "Où vas-tu ?". ⁶ Mais parce que je vous ai dit cela, l'affliction a rempli votre cœur. ⁷ Cependant je vous ai dit la vérité : c'est votre avantage que je m'en aille ; en effet, si je ne pars pas, le Paraclet *f* ne viendra pas à vous ; si, au contraire, je pars, je vous l'enverrai. ⁸ Et lui, par sa venue, il confondra le *monde en matière de péché, de justice et de jugement ; ⁹ en matière de péché : ils ne croient pas en moi ; ¹⁰ en matière de justice : je vais au Père et que vous ne me verrez plus ; ¹¹ en matière de jugement : le prince de ce monde a été jugé. ¹² J'ai encore bien des choses à vous dire mais vous ne pouvez les porter *g* maintenant ; ¹³ lorsque viendra l'Esprit de vérité, il vous fera accéder à la vérité tout entière. Car il ne parlera pas de son propre chef, mais il dira ce qu'il entendra et il vous communiquera tout ce qui doit venir. ¹⁴ Il me glorifiera car il recevra de ce qui est à moi et il vous le communiquera. ¹⁵ Tout ce que possède mon Père est à moi ; c'est pourquoi j'ai dit qu'il vous communiquera ce qu'il reçoit de moi.

Une tristesse qui se changera en joie

¹⁶ « Encore un peu et vous ne m'aurez plus sous les yeux, et puis encore un peu et vous me verrez. » ¹⁷ Certains de ses disciples se dirent alors entre eux : « Qu'a-t-il voulu nous dire : "Encore un peu et vous ne m'aurez plus sous les yeux, et puis encore un peu et vous me verrez" ; ou encore : "Je vais au Père" ? ¹⁸ Que signifie donc ce "un peu", disaient-ils, nous ne comprenons pas ce qu'il veut dire ! » ¹⁹ Sachant qu'ils désiraient l'interroger, Jésus leur dit : « Vous cherchez entre vous le sens de ma parole : "Encore un peu et vous ne m'aurez plus sous les yeux et puis encore un peu et vous me verrez." ²⁰ En vérité, en vérité, je vous le dis, vous allez gémir et vous lamenter tandis que le *monde se réjouira ; vous serez affligés mais votre affliction tournera en joie. ²¹ Lorsque la femme enfante, elle est dans l'affliction puisque son heure est venue ; mais lorsqu'elle a donné le jour à l'enfant, elle ne se souvient plus de son accablement, elle est toute à la joie d'avoir mis un homme au monde. ²² C'est ainsi que vous êtes maintenant dans l'affliction ; mais je vous verrai à nouveau, votre cœur alors se réjouira et cette joie nul ne vous la ravira. ²³ Ainsi, en ce *jour-là, vous ne m'interrogerez plus sur rien. En vérité, en

e Voir 14.16 et note ● *f* Voir 14.16 et note ● *g* ou *les comprendre*

15.25 la Loi (= les Ecritures) Jn 8.17; 10.34 — haï sans raison Ps 35.19; 69.5. **15.26** Paraclet Jn 14.16+ — l'Esprit de vérité Jn 14.17+ qui procède du Père Jn 14.16, 26; 16.15; Tt 3.6; 1 Jn 3.24; 4.13. **15.27** témoins de Jésus Ac 1.8; 5.32; 1 Jn 4.14 — avec Jésus depuis le commencement Lc 1.2; Ac 1.21-22. **16.2** exclus des synagogues Jn 9.22+. **16.3** n'avoir connu ni le Père ni Jésus Jn 15.21. **16.4** l'heure venue Jn 13.1+ — les disciples se souviendront Jn 2.22+. **16.5** celui qui m'a envoyé Jn 7.33 — où vas-tu ? Jn 13.36; 14.5. **16.6** affliction Jn 16.22. **16.7** Paraclet Jn 14.16+. **16.8** justice et jugement cf. Ac 24.25. **16.9** péché Jn 8.21-24; 9.41; 15.22-24 — ils ne croient pas en moi Jn 3.19, 36; 5.38; 6.36, 64; 7.5; 10.26; 12.37. **16.10** Jésus va au Père Jn 14.12+ — ne plus voir Jésus Jn 7.34; 13.33; 14.19; 16.16-19. **16.11** le prince de ce monde Jn 12.31+. **16.12** pas en état de les supporter 1 Co 3.1-2. **16.13** l'Esprit de vérité Jn 14.17+ — la vérité tout entière Jn 14.26; 1 Jn 2.27. **16.15** au Père et à moi Jn 17.10. **16.16** encore un peu Jn 14.19. **16.21** la femme enfante Es 13.8; 21.3; 26.17; Mi 4.9; Mc 13.8; Rm 8.22; 1 Th 5.3; Ap 12.2. **16.22** votre cœur se réjouira Es 66.14 — joie du revoir Mt 28.8; Lc 24.41; Jn 17.13; 20.20; cf. Jn 15.11+. **16.23** en ce jour-là Mc 13.17, etc.; 14.25; Jn 14.20+; Ac 2.17; 2 Tm 1.12, 18, etc. — promesse d'exaucement Jn 14.13+.

vérité, je vous le dis, si vous demandez quelque chose à mon Père en mon nom, il vous le donnera. 24 Jusqu'ici vous n'avez rien demandé en mon nom : demandez et vous recevrez, pour que votre joie soit parfaite.

Tenir bon car Jésus est vainqueur

25 Je vous ai dit tout cela de façon énigmatique, mais l'heure vient où je ne vous parlerai plus de cette manière, mais où je vous annoncerai ouvertement ce qui concerne le Père. 26 Ce jour-là, vous demanderez en mon nom et cependant je ne vous dis pas que je prierai le Père pour vous, 27 car le Père lui-même vous aime parce que vous m'avez aimé et que vous avez cru que je suis sorti de Dieu : 28 Je suis sorti du Père et je suis venu dans le monde ; tandis qu'à présent je quitte le monde et je vais au Père. » 29 Ses disciples lui dirent : « Voici que maintenant tu parles ouvertement et que tu abandonnes tout langage énigmatique ; 30 maintenant nous savons que toi, tu sais toutes choses et que tu n'as nul besoin que quelqu'un t'interroge. C'est bien pourquoi nous croyons que tu es sorti de Dieu. » 31 Jésus leur répondit : « Croyez-vous, à présent ? 32 Voici que l'heure vient, et maintenant elle est là, où vous serez dispersés, chacun allant de son côté, et vous me laisserez seul : mais je ne suis pas seul, le Père est avec moi. 33 Je vous ai dit cela pour qu'en moi vous ayez la paix. En ce *monde vous faites l'expérience de l'adversité, mais soyez pleins d'assurance, j'ai vaincu le monde ! »

Jésus prie pour les siens

17 1 Après avoir ainsi parlé, Jésus leva les yeux au ciel et dit : « Père, l'heure est venue, glorifie ton fils, afin que ton fils te glorifie 2 et que, selon le pouvoir sur toute chair que tu lui as donné, il donne la *vie éternelle à tous ceux que tu lui as donnés. 3 Or la vie éternelle, c'est qu'ils te connaissent toi, le seul vrai Dieu, et celui que tu as envoyé, Jésus Christ. 4 Je t'ai glorifié sur la terre, j'ai achevé l'œuvre que tu m'as donné à faire. 5 Et maintenant, Père, glorifie-moi auprès de toi de cette gloire que j'avais auprès de toi avant que le monde fût.

6 J'ai manifesté ton *nom aux hommes que tu as tirés du *monde pour me les donner. Ils étaient à toi, tu me les as donnés et ils ont observé ta parole. 7 Ils savent maintenant que tout ce que tu m'as donné vient de toi, 8 que les paroles que je leur ai données sont celles que tu m'as données. Ils les ont reçues, ils ont véritablement connu que je suis sorti de toi, et ils ont cru que tu m'as envoyé. 9 Je prie pour eux, je ne prie pas pour le monde, mais pour ceux que tu m'as donnés : ils sont à toi 10 et tout ce qui est à moi est à toi comme ce qui est à toi est à moi, et j'ai été glorifié en eux. 11 Désormais je ne suis plus dans le monde ; eux restent dans le monde, tandis que moi je vais à toi. Père *saint, garde-les en ton nom que tu m'as donné, pour qu'ils soient un comme nous sommes un. 12 Lorsque j'étais avec eux, je les gardais en ton nom que tu m'as donné : je les ai protégés et aucun d'eux ne s'est perdu sinon le fils de perdition [h], en sorte que

h Voir note sur 1 Th 5.5

16.24 demandez Mt 7.7-8, 11; 18.19; Lc 11.9-13 — une joie à son comble Jn 15.11+. **16.25** de façon énigmatique cf. Mt 13.34; Mc 4.33-34; Lc 8.10; Jn 10.6; cf. aussi 12.16; 13.7. **16.27** l'amour du Père pour les disciples Jn 14.21, 23 — Jésus vient de Dieu Jn 3.2; 8.42+. **16.32** le maître abandonné par les disciples Za 13.7; Mt 26.31, 56; Mc 14.27, 50 — Jésus ne reste pas seul Jn 8.16, 29; cf. 10.30. **16.33** la paix Jn 14.27 — adversité 1) Mc 13.19, 24; Rm 2.9; 2) Mc 4.17; Ac 11.19; 2 Co 1.8; 2.4; 4.17; 6.4, etc.; 1 Th 1.6; 3.3, 7; 2 Th 1.4; 2 Tm 3.12 — vainqueur du monde 1 Jn 4.4; 5.4-5; Ap 2.7, 11, 17, etc.; 5.5; 6.2. **17.1** les yeux vers le ciel Mc 6.41; Lc 18.13; Jn 11.41 — l'heure est venue Jn 13.1+; cf. 5.25 — glorification du Fils et du Père Jn 13.31-32. **17.2** l'étendue du pouvoir de Jésus Mt 28.18; Jn 3.35; 5.19-30; 13.3. **17.3** vie éternelle Jn 4.14, 36; 6.27; 12.25; 1 Jn 5.13, 20 — connaître Dieu Sg 15.3 — le (seul) vrai Dieu 1 Th 1.9; 1 Jn 5.20. **17.4** le Père glorifié par le Fils Jn 13.31-32; 14.13 — l'œuvre confiée à Jésus Jn 4.34; 5.30; 6.38; 8.29; 9.4; 10.37-38; cf. 13.1; 19.30. **17.5** la gloire de Jésus Jn 2.11; 11.2; cf. 7.39+ — avant qu'il y ait le monde Jn 1.1-2; 8.58; 17.24. **17.6** j'ai manifesté ton nom Jn 1.18; 14.7-11; 17.26 — donnés par Dieu à Jésus Jn 6.37, 39, 44; 10.29; 17.2, 9, 12, 24. **17.8** Jésus venu de Dieu Jn 3.2; 16.30; cf. 8.42+. **17.9** le monde Jn 1.10; 15.19; cf. 3.16-17. **17.10** ce qui est à moi est à toi Lc 15.31 — ce qui est à toi est à moi Jn 16.15. **17.11** les disciples restent dans le monde Jn 13.1 — Jésus va au Père Jn 13.1, 3; 16.28 — Père saint Lv 11.44; 19.2 (1 P 1.16) — un comme nous Jn 10.30; 17.21; Ga 3.28. **17.12** protégés Jn 18.8-9 — perdition Mt 7.13; Jn 3.16; 6.39; 10.28; 12.25; Ac 8.20; Rm 9.22; Ph 3.19 — le fils de perdition Jn 6.70; cf. 2 Th 2.3 — accomplissement Jn 13.18 (Ps 41.10).

l'Ecriture soit accomplie. ¹³ Maintenant je vais à toi et je dis ces paroles dans le monde pour qu'ils aient en eux ma joie dans sa plénitude. ¹⁴ Je leur ai donné ta parole et le monde les a haïs, parce qu'ils ne sont pas du monde, comme je ne suis pas du monde. ¹⁵ Je ne te demande pas de les ôter du monde, mais de les garder du Mauvais ⁱ. ¹⁶ Ils ne sont pas du monde comme je ne suis pas du monde. ¹⁷ Consacre-les par la vérité : ta parole est vérité. ¹⁸ Comme tu m'as envoyé dans le monde je les envoie dans le monde. ¹⁹ Et pour eux je me consacre moi-même, afin qu'ils soient eux aussi consacrés par la vérité.

²⁰ Je ne prie pas seulement pour eux, je prie aussi pour ceux qui, grâce à leur parole, croiront en moi : ²¹ que tous soient un comme toi, Père, tu es en moi et que je suis en toi, qu'ils soient en nous eux aussi, afin que le *monde croie que tu m'as envoyé ; ²² et moi, je leur ai donné la gloire que tu m'as donnée, pour qu'ils soient un comme nous sommes un, ²³ moi en eux comme toi en moi, pour qu'ils parviennent à l'unité parfaite et qu'ainsi le monde puisse connaître que c'est toi qui m'as envoyé et que tu les as aimés comme tu m'as aimé. ²⁴ Père, je veux que là où je suis, ceux que tu m'as donnés soient eux aussi avec moi, et qu'ils contemplent la gloire que tu m'as donnée, car tu m'as aimé dès avant la fondation du monde.

²⁵ Père juste, tandis que le *monde ne t'a pas connu, je t'ai connu et ceux-ci ont reconnu que tu m'as envoyé. ²⁶ Je leur ai fait connaître ton nom et je le leur ferai connaître encore, afin que l'amour dont tu m'as aimé soit en eux, et moi en eux. »

L'arrestation de Jésus
(*Mt 26.47-56 ; Mc 14.43-50 ; Lc 22.47-53*)

18 ¹ Ayant ainsi parlé, Jésus s'en alla, avec ses disciples, au-delà du torrent du Cédron ʲ ; il y avait là un jardin où il entra avec ses disciples. ² Or Judas, qui le livrait, connaissait l'endroit, car Jésus y avait maintes fois réuni ses disciples. ³ Il prit la tête de la cohorte ᵏ et des gardes fournis par les *grands prêtres et les *pharisiens, il gagna le jardin avec torches, lampes et armes. ⁴ Jésus, sachant tout ce qui allait lui arriver, s'avança et leur dit : « Qui cherchez-vous ? » ⁵ Ils lui répondirent : « Jésus le Nazôréen. » Il leur dit : « C'est moi. » Or, parmi eux, se tenait Judas qui le livrait. ⁶ Dès que Jésus leur eut dit "c'est moi", ils eurent un mouvement de recul et tombèrent. ⁷ A nouveau, Jésus leur demanda : « Qui cherchez-vous ? » Ils répondirent : « Jésus le Nazôréen. » ⁸ Jésus leur répondit : « Je vous l'ai dit, c'est moi. Si donc c'est moi que vous cherchez, laisser aller ceux-ci. » ⁹ C'est ainsi que devait s'accomplir la parole que Jésus avait dite : « Je n'ai perdu aucun de ceux que tu m'as donnés. » ¹⁰ Alors Simon-Pierre, qui portait un glaive, dégaina et frappa le serviteur du grand prêtre, auquel il trancha l'oreille droite ; le nom de ce serviteur était Malchus. ¹¹ Mais Jésus dit à Pierre : « Remets ton glaive au fourreau ! La coupe que le Père m'a donnée, ne la boirai-je pas ? » ¹² La cohorte avec son commandant et les gardes des *Juifs saisirent donc Jésus et ils le ligotèrent.

Jésus est conduit devant le grand prêtre
(*Mt 26.57-58 ; Mc 14.53-54 ; Lc 22.54*)

¹³ Ils le conduisirent tout d'abord chez

---

i ou *les garder du mal* • j Voir Mc 11.1 et note • k *la cohorte:* (voir Mc 15.15 et note) dans la traduction grecque de l'A.T. le même terme désigne aussi des troupes juives. Il peut donc s'agir ici de *la milice du Temple*

17.13 joie dans sa plénitude Jn 15.11+. **17.14** pas du monde... haïs par le monde Jn 15.18-19 — Jésus ne dépend pas du monde Jn 8.23. **17.15** pas ôtés du monde Jn 15.19—16.4 — le garder du Mauvais Mt 6.13 ; 2 Th 3.3 ; 1 Jn 5.18. **17.17** consacrer Jr 1.5 ; Si 45.4 ; Jn 10.36. **17.18** envoyés comme Jésus Jn 20.21. **17.19** Jésus se consacre lui-même cf. Jn 6.51 ; 10.18 ; 15.13 — pour eux Mt 14.24 ; Lc 22.20 ; 1 Co 11.24 ; 15.3 ; He 2.9 ; 5.1 ; 9.12. **17.20** prière des disciples pour les disciples Jn 17.9. **17.21** que tous soient un Ga 3.28 comme le Père et le Fils Jn 10.38 ; 17.11. **17.24** là où je suis, là aussi... Jn 12.26 ; 14.3 — contempler la gloire de Jésus Jn 1.14 ; cf. 2 Co 3.18 ; 4.6 — avant la création du monde Jn 17.5. **17.25** le monde n'a pas connu le Père Jn 1.10 ; 8.55 — Jésus est celui qui connaît le Père Jn 8.55+. **17.26** Père juste Ps 7.18 ; 9.5 ; 96.13 ; 116.5 ; 129.4 ; 145.17 ; Rm 3.26 ; Ap 16.5 — faire connaître le Père Jn 17.6. **18.1** un jardin au-delà du Cédron Mt 26.36 ; Mc 14.32. **18.2** jardin souvent fréquenté par Jésus Lc 21.37 ; 22.39. **18.3** gardes (du Temple) Jn 7.32, 45. **18.4** Jésus sait... Jn 13.1, 3. **18.5** C'est moi cf. Jn 8.24+. **18.9** je n'ai perdu aucun de ceux... Jn 6.39 ; 17.12 ; cf. 10.28. **18.10** un glaive Lc 22.36, 38. **18.11** la coupe Mc 10.38+ et par. ; 14.36 par. **18.13** Caïphe Lc 3.2+.

Hanne [l]. Celui-ci était le beau-père de
Caïphe, qui était le grand prêtre cette
année-là ; [14] c'est ce même Caïphe qui
avait suggéré aux Juifs : il est avantageux
qu'un seul homme meure pour tout le
peuple.

(Mt 26.69-70; Mc 14.66-68; Lc 22.55-57)

[15] Simon-Pierre et un autre disciple
avaient suivi Jésus. Comme ce disciple
était connu du grand prêtre, il entra avec
Jésus dans le palais du grand prêtre.
[16] Pierre se tenait à l'extérieur, près de la
porte ; l'autre disciple, celui qui était connu du grand prêtre sortit, s'adressa à la
femme qui gardait la porte et fit entrer
Pierre. [17] La servante qui gardait la porte
lui dit : « N'étais-tu pas, toi aussi, un des
disciples de cet homme ? » ; Pierre répondit : « Je n'en suis pas ! » [18] Les serviteurs
et les gardes avaient fait un feu de braise
car il faisait froid et ils se chauffaient ;
Pierre se tenait avec eux et se chauffait
aussi.

(Mt 26.59-66; Mc 14.55-64; Lc 22.66-71)

[19] Le grand prêtre se mit à interroger
Jésus sur ses *disciples et sur son enseignement. [20] Jésus lui répondit : « J'ai parlé ouvertement au *monde, j'ai toujours
enseigné dans les *synagogues et dans le
*temple, où tous les *Juifs se rassemblent
et je n'ai rien dit en secret. [21] Pourquoi
est-ce moi que tu interroges ? Ce que j'ai
dit, demande-le à ceux qui m'ont écouté :
ils savent bien ce que j'ai dit. » [22] A ces
mots, un des valets qui se trouvait là gifla
Jésus en disant : « C'est ainsi que tu réponds au grand prêtre ? » [23] Jésus lui
répondit : « Si j'ai mal parlé, montre en
quoi ; si j'ai bien parlé, pourquoi me frappes-tu ? » [24] Là-dessus Hanne envoya Jésus, ligoté, à Caïphe, le grand prêtre.

(Mt 26.71-75; Mc 14.69-72; Lc 22.58-62)

[25] Cependant Simon-Pierre était là qui
se chauffait. On lui dit : « N'es-tu pas,
toi aussi, l'un de ses disciples ? » Pierre
nia en disant : « Je n'en suis pas ! » [26] Un
des serviteurs du grand prêtre, parent de
celui auquel Pierre avait tranché l'oreille,
lui dit : « Ne t'ai-je pas vu dans le jardin
avec lui ? » [27] A nouveau Pierre le nia
et au même moment un coq chanta.

Pilate cède à la foule et condamne Jésus
(Mt 27.1-2, 11-14; Mc 15.1-5; Lc 23.1-5)

[28] Cependant on avait emmené Jésus de
chez Caïphe à la résidence du gouverneur. C'était le point du jour. Ceux qui
l'avaient amené •n'entrèrent pas dans la
résidence pour ne pas se *souiller et pouvoir manger la *Pâque [m]. [29] Pilate [n] vint
donc les trouver à l'extérieur et dit :
« Quelle accusation portez-vous contre cet
homme ? » [30] Ils répondirent : « Si cet
individu n'avait pas fait le mal, te l'aurions-nous livré ? » [31] Pilate leur dit alors :
« Prenez-le et jugez-le vous-mêmes suivant votre *loi. » Les *Juifs lui dirent :
« Il ne nous est permis de mettre
quelqu'un à mort ! » [32] C'est ainsi que devait s'accomplir la parole par laquelle
Jésus avait signifié de quelle mort il devait mourir.

[33] Pilate rentra donc dans la résidence.
Il appela Jésus et lui dit : « Es-tu le roi
des Juifs ? » [34] Jésus lui répondit : « Dis-
tu cela de toi-même ou d'autres te l'ont-
ils dit de moi ? » [35] Pilate lui répondit :
« Est-ce que je suis Juif, moi ? Ta propre
nation, les *grands prêtres t'ont livré à
moi ! Qu'as-tu fait ? » [36] Jésus répondit :
« Ma royauté n'est pas de ce *monde. Si
ma royauté était de ce monde, mes gardes
auraient combattu pour que je ne sois
pas livré aux Juifs. Mais ma royauté,
maintenant, n'est pas d'ici. » [37] Pilate lui

---

[l] Ancien grand prêtre déposé par les romains en l'an 15; voir Lc 3.2 et la note ● [m] *Manger l~
Pâque*: expression abrégée pour dire *participer au repas de la Pâque*. Les maisons païennes étaient
considérées comme impures (cf. Ac 10.28). Voir au glossaire *PUR ● [n] *Ponce-Pilate* fut gouverneur romain de la Judée entre les années 26 et 36 ap. J.-C.

18.14 la suggestion de Caïphe Jn 11.49-51. **18.15** Pierre et un autre disciple Jn 20.3. **18.16**
entrée de Pierre chez le grand prêtre Mc 14.54 par. **18.17** Pierre nie Jn 18.25. **18.20** Jésus a parlé
ouvertement Jn 7.26 à la synagogue, ou au Temple Mt 4.23; 26.55; Jn 6.59; 7.14. **18.22** une
gifle Mt 26.67; Mc 14.65; Jn 19.3; cf. Ac 23.2. **18.24** Hanne Lc 3.2; Jn 18.13. **18.25** nouveau
reniement de Pierre Jn 18.17. **18.26** le serviteur blessé à l'oreille Mc 14.47 par.; Jn 18.10 — avec
lui dans le jardin Jn 18.1. **18.27** le coq chanta Mc 14.30 par.; Jn 18.38. **18.29** Pilate Mt 27.2,
etc.; Mc 15.1, etc.; Lc 23.1, etc. **18.31** prenez-le Jn 18.38 — jugez-le selon votre loi Ac 18.15.
prenez-le... Jn 19.6-7 — jugez-le selon votre loi Ac 18.15. **18.32** de quelle mort il devait mourir Mt
20.19; 26.2; Jn 3.14; 8.28; 12.32-33. **18.33** roi Jn 1.49; 6.15 des Juifs Mt 27.11; Mc 15.2;
Lc 23.3. **18.35** ta propre nation Jn 1.11. **18.37** le témoignage apporté par Jésus 1 Tm 6.13
— témoignage rendu à la vérité Jn 3.11, 32-33; 8.46 — être de la vérité, écouter ce que dit
Jésus Ac 8.47+.

dit alors : « Tu es donc roi ? » ; Jésus lui répondit : « C'est toi qui dis que je suis roi. Je suis né et je suis venu dans le monde pour rendre témoignage à la vérité. Quiconque est de la vérité écoute ma voix. » [38] Pilate lui dit : « Qu'est-ce que la vérité ? »

(Mt 27.15-31; Mc 15.6-20; Lc 23.13-25)

Sur ce mot, il alla de nouveau trouver les Juifs au-dehors et leur dit : « Pour ma part, je ne trouve contre lui aucun chef d'accusation. [39] Mais comme il est d'usage chez vous que je vous relâche quelqu'un au moment de la Pâque, voulez-vous donc que je vous relâche le roi des Juifs ? » [40] Alors ils se mirent à crier : « Pas celui-là, mais Barabbas ! » or ce Barabbas était un brigand *o*.

19 [1] Alors Pilate emmena Jésus et le fit fouetter. [2] Les soldats, qui avaient tressé une couronne avec des épines, la lui mirent sur la tête et ils jetèrent sur lui un manteau de pourpre. [3] Ils s'approchaient de lui et disaient : « Salut, le roi des Juifs ! » et ils se mirent à lui donner des coups. [4] Pilate retourna à l'extérieur et dit aux Juifs : « Voyez, je vais l'amener dehors ; vous devez savoir que je ne trouve aucun chef d'accusation contre lui. » [5] Jésus vint alors à l'extérieur ; il portait la couronne d'épines et le manteau de pourpre. Pilate leur dit : « Voici l'homme ! » [6] Mais dès que les grands prêtres et leurs gens le virent, ils se mirent à crier : « Crucifie-le ! Crucifie-le ! » Pilate leur dit : « Prenez-le vous-mêmes et crucifiez-le ; quant à moi, je ne trouve pas de chef d'accusation contre lui. »

[7] Les Juifs lui répliquèrent : « Nous avons une loi, et selon cette loi il doit mourir parce qu'il s'est fait Fils de Dieu ! » [8] Lorsque Pilate entendit ce propos, il fut de plus en plus effrayé. [9] Il

regagna la résidence et dit à Jésus : « D'où es-tu, toi ? » Mais Jésus ne lui fit aucune réponse. [10] Pilate lui dit alors : « C'est à moi que tu refuses de parler ! Ne sais-tu pas que j'ai le pouvoir de te relâcher comme j'ai le pouvoir de te faire crucifier ? » [11] Mais Jésus lui répondit : « Tu n'aurais sur moi aucun pouvoir s'il ne t'avait été donné d'en haut ; et c'est bien pourquoi celui qui m'a livré à toi porte un plus grand péché. » [12] Dès lors, Pilate cherchait à le relâcher, mais les Juifs se mirent à crier et ils disaient : « Si tu le relâchais, tu ne te conduirais pas comme l'ami de César *p* ! Car quiconque se fait roi, se déclare contre César. »

[13] Dès qu'il entendit ces paroles, Pilate fit sortir Jésus et l'assit sur l'estrade, à la place qu'on appelle Lithostrôtos — en hébreu Gabbatha *q* —. [14] C'était le jour de la Préparation de la *Pâque, vers la sixième heure *r*. Pilate dit aux Juifs : « Voici votre roi ! » [15] Mais ils se mirent à crier : « A mort ! Crucifie-le ! » Pilate reprit : « Me faut-il crucifier votre roi ? » ; les grands prêtres répondirent : « Nous n'avons pas d'autre roi que César. » [16] C'est alors qu'il le leur livra pour être crucifié.

Crucifixion et mort de Jésus
(Mt 27.32-44; Mc 15.21-32; Lc 23.26-43)

Ils se saisirent donc de Jésus. [17] Portant lui-même sa croix *s*, Jésus sortit et gagna le lieu dit du crâne, qu'en hébreu on nomme Golgotha *t*. [18] C'est là qu'ils le crucifièrent ainsi que deux autres, un de chaque côté et, au milieu, Jésus. [19] Pilate avait rédigé un écriteau qu'il fit placer sur la croix : il portait cette incription : « Jésus le Nazôréen, le roi des *Juifs ». [20] Cet écriteau, bien des Juifs le lurent, car l'endroit où Jésus avait été crucifié était proche de la ville et le texte était

---

o Le mot grec traduit ici par *brigand* était souvent appliqué aux *zélotes* (voir Mc 3.18 et note) ● *p César* : ce nom du premier empereur de Rome était devenu une sorte de titre porté par tous ses successeurs ● *q* ou *il s'assit au tribunal. Gabbatha* : mot araméen désignant un *endroit* surélevé. *Lithostrôtos* : terme grec signifiant *pavement de pierre* ● *r* midi ; voir Mt 20.3 et note. C'est à partir de cette heure-là qu'on immolait, au Temple, les agneaux destinés au repas de la Pâque ● *s* Les condamnés devaient porter eux-mêmes la poutre transversale de la croix jusqu'au lieu de l'exécution où se trouvait plantée la poutre verticale ● *t Golgotha* : en araméen : *le crâne*. C'est une petite éminence située à proximité de la ville

18.40 Barabbas Mc 15.6-15 par. — un brigand préféré à Jésus Ac 3.14.   **19.2** un manteau de pourpre Lc 23.11.   **19.3** roi des Juifs Mt 27.27-31; Mc 15.16-20 — des coups Jn 18.22.   **19.4** Pilate trouve Jésus innocent Lc 23.4; Jn 18.38.   **19.6** prenez-le vous-mêmes Jn 18.31.   **19.7** la loi qui condamne Jésus Lv 24.16; cf. Jn 18.31 — il s'est fait Fils de Dieu Jn 5.18; 10.33.   **19.9** l'origine de Jésus Jn 7.27-28; 8.14; 9.29-30 — Jésus garde le silence Mt 26.62-63; 27.12, 14; Mc 14.61; 15.5; Lc 23.9.   **19.11** pouvoir donné d'en haut Jn 10.18; Rm 13.1 — celui qui a livré Jésus Jn 6.64, 71; 12.4; 13.2, 21; 18.30, 35 — péché Jn 8.21-24; 9.41; 15.22-24; 16.8-9.   **19.12** se faire roi Lc 23.2; Jn 18.37; Ac 17.7.   **19.15** pas d'autre roi Jg 8.23; 1 S 8.7.   **19.17** Golgotha Mt 27.33; Mc 15.22.

écrit en hébreu, en latin et en grec. ²¹ Les *grands prêtres des Juifs dirent à Pilate « Il ne fallait pas écrire "le roi des Juifs", mais bien "cet individu a prétendu qu'il était le roi des Juifs". » ²² Pilate répondit : « Ce que j'ai écrit, je l'ai écrit. » ²³ Lorsque les soldats eurent achevé de crucifier Jésus, ils prirent ses vêtements et en firent quatre parts, une pour chacun *u*. Restait la tunique ; elle était sans couture, tissée d'une seule pièce depuis le haut. ²⁴ Les soldats se dirent entre eux : « Ne la déchirons pas, tirons plutôt au sort à qui elle ira », en sorte que soit accompli l'Ecriture : *Ils se sont partagé mes vêtements, et ma tunique ils l'ont tirée au sort.* Voilà donc ce que firent les soldats.

²⁵ Près de la croix de Jésus se tenaient debout sa mère, la sœur de sa mère, Marie, femme de Clopas et Marie de Magdala. ²⁶ Voyant ainsi sa mère et près d'elle le disciple qu'il aimait, Jésus dit à sa mère : « Femme, voici ton fils. » ²⁷ Il dit ensuite au disciple : « Voici ta mère. » Et depuis cette heure-là, le disciple la prit chez lui.

(Mt 27.45-56 ; Mc 15.33-41 ; Lc 23.44-49)

²⁸ Après quoi, sachant que dès lors tout était achevé, pour que l'Ecriture soit accomplie jusqu'au bout, Jésus dit : « J'ai soif » ; ²⁹ il y avait là une cruche remplie de vinaigre *v*, on fixa une éponge imbibée de ce vinaigre au bout d'une branche d'hysope et on l'approcha de sa bouche. ³⁰ Dès qu'il eût pris le vinaigre, Jésus dit : « Tout est achevé » et inclinant la tête il remit l'esprit.

Le coup de lance

³¹ Cependant, comme c'était le jour de la Préparation *w*, les *Juifs, de crainte que les corps ne restent en croix durant le *sabbat, — ce sabbat-là était un jour particulièrement solennel — demandèrent à Pilate de leur faire briser les jambes *x* et de les faire enlever. ³² Les soldats vinrent donc, ils brisèrent les jambes du premier puis du second de ceux qui avaient été crucifiés avec lui. ³³ Arrivés à Jésus, ils constatèrent qu'il était déjà mort et ils ne lui brisèrent pas les jambes. ³⁴ Mais un des soldats, d'un coup de lance, le frappa au côté et aussitôt il en sortit du sang et de l'eau. ³⁵ Celui qui a vu a rendu témoignage, et son témoignage est conforme à la vérité et d'ailleurs celui-là sait qu'il dit ce qui est vrai afin que vous aussi vous croyiez. ³⁶ En effet, tout cela est arrivé pour que s'accomplisse l'Ecriture : *Pas un de ses os ne sera brisé ;* ³⁷ il y a aussi un autre passage de l'Ecriture qui dit : *Ils verront celui qu'ils ont transpercé.*

Jésus est mis au tombeau

(Mt 27.57-61 ; Mc 15.42-47 ; Lc 23.50-56)

³⁸ Après ces événements, Joseph d'Arimathée *y*, qui était un *disciple de Jésus mais s'en cachait par crainte des *Juifs, demanda à Pilate l'autorisation d'enlever le corps de Jésus. Pilate acquiesça et Joseph vint enlever le corps. ³⁹ Nicodème vint aussi, lui qui naguère était allé trouver Jésus au cours de la nuit. Il apportait un mélange de myrrhe et d'aloès d'environ cent livres *z*. ⁴⁰ Ils prirent donc le corps de Jésus et l'entourèrent de bandelettes, avec des aromates, suivant la manière d'ensevelir des *Juifs. ⁴¹ A l'endroit où Jésus avait été crucifié il y avait un jardin, et dans ce jardin un tombeau tout neuf où jamais personne n'avait été déposé. ⁴² En raison de la Préparation *a* des Juifs, et comme ce tombeau était proche, c'est là qu'ils déposèrent Jésus.

---

u La loi romaine accordait aux bourreaux le droit de s'approprier les dépouilles des condamnés ● *v* Boisson habituelle des troupes romaines. *L'hysope* est un arbuste dont les branches servaient à des rites de purification ● *w* Voir v. 14 et note sur Mt 27.62 ● *x* Les crucifiés, pendus par les bras, mouraient par une lente asphyxie. En leur brisant les jambes on les empêchait de prendre appui sur le sol en on hâtait ainsi leur mort ● *y* Le bourg d'*Arimathée* est situé par certains à 35 km au Nord-Nord-Ouest de Jérusalem ● *z* Un peu moins de 33 kg. Voir au glossaire POIDS ET MESURES. La *myrrhe* est une résine utilisée pour embaumer les morts ; l'*aloès* est utilisé comme parfum ● *a* Voir 19.14, 31 et note sur Mt 27.62

19.24 ils se sont partagé... Ps 22.19. **19.25** celles qui assistent à la mort de Jésus Mc 15.40-41 par. — la mère de Jésus Lc 2.5+ — Marie de Magdala Mt 27.56+. **19.26** le disciple que Jésus aimait Jn 13.23+. **19.28** achevé Jn 4.34; 17.4; cf. 13.1 — J'ai soif Ps 22.16. **19.29** vinaigre Ps 69.22 — hysope Ex 12.22; Lv 14.4; Ps 51.9. **19.31** que les corps ne restent pas exposés Dt 21.22-23. **19.34** du sang et de l'eau 1 Jn 5.6-8 — eau Jn 3.5; 4.14+; 7.38-39 — sang Jn 6.53-56. **19.35** le témoin Jn 1.7; 3.11; 15.26-27 de ces faits Jn 21.24. **19.36** Pas un de ses os... Ex 12.46; Nb 9.12; Ps 34.21. **19.37** Ils verront Za 12.10 (Ap 1.7). **19.38** par crainte des Juifs Jn 7.13+. **19.39** Nicodème Jn 3.1+ — myrrhe Mt 2.11 — aloès Ps 45.9; Pr 7.17.

A l'aube du premier jour de la semaine
(*Mt 28.1-10; Mc 16.1-8; Lc 24.1-12*)

20 [1] Le premier jour de la semaine, à l'aube, alors qu'il faisait encore sombre, Marie de Magdala se rend au tombeau et voit que la pierre a été enlevée du tombeau. [2] Elle court, rejoint Simon-Pierre et l'autre disciple, celui que Jésus aimait, et elle leur dit : « On a enlevé du tombeau le Seigneur et nous ne savons pas où on l'a mis. » [3] Alors Pierre sortit, ainsi que l'autre disciple, et ils allèrent au tombeau. [4] Ils couraient tous les deux ensemble, mais l'autre disciple courut plus vite que Pierre et arriva le premier au tombeau. [5] Il se penche et voit les bandelettes qui étaient posées là. Toutefois il n'entra pas. [6] Arrive, à son tour, Simon-Pierre qui le suivait : il entre dans le tombeau et considère les bandelettes posées là [7] et le linge qui avait recouvert la tête ; celui-ci n'avait pas été déposé avec les bandelettes mais il était roulé à part, dans un autre endroit. [8] C'est alors que l'autre disciple, celui qui était arrivé le premier, entra à son tour dans le tombeau ; il vit et il crut. [9] En effet, ils n'avaient pas encore compris l'Ecriture selon laquelle Jésus devait se relever d'entre les morts. [10] Après quoi, les disciples s'en retournèrent chez eux.

Marie de Magdala voit le Seigneur
(*Mc 16.9-11*)

[11] Marie était restée dehors, près du tombeau, et elle pleurait. Tout en pleurant elle se penche vers le tombeau [12] et elle voit deux *anges vêtus de blanc assis à l'endroit même où le corps de Jésus avait été déposé, l'un à la tête et l'autre aux pieds. [13] « Femme, lui dirent-ils, pourquoi pleures-tu ? » Elle leur répondit : « On a enlevé mon Seigneur et je ne sais où on l'a mis. » [14] Tout en parlant elle se retourne et elle voit Jésus qui se tenait là, mais elle ne savait pas que c'était lui. [15] Jésus lui dit : « Femme, pourquoi pleures-tu ? qui cherches-tu ? » Mais elle, croyant qu'elle avait affaire au gardien du jardin, lui dit : « Seigneur, si c'est toi qui l'as enlevé, dis-moi où tu l'as mis et j'irai le prendre. » [16] Jésus lui dit : « Marie ». Elle se retourna et lui dit en hébreu : « Rabbouni », ce qui signifie maître. [17] Jésus lui dit : « Ne me retiens pas [b] ! car je ne suis pas encore monté vers mon Père. Pour toi, va trouver mes frères et dis-leur que je monte vers mon Père qui est votre Père, vers mon Dieu qui est votre Dieu. [18] Marie de Magdala vint donc annoncer aux disciples : « J'ai vu le Seigneur, et voici ce qu'il m'a dit. »

Le Seigneur apparaît aussi aux disciples
(*Mt 28.16-20; Mc 16.14-18; Lc 24.36-49*)

[19] Le soir de ce même jour qui était le premier de la semaine, alors que, par crainte des *Juifs, les portes de la maison où se trouvaient les disciples étaient verrouillées, Jésus vint, il se tint au milieu d'eux et il leur dit : « La paix soit avec vous ». [20] Tout en parlant, il leur montra ses mains et son côté [c]. En voyant le Seigneur, les disciples furent tout à la joie. [21] Alors, à nouveau, Jésus leur dit : « La paix soit avec vous. Comme le Père m'a envoyé, à mon tour je vous envoie. » [22] Ayant ainsi parlé, il souffla sur eux et leur dit : « Recevez l'Esprit Saint ; [23] ceux à qui vous remettrez les péchés, ils leur seront remis. Ceux à qui vous les retiendrez, ils leur seront retenus. »

Thomas et le ressuscité

[24] Cependant Thomas, l'un des Douze, celui qu'on appelle Didyme [d], n'était pas avec eux lorsque Jésus vint. [25] Les autres disciples lui dirent donc : « Nous avons

---

b Ou *ne me touche pas* ● *c* Voir 19.34 et 20.25: il s'agit des traces de la crucifixion et du coup de lance ● *d* Voir 11.16 et note

20.1 premier jour de la semaine Jn 20.19; Ac 20.7 — Marie de Magdala Mt 27.56+. **20.2** le disciple que Jésus aimait Jn 13.23+ — ils ont enlevé de Seigneur Jn 20.13. **20.6-7** bandelettes et suaire Jn 11.44. **20.9** l'Ecriture selon laquelle Jn 20.2. — cf. Ps 16.10; cf. Lc 24.26-27, 44-46; Ac 2.27, 31; 1 Co 15.4. **20.12** deux anges Mt 28.2-5; Lc 24.23; cf. Mc 16.5. **20.13** ils ont enlevé mon Seigneur Jn 20.2. **20.14** elle ne reconnut pas Jésus Lc 24.16; Jn 21.4. **20.17** ne me retiens pas cf. Jn 14.28; 16.5-7 — mes frères Mt 28.10; Rm 8.29; cf. He 2.11-12. **20.19** premier jour de la semaine Jn 20.1+ — par crainte des Juifs Jn 7.13+ — portes verrouillées Jn 20.26 — Jésus vint Jn 14.3, 18-19; 16.16; cf. Mt 18.20; 28.20; Ap 1.7. **20.20** ses mains et son côté Jn 19.34; 20.25, 27; cf. Lc 24.39 — joie des disciples à la vue du Seigneur Mt 28.8; Lc 24.41, 52; Jn 15.11; 16.20, 22; 17.13. **20.21** envoyés Mt 28.19; Mc 16.15; Lc 24.47; Ac 1.8 comme Jésus Jn 17.18. **20.22** il souffla sur eux Gn 2.7; Ez 37.9. **20.23** remettre, retenir Mt 16.19+. **20.24** Thomas Didyme Jn 11.16+. **20.25** ses mains et son côté Jn 19.34; 20.20.

vu le Seigneur ! » Mais il leur répondit : « Si je ne vois pas dans ses mains la marque des clous, si je n'enfonce pas mon doigt à la place des clous et si je n'enfonce pas ma main dans son côté, je ne croirai pas ! » ²⁶ Or huit jours plus tard, les disciples étaient à nouveau réunis dans la maison et Thomas était avec eux. Jésus vint, toutes portes verrouillées, il se tint au milieu d'eux et leur dit : « La paix soit avec vous. » ²⁷ Ensuite il dit à Thomas : « Avance ton doigt ici et regarde mes mains ; avance ta main et enfonce-la dans mon côté, cesse d'être incrédule et deviens un homme de foi. » ²⁸ Thomas lui répondit : « Mon Seigneur et mon Dieu. » ²⁹ Jésus lui dit : « Parce que tu m'as vu, tu as cru : bienheureux ceux qui, sans avoir vu, ont cru. »

Conclusion : pourquoi ce livre ?

³⁰ Jésus a opéré sous les yeux de ses disciples bien d'autres *signes qui ne sont pas consignés dans ce livre. ³¹ Ceux-ci l'ont été pour que vous croyiez que Jésus est le *Christ, le Fils de Dieu, et pour que, en croyant, vous ayez la *vie en son *nom.

Jésus apparaît à sept disciples

21 ¹ Après cela Jésus se manifesta aux disciples sur les bords de la mer de Tibériade. Voici comment il se manifesta. ² Simon-Pierre, Thomas qu'on appelle Didyme, Nathanaël de Cana de Galilée, les fils de Zébédée et deux autres disciples se trouvaient ensemble. ³ Simon-Pierre leur dit : « Je vais pêcher. » Ils lui dirent : « Nous allons avec toi. » Ils sortirent et montèrent dans la barque, mais cette nuit-là, ils ne prirent rien. ⁴ C'était déjà le matin lorsque Jésus vint se placer sur le rivage, mais les disciples ne savaient pas que c'était lui. ⁵ Il leur dit : « Eh, les enfants, n'avez-vous pas un peu de poisson ? » « Non », lui répondirent-ils. ⁶ Il leur dit : « Jetez le filet du côté droit de la barque et vous trouverez. » Ils

le jetèrent et il y eut tant de poissons qu'ils ne pouvaient plus le ramener. ⁷ Le disciple que Jésus aimait dit alors à Pierre : « C'est le Seigneur ! » Dès qu'il eut entendu que c'était le Seigneur, Simon-Pierre ceignit un vêtement, car il était nu, et il se jeta à la mer. ⁸ Les autres disciples revinrent avec la barque, en tirant le filet plein de poissons : ils n'étaient pas bien loin de la rive, à deux cents coudées ᵉ environ. ⁹ Une fois descendus à terre, ils virent un feu de braise sur lequel on avait disposé du poisson et du pain. ¹⁰ Jésus leur dit : « Apportez donc ces poissons que vous venez de prendre. » ¹¹ Simon-Pierre remonta donc dans la barque et il tira à terre le filet que remplissaient cent cinquante trois gros poissons, et quoiqu'il y en eût tant, le filet ne se déchira pas. ¹² Jésus leur dit : « Venez déjeuner. » Aucun des disciples n'osait lui poser la question « Qui es-tu ? » : ils savaient bien que c'était le Seigneur. ¹³ Alors Jésus vient ; il prend le pain et le leur donne ; il fit de même avec le poisson. ¹⁴ Ce fut la troisième fois que Jésus se manifesta à ses disciples depuis qu'il s'était relevé d'entre les morts.

Jésus demande à Pierre : m'aimes-tu ?

¹⁵ Après le repas, Jésus dit à Simon-Pierre : « Simon, fils de Jean, m'aimes-tu plus que ceux-ci ? » Il répondit : « Oui, Seigneur, tu sais que je t'aime », et Jésus lui dit alors : « Pais mes agneaux. » ¹⁶ Une seconde fois, Jésus lui dit : « Simon, fils de Jean, m'aimes-tu ? » Il répondit : « Oui, Seigneur, tu sais que je t'aime. » Jésus dit : « Sois le *berger de mes brebis. » ¹⁷ Une troisième fois, il dit : « Simon, fils de Jean, m'aimes-tu ? » ; Pierre fut attristé de ce que Jésus lui avait dit une troisième fois : « M'aimes-tu ? » et il reprit : « Seigneur, toi qui connais toutes choses, tu sais bien que je t'aime. » Et Jésus lui dit : « Pais mes brebis. ¹⁸ En vérité, en vérité, je te le dis, quand tu étais jeune, tu nouais ta ceinture et tu allais où tu voulais ; lorsque tu seras devenu vieux, tu

---

ᵉ Environ une centaine de mètres. Voir au glossaire POIDS ET MESURES

20.26 portes verrouillées Jn 20.19. **20.29** sans avoir vu 1 P 1.8; cf. Jn 17.20. **20.30** bien d'autres signes Jn 21.25. **20.31** foi et vie éternelle Jn 3.15-16; 1 Jn 5.13. **21.2** Thomas Didyme Jn 11.16+. **21.4** les disciples ne reconnaissent pas Jésus Lc 24.16; Jn 20.14. **21.5** n'avez-vous pas... ? Lc 24.41. **21.6** jetez vos filets Lc 5.4-7. **21.7** le disciple que Jésus aimait Jn 13.23+. **21.11** le filet ne se déchira pas cf. Lc 5.6. **21.13** pain et poisson Mt 14.19; 15.36; Mc 6.41; 8.6; Lc 9.16; Jn 6.11. **21.14** premières manifestations du ressuscité Jn 20.19, 26. **21.15** plus que ceux-ci Mt 26.33; Mc 14.29; Lc 22.33; Jn 13.37; 18.17, 25-27 — les brebis de Jésus Jn 10.1-16. **21.16** le berger des brebis du Seigneur Ac 20.28; 1 P 5.2; cf. Lc 22.32. **21.17** tu connais toutes choses Jn 16.30. **21.18** lorsque tu seras devenu vieux 2 P 1.14.

étendras les mains et c'est un autre qui nouera ta ceinture et qui te conduira là où tu ne voudrais pas. » ¹⁹ Jésus parla ainsi pour indiquer de quelle mort Pierre devait glorifier Dieu ; et sur cette parole, il ajouta : « Suis-moi. »

Le témoignage du disciple bien-aimé

²⁰ Pierre s'étant retourné vit derrière lui le disciple que Jésus aimait, celui qui, au cours du repas, s'était penché vers sa poitrine et qui avait dit : « Seigneur, qui est celui qui va te livrer ? » ²¹ Quand il le vit, Pierre dit à Jésus : « Et lui, Seigneur, que lui arrivera-t-il ? » ²² Jésus lui répondit : « Si je veux qu'il demeure jus-qu'à ce que je vienne, que t'importe ? Toi, suis-moi. » ²³ C'est à partir de cette parole qu'on a répété parmi les frères que ce disciple ne mourrait pas. En réalité Jésus ne lui avait pas dit qu'il ne mourrait pas, mais bien : « Si je veux qu'il demeure jusqu'à ce que je vienne, que t'importe ʄ. »

²⁴ C'est ce disciple qui témoigne de ces choses et qui les a écrites, et nous savons que son témoignage est conforme à la vérité.

²⁵ Jésus a fait encore bien d'autres choses : si on les écrivait une à une, le monde entier ne pourrait, je pense, contenir les livres qu'on écrirait.

ʄ Les mots *que t'importe ?* ne figurent pas dans certains manuscrits

21.19 par quelle mort il glorifierait Dieu Jn 12.33; 18.32; cf. 13.31, 36. **21.20** le disciple que Jésus aimait Jn 13.23+ — penché vers sa poitrine Jn 13.25. **21.22** qu'il demeure jusqu'à ce que je vienne Mt 16.28; cf. 1 Co 11.26; Ap 22.7, 12, 17, 20. **21.24** le disciple témoin de ces faits Jn 19.35. **21.25** encore bien d'autres choses Jn 20.30.

LES ACTES DES APÔTRES

En attendant la promesse du Père

1 ¹ J'avais consacré mon premier livre *a*, Théophile, à tout ce que Jésus avait fait et enseigné, depuis le commencement ² jusqu'au jour où, après avoir donné, dans l'Esprit Saint *b*, ses instructions aux *apôtres qu'il avait choisis, il fut enlevé. ³ C'est à eux qu'il s'était présenté vivant après sa Passion : ils en avaient eu d'une preuve alors que, pendant quarante jours, il s'était fait voir d'eux et les avait entretenus du Règne de Dieu.

⁴ Au cours d'un repas avec eux, il leur recommanda de ne pas quitter Jérusalem, mais d'y attendre la promesse du Père. « celle, dit-il que vous avez entendue de ma bouche : ⁵ Jean *c* a bien donné le baptême d'eau, mais vous, c'est dans l'Esprit Saint que vous serez baptisés d'ici quelques jours. »

L'Ascension de Jésus

⁶ Ils étaient donc réunis et lui avaient posé cette question : « Seigneur, est-ce maintenant le temps où tu vas rétablir le Royaume pour Israël ? » ⁷ Il leur dit : « Vous n'avez pas à connaître les temps et les moments que le Père a fixés de sa propre autorité ; ⁸ mais vous allez recevoir une puissance, celle du Saint Esprit qui viendra sur vous ; vous serez alors mes témoins à Jérusalem, dans toute la Judée et la *Samarie, et jusqu'aux extrémités de la terre. »

⁹ A ces mots, sous leurs yeux, il s'éleva et une nuée vint le soustraire à leurs regards. ¹⁰ Comme ils fixaient encore le ciel où Jésus s'en allait, voici que deux hommes en vêtements blancs se trouvèrent à leur côté ¹¹ et leur dirent : « Gens de Galilée, pourquoi restez-vous là à regarder vers le ciel ? Ce Jésus qui vous a été enlevé pour le *ciel viendra de la même manière que vous l'avez vu s'en aller vers le ciel. »

Le groupe des apôtres

¹² Quittant alors la colline appelée « Mont des Oliviers », ils regagnèrent Jérusalem — cette colline n'en est distante que d'un chemin de sabbat *d*. ¹³ A leur retour, ils montèrent dans la chambre

---

a Voir Lc 1.1-4; le livre des *Actes* est la suite de l'Evangile de Luc ● *b* Les mots *dans* (ou *par*) *l'Esprit Saint* pourraient être aussi rattachés à *choisis* ou à *enlevé* ● *c* Voir Lc 3.16; il s'agit de *Jean le Baptiste* ● *d* Voir Mc 11.1 et note — *un chemin de sabbat*: c'est la distance que les Juifs étaient autorisés à parcourir le jour du sabbat, soit un peu moins d'un kilomètre

1.1 depuis le commencement Lc 3.23; Ac 10.37. **1.2** instruction... enlèvement de Jésus Mc 16; 19; Lc 24.49-51. **1.3** présenté vivant Lc 24.36-42; Jn 20.19-20, 26-27 — quarante jours Ex 24.18; Nb 13.25; Dt 9.18; 1 R 19.8; Jon 3.4; Lc 4.2 par. — enseignement du Ressuscité Mt 28.18-20; Lc 24.46-49; Jn 20.21-23 — enseignement sur le règne de Dieu Lc 4.43; 8.11; 9.2, 11, 60; 16.16; Ac 8.12; 14.22; 19.8; 20.25; 28.23, 31. **1.4** la promesse du Père Lc 24.49 annoncée par Jésus Jn 14.16-17; 15.26; Ac 2.33. **1.5** baptême d'eau, baptême d'Esprit Saint Lc 3.16 par.; Jn 1.33. Ac 2.38+; 8.15-17; 9.17-18; 10.44-48; 19.5-6. **1.6** rétablissement attendu du Royaume pour Israël Am 9.11-12; *Si* 36.1-17; Mc 9.12; Lc 19.11; 24.21. **1.7** vous n'avez pas à connaître.., Mc 13.32 — les temps et les moments Ac 3.20-21; 7.17; 17.26, 30. **1.8** puissance du Saint Esprit Ep 3.16 — exemples Ac 4.8, 31; 6.10; 8.29, 40; 10.19, 44-47; 16.6-7; 19.6; 20.22-23 — témoins Lc 24.48; Jn 15.27; Ac 1.22; 2.32; 3.15; 4.33; 5.32; 10.39-42; 13.31; 18.5; 20.24; 22.15. 18, 20; 23.11; 26.16, 22; 28.23. **1.9** il s'éleva Mc 16.19; Jn 6.62 — nuée Ex 13.21-22; Dn 7.13; Mt 17.5+; 24.30+ et par.; Mc 14.62. **1.10** deux hommes en vêtements blancs Lc 24.4. **1.11** Jésus viendra de la même manière... Mt 24.30+; Lc 21.27; Ap 1.7. **1.12** du mont des Oliviers à Jérusalem Lc 24.50, 52; cf. Mc 11.1+. **1.13** liste des Onze Mt 10.2+.

haute *e* où se retrouvaient Pierre, Jean, Jacques et André ; Philippe et Thomas ; Barthélemy et Matthieu ; Jacques fils d'Alphée, Simon le zélote et Jude fils de Jacques. ¹⁴ Tous, unanimes, étaient assidus à la prière, avec quelques femmes dont Marie la mère de Jésus, et avec les frères de Jésus.

Matthias remplace Judas

¹⁵ En ces jours-là, Pierre se leva au milieu des frères — il y avait là, réuni, un groupe d'environ cent vingt personnes — et il déclara : ¹⁶ « Frères, il fallait que s'accomplisse ce que l'Esprit Saint avait annoncé dans l'Ecriture, par la bouche de David, à propos de Judas devenu le guide de ceux qui ont arrêté Jésus. ¹⁷ Il était de notre nombre et avait reçu sa part de notre service. ¹⁸ Or cet homme, avec le salaire de son iniquité, avait acheté une terre ; il est tombé en avant, s'est ouvert par le milieu, et ses entrailles se sont toutes répandues. ¹⁹ Tous les habitants de Jérusalem l'ont appris : aussi cette terre a-t-elle été appelée, dans leur langue, Hakeldama, c'est-à-dire Terre de sang. ²⁰ Il est de fait écrit dans le livre des Psaumes :

*Que sa résidence devienne déserte
et que personne ne l'habite*

et encore :

Qu'un autre prenne sa charge. »

²¹ Il y a des hommes qui nous ont accompagnés durant tout le temps où le Seigneur Jésus a marché à notre tête, ²² à commencer par le baptême de Jean jusqu'au jour où il nous a été enlevé : il faut donc que l'un d'entre eux devienne avec nous témoin de sa résurrection. » ²³ On en présenta deux, Joseph appelé Barsabbas, surnommé Justus, et Matthias. ²⁴ Et l'on fit alors cette prière : « Toi, Seigneur, qui connais les *cœurs de tous, désigne celui des deux que tu as choisi, ²⁵ pour prendre, dans le service de l'apostolat, la place que Judas a délaissée pour

aller à la place qui est la sienne. » ²⁶ On les tira au sort et le sort tomba sur Matthias qui fut dès lors adjoint aux onze *apôtres.

La venue du Saint-Esprit

2 ¹ Quand le jour de la *Pentecôte arriva, ils se trouvaient réunis tous ensemble. ² Tout à coup il y eut un bruit qui venait du ciel comme celui d'un violent coup de vent : la maison où ils se tenaient en fut toute remplie ; ³ alors leur apparurent comme des langues de feu qui se partageaient et il s'en posa sur chacun d'eux. ⁴ Ils furent tous remplis d'Esprit Saint et se mirent à parler d'autres langues, comme l'Esprit leur donnait de s'exprimer.

⁵ Or, à Jérusalem, résidaient des juifs pieux, venus de toutes les nations qui sont sous le ciel. ⁶ A la rumeur qui se répandit la foule se rassembla et se trouvait en plein désarroi, car chacun les entendait parler sa propre langue. ⁷ Déconcertés, émerveillés, ils se disaient : « Tous ces gens qui parlent ne sont-ils pas des Galiléens ? ⁸ Comment se fait-il que chacun de nous les entende dans sa langue maternelle ? ⁹ Parthes, Mèdes et Elamites, habitants de la Mésopotamie, de la Judée et de la Cappadoce, du Pont et de l'Asie, ¹⁰ de la Phrygie et de la Pamphylie, de l'Egypte et de la Libye cyrénaïque, ceux de Rome en résidence ici, ¹¹ tous, tant *Juifs que prosélytes *f*, Crétois et Arabes, nous les entendons annoncer dans nos langues les merveilles de Dieu. » ¹² Ils étaient tous déconcertés, et dans leur perplexité ils se disaient les uns aux autres : « Qu'est-ce que cela veut dire ? » ¹³ D'autres s'esclaffaient : « Ils sont pleins de vin doux. »

Pierre s'adresse à la foule

¹⁴ Alors s'éleva la voix de Pierre, qui était là avec les Onze ; il s'exprima en ces termes :

---

e Pièce située sur la terrasse des maisons palestiniennes. Voir Mc 14.15 et notes sur Mc 2.4 et Lc 12.3 ● *f* Voir Mt 23.15 et note

1.14 frères du Seigneur Mt 12.46+ ; 1 Co 9.5. **1.15** les frères (= les chrétiens) Ac 11.1 ; 12.17 ; 14.2 ; 21.17-18. **1.16** annoncé dans l'Ecriture à propos de Judas Ps 41.9. **1.18** la mort de Judas Mt 27.3-8. **1.20** Que sa résidence... Ps 69.26 — Qu'un autre Ps 109.8. **1.21** ceux qui nous ont accompagnés Lc 1.2 ; Jn 15.27. **1.22** depuis le baptême (de Jésus) Lc 3.21 par. — jusqu'à l'Ascension Mc 16. 19 ; Ac 1.9 — témoin Ac 1.8+. **2.1** la Pentecôte Lv 23.15-21 ; Dt 16.9-11. **2.3-4** feu, Esprit Saint Mt 3.11 ; Lc 3.16. **2.4** remplis d'Esprit Saint Ac 4.31 ; 10.44-45 ; 19.6 — parler en d'autres langues Mc 16.17 ; Ac 10.46 ; 19.6 ; 1 Co 12—14 ; cf. Nb 11.25-29 ; 1 S 10.5-6 ; 1 R 22.10 ; cf. aussi Gn 11.1-9. **2.7** Galiléens Ac 1.11. **2.11** prosélytes Ac 6.5 ; cf. 13.43. **2.14** autres exemples de message apostolique adressé 1) aux juifs Ac 3.13-26 ; 4.10-12 ; 5.30-32 ; 10.36-43 ; 13.17-41 ; 2) aux païens Ac 14.15-17 ; 17.22-31.

« Hommes de Judée, et vous tous qui résidez à Jérusalem, comprenez bien ce qui se passe et prêtez l'oreille à mes paroles. [15] Non, ces gens n'ont pas bu comme vous le supposez : nous ne sommes en effet qu'à neuf heures du matin ; [16] mais ici se réalise cette parole du *prophète Joël :

[17] Alors, dans les derniers jours, dit Dieu, je répandrai de mon Esprit sur toute chair,
vos fils et vos filles seront prophètes,
vos jeunes gens auront des visions,
vos vieillards auront des songes ;
[18] oui, sur mes serviteurs et sur mes servantes en ces jours-là je répandrai de mon Esprit
et ils seront prophètes.
[19] Je ferai des prodiges là-haut dans le ciel
et des *signes ici-bas sur la terre,
du sang, du feu et une colonne de fumée.
[20] Le soleil se changera en ténèbres
et la lune en sang
avant que vienne le *jour du Seigneur, grand et glorieux.
[21] Alors quiconque invoquera le *nom du Seigneur sera sauvé.

[22] « Israélites, écoutez mes paroles : Jésus le Nazôréen [g], cet homme que Dieu avait accrédité auprès de vous en opérant par lui des miracles, des prodiges et des signes au milieu de vous, comme vous le savez, [23] cet homme, selon le plan bien arrêté par Dieu dans sa prescience, vous l'avez livré et supprimé en le faisant crucifier par la main des impies [h] ; [24] mais Dieu l'a ressuscité en le délivrant des douleurs de la mort, car il n'était pas possible que la mort le retienne en son pouvoir. [25] David en effet dit de lui :
Je voyais constamment le Seigneur devant moi,
car il est à ma droite, pour que je ne sois pas ébranlé.
[26] Aussi mon cœur était-il dans la joie et ma langue a chanté d'allégresse.
Bien mieux, ma chair reposera dans l'espérance,
[27] car tu n'abandonneras pas ma vie au séjour des morts
et tu ne laisseras pas ton saint connaître la décomposition.
[28] Tu m'as montré les chemins de la *vie,
tu me rempliras de joie par ta présence.

[29] « Frères, il est permis de vous le dire avec assurance : le patriarche David est mort, il a été enseveli, son tombeau se trouve encore aujourd'hui chez nous. [30] Mais il était prophète et savait que Dieu lui avait juré par serment de faire asseoir sur son trône quelqu'un de sa descendance, issu de ses reins [i] ; [31] il a donc vu d'avance la résurrection du *Christ et c'est à son propos qu'il a dit : il n'a pas été abandonné au séjour des morts et sa chair n'a pas connu la décomposition. [32] Ce Jésus, Dieu l'a ressuscité, nous tous en sommes témoins. [33] Exalté par la droite [j] de Dieu, il a donc reçu du Père l'Esprit Saint promis et il l'a répandu, comme vous le voyez et l'entendez. [34] David, qui n'est certes pas monté au *ciel, a pourtant dit :
Le Seigneur a dit à mon Seigneur : assieds-toi à ma droite
[35] jusqu'à ce que j'aie fait de tes adversaires un escabeau sous tes pieds.
[36] Que toute la maison d'Israël le sache donc avec certitude : Dieu l'a fait et Seigneur et Christ, ce Jésus que vous, vous aviez crucifié. »

Les trois mille premiers convertis

[37] Le *cœur bouleversé d'entendre ces paroles, ils demandèrent à Pierre et aux autres *apôtres : « Que ferons-nous, frères ? » [38] Pierre leur répondit : « Conver-

---

g Voir Mt 26.71 et note ● h ou des hommes sans loi (c'est-à-dire sans la loi de Dieu); cette expression désigne les païens ● i Voir He 7.10 et note ● j Comme en 5.31 la (main) droite de Dieu est celle qui sauve. Voir Ex 15.12; Ps 18.36; 44.4, etc. Certains traduisent à la droite de Dieu

2.17-21 Jl 3.1-5. **2.21** quiconque invoquera Rm 10.13. **2.22** le Nazôréen Mt 2.23+; Lc 18.37+; Ac 10.37 — Jésus accrédité par des signes Jn 3.2; cf. Ac 14.3; 2 Co 12.12; He 2.4. **2.23** le plan de Dieu Ac 3.18, 21; 4.28; 5.38-39; 20.27; 21.14;. 22.14; cf. Ac 1.7 — le faisant crucifier Lc 23.33, 46 par.; Jn 19.18, 30; Ac 3.15; 4.10; 10.39 **2.24** Dieu l'a ressuscité Lc 24.5-6 par.; Ac 2.32; 3.15; 4.10; 5.30; 10.40; 17.31 — les douleurs de la mort 2 S 22.6; Ps 18.6; 116.3. **2.25-28** Ps 16.8-11. **2.27** tu ne laisseras pas Ac 13.35. **2.29** mort et sépulture de David 1 R 2.10; Ac 13.36. **2.30** Dieu lui avait juré Ps 132.11; cf. 2 S 7.12-13. **2.31** pas abandonné Ps 16.10. **2.32** témoins Ac 1.8+. **2.33** la (main) droite de Dieu Ps 118.16; Ac 5.31 — Jésus a reçu et répandu l'Esprit Saint promis Jn 14.16-17; 15.26; Ac 1.4. **2.34-35** Ps 110.1 (Mt 22.44+). **2.36** Dieu l'a fait Ac 5.30-31 Seigneur Ac 20.21; Rm 10.9; 1 Co 12.3; Ph 2.11 et Christ Ac 5.42; 9.22; 17.3; 18.5, 28; cf. Ac 11.17; 28.31. **2.37** Que ferons-nous? Lc 10.25+. **2.38** appel à la conversion Mt 3.2+ — conversion et pardon des péchés Ac 3.19 — baptême au nom de Jésus Ac 8.16; 10.48; 19.5; cf. 22.16 — baptême et don du Saint Esprit Ac 1.5+.

tissez-vous ; que chacun de vous reçoive le baptême au *nom de Jésus Christ pour le pardon de ses péchés, et vous recevrez le don du Saint Esprit. ³⁹ Car c'est à vous qu'est destinée la promesse, et à vos enfants ainsi qu'à tous ceux qui sont au loin, aussi nombreux que le Seigneur notre Dieu les appellera. » ⁴⁰ Par bien d'autres paroles Pierre rendait témoignage et les encourageait : « Sauvez-vous, disait-il, de cette génération dévoyée. » ⁴¹ Ceux qui accueillirent sa parole reçurent le baptême et il y eut environ trois mille personnes ce jour-là qui se joignirent à eux.

Vie de la première communauté chrétienne

⁴² Ils étaient assidus à l'enseignement des apôtres et à la communion fraternelle, à la fraction du pain et aux prières. ⁴³ La crainte gagnait tout le monde : beaucoup de prodiges et de *signes s'accomplissaient par les apôtres. ⁴⁴ Tous ceux qui étaient devenus croyants étaient unis et mettaient tout en commun. ⁴⁵ Ils vendaient leurs propriétés et leurs biens, pour en partager le prix entre tous, selon les besoins de chacun. ⁴⁶ Unanimes, ils se rendaient chaque jour assidûment au *Temple ; ils rompaient le pain à domicile, prenant leur nourriture dans l'allégresse et la simplicité de cœur. ⁴⁷ Ils louaient Dieu et trouvaient un accueil favorable auprès du peuple tout entier. Et le Seigneur adjoignait chaque jour à la communauté ceux qui trouvaient le salut.

L'infirme de la Belle Porte

3 ¹ Pierre et Jean montaient au *Temple pour la prière de trois heures de l'après-midi. ² On y portait un homme qui était infirme depuis sa naissance — chaque jour on l'installait à la porte du Temple dite « La Belle Porte » pour demander l'aumône à ceux qui pénétraient dans le Temple. ³ Quand il vit Pierre et Jean qui allaient entrer dans le Temple, il les sollicita pour obtenir une aumône. ⁴ Pierre alors, ainsi que Jean, le fixa et lui dit : « Regarde-nous ! » ⁵ L'homme les observait, car il s'attendait à obtenir d'eux quelque chose. ⁶ Pierre lui dit : « De l'or ou de l'argent, je n'en ai pas ; mais ce que j'ai, je te le donne : au *nom de Jésus Christ le Nazôréen ᵏ, marche ! » ⁷ Et, le prenant par la main droite, il le fit lever. A l'instant même les pieds et les chevilles de l'homme s'affermirent ; ⁸ d'un bond il fut debout et marchait ; il entra avec eux dans le Temple, marchant, bondissant et louant Dieu. ⁹ Et tout le peuple le vit marcher et louer Dieu. ¹⁰ On le reconnaissait : c'était bien lui qui se tenait, pour mendier, à la Belle Porte du Temple. Et les gens se trouvèrent complètement stupéfaits et désorientés par ce qui lui était arrivé.

Le message de Pierre

¹¹ L'homme ne lâchait plus Pierre et Jean ; tout le peuple accourut autour d'eux, stupéfait, au portique appelé « Portique de Salomon ˡ ». ¹² A cette vue, Pierre s'adressa au peuple : « Israélites, pourquoi vous étonner de ce qui arrive ? ou pourquoi nous fixer, nous, comme si c'était par notre puissance ou notre piété personnelles que nous avions fait marcher cet homme ?

¹³ « Le Dieu d'Abraham, d'Isaac et de Jacob, le Dieu de nos pères, a glorifié son Serviteur Jésus que vous, vous aviez livré et que vous aviez refusé en pré-

---

ᵏ Voir Mt 26.71 et note ● ˡ Ce portique bordait la cour des païens, au Temple de Jérusalem

2.39 ceux qui sont au loin Es 57.19; cf. Ac 22.21 — aussi nombreux que... Jl 3.5; Rm 10.13. **2.40** cette génération dévoyée Ps 78.8; Mt 12.39+. **2.41** accroissement de la première communauté chrétienne Ac 2.47; 4.4; 5.14; 6.1-7; 9.31; 11.21-24; 16.5; 21.20. **2.42-47** vie de la première communauté chrétienne Ac 4.32-35; 5.12-14. **2.42** la fraction du pain Ac 2.46; 20.7. **2.43** crainte Ac 5.5, 11; 19.17; cf. Lc 1.12+ — prodiges et signes Ac 2.22; 4.30; 5.12; 6.8; 14.3; 15.12. **2.44** croyants (= chrétiens) Ac 4.32; 18.27; 19.18; 21.20; 1 Th 1.7; 2.10, etc. — unis Ac 2.42, 46; 4.24, 32; 5.12; 15.25 — tout en commun Ac 4.32; cf. 9.36; 11.29. **2.45** selon les besoins de chacun Ac 4.34-35. **2.46** chaque jour au Temple Lc 24.53; Ac 3.1; 5.12, 20-21, 42 — ils rompaient le pain Ac 2.42+. **2.47** accueil favorable de la part du peuple Ac 4.33; 5.13 — le Seigneur adjoignait Ac 2.41+. **3.1** Pierre et Jean Ac 1.13; 3.11; 4.7, 13; 8.14 — la prière de l'après-midi Ac 10.3, 9, 30. **3.2** depuis sa naissance Jn 9.1; Ac 14.8. **3.6** au nom de Jésus Christ Ac 3.16; 4.10; 16.18. **3.8** debout d'un bond Ac 14.10 — louant Dieu Lc 18.43; Ac 2.47; 10.46; 11.18; 13.48; 21.20; cf. 12.23. **3.10** on le reconnaissait Jn 9.8 — désorientés par le miracle Lc 5.26; 7.16, etc.; Ac 2.12; 8.13; 14.11; 28.6. **3.11** au portique de Salomon Jn 10.23; Ac 5.12. **3.13** le Dieu d'Abraham... Ex 3.6; Mt 22.32; Mc 12.26; Ac 7.32 a glorifié son Serviteur Es 52.13; Jn 13.32; cf. Ac 3.26; 4.27, 30 — Pilate voulait relâcher Jésus Lc 23.14-23; Jn 18.38-40; 19.12-15.

sence de Pilate décidé, quant à lui à le relâcher. ¹⁴ Vous avez refusé le Saint et le Juste *m* et vous avez réclamé pour vous la grâce d'un meurtrier. ¹⁵ Le Prince de la *vie que vous aviez fait mourir, Dieu l'a ressuscité des morts — nous en sommes les témoins. ¹⁶ Grâce à la foi au nom de Jésus, ce Nom *n* vient d'affermir cet homme que vous regardez et que vous connaissez ; et la foi qui vient de Jésus a rendu à cet homme toute sa santé, en votre présence à tous.

¹⁷ « Cela dit, frères, c'est dans l'ignorance, je le sais, que vous avez agi, tout comme vos chefs. ¹⁸ Dieu, lui, avait d'avance annoncé par la bouche de tous les *prophètes que son *Messie souffrirait et c'est ce qu'il a accompli. ¹⁹ Convertissez-vous donc et revenez à Dieu, afin que vos péchés soient effacés : ²⁰ ainsi viendront les moments de fraîcheur *o* accordés par le Seigneur, quand il enverra le Christ qui vous est destiné, Jésus, ²¹ que le *ciel doit accueillir jusqu'aux temps où sera restauré tout ce dont Dieu a parlé par la bouche de ses *saints prophètes d'autrefois. ²² Moïse d'abord a dit : *Le Seigneur Dieu suscitera pour vous, d'entre vos frères, un *prophète tel que moi ; vous l'écouterez en tout ce qu'il vous dira.* ²³ *Et toute personne qui n'écoutera pas ce prophète sera donc retranchée du peuple.* ²⁴ Et tous les *prophètes depuis Samuel et ses successeurs ont, à leur tour, parlé pour annoncer les jours que nous vivons. ²⁵ C'est vous qui êtes les fils des prophètes et de *l'alliance que Dieu a conclue avec vos pères, lorsqu'il a dit à Abraham : *En ta descendance, toutes les familles de la terre seront bénies.* ²⁶ C'est pour vous que Dieu a d'abord *p* suscité puis envoyé son Serviteur pour vous bénir en détournant chacun de vous de ses méfaits *q*. »

Pierre et Jean devant le Sanhédrin

4 ¹ Pierre et Jean parlaient encore au peuple quand les *prêtres, le commandant du *Temple et les *sadducéens les abordèrent. ² Ils étaient excédés de les voir instruire le peuple et annoncer dans le cas de Jésus, la résurrection des morts. ³ Ils les firent appréhender et mettre en prison jusqu'au lendemain, car le soir était déjà venu. ⁴ Parmi les auditeurs de la Parole, beaucoup étaient devenus croyants ; leur nombre s'élevait à environ cinq mille personnes.

⁵ C'est donc le lendemain que s'assemblèrent les chefs, les *anciens et les *scribes qui se trouvaient à Jérusalem. ⁶ Il y avait Hanne le grand prêtre, Caïphe, Jean, Alexandre et tous les membres des familles de *grands-prêtres. ⁷ Ils firent amener Pierre et Jean devant eux et procédèrent à leur interrogatoire : « A quelle puissance ou à quel nom *r* avez-vous eu recours pour faire cela ? » ⁸ Rempli d'Esprit Saint, Pierre leur dit alors : ⁹ « Chefs du peuple et anciens, on nous somme aujourd'hui, pour avoir fait du bien à un infirme, de dire par quel moyen cet homme se

---

m le Saint et *le Juste :* deux titres donnés à Jésus dans l'Eglise primitive (cf. Es 53.11) ● *n* Comme souvent dans la Bible le *nom* équivaut à la personne même qui le porte. Cette tournure est fréquente dans les Actes (voir 4.10, 12, etc.) et y désigne souvent la personne de Jésus ressuscité. Voir aussi 4.7 et note ● *o* ou *de repos* ● *p* ou *C'est pour vous d'abord que Dieu a suscité…* ● *q* ou *vous bénir en vous détournant chacun de vos méfaits* ● *r* Pour éviter d'avoir à prononcer le nom sacré de Dieu les Juifs disaient parfois *le Nom.* Le grand prêtre demande donc aux apôtres à quel genre de dieu ils ont fait appel pour guérir l'infirme

3.14 le Saint Ac 2.27; 13.35 — le Juste Ac 7.52; 22.14 — un meurtrier préféré à Jésus Mt 27.20-21; Mc 15.7 11.12. **3.15** vous aviez fait mourir… Dieu l'a ressuscité Ac 4.10; 5.30 — témoins Ac 1.8+. **3.16** grâce à la foi… Mc 2.5; Lc 17.6; cf. Ac 3.5; 1 Co 12.9; 13.2 — ce Nom Ac 2.21, 38; 3.6, 4.7, 10, 12, 30; 5.41; 9.14, 21, 21.13; 22.16; Ph 2.9-10. **3.17** dans l'ignorance Lc 23.34; Ac 13.27; 17.30; 2 Co 3.14-16; 1 Tm 1.13. **3.18** annonce prophétique des souffrances du Messie Lc 24.27; 44, 46 — accomplissement Ac 1.16; 2.16-21, 33; 3.20-21; 4.25-28; 13.23, 27-29, 32-37; 15.14-19; cf. 1 Co 15.3-4. **3.19** appel à la conversion Mt 3.2+; Ac 2.38; 17.30 — conversion et pardon des péchés Ac 2.38; 5.31. **3.21** plan de Dieu et nécessité Lc 24.44; 4.43; 9.22, etc.; Ac 1.16, 21; 2.23; 4.12; 5.29; 9.16; 14.22; 19.21; 20.35; 23.11; 27.24 — rétablissement Mt 17.11; Lc 1.16, 21; 2 P 3.13; Ap 21.1-5. **3.22** Dt 18.15, 18 (Ac 7.37) — le prophète semblable à Moïse Mt 21.11+. **3.23** Dt 18.19; Lv 23.29. **3.25** promesse de Dieu à Abraham Gn 22.18; 26.4 (Gn 12.3; 18.18; Ga 3.8). **3.26** pour vous d'abord Ac 2.39; 13.46; Rm 1.16. **4.1** les prêtres et le commandant du Temple Lc 22.4, 52; Ac 5.24 — les sadducéens et la résurrection des morts Lc 20.27 par.; Ac 23.8. **4.2** Jésus et la résurrection des morts Ac 4.33; 17.18; 26.23. **4.4** accroissement de la communauté Ac 2.41+. **4.7** quelle puissance ou quel nom? Lc 20.2 par.; cf. Ac 3.6+. **4.8** l'Esprit Saint et la défense des disciples Mt 10.19-20; Mc 13.11; Lc 12.11-12 — rempli d'Esprit Saint Ac 6.3, 5; 7.55; 9.17; 11.24; 13.9. **4.9** sauvé-guéri Mt 9.22+; Lc 8.36+; Ac 14.9.

trouve sauvé. [10] Sachez-le donc, vous tous et tout le peuple d'Israël, c'est par le *nom de Jésus Christ le Nazôréen, crucifié par vous, ressuscité des morts par Dieu, c'est grâce à lui que cet homme se trouve là, devant vous, guéri. [11] C'est lui, *la pierre que, vous, les bâtisseurs, aviez mise au rebut : elle est devenue la pierre angulaire.* [12] Il n'y a aucun salut ailleurs qu'en lui ; car aucun autre nom sous le *ciel n'est offert aux hommes, qui soit nécessaire à notre salut. » [13] Ils constataient l'assurance de Pierre et de Jean et, se rendant compte qu'il s'agissait d'hommes sans instruction et de gens quelconques, ils en étaient étonnés. Ils reconnaissaient en eux des compagnons de Jésus, [14] ils regardaient l'homme qui se tenait près d'eux, guéri, et ils ne trouvaient pas de riposte.

[15] Ils donnèrent donc l'ordre de les faire sortir du *Sanhédrin et ils délibérèrent. [16] « Qu'allons-nous faire de ces gens-là se disaient-ils ? En effet, ils sont bien les auteurs d'un miracle évident : la chose est manifeste pour toute la population de Jérusalem et nous ne pouvons pas la nier. [17] Il faut néanmoins en limiter les suites parmi le peuple : nous allons donc les menacer pour qu'ils ne mentionnent plus ce nom devant qui que ce soit. » [18] Ils les firent alors rappeler et leur interdirent formellement de prononcer ou d'enseigner le nom de Jésus [s]. [19] Mais Pierre et Jean leur répliquèrent : « Qu'est-ce qui est juste aux yeux de Dieu : vous écouter ? ou l'écouter, lui ? A vous d'en décider ! [20] Nous ne pouvons certes pas quant à nous taire ce que nous avons vu et entendu. » [21] Sur des menaces renouvelées, on les relâcha, faute d'avoir trouvé moyen de les condamner.. C'était à cause du peuple : car tout le monde rendait gloire à Dieu de ce qui s'était passé. [22] L'homme qui avait bénéficié de cette guérison miraculeuse avait en effet plus de quarante ans.

Prière de la communauté persécutée

[23] Une fois relâchés, Pierre et Jean rejoignirent leurs compagnons et leur racontèrent tout ce que les *grands prêtres et les *anciens leur avaient dit. [24] On les écouta ; puis tous, unanimes, s'adressèrent à Dieu en ces termes : « Maître, c'est toi *qui as créé le ciel, la terre, la mer et tout ce qui s'y trouve,* [25] toi qui as mis par l'Esprit Saint ces paroles dans la bouche de notre père David, ton serviteur :

Pourquoi donc ces grondements des nations
et ces vaines entreprises des peuples ?
[26] *Les rois de la terre se sont rapprochés*
et les chefs se sont assemblés
pour ne faire plus qu'un contre le Seigneur et contre son *Oint.

[27] « Oui, ils se sont vraiment *assemblés* en cette ville, *Hérode et Ponce Pilate, avec *les nations et les peuples* d'Israël, *contre* Jésus, ton *saint serviteur, que tu avais *oint.* [28] Ils ont ainsi réalisé tous les desseins que ta main et ta volonté avaient établis. [29] Et maintenant, Seigneur, sois attentif à leurs menaces et accorde à tes serviteurs de dire ta Parole avec une entière assurance. [30] Etends donc la main pour que se produisent des guérisons, des *signes et les prodiges par le *nom de Jésus, ton saint serviteur. » [31] A la fin de leur prière, le local où ils se trouvaient réunis fut ébranlé ; ils furent tous remplis du Saint Esprit et disaient avec assurance la parole de Dieu.

Tout en commun

[32] La multitude de ceux qui étaient devenus croyants n'avait qu'un cœur et qu'une âme et nul ne considérait comme sa propriété l'un quelconque de ses biens ; au contraire, ils mettaient tout en commun. [33] Une grande puissance marquait le témoignage rendu par les *apôtres à la

---

s ou *d'enseigner au nom de Jésus.* Voir Ac 3.16 et note

4.10 au nom de Jésus le Nazôréen Ac 3.6 ; cf. 3.16+ — crucifié par vous Ac 2.36 ; 5.30 ; 10.39 — ressuscité par Dieu Ac 2.24+. **4.11** la pierre mise au rebut Ps 118.22 (Lc 20.17 par. ; 1 P 2.4, 7). **4.12** Jésus Sauveur Mt 1.21 ; Ac 5.31 ; 13.23 — le salut Ac 2.21 ; 7.25 ; 11.14 ; 13.26, 47 ; 15.1, 11 ; 16.17, 30-31. **4.13** assurance Ac 2.29 ; 4.29-31 ; 9.27-28 ; 14.3 ; 28.31. **4.15** perplexité des juges Jn 11.47. **4.17-18** interdiction d'enseigner le nom de Jésus Ac 5.28 ; cf. 3.16+. **4.19** vous écouter ou écouter Dieu ? Ac 5.29. **4.20** vu et entendu Ac 1.3, 22 ; 10.39,41. **4.21** gloire à Dieu Ac 3.8+. **4.24** Dieu créateur de l'univers Ex 20.11 ; Ps 146.6 — autre exemple de prière à Dieu Ac 1.24-25. **4.25-26** Pourquoi...? Ps 2.1-2. **4.27** ton serviteur Jésus Ac 3.13 — oint Es 61.1. **4.28** tous les desseins Ac 2.23. **4.29** avec assurance Ac 4.13+ ; Ep 6.19. **4.30** signes et prodiges Ac 2.43+ — le nom Ac 3.16+. **4.31** remplis du Saint Esprit Ac 10.46. **4.32** croyants Ac 2.44+ — vie de la première communauté Ac 2.42-47+ — tout en commun Ac 2.44 ; cf. Lc 12.33 ; 18.22. **4.33** puissance (de Dieu) Ac 3.12 — témoignage rendu à la résurrection de Jésus Ac 4.2 — une grande grâce Ac 6.8 ; 11.23 ; 14.26 ; 15.40.

résurrection du Seigneur Jésus et une grande grâce était à l'œuvre chez eux tous. ³⁴ Nul parmi eux n'était indigent : en effet ceux qui se trouvaient possesseurs de terrains ou de maisons les vendaient, apportaient le prix *ᵗ* des biens qu'ils avaient cédé ³⁵ et le déposaient aux pieds des apôtres. Chacun en recevait une part selon ses besoins.

³⁶ Ainsi Joseph, surnommé Barnabas par les apôtres — ce qui signifie l'homme du réconfort — possédait un champ. C'était un lévite, originaire de Chypre. ³⁷ Il vendit son champ, en apporta le montant et le déposa aux pieds des apôtres.

Le mensonge d'Ananias et Saphira

5 ¹ Un homme du nom d'Ananias vendit une propriété, d'accord avec Saphira sa femme ; ² puis, de connivence avec elle, il retint une partie du prix, apporta le reste et le déposa aux pieds des *apôtres. ³ Mais Pierre lui dit : « Ananias, pourquoi *Satan a-t-il rempli ton *cœur ? Tu as menti à l'Esprit Saint et tu as retenu une partie du prix du terrain. ⁴ Ne pouvais-tu pas le garder sans le vendre, ou, si tu le vendais, disposer du prix à ton gré ? Comment ce projet a-t-il pu te venir au cœur ? Ce n'est pas aux hommes que tu as menti, c'est à Dieu. » ⁵ Quand il entendit ces mots, Ananias tomba et expira. Une grande crainte saisit tous ceux qui l'apprenaient. ⁶ Les jeunes gens vinrent alors ensevelir le corps et l'emportèrent pour l'enterrer.

⁷ Trois heures environ s'écoulèrent ; sa femme entra, sans savoir ce qui était arrivé. ⁸ Pierre l'interpella : « Dis-moi, c'est bien tel prix que vous avez vendu le terrain ? » Elle dit : « Oui, c'est bien ce prix-là ! » ⁹ Alors Pierre reprit : « Comment avez-vous pu vous mettre d'accord pour provoquer l'Esprit du Seigneur ? Ecoute : les pas de ceux qui viennent d'enterrer ton mari sont à la porte ; ils vont t'emporter, toi aussi. » ¹⁰ Aussitôt elle tomba aux pieds de Pierre et expira. Quand les

jeunes gens rentrèrent, ils la trouvèrent morte et l'emportèrent pour l'enterrer auprès de son mari. ¹¹ Une grande crainte saisit alors toute l'église et tous ceux qui apprenaient cet événement.

Des adhésions et des guérisons

¹² Beaucoup de *signes et de prodiges s'accomplissaient dans le peuple par la main des *apôtres. Ils se tenaient tous, unanimes, sous le portique de Salomon *ᵘ*, ¹³ mais personne d'autre n'osait s'agréger à eux ; le peuple faisait pourtant leur éloge, ¹⁴ et des multitudes de plus en plus nombreuses d'hommes et de femmes se ralliaient, par la foi, au Seigneur *ᵛ*. ¹⁵ On en venait à sortir les malades dans les rues, on les plaçait sur des lits ou des civières, afin que Pierre, au passage, touche au moins l'un ou l'autre de son ombre. ¹⁶ La multitude accourait aussi des localités voisines de Jérusalem, portant des malades et des gens que tourmentaient des esprits *impurs, et tous étaient guéris.

Les apôtres sont arrêtés puis relâchés

¹⁷ Sur ces entrefaites le *grand prêtre et tout son entourage — il s'agissait du parti des *sadducéens — furent remplis de fureur ; ¹⁸ ils firent appréhender les *apôtres et les jetèrent publiquement *ʷ* en prison. ¹⁹ Mais, pendant la nuit, l'ange du Seigneur *ˣ* ouvrit les portes de la prison, les fit sortir et leur dit : ²⁰ « Allez, tenez-vous dans le *Temple, et là, annoncez au peuple toutes ces paroles de *vie ! » ²¹ Ils l'écoutèrent ; dès le point du jour, ils se rendirent au Temple ; et là ils enseignaient.

Le grand prêtre arriva ; lui et son entourage convoquèrent le *Sanhédrin, assemblée plénière des Israélites, et ils envoyèrent chercher les apôtres à la prison. ²² Mais les serviteurs, une fois sur place, ne les trouvèrent pas dans le cachot. De retour, ils rendirent compte en ces termes : ²³ « Nous avons trouvé la prison soigneusement fermée, et les gardes

4.34-35 à chacun selon ses besoins Ac 2.45.   **4.36** Barnabas Ac 9.27; 11.22, 30; 12.25; 13.1, 7, 43; 14.12, 20; 15.2, 12, 22, 35-39; 1 Co 9.6; Ga 2.1, 9, 13; Col 4.10.   **5.3** Satan a rempli ton cœur Jn 13.2.   **5.5** une grande crainte Ac 2.43+.   **5.9** provoquer l'Esprit du Seigneur 1 Co 10.9. **5.11** une grande crainte Ac 2.43+ — l'église Ac 9.31; 11.26; 18.22; 20.28.   **5.12** vie de la première communauté Ac 2.42+ — signes et prodiges Ac 2.43+ — sous le portique de Salomon Ac 3.11+.   **5.14** accroissement de la communauté Ac 2.41+.   **5.15-16** un contact qui guérit Mc 6.56; Ac 19.11-12.   **5.17** intervention des sadducéens Ac 4.1, 6.   **5.19** l'ange de Seigneur Ac 8.26; 12.7-11, 23; cf. 10.3, 7, 22; 11.13; Mt 1.20+.

en faction devant les portes ; mais quand nous avons ouvert, nous n'avons trouvé personne à l'intérieur. » ²⁴ A l'annonce de ces nouvelles le commandant du Temple et les grands prêtres étaient perplexes au sujet des apôtres, se demandant ce qui avait bien pu se passer. ²⁵ Mais quelqu'un vint leur annoncer : « Voici que les hommes que vous aviez jetés en prison se tiennent dans le Temple et ils instruisent le peuple. » ²⁶ Alors le commandant partit avec les serviteurs pour ramener les apôtres, sans violence toutefois, car ils redoutaient que le peuple ne leur jette des pierres.

²⁷ Ils les amenèrent donc, les présentèrent au Sanhédrin et le grand prêtre les interrogea : ²⁸ « Nous vous avions formellement interdit, leur dit-il, d'enseigner ce nom-là, et voilà que vous avez rempli Jérusalem de votre doctrine ; vous voulez donc faire retomber sur nous le sang de cet homme ᵞ ! » ²⁹ Mais Pierre et les apôtres répondirent : « Il faut obéir à Dieu plutôt qu'aux hommes. ³⁰ Le Dieu de nos pères a ressuscité Jésus que vous aviez exécuté en le pendant au bois. ³¹ C'est lui que Dieu a exalté par sa droiteᶻ comme Prince et Sauveur, pour donner à Israël la conversion et le pardon des péchés. ³² Nous sommes témoins de ces événements, nous et l'Esprit Saint que Dieu a donné à ceux qui lui obéissent. »

³³ Exaspérés par cette déclaration, ils envisagèrent de les faire mourir. ³⁴ Mais un homme se leva dans le Sanhédrin : c'était un *pharisien du nom de Gamaliel, un *docteur de la Loi estimé de tout le peuple. Il ordonna de faire sortir un instant les prévenus, ³⁵ puis il déclara : « Israélites, prenez bien garde à ce que vous allez faire dans le cas de ces gens. ³⁶ Ces derniers temps, on a vu surgir Theudas : il prétendait être quelqu'un et avait rallié environ quatre cents hommes ; lui-même a été tué, tous ceux qui l'avaient suivi se sont débandés et il n'en est rien resté. ³⁷ On a vu surgir ensuite Judas le Galiléen, à l'époque du recensement : il avait soulevé le monde à sa suite ; lui aussi a péri, et tous ceux qui l'avaient suivi se sont dispersés. ³⁸ Alors, je vous le dis, ne vous occupez donc plus de ces gens et laissez-les aller ! Si c'est des hommes en effet que vient leur résolution ou leur entreprise, elle disparaîtra d'elle-même ; ³⁹ si c'est de Dieu, vous ne pourrez pas les faire disparaître. N'allez pas risquer de vous trouver en guerre avec Dieu ! »

Se rangeant à son avis, ⁴⁰ ils rappelèrent les apôtres, les firent battre de verges et, après leur avoir enjoint de ne plus prononcer le nom de Jésus, ils les relâchèrent. ⁴¹ Les apôtres quittèrent donc le Sanhédrin, tout heureux d'avoir été trouvés dignes de subir des outrages pour le Nom ᵃ. ⁴² Chaque jour, au Temple comme à domicile, ils ne cessaient d'enseigner et d'annoncer la bonne nouvelle de Jésus Messie.

La désignation des Sept

6 ¹ En ces jours-là, le nombre des disciples ᵇ augmentait et les Hellénistes ᶜ se mirent à récriminer contre les Hébreux parce que leurs veuves étaient oubliées dans le service quotidien. ² Les douze convoquèrent alors l'assemblée plénière des disciples et dirent : « Il ne convient pas que nous délaissions la parole de Dieu pour le service des tables. ³ Cherchez plutôt parmi vous, frères, sept hommes de bonne réputation, remplis

---

ᵞ Voir Mt 27.24-25 et notes ● ᶻ Voir Ac 2.33 et note ● ᵃ Voir Ac 3.16 et note ● ᵇ C'est la première fois que le mot *disciple* dépasse le sens restreint propre aux Évangiles et qu'il sert à désigner les chrétiens ; voir 9.1, 26 ; 11.26 ● ᶜ Les *Hellénistes* étaient des Juifs qui se distinguaient des *Hébreux* par le fait qu'ils parlaient le grec. Cette répartition se retrouve dans la première église de Jérusalem

5.24 commandant du Temple et grands prêtres Ac 4.1+. **5.26** crainte de la réaction populaire Mt 14.5+. **5.28** interdiction d'enseigner le nom de Jésus Ac 4.18 — son sang sur nous Mt 27.25+ ; Ac 18.6. **5.29** obéir à Dieu plutôt qu'aux hommes Ac 4.19. **5.30** Dieu a ressuscité Jésus Ac 2.24+ — que vous aviez exécuté Ac 2.23+. **5.31** exalté par sa droite Ac 2.33 — Prince et Sauveur He 2.10 — Jésus Sauveur Ac 4.12+ — conversion et pardon des péchés Lc 24.47 ; Ac 2.38 ; 3.19. **5.32** témoins Ac 1.8+ — l'Esprit Saint témoin Jn 15.26 — ceux qui lui obéissent Rm 1.5+. **5.33** exaspérés Ac 7.54. **5.34** Gamaliel Ac 22.3. **5.36** tentative de soulèvement Ac 21.38. **5.37** révolté Galiléen Lc 13.1-2. **5.39** en guerre avec Dieu Sg 12.13-14. **5.40** interdiction de prononcer le nom de Jésus Ac 4.18. **5.41** heureux d'être outragés à cause de Jésus Ac 5.10-12 ; 1 P 4.13 — le nom Ac 3.16+. **5.42** au Temple et à domicile Ac 2.46 — le Messie, c'est Jésus Ac 9.22 ; 17.3 ; 18.5, 28 ; cf. 2.36+. **6.1** les disciples (= les chrétiens) Ac 9.1, 26 ; 11.26 ; 16.1 ; 18.23 — accroissement de la communauté Ac 2.41+ — Hellénistes cf. Ac 9.2 — Hébreux 2 Co 11.22 ; Ph 3.5 — le service quotidien Ac 2.45 ; 4.35. **6.2** les douze Mt 10.2+ — l'assemblée plénière Ac 6.5 ; 15.12, 30. **6.3** de bonne réputation Ac 10.22 ; 16.2 ; 22.12 ; 1 Tm 3.7 ; 3 Jn 12 — remplis d'Esprit et de sagesse Ac 6.10.

d'Esprit et de sagesse, et nous les chargerons de cette fonction. ⁴ Quant à nous, nous continuerons à assurer la prière et le service de la Parole. » ⁵ Cette proposition fut agréée par toute l'assemblée : on choisit Etienne, un homme plein de foi et d'Esprit Saint, Philippe, Prochore, Nicanor, Timon, Parménas et Nicolas, prosélyte *d* d'Antioche ; ⁶ on les présenta aux *apôtres, on pria et on leur *imposa les mains.

⁷ La parole de Dieu croissait et le nombre des *disciples augmentait considérablement à Jérusalem ; une multitude de prêtres *e* obéissait à la foi.

Etienne est arrêté et accusé

⁸ Plein de grâce et de puissance, Etienne opérait des prodiges et des *signes remarquables parmi le peuple. ⁹ Mais, sur ces entrefaites, des gens de la *synagogue dite des Affranchis *f*, avec des Cyrénéens et des Alexandrins, des gens de Cilicie et d'Asie, entrèrent en discussion avec Etienne ¹⁰ et, comme ils étaient incapables de s'opposer à la sagesse et à l'Esprit qui marquaient ses paroles, ¹¹ ils subornèrent des gens pour dire : « Nous l'avons entendu prononcer des parles *blasphématoires contre Moïse et contre Dieu. » ¹² Ils ameutèrent le peuple, les *anciens et les *scribes, se saisirent d'Etienne à l'improviste et le conduisirent au *Sanhédrin. ¹³ Là ils produisirent de faux témoins : « L'homme que voici, disaient-ils, tient sans arrêt des propos hostiles au Lieu saint *g* et à la *Loi ; ¹⁴ de fait, nous lui avons entendu dire que ce Jésus le Nazôréen *h* détruirait ce Lieu et changerait les règles que Moïse nous a transmises. » ¹⁵ Tous ceux qui siégeaient au Sanhédrin

avaient les yeux fixés sur lui et ils virent son visage comme le visage d'un *ange.

L'histoire d'Israël vue par Etienne

7 ¹ Le *grand prêtre lui demanda : « Cela est-il exact ? » ² Etienne répondit : « Frères et pères, écoutez. Le Dieu de gloire est apparu à notre père Abraham quand il était en Mésopotamie, avant d'habiter à Charan. ³ *Et il lui a dit : Quitte ton pays et ta famille et va dans le pays que je te montrerai.* ⁴ Abraham quitta alors le pays des Chaldéens pour habiter à Charan. De là, après la mort de son père, Dieu le fit passer dans ce pays que vous habitez maintenant. ⁵ Il ne lui donna aucune propriété dans ce pays, pas même de quoi poser le pied, mais il promit de lui en donner la possession ainsi qu'à sa descendance après lui, bien qu'Abraham n'eût pas d'enfant. ⁶ Et Dieu parla ainsi : *Sa descendance séjournera en terre étrangère, on la réduira en esclavage et on la maltraitera pendant quatre cents ans.* ⁷ *Mais la nation dont ils auront été les esclaves, je la jugerai moi,* dit Dieu, *et après cela ils sortiront et me rendront un culte en ce lieu.* ⁸ Il lui donna *l'alliance de la *circoncision et c'est ainsi qu'ayant engendré Isaac, Abraham le circoncit le huitième jour. Isaac fit de même pour Jacob, et Jacob pour les douze patriarches.

⁹ « Jaloux de Joseph, les patriarches le vendirent pour être mené en Egypte. Mais Dieu était avec lui ; ¹⁰ il le tira de toutes ses détresses et *lui donna grâce et sagesse devant *Pharaon, le roi d'Egypte, qui l'établit* gouverneur sur *l'Egypte et sur toute sa maison.* ¹¹ Or il survint une famine dans toute l'Egypte et en Canaan ;

---

d Voir Ac 2.11 et note sur Mt 23.15 ● *e* Les membres des diverses classes de prêtres juifs étaient environ 8000 à Jérusalem ● *f* La *synagogue des Affranchis* regroupait les descendants d'anciens esclaves emmenés par le général romain Pompée en 63 av. J.C. et libérés par la suite ● *g* Voir Jn 11.48 et note ; il s'agit ici du Temple de Jérusalem ● *h* Voir Mt 26.71 et note

6.6 prière de consécration Ac 1.24 ; 13.3 ; 14.23 — imposition des mains 1) Ac 8.17 ; 19.6 ; 2) Ac 9.12, 17 ; 28.8 ; 3) Ac 13.3 ; cf. Mt 9.18+ ; Mc 5.23+. 6.7 accroissement de la communauté Ac 2.41+ — progression de la parole de Dieu Ac 12.24 ; 19.20. 6.8 prodiges et signes Ac 2.43+. 6.10 une sagesse irrésistible Lc 21.15 — Saint Esprit et sagesse Ac 6.3. 6.11 subornation de témoins Mt 26.59, 61 ; Mc 14.55-58. 6.13 des propos contre le Temple Jr 26.11 ; 21.28 ; 24.6 ; 25.8 — propos contre la loi de Moïse Ac 6.11, 13+ ; 18.13, 15 ; 21.21, 28 ; 25.8. 7.2 Frères et pères, écoutez Ac 22.1 — le Dieu de gloire Ps 29.2 est apparu à Abraham Gn 11.31. 7.3 Quitte... Gn 12.1. 7.4 Abraham à Charan puis en Canaan Gn 11.31—12.1, 5. 7.5 aucune propriété Dt 2.5 — mais une promesse pour sa descendance Gn 12.7 ; 13.15 ; 17.8 ; 24.7 ; 48.4 — Abraham sans enfant Gn 16.1. 7.6-7 sa descendance Gn 15.13-14. 7.7 après cela Ex 3.12. 7.8 alliance de la circoncision Gn 17.10-14 — circoncision le huitième jour Gn 21.4. 7.9 les patriarches, jaloux de Joseph Gn 37.11 — Joseph vendu Gn 37.28 ; 45.4 — Dieu était avec lui Gn 39.2, 3, 21, 23. 7.10 Joseph agréé par le Pharaon Gn 41.37-39 — gouverneur Gn 41.40-44 ; Ps 105.21. 7.11 une famine Gn 41.54 ; 42.5.

la détresse était grande et nos pères n'arrivaient plus à se ravitailler. ¹² Ayant appris qu'il y avait des vivres en Egypte, Jacob y envoya nos pères une première fois ; ¹³ la deuxième fois, Joseph se fit reconnaître par ses frères, et son origine fut révélée à Pharaon. ¹⁴ Joseph envoya alors chercher Jacob son père et toute sa parenté, en tout soixante-quinze personnes. ¹⁵ Jacob descendit donc en Egypte, et il y mourut ainsi que nos pères. ¹⁶ On les transporta à Sichem et on les déposa dans le sépulcre qu'Abraham avait acheté à prix d'argent aux fils d'Emmor. père de Sichem.

¹⁷ « Comme approchait le temps où devait s'accomplir la promesse solennelle que Dieu avait faite à Abraham, le peuple s'accrut et se multiplia en Egypte, ¹⁸ jusqu'à l'avènement d'un autre roi d'Egypte, qui n'avait pas connu Joseph. ¹⁹ Perfidement, ce roi s'en prit à notre race : sa malveillance envers les pères alla jusqu'à leur faire exposer leurs nouveau-nés pour les empêcher de vivre. ²⁰ C'est en ce temps-là que naquit Moïse ; il était beau aux yeux de Dieu. Pendant trois mois, il fut élevé dans la maison de son père ²¹ et, lorsqu'il fut exposé, la fille du Pharaon le recueillit et l'éleva comme son propre fils. ²² Moïse fut initié à toute la sagesse des Egyptiens et il était puissant en ses paroles et en ses actions.

²³ « Quand il eut quarante ans accomplis, l'idée lui vint de se rendre parmi ses frères, les Israélites. ²⁴ Voyant l'un d'eux mis à mal, il en prit la défense et, pour venger ce frère maltraité, il frappa l'Egyptien. ²⁵ Il pensait faire comprendre à ses frères que Dieu, par sa main, leur apportait le salut ; mais ils ne le comprirent pas. ²⁶ Le jour suivant, on le vit intervenir dans une rixe pour essayer de réconcilier les adversaires : "Amis, leur dit-il, vous

êtes frères, pourquoi vous malmener ?" ²⁷ Mais celui qui maltraitait son compagnon repoussa Moïse en ces termes : "Qui t'a établi chef et juge sur nous ? ²⁸ Veux-tu me tuer comme tu as tué hier l'Egyptien ?" ²⁹ A ces mots, Moïse s'enfuit et se réfugia à l'étranger dans le pays de Madian, où il eut deux fils.

³⁰ « Au bout de quarante ans, un *ange lui apparut au désert du mont Sinaï, dans la flamme d'un buisson en feu. ³¹ Moïse, étonné par cette vision voulut s'approcher pour regarder ; la voix du Seigneur se fit entendre ; ³² Je suis le Dieu de tes pères, le Dieu d'Abraham, d'Isaac et de Jacob." Tout tremblant, Moïse n'osait plus regarder. ³³ Alors le Seigneur lui dit : "Ôte les sandales de tes pieds, car le lieu où tu te tiens est une terre *sainte. ³⁴ Oui, j'ai vu la misère de mon peuple en Egypte et j'ai entendu son gémissement ; je suis descendu pour le délivrer. Et maintenant, va, je veux t'envoyer en Egypte."

³⁵ « Ce Moïse qu'ils avaient rejeté par ces mots : "Qui t'a établi chef et juge ?", c'est lui que Dieu a envoyé comme chef et libérateur, par l'entremise de l'ange qui lui était apparu dans le buisson. ³⁶ C'est lui qui les a fait sortir d'Egypte en opérant des prodiges et des *signes au pays d'Egypte, à la mer Rouge et au désert pendant quarante ans. ³⁷ C'est lui, Moïse, qui a dit aux Israélites : Dieu vous suscitera d'entre vos frères un *prophète comme moi. ³⁸ C'est lui qui, lors de l'assemblée au désert, se tenait entre nos pères et l'ange qui lui parlait sur le mont Sinaï ; c'est lui qui reçut des paroles de *vie pour nous les donner. ³⁹ Mais nos pères ne voulurent pas lui obéir ; ils le repoussèrent, et retournèrent par la pensée en Egypte. ⁴⁰ Ils dirent en effet à Aaron : "Fais-nous des dieux qui marchent à notre tête ; car ce Moïse qui nous a fait sor-

7.12 Jacob envoie ses fils Gn 42.1-2.   7.13 Joseph se fait reconnaître par ses frères Gn 45.3-4 — origine de Joseph révélée au Pharaon Gn 45.16.   7.14 Joseph envoie chercher son père Gn 45.9-11, 18-19 — soixante-quinze personnes Gn 46.27 (grec); Ex 1.5 (grec).   7.15 Jacob descend en Egypte Gn 46.5-6 — mort de Jacob, puis de ses fils Gn 49.33; Ex 1.6.   7.16 le sépulcre acheté par Abraham Gn 23.2-20 — le champ acheté par Jacob Gn 33.18-19 — Jacob enterré aux côtés d'Abraham Gn 49.29-30; 50.7-13 — Joseph enterré à Sichem Jos 24.32.   7.17-18 accroissement des Israélites, avènement d'un nouveau roi Ex 1.7-8.   7.19 malveillance du nouveau roi Ex 1.10-11 — extermination des nouveau-nés Ex 1.22.   7.20 l'enfant Moïse était beau Ex 2.2; He 11.23.   7.21 la fille du Pharaon recueille Moïse Ex 2.3-10.   7.22 puissant en paroles et en actions Lc 24.19.   7.23-24 Moïse frappe un Egyptien Ex 2.11-12.   7.26-28 Moïse récusé par les Israélites Ex 2.13-14.   7.27 Qui t'a établi juge? Ex 2.14; Lc 12.14.   7.29 fuite de Moïse Ex 2.15 — étranger en Madian... deux fils Ex 2.21-22; 18.3-4.   7.30-31 le buisson en feu Ex 3.1-3.   7.31-34 déclaration de Dieu à Moïse Ex 3.4-10.   7.35 libérateur Lc 1.68; 2.38 — par l'entremise de l'ange Ex 3.2.   7.36 prodiges et signes Ex 7.3; Ac 2.43+ — à la mer Rouge Ex 14.21 — au désert, pendant quarante ans Nb 14.33.   7.37 un prophète comme moi Dt 18.15 (Ac 3.22).   7.38 lors de l'assemblée Ex 19.7-15; Dt 9.10; 10.4 — devant l'ange au mont Sinaï Ac 7.53 — paroles de vie Lc 10.26-28; Ac 5.20 — il reçut... pour les donner Ex 19.1-6; 20.1-17; Dt 5.4-22.   7.39 le pensée de retourner en Egypte Nb 14.3.   7.40 requête présentée à Aaron Ex 32.1, 23.

tir du pays d'Egypte, nous ne savons pas ce qu'il est devenu." ⁴¹ Ils façonnèrent un veau en ces jours-là, offrirent un *sacrifice à cette idole et célébrèrent joyeusement l'œuvre de leurs mains. ⁴² En retour, Dieu les livra au culte de l'armée du ciel ⁱ, comme il est écrit dans le livre des *prophètes :

M'avez-vous offert victimes et sacrifices
pendant quarante ans au désert, maison d'Israël ?
⁴³ Vous avez porté la tente de Moloch et l'astre de votre dieu Rephân,
ces images que vous avez faites pour les adorer.
Aussi vous déporterai-je au-delà de Babylone.

⁴⁴ « Nos pères au désert avaient la tente du témoignage : celui qui parlait à Moïse lui avait prescrit de la faire selon le modèle qu'il avait vu. ⁴⁵ Nos pères, l'ayant reçue, l'introduisirent, sous la conduite de Josué, dans le pays conquis sur les nations que Dieu chassa devant eux ; elle y fut jusqu'aux jours de David. ⁴⁶ Celui-ci trouva grâce devant Dieu et demanda la faveur de disposer d'une résidence pour le Dieu de Jacob ʲ. ⁴⁷ Mais ce fut Salomon qui lui bâtit une maison. ⁴⁸ Et pourtant le Très-Haut n'habite pas des demeures construites par la main des hommes. Comme dit le *prophète :

⁴⁹ Le *ciel est mon trône et la terre un escabeau sous mes pieds.
Quelle maison allez-vous me bâtir, dit le Seigneur,
et quel sera le lieu de mon repos ?
⁵⁰ N'est-ce pas ma main qui a créé toutes ces choses ?

⁵¹ « Hommes au cou raide, *incirconcis de cœur et d'oreilles, toujours vous résistez à l'Esprit Saint ; vous êtes bien comme vos pères. ⁵² Lequel des *prophètes vos pères n'ont-ils pas persécuté ? Ils ont même tué ceux qui annonçaient d'avance la venue du Juste ᵏ, celui-là même que maintenant vous avez trahi et assassiné. ⁵³ Vous aviez reçu la *Loi promulguée par des anges ˡ, et vous ne l'avez pas observée. »

La mort d'Etienne

⁵⁴ Ces paroles les exaspérèrent et ils grinçaient des dents contre Etienne. ⁵⁵ Mais lui, rempli d'Esprit Saint, fixait le ciel : il vit la gloire de Dieu et Jésus debout à la droite de Dieu. ⁵⁶ « Voici, dit-il, que je contemple les cieux ouverts et le *Fils de l'homme debout à la droite de Dieu. » ⁵⁷ Ils poussèrent alors de grands cris, en se bouchant les oreilles. Puis, tous ensemble, ils se jetèrent sur lui, ⁵⁸ l'entraînèrent hors de la ville et se mirent à le lapider. Les témoins avaient posé leurs vêtements aux pieds d'un jeune homme appelé Saul. ⁵⁹ Tandis qu'ils le lapidaient, Etienne prononça cette invocation : « Seigneur Jésus, reçois mon esprit. » ⁶⁰ Puis il fléchit les genoux et lança un grand cri : « Seigneur, ne leur compte pas ce péché. » Et sur ces mots il mourut.

8 ¹ Saul, lui, était de ceux qui approuvaient ce meurtre.

La première persécution

En ce jour-là éclata contre l'église de Jérusalem une violente persécution. Sauf les *apôtres, tous se dispersèrent dans les contrées de la Judée et de la *Samarie. ² Des hommes pieux ensevelirent Etienne

---

i L'armée du ciel est une expression fréquente dans l'A.T. (Dt 4.19 ; 17.3, etc.) pour désigner les astres, que plusieurs religions païennes de l'antiquité avaient divinisés ● j Autre texte : pour la maison de Jacob (c'est-à-dire la dynastie royale du peuple d'Israël) ● k Voir Ac 3.14 et note ● l Voir He 2.2 et note ; Ga 3.19 et note

---

7.41 confection du veau d'or Ex 32.4-6. 7.42 culte offert à l'armée du ciel Jr 7.18 (grec) ; 8.2 ; 19.13. 7.42-43 m'avez-vous offert...? Am 5.25-27 (grec). 7.44 la tente du témoignage Ex 27.21 ; Nb 1.50 — selon le modèle qu'il avait vu Ex 25.9, 40. 7.45 sous la conduite de Josué Jos 3.14-17 ; 18.1 — les nations que Dieu chassa Jos 23.9 ; 24.18. 7.45-46 projets de David pour la tente 2 S 7. 2-16 ; 1 R 8.17-18 ; 1 Ch 17.1-14 ; 2 Ch 6.7-8 ; Ps 132.1-5. 7.47 le Temple construit par Salomon 1 R 6.1, 14 ; 8.19-20 ; 2 Ch 3.1 ; 5.1 ; 6.2, 10. 7.48 le Très-Haut n'habite pas... Ac 17.24, 29. 7.49-50 Es 66.1-2. 7.51 hommes au cou raide Ex 32.9 ; 33.3, 5 — incirconcis de cœur et d'oreilles Lv 26.41 ; Jr 9.25 ; 6.10. 7.52 prophètes persécutés 2 Ch 36.16 et tués Mt 23.31 — le Juste Ac 3.14+. 7.53 la Loi promulguée par des anges Ac 7.38 ; Ga 3.19 ; He 2.2. 7.54 auditeurs exaspérés Ac 5.33 — grincements de dents Jb 16.9 ; Ps 35.16 ; 37.12 ; 112.10. 7.55 rempli d'Esprit Saint Ac 4.8+ — Jésus à la droite de Dieu Mt 22.44+ ; 1 P 3.22. 7.56 les cieux ouverts Mt 3.16+ — le Fils de l'homme Mt 8.20+ — à la droite de Dieu Lc 22.69. 7.58 Saul assiste au meurtre d'Etienne Ac 22.20 ; 26.10. 7.59 reçois mon esprit Ps 31.6 ; Lc 23.46. 7.60 un grand cri Mt 27.46, 50 ; Mc 15.34, 37 ; Lc 23.46 — ne leur compte pas ce péché Lc 23.34. 8.1 Saul approuve le meurtre d'Etienne Ac 7.58 ; 22.20 — persécution, dispersion Ac 8.4 ; 11.19 ; 13.1. 8.2 ensevelissement du martyr Mt 14.12 ; Mc 6.29.

et lui firent de belles funérailles. ³ Quant à Saul, il ravageait l'église ; il pénétrait dans les maisons, en arrachait hommes et femmes et les jetait en prison. ⁴ Ceux donc qui avaient été dispersés allèrent de lieu en lieu, annonçant la bonne nouvelle de la Parole.

Philippe évangélise la Samarie

⁵ C'est ainsi que Philippe, qui était descendu dans une ville de Samarie, y proclamait le *Christ. ⁶ Les foules unanimes s'attachaient aux paroles de Philippe, car on entendait parler des miracles qu'il faisait et on les voyait. ⁷ Beaucoup d'esprits *impurs en effet sortaient, en poussant de grands cris, de ceux qui en étaient possédés et beaucoup de paralysés et d'infirmes furent guéris. ⁸ Il y eut une grande joie dans cette ville. ⁹ Or il se trouvait déjà dans la ville un homme du nom de Simon qui faisait profession de magie et tenait dans l'émerveillement la population de la Samarie. Il prétendait être quelqu'un d'important ¹⁰ et tous s'attachaient à lui, du plus petit jusqu'au plus grand. « Cet homme, disait-on, est la Puissance de Dieu, celle qu'on appelle la Grande. » ¹¹ S'ils s'attachaient ainsi à lui, c'est qu'il les maintenait depuis longtemps dans l'émerveillement par ses sortilèges. ¹² Mais, ayant eu foi en Philippe qui leur annonçait la bonne nouvelle du *règne de Dieu et du *nom de Jésus Christ, ils recevaient le baptême, hommes et femmes. ¹³ Simon lui-même devint croyant à son tour, il reçut le baptême et ne lâchait plus Philippe. A regarder les grands signes et miracles qui avaient lieu, c'est lui en effet qui était émerveillé.

¹⁴ Apprenant que la *Samarie avait accueilli la parole de Dieu, les *apôtres qui étaient à Jérusalem y envoyèrent Pierre et Jean. ¹⁵ Une fois arrivés, ces derniers prièrent pour les Samaritains afin qu'ils reçoivent l'Esprit Saint. ¹⁶ En effet, l'Esprit n'était encore tombé sur aucun d'eux ; ils avaient seulement reçu le baptême au nom du Seigneur Jésus. ¹⁷ Pierre et Jean se mirent donc à leur *imposer les mains et les Samaritains recevaient l'Esprit Saint.

¹⁸ Mais Simon, quand il vit que l'Esprit Saint était donné par l'imposition des mains des apôtres, leur proposa de l'argent. ¹⁹ « Accordez-moi, leur dit-il, à moi aussi ce pouvoir, afin que ceux à qui j'imposerai les mains reçoivent l'Esprit Saint. » ²⁰ Mais Pierre lui répliqua : « Périsse ton argent, et toi avec lui, pour avoir cru que tu pouvais acheter, avec de l'argent, le don gratuit de Dieu. ²¹ Il n'y a pour toi ni part ni héritage dans ce qui se passe ici, car ton *cœur n'est pas droit devant Dieu. ²² Repens-toi donc de ta méchanceté, et prie le Seigneur : la pensée qui t'est venue au cœur te sera peut-être pardonnée. ²³ Je vois en effet que tu es dans l'amertume du fiel et les liens de l'iniquité. » ²⁴ Et Simon répondit : « Priez vous-même le Seigneur en ma faveur, pour qu'il ne m'arrive rien de ce que vous avez dit. »

²⁵ Pierre et Jean, après avoir rendu témoignage et annoncé la parole du Seigneur, retournèrent alors à Jérusalem ; ils annonçaient la bonne nouvelle à de nombreux villages *samaritains.

Philippe et l'eunuque éthiopien

²⁶ L'ange du Seigneur ᵐ s'adressa à Philippe : « Tu vas aller vers le Midi ⁿ, lui dit-il, sur la route qui descend de Jérusalem à Gaza ; elle est déserte. » ²⁷ Et Philippe partit sans tarder. Or un eunuque ᵒ éthiopien, haut fonctionnaire de Candace ᵖ, la reine d'Ethiopie et administrateur général de son trésor, qui était allé à Jérusalem en pèlerinage, ²⁸ retournait chez lui ; assis dans son char, il lisait le

---

m Voir Ac 5.19 et note sur Mt 1.20 ● *n* ou *vers l'heure de midi* ● *o Eunuque:* utilisé au sens propre en Mt 19.12, ce terme servait aussi depuis longtemps à désigner un *homme de confiance au service d'un souverain* ● *p Candace* n'est pas un nom propre, mais un titre désignant la reine d'Ethiopie, comme Pharaon désignait le roi d'Egypte

8.3 Saul s'acharne contre l'église Ac 9.1, 13 ; 22.4 ; 26.9-11. **8.4** ceux que la persécution a dispersés Ac 8.1 ; 11.19. **8.5** Philippe Ac 6.5 ; 8.12, 26-40 ; 21.8 — le Christ (Messie) attendu par les Samaritains Jn 4.25 — proclamé Ac 2.36+ en Samarie Ac 1.8. **8.7** expulsion d'esprits impurs Mt 10.1 ; Mc 6.7 ; 16.17. **8.8** joie Lc 1.14 ; Ac 5.41 ; 8.39 ; 11.23 ; 13.48, 52 ; 15.3, 31 ; 16.34. **8.12** la bonne nouvelle du règne de Dieu Lc 4.43+ — le nom... Ac 3.16+. **8.14** Pierre et Jean Ac 3.1+. **8.16** baptême au nom du Seigneur Jésus Ac 2.38+. **8.17** imposition des mains Mt 9.18+ ; Mc 5.33+ ; Ac 6.6+ ; et don du Saint Esprit Ac 2.38+. **8.21** ton cœur n'est pas droit devant Dieu Ps 78.37. **8.23** dans l'amertume du fiel Dt 29.17 ; Lm 3.15 (grec) — les liens de l'iniquité Es 58.6. **8.24** priez le Seigneur en ma faveur Ex 8.4, 24 ; 9.28 (grec). **8.26** l'ange du Seigneur Mt 1.20+ ; Ac 5.19 ; 12.10 ; cf. Ac 8.29, 39.

*prophète Esaïe. ²⁹ L'Esprit dit à Philippe : « Avance et rejoins ce char. » ³⁰ Philippe y courut, entendit l'eunuque qui lisait *q* le prophète Esaïe et lui dit : « Comprends-tu vraiment ce que tu lis ? ³¹ — Et comment le pourrais-je, répondit-il, si je n'ai pas de guide ? » Et il invita Philippe à monter s'asseoir près de lui. ³² Et voici le passage de l'Ecriture qu'il lisait :

Comme une brebis que l'on conduit
pour l'égorger,
comme un agneau muet devant celui
qui le tond,
c'est ainsi qu'il n'ouvre pas la bouche.
³³ Par son abaissement s'est trouvé levé
son jugement.
Sa génération, qui la racontera ?
Car elle est enlevée de la terre, sa
vie.

³⁴ S'adressant à Philippe, l'eunuque lui dit : « Je t'en prie, de qui le prophète parle-t-il ainsi ? De lui-même ou de quelqu'un d'autre ? » ³⁵ Philippe ouvrit alors la bouche et, partant de ce texte, il lui annonça la bonne nouvelle de Jésus. ³⁶ Poursuivant leur chemin, ils tombèrent sur un point d'eau et l'eunuque dit : « Voici de l'eau. Qu'est-ce qui empêche que je reçoive le baptême ? » [³⁷ *r*] ³⁸ Il donna l'ordre d'arrêter son char ; tous les deux descendirent dans l'eau, Philippe et l'eunuque, et Philippe le baptisa. ³⁹ Quand ils furent sortis de l'eau, l'Esprit du Seigneur emporta Philippe, et l'eunuque ne le vit plus, mais il poursuivit son chemin dans la joie. ⁴⁰ Quant à Philippe, il se retrouva à Azot *s* et il annonçait la bonne nouvelle dans toutes les villes où il passait jusqu'à son arrivée à Césarée.

Saul saisi par le Seigneur Jésus

9 ¹ Saul, ne respirant toujours que menaces et meurtres contre les disciples *t* du Seigneur, alla ² demander au *grand prêtre des lettres pour les *synagogues de Damas. S'il trouvait là des adeptes de la Voie *u*, hommes ou femmes, il les amènerait, enchaînés, à Jérusalem. ³ Poursuivant sa route, il approchait de Damas quand, soudain, une lumière venue du ciel l'enveloppa de son éclat. ⁴ Tombant à terre, il entendit une voix qui lui disait : « Saoul, Saoul *v*, pourquoi me persécuter ? — ⁵ Qui es-tu, Seigneur ? demanda-t-il. — Je suis Jésus, c'est moi que tu persécutes. ⁶ Mais relève-toi, entre dans la ville, et on te dira ce que tu dois faire. » ⁷ Ses compagnons de voyage s'étaient arrêtés, muets de stupeur : ils entendaient la voix, mais ne voyaient personne. ⁸ Saul se releva de terre, mais bien qu'il eût les yeux ouverts, il n'y voyait plus rien et c'est en le conduisant par la main que ses compagnons le firent entrer dans Damas ⁹ où il demeura privé de la vue pendant trois jours, sans rien manger ni boire.

¹⁰ Il y avait à Damas un disciple nommé Ananias ; le Seigneur l'appela dans une vision : « Ananias ! — Me voici, Seigneur, répondit-il ! » ¹¹ Le Seigneur reprit : « Tu vas te rendre dans la rue appelée "rue Droite" et demander, dans la maison de Judas, un nommé Saul de Tarse ; il est là en prière ¹² et vient de voir *w* un homme nommé Ananias entrer et lui *imposer les mains pour lui rendre la vue. » ¹³ Ananias répondit : « Seigneur, j'ai entendu bien des gens parler de cet homme et dire tout le mal qu'il a fait à tes saints *x*

---

q A haute voix, comme c'était l'habitude chez les anciens ● *r* Certains manuscrits anciens ajoutent ici : *Philippe dit:* « *Si tu crois de tout ton cœur, c'est permis.* » *L'eunuque répondit:* « *Je crois que Jésus-Christ est le Fils de Dieu.* » On a peut-être ici l'écho d'une très ancienne liturgie de baptême ● *s* La ville d'*Azot* est l'ancienne Ashdod des Philistins (1 S 5.1-7) ● *t* Voir Ac 6.1 et note ● *u* Terme particulier du livre des Ac, pour désigner la nouvelle manière de marcher vers le salut et donc aussi la ligne de conduite particulière aux chrétiens. Voir Ac 16.17; 18.25-26; 19.9, 23, etc. ● *v* Le texte reproduit ici la prononciation hébraïque du nom de Saul: Sa-oul. Le premier roi d'Israël (1 S 9.2) portait ce même nom ● *w* Certains manuscrits ajoutent: *en vision* ● *x* Sur cette appellation des chrétiens voir Rm 1.7 et note

---

8.31 un guide Jn 16.13.   **8.32-33** Es 53.7-8 (grec).   **8.35** ouvrir la bouche (pour une parole importante) Dn 10.16; Jb 3.1; Mt 5.2; Ac 10.34.   **8.36** quel empêchement à recevoir le baptême? Ac 10.47.   **8.37** baptême Mt 28.19+.   **8.39** emporté par l'Esprit 1 R 18.12 — dans la joie Ac 8.8+. **8.40** Philippe à Césarée Ac 21.8.   **9.1** Autres récits de la vocation de Paul Ac 22.4-21; 26.9-18 — Saul acharné contre les chrétiens Ac 8.3+ — disciples (= chrétiens) Ac 6.1+.   **9.2** enchaînés Ac 9.14 — la Voie Es 30.21; Ps 27.11; Pr 15.10; Mt 21.32; 22.16; Ac 16.17; 18.25-26; 19.9, 23; 22.4; 24.14, 22.   **9.5** le Ressuscité apparaît à Saul 1 Co 15.8 — Je suis Lc 21.8; 22.70; 24.39; Jn 6.20, 35.   **9.7** ils entendaient sans voir *Sg* 18.1; Ac 22.9.   **9.8** les yeux ouverts sans rien voir Ac 13.11.   **9.11** Saul, originaire de Tarse Ac 9.30; 21.39.   **9.12** imposition des mains Ac 6.6+ et recouvrement de la vue Mc 8.23-25.   **9.13** acharnement de Saul contre l'église Ac 8.3+ — les saints (= chrétiens) Ac 9.32, 41; 26.10, 18; Rm 1.7+; 1 Co 1.2; 6.1-2; 14.33, etc.; cf. Ac 20.32.

à Jérusalem. ¹⁴ Et ici il dispose des pleins pouvoirs reçus des grands prêtres pour enchaîner tous ceux qui invoquent ton *nom. » ¹⁵ Mais le Seigneur lui dit : « Va, car cet homme est un instrument que je me suis choisi pour répondre de mon nom devant les nations *païennes, les rois et les Israélites. ¹⁶ Je lui montrerai moi-même en effet tout ce qu'il lui faudra souffrir pour mon nom. » ¹⁷ Ananias partit, entra dans la maison, lui imposa les mains et dit : « Saoul, mon frère, c'est le Seigneur qui m'envoie — ce Jésus, qui t'est apparu sur la route que tu suivais, — afin que tu retrouves la vue et que tu sois rempli d'Esprit Saint. » ¹⁸ Des sortes de membranes lui tombèrent aussitôt des yeux et il retrouva la vue. Il reçut alors le baptême ¹⁹ et quand il se fut alimenté, il reprit des forces.

Saul se met à prêcher le Christ

Il passa quelques jours avec les disciples ʸ de Damas, ²⁰ et sans attendre, il proclamait dans les *synagogues que Jésus est le Fils de Dieu. ²¹ Tous ceux qui l'entendaient en restaient stupéfaits et ils disaient : « N'est-ce pas lui qui, à Jérusalem, s'acharnait contre ceux qui invoquent ce *nom ? Et n'était-il pas venu tout exprès pour les conduire, enchaînés, aux *grands prêtres ? » ²² Mais Saul s'affirmait d'autant plus et il confondait les habitants juifs de Damas en prouvant que Jésus était bien le *Messie.

²³ Un temps assez long s'était écoulé, quand ces Juifs se concertèrent pour le faire périr. ²⁴ Saul eut alors connaissance de leur complot. Ils allaient jusqu'à garder les portes de la ville, jour et nuit, pour pouvoir le tuer. ²⁵ Mais, une nuit, ses disciples ᶻ le prirent et le descendirent le long de la muraille dans une corbeille.

Saul à Jérusalem

²⁶ Arrivé à Jérusalem, Saul essayait de s'agréger aux disciples ; mais tous avaient peur de lui, n'arrivant pas à le croire vraiment disciple. ²⁷ Barnabas le prit alors avec lui, l'introduisit auprès des *apôtres et leur raconta comment, sur la route, il avait vu le Seigneur qui lui avait parlé, et comment, à Damas, il s'était exprimé avec assurance au nom de Jésus. ²⁸ Dès lors Saul allait et venait avec eux dans Jérusalem, s'exprimant avec assurance au nom du Seigneur. ²⁹ Il s'entretenait avec les Hellénistes ᵃ et discutait avec eux ; mais eux cherchaient à le faire périr. ³⁰ Les frères, l'ayant appris, le conduisirent à Césarée et de là le firent partir sur Tarse.

³¹ L'Eglise ᵇ, sur toute l'étendue de la Judée, de la Galilée et de la *Samarie, vivait donc en paix, elle s'édifiait et marchait dans la crainte du Seigneur et, grâce à l'appui du Saint Esprit, elle s'accroissait.

Pierre à Lydda ; la guérison d'Enée

³² Or il arriva que Pierre, qui se déplaçait continuellement, descendit aussi chez les saints ᶜ qui habitaient Lydda. ³³ Il trouva là un homme du nom d'Enée, allongé sur un grabat depuis huit ans ; il était paralysé. ³⁴ Pierre lui dit : « Enée, Jésus Christ te guérit. Lève-toi et fais toi-même ton lit ! » Et il se leva aussitôt. ³⁵ L'ayant vu, toute la population de Lydda et de la plaine de Saron se tourna vers le Seigneur.

Pierre à Joppé ;
Tabitha rappelée à la vie

³⁶ Il y avait à Joppé une femme qui était *disciple ; elle s'appelait Tabitha, ce qui se traduit par Dorcas ᵈ. Elle était riche des

---

ʸ Voir Ac 6.1 et note ● z Quelques manuscrits lisent: *les disciples* ● a Voir Ac 6.1 et note c ● b Autre texte: *les églises* ● c Voir Ac 9.13 et note sur Rm 1.7 ● d *Dorcas* est l'équivalent grec du nom juif *Tabitha* et signifie *gazelle*

9.14 faire enchaîner Ac 9.1-2, 21; 26.10 — ceux qui invoquent ton nom Jl 3.5; Ac 9.21; 22.16; 1 Co 1.2; 2 Tm 2.22. **9.15** mon nom Ac 3.16+; Lc 21.12-19 — devant les païens, les rois... Rm 1.5; Ac 26.1; 27.24. **9.16** ce qu'il lui faudra souffrir 2 Co 11.23-28. **9.17** imposition des mains Ac 6.6+. **9.20** Fils de Dieu Mt 14.33+; Mc 1.1+; Ac (8.37); 13.33; Ga 1.16; 1 Th 1.10. **9.21** acharnement de Saul contre l'église Ac 8.3+ — le nom Ac 3.16+. **9.22** la preuve que Jésus est bien le Messie Ac 17.3; 18.5, 28; cf. 5.42. **9.23** complot contre Saul Ac 23.12. **9.24** Saul est informé du complot Ac 23.16. **9.25** disciples Ac 14.20; cf. 6.1 — descente dans une corbeille 2 Co 11.33. **9.27** Barnabas Ac 4.36+ — Saul introduit auprès des apôtres Ga 1.18-24 — Saul a vu le Seigneur 1 Co 9.1; 15.8 et lui a parlé Ac 9.4; 22.7; 26.14 — Saul a prêché aux Juifs de Damas Ac 9.20 — assurance Ac 4.13+. **9.30** Saul à Tarse Ac 11.25; 22.3; cf. Ga 1.21. **9.31** l'Eglise Ac 5.11+ — accroissement de l'Eglise Ac 2.41+. **9.32** les saints Ac 9.13+. **9.36** aumônes Tb 4.7-11; Mt 6.1-4; Lc 11.41; Ac 10.2; cf. Ac 2.44-45.

bonnes œuvres et des aumônes qu'elle faisait. ³⁷ Or, en ces jours-là, elle tomba malade et mourut. Après avoir fait sa toilette, on la déposa dans la chambre haute *e*. ³⁸ Comme Lydda est proche de Joppé *f*, les *disciples avaient appris que Pierre était là et ils lui envoyèrent deux hommes chargés de cette invitation : « Rejoins-nous sans tarder. » ³⁹ Pierre partit aussitôt avec eux. Quand il fut arrivé, on le fit monter dans la chambre haute, et toutes les veuves se tenaient devant lui en pleurs, lui montrant les tuniques et les manteaux que faisait Dorcas quand elle était en leur compagnie. ⁴⁰ Pierre fit sortir tout le monde et, se mettant à genoux, il pria ; puis, se tournant vers le corps, il dit : « Tabitha, lève-toi. » Elle ouvrit les yeux, et, à la vue de Pierre, elle se redressa et s'assit. ⁴¹ Il lui donna la main, la fit lever et, rappelant les saints et les veuves, il la leur présenta vivante. ⁴² Tout Joppé fut au courant, et beaucoup crurent au Seigneur. ⁴³ Pierre demeura assez longtemps à Joppé, chez un certain Simon qui était corroyeur.

La vision de Corneille à Césarée

10 ¹ Il y avait à Césarée un homme du nom de Corneille, centurion à la cohorte *g* appelée « l'Italique ». ² Dans sa piété et sa crainte envers Dieu, que toute sa maison *h* partageait, il comblait de largesses le peuple juif et invoquait Dieu en tout temps. ³ Un jour, vers trois heures de l'après-midi, il vit distinctement en vision un *ange de Dieu entrer chez lui et l'interpeller : « Corneille ! » ⁴ Corneille le fixa du regard et, saisi de crainte, il répondit « Qu'y a-t-il, Seigneur ? — Tes prières et tes largesses se sont dressées en mémorial devant Dieu. ⁵ Et maintenant, envoie des hommes à

Joppé pour en faire venir un certain Simon qu'on surnomme Pierre. ⁶ Il est l'hôte d'un autre Simon, corroyeur, qui habite une maison au bord de la mer. » ⁷ Dès que fut disparu l'ange qui venait de lui parler, Corneille appela deux des gens de sa maison ainsi qu'un soldat d'une grande piété, depuis longtemps sous ses ordres, ⁸ il leur donna tous les renseignements voulus et les envoya à Joppé.

La vision de Pierre à Joppé

⁹ Le lendemain, tandis que, poursuivant leur route, ils se rapprochaient de la ville, Pierre était monté sur la terrasse de la maison pour prier ; il était à peu près midi. ¹⁰ Mais la faim le prit et il voulut manger. On lui préparait un repas quand une extase le surprit. ¹¹ Il contemple le *ciel ouvert : il en descendit un objet indéfinissable, une sorte de toile immense, qui, par quatre points, venait se poser sur la terre. ¹² Et, à l'intérieur, il y avait tous les animaux quadrupèdes et ceux qui rampent sur la terre, et ceux qui volent dans le ciel. ¹³ Une voix s'adressa à lui : « Allez, Pierre ! Tue et mange. ¹⁴ — Jamais, Seigneur, répondit Pierre. Car de ma vie je n'ai rien mangé d'immonde ni *d'impur *i*. » ¹⁵ Et de nouveau une voix s'adressa à lui, pour la seconde fois : « Ce que Dieu a rendu *pur, tu ne vas pas, toi, le déclarer immonde ! » ¹⁶ Cela recommencera trois fois et l'objet fut aussitôt enlevé dans le ciel.

¹⁷ Pierre essayait en vain de s'expliquer à lui-même ce que pouvait bien signifier la vision qu'il venait d'avoir, quand justement les envoyés de Corneille, qui avaient demandé çà et là la maison de Simon, se présentèrent au portail. ¹⁸ Ils se mirent à crier pour s'assurer que Simon surnommé Pierre était bien l'hôte de cette

---

e Voir Ac 1.13 et note ● *f* Il y a environ 20 km de Lydda à Joppé ● *g* *Centurion:* Voir Mc 15.39 et note — *Cohorte:* voir Mc 15.16 et note ● *h* Expression raccourcie pour désigner tous ceux qui logeaient dans la maison: famille, serviteurs, etc. ● *i* Les termes *d'immonde* et *d'impur* sont pratiquement synonymes ici; cf. Lv 11

9.40 lève-toi Mc 5.40-41. **9.41** les saints Ac 9.13+. **10.1-8** la vision de Corneille Ac 10.30-33; cf. 11.13. **10.1** Césarée Ac 23.23+. **10.2** centurion bienveillant Lc 7.2, 5; Ac 27.1, 3 — piété Ac 3.12; 10.7; 1 Tm 3.16; 4.7-8; 6.3, 5-6, 11; 2 Tm 3.5, 12; Tt 1.1; 2.12; 2 P 1.3, 6; 2.9; 3.11 — crainte de Dieu Pr 1.7; Si 1.11-20; Ac 9.31; 10.22, 35; 13.16, 26; cf. 13.43; 18.7 — toute sa maison Ac 11.14; 16.15, 31; 18.8; cf. 1 Co 1.16 — largesses Ac 9.36; 10.4, 31. **10.3** trois heures de l'après-midi Ac 3.1 — vision Ac 7.55-56; 9.10, 12; 10.17, 19; 11.5; 12.9; 16.9-10; 18.9 — l'ange de Dieu Ac 24.4, 23; Ac 5.19; 8.26; 10.7; 22 (cf. v. 30); 11.13; 12.7-10; cf. Mt 1.20+. **10.4** mémorial Ex 12.14; Lv 2.2; Jos 4.7; Ac 10.31. **10.5** Simon surnommé Pierre Mt 4.18+. **10.10** extase Ac 11.5; 22.17; cf. Mc 5.42; 16.8; Lc 5.26; Ac 3.10. **10.11-20** la vision de Pierre Ac 11.5-12; cf. 10.28. **10.11** le ciel ouvert Mt 3.16+. **10.12** quadrupèdes, reptiles, oiseaux Gn 1.21, 24 (cf. 6.7; 7.14); Ac 11.6. **10.14** rien d'immonde ni d'impur Lv 11.1-47; Ez 4.14. **10.15** ce que Dieu a rendu pur Mc 7.15, 19; Ac 10.28, 34. **10.18** Simon surnommé Pierre Mt 4.18+.

maison. ¹⁹ Pierre était toujours préoccupé de sa vision, mais l'Esprit lui dit : « Voici deux hommes qui te cherchent. ²⁰ Descends donc tout de suite et prends la route avec eux sans te faire aucun scrupule : car c'est moi qui les envoie. » ²¹ Pierre descendit rejoindre ces gens. « Me voici, leur dit-il. Je suis celui que vous cherchez. Quelle est la raison de votre visite ? » ²² Ils répondirent : « C'est le centurion Corneille, un homme juste, qui craint Dieu, et dont la réputation est bonne parmi la population juive tout entière. Un *ange saint lui a révélé qu'il devait te faire venir dans sa maison pour l'écouter exposer des événements. » ²³ Pierre les fit alors entrer et leur offrit l'hospitalité.

Le lendemain même, il partit avec eux accompagné par quelques frères de Joppé. ²⁴ Et le surlendemain, il arrivait à Césarée. Corneille, de son côté, qui les attendait, avait convoqué sa parenté et ses amis intimes. ²⁵ Au moment où Pierre arriva, Corneille vint à sa rencontre et il tomba à ses pieds pour lui rendre hommage. ²⁶ « Lève-toi ! » lui dit Pierre et il l'aida à se relever. « Moi aussi, je ne suis qu'un homme. » ²⁷ Et, tout en conversant avec lui, il entra. Découvrant alors une nombreuse assistance, ²⁸ il déclara : « Comme vous le savez, c'est un crime pour un *Juif que d'avoir des relations suivies ou même quelque contact avec un étranger. Mais, à moi, Dieu vient de me faire comprendre qu'il ne fallait déclarer immonde ou *impur aucun homme. ²⁹ Voilà pourquoi c'est sans aucune réticence que je suis venu quand tu m'as fait demander. Mais maintenant j'aimerais savoir pour quelle raison vous m'avez fait venir. » ³⁰ Et Corneille de répondre : « Il y a trois jours juste en ce moment, à trois heures de l'après-midi, j'étais en prière dans ma maison. Soudain un personnage aux vêtements splendides se présente devant moi ³¹ et me déclare : "ta prière a trouvé audience, Corneille, et de tes largesses la mémoire est présente devant Dieu. ³² Envoie donc quelqu'un à Joppé pour inviter Simon qu'on surnomme Pierre à venir ici. Il est l'hôte de la maison de Simon le corroyeur, au bord de la mer." ³³ Sur l'heure, je t'ai donc envoyé chercher et tu as été assez aimable pour nous rejoindre. Maintenant nous voici tous devant toi pour écouter tout ce que le Seigneur t'a chargé de nous dire. »

Pierre prend la parole chez Corneille

³⁴ Alors Pierre ouvrit la bouche et dit : « Je me rends compte en vérité que Dieu est impartial, ³⁵ et qu'en toute nation, quiconque le craint et pratique la justice trouve accueil auprès de lui. ³⁶ Son message, il l'a envoyé aux Israélites : la bonne nouvelle de la paix par Jésus Christ, lui qui est le Seigneur de tous les hommes.

³⁷ « Vous le savez. L'événement a gagné la Judée entière ; il a commencé par la Galilée, après le baptême que proclamait Jean ; ³⁸ ce Jésus issu de Nazareth, vous savez comment Dieu lui a conféré *l'onction d'Esprit Saint et de puissance ; il est passé partout en bienfaiteur, il guérissait tous ceux que le *diable tenait asservis, car Dieu était avec lui.

³⁹ « Et nous autres sommes témoins de toute son œuvre sur le territoire des *Juifs comme à Jérusalem. Lui qu'ils ont supprimé en le pendant au bois, ⁴⁰ Dieu l'a ressuscité le troisième jour, et il lui a donné de manifester sa présence, ⁴¹ non pas au peuple en général, mais bien à des témoins nommés d'avance par Dieu, à nous qui avons mangé avec lui et bu avec lui après sa résurrection d'entre les morts. ⁴² Enfin, il nous a prescrit de proclamer au peuple et de porter ce témoignage :

10.19 l'Esprit lui dit Ac 11.12 ; 13.2. **10.22** Corneille Ac 10.1-2 doit faire venir Pierre Ac 10.5 — centurion bienveillant Ac 10.2+. **10.25-26** un hommage à refuser Ac 14.13-15 ; Ap 19.10. **10.26** je ne suis qu'un homme Sg 7.1. **10.28** aucun homme ne peut être regardé comme impur Ac 10.15 ; 11.3, 9. **10.30-33** la vision de Corneille Ac 10.1-8. **10.30** prière de l'après-midi Ac 3.1 — un personnage aux vêtements splendides Lc 24.4 ; Ac 1.10. **10.32** Simon Pierre Mt 4.18+ — l'hôte de Simon le corroyeur Ac 9.43 ; 10.6. **10.34** ouvrir la bouche (pour une parole importante) Ac 8.35+ — Dieu n'est pas partial Dt 10.17 ; 2 Ch 19.7 ; Rm 2.11 ; Ga 2.6 ; Ep 6.9 ; Col 3.25 ; 1 P 1.17. **10.35** ceux qui trouvent accueil auprès de Dieu Jn 9.31 ; Rm 14.18. **10.36** autres exemples de message apostolique Ac 2.14+ — Dieu a envoyé son message Ps 107.20 ; 147.18 — la bonne nouvelle de la paix Es 52.7 ; Na 2.1 — aux Israélites Ac 13.46 — Seigneur de tous les hommes Ap 17.14 ; 19.16. **10.37** débuts de l'Evangile en Galilée Mt 4.12, 17 ; Mc 1.14. **10.38** onction d'Esprit Saint Es 61.1 ; Lc 3.21-22 ; 4.18-21 — Dieu était avec lui Jn 3.2. **10.39** témoins Ac 1.8+ — supprimé par pendaison Dt 21.22 ; cf. Ac 2.23, 3.13-15 ; 13.28 ; Ga 3.13. **10.40-41** Dieu l'a ressuscité Ac 2.24+. **10.40** le troisième jour Lc 9.22 ; 13.32 ; 18.33 ; 24.7, 46 ; 1 Co 15.4 — manifesté non à tous mais à nous Jn 14.19, 22. **10.41** mangé avec lui après sa résurrection Lc 24.30, 42 ; Jn 21.12-13 ; Ac 1.4. **10.42** juge des morts et des vivants Ac 17.31 ; Rm 14.9 ; 2 Tm 4.1 ; 1 P 4.5 ; cf. Mt 25.31-46 et Rm 2.16 ; 3.6 ; 1 P 1.17.

c'est lui que Dieu a désigné comme juge des vivants et des morts ; 43 c'est à lui que tous les *prophètes rendent le témoignage que voici : le pardon des péchés est accordé par son Nom *j* à quiconque met en lui sa foi. »

L'Esprit Saint vient sur les païens

44 Pierre exposait encore ces événements quand l'Esprit Saint tomba sur tous ceux qui avaient écouté la Parole. 45 Ce fut de la stupeur parmi les croyants *circoncis qui avaient accompagné Pierre : ainsi, jusque sur les nations *païennes, le don de l'Esprit Saint était maintenant répandu ! 46 Ils les entendaient ces gens, en effet, parler en langues et célébrer la grandeur de Dieu. Pierre reprit alors la parole : 47 « Quelqu'un pourrait-il empêcher de baptiser par l'eau ces gens qui, tout comme nous, ont reçu l'Esprit Saint ? » 48 Il donna l'ordre de les baptiser au *nom de Jésus Christ et ils lui demandèrent alors de rester encore quelques jours.

A Jérusalem Pierre justifie sa conduite

11 1 Les *apôtres et les frères établis en Judée avaient entendu dire que les nations *païennnes, à leur tour, venaient de recevoir la parole de Dieu. 2 Lorsque Pierre remonta à Jérusalem, les circoncis *k* eurent des discussions avec lui : 3 « Tu es entré, disaient-ils, chez des *incirconcis notoires et tu as mangé avec eux *l* ! » 4 Alors Pierre reprit l'affaire depuis le début et la leur exposa point par point :

5 « Comme je me trouvais dans la ville de Joppé en train de prier, j'ai vu en extase cette vision : du ciel descendait un objet indéfinissable, une sorte de toile immense qui, par quatre points, venait se poser du ciel, et arriva jusqu'à

moi. 6 Le regard fixé sur elle, je l'examinais et je vis les quadrupèdes de la terre, les animaux sauvages, ceux qui rampent et ceux qui volent dans le ciel. 7 Puis j'entendis une voix me dire : "Allez, Pierre ! Tue et mange. 8 Je dis alors : "jamais Seigneur. Car de ma vie rien d'immonde ou *d'impur n'est entré dans ma bouche." 9 Une seconde fois la voix reprit depuis le ciel : "Ce que Dieu a rendu *pur, toi, ne va pas le déclarer immonde !" 10 Cela recommença trois fois, puis le tout fut de nouveau hissé dans le ciel. 11 Et voilà qu'à l'instant même trois hommes se présentèrent à la maison où nous étions *m* ; ils m'étaient envoyés de Césarée. 12 L'Esprit me dit de m'en aller avec eux sans aucun scrupule. Les six frères que voici m'ont accompagné. Et nous sommes entrés dans la maison de l'homme en question. 13 Il nous a raconté comment il avait vu *l'ange se présenter dans sa maison et lui dire : "Envoie quelqu'un à Joppé pour faire venir Simon qu'on surnomme Pierre. 14 Il exposera devant toi les événements qui apporteront le salut à toi et à toute ta maison." 15 A peine avais-je pris la parole que l'Esprit Saint tomba sur eux comme il l'avait fait sur nous au commencement. 16 Je me suis souvenu alors de cette déclaration du Seigneur : "Jean, disait-il, a donné le baptême d'eau, mais vous, vous allez recevoir le baptême dans l'Esprit Saint." 17 Si Dieu a fait à ces gens le même don gracieux qu'à nous autres pour avoir cru au Seigneur Jésus Christ, étais-je quelqu'un, moi, qui pouvait empêcher Dieu d'agir ? » 18 A ces mots les auditeurs retrouvèrent leur calme et se rendirent gloire à Dieu : « Voilà que Dieu a donné aussi aux nations païennes la conversion qui mène à la *Vie ! »

Une église se fonde à Antioche

19 Cependant ceux qu'avait dispersés la

---

j Voir Ac 3.16 et note ● *k* Il s'agit ici des chrétiens d'origine juive constituant l'église de Jérusalem ● *l* Voir Ac 10.28 ● *m* Autre texte: la maison *où j'étais*

10.43 le témoignage des prophètes Ac 3.18+ — le pardon des péchés annoncé par les prophètes Es 33.24; 53. 5-6; Jr 31.34; Dn 9.24; cf. Rm 1.17; 9.33; 10.13 — son Nom Ac 3.16+ — à quiconque croit Ac 11.17; 15.9; Rm 1.16. **10.44** l'Esprit Saint tomba sur eux Ac 11.15; 15.8. **10.46** parler en langues Mc 16.17; Ac 2.4, 11, 17; 19.6. **10.47** quel empêchement à recevoir le baptême? Ac 8.36. **10.48** baptisés au nom de Jésus Christ Ac 2.38+ — prié de rester encore quelques jours Jn 4.40. **11.1** les frères Ac 1.15+. **11.3** Pierre a mangé avec les païens Ac 10.28; Ga 2.12. **11.5-12** la vision de Pierre et l'ordre du Saint Esprit Ac 10.9-20. **11.6** animaux de la vision Ac 10.12. **11.12** sans aucun scrupule cf. Ac 10.20; 15.9 — les frères accompagnant Pierre Ac 10.23, 45. **11.13** l'ordre d'envoyer chercher Pierre Ac 10.3-5, 22, 30-32. **11.14** il exposera devant toi Ac 10.22 — pour toi et toute ta maison Ac 16.15, 31-32; 18.8. **11.15** l'Esprit tomba sur eux Ac 10.44 comme sur nous au commencement Ac 2.4. **11.16** la déclaration du Seigneur Ac 1.5. **11.17** pour avoir cru Ac 10.43 — empêcher... Ac 10.47. **11.18** Dieu a donné cf. Ac 15.11 — accès des païens à la Vie Ac 13.48; 14.27.

tourmente survenue à propos d'Etienne étaient passés jusqu'en Phénicie, à Chypre et à Antioche, sans annoncer la Parole à nul autre qu'aux *Juifs. [20] Certains d'entre eux pourtant, originaires de Chypre et de Cyrène, une fois arrivés à Antioche [n], adressaient aussi aux Grecs la bonne nouvelle de Jésus Seigneur. [21] Le Seigneur leur prêtait main forte, si bien que le nombre fut grand de ceux qui se tournèrent vers le Seigneur, en devenant croyants. [22] La nouvelle de cet événement parvint aux oreilles de l'église qui était à Jérusalem et l'on délégua Barnabas à Antioche. [23] Quand il vit sur place la grâce de Dieu à l'œuvre, il fut dans la joie et il les pressait tous de rester du fond du cœur attachés au Seigneur. [24] C'était en effet un homme droit, rempli d'Esprit Saint et de foi. Une foule considérable se joignit ainsi au Seigneur. [25] Barnabas partit alors à Tarse pour y chercher Saul [o], [26] il l'y trouva et l'amena à Antioche. Ils passèrent une année entière à travailler ensemble dans cette église et à instruire une foule considérable. Et c'est à Antioche que, pour la première fois, le nom de « chrétiens » fut donné aux *disciples.

Un geste d'entraide

[27] En ces jours-là, des *prophètes descendirent de Jérusalem à Antioche. [28] L'un d'eux, appelé Agabus, fit alors savoir, éclairé par l'Esprit, qu'une grande famine allait régner dans le monde entier — elle eut lieu en effet sous Claude [p]. [29] Les disciples décidèrent alors qu'ils enverraient, selon les ressources de chacun, une contribution au service des frères qui habitaient la Judée. [30] Ce qui fut fait. L'envoi, adressé aux *anciens, fut confié aux mains de Barnabas et de Saul.

Jacques exécuté ; Pierre arrêté et délivré

12 [1] A cette époque-là, le roi Hérode [q] entreprit de mettre à mal certains membres de l'église. [2] Il supprima par le glaive Jacques, le frère de Jean. [3] Et, quand il eut constaté la satisfaction des Juifs, il fit procéder à une nouvelle arrestation, celle de Pierre — c'était les jours des *pains sans levain. [4] L'ayant fait appréhender, il le mit en prison et le confia à la garde de quatre escouades de quatre soldats ; il se proposait de le citer devant le peuple après la fête de la *Pâque. [5] Pierre était donc en prison, mais la prière ardente de l'église montait sans relâche vers Dieu à son intention.

[6] Hérode allait le faire comparaître. Cette nuit-là, Pierre dormait entre deux soldats, maintenu par deux chaînes, et des gardes étaient en faction devant la porte. [7] Mais, tout à coup, l'ange du Seigneur [r] surgit et le local fut inondé de lumière. L'ange réveilla Pierre en lui frappant le côté : « Lève-toi vite ! lui dit-il. » Les chaînes se détachèrent des mains de Pierre. [8] Et l'ange de poursuivre : « Mets ta ceinture et lace tes sandales ! » Ce qu'il fit. L'ange ajouta : « Passe ton manteau et suis-moi ! » [9] Pierre sortit à sa suite ; il ne se rendait pas compte que l'intervention de l'ange était réelle mais croyait avoir une vision. [10] Ils passèrent ainsi un premier poste de garde, puis un second, et arrivèrent à la porte de fer qui donnait sur la ville : elle s'ouvrit toute seule devant eux. Une fois dehors, ils allèrent au bout de la rue et soudain l'ange quitta Pierre [11] qui reprit alors ses esprits :

n *Antioche:* capitale très populeuse de la province romaine de Syrie • *o* Voir Ac 9.30 • *p* *Claude*, cinquième empereur de Rome, détint le pouvoir entre les années 41 et 54 ap. J.C. Les documents de l'époque permettent de situer une *famine* chronique en divers points de l'empire entre les années 46 et 48 ap. J.C. • *q* Il s'agit d'*Hérode Agrippa I*, neveu d'Hérode Antipas; il régna sur toute la Judée à partir de l'an 41 • *r* Voir Mt 1.20 et note

11.19 dispersion et évangélisation Ac 8.1-4 — Chypre Ac 4.36; 21.26 — Antioche Ac 13.1-3; 14.26-28; 15.35-36; 18.22. **11.20** aussi aux Grecs Jn 7.35. **11.21** accroissement de la communauté Ac 2.41+. **11.22** aux oreilles de l'église de Jérusalem Ac 8.14; 11.1 — délégués de l'église de Jérusalem Ac 8.14; 9.32 — Barnabas Ac 4.36+. **11.23** encouragements à rester attachés au Seigneur Ac 13.43; 14.22. **11.24** rempli d'Esprit Saint et de foi Ac 6.5 — accroissement de la communauté Ac 2.41+. **11.25** Saul à Tarse Ac 9.30. **11.26** l'église Ac 5.11+ — chrétiens Ac 26.28; 1 P 4.16 — disciples Ac 6.1+ (cf. 1.15; 2.44; 9.2, 13). **11.27** des prophètes dans l'église Ac 13.1; 15.32; 19.6; 21.9-10; cf. 2.18. **11.28** Agabus Ac 21.10. **11.30** les anciens 1) dans le Judaïsme Ac 4.5, 8, 23; 23.14; 25.15; 2) dans les églises chrétiennes Ac 14.23; 15.2, 4, 6, etc.; 16.4; 20.17 — voyages de Paul à Jérusalem Ac 9.26-30; cf. 12.25; 15.4; Ga 1.18; 2.1. **12.2** Jacques, le frère de Jean Mt 4.21+. **12.3** les jours des pains sans levain Mt 26.17+. **12.4** Pierre appréhendé et emprisonné Ac 4.3; 5.18. **12.5** prière d'intercession Jc 5.16. **12.6** des gardes devant la porte Ac 5.23. **12.7** l'ange du Seigneur Mt 1.20+. **12.10** les portes s'ouvrent Ac 5.19; cf. 16.26.

« Cette fois, se dit-il, je comprends : c'est vrai que le Seigneur a envoyé son ange et qu'il m'a fait échapper aux mains d'Hérode et à toute l'attente du peuple des *Juifs. » [12] Il se repéra et gagna la maison de Marie, la mère de Jean surnommé Marc : il y avait là une assez nombreuse assistance en prière. [13] Quand il frappa au battant du portail, une jeune servante vint répondre, qui s'appelait Rhodè. [14] Elle reconnut la voix de Pierre et, du coup, dans sa joie, elle n'ouvrit pas le portail, mais rentra en courant pour annoncer que Pierre était là, devant le portail. [15] « Tu es folle, lui dit-on. » Mais elle n'en démordait pas. « Alors, c'est son ange [s], dirent-ils ». [16] Pierre cependant continuait à frapper. Ils ouvrirent enfin : c'était lui ; ils n'en revenaient pas. [17] De la main il leur fit signe de se taire, leur raconta comment le Seigneur l'avait fait sortir de prison et conclut : « Allez l'annoncer à Jacques [t] et aux frères. » Puis il s'en alla et se mit en route pour une autre destination.

[18] Au lever du jour, il y avait de l'agitation chez les soldats : qu'est-ce que Pierre avait bien pu devenir ? [19] Hérode le fit rechercher sans réussir à le trouver. Il fit donc procéder à l'interrogatoire des gardes et donna l'ordre de les emmener. Puis il descendit de Judée à Césarée, où il passa quelque temps.

Mort du roi Hérode Agrippa

[20] *Hérode avait avec les gens de Tyr et de Sidon un litige irritant. Ceux-ci tombèrent d'accord pour se présenter devant lui. Avec l'appui de Blastus, le chambellan du roi, qu'ils s'étaient acquis, ils sollicitèrent une solution amiable — le ravitaillement de leur territoire venait en effet

de celui du roi. [21] Au jour convenu, Hérode, portant son vêtement royal, avait pris place à la tribune et prononçait la harangue officielle, [22] tandis que le peuple l'acclamait : « C'est la voix d'un dieu et non d'un homme ! » [23] Mais soudain, l'ange du Seigneur frappa Hérode, pour n'avoir pas rendu à Dieu la gloire et, dévoré par les vers, il expira [u].

[24] La parole de Dieu, cependant, croissait et se multipliait. [25] Quant à Barnabas et Saul, ils repartirent une fois assuré leur service en faveur de Jérusalem [v] ; ils ramenaient avec eux Jean, surnommé Marc.

Barnabas et Saul sont envoyés en mission

13 [1] Il y avait à Antioche [w], dans l'église du lieu, des *prophètes et des hommes chargés de l'enseignement [x] : Barnabas, Syméon appelé Niger et Lucius de Cyrène, Manaen compagnon d'enfance *d'Hérode le tétrarque [y], et Saul. [2] Un jour qu'ils célébraient le culte du Seigneur et *jeûnaient, l'Esprit Saint dit : « Réservez-moi donc Barnabas et Saul pour l'œuvre à laquelle je les destine. » [3] Alors, après avoir jeûné et prié, et leur avoir *imposé les mains, ils leur donnèrent congé.

Barnabas et Saul à Chypre

[4] Se trouvant ainsi envoyés en mission par le Saint Esprit, Barnabas et Saul descendirent à Séleucie [z], d'où ils firent voile vers Chypre. [5] Arrivés à Salamine, ils annonçaient la parole de Dieu dans les *synagogues des Juifs. Il y avait également Jean [a], leur auxiliaire. [6] Après avoir traversé toute l'île jusqu'à Paphos,

s Voir Mt 18.10; He 1.14; cf. Tb 5.4 ● t Voir Ga 1.19. Il s'agit de Jacques le frère du Seigneur ● u La mort d'Hérode Agrippa survint en l'an 44. L'historien juif de l'époque Flavius Josèphe a noté la soudaineté et l'étrangeté de cette mort ● v Voir Ac 11.30 ● w Voir Ac 11.20 et note ● x Prophètes : Voir Ep 2.20 et note — hommes chargés de l'enseignement, ou docteurs : ce sont les membres de l'église chargés d'enseigner ce qui concerne la foi ● y Voir Mc 1.14 et note ● z Séleucie était le port d'Antioche, en face de l'île de Chypre ● a Voir Ac 12.12, 25: c'est Jean surnommé Marc

12.12 Jean surnommé Marc Ac 12.25; 13.5, 13; 15.37-39; Col 4.10; 2 Tm 4.11; Phm 24; 1 P 5.13. 12.17 il fit signe de la main Ac 13.16; 19.33; 21.40 — Jacques Ac 15.13+ — les frères Ac 1.15+ — une autre destination pour Pierre Ga 2.7; 1 Co 9.5; 1 P 12.18-19 Pierre introuvable Ac 5.22-24. 12.20 Hérode Agrippa I Ac 12.1 — Tyr et Sidon importateurs de denrées palestiniennes 1 R 5.25; Ez 27.17. 12.22 le roi qui laisse se diviniser Ez 28.2. 12.23 pour n'avoir pas rendu gloire à Dieu Dn 5.20. 12.24 progression de la parole de Dieu Ac 6.7; 19.20. 12.25 mission de Barnabas (Ac 4.36+) et Saul à Jérusalem Ac 11.29-30 — Jean surnommé Marc Ac 12.12+. 13.1 l'église à Antioche Ac 5.11+ — des prophètes dans l'église Ac 11.27+ — ceux qui sont chargés d'enseigner 1 Co 12.28; Ep 4.11; He 5.12; Jc 3.1 — Barnabas Ac 4.36+. 13.2 Saul réservé Ac 9.15; Ga 1.15-16 — pour l'œuvre... Ac 14.26. 13.3 (jeûne) prière et imposition des mains Ac 6.6; 14.23. 13.4 vers Chypre Ac 15.39. 13.5 d'abord aux Juifs Ac 3.26; 13.14, 46; 14.1; 16.13; 17.2, 10, 17; 18.4, 19; 19.8; 28.17, 23 — Jean surnommé Marc Ac 12.12+.

FIG. EATEN UP

INTRIGUES PERVERT INVADE

ils rencontrèrent là un magicien, soi-disant prophète : c'était un Juif, du nom de Bar-Jésus, [7] qui appartenait à l'entourage du proconsul [b] Sergius Paulus, un homme intelligent. Celui-ci invita Barnabas et Saul et manifesta le désir d'entendre la parole de Dieu. [8] Mais Elymas, le magicien — car c'est ainsi que se traduit son nom — s'opposait à eux et cherchait à détourner de la foi le proconsul. [9] Alors Saul, ou plutôt Paul [c], rempli d'Esprit Saint, fixa son regard sur lui [10] et lui dit : « Toi qui es pétri de ruse et de manigances, fils du *diable, ennemi juré de la justice, ne vas-tu pas cesser de fausser la rectitude des voies du Seigneur ? [11] Voici, du reste, que la main du Seigneur est sur toi : tu vas être aveugle, et, jusqu'à nouvel ordre, tu ne verras même plus le soleil. » A l'instant même, l'obscurité et les ténèbres l'envahirent, et il tournait en rond à la recherche d'un guide. [12] Quand il eut vu ce qui se passait, le proconsul devint croyant ; car la doctrine du Seigneur l'avait vivement impressionné.

Prédication de Paul à Antioche de Pisidie

[13] Paul et ses compagnons embarquèrent à Paphos et gagnèrent Pergé en Pamphylie [d]. Et Jean se sépara d'eux pour retourner à Jérusalem. [14] Quant à eux, quittant Pergé, ils poursuivirent leur route et arrivèrent à Antioche de Pisidie. Le jour du *sabbat, ils entrèrent dans la *synagogue et s'assirent. [15] Après la lecture de la Loi et des Prophètes [e], les chefs de la synagogue leur firent dire : « Frè-res, si vous avez quelques mots d'exhortation à adresser au peuple, prenez la parole ! » [16] Paul alors se leva, fit signe de la main et dit :

« Israélites, et vous qui craignez Dieu [f], écoutez-moi. [17] Le Dieu de notre peuple d'Israël a choisi nos pères. Il a fait grandir le peuple pendant son séjour au pays d'Egypte ; puis, à la force du bras, il les en a fait sortir ; [18] pendant quarante ans environ, il les a nourris [g] au désert ; [19] ensuite, après avoir exterminé sept nations au pays de Canaan, il a distribué leur territoire en héritage : [20] tout cela a duré quatre cent cinquante ans environ. Après quoi, il leur a donné des juges jusqu'au *prophète Samuel. [21] Ils ont alors réclamé un roi et Dieu leur a donné Saül, fils de Kis, membre de la tribu de Benjamin, qui régna quarante ans. [22] Après l'avoir déposé, Dieu leur a suscité David comme roi. C'est à lui qu'il a rendu ce témoignage : *"J'ai trouvé David, fils de Jessé, un homme selon mon cœur, qui accomplira toutes mes volontés."* [23] C'est de sa descendance que Dieu, selon sa promesse, a fait sortir Jésus, le sauveur d'Israël. [24] Précédant sa venue, Jean [h] avait déjà proclamé un baptême de conversion pour tout le peuple d'Israël [25] et, alors qu'il terminait sa course, il disait : *"Que supposez-vous que je suis ? Ce n'est pas moi [i] ! Mais voici que vient après moi quelqu'un dont je ne suis pas digne de délier les sandales."*

[26] « Frères, que vous soyez des fils de la race d'Abraham ou de ceux, parmi vous, qui craignent Dieu, c'est à nous [j] que cette parole de salut a été envoyée. [27] La population de Jérusalem et ses

---

[b] *Proconsul* était le titre du haut-fonctionnaire romain gouvernant une province pacifiée ● [c] *Saul* était le nom juif de l'apôtre (9.4 et note), *Paul* son nom romain (voir 22.28-30) ● [d] Ville de la côte sud de l'Asie Mineure — Sur *Jean* (surnommé *Marc*) voir Ac 12.12, 23 et 13.5 ● [e] Voir Rm 3.19 et note ● [f] *Ceux qui craignent Dieu*: expression désignant des non-Juifs qui avaient adopté la foi juive au Dieu unique et certaines pratiques du Judaïsme. Il ne faut pas les confondre avec les prosélytes (voir Mt 23.15 et note) ● [g] Autre texte: *il les a supportés* ● [h] Il s'agit de Jean le Baptiste ● [i] Ou *je ne suis pas moi, ce que vous supposez* ● [j] Autre texte: *c'est à vous*

13.8 opposition à la parole de Dieu 2 Tm 3.8. **13.10** tordre les voies du Seigneur Pr 10.9 — les voies droites du Seigneur Os 14.10. **13.11** aveugle jusqu'à nouvel ordre Ac 9.8 ; 22.11. **13.13** Jean surnommé Marc Ac 12.12 +. **13.15** lecture (cultuelle) de la loi Ac 15.21 — homélie suivant la lecture biblique Lc 4.16-22. **13.16** Paul fait signe de la main Ac 12.17 + — autres exemples de message apostolique Ac 2.14 + — vous qui craignez Dieu Ac 10.2 +. **13.17** à la force du bras il les fit sortir... Ex 6.1, 6 ; 12.51. **13.18** quarante ans au désert Ex 16.35 ; Nb 14.34 ; Dt 2.7. **13.19** sept nations Dt 7.1 — le territoire de Canaan distribué en héritage Jos 14.1. **13.20** juges Jg 2.16 — le prophète Samuel 1 S 3.20. **13.21** ils ont réclamé un roi 1 S 8.5, 19 — Saül 1 S 10.20-24 ; 11.15 — de la tribu de Benjamin Rm 11.1 ; Ph 3.5. **13.22** Saül, roi déposé 1 S 13.14 — David suscité comme roi 1 S 16.12-13 — J'ai trouvé David Ps 89.21 — un homme selon mon cœur 1 S 13.14 — il accomplira mes volontés Es 44.28. **13.23** de la descendance de David 2 S 7.12 ; Es 11.1 ; Ac 2.25-32, 34 — Jésus le sauveur Ac 4.12 + ; cf. Lc 2.11 +. **13.24** intervention de Jean le Baptiste Mt 3.1-2 ; Mc 1.4-5 ; Lc 3.3 ; 16.16 ; Ac 1.5 ; 10.37 ; 19.3-5. **13.25** Jean se défend d'être le Messie Lc 3.15 ; Jn 1.20 ; 3.28 — vient après moi quelqu'un Mt 3.11 ; Mc 1.7 ; Lc 3.16 ; Jn 1.27. **13.26** vous qui craignez Dieu Ac 10.2 +. **13.27** ils ont méconnu Jésus Ac 3.17.

chefs ont méconnu Jésus ; et, en le condamnant, ils ont accompli les paroles des *prophètes qu'on lit chaque sabbat. ²⁸ Sans avoir trouvé aucune raison de le mettre à mort, ils ont demandé à Pilate de le faire périr ²⁹ et, une fois qu'ils ont eu accompli tout ce qui était écrit à son sujet, ils l'ont descendu du bois et déposé dans un tombeau. ³⁰ Mais Dieu l'a ressuscité des morts ³¹ et il est apparu pendant plusieurs jours à ceux qui étaient montés avec lui de la Galilée à Jérusalem, eux qui sont maintenant ses témoins devant le peuple.

³² « Nous aussi, nous vous annonçons cette bonne nouvelle : la promesse faite aux pères, ³³ Dieu l'a pleinement accomplie à l'égard de nous, leurs enfants, quand il a ressuscité Jésus, comme il est écrit au psaume second :

Tu es mon fils,
Moi, aujourd'hui, je t'ai engendré.

³⁴ Que Dieu l'ait ressuscité des morts, sans retour possible à la décomposition, c'est bien ce qu'il avait déclaré :

Je vous donnerai les saintes,
les véritables réalités de David.

³⁵ C'est pourquoi, il dit aussi dans un autre passage :

Tu ne laisseras pas ton Saint connaî-
tre la décomposition.

³⁶ Or David, après avoir servi en son temps le dessein de Dieu, s'est endormi, a été mis auprès de ses pères et il a connu la décomposition. ³⁷ Mais celui que Dieu a ressuscité n'a pas connu la décomposition. ³⁸ Sachez-le donc, frères, c'est grâce à lui que vous vient l'annonce du pardon des péchés, et cette justification que vous n'avez pas pu trouver dans la *loi de Moïse, ³⁹ c'est en lui qu'elle est pleinement accordée à tout homme qui croit.

⁴⁰ « Prenez donc garde d'être atteints par cette parole des *prophètes :

⁴¹ *Regardez-vous les arrogants,*

Soyez frappés de stupeur et dispa-
raissez !
Je vais en effet, de votre vivant, ac-
complir une œuvre,
une œuvre que vous ne croiriez pas
si quelqu'un vous la racontait. »

⁴² A leur sortie, on pria instamment Paul et Barnabas de reparler du même sujet le sabbat suivant. ⁴³ Quand l'assemblée se fut dispersée, un bon nombre de *Juifs et de prosélytes adorateurs ᵏ accompagnèrent Paul et Barnabas qui, dans leurs entretiens avec eux, les engageaient à rester attachés à la grâce de Dieu.

Paul et Barnabas se tournent vers les païens

⁴⁴ Le *sabbat venu, presque toute la ville s'était rassemblée pour écouter la parole du Seigneur. ⁴⁵ A la vue de cette foule, les Juifs furent pris de fureur et c'était des injures qu'ils opposaient aux paroles de Paul. ⁴⁶ Paul et Barnabas eurent alors la hardiesse de déclarer : « C'est à vous d'abord que devait être adressée la parole de Dieu ! Puisque vous la repoussez et que vous vous jugez vous-mêmes indignes de la *vie éternelle, alors nous nous tournons vers les *païens. ⁴⁷ Car tel est bien l'ordre que nous tenons du Seigneur :

Je t'ai établi lumière des nations,
pour que tu apportes le salut aux
extrémités de la terre. »

⁴⁸ A ces mots, les païens, tout joyeux, glorifiaient la parole du Seigneur et tous ceux qui se trouvaient destinés à la vie éternelle devinrent croyants.

⁴⁹ La parole du Seigneur gagnait toute la contrée. ⁵⁰ Mais les Juifs jetèrent l'agitation parmi les femmes de haut rang qui adoraient Dieu ainsi que parmi les notables de la ville ; ils provoquèrent une persécution contre Paul et Barnabas et les

ᵏ Voir Mt 23.15 et note AFFECTED

13.28 mis à mort sans raison. Mt 26.60 ; Mc 14.55, 56, 59 ; 15.14 ; Lc 23.4, 14-15, 22 ; Jn 18.38 ; 19.4, 6 — ils ont demandé à Pilate... Lc 23.21, 23 par. ; Jn 19.6, 7, 15. 13.29 descendu de la croix et mis au tombeau Lc 23.53 par. ; Jn 19.38, 41-42. 13.30 mais Dieu l'a ressuscité Ac 2.24+. 13.31 il est apparu Ac 1.3 — témoins Ac 1.8+. 13.32-33 promesse de Dieu Ac 13.23. 13.33 Tu es mon fils Ps 2.7 (Lc 3.22 ; He 1.5 ; 5.5). 13.34 je vous donnerai... Es 55.3 (grec). 13.35 tu ne laisseras pas... Ps 16.10 (grec). 13.36 David s'est endormi 1 R 2.10 ; Ac 2.29 — mis auprès de ses pères 1 R 2.10. 13.38 le pardon des péchés Ac 2.38 ; 5.31 ; 10.43 ; 26.18 — la loi incapable de procurer la justification Rm 3.21-31 ; He 9.9. 13.39 Jésus Christ, justification, foi Rm 4.25 ; 6.7 ; 10.4. 13.41 Regardez-vous les arrogants Ha 1.5 ; cf. Es 6.9-10 ; Ac 28.26-27. 13.43 prosélytes Ac 2.11+ — adorateurs Ac 13.50 ; 16.14 ; 17.4, 17 ; 18.7 — rester attaché à la grâce de Dieu Ac 11.23 ; 14.22. 13.45 réaction négative de certains Juifs Ac 14.2 ; 18.6. 13.46 à vous d'abord Ac 3.26+ — puisque vous la repoussez Lc 7.30 — vers les païens Ac 18.6 ; 19.8-9 ; 28.28. 13.47 je t'ai établi... Es 49.6 (Lc 2.32). 13.48 accueil joyeux de la part des païens Ac 11.18 ; cf. Ac 8.8+. 13.50 femmes de haut rang Ac 17.4, 12.

chassèrent de leur territoire. [51] Ceux-ci, ayant secoué contre eux la poussière de leurs pieds [l], gagnèrent Iconium ; [52] quant aux *disciples, ils restaient remplis de joie et d'Esprit Saint.

Paul et Barnabas à Iconium

14 [1] A Iconium il se passa la même chose : Paul et Barnabas se rendirent à la *synagogue des Juifs, et parlèrent de telle sorte que des *Juifs et des Grecs [m] en grand nombre devinrent croyants. [2] Mais ceux des Juifs qui ne s'étaient pas laissé convaincre suscitèrent dans l'esprit des *païens la malveillance à l'égard des frères. [3] Paul et Barnabas n'en prolongèrent pas moins leur séjour un certain temps ; leur assurance se fondait sur le Seigneur qui rendait témoignage à la parole de sa grâce en leur donnant d'opérer de leurs mains des *signes et des prodiges. [4] La population de la ville se divisa : les uns étaient pour les Juifs, les autres pour les *apôtres. [5] Païens et Juifs, avec leurs chefs décidèrent de recourir à la violence et de lapider les apôtres ; [6] conscients de la situation, ceux-ci cherchèrent refuge dans les villes de la Lycaonie, Lystre, Derbé et les alentours. [7] Là aussi ils annonçaient la bonne nouvelle.

Guérison d'un infirme à Lystre

[8] Il se trouvait à Lystre un homme qui ne pouvait pas se tenir sur ses pieds ; étant infirme de naissance, il n'avait jamais marché. [9] Un jour qu'il écoutait Paul parler, celui-ci fixa son regard sur lui et, voyant qu'il avait la foi pour être sauvé, [10] il dit d'une voix forte : « Lève-toi, droit sur tes pieds ! » L'homme bondit : il marchait. [11] A la vue de ce que Paul venait de faire, des voix s'élevèrent de la foule, disant en lycaonien : « Les dieux se sont rendus semblables à des hommes et sont descendus vers nous. » [12] Ils appelaient Barnabas « Zeus » et Paul « Hermès » [n], parce que c'était lui le porte-parole. [13] Le *prêtre de Zeus-hors-les-murs fit amener taureaux et couronnes [o] aux portes de la ville ; d'accord avec la foule, il voulait offrir un *sacrifice. [14] A cette nouvelle, les *apôtres Barnabas et Paul déchirèrent leur manteau [p] et se précipitèrent vers la foule en criant : [15] « Oh ! que faites-vous là ? disaient-ils. Nous aussi nous sommes des hommes, au même titre que vous ! La bonne nouvelle que nous vous annonçons, c'est d'abandonner ces sottises pour vous tourner vers le Dieu vivant *qui a créé le ciel, la terre, la mer et tout ce qui s'y trouve.* [16] Dans les générations maintenant révolues il a laissé toutes les nations suivre leurs voies, [17] sans manquer pourtant de leur témoigner sa bienfaisance, puisqu'il vous a envoyé du *ciel pluies et saisons fertiles, comblant vos *cœurs de nourriture et de satisfaction. » [18] Ces paroles calmèrent à grand'peine la foule, la détournant ainsi de leur offrir un sacrifice.

[19] D'Antioche et d'Iconium survinrent alors des *Juifs qui rallièrent la foule à leurs vues. On lapida Paul, puis on le traîna hors de la ville, le laissant pour mort. [20] Mais, quand les *disciples se furent rassemblés autour de lui, il se releva et rentra dans la ville. Le lendemain. avec Barnabas, il partit pour Derbé.

Retour de Paul et Barnabas

[21] Après avoir annoncé la bonne nouvelle dans cette ville et y avoir fait d'assez nombreux disciples, ils repassèrent par Lystre, Iconium et Antioche. [22] Ils y affermissaient le cœur des disciples et les

---

[l] Voir Mc 6.11 et note ● [m] Voir Ac 11.20 et note sur Rm 1.14 ● [n] Dans la religion grecque *Zeus* était le chef des dieux et *Hermès* le messager de ceux-ci ● [o] L'expression *Zeus-hors-les-murs* désigne en abrégé le temple de Zeus édifié devant les portes de la ville — Les *couronnes* servaient à parer les animaux destinés au sacrifice ● [p] Voir Mc 14.63 et note

13.51 secouer la poussière Mt 10.14+ et par. **13.52** Remplis de joie Ac 8.8+ et d'Esprit Saint Ga 5.22; 1 Th 1.6. **14.1** Grecs (= non juifs) Ac 18.4; 19.10, 17; 20.21; cf. 11.20. **14.2** réactions négatives de certains Juifs Ac 13.45+ — les frères Ac 1.15+. **14.3** signes et prodiges Ac 2.43+ confirmant la parole Mc 16.20; Ac 19.11; He 2.4. **14.4** apôtres 1) envoyés Jn 13.16; Ac 13.1-4; 2 Co 8.23; cf. Ac 22.21; 2) les Douze Ac 1.2, 26; 2.37, 42; 4.33, etc.; 16.4... **14.5** complot pour lapider les apôtres Ac 14.19; 2 Tm 3.11. **14.6** les apôtres cherchent refuge ailleurs Mt 10.23. **14.8** infirme de naissance Jn 9.1; Ac 3.2. **14.9** foi et guérison Mt 9.28; Ac 3.16. **14.10** guérison d'un infirme Ac 3.2-9. **14.11** les apôtres pris pour des dieux Ac 28.6. **14.15** autres exemples de message apostolique Ac 2.14+ — nous ne sommes que des hommes Ac 10.26; Jc 5.17 — le Dieu qui a créé le ciel Ex 20.11; Ps 146.6. **14.16** il a laissé toutes les nations... Ac 17.30. **14.17** pluies et saisons fertiles Ps 147.8; Jr 5.24. **14.19** activistes juifs Ac 17.13 — Paul lapidé 2 Co 11.25; 2 Tm 3.11. **14.20** les disciples Ac 6.1+. **14.22** affermissement Ac 15.32; 18.23 — encouragement à persévérer Ac 11.23; 13.43 — détresses en perspectives 1 Th 3.3.

engageaient à persévérer dans la foi : « Il nous faut, disaient-ils, passer par beaucoup de détresses, pour entrer dans le *royaume de Dieu. » 23 Dans chaque église ils leur désignèrent des *anciens, firent des prières accompagnées de *jeûne et les confièrent au Seigneur en qui ils avaient mis leur foi.

24 Traversant alors la Pisidie, ils se rendirent en Pamphylie q, 25 annoncèrent la Parole à Pergé, puis descendirent à Attalia. 26 De là ils firent voile vers Antioche, leur point de départ, où ils avaient été remis à la grâce de Dieu pour l'œuvre qu'ils venaient d'accomplir. 27 A leur arrivée, ils réunirent l'église et racontaient tout ce que Dieu avait réalisé avec eux et surtout comment il avait ouvert aux *païens la porte de la foi. 28 Et ils passèrent alors un certain temps avec les *disciples.

Désaccord à propos de la circoncision

15 1 Certaines gens descendirent alors de Judée qui voulaient endoctriner les frères : « Si vous ne vous faites pas *circoncire selon la règle de Moïse, disaient-ils, vous ne pouvez pas être sauvés. » 2 Un conflit en résulta et des discussions assez graves opposèrent Paul et Barnabas à ces gens. On décida que Paul, Barnabas et quelques autres monteraient à Jérusalem trouver les *apôtres et les anciens à propos de ce différend. 3 L'église d'Antioche pourvut à leur voyage r. Passant par la Phénicie et la *Samarie, ils y racontaient la conversion des nations païennes et procuraient ainsi une grande joie à tous les frères.

4 Arrivés à Jérusalem, ils furent accueillis par l'église, les apôtres et les anciens, et ils les mirent au courant de tout ce que Dieu avait réalisé avec eux. 5 Des fidèles issus du *pharisaïsme s intervinrent alors pour soutenir qu'il fallait circoncire les païens et leur prescrire d'observer la *loi de Moïse.

La question est débattue à Jérusalem

6 Les *apôtres et les anciens se réunirent pour examiner cette affaire.

7 Comme la discussion était devenue vive, Pierre intervint pour déclarer : « Vous le savez, frères, c'est par un choix de Dieu que, dès les premiers jours et chez vous, les nations *païennes ont entendu de ma bouche la parole de *l'Evangile et sont devenues croyantes. 8 Dieu, qui connaît les *cœurs, leur a rendu témoignage, quand il leur a donné, comme à nous, l'Esprit Saint. 9 Sans faire la moindre différence entre elles et nous, c'est par la foi qu'il a *purifié leurs cœurs. 10 Dès lors, pourquoi provoquer Dieu en imposant à la nuque des *disciples un *joug que ni nos pères ni nous-mêmes n'avons été capables de porter ? 11 Encore une fois, c'est par la grâce du Seigneur Jésus, nous le croyons, que nous avons été sauvés, exactement comme eux ! »

12 Il y eut alors un silence dans toute l'assemblée, puis l'on écouta Barnabas et Paul raconter tous les *signes et les prodiges que Dieu, par leur intermédiaire, avait accomplis chez les païens.

13 Quand ils eurent achevé, Jacques t à son tour prit la parole : « Frères, écoutez-moi. 14 Syméon u vient de nous rappeler comment Dieu, dès le début, a pris soin de prendre parmi les nations païennes un peuple à son *nom. 15 Cet événement s'accorde d'ailleurs avec les paroles des *prophètes, puisqu'il est écrit :

(annotations manuscrites : DISPUTE PROVIDE FOR BESIDES CARE)

q La *Pisidie : voir Ac 13.14 — *Pamphylie :* région de Pergé (Ac 13.13 et note) et Attalie ● r ou *les accompagna* (sur la route). L'église en question est celle d'Antioche de Syrie (voir Ac 11.20 et note) ● s Il s'agit de Juifs devenus chrétiens, mais ayant conservé leurs convictions pharisiennes ● t Voir Ac 12.17 et note ● u *Syméon* est une forme hébraïsante de *Simon,* le premier nom de Pierre (voir Mt 4.18)

14.23 anciens Ac 11.30+ — leur désignation Ac 20.28; Tt 1.5 — jeûne et prière Ac 13.3. 14.26 Antioche, point de départ Ac 13.1-2; 15.40. 14.27 compte rendu de mission Ac 15.4, 12; 21.19 — porte ouverte 1 Co 16.9; 2 Co 2.12; Col 4.3 aux païens Ac 10.45; 11.1, 18; 13.47-48. 15.1 les frères Ac 1.15+ — circoncision et salut Ga 5.2 — circoncision selon la règle de Moïse Lv 12.3. 15.2 voyages de Paul à Jérusalem Ac 9.26-30; 11.30; 18.22; 21.15; cf. Ga 1.18; 2.1. 15.4 compte rendu de la mission Ac 14.27; 15.12; 21.19. 15.7-8 l'Esprit Saint donné aux païens comme aux apôtres Ac 2.4; 10.44; 11.15, 18. 15.9 aucune différence Ac 10.34-35; cf. 10.20; 11.12 — purifiés Ac 10.28. 15.10 joug insupportable Ac 15.5, 19; Ga 5.1, 3. 15.11 sauvés par la grâce Ga 2.16; Ep 2.5-8. 15.12 compte rendu de la mission Ac 14.27; 15.4; 21.19. 15.13 Jacques (le frère du Seigneur) Mt 13.55; Mc 6.3; Ac 12.17; 1 Co 15.7; Ga 1.19; 2.9, 12; Jc 1.1; Jude 1 — exposé de Jacques sur l'observance de la loi juive v. 19; 21.21-25; Ga 2.12. 15.14 l'exposé de Syméon (Pierre) Ac 15.7-9 — le peuple de Dieu Za 2.15; Lc 1.68; Rm 11.16-17; 15.8-12; Ep 2.14; 1 P 2.10.

[16] *Après cela, je viendrai reconstruire la hutte écroulée de David.*
Les ruines qui en restent, je les reconstruirai,
et je la remettrai debout.
[17] *Dès lors le reste des hommes cherchera le Seigneur*
avec toutes les nations qui portent mon nom [v].
Voilà ce que dit le Seigneur, il réalise ainsi ses projets [18] connus depuis toujours.

[19] Je suis donc d'avis de ne pas accumuler les obstacles devant ceux des païens qui se tournent vers Dieu. [20] Ecrivons-leur simplement de s'abstenir des souillures de l'idolâtrie, de l'immoralité, de la viande étouffée et du sang [w]. [21] Depuis des générations en effet, Moïse dispose de prédicateurs dans chaque ville, puisqu'on le lit [x] tous les *sabbats dans les *synagogues. »

STRANGLED

Une décision commune et une lettre

[22] D'accord avec toute l'église, les *apôtres et les anciens décidèrent alors de choisir dans leurs rangs des délégués qu'ils enverraient à Antioche avec Paul et Barnabas. Ce furent Judas [y], appelé Barsabbas, et Silas, des personnages en vue parmi les frères. [23] Cette lettre leur fut confiée : « Les apôtres, les *anciens et les frères saluent les frères d'origine *païenne qui se trouvent à Antioche, en Syrie et en Cilicie. [24] Nous avons appris que certains des nôtres étaient allés vous troubler et bouleverser vos esprits par leurs propos ; ils n'en étaient pas chargés. [25] Nous avons décidé unanimement de choisir des délégués que nous vous enverrions avec nos chers Barnabas et Paul, [26] des hommes qui ont livré leur vie

DISTRESS

pour le *nom de notre Seigneur Jésus Christ. [27] Nous vous envoyons donc Judas et Silas pour vous communiquer de vive voix les mêmes directives. [28] L'Esprit Saint et nous-mêmes, nous avons en effet décidé de ne vous imposer aucune autre charge que ces exigences inévitables : [29] vous abstenir des viandes de sacrifices païens, du sang, des animaux étouffés et de l'immoralité. Si vous évitez tout cela avec soin, vous aurez bien agi. Adieu ! »

[30] Ayant reçu congé, la délégation descendit donc à Antioche où elle réunit l'assemblée pour lui communiquer la lettre. [31] Sa lecture fut une joie par l'encouragement qu'elle apportait. [32] Judas et Silas de leur côté, en *prophètes qu'ils étaient, leur apportèrent longuement de vive voix encouragement et soutien ; [33] ils restèrent quelque temps, puis les frères leur donnèrent congé, en leur souhaitant la paix, pour rejoindre ceux qui les avaient envoyés. [34 z] [35] Quant à Paul et Barnabas, ils demeurèrent à Antioche. En compagnie de beaucoup d'autres encore, ils enseignaient et ils annonçaient la bonne nouvelle de la parole du Seigneur.

WISH

Avec Silas Paul repart en mission

[36] Après un certain temps, Paul dit à Barnabas : « Retournons donc visiter les frères dans chacune des villes où nous avons annoncé la parole du Seigneur. Nous verrons où ils en sont. » [37] Barnabas voulait emmener aussi avec eux Jean appelé Marc. [38] Mais Paul n'était pas d'avis de reprendre comme compagnon un homme qui les avait quittés en Pamphylie et n'avait donc pas partagé leur travail. [39] Leur désaccord s'aggrava tellement qu'ils partirent chacun de leur côté. Barnabas prit Marc avec lui et s'embarqua pour Chypre, [40] tandis que Paul

---

v Ou *sur lesquelles mon nom a été prononcé*. Le texte soulignerait alors que ces nations appartiennent à Dieu ● w *Les souillures de l'idolâtrie*: cette recommandation vise les viandes qui proviennent des sacrifices païens; cf. v. 29; 1 Co 8.1-10; Ap 2.14, 20 — *L'impureté*: voir Lv 18.6-18: il s'agit des unions interdites par la loi juive — *Viandes étouffées et sang*: Voir Lv 17.10-16 ● x Voir Jn 5.46 et note ● y Ce Judas est inconnu par ailleurs ● z Certains manuscrits ajoutent ici: *Silas décida qu'il resterait et Judas seul s'en alla*

15.16-17 Après cela... Am 9.11-12 (grec). 15.18 projets (de Dieu) connus depuis toujours Es 45.21. 15.19 ne pas accumuler les obstacles Ac 15.10. 15.20 s'abstenir de consommer le sang Gn 9.4; Lv 3.17 — ensemble de ces directives v. 29; Ac 21.25. 15.21 lecture cultuelle de la loi Ac 13.15. 15.22 apôtres Ac 14.4+ — anciens Ac 11.30+ — Silas Ac 15.27, 32, 34, 40; 16.19, 25, 29; 17.4, 10, 14-15; 18.5; 2 Co 1.19; 1 Th 1.1; 1 P 5.12 — les frères Ac 1.15+. 15.24 certains sont venus jeter le trouble Ac 15.1. 15.28 décision du Saint Esprit cf. Ac 13.1-4 — charge imposée Mt 23.4. 15.29 consignes pour les païens devenus croyants Ac 15.20+ (voir la note). 15.32 Silas Ac 15.22+ — prophètes dans l'église Ac 11.27+ — encouragements Ac 14.22; 18.23. 15.36 départ en mission Ac 13.1-4 — les frères Ac 1.15+. 15.37 Barnabas Ac 4.36+ — Jean appelé Marc Ac 12.12+. 15.38 défection de Jean (Marc) Ac 13.13; mais cf. Col 4.10. 15.39 vers Chypre Ac 4.36; 13.7. 15.40 Silas Ac 15.22+ — remis à la grâce du Seigneur Ac 14.26.

s'adjoignait Silas et s'en allait, remis par les frères à la grâce du Seigneur.

Paul et Silas s'associent Timothée

16 [41] Parcourant la Syrie et la Cilicie [a], Paul affermissait les églises [1] et il parvint ainsi à Derbé et à Lystre [b]. Il y avait là un *disciple nommé Timothée, fils d'une *Juive devenue croyante et d'un père qui était grec. [2] Sa réputation était bonne parmi les frères de Lystre et d'Iconium. [3] Paul désirait l'emmener avec lui ; il le prit donc et le *circoncit à cause des Juifs qui se trouvaient dans ces parages. Ils savaient tous, en effet, que son père était grec. [4] Dans les villes où ils passaient, Paul et Silas transmettaient les décisions qu'avaient prises les *apôtres et les anciens de Jérusalem [c] et ils demandaient de s'y conformer. [5] Les églises devenaient plus fortes dans la foi et croissaient en nombre de jour en jour.

L'appel du Macédonien

[6] Paul et Silas parcoururent la Phrygie et la région galate, car le Saint-Esprit les avait empêchés d'annoncer la Parole en Asie [d]. [7] Arrivés aux limites de la Mysie, ils tentèrent de gagner la Bithynie, mais l'Esprit de Jésus les en empêcha. [8] Ils traversèrent alors la Mysie [e] et descendirent à Troas. [9] Une nuit, Paul eut une vision : un Macédonien lui apparut, debout, qui lui faisait cette prière : « Passe en Macédoine, viens à notre secours ! » [10] A la suite de cette vision de Paul, nous avons immédiatement cherché à partir pour la Macédoine, car nous étions convaincus que Dieu venait de nous appeler à y annoncer la bonne nouvelle.

A Philippes Lydie reçoit le baptême

[11] Prenant la mer à Troas, nous avons mis le cap directement sur Samothrace ; puis, le lendemain, sur Néapolis [f] [12] et de là nous sommes allés à Philippes, ville principale du district de Macédoine et colonie romaine. Nous avons passé quelque temps dans cette ville. [13] Le jour du *sabbat, nous en avons franchi la porte, pour gagner, le long d'une rivière, un endroit où, pensions-nous, devait se trouver un lieu de prière ; une fois assis, nous avons parlé aux femmes qui s'y trouvaient réunies. [14] L'une d'elles, nommée Lydie, était une marchande de pourpre originaire de la ville de Thyatire, qui adorait déjà Dieu [g]. Elle était tout oreilles ; car le Seigneur avait ouvert son *cœur pour la rendre attentive aux paroles de Paul. [15] Lorsqu'elle eut reçu le baptême, elle et sa maison, elle nous invita en ces termes : « Puisque vous estimez que je crois au Seigneur, venez loger chez moi. » Et elle nous a forcés d'accepter.

Paul et Silas emprisonnés et délivrés

[16] Un jour que nous nous rendions au lieu de la prière une jeune servante qui avait un esprit de divination est venue à notre rencontre : ses oracles procuraient de gros gains à ses maîtres. [17] Elle nous talonnait, Paul et nous, en criant : « Ces hommes sont les serviteurs du Dieu Très-Haut ; ils vous annoncent la voie du salut [h]. » [18] Et elle recommença pendant plusieurs jours. Excédé, Paul finit par se retourner et dit à l'esprit : « Au *nom de Jésus Christ, je te l'ordonne : Sors de cette femme ! » Et, à l'instant même l'esprit sortit. [19] Ses maîtres, qui voyaient

---

a La *Cilicie* est la région de Tarse ● *b* Voir Ac 14.8, 21 ● *c* Ces *décisions* sont motivées et résumées dans la lettre citée en Ac 15.23-29 ● *d* La *Phrygie* et la *Galatie* sont deux régions centrales de l'Asie Mineure. L'*Asie* désignait la province romaine entourant la ville d'Ephèse ● *e* Région qui borde le détroit du Bosphore ● *f* Port du Nord de la Mer Egée, voisin de la ville de Philippes ● *g* Sur la *pourpre:* voir Mc 15.17 et note — *elle adorait déjà Dieu:* voir Ac 13.16 et note ● *h* Voir Ac 9.2 et note

16.1 Derbé Ac 14.6 — disciple Ac 6.1+ — Timothée Ac 17.14-15; 18.5; 19.22; 20.4; Rm 16.21; 1 Co 4.17; 16.10; 2 Co 1.1, 19; Ph 1.1; 2.19; Col 1.1; 1 Th 1.1; 3.2, 6; 2 Th 1.1; 1 Tm 1.2, 18; 6.20; 2 Tm 1.2; Phm 1; He 13.23 — la mère de Timothée 2 Tm 1.5. **16.2** la réputation de Timothée Ph 2.20, 22. **16.3** circoncision de Timothée cf. Ga 2.3-5. **16.4** les décisions prises à Jérusalem Ac 15.23-29; 21.25. **16.5** les églises Ac 5.11+ — leurs progrès Ac 2.41+; cf. 14.22. **16.6** la région galate Ac 18.23; 1 Co 16.1; Ga 1.2; 2 Tm 4.10; 1 P 1.1. **16.7** l'Esprit de Jésus Ph 1.19. **16.8** Troas Ac 16.11; 20.5-6; 2 Co 2.12; 2 Tm 4.13. **16.9** une vision Ac 18.9. **16.10** autres récits à la première personne du pluriel Ac 20.5-15; 21.1-18; 27.1—28.16. **16.12** Philippes Ac 20.6; Ph 1.1. **16.14** adoratrice de Dieu Ac 13.43+. **16.15** sa maisonnée Ac 10.2; 16.33; 18.8 — hospitalité Ac 10.2, 6, 48. **16.16** de gros gains Ac 19.24. **16.17** les démons reconnaissent l'envoyé de Dieu Mc 1.24, 34; Lc 4.34, 41 — le Dieu Très-Haut Lc 1.32+ — la voie Ac 9.2+. **16.18** au nom de Jésus Christ... sors Mc 16.17; Ac 19.13.

s'enfuir l'espoir de leurs gains, mirent alors la main sur Paul et Silas et les traînèrent jusqu'à la place publique devant les magistrats. ²⁰ Ils les présentèrent aux stratèges *i* : « Ces hommes, dirent-ils, jettent le trouble dans notre ville : ils sont *juifs ²¹ et prônent des règles de conduite qu'il ne nous est pas permis, à nous, Romains, d'admettre ni de suivre. » ²² Et la foule se déchaîna contre eux ; les stratèges firent arracher leurs vêtements, donnèrent l'ordre de les battre de verges ²³ et, après les avoir roués de coups, ils les jetèrent en prison, en ordonnant au geôlier de les surveiller de près ; ²⁴ telle étant la consigne reçue, il les jeta dans le cachot le plus retiré et leur bloqua les pieds dans les ceps *j*.

²⁵ Aux environs de minuit, Paul et Silas, en prière, chantaient les louanges de Dieu, et les autres prisonniers les écoutaient. ²⁶ Tout d'un coup, il y eut un tremblement de terre si violent que les fondations du bâtiment en furent ébranlées. Toutes les portes s'ouvrirent à l'instant même et les entraves de tous les prisonniers sautèrent. ²⁷ Tiré de son sommeil, le geôlier vit les portes de la prison ouvertes ; pensant que les prisonniers s'étaient évadés, il saisit son épée et allait se supprimer. ²⁸ Mais Paul lui cria d'une voix forte : « Ne fais rien de funeste pour toi ; nous sommes tous là. » ²⁹ Le geôlier demanda de la lumière, se précipita à l'intérieur et, tout tremblant, il se jeta aux pieds de Paul et de Silas. ³⁰ Puis, les ayant fait sortir, il leur dit : « Messieurs, que dois-je faire pour être sauvé ? » ³¹ Ils lui répondirent : « Crois au Seigneur Jésus et tu seras sauvé, toi et ta maison. » ³² Ils annoncèrent alors la parole du Seigneur à lui et à tous ceux qui vivaient dans sa demeure. ³³ A l'heure même, en pleine nuit, le geôlier les emmena pour laver leurs plaies ; puis, sans plus attendre, il

reçut le baptême, lui et tous les siens. ³⁴ Il fit ensuite monter Paul et Silas chez lui, leur offrit un repas et se réjouit en famille d'avoir cru en Dieu.

³⁵ Le jour venu, les stratèges envoyèrent les licteurs *k* dire au geôlier : « Relâche ces hommes ! » ³⁶ Le geôlier communiqua cette nouvelle à Paul : « Les stratèges envoient dire de vous relâcher. Dans ces conditions, sortez donc et partez en paix ! » ³⁷ Mais Paul déclara : « Ils nous ont fait battre en public, sans condamnation, nous qui sommes citoyens romains *l*, ils nous ont jetés en prison. Et maintenant, c'est clandestinement qu'ils veulent nous jeter dehors ? Il n'en est pas question. Qu'ils viennent en personne nous libérer ! » ³⁸ Les licteurs rapportèrent ces propos aux stratèges qui furent pris de peur en apprenant leur qualité de citoyens romains ³⁹ et vinrent s'excuser auprès d'eux ; puis ils les libérèrent en leur demandant de quitter la ville. ⁴⁰ Une fois sortis de prison, Paul et Silas allèrent trouver Lydie, virent les frères pour les encourager, puis ils repartirent.

Difficultés à Thessalonique

17 ¹ Passant par Amphipolis et Apollonie, ils arrivèrent à Thessalonique où les Juifs avaient une *synagogue. ² Comme il en avait l'habitude, Paul alla les trouver et, trois *sabbats de suite, il leur adressa la parole ; à partir des Ecritures, ³ il expliquait et établissait que le *Messie devait souffrir, ressusciter des morts et « le Messie, disait-il, c'est Jésus que je vous annonce. » ⁴ Certains des *Juifs se laissèrent convaincre et furent gagnés par Paul et Silas, ainsi qu'une multitude de Grecs adorateurs de Dieu *m* et bon nombre de femmes de la haute société.

⁵ Mais les Juifs, furieux, recrutèrent des

i Titre populaire des deux hauts-magistrats romains chargés de la justice ● *j* Les ceps: pièces de bois percées de trous servant à fixer les pieds des prisonniers ● *k* licteurs: fonctionnaires romains chargés d'appliquer les décisions de justice ● *l* Le droit romain interdisait aux magistrats de soumettre les *citoyens romains* à la flagellation. Sur Mc 10.34 et note. Sur la citoyenneté romaine de Paul voir Ac 22.25-29; 23.27 ● *m* Voir Ac 13.16 et note

16.20 plainte en justice contre les apôtres Ac 17.6 — accusés de jeter le trouble 1 R 18.17. **16.22-23** mauvais traitements Ph 1.30; 1 Th 2.2. **16.22** flagellation 2 Co 11.25. **16.26** les portes s'ouvrirent Ac 5.19; 12.10. **16.27** la mort pour le geôlier coupable de négligence Ac 12.18-19; 27.42. **16.30** que dois-je faire pour...? Lc 10.25+. **16.31** foi Ac 10.43 en Jésus le Seigneur Ac 2.36; 8.37; Rm 10.9 — toi et ta maison Ac 3.27 — toi et ta maison Ac 3.18. **16.37** privilège d'un citoyen romain Ac 22.25, 29; 23.27. **16.39** priés de quitter la ville Mt 8.34. **17.1-9** Difficultés à Thessalonique 1 Th 2.1-2. **17.2** à la synagogue, selon son habitude Lc 4.16; Ac 9.20; 17.10, 17. **17.3** le Messie devait souffrir Lc 24.26; Ac 3.18 — le Messie ressuscité des morts Lc 24.46 — le Messie, c'est Jésus Ac 5. 42+. **17.4** adorateurs de Dieu Ac 13.43+ — femmes de la haute société Ac 13.50; 17.12 — convertis de Thessalonique Ac 20.4; cf. Col 4.10. **17.5-6** violences de la part des Juifs à Thessalonique 1 Th 2.14.

vauriens qui traînaient dans les rues, ameutèrent la foule et semèrent le désordre dans la ville ; ils se portèrent alors sur la maison de Jason, à la recherche de Paul et de Silas qu'ils voulaient traduire devant l'assemblée du peuple ; [6] ne les trouvant pas, ils traînèrent Jason et quelques frères devant les politarques [n] : « Ces gens qui ont soulevé le monde entier, criaient-ils, sont maintenant ici et Jason les a accueillis. [7] Tous ces individus agissent à l'encontre des édits de l'empereur ; ils prétendent qu'il y a un autre roi, Jésus. » [8] Ces cris impressionnèrent la foule et les politarques, [9] qui exigèrent alors une caution de Jason et des autres avant de les relâcher.

Paul et Silas accueillis à Bérée

[10] Les frères firent aussitôt partir, de nuit, Paul et Silas pour Bérée. A leur arrivée, ils se rendirent à la *synagogue des Juifs. [11] Plus courtois que ceux de Thessalonique, ils accueillirent la Parole avec une entière bonne volonté, et chaque jour ils examinaient les Ecritures pour voir s'il en était bien ainsi. [12] Beaucoup d'entre eux devinrent croyants ainsi que des femmes grecques de haut rang et des hommes, en nombre appréciable.

[13] Mais, dès que les Juifs de Thessalonique eurent appris qu'à Bérée aussi Paul annonçait la parole de Dieu, ils arrivèrent pour agiter et troubler, là encore, les foules. [14] Sans plus tarder, les frères firent alors partir Paul pour gagner la mer, tandis que Silas et Timothée restaient là. [15] Ceux qui escortaient Paul poussèrent jusqu'à Athènes, puis ils s'en retournèrent, avec l'ordre, pour Silas et Timothée, de venir le rejoindre au plus vite.

Paul et les philosophes d'Athènes

[16] Tandis que Paul les attendait à Athènes, il avait l'âme bouleversée [o] de voir cette ville pleine d'idoles. [17] Il adressait donc la parole, dans la *synagogue, aux *Juifs et aux adorateurs de Dieu, et, chaque jour, sur la place publique, à tout venant. [18] Il y avait même des philosophes épicuriens et stoïciens [p] qui s'entretenaient avec lui. Certains disaient : « Que veut donc dire cette jacasse ? » Et d'autres : « Ce doit être un prédicateur de divinités étrangères. » — Paul annonçait en effet Jésus et la résurrection [q]. [19] Ils mirent donc la main sur lui pour le conduire devant l'Aréopage [r] : « Pourrions-nous savoir, disaient-ils, quelle est cette nouvelle doctrine que tu exposes ? [20] En effet tu nous rebats les oreilles de propos étranges et nous voudrions bien savoir ce qu'ils veulent dire. » [21] Il faut dire que tous les habitants d'Athènes et tous les étrangers en résidence passaient le meilleur de leur temps à raconter ou à écouter les dernières nouveautés.

[22] Debout au milieu de l'Aréopage [s], Paul prit la parole : « Athéniens, je vous considère à tous égards comme des hommes presque trop religieux. [23] Quand je parcours vos rues, mon regard se porte en effet souvent sur vos monuments sacrés et j'ai découvert entre autres un *autel qui portait cette inscription : « Au dieu inconnu [t] ». Ce que vous vénérez ainsi sans le connaître, c'est ce que je viens, moi, vous annoncer. [24] Le Dieu qui a créé l'univers et tout ce qui s'y trouve, lui qui est le Seigneur du ciel et de la terre, n'habite pas des temples construits par la main des hommes [25] et son service

[n] Titre des chefs de la ville ● [o] Ou *son esprit était exaspéré* ● [p] Les *épicuriens* étaient partisans d'une morale visant à éviter la douleur dans un monde qu'ils considéraient comme gouverné par le hasard. Pour les *stoïciens*, la « sagesse » consistait à connaître les lois qui gouvernent l'univers et à pratiquer une morale fondée sur l'effort ● [q] *cette jacasse*: les moqueurs comparent Paul à un oiseau bavard — Les auditeurs de Paul prennent le mot *anastasis* (résurrection) pour le nom d'une divinité féminine qui serait associée à Jésus ● [r] Nom d'une colline d'Athènes, l'Aréopage désignait aussi le haut-conseil de la ville qui y tenait ses séances ● [s] Ou *devant l'Aréopage* ● [t] En dédiant un autel *au dieu inconnu* les Athéniens espéraient détourner le mécontentement d'un dieu dont ils auraient pu oublier de tenir compte.

17.6 ces gens-là Ac 16.20. **17.7** à l'encontre des édits de l'empereur Lc 23.2 — un autre roi Jésus Lc 23.2; Jn 19.12; cf. Mt 2.1-3. **17.11** examiner les Ecritures Jn 5.39. **17.12** devinrent croyants Ac 2.44+ — des femmes de haut rang Ac 13.50; 17.4. **17.13** activistes juifs Ac 14.19. **17.14** Silas Ac 15.22+ Timothée Ac 16.1+ son retour de Thessalonique 1 Th 3.1-6. **17.17** Paul s'adresse aux Juifs Ac 18.19; cf. 17.2+ — adorateurs de Dieu Ac 13.43+ — la place publique Ac 16.19. **17.19** témoignage devant les autorités Ac 4.8-12; 5.27-33; 9.15; 23.6; 24.10-21; 26.2-23; cf. Lc 21.12. **17.22-31** exposé de Paul Ac 13.16-41; 20.18-35; 22.1-21; 24. 10-21; 26.2-33; cf. Ac 2.14+; 1 Th 1.9-10. **17.24** Dieu créateur de l'univers Ps 146.6; Es 42.5; Sg 13—14; Ac 14.15 — Seigneur du ciel et de la terre Mt 11.25 — n'habite pas... 1 R 8.27; Es 66.1-2; Ac 7.48. **17.25** pas de mains humaines Ps 50.12; Jr 7.22 — donne à tous la vie et le souffle Es 42.5.

non plus ne demande pas de mains humaines, comme s'il avait besoin de quelque chose, lui qui donne à tous la vie et le souffle, et tout le reste.

²⁶ « A partir d'un seul homme ᵘ il a créé tous les peuples pour habiter toute la surface de la terre, il a défini des temps fixes et tracé les limites de l'habitat des hommes : ²⁷ c'était pour qu'ils cherchent Dieu ; peut-être pourraient-ils le découvrir en tâtonnant, lui qui, en réalité, n'est pas loin de chacun de nous. *GROPING*

²⁸ « Car c'est en lui que nous avons la vie, le mouvement et l'être ᵛ, comme l'ont dit de certains de vos poètes :
Car nous sommes de sa race.

²⁹ Alors, puisque nous sommes la race de Dieu, nous ne devons pas penser que la divinité ressemble à de l'or, de l'argent, ou du marbre, sculpture de l'art et de l'imagination de l'homme. ³⁰ Et voici que Dieu, sans tenir compte de ces temps d'ignorance annonce maintenant aux hommes que tous et partout ont à se convertir. ³¹ Il a en effet fixé un jour où il doit juger le monde avec justice par l'homme qu'il a désigné ʷ, comme il en a donné la garantie à tous en le ressuscitant d'entre les morts. »

³² Au mot de « résurrection des morts », les uns se moquaient, d'autres déclarèrent. « Nous t'entendrons là-dessus une autre fois. » ³³ C'est ainsi que Paul les quitta. ³⁴ Certains pourtant s'étaient attachés à lui et étaient devenus croyants : parmi eux il y avait Denys l'Aréopagite ˣ, une femme nommée Damaris, et d'autres encore.

Succès de l'Evangile à Corinthe

18 ¹ En quittant Athènes, Paul se rendit ensuite à Corinthe ʸ. ² Il rencontra là un *Juif nommé Aquilas, originaire du Pont ᶻ, qui venait d'arriver d'Italie avec sa femme, Priscille. Claude ᵃ en effet avait décrété que tous les Juifs devaient quitter Rome. Paul entra en relations avec eux ³ et, comme il avait le même métier — c'était des fabricants de tentes — il s'installa chez eux et il y travaillait. ⁴ Chaque *sabbat, il prenait la parole à la *synagogue et tâchait de convaincre Juifs et Grecs. *TRY* ⁵ Mais, lorsque Silas et Timothée furent arrivés de Macédoine ᵇ, Paul se consacra entièrement à la Parole, attestant devant les Juifs que le *Messie, c'est Jésus. ⁶ Devant leur opposition et leurs injures, Paul secoua ses vêtements ᶜ et leur déclara : « Que votre sang vous retombe sur la tête ᵈ ! J'en suis pur, désormais, c'est aux *païens que j'irai. » ⁷ Quittant ce lieu, il se rendit chez un certain Titius Justus, adorateur de Dieu ᵉ, dont la maison était contiguë à la synagogue. ⁸ Crispus, chef de synagogue, crut au Seigneur avec toute sa maison ᶠ et beaucoup de Corinthiens, en écoutant Paul, devenaient croyants et recevaient le baptême. ⁹ Une nuit, le Seigneur dit à Paul dans une vision : « Sois sans crainte, continue de parler, ne te tais pas. ¹⁰ Je suis en effet avec toi et personne ne mettra la main sur toi pour te maltraiter car, dans cette ville, un peuple nombreux m'est destiné. » ¹¹ Paul y demeura un an et six mois, enseignant la parole de Dieu.

---

u Adam (Gn 1.28) ● *v* Paul cite librement le poète grec *Epiménide* — La fin du verset est une citation du poète *Aratos* ● *w* Autre texte: *un homme, Jésus* ● *x* C'est-à-dire membre de l'Aréopage (voir v. 19 et note) ● *y* Chef-lieu de la province d'Achaïe (voir 2 Co 1.1 et note). Ville très populeuse, tristement célèbre pour sa corruption morale ● *z* Le *Pont*: province du Nord de l'Asie Mineure, en bordure de la Mer Noire ● *a* *Claude*: voir Ac 11.28 et note. Son décret chassant les Juifs de Rome date de l'an 49 ou 50 ● *b* Voir Ac 17.15 ● *c* C'est un geste qui veut marquer la rupture. Voir 13.51 et la note sur Mc 6.11 ● *d* Voir Ac 5.28; 20.26; et note sur Mt 27.25 ● *e* Voir Ac 13.16 et note ● *f* Voir Ac 10.2 et note

17.26 limites de l'habitat des hommes Dt 32.8. **17.27** chercher Dieu Es 55.6; cf. Rm 1.19-20 — pas loin de chacun de nous Ps 145.18; Jr 23.23. **17.28** de sa race cf. Gn 1.26; 2 P 1.4; 1 Jn 3.2. **17.29** on ne peut se représenter Dieu Es 40.18-20; 44.10-17; Ac 19.26. **17.30** temps d'ignorance Ac 3.17; 13.27; 14.16; 17.23; Ep 4.17-19. **17.31** Dieu doit juger le monde avec justice Ps 9.9; 96.13; 98.9 par l'homme qu'il a désigné Ac 10.42. **17.34** quelques convertis Ac 17.4. **18.2** Aquilas et Priscille Ac 18.18, 26; Rm 16.3-4; 1 Co 16.19; 2 Tm 4.19. **18.3** Paul travaille de ses mains Ac 20.34; 1 Co 4.12; 9.13-15; 1 Th 2.9; 2 Th 3.8. **18.5** Silas Ac 15.22+ — Timothée Ac 16.1+ — tous deux arrivent de Macédoine Ac 17.14-15; 1 Th 1.1; 3.1-6; 2 Th 1.1 — le Messie, c'est Jésus Ac 5.42+. **18.6** opposition juive: Paul ira vers les païens Ac 13.45-46; 28.28 — Paul secoue ses vêtements Mt 10.14+ et par.; cf. Ac 22.23 — Que votre sang... Mt 27.25+; Ac 5.28 — j'en suis pur Ac 20.26. **18.7** adorateur de Dieu Ac 13.43+. **18.8** Crispus 1 Co 1.14 — avec toute sa maisonnée Ac 10.2+. **18.9** une vision Ac 9.12; 10.3; 13.31; 16.9-10; 23.11; 26.16, 19; 27.23. **18.9-10** sois sans crainte, je suis avec toi Es 41.10; 43.5; Jr 1.8; Ac 27.24; cf. 1 Co 2.3. **18.10** un peuple destiné à Dieu Ac 15.14.

Paul comparaît devant Gallion

¹² Sous le proconsulat de Gallion en Achaïe *g*, l'hostilité des *Juifs devint unanime à l'égard de Paul et ils l'amenèrent au tribunal. ¹³ « C'est à un culte illégal de Dieu, soutenaient-ils, que cet individu veut amener les gens. » ¹⁴ Paul allait prendre la parole, quand Gallion répondit aux Juifs : « S'il s'agissait d'un délit ou de quelque méfait éhonté, je recevrais votre plainte, ô Juifs, comme de raison ; ¹⁵ mais, puisque vos querelles concernent une doctrine, des noms et la *Loi qui vous est propre, cela vous regarde ! Je ne veux pas, moi, être juge en pareille matière. » ¹⁶ Et il les renvoya du tribunal. ¹⁷ Tous se saisirent alors de Sosthène, chef de *synagogue ; ils le rouaient de coups devant le tribunal ; mais Gallion ne s'en souciait absolument pas.

Paul passe à Antioche et repart en mission

¹⁸ Paul resta encore assez longtemps à Corinthe. Puis il quitta les frères et s'embarqua pour la Syrie, en compagnie de Priscille et d'Aquilas. A la suite d'un vœu, il s'était fait tondre la tête à Cenchrées *h*. ¹⁹ Ils gagnèrent Ephèse, où Paul se sépara de ses compagnons. Il se rendit, pour sa part, à la *synagogue et y adressa la parole aux Juifs. ²⁰ Comme ceux-ci lui demandaient de prolonger son séjour, il refusa, ²¹ mais les quitta sur ces mots : « Je reviendrai chez vous une autre fois, si Dieu le veut. » Il prit la mer à Ephèse, ²² débarqua à Césarée, monta saluer l'église *i* et descendit à Antioche.

²³ où il resta quelque temps. Puis il repartit et parcourut successivement la région galate et la Phrygie *j*, affermissant tous les *disciples.

Apollos prêche à Ephèse puis à Corinthe

²⁴ Un Juif nommé Apollos, originaire d'Alexandrie, était arrivé à Ephèse. C'était un homme savant, versé dans les Ecritures. ²⁵ Il avait été informé de la *Voie du Seigneur et, l'esprit plein de ferveur, il prêchait et enseignait exactement ce qui concernait Jésus, tout en ne connaissant que le baptême de Jean *k*. ²⁶ Il se mit donc à parler en toute assurance dans la *synagogue. Mais, lorsqu'ils l'eurent entendu, Priscille et Aquilas le prirent avec eux et lui présentèrent plus exactement encore la Voie de Dieu. ²⁷ Comme il avait l'intention de se rendre en Achaïe *l*, les frères l'approuvèrent et écrivirent aux *disciples de lui faire bon accueil. Une fois arrivé, il fut, par la grâce de Dieu, d'un grand secours aux fidèles, ²⁸ car la force de ses arguments avait raison des *Juifs en public, quand il prouvait par les Ecritures que le *Messie, c'était Jésus.

Paul à Ephèse ; premiers baptêmes

19 ¹ Ce fut pendant le séjour d'Apollos à Corinthe que Paul arriva à Ephèse en passant par le haut-pays. Il y trouva quelques *disciples ² et leur demanda : « Avez-vous reçu l'Esprit Saint, quand vous êtes devenus croyants ? » — « Mais. lui répondirent-ils, nous n'avons même pas entendu parler d'Esprit Saint ! » ³ Paul

---

g proconsulat: durée du gouvernement d'un proconsul (voir Ac 13.7 et note). Des documents de l'époque permettent de dater ce proconsulat des années 51-52 ou 52-53 — *Achaïe*: voir 2 Co 1.1 et note *b* ● *h Cenchrées*: port oriental de Corinthe — Pendant toute la durée du *vœu* on s'engageait à ne pas se faire couper les cheveux ● *i* Sans doute l'église de Jérusalem — *j* Voir Ac 16.6 et note ● *k La Voie du Seigneur*: voir Ac 9.2 et note — *Le baptême de Jean*, c'est-à-dire de Jean le Baptiste ● *l* Voir 2 Co 1.1 et note *b*

18.13 un culte illégal cf. Ac 17.7. **18.14-15** pas de délit mais une querelle religieuse Ac 23.29 ; 25.18-19. **18.15** la Loi qui vous est propre Jn 18.31 — le cas de Paul ne relève pas de la loi romaine Ac 16.35-39 ; 17.8-9 ; 19.37-38 ; 23.29 ; 24.20-22 ; 26.31-32. **18.18** Priscille et Aquilas Ac 18.2+ — cheveux rasés en raison d'un vœu Nb 6.9-18 ; Ac 21.23-27. **18.19** Ephèse Ac 19.1+ — à la synagogue Ac 17.2+. **18.21** je reviendrai, si Dieu le veut Rm 1.10 ; 1 Co 4.19. **18.22** Césarée Ac 23.23+ — l'église Ac 5.11+ — Antioche Ac 6.5 ; 11.19 ; 13.1 ; 14.26 ; 15.22 ; Ga 2.11. **18.23** région galate Ac 16.6+ — disciples Ac 6.1+. **18.24** Apollos Ac 19.1 ; 1 Co 1.12 ; 3.4-6, 22 ; 4.6 ; 16.12 ; Tt 3.13. **18.25** la Voie du Seigneur Ac 9.2+ — l'esprit plein de ferveur Rm 12.11 — seulement le baptême de Jean Ac 19.3. **18.26** en toute assurance dans la synagogue Ac 19.8 ; cf. 17.2+ — Priscille et Aquilas Ac 18.2+. **18.27** les frères Ac 1.15+ — une lettre de recommandation 2 Co 3.1 — les disciples Ac 6.1+. **18.28** il prouvait par les Ecritures Ac 9.2 ; 17.3 — le Messie, c'est Jésus Ac 5.42+. **19.1** Apollos à Corinthe Ac 18.27-28 ; cf. 18.24 — Ephèse Ac 18.19 ; 20.16-17 ; 21.29 ; 1 Co 15.32 ; 16.8 ; Ep 1.1 ; 1 Tm 1.3 ; 2 Tm 1.18 ; 4.12 ; Ap 1.11 ; 2.1. **19.2** avez-vous reçu l'Esprit Saint quand ... Ac 2.38 — même pas entendu parler... Jn 7.39 ; Ac 8.16. **19.3** le baptême de Jean Ac 18.25 ; cf. Mt 3.6+.

demanda : « Quel baptême, alors, avez-vous reçu ? » Ils répondirent : « Le baptême de Jean ᵐ. » ⁴ Paul reprit : « Jean donnait un baptême de conversion et il demandait au peuple de croire en celui qui viendrait après lui, c'est-à-dire en Jésus. » ⁵ Ils l'écoutèrent et reçurent le baptême au *nom du Seigneur Jésus. ⁶ Paul leur *imposa les mains et l'Esprit Saint vint sur eux : ils parlaient en langues et *prophétisaient. ⁷ Il y avait en tout environ douze personnes.

L'activité de Paul à Ephèse

⁸ Paul se rendait à la *synagogue et, durant trois mois, il y prenait la parole en toute assurance à propos du *règne de Dieu, s'efforçant de convaincre ses auditeurs. ⁹ Comme certains se durcissaient et, loin de se laisser convaincre, diffamaient la Voie ⁿ en pleine assemblée, Paul rompit avec eux et, prenant à part les disciples, il leur adressait chaque jour la parole dans l'école de Tyrannos. ¹⁰ Cette situation se prolongea pendant deux ans, si bien que toute la population de l'Asie ᵒ, *Juifs et Grecs, put entendre la parole du Seigneur.

La mésaventure des sept fils de Scéva

¹¹ Dieu accomplissait par les mains de Paul des miracles peu banals, ¹² à tel point qu'on prenait, pour les appliquer aux malades, des mouchoirs ou des linges qui avaient touché sa peau. Ces gens étaient alors débarrassés de leurs maladies et les esprits mauvais s'en allaient. ¹³ Des exorcistes ᵖ juifs itinérants entreprirent à leur tour de prononcer, sur ceux qui avaient des esprits mauvais, le *nom du Seigneur Jésus ; ils disaient : « Je vous conjure par ce Jésus que Paul proclame ! » ¹⁴ Sept fils d'un grand prêtre juif, un certain Scéva, s'essayaient à cette

SKIN

pratique. ¹⁵ L'esprit mauvais leur répliqua : « Jésus, je le connais et je sais qui est Paul. Mais vous, qui êtes-vous donc ? » ¹⁶ Et, leur sautant dessus, l'homme qu'habitait l'esprit mauvais prit l'avantage sur eux tous avec une telle violence qu'ils s'échappèrent de la maison à moitié nus et couverts de plaies. ¹⁷ Toute la population d'Ephèse, *Juifs et Grecs, fut au courant de cette aventure ; la crainte les envahit tous et l'on célébrait la grandeur du nom du Seigneur Jésus.

¹⁸ Une foule de fidèles venaient faire à haute voix l'aveu de leurs pratiques �q. ¹⁹ Un bon nombre de ceux qui s'étaient adonnés à la magie firent un tas de leurs livres et les brûlèrent en public. Quand on calcula leur valeur, on constata qu'il y en avait pour cinquante mille pièces d'argent. ²⁰ Ainsi, par la force du Seigneur, la Parole croissait et gagnait en puissance.

CONFESSION; ADDICTED; PILE

Emeute à Ephèse et départ de Paul
RIOT

²¹ A la suite de ces événements, Paul prit la décision, dans l'esprit, de se rendre à Jérusalem en passant par la Macédoine et l'Achaïe ʳ. Il déclarait : « Quand j'aurai été là-bas, il faudra encore que je me rende à Rome. » ²² Il envoya en Macédoine Timothée et Eraste, deux de ses auxiliaires, tandis que lui-même prolongeait un peu son séjour en Asie.

²³ C'est à cette époque que se produisirent des troubles assez graves à propos de la Voie ˢ. ²⁴ Un orfèvre en effet, du nom de Démétrius, fabriquait des temples d'Artémis ᵗ en argent et procurait ainsi aux artisans des gains très appréciables. ²⁵ Il rassembla ces artisans ainsi que les membres des métiers voisins et leur déclara : « Vous le savez, mes amis, notre aisance vient de cette activité. ²⁶ Or, vous le constatez ou vous l'entendez dire : non seulement à Ephèse, mais dans presque

AFFLUENCE

m Voir Ac 18.25 et note ● n Voir Ac 9.2 et note ● o Voir Ac 16.6 et note ● p exorcistes: des gens qui faisaient métier de chasser les démons ● q Il s'agit de pratiques magiques ● r Voir 2 Co 1.1 et note b ● s Voir Ac 9.2 et note ● t Artémis désigne ici la déesse de la fécondité que l'on vénérait en Orient

19.4 baptême de conversion et appel à croire en Jésus Mt 3.11; Mc 1.4, 7-8. 19.5 baptême au nom du Seigneur Jésus Ac 2.38+. 19.6 imposition des mains et don du Saint Esprit Ac 6.6+ — parler en langues... prophétiser Ac 2.4+. 19.8 à la synagogue Ac 17.2+ en toute assurance Ac 18.26. 19.9 rupture Ac 13.46; 18.6-7; cf. 2 Co 6.17. 19.10 séjour à Ephèse Ac 19.8; 20.31 — évangélisation de la province d'Asie cf. Col 1.7; 4.13, 15; Ap 3.14-22. 19.11 des miracles Ac 14.3. 19.12 un contact qui guérit Ac 5.15-16+. 19.13 tentative de chasser des démons au nom de Jésus Mc 9.38; Lc 9.49. 19.15 les démons connaissent l'envoyé de Dieu Ac 16.17+. 19.17 crainte Ac 5.5, 11 — le nom de Jésus Ac 3.16+. 19.20 progression de la Parole de Dieu Ac 6.7; 12.24. 19.21 projet de voyage à Jérusalem et à Rome Ac 23.11; Rm 1.13; 15.23; cf. 2 Co 1.15-16. 19.22 Timothée Ac 16.1+. 19.23 des troubles assez graves 2 Co 1.8 — la Voie Ac 9.2+. 19.24 des gains très appréciables Ac 16.16. 19.26 dieux fabriqués, faux dieux Ac 17.29.

toute l'Asie, ce Paul remue une foule considérable en la persuadant, comme il dit, que les dieux qui sortent de nos mains ne sont pas des dieux. ²⁷ Ce n'est pas simplement notre profession qui risque d'être dénigrée, mais c'est aussi le temple de la grande déesse Artémis qui pourrait être laissé pour compte et se trouver bientôt dépouillé de la grandeur de celle qu'adorent l'Asie et le monde entier. »

²⁸ A ces mots, les auditeurs devinrent furieux et ils n'en finissaient pas de crier : « Grande est l'Artémis d'Ephèse ! » ²⁹ L'agitation gagna toute la ville et l'on se précipita en masse au théâtre, en s'emparant au passage des Macédoniens Gaïus et Aristarque, compagnons de voyage de Paul. ³⁰ Paul était décidé à se rendre à l'assemblée, mais les *disciples ne le laissèrent pas faire. ³¹ Et certains asiarques *u* de ses amis lui firent aussi déconseiller de se risquer au théâtre.

³² Chacun bien sûr criait autre chose que son voisin et la confusion régnait dans l'assemblée où la plupart ignoraient même les motifs de la réunion. ³³ Des gens dans la foule renseignèrent un certain Alexandre que les *Juifs avaient mis en avant. De la main, Alexandre fit signe qu'il voulait s'expliquer devant l'assemblée. ³⁴ Mais, quand on apprit qu'il était juif, tous se mirent à scander d'une seule voix, pendant près de deux heures : « Grande est l'Artémis d'Ephèse ! » ³⁵ Le secrétaire réussit pourtant à calmer la foule : « Ephésiens, dit-il, existerait-il quelqu'un qui ne sache pas que la cité d'Ephèse est la ville sainte de la grande Artémis et de sa statue tombée du ciel ? ³⁶ Puisque la réponse ne fait pas de doute, il vous faut donc retrouver le calme et éviter les fausses manœuvres. ³⁷ Vous avez en effet amené ici des hommes qui n'ont commis ni sacrilège ni *blasphème contre notre déesse. ³⁸ Si Démétrius et les artisans qui le suivent sont en litige avec

quelqu'un, il se tient des audiences, il existe des proconsuls *v* : que les parties aillent donc en justice ! ³⁹ Et si vous avez encore d'autres requêtes, l'affaire sera réglée par l'assemblée légale. ⁴⁰ Nous risquons en fait d'être accusés de sédition pour notre réunion d'aujourd'hui, car n'existe aucun motif que nous puissions avancer pour justifier cet attroupement. » Et, sur cette déclaration, il renvoya l'assemblée.

Paul revient en Macédoine et en Grèce

20 ¹ Quand le tumulte se fut calmé, Paul fit venir les *disciples et les encouragea. Puis il leur dit adieu et prit la route de la Macédoine. ² Après avoir traversé ces régions et y avoir encouragé longuement les frères, il parvint en Grèce. ³ où il passa trois mois. Au moment de prendre la mer pour la Syrie, comme les *Juifs complotaient contre lui, il décida de repasser par la Macédoine. ⁴ Il avait comme compagnons *w* : Sopatros, fils de Pyrrhus, de Bérée ; Aristarque et Secundus, de Thessalonique ; Gaïus, de Derbé, et Timothée, ainsi que Tychique et Trophime, de la province d'Asie. ⁵ Ce groupe, qui avait pris les devants, nous a attendus à Troas. ⁶ Quant à nous, partis de Philippes après les jours des *pains sans levain, nous nous sommes embarqués pour les rejoindre, cinq jours plus tard, à Troas, où nous avons fait halte pendant une semaine.

Visite d'adieux à Troas

⁷ Le premier jour de la semaine *x*, alors que nous étions réunis pour rompre le pain, Paul, qui devait partir le lendemain, adressait la parole *y* aux frères et il avait prolongé l'entretien jusque vers minuit. ⁸ Les lampes ne manquaient pas dans la chambre haute où nous étions réunis.

---

u Personnages de haut rang, élus pour présider au culte de l'empereur dans la province d'Asie, les *asiarques* conservaient leur titre après la fin de leur mandat ● *v* Voir Ac 13.7 et note ● *w* Certains manuscrits ajoutent: *jusqu'en Asie* ● *x* Voir Mt 28.1; Lc 24.1. Pour les Juifs le jour commençait au coucher du soleil; cette réunion s'est donc tenue dans la nuit du Samedi au Dimanche ● *y* Ou *s'entretenait avec les frères*

19.29 Aristarque Ac 20.4; 27.2; Col 4.10; Phm 24.   19.33 un signe de la main Ac 12.17; 13.16; 21.40.   20.1 les disciples Ac 6.1+ — Macédoine Ac 16.10; 18.5; 19.21-22; Rm 15.26; 1 Co 16.5; 2 Co 1.16; 2.13; 7.5; 8.1; 9.2; 11.9; 1 Th 1.7; 4.10; 1 Tm 1.3.   20.2 les frères Ac 1.15+.   20.4 So(si)patros Rm 16.21 — Aristarque Ac 19.29+ — Timothée Ac 16.1+ — Tychique Ep 6.21; Col 4.7; 2 Tm 4.12; Tt 3.12 — Trophime Ac 21.29; 2 Tm 4.20.   20.5 récits à la première personne du pluriel Ac 16.10+.   20.6 les jours des pains sans levain Ac 12.3 — Troas Ac 16.8+.   20.7 le premier jour de la semaine Lc 24.1+; cf. 1 Co 16.2; Ap 16.10 — réunis pour rompre le pain Lc 24.30; Ac 2.42, 46; 1 Co 11.17-25; cf. Ac 27.35.   20.8 chambre haute Lc 22.12; Ac 1.13.

⁹ Un jeune homme, nommé Eutyque, qui s'était assis sur le rebord de la fenêtre, fut pris d'un sommeil profond, tandis que Paul n'en finissait pas de parler. Sous l'emprise du sommeil, il tomba du troisième étage et, quand on voulut le relever, il était mort. ¹⁰ Paul descendit alors, se précipita vers lui ᶻ et le prit dans ses bras : « Ne vous agitez pas ! Il est vivant ! » ¹¹ Une fois remonté, Paul rompit le pain et mangea : puis il prolongea l'entretien jusqu'à l'aube et alors il s'en alla. ¹² Quant au garçon, on l'emmena vivant et ce fut un immense réconfort.

De Troas à Milet

¹³ Prenant les devants, nous nous sommes alors embarqués sur un bateau à destination d'Assos, où nous devions reprendre Paul, qui devait s'y rendre par la route comme il en avait décidé. ¹⁴ Quand il nous a rejoints à Assos, nous l'avons pris à bord pour gagner Mitylène. ¹⁵ De là nous avons fait voile le lendemain jusqu'à la hauteur de Chio ; le surlendemain, nous avons traversé sur Samos et vingt-quatre heures plus tard, après une escale à Trogyllion ᵃ, nous sommes arrivés à Milet. ¹⁶ Paul était en effet décidé à éviter l'escale d'Ephèse, pour ne pas perdre de temps en Asie ᵇ. Il n'avait qu'une hâte : être à Jérusalem, si possible, pour le jour de la *Pentecôte.

Paul et les anciens de l'église d'Ephèse

¹⁷ De Milet, Paul fit convoquer les *anciens de l'église d'Ephèse. ¹⁸ Quand ils l'eurent rejoint, il leur déclara : « Vous savez quelle a toujours été ma conduite à votre égard depuis le jour de mon arrivée en Asie. ¹⁹ J'ai servi le Seigneur en toute humilité, dans les larmes et au milieu des épreuves que m'ont valu les complots des Juifs. ²⁰ Je n'ai rien négligé de ce qui pouvait vous être utile ; au contraire, j'ai prêché, je vous ai instruits, en public comme en privé ; ²¹ mon témoignage appelait et les *Juifs et les Grecs à se convertir à Dieu et à croire en notre Seigneur Jésus.

²² « Maintenant, prisonnier de l'Esprit, me voici en route pour Jérusalem ; je ne sais pas quel y sera mon sort, ²³ mais en tout cas, l'Esprit Saint me l'atteste de ville en ville, chaînes et détresses m'y attendent. ²⁴ Je n'attache d'ailleurs vraiment aucun prix à ma propre vie ; mon but, c'est de mener à bien ma course et le service que le Seigneur Jésus m'a confié : rendre témoignage à *l'Evangile de la grâce de Dieu.

²⁵ « Désormais, je le sais bien, voici que vous ne reverrez plus mon visage, vous tous parmi lesquels j'ai passé en proclamant le Règne ᶜ. ²⁶ Je peux donc l'attester aujourd'hui devant vous : je suis pur du sang de tous ᵈ. ²⁷ Je n'ai vraiment rien négligé : au contraire, c'est le plan de Dieu tout entier que je vous ai annoncé. ²⁸ Prenez soin de vous-mêmes et de tout le troupeau dont l'Esprit Saint vous a établis les gardiens, soyez les bergers de l'Eglise de Dieu ᵉ qu'il s'est acquise par son propre *sang.

²⁹ « Je sais bien qu'après mon départ s'introduiront parmi vous des loups féroces qui n'épargneront pas le troupeau ; ³⁰ de vos propres rangs surgiront des hommes aux paroles perverses qui entraîneront les *disciples à leur suite. ³¹ Soyez donc vigilants, vous rappelant que, nuit et jour pendant trois ans, je n'ai pas cessé, dans les larmes, de reprendre chacun d'entre vous. ³² Et maintenant, je vous remets à Dieu et à sa parole de grâce, qui a la puissance de bâtir l'édifice et d'assurer l'héritage à tous les *sanctifiés.

z Ou *se pencha vers lui* ● a après une escale à Trogyllion: Cette précision ne figure pas dans tous les manuscrits ● b Voir Ac 16.6 et note ● c Le *Règne* (ou royaume) de Dieu ● d Voir Ac 5.28 ; 18.6 et note sur Mt 27.25 ● e Autre texte: *l'Eglise du Seigneur*

20.10 il est vivant cf. Ac 9.41.   **20.17** les anciens Ac 11.30+ — l'église d'Ephèse cf. Ac 18.21. **20.18** Paul dans la province d'Asie Ac 18.19 ; 19.10.   **20.19** les complots des Juifs Ac 20.3. **20.20** rien négligé Ac 20.27.   **20.21** conversion Ac 3.19+ et foi Ac 3.16+ ; 10.43+.   **20.22** prisonnier de l'Esprit Ac 21.11 ; cf. 1.8+ — en route pour Jérusalem Ac 19.21. **20.23** l'Esprit Saint avertit Paul Ac 21.4, 11 — détresses en perspective Ac 9.16.   **20.24** je n'attache aucun prix à ma vie Ac 21.13 — mener à bien ma course Ph 3.13-14 ; 2 Tm 4.7.   **20.25** proclamation du règne de Dieu Ac 1.3+.   **20.26** pur du sang de tous Ac 18.6.   **20.28** image du troupeau Lc 12.32+ ; He 13.20 ; 1 P 2.25 ; 5.3-4 — gardiens épiscopes Ph 1.1 ; 1 Tm 3.2 ; Tt 1.7 ; cf. 1 P 2.25 ; 5.2 — paissez 1 P 5.2 ; cf. Ep 4.11 l'Eglise Ac 5.11+ — de Dieu 1 Co 1.2 ; 2 Co 1.1... ; 1 Th 2.14 ; 2 Th 1.4 qu'il s'est acquise Ps 74.2 ; Ep 1.14.   **20.29** loups féroces Mt 7.15 ; Jn 10.12.   **20.30** de vos propres rangs surgiront 1 Jn 2.19.   **20.31** pendant trois ans... chacun d'entre vous Ac 19.10 ; 1 Th 2.11-12. **20.32** bâtir 1 Co 3.5-17 ; 1 P 2.4-10 — l'héritage à tous les sanctifiés Dt 33.3-4 ; *Sg* 5.5 ; Ac 26.18 ; Ep 1.14, 18 ; 5.5 ; Col 3.24 ; He 9.15 ; 1 P 1.4 ; cf. Ac 9.13+.

COVÉT

³³ « Je n'ai convoité l'argent, l'or ou le vêtement de personne. ³⁴ Les mains que voici, vous le savez vous-mêmes, ont pourvu à mes besoins et à ceux de mes compagnons. ³⁵ Je vous l'ai toujours montré, c'est en peinant de la sorte qu'il faut venir en aide aux faibles et se souvenir de ces mots que le Seigneur Jésus lui-même a prononcés : Il y a plus de bonheur à donner qu'à recevoir *f*. »

³⁶ Après ces paroles, il se mit à genoux avec eux tous et pria. ³⁷ Tout le monde alors éclata en sanglots et se jetait au cou de Paul pour l'embrasser — ³⁸ leur tristesse venait surtout de la phrase où il avait dit qu'ils ne devaient plus revoir son visage —, puis on l'accompagna jusqu'au bateau.

SOBS

Le voyage de retour à Jérusalem

21 ¹ Après nous être arrachés à eux et avoir repris la mer, nous avons mis le cap droit sur Cos ; le lendemain, sur Rhodes, et de là sur Patara. ² Trouvant un bateau en partance pour la Phénicie, nous sommes montés à bord et nous avons pris la mer. ³ Arrivés en vue de Chypre, nous avons laissé l'île à bâbord pour faire route vers la Syrie et nous avons débarqué à Tyr, où en effet le navire devait décharger sa cargaison.

PORT

⁴ Nous sommes restés là sept jours, car nous y avions découvert les *disciples ; poussés par l'Esprit ceux-ci disaient à Paul de ne pas monter à Jérusalem. ⁵ Le temps de notre séjour une fois achevé, nous sommes néanmoins repartis et, tandis que nous marchions, tous nous accompagnaient, femmes et enfants compris, jusqu'à l'extérieur de la ville. Là, à genoux sur la plage, nous avons prié ; ⁶ puis, les adieux échangés, nous sommes montés sur le bateau et ils sont retournés

NÉVERTHELESS

chez eux. ⁷ Quant à nous, au terme de notre traversée depuis Tyr, nous sommes arrivés à Ptolémaïs et, après avoir salué les frères nous avons passé une journée avec eux.

⁸ Repartis le lendemain, nous avons gagné Césarée *g* où nous nous sommes rendus à la maison de Philippe *l'Evangéliste, un des Sept *h*, et nous avons séjourné chez lui. ⁹ Il avait quatre filles vierges qui *prophétisaient. ¹⁰ Alors que nous passions là plusieurs jours, est arrivé un *prophète de Judée, nommé Agabus. ¹¹ Venant nous trouver, il a pris la ceinture de Paul, s'est attaché les pieds et les mains et a déclaré : « Voici ce que dit l'Esprit Saint. L'homme à qui appartient cette ceinture, voilà comment, à Jérusalem, les *Juifs l'attacheront et le livreront aux mains des *païens ! » ¹² A ces mots, nous et les frères de la ville, nous avons supplié Paul de ne pas monter à Jérusalem. ¹³ Il nous a répondu alors : « Qu'avez-vous à pleurer et à me briser le cœur ? Je suis prêt, moi, non seulement à être lié mais à mourir à Jérusalem pour le *nom du Seigneur Jésus. » ¹⁴ Comme il ne se laissait pas convaincre, nous n'avons pas insisté. « Que la volonté du Seigneur soit faite, disions-nous ! »

¹⁵ A la fin de ces quelques jours, une fois nos préparatifs achevés, nous sommes montés vers Jérusalem ; ¹⁶ des *disciples de Césarée, qui s'y rendaient aussi en notre compagnie, nous ont emmenés loger chez Mnason de Chypre, un disciple des premiers temps.

A Jérusalem Paul rend visite à Jacques

¹⁷ A notre arrivée à Jérusalem, c'est avec plaisir que les frères nous ont accueillis. ¹⁸ Le lendemain, Paul s'est rendu avec nous chez Jacques *i* où tous les *an-

---

f Cette parole de Jésus n'a pas été conservée dans les Evangiles ● *g* Ville de la côte de Judée, où résidaient les gouverneurs romains ● *h* Voir Ac 6.5 ● *i* Comme en Ac 12.17 et 15.13 il s'agit de *Jacques, le frère du Seigneur*

20.33 désintéressement de Paul 1 S 12.3; 1 Co 9.11-12. **20.34** Paul a travaillé de ses mains Ac 18.3 + — aide occasionnelle reçue par Paul 2 Co 11.9; Ph 4.15-19. **20.35** le Seigneur 1 Co 7.10, 12, 25; 11.23 — plus de bonheur à donner qu'à recevoir Mt 10.8. **20.36** prière avant la séparation Ac 21.5-6. **20.37** adieux de Paul Ac 21.5-6. **20.38** ils ne reverraient plus son visage Ac 20.25. **21.1** récits à la première personne du pluriel Ac 16.10 +. **21.4** les disciples Ac 6.1 + — avertissements et conseils donnés à Paul Ac 20.23. **21.5** prière avant la séparation Ac 20.36. **21.8** Philippe, l'un des Sept Ac 8.5 + — Evangéliste Ep 4.11; 2 Tm 4.5. **21.9** des filles qui prophétisaient Jl 3.1; Ac 2.17; 1 Co 11.5; cf. 14.33; 1 Tm 2.11-12 — prophètes dans l'église Ac 11.27 +. **21.10** le prophète Agabus Ac 11.28. **21.11** annonce de la captivité de Paul Ac 20.23; 21.10-12; cf. Jn 21.18. **21.12** les frères Ac 1.15 + — tentative de détourner Paul de son projet cf. Mt 16.22. **21.13** Paul prêt à mourir pour Jésus Ac 20.24 — le nom Ac 3.16 +. **21.14** Que la volonté du Seigneur soit faite Mt 26.42 par. **21.16** les disciples Ac 6.1 + — Césarée Ac 23.23 +. **21.17** les frères Ac 1.15 +. **21.18** visite aux responsables de l'église de Jérusalem Ac 15.2 — Jacques Ac 15.13 + — les anciens Ac 11.30 +.

ciens se trouvaient aussi. [19] Les ayant salués, il leur racontait en détail tout ce que, par son service, Dieu avait accompli chez les *païens. [20] Les auditeurs de Paul rendaient gloire à Dieu et lui dirent : « Tu peux voir, frère, combien de milliers de fidèles il y a parmi les *Juifs, et tous sont d'ardents partisans de la *Loi. [21] Or ils sont au courant de bruits qui courent à ton sujet : ton enseignement pousserait tous les Juifs qui vivent parmi les païens à abandonner Moïse ; tu leur dirais de ne plus *circoncire leurs enfants et de ne plus suivre les règles. [22] Que faire ? Ils vont sans aucun doute apprendre que tu es là. [23] Fais donc ce que nous allons te dire. Nous avons quatre hommes qui sont tenus par un vœu. [24] Prends-les avec toi, accomplis la *purification en même temps qu'eux et charge-toi de leurs dépenses. Ils pourront ainsi se faire raser la tête [j] et tout le monde comprendra que les bruits qui courent à ton sujet ne signifient rien, mais que tu te plies, toi aussi, à l'observance de la Loi. [25] Quant aux païens qui sont devenus croyants, nous leur avons écrit nos décisions : se garder de la viande de sacrifices païens, du sang, de la viande étouffée, et de l'immoralité [k]. » [26] Le jour suivant, Paul prit donc ces hommes avec lui et, commençant la purification en même temps qu'eux, il se rendit dans le *Temple, pour indiquer la date à laquelle la purification achevée, l'offrande serait présentée pour chacun d'eux.

Arrestation de Paul au Temple

[27] Les sept jours allaient s'achever quand les *Juifs d'Asie, qui l'avaient remarqué dans le Temple, soulevèrent toute la foule et mirent la main sur lui. [28] Ils criaient : « Israélites, au secours ! Le voilà, l'homme qui combat notre peuple et la *Loi et ce Lieu [l], dans l'enseignement qu'il porte partout et à tous ! Il a même amené des Grecs dans le Temple et il profane ainsi ce *saint Lieu. » [29] Ils avaient déjà vu en effet Trophime d'Ephèse avec lui dans la ville et ils pensaient que Paul l'avait introduit dans le Temple. [30] La ville entière s'ameuta et le peuple arriva en masse. On se saisit de Paul et on le traîna hors du Temple, dont les portes furent aussitôt fermées. [31] On cherchait à le tuer quand cette nouvelle parvint au tribun de la cohorte [m] : « tout Jérusalem est sens dessus dessous ! » [32] Il rassembla immédiatement soldats et centurions [n] et fit charger la foule : à la vue du tribun et des soldats, on cessa de frapper Paul. [33] S'approchant, le tribun se saisit alors de lui et donna l'ordre de le lier avec deux chaînes ; puis il voulut savoir qui il était et ce qu'il avait fait. [34] Mais, dans la foule, chacun criait autre chose que son voisin et, comme le tribun, à cause de ce tumulte, ne pouvait obtenir aucun renseignement certain, il donna l'ordre d'emmener Paul dans la forteresse [o]. [35] Quand ce dernier fut sur les marches de l'escalier, les soldats durent le porter à cause de la violence de la foule, [36] car le peuple tout entier le suivait en criant : « A mort ! »

Paul s'explique devant la foule

[37] Au moment où on allait le faire entrer dans la forteresse, Paul dit au tribun : « Pourrais-je te dire un mot ? — Tu sais le grec, lui répondit-il ? [38] Ce n'est donc pas toi l'Egyptien qui, ces derniers temps, a soulevé et emmené au désert quatre mille sicaires [p] ? — [39] Moi ? reprit Paul, je suis *juif, de Tarse en Cilicie, citoyen d'une ville qui n'est pas sans renom. Je t'en prie, autorise-moi à parler au peu-

---

j Voir Ac 18.18 et note ● *k* Voir Ac 15.20, 29 et notes ● *l* On utilisait parfois cette tournure pour parler du Temple de Jérusalem sans avoir à le nommer. Voir Jn 11.48; Ac 6.13 et note ● *m tribun*: officier de l'armée romaine commandant une garnison de troupes d'occupation — *Cohorte*: Voir Mc 15.16 et note ● *n Centurion*: Voir Mc 15.39 et note ● *o La forteresse* Antonia, qui avait été construite par Hérode le Grand à l'angle Nord-Ouest de la terrasse du Temple, servait de caserne aux troupes romaines ● *p Sicaires* (hommes au poignard): des extrémistes en révolte contre les Romains

21.19 Paul raconte... Ac 14.27; 15.3-4, 12. **21.20** milliers de fidèles parmi les Juifs Ac 5.14; 6.7; cf. Ac 2.41 + — ardents partisans de la Loi Ac 15.1, 5. **21.21** Paul accusé de s'opposer au respect de la Loi mosaïque Ac 18.13; 21.28; 28.17; 6.11-14; 15.1, 5 — Paul et la circoncision Ac 16.3; Ga 2.3 — l'enseignement de Paul Rm 2.25-29; 3.21-26; 10.4; Ga 3.22. **21.23-24** tenus par un vœu Nb 6.5, 13-18, 21; Ac 18.18. **21.25** décisions concernant les païens devenus croyants Ac 15.19-20, 28-29. **21.26** Paul se soumet à la loi sur les vœux 1 Co 9.20 — loi sur les vœux Ac 21.23-24 + . **21.28** accusé de s'opposer à la Loi de Moïse Ac 21.21 + — des Grecs dans le Temple Ez 44.7. **21.33** Paul ligoté cf. Ac 20.23; 21.11. **21.36** A mort! Lc 23.18; Jn 19.15; Ac 22.22. **21.38** chef de bande en révolte Ac 5.36-37. **21.39** Paul citoyen de Tarse Ac 9.11; 22.3.

ple. » ⁴⁰ L'autorisation accordée, Paul, debout sur les marches, fit signe de la main au peuple. Un grand silence s'établit et il leur adressa la parole en langue hébraïque :

22 ¹ « Frères et pères, écoutez donc la défense que j'ai maintenant à vous présenter. » ² Le calme s'accrut encore quand ils entendirent que Paul s'adressait à eux en langue hébraïque. ³ « Je suis Juif, né à Tarse en Cilicie, mais c'est ici, dans cette ville, que j'ai été élevé et que j'ai reçu aux pieds de Gamaliel *q* une formation strictement conforme à la *Loi de nos pères. J'étais un partisan farouche de Dieu, comme vous l'êtes tous aujourd'hui, ⁴ et, persécutant à mort cette Voie *r*, j'ai fait enchaîner et jeter en prison des hommes et des femmes. ⁵ Le *grand prêtre et tout le collège des *anciens peuvent en témoigner : c'est d'eux en effet que j'avais reçu des lettres pour nos frères lorsque je me suis rendu à Damas avec mission d'enchaîner et d'amener à Jérusalem, pour les faire punir, ceux qui étaient là-bas.

⁶ « Je poursuivais donc ma route et j'approchais de Damas quand soudain, vers midi, une grande lumière venue du ciel m'enveloppa de son éclat. ⁷ Je tombai à terre et j'entendis une voix me dire : "Saoul, Saoul *s*, pourquoi me persécuter ?" ⁸ Je répondis : "Qui es-tu, Seigneur ?" La voix reprit : "Je suis Jésus le Nazôréen *t*, c'est moi que tu persécutes." ⁹ Mes compagnons virent bien la lumière mais ils n'entendirent pas la voix qui me parlait. ¹⁰ Je demandai : "Que dois-je faire, Seigneur ?" Et le Seigneur me répondit : "Relève-toi, va à Damas, et là on t'indiquera en détail la tâche qui t'est assignée." ¹¹ Mais, comme l'éclat de cette lumière m'avait ôté la vue, c'est conduit par la main de mes compagnons que j'arrivai à Damas.

FIERCE

¹² « Il y avait là un certain Ananias ; c'était un homme pieux, fidèle à la Loi, dont la réputation était bonne auprès de tous les Juifs qui habitaient là. ¹³ Il vint me trouver et me dit alors : "Saoul, mon frère, retrouve la vue !" Et, à l'instant même, je la retrouvai et je le vis. ¹⁴ Il me dit : "Le Dieu de nos pères t'a destiné à connaître sa volonté, à voir le Juste *u* et à entendre sa propre voix. ¹⁵ Tu dois en effet être témoin pour lui, devant tous les hommes, de ce que tu auras vu et entendu. ¹⁶ Pourquoi donc hésiterais-tu ? Allons ! Reçois le baptême et la purification de tes péchés en invoquant son *nom."

¹⁷ « De retour à Jérusalem, alors que j'étais en prière dans le *Temple, il m'arriva un jour de tomber en extase ¹⁸ et je vis le Seigneur qui me disait : "Vite, quitte Jérusalem sans tarder, car ils n'accueilleront pas le témoignage que tu me rendras." ¹⁹ Je répondis : "Mais, Seigneur, ils savent bien que c'est moi qui allais dans les *synagogues pour faire mettre en prison et battre de verges ceux qui croient en toi. ²⁰ Et lorsque le sang d'Etienne, ton témoin, a été répandu, moi aussi j'étais là, j'approuvais ses meurtriers et je gardais leurs vêtements." ²¹ Mais il me dit : "Va, c'est au loin, vers les nations *païennes, que je vais, moi, t'envoyer". »

²² Les Juifs qui avaient écouté Paul jusqu'à ces mots se mirent alors à pousser des cris : « Qu'on débarrasse la terre d'un tel individu ! Il ne doit pas rester vivant ! » ²³ Comme ils vociféraient, jetaient leurs manteaux et lançaient en l'air de la poussière, ²⁴ le tribun donna l'ordre de faire entrer Paul dans la forteresse et de lui appliquer la question par le fouet, pour découvrir le motif de ces cris qu'on poussait contre lui. ²⁵ On allait étendre Paul pour le fouetter *v* quand il dit au centurion de service : « Un citoyen romain, qui n'a

q aux pieds de: situation de l'élève assis par terre et recevant l'enseignement du Maître. Voir Lc 10.39. *Gamaliel:* célèbre maître juif; voir Ac 5.34 • *r* Voir Ac 9.2 et note • *s* Voir Ac 9.4 et note • *t* Voir Mt 26.71 et note • *u* Voir Ac 3.14 et note • *v* Ou *on allait l'attacher avec des courroies*

21.40 signe de la main Ac 12. 17; 13.16; 19.33 — en langue hébraïque Ac 26.14. **22.1** Frères et pères Ac 7.2. **22.3** Juif, né à Tarse Ac 21.39 — Gamaliel Ac 5.34 — partisan farouche Rm 10.2. **22.4** Paul persécuteur Ac 8.3; 9.1-2, 14; 22.19; 26.9-11 — la Voie Ac 9.2+. **22.6-21** récits de la vocation de Paul Ac 9. 3-19; 26.12-18. **22.15** témoin Ac 1.8+. **22.16** le baptême Ac 1.5+. — en invoquant son nom Jl 3.5; Ac 2.21; Rm 10.13; cf. Ac 3.16+. **22.18** Pourquoi Paul a quitté Jérusalem Ac 9. 24-30. **22.19** Paul persécuteur des chrétiens Ac 8.3; 22.4-5; 26.9-11; 1 Co 15.9; Ga 1.13, 23; Ph 3.6; 1 Tm 1.13. **22.20** Paul présent au meurtre d'Etienne Ac 7.58; 8.1 — ton témoin Ac 1.8+. **22.21** Paul envoyé vers les nations païennes Ac 9.15; 13.46-47; 22.15; 26.17-18; Ga 1.15-16; 2.7-9; Col 1.25; cf. apôtre Ac 14.4+; 1 Co 9.1; Ga 1.17. **22.22** cris hostiles contre Paul Ac 21.36. **22.25** le privilège des citoyens romains Ac 16.37; 23.27.

même pas été jugé, avez-vous le droit de lui appliquer le fouet ? » ²⁶ A ces mots, le centurion alla mettre le tribun au courant : « Qu'allais-tu faire ! L'homme est citoyen romain ! » ²⁷ Le tribun revint donc demander à Paul : « Dis-moi, tu es vraiment citoyen romain ? — Oui, dit Paul. » ²⁸ Le tribun reprit : « Moi, j'ai dû payer la forte somme pour acquérir ce droit. — Et moi, dit Paul, je le tiens de naissance. » ²⁹ Ceux qui allaient le mettre à la question le laissèrent donc immédiatement : quant au tribun, il avait pris peur en découvrant que c'était un citoyen romain qu'il gardait enchaîné.

Paul comparaît devant le Sanhédrin

³⁰ Le lendemain, décidé à savoir avec certitude ce dont les *Juifs accusaient Paul, il lui fit enlever ses chaînes ; puis il ordonna une réunion des *grands prêtres avec tout le *Sanhédrin et fit descendre Paul pour comparaître devant eux.

23 ¹ Les yeux fixés sur le *Sanhédrin, Paul déclara : « Frères, c'est avec une conscience sans aucun reproche que je me suis conduit envers Dieu jusqu'à ce jour. » ² Mais le grand prêtre Ananias ᵂ ordonna à ses assistants de le frapper sur la bouche. Paul dit alors : ³ « C'est toi que Dieu va frapper, muraille blanchie ! Tu sièges pour me juger selon la *Loi, et, au mépris de la Loi, tu ordonnes qu'on me frappe ? » ⁴ Les assistants l'avertirent : « Tu insultes le grand prêtre de Dieu ! — ⁵ Je ne savais pas, frères, répondit Paul, que c'était le grand prêtre ; il est écrit en effet : *Tu n'insulteras pas le chef de ton peuple.* »

⁶ Sachant que l'assemblée était en partie *sadducéenne et en partie *pharisienne, Paul s'écria au milieu du *Sanhédrin : « Frères, je suis pharisien, fils de pharisiens ; c'est pour notre espérance, la résurrection des morts, que je suis mis en jugement. » ⁷ Cette déclaration était à peine achevée qu'un conflit s'éleva entre pharisiens et sadducéens et l'assemblée se divisa. ⁸ Les sadducéens soutiennent en effet qu'il

n'y a ni résurrection, ni *ange, ni esprit, tandis que les pharisiens en professent la réalité. ⁹ Ce fut un beau **tapage**. Certains scribes du groupe pharisien intervinrent et protestèrent énergiquement : « Nous ne trouvons rien à reprocher à cet homme. Et si un esprit lui avait parlé ? ou bien un *ange ? » ¹⁰ Comme le conflit s'aggravait, le tribun, par crainte de les voir mettre Paul en pièces, donna l'ordre à la troupe de descendre le tirer du milieu d'eux et de le ramener dans la forteresse.

¹¹ La nuit suivante, le Seigneur se présenta à Paul et lui dit : « Courage ! Tu viens de rendre témoignage à ma cause à Jérusalem, il faut qu'à Rome aussi tu témoignes de même. »

Un complot contre la vie de Paul

¹² Le jour venu, les *Juifs formèrent un complot et s'engagèrent par serment à ne rien manger ni boire avant d'avoir tué Paul. ¹³ Plus de quarante personnes participaient à cette conjuration. ¹⁴ Ils allèrent trouver les *grands prêtres et les anciens et leur dirent : « Nous nous sommes engagés par un serment solennel à ne rien prendre avant d'avoir tué Paul. ¹⁵ Alors, de votre côté, avec l'accord du *Sanhédrin, proposez donc au tribun de vous l'amener, sous prétexte d'examiner son cas de plus près ; quant à nous, nos dispositions sont prises pour le supprimer avant son arrivée. » ¹⁶ Mais le fils de la sœur de Paul eut vent du **guet-apens** ; il se rendit à la forteresse, y entra et prévint Paul. ¹⁷ Appelant un des centurions, Paul lui dit : « Conduis ce jeune homme au tribun : il a quelque chose à lui communiquer. » ¹⁸ Le centurion le prit donc et l'amena au tribun : « Le prisonnier Paul, dit-il, m'a appelé et m'a demandé de t'amener ce jeune homme : il a quelque chose à te dire. » ¹⁹ Le tribun le prit par la main, se retira à l'écart, et s'informa : « Qu'as-tu à me communiquer ? — ²⁰ Les Juifs, répondit le jeune homme, ont convenu de te demander d'amener Paul demain devant le Sanhédrin, sous prétexte d'une enquête plus précise sur son cas.

DÉFIANCE

AMBUSH

w *Ananias* fut grand prêtre de l'année 47 à l'année 59

22.29 le tribun prit peur cf. Ac 16.38.   **23.1** avec une conscience sans reproche Ac 24.16.   **23.2-3** frappé en plein tribunal Jn 18.22-23.   **23.2** Ananias (grand prêtre) Ac 24.1.   **23.3** muraille blanchie Ez 13.10-15.   **23.5** tu n'insulteras pas Ex 22.27.   **23.6** les sadducéens et la résurrection Mt 22.23; Ac 4.1-2; Ac 26.5; Ph 3.5 — pour l'espérance de la résurrection Ac 24.15, 21; 26.6-8; 28.20.   **23.9** rien à reprocher à cet homme Lc 23.4, 14, 22; Jn 18.38; 19.4-6; Ac 25.25.   **23.11** le Seigneur encourage Paul Ac 18.9 — à Jérusalem, puis à Rome Ac 19.21; 27.24; 28.16, 23.   **23.14-15** complot contre Paul Ac 25.3.

21 Surtout, ne te laisse pas prendre : ils vont être plus de quarante à lui tendre une embuscade ; ils se sont engagés par serment à ne rien manger ni boire avant de l'avoir supprimé ; leurs dispositions sont déjà prises, ils n'attendent que ton accord. » 22 Le tribun congédia le jeune homme : « Ne raconte à personne, lui recommanda-t-il, que tu m'as dévoilé ce complot. »

Paul est transféré à Césarée

23 Il appela alors deux des centurions et leur dit : « Tenez prêts à partir pour Césarée, dès neuf heures du soir, deux cents soldats, soixante-dix cavaliers et deux cents auxiliaires. 24 Qu'on prépare aussi des montures pour conduire Paul sain et sauf au gouverneur Félix x. » 25 Il écrivit une lettre, dont voici le contenu : 26 « Claudius Lysias, à son Excellence le gouverneur Félix, salut ! 27 Les *Juifs s'étaient emparés de l'homme que je t'envoie et ils allaient le supprimer, quand je suis intervenu avec la troupe pour le leur soustraire, car je venais d'apprendre qu'il était citoyen romain. 28 Comme j'étais décidé à savoir de quoi ils l'accusaient, je l'ai fait comparaître devant leur *Sanhédrin. 29 J'ai constaté que l'accusation portait sur des discussions relatives à leur *Loi, mais sans aucune charge qui méritât la mort ou les chaînes. 30 Informé qu'on préparait un attentat contre cet homme, je te l'envoie y tout en signifiant aux *accusateurs d'avoir à porter plainte contre lui devant toi. »

31 Exécutant l'ordre qu'ils avaient reçu, les soldats emmenèrent Paul et le conduisirent de nuit à Antipatris. 32 Le lendemain, laissant les cavaliers continuer avec lui, ils revinrent à la forteresse. 33 Dès leur arrivée à Césarée, les cavaliers remirent la lettre au gouverneur et lui présentèrent aussi Paul. 34 Le gouverneur lut la lettre et demanda de quelle province Paul était originaire. Informé que c'était de Cilicie : 35 « Je t'entendrai, dit-il, quand tes accusateurs aussi seront là. » Il donna l'ordre de le garder dans le *prétoire d'Hérode z.

Paul est accusé devant le gouverneur

24 1 Cinq jours plus tard, le *grand prêtre Ananias descendit a avec des *anciens et un certain Tertullus, avocat ; ils portèrent plainte contre Paul devant le gouverneur. 2 Ce dernier fut convoqué et Tertullus commença son réquisitoire en ces termes : « Grâce à toi et aux réformes que tu as su opérer en faveur de ce peuple, nous jouissons d'une paix complète. 3 Toujours et partout, excellent Félix, c'est avec une vive reconnaissance que nous accueillons ces bienfaits. 4 Pour ne pas trop t'importuner, l'exposé sera bref, auquel je te prie d'accorder l'attention bienveillante que nous te connaissons. 5 Nous avons découvert que cet homme était une peste, qu'il provoquait des émeutes parmi tous les *Juifs du monde et que c'était un chef de file de la secte des nazôréens b. 6 Il a même tenté de profaner le *Temple et nous l'avons alors arrêté c. 8 Tu pourras par toi-même, en l'interrogeant, voir se confirmer tous les griefs que nous formulons contre lui. » 9 Les Juifs appuyèrent ce réquisitoire, en déclarant qu'il était objectif.

Paul s'explique devant le gouverneur

10 Sur un signe du gouverneur qui l'invitait à parler, Paul répliqua : « Je sais

---

x Antonius Felix fut gouverneur de Judée entre les années 52 et 59 (ou 60) ● y Certains manuscrits lisent ici : je te l'ai aussitôt envoyé. Quelques manuscrits terminent la lettre par la formule traditionnelle: salut! ● z Palais construit à Césarée par Hérode le Grand et choisi comme résidence par les gouverneurs romains ● a On sous-entend à Césarée (voir 25.6-7). Jérusalem est en effet situé sur la hauteur et Césarée sur la côte ● b Le titre de Nazôréen est habituellement donné à Jésus ; il sert ici à désigner ses disciples. Voir Mt 26.71 et note — Le mot traduit par secte signifie aussi parti (voir 5.17; 15.5) ● c Certains manuscrits ajoutent ici: et nous voulions le juger selon notre loi. 7Etant intervenu, le tribun Lysias l'a enlevé de nos mains avec beaucoup de violence 8et a ordonné à ses accusateurs de se présenter devant toi. En l'interrogeant...

23.23 Césarée Ac 8.40; 9.20; 10.1; 11.11; 12.19; 21.8, 16; 23.33; 25.4. 23.24 Félix Ac 24.24. 23.27 intervention de l'officier romain Ac 21.30-33 — Paul citoyen romain Ac 22.27. 23.28 Paul devant le Sanhédrin Ac 22.30. 23.29 pas de délit mais une querelle religieuse Ac 18. 14-15; 25.18-19; 26.31-32; cf. 23.6 — aucune charge qui mérite la mort Ac 23.9; 26.31; 28.18. 23.30 les accusateurs doivent porter plainte selon les règles Ac 24.5-8; 25.5. 23.32 la forteresse Ac 21.34. 23.34 Paul originaire de Cilicie Ac 22.3. 24.1 plainte contre Paul Ac 25.2 — Ananias (grand prêtre) Ac 23.2. 24.5 Paul accusé d'être fauteur de troubles Ac 17.6 — secte Ac 5.17; 15.5; 24.14 des Nazôréens Ac 22.2+. 24.6 prétendue tentative de profaner le Temple Ac 21.28 — arrestation de Paul par les autorités juives Ac 21.30.

que tu assures la justice à notre nation depuis de longues années : c'est donc avec confiance que je vais défendre ma cause. ¹¹ Tu peux le vérifier : il n'y a pas plus de douze jours que je suis monté à Jérusalem pour adorer. ¹² Et ni dans le *Temple, ni dans les *synagogues, ni dans la ville personne ne m'a découvert en train de discuter avec quelqu'un ou d'ameuter la foule. ¹³ Ces gens sont donc bien incapables de prouver les accusations qu'ils portent actuellement contre moi. ¹⁴ Voici ce que je reconnais : je suis au service du Dieu de nos pères selon la Voie qu'eux qualifient de secte ; je crois tout ce qui est écrit dans la Loi et les prophètes ᵈ ; ¹⁵ j'ai cette espérance en Dieu — et eux aussi la partagent — qu'il y aura une résurrection des justes et des injustes. ¹⁶ C'est pourquoi je m'efforce, moi aussi, de garder sans cesse une conscience irréprochable devant Dieu et devant les hommes. ¹⁷ Après de longues années, j'étais revenu apporter des aumônes à mon peuple ainsi que des offrandes. ¹⁸ C'est alors que l'on m'a découvert dans le Temple au terme de ma *purification : il n'y avait ni attroupement ni tumulte ; ¹⁹ mais certains *Juifs d'Asie... Ce sont eux qui auraient dû se présenter devant toi pour m'accuser, si toutefois ils avaient eu quelque chose à me reprocher ! ²⁰ Ou alors qu'ils disent, ceux que voici, quel délit ils ont découvert quand j'ai comparu devant le *Sanhédrin. ²¹ Serait-ce cette seule phrase que j'ai criée debout au milieu d'eux : "C'est pour la résurrection des morts que je passe aujourd'hui en jugement devant vous" ? » ²² Parfaitement au courant de ce qui concernait la Voie, Félix les ajourna : « Je jugerai votre affaire, dit-il, quand le tribun Lysias sera descendu ici. » ²³ Il donna l'ordre au centurion de garder Paul en prison avec un régime libéral, sans empêcher aucun des siens de s'occuper de lui.

Paul reste plus de deux ans en prison

²⁴ Quelques jours plus tard, Félix se trouvait en compagnie de Drusille ᵉ, sa femme, qui était *juive. Il fit convoquer Paul et l'écouta parler de la foi au Christ Jésus. ²⁵ Mais, comme l'entretien s'orientait vers la justice, la maîtrise des instincts et le jugement à venir, Félix fut pris d'inquiétude : « Pour le moment, dit-il, retiretoi. Je te rappellerai à la prochaine occasion. » ²⁶ Il n'en espérait pas moins que Paul lui donnerait de l'argent ; aussi le faisait-il venir, et même assez fréquemment, pour le rencontrer. ²⁷ Au bout de deux ans, Félix eut pour successeur Porcius Festus ᶠ et, comme il voulait être agréable aux Juifs, il laissa Paul en prison.

Paul réclame d'être jugé par l'empereur

25 ¹ Or, trois jours après son arrivée dans sa province, Festus monta de Césarée à Jérusalem. ² Les *grands prêtres et les notables juifs se présentèrent à lui pour porter plainte contre Paul. Avec insistance, ³ ils lui demandèrent insidieusement, comme une faveur, le transfert de Paul à Jérusalem : ils voulaient en réalité tendre une embuscade pour le tuer en chemin. ⁴ Mais Festus répondit que le lieu de détention de Paul était Césarée et que, de toute façon, lui-même allait repartir incessamment. ⁵ « Que ceux d'entre vous qui sont qualifiés, ajouta-t-il, se joignent donc à moi pour descendre ᵍ à Césarée, et, s'il y a quelque chose d'irrégulier dans le cas de cet homme, qu'ils portent plainte contre lui ! »

⁶ Festus ne resta pas chez eux plus de huit ou dix jours. Une fois descendu à Césarée, il prit place dès le lendemain au tribunal et donna l'ordre d'amener Paul. ⁷ Quand celui-ci fut là, les *Juifs descendus de Jérusalem, en cercle autour de lui, l'accablèrent d'accusations nombreuses et

---

ᵈ *La Voie* : Voir Ac 9.2 et note — *secte* : voir Ac 24.5 et note — *la Loi et les Prophètes* : Voir Rm 3.21 et note sur Rm 3.19 ● ᵉ Fille cadette du roi Hérode Agrippa (Ac 12.1), *Drusille* avait été enlevée par Félix à son premier mari, le roi d'Emèse ● ᶠ *Porcius Festus* devint gouverneur de Judée vers l'année 59 ou 60 ● ᵍ Voir Ac 24.1 et note

24.11 Paul n'est à Jérusalem que depuis peu Ac 21. 17, 27 ; cf. 21.18 ; 22.30 ; 23.12, 32 — monté à Jérusalem pour adorer Ac 8.27. **24.14** la Voie Ac 9.2+ — une secte Ac 24.5+ — la Loi et les prophètes Ac 26.22 ; cf. Mt 7.12+. **24.15** espérance de la résurrection Dn 12.2 ; Jn 5.28-29 ; Ac 23.6. **24.16** conscience irréprochable (devant Dieu) Ac 23.1. **24.17** Paul apportait des aumônes Ac 11.29-30 ; Rm 15.25-28 ; 1 Co 16.1-4 ; 2 Co 8—9 ; Ga 2.10 ; et des offrandes Ac 21.24, 26. **24.18-19** je m'étais purifié... mais des Juifs d'Asie Ac 21.26-27. **24.21** en jugement pour la résurrection Ac 23.6-9 ; 24.15 ; 25.19. **24.22** la Voie Ac 9.2+. **24.23** Paul peut recevoir les siens Ac 27.3 ; 28.16, 30. **24.25** sur la justice... et le jugement Jn 16.8. **24.27** pour être agréable aux Juifs Ac 25.9. **25.2** plainte contre Paul Ac 23.30 ; 24.1 ; 25.15. **25.3** une embuscade pour tuer Paul Ac 23.12-22. **25.5** complot déjoué Ac 23.30. **25.7** accusations nombreuses et graves Ac 24.5-6 mais injustifiées Ac 24.13 ; cf. Mc 14.55-59 ; Lc 23.14-15.

graves, mais ils étaient incapables de les justifier. ⁸ Paul maintenait sa défense : « Je n'ai commis de délit, disait-il, ni contre la *loi des Juifs, ni contre le *Temple, ni contre l'empereur. » ⁹ Dans le désir d'être agréable aux Juifs, Festus fit donc à Paul cette proposition : « Acceptes-tu de monter à Jérusalem pour que ton affaire y soit jugée en ma présence ? » ¹⁰ Mais Paul répliqua : « Je suis devant le tribunal de l'empereur, c'est donc là que je dois être jugé. Les Juifs, je ne leur ai fait aucun tort, comme tu t'en rends toi-même parfaitement compte. ¹¹ Si vraiment je suis coupable, si j'ai commis quelque crime qui mérite la mort, je ne prétends pas me soustraire à la mort. Mais, si les accusations donc ces gens me chargent se réduisent à rien, personne n'a le droit de me livrer à leur merci. J'en appelle à l'empereur ʰ. » ¹² Festus prit alors l'avis de son conseil et répondit : « Tu en appelles à l'empereur : tu iras devant l'empereur. »

Festus présente Paul au roi Agrippa

¹³ Quelques jours s'étaient écoulés quand le roi *Agrippa ⁱ et Bérénice arrivèrent à Césarée et rendirent visite à Festus. ¹⁴ Et, comme ils passaient là un certain temps, Festus informa le roi de l'affaire de Paul : « Il y a ici, dit-il, un homme que Félix a laissé en prison. ¹⁵ Lors de mon séjour à Jérusalem, les *grands prêtres et les anciens des *Juifs sont venus déposer une plainte contre lui et ils réclamaient sa condamnation. ¹⁶ Je leur ai répondu qu'il n'était pas de règle chez les Romains de livrer un prévenu, sans l'avoir d'abord confronté avec ses accusateurs et lui avoir permis de se défendre contre leurs griefs. ¹⁷ Ils se sont donc retrouvés ici et, sans m'accorder le moindre délai, le lendemain même j'ai pris place au tribunal et donné l'ordre d'amener cet homme. ¹⁸ Une fois réunis autour de lui, les accusateurs n'ont avancé

ACCUSED

aucune des charges graves que j'aurais pu supposer. ¹⁹ Ils avaient seulement avec lui je ne sais quelles querelles relatives à la religion qui leur est propre et en particulier à un certain Jésus qui est mort, mais que Paul prétendait toujours en vie. ²⁰ Ne voyant pas quelle suite donner à l'instruction d'une telle cause, je lui ai alors proposé d'aller à Jérusalem pour que son affaire y soit jugée. ²¹ Mais Paul s'est pourvu en appel pour réserver son cas à la juridiction de Sa Majesté ʲ et j'ai donc donné l'ordre de le garder en prison jusqu'à son transfert devant l'empereur. » ²² *Agrippa dit alors à Festus : « Je voudrais bien entendre cet homme à mon tour — Dès demain, tu l'entendras, lui fut-il répondu. »

²³ Le lendemain, Agrippa et Bérénice arrivèrent donc en grande pompe et firent leur entrée dans la salle d'audience, accompagnés d'officiers supérieurs et de notables de la ville. Sur un ordre de Festus, on amena Paul ²⁴ et Festus prit la parole : « Roi Agrippa et vous tous qui êtes avec nous, vous voyez cet homme. La population juive tout entière est venue me trouver à son sujet, à Jérusalem et jusqu'ici, en criant qu'il ne fallait plus lui laisser la vie. ²⁵ Pour ma part, je n'ai rien relevé dans ses actes qui mérite la mort ; mais, puisqu'il en a appelé à Sa Majesté, j'ai décidé de le lui envoyer. ²⁶ Comme je ne dispose d'aucune donnée sûre pour écrire au souverain sur son compte, je l'ai fait comparaître devant vous, devant toi surtout, roi Agrippa, afin d'être en mesure de lui écrire, à la suite de cette audience. ²⁷ Il serait absurde en effet, me semble-t-il, d'envoyer un prisonnier sans même spécifier les charges qui pèsent sur lui. »

Paul s'explique devant Agrippa

26 ¹ *Agrippa dit à Paul : « Il t'est permis de plaider ta cause. » Paul

---

ʰ C'est-à-dire: je demande à être jugé par l'empereur (à Rome) ● ⁱ C'est le roi *Agrippa II*, fils de celui dont il est question en Ac 12. *Drusille* (24.24) et *Bérénice* sont ses sœurs ● ʲ C'est-à-dire l'empereur romain (à l'époque: Néron, 54-68)

25.8 contre la loi juive Ac 6.11, 13; 18.13, 15; 21.21, 28; 23.29 — contre le Temple Ac 6.13+ — contre la loi romaine Ac 16.21; 17.7; 18.13; 24.5. **25.9** pour être agréable aux Juifs Ac 24.27. **25.14** laissé en prison Ac 24.27. **25.15** grands prêtres et anciens ont déposé plainte Ac 25.1-2. **25.17** Festus fait comparaître Paul Ac 25.6. **25.18-19** aucune charge grave mais des querelles religieuses Ac 18.14-15; 23.29; cf. 26.31-32. **25.20** proposition d'un jugement à Jérusalem Ac 25.9. **25.21** appel au jugement de l'empereur Ac 25.11-12. **25.22** Agrippa aimerait bien entendre Paul cf. Lc 23.8. **25.23** devant rois et gouverneurs Mt 10.18; Mc 13.9; Lc 21.12. **25.24** assailli de plaintes contre Paul Ac 25.11-12 — cris de mort contre Paul Ac 22.22. **25.25** innocence de Paul Ac 25.1-12, 14-21; 23.29; cf. Lc 23.4, 14, 22; Ac 13.28. **26.1** Paul étendit la main Ac 13.16; 21.40.

étendit alors la main et présenta sa défense : ² « De toutes les accusations que font peser sur moi les *Juifs, je m'estime d'autant plus heureux, roi Agrippa, d'avoir aujourd'hui à me justifier devant toi ³ que tu es au fait de toutes les coutumes des Juifs et de toutes leurs controverses. Je te prie donc de m'écouter avec bienveillance.

⁴ « La période de ma vie que, dès ma prime jeunesse, j'ai passée au sein de ma nation, à Jérusalem, tous les Juifs la connaissent. ⁵ Ils savent de longue date et peuvent témoigner, si toutefois ils le veulent, que j'ai vécu selon la tendance la plus stricte de notre religion, en *Pharisien. ⁶ Et aujourd'hui, si je suis traduit en justice, c'est pour l'espérance en la promesse que Dieu a faite à nos pères, ⁷ et que nos douze tribus, en assurant le culte de Dieu nuit et jour, sans relâche, espèrent voir aboutir ; c'est pour cette espérance, ô roi, que je suis mis en accusation par les Juifs. ⁸ Pourquoi juge-t-on incroyable parmi vous que Dieu ressuscite les morts ?

⁹ « Pour ma part, j'avais donc vraiment cru devoir combattre par tous les moyens le *nom de Jésus le Nazôréen ᵏ. ¹⁰ Et c'est ce que j'ai fait à Jérusalem ; j'ai en personne incarcéré un grand nombre des saints ˡ en vertu du pouvoir que je tenais des *grands prêtres et j'ai apporté mon suffrage quand on les mettait à mort. ¹¹ Parcourant toutes les *synagogues, je multipliais mes sévices à leur égard, pour les forcer à *blasphémer et, au comble de ma rage, je les poursuivais jusque dans les villes étrangères.

¹² « C'est ainsi que je me rendais un jour à Damas avec pleins pouvoirs et mandat spécial des grands prêtres. ¹³ J'étais en chemin, ô roi, lorsque vers midi je vis venir du ciel, plus resplendissante que le soleil, une lumière qui m'enveloppa de son éclat ainsi que mes compagnons de route. ¹⁴ Nous sommes tous tombés à terre et j'entendis une voix me dire en langue hébraïque : "Saoul, Saoul ᵐ, pourquoi me persécuter ? Il t'est dur de te rebiffer contre l'aiguillon !" ¹⁵ Je répondis : "Qui es-tu, Seigneur ?" Le Seigneur reprit : "Je suis Jésus, c'est moi que tu persécutes. ¹⁶ Mais relève-toi, debout sur tes pieds ! Voici pourquoi en effet je te suis apparu : je t'ai destiné à être serviteur et témoin de la vision où tu viens de me voir ainsi que des visions où je t'apparaîtrai encore. ¹⁷ Je te délivre déjà du peuple et des nations *païennes vers qui je t'envoie ¹⁸ pour leur ouvrir les yeux, les détourner des ténèbres vers la lumière, de l'empire de *Satan vers Dieu, afin qu'ils reçoivent le pardon des péchés et une part d'héritage avec les *sanctifiés, par la foi en moi". »

¹⁹ « Dès lors, roi Agrippa, je n'ai pas résisté à cette vision céleste. ²⁰ Bien au contraire, aux gens de Damas d'abord, et de Jérusalem, dans tout le territoire de la Judée, puis aux nations païennes, j'ai annoncé qu'ils avaient à se convertir et à se tourner vers Dieu, en vivant d'une manière qui réponde à cette conversion. ²¹ C'est la raison pour laquelle les Juifs m'ont appréhendé, alors que je me trouvais dans le *Temple, essayant d'en finir avec moi. ²² Fort de la protection de Dieu, jusqu'à ce jour, je continue donc à rendre témoignage devant petits et grands ; les prophètes et Moïse ⁿ ont prédit ce qui devait arriver et je ne dis rien de plus : ²³ le *Christ a souffert et lui, le premier à ressusciter d'entre les morts, il doit annoncer la lumière au Peuple et aux nations païennes. »

²⁴ Paul en était là de sa défense quand Festus intervint en haussant la voix : « Tu es fou, Paul ! Avec tout ton savoir tu tournes à la folie ! » ²⁵ Mais Paul reprit : « Je ne suis pas fou, excellent Festus, je fais entendre le langage de la vérité et

k Le *nom: voir Ac 3.16 et note — le Nazôréen: Voir Mt 26.71 et note ● l Voir Ac 9.13 et note sur Rm 1.7 ● m Voir Ac 9.4 et note ● n Voir notes sur Jn 5.46 et Rm 3.19

26.4 jeunesse de Paul Ac 22.3. 26.5 Paul a vécu en pharisien Ac 23.6 ; Ph 3.5-6. 26.6 pour l'espérance Ac 23.6 ; 24.15, 21 ; 28.20 — promesse faite aux pères Ac 3.25-26. 26.9-18 récits de la vocation de Paul Ac 9.1-18 ; 22.3-16. 26.9-11 Paul acharné jadis contre les chrétiens Ac 22.19+. 26.9 le nom Ac 3.16+. 26.10 saints Ac 9.13+ — ...quand on les mettait à mort Ac 8.1. 26.14 en langue hébraïque Ac 21.40. 26.16 tiens-toi sur tes pieds Ez 2.1, 3 — vision Ac 18.9+. 26.17 je te délivre... des nations païennes 1 Ch 16. 35 vers qui je t'envoie Jr 1.5, 7-8, 10 ; Ac 13.47 ; 22.21 ; 28.25-28. 26.18 pour ouvrir leurs yeux Es 35.5 ; 42.6-7 ; 61.1 (grec) — les détourner... vers la lumière Es 42.16 — de l'empire de Satan Ep 2.2 ; Col 1.13 — héritage avec les sanctifiés Dt 33.3-5 ; Sg 5.5 ; Ac 20.32 — foi en Jésus Ac 2.44 ; 13.39. 26.20 aux gens de Damas d'abord Ac 9.19-20 — en Judée Ga 1.22 — conversion Ac 3.19+ — vivre d'une manière qui réponde à la conversion Mt 3.8 ; Lc 3.8. 26.21 Paul arrêté et en danger de mort Ac 21.30-31. 26.22 les prophètes et Moïse ont prédit.. Lc 24.44 ; Ac 3.18+. 26.23 Passion, résurrection, évangélisation Lc 24.46-47 ; Ac 3.13-15 ; 4.2 — premier à ressusciter 1 Co 15.20 ; Col 1.18 — lumière pour le peuple et les païens Es 42.6 ; 49.6 ; Ac 13.47.

NOOK — *BARELY IN TIME* — *SLACKENED*

du bon sens. ²⁶ Le roi, à qui je m'adresse en toute assurance, est assurément au courant de ces choses et rien ne lui en échappe ; j'ai toutes raisons de le penser car ce n'est pas dans un coin perdu que ces événements se sont passés. ²⁷ Tu crois aux *prophètes, roi Agrippa ? Je suis sûr que tu y crois. » ²⁸ Agrippa dit alors à Paul : « il te faut peu, d'après ton raisonnement pour faire de moi un chrétien ! — ²⁹ Affaire de peu, oui, mais grande affaire reprit Paul, et plaise aussi tous ceux qui m'écoutent aujourd'hui, vous deveniez exactement ce que je suis... sans les chaînes que je porte ! »

³⁰ Le roi se leva, ainsi que le gouverneur, Bérénice et ceux qui siégeaient avec eux. ³¹ En se retirant, ils eurent un entretien : « Cet homme, disaient-ils, ne fait rien qui mérite la mort ou les chaînes. » ³² Agrippa confia à Festus : « Cet homme aurait pu être relâché s'il n'en avait pas appelé à l'empereur. »

Départ pour l'Italie ; début du voyage

27 ¹ Quand notre embarquement pour l'Italie eut été décidé, on remit Paul et d'autres prisonniers à un centurion nommé Julius, de la Cohorte *p* Augusta. ² Nous sommes alors montés à bord d'un bateau d'Adramyttium *q* en partance pour les côtes d'Asie et nous avons pris la mer. Il y avait avec nous Aristarque, un Macédonien de Thessalonique. ³ Le lendemain, à l'occasion d'une escale à Sidon, Julius, qui traitait Paul avec humanité, lui permit d'aller trouver ses amis et de profiter de leur accueil. ⁴ De là, reprenant la mer, nous avons fait route sous Chypre *r*, car les vents nous étaient contraires. ⁵ Ce fut alors la traversée de la mer qui borde la Cilicie et la Pamphylie et nous avons débarqué à Myre, en Lycie. ⁶ Le centurion, trouvant là un bateau d'Alexandrie en route vers l'Italie, nous y a fait em-

barquer. ⁷ Durant quelques jours notre navigation fut ralentie et c'est à grand' peine que nous sommes arrivés à la hauteur de Cnide. Comme le vent nous contrariait, nous sommes passés sous la Crète *s*, vers le cap Salmoné *s* et, après l'avoir doublé de justesse, nous sommes arrivés à un endroit appelé « Beaux Ports », près de la ville de Lasaïa.

⁹ Mais un certain temps s'était écoulé et il devenait désormais dangereux de naviguer, puisque le Jeûne *t* était déjà passé. Paul voulut donner son avis : ¹⁰ « Mes amis, leur dit-il, j'estime que la navigation va entraîner des dommages et des pertes notables non seulement pour la cargaison et le bateau, mais aussi pour nos personnes. » ¹¹ Le centurion néanmoins se fiait davantage au capitaine et au subrécargue *u* qu'aux avertissements de Paul. ¹² Comme le port, en outre, se prêtait mal à l'hivernage, la majorité fut d'avis de reprendre la mer ; on verrait bien si l'on pouvait atteindre Phénix, un port de Crète, ouvert au sud-ouest et au nord-ouest et y passer l'hiver.

INJURIES LOSSES MORE BESIDES

La tempête

¹³ Une petite brise du sud s'était levée et ils s'imaginèrent que ce projet était réalisable ; ayant donc levé l'ancre, ils tentèrent de border la côte de Crète. ¹⁴ Mais presque aussitôt, venant de l'île, un vent d'ouragan, qu'on appelle euraquilon *v*, s'abattit sur eux ; ¹⁵ le bateau fut emporté, incapable de remonter au vent, et, laissant porter, nous allions à la dérive. ¹⁶ Filant sous le couvert d'une petite île appelée Cauda *w*, nous avons pourtant réussi, de justesse, à maîtriser le canot. ¹⁷ Après l'avoir hissé à bord, on a eu recours aux moyens de fortune : ceinturer le bateau de cordages et, par crainte d'aller échouer sur la Syrte, filer l'ancre flottante *x* ; et l'on a continué ainsi de déri-

SUCCEED   CONTROL

o Autre texte: *Tu vas me convaincre de devenir chrétien* ● p Centurion: Voir Mc 15.39 et note — Cohorte: Mc 15.16 et note ● q Ville de la côte d'Asie Mineure, proche de Troas — Pour *l'Asie* voir Ac 16.6 et note ● r Sous *Chypre*, c'est-à-dire à l'abri de la côte de Chypre ● s Voir note précédente ● t Il s'agit de la fête juive des Expiations, qui se célébrait en Septembre. La navigation s'interrompait en principe de Septembre à Février ● u Terme technique pour désigner le représentant du propriétaire du navire ● v Vent de Nord-Est ● w Autre texte: *Clauda* ● x On ceinturait un navire avec des cordages pour éviter qu'il ne se disloque dans la tempête — *La Syrte*: grand golfe de la côte d'Afrique du Nord (Libye d'aujourd'hui) — L'*ancre flottante*: lourde pièce de bois remorquée par le bateau, et qui permettait à celui-ci de rester dans l'axe du vent

26.26 ce n'est pas dans un coin perdu Jn 18.20. 26.29 devenir chrétien Ac 11.18; cf. 3.19+. 26.31 rien qui mérite la mort... Ac 23.29. 26.32 appel au jugement de l'empereur Ac 25.11. 27.1 décision d'embarquement pour l'Italie Ac 25.12 — récit à la première personne du pluriel Ac 16.10+. 27.2 Aristarque Ac 19.29+. 27.3 Paul traité avec humanité Ac 27.43; 28.2; cf. 10.1-2; 23.17 — autorisation d'aller trouver ses amis Ac 24.23. 27.9-10 dangers 1 Co 11.26. 27.9 le Jeûne Lv 16.29. 27.10 dommages prévisibles pour le bateau Ac 27.22.

ver. ¹⁸ Le lendemain, comme nous étions toujours violemment secoués par la tempête, on jetait du fret ¹⁹ et, le troisième jour, de leurs propres mains les matelots affalèrent le gréement. ²⁰ Ni le soleil ni les étoiles ne se montraient depuis plusieurs jours : la tempête, d'une violence peu commune, demeurait dangereuse : tout espoir d'être sauvés nous échappait désormais.

²¹ On n'avait plus rien mangé depuis longtemps, quand Paul, debout au milieu d'eux, leur dit : « Vous voyez, mes amis. il aurait fallu suivre mon conseil, ne pas quitter la Crète et faire ainsi l'économie de ces dommages et de ces pertes. ²² Mais, à présent, je vous invite à garder courage : car aucun d'entre vous n'y laissera la vie ; seul le bateau sera perdu. ²³ Cette nuit-même en effet, un *ange du Dieu auquel j'appartiens et que je sers s'est présenté à moi ²⁴ et m'a dit : "Sois sans crainte, Paul ; il faut que tu comparaisses devant l'empereur et Dieu t'accorde aussi la vie de tous tes compagnons de traversée" ! ²⁵ Courage donc, mes amis ! Je fais confiance à Dieu : il en sera comme il m'a dit. ²⁶ Nous devons échouer sur une île. »

RUN AGROUND

Après le naufrage tous sont sains et saufs

²⁷ C'était la quatorzième nuit que nous dérivions sur l'Adriatique ʸ ; vers minuit, les marins pressenti l'approche d'une terre. ²⁸ Jetant alors la sonde, ils trouvèrent vingt brasses ᶻ ; à quelque distance, ils la jetèrent encore une fois et en trouvèrent quinze. ²⁹ Dans la crainte que nous ne soyons peut-être sur des récifs, ils ont alors mouillé quatre ancres à l'arrière et souhaité vivement l'arrivée du jour. ³⁰ Mais, comme les marins, sous prétexte de s'embosser des ancres de l'avant, cherchaient à s'enfuir du bateau et mettaient le canot à la mer, ³¹ Paul dit au centurion et aux soldats : « Si ces hommes ne restent pas à bord, vous, vous ne pouvez pas être sauvés. » ³² Les soldats ont alors coupé les filins du canot et l'ont laissé partir.

LONG FOR

³³ En attendant le jour, Paul engagea tout le monde à prendre de la nourriture : « C'est aujourd'hui le quatorzième jour que vous passez dans l'expectative sans manger, et vous ne prenez toujours rien. ³⁴ Je vous engage donc à reprendre de la nourriture, car il y va de votre salut. Encore une fois, aucun d'entre vous ne perdra un cheveu de sa tête. » ³⁵ Sur ces mots, il prit du pain, rendit grâce à Dieu en présence de tous, le rompit et se mit à manger. ³⁶ Tous alors, reprenant courage, s'alimentèrent à leur tour. ³⁷ Au total, nous étions deux cent soixante-seize personnes à bord. ³⁸ Une fois rassasiés, on allégea le bateau en jetant le blé à la mer.   *LIGHTEN*

³⁹ Une fois le jour venu, les marins ne reconnaissaient pas la terre, mais ils distinguaient une baie avec une plage et ils avaient l'intention, si c'était possible, d'y échouer le bateau. ⁴⁰ Ils ont alors filé les ancres par le bout, les abandonnant à la mer, tandis qu'ils larguaient les avirons de queue ; puis, hissant au vent la civadière ᵃ, ils ont mis le cap sur la plage. ⁴¹ Mais ils touchèrent un banc de sable et y échouèrent le vaisseau ; la proue, enfoncée, resta prise, tandis que la poupe était disloquée par les coups de mer. ⁴² Les soldats eurent alors l'idée de tuer les prisonniers, de peur qu'il ne s'en échappe à la nage. ⁴³ Mais le centurion, décidé à sauver Paul, les empêcha d'exécuter leur projet ; il ordonna à ceux qui savaient nager de sauter à l'eau les premiers et de gagner la terre. ⁴⁴ Les autres le feraient soit sur des planches soit sur des épaves du bateau. Et c'est ainsi que tous se sont retrouvés à terre, sains et saufs.

EITHER OR   *LOOSEN WRECK*

Paul à l'île de Malte

28 ¹ Une fois hors de danger, nous avons appris que l'île s'appelait Malte. ² Les autochtones nous ont témoigné une humanité peu ordinaire. Allumant en effet un grand feu, ils nous en ont tous fait approcher, car la pluie s'était mise à tomber et il faisait froid. ³ Paul avait ramassé une brassée de bois mort et la jetait dans le feu, lorsque la chaleur en fit sortir une vipère qui s'accrocha à

ABORIGINE   *CLING TO*

---

y Adriatique : nom donné par les anciens à la mer qui sépare la Grèce et la Sicile ● *z* Voir au glossaire *POIDS ET MESURES* ● *a* Petite voile à l'avant du navire

27.22 seule perte à déplorer : le bateau Ac 27.10, 31. 27.24 sois sans crainte Ac 18.9 — il faut (le plan de Dieu) Ac 2.23 ; 3.21 — Paul rassuré : il ira jusqu'à Rome Ac 23.11. 27.26 échouer sur une île Ac 28.1. 27.31 pour un sauvetage complet Ac 27.22. 27.34 pas un cheveu 1 S 14.45 ; 2 S 14.11 ; Mt 10.30 ; Lc 12.7. 27.35 il prit du pain... Mt 15.36 ; Mc 8.6 ; Lc 22.19 ; Ac 20.7 ; 1 Co 11.23-24. 27.41 le bateau est perdu Ac 27.22. 27.44 tous sains et saufs Ac 27.22, 24.

sa main. ⁴ A la vue de cet animal qui pendait à sa main, les autochtones se disaient les uns aux autres : « Cet homme est certainement un assassin : il a bien échappé à la mer, mais la justice divine ne lui permet pas de vivre. » ⁵ Paul, en réalité, secoua la bête dans le feu sans ressentir le moindre mal. ⁶ Eux s'attendaient à le voir *enfler*, ou tomber raide mort ; mais, après une longue attente, ils constatèrent qu'il ne lui arrivait rien d'anormal. Changeant alors d'avis, ils répétaient . « C'est un dieu ! »

CONFINED ; PREY

⁷ Il y avait, dans les environs, des terres qui appartenaient au premier magistrat de l'île, nommé Publius. Il nous a accueillis et hébergés amicalement pendant trois jours. ⁸ Son père se trouvait alors *alité*, en *proie* aux fièvres et à la dysenterie. Paul se rendit à son *chevet* et, par la prière et *l'imposition des *mains*, il le guérit. ⁹ Par la suite, tous les autres habitants de l'île qui étaient malades venaient le trouver et ils étaient guéris à leur tour. ¹⁰ Ils nous ont donné de multiples marques d'honneur et, quand nous avons pris la mer, ils avaient *pourvu* à nos besoins.

Voyage de Malte à Rome   *BEDSIDE*

¹¹ C'est trois mois plus tard que nous avons pris la mer sur un bateau qui avait hiverné dans l'île ; il était d'Alexandrie et portait les Dioscures *b* comme enseigne. ¹² Nous avons débarqué à Syracuse pour une escale de trois jours. ¹³ De là, bordant la côte, nous avons gagné Reggio. Le lendemain, le vent du sud s'était levé et nous sommes arrivés, en deux jours, à Pouzzoles. ¹⁴ Nous avons trouvé là des frères qui nous ont invités à passer une semaine chez eux. Voilà comment nous sommes allés à Rome. ¹⁵ Depuis cette ville les frères qui avaient appris notre arrivée, sont venus à notre rencontre jusqu'au Forum d'Appius et aux Trois-Tavernes ; quand il les vit, Paul rendit grâce à Dieu : il avait repris confiance.

Paul à Rome   *BAD*

¹⁶ Lors de notre arrivée à Rome, Paul avait obtenu l'autorisation d'avoir un domicile personnel, avec un soldat pour le garder. ¹⁷ Trois jours plus tard, il invita les notables *juifs à s'y retrouver. Quand ils furent réunis, il leur déclara : « Frères, moi qui n'ai rien fait contre notre peuple ou contre les règles reçues de nos pères, je suis prisonnier depuis qu'à Jérusalem j'ai été livré aux mains des Romains. ¹⁸ Au terme de leur enquête, ces derniers voulaient me relâcher, car il n'y avait rien dans mon cas qui mérite la mort. ¹⁹ Mais l'opposition des Juifs m'a contraint de faire appel à l'empereur, sans avoir pour autant l'intention de mettre en cause ma nation. ²⁰ C'est la raison pour laquelle j'ai demandé à vous voir et à m'entretenir avec vous. En réalité, c'est à cause de l'espérance d'Israël que je porte ces chaînes. » ²¹ Ils lui répondirent : « Nous n'avons reçu, quant à nous, aucune lettre de Judée à ton sujet et aucun frère, à son arrivée, ne nous a fait part d'un rapport ou d'un bruit *fâcheux* sur ton compte. ²² Mais nous *demandons* à t'entendre exposer toi-même ce que tu penses ; car, pour ta secte *c*, nous savons bien qu'elle rencontre partout de l'opposition. » ²³ Ayant convenu d'un jour avec lui, ils vinrent le retrouver en plus grand nombre à son domicile. Dans sa présentation, Paul rendait témoignage au *Règne de Dieu et, du matin au soir, il s'efforça de les convaincre, en parlant de Jésus à partir de la loi de Moïse et des prophètes *d*. ²⁴ Les uns se laissaient convaincre par ce qu'il disait, les autres refusaient de croire. ²⁵ Au moment de s'en aller, ils n'étaient toujours pas d'accord entre eux ; Paul n'ajouta qu'un mot : « Comme elle est juste, cette parole de l'Esprit Saint qui a déclaré à vos pères par le prophète Esaïe :

²⁶ *Va trouver ce peuple et dis-lui :*
  Vous aurez beau entendre, vous ne
  comprendrez pas ;

---

b ou *Castor et Pollux*, célèbres jumeaux de la mythologie grecque, considérés par les marins de l'époque comme protecteurs des navigateurs ● *c* Les Juifs de Rome désignaient ainsi l'ensemble des chrétiens. Voir aussi Ac 24.5 et note ● *d* Voir note sur Rm 3.19

28.5 sans ressentir le moindre mal Mc 16.18; Lc 10.19. **28.6** Paul pris pour un dieu Ac 14.11. **28.8** imposition des mains Ac 6.6+; cf. Mt 9.18+; Mc 5.23+. **28.9** afflux de malades Ac 4.40; 5.15; 7.21; Ac 8.7; 19.11-12. **28.14** des frères Ac 1.15+ — autres communautés chrétiennes d'origine inconnue Ac 9.10; 9.31, 41; 15.23; 18.24-25 ? 18.27; 21.7; 28.15; cf. 28.2. **28.16** facilités accordées à Paul Ac 24.23; 28.30. **28.17** d'abord les Juifs Ac 13.46 — Paul n'a rien fait contre le Judaïsme Ac 24.12-13; 25.8. **28.18** rien qui mérite la mort Ac 23.29; 25.25; 26.31-32. **28.19** appel à l'empereur Ac 25.11. **28.20** à cause de l'espérance d'Israël Ac 23.6; 24.15; 26.6-7. **28.22** secte Ac 24.5+. **28.23** au Règne de Dieu Ac 1.3+ — la loi et les prophètes (Mt 7.12+; Ac 24.14; 26.22) à l'appui de l'Evangile Ac 17.3. **28.24** division des Juifs face à l'Evangile Ac 14.1-2; 17.4-5, 12; 18.6-8. **28.26-27** Es 6.9-10 (grec); Mt 13.14-15; Mc 4.12; Lc 8.10; Jn 12.40.

Vous aurez beau regarder, vous ne verrez pas.
27 *Car le cœur de ce peuple s'est épaissi,*
Ils sont devenus durs d'oreille,
Ils se sont bouché les yeux,
Pour ne pas voir de leurs yeux,
Ne pas entendre de leurs oreilles,
Ne pas comprendre avec leur cœur,
Et pour ne pas se tourner vers Dieu.
Et je les guérirais ?

28 Sachez-le donc : c'est aux *païens qu'a été envoyé ce salut de Dieu ; eux, ils écouteront e. » [29] 30 Paul vécut ainsi deux années entières à ses frais et il recevait tous ceux qui venaient le trouver, 31 proclamant le Règne de Dieu et enseignant ce qui concerne le Seigneur Jésus Christ avec une entière assurance et sans entraves.

(FIG.) HINDRANCE

e Plusieurs manuscrits ajoutent ici : 29 *Tandis qu'il leur disait cela les Juifs s'en allèrent en discutant vivement entre eux*

28.28 le salut envoyé aux païens Ps 67.3 ; 98.3 ; Es 40.5 (grec) ; Lc 3.6 ; Ac 13.46+. **28.30** Paul peut recevoir des visites Ac 28.16. **28.31** proclamant le Règne de Dieu Ac 1.3+ — avec une entière assurance Ac 4.13+ — sans entraves 2 Tm 2.9.

CLOSE

ÉPÎTRE DE PAUL AUX ROMAINS

L'évangile que Paul annonce

1 ¹ Paul, serviteur de Jésus Christ, appelé à être *apôtre, mis à part pour annoncer *l'Evangile de Dieu. ² Cet Evangile, qu'il avait déjà promis par ses *prophètes dans les Ecritures saintes, ³ concerne son Fils, issu selon la chair *a* de la lignée de David, ⁴ établi, selon l'Esprit Saint, Fils de Dieu avec puissance par sa résurrection d'entre les morts, Jésus Christ notre Seigneur. ⁵ Par lui nous avons reçu la grâce d'être apôtre pour conduire à l'obéissance de la foi *b*, à la gloire de son *nom, tous les peuples *païens, ⁶ dont vous êtes vous aussi que Jésus Christ a appelés. ⁷ A tous les biens-aimés de Dieu qui sont à Rome, aux saints *c* par l'appel de Dieu, à vous, grâce et paix de la part de Dieu notre Père et du Seigneur Jésus Christ.

Paul et les chrétiens de Rome

⁸ Tout d'abord, je rends grâce à mon Dieu par Jésus Christ pour vous tous : dans le monde entier on proclame que vous croyez. ⁹ Car Dieu m'en est témoin, lui à qui je rends un culte en mon esprit en annonçant *l'Evangile de son Fils : je fais sans relâche mention de vous, ¹⁰ demandant continuellement dans mes prières

d'avoir enfin, par sa volonté, l'occasion de me rendre chez vous. ¹¹ J'ai en effet un très vif désir de vous voir, afin de vous communiquer quelque don spirituel pour que vous en soyez affermis, ¹² ou plutôt pour être réconforté avec vous et chez vous par la foi qui nous est commune à vous et à moi. ¹³ Je ne veux pas vous laisser ignorer, frères, que j'ai souvent projeté de me rendre chez vous — jusqu'ici j'en ai été empêché -, afin de recueillir quelque fruit chez vous, comme chez les autres peuples païens. ¹⁴ Je me dois aux Grecs *d* comme aux barbares, aux gens cultivés comme aux ignorants ; ¹⁵ de là, mon désir de vous annoncer l'Evangile, à vous aussi qui êtes à Rome.

La puissance de l'Evangile

¹⁶ Car je n'ai pas honte de *l'Evangile : il est puissance de Dieu pour le salut de quiconque croit, du *Juif d'abord, puis du Grec. ¹⁷ C'est en lui en effet que la justice de Dieu *e* est *révélée, par la foi et pour la foi, selon qu'il est écrit : *Celui qui est juste par la foi vivra* *f*.

ABERRATION
Egarement et folie des païens

¹⁸ En effet, la colère de Dieu se *révèle du haut du *ciel contre toute impiété et

---

a En ce qui concerne son humanité (Rm 9.5) ● *b* Comme en Rm 10.16 la foi est considérée comme une obéissance ● *c* *saints*, au sens particulier du N.T. consacré à Dieu et chargé par lui d'une mission. Il s'agit donc ici des chrétiens ● *d* Par opposition aux *barbares* les *Grecs* représentent ici tous les peuples civilisés et cultivés. Au v. 16 le même mot désigne les *païens* par opposition aux *Juifs* ● *e* Le sens très particulier du terme *justice* est éclairé par Rm 3.24 (justifier) et 4.25 (justification) ● *f* ou *le juste vivra par la foi*

1.1 mis à part Ga 1.15; Ac 26.16-18. **1.2** Evangile Es 52.7; 61.1; Mc 1.1+. **1.3** Fils de David Mt 1.1+. **1.4** Fils de Dieu Ps 2.7; 110.1; Mt 14.33+; Mc 1.1+; Ac 13.33 — puissance du Ressuscité Ph 2.9; 1 P 1.21; Ep 1.20-23. **1.5** l'apostolat est une grâce Rm 12.3; 15.15; 1 Co 3.10; Ga 2.8-9 — apôtre des païens Ac 9.15; Rm 15.15-18 — la foi est une obéissance Rm 6.15-20; 15.18; 16.26; 2 Co 10.4-5; 2 Th 1.8; 1 P 1.22; He 5.9; 11.8. **1.7** saints Es 19.5-6; Rm 12.13; 15.25; 16.2; Col 1.12, 26; He 6.10; 1 P 1.16; 2.9. **1.9** l'apostolat est un culte rendu à Dieu Rm 15.16. **1.16** Juif et Grec Rm 2.9-10; 3.9; 10.12; 11.11-14; Ac 13.46; 18.6. **1.17** Ha 2.4 (grec) — justice de Dieu Ps 98.2; Es 56.1; Rm 3.21-26; Ph 3.9; Ga 3.11.

GOING ASTRAY

toute injustice des hommes, qui retiennent la vérité captive de l'injustice ; [19] car ce que l'on peut connaître de Dieu est pour eux manifeste : Dieu le leur a manifesté. [20] En effet, depuis la création du monde, ses perfections invisibles, éternelle puissance et divinité, sont visibles dans ses œuvres pour l'intelligence ; ils sont donc inexcusables, [21] puisque, connaissant Dieu, ils ne lui ont rendu ni la gloire ni l'action de grâce qui reviennent à Dieu ; au contraire, ils se sont fourvoyés dans leurs vains raisonnements et leur cœur insensé est devenu la proie des ténèbres ; [22] se prétendant sages, ils sont devenus fous ; [23] ils ont troqué la gloire du Dieu incorruptible contre des images représentant l'homme corruptible, des oiseaux, des quadrupèdes, des reptiles. *EXCHANGE LUSTS*

BASE [24] C'est pourquoi Dieu les a livrés, par les convoitises de leurs *cœurs, à *l'impureté où ils avilissent eux-mêmes leurs propres corps. [25] Ils ont échangé la vérité de Dieu [g] contre le mensonge, adoré et servi la créature au lieu du créateur qui est béni éternellement. *Amen. [26] C'est pourquoi Dieu les a livrés à des passions avilissantes : leurs femmes ont échangé les rapports naturels pour des rapports contre nature, [27] les hommes de même, abandonnant les rapports naturels avec la femme, se sont enflammés de désir les uns pour les autres, commettant l'infamie d'homme à homme et recevant en leur personne le juste salaire de leur égarement. [28] Et comme ils n'ont pas jugé bon de garder la connaissance de Dieu, Dieu les a livrés à leur intelligence sans jugement : ainsi font-ils ce qu'ils ne devraient pas. [29] Ils sont remplis de toute sorte d'injustice, de perversité, de cupidité, de méchanceté, pleins d'envie, de meurtres, de querelles, de ruse, de dépravation, diffamateurs, [30] médisants, ennemis de Dieu, provocateurs, orgueilleux, fanfarons, ingénieux au mal, rebelles à leurs parents, [31] sans intelligence, sans loyauté, sans cœur, sans pitié. [32] Bien qu'ils connaissent le verdict de Dieu déclarant dignes de

SLANDERERS SWAGGERERS

mort ceux qui commettent de telles actions, ils ne se bornent pas à les accomplir, mais ils approuvent encore ceux qui les commettent. *RESTRAIN O.S.*

Le juste jugement de Dieu

2 [1] Tu es donc inexcusable, toi, qui que tu sois, qui juges ; car, en jugeant autrui, tu te condamnes toi-même, puisque tu en fais autant, toi qui juges. [2] Or, nous savons que le jugement de Dieu s'exerce selon la vérité contre ceux qui commettent de telles actions. [3] Penses-tu, toi qui juges ceux qui les commettent et qui agis comme eux, que tu échapperas au jugement de Dieu ? [4] Ou bien méprises-tu la richesse de sa bonté, de sa patience et de sa générosité, sans reconnaître que cette bonté te pousse à la conversion ? [5] Par ton endurcissement, par ton cœur impénitent [h], tu amasses contre toi un trésor de colère pour le *jour de la colère [i] où se *révélera le juste jugement de Dieu, [6] qui rendra à chacun selon ses œuvres : [7] vie éternelle pour ceux qui, par leur persévérance à bien faire, recherchent gloire, honneur et incorruptibilité, [8] mais colère et indignation pour ceux qui, par révolte, se rebellent contre la vérité et se soumettent à l'injustice. [9] Détresse et angoisse pour tout homme qui commet le mal, pour le *Juif d'abord et pour le Grec ; [10] gloire, honneur et paix à quiconque fait le bien, au Juif d'abord puis au Grec, [11] car en Dieu il n'y a pas de partialité. [12] Tous ceux qui ont péché sans la loi périront aussi sans la *loi ; tous ceux qui ont péché sous le régime de la loi seront jugés par la loi. [13] Ce ne sont pas en effet ceux qui écoutent la loi qui sont justes devant Dieu ; ceux-là seront justifiés qui la mettent en pratique. [14] Quand des *païens, sans avoir de loi, font naturellement ce qu'ordonne la loi, ils se tiennent lieu de loi à eux-mêmes, eux qui n'ont pas de loi. [15] Ils montrent que l'œuvre voulue par la loi est inscrite dans leur *cœur ; leur conscience en témoigne éga-

---

g Voir 1 Th 1.9; s'il s'agit du vrai Dieu par opposition aux idoles mensongères ● h ou cœur inconverti (cf. v. 4) ● i Expression de l'A.T. pour désigner le jour du jugement de Dieu

1.19 connaissance de Dieu Sg 13—15; Ac 17.24-28; Jb 12.9; Ps 19.2; Ac 14.15-17; He 11.3. **1.23** idolâtrie Ex 32; Dt 4.16-18; Jr 2.11; Sg 11.15; 12.24. **1.25** vrai Dieu et idoles mensongères Jr 10.10-14; †6.19-21; 1 Th 1.9. **1.29** dérèglements des païens Rm 13.13; 1 Co 5.10-11; 6.9-10; Ga 5.19-21; Ep 5.3-5; 1 Tm 1.9-10; 2 Tm 3.2-4; Tt 3.3; 1 P 4.3; Ap 21.8; 22.15. **2.1** juger autrui Mt 7.2. **2.4** patience de Dieu Sg 11.23; 2 P 3.9, 15. **2.5** jour de colère So 1.14-18; 2.2-3; Ap 6.17; 11.18. **2.6** à chacun selon ses œuvres Ps 62.13; Pr 24.12; Jr 17.10; Mt 16.27+. **2.7** vie éternelle Rm 5.21+. **2.9** Juif et Grec Rm 1.16+. **2.11** partialité Lv 19.15; Dt 10.17; Ac 10.34; Ga 2.6; Ep 6.9; Col 3.25; Jc 2.1; 1 P 1.17. **2.14** des païens qui font ce qu'ordonne la Loi Ac 10.35.

lement ainsi que leurs jugements intérieurs qui tour à tour les accusent et les défendent [j]. [16] C'est ce qui paraîtra au jour où, selon mon *Evangile, Dieu jugera par Jésus Christ le comportement caché des hommes.

La désobéissance d'Israël

[17] Mais, si toi qui portes le nom de *Juif, qui te reposes sur la *loi et qui mets ton *orgueil en ton Dieu [k], [18] toi qui connais sa volonté, toi qui, instruit par la loi, discernes l'essentiel, [19] toi qui es convaincu d'être le guide des aveugles, la lumière de ceux qui sont dans les ténèbres, [20] l'éducateur des ignorants [l], le maître des simples, parce que tu possèdes dans la loi l'expression même de la connaissance et de la vérité... [21] Eh bien ! toi qui enseignes autrui, tu ne t'enseignes pas toi-même ! Tu prêches de ne pas voler, et tu voles ! [22] Tu interdis l'adultère, et tu commets l'adultère ! Tu as horreur des idoles, et tu pilles leurs temples ! [23] Tu mets ton orgueil dans la loi, et tu déshonores Dieu en transgressant la loi ! [24] En effet, comme il est écrit, le *nom de Dieu est *blasphémé à cause de vous parmi les païens. [25] Sans doute la *circoncision est utile si tu pratiques la loi, mais si tu transgresses la loi, avec ta circoncision tu n'es plus qu'un incirconcis. [26] Si donc l'incirconcis observe les prescriptions de la loi, son incirconcision ne lui sera-t-elle pas comptée comme circoncision ? [27] Et lui qui, physiquement incirconcis, accomplit la loi, te jugera, toi qui, avec la lettre de la loi et la circoncision, transgresses la loi. [28] En effet, ce n'est pas ce qui se voit qui fait le Juif, ni la marque visible dans la chair qui fait la circoncision, [29] mais c'est ce qui est caché qui fait le Juif, et la circoncision c'est celle du *cœur, celle qui relève de l'Esprit et non de la lettre [m]. Voilà l'homme qui reçoit sa louange non des hommes, mais de Dieu.

La désobéissance de tous les hommes

3 [1] Quelle est donc la supériorité du *Juif ? Quelle est l'utilité de la *circoncision ? [2] Grande à tous égards ! Et d'abord, c'est à eux que les révélations [n] de Dieu ont été confiées. [3] Quoi donc ? Si certains furent infidèles, leur infidélité vat-elle annuler la fidélité de Dieu ? [4] Certes non ! Dieu doit être reconnu véridique et tout homme menteur, selon qu'il est écrit : *Il faut que tu sois reconnu juste dans tes paroles, et que tu triomphes lorsqu'on te juge.* [5] Mais si notre injustice met en relief la justice de Dieu, que dire ? Dieu n'est-il pas injuste en nous frappant de sa colère ? Je parle selon la logique humaine. [6] Certes non ! Car alors, comment Dieu jugera-t-il le *monde ? [7] Mais si, par mon mensonge, la vérité de Dieu éclate d'autant plus pour sa gloire, pourquoi donc, moi, suis-je encore condamné comme *pécheur ? [8] Et alors, pourquoi ne ferions-nous pas le mal afin qu'il en résulte du bien, comme certains calomniateurs nous le font dire ? — Ces gens-là méritent leur condamnation ! [9] Mais quoi ? avons-nous encore, nous Juifs, quelque supériorité ? Absolument pas ! Car nous l'avons déjà établi : tous, Juifs comme Grecs, sont sous l'empire du péché. [10] Comme il est écrit :

Il n'y a pas de juste, pas même un seul.

[11] *Il n'y a pas d'homme sensé, pas un qui cherche Dieu.*

[12] *Ils sont tous dévoyés, ensemble pervertis,*
pas un qui fasse le bien, pas même un seul.

[13] *Leur gosier est un sépulcre béant ;*
de leur langue ils sèment la tromperie ;
un venin d'aspic est sous leurs lèvres ;

[14] *leur bouche est pleine de malédictions et d'amertume ;*

[15] *leurs pieds sont prompts à verser le sang ;*

---

[j] Autre traduction: *ainsi que les jugements intérieurs de blâme ou d'éloge qu'ils portent les uns sur les autres* ● [k] Certains traduisent: *qui te glorifies en Dieu* ● [l] *ou des insensés* ● [m] Comme au v. 27 il s'agit de la *loi* (de Moïse) ● [n] Autres traductions: *les oracles* ou *les paroles* (recueillies dans l'A.T.)

2.16 Dieu jugera par Jésus Christ 1 Co 4.5. **2.17** s'enorgueillir Rm 3.27; 4.2-3; 5.2; 11.18; 1 Co 1.29-31; Ep 2.9; Ga 6.13-14; 2 Co 1.12; 7.4, etc. **2.19** guide des aveugles Mt 15.14; Jn 9.40-41. **2.20** ignorants (insensés) Ps 14.1; Pr 10.23; Qo 5.3; Lc 12.20; 1 Co 15.36. **2.21-22** vol et adultère Ps 50.18. **2.24** Es 52.5 (grec) — blasphémé à cause de vous Ez 36.20-22. **2.29** circoncision du cœur Jr 4.4; 9.23-25; Dt 10.16; 30.6; 1 Co 7.19; Ga 5.3-6; Col 2.11 (Ac 7.51; Ph 3.2-7) — l'Esprit et la lettre Rm 7.6; 8.2; 2 Co 3.6. **3.2** Israël dépositaire de la révélation Rm 9.4-5; Dt 4.6-8; 32.7-11; Ps 103.7; 147.19-20; Jn 4.22. **3.4** Ps 51.6 (grec) — Dieu est fidèle (véridique) Ps 89.31-38; 119.89-90; Os 1—3; 1 Jn 1.9; Ap 19.11 — l'homme menteur Ps 116.11; Jn 3.3. **3.10-12** Ps 14.1-3; Ps 53.2-4 — pas un seul juste Qo 7.20; 1 Jn 1.8-10. **3.13** Ps 5.10; 140.4. **3.14** Ps 10.7. **3.15-17** Es 59.7-8; Pr 1.16.

¹⁶ *la ruine et le malheur sont sur leurs chemins ;*

¹⁷ *et le chemin de la paix, ils ne le connaissent pas.*

¹⁸ *Nulle crainte de Dieu devant leurs yeux !*

¹⁹ Or, nous savons que tout ce que dit la *loi ᵒ, elle le dit à ceux qui sont sous la loi, afin que toute bouche soit fermée et que le monde entier soit reconnu coupable devant Dieu. ²⁰ Voilà pourquoi *personne ne sera justifié devant lui* par les œuvres de la loi ; la loi, en effet, ne donne que la connaissance du péché.

Justifiés par la foi

²¹ Mais maintenant, indépendamment de la *loi, la justice de Dieu a été manifestée ; la loi et les *prophètes lui rendent témoignage. ²² C'est la justice de Dieu par la foi en Jésus Christ pour tous ceux qui croient, car il n'y a pas de différence : ²³ tous ont péché, sont privés de la gloire de Dieu, ²⁴ mais sont gratuitement justifiés par sa grâce, en vertu de la délivrance accomplie en Jésus Christ. ²⁵ C'est lui que Dieu a destiné à servir d'expiation ᵖ par son *sang, par le moyen de la foi, pour montrer ce qu'était la justice, du fait qu'il avait laissé impunis les péchés d'autrefois, ²⁶ au temps de sa patience. Il montre donc sa justice dans le temps présent, afin d'être juste et de justifier celui qui vit de la foi en Jésus. ²⁷ Y a-t-il donc lieu de *s'enorgueillir ? C'est exclu ! Au nom de quoi ? Des œuvres ? Nullement, mais au nom de la foi ᵠ. ²⁸ Nous estimons en effet que l'homme est justifié par la foi, indépendamment des œuvres de la loi. ²⁹ Ou alors, Dieu serait-il seulement le Dieu des Juifs ? N'est-il pas aussi le Dieu des *païens ? Si ! il est aussi le Dieu des païens, ³⁰ puisqu'il n'y a qu'un seul Dieu qui va justifier

les *circoncis par la foi et les incirconcis par la foi. ³¹ Enlevons-nous par la foi toute valeur à la loi ? Bien au contraire, nous confirmons la loi !

Abraham, le père des croyants

4 ¹ Que dirons-nous donc d'Abraham notre ancêtre ? Qu'a-t-il obtenu selon la chair ʳ ? ² Si Abraham a été justifié par ses œuvres, il a de quoi *s'enorgueillir, mais non devant Dieu. ³ En effet, que dit l'Ecriture ? *Abraham eut foi en Dieu et cela lui fut compté comme justice.* ⁴ Or, à celui qui accomplit des œuvres, le salaire n'est pas compté comme une grâce, mais comme un dû. ⁵ Par contre, à celui qui n'accomplit pas d'œuvres mais croit en celui qui justifie l'impie, sa foi est comptée comme justice. ⁶ C'est ainsi que David célèbre le bonheur de l'homme au compte duquel Dieu porte la justice indépendamment des œuvres :

⁷ *Heureux ceux dont les offenses ont été pardonnées et les péchés remis* ˢ,

⁸ *Heureux l'homme au compte de qui le Seigneur ne porte pas le péché.*

⁹ Cette déclaration de bonheur ne concerne-t-elle donc que les *circoncis, ou également les incirconcis ? Nous disons en effet : *la foi d'Abraham lui fut comptée comme justice.* ¹⁰ Mais dans quelles conditions le fut-elle ? Avant, ou après sa circoncision ? Non pas après, mais avant ! ¹¹ Puis le *signe de la circoncision lui fut donné comme sceau de la justice reçue par la foi lorsqu'il était incirconcis ; ainsi devint-il à la fois père de tous les croyants incirconcis, pour que la justice leur fût comptée, ¹² et père des circoncis, de ceux qui non seulement appartiennent au peuple des circoncis, mais marchent aussi sur les traces de la foi de notre père Abraham avant sa circoncision.

¹³ En effet, ce n'est pas en vertu de la

SEAL

ᵒ Comme en 1 Co 14.21 *la loi* est l'expression condensée qui désigne tout l'A.T. Au v. 21 même sens de l'expression *la loi et les prophètes* ● ᵖ ou *que Dieu a établi comme propitiatoire*. Selon Lv 16.2 et suiv. c'est sur le propitiatoire (couvercle de l'arche) qu'on pratiquait l'aspersion du sang au grand jour des *expiations* pour le pardon des péchés de tout le peuple ● ᵠ Certains traduisent : *par la loi des œuvres*. *Nullement, mais par la loi de la foi* ● ʳ Autre texte: *Que dirons-nous donc d'Abraham, notre ancêtre selon la chair ?* ● ˢ ou *couverts*, c'est-à-dire *effacés*

3.18 Ps 36.1. **3.20** Ps 143.2 — connaissance du péché Rm 7.7. **3.20-24** justification par la foi Rm 1.16-17; 5.1; 9.30; Ph 3.9; Ep 2.4-10 et non par la loi Ga 2.16. **3.23** la gloire de Dieu Ez 10.18-19; 11.22-33; 43.1-9; Es 60.1-3 donnée au Christ, 1 Co 2.8; 2 Co 4.6 et aux croyants 2 Co 3.18; Rm 8.18-21, 30. **3.25** expiation Lv 16.12-16; He 9.5, 15; 1 Jn 2.2; 4.10; Ep 1.7. **3.26** patience de Dieu Ex 34.6-7; Ps 103.8; Es 48.9; Jr 15.15; Rm 2.4+. **3.27** orgueil Rm 2.17+. **3.31** confirmer la loi Mt 5.17-19. **4.2** s'enorgueillir 2.17+. **4.3** Gn 15.6; (Rm 4.9; Ga 3.6-9; Jc 2.20-24) — la foi d'Abraham Gn 12.1-5. **4.4** ce qui est dû et ce qui est donné Rm 11.6; Mt 20.1-15; Lc 17.7-11. **4.5** la justice, la loi et la foi Ga 2.16. **4.7-8** Ps 32.1-2. **4.11** circoncision d'Abraham Gn 17.9-14 — Abraham, père des croyants Ga 3.7-9. **4.13** la promesse faite à Abraham Gn 12.2-3; 22.15-18; Ga 3.15-16 — la foi d'Abraham He 11.8-12.

*loi, mais en vertu de la justice de la foi [t] que la promesse de recevoir le monde en héritage fut faite à Abraham ou à sa descendance. [14] Si les héritiers le sont en vertu de la loi, la foi n'a plus de sens et la promesse est annulée. [15] Car la loi produit la colère ; là où il n'y a pas de loi, il n'y a pas non plus de transgression. [16] Aussi est-ce par la foi qu'on devient héritier, afin que ce soit par grâce et que la promesse demeure valable pour toute la descendance d'Abraham, non seulement pour ceux qui se réclament de la loi, mais aussi pour ceux qui se réclament de la foi d'Abraham, notre père à tous. [17] En effet, il est écrit : *J'ai fait de toi le père d'un grand nombre de peuples.* Il est notre père [u] devant celui en qui il a cru, le Dieu qui fait vivre les morts et appelle à l'existence ce qui n'existe pas. [18] Espérant contre toute espérance, il crut et devint ainsi *le père d'un grand nombre de peuples* selon la parole : *Telle sera ta descendance.* [19] Il ne faiblit pas dans la foi en considérant son corps — il était presque centenaire — et le sein maternel de Sara, l'un et l'autre atteints par la mort [v]. [20] Devant la promesse divine, il ne succomba pas au doute, mais il fut fortifié par la foi et rendit gloire à Dieu, [21] pleinement convaincu que, ce qu'il a promis, Dieu a aussi la puissance de l'accomplir. [22] Voilà pourquoi *cela lui fut compté comme justice.* [23] Or, ce n'est pas pour lui seul qu'il est écrit : *Cela lui fut compté,* [24] mais pour nous aussi, nous à qui la foi sera comptée puisque nous croyons en celui qui a ressuscité d'entre les morts Jésus notre Seigneur, [25] livré pour nos fautes et ressuscité pour notre justification.

Justifiés, réconciliés, sauvés

5 [1] Ainsi donc, justifiés par la foi, nous sommes en paix [w] avec Dieu par notre Seigneur Jésus Christ ; [2] par lui nous avons accès, par la foi [x], à cette grâce en laquelle nous sommes établis et nous mettons notre *orgueil dans l'espérance de la gloire de Dieu. [3] Bien plus, nous mettons notre orgueil dans nos détresses mêmes, sachant que la détresse produit la persévérance, [4] la persévérance la fidélité éprouvée [y], la fidélité éprouvée l'espérance ; [5] et l'espérance ne trompe pas, car l'amour de Dieu [z] a été répandu dans nos *cœurs par l'Esprit Saint qui nous a été donné. [6] Oui, quand nous étions encore sans force, Christ, au temps fixé, est mort pour des impies. [7] C'est à peine si quelqu'un voudrait mourir pour un juste ; peut-être pour un homme de bien accepterait-on de mourir. [8] Mais en ceci Dieu prouve son amour envers nous : Christ est mort pour nous alors que nous étions encore *pécheurs. [9] Et puisque maintenant nous sommes justifiés par son *sang, à plus forte raison serons-nous sauvés par lui de la colère. [10] Si en effet, quand nous étions ennemis de Dieu, nous avons été réconciliés avec lui par la mort de son Fils, à plus forte raison, réconciliés, serons-nous sauvés par sa vie. [11] Bien plus, nous mettons notre orgueil en Dieu par notre Seigneur Jésus Christ par qui, maintenant, nous avons reçu la réconciliation.

Adam et Jésus Christ

[12] Voilà pourquoi, de même que par un seul homme le péché est entré dans le *monde et par le péché la mort, et qu'ainsi

---

[t] Expression condensée pour *la justice reçue par la foi.* Voir Rm 1.17 et note *e* • *u il est notre père:* mots ajoutés pour la bonne compréhension du texte • *v* Devenus incapables de s'assurer une descendance • *w* Quelques manuscrits comportent *soyons en paix* • *x* Plusieurs manuscrits omettent les mots *par la foi* • *y* ou *la mise à l'épreuve* (au sens d'une vérification de la qualité) • *z* Comme en 8.39 il s'agit de l'amour que Dieu a pour nous

4.15 le rôle de la Loi Rm 3.20; 5.13, 20-21; 7.7-13; 1 Co 15.56; Ga 3.10, 19-22. **4.16** héritiers par la foi Ga 3.18, 23-29. **4.17** Gn 17.5 — Dieu qui fait vivre les morts Dt 32.39; Ez 37.1-10; He 11.19. **4.18** Gn 15.5. **4.19** Abraham centenaire Gn 17.1, 15-22. **4.20** foi en la promesse He 6.15; 11.32-40 — rendre gloire à Dieu Jos 7.19; 1 S 6.5, etc. **4.21** accomplissement de la promesse Jr 32.17-24; Gn 18.14; Lc 1.35-38. **4.22** Gn 15.6. **4.24** écrit pour nous aussi Rm 15.4 — ressuscité d'entre les morts Rm 10.9. **4.25** livré pour nos fautes Es 53.6 (grec); Rm 8.32 — ressuscité pour notre justification 1 Co 15.17; Col 2.11-13. **5.1** paix Es 53.5; Ep 2.14-17; Col 3.15. **5.3** détresses Ps 37.39; 50.15; Mt 24.21; Ac 11.19; 14.22; 2 Co 1.4-5; Ph 4.14; 1 Th 3.3; Ap 1.9; 7.14. **5.4** constance dans l'épreuve Rm 8.18; 2 Co 1.2-4; 1 P 1.6-7; He 6.18-19. **5.5** Saint Esprit Rm 8.9-16; Ga 4.6; Tt 3.5-7; 1 Jn 4.13. **5.6-8** le Christ est mort pour nous Rm 3.25; 4.25; 5.6-11; 8.32; Ga 1.4; 2.20; Ep 5.2; 1 Tm 2.6; Tt 2.14; 3.4-7; 1 P 3.18; Jn 3.16-17; 15.13; 1 Jn 3.16; 4.10. **5.10** réconciliation 2 Co 5.18-19; Ep 2.16; Col 1.20-22. **5.12** la mort, fruit du péché Gn 2.17; 3.19; *Sg* 2.24; Rm 6.23; 7.5; 8.6, 13; 1 Co 15.21-22, 45; Ga 6.7-9; Jc 1.15.

AFFECT

la mort a atteint tous les hommes parce que ^a tous ont péché... ¹³ car ^b, jusqu'à la *loi, le péché était dans le monde et, bien que le péché ne puisse être sanctionné quand il n'y a pas de loi, ¹⁴ pourtant, d'Adam à Moïse la mort a régné, même sur ceux qui n'avaient pas péché par une transgression identique à celle d'Adam, figure de celui qui devait venir ^c.

¹⁵ Mais il n'en va pas du don de grâce comme de la faute ; car, si par la faute d'un seul la multitude a subi la mort, à plus forte raison la grâce de Dieu, grâce accordée en un seul homme, Jésus Christ, s'est-elle répandue en abondance sur la multitude. ¹⁶ Et il n'en va pas non plus du don comme des suites du péché d'un seul : en effet, à partir du péché d'un seul, le jugement aboutit à la condamnation, tandis qu'à partir de nombreuses fautes, le don de grâce aboutit à la justification. ¹⁷ Car si par un seul homme, par la faute d'un seul, la mort a régné, à plus forte raison, par le seul Jésus Christ, régneront-ils dans la *vie qui reçoivent l'abondance de la grâce et du don de la justice. ¹⁸ Bref, comme par la faute d'un seul ce fut pour tous les hommes la condamnation, ainsi par l'œuvre de justice d'un seul, c'est pour tous les hommes la justification qui donne la vie. ¹⁹ De même en effet que, par la désobéissance d'un seul homme, la multitude a été rendue *pécheresse, de même aussi, par l'obéissance d'un seul, la multitude sera-t-elle rendue juste. ²⁰ La loi, elle, est intervenue pour que prolifère la faute, mais là où le péché a proliféré, la grâce a surabondé, ²¹ afin que, comme le péché avait régné pour la mort, ainsi, par la justice, la grâce règne pour la vie éternelle par Jésus Christ notre Seigneur.

Mourir et vivre avec Jésus Christ

6 ¹ Qu'est-ce à dire ? Nous faut-il demeurer dans le péché afin que la grâce abonde ? ² Certes non ! Puisque nous sommes morts au péché, comment vivre encore dans le péché ? ³ Ou bien ignorez-vous que nous tous, baptisés en Jésus Christ, c'est dans sa mort que nous avons été baptisés ? ⁴ Par le baptême, en sa mort, nous avons donc été ensevelis avec lui, afin que, comme Christ est ressuscité des morts par la gloire du Père, nous menions nous aussi une *vie nouvelle. ⁵ Car si ^d nous avons été totalement unis, assimilés à sa mort ^e, nous le serons aussi à sa résurrection. ⁶ Comprenons bien ceci : notre vieil homme a été crucifié avec lui pour que soit détruit ce corps de péché ^f et qu'ainsi nous ne soyons plus esclaves du péché. ⁷ Car celui qui est mort est libéré du péché. ⁸ Mais si nous sommes morts avec Christ, nous croyons que nous vivrons aussi avec lui. ⁹ Nous le savons en effet : ressuscité des morts, Christ ne meurt plus ; la mort sur lui n'a plus d'empire. ¹⁰ Car en mourant, c'est au péché qu'il est mort une fois pour toutes ; vivant, c'est pour Dieu qu'il vit. ¹¹ De même vous aussi : considérez que vous êtes morts au péché et vivants pour Dieu en Jésus Christ.

¹² Que le péché ne règne donc plus dans votre corps mortel pour vous faire obéir à ses convoitises. ¹³ Ne mettez plus vos membres au service du péché comme armes de l'injustice, mais, comme des vivants revenus d'entre les morts, avec vos membres comme armes de la justice, mettez-vous au service de Dieu. ¹⁴ Car le péché n'aura plus d'empire sur vous, puisque vous n'êtes plus sous la *loi mais sous la grâce.

Servir la justice

¹⁵ Quoi donc ? Allons-nous pécher parce que nous ne sommes plus sous la *loi mais sous la grâce ? Certes non ! ¹⁶ Ne savez-vous pas qu'en vous mettant au service de quelqu'un comme esclaves pour lui obéir, vous êtes esclaves de celui à

---

a Autres traductions: 1) *à cause duquel* (c.-à-d. d'Adam)... 2) *à cause de laquelle... ou en vue de laquelle* (c.-à-d. de la mort)... ● *b* La comparaison amorcée au v. 12 reste en suspens; elle sera reprise aux vv. 15 et 18 ● *c* le Christ ● *d* Comme au v. 8 le *si* est à comprendre au sens de *puisque* ● *e* Autre traduction: *si nous sommes devenus un même être* (avec lui) *par une mort semblable à la sienne* ● *f* Comme en Rm 12.1 le *corps* désigne ici l'être humain tout entier en tant qu'il agit par son corps

5.19 obéissance du Christ Es 53.11; Ph 2.8; He 5.8. **5.21** vie éternelle Dn 12.2; Mt 19.16; Jn 3.15; 6.47; 17.3; Rm 2.7; 6.22-23; Ga 6.8; 1 Tm 6.12; Tt 1.2; 1 Jn 5.11, 20. **6.1** abus de la grâce Rm 3.8. **6.3** baptisés en Jésus Christ Ga 3.27. **6.4** ensevelis avec Christ par le baptême Col 2.12; 2 Tm 2.11. **6.5** unis à Christ Ph 3.10-11; Ep 2.6. **6.6** le vieil homme Col 3.9-10; Ep 4.22-24 — crucifiés avec Christ Ga 5.24; 6.14. **6.10** une fois pour toutes 1 P 3.18; He 9.26-28. **6.11** morts au péché, vivants pour Dieu 1 P 2.24 (Col 3.3, 5; Ga 2.19; 2 Co 5.15). **6.14** vous n'êtes plus sous la loi Ga 5.18. **6.16** esclaves Jn 8.34; 2 P 2.19.

qui vous obéissez, soit du péché qui conduit à la mort, soit de l'obéissance *g* qui conduit à la justice ? [17] Rendons grâce à Dieu : vous étiez esclaves du péché, mais vous avez obéi de tout votre cœur à l'enseignement commun auquel vous avez été confiés ; [18] libérés du péché, vous êtes devenus esclaves de la justice. [19] J'emploie des mots tout humains, adaptés à votre faiblesse. De même que vous avez mis vos membres comme esclaves au service de *l'impureté et du désordre qui conduisent à la révolte contre Dieu, mettez-les maintenant comme esclaves au service de la justice qui conduit à la *sanctification. [20] Lorsque vous étiez esclaves du péché, vous étiez libres à l'égard de la justice. [21] Quels fruits portiez-vous donc alors ? Aujourd'hui vous en avez honte, car leur aboutissement, c'est la mort. [22] Mais maintenant, libérés du péché et devenus esclaves de Dieu, vous portez les fruits qui conduisent à la sanctification, et leur aboutissement, c'est la *vie éternelle. [23] Car le salaire du péché, c'est la mort ; mais le don gratuit de Dieu, c'est la vie éternelle en Jésus Christ notre Seigneur.

Le chrétien est libéré de la loi

7 [1] Ou bien ignorez-vous, frères — je parle à des gens compétents en matière de loi *h* — que la loi n'a autorité sur l'homme qu'aussi longtemps qu'il vit ? [2] Ainsi, la femme mariée est liée par une loi à un homme tant qu'il vit ; mais s'il vient à mourir, elle ne relève plus de la loi conjugale. [3] Donc, si du vivant de son mari elle appartient à un autre, elle sera appelée adultère ; mais, si le mari vient à mourir, elle est libre à l'égard de la loi, en sorte qu'elle ne sera pas adultère en appartenant à un autre. [4] Vous de même, mes frères, vous avez été mis à mort à l'égard de la loi, par le corps du Christ, pour appartenir à un autre, le Ressuscité d'entre les morts, afin que nous portions des fruits pour Dieu. [5] En effet, quand nous étions dans la chair *i*, les passions

pécheresses, se servant de la loi, agissaient en nos membres, afin que nous portions des fruits pour la mort. [6] Mais maintenant, morts à ce qui nous tenait captifs, nous avons été affranchis de la loi, de sorte que nous servons sous le régime nouveau de l'Esprit et non plus sous le régime périmé de la lettre *j*.

Le rôle de la loi

[7] Qu'est-ce à dire ? La *loi serait-elle péché ? Certes non ! Mais je n'ai connu le péché que par la loi. Ainsi je n'aurais pas connu la convoitise si la loi n'avait dit : *Tu ne convoiteras pas.* [8] Saisissant l'occasion, le péché a produit en moi toutes sortes de convoitises par le moyen du commandement. Car, sans loi, le péché est chose morte. [9] Jadis, en l'absence de loi, je vivais. Mais le commandement est venu, le péché a pris vie [10] et moi je suis mort : le commandement qui doit mener à la vie s'est trouvé pour moi mener à la mort. [11] Car le péché, saisissant l'occasion, m'a séduit par le moyen du commandement et, par lui, m'a donné la mort. [12] Ainsi donc, la loi est *sainte et le commandement saint juste et bon.

Prisonnier de la loi du péché

[13] Alors, ce qui est bon est-il devenu cause de mort pour moi ? Certes non ! Mais c'est le péché : en se servant de ce qui est bon, il m'a donné la mort, afin qu'il fût manifesté comme péché et qu'il apparût dans toute sa virulence de péché, par le moyen du commandement. [14] Nous savons, certes, que la *loi est spirituelle ; mais moi, je suis charnel, vendu comme esclave au péché. [15] Effectivement, je ne comprends rien à ce que je fais : ce que je veux, je ne le fais pas, mais ce que je hais, je le fais. [16] Or, si ce que je ne veux pas, je le fais, je suis d'accord avec la loi et reconnais qu'elle est bonne ; [17] ce n'est donc pas moi qui agis ainsi, mais le péché qui habite en moi. [18] Car je sais qu'en

NOT BURDENED

---

g Tournure condensée pour *Dieu à qui l'on obéit* • *h* Autre traduction : *je parle à des hommes connaissant la loi* (de Moïse) • *i* Comme aux vv. 18 et 25 le mot *chair* sert à désigner l'homme en tant qu'il est dominé et disqualifié par le péché • *j* Voir Rm 2.29 et note

6.18 libérés Ga 5.13; Jn 8.36. **6.19** membres Rm 7.5, 23 — au service de la justice Rm 12.1. **6.22** fruits Jn 15.8, 16; Ga 5.22; 6.8 — vie éternelle Rm 5.21+. **6.23** la mort, salaire du péché Rm 5.12. **7.4** morts à l'égard de la Loi, Ga 2.19; 3.13 — à l'égard du péché Rm 6.5-6; 2 Co 5.15. **7.5** la chair Rm 7—8. **7.6** l'Esprit et la lettre Rm 2.29+. **7.7** la Loi fait connaître le péché Rm 3.20 — convoitise Jc 1.14-15 — 10e commandement Ex 20.17; Dt 5.21 — La Loi fait apparaître le péché Rm 4.15. **7.10** la Loi doit mener à la vie Lv 18.5; Dt 4.1; 5.33; Ez 20.11. **7.11** séduction du péché Gn 3.13; 2 Co 11.3; He 3.13. **7.14** l'homme est charnel Ps 51.7; Jn 3.6.

moi — je veux dire dans ma chair [k] — le bien n'habite pas : vouloir le bien est à ma portée, mais non pas l'accomplir, [19] puisque le bien que je veux, je ne le fais pas et le mal que je ne veux pas, je le fais. [20] Or, si ce que je ne veux pas, je le fais, ce n'est pas moi qui agis, mais le péché qui habite en moi. [21] Moi qui veux faire le bien, je constate donc cette loi : c'est le mal qui est à ma portée. [22] Car je prends plaisir à la loi de Dieu, en tant qu'homme intérieur [l], [23] mais, dans mes membres, je découvre une autre loi qui combat contre la loi que ratifie mon intelligence ; elle fait de moi le prisonnier de la loi du péché qui est dans mes membres. [24] Malheureux homme que je suis ! Qui me délivrera de ce corps qui appartient à la mort ? [25] Grâces soient rendues à Dieu par Jésus Christ, notre Seigneur !

Me voilà donc à la fois assujetti par l'intelligence à la loi de Dieu et par la chair à la loi du péché.

L'Esprit qui donne la vie

8 [1] Il n'y a donc, maintenant, plus aucune condamnation pour ceux qui sont en Jésus Christ. [2] Car la *loi de l'Esprit qui donne la *vie en Jésus Christ m'a libéré [m] de la loi du péché et de la mort. [3] Ce qui était impossible à la loi, car la chair la vouait à l'impuissance, Dieu l'a fait : en envoyant son propre Fils dans la condition de notre chair de péché, en sacrifice pour le péché [n], il a condamné le péché dans la chair, [4] afin que la justice exigée par la loi [o] soit accomplie en nous, qui ne marchons pas sous l'empire de la chair mais de l'Esprit. [5] En effet, sous l'empire de la chair, on tend à ce qui est charnel, mais sous l'empire de l'Esprit, on tend à ce qui est spirituel : [6] la chair tend à la mort, mais l'Esprit tend à la vie et à la paix. [7] Car le mouvement de la chair est révolte contre Dieu ; elle ne se soumet pas à la loi de Dieu, elle ne le peut même pas. [8] Sous l'empire de la chair on ne peut plaire à Dieu. [9] Or vous, vous n'êtes pas sous l'empire de la chair mais de l'Esprit, puisque l'Esprit de Dieu [p] habite en vous. Si quelqu'un n'a pas l'Esprit du Christ, il ne lui appartient pas. [10] Si Christ est en vous, votre corps [q], il est vrai, est voué à la mort à cause du péché, mais l'Esprit est votre vie à cause de la justice. [11] Et si l'Esprit de celui qui a ressuscité Jésus d'entre les morts habite en vous, celui qui a ressuscité Jésus Christ d'entre les morts donnera aussi la vie à vos corps mortels, par son Esprit qui habite en vous.

[12] Ainsi donc, frères, nous avons une dette, mais non envers la chair pour devoir vivre de façon charnelle. [13] Car si vous vivez de façon charnelle, vous mourrez ; mais si, par l'Esprit, vous faites mourir votre comportement charnel, vous vivrez. [14] En effet, ceux-là sont fils de Dieu qui sont conduits par l'Esprit de Dieu : [15] vous n'avez pas reçu un esprit qui vous rende esclaves et vous ramène à la peur, mais un Esprit qui fait de vous des fils adoptifs et par lequel nous crions : Abba [r], Père. [16] Cet Esprit lui-même atteste à notre esprit que nous sommes enfants de Dieu. [17] Enfants, et donc héritiers : héritiers de Dieu, cohéritiers de Christ, puisque, ayant part [s] à ses souffrances, nous aurons part aussi à sa gloire.

La gloire à venir

[18] J'estime en effet que les souffrances du temps présent sont sans proportion avec la gloire qui doit être *révélée en nous. [19] Car la création attend avec impatience la révélation des fils de Dieu : [20] livrée au pouvoir du néant — non de son propre gré, mais par l'autorité de celui qui l'y a livrée —, elle garde l'es-

DEDICATE TO   *WILL*   *EMPTINESS; VANITY*

k Voir Rm 7.5 et note ● l Expression empruntée au vocabulaire de la philosophie grecque. D'après le v. 23 elle désigne la partie rationnelle de l'homme ● m Autres textes: *t'a libéré*, ou *nous a libérés* ● n ou *au sujet du péché*; ou *en vue du péché* (à expier) ● o Comme en Rm 5.18 le terme *justice* exprime ici ce qui est conforme à la volonté de Dieu ● p Autre traduction: *si vraiment l'Esprit de Dieu...* Voir Rm 6.5 et note ● q Voir Rm 6.6 et note ● r *Abba*: en araméen = *papa*; expression particulière à Jésus quand il priait son père (Mc 14.36; cf. Ga 4.6) ● s Autre traduction: *si vraiment nous avons part...* Voir v. 9 et note

7.22 l'homme intérieur Ep 3.16. **7.23** lutte entre la chair et l'Esprit Ga 5.16-23, 25. **7.24** prière dans la détresse Ps 22.1-12; 107.6, 13, 19, 28. **7.25** actions de grâces Rm 5.21; 6.23; 1 Co 15.57. **8.2** l'Esprit libérateur 2 Co 3.17; Ga 5.18 — la loi de l'Esprit Jr 31.33; Ez 36.27; 37.14. **8.3** le Fils prend sur lui notre condition Ga 3.13; 2 Co 5.21; He 2.14-18; 4.15. **8.5** la chair et l'Esprit Rm 7.23+. **8.6** la mort et la vie Rm 6.21-22; 7.5; 8.13. **8.9** l'Esprit de Dieu en vous 1 Co 3.16. **8.11** Celui qui a ressuscité Jésus vous ressuscitera 1 Co 6.14; 2 Co 4.14. **8.15** esclaves, fils Ga 4.7 — Esprit d'adoption filiale Ga 4.6; 2 Tm 1.7. **8.17** souffrance et gloire Lc 24.26; 2 Co 4.17; 1 P 4.13. **8.18** la gloire qui doit être révélée Rm 3.23+.

pérance, [21] car elle aussi sera libérée de l'esclavage de la corruption, pour avoir part à la liberté et à la gloire des enfants de Dieu. [22] Nous le savons en effet : la création tout entière gémit maintenant encore dans les douleurs de l'enfantement. [23] Elle n'est pas la seule : nous aussi, qui possédons les *prémices de l'Esprit, nous gémissons intérieurement, attendant l'adoption, la délivrance pour notre corps. [24] Car nous avons été sauvés, mais c'est en espérance. Or, voir ce qu'on espère n'est plus espérer : ce que l'on voit, comment l'espérer encore ? [25] Mais espérer ce que nous ne voyons pas, c'est l'attendre avec persévérance.

[26] De même, l'Esprit aussi vient en aide à notre faiblesse, car nous ne savons pas prier comme il faut ; mais l'Esprit lui-même intercède pour nous en gémissements inexprimables, [27] et celui qui scrute les *cœurs sait quelle est l'intention de l'Esprit : c'est selon Dieu en effet que l'Esprit intercède pour les *saints. [28] Nous savons d'autre part que tout [t] concourt au bien de ceux qui aiment Dieu, qui sont appelés selon son dessein. [29] Ceux que d'avance il a connus, il les a aussi prédestinés à être conformes à l'image de son Fils, afin que celui-ci soit le premier-né d'une multitude de frères ; [30] ceux qu'il a prédestinés, il les a aussi appelés ; ceux qu'il a appelés, il les a aussi justifiés ; et ceux qu'il a justifiés, il les a aussi glorifiés.

Hymne à l'amour de Dieu

[31] Que dire de plus ? Si Dieu est pour nous, qui sera contre nous ? [32] Lui qui n'a pas épargné son propre Fils mais l'a livré pour nous tous, comment, avec son Fils, ne nous donnerait-il pas tout ? [33] Qui accusera les élus de Dieu [u] ? Dieu justifie !

[34] Qui condamnera ? Jésus Christ est mort, bien plus il est ressuscité, lui qui est à la droite de Dieu et qui intercède pour nous ! [35] Qui nous séparera de l'amour du Christ ? La détresse, l'angoisse, la persécution, la faim, le dénuement, le danger, le glaive ? [36] selon qu'il est écrit : *A cause de toi nous sommes mis à mort tout le long du jour, nous avons été considérés comme des bêtes de boucherie.* [37] Mais en tout cela, nous sommes plus que vainqueurs par celui qui nous a aimés. [38] Oui, j'en ai l'assurance : ni la mort ni la vie, ni les *anges ni les dominations, ni le présent ni l'avenir, ni les puissances, [39] ni les forces des hauteurs ni celles des profondeurs, ni aucune autre créature, rien ne pourra nous séparer de l'amour de Dieu manifesté en Jésus Christ notre Seigneur.

Dieu et le peuple qu'il a choisi

9 [1] En Christ je dis la vérité, je ne mens pas, par l'Esprit Saint ma conscience m'en rend témoignage : [2] j'ai au cœur une grande tristesse et une douleur incessante. [3] Oui, je souhaiterais être anathème [v], être moi-même séparé du Christ pour mes frères, ceux de ma race selon la chair, [4] eux qui sont les Israélites, à qui appartiennent l'adoption, la gloire, les *alliances, la *loi, le culte, les promesses [5] et les pères, eux enfin de qui, selon la chair, est issu le *Christ qui est au-dessus de tout, Dieu béni éternellement. *Amen.

[6] Et pourtant la parole de Dieu n'a pas échoué : en effet, tous ceux qui sont de la postérité d'Israël ne sont pas d'Israël [w] ; [7] et, pour être la descendance d'Abraham, tous ne sont pas ses enfants. Non : *C'est la postérité d'Isaac qui sera appelée ta descendance.* [8] Ce qui signifie :

[t] Autre texte: *Dieu collabore en tout pour le bien avec ceux qui l'aiment* ● [u] Voir 16.13 et Col 3.12; ici le terme est sensiblement équivalent à *saints* (voir Rm 1.7 et note) ● [v] Terme emprunté à l'A.T.; il signifie ici *exclu de la communauté et maudit...* Voir 1 Co 16.22 et note ● [w] Dans ce même verset *Israël* désigne successivement Jacob (Gn 32.29) et le vrai peuple de Dieu (voir Ga 6.16)

8.21 la création libérée de la corruption 2 P 3.12-13; Ap 21.1 — participation à la gloire à venir Es 55.13; 65.17; Rm 8.23; Col 1.18-20. **8.22** les douleurs de l'enfantement Jr 13.21; Es 66.6-8; Jn 16.21-22. **8.23** prémices 1 Co 15.20; Rm 11.16 de l'Esprit 2 Co 1.22 — l'espérance pour notre corps 1 Co 15.53-54; 2 Co 5.2-5; Ph 3.20-21. **8.26** intercession et œuvre de l'Esprit Jc 4.5; 1 Co 2.10-13 (Rm 8.15). **8.29** l'image du Fils Col 1.15; Rm 8.16-17; 2 Co 3.18; 1 Co 15.49. **8.30** prédestinés... glorifiés 2 Th 2.13-14; Ep 1.11-13. **8.32** Dieu n'a pas épargné son Fils cf. Gn 22.16 — mais il l'a livré pour nous Rm 5.6-8; Es 53 6 (grec). **8.34** l'intercession du Christ He 7.25; 1 Jn 2.1. **8.36** Ps 44.23 — constamment mis à mort 1 Co 4.9; 2 Co 4.11. **9.3** anathème Dt 7.26; Ga 1.8; 1 Co 16.22. **9.4** privilèges d'Israël Gn 12.2-3; Ex 4.22; 19.5-6; Dt 7.6; Os 11.1; Ac 13.17; Rm 3.2; Ep 2.12. **9.5** origine humaine du Christ Rm 1.3; Ga 4.4; Mt 1.2-16; Lc 3.23-34 — Il est au-dessus de tout, Dieu Jn 1.1; 1 Jn 5.20; Tt 2.13. **9.6** la parole de Dieu n'a pas échoué Nb 23.19; Es 55.10-11; He 4.12. **9.7** Gn 21.12. **9.8** la vraie descendance d'Abraham Rm 2.28-29; Ga 3.7, 29; 4.21-31; Mt 3.9; Jn 8.31-44.

ce ne sont pas les enfants de la chair qui sont enfants de Dieu ; comme descendance, seuls les enfants de la promesse entrent en ligne de compte. [9] Car c'était une promessse que cette parole : *A pareille époque je reviendrai et Sara aura un fils.* [10] Et ce n'est pas tout ; il y a aussi Rébecca. C'est du seul Isaac, notre père, qu'elle avait conçu ; [11] et pourtant, ses enfants n'étaient pas encore nés et n'avaient donc fait ni bien ni mal que déjà — pour que se perpétue le dessein de Dieu, dessein qui procède par libre choix [12] et ne dépend pas des œuvres mais de celui qui appelle — il lui fut dit : *L'aîné sera soumis au plus jeune,* [13] selon qu'il est écrit : *J'ai aimé Jacob et j'ai haï Esaü* [x]. *OLDER*

[14] Qu'est-ce à dire ? Y aurait-il de l'injustice en Dieu ? Certes non ! [15] Il dit en effet à Moïse : *Je ferai miséricorde à qui je veux faire miséricorde et je prendrai pitié de qui je veux prendre pitié.* [16] Cela ne dépend donc pas de la volonté ni des efforts de l'homme, mais de la miséricorde de Dieu. [17] C'est ainsi que l'Ecriture dit au *Pharaon : *Je t'ai suscité précisément pour montrer en toi ma puissance et pour que mon *nom soit proclamé par toute la terre.* [18] Ainsi donc il fait miséricorde à qui il veut et il endurcit qui il veut.

Souveraine liberté de Dieu

[19] Mais alors, diras-tu, de quoi se plaint-il encore ? Car enfin, qui résisterait à sa volonté ? [20] — Qui es-tu donc, homme, pour entrer en contestation avec Dieu ? *L'ouvrage va-t-il dire à l'ouvrier : Pourquoi m'as-tu fait ainsi ?* [21] Le potier n'est-il pas maître de son argile pour faire, de la même pâte, tel vase d'usage noble, tel autre d'usage vulgaire ? [22] Si donc Dieu, voulant montrer sa colère et faire connaître sa puissance, a supporté avec *CLAY*

beaucoup de patience des vases de colère [y] tout prêts pour la perdition, [23] et ceci afin de faire connaître la richesse de sa gloire envers des vases de miséricorde que, d'avance, il a préparés pour la gloire, [24] nous qu'il a appelés encore d'entre les Juifs mais encore d'entre les païens... [25] C'est bien ce qu'il dit dans Osée : *Celui qui n'était pas mon peuple, je l'appellerai Mon Peuple et celle qui n'était pas la bien-aimée, je l'appellerai Bien-Aimée ;* [26] *et là même où il leur avait été dit : « Vous n'êtes pas mon peuple », ils seront appelés fils du Dieu vivant.* [27] Esaïe, de son côté, s'écrie au sujet d'Israël : *Quand bien même le nombre des fils d'Israël serait comme le sable de la mer, c'est le reste qui sera sauvé ;* [28] *car le Seigneur accomplira pleinement et promptement sa parole sur la terre.* [29] C'est encore ce qu'avait prédit Esaïe : *Si le Seigneur des armées ne nous avait laissé une descendance, nous serions devenus comme Sodome, semblables à Gomorrhe.*

[30] Que conclure ? Ceci : des *païens qui ne recherchaient pas la justice l'ont reçue — j'entends la justice qui vient de la foi — [31] tandis qu'Israël qui recherchait une *loi pouvant procurer la justice est passé à côté de la loi. [32] Pourquoi ? Parce que cette justice, ils ne l'attendaient pas de la foi, mais pensaient l'obtenir des œuvres. Ils ont buté contre la pierre d'achoppement, [33] selon qu'il est écrit : *Voici que je pose en *Sion une pierre d'achoppement, un roc qui fait tomber ; mais celui qui croit en lui ne sera pas confondu.* *STUMBLE   OBSTACLE*

Juifs et païens ont le même Seigneur

10 [1] Frères, le vœu de mon *cœur et ma prière à Dieu pour eux [z], c'est qu'ils parviennent au salut. [2] Car, j'en suis témoin, ils ont du zèle pour Dieu, mais c'est un zèle que n'éclaire pas la connaissance : [3] en méconnaissant la justice qui

---

x Tournure sémitique qu'on rencontre aussi en Lc 14.26 ; elle équivaut à *j'ai choisi Jacob plutôt qu'Esaü* ● y Comme en hébreu le terme *vase* s'entend aussi au sens large d'*instrument* ou d'*objet* (cf. Ac 9.15 : un « vase d'élection ») ● z les Israélites (voir 9.31-32)

9.9 Gn 18.10, 14. **9.10** Rébecca Gn 24.67. **9.12** Gn 25.23 — appelé par grâce Rm 11.5-6 ; 1 Th 1.4 ; 2 P 1.10. **9.13** Ml 1.2-3. **9.14** justice de Dieu Dt 32.4 ; Ps 36.7 ; Ps 89.15 ; 130.7. **9.15** Ex 33.19. **9.16** miséricorde de Dieu Rm 11.31 ; 15.9 ; Ep 2.4 ; Tt 3.5. **9.17** Ex 9.16 (Ex 7—15). **9.20** Es 29.16 ; 45.9 — constater avec Dieu Sg 12.12 ; Jb 11.7 ; 38.2. **9.21** le potier Gn 2.7 ; Es 29.16 ; 41.25 ; 45.9 ; 64.7 ; Jr 18.6 ; Si 33.13 ; Sg 15.7. **9.22** patience de Dieu Rm 2.4 ; 3.25-26. **9.23** préparés pour la gloire Rm 8.29-30 ; Ep 1.3-12 ; Ph 4.19. **9.25** Os 2.25 (1 P 2.10). **9.26** Os 2.1. **9.27-28** Es 10.22-23 — le reste Am 3.12 ; 5.15 ; Es 4.3 ; 6.13 ; 10.20 ; Mi 4.6-7 ; So 3.12-13 ; Jr 23.3 ; Ag 1.12 ; Za 8.6-11 ; 13.8-9. **9.29** Es 1.9. **9.30** la justice vient de Dieu Rm 10.2-9 ; 11.7 ; Lc 18.9-14. **9.33** Es 28.16 ; 8.14 (Rm 10.11 ; 1 P 2.6) — pierre d'achoppement Lc 2.34 ; Mt 21.42. **10.2** zèle pour Dieu Ac 22.3 — zèle non éclairé 2 Co 3.14 ; 1 Tm 1.13. **10.3** recherche de la propre justice Rm 9.31-32 ; Ph 3.9 ; Lc 16.15 ; 18.9-14.

vient de Dieu et en cherchant à établir la leur propre, ils ne se sont pas soumis à la justice de Dieu. ⁴ Car la fin *a* de la *loi, c'est Christ, pour que soit donnée la justice à tout homme qui croit.

⁵ Moïse lui-même écrit de la justice qui vient de la loi : *L'homme qui l'accomplira vivra par elle.* ⁶ Mais la justice qui vient de la foi parle ainsi : *Ne dis pas dans ton cœur : Qui montera au *ciel ?* Ce serait en faire descendre Christ ; ⁷ ni : *Qui descendra dans l'abîme ?* Ce serait faire remonter Christ d'entre les morts. ⁸ *Que dit-elle donc ? Tout près de toi est la parole, dans ta bouche et dans ton cœur.* Cette parole, c'est la parole de la foi que nous proclamons. ⁹ Si, de ta bouche, tu confesses que Jésus est Seigneur et si, dans ton cœur, tu crois que Dieu l'a ressuscité des morts, tu seras sauvé. ¹⁰ En effet, croire dans son cœur conduit à la justice et confesser de sa bouche conduit au salut. ¹¹ Car l'Ecriture dit : *Quiconque croit en lui ne sera pas confondu.* ¹² Ainsi, il n'y a pas de différence entre *Juif et Grec : tous ont le même Seigneur, riche envers tous ceux qui l'invoquent. ¹³ En effet, *quiconque invoquera le *nom du Seigneur sera sauvé.*

Mais tous n'ont pas obéi

¹⁴ Or, comment l'invoqueraient-ils, sans avoir cru en lui ? Et comment croiraient-ils en lui, sans l'avoir entendu ? Et comment l'entendraient-ils, si personne ne le proclame ? ¹⁵ Et comment le proclamer, sans être envoyé ? Aussi est-il écrit : *Qu'ils sont beaux les pieds de ceux qui annoncent de bonnes nouvelles !* ¹⁶ Mais tous n'ont pas obéi à *l'Evangile. Esaïe dit en effet : *Seigneur, qui a cru à notre prédication ?* ¹⁷ Ainsi la foi vient de la prédica-

tion *b* et la prédication, c'est l'annonce de la parole du Christ. ¹⁸ Je demande alors : N'auraient-ils pas entendu *c* ? Mais si ! *Par toute la terre a retenti leur voix d et jusqu'aux extrémités du monde leurs paroles.* ¹⁹ Je demande alors : Israël n'aurait-il pas compris ? Déjà Moïse dit : *Je vous rendrai jaloux de ce qui n'est pas une nation ; contre une nation intelligente j'exciterai votre dépit.* ²⁰ Esaïe, lui, va jusqu'à dire : *J'ai été trouvé par ceux qui me cherchaient pas, je me suis révélé à ceux qui ne me demandaient rien.* ²¹ Mais au sujet d'Israël, il dit : *Tout le jour j'ai tendu les mains vers un peuple indocile et rebelle.*

Dieu n'a pas rejeté son peuple

11 ¹ Je demande donc : Dieu aurait-il rejeté son peuple ? Certes non ! Car je suis moi-même Israélite, de la descendance d'Abraham, de la tribu de Benjamin. ² *Dieu n'a pas rejeté son peuple,* que d'avance il a connu. Ou bien ne savez-vous pas ce que dit l'Ecriture, dans le passage où Elie se plaint d'Israël à Dieu : ³ Seigneur, *ils ont tué tes *prophètes, démoli tes *autels ; moi seul je suis resté et ils en veulent à ma vie !* ⁴ Mais que lui répond Dieu ? *Je me suis réservé sept mille hommes, ceux qui n'ont pas fléchi le genou devant Baal e.* ⁵ De même, dans le temps présent, il y a aussi un reste, selon le libre choix de la grâce. ⁶ Mais si c'est par grâce, ce n'est donc pas en raison des œuvres, autrement la grâce n'est plus grâce *f*. ⁷ Qu'est-ce à dire ? Ce qu'Israël recherche, il ne l'a pas atteint ; mais les élus l'ont atteint. Quant aux autres, ils ont été endurcis, ⁸ selon qu'il est écrit : *Dieu leur a donné un es-*

---

a Le terme grec exprime à la fois le *but,* le *terme* et l'*accomplissement* ● *b* Ou *de ce que l'on entend;* jeu de mots voulu, en grec, entre *akoè* (ce qu'on entend) et *hypakoè* (v. 16, obéissance) ● Il s'agit des Israélites ● *d* La voix des messagers de Dieu ● *e Baal:* divinité cananéenne de la fertilité, à laquelle les anciens Israélites ont été souvent tentés de rendre un culte ● *f* Certains manuscrits ajoutent : *et si c'est par les œuvres, ce n'est plus une grâce, autrement l'œuvre n'est plus une œuvre*

10.4 la fin de la loi Ga 3.24; He 8.13; cf. Mt 5.17 — la justice donnée à tout homme qui croit Ac 13.39; Rm 3.21; Jn 3.18. **10.5** Lv 18.5 (Ga 3.12). **10.7-8** Dt 9.4; 30.12-14. **10.9** Jésus Seigneur Ac 2.36; 1 Co 12.3; Ph 2.11 — ce que la foi croit Rm 4.24; 1 Co 15.1-11; 1 P 1.3, 21 — foi et salut Rm 1.16; 1 Co 15.1-2; Ep 1.13; Ph 1.27 — foi confessée 1 Co 12.3. **10.10** foi et justification Rm 1.17; 3.21-28; 4.2-5; 5.17; 16.6; Ph 3.9. **10.11** Es 28.16 (Rm 9.33). **10.12** Juif et grec Rm 1.16+ — pas de différence Rm 3.22, 29; Ga 3.28; Ac 10.34; 15.9-11 — riche pour tous Rm 11.33. **10.13** Jl 2.32 (gr. 3.5) (Ps 86.5; Ac 2.21). **10.14** croire en lui He 11.6; Ac 8.37. **10.15** Es 52.7 — Bonne nouvelle Rm 1.1; Na 1.15. **10.16** Es 53.1 (Jn 12.38) — l'obéissance à l'Evangile 2 Th 1.8; Rm 1.5; 6.17; 15.18; 16.26; 2 Co 10.4-5; Ac 6.7 — tous n'ont pas obéi He 4.2; Jn 10.26. **10.18** Ps 19.5. **10.19** Dt 32.21 — jaloux Rm 11.11-14. **10.20-21** Es 65.1-2 — ceux qui ne cherchaient pas Rm 9.30. **11.1** Paul, Israélite 2 Co 11.21; Ph 3.5-7. **11.2** Ps 94.14; 1 S 12.22 — Dieu ne rejette pas son peuple Jr 31.37. **11.3** 1 R 19.10, 14. **11.4** 1 R 19.18. **11.8** Dt 29.3 — des oreilles pour ne pas entendre Es 6.10.

prit de torpeur, des yeux pour ne pas voir, des oreilles pour ne pas entendre, jusqu'à ce jour. ⁹ David dit aussi : Que leur table leur soit un piège, un filet, une cause de chute et un juste châtiment ! ¹⁰ Que leurs yeux s'enténèbrent jusqu'à perdre la vue ; fais-leur sans cesse courber le dos.

Juifs et païens devant le plan de Dieu

¹¹ Je demande donc : est-ce pour une chute définitive qu'ils ont trébuché ? Certes non ! Mais grâce à leur faute, les *païens ont accédé au salut, pour exciter la jalousie d'Israël. ¹² Or, si leur faute a fait la richesse du *monde, et leur déchéance la richesse des païens, que ne fera pas leur totale participation au salut ?

¹³ Je vous le dis donc, à vous les païens : dans la mesure même où je suis, moi, *apôtre des païens, je manifeste la gloire de mon *ministère, ¹⁴ dans l'espoir d'exciter la jalousie de ceux de mon sang et d'en sauver quelques-uns. ¹⁵ Si, en effet, leur mise à l'écart a été la réconciliation du monde, que sera leur réintégration, sinon le passage de la mort à la *vie ?

¹⁶ Or, si les *prémices sont *saintes, toute la pâte l'est aussi : et si la racine est sainte, les branches le sont aussi. ¹⁷ Mais si quelques-unes des branches ont été coupées, tandis que toi, olivier sauvage, tu as été greffé parmi les branches restantes de l'olivier pour avoir part avec elles à la richesse de la racine, ¹⁸ ne va pas faire le fier aux dépens des branches. Tu peux bien faire le fier ᵍ ! Ce n'est pas toi qui portes la racine, mais c'est la racine qui te porte. ¹⁹ Tu diras sans doute : des branches ont été coupées pour que moi je sois greffé. ²⁰ Fort bien. Elles ont été coupées à cause de leur infidélité, et toi, c'est par la foi que tu tiens. Ne t'enorgueillis pas, crains plutôt. ²¹ Car, si Dieu n'a pas épargné les branches naturelles, il ne t'épargnera pas non plus ʰ. ²² Considère donc la bonté et la sévérité de Dieu : sévérité envers ceux qui sont tombés, bonté envers toi, pourvu que tu demeures en cette bonté, autrement tu seras retranché toi aussi. ²³ Quant à eux, s'ils ne demeu-

rent pas dans l'infidélité, ils seront greffés, eux aussi ; car Dieu a le pouvoir de les greffer de nouveau. ²⁴ Si toi, en effet, retranché de l'olivier sauvage auquel tu appartenais par nature, tu as été, contrairement à ta nature, greffé sur l'olivier franc, combien plus ceux-ci seront-ils greffés sur leur propre olivier auquel ils appartiennent par nature !

Tout Israël sera sauvé

²⁵ Car je ne veux pas, frères, que vous ignoriez ce *mystère, de peur que vous ne vous preniez pour des sages : l'endurcissement d'une partie d'Israël durera jusqu'à ce que soit entré l'ensemble des *païens. ²⁶ Et ainsi tout Israël sera sauvé, comme il est écrit : de *Sion viendra le libérateur, il écartera de Jacob les impiétés. ²⁷ Et voilà quelle sera mon *alliance avec eux, quand j'enlèverai leurs péchés. ²⁸ Par rapport à *l'Evangile, les voilà ennemis, et c'est en votre faveur ; mais du point de vue de l'élection, ils sont aimés, et c'est à cause des pères. ²⁹ Car les dons et l'appel de Dieu sont irrévocables. ³⁰ Jadis en effet, vous avez désobéi à Dieu et maintenant, par suite de leur désobéissance, vous avez obtenu miséricorde ; ³¹ de même eux aussi ont désobéi maintenant afin que, par suite de la miséricorde exercée envers vous, ils obtiennent alors miséricorde à leur tour. ³² Car Dieu a enfermé tous les hommes dans la désobéissance pour faire à tous miséricorde.

³³ O profondeur de la richesse, de la sagesse et de la science de Dieu ! Que ses jugements sont insondables et ses voies impénétrables ! ³⁴ Qui en effet a connu la pensée du Seigneur ? Ou bien qui a été son conseiller ? ³⁵ Ou encore qui lui a donné le premier, pour devoir être payé en retour ? ³⁶ Car tout est de lui, et par lui, et pour lui. A lui la gloire éternellement ! *Amen.

Le culte spirituel

12 ¹ Je vous exhorte donc, frères, au nom de la miséricorde de Dieu, à

---

g Autre texte: si tu t'enorgueillis... ● h Autre texte: prends garde qu'il ne t'épargne pas non plus

11.10 Ps 69.23-24. 11.12 déchéance d'Israël Mt 8.11-12; 21.43. 11.15 réconciliation du monde 2 Co 5.17-21. 11.16 pâte Nb 15.19-21. 11.20 on tient par la foi Es 7.9. 11.26-27 Es 59.20-21 (Es 27.9; Jr 31.33-34). 11.28 choisis par amour Dt 4.37. 11.29 Dieu fidèle à sa parole Nb 23.19. 11.32 tous enfermés dans le péché Ga 3.22. 11.33 Les jugements de Dieu sont insondables Ps 139.6, 17-18; Sg 17.1. 11.34 Es 40.13 — Qui connaît sa pensée ? Jr 23.18; Jb 15.8; 1 Co 2.1. 11.35 Jb 41.3. 11.36 de lui, par lui, pour lui 1 Co 8.6; Col 1.16-17; He 2.10. 12.1 la miséricorde de Dieu Rm 9—11; 11.32 — vos corps 1 Co 6.13-20 — en sacrifice vivant Rm 6.11, 13 — saint Rm 6.19 — agréable à Dieu Rm 15.16; 1 P 2.5.

vous offrir vous-mêmes [i] en *sacrifice vivant, *saint et agréable à Dieu : ce sera là votre culte spirituel [j]. [2] Ne vous conformez pas au monde présent, mais soyez transformés par le renouvellement de votre intelligence, pour discerner quelle est la volonté de Dieu : ce qui est bien, ce qui lui est agréable, ce qui est parfait.

La vie nouvelle

[3] Au nom de la grâce qui m'a été donnée, je dis à chacun d'entre vous : n'ayez pas de prétentions au-delà de ce qui est raisonnable, soyez assez raisonnables pour n'être pas prétentieux [k], chacun selon la mesure de foi que Dieu lui a donnée en partage. [4] En effet, comme nous avons plusieurs membres en un seul corps et que ces membres n'ont pas tous la même fonction, [5] ainsi, à plusieurs, nous sommes un seul corps en Christ, étant tous membres les uns des autres, chacun pour sa part. [6] Et nous avons des dons qui diffèrent selon la grâce qui nous a été accordée. Est-ce le don de *prophétie ? Qu'on l'exerce en accord avec la foi. [7] L'un a-t-il le don du *service ? Qu'il serve. L'autre celui d'enseigner ? Qu'il enseigne. [8] Tel autre celui d'exhorter ? Qu'il exhorte. Que celui qui donne le fasse sans calcul [l], celui qui préside, avec zèle, celui qui exerce la miséricorde, avec joie. [9] Que l'amour soit sincère. Fuyez le mal avec horreur, attachez-vous au bien. [10] Que l'amour fraternel vous lie d'une mutuelle affection ; rivalisez d'estime réciproque. [11] D'un zèle sans nonchalance, d'un esprit fervent, servez le Seigneur. [12] Soyez joyeux dans l'espérance, patients dans la détresse, persévérants dans la prière. [13] Soyez solidaires des saints [m]

dans le besoin, exercez l'hospitalité avec empressement. [14] Bénissez ceux qui vous persécutent ; bénissez et ne maudissez pas. [15] Réjouissez-vous avec ceux qui sont dans la joie, pleurez avec ceux qui pleurent. [16] Soyez bien d'accord entre vous ; n'ayez pas le goût des grandeurs, mais laissez-vous attirer par ce qui est humble. *Ne vous prenez pas pour des sages.* [17] Ne rendez à personne le mal pour le mal ; *ayez à cœur de faire le bien devant tous les hommes.* [18] S'il est possible, pour autant que cela dépend de vous, vivez en paix avec tous les hommes. [19] Ne vous vengez pas vous-mêmes, mes bien-aimés, mais laissez agir la colère de Dieu, car il est écrit : *A moi la vengeance, c'est moi qui rétribuerai,* dit le Seigneur. [20] Mais *si ton ennemi a faim, donne-lui à manger, s'il a soif, donne-lui à boire, car, ce faisant, tu amasseras des charbons ardents sur sa tête.* [21] Ne te laisse pas vaincre par le mal, mais sois vainqueur du mal par le bien.

Le chrétien et les autorités

13 [1] Que tout homme soit soumis aux autorités qui exercent le pouvoir, car il n'y a d'autorité que par Dieu et celles qui existent sont établies par lui. [2] Ainsi, celui qui s'oppose à l'autorité se rebelle contre l'ordre voulu par Dieu et les rebelles attireront la condamnation sur eux-mêmes. [3] En effet, les magistrats ne sont pas à craindre quand on fait le bien, mais quand on fait le mal. Veux-tu ne pas avoir à craindre l'autorité ? Fais le bien et tu recevras ses éloges, [4] car elle est au service de Dieu pour t'inciter au bien. Mais si tu fais le mal, alors crains. Car ce n'est pas en vain qu'elle porte le glaive :

---

i Ou *offrir vos corps.* Voir Rm 6.6 et note ● *j* Ou *logique,* ou *raisonnable.* L'adjectif utilisé ici a souvent servi, chez des auteurs juifs ou grecs, à désigner le culte véritable, engageant l'homme tout entier, par opposition à un culte extérieur et formel (pour l'idée voir Os 6.6 ; pour le terme lui-même 1 P 2.2) ● *k* Le grec offre ici un quadruple jeu de mots sur des termes de même racine ; nous les avons rendus par *prétention, raisonnable : raisonnables, pas prétentieux* ● *l* ou *sans-arrière-pensée.* Le terme grec employé ici désigne ce qui est sans mélange, pur ; cf. Mt 6.22 ● *m* Les *saints :* voir Rm 1.7 et note

12.2 non-conformisme 1 P 1.14 — le monde présent Ga 4.1 — renouvellement de l'intelligence Ep 4.23 ; 2 Co 5.17 — discernement Ph 1.10 — ce qui est agréable au Seigneur Ep 5.10, 17. **12.3** pas de prétention au-delà... 2 Co 10.13 ; Ph 2.3 — chacun selon la mesure de foi 1 Co 12.11 ; Ep 4.7. **12.5** un corps, des membres solidaires 1 Co 10.17 ; 12.12-27 ; Ep 1.23 ; 4.4, 25 ; 5.30. **12.6-8** divers dons, divers ministères 1 Co 12.4-11 ; 1 P 4.10-11. **12.8** celui qui préside 1 Th 5.12. **12.9** s'attacher au bien Am 5.15. **12.10** affection mutuelle, estime réciproque Ph 2.3. **12.12** persévérance dans la prière Ac 1.14 ; Col 4.2 ; 1 Th 5.17. **12.13** hospitalité He 13.2 ; 1 P 4.9. **12.14** Mt 5.38-48. **12.15** partage 1 Co 12.26 ; *Si* 7.34. **12.16** Pr 3.7 — se prendre pour des sages Es 5.21. **12.17** Pr 3.4 (grec) — renoncer à rendre le mal pour le mal 1 Th 5.15 ; 1 P 3.9 — faire le bien devant les hommes 2 Co 8.21. **12.18** en paix avec tous Mc 9.50 ; He 12.14. **12.19** Dt 32.35 (He 10.30) — ne vous vengez pas Mt 5.39, 44 ; Lv 19.18. **12.20** Pr 25.21-22. **13.1** Nature de l'autorité Mt 22.16-21 ; 1 Tm 2.1-2 ; Tt 3.1 ; 1 P 2.13-17 ; Pr 8.15 ; Jn 19.11.

en punissant, elle est au service de Dieu
pour manifester sa colère envers le malfaiteur. [5] C'est pourquoi il est nécessaire
de se soumettre, non seulement par crainte
de la colère, mais encore par motif de
conscience. [6] C'est encore la raison pour
laquelle vous payez des impôts : ceux qui
les perçoivent sont chargés par Dieu de
s'appliquer à cet office. [7] Rendez à chacun
ce qui lui est dû : l'impôt, les taxes, la
crainte, le respect, à chacun ce que vous
lui devez.

L'amour mutuel

[8] N'ayez aucune dette envers qui que ce
soit, sinon celle de vous aimer les uns
les autres : car celui qui aime son prochain
a pleinement accompli la *loi. [9] En effet,
les commandements : *Tu ne commettras*
pas d'adultère, tu ne tueras pas, tu ne
voleras pas, tu ne convoiteras pas, ainsi
que tous les autres, se résument dans
cette parole : *Tu aimeras ton prochain*
comme toi-même. [10] L'amour ne fait aucun tort au prochain ; l'amour est donc
le plein accomplissement de la loi.

INJURY

Voici l'heure de sortir de votre sommeil

[11] D'autant que vous savez en quel
temps nous sommes : voici l'heure de sortir de votre sommeil [n] ; aujourd'hui, en
effet, le salut est plus près de nous qu'au
moment où nous avons cru. [12] La nuit est
avancée, le *jour est tout proche. Rejetons
donc les œuvres des ténèbres et revêtons
les armes de la lumière. [13] Conduisons-
nous honnêtement, comme en plein jour,
sans ripailles ni beuveries, sans couche-
ries ni débauches, sans querelles ni jalou-
sies. [14] Mais revêtez le Seigneur Jésus
Christ et ne vous abandonnez pas aux
préoccupations de la chair pour en satisfaire les convoitises.

BESIDES THIS FEASTING

Les forts et les faibles

14 [1] Accueillez celui qui est faible dans
la foi, sans critiquer ses scrupu-
les [o]. [2] La foi de l'un lui permet de manger
de tout, tandis que l'autre, par faiblesse,
ne mange que des légumes. [3] Que celui qui
mange [p] ne méprise pas celui qui ne
mange pas et que celui qui ne mange pas
ne juge pas celui qui mange, car Dieu l'a
accueilli. [4] Qui es-tu pour juger un serviteur qui ne t'appartient pas [q] ? Qu'il
tienne bon ou qu'il tombe, cela regarde
son propre maître. Et il tiendra bon, car
le Seigneur a le pouvoir de le faire tenir.
[5] Pour l'un, il y a des différences entre les
jours [r] ; pour l'autre, ils se valent tous.
Que chacun, en son jugement personnel,
soit animé d'une pleine conviction. [6] Celui qui tient compte des jours le fait pour
le Seigneur ; celui qui mange de tout le
fait pour le Seigneur ; en effet, il rend
grâce à Dieu. Et celui qui ne mange pas
de tout le fait pour le Seigneur, et il rend
grâce à Dieu. [7] En effet, aucun de nous ne
vit pour soi-même et personne ne meurt
pour soi-même. [8] Car, si nous vivons,
nous vivons pour le Seigneur ; si nous
mourons, nous mourons pour le Seigneur :
soit que nous vivions, soit que nous mourions, nous sommes au Seigneur. [9] Car
c'est pour être seigneur des morts et des
vivants que Christ est mort et qu'il a
repris vie. [10] Mais toi, pourquoi juges-tu
ton frère ? Et toi, pourquoi méprises-tu
ton frère ? Tous, en effet, nous compa-
raîtrons devant le tribunal de Dieu. [11] Car
il est écrit : *Aussi vrai que je vis, dit le*
Seigneur, tout genou fléchira devant moi
et toute langue rendra gloire à Dieu.
[12] Ainsi, chacun de nous rendra compte
à Dieu pour soi-même.
[13] Cessons donc de nous juger les uns
les autres. Jugez plutôt qu'il ne faut pas
être pour un frère cause de chute ou de
scandale. [14] Je le sais, j'en suis convaincu

n Autre texte: *notre sommeil* • *o* Autres traductions possibles: *sans discuter les opinions;* ou *sans vouloir juger des opinions* • *p* Sous-entendu: *de tout* • *q* Ou *le serviteur d'un autre* (c'est-à-dire de Dieu) • *r* Paul fait allusion à des pratiques judaïsantes

13.8 l'amour du prochain Jn 13.34; Col 3.14; 1 Jn 4.11 et la loi Mt 22.37-40; Ga 5.14. **13.9** Ex 20.13-17; Dt 5.17-21; Lv 19.18 (Mt 19.18-19; Ga 5.14). **13.11** en quel temps nous sommes 1 Co 7.26, 29. **13.12** une vie de lumière Jn 8.12; 1 Jn 2.8; Ep 5.8-16; 1 Th 5.4-8 — les armes de la lumière Ep 6.11, 13.17. **13.14** revêtir le Christ Ga 3.27; Ep 4.24. **14.1** faibles dans la foi 1 Co 8.7-13 — sans critiquer ses scrupules 1 Co 10.23-33; Rm 15.7. **14.2** liberté donnée à la foi Col 2.16-23; 1 Tm 4.3-5; Tt 1.15. **14.4** serviteurs du Seigneur, seul juge v. 7-10; Mt 7.1; 1 Co 4.5; Jc 4.12. **14.5** différences entre les jours Ga 4.10; Col 2.16. **14.6** user de la liberté avec actions de grâce 1 Co 10.30; 1 Tm 4.4. **14.8** vivre pour le Seigneur Rm 6.11; 1 Co 3.23; 2 Co 5.15; Ga 2.20; 1 Th 5.10. **14.9** Seigneur des morts et des vivants Lc 20.38; Ac 10.42; Ph 2.10-11. **14.10** le tribunal de Dieu Ac 17.31; Rm 2.16; 12.19; 2 Co 5.10; Mt 25.31-46. **14.11** Es 49.18; 45.23 (Ph 2.10-11). **14.12** rendre compte à Dieu Rm 2.5-6, 16; He 4.13. **14.13** chute et scandale Mt 5.29; 18.6; 1 Co 8.13; 1 Jn 2.10. **14.14** impur Ac 10.15; Mt 5.11; 1 Co 10.23; 1 Tm 4.4; Tt 1.15.

par le Seigneur Jésus : rien n'est *impur en soi. Mais une chose est impure pour celui qui la considère comme telle. ¹⁵ Si, en prenant telle nourriture, tu attristes ton frère, tu ne marches plus selon l'amour. Garde-toi, pour une question de nourriture, de faire périr celui pour lequel Christ est mort. ¹⁶ Que votre privilège ˢ ne puisse être discrédité. ¹⁷ Car le *règne de Dieu n'est pas affaire de nourriture ou de boisson ; il est justice, paix et joie dans l'Esprit Saint. ¹⁸ C'est en servant le Christ de cette manière qu'on est agréable à Dieu et estimé des hommes. ¹⁹ Recherchons donc ce qui convient à la paix et à l'édification mutuelle. ²⁰ Pour une question de nourriture, ne détruis pas l'œuvre de Dieu. Tout est *pur, certes, mais il est mal de manger quelque chose lorsqu'on est ainsi cause de chute. ²¹ Ce qui est bien, c'est de ne pas manger de viande, de ne pas boire de vin, rien qui puisse faire tomber ton frère. ²² Garde pour toi, devant Dieu, la conviction que la foi te donne. Heureux celui qui ne se condamne pas lui-même en exerçant son discernement. ²³ Mais celui qui mange, alors qu'il a des doutes, est condamné, parce que son comportement ne procède pas d'une conviction de foi. Or, tout ce qui ne procède pas d'une conviction de foi est péché.

15 ¹ Mais c'est un devoir pour nous, les forts, de porter l'infirmité des faibles et de ne pas rechercher ce qui nous plaît. ² Que chacun de nous cherche à plaire à son prochain en vue du bien, pour édifier. ³ Le Christ, en effet, n'a pas recherché ce qui lui plaisait mais, comme il est écrit, *les insultes de tes insulteurs sont tombées sur moi.* ⁴ Or, tout ce qui a été écrit jadis l'a été pour notre instruction, afin que, par la persévérance et la consolation apportées par les Ecritures, nous possédions l'espérance. ⁵ Que le Dieu de la persévérance et de la consolation vous donne d'être bien d'accord entre

vous, comme le veut Jésus Christ, ⁶ afin que, d'un même cœur et d'une seule voix, vous rendiez gloire à Dieu, le Père de notre Seigneur Jésus Christ.

L'accueil fraternel

⁷ Accueillez-vous donc les uns les autres, comme le Christ vous a accueillis, pour la gloire de Dieu. ⁸ Je l'affirme en effet, c'est au nom de la fidélité de Dieu que Christ s'est fait serviteur des *circoncis, pour accomplir les promesses faites aux pères ; ⁹ quant aux païens, ils glorifient Dieu pour sa miséricorde, selon qu'il est écrit : *C'est pourquoi je te célébrerai parmi les nations païennes, et je chanterai en l'honneur de ton *nom.* ¹⁰ Il est dit encore : *Nations, réjouissez-vous avec son peuple.* ¹¹ Et encore : *Nations, louez toutes le Seigneur, et que tous les peuples l'acclament.* ¹² Esaïe dit encore : *Il paraîtra, le rejeton de Jessé ᵗ, celui qui se lève ᵘ pour commander aux Nations. En lui les Nations mettront leur espérance.* ¹³ Que le Dieu de l'espérance vous comble de joie et de paix dans la foi, afin que vous débordiez d'espérance par la puissance de l'Esprit Saint.

Le service de Paul auprès des païens

¹⁴ En ce qui vous concerne, mes frères, je suis personnellement convaincu que vous êtes vous-mêmes pleins de bonnes dispositions, comblés d'une parfaite connaissance et capables de vous avertir mutuellement. ¹⁵ Cependant, pour raviver vos souvenirs, je vous ai écrit par endroits avec une certaine hardiesse, en vertu de la grâce que Dieu m'a donnée ¹⁶ d'être un officiant de Jésus Christ auprès des *païens, consacré au ministère de *l'Evangile de Dieu, afin que les païens deviennent une offrande, sanctifiée par l'Esprit Saint, soit agréable à Dieu ᵛ. ¹⁷ J'ai donc lieu de *m'enorgueillir en Jésus

---

ˢ Ou *que votre bien ...* (autre texte *notre* privilège, ou *notre* bien...) ● *t* Selon Rt 4.17 ; 1 S 16.1, 11-13 *le rejeton de Jessé* est David. Dans la prophétie d'Es 11.10 citée ici, il s'agit du nouveau David, c'est-à-dire du Messie attendu ● *u* Le verbe grec peut signifier aussi *ressusciter* ● *v* Ou *soit agréé* (par Dieu)

14.15 aimer, c'est respecter 1 Co 8.9-13. **14.17** inutilité des prescriptions alimentaires 1 Co 8.8 — paix et joie dans l'Esprit Saint Ga 5.22 ; 1 Th 1.6. **14.18** l'estime des hommes Rm 12.17-18 ; 1 Tm 2.2 ; 6.1 ; Tt 2.9-10. **14.19** paix Rm 12.17-18 ; 1 Co 7.15 — édification Rm 15.2 ; 1 Co 3.9 ; 14.5, 12, 26 ; 2 Co 13.10 ; Ep 2.21 ; 4.12, 16, 29. **14.21** cause de chute pour le frère 1 Co 8.13. **14.22** la conviction que la foi te donne 1 Co 10.25-27 — exercer son discernement 1 Co 11.31. **14.23** une conduite en désaccord avec la foi 1 Co 8.7 ; Jc 4.17. **15.3** Ps 69.10. **15.4** l'Ecriture instruit 1 Co 10.6, 11 ; 2 Tm 3.16 — elle réconforte *1 M* 12.9 ; *2 M* 15.9. **15.5** Dieu de consolation Es 40.1 — dispositions selon le Christ Ph 2.2. **15.9** 2 S 22.50 ; Ps 18.50. **15.10** Dt 32.43. **15.11** Ps 117.1. **15.12** Es 11.10. **15.16** la vie chrétienne est une offrande Rm 12.1 ; Ph 2.17 — l'apostolat est un culte Rm 1.9.

Christ, au sujet de l'œuvre de Dieu. [18] Car je n'oserais rien mentionner, sinon ce que Christ a fait par moi pour conduire les païens à l'obéissance [w], par la parole et par l'action, [19] par la puissance des *signes et des prodiges, par la puissance de l'Esprit. Ainsi, depuis Jérusalem, en rayonnant jusqu'à l'Illyrie [x], j'ai pleinement assuré l'annonce de l'Evangile du Christ. [20] Mais je me suis fait un point d'honneur de n'annoncer l'Evangile que là où le *nom de Christ n'avait pas encore été prononcé, pour ne pas bâtir sur les fondations qu'un autre avait posées. [21] Ainsi je me conforme à ce qui est écrit : *Ils verront, ceux à qui on ne l'avait pas annoncé, et ceux qui n'en avaient pas entendu parler comprendront.*

Projets de Paul

[22] Et c'est bien ce qui, à maintes reprises, m'a empêché d'aller chez vous. [23] Mais maintenant, comme je n'ai plus de champ d'action dans ces contrées et que, depuis bien des années, j'ai un vif désir d'aller chez vous, [24] quand j'irai en Espagne... [y] J'espère en effet vous voir lors de mon passage et recevoir votre aide pour m'y rendre après avoir été d'abord comblé, ne fût-ce qu'un peu, par votre présence. [25] Mais maintenant je vais à Jérusalem pour le service des saints [z] : [26] car la Macédoine [a] et l'Achaïe [b] ont décidé de manifester leur solidarité à l'égard des saints de Jérusalem qui sont dans la pauvreté. [27] Oui, elles l'ont décidé et elles le leur devaient. Car si les *païens ont participé à leurs biens spirituels, ils doivent subvenir également à leurs besoins matériels. [28] Quand donc j'aurai terminé cette affaire et leur aurai remis officiellement le produit de cette collecte, j'irai en Espagne en passant chez vous. [29] Et je sais qu'en allant chez vous, c'est avec la pleine bénédiction de Christ que je viendrai.

[30] Mais je vous exhorte, frères, par notre Seigneur Jésus Christ et par l'amour de l'Esprit, à combattre avec moi par les prières que vous adressez à Dieu pour moi, [31] afin que j'échappe aux incrédules de Judée et que le secours que j'apporte à Jérusalem soit bien accueilli par les saints. [32] Ainsi pourrai-je arriver chez vous dans la joie et, par la volonté de Dieu, prendre avec vous quelque repos. [33] Que le Dieu de la paix soit avec vous tous ! Amen.

Salutations personnelles

16 [1] Je vous recommande Phœbé, notre sœur, diaconesse [c] de l'église de Cenchrées [d]. [2] Accueillez-la dans le Seigneur d'une manière digne des saints [e], aidez-la en toute affaire où elle aurait besoin de vous. Car elle a été une protectrice pour bien des gens et pour moi-même.

[3] Saluez [f] Prisca et Aquilas, mes collaborateurs en Jésus Christ : [4] pour me sauver la vie ils ont risqué leur tête ; je ne suis pas seul à leur être reconnaissant, toutes les églises du monde *païen le sont aussi. [5] Saluez également l'église qui se réunit chez eux. Saluez mon cher Epénète, *prémices de l'Asie [g] pour le Christ. [6] Saluez Marie, qui s'est donné beaucoup de peine pour vous. [7] Saluez Andronicus et Junias, mes parents [h] et mes compagnons de captivité. Ce sont des *apôtres éminents et ils ont même appartenu au Christ avant moi. [8] Saluez Ampliatus, qui m'est cher dans le Seigneur. [9] Saluez Urbain, notre collaborateur en Christ, et mon cher Stachys. [10] Saluez Apelles, qui a fait ses preuves en Christ. Saluez ceux de la maison d'Aristobule. [11] Saluez Hérodion, mon parent. Saluez ceux de la maison de Narcisse qui sont dans le Seigneur. [12] Saluez Tryphène et Tryphose, qui se sont donné de la peine dans le Seigneur. Sa-

---

w Voir Rm 1.5 et note; 16.26 ● *x* Province romaine correspondant à peu près à l'actuelle Yougoslavie ● *y* La phrase reste inachevée ● *z* Voir Rm 1.7 et note. Comme en 1 Co1 6.1 et 2 Co 8.4; 9.12 le terme est appliqué plus particulièrement aux membres de l'Eglise de Jérusalem ● *a* Voir 2 Co 1.16 et note ● *b* Voir 2 Co 1.1 et note ● *c* Ou *qui sert l'église de Cenchrées* ● *d* *Cenchrées* Voir Ac 18.18 et note ● *e* Voir note sur 15.25 ● *f* Les noms de ces chrétiens salués par l'apôtre révèlent une extrême diversité d'origines (grecs, romains, juifs) ou de conditions sociales (personnages de haut rang, esclaves ou anciens esclaves) ● *g* Voir 2 Co 1.8 et note ● *h* Le même terme signifie aussi famille, tribu, peuple, race. On peut donc comprendre ici cette parenté au sens large. Voir Rm 9.3; 16.11, 21

15.18 l'obéissance Rm 1.5+. **15.21** Es 52.15 (cité librement). **15.25** projets de Paul 1 Co 16.6; Ac 19.21. **15.26** manifestation de solidarité 1 Co 16.1-4; 2 Co 8—9; Ga 2.10. **15.27** échange de biens 1 Co 9.11; Ga 6.6. **15.30** l'apostolat est un combat Col 2.1; 4.12. **15.31** dangers pour Paul Ac 20.3; 21.10-11, 17-36. **16.3** Prisca et Aquilas Ac 18.2-3, 18, 26; 2 Tm 4.19; 1 Co 16.19. **16.5** l'église qui se réunit chez eux 1 Co 16.19; Col 4.15; Phm 2 — prémices 1 Co 16.15. **16.7** apôtres 2 Co 8.23.

luez ma chère Persis, qui s'est donné beaucoup de peine dans le Seigneur. [13] Saluez Rufus, l'élu dans le Seigneur et sa mère, qui est aussi la mienne. [14] Saluez Asyncrite, Phlégon, Hermès, Patrobas, Hermas et les frères qui sont avec eux. [15] Saluez Philologue et Julie, Nérée et sa sœur, Olympas et tous les *saints qui sont avec eux. [16] Saluez-vous les uns les autres d'un saint baiser. Toutes les églises du Christ vous saluent.

[17] Je vous exhorte, frères, à vous garder de ceux qui suscitent divisions et scandales en s'écartant de l'enseignement que vous avez reçu ; éloignez-vous d'eux. [18] Car ces gens-là ne servent pas le Christ notre Seigneur, mais leur ventre, et, par leurs belles paroles et leurs discours flatteurs, séduisent les *cœurs simples. [19] Votre obéissance, en effet, est bien connue de tous. Je me réjouis donc à votre sujet, mais je veux que vous soyez avisés pour le bien et sans compromis avec le mal. [20] Le Dieu de la paix écrasera bientôt

*Satan sous vos pieds. Que la grâce de notre Seigneur Jésus soit avec vous !

[21] Timothée, mon collaborateur, vous salue, ainsi que Lucius, Jason et Sosipatros, mes parents. [22] Je vous salue, moi Tertius [i] qui ait écrit cette lettre, dans le Seigneur. [23] Gaïus, mon hôte et celui de toute l'église, vous salue. Eraste, le trésorier de la ville, vous salue, ainsi que Quartus, notre frère. [[24] [j].]

A Dieu seul la gloire !

[25] A celui qui a le pouvoir de vous affermir selon l'Evangile que j'annonce en prêchant Jésus Christ, selon la *révélation d'un *mystère gardé dans le silence durant des temps éternels, [26] mais maintenant manifesté et porté à la connaissance de tous les peuples *païens par des écrits prophétiques, selon l'ordre du Dieu éternel, pour les conduire à l'obéissance de la foi [k], [27] à Dieu, seul sage, gloire, par Jésus Christ, aux *siècles des siècles ! *Amen.

DEVIATE

i Le secrétaire chrétien auquel Paul a dicté sa lettre • *j* Quelques manuscrits seulement ajoutent ici: *Que la grâce de notre Seigneur Jésus Christ soit avec vous tous! Amen* • *k* Voir Rm 1.5 et note

16.13 Rufus Mc 15.21. **16.16** baiser de salutation 1 Co 16.20; 2 Co 13.12; 1 Th 5.26; 1 P 5.14; Ac 20.37; Lc 7.45; Mt 26.48-49 par. **16.17** mise en garde Mt 7.15-20; Tt 3.10 — l'enseignement reçu Rm 6.17 — distances à prendre 2 Jn 7-10. **16.18** ils servent leur ventre Ph 3.19 — séduction par des discours flatteurs Col 2.4; Tt 1.10-14; 2 P 2.3. **16.19** votre obéissance bien connue Rm 1.8 — avisés pour le bien et sans compromis avec le mal 1 Co 14.20; Jr 4.22; Mt 10.16. **16.20** le Dieu de paix Rm 15.33; Ph 4.9 — Satan bientôt écrasé Gn 3.15. **16.21** Timothée Ac 16.1-3+ — Lucius Ac 13.1 — Jason Ac 17.5 — Sosipatros Ac 20.4. **16.22** salutation autographe 1 Co 16.21; Ga 6.11; Col 4.18; 2 Th 3.17. **16.23** Gaïus 1 Co 1.14; Ac 19.29 — Eraste Ac 19.22; 2 Tm 4.20. **16.25** Celui qui a le pouvoir... Ep 3.20; Jude 24-25 — un mystère caché 1 Co 2.7; Col 1.26; 2.2-3. **16.26** mais maintenant manifesté Ep 1.9; 3.5-9 et porté à la connaissance de tous les païens Ap 10.7 pour les conduire à l'obéissance 2 Co 10.5; Rm 1.5. **16.27** sagesse de Dieu Rm 11.33-36; 1 Co 1.24-25; Ap 7.12 — à Dieu seul la gloire Ga 1.5; Ep 3.21; Ph 4.20; 1 Tm 1.17; 2 Tm 4.18; Jude 26; Ap 1.6.

PREMIÈRE ÉPÎTRE
DE PAUL AUX CORINTHIENS

A l'église de Dieu qui est à Corinthe

1 ¹ Paul, appelé à être *apôtre du Christ Jésus par la volonté de Dieu, et Sosthène le frère, ² à l'église de Dieu qui est à Corinthe ᵃ, à ceux qui ont été *sanctifiés dans le Christ Jésus, appelés à être *saints avec tous ceux qui invoquent en tout lieu le *nom de notre Seigneur Jésus Christ, leur Seigneur et le nôtre ; ³ à vous grâce et paix de la part de Dieu notre Père et du Seigneur Jésus Christ.

Des motifs de remercier Dieu

⁴ Je rends grâce à Dieu ᵇ sans cesse à votre sujet, pour la grâce de Dieu qui vous a été donnée dans le Christ Jésus. ⁵ Car vous avez été, en lui, comblés de toutes les richesses, toutes celles de la parole et toutes celles de la connaissance. ⁶ C'est que le témoignage rendu au Christ s'est affermi en vous, ⁷ si bien qu'il ne vous manque aucun don, à vous qui attendez la *révélation de notre Seigneur Jésus Christ. ⁸ C'est lui aussi qui vous affermira jusqu'à la fin, pour que vous soyez irréprochables au *Jour de notre Seigneur Jésus Christ. ⁹ Il est fidèle, le Dieu qui vous a appelés à la communion avec son fils Jésus Christ, notre Seigneur.

Divisions dans l'église de Corinthe

¹⁰ Mais je vous exhorte, frères, au nom de notre Seigneur Jésus Christ : soyez tous d'accord et qu'il n'y ait pas de divisions parmi vous ; soyez bien unis dans un même esprit et dans une même pensée. ¹¹ En effet, mes frères, les gens de Chloé m'ont appris qu'il y a des discordes parmi vous. ¹² Je m'explique ; chacun de vous parle ainsi : « Moi j'appartiens à Paul. — Moi à Apollos. — Moi à Céphas ᶜ. — Moi à Christ. » ¹³ Le Christ est-il divisé ? Est-ce Paul qui a été crucifié pour vous ? Est-ce au nom de Paul que vous avez été baptisés ? ¹⁴ Dieu merci, je n'ai baptisé aucun de vous, excepté Crispus et Gaïus ; ¹⁵ ainsi nul ne peut dire que vous avez été baptisés en mon nom. ¹⁶ Ah si ! J'ai encore baptisé la famille de Stéphanas. Pour le reste, je n'ai baptisé personne d'autre, que je sache. ¹⁷ Car Christ ne m'a pas envoyé baptiser, mais annoncer *l'Evangile, et sans recourir à la sagesse du discours, pour ne pas réduire à néant la croix du Christ.

Sagesse et folie, puissance et faiblesse

¹⁸ Le langage de la croix ᵈ, en effet, est folie pour ceux qui se perdent, mais pour ceux qui sont en train d'être sauvés, pour

---

a Voir Ac 18.1 et note ● *b* Autre texte: *à mon Dieu* ● *c* Céphas: voir Jn 1.42; c'est le nom araméen de *Pierre* ● *d* Expression raccourcie pour « le langage de ceux qui prêchent la mort du Christ sur la croix »

1.1 Paul apôtre Rm 1.1; 2 Co 1.1; Ga 1.1, etc. — Sosthène cf. Ac 18.17. **1.2** l'église de Dieu cf. Dt 23.2-9 — sanctifiés 1 Co 6.11 — tous ceux qui invoquent... Ac 9.14+; cf. Ac 2.21; Rm 10.13. **1.3** grâce et paix Rm 1.7. **1.7** révélation de Jésus Christ Lc 17.30; 2 Th 1.7; Tt 2.13. **1.8** au Jour de Jésus Christ Ph 1.6; 1 Th 3.13; 5.23; cf. Am 5.18; 1 Co 3.13; 5.5. **1.9** Dieu fidèle Dt 7.9; 1 Co 10.13; 1 Th 5.24 — communion avec son fils 1 Jn 1.3. **1.10** unis dans un même esprit Ph 2.2. **1.12** moi à Paul... moi à Apollos 1 Co 3.4 — Apollos Ac 18.24+ — Céphas (Pierre) Jn 1.42; 1 Co 3.22; 9.5; 15.5; Ga 1.18; 2.9-14; cf. Mt 4.18+. **1.14** Crispus Ac 18.8 — Gaïus cf. 19.29; Rm 16.23. **1.16** la famille de Stéphanas 1 Co 16.15, 17. **1.17** annoncer l'Evangile... baptiser Mt 28.19; Jn 4.2 — l'Evangile sans enrobage 1 Co 2.1-5. **1.18** ceux qui se perdent 2 Co 4.3 — puissance de Dieu Rm 1.16.

nous, il est puissance de Dieu. ¹⁹ Car il est écrit : *Je détruirai la sagesse des sages et j'anéantirai l'intelligence des intelligents.* ²⁰ Où est le sage ? Où est le *docteur de la Loi ? Où est le raisonneur de ce siècle ? Dieu n'a-t-il pas rendue folle la sagesse du *monde ? ²¹ En effet, puisque le monde, par le moyen de la sagesse, n'a pas reconnu Dieu dans la sagesse de Dieu, c'est par la folie de la prédication que Dieu a jugé bon de sauver ceux qui croient. ²² Les *Juifs demandent des miracles ᵉ et les Grecs recherchent la sagesse ; ²³ mais nous, nous prêchons un *Messie crucifié, scandale pour les Juifs, folie pour les *païens, ²⁴ mais pour ceux qui sont appelés, tant Juifs que Grecs, il est Christ, puissance de Dieu et sagesse de Dieu. ²⁵ Car ce qui est folie de Dieu est plus sage que les hommes et ce qui est faiblesse de Dieu est plus fort que les hommes.

Ce que Dieu a choisi

²⁶ Considérez, frères, qui vous êtes, vous qui avez reçu l'appel de Dieu : il n'y a parmi vous ni beaucoup de sages aux yeux des hommes, ni beaucoup de puissants, ni beaucoup de gens de bonne famille. ²⁷ Mais ce qui est folie dans le monde, Dieu l'a choisi pour confondre les sages ; ce qui est faible dans le monde, Dieu l'a choisi pour confondre ce qui est fort ; ²⁸ ce qui dans le monde est vil ᶠ et méprisé, ce qui n'est pas, Dieu l'a choisi pour réduire à rien ce qui est, ²⁹ afin qu'aucune créature ne puisse *s'enorgueillir devant Dieu. ³⁰ C'est par Lui que vous êtes dans le Christ Jésus, qui est devenu pour nous sagesse venant de Dieu, justice, *sanctification et délivrance ³¹ afin, comme dit l'Ecriture, que *celui qui s'enorgueillit, s'enorgueillisse dans le Seigneur.*

La prédication de Paul à Corinthe

2 ¹ Moi-même, quand je suis venu chez vous, frères, ce n'est pas avec le prestige de la parole ou de la sagesse que je suis venu vous annoncer le *mystère de Dieu. ² Car j'ai décidé de ne rien savoir parmi vous, sinon Jésus Christ et Jésus Christ crucifié. ³ Aussi ai-je été devant vous faible, craintif et tout tremblant ; ⁴ ma parole et ma prédication n'avaient rien des discours persuasifs de la sagesse, mais elles étaient une démonstration faite par la puissance de l'Esprit, ⁵ afin que votre foi ne soit pas fondée sur la sagesse des hommes, mais sur la puissance de Dieu.

La sagesse de Dieu

⁶ Pourtant, c'est bien une sagesse que nous enseignons aux chrétiens adultes, sagesse qui n'est pas de ce monde ni des princes de ce monde, voués à la destruction. ⁷ Nous enseignons la sagesse de Dieu, *mystérieuse et demeurée cachée, que Dieu, avant les *siècles, avait d'avance destinée à notre gloire. ⁸ Aucun des princes de ce monde ne l'a connue, car s'ils l'avaient connue, ils n'auraient pas crucifié le Seigneur de gloire. ⁹ Mais, comme il est écrit, c'est *ce que l'œil n'a pas vu, ce que l'oreille n'a pas entendu, et ce qui n'est pas monté au cœur de l'homme, tout ce que Dieu a préparé pour ceux qui l'aiment.* ¹⁰ En effet, c'est à nous que Dieu l'a *révélé par l'Esprit. Car l'Esprit sonde tout, même les profondeurs de Dieu. ¹¹ Qui donc parmi les hommes connaît ce qui est dans l'homme, sinon l'esprit de l'homme qui est en lui ? De même, ce qui est en Dieu, personne ne le connaît, sinon l'Esprit de Dieu. ¹² Pour nous, nous n'avons pas reçu l'esprit du *monde,

ᵉ Voir Mc 8.11 par. Il faut sous-entendre: *pour prouver que Jésus est bien le Messie* ● ᶠ Ou *sans titre de noblesse*

1.19 la sagesse des sages... Es 29.14.   **1.20** Où est le sage? Es 19.12 — Où est le docteur de la Loi? cf. Es 33.18 — la sagesse du monde rendue folle Es 44.25.   **1.21** sagesse de Dieu non reconnue Mt 11.25; Rm 1.19-21.   **1.22** les Juifs demandent des miracles Mt 12.38; Jn 4.48 — les Grecs recherchent la sagesse Ac 17.18, 32.   **1.23** un scandale pour les Juifs Rm 9.32 — une folie pour les païens 1 Co 2.14.   **1.24** le Christ, sagesse de Dieu Col 2.3.   **1.25** la faiblesse de Dieu 2 Co 13.4.   **1.26** peu de sages et de puissants Mt 11.25; Jn 7.48; Jc 2.1-5.   **1.29** pas d'orgueil possible devant Dieu Rm 3.27; Ep 2.9.   **1.30** sagesse, justice Jr 23.5-6 — sanctification Jn 17.19 — délivrance 2 Co 5.21.   **1.31** que celui... Jr 9.22-23 (2 Co 10.17).   **2.1** annoncer 1 Co 1.17.   **2.2** Jésus Christ crucifié Ga 6.14.   **2.3** Paul faible, craintif, tremblant Ac 18.9; 2 Co 10.1.   **2.4** démonstration plutôt que discours 1 Th 1.5; cf. 1 Co 14.25.   **2.6** chrétiens adultes Ep 4.13; Ph 3.15; cf. 1 Co 3.1; 14.20 — les princes de ce monde cf. Col 1.16+.   **2.7** sagesse mystérieuse et cachée Rm 16.25-27; Col 1.26; cf. Mt 13.11+.   **2.8** s'ils l'avaient connue... Lc 23.34 — le Seigneur de gloire Jc 2.1.   **2.9** ce que l'œil... Es 64.3; 52.15; Jr 3.16 — pour ceux qui l'aiment *Si* 1.10.   **2.10** à nous Dieu l'a révélé Mt 13.11.   **2.11** l'esprit de l'homme connaît Pr 20.27.   **2.12** l'Esprit de Dieu fait connaître les dons de Dieu Jn 16.13-14.

mais l'Esprit qui vient de Dieu, afin que nous connaissions les dons de la grâce de Dieu. [13] Et nous n'en parlons pas dans le langage qu'enseigne la sagesse humaine, mais dans celui qu'enseigne l'Esprit, exprimant ce qui est spirituel en termes spirituels *g*. [14] L'homme laissé à sa seule nature n'accepte pas ce qui vient de l'Esprit de Dieu. C'est une folie pour lui, il ne peut le comprendre, car c'est spirituellement qu'on en juge. [15] L'homme spirituel, au contraire, juge de tout et n'est lui-même jugé par personne. [16] Car *qui a connu la pensée du Seigneur pour l'instruire?* Or nous, nous avons la pensée du Christ.

Des chrétiens encore enfants

3 [1] Pour moi, frères, je n'ai pu vous parler comme à des hommes spirituels mais seulement comme à des hommes charnels *h*, comme à des petits enfants en Christ. [2] C'est du lait que je vous ai fait boire, non de la nourriture solide : vous ne l'auriez pas supportée. Mais vous ne la supporteriez pas davantage aujourd'hui, [3] car vous êtes encore charnels. Puisqu'il y a parmi vous jalousie et querelles, n'êtes-vous pas charnels et ne vous conduisez-vous pas de façon tout humaine? [4] Quand l'un déclare : « Moi, j'appartiens à Paul », l'autre : « Moi à Apollos », n'agissez-vous pas de manière tout humaine?

Les ouvriers et le temple de Dieu

[5] Qu'est-ce donc qu'Apollos? Qu'est-ce que Paul? Des serviteurs par qui vous avez été amenés à la foi ; chacun d'eux a agi selon les dons que le Seigneur lui a accordés. [6] Moi, j'ai planté, Apollos a arrosé, mais c'est Dieu qui faisait croître. [7] Ainsi celui qui plante n'est rien, celui qui arrose n'est rien : Dieu seul compte :

lui qui fait croître. [8] Celui qui plante et celui qui arrose, c'est tout un, et chacun recevra son salaire à la mesure de son propre travail. [9] Car nous travaillons ensemble à l'œuvre de Dieu et vous êtes le champ que Dieu cultive, la maison qu'il construit. [10] Selon la grâce que Dieu m'a donnée, comme un bon architecte, j'ai posé le fondement, un autre bâtit dessus. Mais que chacun prenne garde à la manière dont il bâtit. [11] Quant au fondement, nul ne peut en poser un autre que celui qui est en place : Jésus Christ. [12] Que l'on bâtisse sur ce fondement avec de l'or, de l'argent, des pierres précieuses, du bois, du foin ou de la paille, [13] l'œuvre de chacun sera mise en évidence. Le *jour du jugement la fera connaître, car il se manifeste par le feu, et le feu prouvera ce que vaut l'œuvre de chacun. [14] Celui dont la construction subsistera recevra un salaire. [15] Celui dont l'œuvre sera consumée en sera privé ; lui-même sera sauvé, mais comme on l'est à travers le feu.

[16] Ne savez-vous pas que vous êtes le *temple de Dieu et que l'Esprit de Dieu habite en vous? [17] Si quelqu'un détruit le temple de Dieu, Dieu le détruira. Car le temple de Dieu est *saint et ce temple, c'est vous *i*.

Tout est à vous mais vous êtes au Christ

[18] Que personne ne s'abuse : si quelqu'un parmi vous se croit sage à la manière de ce monde, qu'il devienne fou pour être sage ; [19] car la sagesse de ce *monde est folie devant Dieu. Il est écrit en effet : *Il prend les sages à leur propre ruse,* [20] et encore : *Le Seigneur connaît les pensées des sages. Il sait qu'elles sont vaines.* [21] Ainsi, que personne ne fonde son *orgueil sur des hommes, car tout est à vous : [22] Paul, Apollos, ou Céphas, le monde, la vie ou la mort, le présent ou l'avenir, tout

---

g Ou *nous expliquons les choses de l'Esprit à ceux qui sont animés par l'Esprit* ● *h* C'est-à-dire des hommes qui restent dominés par le péché. Voir aussi notes sur Rm 1.3 et 7.5 ● *i* Certains traduisent: *et vous êtes saints*

2.13 le langage choisi par Paul 1 Co 2.4. **2.14** l'homme laissé à sa nature Jn 8.47; 14.17 — une folie 1 Co 1.23. **2.15** l'homme spirituel est apte à juger 1 Jn 2.20. **2.16** qui a connu... ? Es 40.13 (Rm 11.34). **3.1** comme à des chrétiens enfants Jn 16.12 — des hommes charnels 1 Co 2.14; 3.3. **3.2** lait et nourriture solide He 5.12-13; cf. 1 P 2.2. **3.3** jalousie et querelles 1 Co 1.10-11; 11.18. **3.4** moi à Paul... moi à Apollos 1 Co 1.12. **3.5** Apollos Ac 18.24+. **3.6** Paul a planté Ac 18.4, 11; Apollos a arrosé Ac 18.24-28. **3.9** travailler ensemble à l'œuvre de Dieu cf. 1 Th 3.2; Mc 16.20; cf. Jn 6.28 — le champ que Dieu cultive Mt 13.3-9; — la maison que Dieu construit Ep 2.20. **3.10** la grâce donnée à Paul 1 Co 15.10; 2 P 3.15. **3.11** pas d'autre fondement Es 28.16; 1 P 2.4-6. **3.13** le jour... 1 Co 1.8 — le (feu du) jugement 1 Co 4.5; 2 Th 1.7-10; cf. Es 1.25; Jr 6.29-30; Ml 3.2-3. **3.16** le temple de Dieu 1 Co 6.19; 2 Co 6.16. **3.19** il prend les sages... Jb 5.13. **3.20** le Seigneur connaît... Ps 94.11 (grec). **3.22** Apollos Ac 18.24+ — Céphas 1 Co 1.12+.

est à vous, [23] mais vous êtes à Christ et Christ est à Dieu.

Le Seigneur, seul juge

4 [1] Qu'on nous considère donc comme des serviteurs du Christ, et des intendants des *mystères de Dieu. [2] Or, ce qu'on demande en fin de compte à des intendants, c'est de se montrer fidèles. [3] Pour moi, il m'importe fort peu d'être jugé par vous ou par un tribunal humain. Je ne me juge pas non plus moi-même. [4] Ma conscience, certes, ne me reproche rien, mais ce n'est pas cela qui me justifie ; celui qui me juge, c'est le Seigneur. [5] Par conséquent, ne jugez pas avant le temps, avant que vienne le Seigneur. C'est lui qui éclairera ce qui est caché dans les ténèbres et mettra en évidence les desseins des cœurs. Alors chacun recevra de Dieu la louange qui lui revient.

Ce que les apôtres doivent endurer

[6] C'est à cause de vous, frères, que j'ai présenté cela sous une autre forme, en l'appliquant à Apollos et à moi-même, afin qu'à notre exemple vous appreniez [j] à ne pas vous enfler d'orgueil en prenant le parti de l'un contre l'autre. [7] Qui te distingue en effet ? Qu'as-tu que tu n'aies reçu ? Et si tu l'as reçu, pourquoi *t'enorgueillir comme si tu ne l'avais pas reçu ? [8] Déjà vous êtes rassasiés ! Déjà vous êtes riches ! Sans nous vous êtes rois ! Ah ! Que ne l'êtes-vous pour que nous aussi nous puissions régner avec vous ! [9] Car je pense que Dieu nous a exposés, nous les *apôtres, à la dernière place, comme des condamnés à mort : nous avons été donnés en spectacle au *monde, aux *anges et aux hommes. [10] Nous sommes fous à cause du Christ, mais vous, vous êtes sages en Christ ; nous sommes faibles, vous êtes forts ; vous êtes à l'honneur, nous sommes méprisés. [11] A cette heure encore, nous avons faim, nous avons soif, nous sommes nus, maltraités, vagabonds, [12] et nous peinons en travaillant de nos mains. On nous insulte, nous bénissons ; on nous persécute, nous endurons ; [13] on nous calomnie, nous consolons. Nous sommes jusqu'à présent, pour ainsi dire, les ordures du monde, le déchet de l'univers.

Le souci paternel de Paul

[14] Je ne vous écris pas cela pour vous faire honte, mais pour vous avertir, comme mes enfants bien-aimés. [15] En effet, quand vous auriez dix mille pédagogues [k] en Christ, vous n'avez pas plusieurs pères. C'est moi qui, par *l'Evangile, vous ai engendrés en Jésus Christ. [16] Je vous exhorte donc : soyez mes imitateurs. [17] C'est bien pour cela que je vous ai envoyé Timothée, mon enfant chéri et fidèle dans le Seigneur ; il vous rappellera mes principes de vie en Christ, tels que je les enseigne partout, dans toutes les églises. [18] Or, se figurant que je ne reviendrais pas chez vous, certains se sont enflés d'orgueil. [19] Mais je viendrai bientôt chez vous, si le Seigneur le veut, et je prendrai connaissance, non des paroles de ces orgueilleux, mais de leur action [l]. [20] Car le *royaume de Dieu ne consiste pas en paroles, mais en action. [21] Que préférez-vous ? Que je vienne à vous avec des verges ou avec amour et dans un esprit de douceur ?

---

j La traduction laisse ici de côté plusieurs mots qui trouvent difficilement leur place dans la phrase en cours. On peut considérer ceux-ci comme une remarque portant sur une particularité graphique d'un manuscrit *le « ne pas » est écrit au-dessus du « à »*. Cette remarque, d'abord notée en marge par un copiste, aurait été ensuite incorporée au texte lors de la copie suivante. — D'autres pensent que l'apôtre citerait un genre de proverbe connu de ses lecteurs ● *k* Voir Ga 3.24 et note ; le même terme y est traduit par *surveillant* ● *l* Certains traduisent : *de leur puissance ;* de même à la fin du v. 20

4.1 les mystères de Dieu Rm 11.25 ; 1 Co 15.51 ; Ep 3.3+. **4.2** intendants fidèles Lc 12.42+. **4.4** le Seigneur, seul juge cf. Rm 14.10 ; Jc 4.12. **4.5** la louange qui revient à chacun 1 Co 3.8. **4.6** apprendre à ne pas s'enfler d'orgueil Rm 12.3. **4.7** que tu n'aies reçu ? Rm 12.6. **4.8** déjà rassasiés, riches... Ap 3.17 — régner avec vous Ap 3.21. **4.9** exposés He 10.33 comme des condamnés à mort Rm 8.36. **4.10** fous à cause du Christ 1 Co 3.18. **4.11** détresses apostoliques 2 Co 7.5+. **4.12** Paul travaille manuellement Ac 18.3 ; 20.34 ; 1 Th 2.9 ; 2 Th 3.8 ; cf. 1 Co 9.14-15 — insultés, nous bénissons Ps 109.28 ; Mt 5.44 ; Lc 6.28 ; Ac 7.60 ; Rm 12.14. **4.13** comme les ordures du monde Lm 3.45. **4.15** Paul, père spirituel Ga 4.19. **4.16** imitateurs de l'apôtre 1 Co 11.1 ; Ph 3.17 ; 1 Th 1.6. **4.17** Timothée Ac 16.1+ — missions confiées à Timothée Ac 19.21-22 ; Ph 2.19-22. **4.19** si le Seigneur le veut Ac 18.21 ; Jc 4.15 — leur action cf. 1 Co 2.4 ; 1 Th 1.5. **4.20** action plutôt que paroles 1 Co 2.4.

Un cas d'inconduite dans l'Eglise

5 1 On entend dire partout qu'il y a chez vous un cas d'inconduite et d'inconduite telle qu'on ne la trouve même pas chez les *païens : l'un de vous vit avec la femme de son père [m]. 2 Et vous êtes enflés d'orgueil ! Et vous n'avez pas plutôt pris le deuil afin que l'auteur de cette action soit ôté du milieu de vous ? 3 Pour moi, absent de corps mais présent d'esprit, j'ai déjà jugé comme si j'étais présent celui qui a commis une telle action : 4 au *nom du Seigneur Jésus, et avec son pouvoir, lors d'une assemblée où je serai spirituellement parmi vous, 5 qu'un tel homme soit livré à *Satan [n] pour la destruction de sa chair, afin que l'esprit soit sauvé au *jour du Seigneur.

6 Il n'est pas beau, votre sujet *d'orgueil ! Ne savez-vous pas qu'un peu de *levain fait lever toute la pâte ? 7 *Purifiez-vous du vieux levain pour être une pâte nouvelle, puisque vous êtes sans levain. Car le Christ, notre *Pâque, a été immolé. 8 Célébrons donc la fête, non pas avec du vieux levain, ni du levain de méchanceté et de perversité, mais avec des *pains sans levain : dans la pureté et dans la vérité.

9 Je vous ai écrit dans ma lettre de ne pas avoir de relations avec les débauchés [o]. 10 Je ne visais pas de façon générale les débauchés de ce *monde, ou les rapaces et les filous ou les idolâtres, car il vous faudrait alors sortir du monde. 11 Non, je vous ai écrit de ne pas avoir de relations avec un homme qui porte le nom de frère s'il est débauché, ou rapace ou idolâtre ou calomniateur ou ivrogne ou filou et même de ne pas manger avec un tel homme. 12 Est-ce à moi, en effet, de juger ceux du dehors ? N'est-ce pas ceux du dedans que vous avez à juger ? 13 Ceux du dehors, Dieu les jugera. *Otez le méchant du milieu de vous.*

Des procès entre frères

6 1 Lorsque vous avez un différend entre vous, comment osez-vous le faire juger par les païens et non par les *saints [p]. 2 Ne savez-vous donc pas que les saints jugeront le *monde ? Et si c'est par vous que le monde sera jugé, seriez-vous indignes de rendre des jugements de minime importance ? 3 Ne savez-vous pas que nous jugerons les *anges ? A plus forte raison les affaires de cette vie ! 4 Quand donc vous avez des procès de cet ordre, vous établissez pour juges des gens que l'Eglise méprise ? 5 Je le dis à votre honte. Ainsi il ne se trouve parmi vous aucun homme assez sage pour pouvoir juger entre ses frères ? 6 Mais un frère est en procès avec un frère, et cela devant des non-croyants ! 7 De toute façon, c'est déjà pour vous une déchéance d'avoir des procès entre vous. Pourquoi ne préférez-vous pas subir une injustice ? Pourquoi ne vous laissez-vous pas plutôt dépouiller ? 8 Mais c'est vous qui commettez l'injustice et qui dépouillez les autres ; et ce sont vos frères ! 9 Ne savez-vous donc pas que les injustes n'hériteront pas du *royaume de Dieu ? Ne vous y trompez pas ! ni les débauchés, ni les idolâtres, ni les adultères, ni les pédérastes de tout genre, 10 ni les voleurs, ni les accapareurs, ni les ivrognes, ni les calomniateurs, ni les filous n'hériteront du royaume de Dieu. 11 Voilà ce que vous étiez, du moins quelques-uns. Mais vous avez été lavés, mais vous avez été *sanctifiés, mais vous avez été justifiés au *nom du Seigneur Jésus Christ et par l'esprit de notre Dieu.

A propos du slogan « tout m'est permis »

12 « Tout m'est permis » [q], mais tout ne me convient pas. « Tout m'est permis »,

m Sans doute la seconde femme de son père. Une telle union était interdite par la loi juive (Lv 18.8) ainsi que par le droit romain • *n* Même tournure en 1 Tm 1.20. Cette expression très forte désigne sans doute l'exclusion au moins momentanée du coupable hors de la communauté chrétienne • *o* Le terme grec correspondant inclut toutes les sortes de désordres sexuels • *p* Voir note sur Rm 1.7 • *q* Sans doute une phrase de Paul dont les Corinthiens faussaient le sens

5.1 inconduite Lv 18.7-8; Dt 23.1; 27.20. **5.3** absent de corps mais présent d'esprit Col 2.5. **5.4** avec le pouvoir du Seigneur Mt 16.19; 18.18; 2 Co 13.10. **5.5** livrer à Satan 1 Tm 1.20 — que l'esprit soit sauvé 1 P 4.6. **5.6** un peu de levain Ga 5.9. **5.7** purifiés du vieux levain Ex 13.7; cf. Mt 16.6 par. — immolé cf. Ex 12.21; Es 53.7; 1 P 1.19. **5.8** célébration de la Pâque et pains sans levain Ex 12.3-20; Dt 16.3. **5.9** pas de relations avec... cf. Mt 18.17; 2 Th 3.14. **5.11** frère Ac 1.15+ — distance à tenir 2 Th 3.6; Tt 3.10 2 Jn 10. **5.12** ceux du dehors Mc 4.11+. **5.13** ôtez le méchant... Dt 17.7; 19.19; 22.21; 24.7. **6.1** les saints Ac 9.13+; Rm 1.7+. **6.2** les saints jugeront le monde Dn 7.22; *Sg* 3.8; Ap 3.21. **6.7** subir plutôt une injustice Mt 5.39; 1 Th 5.15; 1 P 3.9. **6.9-10** dérèglements Rm 1.29+. **6.11** lavés... justifiés Tt 3.3-7. **6.12** permis, mais pas forcément profitable *Si* 37.28; 1 Co 10.23.

mais moi je ne me laisserai asservir par rien. [13] Les aliments sont pour le ventre et le ventre pour les aliments et Dieu détruira ceux-ci et celui-là. Mais le corps n'est pas pour la débauche, il est pour le Seigneur et le Seigneur est pour le corps. [14] Or, Dieu, qui a ressuscité le Seigneur, nous ressuscitera aussi par sa puissance. [15] Ne savez-vous pas que vos corps sont les membres du Christ ? Prendrai-je les membres du Christ pour en faire des membres de prostituée ? Certes non ! [16] Ne savez-vous pas que celui qui s'unit à la prostituée fait avec elle un seul corps ? Car il est dit : *Les deux ne seront qu'une seule chair.* [17] Mais celui qui s'unit au Seigneur est avec lui un seul esprit. [18] Fuyez la débauche. Tout autre péché commis par l'homme est extérieur à son corps. Mais le débauché pèche contre son propre corps. [19] Ou bien ne savez-vous pas que votre corps est le *temple du Saint Esprit qui est en vous et qui vous vient de Dieu, et que vous ne vous appartenez pas ? [20] Quelqu'un a payé le prix de votre rachat. Glorifiez donc Dieu par votre corps.

Réponse à des questions sur le mariage

7 [1] Venons-en à ce que vous m'avez écrit. Il est bon pour l'homme de s'abstenir de la femme. [2] Toutefois, pour éviter tout dérèglement, que chaque homme ait sa femme et chaque femme son mari. [3] Que le mari remplisse ses devoirs envers sa femme, et que la femme fasse de même envers son mari. [4] Ce n'est pas la femme qui dispose de son corps, c'est son mari. De même ce n'est pas le mari qui dispose de son corps, c'est sa femme. [5] Ne vous refusez pas l'un à l'autre, sauf d'un commun accord et temporairement, afin de vous consacrer à la prière ; puis retournez ensemble, de peur que votre incapacité à vous maîtriser ne donne à *Satan l'occasion de vous *tenter. [6] En parlant ainsi, je vous fais une

concession, je ne vous donne pas d'ordre. [7] Je voudrais bien que tous les hommes soient comme moi ; mais chacun reçoit de Dieu un don particulier, l'un celui-ci, l'autre celui-là.

[8] Je dis donc aux célibataires et aux veuves qu'il est bon de rester ainsi, comme moi. [9] Mais s'ils ne peuvent vivre dans la continence, qu'ils se marient : car il vaut mieux se marier que brûler. [10] A ceux qui sont mariés j'ordonne, non pas moi mais le Seigneur : que la femme ne se sépare pas de son mari [11] — si elle en est séparée, qu'elle ne se remarie pas ou qu'elle se réconcilie avec son mari —, et que le mari ne répudie pas sa femme. [12] Aux autres je dis, c'est moi qui parle et non le Seigneur : si un frère a une femme non-croyante et qu'elle consente à vivre avec lui, qu'il ne la répudie pas. [13] Et si une femme a un mari non-croyant et qu'il consente à vivre avec elle, qu'elle ne le répudie pas. [14] Car le mari non-croyant est *sanctifié par sa femme, et la femme non-croyante est sanctifiée par son mari. S'il en était autrement, vos enfants seraient *impurs, alors qu'ils sont saints. [15] Si le non-croyant veut se séparer, qu'il le fasse ! Le frère ou la sœur [r] ne sont pas liés dans ce cas : c'est pour vivre en paix que Dieu vous a appelés. [16] En effet, sais-tu, femme, si tu sauveras ton mari ? Sais-tu, mari, si tu sauveras ta femme ?

Ne pas chercher à changer de condition

[17] Par ailleurs, que chacun vive selon la condition que le Seigneur lui a donnée en partage, et dans laquelle il se trouvait quand Dieu l'a appelé. C'est ce que je prescris dans toutes les églises. [18] L'un était-il *circoncis lorsqu'il a été appelé ? Qu'il ne dissimule pas sa circoncision. L'autre était-il incirconcis ? Qu'il ne se fasse pas circoncire. [19] La circoncision n'est rien et l'incirconcision n'est rien : le tout c'est d'observer les commandements

---

r C'est-à-dire le conjoint chrétien, mari ou femme

6.13 le corps Rm 6.12 ; 8.10-13, 23 ; 12.1 ; 1 Co 7.4 ; 15.35 ; 2 Co 4.10 ; Ph 1.20 ; 3.21, etc. — le Seigneur, maître et sauveur du corps 1 Th 4.3-5. **6.14** nous ressuscitera aussi Rm 8.11 ; 1 Co 15.15, 20 ; 2 Co 4.14. **6.15** membres du Christ Rm 12.5 ; 1 Co 12.27. **6.16** les deux ne seront... Gn 2.24 (Mt 19.5). **6.17** un seul esprit avec le Seigneur Jn 17.21-23 ; Rm 8.9-11 ; Ga 2.20. **6.19** temple du Saint Esprit 1 Co 3.16 ; 2 Co 6.16. **6.20** prix payé 1 Co 7.23 ; 1 P 1.18-19 ; cf. Rm 3.24. **7.1** il est bon cf. Gn 2.18. **7.4** rapports conjugaux et don de soi cf. Ep 5.25. **7.7** mariage et célibat Mt 19.11-12. **7.9** décision de mariage ou de remariage 1 Tm 5.14. **7.10-11** répudiation Mt 5.32 ; 19.9 ; Mc 10.9-12 ; Lc 16.18. **7.14** sanctifié, saint Rm 1.7+ ; 11.16 ; cf. Gn 2.24 ; 1 Co 6.16. **7.15** appelés à vivre en paix Rm 14.19. **7.16** sauver son mari... 1 P 3.1. **7.17** conserver la même condition 1 Co 7.20, 24. **7.18** dissimuler sa circoncision *I M* 1.15. **7.19** inutilité de la circoncision Rm 2.25 ; Ga 5.6 ; 6.15.

de Dieu. ²⁰ Que chacun demeure dans la condition où il se trouvait quand il a été appelé. ²¹ Etais-tu esclave quand tu as été appelé ? Ne t'en soucie pas ; au contraire, alors même que tu pourrais te libérer, mets plutôt à profit ta condition d'esclave *ˢ*. ²² Car l'esclave qui a été appelé dans le Seigneur est un affranchi du Seigneur. De même, celui qui a été appelé étant libre est un esclave du Christ. ²³ Quelqu'un a payé le prix de votre rachat : ne devenez pas esclaves des hommes. ²⁴ Que chacun, frères, demeure devant Dieu dans la condition où il se trouvait quand il a été appelé.

Le cas des fiancés et des veuves

²⁵ Au sujet des vierges *ᵗ*, je n'ai pas d'ordre du Seigneur ; c'est un avis que je donne, celui d'un homme qui, par la miséricorde du Seigneur, est digne de confiance. ²⁶ Je pense que cet état est bon, à cause des angoisses présentes, oui je pense qu'il est bon pour l'homme de rester ainsi. ²⁷ Es-tu lié à une femme ? Ne cherche pas à rompre. N'es-tu pas lié à une femme ? Ne cherche pas de femme. ²⁸ Si cependant tu te maries, tu ne pèches pas ; et si une vierge se marie, elle ne pèche pas. Mais les gens mariés auront de lourdes épreuves à supporter et moi, je voudrais vous les épargner. ²⁹ Voici ce que je dis, frères : le temps est écourté. Désormais, que ceux qui ont une femme soient comme s'ils n'en avaient pas, ³⁰ ceux qui pleurent comme s'ils ne pleuraient pas, ceux qui se réjouissent comme s'ils ne se réjouissaient pas, ceux qui achètent comme s'ils ne possédaient pas, ³¹ ceux qui tirent profit de ce *monde comme s'ils n'en profitaient pas vraiment. Car la figure de ce monde passe. ³² Je voudrais que vous soyez exempts de soucis. Celui qui n'est pas marié a souci des affaires du Seigneur : il cherche comment plaire au Seigneur. ³³ Mais celui qui est

marié a souci des affaires du monde : il cherche comment plaire à sa femme, ³⁴ et il est partagé. De même la femme sans mari et la jeune fille ont souci des affaires du Seigneur, afin d'être *saintes de corps et d'esprit. Mais la femme mariée a souci des affaires du monde : elle cherche comment plaire à son mari. ³⁵ Je vous dis cela dans votre propre intérêt, non pour vous tendre un piège mais pour que vous fassiez ce qui convient le mieux et que vous soyez attachés au Seigneur, sans partage.

³⁶ Si quelqu'un, <u>débordant</u> d'ardeur, pense qu'il ne pourra pas respecter sa fiancée *ᵘ* et que les choses doivent suivre leur cours, qu'il fasse selon son idée. Il ne pèche pas : qu'ils se marient. ³⁷ Mais celui qui a pris dans son cœur une ferme résolution, hors de toute contrainte et qui, en pleine possession de sa volonté, a pris en son <u>for</u> intérieur la décision de respecter sa fiancée, celui-là fera bien. ³⁸ Ainsi celui qui épouse sa fiancée fait bien, et celui qui ne l'épouse pas fera encore mieux.

³⁹ La femme est liée à son mari aussi longtemps qu'il vit. Si le mari meurt, elle est libre d'épouser qui elle veut, mais un chrétien seulement. ⁴⁰ Cependant elle sera plus heureuse, à mon avis, si elle reste comme elle est ; et je crois, moi aussi, avoir l'Esprit de Dieu.

Les viandes sacrifiées aux idoles

8 ¹ Pour ce qui est des viandes sacrifiées aux idoles *ᵛ*, tous, c'est entendu, nous possédons la connaissance. La connaissance enfle, mais l'amour édifie. ² Si quelqu'un s'imagine connaître quelque chose, il ne connaît pas encore comme il faudrait connaître. ³ Mais si quelqu'un aime Dieu, il est connu de lui. ⁴ Donc, peut-on manger des viandes sacrifiées aux idoles ? Nous savons qu'il n'y a aucune idole dans le monde et qu'il n'y a d'autre dieu que le Dieu unique.

---

s Certains traduisent: *profite plutôt (de l'occasion pour te libérer)* ● *t* Le mot grec englobe les deux sexes ● *u* Certains estiment que les v. 36-38 concernent un père et sa fille ; d'où cette autre traduction: *Si cependant quelqu'un estime manquer aux convenances envers sa jeune fille, si elle a passé l'âge et qu'il est de son devoir d'agir ainsi, qu'il fasse ce qu'il veut, il ne pèche pas: qu'on se marie. Mais celui qui a pris en son cœur une ferme résolution hors de toute contrainte, et qui, en pleine possession de sa volonté, a pris en son cœur la décision de garder sa jeune fille, celui-là fera bien. Ainsi celui qui marie sa jeune fille fait bien, et celui qui ne la marie pas fera mieux encore* ● *v* Il s'agit de viandes qui provenaient des sacrifices païens. Voir notes sur Ac 15.20 et 29

7.22 l'esclave chrétien Phm 16 — esclave du Christ Ep 6.6; 1 P 2.16. **7.25** digne de confiance, par la miséricorde du Seigneur 1 Tm 1.12-13. **7.28** lourdes épreuves pour les gens mariés Lc 12.51-53 par.; 21.23. **7.29** le temps est écourté Rm 13.11. **7.31** la figure de ce monde passe 1 Jn 2.17. **7.39** durée de l'engagement conjugal Rm 7.2-3. **8.1** viandes sacrifiées aux idoles Ac 15.29; 1 Co 10.23-31; cf. 1 Co 14—15. **8.2** si quelqu'un s'imagine... Ga 6.3. **8.3** être connu de Dieu Ga 4.9. **8.4** l'idole n'existe pas 1 Co 10.19 — pas d'autre dieu Dt 4.35, 39; 6.4.

⁵ Car, bien qu'il y ait de prétendus dieux au ciel ou sur la terre, — et il y a de fait plusieurs dieux et plusieurs seigneurs ᵂ —, ⁶ il n'y a pour nous qu'un seul Dieu, le Père, de qui tout vient et vers qui nous allons, et un seul Seigneur, Jésus Christ, par qui tout existe et par qui nous sommes.

⁷ Mais tous n'ont pas la connaissance. Quelques-uns, marqués par leur fréquentation encore récente des idoles ˣ, mangent la viande des sacrifices comme si elle était réellement offerte aux idoles, et leur conscience, qui est faible, en est souillée. ⁸ Ce n'est pas un aliment qui nous rapprochera de Dieu : si nous n'en mangeons pas, nous ne prendrons pas de retard ; si nous en mangeons, nous ne serons pas plus avancés. ⁹ Mais prenez garde que cette liberté même, qui est la vôtre, ne devienne une occasion de chute pour les faibles. ¹⁰ Car si l'on te voit, toi qui as la connaissance, attablé dans un temple d'idole, ce spectacle édifiant ne poussera-t-il pas celui dont la conscience est faible à manger des viandes sacrifiées ? ¹¹ Et, grâce à ta connaissance, le faible périt, ce frère pour lequel Christ est mort. ¹² En péchant ainsi contre vos frères et en blessant leur conscience qui est faible, c'est contre Christ que vous péchez. ¹³ Voilà pourquoi, si un aliment doit faire tomber mon frère, je renoncerai à tout jamais à manger de la viande plutôt que de faire tomber mon frère.

Paul a renoncé à ses droits d'apôtre

9 ¹ Ne suis-je pas libre ? Ne suis-je pas *apôtre ? N'ai-je pas vu Jésus, notre Seigneur ? N'êtes-vous pas mon œuvre dans le Seigneur ? ² Si pour d'autres, je ne suis pas apôtre, pour vous au moins je le suis ; car le sceau ᵛ de mon apostolat, c'est vous qui l'êtes, dans le Seigneur. ³ Ma défense contre mes accusateurs, la voici : ⁴ N'aurions-nous pas le droit de manger et de boire ᶻ ? ⁵ N'aurions-nous pas le droit d'emmener avec nous une femme chrétienne ᵃ comme les autres apôtres, les frères du Seigneur et Céphas ? ⁶ Moi seul et Barnabas n'aurions-nous pas le droit d'être dispensés de travailler ? ⁷ Qui a jamais servi dans l'armée à ses propres frais ? Qui cultive une vigne sans en manger le fruit ? Ou qui fait paître un troupeau sans se nourrir du lait de ce troupeau ? ⁸ Cela n'est-il qu'un usage humain, ou la *loi ne dit-elle pas la même chose ? ⁹ En effet, il est écrit dans la loi de Moïse : *Tu ne muselleras pas le bœuf qui foule le grain.* Dieu s'inquiète-t-il des bœufs ? ¹⁰ N'est-ce pas pour nous seuls qu'il parle ? Oui, c'est pour nous que cela a été écrit ; car il faut de l'espoir chez celui qui laboure, et celui qui foule le grain doit avoir l'espoir d'en recevoir sa part. ¹¹ Si nous avons semé pour vous les biens spirituels, serait-il excessif de récolter vos biens matériels ? ¹² Si d'autres exercent ce droit sur vous, pourquoi pas nous à plus forte raison ? Cependant, nous n'avons pas usé de ce droit. Nous supportons tout, au contraire, pour ne créer aucun obstacle à *l'Evangile du Christ.

¹³ Ne savez-vous pas que ceux qui assurent le service du culte sont nourris par le *temple, que ceux qui servent à *l'autel ont part à ce qui est offert sur l'autel ? ¹⁴ De même, le Seigneur a ordonné à ceux qui annoncent l'Evangile de vivre de l'Evangile. ¹⁵ Mais moi je n'ai usé d'aucun de ces droits et je n'écris pas ces lignes pour les réclamer. Plutôt mourir !... Personne ne me ravira ce motif *d'orgueil ! ¹⁶ Car annoncer l'Evangile n'est pas un motif d'orgueil pour moi, c'est une nécessité qui s'impose à moi : malheur à moi si je n'annonce pas l'Evan-

---

ᵂ Paul fait allusion ici aux divinités de la religion grecque. D'après 1 Co 10.20-21 il les considère en réalité comme des démons ● ˣ Autre texte: *Certains, qui ont la conviction de participer encore maintenant à l'idolâtrie...* ● ʸ Voir Ap 7.2 et note ● ᶻ Sous-entendu: *à vos frais* ● ᵃ Sous-entendu: *et de vous demander d'assurer notre entretien*

8.5 de prétendus dieux 1 Co 10.20-21. **8.6** un seul Dieu Ml 2.10; 1 Co 12.6; Ep 4.6 — un seul Seigneur, par qui... Jn 1.3; 1 Co 12.5; Ep 4.5; Col 1.16. **8.8** régime alimentaire et relation avec Dieu Rm 14.17. **8.9** garder le souci des autres Rm 14.13, 15, 21; Ga 5.13. **8.11** quand la liberté devient fatale au frère Rm 14.15, 20. **8.13** ce qui fait tomber ton frère Rm 14.21. **9.1** liberté de l'apôtre 1 Co 9.19 — Paul a vu le Seigneur Ac 22.17-18; 26.16; 1 Co 15.8. **9.2** le sceau de mon apostolat cf. 2 Co 3.2-3. **9.4** le droit des apôtres Lc 10.8; 1 Co 9.13-14. **9.5** Céphas 1 Co 1.12+. **9.6** Barnabas Ac 4.36+. **9.9** tu ne muselleras pas... Dt 25.4 (1 Tm 5.18). **9.10** celui qui doit profiter du travail 2 Tm 2.6. **9.11** biens spirituels, biens matériels Rm 15.27. **9.12** un droit dont Paul n'a pas usé Ac 20.34-35; 2 Co 11.9 — nous supportons tout 1 Co 13.7. **9.13** le droit des officiants Lv 6.9, 19; Nb 18.8, 31; Dt 18.1-3. **9.14** le Seigneur a ordonné... 1 Co 7.10-11; 11.23-25 — vivre de l'Evangile Mt 10.10; Lc 10.7; Ga 6.6. **9.15** Paul a renoncé à ses droits Ac 18.3; cf. 1 Co 9.12+. **9.16** une nécessité Jr 20.9.

gile ! [17] Si je le faisais de moi-même, j'aurais droit à un salaire ; mais si j'y suis contraint, c'est une charge qui m'est confiée. [18] Quel est donc mon salaire ? C'est d'offrir gratuitement l'Evangile que j'annonce, sans user des droits que cet Evangile me confère.

Paul totalement disponible pour tous

[19] Oui, libre à l'égard de tous, je me suis fait l'esclave de tous, pour en gagner le plus grand nombre. [20] J'ai été avec les *Juifs comme un Juif, pour gagner les Juifs, avec ceux qui sont assujettis à la *loi, comme si je l'étais — alors que moi-même je ne le suis pas —, pour gagner ceux qui sont assujettis à la loi ; [21] avec ceux qui sont sans loi, comme si j'étais sans loi, — alors que je ne suis pas sans loi de Dieu, puisque Christ est ma loi —; pour gagner ceux qui sont sans loi. [22] J'ai partagé la faiblesse des faibles, pour gagner les faibles. Je me suis fait tout à tous pour en sauver sûrement quelques-uns. [23] Et tout cela je le fais à cause de *l'Evangile afin d'y avoir part.

La discipline des athlètes

[24] Ne savez-vous pas que les coureurs, dans le stade, courent tous mais qu'un seul gagne le prix ? Courez donc de manière à le remporter. [25] Tous les athlètes s'imposent une ascèse rigoureuse ; eux, c'est pour une couronne [b] périssable, nous, pour une couronne impérissable. [26] Moi donc, je cours ainsi : je ne vais pas à l'aveuglette ; et je boxe ainsi : je ne frappe pas dans le vide. [27] Mais je traite durement mon corps et le tiens assujetti, de peur qu'après avoir proclamé le message aux autres, je ne sois moi-même éliminé.

L'exemple d'Israël au désert

10 [1] Je ne veux pas vous le laisser ignorer, frères : nos pères étaient tous sous la nuée, tous ils passèrent à travers la mer [2] et tous furent baptisés en Moïse dans la nuée et dans la mer. [3] Tous mangèrent la même nourriture spirituelle, [4] et tous burent le même breuvage spirituel ; car ils buvaient à un rocher spirituel qui les suivait [c] : ce rocher, c'était le Christ. [5] Cependant la plupart d'entre eux ne furent pas agréables à Dieu, puisque *leurs cadavres jonchèrent le désert.* [6] Ces événements sont arrivés pour nous servir d'exemples, afin que nous ne convoitions pas le mal comme eux le convoitèrent. [7] Ne devenez pas idolâtres comme certains d'entre eux, ainsi qu'il est écrit : *Le peuple s'assit pour manger et pour boire, puis ils se levèrent pour se divertir.* [8] Ne nous livrons pas non plus à la débauche, comme le firent certains d'entre eux : en un seul jour il en tomba vingt-trois mille. [9] Ne *tentons pas non plus le Seigneur, comme le firent certains d'entre eux : des serpents les firent périr. [10] Enfin ne murmurez pas comme murmurèrent certains d'entre eux : l'exterminateur les fit périr. [11] Ces événements leur arrivaient pour servir d'exemple et furent mis par écrit pour nous instruire, nous qui touchons à la fin des temps.

[12] Ainsi donc, que celui qui pense être debout prenne garde de tomber. [13] Les *tentations auxquelles vous avez été exposés ont été à la mesure de l'homme. Dieu est fidèle ; il ne permettra pas que vous soyez tentés au-delà de vos forces. Avec la tentation, il vous donnera le moyen d'en sortir et la force de la supporter.

Pas de communion avec les démons

[14] C'est pourquoi, mes bien-aimés,

---

b Voir Ph 4.1 et note ● c Paul semble reprendre ici un enseignement des rabbins, selon lequel le rocher dont il est question en Nb 20.8 accompagnait Israël dans ses déplacements au désert

9.17 une charge qui m'est confiée 1 Co 4.1.   **9.19** l'esclave de tous Mt 20.26-27.   **9.20** avec les Juifs comme un Juif Ac 16.3; 21.20-26.   **9.21** avec ceux qui sont sans loi Ga 2.3.   **9.22** faible avec les faibles 2 Co 11.29; cf. Rm 14.1—15.3 — pour sauver quelques-uns Rm 11.14.   **9.24** courez pour remporter le prix cf. Ga 2.2; 5.7; Ph 2.16; 3.14; 2 Tm 4.7; He 12.1; voir aussi 2 Tm 2.5.   **9.25** la discipline des athlètes 2 Tm 2.4-5 — pour une couronne impérissable Ph 3.14; 2 Tm 4.8; Jc 1.12; 1 P 5.4; Ap 2.10.   **9.27** je traite durement mon corps Rm 8.13; 13.14.   **10.1** la nuée Ex 13.21-22 — à travers la mer Ex 14.22-29.   **10.3** nourriture spirituelle Ex 16.4-35; Dt 8.3; Ps 78.24-29.   **10.4** l'eau sortant du rocher Ex 17.5-6; Nb 20. 7-11; Ps 78.15.   **10.5** cadavres dans le désert Nb 14.16, 23, 29-30; Ps 78.31; He 3.17.   **10.6** pour nous servir d'exemple 1 Co 10.11 — ceux qui convoitèrent Nb 11.4, 34; Ps 106.14.   **10.7** le peuple s'assit... Ex 32.6.   **10.8** débauche... 23000 Nb 25.1, 9.   **10.9** les serpents Nb 21.5-6   **10.10** murmures... et extermination Nb 14.2, 36; 17.6-15; Ps 106.25-27; He 3.11, 17 — l'exterminateur Ex 12.23.   **10.11** pour servir d'exemple 1 Co 10.6 — nous touchons à la fin des temps 1 P 4.7.   **10.13** Dieu est fidèle 1 Co 1.9+.   **10.14** fuyez l'idolâtrie 1 Jn 5.21.

fuyez l'idolâtrie. ¹⁵ Je vous parle comme à des personnes raisonnables ; jugez vous-mêmes de ce que je dis. ¹⁶ La coupe de bénédiction que nous bénissons n'est-elle pas une communion au *sang du Christ ? Le pain que nous rompons n'est-il pas une communion au corps du Christ ? ¹⁷ Puisqu'il y a un seul pain, nous sommes tous un seul corps ; car tous nous participons à cet unique pain. ¹⁸ Voyez les fils d'Israël : ceux qui mangent les victimes *sacrifiées ne sont-ils pas en communion avec *l'autel ᵈ ? ¹⁹ Que veux-je dire ? Que la viande sacrifiée aux idoles ou que l'idole aient en elle-même quelque valeur ? ²⁰ Non ! Mais comme leurs *sacrifices sont offerts aux *démons et non pas à Dieu, je ne veux pas que vous entriez en communion avec les démons. ²¹ Vous ne pouvez boire à la fois à la coupe du Seigneur et à la coupe des démons ; vous ne pouvez partager à la fois la table du Seigneur et celle des démons. ²² Ou bien voulons-nous exciter la jalousie du Seigneur ? Sommes-nous plus forts que lui ?

Tout pour la gloire de Dieu

²³ « Tout est permis » ᵉ, mais tout ne nous convient pas ; « tout est permis », mais tout n'édifie pas. ²⁴ Que nul ne cherche son propre intérêt, mais celui d'autrui. ²⁵ Tout ce qu'on vend au marché, mangez-le sans poser de question par motif de conscience ; ²⁶ *car la terre et tout ce qu'elle contient sont au Seigneur.* ²⁷ Si un non-croyant vous invite et que vous acceptiez d'y aller, mangez de tout ce qui vous est offert, sans poser de question par motif de conscience. ²⁸ Mais si quelqu'un vous dit : « C'est de la viande sacrifiée », n'en mangez pas, à cause de celui qui vous a averti et par motif de conscience ; ²⁹ je parle ici, non

de votre conscience, mais de la sienne. Car pourquoi ma liberté serait-elle jugée par une autre conscience ? ³⁰ Si je prends de la nourriture en rendant grâce, pourquoi serais-je blâmé pour ce dont je rends grâce ? ³¹ Soit donc que vous mangiez, soit que vous buviez, quoi que vous fassiez, faites tout pour la gloire de Dieu. ³² Ne soyez pour personne une occasion de chute ni pour les *Juifs, ni pour les Grecs, ni pour l'Eglise de Dieu. ³³ C'est ainsi que moi-même je m'efforce de plaire à tous en toutes choses, en ne cherchant pas mon avantage personnel mais celui du plus grand nombre, afin qu'ils soient sauvés.

11 ¹ Soyez mes imitateurs, comme je le suis moi-même de Christ.

L'homme et la femme devant le Seigneur

² Je vous félicite de vous souvenir de moi en toute occasion, et de conserver les traditions telles que je vous les ai transmises. ³ Je veux pourtant que vous sachiez ceci : le chef de tout homme, c'est le Christ ; le chef de la femme, c'est l'homme ; le chef du Christ, c'est Dieu. ⁴ Tout homme qui prie ou *prophétise la tête couverte fait affront à son chef ᶠ. ⁵ Mais toute femme qui prie ou prophétise tête nue fait affront à son chef ; car c'est exactement comme si elle était rasée. ⁶ Si la femme ne porte pas de voile, qu'elle se fasse tondre ! Mais si c'est une honte pour une femme d'être tondue ou rasée, qu'elle porte un voile ! ⁷ L'homme, lui, ne doit pas se voiler la tête : il est l'image et la gloire de Dieu ; mais la femme est la gloire de l'homme. ⁸ Car ce n'est pas l'homme qui a été tiré de la femme, mais la femme de l'homme. ⁹ Et l'homme n'a pas été créé pour la femme, mais la femme

---

ᵈ Expression raccourcie pour « en communion avec Dieu à qui l'autel est consacré » ● ᵉ Voir 1 Co 6.12 et note ● ᶠ En grec le même mot désigne la *tête* et le *chef*. Dans tout ce passage Paul joue sur le double sens de ce mot grec

10.16 la coupe et le pain de la Cène Mt 26.26-28 ; Mc 14.22-24 ; Lc 22.19-20 — rompre le pain Ac 2.42. **10.17** un seul corps Rm 12.5 ; 1 Co 12.27 ; Ep 4.16 ; Col 3.15. **10.18** les Israélites cf. Rm 9.4 — manger les victimes sacrifiées Lv 7.15-16. **10.19** l'idole n'existe pas 1 Co 8.4. **10.20** sacrifices offerts aux démons Dt 32.17 ; Ps 106.37 ; *Ba* 4.7 ; Ap 9.20. **10.21** incompatibilité Ml 1.7, 12 ; 2 Co 6.15-16. **10.22** provoquer le Seigneur Dt 32.16, 21. **10.23** permis, mais pas forcément profitable 1 Co 6.12. **10.24** priorité pour l'intérêt d'autrui Rm 15.2. **10.26** car la terre ... Ps 24.1 ; 50.12 ; 89.12. **10.27** invitation acceptée Lc 10.8. **10.28** tenir compte de la conscience des autres 1 Co 8.7. **10.30** reconnaissance pour la nourriture 1 Tm 4.4. **10.31** tout pour la gloire de Dieu Col 3.17. **10.32** éviter de choquer Rm 14.13. **10.33** au niveau de chacun 1 Co 9.20-22. **11.1** imitateurs de l'apôtre 1 Co 4.16+. **11.3** le Christ, chef de tout homme Ep 5.23 — l'homme, chef de la femme Gn 3.16 ; Ep 5.23 — Dieu, chef du Christ 1 Co 3.23. **11.7** l'homme, image et gloire de Dieu Gn 1.27 ; 5.1 ; 9.6 ; *Sg* 2.23 ; Jc 3.9. **11.8** la femme, tirée de l'homme Gn 2.21-23 ; 1 Tm 2.13. **11.9** la femme, créée pour l'homme Gn 2.18.

pour l'homme. ¹⁰ Voilà pourquoi la femme doit porter sur la tête la marque de sa dépendance, à cause des *anges.
¹¹ Pourtant, la femme est inséparable de l'homme et l'homme de la femme, devant le Seigneur. ¹² Car si la femme a été tirée de l'homme, l'homme naît de la femme et tout vient de Dieu. ¹³ Jugez par vous-mêmes : est-il convenable qu'une femme prie Dieu sans être voilée ? ¹⁴ La nature elle-même ne vous enseigne-t-elle pas qu'il est déshonorant pour l'homme de porter les cheveux longs ? ¹⁵ tandis que c'est une gloire pour la femme, car la chevelure lui a été donnée en guise de voile. ¹⁶ Et si quelqu'un se plaît à contester, nous n'avons pas cette habitude et les Eglises de Dieu non plus.

Le repas du Seigneur

¹⁷ Ceci réglé, je n'ai pas à vous féliciter : vos réunions, loin de vous faire progresser, vous font du mal. ¹⁸ Tout d'abord, lorsque vous vous réunissez en assemblée, il y a parmi vous des divisions, me dit-on, et je crois que c'est en partie vrai : ¹⁹ il faut même qu'il y ait des scissions parmi vous afin qu'on voie ceux d'entre vous qui résistent à cette épreuve. ²⁰ Mais quand vous vous réunissez en commun, ce n'est pas le repas du Seigneur que vous prenez. ²¹ Car chacun se hâte de prendre son propre repas, en sorte que l'un a faim, tandis que l'autre est ivre. ²² N'avez-vous donc pas de maisons pour manger et pour boire ? Ou bien méprisez-vous l'Eglise de Dieu et voulez-vous faire affront à ceux qui n'ont rien ? Que vous dire ? Faut-il vous louer ? Non, sur ce point je ne vous loue pas.

²³ Moi, voici ce que j'ai reçu du Seigneur, et ce que je vous ai transmis : le Seigneur Jésus, dans la nuit où il fut livré, prit du pain, ²⁴ et après avoir rendu grâce, il le rompit et dit : « Ceci est mon corps, qui est pour vous, faites cela en mémoire de moi. » ²⁵ Il fit de même pour la coupe, après le repas, en disant : « Cette coupe est la nouvelle *alliance en mon *sang ;

faites cela, toutes les fois que vous en boirez, en mémoire de moi. » ²⁶ Car toutes les fois que vous mangez ce pain et que vous buvez cette coupe, vous annoncez la mort du Seigneur, jusqu'à ce qu'il vienne. ²⁷ C'est pourquoi celui qui mangera le pain ou boira la coupe du Seigneur indignement, se rendra coupable envers le corps et le sang du Seigneur. ²⁸ Que chacun s'éprouve soi-même, avant de manger ce pain et de boire cette coupe ; ²⁹ car celui qui mange et boit sans discerner le corps du Seigneur mange et boit sa propre condamnation. ³⁰ Voilà pourquoi il y a parmi vous tant de malades et d'infirmes et qu'un certain nombre sont morts. ³¹ Si nous nous examinions nous-mêmes, nous ne serions pas jugés ; ³² mais le Seigneur nous juge pour nous corriger, pour que nous ne soyons pas condamnés avec le *monde. ³³ Ainsi donc, mes frères, quand vous vous réunissez pour manger, attendez-vous les uns les autres. ³⁴ Si l'on a faim, qu'on mange chez soi, afin que vous ne vous réunissiez pas, pour votre condamnation. Pour le reste, je le réglerai quand je viendrai.

Les dons de l'Esprit

12 ¹ Au sujet des dons de l'Esprit, je ne veux pas, frères, que vous soyez dans l'ignorance. ² Vous savez que, lorsque vous étiez *païens, vous étiez entraînés, comme au hasard, vers les idoles muettes. ³ C'est pourquoi je vous le déclare : personne, parlant sous l'influence de l'Esprit de Dieu, ne dit : « Maudit soit Jésus » et nul ne peut dire « Jésus est Seigneur » si ce n'est par l'Esprit Saint.

⁴ Il y a diversité de dons, mais c'est le même Esprit ; ⁵ diversité de *ministères, mais c'est le même Seigneur ; ⁶ divers modes d'action, mais c'est le même Dieu qui produit tout en tous. ⁷ Chacun reçoit le don de manifester l'Esprit en vue du bien de tous. ⁸ L'Esprit donne un message de sagesse à l'un et de science à l'autre ; ⁹ à un autre, et le même Esprit donne la foi, à un autre encore, le seul et même

11.18 des divisions parmi vous 1 Co 1.10-12; 3.3. **11.19** qu'on reconnaisse ceux qui résistent à l'épreuve Dt 13.4; 1 Jn 2.19. **11.22** affront à ceux qui n'ont rien Jc 2.5-6. **11.23-25** la Cène Mt 26.26-28; Mc 14.22-24; Lc 22.19-20. **11.25** nouvelle alliance Ex 24.8; Jr 31.31; 32.40; 2 Co 3.6; He 8.8-13 — alliance scellée par le sang Ex 24.6-8; Za 9.11. **11.26** jusqu'à ce qu'il vienne Mt 26.29. **11.27** coupable envers le corps et le sang du Seigneur He 10.29. **11.28** s'éprouver soi-même Mt 26.22; 2 Co 13.5. **11.30** morts (endormis) Ep 5.14; 1 Th 5.6; cf. Mt 9.24+. **11.32** le Seigneur nous corrige He 12.5-6. **12.1** les dons de l'Esprit 1 Co 14.1, 37. **12.2** idoles muettes Ha 2.18-19. **12.3** Esprit de Dieu et confession de la foi Mc 9.39; 1 Jn 4.2-3 — maudit (anathème) 1 Co 16.22. **12.4** diversité de dons Rm 12.6 — le même Esprit Ep 4.4. **12.5** diversité des ministères Ep 4.11. **12.7** pour l'utilité commune 1 Co 14.26; Ep 4.12. **12.8** sagesse 1 Co 2.6. **12.9** la foi 1 Co 13.2.

Esprit accorde des dons de guérison ; [10] à un autre le pouvoir de faire des miracles, à un autre la *prophétie, à un autre le discernement des esprits, à un autre le don de parler en langues, à un autre encore celui de les interpréter. [11] Mais tout cela, c'est le seul et même Esprit qui le produit, distribuant à chacun ses dons, selon sa volonté.

Diversité des membres et unité du corps

[12] En effet, le corps est un, et pourtant il a plusieurs membres ; mais tous les membres du corps, malgré leur nombre, ne forment qu'un seul corps : il en est de même du Christ. [13] Car nous avons tous été baptisés dans un seul Esprit pour être un seul corps, *Juifs ou Grecs, esclaves ou hommes libres, et nous avons tous été abreuvés d'un seul Esprit. [14] Le corps ne se compose pas d'un seul membre mais de plusieurs. [15] Si le pied disait : « Comme je ne suis pas une main, je ne fais pas partie du corps », cesserait-il pour autant d'appartenir au corps ? [16] Si l'oreille disait : « Comme je ne suis pas un œil, je ne fais pas partie du corps », cesserait-elle pour autant d'appartenir au corps ? [17] Si le corps entier était œil, où serait l'ouïe ? Si tout était oreille, où serait l'odorat ? [18] Mais Dieu a disposé dans le corps chacun des membres, selon sa volonté. [19] Si l'ensemble était un seul membre, où serait le corps ? [20] Il y a donc plusieurs membres mais un seul corps. [21] L'œil ne peut pas dire à la main : « Je n'ai pas besoin de toi », — ni la tête dire aux pieds : « Je n'ai pas besoin de vous. » [22] Bien plus, même les membres du corps qui paraissent les plus faibles sont nécessaires, [23] et ceux que nous tenons pour les moins honorables, c'est à eux que nous faisons le plus d'honneur. Moins ils sont décents, plus décemment nous les traitons : [24] ceux qui sont décents n'ont pas besoin de ces égards. Mais Dieu a composé le corps en donnant plus d'honneur à ce qui en manque, [25] afin qu'il n'y ait pas de division dans le corps mais que les membres aient un commun souci

les uns des autres. [26] Si un membre souffre, tous les membres partagent sa souffrance ; si un membre est à l'honneur, tous les membres partagent sa joie. [27] Or vous êtes le corps de Christ et vous êtes ses membres, chacun pour sa part. [28] Et ceux que Dieu a établis dans l'Eglise sont, premièrement des *apôtres, deuxièmement des *prophètes, troisièmement des hommes chargés de l'enseignement [g] ; vient ensuite le don des miracles, puis de guérison, d'assistance, de direction, et le don de parler en langues. [29] Tous sont-ils apôtres ? Tous prophètes ? Tous enseignent-ils ? Tous font-ils des miracles ? [30] Tous ont-ils le don de guérison ? Tous parlent-ils en langues ? Tous interprètent-ils ? [31] Aspirez aux dons les meilleurs. Et de plus, je vais vous indiquer une voie infiniment supérieure.

L'amour fraternel

13 [1] Quand je parlerais en langues, celle des hommes et celles des *anges,
s'il me manque l'amour,
je suis un métal qui résonne, une cymbale retentissante.
[2] Quand j'aurais le don de *prophétie,
la connaissance de tous les *mystères et de toute la science,
quand j'aurais la foi la plus totale,
celle qui transporte les montagnes,
s'il me manque l'amour,
je ne suis rien.
[3] Quand je distribuerais tous mes biens aux affamés,
quand je livrerais mon corps aux flammes [h],
s'il me manque l'amour,
je n'y gagne rien.
[4] L'amour prend patience, l'amour rend service,
il ne jalouse pas, il ne plastronne pas, il ne s'enfle pas d'orgueil,
[5] il ne fait rien de laid, il ne cherche pas son intérêt,
il ne s'irrite pas, il n'entretient pas de rancune,
[6] il ne se réjouit pas de l'injustice,

---

g Sur les *prophètes*, voir Ep 2.20 et note — Les *hommes chargés de l'enseignement :* voir Ac 13.1 et note ● h Autre texte : quand je livrerais mon corps *pour en tirer orgueil*

12.10 le discernement des esprits 1 Co 14.29 ; 1 Th 5.21 ; 1 Jn 4.1-3 — le don de parler en langues 1 Co 14.5 ; cf. Ac 2.4, 8, 11. 12.11 l'Esprit distribue ses dons comme il veut Rm 12.3 ; 1 Co 7.7 ; Ep 4.7. 12.12 plusieurs membres, un seul corps Rm 12.4-5 ; 1 Co 10.17. 12.13 Juifs ou Grecs, esclaves ou libres Ga 3.28. 12.17 corps et membres du Christ Rm 12.5 ; Ep 5.30. 12.28 apôtres, prophètes, responsables de l'enseignement Ep 4.11-12 ; cf. 1 Co 14.1. 12.31 aspirez aux dons de Dieu 1 Co 14.1. 13.2 la foi qui transporte les montagnes Mt 17.20 ; 21.21 ; Mc 11.23. 13.3 distribuer ses biens aux affamés Mt 6.2. 13.5 amour et intérêt Ph 2.4 — amour et rancune cf. Za 8.17.

mais il trouve sa joie dans la vérité.
⁷ Il excuse tout, il croit tout, il espère tout, il endure tout.
⁸ L'amour ne disparaît jamais.
Les prophéties ? Elles seront abolies.
Les langues ? Elles prendront fin.
La connaissance ? Elle sera abolie.
⁹ Car notre connaissance est limitée et limitée notre prophétie.
¹⁰ Mais quand viendra la perfection, ce qui est limité sera aboli.
¹¹ Lorsque j'étais enfant, je parlais comme un enfant,
je pensais comme un enfant, je raisonnais comme un enfant.
Devenu homme, j'ai mis fin à ce qui était propre à l'enfant.
¹² A présent, nous voyons dans un miroir et de façon confuse ⁱ,
mais alors, ce sera face à face.
A présent, ma connaissance est limitée, alors, je connaîtrai comme je suis connu.
¹³ Maintenant donc ces trois-là demeurent,
la foi, l'espérance et l'amour,
mais l'amour est le plus grand.

Le culte chrétien et ceux du dehors

14 ¹ Recherchez l'amour ; aspirez aux dons de l'Esprit, surtout à la prophétie ʲ. ² Car celui qui parle en langues ne parle pas aux hommes, mais à Dieu. Personne ne le comprend : son esprit énonce des choses mystérieuses. ³ Mais celui qui *prophétise parle aux hommes : il édifie, il exhorte, il encourage. ⁴ Celui qui parle en langues s'édifie lui-même, mais celui qui prophétise édifie l'assemblée. ⁵ Je souhaite que vous parliez tous en langues, mais je préfère que vous prophétisiez. Celui qui prophétise est supérieur à celui qui parle en langues, à moins que ce dernier n'en donne l'interprétation pour que l'assemblée soit édifiée. ⁶ Supposez maintenant, frères, que je vienne vous voir et vous parle en langues : en quoi vous serai-je utile, si ma parole

ne vous apporte ni *révélation, ni connaissance, ni prophétie, ni enseignement ? ⁷ Il en est ainsi des instruments de musique, comme la flûte ou la cithare : s'ils ne rendent pas des sons distincts, comment reconnaître ce que jouent la flûte ou la cithare ? ⁸ Et si la trompette ne rend pas un son clair, qui se préparera au combat ? ⁹ Vous de même : si votre langue n'exprime pas des paroles intelligibles, comment comprendra-t-on ce que vous dites ? Vous parlerez en l'air. ¹⁰ Il y a je ne sais combien d'espèces de mots dans le monde, et aucun n'est sans signification. ¹¹ Or, si j'ignore la valeur du mot, je serai un barbare ᵏ pour celui qui parle et celui qui parle sera pour moi un barbare. ¹² Vous de même : cherchez à être inspirés, et le plus possible, puisque cela vous attire ; mais que ce soit pour l'édification de l'assemblée. ¹³ C'est pourquoi celui qui parle en langues doit prier pour avoir le don d'interprétation. ¹⁴ Si je prie en langues, mon esprit est en prière mais mon intelligence est stérile.

¹⁵ Que faire donc ? Je prierai avec mon esprit, mais je prierai aussi avec mon intelligence. Je chanterai avec mon esprit, mais je chanterai aussi avec mon intelligence. ¹⁶ Car si ton esprit seul est à l'œuvre quand tu prononces une bénédiction, comment celui qui fait partie des simples auditeurs pourra-t-il dire *« Amen » à ton action de grâce, puisqu'il ne sait pas ce que tu dis ? ¹⁷ Sans doute ton action de grâce est remarquable, mais l'autre n'est pas édifié. ¹⁸ Grâce à Dieu, je parle en langues plus que vous tous, ¹⁹ mais dans une assemblée, je préfère dire cinq paroles intelligibles pour instruire aussi les autres, plutôt que dix mille en langues.

²⁰ Frères, pour le jugement, ne soyez pas des enfants ; pour le mal, oui, soyez de petits enfants, mais pour le jugement, soyez des adultes. ²¹ Il est écrit dans la *loi : *Je parlerai à ce peuple par des hommes d'une autre langue et par des lèvres étrangères, et même ainsi ils ne m'écouteront pas*, dit le Seigneur.

---

i Les *miroirs* de l'antiquité étaient faits de métal poli ; d'où leur relative imperfection ● *j* Voir Ep 2.20 et note ● *k* C'est ainsi qu'on désignait ceux qui ne comprenaient pas le grec. Voir Rm 1.14 et note

13.7 l'amour excuse tout Pr 10.12 ; Rm 15.1 ; Jc 5.20 ; 1 P 4.8 — il endure tout 1 Co 6.7 ; 9.12. **13.12** dans un miroir Jc 1.23 de façon confuse 2 Co 5.7. **13.13** foi, espérance et amour Rm 5.1-5 ; Col 1.4-5 ; 1 Th 1.3 ; 5.8 — l'amour est au-dessus cf. 1 Jn 4.16. **14.1** aspirez aux dons de l'Esprit 1 Co 12.31 ; 14.39 — la prophétie 1 Co 11.4-5 ; 13.2 ; 14.3 ; 25 ; cf. Ac 11.28 ; 21.11. **14.2** parler en langues 1 Co 12.10. **14.5** le don de prophétie est préférable Nb 11.29. **14.11** barbare Rm 1.14. **14.14** prier en langues cf. 1 Co 12.10 ; 14.2. **14.15** chanter avec son esprit Ep 5.19. **14.16** simples auditeurs 1 Co 14.23-24. **14.20** ne soyez pas des enfants Ep 4.14 ; cf. Mt 18.3-4 ; Mc 10.14 par. ; Lc 9.47 — soyez des adultes Ph 3.15. **14.21** je parlerai à ce peuple... Es 28.11-12 ; cf. Dt 28.49.

²² Par conséquent, les langues sont un *signe non pour les croyants, mais pour les incrédules ; la prophétie, elle, est un signe, non pour les incrédules, mais pour les croyants. ²³ Si, par exemple, l'église est tout entière rassemblée et que tous parlent en langues, les simples auditeurs ou les non-croyants qui entreront ne vous croiront-ils pas fous ? ²⁴ Si, au contraire, tous prophétisent, le non-croyant ou le simple auditeur qui entre se voit repris par tous, jugé par tous ; ²⁵ le secret de son cœur est dévoilé ; il se jettera la face contre terre, il adorera Dieu et il proclamera que Dieu est réellement au milieu de vous.

L'ordre dans le culte et dans l'Eglise

²⁶ Que faire alors, frères ? Quand vous êtes réunis, chacun de vous peut chanter un cantique, apporter un enseignement ou une *révélation, parler en langues ou bien interpréter : que tout se fasse pour l'édification commune. ²⁷ Parle-t-on en langues ? Que deux le fassent, trois au plus, et l'un après l'autre ; et que quelqu'un interprète. ²⁸ S'il n'y a pas d'interprète, que le frère se taise dans l'assemblée, qu'il se parle à lui-même et à Dieu. ²⁹ Quant aux *prophéties, que deux ou trois prennent la parole et que les autres jugent. ³⁰ Si un assistant reçoit une révélation, celui qui parle doit se taire. ³¹ Vous pouvez tous prophétiser, mais chacun à son tour, pour que tout le monde soit instruit et encouragé. ³² Le prophète est maître de l'esprit prophétique qui l'anime. ³³ Car Dieu n'est pas un Dieu de désordre mais un Dieu de paix.

³⁴ Comme cela se fait dans toutes les églises des saints ˡ, que les femmes se taisent dans les assemblées : elles n'ont pas la permission de parler ; elles doivent rester soumises, comme dit aussi la *loi. ³⁵ Si elles désirent s'instruire sur quelque détail, qu'elles interrogent leur mari à la maison. Il n'est pas convenable qu'une femme parle dans les assemblées. ³⁶ La parole de Dieu a-t-elle chez vous son point de départ ? Etes-vous les seuls à l'avoir reçue ? ³⁷ Si quelqu'un croit être prophète ou inspiré, qu'il reconnaisse dans ce que je vous écris un commandement du Seigneur. ³⁸ Si quelqu'un ne le reconnaît pas, c'est que Dieu ne le connaît pas ᵐ.

³⁹ Ainsi, mes frères, aspirez au don de prophétie et n'empêchez pas qu'on parle en langues, ⁴⁰ mais que tout se fasse convenablement et avec ordre.

L'Evangile prêché par les apôtres

15 ¹ Je vous rappelle, frères, *l'Evangile que je vous ai annoncé, que vous avez reçu, auquel vous restez attachés, ² et par lequel vous serez sauvés si vous le retenez tel que je vous l'ai annoncé ; autrement, vous auriez cru en vain. Je vous ai transmis en premier lieu ce que j'avais reçu moi-même : Christ est mort pour nos péchés, selon les Ecritures.

⁴ Il a été enseveli, il est ressuscité le troisième jour, selon les Ecritures. ⁵ Il est apparu à Céphas, puis aux Douze.

⁶ Ensuite, il est apparu à plus de cinq cents frères à la fois ; la plupart sont encore vivants et quelques-uns sont morts. ⁷ Ensuite, il est apparu à Jacques, puis à tous les *apôtres. ⁸ En tout dernier lieu, il m'est aussi apparu, à moi l'avorton. ⁹ Car je suis le plus petit des apôtres, moi qui ne suis pas digne d'être appelé apôtre parce que j'ai persécuté l'Eglise de Dieu. ¹⁰ Mais ce que je suis, je le dois à la grâce de Dieu et sa grâce à mon égard n'a pas été vaine. Au contraire, j'ai travaillé plus qu'eux tous ; non pas moi, mais la grâce de Dieu qui est avec moi.

ˡ Voir Rm 15.25 et note ● ᵐ Autres textes: Si quelqu'un ne le reconnaît pas, *qu'il l'ignore !* (ou *qu'on l'ignore !*)

14.23 ne vous croiront-ils pas fous? Ac 2.13.   **14.24** jugés par tous Jn 16.8.   **14.25** Dieu réellement au milieu de vous Es 45.14; Dn 2.47; Za 8.23; cf. Jn 4.19.   **14.26** quand vous êtes réunis 1 Co 11.28 — participation de chacun à l'édification commune 1 Co 12.8-10; cf. Ep 4.12.   **14.29** que les autres jugent Ac 17.11; 1 Co 12.10; 1 Th 5.21.   **14.34** les saints Rm 1.7; 15.25 — soumises, comme dit la loi Gn 3.16; 1 Co 11.3; Ep 5.22; 1 Tm 2.12; Tt 2.5.   **14.37** reconnaître un commandement du Seigneur 1 Jn 4.6 — l'apôtre parle au nom du Seigneur Lc 10.16.   **14.40** convenablement et avec ordre 1 Co 14.33; Col 2.5.   **15.3** mort pour nos péchés Es 53.8-9.   **15.4** ressuscité selon les Ecritures Ps 16.10; Ac 2.24-32 — le troisième jour Os 6.2; Jon 2.1; Mt 12.40.   **15.5** Céphas 1 Co 1.12+ a vu le Ressuscité Lc 24.34 — apparu aux douze Mt 28.16-17; Mc 16.14; Lc 24.36; Jn 20.19.   **15.7** à tous les apôtres Lc 24.50.   **15.8** ... en dernier lieu à Paul Ac 9.3-6; 1 Co 9.1.   **15.9** Paul, le plus petit des apôtres Ep 3.8; 1 Tm 1.15; cf. Mt 5.19 — Paul, persécuteur de l'Eglise Ac 8.3+.   **15.10** la grâce de Dieu n'a pas été vaine 2 Co 6.1 — Paul a travaillé plus que tous 2 Co 11.5, 23.

11 Bref, que ce soit moi, que ce soit eux, voilà ce que nous proclamons et voilà ce que vous avez cru.

Il y a une résurrection des morts

12 Si l'on proclame que Christ est ressuscité des morts, comment certains d'entre vous disent-ils qu'il n'y a pas de résurrection des morts ? 13 S'il n'y a pas de résurrection des morts, Christ non plus n'est pas ressuscité, 14 et si Christ n'est pas ressuscité, notre prédication est vide et vide aussi votre foi. 15 Il se trouve même que nous sommes de faux témoins de Dieu, car nous avons porté un contre-témoignage en affirmant que Dieu a ressuscité le Christ alors qu'il ne l'a pas ressuscité, s'il est vrai que les morts ne ressuscitent pas. 16 Si les morts ne ressuscitent pas, Christ non plus n'est pas ressuscité. 17 Et si Christ n'est pas ressuscité, votre foi est illusoire, vous êtes encore dans vos péchés. 18 Dès lors, ceux qui sont morts en Christ sont perdus. 19 Si nous avons mis notre espérance en Christ pour cette vie seulement, nous sommes les plus à plaindre de tous les hommes.

20 Mais non ; Christ est ressuscité des morts, *prémices de ceux qui sont morts. 21 En effet, puisque la mort est venue par un homme, c'est par un homme aussi que vient la résurrection des morts : 22 comme tous meurent en Adam, en Christ, tous recevront la *vie ; 23 mais chacun à son rang : d'abord les prémices, Christ, puis ceux qui appartiennent au Christ, lors de sa venue ; 24 ensuite viendra la fin, quand il remettra la royauté à Dieu le Père, après avoir détruit toute domination, toute autorité, toute puissance. 25 Car il faut qu'il règne, *jusqu'à ce qu'il ait mis tous ses ennemis sous ses pieds*. 26 Le dernier ennemi qui sera détruit, c'est la mort, 27 car *il a tout mis sous ses pieds*. Mais quand il dira n : « Tout est soumis », c'est évidemment à l'exclusion de Celui qui lui a tout soumis. 28 Et quand toutes choses lui auront été soumises,

alors le Fils lui-même sera soumis à Celui qui lui a tout soumis, pour que Dieu soit tout en tous.

29 S'il en était autrement, que chercheraient ceux qui se font baptiser pour les morts o ? Si, en tout cas, les morts ne ressuscitent pas, pourquoi se font-ils baptiser pour eux ? 30 Et nous-mêmes, pourquoi à tout moment sommes-nous en danger ? 31 Tous les jours, je suis exposé à la mort, aussi vrai, frères, que vous êtes mon *orgueil en Jésus Christ notre Seigneur. 32 A quoi m'aurait servi de combattre contre les bêtes à Ephèse si je m'en tenais à des vues humaines ? Si les morts ne ressuscitent pas, *mangeons et buvons, car demain nous mourrons*. 33 Ne vous y trompez pas : les mauvaises compagnies corrompent les bonnes mœurs p. 34 Dessoûlez-vous pour de bon et ne péchez pas ! Car certains cultivent l'ignorance de Dieu, je le dis à votre honte.

Le corps des ressuscités

35 Mais, dira-t-on, comment les morts ressuscitent-ils ? Avec quel corps reviennent-ils ? 36 Insensé ! Toi, ce que tu sèmes ne prend vie qu'à condition de mourir.

37 Et ce que tu sèmes n'est pas la plante qui doit naître, mais un grain nu, de blé ou d'autre chose. 38 Puis Dieu lui donne corps, comme il le veut et à chaque semence de façon particulière. 39 Aucune chair n'est identique à une autre ; il y a une différence entre celle des hommes, des bêtes, des oiseaux, des poissons. 40 Il y a des corps célestes et des corps terrestres et ils n'ont pas le même éclat ; 41 autre est l'éclat du soleil, autre celui de la lune, autre celui des étoiles ; une étoile même diffère en éclat d'une autre étoile.

42 Il en est ainsi pour la résurrection des morts : semé corruptible, le corps ressuscite incorruptible ; 43 semé méprisable, il ressuscite éclatant de gloire ; semé dans la faiblesse, il ressuscite plein de force ; 44 semé corps animal, il ressuscite corps spirituel. S'il y a un corps animal,

---

n Ou *Quand l'Ecriture dit que tout lui a été soumis...* ● o On ignore la nature exacte et le but de cette pratique ● p Le v. 33 cite un vers du poète grec Ménandre

15.15 témoins que Dieu a ressuscité le Christ Ac 1.22 ; 4.33 ; 5.32. **15.20** prémices Rm 8.23 ; 11.16 — le Christ, premier ressuscité Col 1.18. **15.21** la mort est venue par un homme Gn 3.17-19 ; Rm 5.12, 18. **15.22** Adam et le Christ Rm 5.12-21. **15.23** l'ordre de la résurrection 1 Th 4.16 ; Ap 20.5 ; cf. Dn 12.2 ; Jn 5.29 ; Ac 24.15. **15.24** après avoir détruit... Dn 2.44 — dominations, autorités, puissances Col 1.16+ ; 2.15 ; cf. 1 Co 2.6, 8. **15.25** jusqu'à ce qu'il ait mis... Ps 110.1 (Mt 22.44+). **15.26** la mort, dernier ennemi détruit Ap 20.14 ; 21.4. **15.27** tout mis sous ses pieds Ps 8.7. **15.30** continuellement en danger Rm 8.36. **15.31** les apôtres exposés à la mort 2 Co 7.5+. **15.32** mangeons et buvons Es 22.13 ; 56.12 ; Lc 12.19-20. **15.34** revenir au bon sens Rm 13.11 ; Ep 5.14 — je le dis à votre honte 1 Co 6.5. **15.36** la graine semée Jn 12.24. **15.38** à chaque plante sa nature particulière Gn 1.11. **15.43** transformation Ph 3.20-21.

il y a aussi un corps spirituel. ⁴⁵ C'est ainsi qu'il est écrit : le premier *homme Adam fut un être animal doué de vie*, le dernier Adam est un être spirituel donnant la *vie. ⁴⁶ Mais ce qui est premier, c'est l'être animal, ce n'est pas l'être spirituel ; il vient ensuite. ⁴⁷ Le premier homme tiré de la terre est terrestre. Le second homme, lui, vient du ciel. ⁴⁸ Tel a été l'homme terrestre, tels sont aussi les terrestres et tel est l'homme céleste, tels seront les célestes.

⁴⁹ Et de même que nous avons été à l'image de l'homme terrestre, nous serons aussi à l'image de l'homme céleste. ⁵⁰ Voici ce que j'affirme, frères : la chair et le sang *q* ne peuvent hériter du *royaume de Dieu, ni la corruption hériter de l'incorruptibilité.

⁵¹ Je vais vous faire connaître un *mystère. Nous ne mourrons pas tous, mais tous nous serons transformés, ⁵² en un instant, en un clin d'œil, au son de la trompette finale. Car la trompette sonnera, les morts ressusciteront incorruptibles et nous, nous serons transformés. ⁵³ Il faut en effet que cet être corruptible revête l'incorruptibilité, et que cet être mortel revête l'immortalité.

⁵⁴ Quand donc cet être corruptible aura revêtu l'incorruptibilité et que cet être mortel aura revêtu l'immortalité, alors se réalisera la parole de l'Ecriture : *la mort a été engloutie dans la victoire. ⁵⁵ Mort, où est ta victoire ? Mort, où est ton aiguillon ?* ⁵⁶ L'aiguillon de la mort, c'est le péché et la puissance du péché, c'est la *loi.

⁵⁷ Rendons grâce à Dieu, qui nous donne la victoire par notre Seigneur Jésus Christ. ⁵⁸ Ainsi, mes frères bien-aimés, soyez fermes, inébranlables, faites sans cesse des progrès dans l'œuvre du Seigneur ; sachant que votre peine n'est pas vaine dans le Seigneur.

La collecte pour l'église de Jérusalem

16 ¹ Pour la collecte en faveur des *saints *r*, vous suivrez, vous aussi, les règles que j'ai données aux églises de Galatie. ² Le premier jour de chaque semaine *s*, chacun mettra de côté chez lui ce qu'il aura réussi à épargner, afin qu'on n'attende pas mon arrivée pour recueillir les dons. ³ Quand je serai là, j'enverrai, munis de lettres, ceux que vous aurez choisis, porter vos dons à Jérusalem ; ⁴ s'il convient que j'y aille moi-même, ils feront le voyage avec moi.

Projets de revoir

⁵ Je viendrai chez vous en passant par la Macédoine ; je la traverserai, en effet. ⁶ et il est possible que je séjourne ou même que je passe l'hiver chez vous, pour que vous me donniez les moyens de poursuivre ma route. ⁷ Je ne veux pas, cette fois, vous voir seulement en passant, et j'espère rester quelque temps avec vous, si le Seigneur le permet. ⁸ Mais je resterai à Ephèse jusqu'à la *Pentecôte, ⁹ car une porte s'y est ouverte toute grande à mon activité, et les adversaires sont nombreux. ¹⁰ Si Timothée vient, veillez à ce qu'il soit sans crainte au milieu de vous, car il travaille à l'œuvre du Seigneur, comme moi. ¹¹ Que personne donc ne le méprise. Fournissez-lui les moyens de revenir en paix auprès de moi, car je l'attends avec les frères. ¹² Quant à notre frère Apollos, je l'ai vivement engagé à aller chez vous avec les frères ; mais il ne veut absolument pas venir maintenant ; il ira quand il aura le temps.

Dernières recommandations et salutations

¹³ Veillez, soyez fermes dans la foi,

---

q Voir Mt 16.17 et note ● *r* Voir Rm 15.25 et note ● *s* C'est-à-dire le Dimanche

---

15.45 un être animal doué de vie Gn 2.7, cf. Gn 1.20 — un être spirituel donnant la vie Jn 6.63; 2 Co 3.6, 17. **15.47** caractère terrestre du premier homme Gn 2.7. **15.49** à l'image de l'homme terrestre Gn 5.3. **15.50** incompatible avec le royaume de Dieu 1 Co 6.10. **15.51** un mystère Rm 11.25; 1 Co 4.1; Ep 3.3+. **15.52** la trompette de la résurrection Mt 24.31; 1 Th 4.15-17; cf. Ap 8.6—11.19. **15.53** revêtir 2 Co 5.4. **15.54** la mort a été engloutie... Es 25.8. **15.55** mort, où est ta victoire ? Os 13.14. **15.56** le péché et la mort Rm 7.13, 25 — le péché et la loi Rm 6.14. **15.58** soyez fermes 2 Ch 15.7 — votre peine n'est pas vaine [cf. Ap 14.13. **16.1** la collecte Rm 15.26+; cf. Ac 11.29 — les saints Rm 1.7+; cf. Ac 9.13+. **16.2** premier jour de la semaine Ac 20.7+. **16.5** en passant par la Macédoine Ac 19.21; cf. Ac 20.1+. **16.6** passer l'hiver Tt 3.12 — les moyens de poursuivre ma route Rm 15.24. **16.7** si le Seigneur le permet Ac 18.21. **16.8** je resterai à Ephèse Ac 19.1, 10 — la Pentecôte Ac 2.1+. **16.9** une porte ouverte 2 Co 2.12+; cf. Ac 19.8-10. **16.10** Timothée Ac 16.1+ — son arrivée à Corinthe 1 Co 4.17 — il travaille à l'œuvre du Seigneur Ph 2.20. **16.11** que personne ne le méprise 1 Tm 4.12 — fournir les moyens 1 Co 16.6. **16.12** Apollos Ac 18.24+. **16.13** soyez des hommes, soyez forts Ps 31.25; Ep 6.10.

soyez des hommes, soyez forts, ¹⁴ faites tout avec amour. ¹⁵ Encore une recommandation, frères : vous savez que Stéphanas et sa famille sont les *prémices de l'Achaïe ; ils se sont dévoués au service des saints *ᵗ*. ¹⁶ Obéissez donc à des personnes de cette valeur et à quiconque partage leurs travaux et leur peine.

¹⁷ Je suis heureux de la présence de Stéphanas, de Fortunatus et d'Achaïcus ; ils ont suppléé à votre absence ; ¹⁸ car ils ont tranquillisé mon esprit et le vôtre. Sachez donc apprécier des hommes de cette valeur.

¹⁹ Les églises d'Asie *ᵘ* vous saluent. Aquilas et Prisca vous envoient bien des salutations dans le Seigneur, ainsi que l'église qui s'assemble dans leur maison. ²⁰ Tous les frères vous saluent. Saluez-vous les uns les autres d'un *saint baiser. ²¹ La salutation est de ma main, à moi, Paul. ²² Si quelqu'un n'aime pas le Seigneur, qu'il soit anathème *ᵛ*. Marana tha *ʷᶜ*. ²³ La grâce du Seigneur Jésus soit avec vous. ²⁴ Je vous aime tous en Jésus Christ.

---

t *L'Achaïe:* voir 2 Co 1.1 note *b.* — les *saints:* voir notes sur Rm 1.7 et 15.25 ● *u* Voir Ac 16.6 et note ● *v* Dans l'A.T. (Dt 7.2, etc.) l'*anathème* était une extermination des personnes et des biens. Ce terme est employé ici au sens figuré, comme en Dt 7.26 par exemple, et signifie à peu près: *considéré comme immonde et abominable* ● *w* Expression araméenne conservée dans le langage liturgique, et signifiant: *Notre Seigneur, viens!* Certains lisent *Maran atha :* le Seigneur vient

16.15 Stéphanas et sa famille 1 Co 1.16 — prémices Rm 16.5. **16.18** apprécier des hommes de cette valeur Ph 2.29; 1 Th 5.12; cf. 1 Tm 5.17. **16.19** Aquilas et Prisca Ac 18.2 + — l'église qui s'assemble dans leur maison Rm 16.5 +. **16.20** baiser de salutation Rm 16.16 +. **16.21** salutation autographe Ga 6.11 +. **16.22** qu'il soit anathème Ga 1.8, 9 — Marana tha cf. Ap 22.20.

DEUXIÈME ÉPÎTRE
DE PAUL AUX CORINTHIENS

Adresse et salutation

1 ¹ Paul, *apôtre du Christ Jésus par la volonté de Dieu, et le frère Timothée, à l'église de Dieu qui est à Corinthe *a*, ainsi qu'à tous les *saints qui se trouvent dans l'Achaïe *b* entière. ² A vous, grâce et paix de la part de Dieu notre père et du Seigneur Jésus Christ.

Consolés pour pouvoir consoler

³ Béni soit Dieu, le Père de notre Seigneur Jésus Christ, le Père des miséricordes et le Dieu de toute consolation ; ⁴ il nous console dans toutes nos détresses, pour que nous puissions consoler tous ceux qui sont en détresse, par la consolation que nous-mêmes recevons de Dieu. ⁵ De même en effet que les souffrances du Christ abondent pour nous, de même, par le Christ, abonde aussi notre consolation. ⁶ Sommes-nous en difficulté ? C'est pour votre consolation et votre salut. Sommes-nous consolés ? C'est pour votre consolation qui vous fait supporter les mêmes souffrances que nous endurons nous aussi. ⁷ Et notre espérance à votre égard est ferme : nous savons que, partageant nos souffrances, vous partagez aussi notre consolation. ⁸ Car nous ne voulons

pas, frères, vous le laisser ignorer : le péril que nous avons couru en Asie *c* nous a accablés à l'extrême, au-delà de nos forces, au point que nous désespérions même de la vie. ⁹ Oui, nous avions reçu en nous-mêmes notre arrêt de mort. Ainsi notre confiance ne pouvait plus se fonder sur nous-mêmes mais sur Dieu qui ressuscite les morts. ¹⁰ C'est lui qui nous a arrachés à une telle mort et nous en arrachera ; en lui nous avons mis notre espérance : il nous en arrachera encore. ¹¹ Vous y coopérez vous aussi par votre prière pour nous ; ainsi cette grâce, que nous aurons obtenue par l'intercession d'un grand nombre de personnes, deviendra pour beaucoup action de grâce en notre faveur.

Pourquoi Paul ajourne sa visite

¹² Car notre sujet de fierté, c'est ce témoignage de notre conscience : nous nous sommes conduits dans le monde, et plus particulièrement envers vous avec la simplicité *d* et la pureté de Dieu, non avec une sagesse humaine, mais par la grâce de Dieu. ¹³ Nous ne vous écrivons rien d'autre en effet que ce que vous lisez et comprenez. Mais j'espère que vous nous comprendrez complètement ¹⁴ puis-

---

a Voir Ac 18.1 et note. Sur le premier séjour de l'apôtre à Corinthe, voir Ac 18.1-18 ● *b* Province romaine correspondant à la moitié sud de la Grèce actuelle ● *c* Province romaine dont Ephèse (en Turquie actuelle) était la capitale. L'apôtre fait allusion à des périls que nous ignorons ● *d* Autre texte : *avec la sainteté*

1.1 Paul apôtre Rm 1.1; 1 Co 1.1 — Timothée Ac 16.1+. **1.2** grâce et paix Rm 1.7; 1 Co 1.3 — Jésus (Christ) Seigneur Ac 2.36; 1 Co 12.3; 2 Co 4.5; Ph 2.11. **1.3** Dieu de toute consolation Es 40.1; Ps 34.19; 94.19; Rm 15.5. **1.4** détresses Mt 13.21; Jn 16.33; Ac 14.22; 1 Co 7.28; 2 Co 1.8; 4.1; 8.2; Ph 1.20; Col 1.24. **1.5** échange entre le Christ et les fidèles 2 Co 5.21; 8.9; entre l'apôtre et les fidèles 1 Co 11.1; 12.26. **1.9-10** Dieu porte secours Ph 2.27; 2 Tm 4.18. **1.11** la grâce devient action de grâce 2 Co 4.15; 9.11-12. **1.12** sagesse humaine 1 Co 1.17; 2.1. **1.13** un seul évangile 2 Co 11.4; Ga 1.6-9; 2.2, 6.

que vous nous avez compris en partie : nous sommes votre sujet de fierté, comme vous êtes le nôtre au *Jour du Seigneur Jésus. ¹⁵ Et dans cette assurance, je voulais passer tout d'abord chez vous pour vous obtenir une deuxième grâce *e*, ¹⁶ puis, de chez vous, me rendre en Macédoine, et enfin revenir de Macédoine *f* chez vous, pour que vous fassiez tout le nécessaire pour mon voyage en Judée. ¹⁷ En prenant cette résolution, aurais-je fait preuve de légèreté ? Ou bien mes projets ne sont-ils que des projets humains, en sorte qu'il y ait en moi à la fois le Oui et le Non ? ¹⁸ Dieu m'en est garant : Notre parole pour vous n'est pas Oui et Non. ¹⁹ Car le Fils de Dieu, le Christ Jésus que nous avons proclamé chez vous, moi, Silvain *g* et Timothée, n'a pas été « Oui » et « Non », mais il n'a jamais été que « Oui » ! ²⁰ Et toutes les promesses de Dieu ont trouvé leur Oui dans sa personne. Aussi est-ce par lui que nous disons *Amen à Dieu pour sa gloire. ²¹ Celui qui nous affermit avec vous en Christ et qui nous donne *l'onction, c'est Dieu, ²² Lui qui nous a marqués de son sceau et a mis dans nos cœurs les arrhes de l'Esprit. ²³ Pour moi, je prends Dieu à témoin sur ma vie : c'est pour vous ménager que je ne suis pas revenu à Corinthe. ²⁴ Ce n'est pas que nous régentions votre foi, mais nous coopérons à votre joie car, pour la foi, vous tenez bon.

2 ¹ Pour moi, j'ai décidé ceci : je ne retournerai pas chez vous dans la tristesse. ² Si en effet je vous cause de la tristesse, qui me donnera de la joie, sinon celui que j'aurai attristé ? ³ C'était le but de ma lettre *h* d'éviter qu'en arrivant, je n'éprouve de la tristesse de la part de ceux qui auraient dû me donner de la joie. Je suis convaincu, en ce qui vous concerne, que ma joie est aussi la vôtre à tous ; ⁴ aussi est-ce en pleine difficulté et le cœur serré que je vous ai écrit parmi bien des larmes, non pour vous attrister, mais pour

que vous sachiez l'amour débordant que je vous porte.

Paul pardonne à celui qui l'a offensé

⁵ Si quelqu'un *i* a fait de la peine, ce n'est pas à moi, mais dans une certaine mesure, n'exagérons rien, à vous tous. ⁶ Pour un tel homme, il suffit du blâme infligé par la communauté ; ⁷ c'est pourquoi, au contraire, faites-lui plutôt grâce et consolez-le, de peur qu'il ne sombre dans une tristesse excessive. ⁸ Aussi, je vous engage à faire preuve d'amour envers lui, ⁹ car en vous écrivant, mon but était de voir à l'épreuve si votre obéissance était totale. ¹⁰ A qui vous faites grâce, je fais grâce ! Si moi, j'ai fait grâce — dans la mesure où j'ai eu à le faire —, c'était pour vous, sous le regard du Christ, ¹¹ afin que nous ne soyons pas dupes de *Satan. Car nous n'ignorons pas ses intentions.

Inquiétude, puis soulagement de Paul

¹² J'arrivai alors à Troas pour y prêcher *l'Evangile du Christ, et bien que le Seigneur m'ouvrît grande la porte, ¹³ je n'eus pas l'esprit en repos, car je ne trouvai pas Tite, mon frère. J'ai donc pris congé d'eux et je suis parti pour la Macédoine. ¹⁴ Grâces soient rendues à Dieu qui, par le Christ, nous emmène en tout temps dans son triomphe et qui, par nous, répand en tout lieu le parfum de sa connaissance. ¹⁵ De fait, nous sommes pour Dieu la bonne odeur du Christ, pour ceux qui se sauvent et pour ceux qui se perdent ; ¹⁶ pour les uns, odeur de mort qui conduit à la mort, pour les autres, odeur de vie qui conduit à la *vie. Et qui est à la hauteur d'une telle mission ? ¹⁷ Nous ne sommes pas en effet comme tant d'autres qui trafiquent de la parole de Dieu ; c'est avec sincérité, c'est de la part de Dieu, à la face de Dieu, dans le Christ, que nous parlons.

---

e Autre texte: *pour vous procurer une double joie* ● *f* Province romaine (capitale Thessalonique) correspondant à la moitié nord de la Grèce actuelle ● *g* Le même que *Silas* (Ac 15.22+) ● *h* Celle-ci est perdue (à moins qu'on en retrouve des éléments aux chapitres 10—13) ● *i* L'offenseur évoqué au v. 2. Voir aussi 2 Co 7.12

1.16 projets de voyage à Corinthe Ac 19.21; 1 Co 16.5-6 modifiés 2 Co 1.23; 2.1. **1.17** Oui et Non Mt 5.37; Jc 5.12. **1.19** Silvain Ac 15.22+ — Timothée v. 1; Ac 16.1+. **1.20** Amen Rm 16.27; 1 Co 14.16; Ap 5.14. **1.21** l'onction 1 Jn 2.20, 27. **1.22** marqués de son sceau Ep 1.13; 4.30 — les arrhes de l'Esprit 2 Co 5.5; Rm 8.23; Ep 1.14. **1.24** ne pas régenter la foi d'autrui 1 P 5.3. **2.6** mesures disciplinaires Mt 18.15-17; 1 Co 5.1-13; 3 Jn 10. **2.9** obéissance aux apôtres 2 Co 7.15; 10.6. **2.11** Satan comme séducteur Mt 4.1-11; Lc 22.31; Rm 16.17-20; 2 Co 6.14-16; 11.3-15. **2.12** Troas Ac 16.8-11; 20.5-12; 2 Tm 4.13 — porte ouverte à la prédication Ac 14.27; 1 Co 16.9; Col 4.3; Ap 3.8. **2.13** Tite 2 Co 7.6, 13-15; 8.6, 16, 23, 12.18; Ga 2.1-3; 2 Tm 4.10; Tt 1.4. **2.17** trafiquants de la parole de Dieu 2 Co 4.2; 11.13.

Ministres d'une alliance nouvelle

3 ¹ Allons-nous de nouveau nous recommander nous-mêmes ? Ou bien
avons-nous besoin, comme certains, de
lettres de recommandation pour vous, ou
de votre part ? ² Notre lettre, c'est vous,
lettre écrite dans nos cœurs, connue et
lue par tous les hommes. ³ De toute évidence, vous êtes une lettre du Christ
confiée à notre *ministère, écrite non avec
de l'encre, mais avec l'Esprit du Dieu
vivant, non sur des tables de pierre, mais
sur des tables de chair, sur vos cœurs.
⁴ Telle est l'assurance que nous avons,
grâce au Christ, devant Dieu. ⁵ Ce n'est
pas à cause d'une capacité personnelle
que nous pourrions mettre à notre compte,
c'est de Dieu que vient notre capacité.
⁶ C'est lui qui nous a rendus capables
d'être ministres d'une *alliance nouvelle,
non de la lettre ʲ, mais de l'Esprit ; car
la lettre tue, mais l'Esprit donne la *vie.
⁷ Or si le ministère de mort gravé en lettres sur la pierre a été d'une gloire telle
que les Israélites ne pouvaient fixer le
visage de Moïse à cause de la gloire —
pourtant passagère — de ce visage, ⁸ combien le ministère de l'Esprit n'en aura-t-il
pas plus encore ? ⁹ Si en effet le ministère de condamnation fut glorieux, combien le ministère de la justice ne le sera-
t-il pas plus encore ? ¹⁰ Non, même ce qui
alors a été touché par la gloire ne l'est
plus, face à cette gloire incomparable.
¹¹ Car, si ce qui était passager a été marqué de gloire, combien plus ce qui demeure le sera-t-il ? ¹² Forts d'une pareille
espérance, nous sommes pleins d'assurance ; ¹³ nous ne faisons pas comme Moïse
qui se mettait un voile sur le visage pour
éviter que les Israélites ne voient la fin
d'un éclat passager. ¹⁴ Mais leur intelligence s'est obscurcie ! Jusqu'à ce jour,
lorsqu'on lit l'Ancien *Testament, ce même voile demeure. Il n'est pas levé, car

c'est en Christ qu'il disparaît. ¹⁵ Oui, jusqu'à ce jour, chaque fois qu'ils lisent
Moïse ᵏ, un voile est sur leur cœur. ¹⁶ C'est
seulement par la conversion au Seigneur
que le voile tombe. ¹⁷ Car le Seigneur
est l'Esprit, et là où est l'Esprit du Seigneur, là est la liberté. ¹⁸ Et nous tous
qui, le visage dévoilé, reflétons la gloire
du Seigneur, nous sommes transfigurés en
cette même image, avec une gloire toujours plus grande, par le Seigneur, qui
est Esprit.

Un trésor dans des vases d'argile

4 ¹ Aussi puisque, par miséricorde,
nous détenons ce *ministère, nous
ne perdons pas courage. ² Nous avons dit
non aux procédés secrets et honteux, nous
nous conduisons sans fourberie, et nous
ne falsifions pas la parole de Dieu, bien
au contraire, c'est en manifestant la vérité
que nous cherchons à gagner la confiance
de tous les hommes en présence de Dieu.
³ Si cependant notre *Evangile demeure
voilé, il est voilé pour ceux qui se perdent, ⁴ pour les incrédules, dont le dieu
de ce monde ˡ a aveuglé l'intelligence,
afin qu'ils ne perçoivent pas l'illumination
de l'Evangile de la gloire du Christ, lui
qui est l'image de Dieu. ⁵ Non, ce n'est
pas nous-mêmes, mais Jésus Christ Seigneur que nous proclamons. Quant à
nous-mêmes, nous nous proclamons vos
serviteurs à cause de Jésus. ⁶ Car le Dieu
qui a dit : *que la lumière brille au milieu
des ténèbres,* c'est lui-même qui a brillé
dans nos cœurs pour faire resplendir la
connaissance de sa gloire qui rayonne
sur le visage du Christ. ⁷ Mais ce trésor,
nous le portons dans des vases d'argile,
pour que cette incomparable puissance
soit de Dieu et non de nous. ⁸ Pressés de
toute part, nous ne sommes pas écrasés ;
dans des impasses, mais nous arrivons à
passer ; ⁹ pourchassés, mais non rejoints ;

ʲ Voir Rm 2.29 et note ● ᵏ Voir Mt 19.7; Lc 24.27, etc.; Moïse était considéré comme l'auteur
des cinq premiers livres de la Bible, qu'on désignait globalement par l'expression *la Loi* ●
ˡ Comparer 1 Co 2.6; Jn 12.31; notre texte est le seul où Satan reçoive le titre de *dieu*

3.1 se recommander soi-même 2 Co 5.12; 10.12 est inutile Rm 1.17; 8.3; 1 Co 1.30; Ga 3.13;
Ph 3.9 — lettre de recommandation Ac 18.27; Rm 16.1; Col 4.10; 3 Jn 9-12. **3.3** tables de pierre
Ex 24.12; 31.18; 34.1, 28-29; Dt 9.10-11 — cœurs, tables de chair Pr 3.3; 7.3; Jr 31.33; Ez 11.19;
36.26. **3.5** incapables par nous-mêmes Jn 15.5; 2 Co 2.16 b. **3.6** alliance nouvelle Jr 31.31; Lc
22.20; 1 Co 11.25; 2 Co 3.14; He 8.8; 9.15; 12.24 — l'Esprit donne la vie Jn 6.63; Rm 7.6. **3.7** Moïse et les tables de pierre Ex 32.15-16; 34.1-4. **3.9** condamnation de celui qui désobéit à
la loi Dt 27.26 (Ga 3.10). **3.13** le voile de Moïse Ex 34.29-35. **3.14** intelligence obscurcie Mc
4.12; Ac 28.27; Rm 11.7-8, 25; 2 Th 2.11. **3.16** conversion espérée d'Israël Rm 11.23-26.
3.17 le Seigneur est l'Esprit Jn 4.24; 1 Co 6.17 — Esprit et liberté Rm 8.2+. **4.4** l'image
de Dieu Col 1.15; He 1.3. **4.6** lumière Gn 1.3; Es 9.1. **4.7** vase d'argile (idée de fragilité) 2 Co
12.7-10; Ga 4.14; (idée de corps) Gn 2.7; Rm 9.21-23; 1 Co 15.47; 1 Th 4.4. **4.8-12** épreuves
toujours surmontées. Rm 8.36-37; 1 Co 15.31; 2 Co 1.4+, 8-11; 6.4-5; 7.5; 11.23-33; Ph 3.10.

terrassés, mais non achevés ; [10] sans cesse nous portons dans notre corps l'agonie de Jésus afin que la *vie de Jésus soit elle aussi manifestée dans notre corps. [11] Toujours, en effet, nous les vivants. nous sommes livrés à la mort à cause de Jésus, afin que la vie de Jésus soit elle aussi manifestée dans notre existence mortelle. [12] Ainsi la mort est à l'œuvre en nous, mais la vie en vous. [13] Pourtant, forts de ce même esprit de foi dont il est écrit : *J'ai cru, c'est pourquoi j'ai parlé*, nous croyons, nous aussi, et c'est pourquoi nous parlons. [14] Car nous le savons. celui qui a ressuscité le Seigneur Jésus, nous ressuscitera nous aussi avec Jésus et il nous placera avec vous près de lui. [15] Et tout ce que nous vivons, c'est pour vous, afin qu'en s'accroissant la grâce fasse surabonder, par une communauté accrue, l'action de grâce à la gloire de Dieu.

Toujours pleins de confiance

[16] C'est pourquoi nous ne perdons pas courage et même si. en nous, l'homme extérieur va vers sa ruine. l'homme intérieur [m] se renouvelle de jour en jour. [17] Car nos détresses d'un moment sont légères par rapport au poids extraordinaire de gloire éternelle qu'elles nous préparent. [18] Notre objectif n'est pas ce qui se voit, mais ce qui ne se voit pas : ce qui se voit est provisoire. mais ce qui ne se voit pas est éternel.

5 [1] Car nous le savons [n], si notre demeure terrestre, qui n'est qu'une tente, se détruit, nous avons un édifice, œuvre de Dieu, une demeure éternelle dans les *cieux, qui n'est pas faite de main d'homme. [2] Et nous gémissons. dans le désir ardent de revêtir, par-dessus l'autre, notre habitation céleste, [3] pourvu que nous soyons trouvés vêtus et non pas nus [o]. [4] Car nous qui sommes dans cette tente. nous gémissons, accablés : c'est un

fait : nous ne voulons pas nous dévêtir, mais revêtir un vêtement sur l'autre afin que ce qui est mortel soit englouti par la *vie. [5] Celui qui nous a formés pour cet avenir. c'est Dieu qui nous a donné les arrhes de l'Esprit. [6] Ainsi donc, nous sommes toujours pleins de confiance, tout en sachant que. tant que nous habitons dans ce corps, nous sommes hors de notre demeure, loin du Seigneur. [7] car nous cheminons par la foi, non par la vue... [8] Oui, nous sommes pleins de confiance et nous préférons quitter la demeure de ce corps pour aller demeurer auprès du Seigneur. [9] Aussi notre ambition. — que nous conservions notre demeure ou que nous la quittions —, est-elle de lui plaire. [10] Car il nous faudra tous comparaître à découvert devant le tribunal du Christ afin que chacun recueille le prix de ce qu'il aura fait durant sa vie corporelle. soit en bien, soit en mal.

Au service de la réconciliation

[11] Connaissant donc [p] la crainte du Seigneur, nous cherchons à convaincre les hommes. et. devant Dieu, nous sommes pleinement à découvert. J'espère être aussi pleinement à découvert dans vos consciences. [12] Nous ne nous recommandons pas à nouveau auprès de vous, mais nous voulons vous fournir une occasion d'être fiers de nous afin que vous ayez de quoi répondre à ceux dont les motifs de fierté sont tout de façade et non de fond. [13] Si nous avons été hors de sens, c'était pour Dieu : si nous sommes sensés, c'est pour vous. [14] L'amour du Christ [q] nous étreint. à cette pensée qu'un seul est mort pour tous et donc tous sont morts. [15] Et il est mort pour tous afin que les vivants ne vivent plus pour eux-mêmes. mais pour celui qui est mort et ressuscité pour eux. [16] Aussi. désormais. ne connaissons-nous plus personne à la manière humaine. Si nous avons connu le Christ à la manière humaine, maintenant nous ne le connais-

---

m Emploi différent de la même expression en Rm 7.22 ● *n* Paul ouvre ici une parenthèse qu'il prolonge jusqu'à 5.7 ● *o* Cf. 1 Co 15.53-55. *Vêtus* (sous-entendu: de notre corps) et non pas dépouillés de celui-ci (c'est-à-dire déjà morts) ● *p* Le thème amorcé en 2 Co 3.1 reprend ici ● *q* L'amour que le Christ a pour nous

4.13 J'ai cru... Ps 116.10   **4.14** ressuscités avec Jésus Rm 8.11; 1 Co 6.14; 15.15, 20.   **4.17** de la souffrance à la gloire Rm 8.17-18; 1 P 1.6-7.   **4.18** ce qu'on voit et ce qu'on ne voit pas Col 1.16; 2 Co 5.7; He 11.1, 3.   **5.1** le corps, une tente Jb 4.19; *Sg* 9.15; Es 38.12; 2 P 1.13.   **5.2** gémissements dans l'attente Rm 8.23.   **5.3-4** la résurrection attendue 1 Co 15.53-54; 1 Th 4.14-17.   **5.5** les arrhes de l'Esprit 2 Co 1.22+.   **5.7** les yeux de la foi 1 Co 13.12; He 11.13.   **5.8** demeurer auprès du Seigneur Ph 1.21-23.   **5.10** le tribunal du Christ Rm 14.11; 1 Co 3.11-15.   **5.12** se recommander soi-même 2 Co 3.1+.   **5.14** un pour tous Jn 11.50; Rm 5.18 — tous morts Rm 6.11.   **5.15** mort pour tous Rm 5.6   — vivre pour le Christ Rm 14.7-8.

sons plus ainsi. [17] Aussi, si quelqu'un est en Christ, il est une nouvelle créature [r]. Le monde ancien est passé, voici qu'une réalité nouvelle est là. [18] Tout vient de Dieu, qui nous a réconciliés avec lui par le Christ et nous a confié le *ministère de la réconciliation. [19] Car de toutes façons, c'était Dieu qui en Christ réconciliait le *monde avec lui-même, ne mettant pas leurs fautes au compte des hommes, et mettant en nous la parole de réconciliation. [20] C'est au nom du Christ que nous sommes en ambassade, et par nous, c'est Dieu lui-même qui, en fait, vous adresse un appel. Au nom du Christ, nous vous en supplions, laissez-vous réconcilier avec Dieu. [21] Celui qui n'avait pas connu le péché il l'a, pour nous, identifié au péché, afin que, par lui, nous devenions justice de Dieu.

6 [1] Puisque nous sommes à l'œuvre avec lui, nous vous exhortons à ne pas laisser sans effet la grâce reçue de Dieu. [2] Car il dit :

Au moment favorable, je t'exauce, et au *jour du salut, je viens à ton secours.

Voici maintenant le moment tout à fait favorable.
Voici maintenant le jour du salut.

Ministres de Dieu

[3] Nous ne voulons d'aucune façon scandaliser personne, pour que notre *ministère soit sans reproche. [4] Au contraire, nous nous recommandons nous-mêmes en tout comme ministres de Dieu
par une grande persévérance
dans les détresses,
les contraintes,
les angoisses,
[5] les coups,
les prisons,
les émeutes,
les fatigues,
les veilles,
les *jeûnes,

[6] par la *pureté,
la science,
la patience,
la bonté,
par l'Esprit Saint,
l'amour sans feinte,
[7] la parole de vérité,
la puissance de Dieu,
par les armes offensives et
défensives de la justice,
[8] dans la gloire et le mépris,
dans la mauvaise et la bonne réputation :
tenus pour imposteurs et pourtant
véridiques,
[9] inconnus et pourtant bien connus,
moribonds et pourtant nous vivons,
châtiés sans être exécutés,
[10] attristés mais toujours joyeux,
pauvres, et faisant bien des riches,
n'ayant rien, nous qui pourtant possédons tout !

[11] Nous nous sommes librement adressés à vous, Corinthiens, notre cœur s'est grand ouvert. [12] Vous n'êtes pas à l'étroit chez nous. C'est en vous-mêmes que vous êtes à l'étroit. [13] Payez-nous de retour : je vous parle comme à mes enfants, ouvrez tout grand votre cœur, vous aussi !

Le temple du Dieu vivant

[14] Ne formez pas d'attelage disparate avec les incrédules ; quelle association peut-il y avoir entre la justice et l'impiété ? Quelle union entre la lumière et les ténèbres ? [15] Quel accord entre Christ et Béliar [s] ? Quelle relation entre le croyant et l'incrédule ? [16] Qu'y a-t-il de commun entre le *temple de Dieu et les idoles ? Car nous sommes, nous, le temple du Dieu vivant comme Dieu l'a dit :

*Au milieu d'eux, j'habiterai et je marcherai,
je serai leur Dieu et ils seront mon peuple.*
[17] *Sortez donc d'entre ces gens-là, et*

---

[r] Une autre ponctuation permettrait cette autre traduction, parfois adoptée: *Si quelqu'un en Christ est une nouvelle création, l'ancien est passé, tout est neuf* ● [s] Ou *Bélial* (vaurien, néant): expression atténuée pour désigner une idole, ou Satan

5.17 en Christ Rm 8.1; 1 Co 1.30; Ga 3.28; Ph 2.5; 1 Th 4.16 — une nouvelle créature Ga 6.15; Ap 21.5. **5.18-19** réconciliation Rm 5.10+. **5.20** en ambassade Es 52.7; Ep 6.20. **5.21** le Christ sans péché Jn 8.46; He 4.15; 1 P 2.22 — identifié au péché Rm 8.3; Ga 3.13 — justice de Dieu Rm 1.17; 1 Co 1.30; Ph 3.9. **6.2** Au moment favorable... Es 49.8 — le temps de la conversion des païens et des Juifs Lc 21.24; Rm 11.25-32; Ep 2.12-18. **6.4-5** persévérance dans les détresses 2 Co 11.23-27. **6.7** armes des chrétiens Sg 5.17-21; Rm 13.12; 2 Co; 10.4; Ep 6.16-17. **6.10** pauvreté enrichissante 2 Co 8.9. **6.13** mes enfants 1 Co 4.14; Ga 4.19 1 Th 2.11; Phm 10. **6.16** au milieu d'eux... Lv 26.12; Ez 37.27; Jr 32.28 — le temple de Dieu 1 Co 3.16; 6.19. **6.17** sortez donc... Es 52.11; Ez 20.34, 41; Jr 51.45 (Ap 18.4).

mettez-vous à l'écart,
dit le Seigneur ; ne touchez à rien
*d'impur.
Et moi je vous accueillerai.
[18] *Je serai pour vous un père et vous*
serez pour moi des fils et des filles, dit le
Seigneur tout-puissant.

7 [1] Puisque nous détenons de telles
promesses, mes bien-aimés, puri-
fions-nous nous-mêmes de toute souillure
de la chair et de l'esprit : achevons de
nous sanctifier dans la crainte de Dieu.

Un repentir réjouissant

[2] Faites-nous une place dans vos
cœurs *t* ; nous n'avons fait de tort à personne ; nous n'avons ruiné personne ;
nous n'avons exploité personne. [3] Ce n'est
pas pour vous condamner que je dis cela,
car je l'ai déjà dit : vous êtes dans nos
cœurs à la mort et à la vie.

[4] Grande est ma confiance en vous,
grande est la fierté que j'ai de vous, je suis
tout rempli de consolation, je déborde de
joie dans toutes nos détresses. [5] En fait,
à notre arrivée en Macédoine *u*, nous
n'avons pas connu de détente, mais toutes
sortes de détresses. Combats au-dehors,
craintes au-dedans. [6] Mais Dieu, qui console les humbles, nous a consolé par l'arrivée de Tite, [7] non seulement par son
arrivée, mais par le réconfort qu'il a reçu
de vous ; il nous a fait part de votre vif
désir, de vos larmes, de votre zèle pour
moi, au point que j'en ai eu une joie plus
vive encore.

[8] Oui, si je vous ai attristés par ma
lettre *v*, je ne le regrette pas... Et si je l'ai
regretté — cette lettre, je le constate, vous
a attristés, ne fût-ce qu'un moment —,
[9] je me réjouis maintenant, non de votre
tristesse, mais du repentir qu'elle a produit. Car votre tristesse a été selon Dieu :
ainsi, de notre part, vous n'avez subi
aucun dommage. [10] Car la tristesse selon
Dieu produit un repentir qui conduit au
salut et ne laisse pas place au regret...
La tristesse selon ce *monde produit la

mort. [11] Voyez plutôt ce qu'a produit chez
vous la tristesse selon Dieu,

Mais oui ! quel empressement !
quelles excuses !
quelle indignation !
quelle crainte !
quel désir !
quel zèle !
quelle punition !

De toutes façons vous avez vous-mêmes prouvé que vous étiez nets dans cette
affaire. [12] Bref, si je vous ai écrit, ce
n'était ni à cause de l'offenseur *w*, ni à
cause de l'offensé, mais pour faire voir
devant vous, en présence de Dieu, le zèle
que vous avez pour nous. [13] Voilà ce qui
nous a consolé. Outre cette consolation
personnelle, nous nous sommes réjoui
plus encore de la joie de Tite dont l'esprit
a reçu de vous tous un plein apaisement.
[14] Car, si j'ai, devant lui, montré quelque
fierté de vous, je n'ai pas eu à en rougir,
mais, comme nous vous avons toujours dit
la vérité, ainsi la fierté que nous avons
montrée de vous devant Tite s'est trouvée
justifiée. [15] Sa tendresse pour vous n'en
est que plus grande, lorsqu'il se rappelle
votre obéissance à tous, avec quelle
crainte et quel tremblement vous l'avez
accueilli. [16] Je me réjouis de pouvoir en
tout compter sur vous.

Encouragements à terminer la collecte

8 [1] Nous voulons vous faire connaître, frères, la grâce que Dieu a
accordée aux églises de Macédoine. [2] Au
milieu des multiples détresses qui les ont
éprouvées, leur joie surabondante et leur
pauvreté extrême ont débordé en trésors
de libéralité. [3] Selon leurs moyens, j'en
suis témoin, au-delà de leurs moyens, en
toute spontanéité, [4] avec une vive insistance, ils nous ont réclamé la grâce de
participer à ce service au profit des
*saints *x*. [5] Au-delà même de nos espérances, ils se sont donnés eux-mêmes, d'abord
au Seigneur, puis à nous, par la volonté

---

t Reprise du développement interrompu en 2 Co 6.13 ● *u* Voir 2 Co 1.16 et note 2.12-13 ● *v*
Voir 2 Co 2.3 et note ● *w* Voir 2 Co 2.2 ● *x* Voir Rm 15.25 et note

6.18 Je serai... Os 2.1 ; 2 S 7.14 ; Es 43.6 ; Jr 31.9. **7.4** fierté apostolique 2 Co 7.14 ; 8.24 ; Ph
2.16 ; 1 Th 2.19-20 ; 2 Th 1.4. **7.5** arrivée en Macédoine Ac 20.1-2 ; 2 Co 2.13 — détresses apostoliques 1 Co 4.11-12 ; 2 Co 1.4 ; 4.8-12 ; 6.4-5 ; 11.23-27. **7.6** Dieu console Es 49.13 ; Ac 28.15 ;
2 Co 1.3-4 — Tite 2 Co 2.13+. **7.10** effets de la tristesse Si 20.23 ; 38.18. **7.15** votre obéissance 2 Co 2.9 — crainte et tremblement Es 19.16 ; Ps 2.11 ; 55.6 ; 1 Co 2.3 ; Ep 6.5 ; Ph
2.12. **8.1** la collecte Rm 15.26 ; 1 Co 16.1-4 ; 2 Co 8—9 ; Ga 2.10 — Macédoine Rm 15.26 ;
1 Co 16.5. **8.2** libéralité des églises de Macédoine 2 Co 9.1-5 ; 11.8-9 ; Ph 4.10-18. **8.4** service
au profit des saints Ac 11.29 ; 2 Co 9.1 ; Ga 2.10.

de Dieu. [6] Aussi avons-nous insisté auprès de Tite pour qu'il mène à bonne fin chez vous cette œuvre de générosité, comme il l'avait commencée. [7] Mais puisque vous avez de tout en abondance, foi, éloquence, science et toute sorte de zèle et d'amour que vous avez reçus de nous, ayez aussi en abondance de la générosité en cette occasion. [8] Je ne le dis pas comme un ordre ; mais, en vous citant le zèle des autres, je vous permets de prouver l'authenticité de votre charité. [9] Vous connaissez en effet la générosité de notre Seigneur Jésus Christ qui, pour vous, de riche qu'il était, s'est fait pauvre, pour vous enrichir de sa pauvreté. [10] C'est un avis que je donne à ce sujet : c'est ce qui vous convient à vous, puisque vous avez été les premiers, non seulement à réaliser, mais aussi à décider cette œuvre dès l'an dernier. [11] Maintenant donc, achevez de la réaliser ; ainsi à vos beaux projets correspondra aussi la réalisation selon vos moyens. [12] Quand l'intention est vraiment bonne, on est bien reçu avec ce que l'on a, peu importe ce que l'on n'a pas ! [13] Il ne s'agit pas de vous mettre dans la gêne en soulageant les autres, mais d'établir l'égalité. [14] En cette occasion, ce que vous avez en trop compensera ce qu'ils ont en moins, pour qu'un jour ce qu'ils auront en trop compense ce que vous aurez en moins : cela fera l'égalité [15] comme il est écrit : *Qui avait beaucoup recueilli n'a rien eu de trop, qui avait peu recueilli, n'a manqué de rien.* [16] Grâces soient rendues à Dieu qui a mis au cœur de Tite le même zèle pour vous. [17] Il a accepté notre invitation et, plus empressé encore, c'est spontanément qu'il est parti vers nous. [18] Nous avons envoyé avec lui le frère dont toutes les églises chantent la louange au sujet de *l'Evangile. [19] Mieux encore, il a été désigné par les églises pour être notre compagnon de voyage dans cette œuvre de générosité, service que nous entreprenons pour la gloire du Seigneur lui-même et pour la réalisation de nos bonnes intentions. [20] Nous prenons bien garde d'éviter toute critique dans la gestion de ces fortes sommes dont nous avons la charge. [21] Nous nous préoccupons du bien non seulement aux yeux de Dieu, mais aussi à ceux des hommes. [22] Avec les délégués nous avons envoyé notre frère [y], celui dont nous avons souvent, dans bien des cas, éprouvé le zèle et qui maintenant en montre bien plus encore, car il vous fait pleinement confiance. [23] Tite, c'est mon compagnon et mon collaborateur auprès de vous ; nos frères, ce sont les délégués des églises, la gloire du Christ. [24] Donnez-leur donc, à la face des églises, la preuve de votre amour et de la fierté que nous avons de vous auprès d'eux.

Autres recommandations pour la collecte

9 [1] Au sujet de l'assistance en faveur des *saints, il est inutile que je vous écrive. [2] Je sais vos bonnes intentions, et j'en tire fierté pour vous auprès des Macédoniens [z] : l'Achaïe [a], leur disais-je, est prête depuis l'an dernier, et votre ardeur a stimulé la plupart des églises. [3] Je vous envoie les frères afin que la fierté que j'ai de vous ne soit pas vaine sur ce point et que, comme je le disais, vous soyez réellement prêts. [4] Je craindrais, si des Macédoniens viennent avec moi et ne vous trouvent pas prêts, que cette belle assurance ne tourne à notre confusion, pour ne pas dire la vôtre. [5] J'ai donc cru devoir inviter les frères à nous devancer chez vous et à préparer vos dons ; vos largesses déjà promises une fois recueillies seraient une vraie largesse et non une ladrerie. [6] Sachez-le :

Qui sème chichement,
chichement aussi moissonnera
et qui sème largement,
largement aussi moissonnera !

[7] Que chacun donne selon la décision de son *cœur, sans chagrin ni contrainte, car *Dieu aime celui qui donne avec joie.* [8] Dieu a le pouvoir de vous combler de toutes sortes de grâces, pour que, disposant toujours et en tout du nécessaire, vous ayez encore du superflu pour toute œuvre bonne. [9] Comme il est écrit :

Il a distribué, il a donné aux pauvres,
sa justice demeure à jamais.

[10] Celui qui fournit la semence au se-

---

[y] Sans doute un autre que l'anonyme du v. 18. Voir v. 23 • [z] C'est-à-dire les membres des églises de Philippes, Thessalonique, Bérée... Voir 2 Co 1.16 et note • [a] Voir 2 Co 1.1 et note

8.6-7 vous avez tout en abondance 1 Co 1.5 ; Col 2.10. **8.9** dépouillement de Jésus Christ Mt 8.20 ; 2 Co 6.10 ; Ph 2.6-8. **8.12** donner ce que l'on a Mc 12.44. **8.15** Qui avait... Ex 16.18. **9.1** la collecte 2 Co 8.1+ — service au profit des saints 2 Co 8.4+. **9.3** fierté apostolique 2 Co 7.4+. **9.6** Qui sème... Pr 22.8 (citation libre du grec) ; 11.24. **9.9** il a distribué... Ps 112.9.

meur, et le pain pour la nourriture, vous fournira aussi la semence, la multipliera, et fera croître les fruits de votre justice. ¹¹ Vous serez enrichis de toutes manières par toutes sortes de libéralités qui feront monter par notre intermédiaire l'action de grâce vers Dieu. ¹² Car le service de cette collecte ne doit pas seulement combler les besoins des *saints, mais faire abonder les actions de grâce envers Dieu. ¹³ Appréciant ce service à sa valeur, ils glorifieront Dieu pour l'obéissance que vous professez envers *l'Evangile du Christ et pour votre libéralité dans la mise en commun avec eux et avec tous. ¹⁴ Et par leur prière pour vous, ils vous manifesteront leur tendresse, à cause de la grâce surabondante que Dieu vous a accordée. ¹⁵ Grâces soient rendues à Dieu pour son don ineffable !

Paul défend son ministère

10 ¹ Moi, Paul, en personne, je vous le demande par la douceur et la bonté du Christ, moi si humble quand je suis parmi vous face à face, mais si hardi envers vous quand je suis loin ; ² je vous en prie, que je n'aie pas, une fois présent, à user de cette hardiesse dont je compte faire preuve, avec audace, contre ces gens qui prétendent que notre conduite a des motifs humains. ³ Tout homme que nous sommes, nous ne combattons pas de façon purement humaine. ⁴ Non, les armes de notre combat ne sont pas d'origine humaine, mais leur puissance vient de Dieu pour la destruction des forteresses ᵇ. Nous détruisons les raisonnements prétentieux, ⁵ et toute puissance hautaine qui se dresse contre la connaissance de Dieu. Nous faisons captive toute pensée pour l'amener à obéir au Christ ⁶ et nous nous tenons prêts à punir toute désobéissance dès que votre obéissance sera totale. ⁷ Regardez les choses en face. Si quelqu'un est persuadé d'appartenir au Christ, qu'il s'en rende compte une bonne fois : s'il est au Christ, nous le sommes aussi ! ⁸ Et même si je suis un peu trop fier du pouvoir que le Seigneur nous a donné pour votre édifica-

tion, et non pour votre ruine, je n'en rougirai pas. ⁹ Je ne veux pas avoir l'air de vous effrayer par mes lettres. ¹⁰ — car ses lettres, dit-on, ont du poids et de la force ; mais, une fois présent il est faible et sa parole est nulle. ¹¹ Qu'il s'en rende bien compte, cet individu ᶜ : tel nous sommes, en parole, de loin, dans nos lettres, tel nous serons, présent, dans nos actes. ¹² Car nous n'avons pas l'audace de nous égaler ou de nous comparer à certaines gens qui se recommandent eux-mêmes ; en se prenant eux-mêmes comme unité de mesure et de comparaison, ils perdent la tête ! ¹³ Pour nous, nous ne passerons pas la mesure dans la fierté que nous montrons, mais nous nous servirons comme mesure de la règle même que Dieu nous a attribuée, en nous faisant parvenir jusqu'à vous. ¹⁴ Car nous ne dépassons pas notre limite, comme si nous n'étions pas venu chez vous. Nous sommes vraiment arrivé le premier jusqu'à vous avec *l'Evangile du Christ. ¹⁵ Nous n'avons pas une fierté démesurée, fondée sur les travaux d'autrui, mais nous avons l'espoir, avec le progrès de votre foi, de grandir de plus en plus en vous selon notre règle, ¹⁶ en portant l'Evangile au-delà de chez vous, sans tirer fierté de travaux tout faits sur le terrain des autres. ¹⁷ *Que celui qui s'enorgueillit mettre son *orgueil dans le Seigneur.* ¹⁸ Ce n'est pas celui qui se recommande lui-même qui a fait ses preuves, mais celui que le Seigneur recommande.

Paul est un apôtre authentique

11 ¹ Ah si vous pouviez supporter de moi un peu de folie, eh bien oui ! Supportez-moi ! ² J'éprouve à votre égard autant de jalousie que Dieu. Je vous ai fiancés à un époux unique, pour vous présenter au Christ, comme une vierge *pure, ³ mais j'ai peur que — comme le serpent séduisit Eve par sa ruse — vos pensées ne se corrompent loin de la simplicité ᵈ due au Christ. ⁴ En effet, si le premier venu vous prêche un autre Jésus

---

ᵇ Image inspirée d'Es 2.13-15 pour décrire l'orgueil de l'homme sûr de lui-même et fermé à Dieu ● ᶜ Cf. 2 Co 2.5 et note ● ᵈ Certains manuscrits ajoutent *et de la pureté*

9.11-12 action de grâce 2 Co 1.11+. **10.1** humble Mt 11.29; 1 Co 2.3. **10.4** les armes de notre combat 2 Co 6.7+. **10.5** toute puissance hautaine Es 2.11-18. **10.6** obéissance 2 Co 2.9+. **10.8** Paul aurait de quoi se vanter 2 Co 11.16, 18; 12.6; Ga 6.13; Ph 3.4 — édifier et non détruire Jr 1.10; 2 Co 13.10. **10.12** se recommander soi-même 2 Co 3.1+. **10.13-15** la règle suivie par Paul Rm 15.17-21, 28-29. **10.17** Que celui... Jr 9.22-23 (1 Co 1.31). **11.2** jalousie divine Ex 20.5; Dt 4.24; 1 Co 10.22 — fiancés à un époux unique Ep 5.25-26; Ap 19.7; 21.2-9. **11.3** Eve séduite Gn 3.4-13; 1 Tm 2.14. **11.4** un autre évangile Ga 1.6-9.

que celui que nous avons prêché, ou bien si vous accueillez un esprit différent de celui que vous avez reçu ou un autre *évangile que celui que vous avez accueilli — vous le supportez fort bien. [5] J'estime pourtant n'avoir rien de moins que ces super-*apôtres. [6] Nul pour l'éloquence soit ! pour la science, c'est autre chose. En tout et de toutes manières, nous vous l'avons montré. [7] Etait-ce une faute de m'abaisser moi-même pour vous élever, en vous annonçant gratuitement l'Evangile de Dieu ? [8] J'ai dépouillé d'autres églises *e*, acceptant d'elles de quoi vivre pour vous servir. [9] Et lorsque j'ai été dans le besoin pendant mon séjour chez vous, je n'ai exploité personne, car les frères venus de Macédoine ont pourvu à mes besoins ; et en tout, je me suis bien gardé de vous être à charge et je m'en garderai bien. [10] Par la vérité du Christ en moi, je l'atteste : on ne me fera pas cacher cette fierté dans les pays d'Achaïe. [11] Et pourquoi ? Parce que je ne vous aime pas ? Dieu le sait ! [12] Ce que je fais, je le ferai encore afin d'ôter tout prétexte à ceux qui en voudraient un pour se vanter des mêmes titres que nous ! [13] Ces gens-là sont de faux apôtres, des faussaires camouflés en apôtres du Christ : [14] rien d'étonnant à cela : *Satan lui-même se camoufle en *ange de lumière. [15] C'est donc peu de chose pour ses serviteurs de se camoufler en serviteurs de la justice. Leur fin sera conforme à leurs œuvres.

Souffrances endurées par l'apôtre

[16] Je le répète, que l'on ne pense pas que je suis fou — ou bien alors acceptez que je sois fou, que je puisse moi aussi me vanter un peu —. [17] Ce que je vais dire, je ne le dis pas selon le Seigneur, mais comme en pleine folie, dans mon assurance d'avoir de quoi me vanter. [18] Puisque beaucoup se vantent de leurs avantages humains, moi aussi je me vanterai. [19] Volontiers, vous supportez les gens qui perdent la raison, vous si raisonnables. [20] Vous supportez qu'on vous asservisse, qu'on vous dévore, qu'on vous dépouille, qu'on le prenne de haut, qu'on vous frappe au visage. [21] je le dis à notre honte, comme si nous avions été faibles. Ce qu'on ose dire — je parle comme un fou — je l'ose moi aussi. [22] Ils sont Hébreux ? moi aussi ! Israélites ? moi aussi ! de la descendance d'Abraham ? moi aussi ! [23] *Ministres du Christ ? — je vais dire une folie — moi bien plus !

Dans les fatigues — bien davantage,
dans les prisons — bien davantage,
sous les coups — infiniment plus,
dans les dangers de mort — bien des fois !

[24] Des *Juifs, j'ai reçu cinq fois les trente-neuf coups *f*,
[25] trois fois, j'ai été flagellé.
une fois, lapidé,
trois fois, j'ai fait naufrage,
j'ai passé un jour et une nuit sur l'abîme.
[26] Voyages à pieds, souvent.
dangers des fleuves,
dangers des brigands,
dangers de mes frères de race,
dangers des *païens,
dangers dans la ville,
dangers dans le désert,
dangers sur mer,
dangers des faux frères !

[27] Fatigues et peine, veilles souvent, faim et soif, *jeûne souvent, froid et dénuement ; [28] sans compter tout le reste. ma préoccupation quotidienne, le souci de toutes les églises. [29] Qui est faible, que je ne sois faible ? Qui tombe, que cela ne me brûle ? [30] S'il faut s'enorgueillir, je mettrai mon *orgueil dans ma faiblesse. [31] Dieu, le Père du Seigneur Jésus, qui est béni pour l'éternité, sait que je ne mens pas. [32] A Damas, l'ethnarque du roi Arétas *g* faisait garder la ville pour m'arrêter. [33] Mais par une fenêtre, on me fit descendre dans une corbeille le long de la muraille et j'échappai à ses mains.

---

e Voir 2 Co 8.1-4: les églises de Macédoine ● *f* Mot à mot: *quarante moins un.* On voulait ne pas risquer de dépasser le maximum de quarante coups prescrit par Dt 25.3 ● *g* Arétas IV, roi nabatéen (9 av. J.C. — 39 ap. J.C.) — *ethnarque* est un titre sensiblement équivalent à *gouverneur*

11.7-9 annoncer gratuitement l'Evangile Ac 18.3; 20.33-35; 1 Co 4.12; 9.12, 18; 2 Co 12.13; Ph 4.15-18. 11.8 subventions des églises de Macédoine 2 Co 8.2+. 11.10 Christ en. moi Ga 2.20; Ph 1.21. 11.13 faussaires Mt 7.15; 2 Co 2.17; Ph 3.2; 2 P 2.1; Ap 19.20. 11.14 Satan 2 Co 2.11+. 11.16 Paul aurait de quoi se vanter 2 Co 10.8+. 11.22 titres juifs de Paul Ac 21.39; 22.3; 23.6; 26.5; Rm 11.1; Ga 2.15; Ph 3.2-6. 11.23-27 épreuves de l'apôtre 2 Co 7.5+. 11.23 ministre du Christ 1 Co 15.10 — emprisonnements (connus) de l'apôtre Ac 16.23; 1 Co 15.32; Ph 1.7, 13; Ep 3.1; 4.1; Col 4.18; Phm 1, 9. 11.25 flagellation Ac 16.22 — lapidation Ac 14.19. 11.26 danger des frères de race Ac 9.23; 13.50; 20.3. 11.29 Paul tout à tous Rm 9.1-3; 1 Co 9.22. 11.30 fier de sa faiblesse 2 Co 12.9+. 11.32-33 Paul s'échappe de Damas Ac 9.24-25.

Visions et révélations accordées à Paul

12 ¹ Il faut *s'enorgueillir ! C'est bien inutile ! pourtant j'en viendrai aux visions et *révélations du Seigneur. ² Je connais un homme en Christ *h* qui, voici quatorze ans *i*, était-ce dans mon corps ? je ne sais, était-ce hors de mon corps ? je ne sais, Dieu le sait — cet homme-là fut enlevé jusqu'au troisième *ciel *j*. ³ Et je sais que cet homme — était-ce dans son corps ? était-ce sans son corps ? je ne sais, Dieu le sait —, ⁴ cet homme fut enlevé *k* jusqu'au paradis et entendit des paroles inexprimables qu'il n'est pas permis à l'homme de redire. ⁵ Pour cet homme-là, je m'enorgueillirai, mais pour moi, je ne mettrai mon *orgueil que dans mes faiblesses. ⁶ Ah ! si je voulais m'enorgueillir, je ne serais pas fou, je ne dirais que la vérité ; mais je m'abstiens, pour qu'on n'ait pas sur mon compte une opinion supérieure à ce qu'on voit de moi, ou à ce qu'on m'entend dire. ⁷ Et parce que ces révélations étaient extraordinaires, pour m'éviter tout orgueil, il a été mis une écharde dans ma chair *l*, un *ange de *Satan chargé de me frapper, pour m'éviter tout orgueil. ⁸ A ce sujet, par trois fois, j'ai prié le Seigneur de l'écarter de moi. ⁹ Mais il m'a déclaré : Ma grâce te suffit ; ma puissance donne toute sa mesure dans la faiblesse. Aussi mettrai-je mon orgueil bien plutôt dans mes faiblesses, afin que repose sur moi la puissance du Christ.

¹⁰ Donc je me complais
dans les faiblesses,
les insultes,
les contraintes,
les persécutions, et les angoisses
pour Christ !
Car lorsque je suis faible, c'est alors que je suis fort.

Soucis de Paul pour les Corinthiens

¹¹ Me voilà devenu fou ! Vous m'y avez contraint. C'est vous qui auriez dû me recommander. Car je n'ai rien eu de moins que ces super-apôtres, bien que je ne sois rien. ¹² Les signes distinctifs de *l'apôtre se sont produits parmi vous : patience à toute épreuve, *signes miraculeux, prodiges, actes de puissance. ¹³ Qu'avez-vous eu de moins que les autres églises, sinon que, pour moi, je ne vous ai pas exploités ? Pardonnez-moi cette injustice !

¹⁴ Voici que je suis prêt à venir chez vous pour la troisième fois et je ne vous exploiterai pas : car je ne recherche pas vos biens, mais vous-mêmes. Ce n'est pas aux enfants à mettre de côté pour les parents, mais aux parents pour les enfants. ¹⁵ Pour moi, bien volontiers je dépenserai et me dépenserai moi-même tout entier pour vous. Si je vous aime davantage, en serai-je moins aimé ? ¹⁶ Soit, je ne vous ai pas été à charge ! Mais, fourbe que je suis, je vous ai eus par ruse. ¹⁷ Prenez qui vous voulez de ceux que je vous ai envoyés : vous ai-je exploités par l'un d'eux ? ¹⁸ J'ai insisté auprès de Tite et envoyé avec lui le frère (dont j'ai parlé) *m*. Tite vous a-t-il exploités ? N'avons-nous pas marché dans le même esprit ? Et sur les mêmes traces ? ¹⁹ Depuis longtemps vous pensez que nous nous justifions devant vous ? Non, c'est devant Dieu, en Christ, que nous parlons. Et tout cela, bien-aimés, pour votre édification. ²⁰ Je crains en effet de ne pas vous trouver à mon arrivée tels que je veux, et que vous ne me trouviez pas tel que vous voulez ; qu'il n'y ait chez vous de la discorde, de la jalousie, des emportements, des rivalités, des médisances, des commérages, de l'insolence, des remous. ²¹ Je crains qu'à mon prochain passage, mon Dieu ne m'humilie devant vous et que je n'aie à pleurer sur beaucoup de ceux qui ont péché antérieurement et ne se seront pas convertis de leur impureté, de leur inconduite et de leur débauche !

---

h L'apôtre parle de lui-même ● *i* C'est-à-dire vers l'an 42 ou 43, pendant le séjour de Paul en Cilicie (Ac 9.30; 11.25; Ga 1.21), ou à Antioche, avant son premier voyage missionnaire ● *j* Dans les anciennes conceptions juives le paradis était souvent situé au *troisième ciel* ● *k* Voir Ez 3,12. Expression traditionnelle pour désigner les extases prophétiques ● *l* Souffrance particulière à l'apôtre, qu'il n'est pas possible de préciser. Voir cependant Ga 4.13-15 ● *m* Voir 2 Co 8.18. Les mots *dont j'ai parlé* sont sous-entendus dans le texte original

12.1 visions et révélations Ac 16.9; 22.18; 23.11; 27.23-26; 2 Co 12.7; Ga 2.2 — apparition du ressuscité à Paul Ac 9.5; 22.8; 26.15, 19; 1 Co 9.1; 15.8. **12.4** paradis Lc 23.43; Ap 2.7. **12.6** Paul aurait de quoi se vanter 2 Co 10.8+. **12.8** par trois fois j'ai prié Mt 26.39-44. **12.9-10** faiblesse de l'apôtre et puissance du Christ 2 Co 4.7+; 11.30; 12.5; 13.4, 9; Ph 4.13. **12.12** signes distinctifs de l'apôtre Rm 15.19; 1 Co 2.4; 1 Th 1.5. **12.14** séjours de Paul à Corinthe 1) Ac 18; 2) 2 Co 13.2; 3) (projet) 2 Co 1.23; 2.1; 13.1; cf. 1 Co 16.5. **12.15** tout entier pour vous Ph 2.17. **12.18** le frère 2 Co 8.18, 22. **12.20-21** avertissement 2 Co 2.1; 10.11; 13.2.

Derniers avertissements et salutation

13 ¹ C'est la troisième fois que je vais chez vous. *Toute affaire sera décidée sur la parole de deux ou trois témoins.* ² Je l'ai déjà dit et, comme lors de ma deuxième visite, je le redis aujourd'hui que je suis absent, à ceux qui ont péché antérieurement et à tous les autres : Si je reviens, j'agirai sans ménagement, ³ puisque vous voulez la preuve que le Christ parle en moi. Il n'est pas faible à votre égard, mais montre sa puissance en vous ⁿ. ⁴ Certes il a été crucifié dans sa faiblesse, mais il est vivant par la puissance de Dieu. Et nous aussi sommes faibles en lui, mais nous serons vivants avec lui par la puissance de Dieu envers vous. ⁵ Faites vous-mêmes votre propre critique, voyez si vous êtes dans la foi, éprouvez-vous ; ou bien ne reconnaissez-vous pas que Jésus Christ est en vous ? A moins que l'épreuve ne tourne contre vous. ⁶ Vous reconnaîtrez, je l'espère, que nous avons fait nos preuves. ⁷ Nous prions Dieu que vous ne fassiez aucun mal ; nous ne désirons pas donner nos preuves, mais vous voir faire le bien, et que l'épreuve paraisse tourner contre nous. ⁸ Car nous sommes sans pouvoir contre la vérité, nous n'avons de puissance que pour la vérité. ⁹ Nous sommes dans la joie chaque fois que nous sommes faibles et que vous êtes forts. Voilà le but de nos prières : votre perfectionnement. ¹⁰ C'est pourquoi, étant encore loin, je vous écris ceci pour ne pas avoir, une fois présent, à trancher dans le vif, selon le pouvoir que le Seigneur m'a donné pour édifier et non pour détruire. ¹¹ Au demeurant, frères, soyez dans la joie, travaillez à votre perfectionnement, encouragez-vous, soyez bien d'accord, vivez en paix, et le Dieu d'amour et de paix sera avec vous. ¹² Saluez-vous mutuellement par un saint baiser. Tous les *saints vous saluent. ¹³ La grâce du Seigneur Jésus Christ, l'amour de Dieu, et la communion du Saint Esprit soient avec vous tous.

---

n Ou *parmi vous*

13.1 Toute affaire sera... Dt 17.6 ; 19.15 (Mt 18.16 ; 1 Tm 5.19 ; He 10.28) — troisième voyage à Corinthe 2 Co 12.14+. **13.3** Christ parle par moi 2 Co 3.5-6. **13.4** faibles et vivants avec le Christ Rm 6.8-11 ; 2 Co 12.9-10+. **13.5** faites votre autocritique 1 Co 11.28 ; Ga 6.4. **13.9** faibles 2 Co 12.9-10+. **13.10** édifier et non détruire Jr 1.10 ; 2 Co 10.8. **13.11** joie Ph 3.1 ; 4.4 — en bon accord Rm 15.5 ; 1 Co 1.10 ; Ep 4.2-3 ; Ph 2.2 — le Dieu de paix Rm 15.33. **13.12** un saint baiser Rm 16.16 ; 1 Co 16.20 ; 1 Th 5.26 ; 1 P 5.14. **13.13** grâce, amour et communion Ph 2.1 — Jésus Christ, Dieu, Esprit saint Mt 28.19 ; Jn 14.16 ; Rm 1.4 ; 15.16, 30 ; 2 Co 1.21-22 ; Ga 4.6 ; Ep 1.3-14 ; 2.18 ; 1 P 1.2 ; 1 Jn 4.2 ; Ap 22.1.

ÉPÎTRE DE PAUL AUX GALATES

L'Evangile de Paul

1 ¹ Paul, *apôtre, non de la part des hommes, ni par un homme, mais par Jésus Christ et Dieu le Père qui l'a ressuscité d'entre les morts, ² et tous les frères qui sont avec moi, aux églises de Galatie *a* : ³ à vous grâce et paix de la part de Dieu notre Père et du Seigneur Jésus Christ, ⁴ qui s'est livré pour nos péchés, afin de nous arracher à ce monde du mal, conformément à la volonté de Dieu, qui est notre Père. ⁵ A lui soit la gloire pour les *siècles des siècles. *Amen.

On détourne les Galates de l'unique Evangile

⁶ J'admire avec quelle rapidité vous vous détournez de celui qui vous a appelés par la grâce du Christ, pour passer à un autre *évangile *b*. ⁷ Non pas qu'il y en ait un autre ; il y a seulement des gens qui jettent le trouble parmi vous et qui veulent renverser l'Evangile du Christ. ⁸ Mais si quelqu'un, même nous ou un *ange du *ciel, vous annonçait un évangile différent de celui que nous vous avons annoncé, qu'il soit anathème *c* ! ⁹ Nous l'avons déjà dit, et je le redis maintenant : si quelqu'un vous annonce un évangile différent de celui que vous avez reçu, qu'il soit anathème ! ¹⁰ Car, maintenant, est-ce que je cherche la faveur des hommes ou celle de Dieu ? Est-ce que je cherche à plaire aux hommes ? Si j'en étais encore à plaire aux hommes, je ne serais plus serviteur de Christ.

Comment Paul a reçu et transmis l'Evangile

¹¹ Car, je vous le déclare, frères : cet *Evangile que je vous ai annoncé n'est pas de l'homme ; ¹² et d'ailleurs, ce n'est pas par un homme qu'il m'a été transmis ni enseigné, mais par une *révélation de Jésus Christ.

¹³ Car vous avez entendu parler de mon comportement naguère dans le *judaïsme : avec quelle frénésie je persécutais l'Eglise de Dieu et je cherchais à la détruire ; ¹⁴ je faisais des progrès dans le judaïsme, surpassant la plupart de ceux de mon âge et de ma race par mon zèle débordant pour les traditions de mes pères *d*. ¹⁵ Mais, lorsque celui qui m'a mis à part depuis le sein de ma mère et m'a appelé par sa grâce a jugé bon ¹⁶ de révéler en moi son Fils afin que je l'annonce parmi les *païens, aussitôt, sans recourir à aucun conseil humain, ¹⁷ ni monter à Jérusalem auprès de ceux qui étaient *apôtres avant moi, je suis parti pour l'Arabie, puis je suis revenu à Damas. ¹⁸ Ensuite, trois ans

---

a généralement considérée comme la région d'Ankara, en Turquie actuelle (Ac 16.6) ● *b* Voir 2.3-5, 12-14; selon les propagateurs de cet autre évangile, l'accès au salut exigeait, outre la foi en Jésus Christ, qu'on se soumît aux prescriptions de la loi juive, notamment la circoncision et la séparation d'avec les non-juifs ● *c* Voir 1 Co 16.22 note *v* ● *d* les doctrines du judaïsme

1.1 Paul apôtre Rm 1.1; Ga 1.11-12, 17; Ac 20.24. **1.2** Galatie Ac 16.6; 18.23; 1 Co 16.1; 2 Tm 4.10; 1 P 1.1. **1.4** Le Christ livré Ga 2.20; 1 Tm 2.6; Tt 2.14 — nous arracher à ce monde de mal Ac 2.40; 1 Jn 5.19. **1.6** appelés Rm 1.6; Ga 1.15; 5.8. **1.8** un évangile différent 2 Co 11.4 — anathème Rm 9.3+. **1.11** Evangile-parole de Dieu 1 Th 2.13. **1.12** révélation de Jésus Christ Ga 1.1, 15-16; Mt 16.17. **1.13** le persécuteur de l'Eglise Ac 8.3; 22.4-5; 26.9-11; 1 Co 15.9; Ph 3.6. **1.14** Paul, juif fervent Ac 22.3; Ph 3.5-6. **1.15** mis à part avant sa naissance Es 49.1; Jr 1.5 (Rm 1.1) — appelé par grâce Ga 1.6; 1 Co 15.10. **1.16** le Fils révélé à Paul Ga 1.12+; Ac 9.3-6; 22.6-10; 26.13-18; 1 Co 9.1 (aux chrétiens 2 Co 4.6) — à l'intention des païens Ac 22.21; Ga 2.7. **1.18** Paul à Jérusalem Ac 9.26-30.

après, je suis monté à Jérusalem pour faire la connaissance de Céphas [e] et je suis resté quinze jours auprès de lui, [19] sans voir cependant aucun autre apôtre, mais seulement Jacques [f], le frère du Seigneur. [20] Ce que je vous écris, je le dis devant Dieu, ce n'est pas un mensonge. [21] Ensuite, je me suis rendu dans les régions de Syrie et de Cilicie. [22] Mais mon visage était inconnu aux églises du Christ en Judée ; [33] simplement, elles avaient entendu dire : « Celui qui nous persécutait naguère annonce maintenant la foi qu'il détruisait alors » [24] et elles glorifiaient Dieu à mon sujet.

Accord de Paul et des autres apôtres

2 [1] Ensuite, au bout de quatorze ans, je suis monté de nouveau à Jérusalem [g] avec Barnabas ; j'emmenai aussi Tite avec moi. [2] Or, j'y montai à la suite d'une *révélation et je leur exposai *l'Evangile que je prêche parmi les *païens ; je l'exposai aussi dans un entretien particulier aux personnes les plus considérées, de peur de courir ou d'avoir couru en vain. [3] Mais on ne contraignit même pas Tite, mon compagnon, un Grec [h], à la *circoncision ; [4] ç'aurait été [i] à cause des faux frères, intrus qui, s'étant insinués, épiaient notre liberté, celle qui nous vient de Jésus Christ, afin de nous réduire en servitude. [5] A ces gens-là nous ne nous sommes pas soumis, même pour une concession momentanée, afin que la vérité de l'Evangile fût maintenue pour vous. [6] Mais, en ce qui concerne les personnalités — ce qu'ils étaient alors, peu m'importe : Dieu ne regarde pas à la situation des hommes — ces personnages ne m'ont rien imposé de plus. [7] Au contraire, ils virent que l'évangélisation des incirconcis m'avait été confiée, comme à Pierre celle des circoncis, [8] — car celui qui avait agi en Pierre pour l'apostolat des

circoncis avait aussi agi en moi en faveur des païens — [9] et, reconnaissant la grâce qui m'a été donnée, Jacques, Céphas et Jean [j], considérés comme des colonnes, nous donnèrent la main, à moi et à Barnabas, en signe de communion, afin que nous allions, nous vers les païens, eux vers les circoncis. [10] Simplement, nous aurions à nous souvenir des pauvres [k], ce que j'ai eu bien soin de faire.

A Antioche Paul s'oppose à Pierre

[11] Mais, lorsque Céphas vint à Antioche [l], je me suis opposé à lui ouvertement, car il s'était mis dans son tort. [12] En effet, avant que soient venus des gens de l'entourage de Jacques, il prenait ses repas avec les *païens ; mais, après leur arrivée, il se mit à se dérober et se tint à l'écart, par crainte des *circoncis ; [13] et les autres *Juifs entrèrent dans son jeu, de sorte que Barnabas lui-même fut entraîné dans ce double jeu. [14] Mais, quand je vis qu'ils ne marchaient pas droit selon la vérité de *l'Evangile, je dis à Céphas devant tout le monde : « Si toi qui es Juif, tu vis à la manière des païens et non à la juive, comment peux-tu contraindre les païens à se comporter en juifs ? » [15] Nous sommes, nous, des Juifs de naissance et non pas des païens, ces *pécheurs. [16] Nous savons cependant que l'homme n'est pas justifié par les œuvres de la *loi, mais seulement par la foi de Jésus Christ [m] ; nous avons cru, nous aussi, en Jésus Christ, afin d'être justifiés par la foi du Christ [m] et non par les œuvres de la loi, parce que, par les œuvres de la loi, personne ne sera justifié. [17] Mais si, en cherchant à être justifiés en Christ, nous avons été trouvés pécheurs nous aussi, Christ serait-il ministre du péché ? Certes non. [18] En effet, si je rebâtis ce que j'ai détruit, c'est moi qui me constitue transgresseur. [19] Car moi, c'est par la loi

---

e Pierre (Jn 1.42) ● *f* Le frère du Seigneur; un des principaux dirigeants de l'église de Jérusalem (Ac 15.13; Ga 2.9) ● *g* Il s'agit sans doute de la rencontre rapportée en Ac 15 ● *h* Voir 3.18 où *Grecs* désigne les non-Juifs ● *i* Les mots *ç'aurait été* sont sous-entendus dans le texte original: si l'on avait circoncis Tite, *ç'aurait été* sous la pression des adversaires mentionnés en 1.7 ● *j* l'apôtre ● *k* Voir 2 Co 8.4: les membres de l'église de Jérusalem ● *l* Antioche de Syrie (Ac 11.19-26) ● *m* ou *la foi en Jésus Christ* et *la foi au Christ*. Même expression en Ga 2.20 et 3.22.

1.19 Jacques, frère du Seigneur Ac 15.13+. **1.21** Paul en Syrie et en Cilicie Ac 9.20. **2.1** Barnabas Ac 4.36+. — Tite 2 Co 2.13+. **2.4** faux frères Ac 15.1, 24; Ga 1.7. **2.5** la vérité de l'Evangile Ga 2.14; 5.7; Ep. 1.13. **2.6** Dieu n'est pas partial Lv 19.15; Dt 10.17; Ac 10.34; Rm 2.11; Ep 6.9; Col 3.25; Jc 2.1; 1 P 1.17. **2.7** Paul apôtre des païens Ac 9.15; 22.21; Ga 1.16; Rm 1.5-6; 15.15-19. **2.10** le souci des pauvres Ac 11.29-30; 2 Co 8—9. **2.12** la fréquentation des païens Ac 10.28; 11.3. **2.14** la vérité de l'Evangile 2.5+. **2.16** personne ne sera justifié... Ps 143.2 — la vraie justification Ac 15.10-11; Rm 3.20, 28; 4.5; 9.30; 11.6; Ga 3.11; Ep. 2.8. **2.19** mort à la loi Rm 7.4-6 — vivre pour Dieu Rm 6.10-11; 14.8 — crucifié avec le Christ Ga 6.14.

que je suis mort à la loi afin de vivre pour Dieu. Avec le Christ, je suis un crucifié ; [20] je vis, mais ce n'est plus moi, c'est Christ qui vit en moi. Car ma vie présente dans la chair, je la vis dans la foi au Fils de Dieu [n] qui m'a aimé et s'est livré pour moi. [21] Je ne rends pas inutile la grâce de Dieu ; car si, par la loi, on atteint la justice, c'est donc pour rien que Christ est mort.

La folie des Galates

3 [1] O Galates stupides, qui vous a envoûtés, alors que, sous vos yeux, a été exposé Jésus Christ crucifié ? [2] Eclairez-moi simplement sur ce point : Est-ce en raison de la pratique de la *Loi que vous avez reçu l'Esprit ou parce que vous avez écouté le message de la foi ? [3] Etes-vous stupides à ce point ? Vous qui d'abord avez commencé par l'Esprit, est-ce la chair maintenant, qui vous mène à la perfection ? [4] Avoir fait tant d'expériences en vain ! Et encore, si c'était en vain ! [5] Celui qui vous dispense l'Esprit et opère parmi vous des miracles, le fait-il donc en raison de la pratique de la loi ou parce que vous avez écouté le message de la foi ?

Ceux qui croient sont bénis avec Abraham

[6] Puisque *Abraham eut foi en Dieu et que cela lui fut compté comme justice,* [7] comprenez-le donc ; ce sont les croyants qui sont fils d'Abraham. [8] D'ailleurs l'Ecriture, prévoyant que Dieu justifierait les *païens par la foi, a annoncé d'avance à Abraham cette bonne nouvelle : *Toutes les nations seront bénies en toi.* [9] Ainsi donc, ceux qui sont croyants sont bénis avec Abraham, le croyant. [10] Car les pra-

tiquants de la loi sont tous sous le coup de la malédiction, puisqu'il est écrit : *Maudit soit quiconque ne persévère pas dans l'accomplissement de tout ce qui est écrit dans le livre de la loi.* [11] Il est d'ailleurs évident que, par la loi, nul n'est justifié devant Dieu, puisque *celui qui est juste par la foi *vivra.* [12] Or le régime de la loi ne procède pas de la foi ; pour elle, *celui qui accomplira les prescriptions de cette loi en vivra.* [13] Christ a payé pour nous libérer de la malédiction de la loi, en devenant lui-même malédiction pour nous, puisqu'il est écrit : *Maudit quiconque est pendu au bois.* [14] Cela pour que la bénédiction d'Abraham parvienne aux païens en Jésus Christ et qu'ainsi, nous recevions, par la foi, l'Esprit, objet de la promesse.

La Promesse ; le rôle de la Loi

[15] Frères, partons des usages humains : un simple *testament humain, s'il est en règle, personne ne l'annule ni ne le complète. [16] Eh bien, c'est à Abraham que les promesses ont été faites, et à sa descendance. Il n'est pas dit : « et aux descendances », comme s'il s'agissait de plusieurs, mais c'est d'une seule qu'il s'agit : *et à ta descendance,* c'est-à-dire Christ. [17] Voici donc ma pensée : un testament en règle a d'abord été établi par Dieu. La *loi, venue quatre cent trente ans [o] plus tard, ne l'abroge pas, ce qui rendrait vaine la promesse. [18] Car, si c'est par la loi que s'obtient l'héritage, ce n'est plus par la promesse. Or, c'est au moyen d'une promesse que Dieu a accordé sa grâce à Abraham. [19] Dès lors, que vient faire la loi ? Elle vient s'ajouter [p] pour que se manifestent les transgressions, en attendant la venue de la descendance à laquelle était destinée la promesse ; elle a été

---

[n] ou *la foi du Fils de Dieu* (voir Ga 2.16 et note) ● [o] Selon la traduction grecque de l'A.T. (Ex 12.40-41) ● [p] ou *prendre place à côté.* La nuance du verbe grec indique que la loi reste en marge du dessein de salut

2.20 Christ vit en moi Rm 8.10 ; Ph 1.21 — la vie du croyant 2 Co 10.3 ; 5.14-15 — l'amour du Christ Jn 13.1 ; 17.23 ; 1 Jn 3.16 — qui s'est livré Ga 1.4 ; 1 Tm 2.6 ; Tt 2.14 — la foi au Fils de Dieu Ga 2.16 ; Rm 3.22, 26 ; Ph 3.9.   **3.1** Jésus Christ crucifié, centre de la prédication 1 Co 1.18, 23-24 ; 2.2 ; Ga 6.14.   **3.2** la loi et la foi Ga 2.16+ — l'Esprit reçu Ac 11.17 ; Rm 8 ; Ga 4.6.   **3.4** expériences de l'action de l'Esprit 1 Co 2.12 ; 12.4-11 ; 2 Co 12.12.   **3.6** Abraham eut foi... Gn 15.6 (Rm 4.3).   **3.8** Toutes les nations... Gn 12.3 (18.18 ; Si 44.21 ; Ac 3.25).   **3.9** descendants d'Abraham le croyant Rm 4.16 ; He 2.16.   **3.10** maudit soit... Dt 27.26.   **3.11** celui qui est juste... Ha 2.4 (Rm 1.17 ; He 10.38) — la loi ne rend pas juste Ga 2.16+.   **3.12** celui qui accomplit... Lv 18.5 (Rm 10.5).   **3.13** Maudit quiconque... Dt 21.23 — Christ a payé Rm 5.8+ ; Ga 4.5 ; Ep 2.4-5 — devenant malédiction pour nous Rm 8.3 ; 2 Co 5.21.   **3.14** l'Esprit promis donné Rm 5.5+.   **3.16** la promesse faite à Abraham Rm 4.13+ — le Christ, seule descendance d'Abraham Mt 1.1 ; Ga 3.28-29.   **3.19** le rôle de la loi Rm 4.15+ — la loi promulguée par des anges Ac 7.38, 53 ; He 2.2.

promulguée par les *anges *q* par la main d'un médiateur. ²⁰ Or, ce médiateur n'est pas médiateur d'un seul. Et *Dieu est unique.* ²¹ La loi va-t-elle donc à l'encontre des promesses de Dieu ? Certes non. Si en effet une loi avait été donnée, qui ait le pouvoir de faire *vivre, alors c'est de la loi qu'effectivement viendrait la justice. ²² Mais l'Ecriture a tout soumis au péché dans une commune captivité, afin que, par la foi en Jésus Christ *r*, la promesse fût accomplie pour les croyants.

²³ Avant la venue de la foi, nous étions gardés en captivité sous la loi, en vue de la foi qui devait être *révélée. ²⁴ Ainsi donc, la loi a été notre surveillant *s*, en attendant le Christ, afin que nous soyons justifiés par la foi. ²⁵ Mais, après la venue de la foi, nous ne sommes plus soumis à ce surveillant. ²⁶ Car tous, vous êtes, par la foi, fils de Dieu, en Jésus Christ. ²⁷ Oui, vous tous qui avez été baptisés en Christ, vous avez revêtu Christ. ²⁸ Il n'y a plus ni *Juif, ni Grec ; il n'y a plus ni esclave, ni homme libre ; il n'y a plus l'homme et la femme ; car tous, vous n'êtes qu'un en Jésus Christ. ²⁹ Et si vous appartenez au Christ, c'est donc que vous êtes la descendance d'Abraham : selon la promesse, vous êtes héritiers.

Tu n'es plus esclave, mais fils

4 ¹ Telle est donc ma pensée : Aussi longtemps que l'héritier est un enfant, il ne diffère en rien d'un esclave, lui qui est maître de tout ; ² mais il est soumis à des tuteurs et à des régisseurs jusqu'à la date fixée par son père *t*. ³ Et nous, de même, quand nous étions des enfants soumis aux éléments du monde *u*, nous étions esclaves. ⁴ Mais, quand est venu l'accomplissement du temps, Dieu a envoyé son Fils, né d'une femme et assu-

jetti à la *loi, ⁵ pour payer la libération de ceux qui sont assujettis à la loi, pour qu'il nous soit donné d'être fils adoptifs. ⁶ Fils, vous l'êtes bien : Dieu a envoyé dans nos cœurs l'Esprit de son Fils, qui crie : Abba — Père ! ⁷ Tu n'es donc plus esclave, mais fils ; et, comme fils, tu es aussi héritier : c'est l'œuvre de Dieu.

Soucis de Paul pour la foi des Galates

⁸ Jadis, quand vous ne connaissiez pas Dieu, vous étiez asservis à des dieux qui, de leur nature, ne le sont pas, ⁹ mais maintenant que vous connaissez Dieu, ou plutôt que vous êtes connus de lui, comment pouvez-vous retourner encore à des éléments faibles et pauvres, dans la volonté de vous y asservir de nouveau ? ¹⁰ Vous observez religieusement les jours, les mois, les saisons, les années *v* ! ¹¹ Vous me faites craindre d'avoir travaillé pour vous en pure perte ! ¹² Comportez-vous comme moi, puisque je suis devenu comme vous, frères, je vous en prie. Vous ne m'avez fait aucun tort. ¹³ Vous le savez bien, ce fut à l'occasion d'une maladie que je vous ai, pour la première fois, annoncé la bonne nouvelle ; ¹⁴ et, si éprouvant pour vous que fût mon corps, vous n'avez montré ni dédain, ni dégoût. Au contraire, vous m'avez accueilli comme un *ange de Dieu, comme le Christ Jésus. ¹⁵ Où donc est votre joie d'alors ? Car je vous rends ce témoignage : si vous l'aviez pu, vous vous seriez arraché les yeux pour me les donner. ¹⁶ Et maintenant, suis-je devenu votre ennemi parce que je vous dis la vérité ? ¹⁷ L'empressement qu'on vous témoigne n'est pas de bon aloi ; ils veulent seulement vous détacher de moi pour devenir eux-mêmes l'objet de votre empressement. ¹⁸ Ce qui est bon, c'est de se voir témoigner un empressement bien intentionné,

---

q Comme Etienne (Ac 7.38, 53), Paul se réfère ici à une tradition juive. Le *médiateur* est Moïse ● *r* ou *la foi de Jésus Christ*. Voir Ga 2.16 et note ● *s* Le mot grec utilisé ici désignait non pas un éducateur mais l'esclave chargé de maintenir l'enfant dans la discipline ● *t* Selon le droit hellénistique, c'est le père qui fixait l'âge de la majorité pour son fils ● *u* Expression empruntée au paganisme hellénistique. Voir aussi 4.9 et Col 2.8, 20, où elle désigne des puissances auxquelles l'homme est asservi ● *v* Fêtes juives ou rites d'origine syncrétiste en relation avec le culte des astres

3.20 Dieu est unique Dt 6.4 (Rm 3.30).   3.21 l'impuissance de la loi à sauver Ac 13.38-39 ; Rm 8.3.   3.24 notre surveillant Ga 4.2 - en vue du Christ Rm 10.4.   3.26 fils de Dieu Ga 4.5 ; Jn 1.12 ; Rm 8.15-16.   3.27 revêtir Christ Rm 13.14 ; Ep 4.24 ; Col 3.10 — baptisés en Christ Rm 6.3-4.   3.28 ni Juif ni Grec Rm 10.12 ; 1 Co 12.13 ; Col. 3.11.   4.4 l'accomplissement du temps Mc 1.15 ; Ep 1.10 — Dieu a envoyé son Fils Jn 1.14 ; Rm 1.3.   4.5 la libération payée Ga 3.13+ — fils adoptifs Ga 3.26+.   4.6 Abba Rm 8.15 (note).   4.8 des dieux qui n'en sont pas 2 Ch 13.9 ; Es 37.19 ; Jr 2.11 ; 1 Co 8.4-6.   4.9 être connu de Dieu 1 Co 8.3.   4.10 observance des jours Es 1.13 ; Rm 14.5 ; Col 2.16-23.   4.12 imiter Paul 1 Co 4.16 ; 9.20-22.   4.14 accueillir l'envoyé du Seigneur Mt 10.40 ; Jn 13.20 ; 1 Co 2.3-5 ; 2 Co 4.10-12.

en tout temps, et pas seulement quand j'étais présent parmi vous, [19] mes petits enfants que, dans la douleur, j'enfante à nouveau, jusqu'à ce que Christ soit formé en vous. [20] Oh ! je voudrais être auprès de vous en ce moment pour trouver le ton qui convient, car je ne sais comment m'y prendre avec vous.

Agar et Sara, figures des deux alliances

[21] Dites-moi, vous qui voulez être soumis à la *loi, n'entendez-vous pas ce que dit cette loi ? [22] Il est écrit, en effet, qu'Abraham eut deux fils, un de la servante, un de la femme libre ; [23] mais le fils de la servante était né selon la chair, tandis que le fils de la femme libre l'était par l'effet de la promesse. [24] Il y a là une allégorie : ces femmes sont, en effet, les deux *alliances. L'une, celle qui vient du mont Sinaï, engendre pour la servitude : c'est Agar [25] — car le mont Sinaï est en Arabie —. Et Agar correspond à la Jérusalem actuelle *w* puisqu'elle est esclave avec ses enfants. [26] Mais la Jérusalem d'en haut est libre, et c'est elle notre mère : [27] car il est écrit :

Réjouis-toi, stérile, toi qui n'enfantais pas ;
éclate en cris de joie, toi qui n'as pas connu les douleurs ;
car plus nombreux sont les enfants de la délaissée
que les enfants de celle qui a un époux.

[28] Et vous, frères, comme Isaac, vous êtes enfants de la promesse. [29] Mais, de même que celui qui était né selon la chair persécutait alors celui qui était né selon l'Esprit, ainsi en est-il encore maintenant. [30] Eh bien ! que dit l'Ecriture ? Chasse la servante et son fils, car il ne faut pas que le fils de la servante hérite avec le fils de la femme libre. [31] Ainsi donc, frères, nous ne sommes pas les enfants d'une esclave, mais ceux de la femme libre.

Déchus de la grâce

5 [1] C'est pour que nous soyons vraiment libres que Christ nous a libérés. Tenez donc ferme et ne vous laissez pas remettre sous le *joug de l'esclavage. [2] Moi, Paul, je vous le dis : si vous vous faites *circoncire, Christ ne vous servira plus de rien. [3] Et j'atteste encore une fois à tout homme qui se fait circoncire, qu'il est tenu de pratiquer la *loi intégralement. [4] Vous avez rompu avec Christ, si vous placez votre justice dans la loi ; vous êtes déchus de la grâce. [5] Quant à nous, c'est par l'Esprit, en vertu de la foi, que nous attendons fermement que se réalise ce que la justification nous fait espérer. [6] Car, pour celui qui est en Jésus Christ, ni la circoncision, ni l'incirconcision ne sont efficaces, mais la foi agissant par l'amour.

[7] Vous couriez bien ; qui, en vous barrant la route, empêche la vérité de vous entraîner ? [8] Une telle influence ne vient pas de celui qui vous appelle. [9] Un peu de *levain, et toute la pâte lève ! [10] Pour moi, j'ai confiance dans le Seigneur pour vous : vous ne prendrez pas une autre orientation. Mais celui qui jette le trouble parmi vous en subira la sanction, quel qu'il soit. [11] Quant à moi, frères, si je prêche encore la circoncision, pourquoi suis-je alors persécuté ? Dans ce cas, le scandale de la croix est aboli ! [12] Qu'ils aillent donc jusqu'à se mutiler tout à fait *x*, ceux qui sèment le désordre parmi vous !

Si vous êtes conduits par l'Esprit

[13] Vous, frères, c'est à la liberté que vous avez été appelés. Seulement, que cette liberté ne donne aucune prise à la chair ! Mais, par l'amour, mettez-vous au service les uns des autres. [14] Car la *loi tout entière trouve son accomplissement en cette unique parole : Tu aimeras ton prochain comme toi-même. [15] Mais, si vous vous mordez et vous dévorez les uns les autres, prenez garde : vous allez

---

w Voir Mt 23.37 et Lc 13.34 où *Jérusalem* personnifie aussi le judaïsme ● *x* Allusion probable à un rite pratiqué en Galatie dans le culte de Cybèle

4.19 enfantés à la vie du Christ 1 Co 4.15 — dans la douleur 2 Co 4.10-12 ; Col 1.24 — le Christ formé en vous Rm 8.9-10. **4.22** les deux fils d'Abraham Gn 16.15 ; 21.2. **4.23** promesse au sujet de Sara Gn 17.16 ; Rm 9.7-9. **4.25** la Jérusalem actuelle esclave Jn 8.33-35. **4.26** la Jérusalem d'en haut He 12.22 ; Ap 3.12 ; 21.2, 10. **4.27** Réjouis-toi Es 54.1. **4.30** Gn 21.10 (Jn 8.35). **5.1** libération, liberté Jn 8.36 ; Rm 8.2+ ; Ga 2.4 ; 5.13. **5.3** l'exigence de la loi Ga 3.10 ; Rm 2.25 ; Jc 2.10. **5.5** l'Esprit et l'espérance Rm 8.23-25 ; 2 Co 1.22 ; 5.1-5. **5.6** circoncision et incirconcision 1 Co 7.18-19 ; Ga 6.15 — la foi agissante Jc 2.2. — par l'amour 1 Tm 1.5 — et l'espérance Rm 5.1-5 ; 8.23-25 ; 1 Co 13.13 ; 1 Th 1.3. **5.7** vérité et liberté Jn 8.32 ; Ga 2.14. **5.9** levain 1 Co 5.6. **5.11** le scandale de la croix 1 Co 1.23. **5.13** liberté Ga 5.1+. **5.14** Tu aimeras Lv 19.18 (Mt 5.43 ; 19.19 ; 22.39 ; Mc 12.31 ; Lc 10.27 ; Rm 13.8-10 ; Jc 2.8).

vous détruire les uns les autres. [16] Ecoutez-moi : marchez sous l'impulsion de l'Esprit et vous n'accomplirez plus ce que la chair désire. [17] Car la chair, en ses désirs, s'oppose à l'Esprit et l'Esprit à la chair ; entre eux, c'est l'antagonisme ; aussi ne faites-vous pas ce que vous voulez. [18] Mais si vous êtes conduits par l'Esprit, vous n'êtes plus soumis à la loi.

[19] On les connaît, les œuvres de la chair : libertinage, impureté, débauche, [20] idolâtrie, magie, haines, discorde, jalousie, emportements, rivalités, dissensions, factions, [21] envie, beuveries, ripailles et autres choses semblables ; leurs auteurs, je vous en préviens, comme je l'ai déjà dit, n'hériteront pas du *royaume de Dieu.

[22] Mais voici le fruit de l'Esprit : amour, joie, paix, patience, bonté, bienveillance, foi, [23] douceur, maîtrise de soi ; contre de telles choses, il n'y a pas de loi. [24] Ceux qui sont au Christ ont crucifié la chair avec ses passions et ses désirs. [25] Si nous vivons par l'Esprit, marchons aussi sous l'impulsion de l'Esprit.

La loi du Christ

[26] Ne soyons pas vaniteux : entre nous, pas de provocations, entre nous, pas d'envie.

6 [1] Frères, s'il arrive à quelqu'un d'être pris en faute, c'est à vous, les spirituels, de le redresser dans un esprit de douceur ; prends garde à toi : ne peux-tu pas être *tenté, toi aussi ? [2] Portez les fardeaux, les uns des autres ; accomplissez ainsi la loi du Christ. [3] Car, si quelqu'un se prend pour un personnage, lui qui n'est rien, il est sa propre dupe. [4] Mais que chacun examine son œuvre à lui ; alors, s'il y trouve un motif de fierté, ce sera par rapport à lui-même et non par comparaison à un autre. [5] Car c'est

sa propre charge que chacun portera. [6] Que celui qui reçoit l'enseignement de la Parole fasse une part dans tous ses biens en faveur de celui qui l'instruit. [7] Ne vous faites pas d'illusions : Dieu ne se laisse pas narguer ; car ce que l'homme sème, il le récoltera. [8] Celui qui sème pour sa propre chair récoltera ce que produit la chair : la corruption. Celui qui sème pour l'Esprit récoltera ce que produit l'Esprit : la *vie éternelle. [9] Faisons le bien sans défaillance ; car, au temps voulu, nous récolterons si nous ne nous relâchons pas. [10] Donc, tant que nous disposons de temps, travaillons pour le bien de tous, surtout celui de nos proches, dans la foi.

La croix du Christ et la nouvelle création

[11] Voyez ces grosses lettres : je vous écris de ma propre main ! [12] Des gens désireux de se faire remarquer dans l'ordre de la chair, voilà les gens qui vous imposent la *circoncision. Leur seul but est de ne pas être persécutés à cause de la croix du Christ [y] ; [13] car, ceux-là même qui se font circoncire n'observent pas la *loi ; ils veulent néanmoins que vous soyez circoncis, pour avoir, en votre chair, un titre de gloire. [14] Pour moi, non, jamais d'autre titre de gloire que la croix du Seigneur Jésus Christ ; par elle, le monde est crucifié pour moi, comme moi pour le *monde. [15] Car, ce qui importe, ce n'est ni la circoncision, ni l'incirconcision, mais la nouvelle création. [16] Sur ceux qui se conduisent selon cette règle, paix et miséricorde, ainsi que sur l'Israël de Dieu.

[17] Dès lors, que personne ne me cause de tourments ; car moi, je porte en mon corps les marques de Jésus [z]. [18] Que la grâce de notre Seigneur Jésus Christ soit avec votre esprit, frères. Amen.

---

y La circoncision mettait le Juif en sécurité dans le monde romain, puisque celui-ci avait reconnu les institutions juives. Non-circoncis, les chrétiens ne bénéficiaient pas de cette protection ● z les marques des souffrances endurées au service de Jésus

5.16 l'impulsion de l'Esprit Rm 8.4-5 ; Ga 5.25. **5.17** antagonisme chair-Esprit Rm 7.14-23 ; 1 P 2.11. **5.18** conduits par l'Esprit Rm 8.14 — délivrés de la loi Rm 6.14 ; 7.4 ; Ga 2.19 ; 4.5. **5.19-21** les œuvres de la chair Rm 1.28-31 ; 1 Co 6.9-10 ; Ep 5.5 ; Ap 22.15. **5.22** fruits de l'Esprit 2 Co 6.6 ; Ep 5.9 ; 1 Tm 6.11 ; Ga 5.6. **5.23** la loi est faite pour les pécheurs 1 Tm 1.9. **5.24** crucifiés avec le Christ Rm 6.6 ; 8.13 ; Ga 2.19 ; Col 3.5 ; 1 P 2.11. **5.25** l'impulsion de l'Esprit Ga 5.16+. **6.1** redressement fraternel Mt 18.15 ; 2 Th 3.14-15 ; Jc 5.19-20 — se méfier de soi-même 1 Co 10.12. **6.2** soutien fraternel Rm 15.1 — la loi du Christ Jn 13.34 ; Rm 8.2 ; 1 Co 9.21 ; Ph 2.5-8. **6.3** se prendre pour un personnage 1 Co 3.18 ; 4.7. **6.4** s'examiner 1 Co 11.28 ; 2 Co 13.5 — seule fierté légitime Ga 6.14, 15+. **6.6** devoirs du disciple Rm 15.27 ; 1 Co 9.11-14 ; Lc 10.7. **6.7** récolter ce qu'on a semé Jb 4.8 ; Pr 22.8 ; Os 8.7. **6.8** la chair et l'Esprit Jn 3.6 ; 6.63 ; Rm 8.13 ; Ga 5.16-17+. **6.11** salutation autographe Rm 16.22 ; 1 Co 16.21 ; Col 4.18 ; 1 Th 3.17 ; cf. Phm 19. **6.14** la croix, seul titre de gloire Rm 3.27 ; 5.3-5 ; 1 Co 1.23-31 ; 2.2 ; Ph 3.3 — le chrétien crucifié Ga 2.19 ; 5.24. **6.15** circoncision et incirconcision Ga 5.6+ — nouvelle création 2 Co 5.17 ; Ap 21.5. **6.16** l'Israël de Dieu Rm 11.1-5. **6.17** les marques de Jésus 2 Co 4.10 ; 6.4-5 ; 11.23-28 ; Col 1.24. **6.18** bénédiction Ph 4.23 ; 2 Tm 4.22 ; Phm 25.

ÉPÎTRE DE PAUL AUX ÉPHÉSIENS

Adresse et salutation

1 ¹ Paul, *apôtre de Jésus Christ par la volonté de Dieu, aux saints *a* et fidèles en Jésus Christ : ² à vous grâce et paix de la part de Dieu notre Père et du Seigneur Jésus Christ.

Une bénédiction complète en Christ

³ Béni soit Dieu, le Père de notre Seigneur Jésus Christ :
Il nous a bénis de toute bénédiction spirituelle dans les *cieux en Christ.
⁴ Il nous a choisis en lui avant la fondation du monde
pour que nous soyons *saints et irréprochables sous son regard, dans l'amour *b*.
⁵ Il nous a prédestinés à être pour lui des fils adoptifs par Jésus Christ :
ainsi l'a voulu sa bienveillance
⁶ à la louange de sa gloire
et de la grâce dont il nous a comblés en son Bien-aimé *c* :
⁷ En lui, par son *sang, nous sommes délivrés,
en lui, nos fautes sont pardonnées,
selon la richesse de sa grâce.

⁸ Dieu nous l'a prodiguée,
nous ouvrant à toute sagesse et intelligence.
⁹ Il nous a fait connaître le *mystère de sa volonté,
le dessein bienveillant qu'il a d'avance arrêté en lui-même
¹⁰ pour mener les temps à leur accomplissement :
réunir l'univers entier sous un seul chef, le Christ *d*,
ce qui est dans les cieux et ce qui est sur la terre.
¹¹ En lui aussi, nous avons reçu notre part *e*,
suivant le projet de celui qui mène tout au gré de sa volonté :
nous avons été prédestinés
¹² pour être à la louange de sa gloire ceux qui ont d'avance espéré dans le Christ.
¹³ En lui, encore, vous avez entendu la parole de vérité, *l'Évangile qui vous sauve.
En lui, encore, vous avez cru, et vous avez été marqués du sceau de l'Esprit promis,

---

a mot à mot: *aux saints qui sont* (à Ephèse), *aux fidèles*. Les mots *à Ephèse* manquent dans les meilleurs manuscrits. Pour le séjour de Paul à Ephèse, voir Ac 18.19-21; 19.1-40 ● *b* les mots *dans l'amour* peuvent aussi être rattachés à *il nous a prédestinés* (v. 5) ● *c* Voir Col 1.13. L'expression désigne Jésus ● *d* réunir l'univers... le Christ: Autre traduction: *récapituler toutes choses en Christ*. Le verbe grec employé ici exprime simultanément l'idée de résumer, réunir, et celle de souveraineté ● *e* Analogie avec le partage de la terre promise, où chacun reçut son lot (Jos 13—19). On peut comprendre aussi: *en lui nous avons été choisis comme son lot* (c'est-à-dire comme l'héritage de Dieu; voir Ex 34.9)

1.1-2 salutation 1 Co 1.1; Col 1.1. **1.3** béni soit Dieu! 2 Co 1.3; 1 P 1.3. **1.4-14** prédestination Rm 8.28-30 — choisis Jn 15.16. **1.4** avant la création du monde Jn 17.24; 2 Th 2.13 — irréprochables Ep 5.27; Col 1.22. **1.5** des fils adoptifs Rm 8.15-16; Ga 4.4; Jn 1.12; 1 Jn 3.1. **1.6** le Bien-aimé Col 1.13; Mt 3.17; Dt 33.12. **1.7** l'œuvre du Christ Col 1.13-14 — délivrance Rm 3.24-25 — par son sang Ep 2.13+ — la richesse de sa grâce Ep 2.7. **1.8** sagesse Col 1.9; 4.5. **1.9** le dessein mystérieux de Dieu Ep 3.3+. **1.10** l'accomplissement des temps Mc 1.15; Ga 4.4 — sous un seul chef, Christ Col 1.16-17. **1.11** notre part v. 14; Col 1.12+; Nb 18.20; Ps 16.5 — le projet de Dieu Rm 8.28-29; Ep 3.11. **1.12** espérance Ep 1.18+. **1.13** le sceau de l'Esprit Ep 4.30; 2 Co 1.22 — l'Esprit promis Ga 3.14. **1.14** l'Esprit donné comme acompte 2 Co 5.5; Rm 8.14-17, 23 — héritiers Rm 8.17; Ga 3.29; 4.7; Col 1.12+.

l'Esprit Saint, ¹⁴ acompte de notre héritage
jusqu'à la délivrance finale où nous en prendrons possession,
à la louange de sa gloire.

Prière de Paul pour les Ephésiens

¹⁵ Voilà pourquoi, moi aussi, depuis que j'ai appris votre foi dans le Seigneur Jésus et votre amour pour tous les *saints, ¹⁶ je ne cesse de rendre grâce à votre sujet, lorsque je fais mention de vous dans mes prières. ¹⁷ Que le Dieu de notre Seigneur Jésus Christ, le Père à qui appartient la gloire, vous donne un esprit de sagesse qui vous le révèle et vous le fasse vraiment connaître ; ¹⁸ qu'il ouvre votre cœur à sa lumière, pour que vous sachiez quelle espérance vous donne son appel, quelle est la richesse de sa gloire, de l'héritage qu'il vous fait partager avec les saints ᶠ, ¹⁹ quelle immense puissance il a déployée en notre faveur à nous les croyants ; son énergie, sa force toute-puissante, ²⁰ il les a mises en œuvre dans le Christ, lorsqu'il l'a ressuscité des morts et *fait asseoir à sa droite* ᵍ dans les *cieux, ²¹ bien au-dessus de toute Autorité, Pouvoir, Puissance, Souveraineté ʰ et de tout autre nom qui puisse être nommé, non seulement dans ce monde, mais encore dans le monde à venir. ²² Oui, *il a tout mis sous ses pieds* et il l'a donné, au sommet de tout, pour tête à l'Eglise ²³ qui est son corps, la plénitude de Celui que Dieu remplit lui-même totalement ⁱ.

De la mort à la vie

2 ¹ Et vous, qui étiez morts à cause de vos fautes et des péchés ² où vous étiez autrefois engagés, quand vous suiviez le dieu de ce *monde, le prince qui règne entre ciel et terre, l'esprit qui agit maintenant parmi les rebelles... ³ Nous étions de ce nombre, nous tous aussi, qui nous abandonnions jadis aux désirs de notre chair ; nous faisions ses volontés, suivions ses impulsions, et nous étions par nature, tout comme les autres, voués à la colère ʲ. ⁴ Mais Dieu est riche en miséricorde ; à cause du grand amour dont il nous a aimés, ⁵ alors que nous étions morts à cause de nos fautes, il nous a donné la *vie avec le Christ, — c'est par grâce que vous êtes sauvés ! —, ⁶ avec lui, il nous a ressuscités et fait asseoir dans les *cieux, en Jésus Christ. ⁷ Ainsi, par sa bonté pour nous en Jésus Christ, il a voulu montrer dans les siècles à venir l'incomparable richesse de sa grâce. ⁸ C'est par la grâce, en effet, que vous êtes sauvés, par le moyen de la foi ; vous n'y êtes pour rien, c'est le don de Dieu. ⁹ Cela ne vient pas des œuvres, afin que nul n'en tire *orgueil. ¹⁰ Car c'est lui qui nous a faits : nous avons été créés en Jésus Christ pour les œuvres bonnes, que Dieu a préparées d'avance, afin que nous nous y engagions ᵏ.

Païens et Juifs réunis en Christ

¹¹ Souvenez-vous donc qu'autrefois, vous qui portiez le signe du *paganisme

---

ᶠ Voir Rm 1.7 et note ● ᵍ Voir He 1.3 et note ● ʰ Voir Col 1.16 et note ● ⁱ Autre traduction possible: *la plénitude de celui qui remplit tout en tous...* Voir Col 1.19 et note ● ʲ Comme en Rm 1.18 il s'agit de la colère de Dieu ● ᵏ ou *que Dieu a préparées d'avance afin que nous les pratiquions*

1.15-16 merci pour la foi et l'amour des autres Col 1.4, 9 ; Rm 1.8-9 ; 1 Th 1.2 ; Phm 4-5. **1.17-18** prière pour les fidèles Col 1.9+. **1.17** un esprit de sagesse Es 11.2 ; *Sg* 7.7 — l'Esprit qui révèle 1 Co 2.10 **1.18** La révélation du dessein de Dieu Ep 3.9 — espérance Ep 1.12 ; 2.12 ; 4.4 ; Rm 8.24-25 — héritage Col 1.12+. **1.19-20** la puissance de Dieu mise en œuvre dans le Christ Rm 1.4 ; 2 Co 13.4 ; Col 2.12 — et déployée en notre faveur Rm 8.11 ; 1 Co 6.14 ; Ep 3.20 ; Ph 3.10. **1.20** fait asseoir... Ps 110.1 (Col 3.1+) — dans les cieux Ep 1.3+. **1.21** le Christ au-dessus de tout Col 1.15-20 ; 2.10 ; Mt 28.18 ; 1 Co 15.24-25 ; Ph 2.9 ; He 1.3-4 — Puissances mystérieuses Col 1.16+. **1.22** il a tout mis Ps 8.7 (1 Co 15.27) — le Christ, tête de l'Eglise Ep 4.15. **1.23** l'Eglise corps du Christ Col 1.18+ — plénitude Ep 4.10 ; Col 1.19 ; 2.9 ; Jn 1.16. **2.1-10** ce que Dieu a fait de nous en Christ Tt 3.3-7. **2.1** morts par vos fautes Ep 2.5 ; Col 2.13 ; Lc 15.24, 32 ; Rm 6.13. **2.2** ce que vous étiez autrefois Ep 2.11 ; 5.8 ; Col 3.7 ; Tt 3.3 — prince (de ce monde) Ep 6.12 ; 2 Co 4.4 ; Jn 12.31. **2.3** juifs et païens sous le jugement de Dieu Rm 1.18 ; 2.3 ; 3.9, 20, 23. **2.4** miséricorde de Dieu 1 P 1.3 — amour de Dieu Jn 3.16-17. **2.5** morts v. 1+ — et revenus à la vie Lc 15.24, 32 ; Rm 6.13 — salut déjà acquis Ep 2.8 ; Col 2.12 ; Ac 15.11 — salut encore à venir Rm 6.3-11 ; 8.11, 17-18. **2.6** ressuscités Col 3.1-4. **2.8** sauvés par grâce Ac 15.11 ; Rm 3.24 ; 9.16 ; Ga 2.16 ; Ep 2.5 — le don de Dieu Jn 4.10 ; He 6.4. **2.9** les œuvres sont incapables de justifier Rm 3.28 ; 2 Tm 1.9 ; Tt 3.5 — que nul n'en tire orgueil 1 Co 1.29 ; Ga 6.14. **2.10** créés en Jésus Christ 2 Co 5.17 ; Ga 6.15 — pour les œuvres bonnes Tt 2.14. **2.11** votre passé Ep 2.2+ — païens Rm 11.17 — circoncision Col 2.11.

dans votre chair, vous que traitaient d'« incirconcis » ceux qui se prétendent les *« circoncis », à la suite d'une opération pratiquée dans la chair, [12] souvenez-vous qu'en ce temps-là, vous étiez sans Messie [l], privés du droit de cité en Israël, étrangers aux *alliances de la promesse, sans espérance et sans Dieu dans le monde. [13] Mais maintenant, en Jésus Christ, vous qui jadis étiez *loin*, vous avez été rendus *proches* par le *sang du Christ. [14] C'est lui, en effet, qui est notre *paix* : de ce qui était divisé, il a fait une unité. Dans sa chair, il a détruit le mur de séparation : la haine. [15] Il a aboli la *loi et ses commandements avec leurs observances. Il a voulu ainsi, à partir du Juif et du païen, créer en lui un seul homme nouveau, en établissant la paix, [16] et les réconcilier avec Dieu tous les deux [m] en un seul corps, au moyen de la croix ; là, il a tué la haine. [17] Il est venu *annoncer la paix à vous qui étiez loin, et la paix à ceux qui étaient proches.* [18] Et c'est grâce à lui que les uns et les autres, dans un seul Esprit, nous avons l'accès auprès du Père. [19] Ainsi, vous n'êtes plus des étrangers, ni des émigrés ; vous êtes concitoyens des *saints, vous êtes de la famille de Dieu. [20] Vous avez été intégrés dans la construction qui a pour fondation les *apôtres et les prophètes [n], et Jésus Christ lui-même comme pierre maîtresse. [21] C'est en lui que toute construction [o] s'ajuste et s'élève pour former un *temple *saint dans le Seigneur. [22] C'est en lui que, vous aussi, vous êtes ensemble intégrés à la construction pour devenir une demeure de Dieu par l'Esprit.

Le mystère du Christ

3 [1] C'est pourquoi moi, Paul, le prisonnier de Jésus Christ pour vous, les païens [p]... [2] si du moins vous avez appris la grâce que Dieu, pour réaliser son plan, m'a accordée à votre intention, [3] comment, par *révélation, j'ai eu connaissance du *mystère [q], tel que je l'ai esquissé rapidement. [4] Vous pouvez constater, en me lisant, quelle intelligence j'ai du mystère du Christ. [5] Ce mystère, Dieu ne l'a pas fait connaître aux hommes des générations passées comme il vient de le révéler maintenant par l'Esprit à ses saints *apôtres et *prophètes : [6] les *païens sont admis au même héritage, membres du même corps, associés à la même promesse, en Jésus Christ, par le moyen de *l'Evangile.

[7] J'en ai été fait *ministre par le don de la grâce que Dieu m'a accordée en déployant sa puissance. [8] Moi, qui suis le dernier des derniers de tous les *saints, j'ai reçu cette grâce d'annoncer aux païens l'impénétrable richesse du Christ [9] et de mettre en lumière comment Dieu réalise le mystère tenu caché depuis toujours en lui, le créateur de l'univers ; [10] ainsi désormais les Autorités et Pouvoirs [r], dans les cieux, connaissent, grâce à l'Eglise, la sagesse multiple de Dieu, [11] selon le projet éternel qu'il a exécuté en Jésus Christ notre Seigneur, [12] en qui nous avons, par la foi en lui, la liberté de nous approcher

---

[l] *Messie* est la forme hébraïque du titre *Oint*, dont *Christ* est la forme grecque ● [m] Comme au v. 11 il s'agit des Juifs et des païens ● [n] Pour les prophètes de l'Eglise primitive, voir Ac 11.27; 13.1; 15.32; 21.10; Ep 3.5 ● [o] Autre texte: *toute la construction* ● [p] Expression raccourcie pour *chrétiens d'origine païenne*, par rapport aux chrétiens d'origine juive. La phrase reste en suspens jusqu'au v. 14 ● [q] Voir 1.9-10 où l'apôtre désigne ainsi le plan éternel de Dieu ● [r] Voir Col 1.16 et note

2.12 étrangers Col 1.21; Ep 4.18 — les alliances, privilège des Israélites Rm 9.4-5 — sans espérance I Th 4.13 — sans (le vrai) Dieu Ac 17.22-23.   **2.13** loin... proches Es 57.19 (Ep 2.17) — loin Ac 2.39 — le sang du Christ Ep 1.7; Col 1.20; He 9.14+; Rm 3.25; 5.9.   **2.14-16** unité Ez 37.17; 1 Co 12.13; Ga 3.28 — paix Es 9.6; Mt 5.9; Col 1.20.   **2.15** Jésus Christ a aboli les effets de la loi Col 2.14 — l'homme nouveau Col 3.10+.   **2.16** le Christ réconciliateur Rm 5.10-11; 11.15; 2 Co 5.18-20; Col 1.20-22.   **2.17** qui étiez loin... Es 52.7; 57.19; Za 9.10 — la bonne nouvelle de la paix Ep 6.15.   **2.18** un libre accès auprès du Père Ep 3.12; Rm 5.2; 8.15; 4.16; He 4.16; 7.25; 10.19-20; 1 P 3.18.   **2.19** les païens sont aussi de la famille de Dieu Ep 3.6 — citoyenneté des chrétiens Ga 4.26; Ph 3.20; He 12.22-23.   **2.20** le fondement de l'Eglise 1 Co 3.9-11; Mt 16.18; Ap 21.14 — la pierre maîtresse Es 28.16 (Rm 9.33; 10.11; 1 Co 3.11; 1 P 2.4-8).   **2.21** édification de l'Eglise Ep 4.11-16; Col 2.19 — le temple de Dieu 1 Co 3.16; 2 Co 6.16; Jn 2.12.   **2.22** une demeure de Dieu 1 P 2.5.   **3.1** Paul prisonnier Ep 4.1; Ph 1.7, 13; Col 4.18; Phm 1, 9.   **3.2-13** la mission de Paul Col 1.24-29.   **3.2** l'apostolat est une grâce Rm 12.3; 15.15; 1 Co 3.10; Ga 2.9.   **3.3** la révélation reçue par Paul Ga 1.12, 16 — le mystère dévoilé à Paul v. 3-10; Ep 1.9-10; Col 1.26-27; 2.2; Rm 16.25-26; 1 Co 2.7-9; Tt 1.2-3.   **3.4-6** le mystère du Christ Rm 9-11.   **3.5** apôtres et prophètes Ep 2.20 (note).   **3.6** les païens Ep 2.11-13, 18-19.   **3.7** Paul ministre de l'Evangile Col 1.23-25.   **3.8** Paul dernier des apôtres 1 Co 15.9-10; 1 Tm 1.15 — annonce aux païens Ac 9.15; 22.21; 26.17-18; Ga 1.16; 2.8.   **3.10** Autorités et Pouvoirs Col. 1.16+; 1 P 1.12 — ressources de la sagesse de Dieu *Sg* 7.27; Rm 11.33-36.   **3.11** projet éternel de Dieu Ep 1.4, 11.   **3.12** liberté d'accès à Dieu Ep 2.18+.

en toute confiance. [13] Aussi, je vous le demande, ne vous laissez pas abattre par les détresses que j'endure pour vous : elles sont votre gloire.

Que le Christ habite en vos cœurs

[14] C'est pourquoi je fléchis les genoux devant le Père, [15] de qui toute famille tient son nom, au ciel et sur la terre ; [16] qu'il daigne, selon la richesse de sa gloire, vous armer de puissance, par son Esprit, pour que se fortifie en vous l'homme intérieur, [17] qu'il fasse habiter le Christ en vos cœurs par la foi ; enracinés et fondés dans l'amour, [18] vous aurez ainsi la force de comprendre, avec tous les *saints, ce qu'est la largeur, la longueur, la hauteur, la profondeur [s]... [19] et de connaître l'amour du Christ qui surpasse toute connaissance, afin que vous soyez comblés jusqu'à recevoir toute la plénitude de Dieu. [20] A Celui qui peut, par sa puissance qui agit en nous, faire au-delà, infiniment au-delà de ce que nous pouvons demander et imaginer, [21] à lui la gloire dans l'Eglise et en Jésus Christ, pour toutes les générations, aux siècles des siècles. *Amen.

Bâtir le corps du Christ dans l'unité

4 [1] Je vous y exhorte donc dans le Seigneur, moi qui suis prisonnier : accordez votre vie à l'appel que vous avez reçu ; [2] en toute humilité et douceur, avec patience, supportez-vous les uns les autres dans l'amour ; [3] appliquez-vous à garder l'unité de l'esprit par le lien de la paix.
[4] Il y a un seul Corps et un seul Esprit,
de même que votre vocation vous a appelés à une seule espérance ; [5] un seul Seigneur, une seule foi, un seul baptême ; [6] un seul Dieu et Père de tous, qui règne sur tous, agit par tous, et demeure en tous.

[7] A chacun de nous cependant la grâce a été donnée selon la mesure du don du Christ. [8] D'où cette parole :

> Monté dans les hauteurs, il a capturé
> des prisonniers ;
> il a fait des dons aux hommes.

[9] Il est monté ! Qu'est-ce à dire, sinon qu'il est aussi descendu jusqu'en bas sur la terre ? [10] Celui qui est descendu, est aussi celui qui est monté plus haut que tous les *cieux, afin de remplir l'univers. [11] Et c'est lui qui a donné certains comme *apôtres, d'autres comme *prophètes, d'autres encore comme *évangélistes, d'autres enfin comme pasteurs et chargés de l'enseignement, [12] afin de mettre les *saints en état d'accomplir le *ministère pour bâtir le corps du Christ, [13] jusqu'à ce que nous parvenions tous ensemble à l'unité dans la foi et dans la connaissance du Fils de Dieu, à l'état d'adultes, à la taille du Christ dans sa plénitude.

[14] Ainsi, nous ne serons plus des enfants, ballottés, menés à la dérive, à tout vent de doctrine, joués par les hommes et leur astuce à nous fourvoyer dans l'erreur. [15] Mais, confessant la vérité dans l'amour, nous grandirons à tous égards vers celui qui est la tête, Christ. [16] Et c'est de lui que le corps tout entier, coordonné et bien uni grâce à toutes les articulations qui le desservent, selon une activité répartie à la mesure de chacun, réalise sa propre croissance pour se construire lui-même dans l'amour.

---

s Phrase inachevée; mais il s'agit sans doute encore du *mystère* (voir v. 3-11 et note sur 3.3), ou déjà de l'amour du Christ (v. 19)

3.13 valeur des détresses de l'apôtre Col 1.24. **3.14-15** le Père Ep 1.17-18; Mt 11.25-27. **3.17** que le Christ habite en vos cœurs Jn 14.23; Rm 8.11; cf. *Sg* 1.4 — enracinés et fondés Col 1.23; 2.7; cf. Ps 89.3. **3.19** connaître Ga 4.9; Col 2.2-3 — l'amour du Christ 1 Co 13 — plénitude de Dieu Ep 1.23+. **3.20-21** doxologie Rm 16.25-27; Jude 24-25 — la puissance de Dieu agissant en nous Col 1.29. **4.1-3** une conduite qui s'accorde à l'appel reçu Ph 2.1-4; Col 1.10; 3.12-15; 1 Th 2.12; 2 Th 1.11. **4.1** Paul prisonnier Ep 3.1+. **4.2** support mutuel Ga 6.2. **4.3** unité de l'esprit Ph 1.27 — le lien de la paix Ep 1.10; 2.13-16; Col 1.20. **4.4-6** un seul Dieu 1 Co 8.6; 12.4-6; Mt 23.8-10; Dt 6.4-5; Mc 12.29 **4.4** un seul corps Ep 2.16; Rm 12.5; 1 Co 10.17; 12.12 — un seul Esprit Ep 2.18; 1 Co 12.13 — espérance Ep 1.18; Col 1.5. **4.5** un seul Seigneur Jn 10.16; 1 Co 1.13; 8.6. **4.6** tous Rm 11.36; 1 Co 12.6. **4.7** la grâce donnée Rm 5.15; 12.3, 6 — à chacun 1 Co 12.11. **4.8** Monté dans les hauteurs... Ps 68.19; Col 2.15. **4.9** descente et montée du Christ Jn 3.13; Rm 10.6-7; Ph 2.6-11. **4.11** les ministères donnés par le Seigneur Rm 12.4-11; 1 Co 12.4-11, 28. **4.12** (les saints mis) en état d'accomplir leur service 2 Tm 3.17 — bâtir le corps du Christ 1 Co 14.26; 1 P 2.5. **4.13** (l'état d') adultes Col 1.28 — à la taille du Christ Ga 4.19 **4.14** dépasser le stade infantile Rm 16.19; 1 Co 3.1-3; 14.20; He 5.11-14 — des doctrines qui égarent 2 Tm 4.3-4; He 13.9. **4.15** Christ, tête du corps Ep 1.22; 5.23; Col 1.18. **4.16** le corps (du Christ) Rm 12.4-5; 1 Co 12.12-30 sa croissance Col 2.19 — construction de l'Eglise Ep 2.20-22.

Le vieil homme et l'homme nouveau

¹⁷ Voici donc ce que je dis et atteste dans le Seigneur : ne vivez plus comme vivent les *païens que leur intelligence conduit au néant. ¹⁸ Leur pensée est la proie des ténèbres et ils sont étrangers à la *vie de Dieu, à cause de l'ignorance qu'entraîne chez eux l'endurcissement de leur cœur. ¹⁹ Dans leur inconscience, ils se sont livrés à la débauche, au point de s'adonner à une *impureté effrénée. ²⁰ Pour vous, ce n'est pas ainsi que vous avez appris le Christ, ²¹ si du moins c'est bien de lui que vous avez entendu parler, si c'est lui qui vous a été enseigné, conformément à la vérité qui est en Jésus : ²² il vous faut, renonçant à votre existence passée, vous dépouiller du vieil homme qui se corrompt sous l'effet des convoitises trompeuses ; ²³ il vous faut être renouvelés par la transformation spirituelle de votre intelligence ²⁴ et revêtir l'homme nouveau, créé selon Dieu dans la justice et la sainteté qui viennent de la vérité.

²⁵ Vous voilà donc débarrassés du mensonge : *que chacun dise la vérité à son prochain,* car nous sommes tous les uns des autres. ²⁶ *Etes-vous en colère ? ne péchez pas ;* que le soleil ne se couche pas sur votre ressentiment. ²⁷ Ne donnez aucune prise au *diable. ²⁸ Celui qui volait, qu'il cesse de voler ; qu'il prenne plutôt la peine de travailler honnêtement de ses mains, afin d'avoir de quoi partager avec celui qui est dans le besoin. ²⁹ Aucune parole pernicieuse ne doit sortir de vos lèvres, mais, s'il en est besoin, quelque parole bonne, capable d'édifier et d'apporter une grâce à ceux qui l'entendent. ³⁰ N'attristez pas le Saint Esprit, dont Dieu vous a marqués comme d'un sceau pour le *jour de la délivrance. ³¹ Amertume, irritation, colère, éclats de voix, injures, tout cela doit disparaître de chez vous, comme toute espèce de méchanceté. ³² Soyez bons les uns pour les autres, ayez du cœur ; pardonnez-vous mutuellement, comme Dieu vous *t* a pardonné en Christ.

5 ¹ Imitez Dieu, puisque vous êtes des enfants qu'il aime ; ² vivez dans l'amour, comme le Christ nous *u* a aimés et s'est livré lui-même à Dieu pour nous, en *offrande et victime,* comme un *parfum d'agréable odeur.* ³ De débauche, *d'impureté, quelle qu'elle soit, de cupidité, il ne doit même pas être question parmi vous ; cela va de soi pour des *saints. ⁴ Pas de propos grossiers, stupides ou scabreux : c'est inconvenant ; adonnez-vous plutôt à l'action de grâce. ⁵ Car, sachez-le bien, le débauché, l'impur, l'accapareur - cet idolâtre — sont exclus de l'héritage dans le *royaume du Christ et de Dieu.

Autrefois ténèbres, maintenant lumière

⁶ Que personne ne vous dupe par de spécieuses raisons : c'est bien tout cela qui attire la colère de Dieu sur les rebelles. ⁷ Ne soyez donc pas leurs complices. ⁸ Autrefois, vous étiez ténèbres, maintenant vous êtes lumière dans le Seigneur. Vivez en enfants de lumière *v*. ⁹ Et le fruit de la lumière s'appelle : bonté, justice, vérité. ¹⁰ Discernez ce qui plaît au Seigneur. ¹¹ Ne vous associez pas aux œuvres stériles des ténèbres ; démasquez-les plutôt. ¹² Ce que ces gens font en secret, on a honte même d'en parler ; ¹³ mais tout ce qui est démasqué, est manifesté

---

t Autre texte : *nous* a pardonné ● *u* Autre texte : *vous* a aimés ● *v* Expression sémitique désignant *ceux qui appartiennent à* la lumière *et qui dépendent* d'elle

---

4.17-19 égarement et dérèglements des païens Rm 1.18-32; 1.19+; Col 3.5. **4.18** étrangers à la vie de Dieu Ep 2.12+ — endurcissement du cœur Mc 3.5. **4.20-21** catéchèse (en vue du baptême) Col 2.6-7; 3.1-10. **4.22-25** se dépouiller... revêtir Col 3.8-10+. **4.23** renouvellement de l'intelligence Rm 12.2. **4.25** que chacun dise... Za 8.16 — membres les uns des autres Rm 12.5; 1 Co 12.12. **4.26** Etes-vous en colère... Ps 4.5 (grec) — colère (de l'homme) Jc 1.19-20. **4.28** travail manuel en vue de l'entr'aide Ac 20.34-35; 1 Co 4.12; Ga 6.10; 1 Th 4.11. **4.29** le bon usage de la parole Ep 5.4; Col 3.8, 16; 4.6; Mt 15.11; Jc 3.10-12. **4.30** n'attristez pas le Saint Esprit Es 63.10; 1 Th 5.19 — le sceau de l'Esprit Ep 1.13-14. **4.31-32** nouveaux rapports avec autrui Col 3.8, 12-13 ; pardon mutuel Mt 6.14; 18.22-35. **5.1** imitation 1 Co 11.1; 1 Th 1.6-7 de Dieu Lv 19.2 (1 P 1.16); Mt 5.48. **5.2** offrande et victime... parfum... Ex 29.18; Ps 40.7 — amour fraternel imité du Christ Jn 13.34; 15.12; Rm 14.15; 1 Jn 3.16 — le Christ s'est livré pour nous 2 Co 5.14; Ga 2.20; Ep 5.25 — offrande et parfum agréable à Dieu Ez 20.41; Ph 4.18; He 10.10. **5.3-5** une conduite qui n'a plus cours 1 Co 6.9-10; Ep 2.1-2; 4.19-31; Col 3.5, 8. **5.4** actions de grâce Col 3.15+. **5.6** ne pas être dupes Ep 4.14; Col 2.4, 8. **5.8** autrefois... maintenant Rm 2.11, 13 — ténèbres et lumière Jn 8.12; Col 1.13; 1 Th 5.4-8; Jc 1.17-18; 1 P 2.9; 1 Jn 1.5-7 — enfants de lumière Lc 16.8; Jn 12.36; 1 Th 5.5. **5.9** fruit Mt 3.8+. **5.10** discernement v. 17; Rm 12.2. **5.11-13** lutte entre lumière et ténèbres Es 60.1; Jn 1.5; 3.20-21.

par la lumière, 14 car tout ce qui est manifesté est lumière. C'est pourquoi l'on dit :

> Eveille-toi, toi qui dors,
> lève-toi d'entre les morts
> et sur toi le Christ resplendira *w*.

15 Soyez vraiment attentifs à votre manière de vivre : ne vous montrez pas insensés, mais soyez des hommes sensés, qui 16 mettent à profit le temps présent, car les jours sont mauvais. 17 Ne soyez donc pas inintelligents, mais comprenez bien quelle est la volonté du Seigneur. 18 *Ne vous enivrez pas de vin,* il mène à la perdition, mais soyez remplis de l'Esprit. 19 Dites ensemble des psaumes, des hymnes et des chants inspirés ; chantez et célébrez le Seigneur de tout votre cœur. 20 En tout temps, à tout sujet, rendez grâce à Dieu le Père au *nom de notre Seigneur Jésus Christ.

Maris et femmes

21 Vous qui craignez le Christ, soumettez-vous les uns aux autres ; 22 femmes, soyez soumises à vos maris, comme au Seigneur. 23 Car le mari est le chef de la femme, tout comme le Christ est le chef de l'Eglise, lui le Sauveur de son corps. 24 Mais, comme l'Eglise est soumise au Christ, que les femmes soient soumises en tout à leurs maris. 25 Maris, aimez vos femmes comme le Christ a aimé l'Eglise et s'est livré pour elle ; 26 il a voulu ainsi la rendre *sainte en la *purifiant avec l'eau qui lave et cela par la Parole ; 27 il a voulu se la présenter à lui-même splendide, sans tache ni ride, ni aucun défaut ; il a voulu son Eglise *sainte et irréprochable. 28 C'est ainsi que le mari doit aimer sa femme, comme son propre corps. Celui qui aime sa femme, s'aime lui-même. 29 Jamais personne n'a pris sa propre chair en aversion ; au contraire, on la nourrit, on l'entoure d'attention comme le Christ fait pour son Eglise ; 30 ne sommes-nous pas les membres de son corps ? 31 *C'est pourquoi l'homme quittera son père et sa mère, il s'attachera à sa femme, et tous deux ne seront qu'une seule chair.* 32 Ce *mystère est grand : je déclare qu'il concerne le Christ et l'Eglise. 33 En tout cas, chacun de vous, pour sa part, doit aimer sa femme comme lui-même, et la femme, respecter son mari.

Enfants et parents ; esclaves et maîtres

6 1 Enfants, obéissez à vos parents, dans le Seigneur, voilà qui est juste. 2 *Honore ton père et ta mère,* c'est le premier commandement accompagné d'une promesse : 3 *afin que tu aies bonheur et longue vie sur terre.* 4 Vous, parents, ne révoltez pas vos enfants, mais, pour les élever, ayez recours à la discipline et aux conseils qui viennent du Seigneur.

5 Esclaves, obéissez à vos maîtres d'ici-bas avec crainte et tremblement, d'un cœur simple, comme au Christ, 6 non parce que l'on vous surveille, comme si vous cherchiez à plaire aux hommes, mais comme des esclaves du Christ qui s'empressent de faire la volonté de Dieu. 7 Servez de bon gré, comme si vous serviez le Seigneur, et non des hommes. 8 Vous le savez : ce qu'il aura fait de bien, chacun le retrouvera auprès du Seigneur, qu'il soit esclave ou qu'il soit libre. 9 Et vous, maîtres, faites de même à leur égard. Laissez de côté la menace : vous savez que, pour eux comme pour vous, le Maître est aux *cieux, et devant lui, il n'y a d'exception pour personne.

---

w Citation d'un texte inconnu, peut-être un hymne chrétien

5.14 réveil Es 26.19; 51.17; 52.1; Jn 5.25; Rm 13.11; 2 Co 3.18 — la lumière du Christ He 6.4; 10.32; 1 P 2.9. **5.15-16** sagesse Ep 1.8+ — en un temps difficile 2 Co 7.26, 31. **5.19-20** louanges et actions de grâce en commun Ps 33.2-3; Col 1.3+. **5.21** soumission mutuelle 1 P 5.5. **5.22-33** recommandations aux époux chrétiens Col 3.18-19+. **5.23** l'Eglise, corps du Christ Ep 4.15-16+. **5.25** le Christ, époux de l'Eglise 2 Co 11.2; Ap 19.7; cf. Os 1—3 — le Christ s'est livré Ep 5.2+. **5.26** le Christ, auteur de la sanctification Jn 17.19; 1 Co 6.11; 7.14; He 10.10, 14; 13.12 — purification par l'eau Ez 36.25; Tt 3.5; He 10.23 et la parole Jn 15.3. **5.27** l'Eglise présentée au Christ 2 Co 11.2 — irréprochable Ep 1.4. **5.28** comme son propre corps 1 Co 7.14. **5.30** membres du corps du Christ Rm 12.5; 1 Co 6.15; 12.27. **5.31** C'est pourquoi l'homme... Gn 2.24 (Mt 19.5; Mc 10.7-8; 1 Co 6.16). **5.32** mystère Ep 3.3+ — le Christ et l'Eglise Ep 5.23, 25+. **6.1-4** enfants et parents Col 3.20-21. **6.2-3** Honore ton père... Ex 20.12; Dt 5.16 (Mt 15.4; Mc 7.10; Lc 18.20). **6.4** éducation Dt 6.7, 20-25; Pr 3.11; 19.18 — le Seigneur, seul véritable éducateur He 12.5-13. **6.5-9** esclaves et maîtres Col 3.22—4.1. **6.5** crainte et tremblement 1 Co 2.3; 2 Co 7.15; Ph 2.12. **6.8** au tribunal du Christ 2 Co 5.10; Ap 14.13. **6.9** pas d'exception Rm 2.11+.

Revêtez l'armure de Dieu

¹⁰ Pour finir, armez-vous de force dans le Seigneur, de sa force toute puissante. ¹¹ Revêtez l'armure de Dieu pour être en état de tenir face aux manœuvres du *diable. ¹² Ce n'est pas à l'homme que nous sommes affrontés, mais aux Autorités, aux Pouvoirs, aux Dominateurs de ce *monde de ténèbres, aux esprits du mal qui sont dans les cieux. ¹³ Saisissez donc l'armure de Dieu, afin qu'au jour mauvais, vous puissiez résister et demeurer debout, ayant tout mis en œuvre. ¹⁴ Debout donc ! *à la taille, la vérité pour ceinturon*, avec *la justice pour cuirasse* ¹⁵ et, comme chaussures aux *pieds, l'élan pour annoncer *l'Evangile de la paix*. ¹⁶ Prenez surtout le bouclier de la foi, il vous permettra d'éteindre tous les projectiles enflammés du Malin ˣ. ¹⁷ Recevez enfin le *casque du salut* et le glaive de l'Esprit, c'est-à-dire la *Parole de Dieu*. ¹⁸ Que l'Esprit suscite votre prière sous toutes ses formes, vos requêtes, en toutes circonstances ; employez vos veilles à une infatigable intercession pour tous les *saints, ¹⁹ pour moi aussi : que la parole soit placée dans ma bouche pour annoncer hardiment ʸ le *mystère de l'Evangile ²⁰ dont je suis l'ambassadeur enchaîné. Puissé-je, comme j'y suis tenu, le dire en toute hardiesse.

Message personnel

²¹ Je veux que vous sachiez, vous aussi, quelle est ma situation, ce que je fais ; Tychique, le frère que j'aime, ministre fidèle dans le Seigneur, vous donnera toutes les nouvelles. ²² Je vous l'envoie tout exprès pour vous dire où nous en sommes et vous réconforter.

²³ Paix aux frères, amour et foi de la part de Dieu le Père et du Seigneur Jésus Christ. ²⁴ Que la grâce soit avec tous ceux qui aiment notre Seigneur Jésus Christ d'un amour inaltérable.

---

x Voir Mt 6.13 ; Jn 17.15, etc. : personnification du mal ● *y* ou *avec franc-parler*

6.11 l'armure de Dieu Rm 13.12 ; 2 Co 6.7 ; 10.4 ; 1 Th 5.8. **6.12** la chair et le sang Mt 16.17 ; 1 Co 15.50 ; Ga 1.16 ; He 2.14 — puissances mystérieuses Col 1.16+. **6.14a** à la taille... Es 11.5. **6.14b** la justice... Es 59.17 ; Sg 5.18 (Ep 6.17 ; 1 Th 5.8). **6.15** l'élan pour annoncer... Es 52.7 (Ac 10.36 ; Rm 10.15 ; 2 Co 5.20 ; Ep 2.17) ; Na 2.1 — l'Evangile de paix Ep 2.17. **6.17** casque du salut Es 59.17 (Ep 6.14+) — glaive de la Parole de Dieu Es 11.4 ; 49.2 ; Os 6.5 ; He 4.12 ; Ap 1.16. **6.18-20** appel à l'intercession Col 4.2-4 — prière en toutes circonstances Lc 18.1 ; 1 Th 5.17. **6.19** prière pour le messager de l'Evangile Col 4.3+ — porte-parole de Dieu Lc 21.15 ; Ac 4.29 — ouvertement Ac 28.31 ; Ep. 3.12 ; 6.20 ; Ph 1.20 — le mystère de l'Evangile Ep 3.3+. **6.20** ambassadeur (de l'Evangile) 2 Co 5.20+ — Paul enchaîné Col 4.18 ; Ph 1.13. **6.21-22** Tychique Col 4.7+. **6.24** aimer le Seigneur Jésus Christ 1 P 1.8.

ÉPÎTRE DE PAUL
AUX PHILIPPIENS

Salutation

1 ¹ Paul et Timothée, serviteurs de Jésus Christ, à tous les *saints en Jésus Christ qui sont à Philippes *a*, avec leurs épiscopes et leurs diacres *b* : ² à vous grâce et paix de la part de Dieu notre Père et du Seigneur Jésus Christ.

Action de grâce et prière

³ Je rends grâce à mon Dieu chaque fois que j'évoque votre souvenir : ⁴ toujours, en chaque prière pour vous tous, c'est avec joie que je prie, ⁵ à cause de la part que vous prenez avec nous à *l'Evangile depuis le premier jour *c* jusqu'à maintenant. ⁶ Telle est ma conviction : Celui qui a commencé en vous une œuvre excellente en poursuivra l'achèvement jusqu'au *jour de Jésus Christ. ⁷ Il est bien juste pour moi d'être ainsi disposé envers vous tous, puisque je vous porte dans mon cœur, vous qui, dans ma captivité *d* comme dans la défense et l'affermissement de l'Evangile, prenez tous part à la grâce qui m'est faite. ⁸ Oui, Dieu m'est témoin que je vous chéris tous dans la tendresse de Jésus Christ.

⁹ Et voici ma prière : que votre amour abonde encore et, de plus en plus, en clairvoyance et en vraie sensibilité, ¹⁰ pour discerner ce qui convient le mieux. Ainsi serez-vous purs et irréprochables pour le jour du Christ, ¹¹ comblés du fruit de justice *e* qui nous vient par Jésus Christ, à la gloire et à la louange de Dieu.

La progression de l'Evangile

¹² Je veux que vous le sachiez, frères, ce qui m'est arrivé a plutôt contribué au progrès de *l'Evangile. ¹³ Dans tout le *prétoire, en effet, et partout ailleurs, il est maintenant bien connu que je suis en captivité pour Christ, ¹⁴ et la plupart des frères, encouragés dans le Seigneur par ma captivité, redoublent d'audace pour annoncer sans peur la Parole *f*. ¹⁵ Certains, il est vrai, le font par envie et par rivalité, mais d'autres proclament le Christ dans une intention bonne. ¹⁶ Ceux-ci agissent par amour. Ils savent que je suis ici pour la défense de l'Evangile. ¹⁷ Ceux-là, c'est par esprit de rivalité qu'ils annoncent le Christ. Leurs motifs ne sont pas purs ; ils pensent rendre ma captivité

---

a A l'époque de Paul *Philippes* était une importante colonie romaine de la Macédoine (4.15) Selon Ac 16.12 Paul s'y arrêta lors de son deuxième voyage missionnaire. Voir 1 Th 2.2 ● *b Episcopes, diacres:* voir 1 Tm 3.1, 8 notes *g* et *h* ● *c* Voir Ac 16.13-15 ● *d* Voir Ph 1.13; on ignore où l'apôtre était emprisonné ● *e justice:* voir Rm 1.17 et note ● *f* Certains manuscrits ajoutent ici: *de Dieu,* ou *du Seigneur*

1.1 Timothée Ac 16.1 + — serviteurs (esclaves) de Jésus Christ Rm 1.1; Ga 1.10; Ep 6.6; Jc 1.1; 2 P 1.1. **1.3-4** actions de grâce 1 Co 1.4; 1 Th 1.2; 2.13 accompagnant la requête Rm 1.8-10; Ep 1.16-17; Ph 1.9; 4.6; Col 4.2. **1.4** avec joie Ph 1.18, 25; 2.2, 17-18, 28-29; 3.1; 4.1, 4, 10. **1.5** la part prise à l'Evangile par les Philippiens Ph 1.27-30; 4.3, 14, 15-18; cf. Rm 15.26-27 **1.6** l'œuvre du Seigneur Ph 1.11, 28; 2.1, 13, 30; 3.10; 4.13, 19; cf. Jn 4.34; 6.28-29; Rm 14.20 — jour de Jésus Christ 1 Co 1.8; Ph 1.10; 2.16; 1 Th 4.15; cf. Am 5.18. **1.7** la grâce qui m'est faite Rm 1.5; Ep 3.1-2; cf. Ph 1.29-30. **1.9** ma prière Col 1.9-10. **1.10** discernement Rm 2.18; 12.2; 1 Th 5.21; He 5.14 — purs et irréprochables Ep 1.4; 1 Th 3.13; 5.23. **1.11** fruit Ph 4.17 + de justice He 12.11; Jc 3.18 — gloire et louange Ph 2.11; Ep 1.6, 12, 14 à Dieu 1 Co 15.28, 57. **1.13** en captivité pour Christ Ep 3.1; 4.1; Ph 1,7.

encore plus pénible. [18] Mais qu'importe ? Il reste que de toute manière, avec des arrière-pensées ou dans la vérité, Christ est annoncé. Et je m'en réjouis ; et même je continuerai à m'en réjouir. [19] Car je sais que *cela aboutira à mon salut* grâce à votre prière et à l'assistance de l'Esprit de Jésus Christ : [20] suivant ma vive attente et mon espérance, je n'aurai pas à rougir de honte, mais mon assurance restant totale [g], maintenant comme toujours, Christ sera exalté dans mon corps, soit par ma vie soit par ma mort. [21] Car pour moi, *vivre, c'est Christ, et mourir m'est un gain. [22] Mais si vivre ici-bas doit me permettre un travail fécond, je ne sais que choisir. [23] Je suis pris dans ce dilemme : j'ai le désir de m'en aller [h] et d'être avec Christ, et c'est de beaucoup préférable, [24] mais demeurer ici-bas est plus nécessaire à cause de vous. [25] Aussi, je suis convaincu, je sais que je resterai, que je demeurerai près de vous tous, pour votre progrès et la joie de votre foi, [26] afin que grandisse grâce à moi, par mon retour auprès de vous, la gloire que vous avez en Jésus Christ.

Une vie qui s'accorde à l'Evangile

[27] Seulement, menez une vie digne de *l'Evangile du Christ [i], afin que, si je viens vous voir, ou si, absent, j'entends parler de vous, j'apprenne que vous tenez ferme dans un même esprit, luttant ensemble d'un même cœur selon la foi de l'Evangile, [28] sans vous laisser intimider en rien par les adversaires, ce qui est pour eux le signe manifeste de leur ruine et de votre salut : et cela vient de Dieu. [29] Car il vous a fait la grâce, à l'égard de Christ, non

seulement de croire en lui mais encore de souffrir pour lui, [30] en livrant le même combat que vous m'avez vu mener et que, vous le savez, je mène encore.

Rechercher l'unité

2 [1] S'il y a donc un appel en Christ, un encouragement dans l'amour, une communion dans l'Esprit, un élan d'affection et de compassion, [2] alors comblez ma joie en vivant en plein accord. Ayez un même amour, un même cœur ; recherchez l'unité ; [3] ne faites rien par rivalité, rien par gloriole, mais, avec humilité, considérez les autres comme supérieurs à vous. [4] Que chacun ne regarde pas à soi seulement, mais aussi aux autres.

Jésus, serviteur souverainement élevé

[5] Comportez-vous [j] ainsi entre vous, comme on le fait en Jésus Christ :

[6] lui qui est de condition divine
n'a pas considéré comme une proie à saisir d'être l'égal de Dieu.

[7] Mais il s'est dépouillé,
prenant la condition de serviteur,
devenant semblable aux hommes,
et, reconnu à son aspect comme un homme ;

[8] il s'est abaissé,
devenant obéissant jusqu'à la mort,
à la mort sur une croix.

[9] C'est pourquoi Dieu l'a souverainement élevé
et lui a conféré le *Nom qui est au-dessus de tout nom,

[10] afin qu'au nom de Jésus *tout genou fléchisse,*

---

g ou *mais au vu et au su de tout le monde, maintenant comme toujours...* ● h sous-entendu: de cette vie, ou de cette terre. Voir 2 Tm 4.6 ● i ou *que votre vie de citoyens soit en accord avec l'Evangile du Christ* ● j ou *ayez entre-vous ces dispositions-là, comme...* Les v. 6-11 citent sans doute un hymne chrétien très ancien

1.19 cela aboutira... Jb 13.16 (Grec).   **1.20** le corps est au service du Seigneur 1 Co 6.12-20. **1.21** vivre, c'est Christ Rm 8.10-11 ; Ga 2.20 ; Col 3.3-4.   **1.23** être avec Christ 2 Co 5.6-9 ; 1 Th 4.17 ; 5.10 ; 2 Th 2.1 ; cf. Rm 14.8.   **1.25** votre progrès Ph 1.9-10 ; 2 Th 1.3 ; 1 Tm 4.15. **1.27** citoyens Ep 2.19 ; Ph 3.20 — une vie qui s'accorde à l'Evangile Ep 4.1-3+ — vous tenez ferme Ga 5.1 ; Ph 4.1 ; 1 Th 3.8 ; 2 Th 2.15 — un même esprit Ep 4.3-4 — combat pour l'Evangile Ph 1.30+.   **1.28** signification de l'opposition rencontrée par les fidèles 2 Th 1.4-10. **1.29** la grâce de souffrir pour lui Ph 3.10 ; Mt 5.10-12 ; Ac 5.41 ; 1 P 1.6-7.   **1.30** le combat de Paul Ac 16.19-40 ; 1 Th 2.2 ; 2 Co 11.24—12.10 ; Col 1.29 ; 2.1 ; 4.12 — vous livrez le même combat Ph 1.7, 27 ; 4.3.   **2.2** bien d'accord Ph 4.2 ; Rm 15.5 ; 1 Co 1.10-16.   **2.3** rivalité Ph 1.17 — gloriole Ga 5.26.   **2.4** regarder aux autres 1 Co 10.24, 33 ; 13.5 ; cf. Ph 2.21.   **2.5** comme on le fait en Jésus Christ Jn 13.15 ; 1 J 2.6.   **2.6** de condition divine Jn 1.1-2 ; 17.5 ; Col 1.15 ; 1 J 1.1-2 — l'égal de Dieu Gn 3.5, 22 ; Rm 5.14.   **2.7** il s'est dépouillé 2 Co 8.9 — la condition d'un serviteur Es 52.13—53.12 ; Mt 20.28 — comme un homme Jn 1.14 ; Rm 8.3 ; 1 Tm 2.5 ; He 2.14, 17.   **2.8** humilié He 2.9 — obéissant Mt 26.39 ; Jn 4.34 ; 6.38 ; He 5.8 ; 12.2 — croix Ac 2.23 ; 1 Co 1.17-18 ; 2.2 ; Jn 10.17.   **2.9** élevé Es 53.10-12 ; Jn 12.32 ; Ac 2.24, 32-33 ; Rm 1.4 ; 1 Th 1.10 ; He 1.3 — le Nom (Seigneur) Ac 2.21, 36 — au-dessus de tout nom Ep 1.20-21 ; He 1.4.   **2.10-11** tout genou... Es 45.23 (Rm 14.11) ; cf. Ep 3.14 — prééminence du ressuscité Ep 4.10 ; Col 1.18-20.

dans les cieux, sur la terre et sous la terre [k],
[11] et que *toute langue confesse* que le Seigneur, c'est Jésus Christ,
à la gloire de Dieu le Père.

Des sources de lumière dans le monde

[12] Ainsi, mes bien-aimés, vous qui avez toujours été obéissants, soyez-le non seulement en ma présence, mais bien plus maintenant, en mon absence ; avec crainte et tremblement mettez en œuvre votre salut, [13] car c'est Dieu qui fait en vous et le vouloir et le faire selon son dessein bienveillant. [14] Agissez en tout sans murmures ni réticences, [15] afin d'être sans reproche et sans compromission, *enfants de Dieu sans tache* au milieu d'une *génération dévoyée et pervertie*, où vous apparaissez comme des sources de lumière dans le *monde, [16] vous qui portez la parole de *vie : c'est ma gloire pour le *jour de Christ, puisque je n'aurai pas couru pour rien ni peiné pour rien. [17] Et même si mon sang doit être versé en libation dans le *sacrifice et le service de votre foi [l], j'en suis joyeux et m'en réjouis avec vous tous ; [18] de même, vous aussi, soyez joyeux et réjouissez-vous avec moi.

Missions de Timothée et d'Epaphrodite

[19] J'espère, dans le Seigneur Jésus, vous envoyer bientôt Timothée, pour être réconforté moi aussi par les nouvelles que j'aurai de vous. [20] Je n'ai personne d'autre qui partage mes sentiments, qui prenne réellement souci de ce qui vous concerne : [21] tous ont en vue leurs intérêts personnels, non ceux de Jésus Christ. [22] Mais lui, vous savez qu'il a fait ses preuves : comme un fils auprès de son père, il s'est mis avec moi au service de *l'Evangile. [23] C'est donc lui que j'espère vous envoyer dès que j'aurai vu clair sur mon sort. [24] J'ai d'ailleurs la conviction dans le Seigneur que moi aussi je viendrai bientôt.

[25] Cependant j'ai cru nécessaire de vous envoyer Epaphrodite [m], mon frère, mon compagnon de travail et de combat, envoyé par vous pour se mettre à mon service alors que j'étais dans le besoin, [26] car il avait un grand désir de vous revoir tous et se tourmentait parce que vous aviez appris sa maladie. [27] De fait, il a été malade, bien près de la mort ; mais Dieu a eu pitié de lui, et pas seulement de lui, mais encore de moi, pour que je n'aie pas tristesse sur tristesse. [28] Je m'empresse donc de vous le renvoyer, afin qu'en le voyant vous vous réjouissiez encore et que moi je sois moins triste. [29] Réservez-lui donc dans le Seigneur un accueil vraiment joyeux, et ayez de l'estime pour des hommes tels que lui, [30] puisque pour l'œuvre de Christ il a failli mourir ; il a risqué sa vie, afin de suppléer à ce que vous ne pouviez faire vous-mêmes pour mon service.

Paul pourrait se confier dans ses titres

3 [1] Au reste, mes frères, réjouissez-vous dans le Seigneur. Il ne m'en coûte pas de vous écrire les mêmes choses, et pour vous c'est un affermissement. [2] Prenez garde aux chiens [n] ! prenez garde aux mauvais ouvriers ! prenez garde aux faux *circoncis ! [3] Car les circoncis, c'est nous, qui rendons notre culte par l'Esprit de Dieu, qui plaçons notre gloire en Jésus Christ, qui ne nous confions pas en nous-mêmes.

[4] Pourtant, j'ai des raisons d'avoir aussi confiance en moi-même. Si un autre croit

---

[k] Comme en Ap 5.3, 13, l'expression *sous la terre* vise le séjour des morts. Voir au glossaire *HADÈS ● [l] ou *si mon sang est versé en libation sur le sacrifice et l'offrande de votre foi...* — Sur la *libation*, voir Ex 29.40-41; Nb 15.1-16; 29.6 ● [m] Délégué de l'église de Philippes auprès de Paul (voir Ph 4.18) ● [n] Comme en Mt 7.6 et Ap 22.15, *chiens* est une appellation péjorative visant ceux que l'on considère comme des adversaires (ici les partisans de la circoncision)

2.11 Jésus Christ Seigneur Ac 2.36; Rm 10.9; 1 Co 12.3; cf. Ap 19.16 — à la gloire de Dieu Ph 1.11; Rm 11.36; 1 Co 15.24-28. **2.12** crainte et tremblement 2 Co 7.15+. **2.13** Dieu fait en vous... Jn 15.5; 1 Co 12.6; 15.10; 2 Co 3.5; Ep 2.10; 1 Th 2.13; He 13.21. **2.14** murmures Nb 14,2, 27; 1 Co 10.10; 1 P 4.9. **2.15** sans tache Ph 1.10; 1 Th 3.13; 5.23 — une génération dévoyée Dt 32.5 (grec); Mt 12.39 Ac 2.40; cf. Mt 10.16 — lumières dans le monde Jn 8.12; 12.35-36; Mt 5.14; Ep 5.8-11; 1 Th 5.5. **2.16** le jour du Christ Ph 1.6+ — l'apôtre comparé à un athlète Ac 20.24; 1 Co 9.24-27; 2 Tm 4.7 — pour rien Es 49.4; 65.23; Ga 2.2; 1 Th 3.5. **2.17-18** joyeux Ph 1.4+. **2.17** offert en libation 2 Tm 4.6 — le culte offert à Dieu Rm 12.1; 15.16; Ph 3.3; 4.18. **2.19** le projet de Paul Ac 19.21-22 — Timothée Ac 16.1 +. **2.22** au service de l'Evangile Ph 1.1, 5. **3.1** Réjouissez-vous Ph 1.4+; 2 Co 13.11; 1 P 4.13. **3.2** mauvais ouvriers 2 Co 11.13 — faux circoncis Ga 5.12. **3.3** les (vrais) circoncis Dt 10.16; Rm 2.29; Col 2.11 — notre culte par l'Esprit de Dieu Rm 1.9; 12.1; cf. Ph 2.17. **3.4** Paul et son passé juif Ac 22.3-5; 23.6; 26.4-7; Rm 11.4; 2 Co 11.22; Ga 1.13-14.

pouvoir se confier en lui-même, je le peux davantage, moi, ⁵ circoncis le huitième jour, de la race d'Israël, de la tribu de Benjamin *o*, Hébreu fils d'Hébreux ; pour la loi, *pharisien ; ⁶ pour le zèle, persécuteur de l'Eglise ; pour la justice qu'on trouve dans la loi, devenu irréprochable.

Saisi par Jésus Christ

⁷ Or toutes ces choses qui étaient pour moi des gains, je les ai considérées comme une perte à cause du Christ. ⁸ Mais oui, je considère que tout est perte en regard de ce bien suprême qu'est la connaissance de Jésus Christ mon Seigneur. A cause de lui j'ai tout perdu et je considère tout cela comme ordures afin de gagner Christ, ⁹ et d'être trouvé en lui, non plus avec une justice à moi, qui vient de la loi, mais avec celle qui vient par la foi au Christ *p*, la justice qui vient de Dieu et s'appuie sur la foi. ¹⁰ Il s'agit de le connaître, lui, et la puissance de sa résurrection, et la communion à ses souffrances, de devenir semblable à lui dans sa mort, ¹¹ afin de parvenir, s'il est possible, à la résurrection d'entre les morts. ¹² Non que j'aie déjà obtenu tout cela ou que je sois déjà devenu parfait ; mais je m'élance pour tâcher de le saisir, parce que j'ai été saisi moi-même par Jésus Christ. ¹³ Frères, je n'estime pas l'avoir déjà saisi. Mon seul souci : oubliant le chemin parcouru et tout tendu en avant, ¹⁴ je m'élance vers le but, en vue du prix attaché à l'appel d'en haut que Dieu nous adresse en Jésus Christ. ¹⁵ Nous tous, les « parfaits », comportons-nous donc ainsi, et si en quelque point vous vous comportez

autrement, là-dessus aussi Dieu vous éclairera. ¹⁶ En attendant, au point où nous sommes arrivés, marchons dans la même direction.

Suivre l'exemple de l'apôtre

¹⁷ Tous ensemble imitez-moi, frères, et fixez votre regard sur ceux qui se conduisent suivant l'exemple que vous avez en nous. ¹⁸ Beaucoup, en effet, je vous le disais souvent et le redis maintenant en pleurant, se conduisent en ennemis de la croix du Christ. ¹⁹ Leur fin sera la perdition ; leur dieu, c'est leur ventre *q*, et leur gloire, ils la mettent dans leur honte *r*, eux qui n'ont à cœur que les choses de la terre. ²⁰ Car notre cité, à nous, est dans les *cieux, d'où nous attendons, comme sauveur, le Seigneur Jésus Christ, ²¹ qui transfigurera notre corps humilié pour le rendre semblable à son corps de gloire, avec la force qui le rend capable aussi de tout soumettre à son pouvoir.

4 ¹ Ainsi donc, frères bien-aimés que je désire tant revoir, vous, ma joie et ma couronne *s*, tenez ferme de cette façon dans le Seigneur, mes bien-aimés.

Réjouissez-vous dans le Seigneur

² J'exhorte Evodie et j'exhorte Syntyche à vivre en plein accord dans le Seigneur. ³ Et toi, Compagnon *t* véritable, je te le demande, viens-leur en aide, car elles ont lutté avec moi pour *l'Evangile, en même temps que Clément et tous mes autres collaborateurs, dont les noms figurent au livre de *vie.

⁴ Réjouissez-vous dans le Seigneur en tout temps ; je le répète, réjouissez-vous.

---

o Tribu vénérée entre toutes, restée fidèle à la dynastie de David (voir 11 R 2.21) ● *p* ou *la foi du Christ*. Voir Ga 2.16 et note ● *q* Sans doute comme en Rm 16.18; Col. 2-16, 20-21. Paul vise ici les interdictions alimentaires prescrites par les tenants de la loi juive. Voir au glossaire *PUR ● *r* Voir Ga 6.13, 15: allusion probable à la circoncision ● *s* La *couronne* est la récompense des vainqueurs dans les jeux du stade ou au retour de la guerre ● *t* En grec *Syzygos*, qui pourrait être un nom propre

3.5 circoncis le 8ᵉ jour Gn 17.12; Lv 12.3; Lc 1.59; 2.21.   **3.6** persécuteur de l'Eglise Ac 8.3; 9.1-2, 13-14; 22.4; 26.9-11; 1 Co 15.9; Ga 1.13, 23; 1 Tm 1.13-14.   **3.8** connaître (lien vital et personnel) Os 2.22; Jr 10.14; 17.3; 2 Co 13.12 Jésus Christ Ep 3.19; 4.13.   **3.9** les deux « justices » Mt 5.20; Rm 3.21-22; 10.3; Ga 2.16; 3.21-22.   **3.10** conformé au Christ Rm 6.4-9; 8.17; 1 Co 6.14; 2 Co 4. 10-14; Ga 6.17 — connaître la puissance de sa résurrection Jn 11.24-26.   **3.12** parfait 1 Co 14.20; Col 1.28; cf. Mt 5.48; 1 Co 2.6 — Paul saisi par Jésus Christ Ac 9.5-6; Ga 1.15-16 — le saisir parce que j'ai été saisi 1 Co 8.3; Ga 4.9; 1 Tm 6.12; 1 Jn 4.10-19 — la course de l'apôtre Ph 2.16+.   **3.17** imitez-moi 1 Co 4.16; 11.1; 1 Th 1.6; cf. Ep 5.1+; 1 Th 1.7; 2.14; 1 P 5.3.   **3.18** ennemis de la croix 1 Co 1.17-18, 23; Ga 5.11; 6.12.   **3.19** les choses de la terre Mt 6.19; Jn 3.12; Rm 8.5-6; Col 3.2.   **3.20** notre cité dans les cieux Ep 2.6, 19; He 11.10; 12.22; 13.14 — attente Rm 8.19, 23; 1 Co 1.7; Tt 2.13.   **3.21** conformé à son corps de gloire Rm 8.29; 1 Co 15.42-49, 53. — avec la force Ep 1.19; 3.7; cf. 1 Co 1.25 — assujettissement à Jésus Christ 1 Co 15.27-28; He 2.8.   **4.1** tenez ferme Ph 1.27+.   **4.2** bien d'accord Ph 2.2+.   **4.3** lutter pour l'Evangile Ph 1.30+ — collaborateurs de l'apôtre Rm 16.3, 9, 21; 2 Co 8.23; Ph 2.25; Col 4.11; Phm 1, 24 (1 Th 3.2) — le livre de vie Ap 3.5+.   **4.4** Réjouissez-vous Ph 1.4+.

⁵ Que votre bonté soit reconnue par tous les hommes. Le Seigneur est proche. ⁶ Ne soyez inquiets de rien, mais, en toute occasion, par la prière et la supplication accompagnées d'action de grâces, faites connaître vos demandes à Dieu. ⁷ Et la paix de Dieu, qui surpasse toute intelligence, gardera vos cœurs et vos pensées en Jésus Christ.

⁸ Au reste, frères, tout ce qu'il y a de vrai, tout ce qui est noble, juste, pur, digne d'être aimé, d'être honoré, ce qui s'appelle vertu, ce qui mérite l'éloge, tout cela, portez-le à votre actif. ⁹ Ce que vous avez appris, reçu, entendu de moi, observé en moi, tout cela, mettez-le en pratique. Et le Dieu de la paix sera avec vous.

Votre don, un sacrifice qui plaît à Dieu

¹⁰ Je me suis beaucoup réjoui dans le Seigneur de ce que votre intérêt pour moi ait enfin pu refleurir : oui, l'intérêt vous l'aviez, mais l'occasion vous manquait. ¹¹ Ce n'est pas le besoin qui me fait parler, car j'ai appris en toute situation à me suffire. ¹² Je sais vivre dans la gêne, je sais vivre dans l'abondance. J'ai appris, en toute circonstance et de toutes les manières, à être rassasié comme à avoir faim, à vivre dans l'abondance comme dans le besoin. ¹³ Je peux tout en Celui

qui me rend fort. ¹⁴ Pourtant, vous avez bien fait de prendre votre part de ma détresse. ¹⁵ Vous le savez, vous, Philippiens, dans les débuts de *l'Evangile, quand j'ai quitté la Macédoine ᵘ, aucune église ne m'a fait une part dans un compte de doit et avoir ᵛ, si ce n'est vous seuls, ¹⁶ vous qui, à Thessalonique ʷ déjà, à plus d'une reprise, m'avez envoyé ce dont j'avais besoin.

¹⁷ Ce n'est pas que je sois à la recherche de cadeaux ; ce que je recherche, c'est le fruit qui s'accroît à votre actif. ¹⁸ J'ai d'ailleurs en mains tout ce qu'il faut, et même au-delà. Je suis comblé, maintenant que j'ai reçu ce qu'Epaphrodite m'a remis de votre part, *parfum de bonne odeur,* *sacrifice agréé et qui plaît à Dieu. ¹⁹ Et mon Dieu comblera tous vos besoins, suivant sa richesse, magnifiquement, en Jésus Christ. ²⁰ A Dieu notre Père soit la gloire pour les *siècles des siècles. *Amen.

Salutations finales

²¹ Saluez chacun des *saints en Jésus Christ. Les frères qui sont avec moi vous saluent. ²² Tous les saints vous saluent, surtout ceux de la maison de César ˣ.

²³ Que la grâce du Seigneur Jésus Christ soit avec votre esprit.

---

u Voir Rm 1.16 et note. Départ de Paul pour la Macédoine : Ac 20.1 ● *v* Sur cet échange de biens spirituels et matériels, voir 1 Co 9.11. Paul recourt ici au vocabulaire des transactions commerciales ● *w* Voir 1 Th 1.1 et note ; Ac 17.1 ● *x* Voir Ph 1.13 (prétoire) : l'expression *la maison de César* englobe tout le personnel au service de l'empereur (César) ; elle peut correspondre à toute ville où siégeait un gouverneur romain

4.5 le Seigneur est proche Ph 3.20 ; He 10.37 ; Jc 5.8-9 ; 1 P 4.7 ; Ap 3.11 ; 22.20. **4.6** sans inquiétude Mt 6.25-34 ; 1 P 5.7 — prière et actions de grâce Ph 1.3-4+. **4.7** la paix Es 26.3 ; Jn 14.27 ; Col 3.15. **4.8** Rm 12.2. **4.9** ce que vous avez appris de moi 1 Th 4.1 ; 2 Tm 2.15 ; 3.6 — le Dieu de paix Rm 15.33 ; 16.20 ; 1 Co 14.33 ; 1 Th 5.23. **4.10** les dons envoyés par les Philippiens Ph 2.25-30 ; 4.18. **4.13** Celui qui me rend fort 2 Co 12.9-10 ; Ph 3.10, 21 ; Col 1.11 ; 2 Tm 4.17. **4.15** débuts de l'Evangile à Philippes Ac 16.12-40 — Paul soutenu par les seules Eglises de Macédoine 2 Co 11.8-9. **4.17** le fruit Mt 3.8+. **4.18** parfum de bonne odeur Gn 8.21 ; Ex 29.18 ; Ez 20.41 ; Ep 5.2 — sacrifice qui plaît à Dieu Rm 12.1-2 ; cf. Ph 2.17, 30. **4.20** à Dieu la gloire Rm 16.27 ; Ep 3.20-21 ; Ph 1.11 ; 2.11.

ÉPÎTRE DE PAUL AUX COLOSSIENS

Adresse et salutation

1 ¹ Paul, *apôtre de Jésus Christ par la volonté de Dieu, et Timothée, le frère, ² aux *saints de Colosses *a*, frères fidèles en Christ ; à vous grâce et paix de la part de Dieu, notre Père *b*.

L'Evangile est parvenu jusqu'à vous

³ Nous rendons grâce à Dieu, Père de notre Seigneur Jésus Christ, dans la prière que nous ne cessons de lui adresser pour vous ; ⁴ nous avons entendu parler de votre foi en Jésus Christ et de l'amour que vous avez pour tous les *saints, ⁵ dans l'espérance qui vous attend aux *cieux ; cette espérance vous a été annoncée par la parole de vérité, *l'Evangile ⁶ qui est parvenu jusqu'à vous ; tout comme il porte du fruit et progresse dans le monde entier, de même fait-il parmi vous depuis le jour où vous avez reçu et connu dans sa vérité la grâce de Dieu, ⁷ selon l'enseignement que vous a donné Epaphras ; notre ami et compagnon de service, qui nous supplée fidèlement comme *ministre du Christ *c*, ⁸ nous a décrit de quel amour l'Esprit vous anime.

Prière pour l'église de Colosses

⁹ Voilà pourquoi, de notre côté, du jour où nous l'avons appris, nous ne cessons pas de prier pour vous. Nous demandons à Dieu que vous ayez pleine connaissance de sa volonté en toute sagesse et pénétration spirituelle, ¹⁰ pour que vous meniez une vie digne du Seigneur, recherchant sa totale approbation. Par tout ce que vous ferez de bien, vous porterez du fruit et progresserez dans la vraie connaissance de Dieu ; ¹¹ vous serez fortifiés à tous égards par la vigueur de sa gloire et ainsi amenés à une persévérance et une patience à toute épreuve.

Le Fils, image du Dieu invisible

Avec joie, ¹² rendez grâce au Père qui vous a rendus capables d'avoir part à l'héritage des *saints dans la lumière.

¹³ Il nous a arrachés au pouvoir des ténèbres et nous a transférés dans le *royaume du Fils de son amour, ¹⁴ en qui nous avons la délivrance, le pardon des péchés.

¹⁵ Il est l'image du Dieu invisible. Premier-né de toute créature.

---

a Petite ville de Phrygie, située à 200 km à l'Est d'Ephèse, en Turquie actuelle ● *b* De nombreux manuscrits ajoutent: *et du Seigneur Jésus Christ* ● *c* Autre texte: *qui est un fidèle ministre du Christ à votre égard*

1.1-2 Paul apôtre Ep 1.1-2; 1 Co 1.1-2 — Timothée Ac 16.1 +. **1.3-5** Merci pour la foi et l'amour des autres Ep 1.15-16 +. **1.3** action de grâce Rm 1.8-9; Ep 5.4, 20; Col 1.12; 2.7; 3.15-17; 4.2; 1 Th 1.2. **1.4-5** la foi, l'amour et l'espérance 1 Co 13.13 +. **1.5** l'espérance qui vous attend Ep 1.18; He 6.19; 1 P 1.3-4. **1.6** l'Evangile en marche Mt 28.19-20; Mc 4.8; 13.10; 16.15; 1 Tm 3.16. **1.7** Epaphras Col 4.12; Phm 23. **1.9** prière d'intercession Col 2.2-3; Ep 1.17-18; 3.14-19; Ph 1.9. **1.10** une vie digne du Seigneur Ep 4.1; 1 Th 2.12; Ph 1.27. **1.12** avoir part à l'héritage Ep 1.14, 18; Dt 33.3-4; Jos 14.1-5; Sg 5.5; Ac 20.32; 26.18; 1 P 1.4 — les saints Rm 1.7 +. **1.13** arrachés Ex 14.30 aux ténèbres Ac 26-17-18 — ténèbres et lumière Ep 5.8 + — le Fils bien-aimé Ep 1.6 +. **1.14** délivrance Ep 1.7; Rm 3.24. **1.15** autres hymnes au Christ Ph 2.6-11; 1 Tm 3.16 — image de Dieu Gn 1.26; Sg 7.26; 2 Co 4.4 +; Ph 2.6; He 1.1-4 — premier-né de toute créature Pr 8.22-36; Si 1.4-9; Jn 1.1-18; Rm 8.29; He 1.6.

¹⁶ Car en lui tout a été créé,
Dans les cieux et sur la terre,
Les êtres visibles comme les invisibles,
Trônes et Souverainetés, Autorités et
Pouvoirs *d*.
Tout est créé par lui et pour lui,
¹⁷ Et il est, lui, par devant tout ;
Tout est maintenu en lui,
¹⁸ Et il est, lui, la tête du corps, qui est
l'Eglise.
Il est le commencement,
Premier-né d'entre les morts,
Afin de tenir en tout, lui, le premier
rang.
¹⁹ Car il a plu à Dieu
De faire habiter en lui toute la
plénitude *e*.
²⁰ Et de tout réconcilier par lui et
pour lui,
Et sur la terre et dans les *cieux,
Ayant établi la paix par le *sang de
sa croix.

²¹ Et vous qui autrefois étiez étrangers,
vous dont les œuvres mauvaises manifes-
taient l'hostilité profonde, ²² voilà que
maintenant Dieu vous a réconciliés *f* dans
le corps périssable de son Fils, par sa
mort, pour vous faire paraître devant
lui *saints, irréprochables, inattaquables.
²³ Mais il faut que, par la foi, vous
teniez, solides et fermes, sans vous laisser
déporter hors de l'espérance de *l'Evangile que vous avez entendu, qui a été
proclamé à toute créature sous le ciel,
et dont moi, Paul, je suis devenu le
*ministre.

Le combat de l'apôtre

²⁴ Je trouve maintenant ma joie dans
les souffrances que j'endure pour vous, et
ce qui manque aux détresses du Christ,
je l'achève dans ma chair *g* en faveur de
son corps qui est l'Eglise ; ²⁵ j'en suis
devenu le *ministre en vertu de la charge
que Dieu m'a confiée à votre égard :
achever l'annonce de la Parole de Dieu,
²⁶ le *mystère *h* tenu caché tout au long
des âges et que Dieu a manifesté maintenant à ses *saints. ²⁷ Il a voulu leur
faire connaître quelles sont les richesses
et la gloire de ce mystère parmi les
*païens : Christ au milieu de vous, l'es-
pérance de la gloire ! ²⁸ C'est lui que
nous annonçons, avertissant chacun, ins-
truisant chacun en toute sagesse, afin de
rendre chacun parfait *i* en Christ. ²⁹ C'est
le but de mon labeur, du combat mené
avec sa force qui agit puissamment en
moi.

2 ¹ Je veux en effet que vous sachiez
quel rude combat je mène pour
vous, pour ceux de Laodicée *j*, et pour
tant d'autres qui ne m'ont jamais vu personnellement ; ² je veux qu'ainsi leurs
cœurs soient encouragés et qu'étroitement
unis dans l'amour, ils accèdent, en toute
sa richesse, à la plénitude de l'intelligence,
à la connaissance du *mystère de Dieu :
Christ, ³ en qui sont cachés tous *les trésors
de la sagesse* et de la connaissance. ⁴ Je
dis cela pour que personne ne vous abuse
par de beaux discours. ⁵ Sans doute, je
suis absent de corps, mais d'esprit je suis

d Le v. énumère un certain nombre de puissances spirituelles que l'antiquité considérait comme participant au gouvernement de l'univers physique et du monde religieux. Voir aussi
Ga 4.3 et note ● *e* D'après Col 2.9 il s'agit de la *plénitude* de la divinité ● *f* Autre texte :
vous avez été réconciliés ● *g* ou *j'achève ce qui manque aux détresses du Christ en ma propre
chair.* Comme en Mt 24.9; Ap 7.14, etc., le terme grec rendu ici par *détresses* désigne les épreuves
liées à la prédication de l'Evangile et particulières à la fin des temps ● *h* Voir Ep 3.3 et note ● *i* ou
parvenu au but, adulte ● *j* Voir Col 4.13 et note

1.16 le Christ et la création He 1.2+ — puissances invisibles Rm 8.38-39; 1 Co 2.8; 15.24;
Ep 1.21; 3.10; 6.12; Col 2.8, 10, 15. **1.17** le Christ par devant tout Jn 3.31; 8.58. **1.18** le
corps comme communauté des fidèles Rm 12.4-5; 1 Co 12.12-27 — le Christ, tête de l'Eglise
Ep 1.22-23; 4.15-16; 5.23 — le commencement Ap 3.14 — premier-né d'entre les morts Ac 26.23;
Rm 8.29; 1 Co 15.20; He 1.6; Ap 1.5. **1.19** la plénitude Ep 1.23+. **1.20** tout réconcilier
Ep 1.10; 2.16; Col 1.16-17; Rm 5.10; 2 Co 5.18-20 — la paix Ep 2.14-17; Rm 5.1 — le sang du
Christ Ep 2.13+. **1.21** étrangers et ennemis Ep 2.12; 4.18; Rm 5.10. **1.22** le corps périssable
du Fils Ep 2.14-16; Rm 7.4; 8.3; Jn 1.14 — paraître devant le Seigneur Col 1.28; Ep 5.27;
2 Co 11.2 — irréprochables Ep 1.4+. **1.23** fermes Ep 3.17; 1 Co 15.58; He 3.14 — espérance
Col 1.5+ — l'Evangile proclamé Col 1.5-6+. **1.24** le sens des souffrances de l'apôtre Ep 3.1,13;
Ac 9.16; 2 Co 4.10-12; 11.23; 2 Tm 2.10. **1.25** la charge confiée par Dieu Ep 3.2; Es 42.1-4;
Rm 15.16-21 — achever l'annonce de la Parole Mc 13.9-10; Ac 20.24; 2 Tm 4.17. **1.26** le mystère Ep 3.3+ — les saints Rm 1.7+. **1.27** la gloire de Dieu manifestée parmi les nations
Ac 13.47; Rm 15.7-13 — la gloire espérée Col 3.4; Ep 1.18; Rm 5.2; 8.19-21. **1.28** un homme
adulte Ep 4.13. **1.29** la force de Dieu en moi Ep 3.7, 20; Ph 4.13. **2.1** Laodicée Col 4.13-16;
Ap 1.11; 3.14. **2.2** le mystère Ep 3.3+. **2.4** danger d'être abusé Col 2.8; Ep 5.6; Rm 16.18.
2.5 fermes dans la foi Col 1.23, 29; 1 P 5.9.

avec vous, heureux de vous voir tenir votre poste et rester solides dans votre foi au Christ.

Vous êtes pleinement comblés en Christ

[6] Poursuivez donc votre route dans le Christ, Jésus le Seigneur, tel que vous l'avez reçu ; [7] soyez enracinés et fondés en lui, affermis ainsi dans la foi telle qu'on vous l'a enseignée, et débordants de reconnaissance. [8] Veillez à ce que nul ne vous prenne au piège de la philosophie [k], cette creuse duperie à l'enseigne de la tradition des hommes, des forces qui régissent l'univers [l] et non plus du Christ. [9] Car en lui habite toute la plénitude de la divinité, corporellement, [10] et vous vous trouvez pleinement comblés en celui qui est le chef de toute Autorité et de tout Pouvoir.

[11] En lui vous avez été *circoncis d'une circoncision où la main de l'homme n'est pour rien et qui vous a dépouillés [m] du corps charnel : telle est la circoncision du Christ. [12] Ensevelis avec lui dans le baptême, avec lui encore vous avez été ressuscités puisque vous avez cru en la force de Dieu qui l'a ressuscité des morts. [13] Et vous, qui étiez morts à cause de vos fautes et de *l'incirconcision de votre chair, Dieu vous a donné la *vie avec lui :

il nous a pardonné toutes nos fautes,
[14] il a annulé le document accusateur [n] que les commandements retournaient contre nous,
il l'a fait disparaître,
il l'a cloué à la croix,
[15] il a dépouillé les Autorités et les Pouvoirs [o]
il les a publiquement livrés en spectacle

il les a traînés dans le cortège triomphal de la croix.

[16] Dès lors, que nul ne vous condamne pour des questions de nourriture ou de boisson, à propos d'une fête, d'une nouvelle lune [p] ou de *sabbats. [17] Tout cela n'est que l'ombre de ce qui devait venir, mais la réalité relève du Christ. [18] Ne vous laissez pas frustrer de la victoire par des gens qui se complaisent dans une « dévotion » [q], dans un « culte des *anges » ; ils se plongent dans leurs visions et leur intelligence charnelle les gonfle de chimères ; [19] ils ne tiennent pas à la tête de qui le corps tout entier, pourvu et bien uni grâce aux articulations et ligaments, tire la croissance que Dieu lui donne.

Morts et ressuscités avec le Christ

[20] Du moment que vous êtes morts avec Christ, et donc soustraits aux éléments du monde [r], pourquoi vous plier à des règles, comme si votre vie dépendait encore du monde : [21] ne prends pas, ne goûte pas, ne touche pas ; [22] tout cela pour des choses qui se décomposent à l'usage [s] : voilà bien les commandements et les doctrines des hommes ! [23] Ils ont beau faire figure de sagesse : « religion personnelle, dévotion, ascèse », ils sont dénués de toute valeur et ne servent qu'à contenter la chair.

3 [1] Du moment que vous êtes ressuscités avec le Christ, recherchez ce qui est en haut, là où se trouve le Christ, *assis à la droite de Dieu ;* [2] c'est en haut qu'est votre but, non sur la terre. [3] Vous êtes morts, en effet, et votre *vie est cachée avec le Christ en Dieu. [4] Quand le Christ, votre vie, paraîtra, alors vous

k Au sens restreint de spéculation religieuse. Ici seulement dans le N.T. ● l Voir note sur Ga 4.3 ● m Voir notes sur Rm 6.6 et 7.5 ● n C'est-à-dire un billet qui porte une reconnaissance de dette et qui devient donc une accusation contre des signataires insolvables ● o Autorités et Pouvoirs : cf. Col 1.16 et note ● p Observance religieuse inspirée du Judaïsme ● q ou dans une fausse humilité ● r Voir Ga 4.3 et note ● s ou l'usage de toutes ces choses mène à la perdition. Dans ce cas la phrase continuerait à citer les maximes des faux docteurs

2.6 recevoir (le message apostolique) 1 Co 11.23; 15.1-3; Ep 4.20-21. **2.7** enracinés Ep 3.17 et fondés en Christ Ep 2.20-22; Jd 20. **2.8** un piège Col 2.4+; 2 Co 8.4-5; 2 Tm 4.3—tradition des hommes Mt 15.6; Col 2.22. **2.9** plénitude Ep 1.23+. **2.10** comblés Ep 1.21-23; 3.19; Jn 1.16. **2.11** circoncision Ep 2.11; Rm 2.29+ —dépouillés Col 3.9; 1 P 3.21. **2.12** ensevelis avec le Christ Rm 6.4-11 — ressuscités avec lui Col 3.1; Ep 2.5-6; Rm 8.11; Ph 3.10-11. **2.13** vous étiez morts Ep 2.1+. **2.14** les effets de la loi abolis par le Christ Ep 2.14-15. **2.15** victoire sur les Puissances 1 Co 15.24; 1 P 3.22; Ap 12.7-8. **2.16** observances périmées Rm 14; 1 Co 8; 10.14-33; Ga 4.10. **2.17** l'ombre de ce qui est à venir He 8.5; 10.1. **2.19** cohésion du corps Ep 2.21; 4.15-16. **2.21** interdictions 1 Co 8.6; 1 Tm 4.3. **2.22** les commandements... Es 29.13 (Mt 15.9); Col 2.8. **2.23** satisfaire la chair Rm 13.14. **3.1** ressuscités avec le Christ Col 2.12+ —recherchez ce qui est en haut Mt 6.20-23; Ph 3-20-21; Jn 3.3 — à la droite de Dieu Ps 110.1 (Mt 22.44+; cf. He 1.3+). **3.4** Christ, votre vie Ga 2.20; Ph 1.21 — vous paraîtrez avec lui Rm 8.19; 1 Th 4.17; 1 P 1.6-8; 1 Jn 3.2.

aussi, vous paraîtrez avec lui en pleine gloire.

Le vieil homme et l'homme nouveau

⁵ Faites donc mourir ce qui en vous appartient à la terre : débauche, *impureté, passion, désir mauvais et cette cupidité, qui est une idolâtrie. ⁶ Voilà ce qui attire la colère de Dieu, ⁷ voilà quelle était votre conduite autrefois, ce qui faisait votre vie. ⁸ Maintenant donc, vous aussi, débarrassez-vous de tout cela : colère, irritation, méchanceté, injures, grossièreté sortie de vos lèvres. ⁹ Plus de mensonge entre vous, car vous vous êtes dépouillés du vieil homme, avec ses pratiques, ¹⁰ et vous avez revêtu l'homme nouveau, celui qui, pour accéder à la connaissance, ne cesse d'être renouvelé à *l'image* de son créateur ; ¹¹ là, il n'y a plus Grec et *Juif, *circoncis et incirconcis, barbare, Scythe ᵗ, esclave, homme libre, mais Christ : il est tout et en tous.

¹² Puisque vous êtes élus, *sanctifiés, aimés par Dieu, revêtez donc des sentiments de compassion, de bienveillance, d'humilité, de douceur, de patience. ¹³ Supportez-vous les uns les autres, et si l'un a un grief contre l'autre, pardonnez-vous mutuellement ; comme le Seigneur vous a pardonnés, faites de même, vous aussi. ¹⁴ Et par-dessus tout, revêtez l'amour : c'est le lien parfait. ¹⁵ Que règne en vos cœurs la paix du Christ, à laquelle vous avez été appelés tous en un seul corps. Vivez dans la reconnaissance.

¹⁶ Que la parole du Christ habite parmi vous dans toute sa richesse : instruisez-vous et avertissez-vous les uns les autres avec pleine sagesse ; chantez à Dieu, dans vos cœurs, votre reconnaissance, par des psaumes, des hymnes et des chants inspirés par l'Esprit. ¹⁷ Tout ce que vous pouvez dire ou faire, faites-le au *nom du Seigneur Jésus, en rendant grâce par lui à Dieu le Père.

Maris et femmes, enfants et parents

¹⁸ Epouses, soyez soumises à vos maris, comme il se doit dans le Seigneur. ¹⁹ Maris, aimez vos femmes et ne vous aigrissez pas contre elles.

²⁰ Enfants, obéissez en tout à vos parents, voilà ce que le Seigneur attend de vous. ²¹ Parents, n'exaspérez pas vos enfants, de peur qu'ils ne se découragent.

Esclaves et maîtres

²² Esclaves, obéissez en tout à vos maîtres d'ici-bas. Servez-les, non parce qu'on vous surveille, comme si vous cherchiez à plaire aux hommes, mais avec la simplicité de cœur de ceux qui craignent le Seigneur ᵘ. ²³ Quel que soit votre travail, faites-le de bon cœur, comme pour le Seigneur, et non pour les hommes, ²⁴ sachant que vous recevrez du Seigneur l'héritage en récompense ᵛ. Le Maître, c'est le Christ ; vous êtes à son service. ²⁵ Qui se montre injuste sera payé de son injustice, et il n'y a d'exception pour personne.

4 ¹ Maîtres, traitez vos esclaves avec justice et équité, sachant que vous aussi, vous avez un Maître dans le *ciel.

Attitude à l'égard des non-chrétiens

² Tenez-vous à la prière ; qu'elle vous garde sur le qui-vive dans l'action de

---

t les *Scythes* habitaient les rivages Nord de la Mer Noire et passaient pour les plus arriérés des hommes — *barbare:* voir 1 Co 14.11 et note ● *u* ou *le Maître* ● *v* Voir Ga 4.1-2. Dans la société antique l'esclave ne pouvait pas hériter

3.5 faites mourir... Rm 6.6-11; 8.13; Ga 5.24; Mc 9.43-47 — une conduite qui n'a plus cours Ep 5.3-5+. **3.8-10** dépouillés du vieil homme pour revêtir le nouveau Rm 4.22-25. **3.8** dépouillement Rm 13.12; Jc 1.21; 1 P 2.1; He 12.1 — propos déplacés Ep 4.29+. **3.10** revêtir Rm 13.14; Ga 3.27 — l'homme nouveau Ep 2.15; 1 Co 15.45; 2 Co 5.17; cf. Ez 36.26-27; Ps 51.12 — renouvellement Rm 12.2; 2 Co 4.16 — l'image du créateur Col 1.15+. **3.11** les séparations abolies Rm 10.12; 1 Co 12.13; Ga 3.27-28. **3.12-15** comportement vis-à-vis des autres Ep 4.1-3; Ph 2.1-4. **3.13** pardonnez Mt 6.14; 18.21-35; 2 Co 2.5-11; Ep 4.32 — comme le Seigneur Ep 5.2; Jn 15.12; Rm 15.7. **3.14** amour Rm 13.8-10; 1 Co 13. **3.15** paix Col 1.20+; Ph 4.7 — un seul corps Ep 4.4; Col. 1.18+ — reconnaissance Col 1.3 +. **3.16** le bon usage de la parole Ep 4.29+ — exhortation mutuelle Col 1.28; Rm 15.14; 1 Th 5.11 — hymnes Ep 5.19-20; 1 Co 14.15, 26. **3.17** au nom du Seigneur Rm 14.7; 1 Co 10.31 — action de grâce Col 1.3 +: **3.18-19** maris et femmes Ep 5.22-23; 1 Co 7; 11.3; 1 P 3.1-7; Tt 2.4-5. **3.20-21** enfants et parents Ep 6.1-4; He 12.4-11; 1 P 5.5. **3.22-25** esclaves et maîtres Ep 6.5-9; Lv 25.43; 1 Co 7.21-23; 1 Tm 6.1-2; Tt 2.9-10; Phm; 1 P 2.18-20. **3.24** au service du Christ Rm 12.11. **3.25** pas de partialité Rm 2.11+. **4.2-4** appel à la prière Ep 6.18-20. **4.2** prière persévérante Rm 12.12; Ph 4.6; 1 Th 5.17-18 — sur le qui-vive Mt 26.41; 1 Th 5.6.

grâce. ³ En même temps, priez aussi pour nous : que Dieu ouvre une porte à notre prédication afin que j'annonce le *mystère du Christ, pour lequel je suis en prison ; ⁴ que je le publie comme je suis tenu d'en parler.

⁵ Trouvez la juste attitude à l'égard des non-chrétiens ; saisissez l'occasion. ⁶ Que vos propos soient toujours bienveillants, relevés de sel, avec l'art de répondre à chacun comme il faut.

Messages personnels

⁷ En ce qui concerne ma situation, vous aurez toutes les nouvelles par Tychique, le frère que j'aime, le ministre fidèle, mon compagnon de service dans le Seigneur. ⁸ Je vous l'envoie tout exprès pour vous donner de nos nouvelles et vous réconforter. ⁹ Onésime, ce frère fidèle et très cher, l'accompagne ; il est des vôtres. Ils vous mettront au courant de tout ce qui se passe ici.

¹⁰ Vous avez les salutations d'Aristarque qui est en prison avec moi, ainsi que de Marc, le cousin de Barnabas, — vous avez reçu des instructions à son sujet : s'il vient chez vous, faites-lui bon accueil.

¹¹ Vous avez également les salutations de Jésus, celui qu'on appelle Justus. Seuls parmi les Juifs à travailler avec moi pour le *royaume de Dieu, ils ont été pour moi une consolation. ¹² Vous avez les salutations d'Epaphras qui est de chez vous ; ce serviteur de Jésus Christ ne cesse de mener pour vous le combat de la prière, afin que vous demeuriez fermes, parfaits, donnant plein consentement à toute volonté de Dieu. ¹³ Je lui rends ce témoignage qu'il se donne beaucoup de peine, pour vous, pour ceux de Laodicée et de Hiérapolis ʷ. ¹⁴ Vous avez les salutations de Luc, notre ami le médecin, et de Démas.

¹⁵ Saluez les frères de Laodicée, ainsi que Nympha et l'église qui se réunit dans sa maison. ¹⁶ Quand vous aurez lu ma lettre, transmettez-la à l'église de Laodicée, qu'elle la lise à son tour. Lisez, de votre côté, celle qui viendra de Laodicée ˣ. ¹⁷ Enfin, dites à Archippe : Veille au *ministère que tu as reçu dans le Seigneur, et tâche de bien l'accomplir.

¹⁸ La salutation de ma main, à moi Paul, la voici : Souvenez-vous de mes chaînes. La grâce soit avec vous !

---

w *Hiérapolis* et *Laodicée:* deux villes voisines de Colosses, également situées dans la vallée du Lycus ● x Lettre perdue, à moins que ce ne soit notre actuelle épître « aux Ephésiens » (voir Ep 1.1. et note)

4.3 prière pour le messager de l'Evangile Rm 15.30; Ep 6.19; 1 Th 5.25; 2 Th 3.1 — un passage frayé à l'Evangile 2 Co 2.12 +. 4.5 attitude à l'égard des non-chrétiens 1 Co 5.12; 1 Th 4.12; Rm 12.17; 1 P 2.12 — saisissez l'occasion Ep 5.15-16. 4.6 vos propos Ep 4.29 — l'art de répondre à chacun 1 P 3.15. 4.7 Tychique Ac 20.4; Ep 6.21-22; 2 Tm 4.12; Tt 3.12. 4.9 Onésime Phm 10-12. 4.10 Aristarque Ac 19.29 + — Marc Ac 12.12 +; 2 Tm 4.11 — Barnabas Ac 4.36 +. 4.12 Epaphras Col 1.7 + — combat Col 2.1 de la prière Rm 15.30; Gn 18. 17-18; 32.29; Ex 32.11-14. 4.13 Laodicée Col 2.1 +. 4.14 Luc Phm 24; 2 Tm 4.11 — Démas Phm 24; 2 Tm 4.10. 4.15 l'église qui se réunit dans sa maison Rm 16.5; Phm 2. 4.17 Archippe Phm 2. 4.18 salutation autographe Ga 6.11 + — chaînes Ep 3.1; 4.1; 6.20; Phm 1, 9, 10, 13; Ph 1.7, 13; 2 Tm 1.8; 2.9.

PREMIÈRE ÉPÎTRE DE PAUL AUX THESSALONICIENS

Salutation

1 ¹ Paul, Silvain et Timothée à l'église des Thessaloniciens *a* qui est en Dieu le Père et dans le Seigneur Jésus Christ. A vous grâce et paix.

Votre foi, votre amour, votre espérance

² Nous rendons continuellement grâce à Dieu pour vous tous quand nous faisons mention de vous dans nos prières ; sans cesse, ³ nous gardons le souvenir de votre foi active, de votre amour qui se met en peine, et de votre persévérante espérance en notre Seigneur Jésus Christ, devant Dieu notre Père, ⁴ sachant bien, frères aimés de Dieu, qu'il vous a choisis. ⁵ En effet, *l'Evangile que nous annonçons ne vous a pas été présenté comme un simple discours, mais il a montré surabondamment sa puissance par l'action de l'Esprit Saint. C'est là, vous le savez, ce que nous avons fait parmi vous pour votre bien. ⁶ Et vous, vous nous avez imités, nous et le Seigneur, accueillant la Parole en pleine détresse, avec la joie de l'Esprit Saint : ⁷ ainsi, vous êtes devenus un mo-dèle pour tous les croyants de Macé-doine *b* et d'Achaïe *c*. ⁸ De chez vous, en effet, la parole du Seigneur a retenti non seulement en Macédoine et en Achaïe. mais la nouvelle de votre foi en Dieu s'est si bien répandue partout que nous n'avons pas besoin d'en parler. ⁹ Car chacun ra-conte, en parlant de nous, quel accueil vous nous avez fait, et comment vous vous êtes tournés vers Dieu en vous dé-tournant des idoles pour servir le Dieu vivant et véritable ¹⁰ et pour attendre des *cieux son Fils qu'il a ressuscité des morts, Jésus, qui nous arrache à la colère qui vient.

Comment nous vous avons apporté l'Evangile

2 ¹ Vous-mêmes le savez bien, frères, ce n'est pas en vain que vous nous avez accueillis. ² Mais, alors que nous venions de souffrir et d'être insultés à Philippes *d*, comme vous le savez, nous avons trouvé en notre Dieu l'assurance qu'il fallait pour vous prêcher son *Evangile à travers bien des luttes. ³ C'est que notre prédication ne repose pas sur

---

a Thessalonique (voir 2 Co 1.16 et note): la ville porte aujourd'hui le nom de Salonique; elle est située au Nord de la Grèce. Sur le premier séjour qu'y fit Paul voir Ac 17.1-9 et 1 Th 2.1-2 ● *b* Voir 2 Co 1.16 et note ● *c* Voir 2 Co 1.1 et note ● *d* Voir Ph 1.1 et note; Ac 16.19-24

1.1 Silvain-Silas Ac 15.22+ — Timothée Ac 16.1+ — l'église (comme communauté locale) Ac 13.1; 14.23; Rm 16.1, 5; 1 Co 1.2; 2 Co 1.1; 8.1; Ga 1.2; Col 4.16; 1 Th 2.14. **1.2** action de grâce et prière Ph 1.3-4; Col 1.3; 2 Th 1.11. **1.3** foi, amour, espérance 1 Co 13.13+. **1.4** ses élus Es 65.9, 22; Lc 18.7; Rm 8.33; 11.7, 28; 1 P 1.2; 2 P 1.10. **1.5** puissance de l'Evangile Rm 1.16; 1 Co 2.1-5; 4.20. **1.6** imitation du Christ et des apôtres Mt 10.18 par.; Jn 15.20; 1 Co 4.16; Ph 3.17; 1 Th 2.14-15; 2 Th 3.9 — la parole Mc 3.13, 23, 33 par.; Ac 6.4; Ga 6.6; Ph 1.14; Col 4.3; 2 Tm 4.2 de Dieu (ou du Seigneur) 1 Th 1.8; 2.13; 4.15; 2 Th 3.1 — en pleine détresse Ac 17.5-9 — avec joie Lc 8.13. **1.7** un modèle 1 P 5.3. **1.8** votre foi connue partout Rm 1.8. **1.9** tournés vers Dieu en vous détournant des idoles Ac 14.15; 15.19-20; 26.18; 1 Co 10.7, 14; Ga 4.9 — le Dieu vivant et véritable Jr 10.10; Jn 17.3; Ac 14.15. **1.10** attendre son Fils 1 Co 1.7; Tt 2.13 — la colère qui vient Rm 1.18; 2.5; 5.9; 1 Th 2.16 — Jésus nous y arrache 1 Th 5.9. **2.1** ce n'est pas en vain 1 Th 1.5, 9. **2.2** souffrances et insultes à Philippes Ac 16.19-24 — luttes à Thessalonique Ac 17.1-5.

l'erreur, elle ne s'inspire pas de motifs
*impurs, elle n'a pas recours à la ruse.
⁴ Mais Dieu nous ayant éprouvés pour
nous confier l'Evangile, nous prêchons en
conséquence ; nous ne cherchons pas à
plaire aux hommes, mais à Dieu qui
éprouve nos cœurs. ⁵ C'est ainsi que jamais nous n'avons eu de paroles flatteuses,
vous le savez, jamais d'arrière-pensée de
profit, Dieu en est témoin, ⁶ et jamais
nous n'avons recherché d'honneurs auprès
des hommes, ni chez vous, ni chez d'autres, ⁷ alors que nous aurions pu nous
imposer, en qualité *d'apôtres du Christ.
Au contraire, nous avons été au milieu
de vous pleins de douceur, comme une
mère réchauffe sur son sein les enfants
qu'elle nourrit. ⁸ Nous avions pour vous
une telle affection que nous étions prêts
à vous donner non seulement l'Evangile
de Dieu, mais même notre propre vie,
tant vous nous étiez devenus chers. ⁹ Vous
vous rappelez, frères, nos peines et nos
fatigues : c'est en travaillant nuit et jour,
pour n'être à la charge d'aucun de vous,
que nous vous avons annoncé l'Evangile
de Dieu. ¹⁰ Vous êtes témoins de Dieu
aussi, que nous nous sommes conduits
envers vous, les croyants, de manière
sainte, juste, irréprochable. ¹¹ Et vous le
savez : traitant chacun de vous comme
un père ses enfants, ¹² nous vous avons
exhortés, encouragés et adjurés de vous
conduire d'une manière digne de Dieu
qui vous appelle à son *royaume et à
sa gloire.

Vous avez imité les Eglises de Judée

¹³ Voici pourquoi, de notre côté, nous
rendons sans cesse grâce à Dieu : quand
vous avez reçu la parole de Dieu que
nous vous faisions entendre, vous l'avez
accueillie, non comme une parole
d'homme, mais comme ce qu'elle est réellement, la parole de Dieu, qui est aussi à
l'œuvre en vous, les croyants. ¹⁴ En effet,
frères, vous avez imité les églises de Dieu
qui sont en Judée, dans le Christ Jésus,
puisque vous aussi avez souffert, de vos
propres compatriotes, ce qu'elles ont souffert de la part des *Juifs ; ¹⁵ eux qui ont
tué le Seigneur Jésus et les *prophètes,
ils nous ont aussi persécutés, ils ne plaisent pas à Dieu et sont ennemis de tous
les hommes, ¹⁶ ils nous empêchent de prêcher aux *païens pour les sauver, et mettent ainsi, en tout temps, le comble à leur
péché. Mais la colère ᵉ est tombée sur
eux, à la fin.

La mission de Timothée
à Thessalonique

¹⁷ Pour nous, frères, séparés de vous
pour un temps, loin des yeux mais non
du cœur, nous avons redoublé d'efforts
pour aller vous voir, car nous en avions
un vif désir. ¹⁸ C'est pourquoi nous avons
voulu nous rendre chez vous — moi-
même, Paul, à plusieurs reprises — et
*Satan nous en a empêchés. ¹⁹ En effet,
quelle est notre espérance, notre joie,
*l'orgueil qui sera notre couronne ᶠ en
présence de notre Seigneur Jésus, lors de
sa venue, sinon vous ? ²⁰ Oui, c'est vous
qui êtes notre gloire et notre joie.

3 ¹ Aussi, n'y tenant plus, nous avons
pensé que le mieux était de rester
seuls à Athènes ᵍ, ² et nous vous avons
envoyé Timothée, notre frère, le collaborateur de Dieu ʰ dans la prédication de
*l'Evangile du Christ, pour vous affermir
et vous encourager dans votre foi, ³ afin
que personne ne soit ébranlé au milieu

ᵉ la colère *de Dieu*, ainsi que le précisent quelques manuscrits ● ᶠ Voir Ap 2.11 et note ● ᵍ Voir
Ac 17.15-16 ● ʰ Autres textes: *serviteur de Dieu*, ou *notre collaborateur*

2.4 pour nous confier l'Evangile 1 Tm 1.11 — plaire non aux hommes mais à Dieu Ga 1.10;
2 Co 5.9 — Dieu qui éprouve nos cœurs Jr 11.20.   2.5 paroles flatteuses 2 P 2.3 — arrière-
pensée de profit Ac 20.33 — Dieu témoin 1 Th 2.10.   2.6 honneurs Jn 5.41, 44.   2.7 comme
une mère Ga 4.19.   2.8 prêts à donner notre propre vie Jn 15.13.   2.9 travail manuel Ac 18.3;
20.33-35; 1 Co 4.12; 1 Th 4.11; 2 Th 3.7-12 — n'être à la charge de personne 2 Co 11.7-10; 12.13-18.
2.11 comme un père 1 Co 4.15.   2.12 vous conduire d'une manière digne de Dieu Ep 4.1-3+;
Ph 1.27; 2 Th 1.5 — appelés à sa gloire 1 P 5.10.   2.13 action de grâce incessante 1 Th 1.2; 2 Th 1.3;
2.13 — recevoir la parole Mc 4.16; Ac 11.1 comme parole de Dieu Ga 1.11-12 — à l'œuvre en
vous Ph 2.13.   2.14 imitation des églises de Dieu 1 Th 1.6+ — mêmes souffrances que les églises
de Judée Ac 17.5, 13.   2.15 ils ont tué Jésus et les prophètes Mc 10.34; Ac 2.23; 7.52 — ils nous
ont aussi persécutés Ac 9.23, 29; 13.45, 50; 14.2, 5, 19; 17.5, 13; 18.12.   2.16 le péché à son
comble Gn 15.16; Mt 23.32-33 — la colère 1 Th 1.10+.   2.19 la venue du Seigneur Jésus Mt 24.3;
1 Co 15.23; 1 Th 3.13; 5.23 — notre orgueil Ph 2.16; 4.1; 2 Th 1.4.   2.20 notre gloire et notre joie.
3.2 Timothée Ac 16.1+ — collaborateur de Dieu 1 Co 3.9.   3.3 les épreuves présentes Mc 13 par.;
Ac 14.22; Ap 2.9-10; 7.14 — inébranlables dans les épreuves Ep 3.13 — nous y sommes destinés
2 Tm 3.12.

des épreuves présentes, car vous savez bien que nous y sommes destinés. ⁴ Quand nous étions chez vous, nous vous prévenions qu'il faudrait subir des épreuves, et c'est ce qui est arrivé, vous le savez. ⁵ C'est pour cela que, n'y tenant plus, j'ai envoyé prendre des nouvelles de votre foi, dans la crainte que le *Tentateur ne vous ait tentés et que notre peine ne soit perdue.

Nous revivons puisque vous tenez bon

⁶ Maintenant, Timothée vient de nous arriver de chez vous ⁱ et de nous apporter la bonne nouvelle de votre foi et de votre amour ; il dit que vous gardez toujours un bon souvenir de nous, et que vous désirez nous revoir autant que nous désirons vous revoir. ⁷ Ainsi, frères, nous avons trouvé en vous un réconfort, grâce à votre foi, au milieu de toutes nos angoisses et de nos épreuves, ⁸ et maintenant nous revivons, puisque vous tenez bon dans le Seigneur. ⁹ Quelle action de grâce pourrions-nous rendre à Dieu à votre sujet, pour toute la joie que nous éprouvons à cause de vous devant notre Dieu, ¹⁰ lorsque nous prions, nuit et jour, avec insistance, pour qu'il nous soit donné de vous revoir et de compléter ce qui manque à votre foi ?

¹¹ Que Dieu lui-même, notre Père, et que notre Seigneur Jésus dirigent notre route vers vous. ¹² Que le Seigneur fasse croître et abonder l'amour que vous avez les uns pour les autres et pour tous, à l'image de notre amour pour vous. ¹³ Qu'il affermisse ainsi vos cœurs dans une *sainteté irréprochable devant Dieu notre Père, lors de la venue de notre Seigneur Jésus avec tous ses *saints.

Comment vous conduire pour plaire à Dieu

4 ¹ Au demeurant, frères, voici nos demandes et nos exhortations dans le Seigneur Jésus : vous avez appris de nous comment vous devez vous conduire pour plaire à Dieu, et c'est ainsi que vous vous conduisez ; faites encore de nouveaux progrès.

² Vous savez, en effet, quelles instructions nous vous avons données de la part du Seigneur Jésus. ³ La volonté de Dieu, c'est que vous viviez dans la *sainteté, que vous vous absteniez de la débauche, ⁴ que chacun de vous sache avoir sa propre femme ʲ et vivre avec elle dans la sainteté et le respect, ⁵ sans se laisser emporter par le désir comme font les *païens qui ne connaissent pas Dieu. ⁶ Que nul n'agisse au détriment de son frère et ne lui cause du tort en cette affaire, car le Seigneur tire vengeance de tout cela, comme nous vous l'avons déjà dit et attesté. ⁷ En effet, Dieu ne nous a pas appelés pour que nous soyons *impurs, mais pour que nous vivions dans la sainteté. ⁸ Ainsi donc, celui qui rejette ces instructions, ce n'est pas un homme qu'il rejette, c'est Dieu, lui qui vous donne son Esprit Saint.

⁹ Sur l'amour fraternel, vous n'avez pas besoin qu'on vous écrive, car vous avez appris vous-mêmes de Dieu à vous aimer les uns les autres, ¹⁰ et vous le faites d'ailleurs à l'égard de tous les frères, dans la Macédoine ᵏ entière ; nous vous exhortons frères, à faire encore de nouveaux progrès : ¹¹ Ayez à cœur de vivre dans le calme, de vous occuper de vos propres affaires, et de travailler de vos mains, comme nous vous l'avons ordonné, ¹² pour que votre conduite soit honorable

---

i Voir Ac 18.5: Paul écrit de Corinthe ● *j* Autre traduction: *sache tenir son corps pour vivre dans la sainteté et l'honneur* ● *k* Voir 2 Co 1.16 et note

3.4 épreuves prévues Ac 14.22. 3.5 peine perdue Ph 2.16. 3.6 foi et amour 2 Th 1.3. 3.7-8 puisque vous tenez bon 2 Th 1.4; 2.15. 3.10 ce qui manque à votre foi 2 Co 15.15; Ph 1.25; 2 Th 1.3. 3.12 un amour grandissant Ph 1.9; 1 Th 4.10 — pour tous 1 Th 5.15. 3.13 sainteté irréprochable Ph 1.10 — la venue de notre Seigneur 1 Co 1.8; 1 Th 5.23 — avec tous les saints Dt 33.3; Za 14.5; Dn 7.25, 27; Mt 25.31; 1 Th 4.16; 2 Th 1.7; Ap 14.10. 4.1 appris de nous comment vous conduire 2 Th 3.6. 4.2 instructions données de la part du Seigneur Jésus 1 Th 4.15. 4.3 vivre dans la sainteté Lv 19.2; Rm 6,19; Ep 1.4; 1 Th 5.23; He 10.10; 1 P 1.16 — débauche 1 Co 6.12-20. 4.4 savoir prendre femme 1 Co 7.2 — sainteté du mariage He 10.4; cf. 1 Co 6.13, 15. 4.5 les païens qui ne connaissent pas Dieu Ps 79.6; Jr 10.25. 4.6 le Seigneur tire vengeance Dt 32.35; Ps 94.1; Si 5.3. 4.7 le but de l'appel de Dieu 2 Th 2.13-14; 1 P 1.15-16. 4.8 celui qui rejette ces instructions Lc 10.16 — Dieu vous donne son Esprit Saint Ez 36.27; 37.14; Rm 5,5; 2 Co 1.22; Ga 4.6; 1 Jn 3.24. 4.9 amour fraternel et réciproque Jn 13.34; 15.12-14 — appris de Dieu Jr 31.33-34. 4.10 vous le faites 2 Th 3.4 — nouveaux progrès 1 Th 3.12. 4.11-12 travail manuel et indépendance 1 Th 2.9+; Ep 4.28+. 4.12 au regard des gens du dehors 1 Co 5.12-13; Col 4.5; cf. Mc 4.11.

au regard des gens du dehors, et que vous n'ayez besoin de personne.

Au sujet des morts

13 Nous ne voulons pas, frères, laisser dans l'ignorance au sujet des morts *l*, afin que vous ne soyez pas dans la tristesse comme les autres, qui n'ont pas d'espérance. 14 Si en effet nous croyons que Jésus est mort et qu'il est ressuscité, de même aussi ceux qui sont morts, Dieu les ramènera par Jésus et avec lui. 15 Voici ce que nous vous disons, d'après un enseignement du Seigneur : nous, les vivants, qui seront resté jusqu'à la venue du Seigneur, nous ne devancerons pas du tout ceux qui sont morts. 16 Car lui-même, le Seigneur, au signal donné, à la voix de *l'archange et au son de la trompette de Dieu, descendra du *ciel : alors les morts en Christ ressusciteront d'abord ; 17 ensuite nous, les vivants, qui seront restés, nous serons enlevés avec eux sur les nuées, à la rencontre du Seigneur, dans les airs, et ainsi nous serons toujours avec le Seigneur. 18 Réconfortez-vous donc les uns les autres par cet enseignement.

En attendant le jour du Seigneur

5 1 Quant aux temps et aux moments, frères, vous n'avez pas besoin qu'on vous écrive. 2 Vous-mêmes le savez parfaitement : le *Jour du Seigneur vient comme un voleur dans la nuit. 3 Quand les gens diront : « Quelle paix, quelle sécurité ! », c'est alors que soudain la ruine fondra sur eux comme les douleurs sur

la femme enceinte, et ils ne pourront y échapper. 4 Mais vous, frères, vous n'êtes pas dans les ténèbres, pour que ce jour vous surprenne comme un voleur. 5 Tous, en effet, vous êtes fils de la lumière *m*, fils du jour : nous ne sommes ni de la nuit, ni des ténèbres. 6 Donc ne dormons pas comme les autres, mais soyons vigilants et sobres. 7 Ceux qui dorment, c'est la nuit qu'ils dorment, et ceux qui s'enivrent, c'est la nuit qu'ils s'enivrent ; 8 mais nous qui sommes du jour, soyons sobres, revêtus de la cuirasse de la foi et de l'amour, avec le casque de l'espérance du salut. 9 Car Dieu ne nous a pas destinés à subir sa colère, mais à posséder le salut par notre Seigneur Jésus Christ, 10 mort pour nous afin que, veillant ou dormant *n*, nous vivions alors unis à lui. 11 C'est pourquoi, réconfortez-vous mutuellement et édifiez-vous l'un l'autre, comme vous le faites déjà.

Recommandations et bénédiction finale

12 Nous vous demandons, frères, d'avoir des égards, pour ceux qui parmi vous se donnent de la peine pour vous diriger dans le Seigneur et pour vous reprendre ; 13 ayez pour eux la plus haute estime, avec amour, en raison de leur travail. Vivez en paix entre vous. 14 Nous vous y exhortons, frères : reprenez ceux qui vivent de manière désordonnée, donnez du courage à ceux qui en ont peu ; soutenez les faibles, soyez patients envers tous. 15 Prenez garde que personne ne rende le mal pour le mal, mais recherchez toujours le bien, entre vous et à l'égard de tous.

---

l Ou *ceux qui dorment*. Tant chez les Juifs que chez les Grecs le sommeil était une image fréquente de la mort ● *m* *fils de...* ou *enfant de...* est une tournure sémitique très fréquente dans la Bible pour exprimer en particulier l'appartenance ou la dépendance. Voir Mt 8.12 (fils du royaume). En 2 Th 2.3 la même tournure (fils de perdition) exprime la destinée. Voir Lc 20.36 ● *n* Voir note sur 1 Th 4.13

4.13 sans espérance Ep 2.12.   **4.14** Jésus mort et ressuscité Mc 9.31; Ac 2.24; Rm 14.9; 1 Co 15.3-4, 12.   **4.15** d'après un enseignement du Seigneur Mt 16.27; 24.30; 1 Co 7.10-25; 1 Th 4.2 — restés vivants jusqu'à la venue du Seigneur 1 Co 15.51.   **4.16** avènement glorieux du Seigneur 1 Th 1.10; 2 Th 1.7 — trompette 1 Co 15.52.   **4.17** avec le Seigneur Jn 12.26; 17.24; Ph 1.23+.   **4.18** réconfort mutuel 1 Th 5.11.   **5.1** les temps et les moments Mt 24.36; Ac 1.7.   **5.2** le jour du Seigneur 1 Co 1.8; 5.5; 2 Co 1.14; 2 Th 2.2; 2 P 3.10; cf. Ph 1.6, 10; 2.16 — comme un voleur Ap 3.3+.   **5.3** paix et sécurité Jr 6.14; 8.11; Ez 13.10 — soudain la ruine Mt 24.38-39; Lc 21.34-35 — comme une femme enceinte Jr 4.31; Mt 24.8.   **5.4** dans les ténèbres Jn 12.46.   **5.5** lumière et ténèbres Jn 8.12; Rm 13.12; Ep 5.8-13+.   **5.6** vigilants Mt 24.42-44; 25.1-12; Mc 13.33-37; Lc 21.36; 1 P 5.8.   **5.8** foi, amour, espérance 1 Co 13.13+ — armure du chrétien Es 59.17; *Sg* 5.18; Ep 6.11+.   **5.9** colère et salut 1 Th 1.10; 2 Th 2.14.   **5.10** veillant. ou dormant, unis à lui Rm 14.8-9; 1 Th 4.14.   **5.11** réconfort mutuel Ep 5.19; Col 3.16; 1 Th 4.18   **5.12-13** des égards pour ceux qui vous dirigent 1 Co 16.18; 1 Tm 5.17; He 13.7.   **5.14** réprehension fraternelle Mt 18.15 — vie désordonnée 2 Th 3.6-7, 11, 15 — encouragement 1 Th 2.12 — soutenir les faibles Rm 14.1 — patience envers tous 1 Co 13.4.   **5.15** ne rendez pas le mal Pr 20.22; Rm 12.17; 1 P 3.9.

¹⁶ Soyez toujours dans la joie, ¹⁷ priez sans cesse, ¹⁸ rendez grâce en toute circonstance, car c'est la volonté de Dieu à votre égard dans le Christ Jésus.

¹⁹ N'éteignez pas l'Esprit, ²⁰ ne méprisez pas les dons de *prophétie ; ²¹ examinez tout avec discernement : retenez ce qui est bon ; ²² tenez-vous à l'écart de toute espèce de mal.

²³ Que le Dieu de paix lui-même vous *sanctifie totalement, et que votre esprit, votre âme et votre corps ^o soient parfaitement gardés pour être irréprochables lors de la venue de notre Seigneur Jésus Christ. ²⁴ Celui qui vous appelle est fidèle : c'est lui encore qui agira.

²⁵ Frères, priez aussi pour nous. ²⁶ Saluez tous les frères d'un *saint baiser.

²⁷ Je vous en conjure par le Seigneur : que cette lettre soit lue à tous les frères.

²⁸ Que la grâce de notre Seigneur Jésus Christ soit avec vous.

DEUXIÈME ÉPÎTRE DE PAUL AUX THESSALONICIENS

Salutation

1 ¹ Paul, Silvain et Timothée à l'église des Thessaloniciens ^a qui est en Dieu notre Père et dans le Seigneur Jésus Christ. ² A vous grâce et paix de la part de Dieu le Père et du Seigneur Jésus Christ.

Votre persévérance dans les épreuves

³ Nous devons rendre continuellement grâce à Dieu pour vous, frères, et c'est bien juste, car votre foi fait de grands progrès et l'amour que vous avez les uns pour les autres s'accroît en chacun de vous tous, ⁴ au point que vous êtes notre *orgueil parmi les églises de Dieu, à cause de votre persévérance et de votre foi dans toutes les persécutions et épreuves que vous supportez. ⁵ Elles sont le signe du juste jugement de Dieu ; leur but est de vous rendre dignes du *royaume de Dieu pour lequel vous souffrez.

Quand le Seigneur Jésus viendra

⁶ Il est juste, en effet, que Dieu rende

o ou *que toute votre personne, corps et âme...*
a Voir 1 Th 1.1 et note

5.16 toujours joyeux Ph 1.4+ ; 3.1+.   **5.17** prière incessante Lc 18.1 ; Rm 12.12 ; Col 4.2.
5.18 action de grâce en toutes circonstances Ep 5.20.   **5.19** n'éteignez pas l'Esprit Ep 4.30.
5.20 la prophétie 1 Co 12.10, 29 ; 13.2 ; 14.1, 3, 39.   **5.21** examinez tout 1 Jn 4.1.   **5.22** à l'écart du
mal Jb 1.1, 8 ; 2.3.   **5.23** le Dieu de paix Rm 15.33 ; 2 Th 3.16.   **5.24** fidèle 1 Co 1.9 ; 2 Th 3.3.
5.25 priez aussi pour nous Col 4.3+.   **5.26** salutations fraternelles Rm 16.16 ; 1 Co 16.20.
1.1-2 Expéditeurs et destinataires 1 Th 1.1.   **1.1** Silvain Ac 15.22+ — Timothée Ac 16.1+ —
l'église comme communauté locale 1 Th 1.1+.   **1.2** grâce et paix Rm 1.7.   **1.3** action de grâce
continuelle 1 Th 2.13+ — foi d'amour en progrès Ph 1.25+ ; 1 Th 3.6, 12.   **1.4** notre orgueil 2 Co
7.4 ; 1 Th 2.19-20 — foi, amour, persévérance 1 Tm 6.11 ; Tt 2.2 — épreuves et persécutions
Ap 1.9.   **1.5** signe de jugement Ph 1.28 — dignes du royaume de Dieu Lc 20.35 ; 1 Th 2.12
— souffrances pour le royaume Mt 5.10 ; 1 Th 2.14 ; 3.4.   **1.6** Dieu rétribue Rm 12.19 ; Ap 18.6-7
— détresse 1 Th 3.3 — perdition des oppresseurs Ph 1.28.

détresse pour détresse à vos oppresseurs, [7] et qu'il vous donne, à vous les opprimés, le repos avec nous, lors de la *révélation [b] du Seigneur Jésus, qui viendra du *ciel avec les *anges de sa puissance, [8] *dans un feu flamboyant, pour tirer vengeance de ceux qui ne connaissent pas Dieu* et qui n'obéissent pas à *l'Evangile de notre Seigneur Jésus. [9] Leur châtiment sera la ruine éternelle, *loin de la face du Seigneur et de l'éclat de sa majesté*, [10] lorsqu'il viendra, en ce *jour-là, pour être glorifié en la personne de ses *saints et pour être admiré en la personne de tous ceux qui auront cru : or vous, vous avez cru à notre témoignage.

[11] Voilà pourquoi nous prions continuellement pour vous, afin que notre Dieu vous trouve dignes de l'appel qu'il vous a adressé ; que, par sa puissance, il vous donne d'accomplir tout le bien désiré et rende active votre foi. [12] Ainsi le *nom de notre Seigneur Jésus sera glorifié en vous et vous en lui, selon la grâce de notre Dieu et du Seigneur Jésus Christ.

Avant la venue de notre Seigneur

2 [1] Au sujet de la venue de notre Seigneur Jésus Christ et de notre rassemblement auprès de lui, nous vous le demandons, frères : [2] n'allez pas trop vite perdre la tête ni vous effrayer à cause d'une *révélation *prophétique, d'un propos ou d'une lettre présentés comme venant de nous, et qui vous feraient croire que le *jour du Seigneur est arrivé. [3] Que personne ne vous séduise d'aucune manière. Il faut que vienne d'abord l'apostasie [c] et que se *révèle l'Homme de l'impiété, le Fils de la perdition [d], [4] celui

qui se dresse *et s'élève contre tout* ce qu'on appelle *dieu* ou qu'on adore, au point de *s'asseoir* en personne *dans le* *temple *de Dieu* et de proclamer qu'il est Dieu. [5] Ne vous rappelez-vous pas que je vous parlais de cela quand j'étais encore près de vous ? [6] Et maintenant, vous savez ce qui le retient [e], pour qu'il ne soit révélé qu'en son temps. [7] Car le *mystère de l'impiété est déjà à l'œuvre ; il suffit que soit écarté celui qui le retient [f] à présent. [8] Alors se révélera l'*Impie*, que le Seigneur Jésus *détruira du souffle de sa bouche* et anéantira par l'éclat de sa venue. [9] Quant à la venue de l'Impie, marquée par l'activité de *Satan, elle se manifestera par toutes sortes d'œuvres puissantes, de miracles, de prodiges trompeurs [10] et par toutes sortes de séductions de l'injustice pour ceux qui se perdent, faute d'avoir accueilli l'amour de la vérité qui les aurait sauvés. [11] C'est pourquoi Dieu leur envoie une puissance d'égarement qui les fait croire au mensonge. [12] afin que soient jugés tous ceux qui n'ont pas cru à la vérité mais ont pris plaisir à l'injustice.

Dieu vous a choisis ; tenez bon

[13] Quant à nous, nous devons continuellement rendre grâce à Dieu pour vous, frères aimés du Seigneur, car Dieu vous a choisis dès le commencement, pour être sauvés par l'Esprit qui sanctifie et par la foi en la vérité. [14] C'est à cela qu'il vous a appelés par notre *Evangile, à posséder la gloire de notre Seigneur Jésus Christ. [15] Ainsi donc, frères, tenez bon et gardez fermement les traditions que nous vous avons enseignées, de vive voix ou par lettre. [16] Que notre Seigneur

---

b Comme en 1 Co 1.7 Paul use ici du mot *révélation* pour désigner la venue finale de Jésus Christ. Voir au glossaire *RÉVÉLATION ● *c* C'est-à-dire l'abandon de la foi ● *d* Sur l'emploi de l'expression *fils de* voir 1 Th 5.5 et note ● *e* Ou *vous savez ce qui le retient maintenant* ● *f* Il est difficile de reconnaître à quoi et à qui Paul fait allusion en parlant de ce *quelque chose* (v. 6) et de ce *quelqu'un* qui retardent l'apparition de l'Antichrist.

1.7 l'avènement du Seigneur Jésus 1 Th 3.13+ ; 4.16. **1.8** feu flamboyant Ex 3.2 ; Es 66.15 ; Dn 7.9-11 — qui ne connaissent pas Dieu Ps 79.6 ; Jr 10.25 (1 Th 4.5) — obéir à l'Evangile Rm 10.16+ ; cf. Rm 2.8 ; 1 P 4.17. **1.9** loin... de sa majesté Es 2.10, 19, 21. **1.10** glorifié en la personne des saints 1 Th 2.12 ; 3.13+ ; voir Ps 89.8 (grec) ; Es 43.9 ; Col 3.4 — admiré Ps 68.35 (grec). **1.11** intercession incessante Col 1.9+ — une foi active 1 Th 1.3. **1.12** le nom de notre Seigneur sera glorifié Es 24.15 ; 66.5 ; Ml 1.11 ; Jn 17.22, 24. **2.1** l'avènement de Jésus Christ 1 Co 15.23 ; 1 Th 4.15-17 — notre rassemblement auprès de lui Mt 24.31. **2.2** pas de frayeur Mc 13.7 par — jour du Seigneur 1 Th 5.2+ — proximité de ce jour 1 Th 2.19 ; 3.13 ; 4.15-17 ; 5.4. **2.3** apostasie 1 Tm 4.1. **2.4** qui s'élève contre... dieu Dn 11.36 — s'asseoir... de Dieu Ez 28.2. **2.6** ce qui le retient Ap 20.7-10. **2.7** celui qui le retient Mt 24.14 ; Mc 13.10. **2.8** détruira... de sa bouche Es 11.4 ; Jb 4.9 ; Ap 19.15. **2.9** miracles de l'Impie Mt 24.24 ; Ap 13.11-13. **2.10** ceux qui se perdent 1 Co 1.18 — la vérité qui sauve Jn 8.34-44. **2.11** option pour le mensonge Jn 3.19 ; 2 Tm 4.4. **2.12** jugement Jn 9.39. **2.13** action de grâce continuelle 1 Th 2.13+ — Dieu vous a choisis 1 Th 1.4 ; Jn 15.16 dès le commencement Ep 1.4. **2.14** appelés 1 Th 4.7 à posséder la gloire 1 Th 2.12 ; 5.9 ; 2 Th 1.10. **2.15** les traditions 1 Co 11.2 ; 2 Th 3.6.

Jésus Christ lui-même et Dieu notre Père, qui nous a aimés et nous a donné, par grâce, une consolation éternelle et une bonne espérance, ¹⁷ vous consolent et vous affermissent dans tout ce que vous faites et tout ce que vous dites pour le bien.

Le Seigneur est fidèle

3 ¹ Au demeurant, frères, priez pour nous, afin que la parole du Seigneur poursuive sa course, qu'elle soit glorifiée comme elle l'est chez vous, ² et que nous échappions aux hommes méchants et mauvais ; car tous n'ont pas la foi. ³ Le Seigneur est fidèle : il vous affermira et vous gardera du Mauvais *g*. ⁴ Pour vous, nous en sommes persuadés dans le Seigneur : ce que nous vous ordonnons, vous le faites, et vous continuerez à le faire. ⁵ Que le Seigneur conduise vos cœurs à l'amour de Dieu et à la persévérance du Christ.

Imiter l'apôtre en travaillant

⁶ Nous vous ordonnons, frères, au *nom du Seigneur Jésus Christ, de vous tenir à distance de tout frère qui mène une vie désordonnée et contraire à la tradition que vous avez reçue de nous. ⁷ Vous, vous savez bien comment il faut nous imiter : nous n'avons pas vécu parmi vous d'une manière désordonnée ; ⁸ nous n'avons demandé à personne de nous don-

ner le pain que nous avons mangé, mais, dans la peine et la fatigue, de nuit et de jour, nous avons travaillé pour n'être à la charge d'aucun de vous. ⁹ Bien sûr, nous en avions le droit, mais nous avons voulu être pour vous un exemple à imiter. ¹⁰ En effet, lorsque nous étions près de vous, nous vous donnions cet ordre : si quelqu'un ne veut pas travailler, qu'il ne mange pas non plus ! ¹¹ Or, nous entendons dire qu'il y en a parmi vous qui mènent une vie désordonnée, affairés à ne rien faire. ¹² A ces gens-là, nous adressons, dans le Seigneur Jésus Christ, cet ordre et cette exhortation : qu'ils travaillent dans le calme et qu'ils mangent le pain qu'ils auront eux-mêmes gagné.

¹³ Quant à vous, frères, ne vous lassez pas de faire le bien. ¹⁴ Si quelqu'un n'obéit pas à ce que nous disons dans cette lettre, notez-le et n'ayez aucun rapport avec lui, pour qu'il en ait honte ; ¹⁵ ne le considérez pourtant pas comme un ennemi, mais reprenez-le comme un frère.

Bénédiction

¹⁶ Que le Seigneur de la paix vous donne lui-même la paix, toujours et de toute manière. Que le Seigneur soit avec vous tous.

¹⁷ La salutation est de ma main, à moi Paul. Je signe ainsi chaque lettre : c'est mon écriture. ¹⁸ Que la grâce de notre Seigneur Jésus Christ soit avec vous tous.

g Ou *du mal.* Voir au glossaire *SATAN

3.1 priez pour nous Col 4.3+. **3.3** le Seigneur est fidèle 1 Th 5.24+ — le Mauvais Mt 6.13; 1 Th 5.22. **3.4** confiance en vous 2 Co 7.16; Ga 5.10 — obéissance aux directives apostoliques 2 Co 7.15; 1 Th 4.1, 10. **3.6** se tenir à distance Mt 18.17; Rm 16-17; 1 Co 5.9, 11; 2 Th 3.14 — la tradition reçue de nous 2 Th 2.15. **3.7** nous imiter 1 Th 1.6+. **3.8** travail manuel et indépendance 1 Th 2.9+. **3.9** le droit de vivre de l'Evangile Mt 10.10; 1 Co 9.6-12. **3.10** travailler pour manger 1 Th 4.11+. **3.12** gagner son pain Gn 3.19. **3.13** ne vous lassez pas de faire le bien Ga 6.9. **3.14** distances à prendre 2 Th 3.6+. **3.15** admonestation fraternelle Mt 18.15-18; 1 Th 5.14. **3.16** le Seigneur de la paix 1 Th 5.23+. **3.17** salutation autographe Ga 6.11+.

PREMIÈRE ÉPÎTRE DE PAUL
A TIMOTHÉE

Paul s'adresse à Timothée

1 ¹ Paul, *apôtre du Christ Jésus, selon l'ordre de Dieu notre Sauveur et du Christ Jésus notre espérance, ² à Timothée, mon véritable enfant dans la foi : grâce, miséricorde, paix de la part de Dieu le Père et du Christ Jésus notre Seigneur.

Des doctrines qui s'écartent de la ligne

³ Selon ce que je t'ai recommandé à mon départ pour la Macédoine, demeure à Ephèse ᵃ pour enjoindre à certains de ne pas enseigner une autre doctrine, ⁴ et de ne pas s'attacher à des légendes et à des généalogies sans fin ᵇ ; cela favorise les discussions plutôt que le dessein de Dieu, qui se réalise dans la foi. ⁵ Le but de cette injonction, c'est l'amour qui vient d'un cœur *pur, d'une bonne conscience et d'une foi sincère. ⁶ Pour s'être écartés de cette ligne, certains se sont égarés en un bavardage creux ; ⁷ ils prétendent être *docteurs de la loi, alors qu'ils ne savent ni ce qu'ils disent, ni ce qu'ils affirment si fortement.

Le rôle de la Loi

⁸ La loi ᶜ, nous le savons en effet, est bonne, dans la mesure où on la prend comme loi. ⁹ En effet, comprenons bien ceci : la loi n'est pas là pour le juste, mais pour les gens insoumis et rebelles, impies et *pécheurs, sacrilèges et profanateurs, parricides et matricides, meurtriers, ¹⁰ débauchés, pédérastes, marchands d'esclaves, menteurs, parjures, et pour tout ce qui s'oppose à la saine doctrine. ¹¹ Voilà ce qui est conforme à *l'Evangile de gloire du Dieu bienheureux, qui m'a été confié.

Reconnaissance envers le Christ

¹² Je suis plein de reconnaissance envers celui qui m'a donné la force, Christ Jésus notre Seigneur : c'est lui qui m'a jugé digne de confiance en me prenant à son service, ¹³ moi qui étais auparavant *blasphémateur, persécuteur et violent. Mais il m'a été fait miséricorde ᵈ, parce que j'ai agi par ignorance, n'ayant pas la foi. ¹⁴ Oui, elle a surabondé pour moi, la grâce de notre Seigneur, ainsi que la foi et l'amour qui est dans le Christ Jésus.

¹⁵ Elle est digne de confiance, cette parole, et mérite d'être pleinement accueillie par tous : Christ Jésus est venu dans le monde pour sauver les *pécheurs dont

---

a *Macédoine:* Voir 2 Co 1.16 et note — *Ephèse:* Voir 2 Co 1.8 et note. Le voyage auquel Paul fait allusion ici est postérieur de plusieurs années à celui que rapporte Ac 20.1 ● b Il s'agit sans doute de théories sur la descendance des patriarches et des héros de l'A.T., théories fondées sur des passages comme Gn 4—5; 9—11, etc. ● c Il s'agit de la *loi de Moïse* ● d Sur ce genre de tournure impersonnelle voir Mt 7.1 et note.

1.1 Paul apôtre 1 Co 1.1+ — Dieu sauveur Lc 1.47; 1 Tm 2.3; 4.10; 2 Tm 1.9; Tt 1.3; 2.10, 3.4; Jude 25 — le Christ notre espérance Col 1.27. **1.2** Timothée Ac 16.1+ — enfant dans la foi Tt 1.4 — grâce, miséricorde et paix 2 Tm 1.2; 2 Jn 3; cf. Rm 1.7; 1 Co 1.3; 2 Co 1.2. **1.3** départ de Paul pour la Macédoine Ac 20.1+. **1.4** des légendes 1 Tm 4.7; Tt 1.14. **1.5** l'amour Rm 13.10. **1.6** creux bavardage 1 Tm 6.4, 20; Tt 1.10. **1.8** la loi est bonne Rm 7.12, 16. **1.9-10** dérèglements Rm 1.29+. **1.10** saine doctrine 2 Tm 4.3; Tt 1.9; 2.1; cf. 1 Tm 4.6; 6.3; 2 Tm 1.13; Tt 1.13; 2.8. **1.11** Evangile confié à Paul 1 Tm 2.7; 2 Tm 1.11; 4.17; Tt 1.3. **1.12** jugé digne de confiance Ac 9.15; Ga 1-15-16. **1.13** Paul jadis persécuteur Ac 8.3; 9.1-2; 1 Co 15.9; Ga 1.13; Ph 3.6. **1.15** parole digne de confiance 1 Tm 3.1; 4.9; 2 Tm 2.11; Tt 3.8 — Jésus venu pour sauver Lc 15.2; 19.10.

je suis, moi, le premier. [16] Mais s'il m'a été fait miséricorde, c'est afin qu'en moi, le premier, Christ Jésus démontrât toute sa générosité, comme exemple pour ceux qui allaient croire en lui, en vue d'une *vie éternelle.

[17] Au roi des *siècles,
au Dieu immortel, invisible et unique,
honneur et gloire
pour les siècles des siècles. *Amen.

Encouragement à mener le beau combat

[18] Voilà l'instruction que je te confie, Timothée, mon enfant, conformément aux *prophéties prononcées jadis sur toi, afin que, fortifié par elles, tu combattes le beau combat, [19] avec foi et bonne conscience. Quelques-uns l'ont rejetée et leur foi a fait naufrage. [20] Parmi eux se trouvent Hyménée et Alexandre ; je les ai livrés à *Satan *e*, afin qu'ils apprennent à ne plus *blasphémer.

La prière pour tous les hommes

2 [1] Je recommande donc, avant tout, que l'on fasse des demandes, des prières, des supplications, des actions de grâce, pour tous les hommes, [2] pour les rois et tous ceux qui détiennent l'autorité, afin que nous menions une vie calme et paisible en toute piété et dignité. [3] Voilà ce qui est beau et agréable aux yeux de Dieu notre Sauveur, [4] qui veut que tous les hommes soient sauvés et parviennent à la connaissance de la vérité.

[5] Car
il n'y a qu'un seul Dieu,
qu'un seul médiateur aussi
entre Dieu et les hommes,

un homme : Christ Jésus,
[6] qui s'est donné en rançon pour tous.
Tel est le témoignage qui fut rendu aux temps fixés [7] et pour lequel j'ai été, moi, établi héraut et *apôtre, — je dis vrai, je ne mens pas —, docteur des nations dans la foi et la vérité.

Hommes et femmes dans la communauté

[8] Je veux donc que les hommes prient en tout lieu, levant vers le ciel des mains saintes *f*, sans colère ni dispute.
[9] Quant aux femmes, qu'elles aient une tenue décente, qu'elles se parent avec pudeur et modestie : ni tresses ni bijoux d'or, ou perles ou toilettes somptueuses, [10] mais qu'elles se parent au contraire de bonnes œuvres, comme il convient à des femmes qui font profession de piété.
[11] Pendant l'instruction la femme doit garder le silence, en toute soumission. [12] Je ne permets pas à la femme d'enseigner ni de dominer l'homme. Qu'elle se tienne donc en silence. [13] C'est Adam, en effet, qui fut formé le premier. Eve ensuite. [14] Et ce n'est pas Adam qui fut séduit, mais c'est la femme qui, séduite, tomba dans la transgression. [15] Cependant elle sera sauvée par sa maternité, à condition de persévérer dans la foi, l'amour et la *sainteté, avec modestie.

Les responsables de la communauté

3 [1] Elle est digne de confiance, cette parole : si quelqu'un aspire à l'épiscopat *g*, c'est une belle tâche qu'il désire. [2] Aussi faut-il que l'épiscope soit irréprochable, mari d'une seule femme, sobre,

---

e Voir 1 Co 5.5 et note. *Hyménée:* voir 2 Tm 2.17; *Alexandre:* voir 2 Tm 4.14 ● *f* Voir Ex 9.29; 1 R 8.22; Lm 2.19: *lever les mains vers le ciel* était un des gestes de la prière dans l'ancien Israël ● *g* Terme technique dans l'Eglise ancienne pour désigner la charge des *épiscopes* (surveillants), c'est-à-dire de ceux qui étaient responsables des communautés. Ailleurs les mêmes responsables sont appelés *anciens* (Tt 1.5-7; Ac 20.17, 28)

1.17 Dieu unique Rm 16.27; cf. 1 Tm 2.5 — autres exemples de formules liturgiques 1 Tm 2.5-6; 5.21; 6.15-16; 2 Tm 1.9-10; 2.8; 4.1. **1.18** prophéties prononcées sur Timothée 1 Tm 4.14; cf. Ac 13.1-3 — combattre le beau combat 1 Tm 6.12; 2 Tm 4.7; cf. Jude 3. **1.20** Hyménée 2 Tm 2.17 — Alexandre 2 Tm 4.14 — livrer à Satan 1 Co 5.5. **2.1** prières, supplications, actions de grâce Ep 6.18; Ph 4.6. **2.2** piété 1 Tm 4.7+. **2.3** Dieu Sauveur 1 Tm 1.1+. **2.4** que tous les hommes soient sauvés Ez 18.23; 2 P 3.9 — connaissance de la vérité 2 Tm 2.25; 3.7; Tt 1.1. **2.5** un seul Dieu Rm 3.29-30; 10.12 — Jésus médiateur He 12.24. **2.6** Jésus s'est donné Ga 1.4; 2.20; Tt 2.14 en rançon Mt 20.28 — Jésus témoin 1 Tm 6.13; Ap 1.5; 3.14 — aux temps fixés 1 Tm 6.15; Tt 1.3; cf. Ac 1.7; Rm 5.6-8; Ga 4.4. **2.7** Paul établi héraut et apôtre Ac 9.15; Ga 2.7-8; 1 Tm 1.11. **2.9** tenue des femmes chrétiennes 1 P 3.3-5. **2.10** qu'elles se parent de bonnes œuvres 1 Tm 5.10. **2.11-12** réserve recommandée aux femmes chrétiennes 1 Co 14.34. **2.12** en silence cf. 1 Tm 5.13. **2.13** Adam le premier; Eve ensuite Gn 1.27; 2.7, 22; 1 Co 11.8-9. **2.14** Eve séduite Gn 3.6, 13; 2 Co 11.3. **2.15** sauvée par sa maternité cf. 1 Tm 4.3; Tt 2.3-5. **3.1** parole digne de confiance 1 Tm 1.15+ — épiscopat (fonction de direction) cf. Tt 1.5-7; Ac 20.17, 28. **3.2** mari d'une seule femme cf. Mc 10.1-11; 1 Tm 5.9.

pondéré, de bonne tenue, hospitalier, capable d'enseigner, ³ ni buveur, ni batailleur, mais doux ; qu'il ne soit ni querelleur, ni cupide. ⁴ Qu'il sache bien gouverner sa propre maison et tenir ses enfants dans la soumission, en toute dignité : ⁵ quelqu'un, en effet, qui ne saurait gouverner sa propre maison, comment prendrait-il soin d'une église de Dieu ? ⁶ Que ce ne soit pas un nouveau converti, de peur qu'il ne tombe, aveuglé par l'orgueil, sous la condamnation portée contre le *diable. ⁷ Il faut de plus que ceux du dehors lui rendent un beau témoignage, afin qu'il ne tombe dans l'opprobre en même temps que dans les filets du diable.

Les diacres

⁸ Les diacres ʰ, pareillement, doivent être dignes, n'avoir qu'une parole, ne pas s'adonner au vin ni rechercher des gains honteux. ⁹ Qu'ils gardent le *mystère de la foi dans une conscience *pure. ¹⁰ Qu'eux aussi soient d'abord mis à l'épreuve ; ensuite, si on n'a rien à leur reprocher, ils exerceront le ministère du diaconat. ¹¹ Les femmes, pareillement, doivent être dignes, point médisantes, sobres, fidèles en toutes choses. ¹² Que les diacres soient maris d'une seule femme, qu'ils gouvernent bien leurs enfants et leur propre maison. ¹³ Car ceux qui exercent bien le ministère de diacre s'acquièrent un beau rang ainsi qu'une grande assurance fondée sur la foi qui est dans le Christ Jésus.

Le mystère auquel s'attache la piété

¹⁴ Je t'écris cela, tout en espérant te rejoindre bientôt.

¹⁵ Toutefois, si je tardais, tu sauras ainsi comment te conduire dans la maison de Dieu, qui est l'église du Dieu vivant, colonne et soutien de la vérité. ¹⁶ Assurément, il est grand, le *mystère de la piété.

Il a été manifesté dans la chair ⁱ
justifié par l'Esprit,
Contemplé par les *anges,
proclamé chez les *païens,
Cru dans le monde,
exalté dans la gloire.

Des doctrines à rejeter

4 ¹ L'Esprit le dit expressément : dans les derniers temps, certains renieront la foi, s'attacheront à des esprits séducteurs et à des doctrines inspirées par les *démons, ² égarés qu'ils seront par l'hypocrisie des menteurs marqués au fer rouge ʲ dans leur conscience : ³ ils interdiront le mariage ; ils proscriront l'usage de certains aliments, alors que Dieu les a créés pour que les fidèles, eux qui connaissent pleinement la vérité, les prennent avec action de grâce. ⁴ Car tout ce que Dieu a créé est bon, et rien n'est à rejeter si on le prend avec action de grâce. ⁵ En effet, la parole de Dieu et la prière le sanctifient.

⁶ Expose tout cela aux frères : tu seras ainsi un bon diacre ᵏ du Christ Jésus, nourri des paroles de la foi et de la belle doctrine que tu as suivie avec empressement. ⁷ Quant aux fables impies, commérages de vieille femme, rejette-les.

Dieu, sauveur de tous les hommes

Exerce-toi plutôt à la piété. ⁸ L'exercice corporel, en effet, est utile à peu de choses, tandis que la piété, elle, est utile à tout. Ne possède-t-elle pas la promesse

---

h Autre terme technique de l'Eglise ancienne, désignant ceux qui sont chargés de venir en aide aux pauvres et aux malades. *Diacres* pourrait être traduit par *serviteurs* ou *assistants*. Leur service est appelé *diaconat* au v. 10 ● i D'autres traduisent: *il est apparu comme un être humain* ● j La marque au fer rouge était réservée aux criminels et aux esclaves fugitifs ● k Le mot *diacre* est pris ici au sens général de *serviteur*

3.3-7 recommandations aux épiscopes Tt 1.6-9; cf. 2 Tm 2.24-26.   **3.7** ceux du dehors Mc 4.11+ — le témoignage des hommes 2 Co 8.21.   **3.8** diacres Ph 1.1.   **3.11** les femmes (des diacres) cf. Rm 16.1 — non médisantes Tt 2.3.   **3.12** maris d'une seule femme 1 Tm 3.2+.   **3.13** un beau rang Mc 10.43-44.   **3.15** la maison de Dieu Ep 2.19-22; cf. 1 Co 6.19+.   **3.16** le mystère Ep 3.3+ — piété 1 Tm 4.7+ — manifesté dans la chair Jn 1.14 — justifié par l'Esprit Rm 1.4 — exalté dans la gloire Mc 16.19; Ac 1.9; cf. Ph 2.9-11.   **4.1** dans les derniers temps 2 Tm 3.1; 2 P 3.3; 1 Jn 2.18; Jude 18.   **4.3** tabous alimentaires cf. Rm 14; Col 2.20-23; Tt 1.13-15 — les aliments autorisés par Dieu Gn 9.3 — les prendre avec action de grâce Rm 14.6; 1 Co 10.30-31.   **4.4** tout ce que Dieu a créé est bon Gn 1.31; Ac 10.15.   **4.7** fables et commérages 1 Tm 1.4; 6.20; 2 Tm 2.16, 23; 4.4.; Tt 1.14.   **4.8** piété Ac 3.12; 1 Tm 2.2; 3.16; 4.8; 6.3, 5-6, 11; 2 Tm 3.5; Tt 1.1; 2 P 1.3, 6-7 — exercice corporel 1 Co 9.24-27+ — la piété utile à tout 1 Tm 6.6.

de la *vie, de la vie présente comme de la vie future ?

⁹ Elle est digne de confiance, cette parole, et mérite d'être pleinement accueillie par tous. ¹⁰ Car si nous peinons et si nous combattons, c'est que nous avons mis notre espérance dans le Dieu vivant, qui est le Sauveur de tous les hommes, surtout des croyants. ¹¹ Voilà ce que tu dois prescrire et enseigner.

Un modèle pour les fidèles

¹² Que personne ne méprise ton jeune âge. Tout au contraire, sois pour les fidèles un modèle en parole, en conduite, en amour, en foi, en *pureté. ¹³ En attendant ma venue, consacre-toi à la lecture de l'Ecriture ˡ, à l'exhortation, à l'enseignement. ¹⁴ Ne néglige pas le don de la grâce qui est en toi, qui te fut conféré par une intervention *prophétique, accompagnée de *l'imposition des mains par le collège des *anciens. ¹⁵ Voilà ce que tu dois prendre à cœur. Voilà en quoi il te faut persévérer. Ainsi tes progrès seront manifestes aux yeux de tous.

¹⁶ Veille sur toi-même et sur ton enseignement. Mets-y de la persévérance. C'est bien en agissant ainsi que tu sauveras et toi-même et ceux qui t'écoutent.

Comme dans une grande famille

5 ¹ Ne reprends pas avec dureté un vieillard, mais exhorte-le comme un père. Traite les jeunes gens comme des frères, ² les femmes âgées comme des mères, les jeunes filles comme des sœurs, en toute *pureté.

Recommandations au sujet des veuves

³ Honore les veuves, celles qui le sont réellement ᵐ. ⁴ Si, en effet, une veuve a des enfants ou des petits-enfants, c'est à eux en premier d'apprendre à pratiquer la piété envers leur propre famille et à payer de retour leurs parents. Voilà, certes, qui

est agréable aux yeux de Dieu. ⁵ Quant à celle qui est réellement veuve, qui est demeurée tout à fait seule, elle a mis son espérance en Dieu et persévère nuit et jour dans les supplications et les prières. ⁶ Par contre, celle qui ne pense qu'au plaisir est morte, quoique vivante. ⁷ Voilà aussi ce que tu dois prescrire, afin qu'elles soient irréprochables. ⁸ Si quelqu'un ne prend pas soin des siens, surtout de ceux qui vivent dans sa maison, il a renié la foi, il est pire qu'un incroyant.

⁹ Une femme ne sera inscrite au groupe des veuves ⁿ que si elle est âgée d'au moins soixante ans et n'a eu qu'un mari. ¹⁰ Il faut qu'elle soit connue pour ses belles œuvres : qu'elle ait élevé des enfants, exercé l'hospitalité, lavé les pieds des saints ᵒ, assisté les affligés, qu'elle se soit appliquée à toute œuvre bonne. ¹¹ Quant aux jeunes veuves, tu les écarteras. Car, lorsque leurs désirs les détournent du Christ, elles veulent se remarier, ¹² encourant ainsi le jugement pour avoir rompu leur premier engagement. ¹³ De plus, comme elles sont désœuvrées, elles apprennent à courir les maisons ; non seulement elles sont désœuvrées, mais encore bavardes et indiscrètes, elles parlent à tort et à travers. ¹⁴ Je veux donc que les jeunes veuves se remarient, qu'elles aient des enfants, dirigent leur maison et ne donnent aucune prise aux médisances de l'adversaire. ¹⁵ Car il en est déjà quelques-unes qui se sont égarées en suivant *Satan. ¹⁶ Si une croyante a des veuves dans sa parenté, qu'elle les assiste ; il ne faut pas que l'église en ait la charge, afin qu'elle puisse assister celles qui sont réellement veuves.

Recommandations au sujet des anciens

¹⁷ Les *anciens qui exercent bien la présidence méritent double honneur ᵖ, surtout ceux qui peinent au ministère de la parole et à l'enseignement. ¹⁸ L'Ecriture dit en effet :

---

l Il s'agit d'une lecture publique, comme celle qu'on pratiquait dans les synagogues (Lc 4.16-21 ; Ac 13.14-16) ● *m* C'est-à-dire celles qui sont privées de tout appui familial ● *n* Il s'agit des *veuves* que l'église doit assister (voir v. 16) ● *o* Voir Rm 1.7 et note ● *p* Ou *des honoraires doubles* (cf. v. 18)

4.9 parole digne de confiance 1 Tm 1.15+. **4.10** Dieu Sauveur 1 Tm 1.1+. **4.12** que personne ne méprise Tt 2.15. **4.13** lecture de l'Ecriture Lc 4.16-21 ; Ac 13.14-16. **4.14** don... imposition des mains 2 Tm 1.6 — imposition des mains Ac 6.6+ ; 1 Tm 5.22 — anciens 1 Tm 5.17. **5.1** respect pour un vieillard Lv 19.32. **5.5** veuve, qui a mis son espérance en Dieu Lc 2.37 ; 18.7. **5.10** exercer l'hospitalité He 13.2 — laver les pieds Lc 7.44 ; Jn 13.4-15 des saints Rm 1.7+. **5.13** désœuvrées, bavardes 2 Th 3.11. **5.14** remariage 1 Co 7.9. **5.17** anciens Tt 1.5-9 ; 1 P 5.1 — double honneur 1 Co 16.18 ; Ph 2.29 ; cf. 1 Th 5.12. **5.18** Tu ne muselleras pas... Dt 25.4 (1 Co 9.9) — l'ouvrier mérite son salaire Mt 10.10 ; Lc 10.7 ; cf. 1 Co 9.14.

Tu ne musselleras pas le bœuf qui
foule le grain,
et encore :
L'ouvrier mérite son salaire.
19 N'accepte d'accusation contre un ancien que *sur déposition de deux ou trois*
témoins.
20 Ceux qui pèchent, reprends-les en
présence de tous, afin que les autres aussi
éprouvent de la crainte. 21 Je t'adjure en
présence de Dieu et du Christ Jésus, ainsi
que des *anges élus [q], observe ces règles
avec impartialité, sans rien faire par favo-
ritisme.
22 *N'impose hâtivement les mains à
personne, ne participe pas aux péchés
d'autrui. Toi-même, garde-toi *pur.
23 Cesse de ne boire que de l'eau.
Prends un peu de vin à cause de ton
estomac et de tes fréquentes faiblesses.
24 Il est des hommes dont les péchés
sont manifestes avant même qu'on les
juge ; chez d'autres au contraire, ils ne
le deviennent qu'après. 25 Les belles œuvres, pareillement, sont manifestes ; même
celles qui ne le sont pas ne peuvent rester cachées.

Recommandations au sujet des esclaves

6 1 Tous ceux qui sont sous le joug [r]
de l'esclavage doivent considérer
leurs maîtres comme dignes d'un entier
respect, afin que le *nom de Dieu et la
doctrine ne soient pas *blasphémés. 2 Ceux
qui ont des maîtres croyants, qu'ils ne leur
manquent pas de considération sous prétexte qu'ils sont frères. Au contraire,
qu'ils les servent encore mieux, puisque
ce sont des croyants et frères bien-aimés
qui bénéficient de leurs bons offices.

Le piège des fausses doctrines

Voilà ce que tu dois enseigner et recommander. 3 Si quelqu'un enseigne une
autre doctrine, s'il ne s'attache pas aux
saines paroles de notre Seigneur Jésus
Christ et à la doctrine conforme à la piété,
4 c'est qu'il se trouve aveuglé par l'orgueil. C'est un ignorant, un malade en
quête de controverses et de querelles de
mots. De là viennent envie, disputes,
*blasphèmes, soupçons malveillants, 5 al-
tercations sans fin entre gens à l'esprit
corrompu, privés de la vérité, qui pensent que la piété est source de profit.
6 Oui, elle est d'un grand profit, la piété,
pour qui se contente de ce qu'il a. 7 En
effet, nous n'avons rien apporté dans le
monde ; de même, nous n'en pouvons
rien emporter. 8 Si donc nous avons nourriture et vêtement, nous nous en conten-
terons. 9 Quant à ceux qui veulent s'enrichir, ils tombent dans le piège de la
*tentation, dans de multiples désirs in-
sensés et pernicieux, qui plongent les
hommes dans la ruine et la perdition.
10 La racine de tous les maux, en effet,
c'est l'amour de l'argent. Pour s'y être
livrés, certains se sont égarés loin de la
foi et se sont transpercé l'âme de tourments multiples.

Consignes de l'apôtre à Timothée

11 Pour toi, homme de Dieu, fuis ces
choses. Recherche la justice, la piété, la
foi, l'amour, la persévérance, la douceur.
12 Combats le beau combat de la foi,
conquiers la *vie éternelle à laquelle tu
as été appelé, comme tu l'as reconnu dans
une belle profession de foi en présence
de nombreux témoins. 13 Je t'ordonne en
présence de Dieu qui donne vie à toutes
choses, et en présence du Christ Jésus
qui a rendu témoignage devant Ponce
Pilate dans une belle profession de foi :
14 garde le commandement en demeurant
sans tache et sans reproche, jusqu'à la
manifestation de notre Seigneur Jésus
Christ, 15 que fera paraître aux temps fixés

q Ces *anges* sont ici désignés comme *élus*, peut-être par opposition aux anges *déchus* (voir 2 P 2.4; Jude 6) • *r joug:* voir Mt 11.29-30 et note. Le mot *joug* est employé ici au sens imagé

5.19 deux ou trois témoins Dt 17.6; 19.15; Mt 18.16; 2 Co 13.1; He 10.28. **5.20** en présence de tous Ga 2.14; cf. Ep 5.11. **5.22** imposition des mains Mc 5.23+ ; Ac 6.6+ ; 1 Tm 4.14; 2 Tm 1.6. **6.1** recommandations aux esclaves Ep 6.5-9; Col 3.22-25; Tt 2.9-10; cf. 1 Co 7.21-24; Ga 3.28; Phm 10-17; 1 P 2.18-20. **6.2** encore mieux Phm 16. **6.3** une autre doctrine Ga 1.6-9 — saines paroles 2 Tm 1.13; cf. 1 Tm 1.10 — piété 1 Tm 4.7+. **6.5** gens à l'esprit corrompu 2 Tm 3.8 — privés de la vérité 2 Tm 4.4; Tt 1.14. **6.6** utilité de la piété 1 Tm 4.8 — se contenter de ce qu'on a Ph 4.11-12; He 13.5. **6.7** nous n'avons rien apporté Jb 1.21; Qo 5.15. **6.8** se satisfaire du nécessaire Pr 30.8. **6.9** ceux qui veulent s'enrichir Pr 23.4; 28.22. **6.11** fuir... rechercher 2 Tm 2.22 — foi, amour, persévérance 2 Th 1.3-4; Tt 2.2. **6.12** le beau combat 1 Tm 1.18+ ; cf. 1 Co 9.25-26. **6.13** profession de foi de Jésus Jn 18.36-37; 19.11. **6.14** manifestation de notre Seigneur 2 Tm 4.1, 8; Tt 2.13. **6.15** aux temps fixés 1 Tm 2.6+ — Roi des rois *2 M* 13.4; Seigneur des seigneurs Dt 10.17; Ps 136.3.

le bienheureux et unique Souverain,
le Roi des rois et Seigneur des seigneurs,
16 le seul qui possède l'immortalité,
qui habite une lumière inaccessible,
que nul homme n'a vu ni ne peut
voir.
A lui gloire et puissance éternelle.
*Amen.

Conseils pour les riches

17 Aux riches de ce monde-ci, ordonne
de ne pas s'enorgueillir et de ne pas mettre leur espoir dans une richesse incertaine, mais en Dieu, lui qui nous dispense tous les biens en abondance, pour
que nous en jouissions. 18 Qu'ils fassent
le bien, s'enrichissent de belles œuvres,
donnent avec largesse, partagent avec les
autres. 19 Ainsi amasseront-ils pour eux-
mêmes un bel et solide trésor pour l'avenir, afin d'obtenir la *vie véritable.

Dernières recommandations

20 O Timothée, garde le dépôt, évite les
bavardages impies et les objections d'une
pseudo-science. 21 Pour l'avoir professée,
certains se sont écartés de la foi.
La grâce soit avec vous !

6.16 lumière Ps 104.2 — que nul homme n'a vu Ex 33.20; cf. 1 Tm 1.17.   6.17 ne pas s'enorgueillir
Ps 62.10 ni mettre son espoir dans la richesse Lc 12.20.   6.18 partager avec les autres Ac 2.42, 44;
Rm 12.13.   6.19 un trésor pour l'avenir Mt 6.20.   6.20 garde le dépôt 2 Tm 1.14 — évite les
bavardages 1 Tm 4.7+.   6.21 égarement 1 Tm 1.6; 2 Tm 2.18.

DEUXIÈME ÉPÎTRE DE PAUL
A TIMOTHÉE

Paul s'adresse à Timothée

1 ¹ Paul, *apôtre du Christ Jésus par la volonté de Dieu, selon la promesse de la *vie qui est dans le Christ Jésus, ² à Timothée, mon enfant bien-aimé : grâce, miséricorde, paix de la part de Dieu le Père et du Christ Jésus notre Seigneur.

Reconnaissance envers Dieu

³ Je suis plein de reconnaissance envers Dieu, que je sers à la suite de mes ancêtres ᵃ avec une conscience *pure, lorsque sans cesse, nuit et jour, je fais mention de toi dans mes prières. ⁴ En me rappelant tes larmes ᵇ, j'ai un très vif désir de te revoir, afin d'être rempli de joie. ⁵ J'évoque le souvenir de la foi sincère qui est en toi, foi qui habita d'abord en Loïs ta grand-mère et en Eunice ta mère, et qui, j'en suis convaincu, réside aussi en toi.

Souffre avec moi pour l'Evangile

⁶ C'est pourquoi je te rappelle d'avoir à raviver le don de Dieu qui est en toi depuis que je t'ai *imposé les mains. ⁷ Car ce n'est pas un esprit de peur que Dieu nous a donné, mais un esprit de force, d'amour et de maîtrise de soi. ⁸ N'aie donc pas honte de rendre témoignage à notre Seigneur et n'aie pas honte de moi, prisonnier pour lui ᶜ. Mais souffre avec moi pour *l'Evangile, comptant sur la puissance de Dieu, ⁹ qui nous a sauvés et appelés par un saint appel, non en vertu de nos œuvres, mais en vertu de son propre dessein et de sa grâce. Cette grâce, qui nous avait été donnée avant les temps éternels dans le Christ Jésus, ¹⁰ a été manifestée maintenant par l'apparition de notre Sauveur le Christ Jésus. C'est lui qui a détruit la mort et fait briller la *vie et l'immortalité par l'Evangile ¹¹ pour lequel j'ai été, moi, établi héraut, *apôtre et docteur. ¹² Voilà pourquoi j'endure ces souffrances. Mais je n'en ai pas honte, car je sais en qui j'ai mis ma foi et j'ai la certitude qu'il a le pouvoir de garder le dépôt qui m'est confié jusqu'à ce *Jour-là.

¹³ Prends pour norme les saines paroles que tu as entendues de moi, dans la foi et l'amour qui sont dans le Christ Jésus. ¹⁴ Garde le bon dépôt par l'Esprit Saint qui habite en nous.

Fidélité d'Onésiphore et de sa famille

¹⁵ Tu le sais, tous ceux d'Asie m'ont abandonné, entre autres Phygèle et Hermogène. ¹⁶ Que le Seigneur répande sa miséricorde sur la famille d'Onésiphore, car il m'a souvent réconforté et n'a pas eu honte de mes chaînes. ¹⁷ Au contraire,

---

a Voir Ph 3.4-5: les ancêtres de Paul étaient des Juifs pratiquants ● *b* Voir 1 Tm 1.3. Paul fait allusion à la tristesse exprimée par Timothée lorsque l'apôtre dut le laisser à Ephèse ● *c* Selon 2 Tm 1.17 Paul est en prison à Rome

1.1 Paul apôtre 1 Co 1.1+. **1.2** Timothée Ac 16.1+. **1.3** à la suite de mes ancêtres Ph 3.5 — avec une conscience pure Ac 23.1; 24.16. **1.5** la mère de Timothée Ac 16.1. **1.6** le don de Dieu qui est en toi 1 Tm 4.14 — imposition des mains Mt 9.18+; Mc 5.23+; Ac 6.6+; 1 Tm 4.14; 5.22. **1.7** non pas un esprit de peur Rm 8.15. **1.8** Evangile et puissance de Dieu Rm 1.16. **1.9** Dieu Sauveur 1 Tm 1.1+ — sauvés par grâce Ep 2.8-9; Tt 3.5. **1.10** notre Sauveur, le Christ Lc 2.11+; Ac 4.12+ — a détruit la mort 1 Co 15.15, 57; He 2.14. **1.11** Paul héraut, apôtre 1 Tm 2.7+. **1.12** le dépôt 1 Tm 6.20 — ce Jour-là 2 Tm 4.8. **1.15** Paul abandonné 2 Tm 4.16. **1.16** la famille d'Onésiphore 2 Tm 4.19.

dès son arrivée à Rome, il m'a cherché avec zèle et m'a trouvé. [18] Que le Seigneur lui donne de trouver miséricorde auprès du Seigneur en ce *Jour-là. Et tous les services qu'il m'a rendus à Ephèse, tu les connais mieux que personne.

Un soldat du Christ

2 [1] Toi donc, mon enfant, fortifie-toi dans la grâce qui est dans le Christ Jésus. [2] Ce que tu as appris de moi en présence de nombreux témoins [d], confie-le à des hommes fidèles qui seront eux-mêmes capables de l'enseigner encore à d'autres. [3] Prends ta part de souffrance [e] en bon soldat du Christ Jésus. [4] Personne, en s'engageant dans l'armée, ne s'embarrasse des affaires de la vie civile s'il veut donner satifaction à celui qui l'a enrôlé. [5] Et de même, dans la lutte sportive, l'athlète ne reçoit la couronne [f] que s'il a lutté selon les règles. [6] C'est au cultivateur qui peine que doit revenir d'abord sa part de fruits. [7] Comprends ce que je dis. Du reste, le Seigneur te fera comprendre tout cela.

Souviens-toi de Jésus ressuscité

[8] Souviens-toi de Jésus Christ
    ressuscité d'entre les morts,
    issu de la race de David,
selon *l'Evangile que j'annonce [9] et pour lequel je souffre jusqu'à être enchaîné comme un malfaiteur. Mais la parole de Dieu n'est pas enchaînée ! [10] C'est pourquoi je supporte tout à cause des élus, afin qu'eux aussi obtiennent le salut, qui est dans le Christ Jésus, avec la gloire éternelle. [11] Elle est digne de confiance, cette parole :
    Si nous mourons avec lui,
    avec lui nous vivrons.
[12] Si nous souffrons avec lui [g],
    avec lui nous régnerons.

Si nous le renions,
    lui aussi nous reniera.
[13] Si nous lui sommes infidèles,
    lui demeure fidèle,
    car il ne peut se renier lui-même.

Un ouvrier qui n'a pas à rougir

[14] Tout cela, rappelle-le, attestant devant Dieu qu'il faut éviter les querelles de mots : elles ne servent de rien, sinon à perdre ceux qui les écoutent. [15] Efforce-toi de te présenter à Dieu comme un homme éprouvé, un ouvrier qui n'a pas à rougir, qui dispense avec droiture la parole de vérité. [16] Quant aux bavardages impies, évite-les. Ceux qui s'y livrent, en effet, progresseront dans l'impiété ; [17] Leur parole est comme une gangrène qui s'étend. Tels sont Hyménée et Philétos. [18] Ils se sont écartés de la vérité en prétendant que la résurrection a déjà eu lieu ; ils renversent ainsi la foi de plusieurs.

Le fondement posé par Dieu

[19] Néanmoins, le solide fondement posé par Dieu demeure. Il a pour sceau cette parole :
    Le Seigneur connaît les siens
et encore :
    Qu'il s'éloigne de l'iniquité,
    quiconque invoque le *nom du Seigneur.
[20] Dans une grande maison, il n'y a pas seulement des vases d'or et d'argent ; il en est aussi de bois et d'argile. Les uns sont pour un usage noble, les autres pour un usage vulgaire. [21] Celui qui se *purifie de ces souillures, sera un vase noble, *sanctifié, utile au Maître. propre à toute œuvre bonne.

Un serviteur du Seigneur

[22] Fuis les passions de la jeunesse, re-

---

d ou *par l'intermédiaire de nombreux témoins ;* il s'agirait alors des gens qui ont été témoins de l'Evangile auprès de Timothée ● e Ou *souffre avec moi* (voir 2 Tm 1.8). ● f Voir Ph 4.1 et note ● g Ou *si nous tenons ferme*

1.18 trouver miséricorde auprès du Seigneur Jude 21.   **2.3** ta part de souffrances 2 Tm 1.8. **2.5** lutte sportive 1 Co 9.24+ — couronne cf. 1 Co 9.25+.   **2.6** celui qui doit profiter du travail 1 Co 9.7, 10.   **2.8** Jésus ressuscité d'entre les morts 1 Co 15.4, 20 — de la race de David Mt 1.1+ ; cf. Rm 1.3-4.   **2.9** Paul, enchaîné pour le Christ Ep 3.1 ; Ph 1.12, 14.   **2.10** Paul supporte tout 1 Co 13.7 à cause des élus Col 1.24.   **2.11** parole digne de confiance 1 Tm 1.15+ — mourir avec le Christ, vivre avec le Christ Rm 6.8.   **2.12** renier le Christ Mt 10.33 ; Lc 12.9.   **2.13** le Christ fidèle envers et contre tout Rm 3.3-4 — Dieu ne se renie pas lui-même Nb 23.19 ; Tt 1.2.   **2.14** querelles de mots 1 Tm 6.4 ; Tt 3.9.   **2.15** un ouvrier qui n'a pas à rougir 1 Tm 4.6 ; Tt 2.7-8. **2.16** bavardages 1 Tm 4.7+.   **2.17** Hyménée 1 Tm 1.20.   **2.18** la résurrection aurait déjà eu lieu cf. Rm 6.1-11 ; Ep 2.5 ; Col 2.12-13 ; 3.1.   **2.19** le solide fondement 1 Tm 3.15 ; 2) 1 Co 3.11 ; Ep 2.20 ; Ap 21.14 — le Seigneur connaît... Nb 16.5 ; Jn 10.14 ; 1 Co 8.3 — Qu'il s'éloigne... Nb 16.26 ; Es 26.13.   **2.20** vases à usages divers Rm 9.21-24.   **2.21** propre à toute bonne œuvre 2 Tm 3.17. **2.22** fuir... rechercher 1 Tm 6.11.

cherche la justice, la foi, l'amour, la paix avec ceux qui, d'un cœur *pur, invoquent le Seigneur. ²³ Mais les controverses vaines et stupides, évite-les. Tu sais qu'elles engendrent les querelles. ²⁴ Or, un serviteur du Seigneur ne doit pas se quereller, mais être affable envers tous, capable d'enseigner, supportant les contrariétés. ²⁵ C'est avec douceur qu'il doit instruire les contradicteurs : qui sait si Dieu ne leur donnera pas de se convertir pour connaître la vérité, ²⁶ de revenir à eux-mêmes en se dégageant des filets du *diable qui les tenait captifs et assujettis à sa volonté ?

Les difficultés des derniers temps

3 ¹ Sache bien ceci : dans les derniers jours surviendront des temps difficiles. ² Les hommes, en effet, seront égoïstes, âpres au gain, fanfarons, orgueilleux, *blasphémateurs, rebelles à leurs parents, ingrats, sacrilèges, ³ sans cœur, implacables, médisants, sans discipline, cruels, ennemis du bien, ⁴ traîtres, emportés, aveuglés par l'orgueil, amis des plaisirs plutôt qu'amis de Dieu ; ⁵ ils garderont les apparences de la piété, mais en auront renié la puissance. Détourne-toi aussi de ces gens-là ! ⁶ Car ils sont des leurs, ceux qui s'introduisent dans les maisons et prennent dans leurs filets des femmelettes chargées de péchés, entraînées par toutes sortes de désirs, ⁷ toujours en train d'apprendre mais sans jamais être capables de parvenir à la connaissance de la vérité. ⁸ De même que Jannès et Jambrès ʰ s'opposèrent à Moïse, ainsi ces gens-là s'opposent à la vérité ; ce sont des hommes à l'esprit perverti, à la foi inconsistante ⁱ. ⁹ Mais ils n'iront pas plus avant, car leur folie deviendra manifeste pour tous, comme le devint celle de ces deux-là.

Mais toi, demeure ferme

¹⁰ Mais toi, tu m'as suivi avec empressement dans l'enseignement, la conduite, les projets, la foi, la patience, l'amour, la persévérance, ¹¹ les persécutions, les souffrances que j'ai connues à Antioche ʲ, à Iconium, à Lystres. Quelles persécutions j'ai subies ! Et de toutes le Seigneur m'a délivré ! ¹² D'ailleurs, tous ceux qui veulent vivre avec piété dans le Christ Jésus seront persécutés. ¹³ Quant aux hommes mauvais et aux imposteurs, ils progresseront dans le mal, trompant les autres et trompés eux-mêmes. ¹⁴ Mais toi, demeure ferme dans ce que tu as appris et accepté comme certain : tu sais de qui tu l'as appris. ¹⁵ Depuis ta tendre enfance tu connais les Saintes Ecritures ; elles ont le pouvoir de te communiquer la sagesse qui conduit au salut par la foi qui est dans le Christ Jésus. ¹⁶ Toute Ecriture est inspirée de Dieu ᵏ et utile pour enseigner, pour réfuter, pour redresser, pour éduquer dans la justice, ¹⁷ afin que l'homme de Dieu soit accompli, équipé pour toute œuvre bonne.

Proclame la Parole

4 ¹ Je t'adjure en présence de Dieu et du Christ Jésus, qui viendra juger les vivants et les morts, au nom de sa manifestation et de son *règne : ² proclame la Parole, insiste à temps et à contretemps, reprends, menace, exhorte, toujours avec patience et souci d'enseigner. ³ Viendra un temps, en effet, où certains ne supporteront plus la saine doctrine, mais, au gré de leurs propres désirs et l'oreille leur démangeant, s'entoureront de quantité de maîtres. ⁴ Ils détourneront leurs oreilles de la vérité, vers les fables ils se retourneront. ⁵ Mais toi cependant, sois sobre en toutes choses, supporte la

---

ʰ C'étaient les noms que la tradition juive donnait aux magiciens d'Egypte mentionnés en Ex 7.11, 22, etc. ● ⁱ Ou *ils seront réprouvés en ce qui concerne la foi* ● ʲ Antioche de Pisidie (Ac 13—14) ● ᵏ Ou *Toute Ecriture inspirée de Dieu est utile...*

2.23 controverses vaines 1 Tm 4.7+. **2.24** pas de querelles 1 Tm 3.3; Tt 1.7; 3.2. **2.25** pour connaître la vérité 1 Tm 2.4+. **3.1** Dans les derniers jours 1 Tm 4.1+. **3.2-4** dérèglement Rm 1.29-31+. **3.5** apparences de piété Mt 7.15, 21; Rm 2.20-21; Tt 1.16; cf. 1 Tm 4.7+. **3.6** ceux qui s'introduisent dans les maisons 1 Tm 1.11. **3.7** connaissance de la vérité 1 Tm 2.4+. **3.8** hommes à l'esprit perverti 1 Tm 6.5. **3.11** souffrances de Paul à Antioche Ac 13.50, à Iconium Ac 14.5, à Lystres Ac 14.19 — délivré par le Seigneur Ps 34.20. **3.12** persécution inévitable des fidèles Mt 16.24; Jn 15.20; Ac 14.22. **3.14** de qui tu l'as appris 2 Tm 1.5; 2.2. **3.15** les Saintes Ecritures et le salut Jn 5.39. **3.16** inspirée de Dieu 2 P 1.21 — l'Ecriture, utile pour enseigner Rm 15.4. **3.17** équipé pour toute bonne œuvre 2 Tm 2.21. **4.1** juge des vivants et des morts Ac 10.42; Rm 14.9-10; 1 P 4.5 — manifestation (finale) de Jésus Christ 1 Tm 6.14+. **4.2** à temps et à contre-temps Ac 20.20-21. **4.3** viendra un temps... 1 Tm 4.1 — la saine doctrine 1 Tm 1.10+. **4.4** vers les fables 1 Tm 4.7+.

souffrance, fais œuvre *d'évangéliste, remplis ton *ministère.

J'ai achevé ma course, j'ai gardé la foi

⁶ Pour moi, voici que je suis déjà offert en libation et le temps de mon départ *l* est arrivé. ⁷ J'ai combattu le beau combat, j'ai achevé ma course, j'ai gardé la foi. ⁸ Dès maintenant m'est réservée la couronne de justice qu'en retour me donnera le Seigneur, en ce *Jour-là, lui le juste juge ; et non seulement à moi, mais à tous ceux qui auront aimé sa manifestation.

Nouvelles personnelles et recommandations

⁹ Efforce-toi de venir me rejoindre au plus vite. ¹⁰ Car Démas m'a abandonné par amour pour le monde présent. Il est parti pour Thessalonique, Crescens pour la Galatie, Tite pour la Dalmatie. ¹¹ Luc seul est avec moi. Prends Marc et amène-le avec toi, car il m'est précieux pour le *ministère. ¹² J'ai envoyé Tychique à Éphèse.
¹³ Le manteau que j'ai laissé à Troas chez Carpos, apporte-le en venant, ainsi que les livres, surtout les parchemins.

¹⁴ Alexandre le fondeur a fait preuve de beaucoup de méchanceté à mon égard. *Le Seigneur* lui *rendra selon ses œuvres.* ¹⁵ Toi aussi, prends garde à lui, car il s'est violemment opposé à nos paroles.
¹⁶ La première fois que j'ai présenté ma défense *ᵐ*, personne ne m'a assisté, tous m'ont abandonné. Qu'il ne leur en soit pas tenu rigueur. ¹⁷ Le Seigneur, lui, m'a assisté ; il m'a revêtu de force, afin que par moi le message fût pleinement proclamé et qu'il fût entendu de tous les *païens. Et j'ai été délivré de la *gueule du lion !*
¹⁸ Le Seigneur me délivrera de toute entreprise perverse et me sauvera pour son *Royaume céleste. A lui la gloire dans les *siècles des siècles ! *Amen.

Salutations

¹⁹ Salue Prisca et Aquilas, ainsi que la famille d'Onésiphore. ²⁰ Éraste est demeuré à Corinthe. J'ai laissé Trophime malade à Milet.
²¹ Efforce-toi de venir avant l'hiver.
Tu as le salut d'Eubule, de Pudens, de Lin, de Claudia et de tous les frères.
²² Le Seigneur soit avec ton esprit. La grâce soit avec vous tous.

---

l Libation: voir Ph 2.17 et note — *Mon départ:* le terme utilisé par l'apôtre sert parfois à décrire le départ d'un navire qui quitte le port. C'est l'image d'une mort prochaine. Voir Ph 1.23
● *m* Paul fait allusion à son procès

4.6 offert en libation Ph 2.17; cf. Ex 29.40; Nb 28.7 — départ Ph 1.23. **4.7** le beau combat 1 Tm 1.18+. **4.8** la couronne 1 Co 9.25+; 2 Tm 2.5 — la manifestation du Seigneur 1 Tm 6.14+. **4.10** Démas Col 4.14+ — Thessalonique Ac 17.1; 20.4; 27.2; Ph 4.16 — Galatie Ac 16.6; 18.23; 1 Co 16.1; Ga 1.2; 1 P 1.1 — Tite 2 Co 2.13+. **4.11** Luc Col 4.14+ — Marc Ac 12.12+; Col 4.10; Phm 24; 1 P 5.13. **4.12** Tychique Ac 20.4+ — Éphèse Ac 19.1+. **4.13** Troas Ac 16.8+. **4.14** Alexandre 1 Tm 1.20 — le Seigneur lui rendra... 2 S 3.39; Ps 28.4; 62.13; Pr 24.12; Rm 2.6. **4.16** Paul abandonné 2 Tm 1.15. **4.17** le Seigneur a assisté Paul Ac 27.23 — Paul, porteur du message aux païens Ac 9.15; 23.11; Ga 2.7 — délivré de la gueule du lion Ps 22.22; Dn 6.21; *I M* 2.60. **4.19** Prisca et Aquilas Ac 18.2+ — la famille d'Onésiphore 2 Tm 1.16-17. **4.20** Éraste Rm 16.23+ — Corinthe Ac 18.1; 19.1; 1 Co 1.2; 2 Co 1.1 — Trophime Ac 20.4+ — Milet Ac 20.15-17.

ÉPÎTRE DE PAUL A TITE

Paul s'adresse à Tite

1 ¹ Paul, serviteur de Dieu, *apôtre de Jésus Christ pour amener les élus de Dieu à la foi et à la connaissance de la vérité conforme à la piété, ² dans l'espérance de la *vie éternelle promise avant les temps éternels par le Dieu qui ne ment pas, ³ et qui, aux temps fixés, a manifesté sa parole dans un message qui m'a été confié, suivant l'ordre de Dieu notre Sauveur,

⁴ à Tite, mon véritable enfant dans la foi qui nous est commune :

grâce et paix de la part de Dieu le Père et du Christ Jésus notre Sauveur.

Instructions pour établir des anciens

⁵ Si je t'ai laissé en Crète, c'est pour que tu y achèves l'organisation et que tu établisses dans chaque ville des *anciens, suivant mes instructions. ⁶ Chacun d'eux doit être irréprochable, mari d'une seule femme, avoir des enfants croyants qu'on ne puisse accuser d'inconduite ou d'insoumission. ⁷ Il faut en effet que l'épiscope ᵃ soit irréprochable en sa qualité d'intendant de Dieu : ni arrogant, ni coléreux, ni buveur, ni batailleur, ni avide de gains honteux. ⁸ Il doit être hospitalier, ami du bien, pondéré, juste, saint, maître de soi, ⁹ fermement attaché à la parole digne de foi, qui est conforme à l'enseignement. Ainsi sera-t-il capable d'exhorter dans la saine doctrine et de réfuter les contradicteurs.

Les propagateurs de fausses doctrines

¹⁰ Nombreux sont en effet les insoumis, vains discoureurs et trompeurs, surtout parmi les *circoncis. ¹¹ Il faut leur fermer la bouche. Ils bouleversent des familles entières, en enseignant pour un gain honteux ce qu'il ne faut pas. ¹² L'un d'entre eux, leur propre *prophète, a dit :

« Crétois, perpétuels menteurs,
bêtes méchantes, panses fainéantes ᵇ. »

¹³ Ce témoignage est vrai. C'est pourquoi reprend-les sévèrement, pour qu'ils aient une foi saine. ¹⁴ Qu'ils ne s'attachent pas aux fables *juives et aux préceptes d'hommes qui se détournent de la vérité.

¹⁵ Tout est *pur pour ceux qui sont purs. Mais pour ceux qui sont *souillés et qui refusent de croire, rien n'est pur ; au contraire, leur intelligence et leur conscience sont souillées. ¹⁶ Ils font profession de connaître Dieu, mais par leurs œuvres ils le renient. Ils sont abominables, rebelles, inaptes à toute œuvre bonne.

Fidèles âgés, jeunes gens, esclaves

2 ¹ Pour toi, enseigne ce qui est conforme à la saine doctrine. ² Que les vieillards soient sobres, dignes, pondérés,

---

ᵃ Voir 1 Tm 3.1 et note ● ᵇ Citation du poète crétois Epiménide de Cnossos (plus de 500 ans avant Jésus Christ)

1.1 Paul apôtre 1 Co 1.1+ — connaissance de la vérité 1 Tm 2.4+ — piété 1 Tm 4.7+. **1.3** aux temps fixés Ep 1.9-10; 1 Tm 2.6+ — Dieu a manifesté sa parole Rm 16.25-26; 1 Co 2.7-9; Ep 3.5-9; Col 1.26 — un message confié à Paul 1 Tm 1.11+ — Dieu Sauveur 1 Tm 1.1+. **1.4** Tite 2 Co 2.13+ — mon véritable enfant dans la foi 1 Tm 1.2. **1.5** anciens Ac 11.30+; cf. 1 Tm 3.1+. **1.6-9** recommandations aux anciens 1 Tm 3.2-7; 2 Tm 2.24-26. **1.9** saine doctrine 1 Tm 1.10+. **1.10** les circoncis cf. Ac 15.1. **1.11** des familles entières 2 Tm 3.6 — pour un gain honteux Jn 10.12; 1 P 5.3. **1.13** à reprendre sévèrement 2 Tm 4.2. **1.14** fables 1 Tm 1.4+. **1.15** tout est pur... Mt 15.11; Lc 11.41; Rm 14.20. **1.16** contrairement à la foi qu'on professe 1 Jn 1.6; 2.4. **2.1** conformité de l'enseignement chrétien 2 Tm 1.13 à la saine doctrine 1 Tm 1.10+. **2.2** foi, amour, persévérance 2 Th 1.3-4; 1 Tm 6.11; cf. 1 Co 13.13+.

pleins d'une foi saine, d'amour, de persévérance.

³ Les femmes âgées, pareillement, doivent se comporter comme il sied à des personnes saintes ᶜ : ni médisantes, ni adonnées aux excès de vin. Qu'elles enseignent le bien, ⁴ qu'elles apprennent ainsi aux jeunes femmes à aimer leur mari et leurs enfants, ⁵ à être modestes, chastes, dévouées à leur maison, bonnes, soumises à leur mari, pour que la Parole de Dieu ne soit pas *blasphémée.

⁶ Exhorte aussi les jeunes gens à la pondération ⁷ en toutes choses.

Montre en ta personne un modèle de belles œuvres : pureté de doctrine, dignité, ⁸ parole saine et inattaquable, afin que l'adversaire, ne trouvant aucun mal à dire à notre sujet, soit couvert de confusion.

⁹ Que les esclaves soient soumis à leurs maîtres en toutes choses ; qu'ils se rendent agréables en évitant de les contredire, ¹⁰ et en ne commettant aucun détournement. Qu'ils fassent continuellement preuve d'une parfaite fidélité ; ainsi feront-ils honneur en tout à la doctrine de Dieu notre Sauveur.

Un peuple qui appartient à Jésus Christ

¹¹ Car elle s'est manifestée, la grâce de Dieu, source de salut pour tous les hommes. ¹² Elle nous enseigne à renoncer à l'impiété et aux désirs de ce *monde, pour que nous vivions dans le temps présent avec réserve, justice et piété, ¹³ en attendant la bienheureuse espérance ᵈ et la manifestation de la gloire de notre grand Dieu et Sauveur Jésus Christ ᵉ. ¹⁴ Il s'est donné lui-même pour nous, afin de nous racheter de toute iniquité et de *purifier un peuple qui lui appartienne, qui soit plein d'ardeur pour les belles œuvres.

¹⁵ C'est ainsi que tu dois parler, exhor-

ter et reprendre avec pleine autorité. Que personne ne te méprise.

Consignes pour la conduite des fidèles

3 ¹ Rappelle à tous qu'ils doivent être soumis aux magistrats, aux autorités, qu'ils doivent obéir, être prêts à toute œuvre bonne, ² n'injurier personne, éviter les querelles, se montrer bienveillants, faire preuve d'une continuelle douceur envers tous les hommes.

³ Car nous aussi, autrefois, nous étions insensés, rebelles, égarés, asservis à toutes sortes de désirs et de plaisirs, vivant dans la méchanceté et l'envie, odieux et nous haïssant les uns les autres. ⁴ Mais lorsque se sont manifestés la bonté de Dieu notre Sauveur et son amour pour les hommes, ⁵ il nous a sauvés non en vertu d'œuvres que nous aurions accomplies nous-mêmes dans la justice, mais en vertu de sa miséricorde, par le bain de la nouvelle naissance et de la rénovation que produit l'Esprit Saint. ⁶ Cet Esprit, il l'a répandu sur nous avec abondance par Jésus Christ notre Sauveur, ⁷ afin que, justifiés par sa grâce, nous devenions, selon l'espérance, héritiers de la *vie éternelle.

⁸ Elle est digne de confiance, cette parole, et je veux que tu sois tout à fait attentif à ce sujet, afin que tous ceux qui ont mis leur foi en Dieu s'appliquent à exceller dans les belles œuvres. Voilà qui est beau et utile pour les hommes.

⁹ Mais les recherches vaines, les généalogies ᶠ, les disputes, les controverses relatives à la *Loi, évite-les : elles sont inutiles et vaines. ¹⁰ Celui qui est hérétique ᵍ, écarte-le après un premier et un second avertissement : ¹¹ tu sais qu'un tel homme est dévoyé, pécheur, qu'il se condamne lui-même.

ᶜ Voir Rm 1.7 et note ● ᵈ Certains traduisent: *en attendant l'heureux jour que nous espérons.* Voir aussi 1 Tm 1.1 ● ᵉ Certains traduisent: *de notre grand Dieu et de notre Sauveur Jésus Christ* ● ᶠ Voir 1 Tm 1.4 et note ● ᵍ Certains traduisent: *ceux qui causent des divisions*

2.3 non médisantes 1 Tm 3.11.　　**2.5** leur maison(née) cf. Ac 11.14; 16.15, 31; 18.8; 1 Co 1.16 — soumises à leur mari Ep 5.22.　　**2.7** un modèle 1 Tm 4.12; 1 P 5.3.　　**2.8** que l'adversaire ne trouve rien à dire 1 P 2.15.　　**2.9** recommandations aux esclaves Ep 6.5; Col 3.22; 1 Tm 6.1; 1 P 2.18.　　**2.10** Dieu notre Sauveur 1 Tm 1.1+.　　**2.12** renoncer aux désirs de ce monde 1 Jn 2.16 — avec réserve, justice, piété cf. Ep 1.4.　　**2.13** manifestation glorieuse de Jésus Christ 1 Co 1.7; Ph 3.20; 1 Tm 6.14+.　　**2.14** le Christ s'est donné 1 Tm 2.6+ — pour nous racheter Ps 130.8 — un peuple qui lui appartienne Ex 19.5; Dt 4.20; 7.6; 14.2; Ez 37.23; 1 P 2.9 — plein d'ardeur pour les belles œuvres Ep 2.10; 1 P 3.13.　　**2.15** que personne ne te méprise 1 Tm 4.12.　　**3.1** soumission aux magistrats Rm 13.1; 1 P 2.13.　　**3.2** querelles 2 Tm 2.24+.　　**3.3** autrefois 1 Co 6.11; Ep 2.2; 5.8; 1 P 4.3.　　**3.4** Dieu Sauveur 1 Tm 1.1+.　　**3.5** sauvés par miséricorde 2 Tm 1.9+ — bain de la nouvelle naissance Ep 5.26 — rénovation que produit l'Esprit Saint Jn 3.5.　　**3.6** Esprit répandu... Jl 3.1.　　**3.7** justifiés par sa grâce Rm 3.24.　　**3.8** parole digne de confiance 1 Tm 1.15+.　　**3.9** ce qu'il faut éviter 2 Tm 2.14, 16, 23 — généalogies 1 Tm 1.4.　　**3.10** premier et deuxième avertissements Mt 18.15-17.　　**3.11** dévoyé... 1 Tm 6.4-5.

Dernières recommandations et salutations

¹² Lorsque je t'aurai envoyé Artémas ou Tychique, efforce-toi de venir me rejoindre à Nicopolis *h*. C'est là, en effet, que j'ai décidé de passer l'hiver.

¹³ Veille avec zèle au voyage de Zénas le juriste et d'Apollos, afin qu'ils ne manquent de rien. ¹⁴ Les nôtres aussi doivent apprendre à exceller dans les belles œuvres, pour faire face aux nécessités urgentes. Ainsi ne seront-ils pas sans fruits.

¹⁵ Tous ceux qui sont avec moi te saluent. Salue ceux qui nous aiment dans la foi.

La grâce soit avec vous tous.

---

h Plusieurs villes portaient ce nom dans le monde antique. Paul semble désigner ici la ville de *Nicopolis* située sur la côte Ouest de la Grèce

3.12 Tychique Ac 20.4 + .   **3.13.** Apollos Ac 18.24 + .   **3.14** exceller dans les belles œuvres Tt 2.14 — faire face aux nécessités urgentes Ep 4.28.

ÉPÎTRE DE PAUL A PHILÉMON

Paul s'adresse à Philémon

¹ Paul, prisonnier de Jésus Christ ª et Timothée, le frère, à Philémon, notre bien-aimé collaborateur ² et à Apphia, notre sœur, et à Archippe, notre compagnon d'armes, et à l'église qui s'assemble dans ta maison. ³ A vous grâce et paix, de la part de Dieu notre Père et du Seigneur Jésus Christ.

L'amour et la foi de Philémon

⁴ Je rends grâce à mon Dieu en faisant continuellement mention de toi dans mes prières ⁵ car j'entends parler de l'amour et de la foi que tu as envers le Seigneur Jésus et en faveur de tous les *saints ᵇ. ⁶ Que ta participation à la foi soit efficace : fais donc connaître tout le bien que nous pouvons accomplir pour la cause du Christ. ⁷ Grande joie et consolation m'ont été apportées : par ton amour, frère, tu as réconforté le cœur des saints.

L'accueil que Philémon doit à Onésime

⁸ Aussi, bien que j'aie, en Christ, toute liberté de te prescrire ton devoir, ⁹ c'est de préférence au nom de l'amour que je t'adresse une requête. Oui, moi, Paul, qui suis un vieillard, moi qui suis maintenant prisonnier de Jésus Christ, ¹⁰ je te prie pour mon enfant, celui que j'ai engendré en prison, Onésime ᶜ, ¹¹ qui jadis t'a été inutile et qui maintenant, nous est utile, à toi comme à moi. ¹² Je te le renvoie, lui qui est comme mon propre cœur ᵈ. ¹³ Je l'aurais volontiers gardé près de moi, afin

qu'il me serve à ta place, dans la prison où je suis à cause de *l'Evangile ; ¹⁴ mais je n'ai rien voulu faire sans ton accord, afin que ce bienfait n'ait pas l'air forcé, mais qu'il vienne de ton bon gré. ¹⁵ Peut-être Onésime n'a-t-il été séparé de toi pour un temps qu'afin de t'être rendu pour l'éternité, ¹⁶ non plus comme un esclave mais comme bien mieux qu'un esclave : un frère bien-aimé ; il l'est tellement pour moi, combien plus le sera-t-il pour toi, et en tant qu'homme et en tant que chrétien.

¹⁷ Si donc tu me tiens pour ton frère en la foi, reçois-le comme si c'était moi. ¹⁸ Et s'il t'a fait quelque tort ou s'il a quelque dette envers toi, porte cela à mon compte. ¹⁹ — C'est moi, Paul, qui l'écris de ma propre main : c'est moi qui paierai... Et je ne te rappelle pas que toi, tu as aussi une dette envers moi, et c'est toi-même ! ²⁰ Allons, frère, rends-moi ce service dans le Seigneur ; donne à mon cœur son réconfort en Christ ! ²¹ C'est en me fiant à ton obéissance que je t'écris : je sais que tu feras plus encore que je ne dis.

Recommandation et salutations finales

²² En même temps, prépare-moi un logement : j'espère en effet, grâce à vos prières, vous êtes rendu. ²³ Epaphras, mon compagnon de captivité en Jésus Christ, te salue, ²⁴ ainsi que Marc, Aristarque, Démas et Luc, mes collaborateurs. ²⁵ La grâce du Seigneur Jésus Christ soit avec vous.

ª Paul est en prison (v. 13, 22, 23), mais c'est pour le service du Christ (v. 13) ● ᵇ Voir Rm 1.7 et note ● ᶜ engendré : expression raccourcie pour dire qu'Onésime est né à la foi, c'est-à-dire qu'il est devenu chrétien, grâce à Paul. Voir 1 Co 4.15 — Onésime : un esclave qui s'était enfui de chez son maître Philémon ; son nom signifie Utile, et fait jeu de mots au v. 11 ● ᵈ Autre texte : je te le renvoie, et toi, reçois-le comme mon propre cœur

1 Paul, prisonnier du Christ Ep 3.1+ — Timothée Ac 16.1+. 2 Archippe Col 4.17 — l'église qui s'assemble dans ta maison Rm 16.5+. 3 à vous grâce et paix Rm 1.7 ; Ga 1.3 ; Ph 1.2, etc. 4 action de grâce et intercession Rm 1.8-9. 6 foi et connaissance de la volonté de Dieu Ph 1.9 ; Col 1.9. 7 joie et consolation 2 Co 7.4. 9 prisonnier du Christ Ep 3.1+ (cf. v. 1). 10 celui que j'ai engendré 1 Co 4.15 ; Ga 4.19 — Onésime Col 4.9. 13 à ta place Ph 2.30. 14 non par contrainte, mais de bon gré 2 Co 9.7 ; 1 P 5.2. 16 bien mieux 1 Tm 6.2. 19 quelques lignes autographes Ga 6.11+. 23 Epaphras Col 1.7+. 24 Marc Ac 12.12+ ; 2 Tm 4.11+ — Aristarque Ac 19.29+ — Démas Col 4.14+ — Luc Col 4.14+.

ÉPÎTRE AUX HÉBREUX

Dieu nous a parlé par son Fils

1 ¹ Après avoir, à bien des reprises et de bien des manières, parlé autrefois aux pères *ᵃ* dans les *prophètes, Dieu, ² en la période finale où nous sommes, nous a parlé à nous en un Fils qu'il a établi héritier de tout, par qui aussi il a créé les mondes. ³ Ce Fils est resplendissement de sa gloire et expression de son être et il porte l'univers par la puissance de sa parole. Après avoir accompli la *purification des péchés, il s'est assis à la droite *ᵇ* de la Majesté *ᶜ* dans les hauteurs, ⁴ devenu d'autant supérieur aux *anges qu'il a hérité d'un nom bien différent du leur.

Le Fils de Dieu supérieur aux anges

⁵ Auquel des anges, en effet, a-t-il jamais dit :
Tu es mon fils,
Moi, aujourd'hui, je t'ai engendré ?
Et encore :
Moi, je serai pour lui un père
Et lui sera pour moi un fils ?
⁶ Par contre, lorsqu'il introduit le premier-né dans le monde *ᵈ*, il dit :
Et que se prosternent devant lui tous
les anges de Dieu.
⁷ Pour les anges, il a cette parole :
Celui qui fait de ses anges des esprits

Et de ses serviteurs une flamme de feu.
⁸ Mais pour le Fils, celle-ci :
Ton trône, Dieu, est établi à tout jamais !
et :
*Le sceptre de la droiture est sceptre de ton règne *ᵉ*.*
⁹ *Tu aimas la justice et détestas l'iniquité,*
*C'est pourquoi, ô Dieu, ton Dieu te donna *l'onction*
D'une huile d'allégresse, de préférence à tes compagnons.
¹⁰ Et encore :
C'est toi qui, aux origines, Seigneur, fondas la terre,
Et les cieux sont l'œuvre de tes mains.
¹¹ *Eux périront, mais toi, tu demeures.*
Oui, tous comme un vêtement vieilliront
¹² *Et comme on fait d'un manteau, tu les enrouleras *ᶠ*,*
Comme un vêtement, oui, ils seront changés,
Mais toi, tu es le même et tes années ne tourneront pas court.
¹³ Et auquel des anges a-t-il jamais dit :
Siège à ma droite,
De tes ennemis, je vais faire ton marchepied ?
¹⁴ Ne sont-ils pas tous des esprits remplissant des fonctions et envoyés en service pour le bien de ceux qui doivent recevoir en héritage le salut ?

---

a ou *à nos pères*, les ancêtres du peuple israélite ● *b* Voir Ps 110.1. La *droite* est le côté honorifique ● *c* un des titres de Dieu, adopté par les Juifs pour n'avoir pas à prononcer son nom ● *d* Voir 2.5 où le même terme grec désigne le monde à venir ● *e* ou *son règne* ● *f* autre texte (influencé par Es 34.4) : *tu les changeras*

1.1 les pères Rm 4.16-18 ; 11.17 ; 1 Co 10.1. **1.2** les derniers temps Ez 38.16 ; Dn 2.28 ; 10.14 ; Mi 4.1 ; Ac 2.17 ; 1 Co 10.11 ; 1 P 1.20 — le Christ héritier Mt 21.38 ; 28.18 ; Ps 2.8 ; Gn 15.3-4 ; Si 44.21 — le Christ associé à la création Jn 1.3 ; 1 Co 8.6 ; Col 1.16 ; (cf. Pr 8.27-31 ; Sg 7.21 ; 9.9). **1.3** image de Dieu 2 Co 4.4 ; Col 1.15 — le Christ assis à la droite de Dieu Ps 110.1 (Mt 22.44+). **1.4** le nom Ep 1.21 ; Ph 2.9. **1.5a** Ps 2.7 — le Christ Fils Ac 13.33 ; He 5.5. **1.5b** 2 S 7.14 ; 1 Ch 17.13. **1.6** Dt 32.43 (grec) — premier-né Col 1.18. **1.7** Ps 104.4. **1.8-9** Ps 45.7-8. **1.10-12** Ps 102.26-28. **1.13** Ps 110.1 (Mt 22.44+ ; He 10.13).

Prendre au sérieux le message entendu

2 [1] Il s'ensuit que nous devons prendre plus au sérieux le message entendu, si nous ne voulons pas aller à la dérive. [2] Car si la parole annoncée par des *anges[g] entra en vigueur et si toute transgression et toute désobéissance reçurent une juste rétribution, [3] comment nous-mêmes échapperons-nous, si nous négligeons un pareil salut, qui commença à être annoncé par le Seigneur, puis fut confirmé pour nous par ceux qui l'avaient entendu, [4] et fut appuyé aussi du témoignage de Dieu par des *signes et des prodiges, des miracles de toute sorte, et par des dons de l'Esprit Saint répartis selon sa volonté !

Abaissement et couronnement de Jésus

[5] Car ce n'est pas à des *anges qu'il a soumis le monde à venir, dont nous parlons. L'attestation en fut donnée quelque part en ces termes :

[6] *Qu'est-ce que l'homme pour que tu te souviennes de lui ?*
Ou le fils de l'homme pour que tu portes tes regards sur lui ?
[7] *Tu l'abaissas quelque peu par rapport aux anges ;*
De gloire et d'honneur tu le couronnas ;
[8] *Tu mis toutes choses sous ses pieds.*

En lui soumettant toutes choses, il n'a rien laissé qui puisse lui rester insoumis. Or, en fait, nous ne voyons pas encore que tout lui ait été soumis, [9] mais nous faisons une constatation : celui qui a été *abaissé quelque peu[h] par rapport aux anges,* Jésus, se trouve, à cause de la mort qu'il a soufferte, *couronné de gloire et d'honneur.* Ainsi, par la grâce de Dieu, c'est pour tout homme qu'il a goûté la mort.

Le Frère des hommes

[10] Il convenait, en effet, à celui pour qui et par qui [i] tout existe et qui voulait conduire à la gloire une multitude de fils, de mener à l'accomplissement par des souffrances l'initiateur [j] de leur salut. [11] Car le *sanctificateur et les sanctifiés ont tous une même origine ; aussi ne rougit-il pas de les appeler *frères* [12] et de dire :

*J'annoncerai ton *nom à mes frères,*
Au milieu de l'assemblée, je te louerai,
[13] et encore :
Moi, je serai plein de confiance en lui,
et encore :
Me voici, moi et les enfants que Dieu m'a donnés.

[14] Ainsi donc, puisque *les enfants* ont en commun le *sang et la chair, lui aussi, pareillement, partagea la même condition, afin de réduire à l'impuissance, par sa mort, celui qui détenait le pouvoir de la mort, c'est-à-dire le *diable, [15] et de délivrer ceux qui, par crainte de la mort, passaient toute leur vie dans une situation d'esclaves. [16] Car ce n'est pas à des *anges qu'il vient en aide, mais c'est à la descendance d'Abraham. [17] Aussi devait-il en tous points se faire semblable à ses *frères,* afin de devenir un *grand prêtre miséricordieux en même temps qu'accrédité auprès de Dieu pour effacer [k] les péchés du peuple. [18] Car puisqu'il a souffert lui-même l'épreuve, il est en mesure de porter secours à ceux qui sont éprouvés.

Jésus comparé à Moïse

3 [1] Ainsi donc, frères *saints, qui avez en partage une vocation céleste, considérez l'apôtre [l] et le *grand prêtre de notre confession de foi, Jésus. [2] Il est *accrédité* auprès de celui qui l'a constitué [m], comme *Moïse* le fut *dans toute sa maison.* [3] En fait, c'est une gloire supérieure à celle de Moïse qui lui revient, dans toute la mesure où le constructeur de la maison est plus honoré que

---

g Selon une tradition rabbinique la révélation de la Loi au Sinaï a été promulguée par des anges (Ga 3.19; Ac 7.53) ● h *à un niveau un peu inférieur,* ou bien *pendant un peu de temps* ● i Dieu ● j le Fils ● k Lv 4.20, 26, 35; 16.6, 10, 11 donnent un aperçu des rites de purification opérés par le grand prêtre de l'ancienne alliance ● l au sens étymologique d'*envoyé* ● m ou *celui qui l'a établi* (dans sa fonction de grand prêtre)

2.2 rétribution He 10.29; 12.25. **2.4** prédication confirmée par des signes Mc 16.17-18, 20; Ac 5.12; Rm 15.19; 2 Co 12.12. **2.6-8** Ps 8.5-7 — tout est soumis au Christ 1 Co 15.27; Ep 1.22; Ph 3.21. **2.9** abaissé et glorifié Ph 2.8-9. **2.10** le Christ mené à l'accomplissement par sa passion Lc 13.32; He 5.9; 7.28. **2.11** frères du Christ Mt 25.40; Mc 3.35; Jn 20.17. **2.12** Ps 22.23. **2.13a** 2 S 22.3; Es 8.17. **2.13b** Es 8.18. **2.14** le Christ a partagé notre condition Rm 8.3; Ph 2.7; He 2.17 — l'œuvre du diable Sg 2.24; 1 Jn 3.8. **2.17** le Christ grand prêtre He 3.1; 4.14; 5.1; 6.20; 7.26; 8.1; 9.11. **3.1** Jésus grand prêtre He 2.17+. **3.2** Moïse dans la maison de Dieu Nb 12.7.

la maison elle-même. ⁴ Toute maison, en effet, a son constructeur, et le constructeur de tout est Dieu. ⁵ Or *Moïse fut accrédité dans toute sa maison comme serviteur* en vue de garantir ce qui allait être dit, mais Christ l'est comme Fils, et sur sa maison. ⁶ Sa maison, c'est nous, si nous conservons la pleine assurance et la fierté de l'espérance.ⁿ.

La foi et l'entrée dans le repos de Dieu

⁷ C'est pourquoi, comme dit l'Esprit Saint :

Aujourd'hui, si vous entendez sa voix,
⁸ *N'endurcissez pas vos *cœurs comme au temps de l'exaspération,*
Au jour de la mise à l'épreuve dans le désert,
⁹ *Où vos pères me mirent à l'épreuve en cherchant à me sonder,*
Et ils virent mes œuvres ¹⁰ *pendant quarante ans.*
C'est pourquoi je me suis emporté contre cette génération
Et j'ai dit : Toujours leurs cœurs s'égarent ;
Ces gens-là n'ont pas trouvé mes chemins.
¹¹ *Car j'ai juré dans ma colère :*
On verra bien s'ils entreront dans mon repos !

¹² Prenez garde, frères, qu'aucun de vous n'ait un *cœur* mauvais que l'incrédulité détache du Dieu vivant, ¹³ mais encouragez-vous les uns les autres, jour après jour, tant que dure la proclamation de *l'aujourd'hui,* afin qu'aucun d'entre vous ne *s'endurcisse,* trompé par le péché. ¹⁴ Nous voici devenus, en effet, les compagnons du Christ, pourvu que nous tenions fermement jusqu'à la fin notre position initiale, ¹⁵ alors qu'il est dit :

Aujourd'hui, si vous entendez sa voix,
N'endurcissez pas vos cœurs comme au temps de l'exaspération.

¹⁶ Quels sont, en effet, ceux qui *entendirent* et qui provoquèrent *l'exaspération* ? N'est-ce pas tous ceux qui sortirent d'Egypte grâce à Moïse ? ¹⁷ Et contre qui s'est-il *emporté pendant quarante ans* ?

N'est-ce pas contre ceux qui avaient *péché,* dont les cadavres tombèrent dans le désert ? ¹⁸ Et à qui *jura-t-il qu'ils n'entreraient pas dans son repos,* sinon à ces indociles ? ¹⁹ Et nous constatons qu'ils ne purent pas entrer à cause de leur incrédulité.

4 ¹ Craignons donc, alors que subsiste une promesse d'entrer dans son repos, craignons que quelqu'un d'entre vous ne soit convaincu d'être resté en retrait. ² Car nous avons reçu la bonne nouvelle tout comme ces gens-là, mais la parole qu'ils avaient entendue ne leur fut d'aucun profit, car les auditeurs ne s'en sont pas pénétrés par la foi ᵒ.

³ Nous qui sommes venus à la foi, nous entrons dans le repos, dont il a dit :

Car j'ai juré dans ma colère :
On verra bien s'ils entreront dans mon repos !

Son ouvrage, assurément, ayant été réalisé dès la fondation du monde, ⁴ car on a dit du septième jour : *Et Dieu se reposa le septième jour de tout son ouvrage,* ⁵ et de nouveau dans notre texte : *S'ils entreront dans mon repos.*

⁶ Ainsi donc, puisqu'il reste décidé que certains y entrent, et que les premiers à avoir reçu la bonne nouvelle n'y entrèrent pas à cause de leur indocilité, ⁷ il fixe de nouveau un jour, *aujourd'hui,* disant beaucoup plus tard, dans le texte de David déjà cité :

Aujourd'hui, si vous entendez sa voix,
N'endurcissez pas vos *cœurs.

⁸ De fait, si Josué leur avait assuré le repos, il ne parlerait pas, après cela, d'un autre jour. ⁹ Un repos sabbatique reste donc en réserve pour le peuple de Dieu. ¹⁰ Car celui qui est entré dans son repos s'est mis, lui aussi, à *se reposer de son ouvrage,* comme Dieu s'est reposé du sien. ¹¹ Empressons-nous donc d'entrer dans ce repos, afin que le même exemple d'indocilité n'entraîne plus personne dans la chute ᵖ.

¹² Vivante, en effet, est la parole de Dieu, énergique et plus tranchante qu'aucun glaive à double tranchant. Elle pénè-

---

ⁿ certains manuscrits ajoutent: *fermement jusqu'à la fin* (mots empruntés à 3.14) ● ᵒ autre texte: *car ils n'ont pas fusionné par la foi avec les auditeurs de la parole* ● ᵖ ou *afin que personne ne tombe en donnant le même exemple d'indocilité*

3.7-11 Ps 95.7-11. **3.8** épisode de Massa et Mériba Ex 17.7. **3.11-18** mission de reconnaissance en Canaan Nb 13 — manque de foi du peuple Nb 14.11; Dt 1.28 — interdiction d'entrer en Terre promise Nb 14.21-23 — leur mort dans le désert Nb 14.29, 32; 1 Co 10.10. **4.4** Gn 2.2. **4.8** repos dans la Terre promise Jos 21.44; 22.4; 23.1. **4.12** le glaive de la parole Es 49.2; Sg 18.15; Ap 19.15.

tre jusqu'à diviser âme et esprit ^{q}, articulations et moelles. Elle passe au crible les mouvements et les pensées du *cœur. ^{13} Il n'est pas de créature qui échappe à sa vue ; tout est nu à ses yeux, tout est subjugué par son regard. Et c'est à elle que nous devons rendre compte.

Nous avons un grand prêtre

^{14} Ayant donc un *grand prêtre éminent, qui a traversé les *cieux, Jésus, le Fils de Dieu, tenons ferme la confession de foi. ^{15} Nous n'avons pas, en effet, un grand prêtre incapable de compatir à nos faiblesses ; il a été éprouvé en tous points à notre ressemblance, mais sans pécher. ^{16} Avançons-nous donc avec pleine assurance vers le trône de la grâce, afin d'obtenir miséricorde et de trouver grâce, pour être aidés en temps voulu.

Le Christ, grand prêtre

5 ^{1} Tout *grand prêtre, en effet, pris d'entre les hommes, est établi en faveur des hommes pour leurs rapports avec Dieu. Son rôle est d'offrir des dons et des *sacrifices pour les péchés. ^{2} Il est capable d'avoir de la compréhension pour ceux qui ne savent pas et s'égarent, car il est, lui aussi, atteint de tous côtés par la faiblesse ^{3} et, à cause d'elle, il doit offrir pour lui-même aussi bien que pour le peuple, des sacrifices pour les péchés. ^{4} On ne s'attribue pas à soi-même cet honneur, on le reçoit par appel de Dieu, comme ce fut le cas pour Aaron.

^{5} C'est ainsi que le Christ non plus ne s'est pas attribué à lui-même la gloire de devenir grand prêtre ; il l'a reçue de celui qui lui a dit : *Tu es mon fils ; moi, aujourd'hui, je t'ai engendré,* ^{6} conformément à cette autre parole : *Tu es prêtre pour l'éternité à la manière de Melchisédek.* ^{7} C'est lui qui, au cours de sa vie terrestre, offrit prières et supplications avec grand cri et larmes à celui qui pouvait le sauver de la mort, et il fut exaucé en raison de sa soumission. ^{8} Tout Fils qu'il était, il apprit par ses souffrances l'obéissance, ^{9} et, conduit jusqu'à son propre accomplissement ^{r}, il devint pour tous ceux qui lui obéissent cause de salut éternel, ^{10} ayant été proclamé par Dieu grand prêtre *à la manière de Melchisédek.*

Devenir des chrétiens adultes

^{11} Sur ce sujet, nous avons bien des choses à dire et leur explication s'avère difficile, car vous êtes devenus lents à comprendre. ^{12} Vous devriez être, depuis le temps, des maîtres et vous avez de nouveau besoin qu'on vous enseigne les tout premiers éléments des paroles de Dieu. Vous en êtes arrivés au point d'avoir besoin de lait, non de nourriture solide. ^{13} Quiconque en est encore au lait ne peut suivre un raisonnement sur ce qui est juste, car c'est un bébé. ^{14} Les adultes, par contre, prennent de la nourriture solide, eux qui, par la pratique, ont les sens exercés à discerner ce qui est bon et ce qui est mauvais.

6 ^{1} Ainsi donc, laissons l'enseignement élémentaire sur le *Christ pour nous élever à une perfection d'adulte, sans revenir sur les données fondamentales : repentir des œuvres mortes et foi en Dieu, ^{2} doctrine des baptêmes ^{x} et *imposition des mains, résurrection des morts et jugement définitif. ^{3} Voilà ce que nous allons faire, si du moins Dieu le permet.

^{4} Il est impossible, en effet, que des hommes qui un jour ont reçu la lumière, ont goûté au don céleste, ont eu part à l'Esprit Saint, ^{5} ont savouré la parole excellente de Dieu et les forces du monde à venir, ^{6} et qui pourtant sont retombés, — il est impossible qu'ils trouvent une seconde fois le renouveau de la conver-

---

q ou *jusqu'au point de division de l'âme et de l'esprit* • *r* ou *rendu parfait* • *s* Ce pluriel peut désigner soit les rites d'ablution pratiqués par les Juifs et les païens, soit l'ensemble des actes accompagnant le baptême chrétien, soit conjointement le baptême de Jean et le baptême chrétien (Ac 18.25 ; 19.1)

4.14 grand prêtre He 2.17 +.   **4.15** le Christ éprouvé, mais sans péché He 2.17-18 ; 7.26 ; 9.14 ; Jn 8.46 ; 2 Co 5.21 ; 1 Jn 3.5.   **5.1** le prêtre s'approche de Dieu Ex 28.43 ; 29.30 ; Nb 18.1-7 — il enseigne la Loi Dt 33.10 ; Lv 10.11 ; Ml 2.7 — il offre le sacrifice Lv 1 ; 4 ; 9, etc.   **5.2** compréhension pour la faiblesse He 2.17-18 ; 4.15 — péché d'ignorance Nb 15.22-31 ; Lc 23.34 ; Ac 3.17.   **5.3** il offre pour lui-même Lv 9.7-8 ; 16.6, 11 ; He 7.27.   **5.4** il est appelé Ex 28.1 ; Nb 16-17.   **5.5** Ps 2.7 (He 1.5).   **5.6** Ps 110.4 (He 6.20 ; 7.17).   **5.8** obéissance du Christ dans la souffrance Mt 26.36-46 par. ; Ph 2.8.   **5.9** accomplissement He 2.10 +.   **5.12** premiers éléments de la foi 1 Co 2.14-15 ; 3.1-3 ; 1 P 2.2.   **6.1** œuvres mortes He 9.14 ; Rm 8.6, 13 ; Ep 5.11 ; Ga 5.19.   **6.2** imposition des mains Ac 8.17 ; 19.6 ; 1 Tm 4.14 ; 5.22.   **6.4** illumination de la foi He 10.32 ; Ep 1.18 ; 5.14.   **6.6** péché impardonnable He 10.26 ; Mt 12.31 ; 1 Jn 5.16.

sion, alors que, pour leur compte, ils remettent sur la croix le Fils de Dieu et l'exposent aux injures.

[7] Lorsqu'une terre boit les fréquentes ondées qui tombent sur elle et produit une végétation utile à ceux qui la font cultiver, elle reçoit de Dieu sa part de bénédiction. [8] Mais produit-elle épines et chardons, elle est jugée sans valeur, bien près d'être maudite et finira par être brûlée.

[9] Quant à vous, bien-aimés, nous sommes convaincus, tout en parlant ainsi, que vous êtes du bon côté, celui du salut. [10] Dieu, en effet, n'est pas injuste ; il ne peut oublier votre activité et l'amour que vous avez montré à l'égard de son *nom en vous mettant au service des *saints dans le passé, et encore dans le présent. [11] Mais notre désir est que chacun de vous montre la même ardeur à porter l'espérance à son épanouissement jusqu'à la fin, [12] sans ralentir votre effort, mais en imitant ceux qui, par la foi et la persévérance, reçoivent l'héritage des promesses.

La promesse de Dieu et notre espérance

[13] Lorsque Dieu fit sa promesse à Abraham, comme il n'avait personne de plus grand par qui jurer, il jura par lui-même [14] et dit :

Oui, de bénédictions je te comblerai, Une immense expansion je te donnerai.

[15] Ayant alors persévéré, Abraham vit se réaliser la promesse. [16] Les hommes jurent par plus grand qu'eux-mêmes, et pour mettre un terme à toute contestation, ils recourent à la garantie du serment [17] En ce sens, Dieu, voulant bien davantage montrer aux héritiers de la promesse le caractère irrévocable de sa décision, intervint par un serment. [18] Ainsi, deux actes [t] irrévocables, dans lesquels il ne peut y avoir de mensonge de la part de Dieu, nous apportent un encouragement puissant, à nous qui avons tout laissé pour saisir l'espérance proposée. [19] Elle est pour nous comme une ancre de l'âme, bien fermement fixée, qui pénètre au-delà du voile [u], [20] là où est entré pour nous, en précurseur, Jésus, devenu *grand prêtre *pour l'éternité à la manière de Melchisédek.*

Melchisédek

7 [1] *Ce Melchisédek, roi de Salem, *prêtre du Dieu très-haut, est allé à la rencontre d'Abraham, lorsque celui-ci revenait du combat contre les rois, et l'a béni.* [2] C'est à lui qu'*Abraham* remit la dîme de tout. D'abord, il porte un nom qui se traduit « roi de justice », et ensuite il est aussi *roi de Salem* [v], c'est-à-dire roi de paix. [3] Lui qui n'a ni père, ni mère, ni généalogie, ni commencement pour ses jours, ni fin pour sa vie [w], mais qui est assimilé au Fils de Dieu [x], reste prêtre à perpétuité.

[4] Contemplez la grandeur de ce personnage, à qui Abraham a donné en dîme la meilleure part du butin, lui, le patriarche. [5] Or, ceux des fils de Lévi qui reçoivent le *sacerdoce ont ordre, de par la *loi, de prélever la dîme sur le peuple, c'est-à-dire sur leurs frères, qui sont pourtant des descendants d'Abraham. [6] Mais lui, qui ne figure pas dans leurs généalogies, a soumis Abraham à la dîme et a béni le titulaire des promesses. [7] Or sans aucune contestation, c'est l'inférieur qui est béni par le supérieur. [8] Et ici, ceux qui perçoivent la dîme sont des hommes qui meurent, là c'est quelqu'un dont on atteste qu'il vit. [9] Et pour tout dire, en la personne d'Abraham, même Lévi, qui perçoit la dîme, a été soumis à la dîme. [10] Car il était encore dans les reins [y] de son ancêtre, lorsque eut lieu *la rencontre avec Melchisédek.*

Grand prêtre à la manière de Melchisédek

[11] Si on était parvenu à un parfait

---

[t] la promesse *et* le serment ● [u] Allusion au voile qui, dans le temple de Jérusalem, isolait le saint des saints, lieu de la présence de Dieu (9.3). Il s'agit ici du sanctuaire céleste ● [v] *Roi de justice* est le sens étymologique de *Melchisédeck* — D'autre part *Salem* signifie *paix* et désigne Jérusalem, ville de la paix ● [w] Gn 14 ne parle ni de l'ascendance, ni de la naissance, ni de la mort de Melchisédek ; voir note suivante ● [x] Certaines tendances du Judaïsme considéraient Melchisédek comme un être divin, une sorte de Sauveur céleste ● [y] Siège de la vigueur physique, les reins étaient censés contenir à l'avance toute la postérité d'un homme (Gn 35.11 ; 1 R 8.19)

6.10 saints Ex 19.5-6 ; Rm 1.7 ; 12.13 ; 15.25 ; 16.2 ; 1 P 1.16 ; 2.9.   **6.14** Gn 22.17 (grec) ; *Si* 44.21 ; He 11.12.   **6.15** persévérance dans la foi Rm 4.20 — l'objet de la promesse He 11.9, 13, 33, 39.   **6.18** Dieu ne ment pas Nb 23.19 ; 1 S 15.29.   **6.19** franchir le voile He 10.20 ; Lv 16.2-3, 12, 15.   **7.1** Melchisédek Gn 14.17-20.   **7.5** loi de la dîme Nb 18.21.

accomplissement par le *sacerdoce lévitique, — car il était la base de la législation donnée au peuple —, quel besoin y aurait-il eu encore de susciter un autre *prêtre, *dans la ligne de Melchisédek,* au lieu de le désigner *dans la ligne* d'Aaron ? [12] Car un changement de sacerdoce entraîne forcément un changement de loi. [13] Et celui que vise le texte cité fait partie d'une tribu dont aucun membre n'a été affecté au service de *l'autel. [14] Il est notoire, en effet, que notre Seigneur est issu de Juda [z], d'une tribu pour laquelle Moïse n'a rien dit dans ses textes sur les prêtres. [15] Et l'évidence est plus grande encore si l'autre prêtre suscité ressemble à Melchisédek, [16] et n'accède pas à la prêtrise en vertu d'une loi de filiation humaine, mais en vertu de la puissance d'une vie indestructible. [17] Ce témoignage, en effet, lui est rendu :

> Tu es prêtre pour l'éternité
> à la manière de Melchisédek.

[18] De fait, on a là, d'une part, l'abrogation du précepte antérieur en raison de sa déficience et de son manque d'utilité, [19] — car la *loi n'a rien mené à l'accomplissement —, et, d'autre part, l'introduction d'une espérance meilleure, par laquelle nous approchons de Dieu.

Jésus possède un sacerdoce exclusif

[20] Et dans la mesure où cela ne s'est pas réalisé sans prestation de serment, — car s'il n'y a eu pas prestation de serment pour le *sacerdoce des autres, [21] pour lui il y a eu le serment prononcé par celui qui a dit à son intention : *Le Seigneur l'a juré et il ne reviendra pas sur cela : Tu es *prêtre pour l'éternité* —, [22] dans cette mesure, c'est d'une meilleure *alliance que Jésus est devenu le garant. [23] De plus, les autres sont nombreux à être devenus prêtres, puisque la mort les empêchait de rester ; [24] mais lui, puisqu'il demeure pour l'éternité, possède un sacerdoce exclusif. [25] Et c'est pourquoi il est en mesure de sauver d'une manière définitive ceux qui, par lui, s'approchent de Dieu, puisqu'il est toujours vivant pour intercéder en leur faveur. [26] Et tel est bien le grand prêtre qui nous convenait, saint, innocent, immaculé, séparé des pécheurs, élevé au-dessus des *cieux. [27] Il n'a pas besoin, comme les autres grands prêtres, d'offrir chaque jour des *sacrifices, d'abord pour ses propres péchés, puis pour ceux du peuple. Cela, il l'a fait une fois pour toutes en s'offrant lui-même. [28] Alors que la *loi établit grands prêtres des hommes qui restent déficients, la parole du serment qui intervient après la loi établit un Fils qui, pour l'éternité, est arrivé au parfait accomplissement.

Médiateur d'une bien meilleure alliance

8 [1] Or, point capital de notre exposé, c'est bien un tel *grand prêtre que nous avons, lui qui s'est assis à la droite du trône de la Majesté [a] dans les cieux, [2] comme *ministre du vrai *sanctuaire et de la véritable tente dressée par le Seigneur et non par un homme. [3] Tout grand prêtre est établi pour offrir des dons et des *sacrifices ; d'où la nécessité pour lui aussi d'avoir quelque chose à offrir. [4] Si le Christ était sur la terre, il ne serait pas même prêtre, la place étant prise par ceux qui offrent les dons conformément à la *loi ; [5] mais leur culte, ils le rendent à une image [b], à une esquisse des réalités célestes, selon l'avertissement divin reçu par Moïse pour construire la tente :

> Vois, lui est-il dit,
> Tu feras tout d'après le modèle qui
> t'a été montré sur la montagne.

[6] En réalité, c'est un ministère bien supérieur qui lui revient, car il est médiateur d'une bien meilleure *alliance, dont la constitution repose sur de meilleures promesses.

De la première à la nouvelle alliance

[7] Si, en effet, cette première *alliance [c] avait été sans reproche, il ne serait pas question de la remplacer par une

---

[z] par l'intermédiaire de David, lui-même descendant de Juda ● [a] Voir 1.3 et note ● [b] ou *à une figure.* Voir Ex 25.40: le sanctuaire terrestre construit par Moïse d'après le modèle qui lui fut montré sur la montagne n'était qu'une copie, nécessairement déficiente, de l'habitation de Dieu ● [c] celle conclue au Sinaï (Ex 24.3-8)

7.14 Jésus descendant de David Lc 1.32; Mt 9.27; Rm 1.3; 2 Tm 2.8 — de la tribu de Juda Mt 1.2; Lc 3.33; Ap 5.5. **7.17** Ps 110.4 (He 5.6; 6.20). **7.22** meilleure alliance Hé 8.6. **7.25** Christ intercesseur Rm 8.34; 1 Jn 2.1. **7.26** le grand prêtre He 2.17+. **7.27** le pardon de ses propres péchés He 5.3+. **7.28** faiblesse du prêtre He 5.2+. **8.1** assis à la droite Mt 22.44+. **8.2** la véritable tente He 9.11 — sanctuaire He 9.24.

deuxième. ⁸ En fait, c'est bien un reproche qu'il leur adresse :

> *Voici : des jours viennent, dit le Seigneur,*
> *Où je conclurai avec la maison d'Israël*
> *Et avec la maison de Juda une alliance nouvelle,*
> ⁹ *Non pas comme l'alliance que je fis avec leurs pères*
> *Le jour où je les pris par la main*
> *Pour les mener hors du pays d'Egypte.*
> *Parce qu'eux-mêmes ne se sont pas maintenus dans mon alliance,*
> *Moi aussi je les ai délaissés, dit le Seigneur.*
> ¹⁰ *Car voici l'alliance par laquelle je m'allierai avec la maison d'Israël*
> *Après ces jours-là, dit le Seigneur :*
> *En donnant mes lois, c'est dans leur pensée*
> *Et dans leurs cœurs que je les inscrirai.*
> *Je deviendrai leur Dieu,*
> *Ils deviendront mon peuple.*
> ¹¹ *Chacun d'eux n'aura plus à enseigner son compatriote*
> *Ni son frère en disant : Connais le Seigneur !*
> *Car tous me connaîtront,*
> *Du plus petit jusqu'au plus grand,*
> ¹² *Parce que je serai indulgent pour leurs fautes,*
> *Et de leurs péchés, je ne me souviendrai plus.*

¹³ En parlant d'une alliance *nouvelle*, il a rendu ancienne la première ; or ce qui devient ancien et qui vieillit est près de disparaître.

Le culte de la première alliance

9 ¹ La première alliance avait donc un rituel pour le culte et un temple terrestre. ² En effet, une tente fut installée, une première tente appelée le Saint, où étaient le chandelier, la table et les pains d'offrande. ³ Puis, derrière le second voile, se trouvait une tente, appelée Saint des Saints, ⁴ avec un brûle-parfum en or et l'arche de l'alliance toute recouverte d'or ; dans celle-ci un vase d'or qui contenait la manne, le bâton d'Aaron qui avait fleuri et les tables de l'alliance. ⁵ Au-dessus de l'arche, les chérubins de gloire couvraient de leur ombre le propitiatoire. Mais il n'y a pas lieu d'entrer ici dans les détails. ⁶ L'ensemble étant ainsi installé, les *prêtres, pour accomplir leur service, rentrent en tout temps dans la première tente. ⁷ Mais, dans la seconde, une seule fois par an, seul entre le grand prêtre, et encore, ce n'est pas sans offrir du *sang pour ses manquements et pour ceux du peuple. ⁸ Le Saint Esprit a voulu montrer ainsi que le chemin du *sanctuaire n'est pas encore manifesté, tant que subsiste la première tente. ⁹ C'est là un symbole pour le temps présent : des offrandes et des *sacrifices y sont offerts, incapables de mener à l'accomplissement, en sa conscience, celui qui rend le culte. ¹⁰ Fondés sur des aliments, des boissons et des ablutions diverses, ce ne sont que rites humains, admis jusqu'au temps du relèvement *d*.

Le Christ s'est offert lui-même

¹¹ Mais Christ est survenu, *grand prêtre des biens à venir *e*. C'est par une tente plus grande et plus parfaite, qui n'est pas œuvre des mains, — c'est-à-dire qui n'appartient pas à cette création-ci —, ¹² et par le *sang, non pas des boucs et des veaux, mais par son propre sang, qu'il est entré une fois pour toutes dans le *sanctuaire, et qu'il a obtenu une libération définitive. ¹³ Car si le sang de boucs et de taureaux et si la cendre de génisse répandue sur les êtres *souillés les *sanctifient en *purifiant leurs corps, ¹⁴ combien plus le sang du Christ, qui, par l'esprit éternel, s'est offert lui-même à Dieu comme une victime sans tache, purifiera-t-il notre conscience des œuvres mortes pour servir le Dieu vivant.

---

d le temps de la nouvelle alliance ● *e* autre texte: *des biens arrivés*

8.8-12 Jr 31.31-34 — nouvelle alliance Lc 22.20; 1 Co 11.25; 2 Co 3.6; He 8.13; 9.15; 12.24. **8.12** pardon des péchés He 10.17-18. **9.2** la tente Ex 26.1-30 — le chandelier Ex 25.31-40 — la table des pains Ex 25.23-30. **9.3** le Saint des Saints Ex 26.31-33. **9.4** le brûle-parfum Ex 30.1-6 — l'arche Ex 25.10-16 — l'urne pour la manne Ex 16.32-34 — le bâton d'Aaron Nb 17.16-26 — les tables de l'alliance Ex 25.16; 40.20; Dt 10.3-5; 1 R 8.9. **9.5** les chérubins et le propitiatoire Ex 25.17-22. **9.6** les prêtres entrent dans la tente Nb 18.2-6. **9.7** le grand prêtre entre dans le sanctuaire Lv 16.2, 12, 15. **9.9** impuissance des sacrifices He 10.1-4, 11. **9.11** le Christ grand prêtre He 2.17+. **9.12** une fois pour toutes He 9.26; 10.10. **9.13** la purification par le sang Lv 16.14-16 — la cendre de génisse Nb 19.9, 17-19. **9.14** le sang du Christ He 10.19; 1 P 1.18-19; 1 Jn 1.7.

L'alliance scellée par le sang

15 Voilà pourquoi il est médiateur d'une *alliance nouvelle, d'un testament nouveau f ; sa mort étant intervenue pour le rachat des transgressions commises sous la première alliance, ceux qui sont appelés peuvent recevoir l'héritage éternel déjà promis. 16 Car là où il y a *testament, il est nécessaire que soit constatée la mort du testateur. 17 Un testament ne devient valide qu'en cas de décès ; il n'a pas d'effet tant que le testateur est en vie. 18 Aussi la première alliance elle-même n'a-t-elle pas été inaugurée sans effusion de *sang. 19 Lorsque Moïse eut proclamé à tout le peuple chaque commandement conformément à la *loi, il prit le sang des veaux et des boucs, puis de l'eau, de la laine écarlate et de l'hysope, et il en aspergea le livre lui-même et tout le peuple, 20 en disant : Ceci est le sang de l'alliance que Dieu a ordonnée pour vous g ; 21 puis, il aspergea aussi avec le sang la tente et tous les ustensiles du culte, 22 et c'est avec du sang que, d'après la loi, on *purifie presque tout, et sans effusion de sang, il n'y a pas de pardon. 23 Si donc les images de ce qui est dans les *cieux sont purifiées par ces rites, il est nécessaire que les réalités célestes elles-mêmes le soient par des *sacrifices bien meilleurs.

L'entrée du Christ au sanctuaire céleste

24 Ce n'est pas, en effet, dans un *sanctuaire fait de main d'homme, simple copie du véritable, que Christ est entré, mais dans le ciel même, afin de paraître maintenant pour nous devant la face de Dieu. 25 Et ce n'est pas afin de s'offrir lui-même à plusieurs reprises, comme le *grand prêtre qui entre chaque année dans le sanctuaire avec du *sang étranger. 26 Car alors il aurait dû souffrir à plusieurs reprises depuis la fondation du monde. En fait, c'est une seule fois, à la fin des temps, qu'il a été manifesté pour abolir le péché par son propre sacrifice. 27 Et comme le sort des hommes est de mourir une seule fois, — après quoi vient le jugement —, 28 ainsi le Christ fut offert une seule fois pour enlever les péchés de la multitude et il apparaîtra une deuxième fois, sans plus de rapport avec le péché, à ceux qui l'attendent pour le salut.

Une fois pour toutes et pour toujours

10 1 Ne possédant que l'esquisse des biens à venir et non l'expression même des réalités, la loi h est à jamais incapable, malgré les *sacrifices, toujours les mêmes, offerts chaque année indéfiniment, de mener à l'accomplissement i ceux qui viennent y prendre part. 2 Sinon, n'aurait-on pas cessé de les offrir pour la simple raison que, *purifiés une bonne fois, ceux qui rendent ainsi leur culte n'auraient plus eu conscience d'aucun péché ? 3 Mais, en fait, par ces sacrifices, on remet les péchés en mémoire chaque année.

4 Car il est impossible que du *sang de taureaux et de boucs enlève les péchés. 5 Aussi, en entrant dans le monde, le Christ dit :

De sacrifice et d'offrande, tu n'as pas voulu,
Mais tu m'as façonné un corps.
6 Holocaustes et *sacrifices pour le péché
Ne t'ont pas plu.
7 Alors j'ai dit :
Me voici, car c'est bien de moi
Qu'il est écrit dans le rouleau du livre :
Je suis venu, ô Dieu, pour faire ta volonté.
8 Il déclare tout d'abord :
Sacrifices, offrandes, sacrifices pour le péché.
Tu n'en as pas voulu, ils ne t'ont pas plu.
Il s'agit là, notons-le, des offrandes prescrites par la Loi.
9 Il dit alors :
Il supprime le premier culte pour établir le second. 10 C'est dans cette volonté que nous avons été *sanctifiés par l'offrande du corps de Jésus Christ, faite une fois pour toutes.

---

f Le texte original n'a qu'un seul mot pour désigner à la fois l'alliance et le testament ● g L'auteur a rapproché Ex 24.8 des paroles de la Cène en remplaçant voici par ceci (Mt 26.68; Mc 14.24) ● h la loi de Moïse ● i ou à la perfection

9.15 alliance nouvelle He 8.8-12+. 9.19-20 conclusion de l'alliance Ex 24.3-8 — le sang de l'alliance Za 9.11; Mt 26.28; 1 Co 11.25; He 10.29; 12.24; 13.20 — l'hysope Lv 14.4; Nb 19.6. 9.22 valeur expiatoire du sang Lv 17.11; Nb 35.33. 9.28 les péchés de la multitude Es 53.12; 1 P 2.24 — le Christ attendu 1 Th 1.10; Ph 3.20; 2 Tm 4.8. 10.1 insuffisance des sacrifices Es 1.11-13; Jr 6.20; 7.22; Am 5.21-25; Os 6.6; Mi 6.6-8. 10.5-7 Ps 40.7-9 (grec). 10.10 sacrifice quotidien Ex 29.38.

¹¹ Et tandis que chaque *prêtre se tient chaque jour debout pour remplir ses fonctions et offre fréquemment les mêmes sacrifices, qui sont à jamais incapables d'enlever les péchés, ¹² lui, par contre, après avoir offert pour les péchés un sacrifice unique, *siège pour toujours à la droite de Dieu* ʲ ¹³ et il attend désormais que ses *ennemis en soient réduits à lui servir de marchepied.* ¹⁴ Par une offrande unique, en effet, il a mené pour toujours à l'accomplissement ceux qu'il sanctifie. ¹⁵ C'est ce que l'Esprit Saint nous atteste, lui aussi. Car après avoir dit :

¹⁶ *Voici *l'alliance par laquelle je m'allierai* avec eux *après ces jours-là,* le Seigneur a déclaré :

En donnant mes lois,

C'est dans leurs cœurs et dans leur pensée que je les inscrirai,

¹⁷ *Et de leurs péchés et de leurs iniquités je ne me souviendrai plus.*

¹⁸ Or, là où il y a eu pardon, on ne fait plus d'offrande pour le péché.

Vous avez besoin d'endurance

¹⁹ Nous avons ainsi, frères, pleine assurance d'accéder au *sanctuaire par le *sang de Jésus. ²⁰ Nous avons là une voie nouvelle et vivante, qu'il a inaugurée à travers le voile, c'est-à-dire par son humanité. ²¹ Et nous avons un *prêtre éminent établi sur la maison de Dieu. ²² Approchons-nous donc avec un cœur droit et dans la plénitude de la foi, le cœur *purifié de toute faute de conscience et le corps lavé d'une eau pure ; ²³ sans fléchir, continuons à affirmer notre espérance, car il est fidèle, celui qui a promis. ²⁴ Veillons les uns sur les autres, pour nous exciter à la charité et aux œuvres bonnes. ²⁵ Ne désertons pas nos assemblées, comme certains en ont pris l'habitude, mais encourageons-nous et cela d'autant plus que vous voyez s'approcher le *Jour. ²⁶ Car si nous péchons délibérément après avoir reçu la pleine connaissance de la vérité, il ne reste plus pour les péchés aucun *sacrifice, ²⁷ mais seulement une attente terrible du jugement et l'ardeur d'un feu qui doit dévorer les rebelles.

²⁸ Quelqu'un viole-t-il la loi de Moïse ? Sans pitié, *sur la déposition de deux ou trois témoins, c'est pour lui la mort.* ²⁹ Quelle peine plus sévère encore ne méritera-t-il pas, vous le pensez, celui qui aura foulé aux pieds le Fils de Dieu, qui aura profané le sang de *l'alliance dans lequel il a été *sanctifié, et qui aura outragé l'Esprit de la grâce ? ³⁰ Nous le connaissons, en effet, celui qui a dit :

A moi la vengeance, c'est moi qui rétribuerai !

Et encore :

Le Seigneur jugera son peuple.

³¹ Il est terrible de tomber aux mains du Dieu vivant.

³² Mais souvenez-vous de vos débuts : à peine aviez-vous reçu la lumière ᵏ que vous avez enduré un lourd et douloureux combat, ³³ ici, donnés en spectacle sous les injures et les persécutions ; là, devenus solidaires de ceux qui subissaient de tels traitements. ³⁴ Et en effet, vous avez pris part à la souffrance des prisonniers et vous avez accepté avec joie la spoliation de vos biens, vous sachant en possession d'une fortune meilleure et durable. ³⁵ Ne perdez pas votre assurance, elle obtient une grande récompense. ³⁶ C'est d'endurance, en effet, que vous avez besoin, pour accomplir la volonté de Dieu et obtenir ainsi la réalisation de la promesse.

³⁷ Car encore *si peu, si peu de temps, Et celui qui vient sera là, il ne tardera pas.*

³⁸ *Mon juste par la foi vivra, Mais s'il fait défection, Mon âme ne trouve plus de satisfaction en lui.*

³⁹ Nous, nous ne sommes pas hommes à faire défection pour notre perte, mais hommes de foi pour le salut de nos âmes.

La foi et ses témoins : Abel, Hénoch, Noé

11 ¹ La foi est une manière de posséder déjà ce qu'on espère, un moyen de connaître des réalités qu'on ne voit pas. ² C'est elle qui valut aux anciens un bon témoignage.

---

j Voir He 1.3 et note • *k* l'illumination de la foi

10.12-13 Ps 110.1 (Mt 22.44+).   **10.16-17** Jr 31.31-34 (He 8.10-12).   **10.19** le sang du Christ He 9.12, 14+.   **10.22** lavé par l'eau Ez 36.25 ; Ep 5.26.   **10.28** deux ou trois témoins Dt 17.6 ; 19.15 ; Mt 18.16 ; 2 Co 13.1 ; 1 Tm 5.19.   **10.29** le sang de l'alliance He 9.20+.   **10.30** Dt 32.35-36 (Rm 12.19).   **10.32** illumination de la foi He 6.4+.   **10.37** Es 26.20 (grec).   **10.38** Ha 2.3-4 (Rm 1.17 ; Ga 3.11).   **11.1** la foi 1 Co 13.12 ; 2 Co 5.7 — l'espérance Rm 8.24-25.

³ Par la foi, nous comprenons que les mondes ont été organisés par la parole de Dieu. Il s'ensuit que le monde visible ne prend pas son origine en des apparences.

⁴ Par la foi, Abel offrit à Dieu un *sacrifice meilleur que celui de Caïn. Grâce à elle, il reçut le témoignage qu'il était juste et Dieu rendit témoignage à ses dons. Grâce à elle, bien que mort, il parle encore.

⁵ Par la foi, Hénoch fut enlevé afin d'échapper à la mort et *on ne le retrouva pas, parce que Dieu l'avait enlevé ;* avant son enlèvement, en effet, il avait reçu le témoignage *qu'il avait été agréable à Dieu.* ⁶ Or, sans la foi, il est impossible d'être agréable à Dieu, car celui qui s'approche de Dieu doit croire qu'il existe et qu'il récompense ceux qui le cherchent.

⁷ Par la foi, Noé, divinement averti de ce qu'on ne voyait pas encore, prit l'oracle au sérieux, et construisit une arche pour sauver sa famille. Ainsi, il condamna le monde et devint héritier de la justice qui s'obtient par la foi.

La foi d'Abraham et de sa famille

⁸ Par la foi, répondant à l'appel, Abraham obéit et partit pour un pays qu'il devait recevoir en héritage, et il partit sans savoir où il allait. ⁹ Par la foi, il vint résider en étranger dans la terre promise, habitant sous la tente avec Isaac et Jacob, les cohéritiers de la même promesse. ¹⁰ Car il attendait la ville munie de fondations *l*, qui a pour architecte et constructeur Dieu lui-même.

¹¹ Par la foi, Sara, elle aussi, malgré son âge avancé, fut rendue capable d'avoir une postérité, parce qu'elle tint pour fidèle l'auteur de la promesse. ¹² C'est pourquoi aussi, d'un seul homme, — déjà marqué par la mort —, naquit une multitude comparable à celle des *astres du ciel, innombrable comme le sable du bord de la mer.*

¹³ Dans la foi, ils moururent tous, sans avoir obtenu la réalisation des promesses, mais après les avoir vues et saluées de loin et après s'être reconnus pour étrangers et voyageurs sur la terre. ¹⁴ Car ceux qui parlent ainsi montrent clairement qu'ils sont à la recherche d'une patrie ; ¹⁵ et s'ils avaient eu dans l'esprit celle dont ils étaient sortis, ils auraient eu le temps d'y retourner ; ¹⁶ en fait, c'est à une patrie meilleure qu'ils aspirent, à une patrie céleste. C'est pourquoi Dieu n'a pas honte d'être appelé leur Dieu ; il leur a, en effet, préparé une ville.

¹⁷ Par la foi, Abraham, mis à l'épreuve, a offert Isaac ; il offrait le fils unique, alors qu'il avait reçu les promesses ¹⁸ et qu'on lui avait dit :

C'est par Isaac qu'une descendance te sera assurée.

¹⁹ Même un mort, se disait-il, Dieu est capable de le ressusciter ; aussi, dans une sorte de préfiguration, il retrouva son fils.

²⁰ Par la foi aussi, Isaac bénit Jacob et Esaü en vue de l'avenir. ²¹ Par la foi, Jacob, sur le point de mourir, bénit chacun des fils de Joseph et *se prosterna appuyé sur l'extrémité de son bâton.* ²² Par la foi, Joseph, approchant de sa fin, évoqua l'exode des fils d'Israël et donna des ordres au sujet de ses ossements.

La foi de Moïse et d'Israël

²³ Par la foi, Moïse, après sa naissance, fut caché trois mois durant par ses parents, car ils avaient vu la beauté de leur enfant et ils ne craignirent pas le décret du roi. ²⁴ Par la foi, Moïse, devenu grand, renonça à être appelé fils de la fille de *Pharaon. ²⁵ Il choisit d'être maltraité avec le peuple de Dieu plutôt que de jouir pour un temps du péché. ²⁶ Il considéra l'humiliation du *Christ comme une richesse plus grande que les trésors de l'Egypte, car il avait les yeux fixés sur la récompense. ²⁷ Par la foi, il quitta l'Egypte sans craindre la colère du roi et, en homme qui voit celui qui est invisible, il tint ferme.

²⁸ Par la foi, il a célébré la *Pâque et fait l'aspersion du sang afin que le Destructeur ne touchât point aux premiers-nés

---

l Voir He 11.16; 12.22; c'est la Jérusalem céleste que la cité de David ne faisait que préfigurer

11.3 les mondes organisés par la parole Gn 1 ; Ps 33.6, 9 ; 2 P 3.5. **11.4** Abel Gn 4.4-10. **11.5** Hénoch Gn 5.18-24 (grec) ; Si 44.16 ; 49.14 ; Lc **3.37**. **11.7** Noé Gn 6.13-22 ; 7.1. **11.8** Abraham Gn 12.1-5. **11.9** étranger Gn 23.4 — la terre promise Gn 26.3 ; 35.12. **11.10** Jérusalem céleste He 11.16 ; 12.22 ; Ap 21.2, 10-27. **11.11** Sara Gn 17.19 ; 18.11-14 ; 21.2. **11.12** descendance nombreuse comme le sable Gn 13.16 ; 32.13 — comme les étoiles 15.5 ; 26.4 ; Dt 1.10 — comme le sable et les étoiles Gn 22.17 ; Si 44.21. **11.17** Abraham offre Isaac Gn 22.1-14 ; Jc 2.21. **11.20** Isaac donne sa bénédiction Gn 27.27-29, 39-40. **11.21** Jacob donne sa bénédiction Gn 48.15-20 ; 49. **11.22** adieux de Joseph Gn 50.24-25 ; Ex 13.19. **11.23** Moïse caché Ex 2.2 — l'ordre du roi Ex 1.22. **11.24-27** Moïse quitte l'Egypte Ex 2.11-15. **11.28** la Pâque Ex 12.12-13, 22-23.

d'Israël. ²⁹ Par la foi, ils traversèrent la Mer Rouge comme une terre sèche, alors que les Egyptiens, qui s'y essayèrent, furent engloutis. ³⁰ Par la foi, les remparts de Jéricho tombèrent, après qu'on en eut fait le tour pendant sept jours. ³¹ Par la foi, Rahab, la prostituée, ne périt pas avec les rebelles, car elle avait accueilli pacifiquement les espions.

La foi de tous ceux qui ont tenu bon

³² Et que dire encore ? Le temps me manquerait pour parler en détail de Gédéon, Barak, Samson, Jephté, David, Samuel et les *prophètes, ³³ eux qui, grâce à la foi, conquirent des royaumes, mirent en œuvre la justice, virent se réaliser des promesses, muselèrent la gueule des lions, ⁴ éteignirent la puissance du feu, échappèrent au tranchant de l'épée, reprirent vigueur après la maladie, se montrèrent vaillants à la guerre, repoussèrent les armées étrangères ; ³⁵ des femmes retrouvèrent leurs morts par résurrection. Mais d'autres subirent l'écartèlement, refusant la délivrance pour aboutir à une meilleure résurrection ; ³⁶ d'autres encore subirent l'épreuve des moqueries et du fouet et celle des liens et de la prison ; ³⁷ ils furent lapidés, ils furent sciés, ils moururent tués à coups d'épée ; ils menèrent une vie errante, vêtus de peaux de moutons ou de toisons de chèvres ; ils étaient soumis aux privations, opprimés, maltraités, ³⁸ eux dont le monde n'était pas digne ; ils erraient dans les déserts et les montagnes, dans les grottes et les cavités de la terre. ³⁹ Eux tous, s'ils ont reçu bon témoignage grâce à leur foi, n'ont cependant pas obtenu la réalisation de la promesse. ⁴⁰ Puisque Dieu prévoyait pour nous mieux encore, ils ne devaient pas arriver sans nous à l'accomplissement.

Endurance dans l'épreuve

12 ¹ Ainsi donc, nous aussi, qui avons autour de nous une telle nuée de témoins ᵐ, rejetons tout fardeau et le péché qui sait si bien nous entourer. et

courons avec endurance l'épreuve qui nous est proposée, ² les regards fixés sur celui qui est l'initiateur de la foi et qui la mène à son accomplissement, Jésus, lui qui, renonçant à la joie ⁿ qui lui revenait, endura la croix au mépris de la honte et s'est assis à la droite du trône de Dieu. ³ Oui, pensez à celui qui a enduré de la part des pécheurs une telle opposition contre lui, afin de ne pas vous laisser accabler par le découragement. ⁴ Vous n'avez pas encore résisté jusqu'au *sang dans votre combat contre le péché ⁵ et vous avez oublié l'exhortation qui s'adresse à vous comme à des fils :

Mon fils, ne méprise pas la correction du Seigneur,
Ne te décourage pas quand il te reprend.

⁶ *Car le Seigneur corrige celui qu'il aime,*
Il châtie tout fils qu'il accueille.

⁷ C'est pour votre éducation que vous souffrez. C'est en fils que Dieu vous traite. Quel est en effet le fils que son père ne corrige pas ? ⁸ Si vous êtes privés de la correction, dont tous ont leur part, alors vous êtes des bâtards et non des fils.

⁹ Nous avons eu nos pères terrestres pour éducateurs, et nous nous en sommes bien trouvés ; n'allons-nous pas, à plus forte raison, nous soumettre au Père des esprits et recevoir de lui la *vie ? ¹⁰ Eux, en effet, c'était pour un temps, selon leurs impressions, qu'ils nous corrigeaient ; lui, c'est pour notre profit, en vue de nous communiquer sa *sainteté. ¹¹ Toute correction, sur le moment, ne semble pas sujet de joie, mais de tristesse. Mais plus tard, elle produit chez ceux qu'elle a ainsi exercés, un fruit de paix et de justice. ¹² Redressez donc les mains défaillantes et les genoux chancelants, ¹³ et *pour vos pieds, faites des pistes droites,* afin que le boiteux ne s'estropie pas, mais plutôt qu'il guérisse.

Notre Dieu est un feu dévorant

¹⁴ Recherchez la paix avec tous, et la

---

m non pas des spectateurs mais tous ceux qui, selon le chapitre précédent, ont témoigné de leur foi ● n ou *en vue de la joie qui lui était réservée*

11.29 la Mer Rouge Ex 14. **11.30** Jéricho Jos 6. **11.31** Rahab Jos 2.1-13 ; 6.17, 22-25 ; Mt 1.5 ; Jc 2.25. **11.32** Gédéon Jg 6-7 — Barak Jg 4-5 — Samson Jg 13-16 — Jephté Jg 10-12 — Samuel et David 1S-2S. **11.33** victoire sur les lions Jg 14.5-6 ; 1 S 17.34-36 ; Dn 6. **11.34** victoire sur le feu Dn 3.23-25. **11.35** résurrection des morts 1 R 17.17-24 ; 2 R 4.18-37. **11.36-37** persécutions 2 M 6.18-7.42 ; Jr 20 ; 37 ; 38 ; 2 Ch 24.21. **12.1** endurance du chrétien He 10.32 ; 1 Co 9.24-27 ; Ph 3.12 ; 1 Tm 6.12 ; 2 Tm 2.5. **12.2** le Christ initiateur He 2.10 — assis à la droite Mt 22.44+. **12.5-6** Pr 3.11-12. **12.7** correction paternelle Dt 8.5 ; 2 S 7.14. **12.12** Es 35.3. **12.13** Pr 4.26 (grec).

*sanctification sans laquelle personne ne verra le Seigneur. ¹⁵ Veillez à ce que personne ne vienne à se soustraire à la grâce de Dieu ; qu'aucune racine amère ne se mette à pousser, à causer du trouble et à infecter ainsi la communauté.

¹⁶ Veillez à ce qu'il n'y ait pas de débauché ou de profanateur, tel Esaü qui, pour un seul plat, vendit son droit d'aînesse. ¹⁷ Car, vous le savez, lorsqu'il voulut par la suite hériter de la bénédiction, il fut exclu et il n'y eut pour lui aucune possibilité de changement, malgré ses supplications et ses larmes !

¹⁸ Vous ne vous êtes pas approchés d'une réalité palpable°, feu qui s'est consumé, obscurité, ténèbres, ouragan, ¹⁹ son de trompette et bruit de voix ; ceux qui l'entendirent refusèrent d'écouter davantage la parole. ²⁰ Car ils ne pouvaient supporter cette injonction :
Qui touchera la montagne — fût-ce une bête — sera lapidé !
²¹ Et si terrifiant était ce spectacle que Moïse dit :
Je suis terrifié et tremblant.
²² Mais vous vous êtes approchés de la montagne de Sion et de la ville du Dieu vivant, la Jérusalem céleste, et des myriades *d'anges en réunion de fête, ²³ et de l'assemblée des premiers-nés, dont les noms sont inscrits dans les *cieux et de Dieu, le juge de tous, et des esprits des justes parvenus à l'accomplissement, ²⁴ et de Jésus, médiateur d'une *alliance neuve, et du *sang de l'aspersion qui parle mieux encore que celui d'Abel.

²⁵ Veillez à ne pas refuser d'entendre celui qui vous parle ! Car s'ils n'ont pas échappé au châtiment lorsqu'ils refusèrent d'entendre celui qui les avertissait sur la terre, à plus forte raison nous non plus n'y échapperons pas, si nous nous détournons de qui nous parle du haut des cieux. ²⁶ Lui, dont la voix ébranla alors la terre, fait maintenant cette proclamation : *Une dernière fois je ferai trembler* non seulement *la terre* mais aussi *le ciel.* ²⁷ Les

mots *une dernière fois* annoncent la disparition de tout ce qui participe à l'instabilité du monde créé, afin que subsiste ce qui est inébranlable. ²⁸ Puisque nous recevons un *royaume inébranlable, tenons bien cette grâce. Par elle, servons Dieu d'une manière qui lui soit agréable, avec soumission et avec crainte. ²⁹ Car notre Dieu est un feu dévorant.

Les sacrifices qui plaisent à Dieu

13 ¹ Que l'amour fraternel demeure ! ² N'oubliez pas l'hospitalité, car, grâce à elle, certains, sans le savoir, ont accueilli des *anges. ³ Souvenez-vous de ceux qui sont en prison, comme si vous étiez prisonniers avec eux, de ceux qui sont maltraités, puisque vous aussi, vous avez un corps. ⁴ Que le mariage soit honoré de tous et le lit conjugal sans souillure, car les débauchés et les adultères seront jugés par Dieu. ⁵ Que l'amour de l'argent n'inspire pas votre conduite ; contentez-vous de ce que vous avez, car le Seigneur lui-même a dit :
Non, je ne te lâcherai pas, je ne t'abandonnerai pas !
⁶ Si bien qu'en toute assurance nous pouvons dire :
Le Seigneur est mon secours,
Je ne craindrai rien ;
Que peut me faire un homme ?
⁷ Souvenez-vous de vos dirigeants, qui vous ont annoncé la parole de Dieu ; considérez comment leur vie s'est terminée et imitez leur foi. ⁸ Jésus Christ est le même, hier et aujourd'hui ; il sera pour l'éternité. ⁹ Ne vous laissez pas égarer par toutes sortes de doctrines étrangères. Car il est bon que le *cœur soit fortifié par la grâce et non par des aliments, qui n'ont jamais profité à ceux qui en font une question d'observance. ¹⁰ Nous avons un *autel ᵖ dont les desservants de la tente n'ont pas le droit de tirer leur nourriture. ¹¹ Car les corps des animaux dont le *grand prêtre porte le *sang dans le

---

o Voir Ex 19: allusion aux phénomènes terrifiants qui accompagnaient la révélation de Dieu au Sinaï ● p Voir He 9.11-14: l'autel du sanctuaire céleste. Les *desservants de la tente* sont les prêtres lévitiques

12.15 Dt 29.17 (grec); He 6.4-8; 10.26-31. **12.16** Esaü Gn 25.33-34. **12.17** supplication d'Esaü Gn 27.34. **12.18-19** apparition de Dieu au Sinaï Ex 19.16-21; 20.18-21; Dt 4.11-12; 5.23. **12.20** Ex 19.12-13. **12.21** Ex 9.19. **12.22** Jérusalem céleste He 11.10+. **12.24** nouvelle alliance He 8.8-12 — Abel He 11.4+. **12.26** Ag 2.6. **12.28** recevoir le royaume Dn 7.18. **12.29** Dieu est un feu consumant Dt 4.24; 9.3; Es 33.14. **13.1** amour fraternel 1 Th 4.9; Rm 12.10; 1 P 1.22; 2 P 1.7; 1 Jn 3.10-18. **13.2** certains ont accueilli des anges Gn 18.1-8; 19.1-3; *Tb* 5—7. **13.3** les prisonniers He 10.34; 11.36. **13.4** sainteté du mariage Ep 5.5; 1 Co 6.13-19. **13.5** Dt 31.6 (selon une version d'origine inconnue). **13.6** Ps 118.6. **13.9** observances alimentaires Rm 14.2-23; 1 Co 8.8; Col 2.16-22; 1 Tm 4.3. **13.11** Les animaux brûlés hors du camp Lv 16.27.

*sanctuaire pour l'expiation du péché, sont brûlés hors du camp. ¹² C'est la raison pour laquelle Jésus, pour *sanctifier le peuple par son propre sang, a souffert en dehors de la porte. ¹³ Sortons donc à sa rencontre en dehors du camp, en portant son humiliation. ¹⁴ Car nous n'avons pas ici-bas de cité permanente, mais nous sommes à la recherche de la cité future. ¹⁵ Par lui, offrons sans cesse à Dieu *un *sacrifice de louange,* c'est-à-dire *le fruit de lèvres* qui confessent son *nom. ¹⁶ N'oubliez pas la bienfaisance et l'entraide communautaire, car ce sont de tels sacrifices qui plaisent à Dieu. ¹⁷ Obéissez à vos dirigeants et soyez-leur dociles ; car ils veillent personnellement sur vos âmes, puisqu'ils en rendront compte. Ainsi pourront-ils le faire avec joie et non en gémissant, ce qui ne tournerait pas à votre avantage. ⁸ Priez pour nous, car nous avons la conviction d'avoir une conscience pure avec la volonté de bien nous conduire en toute occasion. ¹⁹ Faites-le, je

vous le demande instamment, afin que je vous sois plus vite rendu *q.*

Bénédiction et salutations

²⁰ Que le Dieu de la paix qui a fait remonter d'entre les morts, par le *sang d'une *alliance éternelle, le grand pasteur des brebis, ²¹ notre Seigneur Jésus, vous rende aptes à tout ce qui est bien pour faire sa volonté ; qu'il réalise en nous ce qui lui est agréable, par Jésus Christ, à qui soit la gloire dans les siècles des siècles. *Amen !

²² Frères, je vous engage à supporter ce sermon ! D'ailleurs, je ne vous envoie que quelques mots. ²³ Apprenez que notre frère Timothée a été libéré. S'il vient assez vite, j'irai vous voir avec lui.

²⁴ Saluez tous vos dirigeants et tous les *saints.

Ceux d'Italie *r* vous saluent.
²⁵ La grâce soit avec vous tous !

---

q l'auteur est retenu par des circonstances qu'il ne précise pas ● *r* soit des personnes résidant en Italie, soit un groupe d'Italiens habitant une des provinces de l'empire romain

13.12 Jésus mort en dehors de la ville Jn 19.17, 20. 13.13 humiliation du Christ He 11.26. 13.14 la cité future He 11.16. 13.15 sacrifice de louange 2 Ch 29.31; Ps 50.14, 23 — le fruit de lèvres qui confessent son nom Os 14.3. 13.17 obéissance aux dirigeants de la communauté He 13.7; 1 Th 5.12. 13.20 Es 63.11 — le sang de l'alliance He 9.20+ — alliance éternelle Es 55.3; 61.8; Jr 32.40; Ez 37.26. 13.23 Timothée Ac 16.1+.

ÉPÎTRE DE JACQUES

Salutation

1 ¹ Jacques, serviteur de Dieu et du Seigneur Jésus Christ, aux douze tribus *a* vivant dans la dispersion, salut.

Epreuve, endurance, perfection

² Prenez de très bon cœur, mes frères, toutes les épreuves par lesquelles vous passez, ³ sachant que le test auquel votre foi est soumise *b* produit de l'endurance. ⁴ Mais que l'endurance soit parfaitement opérante, afin que vous soyez parfaits et accomplis, exempts de tout défaut.

La prière pour recevoir la sagesse

⁵ Si la sagesse fait défaut à l'un de vous, qu'il la demande au Dieu qui donne à tous avec simplicité *c* et sans faire de reproche ; elle lui sera donnée. ⁶ Mais qu'il demande avec foi, sans éprouver le moindre doute ; car celui qui doute ressemble à la houle marine que le vent soulève. ⁷ Que ce personnage ne s'imagine pas que le Seigneur donnera quoi que ce soit ⁸ à un homme partagé, fluctuant dans toutes ses démarches.

Le pauvre et le riche

⁹ Que le frère de condition modeste tire fierté de son élévation ¹⁰ et le riche, de son déclassement, parce qu'il passera comme la fleur des prés. ¹¹ Car le soleil s'est levé avec le sirocco *d* et a desséché l'herbe, dont la fleur est tombée et dont la belle apparence a disparu ; de la même façon, le riche, dans ses entreprises, flétrira.

Epreuve et tentation

¹² Heureux l'homme qui endure l'épreuve, parce que, une fois testé, il recevra la couronne de la vie *e*, promise à ceux qui L'aiment. ¹³ Que nul, quand il est *tenté, ne dise : « Ma tentation vient de Dieu. » Car Dieu ne peut être tenté de faire le mal et ne tente personne. ¹⁴ Chacun est tenté par sa propre convoitise, qui l'entraîne et le séduit. ¹⁵ Une fois fécondée, la convoitise enfante le péché et le péché, arrivé à la maturité, engendre la mort. ¹⁶ Ne vous y trompez pas, mes frères bien-aimés. ¹⁷ Tout don de valeur et tout cadeau parfait descendent d'en-haut, du Père des lumières *f* chez lequel il n'y a ni balancement ni ombre due au mouvement. ¹⁸ De sa propre volonté, il nous a engendrés par la parole de vérité, afin que nous soyons pour ainsi dire les prémices de ses créatures.

---

a Voir Mt 19.28 ; Ac 26.7. Jacques s'adresse à des chrétiens d'origine juive vivant hors de Palestine (Voir Jn 7.35 et note). Selon d'autres les 12 tribus représentent l'ensemble du peuple de Dieu (Ap 7.4) ● *b* Autre texte : *l'authenticité de votre foi* ● *c* Certains traduisent : *avec générosité* ● *d* Vent brûlant venant du désert ● *e* Voir Ph 4.1 et note ; Ap 2.10 ● *f* C'est-à-dire *Dieu* (Voir Gn 1.3, 14-18 ; 1 Jn 1.5, etc.)

1.1 Jacques cf. Ac 15.13+ serviteur de Jésus Christ Rm 1.1 ; Ph 1.1 ; 2 P 1.1 ; Jude 1 — le Seigneur Jésus Christ Jc 2.1 ; 5.14-15 — ceux de la dispersion Ac 15.23 ; 1 P 1.1. **1.2** comment prendre les épreuves Rm 5.3-5 ; Jc 1.12 ; 1 P 1.6. **1.3** un test pour la foi 1 P 1.7 — épreuve et endurance Jc 1.12 ; 5.11 ; cf. Lc 8.13-15. **1.4** parfaits Jc 1.17, 25 ; 2.22 ; 3.2 ; cf. Mt 5.48 ; 19.21. **1.5** sagesse Jc 3.13 — demander la sagesse Pr 2.3-6 ; cf. Jc 4.2-3 — simplicité Rm 12.8 ; 2 Co 11.3 ; Col 3.22. **1.6** demander avec foi Mt 7.7 ; Mc 11.24. **1.8** un homme partagé Jc 4.8. **1.9** frère de condition modeste cf. 1 Co 1.26-29 ; 11.21-22 ; Jc 2.1-7 ; 5.1-6. **1.10-11** la fleur qui se fane Ps 102.5, 12 ; Es 40.6-8 ; 1 P 1.24. **1.12** heureux Mt 5.3+ ; Lc 6.20+ ; 12.37-38 ; cf. Jc 1.25 ; 5.11 — couronne de vie 1 Co 9.25+. **1.13** ce n'est pas Dieu qui tente *Si* 15.11-13. **1.14** convoitise Rm 7.7-8 ; 1 Jn 2.16-17. **1.15** péché Jc 2.9 ; 4.17 ; 5.15-16 et mort Jc 5.20 ; cf. Rm 5.12 ; 6.23 ; 7.13. **1.17** tout don de valeur vient du Père Mt 7.11 — le Père Jc 1.27 ; 3.9 des lumières cf. 1 Jn 1.5. **1.18** Dieu nous a engendrés Jn 1.13 par la parole de vérité 1 P 1.23-25 ; cf. Ep 1.13 ; Col 1.5 ; 2 Tm 2.15 ; Jc 3.14 ; 5.19.

Ne pas se contenter d'écouter la parole

[19] Vous êtes savants [g], mes frères bien-aimés. Pourtant, que nul ne néglige d'être prompt à écouter, lent à parler, lent à se mettre en colère, [20] car la colère de l'homme ne réalise pas la justice de Dieu. [21] Aussi, débarrassés de toute souillure et de tout débordement de méchanceté, accueillez avec douceur la parole plantée en vous et capable de vous sauver la vie. [22] Mais soyez les réalisateurs de la parole, et pas seulement des auditeurs qui s'abuseraient eux-mêmes. [3] En effet, si quelqu'un écoute la parole et ne la réalise pas, il ressemble à un homme qui observe dans un miroir le visage qu'il a de naissance : [24] il s'est observé, il est parti, il a tout oublié de quoi il avait l'air. [25] Mais celui qui s'est penché sur une *loi parfaite, celle de la liberté, et s'y est appliqué, non en auditeur distrait, mais en réalisateur agissant, celui-là trouvera le bonheur dans ce qu'il réalisera. [26] Si quelqu'un se croit religieux sans tenir sa langue en bride, mais en se trompant lui-même, vaine est sa religion. [27] La religion pure et sans tache devant Dieu le Père, la voici : visiter les orphelins et les veuves dans leur détresse ; se garder du *monde pour ne pas se *souiller.

Pas de partialité en faveur des riches

2 [1] Mes frères, ne mêlez pas des cas de partialité à votre foi en notre glorieux Seigneur Jésus Christ. [2] En effet, s'il entre dans votre assemblée un homme aux bagues d'or, magnifiquement vêtu, s'il entre aussi un pauvre vêtu de haillons,

[3] si vous vous intéressez à l'homme qui porte des vêtements magnifiques et lui dites : « Toi, assieds-toi à cette bonne place », si au pauvre vous dites : « Toi, tiens-toi debout » ou « Assieds-toi là-bas, au pied de mon escabeau [h] », [4] n'avez-vous pas fait en vous-mêmes une discrimination ? N'êtes-vous pas devenus des juges aux raisonnements criminels ? [5] Écoutez, mes frères bien-aimés ! N'est-ce pas Dieu qui a choisi ceux qui sont pauvres aux yeux du *monde pour les rendre riches en foi et héritiers du *Royaume qu'Il a promis à ceux qui L'aiment ? [6] Mais vous, vous avez privé le pauvre de sa dignité. N'est-ce pas les riches qui vous oppriment ? Eux encore qui vous traînent devant les tribunaux ? [7] N'est-ce pas eux qui diffament le beau *nom qu'on invoque sur vous [i] ? [8] Certes, si vous exécutez la loi royale [j], conformément au texte : *Tu aimeras ton prochain comme toi-même,* vous agissez bien. [9] Mais si vous êtes partiaux, vous commettez un péché et la *loi vous met en accusation comme transgresseurs. [10] En effet, observer toute la loi et trébucher sur un seul point, c'est se rendre passible de tout, [11] car Celui qui a dit : *Tu ne commettras pas d'adultère* a dit aussi : *Tu n'assassineras pas* et si sans commettre d'adultère, tu commets un meurtre, tu contreviens à la loi. [12] Parlez et agissez en hommes appelés à être jugés d'après la loi de liberté. [13] En effet, le jugement est sans pitié pour qui n'a pas eu pitié : la pitié dédaigne le jugement.

Sans actes, la foi est morte

[14] A quoi bon, mes frères, dire qu'on a

---

g Ou *sachez-le, mes frères bien-aimés, que nul ne néglige pourtant...* Autre texte : *Par conséquent, mes frères bien-aimés, que nul ne néglige...* ● h Escabeau : sorte de tabouret bas utilisé pour poser les pieds quand on était assis (Mt 5.35; Lc 20.43; Ac 7.49) ● i Il s'agit du nom du Seigneur Jésus (Voir Jc 1.1; 2.1) ● j C'est-à-dire la loi qui est au-dessus des autres lois. Certains traduisent cependant : *la loi du Royaume* (de Dieu)

1.19 prompt à écouter, lent à parler Si 5.11 — lent à la colère Qo 7.9; cf. Ex 34.6. **1.20** la justice (de Dieu) Jc 2.21-25; 3.18; 5.16; cf. Mt 5.6, 10, 20; 6.33. **1.21** débarrassés des souillures Ep 4.22, 25; Col 3.8; 1 P 2.1; cf. Rm 13.12; He 12.1. **1.22** réalisateurs de la parole Mt 7.24; Rm 2.13. **1.25** la loi de la liberté Rm 8.2; Ga 6.2; Jc 2.12; 1 P 2.16 — réalisateur agissant cf. Jc 2.14 — réalisation de la parole et bonheur Jn 13.17. **1.26** tenir sa langue Ps 34.14; 39.2; 141.3. **1.27** religion pure et sans tache Es 1.11-17, 23; Jr 5.28; Ez 22.7; Za 7.10 — se garder du monde cf. Jc 4.4. **2.1** pas de partialité Jb 34.19; Ac 10.34 +; Jc 2.9. **2.5** Dieu a choisi... les pauvres 1 Co 1.26-28 — héritiers du Royaume Mt 25.34; 1 Co 6.9-10; 15.50; Ga 5.21; cf. Jc 1.12. **2.7** le nom (de Jésus) qu'on invoque sur vous Ac 2.38; 10.48. **2.8** la loi Jc 1.25; 4.11 — Tu aimeras... Lv 19.18 (Mt 19.19; 22.39; Mc 12.31; Lc 10.27; Rm 13.9; Ga 5.14). **2.9** partialité Dt 1.17. **2.10** trébucher sur un seul point Mt 5.19; Dt 27.26; Ga 3.10. **2.11** Tu ne commettras pas... Ex 20.14; Dt 5.18 (Mt 5.27; 19.18; Lc 18.20; Rm 13.9) — Tu n'assassineras pas Ex 20.13; Dt 5.17 (Mt 5.21; Mc 10.19; Lc 18.20; Rm 13.9). **2.12** appelés à être jugés Jc 5.9 — loi de liberté Jc 1.25 +. **2.13** pitié de Dieu, pitié des hommes Mt 5.7; 18.32-35. **2.14** une foi non agissante Mt 7.21, 26; cf. Jc 1.25; 3.13 — foi et œuvres cf. Rm 3.28; Ga 2.16 — les œuvres produites par la foi Rm 2.6, 15-16; Ga 5.6; Ep 2.8-10; Col 1.10; 1 Th 1.3; 2 Th 1.11; cf. Mt 5.16, 20; 7.12-27; 12.50; 18.23-35; 25.31-46.

de la foi, si l'on n'a pas d'œuvres ? La foi peut-elle sauver, dans ce cas ? [15] Si un frère ou une sœur n'ont rien à se mettre et pas de quoi manger tous les jours, [16] et que l'un de vous leur dise : « Allez en paix, mettez-vous au chaud et bon appétit », sans que vous leur donniez de quoi subsister, à quoi bon ? [17] De même, la foi qui n'aurait pas d'œuvres est morte dans son isolement [k]. [18] Mais quelqu'un dira : « Tu as de la foi ; moi aussi, j'ai des œuvres ; prouve-moi ta foi sans tes œuvres et moi, je tirerai de mes œuvres la preuve de ma foi. [19] Tu crois que Dieu est un ? Tu fais bien. Les *démons le croient, eux aussi, et ils frissonnent. » [20] Veux-tu te rendre compte, pauvre être, que la foi est inopérante [l] sans les œuvres ? [21] Abraham, notre père, n'est-ce pas aux œuvres qu'il dut sa justice [m], pour avoir mis son fils Isaac sur *l'autel ? [22] Tu vois que la foi coopérait à ses œuvres, que les œuvres ont complété la foi [23] et que s'est réalisé le texte qui dit : *Abraham eut foi en Dieu et cela lui fut compté comme justice* et il reçut le nom d'ami de Dieu. [24] Vous constatez que l'on doit sa justice [n] aux œuvres et pas seulement à la foi. [25] Tel fut le cas aussi pour Rahab la prostituée : n'est-ce pas aux œuvres qu'elle dut sa justice, pour avoir accueilli les messagers et les avoir fait partir par un autre chemin ? [26] En effet, de même que, sans souffle, le corps est mort, de même aussi, sans œuvres, la foi est morte.

La langue

3 [1] Ne vous mettez pas tous à enseigner, mes frères. Vous savez avec quelle sévérité nous serons jugés, [2] tant nous trébuchons tous. Si quelqu'un ne trébuche pas lorsqu'il parle, il est un homme parfait, capable de tenir en bride son corps entier. [3] Si nous mettons un mors dans la bouche des chevaux pour qu'ils nous obéissent, nous menons aussi leur corps entier. [4] Voyez aussi les bateaux : si grands soient-ils et si rudes les vents qui les poussent, on les mène avec un tout petit gouvernail là où veut aller celui qui tient la barre. [5] De même, la langue est un petit membre et se vante de grands effets. Voyez comme il faut peu de feu pour faire flamber une vaste forêt ! [6] La langue aussi est un feu, le monde du mal ; la langue est installée parmi nos membres, elle qui souille le corps entier, qui embrase le cycle de la nature, qui est elle-même embrasée par la *géhenne. [7] Il n'est pas d'espèce, aussi bien de bêtes fauves que d'oiseaux, aussi bien de reptiles que de poissons, que l'espèce humaine n'arrive à dompter. [8] Mais la langue, nul homme ne peut la dompter : fléau fluctuant [o], plein d'un poison mortel ! [9] Avec elle nous bénissons le Seigneur et Père ; avec elle aussi nous maudissons les hommes, qui sont à l'image de Dieu ; [10] de la même bouche sortent bénédiction et malédiction. Mes frères, il ne doit pas en être ainsi. [11] La source produit-elle le doux et l'amer par le même orifice ? [12] Un figuier, mes frères, peut-il donner des olives, ou une vigne des figues ? Une source saline [p] ne peut pas non plus donner d'eau douce. [3] Qui est sage et intelligent parmi vous ? Qu'il tire de sa bonne conduite la preuve que la sagesse empreint ses actes de douceur.

Sagesse terrestre et sagesse d'en haut

[14] Mais si vous avez le cœur plein d'aigre jalousie et d'esprit de rivalité, ne faites pas les avantageux et ne nuisez pas à la vérité par vos mensonges. [15] Cette sagesse-là ne vient pas d'en haut ; elle est terrestre, animale, démoniaque. [16] En effet, la jalousie et l'esprit de rivalité s'accompagnent de remous et de force affaires fâcheuses. [17] Mais la sagesse d'en haut est

---

k ou *tout à fait morte* • l Autre texte: la foi *est morte* • m Certains traduisent: *il fut reconnu juste* (par Dieu) • n Certains traduisent: *l'homme est reconnu juste* (par Dieu) • o Autre texte: *fléau sans frein* (c'est-à-dire qu'on ne peut maîtriser) • p Certains manuscrits comportent: *De même une source saline...*

2.17 une foi morte Jc 2.20, 26. **2.19** les démons croient... Mt 8.29; Mc 1.24; 5.7; Lc 4.34. **2.21** Abraham Rm 4; Ga 3.6-9 notre père Es 51.2; Mt 3.9; Lc 16.24, 27, 30; Jn 8.39, 53 — Isaac sur l'autel Gn 22.9, 12. **2.22** foi et actes d'Abraham He 11.17. **2.23** Abraham eut foi en Dieu Gn 15.6 (Rm 4.3, 9, 22; Ga 3.6); cf. *1 M* 2.52; *Si* 44.20 — Abraham, ami de Dieu 2 Ch 20.7; Es 41.8. **2.25** la foi et les actes de Rahab Jos 2.4, 15; 6.17; He 11.31. **2.26** une foi morte Jc 2.17, 20. **3.1** enseigner Rm 12.7; 1 Co 12.28-29; Ep 4.11. **3.2** parfait Jc 1.4+. **3.6** la langue et le corps tout entier Mt 12.36-37; 15.11, 18-19 — la géhenne Mt 5.22+. **3.8** langue venimeuse Ps 140.4 (Rm 3.13). **3.9** les hommes à l'image de Dieu Gn 1.26-27; 1 Co 11.7. **3.15** sagesse d'en haut Jc 1.5, 17. **3.17** fruits de la sagesse cf. Ga 5.22-25 — pacifique Mt 5.9; He 12.11; 1 P 3.10-11 — pitié Jc 2.13 — douceur Mt 5.4; Jc 1.21; 1 P 3.4, 16.

d'abord pure, puis pacifique, douce, conciliante, pleine de pitié et de bons fruits, sans façon et sans fard. ¹⁸ Le fruit de la justice est semé dans la paix pour ceux qui font œuvre de paix.

Des hommes au cœur partagé

4 ¹ D'où viennent les conflits, d'où viennent les combats parmi vous ? N'est-ce pas de vos plaisirs qui guerroient dans vos membres ? ² Vous convoitez et ne possédez pas ; vous êtes meurtriers et jaloux, et ne pouvez réussir ; vous combattez et bataillez. Vous ne possédez pas parce que vous n'êtes pas demandeurs ; ³ vous demandez et ne recevez pas parce que vos demandes ne visent à rien de mieux que de dépenser pour vos plaisirs. ⁴ Femmes infidèles *q* ! Ne savez-vous pas que l'amitié envers le *monde est hostilité contre Dieu ? Celui qui veut être ami du monde se fait donc ennemi de Dieu. ⁵ Ou bien pensez-vous que ce soit pour rien que l'Ecriture dit : Dieu désire jalousement l'esprit qu'Il a fait habiter *r* en nous ? ⁶ Mais il fait mieux pour se montrer favorable ; voilà pourquoi l'Ecriture dit : *Dieu résiste aux orgueilleux, mais se montre favorable aux humbles.* ⁷ Soumettez-vous donc à Dieu ; mais résistez au *diable et il fuira loin de vous ; ⁸ approchez-vous de Dieu et il s'approchera de vous. Nettoyez vos mains, *pécheurs, et purifiez vos cœurs, hommes partagés ! ⁹ Reconnaissez votre misère, prenez le deuil, pleurez ; que votre rire se change en deuil et votre joie en abattement ! ¹⁰ Humiliez-vous devant le Seigneur et Il vous élèvera.

Qui es-tu, pour juger ton frère ?

¹¹ Ne médisez pas les uns des autres, frères. Celui qui médit d'un frère ou juge son frère médit d'une *loi et juge une loi ; mais si tu juges une loi, tu agis en juge et non en réalisateur de la loi. ¹² Or un seul est législateur et juge : celui qui peut sauver et perdre. Qui es-tu, toi, pour juger le prochain ?

Ceux qui font des projets orgueilleux

¹³ Alors, vous qui dites : « Aujourd'hui, — ou demain —, nous irons dans telle ville, nous y passerons un an, nous ferons du commerce, nous gagnerons de l'argent », ¹⁴ et qui ne savez même pas, le jour suivant, ce que sera votre vie, car vous êtes une vapeur, qui paraît un instant et puis disparaît ! ¹⁵ Au lieu de dire : « Si le Seigneur le veut bien, nous vivrons et ferons ceci ou cela », ¹⁶ vous tirez fierté de vos fanfaronnades ! Toute fierté de ce genre est mauvaise. ¹⁷ Qui donc sait faire le bien et ne le fait pas se charge d'un péché.

Avertissement aux riches

5 ¹ Alors, vous les riches, pleurez à grand bruit sur les malheurs qui vous attendent ! ² Votre richesse est pourrie, vos vêtements rongés des vers ; ³ votre or et votre argent rouillent et leur rouille servira contre vous de témoignage, elle dévorera vos chairs comme un feu. Vous vous êtes constitué des réserves à la fin des temps ! ⁴ Voyez le salaire des ouvriers qui ont fait la récolte dans vos champs : retenu *s* par vous, il crie et les clameurs des moissonneurs sont parvenues aux oreilles du Seigneur Sabaoth *t*. ⁵ Vous avez eu sur terre une vie de confort et de luxe, vous vous êtes repus au jour du carnage. ⁶ Vous avez condamné, vous avez assassiné le juste : il ne vous résiste pas.

---

q Certains traduisent: *Adultères!* (au sens imagé; cf. Mt 12.39; 16.4). Autre texte: *Hommes et femmes infidèles!* • *r* Ou *L'Esprit que Dieu a fait habiter en nous a des désirs jaloux.* Ce texte ne figure ni dans l'A.T. ni dans le N.T. • *s* Autre texte: *volé par vous* • *t* Sabaoth: Transcription d'un terme hébreu que l'A.T. accole parfois au titre de Seigneur, pour désigner le Dieu d'Israël. Le sens est discuté; certains traduisent: le Seigneur *des armées*

3.18 paix et justice Es 32.17; He 12.11 — ceux qui font œuvre de paix Mt 5.9. **4.1** guerre 1 P 2.11 dans vos membres Rm 7.23. **4.3** demander Jc 1.5; cf. 5.13-18. **4.4** femmes infidèles Os 3.1; Mt 12.39; 16.4 — amitié envers le monde 1 Jn 2.15 — hostilité contre Dieu Rm 8.7. **4.5** jalousie de Dieu Ex 20.5; cf. Gn 6.3. **4.6** Dieu résiste... Pr 3.34 (grec); Mt 23.12; 1 P 5.5. **4.7** résistez au diable Ep 6.12-13; 1 P 5.8-9. **4.8** approchez-vous... Dieu s'approchera Za 1.3; Ml 3.7 — nettoyez vos mains Es 1.16 — purifiez vos cœurs cf. Jc 1.26-27; Mc 5.8 — hommes partagés cf. Mt 6.2, 5, 16; 15.7-8. **4.10** il vous relèvera Jb 5.11; 1 P 5.6. **4.11** médisance cf. Jc 1.26; 3.9-10. **4.12** qui es-tu pour juger... Rm 2.1; 14.4. **4.13-14** ceux qui font des projets Pr 27.1; Lc 12.18-20. **4.15** Si le Seigneur le veut bien... Ac 18.21; Rm 1.10; 1 Co 4.19. **4.17** savoir... et ne pas faire Lc 12.47. **5.1** malheurs qui attendent le riche Es 5.8-10; Jr 5.26-30; Am 8.4-8; Lc 6.24. **5.2** rongés par les vers Mt 6.19-20. **5.3** dévorés par le feu Ps 21.10; *Jdt* 16.17. **5.4** salaire retenu Lv 19.13; Dt 24.14-15; Ml 3.5 — une clameur qui va jusqu'à Dieu Gn 4.10; Ps 18.7. **5.5** au jour du carnage Jr 12.3; 25.34. **5.6** le juste ne résiste pas Ps 37; *Sg* 2.12-20; Mt 5.39.

Patience, le Seigneur approche

⁷ Prenez donc patience, frères, jusqu'à la venue du Seigneur. Voyez le cultivateur : il attend le fruit précieux de la terre sans s'impatienter à son propos tant qu'il n'en a pas recueilli du précoce et du tardif ᵘ. ⁸ Vous aussi, prenez patience, ayez le cœur ferme, car la venue du Seigneur est proche. ⁹ Frères, ne gémissez pas les uns contre les autres, pour éviter d'être jugés. Voyez : le juge se tient aux portes. ¹⁰ Pour la souffrance et la patience, le modèle à prendre, frères, ce sont les *prophètes, qui ont parlé au nom du Seigneur. ¹¹ Voyez : nous félicitons les gens endurants ; vous avez entendu l'histoire de l'endurance de Job et vu le but du Seigneur parce que *le Seigneur a beaucoup de cœur et montre de la pitié.*

Que votre oui soit oui

¹² Mais avant tout, mes frères, ne jurez pas, ni par le *ciel, ni par la terre, ni d'aucune autre manière. Que votre oui soit oui et votre non, non, afin que vous ne tombiez pas sous le jugement.

La prière

¹³ L'un de vous souffre-t-il ? qu'il prie. Est-il joyeux ? Qu'il chante des cantiques. ¹⁴ L'un de vous est-il malade ? Qu'il fasse appeler les *anciens de l'église et qu'ils prient après avoir fait sur lui une onction d'huile au *nom du Seigneur. ¹⁵ La prière de la foi sauvera le patient ; le Seigneur le relèvera et, s'il a des péchés à son actif, il lui sera pardonné ᵛ. ¹⁶ Confessez-vous donc vos péchés les uns aux autres et priez les uns pour les autres, afin d'être guéris. La requête d'un juste agit avec beaucoup de force. ¹⁷ Elie était un homme semblable à nous ; il pria avec ferveur pour qu'il ne plût pas et il ne plut pas sur la terre pendant trois ans et six mois ; ¹⁸ puis il pria de nouveau, le ciel donna de la pluie, la terre produisit son fruit...

Celui qui ramène un égaré

¹⁹ Mes frères, si l'un de vous s'est égaré loin de la vérité et qu'on le ramène, ²⁰ sachez que celui qui ramène un *pécheur du chemin où il s'égarait lui sauvera la vie ʷ et fera disparaître une foule de péchés.

---

u Autre texte: tant qu'il n'a pas reçu *les pluies* précoces et (les pluies) tardives • v Sur cette tournure impersonnelle voir notes sur Mt 3.2; 7.1 • w Autres textes: *sauvera une vie* — ou *arrachera une vie à la mort du pécheur*

5.7 du précoce et du tardif cf. Dt 11.14; Jr 5.24; Jl 2.23. **5.8** patience cf. 1 Th 5.1-11 — cœur ferme 1 Th 3.13 — la venue du Seigneur Mt 24.3, 27, 37; 2 P 1.16; 1 Jn 2.28; cf. 1 Co 15.23; 1 Th 2.19; 3.13; 4.15; 5.23; 2 Th 2.1, 8 est proche Rm 13.11-12; He 10.25; 1 P 4.7. **5.9** le juge se tient aux portes Mt 24.33. **5.10** souffrance des prophètes Mt 5.12; 23.29-31; Ac 7.52; Rm 11.3; 1 Th 2.15; He 11.36-38. **5.11** félicitations aux gens endurants Dn 12,12; cf. Col 1.11; Jc 1.3-4 — l'endurance de Job Jb 1.20-22; 2.10 — le Seigneur a beaucoup... Ex 34.6; Ps 103.8; 111.4 — le but du Seigneur Jb 42.10-17. **5.12** ne jurer ni par le ciel... Mt 5.34-37; cf. *Si* 23.9-11. **5.13** prière 1 Th 5.17-18 — chanter des cantiques Rm 15.9; 1 Co 14.15; Ep 5.19-20; Col 3.16-17. **5.14** prière pour les malades Mc 6.13 — onction d'huile Mc 6.13. **5.15** prière et guérison Mc 16.18 — sauver, relever, pardonner Mc 5.34, 41; Lc 17.19. **5.16** confession des péchés Dn 9.4-20; *Ba* 1.14—2.10; Mt 3.6; Ac 19.18. **5.17** un homme comme nous Ac 14.15 — Elie (cf. Mt 11.14+) et la sécheresse 1 R 17.1; *Si* 48.2 — trois ans et six mois Lc 4.25. **5.18** la prière d'Elie 1 R 18.42-45 — le prophète intercesseur Gn 18.22-32; Ex 32.11-14, 30-32; Jr 14.11; 18.20; Am 7.2, 5. **5.19** égaré loin de la vérité cf. Mt 18.12-13, 15. **5.20** lui sauvera la vie 1 Tm 4.16; 1 Jn 5.16 — faire disparaître une foule de péchés Pr 10.12; 1 P 4.8; cf. Ez 3.20-21.

PREMIÈRE ÉPÎTRE DE PIERRE

L'auteur et les destinataires de la lettre

1 ¹ Pierre, apôtre de Jésus Christ, aux élus qui vivent en étrangers dans la dispersion, dans l'actuelle le Pont, la Galatie, la Cappadoce, l'Asie et la Bithynie *a*, ² élus selon le dessein de Dieu le Père, par la sanctification de l'Esprit, pour obéir à Jésus Christ et avoir part à l'aspersion de son sang *b*.

Que la grâce et la paix nous viennent en abondance !

Une espérance vivante

³ Béni soit Dieu, le Père de Notre Seigneur Jésus Christ :
dans sa grande miséricorde, il nous a fait renaître
pour une espérance vivante, par la résurrection de Jésus Christ d'entre les morts,
⁴ pour un héritage qui ne se peut corrompre, ni *souiller, ni flétrir ; cet héritage vous est réservé dans les *cieux,
⁵ à vous que la puissance de Dieu garde par la foi
pour le salut prêt à se révéler au moment de la fin.
⁶ Aussi tressaillez-vous d'allégresse même s'il faut que, pour un peu de temps, vous soyez affligés par diverses épreuves,
⁷ afin que la valeur éprouvée de votre foi — beaucoup plus précieuse que l'or périssable qui pourtant est éprouvé par le feu —
provoque louange, gloire et honneur lors de la *révélation de Jésus Christ,
⁸ Lui que vous aimez sans l'avoir vu, en qui vous croyez sans le voir encore ;
aussi tressaillez-vous d'une joie ineffable et glorieuse,
⁹ en remportant comme prix de la foi, le salut de vos âmes *c*.

Les recherches des prophètes sur le salut

¹⁰ Sur ce salut ont porté les recherches et les investigations des *prophètes, qui ont prophétisé au sujet de la grâce qui vous était destinée : ¹¹ ils recherchaient à quel temps et à quelles circonstances se rapportaient les indications données par l'Esprit du Christ qui était présent en eux, quand il attestait par avance les souffrances réservées au Christ et la gloire qui les suivrait. ¹² Il leur fut révélé que ce n'était pas pour eux-mêmes, mais pour vous qu'ils transmettaient ce message, que maintenant les prédicateurs de *l'Evangile vous ont

a la dispersion: ce terme technique, désignant habituellement les Juifs vivant hors de Palestine, est appliqué ici aux chrétiens dispersés dans le monde — *le Pont... la Bithynie:* cinq provinces romaines de l'actuelle Asie mineure ● *b l'aspersion de son sang:* les effets de la mort du Christ sont décrits ici à l'aide du vocabulaire sacrificiel de l'Ancien Testament. Voir Ex 24.3-8 ; Lv 16.14-15.
● *c* C'est-à-dire le salut de vos personnes tout entières

1.1 les élus 1 P 2.4, 9 ; 5.13 ; cf. 1.15-16 — vivant dans la dispersion Jn 7.35 ; Jc 1.1 — Pont Ac 2.9 ; 18.2 — Galatie Ac 16.6+ — Cappadoce Ac 2.9 — Asie Ac 19.10+ — Bithynie Ac 16.7. **1.2** le dessein de Dieu Rm 8.29 — l'Esprit sanctifie 2 Th 2.13 — aspersion de sang Ex 24.3-8 ; He 12.24 — grâce et paix en abondance 2 P 1.2 ; Jude 2. **1.3** Béni soit Dieu, le Père 2 Co 1.3 ; Ep 1.3 — faire renaître 1 P 1.23 ; cf. 2.2. **1.4** héritage Mt 25.34. **1.5** gardés par la puissance de Dieu Jn 10.28 ; 17.11. **1.6** diverses épreuves Jc 1.2. **1.7** foi éprouvée Jb 23.10 ; Ps 66.10 ; Pr 17.3 ; Jc 1.3 — éprouvé par le feu Es 48.10 ; Za 13.9 ; Ml 3.3 ; 1 Co 3.13 — louange, gloire et honneur Ep 1.6, 12, 16 — révélation de Jésus Christ 1 P 1.13 ; 4.13. **1.8** sans l'avoir vu Jn 20.29 ; 2 Co 5.7. **1.9** le prix offert à la foi Rm 6.22. **1.10** recherches menées par les prophètes Mt 13.17 ; Lc 10.24. **1.11** les souffrances du Christ annoncées par avance Ps 22 ; Es 53 ; Lc 24.26 ; cf. 2 P 1.19. **1.12** évangélisation et Saint Esprit Ac 1.8 ; 1 Co 2.4 ; 1 Th 1.5 — les anges devant l'Evangile Ep 3.10.

communiqué sous l'action de l'Esprit Saint envoyé du *ciel, et dans lequel les *anges désirent plonger leurs regards.

Devenez saints
dans toute votre conduite

¹³ C'est pourquoi, l'esprit prêt pour le service ^{d}, soyez vigilants et mettez toute votre espérance dans la grâce qui doit vous être accordée lors de la *révélation de Jésus Christ. ¹⁴ Comme des enfants obéissants, ne vous conformez pas aux convoitises d'autrefois, du temps de votre ignorance ; ¹⁵ mais, de même que celui qui vous a appelés est *saint, vous aussi devenez saints dans toute votre conduite, ¹⁶ parce qu'il est écrit :
Soyez saints, car je suis saint...
¹⁷ Et si vous invoquez comme Père celui qui, sans partialité, juge chacun selon son œuvre, conduisez-vous avec crainte durant le temps de votre séjour sur la terre, ¹⁸ sachant que ce n'est point par des choses périssables, argent ou or, que vous avez été rachetés de la vaine manière de vivre héritée de vos pères, ¹⁹ mais par le *sang précieux, comme d'un agneau sans défaut et sans tache, celui du Christ, ²⁰ prédestiné avant la fondation du monde et manifesté à la fin des temps à cause de vous. ²¹ Par lui vous croyez en Dieu qui l'a ressuscité des morts et lui a donné la gloire, de telle sorte que votre foi et votre espérance reposent sur Dieu.

La croissance des enfants de Dieu

²² Vous avez *purifié vos âmes, en obéissant à la vérité ^{e}, pour pratiquer un amour fraternel sans hypocrisie. Aimez-vous les uns les autres d'un cœur pur ^{f}, avec constance, ²³ vous qui avez été engendrés à nouveau par une semence non pas corruptible mais incorruptible, par la parole de Dieu vivante et permanente. ²⁴ Car
toute chair est comme l'herbe,
et toute sa gloire comme la fleur
de l'herbe :
l'herbe sèche et sa fleur tombe ;
²⁵ mais la parole du Seigneur demeure
éternellement.
Or, cette parole, c'est *l'Evangile qui vous a été annoncé.

2 ¹ Rejetez donc toute méchanceté et toute ruse, toute forme d'hypocrisie, d'envie et de médisance. ² Comme des enfants nouveau-nés, désirez le lait pur de la parole, afin que, par lui, vous grandissiez pour le salut, ³ si
vous avez goûté que le Seigneur est bon.

La pierre vivante et la nation sainte

⁴ C'est en vous approchant de lui, pierre vivante,
rejetée par les hommes
mais choisie et précieuse devant Dieu,
⁵ que vous aussi, comme des pierres vivantes,
vous êtes édifiés en maison spirituelle,
pour constituer une *sainte communauté sacerdotale ^{g},
pour offrir des *sacrifices spirituels,
agréables à Dieu par Jésus Christ.
⁶ Car on trouve dans l'Ecriture :
*Voici, je pose en *Sion une pierre angulaire,*

---

d Litt. *ayant ceint les reins de votre esprit. Ceindre ses reins:* expression imagée signifiant qu'un homme se met en tenue de travail ou de voyage, pour être libre de ses mouvements et disponible ● e Certains manuscrits ajoutent: *par l'Esprit* ● f autre texte: *de tout cœur* ● g C'est-à-dire une communauté qui exerce une fonction de prêtre

1.13 ceindre ses reins Lc 12.35+. **1.14** obéissance 1 P 1.2, 22; cf. 2.13, 18; 3.1, 5; 5.5 — ne vous conformez pas... Rm 12.2; Ep 4.17-18 — les convoitises d'autrefois Ep 2.3. **1.16** soyez saints... Lv 11.44-45; 19.2; 20.7. **1.17** invoquer comme Père Ps 89.27; Es 64.7; Jr 3.19; Mt 6.9; Lc 11.2; cf. Sg 14.3; Si 23.4 — celui qui juge sans partialité Ac 10.34+ — chacun selon ses œuvres Ps 28.4; 62.13; Pr 24.12; Es 59.18; Jr 17.10; Rm 2.6; 1 Co 3.8; 2 Co 11.15; 2 Tm 4.14; Ap 2.23; 18.6; 20.12-13; 22.12. **1.18** rachetés Dt 7.8; 15.15; Es 41.14; 43.1, etc.; Ps 130.8; Rm 3.24; 1 Co 1.30; Ep 1.7 Col 1.14. **1.19** par le sang du Christ Ac 20.28; He 9.12; 1 P 1.2 — sans défaut et sans tache Ex 12.5. **1.20** prédestiné Ac 2.23 — avant la fondation du monde Ep 1.4. **1.21** par lui vous croyez... Jn 14.6; Rm 5.1-2 — foi en Dieu qui ressuscita Jésus Rm 4.24; 10.9. **1.22** obéissance à la vérité Rm 1.5; 16.26 — amour mutuel Jn 13.34; Rm 12.10. **1.23** engendrés... Jn 1.13 — la parole vivante de Dieu He 4.12 permanente Dn 6.27 — une semence Mt 13.3-9, 19 par. **1.24-25** toute chair... Es 40.6-8 (Jc 1.10-11). **1.25** cette parole, c'est l'Evangile cf. Es 40.9. **2.1** ce qu'il faut rejeter Ep 4.22; Jc 1.21. **2.2** lait 1 Co 3.2; He 5.12-13. **2.3** vous avez goûté...Ps 34.9. **2.4** la pierre rejetée Ps 118.22; Mt 21.42; Ac 4.11 — précieuse aux yeux de Dieu Es 28.16. **2.5** édifier (construire) cf. Mt 16.18; 1 Co 3.9-10 — maison spirituelle Ep 2.21-22 — sainte communauté sacerdotale Ex 19.6; Es 61.6; 1 P 2.9; Ap 1.6; 5.10; 20.6 — des sacrifices spirituels Rm 12.1; He 13.15. **2.6** Voici, je pose... Es 28.16 (Rm 9.33) — pierre angulaire Ep 2.20+.

choisie et précieuse,
et celui qui met en elle sa confiance
ne sera pas confondu.

⁷ A vous donc, les croyants, l'honneur : mais pour les incrédules
la pierre qu'ont rejetée les bâtisseurs
est devenue la pierre de l'angle,
⁸ *et aussi une pierre d'achoppement.*
un roc qui fait tomber.

Ils s'y heurtent, parce qu'ils refusent de croire à la Parole, et c'est à cela qu'ils étaient destinés.

⁹ Mais, vous, vous êtes
la race élue, la communauté sacerdo-
*tale du roi, la nation *sainte, le*
peuple que Dieu s'est acquis,
pour que vous proclamiez les hauts
faits de celui qui
vous a appelés des ténèbres à sa merveilleuse lumière.
¹⁰ vous qui jadis n'étiez *pas son peuple,*
mais qui maintenant êtes le *peuple*
de Dieu ;
vous qui *n'aviez pas obtenu miséri-*
corde,
mais qui maintenant *avez obtenu*
miséricorde.

Une belle conduite parmi les païens

¹¹ Bien-aimés, je vous exhorte, comme des gens de passage et des étrangers, à vous abstenir des convoitises charnelles ʰ, qui font la guerre de l'âme. ¹² Ayez une belle conduite parmi les *païens, afin que, sur le point même où ils vous calomnient comme malfaiteurs, ils soient éclairés par vos bonnes œuvres et glorifient Dieu au *jour de sa venue.

Le respect dû aux autorités

¹³ Soyez soumis à toute institution humaine, à cause du Seigneur : soit au roi, en sa qualité de souverain, ¹⁴ soit aux gouverneurs, délégués par lui pour punir les malfaiteurs et louer les gens de bien. ¹⁵ Car c'est la volonté de Dieu qu'en faisant le bien vous réduisiez au silence l'ignorance des insensés. ¹⁶ Comportez-vous en hommes libres, sans utiliser la liberté comme un voile pour votre méchanceté, mais agissez en serviteurs de Dieu. ¹⁷ Honorez tous les hommes, aimez vos frères, craignez Dieu, honorez le roi.

La patience des serviteurs chrétiens

¹⁸ Serviteurs ⁱ, soyez soumis avec une profonde crainte à vos maîtres, non seulement aux bons et aux doux, mais aussi aux acariâtres. ¹⁹ Car c'est une grâce de supporter, par respect pour Dieu, des peines que l'on souffre injustement. ²⁰ Quelle gloire y a-t-il, en effet, à supporter les coups si vous avez commis une faute ? Mais si, après avoir fait le bien, vous souffrez avec patience, c'est là une grâce aux yeux de Dieu. ²¹ Or, c'est à cela que vous avez été appelés, car le Christ aussi a souffert pour vous, vous laissant un exemple afin que vous suiviez ses traces :
²² *Lui qui n'a pas commis de péché*
et dans la bouche duquel il ne s'est
pas trouvé de tromperie ;
²³ lui qui, insulté, ne rendait pas l'insulte,
dans sa souffrance, ne menaçait pas,
mais s'en remettait au juste Juge ;
²⁴ lui qui, dans son propre corps, a
porté nos péchés sur le bois,
afin que, morts à nos péchés, nous
vivions pour la justice ʲ ;
lui dont les meurtrissures vous ont
guéris.
²⁵ Car vous étiez égarés comme des bre-

---

h C'est-à-dire les convoitises humaines habituelles. Voir Rm 1.3 et note ● i ou *Esclaves* ●
j *Le bois:* tournure hébraïque empruntée à Dt 21.22 pour désigner un gibet; il s'agit ici de *la croix — pour la justice:* voir Rm 8.4

2.7 pierre rejetée: 1 P 2.4+.   **2.8** pierre d'achoppement Es 8.14 (Rm 9.33); cf. Lc 2.34.   **2.9** la race élue... Es 43.20-21; Dt 7.6; cf. Ml 10.15 — communauté sacerdotale 1 P 2.5+ — une nation sainte Ex 19.5-6 — le peuple que Dieu s'est acquis Es 43.21 — des ténèbres à la lumière Es 9.1; Ac 26.18; Ep 5.8; Col 1.13.   **2.10** pas son peuple... Os 1.6, 9; 2.1, 23 (Rm 9.25).   **2.11** étrangers et gens de passage Ps 39.13; 1 P 1.1 — convoitises charnelles Ga 5.24 — guerre Ga 5.17; Jc 4.1.   **2.12** bonnes œuvres et glorification de Dieu Mt 5.16 — le jour où Dieu visite Gn 50.24-25; Es 10.3; Jr 6.15; Sg 3.7; Lc 1.68; 7.16; 19.44.   **2.13-14** soumission aux autorités Rm 13.1-7; Tt 3.1; 1 Tm 2.1-2; cf. 1 P 3.1; 5.5.   **2.15** ôter les arguments aux insensés 1 P 3.13; cf. Tt 1.14.1.   **2.16** une liberté qui n'est pas un prétexte Ga 5.13.   **2.17** honorer tous les hommes Rm 12.10 — aimer les frères 1 P 1.22 — craindre Dieu Pr 24.21.   **2.18** recommandations aux serviteurs Ep 6.5-8; Col 3.22-4.1; Tt 2.9.   **2.19** par respect de Dieu cf. Rm 13.5.   **2.20** souffrir après avoir fait le bien 1 P 3.14, 17; 4.14.   **2.21** un exemple Jn 13.15 — suivre les traces du Christ Mt 16.24; cf. 4.19+.   **2.22** Lui qui n'a pas commis... Es 53.9; Jn 8.46; 2 Co 5.21; 1 Jn 3.5.   **2.23** lui qui, insulté... Es 53.7; 1 P 3.9; cf Ac 8.32.   **2.24** lui qui... a porté nos péchés Es 53.4, 12; He 9.28; cf. Mc 10.45 par.; Rm 4.25 — sur le bois (la croix) Dt 21.22-23; Ga 3.13 — vivre pour Rm 6.2, 11 — lui dont les meurtrissures... Es 53.5.   **2.25** égarés comme des brebis Es 53.6; Ez 34.5-6; Mt 9.36 — le berger 1 P 5.4.

bis, mais maintenant vous vous êtes tournés vers le *berger et le gardien de vos âmes [k].

La vie conjugale des chrétiens

3 [1] Vous, de même, femmes, soyez soumises à vos maris, afin que, même si quelques-uns refusent de croire à la Parole, ils soient gagnés, sans parole, par la conduite de leurs femmes, [2] en considérant votre conduite *pure, respectueuse. [3] Que votre parure ne soit pas extérieure : cheveux tressés, bijoux d'or, toilettes élégantes ; [4] mais qu'elle soit la disposition cachée du cœur, parure incorruptible d'un esprit doux et paisible, qui est d'un grand prix devant Dieu. [5] C'est ainsi qu'autrefois se paraient les saintes femmes qui espéraient en Dieu, étant soumises à leurs maris : [6] telle Sara, qui obéissait à Abraham, l'appelant son seigneur, elle dont vous êtes devenues les filles en faisant le bien, et en ne vous laissant troubler par aucune crainte.

[7] Vous les maris, de même, menez la vie commune en tenant compte de la nature plus délicate de vos femmes ; montrez-leur du respect, puisqu'elles doivent hériter avec vous la grâce de la *vie, afin que rien n'entrave vos prières.

La pratique de l'amour fraternel

[8] Enfin, soyez tous dans de mêmes dispositions, compatissants, animés d'un amour fraternel, miséricordieux, humbles. [9] Ne rendez pas le mal pour le mal, ou l'insulte pour l'insulte ; au contraire, bénissez, car c'est à cela que vous avez été appelés, afin d'hériter la bénédiction [l].
[10] En effet,
qui veut aimer la vie
et voir des jours heureux
doit garder sa langue du mal
et ses lèvres des paroles trompeuses,

[11] *se détourner du mal et faire le bien,*
rechercher la paix et la poursuivre.
[12] Car
les yeux du Seigneur sont sur les
justes,
et ses oreilles sont attentives à leur
prière ;
mais la face du Seigneur se tourne
contre ceux qui font le mal.

Prêts à rendre compte de votre espérance

[13] Et qui vous fera du mal, si vous vous montrez zélés pour le bien ? [14] Bien plus, au cas où vous auriez à souffrir pour la justice [m], heureux êtes-vous.
N'ayez d'eux aucune crainte et ne soyez
pas troublés ; [15] mais *sanctifiez dans vos cœurs le Christ qui est Seigneur. Soyez toujours prêts à justifier votre espérance devant ceux qui vous en demandent compte. [16] Mais que ce soit avec douceur et respect, en ayant une bonne conscience, afin que, sur le point même où l'on vous calomnie, ceux qui décrient votre bonne conduite en Christ soient confondus. [17] Car mieux vaut souffrir en faisant le bien, si telle est la volonté de Dieu, qu'en faisant le mal.

De la mort du Christ à sa victoire

[18] En effet le Christ lui-même est mort pour les péchés, une fois pour toutes, lui juste pour les injustes, afin de vous présenter [n] à Dieu, lui mis à mort en sa chair [o], mais rendu à la *vie par l'Esprit. [19] C'est alors qu'il est allé prêcher même aux esprits en prison, [20] aux rebelles d'autrefois, quand se prolongeait la patience de Dieu aux jours où Noé construisait l'arche, dans laquelle peu de gens, huit personnes, furent sauvés par l'eau [p]. [21] C'était l'image du baptême qui vous sauve maintenant : il n'est pas la purifi-

---

[k] Voir 1 P 1.9 et note ● [l] C'est-à-dire la bénédiction de Dieu ● [m] Voir 1 P 2.24 et note sur Rm 8.4 ● [n] Autres textes : le Christ *a souffert* — Après *pour les péchés* certains manuscrits ajoutent *en votre faveur* — D'autres lisent : *afin de nous* présenter... ● [o] Sur la fin du verset 18 voir Rm 1.3-4 ; 1 Tm 3.16 et les notes ● [p] Ou *à travers l'eau*

3.1 recommandations aux femmes chrétiennes Ep 5.22 ; Col 3.18 ; Tt 2.5. **3.3** une parure qui ne soit pas extérieure 1 Tm 2.9. **3.6** Sara et son seigneur Gn 18.12 (grec). **3.7** recommandations aux maris chrétiens Ep 5.25 ; Col 3.19. **3.9** ne pas rendre le mal pour le mal Mt 5.44 ; 1 Th 5.15 ; 1 P 2.23. **3.10-12** qui veut aimer... Ps 34.13-17. **3.14** heureux d'avoir à souffrir pour la justice Mt 5.11-12 ; 1 P 2.20 ; 4.14 — n'ayez d'eux aucune crainte Es 8.12-13. **3.15** rendre compte devant les hommes Lc 12.11 ; 21.14. **3.18** une mort pour toutes Rm 6.10 ; He 9.28 ; 10.10 — pour vous présenter à Dieu Ep 2.18 — rendu à la vie par l'Esprit cf. Rm 1.4+ ; 1 Tm 3.16. **3.19** prêcher Mt 3.1+ ; 24.14+ ; Mc 1.4+ ; cf. 1 P 4.6 — aux esprits en prison cf. Rm 10.7 ; Ep 4,8-10. **3.20** rebelles Gn 6.1-7 — quand Noé construisait l'arche Gn 6.13-22. **3.21** purification, bonne conscience cf. He 10.22 — résurrection du Christ et salut 1 P 1.3.

cation des souillures du corps, mais l'engagement envers Dieu q d'une bonne conscience ; il vous sauve par la résurrection de Jésus Christ, ²² qui, parti pour le *ciel, est à la droite de Dieu et à qui sont soumis *anges, autorités et puissances ʳ.

Rompre avec le passé

4 ¹ Ainsi, puisque le Christ a souffert dans la chair ˢ, vous aussi armez-vous de la même conviction : celui qui a souffert dans la chair a rompu avec le péché, ² pour vivre le temps qui lui reste à passer dans la chair non plus selon les convoitises des hommes, mais selon la volonté de Dieu. ³ C'est bien assez, en effet, d'avoir accompli dans le passé la volonté des *païens, en vivant dans la débauche, les convoitises, l'ivrognerie, les orgies, les beuveries et les idolâtries infâmes. ⁴ A ce propos, ils trouvent étrange que vous ne vous couriez plus avec eux vers la même débauche effrénée, et ils vous outragent. ⁵ Mais ils en rendront compte à celui qui est prêt à juger les vivants et les morts. ⁶ C'est pour cela, en effet, que même aux morts la bonne nouvelle a été annoncée, afin que, jugés selon les hommes dans la chair, ils vivent selon Dieu par l'Esprit.

Administrateurs de la grâce de Dieu

⁷ La fin de toutes choses est proche. Montrez donc de la sagesse et soyez sobres afin de pouvoir prier. ⁸ Ayez avant tout un amour constant les uns pour les autres, car

l'amour couvre une multitude de péchés.

⁹ Pratiquez l'hospitalité les uns envers les autres, sans murmurer. ¹⁰ Mettez-vous, chacun selon le don qu'il a reçu, au service les uns des autres, comme de bons administrateurs de la grâce de Dieu, variée en ses effets. ¹¹ Si quelqu'un parle, que ce soit pour transmettre les paroles de Dieu ; si quelqu'un assure le service ᵗ, que ce soit avec la force que Dieu accorde, afin que par Jésus Christ Dieu soit totalement glorifié, lui à qui appartiennent gloire et domination pour les *siècles des siècles. *Amen !

Heureux d'avoir à souffrir pour le Christ

¹² Bien-aimés, ne trouvez pas étrange d'être dans la fournaise de l'épreuve, comme s'il vous arrivait quelque chose d'anormal. ¹³ Mais, dans la mesure où vous avez part aux souffrances du Christ, réjouissez-vous, afin que, lors de la *révélation de sa gloire, vous soyez aussi dans la joie et l'allégresse. ¹⁴ Si l'on vous outrage pour le *nom du Christ, heureux êtes-vous, car l'Esprit de gloire ᵘ, l'Esprit de Dieu, repose sur vous. ¹⁵ Que nul d'entre vous n'ait à souffrir comme meurtrier, voleur ou malfaiteur, ou comme se mêlant des affaires d'autrui, ¹⁶ mais si c'est comme chrétien, qu'il n'en ait pas honte, qu'il glorifie plutôt Dieu à cause de ce nom. ¹⁷ C'est le moment en effet où le jugement commence par la maison de Dieu ; or, s'il débute par nous, quelle sera la fin de ceux qui refusent de croire à *l'Evangile de Dieu ? ¹⁸ Et

si le juste est sauvé à grand'peine,
qu'adviendra-t-il de l'impie et du pécheur ?

---

q Au lieu de *l'engagement... envers Dieu* certains traduisent: *la demande, adressée à Dieu, d'une bonne conscience* ● r Voir Col 1.16 et note ● s Après *a souffert* certains manuscrits ajoutent *pour nous*, d'autres *pour vous*. — Sur l'expression *dans la chair* voir 1 P 3.18 et les notes de Rm 1.3-4 ; 1 Tm 3.16 ● t Le mot *diacre* appartient à la même racine que le verbe traduit ici par *assurer le service*. On pense que ce service se rapporte plus particulièrement à l'aide fournie aux nécessiteux (cf. Ac 6.2-4 ; Rm 12.7 ; 1 Tm 3.8 note h) ● u Certains manuscrits ajoutent ici *et de puissance*

3.22 à la droite de Dieu, au-dessus des puissances Ep 1.20-22 ; Ph 2.9-11 — autorités et puissances Col 1.6+. **4.1** souffrance et rupture avec le péché Rm 6.2, 7. **4.3** conduite passée Ep 2.2-3 ; Tt 3.3 — liste des dérèglements Rm 1.29-31+. **4.4** la même débauche Lc 15.13. **4.5** le juge des vivants et des morts 2 Tm 4.1+. **4.6** même aux morts cf. 1 P 3.18-19 ; 1 Th 4.13-18. **4.7** la fin est proche Rm 13.11-12 ; 1 Jn 2.18. **4.8** l'amour couvre... Pr 10.12 ; Jc 5.20 ; Lc 7.47 ; cf. Mt 5.7 ; 1 Co 13.7. **4.9** hospitalité He 13.2. **4.10** selon le don reçu Rm 12.6-8 — de bons administrateurs Mt 25.14-30 par. ; Lc 12.42-48 par. **4.11** assurer le service Ac 6.2-4 ; Rm 12.7 ; 1 Tm 3.8 — que Dieu soit totalement glorifié 1 Co 10.31. **4.12** bien-aimés 1 P 2.11 — dans la fournaise de l'épreuve 1 P 1.7. **4.13** se réjouir d'avoir part aux souffrances du Christ Mt 5.11-12 ; Ac 5.41. **4.14** outragés pour le Christ cf. Ps 89.51-52 ; 1 P 2.20 — l'Esprit de Dieu Es 11.2 ; cf. Mt 10.20 par. **4.16** chrétien Ac 11.26+ — ne pas avoir honte d'être chrétien Mc 8.38 par. ; Ac 5.41 ; cf. Rm 1.16. **4.17** le jugement commence par la maison de Dieu Jr 25.29 ; Ez 9.6 — ceux qui refusent de croire 2 Th 1.8. **4.18** si le juste... Pr 11.31 (grec).

¹⁹ Ainsi, que ceux qui souffrent selon la volonté de Dieu remettent leur âme au fidèle Créateur, en faisant le bien.

Les responsables du troupeau de Dieu

5 ¹ J'exhorte donc les *anciens qui sont parmi vous, moi qui suis ancien avec eux et témoin des souffrances du Christ, moi qui ai part à la gloire qui va être *révélée : ² Paissez le troupeau de Dieu qui vous est confié, non par contrainte, mais de bon gré, selon Dieu ; non par cupidité, mais par dévouement. ³ N'exercez pas un pouvoir autoritaire sur ceux qui vous sont échus en partage, mais devenez les modèles du troupeau. ⁴ Et quand paraîtra le souverain *berger, vous recevrez la couronne de gloire qui ne se flétrit pas.

Fermes dans la foi

⁵ De même, jeunes gens, soyez soumis aux anciens ʳ. Et tous, dans vos rapports mutuels, revêtez-vous d'humilité, car
Dieu s'oppose aux orgueilleux,
mais aux humbles il accorde sa grâce.
⁶ Humiliez-vous donc sous la main puissante de Dieu, afin qu'il vous élève au moment fixé ; ⁷ déchargez-vous sur lui de tous vos soucis, car il prend soin de vous.

⁸ Soyez sobres, veillez ! Votre adversaire, le *diable, comme un lion rugissant, rôde, cherchant qui dévorer. ⁹ Résistez-lui, fermes dans la foi, sachant que les mêmes souffrances sont réservées à vos frères, dans le monde.

¹⁰ Le Dieu de toute grâce, qui vous a appelés à sa gloire éternelle en Christ, vous rétablira lui-même après que vous aurez souffert un peu de temps ; il vous affermira, vous fortifiera, vous rendra inébranlables. ¹¹ A lui la domination pour les *siècles des siècles ! *Amen.

Salutations finales

¹² Je vous ai écrit ces quelques mots par Silvain, que je considère comme un frère fidèle, pour vous exhorter et vous attester que c'est à la véritable grâce de Dieu que vous êtes attachés. ¹³ La communauté des élus qui est à Babylone ʷ vous salue, ainsi que Marc, mon fils. ¹⁴ Saluez-vous les uns les autres d'un baiser fraternel. Paix à vous tous qui êtes en Christ !

---

v Il s'agit probablement ici des hommes plus âgés, et non pas des anciens d'église comme au v. 1 ● *w* Sans doute faut-il voir ici une désignation symbolique de Rome, la capitale de l'empire romain, comme en Ap 17.5

4.19 se remettre au Créateur Ps 31.6; Lc 23.46. **5.1** les anciens 1 Tm 5.17; Tt 1.5-9; cf. Ac 11.30+ — Pierre, témoin Mt 13.16; 2 P 1.16-17. **5.2** paissez le troupeau de Dieu Jn 21.15-17; Ac 20.28 — non par contrainte, mais de bon gré Phm 14+ — non par cupidité 1 Tm 3.8; Tt 1.7, 11. **5.3** un pouvoir non autoritaire 2 Co 1.24 — modèles 1 Co 4.16; 11.1; Ph 3.17; 1 Tm 4.12; Tt 2.7. **5.4** berger Jn 10; Lc 15.3-7 par.; Mt 26.31 par.; cf. Mt 9.36; 1 P 2.25 — couronne 1 Co 9.25+. **5.5** Dieu s'oppose... Pr 3.34 (grec); Jc 4.6; cf. Mt 23.12. **5.6** Dieu relève les humbles Jb 22.29; Mt 23.12; Lc 1.52; 14.11; 18.14; Jc 4.6, 10. **5.7** se décharger sur Dieu Ps 55.23; Mt 6.25-30. **5.8** sobriété et vigilance 1 Th 5.6 — comme un lion Ps 22.14; 2 Tm 4.17. **5.9** résister au diable Ep 6.11-13; Jc 4.7. **5.10** appelés à la gloire 1 Th 2.12. **5.12** Silvain (Silas) Ac 15.22+ — Babylone Ap 14.8; 16.19; 17.5; 18.2, 10, 21. **5.13** les élus 1 P 1.1+. **5.14** baiser fraternel Rm 16.16+.

DEUXIÈME ÉPÎTRE DE PIERRE

Salutation

1 ¹ Syméon Pierre, serviteur et *apôtre de Jésus Christ, à ceux qui ont
reçu, par la justice de notre Dieu et
Sauveur Jésus Christ *a*, une foi de même
prix que la nôtre : ² que la grâce et la paix
vous viennent en abondance par la connaissance de Dieu et de Jésus, notre
Seigneur.

Pour affermir votre vocation

³ En effet, la puissance divine nous a
fait don de tout ce qui est nécessaire à la
*vie et à la pitié en nous faisant connaître
celui qui nous a appelés par sa propre
gloire et sa force agissante. ⁴ Par elles,
les biens du plus haut prix qui nous
avaient été promis nous ont été accordés,
pour que par ceux-ci vous entriez en
communion avec la nature divine, vous
étant arrachés à la pourriture que nourrit
dans le *monde la convoitise. ⁵ Et pour
cette raison même, concentrant tous vos
efforts, joignez à votre foi la vertu, à la
vertu la connaissance, ⁶ à la connaissance
la maîtrise de soi, à la maîtrise de soi la
ténacité, à la ténacité la piété, ⁷ à la piété
l'amitié fraternelle, à l'amitié fraternelle
l'amour. ⁸ Car ces qualités, si vous les
possédez en abondance, ne vous laissent
pas inactifs ni stériles pour connaître
notre Seigneur Jésus Christ ; ⁹ en effet,
celui à qui elles manquent, c'est un aveugle qui tâtonne *b* : il oublie qu'il a été
*purifié de ses péchés d'autrefois. ¹⁰ C'est

pourquoi, frères, redoublez d'efforts pour
affermir *c* votre vocation et votre élection ; ce faisant, pas de danger de jamais
tomber. ¹¹ C'est ainsi, en effet, que vous
sera généreusement accordée l'entrée dans
le *Royaume éternel de notre Seigneur et
Sauveur Jésus Christ.

Des enseignements qu'il faut conserver

¹² Aussi ai-je l'intention de toujours
vous rappeler cela, bien que vous le
sachiez et que vous demeuriez fermes
dans la vérité présente. ¹³ Mais je crois
juste, tant que je suis ici-bas, de vous
tenir en éveil par mes rappels, ¹⁴ sachant
qu'il est proche pour moi le moment de
la séparation *d*, comme notre Seigneur
Jésus Christ me l'a fait connaître ; ¹⁵ mais
je veillerai soigneusement à ce qu'après
mon départ vous ayez la possibilité, en
toute occasion, de conserver le souvenir
de ces enseignements.

¹⁶ En effet, ce n'est pas en nous mettant
à la traîne de fables sophistiquées que
nous vous avons fait connaître la venue
puissante de notre Seigneur Jésus Christ,
mais pour l'avoir vu de nos yeux dans
tout son éclat. ¹⁷ Car il reçut de Dieu le
Père honneur et gloire quand la voix
venue de la splendeur magnifique de Dieu
lui dit : *Celui-ci est mon Fils bien-aimé,
celui qu'il m'a plu de choisir*. ¹⁸ Et cette
voix, nous-mêmes nous l'avons entendue
venant du *ciel quand nous étions avec
lui sur la montagne *sainte.

¹⁹ De plus, nous avons la parole des

---

a Autre traduction possible : *de notre Dieu et du Sauveur Jésus Christ* ● *b* Autre traduction
possible : *aveugle à force de myopie* ● *c* Certains manuscrits comportent : redoublez d'efforts
afin que, par vos bonnes œuvres, vous affermissiez... ● *d* Le texte grec utilise ici l'image de la *tente*
qu'on abandonne, pour faire allusion à la mort. De même au v. 13 (litt. *tant que je suis dans cette
tente = tant que je suis ici-bas*) l'existence humaine est comparée à celle des nomades qui vivent
sous la tente

1.1 Syméon Pierre Ac 15.14. **1.2** grâce et paix Rm 1.7; Ga 1.3; Ph 1.2, etc., en abondance Jude 2.
1.3 piété 1 Tm 4.7+ — celui qui nous a appelés 1 P 2.9. **1.6-7** maîtrise de soi... amour Ga 5.22-23.
1.12 rappel incessant Jude 5. **1.13** tant que je suis ici-bas (tant que je campe) 2 Co 5.1-5. **1.14** séparation (lever le camp) 2 Co 5.1 — comme... Jésus... me l'a fait connaître Jn 21.18-19. **1.17-18** Celui-ci
est mon Fils... Mc 9.2-7 par.

*prophètes qui est la solidité même [e], sur laquelle vous avez raison de fixer votre regard comme sur une lampe brillant dans un lieu obscur, jusqu'à ce que luise le *jour et que l'étoile du matin se lève dans vos cœurs.

[20] Avant tout, sachez-le bien : aucune prophétie de l'Ecriture n'est affaire d'interprétation privée [f] ; [21] en effet, ce n'est pas la volonté humaine qui a jamais produit une prophétie, mais c'est portés par l'Esprit Saint que des hommes ont parlé de la part de Dieu.

Les propagateurs de fausses doctrines

2 [1] Il y eut aussi des faux *prophètes dans le peuple ; de même il y aura parmi vous de faux docteurs, qui introduiront sournoisement des doctrines pernicieuses, allant jusqu'à renier le maître qui les a rachetés, attirant sur eux une perdition qui ne saurait tarder ; [2] et beaucoup les suivront dans leurs débauches : à cause d'eux, le chemin de la vérité sera l'objet de *blasphèmes ; [3] et, dans leur cupidité, ils vous exploiteront par des discours truqués ; pour eux, depuis longtemps déjà, le jugement ne chôme pas et leur perdition ne dort pas. [4] Car Dieu n'a pas épargné les *anges coupables, mais les a plongés, les a livrés aux antres ténébreux du Tartare [g], les gardant en réserve pour le jugement. [5] Il n'a pas épargné non plus l'ancien monde, mais il préserva, lors du déluge dont il submergea le *monde des impies, Noé le huitième des survivants, lui qui proclamait la justice ; [6] puis il condamna à l'anéantissement les ville de Sodome et Gomorrhe en les réduisant en cendres à titre d'exemple pour les impies à venir ; [7] et il délivra Lot le juste, accablé par la manière dont vivaient ces criminels débauchés ; [8] car ce juste, vivant au milieu d'eux, les voyait

et les entendait : jour après jour, son âme de juste, était à la torture, à cause de leurs œuvres scandaleuses. [9] C'est donc que le Seigneur peut arracher à l'épreuve les hommes droits et garder en réserve, pour les châtier au *jour du jugement, les hommes injustes, [10] et d'abord ceux qui courent après la chair dans leur appétit d'ordures et n'ont que mépris pour la Souveraineté. Trop sûrs d'eux, arrogants, ils n'ont pas peur d'insulter les Gloires [h], [11] alors que les *anges, qui leur sont supérieurs en force et en puissance, ne portent pas contre elles de jugement insultant devant le Seigneur. [12] Mais ces gens comme des bêtes stupides vouées par nature aux pièges et à la pourriture, insultent ce qu'ils ignorent et pourriront comme pourrissent les bêtes ; [13] ils récolteront ainsi le salaire de l'injustice. Ils trouvent leur plaisir à se dépraver en plein jour ; ce sont des souillures et des ordures qui se délectent de leurs mensonges [i] quand ils font bombance avec vous. [14] Les yeux pleins d'adultère, ils sont insatiables de péché, appâtant les âmes chancelantes, champions de cupidité, enfants de malédiction. [15] Abandonnant le droit chemin, ils se sont fourvoyés en suivant la route de Balaam de Bosor [j], lequel se laissa tenter par un salaire injuste, [16] mais il reçut une leçon pour sa transgression : une bête de somme muette, empruntant une voix humaine, arrêta cette folie du *prophète. [17] Ces gens sont des fontaines sans eau et des nuages emportés par la bourrasque : les ténèbres obscures leur sont réservées. [18] En effet, débitant des énormités pleines de vide, ils appâtent par des désirs obscènes de la chair ceux qui viennent à peine de s'arracher aux hommes qui vivent dans l'erreur. [19] Ils leur promettent la liberté alors qu'eux-mêmes sont esclaves de la pourriture, car on est esclave de ce par

e Autre traduction possible: *aussi nous tenons pour d'autant plus solide la parole des prophètes...* ● f Autre traduction possible: *aucune prophétie... ne provient de la propre pensée du prophète* ● g Dans la mythologie grecque le *Tartare* était la partie des enfers réservée à la punition des dieux rebelles ● *La Souveraineté:* voir Jude 8 et la note — *les Gloires:* catégorie d'êtres célestes considérés ici comme opposés à Dieu (v. 11) ● i Au lieu de *leurs mensonges* certains manuscrits lisent *dans vos repas fraternels* (voir Jude 12) ● j ou *Beor* (comme en Nb 22.15)

1.21 prophètes portés par l'Esprit Saint 2 Tm 3.16; 1 P 1.11. 2.1 de faux docteurs parmi vous Mt 24.11 — renier le maître Jude 4. 2.2 le chemin Ac 9.2+ — objet de blasphèmes Es 52.5. 2.3 des discours truqués Rm 16.18. 2.4 anges coupables Jude 6; cf. Gn 6.1-4. 2.5 Dieu préserva Noé Gn 6.8 — le huitième Gn 8.18; 1 P 3.20 — le monde submergé par le déluge 2 P 3.6 (cf. Gn 6—9). 2.6 Sodome et Gomorrhe Gn 19.24; Jude 7; cf. Mt 10.15+. 2.7 délivrance de Lot Gn 19.1-16. 2.9 arrachés à l'épreuve 1 Co 10.13 — gardés par le jugement Jude 6. 2.10 mépris pour la Souveraineté Jude 7-8. 2.11 jugements insultants contre les anges Jude 9. 2.12 comme des bêtes stupides Jude 10. 2.13 quand ils font bombance avec vous Jude 12. 2.15 Balaam Nb 22.7; Jude 11; Ap 2.14. 2.16 l'ânesse de Balaam Nb 22.28. 2.17 ténèbres obscures Jude 13. 2.19 esclave de ce qui vous domine Jn 8.34.

quoi on est dominé. ²⁰ Si ceux en effet qui se sont arrachés aux *souillures du *monde par la connaissance de notre Seigeur et Sauveur Jésus Christ se laissent de nouveau entortiller et dominer par elles, leur situation devient finalement pire que celle du début. ²¹ Car il aurait mieux valu pour eux ne pas avoir connu le chemin de la justice que, l'ayant connu, de s'être détournés du *saint commandement *k* qui leur avait été transmis. ²² Il leur est arrivé ce que dit à juste titre le proverbe : *Le chien est retourné à son vomissement,* et : « La truie, à peine lavée, se vautre dans le bourbier. »

Le retard de la venue du Seigneur

3 ¹ Mes amis, c'est déjà la deuxième lettre que je vous écris ; dans ces deux lettres je fais appel à vos souvenirs pour stimuler en vous *l* la juste manière de penser : ² souvenez-vous des paroles dites à l'avance par les *saints *prophètes et du commandement *m* de vos *apôtres, celui du Seigneur et Sauveur. ³ Tout d'abord sachez-le : dans les derniers *jours viendront des sceptiques moqueurs menés par leurs passions personnelles ⁴ qui diront : « Où en est la promesse de son *avènement ? Car depuis que les pères *n* sont morts, tout demeure dans le même état qu'au début de la création. » ⁵ En prétendant cela, ils oublient *o* qu'il existait il y a très longtemps des cieux et une terre tirant origine de l'eau et gardant cohésion par l'eau grâce à la Parole de Dieu. ⁶ Par les mêmes causes, le *monde d'alors périt submergé par l'eau. ⁷ Quant aux cieux et à la terre actuels, la même Parole les tient en réserve pour le feu, les garde pour le jour du jugement et de la perdition des impies. ⁸ Il y a une chose en tout cas, mes amis, que vous ne devez pas oublier : pour le Seigneur un seul jour est comme mille ans et mille ans

comme un jour. ⁹ Le Seigneur ne tarde pas à tenir sa promesse, alors que certains prétendent qu'il a du retard, mais il fait preuve de patience envers vous, ne voulant pas que quelques-uns périssent mais que tous parviennent à la conversion. ¹⁰ Le jour du Seigneur viendra comme un voleur, jour où les cieux disparaîtront à grand fracas, où les éléments embrasés se dissoudront et où la terre et ses œuvres seront mises en jugement *p*. ¹¹ Puisque tout cela doit ainsi se dissoudre, quels hommes devez-vous être ! Quelle *sainteté de vie ! Quel respect de Dieu ! ¹² Vous qui attendez et qui hâtez la venue du jour de Dieu, jour où les cieux enflammés se dissoudront et où les éléments embrasés se fondront ! ¹³ Nous attendons selon sa promesse *des cieux nouveaux et une terre nouvelle* où la justice *q* habite.

La patience du Seigneur, c'est votre salut

¹⁴ C'est pourquoi, mes amis, dans cette attente, faites effort pour qu'il vous trouve dans la paix, nets et irréprochables. ¹⁵ Et dites-vous bien que la longue patience du Seigneur, c'est votre salut ! C'est dans ce sens que Paul, notre frère et ami, vous a écrit selon la sagesse qui lui a été donnée. ¹⁶ C'est aussi ce qu'il dit dans toutes les lettres où il traite de ces sujets : il s'y trouve des passages difficiles dont les gens ignares et sans formation tordent le sens, comme ils le font aussi des autres Ecritures pour leur perdition. ¹⁷ Eh bien, mes amis, vous voilà prévenus : tenez-vous sur vos gardes, ne vous laissez pas entraîner par les impies qui s'égarent et ne vous laissez pas arracher à votre assurance ! ¹⁸ Mais croissez dans la grâce et la connaissance de notre Seigneur et Sauveur Jésus Christ. A lui soit la gloire dès maintenant et jusqu'au *jour de l'éternité. *Amen.

---

k le commandement: comme en 2 P 3.2 et 1 Tm 6.14 ce terme au singulier est sans doute à prendre ici au sens collectif ● *l ou je stimule en vous par mes rappels* ● *m* voir 2 P 2.21 et note *k* ● *n les pères:* cette appellation vise sans doute ici les chrétiens de la première génération ● *o* Autre traduction possible: *ils oublient volontairement qu'il existait.* ● *p Autre texte: seront consumées* ● *q* Voir note sur Rm 8.4

2.20 leur situation devient pire Mt 12.45. **2.21** le commandement 1 Tm 6.14; 2 P 3.2 — connaître la volonté de Dieu et s'en détourner Lc 12.47-48; Jc 4.17. **2.22** le chien est retourné... Pr 26.11. **3.2** se souvenir de ce qu'ont dit les apôtres Jude 17 — le commandement 2 P 2.21+. **3.3** dans les derniers jours... des moqueurs Jude 18. **3.5** des cieux, une terre, ... l'eau, la Parole de Dieu Gn 1.6-9. **3.6** le déluge Gn 7.11-21; 2 P 2.5. **3.8** un jour... mille ans Ps 90.4. **3.9** le Seigneur ne tarde pas Ha 2.3 — que tous parviennent... 1 Tm 2.4. **3.10** comme un voleur Mt 24.43-44; Lc 12.39-40; 1 Th 5.2, 4; Ap. 3.3; 16.15. **3.13** cieux nouveaux Es 65.17; 66.22; Ap 21.1 — où la justice habitera Es 60.21; 1 Co 6.9-10; Ap 21.27; 22.15. **3.15** la patience du Seigneur Rm 2.4; 2 P 3.9. **3.17** ne vous laissez pas entraîner Mc 13.5 — sur vos gardes 1 Co 10.12.

PREMIÈRE ÉPÎTRE DE JEAN

Le message d'un témoin oculaire

1 ¹ Ce qui était dès le commencement,
ce que nous avons entendu,
ce que nous avons vu de nos yeux,
ce que nous avons contemplé
et que nos mains ont touché
du Verbe de vie *a*,
² — car la *vie s'est manifestée,
et nous avons vu
et nous rendons témoignage
et nous annonçons la vie éternelle,
qui était tournée vers le Père et s'est
manifestée à nous —,
³ ce que nous avons vu et entendu,
nous vous l'annonçons, à vous aussi,
afin que vous aussi, vous soyez en
communion avec nous.
Et notre communion est communion
avec le Père
et avec son Fils Jésus Christ.
⁴ Et nous vous écrivons cela,
pour que notre joie *b* soit complète.

Marcher dans la lumière

⁵ Et voici le message que nous avons
entendu de lui
et que nous vous dévoilons :
Dieu est lumière, et de ténèbres, il n'y
a pas trace en lui.
⁶ Si nous disons : « Nous sommes en
communion avec lui »,

tout en marchant dans les ténèbres,
nous mentons
et nous ne faisons pas la vérité.
⁷ Mais si nous marchons dans la lumière
comme lui-même est dans la lumière,
nous sommes en communion les uns
avec les autres,
et le *sang de Jésus, son Fils, nous
*purifie de tout péché.
⁸ Si nous disons : « Nous n'avons pas de
péché »,
nous nous égarons nous-mêmes
et la vérité n'est pas en nous.
⁹ Si nous confessons nos péchés,
fidèle et juste comme il est,
il nous pardonnera nos péchés
et nous purifiera de toute iniquité.
¹⁰ Si nous disons : « Nous ne sommes
pas pécheurs »,
nous faisons de lui un menteur
et sa parole n'est pas en nous.

2 ¹ Mes petits enfants,
je vous écris cela pour que vous ne
péchiez pas.
Mais si quelqu'un vient à pécher,
nous avons un défenseur devant le
Père,
Jésus Christ, qui est juste ;
² car il est, lui, victime d'expiation pour
nos péchés ;
et pas seulement pour les nôtres,
mais encore pour ceux du *monde
entier.

---

a ou *au sujet de la parole de vie* ● *b* Certains manuscrits lisent *votre joie*

1.1 commencement Jn 1.1-2 ; 1 Jn 2.13-14 — témoignage oculaire Jn 1.14 ; 20.25 ; 1 Jn 4.14. **1.2** la
vie Jn 1.4 ; 11.25-26 ; 1 Jn 4.9 éternelle Jn 3.16 ; 1 Jn 2.25 ; 5.11, 13 — vers le Père Jn 1.1. **1.3** en
communion v. 7 ; Jn 17.20-21 ; 1 Co 1.9. **1.4** joie Jn 15.11 ; 16.24 ; 2 Jn 12. **1.5** le message 1 Jn 3.11
dévoilé Es 40.21 ; 42.9, etc. ; Dn 2.2, 4, 7 ; 5.12, 15, etc. ; Jn 4.25 ; 16.13-15 — lumière Jn 1.4, 5, 9 ;
8.12 ; 9.5 ; 12.46 ; 1 Tm 6.16 ; Jc 1.17. **1.6** dans les ténèbres Jn 8.12 ; 1 Jn 2.9 — prétention mensongère 1 Jn 2.4, 9 — la vérité mise en œuvre Jn 3.21. **1.7** marcher dans la lumière Es 2.5 ; Ep 5.8
— la mort de Jésus et la purification des péchés He 9.14 ; Ap 1.5 ; 7.14. **1.8** sans péché 1 R 8.46 ;
Jb 9.2 ; Pr 20.9 ; Qo 7.20 ; Rm 3.10-20. **1.9** confession des péchés Ps 32.1-5 ; Pr 28.13 ; Mt 3.6 ;
Mc 1.5 ; Jc 5.16 — fidèle et juste Dt 32.4 ; 1 Jn 2.29—3.1 — pardon des péchés Rm 4.6-8. **2.1** un
défenseur Jn 14.16, 26 ; 15.26 ; 16.7 ; Rm 8.34 ; He 7.25 ; 9.24. **2.2** expiation Ex 29.36-37 ; Jn 1.29 ;
Rm 3.25 ; Col 1.20 ; He 2.17 ; 1 Jn 4.10, 14 ; Ap 5.9-10 — pour le monde entier Jn 4.42 ; Col
1.20 ; 1 Jn 4.14.

Le commandement ancien et nouveau

³ Et à ceci nous savons que nous le connaissons :
si nous gardons ses commandements.
⁴ Celui qui dit : « Je le connais »,
mais ne garde pas ses commandements,
est un menteur
et la vérité n'est pas en lui.
⁵ Mais celui qui garde sa parole,
en lui, vraiment, l'amour de Dieu est accompli ;
à cela nous reconnaissons que nous sommes en lui,
⁶ Celui qui prétend demeurer en lui,
il faut qu'il marche lui-même dans la voie où lui, Jésus, a marché.
⁷ Mes bien-aimés,
ce n'est pas un commandement nouveau que je vous écris,
mais un commandement ancien,
que vous avez depuis le commencement ;
ce commandement ancien, c'est la parole que vous avez entendue.
⁸ Néanmoins, c'est un commandement nouveau que je vous écris,
— cela est vrai en lui et en vous, —
puisque les ténèbres passent
et que déjà luit la lumière véritable.
⁹ Celui qui prétend être dans la lumière,
tout en haïssant son frère,
est toujours dans les ténèbres.
¹⁰ Qui aime son frère
demeure dans la lumière,
et il n'y a rien en lui pour le faire trébucher ᶜ.
¹¹ Mais qui hait son frère
se trouve dans les ténèbres ;
il marche dans les ténèbres,
et il ne sait pas où il va,
parce que les ténèbres ont aveuglé ses yeux.

Face au monde et aux antichrists

¹² Je vous l'écris, mes petits enfants :
« Vos péchés ᵈ vous sont pardonnés à cause de son *nom à lui, Jésus. »
¹³ Je vous l'écris, pères :
« Vous connaissez celui qui est dès le commencement. »
Je vous l'écris, jeunes gens :
« Vous êtes vainqueurs du Mauvais. »
¹⁴ Je vous l'ai donc écrit, mes petits enfants :
« Vous connaissez le Père » :
je vous l'ai écrit, pères :
« Vous connaissez celui qui est dès le commencement. »
Je vous l'ai écrit, jeunes gens :
« Vous êtes forts,
et la parole de Dieu demeure en vous,
et vous êtes vainqueurs du Mauvais. »
¹⁵ N'aimez pas le *monde ni ce qui est dans le monde.
Si quelqu'un aime le monde,
l'amour du Père n'est pas en lui,
¹⁶ puisque tout ce qui est dans le monde,
— la convoitise de la chair,
la convoitise des yeux,
et la confiance orgueilleuse dans les biens —,
ne provient pas du Père,
mais provient du monde.
¹⁷ Or le monde passe, lui et sa convoitise ;
mais celui qui fait la volonté de Dieu demeure à jamais.
¹⁸ Mes petits enfants,
c'est la dernière heure.

---

c ou *il n'y a rien en lui qui risque de faire tomber (les autres)* ● *d* ou *je vous écris, mes petits enfants, parce que vos péchés vous sont pardonnés.* De même aux vv. 13-14 certains traduisent : *je vous écris... parce que...*

2.3 connaître Jr 31.34; He 8.11; 1 Jn 2.13-14 — garder ses commandements 1 Jn 3.22-24; 4.21; 5.2-3; 2 Jn 6. **2.4** fausse prétention à connaître Dieu Tt 1.16; 1 Jn 1.6; 4.20. **2.5** garder la parole du Christ Jn 14.21, 23; 1 Jn 5.3 — amour parfait 1 Jn 4.12, 17. **2.6** comme Jésus Jn 13.15, 34; 1 Co 11.1; 1 P 2.21-25; 1 Jn 3.3, 16; 4.17. **2.7** commandement ancien 1 Jn 2.24; 3.11; 2 Jn 5-6. **2.8** commandement nouveau Jn 13.34; 15.12, 17; 1 Jn 3.16 — ténèbres et lumière Pr 4.18-19; Jn 8.12; Rm 13.12 — lumière véritable Jn 1.9. **2.9** fausse prétention 1 Jn 1.6; 2.4 — ne pas aimer son frère 1 Jn 2.11; 3.10, 15; 4.20. **2.10** occasion de trébucher Ps 119.165; Rm 14.13. **2.11** marcher dans les ténèbres Jn 12.35; 1 Jn 1.6; 2.9. **2.12** péchés pardonnés Ps 25.11; Mt 9.2; Lc 24.47; Jn 20.23; 1 Co 6.11. **2.13** pères et jeunes gens Ac 2.17-18 — connaître Dieu 1 Jn 2.3+ — dès le commencement 1 Jn 1.1-2; 1 Jn 1.1 — vainqueurs du Mauvais 1 Jn 4.4; 5.4-5, 18; 1 P 5.8-9; Ap 12.11 **2.14** forts Ep 6.10-17. **2.15** le monde (en tant qu'il s'oppose à Dieu) Jn 12.31+; 17.14; Jc 4.4 — non pénétré de l'amour de Dieu Jn 5.42. **2.16** convoitise Ex 20.17; Rm 13.14; Ep 2.3; Tt 2.12; 1 P 2.11 — confiance dans les biens Mc 10.24; Lc 12.19; cf. Jc 4.16. **2.17** le monde passe 1 Co 7.31 — faire la volonté de Dieu *Sg* 5.15; Mt 7.21. **2.18** la dernière heure 2 Tm 3.1; Jc 5.3; 2 P 3.3; Jude 18 — antichrist Mt 24.5, 23-24; Mc 13.21-22; 2 Th 2.3-4; 1 Tm 4.1; 1 Jn 3.18; 4.1, 3; 2 Jn 7.

Vous avez entendu annoncer qu'un antichrist vient ;
or dès maintenant beaucoup d'antichrists sont là ;
à quoi nous reconnaissons que c'est la dernière heure.
¹⁹ C'est de chez nous qu'ils sont sortis, mais ils n'étaient pas des nôtres.
S'ils avaient été des nôtres,
ils seraient demeurés avec nous.
Mais il fallait que fût manifesté que tous, tant qu'ils sont, ils ne sont pas des nôtres.
²⁰ Quant à vous, vous possédez une *onction, reçue du *Saint,
et tous, vous savez ᵉ.
²¹ Je ne vous ai pas écrit que vous ne savez pas la vérité,
mais que vous la savez,
et que rien de ce qui est mensonge ne provient de la vérité.
²² Qui est le menteur,
sinon celui qui nie que Jésus est le *Christ ?
Voilà l'antichrist,
celui qui nie le Père et le Fils.
²³ Quiconque nie le Fils
n'a pas non plus le Père ;
qui confesse le Fils
a le Père, aussi.
²⁴ Pour vous, que le message entendu dès le commencement
demeure en vous.
S'il demeure en vous,
le message entendu dès le commencement,
vous aussi, vous demeurerez dans le Fils et dans le Père ;
²⁵ et telle est la promesse que lui-même nous a faite,
la *vie éternelle.
²⁶ Voilà ce que j'ai tenu à vous écrire à propos de ceux qui cherchent à vous égarer.

²⁷ Pour vous, *l'onction que vous avez reçue de lui
demeure en vous,
et vous n'avez pas besoin qu'on vous enseigne ;
mais comme son onction vous enseigne sur tout,
— et elle est véridique
et elle ne ment pas —,
puisqu'elle vous a enseignés,
vous demeurez ᶠ en lui.
²⁸ Ainsi donc, mes petits enfants, demeurez en lui,
afin que, lorsqu'il paraîtra
nous ayons pleine assurance
et ne soyons pas remplis de honte, loin de lui,
à son *avènement.

Les enfants de Dieu

²⁹ Puisque vous savez qu'il est juste,
reconnaissez que quiconque pratique lui aussi la justice est né de lui.

3 ¹ Voyez de quel grand amour le Père nous a fait don,
que nous soyons appelés enfants de Dieu ;
et nous le sommes !
Voilà pourquoi le *monde ne peut pas nous connaître :
il n'a pas découvert Dieu.
² Mes bien-aimés,
dès à présent nous sommes enfants de Dieu,
mais ce que nous serons n'a pas encore été manifesté.
Nous savons que, lorsqu'il paraîtra ᵍ,
nous lui serons semblables,
puisque nous le verrons tel qu'il est.
³ Et quiconque fonde sur lui une telle espérance
se rend *pur comme lui, Jésus, est pur.

---

e au lieu de *tous, vous savez*, certains manuscrits lisent : *vous savez tout* ● f ou *demeurez en lui!*
● g ou *lorsque cela sera manifesté*

2.19 de chez nous Ac 20.30 — manifestation nécessaire Mc 4.22 ; 1 Co 11.19. **2.20** onction v. 27 ; 2 Co 1.21 — le Saint (de Dieu) Mc 1.24 ; Lc 4.34 ; Jn 6.68 ; Ac 3.14 ; Ap 3.7 — vous savez Jr 31.34 ; 2 P 1.12 ; Jude 5. **2.21** savoir la vérité Jn 8.32 ; 2 Jn 1 — mensonge Jn 8.44. **2.22** nier que Jésus soit le Christ Mt 10.33 ; 1 Jn 4.3 ; 2 Jn 7. **2.23** le Père et le Fils Mt 11.27 ; Jn 5.23 ; 15.23 ; 1 Jn 4.15 ; 5.1 ; 2 Jn 9 — reconnaître le Fils 1 Jn 4.2, 15. **2.24** message fondamental 1 Jn 2.7, 18 ; 3.11 ; 4.3 ; 2 Jn 6 — demeurer dans Jn 15.7-10 ; 1 Jn 2.27 ; 3.24. **2.25** vie éternelle Jn 3.15 ; 6.40. **2.26** séducteurs Mt 24.4-5, 11, 24 ; Tt 1.10 ; 1 Jn 3.7 ; 2 Jn 7 ; Ap 2.20 ; 12.9, etc. **2.27** un enseignement devenu inutile Jr 31.34 (He 8.11) — onction et connaissance 1 Jn 2.20, 24 ; cf. Jn 14.26 ; 16.13. **2.28** lorsqu'il paraîtra 1 Jn 3.2 — assurance Ph 1.20-21 ; 1 Jn 4.17. **2.29** pratiquer la justice 1 Jn 3.10 — né de Dieu 1 Jn 4.7 ; 5.1. **3.1** enfants de Dieu Jn 1.12 ; Rm 8.16 ; Ga 4.4-5 ; Ep 1.5 ; 1 Jn 3.10 — le monde n'a pas découvert Dieu Jn 15.18 ; 17.25 ; 1 Co 1.21 ; 1 Jn 4.8-9. **3.2** lorsqu'il paraîtra 1 Jn 2.28 — semblables 2 Co 3.18 ; Ph 3.21 ; Col 3.4 — tel qu'il est Jn 17.24. **3.3** se rend pur 2 Co 7.1 — comme Jésus 1 Jn 2.6+.

⁴ Quiconque commet le péché commet aussi l'iniquité ;
car le péché, c'est l'iniquité.

⁵ Mais vous savez que lui, Jésus, a paru pour enlever les péchés ;
et il n'y a pas de péché en lui.

⁶ Quiconque demeure en lui ne pèche plus.
Quiconque pèche, ne le voit ni ne le connaît.

⁷ Mes petits enfants,
que nul ne vous égare.
Qui pratique la justice est juste,
comme lui, Jésus, est juste.

⁸ Qui commet le péché est du *diable,
parce que depuis l'origine le diable est pécheur.
Voici pourquoi a paru le Fils de Dieu :
pour détruire les œuvres du diable.

⁹ Quiconque est né de Dieu ne commet plus le péché,
parce que sa semence demeure en lui ;
et il ne peut plus pécher,
parce qu'il est né de Dieu.

¹⁰ A ceci se révèlent les enfants de Dieu et les enfants du diable :
quiconque ne pratique pas la justice n'est pas de Dieu,
ni celui qui n'aime pas son frère.

L'amour fraternel

¹¹ Car tel est le message que vous avez entendu dès le commencement :
que nous nous aimions les uns les autres.

¹² Non comme Caïn :
étant du Mauvais ʰ, il égorgea son frère.
Et pourquoi l'égorgea-t-il ?
Ses œuvres étaient mauvaises,

tandis que celles de son frère étaient justes.

¹³ Ne vous étonnez pas, frères,
si le *monde vous hait.

¹⁴ Nous, nous savons que nous sommes passés de la mort dans la *vie,
puisque nous aimons nos frères.
Qui n'aime pas demeure dans la mort.

¹⁵ Quiconque hait son frère est un meurtrier.
Et, vous le savez, aucun meurtrier n'a la vie éternelle
demeurant en lui.

¹⁶ C'est à ceci que désormais nous connaissons l'amour :
lui, Jésus, a donné sa vie pour nous ;
nous aussi, nous devons donner notre vie pour nos frères.

¹⁷ Si quelqu'un possède les biens de ce monde
et voit son frère dans le besoin,
et qu'il se ferme à toute compassion,
comment l'amour de Dieu demeurerait-il en lui ?

¹⁸ Mes petits enfants,
n'aimons pas en paroles et de langue,
mais en acte et dans la vérité ;

¹⁹ à cela nous reconnaîtrons que nous sommes de la vérité,
et devant lui nous apaiserons notre cœur,

²⁰ car, si notre cœur nous accuse,
Dieu est plus grand que notre cœur
et il discerne tout.

²¹ Mes bien-aimés,
si notre cœur ne nous accuse pas,
nous nous adressons à Dieu avec assurance ;

²² et quoi que nous demandions, nous l'obtenons de lui,

---

h c'est-à-dire sous la dépendance du diable

3.4 opposition à Dieu, typique des derniers temps (iniquité) Mt 7.23; 13.41; 24.12; 2 Th 2.3-7. **3.5** enlever les péchés Es 53.4, 5, 9; Jn 1.29; 1 P 2.22-24; 1 Jn 2.2; 4.10 — Jésus est sans péché Jn 8.46; 9.16, 24, 31; 2 Co 5.21; He 4.15; 7.26, 9.14; 1 P 1.19; 2.22; 3.18. **3.6** ne pèche plus Rm 6.14, 17-18; 1 Jn 3.9. **3.7** pratiquer la justice 1 Jn 2.29; 3.10. **3.8** dans la dépendance du diable Jn 8.34 — depuis l'origine Gn 3.15; Jn 8.44 — détruire les œuvres du diable Mc 1.24; Jn 12.31; 16.11; Ap 12.9-11. **3.9** semence de Dieu Lc 8.12; 1 P 1.23-24; 1 Jn 2.14, 24; 2 Jn 2 — le péché devenu impossible Ps 37.31; 119.11; Jr 31.33-34; Ez 36.27-28; Rm 6.11; 1 Jn 5.18. **3.10** enfants de Dieu Jn 3.1 +. **3.11** le commandement d'amour Jn 13.34; 15.12, 17; 1 Jn 2.7; 3.23; 2 Jn 5. **3.12** Caïn et Abel Gn 4.1-8; He 11.4. **3.13** si le monde vous hait Lc 6.22; Jn 15.18-19; 17.14. **3.14** de la mort à la vie Jn 5.24 — absence d'amour 1 Jn 2.11. **3.15** la haine est un meurtre Mt 5.21-22; cf. 1 Jn 2.9 — incompatible avec la vie éternelle Jn 8.44; Ga 5.20-21; Ap 21.8. **3.16** l'amour authentique Jn 10.11, 15, 17; 13.1; 15.13; Ga 2.20; 1 Tm 2.6; Tt 2.14; 1 Jn 4.16 — nous aussi Ph 2.17; 1 Th 2.8. **3.17** fermé à toute compassion Dt 15.7-8; Lc 10.31-32; Jc 2.15-16. **3.18** amour en actes Ga 5.6; Jc 2.14-17 et dans la vérité 2 Jn 1-2. **3.19** apaisés devant Dieu Pr 10.12; 1 P 4.8. **3.20** accusation Lc 18.13 — Dieu discerne tout 1 R 8.39; Ps 7.10; Ac 15.8. **3.21** assurance devant Dieu He 4.16; 1 Jn 5.14. **3.22** exaucement de la prière Jr 29.12-13; Mt 7.7-8; 21.22; Mc 11.24; Jn 14.13; 15.7; 16.23-24; Rm 8.26-27; Jc 1.5; 1 Jn 5.14-15.

parce que nous gardons ses commandements
et faisons ce qui lui agrée.

²³ Et voici son commandement :
adhérer avec foi à son Fils Jésus Christ
et nous aimer les uns les autres,
comme il nous en a donné le commandement.

²⁴ Celui qui garde ses commandements
demeure en Dieu et Dieu en lui.
Par là nous reconnaissons qu'il demeure
en nous,
grâce à l'Esprit dont il nous a fait don.

Comment reconnaître ce qui vient de Dieu

4 ¹ Mes bien-aimés,
n'ajoutez pas foi à tout esprit,
mais éprouvez les esprits,
pour voir s'ils sont de Dieu ;
car beaucoup de *prophètes de mensonge se sont répandus
dans le monde.

² A ceci vous reconnaissez l'Esprit de
Dieu :
tout esprit qui confesse Jésus Christ
venu dans la chair
est de Dieu,

³ et tout esprit qui divise ⁱ Jésus
n'est pas de Dieu ;
c'est l'esprit de l'antichrist,
dont vous avez entendu annoncer qu'il
vient,
et dès maintenant il est dans le monde.

⁴ Vous, mes petits enfants, qui êtes de
Dieu,
vous êtes vainqueurs de ces prophètes-
là,
parce que celui qui est au milieu de
vous
est plus grand que celui qui est dans le
monde.

⁵ Eux, ils sont du *monde ;
aussi parlent-ils le langage du monde,
et le monde les écoute.

⁶ Nous, nous sommes de Dieu.
Celui qui s'ouvre à la connaissance de
Dieu nous écoute.
Celui qui n'est pas de Dieu ne nous
écoute pas.
C'est à cela que nous reconnaissons
l'Esprit de la vérité et l'esprit de l'er-
reur.

Dieu est amour

⁷ Mes bien-aimés,
aimons-nous les uns les autres,
car l'amour vient de Dieu,
et quiconque aime
est né de Dieu et parvient à la connaissance de Dieu.

⁸ Qui n'aime pas n'a pas découvert Dieu,
puisque Dieu est amour.

⁹ Voici comment s'est manifesté l'amour
de Dieu au milieu de nous :
Dieu a envoyé son Fils unique dans le
*monde,
afin que nous vivions par lui.

¹⁰ Voici ce qu'est l'amour :
ce n'est pas nous qui avons aimé Dieu,
c'est lui qui nous a aimés
et qui a envoyé son Fils en victime
d'expiation pour nos péchés.

¹¹ Mes bien-aimés,
si Dieu nous a aimés ainsi,
nous devons, nous aussi, nous aimer les
uns les autres.

¹² Dieu, nul ne l'a jamais contemplé.
Si nous nous aimons les uns les autres,
Dieu demeure en nous,
et son amour, en nous, est accompli.

¹³ A ceci nous reconnaissons
que nous demeurons en lui et lui en
nous :

ⁱ de nombreux manuscrits lisent ici: *tout esprit qui ne confesse pas (sa foi en) Jésus...* Voir au v. 2

3.23 foi Jn 6.29; Rm 10.14 — foi et amour fraternel 1 Jn 5.1-5 — le commandement d'amour
1 Th 4.9; 1 P 1.22; 1 Jn 3.11+; 4.21. **3.24** demeurer Jn 14.23; 1 Jn 2.27 — l'Esprit Rm 8.9;
1 Jn 4.13. **4.1** voir s'ils sont de Dieu Dt 13.2-6; Jr 23.21-22; 28.8-9; Mt 7.15-20; Jn 8.42-
47; Ep 5.8-10; Col 2.8; 1 Th 5.21 — prophètes menteurs Mt 7.15; 24.4, 5, 24; 2 P 2.1;
2 Jn 7. **4.2** caractéristique de l'Esprit de Dieu 1 Co 12.3 — confession de la foi 1 Tm 6.12-13,
20-21. **4.3** antichrist Ac 20.29; 2 Th 2.7; 1 Jn 2.18+. **4.4** victorieux Jn 16.33; Rm 8.37;
1 Jn 2.13-14; 5.4-5; Ap 2.7, 11, 26; 3.5, 12, 21; 12.11; 17.14 — plus grand Mc 12.29. **4.5** dépendant du monde Jn 15.19; 17.14. **4.6** dépendant Dieu Jn 18.37 — celui qui écoute Jn 8.47;
10.26-27; 2 Tm 4.4. **4.7** amour mutuel 1 Jn 3.11, 23; 4.11 — né de Dieu 1 Jn 2.29; 5.1. **4.8**
Dieu est Jn 4.24; 1 Jn 1.5 amour Jn 3.16; 5.20; 10.17; 15.9; 17.26; 1 Jn 4.9-11, 16. **4.9** l'envoi
du Fils unique Jn 3.16 — vivre par le Fils Ep 2.4-5; Col 2.13. **4.10** priorité de l'amour de Dieu
Rm 5.8-10; 1 Jn 4.19 — expiation 2 Co 5.19; 1 Jn 2.2+. **4.11** nous aussi Mt 18.33. **4.12** Dieu
invisible Ex 33.20; Jn 1.18; 1 Tm 6.16 — présence de Dieu par l'amour Jn 14.23; 1 Jn 3.24 — perfection de l'amour 1 Jn 2.5; 4.17. **4.13** son Esprit Rm 8.9; 1 Co 12.3; 1 Jn 3.24.

il nous a donné de son Esprit.

¹⁴ Et nous, nous témoignons, pour l'avoir contemplé,
que le Père a envoyé son Fils comme Sauveur du monde.

¹⁵ Quiconque confesse que Jésus est le Fils de Dieu,
Dieu demeure en lui et lui en Dieu.

¹⁶ Et nous, nous connaissons, pour y avoir cru,
l'amour que Dieu manifeste au milieu de nous.
Dieu est amour :
qui demeure dans l'amour
demeure en Dieu et Dieu demeure en lui.

¹⁷ En ceci, l'amour, parmi nous, est accompli,
que nous avons pleine assurance pour le *jour du jugement,
parce que, tel il est, lui, Jésus,
tels nous sommes, nous aussi, dans ce monde.

¹⁸ De crainte, il n'y en a pas dans l'amour ;
mais le parfait amour jette dehors la crainte,
car la crainte implique un châtiment ;
et celui qui craint n'est pas accompli dans l'amour.

¹⁹ Nous, nous aimons,
parce que lui, le premier, nous a aimés.

²⁰ Si quelqu'un dit : « J'aime Dieu »,
et qu'il haïsse son frère,
c'est un menteur.
En effet, celui qui n'aime pas son frère, qu'il voit,
ne peut pas aimer Dieu qu'il ne voit pas.

²¹ Et voici le commandement que nous tenons de lui :
celui qui aime Dieu,
qu'il aime aussi son frère.

Croire le témoignage de Dieu

5 ¹ Quiconque croit que Jésus est le *Christ

est né de Dieu ;
et quiconque aime Dieu qui engendre
aime aussi celui qui est né de Dieu.

² A ceci nous reconnaissons que nous aimons les enfants de Dieu,
si nous aimons Dieu et mettons en pratique ses commandements.

³ Car voici ce qu'est l'amour de Dieu :
que nous gardions ses commandements.
Et ses commandements ne sont pas un fardeau,

⁴ puisque tout ce qui est né de Dieu est vainqueur du *monde.
Et la victoire qui a vaincu le monde,
c'est notre foi.

⁵ Qui est vainqueur du monde,
sinon celui qui croit que Jésus est le Fils de Dieu ?

⁶ C'est lui qui est venu par l'eau et par le sang,
Jésus Christ,
non avec l'eau seulement,
mais avec l'eau et le sang ;
et c'est l'Esprit qui rend témoignage,
parce que l'Esprit est la vérité.

⁷ C'est qu'ils sont trois à rendre témoignage,

⁸ l'Esprit, l'eau et le sang,
et ces trois convergent dans l'unique témoignage :

⁹ si nous recevons le témoignage des hommes,
le témoignage de Dieu est plus grand ;
car tel est le témoignage de Dieu :
il a rendu témoignage en faveur de son Fils.

¹⁰ Qui croit au Fils de Dieu
a ce témoignage en lui-même.
Qui ne croit pas Dieu
fait de lui un menteur,
puisqu'il n'a pas foi dans le témoignage
que Dieu a rendu en faveur de son Fils.

¹¹ Et voici ce témoignage :
Dieu nous a donné la *vie éternelle,
et cette vie est en son Fils.

4.14 témoignage oculaire 1 Jn 1.2 — Sauveur du monde Jn 3.17; 4.42. **4.15** confesser sa foi en Jésus Jn 9.22, 35; Rm 10.9; 1 Jn 2.23; 2 Jn 9 — le Fils 1 Jn 5.5. **4.16** foi et connaissance Jn 6.69; 8.31-32; 10.38; 1 Jn 3.16 — l'amour que Dieu manifeste Rm 5.8 — Dieu est amour 1 Jn 4.8+. **4.17** perfection de l'amour 1 Jn 2.5; 4.12 — assurance 1 Jn 2.28 — comme Jésus 1 Jn 2.6. **4.18** l'amour exclut la crainte Rm 8.15; 1 Jn 3.20. **4.19** priorité de l'amour de Dieu 1 Jn 4.10. **4.20** amour pour Dieu, amour pour le frère Lv 19.18; Mt 5.23-24, 44-45; 25.40, 45 — menteur 1 Jn 2.4. **4.21** le double commandement d'amour Mt 22.36-40 par.; cf. 1 Co 13; 1 Jn 3.23. **5.1** né de Dieu 1 P 1.22-23; 1 Jn 2.29+. **5.2** aimer les enfants de Dieu 1 Jn 3.23+. **5.3** amour et fidélité aux commandements Jn 14.15, 23, 24; 15.10; 2 Jn 6 — un fardeau léger Dt 30.11; Mt 11.29-30. **5.4** vainqueurs 1 Jn 4.4+. **5.5** la foi victorieuse 1 Co 15.57; Ep 6.16. **5.6** l'eau et le sang Jn 19.34 — le témoignage de l'Esprit Jn 15.26 — l'Esprit est la vérité Jn 14.17; 15.26; 16.13. **5.7** trois témoins Nb 35.30; Dt 19.15. **5.9** le témoignage de Dieu Jn 3.33; 5.32, 34, 36-37; 8.18; Rm 8.16; Ga 4.6. **5.10** croire Dieu Jn 5.24 — refus opposé au témoignage de Dieu Jn 5.37, 40. **5.11** vie éternelle Jn 17.3; 1 Jn 5.20.

¹² Qui a le Fils a la vie ;
qui n'a pas le Fils de Dieu n'a pas la
vie.

L'assurance du chrétien

¹³ Je vous ai écrit tout cela,
pour que vous sachiez que vous avez
la vie éternelle,
vous qui avez la foi au *nom du Fils
de Dieu.
¹⁴ Et voici l'assurance que nous avons
devant lui :
si nous lui demandons quelque chose
selon sa volonté,
il nous écoute.
¹⁵ Et sachant qu'il nous écoute quoi que
nous lui demandions,
nous savons que nous possédons ce que
nous lui avons demandé.
¹⁶ Si quelqu'un voit son frère commettre
un péché,
un péché qui ne conduit pas à la mort,
qu'il prie et Dieu lui donnera la *vie,
si vraiment le péché commis ne conduit

pas à la mort.
Il existe un péché qui conduit à la
mort :
ce n'est pas à propos de celui-là que je
dis de prier ;
¹⁷ toute iniquité est péché ;
mais tout péché ne conduit pas à la
mort.
¹⁸ Nous savons que quiconque est né de
Dieu ne pèche plus,
mais l'Engendré de Dieu ʲ le garde.
et le Mauvais n'a pas prise sur lui.
¹⁹ Nous savons que nous sommes de Dieu.
mais le *monde tout entier gît sous
l'empire du Mauvais.
²⁰ Nous savons que le Fils de Dieu est
venu
et nous a donné l'intelligence
pour connaître le Véritable.
Et nous sommes dans le Véritable en
son Fils Jésus Christ.
Lui est le Véritable ᵏ, il est Dieu et la
vie éternelle.
²¹ Mes petits enfants
gardez-vous des idoles.

ʲ Il s'agit de Jésus, le Fils de Dieu (3.8). Certains manuscrits lisent ici: *celui qui est né de Dieu se garde lui-même* ● ᵏ Dans ce verset cette appellation est appliquée successivement à Dieu lui-même et à son Fils

5.12 le Fils et la vie Jn 3.36. **5.13** pour que vous sachiez Jn 20.31. **5.14** exaucement 1 Jn 3.22+. **5.16** péché n'entraînant pas la mort Dt 22.26 — péché entraînant la mort Nb 15.30; 18.22; Mt 12.31-32 par.; He 6.4-6; 10.26-27; 2 P 2.20-21. **5.18** ne plus pécher 1 Jn 3.9 — préservé du Mauvais Jn 17.15; Jude 1 — pas de prise Rm 6.7. **5.19** être de Dieu Jn 8.47 — l'empire du Mauvais Col 1.13. **5.20** l'intelligence Jr 31.33; Ez 11.19; 36.26; Ep 1.17-18; Col 1.10; 1 Jn 2.3 — le Véritable Ap 3.7 — il est Dieu Jn 20.28; Rm 9.5 et la vie éternelle Jn 11.25; 17.3. **5.21** gardez-vous 2 P 3.17 — idoles Ez 11.21; 36.25; 1 Co 10.14.

DEUXIÈME ÉPÎTRE DE JEAN

Le commandement reçu du Père

¹ *L'Ancien, à la Dame élue et à ses
enfants ᵃ,
que j'aime dans la lumière de la vérité,
— non pas moi seulement,
mais encore tous ceux qui possèdent la
connaissance de la vérité, —
² en vertu de la vérité qui demeure en
nous
et sera avec nous à jamais :
³ avec nous seront grâce, miséricorde,
paix,
qui nous viennent de Dieu le Père,
et de Jésus Christ, le Fils du Père,
dans la vérité et l'amour.
⁴ J'ai éprouvé une très grande joie
à trouver de tes enfants ᵇ qui marchent
dans la voie de la vérité,
selon le commandement que nous
avons reçu du Père.
⁵ Et maintenant, Dame ᵇ, je te le demande,
— je ne t'écris pas là un commandement nouveau,
mais celui que nous avons depuis le
commencement, —
aimons-nous les uns les autres ;
⁶ et voici ce qu'est l'amour :
que nous marchions dans la voie de
ses commandements.
Tel est le commandement que vous avez
entendu depuis le commencement,
pour que vous marchiez dans cette voie.

La doctrine du Christ

⁷ Car de nombreux séducteurs se sont
répandus dans le monde :
ils ne professent pas la foi à la venue
de Jésus Christ dans la chair.
Le voilà, le séducteur et l'antichrist !
⁸ Prenez garde à vous-mêmes,
afin de ne pas perdre le fruit de vos
œuvres ᶜ,
mais de recevoir pleine récompense.
⁹ Quiconque va trop avant
et ne demeure pas dans la doctrine du
Christ,
n'a pas Dieu.
Celui qui demeure dans la doctrine.
il a, lui, et le Père et le Fils.
¹⁰ Si quelqu'un vient à vous
sans être porteur de cette doctrine,
ne l'accueillez pas chez vous
et ne lui souhaitez pas la bienvenue.
¹¹ Qui lui souhaite la bienvenue
communie à ses œuvres mauvaises.

En attendant le revoir

¹² J'ai bien des choses à vous écrire,
pourtant je n'ai pas voulu le faire avec
du papier et de l'encre.
Car j'espère me rendre chez vous
et vous parler de vive voix,
afin que notre joie soit complète.
¹³ Te saluent les enfants de ta Sœur
l'élue ᵈ.

ᵃ Certains pensent que *la Dame élue* désigne ici une église locale, dont les membres sont appelés
ses enfants ● ᵇ Voir v. 1 et note ● ᶜ certains manuscrits lisent ici: *le fruit de nos œuvres* ● ᵈ c'est-
à-dire l'église à laquelle appartient l'Ancien; voir v. 1 et note

1 L'Ancien 3 Jn 1 — élue 1 P 5.13; 2 Jn 13; cf. 2 Tm 2.10; Tt 1.8 — dans la vérité Ep 4.15; 1 Jn 3.18;
2 Jn 3-4 — connaissance de la vérité Jn 8.32; 1 Tm 4.3; 1 Jn 2.21. 2 en nous Jn 8.37; 1 Jn 1.8, 10;
2.4, 14, 24, 27; 3.9, 17 — avec nous à jamais Jn 14.16-17. 3 grâce, miséricorde et paix 1 Tm 1.2;
2 Tm 1.2. 4 marcher dans la vérité 2 Jn 6; 3 Jn 3-4 — le commandement 1 Jn 4.21. 5 commandement nouveau 1 Jn 2.7-8+ — depuis le commencement 1 Jn 2.24+ — amour mutuel 1 Jn 3.11+ ;
1 P 4.8. 6 vivre d'après ses commandements Jn 14.15, 23-24; 1 Jn 3.23; 5.3. 7 séducteurs et
antichrist Mt 7.15; 1 Jn 2.18-19, 22, 26; 4.1-3; 2 P 2.1. 8 œuvres Jn 6.29 — récompense Mt 10.42.
9 demeurer en Dieu 1 Jn 3.24+; 4.15 — avoir le Père et le Fils 1 Jn 2.23-24. 10 ne l'accueillez
pas Mt 10.14; Rm 16.17; 1 Co 5.6, 9; Ep 5.11; 2 Th 3.6; Tt 3.10. 11 complice 1 Tm 5.22; Ap 18.4.
12 par écrit 3 Jn 13 — de vive voix Nb 12.8; 3 Jn 14 — une joie complète 1 Jn 1.4.

TROISIÈME ÉPÎTRE DE JEAN

¹ *L'Ancien, à Gaïus, très aimé, que
j'aime dans la lumière de la vérité. ² Cher
ami, je souhaite que tu te portes bien à
tous égards, et que ta santé soit bonne ;
qu'il en aille comme pour ton âme, qui,
elle, se porte bien.

Gaïus et les missionnaires itinérants

³ J'ai en effet éprouvé une très grande
joie, car des frères arrivés ici rendent témoignage à la vérité qui transparaît dans
ta vie : toi, tu marches dans la lumière
de la vérité. ⁴ Ma plus grande joie, c'est
d'apprendre que mes enfants marchent
dans la lumière de la vérité. ⁵ Cher ami,
tu agis selon ta foi dans les soins que tu
prends pour les frères, et cela pour des
étrangers. ⁶ Ils ont rendu devant l'église ᵃ
témoignage à ta charité. Tu agiras bien
en pourvoyant à leur mission d'une manière digne de Dieu. ⁷ Car c'est pour le
*Nom qu'ils se sont mis en route, sans
rien recevoir des *païens. ⁸ Nous donc,
nous devons venir en aide à ces hommes,
afin de nous montrer coopérateurs de la
vérité.

Diotréphès l'opposant et Démétrius

⁹ J'ai écrit un mot à l'église ᵇ. Mais
Diotréphès, qui aime à tout régenter, ne
nous reconnaît pas. ¹⁰ Aussi, lorsque je
viendrai, je dénoncerai ses procédés, lui
qui se répand contre nous en paroles mauvaises ; et non content de cela, il refuse
lui-même de recevoir les frères, et ceux
qui voudraient les recevoir, il les en empêche et les chasse de l'église. ¹¹ Cher ami,
ne prends pas exemple sur le mal mais
sur le bien. Celui qui fait le bien est de
Dieu, celui qui fait le mal ne voit pas
Dieu. ¹² Quant à Démétrius, tout le monde lui rend un bon témoignage. La vérité
elle-même témoigne pour lui. Mais nous
aussi, nous lui rendons témoignage, et tu
sais que notre témoignage est vrai.

En attendant le revoir

¹³ J'aurais bien des choses à t'écrire,
mais je ne veux pas le faire avec l'encre
et la plume ; ¹⁴ car j'espère te revoir
prochainement, et nous nous entretien-
drons de vive voix. ¹⁵ La paix soit avec
toi ! Les amis te saluent. Salue aussi les
amis, chacun en particulier.

---

a D'après le v. 3 il s'agit de l'église locale où réside l'Ancien ● *b* il s'agit ici de l'église locale à
laquelle appartient Gaïus, et où Diotréphès jette le trouble

1 L'Ancien 2 Jn 1.   **3** témoignage v. 6 — dans ta vie cf. Phm 5 — marcher dans la vérité 2 Jn 4.
4 mes enfants 1 Jn 2.1, 12, 18, 28.   **5** prendre soin des frères Mt 10.41-42.   **6** pourvoir à leur
mission Rm 15.24 ; Tt 3.13.   **7** le Nom 1) Gn 21.33 ; Dt 12.11 ; Ps 44.6 ; Ps 115.1 ; 2) Ac 5.41 ;
3) Ph 2.9-11 ; 4) Jn 3.18 ; 20.31 ; 1 Jn 3.23 ; 5.13 — sans rien recevoir 1 Co 9.12, 15.   **8** aide aux prédicateurs itinérants Rm 12.13 ; He 13.2 ; 1 P 4.9 — coopérateurs 1 Co 3.9 ; 1 Th 3.2.   **9** tout régenter
Mt 20.27 ; Ph 2.3 ; 1 P 5.3.   **10** je viendrai 1 Co 4.18-21.   **11** faire le bien 1 P 3.11 — ne pas voir
Dieu 1 Jn 3.6.   **12** témoigne pour lui Pr 22.1 ; 2 Co 3.2-3 ; 2 P 2.12 — témoignage vrai Jn 19.35 ;
21.24.   **13** non par écrit mais de vive voix 2 Jn 12⊥.

ÉPÎTRE DE JUDE

Salutation

¹ Jude, serviteur de Jésus Christ, frère de Jacques, à ceux qui sont appelés, qui sont aimés de Dieu le Père et gardés pour Jésus Christ. ² Que la miséricorde, la paix et l'amour vous viennent en abondance.

Les propagateurs de fausses doctrines

³ Mes amis, alors que je désirais vivement vous écrire au sujet du salut qui nous concerne tous, je me suis vu forcé de le faire afin de vous encourager à combattre pour la foi qui a été transmise aux *saints ᵃ définitivement. ⁴ Car il s'est infiltré parmi vous des individus dont la condamnation est depuis longtemps inscrite à l'avance, impies qui travestissent en débauche la grâce de notre Dieu et qui renient notre seul Maître et Seigneur Jésus Christ ᵇ. ⁵ Je veux vous rappeler, bien que vous sachiez tout définitivement, que le Seigneur ᶜ après avoir sauvé son peuple du pays d'Egypte a fait périr ensuite ceux qui s'étaient montrés incrédules. ⁶ Les *anges qui n'avaient pas gardé leur rang mais qui avaient abandonné leur demeure, il les garde éternellement enchaînés dans les ténèbres pour le jugement du grand *Jour. ⁷ Quant à Sodome et Gomorrhe et aux villes d'alentour qui s'étaient livrées de semblable manière à la prostitution et avaient couru après des êtres d'une autre nature ᵈ, elles gisent comme un exemple sous le châtiment du feu éternel. ⁸ C'est de la même façon que ces gens-là, dans leur délire, *souillent la chair, méprisent la Souveraineté, insultent les Gloires ᵉ. ⁹ Pourtant même l'archange Michel, alors qu'il contestait avec le *diable et disputait au sujet du corps de Moïse ᶠ, n'osa pas porter contre lui un jugement insultant, mais il dit : *Que le Seigneur te châtie !* ¹⁰ Mais ces gens-là, ce qu'ils ne connaissent pas ils l'insultent ; et ce qu'ils savent à la manière instinctive et stupide des bêtes, cela ne sert qu'à les perdre. ¹¹ Malheur à eux, parce qu'ils ont suivi le chemin de Caïn ; pour un salaire ils se sont abandonnés aux égarements de Balaam et ils ont péri dans la révolte de Coré. ¹² Ce sont bien eux qui souillent vos repas fraternels lorsqu'ils font bombance et se gavent sans pudeur : nuages sans eau emportés par les vents ; arbres de fin d'automne ,sans fruits, deux fois morts, déracinés ; ¹³ flots sauvages de la mer

---

a Voir Rm 1.7 et note ● *b* ou *qui renient le seul Maître* (c'est-à-dire Dieu) et *notre Seigneur Jésus Christ* ● *c* Appellation de Dieu, comme dans l'A.T. grec; mais certains manuscrits lisent ici *Jésus* ● *d* Allusion aux vices contre nature des habitants de Sodome et Gomorrhe. Ce verset évoque Gn 19.1-25, où les anges venus sauver Lot sont pris par les Sodomites pour des êtres humains ● *e* la *Souveraineté:* sans doute une manière de parler de la puissance du Christ — *les Gloires:* une catégorie d'êtres célestes ● *f* L'auteur se réfère à un récit qui ne figure pas dans la Bible

---

1 Jacques Ac 15.13+. **2** abondance de miséricorde et de paix 2 P 1.2. **3** encouragement à combattre 1 Tm 1.18. **4** des individus infiltrés parmi vous Ga 2.4 — inscrit à l'avance Ps 69.29; 139.16, cf. Dn 7.10 — qui renient notre Maître 2 P 2.1. **5** tout savoir définitivement 1 Jn 2.20 — rappel 2 P 1.12 — le peuple sauvé d'Egypte Ex 12.51 — mort des incrédules Nb 14.29-30, 35; 1 Co 10.5. **6** anges déchus 2 P 2.4 — gardés pour le jugement 2 P 2.9. **7** Sodome et Gomorrhe Gn 19.4-25 2 P 2.6; cf. Mt 10.15+. **8** mépriser la Souveraineté 2 P 2.10. **9** l'archange Michel Dn 10.13, 21; 12.1; Ap 12.7 — pas de jugement insultant 2 P 2.11 — Que le Seigneur... Za 3.2. **10** insulter ce qu'on ne connaît pas 2 P 2.12. **11** Caïn Gn 4.3-8; 1 Jn 3.12 — Balaam Nb 22.5; 31.16; 2 P 2.15; Ap 2.14 — la révolte de Coré Nb 16.19-35. **12** ils souillent vos repas fraternels 2 P 2.13 — ils se gavent sans pudeur Ez 34.8; cf. 1 Co 11.21 — emportés par le vent Ep 4.14. **13** flots crachant l'écume Es 57.20 — réservés aux ténèbres 2 P 2.17.

crachant l'écume de leur propre honte ; astres errants réservés pour l'éternité à l'épaisseur des ténèbres. ¹⁴ C'est sur eux aussi qu'a *prophétisé Hénoch, le septième depuis Adam, en disant : *Voici que vient le Seigneur avec ses saintes milices* ¹⁵ *pour exercer le jugement universel et convaincre tous les impies de toutes leurs impiétés criminelles et de toutes les insolentes paroles que les *pécheurs impies ont proférées contre lui* ᵍ.

¹⁶ Ce sont bien eux ! Des gens de hargne et de rogne, qui sont menés par leurs passions, leur bouche profère des énormités et ils ne considèrent les personnes qu'en fonction de leur intérêt.

Recommandations aux fidèles

¹⁷ Quant à vous, mes amis, souvenez-vous des paroles que vous ont dites à l'avance les *apôtres de notre Seigneur Jésus Christ. ¹⁸ Ils vous disaient : « A la fin des temps il y aura des railleurs qui seront menés par leurs passions impies. »

¹⁹ Ce sont bien eux ! Ils introduisent des divisions, ils ont des pensées terrestres, ils ne possèdent pas l'Esprit. ²⁰ Mais vous, mes amis, construisez-vous sur la base de votre foi très *sainte ; priez dans l'Esprit Saint ; ²¹ maintenez-vous dans l'amour de Dieu ; placez votre attente dans la miséricorde de notre Seigneur Jésus Christ pour la *vie éternelle. ²² Ceux qui hésitent, prenez-les en pitié ʰ ; ²³ sauvez-les en les arrachant du feu ; pour les autres, prenez-les en pitié mais avec crainte, haïssant jusqu'à la tunique souillée par leur chair.

Louange finale

²⁴ A celui qui peut vous garder de toute chute et vous faire tenir sans tache devant sa gloire dans l'allégresse, ²⁵ au Dieu unique notre Sauveur par Jésus Christ notre Seigneur, gloire, grandeur, puissance et autorité, avant tous les temps, maintenant et à jamais. *Amen.

---

g Aux v. 14-15 l'auteur cite le livre juif d'*Hénoch* (1.9) ● h Au lieu de *prenez-les en pitié* certains manuscrits lisent: *cherchez à les convaincre*

14 Hénoch, le septième depuis Adam Gn 5.3-18; 1 Ch 1.1-3; Lc 3.37-38.   16 proférer des énormités Dn 11.36 (grec).   17 rappel du message des apôtres 2 P 3.2.   18 à la fin des temps 2 P 3.3.   19 avoir des pensées terrestres cf. 1 Co 2.14; Jc 3.15.   20 construisez-vous... 1 Th 5.11 sur la base de votre foi Col 2.7.   23 en les arrachant du feu Am 4.11; Za 3.2.   24 sans tache Ph 1.10; 1 Th 5.23.   25 Dieu Sauveur 1 Tm 1.1+ — gloire au Dieu unique Rm 16.27.

APOCALYPSE DE JEAN

Présentation

1 ¹ *Révélation *a* de Jésus Christ :
Dieu la lui donna pour montrer
à ses serviteurs ce qui doit arriver
bientôt.
Il la fit connaître en envoyant son *ange
à Jean son serviteur,
² lequel a attesté comme Parole de Dieu
et témoignage de Jésus Christ tout ce
qu'il a vu *b*.
³ Heureux celui qui lit *c*,
et ceux qui écoutent les paroles de la
*prophétie,
et gardent ce qui s'y trouve écrit,
car le temps est proche.

⁴ Jean aux sept églises qui sont en Asie *d* :
Grâce et paix vous soient données,
de la part de Celui qui est, qui était
et qui vient,
de la part des sept esprits qui sont
devant son trône,
⁵ et de la part de Jésus Christ, le témoin
fidèle, le premier-né d'entre les morts et
le prince des rois de la terre.
A celui qui nous aime,
qui nous a délivrés *e* de nos péchés par
son *sang,
⁶ qui a fait de nous un royaume, des
*prêtres pour Dieu son Père,
à lui gloire et pouvoir pour les *siècles

des siècles. *Amen.
⁷ Voici, il vient au milieu des nuées,
et tout œil le verra,
et ceux mêmes qui l'ont percé :
toutes les tribus de la terre seront en
deuil à cause de lui.
Oui ! Amen !
⁸ Je suis l'Alpha et l'Oméga *f*, dit le
Seigneur Dieu,
Celui qui est, qui était et qui vient,
le Tout-Puissant.

Jean voit le Christ glorifié

⁹ Moi, Jean, votre frère et votre compagnon dans l'épreuve, la royauté et la
persévérance en Jésus, je me trouvais
dans l'île de Patmos *g* à cause de la
Parole de Dieu et du témoignage de
Jésus.
¹⁰ Je fus saisi par l'Esprit au jour du
Seigneur *h*, et j'entendis derrière moi
une puissante voix,
telle une trompette,
¹¹ qui proclamait : Ce que tu vois, écris-le
dans un livre, et envoie-le aux sept
églises : à Ephèse, à Smyrne, à Pergame, à Thyatire, à Sardes, à Philadelphie et à Laodicée.
¹² Je me retournai pour regarder la voix
qui me parlait ; et, m'étant retourné, je
vis sept chandeliers d'or ;

---

a En grec *apocalupsis*, dont on a fait apocalypse ● *b* Voir vv. 11, 12, etc. ; Jean va rapporter une
vision ● *c* sous-entendu *à haute-voix* (pendant le culte) ● *d* Voir 2 Co 1.8 et note — Les *sept
églises* sont mentionnées au v. 11 ● *e* Autre texte : *nous a lavés* ● *f* Première et dernière lettres
de l'alphabet grec. Comme en Ap 21.6 et 22.13 l'expression correspond à *le commencement et la
fin* ● *g* Petite île de la Mer Egée, à une centaine de km d'Ephèse ; lieu d'exil des personnes jugées
indésirables par les autorités romaines ● *h* Un dimanche

1.2 Parole de Dieu et témoignage de Jésus Ap 1.9 ; 6.9 ; 12.17 ; 19.10 ; 20.4. **1.4** Celui qui est,
qui était et qui vient Ap 1.8 ; 4.8 ; 11.17 ; 16.5 ; cf. Ex 3.14 — sept esprits Es 11.2 ; Ap 3.1 ; 4.5 ; 5.6.
1.5 le premier-né Ps 89.28 ; Col 1.18 — témoin fidèle Ps 89.38 ; Es 55.4 ; Ap 2.13 ; 3.14 ; 19.11.
1.6 un royaume, des prêtres Ex 19.6 ; Es 61.6 ; 1 P 2.5, 9 ; Ap 5.10 ; 20.6. **1.7** au milieu des nuées
Dn 7.13 ; cf. Ex 19.6 ; Es 6.4 ; Mt 24-30 ; Mc 13.26 ; Lc 21.27 ; Ac 1.9 ; Ap 14.14 — ceux qui l'ont
percé Za 12.10 (Jn 19.37). **1.8** le Tout-Puissant Ap 4.8 ; 11.17 ; 15.3 ; 16.7, 14 ; 19.6, 15 ; 21.22.
1.10 au jour du Seigneur Ac 20.7 ; 1 Co 11.26 ; 16.2. **1.12** chandeliers Ex 25.31-40 ; 27.20-21 ;
Za 4.1-14.

¹³ et, au milieu des chandeliers,
quelqu'un qui semblait un fils d'homme.
Il était vêtu d'une longue robe,
une ceinture d'or lui serrait la poitrine ;
¹⁴ sa tête et ses cheveux étaient blancs
comme laine blanche, comme neige,
et ses yeux étaient comme une flamme
ardente ;
¹⁵ ses pieds semblaient d'un bronze précieux, purifié au creuset,
et sa voix était comme la voix des
océans ;
¹⁶ dans sa main droite, il tenait sept étoiles,
et de sa bouche sortait un glaive acéré,
à deux tranchants.
Son visage resplendissait, tel le soleil
dans tout son éclat.
¹⁷ A sa vue, je tombai comme mort à ses
pieds,
mais il posa sur moi sa droite et dit :
Ne crains pas,
je suis le Premier et le Dernier,
¹⁸ et le Vivant ;
je fus mort, et voici, je suis vivant pour
les *siècles des siècles,
et je tiens les clefs de la mort et de
l'Hadès ⁱ.
¹⁹ Ecris donc ce que tu as vu, ce qui est
et ce qui doit arriver ensuite.
²⁰ Quant au mystère des sept étoiles que
tu as vues dans ma droite et aux sept
chandeliers d'or, voici : les sept étoiles
sont les *anges des sept églises, et les
sept chandeliers sont les sept églises.

Lettre à l'église d'Ephèse

2 ¹ A *l'ange de l'église qui est à
Ephèse, écris :
Ainsi parle celui qui tient les sept étoiles
dans sa droite,
qui marche au milieu des sept chandeliers d'or :
² Je sais tes œuvres, ton labeur et ta
persévérance,
et que tu ne peux tolérer les méchants.

Tu as mis à l'épreuve ceux qui se disent
*apôtres et ne le sont pas,
et tu les as trouvés menteurs.
³ Tu as de la persévérance :
tu as souffert à cause de mon *nom et
tu n'as pas perdu courage.
⁴ Mais j'ai contre toi que ta ferveur première ʲ, tu l'as abandonnée.
⁵ Souviens-toi donc d'où tu es tombé :
repens-toi et accomplis les œuvres d'autrefois.
Sinon je viens à toi,
et si tu ne te repens, j'ôterai ton chandelier de sa place.
⁶ Mais tu as ceci en ta faveur :
comme moi-même, tu as en horreur les
œuvres des Nicolaïtes ᵏ.
⁷ Celui qui a des oreilles, qu'il entende ce
que l'Esprit dit aux églises. Au vainqueur, je donnerai à manger de l'arbre
de *vie qui est dans le paradis ˡ de Dieu.

Lettre à l'église de Smyrne

⁸ A *l'ange de l'église qui est à Smyrne,
écris :
Ainsi parle le Premier et le Dernier,
Celui qui fut mort, mais qui est revenu
à la vie :
⁹ Je sais ton épreuve et ta pauvreté.
— mais tu es riche —,
et les calomnies de ceux qui se prétendent *juifs :
ils ne le sont pas : c'est une « *synagogue de *Satan ».
¹⁰ Ne crains pas ce qu'il te faudra souffrir.
Voici, le *diable va jeter des vôtres en
prison pour vous *tenter,
et vous aurez dix jours ᵐ d'épreuve.
Sois fidèle jusqu'à la mort et je te
donnerai la couronne de vie ⁿ.
¹¹ Celui qui a des oreilles, qu'il entende
ce que l'Esprit dit aux églises.
Le vainqueur ne souffrira nullement de
la seconde mort.

ⁱ *les clefs:* voir Es 22.22; Ap 3.7 et note. *L'Hadès:* nom que les grecs donnaient au royaume de la mort. Ailleurs le même mot est rendu par *séjour des morts* ● ʲ Ou *ton premier amour* ● ᵏ Les vv. 2, 14, 20, 24 font sans doute allusion aux doctrines et à la morale de la secte hérétique des Nicolaïtes, mentionnés encore au v. 15, mais dont nous ne savons rien par ailleurs ● ˡ Le terme grec, emprunté au vieux perse, désigne un parc; il renvoie ici au jardin d'Eden (Gn 2.8) ● ᵐ Comme en Gn 24.55; Dn 1.12, etc.; ce nombre indique seulement une durée relativement courte ● ⁿ Voir Ph 4.1 et note

1.13-15 comme un fils d'homme Dn 7.13; Ap 14.14 — ceinture d'or Dn 10.5 — cheveux blancs Dn 7.9 — ses yeux, ses pieds, sa voix Dn 10.6. **1.16** sept étoiles Ap 1.20; 2.1; 3.1 — un glaive acéré Es 49.2; He 4.12; Ap 19.13-15. **1.17** le Premier et le Dernier Es 44.6; 48.12; Ap 2.8; 22.13; cf. 1.8. **1.18** le Vivant He 7.25. **2.1** sept étoiles Ap 1.16. **2.2** je sais tes œuvres Ap 3.1, 8, 15. **2.5** Repens-toi Ap 2.16, 22; 3.3, 19. **2.7** arbre de vie Gn 2.9; 3.22, 24; Ap 22.2, 14, 19. **2.9** synagogue de Satan Ap 3.9; cf. Rm 2.28-29; 2 Co 11.13-16; Ga 3.29. **2.10** couronne Ap 3.11; 4.4, 10; 6.2; 9.7; 12.1; 14.14. **2.11** la seconde mort Ap 20.6, 14; 21.8.

Lettre à l'église de Pergame

12 A *l'ange de l'église qui est à Pergame, écris :
Ainsi parle celui qui a le glaive acéré à deux tranchants :
13 Je sais où tu demeures : c'est là qu'est le trône de *Satan.
Mais tu restes attaché à mon *nom et tu n'as pas renié ma foi,
même aux jours d'Antipas, mon témoin fidèle, qui fut mis à mort chez vous, là où Satan demeure.
14 Mais j'ai quelque reproche à te faire : il en est chez toi qui s'attachent à la doctrine de ce Balaam qui conseillait à Balak de tendre un piège aux fils d'Israël pour les pousser à manger des viandes sacrifiées aux idoles et à se prostituer [o].
15 Chez toi aussi, il en est qui s'attachent de même à la doctrine des Nicolaïtes [p].
16 Repens-toi donc.
Sinon je viens à toi bientôt,
et je les combattrai avec le glaive de ma bouche.
17 Celui qui a des oreilles, qu'il entende ce que l'Esprit dit aux églises.
Au vainqueur je donnerai de la manne cachée [q],
je lui donnerai une pierre blanche,
et, gravé sur la pierre, un nom nouveau que personne ne connaît sinon qui le reçoit.

Lettre à l'église de Thyatire

18 A *l'ange de l'église qui est à Thyatire, écris :
Ainsi parle le Fils de Dieu,
celui dont les yeux sont comme une flamme ardente et les pieds semblables à du bronze précieux.
19 Je sais tes œuvres, ton amour, ta foi, ton service et ta persévérance ;
tes dernières œuvres dépassent en nombre les premières.
20 Mais j'ai contre toi que tu tolères Jézabel [r],
cette femme qui se dit *prophétesse et qui égare mes serviteurs, leur enseignant à se prostituer et à manger des viandes sacrifiées aux idoles.
21 Je lui ai laissé du temps pour se repentir, mais elle ne veut pas se repentir de sa prostitution.
22 Voici, je la jette sur un lit d'amère détresse,
ainsi que ses compagnons d'adultère,
à moins qu'ils ne se repentent de ses œuvres.
23 Ses enfants [s], je les frapperai de mort ;
et toutes les Eglises sauront que je suis celui qui scrute les reins et les cœurs,
et à chacun de vous je rendrai selon ses œuvres.
24 Mais je vous le déclare à vous qui, à Thyatire, restez sans partager cette doctrine et sans avoir sondé leurs prétendues « profondeurs » de *Satan [t],
je ne vous impose pas d'autre fardeau.
25 Seulement, ce que vous possédez, tenez-le ferme jusqu'à ce que je vienne.
26 Le vainqueur, celui qui garde jusqu'à la fin mes œuvres,
je lui donnerai pouvoir sur les nations,
27 et il les mènera paître avec une verge de fer,
comme on brise les vases d'argile,
28 de même que moi aussi j'en ai reçu pouvoir de mon père,
et je lui donnerai l'étoile du matin [u].
29 Celui qui a des oreilles, qu'il entende ce que l'Esprit dit aux églises.

Lettre à l'église de Sardes

3 1 A *l'ange de l'église qui est à Sardes, écris :
Ainsi parle celui qui a les sept esprits de Dieu et les sept étoiles.
Je sais tes œuvres : tu as renom de vivre, mais tu es mort !
2 Sois vigilant ! Affermis le reste qui est près de mourir, car je n'ai pas trouvé tes œuvres parfaites aux yeux de mon Dieu.
3 Souviens-toi donc de ce que tu as reçu et entendu [v].

o Voir Nb 31.16 et 25.1-2. Pour *Balaam:* Nb 22—24. Voir aussi Ap 2.20 et note • *p* Voir Ap 2.6 et note • *q* Voir Ex 16.32-34; He 9.4 • *r Jézabel:* nom probablement symbolique ici; voir 1 R 16.31-34; 19.1-2, etc. Depuis Os 5.3; 6.10, l'*idolâtrie* du peuple de Dieu a souvent été qualifiée de *prostitution* • *s* Tournure sémitique, comme en Lc 7.35, pour désigner ici les *adeptes* de « Jézabel » • *t* Allusion à des enseignements secrets, réservés aux initiés de la secte • *u* Voir Ap 22.16 • *v* Ou *rappelle-toi comment tu as reçu et entendu* (*la Parole*)

2.16 je viens bientôt Ap 3.11; 22.7, 12, 20. **2.17** un nom nouveau Es 62.2; 65.15; Ap 3.12; cf. Ph 2.9. **2.18** celui dont les yeux... Dn 10.6; Ap 1.14, 15. **2.23** Dieu scrute les reins et les cœurs Ps 7.10; Jr 11.20 — selon ses œuvres Ps 62.13; Pr 24.12; Jr 17.10; Rm 2.6; 2 Tm 4.14; Ap 18.6; 20.12-13. **2.26-27** pouvoir sur les nations Ps 2.8-9; Ap 12.5; 19.15. **2.28** l'étoile du matin Ap 22.16; cf. Nb 24.17; Mt 2.2. **3.3** comme un voleur Mt 24.42-44; Lc 12.39-40; 1 Th 5.2; 2 P 3.10; Ap 16.15.

Garde-le et repens-toi !

Si tu ne veilles pas, je viendrai comme un voleur,

sans que tu saches à quelle heure je viendrai te surprendre.

[4] Cependant, à Sardes, tu as quelques personnes qui n'ont pas souillé leurs vêtements.

Elles m'accompagneront, vêtues de blanc, car elles en sont dignes.

[5] Ainsi le vainqueur portera-t-il des vêtements blancs ;

je n'effacerai pas son nom du livre de *vie,

et j'en répondrai devant mon père et devant ses *anges.

[6] Celui qui a des oreilles, qu'il entende ce que l'Esprit dit aux églises.

Lettre à l'église de Philadelphie

[7] A *l'ange de l'église qui est à Philadelphie, écris :

Ainsi parle le *Saint, le Véritable,

qui tient la clé de David [w],

qui ouvre et nul ne fermera,

qui ferme et nul ne peut ouvrir.

[8] Je sais tes œuvres.

Voici, j'ai placé devant toi une porte ouverte que nul ne peut fermer.

Tu n'as que peu de force, et pourtant tu as gardé ma parole et tu n'as pas renié mon *nom.

[9] Voici, je te donne des gens de la *synagogue de *Satan, de ceux qui se disent *juifs, mais ne le sont pas, car ils mentent.

Voici, je les ferai venir se prosterner à tes pieds,

et ils reconnaîtront que je t'ai aimé.

[10] Parce que tu as gardé ma parole avec persévérance,

moi aussi je te garderai de l'heure de l'épreuve,

qui va venir sur l'humanité entière,

et mettre à l'épreuve les habitants de la terre.

[11] Je viens bientôt.

Tiens ferme ce que tu as, pour que nul

ne te prenne ta couronne [x].

[12] Le vainqueur, j'en ferai une colonne dans le *temple de mon Dieu, il n'en sortira jamais plus,

et j'inscrirai sur lui le nom de mon Dieu,

et le nom de la cité de mon Dieu, la Jérusalem nouvelle qui descend du ciel d'auprès de mon Dieu,

et mon nom nouveau.

[13] Celui qui a des oreilles, qu'il entende ce que l'Esprit dit au églises.

Lettre à l'église de Laodicée

[14] A *l'ange de l'église qui est à Laodicée, écris :

Ainsi parle *l'Amen, le Témoin fidèle et véritable,

le Principe de la création de Dieu.

[15] Je sais tes œuvres : tu n'es ni froid ni bouillant.

Que n'es-tu froid ou bouillant !

[16] Mais parce que tu es tiède, et non froid ou bouillant, je vais te vomir de ma bouche.

[17] Parce que tu dis : je suis riche, je me suis enrichi, je n'ai besoin de rien, et que tu ne sais pas que tu es misérable, pitoyable, pauvre, aveugle et nu,

[18] je te conseille d'acheter chez moi de l'or purifié au feu pour t'enrichir, et des vêtements blancs pour te couvrir et que ne paraisse pas la honte de ta nudité, et un collyre pour oindre tes yeux et recouvrer la vue.

[19] Moi, tous ceux que j'aime, je les reprends et les corrige.

Sois donc fervent et repens-toi !

[20] Voici, je me tiens à la porte et je frappe.

Si quelqu'un entend ma voix et ouvre la porte,

j'entrerai chez lui et je prendrai la Cène avec lui

et lui avec moi.

[21] Le vainqueur, je lui donnerai de siéger avec moi sur mon trône, comme moi aussi j'ai remporté la victoire et suis allé siéger avec mon père sur son trône.

w Voir Es 22.22: celui qui détient *la clef de* (la maison de) *David* est investi d'une mission de confiance et des pleins pouvoirs pour la remplir. Par ailleurs le Christ est descendant du roi David (Ac 2.30) ● x Voir Ap 2.10 et note

3.4 vêtu de blanc Dn 7.9; Mt 17.2; 28.3; Mc 16.5; Jn 20.12; Ap 3.18; 4.4; 6.11; 7.9, 13-14; 19.14. 3.5 livre de vie Ex 32.32-33; Ps 69.29; Dn 12.1; Lc 10.20; Ph 4.3; Ap 13.8; 17.8; 20.12, 15; 21.27 — un répondant devant Dieu Mt 10.32; Lc 12.8. 3.9 se prosterner à tes pieds Es 45.14; 49.23; 60.14 — je t'ai aimé Es 43.4. 3.10 persévérance Lc 21.19; 2 Tm 2.12; He 10.36. 3.12 temple de Dieu Ap 7.15; 11.1 — marqués du nom de Dieu Ap 14.1; 22.4 — nouvelle Jérusalem Ap 21.2+. 3.14 le Principe de la création Pr 8.22; Sg 9.1-2; Jn 1.3; Col 1.15-18; He 1.2. 3.19 je corrige ceux que j'aime Pr 3.12; 1 Co 11.32; He 12.6. 3.20 je prendrai la Cène avec lui Lc 22.29, 30; Jn 14.23. 3.21 siéger avec le Christ Mt 19.28; Lc 22.30; Ap 20.4.

²² Celui qui a des oreilles, qu'il entende ce que l'Esprit dit aux églises.

Le trône de Dieu et le culte céleste

4 ¹ Après cela je vis :
Une porte était ouverte dans le ciel, et la première voix que j'avais entendue me parler, telle une trompette, dit :
Monte ici et je te montrerai ce qui doit arriver ensuite.

² Aussitôt je fus saisi par l'Esprit.
Et voici, un trône se dressait dans le ciel, et, siégeant sur le trône, quelqu'un.

³ Celui qui siégeait avait l'aspect d'une pierre de jaspe et de sardoine.
Une gloire *y* nimbait le trône de reflets d'émeraude *z*.

⁴ Autour du trône vingt-quatre trônes, et, sur ces trônes, vingt-quatre *anciens siégeaient, vêtus de blanc,
et, sur leur tête, des couronnes d'or.

⁵ Du trône sortaient des éclairs, des voix et des tonnerres.
Sept lampes ardentes brûlaient devant le trône,
ce sont les sept esprits de Dieu.

⁶ Devant le trône, comme une mer limpide, semblable à du cristal.
Au milieu du trône et l'entourant, quatre animaux couverts d'yeux par-devant et par-derrière.

⁷ Le premier animal ressemblait à un lion, le deuxième à un jeune taureau, le troisième avait comme une face humaine,
et le quatrième semblait un aigle en plein vol.

⁸ Les quatre animaux avaient chacun six ailes couvertes d'yeux tout autour et au-dedans.
Ils ne cessent jour et nuit de proclamer :
Saint, Saint, Saint,
Le Seigneur, le Dieu Tout-Puissant,
Celui qui était, qui est et qui vient !

⁹ Et chaque fois que les animaux rendaient gloire, honneur et action de grâce à celui qui siège sur le trône, au Vivant pour les *siècles des siècles,

¹⁰ les vingt-quatre anciens se prosternaient devant celui qui siège sur le trône, ils adoraient le Vivant pour les siècles des siècles,
et jetaient leurs couronnes devant le trône en disant :

¹¹ Tu es digne, Seigneur notre Dieu, de recevoir la gloire, l'honneur et la puissance,
car c'est toi qui créas toutes choses ;
tu as voulu qu'elles soient, et elles furent créées.

Le livre scellé et l'Agneau

5 ¹ Et je vis, dans la main droite de celui qui siège sur le trône,
un livre écrit au-dedans et au-dehors *a*, scellé de sept sceaux.

² Et je vis un *ange puissant qui proclamait d'une voix forte :
Qui est digne d'ouvrir le livre et d'en rompre les sceaux ?

³ Mais nul, dans le *ciel, sur la terre ni sous la terre *b*,
n'avait pouvoir d'ouvrir le livre ni d'y jeter les yeux.

⁴ Je me désolais de ce que nul ne fût trouvé digne d'ouvrir le livre ni d'y jeter les yeux.

⁵ Mais l'un des *anciens me dit :
Ne pleure pas !
Voici, il a remporté la victoire, le lion de la tribu de Juda, le rejeton de David *c* :
Il ouvrira le livre et ses sept sceaux.

⁶ Alors je vis :
au milieu du trône et des quatre animaux,
au milieu des anciens,
un agneau se dressait qui semblait immolé.

---

y Le même mot grec désigne aussi l'*arc-en-ciel*, ou encore une *auréole* ● *z* Voir Ap 21.11, 20 et notes ● *a* Les livres d'alors avaient la forme d'un rouleau ; celui-ci est écrit sur les deux faces. Pour les *sceaux* voir Ap 7.2 et note ● *b* Voir Ph 2.10 et note ● *c* Voir note sur Ap 3.7 (deuxième partie)

4.1 le ciel ouvert Ez 1.1 ; Mc 1.10 ; Jn 1.51 ; Ap 19.11. **4.2** le trône de Dieu 1 R 22.19 ; Ps 47.9 ; Es 6.1 ; Ez 1.26-27 ; 10.1 ; *Si* 1.8 ; Ap 4.9 ; 5.1, 7, 13 ; 6.16 ; 7.10 ; 19.4 ; 21.5. **4.3** vision de la gloire divine Ez 1.26-28. **4.4** les anciens d'Israël Ex 3.16 ; 24.1, 9 ; Nb 11.16 ; 1 R 8.1 — vêtus de blanc Ap 3.4+ — couronne Ap 3.11. **4.5** des éclairs, des voix... Ex 19.16 ; Ez 1.13 ; Ap 8.5 ; 11.19 ; 16.18 — lampes ardentes Ez 1.13 ; Za 4.2 — sept esprits Ap 1.4+. **4.6** mer de cristal Ap 15.2 ; cf. Ex 24.10 ; Ez 1.22 — quatre animaux Ez 1.5-21 ; 10.14 ; Ap 19.4. **4.8** six ailes Es 6.2 — des yeux tout autour Ez 1.18 ; 10.12 — Saint, Saint, Saint Es 6.3 — Tout-Puissant Ap 1.8+ — Celui qui est, qui était et qui vient Ap 1.4+. **4.9** le trône de Dieu Ap 4.2+ — le Vivant Dn 4.31 ; 12.7. **5.1** livre écrit recto-verso Ez 2.9-10 — livre scellé Es 29.11. **5.5** le lion de Juda Gn 49.9 ; cf. He 7.14 — rejeton de David Es 11.1, 10 (Rm 15.12) ; Ap 22.16. **5.6** l'agneau immolé Ex 12.3-6 ; Es 53.7 ; 1 P 1.19-20 ; Ap 5.12 ; 13.8 ; 14.1.

Il avait sept cornes *d* et sept yeux qui sont les sept esprits de Dieu envoyés sur toute la terre.

[7] Il s'avança pour recevoir le livre de la main droite de celui qui siège sur le trône.

[8] Et, quand il eut reçu le livre, les quatre animaux et les vingt-quatre anciens se prosternèrent devant l'agneau.
Chacun tenait une harpe et des coupes d'or pleines de parfum,
qui sont les prières des *saints.

[9] Ils chantaient un cantique nouveau :
Tu es digne de recevoir le livre et d'en rompre les sceaux,
car tu as été immolé,
et tu as racheté pour Dieu, par ton *sang,
des hommes de toute tribu, langue, peuple et nation.

[10] Tu en as fait, pour notre Dieu, un royaume et des *prêtres,
et ils régneront sur la terre.

[11] Alors je vis :
Et j'entendis la voix d'anges nombreux autour du trône, des animaux et des anciens.
Leur nombre était myriades de myriades et milliers de milliers.

[12] Ils proclamaient d'une voix forte :
Il est digne, l'agneau immolé,
de recevoir puissance, richesse, sagesse,
force, honneur, gloire et louange.

[13] Et toute créature au ciel, sur terre, sous terre et sur mer,
tous les êtres qui s'y trouvent,
je les entendis proclamer :
A celui qui siège sur le trône et à l'agneau,
louange, honneur, gloire et pouvoir pour les *siècles des siècles.

[14] Et les quatre animaux disaient : *Amen !
Et les anciens se prosternèrent et adorèrent.

Ouverture des six premiers sceaux

6 [1] Alors je vis :
Quand l'agneau ouvrit le premier des sept sceaux, j'entendis le premier

des quatre animaux s'écrier d'une voix de tonnerre : Viens !

[2] Et je vis : c'était un cheval blanc.
Celui qui le montait tenait un arc.
Une couronne lui fut donnée,
et il partit en vainqueur et pour vaincre.

[3] Quand il ouvrit le deuxième sceau, j'entendis le deuxième animal s'écrier : Viens !

[4] Alors surgit un autre cheval, rouge-feu.
A celui qui le montait fut donné le pouvoir de ravir la paix de la terre pour qu'on s'entretue,
et il lui fut donné une grande épée.

[5] Quand il ouvrit le troisième sceau, j'entendis le troisième animal s'écrier : Viens !
Et je vis : c'était un cheval noir.
Celui qui le montait tenait une balance à la main.

[6] Et j'entendis comme une voix, au milieu des quatre animaux, qui disait :
Une *mesure de blé pour un denier *e* et trois mesures d'orge pour un denier, quant à l'huile et au vin, n'y touche pas.

[7] Quand il ouvrit le quatrième sceau, j'entendis le quatrième animal s'écrier : Viens !

[8] Et je vis : c'était un cheval blême.
Celui qui le montait, on le nomme « la mort » et *l'Hadès le suivait.
Pouvoir leur fut donné sur le quart de la terre,
pour tuer par l'épée, la famine, la mort et les fauves de la terre.

[9] Quand il ouvrit le cinquième sceau, je vis sous *l'autel les âmes de ceux qui avaient été immolés à cause de la parole de Dieu et du témoignage qu'ils avaient porté.

[10] Ils criaient d'une voix forte :
Jusques à quand, maître *saint et véritable,
tarderas-tu à faire justice,
et à venger notre *sang sur les habitants de la terre ?

[11] Alors il leur fut donné à chacun une robe blanche,
et il leur fut dit de patienter encore un peu,

---

d D'après Dt 33.17; Dn 7.7, 24, etc., la *corne* était symbole de puissance (cf. Ap 17.12) et, d'après Za 4.10, les *yeux* symboles de l'omniscience. Le chiffre *sept* est souvent symbole de plénitude et de totalité (cf. Rt 4.15) • *e* Voir au glossaire POIDS ET MESURES

5.8 les prières des saints Ps 141.2; Ap 8.3. **5.9** cantique nouveau Es 42.10; Ps 33.3; 40.4; 96.1; 98.1; 144.9; 149.1; Ap 14.3 — rachetés Ap 14.4. **5.10** un royaume et des prêtres Ap 1.6+ — ils régneront Rm 5.17; Ap 20.6; 22.5-6. **5.11** myriades Dn 7.10; He 12.22. **5.12** au Christ la puissance... l'honneur Ph 2.9-11. **6.2-5** les 4 cavaliers Za 1.8; 6.1-8; cf. Ap 19.11. **6.8** les 4 fléaux Ez 14.21; Jr 14.12; 15.2-3; Ez 5.16-17; 7.15; 14.12-21. **6.9** les martyrs Ap 9-17; 16.7; 20.4. **6.10** Dieu rend justice à ses serviteurs Dt 32.43; 2 R 9.7; Za 1.12; Ps 79.10; Lc 18.7; Ap 11.18; 18.20; 19.2. **6.11** une robe blanche Ap 3.4+.

jusqu'à ce que fût au complet le nombre de leurs compagnons de service et
de leurs frères,
qui doivent être mis à mort comme eux.

¹² Et je vis :
Quand il ouvrit le sixième sceau,
il se fit un violent tremblement de terre.
Le soleil devint noir comme une étoffe
de crin,
et la lune entière comme du sang.

¹³ Les étoiles du ciel tombèrent sur la terre,
comme fruits verts d'un figuier battu
par la tempête.

¹⁴ Le ciel se retira comme un livre qu'on
roule ᶠ,
toutes les montagnes et les îles furent
ébranlées.

¹⁵ Les rois de la terre, les grands, les chefs
d'armée,
les riches et les puissants,
tous, esclaves et hommes libres,
se cachèrent dans les cavernes et les
rochers des montagnes.

¹⁶ Ils disaient aux montagnes et aux
rochers :
Tombez sur nous et cachez-nous loin
de la face de celui qui siège sur le
trône,
et loin de la colère de l'agneau !

¹⁷ Car il est venu le grand *jour de
leur colère,
et qui peut subsister ?

Les 144 000, marqués du sceau de Dieu

7 ¹ Après cela, je vis quatre *anges
debout aux quatre coins de la terre.
Ils retenaient les quatre vents de la terre,
afin que nul vent ne souffle sur la terre,
sur la mer ni sur aucun arbre.

² Et je vis un autre ange monter de
l'Orient.
Il tenait le sceau ᵍ du Dieu vivant.
D'une voix forte il cria aux quatre
anges qui avaient reçu pouvoir de nuire
à la terre et à la mer :

³ Gardez-vous de nuire à la terre, à la
mer ou aux arbres,
avant que nous ayons marqué du sceau
le front des serviteurs de notre Dieu.

⁴ Et j'entendis le nombre de ceux qui
étaient marqués du sceau :
Cent quarante-quatre mille marqués du
sceau,
de toutes les bribus des fils d'Israël.

⁵ De la tribu de Juda douze mille marqués
du sceau,
De la tribu de Ruben douze mille,
de la tribu de Gad douze mille,

⁶ de la tribu d'Aser douze mille,
de la tribu de Nephtali douze mille,
de la tribu de Manassé douze mille,

⁷ de la tribu de Siméon douze mille,
de la tribu de Lévi douze mille,
de la tribu d'Issachar douze mille,
de la tribu de Zabulon douze mille,

⁸ de la tribu de Joseph douze mille
de la tribu de Benjamin douze mille
marqués du sceau.

La foule innombrable devant le trône

⁹ Après cela je vis :
C'était une foule immense que nul ne
pouvait dénombrer,
de toutes nations, tribus, peuples et
langues.
Ils se tenaient debout devant le trône
et devant l'agneau,
vêtus de robes blanches et des palmes
à la main.

¹⁰ Ils proclamaient à haute voix :
Le salut est à notre Dieu qui siège
sur le trône
et à l'agneau.

¹¹ Et tous les *anges rassemblés autour
du trône, des anciens et des quatre
animaux,
tombèrent devant le trône, face contre
terre,
et adorèrent Dieu.

¹² Ils disaient :
*Amen ! Louange, gloire, sagesse,
action de grâce, honneur, puissance
et force
à notre Dieu pour les *siècles des
siècles Amen !

¹³ L'un des *anciens prit alors la parole
et me dit :
Ces gens, vêtus de robes blanches, qui
sont-ils et d'où sont-ils venus ?

ᶠ Voir note sur Ap 5.1 ● ᵍ Petit instrument gravé en creux servant à marquer les objets personnels ou les lettres qu'on envoyait

6.12-14 signes cosmiques de la fin Es 13.10-13 ; 34.4 ; Ez 32.7-8 ; Am 8.9 ; Jl 2.10 ; 3.3-4 (Ac
2.17-20) ; Mt 24.29 par. ; Ap 8.12 ; 16.20 ; 20.11. **6.16** montagnes, tombez sur nous Es 2.19-21 ;
Os 10.8 ; Lc 23.30 ; cf. Ap 9.6. **6.17** jour de colère Ps 110.5 ; Jl 2.1, 11 ; 3.4 ; So 2.2-3 ; Rm 2.5.
7.1 les quatre coins de la terre Ez 7.2 ; Mt 24.31 — les quatre vents Jr 49.36 ; Ez 37.9 ; Za 6.5 ;
Dn 7.2. **7.3** le sceau de Dieu Ez 9.4-6 ; Ap 3.12 ; 9.4 ; 22.4 ; cf. 2 Co 1.22. **7.4** 144 000 Ap 14.1-3.
7.5 tribu de Juda Ap 5.5+. **7.9** vêtus de blanc Ap 3.4+. **7.11** les (24) anciens Ap 4.4, 10 ;
11.16 ; 19.4.

¹⁴ Je lui répondis : Mon Seigneur, tu le sais !

Il me dit : Ils viennent de la grande épreuve.

Ils ont lavé leurs robes et les ont blanchies dans le *sang de l'agneau.

¹⁵ C'est pourquoi ils se tiennent devant le trône de Dieu,

et lui rendent un culte jour et nuit dans son *temple.

Et celui qui siège sur le trône les abritera sous sa tente.

¹⁶ Ils n'auront plus faim,

ils n'auront plus soif,

le soleil et ses feux ne les frapperont plus,

¹⁷ car l'agneau qui se tient au milieu du trône sera leur berger,

il les conduira vers des sources d'eaux vives.

Et Dieu essuiera toute larme de leurs yeux.

Le septième sceau et l'encensoir d'or

8 ¹ Quand il ouvrit le septième sceau, il se fit dans le *ciel un silence d'environ une demi-heure...

² Et je vis les sept *anges qui se tiennent devant Dieu.

Il leur fut donné sept trompettes.

³ Un autre ange vint se placer près de *l'autel.

Il portait un encensoir d'or,

et il lui fut donné des parfums en grand nombre,

pour les offrir avec les prières de tous les *saints

sur l'autel d'or qui est devant le trône.

⁴ Et, de la main de l'ange,

la fumée des parfums monta devant Dieu,

avec les prières des saints.

⁵ L'ange alors prit l'encensoir,

il le remplit du feu de l'autel et le jeta sur la terre :

et ce furent des tonnerres, des voix, des éclairs et un tremblement de terre.

Les six premières trompettes

⁶ Les sept *anges qui tenaient les sept trompettes ʰ se préparèrent à en sonner.

⁷ Le premier fit sonner sa trompette : grêle et feu mêlés de sang tombèrent sur la terre ;

le tiers de la terre flamba,

le tiers des arbres flamba,

et toute végétation verdoyante flamba.

⁸ Le deuxième ange fit sonner sa trompette :

on eût dit qu'une grande montagne embrasée était précipitée dans la mer.

Le tiers de la mer devint du sang.

⁹ Le tiers des créatures vivant dans la mer périt,

et le tiers des navires fut détruit.

¹⁰ Le troisième ange fit sonner sa trompette :

et, du ciel, un astre immense tomba, brûlant comme une torche.

Il tomba sur le tiers des fleuves et sur les sources des eaux.

¹¹ Son nom est : Absinthe ⁱ.

Le tiers des eaux devint de l'absinthe, et beaucoup d'hommes moururent à cause des eaux qui étaient devenues amères.

¹² Le quatrième ange fit sonner sa trompette :

le tiers du soleil, le tiers de la lune et le tiers des étoiles furent frappés.

Ils s'assombrirent du tiers : le jour perdit un tiers de sa clarté et la nuit de même.

¹³ Alors je vis :

Et j'entendis un aigle qui volait au zénith proclamer d'une voix forte :

Malheur ! Malheur ! Malheur aux habitants de la terre,

à cause des sonneries de trompettes des trois anges qui doivent encore sonner !

9 ¹ Le cinquième ange fit sonner sa trompette :

je vis une étoile précipitée du ciel sur la terre.

ʰ Voir 1 Th 4.16: la trompette est souvent citée comme signal du jugement de Dieu ● ⁱ Plante contenant un principe amer et déjà connue en Israël comme vénéneuse (Am 6.12)

7.14 la grande épreuve Dn 12.1; Mt 24.21; Mc 13.19. **7.15** le trône de Dieu Ap 4.2+ — le temple de Dieu Ap 3.12; 11.1 — la tente de Dieu Ex 40; Es 4.5-6; Jn 1.14. **7.16-17** Es 49.10 — leur pasteur Ps 23.1; Ez 34.23; Jn 10.11, 14 — sources d'eaux vives Ps 23.2; Es 49.10; Jr 2.13; Jn 4.14 — Dieu séchera toute larme Es 25.8; 65.19; Ap 21.4. **8.1** silence Ha 2.20; So 1.7; Za 2.17; Sg 18.14. **8.2** trompettes du jugement Mt 24.31; 1 Co 15.20. **8.3** la prière comparée à l'encens Ps 141.2; Ap 5.8 — l'autel des parfums Ex 30.1-3; Ap 9.13. **8.5** des tonnerres, des voix... Ap 4.5+. **8.7** grêle et feu Ex 9.23-24; Ez 38.22; Sg 16.22. **8.8** chute de la montagne embrasée Jr 51.25 — changée en sang Ex 7.17-21; Ap 16.3-4. **8.10** chute des astres Es 14.12; Ap 9.1. **8.11** absinthe Am 5.7; 6.12; Jr 9.14. **8.12** obscurcissement des astres Ex.10.21-23; Sg 17; Ap 6.12-14+. **9.1** l'abîme Ap 11.7; 17.8; 20.1, 3; Lc 8.31.

Et il lui fut donné la clé du puits de
l'abîme.

2 Elle ouvrit le puits de l'abîme,
et il en monta une fumée, comme celle
d'une grande fournaise.
Le soleil en fut obscurci, ainsi que l'air.

3 Et, de cette fumée, des sauterelles *j* se
répandirent sur la terre.
Il leur fut donné un pouvoir pareil à
celui des scorpions *k* de la terre.

4 Il leur fut défendu de faire aucun tort
à l'herbe de la terre, à rien de ce qui
verdoie, ni à aucun arbre,
mais seulement aux hommes qui ne
portent pas sur le front le sceau de
Dieu.

5 Il leur fut permis non de les faire mourir, mais d'être leur tourment cinq mois
durant.
Et le tourment qu'elles causent est
comme celui de l'homme que blesse
un scorpion.

6 En ces jours-là, les hommes chercheront
la mort et ne la trouveront pas.
Ils souhaiteront mourir et la mort les
fuira.

7 Les sauterelles avaient l'aspect de chevaux équipés pour le combat,
sur leurs têtes on eût dit des couronnes
d'or,
et leurs visages étaient comme les visages humains.

8 Elles avaient des cheveux comme des
cheveux de femmes,
et leurs dents étaient comme des dents
de lion.

9 Elles semblaient être comme cuirassées
de fer,
et le bruit de leurs ailes était comme le
bruit de chars à plusieurs chevaux courant au combat.

10 Elles ont des queues comme celles des
scorpions, armées de dards,
et dans leurs queues réside leur pouvoir
de nuire aux hommes cinq mois durant.

11 Elles ont comme roi l'ange de l'abîme
qui se nomme, en hébreu, Abaddon et,
en grec, porte le nom d'Apollyon *l*.

12 Le premier « malheur » est passé :
voici, deux « malheurs » viennent encore à la suite.

13 Le sixième ange fit sonner sa trompette :
j'entendis une voix venant des cornes
de *l'autel d'or qui se trouve devant
Dieu.

14 Elle disait au sixième ange qui tenait
la trompette :
Libère les quatre anges qui sont enchaînés sur le grand fleuve Euphrate *m*.

15 On libéra les quatre anges qui se
tenaient prêts pour l'heure, le jour, le
mois et l'année où ils devaient mettre à
mort le tiers des hommes.

16 Et le nombre des troupes de la cavalerie
était : deux myriades de myriades.
J'en entendis le nombre.

17 Tels m'apparurent, dans la vision, les
chevaux et leurs cavaliers :
ils portaient des cuirasses de feu, d'hyacinthe et de soufre.
Les têtes des chevaux étaient comme
des têtes de lion,
et leurs bouches vomissaient le feu, la
fumée et le soufre.

18 Par ces trois fléaux, le feu, la fumée et
le soufre, que vomissaient leurs bouches,
le tiers des hommes périt.

19 Car le pouvoir des chevaux réside dans
leurs bouches ainsi que dans leurs
queues.
En effet leurs queues ressemblent à des
serpents,
elles ont des têtes et par là peuvent
nuire.

20 Quant au restant des hommes, ceux qui
n'étaient pas morts sous le coup des
fléaux,
ils ne se repentirent pas des œuvres de
leurs mains, ils continuèrent à adorer
les *démons, les idoles d'or ou d'argent,
de bronze, de pierre ou de bois, qui ne
peuvent ni voir, ni entendre, ni marcher.

21 Ils ne se repentirent pas de leurs meurtres ni de leurs sortilèges,
de leurs débauches ni de leurs vols.

L'ange et le petit livre ouvert

10 1 Et je vis un autre *ange puissant
qui descendait du ciel.
Il était vêtu d'une nuée,
une gloire *n* nimbait son front,

---

j Insectes volant en colonies innombrables et dévorant toute la végétation des zones où ils
s'arrêtent ● *k* Petit animal des régions chaudes muni d'un dard venimeux à l'extrémité de la queue
● *l* Abaddon: en hébreu *perdition, destruction* — Apollyon: en grec *destructeur* ● *m* Grand
fleuve de Mésopotamie qui marqua la frontière orientale de l'empire romain. Il traverse l'Irak
d'aujourd'hui ● *n* Voir Ap 4.3 et note

9.2 fournaise Gn 19.28; Ex 19.18. **9.3** sauterelles Ex 10.12-15; Jl 1-2; Sg 16.9. **9.4** le sceau de
Dieu Ap 7.3+. **9.6** ils chercheront la mort Jb 3.21; Ap 6.16+. **9.13** l'autel d'or Ap 8.3+. **9.20**
culte rendu aux démons Dt 32.17; 1 Co 10.19-20 — les idoles d'or ou d'argent Ps 115.4-7;
135.15-17; Dn 5.4,23. **9.21** ils ne se repentirent pas Ap 16.9, 11, 21.

son visage était comme le soleil,
et ses pieds comme des colonnes de feu.
2 Il tenait dans la main un petit livre
ouvert.
Il posa le pied droit sur la mer, le pied
gauche sur la terre,
3 et cria d'une voix forte, comme rugit
un lion.
Quand il eut crié, les sept tonnerres
firent retentir leurs voix :
4 Et quand les sept tonnerres eurent
retenti, comme j'allais écrire,
j'entendis une voix qui, du ciel, me
disait :
Garde secret le message des sept tonnerres et ne l'écris pas.
5 Et l'ange que j'avais vu debout sur la
mer et sur la terre,
leva la main droite vers le ciel 6 et jura,
par celui qui vit pour les *siècles des
siècles,
qui a créé le ciel et ce qui s'y trouve,
la terre et ce qui s'y trouve,
la mer et ce qui s'y trouve :
il n'y aura plus de délai.
7 Mais aux jours où l'on entendra le septième ange, quand il commencera de
sonner de sa trompette, alors sera
l'accomplissement du *mystère de Dieu,
comme il en fit l'annonce à ses serviteurs les *prophètes.
8 Et la voix que j'avais entendue venant
du ciel, me parla de nouveau et dit :
Va, prends le livre ouvert dans la main
de l'ange qui se tient debout sur la mer
et sur la terre.
9 Je m'avançai vers l'ange et le priai de
me donner le petit livre.
Il me dit : Prends et mange-le.
Il sera amer à tes entrailles,
mais dans ta bouche il aura la douceur
du miel.
10 Je pris le petit livre de la main de
l'ange et le mangeai.
Dans ma bouche il avait la douceur
du miel.

mais quand je l'eus mangé, mes entrailles en devinrent amères.
11 Et l'on me dit :
Il te faut à nouveau prophétiser sur des
peuples, des nations, des langues o et
des rois en grand nombre.

Les deux témoins

11 1 Alors on me donna un roseau
semblable à une règle d'arpenteur,
et l'on me dit : Lève-toi et mesure le
*temple de Dieu
et *l'autel et ceux qui y adorent.
2 Mais le parvis extérieur du temple,
laisse-le de côté et ne le mesure pas,
car il a été livré aux nations qui
fouleront aux pieds la cité sainte pendant quarante-deux mois p.
3 Et je donnerai à mes deux témoins de
*prophétiser, vêtus de sacs q, mille deux
cent soixante jours.
4 Ce sont les deux oliviers et les deux
chandeliers qui se tiennent devant le
Seigneur de la terre.
5 Si quelqu'un veut leur nuire, un feu
sort de leur bouche et dévore leurs
ennemis.
Oui, si quelqu'un voulait leur nuire,
ainsi lui faudrait-il mourir.
6 Ils ont pouvoir de fermer le ciel,
et nulle pluie n'arrose les jours de leur
prophétie.
Ils ont pouvoir de changer les eaux
en sang,
et de frapper la terre de maints fléaux,
autant qu'ils le voudront.
7 Mais quand ils auront fini de rendre
témoignage,
la bête qui monte de l'abîme leur fera
la guerre, les vaincra et les fera périr.
8 Leurs corps resteront sur la place de
la grande cité qu'on nomme symboliquement Sodome et Egypte, là même
où leur Seigneur a été crucifié.
9 Des peuples, des tribus, des langues et

---

o Voir Ap 5.9 ● p Trois ans et demi = la moitié de 7 ans = 1260 jours (v. 3) ● q Voir Jr 6.26;
Jon 3.8. Le *sac :* tenue de *deuil* et de repentance

10.2 livre ouvert Ez 2.8-3.3. **10.3** rugissement du lion Os 11.10; Am 1.2; 3.8. **10.4** garde secret
Dn 8.26; 12.4, 9; cf. Ap 22.10. **10.5** le serment de l'ange Dn 12.7 — qui a créé le ciel et la terre
Gn 14.19, 22; Ex 20.11; Ps 146.6; Ne 9.6; Ac 4.24; Ap 14.7. **10.7** le mystère de Dieu Rm 16.25;
1 Co 2.7; Ep 1.9; 3.3-5; 3.9; 6.19; Col 1.26-27; 2.2; 4.3 — ses serviteurs les prophètes Am 3.7;
Za 1.6; Dn 9.6, 10; Ap 11.18. **10.10** la douceur du miel Ez 3.3. **10.11** prophétiser sur des
peuples Jr 1.10; 25.30. **11.1** une règle d'arpenteur Ez 40.3; Za 2.5-6; Ap 21.15. **11.2** la cité sainte
foulée aux pieds Ps 79.1; Es 63.18; Lc 21.24 — quarante-deux mois = 3 ans 1/2 = 1260 jours
Dn 7.25; 12.7; Ap 12.6, 14; 13.5. **11.4** deux oliviers Za 4.3, 11-14. **11.5** un feu 2 S 22.9; 2 R
1.10, 14; Ps 97.3; Jr 5.14. **11.6** pouvoir de fermer le ciel 1 R 17.1; Jc 5.17 — eaux changées en
sang Ap 8.8+. **11.7** la bête qui monte de l'abîme Dn 7.3; Ap 13.1; 17.8 fera la guerre aux
saints Dn 7.7, 21; Ap 12.17; 13.7. **11.8** Sodome (dépravation) Gn 18-19; Dt 29.22; 32.32; Es
1.9-10; Jr 23.14; Ez 16.46 — Egypte (oppression et idolâtrie) Ex 13.14; Es 19.1-3; *Sg* 11.15-16;
12.23-27; 15.16.

des nations, on viendra pour regarder leurs corps pendant trois jours et demi, et sans leur accorder de sépulture.

10 Les habitants de la terre se réjouiront à leur sujet, ils seront dans la joie, ils échangeront des présents, car ces deux prophètes leur avaient causé bien des tourments.

11 Mais après ces trois jours et demi, un souffle de vie, venu de Dieu, entra en eux et ils se dressèrent.
Alors une grande frayeur tomba sur ceux qui les regardaient.

12 Ils entendirent une voix forte qui, du ciel, leur disait :
Montez ici.
Et ils montèrent au ciel dans la nuée, sous les yeux de leurs ennemis.

13 A l'heure même il se fit un violent tremblement de terre,
le dixième de la cité s'écroula et sept mille personnes périrent dans cette catastrophe.
Les survivants, saisi d'effroi, rendirent gloire au Dieu du ciel.

14 Le deuxième « malheur » est passé.
Voici, le troisième « malheur » vient bientôt.

La septième trompette

15 Le septième *ange fit sonner sa trompette :
il y eut dans le ciel de grandes voix qui disaient :
Le royaume du monde est maintenant à notre Seigneur et à son Christ ; il régnera pour les *siècles des siècles.

16 Les vingt-quatre *anciens qui, devant Dieu, siègent sur leurs trônes tombèrent face contre terre,
et adorèrent Dieu 17 en disant :
Nous te rendons grâces. Seigneur Dieu Tout-Puissant,
qui es et qui étais,
car tu as exercé ta grande puissance,
et tu as établi ton règne.

18 Les nations se sont mises en colère, mais c'est ta colère qui est venue.
C'est le temps du jugement pour les morts,
le temps de la récompense pour tes serviteurs les *prophètes,
les *saints et ceux qui craignent ton *nom, petits et grands,
le temps de la destruction pour ceux qui détruisent la terre.

19 Et le *temple de Dieu dans le ciel s'ouvrit,
et l'arche de *l'alliance apparut dans son temple.
Alors il y eut des éclairs, des voix, des tonnerres, un tremblement de terre et une forte grêle.

La femme et le dragon

12 1 Un grand *signe apparut dans le ciel :
une femme, vêtue du soleil, la lune sous les pieds, et sur la tête une couronne de douze étoiles.

2 Elle était enceinte et criait dans le travail et les douleurs de l'enfantement.

3 Alors un autre signe apparut dans le ciel :
C'était un grand dragon rouge-feu.
Il avait sept têtes et dix cornes r, et sur ses têtes, sept diadèmes.

4 Sa queue, qui balayait le tiers des étoiles du ciel, les précipita sur la terre.
Le dragon se posta devant la femme qui allait enfanter, afin de dévorer l'enfant dès sa naissance.

5 Elle mit au monde un fils, un enfant mâle ;
c'est lui qui doit mener paître toutes les nations avec une verge de fer.
Et son enfant fut enlevé auprès de Dieu et de son trône.

6 Alors la femme s'enfuit au désert, où Dieu lui a fait préparer une place, pour qu'elle y soit nourrie mille deux cent soixante jours.

7 Il y eut alors un combat dans le *ciel : Michaël et ses *anges combattirent contre le dragon.
Et le dragon lui aussi combattait avec ses anges,

8 mais il n'eut pas le dessus :

---

r Voir Ap 5.6 et note

11.11 réanimés par Dieu Ez 37.5, 10.   11.12 ascension 2 R 2.11.   11.15 le règne du Seigneur Ex 15.18 ; Ps 2.2 ; 10.16 ; 22.28-29 ; Dn 2.44 ; 7.14 ; Ab 21 ; Za 14.9 ; Ap 12.10 ; 19.6.   11.16 24 anciens Ap 7.11+.   11.17 qui est, qui était Ap 1.4+ — Tout-Puissant Ap 1.8+.   11.18 colère des nations Ps 2.1 ; 46.7 — tes serviteurs les prophètes Ap 10.7+ — ceux qui craignent ton nom Ps 115.13.   11.19 arche de l'alliance Ex 25.10 ; 1 R 8.1, 6 ; 2 Ch 5.7 ; 2 M 2.5 ; Ap 15.5 — des éclairs, des voix... Ap 4.5+.   12.1 vêtue du soleil Ps 104.2 ; Ct 6.10.   12.2 enfantement Es 66.7-8 ; Mi 4.9-10.   12.3 dragon Dn 7.7.   12.4 étoiles jetées à terre Dn 8.10.   12.5 elle mit au monde un fils Es 7.14 ; 66.7 — une verge de fer Ps 2.9 (Ap 2.27 ; 19.15).   12.6 1260 jours Ap 11.2+.   12.7 Michaël Dn 10.13, 21 ; 12.1 ; Jude 9.

il ne se trouva plus de place pour eux dans le ciel.

9 Il fut précipité le grand dragon, l'antique serpent, celui qu'on nomme *Diable et Satan, le séducteur du monde entier,
il fut précipité sur la terre et ses anges avec lui.

10 Et j'entendis une voix forte qui, dans le ciel, disait :
Voici le temps du salut,
de la puissance et du règne de notre Dieu,
et de l'autorité de son Christ ;
car il a été précipité l'accusateur[s] de nos frères,
celui qui les accusait devant notre Dieu, jour et nuit.

11 Mais eux, ils l'ont vaincu par le *sang de l'agneau, et par la parole dont ils ont rendu témoignage : Ils n'ont pas aimé leur vie jusqu'à craindre la mort.

12 C'est pourquoi soyez dans la joie, vous les cieux, et vous qui y avez votre demeure !
Malheur à vous, la terre et la mer, car le diable est descendu vers vous, emporté de fureur,
sachant que peu de temps lui reste.

13 Quand le dragon se vit précipité sur la terre, il se lança à la poursuite de la femme qui avait mis au monde l'enfant mâle.

14 Mais les deux ailes du grand aigle furent données à la femme,
pour qu'elle s'envole au désert, au lieu qui lui est réservé pour y être nourrie, loin du serpent, un temps, des temps et la moitié d'un temps[t].

15 Alors le serpent vomit comme un fleuve d'eau derrière la femme pour la faire emporter par les flots.

16 Mais la terre vint au secours de la femme :
la terre s'ouvrit et engloutit le fleuve vomi par le dragon.

17 Dans sa fureur contre la femme, le dragon porta le combat contre le reste de sa descendance,

ceux qui observent les commandements de Dieu et gardent le témoignage de Jésus.

18 Puis il se posta sur le sable de la mer.

Les deux bêtes

13 ¹ Alors, je vis monter de la mer une bête qui avait dix cornes[u] et sept têtes,
sur ses cornes dix diadèmes et sur ses têtes un nom *blasphématoire.

2 La bête que je vis ressemblait au léopard,
ses pattes étaient comme celles de l'ours,
et sa gueule comme la gueule du lion.
Et le dragon lui conféra sa puissance, son trône et un pouvoir immense.

3 L'une de ses têtes était comme blessée à mort,
mais sa plaie mortelle fut guérie.
Emerveillée, la terre entière suivit la bête.

4 Et l'on adora le dragon parce qu'il avait donné le pouvoir à la bête,
et l'on adora la bête en disant :
qui est comparable à la bête et qui peut la combattre ?

5 Il lui fut donné une bouche pour proférer arrogances et blasphèmes,
et il lui fut donné pouvoir d'agir pendant quarante-deux mois[r].

6 Elle ouvrit sa bouche en blasphèmes contre Dieu,
pour blasphémer son *nom, son tabernacle et ceux dont la demeure est dans le *ciel.

7 Il lui fut donné de faire la guerre aux *saints et de les vaincre,
et lui fut donné le pouvoir sur toute tribu, peuple, langue et nation.

8 Ils l'adoreront, tous ceux qui habitent la terre,
tous ceux dont le nom n'est pas écrit, depuis la fondation du monde,
dans le livre de *vie de l'agneau immolé.

9 Que celui qui a des oreilles entende :
10 Qui est destiné à la captivité, ira en captivité.

---

s C'est le sens étymologique du nom *Satan* • t Soit trois temps (ou trois ans) et demi. Voir Ap 11.2 et note • u Voir Ap 5.6 et note; 17.3, 7-12 • v Voir Ap 11.2 et note

12.9 le serpent originel Gn 3.1-5, 15; Ap 20.2 — Satan précipité sur terre Ap 8.10+; Lc 10.18; Jn 12.31. 12.10 l'accusateur Jb 1.9-11; Za 3.1-2. 12.12 joie des cieux Es 44.23; 49.13; Jr 51.48; Ps 96.11; Ap 18.20. 12.14 des ailes d'aigle Ex 19.4; Dt 32.11; Es 40.31 — trois temps et demi Ap 11.2+. 12.17 contre sa descendance Gn 3.15; cf. Dn 7.21; Ap 11.7 — le témoignage de Jésus Ap 1.2+. 13.1 la bête qui monte de l'abîme Ap 11.7+. 13.2 la bête Dt 7.4-6; Ap 17.3, 7-12. 13.5 arrogance de la bête Dn 7.8, 11, 20, 25; 11.27 — 42 mois Ap 11.2+. 13.7 guerre aux saints Ap 11.7+. 13.8 ils l'adoreront v. 12; 14.9-11; 16.2; 19.20; 20.4 — le livre de vie Ap 3.5+ — l'agneau immolé Ap 5.6+. 13.10 la captivité, le glaive Jr 15.2; 43.11 — persévérance Ap 14.12.

Qui est destiné à périr par le glaive,
périra par le glaive *w*.

C'est l'heure de la persévérance et de la
foi des saints.

11 Alors je vis monter de la terre une
autre bête.

Elle avait deux cornes comme un
agneau,

mais elle parlait comme un dragon.

12 Tout le pouvoir de la première bête,
elle l'exerce sous son regard.

Elle fait adorer par la terre et ses habitants la première bête dont la plaie mortelle a été guérie.

13 Elle accomplit de grands prodiges, jusqu'à faire descendre du ciel, aux yeux
de tous, un feu sur la terre.

14 Elle séduit les habitants de la terre
par les prodiges qu'il lui est donné
d'accomplir sous le regard de la bête.

Elle les incite à dresser une image en
l'honneur de la bête qui porte la blessure du glaive et qui a repris vie.

15 Il lui fut donné d'animer l'image de la
bête, de sorte qu'elle ait même la parole
et fasse mettre à mort quiconque n'adorerait pas l'image de la bête.

16 A tous, petits et grands, riches et pauvres, hommes libres et esclaves, elle
impose une marque sur la main droite
ou sur le front.

17 Et nul ne pourra acheter ou vendre,
s'il ne porte la marque, le nom de la
bête ou le chiffre de son nom *x*. Celui
qui a de l'intelligence, qu'il interprète le
chiffre de la bête.

18 C'est le moment d'avoir du discernement :

car c'est un chiffre d'homme :

et son chiffre est six cent soixante-six.

L'Agneau et les rachetés

14 1 Et je vis :
L'agneau était debout sur la monta-

gne de *Sion,

et avec lui les cent quarante-quatre
mille qui portent son nom et le nom
de son père écrits sur leurs fronts.

2 Et j'entendis une voix venant du ciel,
comme la voix des océans,
comme le grondement d'un fort coup de
tonnerre,
et la voix que j'entendis était comme
le chant de joueurs de harpe touchant
de leurs instruments.

3 Ils chantaient un cantique nouveau,
devant le trône, devant les quatre animaux et les anciens.

Et nul ne pouvait apprendre ce cantique,
sinon les cent quarante-quatre mille, les
rachetés de la terre.

4 Ils ne se sont pas souillés avec des
femmes, car ils sont vierges.

Ils suivent l'agneau partout où il va.

Ils ont été rachetés d'entre les hommes
comme *prémices pour Dieu et pour
l'agneau,

5 et dans leur bouche ne s'est point trouvé
de mensonge *y* : ils sont irréprochables.

Les trois anges messagers

6 Et je vis un autre *ange qui volait au
zénith.

Il avait un *évangile éternel à proclamer à ceux qui résident sur la terre :
à toute nation, tribu, langue et peuple.

7 Il disait d'une voix forte :
Craignez Dieu et rendez-lui gloire,
car elle est venue, l'heure de son jugement.

Adorez le créateur du ciel et de la
terre, de la mer et des sources d'eaux.

8 Et un autre, un second ange, le suivit
et dit :
Elle est tombée, elle est tombée, Babylone la grande *z*,

---

w Autre texte: *Si quelqu'un emmène en captivité, il ira lui-même en captivité; si quelqu'un tue par
le glaive, il sera lui-même tué par le glaive* ● *x* Le chiffre d'un nom était obtenu en additionnant
les valeurs numériques attribuées aux lettres qui le constituent ● *y* Voir Jr 10.14; Rm 1.25 où
mensonge est en relation avec le culte des faux-dieux ● *z* Ancienne capitale de l'empire babylonien, la ville disparaît de l'histoire au IIe siècle av. J.C. Comme en 1 P 5.13 l'appellation a
donc ici valeur de symbole et pourrait désigner Rome

13.11 comme un agneau Mt 7.15; Ap 16.13; 19.20; 20.10. **13.13-14** prodiges séducteurs Dt 13.2-4;
Mt 24.24; 2 Th 2.3, 9 — feu descendant du ciel 1 R 18.24-39. **13.15** quiconque n'adorera pas
l'image Dn 3.5-7, 15. **13.16** la marque de la bête Ap 14.9, 11; 16.2; 19.20; 20.4. **13.18** avoir du
discernement Ap 17.9. **14.1** l'agneau Ap 5.6+ — la montagne de Sion Ps 2.6; Jl 3.5; Ab 17
— 144 000 Ap 7.4+ — qui portent son nom Ap 3.12+. **14.2** la voix des océans Ap 1.15. **14.3** cantique nouveau Ap 5.9+ — quatre animaux Ap 4.6+ —anciens Ap 4.4+; 7.11+. **14.4** rachetés
Ap 5.9 — prémices Jr 2.3; Rm 16.5; 1 Co 16.15. **14.5** mensonge Ps 32.2; Es 53.9; So 3.13. **14.7** le
créateur Ap 10.5+. **14.8** Babylone Es 46.1-2; 47.1-15; Jr 50.29-32; 51.44-56; Za 5.5-11; Dn 4.27;
Ap 16.19; 17.5; 18.10-21 — elle est tombée Es 21.9; Jr 51.8; Ap 18.2 — le vin de sa prostitution
Jr 51.7; Ap 17.2; 18.3.

elle qui a abreuvé toutes les nations du vin de sa fureur de prostitution.

⁹ Et un autre, un troisième ange, les suivit et dit d'une voix forte :
Si quelqu'un adore la bête et son image, s'il en reçoit la marque sur le front ou sur la main,

¹⁰ il boira lui aussi du vin de la fureur de Dieu,
versé sans mélange dans la coupe de sa colère,
et il connaîtra les tourments dans le feu et le soufre ᵃ,
devant les *saints anges et devant l'agneau.

¹¹ La fumée de leur tourment s'élève aux siècles des siècles,
et ils n'ont de repos ni le jour ni la nuit,
ceux qui adorent la bête et son image, et quiconque reçoit la marque de son nom.

¹² C'est l'heure de la persévérance des *saints qui gardent les commandements de Dieu et la foi en Jésus.

¹³ Et j'entendis une voix qui, du ciel, disait : Ecris :
Heureux dès à présent ceux qui sont morts dans le Seigneur ᵇ !
Oui, dit l'Esprit, qu'ils se reposent de leurs labeurs, car leurs œuvres les suivent.

Moisson et vendange de la terre

¹⁴ Et je vis :
C'était une nuée blanche, et sur la nuée siégeait comme un fils d'homme.
Il avait sur la tête une couronne d'or et dans la main une faucille tranchante.

¹⁵ Puis un autre ange sortit du *temple et cria d'une voix forte à celui qui siégeait sur la nuée :
Lance ta faucille et moissonne.
L'heure est venue de moissonner, car la moisson de la terre est mûre.

¹⁶ Alors celui qui siégeait sur la nuée jeta

sa faucille sur la terre, et la terre fut moissonnée.

¹⁷ Puis un autre ange sortit du temple céleste.
Il tenait, lui aussi, une faucille tranchante.

¹⁸ Puis un autre ange sortit de *l'autel.
Il avait pouvoir sur le feu et cria d'une voix forte à celui qui tenait la faucille tranchante :
Lance ta faucille tranchante et vendange les grappes de la vigne de la terre, car ses raisins sont mûrs.

¹⁹ Et l'ange jeta sa faucille sur la terre, il vendangea la vigne de la terre, et jeta la vendange dans la grande cuve de la colère de Dieu.

²⁰ On foula la cuve hors de la cité, et de la cuve sortit du sang qui monta jusqu'aux mors des chevaux sur une étendue de mille six cents stades ᵇᵇ.

Les sept anges et les sept fléaux

15 ¹ Et je vis dans le ciel un autre *signe, grand et merveilleux :
Sept *anges tenaient sept fléaux, les derniers, car en eux s'accomplit la colère de Dieu.

² Et je vis comme une mer de cristal mêlée de feu.
Debout sur la mer de cristal, les vainqueurs de la bête, de son image et du chiffre de son nom, tenaient les harpes de Dieu.

³ Ils chantaient le cantique de Moïse, le serviteur de Dieu, et le cantique de l'agneau :
Grandes et admirables sont tes œuvres,
Seigneur Dieu Tout-Puissant.
Justes et véritables sont tes voies, Roi des nations.

⁴ Qui ne craindrait, Seigneur, et ne glorifierait ton *nom ?
car toi seul es saint.

---

a Minéral de couleur jaune, dont la combustion produit une fumée suffocante ● *b* Les mots *dès à présent* peuvent aussi être rattachés à *ceux qui meurent dans le Seigneur*, ou encore à *ils se reposent* ● *bb* Voir au glossaire POIDS ET MESURES

14.9 marques de la bête Ap 13.16+. **14.10** la coupe de sa colère Ps 75.9; Es 51.17, 22; Jr 25.15; Ap 15.7; 16.19 — feu et soufre Gn 19.24; Ps 11.6; Ez 38.22; Ap 19.20; 20.10, 15; 21.8. **14.11** Es 34.10 (Ap 19.3) — ceux qui adorent la bête Ap 13.8+. **14.12** l'heure de la persévérance Ap 13.10 — ceux qui gardent les commandements Ap 12.17. **14.13** ils se reposent He 4.10. **14.14** comme un fils d'homme Ap 1.13+. **14.15** la moisson Jl 4.13; Mt 13.39-40. **14.19** cuve de la colère Es 63.1-6; Lm 1.15; Ap 19.15. **15.1** sept anges Ap 16.1; 17.1; 21.9 — sept fléaux Lv 16.21. **15.2** mer de cristal Ap 4.6 — image et chiffre de la bête Ap 13.16+. **15.3** le cantique de Moïse Ex 15.1-18 — grandes et admirables Ex 15.11; Ps 111.2-4; 139.14 — Tout-Puissant Ap 1.8+. **15.3-4** Roi des nations, qui ne craindrait Jr 10.7. **15.4** toutes les nations viendront Ps 86.9; Ml 1.11.

Toutes les nations viendront et se
prosterneront devant toi,
car tes jugements se sont manifestés.

⁵ Ensuite je vis :
Le *temple qui abritait le tabernacle
du témoignage s'ouvrit dans le ciel,

⁶ et les sept anges qui tenaient les sept
fléaux sortirent du temple ;
ils étaient vêtus d'un lin pur, resplendissant, la taille serrée de ceintures d'or.

⁷ L'un des quatre animaux donna aux
sept anges sept coupes d'or,
remplies de la colère du Dieu qui vit
aux *siècles des siècles.

⁸ Et le temple fut rempli de fumée à
cause de la gloire de Dieu et de sa
puissance.
Et personne ne pouvait entrer dans le
temple jusqu'à l'accomplissement des
sept fléaux des sept anges.

Les sept coupes

16 ¹ Et j'entendis une grande voix qui,
du *temple, disait aux sept *anges :
Allez et répandez sur la terre les sept
coupes de la colère de Dieu.

² Et le premier partit et répandit sa coupe
sur la terre. Un ulcère malin et pernicieux frappa les hommes qui portaient
la marque de la bête et qui adoraient
son image.

³ Le deuxième répandit sa coupe sur la
mer :
elle devint comme le sang d'un mort,
et tout ce qui, dans la mer, avait souffle de vie mourut.

⁴ Le troisième répandit sa coupe sur les
fleuves et les sources des eaux : ils
devinrent du sang.

⁵ Et j'entendis l'ange des eaux qui disait :
Tu es juste, toi qui es et qui étais, le
saint,
car tu as ainsi exercé ta justice.

⁶ Puisqu'ils ont répandu le sang des
*saints et des *prophètes,
c'est également du sang que tu leur
as donné à boire.
Ils le méritent !

⁷ Et j'entendis *l'autel qui disait :
Oui, Seigneur Dieu Tout-Puissant,
Tes jugements sont pleins de vérité et
de justice.

⁸ Le quatrième répandit sa coupe sur le
soleil :
et il lui fut donné de brûler les hommes par son feu.

⁹ Et les hommes furent brûlés par une
intense chaleur : ils *blasphémèrent le
*nom de Dieu qui a pouvoir sur ces
fléaux,
mais ils ne se repentirent pas pour lui
rendre gloire.

¹⁰ Le cinquième répandit sa coupe sur le
trône de la bête :
son royaume en fut plongé dans les
ténèbres.
Les hommes se mordaient la langue de
douleur ;

¹¹ ils blasphémèrent le Dieu du ciel à
cause de leurs souffrances et de leurs
ulcères.
mais ils ne se repentirent pas de leurs
œuvres.

¹² Le sixième répandit sa coupe sur le
grand fleuve Euphrate ᶜ :
l'eau en fut asséchée pour préparer la
voie aux rois qui viennent de l'Orient.

¹³ Alors, de la bouche du dragon, de la
bouche de la bête et de la bouche du
faux prophète, je vis sortir trois esprits
impurs, tels des grenouilles.

¹⁴ Ce sont, en effet, des esprits de *démons.
Ils accomplissent des prodiges et s'en
vont trouver les rois du monde entier,
afin de les rassembler pour le combat du
grand *jour du Dieu Tout-Puissant.

¹⁵ Voici, je viens comme un voleur.
Heureux celui qui veille et garde ses
vêtements, pour ne pas aller nu et
laisser voir sa honte.

¹⁶ Ils les rassemblèrent au lieu qu'on
appelle en hébreu Harmaguedon ᵈ.

¹⁷ Le septième répandit sa coupe dans les
airs,
et. du temple, sortit une voix forte venant du trône.

ᶜ Voir Ap 9.14 et note ● ᵈ C'est-à-dire *Montagne de Meguiddo*. La ville cananéenne de
Meguiddo, située au pied du mont Carmel, fut le théâtre de sanglantes batailles (Jg 5.19; 2 R 23.29

15.5 tabernacle du témoignage Ex 38.21 (demeure de la charte); 40.34; cf. Ap 11.19+. **15.7**
coupe de la colère Ap 14.10+. **15.8** le temple rempli de fumée Ex 40.34-35; 1 R 8.10-11;
Es 6.4. **16.1** voix venant du temple Es 66.6; Ap 16.17. **16.2** ulcère malin Ex 9.10; Dt 28.35
— marque de la bête Ap 13.16+ — image de la bête Ap 13.8+. **16.3-4** eaux changées en sang
Ap 8.8+. **16.5** tu es juste Dt 32.4; Ps 119.137; 145.17; Ap 15.3 — Celui qui est... Ap 1.4+.
16.6 le sang des saints et des prophètes Mt 23.35-37; Ap 17.6; 18.24; 19.2 — enivrés de sang
Es 49.26. **16.7** les martyrs sous l'autel Ap 6.9+ — jugements pleins de vérité Ps 19.10; 119.137;
Ap 19.2. **16.10** les ténèbres Ex 10.21-22; Es 8.21-22. **16.12** fleuve asséché Es 11.15; 44.27;
Jr 50.38; 51.36. **16.15** comme un voleur Ap 3.3+.

Elle dit : c'en est fait !

18 Alors ce furent des éclairs, des voix et des tonnerres, et un tremblement de terre si violent qu'il n'en fut jamais de pareil depuis que l'homme est sur la terre.

19 La grande cité se brisa en trois parties et les cités des nations s'écroulèrent.
Alors, Dieu se souvint de Babylone la grande,
pour lui donner la coupe où bouillonne le vin de sa colère.

20 Toutes les îles s'enfuirent et les montagnes disparurent.

21 Des grêlons lourds comme des talents *ᵉ* tombèrent du ciel sur les hommes,
et les hommes blasphémèrent Dieu à cause du fléau de la grêle,
car ce fléau était particulièrement redoutable.

La grande prostituée et la bête écarlate

17 ¹ Et l'un des sept *anges qui tenaient les sept coupes s'avança et me parla en ces termes :
Viens, je te montrerai le jugement de la grande prostituée qui réside au bord des océans :

² Avec elle les rois de la terre se sont prostitués *ᶠ*,
et les habitants de la terre se sont enivrés du vin de sa prostitution.

³ Alors il me transporta en esprit au désert.
Et je vis une femme assise sur une bête écarlate, couverte de noms *blasphématoires, et qui avait sept têtes et dix cornes.

⁴ La femme, vêtue de pourpre et d'écarlate *ᵍ*, étincelait d'or, de pierres précieuses et de perles.
Elle tenait dans sa main une coupe d'or pleine d'abominations : les souillures de sa prostitution.

⁵ Sur son front un nom était écrit, *mystérieux :
Babylone la grande, mère des prostitués et des abominations de la terre.

⁶ Et je vis la femme ivre du *sang des *saints et du sang des témoins de Jésus.
A sa vue je restai confondu.

⁷ Alors l'ange me dit : pourquoi cette stupeur ?
Je te dirai le *mystère de la femme et de la bête aux sept têtes et aux dix cornes qui la porte.

⁸ La bête que tu as vue était, mais elle n'est plus.
Elle va monter de l'abîme et s'en aller à la perdition. Et les habitants de la terre,
dont le nom n'est pas écrit, depuis la fondation du monde, dans le livre de *vie,
s'étonneront en voyant la bête,
car elle était, n'est plus, mais reviendra.

⁹ C'est le moment d'avoir l'intelligence que la sagesse éclaire :
les sept têtes sont les sept montagnes où réside la femme.
Ce sont aussi sept rois.

10 Cinq d'entre eux sont tombés, le sixième règne, le septième n'est pas encore venu, mais quand il viendra, il ne demeurera que peu de temps.

11 La bête qui était et qui n'est plus, est elle-même un huitième roi.
Elle est du nombre des sept et s'en va à la perdition.

12 Les dix cornes que tu as vues sont dix rois qui n'ont pas encore reçu la royauté,
mais, pour une heure, ils partageront le pouvoir royal avec la bête.

13 Ils n'ont qu'un seul dessein : mettre au service de la bête leur puissance et leur pouvoir.

14 Ils combattront l'agneau et l'agneau les vaincra, car il est Seigneur des seigneurs et Roi des rois, et avec lui les appelés, les élus et les fidèles vaincront aussi.

15 Puis il me dit : les eaux que tu as vues, là où réside la prostituée,
ce sont des peuples, des foules, des nations et des langues.

16 Les dix cornes que tu as vues et la bête haïront la prostituée,

---

e talent : voir au glossaire POIDS ET MESURES ● *f* Comparer Ap 2.20 et la note (2ᵉ partie) ● *g la pourpre* et *l'écarlate :* deux teintures de luxe. Ces appellations étaient étendues aux vêtements de ces teintes

16.18 des éclairs, des voix... Ap 4.5+. **16.19** coupe de la colère Ap 14.10+. **16.20** signes cosmiques de la fin Ap 6.12-14+. **16.21** grêlons Ex 9.24; Ap 11.19. **17.1** sept anges Ap 15.1+ — la prostituée Es 1.21; 23.16-18; Ez 16.15-63; Os 2; 5.3; Na 3.4 — assise au bord des eaux Jr 51.13; Ap 17.15. **17.2** vin de prostitution Ap 14.8+. **17.3** la bête Ap 13.2+. **17.4** parure de la prostituée Ez 28.13; Ap 18.16. **17.6** le sang des prophètes et des saints Ap 16.6+. **17.8** la bête qui monte de l'abîme Ap 11.7+ — le livre de vie Ap 3.5+. **17.9** avoir l'intelligence Ap 13.18. **17.12** dix rois Dn 7.24. **17.14** Seigneur des seigneurs Dt 10.17; Dn 2.47; 1 Tm 6.16; Ap 19.16. **17.16** elles la rendront solitaire Es 47.8-9; Ez 16.39-41 — brûlée au feu Lv 21.9; Ap 18.8.

elles la rendront solitaire et nue.
Elles mangeront ses chairs et la brûleront au feu.
¹⁷ Car Dieu leur a mis au cœur de réaliser
son dessein, un même dessein : mettre
leur royauté au service de la bête jusqu'à l'accomplissement des paroles de
Dieu.
¹⁸ Et la femme que tu as vue, c'est la
grande cité qui règne sur les rois de
la terre.

La chute de Babylone

18 ¹ Je vis ensuite un autre *ange descendre du ciel. Il avait un grand
pouvoir et la terre fut illuminée de sa
gloire.
² Il s'écria d'une voix forte :
Elle est tombée, elle est tombée, Babylone la grande ; elle est devenue demeure de *démons, repaire de tous les esprits impurs, repaire de tous les oiseaux
impurs et odieux.
³ Car elle a abreuvé toutes les nations
du vin de la fureur de prostitution :
les rois de la terre se sont prostitués
avec elle,
et les marchands de la terre se sont
enrichis de la puissance de son luxe.
⁴ Et j'entendis une autre voix qui, du
ciel, disait :
Sortez de cette cité, ô mon peuple,
de peur de participer à ses péchés,
et de partager les fléaux qui lui sont
destinés.
⁵ Car ses péchés se sont accumulés jusqu'au ciel,
et Dieu s'est souvenu de ses injustices.
⁶ Payez-la de sa propre monnaie,
rendez-lui au double ce qu'elle a fait.
Dans la coupe où elle a mêlé ses vins,
mêlez-en pour elle le double.
⁷ Autant elle s'est complu dans la gloire
et le luxe,
autant rendez-lui de tourment et de
deuil.
Puisqu'elle dit en son cœur :
je trône en reine et ne suis point veuve,
jamais je ne verrai le deuil.

⁸ à cause de cela, viendront sur elle, en
un seul jour, les fléaux qui lui sont
destinés :
mort, deuil, famine, et elle sera consumée par le feu.
Car puissant est le Seigneur Dieu qui
l'a jugée.
⁹ Alors ils pleureront et se lamenteront
sur elle, les rois de la terre qui ont
partagé sa prostitution et son luxe,
quand ils verront la fumée de son embrasement.
¹⁰ Ils se tiendront à distance par crainte
de son tourment, et ils diront : Malheur ! Malheur !
O grande cité, Babylone cité puissante,
il a suffi d'une heure pour que tu sois
jugée !
¹¹ Et les marchands de la terre pleurent
et prennent son deuil,
car nul n'achète plus leurs cargaisons,
¹² cargaisons d'or et d'argent, de pierres
précieuses et de perles,
de lin et de pourpre, de soie et d'écarlate ʰ,
bois de senteur, objets d'ivoire, de bois
précieux, de bronze, de fer ou de marbre,
¹³ cannelle et amome, parfums, myrrhe et
encens ⁱ,
le vin et l'huile, la fleur de farine et le
blé,
les bœufs et les brebis, les chevaux et
les chars,
les esclaves et les captifs ʲ.
¹⁴ Le fruit que désirait ton âme s'en est
allé loin de toi. Tout ce qui est raffine-
ment et splendeur est perdu pour toi.
Jamais plus on ne le retrouvera.
¹⁵ Les marchands qu'elle avait enrichis de
ce commerce, se tiendront à distance
par crainte de son tourment.
Dans les pleurs et le deuil, ¹⁶ ils diront :
Malheur ! Malheur !
La grande cité, vêtue de lin, de pourpre et d'écarlate, étincelante d'or, de
pierres précieuses et de perles,
¹⁷ il a suffi d'une heure pour dévaster tant
de richesses ! Et tous les pilotes, tous
ceux qui naviguent dans les parages,

ʰ Voir Ap 17.4 et note • ⁱ *cannelle et amome*: des épices; *myrrhe* et *encens*: des résines aromatiques • ʲ ou *des corps et des âmes d'hommes*

18.2 Elle est tombée Ap 14.8+ — repaire des animaux sauvages Es 13.21; 34.11; Jr 50.39;
Ba 4.35. **18.3** vin de prostitution Ap 14.8+ — les rois de la terre Ap 17.2. **18.4** Sortez! Es
48.20; 52.11; Jr 50.8; 51.6-9, 45; 2 Co 6.17. **18.5** jusqu'au ciel Gn 18.20-21; Jr 51.9. **18.6** rétribution Ps 137.8; Jr 50.15, 29; 2 Th 1.6. **18.7** vantardise de Babylone Es 47.7-9. **18.8** brûlée
au feu Ap 17.16+. **18.9** lamentations des rois Ez 26.16-17; 27.30-35. **18.11** les marchands
Ez 27.36. **18.12-13** cargaisons Ez 27.12-24. **18.16** parure de la prostituée Ap 17.4+. **18.17-19**
lamentation des marins Ez 27.29-34.

les marins et tous ceux qui vivent de la mer, se tenaient à distance.

¹⁸ et s'écriaient en voyant la fumée de son embrasement : quelle cité était comparable à la grande cité ?

¹⁹ Ils se jetaient de la poussière sur la tête,
poussaient des cris de larmes et de deuil en disant :
Malheur ! Malheur !
La grande cité dont l'opulence a enrichi tous ceux qui ont des vaisseaux sur la mer,
il a suffi d'une heure pour qu'elle soit dévastée !

²⁰ Réjouis-toi de sa ruine, *ciel !
Et vous aussi, les *saints, les *apôtres et les *prophètes, car Dieu, en la jugeant, vous a fait justice.

²¹ Alors un ange puissant saisit une pierre comme une lourde meule,
et la précipita dans la mer en disant :
avec la même violence sera précipitée Babylone, la grande cité.
On ne la retrouvera plus.

²² Et le chant des joueurs de harpe et des musiciens, des joueurs de flûte et de trompette,
on ne l'entendra plus chez toi.
Aucun artisan d'aucun art ne se trouvera plus chez toi.
Et le bruit de la meule,
on ne l'entendra plus chez toi.

²³ La lumière de la lampe ne luira plus chez toi.
La voix du jeune époux et de sa compagne,
on ne l'entendra plus chez toi,
parce que tes marchands étaient les grands de la terre,
parce que tes sortilèges ont séduit toutes les nations,

²⁴ et que chez toi on a trouvé le sang des prophètes, des saints et de tous ceux qui ont été immolés sur la terre.

Alléluia !

19 ¹ Ensuite j'entendis comme la grande rumeur d'une foule immense

qui, dans le ciel, disait :
Alléluia ᵏ !
Le salut, la gloire et la puissance sont à notre Dieu.

² Car ses jugements sont pleins de vérité et de justice.
Il a jugé la grande prostituée qui corrompait la terre de sa prostitution,
et il a vengé sur elle le *sang de ses serviteurs.

³ Et de nouveau ils dirent :
Alléluia !
Et sa fumée s'élève aux siècles des siècles.

⁴ Les vingt-quatre *anciens et les quatre animaux se prosternèrent,
ils adorèrent le Dieu qui siège sur le trône et dirent :
*Amen. Alléluia !

⁵ Alors sortit du trône une voix qui disait :
Louez notre Dieu, vous tous ses serviteurs,
vous qui le craignez, petits et grands !

⁶ Et j'entendis comme la rumeur d'une foule immense, comme la rumeur des océans,
et comme le grondement de puissants tonnerres.
Ils disaient :
Alléluia !
Car le Seigneur, notre Dieu Tout-Puissant, a manifesté son règne.

⁷ Réjouissons-nous, soyons dans l'allégresse et rendons-lui gloire, car voici les noces de l'agneau.
Son épouse s'est préparée,

⁸ il lui a été donné de se vêtir d'un lin resplendissant et pur,
car le lin, ce sont les œuvres justes des *saints.

⁹ Un ange me dit : Ecris !
Heureux ceux qui sont invités au festin des noces de l'agneau !
Puis il me dit : Ce sont les paroles mêmes de Dieu.

¹⁰ Alors je me prosternai à ses pieds pour l'adorer,
mais il me dit : Garde-toi de le faire !
Je suis un compagnon de service, pour

---

k Expression hébraïque signifiant *Louez le Seigneur!*

18.20 joie des cieux Ap 12.12+. **18.21** pierre jetée à la mer Jr 51.63-64 — plus de traces Ez 26.21. **18.22** Es 24.8; Ez 26.13. **18.23** Jr 7.34; 25.10 — les marchands Es 23.8. **18.24** le sang des prophètes et des saints Ap 16.6+. **19.1** Dieu vengeur Ap 6.10+. **19.2** jugements pleins de vérité Ap 16.7+. **19.3** la fumée Ap 14.11. **19.4** 24 anciens Ap 4.4+; 7.11+ — 4 animaux Ap 4.6+. **19.5** louez notre Dieu Ps 135.1. **19.6** le règne du Seigneur Ap 11.15+ — Dieu Tout-Puissant Ap 1.8+. **19.7** Dieu époux d'Israël Es 54.1-8; Os 2.16-18 — Christ époux de l'Eglise Mt 22.2; 25.1-13; Ep 5.23, 25, 32; Ap 21.2, 9. **19.9** invités au festin de noces Mt 22.1-14; Lc 14.15-24. **19.10** garde-toi de le faire Ac 10.25-26; Ap 22.8-9 — témoignage de Jésus Ap 1.2+.

toi et pour tes frères qui gardent le témoignage de Jésus.

C'est Dieu que tu dois adorer, car le témoignage de Jésus c'est l'esprit de la *prophétie.

Le cavalier sur le cheval blanc

¹¹ Alors je vis le ciel ouvert :
c'était un cheval blanc,
celui qui le monte se nomme Fidèle et
Véritable.
Il juge et il combat avec justice.
¹² Ses yeux sont une flamme ardente ;
sur sa tête, de nombreux diadèmes,
et, inscrit sur lui, est un nom qu'il est
seul à connaître.
¹³ Il est revêtu d'un manteau trempé de
sang,
et il se nomme : la Parole de Dieu.
¹⁴ Les armées du ciel le suivaient sur des
chevaux blancs, vêtues d'un lin blanc et
pur.
¹⁵ De sa bouche sort un glaive acéré pour
en frapper les nations.
Il les mènera paître avec une verge de
fer,
il foulera la cuve où bouillonne le vin
de la colère du Dieu Tout-Puissant.
¹⁶ Sur son manteau et sur sa cuisse il
porte un nom écrit :
Roi des rois et Seigneur des seigneurs.
¹⁷ Alors je vis un *ange debout dans le
soleil.
Il cria d'une voix forte à tous les oiseaux qui volaient au zénith :
Venez, rassemblez-vous pour le grand
festin de Dieu,
¹⁸ pour manger la chair des rois, la chair
des chefs, la chair des puissants, la
chair des chevaux et de ceux qui les
montent, la chair de tous les hommes,
libres et esclaves, petits et grands.
¹⁹ Et je vis la bête, les rois de la terre et
leurs armées, rassemblés pour combattre le cavalier et son armée.
²⁰ La bête fut capturée, et avec elle le
faux prophète qui, par les prodiges opérés devant elle, avait séduit ceux qui
avaient reçu la marque de la bête et
adoré son image.

Tous deux furent jetés vivants dans l'étang de feu embrasé de soufre.
²¹ Les autres périrent par le glaive qui sortait de la bouche du cavalier, et tous les oiseaux se rassasièrent de leurs chairs.

Satan enchaîné pour mille ans

20 ¹ Alors je vis un *ange qui descendait du ciel.
Il avait à la main la clé de l'abîme
et une lourde chaîne.
² Il s'empara du dragon, l'antique serpent,
qui est le *Diable et Satan, et l'enchaîna
pour mille ans.
³ Il le précipita dans l'abîme qu'il ferma
et scella sur lui, pour qu'il ne séduise
plus les nations jusqu'à l'accomplissement des mille ans.
Il faut, après cela, qu'il soit relâché
pour un peu de temps.
⁴ Et je vis des trônes.
A ceux qui vinrent y siéger il fut donné
d'exercer le jugement.
Je vis aussi les âmes de ceux qui avaient
été décapités à cause du témoignage de
Jésus et de la parole de Dieu, et ceux
qui n'avaient pas adoré la bête ni son
image et n'avaient pas reçu la marque
sur le front ni sur la main.
Ils revinrent à la vie et régnèrent avec
le Christ pendant mille ans.
⁵ Les autres morts ne revinrent pas à la
vie avant l'accomplissement des mille
ans.
C'est la première résurrection.
⁶ Heureux et *saints ceux qui ont part à
la première résurrection.
Sur eux la seconde mort n'a pas d'emprise :
ils seront *prêtres de Dieu et du Christ,
et régneront avec lui pendant les mille
ans.

Dernier combat et victoire finale

⁷ Quand les mille ans seront accomplis,
*Satan sera relâché de sa prison,
⁸ et il s'en ira séduire les nations qui sont

19.11 le ciel ouvert Ap 4.1+ — cheval blanc Ap 6.2 — Fidèle Ap 1.5+ — avec justice Ps 96.13; Es 11.4. **19.12** le nom mystérieux Ap 2.17+. **19.13** la Parole de Dieu Jn 1.1, 14. **19.14** vêtues de blanc Ap 3.4+. **19.15** glaive de la Parole Ap 1.16+ — verge de fer Ap 12.5+ — il foule la cuve Ap 14.19+. **19.16** Seigneur des seigneurs Ap 17.14+. **19.17-18** Ez 39.17-20. **19.19** rassemblés pour combattre Ap 16.14-16; 17.12-14. **19.20** la bête et ses prodiges Ap 13.9-16+ — étang de feu Es 30.33; Ap 20.10, 15; 14.10+. **20.1** l'abîme Ap 9.1+. **20.2** le serpent originel Ap 12.9+. **20.4** des trônes Dn 7.9, 22, 27; Mt 19.28; Lc 22.30; 1 Co 6.2 — martyrs Ap 6.9+ — parole de Dieu et témoignage de Jésus Ap 1.2+ — adoration de la bête Ap 13.8+ — marque de la bête Ap 13.16+ — règne avec le Christ Ap 5.10+. **20.6** la seconde mort Ap 2.11+ — prêtres Ap 1.6+. **20.8** quatre coins de la terre Ap 7.1+.

aux quatre coins de la terre, Gog et Magog [l].

Il les rassemblera pour le combat : leur nombre est comme le sable de la mer.

[9] Ils envahirent toute l'étendue de la terre et investirent le camp des *saints et la cité bien-aimée.

Mais un feu descendit du ciel et les dévora.

[10] Et le *diable, leur séducteur, fut précipité dans l'étang de feu et de soufre, auprès de la bête et du faux *prophète.

Et ils souffriront des tourments jour et nuit aux siècles des siècles.

Le jugement

[11] Alors je vis un grand trône blanc et celui qui y siégeait :

devant sa face la terre et le ciel s'enfuirent sans laisser de traces.

[12] Et je vis les morts, les grands et les petits, debout devant le trône,

et des livres furent ouverts.

Un autre livre fut ouvert : le livre de *vie,

et les morts furent jugés selon leurs œuvres, d'après ce qui était écrit dans les livres.

[13] La mer rendit ses morts,

la mort et *l'Hadès rendirent leurs morts,

et chacun fut jugé selon ses œuvres.

[14] Alors la mort et l'Hadès furent précipités dans l'étang de feu.

L'étang de feu, voilà la seconde mort !

[15] Et quiconque ne fut pas trouvé inscrit dans le livre de vie fut précipité dans l'étang de feu.

Un ciel nouveau et une terre nouvelle

21 [1] Alors je vis un ciel nouveau et une terre nouvelle,

car le premier ciel et la première terre ont disparu et la mer n'est plus.

[2] Et la cité sainte, la Jérusalem nouvelle, je la vis qui descendait du ciel, d'au-

près de Dieu,

prête comme une épouse qui s'est parée pour son époux.

[3] Et j'entendis, venant du trône, une voix forte qui disait :

Voici la demeure de Dieu avec les hommes.

Il demeurera avec eux.

Ils seront ses peuples et lui sera le *Dieu qui est avec eux.*

[4] Il essuiera toute larme de leurs yeux.

La mort ne sera plus.

Il n'y aura plus ni deuil, ni cri, ni souffrance,

car le monde ancien a disparu.

[5] Et celui qui siège sur le trône dit :

Voici, je fais toutes choses nouvelles.

Puis il dit : Ecris : ces paroles sont certaines et véridiques.

[6] Et il me dit : C'en est fait.

Je suis l'Alpha et l'Oméga,

le commencement et la fin.

A celui qui a soif,

je donnerai de la source d'eau vive, gratuitement.

[7] Le vainqueur recevra cet héritage,

et je serai son Dieu et lui sera mon fils.

[8] Quant aux lâches, aux infidèles, aux dépravés, aux meurtriers, aux impudiques, aux magiciens, aux idolâtres et à tous les menteurs, leur part se trouve dans l'étang embrasé de feu et de soufre : c'est la seconde mort.

La Jérusalem nouvelle

[9] Alors l'un des sept *anges qui tenaient les sept coupes pleines des sept derniers fléaux vint m'adresser la parole et me dit :

Viens, je te montrerai la fiancée, l'épouse de l'agneau.

[10] Il me transporta en esprit sur une grande et haute montagne,

et il me montra la cité sainte, Jérusalem,

qui descendait du ciel, d'auprès de Dieu.

[11] Elle brillait de la gloire même de Dieu.

---

l Depuis Ez 38—39 c'est ainsi qu'on désignait les nations ennemies du peuple de Dieu à la fin des temps

20.9 la cité investie Lc 21.20, 24.   **20.10** étang de feu Ap 19.20+.   **20.12** les livres Dn 7.10 — le livre de vie Ap 3.5+ — selon leurs œuvres Ap 2.23+.   **20.14** destruction de la mort 1 Co 15.26, 54; Ap 21.4.   **21.1** nouveau ciel et terre nouvelle Es 65.17; 66.22; 2 P 3.13; cf. Mt 19.28; 2 Co 5.17; Col 3.10.   **21.2** Jérusalem nouvelle Es 60; 62; 65.18-25; Ga 4.26; He 11.10, 16; Ap 3.12 — parée pour son époux Es 61.10; Ap 19.7+.   **21.3** la demeure de Dieu Lv 26.11-12; Ez 37.27; Za 2.14; 2 Co 6.16; Ap 7.15+ — Dieu avec eux Es 7.14; 8.8 (Mt 1.23).   **21.4** il séchera toute larme Ap 7.17+.   **21.5** toutes choses nouvelles 2 Co 5.17.   **21.6** Alpha et Oméga Ap 1.8 — je donnerai Es 55.1 l'eau de la vie Jn 4.10, 14; 7.37-38; Ap 7.17+ ; 22.17.   **21.7** mon fils 2 S 7.14; Ps 2.7; 89.27-28; He 1.5.   **21.8** étang de feu Ap 19.20+ — seconde mort Ap 2.10+.   **21.9** sept anges Ap 15.1+ — l'épouse de l'agneau Ap 19.7+.   **21.11** la gloire de Dieu Es 60.1-2; Ap 15.8+.

Son éclat rappelait une pierre précieuse, comme une pierre d'un jaspe cristallin *m*.

¹² Elle avait d'épais et hauts remparts. Elle avait douze portes, et, aux portes, douze anges et des noms inscrits : les noms des douze tribus des fils d'Israël.

¹³ A l'orient trois portes, au nord trois portes, au midi trois portes et à l'occident trois portes.

¹⁴ Les remparts de la cité avaient douze assises, et sur elles les douze noms des douze *apôtres de l'agneau.

¹⁵ Celui qui me parlait tenait une mesure, un roseau d'or, pour mesurer la cité, ses portes et ses remparts.

¹⁶ La cité était carrée : sa longueur égalait sa largeur. Il la mesura au roseau, elle comptait douze mille stades *n* : la longueur, la largeur et la hauteur en étaient égales.

¹⁷ Il mesura les remparts, ils comptaient cent quarante-quatre coudées *n*, mesure humaine que l'ange utilisait.

¹⁸ Les matériaux de ses remparts étaient de jaspe, et la cité était d'un or pur semblable au pur cristal.

¹⁹ Les assises des remparts de la cité s'ornaient de pierres précieuses de toute sorte. La première assise était de jaspe, la deuxième de saphir, la troisième de calcédoine, la quatrième d'émeraude,

²⁰ la cinquième de sardoine, la sixième de cornaline, la septième de chrysolithe, la huitième de béryl, la neuvième de topaze, la dixième de chrysoprase, la onzième d'hyacinthe, la douzième d'améthyste *o*.

²¹ Les douze portes étaient douze perles.

Chacune des portes était d'une seule perle. Et la place de la cité était d'or pur comme un cristal limpide.

²² Mais de *temple, je n'en vis point dans la cité, car son temple, c'est le Seigneur, le Dieu Tout-Puissant ainsi que l'agneau.

²³ La cité n'a besoin ni du soleil ni de la lune pour l'éclairer, car la gloire de Dieu l'illumine et son flambeau c'est l'agneau.

²⁴ Les nations marcheront à sa lumière, et les rois de la terre y apporteront leur gloire.

²⁵ Ses portes ne se fermeront pas au long des jours, car, en ce lieu, il n'y aura plus de nuit.

²⁶ On y apportera la gloire et l'honneur des nations.

²⁷ Il n'y entrera nulle souillure, ni personne qui pratique abomination et mensonge, mais ceux-là seuls qui sont inscrits dans le livre de *vie de l'agneau.

22 ¹ Puis il me montra un fleuve d'eau vive, brillant comme du cristal, qui jaillissait du trône de Dieu et de l'agneau.

² Au milieu de la place de la cité et des deux bras du fleuve, est un arbre de *vie produisant douze récoltes. Chaque mois il donne son fruit, et son feuillage sert à la guérison des nations.

³ Il n'y aura plus de malédiction. Le trône de Dieu et de l'agneau sera dans la cité et ses serviteurs lui rendront un culte,

⁴ ils verront son visage et son nom sera sur leurs fronts.

⁵ Il n'y aura plus de nuit, nul n'aura besoin de la lumière du flambeau ni de la lumière du soleil, car le Seigneur Dieu répandra sur eux sa lumière, et ils régneront aux siècles des siècles.

---

m jaspe: pierre fine teintée de vert et de rouge • *n* Voir au glossaire POIDS ET MESURES • *o* Les vv. 19-20 énumèrent 12 variétés de pierres fines ou précieuses

21.12-13 la nouvelle Jérusalem Ez 48.31-35. **21.14** douze assises Ep 2.20. **21.15** mesure Ap 11.1+. **21.16-17** dimensions de la ville Ez 48.16-17. **21.18-21** matériaux des remparts Es 54.11-12. **21.22** son temple, c'est le Seigneur Jn 2.19-21; Ap 21.3; 22.3. **21.23** le soleil devenu inutile Es 60.19-20; Ap 22.5. **21.24** rendez-vous des nations Es 60.3-5. **21.25** portes ouvertes Es 60.11 — nuit disparue Za 14.7; Ap 22.5. **21.26** la gloire des nations Ps 72.10-11. **21.27** souillure exclue Es 35.8; 52.1; Za 13.1-2; 1 Co 6.9-10; 2 P 3.13; Ap 22.15 — le livre de vie Ap 3.5+. **22.1** fleuve d'eau vive Ez 47.1; Za 14.8; Jn 7.38. **22.2** arbre de vie Ap 2.7+ — la guérison des nations Ez 47.12. **22.3** malédiction annulée Gn 3.22-24; Za 14.11 — trône de Dieu Ap 4.2+. **22.4** ils verront sa face Ps 17.15; 42.3; Mt 5.8 — marqués du nom de Dieu Ap 3.12+. **22.5** la nuit disparue Ap 21.23, 25+ — ils régneront Ap 5.10+.

Je viens bientôt

6 Puis il me dit : Ces paroles sont certaines et véridiques ;
le Seigneur, le Dieu des esprits des *prophètes, a envoyé son *ange, pour montrer à ses serviteurs ce qui doit arriver
bientôt.
7 Voici, je viens bientôt [p].
Heureux celui qui garde les paroles
prophétiques de ce livre.
8 Moi, Jean, j'ai entendu et j'ai vu cela.
Et, après avoir entendu et vu, je me
prosternai, pour l'adorer, aux pieds de
l'ange qui me montrait cela.
9 Mais il me dit : Garde-toi de le faire !
Je suis un compagnon de service, pour
toi et pour tes frères les prophètes,
et pour ceux qui gardent les paroles
de ce livre.
C'est Dieu que tu dois adorer.
10 Puis il me dit : Ne garde pas secrètes
les paroles prophétiques de ce livre,
car le temps est proche.
11 Que l'injuste commette encore l'injustice et que l'impur vive encore dans
l'impureté,
mais que le juste pratique encore la
justice et que le saint se *sanctifie encore.
12 Voici, je viens bientôt,
et ma rétribution est avec moi,
pour rendre à chacun selon son œuvre.
13 Je suis l'Alpha et l'Oméga,
le Premier et le Dernier,
le commencement et la fin.
14 Heureux ceux qui lavent leurs robes,
afin d'avoir droit à l'arbre de *vie,
et d'entrer, par les portes, dans la cité.
15 Dehors les chiens [q] et les magiciens, les
impudiques et les meurtriers, les idolâtres et quiconque aime ou pratique le
mensonge !
16 Moi, Jésus, j'ai envoyé mon ange pour
vous apporter ce témoignage au sujet
des églises [r].
Je suis le rejeton et la lignée de David,
l'étoile brillante du matin.
17 L'Esprit et l'épouse disent : Viens !
Que celui qui entend dise : Viens !
Que celui qui a soif vienne,
Que celui qui le veut reçoive de l'eau
vive, gratuitement.
18 Je l'atteste à quiconque entend les
paroles prophétiques de ce livre :
Si quelqu'un y ajoute, Dieu lui ajoutera les fléaux décrits dans ce livre.
19 Et si quelqu'un retranche aux paroles
de ce livre prophétique,
Dieu retranchera sa part de l'arbre de
vie et de la cité sainte
qui sont décrits dans ce livre.
20 Celui qui atteste cela dit : Oui, je viens
bientôt.
Amen, viens Seigneur Jésus ! [s]
21 La grâce du Seigneur Jésus soit avec
tous !

p C'est le Ressuscité qui parle (voir vv. 12, 16, etc.) • *q* Voir Dt 23.19; Ph 3.2: désignation des dépravés • *r* Ou *au milieu des églises* • *s* Voir 1 Co 16.22 et note

22.6 ce qui doit arriver Ap 1.1+. **22.7** je viens bientôt Ap 2.16+. **22.8-9** garde-toi de le faire Ap 19.10+. **22.10** ne garde pas secrètes Ap 10.4+ — le temps est proche Ap 1.3+. **22.11** l'injuste et le juste Dn 12.10. **22.12** selon son œuvre Ap 2.23+. **22.13** Alpha et Oméga Ap 1.8, 17+. **22.14** ceux qui lavent leur robe Ap 7.14 — l'arbre de vie Ap 2.7+. **22.15** dehors, les chiens 1 Co 6.9-10; Ap 21.8. **22.16** rejeton de David Ap 5.5+ — étoile du matin Ap 2.28. **22.17** celui qui a soif Ap 21.6+. **22.18-19** ne rien retrancher ni ajouter Dt 4.2; 13.1. **22.20** je viens bientôt Ap 2.16+.

TABLEAU CHRONOLOGIQUE

Les événements extérieurs à l'histoire d'Israël figurent à gauche de la colonne des dates, ceux de l'histoire d'Israël à droite. Dans les sections I à V, les dates indiquées peuvent n'être qu'approximatives. Les noms des prophètes sont en italique.

I. DES PATRIARCHES A JOSUÉ

	1800	Vers 1800 : première arrivée de clans patriarcaux en Canaan : Abraham. Isaac, Jacob (Gn 12—36).
	1700	Vers 1700 : Joseph, puis ses frères, en Egypte (Gn 37—50). Séjour en Egypte.
Egypte : règne de Ramsès II. 1304-1238.	1300	Moïse : corvée imposée aux Hébreux pour construire Pi-Ramsès (Ex 1.11).
	1250	Après 1250 : sortie d'Egypte (Ex 12—15). Avant 1200 : pénétration des Israélites en Canaan, sous la conduite de Josué (Jos 1—11).

II. PÉRIODE DES JUGES ET DÉBUT DE LA ROYAUTÉ

	1200	Les Philistins s'installent sur la côte sud de Canaan.
Mésopotamie : prépondérance assyrienne. Vers 1075 : naissance des royaumes araméens (Damas, Çova, Hamath).	1100	1200-1030 environ : période des Juges.
	1050	Vers 1050 : victoire des Philistins à Afeq. Mort de Eli (1 S 4). Vers 1040 : Samuel, prophète et juge (1 S 3—25). 1030-1010 environ : règne de Saül (1 S 9—31).
	1000	1010-970 environ : règne de David, sur Juda, puis sur Israël et Juda (1 S 16—1 R 2).
Damas : règne de Rezôn (1 R 11.23-25).	950	970 env.-933 : règne de Salomon sur Juda et Israël (1 R 1—11). Construction du Temple (1 R 6).

III. DU SCHISME A LA FIN DU ROYAUME DU NORD: 933-722/721
(1 R 12 — 2 R 17)

		ROYAUME D'ISRAEL (ou DU NORD)	ROYAUME DE JUDA (ou DU SUD)
Egypte : Shéshonq Iᵉʳ (= Shishaq, 1 R 11.40) fait campagne en Palestine (1 R 14.25-26).		933-911 : Jéroboam Iᵉʳ, fondateur du royaume du Nord.	933-916 : Roboam ; il paie un tribut à Shéshonq.
		911-910 : Nadab.	915-913 : Abiyam.
Damas : Ben-Hadad Iᵉʳ (1 R 15.16-22).	900	910-887 : Baésha.	912-871 : Asa ; il s'allie à Ben-Hadad contre Baésha.
		887-886 : Ela.	
		886 : Zimri (7 jours).	
		886-875 : Omri, constructeur de Samarie.	
Assyrie : Salmanasar III. 858-824.		875-853 : Akhab ; il participe à une coalition anti-assyrienne contre Salmanasar III.	870-846 : Josaphat ; il s'allie à Akhab.
Damas : Ben-Hadad II (1 R 20 : 22).		*Elie* (1 R 17—2 R 2). 853-852 : Akhazias.	
Moab : Mésha (2 R 3.4).	850	852-841 : Yoram : campagne contre Mésha de Moab.	848-841 : Yoram.
Damas : Hazaël assassine Ben-Hadad II (2 R 8.15).		*Elisée* jusque vers 800 (2 R 2—13).	841 : Akhazias.
		841-814 : Jéhu.	841-835 : Athalie.
Damas : Ben-Hadad III (2 R 13.1-9).		820-803 : Yoakhaz.	835-796 : Joas.
	800	803-787 : Joas.	811-782 : Amasias.
		787-747 : Jéroboam II.	781-740 : Azarias (= Ozias).
	750	*Amos* puis *Osée*.	750 : Yotam associé à la royauté d'Azarias.
		747 : Zacharie.	
Damas : Recîn (Es 8.6).		747-746 : Shalloum.	
Assyrie : Tiglath-Piléser III (= Poul), 747-727 (2 R 15.19.29 : 16.7).		746-737 : Menahem.	740-735 : Yotam.
		736-735 : Péqahya.	*Esaïe* et *Michée*.
		735-732 : Péqah : il fait alliance avec Recîn de Damas contre Akhaz.	735-716 : Akhaz (Es 7).
Assyrie : Salmanasar V, 726-722 (2 R 17.3 : 18.9).		732-724 : Osée : Samarie assiégée par les Assyriens.	Vers 728 : Ezékias associé à la royauté d'Akhaz.
Assyrie : Sargon II. 722-705 (Es 20.1).		722 ou 721 : prise de Samarie et déportation des habitants. Fin du Royaume du Nord.	

IV. DE LA FIN DU ROYAUME DU NORD A LA PRISE DE JÉRUSALEM (2 R 18—25)

ROYAUME DE JUDA

Babylone : Mérodak-Baladân (2 R 20.12-13).		716-687 : Ezékias (inscription dans le canal de Siloé : cf. 2 R 20.20).
Egypte : Tirhaqa (2 R 19.9).		
Assyrie : Sennakérib, 704-681, fait campagne en 701 contre les coalisés de l'ouest, dont Ezékias.	700	701 : siège de Jérusalem par Sennakérib : Ezékias lui paie un tribut (2 R 18.13—19.37).
		687-642 : Manassé.
Assyrie : Asarhaddon, 680-669 (2 R 19.37).	650	*Nahoum* (vers 660 ?).
		642-640 : Amôn.
Assyrie : en 612, Ninive, la capitale, est détruite par les Mèdes et les Babyloniens.		640-609 : Josias : réforme religieuse dans la ligne du Deutéronome.
		Sophonie (vers 630).
		Jérémie (dès 626 environ).
Egypte : Néko, 609-594 (2 R 23.29-35).		609 : Yoakhaz (trois mois).
605 : Néko vaincu par Nabuchodonosor à Karkémish, en Syrie (Jr 46.2).		609-598 : Yoyaqîm, frère de Yoakhaz.
Babylone : Nabuchodonosor, 604-562, contrôle dès 605 toute l'ancienne Assyrie.	600	*Habaquq.*
		598-597 : Yoyakîn : siège de Jérusalem par Nabuchodonosor ; première déportation de population (dont le prêtre Ezéchiel).
		597-587 : Sédécias, fils de Josias.
		Ezéchiel (dès 593 environ, en Babylonie).
		589 : Sédécias se révolte contre Babylone.
		588 : début du second siège de Jérusalem.
		587, juillet-août : prise de Jérusalem : destruction du Temple : deuxième déportation.
		587, septembre-octobre : assassinat du gouverneur Guédalias.
		582 ou 581 : troisième déportation.
		561 : Yoyakîn gracié par Ewil-Mérodak, à Babylone.

V. ÉPOQUE PERSE : 538-333

551-529 : Cyrus ; il s'empare en 539 de Babylone (Es 44.28 ; 45.1-6).	550	538 : édit de Cyrus (Esd 1.1-4), permettant aux Juifs de retourner à Jérusalem. Rétablissement de l'autel des sacrifices.
522-486 : Darius Iᵉʳ (Esd 4.24—6.18).		520-515 : reconstruction du Temple de Jérusalem. *Aggée* et *Zacharie*.

486-464 : Xerxès Ier (Est 1.1 ; Esd 4.6).	500	
464-424 : Artaxerxès Ier (Esd 4.7 ; 7.1).	450	445 : premier séjour de Néhémie à Jérusalem ; restauration des murs de la ville (Ne 2—3).
423-404 : Darius II. 404-359 : Artaxerxès II.	400	432 : second séjour de Néhémie à Jérusalem : réformes diverses (Ne 13.6-31).
359-338 : Artaxerxès III. 336-331 : Darius III.	350	

VI. ÉPOQUE HELLÉNISTIQUE : 333-63

Dès 334, conquêtes d'Alexandre le Grand, roi de Macédoine, à travers le Proche-Orient jusqu'en Inde (*I M* 1.1-4).		332 : la Palestine conquise par les armées d'Alexandre le Grand.
323 : mort d'Alexandre : son empire est partagé : la dynastie des Lagides règne en Egypte, celle des Séleucides en Syrie-Babylonie.	300 250	320-200 : la Palestine soumise aux Lagides ; période calme.
175-164 : Antiochus IV Epiphane (*I M* 1.10).	200	200-142 : la Palestine soumise aux Séleucides ; début des difficultés entre Juifs et dirigeants séleucides.
		167 : interdiction du culte juif ; Antiochus dédie le Temple de Jérusalem à Zeus Olympien. Début de la révolte des Juifs avec le prêtre Mattathias (*I M* 2).
		166 : Judas Maccabée succède à son père Mattathias, jusqu'en 160 (*I M* 3).
		164 : le Temple est reconquis par les Juifs et purifié (*I M* 4.36-61).
	150	160-143 : Jonathan, frère de Judas, chef des Juifs : nommé grand prêtre en 152 (*I M* 9.28-31 ; 10.20).
		143-134 : Simon, autre frère de Judas : grand prêtre et gouverneur dès 142 (*I M* 13—16).
	100	134-104 : Jean Hyrcan, fils et successeur de Simon (*I M* 16). (dès 142 et jusqu'en 63 : période d'indépendance des Juifs, sous la dynastie des Hasmonéens, descendants de Simon).

VII. ÉPOQUE ROMAINE : A PARTIR DE 63 AV. J.C.

	50	63 : Pompée, général romain, s'empare de Jérusalem.
29 av. - 14 ap. J.C. : Auguste, empereur romain.		37-4 : Hérode le Grand, allié des Romains, règne sur la Palestine (Mt 2).
		20-19 : début de la reconstruction du Temple (Jn 2.20).

	Vers 7 ou 6 : naissance de Jésus de Nazareth.
	4 av. - 39 ap. J.C. : Hérode Antipas, tétrarque de Galilée et Pérée (Lc 3.1 ; 23.6-12).
1	4 av. - 34 ap. J.C. : Philippe, tétrarque d'Iturée et Trachonitide (Lc 3.1).
6 : la Judée devient province romaine, dirigée par un procurateur.	6-15 : Hanne, grand prêtre (Lc 3.2).
14-37 : Tibère, empereur.	
20	18-36 : Caïphe, grand prêtre (Jn 11.49 ; 18.13).
26-36 : Ponce Pilate, procurateur.	Vers 28 : début du ministère de Jésus (Mt 3.1-17 par.).
	Vers 30 : crucifixion de Jésus (Mt 27 par.).
37-41 : Caligula, empereur.	Vers 37 : conversion de Paul (Ac 9).
40	37 : Hérode Agrippa Iᵉʳ reçoit de Caligula le titre de roi de Judée et Samarie (Ac 12).
41-54 : Claude, empereur.	43 ou 44 : martyre de Jacques, fils de Zébédée (Ac 12.2).
49 : Claude expulse les Juifs de Rome (Ac 18.2).	45-49 : première mission de Paul (Ac 13).
	50-52 : deuxième mission de Paul (Ac 15.36—17.34).
52 : Gallion, proconsul romain d'Achaïe (Grèce).	52, printemps : Paul comparaît devant Gallion (Ac 18.12-17).
52-60 : Félix, procurateur.	53-58 : troisième mission de Paul (Ac 18.23—21.16).
54-68 : Néron, empereur.	58, Pentecôte : Paul arrêté à Jérusalem (Ac 21.27—23.22) ; il comparaît à Césarée devant Félix (Ac 23.23—24.27).
60-62 : Porcius Festus, procurateur.	**60** 60 : Paul, à Césarée, comparaît devant Festus (Ac 25—26).
	60, automne : voyage de Paul vers Rome (Ac 27.1—28.15).
64, juillet : incendie de Rome ; persécution des chrétiens.	61-63 : Paul en résidence surveillée à Rome (Ac 28.16-31).
68-69 : Galba, empereur.	66-70 : révolte des Juifs contre les Romains, en Palestine.
69-79 : Vespasien, empereur.	70, automne : prise de Jérusalem par les Romains ; destruction du Temple.

GLOSSAIRE

Abîme Au singulier ce terme désigne, dans l'A.T., une masse colossale d'eau douce que les anciens Israélites imaginaient située sous la terre et alimentant les sources (Ez 31.4 ; Ps 78.15).
Au pluriel il sert souvent à désigner de grandes quantités d'eau douce ou d'eau de mer (Ex 15.5), ou encore le fond de la mer (Es 63.13 ; Ps 106.9).

Agrippa voir **Hérode.**

Alliance Terme technique qui désigne le *lien* que Dieu établit :
— soit avec l'humanité tout entière en la personne de Noé (Gn 9.9-17),
— soit avec un homme, comme Abraham (Gn 15.18), ou David (Ps 89.4-5),
— soit avec le peuple d'Israël (Ex 19.5-6).
Cette alliance est toujours accompagnée d'une promesse, et souvent confirmée par un *sacrifice (Gn 15.9-17 ; Ex 24.3-8).
Les *prophètes annoncent que Dieu conclura une *alliance nouvelle* avec son peuple (Jr 31.31-34). Selon le N.T. la mort de Jésus établit cette alliance nouvelle et l'étend à tous les hommes (Lc 22.20 ; cf. 2 Co 3.6.).
En grec le mot traduit par *alliance* peut avoir parfois aussi le sens de *testament* (He 9.16-17). L'expression *Ancien Testament* (2 Co 3.14) désigne les livres de l'ancienne alliance, de même que *Nouveau Testament* désigne les livres bibliques de la nouvelle alliance.

Amen Mot hébreu conservé tel quel dans le N.T. et signifiant : *c'est vrai, il en est bien ainsi* ou *qu'il en soit bien ainsi !*
En Ap 3.14 il sert de titre pour désigner le Christ.

Amorites L'A.T. désigne ainsi une des populations qui occupaient la Palestine et la Transjordanie avant l'arrivée des tribus israélites (Ex 23.23 ; Dt 2.24 ; 2 S 21.2 ; 1 R 21.26). Il n'est pas toujours facile de les distinguer des *Cananéens*, habitants du pays de Canaan (Gn 34.30).

A côté d'eux l'A.T. mentionne parfois d'autres peuplades vivant en Palestine à l'époque pré-israélite : les *Hittites* (installés depuis l'occupation de la Palestine par l'ancien empire Hittite) ; les *Perizzites* et les *Hivvites* (populations occupant la partie centrale montagneuse) et les *Jébusites* (habitant l'ancienne Jérusalem et sa région). A cette liste certains passages de l'A.T. ajoutent les *Guirgashites* (Dt 7.1 ; Jos 3.10 ; 24.11, etc.), parfois aussi les *Amalécites* (Nb 13.29) et quelques autres encore (Gn 15.19-21).

Anciens

A. — A.T. : Dans l'Israël de l'époque biblique les *anciens* sont les chefs de familles ou de clans. Les *anciens* d'une même ville formaient un conseil responsable, qui dirigeait la cité (1 S 11.3) et rendaient la justice (Dt 21.19). Ils étaient les gardiens de la tradition.

B. — N.T. : 1) Dans le *Judaïsme du temps de Jésus les *anciens* étaient les chefs de familles qui détenaient une autorité dans la vie civile et religieuse. Les Evangiles (Mt 16.21, etc.) et les Actes (4.5 ; 22.5, etc.) associent souvent les anciens aux *scribes et aux *grands prêtres (voir **Sanhédrin**).
2) Dans Ac 11—21 et dans les épîtres les *anciens* sont les responsables des communautés chrétiennes locales.
3) En 2 Jn 1 et 3 Jn 1 *l'Ancien* est un titre, qui semble désigner un représentant de la première génération chrétienne.
4) Dans l'Apocalypse (4.4 ; 5.5, etc.) les *vingt-quatre anciens* représentent peut-être symboliquement l'ensemble du peuple de Dieu.

Ange Dans l'A.T. les *anges* sont par excellence les *envoyés* ou les *messagers* de Dieu (Gn 28.12). Certains passages les présentent comme les *exécutants* des décisions prises par Dieu (Ps 103.20 ; Dn grec 13.54, 58).
L'ange du Seigneur est une expression qui indique d'une manière indirecte une intervention de Dieu lui-même (comparer Jg 13.3

et 20-22). Le N.T. utilise la même expression dans le même sens (voir la note *l* sur Mt 3.2).

En général et comme dans le *Judaïsme de la même époque le N.T. présente les *anges* comme des messagers directs (Lc 2.9-10 ; Ac 7.30) et même comme des commissionnaires de Dieu (Mt 4.6 ; 13.49 ; He 1.14). Le terme *archange* désigne un ange de rang supérieur (1 Th 4.16 ; Jude 9).

Le N.T. mentionne aussi des *anges de* *Satan (Mt 25.41 : 2 Co 12.7 ; Ap 12.7, 9) pour désigner des envoyés ou des représentants du *diable.

Enfin les *anges* sont parfois considérés comme les gardiens de certains hommes ou leurs représentants auprès de Dieu (Mt 18.30 ; Ac 12.15). Dans Ap 2—3 les *anges des églises* sont probablement les représentants de ces églises.

Annales L'A.T. renvoie plusieurs fois le lecteur à des livres dont on ne connaît plus aujourd'hui que le titre. Parmi ceux-ci les *Annales de Salomon* (1 R 11.41), les *Annales des rois d'Israël* (1 R 14.19) et les *Annales des rois de Juda* (1 R 14.29). On y notait au fur et à mesure les décisions et les entreprises des rois.

Apôtre Ce titre désigne un *envoyé* du Christ. Le N.T. l'attribue notamment aux Douze, c'est-à-dire aux hommes que Jésus avait choisis pour l'accompagner. Mais Paul, parce qu'il a vu le Christ ressuscité (1 Co 9.1), revendique ce titre lui aussi (Ga 1.1).

Le N.T. applique également cette appellation à d'autres personnes connues pour leur activité missionnaire (Ac 14.14 ; Rm 16.7).

Aram - Araméens Peuplade sémite à laquelle les Israélites se rattachent par les patriarches (Dt 26.5). Avant l'époque de David les Araméens formèrent plusieurs petits royaumes sur le territoire de l'actuelle Syrie (2 S 8.3-6 ; 10.6). A l'époque des royaumes d'Israël et de Juda les Araméens de Damas furent, pendant plus d'un siècle, les ennemis les plus dangereux du royaume d'Israël.

Arche L'hébreu a deux mots différents pour désigner :

a) l'arche de Noé, décrite en Gn 6.14-16 ;

b) l'*arche de l'alliance* (ou arche *de Dieu/du Seigneur*, ou arche *sainte* ou encore arche *de la *charte)*. Celle-ci était un coffre que l'on pouvait porter à l'aide de barres glissées dans des anneaux fixés sur les côtés.

Le couvercle, appelé *propitiatoire,* servait pour certaines cérémonies de purification (Lv 16.12-15) ; il était surmonté de deux figures de *chérubins.

L'arche contenait en particulier la *charte,* c'est-à-dire les deux tables de la Loi (Ex 25.16 ; 40.20 ; voir aussi 1 R 8.9 ; He 9.4). Pour les anciens Israélites elle représentait le *trône* ou le marchepied *de Dieu* sur la terre ; elle était donc un symbole de sa présence (Nb 10.33-36 ; 1 S 4.3-8 ; Ps 132.8).

Autel L'*autel* est l'emplacement en forme de table où sont offerts les *sacrifices. Les *cornes* (Ex 27.2 et la note ; Ap 9.13) situées aux quatre coins supérieurs de l'autel étaient considérées comme la partie la plus sacrée de celui-ci.

Au temple de Jérusalem on utilisait deux autels : l'*autel de l'holocauste* et l'*autel des parfums* (voir **Sacrifices).**

Avènement Ce terme désigne la *venue* glorieuse du Christ à la fin des temps (2 P 3.4 ; 1 Jn 2.28). Voir **Jour.**

Baal Divinité de la religion cananéenne, qui était censée mourir comme la nature en hiver et renaître au printemps. On lui attribuait le pouvoir de rendre les champs fertiles et les troupeaux féconds. La pratique de la religion du *Baal* s'accompagnait de prostitution sacrée (Nb 25.1-3) ; celle-ci fut vigoureusement combattue par les *prophètes.

L'A.T. emploie parfois ce nom au pluriel (1 R 18.18 ; Jr 2.23). *Baal* signifie en effet *propriétaire.* On le considérait comme le maître local de telle montagne, telle source, tel bois, telle ville... L'A.T. mentionne un grand nombre de noms de localités composés avec le nom de Baal.

Bas-Pays Au sens restreint cette appellation désigne la région de collines située entre la plaine côtière de la mer Méditerranée et la montagne centrale de Juda (Jos 15.33). L'expression est parfois employée en un sens plus large, qui englobe la plaine côtière tout entière (Dt 1.7).

Berger Homme chargé de conduire un troupeau vers les pâturages et de veiller à la sécurité des moutons et des chèvres qui lui sont confiés.

Dans la Bible ce terme sert souvent d'image pour désigner les dirigeants du peuple d'Israël (voir par exemple Es 56.11 ; Jr 50.6 ; Ez 37.24 ; Mt 9.36).

L'A.T. qualifie parfois *Dieu* de *berger*, soit comme guide et protecteur du fidèle (Ps 23.1), soit comme chef de son peuple (Ps 80.2).
Jésus s'est aussi désigné lui-même comme le bon berger (Jn 10.11).
La tâche qui revient aux responsables des communautés chrétiennes est souvent comparée dans le N.T. à celle des bergers (voir Jn 21.15-17 ; Ac 20.28-29, etc.).

Blasphémer - Blasphème - Blasphémateur
Comme les anciens Israélites, les –Juifs contemporains de Jésus considéraient comme *blasphème* toute parole jugée insultante pour l'honneur de Dieu. En s'appuyant sur l'A.T. (Lv 24.11-16) ils réclamaient la peine de mort contre le *blasphémateur*.
Jésus a été accusé de *blasphémer* (Mt 9.3 ; Jn 10.33-36) et le *Sanhédrin l'a condamné pour blasphème (Mc 14.62-64).
Le N.T. qualifie aussi de blasphème l'opposition au Christ (1 Tm 1.13) ou au Saint-Esprit (Lc 12.10).

Calendrier

A. — Les mois.
Dans l'ancien Israël l'année était divisée en 12 mois lunaires de 29 ou 30 jours, avec de temps en temps un mois complémentaire.
Jusqu'à la mort du roi Josias on faisait commencer l'année en automne ; les mois portaient alors des noms cananéens.
A partir du règne de Yoyaqîm on utilisa le calendrier babylonien, qui faisait commencer l'année au printemps. Les mois furent identifiés par leur numéro d'ordre, puis plus tard par leur nom babylonien.

Enfin sous l'occupation des rois séleucides (3e siècle et début du 2e siècle av. J.C. ; voir la note sur *1 M* 1.8) les mois de l'année sont désignés par leur nom grec.
Le tableau ci-dessous permet de repérer les correspondances pour les noms de mois cités dans l'A.T.

B. — Les fêtes
1) La *Pâque*, fête qui remonte à l'époque où les Israélites étaient encore nomades ou semi-nomades, était célébrée au printemps (Ex 12.3-11).
La *fête des *pains sans levain* (Ex 12.17-20) avait lieu immédiatement après la Pâque. Elle correspondait au début de la moisson de l'orge.
L'A.T. présente souvent ces fêtes comme jumelées, et les interprète comme l'*anniversaire de la sortie d'Egypte*. En les célébrant le peuple de Dieu revivait la grande délivrance qui avait marqué le début de son histoire.
2) La *fête de la moisson* (Ex 23.16 *a*) avait lieu à la fin de la moisson du blé, c'est-à-dire sept semaines après la fête des pains sans levain ; d'où son autre appellation : la *fête des semaines* (Ex 34.22). Célébrée ainsi le 50e jour après la Pâque, elle a reçu plus tard, en grec, le nom de « Pentècoste » (le cinquantième), d'où l'appellation française de *Pentecôte ;* c'est sous ce nom qu'elle est mentionnée dans le N.T.
Sur la manière dont elle était célébrée voir Lv 23.15-21. Fête d'offrande des –prémices (Nb 28.26) elle était aussi une *commémoration de l' *Alliance*.
3) La *fête de la récolte* (Ex 23.16 *b*) avait lieu à l'automne, après la vendange et la récolte des olives et des fruits. Elle était aussi nommée fête des Tentes (Lv 23.34 ; Dt 16.13) ou mieux *fête des Huttes*, car les Israélites la célébraient en logeant huit jours

Calendrier cananéen	Calendrier babylonien		Calendrier séleucide	Période correspondante de notre calendrier
Etanim (1)	7e mois			septembre-octobre
Boul	8e »			octobre-novembre
	9e »	Kislev		novembre-décembre
	10e »	Téveth		décembre-janvier
	11e »	Shevat	Dystros	janvier-février
	12e »	Adar	Xanthique	février-mars
Abib (2)	1er »	Nisan		mars-avril
Ziv	2e »			avril-mai
	3e »	Siwân		mai-juin
	4e »			juin-juillet
	5e »			juillet-août
	6e »	Eloul		août-septembre

(1) ruisseaux permanents. (2) 'épis.

de suite sous des huttes de branchages. Les textes traditionnels du Judaïsme nous apprennent que cette fête était célébrée en partie la nuit.

Les anciens Israélites la considéraient comme la plus importante des trois grandes *fêtes-pèlerinages* annuelles prescrites en Ex 23.14-16, au point que l'A.T. la nomme parfois *la fête du Seigneur* (Jg 21.19) ou même tout simplement *la fête* (1 R 8.2, 65). Dt 16.13-15 la décrit comme une fête joyeuse de reconnaissance envers Dieu. Lv 23.43 l'interprète comme la *commémoration du séjour d'Israël au désert.*

4) A côté de ces trois fêtes principales l'A.T. mentionne encore trois autres fêtes d'origine plus récente :

— le *jour du Grand Pardon* (Yôm Kippour) : voir Lv 23.27-32 ; Nb 29.7-11. La célébration est décrite en détail par Lv 16.

— la *fête de la Dédicace* (voir Jn 10.22) commémorait la purification du temple de Jérusalem par Judas Maccabée (voir *1 M* 4.36-59 ; *2 M* 10.6 ; voir 1.9).

— la *fête des Pourim,* dont l'origine est expliquée en Est 9.20-32.

César Nom porté par les premiers empereurs de Rome. Dans le N.T. il est l'équivalent courant du titre d'*empereur.*

Charte C'est un des noms donnés à l'ensemble des deux tablettes de pierre sur lesquelles était gravé le *décalogue* (Ex 31.18). La *charte* représente ainsi le document officiel réglant la vie quotidienne du peuple d'Israël selon les principes de l'*Alliance. Voir **Arche.**

Chef de chœur L'expression traduite par *du chef de chœur* figure dans les notices placées en tête de 55 psaumes. Elle renvoie peut-être à un recueil de psaumes dont disposait le responsable du chant dans le temple de Jérusalem.

Chérubins Etres fabuleux souvent nommés dans l'A.T., personnifiant parfois les nuages d'orage (voir Ps 18.11). On en rencontre comme gardiens du jardin d'Eden (Gn 3.24) ou dans l'entourage de Dieu (Ps 18.11 ; Ez 10.4-7).

Des figures de *chérubins* surmontaient l'*arche de l'alliance et formaient une sorte de trône pour le Seigneur , d'autres décoraient le temple de Jérusalem (1 R 6.23-29).

Christ, Messie Les rois d'Israël et les grands prêtres recevaient l'onction d'huile comme signe de leur nouvelle fonction (1 S 10.1 ; Lv 8.12). C'est pourquoi les rois portaient le titre d'*Oint* (en hébreu *Machia,* transcrit *Messie* en français ; en grec *Christos,* transcrit *Christ*).

Par extension le titre de *Messie* peut être appliqué à quelqu'un que Dieu a *choisi* pour lui confier une mission (Es 61.1). C'est en ce sens qu'il est utilisé (exceptionnellement) pour le peuple d'Israël (Ps 105.15), et même pour un étranger comme le roi perse Cyrus (Es 45.1).

Après l'exil le titre de *Messie* a été transféré au roi sauveur dont les Juifs attendent la venue à la fin des temps. Le N.T. rapporte les témoignages de ceux qui ont reconnu ce *Messie (Christ)* en la personne de Jésus (Mt 16.16).

Ciel - Cieux - Céleste Dans l'A.T. le *ciel* est parfois considéré comme le lieu où Dieu réside (Ps 2.4 ; 11.4).

Par extension le *ciel* peut désigner les êtres qui peuplent ce domaine de Dieu (Ps 50.4) et parfois *Dieu lui-même* (Ps 78.24 ; 105.40). Le N.T. reprend l'usage que l'A.T. et les *Juifs du premier siècle faisaient du mot *ciel.* Outre son sens habituel (Mt 16.3), ce mot désigne souvent le *domaine particulier de Dieu* (voir Mt 6.9-10 ; Jn 1.51, etc.).

Par extension il en vient à désigner *Dieu lui-même* dans les tournures employées pour parler de lui sans avoir à le nommer expressément (voir Mt 3.2 note *1*). C'est en ce sens qu'il faut comprendre, entre autres, des expressions comme « le *royaume des cieux », « un **ange du ciel » (Ga 1.8) ou l'aveu du fils cadet en Lc 15.18.

Circoncire - Circoncision La *circoncision* est pratiquée par les *Juifs sur les garçons nouveau-nés une semaine après leur naissance (Gn 17.12 ; Lc 2.21). C'est une opération rituelle qui consiste à exciser le prépuce.

La circoncision est le signe par excellence qu'un homme est membre d'Israël, le peuple de l'*Alliance (Gn 17.11 ; Jos 5.2-5). D'où l'appellation de *circoncis* pour désigner les *Juifs. En Ga 2.12 cette appellation est étendue aux chrétiens d'origine juive partisans de maintenir cette pratique. Inversement les *païens sont appelés parfois les *incirconcis* (Es 52.1 ; Ac 11.3).

L'apôtre Paul a milité pour que la circoncision ne soit pas imposée aux nouveaux chrétiens d'origine païenne (1 Co 7.18-19 ; Ga 2.3-6 ; 5.2-4).

La *circoncision du cœur* (Dt 10.16 ; Rm 2.28-29) est l'expression imagée d'une disponibilité entière au service de Dieu.

Cité de David La *cité de David* ou *ville de David* est le nom donné à la forteresse de *Sion, conquise par David sur les Jébusites (voir **Amorites**), selon 2 S 5.7-9. Elle est située sur la colline qui sépare les vallées du Cédron et du Tyropéon et constitue la partie la plus ancienne de Jérusalem.

Cœur Les mots de l'hébreu et du grec désignant le *cœur* sont assez rarement employés au sens propre dans la Bible. Les langues bibliques par contre les utilisent fréquemment en des sens figurés assez différents de ceux qui correspondent au mot français *cœur*.

1) Ils désignent ainsi souvent le *centre caché de l'homme*, l'endroit intérieur et secret où la personnalité de l'homme est, pour ainsi dire, concentrée (1 S 16.7 ; Pr 24.12 ; Mt 12.34 ; 15.19 ; 1 Co 4.5 ; Ep 1.18). Le *cœur* est alors le résumé de l'homme tout entier, si bien que l'expression *dans leur cœur* est sensiblement équivalente à *au plus profond d'eux-mêmes* (Rm 2.15).

2) Le *cœur* est parfois regardé comme le siège des *sentiments* (1 S 1.8 ; Jn 16.6), mais aussi de la *pensée* (1 R 3.9 ; Es 6.10, etc. ; Mc 2.6, 8 ; 6.52 ; Lc 3.15, etc.) et de la *volonté* (Ex 9.7 ; Dt 2.30 ; Rm 10.1 ; 2 Co 9.7).

Déchirer ses vêtements En signe de deuil ou de tristesse, lors d'un malheur ou en entendant prononcer une parole jugée scandaleuse, les anciens Israélites et les Juifs du premier siècle *déchiraient* parfois leurs vêtements (Gn 37.34 ; 2 S 13.19 ; Jr 36.24 ; Mt 26.65). Quelquefois on se contentait de déchirer symboliquement le col du vêtement de dessus.

Lv 21.10 interdit cette pratique au grand prêtre.

Autres gestes significatifs du même genre : se revêtir d'un *sac, répandre de la cendre ou de la poussière sur sa tête (Jos 7.6), se raser les cheveux ou la barbe, se faire des incisions sur le corps (Jr 16.6 ; 41.5), etc.

Demeure Employé au sujet de Dieu, ce terme désigne l'emplacement consacré à son habitation sur terre auprès de son peuple. C'est d'abord le *sanctuaire qu'Israël emmenait avec lui pendant la période du désert (Ex 26.1-37) et que certains passages nomment la *tente de la rencontre*.

Après l'installation des tribus israélites en Palestine le terme est utilisé pour désigner chacun des sanctuaires où fut successivement abritée *l'arche de l'alliance, par exemple celui de Silo. (Ps 78.60), et le plus souvent le *temple de Jérusalem* (Ps 74.7).

Démon Expressions synonymes : *esprit impur* ou, plus simplement *esprit*.

L'idée que le N.T. se fait des *démons* est commune au milieu culturel juif du premier siècle de notre ère : ce sont des êtres spirituels au service de *Satan.

On regardait les démons comme responsables de diverses maladies et infirmités, notamment des maladies nerveuses (Mc 9.15-18) ou mentales (Mc 5.2-5). C'est pourquoi *chasser le démon* d'un homme possédé (appelé parfois *démoniaque* : Mt 4.24 ; 8.16) est synonyme de *guérir le malade*.

Des gens faisaient métier de chasser les démons (Mt 12.27 ; Mc 9.38 ; Ac 19.13) ; ils utilisaient des procédés plus ou moins magiques. Mais Jésus manifeste sa supériorité sur les démons par le seul pouvoir de sa parole (Mc 5.9-13).

Plusieurs passages du N.T. considèrent que le culte rendu aux idoles s'adresse en réalité aux démons (1 Co 10.20-21 ; Ap 9.20 ; voir aussi Dt 32.17).

Diable voir **Satan**.

Disciple Dans la Bible le mot *disciple* désigne *l'élève* d'un maître (par exemple Jean le Baptiste : Mc 2.18 ; voir aussi Es 8.16 ; 50.4 ; Mt 10.24-25). Parfois même, en un sens plus large, il qualifie les *adeptes* d'un chef de file (par exemple Moïse : Jn 9.28) ou d'une tendance religieuse (par exemple celle des Pharisiens : Mt 22.16).

L'usage le plus fréquent du mot concerne les *disciples de Jésus*. Le N.T. désigne ainsi les douze hommes que Jésus avait choisis pour l'accompagner (Mt 10.1), mais aussi un groupe plus étendu (Lc 10.1), et même le cercle encore plus large des gens qui ont accepté son enseignement (Jn 4.1 ; 7.3 ; 19.38, etc.). Le propre du disciple est de *suivre* Jésus (Mt 8.22 ; 10.38 ; 19.27, etc. ; cf. Mc 9.38).

Dans le livre des Actes (6.1-2, etc.) le terme *disciple* sert à désigner les membres de la communauté chrétienne, en alternance avec d'autres appellations comme *les frères* (Ac 1.15), *les croyants* (Ac 2.44), *les chrétiens* (Ac 11.26) ; voir aussi Ep 1.1 *(les *saints)*.

Docteurs de la Loi voir * **Légistes**.

Encens Résine précieuse que les anciens Israélites importaient de la région de Saba, en Arabie méridionale. L'encens entrait dans la composition du parfum spécial qu'on brûlait chaque jour en l'honneur de Dieu (Ex 30.7-8, 34-38 ; voir **Sacrifices**/9). La fumée de l'encens était symbole de prière (Ps 141.2 ; voir aussi la note sur Ex 13.21).

Eunuque Les termes de l'hébreu et du grec ainsi traduits désignent, au sens propre, un homme qui a subi la castration et auquel les rois orientaux confiaient la garde de leur harem.

La Bible les emploie souvent en un sens figuré pour désigner un *homme de confiance du roi* (voir Gn 39.1), un *haut fonctionnaire* ou un *officier* (2 R 24.12).

Evangile - Evangéliste *Evangile* est la transcription d'un mot grec signifiant *bonne nouvelle*. Dans le N.T. cette bonne nouvelle concerne toujours la personne et l'œuvre de Jésus, même dans l'expression *l'Evangile de Dieu* (Rm 1.1).

Un *évangéliste* est un homme qui transmet cette bonne nouvelle à d'autres (Ac 21.8 ; Ep 4.11 ; 2 Tm 4.5).

Le mot *évangile* est utilisé dans notre traduction avec diverses nuances de sens ; il peut désigner :
— le message même de bonne nouvelle et son contenu, en particulier dans l'expression caractéristique de l'apôtre Paul *mon évangile* (Rm 2.16 ; cf. 2 Th 2.14), c'est-à-dire « l'évangile que je prêche » :
— mais aussi la *proclamation de ce message,* comme en Ph 4.3 ; il est alors équivalent d'*évangélisation.*

Par extension le langage courant utilise le mot *évangile* pour désigner les livres rapportant les paroles et les actes de Jésus : Evangile selon Matthieu, les quatre Evangiles, etc. (voir Mc 1.1).

Fils de David C'est un titre donné au *Messie attendu par les *Juifs contemporains de Jésus. Il provient de la promesse faite jadis au roi David par l'intermédiaire du prophète Natan (2 S 7.12, 14-16 ; voir aussi Jr 23.5 ; 33.15, 17 ; Mi 5.1 ; Ps 89.30, 37 ; 132.11). Etant donné cette promesse le roi sauveur attendu devait être un *descendant de David.*

Fils de l'homme Sauf en Ac 7.56 et Jn 12.34 l'expression *le Fils de l'homme* apparaît toujours dans le N.T. comme prononcée par Jésus lui-même. Dans de nombreux cas il est évident que ce titre lui servait à se désigner lui-même.

En certains passages l'expression évoque l'autorité d'un personnage encore *à venir*, le juge de la fin des temps (Mt 16.27 ; 19.28 ; 25.31-32 ; 26.64 ; Lc 17.24 ; Jn 5.26-29). Cet emploi est sans doute inspiré de Dn 7.13.

En d'autres passages le même titre fait au contraire allusion à la condition *présente* de Jésus, à sa faiblesse, à son dénûment (Mt 8.20), et aussi à ses souffrances (Mt 17.22-23 ; 20.18 ; 26.2, 24, 45 par. ; Mc 8.31 ; Jn 6.53).

Une troisième catégorie de textes combine les deux emplois ci-dessus, évoquant à la fois la présence et l'autorité du Fils de l'homme (Mt 9.6 par. ; 12.8 par, ; 13.37 ; Jn 9.35).

Peut-être Jésus a-t-il préféré ce titre nouveau et mystérieux pour éviter celui de *Christ-Messie, que l'usage populaire interprétait en un sens difficilement compatible avec l'Evangile (voir Mc 8.29-33).

Fosse voir **Séjour des morts.**

Géhenne Ce mot est la transcription de l'hébreu *Gué-Hinnom* (vallée de Hinnom). La vallée ainsi désignée, située au sud de Jérusalem, était tristement célèbre par les sacrifices d'enfants et les cultes idolâtriques qu'on y avait pratiqués (2 R 23.10 ; Jr 7.31-32).

Dans le N.T. ce nom est devenu synonyme de *lieu de malédiction,* où devaient être envoyés ceux qui tomberaient sous la condamnation de Dieu.

Grand(s) prêtre(s) Le *grand prêtre* (Lv 21.10-15) était le chef des divers officiants du *Temple, à savoir les *prêtres et les *lévites (sur ce dernier terme voir aussi Lc 10.32 note *p*). Responsable spirituel d'Israël, il était le médiateur entre le peuple et Dieu. Au jour du Grand Pardon (Lv 16 ; Nb 29.7-11) c'est lui qui offrait le sacrifice de sang dans le lieu très saint du Temple (He 9.7). Il présidait aussi le *Sanhédrin.

Le N.T. emploie souvent l'expression *les grands prêtres* pour désigner à la fois les anciens grands prêtres encore en vie et les membres des quatre familles sacerdotales au sein desquelles on choisissait le grand prêtre en fonction.

L'épître aux Hébreux présente Jésus comme le grand prêtre idéal et définitif (He 4.14 ; 7.26-27, etc.).

Hadès C'est le nom grec du lieu que les Israélites nommaient le *séjour des morts. L'Apocalypse (6.8 ; 20.13-14) personnifie *l'Hadès* comme elle le fait aussi pour la puissance de la mort.

Hauts lieux Le terme hébreu ainsi traduit désigne des lieux de culte en plein air, situés en général sur une hauteur et le plus souvent à proximité d'une ville. A l'époque ancienne les Israélites y offraient des sacrifices à Dieu (1 S 9.12 ; 1 R 3.4). Mais la plupart des hauts lieux servaient à la religion cananéenne (voir **Baal** et Dt 12.2-7). Leur usage a donc été énergiquement combattu par les *prophètes (Os 4.13 ; Jr 19.5 ; Ez 16.25). Dans le royaume de Juda les rois Ezékias et Josias s'efforcèrent de les faire disparaître (2 R 18.4 ; 23.8-15).

Hérode Le N.T. désigne sous ce nom trois personnages de la même famille :
— Hérode le Grand (Mt 2 ; Lc 1.5) : voir § 1).
— Hérode Antipas (Mt 14 ; Mc 6 ; 8.15 ; Lc 3 ; 8.3 ; 9.9 ; Ac 4.27 ; 13.1) : voir § A 4).
— Hérode Agrippa I (Ac 12) : voir § B 6).
1) **Hérode le Grand**, l'ancêtre de cette famille, régna sur l'ensemble de la Palestine de 37 à 4 avant J.C. (Mt 2.1 note *e*).
Le N.T. mentionne plusieurs de ses descendants :

A. — Ses fils :
2) **Hérode Philippe** (Mc 6.17 note *o*).
3) **Archelaus** (Mt 2.22 note *j*), qui succéda à son père pendant 9 ans à Jérusalem et fut ensuite déposé par les Romains.
4) **Hérode Antipas**, qui régna sur la Galilée et la Pérée de 4 avant J.C. 39 après J.C. avec le titre de *tétrarque* (voir Mc 1.14 note *b* ; 6.14 note *m*).
5) **Philippe le Tétrarque** (Mc 8.27 note *e*), qui régna sur les districts Nord-Est de la Palestine entre les années 4 avant J.C. et 34 après J.C.

B. — Les petits enfants d'Hérode le Grand :
6) **Hérode Agrippa I**, qui régna sur le Nord puis sur l'ensemble de la Palestine de 37 à 44 après J.C. (Ac 12.1 note *q*).
7) **Hérodiade** (Mc 6.17), qui quitta son mari (et oncle) Hérode Philippe (voir § 2) pour épouser Hérode Antipas (voir § 4).

C. — Les arrière-petits-enfants d'Hérode le Grand :
8) **Hérode Agrippa II**, fils d'Hérode Agrippa I ; il régna avec le titre de roi à partir de l'an 48 après J.C. sur un territoire constamment agrandi. C'est devant lui que comparut l'apôtre Paul (Ac 25.13 note *i*).
9) **Bérénice et Drusille** (Ac 24.24 note *e*) étaient les sœurs du précédent.

Imposer les mains - Imposition des mains L'*imposition des mains* est un geste qui consiste à poser les mains sur la tête de quelqu'un.

Dans l'A.T. ce geste peut avoir diverses significations selon les cas :
1) Le fidèle qui offre un sacrifice pose *une main* sur la tête de la victime pour exprimer que ce sacrifice est bien présenté à Dieu de sa part (Lv 1.4 ; 4.4, etc.). Ce geste ne doit pas être confondu avec l'imposition des *deux mains* décrite en Lv 16.21 (voir la note).
2) Pratiquée sur une *personne*, l'imposition des mains peut être :
a) un geste de *consécration* pour le service de Dieu et de son peuple (Nb 8.10 ; 27.18-23 ; Dt 34.9),
b) un geste de *bénédiction* (Gn 48.14).

Le N.T. mentionne l'imposition des mains en diverses circonstances :
1) pour accompagner une bénédiction (Mt 19.13) ;
2) lors de guérisons (Mt 9.18 ; Mc 16.18 ; Lc 4.40 ; Ac 28.8) ;
3) en relation avec le don du Saint-Esprit (Ac 8.17-19) et le baptême (Ac 19.6) ;
4) lorsqu'un homme se voit confier une responsabilité dans l'Eglise ou dans la mission chrétienne (Ac 6.6 ; 13.3 ; 1 Tm 4.14, etc.).

Impur - Impureté voir **Pur.**

Incirconcis - Incirconcision voir **Circoncire - Circoncision.**

Jeûne - Jeûner Le *jeûne* consiste à s'abstenir de manger et de boire pendant un temps déterminé. Comme les Israélites de l'A.T. les *Juifs du temps de Jésus pratiquaient le jeûne pour des motifs religieux : on voulait ainsi accompagner la prière ou exprimer une humiliation devant Dieu (Dt 9.18 ; Jl 2.12, 15 ; Jon 3.5-9).
Le jeûne était aussi pratiqué communautairement, par exemple au jour du Grand Pardon (Nb 29.7-11 ; Ac 27.9). Les *Pharisiens s'imposaient de jeûner deux fois par semaine (Lc 18.12).
Jésus s'est opposé à l'aspect formaliste de cette pratique (Mt 6.16-18). Les premières communautés chrétiennes ont conservé la pratique du jeûne occasionnel (Ac 13.2-3 ; 14.23).

Joug Le *joug* est une pièce de bois assez pesante servant à atteler des bœufs à un chariot ou à une charrue ; on l'attache sur la nuque des animaux.
L'A.T. mentionne souvent ce terme au sens figuré pour désigner la *dépendance* du peuple d'Israël à l'égard de Dieu (Jr 5.5), ou l'ensemble des *obligations* qui pèsent sur le peuple du fait soit de l'autorité royale

(1 R 12.4), soit d'une puissance étrangère dominante (Es 14.25 ; Jr 27.8 ; 28.2, etc.). Le N.T. n'emploie ce mot qu'au sens symbolique pour exprimer la *contrainte* qui pèse sur certains hommes : par exemple les esclaves (1 Tm 6.1) ou les *Juifs, soumis aux obligations de la *Loi (Ac 15.10).
En contraste avec ces obligations le *joug* que Jésus propose à ses *disciples est doux à supporter (Mt 11.29-30).

Jour Les *prophètes avaient annoncé le *jour du Seigneur* (Es 2.12 ; Am 5.18) comme le jour où Dieu viendrait juger définitivement aussi bien Israël que les nations païennes.
Le N.T. reprend cette attente d'un jour décisif, mais il applique l'expression à l'*avènement glorieux du Christ (Ph 1.6 ; 2.16. etc.).
Selon les situations ce *jour* est attendu soit comme le *jour de la colère* de Dieu (Rm 2.5), le jour du jugement (Mt 10.15 : 1 Co 3.13), soit au contraire comme le jour de la *délivrance* (Ep 4.30).
L'expression *en ce jour-là* (Mt 7.22 ; Lc 10.12, etc.) est presque toujours une allusion à cette période finale.

Juif(s) - Judaïsme Depuis le retour de l'exil l'appellation *les Juifs* désigne les membres du peuple d'Israël. Les Juifs se distinguent des autres peuples en particulier par leur observance du *sabbat et la pratique de la *circoncision (voir aussi **Pur**). Leur religion est *le Judaïsme* (Ga 1.13).
Les *païens convertis au Judaïsme étaient appelés *prosélytes* (voir Mt 23.15 note *b*), et les sympathisants *adorateurs de Dieu* ou *ceux qui craignent Dieu* (Ac 13.16 note *f*).
En Ga 2.13 l'appellation *les Juifs* est appliquée à des chrétiens d'origine juive.
Dans l'Evangile selon Jean la même appellation désigne souvent les autorités civiles ou religieuses du peuple juif.

Légistes Comme les *scribes auxquels ils sont parfois assimilés, les *légistes* ou *docteurs de la Loi* étaient les spécialistes de la Bible d'Israël (notre Ancien Testament). Ils étaient chargés de l'expliquer et de l'enseigner.

Lèpre - Lépreux La Bible utilise le même terme pour désigner, à côté de la lèpre proprement dite, aussi d'autres maladies de peau (Lv 13.1-46), et même des taches de moisissure sur les vêtements (Lv 13.47-59) ou de salpêtre sur les murs (Lv 14.33-53). Tout homme déclaré *lépreux* était considéré comme *impur, c'est-à-dire qu'il était exclu de la vie communautaire ; les lépreux devaient vivre hors des villes et des villages, à bonne distance des bien-portants (Lv 13.45-46 ; Jb 2.8 et la note ; Lc 17.12). Jésus ne s'est pas laissé arrêter par ces interdictions. Il a approché et guéri (le N.T. dit *purifié) de nombreux lépreux (Mt 8.3 ; 11.5, etc.).
La *loi juive exigeait que la guérison d'un lépreux soit constatée par un prêtre et suivie d'un *sacrifice (Lv 14.1-32 ; cf. Mt 8.4 ; Lc 17.14).

Levain C'est un ferment naturel qu'on mélange à la pâte à pain pour la faire lever. Voir **Pains sans levain**.
Le mot est employé d'une manière imagée en Mt 16.6, 11-12 et par., ainsi qu'en 1 Co 5.6-8 et Ga 5.9, avec des nuances péjoratives.

Lévites Comme leur nom le suggère, les *lévites* étaient considérés comme descendants de Lévi, troisième fils de Jacob (Gn 29.34).
C'est à la tribu de Lévi que fut réservée la fonction *sacerdotale (Dt 10.-8-9). Aaron, frère de Moïse et ancêtre des prêtres proprement dits (Lv 8), appartenait à la tribu de Lévi (Ex 4.14).
Dans certains passages anciens de l'A.T. on ne peut guère reconnaître de différence de sens entre *prêtre* et *lévite* (voir Dt 17.9 et la note, et comparer Dt 31.9 et 25).
Cependant dans des passages plus récents on trouve le terme *lévite* employé au sens restreint de *prêtre auxiliaire* ou d'*auxiliaire des prêtres* (voir Nb 3.5-9 ; 1 Ch 9.28-32).

Loi Ce terme désigne d'abord l'ensemble des commandements de Dieu pour Israël, en particulier ceux que Moïse promulgua au Sinaï (Ex 20).
Par extension *la Loi* en vint à désigner parfois les livres où sont consignés ces commandements, c'est-à-dire essentiellement les *cinq premiers livres de la Bible*. L'expression *la Loi* est alors synonyme de *les livres de Moïse* (voir 2 Co 3.15 et la note *k*).
En un sens encore plus large elle désigne l'ensemble de l'A.T. (Jn 10.34 ; Rm 3.19, etc.), dans le même sens que l'expression *la Loi et les Prophètes*.
L'apôtre Paul utilise parfois le même mot pour parler d'une force qui pousse l'homme à agir — en bien ou en mal selon les cas ; par exemple Rm 7.22-23 ; 8.2.

Mer des Joncs La *mer des Joncs* est l'étendue d'eau (lagune, lac ou bras de mer) que les Israélites traversèrent sous la direction de

Moïse aussitôt après leur sortie d'Egypte (Ex 13.18 ; 15.4). Sa localisation exacte reste discutée.

Dans des passages récents la *mer des Joncs* est identifiée à la *mer Rouge,* et plus particulièrement à sa partie nord, les golfes de Suez et d'Akaba. Cette interprétation traditionnelle est reprise par le N.T. (Ac 7.36 ; He 11.29).

Messie voir **Christ, Messie.**

Ministère - Ministre *Ministère* traduit le mot grec *diaconia,* qui exprime l'idée de *service ;* et *ministre* rend un mot de la même racine qui signifie *serviteur.*

Ces termes de *ministère* (Rm 11.13 ; 1 Co 12.5, etc.) et de *ministre* (2 Co 3.6 ; Ep 3.7) ont été adoptés pour la traduction lorsqu'il s'agissait du service assuré par des hommes qui travaillent à propager l'*Evangile.

Le même mot grec a été traduit par *diacre* (Ph 1.1) — au féminin *diaconesse* (Rm 16.1) — lorsque le service portait plutôt sur l'entraide fraternelle (voir 1 Tm 3.8 note *h*).

Monde Trois mots grecs ont été traduits par *monde* :

1) Le premier désigne la terre habitée, le monde entier ; il ne fait pas difficulté.

2) Le second est parfois rendu par *siècle ;* quand il a été traduit par *monde,* il désigne le monde *actuel,* en général par opposition au monde *à venir.*

3) Les renvois au présent article (*) ne concernent que le troisième. Selon les contextes celui-ci peut désigner :

a) *l'univers créé* par Dieu (Jn 1.10 ; Rm 4.13) ;

b) *le monde d'ici-bas,* par contraste avec le monde de Dieu (voir **ciel**) et Dieu lui-même (Jn 17.14 ; 18.36) ;

c) *l'humanité dans son ensemble* (Mt 5.14 ; Jn 3.16-17 ; 17.11, 13) ;

d) *l'humanité* considérée du point de vue de son *opposition* à Dieu et au Christ (Jn 7.7 ; 17.14 ; 1 Jn 2.15-16, etc.). C'est dans cette même ligne de pensée que le N.T. évoque parfois la figure du *prince de ce monde* (voir **Satan**) : Jn 12.31, etc.

Monnaie

A. — A.T. : Pendant longtemps les Israélites se contentèrent de *peser* l'argent et l'or pour *payer* les sommes importantes. Les prix étaient donc exprimés en *poids* d'or ou d'argent : *sicles, talents* (Gn 23.16) ; voir **Poids et mesures/A.T.**

Les monnaies proprement dites ne sont mentionnées que dans les livres les plus récents :

— la *darique* (monnaie perse) : Esd 8.27 ;
— la *drachme* (monnaie grecque) : Ne 7.69-71.

On ne sait si le *sicle* d'argent mentionné en Ne 5.15 ; 10.33 désigne un poids ou une monnaie.

La *mine* d'argent mentionnée en Esd 2.69, etc., est en réalité une unité de poids.

B. — N.T. : Le *denier:* unité de monnaie romaine (Jn 6.7 ; 12.5 ; Ap 6.6). Il représentait le salaire journalier d'un ouvrier agricole (Mt 20.2). Pièce en argent.

La *drachme:* ancienne monnaie grecque, en argent ; elle équivalait au denier.

Le *didrachme :* cette pièce valait deux drachmes et représentait le montant de l'impôt personnel que les Israélites devaient verser annuellement pour le *Temple (Mt 17.24).

Le *statère:* cette pièce valait quatre drachmes (c'est-à-dire deux fois le montant de l'impôt pour le Temple (Mt 17.27).

La *mine* (Lc 19.13) est une unité de compte (il n'existait pas de pièce correspondant à cette valeur) ; elle valait 100 deniers.

Le *talent,* autre unité de compte, valait 6.000 deniers. Voir **Poids et mesures.**

Mystère - Mystérieux Dans le N.T. le mot *mystère* évoque en général *le plan de Dieu* pour sauver le monde (voir déjà Dn 2.28) ; mais ce mot indique en même temps que :

a) ce plan était resté *caché ;*

b) il est maintenant *dévoilé* (en la personne du Christ).

Ce terme apparaît surtout dans les écrits de l'apôtre Paul (Rm 11.25 ; 1 Co 2.7 ; Ep 3.3 ; Col. 1.26, etc.).

En Mc 4.11 il désigne la *présence cachée* du *règne de Dieu en la personne de Jésus. En Ap 10.7 il représente le plan de Dieu au moment de son achèvement.

En Ap 17.5, l'adjectif *mystérieux* évoque le secret du nom porté par la « grande prostituée ». En 2 Th 2.7 le *mystère de l'impiété* semble désigner une force secrète adversaire de Dieu, qui sera démasquée au dernier jour.

Néoménie La *néoménie* était une fête d'importance secondaire, que les Israélites de l'époque biblique célébraient au moment de *la nouvelle lune,* c'est-à-dire au début de chaque mois de leur calendrier ; voir Nb 28.11-15.

Nom

A. — A.T. : Dans l'ancien Israël le *nom* d'une personne caractérisait et distinguait celle-ci entre toutes ; il était considéré comme une partie intégrante de cette personne (1 S 25.25).

Par extension le *nom* d'une personne peut désigner cette personne elle-même (Nb 1.2). Cette particularité s'applique spécialement au *nom du Seigneur* (voir la note sur Ex 3.15) : ce nom désigne le Seigneur lui-même et évoque sa présence (Jr 14.9 ; Ps 20.2, 8). Ainsi le lieu *que le Seigneur a choisi pour y mettre son nom* (Dt 12.5 ; 2 R 23.27) ou *sur lequel son nom est invoqué* (1 R 8.43) désigne le temple qui a été *consacré au Seigneur*. Le même genre d'expression est appliqué parfois, dans le même sens, à Israël (Dt 28.10 ; Es 63.19 ; Jr 14.9), ou à des personnes (Jr 15.16), ou encore à Jérusalem (Jr 25.29).

B. — N.T. : Pour le N.T. comme pour l'A.T. le *nom* d'une personne est étroitement lié à celle-ci, à tel point que ce nom désigne parfois *la personne elle-même*, par exemple Dieu, ou le Christ (Jn 12.28 ; 17.6, 11 ; Ac 3.16, etc.).
L'expression *au nom de ...* est très fréquente ; elle exprime diverses nuances possibles :
1) Faire des miracles (Mt 7.22, etc.), chasser des *démons (Mc 9.38, etc.), prier (Jn 14.13-14) *au nom de Jésus*, c'est faire ces choses en prononçant le nom de Jésus, donc en communion avec lui.
2) *Baptiser au nom de...* (Mt 28.19 ; Ac 8.16 ; 1 Co 1.13), c'est attacher quelqu'un par le baptême à celui dont on prononce le nom.
3) Prophétiser (Mt 7.22, etc.), être envoyé (Jn 14.26) ou accueillir quelqu'un (Mt 18.5) *au nom de Jésus*, c'est faire ces choses comme un représentant de Jésus.
Invoquer le nom (du Seigneur) est une expression empruntée à l'A.T. Elle signifie, au sens propre, qu'on fait appel à Dieu ou qu'on s'adresse à lui par la prière. Le N.T. l'emploie aussi au sens dérivé : *ceux qui invoquent le nom du Seigneur* sont ceux qui se réclament du Seigneur, c'est-à-dire ses disciples.

Oindre - Onction Lors de la cérémonie antique d'*onction* (voir **Christ**) on versait de l'huile sainte sur la tête du nouveau roi — ou du nouveau *grand prêtre. Ce personnage était désormais un *Oint du Seigneur* ou un *messie* (voir 1 S 24.7 ; Ac 4.27, etc.).
En un sens dérivé le qualificatif *oint* ou *messie* peut donc être appliqué à l'homme que Dieu a choisi pour une mission de salut (Lc 4.18 ; cf. Es 61.1).
Dans le N.T. *l'onction* sert aussi d'image pour décrire le don du Saint-Esprit (2 Co 1.21) ou de la Parole de Dieu (1 Jn 2.20) reçu par le croyant.

Orgueil - S'enorgueillir Notre traduction a rendu ainsi en particulier un nom et un verbe grecs de la même famille, fréquents surtout dans les écrits de l'apôtre Paul. Ils expriment les idées de satisfaction personnelle, de fierté et parfois même de vantardise.
A un premier niveau (Rm 2.17, 23 ; 3.27 ; 1 Co 1.29 ; 3.21 ; 4.7 ; 5.6, etc.) ces termes font allusion à la prétention orgueilleuse de l'homme qui croit à sa propre valeur, et qui oublie qu'il doit à Dieu tout ce qu'il est et tout ce qu'il a.
A un second niveau (Rm 5.2-3, 11 ; 15.15, etc.) ces mots expriment la nouvelle assurance que l'homme trouve, en se confiant au Christ et en travaillant à son service (voir, bien que la traduction soit différente : 2 Co 1.12 ; 7.4 ; Ph 1.26 ; 2.16 ; 1 Th 2.19).

Païen - Paganisme Dans le N.T. le terme *païen* désigne essentiellement des individus ou des nations *qui ne sont pas *juifs*.
Mais en des passages comme Ga 2.12 ; Ep 3.1 (voir aussi Rm 16.4) cette appellation est étendue à des *chrétiens d'origine païenne* (par opposition à des chrétiens d'origine juive).
Enfin en 1 P 2.12 ; 4.3 l'appellation *les païens* semble même désigner les *non-chrétiens*.

Pains sans levain Voir **Levain, calendrier B/**).
Au moment de la *Pâque les *Juifs étaient tenus de faire disparaître de leurs maisons toute trace de pain levé et de ne consommer pendant une semaine que des pains non levés (Ex 12.15-20 ; 13.3-10).
En 1 Co 5.8 l'expression *pains sans levain* est employée au sens figuré pour souligner la nouveauté de la vie chrétienne.

Pâque *La Pâque* est l'une des plus grandes fêtes que les *Juifs contemporains de Jésus venaient célébrer à Jérusalem. Elle avait lieu au printemps et commémorait la sortie d'Egypte (Dt 16.1-8).
La célébration de la Pâque était marquée par les *jours des *pains sans levain* (Ex 12.15-20 ; cf. Ac 12.3 ; 20.6) et par le repas familial au cours duquel était consommé *l'agneau pascal* (Ex 12.1-14).
Les trois premiers Evangiles décrivent le dernier repas de Jésus comme un repas pascal (Mc 14.12-25 par.). Le quatrième Evangile fait ressortir que la mort de Jésus a coïncidé avec le sacrifice de l'agneau pascal (Jn 18.28 ; 19.14, 31, 36, 42 ; cf. 1 Co 5.7).

Parabole Ce mot est emprunté au grec. Le N.T. l'emploie comme un terme technique

pour désigner *une manière de parler par images*. Ce genre d'enseignement indirect était familier à Jésus : à l'aide de comparaisons brèves (Mt 5.13, 14) ou de récits plus étoffés empruntés à la vie quotidienne ou à l'actualité (Mt 13.24-30 ; Lc 15.11-32), Jésus présentait à ses auditeurs une réalité que ceux-ci avaient ignorée ou mal saisie jusqu'alors (Mc 4.33 ; Mt 13.35).
Cependant des passages comme Mc 4.11 ; 7.17 utilisent le terme *parabole* avec une nuance différente ; la parabole est comprise ici comme un *enseignement énigmatique*. En effet l'image proposée par la parabole n'a effectivement aucun sens pour ceux qui n'accueillent pas le message de Jésus.

Parvis Au sens premier le terme hébreu rendu par *parvis* désignait les diverses *cours* qui entouraient le bâtiment central du temple de Jérusalem (et déjà de la *tente de la rencontre).
Par extension les *parvis du Seigneur* peuvent désigner le *Temple* lui-même.

Pasteur voir **Berger**.

Pause La traduction du terme hébreu ainsi rendu est incertaine. On présume qu'il s'agit d'une indication d'ordre liturgique.

Pays des profondeurs voir **Séjour des morts**.

Pécheur - Pécheresse En de nombreux passages du N.T. ce terme désigne une personne qui est en état de désobéissance à l'égard de Dieu, donc en situation de rupture avec lui (Mt 26.45 ; Jn 9.16 ; Rm 5.8, etc.).
Mais dans les Evangiles *pécheur* est aussi l'appellation péjorative que les *scribes et les pharisiens appliquaient aux *Juifs qui n'observaient pas la *Loi et ne pratiquaient pas la religion commune (Mc 2.15 ; Lc 7.37 ; 19.7, etc.). On traitait ainsi de *pécheurs* les collecteurs d'impôts (voir Mc 2.15 note *k*). Jésus lui-même a été qualifié de pécheur par ses adversaires (Jn 9.24).

Pentecôte Avant de devenir aussi une fête chrétienne, *la Pentecôte* fut une des grandes fêtes que les *Juifs venaient célébrer à Jérusalem (Ac 2.1, 5). Elle avait lieu au temps des moissons, le cinquantième jour après la *Pâque, d'où son nom *(pentéconta* signifie *cinquante* en grec).
Lors de la Pentecôte les Juifs commémoraient la promulgation de la *Loi au Sinaï.

Pharaon C'était le titre des anciens rois d'Egypte. Le N.T. fait allusion au Pharaon contemporain de Joseph (Ac 7.10, 13 ; cf.

Gn 39 ; 41—42 ; 45), soit au Pharaon du temps de Moïse (Ac 7.21 ; Rm 9.17 ; cf. Ex 2—14).

Pharisiens Les *pharisiens* formaient une sorte de parti religieux caractérisé par un zèle très apparent pour les choses de Dieu. Ils exigeaient pour eux-mêmes et pour les autres une obéissance rigoureuse à la *Loi et aux traditions explicatives qui l'accompagnaient (Mc 7.1-23).
Contrairement aux *sadducéens les pharisiens croyaient à l'existence des *anges et à la résurrection des morts (Ac 23.7-8). Ils étaient nombreux parmi les *scribes et les *légistes.
Jésus s'est heurté de plus en plus à l'opposition des pharisiens. Avant sa conversion l'apôtre Paul avait été un membre zélé du parti pharisien (Ac 23.6 ; Ph 3.5).

Poids et mesures
A. — A.T.
Unités de longueur :
— le *doigt* (Jr 52.21) : un peu moins de 2 cm ;
— le *palme* (Ex 25.25) : la largeur de la main, soit 4 doigts, c'est-à-dire environ 7,5 cm ;
— l'*empan* (Ex 28.16) : distance de l'extrémité du pouce à celle de l'auriculaire quand les doigts sont écartés, soit 3 palmes, c'est-à-dire 22 ou 23 cm ;
— la *coudée* (Gn 6.15 ; Ex 25.10) : distance du coude à l'extrémité des doigts, soit 2 empans. Les dimensions de la coudée semblent avoir varié selon les époques (voir 2 Ch 3.3 ; Ez 40.5), passant de 52 cm environ à 45 cm environ ;
— l'unité nommée *gomed* en Jg 3.16 n'est citée nulle part ailleurs dans l'A.T. On ignore à quelle longueur elle correspond ;
— 2 M 11.5 estime une longue distance en *skènes,* ancienne mesure égyptienne valant 5 ou 6 km.

Unités de capacité :
Les mesures de capacité portent des noms différents selon qu'elles sont utilisées pour des matières sèches (MS) comme le grain, la farine, etc., ou pour les liquides (L). On reste incertain quant au volume exact qu'elles représentent :
— *homer* (MS) = *kor* (L) : environ 450 l.
— *épha* (MS) = *bath* (L) : environ 45 l. (Le même terme est traduit *boisseau* en Dt 25.14 et Za 5.6-10.)
— *sea* (MS) ou *mesure :* environ 15 l.
— *omer* (MS) = *dixième* (de l'épha) : environ 4,5 l.
— *qab* (L) : environ 2,5 l.

A ces mesures on peut ajouter quelques autres, plus rarement mentionnées :
— le *boisseau* ou *tiers* (mais on ignore de quelle unité) en Es 40.12.
— le *hîn* (L) = setier : environ 7,5 l.
— le *log* (L) : un peu plus d'un demi-litre.

Unités de poids :
— l'unité de base du système des poids est le *sicle* (un peu plus de 11 g). Ses multiples sont :
— la *mine* (1 R 10.17), équivalant à 50 sicles, soit environ 570 g. La mine mentionnée par Ez 45.12 équivaut à 60 sicles, soit environ 680 g.
— le *talent* (Ex 25.39) équivaut à 3.000 sicles ou 60 mines (env. 34 kg).
Le sicle est divisé en unités plus petites :
— le *béqua* (Ex 38.26) équivaut à un demi-sicle, soit entre 5 et 6 g ;
— le *guéra* (Ex 30.13 ; Ez 45.12), vingtième partie du sicle, soit environ 0,5 g.

B. — N.T.

Unités de longueur :
— le *stade* (Jn 6.19, etc.) : environ 185 m.
— la *brasse* (Ac 27.28) : environ 1,85 m.
— la *coudée* (Jn 21.8 ; Ap 21.17) : environ 45 cm.

Unités de capacité :
Trois termes différents ont été traduits par *mesure* :
— en Jn 2.6 chaque mesure est d'environ 40 litres ; — en Mt 13.33 ; Lc 13.21 la mesure mentionnée vaut environ 15 litres ; — en Ap 6.6 il s'agit d'une mesure de 1,1 litre.

Unités de poids :
— le *talent* (Ap 16.21) : environ 34 kg.
— la *livre*, unité de poids mentionnée en Jn 12.3 ; 19.39, est sans doute la *livre romaine*, qui correspondait à 336 g.

Prémices   Dans l'A.T. les *prémices* représentaient les *premiers produits* d'une récolte (Ex 34.26) ; on les offrait à Dieu en reconnaissance pour la *totalité* de cette récolte (Lv 2.12 ; Nb 15.20-21 ; cf. Rm 11.16).
La Bible emploie souvent ce terme au sens figuré pour exprimer l'idée qu'*une partie* est donnée ou acquise à l'avance comme *garantie de la totalité* (Dt 21.17). L'expression peut s'appliquer ainsi au don de l'Esprit de Dieu (Rm 8.23), aux premiers convertis d'une province (Rm 16.5 ; 1 Co 16.15) et même au Christ ressuscité (1 Co 15.20, 23).

Prétoire   1) Le N.T. utilise ce terme pour désigner la *résidence d'un gouverneur* (romain) : Mt 27.27 ; Mc 15.16 ; Ac 23.35.
2) En Ph 1.13 *prétoire* doit avoir le sens ci-dessus si l'on estime que l'apôtre a rédigé sa lettre à Ephèse ou à Césarée. Mais si l'on pense que Ph a été écrite et envoyée de Rome, le *prétoire* désigne alors la *garde de l'empereur*, ou garde prétorienne.

Prêtre (N.T.)   Le *prêtre* est celui qui officie pendant le culte, en particulier pour offrir les *sacrifices au nom de la communauté tout entière. Le N.T. mentionne ainsi des prêtres *païens (Ac 14.13) ou des prêtres juifs (Lc 1.5 ; Jn 1.19, etc.). Ces derniers officiaient exclusivement au *Temple de Jérusalem.
L'Apocalypse présente les chrétiens comme remplissant ensemble une fonction de prêtres (Ap 1.6 ; 5.10, etc. ; cf. 1 P 2.5 et la note *g*).
Le *sacerdoce* (Lc 3.2 ; He 7.5) désigne le *ministère — ou la fonction — du prêtre.

Prophète - Prophétesse - Prophétiser - Prophétie

A. — A.T. : 1) Dans les textes anciens le terme hébreu rendu par *prophète* désigne un homme inspiré, en général associé à d'autres pour former des *bandes de prophètes* (1 S 10.5).
2) Plus tard, par exemple à l'époque d'Elie et d'Elisée, ces hommes inspirés sont désignés par l'expression *fils de prophètes* (1 R 20.35) ; ils vivent en communauté (2 R 4.38) ; ils constituent les milieux fidèles au Dieu d'Israël, par opposition à ceux qui s'étaient laissé séduire par la religion cananéenne.
3) En d'autres passages (1 R 22.5-6) le terme *prophète* est appliqué à des personnages officiels que l'on consulte pour connaître l'avis ou la volonté de Dieu ; ce sont des prophètes professionnels.
4) L'A.T. désigne aussi parfois comme *prophètes* des professionnels de la religion cananéenne (1 R 18.19).
5) Utilisé en général au singulier, le titre de *prophète* désigne alors un homme, dans la plupart des cas solitaire, qui se présente comme un *porte-parole de Dieu* (2 S 7.17) et sur qui l'on compte pour *intercéder* auprès de Dieu (Gn 20.7 ; Es 37.4 ; Jr 27.18 ; 37.3). C'est à ce double titre sans doute que Moïse apparaît comme le prophète modèle en Dt 18.15 ; 34.10. Le message de certains de ces prophètes a été conservé dans les livres bibliques qui portent leur nom (Esaïe, Jérémie, etc.). L'A.T. mentionne aussi des *prophétesses* (Ex 15.20 ; Jg 4.4 ; 2 R 22.14).
6) Enfin le même titre est parfois appliqué à de faux prophètes, c'est à dire à des hommes qui prétendent indûment apporter un message de la part de Dieu (Jr 28 ; Ne 6.14). Correspondant à ces divers sens possibles, le verbe hébreu généralement traduit par *pro-

phétiser (se conduire en prophète) peut prendre lui aussi divers sens selon les cas :
1) être exalté, tomber en extase (Nb 11.25 ; 1 S 10.5).
2) annoncer de la part du Seigneur (1 R 22.8 ; Jr 28.9, etc.).

B. — N.T. : Dans le N.T. comme dans l'A.T. le terme *prophète* désigne rarement un homme qui annonce l'avenir (Ac 11.27-28). Le N.T. réserve généralement ce titre à des hommes considérés comme des *porte-parole de Dieu.* Il s'applique donc :
1) aux prophètes de l'A.T. (Jn 8.52-53 ; Ac 3.18, etc.) et à leurs écrits, en particulier dans l'expression *la *Loi et les Prophètes.*
2) au personnage que les *Juifs appelaient *le Prophète* et qu'ils attendaient pour la fin des temps selon Dt 18.15 (Ac 3.22-23 ; 7.37) : voir Jn 1.21 note *e,* 25 ; 6.14 : 7.40.
3) à des hommes comme Jean le Baptiste (Mt 11.9, etc.) ou à Jésus lui-même (Jn 4.19, etc.) que l'on considérait comme de nouveaux envoyés de Dieu après la longue période sans prophètes qui suivit le retour de l'exil.
4) aux nombreux membres de l'Eglise primitive (Ac 13.1 ; 21.9-10 ; 1 Co 12.10 ; Ep 2.20, etc.) qui parlaient sous l'influence de l'Esprit de Dieu pour exhorter ou pour apporter une *révélation.
La *prophétie* désigne en général le message des prophètes (Jn 11.51 ; Ap 1.3). Le verbe *prophétiser* (Ac 19.6 ; 1 Co 11.4-5) indique l'action d'un prophète.
Comme l'A.T. le N.T. connaît de *faux prophètes* (Ac 13.6 ; 1 Jn 4.1 ; Ap 2.20, etc.). En Tt 1.12 le titre de prophète est attribué à un païen, le poète Crétois Epiménide. Une telle appellation souligne la clairvoyance de cet homme lorsqu'il s'exprimait sur le compte de ses contemporains.

Pur - Purifier Pour le *Judaïsme contemporain de Jésus comme pour l'A.T. un homme doit être en état de *pureté* s'il veut être en communion avec Dieu et pouvoir, par exemple, participer au culte et prier.
Les causes d'*impureté* et de *souillures* étaient nombreuses : consommation d'aliments interdits (Lv 11), contact avec un mort (Nb 19.11-22) ou avec un païen (Ac 10.1—11.18), accouchement (Lv 12.2), maladies comme la lèpre (Lv 13.3), etc. On faisait disparaître l'impureté par des rites de purification (Lv 12.6-8 ; 14.1-32 ; Mc 7.1-5 ; Jn 2.6, etc.).
Jésus a voulu dépasser le ritualisme de ces pratiques (Mc 7.14-23) ; les *apôtres de même (Rm 14.14, 20).
Si le N.T. maintient l'idée d'une *purification* nécessaire, il présente celle-ci comme l'œuvre

de Dieu (Jn 15.2-3 note *d*) ou du Christ (Jn 15.3 ; Ep 5.26).

Règne de Dieu (ou des cieux) - Royaume de Dieu (ou des cieux) Le N.T. ne définit nulle part l'expression très fréquente *le règne* ou *le royaume de Dieu.* La traduction a préféré *règne* quand le contexte exprimait plutôt le *fait* que Dieu est roi et *royaume* quand il s'agissait plutôt du *domaine* où il est roi.
Cette royauté de Dieu est présentée tantôt comme une réalité *actuelle* (Mt 13.24) et cachée (Lc 17.20), liée à la personne de Jésus (Mt 12.28 ; Lc 17.21), et tantôt comme une réalité *à venir* (Mc 9.1 ; Lc 22.30 ; voir aussi 1 Co 6.9-10 ; 15.50, etc.).
Sur l'expression *le règne* ou *le royaume des cieux,* qui est propre à Mt, voir Mt 3.2 note *1,* et au glossaire **Ciel.**
En des passages comme Rm 14.17 ; 1 Co 4.20, l'expression *le règne de Dieu* semble avoir un sens plus large et désigner le nouveau régime de salut instauré par le Christ.
Enfin la tournure *entrer dans le royaume de Dieu* (Mt 5.20 ; 7.21 ; 18.3 ; 19.23-24, etc.) équivaut sensiblement à *avoir part au salut ;* le sens est alors très voisin de celui de « entrer dans la *vie » (Mt 18.8 ; 19.17).

Révélation - Révéler Le N.T. emploie le verbe *révéler* et le mot *révélation* en trois sens principaux :
1) Pour désigner *l'apparition* glorieuse du Christ lors de son *avènement (Rm 2.5 ; 1 Co 1.7 ; 2 Th 1.7 ; voir aussi, en un sens voisin, Rm 8.19). En 2 Th 2.3, 6, 8 *se révéler* est sensiblement équivalent à *se manifester, se démasquer.*
2) Pour désigner l'acte par lequel Dieu (ou le Christ) *fait connaître* à un homme l'*Evangile et la mission apostolique que cet homme devra remplir (Ga 1.12, 16 ; Ep 3.3).
3) Pour désigner une *communication particulière* de la volonté de Dieu (1 Co 14.6 ; Ga 2.2 ; Ap 1.1).

Sabbat C'est le *septième jour de la semaine juive,* caractérisé par une cessation complète de tout travail (Ex 20.8-11). Des règles minutieuses précisaient ce qu'il était interdit de faire ce jour-là. Sur l'expression *un chemin de sabbat,* voir Ac 1.12 et la note *d.*
Le jour du *sabbat* les *Juifs du temps de Jésus se réunissaient à la *synagogue pour la lecture des livres saints et la prière (Lc 4.16).

Sac Le terme hébreu ainsi traduit désigne une sorte de pagne en tissu grossier que les anciens Israélites portaient autour de la taille, à même la peau (2 R 6.30), en signe de deuil (Gn 37.34) et de grande tristesse (Es 15.3).

Sacerdoce - Sacerdotal voir **Prêtre**.

Sacrifices - Sacrifier Contrairement au sens actuel du mot français, le *sacrifice*, dans le langage biblique, n'est pas un renoncement coûteux mais un *don* que l'on présente à Dieu. Le verbe signifiant *offrir un sacrifice* est parfois rendu par *sacrifier*.

A. — A.T. : Les anciens Israélites offraient ainsi des animaux, ou des produits des champs, ou du parfum. L'A.T. distingue plusieurs sortes de sacrifices :

1) Dans l'*holocauste,* l'animal offert était brûlé complètement sur l'*autel (Lv 1).

2) le *sacrifice pour le péché* (Lv 4.1—5.13) et le *sacrifice de réparation* (Lv 5.14-26), souvent difficiles à distinguer l'un de l'autre, étaient offerts en cas de faute involontaire. Par ce genre de sacrifice le coupable exprimait son désir d'être pardonné par Dieu.

3) Le *sacrifice de paix* ou *sacrifice de communion* (Lv 3) était suivi d'un repas. Au cours de celui-ci le fidèle, sa famille et ses amis consommaient une partie de la victime après que le prêtre ait prélevé la part qui revenait à Dieu (laquelle était brûlée sur l'autel) et celle qui lui revenait en propre.

4) Le *sacrifice de louange* (Jr 17.26) ou *de reconnaissance* (Am 4.5) ou encore *action de grâce* (Ps 100.1) était une variété de *sacrifice de paix* offerte pour remercier Dieu.

5) L'*offrande* désignait généralement un produit végétal, naturel ou préparé, dont une partie était brûlée sur l'autel (Lv 2).

6) La partie du sacrifice qui était brûlée sur l'autel était souvent appelée *le mets consumé.* Parfois cette expression désigne l'animal tout entier offert en sacrifice.

7) La *libation* était une offrande de boisson, habituellement de vin (Lv 23.13) ; elle accompagnait le plus souvent le sacrifice d'un animal (voir Ph 2.17 note *l,* où l'expression est employée en un sens figuré).

8) Dans le lieu saint du temple on disposait sur une table d'or *douze pains d'offrande* (Ex 25.30 ; Lv 24.5-9) appelés parfois *pains consacrés* (1 S 21.4-5) ; ils étaient renouvelés chaque sabbat.

9) Sur l'autel des parfums, situé à l'intérieur du temple proprement dit, on faisait brûler des *parfums* ou de l'*encens (Ex 30.34-38).

B. — N.T. : le N.T. mentionne des sacrifices *païens (Ac 14.13 ; 1 Co 10.28) et des sacrifices offerts par les *Juifs (Lc 13.1 ; 1 Co 10.18). On offrait un sacrifice à Dieu par reconnaissance envers lui, ou à l'occasion d'un vœu (Ac 21.26), ou encore pour expier un péché.

Le N.T. interprète souvent *la mort du Christ* comme un sacrifice d'expiation offert en faveur de tous les hommes.

C'est aussi en termes de sacrifices que le N.T. décrit certains dons faits par les chrétiens (Ph 4.18) et surtout l'offrande que ceux-ci font de leur vie à Dieu (Rm 12.1 ; Ph 2.17, etc.).

Sadducéens Dans le *Judaïsme du temps de Jésus les *sadducéens* formaient un parti religieux qui se recrutait principalement parmi les *prêtres.

Seuls les cinq premiers livres de la Bible (la *Loi) faisaient autorité pour eux ; ils n'admettaient ni l'existence d'*anges ni la résurrection des morts. Partisans de l'ordre, ils cherchaient à s'accommoder au mieux de l'occupation romaine.

Bien que les sadducéens diffèrent profondément des *pharisiens, le N.T. les nomme souvent à côté de ceux-ci parmi les adversaires de Jésus.

Saint - Sainteté Les mots de l'hébreu et du grec traduits par *saint* n'expriment pas l'idée de perfection mais désignent essentiellement *ce qui appartient en propre à Dieu.* Selon que ces termes sont appliqués à Dieu lui-même ou à ses créatures, ils prennent les nuances suivantes :

1. *a) Dieu* est qualifié de *saint* pour indiquer qu'il est *à part,* c'est-à-dire qu'il est Dieu (Es 6.3 ; Jn 17.11 ; 1 P 1.15, etc.). Parfois ce terme est employé comme titre de Dieu (Es 1.4 ; Ps 22.4).

b) Le Saint (de Dieu) est un titre appliqué au *Christ* dans le N.T. (Jn 6.69 ; Ac 3.14 ; 1 Jn 2.20 ; Ap 3.7) pour souligner que le Christ appartient à Dieu d'une manière particulière.

c) L'Esprit est aussi qualifié de *saint* pour préciser qu'il est l'esprit *de Dieu.*

2. La Bible applique encore le qualificatif *saint* :

a) à des *hommes,* pour exprimer qu'ils sont *mis à part pour servir Dieu* (Ex 19.6 ; Lv 19.2 ; Ac 3.21 ; 1 Co 7.34 ; Ep 1.4 ; 5.26). Ainsi, dans le N.T. l'expression *les saints* désigne tout simplement *les chrétiens* (1 Co 1.2 ; 6.1-2, etc.) ;

b) à des *anges (Ps 89.6, 8 ; Ac 10.22), pour exprimer l'idée qu'ils sont *au service de Dieu ;*

c) à des *objets,* comme le **Temple,* pour exprimer l'idée que ces objets sont *réservés au service de Dieu* (Ex 29.37 ; Ps 65.5 ; Ac 6.13 ; 21.28 ; 1 Co 3.17, etc.).

La *sainteté* est la marque particulière de Dieu, son caractère divin (Ps 30.5 ; 97.12) ; elle est aussi la qualité d'une personne ou d'un objet qui appartiennent à Dieu (1 Th 3.13 ; 1 Tm 2.15, etc.).

Samarie - Samaritains Sur l'origine des Samaritains, voir 2 R 17.24-41.

Au temps de Jésus la *Samarie* constituait la province centrale de la Palestine. Depuis plusieurs siècles ses habitants, les *Samaritains*, étaient en conflit religieux avec les *Juifs (Lc 9.53 ; Jn 4.9 ; Mt 10.5 note *w)*. Juifs et Samaritains se méprisaient et se détestaient mutuellement.

Jésus a refusé d'entrer dans cette querelle (Lc 9.55 ; Jn 4.7). Après la Judée la Samarie fut le premier champ d'action des missionnaires chrétiens (Ac 1.8 ; 8.5).

Sanctifier - Sanctification Ces termes sont dérivés du mot *saint*, et leurs nuances sont étroitement apparentées à celles de ce mot.

A. — L'A.T. applique le verbe *sanctifier* soit à Dieu, soit aux hommes, soit à des objets ou à des moments :

1) Quand *le Seigneur* lui-même est *sanctifié*, c'est qu'il est reconnu et honoré comme celui qui est *saint, à part*, c'est-à-dire comme Dieu (Es 29.23 ; voir ci-dessous N.T./1).

2) Les hommes sont parfois appelés à se *sanctifier* eux-mêmes, c'est-à-dire à se mettre *en état de *pureté* (Ex 19.10, 22). *Etre sanctifié* équivaut alors à peu près à *être rendu pur* (Lv 6.11 ; 2 Ch 29.5).

3) Enfin des *choses* ou des *moments* peuvent être *sanctifiés*, c'est-à-dire *consacrés* à Dieu (par exemple le *sabbat, Ne 13.22).

B. — N.T. : 1) Une expression comme *sanctifier le Christ* (1 P 3.15) exprime l'idée que le Christ doit être reconnu pour ce qu'il est en réalité, c'est-à-dire comme le Seigneur. Voir aussi la traduction donnée pour la première demande du Notre Père... en Mt 6.9.

2) La *sanctification* est ce qui *rend* un homme *saint*, c'est-à-dire apte et consacré au service de Dieu (Ac 20.32 ; Rm 6.19, 22).

Sanctuaire

A. — A.T. : Les deux mots hébreux traduits par *sanctuaire* désignent un emplacement sacré, réservé à une divinité (Es 16.12). Dans de nombreux cas ce terme désigne le temple de Dieu à Jérusalem (Ps 20.3). Il est parfois aussi utilisé, en un sens dérivé, pour désigner la demeure céleste de Dieu (Ps 102.20).

En un sens plus restreint le *sanctuaire* désigne la grande salle de la *tente de la rencontre ou du *temple de Jérusalem, appelée parfois le *lieu saint* (Ex 26.33), où

seuls les prêtres étaient autorisés à entrer pour officier (Ex 28.29, etc.).

B. — N.T. : voir **Temple.**

Sang

A. — L'A.T. considère que « la vie d'une créature est dans le sang » (Lv 17.11). Ceci explique les divers emplois dérivés du mot qui désigne le *sang.*

1) Le *sang* (répandu) évoque la *mort violente* (Nb 35.33), *le meurtre* (Jg 9.24) ou encore la *guerre* (Ez 5.17).

2) En cas d'homicide le *vengeur du sang* (2 S 14.11) est un proche parent de la victime ; il doit exécuter lui-même le meurtrier. — Les juges qui prononçaient une condamnation à mort exprimaient la culpabilité du condamné en déclarant « Que son sang retombe sur lui ! » (Lv 20.9, 11, etc.).

3) L'expression *verser le sang innocent* (2 R 21.16 ; 24.4 ; Es 59.7, etc.) évoque le meurtre d'un innocent.

4) Le *sang*, de même que la vie, est considéré comme appartenant à Dieu ; c'est pourquoi les Israélites ne le consomment pas (Lv 17.12 ; cf. Ac 15.20, 29). Il constitue la partie la plus importante d'un *sacrifice (Ex 29.12 ; 30.10, etc. ; He 9.7, 12-13), et peut désigner par extension, ce sacrifice lui-même.

5) L'expression figurée le *sang des raisins* (Gn 49.11 ; Dt 32.14 ; *Si* 39.26) désigne le *jus des raisins*, et plus particulièrement le vin.

B. — Dans le N.T. le mot *sang* est aussi employé en divers sens figurés, qui rappellent l'usage qu'en fait l'A.T. :

1) Il est utilisé parfois au sens de *vie* (Mt 27.4 ; cf. Jn 1.13).

2) Comme dans l'A.T. le sang (répandu) évoque la mort violente (Mt 27.24-25 ; Lc 11.50 ; Ap 6.10).

3) Le sang évoque parfois enfin le *sacrifice, en particulier dans l'expression *le sang du Christ* (Mc 14.24 ; 1 Co 11.25 ; Ep 1.7, etc.).

4) L'expression *La chair et le sang* (Mt 16.17 ; Jn 1.13 ou He 2.14) désigne l'homme dans sa condition terrestre, limitée et mortelle.

Sanhédrin On désigne ainsi le conseil supérieur qui avait autorité sur le peuple juif et siégeait à l'occasion comme tribunal des affaires religieuses.

Il était composé de 71 membres recrutés parmi les *grands prêtres, les *scribes et les anciens. Il était présidé par le grand prêtre en fonction.

Satan Nom commun d'origine hébraïque désignant l'accusateur auprès d'un tribunal (Ps 109.6 ; cf. Za 3.1-2 ; Jb 1.6). A la suite du *Judaïsme le N.T. l'a repris comme nom propre personnifiant les forces du mal. C'est à la fois l'adversaire des hommes et l'adversaire de Dieu lui-même.

Cette appellation a de nombreux synonymes dans le N.T. : le *diable, le *Mauvais (Jn 17.15), le Malin (Ep 6.16), le *Tentateur (Mt 4.3), Béliar (2 Co 6.15), le pouvoir des ténèbres (Lc 22.53), le prince de ce monde (Jn 14.30), l'ennemi (Mt 13.39), etc. L'apparition de Jésus a marqué la défaite de Satan (Lc J0.18).

Scribes Au temps de Jésus les *scribes* étaient des experts de la Bible d'Israël (notre Ancien Testament). Voir **Légistes.**
Le N.T. mentionne souvent les *scribes* avec les *pharisiens, qui comptaient de nombreux scribes dans leurs rangs. Il les nomme aussi avec les *anciens. Les scribes avaient leurs représentants au *Sanhédrin.

Séjour des morts
A. — A.T. : Les anciens Israélites désignaient ainsi le lieu souterrain où tous les défunts de toutes les nations étaient rassemblés après leur mort (voir Ez 32.19-30 ; Jb 3.13-19 ; 30.23). Autre traduction parfois adoptée *les enfers* (Ps 6.6). Autres appellations *la fosse* (Ps 16.10), *le pays des profondeurs* (Ez 31.14), *le Monde d'en bas* (Pr 1.12 ; 5.5).
B. — N.T. : voir **Hadès.**

Siècle Dans notre traduction ce terme ne désigne jamais une période de cent ans mais les différents âges entre lesquels on répartissait l'histoire de l'univers.
Avant les siècles (1 Co 2.7) équivaut donc à *avant le commencement du monde,* c'est-à-dire *de toute éternité.*
Roi des siècles (1 Tm 1.17) veut dire *roi depuis toujours et pour toujours.*
L'expression *aux siècles des siècles* (construite sur le même modèle que les expressions hébraïques traduites par « roi des rois » ou « cantique des cantiques », qui sont des superlatifs) signifie pratiquement *pour toujours.*

Signe Un *signe* est une indication qui permet de connaître ou de reconnaître quelque chose ou quelqu'un. L'A.T. désigne toujours les miracles comme des *signes,* parce qu'ils signalent une intervention de Dieu (Ex 4.8 ; 7.3 ; Dt 13.2 ; Es 66.19 ; Ps 65.9, etc.).
Le N.T. a repris cet usage dans l'expression *signes et prodiges* (Jn 4.48 ; Ac 2.19 ; 4.30, etc.). Mais c'est surtout l'Evangile selon Jean qui qualifie méthodiquement de *signes*

les actes (miraculeux) opérés par Jésus (Jn 2.11 ; 4.54 ; 6.2, etc.). Leur but est, en effet, de faire reconnaître qui est réellement Jésus (Jn 12.37).

Sion A l'origine *Sion* désignait la plus ancienne partie de Jérusalem (voir **Cité de David).** Ce nom est devenu l'appellation poétique de Jérusalem, en particulier quand celle-ci est décrite comme la ville où Dieu a choisi d'installer son temple.
La *fille de Sion* (Za 9.9 cité en Jn 12.15) désigne la population de Jérusalem.

Souiller - Souillure voir **Pur.**

Synagogue Désignant d'abord la *communauté juive* d'une ville ou d'un quartier (Jn 9.22 ; Ac 9.2 ; Ap 2.9, etc.), ce terme sert aussi à nommer *le bâtiment* où cette communauté se réunit pour la prière, la lecture des livres saints et l'enseignement religieux.
Ces réunions avaient lieu le jour du *sabbat. Le culte à la synagogue ne comportait jamais de sacrifices ; ceux-ci, en effet, ne pouvaient être offerts qu'au *temple de Jérusalem.
Les synagogues étaient administrées par un *chef* — ou président — (Mc 5.35-36 ; Ac 13.15 ; 18.8, etc.) assisté d'un servant (Lc 4.20).

Temple Dans le N.T. le terme s'applique principalement au temple de Jérusalem, reconstruit à partir du règne d'*Hérode le Grand.
Au sens large du mot, le *temple* était l'ensemble architectural comprenant les bâtiments et les cours (*parvis) qui y donnaient accès. Celles-ci étaient bordées de portiques (voir Jn 10.23 ; Ac 5.12).
Au sens restreint du mot, le temple était le bâtiment central ou *sanctuaire,* comprenant le « lieu saint » (où n'entraient que les prêtres) et le « lieu très saint » (où seul était admis le grand prêtre, une fois par an, au jour du Grand Pardon ; voir Lv 16).
Le temple dans son ensemble et plus particulièrement le sanctuaire était considéré comme le lieu où Dieu était présent. C'est pourquoi l'Evangile selon Jean (2.21) parle du corps du Christ comme du temple par excellence. Les épître comparent également la communauté chrétienne à un temple de Dieu (voir 1 Co 3.16 ; 6.19 ; cf. 1 P 2.5).

Tente de la rencontre A l'époque où Israël vivait encore au désert, la *tente (de la rencontre)* servait aux rendez-vous de Moïse et de Dieu (Ex 33.7-11). En certains passages cette *tente* est décrite comme la demeure de Dieu au milieu de son peuple (Ex 29.42-46). Elle est parfois nommée la *tente de la *charte* (Nb 9.15) ou la **demeure de la charte* (Ex 38.21).

Par extension le terme de *tente* désigne parfois le *temple de Jérusalem*, dans la mesure où celui-ci était considéré comme la demeure de Dieu (Ps 15.1 ; 27.5 ; 76.3). Voir **Temple**.

Tenter - Tentation - Tentateur *Tenter* traduit parfois le même verbe grec que l'expression *mettre à l'épreuve*, et *tentation* le même terme qu'*épreuve*. La distinction est parfois difficile à établir.

En général on a traduit par *épreuve* lorsqu'il s'agit d'une difficulté à traverser dont la foi doit sortir affermie (Jn 6.6 ; 2 Co 13.5 ; Jc 1.2-3 ; 1 P 1.6 ; Ap 2.10, etc.). On a traduit par *tentation* quand la mise à l'épreuve est accompagnée d'une mauvaise intention. Par exemple l'homme peut en venir à tenter Dieu (1 Co 10.9) ; mais Dieu ne tente pas l'homme (Jc 1.13) ; c'est *le Tentateur* (voir **Satan**) qui essaie d'exploiter l'épreuve de l'homme (1 Co 7.5 ; 1 Th 3.5) ou de Jésus (Mt 4.3) pour le détourner de Dieu.

Testament voir **Alliance**.

Vie éternelle Dans le même sens que l'expression *la vie éternelle* on trouve aussi l'expression simplifiée *la vie*. Ainsi en Mt 7.14 ; 19.16-17 ; Jn 5.26 (cf. 5.40) ; 6.63 ; Ac 11.18 ; 1 Jn 5.12, etc. Mais le qualificatif *éternelle* reste déterminant pour le sens, même quand il est sous-entendu.

Le terme grec traduit, faute de mieux, par *éternelle* ne précise pas tellement la durée (indéfinie) de cette vie, mais plutôt sa *qualité* profonde : il désigne une vie *différente* de la vie ordinaire, plus précisément la vie qui a cours dans le monde de Dieu (Mt 18.8), la vie de Dieu lui-même (Ep 4.18) et du Christ (Jn 5.26 ; cf. 5.21). Cette vie peut devenir celle de l'homme (Jn 3.16).

Selon les contextes la *vie éternelle* est présentée comme une réalité *déjà actuelle* (Jn 5.24-25) ou encore *à venir* (Mt 25.46). En des passages comme Mt 18.8 ; 19.17, etc., l'expression *entrer dans la vie* équivaut à peu près *entrer dans le *royaume de Dieu*.

TABLE DES MATIÈRES

L'Alliance Biblique Universelle

Nihil Obstat: Pierre Bougie, p.s.s.
le 15 juillet 1977

Avec la permission de l'ordinaire

Jean-Marie Lafontaine, Vicaire général
15 juillet 1977

ISBN 0-88834-226-8

Dépôt légal: 1977

Imprimé au Canada

Richardson, Bond & Wright

CANAAN U TEMPS DES ATRIARCHES

40 Km
20   60

MER MÉDITERRANÉE

Tyr
Sidon
Damas
Dan
Dotân
Jourdain
Sichem
Yabboq
Béthel
Mahanaïm
Aï
Salem
Adoullam
Bethléem
érar
Hébron
NÉGUEV
Béer-Shéva
Sodome
Gomorrhe

MER MÉDITERRANÉE

Tyr
PHÉNICIENS
Laïsh-Dan
Qèdesh
Asôr
Merôm
Akko
Mt Carmel
Kinnéreth
Afeq
LAC DE GENNÉSARETH
Yarmouk
ASHER
ZABULON
NEPHTALI
DAN
BASHAN
Mt Tabor
Ein-Dor
Ofra
Ramoth de Galaad
Dor
Méguiddo
Shounem
Izréel
ISSAKAR
MANASSÉ
GALAAD
Plaine de Sharón
Beth-Shéân
Yavesh
Dotân
Avel-Mehola
Samarie
Soukkoth
Penouël
Mt Ébal
Sichem
Mt Garizim
Montagne d'Ephraïm
AMMON
Jaffa
Afeq
Sho
Modin
Raba
Ammon
Béthel
Yabboq
Jourdain
GAD
Jamma
Eqrôn
Miçpa
Jéricho
Mt Nébo
PHILISTINS
Ayyalôn
Rama
Guéva
Guilgal
Qiryath-Yéarim
BEN JAMIN
JÉRUSALEM
Ashdod
Bethléem
Adoullam
Teqoa
RUBEN
Ashqelôn
Gath
Beth-Çour
Hébron
Lakish
MER MORTE
Aroër
Gaza
Maôn
Ein-Guèdi
Amnôn
Eglôn
Ciqlag
SIMÉON
JUDA
ÉDOM
MOAB
Béer-Shéva
Horma
Vallée de Siddim

PALESTINE
DE
L'ANCIEN TESTAMENT

Limite des 2 Royaumes

Limites
de certaines tribus

et les peuples voisins

0   10 20 30 40
Km.

COUPE : ASHDOD-NÉBO

JÉRUSALEM + 777
Ashdod + 43
Mt Nébo 806

ALTITUDE

900
600
300
392
800

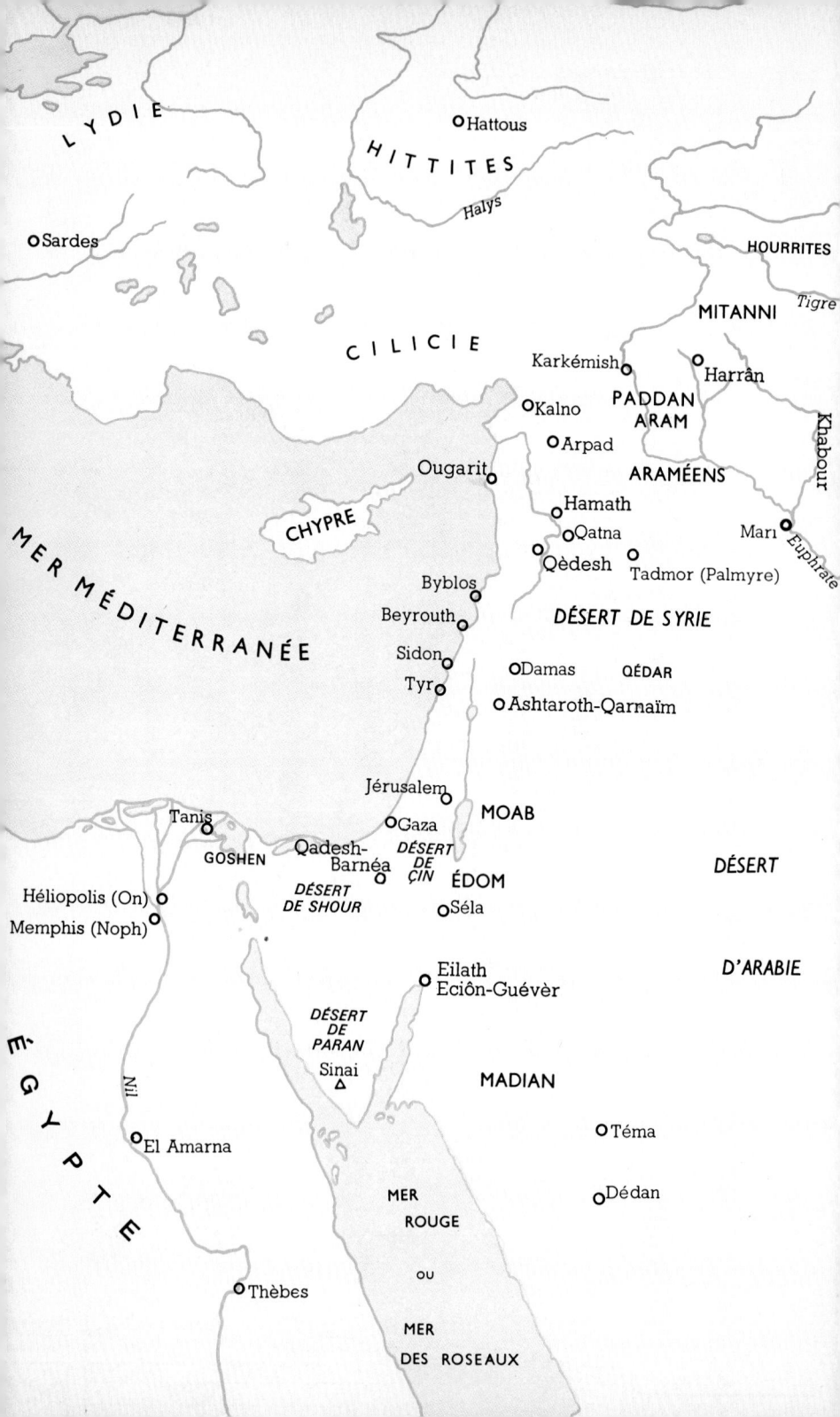

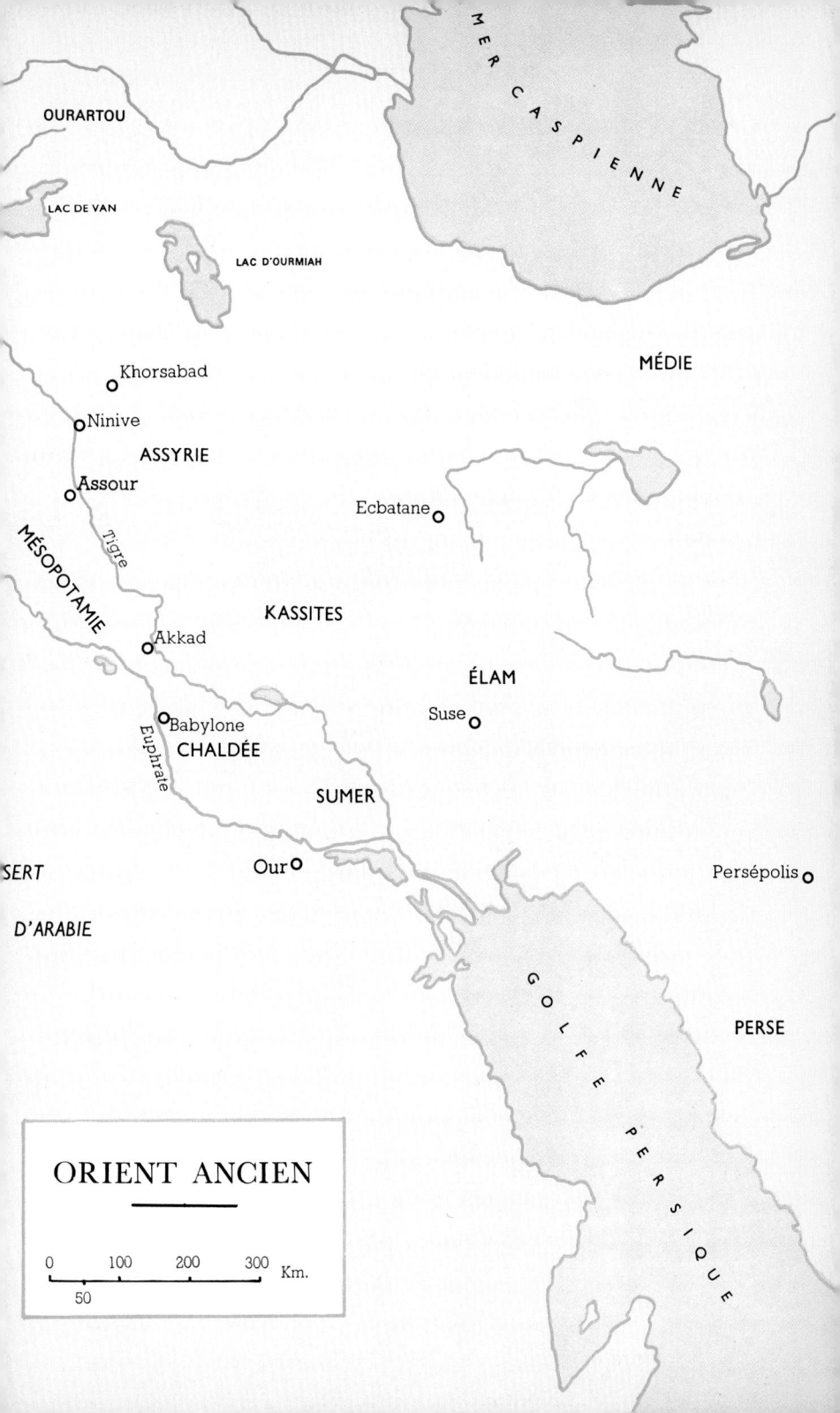

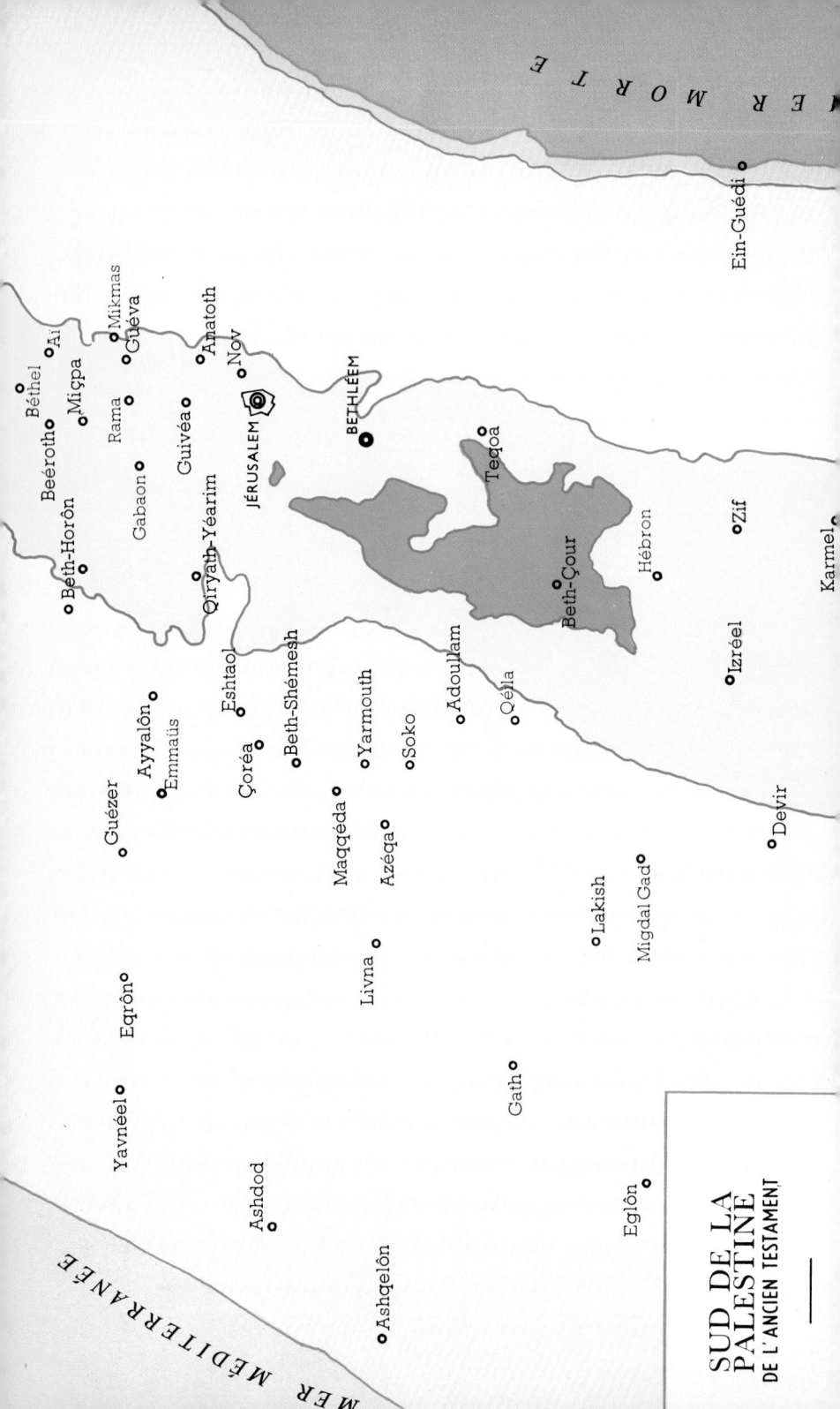

SUD DE LA
PALESTINE
DE L'ANCIEN TESTAMENT

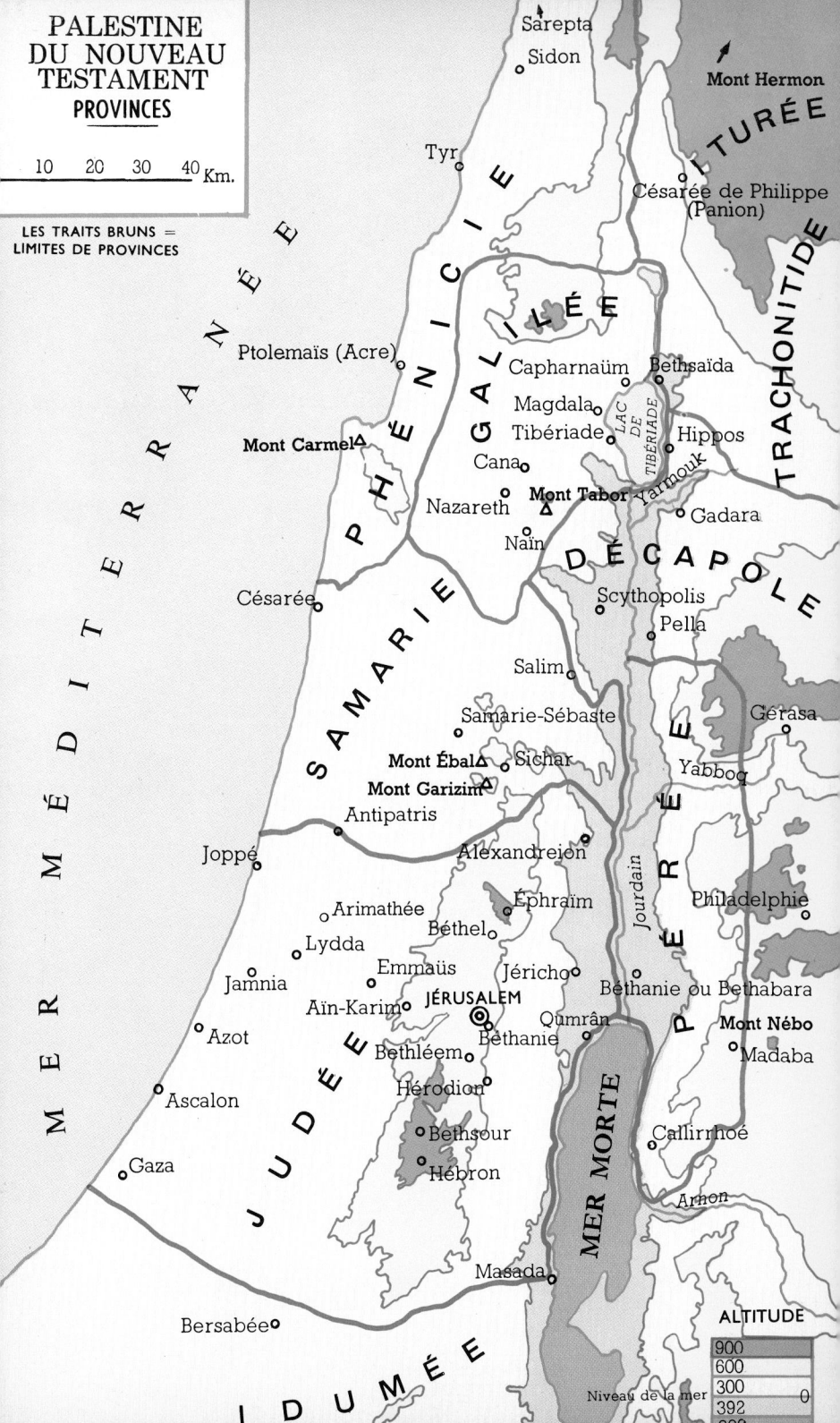

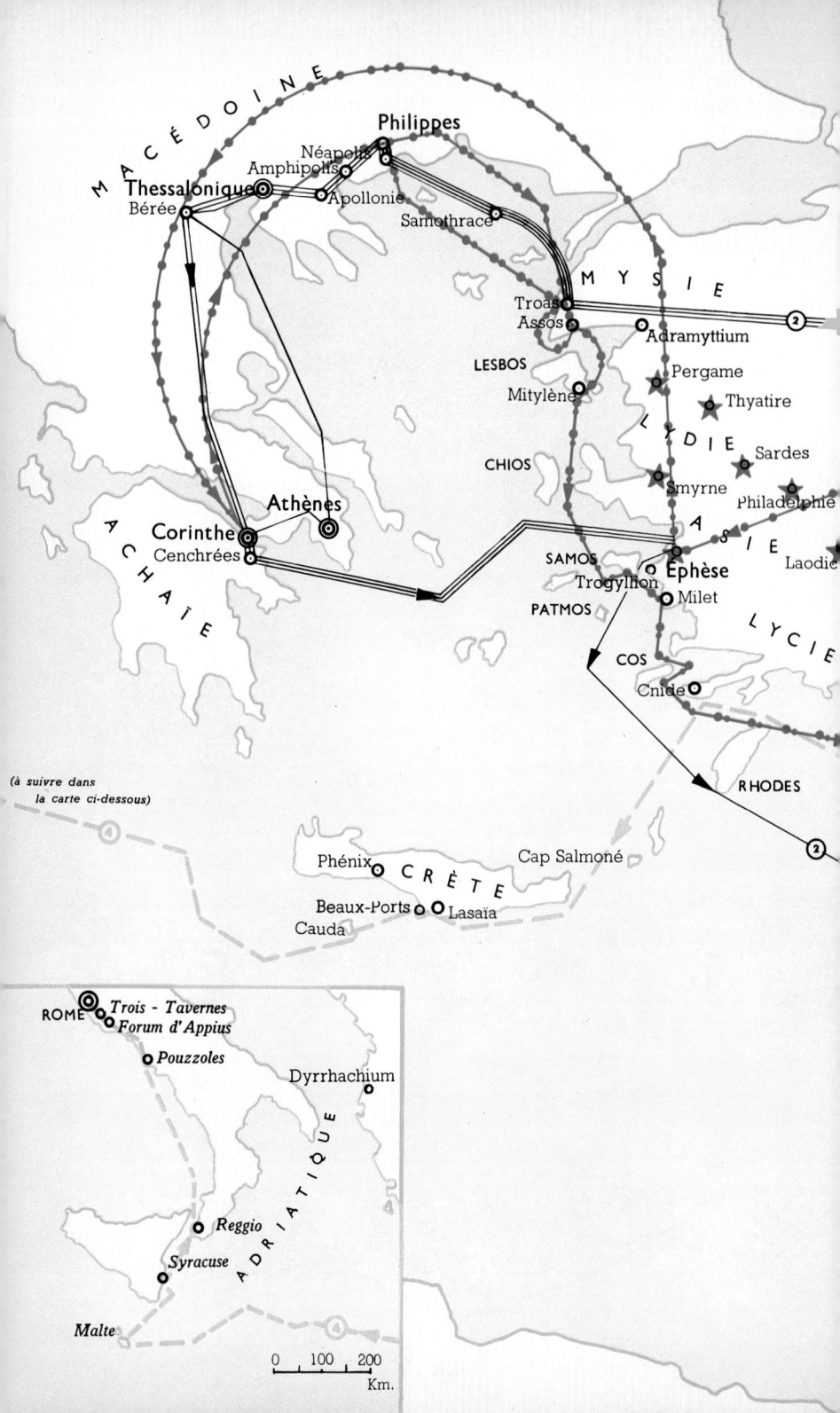

MACÉDOINE

Philippes

Néapolis
Amphipolis
Thessalonique
Bérée
Apollonie
Samothrace

MYSIE

Troas
Assos
Adramyttium

LESBOS
Pergame

Mitylène
Thyatire

LYDIE

CHIOS
Sardes

Smyrne
Philadelphie

Athènes
ASIE

Corinthe
SAMOS
Éphèse

ACHAÏE
Cenchrées
Trogyllion
Milet
Laodic

PATMOS
LYCIE

COS

Cnide

(à suivre dans
la carte ci-dessous)
RHODES

Phénix
CRÈTE
Cap Salmoné

Beaux-Ports
Lasaïa

Cauda

ROME
Trois - Tavernes
Forum d'Appius

Pouzzoles
Dyrrhachium

ADRIATIQUE

Reggio

Syracuse

Malte

0   100   200
Km.

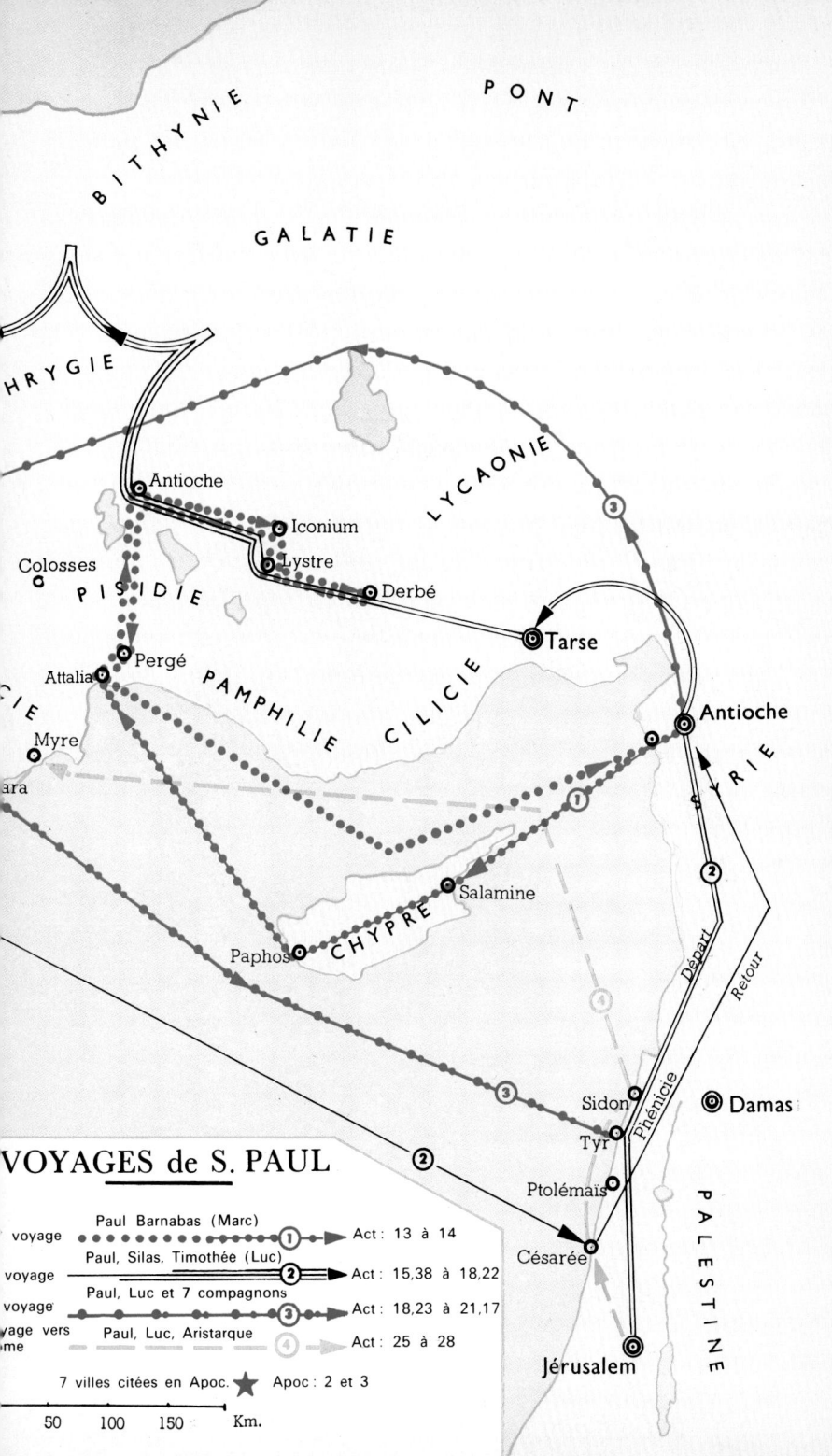

BITHYNIE

P O N T

GALATIE

HRYGIE

LYCAONIE

Antioche

Iconium

Lystre

Colosses

P I S I D I E

Derbé

Tarse

Attalia

Pergé

PAMPHILIE

CILICIE

Antioche

Myre

①

③

ara

Salamine

CHYPRE

Paphos

④

③

Sidon

Damas

Tyr

Départ

Retour

Phénicie

VOYAGES de S. PAUL

②

Ptolémais

P A L E S T I N E

voyage ● ● ● ● ● ● Paul Barnabas (Marc) ① ➤ Act : 13 à 14

voyage ──── Paul, Silas. Timothée (Luc) ② ➤ Act : 15,38 à 18,22

Césarée

voyage ● ● ● ● Paul, Luc et 7 compagnons ③ ➤ Act : 18,23 à 21,17

yage vers Paul, Luc, Aristarque ④ ➤ Act : 25 à 28
me

7 villes citées en Apoc. ★ Apoc : 2 et 3

Jérusalem

50   100   150   Km.

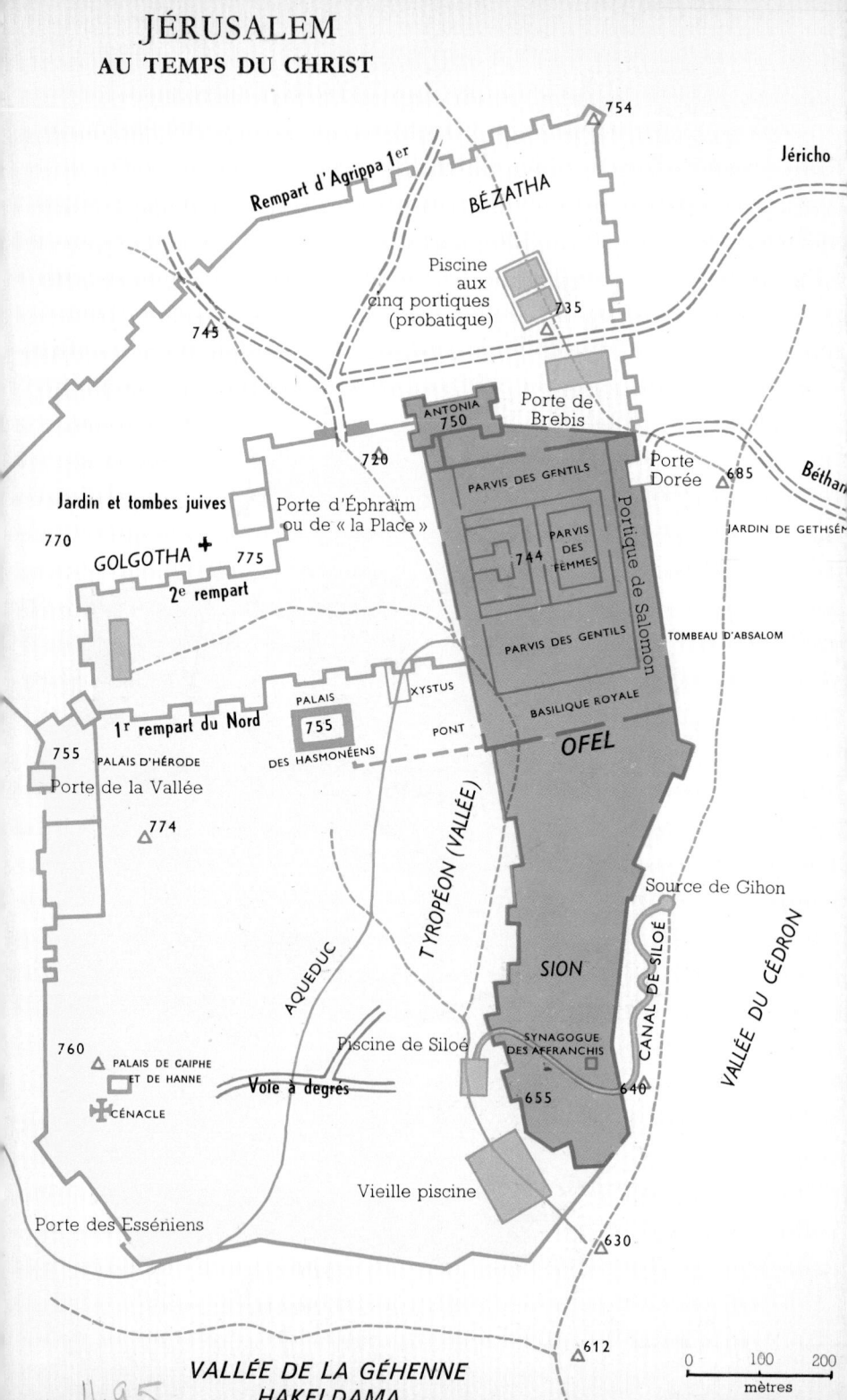

JÉRUSALEM
AU TEMPS DU CHRIST

754

Rempart d'Agrippa 1ᵉʳ

BÉZATHA

Jéricho

Piscine
aux
cinq portiques
(probatique)

735

745

720

ANTONIA
750

Porte de
Brebis

PARVIS DES GENTILS

Porte
Dorée   685

Béthar

Jardin et tombes juives

Porte d'Éphraïm
ou de « la Place »

770

GOLGOTHA ✚   775

2ᵉ rempart

PARVIS
DES
FEMMES

744

Portique de Salomon

JARDIN DE GETHSÉ

PARVIS DES GENTILS

TOMBEAU D'ABSALOM

BASILIQUE ROYALE

1ʳ rempart du Nord

PALAIS
755
DES HASMONÉENS

XYSTUS

PONT

OFEL

755

PALAIS D'HÉRODE

Porte de la Vallée

△774

Source de Gihon

TYROPÉON (VALLÉE)

AQUEDUC

CANAL DE SILOÉ

VALLÉE DU CÉDRON

SION

760   △ PALAIS DE CAIPHE
ET DE HANNE

✚ CÉNACLE

Piscine de Siloé

SYNAGOGUE
DES AFFRANCHIS

Voie à degrés

655   640

Vieille piscine

△630

Porte des Esséniens

△612

0   100   200

mètres

11.95

VALLÉE DE LA GÉHENNE
HAKELDAMA

655: ALTITUDE EN M